さ

し

な

に

ね

ね

は

ひ

ふ

へ

ほ

ま

民法（債権法）
改正前の条文

有斐閣
YUHIKAKU

ポケット六法

POCKET 2025

令和 7 年版

編集代表
荒木尚志　森田宏樹

編集委員

はしがき

この「ポケット六法」は、持ち運びに便利な大きさで法律学の学習や日常の仕事に必要な法令を収めた小型六法として、既存の「六法全書」に加え、昭和五四年版から刊行されているものである。携帯の便と必要かつ十分な法令の収録という二つの要請を両立させるために、古くから六法と称されてきた憲法・民法・刑法・商法・民事訴訟法・刑事訴訟法の各法及びその附属法令とその他の法分野における重要な法令とを厳選して収めることが、創刊以来の編集の基本方針である。年々制定される法令が増加するのに伴い、収録法令全体の見直しを常時行い、持ち運びの便利さを維持しながら収録法令の充実を図るための努力を続けている（九頁の「前年版との異同」参照）。

本年版では、官報の発行に関する法律、生殖補助医療の提供等及びこれにより出生した子の親子関係に関する民法の特例に関する法律、公益信託に関する法律（旧公益信託ニ関スル法律）、特定受託事業者に係る取引の適正化等に関する法律施行令（フリーランス取引適正化法施行令）を新たに収録した。また、民法（家族法）、特定電気通信による情報の流通によって発生する権利侵害等への対処に関する法律（旧プロバイダ責任制限法）、刑事訴訟規則、大麻草の栽培の規制に関する法律（旧大麻取締法）、育児休業、介護休業等育児又は家族介護を行う労働者の福祉に関する法律、金融商品取引法、金融サービスの提供及び利用環境の整備等に関する法律（旧金融サービスの提供に関する法律）などの重要改正をはじめとして、既存の収録法令に対し新たに加えられた改正も漏れなく織り込んでいる。なお、平成二九年の民法（債権関係）改正前の民法旧規定は、本書への掲載を取りやめ、全条文を有斐閣ウェブサイト上に公開することとした。本書「法令名索引」末尾のＱＲコードから参照していただきたい。

この「ポケット六法」では、頁数の制約の下でも、読みやすさに対する配慮を払っている。例えば、基本的な法令については、大きな活字を用い、「六法全書」を基礎としつつ、より簡潔な参照条文を付している。また、講義や学習の便宜を考慮して、前年から改正のあった条文の条名に傍線を付し、前年版と異なる規定が一目でわかるような工夫を加えているほか、編集締切期日以降の法改正等の情報について、お申込みいただいた読者の方に

はしがき

ト上に「有効な改正前規定」としてまとめ、ご覧いただけるようにした。

電子メールでお知らせするサービス「ポケ六通信」を行うこととしている。なお、令和七年四月一日以降も有効な改正前の規定は、有斐閣ウェブサイ

このように、「ポケット六法」は、法律学を学ぶ学生が授業や学習に用いたり、法律実務家・公務員・企業人などが日常の仕事に持ち歩いたりするのに必要な法令をそろえており、小型ながらも十分な性能を備えているものと私どもは考えている。しかし、それは、あくまで携帯用という役割の限度においてである。例えば、専門的な実務や研究となれば、机上用として刊行されている「六法全書」に依っていただきたい。また、これらとは若干用途を異にするものとして、主な法律の条文や重要な概念ごとに関連する判例を整理して掲載する「有斐閣 判例六法プロフェッショナル」、「有斐閣 判例六法」も刊行されており、「有斐閣 判例六法プロフェッショナル」においては、やや複雑な仕事や専門的な授業で必要な法令を収録している。「ポケット六法」とともに、読者それぞれの必要に応じて、これら各種の六法を併用していただければより効果的だと思われる。

「ポケット六法」の基本的な編集方針は前述のとおりであるが、私どもは、より良いものを目指して絶えず工夫を加えていきたいと考えている。読者の皆さんに、一層のご支援とご鞭撻とをお願いする次第である。

令和六年（二〇二四年）八月一日

編　集　委　員

凡　例

〈この本のねらい〉

この本は、ハンディながら、基本的な法学の学習、実務に必要かつ十分な法令を収めるようにした。

〈新しさと豊富な内容〉

内容は令和六年八月一日現在。収録法令は一九九件。

〈法令の分類〉

有斐閣六法全書と同じく、公法・民事法・刑事法・社会法・産業法・条約の六部門に分けた。

〈法令のひき方〉

五十音順でひくときは巻頭の法令名索引、分類によるときは五ページ以下の目次が、それぞれ利用できる。なお、憲法・行政手続法から始まる行政通則法・民法・商法・会社法・民事訴訟法・刑法・刑事訴訟法・労働契約法から始まる労働法・特許法・条約及び総合事項索引には、印刷の爪かけが付いている。

〈法令の重要度の区別〉

法令名の上に◉印のあるのは重要な法令で、参照条文を付し、中でも基本的な法令は大きな文字で組んだ。以下、●印のもの、○印のものとなる。また、学習上必要な部分のみを抜粋した法令には、＊印を付した。

〈条文の原典〉

条文の原典は官報と法令全書で、片仮名・平仮名の別、仮名遣い、濁点の有無などは原典どおりにしたが、漢字は新字体にした。なお、本則の前にある公布文等は原則として省略した。

〈法令中の一部省略〉

収録法令中、比較的利用度が低いと認められる部分を省略した場合は、法令名の下に（抄）とし、条文中の省略部分はその箇所で表示した。

〈公布〉

法令の題名の下に（平成一六・五・二八法六三）（平成二〇・一一・一七政三）というように、その法令が官報で公布された日付と法令番号を示す。なお、「法」「政」などの略称については、巻末の法令略称解を参照されたい。

〈施行〉

法令の題名の次には、施行　昭和二二・五・三（補則参照）というように施行の日とその根拠を示した。

〈改正〉

制定後に改正されている法令は、改正欄に改正法令の公布年と法令番号を掲げた。特に重要な改正は太字で表してある。○印法令の改正については、最終改正のみを掲げた。なお、題名に改正のあった法令は、改正法令の公布年・法令番号とともに、旧題名を示した。

〈目次〉

原典に目次が付されている法令ではそのまま、原典に目次が付されていない法令では、本文の編・章・節・款・目名とそこに含まれる条の範囲を抽出したものを「目次」として、本文の前に掲げた。

〈改正織込みの原則〉

改正規定の施行期日のいかんに関わりなく、公布された改正法令は全て本文中に織り込むことを原則とした。ただし、施行期日が令和九年四月一日以降となるものは、例外として本文に改正を織り込まず、本文の条文の次に改正後の規定を小さな文字で掲げた。

〈改正前の規定〉

改正規定の施行期日が令和七年四月一日以降のものは改正前の規定を小社ウェブサイト（https://www.yuhikaku.co.jp/）に公開し、令和八年四月一日から九年三月三一日までのものは本文の新条文の次に改正前の規定を小さな文字で掲げた。

凡例

〈条文見出し〉

条文見出しのうち、( )のものは法令自体に付いていたもの。【 】のものは編集者が付けたものであり、項によって内容が違う見出しは「、」で、同じ条や項の中で二つ以上の内容の見出しは「・」で区切る。

〈条名と項番号〉

条名は原文では 第二百三十五条 となっているが、第二三五条 というように見やすく改めた。また、条文が二項以上から成っているときは、各項の冒頭に①②③式の項番号を付けた。

〈条文中の注記〉

大文字の法律では、条文中でほかの条文を準用しているとき、準用される条文の内容を〈 〉内に注記した。そのほか、編集上の注記は( )に小さな文字で示した。

〈条文ごとの改廃表示〉

前年版から改正のあった条文には、条名に傍線を付した。

大文字の法律では、条文の条・項・号の改正・追加・削除の経緯がわかるようにその改正法令の公布年と法令番号を注記した。ただし、昭和二〇年八月一四日までの改正については講学上重要なものだけとし、それ以後のものでは形式的改正によるものは省いた。なお、民法第一編から第三編までは、平成一六法一四七により全部改正されたが、それ以前の改正表示も参考のため残してある。

〈参照条文〉

●印の法律では、各条文の後に、条文の解釈や運用に便利なように参照すべき条文を示した。

1 参照法令は本書に収録した法令を原則とした。

2 参照条文欄で用いる法令の略語については、巻末の法令名略語一覧を参照されたい。

3 原条文との関係

＋印以下の参照条文は原条文の全体にかかる。

❶❷以下の参照条文は原条文の第一項や第二項にかかる。

[一][二]以下は、第一号や第二号にかかる。

4 上見出し

【 】→の間の字句を上見出しという。原条文の規定の中から、必要な概念を取り出して示したもの。

5 参照法令の条・項・号の示し方

参照すべき条文の法令名は略語で示す。

数字は条、①②は項、[一][二]は号を表している。

参照条文が付けられている当該法律の法令名は略してある。

同じ法令の条が続くときは「・」で、異なる法令間は「、」で区切る。

6 その他の記号

ETC 「……など」の意。

二三⊗の⊗は「第二三条の参照条文を参照せよ」の意。

〈附則の取扱い〉

施行期日を定める規定、経過規定などは原則として省略した。改正法令の附則の( )内の年月日はその改正法令の公布日。

〈総合事項索引〉

本書の全収録法令にわたる総合事項索引を巻末に付けた。ある事項がどのような法令の条文に規定されているかわかるようになっている。

目次

▽公法

▽民事法

▽刑事法

▽社会法

▽産業法

▽条約

前年版との異同

新たに収録法令に加えたもの及び収録から削ったものは、次のとおりである。

▼新収録法令―前年版基準日以降公布（〔 〕内は法令名略語）

○官報の発行に関する法律〔官報法〕（令和五法八五）（抄）

○公益信託に関する法律〔公益信託〕（令和六法三〇）（抄）

「公益信託に関する法律」は、令和八年五月二一日までに政令で定める日から施行されるため、全部改正前の条文を改正後の条文の後に掲載した。

○特定受託事業者に係る取引の適正化等に関する法律施行令〔フリーランス令〕（令和六政二〇〇）：特定受託事業者に係る取引の適正化等に関する法律に注記

▼新採録法令（〔 〕内は法令名略語）

○生殖補助医療の提供等及びこれにより出生した子の親子関係に関する民法の特例に関する法律〔生殖補助医療特〕（令和二法七六）：民法に注記

▼収録中止法令

○遺失物法（平成一八法七三）

その他の異同は次のとおりである。

▼収録法令中、前年版基準日以降に題名が改正された法令

（括弧内は、題名を改正した法令番号）

○特定電気通信役務提供者の損害賠償責任の制限及び発信者情報の開示に関する法律→特定電気通信による情報の流通によって発生する権利侵害等への対処に関する法律（令和六法二五）

なお、題名改正に伴い、法令名略語を「プロ責」から「情プラ」に変更した。

○大麻取締法→大麻草の栽培の規制に関する法律（令和五法八四）

○金融サービスの提供に関する法律→金融サービスの提供及び利用環境の整備等に関する法律（令和五法七九）

▼法令名略語を変更した法令

産業法部門の「下請代金支払遅延等防止法」の法令名略語を「下請代金」から「下請」に変更した。

▼抄録に変更した法令

○武力攻撃事態等及び存立危機事態における我が国の平和と独立並びに国及び国民の安全の確保に関する法律（平成一五法七九）

▼抜粋に変更した法令

○建築基準法（昭和二五法二〇一）

▼収録位置を変更した法令

社会法部門の収録順を見直した。

◉日本国憲法（昭和二一・一一・三）

施行 昭和二二・五・三（補則参照）

目次

朕は、日本国民の総意に基いて、新日本建設の礎が、定まるに至つたことを、深くよろこび、枢密顧問の諮詢及び帝国憲法第七十三条による帝国議会の議決を経た帝国憲法の改正を裁可し、ここにこれを公布せしめる。

御名御璽

昭和二十一年十一月三日

内閣総理大臣兼外務大臣 吉田茂
国務大臣 男爵 幣原喜重郎
司法大臣 木村篤太郎
内務大臣 大村清一
文部大臣 田中耕太郎
農林大臣 和田博雄
国務大臣 斎藤隆夫
逓信大臣 一松定吉
商工大臣 星島二郎
厚生大臣 河合良成
国務大臣 植原悦二郎
運輸大臣 平塚常次郎
大蔵大臣 石橋湛山
国務大臣 金森徳次郎
国務大臣 膳桂之助

日本国憲法

日本国民は、正当に選挙された国会における代表者を通じて行動し、われらとわれらの子孫のために、諸国民との協和による成果と、わが国全土にわたつて自由のもたらす恵沢を確保し、政府の行為によつて再び戦争の惨禍が起ることのないやうにすることを決意し、ここに主権が国民に存することを宣言し、この憲法を確定する。そもそも国政は、国民の厳粛な信託によるものであつて、その権威は国民に由来し、その権力は国民の代表者がこれを行使し、その福利は国民がこれを享受する。これは人類普遍の原理であり、この憲法は、かかる原理に基くものである。われらは、これに反する一切の憲法、法令及び詔勅を排除する。

日本国民は、恒久の平和を念願し、人間相互の関係を支配する崇高な理想を深く自覚するのであつて、平和を愛する諸国民の公正と信義に信頼して、われらの安全と生存を保持しようと決意した。われらは、平和を維持し、専制と隷従、圧迫と偏狭を地上から永遠に除去しようと努めてゐる国際社会において、名誉ある地位を占めたいと思ふ。われらは、全世界の国民が、ひとしく恐怖と欠乏から免かれ、平和のうちに生存する権利を有することを確認する。

われらは、いづれの国家も、自国のことのみに専念して他国を無視してはならないのであつて、政治道徳の法則は、普遍的なものであり、この法則に従ふことは、自国の主権を維持し、他国と対等関係に立たうとする各国の責務であると信ずる。

日本国民は、国家の名誉にかけ、全力をあげてこの崇高な理想と目的を達成することを誓ふ。

⊛【国民主権→一【平和主義・国際主義→九、九八②

第一章 天皇

第一条【天皇の地位・国民主権】 天皇は、日本国の象徴であり日本国民統合の象徴であつて、この地位は、主権の存する日本国民の総意に基く。

⊛【天皇の権能→三、四、六、七、九六②【皇位継承→二【国民主権→前文①、行政情報公開一、内一【明憲一、三、四

第二条【皇位の継承】 皇位は、世襲のものであつて、国会の議決した皇室典範の定めるところにより、これを継承する。

⊛【皇位継承→典一―四、二四【元号②【明憲二

第三条【天皇の国事行為に対する内閣の助言と承認】 天皇の国事に関するすべての行為には、内閣の助言と承認を必要とし、内閣が、その責任を負ふ。

⊛【天皇の国事行為→四、六、七、九六②【明憲五五

第四条【天皇の権能の限界、天皇の国事行為の委任】 ① 天皇は、この憲法の定める国事に関する行為のみを行ひ、国政に関する権能を有しない。

② 天皇は、法律の定めるところにより、その国事に関する行為を委任することができる。

⊛❶【憲法の定める国事行為→三、六、七、九六② ❷国事代行＋明憲四

第五条【摂政】 皇室典範の定めるところにより摂政を置くときは、摂政は、天皇の名でその国事に関する行為を行ふ。この場合には、前条第一項の規定を準用する。

⊛【摂政→典一六―二一【明憲一七

第六条【天皇の任命権】 ① 天皇は、国会の指名に基いて、内閣総理大臣を任命する。

② 天皇は、内閣の指名に基いて、最高裁判所の長たる裁判官を任命する。

参❶【国会の指名↓六七、国会六五②・八六 ❷【最高裁判所の長の任命↓裁三九①

第七条【天皇の国事行為】 天皇は、内閣の助言と承認により、国民のために、左の国事に関する行為を行ふ。

一 憲法改正、法律、政令及び条約を公布すること。

二 国会を召集すること。

三 衆議院を解散すること。

四 国会議員の総選挙の施行を公示すること。

五 国務大臣及び法律の定めるその他の官吏の任免並びに全権委任状及び大使及び公使の信任状を認証すること。

六 大赦、特赦、減刑、刑の執行の免除及び復権を認証すること。

七 栄典を授与すること。

八 批准書及び法律の定めるその他の外交文書を認証すること。

九 外国の大使及び公使を接受すること。

十 儀式を行ふこと。

参【一】【憲法改正↓九六【法律の制定↓四一・五九【法律の公布↓七四、国会六六、官報法三【政令↓七三㈥・七四【条約↓七三㈢・六一・九八② 【二】【国会の召集↓五二─五四、国会一─二の二 【三】【衆議院の解散↓四五・五四①・六九 【四】【総選挙↓五四① 【五】【国務大臣の任免↓六八【官吏の任免↓七三㈣ 【六】【恩赦の決定↓七三㈦ 【七】【栄典↓一四②③ ＋明憲五一─一六・七三

第八条【皇室の財産授受】 皇室に財産を譲り渡し、又は皇室が、財産を譲り受け、若しくは賜与することは、国会の議決に基かなければならない。

参＋八八

第二章 戦争の放棄

第九条【戦争の放棄、戦力及び交戦権の否認】 ① 日本国民は、正義と秩序を基調とする国際平和を誠実に希求し、国権の発動たる戦争と、武力による威嚇又は武力の行使は、国際紛争を解決する手段としては、永久にこれを放棄する。

② 前項の目的を達するため、陸海空軍その他の戦力は、これを保持しない。国の交戦権は、これを認めない。

参＋【平和主義↓前文①②、戦争抛棄約【国際主義↓前文③・九八②、国連憲章【自衛、安保約、武力攻撃事態【国連平和維持【児童約三八

第三章 国民の権利及び義務

第一〇条【国民の要件】 日本国民たる要件は、法律でこれを定める。

参＋国籍【人権B規約二四3、児童約七・八、女子差別撤廃約九【明憲一八

第一一条【基本的人権の享有】 国民は、すべての基本的人権の享有を妨げられない。この憲法が国民に保障する基本的人権は、侵すことのできない永久の権利として、現在及び将来の国民に与へられる。

参＋一二・一三・八二②・九七、人保、男女参画基、LGBT、刑訴一、警一・二②、破防二・三、人権A規約〈とくに二〉、人権B規約〈とくに二〉

第一二条【自由・権利の保持の責任とその濫用の禁止】 この憲法が国民に保障する自由及び権利は、国民の不断の努力によつて、これを保持しなければならない。又、国民は、これを濫用してはならないのであつて、常に公共の福祉のためにこれを利用する責任を負ふ。

参＋【公共の福祉↓一三・二二・二九②、民一①、刑訴一【権利濫用の禁止↓民一③、人権A規約五、人権B規約五

第一三条【個人の尊重・幸福追求権・公共の福祉】 すべて国民は、個人として尊重される。生命、自由及び幸福追求に対する国民の権利については、公共の福祉に反しない限り、立法その他の国政の上で、最大の尊重を必要とする。

参＋九七【人間の尊厳↓人権B規約一六、人種差別撤廃約【家族生活における個人の尊重↓二四②、民二【幸福追求権↓人権A規約一二、人権B規約六・一七、児童約六・一六・三九【公共の福祉↓一二・二二・二九②、民一①、刑訴一、人権A規約四、人権B規約四【国民の権利の尊重↓警一、破防二・三、刑訴一、警職一、軽犯四【人保、個人情報、行手【権利実現のための措置↓人権A規約二、人権B規約二、女子差別撤廃約三・五、児童約四

第一四条【法の下の平等、貴族の禁止、栄典】 ① すべて国民は、法の下に平等であつて、人種、信条、性別、社会的身分又は門地により、政治的、経済的又は社会的関係において、差別されない。

② 華族その他の貴族の制度は、これを認めない。

③ 栄誉、勲章その他の栄典の授与は、いかなる特権も伴はない。栄典の授与は、現にこれを有し、又は将来これを受ける者の一代に限り、その効力を有する。

参❶【平等↓人権A規約二2・三、人権B規約二1・三・二六、児童約二、女子差別撤廃約、人種差別撤廃約、二四・二六①・四四、男女参画基、差別的言動、国公二七、地公一三、教基四、自治二四四③、労基三・四、労組五②㈣、雇均、育介、生活保護二 ❷❸【栄典の授与↓七㈦ ＋明憲一九

第一五条【公務員選定罷免権、公務員の本質、普通選挙の保障、秘密投票の保障】 ① 公務員を選定し、及びこれを罷免することは、国民固有の権利である。

② すべて公務員は、全体の奉仕者であつて、一部の奉仕者ではない。

③ 公務員の選挙については、成年者による普通選挙を保障する。

④ すべて選挙における投票の秘密は、これを侵してはならない。選挙人は、その選択に関し公的にも私的にも責任を問はれない。

参❶【公務員の選定及び罷免↓四三・七九②─④・九三、自治七六─八八【政党助成【独立行政法人の役職員↓独行法二① ❷【全体の奉仕者↓国公八二①㈢・九六①、地公二九①㈢・三〇【憲法尊重擁護義務↓九九 ❸【成年普通選挙↓一四・四四、公選九①②、自治一八 ❹【秘密投票↓公選四六④・五二 ＋人権B規約二五、女子差別撤廃約七・八

第一六条【請願権】 何人も、損害の救済、公務員の罷免、法律、命令又は規則の制定、廃止又は改正その他

の事項に関し、平穏に請願する権利を有し、何人も、かかる請願をしたためにいかなる差別待遇も受けない。

⊛+請願【明憲三〇

第一七条【国及び公共団体の賠償責任】 何人も、公務員の不法行為により、損害を受けたときは、法律の定めるところにより、国又は公共団体に、その賠償を求めることができる。

⊛+国賠、民七一五、一般法人七八

第一八条【奴隷的拘束及び苦役からの自由】 何人も、いかなる奴隷的拘束も受けない。又、犯罪に因る処罰の場合を除いては、その意に反する苦役に服させられない。

⊛+労基五・六九、人保、人権B規約八、児童約一九

第一九条【思想及び良心の自由】 思想及び良心の自由は、これを侵してはならない。

⊛+二〇・二一・二三、破防三①、人権B規約一八1・一九1、児童約一四

第二〇条【信教の自由】 ① 信教の自由は、何人に対してもこれを保障する。いかなる宗教団体も、国から特権を受け、又は政治上の権力を行使してはならない。

② 何人も、宗教上の行為、祝典、儀式又は行事に参加することを強制されない。

③ 国及びその機関は、宗教教育その他いかなる宗教的活動もしてはならない。

⊛+一四①・一九・二一・八九、破防三①、国公二七、教基四・一五②、労基三、人権B規約一八・二七、児童約一四【明憲二八

第二一条【集会・結社・表現の自由、通信の秘密】 ① 集会、結社及び言論、出版その他一切の表現の自由は、これを保障する。

② 検閲は、これをしてはならない。通信の秘密は、これを侵してはならない。

⊛+一九・二〇・二三・八二②、人権B規約一九―二二・一七、児童約一二・一三・一五・一七、差別的言動、刑一三三、刑訴一〇〇、通信傍受、破防三①【団体規制↓破防【政党助成【明憲二六・二九

第二二条【居住・移転及び職業選択の自由、外国移住及び国籍離脱の自由】 ① 何人も、公共の福祉に反しない限り、居住、移転及び職業選択の自由を有する。

② 何人も、外国に移住し、又は国籍を離脱する自由を侵されない。

⊛❶【公共の福祉↓一二・一三【居住移転↓人権B規約一二1・3、女子差別撤廃約一五4、児童約一〇 ❷【外国移住↓人権B規約一二2―4、児童約一〇【国籍離脱↓国籍一一―一三・一八・一九 +明憲二二

第二三条【学問の自由】 学問の自由は、これを保障する。

⊛+一九・二一、教基二、破防三①、人権A規約一五

第二四条【家族生活における個人の尊厳と両性の平等】 ① 婚姻は、両性の合意のみに基いて成立し、夫婦が同等の権利を有することを基本として、相互の協力により、維持されなければならない。

② 配偶者の選択、財産権、相続、住居の選定、離婚並びに婚姻及び家族に関するその他の事項に関しては、法律は、個人の尊厳と両性の本質的平等に立脚して、制定されなければならない。

⊛+一四①・一三、女子差別撤廃約一五・一六、人権A規約一〇、人権B規約二三、児童約五・九・一〇・一八・二〇―二二【個人の尊厳と両性の本質的平等↓民二

第二五条【生存権、国の社会的使命】 ① すべて国民は、健康で文化的な最低限度の生活を営む権利を有する。

② 国は、すべての生活部面について、社会福祉、社会保障及び公衆衛生の向上及び増進に努めなければならない。

⊛+一三 ❶【生存権の保障↓生活保護〈とくに一・三〉 +人権A規約九―一二、女子差別撤廃約一二―一四、児童約三・二三―二七

第二六条【教育を受ける権利、教育の義務】 ① すべて国民は、法律の定めるところにより、その能力に応じて、ひとしく教育を受ける権利を有する。

② すべて国民は、法律の定めるところにより、その保護する子女に普通教育を受けさせる義務を負ふ。義務教育は、これを無償とする。

⊛❶【教育を受ける権利↓教基四 ❷【教育の義務↓教基五、学教一六―二一 +人権A規約一三―一五、女子差別撤廃約一〇、児童約二八―三三

第二七条【勤労の権利及び義務、勤労条件の基準、児童酷使の禁止】 ① すべて国民は、勤労の権利を有し、義務を負ふ。

② 賃金、就業時間、休息その他の勤労条件に関する基準は、法律でこれを定める。

③ 児童は、これを酷使してはならない。

⊛❶人権A規約六【雇用機会の男女平等↓雇均、育介 ❷【勤労基準↓労基、最賃、人権A規約七、女子差別撤廃約一一・六 ❸労基五六、人権A規約一〇3、人権B規約二四、児童約〈とくに三二・三四―三六〉、児童買春

第二八条【勤労者の団結権】 勤労者の団結する権利及び団体交渉その他の団体行動をする権利は、これを保障する。

⊛+【団結権↓労組五―一三の一三、国公一〇八の二―一〇八の七、地公五二―五六、行執労四・七【団体交渉権↓労組一四―一八、行執労八―一二、国公一〇八の五、地公五五【争議の制限禁止↓労調三六―四三、行執労一七・一八、国公九八②③、地公三七、破防三【人権A規約八

第二九条【財産権】 ① 財産権は、これを侵してはならない。

② 財産権の内容は、公共の福祉に適合するやうに、法律でこれを定める。

③ 私有財産は、正当な補償の下に、これを公共のために用ひることができる。

⊛❷【財産権の内容↓民一 ❸【公用徴収↓収用【補償↓収用六八―九〇の四 +明憲二七

第三〇条【納税の義務】 国民は、法律の定めるところに

より、納税の義務を負ふ。

⊛八四【明憲二一】

第三一条【法定の手続の保障】 何人も、法律の定める手続によらなければ、その生命若しくは自由を奪はれ、又はその他の刑罰を科せられない。

⊛【法定の手続↓七七、刑訴、警職、人権B規約九、児童約三七【明憲二三】

第三二条【裁判を受ける権利】 何人も、裁判所において裁判を受ける権利を奪はれない。

⊛三七【裁判所↓七六、裁【公正迅速な裁判↓三七①、民訴二【人権B規約一四1【明憲二四】

第三三条【逮捕の要件】 何人も、現行犯として逮捕される場合を除いては、権限を有する司法官憲が発し、且つ理由となつてゐる犯罪を明示する令状によらなければ、逮捕されない。

⊛【現行犯↓刑訴二一二【現行犯逮捕↓刑訴二一三—二一七【緊急逮捕↓刑訴二一〇、二一一【令状↓刑訴一九九㈢、警職三【人権B規約九【明憲二三】

第三四条【抑留・拘禁の要件、不法拘禁に対する保障】 何人も、理由を直ちに告げられ、且つ、直ちに弁護人に依頼する権利を与へられなければ、抑留又は拘禁されない。又、何人も、正当な理由がなければ、拘禁されず、要求があれば、その理由は、直ちに本人及びその弁護人の出席する公開の法廷で示されなければならない。

⊛【弁護人依頼権↓三七③、刑訴三〇【拘禁理由及び弁護人依頼権の告知↓刑訴七六、七七、二〇三—二〇五【勾留理由の開示↓刑訴八二—八六【公開法廷↓八二①、裁六九【人身の自由の回復↓人保【人権B規約九、一一】

第三五条【住居の不可侵】 ① 何人も、その住居、書類及び所持品について、侵入、捜索及び押収を受けることのない権利は、第三十三条の場合を除いては、正当な理由に基いて発せられ、且つ捜索する場所及び押収する物を明示する令状がなければ、侵されない。

② 捜索又は押収は、権限を有する司法官憲が発する各別の令状により、これを行ふ。

⊛❶【押収及び捜索↓刑訴九九—一二七【差押え↓刑訴二一八—二二〇【傍受令状↓通信傍受三—一〇【警職六 ❷【令状の方式↓刑訴一〇七、二一九 +人権B規約一七、明憲二五

第三六条【拷問及び残虐刑の禁止】 公務員による拷問及び残虐な刑罰は、絶対にこれを禁ずる。

⊛三八②、刑一九五、人権B規約七、児童約三七

第三七条【刑事被告人の権利】 ① すべて刑事事件においては、被告人は、公平な裁判所の迅速な公開裁判を受ける権利を有する。

② 刑事被告人は、すべての証人に対して審問する機会を充分に与へられ、又、公費で自己のために強制的手続により証人を求める権利を有する。

③ 刑事被告人は、いかなる場合にも、資格を有する弁護人を依頼することができる。被告人が自らこれを依頼することができないときは、国でこれを附する。

⊛❶三二、八二、刑訴二〇—二六 ❷刑訴一四三—一六四 ❸三四、刑訴三〇、三六、三七、三七の二、三七の四、七六—七八、二〇四、二〇五、二八九、二九〇【弁護士↓弁護 +人権B規約一〇、一四1—3

第三八条【自己に不利益な供述、自白の証拠能力】 ① 何人も、自己に不利益な供述を強要されない。

② 強制、拷問若しくは脅迫による自白又は不当に長く抑留若しくは拘禁された後の自白は、これを証拠とすることができない。

③ 何人も、自己に不利益な唯一の証拠が本人の自白である場合には、有罪とされ、又は刑罰を科せられない。

⊛三六 ❶【黙秘権↓刑訴二九一⑤、三一一①、一九八②、人権B規約一四3(g)、児童約四〇2(b)(iv) ❷刑訴三一九①、九一 ❸刑訴三一九②

第三九条【遡及処罰の禁止・一事不再理】 何人も、実行の時に適法であつた行為又は既に無罪とされた行為については、刑事上の責任を問はれない。又、同一の犯罪について、重ねて刑事上の責任を問はれない。

⊛三一、刑訴三三七㈠、四三五、四三六、人権B規約一四7・一五、児童約四〇2(a)

第四〇条【刑事補償】 何人も、抑留又は拘禁された後、無罪の裁判を受けたときは、法律の定めるところにより、国にその補償を求めることができる。

⊛【刑事補償↓人権B規約一四6【一七

第四章　国会

第四一条【国会の地位・立法権】 国会は、国権の最高機関であつて、国の唯一の立法機関である。

⊛五九、七三㈢㈥、七七、九四、内閣府七、行組一二、一三、国公一六【明憲五、六、三七

第四二条【両院制】 国会は、衆議院及び参議院の両議院でこれを構成する。

⊛【両議院関係↓国会八三—九八【衆議院の優越↓五九②、六〇、六一、六七②【明憲三三

第四三条【両議院の組織・代表】 ① 両議院は、全国民を代表する選挙された議員でこれを組織する。

② 両議院の議員の定数は、法律でこれを定める。

⊛❶【国民の代表↓前文①、国会一〇九の二、公選九九の二【選挙↓一五③④、四四、四七、公選【あっせん利得 ❷【議員定数↓公選四①② +明憲三四、三五

第四四条【議員及び選挙人の資格】 両議院の議員及びその選挙人の資格は、法律でこれを定める。但し、人種、信条、性別、社会的身分、門地、教育、財産又は収入によつて差別してはならない。

⊛一四①、一五③【議員の資格↓公選一〇①㈠㈡、一一、一一の二【選挙人の資格↓公選九①、一一、二五二

第四五条【衆議院議員の任期】 衆議院議員の任期は、四年とする。但し、衆議院解散の場合には、その期間満了前に終了する。

⊛公選二五六、二六〇①【解散↓七㈢、六九

第四六条【参議院議員の任期】 参議院議員の任期は、六

年とし、三年ごとに議員の半数を改選する。

⊛†公選二五七、二六〇①

第四七条【選挙に関する事項】 選挙区、投票の方法その他両議院の議員の選挙に関する事項は、法律でこれを定める。

⊛†公選【選挙区→公選一三、一四【投票→一五④、公選三五―六〇

第四八条【両議院議員兼職の禁止】 何人も、同時に両議院の議員たることはできない。

⊛†国会一〇八【明憲三六

第四九条【議員の歳費】 両議院の議員は、法律の定めるところにより、国庫から相当額の歳費を受ける。

⊛†【歳費→国会三五

第五〇条【議員の不逮捕特権】 両議院の議員は、法律の定める場合を除いては、国会の会期中逮捕されず、会期前に逮捕された議員は、その議院の要求があれば、会期中これを釈放しなければならない。

⊛†【法律の定める場合→国会三三―三四の三【明憲五三

第五一条【議員の発言・表決の免責】 両議院の議員は、議院で行つた演説、討論又は表決について、院外で責任を問はれない。

⊛†五八②、国会一一六、一一九、一二二―一二二【明憲五二

第五二条【常会】 国会の常会は、毎年一回これを召集する。

⊛†【国会の召集→七㈡【常会の召集→国会一①②、二、五【明憲四一

第五三条【臨時会】 内閣は、国会の臨時会の召集を決定することができる。いづれかの議院の総議員の四分の一以上の要求があれば、内閣は、その召集を決定しなければならない。

⊛†【臨時会→七㈡、国会一①③、二の三、五【臨時会の要求→国会三【明憲四三

第五四条【衆議院の解散・特別会、参議院の緊急集会】 ① 衆議院が解散されたときは、解散の日から四十日以内に、衆議院議員の総選挙を行ひ、その選挙の日から三十日以内に、国会を召集しなければならない。

② 衆議院が解散されたときは、参議院は、同時に閉会となる。但し、内閣は、国に緊急の必要があるときは、参議院の緊急集会を求めることができる。

③ 前項但書の緊急集会において採られた措置は、臨時のものであつて、次の国会開会の後十日以内に、衆議院の同意がない場合には、その効力を失ふ。

⊛❶【解散→七㈢、六九【総選挙→七㈣、公選三一【特別会の召集→七㈡、国会一①③、二の二、五 ❷【緊急集会→国会九九―一〇二の五 ❸国会一〇二の四 †明憲四五、八、七〇

第五五条【資格争訟の裁判】 両議院は、各〻その議員の資格に関する争訟を裁判する。但し、議員の議席を失はせるには、出席議員の三分の二以上の多数による議決を必要とする。

⊛†【資格争訟→国会一一一―一一三【議員の資格→四四

第五六条【定足数、表決】 ① 両議院は、各〻その総議員の三分の一以上の出席がなければ、議事を開き議決することができない。

② 両議院の議事は、この憲法に特別の定のある場合を除いては、出席議員の過半数でこれを決し、可否同数のときは、議長の決するところによる。

⊛❷【特別の定め→五五、五七①、五八②、五九②、九六① †明憲四六、四七

第五七条【会議の公開、会議録、表決の記載】 ① 両議院の会議は、公開とする。但し、出席議員の三分の二以上の多数で議決したときは、秘密会を開くことができる。

② 両議院は、各〻その会議の記録を保存し、秘密会の記録の中で特に秘密を要すると認められるもの以外は、これを公表し、且つ一般に頒布しなければならない。

③ 出席議員の五分の一以上の要求があれば、各議員の表決は、これを会議録に記載しなければならない。

⊛❶【秘密会→国会六二 ❷【秘密記録の非公表→国会六三 †明憲四八

第五八条【役員の選任、議院規則・懲罰】 ① 両議院は、各〻その議長その他の役員を選任する。

② 両議院は、各〻その会議その他の手続及び内部の規律に関する規則を定め、又、院内の秩序をみだした議員を懲罰することができる。但し、議員を除名するには、出席議員の三分の二以上の多数による議決を必要とする。

⊛❶【議長→国会一七―二〇【役員→国会一六 ❷【院内の秩序→国会一一四―一二〇【懲罰→国会一二一―一二四【国会一二四の二―一二四の四 †明憲五一

第五九条【法律案の議決、衆議院の優越】 ① 法律案は、この憲法に特別の定のある場合を除いては、両議院で可決したとき法律となる。

② 衆議院で可決し、参議院でこれと異なつた議決をした法律案は、衆議院で出席議員の三分の二以上の多数で再び可決したときは、法律となる。

③ 前項の規定は、法律の定めるところにより、衆議院が、両議院の協議会を開くことを求めることを妨げない。

④ 参議院が、衆議院の可決した法律案を受け取つた後、国会休会中の期間を除いて六十日以内に、議決しないときは、衆議院は、参議院がその法律案を否決したものとみなすことができる。

⊛❶四一【法律案の提出→七二、国会五六①、一〇一【議決→五六【特別の定め→五九②③、九五、五四②③ ❸【両院協議会→国会八四、八八―九八 ❹【国会の休会→国会一五 †明憲五、六、三七

第六〇条【衆議院の予算先議、予算議決に関する衆議院の優越】 ① 予算は、さきに衆議院に提出しなければならない。

② 予算について、参議院で衆議院と異なつた議決をした場合に、法律の定めるところにより、両議院の協議

会を開いても意見が一致しないとき、又は参議院が、衆議院の可決した予算を受け取つた後、国会休会中の期間を除いて三十日以内に、議決しないときは、衆議院の議決を国会の議決とする。

❶【予算の提出↓七三〔五〕・八六、内五 ❷国会八三【両院協議会↓国会八五①・八八—九八【国会の休会↓国会一五 †明憲六五

第六一条【条約の承認に関する衆議院の優越】 条約の締結に必要な国会の承認については、前条第二項の規定を準用する。

†【条約↓七三〔三〕・七三〔三〕・九八【国会八五

第六二条【議院の国政調査権】 両議院は、各〻国政に関する調査を行ひ、これに関して、証人の出頭及び証言並びに記録の提出を要求することができる。

†国会一〇三【証人の出頭・証言↓国会一〇六、議院証言【記録の提出の要求↓国会一〇四【会計検査の要求↓国会一〇五

第六三条【閣僚の議院出席の権利と義務】 内閣総理大臣その他の国務大臣は、両議院の一に議席を有すると有しないとにかかはらず、何時でも議案について発言するため議院に出席することができる。又、答弁又は説明のため出席を求められたときは、出席しなければならない。

†【国務大臣と議席↓六七①・六八①但【出席の要求↓国会七一【明憲五四

第六四条【弾劾裁判所】 ① 国会は、罷免の訴追を受けた裁判官を裁判するため、両議院の議員で組織する弾劾裁判所を設ける。

② 弾劾に関する事項は、法律でこれを定める。

❶【弾劾↓七八【罷免の訴追↓国会一二六①【裁判官訴追委員会↓国会一二六—一二八【弾劾裁判所↓国会一二五・一二八 ❷国会一二五—一二九

第五章　内閣

第六五条【行政権】 行政権は、内閣に属する。

†【行政権↓七三、内一【内閣の組織・責任↓六六、内一・二、内閣府【行政運営における公正と透明性↓行手【行政機関の保有する情報の公開↓行政情報公開【明憲五五①

第六六条【内閣の組織、国会に対する連帯責任】 ① 内閣は、法律の定めるところにより、その首長たる内閣総理大臣及びその他の国務大臣でこれを組織する。

② 内閣総理大臣その他の国務大臣は、文民でなければならない。

③ 内閣は、行政権の行使について、国会に対し連帯して責任を負ふ。

❶【内閣の組織↓内二、内閣府【内閣総理大臣↓六①・六七・七〇・七二【国務大臣↓七〔五〕・六八 ❸内一②【行政権↓六五【国会に対する責任↓三・六九 †明憲五五①

第六七条【内閣総理大臣の指名、衆議院の優越】 ① 内閣総理大臣は、国会議員の中から国会の議決で、これを指名する。この指名は、他のすべての案件に先だつて、これを行ふ。

② 衆議院と参議院とが異なつた指名の議決をした場合に、法律の定めるところにより、両議院の協議会を開いても意見が一致しないとき、又は衆議院が指名の議決をした後、国会休会中の期間を除いて十日以内に、参議院が、指名の議決をしないときは、衆議院の議決を国会の議決とする。

❶【内閣総理大臣の指名↓六①、国会六五②・八六① ❷【両議院の協議会↓国会八六②・八八—九八【国会の休会↓国会一五

第六八条【国務大臣の任命及び罷免】 ① 内閣総理大臣は、国務大臣を任命する。但し、その過半数は、国会議員の中から選ばれなければならない。

② 内閣総理大臣は、任意に国務大臣を罷免することができる。

†七〔五〕【国務大臣の任命資格↓六六②【国務大臣の数↓内二②【国務大臣と行政機関の長↓内三、内閣府六、行組五

第六九条【内閣不信任決議の効果】 内閣は、衆議院で不信任の決議案を可決し、又は信任の決議案を否決したときは、十日以内に衆議院が解散されない限り、総辞職をしなければならない。

†【解散↓七〔三〕・五四①【総辞職↓七〇・七一【自治一七八

第七〇条【内閣総理大臣の欠缺・新国会の召集と内閣の総辞職】 内閣総理大臣が欠けたとき、又は衆議院議員総選挙の後に初めて国会の召集があつたときは、内閣は、総辞職をしなければならない。

†【内閣総理大臣の欠缺↓国会六四、内九【国会の召集↓七〔二〕・五二・五三・五四①【総辞職↓七一

第七一条【総辞職後の内閣】 前二条の場合には、内閣は、あらたに内閣総理大臣が任命されるまで引き続きその職務を行ふ。

†【内閣総理大臣の任命↓六①・六七【内閣の職務↓六五・七三

第七二条【内閣総理大臣の職務】 内閣総理大臣は、内閣を代表して議案を国会に提出し、一般国務及び外交関係について国会に報告し、並びに行政各部を指揮監督する。

†内五・六【内閣総理大臣↓六六①【議案の提出↓内五【国会への報告↓九一【行政各部の指揮監督↓内六、行組一・二

第七三条【内閣の職務】 内閣は、他の一般行政事務の外、左の事務を行ふ。

一　法律を誠実に執行し、国務を総理すること。
二　外交関係を処理すること。
三　条約を締結すること。但し、事前に、時宜によつては事後に、国会の承認を経ることを必要とする。
四　法律の定める基準に従ひ、官吏に関する事務を掌理すること。
五　予算を作成して国会に提出すること。
六　この憲法及び法律の規定を実施するために、政令を制定すること。但し、政令には、特にその法律の委任がある場合を除いては、罰則を設けることができない。
七　大赦、特赦、減刑、刑の執行の免除及び復権を決定すること。

†【一般行政事務↓六五、内三、内閣府六、行組五① 【〔二〕【法律

↓七㊀・五九・七四【国務↓七二　〔二〕【外交関係↓七二・九八②　〔三〕【条約↓七㊀㊇・六一・九八②　〔四〕【官吏に関する事務↓国公一②　〔五〕【予算↓六〇①・八六、内五、財二七―三〇・一九　〔六〕【政令↓七㊀・七四、内一一【罰則の委任↓三一　〔七〕七㊅

第七四条【法律・政令の署名】 法律及び政令には、すべて主任の国務大臣が署名し、内閣総理大臣が連署することを必要とする。

参＋【法律↓七㊀・五九・七三㊀【政令↓七㊀・七三㊅【主任の国務大臣↓内三、内閣府六、行組五①【明憲五五②

第七五条【国務大臣の特典】 国務大臣は、その在任中、内閣総理大臣の同意がなければ、訴追されない。但し、これがため、訴追の権利は、害されない。

参＋【訴追↓刑訴一九九・二〇七・二四七・二五六

第六章　司法

第七六条【司法権・裁判所、特別裁判所の禁止、裁判官の独立】 ① すべて司法権は、最高裁判所及び法律の定めるところにより設置する下級裁判所に属する。

② 特別裁判所は、これを設置することができない。行政機関は、終審として裁判を行ふことができない。

③ すべて裁判官は、その良心に従ひ独立してその職権を行ひ、この憲法及び法律にのみ拘束される。

参＋三二・三七　❶【司法権↓裁三①、人保一【最高裁判所↓七七・七九・八一、裁六―一四の二【下級裁判所↓八〇、裁二・一五―三八【裁判所以外の機関の行う裁判↓五五・六四　❷裁三②、特許一二一―一七六、国公三③④、地公八⑧⑨　❸【裁判官↓六②・七九・八〇、裁五・三九―五二【司法権の独立↓七八、裁四八・八一　＋裁判員、明憲五七・六〇・六一

第七七条【最高裁判所の規則制定権】 ① 最高裁判所は、訴訟に関する手続、弁護士、裁判所の内部規律及び司法事務処理に関する事項について、規則を定める権限を有する。

② 検察官は、最高裁判所の定める規則に従はなければならない。

③ 最高裁判所は、下級裁判所に関する規則を定める権限を、下級裁判所に委任することができる。

参＋【規則↓裁一二、民訴三　❶【訴訟に関する手続↓三一【弁護士↓弁護　❷【検察官↓検察三―六　❸【下級裁判所↓七六①、裁二

第七八条【裁判官の身分の保障】 裁判官は、裁判により、心身の故障のために職務を執ることができないと決定された場合を除いては、公の弾劾によらなければ罷免されない。裁判官の懲戒処分は、行政機関がこれを行ふことはできない。

参＋【身分の保障↓裁四八【公の弾劾↓六四、国会一二五―一二九【裁判官の懲戒↓裁四九【明憲五八②③

第七九条【最高裁判所の裁判官、国民審査、定年、報酬】 ① 最高裁判所は、その長たる裁判官及び法律の定める員数のその他の裁判官でこれを構成し、その長たる裁判官以外の裁判官は、内閣でこれを任命する。

② 最高裁判所の裁判官の任命は、その任命後初めて行はれる衆議院議員総選挙の際国民の審査に付し、その後十年を経過した後初めて行はれる衆議院議員総選挙の際更に審査に付し、その後も同様とする。

③ 前項の場合において、投票者の多数が裁判官の罷免を可とするときは、その裁判官は、罷免される。

④ 審査に関する事項は、法律でこれを定める。

⑤ 最高裁判所の裁判官は、法律の定める年齢に達した時に退官する。

⑥ 最高裁判所の裁判官は、すべて定期に相当額の報酬を受ける。この報酬は、在任中、これを減額することができない。

参❶【最高裁判所↓七六①・七七・八一【長たる裁判官↓六②、裁五①・三九①【その他の裁判官↓七㊄、裁五①③・三九②③【任命資格↓裁四一・四六　❷一五①、裁三九④【総選挙↓七㊃・五四、公選三一　❺裁五〇　❻【報酬↓裁五一【報酬の保障↓裁四八　＋明憲五七②

第八〇条【下級裁判所の裁判官・任期・定年、報酬】 ① 下級裁判所の裁判官は、最高裁判所の指名した者の名簿によつて、内閣でこれを任命する。その裁判官は、任期を十年とし、再任されることができる。但し、法律の定める年齢に達した時には退官する。

② 下級裁判所の裁判官は、すべて定期に相当額の報酬を受ける。この報酬は、在任中、これを減額することができない。

参❶【下級裁判所↓七六①、裁二【下級裁判所の裁判官↓裁五②③【任命↓裁四〇・四二―四六【補職↓裁四七【定年↓裁五〇　❷【報酬↓裁五一【報酬の保障↓裁四八

第八一条【法令審査権と最高裁判所】 最高裁判所は、一切の法律、命令、規則又は処分が憲法に適合するかしないかを決定する権限を有する終審裁判所である。

参＋九八①【違憲問題の裁判↓裁一〇㊀㊁、刑訴規二五六【最高裁判所の終審↓民訴三二七①・三三六、刑訴四〇五・四三三【国公一④

第八二条【裁判の公開】 ① 裁判の対審及び判決は、公開法廷でこれを行ふ。

② 裁判所が、裁判官の全員一致で、公の秩序又は善良の風俗を害する虞があると決した場合には、対審は、公開しないでこれを行ふことができる。但し、政治犯罪、出版に関する犯罪又はこの憲法第三章で保障する国民の権利が問題となつてゐる事件の対審は、常にこれを公開しなければならない。

参＋三四・三七①　❷裁七〇、人訴二二、特許一〇五の七、不正競争一三、民訴九二②、刑訴五三③、民訴九二【出版に関する犯罪↓二一①　＋明憲五九

第七章　財政

第八三条【財政処理の基本原則】 国の財政を処理する権限は、国会の議決に基いて、これを行使しなければならない。

参＋【国会↓四一・六六③・九一【財

第八四条【課税】 あらたに租税を課し、又は現行の租税を変更するには、法律又は法律の定める条件によることを必要とする。

参＋【租税↓三〇、財三、自治二二三【明憲六二①・六三

第八五条【国費の支出及び国の債務負担】 国費を支出

し、又は国が債務を負担するには、国会の議決に基くことを必要とする。

∞【国費の支出と国会の議決→八六―八八、財三一・三二【国の債務負担と国会の議決→財四・五・七・一五【明憲六二③

第八六条【予算】 内閣は、毎会計年度の予算を作成し、国会に提出して、その審議を受け議決を経なければならない。

∞【会計年度→財一一【予算の作成・提出→七二・七三・八八、財一四―三〇、国会三二①、裁八三①、国公一三④、内五【予算の審議・議決→六〇【予算の成立→財四六①【予算の執行→財三一―三六、四六②【予備費→八七、財二四【継続費→財一四の二【繰越明許費→財一四の三【明憲六四

第八七条【予備費】 ① 予見し難い予算の不足に充てるため、国会の議決に基いて予備費を設け、内閣の責任でこれを支出することができる。

② すべて予備費の支出については、内閣は、事後に国会の承諾を得なければならない。

∞❶財二四・三五・三八② ❷財三六 ＋明憲六九・六四②

第八八条【皇室財産・皇室の費用】 すべて皇室財産は、国に属する。すべて皇室の費用は、予算に計上して国会の議決を経なければならない。

∞＋八【明憲六六

第八九条【公の財産の支出又は利用の制限】 公金その他の公の財産は、宗教上の組織若しくは団体の使用、便益若しくは維持のため、又は公の支配に属しない慈善、教育若しくは博愛の事業に対し、これを支出し、又はその利用に供してはならない。

∞＋二〇・二三

第九〇条【決算検査、会計検査院】 ① 国の収入支出の決算は、すべて毎年会計検査院がこれを検査し、内閣は、次の年度に、その検査報告とともに、これを国会に提出しなければならない。

② 会計検査院の組織及び権限は、法律でこれを定める。

∞❶【収入支出→財二【会計年度→財一一【決算→財三七・三八【国会への提出→財四〇、国会七二、一〇五 ＋明憲七二

第九一条【財政状況の報告】 内閣は、国会及び国民に対し、定期に、少くとも毎年一回、国の財政状況について報告しなければならない。

∞【国会への報告→財四六②、七二【国民への報告→財四六

第八章　地方自治

第九二条【地方自治の基本原則】 地方公共団体の組織及び運営に関する事項は、地方自治の本旨に基いて、法律でこれを定める。

∞【地方公共団体→自治一の三【地方自治の本旨→自治一・一の二、二⑪―⑮、地公一

第九三条【地方公共団体の機関、その直接選挙】 ① 地方公共団体には、法律の定めるところにより、その議事機関として議会を設置する。

② 地方公共団体の長、その議会の議員及び法律の定めるその他の吏員は、その地方公共団体の住民が、直接これを選挙する。

∞❶【地方公共団体→自治一の三【議会→自治八九 ❷【地方公共団体の長→自治一三九【選挙→一五③④、公選九②―⑤、自治一一・一七

第九四条【地方公共団体の権能】 地方公共団体は、その財産を管理し、事務を処理し、及び行政を執行する権能を有し、法律の範囲内で条例を制定することができる。

∞【地方公共団体の事務→自治二②―⑩、二五二の一九、二五二の二二、二八一、二八一の二【財産の管理→自治二〇八―二四四の四【条例→自治一四、九六①㈠【普通地方公共団体に対する国又は都道府県の関与等→自治二四五―二五二

第九五条【特別法の住民投票】 一の地方公共団体のみに適用される特別法は、法律の定めるところにより、その地方公共団体の住民の投票においてその過半数の同意を得なければ、国会は、これを制定することができない。

∞【特別法の制定と住民投票→国会六七、自治二六一・二六二

第九章　改正

第九六条【改正の手続、その公布】 ① この憲法の改正は、各議院の総議員の三分の二以上の賛成で、国会が、これを発議し、国民に提案してその承認を経なければならない。この承認には、特別の国民投票又は国会の定める選挙の際行はれる投票において、その過半数の賛成を必要とする。

② 憲法改正について前項の承認を経たときは、天皇は、国民の名で、この憲法と一体を成すものとして、直ちにこれを公布する。

∞❶【国民投票→憲改二―一三五【改正の発議→国会六八の二―六八の六 ❷【公布→七㈠、官報法三【国民投票無効訴訟→憲改一二七―一三四【再投票→憲改一三五 ＋明憲七三

第十章　最高法規

第九七条【基本的人権の本質】 この憲法が日本国民に保障する基本的人権は、人類の多年にわたる自由獲得の努力の成果であつて、これらの権利は、過去幾多の試錬に堪へ、現在及び将来の国民に対し、侵すことのできない永久の権利として信託されたものである。

∞＋前文①②、一一

第九八条【最高法規、条約及び国際法規の遵守】 ① この憲法は、国の最高法規であつて、その条規に反する法律、命令、詔勅及び国務に関するその他の行為の全部又は一部は、その効力を有しない。

② 日本国が締結した条約及び確立された国際法規は、これを誠実に遵守することを必要とする。

∞❶前文①、八一 ❷前文【条約→七㈠㈣、六一、七三㈢

第九九条【憲法尊重擁護の義務】 天皇又は摂政及び国務大臣、国会議員、裁判官その他の公務員は、この憲法を尊重し擁護する義務を負ふ。

∞＋【天皇→一【摂政→五【国務大臣→六六①【国会議員→四三【裁判官→七九、八〇【憲法破壊団体員と公務員→国公三八㈣、地

第十一章　補則

第一〇〇条【憲法施行期日、準備手続】① この憲法は、公布の日から起算して六箇月を経過した日（昭和二二・五・三）から、これを施行する。

② この憲法を施行するために必要な法律の制定、参議院議員の選挙及び国会召集の手続並びにこの憲法を施行するために必要な準備手続は、前項の期日よりも前に、これを行ふことができる。

第一〇一条【経過規定―参議院未成立の間の国会】この憲法施行の際、参議院がまだ成立してゐないときは、その成立するまでの間、衆議院は、国会としての権限を行ふ。

第一〇二条【同前―第一期の参議院議員の任期】この憲法による第一期の参議院議員のうち、その半数の者の任期は、これを三年とする。その議員は、法律の定めるところにより、これを定める。

第一〇三条【同前―公務員の地位】この憲法施行の際現に在職する国務大臣、衆議院議員及び裁判官並びにその他の公務員で、その地位に相応する地位がこの憲法で認められてゐる者は、法律で特別の定をした場合を除いては、この憲法施行のため、当然にはその地位を失ふことはない。但し、この憲法によつて、後任者が選挙又は任命されたときは、当然その地位を失ふ。

〇大日本帝国憲法（明治二二・二・一一）

施行　明治二三・一一・二九（上諭第四段参照）

目次

告　文

皇朕レ謹ミ畏ミ
皇祖
皇宗ノ神霊ニ誥ケ白サク皇朕レ天壌無窮ノ宏謨ニ循ヒ惟神ノ宝祚ヲ承継シ旧図ヲ保持シテ敢テ失墜スルコト無シ顧ミルニ世局ノ進運ニ膺リ人文ノ発達ニ随ヒ宜ク
皇祖
皇宗ノ遺訓ヲ明徴ニシ典憲ヲ成立シ条章ヲ昭示シ内ハ以テ子孫ノ率由スル所ト為シ外ハ以テ臣民翼賛ノ道ヲ広メ永遠ニ遵行セシメ益々国家ノ丕基ヲ鞏固ニシ八洲民生ノ慶福ヲ増進スヘシ茲ニ皇室典範及憲法ヲ制定ス惟フニ此レ皆
皇祖
皇宗ノ後裔ニ貽シタマヘル統治ノ洪範ヲ紹述スルニ外ナラス而シテ朕カ躬ニ逮テ時ト倶ニ挙行スルコトヲ得ルハ洵ニ
皇祖
皇宗及我カ
皇考ノ威霊ニ倚藉スルニ由ラサルハ無シ皇朕レ仰テ
皇祖
皇宗及
皇考ノ神祐ヲ禱リ併セテ朕カ現在及将来ニ臣民ニ率先シ此ノ憲章ヲ履行シテ愆ラサラムコトヲ誓フ庶幾クハ
神霊此レヲ鑒ミタマヘ

憲法発布勅語

朕国家ノ隆昌ト臣民ノ慶福トヲ以テ中心ノ欣栄トシ朕カ祖宗ニ承クルノ大権ニ依リ現在及将来ノ臣民ニ対シ此ノ不磨ノ大典ヲ宣布ス

惟フニ我カ祖我カ宗ハ我カ臣民祖先ノ協力輔翼ニ倚リ我カ帝国ヲ肇造シ以テ無窮ニ垂レタリ此レ我カ神聖ナル祖宗ノ威徳ト並ニ臣民ノ忠実勇武ニシテ国ヲ愛シ公ニ殉ヒ以テ此ノ光輝アル国史ノ成跡ヲ貽シタルナリ朕我カ臣民ハ即チ祖宗ノ忠良ナル臣民ノ子孫ナルヲ回想シ其ノ朕カ意ヲ奉体シ朕カ事ヲ奨順シ相与ニ和衷協同シ益々我カ帝国ノ光栄ヲ中外ニ宣揚シ祖宗ノ遺業ヲ永久ニ鞏固ナラシムルノ希望ヲ同クシ此ノ負担ヲ分ツニ堪フルコトヲ疑ハサルナリ

朕祖宗ノ遺烈ヲ承ケ万世一系ノ帝位ヲ践ミ朕カ親愛スル所ノ臣民ハ即チ朕カ祖宗ノ恵撫慈養シタマヒシ所ノ臣民ナルヲ念ヒ其ノ康福ヲ増進シ其ノ懿徳良能ヲ発達セシメムコトヲ願ヒ又其ノ翼賛ニ依リ与ニ倶ニ国家ノ進運ヲ扶持セムコトヲ望ミ乃チ明治十四年十月十二日ノ詔命ヲ履践シ茲ニ大憲ヲ制定シ朕カ率由スル所ヲ示シ朕カ後嗣及臣民及臣民ノ子孫タル者ヲシテ永遠ニ循行スル所ヲ知ラシム

国家統治ノ大権ハ朕カ之ヲ祖宗ニ承ケテ之ヲ子孫ニ伝フル所ナリ朕及朕カ子孫ハ将来此ノ憲法ノ条章ニ循ヒ之ヲ行フコトヲ愆ラサルヘシ

朕ハ我カ臣民ノ権利及財産ノ安全ヲ貴重シ及之ヲ保護シ此ノ憲法及法律ノ範囲内ニ於テ其ノ享有ヲ完全ナラシムヘキコトヲ宣言ス

帝国議会ハ明治二十三年ヲ以テ之ヲ召集シ議会開会ノ時（明治二三・一一・二九）ヲ以テ此ノ憲法ヲシテ有効ナラシムルノ期トスヘシ

将来若此ノ憲法ノ或ル条章ヲ改定スルノ必要ナル時宜ヲ見ルニ至ラハ朕及朕カ継統ノ子孫ハ発議ノ権ヲ執リ之ヲ議会ニ付シ議会ハ此ノ憲法ニ定メタル要件ニ依リ之ヲ議決スルノ外朕カ子孫及臣民ハ敢テ之カ紛更ヲ試ミルコトヲ得サルヘシ

朕カ在廷ノ大臣ハ朕カ為ニ此ノ憲法ヲ施行スルノ責ニ任スヘク朕カ現在及将来ノ臣民ハ此ノ憲法ニ対シ永遠ニ従順ノ義務ヲ負フヘシ

御名御璽

明治二十二年二月十一日

内閣総理大臣　伯爵　黒田清隆
枢密院議長　伯爵　伊藤博文
外務大臣　伯爵　大隈重信
海軍大臣　伯爵　西郷従道
農商務大臣　伯爵　井上馨
司法大臣　伯爵　山田顕義

大蔵大臣　伯爵　松方正義
兼内務大臣　伯爵　大山巌
文部大臣　子爵　森有礼
逓信大臣　子爵　榎本武揚

大日本帝国憲法

第一章　天皇

第一条 大日本帝国ハ万世一系ノ天皇之ヲ統治ス

第二条 皇位ハ皇室典範ノ定ムル所ニ依リ皇男子孫之ヲ継承ス

第三条 天皇ハ神聖ニシテ侵スヘカラス

第四条 天皇ハ国ノ元首ニシテ統治権ヲ総攬シ此ノ憲法ノ条規ニ依リ之ヲ行フ

第五条 天皇ハ帝国議会ノ協賛ヲ以テ立法権ヲ行フ

第六条 天皇ハ法律ヲ裁可シ其ノ公布及執行ヲ命ス

第七条 天皇ハ帝国議会ヲ召集シ其ノ開会閉会停会及衆議院ノ解散ヲ命ス

第八条①天皇ハ公共ノ安全ヲ保持シ又ハ其ノ災厄ヲ避クル為緊急ノ必要ニ由リ帝国議会閉会ノ場合ニ於テ法律ニ代ルヘキ勅令ヲ発ス

②此ノ勅令ハ次ノ会期ニ於テ帝国議会ニ提出スヘシ若議会ニ於テ承諾セサルトキハ政府ハ将来ニ向テ其ノ効力ヲ失フコトヲ公布スヘシ

第九条 天皇ハ法律ヲ執行スル為ニ又ハ公共ノ安寧秩序ヲ保持シ及臣民ノ幸福ヲ増進スル為ニ必要ナル命令ヲ発シ又ハ発セシム但シ命令ヲ以テ法律ヲ変更スルコトヲ得ス

第一〇条 天皇ハ行政各部ノ官制及文武官ノ俸給ヲ定メ及文武官ヲ任免ス但シ此ノ憲法又ハ他ノ法律ニ特例ヲ掲ケタルモノハ各〻其ノ条項ニ依ル

第一一条 天皇ハ陸海軍ヲ統帥ス

第一二条 天皇ハ陸海軍ノ編制及常備兵額ヲ定ム

第一三条 天皇ハ戦ヲ宣シ和ヲ講シ及諸般ノ条約ヲ締結ス

第一四条①天皇ハ戒厳ヲ宣告ス

②戒厳ノ要件及効力ハ法律ヲ以テ之ヲ定ム

第一五条 天皇ハ爵位勲章及其ノ他ノ栄典ヲ授与ス

第一六条 天皇ハ大赦特赦減刑及復権ヲ命ス

第一七条①摂政ヲ置クハ皇室典範ノ定ムル所ニ依ル

②摂政ハ天皇ノ名ニ於テ大権ヲ行フ

第二章　臣民権利義務

第一八条 日本臣民タルノ要件ハ法律ノ定ムル所ニ依ル

第一九条 日本臣民ハ法律命令ノ定ムル所ノ資格ニ応シ均ク文武官ニ任セラレ及其ノ他ノ公務ニ就クコトヲ得

第二〇条 日本臣民ハ法律ノ定ムル所ニ従ヒ兵役ノ義務ヲ有ス

第二一条 日本臣民ハ法律ノ定ムル所ニ従ヒ納税ノ義務ヲ有ス

第二二条 日本臣民ハ法律ノ範囲内ニ於テ居住及移転ノ自由ヲ有ス

第二三条 日本臣民ハ法律ニ依ルニ非スシテ逮捕監禁審問処罰ヲ受クルコトナシ

第二四条 日本臣民ハ法律ニ定メタル裁判官ノ裁判ヲ受クルノ権ヲ奪ハルヽコトナシ

第二五条 日本臣民ハ法律ニ定メタル場合ヲ除ク外其ノ許諾ナクシテ住所ニ侵入セラレ及捜索セラルヽコトナシ

第二六条 日本臣民ハ法律ニ定メタル場合ヲ除ク外信書ノ秘密ヲ侵サルヽコトナシ

第二七条①日本臣民ハ其ノ所有権ヲ侵サルヽコトナシ

②公益ノ為必要ナル処分ハ法律ノ定ムル所ニ依ル

第二八条 日本臣民ハ安寧秩序ヲ妨ケス及臣民タルノ義務ニ背カサル限ニ於テ信教ノ自由ヲ有ス

第二九条 日本臣民ハ法律ノ範囲内ニ於テ言論著作印行集会及結社ノ自由ヲ有ス

第三〇条 日本臣民ハ相当ノ敬礼ヲ守リ別ニ定ムル所ノ規程ニ従ヒ請願ヲ為スコトヲ得

第三一条 本章ニ掲ケタル条規ハ戦時又ハ国家事変ノ場合ニ於テ天皇大権ノ施行ヲ妨クルコトナシ

第三二条 本章ニ掲ケタル条規ハ陸海軍ノ法令又ハ紀律ニ牴触セサルモノニ限リ軍人ニ準行ス

第三章　帝国議会

第三三条 帝国議会ハ貴族院衆議院ノ両院ヲ以テ成立ス

第三四条 貴族院ハ貴族院令ノ定ムル所ニ依リ皇族華族及勅任セラレタル議員ヲ以テ組織ス

第三五条 衆議院ハ選挙法ノ定ムル所ニ依リ公選セラレタル議員ヲ以テ組織ス

第三六条 何人モ同時ニ両議院ノ議員タルコトヲ得ス

第三七条 凡テ法律ハ帝国議会ノ協賛ヲ経ルヲ要ス

第三八条 両議院ハ政府ノ提出スル法律案ヲ議決シ及各〻法律案ヲ提出スルコトヲ得

第三九条 両議院ノ一ニ於テ否決シタル法律案ハ同会期中ニ於テ再ヒ提出スルコトヲ得ス

第四〇条 両議院ハ法律又ハ其ノ他ノ事件ニ付各〻其ノ意見ヲ政府ニ建議スルコトヲ得但シ其ノ採納ヲ得サルモノハ同会期中ニ於テ再ヒ建議スルコトヲ得ス

第四一条 帝国議会ハ毎年之ヲ召集ス

第四二条 帝国議会ハ三箇月ヲ以テ会期トス必要アル場合ニ於テハ勅命ヲ以テ之ヲ延長スルコトアルヘシ

第四三条①臨時緊急ノ必要アル場合ニ於テ常会ノ外臨時会ヲ召集スヘシ

②臨時会ノ会期ヲ定ムルハ勅命ニ依ル

第四四条①帝国議会ノ開会閉会会期ノ延長及停会ハ両院同時ニ之ヲ行フヘシ

②衆議院解散ヲ命セラレタルトキハ貴族院ハ同時ニ停会セラルヘシ

第四五条 衆議院解散ヲ命セラレタルトキハ勅命ヲ以テ新ニ議員ヲ選挙セシメ解散ノ日ヨリ五箇月以内ニ之ヲ召集スヘシ

第四六条 両議院ハ各〻其ノ総議員三分ノ一以上出席スルニ非サレハ議事ヲ開キ議決ヲ為スコトヲ得ス

第四七条 両議院ノ議事ハ過半数ヲ以テ決ス可否同数ナルトキハ議長ノ決スル所ニ依ル

第四八条 両議院ノ会議ハ公開ス但シ政府ノ要求又ハ其ノ院ノ決議ニ依リ秘密会ト為スコトヲ得

第四九条 両議院ハ各〻天皇ニ上奏スルコトヲ得

第五〇条 両議院ハ臣民ヨリ呈出スル請願書ヲ受クルコトヲ得

第五一条 両議院ハ此ノ憲法及議院法ニ掲クルモノヽ外内部ノ整理ニ必要ナル諸規則ヲ定ムルコトヲ得

第五二条 両議院ノ議員ハ議院ニ於テ発言シタル意見及表決ニ付院外ニ於テ責ヲ負フコトナシ但シ議員自ラ其ノ言論ヲ演説刊行筆記又ハ其ノ他ノ方法ヲ以テ公布シタルトキハ一般ノ法律ニ依リ処分セラルヘシ

第五三条 両議院ノ議員ハ現行犯罪又ハ内乱外患ニ関ル罪ヲ除ク外会期中其ノ院ノ許諾ナクシテ逮捕セラルヽコトナシ

第五四条 国務大臣及政府委員ハ何時タリトモ各議院ニ出席シ及発言スルコトヲ得

第四章　国務大臣及枢密顧問

第五五条①国務各大臣ハ天皇ヲ輔弼シ其ノ責ニ任ス

②凡テ法律勅令其ノ他国務ニ関ル詔勅ハ国務大臣ノ副署ヲ要ス

第五六条 枢密顧問ハ枢密院官制ノ定ムル所ニ依リ天皇ノ諮詢ニ応ヘ重要ノ国務ヲ審議ス

第五章　司法

第五七条①司法権ハ天皇ノ名ニ於テ法律ニ依リ裁判所之ヲ行フ

②裁判所ノ構成ハ法律ヲ以テ之ヲ定ム

第五八条①裁判官ハ法律ニ定メタル資格ヲ具フル者ヲ以テ之ニ任ス

②裁判官ハ刑法ノ宣告又ハ懲戒ノ処分ニ由ルノ外其ノ職ヲ免セラルヽコトナシ

③懲戒ノ条規ハ法律ヲ以テ之ヲ定ム

第五九条 裁判ノ対審判決ハ之ヲ公開ス但シ安寧秩序又ハ風俗ヲ害スルノ虞アルトキハ法律ニ依リ又ハ裁判所ノ決議ヲ以テ対審ノ公開ヲ停ムルコトヲ得

第六〇条 特別裁判所ノ管轄ニ属スヘキモノハ別ニ法律ヲ以テ之ヲ定ム

第六一条 行政官庁ノ違法処分ニ由リ権利ヲ傷害セラレタリトスルノ訴訟ニシテ別ニ法律ヲ以テ定メタル行政裁判所ノ裁判ニ属スヘキモノハ司法裁判所ニ於テ受理スルノ限ニ在ラス

第六章　会計

第六二条①新ニ租税ヲ課シ及税率ヲ変更スルハ法律ヲ以テ之ヲ定ムヘシ

②但シ報償ニ属スル行政上ノ手数料及其ノ他ノ収納金ハ前項ノ限ニ在ラス

③国債ヲ起シ及予算ニ定メタルモノヲ除ク外国庫ノ負担トナルヘキ契約ヲ為スハ帝国議会ノ協賛ヲ経ヘシ

第六三条 現行ノ租税ハ更ニ法律ヲ以テ之ヲ改メサル限ハ旧ニ依リ之ヲ徴収ス

第六四条①国家ノ歳出歳入ハ毎年予算ヲ以テ帝国議会ノ協賛ヲ経ヘシ

②予算ノ款項ニ超過シ又ハ予算ノ外ニ生シタル支出アルトキハ後日帝国議会ノ承諾ヲ求ムルヲ要ス

第六五条 予算ハ前ニ衆議院ニ提出スヘシ

第六六条 皇室経費ハ現在ノ定額ニ依リ毎年国庫ヨリ之ヲ支出シ将来増額ヲ要スル場合ヲ除ク外帝国議会ノ協賛ヲ要セス

第六七条 憲法上ノ大権ニ基ツケル既定ノ歳出及法律ノ結果ニ由リ又ハ法律上政府ノ義務ニ属スル歳出ハ政府ノ同意ナクシテ帝国議会之ヲ廃除シ又ハ削減スルコトヲ得ス

第六八条 特別ノ須要ニ因リ政府ハ予メ年限ヲ定メ継続費トシテ帝国議会ノ協賛ヲ求ムルコトヲ得

第六九条 避クヘカラサル予算ノ不足ヲ補フ為ニ又ハ予算ノ外ニ生シタル必要ノ費用ニ充ツル為ニ予備費ヲ設クヘシ

第七〇条①公共ノ安全ヲ保持スル為緊急ノ需用アル場合ニ於テ内外ノ情形ニ因リ政府ハ帝国議会ヲ召集スルコト能ハサルトキハ勅令ニ依リ財政上必要ノ処分ヲ為スコトヲ得

②前項ノ場合ニ於テハ次ノ会期ニ於テ帝国議会ニ提出シ其ノ承諾ヲ求ムルヲ要ス

第七一条 帝国議会ニ於テ予算ヲ議定セス又ハ予算成立ニ至ラサルトキハ政府ハ前年度ノ予算ヲ施行スヘシ

第七二条①国家ノ歳出歳入ノ決算ハ会計検査院之ヲ検査確定シ政府ハ其ノ検査報告ト倶ニ之ヲ帝国議会ニ提出スヘシ

②会計検査院ノ組織及職権ハ法律ヲ以テ之ヲ定ム

第七章　補則

第七三条①将来此ノ憲法ノ条項ヲ改正スルノ必要アルトキハ勅命ヲ以テ議案ヲ帝国議会ノ議ニ付スヘシ

②此ノ場合ニ於テ両議院ハ各〻其ノ総員三分ノ二以上出席スルニ非サレハ議事ヲ開クコトヲ得ス出席議員三分ノ二以上ノ多数ヲ得ルニ非サレハ改正ノ議決ヲ為スコトヲ得ス

第七四条①皇室典範ノ改正ハ帝国議会ノ議ヲ経ルヲ要セス

②皇室典範ヲ以テ此ノ憲法ノ条規ヲ変更スルコトヲ得ス

第七五条 憲法及皇室典範ハ摂政ヲ置クノ間之ヲ変更スルコトヲ得ス

第七六条①法律規則命令又ハ何等ノ名称ヲ用ヰタルニ拘ラス此ノ憲法ニ矛盾セサル現行ノ法令ハ総テ遵由ノ効力ヲ有ス

②歳出上政府ノ義務ニ係ル現在ノ契約又ハ命令ハ総テ第六十七条ノ例ニ依ル

●日本国憲法の改正手続に関する法律（抄）

（平成一九・五・一八 法 五 一）

施行　平成二二・五・一八（附則参照）
改正　平成一九法一三五、平成二二法六五、平成二四法六七、平成二五法二一、平成二六法四二・法六七・法六九・法七〇・法七五、平成二八法九四、令和一法一六、令和三法七六、令和四法四八・法五二・法六八

目次

第一章　総則

（趣旨）
第一条　この法律は、日本国憲法第九十六条に定める日本国憲法の改正（以下「憲法改正」という。）について、国民の承認に係る投票（以下「国民投票」という。）に関する手続を定めるとともに、あわせて憲法改正の発議に係る手続の整備を行うものとする。

第二章　国民投票の実施（抄）

第一節　総則（抄）

（国民投票の期日）
第二条①　国民投票は、国会が憲法改正を発議した日（国会法（昭和二十二年法律第七十九号）第六十八条の五第一項の規定により国会が日本国憲法第九十六条第一項に定める日本国憲法の改正の発議をし、国民に提案したものとされる日をいう。第百条の二において同じ。）から起算して六十日以後百八十日以内において、国会の議決した期日に行う。
② 内閣は、国会法第六十五条第一項の規定により国民投票の期日に係る議案の送付を受けたときは、速やかに、総務大臣を経由して、当該国民投票の期日を中央選挙管理会に通知しなければならない。
③ 中央選挙管理会は、前項の通知があったときは、速やかに、国民投票の期日を官報で告示しなければならない。

（投票権）
第三条　日本国民で年齢満十八年以上の者は、国民投票の投票権を有する。

第四条及び第五条　削除

（国民投票を行う区域）
第六条　国民投票は、全都道府県の区域を通じて行う。

第七条　（略）

（国民投票の執行に関する事務の管理）
第八条①　国民投票の執行に関する事務は、この法律に特別の定めがある場合を除くほか、中央選挙管理会が管理する。
② 公職選挙法第五条の三から第五条の五までの規定は、国民投票の執行に関する事務について準用する。

（国民投票取締りの公正確保）
第九条　公職選挙法第七条の規定は、国民投票の取締りに関する規定の執行について準用する。

（特定地域に関する特例）
第一〇条　交通至難の島その他の地において、この法律の規定を適用し難い事項については、政令で特別の規定を設けることができる。

第二節　国民投票広報協議会及び国民投票に関する周知

（協議会）
第一一条　国民投票広報協議会（以下この節において「協議会」という。）については、国会法に定めるもののほか、この節の定めるところによる。

（協議会の組織）
第一二条①　協議会の委員（以下この節において「委員」という。）は、協議会が存続する間、その任にあるものとする。
② 委員の員数は、憲法改正の発議がされた際衆議院議員であった者及び当該発議がされた際参議院議員であった者各十人とし、その予備員の員数は、当該発議がされた際衆議院議員であった者及び当該発議がされた際参議院議員であった者各十人とする。
③ 委員は、各議院における各会派の所属議員数の比率により、各会派に割り当て選任する。ただし、各会派の所属議員数の比率により各会派に割り当て選任した場合には憲法改正の発議に係る議決において反対の表決を行った議員の所属する会派から委員が選任されないこととなるときは、各議院において、当該会派にも委員を割り当て選任するようできる限り配慮するものとする。
④ 前項の規定は、予備員の選任について準用する。
⑤ 委員に事故のある場合又は委員が欠けた場合は、憲法改正の発議がされた際にその者の属していた議院の議員であった予備員のうちから協議会の会長が指名する者が、その委員の職務を行う。

（会長の権限）
第一三条　協議会の会長は、協議会の議事を整理し、秩序を保持し、協議会を代表する。

（協議会の事務）
第一四条①　協議会は、次に掲げる事務を行う。
一　国会の発議に係る日本国憲法の改正案（以下「憲法改正案」という。）及びその要旨並びに憲法改正案に係る新旧対照表その他参考となるべき事項に関する分かりやすい説明並びに憲法改正案を発議するに当たって出された賛成意見及び反対意見を掲載した国民投票公報の原稿の作成
二　第六十五条の憲法改正案の要旨の作成
三　第百六条及び第百七条の規定によりその権限に属する事務
四　前三号に掲げるもののほか憲法改正案の広報に関する事務
② 協議会が、前項第一号、第二号及び第四号の事務を行うに当たっては、憲法改正案及びその要旨並びに憲法改正案に係る新旧対照表その他参考となるべき事項に関する分かりやすい説明に関する記載等については客観的かつ中立的に行うとともに、憲法改正案に対する賛成意見及び反対意見の記載等については公正かつ平等に扱うものとする。

（協議会の議事）
第一五条①　協議会は、憲法改正の発議がされた際衆議院議員であった委員及び当該発議がされた際参議院議員であった委員が

それぞれ七人以上出席しなければ、議事を開き議決することができない。

② 協議会の議事は、出席委員の三分の二以上の多数で決する。

（協議会事務局）

第一六条① 協議会に事務局を置く。

② 事務局に参事その他の職員を置き、参事のうち一人を事務局長とする。

③ 事務局長は、協議会の会長の監督を受けて、庶務を掌理し、他の職員を指揮監督する。

④ 事務局長以外の職員は、上司の命を受けて、庶務に従事する。

⑤ 事務局長その他の職員は、協議会の会長が両議院の議長の同意及び両議院の議院運営委員会の承認を得て、任免する。

⑥ 前各項に定めるもののほか、事務局に関し必要な事項は、両議院の議長が協議して定める。

（両院議長協議決定への委任）

第一七条 この節に定めるもののほか、協議会に関する事項は、両議院の議長が協議して定める。

（国民投票公報の印刷及び配布）

第一八条① 協議会は、第十四条第一項第一号の国民投票公報の原稿を作成したときは、これを国民投票の期日前三十日までに中央選挙管理会に送付しなければならない。

② 中央選挙管理会は、前項の国民投票公報の原稿の送付があったときは、速やかに、その写しを都道府県の選挙管理委員会に送付しなければならない。

③ 都道府県の選挙管理委員会は、前項の国民投票公報の原稿の写しの送付があったときは、速やかに、国民投票公報を印刷しなければならない。この場合においては、当該写しを原文のまま印刷しなければならない。

④ 公職選挙法第百七十条第一項本文及び第二項の規定は、国民投票公報の配布について準用する。この場合において、同条第一項中「当該選挙に用うべき選挙人名簿」とあるのは「投票人名簿」と、「選挙の期日前二日」とあるのは「国民投票の期日前十日」と、同条第二項中「選挙人」とあるのは「投票人」と読み替えるものとする。

（国民投票の方法等に関する周知等）

第一九条① 総務大臣、中央選挙管理会、都道府県の選挙管理委員会及び市町村の選挙管理委員会は、国民投票に際し、国民投票の方法、この法律に規定する規制その他国民投票の手続に関し必要と認める事項を投票人に周知させなければならない。

② 中央選挙管理会は、国民投票の結果を国民に対して速やかに知らせるように努めなければならない。

③ 投票人に対しては、特別の事情がない限り、国民投票の当日、その投票権を行使するために必要な時間を与えるよう措置されなければならない。

第三節　投票人名簿　及び　第四節　在外投票人名簿

（第二〇条から第四六条まで）（略）

第五節　投票及び開票（抄）

（一人一票）

第四七条 投票は、国民投票に係る憲法改正案ごとに、一人一票に限る。

第四八条から第五二条の二まで　（略）

（投票人名簿又は在外投票人名簿の登録と投票）

第五三条① 投票人名簿又は在外投票人名簿に登録されていない者は、投票をすることができない。ただし、投票人名簿に登録されるべき旨の決定書又は確定判決の判決書の正本若しくは謄本若しくは電子判決書（民事訴訟法（平成八年法律第百九号）第二百五十二条第一項に規定する電子判決書（同法第二百五十三条第二項の規定により裁判所の使用に係る電子計算機に備えられたファイルに記録されたものに限る。）をいう。）に記録されている事項を記載した書面であって裁判所書記官が当該書面の内容が当該ファイルに記録されている事項と同一であることを証明したもの（第百三十二条第二項において「電子判決書記録事項証明書」という。）を所持し、国民投票の当日投票所に至る者があるときは、投票管理者は、その者に投票をさせなければならない。

> **＊令和四法四八（令和八・五・二四までに施行）による改正前**
>
> ① 投票人名簿又は在外投票人名簿に登録されていない者は、投票をすることができない。ただし、投票人名簿に登録されるべき旨の決定書又は確定判決書を所持し、国民投票の当日投票所に至る者があるときは、投票管理者は、その者に投票をさせなければならない。

② 投票人名簿又は在外投票人名簿に登録された者であっても投票人名簿又は在外投票人名簿に登録されることができない者であるときは、投票をすることができない。

（投票権のない者の投票）

第五四条 国民投票の当日（第六十条の規定による投票にあっては、当該投票の当日）、国民投票の投票権を有しない者は、投票をすることができない。

（投票所においての投票）

第五五条① 投票人は、国民投票の当日、自ら投票所に行き、投票をしなければならない。

② 投票人は、投票人名簿又はその抄本（当該投票人名簿が第二十条第二項の規定により磁気ディスクをもって調製されている場合には、当該投票人名簿に記録されている全部若しくは一部の事項又は当該事項を記載した書類。第六十九条及び第七十条において同じ。）の対照を経なければ、投票をすることができない。

（投票用紙の交付及び様式）

第五六条① 投票用紙は、国民投票の当日、投票所において投票人に交付しなければならない。

② 投票用紙には、賛成の文字及び反対の文字を印刷しなければならない。

③ 投票用紙は、別記様式（第六十一条第一項、第二項及び第四項並びに第六十二条の規定による投票の場合にあっては、政令で定める様式）に準じて調製しなければならない。

（投票の記載事項及び投函）

第五七条① 投票人は、投票所において、憲法改正案に対し賛成するときは投票用紙に印刷された賛成の文字を囲んで○の記号を自書し、憲法改正案に対し反対するときは投票用紙に印刷された反対の文字を囲んで○の記号を自書し、これを投票箱に入れなければならない。

② 投票用紙には、投票人の氏名を記載してはならない。

（点字投票）

第五八条① 投票人は、点字による投票を行う場合においては、投票用紙に、憲法改正案に対し賛成するときは賛成と、憲法改正案に対し反対するときは反対と自書するものとする。

② 前項の場合においては、政令で定める点字は文字とみなし、投票用紙の様式その他必要な事項は、政令で定める。

（代理投票）

第五九条① 心身の故障その他の事由により、自ら○の記号を記載することができない投票人は、第五十七条第一項、第六十三条第四項及び第五項並びに第八十二条の規定にかかわらず、投票管理者に申請し、代理投票をさせることができる。

② 前項の規定による申請があった場合においては、投票管理者は、投票立会人の意見を聴いて、投票所の事務に従事する者のうちから当該投票人の投票を補助すべき者二人を定め、その一人に投票の記載をする場所において投票用紙に当該投票人が指示する賛成の文字又は反対の文字を囲んで○の記号を記載させ、他の一人をこれに立ち会わせなければならない。

③ 前二項の場合において必要な事項は、政令で定める。

（期日前投票）

第六〇条① 国民投票の当日に次に掲げる事由のいずれかに該当

すると見込まれる投票人の投票については、第五十五条第一項の規定にかかわらず、国民投票の期日前十四日に当たる日から国民投票の期日の前日までの間、期日前投票所において、行わせることができる。

一　職務若しくは業務又は総務省令で定める用務に従事すること。

二　用務（前号の総務省令で定めるものを除く。）又は事故のためその属する投票区の区域外に旅行又は滞在をすること。

三　疾病、負傷、妊娠、老衰若しくは身体の障害のため若しくは産褥にあるため歩行が困難であること又は刑事施設、労役場、監置場、少年院若しくは少年鑑別所に収容されていること。

四　交通至難の島その他の地で総務省令で定める地域に居住していること又は当該地域に滞在をすること。

五　その属する投票区のある市町村の区域外の住所に居住していること。

六　天災又は悪天候により投票所に到達することが困難であること。

②　市町村の選挙管理委員会は、二以上の期日前投票所を設ける場合には、一の期日前投票所において投票をした投票人が他の期日前投票所において投票をすることを防止するために必要な措置を講じなければならない。

③　天災その他避けることのできない事故により、期日前投票所において投票を行わせることができないときは、市町村の選挙管理委員会は、期日前投票所を開かず、又は閉じるものとする。

④　市町村の選挙管理委員会は、前項の規定により期日前投票所を開かず、又は閉じる場合には、直ちにその旨を告示しなければならない。市町村の選挙管理委員会が当該期日前投票所を開く場合も、同様とする。

⑤―⑧　（略）

第六一条及び第六二条　（略）

（投票人の確認及び投票の拒否）

第六三条①　投票管理者は、投票をしようとする投票人が本人であるかどうかを確認することができないときは、その本人である旨を宣言させなければならない。その宣言をしない者は、投票をすることができない。

②　投票の拒否は、投票立会人の意見を聴き、投票管理者が決定しなければならない。

③　前項の決定を受けた投票人において不服があるときは、投票管理者は、仮に投票をさせなければならない。

④　前項の投票は、投票人をしてこれを封筒に入れて封をし、表面に自らその氏名を記載して投票箱に入れさせなければならない。

⑤　投票立会人において異議のある投票人についても、また前二項と同様とする。

第六四条　（略）

（投票記載所における憲法改正案等の掲示）

第六五条①　市町村の選挙管理委員会は、国民投票の当日、投票所内の投票の記載をする場所その他適当な箇所に憲法改正案及びその要旨の掲示をしなければならない。ただし、憲法改正案及びその要旨の掲示が著しく困難である場合においては、当該投票所における国民投票公報の備付けをもって当該掲示に代えることができる。

②　市町村の選挙管理委員会は、国民投票の期日前十四日に当たる日から国民投票の期日の前日までの間、期日前投票所及び不在者投票管理者のうち政令で定めるものの管理する投票を記載する場所内の適当な箇所に、憲法改正案及びその要旨の掲示をしなければならない。ただし、憲法改正案及びその要旨の掲示が著しく困難である場合においては、当該期日前投票所又は投票を記載する場所における国民投票公報の備付けをもって当該掲示に代えることができる。

③　国民投票広報協議会は、前二項の憲法改正案の要旨を作成したときは、速やかに、これを中央選挙管理会に送付しなければならない。

④　中央選挙管理会は、前項の送付があったときは、速やかに、これを都道府県の選挙管理委員会を経由して、市町村の選挙管理委員会に送付しなければならない。

⑤　前各項に定めるもののほか、第一項又は第二項の掲示に関し必要な事項は、都道府県の選挙管理委員会が定める。

（投票の秘密保持）

第六六条　何人も、投票人のした投票の内容を陳述する義務はない。

第六七条から第六九条まで　（略）

（繰上投票）

第七〇条　島その他交通不便の地について、国民投票の期日に投票箱を送致することができない状況があると認めるときは、都道府県の選挙管理委員会は、適宜にその投票の期日を定め、開票の期日までにその投票箱、投票録、投票人名簿又はその抄本及び在外投票人名簿又はその抄本を送致させることができる。

（繰延投票）

第七一条①　天災その他避けることのできない事故により、投票所において、投票を行うことができないとき又は更に投票を行う必要があるときは、都道府県の選挙管理委員会は、更に期日を定めて投票を行わせなければならない。この場合において、都道府県の選挙管理委員会は、直ちにその旨を告示するとともに、更に定めた期日を少なくとも二日前に告示しなければならない。

②　前項に規定する事由を生じた場合には、市町村の選挙管理委員会は、国民投票分会長を経て都道府県の選挙管理委員会にその旨を届け出なければならない。

第七二条から第八〇条まで　（略）

（開票の場合の投票の効力の決定）

第八一条　投票の効力は、開票立会人の意見を聴き、開票管理者が決定しなければならない。その決定に当たっては、次条第二号の規定にかかわらず、投票用紙に印刷された反対の文字を×の記号、二重線その他の記号を記載することにより抹消した投票は賛成の投票として、投票用紙に印刷された賛成の文字を×の記号、二重線その他の記号を記載することにより抹消した投票は反対の投票として、それぞれ有効とするほか、次条の規定に反しない限りにおいて、その投票した投票人の意思が明白であれば、その投票を有効とするようにしなければならない。

（無効投票）

第八二条　次のいずれかに該当する投票は、無効とする。

一　所定の用紙を用いないもの

二　〇の記号以外の事項を記載したもの

三　〇の記号を自書しないもの

四　賛成の文字を囲んだ〇の記号及び反対の文字を囲んだ〇の記号をともに記載したもの

五　賛成の文字又は反対の文字のいずれを囲んで〇の記号を記載したかを確認し難いもの

第八三条から第八八条まで　（略）

第六節　国民投票分会及び国民投票会

（第八九条から第九九条まで）（略）

第七節　国民投票運動

（適用上の注意）

第一〇〇条　この節及び次節の規定の適用に当たっては、表現の自由、学問の自由及び政治活動の自由その他の日本国憲法の保障する国民の自由と権利を不当に侵害しないように留意しなければならない。

（公務員の政治的行為の制限に関する特例）

第一〇〇条の二　公務員（日本銀行の役員（日本銀行法（平成九年法律第八十九号）第二十六条第一項に規定する役員をいう。）を含み、第百二条各号に掲げる者を除く。以下この条において同じ。）は、公務員の政治的目的をもって行われる政治的行為又は積極的な政治運動若しくは政治活動その他の行為（以下この条において単に「政治的行為」という。）を禁止する他の法令の規定（以下この条において「政治的行為禁止規定」という。）にかかわらず、国会が憲法改正を発議した日から国民投票の期日までの間、国民投票運動（憲法改正案に対し賛成又は反対の投票をし又はしないよう勧誘する行為をいう。以下同じ。）及び憲法改正に関する意見の表明をすることができる。ただし、政治的行為禁止規定により禁止されている他の政治的行為を伴う場合は、この限りでない。

（投票事務関係者の国民投票運動の禁止）

第一〇一条①　投票管理者、開票管理者、国民投票分会長及び国民投票長は、在職中、その関係区域内において、国民投票運動をすることができない。

②　第六十一条の規定による投票に関し、不在者投票管理者は、その者の業務上の地位を利用して国民投票運動をすることができない。

（特定公務員の国民投票運動の禁止）

第一〇二条　次に掲げる者は、在職中、国民投票運動をすることができない。

一　中央選挙管理会の委員及び中央選挙管理会の庶務に従事する総務省の職員並びに選挙管理委員会の委員及び職員
二　国民投票広報協議会事務局の職員
三　裁判官
四　検察官
五　国家公安委員会又は都道府県公安委員会若しくは方面公安委員会の委員
六　警察官

（公務員等及び教育者の地位利用による国民投票運動の禁止）

第一〇三条①　国若しくは地方公共団体の公務員若しくは行政執行法人（独立行政法人通則法（平成十一年法律第百三号）第二条第四項に規定する行政執行法人をいう。第百十一条において同じ。）若しくは特定地方独立行政法人（地方独立行政法人法（平成十五年法律第百十八号）第二条第二項に規定する特定地方独立行政法人をいう。第百十一条において同じ。）の役員若しくは職員又は公職選挙法第百三十六条の二第一項第二号に規定する公庫の役職員は、その地位にあるために特に国民投票運動を効果的に行い得る影響力又は便益を利用して、国民投票運動をすることができない。

②　教育者（学校教育法（昭和二十二年法律第二十六号）に規定する学校及び就学前の子どもに関する教育、保育等の総合的な提供の推進に関する法律（平成十八年法律第七十七号）に規定する幼保連携型認定こども園の長及び教員をいう。）は、学校の児童、生徒及び学生に対する教育上の地位にあるために特に国民投票運動を効果的に行い得る影響力又は便益を利用して、国民投票運動をすることができない。

（国民投票に関する放送についての留意）

第一〇四条　放送事業者（放送法（昭和二十五年法律第百三十二号）第二条第二十六号に規定する放送事業者をいい、日本放送協会及び放送大学学園（放送大学学園法（平成十四年法律第百五十六号）第三条に規定する放送大学学園をいう。第百六条第一項において同じ。）を除く。次条において同じ。）は、国民投票に関する放送については、放送法第四条第一項の規定の趣旨に留意するものとする。

（投票日前の国民投票運動のための広告放送の制限）

第一〇五条　何人も、国民投票の期日前十四日に当たる日から国民投票の期日までの間においては、次条の規定による場合を除くほか、放送事業者の放送設備を使用して、国民投票運動のための広告放送をし、又はさせることができない。

（国民投票広報協議会及び政党等による放送）

第一〇六条①　国民投票広報協議会は、両議院の議長が協議して定めるところにより、日本放送協会及び基幹放送事業者（放送法第二条第二十三号に規定する基幹放送事業者をいい、日本放送協会及び放送大学学園を除く。第四項及び第八項において同じ。）のラジオ放送又はテレビジョン放送（同条第十六号に規定する中波放送又は同条第十八号に規定するテレビジョン放送をいう。）の放送設備により、憲法改正案の広報のための放送をするものとする。

②　前項の放送は、国民投票広報協議会が行う憲法改正案及びその要旨その他参考となるべき事項の広報並びに憲法改正案に対する賛成の政党等（一人以上の衆議院議員又は参議院議員が所属する政党その他の政治団体であって両議院の議長が協議して定めるところにより国民投票広報協議会に届け出たものをいう。以下この条及び次条において同じ。）及び反対の政党等が行う意見の広告からなるものとする。

③　第一項の放送において、国民投票広報協議会は、憲法改正案及びその要旨その他参考となるべき事項の広報を客観的かつ中立的に行うものとする。

④　第一項の放送において、政党等は、両議院の議長が協議して定めるところにより、憲法改正案に対する賛成又は反対の意見を無料で放送することができる。この場合において、日本放送協会及び基幹放送事業者は、政党等が録音し、又は録画した意見をそのまま放送しなければならない。

⑤　政党等は、両議院の議長が協議して定めるところにより、両議院の議長が協議して定める額の範囲内で、前項の意見の放送のための録音又は録画を無料ですることができる。

⑥　第一項の放送に関しては、憲法改正案に対する賛成の政党等及び反対の政党等の双方に対して同一の時間数及び同等の時間帯を与える等同等の利便を提供しなければならない。

⑦　第一項の放送において意見の放送をすることができる政党等は、両議院の議長が協議して定めるところにより、当該放送の一部を、その指名する団体に行わせることができる。

⑧　第一項の放送の回数及び日時は、国民投票広報協議会が日本放送協会及び当該放送を行う基幹放送事業者と協議の上、定める。

（国民投票広報協議会及び政党等による新聞広告）

第一〇七条①　国民投票広報協議会は、両議院の議長が協議して定めるところにより、新聞に、憲法改正案の広報のための広告をするものとする。

②　前項の広告は、国民投票広報協議会が行う憲法改正案及びその要旨その他参考となるべき事項の広報並びに憲法改正案に対する賛成の政党等及び反対の政党等が行う意見の広告からなるものとする。

③　第一項の広告において、国民投票広報協議会は、憲法改正案及びその要旨その他参考となるべき事項の広報を客観的かつ中立的に行うものとする。

④　第一項の広告において、政党等は、両議院の議長が協議して定めるところにより、無料で、憲法改正案に対する賛成又は反対の意見の広告をすることができる。

⑤　第一項の広告に関しては、憲法改正案に対する賛成の政党等及び反対の政党等の双方に対して同一の寸法及び回数を与える等同等の利便を提供しなければならない。

⑥　第一項の広告において意見の広告をすることができる政党等は、両議院の議長が協議して定めるところにより、当該広告の一部を、その指名する団体に行わせることができる。

（公職選挙法による政治活動の規制との調整）

第一〇八条　公職選挙法第二百一条の五から第二百一条の九までの規定は、これらの条に掲げる選挙が行われる場合において、政党その他の政治活動を行う団体が、国民投票運動を行うことを妨げるものではない。

第八節　罰則（抄）

（組織的多数人買収及び利害誘導罪）

第一〇九条　国民投票に関し、次に掲げる行為をした者は、三年以下の拘禁刑又は五十万円以下の罰金に処する。

一　組織により、多数の投票人に対し、憲法改正案に対する賛成又は反対の投票をし又はしないようその旨を明示して勧誘して、その投票をし又はしないことの報酬として、金銭若しくは憲法改正案に対する賛成若しくは反対の投票をし若しくはしないことに影響を与えるに足りる物品その他の財産上の利益（多数の者に対する意見の表明の手段として通常用いられないものに限る。）若しくは公私の職務の供与をし、若しくはその供与の申込み若しくは約束をし、又は憲法改正案に対する賛成若しくは反対の投票をし若しくはしないことに影響を与えるに足りる供応接待をし、若しくはその申込み若しくは約束をしたとき。

二　組織により、多数の投票人に対し、憲法改正案に対する賛成又は反対の投票をし又はしないようその旨を明示して勧誘して、その投票をし又はしないことの報酬として、その者又はその者と関係のある社寺、学校、会社、組合、市町村等に対する用水、小作、債権、寄附その他特殊の直接利害関係を利用して憲法改正案に対する賛成又は反対の投票をし又はしないことに影響を与えるに足りる誘導をしたとき。

三　前二号に掲げる行為をさせる目的をもって国民投票運動をする者に対し金銭若しくは物品の交付をし、若しくはその交付の申込み若しくは約束をし、又は国民投票運動をする者がその交付を受け、その交付を要求し若しくはその申込みを承諾したとき。

（組織的多数人買収及び利害誘導罪の場合の没収）

第一一〇条　前条の場合において収受し、又は交付を受けた利益は、没収する。その全部又は一部を没収することができないときは、その価額を追徴する。

（職権濫用による国民投票の自由妨害罪）

第一一一条①　国民投票に関し、国若しくは地方公共団体の公務員、行政執行法人若しくは特定地方独立行政法人の役員若しくは職員、中央選挙管理会の委員若しくは中央選挙管理会の庶務に従事する総務省の職員、選挙管理委員会の委員若しくは職員、国民投票広報協議会事務局の職員、投票管理者、開票管理者又は国民投票分会長若しくは国民投票長が故意にその職務の執行を怠り、又は正当な理由がなくて国民投票運動をする者に追随し、その居宅に立ち入る等その職権を濫用して国民投票の自由を妨害したときは、四年以下の拘禁刑に処する。

②　国若しくは地方公共団体の公務員、行政執行法人若しくは特定地方独立行政法人の役員若しくは職員、中央選挙管理会の委員若しくは中央選挙管理会の庶務に従事する総務省の職員、選挙管理委員会の委員若しくは職員、国民投票広報協議会事務局の職員、投票管理者、開票管理者又は国民投票分会長若しくは国民投票長が、投票人に対し、その投票しようとし、又は投票した内容の表示を求めたときは、六月以下の拘禁刑又は三十万円以下の罰金に処する。

（投票の秘密侵害罪）

第一一二条　中央選挙管理会の委員若しくは中央選挙管理会の庶務に従事する総務省の職員、選挙管理委員会の委員若しくは職員、投票管理者、開票管理者、国民投票分会長若しくは国民投票長、立会人（第五十九条第二項の規定により投票を補助すべき者及び第六十一条第三項の規定により投票に関する記載をすべき者を含む。以下同じ。）又は監視者（投票所（第五十二条の二第一項に規定する共通投票所及び第六十条第一項に規定する期日前投票所を含む。次条第一項、第百十四条及び第百十六条において同じ。）、開票所、国民投票分会場又は国民投票会場を監視する職権を有する者をいう。以下同じ。）が投票人の投票した内容を表示したときは、二年以下の拘禁刑又は三十万円以下の罰金に処する。その表示した事実が虚偽であるときも、また同様とする。

（投票干渉罪）

第一一三条①　投票所又は開票所において、正当な理由がなくて、投票人の投票に干渉し、又は投票の内容を認知する方法を行った者は、一年以下の拘禁刑又は三十万円以下の罰金に処する。

②　法令の規定によらないで、投票箱を開き、又は投票箱の投票を取り出した者は、三年以下の拘禁刑又は五十万円以下の罰金に処する。

（投票事務関係者、施設等に対する暴行罪、騒擾罪等）

第一一四条　投票管理者、開票管理者、国民投票分会長、国民投票長、立会人若しくは監視者に暴行若しくは脅迫を加え、投票所、開票所、国民投票分会場若しくは国民投票会場を騒擾し、又は投票、投票箱その他関係書類（関係の電磁的記録媒体（電子的方式、磁気的方式その他人の知覚によっては認識することができない方式で作られる記録であって電子計算機による情報処理の用に供されるものに係る記録媒体をいう。）を含む。）を抑留し、損ない、若しくは奪取した者は、四年以下の拘禁刑に処する。

（多衆の国民投票妨害罪）

第一一五条①　多衆集合して前条の罪を犯した者は、次の区別に従って処断する。

一　首謀者は、一年以上七年以下の拘禁刑に処する。

二　他人を指揮し、又は他人に率先して勢いを助けた者は、六月以上五年以下の拘禁刑に処する。

三　付和随行した者は、二十万円以下の罰金又は科料に処する。

②　前項の罪を犯すため多衆集合し当該公務員から解散の命令を受けることが三回以上に及んでもなお解散しないときは、首謀者は、二年以下の拘禁刑に処し、その他の者は、二十万円以下の罰金又は科料に処する。

第一一六条から**第一二一条**まで　（略）

（国民投票運動の規制違反）

第一二二条　第百一条又は第百二条の規定に違反して国民投票運動をした者は、六月以下の拘禁刑又は三十万円以下の罰金に処する。

第一二三条から**第一二五条の二**まで　（略）

第三章　国民投票の効果

第一二六条①　国民投票において、憲法改正案に対する賛成の投票の数が第九十八条第二項に規定する投票総数（編注・憲法改正案に対する賛成の投票の数及び反対の投票の数を合計した数をいう。）の二分の一を超えた場合は、当該憲法改正について日本国憲法第九十六条第一項の国民の承認があったものとする。

②　内閣総理大臣は、第九十八条第二項の規定により、憲法改正案に対する賛成の投票の数が同項に規定する投票総数の二分の一を超える旨の通知を受けたときは、直ちに当該憲法改正の公布のための手続を執らなければならない。

第四章　国民投票無効の訴訟等（抄）

第一節　国民投票無効の訴訟（抄）

（国民投票無効の訴訟）

第一二七条　国民投票に関し異議がある投票人は、中央選挙管理会を被告として、第九十八条第二項の規定による告示の日から三十日以内に、東京高等裁判所に訴訟を提起することができる。

（国民投票無効の判決）

第一二八条①　前条の規定による訴訟の提起があった場合において、次に掲げる事項があり、そのために憲法改正案に係る国民投票の結果（憲法改正案に対する賛成の投票の数が第九十八条第二項に規定する投票総数の二分の一を超えること又は超えないことをいう。第百三十五条において同じ。）に異動を及ぼすおそれがあるときは、裁判所は、その国民投票の全部又は一部の無効を判決しなければならない。

一　国民投票の管理執行に当たる機関が国民投票の管理執行につき遵守すべき手続に関する規定に違反したこと。

二　第百一条、第百二条、第百九条及び第百十一条から第百十三条までの規定について、多数の投票人が一般にその自由な判断による投票を妨げられたといえる重大な違反があったこと。

三　憲法改正案に対する賛成の投票の数又は反対の投票の数の確定に関する判断に誤りがあったこと。

②　前項第一号の国民投票の管理執行に当たる機関には、国民投票広報協議会を含まないものとする。

（国民投票無効の訴訟の処理）

第一二九条①　第百二十七条の規定による訴訟については、裁判所は、他の訴訟の順序にかかわらず速やかにその裁判をしなければならない。

②　当事者、代理人その他の第百二十七条の規定による訴訟に関与する者は、前項の趣旨を踏まえ、充実した審理を特に迅速に行うことができるよう、裁判所に協力しなければならない。

（国民投票無効の訴訟の提起と国民投票の効力）

第一三〇条　第百二十七条の規定による訴訟の提起があっても、憲法改正案に係る国民投票の効力は、停止しない。

（国民投票無効の訴訟に対する訴訟法規の適用）

第一三一条　第百二十七条の規定による訴訟については、行政事件訴訟法（昭和三十七年法律第百三十九号）第四十三条の規定にかかわらず、同法第十三条、第十九条から第二十一条まで、第二十五条から第二十九条まで、第三十一条及び第三十四条の規定は、準用せず、また、同法第十六条から第十八条までの規定は、第百二十七条の規定により憲法改正案に係る国民投票の無効を求める数個の請求に関してのみ準用する。

第一三二条　（略）

（憲法改正の効果の発生の停止）

第一三三条①　憲法改正が無効とされることにより生ずる重大な支障を避けるため緊急の必要があるときは、裁判所は、申立てにより、決定をもって、憲法改正の効果の発生の全部又は一部の停止をするものとする。ただし、本案について理由がないとみえるときは、この限りでない。

②　前項の規定による憲法改正の効果の発生を停止する決定が確定したときは、憲法改正の効果の発生は、本案に係る判決が確定するまでの間、停止する。

③　第一項の決定は、第三者に対しても効力を有する。

④　第一項の決定の管轄裁判所は、本案の係属する裁判所とする。

⑤　第一項の決定は、疎明に基づいてする。

⑥　第一項の決定は、口頭弁論を経ないですることができる。ただし、あらかじめ、当事者の意見を聴かなければならない。

（国民投票無効の告示等）

第一三四条①　第百二十七条の規定による訴訟の結果憲法改正案に係る国民投票を無効とする判決が確定したとき又は前条第一項の規定による憲法改正の効果の発生を停止する決定が確定したとき若しくはその決定が効力を失ったときは、中央選挙管理会は、直ちにその旨を官報で告示するとともに、総務大臣を通じ内閣総理大臣に通知しなければならない。

②　内閣総理大臣は、前項の通知を受けたときは、直ちにこれを衆議院議長及び参議院議長に通知しなければならない。

第二節　再投票及び更正決定

第一三五条①　第百二十七条の規定による訴訟の結果、憲法改正案に係る国民投票の全部又は一部が無効となった場合（第六項の規定により憲法改正案に係る国民投票の結果を定める場合を除く。）においては、更に国民投票を行わなければならない。

②　第百二十七条の規定による訴訟を提起することができる期間又は同条の規定による訴訟が裁判所に係属している間は、前項の規定による国民投票を行うことができない。

③　第一項の規定による国民投票は、これを行うべき事由が生じた日から起算して六十日以後百八十日以内において、国会の議決した期日に行う。

④　内閣は、国会法第六十五条第一項の規定により国民投票の再投票の期日に係る議案の送付を受けたときは、速やかに、総務大臣を経由して、当該国民投票の再投票の期日を中央選挙管理会に通知しなければならない。

⑤　中央選挙管理会は、前項の通知があったときは、速やかに、国民投票の再投票の期日を官報で告示しなければならない。

⑥　第百二十七条の規定による訴訟の結果、憲法改正案に係る国民投票の全部又は一部が無効となった場合において、更に国民投票を行わないで当該憲法改正案に係る国民投票の結果を定めることができるときは、国民投票会を開き、これを定めなければならない。この場合においては、国民投票長は、国民投票録の写しを添えて、直ちにその憲法改正案に係る国民投票の結果を中央選挙管理会に報告しなければならない。

第五章　補則　（第一三六条から第一五〇条まで）（略）

第六章　憲法改正の発議のための国会法の一部改正　（第一五一条）（略）

附　則　（抄）

（施行期日）

第一条　この法律は、公布の日から起算して三年を経過した日（平成二二・五・一八）から施行する。（後略）

別記様式（略）

附　則（令和四・五・二五法四八）（抄）

（施行期日）

第一条　この法律は、公布の日から起算して四年を超えない範囲内において政令で定める日から施行する。ただし、次の各号に掲げる規定は、当該各号に定める日から施行する。

一　（前略）附則第百二十五条の規定　公布の日

二―五　（略）

（政令への委任）

第一二五条　この附則に定めるもののほか、この法律の施行に関し必要な経過措置は、政令で定める。

刑法等の一部を改正する法律の施行に伴う関係法律整理法中経過規定　（令和四・六・一七法六八）（抄）

第四四一条から第四四三条まで　（刑法の同経過規定参照）

第五〇九条　（刑法の同経過規定参照）

刑法等の一部を改正する法律の施行に伴う関係法律整理法附　則　（令和四・六・一七法六八）（抄）

（施行期日）

①　この法律は、刑法等一部改正法（刑法等の一部を改正する法律（令和四法六七））施行日（令和七・六・一）から施行する。ただし、次の各号に掲げる規定は、当該各号に定める日から施行する。

一　第五百九条の規定　公布の日

二　（略）

○皇室典範（昭和二二・一・一六 法 三）

施行 昭和二二・五・三（附則参照）
最終改正 平成二九法六三

目次

第一章 皇位継承

第一条【資格】 皇位は、皇統に属する男系の男子が、これを継承する。

第二条【順序】 ① 皇位は、左の順序により、皇族に、これを伝える。
一 皇長子
二 皇長孫
三 その他の皇長子の子孫
四 皇次子及びその子孫
五 その他の皇子孫
六 皇兄弟及びその子孫
七 皇伯叔父及びその子孫

② 前項各号の皇族がないときは、皇位は、それ以上で、最近親の系統の皇族に、これを伝える。

③ 前二項の場合においては、長系を先にし、同等内では、長を先にする。

第三条【順序の変更】 皇嗣に、精神若しくは身体の不治の重患があり、又は重大な事故があるときは、皇室会議の議により、前条に定める順序に従つて、皇位継承の順序を変えることができる。

第四条【即位】 天皇が崩じたときは、皇嗣が、直ちに即位する。

第二章 皇族

第五条【皇族の範囲】 皇后、太皇太后、皇太后、親王、親王妃、内親王、王、王妃及び女王を皇族とする。

第六条【親王・内親王・王・女王】 嫡出の皇子及び嫡男系嫡出の皇孫は、男を親王、女を内親王とし、三世以下の嫡男系嫡出の子孫は、男を王、女を女王とする。

第七条【天皇の兄弟姉妹としての親王・内親王】 王が皇位を継承したときは、その兄弟姉妹たる王及び女王は、特にこれを親王及び内親王とする。

第八条【皇太子・皇太孫】 皇嗣たる皇子を皇太子という。皇太子のないときは、皇嗣たる皇孫を皇太孫という。

第九条【養子の禁止】 天皇及び皇族は、養子をすることができない。

第一〇条【立后及び婚姻】 立后及び皇族男子の婚姻は、皇室会議の議を経ることを要する。

第一一条【皇族の身分の離脱】 ① 年齢十五年以上の内親王、王及び女王は、その意思に基き、皇室会議の議により、皇族の身分を離れる。

② 親王（皇太子及び皇太孫を除く。）、内親王、王及び女王は、前項の場合の外、やむを得ない特別の事由があるときは、皇室会議の議により、皇族の身分を離れる。

第一二条【同前】 皇族女子は、天皇及び皇族以外の者と婚姻したときは、皇族の身分を離れる。

第一三条【同前】 皇族の身分を離れる親王又は王の妃並びに直系卑属及びその妃は、他の皇族と婚姻した女子及びその直系卑属を除き、同時に皇族の身分を離れる。但し、直系卑属及びその妃については、皇室会議の議により、皇族の身分を離れないものとすることができる。

第一四条【同前】 ① 皇族以外の女子で親王妃又は王妃となつた者が、その夫を失つたときは、その意思により、皇族の身分を離れることができる。

② 前項の者が、その夫を失つたときは、同項による場合の外、やむを得ない特別の事由があるときは、皇室会議の議により、皇族の身分を離れる。

③ 第一項の者は、離婚したときは、皇族の身分を離れる。

④ 第一項及び前項の規定は、前条の他の皇族と婚姻した女子に、これを準用する。

第一五条【皇族の身分の取得】 皇族以外の者及びその子孫は、女子が皇后となる場合及び皇族男子と婚姻する場合を除いては、皇族となることがない。

第三章 摂政

第一六条【設置】 ① 天皇が成年に達しないときは、摂政を置く。

② 天皇が、精神若しくは身体の重患又は重大な事故により、国事に関する行為をみずからすることができないときは、皇室会議の議により、摂政を置く。

第一七条【就任の順序】 ① 摂政は、左の順序により、成年に達した皇族が、これに就任する。
一 皇太子又は皇太孫
二 親王及び王
三 皇后
四 皇太后
五 太皇太后
六 内親王及び女王

② 前項第二号の場合においては、皇位継承の順序に従い、同項第六号の場合においては、皇位継承の順序に準ずる。

第一八条【順序の変更】 摂政又は摂政となる順位にあたる者に、精神若しくは身体の重患があり、又は重大な事故があるときは、皇室会議の議により、前条に定める順序に従つて、摂政又は摂政となる順序を変えることができる。

第一九条【更迭】 摂政となる順位にあたる者が、成年に達しないため、又は前条の故障があるために、他の皇族が、摂政となつたときは、先順位にあたつていた皇族が、成年に達し、又は故障がなくなつたときでも、皇太子又は皇太孫に対する場合を除いては、摂政の任を譲ることがない。

第二〇条【廃止】 第十六条第二項の故障がなくなつたときは、皇室会議の議により、摂政を廃する。

第二一条【特典】 摂政は、その在任中、訴追されない。但し、これがため、訴追の権利は、害されない。

第四章 成年、敬称、即位の礼、大喪の礼、皇統譜及び陵墓

第二二条【成年】 天皇、皇太子及び皇太孫の成年は、十八年とする。

第二三条【敬称】 ① 天皇、皇后、太皇太后及び皇太后の敬称は、陛下とする。

② 前項の皇族以外の皇族の敬称は、殿下とする。

第二四条【即位の礼】 皇位の継承があつたときは、即位の礼を行う。

第二五条【大喪の礼】 天皇が崩じたときは、大喪の礼を行う。

第二六条【皇統譜】 天皇及び皇族の身分に関する事項は、これを皇統譜に登録する。

第二七条【陵墓】 天皇、皇后、太皇太后及び皇太后を葬る所を陵、その他の皇族を葬る所を墓とし、陵及び墓に関する事項は、これを陵籍及び墓籍に登録する。

第五章 皇室会議

第二八条【議員】① 皇室会議は、議員十人でこれを組織する。
② 議員は、皇族二人、衆議院及び参議院の議長及び副議長、内閣総理大臣、宮内庁の長並びに最高裁判所の長たる裁判官及びその他の裁判官一人を以て、これに充てる。
③ 議員となる皇族及び最高裁判所の長たる裁判官以外の裁判官は、各〻成年に達した皇族又は最高裁判所の長たる裁判官以外の裁判官の互選による。

第二九条【議長】 内閣総理大臣たる議員は、皇室会議の議長となる。

第三〇条【予備議員】① 皇室会議に、予備議員十人を置く。
② 皇族及び最高裁判所の裁判官たる議員の予備議員については、第二十八条第三項の規定を準用する。
③ 衆議院及び参議院の議長及び副議長たる議員の予備議員は、各〻衆議院及び参議院の議員の互選による。
④ 前二項の予備議員の員数は、各〻その議員の員数と同数とし、その職務を行う順序は、互選の際、これを定める。
⑤ 内閣総理大臣たる議員の予備議員は、内閣法の規定により臨時に内閣総理大臣の職務を行う者として指定された国務大臣を以て、これに充てる。
⑥ 宮内庁の長たる議員の予備議員は、内閣総理大臣の指定する宮内庁の官吏を以て、これに充てる。
⑦ 議員に事故のあるとき、又は議員が欠けたときは、その予備議員が、その職務を行う。

第三一条【衆議院解散の際の特例】 第二十八条及び前条において、衆議院の議長、副議長又は議員とあるのは、衆議院が解散されたときは、後任者の定まるまでは、各〻解散の際衆議院の議長、副議長又は議員であつた者とする。

第三二条【議員の任期】 皇族及び最高裁判所の長たる裁判官以外の裁判官たる議員及び予備議員の任期は、四年とする。

第三三条【招集】① 皇室会議は、議長が、これを招集する。
② 皇室会議は、第三条、第十六条第二項、第十八条及び第二十条の場合には、四人以上の議員の要求があるときは、これを招集することを要する。

第三四条【定足数】 皇室会議は、六人以上の議員の出席がなければ、議事を開き議決することができない。

第三五条【表決】① 皇室会議の議事は、第三条、第十六条第二項、第十八条及び第二十条の場合には、出席した議員の三分の二以上の多数でこれを決し、その他の場合には、過半数でこれを決する。
② 前項後段の場合において、可否同数のときは、議長の決するところによる。

第三六条【利害関係議事の参与禁止】 議員は、自分の利害に特別の関係のある議事には、参与することができない。

第三七条【権限】 皇室会議は、この法律及び他の法律に基く権限のみを行う。

附　則

① この法律は、日本国憲法施行の日（昭和二二・五・三）から、これを施行する。
② 現在の皇族は、この法律による皇族とし、第六条の規定の適用については、これを嫡男系嫡出の者とする。
③ 現在の陵及び墓は、これを第二十七条の陵及び墓とする。
④ この法律の特例として天皇の退位について定める天皇の退位等に関する皇室典範特例法（平成二十九年法律第六十三号）は、この法律と一体を成すものである。

○国事行為の臨時代行に関する法律（昭和三九・五・二〇 法　八三）

施行　昭和三九・五・二〇（附則）

（趣旨）
第一条 日本国憲法第四条第二項の規定に基づく天皇の国事に関する行為の委任による臨時代行については、この法律の定めるところによる。

（委任による臨時代行）
第二条① 天皇は、精神若しくは身体の疾患又は事故があるときは、摂政を置くべき場合を除き、内閣の助言と承認により、国事に関する行為を皇室典範（昭和二十二年法律第三号）第十七条の規定により摂政となる順位にあたる皇族に委任して臨時に代行させることができる。
② 前項の場合において、同項の皇族が成年に達しないとき、又はその皇族に精神若しくは身体の疾患若しくは事故があるときは、天皇は、内閣の助言と承認により、皇室典範第十七条に定める順序に従つて、成年に達し、かつ、故障がない他の皇族に同項の委任をするものとする。

（委任の解除）
第三条 天皇は、その故障がなくなつたとき、前条の規定による委任を受けた皇族に故障が生じたとき又は同条の規定による委任をした場合において、先順位にあたる皇族が成年に達し、若しくはその皇族に故障がなくなつたときは、内閣の助言と承認により、同条の規定による委任を解除する。

（委任の終了）
第四条 第二条の規定による委任は、皇位の継承、摂政の設置又はその委任を受けた皇族の皇族たる身分の離脱によつて終了する。

（公示）
第五条 この法律の規定により天皇の国事に関する行為が委任され、又はその委任が解除されたときは、内閣は、その旨を公示する。

（訴追の制限）
第六条 第二条の規定による委任を受けた皇族は、その委任がされている間、訴追されない。ただし、このため、訴追の権利は、害されない。

○元号法（昭和五四・六・一二 法 四 三）

施行　昭和五四・六・一二（附則）

① 元号は、政令で定める。

② 元号は、皇位の継承があつた場合に限り改める。

附　則（抄）

② 昭和の元号は、本則第一項の規定に基づき定められたものとする。

○国旗及び国歌に関する法律（平成一一・八・一三 法 一 二七）

施行　平成一一・八・一三（附則）

（国旗）

第一条① 国旗は、日章旗とする。

② 日章旗の制式は、別記第一のとおりとする。

（国歌）

第二条① 国歌は、君が代とする。

② 君が代の歌詞及び楽曲は、別記第二のとおりとする。

附　則（抄）

（商船規則の廃止）

② 商船規則（明治三年太政官布告第五十七号）は、廃止する。

（日章旗の制式の特例）

③ 日章旗の制式については、当分の間、別記第一の規定にかかわらず、寸法の割合について縦を横の十分の七とし、かつ、日章の中心の位置について旗の中心から旗竿側に横の長さの百分の一偏した位置とすることができる。

別記第一（第一条関係）

日章旗の制式

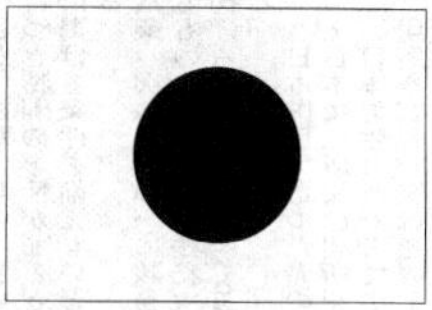

一　寸法の割合及び日章の位置
　縦　横の三分の二
　日章　直径　縦の五分の三
　　中心　旗の中心

二　彩色
　地　白色
　日章　紅色

別記第二（第二条関係）

君が代の歌詞及び楽曲

一　歌詞
　君が代は
　千代に八千代に
　さざれ石の
　いわおとなりて
　こけのむすまで

二　楽曲

古　歌
林　広守　作曲

きみがーよーは　ちよにーーやちよに
さざれ　いしの　いわおとなりて
こけの　むーすー　まーーで

●国籍法

（昭和二五・五・四 法 一 四 七）

施行 昭和二五・七・一（附則）
改正 昭和二七法二六八、昭和五九法四五、平成五法八九、平成一六法一四七、平成二〇法八八、平成二六法七〇、平成三〇法五九、令和四法六八・法一〇二

（この法律の目的）
第一条 日本国民たる要件は、この法律の定めるところによる。

（出生による国籍の取得）
第二条 子は、次の場合には、日本国民とする。
一 出生の時に父又は母が日本国民であるとき。
二 出生前に死亡した父が死亡の時に日本国民であつたとき。
三 日本で生まれた場合において、父母がともに知れないとき、又は国籍を有しないとき。

（認知された子の国籍の取得）
第三条① 父又は母が認知した子で十八歳未満のもの（日本国民であつた者を除く。）は、認知をした父又は母が子の出生の時に日本国民であつた場合において、その父又は母が現に日本国民であるとき、又はその死亡の時に日本国民であつたときは、法務大臣に届け出ることによつて、日本の国籍を取得することができる。
② 前項の規定による届出をした者は、その届出の時に日本の国籍を取得する。
③ 前二項の規定は、認知について反対の事実があるときは、適用しない。

（帰化）
第四条① 日本国民でない者（以下「外国人」という。）は、帰化によつて、日本の国籍を取得することができる。
② 帰化をするには、法務大臣の許可を得なければならない。

第五条① 法務大臣は、次の条件を備える外国人でなければ、その帰化を許可することができない。
一 引き続き五年以上日本に住所を有すること。
二 十八歳以上で本国法によつて行為能力を有すること。
三 素行が善良であること。
四 自己又は生計を一にする配偶者その他の親族の資産又は技能によつて生計を営むことができること。
五 国籍を有せず、又は日本の国籍の取得によつてその国籍を失うべきこと。
六 日本国憲法施行の日以後において、日本国憲法又はその下に成立した政府を暴力で破壊することを企て、若しくは主張し、又はこれを企て、若しくは主張する政党その他の団体を結成し、若しくはこれに加入したことがないこと。
② 法務大臣は、外国人がその意思にかかわらずその国籍を失うことができない場合において、日本国民との親族関係又は境遇につき特別の事情があると認めるときは、その者が前項第五号に掲げる条件を備えないときでも、帰化を許可することができる。

第六条 次の各号の一に該当する外国人で現に日本に住所を有するものについては、法務大臣は、その者が前条第一項第一号に掲げる条件を備えないときでも、帰化を許可することができる。
一 日本国民であつた者の子（養子を除く。）で引き続き三年以上日本に住所又は居所を有するもの
二 日本で生まれた者で引き続き三年以上日本に住所若しくは居所を有し、又はその父若しくは母（養父母を除く。）が日本で生まれたもの
三 引き続き十年以上日本に居所を有する者

第七条 日本国民の配偶者たる外国人で引き続き三年以上日本に住所又は居所を有し、かつ、現に日本に住所を有するものについては、法務大臣は、その者が第五条第一項第一号及び第二号の条件を備えないときでも、帰化を許可することができる。日本国民の配偶者たる外国人で婚姻の日から三年を経過し、かつ、引き続き一年以上日本に住所を有するものについても、同様とする。

第八条 次の各号の一に該当する外国人については、法務大臣は、その者が第五条第一項第一号、第二号及び第四号の条件を備えないときでも、帰化を許可することができる。
一 日本国民の子（養子を除く。）で日本に住所を有するもの
二 日本国民の養子で引き続き一年以上日本に住所を有し、かつ、縁組の時本国法により未成年であつたもの
三 日本の国籍を失つた者（日本に帰化した後日本の国籍を失つた者を除く。）で日本に住所を有するもの
四 日本で生まれ、かつ、出生の時から国籍を有しない者でその時から引き続き三年以上日本に住所を有するもの

第九条 日本に特別の功労のある外国人については、法務大臣は、第五条第一項の規定にかかわらず、国会の承認を得て、その帰化を許可することができる。

第一〇条① 法務大臣は、帰化を許可したときは、官報にその旨を告示しなければならない。
② 帰化は、前項の告示の日から効力を生ずる。

（国籍の喪失）
第一一条① 日本国民は、自己の志望によつて外国の国籍を取得したときは、日本の国籍を失う。
② 外国の国籍を有する日本国民は、その外国の法令によりその国の国籍を選択したときは、日本の国籍を失う。

第一二条 出生により外国の国籍を取得した日本国民で国外で生まれたものは、戸籍法（昭和二十二年法律第二百二十四号）の定めるところにより日本の国籍を留保する意思を表示しなければ、その出生の時にさかのぼつて日本の国籍を失う。

第一三条① 外国の国籍を有する日本国民は、法務大臣に届け出ることによつて、日本の国籍を離脱することができる。
② 前項の規定による届出をした者は、その届出の時に日本の国籍を失う。

（国籍の選択）
第一四条① 外国の国籍を有する日本国民は、外国及び日本の国籍を有することとなつた時が十八歳に達する以前であるときは二十歳に達するまでに、その時が十八歳に達した後であるときはその時から二年以内に、いずれかの国籍を選択しなければならない。
② 日本の国籍の選択は、外国の国籍を離脱することによるほかは、戸籍法の定めるところにより、日本の国籍を選択し、かつ、外国の国籍を放棄する旨の宣言（以下「選択の宣言」という。）をすることによつてする。

第一五条① 法務大臣は、外国の国籍を有する日本国民で前条第一項に定める期限内に日本の国籍の選択をしないものに対して、書面により、国籍の選択をすべきことを催告することができる。
② 前項に規定する催告は、これを受けるべき者の所在を知ることができないときその他書面によつてすることができないやむを得ない事情があるときは、催告すべき事項を官報に掲載してすることができる。この場合における催告は、官報に掲載された日の翌日に到達したものとみなす。
③ 前二項の規定による催告を受けた者は、催告を受けた日から一月以内に日本の国籍の選択をしなければ、その期間が経過した時に日本の国籍を失う。ただし、その者が天災その他その責めに帰することができない事由によつてその期間内に日本の国籍の選択をすることができない場合において、その選択をすることができるに至つた時から二週間以内にこれをしたときは、この限りでない。

第一六条① 選択の宣言をした日本国民は、外国の国籍の離脱に努めなければならない。
② 法務大臣は、選択の宣言をした日本国民で外国の国籍を失つていないものが自己の志望によりその外国の公務員の職（その

国の国籍を有しない者であつても就任することができる職を除く。）に就任した場合において、その就任が日本の国籍を選択した趣旨に著しく反すると認めるときは、その者に対し日本の国籍の喪失の宣告をすることができる。

③ 前項の宣告に係る聴聞の期日における審理は、公開により行わなければならない。

④ 第二項の宣告は、官報に告示してしなければならない。

⑤ 第二項の宣告を受けた者は、前項の告示の日に日本の国籍を失う。

（国籍の再取得）

第一七条① 第十二条の規定により日本の国籍を失つた者で十八歳未満のものは、日本に住所を有するときは、法務大臣に届け出ることによつて、日本の国籍を取得することができる。

② 第十五条第二項の規定による催告を受けて同条第三項の規定により日本の国籍を失つた者は、第五条第一項第五号に掲げる条件を備えるときは、日本の国籍を失つたことを知つた時から一年以内に法務大臣に届け出ることによつて、日本の国籍を取得することができる。ただし、天災その他その者の責めに帰することができない事由によつてその期間内に届け出ることができないときは、その期間は、これをすることができるに至つた時から一月とする。

③ 前二項の規定による届出をした者は、その届出の時に日本の国籍を取得する。

（法定代理人がする届出等）

第一八条 第三条第一項若しくは前条第一項の規定による国籍取得の届出、帰化の許可の申請、選択の宣言又は国籍離脱の届出は、国籍の取得、選択又は離脱をしようとする者が十五歳未満であるときは、法定代理人が代わつてする。

（行政手続法の適用除外）

第一八条の二 第十五条第一項の規定による催告については、行政手続法（平成五年法律第八十八号）第三十六条の三の規定は、適用しない。

（省令への委任）

第一九条 この法律に定めるもののほか、国籍の取得及び離脱に関する手続その他この法律の施行に関し必要な事項は、法務省令で定める。

（罰則）

第二〇条① 第三条第一項の規定による届出をする場合において、虚偽の届出をした者は、一年以下の拘禁刑又は二十万円以下の罰金に処する。

② 前項の罪は、刑法（明治四十年法律第四十五号）第二条の例に従う。

附　則（抄）

② 国籍法（明治三十二年法律第六十六号）は、廃止する。

刑法等の一部を改正する法律の施行に伴う関係法律整理法中経過規定

（令和四・六・一七法六八）（抄）

第四四一条から第四四三条まで （刑法の同経過規定参照）

第五〇九条 （刑法の同経過規定参照）

刑法等の一部を改正する法律の施行に伴う関係法律整理法

附　則（令和四・六・一七法六八）（抄）

（施行期日）

① この法律は、刑法等一部改正法（刑法等の一部を改正する法律（令和四法六七））施行日（令和七・六・一）から施行する。ただし、次の各号に掲げる規定は、当該各号に定める日から施行する。

一　第五百九条の規定　公布の日

二　（略）

○請願法（昭和二二・三・一三 法一三）

施行　昭和二二・五・三（附則参照）

第一条【目的】 請願については、別に法律の定める場合を除いては、この法律の定めるところによる。

第二条【請願の方式】 請願は、請願者の氏名（法人の場合はその名称）及び住所（住所のない場合は居所）を記載し、文書でこれをしなければならない。

第三条【請願書の提出】 ① 請願書は、請願の事項を所管する官公署にこれを提出しなければならない。天皇に対する請願書は、内閣にこれを提出しなければならない。

② 請願の事項を所管する官公署が明らかでないときは、請願書は、これを内閣に提出することができる。

第四条【提出先を誤った請願書の処置】 請願書が誤つて前条に規定する官公署以外の官公署に提出されたときは、その官公署は、請願者に正当な官公署を指示し、又は正当な官公署にその請願書を送付しなければならない。

第五条【請願の処理】 この法律に適合する請願は、官公署において、これを受理し誠実に処理しなければならない。

第六条【差別待遇の禁止】 何人も、請願をしたためにいかなる差別待遇も受けない。

附　則

この法律は、日本国憲法施行の日（昭和二二・五・三）から、これを施行する。

○人身保護法（抄）（昭和二三・七・三〇 法一九九）

施行　昭和二三・九・二八（附則参照）
最終改正　令和四法六八

第一条【目的】 この法律は、基本的人権を保障する日本国憲法の精神に従い、国民をして、現に、不当に奪われている人身の自由を、司法裁判により、迅速、且つ、容易に回復せしめることを目的とする。

第二条【違法拘束救済の請求権】 ① 法律上正当な手続によらないで、身体の自由を拘束されている者は、この法律の定めるところにより、その救済を請求することができる。

② 何人も被拘束者のために、前項の請求をすることができる。

第三条【請求と代理人】 前条の請求は、弁護士を代理人として、これをしなければならない。但し、特別の事情がある場合には、請求者がみずからすることを妨げない。

第四条【請求の手続】 第二条の請求は、書面又は口頭をもつて、被拘束者、拘束者又は請求者の所在地を管轄する高等裁判所若しくは地方裁判所に、これをすることができる。

第五条【請求で疎明すべき事項】 請求には、左の事項を明らかにし、且つ、疎明資料を提供しなければならない。

一　被拘束者の氏名
二　請願の趣旨
三　拘束の事実
四　知れている拘束者
五　知れている拘束の場所

第六条【裁判速行の義務】 裁判所は、第二条の請求については、速かに裁判しなければならない。

第七条から第二六条まで（略）

附　則

この法律は、公布の後六十日を経過した日（昭和二三・九・二八）から、これを施行する。

●個人情報の保護に関する法律（抄）

（平成一五・五・三〇 法 五 七）

施行 平成一五・五・三〇（附則参照）
改正 平成一五法六一・法一一九、平成二一法四九、平成二七法六五、平成二八法五一、平成三〇法八〇、令和二法四四、令和三法三七、令和四法四八・法五四・法六八、令和五法三二・法四七・法七九、令和六法四六・法六〇

目次

第一章 総則

（目的）

第一条 この法律は、デジタル社会の進展に伴い個人情報の利用が著しく拡大していることに鑑み、個人情報の適正な取扱いに関し、基本理念及び政府による基本方針の作成その他の個人情報の保護に関する施策の基本となる事項を定め、国及び地方公共団体の責務等を明らかにし、個人情報を取り扱う事業者及び行政機関等についてこれらの特性に応じて遵守すべき義務等を定めるとともに、個人情報保護委員会を設置することにより、行政機関等の事務及び事業の適正かつ円滑な運営を図り、並びに個人情報の適正かつ効果的な活用が新たな産業の創出並びに活力ある経済社会及び豊かな国民生活の実現に資するものであることその他の個人情報の有用性に配慮しつつ、個人の権利利益を保護することを目的とする。

（定義）

第二条① この法律において「個人情報」とは、生存する個人に関する情報であって、次の各号のいずれかに該当するものをいう。

一 当該情報に含まれる氏名、生年月日その他の記述等（文書、図画若しくは電磁的記録（電磁的方式（電子的方式、磁気的方式その他人の知覚によっては認識することができない方式をいう。次項第二号において同じ。）で作られる記録をいう。以下同じ。）に記載され、若しくは記録され、又は音声、動作その他の方法を用いて表された一切の事項（個人識別符号を除く。）をいう。以下同じ。）により特定の個人を識別することができるもの（他の情報と容易に照合することができ、それにより特定の個人を識別することができることとなるものを含む。）

二 個人識別符号が含まれるもの

② この法律において「個人識別符号」とは、次の各号のいずれかに該当する文字、番号、記号その他の符号のうち、政令で定めるものをいう。

一 特定の個人の身体の一部の特徴を電子計算機の用に供するために変換した文字、番号、記号その他の符号であって、当該特定の個人を識別することができるもの

二 個人に提供される役務の利用若しくは個人に販売される商品の購入に関し割り当てられ、又は個人に発行されるカードその他の書類に記載され、若しくは電磁的方式により記録された文字、番号、記号その他の符号であって、その利用者若しくは購入者又は発行を受ける者ごとに異なるものとなるように割り当てられ、又は記載され、若しくは記録されることにより、特定の利用者若しくは購入者又は発行を受ける者を識別することができるもの

③ この法律において「要配慮個人情報」とは、本人の人種、信条、社会的身分、病歴、犯罪の経歴、犯罪により害を被った事実その他本人に対する不当な差別、偏見その他の不利益が生じないようにその取扱いに特に配慮を要するものとして政令で定める記述等が含まれる個人情報をいう。

④ この法律において個人情報について「本人」とは、個人情報によって識別される特定の個人をいう。

⑤ この法律において「仮名加工情報」とは、次の各号に掲げる個人情報の区分に応じて当該各号に定める措置を講じて他の情報と照合しない限り特定の個人を識別することができないように個人情報を加工して得られる個人に関する情報をいう。

一 第一項第一号に該当する個人情報 当該個人情報に含まれる記述等の一部を削除すること（当該一部の記述等を復元することのできる規則性を有しない方法により他の記述等に置き換えることを含む。）。

二 第一項第二号に該当する個人情報 当該個人情報に含まれる個人識別符号の全部を削除すること（当該個人識別符号を復元することのできる規則性を有しない方法により他の記述等に置き換えることを含む。）。

⑥ この法律において「匿名加工情報」とは、次の各号に掲げる個人情報の区分に応じて当該各号に定める措置を講じて特定の個人を識別することができないように個人情報を加工して得られる個人に関する情報であって、当該個人情報を復元すること

ができないようにしたものをいう。

一　第一項第一号に該当する個人情報　当該個人情報に含まれる記述等の一部を削除すること（当該一部の記述等を復元することのできる規則性を有しない方法により他の記述等に置き換えることを含む。）。

二　第一項第二号に該当する個人情報　当該個人情報に含まれる個人識別符号の全部を削除すること（当該個人識別符号を復元することのできる規則性を有しない方法により他の記述等に置き換えることを含む。）。

⑦　この法律において「個人関連情報」とは、生存する個人に関する情報であって、個人情報、仮名加工情報及び匿名加工情報のいずれにも該当しないものをいう。

⑧　この法律において「行政機関」とは、次に掲げる機関をいう。

一　法律の規定に基づき内閣に置かれる機関（内閣府を除く。）及び内閣の所轄の下に置かれる機関

二　内閣府、宮内庁並びに内閣府設置法（平成十一年法律第八十九号）第四十九条第一項及び第二項に規定する機関（これらの機関のうち第四号の政令で定める機関が置かれる機関にあっては、当該政令で定める機関を除く。）

三　国家行政組織法（昭和二十三年法律第百二十号）第三条第二項に規定する機関（第五号の政令で定める機関が置かれる機関にあっては、当該政令で定める機関を除く。）

四　内閣府設置法第三十九条及び第五十五条並びに宮内庁法（昭和二十二年法律第七十号）第十六条第二項の機関並びに内閣府設置法第四十条及び第五十六条（宮内庁法第十八条第一項において準用する場合を含む。）の特別の機関で、政令で定めるもの

五　国家行政組織法第八条の二の施設等機関及び同法第八条の三の特別の機関で、政令で定めるもの

六　会計検査院

⑨　この法律において「独立行政法人等」とは、独立行政法人通則法（平成十一年法律第百三号）第二条第一項に規定する独立行政法人及び別表第一に掲げる法人をいう。

⑩　この法律において「地方独立行政法人」とは、地方独立行政法人法（平成十五年法律第百十八号）第二条第一項に規定する地方独立行政法人をいう。

⑪　この法律において「行政機関等」とは、次に掲げる機関をいう。

一　行政機関

二　地方公共団体の機関（議会を除く。次章、第三章及び第六十九条第二項第三号を除き、以下同じ。）

三　独立行政法人等（別表第二に掲げる法人を除く。第十六条第二項第三号、第六十三条、第七十八条第一項第七号イ及びロ、第八十九条第四項から第六項まで、第百十九条第五項から第七項まで並びに第百二十五条第二項において同じ。）

四　地方独立行政法人（地方独立行政法人法第二十一条第一号に掲げる業務を主たる目的とするもの又は同条第二号若しくは第三号（チに係る部分に限る。）に掲げる業務を目的とするものを除く。第十六条第二項第四号、第六十三条、第七十八条第一項第七号イ及びロ、第八十九条第七項から第九項まで、第百十九条第八項から第十項まで並びに第百二十五条第二項において同じ。）

（基本理念）

第三条　個人情報は、個人の人格尊重の理念の下に慎重に取り扱われるべきものであることに鑑み、その適正な取扱いが図られなければならない。

第二章　国及び地方公共団体の責務等

（国の責務）

第四条　国は、この法律の趣旨にのっとり、国の機関、地方公共団体の機関、独立行政法人等、地方独立行政法人及び事業者等による個人情報の適正な取扱いを確保するために必要な施策を総合的に策定し、及びこれを実施する責務を有する。

（地方公共団体の責務）

第五条　地方公共団体は、この法律の趣旨にのっとり、国の施策との整合性に配慮しつつ、その地方公共団体の区域の特性に応じて、地方公共団体の機関、地方独立行政法人及び当該区域内の事業者等による個人情報の適正な取扱いを確保するために必要な施策を策定し、及びこれを実施する責務を有する。

（法制上の措置等）

第六条　政府は、個人情報の性質及び利用方法に鑑み、個人の権利利益の一層の保護を図るため特にその適正な取扱いの厳格な実施を確保する必要がある個人情報について、保護のための格別の措置が講じられるよう必要な法制上の措置その他の措置を講ずるとともに、国際機関その他の国際的な枠組みへの協力を通じて、各国政府と共同して国際的に整合のとれた個人情報に係る制度を構築するために必要な措置を講ずるものとする。

第三章　個人情報の保護に関する施策等（抄）

第一節　個人情報の保護に関する基本方針

第七条①　政府は、個人情報の保護に関する施策の総合的かつ一体的な推進を図るため、個人情報の保護に関する基本方針（以下「基本方針」という。）を定めなければならない。

②　基本方針は、次に掲げる事項について定めるものとする。

一　個人情報の保護に関する施策の推進に関する基本的な方向

二　国が講ずべき個人情報の保護のための措置に関する事項

三　地方公共団体が講ずべき個人情報の保護のための措置に関する基本的な事項

四　独立行政法人等が講ずべき個人情報の保護のための措置に関する基本的な事項

五　地方独立行政法人が講ずべき個人情報の保護のための措置に関する基本的な事項

六　第十六条第二項に規定する個人情報取扱事業者、同条第五項に規定する仮名加工情報取扱事業者及び同条第六項に規定する匿名加工情報取扱事業者並びに第五十一条第一項に規定する認定個人情報保護団体が講ずべき個人情報の保護のための措置に関する基本的な事項

七　個人情報の取扱いに関する苦情の円滑な処理に関する事項

八　その他個人情報の保護に関する施策の推進に関する重要事項

③　内閣総理大臣は、個人情報保護委員会が作成した基本方針の案について閣議の決定を求めなければならない。

④　内閣総理大臣は、前項の規定による閣議の決定があったときは、遅滞なく、基本方針を公表しなければならない。

⑤　前二項の規定は、基本方針の変更について準用する。

第二節　国の施策　及び　第三節　地方公共団体の施策（第八条から第一四条まで）（略）

第四節　国及び地方公共団体の協力

第一五条　国及び地方公共団体は、個人情報の保護に関する施策を講ずるにつき、相協力するものとする。

第四章　個人情報取扱事業者等の義務等（抄）

第一節　総則

（定義）

第一六条①　この章及び第八章において「個人情報データベース等」とは、個人情報を含む情報の集合物であって、次に掲げるもの（利用方法からみて個人の権利利益を害するおそれが少ないものとして政令で定めるものを除く。）をいう。

一　特定の個人情報を電子計算機を用いて検索することができるように体系的に構成したもの

二　前号に掲げるもののほか、特定の個人情報を容易に検索することができるように体系的に構成したものとして政令で定

めるもの

② この章及び第六章から第八章までにおいて「個人情報取扱事業者」とは、個人情報データベース等を事業の用に供している者をいう。ただし、次に掲げる者を除く。

一 国の機関

二 地方公共団体

三 独立行政法人等

四 地方独立行政法人

③ この章において「個人データ」とは、個人情報データベース等を構成する個人情報をいう。

④ この章において「保有個人データ」とは、個人情報取扱事業者が、開示、内容の訂正、追加又は削除、利用の停止、消去及び第三者への提供の停止を行うことのできる権限を有する個人データであって、その存否が明らかになることにより公益その他の利益が害されるものとして政令で定めるもの以外のものをいう。

⑤ この章、第六章及び第七章において「仮名加工情報取扱事業者」とは、仮名加工情報を含む情報の集合物であって、特定の仮名加工情報を電子計算機を用いて検索することができるように体系的に構成したものその他特定の仮名加工情報を容易に検索することができるように体系的に構成したものとして政令で定めるもの（第四十一条第一項において「仮名加工情報データベース等」という。）を事業の用に供している者をいう。ただし、第二項各号に掲げる者を除く。

⑥ この章、第六章及び第七章において「匿名加工情報取扱事業者」とは、匿名加工情報を含む情報の集合物であって、特定の匿名加工情報を電子計算機を用いて検索することができるように体系的に構成したものその他特定の匿名加工情報を容易に検索することができるように体系的に構成したものとして政令で定めるもの（第四十三条第一項において「匿名加工情報データベース等」という。）を事業の用に供している者をいう。ただし、第二項各号に掲げる者を除く。

⑦ この章、第六章及び第七章において「個人関連情報取扱事業者」とは、個人関連情報を含む情報の集合物であって、特定の個人関連情報を電子計算機を用いて検索することができるように体系的に構成したものその他特定の個人関連情報を容易に検索することができるように体系的に構成したものとして政令で定めるもの（第三十一条第一項において「個人関連情報データベース等」という。）を事業の用に供している者をいう。ただし、第二項各号に掲げる者を除く。

⑧ この章において「学術研究機関等」とは、大学その他の学術研究を目的とする機関若しくは団体又はそれらに属する者をいう。

第二節 個人情報取扱事業者及び個人関連情報取扱事業者の義務

第一七条（利用目的の特定）① 個人情報取扱事業者は、個人情報を取り扱うに当たっては、その利用の目的（以下「利用目的」という。）をできる限り特定しなければならない。

② 個人情報取扱事業者は、利用目的を変更する場合には、変更前の利用目的と関連性を有すると合理的に認められる範囲を超えて行ってはならない。

第一八条（利用目的による制限）① 個人情報取扱事業者は、あらかじめ本人の同意を得ないで、前条の規定により特定された利用目的の達成に必要な範囲を超えて、個人情報を取り扱ってはならない。

② 個人情報取扱事業者は、合併その他の事由により他の個人情報取扱事業者から事業を承継することに伴って個人情報を取得した場合は、あらかじめ本人の同意を得ないで、承継前における当該個人情報の利用目的の達成に必要な範囲を超えて、当該個人情報を取り扱ってはならない。

③ 前二項の規定は、次に掲げる場合については、適用しない。

一 法令（条例を含む。以下この章において同じ。）に基づく場合

二 人の生命、身体又は財産の保護のために必要がある場合であって、本人の同意を得ることが困難であるとき。

三 公衆衛生の向上又は児童の健全な育成の推進のために特に必要がある場合であって、本人の同意を得ることが困難であるとき。

四 国の機関若しくは地方公共団体又はその委託を受けた者が法令の定める事務を遂行することに対して協力する必要がある場合であって、本人の同意を得ることにより当該事務の遂行に支障を及ぼすおそれがあるとき。

五 当該個人情報取扱事業者が学術研究機関等である場合であって、当該個人情報を学術研究の用に供する目的（以下この章において「学術研究目的」という。）で取り扱う必要があるとき（当該個人情報を取り扱う目的の一部が学術研究目的である場合を含み、個人の権利利益を不当に侵害するおそれがある場合を除く。）。

六 学術研究機関等に個人データを提供する場合であって、当該学術研究機関等が当該個人データを学術研究目的で取り扱う必要があるとき（当該個人データを取り扱う目的の一部が学術研究目的である場合を含み、個人の権利利益を不当に侵害するおそれがある場合を除く。）。

第一九条（不適正な利用の禁止） 個人情報取扱事業者は、違法又は不当な行為を助長し、又は誘発するおそれがある方法により個人情報を利用してはならない。

第二〇条（適正な取得）① 個人情報取扱事業者は、偽りその他不正の手段により個人情報を取得してはならない。

② 個人情報取扱事業者は、次に掲げる場合を除くほか、あらかじめ本人の同意を得ないで、要配慮個人情報を取得してはならない。

一 法令に基づく場合

二 人の生命、身体又は財産の保護のために必要がある場合であって、本人の同意を得ることが困難であるとき。

三 公衆衛生の向上又は児童の健全な育成の推進のために特に必要がある場合であって、本人の同意を得ることが困難であるとき。

四 国の機関若しくは地方公共団体又はその委託を受けた者が法令の定める事務を遂行することに対して協力する必要がある場合であって、本人の同意を得ることにより当該事務の遂行に支障を及ぼすおそれがあるとき。

五 当該個人情報取扱事業者が学術研究機関等である場合であって、当該要配慮個人情報を学術研究目的で取り扱う必要があるとき（当該要配慮個人情報を取り扱う目的の一部が学術研究目的である場合を含み、個人の権利利益を不当に侵害するおそれがある場合を除く。）。

六 学術研究機関等から当該要配慮個人情報を取得する場合であって、当該要配慮個人情報を学術研究目的で取得する必要があるとき（当該要配慮個人情報を取得する目的の一部が学術研究目的である場合を含み、個人の権利利益を不当に侵害するおそれがある場合を除く。）（当該個人情報取扱事業者と当該学術研究機関等が共同して学術研究を行う場合に限る。）。

七 当該要配慮個人情報が、本人、国の機関、地方公共団体、学術研究機関等、第五十七条第一項各号に掲げる者その他個人情報保護委員会規則で定める者により公開されている場合

八 その他前各号に掲げる場合に準ずるものとして政令で定める場合

第二一条（取得に際しての利用目的の通知等）① 個人情報取扱事業者は、個人情報を取得した場合は、あらかじめその利用目的を公表している場合を除き、速やかに、その利用目的を、本人に通知し、又は公表しなければな

らない。

② 個人情報取扱事業者は、前項の規定にかかわらず、本人との間で契約を締結することに伴って契約書その他の書面（電磁的記録を含む。以下この項において同じ。）に記載された当該本人の個人情報を取得する場合その他本人から直接書面に記載された当該本人の個人情報を取得する場合は、あらかじめ、本人に対し、その利用目的を明示しなければならない。ただし、人の生命、身体又は財産の保護のために緊急に必要がある場合は、この限りでない。

③ 個人情報取扱事業者は、利用目的を変更した場合は、変更された利用目的について、本人に通知し、又は公表しなければならない。

④ 前三項の規定は、次に掲げる場合については、適用しない。

一 利用目的を本人に通知し、又は公表することにより本人又は第三者の生命、身体、財産その他の権利利益を害するおそれがある場合

二 利用目的を本人に通知し、又は公表することにより当該個人情報取扱事業者の権利又は正当な利益を害するおそれがある場合

三 国の機関又は地方公共団体が法令の定める事務を遂行することに対して協力する必要がある場合であって、利用目的を本人に通知し、又は公表することにより当該事務の遂行に支障を及ぼすおそれがあるとき。

四 取得の状況からみて利用目的が明らかであると認められる場合

（データ内容の正確性の確保等）

第二二条 個人情報取扱事業者は、利用目的の達成に必要な範囲内において、個人データを正確かつ最新の内容に保つとともに、利用する必要がなくなったときは、当該個人データを遅滞なく消去するよう努めなければならない。

（安全管理措置）

第二三条 個人情報取扱事業者は、その取り扱う個人データの漏えい、滅失又は毀損の防止その他の個人データの安全管理のために必要かつ適切な措置を講じなければならない。

（従業者の監督）

第二四条 個人情報取扱事業者は、その従業者に個人データを取り扱わせるに当たっては、当該個人データの安全管理が図られるよう、当該従業者に対する必要かつ適切な監督を行わなければならない。

（委託先の監督）

第二五条 個人情報取扱事業者は、個人データの取扱いの全部又は一部を委託する場合は、その取扱いを委託された個人データの安全管理が図られるよう、委託を受けた者に対する必要かつ適切な監督を行わなければならない。

（漏えい等の報告等）

第二六条① 個人情報取扱事業者は、その取り扱う個人データの漏えい、滅失、毀損その他の個人データの安全の確保に係る事態であって個人の権利利益を害するおそれが大きいものとして個人情報保護委員会規則で定めるものが生じたときは、個人情報保護委員会規則で定めるところにより、当該事態が生じた旨を個人情報保護委員会に報告しなければならない。ただし、当該個人情報取扱事業者が、他の個人情報取扱事業者又は行政機関等から当該個人データの取扱いの全部又は一部の委託を受けた場合であって、個人情報保護委員会規則で定めるところにより、当該事態が生じた旨を当該他の個人情報取扱事業者又は行政機関等に通知したときは、この限りでない。

② 前項に規定する場合には、個人情報取扱事業者（同項ただし書の規定による通知をした者を除く。）は、本人に対し、個人情報保護委員会規則で定めるところにより、当該事態が生じた旨を通知しなければならない。ただし、本人への通知が困難な場合であって、本人の権利利益を保護するため必要なこれに代わるべき措置をとるときは、この限りでない。

（第三者提供の制限）

第二七条① 個人情報取扱事業者は、次に掲げる場合を除くほか、あらかじめ本人の同意を得ないで、個人データを第三者に提供してはならない。

一 法令に基づく場合

二 人の生命、身体又は財産の保護のために必要がある場合であって、本人の同意を得ることが困難であるとき。

三 公衆衛生の向上又は児童の健全な育成の推進のために特に必要がある場合であって、本人の同意を得ることが困難であるとき。

四 国の機関若しくは地方公共団体又はその委託を受けた者が法令の定める事務を遂行することに対して協力する必要がある場合であって、本人の同意を得ることにより当該事務の遂行に支障を及ぼすおそれがあるとき。

五 当該個人情報取扱事業者が学術研究機関等である場合であって、当該個人データの提供が学術研究の成果の公表又は教授のためやむを得ないとき（個人の権利利益を不当に侵害するおそれがある場合を除く。）。

六 当該個人情報取扱事業者が学術研究機関等である場合であって、当該個人データを学術研究目的で提供する必要があるとき（当該個人データを提供する目的の一部が学術研究目的である場合を含み、個人の権利利益を不当に侵害するおそれがある場合を除く。）（当該個人情報取扱事業者と当該第三者が共同して学術研究を行う場合に限る。）。

七 当該第三者が学術研究機関等である場合であって、当該第三者が当該個人データを学術研究目的で取り扱う必要があるとき（当該個人データを取り扱う目的の一部が学術研究目的である場合を含み、個人の権利利益を不当に侵害するおそれがある場合を除く。）。

② 個人情報取扱事業者は、第三者に提供される個人データについて、本人の求めに応じて当該本人が識別される個人データの第三者への提供を停止することとしている場合であって、次に掲げる事項について、個人情報保護委員会規則で定めるところにより、あらかじめ、本人に通知し、又は本人が容易に知り得る状態に置くとともに、個人情報保護委員会に届け出たときは、前項の規定にかかわらず、当該個人データを第三者に提供することができる。ただし、第三者に提供される個人データが要配慮個人情報又は第二十条第一項の規定に違反して取得されたもの若しくは他の個人情報取扱事業者からこの項本文の規定により提供されたもの（その全部又は一部を複製し、又は加工したものを含む。）である場合は、この限りでない。

一 第三者への提供を行う個人情報取扱事業者の氏名又は名称及び住所並びに法人にあっては、その代表者（法人でない団体で代表者又は管理人の定めのあるものにあっては、その代表者又は管理人。以下この条、第三十条第一項第一号及び第三十二条第一項第一号において同じ。）の氏名

二 第三者への提供を利用目的とすること。

三 第三者に提供される個人データの項目

四 第三者に提供される個人データの取得の方法

五 第三者への提供の方法

六 本人の求めに応じて当該本人が識別される個人データの第三者への提供を停止すること。

七 本人の求めを受け付ける方法

八 その他個人の権利利益を保護するために必要なものとして個人情報保護委員会規則で定める事項

③ 個人情報取扱事業者は、前項第一号に掲げる事項に変更があったとき又は同項の規定による個人データの提供をやめたときは遅滞なく、同項第三号から第五号まで、第七号又は第八号に掲げる事項を変更しようとするときはあらかじめ、その旨について、個人情報保護委員会規則で定めるところにより、本人に通知し、又は本人が容易に知り得る状態に置くとともに、個人情報保護委員会に届け出なければならない。

④ 個人情報保護委員会は、第二項の規定による届出があったときは、個人情報保護委員会規則で定めるところにより、当該届

出に係る事項を公表しなければならない。前項の規定による届出があったときも、同様とする。

⑤ 次に掲げる場合において、当該個人データの提供を受ける者は、前各項の規定の適用については、第三者に該当しないものとする。

一 個人情報取扱事業者が利用目的の達成に必要な範囲内において個人データの取扱いの全部又は一部を委託することに伴って当該個人データが提供される場合

二 合併その他の事由による事業の承継に伴って個人データが提供される場合

三 特定の者との間で共同して利用される個人データが当該特定の者に提供される場合であって、その旨並びに共同して利用される個人データの項目、共同して利用する者の範囲、利用する者の利用目的並びに当該個人データの管理について責任を有する者の氏名又は名称及び住所並びに法人にあっては、その代表者の氏名について、あらかじめ、本人に通知し、又は本人が容易に知り得る状態に置いているとき。

⑥ 個人情報取扱事業者は、前項第三号に規定する個人データの管理について責任を有する者の氏名、名称若しくは住所又は法人にあっては、その代表者の氏名に変更があったときは遅滞なく、同号に規定する利用する者の利用目的又は当該責任を有する者を変更しようとするときはあらかじめ、その旨について、本人に通知し、又は本人が容易に知り得る状態に置かなければならない。

（外国にある第三者への提供の制限）

第二八条① 個人情報取扱事業者は、外国（本邦の域外にある国又は地域をいう。以下この条及び第三十一条第一項第二号において同じ。）（個人の権利利益を保護する上で我が国と同等の水準にあると認められる個人情報の保護に関する制度を有している外国として個人情報保護委員会規則で定めるものを除く。以下この条及び同号において同じ。）にある第三者（個人データの取扱いについてこの節の規定により個人情報取扱事業者が講ずべきこととされている措置に相当する措置（第三項において「相当措置」という。）を継続的に講ずるために必要なものとして個人情報保護委員会規則で定める基準に適合する体制を整備している者を除く。以下この項及び次項並びに同号において同じ。）に個人データを提供する場合には、前条第一項各号に掲げる場合を除くほか、あらかじめ外国にある第三者への提供を認める旨の本人の同意を得なければならない。この場合においては、同条の規定は、適用しない。

② 個人情報取扱事業者は、前項の規定により本人の同意を得ようとする場合には、個人情報保護委員会規則で定めるところにより、あらかじめ、当該外国における個人情報の保護に関する制度、当該第三者が講ずる個人情報の保護のための措置その他当該本人に参考となるべき情報を当該本人に提供しなければならない。

③ 個人情報取扱事業者は、個人データを外国にある第三者（第一項に規定する体制を整備している者に限る。）に提供した場合には、個人情報保護委員会規則で定めるところにより、当該第三者による相当措置の継続的な実施を確保するために必要な措置を講ずるとともに、本人の求めに応じて当該必要な措置に関する情報を当該本人に提供しなければならない。

（第三者提供に係る記録の作成等）

第二九条① 個人情報取扱事業者は、個人データを第三者（第十六条第二項各号に掲げる者を除く。以下この条及び次条（第三十一条第三項において読み替えて準用する場合を含む。）において同じ。）に提供したときは、個人情報保護委員会規則で定めるところにより、当該個人データを提供した年月日、当該第三者の氏名又は名称その他の個人情報保護委員会規則で定める事項に関する記録を作成しなければならない。ただし、当該個人データの提供が第二十七条第一項各号又は第五項各号のいずれか（前条第一項の規定による個人データの提供にあっては、第二十七条第一項各号のいずれか）に該当する場合は、この限りでない。

② 個人情報取扱事業者は、前項の記録を、当該記録を作成した日から個人情報保護委員会規則で定める期間保存しなければならない。

（第三者提供を受ける際の確認等）

第三〇条① 個人情報取扱事業者は、第三者から個人データの提供を受けるに際しては、個人情報保護委員会規則で定めるところにより、次に掲げる事項の確認を行わなければならない。ただし、当該個人データの提供が第二十七条第一項各号又は第五項各号のいずれかに該当する場合は、この限りでない。

一 当該第三者の氏名又は名称及び住所並びに法人にあっては、その代表者の氏名

二 当該第三者による当該個人データの取得の経緯

② 前項の第三者は、個人情報取扱事業者が同項の規定による確認を行う場合において、当該個人情報取扱事業者に対して、当該確認に係る事項を偽ってはならない。

③ 個人情報取扱事業者は、第一項の規定による確認を行ったときは、個人情報保護委員会規則で定めるところにより、当該確認に係る年月日、当該確認に係る事項その他の事項に関する記録を作成しなければならない。

④ 個人情報取扱事業者は、前項の記録を、当該記録を作成した日から個人情報保護委員会規則で定める期間保存しなければならない。

（個人関連情報の第三者提供の制限等）

第三一条① 個人関連情報取扱事業者は、第三者が個人関連情報（個人関連情報データベース等を構成するものに限る。以下この章及び第六章において同じ。）を個人データとして取得することが想定されるときは、第二十七条第一項各号に掲げる場合を除くほか、次に掲げる事項について、あらかじめ個人情報保護委員会規則で定めるところにより確認することをしないで、当該個人関連情報を当該第三者に提供してはならない。

一 当該第三者が個人関連情報取扱事業者から個人関連情報の提供を受けて本人が識別される個人データとして取得することを認める旨の当該本人の同意が得られていること。

二 外国にある第三者への提供にあっては、前号の本人の同意を得ようとする場合において、個人情報保護委員会規則で定めるところにより、あらかじめ、当該外国における個人情報の保護に関する制度、当該第三者が講ずる個人情報の保護のための措置その他当該本人に参考となるべき情報が当該本人に提供されていること。

② 第二十八条第三項の規定は、前項の規定により個人関連情報取扱事業者が個人関連情報を提供する場合について準用する。この場合において、同条第三項中「講ずるとともに、本人の求めに応じて当該必要な措置に関する情報を当該本人に提供し」とあるのは、「講じ」と読み替えるものとする。

③ 前条第二項から第四項までの規定は、第一項の規定により個人関連情報取扱事業者が確認する場合について準用する。この場合において、同条第三項中「の提供を受けた」とあるのは、「を提供した」と読み替えるものとする。

（保有個人データに関する事項の公表等）

第三二条① 個人情報取扱事業者は、保有個人データに関し、次に掲げる事項について、本人の知り得る状態（本人の求めに応じて遅滞なく回答する場合を含む。）に置かなければならない。

一 当該個人情報取扱事業者の氏名又は名称及び住所並びに法人にあっては、その代表者の氏名

二 全ての保有個人データの利用目的（第二十一条第四項第一号から第三号までに該当する場合を除く。）

三 次項の規定による求め又は次条第一項（同条第五項において準用する場合を含む。）、第三十四条第一項若しくは第三十五条第一項、第三項若しくは第五項の規定による請求に応じる手続（第三十八条第二項の規定により手数料の額を定めたときは、その手数料の額を含む。）

四　前三号に掲げるもののほか、保有個人データの適正な取扱いの確保に関し必要な事項として政令で定めるもの

②　個人情報取扱事業者は、本人から、当該本人が識別される保有個人データの利用目的の通知を求められたときは、本人に対し、遅滞なく、これを通知しなければならない。ただし、次の各号のいずれかに該当する場合は、この限りでない。

一　前項の規定により当該本人が識別される保有個人データの利用目的が明らかな場合

二　第二十一条第四項第一号から第三号までに該当する場合

③　個人情報取扱事業者は、前項の規定に基づき求められた保有個人データの利用目的を通知しない旨の決定をしたときは、本人に対し、遅滞なく、その旨を通知しなければならない。

（開示）

第三三条①　本人は、個人情報取扱事業者に対し、当該本人が識別される保有個人データの電磁的記録の提供による方法その他の個人情報保護委員会規則で定める方法による開示を請求することができる。

②　個人情報取扱事業者は、前項の規定による請求を受けたときは、本人に対し、同項の規定により当該本人が請求した方法（当該方法による開示に多額の費用を要する場合その他の当該方法による開示が困難である場合にあっては、書面の交付による方法）により、遅滞なく、当該保有個人データを開示しなければならない。ただし、開示することにより次の各号のいずれかに該当する場合は、その全部又は一部を開示しないことができる。

一　本人又は第三者の生命、身体、財産その他の権利利益を害するおそれがある場合

二　当該個人情報取扱事業者の業務の適正な実施に著しい支障を及ぼすおそれがある場合

三　他の法令に違反することとなる場合

③　個人情報取扱事業者は、第一項の規定による請求に係る保有個人データの全部若しくは一部について開示しない旨の決定をしたとき、当該保有個人データが存在しないとき、又は同項の規定により本人が請求した方法による開示が困難であるときは、本人に対し、遅滞なく、その旨を通知しなければならない。

④　他の法令の規定により、本人に対し第二項本文に規定する方法に相当する方法により当該本人が識別される保有個人データの全部又は一部を開示することとされている場合には、当該全部又は一部の保有個人データについては、第一項及び第二項の規定は、適用しない。

⑤　第一項から第三項までの規定は、当該本人が識別される個人データに係る第二十九条第一項及び第三十条第三項の記録（その存否が明らかになることにより公益その他の利益が害されるものとして政令で定めるものを除く。第三十七条第二項において「第三者提供記録」という。）について準用する。

（訂正等）

第三四条①　本人は、個人情報取扱事業者に対し、当該本人が識別される保有個人データの内容が事実でないときは、当該保有個人データの内容の訂正、追加又は削除（以下この条において「訂正等」という。）を請求することができる。

②　個人情報取扱事業者は、前項の規定による請求を受けた場合には、その内容の訂正等に関して他の法令の規定により特別の手続が定められている場合を除き、利用目的の達成に必要な範囲内において、遅滞なく必要な調査を行い、その結果に基づき、当該保有個人データの内容の訂正等を行わなければならない。

③　個人情報取扱事業者は、第一項の規定による請求に係る保有個人データの内容の全部若しくは一部について訂正等を行ったとき、又は訂正等を行わない旨の決定をしたときは、本人に対し、遅滞なく、その旨（訂正等を行ったときは、その内容を含む。）を通知しなければならない。

（利用停止等）

第三五条①　本人は、個人情報取扱事業者に対し、当該本人が識別される保有個人データが第十八条若しくは第十九条の規定に違反して取り扱われているとき、又は第二十条の規定に違反して取得されたものであるときは、当該保有個人データの利用の停止又は消去（以下この条において「利用停止等」という。）を請求することができる。

②　個人情報取扱事業者は、前項の規定による請求を受けた場合であって、その請求に理由があることが判明したときは、違反を是正するために必要な限度で、遅滞なく、当該保有個人データの利用停止等を行わなければならない。ただし、当該保有個人データの利用停止等に多額の費用を要する場合その他の利用停止等を行うことが困難な場合であって、本人の権利利益を保護するため必要なこれに代わるべき措置をとるときは、この限りでない。

③　本人は、個人情報取扱事業者に対し、当該本人が識別される保有個人データが第二十七条第一項又は第二十八条の規定に違反して第三者に提供されているときは、当該保有個人データの第三者への提供の停止を請求することができる。

④　個人情報取扱事業者は、前項の規定による請求を受けた場合であって、その請求に理由があることが判明したときは、遅滞なく、当該保有個人データの第三者への提供を停止しなければならない。ただし、当該保有個人データの第三者への提供の停止に多額の費用を要する場合その他の第三者への提供を停止することが困難な場合であって、本人の権利利益を保護するため必要なこれに代わるべき措置をとるときは、この限りでない。

⑤　本人は、個人情報取扱事業者に対し、当該本人が識別される保有個人データを当該個人情報取扱事業者が利用する必要がなくなった場合、当該本人が識別される保有個人データに係る第二十六条第一項本文に規定する事態が生じた場合その他当該本人が識別される保有個人データの取扱いにより当該本人の権利又は正当な利益が害されるおそれがある場合には、当該保有個人データの利用停止等又は第三者への提供の停止を請求することができる。

⑥　個人情報取扱事業者は、前項の規定による請求を受けた場合であって、その請求に理由があることが判明したときは、本人の権利利益の侵害を防止するために必要な限度で、遅滞なく、当該保有個人データの利用停止等又は第三者への提供の停止を行わなければならない。ただし、当該保有個人データの利用停止等又は第三者への提供の停止に多額の費用を要する場合その他の利用停止等又は第三者への提供の停止を行うことが困難な場合であって、本人の権利利益を保護するため必要なこれに代わるべき措置をとるときは、この限りでない。

⑦　個人情報取扱事業者は、第一項若しくは第五項の規定による請求に係る保有個人データの全部若しくは一部について利用停止等を行ったとき若しくは利用停止等を行わない旨の決定をしたとき、又は第三項若しくは第五項の規定による請求に係る保有個人データの全部若しくは一部について第三者への提供を停止したとき若しくは第三者への提供を停止しない旨の決定をしたときは、本人に対し、遅滞なく、その旨を通知しなければならない。

（理由の説明）

第三六条　個人情報取扱事業者は、第三十二条第三項、第三十三条第三項（同条第五項において準用する場合を含む。）、第三十四条第三項又は前条第七項の規定により、本人から求められ、又は請求された措置の全部又は一部について、その措置をとらない旨を通知する場合又はその措置と異なる措置をとる旨を通知する場合には、本人に対し、その理由を説明するよう努めなければならない。

（開示等の請求等に応じる手続）

第三七条①　個人情報取扱事業者は、第三十二条第二項の規定による求め又は第三十三条第一項（同条第五項において準用する場合を含む。次条第一項及び第三十九条において同じ。）、第三十四条第一項若しくは第三十五条第一項、第三項若しくは第五

項の規定による請求（以下この条及び第五十四条第一項において「開示等の請求等」という。）に関し、政令で定めるところにより、その求め又は請求を受け付ける方法を定めることができる。この場合において、本人は、当該方法に従って、開示等の請求等を行わなければならない。

② 個人情報取扱事業者は、本人に対し、開示等の請求等に関し、その対象となる保有個人データ又は第三者提供記録を特定するに足りる事項の提示を求めることができる。この場合において、個人情報取扱事業者は、本人が容易かつ的確に開示等の請求等をすることができるよう、当該保有個人データ又は当該第三者提供記録の特定に資する情報の提供その他本人の利便を考慮した適切な措置をとらなければならない。

③ 開示等の請求等は、政令で定めるところにより、代理人によってすることができる。

④ 個人情報取扱事業者は、前三項の規定に基づき開示等の請求等に応じる手続を定めるに当たっては、本人に過重な負担を課するものとならないよう配慮しなければならない。

（手数料）

第三八条① 個人情報取扱事業者は、第三十二条第二項の規定による利用目的の通知を求められたとき又は第三十三条第一項の規定による開示の請求を受けたときは、当該措置の実施に関し、手数料を徴収することができる。

② 個人情報取扱事業者は、前項の規定により手数料を徴収する場合は、実費を勘案して合理的であると認められる範囲内において、その手数料の額を定めなければならない。

（事前の請求）

第三九条① 本人は、第三十三条第一項、第三十四条第一項又は第三十五条第一項、第三項若しくは第五項の規定による請求に係る訴えを提起しようとするときは、その訴えの被告となるべき者に対し、あらかじめ、当該請求を行い、かつ、その到達した日から二週間を経過した後でなければ、その訴えを提起することができない。ただし、当該訴えの被告となるべき者がその請求を拒んだときは、この限りでない。

② 前項の請求は、その請求が通常到達すべきであった時に、到達したものとみなす。

③ 前二項の規定は、第三十三条第一項、第三十四条第一項又は第三十五条第一項、第三項若しくは第五項の規定による請求に係る仮処分命令の申立てについて準用する。

（個人情報取扱事業者による苦情の処理）

第四〇条① 個人情報取扱事業者は、個人情報の取扱いに関する苦情の適切かつ迅速な処理に努めなければならない。

② 個人情報取扱事業者は、前項の目的を達成するために必要な体制の整備に努めなければならない。

第三節　仮名加工情報取扱事業者等の義務

（仮名加工情報の作成等）

第四一条① 個人情報取扱事業者は、仮名加工情報（仮名加工情報データベース等を構成するものに限る。以下この章及び第六章において同じ。）を作成するときは、他の情報と照合しない限り特定の個人を識別することができないようにするために必要なものとして個人情報保護委員会規則で定める基準に従い、個人情報を加工しなければならない。

② 個人情報取扱事業者は、仮名加工情報を作成したとき、又は仮名加工情報及び当該仮名加工情報に係る削除情報等（仮名加工情報の作成に用いられた個人情報から削除された記述等及び個人識別符号並びに前項の規定により行われた加工の方法に関する情報をいう。以下この条及び次条第三項において読み替えて準用する第七項において同じ。）を取得したときは、削除情報等の漏えいを防止するために必要なものとして個人情報保護委員会規則で定める基準に従い、削除情報等の安全管理のための措置を講じなければならない。

③ 仮名加工情報取扱事業者（個人情報取扱事業者である者に限る。以下この条において同じ。）は、第十八条の規定にかかわらず、法令に基づく場合を除くほか、第十七条第一項の規定により特定された利用目的の達成に必要な範囲を超えて、仮名加工情報（個人情報であるものに限る。以下この条において同じ。）を取り扱ってはならない。

④ 仮名加工情報についての第二十一条の規定の適用については、同条第一項及び第三項中「、本人に通知し、又は公表し」とあるのは「公表し」と、同条第四項第一号から第三号までの規定中「本人に通知し、又は公表する」とあるのは「公表する」とする。

⑤ 仮名加工情報取扱事業者は、仮名加工情報である個人データ及び削除情報等を利用する必要がなくなったときは、当該個人データ及び削除情報等を遅滞なく消去するよう努めなければならない。この場合においては、第二十二条の規定は、適用しない。

⑥ 仮名加工情報取扱事業者は、第二十七条第一項及び第二項並びに第二十八条第一項の規定にかかわらず、法令に基づく場合を除くほか、仮名加工情報である個人データを第三者に提供してはならない。この場合において、第二十七条第五項中「前各項」とあるのは「第四十一条第六項」と、同項第三号中「、本人に通知し、又は本人が容易に知り得る状態に置いて」とあるのは「公表して」と、同条第六項中「、本人に通知し、又は本人が容易に知り得る状態に置かなければ」とあるのは「公表しなければ」と、第二十九条第一項ただし書中「第二十七条第一項各号又は第五項各号のいずれか（前条第一項の規定による個人データの提供にあっては、第二十七条第一項各号のいずれか）」とあり、及び第三十条第一項ただし書中「第二十七条第一項各号又は第五項各号のいずれか」とあるのは「法令に基づく場合又は第二十七条第五項各号のいずれか」とする。

⑦ 仮名加工情報取扱事業者は、仮名加工情報を取り扱うに当たっては、当該仮名加工情報の作成に用いられた個人情報に係る本人を識別するために、当該仮名加工情報を他の情報と照合してはならない。

⑧ 仮名加工情報取扱事業者は、仮名加工情報を取り扱うに当たっては、電話をかけ、郵便若しくは民間事業者による信書の送達に関する法律（平成十四年法律第九十九号）第二条第六項に規定する一般信書便事業者若しくは同条第九項に規定する特定信書便事業者による同条第二項に規定する信書便により送付し、電報を送達し、ファクシミリ装置若しくは電磁的方法（電子情報処理組織を使用する方法その他の情報通信の技術を利用する方法であって個人情報保護委員会規則で定めるものをいう。）を用いて送信し、又は住居を訪問するために、当該仮名加工情報に含まれる連絡先その他の情報を利用してはならない。

⑨ 仮名加工情報、仮名加工情報である個人データ及び仮名加工情報である保有個人データについては、第十七条第二項、第二十六条及び第三十二条から第三十九条までの規定は、適用しない。

（仮名加工情報の第三者提供の制限等）

第四二条① 仮名加工情報取扱事業者は、法令に基づく場合を除くほか、仮名加工情報（個人情報であるものを除く。次項及び第三項において同じ。）を第三者に提供してはならない。

② 第二十七条第五項及び第六項の規定は、仮名加工情報の提供を受ける者について準用する。この場合において、同条第五項中「前各項」とあるのは「第四十二条第一項」と、同項第一号中「個人情報取扱事業者」とあるのは「仮名加工情報取扱事業者」と、同項第三号中「、本人に通知し、又は本人が容易に知り得る状態に置いて」とあるのは「公表して」と、同条第六項中「個人情報取扱事業者」とあるのは「仮名加工情報取扱事業者」と、「、本人に通知し、又は本人が容易に知り得る状態に置かなければ」とあるのは「公表しなければ」と読み替えるものとする。

③ 第二十三条から第二十五条まで、第四十条並びに前条第七項及び第八項の規定は、仮名加工情報取扱事業者による仮名加工情報の取扱いについて準用する。この場合において、第二十三

条中「漏えい、滅失又は毀損」とあるのは「漏えい」と、前条第七項中「ために、」とあるのは「ために、削除情報等を取得し、又は」と読み替えるものとする。

第四節　匿名加工情報取扱事業者等の義務

（匿名加工情報の作成等）

第四三条① 個人情報取扱事業者は、匿名加工情報（匿名加工情報データベース等を構成するものに限る。以下この章及び第六章において同じ。）を作成するときは、特定の個人を識別すること及びその作成に用いる個人情報を復元することができないようにするために必要なものとして個人情報保護委員会規則で定める基準に従い、当該個人情報を加工しなければならない。

② 個人情報取扱事業者は、匿名加工情報を作成したときは、その作成に用いた個人情報から削除した記述等及び個人識別符号並びに前項の規定により行った加工の方法に関する情報の漏えいを防止するために必要なものとして個人情報保護委員会規則で定める基準に従い、これらの情報の安全管理のための措置を講じなければならない。

③ 個人情報取扱事業者は、匿名加工情報を作成したときは、個人情報保護委員会規則で定めるところにより、当該匿名加工情報に含まれる個人に関する情報の項目を公表しなければならない。

④ 個人情報取扱事業者は、匿名加工情報を作成して当該匿名加工情報を第三者に提供するときは、個人情報保護委員会規則で定めるところにより、あらかじめ、第三者に提供される匿名加工情報に含まれる個人に関する情報の項目及びその提供の方法について公表するとともに、当該第三者に対して、当該提供に係る情報が匿名加工情報である旨を明示しなければならない。

⑤ 個人情報取扱事業者は、匿名加工情報を作成して自ら当該匿名加工情報を取り扱うに当たっては、当該匿名加工情報の作成に用いられた個人情報に係る本人を識別するために、当該匿名加工情報を他の情報と照合してはならない。

⑥ 個人情報取扱事業者は、匿名加工情報を作成したときは、当該匿名加工情報の安全管理のために必要かつ適切な措置、当該匿名加工情報の作成その他の取扱いに関する苦情の処理その他の当該匿名加工情報の適正な取扱いを確保するために必要な措置を自ら講じ、かつ、当該措置の内容を公表するよう努めなければならない。

（匿名加工情報の提供）

第四四条 匿名加工情報取扱事業者は、匿名加工情報（自ら個人情報を加工して作成したものを除く。以下この節において同じ。）を第三者に提供するときは、個人情報保護委員会規則で定めるところにより、あらかじめ、第三者に提供される匿名加工情報に含まれる個人に関する情報の項目及びその提供の方法について公表するとともに、当該第三者に対して、当該提供に係る情報が匿名加工情報である旨を明示しなければならない。

（識別行為の禁止）

第四五条 匿名加工情報取扱事業者は、匿名加工情報を取り扱うに当たっては、当該匿名加工情報の作成に用いられた個人情報に係る本人を識別するために、当該個人情報から削除された記述等若しくは個人識別符号若しくは第四十三条第一項若しくは第百十六条第一項（同条第二項において準用する場合を含む。）の規定により行われた加工の方法に関する情報を取得し、又は当該匿名加工情報を他の情報と照合してはならない。

（安全管理措置等）

第四六条 匿名加工情報取扱事業者は、匿名加工情報の安全管理のために必要かつ適切な措置、匿名加工情報の取扱いに関する苦情の処理その他の匿名加工情報の適正な取扱いを確保するために必要な措置を自ら講じ、かつ、当該措置の内容を公表するよう努めなければならない。

第五節　民間団体による個人情報の保護の推進（抄）

（認定）

第四七条① 個人情報取扱事業者、仮名加工情報取扱事業者又は匿名加工情報取扱事業者（以下この章において「個人情報取扱事業者等」という。）の個人情報、仮名加工情報又は匿名加工情報（以下この章において「個人情報等」という。）の適正な取扱いの確保を目的として次に掲げる業務を行おうとする法人（法人でない団体で代表者又は管理人の定めのあるものを含む。次条第三号ロにおいて同じ。）は、個人情報保護委員会の認定を受けることができる。

一　業務の対象となる個人情報取扱事業者等（以下この節において「対象事業者」という。）の個人情報等の取扱いに関する第五十三条の規定による苦情の処理

二　個人情報等の適正な取扱いの確保に寄与する事項についての対象事業者に対する情報の提供

三　前二号に掲げるもののほか、対象事業者の個人情報等の適正な取扱いの確保に関し必要な業務

② 前項の認定は、対象とする個人情報取扱事業者等の事業の種類その他の業務の範囲を限定して行うことができる。

③ 第一項の認定を受けようとする者は、政令で定めるところにより、個人情報保護委員会に申請しなければならない。

④ 個人情報保護委員会は、第一項の認定をしたときは、その旨（第二項の規定により業務の範囲を限定する認定にあっては、その認定に係る業務の範囲を含む。）を公示しなければならない。

第四八条から第五一条まで　（略）

（対象事業者）

第五二条① 認定個人情報保護団体は、認定業務の対象となることについて同意を得た個人情報取扱事業者等を対象事業者としなければならない。この場合において、第五十四条第四項の規定による措置をとったにもかかわらず、対象事業者が同条第一項に規定する個人情報保護指針を遵守しないときは、当該対象事業者を認定業務の対象から除外することができる。

② 認定個人情報保護団体は、対象事業者の氏名又は名称を公表しなければならない。

（苦情の処理）

第五三条① 認定個人情報保護団体は、本人その他の関係者から対象事業者の個人情報等の取扱いに関する苦情について解決の申出があったときは、その相談に応じ、申出人に必要な助言をし、その苦情に係る事情を調査するとともに、当該対象事業者に対し、その苦情の内容を通知してその迅速な解決を求めなければならない。

② 認定個人情報保護団体は、前項の申出に係る苦情の解決について必要があると認めるときは、当該対象事業者に対し、文書若しくは口頭による説明を求め、又は資料の提出を求めることができる。

③ 対象事業者は、認定個人情報保護団体から前項の規定による求めがあったときは、正当な理由がないのに、これを拒んではならない。

（個人情報保護指針）

第五四条① 認定個人情報保護団体は、対象事業者の個人情報等の適正な取扱いの確保のために、個人情報に係る利用目的の特定、安全管理のための措置、開示等の請求等に応じる手続その他の事項又は仮名加工情報若しくは匿名加工情報に係る作成の方法、その情報の安全管理のための措置その他の事項に関し、消費者の意見を代表する者その他の関係者の意見を聴いて、この法律の規定の趣旨に沿った指針（以下この節及び第六章において「個人情報保護指針」という。）を作成するよう努めなければならない。

② 認定個人情報保護団体は、前項の規定により個人情報保護指針を作成したときは、個人情報保護委員会規則で定めるところにより、遅滞なく、当該個人情報保護指針を個人情報保護委員会に届け出なければならない。これを変更したときも、同様とする。

③ 個人情報保護委員会は、前項の規定による個人情報保護指針

の届出があったときは、個人情報保護委員会規則で定めるところにより、当該個人情報保護指針を公表しなければならない。

④　認定個人情報保護団体は、前項の規定により個人情報保護指針が公表されたときは、対象事業者に対し、当該個人情報保護指針を遵守させるため必要な指導、勧告その他の措置をとらなければならない。

（目的外利用の禁止）

第五五条　認定個人情報保護団体は、認定業務の実施に際して知り得た情報を認定業務の用に供する目的以外に利用してはならない。

第五六条　（略）

第六節　雑則（抄）

（**適用除外**）

第五七条①　個人情報取扱事業者等及び個人関連情報取扱事業者のうち次の各号に掲げる者については、その個人情報等及び個人関連情報を取り扱う目的の全部又は一部がそれぞれ当該各号に規定する目的であるときは、この章の規定は、適用しない。

一　放送機関、新聞社、通信社その他の報道機関（報道を業として行う個人を含む。）　報道の用に供する目的

二　著述を業として行う者　著述の用に供する目的

三　宗教団体　宗教活動（これに付随する活動を含む。）の用に供する目的

四　政治団体　政治活動（これに付随する活動を含む。）の用に供する目的

②　前項第一号に規定する「報道」とは、不特定かつ多数の者に対して客観的事実を事実として知らせること（これに基づいて意見又は見解を述べることを含む。）をいう。

③　第一項各号に掲げる個人情報取扱事業者等は、個人データ、仮名加工情報又は匿名加工情報の安全管理のために必要かつ適切な措置、個人情報等の取扱いに関する苦情の処理その他の個人情報等の適正な取扱いを確保するために必要な措置を自ら講じ、かつ、当該措置の内容を公表するよう努めなければならない。

第五八条　（略）

（**学術研究機関等の責務**）

第五九条　個人情報取扱事業者である学術研究機関等は、学術研究目的で行う個人情報の取扱いについて、この法律の規定を遵守するとともに、その適正を確保するために必要な措置を自ら講じ、かつ、当該措置の内容を公表するよう努めなければならない。

第五章　行政機関等の義務等（抄）

第一節　総則

（**定義**）

第六〇条①　この章及び第八章において「保有個人情報」とは、行政機関等の職員（独立行政法人等及び地方独立行政法人にあっては、その役員を含む。以下この章及び第八章において同じ。）が職務上作成し、又は取得した個人情報であって、当該行政機関等の職員が組織的に利用するものとして、当該行政機関等が保有しているものをいう。ただし、行政文書（行政機関の保有する情報の公開に関する法律（平成十一年法律第四十二号。以下この章において「行政機関情報公開法」という。）第二条第二項に規定する行政文書をいう。）、法人文書（独立行政法人等の保有する情報の公開に関する法律（平成十三年法律第百四十号。以下この章において「独立行政法人等情報公開法」という。）第二条第二項に規定する法人文書（同項第四号に掲げるものを含む。）をいう。）又は地方公共団体等行政文書（地方公共団体の機関又は地方独立行政法人の職員が職務上作成し、又は取得した文書、図画及び電磁的記録であって、当該地方公共団体の機関又は地方独立行政法人の職員が組織的に用いるものとして、当該地方公共団体の機関又は地方独立行政法人が保有しているもの（行政機関情報公開法第二条第二項各号に掲げるものに相当するものとして政令で定めるものを除く。）をいう。）（以下この章において「行政文書等」という。）に記録されているものに限る。

②　この章及び第八章において「個人情報ファイル」とは、保有個人情報を含む情報の集合物であって、次に掲げるものをいう。

一　一定の事務の目的を達成するために特定の保有個人情報を電子計算機を用いて検索することができるように体系的に構成したもの

二　前号に掲げるもののほか、一定の事務の目的を達成するために氏名、生年月日、その他の記述等により特定の保有個人情報を容易に検索することができるように体系的に構成したもの

③　この章において「行政機関等匿名加工情報」とは、次の各号のいずれにも該当する個人情報ファイルを構成する保有個人情報の全部又は一部（これらの一部に行政機関情報公開法第五条に規定する不開示情報（同条第一号に掲げる情報を除き、同条第二号ただし書に規定する情報を含む。以下この項において同じ。）、独立行政法人等情報公開法第五条に規定する不開示情報（同条第一号に掲げる情報を除き、同条第二号ただし書に規定する情報を含む。）又は地方公共団体の情報公開条例（地方公共団体の機関又は地方独立行政法人の保有する情報の公開を請求する住民等の権利について定める地方公共団体の条例をいう。以下この章において同じ。）に規定する不開示情報（行政機関情報公開法第五条に規定する不開示情報に相当するものをいう。）が含まれているときは、これらの不開示情報に該当する部分を除く。）を加工して得られる匿名加工情報をいう。

一　第七十五条第二項各号のいずれかに該当するもの又は同条第三項の規定により同条第一項に規定する個人情報ファイル簿に掲載しないこととされるものでないこと。

二　行政機関情報公開法第三条に規定する行政機関の長、独立行政法人等情報公開法第二条第一項に規定する独立行政法人等、地方公共団体の機関又は地方独立行政法人に対し、当該個人情報ファイルを構成する保有個人情報が記録されている行政文書等の開示の請求（行政機関情報公開法第三条、独立行政法人等情報公開法第三条又は情報公開条例の規定による開示の請求をいう。）があったとしたならば、これらの者が次のいずれかを行うこととなるものであること。

イ　当該行政文書等に記録されている保有個人情報の全部又は一部を開示する旨の決定をすること。

ロ　行政機関情報公開法第十三条第一項若しくは第二項、独立行政法人等情報公開法第十四条第一項若しくは第二項又は情報公開条例（行政機関情報公開法第十三条第一項又は第二項の規定に相当する規定を設けているものに限る。）の規定により意見書の提出の機会を与えること。

三　行政機関等の事務及び事業の適正かつ円滑な運営に支障のない範囲内で、第百十六条第一項の基準に従い、当該個人情報ファイルを構成する保有個人情報を加工して匿名加工情報を作成することができるものであること。

④　この章において「行政機関等匿名加工情報ファイル」とは、行政機関等匿名加工情報を含む情報の集合物であって、次に掲げるものをいう。

一　特定の行政機関等匿名加工情報を電子計算機を用いて検索することができるように体系的に構成したもの

二　前号に掲げるもののほか、特定の行政機関等匿名加工情報を容易に検索することができるように体系的に構成したものとして政令で定めるもの

⑤　この章において「条例要配慮個人情報」とは、地方公共団体の機関又は地方独立行政法人が保有する個人情報（要配慮個人情報を除く。）のうち、地域の特性その他の事情に応じて、本人に対する不当な差別、偏見その他の不利益が生じないようにその取扱いに特に配慮を要するものとして地方公共団体が条例で

定める記述等が含まれる個人情報をいう。

第二節　行政機関等における個人情報等の取扱い

（個人情報の保有の制限等）

第六一条① 行政機関等は、個人情報を保有するに当たっては、法令（条例を含む。第六十六条第二項第三号及び第四号、第六十九条第二項第二号及び第三号並びに第四節において同じ。）の定める所掌事務又は業務を遂行するため必要な場合に限り、かつ、その利用目的をできる限り特定しなければならない。

② 行政機関等は、前項の規定により特定された利用目的の達成に必要な範囲を超えて、個人情報を保有してはならない。

③ 行政機関等は、利用目的を変更する場合には、変更前の利用目的と相当の関連性を有すると合理的に認められる範囲を超えて行ってはならない。

（利用目的の明示）

第六二条 行政機関等は、本人から直接書面（電磁的記録を含む。）に記録された当該本人の個人情報を取得するときは、次に掲げる場合を除き、あらかじめ、本人に対し、その利用目的を明示しなければならない。

一 人の生命、身体又は財産の保護のために緊急に必要があるとき。

二 利用目的を本人に明示することにより、本人又は第三者の生命、身体、財産その他の権利利益を害するおそれがあるとき。

三 利用目的を本人に明示することにより、国の機関、独立行政法人等、地方公共団体又は地方独立行政法人が行う事務又は事業の適正な遂行に支障を及ぼすおそれがあるとき。

四 取得の状況からみて利用目的が明らかであると認められるとき。

（不適正な利用の禁止）

第六三条 行政機関の長（第二条第八項第四号及び第五号の政令で定める機関にあっては、その機関ごとに政令で定める者をいう。以下この章及び第百七十四条において同じ。）、地方公共団体の機関、独立行政法人等及び地方独立行政法人（以下この章及び次章において「行政機関の長等」という。）は、違法又は不当な行為を助長し、又は誘発するおそれがある方法により個人情報を利用してはならない。

（適正な取得）

第六四条 行政機関の長等は、偽りその他不正の手段により個人情報を取得してはならない。

（正確性の確保）

第六五条 行政機関の長等は、利用目的の達成に必要な範囲内で、保有個人情報が過去又は現在の事実と合致するよう努めなければならない。

（安全管理措置）

第六六条① 行政機関の長等は、保有個人情報の漏えい、滅失又は毀損の防止その他の保有個人情報の安全管理のために必要かつ適切な措置を講じなければならない。

② 前項の規定は、次の各号に掲げる者が当該各号に定める業務を行う場合における個人情報の取扱いについて準用する。

一 行政機関等から個人情報の取扱いの委託を受けた者　当該委託を受けた業務

二 指定管理者（地方自治法（昭和二十二年法律第六十七号）第二百四十四条の二第三項に規定する指定管理者をいう。）　公の施設（同法第二百四十四条第一項に規定する公の施設をいう。）の管理の業務

三 第五十八条第一項各号に掲げる者　法令に基づき行う業務であって政令で定めるもの

四 第五十八条第二項各号に掲げる者　同項各号に定める業務のうち法令に基づき行う業務であって政令で定めるもの

五 前各号に掲げる者から当該各号に定める業務の委託（二以上の段階にわたる委託を含む。）を受けた者　当該委託を受けた業務

（従事者の義務）

第六七条 個人情報の取扱いに従事する行政機関等の職員若しくは職員であった者、前条第二項各号に定める業務に従事している者若しくは従事していた者又は行政機関等において個人情報の取扱いに従事している派遣労働者（労働者派遣事業の適正な運営の確保及び派遣労働者の保護等に関する法律（昭和六十年法律第八十八号）第二条第二号に規定する派遣労働者をいう。以下この章及び第百七十六条において同じ。）若しくは従事していた派遣労働者は、その業務に関して知り得た個人情報の内容をみだりに他人に知らせ、又は不当な目的に利用してはならない。

（漏えい等の報告等）

第六八条① 行政機関の長等は、保有個人情報の漏えい、滅失、毀損その他の保有個人情報の安全の確保に係る事態であって個人の権利利益を害するおそれが大きいものとして個人情報保護委員会規則で定めるものが生じたときは、個人情報保護委員会規則で定めるところにより、当該事態が生じた旨を個人情報保護委員会に報告しなければならない。

② 前項に規定する場合には、行政機関の長等は、本人に対し、個人情報保護委員会規則で定めるところにより、当該事態が生じた旨を通知しなければならない。ただし、次の各号のいずれかに該当するときは、この限りでない。

一 本人への通知が困難な場合であって、本人の権利利益を保護するため必要なこれに代わるべき措置をとるとき。

二 当該保有個人情報に第七十八条第一項各号に掲げる情報のいずれかが含まれるとき。

（利用及び提供の制限）

第六九条① 行政機関の長等は、法令に基づく場合を除き、利用目的以外の目的のために保有個人情報を自ら利用し、又は提供してはならない。

② 前項の規定にかかわらず、行政機関の長等は、次の各号のいずれかに該当すると認めるときは、利用目的以外の目的のために保有個人情報を自ら利用し、又は提供することができる。ただし、保有個人情報を利用目的以外の目的のために自ら利用し、又は提供することによって、本人又は第三者の権利利益を不当に侵害するおそれがあると認められるときは、この限りでない。

一 本人の同意があるとき、又は本人に提供するとき。

二 行政機関等が法令の定める所掌事務又は業務の遂行に必要な限度で保有個人情報を内部で利用する場合であって、当該保有個人情報を利用することについて相当の理由があるとき。

三 他の行政機関、独立行政法人等、地方公共団体の機関又は地方独立行政法人に保有個人情報を提供する場合において、保有個人情報の提供を受ける者が、法令の定める事務又は業務の遂行に必要な限度で提供に係る個人情報を利用し、かつ、当該個人情報を利用することについて相当の理由があるとき。

四 前三号に掲げる場合のほか、専ら統計の作成又は学術研究の目的のために保有個人情報を提供するとき、本人以外の者に提供することが明らかに本人の利益になるとき、その他保有個人情報を提供することについて特別の理由があるとき。

③ 前項の規定は、保有個人情報の利用又は提供を制限する他の法令の規定の適用を妨げるものではない。

④ 行政機関の長等は、個人の権利利益を保護するため特に必要があると認めるときは、保有個人情報の利用目的以外の目的のための行政機関等の内部における利用を特定の部局若しくは機関又は職員に限るものとする。

（保有個人情報の提供を受ける者に対する措置要求）

第七〇条 行政機関の長等は、利用目的のために又は前条第二項第三号若しくは第四号の規定に基づき、保有個人情報を提供する場合において、必要があると認めるときは、保有個人情報の提供を受ける者に対し、提供に係る個人情報について、その利

用の目的若しくは方法の制限その他必要な制限を付し、又はその漏えいの防止その他の個人情報の適切な管理のために必要な措置を講ずることを求めるものとする。

（外国にある第三者への提供の制限）

第七一条① 行政機関の長等は、外国（本邦の域外にある国又は地域をいう。以下この条において同じ。）（個人の権利利益を保護する上で我が国と同等の水準にあると認められる個人情報の保護に関する制度を有している外国として個人情報保護委員会規則で定めるものを除く。以下この条において同じ。）にある第三者（第十六条第三項に規定する個人データの取扱いについて前章第二節の規定により同条第二項に規定する個人情報取扱事業者が講ずべきこととされている措置に相当する措置（第三項において「相当措置」という。）を継続的に講ずるために必要なものとして個人情報保護委員会規則で定める基準に適合する体制を整備している者を除く。以下この項及び次項において同じ。）に利用目的以外の目的のために保有個人情報を提供する場合には、法令に基づく場合及び第六十九条第二項第四号に掲げる場合を除くほか、あらかじめ外国にある第三者への提供を認める旨の本人の同意を得なければならない。

② 行政機関の長等は、前項の規定により本人の同意を得ようとする場合には、個人情報保護委員会規則で定めるところにより、あらかじめ、当該外国における個人情報の保護に関する制度、当該第三者が講ずる個人情報の保護のための措置その他当該本人に参考となるべき情報を当該本人に提供しなければならない。

③ 行政機関の長等は、保有個人情報を外国にある第三者（第一項に規定する体制を整備している者に限る。）に利用目的以外の目的のために提供した場合には、法令に基づく場合及び第六十九条第二項第四号に掲げる場合を除くほか、個人情報保護委員会規則で定めるところにより、当該第三者による相当措置の継続的な実施を確保するために必要な措置を講ずるとともに、本人の求めに応じて当該必要な措置に関する情報を当該本人に提供しなければならない。

（個人関連情報の提供を受ける者に対する措置要求）

第七二条 行政機関の長等は、第三者に個人関連情報を提供する場合（当該第三者が当該個人関連情報を個人情報として取得することが想定される場合に限る。）において、必要があると認めるときは、当該第三者に対し、提供に係る個人関連情報について、その利用の目的若しくは方法の制限その他必要な制限を付し、又はその漏えいの防止その他の個人関連情報の適切な管理のために必要な措置を講ずることを求めるものとする。

（仮名加工情報の取扱いに係る義務）

第七三条① 行政機関の長等は、法令に基づく場合を除くほか、仮名加工情報（個人情報であるものを除く。以下この条及び第百二十八条において同じ。）を第三者（当該仮名加工情報の取扱いの委託を受けた者を除く。）に提供してはならない。

② 行政機関の長等は、その取り扱う仮名加工情報の漏えいの防止その他仮名加工情報の安全管理のために必要かつ適切な措置を講じなければならない。

③ 行政機関の長等は、仮名加工情報を取り扱うに当たっては、法令に基づく場合を除き、当該仮名加工情報の作成に用いられた個人情報に係る本人を識別するために、削除情報等（仮名加工情報の作成に用いられた個人情報から削除された記述等及び個人識別符号並びに第四十一条第一項の規定により行われた加工の方法に関する情報をいう。）を取得し、又は当該仮名加工情報を他の情報と照合してはならない。

④ 行政機関の長等は、仮名加工情報を取り扱うに当たっては、法令に基づく場合を除き、電話をかけ、郵便若しくは民間事業者による信書の送達に関する法律第二条第六項に規定する一般信書便事業者若しくは同条第九項に規定する特定信書便事業者による同条第二項に規定する信書便により送付し、電報を送達し、ファクシミリ装置若しくは電磁的方法（電子情報処理組織を使用する方法その他の情報通信の技術を利用する方法であって個人情報保護委員会規則で定めるものをいう。）を用いて送信し、又は住居を訪問するために、当該仮名加工情報に含まれる連絡先その他の情報を利用してはならない。

⑤ 前各項の規定は、行政機関の長等から仮名加工情報の取扱いの委託（二以上の段階にわたる委託を含む。）を受けた者が受託した業務を行う場合について準用する。

第三節　個人情報ファイル

（個人情報ファイルの保有等に関する事前通知）

第七四条① 行政機関（会計検査院を除く。以下この条において同じ。）が個人情報ファイルを保有しようとするときは、当該行政機関の長は、あらかじめ、個人情報保護委員会に対し、次に掲げる事項を通知しなければならない。通知した事項を変更しようとするときも、同様とする。

一　個人情報ファイルの名称
二　当該機関の名称及び個人情報ファイルが利用に供される事務をつかさどる組織の名称
三　個人情報ファイルの利用目的
四　個人情報ファイルに記録される項目（以下この節において「記録項目」という。）及び本人（他の個人の氏名、生年月日その他の記述等によらないで検索し得る者に限る。次項第九号において同じ。）として個人情報ファイルに記録される個人の範囲（以下この節において「記録範囲」という。）
五　個人情報ファイルに記録される個人情報（以下この節において「記録情報」という。）の収集方法
六　記録情報に要配慮個人情報が含まれるときは、その旨
七　記録情報を当該機関以外の者に経常的に提供する場合には、その提供先
八　次条第三項の規定に基づき、記録項目の一部若しくは第五号若しくは前号に掲げる事項を次条第一項に規定する個人情報ファイル簿に記載しないこととするとき、又は個人情報ファイルを同項に規定する個人情報ファイル簿に掲載しないこととするときは、その旨
九　第七十六条第一項、第九十条第一項又は第九十八条第一項の規定による請求を受理する組織の名称及び所在地
十　第九十条第一項ただし書又は第九十八条第一項ただし書に該当するときは、その旨
十一　その他政令で定める事項

② 前項の規定は、次に掲げる個人情報ファイルについては、適用しない。

一　国の安全、外交上の秘密その他の国の重大な利益に関する事項を記録する個人情報ファイル
二　犯罪の捜査、租税に関する法律の規定に基づく犯則事件の調査又は公訴の提起若しくは維持のために作成し、又は取得する個人情報ファイル
三　当該機関の職員又は職員であった者に係る個人情報ファイルであって、専らその人事、給与若しくは福利厚生に関する事項又はこれらに準ずる事項を記録するもの（当該機関が行う職員の採用試験に関する個人情報ファイルを含む。）
四　専ら試験的な電子計算機処理の用に供するための個人情報ファイル
五　前項の規定による通知に係る個人情報ファイルに記録されている記録情報の全部又は一部を記録した個人情報ファイルであって、その利用目的、記録項目及び記録範囲が当該通知に係るこれらの事項の範囲内のもの
六　一年以内に消去することとなる記録情報のみを記録する個人情報ファイル
七　資料その他の物品若しくは金銭の送付又は業務上必要な連絡のために利用する記録情報を記録した個人情報ファイルであって、送付又は連絡の相手方の氏名、住所その他の送付又は連絡に必要な事項のみを記録するもの
八　職員が学術研究の用に供するためその発意に基づき作成し、又は取得する個人情報ファイルであって、記録情報を専

ら当該学術研究の目的のために利用するもの

九　本人の数が政令で定める数に満たない個人情報ファイル

十　第三号から前号までに掲げる個人情報ファイルに準ずるものとして政令で定める個人情報ファイル

十一　第六十条第二項第二号に係る個人情報ファイル

③　行政機関の長は、第一項に規定する事項を通知した個人情報ファイルについて、当該行政機関がその保有をやめたとき、又はその個人情報ファイルが前項第九号に該当するに至ったときは、遅滞なく、個人情報保護委員会に対しその旨を通知しなければならない。

第七五条（**個人情報ファイル簿の作成及び公表**）①　行政機関の長等は、政令で定めるところにより、当該行政機関の長等の属する行政機関等が保有している個人情報ファイルについて、それぞれ前条第一項第一号から第七号まで、第九号及び第十号に掲げる事項その他政令で定める事項を記載した帳簿（以下この章において「個人情報ファイル簿」という。）を作成し、公表しなければならない。

②　前項の規定は、次に掲げる個人情報ファイルについては、適用しない。

一　前条第二項第一号から第十号までに掲げる個人情報ファイル

二　前項の規定による公表に係る個人情報ファイルに記録されている記録情報の全部又は一部を記録した個人情報ファイルであって、その利用目的、記録項目及び記録範囲が当該公表に係るこれらの事項の範囲内のもの

三　前号に掲げる個人情報ファイルに準ずるものとして政令で定める個人情報ファイル

③　第一項の規定にかかわらず、行政機関の長等は、記録項目の一部若しくは前条第一項第五号若しくは第七号に掲げる事項を個人情報ファイル簿に記載し、又は個人情報ファイルを個人情報ファイル簿に掲載することにより、利用目的に係る事務又は事業の性質上、当該事務又は事業の適正な遂行に著しい支障を及ぼすおそれがあると認めるときは、その記録項目の一部若しくは事項を記載せず、又はその個人情報ファイルを個人情報ファイル簿に掲載しないことができる。

④　地方公共団体の機関又は地方独立行政法人についての第一項の規定の適用については、同項中「定める事項」とあるのは、「定める事項並びに記録情報に条例要配慮個人情報が含まれているときは、その旨」とする。

⑤　前各項の規定は、地方公共団体の機関又は地方独立行政法人が、条例で定めるところにより、個人情報ファイル簿とは別の個人情報の保有の状況に関する事項を記載した帳簿を作成し、公表することを妨げるものではない。

第四節　開示、訂正及び利用停止

第一款　開示

第七六条（**開示請求権**）①　何人も、この法律の定めるところにより、行政機関の長等に対し、当該行政機関の長等の属する行政機関等の保有する自己を本人とする保有個人情報の開示を請求することができる。

②　未成年者若しくは成年被後見人の法定代理人又は本人の委任による代理人（以下この節において「代理人」と総称する。）は、本人に代わって前項の規定による開示の請求（以下この節及び第百二十七条において「開示請求」という。）をすることができる。

第七七条（**開示請求の手続**）①　開示請求は、次に掲げる事項を記載した書面（第三項において「開示請求書」という。）を行政機関の長等に提出してしなければならない。

一　開示請求をする者の氏名及び住所又は居所

二　開示請求に係る保有個人情報が記録されている行政文書等の名称その他の開示請求に係る保有個人情報を特定するに足りる事項

②　前項の場合において、開示請求をする者は、政令で定めるところにより、開示請求に係る保有個人情報の本人であること（前条第二項の規定による開示請求にあっては、開示請求に係る保有個人情報の本人の代理人であること）を示す書類を提示し、又は提出しなければならない。

③　行政機関の長等は、開示請求書に形式上の不備があると認めるときは、開示請求をした者（以下この節において「開示請求者」という。）に対し、相当の期間を定めて、その補正を求めることができる。この場合において、行政機関の長等は、開示請求者に対し、補正の参考となる情報を提供するよう努めなければならない。

第七八条（**保有個人情報の開示義務**）①　行政機関の長等は、開示請求があったときは、開示請求に係る保有個人情報に次の各号に掲げる情報（以下この節において「不開示情報」という。）のいずれかが含まれている場合を除き、開示請求者に対し、当該保有個人情報を開示しなければならない。

一　開示請求者（第七十六条第二項の規定により代理人が本人に代わって開示請求をする場合にあっては、当該本人をいう。次号及び第三号、次条第二項並びに第八十六条第一項において同じ。）の生命、健康、生活又は財産を害するおそれがある情報

二　開示請求者以外の個人に関する情報（事業を営む個人の当該事業に関する情報を除く。）であって、当該情報に含まれる氏名、生年月日その他の記述等により開示請求者以外の特定の個人を識別することができるもの（他の情報と照合することにより、開示請求者以外の特定の個人を識別することができることとなるものを含む。）若しくは個人識別符号が含まれるもの又は開示請求者以外の特定の個人を識別することはできないが、開示することにより、なお開示請求者以外の個人の権利利益を害するおそれがあるもの。ただし、次に掲げる情報を除く。

イ　法令の規定により又は慣行として開示請求者が知ることができ、又は知ることが予定されている情報

ロ　人の生命、健康、生活又は財産を保護するため、開示することが必要であると認められる情報

ハ　当該個人が公務員等（国家公務員法（昭和二十二年法律第百二十号）第二条第一項に規定する国家公務員（独立行政法人通則法第二条第四項に規定する行政執行法人の職員を除く。）、独立行政法人等の職員、地方公務員法（昭和二十五年法律第二百六十一号）第二条に規定する地方公務員及び地方独立行政法人の職員をいう。）である場合において、当該情報がその職務の遂行に係る情報であるときは、当該情報のうち、当該公務員等の職及び当該職務遂行の内容に係る部分

三　法人その他の団体（国、独立行政法人等、地方公共団体及び地方独立行政法人を除く。以下この号において「法人等」という。）に関する情報又は開示請求者以外の事業を営む個人の当該事業に関する情報であって、次に掲げるもの。ただし、人の生命、健康、生活又は財産を保護するため、開示することが必要であると認められる情報を除く。

イ　開示することにより、当該法人等又は当該個人の権利、競争上の地位その他正当な利益を害するおそれがあるもの

ロ　行政機関等の要請を受けて、開示しないとの条件で任意に提供されたものであって、法人等又は個人における通例として開示しないこととされているものその他の当該条件を付することが当該情報の性質、当時の状況等に照らして合理的であると認められるもの

四　行政機関の長が第八十二条各項の決定（以下この節において「開示決定等」という。）をする場合において、開示することにより、国の安全が害されるおそれ、他国若しくは国際機関との信頼関係が損なわれるおそれ又は他国若しくは国際機

関との交渉上不利益を被るおそれがあると当該行政機関の長が認めることにつき相当の理由がある情報

五　行政機関の長又は地方公共団体の機関（都道府県の機関に限る。）が開示決定等をする場合において、開示することにより、犯罪の予防、鎮圧又は捜査、公訴の維持、刑の執行その他の公共の安全と秩序の維持に支障を及ぼすおそれがあると当該行政機関の長又は地方公共団体の機関が認めることにつき相当の理由がある情報

六　国の機関、独立行政法人等、地方公共団体及び地方独立行政法人の内部又は相互間における審議、検討又は協議に関する情報であって、開示することにより、率直な意見の交換若しくは意思決定の中立性が不当に損なわれるおそれ、不当に国民の間に混乱を生じさせるおそれ又は特定の者に不当に利益を与え若しくは不利益を及ぼすおそれがあるもの

七　国の機関、独立行政法人等、地方公共団体又は地方独立行政法人が行う事務又は事業に関する情報であって、開示することにより、次に掲げるおそれその他当該事務又は事業の性質上、当該事務又は事業の適正な遂行に支障を及ぼすおそれがあるもの

イ　独立行政法人等、地方公共団体の機関又は地方独立行政法人が開示決定等をする場合において、国の安全が害されるおそれ、他国若しくは国際機関との信頼関係が損なわれるおそれ又は他国若しくは国際機関との交渉上不利益を被るおそれ

ロ　独立行政法人等、地方公共団体の機関（都道府県の機関を除く。）又は地方独立行政法人が開示決定等をする場合において、犯罪の予防、鎮圧又は捜査その他の公共の安全と秩序の維持に支障を及ぼすおそれ

ハ　監査、検査、取締り、試験又は租税の賦課若しくは徴収に係る事務に関し、正確な事実の把握を困難にするおそれ又は違法若しくは不当な行為を容易にし、若しくはその発見を困難にするおそれ

ニ　契約、交渉又は争訟に係る事務に関し、国、独立行政法人等、地方公共団体又は地方独立行政法人の財産上の利益又は当事者としての地位を不当に害するおそれ

ホ　調査研究に係る事務に関し、その公正かつ能率的な遂行を不当に阻害するおそれ

ヘ　人事管理に係る事務に関し、公正かつ円滑な人事の確保に支障を及ぼすおそれ

ト　独立行政法人等、地方公共団体が経営する企業又は地方独立行政法人に係る事業に関し、その企業経営上の正当な利益を害するおそれ

②　地方公共団体の機関又は地方独立行政法人についての前項の規定の適用については、同項中「掲げる情報（」とあるのは、「掲げる情報（情報公開条例の規定により開示することとされている情報として条例で定めるものを除く。）又は行政機関情報公開法第五条に規定する不開示情報に準ずる情報であって情報公開条例において開示しないこととされているもののうち当該情報公開条例との整合性を確保するために不開示とする必要があるものとして条例で定めるもの（」とする。

（部分開示）

第七九条①　行政機関の長等は、開示請求に係る保有個人情報に不開示情報が含まれている場合において、不開示情報に該当する部分を容易に区分して除くことができるときは、開示請求者に対し、当該部分を除いた部分につき開示しなければならない。

②　開示請求に係る保有個人情報に前条第一項第二号の情報（開示請求者以外の特定の個人を識別することができるものに限る。）が含まれている場合において、当該情報のうち、氏名、生年月日その他の開示請求者以外の特定の個人を識別することができることとなる記述等及び個人識別符号の部分を除くことにより、開示しても、開示請求者以外の個人の権利利益が害されるおそれがないと認められるときは、当該部分を除いた部分は、同号の情報に含まれないものとみなして、前項の規定を適用する。

（裁量的開示）

第八〇条　行政機関の長等は、開示請求に係る保有個人情報に不開示情報が含まれている場合であっても、個人の権利利益を保護するため特に必要があると認めるときは、開示請求者に対し、当該保有個人情報を開示することができる。

（保有個人情報の存否に関する情報）

第八一条　開示請求に対し、当該開示請求に係る保有個人情報が存在しているか否かを答えるだけで不開示情報を開示することとなるときは、行政機関の長等は、当該保有個人情報の存否を明らかにしないで、当該開示請求を拒否することができる。

（開示請求に対する措置）

第八二条①　行政機関の長等は、開示請求に係る保有個人情報の全部又は一部を開示するときは、その旨の決定をし、開示請求者に対し、その旨、開示する保有個人情報の利用目的及び開示の実施に関し政令で定める事項を書面により通知しなければならない。ただし、第六十二条第二号又は第三号に該当する場合における当該利用目的については、この限りでない。

②　行政機関の長等は、開示請求に係る保有個人情報の全部を開示しないとき（前条の規定により開示請求を拒否するとき、及び開示請求に係る保有個人情報を保有していないときを含む。）は、開示をしない旨の決定をし、開示請求者に対し、その旨を書面により通知しなければならない。

（開示決定等の期限）

第八三条①　開示決定等は、開示請求があった日から三十日以内にしなければならない。ただし、第七十七条第三項の規定により補正を求めた場合にあっては、当該補正に要した日数は、当該期間に算入しない。

②　前項の規定にかかわらず、行政機関の長等は、事務処理上の困難その他正当な理由があるときは、同項に規定する期間を三十日以内に限り延長することができる。この場合において、行政機関の長等は、開示請求者に対し、遅滞なく、延長後の期間及び延長の理由を書面により通知しなければならない。

（開示決定等の期限の特例）

第八四条　開示請求に係る保有個人情報が著しく大量であるため、開示請求があった日から六十日以内にその全てについて開示決定等をすることにより事務の遂行に著しい支障が生ずるおそれがある場合には、前条の規定にかかわらず、行政機関の長等は、開示請求に係る保有個人情報のうちの相当の部分につき当該期間内に開示決定等をし、残りの保有個人情報については相当の期間内に開示決定等をすれば足りる。この場合において、行政機関の長等は、同条第一項に規定する期間内に、開示請求者に対し、次に掲げる事項を書面により通知しなければならない。

一　この条の規定を適用する旨及びその理由

二　残りの保有個人情報について開示決定等をする期限

（事案の移送）

第八五条①　行政機関の長等は、開示請求に係る保有個人情報が当該行政機関の長等が属する行政機関等以外の行政機関等から提供されたものであるとき、その他他の行政機関の長等において開示決定等をすることにつき正当な理由があるときは、当該他の行政機関の長等と協議の上、当該他の行政機関の長等に対し、事案を移送することができる。この場合においては、移送をする行政機関の長等は、開示請求者に対し、事案を移送した旨を書面により通知しなければならない。

②　前項の規定により事案が移送されたときは、移送を受けた行政機関の長等において、当該開示請求についての開示決定等をしなければならない。この場合において、移送をした行政機関の長等が移送前にした行為は、移送を受けた行政機関の長等がしたものとみなす。

③　前項の場合において、移送を受けた行政機関の長等が第八十二条第一項の決定（以下この節において「開示決定」という。）

をしたときは、当該行政機関の長等は、開示の実施をしなければならない。この場合において、移送をした行政機関の長等は、当該開示の実施に必要な協力をしなければならない。

（第三者に対する意見書提出の機会の付与等）

第八六条① 開示請求に係る保有個人情報に国、独立行政法人等、地方公共団体、地方独立行政法人及び開示請求者以外の者（以下この条、第百五条第二項第三号及び第百七条第一項において「第三者」という。）に関する情報が含まれているときは、行政機関の長等は、開示決定等をするに当たって、当該情報に係る第三者に対し、政令で定めるところにより、当該第三者に関する情報の内容その他政令で定める事項を通知して、意見書を提出する機会を与えることができる。

② 行政機関の長等は、次の各号のいずれかに該当するときは、開示決定に先立ち、当該第三者に対し、政令で定めるところにより、開示請求に係る当該第三者に関する情報の内容その他政令で定める事項を書面により通知して、意見書を提出する機会を与えなければならない。ただし、当該第三者の所在が判明しない場合は、この限りでない。

一 第三者に関する情報が含まれている保有個人情報を開示しようとする場合であって、当該第三者に関する情報が第七十八条第一項第二号ロ又は同項第三号ただし書に規定する情報に該当すると認められるとき。

二 第三者に関する情報が含まれている保有個人情報を第八十条の規定により開示しようとするとき。

③ 行政機関の長等は、前二項の規定により意見書の提出の機会を与えられた第三者が当該第三者に関する情報の開示に反対の意思を表示した意見書を提出した場合において、開示決定をするときは、開示決定の日と開示を実施する日との間に少なくとも二週間を置かなければならない。この場合において、行政機関の長等は、開示決定後直ちに、当該意見書（第百五条において「反対意見書」という。）を提出した第三者に対し、開示決定をした旨及びその理由並びに開示を実施する日を書面により通知しなければならない。

（開示の実施）

第八七条① 保有個人情報の開示は、当該保有個人情報が、文書又は図画に記録されているときは閲覧又は写しの交付により、電磁的記録に記録されているときはその種別、情報化の進展状況等を勘案して行政機関等が定める方法により行う。ただし、閲覧の方法による保有個人情報の開示にあっては、行政機関の長等は、当該保有個人情報が記録されている文書又は図画の保存に支障を生ずるおそれがあると認めるとき、その他正当な理由があるときは、その写しにより、これを行うことができる。

② 行政機関等は、前項の規定に基づく電磁的記録についての開示の方法に関する定めを一般の閲覧に供しなければならない。

③ 開示決定に基づき保有個人情報の開示を受ける者は、政令で定めるところにより、当該開示決定をした行政機関の長等に対し、その求める開示の実施の方法その他の政令で定める事項を申し出なければならない。

④ 前項の規定による申出は、第八十二条第一項に規定する通知があった日から三十日以内にしなければならない。ただし、当該期間内に当該申出をすることができないことにつき正当な理由があるときは、この限りでない。

（他の法令による開示の実施との調整）

第八八条① 行政機関の長等は、他の法令の規定により、開示請求者に対し開示請求に係る保有個人情報が前条第一項本文に規定する方法と同一の方法で開示することとされている場合（開示の期間が定められている場合にあっては、当該期間内に限る。）には、同項本文の規定にかかわらず、当該保有個人情報については、当該同一の方法による開示を行わない。ただし、当該他の法令の規定に一定の場合には開示をしない旨の定めがあるときは、この限りでない。

② 他の法令の規定に定める開示の方法が縦覧であるときは、当該縦覧を前条第一項本文の閲覧とみなして、前項の規定を適用する。

（手数料）

第八九条① 行政機関の長に対し開示請求をする者は、政令で定めるところにより、実費の範囲内において政令で定める額の手数料を納めなければならない。

② 地方公共団体の機関に対し開示請求をする者は、条例で定めるところにより、実費の範囲内において条例で定める額の手数料を納めなければならない。

③ 前二項の手数料の額を定めるに当たっては、できる限り利用しやすい額とするよう配慮しなければならない。

④ 独立行政法人等に対し開示請求をする者は、独立行政法人等の定めるところにより、手数料を納めなければならない。

⑤ 前項の手数料の額は、実費の範囲内において、かつ、第一項の手数料の額を参酌して、独立行政法人等が定める。

⑥ 独立行政法人等は、前二項の規定による定めを一般の閲覧に供しなければならない。

⑦ 地方独立行政法人に対し開示請求をする者は、地方独立行政法人の定めるところにより、手数料を納めなければならない。

⑧ 前項の手数料の額は、実費の範囲内において、かつ、第二項の条例で定める手数料の額を参酌して、地方独立行政法人が定める。

⑨ 地方独立行政法人は、前二項の規定による定めを一般の閲覧に供しなければならない。

第二款　訂正

（訂正請求権）

第九〇条① 何人も、自己を本人とする保有個人情報（次に掲げるものに限る。第九十八条第一項において同じ。）の内容が事実でないと思料するときは、この法律の定めるところにより、当該保有個人情報を保有する行政機関の長等に対し、当該保有個人情報の訂正（追加又は削除を含む。以下この節において同じ。）を請求することができる。ただし、当該保有個人情報の訂正に関して他の法令の規定により特別の手続が定められているときは、この限りでない。

一 開示決定に基づき開示を受けた保有個人情報

二 開示決定に係る保有個人情報であって、第八十八条第一項の他の法令の規定により開示を受けたもの

② 代理人は、本人に代わって前項の規定による訂正の請求（以下この節及び第百二十七条において「訂正請求」という。）をすることができる。

③ 訂正請求は、保有個人情報の開示を受けた日から九十日以内にしなければならない。

（訂正請求の手続）

第九一条① 訂正請求は、次に掲げる事項を記載した書面（第三項において「訂正請求書」という。）を行政機関の長等に提出してしなければならない。

一 訂正請求をする者の氏名及び住所又は居所

二 訂正請求に係る保有個人情報の開示を受けた日その他当該保有個人情報を特定するに足りる事項

三 訂正請求の趣旨及び理由

② 前項の場合において、訂正請求をする者は、政令で定めるところにより、訂正請求に係る保有個人情報の本人であること（前条第二項の規定による訂正請求にあっては、訂正請求に係る保有個人情報の本人の代理人であること）を示す書類を提示し、又は提出しなければならない。

③ 行政機関の長等は、訂正請求書に形式上の不備があると認めるときは、訂正請求をした者（以下この節において「訂正請求者」という。）に対し、相当の期間を定めて、その補正を求めることができる。

（保有個人情報の訂正義務）

第九二条 行政機関の長等は、訂正請求があった場合において、当該訂正請求に理由があると認めるときは、当該訂正請求に係る保有個人情報の利用目的の達成に必要な範囲内で、当該保有

個人情報の訂正をしなければならない。

（訂正請求に対する措置）

第九三条① 行政機関の長等は、訂正請求に係る保有個人情報の訂正をするときは、その旨の決定をし、訂正請求者に対し、その旨を書面により通知しなければならない。

② 行政機関の長等は、訂正請求に係る保有個人情報の訂正をしないときは、その旨の決定をし、訂正請求者に対し、その旨を書面により通知しなければならない。

（訂正決定等の期限）

第九四条① 前条各項の決定（以下この節において「訂正決定等」という。）は、訂正請求があった日から三十日以内にしなければならない。ただし、第九十一条第三項の規定により補正を求めた場合にあっては、当該補正に要した日数は、当該期間に算入しない。

② 前項の規定にかかわらず、行政機関の長等は、事務処理上の困難その他正当な理由があるときは、同項に規定する期間を三十日以内に限り延長することができる。この場合において、行政機関の長等は、訂正請求者に対し、遅滞なく、延長後の期間及び延長の理由を書面により通知しなければならない。

（訂正決定等の期限の特例）

第九五条 行政機関の長等は、訂正決定等に特に長期間を要すると認めるときは、前条の規定にかかわらず、相当の期間内に訂正決定等をすれば足りる。この場合において、行政機関の長等は、同条第一項に規定する期間内に、訂正請求者に対し、次に掲げる事項を書面により通知しなければならない。

一 この条の規定を適用する旨及びその理由

二 訂正決定等をする期限

（事案の移送）

第九六条① 行政機関の長等は、訂正請求に係る保有個人情報が第八十五条第三項の規定に基づく開示に係るものであるとき、その他他の行政機関の長等において訂正決定等をすることにつき正当な理由があるときは、当該他の行政機関の長等と協議の上、当該他の行政機関の長等に対し、事案を移送することができる。この場合においては、移送をした行政機関の長等は、訂正請求者に対し、事案を移送した旨を書面により通知しなければならない。

② 前項の規定により事案が移送されたときは、移送を受けた行政機関の長等において、当該訂正請求についての訂正決定等をしなければならない。この場合において、移送をした行政機関の長等が移送前にした行為は、移送を受けた行政機関の長等がしたものとみなす。

③ 前項の場合において、移送を受けた行政機関の長等が第九十三条第一項の決定（以下この項及び次条において「訂正決定」という。）をしたときは、移送をした行政機関の長等は、当該訂正決定に基づき訂正の実施をしなければならない。

（保有個人情報の提供先への通知）

第九七条 行政機関の長等は、訂正決定に基づく保有個人情報の訂正の実施をした場合において、必要があると認めるときは、当該保有個人情報の提供先に対し、遅滞なく、その旨を書面により通知するものとする。

第三款 利用停止

（利用停止請求権）

第九八条① 何人も、自己を本人とする保有個人情報が次の各号のいずれかに該当すると思料するときは、この法律の定めるところにより、当該保有個人情報を保有する行政機関の長等に対し、当該各号に定める措置を請求することができる。ただし、当該保有個人情報の利用の停止、消去又は提供の停止（以下この節において「利用停止」という。）に関して他の法令の規定により特別の手続が定められているときは、この限りでない。

一 第六十一条第二項の規定に違反して保有されているとき、第六十三条の規定に違反して取り扱われているとき、第六十四条の規定に違反して取得されたものであるとき、又は第六十九条第一項及び第二項の規定に違反して利用されているとき 当該保有個人情報の利用の停止又は消去

二 第六十九条第一項及び第二項又は第七十一条第一項の規定に違反して提供されているとき 当該保有個人情報の提供の停止

② 代理人は、本人に代わって前項の規定による利用停止の請求（以下この節及び第百二十七条において「利用停止請求」という。）をすることができる。

③ 利用停止請求は、保有個人情報の開示を受けた日から九十日以内にしなければならない。

（利用停止請求の手続）

第九九条① 利用停止請求は、次に掲げる事項を記載した書面（第三項において「利用停止請求書」という。）を行政機関の長等に提出してしなければならない。

一 利用停止請求をする者の氏名及び住所又は居所

二 利用停止請求に係る保有個人情報の開示を受けた日その他当該保有個人情報を特定するに足りる事項

三 利用停止請求の趣旨及び理由

② 前項の場合において、利用停止請求をする者は、政令で定めるところにより、利用停止請求に係る保有個人情報の本人であること（前条第二項の規定による利用停止請求にあっては、利用停止請求に係る保有個人情報の本人の代理人であること）を示す書類を提示し、又は提出しなければならない。

③ 行政機関の長等は、利用停止請求書に形式上の不備があると認めるときは、利用停止請求をした者（以下この節において「利用停止請求者」という。）に対し、相当の期間を定めて、その補正を求めることができる。

（保有個人情報の利用停止義務）

第一〇〇条 行政機関の長等は、利用停止請求があった場合において、当該利用停止請求に理由があると認めるときは、当該行政機関の長等の属する行政機関等における個人情報の適正な取扱いを確保するために必要な限度で、当該利用停止請求に係る保有個人情報の利用停止をしなければならない。ただし、当該保有個人情報の利用停止をすることにより、当該保有個人情報の利用目的に係る事務又は事業の性質上、当該事務又は事業の適正な遂行に著しい支障を及ぼすおそれがあると認められるときは、この限りでない。

（利用停止請求に対する措置）

第一〇一条① 行政機関の長等は、利用停止請求に係る保有個人情報の利用停止をするときは、その旨の決定をし、利用停止請求者に対し、その旨を書面により通知しなければならない。

② 行政機関の長等は、利用停止請求に係る保有個人情報の利用停止をしないときは、その旨の決定をし、利用停止請求者に対し、その旨を書面により通知しなければならない。

（利用停止決定等の期限）

第一〇二条① 前条各項の決定（以下この節において「利用停止決定等」という。）は、利用停止請求があった日から三十日以内にしなければならない。ただし、第九十九条第三項の規定により補正を求めた場合にあっては、当該補正に要した日数は、当該期間に算入しない。

② 前項の規定にかかわらず、行政機関の長等は、事務処理上の困難その他正当な理由があるときは、同項に規定する期間を三十日以内に限り延長することができる。この場合において、行政機関の長等は、利用停止請求者に対し、遅滞なく、延長後の期間及び延長の理由を書面により通知しなければならない。

（利用停止決定等の期限の特例）

第一〇三条 行政機関の長等は、利用停止決定等に特に長期間を要すると認めるときは、前条の規定にかかわらず、相当の期間内に利用停止決定等をすれば足りる。この場合において、行政機関の長等は、同条第一項に規定する期間内に、利用停止請求者に対し、次に掲げる事項を書面により通知しなければならない。

一 この条の規定を適用する旨及びその理由

二　利用停止決定等をする期限

第四款　審査請求

（審理員による審理手続に関する規定の適用除外等）

第一〇四条① 行政機関の長等（地方公共団体の機関又は地方独立行政法人を除く。次項及び次条において同じ。）に対する開示決定等、訂正決定等、利用停止決定等又は開示請求、訂正請求若しくは利用停止請求に係る不作為に係る審査請求については、行政不服審査法（平成二十六年法律第六十八号）第九条、第十七条、第二十四条、第二章第三節及び第四節並びに第五十条第二項の規定は、適用しない。

② 行政機関の長等に対する開示決定等、訂正決定等、利用停止決定等又は開示請求、訂正請求若しくは利用停止請求に係る不作為に係る審査請求についての行政不服審査法第二章の規定の適用については、同法第十一条第二項中「第九条第一項の規定により指名された者（以下「審理員」という。）」とあるのは「第四条（個人情報の保護に関する法律（平成十五年法律第五十七号）第百七条第二項の規定に基づく政令を含む。）の規定により審査請求がされた行政庁（第十四条の規定により引継ぎを受けた行政庁を含む。以下「審査庁」という。）」と、同法第十三条第一項及び第二項中「審理員」とあるのは「審査庁」と、同法第二十五条第七項中「あったとき、又は審理員から第四十条に規定する執行停止をすべき旨の意見書が提出されたとき」とあるのは「あったとき」と、同法第四十四条中「行政不服審査会等」とあるのは「情報公開・個人情報保護審査会（審査庁が会計検査院長である場合にあっては、別に法律で定める審査会。第五十条第一項第四号において同じ。）」と、「受けたとき（前条第一項の規定による諮問を要しない場合（同項第二号又は第三号に該当する場合を除く。）にあっては審理員意見書が提出されたとき、同項第二号又は第三号に該当する場合にあっては同項第二号又は第三号に規定する議を経たとき）」とあるのは「受けたとき」と、同法第五十条第一項第四号中「審理員意見書又は行政不服審査会等若しくは審議会等」とあるのは「情報公開・個人情報保護審査会」とする。

（審査会への諮問）

第一〇五条① 開示決定等、訂正決定等、利用停止決定等又は開示請求、訂正請求若しくは利用停止請求に係る不作為について審査請求があったときは、当該審査請求に対する裁決をすべき行政機関の長等は、次の各号のいずれかに該当する場合を除き、情報公開・個人情報保護審査会（審査請求に対する裁決をすべき行政機関の長等が会計検査院長である場合にあっては、別に法律で定める審査会）に諮問しなければならない。

一　審査請求が不適法であり、却下する場合

二　裁決で、審査請求の全部を認容し、当該審査請求に係る保有個人情報の全部を開示することとする場合（当該保有個人情報の開示について反対意見書が提出されている場合を除く。）

三　裁決で、審査請求の全部を認容し、当該審査請求に係る保有個人情報の訂正をすることとする場合

四　裁決で、審査請求の全部を認容し、当該審査請求に係る保有個人情報の利用停止をすることとする場合

② 前項の規定により諮問をした行政機関の長等は、次に掲げる者に対し、諮問をした旨を通知しなければならない。

一　審査請求人及び参加人（行政不服審査法第十三条第四項に規定する参加人をいう。以下この項及び第百七条第一項第二号において同じ。）

二　開示請求者、訂正請求者又は利用停止請求者（これらの者が審査請求人又は参加人である場合を除く。）

三　当該審査請求に係る保有個人情報の開示について反対意見書を提出した第三者（当該第三者が審査請求人又は参加人である場合を除く。）

③ 前二項の規定は、地方公共団体の機関又は地方独立行政法人について準用する。この場合において、第一項中「情報公開・個人情報保護審査会（審査請求に対する裁決をすべき行政機関の長等が会計検査院長である場合にあっては、別に法律で定める審査会）」とあるのは、「行政不服審査法第八十一条第一項又は第二項の機関」と読み替えるものとする。

（地方公共団体の機関等における審理員による審理手続に関する規定の適用除外等）

第一〇六条① 地方公共団体の機関又は地方独立行政法人に対する開示決定等、訂正決定等、利用停止決定等又は開示請求、訂正請求若しくは利用停止請求に係る不作為に係る審査請求については、行政不服審査法第九条第一項から第三項まで、第十七条、第四十条、第四十二条、第二章第四節及び第五十条第二項の規定は、適用しない。

② 地方公共団体の機関又は地方独立行政法人に対する開示決定等、訂正決定等、利用停止決定等又は開示請求、訂正請求若しくは利用停止請求に係る不作為に係る審査請求についての次の表の上欄に掲げる行政不服審査法の規定の適用については、これらの規定中同表の中欄に掲げる字句は、それぞれ同表の下欄に掲げる字句とするほか、必要な技術的読替えは、政令で定める。（表略）

（第三者からの審査請求を棄却する場合等における手続等）

第一〇七条① 第八十六条第三項の規定は、次の各号のいずれかに該当する裁決をする場合について準用する。

一　開示決定に対する第三者からの審査請求を却下し、又は棄却する裁決

二　審査請求に係る開示決定等（開示請求に係る保有個人情報の全部を開示する旨の決定を除く。）を変更し、当該審査請求に係る保有個人情報を開示する旨の裁決（第三者である参加人が当該第三者に関する情報の開示に反対の意思を表示している場合に限る。）

② 開示決定等、訂正決定等、利用停止決定等又は開示請求、訂正請求若しくは利用停止請求に係る不作為についての審査請求については、政令（地方公共団体の機関又は地方独立行政法人にあっては、条例）で定めるところにより、行政不服審査法第四条の規定の特例を設けることができる。

第五款　条例との関係

第一〇八条 この節の規定は、地方公共団体が、保有個人情報の開示、訂正及び利用停止の手続並びに審査請求の手続に関する事項について、この節の規定に反しない限り、条例で必要な規定を定めることを妨げるものではない。

第五節　行政機関等匿名加工情報の提供等

（行政機関等匿名加工情報の作成及び提供等）

第一〇九条① 行政機関の長等は、この節の規定に従い、行政機関等匿名加工情報（行政機関等匿名加工情報ファイルを構成するものに限る。以下この節において同じ。）を作成することができる。

② 行政機関の長等は、次の各号のいずれかに該当する場合を除き、行政機関等匿名加工情報を提供してはならない。

一　法令に基づく場合（この節の規定に従う場合を含む。）

二　保有個人情報を利用目的のために第三者に提供することができる場合において、当該保有個人情報を加工して作成した行政機関等匿名加工情報を当該第三者に提供するとき。

③ 第六十九条の規定にかかわらず、行政機関の長等は、法令に基づく場合を除き、利用目的以外の目的のために削除情報（保有個人情報に該当するものに限る。）を自ら利用し、又は提供してはならない。

④ 前項の「削除情報」とは、行政機関等匿名加工情報の作成に用いた保有個人情報から削除した記述等及び個人識別符号をいう。

（提案の募集に関する事項の個人情報ファイル簿への記載）

第一一〇条 行政機関の長等は、当該行政機関の長等の属する行政機関等が保有している個人情報ファイルが第六十条第三項各

号のいずれにも該当すると認めるときは、当該個人情報ファイルについては、個人情報ファイル簿に次に掲げる事項を記載しなければならない。この場合における当該個人情報ファイルについての第七十五条第一項の規定の適用については、同項中「第十号」とあるのは、「第十号並びに第百十条各号」とする。

一　第百十二条第一項の提案の募集をする個人情報ファイルである旨

二　第百十二条第一項の提案を受ける組織の名称及び所在地

（提案の募集）

第一一一条　行政機関の長等は、個人情報保護委員会規則で定めるところにより、定期的に、当該行政機関の長等の属する行政機関等が保有している個人情報ファイル（個人情報ファイル簿に前条第一号に掲げる事項の記載があるものに限る。以下この節において同じ。）について、次条第一項の提案を募集するものとする。

（行政機関等匿名加工情報をその用に供して行う事業に関する提案）

第一一二条①　前条の規定による募集に応じて個人情報ファイルを構成する保有個人情報を加工して作成する行政機関等匿名加工情報をその事業の用に供しようとする者は、行政機関の長等に対し、当該事業に関する提案をすることができる。

②　前項の提案は、個人情報保護委員会規則で定めるところにより、次に掲げる事項を記載した書面を行政機関の長等に提出してしなければならない。

一　提案をする者の氏名又は名称及び住所又は居所並びに法人その他の団体にあっては、その代表者の氏名

二　提案に係る個人情報ファイルの名称

三　提案に係る行政機関等匿名加工情報の本人の数

四　前号に掲げるもののほか、提案に係る行政機関等匿名加工情報の作成に用いる第百十六条第一項の規定による加工の方法を特定するに足りる事項

五　提案に係る行政機関等匿名加工情報の利用の目的及び方法その他当該行政機関等匿名加工情報がその用に供される事業の内容

六　提案に係る行政機関等匿名加工情報を前号の事業の用に供しようとする期間

七　提案に係る行政機関等匿名加工情報の漏えいの防止その他当該行政機関等匿名加工情報の適切な管理のために講ずる措置

八　前各号に掲げるもののほか、個人情報保護委員会規則で定める事項

③　前項の書面には、次に掲げる書面その他個人情報保護委員会規則で定める書類を添付しなければならない。

一　第一項の提案をする者が次条各号のいずれにも該当しないことを誓約する書面

二　前項第五号の事業が新たな産業の創出又は活力ある経済社会若しくは豊かな国民生活の実現に資するものであることを明らかにする書面

（欠格事由）

第一一三条　次の各号のいずれかに該当する者は、前条第一項の提案をすることができない。

一　未成年者

二　心身の故障により前条第一項の提案に係る行政機関等匿名加工情報をその用に供して行う事業を適正に行うことができない者として個人情報保護委員会規則で定めるもの

三　破産手続開始の決定を受けて復権を得ない者

四　拘禁刑以上の刑に処せられ、又はこの法律の規定により刑に処せられ、その執行を終わり、又は執行を受けることがなくなった日から起算して二年を経過しない者

五　第百二十条の規定により行政機関等匿名加工情報の利用に関する契約を解除され、その解除の日から起算して二年を経過しない者

六　法人その他の団体であって、その役員のうちに前各号のいずれかに該当する者があるもの

（提案の審査等）

第一一四条①　行政機関の長等は、第百十二条第一項の提案があったときは、当該提案が次に掲げる基準に適合するかどうかを審査しなければならない。

一　第百十二条第一項の提案をした者が前条各号のいずれにも該当しないこと。

二　第百十二条第二項第三号の提案に係る行政機関等匿名加工情報の本人の数が、行政機関等匿名加工情報の効果的な活用の観点からみて個人情報保護委員会規則で定める数以上であり、かつ、提案に係る個人情報ファイルを構成する保有個人情報の本人の数以下であること。

三　第百十二条第二項第三号及び第四号に掲げる事項により特定される加工の方法が第百十六条第一項の基準に適合するものであること。

四　第百十二条第二項第五号の事業が新たな産業の創出又は活力ある経済社会若しくは豊かな国民生活の実現に資するものであること。

五　第百十二条第二項第六号の期間が行政機関等匿名加工情報の効果的な活用の観点からみて個人情報保護委員会規則で定める期間を超えないものであること。

六　第百十二条第二項第五号の提案に係る行政機関等匿名加工情報の利用の目的及び方法並びに同項第七号の措置が当該行政機関等匿名加工情報の本人の権利利益を保護するために適切なものであること。

七　前各号に掲げるもののほか、個人情報保護委員会規則で定める基準に適合するものであること。

②　行政機関の長等は、前項の規定により審査した結果、第百十二条第一項の提案が前項各号に掲げる基準のいずれにも適合すると認めるときは、個人情報保護委員会規則で定めるところにより、当該提案をした者に対し、次に掲げる事項を通知するものとする。

一　次条の規定により行政機関の長等との間で行政機関等匿名加工情報の利用に関する契約を締結することができる旨

二　前号に掲げるもののほか、個人情報保護委員会規則で定める事項

③　行政機関の長等は、第一項の規定により審査した結果、第百十二条第一項の提案が第一項各号に掲げる基準のいずれかに適合しないと認めるときは、個人情報保護委員会規則で定めるところにより、当該提案をした者に対し、理由を付して、その旨を通知するものとする。

（行政機関等匿名加工情報の利用に関する契約の締結）

第一一五条　前条第二項の規定による通知を受けた者は、個人情報保護委員会規則で定めるところにより、行政機関の長等との間で、行政機関等匿名加工情報の利用に関する契約を締結することができる。

（行政機関等匿名加工情報の作成等）

第一一六条①　行政機関の長等は、行政機関等匿名加工情報を作成するときは、特定の個人を識別することができないように及びその作成に用いる保有個人情報を復元することができないようにするために必要なものとして個人情報保護委員会規則で定める基準に従い、当該保有個人情報を加工しなければならない。

②　前項の規定は、行政機関等から行政機関等匿名加工情報の作成の委託（二以上の段階にわたる委託を含む。）を受けた者が受託した業務を行う場合について準用する。

（行政機関等匿名加工情報に関する事項の個人情報ファイル簿への記載）

第一一七条　行政機関の長等は、行政機関等匿名加工情報を作成したときは、当該行政機関等匿名加工情報の作成に用いた保有個人情報を含む個人情報ファイルについては、個人情報ファイル簿に次に掲げる事項を記載しなければならない。この場合における当該個人情報ファイルについての第百十条の規定により

読み替えて適用する第七十五条第一項の規定の適用については、同項中「並びに第百十条各号」とあるのは、「、第百十条各号並びに第百十七条各号」とする。

一　行政機関等匿名加工情報の概要として個人情報保護委員会規則で定める事項

二　次条第一項の提案を受ける組織の名称及び所在地

三　次条第一項の提案をすることができる期間

（作成された行政機関等匿名加工情報をその用に供して行う事業に関する提案等）

第一一八条① 前条の規定により個人情報ファイル簿に同条第一号に掲げる事項が記載された行政機関等匿名加工情報をその事業の用に供しようとする者は、行政機関の長等に対し、当該事業に関する提案をすることができる。当該行政機関等匿名加工情報について第百十五条の規定により行政機関等匿名加工情報の利用に関する契約を締結した者が、当該行政機関等匿名加工情報をその用に供する事業を変更しようとするときも、同様とする。

② 第百十二条第二項及び第三項並びに第百十三条から第百十五条までの規定は、前項の提案について準用する。この場合において、第百十二条第二項中「次に」とあるのは「第一号及び第四号から第八号までに」と、同項第四号中「前号に掲げるもののほか、提案」とあるのは「提案」と、「の作成に用いる第百十六条第一項の規定による加工の方法を特定する」とあるのは「を特定する」と、同項第八号中「前各号」とあるのは「第一号及び第四号から前号まで」と、第百十四条第一項中「次に」とあるのは「第一号及び第四号から第七号までに」と、同項第七号中「前各号」とあるのは「第一号及び前三号」と、同条第二項中「前項各号」とあるのは「前項第一号及び第四号から第七号まで」と、同条第三項中「第一項各号」とあるのは「第一項第一号及び第四号から第七号まで」と読み替えるものとする。

（手数料）

第一一九条① 第百十五条の規定により行政機関等匿名加工情報の利用に関する契約を行政機関の長と締結する者は、政令で定めるところにより、実費を勘案して政令で定める額の手数料を納めなければならない。

② 前条第二項において準用する第百十五条の規定により行政機関等匿名加工情報の利用に関する契約を行政機関の長と締結する者は、政令で定めるところにより、前項の政令で定める額を参酌して政令で定める額の手数料を納めなければならない。

③ 第百十五条の規定により行政機関等匿名加工情報の利用に関する契約を地方公共団体の機関と締結する者は、条例で定めるところにより、実費を勘案して政令で定める額を標準として条例で定める額の手数料を納めなければならない。

④ 前条第二項において準用する第百十五条の規定により行政機関等匿名加工情報の利用に関する契約を地方公共団体の機関と締結する者は、条例で定めるところにより、前項の政令で定める額を参酌して政令で定める額を標準として条例で定める額の手数料を納めなければならない。

⑤ 第百十五条の規定（前条第二項において準用する場合を含む。第八項及び次条において同じ。）により行政機関等匿名加工情報の利用に関する契約を独立行政法人等と締結する者は、独立行政法人等の定めるところにより、利用料を納めなければならない。

⑥ 前項の利用料の額は、実費を勘案して合理的であると認められる範囲内において、独立行政法人等が定める。

⑦ 独立行政法人等は、前二項の規定による定めを一般の閲覧に供しなければならない。

⑧ 第百十五条の規定により行政機関等匿名加工情報の利用に関する契約を地方独立行政法人と締結する者は、地方独立行政法人の定めるところにより、手数料を納めなければならない。

⑨ 前項の手数料の額は、実費を勘案し、かつ、第三項又は第四項の条例で定める手数料の額を参酌して、地方独立行政法人が定める。

⑩ 地方独立行政法人は、前二項の規定による定めを一般の閲覧に供しなければならない。

（行政機関等匿名加工情報の利用に関する契約の解除）

第一二〇条 行政機関の長等は、第百十五条の規定により行政機関等匿名加工情報の利用に関する契約を締結した者が次の各号のいずれかに該当するときは、当該契約を解除することができる。

一　偽りその他不正の手段により当該契約を締結したとき。

二　第百十三条各号（第百十八条第二項において準用する場合を含む。）のいずれかに該当することとなったとき。

三　当該契約において定められた事項について重大な違反があったとき。

（識別行為の禁止等）

第一二一条① 行政機関の長等は、行政機関等匿名加工情報を取り扱うに当たっては、法令に基づく場合を除き、当該行政機関等匿名加工情報の作成に用いられた個人情報に係る本人を識別するために、当該行政機関等匿名加工情報を他の情報と照合してはならない。

② 行政機関の長等は、行政機関等匿名加工情報、第百九条第四項に規定する削除情報及び第百十六条第一項の規定により行った加工の方法に関する情報（以下この条及び次条において「行政機関等匿名加工情報等」という。）の漏えいを防止するために必要なものとして個人情報保護委員会規則で定める基準に従い、行政機関等匿名加工情報等の適切な管理のために必要な措置を講じなければならない。

③ 前二項の規定は、行政機関等から行政機関等匿名加工情報等の取扱いの委託（二以上の段階にわたる委託を含む。）を受けた者が受託した業務を行う場合について準用する。

（従事者の義務）

第一二二条 行政機関等匿名加工情報等の取扱いに従事する行政機関等の職員若しくは職員であった者、前条第三項の委託を受けた業務に従事している者若しくは従事していた者又は行政機関等において行政機関等匿名加工情報等の取扱いに従事している派遣労働者若しくは従事していた派遣労働者は、その業務に関して知り得た行政機関等匿名加工情報等の内容をみだりに他人に知らせ、又は不当な目的に利用してはならない。

（匿名加工情報の取扱いに係る義務）

第一二三条① 行政機関等は、匿名加工情報（行政機関等匿名加工情報を除く。以下この条において同じ。）を第三者に提供するときは、法令に基づく場合を除き、個人情報保護委員会規則で定めるところにより、あらかじめ、第三者に提供される匿名加工情報に含まれる個人に関する情報の項目及びその提供の方法について公表するとともに、当該第三者に対して、当該提供に係る情報が匿名加工情報である旨を明示しなければならない。

② 行政機関等は、匿名加工情報を取り扱うに当たっては、法令に基づく場合を除き、当該匿名加工情報の作成に用いられた個人情報に係る本人を識別するために、当該個人情報から削除された記述等若しくは個人識別符号若しくは第四十三条第一項の規定により行われた加工の方法に関する情報を取得し、又は当該匿名加工情報を他の情報と照合してはならない。

③ 行政機関等は、匿名加工情報の漏えいを防止するために必要なものとして個人情報保護委員会規則で定める基準に従い、匿名加工情報の適切な管理のために必要な措置を講じなければならない。

④ 前二項の規定は、行政機関等から匿名加工情報の取扱いの委託（二以上の段階にわたる委託を含む。）を受けた者が受託した業務を行う場合について準用する。

第六節　雑則（抄）

（適用除外等）

第一二四条① 第四節の規定は、刑事事件若しくは少年の保護事件に係る裁判、検察官、検察事務官若しくは司法警察職員が行う処分、刑若しくは保護処分の執行、更生緊急保護又は恩赦に係る保有個人情報（当該裁判、処分若しくは執行を受けた者、更生緊急保護の申出をした者又は恩赦の上申があった者に係るものに限る。）については、適用しない。

② 保有個人情報（行政機関情報公開法第五条、独立行政法人等情報公開法第五条又は情報公開条例に規定する不開示情報を専ら記録する行政文書等に記録されているものに限る。）のうち、まだ分類その他の整理が行われていないもので、同一の利用目的に係るものが著しく大量にあるためその中から特定の保有個人情報を検索することが著しく困難であるものは、第四節（第四款を除く。）の規定の適用については、行政機関等に保有されていないものとみなす。

第一二五条（略）

（権限又は事務の委任）

第一二六条 行政機関の長は、政令（内閣の所轄の下に置かれる機関及び会計検査院にあっては、当該機関の命令）で定めるところにより、第二節から前節まで（第七十四条及び第四節第四款を除く。）に定める権限又は事務を当該行政機関の職員に委任することができる。

（開示請求等をしようとする者に対する情報の提供等）

第一二七条 行政機関の長等は、開示請求、訂正請求若しくは利用停止請求又は第百十二条第一項若しくは第百十八条第一項の提案（以下この条において「開示請求等」という。）をしようとする者がそれぞれ容易かつ的確に開示請求等をすることができるよう、当該行政機関の長等の属する行政機関等が保有する保有個人情報の特定又は当該提案に資する情報の提供その他開示請求等をしようとする者の利便を考慮した適切な措置を講ずるものとする。

（行政機関等における個人情報等の取扱いに関する苦情処理）

第一二八条 行政機関の長等は、行政機関等における個人情報、仮名加工情報又は匿名加工情報の取扱いに関する苦情の適切かつ迅速な処理に努めなければならない。

（地方公共団体に置く審議会等への諮問）

第一二九条 地方公共団体の機関は、条例で定めるところにより、第三章第三節の施策を講ずる場合その他の場合において、個人情報の適正な取扱いを確保するため専門的な知見に基づく意見を聴くことが特に必要であると認めるときは、審議会その他の合議制の機関に諮問することができる。

第六章 個人情報保護委員会（抄）

第一節 設置等（抄）

（設置）

第一三〇条① 内閣府設置法第四十九条第三項の規定に基づいて、個人情報保護委員会（以下「委員会」という。）を置く。

② 委員会は、内閣総理大臣の所轄に属する。

（任務）

第一三一条 委員会は、行政機関等の事務及び事業の適正かつ円滑な運営を図り、並びに個人情報の適正かつ効果的な活用が新たな産業の創出並びに活力ある経済社会及び豊かな国民生活の実現に資するものであることその他の個人情報の有用性に配慮しつつ、個人の権利利益を保護するため、個人情報の適正な取扱いの確保を図ること（個人番号利用事務等実施者（行政手続における特定の個人を識別するための番号の利用等に関する法律（平成二十五年法律第二十七号。以下「番号利用法」という。）第十二条に規定する個人番号利用事務等実施者をいう。）に対する指導及び助言その他の措置を講ずることを含む。）を任務とする。

（所掌事務）

第一三二条 委員会は、前条の任務を達成するため、次に掲げる事務をつかさどる。

一 基本方針の策定及び推進に関すること。

二 個人情報取扱事業者における個人情報の取扱い、個人情報取扱事業者及び仮名加工情報取扱事業者における仮名加工情報の取扱い、個人情報取扱事業者及び匿名加工情報取扱事業者における匿名加工情報の取扱い並びに個人関連情報取扱事業者における個人関連情報の取扱いに関する監督、行政機関等における個人情報、仮名加工情報、匿名加工情報及び個人関連情報の取扱いに関する監視並びに個人情報、仮名加工情報及び匿名加工情報の取扱いに関する苦情の申出についての必要なあっせん及びその処理を行う事業者への協力に関すること（第四号に掲げるものを除く。）。

三 認定個人情報保護団体に関すること。

四 特定個人情報（番号利用法第二条第九項に規定する特定個人情報をいう。）の取扱いに関する監視又は監督並びに苦情の申出についての必要なあっせん及びその処理を行う事業者への協力に関すること。

五 特定個人情報保護評価（番号利用法第二十七条第一項に規定する特定個人情報保護評価をいう。）に関すること。

六 個人情報の保護及び適正かつ効果的な活用についての広報及び啓発に関すること。

七 前各号に掲げる事務を行うために必要な調査及び研究に関すること。

八 所掌事務に係る国際協力に関すること。

九 前各号に掲げるもののほか、法律（法律に基づく命令を含む。）に基づき委員会に属させられた事務

（職権行使の独立性）

第一三三条 委員会の委員長及び委員は、独立してその職権を行う。

（組織等）

第一三四条① 委員会は、委員長及び委員八人をもって組織する。

② 委員のうち四人は、非常勤とする。

③ 委員長及び委員は、人格が高潔で識見の高い者のうちから、両議院の同意を得て、内閣総理大臣が任命する。

④ 委員長及び委員には、個人情報の保護及び適正かつ効果的な活用に関する学識経験のある者、消費者の保護に関して十分な知識と経験を有する者、情報処理技術に関する学識経験のある者、行政分野に関する学識経験のある者、民間企業の実務に関して十分な知識と経験を有する者並びに連合組織（地方自治法第二百六十三条の三第一項の連合組織で同項の規定による届出をしたものをいう。）の推薦する者が含まれるものとする。

第一三五条から第一四四条まで（略）

（規則の制定）

第一四五条 委員会は、その所掌事務について、法律若しくは政令を実施するため、又は法律若しくは政令の特別の委任に基づいて、個人情報保護委員会規則を制定することができる。

第二節 監督及び監視（抄）

第一款 個人情報取扱事業者等の監督

（報告及び立入検査）

第一四六条① 委員会は、第四章（第五節を除く。次条及び第百五十一条において同じ。）の規定の施行に必要な限度において、個人情報取扱事業者、仮名加工情報取扱事業者、匿名加工情報取扱事業者又は個人関連情報取扱事業者（以下この款において「個人情報取扱事業者等」という。）その他の関係者に対し、個人情報、仮名加工情報、匿名加工情報又は個人関連情報（以下この款及び第三款において「個人情報等」という。）の取扱いに関し、必要な報告若しくは資料の提出を求め、又はその職員に、当該個人情報取扱事業者等その他の関係者の事務所その他必要な場所に立ち入らせ、個人情報等の取扱いに関し質問させ、若しくは帳簿書類その他の物件を検査させることができる。

② 前項の規定により立入検査をする職員は、その身分を示す証明書を携帯し、関係人の請求があったときは、これを提示しなければならない。

③ 第一項の規定による立入検査の権限は、犯罪捜査のために認

められたものと解釈してはならない。

（指導及び助言）

第一四七条　委員会は、第四章の規定の施行に必要な限度において、個人情報取扱事業者等に対し、個人情報等の取扱いに関し必要な指導及び助言をすることができる。

（勧告及び命令）

第一四八条①　委員会は、個人情報取扱事業者が第十八条から第二十条まで、第二十一条（第一項、第三項及び第四項の規定を第四十一条第四項の規定により読み替えて適用する場合を含む。）、第二十三条から第二十六条まで、第二十七条（第四項を除き、第五項及び第六項の規定を第四十一条第六項の規定により読み替えて適用する場合を含む。）、第二十八条、第二十九条（第一項ただし書の規定を第四十一条第六項の規定により読み替えて適用する場合を含む。）、第三十条（第二項を除き、第一項ただし書の規定を第四十一条第六項の規定により読み替えて適用する場合を含む。）、第三十二条、第三十三条（第一項（第五項において準用する場合を含む。）を除く。）、第三十四条第二項若しくは第三項、第三十五条（第一項、第三項及び第五項を除く。）、第三十八条第二項、第四十一条（第四項及び第五項を除く。）若しくは第四十三条（第六項を除く。）の規定に違反した場合、個人関連情報取扱事業者が第三十一条第一項、同条第二項において読み替えて準用する第二十八条第三項若しくは第三十一条第三項において読み替えて準用する第三十条第三項若しくは第四項の規定に違反した場合、仮名加工情報取扱事業者が第四十二条第一項、同条第二項において読み替えて準用する第二十七条第五項若しくは第六項若しくは第四十二条第三項において読み替えて準用する第二十三条から第二十五条まで若しくは第四十一条第七項若しくは第八項の規定に違反した場合又は匿名加工情報取扱事業者が第四十四条若しくは第四十五条の規定に違反した場合において個人の権利利益を保護するため必要があると認めるときは、当該個人情報取扱事業者等に対し、当該違反行為の中止その他違反を是正するために必要な措置をとるべき旨を勧告することができる。

②　委員会は、前項の規定による勧告を受けた個人情報取扱事業者等が正当な理由がなくてその勧告に係る措置をとらなかった場合において個人の重大な権利利益の侵害が切迫していると認めるときは、当該個人情報取扱事業者等に対し、その勧告に係る措置をとるべきことを命ずることができる。

③　委員会は、前二項の規定にかかわらず、個人情報取扱事業者が第十八条から第二十条まで、第二十三条から第二十六条まで、第二十七条第一項、第二十八条第一項若しくは第三項、第四十一条第一項から第三項まで若しくは第六項から第八項まで若しくは第四十三条第一項、第二項若しくは第五項の規定に違反した場合、個人関連情報取扱事業者が第三十一条第一項若しくは同条第二項において読み替えて準用する第二十八条第三項の規定に違反した場合、仮名加工情報取扱事業者が第四十二条第一項若しくは同条第三項において読み替えて準用する第二十三条から第二十五条まで若しくは第四十一条第七項若しくは第八項の規定に違反した場合又は匿名加工情報取扱事業者が第四十五条の規定に違反した場合において個人の重大な権利利益を害する事実があるため緊急に措置をとる必要があると認めるときは、当該個人情報取扱事業者等に対し、当該違反行為の中止その他違反を是正するために必要な措置をとるべきことを命ずることができる。

④　委員会は、前二項の規定による命令をした場合において、その命令を受けた個人情報取扱事業者等がその命令に違反したときは、その旨を公表することができる。

（委員会の権限の行使の制限）

第一四九条①　委員会は、前三条の規定により個人情報取扱事業者等に対し報告若しくは資料の提出の要求、立入検査、指導、助言、勧告又は命令を行うに当たっては、表現の自由、学問の自由、信教の自由及び政治活動の自由を妨げてはならない。

②　前項の規定の趣旨に照らし、委員会は、個人情報取扱事業者等が第五十七条第一項各号に掲げる者（それぞれ当該各号に定める目的で個人情報等を取り扱う場合に限る。）に対して個人情報等を提供する行為については、その権限を行使しないものとする。

（権限の委任）

第一五〇条①　委員会は、緊急かつ重点的に個人情報等の適正な取扱いの確保を図る必要があることその他の政令で定める事情があるため、個人情報取扱事業者等に対し、第百四十八条第一項の規定による勧告又は同条第二項若しくは第三項の規定による命令を効果的に行う上で必要があると認めるときは、政令で定めるところにより、第二十六条第一項、第百四十六条第一項、第百六十二条において読み替えて準用する民事訴訟法（平成八年法律第百九号）第百条第一項、第百一条、第百二条の二、第百三条、第百五条、第百六条及び第百八条、第百六十三条並びに第百六十四条の規定による権限を事業所管大臣に委任することができる。

＊令和四法四八（令和八・五・二四までに施行）による改正
第一項中「第九十九条、第百一条」は「第百条第一項、第百一条、第百二条の二」に、「、第百八条及び第百九条」は「及び第百八条」に改められた。（本文織込み済み）

②　事業所管大臣は、前項の規定により委任された権限を行使したときは、政令で定めるところにより、その結果について委員会に報告するものとする。

③―⑨　（略）

（事業所管大臣の請求）

第一五一条　事業所管大臣は、個人情報取扱事業者等に第四章の規定に違反する行為があると認めるときその他個人情報取扱事業者等による個人情報等の適正な取扱いを確保するために必要があると認めるときは、委員会に対し、この法律の規定に従い適当な措置をとるべきことを求めることができる。

（事業所管大臣）

第一五二条　この款の規定における事業所管大臣は、次のとおりとする。

一　個人情報取扱事業者等が行う個人情報等の取扱いのうち雇用管理に関するものについては、厚生労働大臣（船員の雇用管理に関するものについては、国土交通大臣）及び当該個人情報取扱事業者等が行う事業を所管する大臣、国家公安委員会又はカジノ管理委員会（次号において「大臣等」という。）

二　個人情報取扱事業者等が行う個人情報等の取扱いのうち前号に掲げるもの以外のものについては、当該個人情報取扱事業者等が行う事業を所管する大臣等

第二款　認定個人情報保護団体の監督

（第一五三条から第一五五条まで）（略）

第三款　行政機関等の監視

（資料の提出の要求及び実地調査）

第一五六条　委員会は、前章の規定の円滑な運用を確保するため必要があると認めるときは、行政機関の長等（会計検査院長を除く。以下この款において同じ。）に対し、行政機関等における個人情報等の取扱いに関する事務の実施状況について、資料の提出及び説明を求め、又はその職員に実地調査をさせることができる。

（指導及び助言）

第一五七条　委員会は、前章の規定の円滑な運用を確保するため必要があると認めるときは、行政機関の長等に対し、行政機関等における個人情報等の取扱いについて、必要な指導及び助言をすることができる。

（勧告）

第一五八条　委員会は、前章の規定の円滑な運用を確保するため必要があると認めるときは、行政機関の長等に対し、行政機関等における個人情報等の取扱いについて勧告をすることができ

る。

（勧告に基づいてとった措置についての報告の要求）

第一五九条　委員会は、前条の規定により行政機関の長等に対し勧告をしたときは、当該行政機関の長等に対し、その勧告に基づいてとった措置について報告を求めることができる。

（委員会の権限の行使の制限）

第一六〇条　第百四十九条第一項の規定の趣旨に照らし、委員会は、行政機関の長等が第五十七条第一項各号に掲げる者（それぞれ当該各号に定める目的で個人情報等を取り扱う場合に限る。）に対して個人情報等を提供する行為については、その権限を行使しないものとする。

第三節　送達

（送達すべき書類）

第一六一条①　第百四十六条第一項の規定による報告若しくは資料の提出の要求、第百四十八条第一項の規定による勧告若しくは同条第二項若しくは第三項の規定による命令、第百五十三条の規定による報告の徴収、第百五十四条の規定による命令又は第百五十五条第一項の規定による取消しは、個人情報保護委員会規則で定める書類を送達して行う。

② 第百四十八条第二項若しくは第三項若しくは第百五十四条の規定による命令又は第百五十五条第一項の規定による取消しに係る行政手続法（平成五年法律第八十八号）第十五条第一項又は第三十条の通知は、同法第十五条第一項及び第二項又は第三十条の書類を送達して行う。この場合において、同法第十五条第三項（同法第三十一条において読み替えて準用する場合を含む。）の規定は、適用しない。

（送達に関する民事訴訟法の準用）

第一六二条　前条の規定による送達については、民事訴訟法第百条第一項、第百一条、第百二条の二、第百三条、第百五条、第百六条及び第百八条の規定を準用する。この場合において、同項中「裁判所」とあり、及び同条中「裁判長」とあるのは「個人情報保護委員会」と、同法第百一条第一項中「執行官」とあるのは「個人情報保護委員会の職員」と読み替えるものとする。

＊**令和四法四八**（令和八・五・二四までに施行）**による改正前**

（送達に関する民事訴訟法の準用）

第一六二条　前条の規定による送達については、民事訴訟法第九十九条、第百一条、第百三条、第百五条、第百六条、第百八条及び第百九条の規定を準用する。この場合において、同法第九十九条第一項中「執行官」とあるのは「個人情報保護委員会の職員」と、同法第百八条中「裁判長」とあり、及び同法第百九条中「裁判所」とあるのは「個人情報保護委員会」と読み替えるものとする。

（公示送達）

第一六三条①　委員会は、次に掲げる場合には、公示送達をすることができる。

一　送達を受けるべき者の住所、居所その他送達をすべき場所が知れない場合

二　外国（本邦の域外にある国又は地域をいう。以下同じ。）においてすべき送達について、前条において読み替えて準用する民事訴訟法第百八条の規定によることができず、又はこれによっても送達をすることができないと認めるべき場合

三　前条において読み替えて準用する民事訴訟法第百八条の規定により外国の管轄官庁に嘱託を発した後六月を経過してもその送達を証する書面の送付がない場合

② 公示送達は、送達をすべき書類を送達を受けるべき者にいつでも交付すべき旨を委員会の掲示場に掲示することにより行う。

③ 公示送達は、前項の規定による掲示を始めた日から二週間を経過することによって、その効力を生ずる。

④ 外国においてすべき送達についてした公示送達にあっては、前項の期間は、六週間とする。

（電子情報処理組織の使用）

第一六四条　委員会の職員が、情報通信技術を活用した行政の推進等に関する法律（平成十四年法律第百五十一号）第三条第九号に規定する処分通知等であって第百六十一条の規定により書類を送達して行うこととしているものに関する事務を、同法第七条第一項の規定により同法第六条第一項に規定する電子情報処理組織を使用して行ったときは、第百六十二条において読み替えて準用する民事訴訟法第百九条の規定による送達に関する事項を記載した書面の作成及び提出に代えて、当該事項を当該電子情報処理組織を使用して委員会の使用に係る電子計算機（入出力装置を含む。）に備えられたファイルに記録しなければならない。

＊**令和四法四八**（令和八・五・二四までに施行）**による改正**　第一六四条中「第百九条」は「第百条第一項」に改められた。（本文織込み済み）

第四節　雑則

（施行の状況の公表）

第一六五条①　委員会は、行政機関の長等に対し、この法律の施行の状況について報告を求めることができる。

② 委員会は、毎年度、前項の報告を取りまとめ、その概要を公表するものとする。

（地方公共団体による必要な情報の提供等の求め）

第一六六条①　地方公共団体は、地方公共団体の機関、地方独立行政法人及び事業者等による個人情報の適正な取扱いを確保するために必要があると認めるときは、委員会に対し、必要な情報の提供又は技術的な助言を求めることができる。

② 委員会は、前項の規定による求めがあったときは、必要な情報の提供又は技術的な助言を行うものとする。

（条例を定めたときの届出）

第一六七条①　地方公共団体の長は、この法律の規定に基づき個人情報の保護に関する条例を定めたときは、遅滞なく、個人情報保護委員会規則で定めるところにより、その旨及びその内容を委員会に届け出なければならない。

② 委員会は、前項の規定による届出があったときは、当該届出に係る事項をインターネットの利用その他適切な方法により公表しなければならない。

③ 前二項の規定は、第一項の規定による届出に係る事項の変更について準用する。

（国会に対する報告）

第一六八条　委員会は、毎年、内閣総理大臣を経由して国会に対し所掌事務の処理状況を報告するとともに、その概要を公表しなければならない。

（案内所の整備）

第一六九条　委員会は、この法律の円滑な運用を確保するため、総合的な案内所を整備するものとする。

（地方公共団体が処理する事務）

第一七〇条　この法律に規定する委員会の権限及び第百五十条第一項又は第四項の規定により事業所管大臣又は金融庁長官に委任された権限に属する事務は、政令で定めるところにより、地方公共団体の長その他の執行機関が行うこととすることができる。

第七章　雑則

（適用範囲）

第一七一条　この法律は、個人情報取扱事業者、仮名加工情報取扱事業者、匿名加工情報取扱事業者又は個人関連情報取扱事業者が、国内にある者に対する物品又は役務の提供に関連して、国内にある者を本人とする個人情報、当該個人情報として取得

されることとなる個人関連情報又は当該個人関連情報を用いて作成された仮名加工情報若しくは匿名加工情報を、外国において取り扱う場合についても、適用する。

（外国執行当局への情報提供）

第一七二条① 委員会は、この法律に相当する外国の法令を執行する外国の当局（以下この条において「外国執行当局」という。）に対し、その職務（この法律に規定する委員会の職務に相当するものに限る。次項において同じ。）の遂行に資すると認める情報の提供を行うことができる。

② 前項の規定による情報の提供については、当該情報が当該外国執行当局の職務の遂行以外に使用されず、かつ、次項の規定による同意がなければ外国の刑事事件の捜査（その対象たる犯罪事実が特定された後のものに限る。）又は審判（同項において「捜査等」という。）に使用されないよう適切な措置がとられなければならない。

③ 委員会は、外国執行当局からの要請があったときは、次の各号のいずれかに該当する場合を除き、第一項の規定により提供した情報を当該要請に係る外国の刑事事件の捜査等に使用することについて同意をすることができる。

一 当該要請に係る刑事事件の捜査等の対象とされている犯罪が政治犯罪であるとき、又は当該要請が政治犯罪について捜査等を行う目的で行われたものと認められるとき。

二 当該要請に係る刑事事件の捜査等の対象とされている犯罪に係る行為が日本国内において行われたとした場合において、その行為が日本国の法令によれば罪に当たるものでないとき。

三 日本国が行う同種の要請に応ずる旨の要請国の保証がないとき。

④ 委員会は、前項の同意をする場合においては、あらかじめ、同項第一号及び第二号に該当しないことについて法務大臣の確認を、同項第三号に該当しないことについて外務大臣の確認を、それぞれ受けなければならない。

（国際約束の誠実な履行等）

第一七三条 この法律の施行に当たっては、我が国が締結した条約その他の国際約束の誠実な履行を妨げることがないよう留意するとともに、確立された国際法規を遵守しなければならない。

（連絡及び協力）

第一七四条 内閣総理大臣及びこの法律の施行に関係する行政機関の長（会計検査院長を除く。）は、相互に緊密に連絡し、及び協力しなければならない。

（政令への委任）

第一七五条 この法律に定めるもののほか、この法律の実施のため必要な事項は、政令で定める。

第八章 罰則（抄）

第一七六条 行政機関等の職員若しくは職員であった者、第六十六条第二項各号に定める業務若しくは第七十三条第五項若しくは第百二十一条第三項の委託を受けた業務に従事している者若しくは従事していた者又は行政機関等において個人情報、仮名加工情報若しくは匿名加工情報の取扱いに従事している派遣労働者若しくは従事していた派遣労働者が、正当な理由がないのに、個人の秘密に属する事項が記録された第六十条第二項第一号に係る個人情報ファイル（その全部又は一部を複製し、又は加工したものを含む。）を提供したときは、二年以下の拘禁刑又は百万円以下の罰金に処する。

第一七七条 （略）

第一七八条 第百四十八条第二項又は第三項の規定による命令に違反した場合には、当該違反行為をした者は、一年以下の拘禁刑又は百万円以下の罰金に処する。

第一七九条 個人情報取扱事業者（その者が法人（法人でない団体で代表者又は管理人の定めのあるものを含む。第百八十四条第一項において同じ。）である場合にあっては、その役員、代表者又は管理人）若しくはその従業者又はこれらであった者が、その業務に関して取り扱った個人情報データベース等（その全部又は一部を複製し、又は加工したものを含む。）を自己若しくは第三者の不正な利益を図る目的で提供し、又は盗用したときは、一年以下の拘禁刑又は五十万円以下の罰金に処する。

第一八〇条 第百七十六条に規定する者が、その業務に関して知り得た保有個人情報を自己若しくは第三者の不正な利益を図る目的で提供し、又は盗用したときは、一年以下の拘禁刑又は五十万円以下の罰金に処する。

第一八一条 行政機関等の職員がその職権を濫用して、専らその職務の用以外の用に供する目的で個人の秘密に属する事項が記録された文書、図画又は電磁的記録を収集したときは、一年以下の拘禁刑又は五十万円以下の罰金に処する。

第一八二条 次の各号のいずれかに該当する場合には、当該違反行為をした者は、五十万円以下の罰金に処する。

一 第百四十六条第一項の規定による報告若しくは資料の提出をせず、若しくは虚偽の報告をし、若しくは虚偽の資料を提出し、又は当該職員の質問に対して答弁をせず、若しくは虚偽の答弁をし、若しくは検査を拒み、妨げ、若しくは忌避したとき。

二 （略）

第一八三条 第百七十六条、第百七十七条及び第百七十九条から第百八十一条までの規定は、日本国外においてこれらの条の罪を犯した者にも適用する。

第一八四条① 法人の代表者又は法人若しくは人の代理人、使用人その他の従業者が、その法人又は人の業務に関して、次の各号に掲げる違反行為をしたときは、行為者を罰するほか、その法人に対して当該各号に定める罰金刑を、その人に対して各本条の罰金刑を科する。

一 第百七十八条及び第百七十九条 一億円以下の罰金刑

二 第百八十二条 同条の罰金刑

② 法人でない団体について前項の規定の適用がある場合には、その代表者又は管理人が、その訴訟行為につき法人でない団体を代表するほか、法人を被告人又は被疑者とする場合の刑事訴訟に関する法律の規定を準用する。

第一八五条 次の各号のいずれかに該当する者は、十万円以下の過料に処する。

一 第三十条第二項（第三十一条第三項において準用する場合を含む。）又は第五十六条の規定に違反した者

二 （略）

三 偽りその他不正の手段により、第八十五条第三項に規定する開示決定に基づく保有個人情報の開示を受けた者

附　則（抄）

（施行期日）

第一条 この法律は、公布の日から施行する。ただし、第四章から第六章まで（中略）の規定は、公布の日から起算して二年を超えない範囲内において政令で定める日（平成一七・四・一—平成一五政五〇六）から施行する。

別表（略）

附　則（令和四・五・二五法四八）（抄）

（施行期日）

第一条 この法律は、公布の日から起算して四年を超えない範囲内において政令で定める日から施行する。ただし、次の各号に掲げる規定は、当該各号に定める日から施行する。

一 （前略）附則第百二十五条の規定　公布の日

二—五 （略）

（政令への委任）

第一二五条 （前略）この法律の施行に関し必要な経過措置は、政令で定める。

刑法等の一部を改正する法律の施行に伴う関係法律整理法中経過規定 （令和四・六・一七法六八）（抄）

第四四一条から第四四三条まで （刑法の同経過規定参照）

第五〇九条（刑法の同経過規定参照）

刑法等の一部を改正する法律の施行に伴う関係法律整理法

附　則（令和四・六・一七法六八）（抄）

（施行期日）

① この法律は、刑法等一部改正法（刑法等の一部を改正する法律（令和四法六七））施行日（令和七・六・一）から施行する。ただし、次の各号に掲げる規定は、当該各号に定める日から施行する。

一　第五百九条の規定　公布の日

二　（略）

附　則（令和六・六・七法四六）（抄）

（施行期日）

第一条（前略）次の各号に掲げる規定は、当該各号に定める日から施行する。

一　（略）

二　（前略）附則第八条から第十一条までの規定（附則第一〇条は個人情報の保護に関する法律の一部改正（中略））　公布の日から起算して一年を超えない範囲内において政令で定める日

三　（略）

○男女共同参画社会基本法（平成一一・六・二三法七八）

施行　平成一一・六・二三（附則）
最終改正　平成一一法一六〇

目次

我が国においては、日本国憲法に個人の尊重と法の下の平等がうたわれ、男女平等の実現に向けた様々な取組が、国際社会における取組とも連動しつつ、着実に進められてきたが、なお一層の努力が必要とされている。

一方、少子高齢化の進展、国内経済活動の成熟化等我が国の社会経済情勢の急速な変化に対応していく上で、男女が、互いにその人権を尊重しつつ責任も分かち合い、性別にかかわりなく、その個性と能力を十分に発揮することができる男女共同参画社会の実現は、緊要な課題となっている。

このような状況にかんがみ、男女共同参画社会の実現を二十一世紀の我が国社会を決定する最重要課題と位置付け、社会のあらゆる分野において、男女共同参画社会の形成の促進に関する施策の推進を図っていくことが重要である。

ここに、男女共同参画社会の形成についての基本理念を明らかにしてその方向を示し、将来に向かって国、地方公共団体及び国民の男女共同参画社会の形成に関する取組を総合的かつ計画的に推進するため、この法律を制定する。

第一章　総則

（目的）

第一条　この法律は、男女の人権が尊重され、かつ、社会経済情勢の変化に対応できる豊かで活力ある社会を実現することの緊要性にかんがみ、男女共同参画社会の形成に関し、基本理念を定め、並びに国、地方公共団体及び国民の責務を明らかにするとともに、男女共同参画社会の形成の促進に関する施策の基本となる事項を定めることにより、男女共同参画社会の形成の促進に関する施策を総合的かつ計画的に推進することを目的とする。

（定義）

第二条　この法律において、次の各号に掲げる用語の意義は、当該各号に定めるところによる。

一　男女共同参画社会の形成　男女が、社会の対等な構成員として、自らの意思によって社会のあらゆる分野における活動に参画する機会が確保され、もって男女が均等に政治的、経済的、社会的及び文化的利益を享受することができ、かつ、共に責任を担うべき社会を形成することをいう。

二　積極的改善措置　前号に規定する機会に係る男女間の格差を改善するため必要な範囲内において、男女のいずれか一方に対し、当該機会を積極的に提供することをいう。

（男女の人権の尊重）

第三条　男女共同参画社会の形成は、男女の個人としての尊厳が重んぜられること、男女が性別による差別的取扱いを受けないこと、男女が個人として能力を発揮する機会が確保されることその他の男女の人権が尊重されることを旨として、行われなければならない。

（社会における制度又は慣行についての配慮）

第四条　男女共同参画社会の形成に当たっては、社会における制度又は慣行が、性別による固定的な役割分担等を反映して、男女の社会における活動の選択に対して中立でない影響を及ぼすことにより、男女共同参画社会の形成を阻害する要因となるおそれがあることにかんがみ、社会における制度又は慣行が男女の社会における活動の選択に対して及ぼす影響をできる限り中立なものとするように配慮されなければならない。

（政策等の立案及び決定への共同参画）

第五条　男女共同参画社会の形成は、男女が、社会の対等な構成員として、国若しくは地方公共団体における政策又は民間の団体における方針の立案及び決定に共同して参画する機会が確保されることを旨として、行われなければならない。

（家庭生活における活動と他の活動の両立）

第六条　男女共同参画社会の形成は、家族を構成する男女が、相互の協力と社会の支援の下に、子の養育、家族の介護その他の家庭生活における活動について家族の一員としての役割を円滑に果たし、かつ、当該活動以外の活動を行うことができるようにすることを旨として、行われなければならない。

（国際的協調）

第七条　男女共同参画社会の形成の促進が国際社会における取組と密接な関係を有していることにかんがみ、男女共同参画社会の形成は、国際的協調の下に行われなければならない。

（国の責務）

第八条　国は、第三条から前条までに定める男女共同参画社会の形成についての基本理念（以下「基本理念」という。）にのっとり、男女共同参画社会の形成の促進に関する施策（積極的改善措置を含む。以下同じ。）を総合的に策定し、及び実施する責務を有する。

（地方公共団体の責務）
第九条　地方公共団体は、基本理念にのっとり、男女共同参画社会の形成の促進に関し、国の施策に準じた施策及びその他のその地方公共団体の区域の特性に応じた施策を策定し、及び実施する責務を有する。

（国民の責務）
第一〇条　国民は、職域、学校、地域、家庭その他の社会のあらゆる分野において、基本理念にのっとり、男女共同参画社会の形成に寄与するように努めなければならない。

（法制上の措置等）
第一一条　政府は、男女共同参画社会の形成の促進に関する施策を実施するため必要な法制上又は財政上の措置その他の措置を講じなければならない。

（年次報告等）
第一二条①　政府は、毎年、国会に、男女共同参画社会の形成の状況及び政府が講じた男女共同参画社会の形成の促進に関する施策についての報告を提出しなければならない。
②　政府は、毎年、前項の報告に係る男女共同参画社会の形成の状況を考慮して講じようとする男女共同参画社会の形成の促進に関する施策を明らかにした文書を作成し、これを国会に提出しなければならない。

第二章　男女共同参画社会の形成の促進に関する基本的施策

（男女共同参画基本計画）
第一三条①　政府は、男女共同参画社会の形成の促進に関する施策の総合的かつ計画的な推進を図るため、男女共同参画社会の形成の促進に関する基本的な計画（以下「男女共同参画基本計画」という。）を定めなければならない。
②　男女共同参画基本計画は、次に掲げる事項について定めるものとする。
一　総合的かつ長期的に講ずべき男女共同参画社会の形成の促進に関する施策の大綱
二　前号に掲げるもののほか、男女共同参画社会の形成の促進に関する施策を総合的かつ計画的に推進するために必要な事項
③　内閣総理大臣は、男女共同参画会議の意見を聴いて、男女共同参画基本計画の案を作成し、閣議の決定を求めなければならない。
④　内閣総理大臣は、前項の規定による閣議の決定があったときは、遅滞なく、男女共同参画基本計画を公表しなければならない。
⑤　前二項の規定は、男女共同参画基本計画の変更について準用する。

（都道府県男女共同参画計画等）
第一四条①　都道府県は、男女共同参画基本計画を勘案して、当該都道府県の区域における男女共同参画社会の形成の促進に関する施策についての基本的な計画（以下「都道府県男女共同参画計画」という。）を定めなければならない。
②　都道府県男女共同参画計画は、次に掲げる事項について定めるものとする。
一　都道府県の区域において総合的かつ長期的に講ずべき男女共同参画社会の形成の促進に関する施策の大綱
二　前号に掲げるもののほか、都道府県の区域における男女共同参画社会の形成の促進に関する施策を総合的かつ計画的に推進するために必要な事項
③　市町村は、男女共同参画基本計画及び都道府県男女共同参画計画を勘案して、当該市町村の区域における男女共同参画社会の形成の促進に関する施策についての基本的な計画（以下「市町村男女共同参画計画」という。）を定めるように努めなければならない。
④　都道府県又は市町村は、都道府県男女共同参画計画又は市町村男女共同参画計画を定め、又は変更したときは、遅滞なく、これを公表しなければならない。

（施策の策定等に当たっての配慮）
第一五条　国及び地方公共団体は、男女共同参画社会の形成に影響を及ぼすと認められる施策を策定し、及び実施するに当たっては、男女共同参画社会の形成に配慮しなければならない。

（国民の理解を深めるための措置）
第一六条　国及び地方公共団体は、広報活動等を通じて、基本理念に関する国民の理解を深めるよう適切な措置を講じなければならない。

（苦情の処理等）
第一七条　国は、政府が実施する男女共同参画社会の形成の促進に関する施策又は男女共同参画社会の形成に影響を及ぼすと認められる施策についての苦情の処理のために必要な措置及び性別による差別的取扱いその他の男女共同参画社会の形成を阻害する要因によって人権が侵害された場合における被害者の救済を図るために必要な措置を講じなければならない。

（調査研究）
第一八条　国は、社会における制度又は慣行が男女共同参画社会の形成に及ぼす影響に関する調査研究その他の男女共同参画社会の形成の促進に関する施策の策定に必要な調査研究を推進するように努めるものとする。

（国際的協調のための措置）
第一九条　国は、男女共同参画社会の形成を国際的協調の下に促進するため、外国政府又は国際機関との情報の交換その他男女共同参画社会の形成に関する国際的な相互協力の円滑な推進を図るために必要な措置を講ずるように努めるものとする。

（地方公共団体及び民間の団体に対する支援）
第二〇条　国は、地方公共団体が実施する男女共同参画社会の形成の促進に関する施策及び民間の団体が男女共同参画社会の形成の促進に関して行う活動を支援するため、情報の提供その他の必要な措置を講ずるように努めるものとする。

第三章　男女共同参画会議

（設置）
第二一条　内閣府に、男女共同参画会議（以下「会議」という。）を置く。

（所掌事務）
第二二条　会議は、次に掲げる事務をつかさどる。
一　男女共同参画基本計画に関し、第十三条第三項に規定する事項を処理すること。
二　前号に掲げるもののほか、内閣総理大臣又は関係各大臣の諮問に応じ、男女共同参画社会の形成の促進に関する基本的な方針、基本的な政策及び重要事項を調査審議すること。
三　前二号に規定する事項に関し、調査審議し、必要があると認めるときは、内閣総理大臣及び関係各大臣に対し、意見を述べること。
四　政府が実施する男女共同参画社会の形成の促進に関する施策の実施状況を監視し、及び政府の施策が男女共同参画社会の形成に及ぼす影響を調査し、必要があると認めるときは、内閣総理大臣及び関係各大臣に対し、意見を述べること。

（組織）
第二三条　会議は、議長及び議員二十四人以内をもって組織する。

（議長）
第二四条①　議長は、内閣官房長官をもって充てる。
②　議長は、会務を総理する。

（議員）
第二五条①　議員は、次に掲げる者をもって充てる。

一　内閣官房長官以外の国務大臣のうちから、内閣総理大臣が指定する者

二　男女共同参画社会の形成に関し優れた識見を有する者のうちから、内閣総理大臣が任命する者

②　前項第二号の議員の数は、同項に規定する議員の総数の十分の五未満であってはならない。

③　第一項第二号の議員のうち、男女のいずれか一方の議員の数は、同号に規定する議員の総数の十分の四未満であってはならない。

④　第一項第二号の議員は、非常勤とする。

（議員の任期）

第二六条①　前条第一項第二号の議員の任期は、二年とする。ただし、補欠の議員の任期は、前任者の残任期間とする。

②　前条第一項第二号の議員は、再任されることができる。

（資料提出の要求等）

第二七条①　会議は、その所掌事務を遂行するために必要があると認めるときは、関係行政機関の長に対し、監視又は調査に必要な資料その他の資料の提出、意見の開陳、説明その他必要な協力を求めることができる。

②　会議は、その所掌事務を遂行するために特に必要があると認めるときは、前項に規定する者以外の者に対しても、必要な協力を依頼することができる。

（政令への委任）

第二八条　この章に定めるもののほか、会議の組織及び議員その他の職員その他会議に関し必要な事項は、政令で定める。

附　則（抄）

（男女共同参画審議会設置法の廃止）

第二条　男女共同参画審議会設置法（平成九年法律第七号）は、廃止する。

○本邦外出身者に対する不当な差別的言動の解消に向けた取組の推進に関する法律（平成二八・六・三法　六八）

施行　平成二八・六・三（附則）

目次

我が国においては、近年、本邦の域外にある国又は地域の出身であることを理由として、適法に居住するその出身者又はその子孫を、我が国の地域社会から排除することを煽動する不当な差別的言動が行われ、その出身者又はその子孫が多大な苦痛を強いられるとともに、当該地域社会に深刻な亀裂を生じさせている。

もとより、このような不当な差別的言動はあってはならず、こうした事態をこのまま看過することは、国際社会において我が国の占める地位に照らしても、ふさわしいものではない。

ここに、このような不当な差別的言動は許されないことを宣言するとともに、更なる人権教育と人権啓発などを通じて、国民に周知を図り、その理解と協力を得つつ、不当な差別的言動の解消に向けた取組を推進すべく、この法律を制定する。

第一章　総則

（目的）

第一条　この法律は、本邦外出身者に対する不当な差別的言動の解消が喫緊の課題であることに鑑み、その解消に向けた取組について、基本理念を定め、及び国等の責務を明らかにするとともに、基本的施策を定め、これを推進することを目的とする。

（定義）

第二条　この法律において「本邦外出身者に対する不当な差別的言動」とは、専ら本邦の域外にある国若しくは地域の出身である者又はその子孫であって適法に居住するもの（以下この条において「本邦外出身者」という。）に対する差別的意識を助長し又は誘発する目的で公然とその生命、身体、自由、名誉若しくは財産に危害を加える旨を告知し又は本邦外出身者を著しく侮蔑するなど、本邦の域外にある国又は地域の出身であることを理由として、本邦外出身者を地域社会から排除することを煽動する不当な差別的言動をいう。

（基本理念）

第三条　国民は、本邦外出身者に対する不当な差別的言動の解消の必要性に対する理解を深めるとともに、本邦外出身者に対する不当な差別的言動のない社会の実現に寄与するよう努めなければならない。

（国及び地方公共団体の責務）

第四条①　国は、本邦外出身者に対する不当な差別的言動の解消に向けた取組に関する施策を実施するとともに、地方公共団体が実施する本邦外出身者に対する不当な差別的言動の解消に向けた取組に関する施策を推進するために必要な助言その他の措置を講ずる責務を有する。

②　地方公共団体は、本邦外出身者に対する不当な差別的言動の解消に向けた取組に関し、国との適切な役割分担を踏まえて、当該地域の実情に応じた施策を講ずるよう努めるものとする。

第二章　基本的施策

（相談体制の整備）

第五条①　国は、本邦外出身者に対する不当な差別的言動に関する相談に的確に応ずるとともに、これに関する紛争の防止又は解決を図ることができるよう、必要な体制を整備するものとする。

②　地方公共団体は、国との適切な役割分担を踏まえて、当該地域の実情に応じ、本邦外出身者に対する不当な差別的言動に関する相談に的確に応ずるとともに、これに関する紛争の防止又は解決を図ることができるよう、必要な体制を整備するよう努めるものとする。

（教育の充実等）

第六条①　国は、本邦外出身者に対する不当な差別的言動を解消するための教育活動を実施するとともに、そのために必要な取組を行うものとする。

②　地方公共団体は、国との適切な役割分担を踏まえて、当該地域の実情に応じ、本邦外出身者に対する不当な差別的言動を解消するための教育活動を実施するとともに、そのために必要な取組を行うよう努めるものとする。

（啓発活動等）

第七条①　国は、本邦外出身者に対する不当な差別的言動の解消の必要性について、国民に周知し、その理解を深めることを目的とする広報その他の啓発活動を実施するとともに、そのために必要な取組を行うものとする。

②　地方公共団体は、国との適切な役割分担を踏まえて、当該地

域の実情に応じ、本邦外出身者に対する不当な差別的言動の解消の必要性について、住民に周知し、その理解を深めることを目的とする広報その他の啓発活動を実施するとともに、そのために必要な取組を行うよう努めるものとする。

附　則（抄）

②**（不当な差別的言動に係る取組についての検討）**
不当な差別的言動に係る取組については、この法律の施行後における本邦外出身者に対する不当な差別的言動の実態等を勘案し、必要に応じ、検討が加えられるものとする。

○性的指向及びジェンダーアイデンティティの多様性に関する国民の理解の増進に関する法律

（令和五・六・二三　法　六　八）

施行　令和五・六・二三（附則）

（目的）

第一条　この法律は、性的指向及びジェンダーアイデンティティの多様性に関する国民の理解が必ずしも十分でない現状に鑑み、性的指向及びジェンダーアイデンティティの多様性に関する国民の理解の増進に関する施策の推進に関し、基本理念を定め、並びに国及び地方公共団体の役割等を明らかにするとともに、基本計画の策定その他の必要な事項を定めることにより、性的指向及びジェンダーアイデンティティの多様性を受け入れる精神を涵養し、もって性的指向及びジェンダーアイデンティティの多様性に寛容な社会の実現に資することを目的とする。

（定義）

第二条①　この法律において「性的指向」とは、恋愛感情又は性的感情の対象となる性別についての指向をいう。

②　この法律において「ジェンダーアイデンティティ」とは、自己の属する性別についての認識に関するその同一性の有無又は程度に係る意識をいう。

（基本理念）

第三条　性的指向及びジェンダーアイデンティティの多様性に関する国民の理解の増進に関する施策は、全ての国民が、その性的指向又はジェンダーアイデンティティにかかわらず、等しく基本的人権を享有するかけがえのない個人として尊重されるものであるとの理念にのっとり、性的指向及びジェンダーアイデンティティを理由とする不当な差別はあってはならないものであるとの認識の下に、相互に人格と個性を尊重し合いながら共生する社会の実現に資することを旨として行われなければならない。

（国の役割）

第四条　国は、前条に定める基本理念（以下単に「基本理念」という。）にのっとり、性的指向及びジェンダーアイデンティティの多様性に関する国民の理解の増進に関する施策を策定し、及び実施するよう努めるものとする。

（地方公共団体の役割）

第五条　地方公共団体は、基本理念にのっとり、国との連携を図りつつ、その地域の実情を踏まえ、性的指向及びジェンダーアイデンティティの多様性に関する国民の理解の増進に関する施策を策定し、及び実施するよう努めるものとする。

（事業主等の努力）

第六条①　事業主は、基本理念にのっとり、性的指向及びジェンダーアイデンティティの多様性に関するその雇用する労働者の理解の増進に関し、普及啓発、就業環境の整備、相談の機会の確保等を行うことにより性的指向及びジェンダーアイデンティティの多様性に関する当該労働者の理解の増進に自ら努めるとともに、国又は地方公共団体が実施する性的指向及びジェンダーアイデンティティの多様性に関する国民の理解の増進に関する施策に協力するよう努めるものとする。

②　学校（学校教育法（昭和二十二年法律第二十六号）第一条に規定する学校をいい、幼稚園及び特別支援学校の幼稚部を除く。以下同じ。）の設置者は、基本理念にのっとり、性的指向及びジェンダーアイデンティティの多様性に関するその設置する学校の児童、生徒又は学生（以下この項及び第十条第三項において「児童等」という。）の理解の増進に関し、家庭及び地域住民その他の関係者の協力を得つつ、教育又は啓発、教育環境の整備、相談の機会の確保等を行うことにより性的指向及びジェンダーアイデンティティの多様性に関する当該学校の児童等の理解の増進に自ら努めるとともに、国又は地方公共団体が実施する性的指向及びジェンダーアイデンティティの多様性に関する国民の理解の増進に関する施策に協力するよう努めるものとする。

（施策の実施の状況の公表）

第七条　政府は、毎年一回、性的指向及びジェンダーアイデンティティの多様性に関する国民の理解の増進に関する施策の実施の状況を公表しなければならない。

（基本計画）

第八条①　政府は、基本理念にのっとり、性的指向及びジェンダーアイデンティティの多様性に関する国民の理解の増進に関する施策の総合的かつ計画的な推進を図るため、性的指向及びジェンダーアイデンティティの多様性に関する国民の理解の増進に関する基本的な計画（以下この条において「基本計画」という。）を策定しなければならない。

②　基本計画は、性的指向及びジェンダーアイデンティティの多様性に関する国民の理解を増進するための基本的な事項その他必要な事項について定めるものとする。

③内閣総理大臣は、基本計画の案を作成し、閣議の決定を求めなければならない。
④内閣総理大臣は、前項の規定による閣議の決定があったときは、遅滞なく、基本計画を公表しなければならない。
⑤内閣総理大臣は、基本計画の案を作成するため必要があると認めるときは、関係行政機関の長に対し、資料の提出その他必要な協力を求めることができる。
⑥政府は、性的指向及びジェンダーアイデンティティの多様性をめぐる情勢の変化を勘案し、並びに性的指向及びジェンダーアイデンティティの多様性に関する国民の理解の増進に関する施策の効果に関する評価を踏まえ、おおむね三年ごとに、基本計画に検討を加え、必要があると認めるときは、これを変更しなければならない。
⑦第三項から第五項までの規定は、基本計画の変更について準用する。

（**学術研究等**）
第九条 国は、性的指向及びジェンダーアイデンティティの多様性に関する学術研究その他の性的指向及びジェンダーアイデンティティの多様性に関する国民の理解の増進に関する施策の策定に必要な研究を推進するものとする。

（**知識の着実な普及等**）
第一〇条① 国及び地方公共団体は、前条の研究の進捗状況を踏まえつつ、学校、地域、家庭、職域その他の様々な場を通じて、国民が、性的指向及びジェンダーアイデンティティの多様性に関する理解を深めることができるよう、心身の発達に応じた教育及び学習の振興並びに広報活動等を通じた性的指向及びジェンダーアイデンティティの多様性に関する知識の着実な普及、各般の問題に対応するための相談体制の整備その他の必要な施策を講ずるよう努めるものとする。
② 事業主は、その雇用する労働者に対し、性的指向及びジェンダーアイデンティティの多様性に関する理解を深めるための情報の提供、研修の実施、普及啓発、就業環境に関する相談体制の整備その他の必要な措置を講ずるよう努めるものとする。
③ 学校の設置者及びその設置する学校は、当該学校の児童等に対し、性的指向及びジェンダーアイデンティティの多様性に関する理解を深めるため、家庭及び地域住民その他の関係者の協力を得つつ、教育又は啓発、教育環境に関する相談体制の整備その他の必要な措置を講ずるよう努めるものとする。

（**性的指向・ジェンダーアイデンティティ理解増進連絡会議**）
第一一条 政府は、内閣官房、内閣府、総務省、法務省、外務省、文部科学省、厚生労働省、国土交通省その他の関係行政機関の職員をもって構成する性的指向・ジェンダーアイデンティティ理解増進連絡会議を設け、性的指向及びジェンダーアイデンティティの多様性に関する国民の理解の増進に関する施策の総合的かつ効果的な推進を図るための連絡調整を行うものとする。

（**措置の実施等に当たっての留意**）
第一二条 この法律に定める措置の実施等に当たっては、性的指向又はジェンダーアイデンティティにかかわらず、全ての国民が安心して生活することができることとなるよう、留意するものとする。この場合において、政府は、その運用に必要な指針を策定するものとする。

附 則（抄）

（**検討**）
第二条 この法律の規定については、この法律の施行後三年を目途として、この法律の施行状況等を勘案し、検討が加えられ、その結果に基づいて必要な措置が講ぜられるものとする。

○官報の発行に関する法律（抄）

（令和五・一二・一三 法 八五）

施行（附則参照）

目次

第一章 総則

第一条 この法律は、官報の発行主体、官報に掲載すべき事項、官報の発行の方法その他官報の発行に関し必要な事項を定めるものとする。

第二章 官報の発行主体

第二条 官報の発行は、この法律の定めるところにより、内閣総理大臣が行う。

第三章 官報の掲載事項

（**官報による公布等**）
第三条① 日本国憲法改正、法律及び法律に基づく命令（最高裁判所規則その他の規則で内閣府令で指定するものを含む。以下「法令」という。）、条約並びに詔書の公布は、官報をもって行う。
② 内閣法（昭和二十二年法律第五号）第二十五条第五項、内閣府設置法（平成十一年法律第八十九号）第七条第五項若しくは第五十八条第六項若しくは宮内庁法（昭和二十二年法律第七十号）第八条第五項、デジタル庁設置法（令和三年法律第三十六号）第七条第五項又は国家行政組織法（昭和二十三年法律第百二十号）第十四条第一項の告示で次に掲げるものの公示は、官報をもって行う。
一 処分（行政庁の処分その他公権力の行使に当たる行為をいう。）の要件を定める告示
二 前号に掲げるもののほか、これに類する告示として内閣府

令で定めるもの

第四条（公布等事項以外で官報に掲載する事項）① 官報には、前条の規定により官報をもって行うこととされる公布又は公示の対象となる事項（以下「公布等事項」という。）のほか、次に掲げる事項を掲載するものとする。

一 法令の規定に基づき国の機関が行う告示の対象となる事項

二 前号に掲げるもののほか、公示、公告その他の公にする行為であって他の法令の規定により官報に掲載する方法によりしなければならないこととされているものの対象となる事項

② 公布等事項及び前項各号に掲げる事項のほか、官報には、次に掲げる事項を掲載することができる。

一 基本方針、基本計画その他の閣議にかけられた案件に関する事項その他の行政機関（内閣、法律の規定に基づき内閣に置かれる機関若しくは内閣の所轄の下に置かれる機関、宮内庁、内閣府設置法第四十九条第一項若しくは第二項に規定する機関、国家行政組織法第三条第二項に規定する機関若しくは会計検査院又はこれらに置かれる機関をいう。次号において同じ。）の諸活動に関する事項で、一般に周知させるべきものとして内閣府令で定めるもの

二 国の機関（行政機関を除く。以下この号において同じ。）の諸活動に関する事項で、一般に周知させるべきものとして内閣総理大臣と当該国の機関とが協議して定めるもの

三 前二号に掲げるもののほか、前項第二号に掲げる事項に密接に関連する事項その他の官報に掲載する方法により一般に周知させることが特に必要なものとして内閣府令で定める事項

第四章　官報の発行の方法等（抄）

第五条（官報の発行の方法）① 内閣総理大臣は、官報を発行しようとするときは、内閣府令で定めるところにより、官報を発行する年月日、当該年月日に係る公布等事項及び前条に規定する事項その他内閣府令で定める事項（以下「官報掲載事項」という。）を記録した電磁的記録（電子的方式、磁気的方式その他人の知覚によっては認識することができない方式で作られる記録であって、電子計算機による情報処理の用に供されるものをいう。第十二条及び第十三条第一項において同じ。）を内閣総理大臣の使用に係る電子計算機に備えられた官報掲載事項を記録するためのファイル（以下この条、次条及び第十三条第一項において「官報ファイル」という。）に記録しなければならない。

② 官報の発行は、内閣総理大臣が、官報ファイルに記録された官報掲載事項（以下「電磁的官報記録」という。）について、内閣府令で定めるところにより、当該官報ファイルを電気通信回線に接続して行う自動公衆送信（公衆によって直接受信されることを目的として公衆からの求めに応じ自動的に送信を行うことをいい、放送又は有線放送に該当するものを除く。第十四条第三項において同じ。）を利用して公衆が閲覧することができる状態に置く措置をとることにより行うものとする。

③ 官報ファイルを識別するための文字、番号、記号その他の符号は、内閣府令で定める。

④ 第二項の自動公衆送信により送信される電磁的官報記録に係る情報は、次の各号に掲げる措置のいずれもがとられたものでなければならない。

一 当該情報を暗号化する措置その他の当該情報の安全性及び信頼性を確実に確保するための措置として内閣府令で定める措置

二 当該情報が改変されているかどうかを確認することができる措置その他の当該情報が内閣総理大臣の作成に係るものであることを確実に示すことができる措置として内閣府令で定める措置

⑤ 第二項の自動公衆送信により送信される電磁的官報記録に係る情報について、当該情報を受信した者がその使用に係る電子計算機に備えられたファイルに複写することができるものでなければならない。この場合において、当該ファイルに複写される電磁的官報記録に係る情報は、前項第二号に掲げる措置がとられているものであることを確認するために必要な事項を証明する情報が分離することができない状態で付加されたものでなければならない。

第六条（公布等事項の公布等の効力） 官報ファイルに記録された公布等事項の第三条の規定による公布又は公示は、当該公布等事項に係る官報について前条第二項の措置がとられた時に行われたものとする。

第七条から第一一条まで　（略）

第五章　雑則

（第一二条から第一七条まで）（略）

第六章　罰則

（第一八条から第二二条まで）（略）

附　則（抄）

（施行期日）

第一条 この法律は、公布の日から起算して一年六月を超えない範囲内において政令で定める日から施行する。ただし、附則（中略）第六条の規定は、公布の日から施行する。

（経過措置）

第二条 この法律の規定は、この法律の施行の日（以下「施行日」という。）以後に発行する官報について適用する。

（施行日前に発行された官報とこの法律との関係）

第三条 この法律の規定は、施行日前に発行された官報について、その法制上の位置付けに影響を及ぼすものと解してはならない。

（政令への委任）

第六条 附則第二条から前条までに定めるもののほか、この法律の施行に関し必要な経過措置（罰則に関する経過措置を含む。）は、政令で定める。

●国会法

（昭和二二・四・三〇 法 七 九）

施行 昭和二二・五・三（附則参照）
改正 昭和二二法一五四、昭和二三法八七・法二一四、昭和二四法二二一、昭和三〇法三、昭和三二法一五八、昭和三三法六五、昭和三四法七〇、昭和三八法三五、昭和四〇法六九、昭和四一法八九、昭和五五法二二、昭和五八法八〇、昭和六〇法八二、昭和六一法六八、昭和六二法二六、昭和六三法八九、平成三法七二・法八六・法九二、平成五法三九、平成八法一〇三、平成九法一二二・法一二六、平成一一法一一六・法一一八、平成一二法六三・法一三七、平成一七法一〇九、平成一八法一一八、平成一九法五一、平成二三法一一一、平成二四法四七、平成二六法二二・法八六、令和四法二九

目次

第一章 国会の召集及び開会式

第一条【召集詔書の公布】 ① 国会の召集詔書は、集会の期日を定めて、これを公布する。

② 常会の召集詔書は、少なくとも十日前にこれを公布しなければならない。

③ 臨時会及び特別会（日本国憲法第五十四条により召集された国会をいう）の召集詔書の公布は、前項によることを要しない。

第二条【常会の召集期】 常会は、毎年一月中に召集するのを常例とする。

第二条の二【特別会・常会の併合】 特別会は、常会と併せてこれを召集することができる。

第二条の三【選挙後の臨時会】 ① 衆議院議員の任期満了による総選挙が行われたときは、その任期が始まる日から三十日以内に臨時会を召集しなければならない。但し、その期間内に常会が召集された場合又はその期間が参議院議員の通常選挙を行うべき期間にかかる場合は、この限りでない。

② 参議院議員の通常選挙が行われたときは、その任期が始まる日から三十日以内に臨時会を召集しなければならない。但し、その期間内に常会若しくは特別会が召集された場合又はその期間が衆議院議員の任期満了による総選挙を行うべき期間にかかる場合は、この限りでない。

第三条【臨時会召集決定の要求】 臨時会の召集の決定を要求するには、いずれかの議院の総議員の四分の一以上の議員が連名で、議長を経由して内閣に要求書を提出しなければならない。

第四条 削除

第五条【議員の集会】 議員は、召集詔書に指定された期日に、各議院に集会しなければならない。

第六条【議長・副議長の選挙】 各議院において、召集の当日に議長若しくは副議長がないとき、又は議長及び副議長が共にないときは、その選挙を行わなければならない。

第七条【事務総長の議長代行】 議長及び副議長が選挙されるまでは、事務総長が、議長の職務を行う。

第八条【開会式】 国会の開会式は、会期の始めにこれを行う。

第九条【開会式の主宰】 ① 開会式は、衆議院議長が主宰する。

② 衆議院議長に事故があるときは、参議院議長が、主宰する。

第二章 国会の会期及び休会

第一〇条【常会の会期】 常会の会期は、百五十日間とする。但し、会期中に議員の任期が満限に達する場合には、その満限の日をもつて、会期は終了するものとする。

第一一条【臨時会・特別会の会期】 臨時会及び特別会の会期は、両議院一致の議決で、これを定める。

第一二条【会期の延長】 ① 国会の会期は、両議院一致の議決で、これを延長することができる。

② 会期の延長は、常会にあつては一回、特別会及び臨時会にあつては二回を超えてはならない。

第一三条【会期決定に関する衆議院の優越】 前二条の場合において、両議院の議決が一致しないとき、又は参議院が議決しないときは、衆議院の議決したところによる。

第一四条【会期の起算】 国会の会期は、召集の当日からこれを起算する。

第一五条【休会】 ① 国会の休会は、両議院一致の議決を必要とする。

② 国会の休会中、各議院は、議長において緊急の必要があると認めたとき、又は総議員の四分の一以上の議員から要求があつたときは、他の院の議長と協議の上、会議を開くことができる。

③ 前項の場合における会議の日数は、日本国憲法及び法律に定める休会の期間にこれを算入する。

④ 各議院は、十日以内においてその院の休会を議決することができる。

第三章 役員及び経費

第一六条【役員の種類】 各議院の役員は、左の通りとする。

一 議長
二 副議長
三 仮議長
四 常任委員長
五 事務総長

第一七条【議長・副議長の定員】 各議院の議長及び副議長は、各〻一人とする。

第一八条【議長・副議長の任期】 各議院の議長及び副議長の任期は、各〻議員としての任期による。

第一九条【議長の職務権限】 各議院の議長は、その議院の秩序を保持し、議事を整理し、議院の事務を監督し、議院を代表する。

第二〇条【議長の委員会への出席・発言】 議長は、委員会に出席し発言することができる。

第二一条【副議長の議長代行】 各議院において、議長に事故があるとき又は議長が欠けたときは、副議長が、議長の職務を行う。

第二二条【仮議長】 ① 各議院において、議長及び副議長に共に事故があるときは、仮議長を選挙し議長の職務を行わせる。

② 前項の選挙の場合には、事務総長が、議長の職務を行う。

③ 議院は、仮議長の選任を議長に委任することができる。

第二三条【議長・副議長の選挙】 各議院において、議長若しくは副議長が欠けたとき、又は議長及び副議長が共に欠けたときは、直ちにその選挙を行う。

第二四条【事務総長の議長代行】 前条前段の選挙において副議長若しくは議長に事故がある場合又は前条後段の選挙の場合には、事務総長が、議長の職務を行う。

第二五条【常任委員長の選挙】 常任委員長は、各議院において各〻その常任委員の中からこれを選挙する。

第二六条【議院の職員】 各議院に、事務総長一人、参事その他必要な職員を置く。

第二七条【事務総長の選挙、職員の任免】 ① 事務総長は、各議院において国会議員以外の者からこれを選挙する。

② 参事その他の職員は、事務総長が、議長の同意及び議院運営委員会の承認を得てこれを任免する。

第二八条【事務総長、参事の職務】 ① 事務総長は、議長の監督の下に、議院の事務を統理し、公文に署名する。

② 参事は、事務総長の命を受け事務を掌理する。

第二九条【参事の事務総長代行】 事務総長に事故があるとき又は事務総長が欠けたときは、その予め指定する参事が、事務総長の職務を行う。

第三〇条【役員の辞任】 役員は、議院の許可を得て辞任することができる。但し、閉会中は、議長において役員の辞任を許可することができる。

第三〇条の二【常任委員長の解任】 各議院において特に必要があるときは、その院の議決をもつて、常任委員長を解任することができる。

第三一条【役員の兼職禁止】 ① 役員は、特に法律に定めのある場合を除いては、国又は地方公共団体の公務員と兼ねることができない。

② 議員であつて前項の職を兼ねている者が、役員に選任されたときは、その兼ねている職は、解かれたものとする。

第三二条【経費の独立予算計上】 ① 両議院の経費は、独立して、国の予算にこれを計上しなければならない。

② 前項の経費中には、予備金を設けることを要する。

第四章　議員

第三三条【不逮捕特権】 各議院の議員は、院外における現行犯罪の場合を除いては、会期中その院の許諾がなければ逮捕されない。

第三四条【逮捕許諾請求の手続】 各議院の議員の逮捕につきその院の許諾を求めるには、内閣は、所轄裁判所又は裁判官が令状を発する前に内閣へ提出した要求書の受理後速かに、その要求書の写を添えて、これを求めなければならない。

第三四条の二【被逮捕議員の通知】 ① 内閣は、会期前に逮捕された議員があるときは、会期の始めに、その議員の属する議院の議長に、令状の写を添えてその氏名を通知しなければならない。

② 内閣は、会期前に逮捕された議員について、会期中に勾留期間の延長の裁判があつたときは、その議員の属する議院の議長にその旨を通知しなければならない。

第三四条の三【釈放要求の発議】 議員が、会期前に逮捕された議員の釈放の要求を発議するには、議員二十人以上の連名で、その理由を附した要求書をその院の議長に提出しなければならない。

第三五条【歳費】 議員は、一般職の国家公務員の最高の給与額（地域手当等の手当を除く。）より少なくない歳費を受ける。

第三六条【退職金】 議員は、別に定めるところにより、退職金を受けることができる。

第三七条 削除

第三八条【調査研究等手当】 議員は、国政に関する調査研究、広報、国民との交流、滞在等の議員活動を行うため、別に定めるところにより手当を受ける。

第三九条【議員の兼職禁止】 議員は、内閣総理大臣その他の国務大臣、内閣官房副長官、内閣総理大臣補佐官、副大臣、大臣政務官、大臣補佐官及び別に法律で定めた場合を除いては、その任期中国又は地方公共団体の公務員と兼ねることができない。ただし、両議院一致の議決に基づき、その任期中内閣行政各部における各種の委員、顧問、参与その他これらに準ずる職に就く場合は、この限りでない。

第五章　委員会及び委員

第四〇条【委員会の種類】 各議院の委員会は、常任委員会及び特別委員会の二種とする。

第四一条【常任委員会】 ① 常任委員会は、その部門に属する議案（決議案を含む。）、請願等を審査する。

② 衆議院の常任委員会は、次のとおりとする。

一　内閣委員会
二　総務委員会
三　法務委員会
四　外務委員会
五　財務金融委員会
六　文部科学委員会
七　厚生労働委員会
八　農林水産委員会
九　経済産業委員会
十　国土交通委員会
十一　環境委員会
十二　安全保障委員会
十三　国家基本政策委員会
十四　予算委員会
十五　決算行政監視委員会
十六　議院運営委員会
十七　懲罰委員会

③ 参議院の常任委員会は、次のとおりとする。

一　内閣委員会
二　総務委員会
三　法務委員会
四　外交防衛委員会
五　財政金融委員会
六　文教科学委員会
七　厚生労働委員会
八　農林水産委員会
九　経済産業委員会
十　国土交通委員会
十一　環境委員会
十二　国家基本政策委員会
十三　予算委員会
十四　決算委員会
十五　行政監視委員会
十六　議院運営委員会
十七　懲罰委員会

第四二条【常任委員】 ① 常任委員は、会期の始めに議院において選任し、議員の任期中その任にあるものとする。ただし、議長、

② 議員は、少なくとも一箇の常任委員となる。

副議長、内閣総理大臣その他の国務大臣、内閣官房副長官、内閣総理大臣補佐官、副大臣、大臣政務官及び大臣補佐官は、その割り当てられた常任委員を辞することができる。

③ 前項但書の規定により常任委員を辞した者があるときは、その者が属する会派の議員は、その委員を兼ねることができる。

第四三条【専門員・調査員】 常任委員会には、専門の知識を有する職員（これを専門員という）及び調査員を置くことができる。

第四四条【合同審査会】 各議院の常任委員会は、他の議院の常任委員会と協議して合同審査会を開くことができる。

第四五条【特別委員会】 ① 各議院は、その院において特に必要があると認めた案件又は常任委員会の所管に属しない特定の案件を審査するため、特別委員会を設けることができる。

② 特別委員は、議院において選任し、その委員会に付託された案件がその院で議決されるまで、その任にあるものとする。

③ 特別委員長は、委員会においてその委員がこれを互選する。

第四六条【委員の各派割当選任】 ① 常任委員及び特別委員は、各会派の所属議員数の比率により、これを各会派に割り当て選任する。

② 前項の規定により委員が選任された後、各会派の所属議員数に異動があつたため、委員の各会派割当数を変更する必要があるときは、議長は、第四十二条第一項及び前条第二項の規定にかかわらず、議院運営委員会の議を経て委員を変更することができる。

第四七条【委員会の審査と会期】 ① 常任委員会及び特別委員会は、会期中に限り、付託された案件を審査する。

② 常任委員会及び特別委員会は、各議院の議決で特に付託された案件（懲罰事犯の件を含む。）については、閉会中もなお、これを審査することができる。

③ 前項の規定により懲罰事犯の件を閉会中審査に付する場合においては、その会期中に生じた事犯にかかるものでなければならない。

④ 第二項の規定により閉会中もなお審査することに決したときは、その院の議長から、その旨を他の議院及び内閣に通知する。

第四八条【委員長の職務権限】 委員長は、委員会の議事を整理し、秩序を保持する。

第四九条【定足数】 委員会は、その委員の半数以上の出席がなければ、議事を開き議決することができない。

第五〇条【表決】 委員会の議事は、出席委員の過半数でこれを決し、可否同数のときは、委員長の決するところによる。

第五〇条の二【委員会の法律案提出】 ① 委員会は、その所管に属する事項に関し、法律案を提出することができる。

② 前項の法律案については、委員長をもつて提出者とする。

第五一条【公聴会】 ① 委員会は、一般的関心及び目的を有する重要な案件について、公聴会を開き、真に利害関係を有する者又は学識経験者等から意見を聴くことができる。

② 総予算及び重要な歳入法案については、前項の公聴会を開かなければならない。但し、すでに公聴会を開いた案件と同一の内容のものについては、この限りでない。

第五二条【傍聴と秘密会】 ① 委員会は、議員の外傍聴を許さない。但し、報道の任務にあたる者その他の者で委員長の許可を得たものについては、この限りでない。

② 委員会は、その決議により秘密会とすることができる。

③ 委員長は、秩序保持のため、傍聴人の退場を命ずることができる。

第五三条【議院への報告】 委員長は、委員会の経過及び結果を議院に報告しなければならない。

第五四条【少数意見の報告】 ① 委員会において廃棄された少数意見で、出席委員の十分の一以上の賛成があるものは、委員長の報告に次いで、少数意見者がこれを議院に報告することができる。この場合においては、少数意見者は、その賛成者と連名で簡明な少数意見の報告書を議長に提出しなければならない。

② 議長は、少数意見の報告につき、時間を制限することができる。

③ 第一項後段の報告書は、委員会の報告書と共にこれを会議録に掲載する。

第五章の二　参議院の調査会

第五四条の二【調査会の設置】 ① 参議院は、国政の基本的事項に関し、長期的かつ総合的な調査を行うため、調査会を設けることができる。

② 調査会は、参議院議員の半数の任期満了の日まで存続する。

③ 調査会の名称、調査事項及び委員の数は、参議院の議決でこれを定める。

第五四条の三【委員の選任、調査会長】 ① 調査会の委員は、議院において選任し、調査会が存続する間、その任にあるものとする。

② 調査会の委員は、各会派の所属議員数の比率により、これを各会派に割り当て選任する。

③ 前項の規定により委員が選任された後、各会派の所属議員数に異動があつたため、委員の各会派割当数を変更する必要があるときは、議長は、第一項の規定にかかわらず、議院運営委員会の議を経て委員を変更することができる。

④ 調査会長は、調査会においてその委員がこれを互選する。

第五四条の四【委員会に関する規定の準用】 ① 調査会については、第二十条、第四十七条第一項、第二項及び第四項、第四十八条から第五十条の二まで、第五十一条第一項、第五十二条、第六十条、第六十九条から第七十三条まで、第百四条から第百五条まで、第百二十条、第百二十一条第二項並びに第百二十四条の規定を準用する。

② 前項において準用する第五十条の二第一項の規定により調査会が提出する法律案については、第五十七条の三の規定を準用する。

第六章　会議

第五五条【議事日程、緊急会議】 ① 各議院の議長は、議事日程を定め、予めこれを議院に報告する。

② 議長は、特に緊急の必要があると認めたときは、会議の日時だけを議員に通知して会議を開くことができる。

第五五条の二【議事協議会】 ① 議長は、議事の順序その他必要と認める事項につき、議院運営委員長及び議院運営委員会が選任する議事協議員と協議することができる。この場合において、その意見が一致しないときは、議長は、これを裁定することができる。

② 議長は、議事協議会の主宰を議院運営委員長に委任することができる。

③ 議長は、会期中であると閉会中であるとを問わず、何時でも議事協議会を開くことができる。

第五六条【議案の発議と委員会付託】 ① 議員が議案を発議するには、衆議院においては議員二十人以上、参議院においては議員十人以上の賛成を要する。但し、予算を伴う法律案を発議するには、衆議院においては議員五十人以上、参議院においては議員二十人以上の賛成を要する。

② 議案が発議又は提出されたときは、議長は、これを適当の委員会に付託し、その審査を経て会議に付する。但し、特に緊急を要するものは、発議者又は提出者の要求に基き、議院の議決で委員会の審査を省略することができる。

③ 委員会において、議院の会議に付するを要しないと決定した議案は、これを会議に付さない。但し、委員会の決定の日から休会中の期間を除いて七日以内に議員二十人以上の要求があるものは、これを会議に付さなければならない。

④ 前項但書の要求がないときは、その議案は廃案となる。

⑤ 前二項の規定は、他の議院から送付された議案については、これを適用しない。

第五六条の二【本会議における議案の趣旨説明】 各議院に発議又

は提出された議案につき、議院運営委員会が特にその必要を認めた場合は、議院の会議において、その議案の趣旨の説明を聴取することができる。

第五六条の三【委員会の中間報告】① 各議院は、委員会の審査中の案件について特に必要があるときは、中間報告を求めることができる。

② 前項の中間報告があつた案件について、議院が特に緊急を要すると認めたときは、委員会の審査に期限を附け又は議院の会議において審議することができる。

③ 委員会の審査に期限を附けた場合、その期間内に審査を終らなかつたときは、議院の会議においてこれを審議するものとする。但し、議院は、委員会の要求により、審査期間を延長することができる。

第五六条の四【同一議案審議の禁止】各議院は、他の議院から送付又は提出された議案と同一の議案を審議することができない。

第五七条【修正の動議】議案につき議院の会議で修正の動議を議題とするには、衆議院においては議員二十人以上、参議院においては議員十人以上の賛成を要する。但し、法律案に対する修正の動議で、予算の増額を伴うもの又は予算を伴うこととなるものについては、衆議院においては議員五十人以上、参議院においては議員二十人以上の賛成を要する。

第五七条の二【予算修正の動議】予算につき議院の会議で修正の動議を議題とするには、衆議院においては議員五十人以上、参議院においては議員二十人以上の賛成を要する。

第五七条の三【予算増額修正と内閣の意見陳述】各議院又は各議院の委員会は、予算総額の増額修正、委員会の提出若しくは議員の発議にかかる予算を伴う法律案又は法律案に対する修正で、予算の増額を伴うもの若しくは予算を伴うこととなるものについては、内閣に対して、意見を述べる機会を与えなければならない。

第五八条【予備審査】内閣は、一の議院に議案を提出したときは、予備審査のため、提出の日から五日以内に他の議院に同一の案を送付しなければならない。

第五九条【内閣提出案の修正・撤回】内閣が、各議院の会議又は委員会において議題となつた議案を修正し、又は撤回するには、その院の承諾を要する。但し、一の議院で議決した後は、修正し、又は撤回することはできない。

第六〇条【他院提出議案の説明】各議院が提出した議案については、その委員長（その代理者を含む）又は発議者は、他の議院において、提案の理由を説明することができる。

第六一条【発言時間の制限】① 各議院の議長は、質疑、討論その他の発言につき、予め議院の議決があつた場合を除いて、時間を制限することができる。

② 議長の定めた時間制限に対して、出席議員の五分の一以上から異議を申し立てたときは、議長は、討論を用いないで、議院に諮らなければならない。

③ 議員が時間制限のため発言を終らなかつた部分につき特に議院の議決があつた場合を除いては、議長の認める範囲内において、これを会議録に掲載する。

第六二条【公開の停止】各議院の会議は、議長又は議員十人以上の発議により、出席議員の三分の二以上の議決があつたときは、公開を停めることができる。

第六三条【秘密記録の非公表】秘密会議の記録中、特に秘密を要するものとその院において議決した部分は、これを公表しないことができる。

第六四条【内閣総理大臣欠缺の通知】内閣は、内閣総理大臣が欠けたとき、又は辞表を提出したときは、直ちにその旨を両議院に通知しなければならない。

第六五条【議決の奏上・送付】① 国会の議決を要する議案について、最後の議決があつた場合にはその院の議長から、衆議院の議決が国会の議決となつた場合には衆議院議長から、その公布を要するものは、これを内閣を経由して奏上し、その他のものは、これを内閣に送付する。

② 内閣総理大臣の指名については、衆議院議長から、内閣を経由してこれを奏上する。

第六六条【法律公布の期限】法律は、奏上の日から三十日以内にこれを公布しなければならない。

第六七条【特別法の制定】一の地方公共団体のみに適用される特別法については、国会において最後の可決があつた場合は、別に法律で定めるところにより、その地方公共団体の住民の投票に付し、その過半数の同意を得たときに、さきの国会の議決が、確定して法律となる。

第六八条【会期不継続】会期中に議決に至らなかつた案件は、後会に継続しない。但し、第四十七条第二項の規定により閉会中審査した議案及び懲罰事犯の件は、後会に継続する。

第六章の二　日本国憲法の改正の発議

第六八条の二【憲法改正原案の発議】議員が日本国憲法の改正案（以下「憲法改正案」という。）の原案（以下「憲法改正原案」という。）を発議するには、第五十六条第一項の規定にかかわらず、衆議院においては議員百人以上、参議院においては議員五十人以上の賛成を要する。

第六八条の三【同前―事項ごとの区分】前条の憲法改正原案の発議に当たつては、内容において関連する事項ごとに区分して行うものとする。

第六八条の四【同前―修正の動議】憲法改正原案につき議院の会議で修正の動議を議題とするには、第五十七条の規定にかかわらず、衆議院においては議員百人以上、参議院においては議員五十人以上の賛成を要する。

第六八条の五【憲法改正の発議・提案】① 憲法改正原案について国会において最後の可決があつた場合には、その可決をもつて、国会が日本国憲法第九十六条第一項に定める日本国憲法の改正（以下「憲法改正」という。）の発議をし、国民に提案したものとする。この場合において、両議院の議長は、憲法改正の発議をした旨及び発議に係る憲法改正案を官報に公示する。

② 憲法改正原案について前項の最後の可決があつた場合には、第六十五条第一項の規定にかかわらず、その院の議長から、内閣に対し、その旨を通知するとともに、これを送付する。

第六八条の六【国民投票の期日の議決】憲法改正の発議に係る国民投票の期日は、当該発議後速やかに、国会の議決でこれを定める。

第七章　国務大臣等の出席等

第六九条【内閣官房副長官、副大臣及び大臣政務官の出席、政府特別補佐人の出席】① 内閣官房副長官、副大臣及び大臣政務官は、内閣総理大臣その他の国務大臣を補佐するため、議院の会議又は委員会に出席することができる。

② 内閣は、国会において内閣総理大臣その他の国務大臣を補佐するため、両議院の議長の承認を得て、人事院総裁、内閣法制局長官、公正取引委員会委員長、原子力規制委員会委員長及び公害等調整委員会委員長を政府特別補佐人として議院の会議又は委員会に出席させることができる。

第七〇条【発言の通告】内閣総理大臣その他の国務大臣並びに内閣官房副長官、副大臣及び大臣政務官並びに政府特別補佐人が、議院の会議又は委員会において発言しようとするときは、議長又は委員長に通告しなければならない。

第七一条【委員会の出席請求】委員会は、議長を経由して内閣総理大臣その他の国務大臣並びに内閣官房副長官、副大臣及び大臣政務官並びに政府特別補佐人の出席を求めることができる。

第七二条【会計検査院長・検査官及び最高裁判所長官の出席説明】① 委員会は、議長を経由して会計検査院長及び検査官の出席説明を求めることができる。

② 最高裁判所長官又はその指定する代理者は、その要求により、委員会の承認を得て委員会に出席説明することができる。

第七三条【報告の配付・送付】議院の会議及び委員会の会議に関

する報告は、議員に配付すると同時に、これを内閣総理大臣その他の国務大臣並びに内閣官房副長官、副大臣及び大臣政務官並びに政府特別補佐人に送付する。

第八章　質問

第七四条【質問】① 各議院の議員が、内閣に質問しようとするときは、議長の承認を要する。

② 質問は、簡明な主意書を作り、これを議長に提出しなければならない。

③ 議長の承認しなかつた質問について、その議員から異議を申し立てたときは、議長は、討論を用いないで、議院に諮らなければならない。

④ 議長又は議院の承認しなかつた質問について、その議員から要求があつたときは、議長は、その主意書を会議録に掲載する。

第七五条【答弁】① 議長又は議院の承認した質問については、議長がその主意書を内閣に転送する。

② 内閣は、質問主意書を受け取つた日から七日以内に答弁をしなければならない。その期間内に答弁をすることができないときは、その理由及び答弁をすることができる期限を明示することを要する。

第七六条【口頭質問】質問が、緊急を要するときは、議院の議決により口頭で質問することができる。

第七七条及び第七八条　削除

第九章　請願

第七九条【請願書の提出】各議院に請願しようとする者は、議員の紹介により請願書を提出しなければならない。

第八〇条【請願の処理】① 請願は、各議院において委員会の審査を経た後これを議決する。

② 委員会において、議院の会議に付するを要しないと決定した請願は、これを会議に付さない。但し、議員二十人以上の要求があるものは、これを会議に付さなければならない。

第八一条【内閣への送付】① 各議院において採択した請願で、内閣において措置するを適当と認めたものは、これを内閣に送付する。

② 内閣は、前項の請願の処理の経過を毎年議院に報告しなければならない。

第八二条【請願と各議院の独立】各議院は、各別に請願を受け互に干預しない。

第十章　両議院関係

第八三条【両院間の議案の送付及び回付】① 国会の議決を要する議案を甲議院において可決し、又は修正したときは、これを乙議院に送付し、否決したときは、その旨を乙議院に通知する。

② 乙議院において甲議院の送付案に同意し、又はこれを否決したときは、その旨を甲議院に通知する。

③ 乙議院において甲議院の送付案を修正したときは、これを甲議院に回付する。

④ 甲議院において乙議院の回付案に同意し、又は同意しなかつたときは、その旨を乙議院に通知する。

第八三条の二【法律案、予算・条約の返付】① 参議院は、法律案について、衆議院の送付案を否決したときは、その議案を衆議院に返付する。

② 参議院は、法律案について、衆議院の回付案に同意しないで、両院協議会を求めたが衆議院がこれを拒んだとき、又は両院協議会を求めないときは、その議案を衆議院に返付する。

③ 参議院は、予算又は衆議院先議の条約を否決したときは、これを衆議院に返付する。衆議院は、参議院先議の条約を否決したときは、これを参議院に返付する。

第八三条の三【衆議院優越発動に関する通知】① 衆議院は、日本国憲法第五十九条第四項の規定により、参議院が法律案を否決したものとみなしたときは、その旨を参議院に通知する。

② 衆議院は、予算及び条約について、日本国憲法第六十条第二項又は第六十一条の規定により衆議院の議決が国会の議決となつたときは、その旨を参議院に通知する。

③ 前二項の通知があつたときは、参議院は、直ちに衆議院の送付案又は回付案を衆議院に返付する。

第八三条の四【憲法改正原案の返付】① 憲法改正原案について、甲議院の送付案を乙議院が否決したときは、その議案を甲議院に返付する。

② 憲法改正原案について、甲議院は、乙議院の回付案に同意しなかつた場合において両院協議会を求めないときは、その議案を乙議院に返付する。

第八三条の五【送付案の継続審査】甲議院の送付案を、乙議院において継続審査し後の会期で議決したときは、第八十三条による。

第八四条【法律案に関する両院協議会】① 法律案について、衆議院において参議院の回付案に同意しなかつたとき、又は参議院において衆議院の送付案を否決し及び衆議院の回付案に同意しなかつたときは、衆議院は、両院協議会を求めることができる。

② 参議院は、衆議院の回付案に同意しなかつたときに限り前項の規定にかかわらず、その通知と同時に両院協議会を求めることができる。但し、衆議院は、この両院協議会の請求を拒むことができる。

第八五条【予算・条約に関する両院協議会】① 予算及び衆議院先議の条約について、衆議院において参議院の回付案に同意しなかつたとき、又は参議院において衆議院の送付案を否決したときは、衆議院は、両院協議会を求めなければならない。

② 参議院先議の条約について、参議院において衆議院の回付案に同意しなかつたとき、又は衆議院において参議院の送付案を否決したときは、参議院は、両院協議会を求めなければならない。

第八六条【内閣総理大臣指名の通知、両院協議会】① 各議院において、内閣総理大臣の指名を議決したときは、これを他の議院に通知する。

② 内閣総理大臣の指名について、両議院の議決が一致しないときは、参議院は、両院協議会を求めなければならない。

第八六条の二【憲法改正原案に関する両院協議会】① 憲法改正原案について、甲議院において乙議院の回付案に同意しなかつたとき、又は乙議院において甲議院の送付案を否決したときは、甲議院は、両院協議会を求めることができる。

② 憲法改正原案について、甲議院が、乙議院の回付案に同意しなかつた場合において両院協議会を求めなかつたときは、乙議院は、両院協議会を求めることができる。

第八七条【案件の返付と両院協議会】① 法律案、予算、条約及び憲法改正原案を除いて、国会の議決を要する案件について、後議の議院が先議の議院の議決に同意しないときは、その旨の通知と共にこれを先議の議院に返付する。

② 前項の場合において、先議の議院は、両院協議会を求めることができる。

第八八条【両院協議会拒否の禁止】第八十四条第二項但書の場合を除いては、一の議院から両院協議会を求められたときは、他の議院は、これを拒むことができない。

第八九条【両院協議会―組織】両院協議会は、各議院において選挙された各々十人の委員でこれを組織する。

第九〇条【同前―議長】両院協議会の議長には、各議院の協議委員において夫々互選された議長が、毎会更代してこれに当る。その初会の議長は、くじでこれを定める。

第九一条【同前―定足数】両院協議会は、各議院の協議委員の各々三分の二以上の出席がなければ、議事を開き議決することができない。

第九一条の二【同前―欠席協議委員】① 協議委員が、正当な理由がなくて欠席し、又は両院協議会の議長から再度の出席要求があってもなお出席しないときは、その協議委員の属する議院の議長は、当該協議委員は辞任したものとみなす。

② 前項の場合において、その協議委員の属する議院は、直ちにその補欠選挙を行わなければならない。

第九二条【同前—表決】 ① 両院協議会においては、協議案が出席協議委員の三分の二以上の多数で議決されたとき成案となる。

② 両院協議会の議事は、前項の場合を除いては、出席協議委員の過半数でこれを決し、可否同数のときは、議長の決するところによる。

第九三条【同前—成案の審議】 ① 両院協議会の成案は、両院協議会を求めた議院において先ずこれを議し、他の議院にこれを送付する。

② 成案については、更に修正することができない。

第九四条【同前—成案不成立の報告】 両院協議会において、成案を得なかつたときは、各議院の協議委員議長は、各〻その旨を議院に報告しなければならない。

第九五条【同前—各議院議長の意見陳述】 各議院の議長は、両院協議会に出席して意見を述べることができる。

第九六条【同前—国務大臣等の出席の要求】 両院協議会は、内閣総理大臣その他の国務大臣並びに内閣官房副長官、副大臣及び大臣政務官並びに政府特別補佐人の出席を要求することができる。

第九七条【同前—傍聴の禁止】 両院協議会は、傍聴を許さない。

第九八条【両院協議会規程の制定】 この法律に定めるものの外、両院協議会に関する規程は、両議院の議決によりこれを定める。

第十一章　参議院の緊急集会

第九九条【請求と集会】 ① 内閣が参議院の緊急集会を求めるには、内閣総理大臣から、集会の期日を定め、案件を示して、参議院議長にこれを請求しなければならない。

② 前項の規定による請求があつたときは、参議院議長は、これを各議員に通知し、議員は、前項の指定された集会の期日に参議院に集会しなければならない。

第一〇〇条【議員の不逮捕特権】 ① 参議院の緊急集会中、参議院の議員は、院外における現行犯罪の場合を除いては、参議院の許諾がなければ逮捕されない。

② 内閣は、参議院の緊急集会前に逮捕された参議院の議員があるときは、集会の期日の前日までに、参議院議長に、令状の写を添えてその氏名を通知しなければならない。

③ 内閣は、参議院の緊急集会前に逮捕された参議院の議員について、緊急集会中に勾留期間の延長の裁判があつたときは、参議院議長にその旨を通知しなければならない。

④ 参議院の緊急集会前に逮捕された参議院の議員は、参議院の要求があれば、緊急集会中これを釈放しなければならない。

⑤ 議員が、参議院の緊急集会前に逮捕された議員の釈放の要求を発議するには、議員二十人以上の連名で、その理由を附した要求書を参議院議長に提出しなければならない。

第一〇一条【議員の発議権】 参議院の緊急集会においては、議員は、第九十九条第一項の規定により示された案件に関連のあるものに限り、議案を発議することができる。

第一〇二条【請願】 参議院の緊急集会においては、請願は、第九十九条第一項の規定により示された案件に関連のあるものに限り、これをすることができる。

第一〇二条の二【終会の宣告】 緊急の案件がすべて議決されたときは、議長は、緊急集会が終つたことを宣告する。

第一〇二条の三【案件の奏上・送付】 参議院の緊急集会において案件が可決された場合には、参議院議長から、その公布を要するものは、これを内閣を経由して奏上し、その他のものは、これを内閣に送付する。

第一〇二条の四【衆議院の同意を求める案件の提出】 参議院の緊急集会において採られた措置に対する衆議院の同意については、その案件を内閣から提出する。

第一〇二条の五【読替規定】 第六条、第四十七条第一項、第六十七条及び第六十九条第二項の規定の適用については、これらの規定中「召集」とあるのは「集会」と、「会期中」とあるのは「緊急集会中」と、「国会において最後の可決があつた場合」とあるのは「参議院の緊急集会において可決した場合」と、「国会」とあるのは「参議院の緊急集会」と、「両議院」とあるのは「参議院」と読み替え、第百二十一条の二の規定の適用については、「会期の終了日又はその前日」とあるのは「参議院の緊急集会の終了日又はその前日」と、「閉会中審査の議決に至らなかつたもの」とあるのは「委員会の審査を終了しなかつたもの」と、「前の国会の会期」とあるのは「前の国会の会期終了後の参議院の緊急集会」と読み替えるものとする。

第十一章の二　憲法審査会

第一〇二条の六【憲法審査会の設置】 日本国憲法及び日本国憲法に密接に関連する基本法制について広範かつ総合的に調査を行い、憲法改正原案、日本国憲法に係る改正の発議又は国民投票に関する法律案等を審査するため、各議院に憲法審査会を設ける。

第一〇二条の七【憲法改正原案等の提出】 ① 憲法審査会は、憲法改正原案及び日本国憲法に係る改正の発議又は国民投票に関する法律案を提出することができる。この場合における憲法改正原案の提出については、第六十八条の三の規定を準用する。

② 前項の憲法改正原案及び日本国憲法に係る改正の発議又は国民投票に関する法律案については、憲法審査会の会長をもつて提出者とする。

第一〇二条の八【合同審査会】 ① 各議院の憲法審査会は、憲法改正原案に関し、他の議院の憲法審査会と協議して合同審査会を開くことができる。

② 前項の合同審査会は、憲法改正原案に関し、各議院の憲法審査会に勧告することができる。

③ 前二項に定めるもののほか、第一項の合同審査会に関する事項は、両議院の議決によりこれを定める。

第一〇二条の九【準用規定等】 ① 第五十三条、第五十四条、第五十六条第二項本文、第六十条及び第八十条の規定は憲法審査会について、第四十七条（第三項を除く。）、第五十六条第三項から第五項まで、第五十七条の三及び第七章の規定は日本国憲法に係る改正の発議又は国民投票に関する法律案に係る憲法審査会について準用する。

② 憲法審査会に付託された案件についての第六十八条の規定の適用については、同条ただし書中「第四十七条第二項の規定により閉会中審査した議案」とあるのは「憲法改正原案、第四十七条第二項の規定により閉会中審査した議案」とする。

第一〇二条の一〇【憲法審査会に関する事項の制定】 第百二条の六から前条までに定めるもののほか、憲法審査会に関する事項は、各議院の議決によりこれを定める。

第十一章の三　国民投票広報協議会

第一〇二条の一一【国民投票広報協議会】 ① 憲法改正の発議があつたときは、当該発議に係る憲法改正案の国民に対する広報に関する事務を行うため、国会に、各議院においてその議員の中から選任された同数の委員で組織する国民投票広報協議会を設ける。

② 国民投票広報協議会は、前項の発議に係る国民投票に関する手続が終了するまでの間存続する。

③ 国民投票広報協議会の会長は、その委員がこれを互選する。

第一〇二条の一二【同前】 前条に定めるもののほか、国民投票広報協議会に関する事項は、別に法律でこれを定める。

第十一章の四　情報監視審査会

第一〇二条の一三【情報監視審査会の設置】 行政における特定秘密（特定秘密の保護に関する法律（平成二十五年法律第百八

号。以下「特定秘密保護法」という。）第三条第一項に規定する特定秘密をいう。以下同じ。）の保護に関する制度の運用を常時監視するため特定秘密の指定（同項の規定による指定をいう。）及びその解除並びに適性評価（特定秘密保護法第十二条第一項に規定する適性評価をいう。）の実施の状況について調査し、並びに各議院又は各議院の委員会若しくは参議院の調査会からの第百四条第一項（第五十四条の四第一項において準用する場合を含む。）の規定による特定秘密の提出の要求に係る行政機関の長（特定秘密保護法第三条第一項に規定する行政機関の長をいう。以下同じ。）の判断の適否等を審査するため、各議院に情報監視審査会を設ける。

第一〇二条の一四【政府による報告】 情報監視審査会は、調査のため、特定秘密保護法第十九条の規定による報告を受ける。

第一〇二条の一五【調査目的での特定秘密の提出又は提示の要求】 ① 各議院の情報監視審査会から調査のため、行政機関の長に対し、必要な特定秘密の提出（提示を含むものとする。以下第百四条の三までにおいて同じ。）を求めたときは、その求めに応じなければならない。

② 前項の場合における特定秘密保護法第十条第一項及び第二十三条第二項の規定の適用については、特定秘密保護法第十条第一項第一号イ中「各議院又は各議院の委員会若しくは参議院の調査会」とあるのは「各議院の情報監視審査会」と、「第百四条第一項（同法第五十四条の四第一項において準用する場合を含む。）又は議院における証人の宣誓及び証言等に関する法律（昭和二十二年法律第二百二十五号）第一条」とあるのは「第百二条の十五第一項」と、「審査又は調査であって、国会法第五十二条第二項（同法第五十四条の四第一項において準用する場合を含む。）又は第六十二条の規定により公開しないこととされたもの」とあるのは「調査（公開しないで行われるものに限る。）」と、特定秘密保護法第二十三条第二項中「第十条」とあるのは「第十条（国会法第百二条の十五第二項の規定により読み替えて適用する場合を含む。）」とする。

③ 行政機関の長が第一項の求めに応じないときは、その理由を疎明しなければならない。その理由をその情報監視審査会において受諾し得る場合には、行政機関の長は、その特定秘密の提出をする必要がない。

④ 前項の理由を受諾することができない場合は、その情報監視審査会は、更にその特定秘密の提出が我が国の安全保障に著しい支障を及ぼすおそれがある旨の内閣の声明を要求することができる。その声明があつた場合は、行政機関の長は、その特定秘密の提出をする必要がない。

⑤ 前項の要求後十日以内に、内閣がその声明を出さないときは、行政機関の長は、先に求められた特定秘密の提出をしなければならない。

第一〇二条の一六【運用改善の勧告】 ① 情報監視審査会は、調査の結果、必要があると認めるときは、行政機関の長に対し、行政における特定秘密の保護に関する制度の運用について改善すべき旨の勧告をすることができる。

② 情報監視審査会は、行政機関の長に対し、前項の勧告の結果とられた措置について報告を求めることができる。

第一〇二条の一七【審査目的での特定秘密の提出要求及び議院等への提出勧告】 ① 情報監視審査会は、第百四条の二（第五十四条の四第一項において準用する場合を含む。）の規定による審査の求め又は要請を受けた場合は、各議院の議決により定めるところにより、これについて審査するものとする。

② 各議院の情報監視審査会から審査のため、行政機関の長に対し、必要な特定秘密の提出を求めたときは、その求めに応じなければならない。

③ 前項の場合における特定秘密保護法第十条第一項及び第二十三条第二項の規定の適用については、特定秘密保護法第十条第一項第一号イ中「各議院又は各議院の委員会若しくは参議院の調査会」とあるのは「各議院の情報監視審査会」と、「第百四条第一項（同法第五十四条の四第一項において準用する場合を含む。）又は議院における証人の宣誓及び証言等に関する法律（昭和二十二年法律第二百二十五号）第一条」とあるのは「第百二条の十七第二項」と、「審査又は調査であって、国会法第五十二条第二項（同法第五十四条の四第一項において準用する場合を含む。）又は第六十二条の規定により公開しないこととされたもの」とあるのは「審査（公開しないで行われるものに限る。）」と、特定秘密保護法第二十三条第二項中「第十条」とあるのは「第十条（国会法第百二条の十七第三項の規定により読み替えて適用する場合を含む。）」とする。

④ 第百二条の十五第三項から第五項までの規定は、行政機関の長が第二項の求めに応じない場合について準用する。

⑤ 情報監視審査会は、第一項の審査の結果に基づき必要があると認めるときは、行政機関の長に対し、当該審査の求め又は要請をした議院又は委員会若しくは参議院の調査会の求めに応じて報告又は記録の提出をすべき旨の勧告をすることができる。この場合において、当該勧告は、その提出を求める報告又は記録の範囲を限定して行うことができる。

⑥ 第百二条の十五第三項から第五項までの規定は、行政機関の長が前項の勧告に従わない場合について準用する。この場合において、同条第三項及び第四項中「その特定秘密の提出」とあり、並びに同条第五項中「先に求められた特定秘密の提出」とあるのは、「その勧告に係る報告又は記録の提出」と読み替えるものとする。

⑦ 情報監視審査会は、第一項の審査の結果を、当該審査の求め又は要請をした議院又は委員会若しくは参議院の調査会に対して通知するものとする。

第一〇二条の一八【職員に対する適性評価】 各議院の情報監視審査会の事務は、その議院の議長が別に法律で定めるところにより実施する適性評価（情報監視審査会の事務を行つた場合に特定秘密を漏らすおそれがないことについての職員又は職員になることが見込まれる者に係る評価をいう。）においてその事務を行つた場合に特定秘密を漏らすおそれがないと認められた者でなければ、行つてはならない。

第一〇二条の一九【特定秘密の利用の制限】 第百二条の十五及び第百二条の十七の規定により、特定秘密が各議院の情報監視審査会に提出されたときは、その特定秘密は、その情報監視審査会の委員及び各議院の議決により定める者並びにその事務を行う職員に限り、かつ、その調査又は審査に必要な範囲で、利用し、又は知ることができるものとする。

第一〇二条の二〇【準用規定】 情報監視審査会については、第六十九条から第七十二条まで及び第百四条の規定を準用する。

第一〇二条の二一【情報監視審査会に関する事項の制定】 この法律及び他の法律に定めるもののほか、情報監視審査会に関する事項は、各議院の議決によりこれを定める。

第十二章　議院と国民及び官庁との関係

第一〇三条【議員の派遣】 各議院は、議案その他の審査若しくは国政に関する調査のために又は議院において必要と認めた場合に、議員を派遣することができる。

第一〇四条【官公署に対する報告・記録提出の要求】 ① 各議院又は各議院の委員会から審査又は調査のため、内閣、官公署その他に対し、必要な報告又は記録の提出を求めたときは、その求めに応じなければならない。

② 内閣又は官公署が前項の求めに応じないときは、その理由を疎明しなければならない。その理由をその議院又は委員会において受諾し得る場合には、内閣又は官公署は、その報告又は記録の提出をする必要がない。

③ 前項の理由を受諾することができない場合は、その議院又は委員会は、更にその報告又は記録の提出が国家の重大な利益に悪影響を及ぼす旨の内閣の声明を要求することができる。その声明があつた場合は、内閣又は官公署は、その報告又は記録の提出をする必要がない。

④ 前項の要求後十日以内に、内閣がその声明を出さないとき

は、内閣又は官公署は、先に求められた報告又は記録の提出をしなければならない。

第一〇四条の二【特定秘密を含む報告・記録提出と情報監視審査会】 各議院又は各議院の委員会が前条第一項の規定によりその内容に特定秘密である情報が含まれる報告又は記録の提出を求めた場合において、行政機関の長が同条第二項の規定により理由を疎明してその求めに応じなかつたときは、その議院又は委員会は、同条第三項の規定により内閣の声明を要求することに代えて、その議院の情報監視審査会に対し、行政機関の長がその求めに応じないことについて審査を求め、又はこれを要請することができる。

第一〇四条の三【特定秘密の利用の制限】 第百四条の規定により、その内容に特定秘密である情報を含む報告又は記録が各議院又は各議院の委員会に提出されたときは、その報告又は記録は、その議院の議員又は委員会の委員及びその事務を行う職員に限り、かつ、その審査又は調査に必要な範囲で、利用し、又は知ることができるものとする。

第一〇五条【会計検査の要求】 各議院又は各議院の委員会は、審査又は調査のため必要があるときは、会計検査院に対し、特定の事項について会計検査を行い、その結果を報告するよう求めることができる。

第一〇六条【証人等の旅費・日当】 各議院は、審査又は調査のため、証人又は参考人が出頭し、又は陳述したときは、別に定めるところにより旅費及び日当を支給する。

第十三章　辞職、退職、補欠及び資格争訟

第一〇七条【議員辞職の許可】 各議院は、その議員の辞職を許可することができる。但し、閉会中は、議長においてこれを許可することができる。

第一〇八条【議員の退職】 各議院の議員が、他の議院の議員となつたときは、退職者となる。

第一〇九条【同前】 各議院の議員が、法律に定めた被選の資格を失つたときは、退職者となる。

第一〇九条の二【同前】 ① 衆議院の比例代表選出議員が、議員となつた日以後において、当該議員が衆議院名簿登載者（公職選挙法（昭和二十五年法律第百号）第八十六条の二第一項に規定する衆議院名簿登載者をいう。以下この項において同じ。）であつた衆議院名簿届出政党等（同条第一項の規定による届出をした政党その他の政治団体をいう。以下この項において同じ。）以外の政党その他の政治団体で、当該議員が選出された選挙における衆議院名簿届出政党等であるもの（当該議員が衆議院名簿登載者であつた衆議院名簿届出政党等（当該衆議院名簿届出政党等に係る合併又は分割（二以上の政党その他の政治団体の設立を目的として一の政党その他の政治団体が解散し、当該二以上の政党その他の政治団体が設立されることをいう。次項において同じ。）が行われた場合における当該合併後に存続する政党その他の政治団体若しくは当該合併により設立された政党その他の政治団体又は当該分割により設立された政党その他の政治団体を含む。）を含む二以上の政党その他の政治団体の合併により当該合併後に存続するものを除く。）に所属する者となつたとき（議員となつた日において所属する者である場合を含む。）は、退職者となる。

② 参議院の比例代表選出議員が、議員となつた日以後において、当該議員が参議院名簿登載者（公職選挙法第八十六条の三第一項に規定する参議院名簿登載者をいう。以下この項において同じ。）であつた参議院名簿届出政党等（同条第一項の規定による届出をした政党その他の政治団体をいう。以下この項において同じ。）以外の政党その他の政治団体で、当該議員が選出された選挙における参議院名簿届出政党等であるもの（当該議員が参議院名簿登載者であつた参議院名簿届出政党等（当該参議院名簿届出政党等に係る合併又は分割が行われた場合における当該合併後に存続する政党その他の政治団体若しくは当該合併により設立された政党その他の政治団体又は当該分割により設立された政党その他の政治団体を含む。）を含む二以上の政党その他の政治団体の合併により当該合併後に存続するものを除く。）に所属する者となつたとき（議員となつた日において所属する者である場合を含む。）は、退職者となる。

第一一〇条【欠員の通知】 各議院の議員に欠員が生じたときは、その院の議長は、内閣総理大臣に通知しなければならない。

第一一一条【資格争訟】 ① 各議院において、その議員の資格につき争訟があるときは、委員会の審査を経た後これを議決する。

② 前項の争訟は、その院の議員から文書でこれを議長に提起しなければならない。

第一一二条【同前―弁護人】 ① 資格争訟を提起された議員は、二人以内の弁護人を依頼することができる。

② 前項の弁護人の中一人の費用は、国費でこれを支弁する。

第一一三条【同前―被告議員の地位】 議員は、その資格のないことが証明されるまで、議院において議員としての地位及び権能を失わない。但し、自己の資格争訟に関する会議において弁明はできるが、その表決に加わることができない。

第十四章　紀律及び警察

第一一四条【議長の内部警察権】 国会の会期中各議院の紀律を保持するため、内部警察の権は、この法律及び各議院の定める規則に従い、議長が、これを行う。閉会中もまた、同様とする。

第一一五条【警察官の派出】 各議院において必要とする警察官は、議長の要求により内閣がこれを派出し、議長の指揮を受ける。

第一一六条【会議の紀律】 会議中議員がこの法律又は議事規則に違いその他議場の秩序をみだし又は議院の品位を傷けるときは、議長は、これを警戒し、又は制止し、又は発言を取り消させる。命に従わないときは、議長は、当日の会議を終るまで、又は議事が翌日に継続した場合はその議事を終るまで、発言を禁止し、又は議場の外に退去させることができる。

第一一七条【同前】 議長は、議場を整理し難いときは、休憩を宣告し、又は散会することができる。

第一一八条【同前】 ① 傍聴人が議場の妨害をするときは、議長は、これを退場させ、必要な場合は、これを警察官庁に引渡すことができる。

② 傍聴席が騒がしいときは、議長は、すべての傍聴人を退場させることができる。

第一一八条の二【同前】 議員以外の者が議院内部において秩序をみだしたときは、議長は、これを院外に退去させ、必要な場合は、これを警察官庁に引渡すことができる。

第一一九条【同前】 各議院において、無礼の言を用い、又は他人の私生活にわたる言論をしてはならない。

第一二〇条【侮辱に対する訴え】 議院の会議又は委員会において、侮辱を被つた議員は、これを議院に訴えて処分を求めることができる。

第十五章　懲罰

第一二一条【懲罰の手続】 ① 各議院において懲罰事犯があるときは、議長は、先ずこれを懲罰委員会に付し審査させ、議院の議を経てこれを宣告する。

② 委員会において懲罰事犯があるときは、委員長は、これを議長に報告し処分を求めなければならない。

③ 議員は、衆議院においては四十人以上、参議院においては二十人以上の賛成で懲罰の動議を提出することができる。この動議は、事犯があつた日から三日以内にこれを提出しなければならない。

第一二一条の二【次の会期における懲罰】 ① 会期の終了日又はその前日に生じた懲罰事犯で、議長が懲罰委員会に付することができなかつたもの並びに懲罰委員会に付され、閉会中審査の議決に至らなかつたもの及び委員会の審査を終了し議院の議決に至らなかつたものについては、議長は、次の国会の召集の日

から三日以内にこれを懲罰委員会に付することができる。

② 議員は、会期の終了日又はその前日に生じた事犯で、懲罰の動議を提出するいとまがなかつたもの及び動議が提出され議決に至らなかつたもの並びに懲罰委員会に付され、閉会中審査の議決に至らなかつたものについては、前条第三項に規定する定数の議員の賛成で、次の国会の召集の日から三日以内に懲罰の動議を提出することができる。

③ 前二項の規定は、衆議院にあつては衆議院議員の総選挙の後最初に召集される国会において、参議院にあつては参議院議員の通常選挙の後最初に召集される国会において、前の国会の会期の終了日又はその前日における懲罰事犯については、それぞれこれを適用しない。

第一二一条の三【閉会中の行為に対する懲罰】① 閉会中、委員会その他議院内部において懲罰事犯があるときは、議長は、次の国会の召集の日から三日以内にこれを懲罰委員会に付することができる。

② 議員は、閉会中、委員会その他議院内部において生じた事犯について、第百二十一条第三項に規定する定数の議員の賛成で、次の国会の召集の日から三日以内に懲罰の動議を提出することができる。

第一二二条【懲罰の種類】懲罰は、左の通りとする。

一 公開議場における戒告
二 公開議場における陳謝
三 一定期間の登院停止
四 除名

第一二三条【除名議員の再選】両議院は、除名された議員で再び当選した者を拒むことができない。

第一二四条【不当欠席議員の懲罰】議員が正当な理由がなくて召集日から七日以内に召集に応じないため、又は正当な理由がなくて会議又は委員会に欠席したため、若しくは請暇の期限を過ぎたため、議長が、特に招状を発し、その招状を受け取つた日から七日以内に、なお、故なく出席しない者は、議長が、これを懲罰委員会に付する。

第十五章の二 政治倫理

第一二四条の二【政治倫理綱領及び行為規範】議員は、各議院の議決により定める政治倫理綱領及びこれにのつとり各議院の議決により定める行為規範を遵守しなければならない。

第一二四条の三【政治倫理審査会】政治倫理の確立のため、各議院に政治倫理審査会を設ける。

第一二四条の四【同前】前条に定めるもののほか、政治倫理審査会に関する事項は、各議院の議決によりこれを定める。

第十六章 弾劾裁判所

第一二五条【弾劾裁判所】① 裁判官の弾劾は、各議院においてその議員の中から選挙された同数の裁判員で組織する弾劾裁判所がこれを行う。

② 弾劾裁判所の裁判長は、裁判員がこれを互選する。

第一二六条【訴追委員会】① 裁判官の罷免の訴追は、各議院においてその議員の中から選挙された同数の訴追委員で組織する訴追委員会がこれを行う。

② 訴追委員会の委員長は、その委員がこれを互選する。

第一二七条【裁判員訴追委員兼任の禁止】弾劾裁判所の裁判員は、同時に訴追委員となることができない。

第一二八条【予備員】各議院は、裁判員又は訴追委員を選挙する際、その予備員を選挙する。

第一二九条【裁判官弾劾法】この法律に定めるものの外、弾劾裁判所及び訴追委員会に関する事項は、別に法律でこれを定める。

第十七章 国立国会図書館、法制局、議員秘書及び議員会館

第一三〇条【国立国会図書館】議員の調査研究に資するため、別に定める法律により、国会に国立国会図書館を置く。

第一三一条【法制局】① 議員の法制に関する立案に資するため、各議院に法制局を置く。

② 各法制局に、法制局長一人、参事その他必要な職員を置く。

③ 法制局長は、議長が議院の承認を得てこれを任免する。但し、閉会中は、議長においてその辞任を許可することができる。

④ 法制局長は、議長の監督の下に、法制局の事務を統理する。

⑤ 法制局の参事その他の職員は、法制局長が議長の同意及び議院運営委員会の承認を得てこれを任免する。

⑥ 法制局の参事は、法制局長の命を受け事務を掌理する。

第一三二条【議員秘書】① 各議員に、その職務の遂行を補佐する秘書二人を付する。

② 前項に定めるもののほか、主として議員の政策立案及び立法活動を補佐する秘書一人を付することができる。

第一三二条の二【議員会館】議員の職務の遂行の便に供するため、議員会館を設け、各議員に事務室を提供する。

第十八章 補則

第一三三条【期間の計算】この法律及び各議院の規則による期間の計算は、当日から起算する。

附 則（抄）

① この法律は、日本国憲法施行の日（昭和二二・五・三）から、これを施行する。

② 議院法は、これを廃止する。

⑪ 内閣は、当分の間毎年、国会に、前項の法律（東京電力福島原子力発電所事故調査委員会法）の規定により送付を受けた東京電力福島原子力発電所事故調査委員会の報告書を受けて講じた措置に関する報告書を提出しなければならない。

○議院における証人の宣誓及び証言等に関する法律（昭和二二・一二・二三 法 二 二 五）

施行　昭和二二・一二・二三（附則）
最終改正　令和四法六八

第一条【証人の出頭・書類の提出又は提示の義務】 各議院から、議案その他の審査又は国政に関する調査のため、証人として出頭及び証言又は書類の提出（提示を含むものとする。以下同じ。）を求められたときは、この法律に別段の定めのある場合を除いて、何人でも、これに応じなければならない。

第一条の二【議院外出頭】 ① 各議院は、疾病その他の理由により証人として議院に出頭することが困難な場合であつて、議案その他の審査又は国政に関する調査のため証言を求めることが特に必要なときに限り、証人として議院外の指定する場所に出頭すべき旨の要求をし、又は証人としてその現在場所において証言すべき旨の要求をすることができる。

② 前項の場合には、各議院若しくは委員会又は両議院の合同審査会の決定に基づき、その指名する二人以上の議員又は委員（以下「派遣議員等」という。）を派遣し、証人に証言を求めるものとする。

第一条の三【出頭・書類提出の要求の際の通知】 ① 各議院は、証人として出頭すべき旨の要求をするときは、出頭すべき日（証人としてその現在場所において証言すべき旨の要求をするときは、証言すべき日）の五日（外国にある者については、十日）前までに、証人に対してその旨を通知するものとする。ただし、特別の事情がある場合において証人の同意があるときは、この限りでない。

② 各議院は、前項の通知をする場合には、具体的に記載された証言を求める事項及び正当の理由がなくて出頭しないときは刑罰に処せられる旨（証人としてその現在場所において証言すべき旨の要求をする場合には、正当の理由がなくてその要求を拒んだときは刑罰に処せられる旨）を併せて通知するものとする。

③ 各議院は、証人として書類の提出を求めるときは、次に掲げる事項を通知するものとする。
一　第四条第一項に規定する者が刑事訴追を受け、又は有罪判決を受けるおそれのあるときは、書類の提出を拒むことができること。
二　第四条第二項本文に規定する者が業務上委託を受けたため知り得た事実で他人の秘密に関するものについては、書類の提出を拒むことができること。
三　正当の理由がなくて書類を提出しないときは刑罰に処せられること。

第一条の四【補佐人】 ① 証人は、各議院の議長若しくは委員長又は両議院の合同審査会の会長の許可を得て、補佐人を選任することができる。

② 補佐人は、弁護士のうちから選任するようにするものとする。

③ 補佐人は、証人の求めに応じ、宣誓及び証言の拒絶に関する事項に関し、助言することができる。

第一条の五【宣誓前の告知】 証人には、宣誓前に、次に掲げる事項を告げなければならない。
一　第四条第一項に規定する者が刑事訴追を受け、又は有罪判決を受けるおそれのあるときは、宣誓又は証言を拒むことができること。
二　第四条第二項本文に規定する者が業務上委託を受けたため知り得た事実で他人の秘密に関するものについては、宣誓又は証言を拒むことができること。
三　正当の理由がなくて宣誓又は証言を拒んだときは刑罰に処せられること。
四　虚偽の陳述をしたときは刑罰に処せられること。

第二条【証人の宣誓】 各議院若しくは委員会又は両議院の合同審査会が証人に証言を求めるとき（派遣議員等を派遣して証言を求めるときを含む。）は、この法律に別段の定めのある場合を除いて、その前に宣誓をさせなければならない。

第三条【宣誓の方式】 ① 宣誓を行う場合は、証人に宣誓書を朗読させ、且つこれに署名捺印させるものとする。

② 宣誓書には、良心に従つて、真実を述べ、何事もかくさず、又、何事もつけ加えないことを誓う旨が記載されていなければならない。

第四条【宣誓・証言・書類提出の拒絶】 ① 証人は、自己又は次に掲げる者が刑事訴追を受け、又は有罪判決を受けるおそれのあるときは、宣誓、証言又は書類の提出を拒むことができる。
一　自己の配偶者、三親等内の血族若しくは二親等内の姻族又は自己とこれらの親族関係があつた者
二　自己の後見人、後見監督人又は保佐人
三　自己を後見人、後見監督人又は保佐人とする者

② 医師、歯科医師、薬剤師、助産師、看護師、弁護士（外国法事務弁護士を含む。）、弁理士、公証人、宗教の職にある者又はこれらの職にあつた者は、業務上委託を受けたため知り得た事実で他人の秘密に関するものについては、宣誓、証言又は書類の提出を拒むことができる。ただし、本人が承諾した場合は、この限りでない。

③ 証人は、宣誓、証言又は書類の提出を拒むときは、その事由を示さなければならない。

第五条【公務員の職務上の秘密に関する証言・書類の提出】 ① 各議院若しくは委員会又は両議院の合同審査会は、証人が公務員（国務大臣、内閣官房副長官、内閣総理大臣補佐官、副大臣、大臣政務官及び大臣補佐官以外の国会議員を除く。以下同じ。）である場合又は公務員であつた場合その者が知り得た事実について、本人又は当該公務所から職務上の秘密に関するものであることを申し立てたときは、当該公務所又はその監督庁の承認がなければ、証言又は書類の提出を求めることができない。

② 当該公務所又はその監督庁が前項の承認を拒むときは、その理由を疏明しなければならない。その理由をその議院若しくは委員会又は合同審査会において受諾し得る場合には、証人は証言又は書類を提出する必要がない。

③ 前項の理由を受諾することができない場合は、その議院若しくは委員会又は合同審査会は、更にその証言又は書類の提出が国家の重大な利益に悪影響を及ぼす旨の内閣の声明を要求することができる。その声明があつた場合は、証人は証言又は書類を提出する必要がない。

④ 前項の要求後十日以内に、内閣がその声明を出さないときは、証人は、先に要求された証言をし、又は書類を提出しなければならない。

第五条の二【特定秘密を含む証言・書類提出】 各議院若しくは各議院の委員会又は両議院の合同審査会が第一条の規定によりその内容に特定秘密（特定秘密の保護に関する法律（平成二十五年法律第百八号。以下「特定秘密保護法」という。）第三条第一項に規定する特定秘密をいう。以下同じ。）である情報が含まれる証言又は特定秘密である情報を記録する書類の提出を公務員である証人又は公務員であつた証人に求めた場合において、これらの証言又は書類に係る特定秘密の指定（同項の規定による指定をいう。以下この条及び次条において同じ。）をした行政機関の長（同項に規定する行政機関の長をいう。）が前条第二項の規定により理由を疏明して同条第一項の承認を拒んだときは、その議院若しくは委員会又は両議院の合同審査会は、同条第三項の規定により内閣の声明を要求することに代えて、その議院（両議院の合同審査会にあつては、その会長が属する議院）の情報監視審査会に対し、行政機関の長が同条第一項の承認を拒んだことについて審査を求め、又はこれを要請することができ

る。

第五条の三【情報監視審査会による審査】 ① 情報監視審査会は、前条の規定による審査の求め又は要請を受けた場合は、各議院の議決により定めるところにより、これについて審査するものとする。

② 各議院の情報監視審査会から審査のため、行政機関の長に対し、必要な特定秘密の提出を求めたときは、その求めに応じなければならない。

③ 前項の場合における特定秘密保護法第十条第一項及び第二十三条第二項の規定の適用については、特定秘密保護法第十条第一項第一号イ中「各議院又は各議院の委員会若しくは参議院の調査会」とあるのは「各議院の情報監視審査会」と、「国会法（昭和二十二年法律第七十九号）第百四条第一項（同法第五十四条の四第一項において準用する場合を含む。）又は議院における証人の宣誓及び証言等に関する法律（昭和二十二年法律第二百二十五号）第一条」とあるのは「議院における証人の宣誓及び証言等に関する法律（昭和二十二年法律第二百二十五号）第五条の三第二項」と、「審査又は調査であって、国会法第五十二条第二項（同法第五十四条の四第一項において準用する場合を含む。）又は第六十二条の規定により公開しないこととされたもの」とあるのは「審査（公開しないで行われるものに限る。）」と、特定秘密保護法第二十三条第二項中「第十条」とあるのは「第十条（議院における証人の宣誓及び証言等に関する法律第五条の三第三項の規定により読み替えて適用する場合を含む。）」とする。

④ 行政機関の長が第二項の求めに応じないときは、その理由を疎明しなければならない。その理由をその情報監視審査会において受諾し得る場合には、行政機関の長は、その特定秘密の提出をする必要がない。

⑤ 前項の理由を受諾することができない場合は、その情報監視審査会は、更にその特定秘密の提出が我が国の安全保障に著しい支障を及ぼすおそれがある旨の内閣の声明を要求することができる。その声明があつた場合は、行政機関の長は、その特定秘密の提出をする必要がない。

⑥ 前項の要求後十日以内に、内閣がその声明を出さないときは、行政機関の長は、先に求められた特定秘密の提出をしなければならない。

⑦ 情報監視審査会は、第一項の審査の結果に基づき必要があると認めるときは、行政機関の長に対し、当該審査の求め又は要請をした議院若しくは委員会又は両議院の合同審査会の求めに応じて第五条第一項の承認をすべき旨の勧告をすることができる。この場合において、当該勧告は、その承認を求める証言又は書類の範囲を限定して行うことができる。

⑧ 第四項から第六項までの規定は、行政機関の長が前項の勧告に従わない場合について準用する。この場合において、第四項及び第五項中「行政機関の長は」とあるのは「証人は」と、「その特定秘密の提出」とあるのは「その勧告に係る証言又は書類の提出」と、第六項中「行政機関の長は」とあるのは「証人は」と、「先に求められた特定秘密の提出」とあるのは「その勧告に係る証言又は書類の提出」と読み替えるものとする。

⑨ 情報監視審査会は、第一項の審査の結果を、当該審査の求め又は要請をした議院若しくは委員会又は両議院の合同審査会に対して通知するものとする。

第五条の四【特定秘密の利用の制限】 前条の規定により、特定秘密が各議院の情報監視審査会に提出されたときは、その特定秘密は、その情報監視審査会の委員及び各議院の議決により定める者並びにその事務を行う職員に限り、かつ、その審査に必要な範囲で、利用し、又は知ることができるものとする。

第五条の五【同前】 第一条の規定により、各議院若しくは委員会又は両議院の合同審査会に、その内容に特定秘密である情報が含まれる証言がされ、又は特定秘密である情報を記録する書類が提出されたときは、その証言又は書類は、その議院の議員若しくは委員会の委員又は合同審査会の委員及びその事務を行う職員に限り、かつ、その審査又は調査に必要な範囲で、利用し、又は知ることができるものとする。

第五条の六【尋問の制限】 各議院の議長若しくは委員長又は両議院の合同審査会の会長は、議員又は委員の証人に対する尋問が、証言を求める事項と無関係な尋問、威嚇的又は侮辱的な尋問その他適切でない尋問と認めるときは、これを制限することができる。

第五条の七【宣誓・証言中の撮影・録音の許可】 ① 委員会又は両議院の合同審査会における証人の宣誓及び証言中の撮影及び録音については、委員長又は両議院の合同審査会の会長が、証人の意見を聴いた上で、委員会又は両議院の合同審査会に諮り、これを許可する。

② 証人は、前項の意見を述べるに当たつては、その理由について説明することを要しない。

第五条の八【証人等の被害についての給付】 国は、証人として出頭し、証言し、若しくは書類を提出し、又は証人として出頭しようとし、証言しようとし、若しくは書類を提出しようとしたことにより、当該証人又はその配偶者（婚姻の届出をしないが、事実上婚姻関係と同様の事情にある者を含む。）、直系血族若しくは同居の親族が、他人からその身体又は生命に害を加えられた場合における被害者その他の者に対し、証人等の被害についての給付に関する法律（昭和三十三年法律第百九号）の規定の例により、給付を行う。この場合において、同法第六条中「政令で定める」とあるのは「両議院の議長が協議して定めるところによる」と、同法第九条第一項中「法務大臣」とあるのは「各議院の議長」とする。

第六条【偽証の罪、自白による刑の減免】 ① この法律により宣誓した証人が虚偽の陳述をしたときは、三月以上十年以下の拘禁刑に処する。

② 前項の罪を犯した者が当該議院若しくは委員会又は両議院の合同審査会の審査又は調査の終わる前であつて、かつ、犯罪の発覚する前に自白したときは、その刑を減軽又は免除することができる。

第七条【不出頭・書類不提出・宣誓・証言拒絶の罪】 ① 正当の理由がなくて、証人が出頭せず、現在場所において証言すべきことの要求を拒み、若しくは要求された書類を提出しないとき、又は証人が宣誓若しくは証言を拒んだときは、一年以下の拘禁刑又は十万円以下の罰金に処する。

② 前項の罪を犯した者には、情状により、拘禁刑及び罰金を併科することができる。

第八条【告発】 ① 各議院若しくは委員会又は両議院の合同審査会は、証人が前二条の罪を犯したものと認めたときは、告発しなければならない。但し、虚偽の証言をした者が当該議院若しくは委員会又は合同審査会の審査又は調査の終る前であつて、且つ犯罪の発覚する前に自白したときは、当該議院は、告発しないことを議決することができる。合同審査会における事件は、両議院の議決を要する。

② 委員会又は両議院の合同審査会が前項の規定により告発するには、出席委員の三分の二以上の多数による議決を要する。

第九条【証人等への面会強要・威迫の罪】 証人又はその親族に対し、当該証人の出頭、証言又は書類の提出に関し、正当の理由がなくて、面会を強要し、又は威迫する言動をした者は、一年以下の拘禁刑又は十万円以下の罰金に処する。

刑法等の一部を改正する法律の施行に伴う関係法律整理法中経過規定 （令和四・六・一七法六八）（抄）

第四四一条から第四四三条まで （刑法の同経過規定参照）

第五〇九条 （刑法の同経過規定参照）

刑法等の一部を改正する法律の施行に伴う関係法律整理法附則 （令和四・六・一七法六八）（抄）

① **（施行期日）** この法律は、刑法等一部改正法（刑法等の一部を改正する法

律（令和四法六七））施行日（令和七・六・一）から施行する。ただし、次の各号に掲げる規定は、当該各号に定める日から施行する。
一　第五百九条の規定　公布の日
二　（略）

●公職選挙法（抄）

（昭和二五・四・一五
法　一　〇　〇）

施行　昭和二五・五・一（附則）
改正　（平成一六年以前の改正は重要なもののみ掲げる）昭和三九**法一三二**、昭和五〇**法六三**、昭和五七**法八一**、昭和六一**法六七**、平成四**法九七**、平成六**法二**（平成六**法一〇**）、平成一二**法一一八**、平成一七法五〇・法七二・法八二・法一〇二、平成一八法五二・法六二（平成一八法九三）・法九三・法一一三・法一一八、平成一九法三・法五三・法五八・法六四・法八六、平成二二法六五、平成二三法三五、平成二四法三〇・法六七・法八〇・法九四・**法九五**（平成二五**法六八**）、平成二五法一〇・法二一・法九三、平成二六法二二・法四二・法六七・法六九・法七〇、平成二七法三六・**法四三**・**法六〇**、平成二八法八・法二四・法二五・**法四九**（平成二九法五八）・法九三・法九四、平成二九法六六、平成三〇法六五・法七五、令和一法一・法一六、令和二法四一・法四五、令和三法五一、令和四法一六・法四八・法五二・法六八・法八九

目次

第一章　総則（抄）

（この法律の目的）
第一条　この法律は、日本国憲法の精神に則り、衆議院議員、参議院議員並びに地方公共団体の議会の議員及び長を公選する選挙制度を確立し、その選挙が選挙人の自由に表明せる意思によつて公明且つ適正に行われることを確保し、もつて民主政治の健全な発達を期することを目的とする。

（この法律の適用範囲）
第二条　この法律は、衆議院議員、参議院議員並びに地方公共団体の議会の議員及び長の選挙について、適用する。

（公職の定義）
第三条　この法律において「公職」とは、衆議院議員、参議院議員並びに地方公共団体の議会の議員及び長の職をいう。

（議員の定数）
第四条①　衆議院議員の定数は、四百六十五人とし、そのうち、二百八十九人を小選挙区選出議員、百七十六人を比例代表選出議員とする。
②　参議院議員の定数は二百四十八人とし、そのうち、百人を比例代表選出議員、百四十八人を選挙区選出議員とする。
③　地方公共団体の議会の議員の定数は、地方自治法（昭和二十二年法律第六十七号）の定めるところによる。

（選挙事務の管理）
第五条　この法律において選挙に関する事務は、特別の定めがある場合を除くほか、衆議院（比例代表選出）議員又は参議院（比例代表選出）議員の選挙については中央選挙管理会が管理し、衆議院（小選挙区選出）議員、参議院（選挙区選出）議員、都道府県の議会の議員又は都道府県知事の選挙については都道府県の選挙管理委員会が管理し、市町村の議会の議員又は市町村長の選挙については市町村の選挙管理委員会が管理する。

（中央選挙管理会）
第五条の二①　中央選挙管理会は、委員五人をもつて組織する。
②　委員は、国会議員以外の者で参議院議員の被選挙権を有する者の中から国会の議決による指名に基いて、内閣総理大臣が任命する。
③　前項の指名に当つては、同一の政党その他の政治団体に属する者が、三人以上とならないようにしなければならない。
④　内閣総理大臣は、委員が次の各号のいずれかに該当するに至つた場合は、その委員を罷免するものとする。ただし、第二号及び第三号の場合においては、国会の同意を得なければならない。
一　参議院議員の被選挙権を有しなくなつた場合
二　心身の故障のため、職務を執行することができない場合
三　職務上の義務に違反し、その他委員たるに適しない非行があつた場合
⑤　委員のうち同一の政党その他の政治団体に属する者が三人以上となつた場合においては、内閣総理大臣は、くじで定める二人以外の委員を罷免するものとする。
⑥　国会は、第二項の規定による委員の指名を行う場合においては、同時に委員と同数の予備委員の指名を行わなければならない。予備委員が欠けた場合においては、同時に委員の指名を行うときに限り、予備委員の指名を行う。
⑦　予備委員は、委員が欠けた場合又は故障のある場合に、その職務を行う。
⑧　第二項から第五項までの規定は、予備委員について準用する。
⑨　委員の任期は、三年とする。但し、補欠委員の任期は、その前任者の残任期間とする。
⑩　前項の規定にかかわらず、委員は、国会の閉会又は衆議院の解散の場合に任期が満了したときは、あらたに委員が、その後最初に召集された国会における指名に基いて任命されるまでの間、なお、在任するものとする。
⑪　委員は、非常勤とする。
⑫　委員長は、委員の中から互選しなければならない。
⑬　委員長は、中央選挙管理会を代表し、その事務を総理する。
⑭　中央選挙管理会の会議は、その委員の半数以上の出席がなければ開くことができない。
⑮　中央選挙管理会の議事は、出席委員の過半数で決し、可否同数のときは委員長の決するところによる。
⑯　中央選挙管理会の庶務は、総務省において行う。
⑰　前各項に定めるものの外、中央選挙管理会の運営に関し必要な事項は、中央選挙管理会が定める。

第五条の三から第五条の五まで　（略）

（参議院合同選挙区選挙管理委員会）
第五条の六①　二の都道府県の区域を区域とする参議院（選挙区

選出）議員の選挙区内の当該二の都道府県（以下「合同選挙区都道府県」という。）は、協議により規約を定め、共同して参議院合同選挙区選挙管理委員会を置くものとする。

② 参議院（選挙区選出）議員の選挙のうち二の都道府県の区域を区域とする選挙区において行われるもの（以下「参議院合同選挙区選挙」という。）に関する事務は、第五条の規定にかかわらず、参議院合同選挙区選挙管理委員会が管理する。この場合において、参議院合同選挙区選挙管理委員会が管理する事務は、地方自治法第二条第九項第一号に規定する第一号法定受託事務とみなして、同法その他の法令の規定を適用する。

③ 参議院合同選挙区選挙管理委員会は、委員八人をもつて組織する。

④ 委員は、合同選挙区都道府県の選挙管理委員会の委員をもつて充てる。

⑤ 委員は、合同選挙区都道府県の選挙管理委員会の委員でなくなつたときに限り、その職を失う。

⑥ 委員の任期は、合同選挙区都道府県の選挙管理委員会の委員としての任期による。ただし、地方自治法第百八十三条第一項ただし書の規定により後任者が就任する時まで合同選挙区都道府県の選挙管理委員会の委員として在任する間は、委員として在任する。

⑦ 委員は、非常勤とする。

⑧ 委員は、合同選挙区都道府県に対しその職務に関し請負をする者及びその支配人又は主として同一の行為をする法人（当該合同選挙区都道府県が出資している法人で政令で定めるものを除く。）の無限責任社員、取締役、執行役若しくは監査役若しくはこれらに準ずべき者、支配人及び清算人たることができない。

⑨ 参議院合同選挙区選挙管理委員会の委員長は、委員の中から互選しなければならない。

⑩ 委員長は、参議院合同選挙区選挙管理委員会を代表し、その事務を総理する。

⑪ 参議院合同選挙区選挙管理委員会の会議は、五人以上の委員の出席がなければ開くことができない。

⑫ 参議院合同選挙区選挙管理委員会の議事は、出席委員の過半数で決し、可否同数のときは委員長の決するところによる。

⑬ 参議院合同選挙区選挙管理委員会に職員を置く。

⑭ 前項の職員は、合同選挙区都道府県の選挙管理委員会が協議して定めるところにより、合同選挙区都道府県の選挙管理委員会の職員をもつて充てるものとする。ただし、合同選挙区都道府県の知事が協議して定めるところにより、その補助機関である職員をもつて充てることを妨げない。

⑮ 第十三項の職員は、委員長の命を受け、参議院合同選挙区選挙管理委員会に関する事務に従事する。

⑯ 参議院合同選挙区選挙管理委員会の設置に関する規約には、次に掲げる事項につき規定を設けなければならない。

一 参議院合同選挙区選挙管理委員会の名称
二 参議院合同選挙区選挙管理委員会の経費の支弁の方法
三 参議院合同選挙区選挙管理委員会の執務場所
四 前三号に掲げるもののほか、参議院合同選挙区選挙管理委員会に関し必要な事項

⑰ 参議院合同選挙区選挙管理委員会の処分又は裁決（行政事件訴訟法（昭和三十七年法律第百三十九号）第三条第二項に規定する処分又は同条第三項に規定する裁決をいう。）に係る同法第十一条第一項（同法第三十八条第一項（同法第四十三条第二項において準用する場合を含む。）又は同法第四十三条第一項において準用する場合を含む。）の規定による合同選挙区都道府県を被告とする訴訟については、参議院合同選挙区選挙管理委員会が当該合同選挙区都道府県を代表する。

⑱ この法律又はこれに基づく政令で特別の定めをするものを除くほか、参議院合同選挙区選挙管理委員会については、これを各合同選挙区都道府県の地方自治法第百三十八条の四第一項に規定する委員会とみなして、同法その他の法令の規定を適用する。

⑲ この法律及びこれに基づく政令並びに参議院合同選挙区選挙管理委員会の設置に関する規約に規定するものを除くほか、参議院合同選挙区選挙管理委員会に関し必要な事項は、参議院合同選挙区選挙管理委員会が定める。

第五条の七から第五条の一〇まで　（略）

第六条（選挙に関する啓発、周知等）① 総務大臣、中央選挙管理会、参議院合同選挙区選挙管理委員会、都道府県の選挙管理委員会及び市町村の選挙管理委員会は、選挙が公明かつ適正に行われるように、常にあらゆる機会を通じて選挙人の政治常識の向上に努めるとともに、特に選挙に際しては投票の方法、選挙違反その他選挙に関し必要と認める事項を選挙人に周知させなければならない。

② 中央選挙管理会、参議院合同選挙区選挙管理委員会、都道府県の選挙管理委員会及び市町村の選挙管理委員会は、選挙の結果を選挙人に対して速やかに知らせるように努めなければならない。

③ 選挙人に対しては、特別の事情がない限り、選挙の当日、その選挙権を行使するために必要な時間を与えるよう措置されなければならない。

（選挙取締の公正確保）

第七条 検察官、都道府県公安委員会の委員及び警察官は、選挙の取締に関する規定を公正に執行しなければならない。

（特定地域に関する特例）

第八条 交通至難の島その他の地において、この法律の規定を適用し難い事項については、政令で特別の定をすることができる。

第二章　選挙権及び被選挙権

（選挙権）

第九条① 日本国民で年齢満十八年以上の者は、衆議院議員及び参議院議員の選挙権を有する。

② 日本国民たる年齢満十八年以上の者で引き続き三箇月以上市町村の区域内に住所を有する者は、その属する地方公共団体の議会の議員及び長の選挙権を有する。

③ 日本国民たる年齢満十八年以上の者でその属する市町村を包括する都道府県の区域内の一の市町村の区域内に引き続き三箇月以上住所を有していたことがあり、かつ、その後も引き続き当該都道府県の区域内に住所を有するものは、前項に規定する住所に関する要件にかかわらず、当該都道府県の議会の議員及び長の選挙権を有する。

④ 前二項の市町村には、その区域の全部又は一部が廃置分合により当該市町村の区域の全部又は一部となつた市町村であつて、当該廃置分合により消滅した市町村（この項の規定により当該消滅した市町村に含むものとされた市町村を含む。）を含むものとする。

⑤ 第二項及び第三項の三箇月の期間は、市町村の廃置分合又は境界変更のため中断されることがない。

（被選挙権）

第一〇条① 日本国民は、左の各号の区分に従い、それぞれ当該議員又は長の被選挙権を有する。

一 衆議院議員については年齢満二十五年以上の者
二 参議院議員については年齢満三十年以上の者
三 都道府県の議会の議員についてはその選挙権を有する者で年齢満二十五年以上のもの
四 都道府県知事については年齢満三十年以上の者
五 市町村の議会の議員についてはその選挙権を有する者で年齢満二十五年以上のもの
六 市町村長については年齢満二十五年以上の者

② 前項各号の年齢は、選挙の期日により算定する。

（選挙権及び被選挙権を有しない者）

第一一条① 次に掲げる者は、選挙権及び被選挙権を有しない。

一 削除

二　拘禁刑以上の刑に処せられその執行を終わるまでの者
三　拘禁刑以上の刑に処せられその執行を受けることがなくなるまでの者（刑の執行猶予中の者を除く。）
四　公職にある間に犯した刑法（明治四十年法律第四十五号）第百九十七条から第百九十七条の四までの罪又は公職にある者等のあっせん行為による利得等の処罰に関する法律（平成十二年法律第百三十号）第一条の罪により刑に処せられ、その執行を終わり若しくはその執行の免除を受けた者でその執行を終わり若しくはその執行の免除を受けた日から五年を経過しないもの又はその刑の執行猶予中の者
五　法律で定めるところにより行われる選挙、投票及び国民審査に関する犯罪により拘禁刑に処せられその刑の執行猶予中の者

② この法律の定める選挙に関する犯罪により選挙権及び被選挙権を有しない者については、第二百五十二条の定めるところによる。

③ 市町村長は、その市町村に本籍を有する者で他の市町村に住所を有するもの又は他の市町村において第三十条の六の規定による在外選挙人名簿の登録がされているものについて、第一項又は第二百五十二条の規定により選挙権及び被選挙権を有しなくなるべき事由が生じたこと又はその事由がなくなつたことを知つたときは、遅滞なくその旨を当該他の市町村の選挙管理委員会に通知しなければならない。

第一一条の二（被選挙権を有しない者） 公職にある間に犯した前条第一項第四号に規定する罪により刑に処せられその執行を終わり又はその執行の免除を受けた者でその執行を終わり又はその執行の免除を受けた日から五年を経過したものは、当該五年を経過した日から五年間、被選挙権を有しない。

第三章　選挙に関する区域（抄）

（選挙の単位）

第一二条① 衆議院（小選挙区選出）議員、衆議院（比例代表選出）議員、参議院（選挙区選出）議員及び都道府県の議会の議員は、それぞれ各選挙区において、選挙する。

② 参議院（比例代表選出）議員は、全都道府県の区域を通じて、選挙する。

③ 都道府県知事及び市町村長は、当該地方公共団体の区域において、選挙する。

④ 市町村の議会の議員は、選挙区がある場合にあつては、各選挙区において、選挙区がない場合にあつてはその市町村の区域において、選挙する。

（衆議院議員の選挙区）

第一三条① 衆議院（小選挙区選出）議員の選挙区は、別表第一で定め、各選挙区において選挙すべき議員の数は、一人とする。

② 衆議院（比例代表選出）議員の選挙区及び各選挙区において選挙すべき議員の数は、別表第二で定める。

③ 別表第一に掲げる行政区画その他の区域に変更があつても、衆議院（小選挙区選出）議員の選挙区は、なお従前の区域による。ただし、二以上の選挙区にわたつて市町村の境界変更があつたときは、この限りでない。

④ 前項ただし書の場合において、当該市町村の境界変更に係る区域の新たに属することとなつた市町村が二以上の選挙区に分かれているときは、当該区域の選挙区の所属については、政令で定める。

⑤ 衆議院（比例代表選出）議員の二以上の選挙区にわたつて市町村の廃置分合が行われたときは、第二項の規定にかかわらず、別表第一が最初に更正されるまでの間は、衆議院（比例代表選出）議員の選挙区は、なお従前の区域による。

⑥ 地方自治法第六条の二第一項の規定による都道府県の廃置分合があつても、衆議院（比例代表選出）議員の選挙区は、なお従前の区域による。

⑦ 別表第二は、国勢調査（統計法（平成十九年法律第五十三号）第五条第二項本文の規定により十年ごとに行われる国勢調査に限る。以下この項において同じ。）の結果によつて、更正することを例とする。この場合において、各選挙区の議員数は、各選挙区の人口（最近の国勢調査の結果による日本国民の人口をいう。以下この項において同じ。）を比例代表基準除数（その除数で各選挙区の人口を除して得た数（一未満の端数が生じたときは、これを一に切り上げるものとする。）の合計数が第四条第一項に規定する衆議院比例代表選出議員の定数に相当する数と合致することとなる除数をいう。）で除して得た数（一未満の端数が生じたときは、これを一に切り上げるものとする。）とする。

（参議院選挙区選出議員の選挙区）

第一四条① 参議院（選挙区選出）議員の選挙区及び各選挙区において選挙すべき議員の数は、別表第三で定める。

② 地方自治法第六条の二第一項の規定による都道府県の廃置分合があつても、参議院（選挙区選出）議員の選挙区及び各選挙区において選挙すべき議員の数は、なお従前の例による。

（地方公共団体の議会の議員の選挙区）

第一五条① 都道府県の議会の議員の選挙区は、一の市の区域、一の市の区域と隣接する町村の区域を合わせた区域又は隣接する町村の区域を合わせた区域のいずれかによることを基本とし、条例で定める。

② 前項の選挙区は、その人口が当該都道府県の人口を当該都道府県の議会の議員の定数をもつて除して得た数（以下この条において「議員一人当たりの人口」という。）の半数以上になるようにしなければならない。この場合において、一の市の区域の人口が議員一人当たりの人口の半数に達しないときは、隣接する他の市町村の区域と合わせて一選挙区を設けるものとする。

③ 一の市の区域の人口が議員一人当たりの人口の半数以上であつても議員一人当たりの人口に達しないときは、隣接する他の市町村の区域と合わせて一選挙区を設けることができる。

④ 一の町村の区域の人口が議員一人当たりの人口の半数以上であるときは、当該町村の区域をもつて一選挙区とすることができる。

⑤ 一の市町村（地方自治法第二百五十二条の十九第一項の指定都市（以下「指定都市」という。）にあつては、区（総合区を含む。第六項及び第九項において同じ。）。以下この項において同じ。）の区域が二以上の衆議院（小選挙区選出）議員の選挙区に属する区域に分かれている場合における前各項の規定の適用については、当該各区域を市町村の区域とみなすことができる。

⑥ 市町村は、特に必要があるときは、その議会の議員の選挙につき、条例で選挙区を設けることができる。ただし、指定都市については、区の区域をもつて選挙区とする。

⑦ 第一項から第四項まで又は前項の規定により選挙区を設ける場合においては、行政区画、衆議院（小選挙区選出）議員の選挙区、地勢、交通等の事情を総合的に考慮して合理的に行わなければならない。

⑧ 各選挙区において選挙すべき地方公共団体の議会の議員の数は、人口に比例して、条例で定めなければならない。ただし、特別の事情があるときは、おおむね人口を基準とし、地域間の均衡を考慮して定めることができる。

⑨ 指定都市に対し第一項から第三項までの規定を適用する場合における市の区域（市町村の区域に係るものを含む。）は、当該指定都市の区域を二以上の区域に分けた区域とする。この場合において、当該指定都市の区域を分けるに当たつては、第五項の場合を除き、区の区域を分割しないものとする。

⑩ 前各項に定めるもののほか、地方公共団体の議会の議員の選挙区及び各選挙区において選挙すべき議員の数に関し必要な事項は、政令で定める。

第一五条の二から第一八条まで　（略）

第四章　選挙人名簿（抄）

第一九条（永久選挙人名簿）① 選挙人名簿は、永久に据え置くものとし、かつ、各選挙を通じて一の名簿とする。

② 市町村の選挙管理委員会は、選挙人名簿の調製及び保管の任に当たるものとし、毎年三月、六月、九月及び十二月（第二十二条及び第二十四条第一項において「登録月」という。）並びに選挙を行う場合に、選挙人名簿の登録を行うものとする。

③ 選挙人名簿は、政令で定めるところにより、磁気ディスク（これに準ずる方法により一定の事項を確実に記録しておくことができる物を含む。以下同じ。）をもつて調製することができる。

④ 選挙を行う場合において必要があるときは、選挙人名簿の抄本（前項の規定により磁気ディスクをもつて選挙人名簿を調製している市町村の選挙管理委員会にあつては、当該選挙人名簿に記録されている全部若しくは一部の事項又は当該事項を記載した書類。以下同じ。）を用いることができる。

第二〇条（選挙人名簿の記載事項等）① 選挙人名簿には、選挙人の氏名、住所（次条第二項に規定する者にあつては、その者が当該市町村の区域内から住所を移す直前に住民票に記載されていた住所）、性別及び生年月日等の記載（前条第三項の規定により磁気ディスクをもつて調製する選挙人名簿にあつては、記録）をしなければならない。

② 選挙人名簿は、市町村の区域を分けて数投票区を設けた場合には、その投票区ごとに編製しなければならない。

③ 前二項に規定するもののほか、選挙人名簿の様式その他必要な事項は、政令で定める。

第二一条（被登録資格等）① 選挙人名簿の登録は、当該市町村の区域内に住所を有する年齢満十八年以上の日本国民（第十一条第一項若しくは第二百五十二条又は政治資金規正法（昭和二十三年法律第百九十四号）第二十八条の規定により選挙権を有しない者を除く。次項において同じ。）で、その者に係る登録市町村等（当該市町村及び消滅市町村（その区域の全部又は一部が廃置分合により当該市町村の区域の全部又は一部となつた市町村であつて、当該廃置分合により消滅した市町村をいう。第三項において同じ。）をいう。以下この項及び次項において同じ。）の住民票が作成された日（他の市町村から登録市町村等の区域内に住所を移した者で住民基本台帳法（昭和四十二年法律第八十一号）第二十二条の規定により届出をしたものについては、当該届出をした日。次項において同じ。）から引き続き三箇月以上登録市町村等の住民基本台帳に記録されている者について行う。

② 選挙人名簿の登録は、前項の規定によるほか、当該市町村の区域内から住所を移した年齢満十八年以上の日本国民のうち、その者に係る登録市町村等の住民票が作成された日から引き続き三箇月以上登録市町村等の住民基本台帳に記録されていた者であつて、登録市町村等の区域内に住所を有しなくなつた日後四箇月を経過しないものについて行う。

③ 第一項の消滅市町村には、その区域の全部又は一部が廃置分合により当該消滅市町村の区域の全部又は一部となつた市町村であつて、当該廃置分合により消滅した市町村（この項の規定により当該消滅した市町村に含むものとされた市町村を含む。）を含むものとする。

④ 第一項及び第二項の住民基本台帳に記録されている期間は、市町村の廃置分合又は境界変更のため中断されることがない。

⑤ 市町村の選挙管理委員会は、政令で定めるところにより、当該市町村の選挙人名簿に登録される資格を有する者を調査し、その者を選挙人名簿に登録するための整理をしておかなければならない。

第二二条（登録）① 市町村の選挙管理委員会は、政令で定めるところにより、登録月の一日現在により、当該市町村の選挙人名簿に登録される資格を有する者を同日（同日が地方自治法第四条の二第一項の規定に基づき条例で定められた地方公共団体の休日（以下この項及び第二百七十条第一項において「地方公共団体の休日」という。）に当たる場合（当該市町村の区域の全部又は一部を含む区域において選挙が行われる場合において、登録月の一日が当該選挙の期日の公示又は告示の日から当該選挙の期日の前日までの間にあるときを除く。）には、登録月の一日又は同日の直後の地方公共団体の休日以外の日。以下この項において「通常の登録日」という。）に選挙人名簿に登録しなければならない。ただし、市町村の選挙管理委員会は、天災その他特別の事情がある場合には、政令で定めるところにより、登録の日を通常の登録日後に変更することができる。

② 前項の規定による登録は、当該市町村の区域の全部又は一部を含む区域において選挙が行われる場合において、登録月の一日が当該選挙の期日の公示又は告示の日から当該選挙の期日の前日までの間にあるとき（同項ただし書の規定により登録の日を当該選挙の期日後に変更する場合を除く。）には、同項本文の規定にかかわらず、登録月の一日現在（当該市町村の選挙人名簿に登録される資格のうち選挙人の年齢については、当該選挙の期日現在）により、行わなければならない。

③ 市町村の選挙管理委員会は、選挙を行う場合には、政令で定めるところにより、当該選挙に関する事務を管理する選挙管理委員会（衆議院比例代表選出議員又は参議院比例代表選出議員の選挙については中央選挙管理会、参議院合同選挙区選挙については当該選挙に関する事務を管理する参議院合同選挙区選挙管理委員会）が定める日（以下この条において「選挙時登録の基準日」という。）現在（当該市町村の選挙人名簿に登録される資格のうち選挙人の年齢については、当該選挙の期日現在）により、当該市町村の選挙人名簿に登録される資格を有する者を当該選挙時登録の基準日に選挙人名簿に登録しなければならない。

④ 第一項の規定による登録は、選挙時登録の基準日と登録月の一日とが同一の日となる場合には、行わない。

第二三条 削除

第二四条（異議の申出）① 選挙人は、選挙人名簿の登録に関し不服があるときは、次の各号に掲げる区分に応じ、当該各号に定める期間又は期日に、文書で当該市町村の選挙管理委員会に異議を申し出ることができる。

一 第二十二条第一項の規定による選挙人名簿の登録（当該市町村の区域の全部又は一部を含む区域において選挙が行われる場合において、登録月の一日が当該選挙の期日の公示又は告示の日から当該選挙の期日の前々日までの間にあるとき（同項ただし書の規定により登録の日を当該選挙の期日後に変更する場合を除く。）を除く。） 当該登録が行われた日の翌日から五日間

二 第二十二条第一項の規定による選挙人名簿の登録（当該市町村の区域の全部又は一部を含む区域において選挙が行われる場合において、登録月の一日が当該選挙の期日の公示又は告示の日から当該選挙の期日の前々日までの間にあるとき（同項ただし書の規定により登録の日を当該選挙の期日後に変更する場合を除く。）に限る。）及び同条第三項の規定による選挙人名簿の登録 当該登録が行われた日の翌日

② 市町村の選挙管理委員会は、前項の異議の申出を受けたときは、その異議の申出を受けた日から三日以内に、その異議の申出が正当であるかないかを決定しなければならない。その異議の申出を正当であると決定したときは、その異議の申出に係る者を直ちに選挙人名簿に登録し、又は選挙人名簿から抹消し、その旨を異議申出人及び関係人に通知し、併せてこれを告示しなければならない。その異議の申出を正当でないと決定したときは、直ちにその旨を異議申出人に通知しなければならない。

③ 行政不服審査法（平成二十六年法律第六十八号）第九条第四項、第十九条第二項（第三号及び第五号を除く。）、第二十三条、第二十四条、第二十七条、第三十一条（第五項を除く。）、

第三十二条第一項及び第三項、第三十九条、第四十一条第一項及び第二項、第四十四条並びに第五十三条の規定は、第一項の異議の申出について準用する。この場合において、これらの規定（同法第四十四条の規定を除く。）中「審理員」とあるのは「公職選挙法第二十四条第一項の異議の申出を受けた選挙管理委員会（以下「審査庁」という。）」と、同法第二十四条第一項中「審査庁」と、同法第九条第四項中「審査庁」とあるのは「審査庁」と、同法第二十四条第一項中「第四十五条第一項又は第四十九条第一項の規定に基づき、裁決で」とあるのは「決定で」と、同法第三十一条第二項中「審理関係人」とあるのは「異議申出人」と、同法第四十四条中「行政不服審査会等から諮問に対する答申を受けたとき（前条第一項の規定による諮問を要しない場合（同項第二号又は第三号に該当する場合を除く。）にあっては審理員意見書が提出されたとき、同項第二号又は第三号に該当する場合にあっては同項第二号又は第三号に規定する議を経たとき）」とあるのは「審理手続を終結したとき」と読み替えるものとする。

④ 第二百十四条の規定は、第一項の異議の申出について準用する。

（訴訟）

第二五条① 前条第二項の規定による決定に不服がある異議申出人又は関係人は、当該市町村の選挙管理委員会を被告として、決定の通知を受けた日から七日以内に出訴することができる。

② 前項の訴訟は、当該市町村の選挙管理委員会の所在地を管轄する地方裁判所の専属管轄とする。

③ 前項の裁判所の判決に不服がある者は、控訴することはできないが、最高裁判所に上告することができる。

④ 第二百十三条、第二百十四条及び第二百十九条第一項の規定は、第一項及び前項の訴訟について準用する。この場合において、同条第一項中「一の選挙の効力を争う数個の請求、第二百七条若しくは第二百八条の規定により一の選挙における当選の効力を争う数個の請求、第二百十条第二項の規定により公職の候補者であつた者の当選の効力を争う数個の請求、第二百十一条の規定により公職の候補者等であつた者の当選の効力若しくは立候補の資格を争う数個の請求又は選挙の効力を争う請求とその選挙における当選の効力に関し第二百七条若しくは第二百八条の規定によりこれを争う請求と」とあるのは、「一の第二十四条第一項各号に定める期間又は期日に異議の申出を行うことができる一の市町村の選挙管理委員会が行う選挙人名簿の登録に関し争う数個の請求」と読み替えるものとする。

第二六条から**第三〇条**まで　（略）

第四章の二　在外選挙人名簿（抄）

（在外選挙人名簿）

第三〇条の二① 市町村の選挙管理委員会は、選挙人名簿のほか、在外選挙人名簿の調製及び保管を行う。

② 在外選挙人名簿は、永久に据え置くものとし、かつ、衆議院議員及び参議院議員の選挙を通じて一の名簿とする。

③ 市町村の選挙管理委員会は、第三十条の五第一項の規定による申請に基づき在外選挙人名簿の登録を行い、及び同条第四項の規定による申請に基づき在外選挙人名簿への登録の移転（選挙人名簿から抹消すると同時に在外選挙人名簿の登録を行うことをいう。以下同じ。）を行うものとする。

④ 在外選挙人名簿は、政令で定めるところにより、磁気ディスクをもつて調製することができる。

⑤ 選挙を行う場合において必要があるときは、在外選挙人名簿の抄本（前項の規定により磁気ディスクをもつて在外選挙人名簿を調製している市町村の選挙管理委員会にあつては、当該在外選挙人名簿に記録されている全部若しくは一部の事項又は当該事項を記載した書類。第二百五十五条の四第一項第一号及び第二百七十条第一項第三号において同じ。）を用いることができる。

（在外選挙人名簿の記載事項等）

第三〇条の三① 在外選挙人名簿には、選挙人の氏名、最終住所（選挙人が国外へ住所を移す直前に住民票に記載されていた住所をいう。以下同じ。）又は申請の時（選挙人が第三十条の五第一項の規定による申請書を同条第二項に規定する領事官又は同項に規定する総務省令・外務省令で定める者に提出した時をいう。同条第一項及び第三項において同じ。）における本籍、性別及び生年月日等の記載（前条第四項の規定により磁気ディスクをもつて調製する在外選挙人名簿にあつては、記録）をしなければならない。

② 市町村の選挙管理委員会は、市町村の区域を分けて数投票区を設けた場合には、政令で定めるところにより、在外選挙人名簿を編製する一以上の投票区（以下「指定在外選挙投票区」という。）を指定しなければならない。

③ 前二項に規定するもののほか、在外選挙人名簿の様式その他必要な事項は、政令で定める。

（在外選挙人名簿の被登録資格等）

第三〇条の四① 在外選挙人名簿の登録（在外選挙人名簿への登録の移転に係るものを除く。以下同じ。）は、在外選挙人名簿に登録されていない年齢満十八年以上の日本国民（第十一条第一項若しくは第二百五十二条又は政治資金規正法第二十八条の規定により選挙権を有しない者を除く。次項及び次条において同じ。）で、同条第一項の規定による申請がされ、かつ、在外選挙人名簿に関する事務についてその者の住所を管轄する領事官（領事官の職務を行う大使館若しくは公使館の長又はその事務を代理する者を含む。以下同じ。）の管轄区域（在外選挙人名簿に関する事務についての領事官の管轄区域として総務省令・外務省令で定める区域をいう。同項及び同条第三項第二号において同じ。）内に引き続き三箇月以上住所を有するものについて行う。

② 在外選挙人名簿への登録の移転は、在外選挙人名簿に登録されていない年齢満十八年以上の日本国民で最終住所の所在地の市町村の選挙人名簿に登録されている者のうち、次条第四項の規定による申請がされ、かつ、国外に住所を有するものについて行う。

第三〇条の五及び**第三〇条の六**　（略）

第三〇条の七　削除

（在外選挙人名簿の登録等に関する異議の申出）

第三〇条の八① 選挙人は、在外選挙人名簿の登録又は在外選挙人名簿への登録の移転に関し不服があるときは、これらに関する処分の直後に到来する次に掲げる期間又は期日に、文書で当該市町村の選挙管理委員会に異議を申し出ることができる。

一　第二十二条第一項の規定による選挙人名簿の登録が行われた日の翌日から五日間

二　衆議院議員又は参議院議員の選挙に係る第二十二条第三項の規定による選挙人名簿の登録が行われた日の翌日

② 市町村の選挙管理委員会は、前項の異議の申出を受けたときは、その異議の申出を受けた日から三日以内に、その異議の申出が正当であるかないかを決定しなければならない。その異議の申出を正当であると決定したときは、その異議の申出に係る者を直ちに在外選挙人名簿に登録し、若しくは在外選挙人名簿への登録の移転をし、又はその者について在外選挙人名簿からの抹消と同時に選挙人名簿から抹消し、若しくは在外選挙人名簿からの抹消と同時に選挙人名簿の登録（選挙人名簿の登録については、当該市町村の選挙人名簿に登録される資格を有する場合に限る。）をし、その旨を異議申出人及び関係人に通知し、併せてこれを告示しなければならない。その異議の申出を正当でないと決定したときは、直ちにその旨を異議申出人に通知しなければならない。

③ 行政不服審査法第九条第四項、第十九条第二項（第三号及び第五号を除く。）、第二十三条、第二十四条、第二十七条、第三十一条（第五項を除く。）、第三十二条第一項及び第三項、第三十九条、第四十一条第一項及び第二項、第四十四条並びに第五十三条の規定は、第一項の異議の申出について準用する。この場合において、これらの規定（同法第四十四条の規定を除く。）中「審理員」とあるのは「審査庁」と、同法第九条第四項中

「審査庁」とあるのは「公職選挙法第三十条の八第一項の異議の申出を受けた選挙管理委員会（以下「審査庁」という。）」と、同法第二十四条第一項中「第四十五条第一項又は第四十九条第一項の規定に基づき、裁決で」とあるのは「決定で」と、同法第三十一条第二項中「審理関係人」とあるのは「異議申出人」と、同法第四十四条中「行政不服審査会等から諮問に対する答申を受けたとき（前条第一項の規定による諮問を要しない場合（同項第二号又は第三号に該当する場合を除く。）にあつては審理員意見書が提出されたとき、同項第二号又は第三号に該当する場合にあつては同項第二号又は第三号に規定する議を経たとき）」とあるのは「審理手続を終結したとき」と読み替えるものとする。

④　第二百十四条の規定は、第一項の異議の申出について準用する。

（在外選挙人名簿の登録等に関する訴訟）

第三〇条の九①　第二十五条第一項から第三項までの規定は、在外選挙人名簿の登録及び在外選挙人名簿への登録の移転に関する訴訟について準用する。この場合において、同条第一項中「前条第二項」とあるのは「第三十条の八第二項において準用する前条第二項」と、「七日」とあるのは「七日（政令で定める場合には、郵便又は民間事業者による信書の送達に関する法律（平成十四年法律第九十九号）第二条第六項に規定する一般信書便事業者、同条第九項に規定する特定信書便事業者若しくは同法第三条第四号に規定する外国信書便事業者による同法第二条第二項に規定する信書便による送付に要した日数を除く。）」と読み替えるものとする。

②　第二百十三条、第二百十四条及び第二百十九条第一項の規定は、前項において準用する第二十五条第一項及び第三項の訴訟について準用する。この場合において、第二百十九条第一項中「一の選挙の効力を争う数個の請求、第二百七条若しくは第二百八条の規定により一の選挙における当選の効力を争う数個の請求、第二百十条第二項の規定により公職の候補者であつた者の当選の効力を争う数個の請求、第二百十一条の規定により公職の候補者等であつた者の当選の効力若しくは立候補の資格を争う数個の請求又は選挙の効力を争う請求とその選挙における当選の効力に関し第二百七条若しくは第二百八条の規定によりこれを争う請求と」とあるのは、「一の第三十条の八第一項各号に掲げる期間又は期日に異議の申出を行うことができる一の市町村の選挙管理委員会が行う在外選挙人名簿の登録又は在外選挙人名簿への登録の移転に関し争う数個の請求」と読み替えるものとする。

第三〇条の一〇から**第三〇条の一六**まで　（略）

第五章　選挙期日（抄）

（総選挙）

第三一条①　衆議院議員の任期満了に因る総選挙は、議員の任期が終る日の前三十日以内に行う。

②　前項の規定により総選挙を行うべき期間が国会開会中又は国会閉会の日から二十三日以内にかかる場合においては、その総選挙は、国会閉会の日から二十四日以後三十日以内に行う。

③　衆議院の解散に因る衆議院議員の総選挙は、解散の日から四十日以内に行う。

④　総選挙の期日は、少なくとも十二日前に公示しなければならない。

⑤　衆議院議員の任期満了に因る総選挙の期日の公示がなされた後その期日前に衆議院が解散されたときは、任期満了に因る総選挙の公示は、その効力を失う。

（通常選挙）

第三二条①　参議院議員の通常選挙は、議員の任期が終る日の前三十日以内に行う。

②　前項の規定により通常選挙を行うべき期間が参議院開会中又は参議院閉会の日から二十三日以内にかかる場合においては、通常選挙は、参議院閉会の日から二十四日以後三十日以内に行う。

③　通常選挙の期日は、少なくとも十七日前に公示しなければならない。

（一般選挙、長の任期満了に因る選挙及び設置選挙）

第三三条①　地方公共団体の議会の議員の任期満了に因る一般選挙又は長の任期満了に因る選挙は、その任期が終わる日の前三十日以内に行う。

②　地方公共団体の議会の解散に因る一般選挙は、解散の日から四十日以内に行う。

③　地方公共団体の設置による議会の議員の一般選挙及び長の選挙は、地方自治法第六条の二第四項又は第七条第七項の告示による当該地方公共団体の設置の日から五十日以内に行う。

④　地方公共団体の議会の議員の任期満了に因る一般選挙の期日の告示がなされた後その任期の満了すべき日前に当該地方公共団体の議会の議員がすべてなくなつたとき、又は地方公共団体の長の任期満了に因る選挙の期日の告示がなされた後その任期の満了すべき日前に当該地方公共団体の長が欠け、若しくは退職を申し出たときは、更にこれらの事由に因る選挙の告示は、行わない。但し、任期満了に因る選挙の期日前に当該地方公共団体の議会が解散されたとき、又は長が解職され、若しくは不信任の議決に因りその職を失つたときは、任期満了に因る選挙の告示は、その効力を失う。

⑤　第一項から第三項までの選挙の期日は、次の各号の区分により、告示しなければならない。

一　都道府県知事の選挙にあつては、少なくとも十七日前に

二　指定都市の長の選挙にあつては、少なくとも十四日前に

三　都道府県の議会の議員及び指定都市の議会の議員の選挙にあつては、少なくとも九日前に

四　指定都市以外の市の議会の議員及び長の選挙にあつては、少なくとも七日前に

五　町村の議会の議員及び長の選挙にあつては少なくとも五日前に

第三三条の二から**第三四条の二**まで　（略）

第六章　投票（抄）

（選挙の方法）

第三五条　選挙は、投票により行う。

（一人一票）

第三六条　投票は、各選挙につき、一人一票に限る。ただし、衆議院議員の選挙については小選挙区選出議員及び比例代表選出議員ごとに、参議院議員の選挙については選挙区選出議員及び比例代表選出議員ごとに一人一票とする。

第三七条から**第四一条**まで　（略）

（共通投票所）

第四一条の二①　市町村の選挙管理委員会は、選挙人の投票の便宜のため必要があると認める場合（当該市町村の区域を分けて数投票区を設けた場合に限る。）には、投票所のほか、その指定した場所に、当該市町村の区域内（衆議院小選挙区選出議員の選挙若しくは都道府県の議会の議員の選挙において当該市町村が二以上の選挙区に分かれているとき、又は第十五条第六項の規定による選挙区があるときは、当該市町村の区域内における当該選挙区の区域内）のいずれの投票区に属する選挙人も投票をすることができる共通投票所を設けることができる。

②　市町村の選挙管理委員会は、前項の規定により共通投票所を設ける場合には、投票所において投票をした選挙人が共通投票所において投票をすること及び共通投票所において投票をした選挙人が投票所又は他の共通投票所において投票をすることを防止するために必要な措置を講じなければならない。

③　天災その他避けることのできない事故により、共通投票所において投票を行わせることができないときは、市町村の選挙管理委員会は、当該共通投票所を開かず、又は閉じるものとする。

④　市町村の選挙管理委員会は、前項の規定により共通投票所を

開かず、又は閉じる場合には、直ちにその旨を告示しなければならない。

⑤―⑦ （略）

⑧ 前各項に定めるもののほか、共通投票所に関し必要な事項は、政令で定める。

（選挙人名簿又は在外選挙人名簿の登録と投票）

第四二条① 選挙人名簿又は在外選挙人名簿に登録されていない者は、投票をすることができない。ただし、選挙人名簿に登録されるべき旨の決定書又は確定判決の判決書の正本若しくは謄本若しくは電子判決書（民事訴訟法（平成八年法律第百九号）第二百五十二条第一項に規定する電子判決書（同法第二百五十三条第二項の規定により裁判所の使用に係る電子計算機に備えられたファイルに記録されたものに限る。）をいう。）に記録されている事項を記載した書面であつて裁判所書記官が当該書面の内容が当該ファイルに記録されている事項と同一であることを証明したもの（第二百二十条第三項及び第四項において「電子判決書記録事項証明書」という。）を所持し、選挙の当日投票所に至る者があるときは、投票管理者は、その者に投票をさせなければならない。

＊令和四法四八（令和八・五・二四までに施行）による改正前

① 選挙人名簿又は在外選挙人名簿に登録されていない者は、投票をすることができない。ただし、選挙人名簿に登録されるべき旨の決定書又は確定判決書を所持し、選挙の当日投票所に至る者があるときは、投票管理者は、その者に投票をさせなければならない。

② 選挙人名簿又は在外選挙人名簿に登録された者であつても選挙人名簿又は在外選挙人名簿に登録されることができない者であるときは、投票をすることができない。

（選挙権のない者の投票）

第四三条 選挙の当日（第四十八条の二の規定による投票にあつては、投票の当日）、選挙権を有しない者は、投票をすることができない。

（投票所における投票）

第四四条① 選挙人は、選挙の当日、自ら投票所に行き、投票をしなければならない。

② 選挙人は、選挙人名簿又はその抄本（当該選挙人名簿が第十九条第三項の規定により磁気ディスクをもつて調製されている場合には、当該選挙人名簿に記録されている全部若しくは一部の事項又は当該事項を記載した書類。次項、第五十五条及び第五十六条において同じ。）の対照を経なければ、投票をすることができない。

③ 第九条第三項の規定により都道府県の議会の議員及び長の選挙権を有する者が、従前住所を有していた現に選挙人名簿に登録されている市町村において当該都道府県の議会の議員又は長の選挙の投票をする場合には、前項の選挙人名簿又はその抄本の対照を経る際に、引き続き当該都道府県の区域内に住所を有することを証するに足りる文書を提示し、又は引き続き当該都道府県の区域内に住所を有することの確認を受けなければならない。

（投票用紙の交付及び様式）

第四五条① 投票用紙は、選挙の当日、投票所において選挙人に交付しなければならない。

② 投票用紙の様式は、衆議院議員又は参議院議員の選挙については総務省令で定め、地方公共団体の議会の議員又は長の選挙については当該選挙に関する事務を管理する選挙管理委員会が定める。

（投票の記載事項及び投函）

第四六条① 衆議院（比例代表選出）議員又は参議院（比例代表選出）議員の選挙以外の選挙の投票については、選挙人は、投票所において、投票用紙に当該選挙の公職の候補者一人の氏名を自書して、これを投票箱に入れなければならない。

② 衆議院（比例代表選出）議員の選挙の投票については、選挙人は、投票所において、投票用紙に一の衆議院名簿届出政党等（第八十六条の二第一項の規定による届出をした政党その他の政治団体をいう。以下同じ。）の同項の届出に係る名称又は略称を自書して、これを投票箱に入れなければならない。

③ 参議院（比例代表選出）議員の選挙の投票については、選挙人は、投票所において、投票用紙に公職の候補者たる参議院名簿登載者（第八十六条の三第一項の参議院名簿登載者をいう。以下この章から第八章までにおいて同じ。）一人の氏名を自書して、これを投票箱に入れなければならない。ただし、公職の候補者たる参議院名簿登載者の氏名を自書することに代えて、一の参議院名簿届出政党等（同項の規定による届出をした政党その他の政治団体をいう。以下同じ。）の同項の届出に係る名称又は略称を自書することができる。

④ 投票用紙には、選挙人の氏名を記載してはならない。

（記号式投票）

第四六条の二① 地方公共団体の議会の議員又は長の選挙の投票（次条、第四十八条の二及び第四十九条の規定による投票を除く。）については、地方公共団体は、前条第一項の規定にかかわらず、条例で定めるところにより、選挙人が、自ら、投票所において、投票用紙に氏名が印刷された公職の候補者のうちその投票しようとするもの一人に対して、投票用紙の記号を記載する欄に○の記号を記載して、これを投票箱に入れる方法によることができる。

② （略）

③ 第一項の場合において、○の記号の記載方法、投票用紙に印刷する公職の候補者の氏名の順序の決定方法及び公職の候補者が死亡し、又は公職の候補者たることを辞したものとみなされた場合における投票用紙における公職の候補者の表示方法その他必要な事項は、政令で定める。

（点字投票）

第四七条 投票に関する記載については、政令で定める点字は文字とみなす。

（代理投票）

第四八条① 心身の故障その他の事由により、自ら当該選挙の公職の候補者の氏名（衆議院比例代表選出議員の選挙の投票にあつては衆議院名簿届出政党等の名称及び略称、参議院比例代表選出議員の選挙の投票にあつては公職の候補者たる参議院名簿登載者の氏名又は参議院名簿届出政党等の名称及び略称）を記載することができない選挙人は、第四十六条第一項から第三項まで、第五十条第四項及び第五項並びに第六十八条の規定にかかわらず、投票管理者に申請し、代理投票をさせることができる。

② 前項の規定による申請があつた場合においては、投票管理者は、投票立会人の意見を聴いて、投票所の事務に従事する者のうちから当該選挙人の投票を補助すべき者二人を定め、その一人に投票の記載をする場所において投票用紙に当該選挙人が指示する公職の候補者（公職の候補者たる参議院名簿登載者を含む。）一人の氏名、一の衆議院名簿届出政党等の名称若しくは略称又は一の参議院名簿届出政党等の名称若しくは略称を記載させ、他の一人をこれに立ち会わせなければならない。

③ 前二項の場合において必要な事項は、政令で定める。

（期日前投票）

第四八条の二① 選挙の当日に次の各号に掲げる事由のいずれかに該当すると見込まれる選挙人の投票については、第四十四条第一項の規定にかかわらず、当該選挙の期日の公示又は告示があつた日の翌日から選挙の期日の前日までの間、期日前投票所において、行わせることができる。

一 職務若しくは業務又は総務省令で定める用務に従事すること。

二 用務（前号の総務省令で定めるものを除く。）又は事故のためその属する投票区の区域外に旅行又は滞在をすること。

三 疾病、負傷、妊娠、老衰若しくは身体の障害のため若しくは産褥にあるため歩行が困難であること又は刑事施設、労役場、監置場、少年院若しくは少年鑑別所に収容されていること。

四　交通至難の島その他の地で総務省令で定める地域に居住していること又は当該地域に滞在をすること。

五　その属する投票区のある市町村の区域外の住所に居住していること。

六　天災又は悪天候により投票所に到達することが困難であること。

② 市町村の選挙管理委員会は、二以上の期日前投票所を設ける場合には、一の期日前投票所において投票をした選挙人が他の期日前投票所において投票をすることを防止するために必要な措置を講じなければならない。

③ 天災その他避けることのできない事故により、期日前投票所において投票を行わせることができないときは、市町村の選挙管理委員会は、期日前投票所を開かず、又は閉じるものとする。

④ 市町村の選挙管理委員会は、前項の規定により期日前投票所を開かず、又は閉じる場合には、直ちにその旨を告示しなければならない。市町村の選挙管理委員会が当該期日前投票所を開く場合も、同様とする。

⑤⑥ （略）

⑦ 市町村の選挙管理委員会は、期日前投票所を設ける場合には、当該市町村の人口、地勢、交通等の事情を考慮して、期日前投票所の効果的な設置、期日前投票所への交通手段の確保その他の選挙人の投票の便宜のため必要な措置を講ずるものとする。

⑧ 第一項の場合において、投票録の作成の方法その他必要な事項は、政令で定める。

（不在者投票）

第四九条① 前条第一項の選挙人の投票については、同項の規定によるほか、政令で定めるところにより、第四十二条第一項ただし書、第四十四条、第四十五条、第四十六条第一項から第三項まで、第四十八条及び第五十条の規定にかかわらず、不在者投票管理者の管理する投票を記載する場所において、投票用紙に投票の記載をし、これを封筒に入れて不在者投票管理者に提出する方法により行わせることができる。

② 選挙人で身体に重度の障害があるもの（身体障害者福祉法（昭和二十四年法律第二百八十三号）第四条に規定する身体障害者、戦傷病者特別援護法（昭和三十八年法律第百六十八号）第二条第一項に規定する戦傷病者又は介護保険法（平成九年法律第百二十三号）第七条第三項に規定する要介護者であるもので、政令で定めるものをいう。）の投票については、前条第一項及び前項の規定によるほか、政令で定めるところにより、第四十二条第一項ただし書、第四十四条、第四十五条、第四十六条第一項から第三項まで、第四十八条及び第五十条の規定にかかわらず、その現在する場所において投票用紙に投票の記載をし、これを郵便又は民間事業者による信書の送達に関する法律（平成十四年法律第九十九号）第二条第六項に規定する一般信書便事業者、同条第九項に規定する特定信書便事業者若しくは同法第三条第四号に規定する外国信書便事業者による同法第二条第二項に規定する信書便（以下「郵便等」という。）により送付する方法により行わせることができる。

③ 前項の選挙人で同項に規定する方法により投票をしようとするもののうち自ら投票の記載をすることができないものとして政令で定めるものは、第六十八条の規定にかかわらず、政令で定めるところにより、あらかじめ市町村の選挙管理委員会の委員長に届け出た者（選挙権を有する者に限る。）をして投票に関する記載をさせることができる。

④ 特定国外派遣組織に属する選挙人で国外に滞在するもののうち選挙の当日前条第一項第一号に掲げる事由に該当すると見込まれるものの投票については、同項及び第一項の規定によるほか、政令で定めるところにより、第四十二条第一項ただし書、第四十四条、第四十五条、第四十六条第一項から第三項まで、第四十八条及び第五十条の規定にかかわらず、国外にある不在者投票管理者の管理する投票を記載する場所において、投票用紙に投票の記載をし、これを封筒に入れて不在者投票管理者に提出する方法により行わせることができる。

⑤ 前項の特定国外派遣組織とは、法律の規定に基づき国外に派遣される組織のうち次の各号のいずれにも該当する組織であつて、当該組織において同項に規定する方法による投票が適正に実施されると認められるものとして政令で定めるものをいう。

一　当該組織の長が当該組織の運営について管理又は調整を行うための法令に基づく権限を有すること。

二　当該組織が国外の特定の施設又は区域に滞在していること。

⑥ 特定国外派遣組織となる組織を国外に派遣することを定める法律の規定に基づき国外に派遣される選挙人（特定国外派遣組織に属するものを除く。）で、現に特定国外派遣組織が滞在する施設又は区域に滞在しているものは、この法律の規定の適用については、当該特定国外派遣組織に属する選挙人とみなす。

⑦ 選挙人で船舶安全法（昭和八年法律第十一号）にいう遠洋区域を航行区域とする船舶その他これに準ずるものとして総務省令で定める船舶（以下この項において「指定船舶」という。）に乗つて本邦以外の区域を航海する船員（船員法（昭和二十二年法律第百号）第一条に規定する船員をいい、実習を行うため航海する学生、生徒その他の者であつて船員手帳に準ずる文書の交付を受けているもの（以下この項において「実習生」という。）を含む。）であるもの又は選挙人で指定船舶以外の船舶であつて指定船舶に準ずるものとして総務省令で定めるものに乗つて本邦以外の区域を航海する船員（船員法第一条に規定する船員をいい、船員職業安定法（昭和二十三年法律第百三十号）第九十二条第一項の規定により船員法第二条第二項に規定する予備船員とみなされる者及び船員の雇用の促進に関する特別措置法（昭和五十二年法律第九十六号）第十四条第一項の規定により船員法第二条第二項に規定する予備船員とみなされる者並びに実習生を含む。）であるもののうち選挙の当日前条第一項第一号に掲げる事由に該当すると見込まれるものの衆議院議員の総選挙又は参議院議員の通常選挙における投票については、同項及び第一項の規定によるほか、政令で定めるところにより、第四十二条第一項ただし書、第四十四条、第四十五条、第四十六条第一項から第三項まで、第四十八条及び第五十条の規定にかかわらず、不在者投票管理者の管理する場所において、総務省令で指定する市町村の選挙管理委員会の委員長にファクシミリ装置を用いて送信する方法により、行わせることができる。

⑧ 前項の規定は、同項の選挙人で同項の不在者投票管理者の管理する場所において投票をすることができないものとして政令で定めるものであるもののうち選挙の当日前条第一項第一号に掲げる事由に該当すると見込まれるものの衆議院議員の総選挙又は参議院議員の通常選挙における投票について準用する。この場合において、前項中「不在者投票管理者の管理する場所」とあるのは、「その現在する場所」と読み替えるものとする。

⑨ 国が行う南極地域における科学的調査の業務を行う組織（以下この項において「南極地域調査組織」という。）に属する選挙人（南極地域調査組織に同行する選挙人で当該南極地域調査組織の長の管理の下に南極地域における活動を行うものを含む。）で次の各号に掲げる施設又は船舶に滞在するもののうち選挙の当日前条第一項第一号に掲げる事由に該当すると見込まれるものの衆議院議員の総選挙又は参議院議員の通常選挙における投票については、同項及び第一項の規定によるほか、政令で定めるところにより、第四十二条第一項ただし書、第四十四条、第四十五条、第四十六条第一項から第三項まで、第四十八条及び第五十条の規定にかかわらず、その滞在する次の各号に掲げる施設又は船舶の区分に応じ、それぞれ当該各号に定める場所において、総務省令で定める投票送信用紙に投票の記載をし、これを総務省令で指定する市町村の選挙管理委員会の委員長に

ファクシミリ装置を用いて送信する方法により、行わせることができる。
一　南極地域にある当該科学的調査の業務の用に供される施設で国が設置するもの　不在者投票管理者の管理する場所
二　本邦と前号に掲げる施設との間において南極地域調査組織を輸送する船舶で前項の総務省令で定めるもの　この項に規定する方法による投票を行うことについて不在者投票管理者が当該船舶の船長の許可を得た場所

⑩　不在者投票管理者は、市町村の選挙管理委員会が選定した者を投票に立ち会わせることその他の方法により、不在者投票の公正な実施の確保に努めなければならない。

第四九条の二（在外投票等）①　在外選挙人名簿に登録されている選挙人（当該選挙人のうち選挙人名簿に登録されているもので政令で定めるものを除く。以下この条において同じ。）で、衆議院議員又は参議院議員の選挙において投票をしようとするものの投票については、第四十八条の二第一項及び前条第一項の規定によるほか、政令で定めるところにより、第四十四条、第四十五条第一項、第四十六条第一項から第三項まで、第四十八条及び次条の規定にかかわらず、次の各号に掲げるいずれかの方法により行わせることができる。
一　衆議院議員の総選挙又は参議院議員の通常選挙にあつてはイに掲げる期間、衆議院議員又は参議院議員の再選挙又は補欠選挙にあつてはロに掲げる日に、自ら在外公館の長（各選挙ごとに総務大臣が外務大臣と協議して指定する在外公館の長を除く。以下この号において同じ。）の管理する投票を記載する場所に行き、在外選挙人証及び旅券その他の政令で定める文書を提示して、投票用紙に投票の記載をし、これを封筒に入れて在外公館の長に提出する方法
イ　当該選挙の期日の公示の日の翌日から選挙の期日前六日（投票の送致に日数を要する地の在外公館であることその他特別の事情があると認められる場合には、あらかじめ総務大臣が外務大臣と協議して指定する日）までの間（あらかじめ総務大臣が外務大臣と協議して指定する日を除く。）
ロ　当該選挙の期日の告示の日の翌日から選挙の期日前六日までの間で、あらかじめ総務大臣が外務大臣と協議して指定する日
二　当該選挙人の現在する場所において投票用紙に投票の記載をし、これを郵便等により送付する方法

②　在外選挙人名簿に登録されている選挙人で、衆議院議員又は参議院議員の選挙において投票をしようとするものの国内における投票に係る次の表の上欄に掲げる規定の適用については、これらの規定中同表の中欄に掲げる字句は、それぞれ同表の下欄に掲げる字句とする。

第四十二条第一項ただし書	選挙人名簿	在外選挙人名簿
	投票所	指定在外選挙投票区の投票所
第四十四条第一項	投票所	指定在外選挙投票区の投票所
第四十四条第二項	、選挙人名簿	、在外選挙人証を提示して、在外選挙人名簿
	当該選挙人名簿	当該在外選挙人名簿
	第十九条第三項	第三十条の二第四項
	書類。次項、第五十五条及び第五十六条において同じ。	書類
第四十五条第一項、第四十六条第一項から第三項まで及び第四十八条第二項	投票所	指定在外選挙投票区の投票所

③④　（略）

⑤　在外選挙人名簿に登録されている選挙人で、衆議院議員又は参議院議員の選挙において投票をしようとするものの投票については、前条第二項から第九項までの規定は、適用しない。

第五〇条（選挙人の確認及び投票の拒否）①　投票管理者は、投票をしようとする選挙人が本人であるかどうかを確認することができないときは、その本人である旨を宣言させなければならない。その宣言をしない者は、投票をすることができない。

②　投票の拒否は、投票立会人の意見を聴き、投票管理者が決定しなければならない。

③　前項の決定を受けた選挙人において不服があるときは、投票管理者は、仮に投票をさせなければならない。

④　前項の投票は、選挙人をしてこれを封筒に入れて封をし、表面に自らその氏名を記載して投票箱に入れさせなければならない。

⑤　投票立会人において異議のある選挙人についても、また前二項と同様とする。

第五一条　（略）

第五二条（投票の秘密保持）　何人も、選挙人の投票した被選挙人の氏名又は政党その他の政治団体の名称若しくは略称を陳述する義務はない。

第五三条から第五五条まで　（略）

第五六条（繰上投票）　島その他交通不便の地について、選挙の期日に投票箱を送致することができない状況があると認めるときは、都道府県の選挙管理委員会（市町村の議会の議員又は長の選挙については、市町村の選挙管理委員会）は、適宜にその投票の期日を定め、開票の期日までにその投票箱、投票録、選挙人名簿又はその抄本及び在外選挙人名簿又はその抄本を送致させることができる。

第五七条（繰延投票）①　天災その他避けることのできない事故により、投票所において、投票を行うことができないとき、又は更に投票を行う必要があるときは、都道府県の選挙管理委員会（市町村の議会の議員又は長の選挙については、市町村の選挙管理委員会）は、更に期日を定めて投票を行わせなければならない。この場合において、当該選挙管理委員会は、直ちにその旨を告示するとともに、更に定めた期日を少なくとも二日前に告示しなければならない。

②　衆議院議員、参議院議員又は都道府県の議会の議員若しくは長の選挙について前項に規定する事由を生じた場合には、市町村の選挙管理委員会は、当該選挙の選挙長（衆議院比例代表選出議員若しくは参議院比例代表選出議員の選挙又は参議院合同選挙区選挙については、選挙分会長）を経て都道府県の選挙管理委員会にその旨を届け出なければならない。

第五八条から第六〇条まで　（略）

第七章　開票（抄）

第六一条から第六六条まで　（略）

第六七条（開票の場合の投票の効力の決定）　投票の効力は、開票立会人の意見を聴き、開票管理者が決定しなければならない。その決定に当つては、第六十八条の規定に反しない限りにおいて、その投票した選挙人の意思が明白であれば、その投票を有効とするようにしなければならない。

第六八条（無効投票）①　衆議院（比例代表選出）議員又は参議院（比例代表

選出）議員の選挙以外の選挙の投票については、次の各号のいずれかに該当するものは、無効とする。

一　所定の用紙を用いないもの

二　公職の候補者でない者又は第八十六条の八第一項、第八十七条第一項若しくは第二項、第八十七条の二、第八十八条、第二百五十一条の二若しくは第二百五十一条の三の規定により公職の候補者となることができない者の氏名を記載したもの

三　第八十六条第一項若しくは第八項の規定による届出をした政党その他の政治団体で同条第一項各号のいずれにも該当していなかつたものの当該届出に係る候補者、同条第九項後段の規定による届出に係る候補者又は第八十七条第三項の規定に違反してされた届出に係る候補者の氏名を記載したもの

四　一投票中に二人以上の公職の候補者の氏名を記載したもの

五　被選挙権のない公職の候補者の氏名を記載したもの

六　公職の候補者の氏名のほか、他事を記載したもの。ただし、職業、身分、住所又は敬称の類を記入したものは、この限りでない。

七　公職の候補者の氏名を自書しないもの

八　公職の候補者の何人を記載したかを確認し難いもの

②　衆議院（比例代表選出）議員の選挙の投票については、次の各号のいずれかに該当するものは、無効とする。

一　所定の用紙を用いないもの

二　衆議院名簿届出政党等以外の政党その他の政治団体（第八十六条の二第十項の規定による届出をした政党その他の政治団体を含む。）の名称又は略称を記載したもの

三　第八十六条の二第一項の規定による届出をした政党その他の政治団体で同項各号のいずれにも該当していなかつたもの又は第八十七条第五項の規定に違反して第八十六条の二第一項の衆議院名簿を重ねて届け出ている政党その他の政治団体の名称又は略称を記載したもの

四　第八十六条の二第一項の衆議院名簿登載者の全員につき、同条第七項各号に規定する事由が生じており又は同項後段の規定による届出がされている場合の当該衆議院名簿に係る政党その他の政治団体の名称又は略称を記載したもの

五　一投票中に二以上の衆議院名簿届出政党等の第八十六条の二第一項の規定による届出に係る名称又は略称を記載したもの

六　衆議院名簿届出政党等の第八十六条の二第一項の規定による届出に係る名称及び略称のほか、他事を記載したもの。ただし、本部の所在地、代表者の氏名又は敬称の類を記入したものは、この限りでない。

七　衆議院名簿届出政党等の第八十六条の二第一項の規定による届出に係る名称又は略称を自書しないもの

八　衆議院名簿届出政党等のいずれを記載したかを確認し難いもの

③　参議院（比例代表選出）議員の選挙の投票については、次の各号のいずれかに該当するものは、無効とする。

一　所定の用紙を用いないもの

二　公職の候補者たる参議院名簿登載者でない者、第八十六条の三第二項において準用する第八十六条の二第七項後段の規定による届出に係る参議院名簿登載者若しくは第八十六条の八第一項、第八十七条第一項若しくは同条第六項において準用する同条第四項、第八十八条、第二百五十一条の二若しくは第二百五十一条の三の規定により公職の候補者となることができない参議院名簿登載者の氏名を記載したもの又は参議院名簿届出政党等以外の政党その他の政治団体の名称若しくは略称を記載したもの。ただし、代表者の氏名の類を記入したもので第八号ただし書に該当する場合は、この限りでない。

三　第八十六条の三第一項の規定による届出をした政党その他の政治団体で同項各号のいずれにも該当していなかつたもの若しくは同条第二項において準用する第八十六条の二第十項の規定による届出をしたもの又は第八十七条第六項において準用する同条第五項の規定に違反して第八十六条の三第一項の参議院名簿を重ねて届け出ている政党その他の政治団体の同項の規定による届出に係る参議院名簿登載者の氏名又はその届出に係る名称若しくは略称を記載したもの

四　参議院名簿登載者の全員につき、第八十六条の三第二項において準用する第八十六条の二第七項各号に規定する事由が生じており又は第八十六条の三第二項において準用する第八十六条の二第七項後段の規定による届出がされている場合の当該参議院名簿に係る政党その他の政治団体の名称又は略称を記載したもの

五　一投票中に二人以上の参議院名簿登載者の氏名又は二以上の参議院名簿届出政党等の第八十六条の三第一項の規定による届出に係る名称若しくは略称を記載したもの

六　一投票中に一人の参議院名簿登載者の氏名及び当該参議院名簿登載者に係る参議院名簿届出政党等以外の参議院名簿届出政党等の第八十六条の三第一項の規定による届出に係る名称又は略称を記載したもの

七　被選挙権のない参議院名簿登載者の氏名を記載したもの

八　公職の候補者たる参議院名簿登載者の氏名又は参議院名簿届出政党等の第八十六条の三第一項の規定による届出に係る名称及び略称のほか、他事を記載したもの。ただし、公職の候補者たる参議院名簿登載者の氏名の記載のある投票については当該参議院名簿登載者に係る参議院名簿届出政党等の同項の規定による届出に係る名称若しくは略称又は職業、身分、住所若しくは敬称の類（当該参議院名簿登載者が同項後段の規定により優先的に当選人となるべき候補者としてその氏名及び当選人となるべき順位が同項の参議院名簿に記載されている者（同条第二項において読み替えて準用する第八十六条の二第九項後段の規定により優先的に当選人となるべき候補者としてその氏名及び当選人となるべき順位が同項の規定による届出に係る文書に記載された者を含む。以下同じ。）である場合にあつては、当該参議院名簿登載者に係る参議院名簿届出政党等の第八十六条の三第一項の規定による届出に係る名称若しくは略称、当選人となるべき順位又は職業、身分、住所若しくは敬称の類）を、参議院名簿登載者の氏名の記載のない投票で参議院名簿届出政党等の同項の規定による届出に係る名称又は略称を記載したものについては本部の所在地、代表者の氏名又は敬称の類（当該参議院名簿届出政党等の届出に係る参議院名簿登載者のうちに同項後段の規定により優先的に当選人となるべき候補者としてその氏名及び当選人となるべき順位が同項の参議院名簿に記載されている者がある場合にあつては、その記載に係る順位、本部の所在地、代表者の氏名又は敬称の類）を記入したものは、この限りでない。

九　公職の候補者たる参議院名簿登載者の氏名又は参議院名簿届出政党等の第八十六条の三第一項の規定による届出に係る名称若しくは略称を自書しないもの

十　公職の候補者たる参議院名簿登載者の何人又は参議院名簿届出政党等のいずれを記載したかを確認し難いもの

第六八条の二（同一氏名の候補者等に対する投票の効力）①　同一の氏名、氏又は名の公職の候補者が二人以上ある場合において、その氏名、氏又は名のみを記載した投票は、前条第一項第八号の規定にかかわらず、有効とする。

②　第八十六条の二第一項の規定による届出に係る名称又は略称が同一である衆議院名簿届出政党等が二以上ある場合において、その名称又は略称のみを記載した投票は、前条第二項第八号の規定にかかわらず、有効とする。

③　第八十六条の三第一項の規定による届出に係る参議院名簿登載者（公職の候補者たる者に限る。以下この条において同じ。）の氏名、氏若しくは名又は参議院名簿届出政党等の名称若しくは略称が同一である参議院名簿登載者又は参議院名簿届出政党等が二以上ある場合において、これらの氏名、氏若しくは名又

は名称若しくは略称のみを記載した投票は、前条第三項第十号の規定にかかわらず、有効とする。

④　第一項又は第二項の有効投票は、開票区ごとに、当該候補者又は当該衆議院名簿届出政党等のその他の有効投票数に応じてあん分し、それぞれこれに加えるものとする。

⑤　第三項の有効投票は、開票区ごとに、当該参議院名簿登載者のその他の有効投票数又は当該参議院名簿届出政党等のその他の有効投票数（当該参議院名簿届出政党等に係る各参議院名簿登載者の有効投票数を含まないものをいう。）に応じてあん分し、それぞれこれに加えるものとする。

（特定の参議院名簿登載者の有効投票）

第六八条の三　前条第三項及び第五項の規定を適用する場合を除き、第八十六条の三第一項後段の規定により優先的に当選人となるべき候補者としてその氏名及び当選人となるべき順位が同項の参議院名簿に記載されている者である参議院名簿登載者の有効投票（前条第五項の規定によりあん分して加えられた有効投票を含む。）は、当該参議院名簿登載者に係る参議院名簿届出政党等の有効投票とみなす。

第六九条から第七四条まで　（略）

第八章　選挙会及び選挙分会

（第七五条から第八五条まで）（略）

第九章　公職の候補者

（衆議院小選挙区選出議員の選挙における候補者の立候補の届出等）

第八六条①　衆議院（小選挙区選出）議員の選挙において、次の各号のいずれかに該当する政党その他の政治団体は、当該政党その他の政治団体に所属する者を候補者としようとするときは、当該選挙の期日の公示又は告示があつた日に、郵便等によることなく、文書でその旨を当該選挙長に届け出なければならない。

一　当該政党その他の政治団体に所属する衆議院議員又は参議院議員を五人以上有すること。

二　直近において行われた衆議院議員の総選挙における小選挙区選出議員の選挙若しくは比例代表選出議員の選挙又は参議院議員の通常選挙における比例代表選出議員の選挙若しくは選挙区選出議員の選挙における当該政党その他の政治団体の得票総数が当該選挙における有効投票の総数の百分の二以上であること。

②　衆議院（小選挙区選出）議員の候補者となろうとする者は、前項の公示又は告示があつた日に、郵便等によることなく、文書でその旨を当該選挙長に届け出なければならない。

③　選挙人名簿に登録された者が他人を衆議院（小選挙区選出）議員の候補者としようとするときは、本人の承諾を得て、第一項の公示又は告示があつた日に、郵便等によることなく、文書で当該選挙長にその推薦の届出をすることができる。

④　第一項の文書には、当該政党その他の政治団体の名称、本部の所在地及び代表者（総裁、会長、委員長その他これらに準ずる地位にある者をいう。以下この条から第八十六条の七まで、第百四十二条の二第三項、第百六十九条第七項、第百七十五条第九項及び第百八十条第二項において同じ。）の氏名並びに候補者となるべき者の氏名、本籍、住所、生年月日及び職業その他政令で定める事項を記載しなければならない。

⑤　第一項の文書には、次に掲げる文書を添えなければならない。ただし、直近において行われた衆議院議員の総選挙の期日後に第八十六条の六第一項又は第二項の規定による届出をした政党その他の政治団体で同条第九項の規定による届出をしていないもの（同条第四項の規定により添えた文書の内容に異動があつたものにあつては、選挙の期日の公示又は告示の日の前日までに同条第七項の規定による届出をしたものに限る。次条第二項において「衆議院名称届出政党」という。）が、第一項の規定による届出をする場合においては、第一号に掲げる文書及び第二号に掲げる文書のうち政令で定めるものの添付を省略することができる。

一　政党その他の政治団体の綱領、党則、規約その他これらに相当するものを記載した文書

二　第一項各号のいずれかに該当することを証する政令で定める文書

三　当該届出が第八十七条第三項の規定に違反するものでないことを代表者が誓う旨の宣誓書

四　候補者となるべき者の候補者となることについての同意書及び第八十六条の八第一項、第八十七条第一項若しくは第二項、第八十七条の二、第二百五十一条の二又は第二百五十一条の三の規定により公職の候補者となることができない者でないことを当該候補者となるべき者が誓う旨の宣誓書

五　候補者となるべき者の選定を当該政党その他の政治団体において行う機関の名称、その構成員の選出方法及び候補者となるべき者の選定の手続を記載した文書並びに当該候補者となるべき者の選定を適正に行つたことを当該機関を代表する者が誓う旨の宣誓書

六　その他政令で定める文書

⑥　第二項及び第三項の文書には、候補者となるべき者の氏名、本籍、住所、生年月日及び職業その他政令で定める事項を記載しなければならない。

⑦　第二項及び第三項の文書には、第八十六条の八第一項、第八十七条第一項若しくは第二項、第八十七条の二、第二百五十一条の二又は第二百五十一条の三の規定により公職の候補者となることができない者でないことを当該候補者となるべき者が誓う旨の宣誓書、当該候補者となるべき者の所属する政党その他の政治団体の名称（二以上の政党その他の政治団体に所属するときは、いずれか一の政党その他の政治団体の名称）を記載した文書及び当該記載に関する政党その他の政治団体の代表者の証明書その他政令で定める文書を添えなければならない。

⑧　第一項の公示又は告示があつた日に届出のあつた候補者が二人以上ある場合において、その日後、当該候補者が死亡し、当該届出が取り下げられたものとみなされ、当該候補者が候補者たることを辞したものとみなされ、又は次項後段の規定により当該届出が却下されたときは、前各項の規定の例により、当該選挙の期日前三日までに、候補者の届出をすることができる。

⑨　次の各号のいずれかに該当する事由があることを知つたときは、選挙長は、第一項から第三項まで又は前項の規定による届出を却下しなければならない。第一項又は前項の規定により届出のあつた者につき除名、離党その他の事由により当該候補者届出政党に所属する者でなくなつた旨の届出が当該選挙の期日の前日までに当該候補者届出政党から文書でされたときも、また同様とする。

一　第一項又は前項の規定による政党その他の政治団体の届出が第一項各号のいずれにも該当しない政党その他の政治団体によつてされたものであること。

二　第一項又は前項の規定による政党その他の政治団体の届出が第八十七条第三項の規定に違反してされたものであること。

三　第一項から第三項まで又は前項の規定により届出のあつた者が第八十六条の八第一項、第八十七条第一項若しくは第二項、第八十七条の二、第二百五十一条の二又は第二百五十一条の三の規定により公職の候補者となり、又は公職の候補者であることができない者であること。

⑩　前項後段の文書には、当該届出に係る事由が除名である場合にあつては当該除名の手続を記載した文書及び当該除名が適正に行われたことを代表者が誓う旨の宣誓書を、離党である場合にあつては当該候補者が候補者届出政党に提出した離党届の写しを、その他の事由である場合にあつては当該事由を証する文書を、それぞれ添えなければならない。

⑪　候補者届出政党は、第一項の規定により候補者の届出をした場合には同項の公示又は告示があつた日に、第八項の規定によ

り候補者の届出をした場合には当該選挙の期日前三日までに選挙長に届出をしなければ、その候補者の届出を取り下げることができない。

⑫　候補者（候補者届出政党の届出に係るものを除く。以下この項において同じ。）は、第二項又は第三項の規定により届出のあつた候補者にあつては第一項の公示又は告示があつた日に、第八項の規定により届出のあつた候補者にあつては当該選挙の期日前三日までに選挙長に届出をしなければ、その候補者たることを辞することができない。

⑬　第一項から第三項まで、第八項、第十一項若しくは前項の規定による届出があつたとき、第九項の規定により届出を却下したとき又は候補者が死亡し若しくは第九十一条第一項若しくは第二項若しくは第百三条第四項の規定に該当するに至つたことを知つたときは、選挙長は、直ちにその旨を告示するとともに、当該都道府県の選挙管理委員会に報告しなければならない。

⑭　第一項第一号に規定する衆議院議員又は参議院議員の数の算定、同項第二号に規定する政党その他の政治団体の得票総数（第七項の文書にその名称を記載された政党その他の政治団体の得票総数を含む。次条第十四項及び第百五十条第八項において同じ。）の算定その他第一項の規定の適用について必要な事項は、政令で定める。

（衆議院比例代表選出議員の選挙における名簿による立候補の届出等）

第八六条の二①　衆議院（比例代表選出）議員の選挙においては、次の各号のいずれかに該当する政党その他の政治団体は、当該政党その他の政治団体の名称（一の略称を含む。）並びにその所属する者の氏名及びそれらの者の間における当選人となるべき順位を記載した文書（以下「衆議院名簿」という。）を当該選挙長に届け出ることにより、その衆議院名簿に記載されている者（以下「衆議院名簿登載者」という。）を当該選挙における候補者とすることができる。

一　当該政党その他の政治団体に所属する衆議院議員又は参議院議員を五人以上有すること。

二　直近において行われた衆議院議員の総選挙における小選挙区選出議員の選挙若しくは比例代表選出議員の選挙又は参議院議員の通常選挙における比例代表選出議員の選挙若しくは選挙区選出議員の選挙における当該政党その他の政治団体の得票総数が当該選挙における有効投票の総数の百分の二以上であること。

三　当該選挙において、この項の規定による届出をすることにより候補者となる衆議院名簿登載者の数が当該選挙区における議員の定数の十分の二以上であること。

②　前項の規定による届出は、当該選挙の期日の公示又は告示があつた日に、郵便等によることなく、当該衆議院名簿に次に掲げる文書を添えて、しなければならない。ただし、衆議院名称届出政党が、同項の規定による届出をする場合においては、第二号に掲げる文書及び第三号に掲げる文書のうち政令で定めるものの添付を省略することができる。

一　政党その他の政治団体の名称、本部の所在地及び代表者の氏名並びに衆議院名簿登載者の氏名、本籍、住所、生年月日及び職業その他政令で定める事項を記載した文書

二　政党その他の政治団体の綱領、党則、規約その他これらに相当するものを記載した文書

三　前項各号のいずれかに該当することを証する政令で定める文書

四　当該届出が第八十七条第五項の規定に違反するものでないことを代表者が誓う旨の宣誓書

五　衆議院名簿登載者の候補者となることについての同意書及び第八十六条の八第一項又は第八十七条第一項若しくは第四項の規定により公職の候補者となることができない者でないことを当該衆議院名簿登載者が誓う旨の宣誓書

六　衆議院名簿登載者の選定及びそれらの者の間における当選人となるべき順位の決定（以下単に「衆議院名簿登載者の選定」という。）を当該政党その他の政治団体において行う機関の名称、その構成員の選出方法並びに衆議院名簿登載者の選定の手続を記載した文書並びに当該衆議院名簿登載者の選定を適正に行つたことを当該機関を代表する者が誓う旨の宣誓書

七　その他政令で定める文書

③　衆議院名簿に記載する政党その他の政治団体の名称及び略称は、第八十六条の六第六項の規定による告示に係る政党その他の政治団体にあつては当該告示に係る名称及び略称でなければならないものとし、同項の告示に係る政党その他の政治団体以外の政党その他の政治団体にあつては同項の規定により告示された名称及び略称並びにこれらに類似する名称及び略称並びにその代表者若しくはいずれかの選挙区における衆議院名簿登載者の氏名が表示され又はそれらの者の氏名が類推されるような名称及び略称以外の名称及び略称でなければならない。この場合において、同項の告示に係る政党その他の政治団体の当該告示に係る名称又は略称がその代表者若しくはいずれかの選挙区における衆議院名簿登載者の氏名が表示され又はそれらの者の氏名が類推されるような名称又は略称となつているときは、当該政党その他の政治団体は、この項前段の規定の適用については、同条第六項の規定による告示に係る政党その他の政治団体でないものとみなす。

④　第一項第一号又は第二号に該当する政党その他の政治団体は、第八十七条第一項の規定にかかわらず、当該衆議院（比例代表選出）議員の選挙と同時に行われる衆議院（小選挙区選出）議員の選挙における当該政党その他の政治団体の届出に係る当該衆議院（比例代表選出）議員の選挙区の区域内にある衆議院（小選挙区選出）議員の選挙区における候補者（候補者となるべき者を含む。次項及び第六項において同じ。）を、当該衆議院（比例代表選出）議員の選挙において、当該政党その他の政治団体の届出に係る衆議院名簿の衆議院名簿登載者とすることができる。

⑤　各衆議院名簿の衆議院名簿登載者（当該選挙と同時に行われる衆議院小選挙区選出議員の選挙における候補者であつて、前項の規定により当該衆議院名簿の衆議院名簿登載者とされたものを除く。）の数は、選挙区ごとに、当該衆議院（比例代表選出）議員の選挙において選挙すべき議員の数を超えることができない。

⑥　第一項第一号又は第二号に該当する政党その他の政治団体が、第四項の規定により、当該選挙と同時に行われる衆議院（小選挙区選出）議員の選挙における候補者を二人以上当該政党その他の政治団体の届出に係る衆議院名簿の衆議院名簿登載者とする場合には、第一項の規定にかかわらず、それらの者の全部又は一部について当選人となるべき順位を同一のものとすることができる。

⑦　当該選挙の期日までに、次の各号のいずれかに該当する事由が生じたことを知つたときは、選挙長は、第一項の規定による届出に係る衆議院名簿における当該衆議院名簿登載者に係る記載を抹消するとともに、直ちにその旨を当該衆議院名簿届出政党等に通知しなければならない。衆議院名簿登載者につき除名、離党その他の事由により当該衆議院名簿届出政党等に所属する者でなくなつた旨の届出が当該選挙の期日の前日までに当該衆議院名簿届出政党等から文書でされたときも、また同様とする。

一　衆議院名簿登載者が死亡したこと。

二　衆議院名簿登載者が第八十六条の八第一項、第八十七条第一項若しくは第四項又は第八十八条の規定により公職の候補者となることができない者であること。

三　衆議院名簿登載者が第九十一条第三項又は第百三条第四項の規定に該当するに至つたこと。

四　第一項第一号又は第二号に該当する政党その他の政治団体

が、第四項の規定により、当該選挙と同時に行われる衆議院（小選挙区選出）議員の選挙における候補者（候補者となるべき者を含む。）を当該政党その他の政治団体の届出に係る衆議院名簿の衆議院名簿登載者とした場合において、当該衆議院名簿登載者が当該衆議院（比例代表選出）議員の選挙区の区域内にある衆議院（小選挙区選出）議員の選挙区における候補者でなくなり、又は第一項若しくは第九項の規定による届出のあつた日において当該衆議院（比例代表選出）議員の選挙区の区域内にある衆議院（小選挙区選出）議員の選挙区における候補者とならなかつたこと。

⑧ 前項後段の文書には、当該届出に係る事由が、除名である場合にあつては当該除名の手続を記載した文書及び当該除名が適正に行われたことを代表者が誓う旨の宣誓書を、離党である場合にあつては当該衆議院名簿登載者が衆議院名簿届出政党等に提出した離党届の写しを、その他の事由である場合にあつては当該事由を証する文書を、それぞれ、添えなければならない。

⑨ 第一項の規定による届出の後（この項の規定による届出があつたときは、当該届出の後）衆議院名簿登載者でなくなつた者の数が第一項の規定による届出の時における衆議院名簿登載者の数の四分の一に相当する数を超えるに至つたときは、衆議院名簿届出政党等は、当該選挙の期日前十日までの間に、同項及び第二項（第二号から第四号までを除く。）の規定の例により、当該衆議院名簿登載者でなくなつた者の数を超えない範囲内において、衆議院名簿登載者の補充の届出をすることができる。この場合においては、当該届出の際現に衆議院名簿登載者である者の当選人となるべき順位をも変更することができる。

⑩ 衆議院名簿届出政党等は、前項に規定する日までに、郵便等によることなく、文書で選挙長に届け出ることにより、衆議院名簿を取り下げることができる。この場合においては、取下げの事由を証する文書を添えなければならない。

⑪ 第一項の規定による届出が同項各号のいずれにも該当しない政党その他の政治団体によつてされたものであること若しくは第三項若しくは第五項若しくは第八十七条第五項の規定に違反してされたものであることを知つたとき又は第一項の規定による届出に係る衆議院名簿につき第九項に規定する期限経過後において衆議院名簿登載者の全員が第七項の規定により当該衆議院名簿における記載を抹消すべき者であることを知つたときは、選挙長は、当該届出を却下しなければならない。

⑫ 第九項の規定による届出が同項の規定に違反してされたものであること又は当該届出の結果当該衆議院名簿登載者の数が第五項の規定に違反することとなつたことを知つたときは、選挙長は、当該届出を却下しなければならない。

⑬ 第一項、第九項若しくは第十項の規定による届出があつたとき、第七項の規定により衆議院名簿における衆議院名簿登載者に係る記載を抹消したとき又は第十一項若しくは前項の規定により届出を却下したときは、選挙長は、直ちにその旨を告示するとともに、中央選挙管理会に報告しなければならない。

⑭ 第一項第一号に規定する衆議院議員又は参議院議員の数の算定、同項第二号に規定する政党その他の政治団体の得票総数の算定その他同項の規定の適用について必要な事項は、政令で定める。

（参議院比例代表選出議員の選挙における名簿による立候補の届出等）

第八十六条の三① 参議院（比例代表選出）議員の選挙においては、次の各号のいずれかに該当する政党その他の政治団体は、当該政党その他の政治団体の名称（一の略称を含む。）及びその所属する者（当該政党その他の政治団体が推薦する者を含む。第九十八条第三項において同じ。）の氏名を記載した文書（以下「参議院名簿」という。）を選挙長に届け出ることにより、その参議院名簿に記載されている者（以下「参議院名簿登載者」という。）を当該選挙における候補者とすることができる。この場合においては、候補者とする者のうちの一部の者について、優先的に当選人となるべき候補者として、その氏名及びそれらの者の間における当選人となるべき順位をその他の候補者とする者の氏名と区分してこの項の規定により届け出る文書に記載することができる。

一 当該政党その他の政治団体に所属する衆議院議員又は参議院議員を五人以上有すること。

二 直近において行われた衆議院議員の総選挙における小選挙区選出議員の選挙若しくは比例代表選出議員の選挙又は参議院議員の通常選挙における比例代表選出議員の選挙若しくは選挙区選出議員の選挙における当該政党その他の政治団体の得票総数が当該選挙における有効投票の総数の百分の二以上であること。

三 当該参議院議員の選挙において候補者（この項の規定による届出をすることにより候補者となる参議院名簿登載者を含む。）を十人以上有すること。

② （略）

（衆議院議員又は参議院比例代表選出議員の選挙以外の選挙における候補者の立候補の届出等）

第八十六条の四① 公職の候補者（衆議院議員又は参議院比例代表選出議員の候補者を除く。以下この条において同じ。）となろうとする者は、当該選挙の期日の公示又は告示があつた日に、郵便等によることなく、文書でその旨を当該選挙長に届け出なければならない。

② 選挙人名簿に登録された者が他人を公職の候補者としようとするときは、本人の承諾を得て、前項の公示又は告示があつた日に、郵便等によることなく、文書でその推薦の届出をすることができる。

③ 前二項の文書には、公職の候補者となるべき者の氏名、本籍、住所、生年月日、職業及び所属する政党その他の政治団体の名称（二以上の政党その他の政治団体に所属するときは、いずれか一の政党その他の政治団体の名称とし、次項に規定する証明書に係る政党その他の政治団体の名称をいうものとする。）その他政令で定める事項を記載しなければならない。

④ 第一項及び第二項の文書には、次の各号に掲げる選挙の区分に応じ当該各号に定める宣誓書、所属する政党その他の政治団体の名称を記載する場合にあつては当該記載に関する当該政党その他の政治団体の証明書（参議院選挙区選出議員の候補者については、当該政党その他の政治団体の代表者の証明書）その他政令で定める文書を添えなければならない。

一 参議院（選挙区選出）議員の選挙　第八十六条の八第一項、第八十七条第一項、第八十七条の二、第二百五十一条の二又は第二百五十一条の三の規定により当該選挙において公職の候補者となることができない者でないことを当該公職の候補者となるべき者が誓う旨の宣誓書

二 都道府県の議会の議員の選挙　当該選挙の期日において第九条第二項又は第三項に規定する住所に関する要件を満たす者であると見込まれること及び第八十六条の八第一項、第八十七条第一項、第二百五十一条の二又は第二百五十一条の三の規定により当該選挙において公職の候補者となることができない者でないことを当該公職の候補者となるべき者が誓う旨の宣誓書

三 市町村の議会の議員の選挙　当該選挙の期日において第九条第二項に規定する住所に関する要件を満たす者であると見込まれること及び第八十六条の八第一項、第八十七条第一項、第二百五十一条の二又は第二百五十一条の三の規定により当該選挙において公職の候補者となることができない者でないことを当該公職の候補者となるべき者が誓う旨の宣誓書

四 地方公共団体の長の選挙　第八十六条の八第一項、第八十七条第一項、第二百五十一条の二又は第二百五十一条の三の規定により当該選挙において公職の候補者となることができない者でないことを当該公職の候補者となるべき者が誓う旨の宣誓書

⑤ 参議院（選挙区選出）議員又は地方公共団体の議会の議員の選挙については、第一項の公示又は告示があつた日に届出のあ

つた公職の候補者が、その選挙における議員の定数を超える場合において、その日後、当該候補者が死亡し又は公職の候補者たることを辞したものとみなされたときは、前各項の規定の例により、参議院（選挙区選出）議員又は都道府県若しくは市の議会の議員の選挙にあつてはその選挙の期日前三日までに、町村の議会の議員の選挙にあつてはその選挙の期日前二日までに、当該選挙における公職の候補者の届出をすることができる。

⑥ 地方公共団体の長の選挙については、第一項の告示があつた日に届出のあつた候補者が二人以上ある場合において、その日後、当該候補者が死亡し又は候補者たることを辞したものとみなされたときは、第一項から第四項までの規定の例により、都道府県知事又は市長の選挙にあつてはその選挙の期日前三日までに、町村の長の選挙にあつてはその選挙の期日前二日までに、当該選挙における候補者の届出をすることができる。

⑦ 地方公共団体の長の選挙について第一項、第二項又は前項の規定により届出のあつた候補者が二人以上ある場合において、その選挙の期日の前日までに、当該候補者が死亡し又は候補者たることを辞したものとみなされたため候補者が一人となつたときは、選挙の期日は、第三十三条第五項（第三十四条の二第五項において準用する場合を含む。）、第三十四条第六項又は第百十九条第三項の規定により告示した期日後五日に当たる日に延期するものとする。この場合においては、当該選挙に関する事務を管理する選挙管理委員会は、直ちにその旨を告示しなければならない。

⑧ 前項又は第百二十六条第二項の場合においては、その告示があつた日から当該選挙の期日前三日までに、第一項から第四項までの規定の例により、当該地方公共団体の長の候補者の届出をすることができる。

⑨ 第一項、第二項、第五項、第六項又は前項の規定により届出のあつた者が第八十六条の八第一項、第八十七条第一項、第八十七条の二、第八十八条、第二百五十一条の二又は第二百五十一条の三の規定により当該選挙において公職の候補者となり、又は公職の候補者であることができない者であることを知つたときは、選挙長は、その届出を却下しなければならない。

⑩ 公職の候補者は、第一項又は第二項の規定により届出のあつた公職の候補者にあつては第一項の公示又は告示があつた日に、第五項、第六項又は第八項の規定により届出のあつた公職の候補者にあつては当該各項に定める日までに選挙長に届出をしなければ、その候補者たることを辞することができない。

⑪ 第一項、第二項、第五項、第六項、第八項若しくは前項の規定による届出があつたとき、第九項の規定により届出を却下したとき又は公職の候補者が死亡し、若しくは第九十一条第二項若しくは第百三条第四項の規定に該当するに至つたことを知つたときは、選挙長は、直ちにその旨を告示するとともに、当該選挙に関する事務を管理する選挙管理委員会（参議院合同選挙区選挙については、当該選挙に関する事務を管理する参議院合同選挙区選挙管理委員会）に報告しなければならない。

第八六条の五（**候補者の選定の手続の届出等**）① 第八十六条第一項各号のいずれかに該当する政党その他の政治団体は、当該政党その他の政治団体の衆議院（小選挙区選出）議員の候補者となるべき者の選定及び衆議院名簿登載者の選定（以下この条において「候補者の選定」という。）の手続を定めたときは、その日から七日以内に、郵便等によることなく、文書でその旨を総務大臣に届け出なければならない。

② 前項の文書には、当該政党その他の政治団体の名称、本部の所在地及び代表者の氏名並びに候補者の選定を行う機関の名称、その構成員の選出方法及び候補者の選定の手続を記載するものとする。

③ 第一項の文書には、当該政党その他の政治団体の綱領、党則、規約その他これらに相当するものを記載した文書及び第八十六条第一項各号のいずれかに該当することを証する政令で定める文書を添えなければならない。

④ 第一項の規定による届出をした政党その他の政治団体は、同項の規定により届け出た事項に異動があつたときは、その異動の日から七日以内に、郵便等によることなく、文書でその異動に係る事項を総務大臣に届け出なければならない。

⑤ 総務大臣は、第一項の規定による届出があつたときは、速やかに、当該届出に係る政党その他の政治団体の名称、本部の所在地及び代表者の氏名並びに候補者の選定を行う機関の名称、その構成員の選出方法及び候補者の選定の手続を告示しなければならない。これらの事項につき前項の規定による届出があつた場合も、同様とする。

⑥ 第一項の規定による届出をした政党その他の政治団体は、第三項の文書の内容に異動があつたときは、その異動の日から七日以内に、文書でその異動に係る事項を総務大臣に届け出なければならない。

⑦ 第一項の規定による届出をした政党その他の政治団体が解散し、又は第八十六条第一項各号のいずれかに該当する政党その他の政治団体でなくなつたときは、その代表者は、その事実が生じた日から七日以内に、文書でその旨を総務大臣に届け出なければならない。この場合においては、総務大臣は、その旨の告示をしなければならない。

第八六条の六（**衆議院比例代表選出議員の選挙における政党その他の政治団体の名称の届出等**）① 第八十六条の二第一項に規定する政党その他の政治団体のうち同項第一号又は第二号に該当する政党その他の政治団体は、衆議院議員の総選挙の期日から三十日以内（当該期間が衆議院の解散の日にかかる場合にあつては、当該解散の日までの間）に、郵便等によることなく、文書で、当該政党その他の政治団体の名称及び一の略称を中央選挙管理会に届け出るものとする。この場合において、当該名称及び略称は、その代表者若しくはいずれかの選挙区において衆議院名簿登載者としようとする者の氏名が表示され、又はそれらの者の氏名が類推されるような名称及び略称であつてはならない。

② 第八十六条の二第一項に規定する政党その他の政治団体のうち同項第一号又は第二号に該当する政党その他の政治団体は、衆議院議員の総選挙の期日後二十四日を経過する日から当該衆議院議員の任期満了の日前九十日に当たる日又は衆議院の解散の日のいずれか早い日までの間に同項第一号又は第二号に該当することとなつたときは、前項前段の規定にかかわらず、その該当することとなつた日から七日以内（当該期間が衆議院の解散の日にかかる場合にあつては、当該解散の日までの間）に、郵便等によることなく、文書で、当該政党その他の政治団体の名称及び一の略称を中央選挙管理会に届け出るものとする。この場合においては、同項後段の規定を準用する。

③ 前二項の文書には、当該政党その他の政治団体の名称及び一の略称、本部の所在地、代表者の氏名その他政令で定める事項を記載しなければならない。

④ 第一項及び第二項の文書には、当該政党その他の政治団体の綱領、党則、規約その他これらに相当するものを記載した文書及び当該政党その他の政治団体が第八十六条の二第一項第一号又は第二号に該当することを証する政令で定める文書を添えなければならない。

⑤ 第一項又は第二項の規定による届出をした政党その他の政治団体は、これらの規定による届出をした日後衆議院議員の任期満了の日前九十日に当たる日又は衆議院の解散の日のいずれか早い日までの間に、これらの規定により届け出た事項に異動があつたときは、その異動の日から七日以内（当該期間が衆議院の解散の日にかかる場合にあつては、当該解散の日までの間）に、郵便等によることなく、文書でその異動に係る事項を中央選挙管理会に届け出なければならない。

⑥ 中央選挙管理会は、第一項又は第二項の規定による届出があつたときは、速やかに、これらの規定による届出に係る政党その他の政治団体の名称及び略称、本部の所在地並びに代表者の

氏名を告示しなければならない。これらの事項につき前項の規定による届出があつたときも、同様とする。

⑦　第一項又は第二項の規定による届出をした政党その他の政治団体は、第四項の文書の内容に異動があつたときは、その異動の日から七日以内に、文書でその異動に係る事項を中央選挙管理会に届け出なければならない。

⑧　第一項又は第二項の規定による届出をした政党その他の政治団体が、これらの規定による届出をした日後衆議院議員の任期満了の日前九十日に当たる日又は衆議院の解散の日のいずれか早い日までの間に、解散し又は第八十六条の二第一項第一号若しくは第二号に該当する政党その他の政治団体でなくなつたときは、その代表者は、その事実が生じた日から七日以内に、文書でその旨を中央選挙管理会に届け出なければならない。この場合においては、中央選挙管理会は、その旨の告示をしなければならない。

⑨　第一項又は第二項の規定による届出をした政党その他の政治団体は、衆議院議員の任期満了の日前九十日に当たる日又は衆議院の解散の日のいずれか早い日後においても、郵便等によることなく、文書で、中央選挙管理会に当該届出を撤回する旨の届出をすることができる。この場合においては、中央選挙管理会は、その旨の告示をしなければならない。

⑩　衆議院（比例代表選出）議員の再選挙及び補欠選挙における第一項、第二項、第五項又は第七項から前項までの規定の適用について必要な事項は、政令で定める。

（参議院比例代表選出議員の選挙における政党その他の政治団体の名称の届出等）

第八六条の七①　第八十六条の三第一項に規定する政党その他の政治団体のうち同項第一号又は第二号に該当する政党その他の政治団体は、参議院議員の任期満了の日前九十日に当たる日から七日を経過する日までの間に、郵便等によることなく、文書で、当該政党その他の政治団体の名称及び一の略称を中央選挙管理会に届け出るものとする。この場合において、当該名称及び略称は、その代表者若しくは参議院名簿登載者としようとする者の氏名が表示され、又はそれらの者の氏名が類推されるような名称及び略称であつてはならない。

②　前項の文書には、当該政党その他の政治団体の名称及び一の略称、本部の所在地、代表者の氏名その他政令で定める事項を記載しなければならない。

③　第一項の文書には、当該政党その他の政治団体の綱領、党則、規約その他これらに相当するものを記載した文書及び当該政党その他の政治団体が第八十六条の三第一項第一号又は第二号に該当することを証する政令で定める文書を添えなければならない。

④　中央選挙管理会は、第一項の期間経過後速やかに、同項の規定による届出に係る政党その他の政治団体の名称及び略称、本部の所在地並びに代表者の氏名を告示しなければならない。

⑤　第一項の規定による告示があつた日以後においても、前項の規定による届出をした政党その他の政治団体は、郵便等によることなく文書で、中央選挙管理会に当該届出を撤回する旨の届出をすることができる。この場合においては、中央選挙管理会は、その旨の告示をしなければならない。

⑥　参議院（比例代表選出）議員の再選挙及び補欠選挙における第一項の規定の適用について必要な事項は、政令で定める。

（被選挙権のない者等の立候補の禁止）

第八六条の八①　第十一条第一項、第十一条の二若しくは第二百五十二条又は政治資金規正法第二十八条の規定により被選挙権を有しない者は、公職の候補者となり、又は公職の候補者であることができない。

②　第二百五十一条の二第一項各号に掲げる者又は第二百五十一条の三第一項に規定する組織的選挙運動管理者等の選挙に関する犯罪により公職の候補者となり、又は公職の候補者であることができない者については、これらの条の定めるところによる。

（重複立候補等の禁止）

第八七条①　一の選挙において公職の候補者となつた者は、同時に、他の選挙における公職の候補者となることができない。

②　衆議院（小選挙区選出）議員の選挙において、一の政党その他の政治団体の届出に係る候補者は、当該選挙において、同時に、他の政党その他の政治団体の届出に係る候補者であることができない。

③　衆議院（小選挙区選出）議員の選挙において、候補者届出政党は、一の選挙区においては、重ねて候補者の届出をすることができない。

④　一の衆議院名簿の公職の候補者たる衆議院名簿登載者は、当該選挙において、同時に、他の衆議院名簿の公職の候補者たる衆議院名簿登載者であることができない。

⑤　衆議院（比例代表選出）議員の選挙において、衆議院名簿届出政党等は、一の選挙区においては、重ねて衆議院名簿を届け出ることができない。

⑥　前二項の規定は、参議院（比例代表選出）議員の選挙について準用する。この場合において、第四項中「衆議院名簿」とあるのは「参議院名簿」と、「衆議院名簿登載者」とあるのは「参議院名簿登載者」と、前項中「衆議院名簿届出政党等」とあるのは「参議院名簿届出政党等」と、「一の選挙区においては、重ねて」とあるのは「重ねて」と、「衆議院名簿」とあるのは「参議院名簿」と読み替えるものとする。

（衆議院小選挙区選出議員又は参議院選挙区選出議員たることを辞した者等の立候補制限）

第八七条の二　国会法（昭和二十二年法律第七十九号）第百七条の規定により衆議院（小選挙区選出）議員若しくは参議院（選挙区選出）議員たることを辞した者又は第九十条の規定により衆議院（小選挙区選出）議員若しくは参議院（選挙区選出）議員たることを辞したものとみなされた者は、当該辞し、又は辞したものとみなされたことにより生じた欠員について行われる補欠選挙（通常選挙と合併して一の選挙として行われる選挙を除く。）における候補者となることができない。

（選挙事務関係者の立候補制限）

第八八条　左の各号に掲げる者は、在職中、その関係区域内において、当該選挙の公職の候補者となることができない。

一　投票管理者

二　開票管理者

三　選挙長及び選挙分会長

（公務員の立候補制限）

第八九条①　国若しくは地方公共団体の公務員又は行政執行法人（独立行政法人通則法（平成十一年法律第百三号）第二条第四項に規定する行政執行法人をいう。以下同じ。）若しくは特定地方独立行政法人（地方独立行政法人法（平成十五年法律第百十八号）第二条第二項に規定する特定地方独立行政法人をいう。以下同じ。）の役員若しくは職員は、在職中、公職の候補者となることができない。ただし、次の各号に掲げる公務員（行政執行法人又は特定地方独立行政法人の役員及び職員を含む。次条及び第百三条第三項において同じ。）は、この限りでない。

一　内閣総理大臣その他の国務大臣、内閣官房副長官、内閣総理大臣補佐官、副大臣、大臣政務官及び大臣補佐官

二　技術者、監督者及び行政事務を担当する者以外の者で、政令で指定するもの

三　専務として委員、顧問、参与、嘱託員その他これらに準ずる職にある者で臨時又は非常勤のものにつき、政令で指定するもの

四　消防団長その他の消防団員（常勤の者を除く。）及び水防団長その他の水防団員（常勤の者を除く。）

五　地方公営企業等の労働関係に関する法律（昭和二十七年法律第二百八十九号）第三条第四号に規定する職員で、政令で指定するもの

②　衆議院議員の任期満了による総選挙又は参議院議員の通常選挙が行われる場合においては、当該衆議院議員又は参議院議員

は、前項本文の規定にかかわらず、在職中その選挙における公職の候補者となることができる。地方公共団体の議会の議員又は長の任期満了による選挙が行われる場合において当該議員又は長がその選挙における公職の候補者となる場合も、また同様とする。

③ 第一項本文の規定は、同項第一号、第二号、第四号及び第五号に掲げる者並びに前項に規定する者がその職に伴い兼ねている国若しくは地方公共団体の公務員又は行政執行法人若しくは特定地方独立行政法人の役員若しくは職員たる地位に影響を及ぼすものではない。

（立候補のための公務員の退職）

第九〇条 前条の規定により公職の候補者となることができない公務員が、第八十六条第一項から第三項まで若しくは第八項、第八十六条の二第一項若しくは第九項、第八十六条の三第一項若しくは同条第二項において準用する第八十六条の二第九項又は第八十六条の四第一項、第二項、第五項、第六項若しくは第八項の規定による届出により公職の候補者となつたときは、当該公務員の退職に関する法令の規定にかかわらず、その届出の日に当該公務員たることを辞したものとみなす。

（公務員となつた候補者の取扱い）

第九一条① 第八十六条第一項又は第八項の規定により候補者として届出のあつた者（候補者届出政党の届出に係るものに限る。）が、第八十八条又は第八十九条の規定により公職の候補者となることができない者となつたときは、当該届出は、取り下げられたものとみなす。

② 第八十六条第二項、第三項若しくは第八項又は第八十六条の四第一項、第二項、第五項、第六項若しくは第八項の規定により公職の候補者として届出のあつた者（候補者届出政党の届出に係るものを除く。）が、第八十八条又は第八十九条の規定により公職の候補者となることができない者となつたときは、その候補者たることを辞したものとみなす。

③ 衆議院（比例代表選出）議員又は参議院（比例代表選出）議員の選挙において、衆議院名簿登載者又は参議院名簿登載者が第八十八条又は第八十九条の規定により公職の候補者となることができない者となつたときは、その者は、公職の候補者たる衆議院名簿登載者又は参議院名簿登載者でなくなるものとする。

（供託）

第九二条① 第八十六条第一項から第三項まで若しくは第八項又は第八十六条の四第一項、第二項、第五項、第六項若しくは第八項の規定により公職の候補者の届出をしようとするものは、公職の候補者一人につき、次の各号の区分による金額又はこれに相当する額面の国債証書（その権利の帰属が社債、株式等の振替に関する法律（平成十三年法律第七十五号）の規定による振替口座簿の記載又は記録により定まるものとされるものを含む。以下この条において同じ。）を供託しなければならない。

一 衆議院（小選挙区選出）議員の選挙　三百万円
二 参議院（選挙区選出）議員の選挙　三百万円
三 都道府県の議会の議員の選挙　六十万円
四 都道府県知事の選挙　三百万円
五 指定都市の議会の議員の選挙　五十万円
六 指定都市の長の選挙　二百四十万円
七 指定都市以外の市の議会の議員の選挙　三十万円
八 指定都市以外の市の長の選挙　百万円
九 町村の議会の議員の選挙　十五万円
十 町村長の選挙　五十万円

② 第八十六条の二第一項の規定により届出をしようとする政党その他の政治団体は、選挙区ごとに、当該衆議院名簿の衆議院名簿登載者一人につき、六百万円（当該衆議院名簿登載者が当該衆議院比例代表選出議員の選挙と同時に行われる衆議院小選挙区選出議員の選挙における候補者（候補者となるべき者を含む。）である場合にあつては、三百万円）又はこれに相当する額面の国債証書を供託しなければならない。

③ 第八十六条の三第一項の規定により届出をしようとする政党その他の政治団体は、当該参議院名簿の参議院名簿登載者一人につき、六百万円又はこれに相当する額面の国債証書を供託しなければならない。

（公職の候補者に係る供託物の没収）

第九三条① 第八十六条第一項から第三項まで若しくは第八項又は第八十六条の四第一項、第二項、第五項、第六項若しくは第八項の規定により届出のあつた公職の候補者の得票数が、その選挙において、次の各号の区分による数に達しないときは、前条第一項の供託物は、衆議院（小選挙区選出）議員又は参議院（選挙区選出）議員の選挙にあつては国庫に、地方公共団体の議会の議員又は長の選挙にあつては当該地方公共団体に帰属する。

一 衆議院（小選挙区選出）議員の選挙　有効投票の総数の十分の一
二 参議院（選挙区選出）議員の選挙　通常選挙における当該選挙区内の議員の定数をもつて有効投票の総数を除して得た数の八分の一。ただし、選挙すべき議員の数が通常選挙における当該選挙区内の議員の定数を超える場合においては、その選挙すべき議員の数をもつて有効投票の総数を除して得た数の八分の一
三 地方公共団体の議会の議員の選挙　当該選挙区内の議員の定数（選挙区がないときは、議員の定数）をもつて有効投票の総数を除して得た数の十分の一
四 地方公共団体の長の選挙　有効投票の総数の十分の一

② 前項の規定は、同項に規定する公職の候補者の届出が取り下げられ、又は公職の候補者が当該候補者たることを辞した場合（第九十一条第一項又は第二項の規定に該当するに至つた場合を含む。）及び前項に規定する公職の候補者の届出が第八十六条第九項又は第八十六条の四第九項の規定により却下された場合に、準用する。

（名簿届出政党等に係る供託物の没収）

第九四条① 衆議院（比例代表選出）議員の選挙において、衆議院名簿届出政党等につき、選挙区ごとに、三百万円に第一号に掲げる数を乗じて得た金額と六百万円に第二号に掲げる数を乗じて得た金額を合算して得た額が当該衆議院名簿届出政党等に係る第九十二条第二項の供託物の額に達しないときは、当該供託物のうち、当該供託物の額から当該合算して得た額を減じて得た額に相当する額の供託物は、国庫に帰属する。

一 当該衆議院名簿届出政党等の届出に係る衆議院名簿の衆議院名簿登載者のうち、当該選挙と同時に行われた衆議院（小選挙区選出）議員の選挙の当選人とされた者の数
二 当該衆議院名簿届出政党等に係る当選人の数に二を乗じて得た数

② 第八十六条の二第十項の規定により衆議院名簿を取り下げ、又は同条第十一項の規定により同条第一項の規定による届出を却下された政党その他の政治団体に係る第九十二条第二項の供託物は、国庫に帰属する。

③ 参議院（比例代表選出）議員の選挙において、参議院名簿届出政党等につき、第一号に掲げる数が第二号に掲げる数に達しないときは、当該参議院名簿届出政党等に係る第九十二条第三項の供託物のうち六百万円に同号に掲げる数から第一号に掲げる数を減じて得た数を乗じて得た金額に相当する額の供託物は、国庫に帰属する。

一 当該参議院名簿届出政党等に係る当選人の数に二を乗じて得た数
二 第八十六条の三第一項の規定による届出のときにおける参議院名簿登載者の数

④ 第八十六条の三第二項において準用する第八十六条の二第十項の規定により参議院名簿を取り下げ、又は第八十六条の三第二項において準用する第八十六条の二第十一項の規定により第八十六条の三第一項の規定による届出を却下された政党その他の政治団体に係る第九十二条第三項の供託物は、国庫に帰属する。

第十章　当選人（抄）

（衆議院比例代表選出議員又は参議院比例代表選出議員の選挙以外の選挙における当選人）

第九五条① 衆議院（比例代表選出）議員又は参議院（比例代表選出）議員の選挙以外の選挙においては、有効投票の最多数を得た者をもつて当選人とする。ただし、次の各号の区分による得票がなければならない。

一　衆議院（小選挙区選出）議員の選挙　有効投票の総数の六分の一以上の得票

二　参議院（選挙区選出）議員の選挙　通常選挙における当該選挙区内の議員の定数をもつて有効投票の総数を除して得た数の六分の一以上の得票。ただし、選挙すべき議員の数が通常選挙における当該選挙区内の議員の定数を超える場合においては、その選挙すべき議員の数をもつて有効投票の総数を除して得た数の六分の一以上の得票

三　地方公共団体の議会の議員の選挙　当該選挙区内の議員の定数（選挙区がないときは、議員の定数）をもつて有効投票の総数を除して得た数の四分の一以上の得票

四　地方公共団体の長の選挙　有効投票の総数の四分の一以上の得票

② 当選人を定めるに当り得票数が同じであるときは、選挙会において、選挙長がくじで定める。

（衆議院比例代表選出議員の選挙における当選人の数及び当選人）

第九五条の二① 衆議院（比例代表選出）議員の選挙においては、各衆議院名簿届出政党等の得票数を一から当該衆議院名簿届出政党等に係る衆議院名簿登載者（当該選挙の期日において公職の候補者たる者に限る。第百三条第四項を除き、以下この章及び次章において同じ。）の数に相当する数までの各整数で順次除して得たすべての商のうち、その数値の最も大きいものから順次に数えて当該選挙において選挙すべき議員の数に相当する数になるまでにある商で各衆議院名簿届出政党等の得票数に係るものの個数をもつて、それぞれの衆議院名簿届出政党等の当選人の数とする。

② 前項の場合において、二以上の商が同一の数値であるため同項の規定によつてはそれぞれの衆議院名簿届出政党等に係る当選人の数を定めることができないときは、それらの商のうち、当該選挙において選挙すべき議員の数に相当する数になるまでにあるべき商を、選挙会において、選挙長がくじで定める。

③ 衆議院名簿において、第八十六条の二第六項の規定により二人以上の衆議院名簿登載者について当選人となるべき順位が同一のものとされているときは、当該当選人となるべき順位は、当該選挙と同時に行われた衆議院（小選挙区選出）議員の選挙における得票数の当該選挙区における有効投票の最多数を得た者に係る得票数に対する割合の最も大きい者から順次に定める。この場合において、当選人となるべき順位が同一のものとされた衆議院名簿登載者のうち、当該割合が同じであるものがあるときは、それらの者の間における当選人となるべき順位は、選挙会において、選挙長がくじで定める。

④ 衆議院（比例代表選出）議員の選挙においては、各衆議院名簿届出政党等の届出に係る衆議院名簿登載者のうち、それらの者の間における当選人となるべき順位に従い、第一項及び第二項の規定により定められた当該衆議院名簿届出政党等の当選人の数に相当する数の衆議院名簿登載者を、当選人とする。

⑤ 第一項、第二項及び前項の場合において、当該選挙と同時に行われた衆議院（小選挙区選出）議員の選挙の当選人とされた衆議院名簿登載者があるときは、当該衆議院名簿登載者は、衆議院名簿に記載されていないものとみなして、これらの規定を適用する。

⑥ 第一項、第二項及び第四項の場合において、当該選挙と同時に行われた衆議院（小選挙区選出）議員の選挙においてその得票数が第九十三条第一項第一号に規定する数に達しなかつた衆議院名簿登載者があるときは、当該衆議院名簿登載者は、衆議院名簿に記載されていないものとみなして、これらの規定を適用する。

（参議院比例代表選出議員の選挙における当選人の数及び当選人となるべき順位並びに当選人）

第九五条の三① 参議院（比例代表選出）議員の選挙においては、各参議院名簿届出政党等の得票数（当該参議院名簿届出政党等に係る各参議院名簿登載者（当該選挙の期日において公職の候補者たる者に限る。第百三条第四項を除き、以下この章及び次章において同じ。）の得票数を含むものをいう。）を一から当該参議院名簿届出政党等に係る参議院名簿登載者の数に相当する数までの各整数で順次除して得たすべての商のうち、その数値の最も大きいものから順次に数えて当該選挙において選挙すべき議員の数に相当する数になるまでにある商で各参議院名簿届出政党等の得票数（当該参議院名簿届出政党等に係る各参議院名簿登載者の得票数を含むものをいう。）に係るものの個数をもつて、それぞれの参議院名簿届出政党等の当選人の数とする。

② 前項の場合において、二以上の商が同一の数値であるため同項の規定によつてはそれぞれの参議院名簿届出政党等に係る当選人の数を定めることができないときは、それらの商のうち、当該選挙において選挙すべき議員の数に相当する数になるまでにあるべき商を、選挙会において、選挙長がくじで定める。

③ 各参議院名簿届出政党等（次項に規定する参議院名簿届出政党等を除く。）の届出に係る参議院名簿において、参議院名簿登載者の間における当選人となるべき順位は、その得票数の最も多い者から順次に定める。この場合において、その得票数が同じである者があるときは、それらの者の間における当選人となるべき順位は、選挙会において、選挙長がくじで定める。

④ 参議院名簿届出政党等であつて、その届出に係る参議院名簿登載者のうちに第八十六条の三第一項後段の規定により優先的に当選人となるべき候補者としてその氏名及び当選人となるべき順位が参議院名簿に記載されている者である参議院名簿登載者があるものの届出に係る各参議院名簿において、当該参議院名簿登載者の当選人となるべき順位は、その他の参議院名簿登載者の当選人となるべき順位より上位とし、当該その他の参議院名簿登載者の間における当選人となるべき順位は、その得票数の最も多い者から順次に定める。この場合において、当該その他の参議院名簿登載者のうちにその得票数が同じである者があるときは、前項後段の規定を準用する。

⑤ 参議院（比例代表選出）議員の選挙においては、各参議院名簿届出政党等の届出に係る参議院名簿登載者のうち、それらの者の間における当選人となるべき順位に従い、第一項及び第二項の規定により定められた当該参議院名簿届出政党等の当選人の数に相当する数の参議院名簿登載者を、当選人とする。

（当選人の更正決定）

第九六条　第二百六条、第二百七条第一項又は第二百八条第一項の規定による異議の申出、審査の申立て又は訴訟の結果、再選挙を行わないで当選人（衆議院比例代表選出議員の選挙にあつては衆議院名簿届出政党等に係る当選人の数又は当選人、参議院比例代表選出議員の選挙にあつては参議院名簿届出政党等に係る当選人の数若しくは当選人となるべき順位又は当選人。以

下この条において同じ。）を定めることができる場合においては、直ちに選挙会を開き、当選人を定めなければならない。

（衆議院比例代表選出議員又は参議院比例代表選出議員の選挙以外の選挙における当選人の繰上補充）

第九七条① 衆議院（比例代表選出）議員又は参議院（比例代表選出）議員の選挙以外の選挙について、当選人が死亡者であるとき又は第九十九条、第百三条第二項若しくは第四項若しくは第百四条の規定により当選を失つたときは、直ちに選挙会を開き、第九十五条第一項ただし書の規定による得票者で当選人とならなかつたもの（衆議院小選挙区選出議員又は地方公共団体の長の選挙については、同条第二項の規定の適用を受けた得票者で当選人とならなかつたもの）の中から当選人を定めなければならない。

② 参議院（選挙区選出）議員又は地方公共団体の議会の議員の選挙について、第百九条第五号若しくは第六号の事由がその選挙の期日から三箇月以内に生じた場合において第九十五条第一項ただし書の規定による得票者で当選人とならなかつたものがあるとき又はこれらの事由がその選挙の期日から三箇月経過後に生じた場合において同条第二項の規定の適用を受けた得票者で当選人とならなかつたものがあるときは、直ちに選挙会を開き、その者の中から当選人を定めなければならない。

③ 衆議院（小選挙区選出）議員又は地方公共団体の長の選挙について、第百九条第五号又は第六号の事由が生じた場合において、第九十五条第二項の規定の適用を受けた得票者で当選人とならなかつたものがあるときは、直ちに選挙会を開き、その者の中から当選人を定めなければならない。

（衆議院比例代表選出議員又は参議院比例代表選出議員の選挙における当選人の繰上補充）

第九七条の二① 衆議院（比例代表選出）議員の選挙について、当選人が死亡者である場合、第九十九条、第九十九条の二第一項（同条第五項において準用する場合を含む。）若しくは第百三条第二項若しくは第四項の規定により当選を失つた場合又は第二百五十一条、第二百五十一条の二若しくは第二百五十一条の三の規定により当選が無効となつた場合において、当該当選人に係る衆議院名簿の衆議院名簿登載者で当選人とならなかつたものがあるときは、直ちに選挙会を開き、その者の中から、その衆議院名簿における当選人となるべき順位に従い、当選人を定めなければならない。

② 第九十五条の二第五項及び第六項の規定は、前項の場合について準用する。

③ 第一項の規定は、参議院（比例代表選出）議員の選挙について準用する。この場合において、同項中「第九十九条の二第一項（同条第五項において準用する場合を含む。）」とあるのは「第九十九条の二第六項において準用する同条第一項（同条第五項において準用する場合を含む。）」と、「若しくは第二百五十一条の三」とあるのは「、第二百五十一条の三若しくは第二百五十一条の四」と、「衆議院名簿の衆議院名簿登載者」とあるのは「参議院名簿の参議院名簿登載者」と、「その衆議院名簿」とあるのは「その参議院名簿に係る参議院名簿登載者の間」と読み替えるものとする。

（被選挙権の喪失と当選人の決定等）

第九八条① 前三条の場合において、第九十五条第一項ただし書の規定による得票者、同条第二項の規定の適用を受けた得票者、衆議院名簿登載者又は参議院名簿登載者で、当選人とならなかつたものが、その選挙の期日後において被選挙権を有しなくなつたとき又は第二百五十一条の二若しくは第二百五十一条の三の規定により当該選挙に係る第二百五十一条の二第一項各号に掲げる者若しくは第二百五十一条の三第一項に規定する組織的選挙運動管理者等の選挙に関する犯罪によつて当該選挙に係る選挙区（選挙区がないときは、選挙の行われる区域）において行われる当該公職に係る選挙において公職の候補者となり若しくは公職の候補者であることができない者となつたときは、これを当選人と定めることができない。衆議院名簿登載者で当選人とならなかつたものが、第二百五十一条の二又は第二百五十一条の三の規定により当該選挙と同時に行われた衆議院（小選挙区選出）議員の選挙に係る第二百五十一条の二第一項各号に掲げる者又は第二百五十一条の三第一項に規定する組織的選挙運動管理者等の選挙に関する犯罪によつて当該衆議院（小選挙区選出）議員の選挙に係る選挙区において行われる当該衆議院（小選挙区選出）議員の選挙において公職の候補者となり又は公職の候補者であることができない者となつたときも、また同様とする。

② 衆議院（小選挙区選出）議員の選挙に係る第九十六条又は第九十七条の場合において、候補者届出政党が届け出た候補者であつた者のうち、第九十五条第一項ただし書の規定による得票者又は同条第二項の規定の適用を受けた得票者で当選人とならなかつたものにつき除名、離党その他の事由により当該候補者届出政党に所属する者でなくなつた旨の届出が、文書で、第九十六条又は第九十七条に規定する事由が生じた日の前日までに選挙長にされているときは、これを当選人と定めることができない。

③ 衆議院（比例代表選出）議員又は参議院（比例代表選出）議員の選挙に係る第九十六条又は前条の場合において、衆議院名簿登載者又は参議院名簿登載者で、当選人とならなかつたものにつき除名、離党その他の事由により当該衆議院名簿届出政党等又は参議院名簿届出政党等に所属する者でなくなつた旨の届出が、文書で、これらの条に規定する事由が生じた日の前日までに選挙長にされているときは、これを当選人と定めることができない。衆議院名簿又は参議院名簿を取り下げる旨の届出が、文書で、これらの条に規定する事由が生じた日の前日までに選挙長にされている場合の当該衆議院名簿の衆議院名簿登載者又は参議院名簿の参議院名簿登載者で、当選人とならなかつたものについても、また同様とする。

④ 第八十六条第十項の規定は第二項の届出について、第八十六条の二第八項及び第十項後段（これらの規定を第八十六条の三第二項において準用する場合を含む。）の規定は前項の届出について準用する。

（被選挙権の喪失に因る当選人の失格）

第九九条 当選人は、その選挙の期日後において被選挙権を有しなくなつたときは、当選を失う。

（衆議院比例代表選出議員又は参議院比例代表選出議員の選挙における所属政党等の移動による当選人の失格）

第九九条の二① 衆議院（比例代表選出）議員の選挙における当選人（第九十六条、第九十七条の二第一項又は第百十二条第二項の規定により当選人と定められた者を除く。以下この項から第四項までにおいて同じ。）は、その選挙の期日以後において、当該当選人が衆議院名簿登載者であつた衆議院名簿届出政党等以外の政党その他の政治団体で、当該選挙における衆議院名簿届出政党等であるもの（当該当選人が衆議院名簿登載者であつた衆議院名簿届出政党等（当該衆議院名簿届出政党等に係る合併又は分割（二以上の政党その他の政治団体の設立を目的として一の政党その他の政治団体が解散し、当該二以上の政党その他の政治団体が設立されることをいう。）が行われた場合における当該合併後に存続する政党その他の政治団体若しくは当該合併により設立された政党その他の政治団体又は当該分割により設立された政党その他の政治団体を含む。）を含む二以上の政党その他の政治団体の合併により当該合併後に存続するものを除く。第四項において「他の衆議院名簿届出政党等」という。）に所属する者となつたときは、当選を失う。

② 衆議院（比例代表選出）議員の選挙における当選人が、除名、離党その他の事由により当該当選人が衆議院名簿登載者であつた衆議院名簿届出政党等に所属する者でなくなつた場合は、当該衆議院名簿届出政党等は、直ちに文書でその旨を選挙長に届け出なければならない。この場合において、選挙長は、直ちにその旨を当該当選人に通知しなければならない。

③ 前項前段の文書には、当該届出に係る事由が、除名である場

合にあつては当該除名の手続を記載した文書を、離党である場合にあつては当該当選人が衆議院名簿届出政党等に提出した離党届の写しを、その他の事由である場合にあつては当該事由を証する文書を、それぞれ、添えなければならない。

④ 第二項の通知を受けた当選人は、当該当選人がその選挙の期日以後において他の衆議院名簿届出政党等に所属していない場合には、当該当選人がその選挙の期日以後において他の衆議院名簿届出政党等に所属していないことを誓う旨の宣誓書を、当該通知を受けた日から五日以内に選挙長に提出しなければならない。

⑤ 前各項の規定は、衆議院（比例代表選出）議員の選挙における当選人で第九十六条、第九十七条の二第一項又は第百十二条第二項の規定により当選人と定められたものについて準用する。（後略）

⑥ 前各項の規定は、参議院（比例代表選出）議員の選挙における当選人について準用する。（後略）

（無投票当選）

第一〇〇条① 衆議院（小選挙区選出）議員の選挙において、第八十六条第一項から第三項まで又は第八項の規定による届出のあつた候補者が一人であるとき又は一人となつたときは、投票は、行わない。

② 衆議院（比例代表選出）議員の選挙において、第八十六条の二第一項若しくは第九項の規定による届出に係る衆議院名簿登載者の総数がその選挙において選挙すべき議員の数を超えないとき若しくは超えなくなつたとき又は同条第一項の規定による届出をした衆議院名簿届出政党等が一であるとき若しくは一となつたときは、投票は、行わない。

③ 参議院（比例代表選出）議員の選挙において、第八十六条の三第一項又は同条第二項において準用する第八十六条の二第九項の規定による届出に係る参議院名簿登載者の総数がその選挙において選挙すべき議員の数を超えないとき又は超えなくなつたときは、投票は、行わない。

④ 参議院（選挙区選出）議員若しくは地方公共団体の議会の議員の選挙において第八十六条の四第一項、第二項若しくは第五項の規定による届出のあつた候補者の総数がその選挙において選挙すべき議員の数を超えないとき若しくは超えなくなつたとき又は地方公共団体の長の選挙において同条第一項、第二項、第六項若しくは第八項の規定による届出のあつた候補者が一人であるとき若しくは一人となつたときは、投票は、行わない。

⑤ 前各項又は第百二十七条の規定により投票を行わないこととなつたときは、選挙長は、直ちにその旨を当該選挙の各投票管理者に通知し、併せてこれを告示し、かつ、当該選挙に関する事務を管理する選挙管理委員会（衆議院比例代表選出議員又は参議院比例代表選出議員の選挙については中央選挙管理会、参議院合同選挙区選挙については当該選挙に関する事務を管理する参議院合同選挙区選挙管理委員会）に報告しなければならない。

⑥ 第一項から第四項まで（第二項の規定の適用がある場合であつて、衆議院比例代表選出議員の選挙が衆議院小選挙区選出議員の選挙と同時に行われる場合を除く。）又は第百二十七条の場合においては、選挙長は、その選挙の期日から五日以内に選挙会を開き、当該公職の候補者をもつて当選人と定めなければならない。

⑦ 前項に規定する場合を除くほか、衆議院（比例代表選出）議員の選挙において、第八十六条の二第一項又は第九項の規定による届出に係る衆議院名簿登載者の総数がその選挙において選挙すべき議員の数を超えないとき又は超えなくなつたときは、選挙長は、次条第四項の規定による通知があつた日又はその翌日に選挙会を開き、当該衆議院名簿登載者をもつて当選人と定めなければならない。この場合においては、第九十五条の二第五項及び第六項の規定を準用する。

⑧ 前二項に規定する場合を除くほか、衆議院（比例代表選出）議員の選挙において、第八十六条の二第一項の規定による届出をした衆議院名簿届出政党等が一であるとき又は一となつたときは、選挙長は、次条第四項の規定による通知があつた日又はその翌日に選挙会を開き、当該衆議院名簿届出政党等の届出に係る衆議院名簿登載者のうち、その衆議院名簿における当選人となるべき順位に従い、その選挙において選挙すべき議員の数に相当する数の衆議院名簿登載者をもつて当選人と定めなければならない。この場合においては、第九十五条の二第三項、第五項及び第六項の規定を準用する。

⑨ 前三項の場合において、当該公職の候補者の被選挙権の有無は、選挙立会人の意見を聴き、選挙長が決定しなければならない。

第一〇一条から第一〇二条まで　（略）

（当選人が兼職禁止の職にある場合等の特例）

第一〇三条① 当選人で、法律の定めるところにより当該選挙に係る議員又は長と兼ねることができない職にある者が、第百一条第二項、第百一条の二第二項、第百一条の二の二第二項又は第百一条の三第二項の規定により当選の告知を受けたときは、その告知を受けた日にその職を辞したものとみなす。

② 第九十六条、第九十七条、第九十七条の二又は第百十二条の規定により当選人と定められた者で、法律の定めるところにより当該選挙に係る議員又は長と兼ねることができない職にあるものが第百一条第二項、第百一条の二第二項、第百一条の二の二第二項又は第百一条の三第二項の規定により当選の告知を受けたときは、前項の規定にかかわらず、当該選挙に関する事務を管理する選挙管理委員会（衆議院比例代表選出議員又は参議院比例代表選出議員の選挙については中央選挙管理会、参議院合同選挙区選挙については当該選挙に関する事務を管理する参議院合同選挙区選挙管理委員会）に対し、その告知を受けた日から五日以内にその職を辞した旨の届出をしないときは、その当選を失う。

③ 前項の場合において、同項に規定する公務員がその退職の申出をしたときは、当該公務員の退職に関する法令の規定にかかわらず、その申出の日に当該公務員たることを辞したものとみなす。

④ 一の選挙につき第九十六条、第九十七条、第九十七条の二又は第百十二条の規定により当選人と定められた者が、他の選挙につき第八十六条第一項から第三項まで若しくは第八項の規定による届出のあつたものであるとき、第八十六条の二第一項若しくは第九項の規定による届出に係る衆議院名簿登載者であるとき、第八十六条の三第一項若しくは同条第二項において準用する第八十六条の二第九項の規定による届出に係る参議院名簿登載者であるとき又は第八十六条の四第一項、第二項、第五項、第六項若しくは第八項の規定による届出のあつたものであるときは、第九十一条又は第一項の規定にかかわらず、第百一条第二項、第百一条の二第二項、第百一条の二の二第二項又は第百一条の三第二項の規定により一の選挙の当選の告知を受けた日から五日以内にその選挙に関する事務を管理する選挙管理委員会（衆議院比例代表選出議員又は参議院比例代表選出議員の選挙については中央選挙管理会、参議院合同選挙区選挙については当該選挙に関する事務を管理する参議院合同選挙区選挙管理委員会）にその当選を辞する旨の届出をしないときは、他の選挙について、その公職の候補者に係る候補者の届出が取り下げられ若しくはその公職の候補者たることを辞したものとみなし、若しくはその公職の候補者たる衆議院名簿登載者若しくは参議院名簿登載者でなくなり、又はその当選を失う。

第一〇四条から第一〇八条まで　（略）

第十一章　特別選挙（第一〇九条から第一一八条まで）（略）

第十二章　選挙を同時に行うための特例（第一一九条から第一二八条まで）（略）

第十三章　選挙運動（抄）

（選挙運動の期間）

第一二九条　選挙運動は、各選挙につき、それぞれ第八十六条第一項から第三項まで若しくは第八項の規定による候補者の届出、第八十六条の二第一項の規定による衆議院名簿の届出、第八十六条の三第一項の規定による参議院名簿の届出（同条第二項において準用する第八十六条の二第九項の規定による届出に係る候補者については、当該届出）又は第八十六条の四第一項、第二項、第五項、第六項若しくは第八項の規定による公職の候補者の届出のあつた日から当該選挙の期日の前日まででなければ、することができない。

第一三〇条から第一三四条まで　（略）

（選挙事務関係者の選挙運動の禁止）

第一三五条①　第八十八条に掲げる者は、在職中、その関係区域内において、選挙運動をすることができない。

②　不在者投票管理者は、不在者投票に関し、その者の業務上の地位を利用して選挙運動をすることができない。

（特定公務員の選挙運動の禁止）

第一三六条　次に掲げる者は、在職中、選挙運動をすることができない。

一　中央選挙管理会の委員及び中央選挙管理会の庶務に従事する総務省の職員、参議院合同選挙区選挙管理委員会の職員並びに選挙管理委員会の委員及び職員

二　裁判官

三　検察官

四　会計検査官

五　公安委員会の委員

六　警察官

七　収税官吏及び徴税の吏員

（公務員等の地位利用による選挙運動の禁止）

第一三六条の二①　次の各号のいずれかに該当する者は、その地位を利用して選挙運動をすることができない。

一　国若しくは地方公共団体の公務員又は行政執行法人若しくは特定地方独立行政法人の役員若しくは職員

二　沖縄振興開発金融公庫の役員又は職員（以下「公庫の役職員」という。）

②　前項各号に掲げる者が公職の候補者若しくは公職の候補者となろうとする者（公職にある者を含む。）を推薦し、支持し、若しくはこれに反対する目的をもつてする次の各号に掲げる行為又は公職の候補者若しくは公職の候補者となろうとする者（公職にある者を含む。）である同項各号に掲げる者が公職の候補者として推薦され、若しくは支持される目的をもつてする次の各号に掲げる行為は、同項に規定する禁止行為に該当するものとみなす。

一　その地位を利用して、公職の候補者の推薦に関与し、若しくは関与することを援助し、又は他人をしてこれらの行為をさせること。

二　その地位を利用して、投票の周旋勧誘、演説会の開催その他の選挙運動の企画に関与し、その企画の実施について指示し、若しくは指導し、又は他人をしてこれらの行為をさせること。

三　その地位を利用して、第百九十九条の五第一項に規定する後援団体を結成し、その結成の準備に関与し、同項に規定する後援団体の構成員となることを勧誘し、若しくはこれらの行為を援助し、又は他人をしてこれらの行為をさせること。

四　その地位を利用して、新聞その他の刊行物を発行し、文書図画を掲示し、若しくは頒布し、若しくはこれらの行為を援助し、又は他人をしてこれらの行為をさせること。

五　公職の候補者又は公職の候補者となろうとする者（公職にある者を含む。）を推薦し、支持し、若しくはこれに反対することを申しいで、又は約束した者に対し、その代償として、その職務の執行に当たり、当該申しいでし、又は約束した者に係る利益を供与し、又は供与することを約束すること。

（教育者の地位利用の選挙運動の禁止）

第一三七条　教育者（学校教育法（昭和二十二年法律第二十六号）に規定する学校及び就学前の子どもに関する教育、保育等の総合的な提供の推進に関する法律（平成十八年法律第七十七号）に規定する幼保連携型認定こども園の長及び教員をいう。）は、学校の児童、生徒及び学生に対する教育上の地位を利用して選挙運動をすることができない。

（年齢満十八年未満の者の選挙運動の禁止）

第一三七条の二①　年齢満十八年未満の者は、選挙運動をすることができない。

②　何人も、年齢満十八年未満の者を使用して選挙運動をすることができない。ただし、選挙運動のための労務に使用する場合は、この限りでない。

（選挙権及び被選挙権を有しない者の選挙運動の禁止）

第一三七条の三　第二百五十二条又は政治資金規正法第二十八条の規定により選挙権及び被選挙権を有しない者は、選挙運動をすることができない。

（戸別訪問）

第一三八条①　何人も、選挙に関し、投票を得若しくは得しめ又は得しめない目的をもつて戸別訪問をすることができない。

②　いかなる方法をもつてするを問わず、選挙運動のため、戸別に、演説会の開催若しくは演説を行うことについて告知をする行為又は特定の候補者の氏名若しくは政党その他の政治団体の名称を言いあるく行為は、前項に規定する禁止行為に該当するものとみなす。

（署名運動の禁止）

第一三八条の二　何人も、選挙に関し、投票を得若しくは得しめ又は得しめない目的をもつて選挙人に対し署名運動をすることができない。

（人気投票の公表の禁止）

第一三八条の三　何人も、選挙に関し、公職に就くべき者（衆議院比例代表選出議員の選挙にあつては政党その他の政治団体に係る公職に就くべき者又はその数、参議院比例代表選出議員の選挙にあつては政党その他の政治団体に係る公職に就くべき者又はその数若しくは公職に就くべき順位）を予想する人気投票の経過又は結果を公表してはならない。

（飲食物の提供の禁止）

第一三九条　何人も、選挙運動に関し、いかなる名義をもつてするを問わず、飲食物（湯茶及びこれに伴い通常用いられる程度の菓子を除く。）を提供することができない。ただし、衆議院（比例代表選出）議員の選挙以外の選挙において、選挙運動（衆議院小選挙区選出議員の選挙において候補者届出政党が行うもの及び参議院比例代表選出議員の選挙において参議院名簿届出政党等が行うものを除く。以下この条において同じ。）に従事する者及び選挙運動のために使用する労務者に対し、公職の候補者（参議院比例代表選出議員の選挙における候補者たる参議院名簿登載者で第八十六条の三第一項後段の規定により優先的に当選人となるべき候補者としてその氏名及び当選人となるべき順位が参議院名簿に記載されているものを除く。）一人について、当該選挙の選挙運動の期間中、政令で定める弁当料の額の範囲内で、かつ、両者を通じて十五人分（四十五食分）（第百三十一条第一項の規定により公職の候補者又はその推薦届出者が設置することができる選挙事務所の数が一を超える場合においては、その一を増すごとにこれに六人分（十八食分）を加えたもの）に、当該選挙につき選挙の期日の公示又は告示のあつた日からその選挙の期日の前日までの期間の日数を乗じて得た数分を超えない範囲内で、選挙事務所において食事するために提供する弁当（選挙運動に従事する者及び選挙運動のために使用する労務者が携行するために提供された弁当を含む。）については、この限りでない。

（気勢を張る行為の禁止）

第一四〇条　何人も、選挙運動のため、自動車を連ね又は隊伍を組んで往来する等によつて気勢を張る行為をすることができない。

（連呼行為の禁止）

第一四〇条の二① 何人も、選挙運動のため、連呼行為をすることができない。ただし、演説会場及び街頭演説（演説を含む。）の場所においてする場合並びに午前八時から午後八時までの間に限り、次条の規定により選挙運動のために使用される自動車又は船舶の上においてする場合は、この限りでない。

② 前項ただし書の規定により選挙運動のための連呼行為をする者は、学校（学校教育法第一条に規定する学校及び就学前の子どもに関する教育、保育等の総合的な提供の推進に関する法律第二条第七項に規定する幼保連携型認定こども園をいう。以下同じ。）及び病院、診療所その他の療養施設の周辺においては、静穏を保持するように努めなければならない。

第一四一条から第一四一条の三まで（略）

（文書図画の頒布）

第一四二条① 衆議院（比例代表選出）議員の選挙以外の選挙においては、選挙運動のために使用する文書図画は、次の各号に規定する通常葉書及びビラのほかは、頒布することができない。この場合において、ビラについては、散布することができない。

一 衆議院（小選挙区選出）議員の選挙にあつては、候補者一人について、通常葉書 三万五千枚、当該選挙に関する事務を管理する選挙管理委員会に届け出た二種類以内のビラ 七万枚

一の二 参議院（比例代表選出）議員の選挙にあつては、公職の候補者たる参議院名簿登載者（第八十六条の三第一項後段の規定により優先的に当選人となるべき候補者としてその氏名及び当選人となるべき順位が参議院名簿に記載されている者を除く。）一人について、通常葉書 十五万枚、中央選挙管理会に届け出た二種類以内のビラ 二十五万枚

二 参議院（選挙区選出）議員の選挙にあつては、候補者一人について、当該選挙区の区域内の衆議院（小選挙区選出）議員の選挙区の数が一である場合には、通常葉書 三万五千枚、当該選挙に関する事務を管理する選挙管理委員会（参議院合同選挙区選挙については、当該選挙に関する事務を管理する参議院合同選挙区選挙管理委員会。以下この号において同じ。）に届け出た二種類以内のビラ 十万枚、当該選挙区の区域内の衆議院（小選挙区選出）議員の選挙区の数が一を超える場合には、その一を増すごとに、通常葉書 二千五百枚を三万五千枚に加えた数、当該選挙に関する事務を管理する選挙管理委員会に届け出た二種類以内のビラ 一万五千枚を十万枚に加えた数（その数が三十万枚を超える場合には、三十万枚）

三 都道府県知事の選挙にあつては、候補者一人について、当該都道府県の区域内の衆議院（小選挙区選出）議員の選挙区の数が一である場合には、通常葉書 三万五千枚、当該選挙に関する事務を管理する選挙管理委員会に届け出た二種類以内のビラ 十万枚、当該都道府県の区域内の衆議院（小選挙区選出）議員の選挙区の数が一を超える場合には、その一を増すごとに、通常葉書 二千五百枚を三万五千枚に加えた数、当該選挙に関する事務を管理する選挙管理委員会に届け出た二種類以内のビラ 一万五千枚を十万枚に加えた数（その数が三十万枚を超える場合には、三十万枚）

四 都道府県の議会の議員の選挙にあつては、候補者一人について、通常葉書 八千枚、当該選挙に関する事務を管理する選挙管理委員会に届け出た二種類以内のビラ 一万六千枚

五 指定都市の選挙にあつては、長の選挙の場合には、候補者一人について、通常葉書 三万五千枚、当該選挙に関する事務を管理する選挙管理委員会に届け出た二種類以内のビラ 七万枚、議会の議員の選挙の場合には、候補者一人について、通常葉書 四千枚、当該選挙に関する事務を管理する選挙管理委員会に届け出た二種類以内のビラ 八千枚

六 指定都市以外の市の選挙にあつては、長の選挙の場合には、候補者一人について、通常葉書 八千枚、当該選挙に関する事務を管理する選挙管理委員会に届け出た二種類以内のビラ 一万六千枚、議会の議員の選挙の場合には、候補者一人について、通常葉書 二千枚、当該選挙に関する事務を管理する選挙管理委員会に届け出た二種類以内のビラ 四千枚

七 町村の選挙にあつては、長の選挙の場合には、候補者一人について、通常葉書 二千五百枚、当該選挙に関する事務を管理する選挙管理委員会に届け出た二種類以内のビラ 五千枚、議会の議員の選挙の場合には、候補者一人について、通常葉書 八百枚、当該選挙に関する事務を管理する選挙管理委員会に届け出た二種類以内のビラ 千六百枚

② 前項の規定にかかわらず、衆議院（小選挙区選出）議員の選挙においては、候補者届出政党は、その届け出た候補者に係る選挙区を包括する都道府県ごとに、二万枚に当該都道府県における当該候補者届出政党の届出候補者の数を乗じて得た数以内の通常葉書及び四万枚に当該都道府県における当該候補者届出政党の届出候補者の数を乗じて得た数以内のビラを、選挙運動のために頒布（散布を除く。）することができる。ただし、ビラについては、その届け出た候補者に係る選挙区ごとに四万枚以内で頒布するほかは、頒布することができない。

③ 衆議院（比例代表選出）議員の選挙においては、衆議院名簿届出政党等は、その届け出た衆議院名簿に係る選挙区ごとに、中央選挙管理会に届け出た二種類以内のビラを、選挙運動のために頒布（散布を除く。）することができる。

④ 衆議院（比例代表選出）議員の選挙においては、選挙運動のために使用する文書図画は、前項の規定により衆議院名簿届出政党等が頒布することができるビラのほかは、頒布することができない。

⑤ 第一項の通常葉書は無料とし、第二項の通常葉書は有料とし、政令で定めるところにより、日本郵便株式会社において選挙用である旨の表示をしたものでなければならない。

⑥ 第一項から第三項までのビラは、新聞折込みその他政令で定める方法によらなければ、頒布することができない。

⑦ 第一項及び第二項のビラは、当該選挙に関する事務を管理する選挙管理委員会（参議院比例代表選出議員の選挙については中央選挙管理会、参議院合同選挙区選挙については当該選挙に関する事務を管理する参議院合同選挙区選挙管理委員会。以下この項において同じ。）の定めるところにより、当該選挙に関する事務を管理する選挙管理委員会の交付する証紙を貼らなければ頒布することができない。この場合において、第二項のビラについて当該選挙に関する事務を管理する選挙管理委員会の交付する証紙は、当該選挙の選挙区ごとに区分しなければならない。

⑧ 第一項のビラは長さ二十九・七センチメートル、幅二十一センチメートルを、第二項のビラは長さ四十二センチメートル、幅二十九・七センチメートルを、超えてはならない。

⑨ 第一項から第三項までのビラには、その表面に頒布責任者及び印刷者の氏名（法人にあつては名称）及び住所を記載しなければならない。この場合において、第一項第一号の二のビラにあつては当該参議院名簿登載者に係る参議院名簿届出政党等の名称及び同号のビラである旨を表示する記号を、第二項のビラにあつては当該候補者届出政党の名称を、第三項のビラにあつては当該衆議院名簿届出政党等の名称及び同項のビラである旨を表示する記号を、併せて記載しなければならない。

⑩ 衆議院（小選挙区選出）議員又は参議院議員の選挙における公職の候補者は、政令で定めるところにより、政令で定める額の範囲内で、第一項第一号から第二号までの通常葉書及びビラを無料で作成することができる。この場合においては、第百四十一条第七項ただし書の規定を準用する。

⑪ 地方公共団体は、前項の規定（参議院比例代表選出議員の選挙に係る部分を除く。）に準じて、条例で定めるところにより、公職の候補者の第一項第三号から第七号までのビラの作成について、無料とすることができる。

⑫　選挙運動のために使用する回覧板その他の文書図画又は看板（プラカードを含む。以下同じ。）の類を多数の者に回覧させることは、第一項から第四項までの頒布とみなす。ただし、第百四十三条第一項第二号に規定するものを同号に規定する自動車又は船舶に取り付けたままで回覧させること、及び公職の候補者（衆議院比例代表選出議員の選挙における候補者で当該選挙と同時に行われる衆議院小選挙区選出議員の選挙における候補者である者以外のもの並びに参議院比例代表選出議員の選挙における候補者たる参議院名簿登載者で第八十六条の三第一項後段の規定により優先的に当選人となるべき候補者としてその氏名及び当選人となるべき順位が参議院名簿に記載されているものを除く。）が第百四十三条第一項第三号に規定するものを着用したままで回覧することは、この限りでない。

⑬　衆議院議員の総選挙については、衆議院の解散に関し、公職の候補者又は公職の候補者となろうとする者（公職にある者を含む。）の氏名又はこれらの者の氏名が類推されるような事項を表示して、郵便等又は電報により、選挙人にあいさつする行為は、第一項の禁止行為に該当するものとみなす。

（パンフレット又は書籍の頒布）

第一四二条の二①　前条第一項及び第四項の規定にかかわらず、衆議院議員の総選挙又は参議院議員の通常選挙においては、候補者届出政党若しくは衆議院名簿届出政党等又は参議院名簿届出政党等は、当該候補者届出政党若しくは衆議院名簿届出政党等又は参議院名簿届出政党等の本部において直接発行するパンフレット又は書籍で国政に関する重要政策及びこれを実現するための基本的な方策等を記載したもの又はこれらの要旨等を記載したものとして総務大臣に届け出たそれぞれ一種類のパンフレット又は書籍を、選挙運動のために頒布（散布を除く。）することができる。

②　前項のパンフレット又は書籍は、次に掲げる方法によらなければ、頒布することができない。

一　当該候補者届出政党若しくは衆議院名簿届出政党等又は参議院名簿届出政党等の選挙事務所内、政党演説会若しくは政党等演説会の会場内又は街頭演説の場所における頒布

二　当該候補者届出政党若しくは衆議院名簿届出政党等又は参議院名簿届出政党等に所属する者（参議院名簿登載者を含む。次項において同じ。）である当該衆議院議員の総選挙又は参議院議員の通常選挙における公職の候補者の選挙事務所内、個人演説会の会場内又は街頭演説の場所における頒布

③　第一項のパンフレット又は書籍には、当該候補者届出政党若しくは衆議院名簿届出政党等又は参議院名簿届出政党等に所属する者である当該衆議院議員の総選挙又は参議院議員の通常選挙における公職の候補者（当該候補者届出政党若しくは衆議院名簿届出政党等の代表者を除く。）の氏名又はその氏名が類推されるような事項を記載することができない。

④　第一項のパンフレット及び書籍には、その表紙に、当該候補者届出政党若しくは衆議院名簿届出政党等又は参議院名簿届出政党等の名称、頒布責任者及び印刷者の氏名（法人にあつては名称）及び住所並びに同項のパンフレット又は書籍である旨を表示する記号を記載しなければならない。

（ウェブサイト等を利用する方法による文書図画の頒布）

第一四二条の三①　第百四十二条第一項及び第四項の規定にかかわらず、選挙運動のために使用する文書図画は、ウェブサイト等を利用する方法（インターネット等を利用する方法（電気通信（電気通信事業法（昭和五十九年法律第八十六号）第二条第一号に規定する電気通信をいう。以下同じ。）の送信（公衆によつて直接受信されることを目的とする電気通信の送信を除く。）により、文書図画をその受信をする者が使用する通信端末機器（入出力装置を含む。以下同じ。）の映像面に表示させる方法をいう。以下同じ。）のうち電子メール（特定電子メールの送信の適正化等に関する法律（平成十四年法律第二十六号）第二条第一号に規定する電子メールをいう。以下同じ。）を利用する方法を除いたものをいう。以下同じ。）により、頒布することができる。

②　選挙運動のために使用する文書図画であつてウェブサイト等を利用する方法により選挙の期日の前日までに頒布されたものは、第百二十九条の規定にかかわらず、選挙の当日においても、その受信をする者が使用する通信端末機器の映像面に表示させることができる状態に置いたままにすることができる。

③　ウェブサイト等を利用する方法により選挙運動のために使用する文書図画を頒布する者は、その者の電子メールアドレス（特定電子メールの送信の適正化等に関する法律第二条第三号に規定する電子メールアドレスをいう。以下同じ。）その他のインターネット等を利用する方法によりその者に連絡をする際に必要となる情報（以下「電子メールアドレス等」という。）が、当該文書図画に係る電気通信の受信をする者が使用する通信端末機器の映像面に正しく表示されるようにしなければならない。

（電子メールを利用する方法による文書図画の頒布）

第一四二条の四①　第百四十二条第一項及び第四項の規定にかかわらず、次の各号に掲げる選挙においては、それぞれ当該各号に定めるものは、電子メールを利用する方法により、選挙運動のために使用する文書図画を頒布することができる。

一　衆議院（小選挙区選出）議員の選挙　公職の候補者及び候補者届出政党

二　衆議院（比例代表選出）議員の選挙　衆議院名簿届出政党等

三　参議院（比例代表選出）議員の選挙　参議院名簿届出政党等及び公職の候補者たる参議院名簿登載者（第八十六条の三第一項後段の規定により優先的に当選人となるべき候補者としてその氏名及び当選人となるべき順位が参議院名簿に記載されている者を除く。）

四　参議院（選挙区選出）議員の選挙　公職の候補者及び第二百一条の六第三項（第二百一条の七第二項において準用する場合を含む。）の確認書の交付を受けた政党その他の政治団体（第八十六条の四第三項（同条第五項においてその例によることとされる場合を含む。）の規定により当該公職の候補者が所属するものとして記載されたものに限る。）

五　都道府県又は指定都市の議会の議員の選挙　公職の候補者及び第二百一条の八第二項（同条第三項において準用する場合を含む。）において準用する第二百一条の六第三項の確認書の交付を受けた政党その他の政治団体

六　都道府県知事又は市長の選挙　公職の候補者及び第二百一条の九第三項の確認書の交付を受けた政党その他の政治団体

七　前各号に掲げる選挙以外の選挙　公職の候補者

②　前項の規定により選挙運動のために使用する文書図画を頒布するために用いられる電子メール（以下「選挙運動用電子メール」という。）の送信をする者（その送信をしようとする者を含むものとする。以下「選挙運動用電子メール送信者」という。）は、次の各号に掲げる者に対し、かつ、当該各号に定める電子メールアドレスに送信をする選挙運動用電子メールでなければ、送信をすることができない。

一　あらかじめ、選挙運動用電子メールの送信をするように求める旨又は送信をすることに同意する旨を選挙運動用電子メール送信者に対し通知した者（その電子メールアドレスを当該選挙運動用電子メール送信者に対し自ら通知した者に限る。）　当該選挙運動用電子メール送信者に対し自ら通知した電子メールアドレス

二　前号に掲げる者のほか、選挙運動用電子メール送信者の政治活動のために用いられる電子メール（以下「政治活動用電子メール」という。）を継続的に受信している者（その電子メールアドレスを当該選挙運動用電子メール送信者に対し自ら通知した者に限り、かつ、その通知をした後、その自ら通知した全ての電子メールアドレスを明らかにしてこれらに当該政治活動用電子メールの送信をしないように求める旨を当

該選挙運動用電子メール送信者に対し通知した者を除く。）であつて、あらかじめ、当該選挙運動用電子メール送信者から選挙運動用電子メールの送信をする旨の通知を受けたもののうち、当該通知に対しその受信している政治活動用電子メールに係る自ら通知した全ての電子メールアドレスを明らかにしてこれらに当該選挙運動用電子メールの送信をしないように求める旨の通知をしなかつたもの　当該選挙運動用電子メールの送信をする旨の通知に対し、当該選挙運動用電子メールの送信をしないように求める旨の通知をした電子メールアドレス以外の当該政治活動用電子メールに係る自ら通知した電子メールアドレス

③ 衆議院（比例代表選出）議員の選挙において、公職の候補者たる衆議院名簿登載者（当該選挙と同時に行われる衆議院小選挙区選出議員の選挙における候補者である者を除く。）が、電子メールを利用する方法により選挙運動のために行う文書図画の頒布は、第一項の規定により当該衆議院名簿登載者に係る衆議院名簿届出政党等が行う文書図画の頒布とみなす。この場合における前項の規定の適用については、同項中「送信をする者（その送信をしようとする者」とあるのは、「送信をする衆議院名簿登載者（その送信をしようとする衆議院名簿登載者」とする。

④ 参議院（比例代表選出）議員の選挙において、公職の候補者たる参議院名簿登載者（第八十六条の三第一項後段の規定により優先的に当選人となるべき候補者としてその氏名及び当選人となるべき順位が参議院名簿に記載されている者に限る。）が、電子メールを利用する方法により選挙運動のために行う文書図画の頒布は、第一項の規定により当該参議院名簿登載者に係る参議院名簿届出政党等が行う文書図画の頒布とみなす。この場合における第二項の規定の適用については、同項中「送信をする者（その送信をしようとする者」とあるのは、「送信をする参議院名簿登載者（その送信をしようとする参議院名簿登載者」とする。

⑤ 選挙運動用電子メール送信者は、次の各号に掲げる場合に応じ、それぞれ当該各号に定める事実を証する記録を保存しなければならない。

一　第二項第一号に掲げる者に対し選挙運動用電子メールの送信をする場合　同号に掲げる者がその電子メールアドレスを当該選挙運動用電子メール送信者に対し自ら通知したこと及びその者から選挙運動用電子メールの送信をするように求めがあつたこと又は送信をすることに同意があつたこと。

二　第二項第二号に掲げる者に対し選挙運動用電子メールの送信をする場合　同号に掲げる者がその電子メールアドレスを当該選挙運動用電子メール送信者に対し自ら通知したこと、当該選挙運動用電子メール送信者が当該電子メールアドレスに継続的に政治活動用電子メールの送信をしていること及び当該選挙運動用電子メール送信者が同号に掲げる者に対し選挙運動用電子メールの送信をする旨の通知をしたこと。

⑥ 選挙運動用電子メール送信者は、第二項各号に掲げる者から、選挙運動用電子メールの送信をしないように求める電子メールアドレスを明らかにして電子メールの送信その他の方法により当該電子メールアドレスに選挙運動用電子メールの送信をしないように求める旨の通知を受けたときは、当該電子メールアドレスに選挙運動用電子メールの送信をしてはならない。

⑦ 選挙運動用電子メール送信者は、選挙運動用電子メールの送信に当たつては、当該選挙運動用電子メールを利用する方法により頒布される文書図画に次に掲げる事項を正しく表示しなければならない。

一　選挙運動用電子メールである旨

二　当該選挙運動用電子メール送信者の氏名又は名称

三　当該選挙運動用電子メール送信者に対し、前項の通知を行うことができる旨

四　電子メールの送信その他のインターネット等を利用する方法により前項の通知を行う際に必要となる電子メールアドレスその他の通知先

第一四二条の五（インターネット等を利用する方法により当選を得させないための活動に使用する文書図画を頒布する者の表示義務）① 選挙の期日の公示又は告示の日からその選挙の当日までの間に、ウェブサイト等を利用する方法により当選を得させないための活動に使用する文書図画を頒布する者は、その者の電子メールアドレス等が、当該文書図画に係る電気通信の受信をする者が使用する通信端末機器の映像面に正しく表示されるようにしなければならない。

② 選挙の期日の公示又は告示の日からその選挙の当日までの間に、電子メールを利用する方法により当選を得させないための活動に使用する文書図画を頒布する者は、当該文書図画にその者の電子メールアドレス及び氏名又は名称を正しく表示しなければならない。

第一四二条の六（インターネット等を利用する方法による候補者の氏名等を表示した有料広告の禁止等）① 何人も、その者の行う選挙運動のための公職の候補者の氏名若しくは政党その他の政治団体の名称又はこれらのものが類推されるような事項を表示した広告を、有料で、インターネット等を利用する方法により頒布される文書図画に掲載させることができない。

② 何人も、選挙運動の期間中は、前項の禁止を免れる行為として、公職の候補者の氏名若しくは政党その他の政治団体の名称又はこれらのものが類推されるような事項を表示した広告を、有料で、インターネット等を利用する方法により頒布される文書図画に掲載させることができない。

③ 何人も、選挙運動の期間中は、公職の候補者の氏名若しくは政党その他の政治団体の名称又はこれらのものが類推されるような事項が表示されていない広告であつて、当該広告に係る電気通信の受信をする者が使用する通信端末機器の映像面にウェブサイト等を利用する方法により頒布される選挙運動のために使用する文書図画を表示させることができる機能を有するものを、有料で、インターネット等を利用する方法により頒布される文書図画に掲載させることができない。

④ 前二項の規定にかかわらず、次の各号に掲げる選挙においては、それぞれ当該各号に定める政党その他の政治団体は、選挙運動の期間中において、広告（第一項及び第百五十二条第一項の広告を除くものとする。）であつて、当該広告に係る電気通信の受信をする者が使用する通信端末機器の映像面にウェブサイト等を利用する方法により頒布される当該政党その他の政治団体が行う選挙運動のために使用する文書図画を表示させることができる機能を有するものを、有料で、インターネット等を利用する方法により頒布する文書図画に掲載させることができる。

一　衆議院議員の選挙　候補者届出政党及び衆議院名簿届出政党等

二　参議院議員の選挙　参議院名簿届出政党等及び第二百一条の六第三項（第二百一条の七第二項において準用する場合を含む。）の確認書の交付を受けた政党その他の政治団体

三　都道府県又は指定都市の議会の議員の選挙　第二百一条の八第二項（同条第三項において準用する場合を含む。）において準用する第二百一条の六第三項の確認書の交付を受けた政党その他の政治団体

四　都道府県知事又は市長の選挙　第二百一条の九第三項の確認書の交付を受けた政党その他の政治団体

第一四二条の七（選挙に関するインターネット等の適正な利用） 選挙に関しインターネット等を利用する者は、公職の候補者に対して悪質な誹謗中傷をする等表現の自由を濫用して選挙の公正を害することがないよう、インターネット等の適正な利用に努めなければならない。

第一四三条（文書図画の掲示）① 選挙運動のために使用する文書図画は、次の各号のいずれかに該当するもの（衆議院比例代表選出議員の選挙に

あつては、第一号、第二号、第四号、第四号の二及び第五号に該当するものであつて衆議院名簿届出政党等が使用するもの）のほかは、掲示することができない。

一　選挙事務所を表示するために、その場所において使用するポスター、立札、ちようちん及び看板の類

二　第百四十一条の規定により選挙運動のために使用される自動車又は船舶に取り付けて使用するポスター、立札、ちようちん及び看板の類

三　公職の候補者（参議院比例代表選出議員の選挙における候補者たる参議院名簿登載者で第八十六条の三第一項後段の規定により優先的に当選人となるべき候補者としてその氏名及び当選人となるべき順位が参議院名簿に記載されているものを除く。）が使用するたすき、胸章及び腕章の類

四　演説会場においてその演説会の開催中使用するポスター、立札、ちようちん及び看板の類

四の二　屋内の演説会場内においてその演説会の開催中掲示する映写等の類

四の三　個人演説会告知用ポスター（衆議院小選挙区選出議員、参議院選挙区選出議員又は都道府県知事の選挙の場合に限る。）

五　前各号に掲げるものを除くほか、選挙運動のために使用するポスター（参議院比例代表選出議員の選挙にあつては、公職の候補者たる参議院名簿登載者（第八十六条の三第一項後段の規定により優先的に当選人となるべき候補者としてその氏名及び当選人となるべき順位が参議院名簿に記載されている者を除く。）が使用するものに限る。）

②　選挙運動のために、アドバルーン、ネオン・サイン又は電光による表示、スライドその他の方法による映写等の類（前項第四号の二の映写等の類を除く。）を掲示する行為は、同項の禁止行為に該当するものとみなす。

③　衆議院（小選挙区選出）議員、参議院（選挙区選出）議員又は都道府県知事の選挙については、第一項第四号の三の個人演説会告知用ポスター及び同項第五号の規定により選挙運動のために使用するポスター（衆議院小選挙区選出議員の選挙において候補者届出政党が使用するものを除く。）は、第百四十四条の二第一項の規定により設置されたポスターの掲示場ごとに公職の候補者一人につきそれぞれ一枚を限り掲示するほかは、掲示することができない。

④　第百四十四条の二第八項の規定によりポスターの掲示場を設けることとした都道府県の議会の議員並びに市町村の議会の議員及び長の選挙については、第一項第五号の規定により選挙運動のために使用するポスターは、同条第八項の規定により設置されたポスターの掲示場ごとに公職の候補者一人につきそれぞれ一枚を限り掲示するほかは、掲示することができない。

⑤　第一項第一号の規定により選挙事務所を表示するための文書図画は、第百二十九条の規定にかかわらず、選挙の当日においても、掲示することができる。

⑥　第一項第四号の三の個人演説会告知用ポスター及び同項第五号の規定により選挙運動のために使用するポスターは、第百二十九条の規定にかかわらず、選挙の当日においても、掲示しておくことができる。

⑦―⑫　（略）

⑬　第一項第四号の三の個人演説会告知用ポスターには、その表面に掲示責任者の氏名及び住所を記載しなければならない。

⑭　衆議院（小選挙区選出）議員又は参議院議員の選挙においては、公職の候補者は、政令で定めるところにより、政令で定める額の範囲内で、第一項第一号及び第二号の立札及び看板の類、同項第四号の三の個人演説会告知用ポスター（衆議院小選挙区選出議員又は参議院選挙区選出議員の選挙の場合に限る。）並びに同項第五号のポスターを無料で作成することができる。この場合においては、第百四十一条第七項ただし書の規定を準用する。

⑮　地方公共団体の議会の議員又は長の選挙については、地方公共団体は、前項の規定（参議院比例代表選出議員の選挙に係る部分を除く。）に準じて、条例で定めるところにより、公職の候補者の第一項第四号の三の個人演説会告知用ポスター（都道府県知事の選挙の場合に限る。）及び同項第五号のポスターの作成について、無料とすることができる。

⑯　公職の候補者又は公職の候補者となろうとする者（公職にある者を含む。以下この項において「公職の候補者等」という。）の政治活動のために使用される当該公職の候補者等の氏名又は当該公職の候補者等の氏名が類推されるような事項を表示する文書図画及び第百九十九条の五第一項に規定する後援団体（以下この項において「後援団体」という。）の政治活動のために使用される当該後援団体の名称を表示する文書図画で、次に掲げるもの以外のものを掲示する行為は、第一項の禁止行為に該当するものとみなす。

一　立札及び看板の類で、公職の候補者等一人につき又は同一の公職の候補者等に係る後援団体のすべてを通じて政令で定める総数の範囲内で、かつ、当該公職の候補者等又は当該後援団体が政治活動のために使用する事務所ごとにその場所において通じて二を限り、掲示されるもの

二　ポスターで、当該ポスターを掲示するためのベニヤ板、プラスチック板その他これらに類するものを用いて掲示されるもの以外のもの（公職の候補者等若しくは後援団体の政治活動のために使用する事務所若しくは連絡所を表示し、又は後援団体の構成員であることを表示するために掲示されるもの及び第十九項各号の区分による当該選挙ごとの一定期間内に当該選挙区（選挙区がないときは、選挙の行われる区域）内に掲示されるものを除く。）

三　政治活動のためにする演説会、講演会、研修会その他これらに類する集会（以下この号において「演説会等」という。）の会場において当該演説会等の開催中使用されるもの

四　第十四章の三の規定により使用することができるもの

⑰　（略）

⑱　第十六項第二号のポスターには、その表面に掲示責任者及び印刷者の氏名（法人にあつては名称）及び住所を記載しなければならない。

⑲　第十六項において「一定期間」とは、次の各号に定める期間とする。

一　衆議院議員の総選挙にあつては、衆議院議員の任期満了の日の六月前の日から当該総選挙の期日までの間又は衆議院の解散の日の翌日から当該総選挙の期日までの間

二　参議院議員の通常選挙にあつては、参議院議員の任期満了の日の六月前の日から当該通常選挙の期日までの間

三　地方公共団体の議会の議員又は長の任期満了による選挙にあつては、その任期満了の日の六月前の日から当該選挙の期日までの間

四　衆議院議員又は参議院議員の再選挙（統一対象再選挙（第三十三条の二第三項から第五項までの規定によるものを除く。次号において同じ。）を除く。）又は補欠選挙（同条第三項から第五項までの規定によるものに限る。）にあつては、当該選挙を行うべき事由が生じたとき（同条第七項の規定の適用がある場合には、同項の規定により読み替えて適用される同条第一項又は第三項から第五項までに規定する遅い方の事由が生じたとき）その旨を当該選挙に関する事務を管理する選挙管理委員会（衆議院比例代表選出議員又は参議院比例代表選出議員の選挙については中央選挙管理会、参議院合同選挙区選挙については当該選挙に関する事務を管理する参議院合同選挙区選挙管理委員会）が告示した日の翌日から当該選挙の期日までの間

五　衆議院議員又は参議院議員の統一対象再選挙又は補欠選挙（第三十三条の二第三項から第五項までの規定によるものを除く。）にあつては、当該選挙を行うべき事由が生じたとき（同条第七項の規定の適用がある場合には、同項の規定により読み替えて適用される同条第二項に規定する遅い方の事由

が生じたとき）その旨を当該選挙に関する事務を管理する選挙管理委員会（衆議院比例代表選出議員又は参議院比例代表選出議員の選挙については中央選挙管理会、参議院合同選挙区選挙については当該選挙に関する事務を管理する参議院合同選挙区選挙管理委員会）が告示した日の翌日又は当該選挙を行うべき期日の六月前の日のいずれか遅い日から当該選挙の期日までの間

六　地方公共団体の議会の議員又は長の選挙のうち任期満了による選挙以外の選挙にあつては、当該選挙を行うべき事由が生じたとき（第三十四条第四項の規定の適用がある場合には、同項の規定により読み替えて適用される同条第一項に規定する最も遅い事由が生じたとき）その旨を当該選挙に関する事務を管理する選挙管理委員会が告示した日の翌日から当該選挙の期日までの間

（文書図画の撤去義務）

第一四三条の二　前条第一項第一号、第二号又は第四号のポスター、立札、ちようちん及び看板の類を掲示した者は、選挙事務所を廃止したとき、第百四十一条第一項から第三項までの自動車若しくは船舶を主として選挙運動のために使用することをやめたとき、又は演説会が終了したときは、直ちにこれらを撤去しなければならない。

第一四四条から第一四五条まで　（略）

（文書図画の頒布又は掲示につき禁止を免れる行為の制限）

第一四六条①　何人も、選挙運動の期間中は、著述、演芸等の広告その他いかなる名義をもつてするを問わず、第百四十二条又は第百四十三条の禁止を免れる行為として、公職の候補者の氏名若しくはシンボル・マーク、政党その他の政治団体の名称又は公職の候補者を推薦し、支持し若しくは反対する者の名を表示する文書図画を頒布し又は掲示することができない。

②　前項の規定の適用については、選挙運動の期間中、公職の候補者の氏名、政党その他の政治団体の名称又は公職の候補者の推薦届出者その他選挙運動に従事する者若しくは公職の候補者と同一戸籍内に在る者の氏名を表示した年賀状、寒中見舞状、暑中見舞状その他これに類似する挨拶状を当該公職の候補者の選挙区（選挙区がないときはその区域）内に頒布し又は掲示する行為は、第百四十二条又は第百四十三条の禁止を免れる行為とみなす。

第一四七条　（略）

（あいさつ状の禁止）

第一四七条の二　公職の候補者又は公職の候補者となろうとする者（公職にある者を含む。）は、当該選挙区（選挙区がないときは選挙の行われる区域）内にある者に対し、答礼のための自筆によるものを除き、年賀状、寒中見舞状、暑中見舞状その他これらに類するあいさつ状（電報その他これに類するものを含む。）を出してはならない。

（新聞紙、雑誌の報道及び評論等の自由）

第一四八条①　この法律に定めるところの選挙運動の制限に関する規定（第百三十八条の三の規定を除く。）は、新聞紙（これに類する通信類を含む。以下同じ。）又は雑誌が、選挙に関し、報道及び評論を掲載するの自由を妨げるものではない。但し、虚偽の事項を記載し又は事実を歪曲して記載する等表現の自由を濫用して選挙の公正を害してはならない。

②　新聞紙又は雑誌の販売を業とする者は、前項に規定する新聞紙又は雑誌を、通常の方法（選挙運動の期間中及び選挙の当日において、定期購読者以外の者に対して頒布する新聞紙又は雑誌については、有償でする場合に限る。）で頒布し又は都道府県の選挙管理委員会の指定する場所に掲示することができる。

③　前二項の規定の適用について新聞紙又は雑誌とは、選挙運動の期間中及び選挙の当日に限り、次に掲げるものをいう。ただし、点字新聞紙については、第一号ロの規定（同号ハ及び第二号中第一号ロに係る部分を含む。）は、適用しない。

一　次の条件を具備する新聞紙又は雑誌

イ　新聞紙にあつては毎月三回以上、雑誌にあつては毎月一回以上、号を逐つて定期に有償頒布するものであること。

ロ　第三種郵便物の承認のあるものであること。

ハ　当該選挙の選挙期日の公示又は告示の日前一年（時事に関する事項を掲載する日刊新聞紙にあつては、六月）以来、イ及びロに該当し、引き続き発行するものであること。

二　前号に該当する新聞紙又は雑誌を発行する者が発行する新聞紙又は雑誌で同号イ及びロの条件を具備するもの

（新聞紙、雑誌の不法利用等の制限）

第一四八条の二①　何人も、当選を得若しくは得しめ又は得しめない目的をもつて新聞紙又は雑誌の編集その他経営を担当する者に対し金銭、物品その他の財産上の利益の供与、その供与の申込若しくは約束をし又は饗応接待、その申込若しくは約束をして、これに選挙に関する報道及び評論を掲載させることができない。

②　新聞紙又は雑誌の編集その他経営を担当する者は、前項の供与、饗応接待を受け若しくは要求し又は前項の申込を承諾して、これに選挙に関する報道及び評論を掲載することができない。

③　何人も、当選を得若しくは得しめ又は得しめない目的をもつて新聞紙又は雑誌に対する編集その他経営上の特殊の地位を利用して、これに選挙に関する報道及び評論を掲載し又は掲載させることができない。

（新聞広告）

第一四九条①　衆議院（小選挙区選出）議員の選挙については、候補者は、総務省令で定めるところにより、同一寸法で、いずれか一の新聞に、選挙運動の期間中、五回を限り、選挙に関して広告をし、候補者届出政党は、総務省令で定めるところにより、当該都道府県における当該候補者届出政党の届出候補者の数（十六人を超える場合においては、十六人とする。）に応じて総務省令で定める寸法で、いずれか一の新聞に、選挙運動の期間中、総務省令で定める回数を限り、選挙に関して広告をすることができる。

②　衆議院（比例代表選出）議員の選挙については、衆議院名簿届出政党等は、総務省令で定めるところにより、当該選挙区における当該衆議院名簿届出政党等の衆議院名簿登載者の数（二十八人を超える場合においては、二十八人とする。以下この章において同じ。）に応じて総務省令で定める寸法で、いずれか一の新聞に、選挙運動の期間中、総務省令で定める回数を限り、選挙に関して広告をすることができる。

③　参議院（比例代表選出）議員の選挙については、参議院名簿届出政党等は、総務省令で定めるところにより、参議院名簿登載者の数（二十五人を超える場合においては、二十五人とする。以下この章において同じ。）に応じて総務省令で定める寸法で、いずれか一の新聞に、選挙運動の期間中、総務省令で定める回数を限り、選挙に関して広告をすることができる。

④　衆議院議員又は参議院（比例代表選出）議員の選挙以外の選挙については、公職の候補者は、総務省令で定めるところにより、同一寸法で、いずれか一の新聞に、選挙運動の期間中、二回（参議院選挙区選出議員の選挙にあつては五回（参議院合同選挙区選挙にあつては、十回）、都道府県知事の選挙にあつては四回）を限り、選挙に関して広告をすることができる。

⑤　前各項の広告を掲載した新聞紙は、第百四十二条又は第百四十三条の規定にかかわらず、新聞紙の販売を業とする者が、通常の方法（定期購読者以外の者に対して頒布する新聞紙については、有償でする場合に限る。）で頒布し又は都道府県の選挙管理委員会の指定する場所に掲示することができる。

⑥　衆議院議員、参議院議員又は都道府県知事の選挙においては、無料で第一項から第四項までの規定による新聞広告をすることができる。ただし、衆議院（比例代表選出）議員の選挙にあつては当該衆議院名簿届出政党等の当該選挙区における得票総数が当該選挙区における有効投票の総数の百分の二以上、参議院（比例代表選出）議員の選挙にあつては当該参議院名簿届

出政党等の得票総数（当該参議院名簿届出政党等に係る各参議院名簿登載者（当該選挙の期日において公職の候補者たる者に限る。）の得票総数を含むものをいう。）が当該選挙における有効投票の総数の百分の一以上である場合に限る。

第一五〇条（政見放送）① 衆議院（小選挙区選出）議員又は参議院（選挙区選出）議員の選挙においては、それぞれ候補者届出政党又は参議院（選挙区選出）議員の候補者は、政令で定めるところにより、選挙運動の期間中日本放送協会及び基幹放送事業者（放送法（昭和二十五年法律第百三十二号）第二条第二十三号に規定する基幹放送事業者をいい、日本放送協会及び放送大学学園（放送大学学園法（平成十四年法律第百五十六号）第三条に規定する放送大学学園をいう。第百五十二条第一項において同じ。）を除く。以下同じ。）のラジオ放送（放送法第二条第十六号に規定する中波放送又は同条第十七号に規定する超短波放送をいう。第三項及び第百五十一条第二項において同じ。）又はテレビジョン放送（同法第二条第十八号に規定するテレビジョン放送をいう。第三項並びに第百五十一条第二項及び第三項において同じ。）の放送設備により、公益のため、その政見（衆議院小選挙区選出議員の選挙にあつては、当該候補者届出政党が届け出た候補者の紹介を含む。以下この項において同じ。）を無料で放送することができる。この場合において、日本放送協会及び基幹放送事業者は、その録音し若しくは録画した政見又は次に掲げるものが録音し若しくは録画した政見をそのまま放送しなければならない。

一　候補者届出政党

二　参議院（選挙区選出）議員の候補者のうち、次に掲げる者

イ　第二百一条の四第二項の確認書の交付を受けた政党その他の政治団体で次の(1)又は(2)に該当するものの同条第一項に規定する推薦候補者

(1) 当該政党その他の政治団体に所属する衆議院議員又は参議院議員を五人以上有すること。

(2) 直近において行われた衆議院議員の総選挙における小選挙区選出議員の選挙若しくは比例代表選出議員の選挙又は参議院議員の通常選挙における比例代表選出議員の選挙若しくは選挙区選出議員の選挙における当該政党その他の政治団体の得票総数が当該選挙における有効投票の総数の百分の二以上であること。

ロ　第二百一条の六第三項（第二百一条の七第二項において準用する場合を含む。）の確認書の交付を受けた政党その他の政治団体でイ(1)又は(2)に該当するものの第二百一条の四第一項に規定する所属候補者

② 前項各号に掲げるものは、政令で定めるところにより、政令で定める額の範囲内で、同項の政見の放送のための録音又は録画を無料ですることができる。

③ 衆議院（比例代表選出）議員、参議院（比例代表選出）議員又は都道府県知事の選挙においては、それぞれ衆議院名簿届出政党等、参議院名簿届出政党等又は都道府県知事の候補者は、政令で定めるところにより、選挙運動の期間中日本放送協会及び基幹放送事業者のラジオ放送又はテレビジョン放送の放送設備により、公益のため、その政見（衆議院比例代表選出議員の選挙にあつては衆議院名簿登載者、参議院比例代表選出議員の選挙にあつては参議院名簿登載者の紹介を含む。以下この項において同じ。）を無料で放送することができる。この場合において、日本放送協会及び基幹放送事業者は、その政見を録音し又は録画し、これをそのまま放送しなければならない。

④ 第一項の放送のうち衆議院（小選挙区選出）議員の選挙における候補者届出政党の放送に関しては、当該都道府県における届出候補者を有する全ての候補者届出政党に対して、同一放送設備を使用し、当該都道府県における当該候補者届出政党の届出候補者の数（十二人を超える場合においては、十二人とする。）に応じて政令で定める時間数を与える等同等の利便を提供しなければならない。

⑤ 第一項の放送のうち参議院（選挙区選出）議員の選挙における候補者の放送又は第三項の放送に関しては、それぞれの選挙ごとに当該選挙区（選挙区がないときは、その区域）の全ての公職の候補者（衆議院比例代表選出議員の選挙にあつては衆議院名簿届出政党等、参議院比例代表選出議員の選挙にあつては参議院名簿届出政党等）に対して、同一放送設備を使用し、同一時間数（衆議院比例代表選出議員の選挙にあつては当該選挙区における当該衆議院名簿届出政党等の衆議院名簿登載者の数、参議院比例代表選出議員の選挙にあつては参議院名簿登載者の数に応じて政令で定める時間数）を与える等同等の利便を提供しなければならない。

⑥ 参議院（選挙区選出）議員の候補者のうち第一項第二号イ又はロに掲げる者は、政令で定めるところにより、その者に係る同号イ又はロに規定する政党その他の政治団体が同号イ(1)又は(2)に該当することを証する政令で定める文書を当該選挙に関する事務を管理する都道府県の選挙管理委員会（参議院合同選挙区選挙については、当該選挙に関する事務を管理する参議院合同選挙区選挙管理委員会）に提出しなければならない。ただし、当該選挙と同時に行われる参議院（比例代表選出）議員の選挙において、当該政党その他の政治団体が次に掲げる政党その他の政治団体である場合（政令で定める場合を除く。）は、この限りでない。

一　第八十六条の三第一項第一号又は第二号に該当する政党その他の政治団体として同項の規定による届出をした政党その他の政治団体

二　任期満了前九十日に当たる日から七日を経過する日までの間に第八十六条の七第一項の規定による届出をした政党その他の政治団体で同条第五項の規定による届出をしていないもの（同条第三項の規定により添えた文書の内容に異動がないものに限る。）

⑦ 中央選挙管理会は、政令で定めるところにより、前項各号に掲げる政党その他の政治団体に関し必要な事項を、当該参議院（比例代表選出）議員の選挙と同時に行われる参議院（選挙区選出）議員の選挙に関する事務を管理する都道府県の選挙管理委員会（参議院合同選挙区選挙については、参議院合同選挙区選挙管理委員会）に通知しなければならない。

⑧ 第一項第二号イ(1)に規定する衆議院議員又は参議院議員の数及び同号イ(2)に規定する政党その他の政治団体の得票総数の算定に関し必要な事項は、政令で定める。

⑨ 第一項から第五項までの放送の回数、日時その他放送に関し必要な事項は、総務大臣が日本放送協会及び基幹放送事業者と協議の上、定める。この場合において、衆議院（比例代表選出）議員の選挙における衆議院名簿届出政党等又は参議院（比例代表選出）議員の選挙における参議院名簿届出政党等の放送に関しては、その利便の提供について、特別の考慮が加えられなければならない。

第一五〇条の二（政見放送における品位の保持） 公職の候補者、候補者届出政党、衆議院名簿届出政党等及び参議院名簿届出政党等は、その責任を自覚し、前条第一項又は第三項に規定する放送（以下「政見放送」という。）をするに当たつては、他人若しくは他の政党その他の政治団体の名誉を傷つけ若しくは善良な風俗を害し又は特定の商品の広告その他営業に関する宣伝をする等いやしくも政見放送としての品位を損なう言動をしてはならない。

第一五一条（経歴放送）① 衆議院（小選挙区選出）議員、参議院（選挙区選出）議員又は都道府県知事の選挙においては、日本放送協会は、その定めるところにより、公職の候補者の氏名、年齢、党派別（衆議院小選挙区選出議員の選挙にあつては、当該候補者に係る候補者届出政党の名称）、主要な経歴等を関係区域の選挙人に周知させるため、放送をするものとする。

② 前項の放送の回数は、公職の候補者一人について、衆議院（小選挙区選出）議員の選挙にあつてはラジオ放送によりお

むね十回及びテレビジョン放送により一回、その他の選挙にあつてはラジオ放送によりおおむね五回及びテレビジョン放送により一回とする。ただし、日本放送協会は、事情の許す限り、その回数を多くするように努めなければならない。

③　参議院（選挙区選出）議員又は都道府県知事の選挙においては、前二項に定めるもののほか、日本放送協会及び基幹放送事業者は、政令で定めるところにより、テレビジョン放送による政見放送を行う際にテレビジョン放送による経歴放送をするものとする。

（**政見放送及び経歴放送を中止する場合**）

第一五一条の二①　第百条第一項から第四項までの規定に該当し投票を行うことを必要としなくなつたときは、政見放送（衆議院小選挙区選出議員の選挙において行われるものを除く。）及び経歴放送の手続は、中止する。

②　一の都道府県において行われるすべての衆議院（小選挙区選出）議員の選挙において、第百条第一項の規定に該当し投票を行うことを必要としなくなつたときは、当該都道府県において行われる衆議院（小選挙区選出）議員の選挙に係る政見放送の手続は、中止する。

③　天災その他避けることのできない事故その他特別の事情により、政見放送又は経歴放送が不能となつた場合においては、これに代わるべき政見放送又は経歴放送は行わない。

（**選挙放送の番組編集の自由**）

第一五一条の三　この法律に定めるところの選挙運動の制限に関する規定（第百三十八条の三の規定を除く。）は、日本放送協会又は基幹放送事業者が行なう選挙に関する報道又は評論について放送法の規定に従い放送番組を編集する自由を妨げるものではない。ただし、虚偽の事項を放送し又は事実をゆがめて放送する等表現の自由を濫用して選挙の公正を害してはならない。

第一五一条の四　削除

（**選挙運動放送の制限**）

第一五一条の五　何人も、この法律に規定する場合を除く外、放送設備（広告放送設備、共同聴取用放送設備その他の有線電気通信設備を含む。）を使用して、選挙運動のために放送をし又は放送をさせることができない。

（**挨拶を目的とする有料広告の禁止**）

第一五二条①　公職の候補者又は公職の候補者となろうとする者（公職にある者を含む。次項において「公職の候補者等」という。）及び第百九十九条の五第一項に規定する後援団体（次項において「後援団体」という。）は、当該選挙区（選挙区がないときは選挙の行われる区域。次項において同じ。）内にある者に対する主として挨拶（年賀、寒中見舞、暑中見舞その他これらに類するもののためにする挨拶及び慶弔、激励、感謝その他これらに類するもののためにする挨拶に限る。次項において同じ。）を目的とする広告を、有料で、新聞紙、雑誌、ビラ、パンフレット、インターネット等を利用する方法により頒布される文書図画その他これらに類するものに掲載させ、又は放送事業者（放送法第二条第二十六号に規定する放送事業者をいい、日本放送協会及び放送大学学園を除く。次項において同じ。）の放送設備により放送をさせることができない。

②　何人も、公職の候補者等又は後援団体に対して、当該選挙区内にある者に対する主として挨拶を目的とする広告を、新聞紙、雑誌、ビラ、パンフレット、インターネット等を利用する方法により頒布される文書図画その他これらに類するものに有料で掲載させ、又は放送事業者の放送設備により有料で放送をさせることを求めてはならない。

第一五三条から第一六〇条まで　削除

（**公営施設使用の個人演説会等**）

第一六一条①　公職の候補者（衆議院比例代表選出議員の選挙における候補者で当該選挙と同時に行われる衆議院小選挙区選出議員の選挙における候補者である者以外のもの並びに参議院比例代表選出議員の選挙における候補者たる参議院名簿登載者で第八十六条の三第一項後段の規定により優先的に当選人となるべき候補者としてその氏名及び当選人となるべき順位が参議院名簿に記載されているものを除く。次条から第百六十四条の三までにおいて同じ。）、候補者届出政党及び衆議院名簿届出政党等は、次に掲げる施設（候補者届出政党にあつてはその届け出た候補者に係る選挙区を包括する都道府県の区域内にあるもの、衆議院名簿届出政党等にあつてはその届け出た衆議院名簿に係る選挙区の区域内にあるものに限る。）を使用して、個人演説会、政党演説会又は政党等演説会を開催することができる。

一　学校及び公民館（社会教育法（昭和二十四年法律第二百七号）第二十一条に規定する公民館をいう。）

二　地方公共団体の管理に属する公会堂

三　前二号のほか、市町村の選挙管理委員会の指定する施設

②　前項の施設については、政令の定めるところにより、その管理者において、必要な設備をしなければならない。

③　市町村の選挙管理委員会は、第一項第三号の施設の指定をしたときは、直ちに、都道府県の選挙管理委員会に、報告しなければならない。

④　前項の報告があつたときは、都道府県の選挙管理委員会は、その旨を告示しなければならない。

（**公営施設以外の施設使用の個人演説会等**）

第一六一条の二　公職の候補者、候補者届出政党及び衆議院名簿届出政党等は、前条第一項に規定する施設以外の施設（建物その他の施設の構内を含むものとし、候補者届出政党にあつてはその届け出た候補者に係る選挙区を包括する都道府県の区域内にあるもの、衆議院名簿届出政党等にあつてはその届け出た衆議院名簿に係る選挙区の区域内にあるものに限る。）を使用して、個人演説会、政党演説会又は政党等演説会を開催することができる。

（**個人演説会等における演説**）

第一六二条①　個人演説会においては、当該公職の候補者は、その選挙運動のための演説をすることができる。

②　個人演説会においては、当該公職の候補者以外の者も当該公職の候補者の選挙運動のための演説をすることができる。

③　候補者届出政党が開催する政党演説会においては、演説者は、当該候補者届出政党が届け出た候補者の選挙運動のための演説をすることができる。

④　衆議院名簿届出政党等が開催する政党等演説会においては、演説者は、当該衆議院名簿届出政党等の選挙運動のための演説をすることができる。

第一六三条から**第一六四条の二**まで　（略）

（**他の演説会の禁止**）

第一六四条の三①　選挙運動のためにする演説会は、この法律の規定により行う個人演説会、政党演説会及び政党等演説会を除くほか、いかなる名義をもつてするを問わず、開催することができない。

②　公職の候補者以外の者が二人以上の公職の候補者の合同演説会を開催すること、候補者届出政党以外の者が二以上の候補者届出政党の合同演説会を開催すること及び衆議院名簿届出政党等以外の者が二以上の衆議院名簿届出政党等の合同演説会を開催することは、前項に規定する禁止行為に該当するものとみなす。

第一六四条の四　（略）

（**街頭演説**）

第一六四条の五①　選挙運動のためにする街頭演説（屋内から街頭へ向かつてする演説を含む。以下同じ。）は、次に掲げる場合でなければ、行うことができない。

一　演説者がその場所にとどまり、次項に規定する標旗を掲げて行う場合（参議院比例代表選出議員の選挙においては、公職の候補者たる参議院名簿登載者で第八十六条の三第一項後段の規定により優先的に当選人となるべき候補者としてその氏名及び当選人となるべき順位が参議院名簿に記載されている者以外のものの選挙運動のために行う場合に限る。）

二　候補者届出政党又は衆議院名簿届出政党等が第百四十一条

動車又は船舶で停止しているものの車上又は船上及びその周囲で行う場合

② 選挙運動のために前項第一号の規定による街頭演説をしようとする場合には、公職の候補者（衆議院比例代表選出議員の選挙にあつては、衆議院名簿届出政党等）は、あらかじめ当該選挙に関する事務を管理する選挙管理委員会（衆議院比例代表選出議員又は参議院比例代表選出議員の選挙については中央選挙管理会、参議院合同選挙区選挙については当該選挙に関する事務を管理する参議院合同選挙区選挙管理委員会）の定める様式の標旗の交付を受けなければならない。

③ 前項の標旗は、次の各号に掲げる選挙の区分に応じ、当該各号に定める数を交付する。

一 衆議院（比例代表選出）議員又は参議院（比例代表選出）議員の選挙以外の選挙 公職の候補者一人について、一（参議院合同選挙区選挙にあつては、二）

二 衆議院（比例代表選出）議員の選挙 衆議院名簿届出政党等について、その届け出た衆議院名簿に係る選挙区ごとに、当該衆議院（比例代表選出）議員の選挙において選挙すべき議員の数に相当する数

三 参議院（比例代表選出）議員の選挙 公職の候補者たる参議院名簿登載者一人について、六

④ 第一項第一号の標旗は、当該公務員の請求があるときは、これを提示しなければならない。

第一六四条の六（**夜間の街頭演説の禁止等**）① 何人も、午後八時から翌日午前八時までの間は、選挙運動のため、街頭演説をすることができない。

② 第百四十条の二第二項の規定は、選挙運動のための街頭演説をする者について準用する。

③ 選挙運動のための街頭演説をする者は、長時間にわたり、同一の場所にとどまつてすることのないように努めなければならない。

第一六四条の七から第一六五条の二まで（略）

第一六六条（**特定の建物及び施設における演説等の禁止**） 何人も、次に掲げる建物又は施設においては、いかなる名義をもつてするを問わず、選挙運動のためにする演説及び連呼行為を行うことができない。ただし、第一号に掲げる建物において第百六十一条の規定による個人演説会、政党演説会又は政党等演説会を開催する場合は、この限りでない。

一 国又は地方公共団体の所有し又は管理する建物（公営住宅を除く。）

二 汽車、電車、乗合自動車、船舶（第百四十一条第一項から第三項までの船舶を除く。）及び停車場その他鉄道地内

三 病院、診療所その他の療養施設

第一六七条（**選挙公報の発行**）① 衆議院（小選挙区選出）議員、参議院（選挙区選出）議員又は都道府県知事の選挙においては、都道府県の選挙管理委員会は、公職の候補者の氏名、経歴、政見等を掲載した選挙公報を、選挙（選挙の一部無効による再選挙を除く。）ごとに、一回発行しなければならない。この場合において、衆議院（小選挙区選出）議員又は参議院（選挙区選出）議員の選挙については、公職の候補者の写真を掲載しなければならない。

② 都道府県の選挙管理委員会は、衆議院（比例代表選出）議員の選挙においては衆議院名簿届出政党等の名称及び略称、政見、衆議院名簿登載者の氏名、経歴及び当選人となるべき順位等を掲載した選挙公報を、参議院（比例代表選出）議員の選挙においては参議院名簿届出政党等の名称及び略称、政見、参議院名簿登載者の氏名、経歴及び写真（第八十六条の三第一項後段の規定により優先的に当選人となるべき候補者としてその氏名及び当選人となるべき順位が参議院名簿に記載されている者である参議院名簿登載者にあつては、氏名、経歴及び当選人となるべき順位。次条第三項及び第百六十九条第六項において同じ。）等を掲載した選挙公報を、選挙（選挙の一部無効による再選挙を除く。）ごとに、一回発行しなければならない。

③ 選挙公報は、選挙区ごとに（選挙区がないときは選挙の行われる区域を通じて）、発行しなければならない。

④ 特別の事情がある区域においては、選挙公報は、発行しない。

⑤ 前項の規定により選挙公報を発行しない区域は、都道府県の選挙管理委員会が定める。

第一六八条から第一七七条まで（略）

第一七八条（**選挙期日後の挨拶行為の制限**） 何人も、選挙の期日（第百条第一項から第四項までの規定により投票を行わないこととなつたときは、同条第五項の規定による告示の日）後において、当選又は落選に関し、選挙人に挨拶する目的をもつて次に掲げる行為をすることができない。

一 選挙人に対して戸別訪問をすること。

二 自筆の信書及び当選又は落選に関する祝辞、見舞等の答礼のためにする信書並びにインターネット等を利用する方法により頒布される文書図画を除くほか文書図画を頒布し又は掲示すること。

三 新聞紙又は雑誌を利用すること。

四 第百五十一条の五に掲げる放送設備を利用して放送すること。

五 当選祝賀会その他の集会を開催すること。

六 自動車を連ね又は隊を組んで往来する等によつて気勢を張る行為をすること。

七 当選に関する答礼のため当選人の氏名又は政党その他の政治団体の名称を言い歩くこと。

第一七八条の二（略）

第一七八条の三（**衆議院議員又は参議院議員の選挙における選挙運動の態様**）① 衆議院議員の選挙においては、比例代表選出議員の選挙に係る選挙運動の制限に関するこの章の規定は、小選挙区選出議員の選挙に係る選挙運動が、この法律において許される態様において比例代表選出議員の選挙に係る選挙運動にわたることを妨げるものではない。

② 衆議院議員の選挙においては、小選挙区選出議員の選挙に係る選挙運動の制限に関するこの章の規定は、候補者届出政党である衆議院名簿届出政党等が行う比例代表選出議員の選挙に係る選挙運動が、この法律において許される態様において小選挙区選出議員の選挙に係る選挙運動にわたることを妨げるものではない。

③ 参議院議員の選挙においては、比例代表選出議員の選挙に係る選挙運動の制限に関するこの章の規定は、選挙区選出議員の選挙に係る選挙運動が、この法律において許される態様において比例代表選出議員の選挙に係る選挙運動にわたることを妨げるものではない。

第十四章 選挙運動に関する収入及び支出並びに寄附

（第一七九条から第二〇一条まで）（略）

第十四章の二 参議院（選挙区選出）議員の選挙の特例

（第二〇一条の二から第二〇一条の四まで）（略）

第十四章の三 政党その他の政治団体等の選挙における政治活動

（第二〇一条の五から第二〇一条の一五まで）（略）

第十五章 争訟（抄）

第二〇二条（**地方公共団体の議会の議員及び長の選挙の効力に関する異議の申出及び審査の申立て**）① 地方公共団体の議会の議員及び長の選挙において、その選挙の効力に関し不服がある選挙人又は公職の候補者

は、当該選挙の日から十四日以内に、文書で当該選挙に関する事務を管理する選挙管理委員会に対して異議を申し出ることができる。

② 前項の規定により市町村の選挙管理委員会に対して異議を申し出た場合において、その決定に不服がある者は、その決定書の交付を受けた日又は第二百十五条の規定による告示の日から二十一日以内に、文書で当該都道府県の選挙管理委員会に審査を申し立てることができる。

（地方公共団体の議会の議員及び長の選挙の効力に関する訴訟）

第二〇三条① 地方公共団体の議会の議員及び長の選挙において、前条第一項の異議の申出若しくは同条第二項の審査の申立てに対する都道府県の選挙管理委員会の決定又は裁決に不服がある者は、当該都道府県の選挙管理委員会を被告とし、その決定書若しくは裁決書の交付を受けた日又は第二百十五条の規定による告示の日から三十日以内に、高等裁判所に訴訟を提起することができる。

② 地方公共団体の議会の議員及び長の選挙の効力に関する訴訟は、前条第一項又は第二項の規定による異議の申出又は審査の申立てに対する都道府県の選挙管理委員会の決定又は裁決に対してのみ提起することができる。

（衆議院議員又は参議院議員の選挙の効力に関する訴訟）

第二〇四条 衆議院議員又は参議院議員の選挙において、その選挙の効力に関し異議がある選挙人又は公職の候補者（衆議院小選挙区選出議員の選挙にあつては候補者又は候補者届出政党、衆議院比例代表選出議員の選挙にあつては衆議院名簿届出政党等、参議院比例代表選出議員の選挙にあつては参議院名簿届出政党等又は参議院名簿登載者（第八十六条の三第一項後段の規定により優先的に当選人となるべき候補者としてその氏名及び当選人となるべき順位が参議院名簿に記載されている者を除く。））は、衆議院（小選挙区選出）議員又は参議院（選挙区選出）議員の選挙にあつては当該選挙に関する事務を管理する都道府県の選挙管理委員会（参議院合同選挙区選挙については、当該選挙に関する事務を管理する参議院合同選挙区選挙管理委員会）を、衆議院（比例代表選出）議員又は参議院（比例代表選出）議員の選挙にあつては中央選挙管理会を被告とし、当該選挙の日から三十日以内に、高等裁判所に訴訟を提起することができる。

（選挙の無効の決定、裁決又は判決）

第二〇五条① 選挙の効力に関し異議の申出、審査の申立て又は訴訟の提起があつた場合において、選挙の規定に違反することがあるときは選挙の結果に異動を及ぼす虞がある場合に限り、当該選挙管理委員会又は裁判所は、その選挙の全部又は一部の無効を決定し、裁決し又は判決しなければならない。

② 前項の規定により当該選挙管理委員会又は裁判所がその選挙の一部の無効を決定し、裁決し又は判決する場合において、当選に異動を生ずる虞のない者を区分することができるときは、その者に限り当選を失わない旨をあわせて決定し、裁決し又は判決しなければならない。

③ 前項の場合において、当選に異動を生ずる虞の有無につき判断を受ける者（以下本条中「当該候補者」という。）の得票数（一部無効に係る区域以外の区域における得票数をいう。以下本条中同じ。）から左に掲げる各得票数を各別に差し引いて得た各数の合計数が、選挙の一部無効に係る区域における選挙人の数より多いときは、当該候補者は、当選に異動を生ずる虞のないものとする。

一 得票数の最も多い者から順次に数えて、当該選挙において選挙すべき議員の数に相当する数に至る順位の次の順位にある候補者の得票数

二 得票数が前号の候補者より多く、当該候補者より少い各候補者のそれぞれの得票数

④ 前項の選挙の一部無効に係る区域における選挙人とは、第二項の規定による決定、裁決又は判決の直前（判決の場合にあつては高等裁判所の判決の基本たる口頭弁論終結の直前）に当該選挙の一部無効に係る区域において行われた選挙の当日投票できる者であつた者とする。

⑤ 衆議院（比例代表選出）議員又は参議院（比例代表選出）議員の選挙については、前三項の規定は適用せず、第一項の規定により選挙の一部を無効とする判決があつた場合においても、衆議院名簿届出政党等又は参議院名簿届出政党等に係る当選人の数の決定及び当選人の決定は、当該再選挙の結果に基づく新たな決定に係る告示がされるまでの間（第三十三条の二第六項の規定により当該再選挙を行わないこととされる場合にあつては、当該議員の任期満了の日までの間）は、なおその効力を有する。

（地方公共団体の議会の議員又は長の当選の効力に関する異議の申出及び審査の申立て）

第二〇六条① 地方公共団体の議会の議員又は長の選挙においてその当選の効力に関し不服がある選挙人又は公職の候補者は、第百一条の三第二項又は第百六条第二項の規定による告示の日から十四日以内に、文書で当該選挙に関する事務を管理する選挙管理委員会に対して異議を申し出ることができる。

② 前項の規定により市町村の選挙管理委員会に対して異議を申し出た場合において、その決定に不服がある者は、その決定書の交付を受けた日又は第二百十五条の規定による告示の日から二十一日以内に、文書で当該都道府県の選挙管理委員会に審査を申し立てることができる。

（地方公共団体の議会の議員及び長の当選の効力に関する訴訟）

第二〇七条① 地方公共団体の議会の議員及び長の選挙において、前条第一項の異議の申出若しくは同条第二項の審査の申立てに対する都道府県の選挙管理委員会の決定又は裁決に不服がある者は、当該都道府県の選挙管理委員会を被告とし、その決定書若しくは裁決書の交付を受けた日又は第二百十五条の規定による告示の日から三十日以内に、高等裁判所に訴訟を提起することができる。

② 第二百三条第二項の規定は、地方公共団体の議会の議員及び長の当選の効力に関する訴訟を提起する場合に、準用する。

（衆議院議員又は参議院議員の当選の効力に関する訴訟）

第二〇八条① 衆議院議員又は参議院議員の選挙において、当選をしなかつた者（衆議院小選挙区選出議員の選挙にあつては候補者届出政党、衆議院比例代表選出議員の選挙にあつては衆議院名簿届出政党等、参議院比例代表選出議員の選挙にあつては参議院名簿届出政党等を含む。）で当選の効力に関し不服があるものは、衆議院（小選挙区選出）議員又は参議院（選挙区選出）議員の選挙にあつては当該選挙に関する事務を管理する都道府県の選挙管理委員会（参議院合同選挙区選挙については、当該選挙に関する事務を管理する参議院合同選挙区選挙管理委員会）を、衆議院（比例代表選出）議員又は参議院（比例代表選出）議員の選挙にあつては中央選挙管理会を被告とし、第百一条第二項、第百一条の二第二項、第百一条の二の二第二項若しくは第百一条の三第二項又は第百六条第二項の規定による告示の日から三十日以内に、高等裁判所に訴訟を提起することができる。ただし、衆議院（比例代表選出）議員の選挙においては、当該選挙と同時に行われた衆議院（小選挙区選出）議員の選挙における選挙又は当選の効力に関する事由を理由とし、当選の効力に関する訴訟を提起することができない。

② 衆議院（比例代表選出）議員の当選の効力に関し訴訟の提起があつた場合において、衆議院名簿届出政党等に係る当選人の数の決定に過誤があるときは、裁判所は、当該衆議院名簿届出政党等に係る当選人の数の決定の無効を判決しなければならない。この場合においては、当該衆議院名簿届出政党等につき失われることのない当選人の数を併せて判決するものとする。

③ 前項の規定は、参議院（比例代表選出）議員の選挙の当選の効力に関する訴訟の提起があつた場合について準用する。この場合において、同項中「衆議院名簿届出政党等」とあるのは、

「参議院名簿届出政党等」と読み替えるものとする。

（当選の効力に関する争訟における選挙の無効の決定、裁決又は判決）

第二〇九条① 前三条の規定による当選の効力に関する異議の申出、審査の申立て又は訴訟の提起があつた場合においても、その選挙が第二百五条第一項の場合に該当するときは、当該選挙管理委員会又は裁判所は、その選挙の全部又は一部の無効を決定し、裁決し又は判決しなければならない。

② 第二百五条第二項から第五項までの規定は、前項の場合に準用する。

（当選の効力に関する争訟における潜在無効投票）

第二〇九条の二① 当選の効力に関する異議の申出、審査の申立て又は訴訟の提起があつた場合において、選挙の当日選挙権を有しない者の投票その他本来無効なるべき投票であつてその無効原因が表面に現れない投票で有効投票に算入されたことが推定され、かつ、その帰属が不明な投票があることが判明したときは、当該選挙管理委員会又は裁判所は、第九十五条又は第九十五条の二若しくは第九十五条の三の規定の適用に関する各公職の候補者又は各衆議院名簿届出政党等若しくは各参議院名簿届出政党等の有効投票の計算については、その開票区ごとに、各公職の候補者又は各衆議院名簿届出政党等若しくは各参議院名簿届出政党等の得票数（各参議院名簿届出政党等の得票数にあつては、当該参議院名簿届出政党等に係る各参議院名簿登載者（当該選挙の期日において公職の候補者たる者に限る。以下この項及び次項において同じ。）の得票数を含むものをいう。）から、当該無効投票数を各公職の候補者又は各衆議院名簿届出政党等若しくは各参議院名簿届出政党等の得票数（各参議院名簿届出政党等の得票数にあつては、当該参議院名簿届出政党等に係る各参議院名簿登載者の得票数を含むものをいう。）に応じてあん分して得た数をそれぞれ差し引くものとする。

② 前項の場合において、各参議院名簿届出政党等に係る各参議院名簿登載者の有効投票及び当該参議院名簿届出政党等の有効投票（当該参議院名簿登載者の得票数を含まないものをいう。以下この項において同じ。）の計算については、その開票区ごとに、各参議院名簿届出政党等に係る各参議院名簿登載者の得票数及び当該参議院名簿届出政党等の得票数（当該参議院名簿登載者の得票数を含まないものをいう。）から、前項の規定によりあん分して得た数を各参議院名簿登載者の得票数及び当該参議院名簿届出政党等の得票数に応じてあん分して得た数をそれぞれ差し引くものとする。

（争訟の処理）

第二一〇条から第二一二条まで （略）

第二一三条① 本章に規定する争訟については、異議の申出に対する決定はその申出を受けた日から三十日以内に、審査の申立てに対する裁決はその申立てを受理した日から六十日以内に、訴訟の判決は事件を受理した日から百日以内に、これをするように努めなければならない。

② 前項の訴訟については、裁判所は、他の訴訟の順序にかかわらず速かにその裁判をしなければならない。

（争訟の提起と処分の執行）

第二一四条 本章に規定する異議の申出、審査の申立て又は訴訟の提起があつても、処分の執行は、停止しない。

第二一五条から第二一八条まで （略）

（選挙関係訴訟に対する訴訟法規の適用）

第二一九条① この章（第二百十条第一項を除く。）に規定する訴訟については、行政事件訴訟法第四十三条の規定にかかわらず、同法第十三条、第十九条から第二十一条まで、第二十五条から第二十九条まで、第三十一条及び第三十四条の規定は、準用せず、また、同法第十六条から第十八条までの規定は、一の選挙の効力を争う数個の請求、第二百七条若しくは第二百八条の規定により一の選挙における当選の効力を争う数個の請求、第二百十条第二項の規定により公職の候補者であつた者の当選の効力を争う数個の請求、第二百十一条の規定により公職の候補者等であつた者の当選の効力若しくは立候補の資格を争う数個の請求又は選挙の効力を争う請求とその選挙における当選の効力に関し第二百七条若しくは第二百八条の規定によりこれを争う請求とに関してのみ準用する。

② 第二百十条第一項に規定する訴訟については、行政事件訴訟法第四十一条の規定にかかわらず、同法第十三条、第十七条及び第十八条の規定は、準用せず、また、同法第十六条及び第十九条の規定は、第二百十条第一項の規定により公職の候補者であつた者の当選の無効又は立候補の禁止を争う数個の請求に関してのみ準用する。

第二二〇条 （略）

第十六章　罰則（抄）

（買収及び利害誘導罪）

第二二一条① 次の各号に掲げる行為をした者は、三年以下の拘禁刑又は五十万円以下の罰金に処する。

一 当選を得若しくは得しめ又は得しめない目的をもつて選挙人又は選挙運動者に対し金銭、物品その他の財産上の利益若しくは公私の職務の供与、その供与の申込み若しくは約束をし又は供応接待、その申込み若しくは約束をしたとき。

二 当選を得若しくは得しめ又は得しめない目的をもつて選挙人又は選挙運動者に対しその者又はその者と関係のある社寺、学校、会社、組合、市町村等に対する用水、小作、債権、寄附その他特殊の直接利害関係を利用して誘導をしたとき。

三 投票をし若しくはしないこと、選挙運動をし若しくはやめたこと又はその周旋勧誘をしたことの報酬とする目的をもつて選挙人又は選挙運動者に対し第一号に掲げる行為をしたとき。

四 第一号若しくは前号の供与、供応接待を受け若しくは要求し、第一号若しくは前号の申込みを承諾し又は第二号の誘導に応じ若しくはこれを促したとき。

五 第一号から第三号までに掲げる行為をさせる目的をもつて選挙運動者に対し金銭若しくは物品の交付、交付の申込み若しくは約束をし又は選挙運動者がその交付を受け、その交付を要求し若しくはその申込みを承諾したとき。

六 前各号に掲げる行為に関し周旋又は勧誘をしたとき。

② 中央選挙管理会の委員若しくは中央選挙管理会の庶務に従事する総務省の職員、参議院合同選挙区選挙管理委員会の委員若しくは職員、選挙管理委員会の委員若しくは職員、投票管理者、開票管理者、選挙長若しくは選挙分会長又は選挙事務に関係のある国若しくは地方公共団体の公務員が当該選挙に関し前項の罪を犯したときは、四年以下の拘禁刑又は百万円以下の罰金に処する。公安委員会の委員又は警察官がその関係区域内の選挙に関し同項の罪を犯したときも、また同様とする。

③ 次の各号に掲げる者が第一項の罪を犯したときは、四年以下の拘禁刑又は百万円以下の罰金に処する。

一 公職の候補者

二 選挙運動を総括主宰した者

三 出納責任者（公職の候補者又は出納責任者と意思を通じて当該公職の候補者のための選挙運動に関する支出の金額のうち第百九十六条の規定により告示された額の二分の一以上に相当する額を支出した者を含む。）

四 三以内に分けられた選挙区（選挙区がないときは、選挙の行われる区域）の地域のうち一又は二の地域における選挙運動を主宰すべき者として第一号又は第二号に掲げる者から定められ、当該地域における選挙運動を主宰した者

（多数人買収及び多数人利害誘導罪）

第二二二条① 次の各号に掲げる行為をした者は、五年以下の拘禁刑に処する。

一 財産上の利益を図る目的をもつて公職の候補者又は公職の候補者となろうとする者のため多数の選挙人又は選挙運動者に対し前条第一項第一号から第三号まで、第五号又は第六号

に掲げる行為をし又はさせたとき。
二　財産上の利益を図る目的をもつて公職の候補者又は公職の候補者となろうとする者のため多数の選挙人又は選挙運動者に対し前条第一項第一号から第三号まで、第五号又は第六号に掲げる行為をすることを請け負い若しくは請け負わせ又はその申込みをしたとき。
②　前条第一項第一号から第三号まで、第五号又は第六号の罪を犯した者が常習者であるときも、また前項と同様とする。
③　前条第三項各号に掲げる者が第一項の罪を犯したときは、六年以下の拘禁刑に処する。

（**公職の候補者及び当選人に対する買収及び利害誘導罪**）
第二二三条①　次の各号に掲げる行為をした者は、四年以下の拘禁刑又は百万円以下の罰金に処する。
一　公職の候補者たること若しくは公職の候補者となろうとすることをやめさせる目的をもつて公職の候補者若しくは公職の候補者となろうとする者に対し又は当選を辞させる目的をもつて当選人に対し第二百二十一条第一項第一号又は第二号に掲げる行為をしたとき。
二　公職の候補者たること若しくは公職の候補者となろうとすることをやめたこと、当選を辞したこと又はその周旋勧誘をしたことの報酬とする目的をもつて公職の候補者であつた者、公職の候補者となろうとした者又は当選人であつた者に対し第二百二十一条第一項第一号に掲げる行為をしたとき。
三　前二号の供与、供応接待を受け若しくは要求し、前二号の申込みを承諾し又は第一号の誘導に応じ若しくはこれを促したとき。
四　前各号に掲げる行為に関し周旋又は勧誘をしたとき。
②　中央選挙管理会の委員若しくは中央選挙管理会の庶務に従事する総務省の職員、参議院合同選挙区選挙管理委員会の委員若しくは職員、選挙管理委員会の委員若しくは職員、投票管理者、開票管理者、選挙長若しくは選挙分会長又は選挙事務に関係のある国若しくは地方公共団体の公務員が当該選挙に関し前項の罪を犯したときは、五年以下の拘禁刑又は百万円以下の罰金に処する。公安委員会の委員又は警察官がその関係区域内の選挙に関し同項の罪を犯したときも、また同様とする。
③　第二百二十一条第三項各号に掲げる者が第一項の罪を犯したときは、五年以下の拘禁刑又は百万円以下の罰金に処する。

（**新聞紙、雑誌の不法利用罪**）
第二二三条の二①　第百四十八条の二第一項又は第二項の規定に違反した者は、五年以下の拘禁刑に処する。
②　第二百二十一条第三項各号に掲げる者が前項の罪を犯したときは、六年以下の拘禁刑に処する。

（**買収及び利害誘導罪の場合の没収**）
第二二四条　前四条の場合において収受し又は交付を受けた利益は、没収する。その全部又は一部を没収することができないときは、その価額を追徴する。

（**おとり罪**）
第二二四条の二①　第二百五十一条の二第一項若しくは第三項又は第二百五十一条の三第一項の規定に該当することにより公職の候補者又は公職の候補者となろうとする者（以下この条において「公職の候補者等」という。）の当選を失わせ又は立候補の資格を失わせる目的をもつて、当該公職の候補者等以外の公職の候補者等その他その公職の候補者等の選挙運動に従事する者と意思を通じて、当該公職の候補者等に係る第二百五十一条の二第一項各号に掲げる者又は第二百五十一条の三第一項に規定する組織的選挙運動管理者等を誘導し又は挑発してその者をして第二百二十一条、第二百二十二条、第二百二十三条、第二百二十三条の二又は第二百四十七条の罪を犯させた者は、一年以上五年以下の拘禁刑に処する。
②　第二百五十一条の二第一項各号に掲げる者又は第二百五十一条の三第一項に規定する組織的選挙運動管理者等が、第二百五十一条の二第一項若しくは第三項又は第二百五十一条の三第一項の規定に該当することにより当該公職の候補者等の当選を失わせ又は立候補の資格を失わせる目的をもつて、当該公職の候補者等以外の公職の候補者等その他その公職の候補者等の選挙運動に従事する者と意思を通じて、第二百二十一条から第二百二十三条の二まで又は第二百四十七条の罪を犯したときは、一年以上六年以下の拘禁刑に処する。

（**候補者の選定に関する罪**）
第二二四条の三①　衆議院（小選挙区選出）議員の候補者となるべき者の選定、衆議院名簿登載者の選定又は参議院名簿登載者の選定（第八十六条の三第一項後段の規定により優先的に当選人となるべき候補者としてその氏名及び当選人となるべき順位が参議院名簿に記載される者又は同条第二項において読み替えて準用する第八十六条の二第九項後段の規定により優先的に当選人となるべき候補者としてその氏名及び当選人となるべき順位が同項の規定による届出に係る文書に記載される者の選定並びにそれらの者の間における当選人となるべき順位の決定を含む。）につき権限を有する者が、その権限の行使に関し、請託を受けて、財産上の利益を収受し、又はこれを要求し、若しくは約束したときは、これを三年以下の拘禁刑に処する。
②　前項の利益を供与し、又はその申込み若しくは約束をした者は、三年以下の拘禁刑又は百万円以下の罰金に処する。
③　第一項の場合において、収受した利益は、没収する。その全部又は一部を没収することができないときは、その価額を追徴する。

（**選挙の自由妨害罪**）
第二二五条　選挙に関し、次の各号に掲げる行為をした者は、四年以下の拘禁刑又は百万円以下の罰金に処する。
一　選挙人、公職の候補者、公職の候補者となろうとする者、選挙運動者又は当選人に対し暴行若しくは威力を加え又はこれをかどわかしたとき。
二　交通若しくは集会の便を妨げ、演説を妨害し、又は文書図画を毀棄し、その他偽計詐術等不正の方法をもつて選挙の自由を妨害したとき。
三　選挙人、公職の候補者、公職の候補者となろうとする者、選挙運動者若しくは当選人又はその関係のある社寺、学校、会社、組合、市町村等に対する用水、小作、債権、寄附その他特殊の利害関係を利用して選挙人、公職の候補者、公職の候補者となろうとする者、選挙運動者又は当選人を威迫したとき。

（**職権濫用による選挙の自由妨害罪**）
第二二六条①　選挙に関し、国若しくは地方公共団体の公務員、行政執行法人若しくは特定地方独立行政法人の役員若しくは職員、中央選挙管理会の委員若しくは中央選挙管理会の庶務に従事する総務省の職員、参議院合同選挙区選挙管理委員会の委員若しくは職員、選挙管理委員会の委員若しくは職員、投票管理者、開票管理者又は選挙長若しくは選挙分会長が故意にその職務の執行を怠り又は正当な理由がなくて公職の候補者若しくは選挙運動者に追随し、その居宅若しくは選挙事務所に立ち入る等その職権を濫用して選挙の自由を妨害したときは、四年以下の拘禁刑に処する。
②　国若しくは地方公共団体の公務員、行政執行法人若しくは特定地方独立行政法人の役員若しくは職員、中央選挙管理会の委員若しくは中央選挙管理会の庶務に従事する総務省の職員、参議院合同選挙区選挙管理委員会の委員若しくは職員、選挙管理委員会の委員若しくは職員、投票管理者、開票管理者又は選挙長若しくは選挙分会長が選挙人に対し、その投票しようとし又は投票した被選挙人の氏名（衆議院比例代表選出議員の選挙にあつては政党その他の政治団体の名称又は略称、参議院比例代表選出議員の選挙にあつては被選挙人の氏名又は政党その他の政治団体の名称若しくは略称）の表示を求めたときは、六月以下の拘禁刑又は三十万円以下の罰金に処する。

（**投票の秘密侵害罪**）
第二二七条　中央選挙管理会の委員若しくは中央選挙管理会の庶務に従事する総務省の職員、参議院合同選挙区選挙管理委員会の委員若しくは職員、選挙管理委員会の委員若しくは職員、投票管理者、開票管理者、選挙長若しくは選挙分会長、選挙事務に関係のある国若しくは地方公共団体の公務員、立会人（第四十八条第二項の規定により投票を補助すべき者及び第四十九条第三項の規定により投票に関する記載をすべき者を含む。以下同じ。）又は監視者が選挙人の投票した被選挙人の氏名（衆議院比例代表選出議員の選挙にあつては政党その他の政治団体の名称又は略称、参議院比例代表選出議員の選挙にあつては被選挙人の氏名又は政党その他の政治団体の名称若しくは略称）を表示したときは、二年以下の拘禁刑又は三十万円以下の罰金に処する。その表示した事実が虚偽であるときも、また同様とする。

（投票干渉罪）

第二二八条① 投票所（共通投票所及び期日前投票所を含む。次条及び第二百三十二条において同じ。）又は開票所において正当な理由がなくて選挙人の投票に干渉し又は被選挙人の氏名（衆議院比例代表選出議員の選挙にあつては政党その他の政治団体の名称又は略称、参議院比例代表選出議員の選挙にあつては被選挙人の氏名又は政党その他の政治団体の名称若しくは略称）を認知する方法を行つた者は、一年以下の拘禁刑又は三十万円以下の罰金に処する。

② 法令の規定によらないで投票箱を開き、又は投票箱の投票を取り出した者は、三年以下の拘禁刑又は五十万円以下の罰金に処する。

（選挙事務関係者、施設等に対する暴行罪、騒擾罪等）

第二二九条 投票管理者、開票管理者、選挙長、選挙分会長、立会人若しくは選挙監視者に暴行若しくは脅迫を加え、投票所、開票所、選挙会場若しくは選挙分会場を騒擾し又は投票、投票箱その他関係書類（関係の電磁的記録媒体（電子的方式、磁気的方式その他人の知覚によつては認識することができない方式で作られる記録であつて電子計算機による情報処理の用に供されるものに係る記録媒体をいう。以下同じ。）を含む。）を抑留し、毀壊し若しくは奪取した者は、四年以下の拘禁刑に処する。

（多衆の選挙妨害罪）

第二三〇条① 多衆集合して第二百二十五条第一号又は前条の罪を犯した者は、次の区別に従つて処断する。選挙に関し、多衆集合して、交通若しくは集会の便を妨げ、又は演説を妨害した者も、同様とする。

一 首謀者は、一年以上七年以下の拘禁刑に処する。

二 他人を指揮し又は他人に率先して勢を助けた者は、六月以上五年以下の拘禁刑に処する。

三 付和随行した者は、二十万円以下の罰金又は科料に処する。

② 前項の罪を犯すため多衆集合し当該公務員から解散の命令を受けることが三回以上に及んでもなお解散しないときは、首謀者は、二年以下の拘禁刑に処し、その他の者は、二十万円以下の罰金又は科料に処する。

第二三一条から第二三四条まで （略）

（虚偽事項の公表罪）

第二三五条① 当選を得又は得させる目的をもつて公職の候補者若しくは公職の候補者となろうとする者の身分、職業若しくは経歴、その者の政党その他の団体への所属、その者に係る候補者届出政党の候補者の届出、その者に係る参議院名簿届出政党等の届出又はその者に対する人若しくは政党その他の団体の推薦若しくは支持に関し虚偽の事項を公にした者は、二年以下の拘禁刑又は三十万円以下の罰金に処する。

② 当選を得させない目的をもつて公職の候補者又は公職の候補者となろうとする者に関し虚偽の事項を公にし、又は事実をゆがめて公にした者は、四年以下の拘禁刑又は百万円以下の罰金に処する。

第二三五条の二から第二三五条の四まで （略）

（氏名等の虚偽表示罪）

第二三五条の五 当選を得若しくは得しめ又は得しめない目的をもつて真実に反する氏名、名称又は身分の表示をして郵便等、電報、電話又はインターネット等を利用する方法により通信をした者は、二年以下の拘禁刑又は三十万円以下の罰金に処する。

（挨拶を目的とする有料広告の制限違反）

第二三五条の六① 第百五十二条第一項の規定に違反して広告を掲載させ又は放送をさせた者（後援団体にあつては、その役職員又は構成員として当該違反行為をした者）は、五十万円以下の罰金に処する。

② 第百五十二条第二項の規定に違反して、公職の候補者若しくは公職の候補者となろうとする者（公職にある者を含む。）又は後援団体の役職員若しくは構成員を威迫して、広告を掲載させ又は放送をさせることを求めた者は、一年以下の拘禁刑又は三十万円以下の罰金に処する。

第二三六条から第二三八条の二まで （略）

（事前運動、教育者の地位利用、戸別訪問等の制限違反）

第二三九条① 次の各号のいずれかに該当する者は、一年以下の拘禁刑又は三十万円以下の罰金に処する。

一 第百二十九条、第百三十七条、第百三十七条の二又は第百三十七条の三の規定に違反して選挙運動をした者

二 第百三十四条の規定による命令に従わない者

三 第百三十八条の規定に違反して戸別訪問をした者

四 第百三十八条の二の規定に違反して署名運動をした者

② 候補者届出政党、衆議院名簿届出政党等又は参議院名簿届出政党等が第百三十四条の規定による命令に違反して選挙事務所を閉鎖しなかつたときは、当該候補者届出政党、衆議院名簿届出政党等又は参議院名簿届出政党等の役職員又は構成員として当該違反行為をした者は、一年以下の拘禁刑又は三十万円以下の罰金に処する。

（公務員等の選挙運動等の制限違反）

第二三九条の二① 国又は地方公共団体の公務員、行政執行法人又は特定地方独立行政法人の役員又は職員及び公庫の役職員（公職にある者を除く。）であつて、衆議院議員又は参議院議員の選挙において当該公職の候補者となろうとするもので次の各号に掲げる行為をしたものは、第百二十九条の規定に違反して選挙運動をした者とみなし、二年以下の拘禁刑又は三十万円以下の罰金に処する。

一 当該公職の候補者となろうとする選挙区（選挙区がないときは、選挙の行われる区域。以下この項において「当該選挙区」という。）において職務上の旅行又は職務上出席した会議その他の集会の機会を利用して、当該選挙に関し、選挙人に挨拶すること。

二 当該選挙区において、その地位及び氏名（これらのものが類推されるような名称を含む。）を表示した文書図画を当該選挙に関し、掲示し、又は頒布すること。

三 その職務の執行に当たり、当該選挙区内にある者に対し、当該選挙に関し、その者に係る特別の利益を供与し、又は供与することを約束すること。

四 その地位を利用して、当該選挙に関し、国又は地方公共団体の公務員、行政執行法人又は特定地方独立行政法人の役員又は職員及び公庫の役職員をして、その職務の執行に当たり、当該選挙区内にある者に対し、その者に係る特別の利益を供与させ、又は供与することを約束させること。

② 第百三十六条の二の規定に違反して選挙運動又は行為をした者は、二年以下の拘禁刑又は三十万円以下の罰金に処する。

第二四〇条から第二五〇条まで （略）

（当選人の選挙犯罪による当選無効）

第二五一条 当選人がその選挙に関しこの章に掲げる罪（第二百三十五条の六、第二百三十六条の二、第二百四十五条、第二百四十六条第二号から第九号まで、第二百四十八条、第二百四十九条の二第三項から第五項まで及び第七項、第二百四十九条の三、第二百四十九条の四、第二百四十九条の五第一項及び第三

項、第二百五十二条の二、第二百五十二条の三並びに第二百五十三条の罪を除く。）を犯し刑に処せられたときは、その当選人の当選は、無効とする。

（総括主宰者、出納責任者等の選挙犯罪による公職の候補者等であつた者の当選無効及び立候補の禁止）

第二五一条の二① 次の各号に掲げる者が第二百二十一条、第二百二十二条、第二百二十三条又は第二百二十三条の二の罪を犯し刑に処せられたとき（第四号及び第五号に掲げる者については、これらの罪を犯し拘禁刑に処せられたとき）は、当該公職の候補者又は公職の候補者となろうとする者（以下この条において「公職の候補者等」という。）であつた者の当選は無効とし、かつ、これらの者は、第二百五十一条の五に規定する時から五年間、当該選挙に係る選挙区（選挙区がないときは、選挙の行われる区域）において行われる当該公職に係る選挙において公職の候補者となり、又は公職の候補者であることができない。この場合において、当該公職の候補者等であつた者で衆議院（小選挙区選出）議員の選挙における候補者であつたものが、当該選挙と同時に行われた衆議院（比例代表選出）議員の選挙における当選人となつたときは、当該当選人の当選は、無効とする。

一 選挙運動（参議院比例代表選出議員の選挙にあつては、参議院名簿登載者（第八十六条の三第一項後段の規定により優先的に当選人となるべき候補者としてその氏名及び当選人となるべき順位が参議院名簿に記載されている者を除く。）のために行う選挙運動に限る。次号を除き、以下この条及び次条において同じ。）を総括主宰した者

二 出納責任者（公職の候補者（参議院比例代表選出議員の選挙における候補者たる参議院名簿登載者で第八十六条の三第一項後段の規定により優先的に当選人となるべき候補者としてその氏名及び当選人となるべき順位が参議院名簿に記載されているものを除く。以下この号において同じ。）又は出納責任者と意思を通じて当該公職の候補者のための選挙運動に関する支出の金額のうち第百九十六条の規定により告示された額の二分の一以上に相当する額を支出した者を含む。）

三 三以内に分けられた選挙区（選挙区がないときは、選挙の行われる区域）の地域のうち一又は二の地域における選挙運動を主宰すべき者として公職の候補者又は第一号に掲げる者から定められ、当該地域における選挙運動を主宰した者

四 公職の候補者等の父母、配偶者、子又は兄弟姉妹で当該公職の候補者等又は第一号若しくは前号に掲げる者と意思を通じて選挙運動をしたもの

五 公職の候補者等の秘書（公職の候補者等に使用される者で当該公職の候補者等の政治活動を補佐するものをいう。）で当該公職の候補者等又は第一号若しくは第三号に掲げる者と意思を通じて選挙運動をしたもの

② 公職の候補者等の秘書という名称を使用する者又はこれに類似する名称を使用する者について、当該公職の候補者等がこれらの名称の使用を承諾し又は容認している場合には、当該名称を使用する者は、前項の規定の適用については、公職の候補者等の秘書と推定する。

③ 出納責任者が第二百四十七条の罪を犯し刑に処せられたときは、当該出納責任者に係る公職の候補者であつた者の当選は、無効とし、かつ、その者は、第二百五十一条の五に規定する時から五年間、当該選挙に係る選挙区（選挙区がないときは、選挙の行われる区域）において行われる当該公職に係る選挙において、公職の候補者となり、又は公職の候補者であることができない。この場合においては、第一項後段の規定を準用する。

④ 前三項の規定（立候補の禁止及び衆議院比例代表選出議員の選挙における当選の無効に関する部分に限る。）は、第一項又は前項に規定する罪に該当する行為が、次の各号のいずれかに該当する場合には、当該行為に関する限りにおいて、適用しない。

一 第一項又は前項に規定する罪に該当する行為が当該行為をした者以外の者の誘導又は挑発によつてされ、かつ、その誘導又は挑発が第一項若しくは前項又は次条第一項の規定に該当することにより当該公職の候補者等の当選を失わせ又は立候補の資格を失わせる目的をもつて、当該公職の候補者等以外の公職の候補者等その他の公職の候補者等の選挙運動に従事する者と意思を通じてされたものであるとき。

二 第一項又は前項に規定する罪に該当する行為が第一項若しくは前項又は次条第一項の規定に該当することにより当該公職の候補者等の当選を失わせ又は立候補の資格を失わせる目的をもつて、当該公職の候補者等以外の公職の候補者等その他その公職の候補者等の選挙運動に従事する者と意思を通じてされたものであるとき。

⑤ 前各項の規定（第一項後段及び第三項後段の規定並びに前項の規定（衆議院比例代表選出議員の選挙における当選の無効に関する部分に限る。）を除く。）は、衆議院（比例代表選出）議員の選挙については、適用しない。

（組織的選挙運動管理者等の選挙犯罪による公職の候補者等であつた者の当選無効及び立候補の禁止）

第二五一条の三① 組織的選挙運動管理者等（公職の候補者又は公職の候補者となろうとする者（以下この条において「公職の候補者等」という。）と意思を通じて組織により行われる選挙運動において、当該選挙運動の計画の立案若しくは調整又は当該選挙運動に従事する者の指揮若しくは監督その他当該選挙運動の管理を行う者（前条第一項第一号から第三号までに掲げる者を除く。）をいう。）が、第二百二十一条、第二百二十二条、第二百二十三条又は第二百二十三条の二の罪を犯し拘禁刑に処せられたときは、当該公職の候補者等であつた者の当選は無効とし、かつ、これらの者は、第二百五十一条の五に規定する時から五年間、当該選挙に係る選挙区（選挙区がないときは、選挙の行われる区域）において行われる当該公職に係る選挙において公職の候補者となり、又は公職の候補者であることができない。この場合において、当該公職の候補者等であつた者で衆議院（小選挙区選出）議員の選挙における候補者であつたものが、当該選挙と同時に行われた衆議院（比例代表選出）議員の選挙における当選人となつたときは、当該当選人の当選は、無効とする。

② 前項の規定は、同項に規定する罪に該当する行為が、次の各号のいずれかに該当する場合には、当該行為に関する限りにおいて、適用しない。

一 前項に規定する罪に該当する行為が当該行為をした者以外の者の誘導又は挑発によつてされ、かつ、その誘導又は挑発が前条第一項又は前項の規定に該当することにより当該公職の候補者等の当選を失わせ又は立候補の資格を失わせる目的をもつて、当該公職の候補者等以外の公職の候補者等その他その公職の候補者等の選挙運動に従事する者と意思を通じてされたものであるとき。

二 前項に規定する罪に該当する行為が前条第一項又は前項の規定に該当することにより当該公職の候補者等の当選を失わせ又は立候補の資格を失わせる目的をもつて、当該公職の候補者等以外の公職の候補者等その他の公職の候補者等の選挙運動に従事する者と意思を通じてされたものであるとき。

三 当該公職の候補者等が、前項に規定する組織的選挙運動管理者等が同項に規定する罪に該当する行為を行うことを防止するため相当の注意を怠らなかつたとき。

③ 前二項の規定（第一項後段の規定及び前項の規定（衆議院比例代表選出議員の選挙における当選の無効に関する部分に限る。）を除く。）は、衆議院（比例代表選出）議員の選挙については、適用しない。

第二五一条の四及び第二五一条の五　（略）

（選挙犯罪による処刑者に対する選挙権及び被選挙権の停止）

第二五二条① この章に掲げる罪（第二百三十六条の二第二項、第二百四十条、第二百四十二条、第二百四十四条、第二百四十五条、第二百五十二条の二、第二百五十二条の三及び第二百五

十三条の罪を除く。）を犯し罰金の刑に処せられた者は、その裁判が確定した日から五年間（刑の執行猶予の言渡しを受けた者については、その裁判が確定した日から刑の執行を受けることがなくなるまでの間）、この法律に規定する選挙権及び被選挙権を有しない。

② この章に掲げる罪（第二百五十三条の罪を除く。）を犯し拘禁刑に処せられた者は、その裁判が確定した日から刑の執行を終わるまでの間若しくは刑の時効による場合を除くほか刑の執行の免除を受けるまでの間及びその後五年間又はその裁判が確定した日から刑の執行を受けることがなくなるまでの間、この法律に規定する選挙権及び被選挙権を有しない。

③ 第二百二十一条、第二百二十二条、第二百二十三条又は第二百二十三条の二の罪につき刑に処せられた者で更に第二百二十一条から第二百二十三条の二までの罪につき刑に処せられた者については、前二項の五年間は、十年間とする。

④ 裁判所は、情状により、刑の言渡しと同時に、第一項に規定する者（第二百二十一条から第二百二十三条の二までの罪につき刑に処せられた者を除く。）に対し同項の五年間若しくは刑の執行猶予中の期間について選挙権及び被選挙権を有しない旨の規定を適用せず、若しくはその期間のうちこれを適用すべき期間を短縮する旨を宣告し、第一項に規定する者で第二百二十一条から第二百二十三条の二までの罪につき刑に処せられたもの及び第二項に規定する者に対し第一項若しくは第二項の五年間若しくは刑の執行猶予の言渡しを受けた場合にあつてはその執行猶予中の期間のうち選挙権及び被選挙権を有しない旨の規定を適用すべき期間を短縮する旨を宣告し、又は前項に規定する者に対し同項の十年間の期間を短縮する旨を宣告することができる。

第二五二条の二から第二五三条まで　（略）

第二五三条の二（刑事事件の処理）① 当選人に係るこの章に掲げる罪（第二百三十五条の六、第二百三十六条の二、第二百四十五条、第二百四十六条第二号から第九号まで、第二百四十八条、第二百四十九条の二第三項から第五項まで及び第七項、第二百四十九条の三、第二百四十九条の四、第二百四十九条の五第一項及び第三項、第二百五十二条の二、第二百五十二条の三並びに第二百五十三条の罪を除く。）、第二百五十一条の二第一項各号に掲げる者若しくは第二百五十一条の三第一項に規定する組織的選挙運動管理者等に係る第二百二十一条、第二百二十二条、第二百二十三条若しくは第二百二十三条の二の罪、出納責任者に係る第二百四十七条の罪又は第二百五十一条の四第一項各号に掲げる者に係る第二百二十一条から第二百二十三条の二まで、第二百二十五条、第二百二十六条、第二百三十九条第一項第一号、第三号若しくは第四号若しくは第二百三十九条の二の罪に関する刑事事件については、訴訟の判決は、事件を受理した日から百日以内にこれをするように努めなければならない。

② 前項の訴訟については、裁判長は、第一回の公判期日前に、審理に必要と見込まれる公判期日を、次に定めるところにより、一括して定めなければならない。

一 第一回の公判期日は、事件を受理した日から、第一審にあつては三十日以内、控訴審にあつては五十日以内の日を定めること。

二 第二回以降の公判期日は、第一回の公判期日の翌日から起算して七日を経過するごとに、その七日の期間ごとに一回以上となるように定めること。

③ 第一項の訴訟については、裁判所は、特別の事情がある場合のほかは、他の訴訟の順序にかかわらず速やかにその裁判をしなければならない。

第二五四条から第二五五条の四まで　（略）

第十七章　補則（抄）

第二五六条から第二七〇条の三まで　（略）

第二七一条（都道府県の議会の議員の選挙区の特例）　昭和四十一年一月一日現在において設けられている都道府県の議会の議員の選挙区については、当該区域の人口が当該都道府県の人口を当該都道府県の議会の議員の定数をもつて除して得た数の半数に達しなくなつた場合においても、当分の間、第十五条第二項前段の規定にかかわらず、当該区域をもつて一選挙区を設けることができる。

第二七一条の二から第二七五条まで　（略）

別表　（略）

附　則（令和四・五・二五法四八）（抄）

（施行期日）

第一条　この法律は、公布の日から起算して四年を超えない範囲内において政令で定める日から施行する。ただし、次の各号に掲げる規定は、当該各号に定める日から施行する。

一 （前略）附則第百二十五条の規定　公布の日

二―五　（略）

（政令への委任）

第一二五条　この附則に定めるもののほか、この法律の施行に関し必要な経過措置は、政令で定める。

刑法等の一部を改正する法律の施行に伴う関係法律整理法中経過規定　（令和四・六・一七法六八）（抄）

第四四一条から第四四三条まで　（刑法の同経過規定参照）

第五〇九条　（刑法の同経過規定参照）

刑法等の一部を改正する法律の施行に伴う関係法律整理法

附　則（令和四・六・一七法六八）（抄）

（施行期日）

① この法律は、刑法等一部改正法（刑法等の一部を改正する法律（令和四法六七））施行日（令和七・六・一）から施行する。ただし、次の各号に掲げる規定は、当該各号に定める日から施行する。

一 第五百九条の規定　公布の日

二 （略）

○政党助成法（抄）

（平成六・二・四 法 五）

施行 平成七・一・一（附則参照）
最終改正 令和六法六四

目次

第一章 総則

（目的）

第一条 この法律は、議会制民主政治における政党の機能の重要性にかんがみ、国が政党に対し政党交付金による助成を行うこととし、このために必要な政党の要件、政党の届出その他政党交付金の交付に関する手続を定めるとともに、その使途の報告その他必要な措置を講ずることにより、政党の政治活動の健全な発達の促進及びその公明と公正の確保を図り、もって民主政治の健全な発展に寄与することを目的とする。

（政党の定義）

第二条① この法律において「政党」とは、政治団体（政治資金規正法（昭和二十三年法律第百九十四号）第三条第一項に規定する政治団体をいう。以下同じ。）のうち、次の各号のいずれかに該当するものをいう。

一 当該政治団体に所属する衆議院議員又は参議院議員を五人以上有するもの

二 前号の規定に該当する政治団体に所属していない衆議院議員又は参議院議員を有するもので、直近において行われた衆議院議員の総選挙（以下単に「総選挙」という。）における小選挙区選出議員の選挙若しくは比例代表選出議員の選挙又は直近において行われた参議院議員の通常選挙（以下単に「通常選挙」という。）若しくは当該通常選挙の直近において行われた通常選挙における比例代表選出議員の選挙若しくは選挙区選出議員の選挙における当該政治団体の得票総数が当該選挙における有効投票の総数の百分の二以上であるもの

② 前項各号の規定は、他の政党（政治資金規正法第六条第一項（同条第五項において準用する場合を含む。）の規定により政党である旨の届出をしたものに限る。）に所属している衆議院議員又は参議院議員が所属している政治団体については、適用しない。

（政党に対する政党交付金の交付等）

第三条① 国は、この法律の定めるところにより、政党交付金の交付を受ける政党等に対する法人格の付与に関する法律（平成六年法律第百六号。以下「法人格付与法」という。）第四条第一項の規定による法人である政党に対して、政党交付金を交付する。

② 政党交付金は、議員数割（政党に所属する衆議院議員及び参議院議員の数に応じて交付される政党交付金をいう。以下同じ。）及び得票数割（総選挙の小選挙区選出議員の選挙及び比例代表選出議員の選挙並びに通常選挙の比例代表選出議員の選挙及び選挙区選出議員の選挙における政党の得票総数に応じて交付される政党交付金をいう。以下同じ。）とする。

（この法律の運用等）

第四条① 国は、政党の政治活動の自由を尊重し、政党交付金の交付に当たっては、条件を付し、又はその使途について制限してはならない。

② 政党は、政党交付金が国民から徴収された税金その他の貴重な財源で賄われるものであることに特に留意し、その責任を自覚し、その組織及び運営については民主的かつ公正なものとするとともに、国民の信頼にもとることのないように、政党交付金を適切に使用しなければならない。

第二章 政党の届出

（政党交付金の交付を受けようとする政党の届出）

第五条① 政党交付金の交付を受けようとする政党は、その年の一月一日（同日が前年において行われた総選挙又は通常選挙に係る次条第一項の選挙基準日前にある場合には、当該選挙基準日とする。以下「基準日」という。）現在における次に掲げる事項を、基準日の翌日から起算して十五日以内に、総務大臣に届け出なければならない。

一 名称（略称を用いている場合には、名称及びその略称）

二 主たる事務所の所在地

三 代表者、会計責任者及び会計責任者に事故があり又は会計責任者が欠けた場合にその職務を行うべき者それぞれ一人の氏名、住所、生年月日及び選任年月日

四 会計監査を行うべき者の氏名、住所、生年月日及び選任年月日

五 所属する衆議院議員又は参議院議員の氏名、住所及び衆議院の小選挙区選出議員若しくは比例代表選出議員又は参議院の比例代表選出議員若しくは選挙区選出議員の別並びに当該衆議院議員又は参議院議員が選出された選挙の期日

六 次に掲げる得票総数

イ 直近において行われた総選挙（以下この号及び第八条第三項において「前回の総選挙」という。）の小選挙区選出議員の選挙における当該政党の得票総数

ロ 前回の総選挙の比例代表選出議員の選挙における当該政党の得票総数

ハ 直近において行われた通常選挙（以下この号及び第八条第三項において「前回の通常選挙」という。）及び当該前回の通常選挙の直近において行われた通常選挙（以下この号及び第八条第三項において「前々回の通常選挙」という。）の比例代表選出議員の選挙における当該政党のそれぞれの得票総数

ニ 前回の通常選挙及び前々回の通常選挙の選挙区選出議員の選挙における当該政党のそれぞれの得票総数

七 支部を有する場合にあっては、当該支部の数、名称及び主たる事務所の所在地並びに代表者、会計責任者及び会計責任者に事故があり又は会計責任者が欠けた場合にその職務を行うべき者それぞれ一人の氏名及び住所

八 その他総務省令で定める事項

② 政党は、前項の規定による届出をする場合には、次に掲げる文書を併せて提出しなければならない。

一 綱領その他の当該政党の目的、基本政策等を記載した文書

二 党則、規約その他の当該政党の組織、管理運営等に関する事項を記載した文書

三 当該政党に所属する衆議院議員又は参議院議員としてその氏名その他の前項第五号に掲げる事項を記載されることについての当該衆議院議員又は参議院議員の承諾書及び同項の規定による届出において当該政党以外の政党に所属している者としてその氏名その他の同号に掲げる事項を記載されていないことを当該衆議院議員又は参議院議員が誓う旨の宣誓書

四 その他総務省令で定める事項を記載した文書

③ 政党は、第一項の規定により届け出た事項に異動があったときは、基準日後に総選挙又は通常選挙が行われた場合及び政党が解散し、若しくは目的の変更その他により政治団体でなくなり、又は第二条第一項各号のいずれにも該当しない政治団体となった場合を除き、その異動の日の翌日から起算して七日以内

に、その異動に係る事項を第一項の規定の例により届け出なければならない。前項の規定により政党が提出した文書の内容に異動があったときも、同様とする。

④ 第一項の規定による届出があったときは、総務大臣は、同項各号に掲げる事項（同項第七号に掲げる事項については、支部の数とする。）を告示しなければならない。これらの事項につき前項前段の規定による届出があったときも、同様とする。

第六条（**総選挙又は通常選挙が行われた場合の届出**）

① 政党交付金の交付を受けようとする政党は、その年において総選挙又は通常選挙が行われた場合には、当該選挙により選出された衆議院議員若しくは参議院議員の任期を起算する日（以下この項において「任期の初日」という。）又は当該選挙の期日の翌日（以下この項において「選挙の翌日」という。）のうちいずれか遅い日（当該選挙に係る公示の日から任期の初日又は選挙の翌日のうちいずれか遅い日までの間に他の総選挙又は通常選挙に係る公示の日から任期の初日又は選挙の翌日のうちいずれか遅い日までの期間がかかる場合には、これらの選挙に係る任期の初日又は選挙の翌日のうち最も遅い日とする。以下「選挙基準日」という。）現在における前条第一項各号に掲げる事項を、選挙基準日の翌日から起算して十五日以内に、総務大臣に届け出なければならない。

② 前条第二項から第四項までの規定は、前項の届出について準用する。この場合において、同条第三項中「基準日」とあるのは、「当該届出に係る次条第一項の選挙基準日」と読み替えるものとする。

③ 第一項並びに前項において準用する前条第二項及び第三項の場合において、政党は、同条第一項、同条第三項前段（前項において準用する場合を含む。）若しくは第一項の規定により既に届け出た事項又は同条第二項若しくは第三項後段（これらの規定を前項において準用する場合を含む。）の規定により既に提出した文書の内容に異動がないときは、第一項並びに前項において準用する同条第二項及び第三項の規定にかかわらず、総務省令で定めるところにより、これらの規定により届け出るべき事項又は提出すべき文書の一部を省略することができる。

④ 第一項の規定は、選挙基準日がその年の十二月に属する場合には、適用しない。

第三章　政党交付金の算定等（抄）

第七条（**政党交付金の総額等**）

① 毎年分として各政党に対して交付すべき政党交付金の算定の基礎となる政党交付金の総額は、基準日における人口（基準日の直近において官報で公示された国勢調査の結果による確定数をいう。）に二百五十円を乗じて得た額を基準として予算で定める。

② 毎年分の議員数割及び得票数割の総額は、前項の総額のそれぞれ二分の一に相当する額とする。

第八条（**政党交付金の額の算定**）

① 毎年分として各政党（その年分について第五条第一項の届出（第六条第一項の規定の適用がある場合にあっては、同項の届出）をしたものに限る。以下この条において同じ。）に対して交付すべき政党交付金の額は、次項に定める議員数割の額と第三項に定める得票数割の額とを合計した額とする。

② 各政党に対して交付すべき議員数割の額は、議員数割の総額に当該政党に所属する衆議院議員及び参議院議員の数を各政党に所属する衆議院議員及び参議院議員の数を合算した数で除して得た数を乗じて得た額とする。

③ 各政党に対して交付すべき得票数割の額は、得票数割の総額の四分の一に相当する額に次に掲げる数をそれぞれ乗じて得た額を合計した額とする。

一 前回の総選挙の小選挙区選出議員の選挙における当該政党の得票総数を当該選挙における各政党の得票総数を合算した数で除して得た数

二 前回の総選挙の比例代表選出議員の選挙における当該政党の得票総数を当該選挙における各政党の得票総数を合算した数で除して得た数

三 次に掲げる数を合算した数の二分の一に相当する数

イ 前回の通常選挙の比例代表選出議員の選挙における当該政党の得票総数を当該選挙における各政党の得票総数を合算した数で除して得た数

ロ 前々回の通常選挙の比例代表選出議員の選挙における当該政党の得票総数を当該選挙における各政党の得票総数を合算した数で除して得た数

四 次に掲げる数を合算した数の二分の一に相当する数

イ 前回の通常選挙の選挙区選出議員の選挙における当該政党の得票総数を当該選挙における各政党の得票総数を合算した数で除して得た数

ロ 前々回の通常選挙の選挙区選出議員の選挙における当該政党の得票総数を当該選挙における各政党の得票総数を合算した数で除して得た数

第九条から第一三条まで（略）

第四章　政党交付金の使途の報告（抄）

第一四条（**政党交付金による支出の定義等**）

① この章において「政党交付金による支出」とは、政党のする支出（政治資金規正法第四条第五項に規定する支出をいう。以下同じ。）のうち、政党交付金を充て又は政党基金（特定の目的のために政党交付金の一部を積み立てた積立金をいい、これに係る果実を含む。以下同じ。）を取り崩して充てるもの（借入金の返済及び貸付金の貸付けを除く。）をいい、支部政党交付金による支出を含まないものとする。

② この章において「支部政党交付金」とは、政党の本部から支部（一以上の市町村（特別区を含む。）の区域（地方自治法（昭和二十二年法律第六十七号）第二百五十二条の十九第一項の指定都市の区又は総合区の区域を含む。）又は公職選挙法（昭和二十五年法律第百号）第十二条に規定する選挙区の区域を単位として設けられるものに限る。以下同じ。）に対して支給される金銭等（政治資金規正法第四条第一項に規定する金銭等をいう。以下この項において同じ。）で政党交付金を充て又は政党基金を取り崩して充てるものをいい、一の支部から他の支部に対して支給される金銭等で支部政党交付金を充て又は支部基金（特定の目的のために支部政党交付金の一部を積み立てた積立金をいい、これに係る果実を含む。以下同じ。）を取り崩して充てるものを含むものとする。

③ この章において「支部政党交付金による支出」とは、政党の支部のする支出のうち、支部政党交付金を充て又は支部基金を取り崩して充てるもの（借入金の返済及び貸付金の貸付けを除く。）をいい、支部政党交付金の支給を含むものとする。

第一五条（**政党の会計帳簿の記載等**）

① 政党（その年において、政党交付金の交付を受け、若しくは政党交付金による支出をしたもの又は政党基金の残高を有するものに限る。）の会計責任者（会計責任者に事故があり、又は会計責任者が欠けた場合にあってはその職務を行うべき者とし、会計帳簿の記載に係る部分に限り、会計責任者の職務を補佐する者を含む。次条第一項において同じ。）は、政党交付金に係る収支の状況を明らかにするため、会計帳簿を備え、これに次に掲げる事項を記載しなければならない。

一 政党交付金については、その交付を受けた金額及び年月日

二 政党交付金による支出については、これを受けた者の氏名及び住所（その者が団体である場合には、その名称及び主たる事務所の所在地。第十七条第一項において同じ。）並びにその目的、金額及び年月日並びに当該政党交付金による支出に充てた政党交付金の金額又はこれに充てるため取り崩した政党基金の金額

三 政党基金については、その名称及び目的、積み立て又は取り崩した金額及び年月日、その運用により収受した果実の金

額及び収受の年月日並びに残高

② 政党の会計責任者（会計責任者に事故があり、又は会計責任者が欠けた場合にあっては、その職務を行うべき者。次条第一項を除き、以下同じ。）は、一件五万円以上の政党交付金による支出をしたときは、その事実を証すべき目的、金額及び年月日を記載した領収書その他の書面（以下「領収書等」という。）を徴さなければならない。ただし、社会慣習その他の事情によりこれを徴し難いときは、この限りでない。

③ 政党の会計責任者は、政党基金について、総務省令で定めるところにより、その残高を証する書面（以下「残高証明等」という。）を徴さなければならない。

④ 政党の会計責任者は、第一項の会計帳簿、第二項の領収書等及び前項の残高証明等を、第三十一条第一項の規定によりこれらに係る報告書が公表された日から五年を経過する日まで保存しなければならない。

⑤ 政党の会計責任者は、その支部に対して支部政党交付金を支給するときは、併せて当該支部の会計責任者に対してその旨及び金額を通知しなければならない。

第一六条（略）

第一七条（**政党の報告書の提出等**）① 第十五条第一項の政党の会計責任者（報告書の記載に係る部分に限り、会計責任者の職務を補佐する者を含む。第二十八条第一項において同じ。）は、十二月三十一日現在で、当該政党のその年における次に掲げる事項（これらの事項がないときは、その旨）を記載した報告書を、同日の翌日から起算して三月以内（その間に総選挙又は通常選挙の公示の日から選挙の期日までの期間がかかる場合（第三十一条第一項において「報告書の提出期限が延長される場合」という。）には、四月以内）に、総務大臣に提出しなければならない。

一 政党交付金については、その総額並びにその交付を受けた金額及び年月日

二 政党交付金による支出については、その総額及び総務省令で定める項目別の金額並びに当該項目ごとの政党交付金による支出に充てた政党交付金の金額又はこれに充てるため取り崩した政党基金の金額

三 政党交付金による支出のうち、人件費その他の総務省令で定める経費以外の経費に係るもので一件当たりの金額（数回にわたってされたときは、その合計金額）が五万円以上のものについては、これを受けた者の氏名及び住所並びにその目的、金額及び年月日並びに当該政党交付金による支出に充てた政党交付金の金額又はこれに充てるため取り崩した政党基金の金額

四 支部政党交付金については、その支給を受けた支部の名称並びに支給の目的、金額及び年月日

五 政党基金については、その名称及び目的、積み立て又は取り崩した金額及び年月日、その運用により収受した果実の金額及び収受の年月日並びに残高

② 政党の会計責任者は、前項の報告書を提出するときは、総務省令で定めるところにより、次に掲げる書面又は文書を併せて提出しなければならない。

一 前項第三号の政党交付金による支出に係る領収書等の写し（社会慣習その他の事情によりこれを徴し難いときは、その旨並びに当該政党交付金による支出の目的、金額及び年月日を記載した書面又は当該政党交付金による支出の目的を記載した書面並びに金融機関が作成した当該政党交付金による支出に係る振込みの明細書であって支出の金額及び年月日を記載したものの写し。第三十四条第一項並びに第四十四条第一項第一号及び第七号において「政党分領収書等の写し」という。）及び政党基金に係る残高証明等の写し

二 次条第一項の規定により提出を受けた支部報告書及び第十九条第五項において準用する同条第一項の規定により提出を受けた監査意見書並びに次条第二項の規定により提出を受けた支部報告書及び監査意見書（当該政党の支部について第二十条第二項の規定の適用がある場合には、同項の規定により提出を受けたこれらの文書を含む。）

三 前号に掲げる支部報告書に記載された事項を総務省令で定めるところにより集計した総括文書

四 前項の報告書及び第二号に掲げる支部報告書に記載された事項を総務省令で定めるところにより集計した総括文書

第一八条から第二〇条まで（略）

第五章　政党の解散等に係る措置

（第二一条から第三〇条まで）（略）

第六章　報告書等の公表（抄）

第三一条（**報告書等の公表**）① 総務大臣は、定期報告文書（第十七条第一項の報告書並びに同条第二項の支部報告書及び総括文書（第二十条第一項の規定により提出すべきこれらの文書を含む。）をいう。以下この条及び第三十二条の二第一項において同じ。）又は解散等報告文書（第二十八条第一項の報告書並びに同条第二項において準用する第十七条第二項又は第二十九条第二項の支部報告書及び総括文書（前条第一項の規定により提出すべきこれらの文書を含む。）をいう。以下この条及び第三十二条の二第一項において同じ。）を受理したときは、当該定期報告文書又は当該解散等報告文書を、インターネットを利用する方法により公表しなければならない。この場合において、定期報告文書については、報告書の提出期限が延長される場合その他特別の事情がある場合を除き、当該定期報告文書が提出された年の九月三十日までに公表するものとする。

② 前項の規定による公表においては、第十七条第二項第二号及び第十九条第一項（これらの規定を第二十八条第二項において準用する場合を含む。）並びに第二十九条第二項の監査意見書並びに第十九条第二項（第二十八条第二項において準用する場合を含む。）の監査報告書を、前項の定期報告文書又は解散等報告文書と併せて公表するものとする。

③ 前二項の規定による公表は、第一項の規定により定期報告文書又は解散等報告文書を公表した日から同日以後五年を経過する日までの間、継続して行うものとする。

第三二条及び第三二条の二（略）

第七章　政党交付金の返還等

（第三三条及び第三四条）（略）

第八章　雑則

（第三五条から第四二条の二まで）（略）

第九章　罰則（抄）

第四三条 政党（政治団体を含む。以下この条及び第四十八条において同じ。）が偽りその他不正な行為により、政党交付金（第二十七条第一項に規定する特定交付金を含む。）の交付を受けたときは、当該政党の役職員又は構成員として当該行為をした者は、五年以下の拘禁刑若しくは二百五十万円以下の罰金に処し、又はこれを併科する。

第四四条から第四八条まで（略）

附　則（抄）

第一条（**施行期日**） この法律は、公職選挙法の一部を改正する法律（平成六年法律第二号）の施行の日の属する年の翌年（平成七年）の一月一日から施行する。

刑法等の一部を改正する法律の施行に伴う関係法律整理法
中経過規定（令和四・六・一七法六八）（抄）

第四四一条から第四四三条まで（刑法の同経過規定参照）

第五〇九条（刑法の同経過規定参照）

刑法等の一部を改正する法律の施行に伴う関係法律整理法
附　則（令和四・六・一七法六八）（抄）

（施行期日）

① この法律は、刑法等一部改正法（刑法等の一部を改正する法律（令和四法六七））施行日（令和七・六・一）から施行する。ただし、次の各号に掲げる規定は、当該各号に定める日から施行する。

一 第五百九条の規定 公布の日

二 （略）

附 則（令和六・六・二六法六四）（抄）

（施行期日）

第一条 この法律は、令和八年一月一日から施行する。（後略）

（政党助成法の一部改正に伴う経過措置）

第一〇条 前条の規定による改正後の政党助成法第三十一条の規定は、施行日以後に行われる同条第一項に規定する定期報告文書又は解散等報告文書の公表について適用し、施行日前に行われた前条の規定による改正前の政党助成法第三十一条の規定による公表については、なお従前の例による。

（罰則に関する経過措置）

第一一条 施行日（中略）前にした行為（中略）に対する罰則の適用については、なお従前の例による。

（政令への委任）

第一二条 この附則に定めるもののほか、この法律の施行に関し必要な経過措置は、政令で定める。

●裁判所法（昭和二二・四・一六法　五　九）

施行　昭和二二・五・三（附則参照）
改正　昭和二二法一二六・法一九五、昭和二三法一・法二六〇、昭和二四法一三六・法一七七、昭和二五法九六・法二八七、昭和二六法五九・法二九八、昭和二七法二六八、昭和二九法一二六・法一六三、昭和三二法九一、昭和三五法一〇四、昭和三七法一四〇、昭和三九法一一四、昭和四〇法二七、昭和四一法二三・法一一一、昭和四五法六七、昭和五七法八二、平成七法六六、平成一〇法五〇、平成一二法一四二、平成一四法一三八、平成一五法一〇九・法一二八、平成一六法八・法一二〇・法一六三、平成一七法八三、平成一八法三六、平成二〇法七一、平成二二法六四、平成二三法五三、平成二四法五四、平成二五法四八、平成二九法二三・法六七、令和一法四四、令和四法四八（令和五法五三）・法六八、令和五法五三

目次

第一編　総則

第一条（この法律の趣旨） 日本国憲法に定める最高裁判所及び下級裁判所については、この法律の定めるところによる。

第二条（下級裁判所） ① 下級裁判所は、高等裁判所、地方裁判所、家庭裁判所及び簡易裁判所とする。
② 下級裁判所の設立、廃止及び管轄区域は、別に法律でこれを定める。

第三条（裁判所の権限） ① 裁判所は、日本国憲法に特別の定のある場合を除いて一切の法律上の争訟を裁判し、その他法律において特に定める権限を有する。
② 前項の規定は、行政機関が前審として審判することを妨げない。
③ この法律の規定は、刑事について、別に法律で陪審の制度を設けることを妨げない。

第四条（上級審の裁判の拘束力） 上級審の裁判所の裁判における判断は、その事件について下級審の裁判所を拘束する。

第五条（裁判官） ① 最高裁判所の裁判官は、その長たる裁判官を最高裁判所長官とし、その他の裁判官を最高裁判所判事とする。
② 下級裁判所の裁判官は、高等裁判所の長たる裁判官を高等裁判所長官とし、その他の裁判官を判事、判事補及び簡易裁判所判事とする。
③ 最高裁判所判事の員数は、十四人とし、下級裁判所の裁判官の員数は、別に法律でこれを定める。

第二編　最高裁判所

第六条（所在地） 最高裁判所は、これを東京都に置く。

第七条（裁判権） 最高裁判所は、左の事項について裁判権を有する。
一　上告
二　訴訟法において特に定める抗告

第八条（その他の権限） 最高裁判所は、この法律に定めるものの外、他の法律において特に定める権限を有する。

第九条（大法廷・小法廷） ① 最高裁判所は、大法廷又は小法廷で審理及び裁判をする。
② 大法廷は、全員の裁判官の、小法廷は、最高裁判所の定める員数の裁判官の合議体とする。但し、小法廷の裁判官の員数は、三人以上でなければならない。
③ 各合議体の裁判官のうち一人を裁判長とする。
④ 各合議体では、最高裁判所の定める員数の裁判官が出席すれば、審理及び裁判をすることができる。

第一〇条（大法廷及び小法廷の審判） 事件を大法廷又は小法廷のいずれで取り扱うかについては、最高裁判所の定めるところによる。但し、左の場合においては、小法廷では裁判をすることができない。
一　当事者の主張に基いて、法律、命令、規則又は処分が憲法に適合するかしないかを判断するとき。（意見が前に大法廷でした、その法律、命令、規則又は処分が憲法に適合するとの裁判と同じであるときを除く。）
二　前号の場合を除いて、法律、命令、規則又は処分が憲法に適合しないと認めるとき。
三　憲法その他の法令の解釈適用について、意見が前に最高裁判所のした裁判に反するとき。

最高裁判所裁判事務処理規則（昭和二二・一二・一最高裁規六）（抜粋）

第九条【小法廷と大法廷との関係】 ① 事件は、まず小法廷で審理する。
② 左の場合には、小法廷の裁判長は、大法廷の裁判長にその旨を通知しなければならない。
一　裁判所法第十条第一号乃至第三号に該当する場合
二　その小法廷の裁判官の意見が二説に分れ、その説が各〻同数の場合
三　大法廷で裁判することを相当と認めた場合
③ 前項の通知があつたときは、大法廷で更に審理し、裁判をしなければならない。この場合において、大法廷では、前項各号にあたる点のみについて審理及び裁判をすることを妨げない。
④ 前項後段の裁判があつた場合においては、小法廷でその他について審理及び裁判をする。
⑤ 裁判所法第十条第一号に該当する場合において、意見が前にその法律、命令、規則又は処分が憲法に適合するとした大法廷の裁判と同じであるときは、第二項及び第三項の規定にかかわらず、小法廷で裁判をすることができる。
⑥ 法令の解釈適用について、意見が大審院のした判決に反するときも、また前項と同様とする。

第一二条【違憲裁判の要件】 法律、命令、規則又は処分が憲法に適合しないとの裁判をするには、八人以上の裁判官の意見が一致しなければならない。

第一一条（裁判官の意見の表示） 裁判書又は電子裁判書（裁判所が他の法律の定めるところにより作成した裁判の内容を記録した電磁的記録（電子的方式、磁気的方式その他人の知覚によつては認識することができない方式で作られる記録であつて、電子計算機による情報処理の用に供されるものをいう。第六十条において同じ。）をいう。）には、各裁判官の意見を表示しなけれ

ばならない。

＊令和五法五三（令和八・五・二四までに施行）による改正前
第一一条（裁判官の意見の表示） 裁判書には、各裁判官の意見を表示しなければならない。

第一二条（司法行政事務） ① 最高裁判所が司法行政事務を行うのは、裁判官会議の議によるものとし、最高裁判所長官が、これを総括する。

② 裁判官会議は、全員の裁判官でこれを組織し、最高裁判所長官が、その議長となる。

第一三条（事務総局） 最高裁判所の庶務を掌らせるため、最高裁判所に事務総局を置く。

第一四条（司法研修所） 裁判官の研究及び修養並びに司法修習生の修習に関する事務を取り扱わせるため、最高裁判所に司法研修所を置く。

第一四条の二（裁判所職員総合研修所） 裁判所書記官、家庭裁判所調査官その他の裁判官以外の裁判所の職員の研究及び修養に関する事務を取り扱わせるため、最高裁判所に裁判所職員総合研修所を置く。

第一四条の三（最高裁判所図書館） 最高裁判所に国立国会図書館の支部図書館として、最高裁判所図書館を置く。

第三編　下級裁判所

第一章　高等裁判所

第一五条（構成） 各高等裁判所は、高等裁判所長官及び相応な員数の判事でこれを構成する。

第一六条（裁判権） 高等裁判所は、左の事項について裁判権を有する。

一　地方裁判所の第一審判決、家庭裁判所の判決及び簡易裁判所の刑事に関する判決に対する控訴

二　第七条第二号の抗告を除いて、地方裁判所及び家庭裁判所の決定及び命令並びに簡易裁判所の刑事に関する決定及び命令に対する抗告

三　刑事に関するものを除いて、地方裁判所の第二審判決及び簡易裁判所の判決に対する上告

四　刑法第七十七条乃至第七十九条の罪に係る訴訟の第一審

第一七条（その他の権限） 高等裁判所は、この法律に定めるものの外、他の法律において特に定める権限を有する。

第一八条（合議制） ① 高等裁判所は、裁判官の合議体でその事件を取り扱う。但し、法廷ですべき審理及び裁判を除いて、その他の事項につき他の法律に特別の定があるときは、その定に従う。

② 前項の合議体の裁判官の員数は、三人とし、そのうち一人を裁判長とする。但し、第十六条第四号の訴訟については、裁判官の員数は、五人とする。

第一九条（裁判官の職務の代行） ① 高等裁判所は、裁判事務の取扱上さし迫つた必要があるときは、その管轄区域内の地方裁判所又は家庭裁判所の判事にその高等裁判所の判事の職務を行わせることができる。

② 前項の規定により当該高等裁判所のさし迫つた必要をみたすことができない特別の事情があるときは、最高裁判所は、他の高等裁判所又はその管轄区域内の地方裁判所若しくは家庭裁判所の判事に当該高等裁判所の判事の職務を行わせることができる。

第二〇条（司法行政事務） ① 各高等裁判所が司法行政事務を行うのは、裁判官会議の議によるものとし、各高等裁判所長官が、これを総括する。

② 各高等裁判所の裁判官会議は、その全員の裁判官でこれを組織し、各高等裁判所長官が、その議長となる。

第二一条（事務局） 各高等裁判所の庶務を掌らせるため、各高等裁判所に事務局を置く。

第二二条（支部） ① 最高裁判所は、高等裁判所の事務の一部を取り扱わせるため、その高等裁判所の管轄区域内に、高等裁判所の支部を設けることができる。

② 最高裁判所は、高等裁判所の支部に勤務する裁判官を定める。

第二章　地方裁判所

第二三条（構成） 各地方裁判所は、相応な員数の判事及び判事補でこれを構成する。

第二四条（裁判権） 地方裁判所は、次の事項について裁判権を有する。

一　第三十三条第一項第一号の請求以外の請求に係る訴訟（第三十一条の三第一項第二号の人事訴訟を除く。）及び第三十三条第一項第一号の請求に係る訴訟のうち不動産に関する訴訟の第一審

二　第十六条第四号の罪及び罰金以下の刑に当たる罪以外の罪に係る訴訟の第一審

三　第十六条第一号の控訴を除いて、簡易裁判所の判決に対する控訴

四　第七条第二号及び第十六条第二号の抗告を除いて、簡易裁判所の決定及び命令に対する抗告

第二五条（その他の権限） 地方裁判所は、この法律に定めるものの外、他の法律において特に定める権限及び他の法律において裁判所の権限に属するものと定められた事項の中で地方裁判所以外の裁判所の権限に属させていない事項についての権限を有する。

第二六条（一人制・合議制） ① 地方裁判所は、第二項に規定する場合を除いて、一人の裁判官でその事件を取り扱う。

② 次に掲げる事件は、裁判官の合議体でこれを取り扱う。ただし、法廷ですべき審理及び裁判を除いて、その他の事項につき他の法律に特別の定めがあるときは、その定めに従う。

一　合議体で審理及び裁判をする旨の決定を合議体でした事件

二　死刑又は無期若しくは短期一年以上の拘禁刑に当たる罪（刑法第二百三十六条、第二百三十八条又は第二百三十九条の罪及びその未遂罪、暴力行為等処罰に関する法律（大正十五年法律第六十号）第一条ノ二第一項若しくは第二項又は第一条ノ三第一項の罪並びに盗犯等の防止及び処分に関する法律（昭和五年法律第九号）第二条又は第三条の罪を除く。）に係る事件

三　簡易裁判所の判決に対する控訴事件並びに簡易裁判所の決定及び命令に対する抗告事件

四　その他の法律において合議体で審理及び裁判をすべきものと定められた事件

③ 前項の合議体の裁判官の員数は、三人とし、そのうち一人を裁判長とする。

第二七条（判事補の職権の制限） ① 判事補は、他の法律に特別の定のある場合を除いて、一人で裁判をすることができない。

② 判事補は、同時に二人以上合議体に加わり、又は裁判長となることができない。

第二八条（裁判官の職務の代行） ① 地方裁判所において裁判事務の取扱上さし迫つた必要があるときは、その所在地を管轄する高等裁判所は、その管轄区域内の他の地方裁判所、家庭裁判所又はその高等裁判所の裁判官に当該地方裁判所の裁判官の職務を行わせることができる。

② 前項の規定により当該地方裁判所のさし迫つた必要をみたすことができない特別の事情があるときは、最高裁判所は、その地方裁判所の所在地を管轄する高等裁判所以外の高等裁判所の管轄区域内の地方裁判所、家庭裁判所又はその高等裁判所の裁判官に当該地方裁判所の裁判官の職務を行わせることができる。

第二九条（司法行政事務） ① 最高裁判所は、各地方裁判所の判事のうち一人に各地方裁判所長を命ずる。

② 各地方裁判所が司法行政事務を行うのは、裁判官会議の議によるものとし、各地方裁判所長が、これを総括する。

③ 各地方裁判所の裁判官会議は、その全員の判事でこれを組織し、各地方裁判所長が、その議長となる。

第三〇条（事務局） 各地方裁判所の庶務を掌らせるため、各地方裁判所に事務局を置く。

第三一条（支部・出張所） ① 最高裁判所は、地方裁判所の事務の一部を取り扱わせるため、その地方裁判所の管轄区域内に、地方裁判所の支部又は出張所を設けることができる。

② 最高裁判所は、地方裁判所の支部に勤務する裁判官を定める。

第三章　家庭裁判所

第三一条の二（構成） 各家庭裁判所は、相応な員数の判事及び判事補でこれを構成する。

第三一条の三（裁判権その他の権限） ① 家庭裁判所は、次の権限を有する。

一 家事事件手続法（平成二十三年法律第五十二号）で定める家庭に関する事件の審判及び調停

二 人事訴訟法（平成十五年法律第百九号）で定める人事訴訟の第一審の裁判

三 少年法（昭和二十三年法律第百六十八号）で定める少年の保護事件の審判

② 家庭裁判所は、この法律に定めるものの外、他の法律において特に定める権限を有する。

第三一条の四（一人制・合議制） ① 家庭裁判所は、審判又は裁判を行うときは、次項に規定する場合を除いて、一人の裁判官でその事件を取り扱う。

② 次に掲げる事件は、裁判官の合議体でこれを取り扱う。ただし、審判を終局させる決定並びに法廷ですべき審理及び裁判を除いて、その他の事項につき他の法律に特別の定めがあるときは、その定めに従う。

一 合議体で審判又は審理及び裁判をする旨の決定を合議体でした事件

二 他の法律において合議体で審判又は審理及び裁判をすべきものと定められた事件

③ 前項の合議体の裁判官の員数は、三人とし、そのうち一人を裁判長とする。

第三一条の五（地方裁判所の規定の準用） 第二十七条乃至第三十一条の規定は、家庭裁判所にこれを準用する。

第四章　簡易裁判所

第三二条（裁判官） 各簡易裁判所に相応な員数の簡易裁判所判事を置く。

第三三条（裁判権） ① 簡易裁判所は、次の事項について第一審の裁判権を有する。

一 訴訟の目的の価額が百四十万円を超えない請求（行政事件訴訟に係る請求を除く。）

二 罰金以下の刑に当たる罪、選択刑として罰金が定められている罪又は刑法第百八十六条、第二百五十二条若しくは第二百五十六条の罪に係る訴訟

② 簡易裁判所は、拘禁刑以上の刑を科することができない。ただし、刑法第百三十条の罪若しくはその未遂罪、同法第百八十六条の罪、同法第二百三十五条の罪若しくはその未遂罪、同法第二百五十二条、第二百五十四条若しくは第二百五十六条の罪、古物営業法（昭和二十四年法律第百八号）第三十一条から第三十三条までの罪若しくは質屋営業法（昭和二十五年法律第百五十八号）第三十条から第三十二条までの罪に係る事件又はこれらの罪と他の罪とにつき刑法第五十四条第一項の規定によりこれらの罪の刑をもつて処断すべき事件においては、三年以下の拘禁刑を科することができる。

③ 簡易裁判所は、前項の制限を超える刑を科するのを相当と認めるときは、訴訟法の定めるところにより事件を地方裁判所に移さなければならない。

第三四条（その他の権限） 簡易裁判所は、この法律に定めるものの外、他の法律において特に定める権限を有する。

第三五条（一人制） 簡易裁判所は、一人の裁判官でその事件を取り扱う。

第三六条（裁判官の職務の代行） ① 簡易裁判所において裁判事務の取扱上さし迫つた必要があるときは、その所在地を管轄する地方裁判所は、その管轄区域内の他の簡易裁判所の裁判官又はその地方裁判所の判事に当該簡易裁判所の裁判官の職務を行わせることができる。

② 前項の規定により当該簡易裁判所のさし迫つた必要をみたすことができない特別の事情があるときは、その簡易裁判所の所在地を管轄する高等裁判所は、同項に定める裁判官以外のその管轄区域内の簡易裁判所の裁判官又は地方裁判所の判事に当該簡易裁判所の裁判官の職務を行わせることができる。

第三七条（司法行政事務） 各簡易裁判所の司法行政事務は、簡易裁判所の裁判官が、一人のときは、その裁判官が、二人以上のときは、最高裁判所の指名する一人の裁判官がこれを掌理する。

第三八条（事務の移転） 簡易裁判所において特別の事情によりその事務を取り扱うことができないときは、その所在地を管轄する地方裁判所は、その管轄区域内の他の簡易裁判所に当該簡易裁判所の事務の全部又は一部を取り扱わせることができる。

第四編　裁判所の職員及び司法修習生

第一章　裁判官

第三九条（最高裁判所の裁判官の任免） ① 最高裁判所長官は、内閣の指名に基いて、天皇がこれを任命する。

② 最高裁判所判事は、内閣でこれを任命する。

③ 最高裁判所判事の任免は、天皇がこれを認証する。

④ 最高裁判所長官及び最高裁判所判事の任命は、国民の審査に関する法律の定めるところにより国民の審査に付される。

第四〇条（下級裁判所の裁判官の任免） ① 高等裁判所長官、判事、判事補及び簡易裁判所判事は、最高裁判所の指名した者の名簿によつて、内閣でこれを任命する。

② 高等裁判所長官の任免は、天皇がこれを認証する。

③ 第一項の裁判官は、その官に任命された日から十年を経過したときは、その任期を終えるものとし、再任されることができる。

第四一条（最高裁判所の裁判官の任命資格） ① 最高裁判所の裁判官は、識見の高い、法律の素養のある年齢四十年以上の者の中からこれを任命し、そのうち少くとも十人は、十年以上第一号及び第二号に掲げる職の一若しくは二に在つた者又は左の各号に掲げる職の一若しくは二以上に在つてその年数を通算して二十年以上になる者でなければならない。

一 高等裁判所長官

二 判事

三 簡易裁判所判事

四 検察官

五 弁護士

六 別に法律で定める大学の法律学の教授又は准教授

② 五年以上前項第一号及び第二号に掲げる職の一若しくは二に在つた者又は十年以上同項第一号から第六号までに掲げる職の一若しくは二以上に在つた者が判事補、裁判所調査官、最高裁判所事務総長、裁判所事務官、司法研修所教官、裁判所職員総合研修所教官、法務省の事務次官、法務事務官又は法務教官の職に在つたときは、その在職は、同項の規定の適用については、これを同項第三号から第六号までに掲げる職の在職とみなす。

③ 前二項の規定の適用については、第一項第三号乃至第五号及び前項に掲げる職に在つた年数は、司法修習生の修習を終えた後の年数に限り、これを当該職に在つた年数とする。

④ 三年以上第一項第六号の大学の法律学の教授又は准教授の職に在つた者が簡易裁判所判事、検察官又は弁護士の職に就いた場合においては、その簡易裁判所判事、検察官（副検事を除

く。）又は弁護士の職に在つた年数については、前項の規定は、これを適用しない。

第四二条（高等裁判所長官及び判事の任命資格） ① 高等裁判所長官及び判事は、次の各号に掲げる職の一又は二以上に在つてその年数を通算して十年以上になる者の中からこれを任命する。

一　判事補
二　簡易裁判所判事
三　検察官
四　弁護士
五　裁判所調査官、司法研修所教官又は裁判所職員総合研修所教官
六　前条第一項第六号の大学の法律学の教授又は准教授

② 前項の規定の適用については、三年以上同項各号に掲げる職の一又は二以上に在つた者が裁判所事務官、法務事務官又は法務教官の職に在つたときは、その在職は、これを同項各号に掲げる職の在職とみなす。

③ 前二項の規定の適用については、第一項第二号乃至第五号及び前項に掲げる職に在つた年数は、司法修習生の修習を終えた後の年数に限り、これを当該職に在つた年数とする。

④ 三年以上前条第一項第六号の大学の法律学の教授又は准教授の職に在つた者が簡易裁判所判事、検察官又は弁護士の職に就いた場合においては、その簡易裁判所判事、検察官（副検事を除く。）又は弁護士の職に在つた年数については、前項の規定は、これを適用しない。司法修習生の修習を終えないで簡易裁判所判事又は検察官に任命された者の第六十六条の試験に合格した後の簡易裁判所判事、検察官（副検事を除く。）又は弁護士の職に在つた年数についても、同様とする。

第四三条（判事補の任命資格） 判事補は、司法修習生の修習を終えた者の中からこれを任命する。

第四四条（簡易裁判所判事の任命資格） ① 簡易裁判所判事は、高等裁判所長官若しくは判事の職に在つた者又は次の各号に掲げる職の一若しくは二以上に在つてその年数を通算して三年以上になる者の中からこれを任命する。

一　判事補
二　検察官
三　弁護士
四　裁判所調査官、裁判所事務官、司法研修所教官、裁判所職員総合研修所教官、法務事務官又は法務教官
五　第四十一条第一項第六号の大学の法律学の教授又は准教授

② 前項の規定の適用については、同項第二号乃至第四号に掲げる職に在つた年数は、司法修習生の修習を終えた後の年数に限り、これを当該職に在つた年数とする。

③ 司法修習生の修習を終えないで検察官に任命された者の第六十六条の試験に合格した後の検察官（副検事を除く。）又は弁護士の職に在つた年数については、前項の規定は、これを適用しない。

第四五条（簡易裁判所判事の選考任命） ① 多年司法事務にたずさわり、その他簡易裁判所判事の職務に必要な学識経験のある者は、前条第一項に掲げる者に該当しないときでも、簡易裁判所判事選考委員会の選考を経て、簡易裁判所判事に任命されることができる。

② 簡易裁判所判事選考委員会に関する規程は、最高裁判所がこれを定める。

第四六条（任命の欠格事由） 他の法律の定めるところにより一般の官吏に任命されることができない者のほか、次の各号のいずれかに該当する者は、これを裁判官に任命することができない。

一　拘禁刑以上の刑に処せられた者
二　弾劾裁判所の罷免の裁判を受けた者

第四七条（補職） 下級裁判所の裁判官の職は、最高裁判所がこれを補する。

第四八条（身分の保障） 裁判官は、公の弾劾又は国民の審査に関する法律による場合及び別に法律で定めるところにより心身の故障のために職務を執ることができないと裁判された場合を除いては、その意思に反して、免官、転官、転所、職務の停止又は報酬の減額をされることはない。

第四九条（懲戒） 裁判官は、職務上の義務に違反し、若しくは職務を怠り、又は品位を辱める行状があつたときは、別に法律で定めるところにより裁判によつて懲戒される。

第五〇条（定年） 最高裁判所の裁判官は、年齢七十年、高等裁判所、地方裁判所又は家庭裁判所の裁判官は、年齢六十五年、簡易裁判所の裁判官は、年齢七十年に達した時に退官する。

第五一条（報酬） 裁判官の受ける報酬については、別に法律でこれを定める。

第五二条（政治運動等の禁止） 裁判官は、在任中、左の行為をすることができない。

一　国会若しくは地方公共団体の議会の議員となり、又は積極的に政治運動をすること。
二　最高裁判所の許可のある場合を除いて、報酬のある他の職務に従事すること。
三　商業を営み、その他金銭上の利益を目的とする業務を行うこと。

第二章　裁判官以外の裁判所の職員

第五三条（最高裁判所事務総長） ① 最高裁判所に最高裁判所事務総長一人を置く。

② 最高裁判所事務総長は、最高裁判所長官の監督を受けて、最高裁判所の事務総局の事務を掌理し、事務総局の職員を指揮監督する。

第五四条（最高裁判所の裁判官の秘書官） ① 最高裁判所に最高裁判所長官秘書官一人及び最高裁判所判事秘書官十四人を置く。

② 最高裁判所長官秘書官は、最高裁判所長官の、最高裁判所判事秘書官は、最高裁判所判事の命を受けて、機密に関する事務を掌る。

第五五条（司法研修所教官） ① 最高裁判所に司法研修所教官を置く。

② 司法研修所教官は、上司の指揮を受けて、司法研修所における裁判官の研究及び修養並びに司法修習生の修習の指導をつかさどる。

第五六条（司法研修所長） ① 最高裁判所に司法研修所長を置き、司法研修所教官の中から、最高裁判所が、これを補する。

② 司法研修所長は、最高裁判所長官の監督を受けて、司法研修所の事務を掌理し、司法研修所の職員を指揮監督する。

第五六条の二（裁判所職員総合研修所教官） ① 最高裁判所に裁判所職員総合研修所教官を置く。

② 裁判所職員総合研修所教官は、上司の指揮を受けて、裁判所職員総合研修所における裁判所書記官、家庭裁判所調査官その他の裁判官以外の裁判所の職員の研究及び修養の指導をつかさどる。

第五六条の三（裁判所職員総合研修所長） ① 最高裁判所に裁判所職員総合研修所長を置き、裁判所職員総合研修所教官の中から、最高裁判所が、これを補する。

② 裁判所職員総合研修所長は、最高裁判所長官の監督を受けて、裁判所職員総合研修所の事務を掌理し、裁判所職員総合研修所の職員を指揮監督する。

第五六条の四（最高裁判所図書館長） ① 最高裁判所に最高裁判所図書館長一人を置き、裁判所の職員の中からこれを命ずる。

② 最高裁判所図書館長は、最高裁判所長官の監督を受けて最高裁判所図書館の事務を掌理し、最高裁判所図書館の職員を指揮監督する。

③ 前二項の規定は、国立国会図書館法の規定の適用を妨げない。

第五六条の五（高等裁判所長官秘書官） ① 各高等裁判所に高等

裁判所長官秘書官各一人を置く。
② 高等裁判所長官秘書官は、高等裁判所長官の命を受けて、機密に関する事務をつかさどる。

第五七条（裁判所調査官） ① 最高裁判所、各高等裁判所及び各地方裁判所に裁判所調査官を置く。
② 裁判所調査官は、裁判官の命を受けて、事件（地方裁判所においては、知的財産又は租税に関する事件に限る。）の審理及び裁判に関して必要な調査その他他の法律において定める事務をつかさどる。

第五八条（裁判所事務官） ① 各裁判所に裁判所事務官を置く。
② 裁判所事務官は、上司の命を受けて、裁判所の事務を掌る。

第五九条（事務局長） ① 各高等裁判所、各地方裁判所及び各家庭裁判所に事務局長を置き、裁判所事務官の中から、最高裁判所が、これを補する。
② 各高等裁判所の事務局長は、各高等裁判所長官の、各地方裁判所の事務局長は、各地方裁判所長の、各家庭裁判所の事務局長は、各家庭裁判所長の監督を受けて、事務局の事務を掌理し、事務局の職員を指揮監督する。

第六〇条（裁判所書記官） ① 各裁判所に裁判所書記官を置く。
② 裁判所書記官は、裁判所の事件に関する記録その他の書類又は電磁的記録の作成及び保管その他他の法律において定める事務を掌る。
③ 裁判所書記官は、前項の事務を掌るほか、裁判所の事件に関し、裁判官の命を受けて、裁判官の行う法令及び判例の調査その他必要な事項の調査を補助する。
④ 裁判所書記官は、その職務を行うについては、裁判官の命令に従う。
⑤ 裁判所書記官は、口述の書取その他書類又は電磁的記録の作成又は変更に関して裁判官の命令を受けた場合において、その作成又は変更を正当でないと認めるときは、自己の意見を書き添え、又は併せて記録することができる。

＊令和四法四八（令和八・五・二四までに施行）による改正前
第六〇条（裁判所書記官） ①（略）
② 裁判所書記官は、裁判所の事件に関する記録その他の書類の作成及び保管その他他の法律において定める事務を掌る。
③ 裁判所書記官は、前項の事務を掌る外、裁判所の事件に関し、裁判官の命を受けて、裁判官の行なう法令及び判例の調査その他必要な事項の調査を補助する。
④（略）
⑤ 裁判所書記官は、口述の書取その他書類の作成又は変更に関して裁判官の命令を受けた場合において、その作成又は変更を正当でないと認めるときは、自己の意見を書き添えることができる。

第六〇条の二（裁判所速記官） ① 各裁判所に裁判所速記官を置く。
② 裁判所速記官は、裁判所の事件に関する速記及びこれに関する事務を掌る。
③ 裁判所速記官は、その職務を行うについては、裁判官の命令に従う。

第六一条（裁判所技官） ① 各裁判所に裁判所技官を置く。
② 裁判所技官は、上司の命を受けて、技術を掌る。

第六一条の二（家庭裁判所調査官） ① 各家庭裁判所及び各高等裁判所に家庭裁判所調査官を置く。
② 家庭裁判所調査官は、各家庭裁判所においては、第三十一条の三第一項第一号の審判及び調停、同項第二号の裁判（人事訴訟法第三十二条第一項の附帯処分についての裁判及び同条第三項の親権者の指定についての裁判（以下この項において「附帯処分等の裁判」という。）に限る。）並びに第三十一条の三第一項第三号の審判に必要な調査その他他の法律において定める事務を掌り、各高等裁判所においては、同項第一号の審判に係る抗告審の審理及び附帯処分等の裁判に係る控訴審の審理に必要な調査その他他の法律において定める事務を掌る。
③ 最高裁判所は、家庭裁判所調査官の中から、首席家庭裁判所調査官を命じ、調査事務の監督、関係行政機関その他の機関との連絡調整等の事務を掌らせることができる。
④ 家庭裁判所調査官は、その職務を行うについては、裁判官の命令に従う。

第六一条の三（家庭裁判所調査官補） ① 各家庭裁判所に家庭裁判所調査官補を置く。
② 家庭裁判所調査官補は、上司の命を受けて、家庭裁判所調査官の事務を補助する。

第六二条（執行官） ① 各地方裁判所に執行官を置く。
② 執行官に任命されるのに必要な資格に関する事項は、最高裁判所がこれを定める。
③ 執行官は、他の法律の定めるところにより裁判の執行、裁判所の発する文書の送達その他の事務を行う。
④ 執行官は、手数料を受けるものとし、その手数料が一定の額に達しないときは、国庫から補助金を受ける。

第六三条（廷吏） ① 各裁判所に廷吏を置く。
② 廷吏は、法廷において裁判官の命ずる事務その他最高裁判所の定める事務を取り扱う。
③ 各裁判所は、執行官を用いることができないときは、その裁判所の所在地で書類を送達するために、廷吏を用いることができる。

第六四条（任免） 裁判官以外の裁判所の職員の任免は、最高裁判所の定めるところにより最高裁判所、各高等裁判所、各地方裁判所又は各家庭裁判所がこれを行う。

第六五条（勤務裁判所の指定） 裁判所調査官、裁判所事務官（事務局長たるものを除く。）、裁判所書記官、裁判所速記官、家庭裁判所調査官、家庭裁判所調査官補、執行官及び裁判所技官の勤務する裁判所は、最高裁判所の定めるところにより最高裁判所、各高等裁判所、各地方裁判所又は各家庭裁判所がこれを定める。

第六五条の二（裁判官以外の裁判所の職員に関する事項） 裁判官以外の裁判所の職員に関する事項については、この法律に定めるものの外、別に法律でこれを定める。

第三章　司法修習生

第六六条（採用） ① 司法修習生は、司法試験に合格した者（司法試験法（昭和二十四年法律第百四十号）第四条第二項の規定により司法試験を受け、これに合格した者にあつては、その合格の発表の日の属する年の四月一日以降に法科大学院（学校教育法（昭和二十二年法律第二十六号）第九十九条第二項に規定する専門職大学院であつて、法曹に必要な学識及び能力を培うことを目的とするものをいう。）の課程を修了したものに限る。）の中から、最高裁判所がこれを命ずる。
② 前項の試験に関する事項は、別に法律でこれを定める。

第六七条（修習・試験） ① 司法修習生は、少なくとも一年間修習をした後試験に合格したときは、司法修習生の修習を終える。
② 司法修習生は、その修習期間中、最高裁判所の定めるところにより、その修習に専念しなければならない。
③ 前項に定めるもののほか、第一項の修習及び試験に関する事項は、最高裁判所がこれを定める。

第六七条の二（修習給付金の支給） ① 司法修習生には、その修習のため通常必要な期間として最高裁判所が定める期間、修習給付金を支給する。
② 修習給付金の種類は、基本給付金、住居給付金及び移転給付金とする。
③ 基本給付金の額は、司法修習生がその修習期間中の生活を維持するために必要な費用であつて、その修習に専念しなければならないことその他の司法修習生の置かれている状況を勘案して最高裁判所が定める額とする。
④ 住居給付金は、司法修習生が自ら居住するため住宅（貸間を含む。以下この項において同じ。）を借り受け、家賃（使用料を

含む。以下この項において同じ。）を支払つている場合（配偶者が当該住宅を所有する場合その他の最高裁判所が定める場合を除く。）に支給することとし、その額は、家賃として通常必要な費用の範囲内において最高裁判所が定める額とする。

⑤ 移転給付金は、司法修習生がその修習に伴い住所又は居所を移転することが必要と認められる場合にその移転について支給することとし、その額は、路程に応じて最高裁判所が定める額とする。

⑥ 前各項に定めるもののほか、修習給付金の支給に関し必要な事項は、最高裁判所がこれを定める。

第六七条の三（修習専念資金の貸与等） ① 最高裁判所は、司法修習生の修習のため通常必要な期間として最高裁判所が定める期間、司法修習生に対し、その申請により、無利息で、修習専念資金（司法修習生がその修習に専念することを確保するための資金であつて、修習給付金の支給を受けてもなお必要なものをいう。以下この条において同じ。）を貸与するものとする。

② 修習専念資金の額及び返還の期限は、最高裁判所の定めるところによる。

③ 最高裁判所は、修習専念資金の貸与を受けた者が災害、傷病その他やむを得ない理由により修習専念資金を返還することが困難となつたとき、又は修習専念資金の貸与を受けた者について修習専念資金を返還することが経済的に困難である事由として最高裁判所の定める事由があるときは、その返還の期限を猶予することができる。この場合においては、国の債権の管理等に関する法律（昭和三十一年法律第百十四号）第二十六条の規定は、適用しない。

④ 最高裁判所は、修習専念資金の貸与を受けた者が死亡又は精神若しくは身体の障害により修習専念資金を返還することができなくなつたときは、その修習専念資金の全部又は一部の返還を免除することができる。

⑤ 前各項に定めるもののほか、修習専念資金の貸与及び返還に関し必要な事項は、最高裁判所がこれを定める。

第六八条（罷免等） ① 最高裁判所は、司法修習生に成績不良、心身の故障その他の修習を継続することが困難である事由として最高裁判所の定める事由があると認めるときは、最高裁判所の定めるところにより、その司法修習生を罷免することができる。

② 最高裁判所は、司法修習生に品位を辱める行状その他の司法修習生たるに適しない非行に当たる事由として最高裁判所の定める事由があると認めるときは、最高裁判所の定めるところにより、その司法修習生を罷免し、その修習の停止を命じ、又は戒告することができる。

第五編　裁判事務の取扱

第一章　法廷

第六九条（開廷の場所） ① 法廷は、裁判所又は支部でこれを開く。

② 最高裁判所は、必要と認めるときは、前項の規定にかかわらず、他の場所で法廷を開き、又はその指定する他の場所で下級裁判所に法廷を開かせることができる。

第七〇条（公開停止の手続） 裁判所は、日本国憲法第八十二条第二項の規定により対審を公開しないで行うには、公衆を退廷させる前に、その旨を理由とともに言い渡さなければならない。判決を言い渡すときは、再び公衆を入廷させなければならない。

第七一条（法廷の秩序維持） ① 法廷における秩序の維持は、裁判長又は開廷をした一人の裁判官がこれを行う。

② 裁判長又は開廷をした一人の裁判官は、法廷における裁判所の職務の執行を妨げ、又は不当な行状をする者に対し、退廷を命じ、その他法廷における秩序を維持するのに必要な事項を命じ、又は処置を執ることができる。

第七一条の二（警察官の派出要求） ① 裁判長又は開廷をした一人の裁判官は、法廷における秩序を維持するため必要があると認めるときは、警視総監又は道府県警察本部長に警察官の派出を要求することができる。法廷における秩序を維持するため特に必要があると認めるときは、開廷前においてもその要求をすることができる。

② 前項の要求により派出された警察官は、法廷における秩序の維持につき、裁判長又は一人の裁判官の指揮を受ける。

第七二条（法廷外における処分） ① 裁判所が他の法律の定めるところにより法廷外の場所で職務を行う場合において、裁判長又は一人の裁判官は、裁判所の職務の執行を妨げる者に対し、退去を命じ、その他必要な事項を命じ、又は処置を執ることができる。

② 前条の規定は、前項の場合にこれを準用する。

③ 前二項に規定する裁判長の権限は、裁判官が他の法律の定めるところにより法廷外の場所で職務を行う場合において、その裁判官もこれを有する。

第七三条（審判妨害罪） 第七十一条又は前条の規定による命令に違反して裁判所又は裁判官の職務の執行を妨げた者は、一年以下の拘禁刑又は二万円以下の罰金に処する。

第二章　裁判所の用語

第七四条（裁判所の用語） 裁判所では、日本語を用いる。

第三章　裁判の評議

第七五条（評議の秘密） ① 合議体でする裁判の評議は、これを公行しない。但し、司法修習生の傍聴を許すことができる。

② 評議は、裁判長が、これを開き、且つこれを整理する。その評議の経過並びに各裁判官の意見及びその多少の数については、この法律に特別の定がない限り、秘密を守らなければならない。

第七六条（意見を述べる義務） 裁判官は、評議において、その意見を述べなければならない。

第七七条（評決） ① 裁判は、最高裁判所の裁判について最高裁判所が特別の定をした場合を除いて、過半数の意見による。

② 過半数の意見によつて裁判をする場合において、左の事項について意見が三説以上に分れ、その説が各々過半数にならないときは、裁判は、左の意見による。

一　数額については、過半数になるまで最も多額の意見の数を順次少額の意見の数に加え、その中で最も少額の意見

二　刑事については、過半数になるまで被告人に最も不利な意見の数を順次利益な意見の数に加え、その中で最も利益な意見

第七八条（補充裁判官） 合議体の審理が長時日にわたることの予見される場合においては、補充の裁判官が審理に立ち会い、その審理中に合議体の裁判官が審理に関与することができなくなつた場合において、あらかじめ定める順序に従い、これに代つて、その合議体に加わり審理及び裁判をすることができる。但し、補充の裁判官の員数は、合議体の裁判官の員数を越えることができない。

第四章　裁判所の共助

第七九条（裁判所の共助） 裁判所は、裁判事務について、互に必要な補助をする。

第六編　司法行政

第八〇条（司法行政の監督） 司法行政の監督権は、左の各号の定めるところによりこれを行う。

一　最高裁判所は、最高裁判所の職員並びに下級裁判所及びその職員を監督する。

二　各高等裁判所は、その高等裁判所の職員並びに管轄区域内の下級裁判所及びその職員を監督する。

三　各地方裁判所は、その地方裁判所の職員並びに管轄区域内の簡易裁判所及びその職員を監督する。

四　各家庭裁判所は、その家庭裁判所の職員を監督する。

五　第三十七条に規定する簡易裁判所の裁判官は、その簡易裁判所の裁判官以外の職員を監督する。

第八一条（監督権と裁判権との関係） 前条の監督権は、裁判官の裁判権に影響を及ぼし、又はこれを制限することはない。

第八二条（事務の取扱方法に対する不服） 裁判所の事務の取扱方法に対して申し立てられた不服は、第八十条の監督権によりこれを処分する。

第七編　裁判所の経費

第八三条（裁判所の経費） ① 裁判所の経費は、独立して、国の予算にこれを計上しなければならない。

② 前項の経費中には、予備金を設けることを要する。

附　則（抄）

① この法律は、日本国憲法施行の日（昭和二二・五・三）から、これを施行する。

② 裁判所構成法、裁判所構成法施行条例、判事懲戒法及び行政裁判法は、これを廃止する。

附　則（令和四・五・二五法四八）（抄）

（施行期日）

第一条　この法律は、公布の日から起算して四年を超えない範囲内において政令で定める日から施行する。ただし、次の各号に掲げる規定は、当該各号に定める日から施行する。

一（前略）附則第百二十五条の規定　公布の日

二―五（略）

（政令への委任）

第一二五条（前略）この法律の施行に関し必要な経過措置は、政令で定める。

刑法等の一部を改正する法律の施行に伴う関係法律整理法中経過規定

第四四一条から第四四三条まで　（令和四・六・一七法六八）（抄）（刑法の同経過規定参照）

第四七五条（裁判所法の一部改正に伴う経過措置） ① 刑法等一部改正法等（刑法等の一部を改正する法律（令和四法六七）及び刑法等の一部を改正する法律の施行に伴う関係法律の整理等に関する法律（令和四法六八）の施行前にした行為に係る裁判所法第二十四条（第二号に係る部分に限る。）及び第三十三条第一項（第二号に係る部分に限る。）の規定の適用については、旧拘留に当たる罪は、拘留に当たる罪とみなす。

② 刑法等一部改正法等の施行前にした行為に係る第九条の規定による改正後の裁判所法第二十六条第二項（第二号に係る部分に限る。）の規定の適用については、無期の懲役又は禁錮に当たる罪はそれぞれ無期拘禁刑に当たる罪と、有期の懲役又は禁錮に当たる罪はそれぞれその罪について定めた刑と長期及び短期を同じくする有期拘禁刑に当たる罪とみなす。

③ 刑法等一部改正法等の施行前に犯した罪に係る刑をもって処断すべき事件における簡易裁判所が科することのできる刑については、なお従前の例による。

刑法等の一部を改正する法律の施行に伴う関係法律整理法

第五〇九条　（刑法の同経過規定参照）

附　則（令和四・六・一七法六八）（抄）

（施行期日）

① この法律は、刑法等一部改正法（刑法等の一部を改正する法律（令和四法六七））施行日（令和七・六・一）から施行する。ただし、次の各号に掲げる規定は、当該各号に定める日から施行する。

一　第五百九条の規定　公布の日

二（略）

民事関係手続等における情報通信技術の活用等の推進を図るための関係法律の整備に関する法律中経過規定

第三八七条から第三八九条まで　（令和五・六・一四法五三）（抄）（民事執行法の同経過規定参照）

民事関係手続等における情報通信技術の活用等の推進を図るための関係法律の整備に関する法律

附　則（令和五・六・一四法五三）

この法律は、公布の日から起算して五年を超えない範囲内において政令で定める日から施行する。ただし、次の各号に掲げる規定は、当該各号に定める日から施行する。

一　第三十二章（民事訴訟法等の一部を改正する法律（令和四法四八）の一部改正）の規定及び第三百八十八条の規定　公布の日

二（前略）第三百八十七条の規定　公布の日から起算して二年六月を超えない範囲内において政令で定める日

三（前略）第三十五条（裁判所法の一部改正）（中略）の規定（中略）民事訴訟法等の一部を改正する法律の施行の日

●裁判員の参加する刑事裁判に関する法律（平成一六・五・二八 法 六 三）

施行 平成二一・五・二一（附則参照）
改正 平成一七法八三・法一一三・法一二二、平成一八法四五・法一一八、平成一九法六〇・法九五・法九六・法一一八・法一二四、平成二一法四四、平成二六法四二、平成二七法三七、平成二八法五四、令和四法六八、令和五法二八、令和六法二四

目次

第一章 総則

（趣旨）
第一条 この法律は、国民の中から選任された裁判員が裁判官と共に刑事訴訟手続に関与することが司法に対する国民の理解の増進とその信頼の向上に資することにかんがみ、裁判員の参加する刑事裁判に関し、裁判所法（昭和二十二年法律第五十九号）及び刑事訴訟法（昭和二十三年法律第百三十一号）の特則その他の必要な事項を定めるものとする。

（対象事件及び合議体の構成）
第二条① 地方裁判所は、次に掲げる事件については、次条又は第三条の二の決定があった場合を除き、この法律の定めるところにより裁判員の参加する合議体が構成された後は、裁判所法第二十六条の規定にかかわらず、裁判員の参加する合議体でこれを取り扱う。
一 死刑又は無期拘禁刑に当たる罪に係る事件
二 裁判所法第二十六条第二項第二号に掲げる事件であって、故意の犯罪行為により被害者を死亡させた罪に係るもの（前号に該当するものを除く。）
② 前項の合議体の裁判官の員数は三人、裁判員の員数は六人とし、裁判官のうち一人を裁判長とする。ただし、次項の決定があったときは、裁判官の員数は一人、裁判員の員数は四人とし、裁判官を裁判長とする。
③ 第一項の規定により同項の合議体で取り扱うべき事件（以下「対象事件」という。）のうち、公判前整理手続による争点及び証拠の整理において公訴事実について争いがないと認められ、事件の内容その他の事情を考慮して適当と認められるものについては、裁判所は、裁判官一人及び裁判員四人から成る合議体を構成して審理及び裁判をする旨の決定をすることができる。
④ 裁判所は、前項の決定をするには、公判前整理手続において、検察官、被告人及び弁護人に異議のないことを確認しなければならない。
⑤ 第三項の決定は、第二十七条第一項に規定する裁判員等選任手続の期日までにしなければならない。
⑥ 地方裁判所は、第三項の決定があったときは、裁判所法第二十六条第二項の規定にかかわらず、当該決定の時から第三項に規定する合議体が構成されるまでの間、一人の裁判官で事件を取り扱う。
⑦ 裁判所は、被告人の主張、審理の状況その他の事情を考慮して、事件を第三項に規定する合議体で取り扱うことが適当でないと認めたときは、決定で、同項の決定を取り消すことができる。

（対象事件からの除外）
第三条① 地方裁判所は、前条第一項各号に掲げる事件について、被告人の言動、被告人がその構成員である団体の主張若しくは当該団体の他の構成員の言動又は現に裁判員候補者若しくは裁判員に対する加害若しくはその告知が行われたことその他の事情により、裁判員候補者、裁判員若しくは裁判員であった者若しくはその親族若しくはこれに準ずる者の生命、身体若しくは財産に危害が加えられるおそれ又はこれらの者の生活の平穏が著しく侵害されるおそれがあり、そのため裁判員候補者又は裁判員が畏怖し、裁判員候補者の出頭を確保することが困難な状況にあり又は裁判員の職務の遂行ができずこれに代わる裁判員の選任も困難であると認めるときは、検察官、被告人若しくは弁護人の請求により又は職権で、これを裁判官の合議体で取り扱う決定をしなければならない。
② 前項の決定又は同項の請求を却下する決定は、合議体でしなければならない。ただし、当該前条第一項各号に掲げる事件の審判に関与している裁判官は、その決定に関与することはできない。
③ 第一項の決定又は同項の請求を却下する決定をするには、最高裁判所規則で定めるところにより、あらかじめ、検察官及び被告人又は弁護人の意見を聴かなければならない。
④ 前条第一項の合議体が構成された後は、職権で第一項の決定をするには、あらかじめ、当該合議体の裁判長の意見を聴かなければならない。
⑤ 刑事訴訟法第四十三条第三項及び第四項並びに第四十四条第一項の規定は、第一項の決定及び同項の請求を却下する決定について準用する。
⑥ 第一項の決定又は同項の請求を却下する決定に対しては、即時抗告をすることができる。この場合においては、即時抗告に関する刑事訴訟法の規定を準用する。

第三条の二① 地方裁判所は、第二条第一項各号に掲げる事件について、次のいずれかに該当するときは、検察官、被告人若しくは弁護人の請求により又は職権で、これを裁判官の合議体で取り扱う決定をしなければならない。
一 公判前整理手続による当該事件の争点及び証拠の整理を経た場合であって、審判に要すると見込まれる期間が著しく長期にわたること又は裁判員が出頭しなければならないと見込まれる公判期日若しくは公判準備が著しく多数に上ることを回避することができないときにおいて、他の事件における裁判員の選任又は解任の状況、第二十七条第一項に規定する裁判員等選任手続の経過その他の事情を考慮し、裁判員の選任が困難であり又は審判に要すると見込まれる期間の終了に至るまで裁判員の職務の遂行を確保することが困難であると認めるとき。

二　第二条第一項の合議体を構成する裁判員の員数に不足が生じ、かつ、裁判員に選任すべき補充裁判員がない場合であって、その後の審判に要すると見込まれる期間が著しく長期にわたること又はその期間中に裁判員が出頭しなければならないと見込まれる公判期日若しくは公判準備が著しく多数に上ることを回避することができないときにおいて、他の事件における裁判員の選任又は解任の状況、第四十六条第二項及び同項において準用する第三十八条第一項後段の規定による裁判員及び補充裁判員の選任のための手続の経過その他の事情を考慮し、裁判員の選任が困難であり又は審判に要すると見込まれる期間の終了に至るまで裁判員の職務の遂行を確保することが困難であると認めるとき。

②　前条第二項、第三項、第五項及び第六項の規定は、前項の決定及び同項の請求を却下する決定について準用する。

③　第一項の決定又は同項の請求を却下する決定をするには、あらかじめ、当該第二条第一項各号に掲げる事件の係属する裁判所の裁判長の意見を聴かなければならない。

（弁論を併合する事件の取扱い）

第四条①　裁判所は、対象事件以外の事件であって、その弁論を対象事件の弁論と併合することが適当と認められるものについては、決定で、これを第二条第一項の合議体で取り扱うことができる。

②　裁判所は、前項の決定をした場合には、刑事訴訟法の規定により、同項の決定に係る事件の弁論と対象事件の弁論とを併合しなければならない。

（罰条変更後の取扱い）

第五条　裁判所は、第二条第一項の合議体で取り扱っている事件の全部又は一部について刑事訴訟法第三百十二条の規定により罰条が撤回又は変更されたため対象事件に該当しなくなったときであっても、当該合議体で当該事件を取り扱うものとする。ただし、審理の状況その他の事情を考慮して適当と認めるときは、決定で、裁判所法第二十六条の定めるところにより、当該事件を一人の裁判官又は裁判官の合議体で取り扱うことができる。

（裁判官及び裁判員の権限）

第六条①　第二条第一項の合議体で事件を取り扱う場合において、刑事訴訟法第三百三十三条の規定による刑の言渡しの判決、同法第三百三十四条の規定による刑の免除の判決若しくは同法第三百三十六条の規定による無罪の判決又は少年法（昭和二十三年法律第百六十八号）第五十五条の規定による家庭裁判所への移送の決定に係る裁判所の判断（次項第一号及び第二号に掲げるものを除く。）のうち次に掲げるもの（以下「裁判員の関与する判断」という。）は、第二条第一項の合議体の構成員である裁判官（以下「構成裁判官」という。）及び裁判員の合議による。

一　事実の認定

二　法令の適用

三　刑の量定

②　前項に規定する場合において、次に掲げる裁判所の判断は、構成裁判官の合議による。

一　法令の解釈に係る判断

二　訴訟手続に関する判断（少年法第五十五条の決定を除く。）

三　その他裁判員の関与する判断以外の判断

③　裁判員の関与する判断をするための審理は構成裁判官及び裁判員で行い、それ以外の審理は構成裁判官のみで行う。

第七条　第二条第三項の決定があった場合においては、構成裁判官の合議によるべき判断は、構成裁判官が行う。

第二章　裁判員

第一節　総則

（裁判員の職権行使の独立）

第八条　裁判員は、独立してその職権を行う。

（裁判員の義務）

第九条①　裁判員は、法令に従い公平誠実にその職務を行わなければならない。

②　裁判員は、第七十条第一項に規定する評議の秘密その他の職務上知り得た秘密を漏らしてはならない。

③　裁判員は、裁判の公正さに対する信頼を損なうおそれのある行為をしてはならない。

④　裁判員は、その品位を害するような行為をしてはならない。

（補充裁判員）

第一〇条①　裁判所は、審判の期間その他の事情を考慮して必要があると認めるときは、補充裁判員を置くことができる。ただし、補充裁判員の員数は、合議体を構成する裁判員の員数を超えることはできない。

②　補充裁判員は、裁判員の関与する判断をするための審理に立ち会い、第二条第一項の合議体を構成する裁判員の員数に不足が生じた場合に、あらかじめ定める順序に従い、これに代わって、裁判員に選任される。

③　補充裁判員は、訴訟に関する書類及び証拠物を閲覧することができる。

④　前条の規定は、補充裁判員について準用する。

（旅費、日当及び宿泊料）

第一一条　裁判員及び補充裁判員には、最高裁判所規則で定めるところにより、旅費、日当及び宿泊料を支給する。

（公務所等に対する照会）

第一二条①　裁判所は、第二十六条第三項（第二十八条第二項（第三十八条第二項（第四十六条第二項において準用する場合を含む。）、第四十七条第二項及び第九十二条第二項において準用する場合を含む。）、第三十八条第二項（第四十六条第二項において準用する場合を含む。）、第四十七条第二項及び第九十二条第二項において準用する場合を含む。）の規定により選定された裁判員候補者又は裁判員若しくは補充裁判員について、裁判員又は補充裁判員の選任又は解任の判断のため必要があると認めるときは、公務所又は公私の団体に照会して必要な事項の報告を求めることができる。

②　地方裁判所は、裁判員候補者について、裁判所の前項の判断に資するため必要があると認めるときは、公務所に照会して必要な事項の報告を求めることができる。

第二節　選任

（裁判員の選任資格）

第一三条　裁判員は、衆議院議員の選挙権を有する者の中から、この節の定めるところにより、選任するものとする。

（欠格事由）

第一四条　国家公務員法（昭和二十二年法律第百二十号）第三十八条の規定に該当する場合のほか、次の各号のいずれかに該当する者は、裁判員となることができない。

一　学校教育法（昭和二十二年法律第二十六号）に定める義務教育を終了しない者。ただし、義務教育を終了した者と同等以上の学識を有する者は、この限りでない。

二　拘禁刑以上の刑に処せられた者

三　心身の故障のため裁判員の職務の遂行に著しい支障がある者

（就職禁止事由）

第一五条①　次の各号のいずれかに該当する者は、裁判員の職務に就くことができない。

一　国会議員

二　国務大臣

三　次のいずれかに該当する国の行政機関の職員

イ　一般職の職員の給与に関する法律（昭和二十五年法律第九十五号）別表第十一指定職俸給表の適用を受ける職員（ニに掲げる者を除く。）

ロ　一般職の任期付職員の採用及び給与の特例に関する法律（平成十二年法律第百二十五号）第七条第一項に規定する俸給表の適用を受ける職員であって、同表七号俸の俸給月

額以上の俸給を受けるもの

ハ　特別職の職員の給与に関する法律（昭和二十四年法律第二百五十二号）別表第一及び別表第二の適用を受ける職員

ニ　防衛省の職員の給与等に関する法律（昭和二十七年法律第二百六十六号。以下「防衛省職員給与法」という。）第四条第一項の規定により一般職の職員の給与に関する法律別表第十一指定職俸給表の適用を受ける職員、防衛省職員給与法第四条第二項の規定により一般職の任期付職員の採用及び給与の特例に関する法律第七条第一項の俸給表に定める額の俸給（同表七号俸の俸給月額以上のものに限る。）を受ける職員及び防衛省職員給与法第四条第六項の規定の適用を受ける職員

四　裁判官及び裁判官であった者
五　検察官及び検察官であった者
六　弁護士（外国法事務弁護士を含む。以下この項において同じ。）及び弁護士であった者
七　弁理士
八　司法書士
九　公証人
十　司法警察職員としての職務を行う者
十一　裁判所の職員（非常勤の者を除く。）
十二　法務省の職員（非常勤の者を除く。）
十三　国家公安委員会委員及び都道府県公安委員会委員並びに警察職員（非常勤の者を除く。）
十四　判事、判事補、検事又は弁護士となる資格を有する者
十五　学校教育法に定める大学の学部、専攻科又は大学院の法律学の教授又は准教授
十六　司法修習生
十七　都道府県知事及び市町村（特別区を含む。以下同じ。）の長
十八　自衛官

②　次のいずれかに該当する者も、前項と同様とする。
一　禁錮以上の刑に当たる罪につき起訴され、その被告事件の終結に至らない者
二　逮捕又は勾留されている者

（辞退事由）

第一六条　次の各号のいずれかに該当する者は、裁判員となることについて辞退の申立てをすることができる。
一　年齢七十年以上の者
二　地方公共団体の議会の議員（会期中の者に限る。）
三　学校教育法第一条、第百二十四条又は第百三十四条の学校の学生又は生徒（常時通学を要する課程に在学する者に限る。）
四　過去五年以内に裁判員又は補充裁判員の職にあった者
五　過去三年以内に選任予定裁判員であった者
六　過去一年以内に裁判員候補者として第二十七条第一項に規定する裁判員等選任手続の期日に出頭したことがある者（第三十四条第七項（第三十八条第二項（第四十六条第二項において準用する場合を含む。）、第四十七条第二項及び第九十二条第二項において準用する場合を含む。第二十六条第三項において同じ。）の規定による不選任の決定があった者を除く。）
七　過去五年以内に検察審査会法（昭和二十三年法律第百四十七号）の規定による検察審査員又は補充員の職にあった者
八　次に掲げる事由その他政令で定めるやむを得ない事由があり、裁判員の職務を行うこと又は裁判員候補者として第二十七条第一項に規定する裁判員等選任手続の期日に出頭することが困難な者
イ　重い疾病又は傷害により裁判所に出頭することが困難であること。
ロ　介護又は養育が行われなければ日常生活を営むのに支障がある同居の親族の介護又は養育を行う必要があること。
ハ　その従事する事業における重要な用務であって自らがこれを処理しなければ当該事業に著しい損害が生じるおそれがあるものがあること。
ニ　父母の葬式への出席その他の社会生活上の重要な用務であって他の期日に行うことができないものがあること。
ホ　重大な災害により生活基盤に著しい被害を受け、その生活の再建のための用務を行う必要があること。

注　本号の「やむを得ない事由」を定める政令

裁判員の参加する刑事裁判に関する法律第十六条第八号に規定するやむを得ない事由を定める政令（平成二〇・一・一七政三）

裁判員の参加する刑事裁判に関する法律（以下「法」という。）第十六条第八号に規定する政令で定めるやむを得ない事由は、次に掲げる事由とする。
一　妊娠中であること又は出産の日から八週間を経過していないこと。
二　介護又は養育が行われなければ日常生活を営むのに支障がある親族（同居の親族を除く。）又は親族以外の同居人であって自らが継続的に介護又は養育を行っているものの介護又は養育を行う必要があること。
三　配偶者（届出をしていないが、事実上婚姻関係と同様の事情にある者を含む。）、直系の親族若しくは兄弟姉妹又はこれらの者以外の同居人が重い疾病又は傷害の治療を受ける場合において、その治療に伴い必要と認められる通院、入院又は退院に自らが付き添う必要があること。
四　妻（届出をしていないが、事実上婚姻関係と同様の事情にある者を含む。）又は子が出産する場合において、その出産に伴い必要と認められる入院若しくは退院に自らが付き添い、又は出産に自らが立ち会う必要があること。
五　住所又は居所が裁判所の管轄区域外の遠隔地にあり、裁判所に出頭することが困難であること。
六　前各号に掲げるもののほか、裁判員の職務を行い、又は裁判員候補者として法第二十七条第一項に規定する裁判員等選任手続の期日に出頭することにより、自己又は第三者に身体上、精神上又は経済上の重大な不利益が生ずると認めるに足りる相当の理由があること。

（事件に関連する不適格事由）

第一七条　次の各号のいずれかに該当する者は、当該事件について裁判員となることができない。
一　被告人又は被害者
二　被告人又は被害者の親族又は親族であった者
三　被告人又は被害者の法定代理人、後見監督人、保佐人、保佐監督人、補助人又は補助監督人
四　被告人又は被害者の同居人又は被用者
五　事件について告発又は請求をした者
六　事件について証人又は鑑定人になった者
七　事件について被告人の代理人、弁護人又は補佐人になった者
八　事件について検察官又は司法警察職員として職務を行った者
九　事件について検察審査員又は審査補助員として職務を行い、又は補充員として検察審査会議を傍聴した者
十　事件について刑事訴訟法第二百六十六条第二号の決定、略式命令、同法第三百九十八条から第四百条まで、第四百十二条若しくは第四百十三条の規定により差し戻し、若しくは移送された場合における原判決又はこれらの裁判の基礎となった取調べに関与した者。ただし、受託裁判官として関与した場合は、この限りでない。

（その他の不適格事由）

第一八条　前条のほか、裁判所がこの法律の定めるところにより不公平な裁判をするおそれがあると認めた者は、当該事件について裁判員となることができない。

（準用）

第一九条　第十三条から前条までの規定（裁判員の選任資格、欠格事由、就職禁止事由、辞退事由、事件に関連する不適格事由及びその他の不適格事由）は、補充裁判員に準用する。

（裁判員候補者の員数の割当て及び通知）
第二〇条① 地方裁判所は、最高裁判所規則で定めるところにより、毎年九月一日までに、次年に必要な裁判員候補者の員数をその管轄区域内の市町村に割り当て、これを市町村の選挙管理委員会に通知しなければならない。
② 前項の裁判員候補者の員数は、最高裁判所規則で定めるところにより、地方裁判所が対象事件の取扱状況その他の事項を勘案して算定した数とする。

（裁判員候補者予定者名簿の調製）
第二一条① 市町村の選挙管理委員会は、前条第一項の通知を受けたときは、選挙人名簿に登録されている者の中から裁判員候補者の予定者として当該通知に係る員数の者（公職選挙法（昭和二十五年法律第百号）第二十七条第一項の規定により選挙人名簿に同法第十一条第一項若しくは第二百五十二条又は政治資金規正法（昭和二十三年法律第百九十四号）第二十八条の規定により選挙権を有しなくなった旨の表示がなされている者を除く。）をくじで選定しなければならない。
② 市町村の選挙管理委員会は、前項の規定により選定した者について、選挙人名簿に記載（公職選挙法第十九条第三項の規定により磁気ディスクをもって調製する選挙人名簿にあっては、記録）をされている氏名、住所及び生年月日の記載（次項の規定により磁気ディスクをもって調製する裁判員候補者予定者名簿にあっては、記録）をした裁判員候補者予定者名簿を調製しなければならない。
③ 裁判員候補者予定者名簿は、磁気ディスク（これに準ずる方法により一定の事項を確実に記録しておくことができる物を含む。以下同じ。）をもって調製することができる。

（裁判員候補者予定者名簿の送付）
第二二条 市町村の選挙管理委員会は、第二十条第一項の通知を受けた年の十月十五日までに裁判員候補者予定者名簿を当該通知をした地方裁判所に送付しなければならない。

（裁判員候補者名簿の調製）
第二三条① 地方裁判所は、前条の規定により裁判員候補者予定者名簿の送付を受けたときは、これに基づき、最高裁判所規則で定めるところにより、裁判員候補者の氏名、住所及び生年月日の記載（次項の規定により磁気ディスクをもって調製する裁判員候補者名簿にあっては、記録。第二十五条及び第二十六条第三項において同じ。）をした裁判員候補者名簿を調製しなければならない。
② 裁判員候補者名簿は、磁気ディスクをもって調製することができる。
③ 地方裁判所は、裁判員候補者について、死亡したことを知ったとき、第十三条に規定する者に該当しないと認めたとき、第十四条の規定により裁判員となることができない者であると認めたとき又は第十五条第一項各号に掲げる者に該当すると認めたときは、最高裁判所規則で定めるところにより、裁判員候補者名簿から消除しなければならない。
④ 市町村の選挙管理委員会は、第二十一条第一項の規定により選定した裁判員候補者の予定者について、死亡したこと又は衆議院議員の選挙権を有しなくなったことを知ったときは、前条の規定により裁判員候補者予定者名簿を送付した地方裁判所にその旨を通知しなければならない。ただし、当該裁判員候補者予定者名簿を送付した年の次年が経過したときは、この限りでない。

（裁判員候補者の補充の場合の措置）
第二四条① 地方裁判所は、第二十条第一項の規定により通知をした年の次年において、その年に必要な裁判員候補者を補充する必要があると認めたときは、最高裁判所規則で定めるところにより、速やかに、その補充する裁判員候補者の員数をその管轄区域内の市町村に割り当て、これを市町村の選挙管理委員会に通知しなければならない。
② 前三条の規定は、前項の場合に準用する。この場合において、第二十二条中「第二十条第一項の通知を受けた年の十月十五日までに」とあるのは「速やかに」と、前条第一項中「した裁判員候補者名簿」とあるのは「追加した裁判員候補者名簿」と、同条第四項ただし書中「送付した年の次年」とあるのは「送付した年」と読み替えるものとする。

（裁判員候補者への通知）
第二五条 地方裁判所は、第二十三条第一項（前条第二項において読み替えて準用する場合を含む。）の規定による裁判員候補者名簿の調製をしたときは、当該裁判員候補者名簿に記載をされた者にその旨を通知しなければならない。

（呼び出すべき裁判員候補者の選定）
第二六条① 対象事件につき第一回の公判期日が定まったときは、裁判所は、必要な員数の補充裁判員を置く決定又は補充裁判員を置かない決定をしなければならない。
② 裁判所は、前項の決定をしたときは、審判に要すると見込まれる期間その他の事情を考慮して、呼び出すべき裁判員候補者の員数を定めなければならない。
③ 地方裁判所は、裁判員候補者名簿に記載をされた裁判員候補者の中から前項の規定により定められた員数の呼び出すべき裁判員候補者をくじで選定しなければならない。ただし、裁判所の呼出しに応じて次条第一項に規定する裁判員等選任手続の期日に出頭した裁判員候補者（第三十四条第七項の規定による不選任の決定があった者を除く。）については、その年において再度選定することはできない。
④ 地方裁判所は、検察官及び弁護人に対し前項のくじに立ち会う機会を与えなければならない。

（裁判員候補者の呼出し）
第二七条① 裁判所は、裁判員及び補充裁判員の選任のための手続（以下「裁判員等選任手続」という。）を行う期日を定めて、前条第三項の規定により選定された裁判員候補者を呼び出さなければならない。ただし、裁判員等選任手続を行う期日から裁判員の職務が終了すると見込まれる日までの間（以下「職務従事予定期間」という。）において次の各号に掲げるいずれかの事由があると認められる裁判員候補者については、この限りでない。
一 第十三条に規定する者に該当しないこと。
二 第十四条の規定により裁判員となることができない者であること。
三 第十五条第一項各号若しくは第二項各号又は第十七条各号に掲げる者に該当すること。
四 第十六条の規定により裁判員となることについて辞退の申立てがあった裁判員候補者について同条各号に掲げる者に該当すること。
② 前項の呼出しは、呼出状の送達によってする。
③ 呼出状には、出頭すべき日時、場所、呼出しに応じないときは過料に処せられることがある旨その他最高裁判所規則で定める事項を記載しなければならない。
④ 裁判員等選任手続の期日と裁判員候補者に対する呼出状の送達との間には、最高裁判所規則で定める猶予期間を置かなければならない。
⑤ 裁判所は、第一項の規定による呼出し後その出頭すべき日時までの間に、職務従事予定期間において同項各号に掲げるいずれかの事由があると認められるに至った裁判員候補者については、直ちにその呼出しを取り消さなければならない。
⑥ 裁判所は、前項の規定により呼出しを取り消したときは、速やかに当該裁判員候補者にその旨を通知しなければならない。

（非常災害時における呼出しをしない措置）
第二七条の二 裁判所は、前条第一項本文の規定にかかわらず、第二十六条第三項の規定により選定された裁判員候補者のうち、著しく異常かつ激甚な非常災害により、郵便物の配達若しくは取集が極めて困難である地域又は交通が途絶し若しくは遮断された地域に住所を有する者については、前条第一項の規定による呼出しをしないことができる。

（裁判員候補者の追加呼出し）

第二八条① 裁判所は、裁判員等選任手続において裁判員及び必要な員数の補充裁判員を選任するために必要があると認めるときは、追加して必要な員数の裁判員候補者を呼び出すことができる。

② 第二十六条第三項及び第四項、第二十七条第一項ただし書及び第三項から第六項まで並びに前条の規定は、前項の場合に準用する。この場合において、第二十六条第三項中「前項の規定により定められた員数」とあるのは、「裁判所が必要と認めた員数」と読み替えるものとする。

（裁判員候補者の出頭義務、旅費等）

第二九条① 呼出しを受けた裁判員候補者は、裁判員等選任手続の期日に出頭しなければならない。

② 裁判所の呼出しに応じて裁判員等選任手続の期日に出頭した裁判員候補者には、最高裁判所規則で定めるところにより、旅費、日当及び宿泊料を支給する。

③ 地方裁判所は、裁判所の呼出しに応じて裁判員等選任手続の期日に出頭した裁判員候補者については、最高裁判所規則で定めるところにより、裁判員候補者名簿から消除しなければならない。ただし、第三十四条第七項の規定による不選任の決定があった裁判員候補者については、この限りでない。

（質問票）

第三〇条① 裁判所は、裁判員等選任手続に先立ち、第二十六条第三項（第二十八条第二項において準用する場合を含む。）の規定により選定された裁判員候補者が、職務従事予定期間において、第十三条に規定する者に該当するかどうか、第十四条の規定により裁判員となることができない者でないかどうか、第十五条第一項各号若しくは第二項各号又は第十七条各号に掲げる者に該当しないかどうか及び第十六条各号に掲げる者に該当するかどうか並びに不公平な裁判をするおそれがないかどうかの判断に必要な質問をするため、質問票を用いることができる。

② 裁判員候補者は、裁判員等選任手続の期日の日前に質問票の送付を受けたときは、裁判所の指定に従い、当該質問票を返送し又は持参しなければならない。

③ 裁判員候補者は、質問票に虚偽の記載をしてはならない。

④ 前三項及び次条第二項に定めるもののほか、質問票の記載事項その他の質問票に関し必要な事項は、最高裁判所規則で定める。

（裁判員候補者に関する情報の開示）

第三一条① 裁判長（第二条第三項の決定があった場合は、裁判官。第三十九条を除き、以下この節において同じ。）は、裁判員等選任手続の期日の二日前までに、呼び出した裁判員候補者の氏名を記載した名簿を検察官及び弁護人に送付しなければならない。

② 裁判長は、裁判員等選任手続の期日の日に、裁判員等選任手続に先立ち、裁判員候補者が提出した質問票の写しを検察官及び弁護人に閲覧させなければならない。

（裁判員等選任手続の列席者等）

第三二条① 裁判員等選任手続は、裁判官及び裁判所書記官が列席し、かつ、検察官及び弁護人が出席して行うものとする。

② 裁判所は、必要と認めるときは、裁判員等選任手続に被告人を出席させることができる。

（裁判員等選任手続の方式）

第三三条① 裁判員等選任手続は、公開しない。

② 裁判員等選任手続の指揮は、裁判長が行う。

③ 裁判員等選任手続は、第三十四条第四項及び第三十六条第一項の規定による不選任の請求が裁判員候補者の面前において行われないようにすることその他裁判員候補者の心情に十分配慮して、これを行わなければならない。

④ 裁判所は、裁判員等選任手続の続行のため、新たな期日を定めることができる。この場合において、裁判員等選任手続の期日に出頭した裁判員候補者に対し当該新たな期日を通知したときは、呼出状の送達があった場合と同一の効力を有する。

（被害者特定事項の取扱い）

第三三条の二① 裁判官、検察官、被告人及び弁護人は、刑事訴訟法第二百九十条の二第一項又は第三項の決定があった事件の裁判員等選任手続においては、裁判員候補者に対し、正当な理由がなく、被害者特定事項（同条第一項に規定する被害者特定事項をいう。以下この条において同じ。）を明らかにしてはならない。

② 裁判長は、前項に規定する裁判員等選任手続において裁判員候補者に対して被害者特定事項が明らかにされた場合には、当該裁判員候補者に対し、当該被害者特定事項を公にしてはならない旨を告知するものとする。

③ 前項の規定による告知を受けた裁判員候補者又は当該裁判員候補者であった者は、裁判員等選任手続において知った被害者特定事項を公にしてはならない。

（裁判員候補者に対する質問等）

第三四条① 裁判員等選任手続において、裁判長は、裁判員候補者が、職務従事予定期間において、第十三条に規定する者に該当するかどうか、第十四条の規定により裁判員となることができない者でないかどうか、第十五条第一項各号若しくは第二項各号若しくは第十七条各号に掲げる者に該当しないかどうか若しくは第十六条の規定により裁判員となることについて辞退の申立てがある場合において同条各号に掲げる者に該当するかどうか又は不公平な裁判をするおそれがないかどうかの判断をするため、必要な質問をすることができる。

② 陪席の裁判官、検察官、被告人又は弁護人は、裁判長に対し、前項の判断をするために必要と思料する質問を裁判長が裁判員候補者に対してすることを求めることができる。この場合において、裁判長は、相当と認めるときは、裁判員候補者に対して、当該求めに係る質問をするものとする。

③ 裁判員候補者は、前二項の質問に対して正当な理由なく陳述を拒み、又は虚偽の陳述をしてはならない。

④ 裁判所は、裁判員候補者が、職務従事予定期間において、第十三条に規定する者に該当しないと認めたとき、第十四条の規定により裁判員となることができない者であると認めたとき又は第十五条第一項各号若しくは第二項各号若しくは第十七条各号に掲げる者に該当すると認めたときは、検察官、被告人若しくは弁護人の請求により又は職権で、当該裁判員候補者について不選任の決定をしなければならない。裁判員候補者が不公平な裁判をするおそれがあると認めたときも、同様とする。

⑤ 弁護人は、前項後段の場合において同項の請求をするに当たっては、被告人の明示した意思に反することはできない。

⑥ 第四項の請求を却下する決定には、理由を付さなければならない。

⑦ 裁判所は、第十六条の規定により裁判員となることについて辞退の申立てがあった裁判員候補者について、職務従事予定期間において同条各号に掲げる者に該当すると認めたときは、当該裁判員候補者について不選任の決定をしなければならない。

（異議の申立て）

第三五条① 前条第四項の請求を却下する決定に対しては、対象事件が係属する地方裁判所に異議の申立てをすることができる。

② 前項の異議の申立ては、当該裁判員候補者について第三十七条第一項又は第二項の規定により裁判員又は補充裁判員に選任する決定がされるまでに、原裁判所に対し、申立書を差し出し、又は裁判員等選任手続において口頭で申立ての趣旨及び理由を明らかにすることによりしなければならない。

③ 第一項の異議の申立てを受けた地方裁判所は、合議体で決定をしなければならない。

④ 第一項の異議の申立てに関しては、即時抗告に関する刑事訴訟法の規定を準用する。この場合において、同法第四百二十三条第二項中「受け取つた日から三日」とあるのは、「受け取り又は口頭による申立てがあつた時から二十四時間」と読み替えるものとする。

（理由を示さない不選任の請求）

第三六条① 検察官及び被告人は、裁判員候補者について、それぞれ、四人（第二条第三項の決定があった場合は、三人）を限度として理由を示さずに不選任の決定の請求（以下「理由を示さない不選任の請求」という。）をすることができる。

② 前項の規定にかかわらず、補充裁判員を置くときは、検察官及び被告人が理由を示さない不選任の請求をすることができる員数は、それぞれ、同項の員数にその選任すべき補充裁判員の員数が一人又は二人のときは一人、三人又は四人のときは二人、五人又は六人のときは三人を加えた員数とする。

③ 理由を示さない不選任の請求があったときは、裁判所は、当該理由を示さない不選任の請求に係る裁判員候補者について不選任の決定をする。

④ 刑事訴訟法第二十一条第二項の規定は、理由を示さない不選任の請求について準用する。

（選任決定）

第三七条① 裁判所は、くじその他の作為が加わらない方法として最高裁判所規則で定める方法に従い、裁判員等選任手続の期日に出頭した裁判員候補者で不選任の決定がされなかったものから、第二条第二項に規定する員数（当該裁判員候補者の員数がこれに満たないときは、その員数）の裁判員を選任する決定をしなければならない。

② 裁判所は、補充裁判員を置くときは、前項の規定により裁判員を選任する決定をした後、同項に規定する方法に従い、その余の不選任の決定がされなかった裁判員候補者から、第二十六条第一項の規定により決定した員数（当該裁判員候補者の員数がこれに満たないときは、その員数）の補充裁判員を裁判員に選任されるべき順序を定めて選任する決定をしなければならない。

③ 裁判所は、前二項の規定により裁判員又は補充裁判員に選任された者以外の不選任の決定がされなかった裁判員候補者については、不選任の決定をするものとする。

（裁判員が不足する場合の措置）

第三八条① 裁判所は、前条第一項の規定により選任された裁判員の員数が選任すべき裁判員の員数に満たないときは、不足する員数の裁判員を選任しなければならない。この場合において、裁判所は、併せて必要と認める員数の補充裁判員を選任することができる。

② 第二十六条（第一項を除く。）から前条までの規定は、前項の規定による裁判員及び補充裁判員の選任について準用する。この場合において、第三十六条第一項中「四人（第二条第三項の決定があった場合は、三人）」とあるのは「選任すべき裁判員の員数が一人又は二人のときは一人、三人又は四人のときは二人、五人又は六人のときは三人」と、前条第一項中「第二条第二項に規定する員数」とあるのは「選任すべき裁判員の員数」と読み替えるものとする。

（宣誓等）

第三九条① 裁判長は、裁判員及び補充裁判員に対し、最高裁判所規則で定めるところにより、裁判員及び補充裁判員の権限、義務その他必要な事項を説明するものとする。

② 裁判員及び補充裁判員は、最高裁判所規則で定めるところにより、法令に従い公平誠実にその職務を行うことを誓う旨の宣誓をしなければならない。

（最高裁判所規則への委任）

第四〇条 第三十二条から前条までに定めるもののほか、裁判員等選任手続に関し必要な事項は、最高裁判所規則で定める。

第三節 解任等

（請求による裁判員等の解任）

第四一条① 検察官、被告人又は弁護人は、裁判所に対し、次の各号のいずれかに該当することを理由として裁判員又は補充裁判員の解任を請求することができる。ただし、第七号に該当することを理由とする請求は、当該裁判員又は補充裁判員についてその選任の決定がされた後に知り、又は生じた原因を理由とするものに限る。

一 裁判員又は補充裁判員が、第三十九条第二項の宣誓をしないとき。

二 裁判員が、第五十二条若しくは第六十三条第一項に定める出頭義務又は第六十六条第二項に定める評議に出席する義務に違反し、引き続きその職務を行わせることが適当でないとき。

三 補充裁判員が、第五十二条に定める出頭義務に違反し、引き続きその職務を行わせることが適当でないとき。

四 裁判員が、第九条、第六十六条第四項若しくは第七十条第一項に定める義務又は第六十六条第二項に定める意見を述べる義務に違反し、引き続きその職務を行わせることが適当でないとき。

五 補充裁判員が、第十条第四項において準用する第九条に定める義務又は第七十条第一項に定める義務に違反し、引き続きその職務を行わせることが適当でないとき。

六 裁判員又は補充裁判員が、第十三条（第十九条において準用する場合を含む。）に規定する者に該当しないとき、第十四条（第十九条において準用する場合を含む。）の規定により裁判員若しくは補充裁判員となることができない者であるとき又は第十五条第一項各号若しくは第二項各号若しくは第十七条各号（これらの規定を第十九条において準用する場合を含む。）に掲げる者に該当するとき。

七 裁判員又は補充裁判員が、不公平な裁判をするおそれがあるとき。

八 裁判員又は補充裁判員が、裁判員候補者であったときに、質問票に虚偽の記載をし、又は裁判員等選任手続における質問に対して正当な理由なく陳述を拒み、若しくは虚偽の陳述をしていたことが明らかとなり、引き続きその職務を行わせることが適当でないとき。

九 裁判員又は補充裁判員が、公判廷において、裁判長が命じた事項に従わず又は暴言その他の不穏当な言動をすることによって公判手続の進行を妨げたとき。

② 裁判所は、前項の請求を受けたときは、次の各号に掲げる場合の区分に応じ、当該各号に規定する決定をし、その余の場合には、構成裁判官の所属する地方裁判所に当該請求に係る事件を送付しなければならない。

一 請求に理由がないことが明らかなとき又は請求が前項ただし書の規定に違反してされたものであるとき　当該請求を却下する決定

二 前項第一号から第三号まで、第六号又は第九号に該当すると認めるとき　当該裁判員又は補充裁判員を解任する決定

③ 前項の規定により事件の送付を受けた地方裁判所は、第一項各号のいずれかに該当すると認めるときは、当該裁判員又は補充裁判員を解任する決定をする。

④ 前項の地方裁判所による第一項の請求についての決定は、合議体でしなければならない。ただし、同項の請求を受けた裁判所の構成裁判官は、その決定に関与することはできない。

⑤ 第一項の請求についての決定をするには、最高裁判所規則で定めるところにより、あらかじめ、検察官及び被告人又は弁護人の意見を聴かなければならない。

⑥ 第二項第二号又は第三項の規定により裁判員又は補充裁判員を解任する決定をするには、当該裁判員又は補充裁判員に陳述の機会を与えなければならない。ただし、第一項第一号から第三号まで又は第九号に該当することを理由として解任する決定をするときは、この限りでない。

⑦ 第一項の請求を却下する決定には、理由を付さなければならない。

（異議の申立て）

第四二条① 前条第一項の請求を却下する決定に対しては、当該決定に関与した裁判官の所属する地方裁判所に異議の申立てをすることができる。

② 前項の異議の申立てを受けた地方裁判所は、合議体で決定を

しなければならない。ただし、前条第一項の請求を受けた裁判所の構成裁判官は、当該異議の申立てがあった決定に関与していない場合であっても、その決定に関与することはできない。
③　第一項の異議の申立てに関しては、即時抗告に関する刑事訴訟法の規定を準用する。この場合において、同法第四百二十二条及び第四百二十三条第二項中「三日」とあるのは、「一日」と読み替えるものとする。

（職権による裁判員等の解任）
第四三条①　裁判所は、第四十一条第一項第一号から第三号まで、第六号又は第九号に該当すると認めるときは、職権で、裁判員又は補充裁判員を解任する決定をする。
②　裁判所が、第四十一条第一項第四号、第五号、第七号又は第八号に該当すると疑うに足りる相当な理由があると思料するときは、裁判長は、その所属する地方裁判所に対し、理由を付してその旨を通知するものとする。
③　前項の規定による通知を受けた地方裁判所は、第四十一条第一項第四号、第五号、第七号又は第八号に該当すると認めるときは、当該裁判員又は補充裁判員を解任する決定をする。
④　前項の決定は合議体でしなければならない。ただし、第二項の裁判所の構成裁判官は、その決定に関与することはできない。
⑤　第一項及び第三項の規定による決定については、第四十一条第五項及び第六項の規定を準用する。

（裁判員等の申立てによる解任）
第四四条①　裁判員又は補充裁判員は、裁判所に対し、その選任の決定がされた後に生じた第十六条第八号に規定する事由により裁判員又は補充裁判員の職務を行うことが困難であることを理由として辞任の申立てをすることができる。
②　裁判所は、前項の申立てを受けた場合において、その理由があると認めるときは、当該裁判員又は補充裁判員を解任する決定をしなければならない。

（補充裁判員の解任）
第四五条　裁判所は、補充裁判員に引き続きその職務を行わせる必要がないと認めるときは、当該補充裁判員を解任する決定をすることができる。

（裁判員の追加選任）
第四六条①　裁判所は、第二条第一項の合議体を構成する裁判員の員数に不足が生じた場合において、補充裁判員があるときは、その補充裁判員の選任の決定において定められた順序に従い、補充裁判員を裁判員に選任する決定をするものとする。
②　前項の場合において、裁判員に選任すべき補充裁判員がないときは、裁判所は、不足する員数の裁判員を選任しなければならない。この場合においては、第三十八条の規定を準用する。

（補充裁判員の追加選任）
第四七条①　裁判所は、補充裁判員を新たに置き、又は追加する必要があると認めるときは、必要と認める員数の補充裁判員を選任することができる。
②　裁判員の選任に関する第二十六条（第一項を除く。）から第三十五条まで及び第三十六条（第二項を除く。）の規定並びに第三十七条第二項及び第三項の規定は、前項の規定による補充裁判員の選任について準用する。この場合において、第三十六条第一項中「四人（第二条第三項の決定があった場合は、三人）」とあるのは、「選任すべき補充裁判員の員数が一人又は二人のときは一人、三人又は四人のときは二人、五人又は六人のときは三人」と読み替えるものとする。

（裁判員等の任務の終了）
第四八条　裁判員及び補充裁判員の任務は、次のいずれかに該当するときに終了する。
一　終局裁判を告知したとき。
二　第三条第一項、第三条の二第一項又は第五条ただし書の決定により、第二条第一項の合議体が取り扱っている事件又は同項の合議体で取り扱うべき事件の全てを一人の裁判官又は裁判官の合議体で取り扱うこととなったとき。

第三章　裁判員の参加する裁判の手続

第一節　公判準備及び公判手続

（公判前整理手続）
第四九条　裁判所は、対象事件については、第一回の公判期日前に、これを公判前整理手続に付さなければならない。

（第一回の公判期日前の鑑定）
第五〇条①　裁判所は、第二条第一項の合議体で取り扱うべき事件につき、公判前整理手続において鑑定を行うことを決定した場合において、当該鑑定の結果の報告がなされるまでに相当の期間を要すると認めるときは、検察官、被告人若しくは弁護人の請求により又は職権で、公判前整理手続において鑑定の手続（鑑定の経過及び結果の報告を除く。）を行う旨の決定（以下この条において「鑑定手続実施決定」という。）をすることができる。
②　鑑定手続実施決定をし、又は前項の請求を却下する決定をするには、最高裁判所規則で定めるところにより、あらかじめ、検察官及び被告人又は弁護人の意見を聴かなければならない。
③　鑑定手続実施決定があった場合には、公判前整理手続において、鑑定の手続のうち、鑑定の経過及び結果の報告以外のものを行うことができる。

（裁判員の負担に対する配慮）
第五一条　裁判官、検察官及び弁護人は、裁判員の負担が過重なものとならないようにしつつ、裁判員がその職責を十分に果たすことができるよう、審理を迅速で分かりやすいものとすることに努めなければならない。

（出頭義務）
第五二条　裁判員及び補充裁判員は、裁判員の関与する判断をするための審理をすべき公判期日並びに公判準備において裁判所がする証人その他の者の尋問及び検証の日時及び場所に出頭しなければならない。

（公判期日等の通知）
第五三条　前条の規定により裁判員及び補充裁判員が出頭しなければならない公判期日並びに公判準備において裁判所がする証人その他の者の尋問及び検証の日時及び場所は、あらかじめ、裁判員及び補充裁判員に通知しなければならない。

（開廷の要件）
第五四条①　裁判員の関与する判断をするための審理をすべき公判期日においては、公判廷は、裁判官、裁判員及び裁判所書記官が列席し、かつ、検察官が出席して開く。
②　前項の場合を除き、公判廷は、裁判官及び裁判所書記官が列席し、かつ、検察官が出席して開く。

（冒頭陳述に当たっての義務）
第五五条　検察官が刑事訴訟法第二百九十六条の規定により証拠により証明すべき事実を明らかにするに当たっては、公判前整理手続における争点及び証拠の整理の結果に基づき、証拠との関係を具体的に明示しなければならない。被告人又は弁護人が同法第三百十六条の三十の規定により証拠により証明すべき事実を明らかにする場合も、同様とする。

（証人等に対する尋問）
第五六条　裁判所が証人その他の者を尋問する場合には、裁判員は、裁判長に告げて、裁判員の関与する判断に必要な事項について尋問することができる。

（裁判所外での証人尋問等）
第五七条①　裁判員の関与する判断に必要な事項について裁判所外で証人その他の者を尋問すべき場合において、構成裁判官にこれをさせるときは、裁判員及び補充裁判員はこれに立ち会うことができる。この尋問に立ち会った裁判員は、構成裁判官に告げて、証人その他の者を尋問することができる。
②　裁判員の関与する判断に必要な事項について公判廷外において検証をすべき場合において、構成裁判官にこれをさせるときも、前項前段と同様とする。

（被害者等に対する質問）

第五八条　刑事訴訟法第二百九十二条の二第一項の規定により被害者等（被害者又は被害者が死亡した場合若しくはその心身に重大な故障がある場合におけるその配偶者、直系の親族若しくは兄弟姉妹をいう。）又は当該被害者の法定代理人が意見を陳述したときは、裁判員は、その陳述の後に、その趣旨を明確にするため、これらの者に質問することができる。

（被告人に対する質問）

第五九条　刑事訴訟法第三百十一条の規定により被告人が任意に供述をする場合には、裁判員は、裁判長に告げて、いつでも、裁判員の関与する判断に必要な事項について被告人の供述を求めることができる。

（裁判員等の審理立会い）

第六〇条　裁判所は、裁判員の関与する判断をするための審理以外の審理についても、裁判員及び補充裁判員の立会いを許すことができる。

（公判手続の更新）

第六一条①　公判手続が開始された後新たに第二条第一項の合議体に加わった裁判員があるときは、公判手続を更新しなければならない。

②　前項の更新の手続は、新たに加わった裁判員が、争点及び取り調べた証拠を理解することができ、かつ、その負担が過重にならないようなものとしなければならない。

（自由心証主義）

第六二条　裁判員の関与する判断に関しては、証拠の証明力は、それぞれの裁判官及び裁判員の自由な判断にゆだねる。

（判決の宣告等）

第六三条①　刑事訴訟法第三百三十三条の規定による刑の言渡しの判決、同法第三百三十四条の規定による刑の免除の判決及び同法第三百三十六条の規定による無罪の判決並びに少年法第五十五条の規定による家庭裁判所への移送の決定の宣告をする場合には、裁判員は公判期日に出頭しなければならない。ただし、裁判員が出頭しないことは、当該判決又は決定の宣告を妨げるものではない。

②　前項に規定する場合には、あらかじめ、裁判員に公判期日を通知しなければならない。

第二節　刑事訴訟法等の適用に関する特例等

（刑事訴訟法等の適用に関する特例）

第六四条①　第二条第一項の合議体で事件が取り扱われる場合における刑事訴訟法の規定の適用については、次の表の上欄に掲げる同法の規定中同表の中欄に掲げる字句は、それぞれ同表の下欄に掲げる字句とする。

第四十三条第四項、第六十九条、第七十六条第三項、第八十五条、第百八条第三項、第百二十五条第一項、第百六十三条第一項、第百六十九条、第二百七十一条の八第一項及び第四項、第二百七十八条の三第二項、第二百九十七条第二項、第三百十六条の十一	合議体の構成員	合議体の構成員である裁判官
第八十一条	逃亡し又は罪証を隠滅すると疑うに足りる相当な理由	逃亡し若しくは罪証を隠滅すると疑うに足りる相当な理由又は裁判員、補充裁判員若しくは選任予定裁判員に、面会、文書の送付その他の方法により接触すると疑うに足りる相当な理由
第八十九条第五号	被害者その他事件の審判に必要な知識を有すると認められる者若しくはその親族の身体若しくは財産に害を加え又はこれらの者を畏怖させる行為をすると疑うに足りる相当な理由があるとき。	被害者その他事件の審判に必要な知識を有すると認められる者若しくはその親族の身体若しくは財産に害を加え若しくはこれらの者を畏怖させる行為をすると疑うに足りる相当な理由があるとき、又は裁判員、補充裁判員若しくは選任予定裁判員に、面会、文書の送付その他の方法により接触すると疑うに足りる相当な理由があるとき。
第九十六条第一項第四号	被害者その他事件の審判に必要な知識を有すると認められる者若しくはその親族の身体若しくは財産に害を加え若しくは加えようとし、又はこれらの者を畏怖させる行為をしたとき。	被害者その他事件の審判に必要な知識を有すると認められる者若しくはその親族の身体若しくは財産に害を加え若しくは加えようとし、若しくはこれらの者を畏怖させる行為をしたとき、又は裁判員、補充裁判員若しくは選任予定裁判員に、面会、文書の送付その他の方法により接触したとき。
第百五十七条の四、第百五十七条の六第一項、第三百十六条の三十九第一項から第三項まで、第四百三十五条第七号ただし書	裁判官	裁判官、裁判員
第二百五十六条第六項	裁判官	裁判官又は裁判員
第三百四条第一項	裁判長又は陪席の裁判官	裁判長、陪席の裁判官又は裁判員
第三百十六条の十五第一項第二号	裁判所又は裁判官	裁判所、裁判官又は裁判官及び裁判員
第三百二十一条第二項	裁判所若しくは裁判官	裁判所、裁判官若しくは裁判官及び裁判員
第三百七十七条第一号	法律に従つて判決裁判所を	法律に従つて判決裁判所を構成しなかつたこと。ただ

＊令和五法二八（令和一〇・五・一六までに施行）**による改正**　本項中「第八十五条」の下に「、第九十八条の二十三」を加える。（未織込み）

	構成しなかったこと。	し、裁判員の構成にのみ違法がある場合であって、判決が裁判員の参加する刑事裁判に関する法律（平成十六年法律第六十三号）第六条第一項に規定する裁判員の関与する判断を含まないものであるとき、又はその違法が裁判員が同法第十五条第一項各号若しくは第二項各号に掲げる者に該当することであるときは、この限りでない。
第四百三十五条第七号本文	原判決に関与した裁判官	原判決に関与した裁判官若しくは裁判員

② 第二条第一項の合議体で事件が取り扱われる場合における組織的な犯罪の処罰及び犯罪収益の規制等に関する法律（平成十一年法律第百三十六号）第二十二条第四項の規定の適用については、同項中「合議体の構成員」とあるのは、「合議体の構成員である裁判官」とする。

（訴訟関係人の尋問及び供述等の記録媒体への記録）

第六五条① 裁判所は、対象事件（第五条本文の規定により第二条第一項の合議体で取り扱うものとされた事件を含む。）及び第四条第一項の決定に係る事件の審理における裁判官、裁判員又は訴訟関係人の尋問及び証人、鑑定人、通訳人又は翻訳人の供述、刑事訴訟法第二百九十二条の二第一項の規定による意見の陳述並びに裁判官、裁判員又は訴訟関係人による被告人の供述を求める行為及び被告人の供述並びにこれらの状況（以下「訴訟関係人の尋問及び供述等」という。）について、審理又は評議における裁判員の職務の的確な遂行を確保するため必要があると認めるときは、検察官及び被告人又は弁護人の意見を聴き、これを記録媒体（映像及び音声を同時に記録することができる物をいう。以下同じ。）に記録することができる。ただし、事案の内容、審理の状況、供述又は陳述をする者に与える心理的な負担その他の事情を考慮し、記録媒体に記録することが相当でないと認めるときは、この限りでない。

② 前項の規定による訴訟関係人の尋問及び供述等の記録は、刑事訴訟法第百五十七条の六第一項及び第二項に規定する方法により証人を尋問する場合（同項第四号の規定による場合を除く。）においては、その証人の同意がなければ、これをすることができない。

③ 前項の場合において、その訴訟関係人の尋問及び供述等を記録した記録媒体は、訴訟記録に添付して調書の一部とするものとする。ただし、その証人が後の刑事手続において同一の事実につき再び証人として供述を求められることがないと明らかに認められるときは、この限りでない。

④ 刑事訴訟法第四十条第二項、第百八十条第二項及び第二百七十条第二項の規定は前項の規定により訴訟記録に添付して調書の一部とした記録媒体の謄写について、同法第三百五条第五項及び第六項の規定は当該記録媒体がその一部とされた調書の取調べについて、それぞれ準用する。

第四章 評議

（評議）

第六六条① 第二条第一項の合議体における裁判員の関与する判断のための評議は、構成裁判官及び裁判員が行う。

② 裁判員は、前項の評議に出席し、意見を述べなければならない。

③ 裁判長は、必要と認めるときは、第一項の評議において、裁判員に対し、構成裁判官の合議による法令の解釈に係る判断及び訴訟手続に関する判断を示さなければならない。

④ 裁判員は、前項の判断が示された場合には、これに従ってその職務を行わなければならない。

⑤ 裁判長は、第一項の評議において、裁判員に対して必要な法令に関する説明を丁寧に行うとともに、評議を裁判員に分かりやすいものとなるように整理し、裁判員が発言する機会を十分に設けるなど、裁判員がその職責を十分に果たすことができるように配慮しなければならない。

（評決）

第六七条① 前条第一項の評議における裁判員の関与する判断は、裁判所法第七十七条の規定にかかわらず、構成裁判官及び裁判員の双方の意見を含む合議体の員数の過半数の意見による。

② 刑の量定について意見が分かれ、その説が各々、構成裁判官及び裁判員の双方の意見を含む合議体の員数の過半数の意見にならないときは、その合議体の判断は、構成裁判官及び裁判員の双方の意見を含む合議体の員数の過半数の意見になるまで、被告人に最も不利な意見の数を順次利益な意見の数に加え、その中で最も利益な意見による。

（構成裁判官による評議）

第六八条① 構成裁判官の合議によるべき判断のための評議は、構成裁判官のみが行う。

② 前項の評議については、裁判所法第七十五条第一項及び第二項前段、第七十六条並びに第七十七条の規定に従う。

③ 構成裁判官は、その合議により、裁判員に第一項の評議の傍聴を許し、第六条第二項各号に掲げる判断について裁判員の意見を聴くことができる。

（補充裁判員の傍聴等）

第六九条① 補充裁判員は、構成裁判官及び裁判員が行う評議並びに構成裁判官のみが行う評議であって裁判員の傍聴が許されたものを傍聴することができる。

② 構成裁判官は、その合議により、補充裁判員の意見を聴くことができる。

（評議の秘密）

第七〇条① 構成裁判官及び裁判員が行う評議並びに構成裁判官のみが行う評議であって裁判員の傍聴が許されたものの経過並びにそれぞれの裁判官及び裁判員の意見並びにその多少の数（以下「評議の秘密」という。）については、これを漏らしてはならない。

② 前項の場合を除き、構成裁判官のみが行う評議については、裁判所法第七十五条第二項後段の規定に従う。

第五章 区分審理決定がされた場合の審理及び裁判の特例等

第一節 審理及び裁判の特例

第一款 区分審理決定

（区分審理決定）

第七一条① 裁判所は、被告人を同じくする数個の対象事件の弁論を併合した場合又は第四条第一項の決定に係る事件と対象事件の弁論を併合した場合において、併合した事件（以下「併合事件」という。）を一括して審判することにより要すると見込まれる審判の期間その他の裁判員の負担に関する事情を考慮し、その円滑な選任又は職務の遂行を確保するため特に必要があると認められるときは、検察官、被告人若しくは弁護人の請求により又は職権で、併合事件の一部を一又は二以上の被告事件ごとに区分し、この区分した一又は二以上の被告事件ごとに、順次、審理する旨の決定（以下「区分審理決定」という。）をすることができる。ただし、犯罪の証明に支障を生ずるおそれがあるとき、被告人の防御に不利益を生ずるおそれがあるときその他相当でないと認められるときは、この限りでない。

② 区分審理決定又は前項の請求を却下する決定をするには、最高裁判所規則で定めるところにより、あらかじめ、検察官及び被告人又は弁護人の意見を聴かなければならない。

③ 区分審理決定又は第一項の請求を却下する決定に対しては、

即時抗告をすることができる。

第七二条（区分審理決定の取消し及び変更）① 裁判所は、被告人の主張、審理の状況その他の事情を考慮して、区分事件（区分審理決定により区分して審理することとされた一又は二以上の被告事件をいう。以下同じ。）ごとに審理することが適当でないと認めるときは、検察官、被告人若しくは弁護人の請求により又は職権で、区分審理決定を取り消す決定をすることができる。ただし、区分事件につき部分判決がされた後は、この限りでない。

② 裁判所は、被告人の主張、審理の状況その他の事情を考慮して、適当と認めるときは、検察官、被告人若しくは弁護人の請求により又は職権で、区分審理決定を変更する決定をすることができる。この場合においては、前条第一項ただし書の規定を準用する。

③ 前二項の決定又はこれらの項の請求を却下する決定をするには、最高裁判所規則で定めるところにより、あらかじめ、検察官及び被告人又は弁護人の意見を聴かなければならない。

④ 前条第三項の規定は、前項に規定する決定について準用する。

第七三条（審理の順序に関する決定）① 裁判所は、二以上の区分事件があるときは、決定で、区分事件を審理する順序を定めなければならない。

② 裁判所は、被告人の主張、審理の状況その他の事情を考慮して、適当と認めるときは、決定で、前項の決定を変更することができる。

③ 前二項の決定をするには、最高裁判所規則で定めるところにより、あらかじめ、検察官及び被告人又は弁護人の意見を聴かなければならない。

第七四条（構成裁判官のみで構成する合議体による区分事件の審理及び裁判） 裁判所は、区分事件に含まれる被告事件の全部が、対象事件に該当しないとき又は刑事訴訟法第三百十二条の規定により罰条が撤回若しくは変更されたため対象事件に該当しなくなったときは、構成裁判官のみで構成する合議体でその区分事件の審理及び裁判を行う旨の決定をすることができる。

第七五条（公判前整理手続等における決定） 区分審理決定並びに第七十二条第一項及び第二項、第七十三条第一項及び第二項並びに前条の決定は、公判前整理手続及び期日間整理手続において行うことができる。第七十一条第一項並びに第七十二条第一項及び第二項の請求を却下する決定についても、同様とする。

第七六条（区分審理決定をした場合の補充裁判員に関する決定） 裁判所は、区分審理決定をした場合において、第二十六条第一項に規定する必要な員数の補充裁判員を置く決定又は補充裁判員を置かない決定をするときは、各区分事件の審理及び裁判（以下「区分事件審判」という。）並びに第八十六条第一項に規定する併合事件審判について、それぞれ、これをしなければならない。

第二款　区分事件審判

第七七条（区分事件の審理における検察官等による意見の陳述）① 区分事件の審理において、証拠調べが終わった後、検察官は、次条第二項第一号及び第三号から第五号まで並びに第三項各号に掲げる事項に係る事実及び法律の適用について意見を陳述しなければならない。

② 区分事件の審理において、証拠調べが終わった後、被告人及び弁護人は、当該区分事件について意見を陳述することができる。

③ 区分事件の審理において、裁判所は、区分事件に含まれる被告事件に係る被害者参加人（刑事訴訟法第三百十六条の三十三第三項に規定する被害者参加人をいう。第八十九条第一項において同じ。）又はその委託を受けた弁護士から、第一項に規定する事項に係る事実又は法律の適用について意見を陳述することの申出がある場合において、審理の状況、申出をした者の数その他の事情を考慮し、相当と認めるときは、公判期日において、同項の規定による検察官の意見の陳述の後に、訴因として特定された事実の範囲内で、申出をした者がその意見を陳述することを許すものとする。

④ 刑事訴訟法第三百十六条の三十八第二項から第四項までの規定は、前項の規定による意見の陳述について準用する。

⑤ 刑事訴訟法第三百十六条の三十七の規定は、第三項の規定による意見の陳述をするための被告人に対する質問について準用する。

第七八条（部分判決）① 区分事件に含まれる被告事件について、犯罪の証明があったときは、刑事訴訟法第三百三十三条及び第三百三十四条の規定にかかわらず、部分判決で有罪の言渡しをしなければならない。

② 部分判決で有罪の言渡しをするには、刑事訴訟法第三百三十五条第一項の規定にかかわらず、次に掲げる事項を示さなければならない。

一 罪となるべき事実

二 証拠の標目

三 罰条の適用並びに刑法（明治四十年法律第四十五号）第五十四条第一項の規定の適用及びその適用に係る判断

四 法律上犯罪の成立を妨げる理由となる事実に係る判断

五 法律上刑を減免し又は減免することができる理由となる事実に係る判断

③ 部分判決で有罪の言渡しをする場合は、次に掲げる事項を示すことができる。

一 犯行の動機、態様及び結果その他の罪となるべき事実に関連する情状に関する事実

二 没収、追徴及び被害者還付の根拠となる事実並びにこれらに関する規定の適用に係る判断

④ 区分事件の審理において第二項第四号又は第五号に規定する事実が主張されたときは、刑事訴訟法第三百三十五条第二項の規定にかかわらず、部分判決において、これに対する判断を示さなければならない。

⑤ 第六十三条の規定は、第一項の規定による部分判決の宣告をする場合について準用する。

第七九条 区分事件に含まれる被告事件について、刑事訴訟法第三百二十九条の規定による管轄違いの判決、同法第三百三十七条の規定による免訴の判決又は同法第三百三十八条の規定による公訴棄却の判決の言渡しをしなければならない事由があるときは、部分判決でその旨の言渡しをしなければならない。

第八〇条（部分判決に対する控訴の申立て） 部分判決に対しては、刑事訴訟法第三百七十二条の規定にかかわらず、控訴をすることができない。

第八一条（管轄違い等の部分判決後の弁論の分離） 第七十九条の部分判決は、当該部分判決をした事件に係る弁論を刑事訴訟法第三百十三条第一項の決定により分離した場合には、その決定を告知した時に、終局の判決となるものとする。

第八二条（区分事件審判に関する公判調書）① 区分事件審判に関する公判調書は、刑事訴訟法第四十八条第三項の規定にかかわらず、各公判期日後速やかに、遅くとも当該区分事件についての部分判決を宣告するまでにこれを整理しなければならない。ただし、部分判決を宣告する公判期日の調書及び公判期日から部分判決を宣告する日までの期間が十日に満たない場合における当該公判期日の調書は、それぞれその公判期日後十日以内に、整理すれば足りる。

② 前項の公判調書に係る刑事訴訟法第五十一条第一項の規定による異議の申立ては、同条第二項の規定にかかわらず、遅くとも当該区分事件審判における最終の公判期日後十四日以内（前項ただし書の規定により部分判決を宣告する公判期日後に整理

された調書については、整理ができた日から十四日以内）にこれをしなければならない。

第八三条①（**公訴の取消し等の制限**）区分事件に含まれる被告事件についての公訴は、刑事訴訟法第二百五十七条の規定にかかわらず、当該区分事件について部分判決の宣告があった後は、これを取り消すことができない。

② 刑事訴訟法第四百六十五条第一項の規定による正式裁判の請求があった被告事件について、区分審理決定があったときは、同法第四百六十六条の規定にかかわらず、当該被告事件を含む区分事件について部分判決の宣告があった後は、当該請求を取り下げることができない。

③ 前項の区分審理決定があった場合には、同項の請求に係る略式命令は、刑事訴訟法第四百六十九条第一項の規定にかかわらず、当該被告事件について終局の判決があったときに、その効力を失う。

第八四条（**区分事件審判における裁判員等の任務の終了**）区分事件審判に係る職務を行う裁判員及び補充裁判員の任務は、第四十八条の規定にかかわらず、次の各号のいずれかに該当するときに終了する。

一 当該区分事件について部分判決の宣告をしたとき。

二 当該区分事件に含まれる被告事件の全部について刑事訴訟法第三百三十九条第一項の規定による公訴を棄却する決定がされたとき。

三 当該区分事件について第七十四条の決定がされたとき。

第八五条（**区分事件の審理における公判手続の更新**）前条の規定により区分事件審判に係る職務を行う裁判員の任務が終了し、新たに第二条第一項の合議体に他の区分事件審判に係る職務を行う裁判員が加わった場合には、第六十一条第一項の規定にかかわらず、公判手続の更新は行わないものとする。

第三款　併合事件審判

第八六条①（**併合事件審判**）裁判所は、すべての区分事件審判が終わった後、区分事件以外の被告事件の審理及び区分事件の審理（当該区分事件に含まれる被告事件に係る部分判決で示された事項に係るものの（第三項の決定があった場合を除く。）並びに併合事件の全体についての裁判（以下「併合事件審判」という。）をしなければならない。

② 裁判所は、前項の規定により併合事件の全体についての裁判をする場合においては、部分判決がされた被告事件に係る当該部分判決で示された事項については、次項の決定があった場合を除き、これによるものとする。

③ 裁判所は、構成裁判官の合議により、区分事件の審理又は部分判決について刑事訴訟法第三百七十七条各号、第三百七十八条各号又は第三百八十三条各号に掲げる事由があると認めるときは、職権で、その旨の決定をしなければならない。

第八七条（**併合事件審判のための公判手続の更新**）第八十四条の規定により区分事件審判に係る職務を行う裁判員の任務が終了し、新たに第二条第一項の合議体に併合事件審判に係る職務を行う裁判員が加わった場合には、第六十一条第一項の規定にかかわらず、併合事件審判をするのに必要な範囲で、区分事件の公判手続を更新しなければならない。

第八八条（**刑事訴訟法第二百九十二条の二の意見の陳述**）区分事件に含まれる被告事件についての刑事訴訟法第二百九十二条の二第一項の規定による意見の陳述又は同条第七項の規定による意見を記載した書面の提出は、併合事件審判における審理において行うものとする。ただし、併合事件審判における審理において行うことが困難である場合その他当該被告事件を含む区分事件の審理において行うことが相当と認めるときは、当該区分事件の審理において行うことができる。

第八九条①（**併合事件審理における検察官等による意見の陳述**）併合事件審判における審理において行う刑事訴訟法第二百九十三条第一項の規定による検察官の意見の陳述、同条第二項の規定による被告人及び弁護人の意見の陳述並びに同法第三百十六条の三十八第一項の規定による区分事件に含まれる被告事件に係る被害者参加人又はその委託を受けた弁護士の意見の陳述は、部分判決で示された事項については、することができない。

② 裁判長は、前項に規定する意見の陳述が部分判決で示された事項にわたるときは、これを制限することができる。

第二節　選任予定裁判員

第一款　選任予定裁判員の選定

第九〇条①（**選任予定裁判員**）裁判所は、区分審理決定をした場合において、必要があると認めるときは、裁判員等選任手続において、第八十四条の規定により区分事件審判に係る職務を行う裁判員又は補充裁判員の任務が終了した後に他の区分事件審判又は併合事件審判に係る職務を行う裁判員又は補充裁判員に選任されるべき必要な員数の選任予定裁判員を、各区分事件審判又は併合事件審判ごとに、あらかじめ選定することができる。この場合において選任予定裁判員の員数は、裁判所が定めるものとする。

② 前項の規定により選任予定裁判員を選定する場合における第二十六条第二項、第二十七条第一項ただし書、第三十五条第二項及び第三十六条第二項の規定の適用については、第二十六条第二項中「前項の決定をした」とあるのは「選任予定裁判員を選定することとした」と、第二十七条第一項ただし書中「期日から」とあるのは「期日及び第九十七条第一項の規定により選任予定裁判員を裁判員に選任する決定がされると見込まれる日から」と、第三十五条第二項中「第三十七条第一項又は第二項の規定により裁判員又は補充裁判員に選任する」とあるのは「第九十一条第一項の規定により選任予定裁判員に選定する」と、第三十六条第二項中「補充裁判員を置く」とあるのは「裁判員の員数を超える員数の選任予定裁判員を選定する」と、「選任すべき補充裁判員の」とあるのは「選定すべき選任予定裁判員の員数のうち裁判員の員数を超える」と、「三人又は四人のときは二人、五人又は六人のときは三人」とあるのは「三人以上の奇数及びそれに続く偶数の員数のときは当該偶数の員数の二分の一の員数」とする。

第九一条①（**選任予定裁判員の選定**）裁判所は、くじその他の作為が加わらない方法として最高裁判所規則で定める方法に従い、裁判員等選任手続の期日に出頭した裁判員候補者で不選任の決定がされなかったものから、前条第一項の規定により裁判所が定めた員数（当該裁判員候補者の員数がこれに満たないときは、その員数）の選任予定裁判員を裁判員（補充裁判員を置くときは、補充裁判員を含む。）に選任されるべき順序を定めて選定する決定をしなければならない。

② 裁判所は、前項の規定により選任予定裁判員に選定された者以外の不選任の決定がされなかった裁判員候補者については、不選任の決定をするものとする。

第九二条①（**選任予定裁判員が不足する場合の措置**）裁判所は、前条第一項の規定により選定された選任予定裁判員の員数が選定すべき選任予定裁判員の員数に満たないときは、不足する員数の選任予定裁判員を選定することができる。

② 第二十六条（第一項を除く。）から第三十六条（第二項を除く。）まで及び前条の規定は、前項の規定による選任予定裁判員の選定について準用する。この場合において、第二十六条第二項中「前項の決定をした」とあるのは「不足する員数の選任予定裁判員を選定することとした」と、第二十七条第一項ただし書中「期日から」とあるのは「期日及び第九十七条第一項の規定により選任予定裁判員を裁判員に選任する決定がされると見込まれる日から」と、第三十五条第二項中「第三十七条第一項

又は第二項の規定により裁判員又は補充裁判員に選任する」とあるのは「第九十二条第二項において読み替えて準用する第九十一条第一項の規定により選任予定裁判員に選定する」と、第三十六条第一項中「四人（第二条第三項の決定があった場合は、三人）」とあるのは「選定すべき選任予定裁判員の員数が一人又は二人のときは一人、三人以上の奇数及びそれに続く偶数の員数のときは当該偶数の員数の二分の一の員数」と、前条第一項中「前条第一項の規定により裁判所が定めた」とあるのは「不足する」と読み替えるものとする。

第二款　選任予定裁判員の選定の取消し

（請求による選任予定裁判員の選定の取消し）

第九三条① 検察官、被告人又は弁護人は、裁判所に対し、次の各号のいずれかに該当することを理由として選任予定裁判員の選定の取消しを請求することができる。ただし、第二号に該当することを理由とする請求は、当該選任予定裁判員についてその選定の決定がされた後に知り、又は生じた原因を理由とするものに限る。

一　選任予定裁判員が、第十三条に規定する者に該当しないとき、第十四条の規定により裁判員となることができない者であるとき、又は第十五条第一項各号若しくは第二項各号若しくは第十七条各号に掲げる者に該当するとき。

二　選任予定裁判員が、不公平な裁判をするおそれがあるとき。

三　選任予定裁判員が、裁判員候補者であったときに、質問票に虚偽の記載をし、又は裁判員等選任手続における質問に対して正当な理由なく陳述を拒み、若しくは虚偽の陳述をしていたことが明らかとなり、裁判員又は補充裁判員の職務を行わせることが適当でないとき。

② 前項の請求を受けた裁判所は、同項各号のいずれかに該当すると認めるときは、当該選任予定裁判員の選定を取り消す決定をする。

③ 前項の決定又は第一項の請求を却下する決定をするには、最高裁判所規則で定めるところにより、あらかじめ、検察官及び被告人又は弁護人の意見を聴かなければならない。

④ 第二項の規定により選任予定裁判員の選定を取り消す決定をするには、当該選任予定裁判員に陳述の機会を与えなければならない。

⑤ 第一項の請求を却下する決定には、理由を付さなければならない。

（異議の申立て）

第九四条① 前条第一項の請求を却下する決定に対しては、当該決定に関与した裁判官の所属する地方裁判所に異議の申立てをすることができる。

② 前項の異議の申立てを受けた地方裁判所は、合議体で決定をしなければならない。

③ 第一項の異議の申立てに関しては、即時抗告に関する刑事訴訟法の規定を準用する。

（職権による選任予定裁判員の選定の取消し）

第九五条① 裁判所は、第九十三条第一項各号のいずれかに該当すると認めるときは、職権で、選任予定裁判員の選定を取り消す決定をする。

② 第九十三条第三項及び第四項の規定は、前項の規定による決定について準用する。

③ 裁判所は、次の各号に掲げるいずれかの事由が生じたことにより、選任予定裁判員をその選定に係る区分事件審判又は併合事件審判に係る職務を行う裁判員又は補充裁判員に選任する必要がなくなった場合には、職権で、当該選任予定裁判員の選定を取り消す決定をする。

一　第七十二条第一項の規定により区分審理決定が取り消されたとき。

二　第七十二条第二項の規定により区分審理決定が変更され、区分事件に含まれる被告事件の全部についての審判が他の区分事件審判又は併合事件審判として行われることとなったとき。

三　第一号に掲げる場合のほか、その職務を行うべき区分事件に含まれる被告事件の全部又は区分事件以外の被告事件の全部について刑事訴訟法第三百三十九条第一項の規定による公訴を棄却する決定がされたとき。

四　区分事件について第七十四条の決定がされたとき。

④ 裁判所は、前項に規定する場合のほか、選任予定裁判員をその選定に係る区分事件審判又は併合事件審判に係る職務を行う裁判員又は補充裁判員に選任する必要がなくなったと認めるときは、当該選任予定裁判員の選定を取り消す決定をすることができる。

（選任予定裁判員の申立てによる選定の取消し）

第九六条① 選任予定裁判員は、裁判所に対し、第十六条第八号に規定する事由（その選定がされた後に知り、又は生じた原因を理由とするものに限る。）により裁判員又は補充裁判員の職務を行うことが困難であることを理由として選定の取消しの申立てをすることができる。

② 裁判所は、前項の申立てを受けた場合において、その理由があると認めるときは、当該選任予定裁判員の選定を取り消す決定をしなければならない。

第三款　選任予定裁判員の裁判員等への選任

第九七条① 裁判所は、第八十四条の規定により区分事件審判に係る職務を行う裁判員及び補充裁判員の任務が終了したときは、第三十七条の規定にかかわらず、当該区分事件審判の次の区分事件審判又は併合事件審判に係る職務を行う裁判員又は補充裁判員に選任されるために選定されている選任予定裁判員で、指定する裁判員等選任手続の期日に出頭したものから、その選定において定められた順序に従い、当該職務を行う裁判員（補充裁判員を置くときは、補充裁判員を含む。第五項において同じ。）を選任する決定をするものとする。

② 裁判所は、前項に規定する選任予定裁判員を同項に規定する期日に呼び出さなければならない。

③ 前項の呼出しは、選任予定裁判員に通知して行う。

④ 裁判所は、第一項に規定する区分事件審判又は併合事件審判に係る職務を行う裁判員又は補充裁判員に選任されるために選定されている選任予定裁判員のうち、同項の規定により裁判員又は補充裁判員に選任された者以外の者については、選定を取り消す決定をしなければならない。

⑤ 第一項の規定により選任予定裁判員を裁判員に選任する場合における第二十七条の二、第二十九条第一項及び第二項並びに第三十八条第一項の規定の適用については、第二十七条の二中「前条第一項本文」とあるのは「第九十七条第二項」と、「第二十六条第三項の規定により選定された裁判員候補者」とあるのは「同条第一項に規定する選任予定裁判員」と、「前条第一項の」とあるのは「同条第二項の」と、第二十九条第一項及び第二項中「裁判員候補者」とあるのは「選任予定裁判員」と、第三十八条第一項中「前条第一項」とあるのは「第九十七条第一項」とする。

第四款　雑則

（公務所等に対する照会に関する規定の準用）

第九八条 第十二条第一項の規定は、選任予定裁判員についてその選定の取消しの判断のため必要がある場合について準用する。

（最高裁判所規則への委任）

第九九条 前三款に定めるもののほか、選任予定裁判員の選定及び裁判員又は補充裁判員への選任に関する手続に関し必要な事項は、最高裁判所規則で定める。

第六章　裁判員等の保護のための措置

（不利益取扱いの禁止）

第一〇〇条 労働者が裁判員の職務を行うために休暇を取得したことその他裁判員、補充裁判員、選任予定裁判員若しくは裁判員候補者であること又はこれらの者であったことを理由として、解雇その他不利益な取扱いをしてはならない。

（裁判員等を特定するに足りる情報の取扱い）

第一〇一条① 何人も、裁判員、補充裁判員、選任予定裁判員又は裁判員候補者若しくはその予定者の氏名、住所その他の個人を特定するに足りる情報を公にしてはならない。これらであった者の氏名、住所その他の個人を特定するに足りる情報についても、本人がこれを公にすることに同意している場合を除き、同様とする。

② 前項の規定の適用については、区分事件審判に係る職務を行う裁判員又は補充裁判員の職にあった者で第八十四条の規定によりその任務が終了したものは、すべての区分事件審判の後に行われる併合事件の全体についての裁判（以下「併合事件裁判」という。）がされるまでの間は、なお裁判員又は補充裁判員であるものとみなす。

（裁判員等に対する接触の規制）

第一〇二条① 何人も、被告事件に関し、当該被告事件を取り扱う裁判所に選任され、又は選定された裁判員若しくは補充裁判員又は選任予定裁判員に接触してはならない。

② 何人も、裁判員又は補充裁判員が職務上知り得た秘密を知る目的で、裁判員又は補充裁判員の職にあった者に接触してはならない。

③ 前二項の規定の適用については、区分事件審判に係る職務を行う裁判員又は補充裁判員の職にあった者で第八十四条の規定によりその任務が終了したものは、併合事件裁判がされるまでの間は、なお裁判員又は補充裁判員であるものとみなす。

第七章 雑則

（運用状況の公表）

第一〇三条 最高裁判所は、毎年、対象事件の取扱状況、裁判員及び補充裁判員の選任状況その他この法律の実施状況に関する資料を公表するものとする。

（指定都市の区及び総合区に対するこの法律の適用）

第一〇四条 地方自治法（昭和二十二年法律第六十七号）第二百五十二条の十九第一項の指定都市においては、第二十条第一項並びに第二十一条第一項及び第二項、第二十二条並びに第二十三条第四項（これらの規定を第二十四条第二項において準用する場合を含む。）並びに第二十四条第一項の規定中市に関する規定は、区及び総合区にこれを適用する。

（事務の区分）

第一〇五条 第二十一条第一項及び第二項、第二十二条並びに第二十三条第四項（これらの規定を第二十四条第二項において準用する場合を含む。）の規定により市町村が処理することとされている事務は、地方自治法第二条第九項第一号に規定する第一号法定受託事務とする。

第八章 罰則

（裁判員等に対する請託罪等）

第一〇六条① 法令の定める手続により行う場合を除き、裁判員又は補充裁判員に対し、その職務に関し、請託をした者は、二年以下の拘禁刑又は二十万円以下の罰金に処する。

② 法令の定める手続により行う場合を除き、被告事件の審判に影響を及ぼす目的で、裁判員又は補充裁判員に対し、事実の認定、刑の量定その他の裁判員として行う判断について意見を述べ又はこれについての情報を提供した者も、前項と同様とする。

③ 選任予定裁判員に対し、裁判員又は補充裁判員として行うべき職務に関し、請託をした者も、第一項と同様とする。

④ 被告事件の審判に影響を及ぼす目的で、選任予定裁判員に対し、事実の認定その他の裁判員として行うべき判断について意見を述べ又はこれについての情報を提供した者も、第一項と同様とする。

（裁判員等に対する威迫罪）

第一〇七条① 被告事件に関し、当該被告事件の審判に係る職務を行う裁判員若しくは補充裁判員若しくはこれらの職にあった者又はその親族に対し、面会、文書の送付、電話をかけることその他のいかなる方法をもってするかを問わず、威迫の行為をした者は、二年以下の拘禁刑又は二十万円以下の罰金に処する。

② 被告事件に関し、当該被告事件の審判に係る職務を行う裁判員若しくは補充裁判員の選任のために選定された裁判員候補者若しくは当該裁判員若しくは補充裁判員の職務を行うべき選任予定裁判員又はその親族に対し、面会、文書の送付、電話をかけることその他のいかなる方法をもってするかを問わず、威迫の行為をした者も、前項と同様とする。

（裁判員等による秘密漏示罪）

第一〇八条① 裁判員又は補充裁判員が、評議の秘密その他の職務上知り得た秘密を漏らしたときは、六月以下の拘禁刑又は五十万円以下の罰金に処する。

② 裁判員又は補充裁判員の職にあった者が次の各号のいずれかに該当するときも、前項と同様とする。

一 職務上知り得た秘密（評議の秘密を除く。）を漏らしたとき。

二 評議の秘密のうち構成裁判官及び裁判員が行う評議又は構成裁判官のみが行う評議であって裁判員の傍聴が許されたもののそれぞれの裁判官若しくは裁判員の意見又はその多少の数を漏らしたとき。

三 財産上の利益その他の利益を得る目的で、評議の秘密（前号に規定するものを除く。）を漏らしたとき。

③ 前項第三号の場合を除き、裁判員又は補充裁判員の職にあった者が、評議の秘密（同項第二号に規定するものを除く。）を漏らしたときは、五十万円以下の罰金に処する。

④ 前三項の規定の適用については、区分事件審判に係る職務を行う裁判員又は補充裁判員の職にあった者で第八十四条の規定によりその任務が終了したものは、併合事件裁判がされるまでの間は、なお裁判員又は補充裁判員であるものとみなす。

⑤ 裁判員又は補充裁判員が、構成裁判官又は現にその被告事件の審判に係る職務を行う他の裁判員若しくは補充裁判員以外の者に対し、当該被告事件において認定すべきであると考える事実若しくは量定すべきであると考える刑を述べたとき、又は当該被告事件において裁判所により認定されると考える事実若しくは量定されると考える刑を述べたときも、第一項と同様とする。

⑥ 裁判員又は補充裁判員の職にあった者が、その職務に係る被告事件の審判における判決（少年法第五十五条の決定を含む。以下この項において同じ。）に関与した構成裁判官であった者又は他の裁判員若しくは補充裁判員の職にあった者以外の者に対し、当該判決において示された事実の認定又は刑の量定の当否を述べたときも、第一項と同様とする。

⑦ 区分事件審判に係る職務を行う裁判員又は補充裁判員の職にあった者で第八十四条の規定によりその任務が終了したものが、併合事件裁判がされるまでの間に、当該区分事件審判における部分判決に関与した構成裁判官であった者又は他の裁判員若しくは補充裁判員の職にあった者以外の者に対し、併合事件審判において認定すべきであると考える事実（当該区分事件以外の被告事件に係るものを除く。）若しくは量定すべきであると考える刑を述べたとき、又は併合事件審判において裁判所により認定されると考える事実（当該区分事件以外の被告事件に係るものを除く。）若しくは量定されると考える刑を述べたときも、第一項と同様とする。

（裁判員の氏名等漏示罪）

第一〇九条 検察官若しくは弁護人若しくはこれらの職にあった者又は被告人若しくは被告人であった者が、正当な理由がなく、被告事件の裁判員候補者の氏名、裁判員候補者が第三十条

（第三十八条第二項（第四十六条第二項において準用する場合を含む。）、第四十七条第二項及び第九十二条第二項において準用する場合を含む。次条において同じ。）に規定する質問票に記載した内容又は裁判員等選任手続における裁判員候補者の陳述の内容を漏らしたときは、一年以下の拘禁刑又は五十万円以下の罰金に処する。

（裁判員候補者による虚偽記載罪等）
第一一〇条 裁判員候補者が、第三十条に規定する質問票に虚偽の記載をして裁判所に提出し、又は裁判員等選任手続における質問に対して虚偽の陳述をしたときは、五十万円以下の罰金に処する。

（裁判員候補者の虚偽記載等に対する過料）
第一一一条 裁判員候補者が、第三十条第三項又は第三十四条第三項（これらの規定を第三十八条第二項（第四十六条第二項において準用する場合を含む。）、第四十七条第二項及び第九十二条第二項において準用する場合を含む。）の規定に違反して、質問票に虚偽の記載をし、又は裁判員等選任手続における質問に対して正当な理由なく陳述を拒み、若しくは虚偽の陳述をしたときは、裁判所は、決定で、三十万円以下の過料に処する。

（裁判員候補者の不出頭等に対する過料）
第一一二条 次の各号のいずれかに当たる場合には、裁判所は、決定で、十万円以下の過料に処する。
一 呼出しを受けた裁判員候補者が、第二十九条第一項（第三十八条第二項（第四十六条第二項において準用する場合を含む。）、第四十七条第二項及び第九十二条第二項において準用する場合を含む。）の規定に違反して、正当な理由がなく出頭しないとき。
二 呼出しを受けた選任予定裁判員が、第九十七条第五項の規定により読み替えて適用する第二十九条第一項の規定に違反して、正当な理由がなく出頭しないとき。
三 裁判員又は補充裁判員が、正当な理由がなく第三十九条第二項の宣誓を拒んだとき。
四 裁判員又は補充裁判員が、第五十二条の規定に違反して、正当な理由がなく、公判期日又は公判準備において裁判所がする証人その他の者の尋問若しくは検証の日時及び場所に出頭しないとき。
五 裁判員が、第六十三条第一項（第七十八条第五項において準用する場合を含む。）の規定に違反して、正当な理由がなく、公判期日に出頭しないとき。

（即時抗告）
第一一三条 前二条の決定に対しては、即時抗告をすることができる。

附 則（抄）

（施行期日）
第一条 この法律は、公布の日から起算して五年を超えない範囲内において政令で定める日（平成二一・五・二一。ただし、第一二条第二項の規定は、平成二〇・七・一五—平成二〇政一四一）から施行する。ただし、次の各号に掲げる規定は、当該各号に定める日から施行する。
一 （略）
二 第二十条から第二十三条まで、第二十五条、第百条、第百一条、第百四条、第百五条（中略）の規定 公布の日から起算して四年六月を超えない範囲内において政令で定める日（平成二〇・七・一五—平成二〇政一四一）
三 第十七条第九号の規定（審査補助員に係る部分に限る。） 刑事訴訟法等の一部を改正する法律（平成十六年法律第六十二号）附則第一条第二号に定める日又はこの法律の施行の日のいずれか遅い日（平成二一・五・二一）
四 第七十七条第三項から第五項までの規定 犯罪被害者等の権利利益の保護を図るための刑事訴訟法等の一部を改正する法律（平成十九年法律第九十五号）の施行の日又はこの法律の施行の日のいずれか遅い日（平成二一・五・二一）

刑法等の一部を改正する法律の施行に伴う関係法律整理法中経過規定
（令和四・六・一七法六八）（抄）

第四四一条から第四四三条まで （刑法の同経過規定参照）

（裁判員の参加する刑事裁判に関する法律の一部改正に伴う経過措置）
第四九四条① 刑法等一部改正法等（刑法等の一部を改正する法律（令和四法六七）及び刑法等の一部を改正する法律の施行に伴う関係法律の整理等に関する法律（令和四法六八））の施行前にした行為に係る第五十七条の規定による改正後の裁判員の参加する刑事裁判に関する法律（次項において「新裁判員法」という。）第二条第一項（第一号に係る部分に限る。）の規定の適用については、無期の懲役又は禁錮に当たる罪に係る事件は、それぞれ無期拘禁刑に当たる罪に係る事件とみなす。
② 刑法等一部改正法等の施行前にした行為に係る新裁判員法第十五条第二項（第一号に係る部分に限る。）の規定の適用については、懲役又は禁錮に当たる罪につき起訴された者は、それぞれ拘禁刑に当たる罪につき起訴された者とみなす。

第五〇九条 （刑法の同経過規定参照）

刑法等の一部を改正する法律の施行に伴う関係法律整理法

附 則（令和四・六・一七法六八）（抄）

（施行期日）
① この法律は、刑法等一部改正法（刑法等の一部を改正する法律（令和四法六七））施行日（令和七・六・一）から施行する。ただし、次の各号に掲げる規定は、当該各号に定める日から施行する。
一 第五百九条の規定 公布の日
二 （略）

附 則（令和五・五・一七法二八）（抄）

（施行期日）
第一条 この法律は、公布の日から起算して五年を超えない範囲内において政令で定める日から施行する。ただし、次の各号に掲げる規定は、当該各号に定める日から施行する。
一・二 （略）
三 （前略）附則第二十六条中裁判員の参加する刑事裁判に関する法律（平成十六年法律第六十三号）第六十四条第一項の表第四十三条第四項、第六十九条、第七十六条第三項、第八十五条、第百八条第三項、第百二十五条第一項、第百六十三条第一項、第百六十九条、第二百九十七条第二項、第三百十六条の十一の項の改正規定（「第二百七十八条の二第二項」を「第二百七十八条の三第二項」に改める部分に限る。）（中略） 公布の日から起算して六月を超えない範囲内において政令で定める日（令和五・一一・一五—令和五政三三〇）
四 （前略）附則第二十六条中裁判員の参加する刑事裁判に関する法律第六十四条第一項の表第四十三条第四項、第六十九条、第七十六条第三項、第八十五条、第百八条第三項、第百二十五条第一項、第百六十三条第一項、第百六十九条、第二百七十八条の二第二項、第二百九十七条第二項、第三百十六条の十一の項の改正規定（「第百六十九条」の下に「、第二百七十一条の八第一項及び第四項」を加える部分に限る。）（中略） 公布の日から起算して九月を超えない範囲内において政令で定める日（令和六・二・一五—令和五政三三〇）
五 （略）
六 （前略）附則第二十六条中裁判員の参加する刑事裁判に関する法律第八十三条第三項の改正規定（中略） 公布の日から起算して二年を超えない範囲内において政令で定める日
七—十一 （略）

附 則（令和六・五・一七法二四）（抄）

（施行期日）
第一条 この法律は、令和七年三月三十一日までの間において政令で定める日から施行する。（後略）

○検察庁法（抄）（昭和二二・四・一六 法　六一）

施行　昭和二二・五・三（附則参照）
最終改正　令和四法六八

第一条【定義、種類】① 検察庁は、検察官の行う事務を統括するところとする。
② 検察庁は、最高検察庁、高等検察庁、地方検察庁及び区検察庁とする。
第二条【裁判所との対応、名称・位置】① 最高検察庁は、最高裁判所に、高等検察庁は、各高等裁判所に、地方検察庁は、各地方裁判所に、区検察庁は、各簡易裁判所に、それぞれ対応してこれを置く。
② 地方検察庁は、各家庭裁判所にも、それぞれ対応するものとする。
③ 最高検察庁の位置並びに最高検察庁以外の検察庁の名称及び位置は、政令でこれを定める。
④ 法務大臣は、必要と認めるときは、高等裁判所、地方裁判所又は家庭裁判所の支部にそれぞれ対応して高等検察庁又は地方検察庁の支部を設け、当該検察庁の事務の一部を取り扱わせることができる。
第三条【検察官の種類】検察官は、検事総長、次長検事、検事長、検事及び副検事とする。
第四条【検察官の職務】検察官は、刑事について、公訴を行い、裁判所に法の正当な適用を請求し、且つ、裁判の執行を監督し、又、裁判所の権限に属するその他の事項についても職務上必要と認めるときは、裁判所に、通知を求め、又は意見を述べ、又、公益の代表者として他の法令がその権限に属させた事務を行う。
第五条【検察官の所属・管轄】検察官は、いずれかの検察庁に属し、他の法令に特別の定のある場合を除いて、その属する検察庁の対応する裁判所の管轄区域内において、その裁判所の管轄に属する事項について前条に規定する職務を行う。
第六条【犯罪の捜査】① 検察官は、いかなる犯罪についても捜査をすることができる。
② 検察官と他の法令により捜査の職権を有する者との関係は、刑事訴訟法の定めるところによる。
第七条【検事総長、次長検事】① 検事総長は、最高検察庁の長として、庁務を掌理し、且つ、すべての検察庁の職員を指揮監督する。
② 次長検事は、最高検察庁に属し、検事総長を補佐し、又、検事総長に事故のあるとき、又は検事総長が欠けたときは、その職務を行う。
第八条【検事長】検事長は、高等検察庁の長として、庁務を掌理し、且つ、その庁並びにその庁の対応する裁判所の管轄区域内に在る地方検察庁及び区検察庁の職員を指揮監督する。
第九条【検事正】① 各地方検察庁に検事正各一人を置き、一級の検事をもつて充てる。
② 法務大臣は、検事正の職を占める検事が年齢六十三年に達したときは、年齢が六十三年に達した日の翌日に他の職に補するものとする。
③ 法務大臣は、年齢が六十三年に達した検事を検事正の職に補することができない。
④ 検事正は、庁務を掌理し、かつ、その庁及びその庁の対応する裁判所の管轄区域内に在る区検察庁の職員を指揮監督する。
第一〇条【上席検察官】① 二人以上の検事又は検事及び副検事の属する各区検察庁に上席検察官各一人を置き、検事をもつて充てる。
② 前条第二項及び第三項の規定は、上席検察官について準用する。
③ 上席検察官の置かれた各区検察庁においては、その庁の上席検察官が、その他の各区検察庁においてはその庁に属する検事又は副検事（副検事が二人以上あるときは、検事正の指定する副検事）が庁務を掌理し、かつ、その庁の職員を指揮監督する。
第一一条【事務委任権】検事総長、検事長又は検事正は、その指揮監督する検察官に、第七条第一項、第八条又は第九条第四項に規定する事務の一部を取り扱わせることができる。
第一二条【事務引取移転権】検事総長、検事長又は検事正は、その指揮監督する検察官の事務を、自ら取り扱い、又はその指揮監督する他の検察官に取り扱わせることができる。
第一三条【臨時職務代行】① 検事総長及び次長検事、検事長若しくは検事正に事故のあるとき、又は検事総長及び次長検事、検事長若しくは検事正が欠けたときは、その庁の他の検察官が、法務大臣の定める順序により、臨時に検事総長、検事長又は検事正の職務を行う。
② 区検察庁の庁務を掌理する検察官に事故のあるとき、又はその検察官が欠けたときは、検事正の指定する他の検察官が、臨時にその職務を行う。
第一四条【法務大臣の指揮監督】法務大臣は、第四条及び第六条に規定する検察官の事務に関し、検察官を一般に指揮監督することができる。但し、個々の事件の取調又は処分については、検事総長のみを指揮することができる。
第一五条【検察官の等級】① 検事総長、次長検事及び各検事長は一級とし、その任免は、内閣が行い、天皇が、これを認証する。
② 検事は、一級又は二級とし、副検事は、二級とする。
第一六条【補職】① 検事長、検事及び副検事の職は、法務大臣が、これを補する。
② 副検事は、区検察庁の検察官の職のみにこれを補するものとする。
第一七条【支部勤務命令】（略）
第一八条【二級検察官の任命叙級資格】（略）
第一九条【一級検察官の任命叙級資格】（略）
第二〇条【任命の欠格事由】① 他の法律の定めるところにより一般の官吏に任命されることができない者のほか、次の各号のいずれかに該当する者は、検察官に任命することができない。
一　拘禁刑以上の刑に処せられた者
二　弾劾裁判所の罷免の裁判を受けた者
② 前項の規定により検察官に任命することができない者のほか、年齢が六十三年に達した者は、次長検事又は検事長に任命することができない。
第二〇条の二【国家公務員法の特例】検察官については、国家公務員法（昭和二十二年法律第百二十号）第六十条の二の規定は、適用しない。
第二一条【俸給】検察官の受ける俸給については、別に法律でこれを定める。
第二二条【定年】① 検察官は、年齢が六十五年に達した時に退官する。
② 検察官については、国家公務員法第八十一条の七の規定は、適用しない。
③ 法務大臣は、次長検事及び検事長が年齢六十三年に達したときは、年齢が六十三年に達した日の翌日に検事に任命するものとする。
第二三条【適格審査会と罷免】① 検察官が心身の故障、職務上の非能率その他の事由に因りその職務を執るに適しないときは、検事総長、次長検事及び検事長については、検察官適格審査会の議決及び法務大臣の勧告を経て、検事及び副検事については、検察官適格審査会の議決を経て、その官を免ずることができる。
② 検察官は、左の場合に、その適格に関し、検察官適格審査会の審査に付される。
一　すべての検察官について三年ごとに定時審査を行う場合
二　法務大臣の請求により各検察官について随時審査を行う場

三　合議で各検察官について随時審査を行う場合

③　検察官適格審査会は、検察官が心身の故障、職務上の非能率その他の事由に因りその職務を執るに適しないかどうかを審査し、その議決を法務大臣に通知しなければならない。法務大臣は、検察官適格審査会から検察官がその職務を執るに適しない旨の議決の通知のあつた場合において、その議決を相当と認めるときは、検事総長、次長検事及び検事長については、当該検察官の罷免の勧告を行い、検事及び副検事については、これを罷免しなければならない。

④　検察官適格審査会は、法務省に置かれるものとし、国会議員、裁判官、弁護士、日本学士院会員及び学識経験者の中から選任された十一人の委員をもつてこれを組織する。ただし、委員となる国会議員は、衆議院議員四人及び参議院議員二人とし、それぞれ衆議院及び参議院においてこれを選出する。

⑤―⑧　(略)

第二四条【剰員】(略)

第二五条【身分保障】検察官は、前三条の場合を除いては、その意思に反して、その官を失い、職務を停止され、又は俸給を減額されることはない。但し、懲戒処分による場合は、この限りでない。

第二六条【検事総長秘書官】(略)

第二七条【検察事務官】①　検察庁に検察事務官を置く。

②　検察事務官は、二級又は三級とする。

③　検察事務官は、上官の命を受けて検察庁の事務を掌り、又、検察官を補佐し、又はその指揮を受けて捜査を行う。

第二八条【検察技官】①　検察庁に検察技官を置く。

②　検察技官は、二級又は三級とする。

③　検察技官は、検察官の指揮を受けて技術を掌る。

第二九条【職員の相互補助】(略)

第三〇条【事務章程】(略)

第三一条【本法と国家公務員法との関係】第十五条、第十八条から第二十条の二まで及び第二十二条から第二十五条まで並びに附則第三条及び第四条の規定は、国家公務員法附則第四条の規定により、検察官の職務と責任の特殊性に基づいて、同法の特例を定めたものとする。

附　則(抄)

第一条　この法律は、日本国憲法施行の日(昭和二二・五・三)から、これを施行する。

刑法等の一部を改正する法律の施行に伴う関係法律整理法中経過規定

(令和四・六・一七法六八)(抄)

第四四一条から第四四三条まで　(刑法の同経過規定参照)

第五〇九条　(刑法の同経過規定参照)

刑法等の一部を改正する法律の施行に伴う関係法律整理法

附　則(令和四・六・一七法六八)(抄)

(施行期日)

①　この法律は、刑法等一部改正法(刑法等の一部を改正する法律(令和四法六七))施行日(令和七・六・一)から施行する。ただし、次の各号に掲げる規定は、当該各号に定める日から施行する。

一　第五百九条の規定　公布の日

二　(略)

＊検察審査会法（抜粋）（昭和二三・七・一二 法 一 四 七）

最終改正 令和四法六八

第一章 総則（抄）

第一条【審査会の設置】① 公訴権の実行に関し民意を反映させてその適正を図るため、政令で定める地方裁判所及び地方裁判所支部の所在地に検察審査会を置く。ただし、各地方裁判所の管轄区域内に少なくともその一を置かなければならない。
② （略）

第二条【所掌事項】① 検察審査会は、左の事項を掌る。
一 検察官の公訴を提起しない処分の当否の審査に関する事項
二 検察事務の改善に関する建議又は勧告に関する事項
② 検察審査会は、告訴若しくは告発をした者、請求を待つて受理すべき事件についての請求をした者又は犯罪により害を被つた者（犯罪により害を被つた者が死亡した場合においては、その配偶者、直系の親族又は兄弟姉妹）の申立てがあるときは、前項第一号の審査を行わなければならない。
③ 検察審査会は、その過半数による議決があるときは、自ら知り得た資料に基き職権で第一項第一号の審査を行うことができる。

第三条【職権の独立】 検察審査会は、独立してその職権を行う。

第四条（略）

第五章 審査申立て

第三〇条【審査申立権者】 第二条第二項に掲げる者は、検察官の公訴を提起しない処分に不服があるときは、その検察官の属する検察庁の所在地を管轄する検察審査会にその処分の当否の審査の申立てをすることができる。ただし、裁判所法第十六条第四号に規定する事件並びに私的独占の禁止及び公正取引の確保に関する法律の規定に違反する罪に係る事件については、この限りでない。

第三一条【申立ての方法】 審査の申立ては、書面により、且つ申立の理由を明示しなければならない。

第三二条【一事不再理】 検察官の公訴を提起しない処分の当否に関し検察審査会議の議決があつたときは、同一事件について更に審査の申立をすることはできない。

第六章 審査手続（抄）

第三三条【審査順】① 申立による審査の順序は、審査申立の順序による。但し、検察審査会長は、特に緊急を要するものと認めるときは、その順序を変更することができる。
② 職権による審査の順序は、検察審査会長が、これを定める。

第三四条【除斥事由の調査】① 検察審査会長は、検察審査員に対し被疑者の氏名、職業及び住居を告げ、その職務の執行から除斥される理由があるかないかを問わなければならない。
② 検察審査員は、除斥の理由があるとするときは、その旨の申立をしなければならない。
③ 除斥の理由があるとするときは、検察審査会議は、除斥の議決をしなければならない。

第三五条【検察官の協力義務】 検察官は、検察審査会の要求があるときは、審査に必要な資料を提出し、又は会議に出席して意見を述べなければならない。

第三五条の二【合意内容書面等の提出】① 前条に定めるもののほか、検察審査会が審査を行う場合においては、検察官は、当該審査に係る事件について被疑者との間でした刑事訴訟法（昭和二十三年法律第百三十一号）第三百五十条の二第一項の合意があるときは、同法第三百五十条の三第二項の書面を検察審査会に提出しなければならない。
② 前項の規定により当該書面を検察審査会に提出した後、検察審査会が検察官の公訴を提起しない処分の当否について議決をする前に、当該合意の当事者が刑事訴訟法第三百五十条の十第二項の規定により当該合意から離脱する旨の告知をしたときは、検察官は、遅滞なく、同項の書面を検察審査会に提出しなければならない。

第三六条【照会権】 検察審査会は、公務所又は公私の団体に照会して必要な事項の報告を求めることができる。

第三七条【証人尋問】① 検察審査会は、審査申立人及び証人を呼び出し、これを尋問することができる。
② 検察審査会は、証人がその呼出に応じないときは、当該検察審査会の所在地を管轄する簡易裁判所に対し、証人の召喚を請求することができる。
③ 前項の請求があつたときは、裁判所は、召喚状を発しなければならない。
④ 前項の召喚については、刑事訴訟法の規定を準用する。

第三八条【助言の徴取】 検察審査会は、相当と認める者の出頭を求め、法律その他の事項に関し専門的助言を徴することができる。

第三八条の二【審査申立人の意見書等の提出】 審査申立人は、検察審査会に意見書又は資料を提出することができる。

第三九条（略）

第三九条の二【審査補助員の委嘱、職務】① 検察審査会は、審査を行うに当たり、法律に関する専門的な知見を補う必要があると認めるときは、弁護士の中から事件ごとに審査補助員を委嘱することができる。
② 審査補助員の数は、一人とする。
③ 審査補助員は、検察審査会議において、検察審査会長の指揮監督を受けて、法律に関する学識経験に基づき、次に掲げる職務を行う。
一 当該事件に関係する法令及びその解釈を説明すること。
二 当該事件の事実上及び法律上の問題点を整理し、並びに当該問題点に関する証拠を整理すること。
三 当該事件の審査に関して法的見地から必要な助言を行うこと。
④ 検察審査会は、前項の職務を行つた審査補助員に第四十条の規定による議決書の作成を補助させることができる。
⑤ 審査補助員は、その職務を行うに当たつては、検察審査会が公訴権の実行に関し民意を反映させてその適正を図るため置かれたものであることを踏まえ、その自主的な判断を妨げるような言動をしてはならない。

第三九条の三及び第三九条の四（略）

第三九条の五【議決】① 検察審査会は、検察官の公訴を提起しない処分の当否に関し、次の各号に掲げる場合には、当該各号に定める議決をするものとする。
一 起訴を相当と認めるとき 起訴を相当とする議決
二 前号に掲げる場合を除き、公訴を提起しない処分を不当と認めるとき 公訴を提起しない処分を不当とする議決
三 公訴を提起しない処分を相当と認めるとき 公訴を提起しない処分を相当とする議決
② 前項第一号の議決をするには、第二十七条の規定にかかわらず、検察審査員八人以上の多数によらなければならない。

第四〇条【議決書の作成及び公表】 検察審査会は、審査の結果議決をしたときは、理由を附した議決書を作成し、その謄本を当該検察官を指揮監督する検事正及び検察官適格審査会に送付し、且つ、その議決後七日間当該検察審査会事務局の掲示場に議決の要旨を掲示し、第三十条の規定による申立てをした者があるときは、その申立てにかかる事件についての議決の要旨をこれに通知しなければならない。

第四一条【検察官の処分義務】① 検察審査会が第三十九条の五第一項第一号の議決をした場合において、前条の議決書の謄本の送付があつたときは、検察官は、速やかに、当該議決書を参考にして、公訴を提起すべきか否かを検討した上、当該議決に係る事件について公訴を提起し、又はこれを提起しない処分をし

なければならない。

② 検察審査会が第三十九条の五第一項第二号の議決をした場合において、前条の議決書の謄本の送付があつたときは、検察官は、速やかに、当該議決を参考にして、当該公訴を提起しない処分の当否を検討した上、当該議決に係る事件について公訴を提起し、又はこれを提起しない処分をしなければならない。

③ 検察官は、前二項の処分をしたときは、直ちに、前二項の検察審査会にその旨を通知しなければならない。

第四一条の二【再度の不起訴処分の審査】 ① 第三十九条の五第一項第一号の議決をした検察審査会は、検察官から前条第三項の規定による公訴を提起しない処分をした旨の通知を受けたときは、当該処分の当否の審査を行わなければならない。ただし、次項の規定による審査が行われたときは、この限りでない。

② 第三十九条の五第一項第一号の議決をした検察審査会は、第四十条の規定により当該議決に係る議決書の謄本の送付をした日から三月（検察官が当該検察審査会に対し三月を超えない範囲で延長を必要とする期間及びその理由を通知したときは、その期間を加えた期間）以内に前条第三項の規定による通知がなかつたときは、その期間が経過した時に、当該議決があつた公訴を提起しない処分と同一の処分があつたものとみなして、当該処分の当否の審査を行わなければならない。ただし、審査の結果議決をする前に、検察官から同項の規定による公訴を提起しない処分をした旨の通知を受けたときは、当該処分の当否の審査を行わなければならない。

第四一条の三【審査の打切り】 検察審査会は、前条の規定による審査を行う場合において、同条に規定する議決が第二条第二項に掲げる者の申立てによる審査に係るものであつて、その申立てをした者（その者が二人以上であるときは、そのすべての者）が、検察審査会に対し、検察官が公訴を提起しないことに不服がない旨の申告をしたときは、当該審査を終了させることができる。

第四一条の四【審査補助員の必要的委嘱】 検察審査会は、第四十一条の二の規定による審査を行うに当たつては、審査補助員を委嘱し、法律に関する専門的な知見をも踏まえつつ、その審査を行わなければならない。

第四一条の五【再審査の条件】 検察審査会は、第四十一条第一項の公訴を提起しない処分については、第四十一条の二の規定による場合に限り、その当否の審査を行うことができる。

第四一条の六【起訴議決】 ① 検察審査会は、第四十一条の二の規定による審査を行つた場合において、起訴を相当と認めるときは、第三十九条の五第一項第一号の規定にかかわらず、起訴をすべき旨の議決（以下「起訴議決」という。）をするものとする。起訴議決をするには、第二十七条の規定にかかわらず、検察審査員八人以上の多数によらなければならない。

② 検察審査会は、起訴議決をするときは、あらかじめ、検察官に対し、検察審査会議に出席して意見を述べる機会を与えなければならない。

③ 検察審査会は、第四十一条の二の規定による審査を行つた場合において、公訴を提起しない処分の当否について起訴議決をするに至らなかつたときは、第三十九条の五第一項の規定にかかわらず、その旨の議決をしなければならない。

第四一条の七【議決書の作成及び送付】 ① 検察審査会は、起訴議決をしたときは、議決書に、その認定した犯罪事実を記載しなければならない。この場合において、検察審査会は、できる限り日時、場所及び方法をもつて犯罪を構成する事実を特定しなければならない。

② 検察審査会は、審査補助員に前項の議決書の作成を補助させなければならない。

③ 検察審査会は、第一項の議決書を作成したときは、第四十条に規定する措置をとるほか、その議決書の謄本を当該検察審査会の所在地を管轄する地方裁判所に送付しなければならない。ただし、適当と認めるときは、起訴議決に係る事件の犯罪地又は被疑者の住所、居所若しくは現在地を管轄するその他の地方裁判所に送付することができる。

第四一条の八【審査申立ての制限】 検察官が同一の被疑事件について前にした公訴を提起しない処分と同一の理由により第四十一条の二第二項の公訴を提起しない処分をしたときは、第二条第二項に掲げる者は、その処分の当否の審査の申立てをすることができない。

第七章　起訴議決に基づく公訴の提起等（抄）

第四一条の九【指定弁護士】 ① 第四十一条の七第三項の規定による議決書の謄本の送付があつたときは、裁判所は、起訴議決に係る事件について公訴の提起及びその維持に当たる者を弁護士の中から指定しなければならない。

②―⑥（略）

第四一条の一〇【公訴の提起】 ① 指定弁護士は、速やかに、起訴議決に係る事件について公訴を提起しなければならない。ただし、次の各号のいずれかに該当するときは、この限りでない。

一　被疑者が死亡し、又は被疑者たる法人が存続しなくなつたとき。

二　当該事件について、既に公訴が提起されその被告事件が裁判所に係属するとき、確定判決（刑事訴訟法第三百二十九条及び第三百三十八条の判決を除く。）を経たとき、刑が廃止されたとき又はその罪について大赦があつたとき。

三　起訴議決後に生じた事由により、当該事件について公訴を提起したときは刑事訴訟法第三百三十七条第四号又は第三百三十八条第一号若しくは第四号に掲げる場合に該当することとなることが明らかであるとき。

② 指定弁護士は、前項ただし書の規定により公訴を提起しないときは、速やかに、前条第一項の裁判所に同項の指定の取消しを申し立てなければならない。この場合において、当該裁判所は、前項ただし書各号に掲げる事由のいずれかがあると認めるときは、その指定を取り消すものとする。

③ 前項の裁判所は、同項の規定により指定を取り消したときは、起訴議決をした検察審査会にその旨を通知しなければならない。

第四一条の一一及び第四一条の一二（略）

○弁護士法（抄）（昭和二四・六・一〇 法 二〇五）

施行 昭和二四・九・一（附則）
最終改正 令和五法五三

目次

第一章 弁護士の使命及び職務

（弁護士の使命）
第一条① 弁護士は、基本的人権を擁護し、社会正義を実現することを使命とする。
② 弁護士は、前項の使命に基き、誠実にその職務を行い、社会秩序の維持及び法律制度の改善に努力しなければならない。

（弁護士の職責の根本基準）
第二条 弁護士は、常に、深い教養の保持と高い品性の陶やに努め、法令及び法律事務に精通しなければならない。

（弁護士の職務）
第三条① 弁護士は、当事者その他関係人の依頼又は官公署の委嘱によつて、訴訟事件、非訟事件及び審査請求、再調査の請求、再審査請求等行政庁に対する不服申立事件に関する行為その他一般の法律事務を行うことを職務とする。
② 弁護士は、当然、弁理士及び税理士の事務を行うことができる。

第二章 弁護士の資格（抄）

（弁護士の資格）
第四条 司法修習生の修習を終えた者は、弁護士となる資格を有する。

（法務大臣の認定を受けた者についての弁護士の資格の特例）
第五条 法務大臣が、次の各号のいずれかに該当し、その後に弁護士業務について法務省令で定める法人が実施する研修であつて法務大臣が指定するものの課程を修了したと認定した者は、前条の規定にかかわらず、弁護士となる資格を有する。
一 司法修習生となる資格を得た後に簡易裁判所判事、検察官、裁判所調査官、裁判所事務官、法務事務官、司法研修所、裁判所職員総合研修所若しくは法務省設置法（平成十一年法律第九十三号）第四条第一項第三十五号若しくは第三十七号の事務をつかさどる機関で政令で定めるものの教官、衆議院若しくは参議院の議員若しくは法制局参事、内閣法制局参事官又は学校教育法（昭和二十二年法律第二十六号）による大学で法律学を研究する大学院の置かれているものの法律学を研究する学部、専攻科若しくは大学院における法律学の教授若しくは准教授の職に在つた期間が通算して五年以上になること。
二 司法修習生となる資格を得た後に自らの法律に関する専門的知識に基づいて次に掲げる事務のいずれかを処理する職務に従事した期間が通算して七年以上になること。
イ 企業その他の事業者（国及び地方公共団体を除く。）の役員、代理人又は使用人その他の従業者として行う当該事業者の事業に係る事務であつて、次に掲げるもの（第七十二条の規定に違反しないで行われるものに限る。）
(1) 契約書案その他の事業活動において当該事業者の権利義務についての法的な検討の結果に基づいて作成することを要する書面の作成
(2) 裁判手続等（裁判手続及び法務省令で定めるこれに類する手続をいう。以下同じ。）のための事実関係の確認又は証拠の収集
(3) 裁判手続等において提出する訴状、申立書、答弁書、準備書面その他の当該事業者の主張を記載した書面の案の作成
(4) 裁判手続等の期日における主張若しくは意見の陳述又は尋問
(5) 民事上の紛争の解決のための和解の交渉又はそのために必要な事実関係の確認若しくは証拠の収集
ロ 公務員として行う国又は地方公共団体の事務であつて、次に掲げるもの
(1) 法令（条例を含む。）の立案、条約その他の国際約束の締結に関する事務又は条例の制定若しくは改廃に関する議案の審査若しくは審議
(2) イ(2)から(5)までに掲げる事務
(3) 法務省令で定める審判その他の裁判に類する手続における審理又は審決、決定その他の判断に係る事務であつて法務省令で定める者が行うもの
三 検察庁法（昭和二十二年法律第六十一号）第十八条第三項に規定する考試を経た後に検察官（副検事を除く。）の職に在つた期間が通算して五年以上になること。
四 前三号に掲げるもののほか、次のイ又はロに掲げる期間（これらの期間のうち、第一号に規定する職に在つた期間及び第二号に規定する職務に従事した期間については司法修習生となる資格を得た後のものに限り、前号に規定する職に在つた期間については検察庁法第十八条第三項に規定する考試を経た後のものに限る。）が、当該イ又はロに定める年数以上になること。
イ 第一号及び前号に規定する職に在つた期間を通算した期間　五年
ロ 第二号に規定する職務に従事した期間に第一号及び前号に規定する職に在つた期間を通算した期間　七年

第五条の二から**第五条の六**まで（略）

（最高裁判所の裁判官の職に在つた者についての弁護士の資格の特例）
第六条 最高裁判所の裁判官の職に在つた者は、第四条の規定にかかわらず、弁護士となる資格を有する。

（弁護士の欠格事由）
第七条 次に掲げる者は、第四条、第五条及び前条の規定にかかわらず、弁護士となる資格を有しない。
一 拘禁刑以上の刑に処せられた者
二 弾劾裁判所の罷免の裁判を受けた者
三 懲戒の処分により、弁護士若しくは外国法事務弁護士であつて除名され、弁理士であつて業務を禁止され、公認会計士であつて登録を抹消され、税理士であつて業務を禁止され、若しくは公務員であつて免職され、又は税理士であつた者であつて税理士業務の禁止の懲戒処分を受けるべきであつたことについて決定を受け、その処分を受けた日から三年を経過しない者
四 破産手続開始の決定を受けて復権を得ない者

第三章　弁護士名簿（抄）

第八条（弁護士の登録）　弁護士となるには、日本弁護士連合会に備えた弁護士名簿に登録されなければならない。

第九条から第一九条まで（略）

第四章　弁護士の権利及び義務（抄）

（法律事務所）

第二〇条①　弁護士の事務所は、法律事務所と称する。

② 法律事務所は、その弁護士の所属弁護士会の地域内に設けなければならない。

③ 弁護士は、いかなる名義をもつてしても、二箇以上の法律事務所を設けることができない。但し、他の弁護士の法律事務所において執務することを妨げない。

第二一条（略）

（会則を守る義務）

第二二条　弁護士は、所属弁護士会及び日本弁護士連合会の会則を守らなければならない。

（秘密保持の権利及び義務）

第二三条　弁護士又は弁護士であつた者は、その職務上知り得た秘密を保持する権利を有し、義務を負う。但し、法律に別段の定めがある場合は、この限りでない。

（報告の請求）

第二三条の二①　弁護士は、受任している事件について、所属弁護士会に対し、公務所又は公私の団体に照会して必要な事項の報告を求めることを申し出ることができる。申出があつた場合において、当該弁護士会は、その申出が適当でないと認めるときは、これを拒絶することができる。

② 弁護士会は、前項の規定による申出に基き、公務所又は公私の団体に照会して必要な事項の報告を求めることができる。

（委嘱事項等を行う義務）

第二四条　弁護士は、正当の理由がなければ、法令により官公署の委嘱した事項及び会則の定めるところにより所属弁護士会又は日本弁護士連合会の指定した事項を行うことを辞することができない。

（職務を行い得ない事件）

第二五条　弁護士は、次に掲げる事件については、その職務を行つてはならない。ただし、第三号及び第九号に掲げる事件については、受任している事件の依頼者が同意した場合は、この限りでない。

一　相手方の協議を受けて賛助し、又はその依頼を承諾した事件

二　相手方の協議を受けた事件で、その協議の程度及び方法が信頼関係に基づくと認められるもの

三　受任している事件の相手方からの依頼による他の事件

四　公務員として職務上取り扱つた事件

五　仲裁手続により仲裁人として取り扱つた事件

六　弁護士法人（第三十条の二第一項に規定する弁護士法人をいう。以下この条において同じ。）若しくは弁護士・外国法事務弁護士共同法人（外国弁護士による法律事務の取扱い等に関する法律（昭和六十一年法律第六十六号）第二条第六号に規定する弁護士・外国法事務弁護士共同法人をいう。以下同じ。）の社員若しくは使用人である弁護士又は外国法事務弁護士法人（同条第五号に規定する外国法事務弁護士法人をいう。以下この条において同じ。）の使用人である弁護士としてその業務に従事していた期間内に、当該弁護士法人、当該弁護士・外国法事務弁護士共同法人又は当該外国法事務弁護士法人が相手方の協議を受けて賛助し、又はその依頼を承諾した事件であつて、自らこれに関与したもの

七　弁護士法人若しくは弁護士・外国法事務弁護士共同法人の社員若しくは使用人である弁護士又は外国法事務弁護士法人の使用人である弁護士としてその業務に従事していた期間内に、当該弁護士法人、当該弁護士・外国法事務弁護士共同法人又は当該外国法事務弁護士法人が相手方の協議を受けた事件で、その協議の程度及び方法が信頼関係に基づくと認められるものであつて、自らこれに関与したもの

八　弁護士法人若しくは弁護士・外国法事務弁護士共同法人の社員若しくは使用人又は外国法事務弁護士法人の使用人である場合に、当該弁護士法人、当該弁護士・外国法事務弁護士共同法人又は当該外国法事務弁護士法人が相手方から受任している事件

九　弁護士法人若しくは弁護士・外国法事務弁護士共同法人の社員若しくは使用人又は外国法事務弁護士法人の使用人である場合に、当該弁護士法人、当該弁護士・外国法事務弁護士共同法人又は当該外国法事務弁護士法人が受任している事件（当該弁護士が自ら関与しているものに限る。）の相手方からの依頼による他の事件

（汚職行為の禁止）

第二六条　弁護士は、受任している事件に関し相手方から利益を受け、又はこれを要求し、若しくは約束してはならない。

（非弁護士との提携の禁止）

第二七条　弁護士は、第七十二条乃至第七十四条の規定に違反する者から事件の周旋を受け、又はこれらの者に自己の名義を利用させてはならない。

（係争権利の譲受の禁止）

第二八条　弁護士は、係争権利を譲り受けることができない。

（依頼不承諾の通知義務）

第二九条　弁護士は、事件の依頼を承諾しないときは、依頼者に、すみやかに、その旨を通知しなければならない。

（営利業務の届出等）

第三〇条①　弁護士は、次の各号に掲げる場合には、あらかじめ、当該各号に定める事項を所属弁護士会に届け出なければならない。

一　自ら営利を目的とする業務を営もうとするとき　商号及び当該業務の内容

二　営利を目的とする業務を営む者の取締役、執行役その他業務を執行する役員（以下この条において「取締役等」という。）又は使用人になろうとするとき　その業務を営む者の商号若しくは名称又は氏名、本店若しくは主たる事務所の所在地又は住所及び業務の内容並びに取締役等になろうとするときはその役職名

② 弁護士会は、前項の規定による届出をした者について、同項各号に定める事項を記載した営利業務従事弁護士名簿を作成し、弁護士会の事務所に備え置き、公衆の縦覧に供しなければならない。

③ 第一項の規定による届出をした者は、その届出に係る事項に変更を生じたときは、遅滞なく、その旨を所属弁護士会に届け出なければならない。届出に係る業務を廃止し、又は届出に係る取締役等若しくは使用人でなくなつたときも、同様とする。

④ 弁護士会は、前項の規定による届出があつたときは、直ちに、営利業務従事弁護士名簿の記載を訂正し、又はこれを抹消しなければならない。

第四章の二　弁護士法人（抄）

（設立等）

第三〇条の二①　弁護士は、この章の定めるところにより、第三条に規定する業務を行うことを目的とする法人（以下「弁護士法人」という。）を設立することができる。

② 第一条の規定は、弁護士法人について準用する。

（名称）

第三〇条の三　弁護士法人は、その名称中に弁護士法人という文字を使用しなければならない。

（社員の資格）

第三〇条の四①　弁護士法人の社員は、弁護士でなければならない。

② 次に掲げる者は、社員となることができない。
一 第五十六条又は第六十条の規定により業務の停止の懲戒を受け、当該業務の停止の期間を経過しない者
二 第五十六条又は第六十条の規定により弁護士法人が除名され、又は弁護士法人の業務の停止の懲戒を受けた場合において、その処分を受けた日以前三十日内にその社員であつた者でその処分を受けた日から三年（弁護士法人の業務の停止の懲戒を受けた場合にあつては、当該業務の停止の期間）を経過しないもの
三 外国弁護士による法律事務の取扱い等に関する法律第九十二条又は第九十四条の規定により弁護士・外国法事務弁護士共同法人が除名され、又は弁護士・外国法事務弁護士共同法人の業務の停止の懲戒を受けた場合において、その処分を受けた日以前三十日内にその社員であつた者でその処分を受けた日から三年（弁護士・外国法事務弁護士共同法人の業務の停止の懲戒を受けた場合にあつては、当該業務の停止の期間）を経過しないもの

第三〇条の五（業務の範囲） 弁護士法人は、第三条に規定する業務を行うほか、定款で定めるところにより、法令等に基づき弁護士が行うことができるものとして法務省令で定める業務の全部又は一部を行うことができる。

第三〇条の六（訴訟関係事務の取扱い）① 弁護士法人は、次に掲げる事務については、依頼者からその社員又は使用人である弁護士（以下この条において「社員等弁護士」という。）に行わせる事務の委託を受けるものとする。この場合において、当該弁護士法人は、依頼者に、当該弁護士法人の社員等弁護士のうちからその代理人、弁護人、付添人又は補佐人を選任させなければならない。
一 裁判所における事件（刑事に関するものを除く。）の手続についての代理又は補佐
二 刑事に関する事件の手続についての代理、刑事に関する事件における弁護人としての活動、少年の保護事件における付添人としての活動又は逃亡犯罪人引渡審査請求事件における補佐
② 弁護士法人は、前項に規定する事務についても、社員等弁護士がその業務の執行に関し注意を怠らなかつたことを証明しなければ、依頼者に対する損害賠償の責めを免れることはできない。

第三〇条の七から第三〇条の一一まで （略）

第三〇条の一二（業務の執行） 弁護士法人の社員は、定款で別段の定めがある場合を除き、すべて業務を執行する権利を有し、義務を負う。

第三〇条の一三（法人の代表）① 弁護士法人の業務を執行する社員は、各自弁護士法人を代表する。
② 前項の規定は、定款又は総社員の同意によつて、業務を執行する社員中特に弁護士法人を代表すべき社員を定めることを妨げない。
③ 弁護士法人を代表する社員は、弁護士法人の業務に関する一切の裁判上又は裁判外の行為をする権限を有する。
④ 前項の権限に加えた制限は、善意の第三者に対抗することができない。
⑤ 弁護士法人を代表する社員は、定款によつて禁止されていないときに限り、特定の行為の代理を他人に委任することができる。

第三〇条の一四から第三〇条の二〇まで （略）

第三〇条の二一（弁護士の義務等の規定の準用） 第二十条第一項及び第二項、第二十一条、第二十二条、第二十三条の二、第二十四条並びに第二十七条から第二十九条までの規定は、弁護士法人について準用する。

第三〇条の二二から第三〇条の三〇まで （略）

第五章 弁護士会（抄）

第三一条（目的及び法人格）① 弁護士会は、弁護士及び弁護士法人の使命及び職務にかんがみ、その品位を保持し、弁護士及び弁護士法人の事務の改善進歩を図るため、弁護士及び弁護士法人の指導、連絡及び監督に関する事務を行うことを目的とする。
② 弁護士会は、法人とする。

第三二条（設立の基準となる区域） 弁護士会は、地方裁判所の管轄区域ごとに設立しなければならない。

第三三条から第四四条まで （略）

第六章 日本弁護士連合会（抄）

第四五条（設立、目的及び法人格）① 全国の弁護士会は、日本弁護士連合会を設立しなければならない。
② 日本弁護士連合会は、弁護士及び弁護士法人の使命及び職務にかんがみ、その品位を保持し、弁護士、弁護士法人及び弁護士会の事務の改善進歩を図るため、弁護士、弁護士法人及び弁護士会の指導、連絡及び監督に関する事務を行うことを目的とする。
③ 日本弁護士連合会は、法人とする。

第四六条 （略）

第四七条（会員） 弁護士、弁護士法人及び弁護士会は、当然、日本弁護士連合会の会員となる。

第四八条から第五〇条まで （略）

第七章 資格審査会

（第五一条から第五五条まで）（略）

第八章 懲戒（抄）

第一節 懲戒事由及び懲戒権者等（抄）

第五六条（懲戒事由及び懲戒権者）① 弁護士及び弁護士法人は、この法律（弁護士・外国法事務弁護士共同法人の社員又は使用人である弁護士及び外国法事務弁護士法人の使用人である弁護士にあつては、この法律又は外国弁護士による法律事務の取扱い等に関する法律）又は所属弁護士会若しくは日本弁護士連合会の会則に違反し、所属弁護士会の秩序又は信用を害し、その他職務の内外を問わずその品位を失うべき非行があつたときは、懲戒を受ける。
② 懲戒は、その弁護士又は弁護士法人の所属弁護士会が、これを行う。
③ 弁護士会がその地域内に従たる法律事務所のみを有する弁護士法人に対して行う懲戒の事由は、その地域内にある従たる法律事務所に係るものに限る。

第五七条（懲戒の種類）① 弁護士に対する懲戒は、次の四種とする。
一 戒告
二 二年以内の業務の停止
三 退会命令
四 除名
② 弁護士法人に対する懲戒は、次の四種とする。
一 戒告
二 二年以内の弁護士法人の業務の停止又はその法律事務所の業務の停止
三 退会命令（当該弁護士会の地域内に従たる法律事務所のみを有する弁護士法人に対するものに限る。）
四 除名（当該弁護士会の地域内に主たる法律事務所を有する弁護士法人に対するものに限る。）
③ 弁護士会は、その地域内に従たる法律事務所のみを有する弁護士法人に対して、前項第二号の懲戒を行う場合にあつては、その地域内にある法律事務所の業務の停止のみを行うことができる。

④ 第二項又は前項の規定の適用に当たつては、日本弁護士連合会は、その地域内に当該弁護士法人の主たる法律事務所がある弁護士会とみなす。

（弁護士法人に対する懲戒に伴う法律事務所の設置移転の禁止）

第五七条の二① 弁護士法人は、特定の弁護士会の地域内にあるすべての法律事務所について業務の停止の懲戒を受けた場合には、当該業務の停止の期間中、その地域内において、法律事務所を設け、又は移転してはならない。

② 弁護士法人は、前条第二項第三号の懲戒を受けた場合には、その処分を受けた日から三年間、当該懲戒を行つた弁護士会の地域内において、法律事務所を設け、又は移転してはならない。

（懲戒の請求、調査及び審査）

第五八条① 何人も、弁護士又は弁護士法人について懲戒の事由があると思料するときは、その事由の説明を添えて、その弁護士又は弁護士法人の所属弁護士会にこれを懲戒することを求めることができる。

② 弁護士会は、所属の弁護士又は弁護士法人について、懲戒の事由があると思料するとき又は前項の請求があつたときは、懲戒の手続に付し、綱紀委員会に事案の調査をさせなければならない。

③ 綱紀委員会は、前項の調査により対象弁護士等（懲戒の手続に付された弁護士又は弁護士法人をいう。以下同じ。）につき懲戒委員会に事案の審査を求めることを相当と認めるときは、その旨の議決をする。この場合において、弁護士会は、当該議決に基づき、懲戒委員会に事案の審査を求めなければならない。

④ 綱紀委員会は、第二項の調査により、第一項の請求が不適法であると認めるとき若しくは対象弁護士等につき懲戒の手続を開始することができないものであると認めるとき、対象弁護士等につき懲戒の事由がないと認めるとき又は事案の軽重その他情状を考慮して懲戒すべきでないことが明らかであると認めるときは、懲戒委員会に事案の審査を求めないことを相当とする議決をする。この場合において、弁護士会は、当該議決に基づき、対象弁護士等を懲戒しない旨の決定をしなければならない。

⑤ 懲戒委員会は、第三項の審査により対象弁護士等につき懲戒することを相当と認めるときは、懲戒の処分の内容を明示して、その旨の議決をする。この場合において、弁護士会は、当該議決に基づき、対象弁護士等を懲戒しなければならない。

⑥ 懲戒委員会は、第三項の審査により対象弁護士等につき懲戒しないことを相当と認めるときは、その旨の議決をする。この場合において、弁護士会は、当該議決に基づき、対象弁護士等を懲戒しない旨の決定をしなければならない。

第五九条から第六三条まで （略）

第二節　懲戒請求者による異議の申出等（抄）

（懲戒請求者による異議の申出）

第六四条① 第五十八条第一項の規定により弁護士又は弁護士法人に対する懲戒の請求があつたにもかかわらず、弁護士会が対象弁護士等を懲戒しない旨の決定をしたとき又は相当の期間内に懲戒の手続を終えないときは、その請求をした者（以下「懲戒請求者」という。）は、日本弁護士連合会に異議を申し出ることができる。弁護士会がした懲戒の処分が不当に軽いと思料するときも、同様とする。

②③ （略）

第六四条の二から第六四条の七まで （略）

第三節　懲戒委員会　から　第五節　綱紀審査会　まで

第九章　法律事務の取扱いに関する取締り

（第六五条から第七一条の七まで）（略）

（非弁護士の法律事務の取扱い等の禁止）

第七二条 弁護士又は弁護士法人でない者は、報酬を得る目的で訴訟事件、非訟事件及び審査請求、再調査の請求、再審査請求等行政庁に対する不服申立事件その他一般の法律事件に関して鑑定、代理、仲裁若しくは和解その他の法律事務を取り扱い、又はこれらの周旋をすることを業とすることができない。ただし、この法律又は他の法律に別段の定めがある場合は、この限りでない。

（譲り受けた権利の実行を業とすることの禁止）

第七三条 何人も、他人の権利を譲り受けて、訴訟、調停、和解その他の手段によつて、その権利の実行をすることを業とすることができない。

（非弁護士の虚偽標示等の禁止）

第七四条① 弁護士又は弁護士法人でない者は、弁護士又は法律事務所の標示又は記載をしてはならない。

② 弁護士又は弁護士法人でない者は、利益を得る目的で、法律相談その他法律事務を取り扱う旨の標示又は記載をしてはならない。

③ 弁護士法人でない者は、その名称中に弁護士法人又はこれに類似する名称を用いてはならない。

第十章　罰則

（第七五条から第七九条の二まで）（略）

刑法等の一部を改正する法律の施行に伴う関係法律整理法中経過規定

（令和四・六・一七法六八）（抄）

第四四一条から第四四三条まで （刑法の同経過規定参照）

第五〇九条 （刑法の同経過規定参照）

刑法等の一部を改正する法律の施行に伴う関係法律整理法

附　則（令和四・六・一七法六八）（抄）

（施行期日）

① この法律は、刑法等一部改正法（刑法等の一部を改正する法律（令和四法六七））施行日（令和七・六・一）から施行する。ただし、次の各号に掲げる規定は、当該各号に定める日から施行する。

一　第五百九条の規定　公布の日

二　（略）

○司法試験法 （昭和二四・五・三一 法 一 四 ○）

施行 昭和二四・五・三一（附則）
最終改正 令和一法四四

目次

第一章 司法試験等

（**司法試験の目的等**）

第一条① 司法試験は、裁判官、検察官又は弁護士となろうとする者に必要な学識及びその応用能力を有するかどうかを判定することを目的とする国家試験とする。

② 裁判所法（昭和二十二年法律第五十九号）第六十六条の試験は、この法律により行う。

③ 司法試験は、法科大学院（学校教育法（昭和二十二年法律第二十六号）第九十九条第二項に規定する専門職大学院であつて、法曹に必要な学識及び能力を培うことを目的とするものをいう。第四条において同じ。）の課程における教育及び司法修習生の修習との有機的連携の下に行うものとする。

（**司法試験の方法等**）

第二条① 司法試験は、短答式（択一式を含む。以下同じ。）及び論文式による筆記の方法により行う。

② 司法試験の合格者の判定は、短答式による筆記試験の合格に必要な成績を得た者につき、短答式による筆記試験及び論文式による筆記試験の成績を総合して行うものとする。

（**司法試験の試験科目等**）

第三条① 短答式による筆記試験は、裁判官、検察官又は弁護士となろうとする者に必要な専門的な法律知識及び法的な推論の能力を有するかどうかを判定することを目的とし、次に掲げる科目について行う。

一 憲法
二 民法
三 刑法

② 論文式による筆記試験は、裁判官、検察官又は弁護士となろうとする者に必要な専門的な学識並びに法的な分析、構成及び論述の能力を有するかどうかを判定することを目的とし、次に掲げる科目について行う。

一 公法系科目（憲法及び行政法に関する分野の科目をいう。）
二 民事系科目（民法、商法及び民事訴訟法に関する分野の科目をいう。）
三 刑事系科目（刑法及び刑事訴訟法に関する分野の科目をいう。）
四 専門的な法律の分野に関する科目として法務省令で定める科目のうち受験者のあらかじめ選択する一科目

③ 前二項に掲げる試験科目については、法務省令により、その全部又は一部について範囲を定めることができる。

④ 司法試験においては、その受験者が裁判官、検察官又は弁護士となろうとする者に必要な学識及びその応用能力を備えているかどうかを適確に評価するため、知識を有するかどうかの判定に偏することなく、法律に関する理論的かつ実践的な理解力、思考力、判断力等の判定に意を用いなければならない。

（**司法試験の受験資格等**）

第四条① 司法試験は、次の各号に掲げる者が、それぞれ当該各号に定める期間において受けることができる。

一 法科大学院の課程を修了した者 その修了の日後の最初の四月一日から五年を経過するまでの期間
二 司法試験予備試験に合格した者 その合格の発表の日後の最初の四月一日から五年を経過するまでの期間

② 前項の規定にかかわらず、司法試験は、第一号に掲げる者が、第二号に掲げる期間において受けることができる。

一 法科大学院の課程に在学する者であつて、法務省令で定めるところにより、当該法科大学院を設置する大学の学長が、次のイ及びロに掲げる要件を満たすことについて認定をしたもの
イ 当該法科大学院において所定科目単位（裁判官、検察官又は弁護士となろうとする者に必要な学識及びその応用能力を有するかどうかを司法試験により判定するために必要なものとして法務省令で定める科目の単位をいう。）を修得していること。
ロ 司法試験が行われる日の属する年の四月一日から一年以内に当該法科大学院の課程を修了する見込みがあること。
二 この項の規定により前号の法科大学院の課程に在学している間に最初に司法試験を受けた日の属する年の四月一日から当該法科大学院の課程を修了若しくは退学するまでの期間又は同日から五年を経過するまでの期間のいずれか短い期間

③ 前項の規定により司法試験を受けた者が同項第一号の法科大学院の課程を修了した場合における第一項第一号の規定の適用については、同号中「その修了の日後の最初の」とあるのは、「次項の規定により最初に司法試験を受けた日の属する年の」とする。

④ 第一項又は第二項の規定により司法試験を受けた者は、その受験に係る受験資格（第一項各号に規定する法科大学院の課程の修了若しくは司法試験予備試験の合格又は第二項第一号に規定する法科大学院の課程の在学及び当該法科大学院を設置する大学の学長の認定をいう。以下この項において同じ。）に対応する受験期間（第一項各号に定める期間又は第二項第二号に掲げる期間をいう。）においては、他の受験資格に基づいて司法試験を受けることはできない。

（**司法試験予備試験**）

第五条① 司法試験予備試験（以下「予備試験」という。）は、司法試験を受けようとする者が前条第一項第一号に掲げる者と同等の学識及びその応用能力並びに法律に関する実務の基礎的素養を有するかどうかを判定することを目的とし、短答式及び論文式による筆記並びに口述の方法により行う。

② 短答式による筆記試験は、次に掲げる科目について行う。

一 憲法
二 行政法
三 民法
四 商法
五 民事訴訟法
六 刑法
七 刑事訴訟法
八 一般教養科目

③ 論文式による筆記試験は、短答式による筆記試験に合格した者につき、次に掲げる科目について行う。

一 前項第一号から第七号までに掲げる科目
二 専門的な法律の分野に関する科目として法務省令で定める科目のうち受験者のあらかじめ選択する一科目
三 法律実務基礎科目（法律に関する実務の基礎的素養（実務の経験により修得されるものを含む。）についての科目をいう。次項において同じ。）

④ 口述試験は、筆記試験に合格した者につき、法的な推論、分析及び構成に基づいて弁論をする能力を有するかどうかの判定に意を用い、法律実務基礎科目について行う。

⑤ 前三項に規定する試験科目については、法務省令により、その全部又は一部について範囲を定めることができる。

（**司法試験委員会の意見の聴取**）

第六条 法務大臣は、第三条第二項第四号若しくは第三項又は前条第三項第二号若しくは第五項の法務省令を制定し、又は改廃しようとするときは、司法試験委員会の意見を聴かなければな

らない。

（司法試験等の実施）

第七条　司法試験及び予備試験は、それぞれ、司法試験委員会が毎年一回以上行うものとし、その期日及び場所は、あらかじめ官報をもって公告する。

（合格者の決定方法）

第八条　司法試験の合格者は司法試験考査委員の合議による判定に基づき、予備試験の合格者は司法試験予備試験考査委員の合議による判定に基づき、それぞれ司法試験委員会が決定する。

（合格証書）

第九条　司法試験又は予備試験に合格した者には、それぞれ当該試験に合格したことを証する証書を授与する。

（合格の取消し等）

第一〇条　司法試験委員会は、不正の手段によって司法試験若しくは予備試験を受け、若しくは受けようとした者又はこの法律若しくはこの法律に基づく法務省令に違反した者に対しては、その試験を受けることを禁止し、合格の決定を取り消し、又は情状により五年以内の期間を定めて司法試験若しくは予備試験を受けることができないものとすることができる。

（受験手数料）

第一一条①　司法試験又は予備試験を受けようとする者は、それぞれ実費を勘案して政令で定める額の受験手数料を納付しなければならない。

②　前項の規定により納付した受験手数料は、当該試験を受けなかった場合においても返還しない。

第二章　司法試験委員会

（司法試験委員会の設置及び所掌事務）

第一二条①　法務省に、司法試験委員会（以下この章において「委員会」という。）を置く。

②　委員会は、次に掲げる事務をつかさどる。

一　司法試験及び予備試験を行うこと。

二　法務大臣の諮問に応じ、司法試験及び予備試験の実施に関する重要事項について調査審議すること。

三　司法試験及び予備試験の実施に関する重要事項に関し、法務大臣に意見を述べること。

四　その他法律によりその権限に属させられた事項を処理すること。

③　委員会は、その所掌事務を行うため必要があると認めるときは、関係行政機関又は関係のある公私の団体に対し、必要な資料の提供その他の協力を求めることができる。

（委員）

第一三条①　委員会は、委員七人をもって組織する。

②　委員は、裁判官、検察官、弁護士及び学識経験を有する者のうちから、法務大臣が任命する。

③　委員の任期は、二年とする。ただし、補欠の委員の任期は、前任者の残任期間とする。

④　委員は、再任されることができる。

⑤　委員は、非常勤とする。

（委員長）

第一四条①　委員長は、委員の互選に基づき、法務大臣が任命する。

②　委員長は、委員会の会務を総理し、委員会を代表する。

③　委員会は、あらかじめ、委員のうちから、委員長に故障のある場合に委員長を代理する者を定めておかなければならない。

（司法試験考査委員等）

第一五条①　委員会に、司法試験における問題の作成及び採点並びに合格者の判定を行わせるため司法試験考査委員を置き、予備試験における問題の作成及び採点並びに合格者の判定を行わせるため司法試験予備試験考査委員（以下この条及び次条において「予備試験考査委員」という。）を置く。

②　司法試験考査委員及び予備試験考査委員は、委員会の推薦に基づき、当該試験を行うについて必要な学識経験を有する者のうちから、法務大臣が試験ごとに任命する。

③　司法試験考査委員及び予備試験考査委員は、非常勤とする。

（政令への委任）

第一六条　第十二条から前条までに定めるもののほか、委員会の委員、司法試験考査委員及び予備試験考査委員に関する事項その他委員会に関し必要な事項は、政令で定める。

第三章　補則

（法務省令への委任）

第一七条　この法律に定めるもののほか、司法試験及び予備試験の実施に関し必要な事項は、法務省令で定める。

附　則（抄）

②　旧高等試験令（昭和四年勅令第十五号）による高等試験司法科試験に合格した者は、この法律による司法試験に合格した者とみなす。

●内閣法（昭和二二・一・一六 法 五）

施行　昭和二二・五・三（附則参照）
改正　昭和二二法六九・法一九五、昭和二四法一二二、昭和二七法二六八、昭和三二法一五八、昭和三三法九七、昭和三六法一一一、昭和三七法七七、昭和三八法一〇二、昭和三九法一二六、昭和四〇法六九、昭和四一法八九、昭和四四法三三、昭和四六法八八、昭和四九法九一、平成八法一〇三、平成一〇法一三、平成一一法八八、平成一三法一二五、平成二五法二二・法八九・法一〇八、平成二六法二二・法六七、平成二七法三三、平成三一法一八、令和二法四六、令和三法三六・法八四、令和四法四三、令和五法一四

第一条【職権、連帯責任】① 内閣は、国民主権の理念にのつとり、日本国憲法第七十三条その他日本国憲法に定める職権を行う。
② 内閣は、行政権の行使について、全国民を代表する議員からなる国会に対し連帯して責任を負う。

第二条【組織、国務大臣の数】① 内閣は、国会の指名に基づいて任命された首長たる内閣総理大臣及び内閣総理大臣により任命された国務大臣をもつて、これを組織する。
② 前項の国務大臣の数は、十四人以内とする。ただし、特別に必要がある場合においては、三人を限度にその数を増加し、十七人以内とすることができる。

第三条【行政事務の分担管理、無任所大臣】① 各大臣は、別に法律の定めるところにより、主任の大臣として、行政事務を分担管理する。
② 前項の規定は、行政事務を分担管理しない大臣の存することを妨げるものではない。

第四条【閣議】① 内閣がその職権を行うのは、閣議によるものとする。
② 閣議は、内閣総理大臣がこれを主宰する。この場合において、内閣総理大臣は、内閣の重要政策に関する基本的な方針その他の案件を発議することができる。
③ 各大臣は、案件の如何を問わず、内閣総理大臣に提出して、閣議を求めることができる。

第五条【内閣の代表】 内閣総理大臣は、内閣を代表して内閣提出の法律案、予算その他の議案を国会に提出し、一般国務及び外交関係について国会に報告する。

第六条【行政各部の指揮監督】 内閣総理大臣は、閣議にかけて決定した方針に基いて、行政各部を指揮監督する。

第七条【権限疑義の裁定】 主任の大臣の間における権限についての疑義は、内閣総理大臣が、閣議にかけて、これを裁定する。

第八条【中止権】 内閣総理大臣は、行政各部の処分又は命令を中止せしめ、内閣の処置を待つことができる。

第九条【内閣総理大臣の臨時代理】 内閣総理大臣に事故のあるとき、又は内閣総理大臣が欠けたときは、その予め指定する国務大臣が、臨時に、内閣総理大臣の職務を行う。

第一〇条【主任国務大臣の臨時代理】 主任の国務大臣に事故のあるとき、又は主任の国務大臣が欠けたときは、内閣総理大臣又はその指定する国務大臣が、臨時に、その主任の国務大臣の職務を行う。

第一一条【政令の限界】 政令には、法律の委任がなければ、義務を課し、又は権利を制限する規定を設けることができない。

第一二条【内閣官房等の設置】① 内閣に、内閣官房を置く。
② 内閣官房は、次に掲げる事務をつかさどる。
一 閣議事項の整理その他内閣の庶務
二 内閣の重要政策に関する基本的な方針に関する企画及び立案並びに総合調整に関する事務
三 閣議に係る重要事項に関する企画及び立案並びに総合調整に関する事務
四 行政各部の施策の統一を図るために必要となる企画及び立案並びに総合調整に関する事務
五 前三号に掲げるもののほか、行政各部の施策に関するその統一保持上必要な企画及び立案並びに総合調整に関する事務
六 内閣の重要政策に関する情報の収集調査に関する事務
七 国家公務員に関する制度の企画及び立案に関する事務
八 国家公務員法（昭和二十二年法律第百二十号）第十八条の二（独立行政法人通則法（平成十一年法律第百三号）第五十四条第一項において準用する場合を含む。）に規定する事務に関する事務
九 国家公務員の退職手当制度に関する事務
十 特別職の国家公務員の給与制度に関する事務
十一 国家公務員の総人件費の基本方針及び人件費予算の配分の方針の企画及び立案並びに調整に関する事務
十二 第七号から前号までに掲げるもののほか、国家公務員の人事行政に関する事務（他の行政機関の所掌に属するものを除く。）
十三 行政機関の機構及び定員に関する企画及び立案並びに調整に関する事務
十四 各行政機関の機構の新設、改正及び廃止並びに定員の設置、増減及び廃止に関する審査を行う事務
十五 前各号に掲げるもののほか、法律（法律に基づく命令を含む。）に基づき、内閣官房に属させられた事務
③ 前項の外、内閣官房は、政令の定めるところにより、内閣の事務を助ける。
④ 内閣官房の外、内閣に、別に法律の定めるところにより、必要な機関を置き、内閣の事務を助けしめることができる。

第一三条【内閣官房長官】① 内閣官房に内閣官房長官一人を置く。
② 内閣官房長官は、国務大臣をもつて充てる。
③ 内閣官房長官は、内閣官房の事務を統轄し、所部の職員の服務につき、これを統督する。

第一四条【内閣官房副長官】① 内閣官房に、内閣官房副長官三人を置く。
② 内閣官房副長官の任免は、天皇がこれを認証する。
③ 内閣官房副長官は、内閣官房長官の職務を助け、命を受けて内閣官房の事務（内閣感染症危機管理統括庁及び内閣人事局の所掌に属するものを除く。）をつかさどり、及びあらかじめ内閣官房長官の定めるところにより内閣官房長官不在の場合その職務を代行する。

第一五条【内閣危機管理監】① 内閣官房に、内閣危機管理監一人を置く。
② 内閣危機管理監は、内閣官房長官及び内閣官房副長官を助け、命を受けて第十二条第二項第一号から第六号までに掲げる事務のうち危機管理（国民の生命、身体又は財産に重大な被害が生じ、又は生じるおそれがある緊急の事態への対処及び当該事態の発生の防止をいう。次項、第十六条第二項第一号及び第十七条第三項において同じ。）に関するもの（国の防衛に関するもの及び内閣感染症危機管理統括庁の所掌に属するものを除く。）を統理する。
③ 前項に定めるもののほか、内閣危機管理監は、臨時に命を受け、感染症に係る危機管理に関する事務について、内閣感染症危機管理統括庁の事務の処理に協力する。
④ 内閣危機管理監の任免は、内閣総理大臣の申出により、内閣において行う。
⑤ 国家公務員法第九十六条第一項、第九十八条第一項、第九十九条並びに第百条第一項及び第二項の規定は、内閣危機管理監の服務について準用する。
⑥ 内閣危機管理監は、在任中、内閣総理大臣の許可がある場合を除き、報酬を得て他の職務に従事し、又は営利事業を営み、その他金銭上の利益を目的とする業務を行つてはならない。

第一五条の二【内閣感染症危機管理統括庁】 ① 内閣官房に、内閣感染症危機管理統括庁を置く。

② 内閣感染症危機管理統括庁は、次に掲げる事務をつかさどる。

一 新型インフルエンザ等対策特別措置法（平成二十四年法律第三十一号）第六条第一項に規定する政府行動計画の策定及び推進に関する事務

二 新型インフルエンザ等対策特別措置法第十七条第二項の規定により内閣感染症危機管理統括庁が処理することとされた新型インフルエンザ等対策本部に関する事務

三 新型インフルエンザ等対策特別措置法第七十条の七の規定により内閣感染症危機管理統括庁が処理することとされた新型インフルエンザ等対策推進会議に関する事務

四 前三号に掲げるもののほか、第十二条第二項第二号から第五号まで及び第十五号に掲げる事務のうち感染症の発生及びまん延の防止に関するもの（国家安全保障局、内閣広報官及び内閣情報官の所掌に属するものを除く。）

③ 内閣感染症危機管理統括庁に、内閣感染症危機管理監一人を置く。

④ 内閣感染症危機管理監は、内閣官房長官を助け、命を受けて庁務を掌理するものとし、内閣総理大臣が内閣官房副長官の中から指名する者をもつて充てる。

⑤ 内閣感染症危機管理統括庁に、内閣感染症危機管理監補一人を置く。

⑥ 内閣感染症危機管理監補は、内閣感染症危機管理監を助け、庁務を整理するものとし、内閣総理大臣が内閣官房副長官補の中から指名する者をもつて充てる。

⑦ 内閣感染症危機管理統括庁に、内閣感染症危機管理対策官一人を置く。

⑧ 内閣感染症危機管理対策官は、内閣感染症危機管理監及び内閣感染症危機管理監補を助け、命を受けて、内閣感染症危機管理統括庁の所掌事務のうち重要事項に係る重要な政策に関する事務を総括整理し、及びその所掌事務のうち重要事項に係るものに参画するものとし、厚生労働省の医務技監をもつて充てる。

第一六条【国家安全保障局】 ① 内閣官房に、国家安全保障局を置く。

② 国家安全保障局は、次に掲げる事務をつかさどる。

一 第十二条第二項第二号から第五号までに掲げる事務のうち我が国の安全保障（第二十一条第三項において「国家安全保障」という。）に関する外交政策、防衛政策及び経済政策の基本方針並びにこれらの政策に関する重要事項に関するもの（危機管理に関するもの並びに内閣広報官及び内閣情報官の所掌に属するものを除く。）

二 国家安全保障会議設置法（昭和六十一年法律第七十一号）第十二条の規定により国家安全保障局が処理することとされた国家安全保障会議の事務

三 国家安全保障会議設置法第六条の規定により国家安全保障会議に提供された資料又は情報その他の前二号に掲げる事務に係る資料又は情報を総合して整理する事務

③ 国家安全保障局に、国家安全保障局長を置く。

④ 国家安全保障局長は、内閣官房長官及び内閣官房副長官を助け、命を受けて局務を掌理する。

⑤ 第十五条第四項から第六項までの規定は、国家安全保障局長について準用する。

⑥ 国家安全保障局に、国家安全保障局次長二人を置く。

⑦ 国家安全保障局次長は、国家安全保障局長を助け、局務を整理するものとし、内閣総理大臣が内閣官房副長官補の中から指名する者をもつて充てる。

第一七条【内閣官房副長官補】 ① 内閣官房に、内閣官房副長官補三人を置く。

② 内閣官房副長官補は、内閣官房長官、内閣官房副長官及び内閣危機管理監を助け、命を受けて内閣官房の事務（第十二条第二項第一号に掲げるもの並びに内閣感染症危機管理統括庁、国家安全保障局、内閣広報官、内閣情報官及び内閣人事局の所掌に属するものを除く。）を掌理する。

③ 前項に定めるもののほか、内閣官房副長官補（第十五条の二第六項の規定により内閣総理大臣が指名した者を除く。）は、臨時に命を受け、感染症に係る危機管理に関する事務について、内閣感染症危機管理統括庁の事務の処理に協力する。

④ 第十五条第四項から第六項までの規定は、内閣官房副長官補について準用する。

第一八条【内閣広報官】 ① 内閣官房に、内閣広報官一人を置く。

② 内閣広報官は、内閣官房長官、内閣官房副長官及び内閣危機管理監を助け、第十二条第二項第二号から第五号までに掲げる事務について必要な広報に関することを処理するほか、同項第二号から第五号までに掲げる事務のうち広報に関するものを掌理する。

③ 第十五条第四項から第六項までの規定は、内閣広報官について準用する。

第一九条【内閣情報官】 ① 内閣官房に、内閣情報官一人を置く。

② 内閣情報官は、内閣官房長官、内閣官房副長官及び内閣危機管理監を助け、第十二条第二項第二号から第五号までに掲げる事務のうち特定秘密（特定秘密の保護に関する法律（平成二十五年法律第百八号）第三条第一項に規定する特定秘密をいう。）の保護に関するもの（内閣広報官の所掌に属するものを除く。）及び第十二条第二項第六号に掲げる事務を掌理する。

③ 第十五条第四項から第六項までの規定は、内閣情報官について準用する。

第二〇条【内閣人事局】 ① 内閣官房に、内閣人事局を置く。

② 内閣人事局は、第十二条第二項第七号から第十四号までに掲げる事務をつかさどる。

③ 内閣人事局に、内閣人事局長を置く。

④ 内閣人事局長は、内閣官房長官を助け、命を受けて局務を掌理するものとし、内閣総理大臣が内閣官房副長官の中から指名する者をもつて充てる。

第二一条【内閣総理大臣補佐官】 ① 内閣官房に、内閣総理大臣補佐官五人以内を置く。

② 内閣総理大臣補佐官は、内閣総理大臣の命を受け、国家として戦略的に推進すべき基本的な施策その他の内閣の重要政策のうち特定のものに係る内閣総理大臣の行う企画及び立案について、内閣総理大臣を補佐する。

③ 内閣総理大臣は、内閣総理大臣補佐官の中から、国家安全保障に関する重要政策を担当する者を指定するものとする。

④ 内閣総理大臣補佐官は、非常勤とすることができる。

⑤ 第十五条第四項及び第五項の規定は内閣総理大臣補佐官について、同条第六項の規定は常勤の内閣総理大臣補佐官について準用する。

第二二条【秘書官】 ① 内閣官房に、内閣総理大臣に附属する秘書官並びに内閣総理大臣及び各省大臣以外の各国務大臣に附属する秘書官を置く。

② 前項の秘書官の定数は、政令で定める。

③ 第一項の秘書官で、内閣総理大臣に附属する秘書官は、内閣総理大臣の、国務大臣に附属する秘書官は、国務大臣の命を受け、機密に関する事務をつかさどり、又は臨時に命を受け内閣官房その他関係各部局の事務を助ける。

第二三条【内閣事務官】 ① 内閣官房に、内閣事務官その他所要の職員を置く。

② 内閣事務官は、命を受けて内閣官房の事務を整理する。

第二四条【内閣官房の内部組織】 この法律に定めるもののほか、内閣官房の所掌事務を遂行するため必要な内部組織については、政令で定める。

第二五条【内閣官房の主任の大臣】 ① 内閣官房に係る事項については、この法律にいう主任の大臣は、内閣総理大臣とする。

② 内閣総理大臣は、内閣官房に係る主任の行政事務について、

法律又は政令の制定、改正又は廃止を必要と認めるときは、案をそなえて、閣議を求めなければならない。

③ 内閣総理大臣は、内閣官房に係る主任の行政事務について、法律若しくは政令を施行するため、又は法律若しくは政令の特別の委任に基づいて、内閣官房の命令として内閣官房令を発することができる。

④ 内閣官房令には、法律の委任がなければ、罰則を設け、又は義務を課し、若しくは国民の権利を制限する規定を設けることができない。

⑤ 内閣総理大臣は、内閣官房の所掌事務について、公示を必要とする場合においては、告示を発することができる。

⑥ 内閣総理大臣は、内閣官房の所掌事務について、命令又は示達をするため、所管の諸機関及び職員に対し、訓令又は通達を発することができる。

第二六条【内閣人事局の事務の分掌】 内閣総理大臣は、管区行政評価局及び沖縄行政評価事務所に、内閣官房の所掌事務のうち、第十二条第二項第十三号及び第十四号に掲げる事務に関する調査並びに資料の収集及び整理に関する事務を分掌させることができる。

附　則（抄）

① この法律は、日本国憲法施行の日（昭和二二・五・三）から、これを施行する。

② 復興庁が廃止されるまでの間における第二条第二項の規定の適用については、同項中「十四人」とあるのは「十五人」と、同項ただし書中「十七人」とあるのは「十八人」とする。

③ 国際博覧会推進本部が置かれている間における第二条第二項の規定の適用については、前項の規定にかかわらず、同条第二項中「十四人」とあるのは「十六人」と、同項ただし書中「十七人」とあるのは「十九人」とする。

⑤ 内閣人事局は、第二十条第二項に規定する事務のほか、当分の間、国家公務員制度改革基本法（平成二十年法律第六十八号）第二章に定める基本方針に基づいて行う国家公務員制度改革の推進に関する企画及び立案並びに当該国家公務員制度改革に関する施策の実施の推進に関する事務をつかさどる。

○内閣府設置法（抄）（平成一一・七・一六 法 八九）

施行　平成一三・一・六（附則参照）
最終改正　令和六法三〇

目次

第一章　総則

（目的）

第一条 この法律は、内閣府の設置並びに任務及びこれを達成するため必要となる明確な範囲の所掌事務を定めるとともに、その所掌する行政事務を能率的に遂行するため必要な組織に関する事項を定めることを目的とする。

第二章　内閣府の設置並びに任務及び所掌事務（抄）

（設置）

第二条 内閣に、内閣府を置く。

（任務）

第三条① 内閣府は、内閣の重要政策に関する内閣の事務を助けることを任務とする。

② 前項に定めるもののほか、内閣府は、皇室、栄典及び公式制度に関する事務その他の国として行うべき事務の適切な遂行、男女共同参画社会の形成の促進、市民活動の促進、沖縄の振興及び開発、北方領土問題の解決の促進、災害からの国民の保護、事業者間の公正かつ自由な競争の促進、国の治安の確保、個人情報の適正な取扱いの確保、カジノ施設の設置及び運営に関する秩序の維持及び安全の確保、金融の適切な機能の確保、消費者が安心して安全で豊かな消費生活を営むことができる社会の実現に向けた施策の推進、こども（こども家庭庁設置法（令和四年法律第七十五号）第三条第一項に規定するこどもをいう。次条第一項第二十九号において同じ。）が自立した個人としてひとしく健やかに成長することのできる社会の実現に向けた施策の推進、政府の施策の実施を支援するための基盤の整備並びに経済その他の広範な分野に関係する施策に関する政府全体の見地からの関係行政機関の連携の確保を図るとともに、内閣総理大臣が政府全体の見地から管理することがふさわしい行政事務の円滑な遂行を図ることを任務とする。

③ 内閣府は、第一項の任務を遂行するに当たり、内閣官房を助けるものとする。

第四条（略）

第三章　組織（抄）

第一節　通則

（組織の構成）

第五条① 内閣府の組織は、任務及びこれを達成するため必要となる明確な範囲の所掌事務を有する行政機関により系統的に構成され、かつ、内閣の重要な課題に弾力的に対応できるものとしなければならない。

② 内閣府は、内閣の統轄の下に、その政策について、自ら評価し、企画及び立案を行い、並びにデジタル庁及び国家行政組織法（昭和二十三年法律第百二十号）第一条の国の行政機関と相互の調整を図るとともに、その相互の連絡を図り、全て、一体として、行政機能を発揮しなければならない。

第二節　内閣府の長及び内閣府に置かれる特別な職（抄）

（内閣府の長）

第六条① 内閣府の長は、内閣総理大臣とする。
② 内閣総理大臣は、内閣府に係る事項についての内閣法にいう主任の大臣とし、第四条第三項に規定する事務を分担管理する。

（内閣総理大臣の権限）
第七条① 内閣総理大臣は、内閣府の事務を統括し、職員の服務について統督する。
② 内閣総理大臣は、内閣府に係る主任の行政事務について、法律又は政令の制定、改正又は廃止を必要と認めるときは、案をそなえて、閣議を求めなければならない。
③ 内閣総理大臣は、内閣府に係る主任の行政事務について、法律若しくは政令を施行するため、又は法律若しくは政令の特別の委任に基づいて、内閣府の命令として内閣府令を発することができる。
④ 内閣府令には、法律の委任がなければ、罰則を設け、又は義務を課し、若しくは国民の権利を制限する規定を設けることができない。
⑤ 内閣総理大臣は、内閣府の所掌事務について、公示を必要とする場合においては、告示を発することができる。
⑥ 内閣総理大臣は、内閣府の所掌事務について、命令又は示達をするため、所管の諸機関及び職員に対し、訓令又は通達を発することができる。
⑦ 内閣総理大臣は、第三条第二項の任務を遂行するため政策について行政機関相互の調整を図る必要があると認めるときは、その必要性を明らかにした上で、関係行政機関の長に対し、必要な資料の提出及び説明を求め、並びに当該関係行政機関の政策に関し意見を述べることができる。

（内閣官房長官及び内閣官房副長官）
第八条① 内閣官房長官は、内閣法に定める職務を行うほか、内閣総理大臣を助けて内閣府の事務を整理し、内閣総理大臣の命を受けて内閣府（法律で国務大臣をもってその長に充てることと定められている委員会その他の機関（以下「大臣委員会等」という。）を除く。）の事務（次条第一項の特命担当大臣が掌理する事務を除く。）を統括し、職員の服務について統督する。
② 内閣官房副長官は、内閣法に定める職務を行うほか、内閣官房長官の命を受け、内閣府の事務のうち特定事項に係るものに参画する。

（特命担当大臣）
第九条① 内閣総理大臣は、内閣の重要政策に関して行政各部の施策の統一を図るために特に必要がある場合においては、内閣府に、内閣総理大臣を助け、命を受けて第四条第一項及び第二項に規定する事務並びにこれに関連する同条第三項に規定する事務（これらの事務のうち大臣委員会等の所掌に属するものを除く。）を掌理する職（以下「特命担当大臣」という。）を置くことができる。
② 特命担当大臣は、国務大臣をもって充てる。

第九条の二から**第一五条**まで（略）

第三節　本府　から　**第五節**　委員会及び庁　まで（第一六条から第六四条まで）（略）

第四章　雑則（第六五条から第六七条まで）（略）

附　則（抄）

（施行期日）
第一条　この法律は、内閣法の一部を改正する法律（平成十一年法律第八十八号）の施行の日（平成一三・一・六）から施行する。（後略）

●国家行政組織法（昭和二三・七・一〇 法一二〇）

施行 昭和二四・六・一（附則参照）
改正 昭和二三法二三五、昭和二四法四・法一二三・法一二四・政二九九、昭和二五法四八・法五九・法一〇八・法一二六・法一三三・法一三九・法一四一・法二一〇・法二一四・法二一九・政二九五・政三四三・法二五五・法二九二、昭和二六政五一・法八〇・法一一五・法一七五・法一七六・法一七九・政三二〇、昭和二七法四〇・法七〇・法一一六・法一五九・法二二一・法二四一・法二四二・法二五三、昭和二九法一六四・法二〇五、昭和三〇法五〇・法五八・法七四・法一五三、昭和三一法四九・法五〇・法六八・法八三・法一〇八・法一四一・法一四八・法一五九、昭和三二法一五八・法一五九、昭和三三法七八、昭和三五法一一三、昭和三六法一一一、昭和三七法一一三・法一三六、昭和三八法六〇、昭和四三法九九、昭和四四法三三、昭和四五法三九、昭和四六法八八、昭和四七法二九・法五二、昭和四八法六六、昭和四九法九八・法一〇三、昭和五三法八七、昭和五八法七七・法八〇、昭和六一法九三、昭和六三法八二、平成三法二四、平成八法八三、平成九法一〇二、平成一〇法一四・法一三一、平成一一法八七・**法九〇**（平成一一法一二六）・法一〇二・法一一六、平成一四法九八・法一三八、平成一五法二三・法七〇、平成一八法一一八、平成一九法八〇・法一〇八・法一〇九（平成一九法一一二）、平成二〇法二六、平成二一法四九、平成二四法四二・法四七、平成二六法二二、平成二七法二一・法三九・法六六、平成三〇法一〇二、令和三法三六

（目的）
第一条 この法律は、内閣の統轄の下における行政機関で内閣府及びデジタル庁以外のもの（以下「国の行政機関」という。）の組織の基準を定め、もつて国の行政事務の能率的な遂行のために必要な国家行政組織を整えることを目的とする。

（組織の構成）
第二条① 国家行政組織は、内閣の統轄の下に、内閣府及びデジタル庁の組織と共に、任務及びこれを達成するため必要となる明確な範囲の所掌事務を有する行政機関の全体によつて、系統的に構成されなければならない。

② 国の行政機関は、内閣の統轄の下に、その政策について、自ら評価し、企画及び立案を行い、並びに国の行政機関相互の調整を図るとともに、その相互の連絡を図り、全て、一体として、行政機能を発揮するようにしなければならない。内閣府及びデジタル庁との政策についての調整及び連絡についても、同様とする。

（行政機関の設置、廃止、任務及び所掌事務）
第三条① 国の行政機関の組織は、この法律でこれを定めるものとする。

② 行政組織のため置かれる国の行政機関は、省、委員会及び庁とし、その設置及び廃止は、別に法律の定めるところによる。

③ 省は、内閣の統轄の下に第五条第一項の規定により各省大臣の分担管理する行政事務及び同条第二項の規定により当該大臣が掌理する行政事務をつかさどる機関として置かれるものとし、委員会及び庁は、省に、その外局として置かれるものとする。

④ 第二項の国の行政機関として置かれるものは、別表第一にこれを掲げる。

第四条 前条の国の行政機関の任務及びこれを達成するため必要となる所掌事務の範囲は、別に法律でこれを定める。

（行政機関の長）
第五条① 各省の長は、それぞれ各省大臣とし、内閣法（昭和二十二年法律第五号）にいう主任の大臣として、それぞれ行政事務を分担管理する。

② 各省大臣は、前項の規定により行政事務を分担管理するほか、それぞれ、その分担管理する行政事務に係る各省の任務に関連する特定の内閣の重要政策について、当該重要政策に関して閣議において決定された基本的な方針に基づいて、行政各部の施策の統一を図るために必要となる企画及び立案並びに総合調整に関する事務を掌理する。

③ 各省大臣は、国務大臣のうちから、内閣総理大臣が命ずる。ただし、内閣総理大臣が自ら当たることを妨げない。

第六条 委員会の長は、委員長とし、庁の長は、長官とする。

（内部部局）
第七条① 省には、その所掌事務を遂行するため、官房及び局を置く。

② 前項の官房又は局には、特に必要がある場合においては、部を置くことができる。

③ 庁には、その所掌事務を遂行するため、官房及び部を置くことができる。

④ 官房、局及び部の設置及び所掌事務の範囲は、政令でこれを定める。

⑤ 庁、官房、局及び部（その所掌事務が主として政策の実施に係るものである庁として別表第二に掲げるもの（以下「実施庁」という。）並びにこれに置かれる官房及び部を除く。）には、課及びこれに準ずる室を置くことができるものとし、これらの設置及び所掌事務の範囲は、政令でこれを定める。

⑥ 実施庁並びにこれに置かれる官房及び部には、政令の定める数の範囲内において、課及びこれに準ずる室を置くことができるものとし、これらの設置及び所掌事務の範囲は、省令でこれを定める。

⑦ 委員会には、法律の定めるところにより、事務局を置くことができる。第三項から第五項までの規定は、事務局の内部組織について、これを準用する。

⑧ 委員会には、特に必要がある場合においては、法律の定めるところにより、事務総局を置くことができる。

（審議会等）
第八条 第三条の国の行政機関には、法律の定める所掌事務の範囲内で、法律又は政令の定めるところにより、重要事項に関する調査審議、不服審査その他学識経験を有する者等の合議により処理することが適当な事務をつかさどらせるための合議制の機関を置くことができる。

（施設等機関）
第八条の二 第三条の国の行政機関には、法律の定める所掌事務の範囲内で、法律又は政令の定めるところにより、試験研究機関、検査検定機関、文教研修施設（これらに類する機関及び施設を含む。）、医療更生施設、矯正収容施設及び作業施設を置くことができる。

（特別の機関）
第八条の三 第三条の国の行政機関には、特に必要がある場合においては、前二条に規定するもののほか、法律の定める所掌事務の範囲内で、法律の定めるところにより、特別の機関を置くことができる。

（地方支分部局）
第九条 第三条の国の行政機関には、その所掌事務を分掌させる必要がある場合においては、法律の定めるところにより、地方支分部局を置くことができる。

（行政機関の長の権限）
第一〇条 各省大臣、各委員会の委員長及び各庁の長官は、その機関の事務を統括し、職員の服務について、これを統督する。

第一一条 各省大臣は、主任の行政事務について、法律又は政令の制定、改正又は廃止を必要と認めるときは、案をそなえて、内閣総理大臣に提出して、閣議を求めなければならない。

第一二条① 各省大臣は、主任の行政事務について、法律若しくは政令を施行するため、又は法律若しくは政令の特別の委任に基づいて、それぞれその機関の命令として省令を発することができる。
② 各外局の長は、その機関の所掌事務について、それぞれ主任の各省大臣に対し、案をそなえて、省令を発することを求めることができる。
③ 省令には、法律の委任がなければ、罰則を設け、又は義務を課し、若しくは国民の権利を制限する規定を設けることができない。

第一三条① 各委員会及び各庁の長官は、別に法律の定めるところにより、政令及び省令以外の規則その他の特別の命令を自ら発することができる。
② 前条第三項の規定は、前項の命令に、これを準用する。

第一四条① 各省大臣、各委員会及び各庁の長官は、その機関の所掌事務について、公示を必要とする場合においては、告示を発することができる。
② 各省大臣、各委員会及び各庁の長官は、その機関の所掌事務について、命令又は示達をするため、所管の諸機関及び職員に対し、訓令又は通達を発することができる。

第一五条 各省大臣、各委員会及び各庁の長官は、その機関の任務（各省にあつては、各省大臣が主任の大臣として分担管理する行政事務に係るものに限る。）を遂行するため政策について行政機関相互の調整を図る必要があると認めるときは、その必要性を明らかにした上で、関係行政機関の長に対し、必要な資料の提出及び説明を求め、並びに当該関係行政機関の政策に関し意見を述べることができる。

第一五条の二① 各省大臣は、第五条第二項に規定する事務の遂行のため必要があると認めるときは、関係行政機関の長に対し、必要な資料の提出及び説明を求めることができる。
② 各省大臣は、第五条第二項に規定する事務の遂行のため特に必要があると認めるときは、関係行政機関の長に対し、勧告することができる。
③ 各省大臣は、前項の規定により関係行政機関の長に対し勧告したときは、当該関係行政機関の長に対し、その勧告に基づいてとつた措置について報告を求めることができる。
④ 各省大臣は、第二項の規定により勧告した事項に関し特に必要があると認めるときは、内閣総理大臣に対し、当該事項について内閣法第六条の規定による措置がとられるよう意見を具申することができる。

（副大臣）
第一六条① 各省に副大臣を置く。
② 副大臣の定数は、それぞれ別表第三の副大臣の定数の欄に定めるところによる。
③ 副大臣は、その省の長である大臣の命を受け、政策及び企画をつかさどり、政務を処理し、並びにあらかじめその省の長である大臣の命を受けて大臣不在の場合その職務を代行する。
④ 副大臣が二人置かれた省においては、各副大臣の行う前項の職務の範囲及び職務代行の順序については、その省の長である大臣の定めるところによる。
⑤ 副大臣の任免は、その省の長である大臣の申出により内閣が行い、天皇がこれを認証する。
⑥ 副大臣は、内閣総辞職の場合においては、内閣総理大臣その他の国務大臣がすべてその地位を失つたときに、これと同時にその地位を失う。

（大臣政務官）
第一七条① 各省に大臣政務官を置く。
② 大臣政務官の定数は、それぞれ別表第三の大臣政務官の定数の欄に定めるところによる。
③ 大臣政務官は、その省の長である大臣を助け、特定の政策及び企画に参画し、政務を処理する。
④ 各大臣政務官の行う前項の職務の範囲については、その省の長である大臣の定めるところによる。
⑤ 大臣政務官の任免は、その省の長である大臣の申出により、内閣がこれを行う。
⑥ 前条第六項の規定は、大臣政務官について、これを準用する。

（大臣補佐官）
第一七条の二① 各省に、特に必要がある場合においては、大臣補佐官一人を置くことができる。
② 大臣補佐官は、その省の長である大臣の命を受け、特定の政策に係るその省の長である大臣の行う企画及び立案並びに政務に関し、その省の長である大臣を補佐する。
③ 大臣補佐官の任免は、その省の長である大臣の申出により、内閣がこれを行う。
④ 大臣補佐官は、非常勤とすることができる。
⑤ 国家公務員法（昭和二十二年法律第百二十号）第九十六条第一項、第九十八条第一項、第九十九条並びに第百条第一項及び第二項の規定は、大臣補佐官の服務について準用する。
⑥ 常勤の大臣補佐官は、在任中、その省の長である大臣の許可がある場合を除き、報酬を得て他の職務に従事し、又は営利事業を営み、その他金銭上の利益を目的とする業務を行つてはならない。

（事務次官及び庁の次長等）
第一八条① 各省には、事務次官一人を置く。
② 事務次官は、その省の長である大臣を助け、省務を整理し、各部局及び機関の事務を監督する。
③ 各庁には、特に必要がある場合においては、長官を助け、庁務を整理する職として次長を置くことができるものとし、その設置及び定数は、政令でこれを定める。
④ 各省及び各庁には、特に必要がある場合においては、その所掌事務の一部を総括整理する職を置くことができるものとし、その設置、職務及び定数は、法律（庁にあつては、政令）でこれを定める。

（秘書官）
第一九条① 各省に秘書官を置く。
② 秘書官の定数は、政令でこれを定める。
③ 秘書官は、それぞれ各省大臣の命を受け、機密に関する事務を掌り、又は臨時命を受け各部局の事務を助ける。

（官房及び局の所掌に属しない事務をつかさどる職等）
第二〇条① 各省には、特に必要がある場合においては、官房及び局の所掌に属しない事務の能率的な遂行のためこれを所掌する職で局長に準ずるものを置くことができるものとし、その設置、職務及び定数は、政令でこれを定める。
② 各庁には、特に必要がある場合においては、官房及び部の所掌に属しない事務の能率的な遂行のためこれを所掌する職で部長に準ずるものを置くことができるものとし、その設置、職務及び定数は、政令でこれを定める。
③ 各省及び各庁（実施庁を除く。）には、特に必要がある場合においては、前二項の職のつかさどる職務の全部又は一部を助ける職で課長に準ずるものを置くことができるものとし、その設置、職務及び定数は、政令でこれを定める。
④ 実施庁には、特に必要がある場合においては、政令の定める数の範囲内において、第二項の職のつかさどる職務の全部又は一部を助ける職で課長に準ずるものを置くことができるものとし、その設置、職務及び定数は、省令でこれを定める。

（内部部局の職）
第二一条① 委員会の事務局並びに局、部、課及び課に準ずる室に、それぞれ事務局長並びに局長、部長、課長及び室長を置く。
② 官房には、長を置くことができるものとし、その設置及び職務は、政令でこれを定める。
③ 局、部又は委員会の事務局には、次長を置くことができるものとし、その設置、職務及び定数は、政令でこれを定める。
④ 官房、局若しくは部（実施庁に置かれる官房及び部を除く。）又は委員会の事務局には、その所掌事務の一部を総括整理する

職又は課（課に準ずる室を含む。）の所掌に属しない事務の能率的な遂行のためこれを所掌する職で課長に準ずるものを置くことができるものとし、これらの設置、職務及び定数は、政令でこれを定める。官房又は部を置かない庁（実施庁を除く。）にこれらの職に相当する職を置くときも、同様とする。

⑤　実施庁に置かれる官房又は部には、政令の定める数の範囲内において、その所掌事務の一部を総括整理する職又は課（課に準ずる室を含む。）の所掌に属しない事務の能率的な遂行のためこれを所掌する職で課長に準ずるものを置くことができるものとし、これらの設置、職務及び定数は、省令でこれを定める。官房又は部を置かない実施庁にこれらの職に相当する職を置くときも、同様とする。

第二十二条　削除

（官房及び局の数）

第二十三条　第七条第一項の規定に基づき置かれる官房及び局の数は、内閣府設置法（平成十一年法律第八十九号）第十七条第一項の規定に基づき置かれる官房及び局の数と合わせて、九十七以内とする。

第二十四条　削除

（国会への報告等）

第二十五条①　政府は、第七条第四項（同条第七項において準用する場合を含む。）、第八条、第八条の二、第十八条第三項若しくは第四項、第二十条第一項若しくは第二項又は第二十一条第二項若しくは第三項の規定により政令で設置される組織その他これらに準ずる主要な組織につき、その新設、改正及び廃止をしたときは、その状況を次の国会に報告しなければならない。

②　政府は、少なくとも毎年一回国の行政機関の組織の一覧表を官報で公示するものとする。

附　則

第二十六条　この法律は、昭和二十四年六月一日から、これを施行する。但し、第二十七条の規定は、公布の日から、これを施行する。

第二十七条　この法律の施行に関し必要な細目は、他に別段の定のある場合を除く外、政令でこれを定める。

別表第一（第三条関係）

省	委員会	庁
総務省	公害等調整委員会	消防庁
法務省	公安審査委員会	出入国在留管理庁 公安調査庁
外務省		
財務省		国税庁
文部科学省		スポーツ庁 文化庁
厚生労働省	中央労働委員会	
農林水産省		林野庁 水産庁
経済産業省		資源エネルギー庁 特許庁 中小企業庁
国土交通省	運輸安全委員会	観光庁 気象庁 海上保安庁
環境省	原子力規制委員会	
防衛省		防衛装備庁

別表第二（第七条関係）

公安調査庁
国税庁
特許庁
気象庁
海上保安庁

別表第三（第十六条、第十七条関係）

省	副大臣の定数	大臣政務官の定数
総務省	二人	三人
法務省	一人	一人
外務省	二人	三人
財務省	二人	二人
文部科学省	二人	二人
厚生労働省	二人	二人
農林水産省	二人	二人
経済産業省	二人	二人
国土交通省	二人	三人
環境省	二人	二人
防衛省	一人	二人

○独立行政法人通則法（抄）（平成一一・七・一六 法一〇三）

施行　平成一三・一・六（附則参照）
最終改正　令和四法六八

目次

第一章　総則（抄）

第一節　通則

（目的等）

第一条①　この法律は、独立行政法人の運営の基本その他の制度の基本となる共通の事項を定め、各独立行政法人の名称、目的、業務の範囲等に関する事項を定める法律（以下「個別法」という。）と相まって、独立行政法人制度の確立並びに独立行政法人が公共上の見地から行う事務及び事業の確実な実施を図り、もって国民生活の安定及び社会経済の健全な発展に資することを目的とする。

②　各独立行政法人の組織、運営及び管理については、個別法に

定めるもののほか、この法律の定めるところによる。

（定義）

第二条① この法律において「独立行政法人」とは、国民生活及び社会経済の安定等の公共上の見地から確実に実施されることが必要な事務及び事業であって、国が自ら主体となって直接に実施する必要のないもののうち、民間の主体に委ねた場合には必ずしも実施されないおそれがあるもの又は一の主体に独占して行わせることが必要であるもの（以下この条において「公共上の事務等」という。）を効果的かつ効率的に行わせるため、中期目標管理法人、国立研究開発法人又は行政執行法人として、この法律及び個別法の定めるところにより設立される法人をいう。

② この法律において「中期目標管理法人」とは、公共上の事務等のうち、その特性に照らし、一定の自主性及び自律性を発揮しつつ、中期的な視点に立って執行することが求められるもの（国立研究開発法人が行うものを除く。）を国が中期的な期間について定める業務運営に関する目標を達成するための計画に基づき行うことにより、国民の需要に的確に対応した多様で良質なサービスの提供を通じた公共の利益の増進を推進することを目的とする独立行政法人として、個別法で定めるものをいう。

③ この法律において「国立研究開発法人」とは、公共上の事務等のうち、その特性に照らし、一定の自主性及び自律性を発揮しつつ、中長期的な視点に立って執行することが求められる科学技術に関する試験、研究又は開発（以下「研究開発」という。）に係るものを主要な業務として国が中長期的な期間について定める業務運営に関する目標を達成するための計画に基づき行うことにより、我が国における科学技術の水準の向上を通じた国民経済の健全な発展その他の公益に資するため研究開発の最大限の成果を確保することを目的とする独立行政法人として、個別法で定めるものをいう。

④ この法律において「行政執行法人」とは、公共上の事務等のうち、その特性に照らし、国の行政事務と密接に関連して行われる国の指示その他の国の相当な関与の下に確実に執行することが求められるものを国が事業年度ごとに定める業務運営に関する目標を達成するための計画に基づき行うことにより、その公共上の事務等を正確かつ確実に執行することを目的とする独立行政法人として、個別法で定めるものをいう。

（業務の公共性、透明性及び自主性等）

第三条① 独立行政法人は、その行う事務及び事業が国民生活及び社会経済の安定等の公共上の見地から確実に実施されることが必要なものであることに鑑み、適正かつ効率的にその業務を運営するよう努めなければならない。

② 独立行政法人は、この法律の定めるところによりその業務の内容を公表すること等を通じて、その組織及び運営の状況を国民に明らかにするよう努めなければならない。

③ この法律及び個別法の運用に当たっては、独立行政法人の事務及び事業が内外の社会経済情勢を踏まえつつ適切に行われるよう、独立行政法人の事務及び事業の特性並びに独立行政法人の業務運営における自主性は、十分配慮されなければならない。

（名称）

第四条① 各独立行政法人の名称は、個別法で定める。

② 国立研究開発法人については、その名称中に、国立研究開発法人という文字を使用するものとする。

（目的）

第五条 各独立行政法人の目的は、第二条第二項、第三項又は第四項の目的の範囲内で、個別法で定める。

（法人格）

第六条 独立行政法人は、法人とする。

（事務所）

第七条① 各独立行政法人は、主たる事務所を個別法で定める地に置く。

② 独立行政法人は、必要な地に従たる事務所を置くことができる。

（財産的基礎等）

第八条① 独立行政法人は、その業務を確実に実施するために必要な資本金その他の財産的基礎を有しなければならない。

② 政府は、その業務を確実に実施させるために必要があると認めるときは、個別法で定めるところにより、各独立行政法人に出資することができる。

③ 独立行政法人は、業務の見直し、社会経済情勢の変化その他の事由により、その保有する重要な財産であって主務省令（当該独立行政法人を所管する内閣府又は各省の内閣府令又は省令をいう。ただし、原子力規制委員会が所管する独立行政法人については、原子力規制委員会規則とする。以下同じ。）で定めるものが将来にわたり業務を確実に実施する上で必要がなくなったと認められる場合には、第四十六条の二又は第四十六条の三の規定により、当該財産（以下「不要財産」という。）を処分しなければならない。

（登記）

第九条① 独立行政法人は、政令で定めるところにより、登記しなければならない。

② 前項の規定により登記しなければならない事項は、登記の後でなければ、これをもって第三者に対抗することができない。

（名称の使用制限）

第一〇条 独立行政法人又は国立研究開発法人でない者は、その名称中に、独立行政法人又は国立研究開発法人という文字を用いてはならない。

（一般社団法人及び一般財団法人に関する法律の準用）

第一一条 一般社団法人及び一般財団法人に関する法律（平成十八年法律第四十八号）第四条及び第七十八条の規定は、独立行政法人について準用する。

第二節 独立行政法人評価制度委員会　及び　第三節 設立

（第一二条から第一七条まで）（略）

第二章 役員及び職員

（第一八条から第二六条まで）（略）

第三章 業務運営

（第二七条から第三五条の一二まで）（略）

第四章 財務及び会計

（第三六条から第五〇条まで）（略）

第五章 人事管理（抄）

第一節 中期目標管理法人及び国立研究開発法人

（第五〇条の二から第五〇条の一一まで）（略）

第二節 行政執行法人（抄）

（役員及び職員の身分）

第五一条 行政執行法人の役員及び職員は、国家公務員とする。

第五二条から第六〇条まで（略）

第六一条から第六三条まで 削除

第六章 雑則

（第六四条から第六八条まで）（略）

第七章 罰則

（第六九条から第七二条まで）（略）

附　則（抄）

（施行期日）

第一条 この法律は、内閣法の一部を改正する法律（平成十一年法律第八十八号）の施行の日（平成一三・一・六）から施行する。

●国家公務員法（抄）（昭和二二・一〇・二一 法一二〇）

施行 昭和二三・七・一（附則）

改正 昭和二二法一九五、昭和二三法二二二・法二五八・法二六五、昭和二四法二・法一二五・法一七四、昭和二五法四九・法九五、昭和二六法五九・法三一四、昭和二七法四一・法九七・法一七四・法二〇七・法二五二・法二五八・法二六五・法二六八、昭和二九法一六四、昭和三一法一二二・法二七・法一四〇・法一六一、昭和三二法一五八、昭和三三法七八・法八六、昭和三四法一三七・法一六三、昭和三五法三〇・法一一三、昭和三七法七七・法一二二・法一三二・法一四〇・法一六一、昭和三八法一一一、昭和三九法一一八、昭和四〇法六九・法一一六、昭和四一法八九、昭和四二法六一、昭和四五法九七、昭和四六法一一七、昭和四七法五七、昭和四八法一一六、昭和五三法七九、昭和五四法六八、昭和五六法七七、昭和五七法四〇、昭和五八法六五・法七八・法八〇、昭和六〇法九七、昭和六一法九三、平成一法一、平成三法七九、平成五法八九、平成六法三三、平成七法五四、平成八法一〇三、平成九法三、平成一〇法一三、平成一一法八三・法八七・法一〇二（平成一一法一一六）・法一〇四・法一二九・法一五一・法一六〇・法二二〇、平成一三法一三二、平成一四法九八、平成一六法七六・法一四七、平成一七法五〇・法一〇二、平成一八法五〇・法一一八、平成一九法五八・法八〇・法一〇八、平成二四法四二、平成二五法二二・法八九、平成二六法二二・法六七・法六九、平成二七法三九・法六六、令和一法三七、令和三法三六・法六一・法七五、令和四法六八

目次

第一章 総則

（この法律の目的及び効力）

第一条① この法律は、国家公務員たる職員について適用すべき各般の根本基準（職員の福祉及び利益を保護するための適切な措置を含む。）を確立し、職員がその職務の遂行に当り、最大の能率を発揮し得るように、民主的な方法で、選択され、且つ、指導さるべきことを定め、以て国民に対し、公務の民主的且つ能率的な運営を保障することを目的とする。

② この法律は、もつぱら日本国憲法第七十三条にいう官吏に関する事務を掌理する基準を定めるものである。

③ 何人も、故意に、この法律又はこの法律に基づく命令に違反し、又は違反を企て若しくは共謀してはならない。又、何人も、故意に、この法律又はこの法律に基づく命令の施行に関し、虚偽行為をなし、若しくはなそうと企て、又はその施行を妨げてはならない。

④ この法律のある規定が、効力を失い、又はその適用が無効とされても、この法律の他の規定又は他の関係における適用は、その影響を受けることがない。

⑤ この法律の規定が、従前の法律又はこれに基く法令と矛盾し又はてい触する場合には、この法律の規定が、優先する。

（一般職及び特別職）

第二条① 国家公務員の職は、これを一般職と特別職とに分つ。

② 一般職は、特別職に属する職以外の国家公務員の一切の職を包含する。

③ 特別職は、次に掲げる職員の職とする。

一 内閣総理大臣
二 国務大臣
三 人事官及び検査官
四 内閣法制局長官
五 内閣官房副長官
五の二 内閣危機管理監
五の三 国家安全保障局長
五の四 内閣官房副長官補、内閣広報官及び内閣情報官
六 内閣総理大臣補佐官
七 副大臣
七の二 大臣政務官
七の三 大臣補佐官
七の四 デジタル監
八 内閣総理大臣秘書官及び国務大臣秘書官並びに特別職たる機関の長の秘書官のうち人事院規則で指定するもの
九 就任について選挙によることを必要とし、あるいは国会の両院又は一院の議決又は同意によることを必要とする職員
十 宮内庁長官、侍従長、東宮大夫、式部官長及び侍従次長並びに法律又は人事院規則で指定する宮内庁のその他の職員
十一 特命全権大使、特命全権公使、特派大使、政府代表、全

権委員、政府代表又は全権委員の代理並びに特派大使、政府代表又は全権委員の顧問及び随員
十一の二　日本ユネスコ国内委員会の委員
十二　日本学士院会員
十二の二　日本学術会議会員
十三　裁判官及びその他の裁判所職員
十四　国会職員
十五　国会議員の秘書
十六　防衛省の職員（防衛省に置かれる合議制の機関で防衛省設置法（昭和二十九年法律第百六十四号）第四十一条の政令で定めるものの委員及び同法第四条第一項第二十四号又は第二十五号に掲げる事務に従事する職員で同法第四十一条の政令で定めるもののうち、人事院規則で指定するものを除く。）
十七　独立行政法人通則法（平成十一年法律第百三号）第二条第四項に規定する行政執行法人（以下「行政執行法人」という。）の役員
④　この法律の規定は、一般職に属するすべての職（以下その職を官職といい、その職を占める者を職員という。）に、これを適用する。人事院は、ある職が、国家公務員の職に属するかどうか及び本条に規定する一般職に属するか特別職に属するかを決定する権限を有する。
⑤　この法律の規定は、この法律の改正法律により、別段の定がなされない限り、特別職に属する職には、これを適用しない。
⑥　政府は、一般職又は特別職以外の勤務者を置いてその勤務に対し俸給、給料その他の給与を支払つてはならない。
⑦　前項の規定は、政府又はその機関と外国人の間に、個人的基礎においてなされる勤務の契約には適用されない。

第二章　中央人事行政機関

第三条（**人事院**）①　内閣の所轄の下に人事院を置く。人事院は、この法律に定める基準に従つて、内閣に報告しなければならない。
②　人事院は、法律の定めるところに従い、給与その他の勤務条件の改善及び人事行政の改善に関する勧告、採用試験（採用試験の対象官職及び種類並びに採用試験により確保すべき人材に関する事項を除く。）、任免（標準職務遂行能力、採用昇任等基本方針、幹部職員の任用等に係る特例及び幹部候補育成課程に関する事項（第三十三条第一項に規定する根本基準の実施につき必要な事項であつて、行政需要の変化に対応するために行う優れた人材の養成及び活用の確保に関するものを含む。）を除く。）、給与（一般職の職員の給与に関する法律（昭和二十五年法律第九十五号）第六条の二第一項の規定による指定職俸給表の適用を受ける職員の号俸の決定の方法並びに同法第八条第一項の規定による職務の級の定数の設定及び改定に関する事項を除く。）、研修（第七十条の六第一項第一号に掲げる観点に係るものに限る。）の計画の樹立及び実施並びに当該研修に係る調査研究、分限、懲戒、苦情の処理、職務に係る倫理の保持その他職員に関する人事行政の公正の確保及び職員の利益の保護等に関する事務をつかさどる。
③　法律により、人事院が処置する権限を与えられている部門においては、人事院の決定及び処分は、人事院によつてのみ審査される。
④　前項の規定は、法律問題につき裁判所に出訴する権利に影響を及ぼすものではない。

第三条の二（**国家公務員倫理審査会**）①　前条第二項の所掌事務のうち職務に係る倫理の保持に関する事務を所掌させるため、人事院に国家公務員倫理審査会を置く。
②　国家公務員倫理審査会に関しては、この法律に定めるもののほか、国家公務員倫理法（平成十一年法律第百二十九号）の定めるところによる。

第四条（**職員**）①　人事院は、人事官三人をもつて、これを組織する。
②　人事官のうち一人は、総裁として命ぜられる。
③　人事院は、事務総長及び予算の範囲内においてその職務を適切に行うため必要とする職員を任命する。
④　人事院は、その内部機構を管理する。国家行政組織法（昭和二十三年法律第百二十号）は、人事院には適用されない。

第五条（**人事官**）①　人事官は、人格が高潔で、民主的な統治組織と成績本位の原則による能率的な事務の処理に理解があり、かつ、人事行政に関し識見を有する年齢三十五年以上の者のうちから、両議院の同意を経て、内閣が任命する。
②　人事官の任免は、天皇が認証する。
③　次の各号のいずれかに該当する者は、人事官となることができない。
一　破産手続開始の決定を受けて復権を得ない者
二　拘禁刑以上の刑に処せられた者又は第四章に規定する罪を犯し、刑に処せられた者
三　第三十八条第二号又は第四号に該当する者
④　任命の日以前五年間において、政党の役員、政治的顧問その他これらと同様な政治的影響力を有する政党員であつた者又は任命の日以前五年間において、公選による国若しくは都道府県の公職の候補者となつた者は、人事院規則で定めるところにより、人事官となることができない。
⑤　人事官の任命については、そのうちの二人が、同一の政党に属し、又は同一の大学学部を卒業した者となることとなつてはならない。

第六条（**宣誓及び服務**）①　人事官は、任命後、人事院規則の定めるところにより、最高裁判所長官の面前において、宣誓書に署名してからでなければ、その職務を行つてはならない。
②　第三章第七節の規定は、人事官にこれを準用する。

第七条（**任期**）①　人事官の任期は、四年とする。但し、補欠の人事官は、前任者の残任期間在任する。
②　人事官は、これを再任することができる。但し、引き続き十二年を超えて在任することはできない。
③　人事官であつた者は、退職後一年間は、人事院の官職以外の官職に、これを任命することができない。

第八条（**退職及び罷免**）①　人事官は、左の各号の一に該当する場合を除く外、その意に反して罷免されることがない。
一　第五条第三項各号の一に該当するに至つた場合
二　国会の訴追に基き、公開の弾劾手続により罷免を可とすると決定された場合
三　任期が満了して、再任されず又は人事官として引き続き十二年在任するに至つた場合
②　前項第二号の規定による弾劾の事由は、左に掲げるものとする。
一　心身の故障のため、職務の遂行に堪えないこと
二　職務上の義務に違反し、その他人事官たるに適しない非行があること
③　人事官の中二人以上が同一の政党に属することとなつた場合においては、これらの者の中一人以外の者は、内閣が両議院の同意を経て、これを罷免するものとする。
④　前項の規定は、政党所属関係について異動のなかつた人事官の地位に、影響を及ぼすものではない。

第九条（**人事官の弾劾**）①　人事官の弾劾の裁判は、最高裁判所においてこれを行う。
②　国会は、人事官の弾劾の訴追をしようとするときは、訴追の事由を記載した書面を最高裁判所に提出しなければならない。
③　国会は、前項の場合においては、同項に規定する書面の写を訴追に係る人事官に送付しなければならない。
④　最高裁判所は、第二項の書面を受理した日から三十日以上九

十日以内の間において裁判開始の日を定め、その日の三十日以前までに、国会及び訴追に係る人事官に、これを通知しなければならない。

⑤ 最高裁判所は、裁判開始の日から百日以内に判決を行わなければならない。

⑥ 人事官の弾劾の裁判の手続は、裁判所規則でこれを定める。

⑦ 裁判に要する費用は、国庫の負担とする。

第一〇条（人事官の給与） 人事官の給与は、別に法律で定める。

第一一条（総裁）① 人事院総裁は、人事官の中から、内閣が、これを命ずる。

② 人事院総裁は、院務を総理し、人事院を代表する。

③ 人事院総裁に事故のあるとき、又は人事院総裁が欠けたときは、先任の人事官が、その職務を代行する。

第一二条（人事院会議）① 定例の人事院会議は、人事院規則の定めるところにより少なくとも一週間に一回、一定の場所において開催することを常例としなければならない。

② 人事院会議の議事は、すべて議事録として記録しておかなければならない。

③ 前項の議事録は、幹事がこれを作成する。

④ 人事院の事務処理の手続に関し必要な事項は、人事院規則でこれを定める。

⑤ 事務総長は、幹事として人事院会議に出席する。

⑥ 人事院は、次に掲げる権限を行う場合においては、人事院の議決を経なければならない。

一 人事院規則の制定及び改廃
二 削除
三 第二十二条の規定による関係大臣その他の機関の長に対する勧告
四 第二十三条の規定による国会及び内閣に対する意見の申出
五 第二十四条の規定による国会及び内閣に対する報告
六 第二十八条の規定による国会及び内閣に対する勧告
七 第四十八条の規定による試験機関の指定
八 第六十条の規定による臨時的任用及びその更新に対する承認、臨時的任用に係る職員の員数の制限及びその資格要件の決定並びに臨時的任用の取消（人事院規則の定める場合を除く。）
九 第六十七条の規定による給与に関する法律に定める事項の改定案の作成並びに国会及び内閣に対する勧告
十 第八十七条の規定による事案の判定
十一 第九十二条の規定による処分の判定
十二 第九十五条の規定による補償に関する重要事項の立案
十三 第百三条第五項の審査請求に対する裁決
十四 第百八条の規定による国会及び内閣に対する意見の申出
十五 第百八条の三第六項の規定による職員団体の登録の効力の停止及び取消し
十六 その他人事院の議決によりその議決を必要とされた事項

第一三条（事務総局及び予算）① 人事院に事務総局及び法律顧問を置く。

② 事務総局の組織及び法律顧問に関し必要な事項は、人事院規則でこれを定める。

③ 人事院は、毎会計年度の開始前に、次の会計年度においてその必要とする経費の要求書を国の予算に計上されるように内閣に提出しなければならない。この要求書には、土地の購入、建物の建造、事務所の借上、家具、備品及び消耗品の購入、俸給及び給料の支払その他必要なあらゆる役務及び物品に関する経費が計上されなければならない。

④ 内閣が、人事院の経費の要求書を修正する場合においては、人事院の要求書は、内閣により修正された要求書とともに、これを国会に提出しなければならない。

⑤ 人事院は、国会の承認を得て、その必要とする地方の事務所を置くことができる。

第一四条（事務総長） 事務総長は、総裁の職務執行の補助者となり、その一般的監督の下に、人事院の事務上及び技術上のすべての活動を指揮監督し、人事院の職員について計画を立て、募集、配置及び指揮を行い、又、人事院会議の幹事となる。

第一五条（人事院の職員の兼職禁止） 人事官及び事務総長は、他の官職を兼ねてはならない。

第一六条（人事院規則及び人事院指令）① 人事院は、その所掌事務について、法律を実施するため、又は法律の委任に基づいて、人事院規則を制定し、人事院指令を発し、及び手続を定める。人事院は、いつでも、適宜に、人事院規則を改廃することができる。

② 人事院規則及びその改廃は、官報をもつて、これを公布する。

③ 人事院は、この法律に基いて人事院規則を実施し又はその他の措置を行うため、人事院指令を発することができる。

第一七条（人事院の調査）① 人事院又はその指名する者は、人事院の所掌する人事行政に関する事項に関し調査することができる。

② 人事院又は前項の規定により指名された者は、同項の調査に関し必要があるときは、証人を喚問し、又は調査すべき事項に関係があると認められる書類若しくはその写の提出を求めることができる。

③ 人事院は、第一項の調査（職員の職務に係る倫理の保持に関して行われるものに限る。）に関し必要があると認めるときは、当該調査の対象である職員に出頭を求めて質問し、又は同項の規定により指名された者に、当該職員の勤務する場所（職員として勤務していた場所を含む。）に立ち入らせ、帳簿書類その他必要な物件を検査させ、又は関係者に質問させることができる。

④ 前項の規定により立入検査をする者は、その身分を示す証明書を携帯し、関係者の請求があつたときは、これを提示しなければならない。

⑤ 第三項の規定による立入検査の権限は、犯罪捜査のために認められたものと解してはならない。

第一七条の二（国家公務員倫理審査会への権限の委任） 人事院は、前条の規定による権限（職員の職務に係る倫理の保持に関して行われるものに限り、かつ、第九十条第一項に規定する審査請求に係るものを除く。）を国家公務員倫理審査会に委任する。

第一八条（給与の支払の監理）① 人事院は、職員に対する給与の支払を監理する。

② 職員に対する給与の支払は、人事院規則又は人事院指令に反してこれを行つてはならない。

第一八条の二（内閣総理大臣）① 内閣総理大臣は、法律の定めるところに従い、採用試験の対象官職及び種類並びに採用試験により確保すべき人材に関する事務、標準職務遂行能力、採用昇任等基本方針、幹部職員の任用等に係る特例及び幹部候補育成課程に関する事務（第三十三条第一項に規定する根本基準の実施につき必要な事務であつて、行政需要の変化に対応するために行う優れた人材の養成及び活用の確保に関するものを含む。）、一般職の職員の給与に関する法律第六条の二第一項の規定による指定職俸給表の適用を受ける職員の号俸の決定の方法並びに同法第八条第一項の規定による職務の級の定数の設定及び改定に関する事務並びに職員の人事評価（任用、給与、分限その他の人事管理の基礎とするために、職員がその職務を遂行するに当たり発揮した能力及び挙げた業績を把握した上で行われる勤務成績の評価をいう。以下同じ。）、研修、能率、厚生、服務、退職管理等に関する事務（第三条第二項の規定により人事院の所掌に属するものを除く。）をつかさどる。

② 内閣総理大臣は、前項に規定するもののほか、各行政機関がその職員について行なう人事管理に関する方針、計画等に関し、その統一保持上必要な総合調整に関する事務をつかさどる。

（**内閣総理大臣の調査**）
第一八条の三① 内閣総理大臣は、職員の退職管理に関する事項（第百六条の二から第百六条の四までに規定するものに限る。）に関し調査することができる。
② 第十七条第二項から第五項までの規定は、前項の規定による調査について準用する。この場合において、同条第二項中「人事院又は前項の規定により指名された者は、同項」とあるのは「内閣総理大臣は、第十八条の三第一項」と、同条第三項中「第一項の調査（職員の職務に係る倫理の保持に関して行われるものに限る。）」とあるのは「第十八条の三第一項の調査」と、「対象である職員」とあるのは「対象である職員若しくは職員であつた者」と、「同項の規定により指名された者に、当該職員」とあるのは「当該職員」と、「立ち入らせ」とあるのは「立ち入り」と、「検査させ、又は関係者に質問させる」とあるのは「検査し、若しくは関係者に質問する」と読み替えるものとする。

（**再就職等監視委員会への権限の委任**）
第一八条の四 内閣総理大臣は、前条の規定による権限を再就職等監視委員会に委任する。

（**内閣総理大臣の援助等**）
第一八条の五① 内閣総理大臣は、職員の離職に際しての離職後の就職の援助を行う。
② 内閣総理大臣は、官民の人材交流（国と民間企業との間の人事交流に関する法律（平成十一年法律第二百二十四号）第二条第三項に規定する交流派遣及び民間企業に現に雇用され、又は雇用されていた者の職員への第三十六条ただし書の規定による採用その他これらに準ずるものとして政令で定めるものをいう。第五十四条第二項第七号において同じ。）の円滑な実施のための支援を行う。

（**官民人材交流センターへの事務の委任**）
第一八条の六① 内閣総理大臣は、前条に規定する事務を官民人材交流センターに委任する。
② 内閣総理大臣は、前項の規定により委任する事務について、その運営に関する指針を定め、これを公表する。

（**官民人材交流センター**）
第一八条の七① 内閣府に、官民人材交流センターを置く。
② 官民人材交流センターは、この法律及び他の法律の規定によりその権限に属させられた事項を処理する。
③ 官民人材交流センターの長は、官民人材交流センター長とし、内閣官房長官をもつて充てる。
④ 官民人材交流センター長は、官民人材交流センターの事務を統括する。
⑤ 官民人材交流センター長は、官民人材交流センターの所掌事務を遂行するために必要があると認めるときは、関係行政機関の長に対し、資料の提出、意見の開陳、説明その他必要な協力を求め、又は意見を述べることができる。
⑥ 官民人材交流センターに、官民人材交流副センター長を置く。
⑦ 官民人材交流副センター長は、官民人材交流センター長の職務を助ける。
⑧ 官民人材交流センターに、所要の職員を置く。
⑨ 内閣総理大臣は、官民人材交流センターの所掌事務の全部又は一部を分掌させるため、所要の地に、官民人材交流センターの支所を置くことができる。
⑩ 第三項から前項までに定めるもののほか、官民人材交流センターの組織に関し必要な事項は、政令で定める。

（**人事記録**）
第一九条① 内閣総理大臣は、職員の人事記録に関することを管理する。
② 内閣総理大臣は、内閣府、デジタル庁、各省その他の機関をして、当該機関の職員の人事に関する一切の事項について、人事記録を作成し、これを保管せしめるものとする。
③ 人事記録の記載事項及び様式その他人事記録に関し必要な事項は、政令でこれを定める。
④ 内閣総理大臣は、内閣府、デジタル庁、各省その他の機関によつて作成保管された人事記録で、前項の規定による政令に違反すると認めるものについて、その改訂を命じ、その他所要の措置をなすことができる。

（**統計報告**）
第二〇条① 内閣総理大臣は、政令の定めるところにより、職員の在職関係に関する統計報告の制度を定め、これを実施するものとする。
② 内閣総理大臣は、前項の統計報告に関し必要があるときは、関係庁に対し随時又は定期に一定の形式に基いて、所要の報告を求めることができる。

（**権限の委任**）
第二一条 人事院又は内閣総理大臣は、それぞれ人事院規則又は政令の定めるところにより、この法律に基づく権限の一部を他の機関をして行なわせることができる。この場合においては、人事院又は内閣総理大臣は、当該事務に関し、他の機関の長を指揮監督することができる。

（**人事行政改善の勧告**）
第二二条① 人事院は、人事行政の改善に関し、関係大臣その他の機関の長に勧告することができる。
② 前項の場合においては、人事院は、その旨を内閣に報告しなければならない。

（**法令の制定改廃に関する意見の申出**）
第二三条 人事院は、この法律の目的達成上、法令の制定又は改廃に関し意見があるときは、その意見を国会及び内閣に同時に申し出なければならない。

（**人事院規則の制定改廃に関する内閣総理大臣からの要請**）
第二三条の二① 内閣総理大臣は、この法律の目的達成上必要があると認めるときは、人事院に対し、人事院規則を制定し、又は改廃することを要請することができる。
② 内閣総理大臣は、前項の規定による要請をしたときは、速やかに、その内容を公表するものとする。

（**業務の報告**）
第二四条① 人事院は、毎年、国会及び内閣に対し、業務の状況を報告しなければならない。
② 内閣は、前項の報告を公表しなければならない。

（**人事管理官**）
第二五条① 内閣府、デジタル庁及び各省並びに政令で指定するその他の機関には、人事管理官を置かなければならない。
② 人事管理官は、人事に関する部局の長となり、前項の機関の長を助け、人事に関する事務を掌る。この場合において、人事管理官は、中央人事行政機関との緊密な連絡及びこれに対する協力につとめなければならない。

第二六条 削除

第三章　職員に適用される基準（抄）

第一節　通則

（**平等取扱いの原則**）
第二七条 全て国民は、この法律の適用について、平等に取り扱われ、人種、信条、性別、社会的身分、門地又は第三十八条第四号に該当する場合を除くほか政治的意見若しくは政治的所属関係によつて、差別されてはならない。

（**人事管理の原則**）
第二七条の二 職員の採用後の任用、給与その他の人事管理は、職員の採用年次、合格した採用試験の種類及び第六十一条の九第二項第二号に規定する課程対象者であるか否か又は同号に規定する課程対象者であつたか否かにとらわれてはならず、この法律に特段の定めがある場合を除くほか、人事評価に基づいて適切に行われなければならない。

（情勢適応の原則）

第二八条① この法律及び他の法律に基づいて定められる職員の給与、勤務時間その他勤務条件に関する基礎事項は、国会により社会一般の情勢に適応するように、随時これを変更することができる。その変更に関しては、人事院においてこれを勧告することを怠つてはならない。

② 人事院は、毎年、少くとも一回、俸給表が適当であるかどうかについて国会及び内閣に同時に報告しなければならない。給与を決定する諸条件の変化により、俸給表に定める給与を百分の五以上増減する必要が生じたと認められるときは、人事院は、その報告にあわせて、国会及び内閣に適当な勧告をしなければならない。

第二九条から第三二条まで 削除

第二節　採用試験及び任免（抄）

（任免の根本基準）

第三三条① 職員の任用は、この法律の定めるところにより、その者の受験成績、人事評価又はその他の能力の実証に基づいて行わなければならない。

② 前項に規定する根本基準の実施に当たつては、次に掲げる事項が確保されなければならない。

一　職員の公正な任用

二　行政需要の変化に対応するために行う優れた人材の養成及び活用

③ 職員の免職は、法律に定める事由に基づいてこれを行わなければならない。

④ 第一項に規定する根本基準の実施につき必要な事項であつて第二項第一号に掲げる事項の確保に関するもの及び前項に規定する根本基準の実施につき必要な事項は、この法律に定めのあるものを除いては、人事院規則でこれを定める。

第三三条の二（略）

第一款　通則

（定義）

第三四条① この法律において、次の各号に掲げる用語の意義は、当該各号に定めるところによる。

一　採用　職員以外の者を官職に任命すること（臨時的任用を除く。）をいう。

二　昇任　職員をその職員が現に任命されている官職より上位の職制上の段階に属する官職に任命することをいう。

三　降任　職員をその職員が現に任命されている官職より下位の職制上の段階に属する官職に任命することをいう。

四　転任　職員をその職員が現に任命されている官職以外の官職に任命することであつて前二号に定めるものに該当しないものをいう。

五　標準職務遂行能力　職制上の段階の標準的な官職の職務を遂行する上で発揮することが求められる能力として内閣総理大臣が定めるものをいう。

六　幹部職員　内閣府設置法（平成十一年法律第八十九号）第五十条若しくは国家行政組織法第六条に規定する長官、同法第十八条第一項に規定する事務次官若しくは同法第二十一条第一項に規定する局長若しくは部長の官職又はこれらの官職に準ずる官職であつて政令で定めるもの（以下「幹部職」という。）を占める職員をいう。

七　管理職員　国家行政組織法第二十一条第一項に規定する課長若しくは室長の官職又はこれらの官職に準ずる官職であつて政令で定めるもの（以下「管理職」という。）を占める職員をいう。

② 前項第五号の標準的な官職は、係員、係長、課長補佐、課長その他の官職とし、職制上の段階及び職務の種類に応じ、政令で定める。

（欠員補充の方法）

第三五条 官職に欠員を生じた場合においては、その任命権者は、法律又は人事院規則に別段の定のある場合を除いては、採用、昇任、降任又は転任のいずれか一の方法により、職員を任命することができる。但し、人事院が特別の必要があると認めて任命の方法を指定した場合は、この限りではない。

（採用の方法）

第三六条 職員の採用は、競争試験によるものとする。ただし、係員の官職（第三十四条第二項に規定する標準的な官職が係員である職制上の段階に属する官職その他これに準ずる官職として人事院規則で定めるものをいう。第四十五条の二第一項において同じ。）以外の官職に採用しようとする場合又は人事院規則で定める場合には、競争試験以外の能力の実証に基づく試験（以下「選考」という。）の方法によることを妨げない。

第三七条 削除

（欠格条項）

第三八条 次の各号のいずれかに該当する者は、人事院規則で定める場合を除くほか、官職に就く能力を有しない。

一　拘禁刑以上の刑に処せられ、その執行を終わるまで又はその執行を受けることがなくなるまでの者

二　懲戒免職の処分を受け、当該処分の日から二年を経過しない者

三　人事院の人事官又は事務総長の職にあつて、第百九条から第百十二条までに規定する罪を犯し、刑に処せられた者

四　日本国憲法施行の日以後において、日本国憲法又はその下に成立した政府を暴力で破壊することを主張する政党その他の団体を結成し、又はこれに加入した者

（人事に関する不法行為の禁止）

第三九条 何人も、次の各号のいずれかに該当する事項を実現するために、金銭その他の利益を授受し、提供し、要求し、若しくは授受を約束したり、直接たると間接たるとを問わず、公の地位を利用し、又はその利用を提供し、要求し、若しくは約束したり、あるいはこれらの行為に関与してはならない。

一　退職若しくは休職又は任用の不承諾

二　採用のための競争試験（以下「採用試験」という。）若しくは任用の志望の撤回又は任用に対する競争の中止

三　任用、昇給、留職その他官職における利益の実現又はこれらのことの推薦

（人事に関する虚偽行為の禁止）

第四〇条 何人も、採用試験、選考、任用又は人事記録に関して、虚偽又は不正の陳述、記載、証明、採点、判断又は報告を行つてはならない。

（受験又は任用の阻害及び情報提供の禁止）

第四一条 試験機関に属する者その他の職員は、受験若しくは任用を阻害し、又は受験若しくは任用に不当な影響を与える目的を以て特別若しくは秘密の情報を提供してはならない。

第二款　採用試験

（採用試験の実施）

第四二条 採用試験は、この法律に基づく命令で定めるところにより、これを行う。

（受験の欠格条項）

第四三条 第四十四条に規定する資格に関する制限の外、官職に就く能力を有しない者は、受験することができない。

（受験の資格要件）

第四四条 人事院は、人事院規則により、受験者に必要な資格として官職に応じ、その職務の遂行に欠くことのできない最小限度の客観的且つ画一的な要件を定めることができる。

（採用試験の内容）

第四五条 採用試験は、受験者が、当該採用試験に係る官職の属する職制上の段階の標準的な官職に係る標準職務遂行能力及び当該採用試験に係る官職についての適性を有するかどうかを判定することをもつてその目的とする。

（採用試験における対象官職及び種類並びに採用試験により確保すべき人材）

第四五条の二① 採用試験は、次に掲げる官職を対象として行うものとする。

一 係員の官職のうち、政策の企画及び立案又は調査及び研究に関する事務をその職務とする官職その他これらに類する官職であつて政令で定めるもの（第三号に掲げるものを除く。）

二 定型的な事務をその職務とする係員の官職その他の係員の官職（前号及び次号に掲げるものを除く。）

三 係員の官職のうち、特定の行政分野に係る専門的な知識を必要とする事務をその職務とする官職として政令で定めるもの

四 係員の官職より上位の職制上の段階に属する官職のうち、民間企業における実務の経験その他これに類する経験を有する者を採用することが適当なものとして政令で定めるもの

② 採用試験の種類は、次に掲げるとおりとする。

一 総合職試験（前項第一号に掲げる官職への採用を目的とした競争試験をいう。）であつて、一定の範囲の知識、技術その他の能力（以下この項において「知識等」という。）を有する者として政令で定めるものごとに、受験者が同号に掲げる官職の属する職制上の段階の標準的な官職に係る標準職務遂行能力及び同号に掲げる官職についての適性を有するかどうかを判定することを目的として行うそれぞれの採用試験

二 一般職試験（前項第二号に掲げる官職への採用を目的とした競争試験をいう。）であつて、一定の範囲の知識等を有する者として政令で定めるものごとに、受験者が同号に掲げる官職の属する職制上の段階の標準的な官職に係る標準職務遂行能力及び同号に掲げる官職についての適性を有するかどうかを判定することを目的として行うそれぞれの採用試験

三 専門職試験（前項第三号に掲げる官職への採用を目的とした競争試験をいう。）であつて、同号に規定する特定の行政分野に応じて一定の範囲の知識等を有する者として政令で定めるものごとに、受験者が同号に掲げる官職の属する職制上の段階の標準的な官職に係る標準職務遂行能力及び同号に掲げる官職についての適性を有するかどうかを判定することを目的として行うそれぞれの採用試験

四 経験者採用試験（前項第四号に掲げる官職への採用を目的とした競争試験をいう。）であつて、同号に規定する職制上の段階その他の官職に係る分類に応じて一定の範囲の知識等を有する者として政令で定めるものごとに、受験者が同号に掲げる官職の属する職制上の段階の標準的な官職に係る標準職務遂行能力及び同号に掲げる官職についての適性を有するかどうかを判定することを目的として行うそれぞれの採用試験

③ 採用試験により確保すべき人材に関する事項は、前項各号に掲げる採用試験の種類ごとに、政令で定める。

④ 前三項の政令は、人事院の意見を聴いて定めるものとする。

（採用試験の方法等）

第四五条の三 採用試験の方法、試験科目、合格者の決定の方法その他採用試験に関する事項については、この法律に定めのあるものを除いては、前条第二項各号に掲げる採用試験の種類に応じ、人事院規則で定める。

（採用試験の公開平等）

第四六条 採用試験は、人事院規則の定める受験の資格を有するすべての国民に対して、平等の条件で公開されなければならない。

（採用試験の告知）

第四七条① 採用試験の告知は、公告によらなければならない。

② 前項の告知には、その採用試験に係る官職についての職務及び責任の概要及び給与、受験の資格要件、採用試験の時期及び場所、願書の入手及び提出の場所、時期及び手続その他の必要な受験手続並びに人事院が必要と認めるその他の注意事項を記載するものとする。

③ 第一項の規定による公告は、人事院規則の定めるところにより、受験の資格を有するすべての者に対し、受験に必要な事項を周知させることができるように、これを行わなければならない。

④ 人事院は、受験の資格を有すると認められる者が受験するように、常に努めなければならない。

⑤ 人事院は、公告された採用試験又は実施中の採用試験を、取り消し又は変更することができる。

（試験機関）

第四八条 採用試験は、人事院規則の定めるところにより、人事院の定める試験機関が、これを行う。

（採用試験の時期及び場所）

第四九条 採用試験の時期及び場所は、国内の受験資格者が、無理なく受験することができるように、これを定めなければならない。

第三款 採用候補者名簿

（第五〇条から第五三条まで）（略）

第四款 任用

（採用昇任等基本方針）

第五四条① 内閣総理大臣は、公務の能率的な運営を確保する観点から、あらかじめ、次条第一項に規定する任命権者及び法律で別に定められた任命権者と協議して職員の採用、昇任、降任及び転任に関する制度の適切かつ効果的な運用を確保するための基本的な方針（以下「採用昇任等基本方針」という。）の案を作成し、閣議の決定を求めなければならない。

② 採用昇任等基本方針には、第三十三条の二に規定する基本的事項のほか、次に掲げる事項を定めるものとする。

一 職員の採用、昇任、降任及び転任に関する制度の適切かつ効果的な運用に関する基本的な指針

二 第五十六条の採用候補者名簿による採用及び第五十七条の選考による採用に関する指針

三 第五十八条の昇任及び転任に関する指針

四 管理職への任用に関する基準その他の指針

五 任命権者を異にする官職への任用に関する指針

六 職員の公募（官職の職務の具体的な内容並びに当該官職に求められる能力及び経験を公示して、当該官職の候補者を募集することをいう。次項において同じ。）に関する指針

七 官民の人材交流に関する指針

八 子の養育又は家族の介護を行う職員の状況を考慮した職員の配置その他の措置による仕事と生活の調和を図るための指針

九 前各号に掲げるもののほか、職員の採用、昇任、降任及び転任に関する制度の適切かつ効果的な運用を確保するために必要な事項

③ 前項第六号の指針を定めるに当たつては、犯罪の捜査その他特殊性を有する職務の官職についての公募の制限に関する事項その他職員の公募の適正を確保するために必要な事項に配慮するものとする。

④ 内閣総理大臣は、第一項の規定による閣議の決定があつたときは、遅滞なく、採用昇任等基本方針を公表しなければならない。

⑤ 第一項及び前項の規定は、採用昇任等基本方針の変更について準用する。

⑥ 任命権者は、採用昇任等基本方針に沿つて、職員の採用、昇任、降任及び転任を行わなければならない。

（任命権者）

第五五条① 任命権は、法律に別段の定めのある場合を除いては、内閣、各大臣（内閣総理大臣及び各省大臣をいう。以下同じ。）、会計検査院長及び人事院総裁並びに宮内庁長官及び各外局の長に属するものとする。これらの機関の長の有する任命権は、その部内の機関に属する官職に限られ、内閣の有する任命権は、その直属する機関（内閣府及びデジタル庁を除く。）に属

する官職に限られる。ただし、外局の長（国家行政組織法第七条第五項に規定する実施庁以外の庁にあつては、外局の幹部職）に対する任命権は、各大臣に属する。

② 前項に規定する機関の長たる任命権者は、幹部職以外の官職（内閣が任命権を有する場合にあつては、幹部職を含む。）の任命権を、その部内の上級の国家公務員（内閣が任命権を有する幹部職にあつては、内閣総理大臣又は国務大臣）に限り委任することができる。この委任は、その効力が発生する日の前に、書面をもつて、これを人事院に提示しなければならない。

③ この法律、人事院規則及び人事院指令に規定する要件を備えない者は、これを任命し、雇用し、昇任させ若しくは転任させてはならず、又はいかなる官職にも配置してはならない。

（採用候補者名簿による採用）

第五六条 採用候補者名簿による職員の採用は、任命権者が、当該採用候補者名簿に記載された者の中から、面接を行い、その結果を考慮して行うものとする。

（選考による採用）

第五七条 選考による職員の採用（職員の幹部職への任命に該当するものを除く。）は、任命権者が、任命しようとする官職の属する職制上の段階の標準的な官職に係る標準職務遂行能力及び当該任命しようとする官職についての適性を有すると認められる者の中から行うものとする。

（昇任、降任及び転任）

第五八条① 職員の昇任及び転任（職員の幹部職への任命に該当するものを除く。）は、任命権者が、職員の人事評価に基づき、任命しようとする官職の属する職制上の段階の標準的な官職に係る標準職務遂行能力及び当該任命しようとする官職についての適性を有すると認められる者の中から行うものとする。

② 任命権者は、職員を降任させる場合（職員の幹部職への任命に該当する場合を除く。）には、当該職員の人事評価に基づき、任命しようとする官職の属する職制上の段階の標準的な官職に係る標準職務遂行能力及び当該任命しようとする官職についての適性を有すると認められる官職に任命するものとする。

③ 国際機関又は民間企業に派遣されていたこと等の事情により、人事評価が行われていない職員の昇任、降任及び転任（職員の幹部職への任命に該当するものを除く。）については、前二項の規定にかかわらず、任命権者が、人事評価以外の能力の実証に基づき、任命しようとする官職の属する職制上の段階の標準的な官職に係る標準職務遂行能力及び当該任命しようとする官職についての適性を判断して行うことができる。

（条件付任用）

第五九条① 職員の採用及び昇任は、職員であつた者又はこれに準ずる者のうち、人事院規則で定める者を採用する場合その他人事院規則で定める場合を除き、条件付のものとし、職員が、その官職において六月の期間（六月の期間とすることが適当でないと認められる職員として人事院規則で定める職員にあつては、人事院規則で定める期間）を勤務し、その間その職務を良好な成績で遂行したときに、正式のものとなるものとする。

② 前項に定めるもののほか、条件付任用に関し必要な事項は、人事院規則で定める。

（臨時的任用）

第六〇条① 任命権者は、人事院規則の定めるところにより、緊急の場合、臨時の官職に関する場合又は採用候補者名簿がない場合には、人事院の承認を得て、六月を超えない任期で、臨時的任用を行うことができる。この場合において、その任用は、人事院規則の定めるところにより人事院の承認を得て、六月の期間で、これを更新することができるが、再度更新することはできない。

② 人事院は、臨時的任用につき、その員数を制限し、又は、任用される者の資格要件を定めることができる。

③ 人事院は、前二項の規定又は人事院規則に違反する臨時的任用を取り消すことができる。

④ 臨時的任用は、任用に際して、いかなる優先権をも与えるものではない。

⑤ 前各項に定めるもののほか、臨時的に任用された者に対しては、この法律及び人事院規則を適用する。

（定年前再任用短時間勤務職員の任用）

第六〇条の二① 任命権者は、年齢六十年に達した日以後にこの法律の規定により退職（臨時的職員その他の法律により任期を定めて任用される職員及び常時勤務を要しない官職を占める職員が退職する場合を除く。）をした者（以下この条及び第八十二条第二項において「年齢六十年以上退職者」という。）又は年齢六十年に達した日以後に自衛隊法（昭和二十九年法律第百六十五号）の規定により退職（自衛官及び同法第四十四条の六第三項各号に掲げる隊員が退職する場合を除く。）をした者（以下この項及び第三項において「自衛隊法による年齢六十年以上退職者」という。）を、人事院規則で定めるところにより、従前の勤務実績その他の人事院規則で定める情報に基づく選考により、短時間勤務の官職（当該官職を占める職員の一週間当たりの通常の勤務時間が、常時勤務を要する官職でその職務が当該短時間勤務の官職と同種の官職を占める職員の一週間当たりの通常の勤務時間に比し短い時間である官職をいう。以下この項及び第三項において同じ。）（一般職の職員の給与に関する法律別表第十一に規定する指定職俸給表の適用を受ける職員が占める官職及びこれに準ずる行政執行法人の官職として人事院規則で定める官職（第四項及び第六節第一款第二目においてこれらの官職を「指定職」という。）を除く。以下この項及び第三項において同じ。）に採用することができる。ただし、年齢六十年以上退職者又は自衛隊法による年齢六十年以上退職者がこれらの者を採用しようとする短時間勤務の官職に係る定年退職日相当日（短時間勤務の官職を占める職員が、常時勤務を要する官職でその職務が当該短時間勤務の官職と同種の官職を占めているものとした場合における第八十一条の六第一項に規定する定年退職日をいう。次項及び第三項において同じ。）を経過した者であるときは、この限りでない。

② 前項の規定により採用された職員（以下この条及び第八十二条第二項において「定年前再任用短時間勤務職員」という。）の任期は、採用の日から定年退職日相当日までとする。

③ 任命権者は、年齢六十年以上退職者又は自衛隊法による年齢六十年以上退職者のうちこれらの者を採用しようとする短時間勤務の官職に係る定年退職日相当日を経過していない者以外の者を当該短時間勤務の官職に採用することができず、定年前再任用短時間勤務職員のうち当該定年前再任用短時間勤務職員を昇任し、降任し、又は転任しようとする短時間勤務の官職に係る定年退職日相当日を経過していない定年前再任用短時間勤務職員以外の職員を当該短時間勤務の官職に昇任し、降任し、又は転任することができない。

④ 任命権者は、定年前再任用短時間勤務職員を、指定職又は指定職以外の常時勤務を要する官職に昇任し、降任し、又は転任することができない。

第五款　休職、復職、退職及び免職

（休職、復職、退職及び免職）

第六一条 職員の休職、復職、退職及び免職は、任命権者が、この法律及び人事院規則に従い、これを行う。

第六款　幹部職員の任用等に係る特例（抄）

（適格性審査及び幹部候補者名簿）

第六一条の二① 内閣総理大臣は、次に掲げる者について、政令で定めるところにより、幹部職（自衛隊法第三十条の二第一項第六号に規定する幹部職を含む。第二号及び次項において同じ。）に属する官職（同条第一項第二号に規定する自衛官以外の隊員が占める職を含む。次項及び第六十一条の十一において同じ。）に係る標準職務遂行能力（同法第三十条の二第一項第五号に規定する標準職務遂行能力を含む。次項において同じ。）を有することを確認するための審査（以下「適格性審査」という。）

を公正に行うものとする。

一　幹部職員（自衛隊法第三十条の二第一項第六号に規定する幹部隊員を含む。次号及び第六十一条の九第一項において同じ。）

二　幹部職員以外の者であつて、幹部職の職責を担うにふさわしい能力を有すると見込まれる者として任命権者（自衛隊法第三十一条第一項の規定により同法第二条第五項に規定する隊員（以下「自衛隊員」という。）の任免について権限を有する者を含む。第三項及び第四項、第六十一条の六並びに第六十一条の十一において同じ。）が内閣総理大臣に推薦した者

三　前二号に掲げる者に準ずる者として政令で定める者

②　内閣総理大臣は、適格性審査の結果、幹部職に属する官職に係る標準職務遂行能力を有することを確認した者について、政令で定めるところにより、氏名その他政令で定める事項を記載した名簿（以下この条及び次条において「幹部候補者名簿」という。）を作成するものとする。

③　内閣総理大臣は、任命権者の求めがある場合には、政令で定めるところにより、当該任命権者に対し、幹部候補者名簿を提示するものとする。

④　内閣総理大臣は、政令で定めるところにより、定期的に、及び任命権者の求めがある場合その他必要があると認める場合には随時、適格性審査を行い、幹部候補者名簿を更新するものとする。

⑤　内閣総理大臣は、前各項の規定による権限を内閣官房長官に委任する。

⑥　第一項（第三号を除く。）及び第二項から第四項までの政令は、人事院の意見を聴いて定めるものとする。

（幹部候補者名簿に記載されている者の中からの任用）

第六十一条の三①　選考による職員の採用であつて、幹部職への任命に該当するものは、任命権者が、幹部候補者名簿に記載されている者であつて、当該任命しようとする幹部職についての適性を有すると認められる者の中から行うものとする。

②　職員の昇任及び転任であつて、幹部職への任命に該当するものは、任命権者が、幹部候補者名簿に記載されている者であつて、職員の人事評価に基づき、当該任命しようとする幹部職についての適性を有すると認められる者の中から行うものとする。

③　任命権者は、幹部候補者名簿に記載されている職員の降任であつて、幹部職への任命に該当するものを行う場合には、当該職員の人事評価に基づき、当該任命しようとする幹部職についての適性を有すると認められる幹部職に任命するものとする。

④　国際機関又は民間企業に派遣されていたこと等の事情により人事評価が行われていない職員のうち、幹部候補者名簿に記載されている者の昇任、降任又は転任であつて、幹部職への任命に該当するものについては、任命権者が、前二項の規定にかかわらず、人事評価以外の能力の実証に基づき、当該任命しようとする幹部職についての適性を判断して行うことができる。

（内閣総理大臣及び内閣官房長官との協議に基づく任用等）

第六十一条の四①　任命権者は、職員の選考による採用、昇任、降任及び転任であつて幹部職への任命に該当するもの、幹部職員の幹部職以外の官職への昇任、降任及び転任（第八十一条の二第一項の規定による降任及び転任を除く。）並びに幹部職員の退職（政令で定めるものに限る。第四項において同じ。）及び免職（次項及び第三項において「採用等」という。）を行う場合には、政令で定めるところにより、あらかじめ内閣総理大臣及び内閣官房長官に協議した上で、当該協議に基づいて行うものとする。

②　前項の場合において、災害その他緊急やむを得ない理由により、あらかじめ内閣総理大臣及び内閣官房長官に協議する時間的余裕がないときは、任命権者は、同項の規定にかかわらず、当該協議を行うことなく、職員の採用等を行うことができる。

③　任命権者は、前項の規定により職員の採用等を行つた場合には、内閣総理大臣及び内閣官房長官に通知するとともに、遅滞なく、当該採用等について、政令で定めるところにより、内閣総理大臣及び内閣官房長官に協議し、当該協議に基づいて必要な措置を講じなければならない。

④　内閣総理大臣又は内閣官房長官は、幹部職員について適切な人事管理を確保するために必要があると認めるときは、任命権者に対し、幹部職員の昇任、降任、転任、退職及び免職（第八十一条の二第一項の規定による降任及び転任を除く。以下この項において「昇任等」という。）について協議を求めることができる。この場合において、協議が調つたときは、任命権者は、当該協議に基づいて昇任等を行うものとする。

（管理職への任用に関する運用の管理）

第六十一条の五①　任命権者は、政令で定めるところにより、定期的に、及び内閣総理大臣の求めがある場合には随時、管理職への任用の状況を内閣総理大臣に報告するものとする。

②　内閣総理大臣は、第五十四条第二項第四号の基準に照らして必要があると認める場合には、任命権者に対し、管理職への任用に関する運用の改善その他の必要な措置をとることを求めることができる。

（任命権者を異にする管理職への任用に係る調整）

第六十一条の六　内閣総理大臣は、任命権者を異にする管理職（自衛隊法第三十条の二第一項第七号に規定する管理職を含む。）への任用の円滑な実施に資するよう、任命権者に対する情報提供、任命権者相互間の情報交換の促進その他の必要な調整を行うものとする。

（人事に関する情報の管理）

第六十一条の七①　内閣総理大臣は、この款及び次款の規定の円滑な運用を図るため、内閣府、デジタル庁、各省その他の機関に対し、政令で定めるところにより、当該機関の幹部職員、管理職員、第六十一条の九第二項第二号に規定する課程対象者その他これらに準ずる職員として政令で定めるものの人事に関する情報の提供を求めることができる。

②　内閣総理大臣は、政令で定めるところにより、前項の規定により提出された情報を適正に管理するものとする。

第六十一条の八　（略）

第七款　幹部候補育成課程

（第六一条の九から第六一条の一一まで）（略）

第三節　給与（抄）

（給与の根本基準）

第六十二条　職員の給与は、その官職の職務と責任に応じてこれをなす。

第一款　通則

（法律による給与の支給）

第六十三条　職員の給与は、別に定める法律に基づいてなされ、これに基づかずには、いかなる金銭又は有価物も支給することはできない。

（俸給表）

第六十四条①　前条に規定する法律（以下「給与に関する法律」という。）には、俸給表が規定されなければならない。

②　俸給表は、生計費、民間における賃金その他人事院の決定する適当な事情を考慮して定められ、かつ、等級ごとに明確な俸給額の幅を定めていなければならない。

（給与に関する法律に定めるべき事項）

第六十五条①　給与に関する法律には、前条の俸給表のほか、次に掲げる事項が規定されなければならない。

一　初任給、昇給その他の俸給の決定の基準に関する事項

二　官職又は勤務の特殊性を考慮して支給する給与に関する事項

三　親族の扶養その他職員の生計の事情を考慮して支給する給与に関する事項

四　地域の事情を考慮して支給する給与に関する事項

五　時間外勤務、夜間勤務及び休日勤務に対する給与に関する事項
六　一定の期間における勤務の状況を考慮して年末等に特別に支給する給与に関する事項
七　常時勤務を要しない官職を占める職員の給与に関する事項
② 前項第一号の基準は、勤続期間、勤務能率その他勤務に関する諸要件を考慮して定められるものとする。

第六六条　削除

（給与に関する法律に定める事項の改定）
第六七条　人事院は、第二十八条第二項の規定によるもののほか、給与に関する法律に定める事項に関し、常時、必要な調査研究を行い、これを改定する必要を認めたときは、遅滞なく改定案を作成して、国会及び内閣に勧告をしなければならない。

第二款　給与の支払

（第六八条から第七〇条まで）（略）

第四節　人事評価

（人事評価の根本基準）
第七〇条の二　職員の人事評価は、公正に行われなければならない。

（人事評価の実施）
第七〇条の三①　職員の執務については、その所轄庁の長は、定期的に人事評価を行わなければならない。
② 人事評価の基準及び方法に関する事項その他人事評価に関し必要な事項は、人事院の意見を聴いて、政令で定める。

（人事評価に基づく措置）
第七〇条の四①　所轄庁の長は、前条第一項の人事評価の結果に応じた措置を講じなければならない。
② 内閣総理大臣は、勤務成績の優秀な者に対する表彰に関する事項及び成績の著しく不良な者に対する矯正方法に関する事項を立案し、これについて、適当な措置を講じなければならない。

第四節の二　研修

（第七〇条の五から第七〇条の七まで）（略）

第五節　能率（抄）

（能率の根本基準）
第七一条①　職員の能率は、充分に発揮され、且つ、その増進がはかられなければならない。
② 前項の根本基準の実施につき、必要な事項は、この法律に定めるものを除いては、人事院規則でこれを定める。
③ 内閣総理大臣は、職員の能率の発揮及び増進について、調査研究を行い、その確保のため適切な方策を講じなければならない。

第七二条　削除

（能率増進計画）
第七三条①　内閣総理大臣及び関係庁の長は、職員の勤務能率の発揮及び増進のために、次に掲げる事項について計画を樹立し、その実施に努めなければならない。
一　職員の保健に関する事項
二　職員のレクリエーションに関する事項
三　職員の安全保持に関する事項
四　職員の厚生に関する事項
② 前項の計画の樹立及び実施に関し、内閣総理大臣は、その総合的企画並びに関係各庁に対する調整及び監視を行う。

第七三条の二　（略）

第六節　分限、懲戒及び保障（抄）

（分限、懲戒及び保障の根本基準）
第七四条①　すべて職員の分限、懲戒及び保障については、公正でなければならない。
② 前項に規定する根本基準の実施につき必要な事項は、この法律に定めるものを除いては、人事院規則でこれを定める。

第一款　分限（抄）

第一目　降任、休職、免職等（抄）

（身分保障）
第七五条①　職員は、法律又は人事院規則で定める事由による場合でなければ、その意に反して、降任され、休職され、又は免職されることはない。
② 職員は、この法律又は人事院規則で定める事由に該当するときは、降給されるものとする。

（欠格による失職）
第七六条　職員が第三十八条各号（第二号を除く。）のいずれかに該当するに至つたときは、人事院規則で定める場合を除くほか、当然失職する。

（離職）
第七七条　職員の離職に関する規定は、この法律及び人事院規則でこれを定める。

（本人の意に反する降任及び免職の場合）
第七八条　職員が、次の各号に掲げる場合のいずれかに該当するときは、人事院規則の定めるところにより、その意に反して、これを降任し、又は免職することができる。
一　人事評価又は勤務の状況を示す事実に照らして、勤務実績がよくない場合
二　心身の故障のため、職務の遂行に支障があり、又はこれに堪えない場合
三　その他その官職に必要な適格性を欠く場合
四　官制若しくは定員の改廃又は予算の減少により廃職又は過員を生じた場合

第七八条の二　（略）

（本人の意に反する休職の場合）
第七九条　職員が、左の各号の一に該当する場合又は人事院規則で定めるその他の場合においては、その意に反して、これを休職することができる。
一　心身の故障のため、長期の休養を要する場合
二　刑事事件に関し起訴された場合

（休職の効果）
第八〇条①　前条第一号の規定による休職の期間は、人事院規則でこれを定める。休職期間中その事故の消滅したときは、休職は当然終了したものとし、すみやかに復職を命じなければならない。
② 前条第二号の規定による休職の期間は、その事件が裁判所に係属する間とする。
③ いかなる休職も、その事由が消滅したときは、当然に終了したものとみなされる。
④ 休職者は、職員としての身分を保有するが、職務に従事しない。休職者は、その休職の期間中、給与に関する法律で別段の定めをしない限り、何らの給与を受けてはならない。

（適用除外）
第八一条①　次に掲げる職員の分限（定年に係るものを除く。次項において同じ。）については、第七十五条、第七十八条から前条まで及び第八十九条並びに行政不服審査法（平成二十六年法律第六十八号）の規定は、適用しない。
一　臨時的職員
二　条件付採用期間中の職員
② 前項各号に掲げる職員の分限については、人事院規則で必要な事項を定めることができる。

第二目　管理監督職勤務上限年齢による降任等

（管理監督職勤務上限年齢による降任等）
第八一条の二①　任命権者は、管理監督職（一般職の職員の給与に関する法律第十条の二第一項に規定する官職及びこれに準ずる官職として人事院規則で定める官職並びに指定職（これらの官職のうち、病院、療養所、診療所その他の国の部局又は機関

に勤務する医師及び歯科医師が占める官職その他のその職務と責任に特殊性があること又は欠員の補充が困難であることにより この条の規定を適用することが著しく不適当と認められる官職として人事院規則で定める官職を除く。）をいう。以下この目及び第八十一条の七において同じ。）を占める職員でその占める管理監督職に係る管理監督職勤務上限年齢に達している職員について、異動期間（当該管理監督職勤務上限年齢に達した日の翌日から同日以後における最初の四月一日までの間をいう。以下この目及び同条において同じ。）（第八十一条の五第一項から第四項までの規定により延長された期間を含む。以下この項において同じ。）に、管理監督職以外の官職又は管理監督職勤務上限年齢が当該職員の年齢を超える管理監督職（以下この項及び第三項においてこれらの官職を「他の官職」という。）への降任又は転任（降給を伴う転任に限る。）をするものとする。ただし、異動期間に、この法律の他の規定により当該職員について他の官職への昇任、降任若しくは転任をした場合又は第八十一条の七第一項の規定により当該職員を管理監督職を占めたまま引き続き勤務させることとした場合は、この限りでない。

② 前項の管理監督職勤務上限年齢は、年齢六十年とする。ただし、次の各号に掲げる管理監督職を占める職員の管理監督職勤務上限年齢は、当該各号に定める年齢とする。

一 国家行政組織法第十八条第一項に規定する事務次官及びこれに準ずる管理監督職のうち人事院規則で定める管理監督職
　年齢六十二年

二 前号に掲げる管理監督職のほか、その職務と責任に特殊性があること又は欠員の補充が困難であることにより管理監督職勤務上限年齢を年齢六十年とすることが著しく不適当と認められる管理監督職として人事院規則で定める管理監督職
　六十年を超え六十四年を超えない範囲内で人事院規則で定める年齢

③ 第一項本文の規定による他の官職への降任又は転任（以下この目及び第八十九条第一項において「他の官職への降任等」という。）を行うに当たつて任命権者が遵守すべき基準に関する事項その他の他の官職への降任等に関し必要な事項は、人事院規則で定める。

第八一条の三　**（管理監督職への任用の制限）**　任命権者は、採用し、昇任し、降任し、又は転任しようとする管理監督職に係る管理監督職勤務上限年齢に達している者を、その者が当該管理監督職を占めているものとした場合における異動期間の末日の翌日（他の官職への降任等をされた職員にあつては、当該他の官職への降任等をされた日）以後、当該管理監督職に採用し、昇任し、降任し、又は転任することができない。

第八一条の四　**（適用除外）**　前二条の規定は、臨時的職員その他の法律により任期を定めて任用される職員には適用しない。

第八一条の五　**（管理監督職勤務上限年齢による降任等及び管理監督職への任用の制限の特例）**　① 任命権者は、他の官職への降任等をすべき管理監督職を占める職員について、次に掲げる事由があると認めるときは、当該職員が占める管理監督職に係る異動期間の末日の翌日から起算して一年を超えない期間内（当該期間内に次条第一項に規定する定年退職日（以下この項及び次項において「定年退職日」という。）がある職員にあつては、当該異動期間の末日の翌日から定年退職日までの期間内。第三項において同じ。）で当該異動期間を延長し、引き続き当該管理監督職を占める職員に、当該管理監督職を占めたまま勤務をさせることができる。

一 当該職員の職務の遂行上の特別の事情を勘案して、当該職員の他の官職への降任等により公務の運営に著しい支障が生ずると認められる事由として人事院規則で定める事由

二 当該職員の職務の特殊性を勘案して、当該職員の他の官職への降任等により、当該管理監督職の欠員の補充が困難となることにより公務の運営に著しい支障が生ずると認められる事由として人事院規則で定める事由

② 任命権者は、前項又はこの項の規定により異動期間（これらの規定により延長された期間を含む。）が延長された管理監督職を占める職員について、前項各号に掲げる事由が引き続きあると認めるときは、人事院の承認を得て、延長された当該異動期間の末日の翌日から起算して一年を超えない期間内（当該期間内に定年退職日がある職員にあつては、延長された当該異動期間の末日の翌日から定年退職日までの期間内。第四項において同じ。）で延長された当該異動期間を更に延長することができる。ただし、更に延長される当該異動期間の末日は、当該職員が占める管理監督職に係る異動期間の末日の翌日から起算して三年を超えることができない。

③ 任命権者は、第一項の規定により異動期間を延長することができる場合を除き、他の官職への降任等をすべき特定管理監督職群（職務の内容が相互に類似する複数の管理監督職（指定職を除く。以下この項及び次項において同じ。）であつて、これらの欠員を容易に補充することができない年齢別構成その他の特別の事情がある管理監督職として人事院規則で定める管理監督職をいう。以下この項において同じ。）に属する管理監督職を占める職員について、当該職員の他の官職への降任等により、当該特定管理監督職群に属する管理監督職の欠員の補充が困難となることにより公務の運営に著しい支障が生ずると認められる事由として人事院規則で定める事由があると認めるときは、当該職員が占める管理監督職に係る異動期間の末日の翌日から起算して一年を超えない期間内で当該異動期間を延長し、引き続き当該管理監督職を占めたまま勤務をさせ、又は当該職員を当該職員に当該管理監督職が属する特定管理監督職群の他の管理監督職に降任し、若しくは転任することができる。

④ 任命権者は、第一項若しくは第二項の規定により異動期間（これらの規定により延長された期間を含む。）が延長された管理監督職を占める職員について前項に規定する事由があると認めるとき（第二項の規定により延長された当該異動期間を更に延長することができるときを除く。）、又は前項若しくはこの項の規定により異動期間（前三項又はこの項の規定により延長された期間を含む。）が延長された管理監督職を占める職員について前項に規定する事由が引き続きあると認めるときは、人事院の承認を得て、延長された当該異動期間の末日の翌日から起算して一年を超えない期間内で延長された当該異動期間を更に延長することができる。

⑤ 前各項に定めるもののほか、これらの規定による異動期間（これらの規定により延長された期間を含む。）の延長及び当該延長に係る職員の降任又は転任に関し必要な事項は、人事院規則で定める。

第三目　定年による退職等

第八一条の六　**（定年による退職）**　① 職員は、法律に別段の定めのある場合を除き、定年に達したときは、定年に達した日以後における最初の三月三十一日又は第五十五条第一項に規定する任命権者若しくは法律で別に定められた任命権者があらかじめ指定する日のいずれか早い日（次条第一項及び第二項ただし書において「定年退職日」という。）に退職する。

② 前項の定年は、年齢六十五年とする。ただし、その職務と責任に特殊性があること又は欠員の補充が困難であることにより定年を年齢六十五年とすることが著しく不適当と認められる官職を占める医師及び歯科医師その他の職員として人事院規則で定める職員の定年は、六十五年を超え七十年を超えない範囲内で人事院規則で定める年齢とする。

③ 前二項の規定は、臨時的職員その他の法律により任期を定めて任用される職員及び常時勤務を要しない官職を占める職員には適用しない。

第八一条の七（定年による退職の特例）① 任命権者は、定年に達した職員が前条第一項の規定により退職すべきこととなる場合において、次に掲げる事由があると認めるときは、同項の規定にかかわらず、当該職員に係る定年退職日の翌日から起算して一年を超えない範囲内で期限を定め、当該職員を当該定年退職日において従事している職務に従事させるため、引き続き勤務させることができる。ただし、第八十一条の五第一項から第四項までの規定により異動期間（これらの規定により延長された期間を含む。）を延長した職員であつて、定年退職日において管理監督職を占めている職員については、同条第一項又は第二項の規定により当該定年退職日まで当該異動期間を延長した場合であつて、引き続き勤務させることについて人事院の承認を得たときに限るものとし、当該期限は、当該職員が占めている管理監督職に係る異動期間の末日の翌日から起算して三年を超えることができない。

一 前条第一項の規定により退職すべきこととなる職員の職務の遂行上の特別の事情を勘案して、当該職員の退職により公務の運営に著しい支障が生ずると認められる事由として人事院規則で定める事由

二 前条第一項の規定により退職すべきこととなる職員の職務の特殊性を勘案して、当該職員の退職により、当該職員が占める官職の欠員の補充が困難となることにより公務の運営に著しい支障が生ずると認められる事由として人事院規則で定める事由

② 任命権者は、前項の期限又はこの項の規定により延長された期限が到来する場合において、前項各号に掲げる事由が引き続きあると認めるときは、人事院の承認を得て、これらの期限の翌日から起算して一年を超えない範囲内で期限を延長することができる。ただし、当該期限は、当該職員に係る定年退職日（同項ただし書に規定する職員にあつては、当該職員が占めている管理監督職に係る異動期間の末日）の翌日から起算して三年を超えることができない。

③ 前二項に定めるもののほか、これらの規定による勤務に関し必要な事項は、人事院規則で定める。

第八一条の八（定年に関する事務の調整等） 内閣総理大臣は、職員の定年に関する事務の適正な運営を確保するため、各行政機関が行う当該事務の運営に関し必要な調整を行うほか、職員の定年に関する制度の実施に関する施策を調査研究し、その権限に属する事項について適切な方策を講ずるものとする。

第二款　懲戒

第八二条（懲戒の場合）① 職員が次の各号のいずれかに該当する場合には、当該職員に対し、懲戒処分として、免職、停職、減給又は戒告の処分をすることができる。

一 この法律若しくは国家公務員倫理法又はこれらの法律に基づく命令（国家公務員倫理法第五条第三項の規定に基づく訓令及び同条第四項の規定に基づく規則を含む。）に違反した場合

二 職務上の義務に違反し、又は職務を怠つた場合

三 国民全体の奉仕者たるにふさわしくない非行のあつた場合

② 職員が、任命権者の要請に応じ特別職に属する国家公務員、地方公務員又は沖縄振興開発金融公庫その他その業務が国の事務若しくは事業と密接な関連を有する法人のうち人事院規則で定めるものに使用される者（以下この項において「特別職国家公務員等」という。）となるため退職し、引き続き特別職国家公務員等として在職した後、引き続いて当該退職を前提として職員として採用された場合（一の特別職国家公務員等として在職した後、引き続き一以上の特別職国家公務員等として在職し、引き続いて当該退職を前提として職員として採用された場合を含む。）において、当該退職までの引き続く職員としての在職期間（当該退職前に同様の退職（以下この項において「先の退職」という。）、特別職国家公務員等としての在職及び職員としての採用がある場合には、当該先の退職までの引き続く職員としての在職期間を含む。以下この項において「要請に応じた退職前の在職期間」という。）中に前項各号のいずれかに該当したときは、当該職員に対し、同項に規定する懲戒処分を行うことができる。定年前再任用短時間勤務職員が、年齢六十年以上退職者となつた日までの引き続く職員としての在職期間（要請に応じた退職前の在職期間を含む。）又は第六十条の二第一項の規定によりかつて採用されて定年前再任用短時間勤務職員として在職していた期間中に前項各号のいずれかに該当したときも、同様とする。

第八三条（懲戒の効果）① 停職の期間は、一年をこえない範囲内において、人事院規則でこれを定める。

② 停職者は、職員としての身分を保有するが、その職務に従事しない。停職者は、第九十二条の規定による場合の外、停職の期間中給与を受けることができない。

第八四条（懲戒権者）① 懲戒処分は、任命権者が、これを行う。

② 人事院は、この法律に規定された調査を経て職員を懲戒手続に付することができる。

第八四条の二（国家公務員倫理審査会への権限の委任） 人事院は、前条第二項の規定による権限（国家公務員倫理法又はこれに基づく命令（同法第五条第三項の規定に基づく訓令及び同条第四項の規定に基づく規則を含む。）に違反する行為に関して行われるものに限る。）を国家公務員倫理審査会に委任する。

第八五条（刑事裁判との関係） 懲戒に付せらるべき事件が、刑事裁判所に係属する間においても、人事院又は人事院の承認を経て任命権者は、同一事件について、適宜に、懲戒手続を進めることができる。この法律による懲戒処分は、当該職員が、同一又は関連の事件に関し、重ねて刑事上の訴追を受けることを妨げない。

第三款　保障

第一目　勤務条件に関する行政措置の要求

第八六条（勤務条件に関する行政措置の要求） 職員は、俸給、給料その他あらゆる勤務条件に関し、人事院に対して、人事院若しくは内閣総理大臣又はその職員の所轄庁の長により、適当な行政上の措置が行われることを要求することができる。

第八七条（事案の審査及び判定） 前条に規定する要求のあつたときは、人事院は、必要と認める調査、口頭審理その他の事実審査を行い、一般国民及び関係者に公平なように、且つ、職員の能率を発揮し、及び増進する見地において、事案を判定しなければならない。

第八八条（判定の結果採るべき措置） 人事院は、前条に規定する判定に基き、勤務条件に関し一定の措置を必要と認めるときは、その権限に属する事項については、自らこれを実行し、その他の事項については、内閣総理大臣又はその職員の所轄庁の長に対し、その実行を勧告しなければならない。

第二目　職員の意に反する不利益な処分に関する審査

第八九条（職員の意に反する降給等の処分に関する説明書の交付）① 職員に対し、その意に反して、降給（他の官職への降任等に伴う降給を除く。）、降任（他の官職への降任等に該当する降任を除く。）、休職若しくは免職をし、その他職員に対し著しく不利益な処分を行い、又は懲戒処分を行おうとするときは、当該処分を行う者は、当該職員に対し、当該処分の際、当該処分の事由を記載した説明書を交付しなければならない。

② 職員が前項に規定する著しく不利益な処分を受けたと思料す

る場合には、同項の説明書の交付を請求することができる。

③ 第一項の説明書には、当該処分につき、人事院に対して審査請求をすることができる旨及び審査請求をすることができる期間を記載しなければならない。

（**審査請求**）

第九〇条① 前条第一項に規定する処分を受けた職員は、人事院に対してのみ審査請求をすることができる。

② 前条第一項に規定する処分及び法律に特別の定めがある処分を除くほか、職員に対する処分については、審査請求をすることができない。職員がした申請に対する不作為についても、同様とする。

③ 第一項に規定する審査請求については、行政不服審査法第二章の規定を適用しない。

（**審査請求期間**）

第九〇条の二 前条第一項に規定する審査請求は、処分説明書を受領した日の翌日から起算して三月以内にしなければならず、処分があつた日の翌日から起算して一年を経過したときは、することができない。

（**調査**）

第九一条① 第九十条第一項に規定する審査請求を受理したときは、人事院又はその定める機関は、直ちにその事案を調査しなければならない。

② 前項に規定する場合において、処分を受けた職員から請求があつたときは、口頭審理を行わなければならない。口頭審理は、その職員から請求があつたときは、公開して行わなければならない。

③ 処分を行つた者又はその代理者及び処分を受けた職員は、すべての口頭審理に出席し、自己の代理人として弁護人を選任し、陳述を行い、証人を出席せしめ、並びに書類、記録その他のあらゆる適切な事実及び資料を提出することができる。

④ 前項に掲げる者以外の者は、当該事案に関し、人事院に対し、あらゆる事実及び資料を提出することができる。

（**調査の結果採るべき措置**）

第九二条① 前条に規定する調査の結果、処分を行うべき事由のあることが判明したときは、人事院は、その処分を承認し、又はその裁量により修正しなければならない。

② 前条に規定する調査の結果、その職員に処分を受けるべき事由のないことが判明したときは、人事院はその処分を取り消し、職員としての権利を回復するために必要で、且つ、適切な処置をなし、及びその職員がその処分によつて受けた不当な処置を是正しなければならない。人事院は、職員がその処分によつて失つた俸給の弁済を受けるように指示しなければならない。

③ 前二項の判定は、最終のものであつて、人事院規則の定めるところにより、人事院によつてのみ審査される。

（**審査請求と訴訟との関係**）

第九二条の二 第八十九条第一項に規定する処分であつて人事院に対して審査請求をすることができるものの取消しの訴えは、審査請求に対する人事院の裁決を経た後でなければ、提起することができない。

第三目　公務傷病に対する補償

（**公務傷病に対する補償**）

第九三条① 職員が公務に基き死亡し、又は負傷し、若しくは疾病にかかり、若しくはこれに起因して死亡した場合における、本人及びその直接扶養する者がこれによつて受ける損害に対し、これを補償する制度が樹立し実施せられなければならない。

② 前項の規定による補償制度は、法律によつてこれを定める。

（**法律に規定すべき事項**）

第九四条 前条の補償制度には、左の事項が定められなければならない。

一 公務上の負傷又は疾病に起因した活動不能の期間における経済的困窮に対する職員の保護に関する事項

二 公務上の負傷又は疾病に起因して、永久に、又は長期に所得能力を害せられた場合におけるその職員の受ける損害に対する補償に関する事項

三 公務上の負傷又は疾病に起因する職員の死亡の場合におけるその遺族又は職員の死亡当時その収入によつて生計を維持した者の受ける損害に対する補償に関する事項

（**補償制度の立案及び実施の責務**）

第九五条 人事院は、なるべくすみやかに、補償制度の研究を行い、その成果を国会及び内閣に提出するとともに、その計画を実施しなければならない。

第七節　服務

（**服務の根本基準**）

第九六条① すべて職員は、国民全体の奉仕者として、公共の利益のために勤務し、且つ、職務の遂行に当つては、全力を挙げてこれに専念しなければならない。

② 前項に規定する根本基準の実施に関し必要な事項は、この法律又は国家公務員倫理法に定めるものを除いては、人事院規則でこれを定める。

（**服務の宣誓**）

第九七条 職員は、政令の定めるところにより、服務の宣誓をしなければならない。

（**法令及び上司の命令に従う義務並びに争議行為等の禁止**）

第九八条① 職員は、その職務を遂行するについて、法令に従い、且つ、上司の職務上の命令に忠実に従わなければならない。

② 職員は、政府が代表する使用者としての公衆に対して同盟罷業、怠業その他の争議行為をなし、又は政府の活動能率を低下させる怠業的行為をしてはならない。又、何人も、このような違法な行為を企て、又はその遂行を共謀し、そそのかし、若しくはあおつてはならない。

③ 職員で同盟罷業その他前項の規定に違反する行為をした者は、その行為の開始とともに、国に対し、法令に基いて保有する任命又は雇用上の権利をもつて、対抗することができない。

（**信用失墜行為の禁止**）

第九九条 職員は、その官職の信用を傷つけ、又は官職全体の不名誉となるような行為をしてはならない。

（**秘密を守る義務**）

第一〇〇条① 職員は、職務上知ることのできた秘密を漏らしてはならない。その職を退いた後といえども同様とする。

② 法令による証人、鑑定人等となり、職務上の秘密に属する事項を発表するには、所轄庁の長（退職者については、その退職した官職又はこれに相当する官職の所轄庁の長）の許可を要する。

③ 前項の許可は、法律又は政令の定める条件及び手続に係る場合を除いては、これを拒むことができない。

④ 前三項の規定は、人事院で扱われる調査又は審理の際人事院から求められる情報に関しては、これを適用しない。何人も、人事院の権限によつて行われる調査又は審理に際して、秘密の又は公表を制限された情報を陳述し又は証言することを人事院から求められた場合には、何人からも許可を受ける必要がない。人事院が正式に要求した情報について、人事院に対して、陳述及び証言を行わなかつた者は、この法律の罰則の適用を受けなければならない。

⑤ 前項の規定は、第十八条の四の規定により権限の委任を受けた再就職等監視委員会が行う調査について準用する。この場合において、同項中「人事院」とあるのは「再就職等監視委員会」と、「調査又は審理」とあるのは「調査」と読み替えるものとする。

（**職務に専念する義務**）

第一〇一条① 職員は、法律又は命令の定める場合を除いては、その勤務時間及び職務上の注意力のすべてをその職責遂行のた

めに用い、政府がなすべき責を有する職務にのみ従事しなければならない。職員は、法律又は命令の定める場合を除いては、官職を兼ねてはならない。職員は、官職を兼ねる場合においても、それに対して給与を受けてはならない。

② 前項の規定は、地震、火災、水害その他重大な災害に際し、当該官庁が職員を本職以外の業務に従事させることを妨げない。

（政治的行為の制限）

第一〇二条① 職員は、政党又は政治的目的のために、寄附金その他の利益を求め、若しくは受領し、又は何らの方法を以てするを問わず、これらの行為に関与し、あるいは選挙権の行使を除く外、人事院規則で定める政治的行為をしてはならない。

② 職員は、公選による公職の候補者となることができない。

③ 職員は、政党その他の政治的団体の役員、政治的顧問、その他これらと同様な役割をもつ構成員となることができない。

（私企業からの隔離）

第一〇三条① 職員は、商業、工業又は金融業その他営利を目的とする私企業（以下営利企業という。）を営むことを目的とする会社その他の団体の役員、顧問若しくは評議員の職を兼ね、又は自ら営利企業を営んではならない。

② 前項の規定は、人事院規則の定めるところにより、所轄庁の長の申出により人事院の承認を得た場合には、これを適用しない。

③ 営利企業について、株式所有の関係その他の関係により、当該企業の経営に参加し得る地位にある職員に対し、人事院は、人事院規則の定めるところにより、株式所有の関係その他の関係について報告を徴することができる。

④ 人事院は、人事院規則の定めるところにより、前項の報告に基き、企業に対する関係の全部又は一部の存続が、その職員の職務遂行上適当でないと認めるときは、その旨を当該職員に通知することができる。

⑤ 前項の通知を受けた職員は、その通知の内容について不服があるときは、その通知を受領した日の翌日から起算して三月以内に、人事院に審査請求をすることができる。

⑥ 第九十条第三項並びに第九十一条第二項及び第三項の規定は前項の審査請求のあつた場合について、第九十二条の二の規定は第四項の通知の取消しの訴えについて、それぞれ準用する。

⑦ 第五項の審査請求をしなかつた職員及び人事院が同項の審査請求について調査した結果、通知の内容が正当であると裁決された職員は、人事院規則の定めるところにより、人事院規則の定める期間内に、その企業に対する関係の全部若しくは一部を絶つか、又はその官職を退かなければならない。

（他の事業又は事務の関与制限）

第一〇四条 職員が報酬を得て、営利企業以外の事業の団体の役員、顧問若しくは評議員の職を兼ね、その他いかなる事業に従事し、若しくは事務を行うにも、内閣総理大臣及びその職員の所轄庁の長の許可を要する。

（職員の職務の範囲）

第一〇五条 職員は、職員としては、法律、命令、規則又は指令による職務を担当する以外の義務を負わない。

（勤務条件）

第一〇六条① 職員の勤務条件その他職員の服務に関し必要な事項は、人事院規則でこれを定めることができる。

② 前項の人事院規則は、この法律の規定の趣旨に沿うものでなければならない。

第八節 退職管理

第一款 離職後の就職に関する規制

（他の役職員についての依頼等の規制）

第一〇六条の二① 職員は、営利企業等（営利企業及び営利企業以外の法人（国、国際機関、地方公共団体、行政執行法人及び地方独立行政法人法（平成十五年法律第百十八号）第二条第二項に規定する特定地方独立行政法人を除く。）をいう。以下同じ。）に対し、他の職員若しくは行政執行法人の役員（以下「役職員」という。）をその離職後に、若しくは役職員であつた者を、当該営利企業等若しくはその子法人（当該営利企業等に財務及び営業又は事業の方針を決定する機関（株主総会その他これに準ずる機関をいう。）を支配されている法人として政令で定めるものをいう。以下同じ。）の地位に就かせることを目的として、当該役職員若しくは役職員であつた者に関する情報を提供し、若しくは当該地位に関する情報の提供を依頼し、又は当該役職員をその離職後に、若しくは役職員であつた者を、当該営利企業等若しくはその子法人の地位に就かせることを要求し、若しくは依頼してはならない。

② 前項の規定は、次に掲げる場合には適用しない。

一 職業安定法（昭和二十二年法律第百四十一号）、船員職業安定法（昭和二十三年法律第百三十号）その他の法令の定める職業の安定に関する事務として行う場合

二 退職手当通算予定職員を退職手当通算法人の地位に就かせることを目的として行う場合（独立行政法人通則法第五十四条第一項において読み替えて準用する第四項に規定する退職手当通算予定役員を同条第一項において準用する次項に規定する退職手当通算法人の地位に就かせることを目的として行う場合を含む。）

三 官民人材交流センター（以下「センター」という。）の職員が、その職務として行う場合

③ 前項第二号の「退職手当通算法人」とは、独立行政法人（独立行政法人通則法第二条第一項に規定する独立行政法人をいう。以下同じ。）その他特別の法律により設立された法人でその業務が国の事務又は事業と密接な関連を有するもののうち政令で定めるもの（退職手当（これに相当する給付を含む。）に関する規程において、職員が任命権者又はその委任を受けた者の要請に応じ、引き続いて当該法人の役員又は当該法人に使用される者となつた場合に、職員としての勤続期間を当該法人の役員又は当該法人に使用される者としての勤続期間に通算することと定めている法人に限る。）をいう。

④ 第二項第二号の「退職手当通算予定職員」とは、任命権者又はその委任を受けた者の要請に応じ、引き続いて退職手当通算法人（前項に規定する退職手当通算法人をいう。以下同じ。）の役員又は退職手当通算法人に使用される者となるため退職することとなる職員であつて、当該退職手当通算法人に在職した後、特別の事情がない限り引き続いて選考による採用が予定されている者のうち政令で定めるものをいう。

（在職中の求職の規制）

第一〇六条の三① 職員は、利害関係企業等（営利企業等のうち、職員の職務に利害関係を有するものとして政令で定めるものをいう。以下同じ。）に対し、離職後に当該利害関係企業等若しくはその子法人の地位に就くことを目的として、自己に関する情報を提供し、若しくは当該地位に関する情報の提供を依頼し、又は当該地位に就くことを要求し、若しくは約束してはならない。

② 前項の規定は、次に掲げる場合には適用しない。

一 退職手当通算予定職員（前条第四項に規定する退職手当通算予定職員をいう。以下同じ。）が退職手当通算法人に対して行う場合

二 在職する局等組織（国家行政組織法第七条第一項に規定する官房若しくは局、同法第八条の二に規定する施設等機関その他これらに準ずる国の部局若しくは機関として政令で定めるもの、これらに相当する行政執行法人の組織として政令で定めるもの又は都道府県警察をいう。以下同じ。）の意思決定の権限を実質的に有しない官職として政令で定めるものに就いている職員が行う場合

三 センターから紹介された利害関係企業等との間で、当該利害関係企業等又はその子法人の地位に就くことに関して職員が行う場合

四 職員が利害関係企業等に対し、当該利害関係企業等若しく

はその子法人の地位に就くことを目的として、自己に関する情報を提供し、若しくは当該地位に関する情報の提供を依頼し、又は当該地位に就くことを要求し、若しくは約束することにより公務の公正性の確保に支障が生じないと認められる場合として政令で定める場合において、政令で定める手続により内閣総理大臣の承認を得た職員が当該承認に係る利害関係企業等に対して行う場合

③ 前項第四号の規定による内閣総理大臣が承認する権限は、再就職等監視委員会に委任する。

④ 前項の規定により再就職等監視委員会に委任された権限は、政令で定めるところにより、再就職等監察官に委任することができる。

⑤ 再就職等監視委員会が第三項の規定により委任を受けた権限に基づき行う承認（前項の規定により委任を受けた権限に基づき再就職等監察官が行う承認を含む。）についての審査請求は、再就職等監視委員会に対して行うことができる。

（再就職者による依頼等の規制）

第一〇六条の四① 職員であつた者であつて離職後に営利企業等の地位に就いている者（退職手当通算予定職員であつた者であつて引き続いて退職手当通算法人の地位に就いている者（以下「退職手当通算離職者」という。）を除く。以下「再就職者」という。）は、離職前五年間に在職していた局等組織に属する役職員又はこれに類する者として政令で定めるものに対し、国、行政執行法人若しくは都道府県と当該営利企業等若しくはその子法人との間で締結される売買、貸借、請負その他の契約又は当該営利企業等若しくはその子法人に対して行われる行政手続法（平成五年法律第八十八号）第二条第二号に規定する処分に関する事務（以下「契約等事務」という。）であつて離職前五年間の職務に属するものに関し、離職後二年間、職務上の行為をするように、又はしないように要求し、又は依頼してはならない。

② 前項の規定によるもののほか、再就職者のうち、国家行政組織法第二十一条第一項に規定する部長若しくは課長の職又はこれらに準ずる職であつて政令で定めるものに、離職した日の五年前の日より前に就いていた者は、当該職に就いていた時に在職していた局等組織に属する役職員又はこれに類する者として政令で定めるものに対し、契約等事務であつて離職した日の五年前の日より前の職務（当該職に就いていたときの職務に限る。）に属するものに関し、離職後二年間、職務上の行為をするように、又はしないように要求し、又は依頼してはならない。

③ 前二項の規定によるもののほか、再就職者のうち、国家行政組織法第六条に規定する長官、同法第十八条第一項に規定する事務次官、同法第二十一条第一項に規定する事務局長若しくは局長の職又はこれらに準ずる職であつて政令で定めるものに就いていた者は、当該職に就いていた時に在職していた府省その他の政令で定める国の機関、行政執行法人若しくは都道府県警察（以下「局長等としての在職機関」という。）に属する役職員又はこれに類する者として政令で定めるものに対し、契約等事務であつて局長等としての在職機関の所掌に属するものに関し、離職後二年間、職務上の行為をするように、又はしないように要求し、又は依頼してはならない。

④ 前三項の規定によるもののほか、再就職者は、在職していた府省その他の政令で定める国の機関、行政執行法人若しくは都道府県警察（以下この項において「行政機関等」という。）に属する役職員又はこれに類する者として政令で定めるものに対し、国、行政執行法人若しくは都道府県と営利企業等（当該再就職者が現にその地位に就いているものに限る。）若しくはその子法人との間の契約であつて当該行政機関等においてその締結について自らが決定したもの又は当該行政機関等による当該営利企業等若しくはその子法人に対する行政手続法第二条第二号に規定する処分であつて自らが決定したものに関し、職務上の行為をするように、又はしないように要求し、又は依頼してはならない。

⑤ 前各項の規定は、次に掲げる場合には適用しない。

一 試験、検査、検定その他の行政上の事務であつて、法律の規定に基づく行政庁による指定若しくは登録その他の処分（以下「指定等」という。）を受けた者が行う当該指定等に係るもの若しくは行政庁から委託を受けた者が行う当該委託に係るものを遂行するために必要な場合、又は国の事務若しくは事業と密接な関連を有する業務として政令で定めるものを行うために必要な場合

二 行政庁に対する権利若しくは義務を定めている法令の規定若しくは国、行政執行法人若しくは都道府県との間で締結された契約に基づき、権利を行使し、若しくは義務を履行する場合、行政庁の処分により課された義務を履行する場合又はこれらに類する場合として政令で定める場合

三 行政手続法第二条第三号に規定する申請又は同条第七号に規定する届出を行う場合

四 会計法（昭和二十二年法律第三十五号）第二十九条の三第一項に規定する競争の手続、行政執行法人が公告して申込みをさせることによる競争の手続又は地方自治法（昭和二十二年法律第六十七号）第二百三十四条第一項に規定する一般競争入札若しくはせり売りの手続に従い、売買、貸借、請負その他の契約を締結するために必要な場合

五 法令の規定により又は慣行として公にされ、又は公にすることが予定されている情報の提供を求める場合（一定の日以降に公にすることが予定されている情報を同日前に開示するよう求める場合を除く。）

六 再就職者が役職員（これに類する者を含む。以下この号において同じ。）に対し、契約等事務に関し、職務上の行為をするように、又はしないように要求し、又は依頼することにより公務の公正性の確保に支障が生じないと認められる場合として政令で定める場合において、政令で定める手続により内閣総理大臣の承認を得て、再就職者が当該承認に係る役職員に対し、当該承認に係る契約等事務に関し、職務上の行為をするように、又はしないように要求し、又は依頼する場合

⑥ 前項第六号の規定による内閣総理大臣が承認する権限は、再就職等監視委員会に委任する。

⑦ 前項の規定により再就職等監視委員会に委任された権限は、政令で定めるところにより、再就職等監察官に委任することができる。

⑧ 再就職等監視委員会が第六項の規定により委任を受けた権限に基づき行う承認（前項の規定により委任を受けた権限に基づき再就職等監察官が行う承認を含む。）についての審査請求は、再就職等監視委員会に対して行うことができる。

⑨ 職員は、第五項各号に掲げる場合を除き、再就職者から第一項から第四項までの規定により禁止される要求又は依頼を受けたとき（独立行政法人通則法第五十四条第一項において準用する第一項から第四項までの規定により禁止される要求又は依頼を受けたときを含む。）は、政令で定めるところにより、再就職等監察官にその旨を届け出なければならない。

第二款　再就職等監視委員会

（設置）

第一〇六条の五① 内閣府に、再就職等監視委員会（以下「委員会」という。）を置く。

② 委員会は、次に掲げる事務をつかさどる。

一 第十八条の四の規定により委任を受けた権限に基づき調査を行うこと。

二 第百六条の三第三項及び前条第六項の規定により委任を受けた権限に基づき承認を行うこと。

三 前二号に掲げるもののほか、この法律及び他の法律の規定によりその権限に属させられた事項を処理すること。

（職権の行使）

第一〇六条の六 委員会の委員長及び委員は、独立してその職権を行う。

（組織）
第一〇六条の七① 委員会は、委員長及び委員四人をもつて組織する。
② 委員は、非常勤とする。
③ 委員長は、会務を総理し、委員会を代表する。
④ 委員長に事故があるときは、あらかじめその指名する委員が、その職務を代理する。

（委員長及び委員の任命）
第一〇六条の八① 委員長及び委員は、人格が高潔であり、職員の退職管理に関する事項に関し公正な判断をすることができ、法律又は社会に関する学識経験を有する者であつて、かつ、役職員又は自衛隊員としての前歴（検察官その他の職務の特殊性を勘案して政令で定める者としての前歴を除く。）を有しない者のうちから、両議院の同意を得て、内閣総理大臣が任命する。
② 委員長又は委員の任期が満了し、又は欠員を生じた場合において、国会の閉会又は衆議院の解散のために両議院の同意を得ることができないときは、内閣総理大臣は、前項の規定にかかわらず、委員長又は委員を任命することができる。
③ 前項の場合においては、任命後最初の国会において両議院の事後の承認を得なければならない。この場合において、両議院の事後の承認を得られないときは、内閣総理大臣は、直ちにその委員長又は委員を罷免しなければならない。

（委員長及び委員の任期）
第一〇六条の九① 委員長及び委員の任期は、三年とする。ただし、補欠の委員長及び委員の任期は、前任者の残任期間とする。
② 委員長及び委員は、再任されることができる。
③ 委員長及び委員の任期が満了したときは、当該委員長及び委員は、後任者が任命されるまで引き続きその職務を行うものとする。

（身分保障）
第一〇六条の一〇 委員長及び委員は、次の各号のいずれかに該当する場合を除いては、在任中、その意に反して罷免されることがない。
一 破産手続開始の決定を受けたとき。
二 拘禁刑以上の刑に処せられたとき。
三 役職員又は自衛隊員（第百六条の八第一項に規定する政令で定める者を除く。）となつたとき。
四 委員会により、心身の故障のため職務の執行ができないと認められたとき、又は職務上の義務違反その他委員長若しくは委員たるに適しない非行があると認められたとき。

（罷免）
第一〇六条の一一 内閣総理大臣は、委員長又は委員が前条各号のいずれかに該当するときは、その委員長又は委員を罷免しなければならない。

（服務）
第一〇六条の一二① 委員長及び委員は、職務上知ることのできた秘密を漏らしてはならない。その職を退いた後も同様とする。
② 委員長及び委員は、在任中、政党その他の政治的団体の役員となり、又は積極的に政治運動をしてはならない。
③ 委員長は、在任中、内閣総理大臣の許可のある場合を除くほか、報酬を得て他の職務に従事し、又は営利事業を営み、その他金銭上の利益を目的とする業務を行つてはならない。

（給与）
第一〇六条の一三 委員長及び委員の給与は、別に法律で定める。

（再就職等監察官）
第一〇六条の一四① 委員会に、再就職等監察官（以下「監察官」という。）を置く。
② 監察官は、委員会の定めるところにより、次に掲げる事務を行う。
一 第百六条の三第四項及び第百六条の四第七項の規定により委任を受けた権限に基づき承認を行うこと。
二 第百六条の四第九項の規定による届出を受理すること。
三 第百六条の十九及び第百六条の二十第一項の規定による調査を行うこと。
四 前三号に掲げるもののほか、この法律及び他の法律の規定によりその権限に属させられた事項を処理すること。
③ 監察官のうち常勤とすべきものの定数は、政令で定める。
④ 前項に規定するもののほか、監察官は、非常勤とする。
⑤ 監察官は、役職員又は自衛隊員としての前歴（検察官その他の職務の特殊性を勘案して政令で定める者としての前歴を除く。）を有しない者のうちから、委員会の議決を経て、内閣総理大臣が任命する。

（事務局）
第一〇六条の一五① 委員会の事務を処理させるため、委員会に事務局を置く。
② 事務局に、事務局長のほか、所要の職員を置く。
③ 事務局長は、委員長の命を受けて、局務を掌理する。

（違反行為の疑いに係る任命権者の報告）
第一〇六条の一六 任命権者は、職員又は職員であつた者に再就職等規制違反行為（第百六条の二から第百六条の四までの規定に違反する行為をいう。以下同じ。）を行つた疑いがあると思料するときは、その旨を委員会に報告しなければならない。

（任命権者による調査）
第一〇六条の一七① 任命権者は、職員又は職員であつた者に再就職等規制違反行為を行つた疑いがあると思料して当該再就職等規制違反行為に関して調査を行おうとするときは、委員会にその旨を通知しなければならない。
② 委員会は、任命権者が行う前項の調査の経過について、報告を求め、又は意見を述べることができる。
③ 任命権者は、第一項の調査を終了したときは、遅滞なく、委員会に対し、当該調査の結果を報告しなければならない。

（任命権者に対する調査の要求等）
第一〇六条の一八① 委員会は、第百六条の四第九項の届出、第百六条の十六の報告又はその他の事由により職員又は職員であつた者に再就職等規制違反行為を行つた疑いがあると思料するときは、任命権者に対し、当該再就職等規制違反行為に関する調査を行うよう求めることができる。
② 前条第二項及び第三項の規定は、前項の規定により行われる調査について準用する。

（共同調査）
第一〇六条の一九 委員会は、第百六条の十七第二項（前条第二項において準用する場合を含む。）の規定により報告を受けた場合において必要があると認めるときは、再就職等規制違反行為に関し、監察官に任命権者と共同して調査を行わせることができる。

（委員会による調査）
第一〇六条の二〇① 委員会は、第百六条の四第九項の届出、第百六条の十六の報告又はその他の事由により職員又は職員であつた者に再就職等規制違反行為を行つた疑いがあると思料する場合であつて、特に必要があると認めるときは、当該再就職等規制違反行為に関する調査の開始を決定し、監察官に当該調査を行わせることができる。
② 任命権者は、前項の調査に協力しなければならない。
③ 委員会は、第一項の調査を終了したときは、遅滞なく、任命権者に対し、当該調査の結果を通知しなければならない。

（勧告）
第一〇六条の二一① 委員会は、第百六条の十七第三項（第百六条の十八第二項において準用する場合を含む。）の規定による調査の結果の報告に照らし、又は第百六条の十九若しくは前条第一項の規定により監察官に調査を行わせた結果、任命権者において懲戒処分その他の措置を行うことが適当であると認めるときは、任命権者に対し、当該措置を行うべき旨の勧告をすることができる。

② 任命権者は、前項の勧告に係る措置について、委員会に対し、報告しなければならない。

③ 委員会は、内閣総理大臣に対し、この節の規定の適切な運用を確保するために必要と認められる措置について、勧告することができる。

（政令への委任）

第一〇六条の二二 第百六条の五から前条までに規定するもののほか、委員会に関し必要な事項は、政令で定める。

第三款　雑則

（任命権者への届出）

第一〇六条の二三① 職員（退職手当通算予定職員を除く。）は、離職後に営利企業等の地位に就くことを約束した場合には、速やかに、政令で定めるところにより、任命権者に政令で定める事項を届け出なければならない。

② 前項の届出を受けた任命権者は、第百六条の三第一項の規定の趣旨を踏まえ、当該届出を行つた職員の任用を行うものとする。

③ 第一項の届出を受けた任命権者は、当該届出を行つた職員が管理又は監督の地位にある職員の官職として政令で定めるものに就いている職員（以下「管理職職員」という。）である場合には、速やかに、当該届出に係る事項を内閣総理大臣に通知するものとする。

（内閣総理大臣への届出）

第一〇六条の二四① 管理職職員であつた者（退職手当通算離職者を除く。次項において同じ。）は、離職後二年間、次に掲げる法人の役員その他の地位であつて政令で定めるものに就こうとする場合（前条第一項の規定により政令で定める事項を届け出た場合を除く。）には、あらかじめ、政令で定めるところにより、内閣総理大臣に政令で定める事項を届け出なければならない。

一 行政執行法人以外の独立行政法人

二 特殊法人（法律により直接に設立された法人及び特別の法律により特別の設立行為をもつて設立された法人（独立行政法人に該当するものを除く。）のうち政令で定めるものをいう。）

三 認可法人（特別の法律により設立され、かつ、その設立に関し行政庁の認可を要する法人のうち政令で定めるものをいう。）

四 公益社団法人又は公益財団法人（国と特に密接な関係があるものとして政令で定めるものに限る。）

② 管理職職員であつた者は、離職後二年間、営利企業以外の事業の団体の地位に就き、若しくは事業に従事し、若しくは事務を行うこととなつた場合（報酬を得る場合に限る。）又は営利企業（前項第二号又は第三号に掲げる法人を除く。）の地位に就いた場合は、前条第一項又は前項の規定による届出を行つた場合、日々雇い入れられる者となつた場合その他政令で定める場合を除き、政令で定めるところにより、速やかに、内閣総理大臣に政令で定める事項を届け出なければならない。

（内閣総理大臣による報告及び公表）

第一〇六条の二五① 内閣総理大臣は、第百六条の二十三第三項の規定による通知及び前条の規定による届出を受けた事項について、遅滞なく、政令で定めるところにより、内閣に報告しなければならない。

② 内閣は、毎年度、前項の報告を取りまとめ、政令で定める事項を公表するものとする。

（退職管理基本方針）

第一〇六条の二六① 内閣総理大臣は、あらかじめ、第五十五条第一項に規定する任命権者及び法律で別に定められた任命権者と協議して職員の退職管理に関する基本的な方針（以下「退職管理基本方針」という。）の案を作成し、閣議の決定を求めなければならない。

② 内閣総理大臣は、前項の規定による閣議の決定があつたときは、遅滞なく、退職管理基本方針を公表しなければならない。

③ 前二項の規定は、退職管理基本方針の変更について準用する。

④ 任命権者は、退職管理基本方針に沿つて、職員の退職管理を行わなければならない。

（再就職後の公表）

第一〇六条の二七 在職中に第百六条の三第二項第四号の承認を得た管理職職員が離職後に当該承認に係る営利企業等の地位に就いた場合には、当該管理職職員が離職時に在職していた府省その他の政令で定める国の機関、行政執行法人又は都道府県警察（以下この条において「在職機関」という。）は、政令で定めるところにより、その者の離職後二年間（その者が当該営利企業等の地位に就いている間に限る。）、次に掲げる事項を公表しなければならない。

一 その者の氏名

二 在職機関が当該営利企業等に対して交付した補助金等（補助金等に係る予算の執行の適正化に関する法律（昭和三十年法律第百七十九号）第二条第一項に規定する補助金等をいう。）の総額

三 在職機関と当該営利企業等との間の売買、貸借、請負その他の契約の総額

四 その他政令で定める事項

第九節　退職年金制度

（退職年金制度）

第一〇七条① 職員が、相当年限忠実に勤務して退職した場合、公務に基く負傷若しくは疾病に基き退職した場合又は公務に基き死亡した場合におけるその者又はその遺族に支給する年金に関する制度が、樹立し実施せられなければならない。

② 前項の年金制度は、退職又は死亡の時の条件を考慮して、本人及びその退職又は死亡の当時直接扶養する者のその後における適当な生活の維持を図ることを目的とするものでなければならない。

③ 第一項の年金制度は、健全な保険数理を基礎として定められなければならない。

④ 前三項の規定による年金制度は、法律によつてこれを定める。

（意見の申出）

第一〇八条 人事院は、前条の年金制度に関し調査研究を行い、必要な意見を国会及び内閣に申し出ることができる。

第十節　職員団体

（職員団体）

第一〇八条の二① この法律において「職員団体」とは、職員がその勤務条件の維持改善を図ることを目的として組織する団体又はその連合体をいう。

② 前項の「職員」とは、第五項に規定する職員以外の職員をいう。

③ 職員は、職員団体を結成し、若しくは結成せず、又はこれに加入し、若しくは加入しないことができる。ただし、重要な行政上の決定を行う職員、重要な行政上の決定に参画する管理的地位にある職員、職員の任免に関して直接の権限を持つ監督的地位にある職員、職員の任免、分限、懲戒若しくは服務、職員の給与その他の勤務条件又は職員団体との関係についての当局の計画及び方針に関する機密の事項に接し、そのためにその職務上の義務と責任とが職員団体の構成員としての誠意と責任とに直接に抵触すると認められる監督的地位にある職員その他職員団体との関係において当局の立場に立つて遂行すべき職務を担当する職員（以下「管理職員等」という。）と管理職員等以外の職員とは、同一の職員団体を組織することができず、管理職員等と管理職員等以外の職員とが組織する団体は、この法律にいう「職員団体」ではない。

④ 前項ただし書に規定する管理職員等の範囲は、人事院規則で

定める。

⑤ 警察職員及び海上保安庁又は刑事施設において勤務する職員は、職員の勤務条件の維持改善を図ることを目的とし、かつ、当局と交渉する団体を結成し、又はこれに加入してはならない。

（職員団体の登録）

第一〇八条の三① 職員団体は、人事院規則で定めるところにより、理事その他の役員の氏名及び人事院規則で定める事項を記載した申請書に規約を添えて人事院に登録を申請することができる。

② 職員団体の規約には、少なくとも次に掲げる事項を記載するものとする。

一 名称

二 目的及び業務

三 主たる事務所の所在地

四 構成員の範囲及びその資格の得喪に関する規定

五 理事その他の役員に関する規定

六 次項に規定する事項を含む業務執行、会議及び投票に関する規定

七 経費及び会計に関する規定

八 他の職員団体との連合に関する規定

九 規約の変更に関する規定

十 解散に関する規定

③ 職員団体が登録される資格を有し、及び引き続いて登録されているためには、規約の作成又は変更、役員の選挙その他これらに準ずる重要な行為が、すべての構成員が平等に参加する機会を有する直接かつ秘密の投票による全員の過半数（役員の選挙については、投票者の過半数）によつて決定される旨の手続を定め、かつ、現実にその手続によりこれらの重要な行為が決定されることを必要とする。ただし、連合体である職員団体又は全国的規模をもつ職員団体にあつては、すべての構成員が平等に参加する機会を有する構成団体ごと又は地域若しくは職域ごとの直接かつ秘密の投票による投票者の過半数で代議員を選挙し、この代議員の全員が平等に参加する機会を有する直接かつ秘密の投票による全員の過半数（役員の選挙については、投票者の過半数）によつて決定される旨の手続を定め、かつ、現実に、その手続により決定されることをもつて足りるものとする。

④ 前項に定めるもののほか、職員団体が登録される資格を有し、及び引き続いて登録されているためには、前条第五項に規定する職員以外の職員のみをもつて組織されていることを必要とする。ただし、同項に規定する職員以外の職員であつた者でその意に反して免職され、若しくは懲戒処分としての免職の処分を受け、当該処分を受けた日の翌日から起算して一年以内のもの又はその期間内に当該処分について法律の定めるところにより審査請求をし、若しくは訴えを提起し、これに対する裁決若しくは裁判が確定するに至らないものを構成員にとどめていること、及び当該職員団体の役員である者を構成員としていることを妨げない。

⑤ 人事院は、登録を申請した職員団体が前三項の規定に適合するものであるときは、人事院規則で定めるところにより、規約及び第一項に規定する申請書の記載事項を登録し、当該職員団体にその旨を通知しなければならない。この場合において、職員でない者の役員就任を認めている職員団体を、そのゆえをもつて登録の要件に適合しないものと解してはならない。

⑥ 登録された職員団体が職員団体でなくなつたとき、登録された職員団体について第二項から第四項までの規定に適合しない事実があつたとき、又は登録された職員団体が第九項の規定による届出をしなかつたときは、人事院は、人事院規則で定めるところにより、六十日を超えない範囲内で当該職員団体の登録の効力を停止し、又は当該職員団体の登録を取り消すことができる。

⑦ 前項の規定による登録の取消しに係る聴聞の期日における審理は、当該職員団体から請求があつたときは、公開により行わなければならない。

⑧ 第六項の規定による登録の取消しは、当該処分の取消しの訴えを提起することができる期間内及び当該処分の取消しの訴えの提起があつたときは当該訴訟が裁判所に係属する間は、その効力を生じない。

⑨ 登録された職員団体は、その規約又は第一項に規定する申請書の記載事項に変更があつたときは、人事院規則で定めるところにより、人事院にその旨を届け出なければならない。この場合においては、第五項の規定を準用する。

⑩ 登録された職員団体は、解散したときは、人事院規則で定めるところにより、人事院にその旨を届け出なければならない。

第一〇八条の四 削除

（交渉）

第一〇八条の五① 当局は、登録された職員団体から、職員の給与、勤務時間その他の勤務条件に関し、及びこれに附帯して、社交的又は厚生的活動を含む適法な活動に係る事項に関し、適法な交渉の申入れがあつた場合においては、その申入れに応ずべき地位に立つものとする。

② 職員団体と当局との交渉は、団体協約を締結する権利を含まないものとする。

③ 国の事務の管理及び運営に関する事項は、交渉の対象とすることができない。

④ 職員団体が交渉することのできる当局は、交渉事項について適法に管理し、又は決定することのできる当局とする。

⑤ 交渉は、職員団体と当局があらかじめ取り決めた員数の範囲内で、職員団体がその役員の中から指名する者と当局の指名する者との間において行なわなければならない。交渉に当たつては、職員団体と当局との間において、議題、時間、場所その他必要な事項をあらかじめ取り決めて行なうものとする。

⑥ 前項の場合において、特別の事情があるときは、職員団体は、役員以外の者を指名することができるものとする。ただし、その指名する者は、当該交渉の対象である特定の事項について交渉する適法な委任を当該職員団体の執行機関から受けたことを文書によつて証明できる者でなければならない。

⑦ 交渉は、前二項の規定に適合しないこととなつたとき、又は他の職員の職務の遂行を妨げ、若しくは国の事務の正常な運営を阻害することとなつたときは、これを打ち切ることができる。

⑧ 本条に規定する適法な交渉は、勤務時間中においても行なうことができるものとする。

⑨ 職員は、職員団体に属していないという理由で、第一項に規定する事項に関し、不満を表明し、又は意見を申し出る自由を否定されてはならない。

（人事院規則の制定改廃に関する職員団体からの要請）

第一〇八条の五の二① 登録された職員団体は、人事院規則の定めるところにより、職員の勤務条件について必要があると認めるときは、人事院に対し、人事院規則を制定し、又は改廃することを要請することができる。

② 人事院は、前項の規定による要請を受けたときは、速やかに、その内容を公表するものとする。

（職員団体のための職員の行為の制限）

第一〇八条の六① 職員は、職員団体の業務にもつぱら従事することができない。ただし、所轄庁の長の許可を受けて、登録された職員団体の役員としてもつぱら従事する場合は、この限りでない。

② 前項ただし書の許可は、所轄庁の長が相当と認める場合に与えることができるものとし、これを与える場合においては、所轄庁の長は、その許可の有効期間を定めるものとする。

③ 第一項ただし書の規定により登録された職員団体の役員として専ら従事する期間は、職員としての在職期間を通じて五年（行政執行法人の労働関係に関する法律（昭和二十三年法律第二百五十七号）第二条第二号の職員として同法第七条第一項た

だし書の規定により労働組合の業務に専ら従事したことがある職員については、五年からその専ら従事した期間を控除した期間）を超えることができない。

④　第一項ただし書の許可は、当該許可を受けた職員が登録された職員団体の役員として当該職員団体の業務にもつぱら従事する者でなくなつたときは、取り消されるものとする。

⑤　第一項ただし書の許可を受けた職員は、その許可が効力を有する間は、休職者とする。

⑥　職員は、人事院規則で定める場合を除き、給与を受けながら、職員団体のためその業務を行ない、又は活動してはならない。

（不利益取扱いの禁止）

第一〇八条の七　職員は、職員団体の構成員であること、これを結成しようとしたこと、若しくはこれに加入しようとしたこと又はその職員団体における正当な行為をしたことのために不利益な取扱いを受けない。

第四章　罰則

第一〇九条　次の各号のいずれかに該当する者は、一年以下の拘禁刑又は五十万円以下の罰金に処する。

一　第七条第三項の規定に違反して任命を受諾した者

二　第八条第三項の規定に違反して故意に人事官を罷免しなかつた閣員

三　人事官の欠員を生じた後六十日以内に人事官を任命しなかつた閣員（この期間内に両議院の同意を経なかつた場合にはこの限りでない。）

四　第十五条の規定に違反して官職を兼ねた者

五　第十六条第二項の規定に違反して故意に人事院規則及びその改廃を官報に掲載することを怠つた者

六　第十九条の規定に違反して故意に人事記録の作成、保管又は改訂をしなかつた者

七　第二十条の規定に違反して故意に報告しなかつた者

八　第二十七条の規定に違反して差別をした者

九　第四十七条第三項の規定に違反して採用試験の公告を怠り又はこれを抑止した職員

十　第八十三条第一項の規定に違反して停職を命じた者

十一　第九十二条の規定によつてなされる人事院の判定、処置又は指示に故意に従わなかつた者

十二　第百条第一項若しくは第二項又は第百六条の十二第一項の規定に違反して秘密を漏らした者

十三　第百三条の規定に違反して営利企業の地位に就いた者

十四　離職後二年を経過するまでの間に、離職前五年間に在職していた局等組織に属する役職員又はこれに類する者として政令で定めるものに対し、契約等事務であつて離職前五年間の職務に属するものに関し、職務上不正な行為をするように、又は相当の行為をしないように要求し、又は依頼した再就職者

十五　国家行政組織法第二十一条第一項に規定する部長若しくは課長の職又はこれらに準ずる職であつて政令で定めるものに離職した日の五年前の日より前に就いていた者であつて、離職後二年を経過するまでの間に、当該職に就いていた時に在職していた局等組織に属する役職員又はこれに類する者として政令で定めるものに対し、契約等事務であつて離職した日の五年前の日より前の職務（当該職に就いていたときの職務に限る。）に属するものに関し、職務上不正な行為をするように、又は相当の行為をしないように要求し、又は依頼した再就職者

十六　国家行政組織法第六条に規定する長官、同法第十八条第一項に規定する事務次官、同法第二十一条第一項に規定する事務局長若しくは局長の職又はこれらに準ずる職であつて政令で定めるものに就いていた者であつて、離職後二年を経過するまでの間に、局長等としての在職機関に属する役職員又はこれに類する者として政令で定めるものに対し、契約等事務であつて局長等としての在職機関の所掌に属するものに関し、職務上不正な行為をするように、又は相当の行為をしないように要求し、又は依頼した再就職者

十七　在職していた府省その他の政令で定める国の機関、行政執行法人若しくは都道府県警察（以下この号において「行政機関等」という。）に属する役職員又はこれに類する者として政令で定めるものに対し、国、行政執行法人若しくは都道府県と営利企業等（再就職者が現にその地位に就いているものに限る。）若しくはその子法人との間の契約であつて当該行政機関等においてその締結について自らが決定したもの又は当該行政機関等による当該営利企業等若しくはその子法人に対する行政手続法第二条第二号に規定する処分であつて自らが決定したものに関し、職務上不正な行為をするように、又は相当の行為をしないように要求し、又は依頼した再就職者

十八　第十四号から前号までに掲げる再就職者から要求又は依頼（独立行政法人通則法第五十四条第一項において準用する第十四号から前号までに掲げる要求又は依頼を含む。）を受けた職員であつて、当該要求又は依頼を受けたことを理由として、職務上不正な行為をし、又は相当の行為をしなかつた者

第一一〇条①　次の各号のいずれかに該当する者は、三年以下の拘禁刑又は百万円以下の罰金に処する。

一　第二条第六項の規定に違反した者

二　第十七条第二項（第十八条の三第二項において準用する場合を含む。次号及び第四号において同じ。）の規定による証人として喚問を受け虚偽の陳述をした者

三　第十七条第二項の規定により証人として喚問を受け正当の理由がなくてこれに応ぜず、又は同項の規定により書類若しくはその写しの提出を求められ正当の理由がなくてこれに応じなかつた者

四　第十七条第二項の規定により書類又はその写しの提出を求められ、虚偽の事項を記載した書類又は写しを提出した者

五　第十七条第三項（第十八条の三第二項において準用する場合を含む。）の規定による検査を拒み、妨げ、若しくは忌避し、又は質問に対して陳述をせず、若しくは虚偽の陳述をした者（第十七条第一項の調査の対象である職員（第十八条の三第二項において準用する場合にあつては、同条第一項の調査の対象である職員又は職員であつた者）を除く。）

六　第十八条の規定に違反して給与を支払つた者

七　第三十三条第一項の規定に違反して任命をした者

八　第三十九条の規定による禁止に違反した者

九　第四十条の規定に違反して虚偽行為を行つた者

十　第四十一条の規定に違反して受験若しくは任用を阻害し又は情報を提供した者

十一　第六十三条の規定に違反して給与を支給した者

十二　第六十八条の規定に違反して給与の支払をした者

十三　第七十条の規定に違反して故意に適当な措置をとらなかつた人事官

十四　第八十三条第二項の規定に違反して停職者に俸給を支給した者

十五　第八十六条の規定に違反して故意に勤務条件に関する行政措置の要求の申出を妨げた者

十六　何人たるを問わず第九十八条第二項前段に規定する違法な行為の遂行を共謀し、唆し、若しくはあおり、又はこれらの行為を企てた者

十七　第百条第四項（同条第五項において準用する場合を含む。）の規定に違反して陳述及び証言を行わなかつた者

十八　第百二条第一項に規定する政治的行為の制限に違反した者

十九　第百八条の二第五項の規定に違反して団体を結成した者

②　前項第八号に該当する者の収受した金銭その他の利益は、これを没収する。その全部又は一部を没収することができないときは、その価額を追徴する。

第一一一条　第百九条第二号から第四号まで若しくは第十二号又

は前条第一項第一号から第七号まで、第九号から第十五号まで、第十七号若しくは第十九号に掲げる行為を企て、命じ、故意にこれを容認し、唆し又はその幇助をした者は、それぞれ各本条の刑に処する。

第一一二条　次の各号のいずれかに該当する者は、三年以下の拘禁刑に処する。ただし、刑法（明治四十年法律第四十五号）に正条があるときは、刑法による。

一　職務上不正な行為（第百六条の二第一項又は第百六条の三第一項の規定に違反する行為を除く。次号において同じ。）をすること若しくはしたこと、又は相当の行為をしないこと若しくはしなかつたことに関し、営利企業等に対し、離職後に当該営利企業等若しくはその子法人の地位に就くこと、又は他の役職員をその離職後に、若しくは役職員であつた者を、当該営利企業等若しくはその子法人の地位に就かせることを要求し、又は約束した職員

二　職務に関し、他の役職員に職務上不正な行為をするように、又は相当の行為をしないように要求し、依頼し、若しくは唆すこと、又は要求し、依頼し、若しくは唆したことに関し、営利企業等に対し、離職後に当該営利企業等若しくはその子法人の地位に就くこと、又は他の役職員をその離職後に、若しくは役職員であつた者を、当該営利企業等若しくはその子法人の地位に就かせることを要求し、又は約束した職員

三　前号（独立行政法人通則法第五十四条第一項において準用する場合を含む。）の不正な行為をするように、又は相当の行為をしないように要求し、依頼し、又は唆した行為の相手方であつて、同号（同項において準用する場合を含む。）の要求又は約束があつたことの情を知つて職務上不正な行為をし、又は相当の行為をしなかつた職員

第一一三条　次の各号のいずれかに該当する者は、十万円以下の過料に処する。

一　第百六条の四第一項から第四項までの規定に違反して、役職員又はこれらの規定に規定する役職員に類する者として政令で定めるものに対し、契約等事務に関し、職務上の行為をするように、又はしないように要求し、又は依頼した者（不正な行為をするように、又は相当の行為をしないように要求し、又は依頼した者を除く。）

二　第百六条の二十四第一項又は第二項の規定による届出をせず、又は虚偽の届出をした者

附　則（抄）

第一条　この法律は、昭和二十三年七月一日から施行する。

第四条　職員に関し、その職務と責任の特殊性に基づいて、この法律の特例を要する場合には、別に法律又は人事院規則（人事院の所掌する事項以外の事項については、政令）をもつて、当該特例を規定することができる。ただし、当該特例は、第一条の精神に反するものであつてはならない。

第六条　労働組合法（昭和二十四年法律第百七十四号）、労働関係調整法（昭和二十一年法律第二十五号）、労働基準法（昭和二十二年法律第四十九号）、船員法（昭和二十二年法律第百号）、最低賃金法（昭和三十四年法律第百三十七号）、じん肺法（昭和三十五年法律第三十号）、労働安全衛生法（昭和四十七年法律第五十七号）及び船員災害防止活動の促進に関する法律（昭和四十二年法律第六十一号）並びにこれらの法律に基づく命令は、職員には適用しない。

第七条　第百八条の六の規定の適用については、国家公務員の労働関係の実態に鑑み、労働関係の適正化を促進し、もつて公務の能率的な運営に資するため、当分の間、同条第三項中「五年」とあるのは、「七年以下の範囲内で人事院規則で定める期間」とする。

刑法等の一部を改正する法律の施行に伴う関係法律整理法中経過規定（令和四・六・一七法六八）（抄）

第四四一条から第四四三条まで　（刑法の同経過規定参照）

第五〇九条　（刑法の同経過規定参照）

刑法等の一部を改正する法律の施行に伴う関係法律整理法

附　則（令和四・六・一七法六八）（抄）

（施行期日）

①　この法律は、刑法等一部改正法（刑法等の一部を改正する法律（令和四法六七））施行日（令和七・六・一）から施行する。ただし、次の各号に掲げる規定は、当該各号に定める日から施行する。

一　第五百九条の規定　公布の日

二　（略）

●地方自治法（抄）

（昭和二二・四・一七 法 六 七）

施行 昭和二二・五・三（附則参照）

改正（平成二九年以前の改正は重要なもののみ掲げる）昭和二二法一六九、昭和二三法一七九、昭和二五法一〇一（昭和二五法一四三）・法一四三、昭和二七法三〇六、昭和二八法二一二、昭和二九法一九三、昭和三一法一四七、昭和三八法九九、平成三法二四、平成六法四八、平成九法六七、平成一〇法五四、平成一一法八七（平成一一法一二二）、平成一四法四、平成一六法五七、平成一八法五〇・法五三、平成二三法三五、平成二四法七二、平成二九法五四、平成三〇法六・法七・法二三・法四四・法四六・法四九・法五二・法五三・法六六・法六八・法七八（令和一法二六）・法九五・法一〇二、平成三一法三・法四・法六・法一四、令和一法一一・法七・法一一・法一六・法一七・法二六・法三七・法五七・法六二・法六三、令和二法二・法五・法八・法一二・法一六・法二六・法三一・法三三・法四一・法六二・法七五、令和三法五・法七・法九・法三〇・法三一・法三六・法三七・法三九・法四三・法四四・法五〇・法五四・法六三・法八二、令和四法一・法四（令和四法一〇二）・法一六・法三三・法三四・法三七・法四四・法四八・法四九・法五二・法五三・法五六・法六八・法九六・法一〇一・法一〇四、令和五法一四・法一九・法二一・法三一・法三四・法四八・法五八・法六三・法七三・法八四・法八九、令和六法四七・法五六・法五九・法六四・法六五・法六六

目次

第一編　総則

第一条【この法律の目的】 この法律は、地方自治の本旨に基いて、地方公共団体の区分並びに地方公共団体の組織及び運営に関する事項の大綱を定め、併せて国と地方公共団体との間の基本的関係を確立することにより、地方公共団体における民主的にして能率的な行政の確保を図るとともに、地方公共団体の健全な発達を保障することを目的とする。

第一条の二【地方公共団体の役割、国と地方公共団体の役割分担の原則等】 ① 地方公共団体は、住民の福祉の増進を図ることを基本として、地域における行政を自主的かつ総合的に実施する役割を広く担うものとする。

② 国は、前項の規定の趣旨を達成するため、国においては国際社会における国家としての存立にかかわる事務、全国的に統一して定めることが望ましい国民の諸活動若しくは地方自治に関する基本的な準則に関する事務又は全国的な規模で若しくは全国的な視点に立つて行わなければならない施策及び事業の実施その他の国が本来果たすべき役割を重点的に担い、住民に身近な行政はできる限り地方公共団体にゆだねることを基本として、地方公共団体との間で適切に役割を分担するとともに、地方公共団体に関する制度の策定及び施策の実施に当たつて、地方公共団体の自主性及び自立性が十分に発揮されるようにしなければならない。

第一条の三【地方公共団体の種類】 ① 地方公共団体は、普通地方公共団体及び特別地方公共団体とする。

② 普通地方公共団体は、都道府県及び市町村とする。

③ 特別地方公共団体は、特別区、地方公共団体の組合及び財産区とする。

第二条【地方公共団体の法人格、事務、地方自治行政の基本原則】 ① 地方公共団体は、法人とする。

② 普通地方公共団体は、地域における事務及びその他の事務で法律又はこれに基づく政令により処理することとされるものを処理する。

③ 市町村は、基礎的な地方公共団体として、第五項において都道府県が処理するものとされているものを除き、一般的に、前項の事務を処理するものとする。

④ 市町村は、前項の規定にかかわらず、次項に規定する事務のうち、その規模又は性質において一般の市町村が処理することが適当でないと認められるものについては、当該市町村の規模及び能力に応じて、これを処理することができる。

⑤ 都道府県は、市町村を包括する広域の地方公共団体として、第二項の事務で、広域にわたるもの、市町村に関する連絡調整に関するもの及びその規模又は性質において一般の市町村が処理することが適当でないと認められるものを処理するものとする。

⑥ 都道府県及び市町村は、その事務を処理するに当つては、相互に競合しないようにしなければならない。

⑦ 特別地方公共団体は、この法律の定めるところにより、その事務を処理する。

⑧ この法律において「自治事務」とは、地方公共団体が処理する事務のうち、法定受託事務以外のものをいう。

⑨ この法律において「法定受託事務」とは、次に掲げる事務をいう。

一　法律又はこれに基づく政令により都道府県、市町村又は特別区が処理することとされる事務のうち、国が本来果たすべき役割に係るものであつて、国においてその適正な処理を特に確保する必要があるものとして法律又はこれに基づく政令に特に定めるもの（以下「第一号法定受託事務」という。）

二　法律又はこれに基づく政令により市町村又は特別区が処理することとされる事務のうち、都道府県が本来果たすべき役割に係るものであつて、都道府県においてその適正な処理を特に確保する必要があるものとして法律又はこれに基づく政令に特に定めるもの（以下「第二号法定受託事務」という。）

⑩ この法律又はこれに基づく政令に規定するもののほか、法律に定める法定受託事務は第一号法定受託事務にあつては別表第一の上欄に掲げる法律についてそれぞれ同表の下欄に、第二号法定受託事務にあつては別表第二の上欄に掲げる法律についてそれぞれ同表の下欄に掲げるとおりであり、政令に定める法定受託事務はこの法律に基づく政令に示すとおりである。

⑪ 地方公共団体に関する法令の規定は、地方自治の本旨に基づき、かつ、国と地方公共団体との適切な役割分担を踏まえたものでなければならない。

⑫ 地方公共団体に関する法令の規定は、地方自治の本旨に基づいて、かつ、国と地方公共団体との適切な役割分担を踏まえて、これを解釈し、及び運用するようにしなければならない。この場合において、特別地方公共団体に関する法令の規定は、この法律に定める特別地方公共団体の特性にも照応するように、これを解釈し、及び運用しなければならない。

⑬ 法律又はこれに基づく政令により地方公共団体が処理することとされる事務が自治事務である場合においては、国は、地方公共団体が地域の特性に応じて当該事務を処理することができるよう特に配慮しなければならない。

⑭ 地方公共団体は、その事務を処理するに当つては、住民の福祉の増進に努めるとともに、最少の経費で最大の効果を挙げるようにしなければならない。

⑮ 地方公共団体は、常にその組織及び運営の合理化に努めるとともに、他の地方公共団体に協力を求めてその規模の適正化を図らなければならない。

⑯ 地方公共団体は、法令に違反してその事務を処理してはならない。なお、市町村及び特別区は、当該都道府県の条例に違反してその事務を処理してはならない。

⑰ 前項の規定に違反して行つた地方公共団体の行為は、これを無効とする。

第三条【名称】 ① 地方公共団体の名称は、従来の名称による。

②都道府県の名称を変更しようとするときは、法律でこれを定める。

③都道府県以外の地方公共団体の名称を変更しようとするときは、この法律に特別の定めのあるものを除くほか、条例でこれを定める。

④地方公共団体の長は、前項の規定により当該地方公共団体の名称を変更しようとするときは、あらかじめ都道府県知事に協議しなければならない。

⑤地方公共団体は、第三項の規定により条例を制定し又は改廃したときは、直ちに都道府県知事に当該地方公共団体の変更後の名称及び名称を変更する日を報告しなければならない。

⑥都道府県知事は、前項の規定による報告があつたときは、直ちにその旨を総務大臣に通知しなければならない。

⑦前項の規定による通知を受けたときは、総務大臣は、直ちにその旨を告示するとともに、これを国の関係行政機関の長に通知しなければならない。

第四条【事務所の設定又は変更】 ①地方公共団体は、その事務所の位置を定め又はこれを変更しようとするときは、条例でこれを定めなければならない。

②前項の事務所の位置を定め又はこれを変更するに当つては、住民の利用に最も便利であるように、交通の事情、他の官公署との関係等について適当な考慮を払わなければならない。

③第一項の条例を制定し又は改廃しようとするときは、当該地方公共団体の議会において出席議員の三分の二以上の者の同意がなければならない。

第四条の二【休日】 ①地方公共団体の休日は、条例で定める。

②前項の地方公共団体の休日は、次に掲げる日について定めるものとする。

一　日曜日及び土曜日

二　国民の祝日に関する法律（昭和二十三年法律第百七十八号）に規定する休日

三　年末又は年始における日で条例で定めるもの

③前項各号に掲げる日のほか、当該地方公共団体において特別な歴史的、社会的意義を有し、住民がこぞつて記念することが定着している日で、当該地方公共団体の休日とすることについて広く国民の理解を得られるようなものは、第一項の地方公共団体の休日として定めることができる。この場合においては、当該地方公共団体の長は、あらかじめ総務大臣に協議しなければならない。

④地方公共団体の行政庁に対する申請、届出その他の行為の期限で法律又は法律に基づく命令で規定する期間（時をもつて定める期間を除く。）をもつて定めるものが第一項の規定に基づき条例で定められた地方公共団体の休日に当たるときは、地方公共団体の休日の翌日をもつてその期限とみなす。ただし、法律又は法律に基づく命令に別段の定めがある場合は、この限りでない。

第二編　普通地方公共団体（抄）

第一章　通則

第五条【普通地方公共団体の区域】 ①普通地方公共団体の区域は、従来の区域による。

②都道府県は、市町村を包括する。

第六条【都道府県の廃置分合及び境界変更】 ①都道府県の廃置分合又は境界変更をしようとするときは、法律でこれを定める。

②都道府県の境界にわたつて市町村の設置又は境界の変更があつたときは、都道府県の境界も、また、自ら変更する。従来地方公共団体の区域に属しなかつた地域を市町村の区域に編入したときも、また、同様とする。

③前二項の場合において財産処分を必要とするときは、関係地方公共団体が協議してこれを定める。但し、法律に特別の定があるときは、この限りでない。

④前項の協議については、関係地方公共団体の議会の議決を経なければならない。

第六条の二【都道府県の申請による合併】 ①前条第一項の規定によるほか、二以上の都道府県の廃止及びそれらの区域の全部による一の都道府県の設置又は都道府県の廃止及びその区域の全部の他の一の都道府県の区域への編入は、関係都道府県の申請に基づき、内閣が国会の承認を経てこれを定めることができる。

②前項の申請については、関係都道府県の議会の議決を経なければならない。

③第一項の申請は、総務大臣を経由して行うものとする。

④第一項の規定による処分があつたときは、総務大臣は、直ちにその旨を告示しなければならない。

⑤第一項の規定による処分は、前項の規定による告示によりその効力を生ずる。

第七条【市町村の廃置分合及び境界変更】 ①市町村の廃置分合又は市町村の境界変更は、関係市町村の申請に基き、都道府県知事が当該都道府県の議会の議決を経てこれを定め、直ちにその旨を総務大臣に届け出なければならない。

②前項の規定により市の廃置分合をしようとするときは、都道府県知事は、あらかじめ総務大臣に協議し、その同意を得なければならない。

③都道府県の境界にわたる市町村の設置を伴う市町村の廃置分合又は市町村の境界の変更は、関係のある普通地方公共団体の申請に基づき、総務大臣がこれを定める。

④前項の規定により都道府県の境界にわたる市町村の設置の処分を行う場合においては、当該市町村の属すべき都道府県について、関係のある普通地方公共団体の申請に基づき、総務大臣が当該処分と併せてこれを定める。

⑤第一項及び第三項の場合において財産処分を必要とするときは、関係市町村が協議してこれを定める。

⑥第一項及び前三項の申請又は協議については、関係のある普通地方公共団体の議会の議決を経なければならない。

⑦第一項の規定による届出を受理したとき、又は第三項若しくは第四項の規定による処分をしたときは、総務大臣は、直ちにその旨を告示するとともに、これを国の関係行政機関の長に通知しなければならない。

⑧第一項、第三項又は第四項の規定による処分は、前項の規定による告示によりその効力を生ずる。

第七条の二【未所属地域の編入】 ①法律で別に定めるものを除く外、従来地方公共団体の区域に属しなかつた地域を都道府県又は市町村の区域に編入する必要があると認めるときは、内閣がこれを定める。この場合において、利害関係があると認められる都道府県又は市町村があるときは、予めその意見を聴かなければならない。

②前項の意見については、関係のある普通地方公共団体の議会の議決を経なければならない。

③第一項の規定による処分があつたときは、総務大臣は、直ちにその旨を告示しなければならない。前条第八項の規定は、この場合にこれを準用する。

第八条【市及び町の要件、市町村相互間の変更】 ①市となるべき普通地方公共団体は、左に掲げる要件を具えていなければならない。

一　人口五万以上を有すること。

二　当該普通地方公共団体の中心の市街地を形成している区域内に在る戸数が、全戸数の六割以上であること。

三　商工業その他の都市的業態に従事する者及びその者と同一世帯に属する者の数が、全人口の六割以上であること。

四　前各号に定めるものの外、当該都道府県の条例で定める都市的施設その他の都市としての要件を具えていること。

②町となるべき普通地方公共団体は、当該都道府県の条例で定める町としての要件を具えていなければならない。

③町村を市とし又は市を町村とする処分は第七条第一項、第二項及び第六項から第八項までの例により、村を町とし又は町を

村とする処分は同条第一項及び第六項から第八項までの例により、これを行うものとする。

第八条の二【市町村の廃置分合・境界変更の勧告】① 都道府県知事は、市町村が第二条第十五項の規定によりその規模の適正化を図るのを援助するため、市町村の廃置分合又は市町村の境界変更の計画を定め、これを関係市町村に勧告することができる。

② 前項の計画を定め又はこれを変更しようとするときは、都道府県知事は、関係市町村、当該都道府県の議会、当該都道府県の区域内の市町村の議会又は長の連合組織その他の関係のある機関及び学識経験を有する者等の意見を聴かなければならない。

③ 前項の関係市町村の意見については、当該市町村の議会の議決を経なければならない。

④ 都道府県知事は、第一項の規定により勧告をしたときは、直ちにその旨を公表するとともに、総務大臣に報告しなければならない。

⑤ 総務大臣は、前項の規定による報告を受けたときは、国の関係行政機関の長に対し直ちにその旨を通知するものとする。

⑥ 第一項の規定による勧告に基く市町村の廃置分合又は市町村の境界変更については、国の関係行政機関は、これを促進するため必要な措置を講じなければならない。

第九条【市町村境界争論の調停、裁定、確定の訴え】① 市町村の境界に関し争論があるときは、都道府県知事は、関係市町村の申請に基づき、これを第二百五十一条の二の規定による調停に付することができる。

② 前項の規定によりすべての関係市町村の申請に基いてなされた調停により市町村の境界が確定しないとき、又は市町村の境界に関し争論がある場合においてすべての関係市町村から裁定を求める旨の申請があるときは、都道府県知事は、関係市町村の境界について裁定することができる。

③ 前項の規定による裁定は、文書を以てこれをし、その理由を附けてこれを関係市町村に交付しなければならない。

④ 第一項又は第二項の申請については、関係市町村の議会の議決を経なければならない。

⑤ 第一項の規定による調停又は第二項の規定による裁定により市町村の境界が確定したときは、都道府県知事は、直ちにその旨を総務大臣に届け出なければならない。

⑥ 前項の規定による届出を受理したとき、又は第十項の規定による通知があつたときは、総務大臣は、直ちにその旨を告示するとともに、これを国の関係行政機関の長に通知しなければならない。

⑦ 前項の規定による告示があつたときは、関係市町村の境界について第七条第一項又は第三項及び第七項の規定による処分があつたものとみなし、これらの処分の効力は、当該告示により生ずる。

⑧ 第二項の規定による都道府県知事の裁定に不服があるときは、関係市町村は、裁定書の交付を受けた日から三十日以内に裁判所に出訴することができる。

⑨ 市町村の境界に関し争論がある場合において、都道府県知事が第一項の規定による調停又は第二項の規定による裁定に適しないと認めてその旨を通知したときは、関係市町村は、裁判所に市町村の境界の確定の訴を提起することができる。第一項又は第二項の規定による申請をした日から九十日以内に、第一項の規定による調停に付されないとき、若しくは同項の規定による調停により市町村の境界が確定しないとき、又は第二項の規定による裁定がないときも、また、同様とする。

⑩ 前項の規定による訴訟の判決が確定したときは、当該裁判所は、直ちに電子判決書（民事訴訟法（平成八年法律第百九号）第二百五十二条第一項に規定する電子判決書をいい、同法第二百五十三条第二項の規定により裁判所の使用に係る電子計算機に備えられたファイルに記録されたものに限る。第七十四条の二第十項において同じ。）に記録されている事項を出力することにより作成した書面を添えてその旨を総務大臣及び関係のある都道府県知事に通知しなければならない。

＊令和四法四八（令和八・五・二四までに施行）**による改正前**
⑩ 前項の規定による訴訟の判決が確定したときは、当該裁判所は、直ちに判決書の写を添えてその旨を総務大臣及び関係のある都道府県知事に通知しなければならない。

⑪ 前十項の規定は、政令の定めるところにより、市町村の境界の変更に関し争論がある場合にこれを準用する。

第九条の二【市町村境界の決定】① 市町村の境界が判明でない場合において、その境界に関し争論がないときは、都道府県知事は、関係市町村の意見を聴いてこれを決定することができる。

② 前項の規定による決定は、文書を以てこれをし、その理由を附けてこれを関係市町村に交付しなければならない。

③ 第一項の意見については、関係市町村の議会の議決を経なければならない。

④ 第一項の規定による都道府県知事の決定に不服があるときは、関係市町村は、決定書の交付を受けた日から三十日以内に裁判所に出訴することができる。

⑤ 第一項の規定による決定が確定したときは、都道府県知事は、直ちにその旨を総務大臣に届け出なければならない。

⑥ 前条第六項及び第七項の規定は、前項の規定による届出があつた市町村の境界の決定にこれを準用する。

第九条の三【公有水面のみに係る市町村の境界変更】① 公有水面のみに係る市町村の境界変更は、第七条第一項の規定にかかわらず、関係市町村の同意を得て都道府県知事が当該都道府県の議会の議決を経てこれを定め、直ちにその旨を総務大臣に届け出なければならない。

② 公有水面のみに係る市町村の境界変更で都道府県の境界にわたるものは、第七条第三項の規定にかかわらず、関係のある普通地方公共団体の同意を得て総務大臣がこれを定める。

③ 公有水面のみに係る市町村の境界に関し争論があるときは、第九条第一項及び第二項の規定にかかわらず、都道府県知事は、職権によりこれを第二百五十一条の二の規定による調停に付し、又は当該調停により市町村の境界が確定しないとき、若しくはすべての関係市町村の裁定することについての同意があるときは、これを裁定することができる。

④ 第一項若しくは第二項の規定による公有水面のみに係る市町村の境界変更又は前項の規定による公有水面のみに係る市町村の境界の裁定は、当該公有水面の埋立て（干拓を含む。以下同じ。）が行なわれる場合においては、前三項の規定にかかわらず、公有水面の埋立てに関する法令により当該埋立ての竣功の認可又は通知がなされる時までこれをすることができる。

⑤ 第一項から第三項までの同意については、関係のある普通地方公共団体の議会の議決を経なければならない。

⑥ 第七条第七項及び第八項の規定は第一項及び第二項の場合に、第九条第三項、第五項から第八項まで、第九項前段及び第十項の規定は第三項の場合にこれを準用する。

第九条の四【公有水面の埋立てと所属市町村の決定】 総務大臣又は都道府県知事は、公有水面の埋立てが行なわれる場合において、当該埋立てにより造成されるべき土地の所属すべき市町村を定めるため必要があると認めるときは、できる限りすみやかに、前二条に規定する措置を講じなければならない。

第九条の五【あらたに生じた土地の確認】① 市町村の区域内にあらたに土地を生じたときは、市町村長は、当該市町村の議会の議決を経てその旨を確認し、都道府県知事に届け出なければならない。

② 前項の規定による届出を受理したときは、都道府県知事は、直ちにこれを告示しなければならない。

第二章　住民

第一〇条【住民の意義、権利義務】① 市町村の区域内に住所を有する者は、当該市町村及びこれを包括する都道府県の住民とする。

② 住民は、法律の定めるところにより、その属する普通地方公共団体の役務の提供をひとしく受ける権利を有し、その負担を分任する義務を負う。

第一一条【住民の選挙権】 日本国民たる普通地方公共団体の住民は、この法律の定めるところにより、その属する普通地方公共団体の選挙に参与する権利を有する。

第一二条【条例の制定改廃請求権、事務の監査請求権】① 日本国民たる普通地方公共団体の住民は、この法律の定めるところにより、その属する普通地方公共団体の条例（地方税の賦課徴収並びに分担金、使用料及び手数料の徴収に関するものを除く。）の制定又は改廃を請求する権利を有する。

② 日本国民たる普通地方公共団体の住民は、この法律の定めるところにより、その属する普通地方公共団体の事務の監査を請求する権利を有する。

第一三条【議会の解散請求権、解職請求権】① 日本国民たる普通地方公共団体の住民は、この法律の定めるところにより、その属する普通地方公共団体の議会の解散を請求する権利を有する。

② 日本国民たる普通地方公共団体の住民は、この法律の定めるところにより、その属する普通地方公共団体の議会の議員、長、副知事若しくは副市町村長、第二百五十二条の十九第一項に規定する指定都市の総合区長、選挙管理委員若しくは監査委員又は公安委員会の委員の解職を請求する権利を有する。

③ 日本国民たる普通地方公共団体の住民は、法律の定めるところにより、その属する普通地方公共団体の教育委員会の教育長又は委員の解職を請求する権利を有する。

第一三条の二【住民たる地位に関する記録】 市町村は、別に法律の定めるところにより、その住民につき、住民たる地位に関する正確な記録を常に整備しておかなければならない。

第三章 条例及び規則

第一四条【条例、罰則の委任】① 普通地方公共団体は、法令に違反しない限りにおいて第二条第二項の事務に関し、条例を制定することができる。

② 普通地方公共団体は、義務を課し、又は権利を制限するには、法令に特別の定めがある場合を除くほか、条例によらなければならない。

③ 普通地方公共団体は、法令に特別の定めがあるものを除くほか、その条例中に、条例に違反した者に対し、二年以下の拘禁刑、百万円以下の罰金、拘留、科料若しくは没収の刑又は五万円以下の過料を科する旨の規定を設けることができる。

第一五条【規則】① 普通地方公共団体の長は、法令に違反しない限りにおいて、その権限に属する事務に関し、規則を制定することができる。

② 普通地方公共団体の長は、法令に特別の定めがあるものを除くほか、普通地方公共団体の規則中に、規則に違反した者に対し、五万円以下の過料を科する旨の規定を設けることができる。

第一六条【条例・規則等の公布・公表・施行期日】① 普通地方公共団体の議会の議長は、条例の制定又は改廃の議決があつたときは、その日から三日以内にこれを当該普通地方公共団体の長に送付しなければならない。

② 普通地方公共団体の長は、前項の規定により条例の送付を受けた場合は、その日から二十日以内にこれを公布しなければならない。ただし、再議その他の措置を講じた場合は、この限りでない。

③ 条例は、条例に特別の定があるものを除く外、公布の日から起算して十日を経過した日から、これを施行する。

④ 当該普通地方公共団体の長の署名、施行期日の特例その他条例の公布に関し必要な事項は、条例でこれを定めなければならない。

⑤ 前二項の規定は、普通地方公共団体の規則並びにその機関の定める規則及びその他の規程で公表を要するものにこれを準用する。但し、法令又は条例に特別の定があるときは、この限りでない。

第四章 選挙

第一七条【議員及び長の選挙】 普通地方公共団体の議会の議員及び長は、別に法律の定めるところにより、選挙人が投票によりこれを選挙する。

第一八条【選挙権】 日本国民たる年齢満十八年以上の者で引き続き三箇月以上市町村の区域内に住所を有するものは、別に法律の定めるところにより、その属する普通地方公共団体の議会の議員及び長の選挙権を有する。

第一九条【被選挙権】① 普通地方公共団体の議会の議員の選挙権を有する者で年齢満二十五年以上のものは、別に法律の定めるところにより、普通地方公共団体の議会の議員の被選挙権を有する。

② 日本国民で年齢満三十年以上のものは、別に法律の定めるところにより、都道府県知事の被選挙権を有する。

③ 日本国民で年齢満二十五年以上のものは、別に法律の定めるところにより、市町村長の被選挙権を有する。

第二〇条乃至第七三条 削除

第五章 直接請求

第一節 条例の制定及び監査の請求

第七四条【条例の制定又は改廃の請求及びその処置】① 普通地方公共団体の議会の議員及び長の選挙権を有する者（以下この編において「選挙権を有する者」という。）は、政令で定めるところにより、その総数の五十分の一以上の者の連署をもつて、その代表者から、普通地方公共団体の長に対し、条例（地方税の賦課徴収並びに分担金、使用料及び手数料の徴収に関するものを除く。）の制定又は改廃の請求をすることができる。

② 前項の請求があつたときは、当該普通地方公共団体の長は、直ちに請求の要旨を公表しなければならない。

③ 普通地方公共団体の長は、第一項の請求を受理した日から二十日以内に議会を招集し、意見を付けてこれを議会に付議し、その結果を同項の代表者（以下この条において「代表者」という。）に通知するとともに、これを公表しなければならない。

④ 議会は、前項の規定により付議された事件の審議を行うに当たつては、政令で定めるところにより、代表者に意見を述べる機会を与えなければならない。

⑤ 第一項の選挙権を有する者とは、公職選挙法（昭和二十五年法律第百号）第二十二条第一項又は第三項の規定による選挙人名簿の登録が行われた日において選挙人名簿に登録されている者とし、その総数の五十分の一の数は、当該普通地方公共団体の選挙管理委員会において、その登録が行われた日後直ちに告示しなければならない。

⑥ 選挙権を有する者のうち次に掲げるものは、代表者となり、又は代表者であることができない。

一 公職選挙法第二十七条第一項又は第二項の規定により選挙人名簿にこれらの項の表示をされている者（都道府県に係る請求にあつては、同法第九条第三項の規定により当該都道府県の議会の議員及び長の選挙権を有するものとされた者（同法第十一条第一項若しくは第二百五十二条又は政治資金規正法（昭和二十三年法律第百九十四号）第二十八条の規定により選挙権を有しなくなつた旨の表示をされている者を除く。）を除く。）

二 前項の選挙人名簿の登録が行われた日以後に公職選挙法第二十八条の規定により選挙人名簿から抹消された者

三 第一項の請求に係る普通地方公共団体（当該普通地方公共団体が、都道府県である場合には当該都道府県の区域内の市町村並びに第二百五十二条の十九第一項に規定する指定都市

（以下この号において「指定都市」という。）の区及び総合区を含み、指定都市である場合には当該市の区及び総合区を含む。）の選挙管理委員会の委員又は職員である者

⑦　第一項の場合において、当該地方公共団体の区域内で衆議院議員、参議院議員又は地方公共団体の議会の議員若しくは長の選挙が行われることとなるときは、政令で定める期間、当該選挙が行われる区域内においては請求のための署名を求めることができない。

⑧　選挙権を有する者は、心身の故障その他の事由により条例の制定又は改廃の請求者の署名簿に署名することができないときは、その者の属する市町村の選挙権を有する者（代表者及び代表者の委任を受けて当該市町村の選挙権を有する者に対し当該署名簿に署名することを求める者を除く。）に委任して、自己の氏名（以下「請求者の氏名」という。）を当該署名簿に記載させることができる。この場合において、委任を受けた者による当該請求者の氏名の記載は、第一項の規定による請求者の署名とみなす。

⑨　前項の規定により委任を受けた者（以下「氏名代筆者」という。）が請求者の氏名を条例の制定又は改廃の請求者の署名簿に記載する場合には、氏名代筆者は、当該署名簿に氏名代筆者としての署名をしなければならない。

第七四条の二【署名の証明、署名簿の縦覧、署名数の告示、署名に関する争訟】①　条例の制定又は改廃の請求者の代表者は、条例の制定又は改廃の請求者の署名簿を市町村の選挙管理委員会に提出してこれに署名した者が選挙人名簿に登録された者であることの証明を求めなければならない。この場合においては、当該市町村の選挙管理委員会は、その日から二十日以内に審査を行い、署名の効力を決定し、その旨を証明しなければならない。

②　市町村の選挙管理委員会は、前項の規定による署名簿の署名の証明が終了したときは、その日から七日間、その指定した場所において署名簿を関係人の縦覧に供さなければならない。

③　前項の署名簿の縦覧の期間及び場所については、市町村の選挙管理委員会は、予めこれを告示し、且つ、公衆の見易い方法によりこれを公表しなければならない。

④　署名簿の署名に関し異議があるときは、関係人は、第二項の規定による縦覧期間内に当該市町村の選挙管理委員会にこれを申し出ることができる。

⑤　市町村の選挙管理委員会は、前項の規定による異議の申出を受けた場合においては、その申出を受けた日から十四日以内にこれを決定しなければならない。この場合において、その申出を正当であると決定したときは、直ちに第一項の規定による証明を修正し、その旨を申出人及び関係人に通知し、併せてこれを告示し、その申出を正当でないと決定したときは、直ちにその旨を申出人に通知しなければならない。

⑥　市町村の選挙管理委員会は、第二項の規定による縦覧期間内に関係人の異議の申出がないとき、又は前項の規定によるすべての異議についての決定をしたときは、その旨及び有効署名の総数を告示するとともに、署名簿を条例の制定又は改廃の請求者の代表者に返付しなければならない。

⑦　都道府県の条例の制定又は改廃の請求者の署名簿の署名に関し第五項の規定による決定に不服がある者は、その決定のあつた日から十日以内に都道府県の選挙管理委員会に審査を申し立てることができる。

⑧　市町村の条例の制定又は改廃の請求者の署名簿の署名に関し第五項の規定による決定に不服がある者は、その決定のあつた日から十四日以内に地方裁判所に出訴することができる。その判決に不服がある者は、控訴することはできないが最高裁判所に上告することができる。

⑨　第七項の規定による審査の申立てに対する裁決に不服がある者は、その裁決書の交付を受けた日から十四日以内に高等裁判所に出訴することができる。

⑩　審査の申立てに対する裁決又は判決が確定したときは、当該都道府県の選挙管理委員会又は当該裁判所は、直ちに裁決書の写し又は電子判決書に記録されている事項を出力することにより作成した書面を関係市町村の選挙管理委員会に送付しなければならない。この場合においては、送付を受けた当該市町村の選挙管理委員会は、直ちに条例の制定又は改廃の請求者の代表者にその旨を通知しなければならない。

＊令和四法四八（令和八・五・二四までに施行）による改正
第十項中「又は判決書の写」は「の写し又は電子判決書に記録されている事項を出力することにより作成した書面」に改められた。（本文織込み済み）

⑪　署名簿の署名に関する争訟については、審査の申立てに対する裁決は審査の申立てを受理した日から二十日以内にこれをするものとし、訴訟の判決は事件を受理した日から百日以内にこれをするように努めなければならない。

⑫　第八項及び第九項の訴えは、当該決定又は裁決をした選挙管理委員会の所在地を管轄する地方裁判所又は高等裁判所の専属管轄とする。

⑬　第八項及び第九項の訴えについては、行政事件訴訟法（昭和三十七年法律第百三十九号）第四十三条の規定にかかわらず、同法第十三条の規定を準用せず、また、同法第十六条から第十九条までの規定は、署名簿の署名の効力を争う数個の請求に関してのみ準用する。

第七四条の三【署名の無効、関係人の出頭証言】①　条例の制定又は改廃の請求者の署名で左に掲げるものは、これを無効とする。
一　法令の定める成規の手続によらない署名
二　何人であるかを確認し難い署名

②　前条第四項の規定により詐偽又は強迫に基く旨の異議の申出があつた署名で市町村の選挙管理委員会がその申出を正当であると決定したものは、これを無効とする。

③　市町村の選挙管理委員会は、署名の効力を決定する場合において必要があると認めるときは、関係人の出頭及び証言を求めることができる。

④　第百条第二項、第三項、第七項及び第八項の規定は、前項の規定による関係人の出頭及び証言にこれを準用する。

第七四条の四【違法署名運動の罰則】①　条例の制定又は改廃の請求者の署名に関し、次の各号に掲げる行為をした者は、四年以下の拘禁刑又は百万円以下の罰金に処する。
一　署名権者又は署名運動者に対し、暴行若しくは威力を加え、又はこれをかどわかしたとき。
二　交通若しくは集会の便を妨げ、又は演説を妨害し、その他偽計詐術等不正の方法をもつて署名の自由を妨害したとき。
三　署名権者若しくは署名運動者又はその関係のある社寺、学校、会社、組合、市町村等に対する用水、小作、債権、寄附その他特殊の利害関係を利用して署名権者又は署名運動者を威迫したとき。

②　条例の制定若しくは改廃の請求者の署名を偽造し若しくはその数を増減した者又は署名簿その他の条例の制定若しくは改廃の請求に必要な関係書類を抑留、毀壊若しくは奪取した者は、三年以下の拘禁刑又は五十万円以下の罰金に処する。

③　条例の制定又は改廃の請求者の署名に関し、選挙権を有する者の委任を受けずに又は選挙権を有する者が心身の故障その他の事由により請求者の署名簿に署名することができないときでないのに、氏名代筆者として請求者の氏名を請求者の署名簿に記載した者は、三年以下の拘禁刑又は五十万円以下の罰金に処する。

④　選挙権を有する者が心身の故障その他の事由により条例の制定又は改廃の請求者の署名簿に署名することができない場合において、当該選挙権を有する者の委任を受けて請求者の氏名を請求者の署名簿に記載した者が、当該署名簿に氏名代筆者としての署名をせず又は虚偽の署名をしたときは、三年以下の拘禁

刑又は五十万円以下の罰金に処する。

⑤ 条例の制定又は改廃の請求者の署名に関し、次に掲げる者が、その地位を利用して署名運動をしたときは、二年以下の禁錮又は三十万円以下の罰金に処する。

一 国若しくは地方公共団体の公務員又は行政執行法人（独立行政法人通則法（平成十一年法律第百三号）第二条第四項に規定する行政執行法人をいう。）若しくは特定地方独立行政法人（地方独立行政法人法（平成十五年法律第百十八号）第二条第二項に規定する特定地方独立行政法人をいう。）の役員若しくは職員

二 沖縄振興開発金融公庫の役員又は職員

⑥ 条例の制定又は改廃の請求に関し、政令で定める請求書及び請求代表者証明書を付していない署名簿、政令で定める署名を求めるための請求代表者の委任状を付していない署名簿その他法令の定める所定の手続によらない署名簿を用いて署名を求めた者又は政令で定める署名を求めることができる期間外の時期に署名を求めた者は、十万円以下の罰金に処する。

第七五条【監査の請求及びその処置】 ① 選挙権を有する者（道の方面公安委員会については、当該方面公安委員会の管理する方面本部の管轄区域内において選挙権を有する者）は、政令で定めるところにより、その総数の五十分の一以上の者の連署をもつて、その代表者から、普通地方公共団体の監査委員に対し、当該普通地方公共団体の事務の執行に関し、監査の請求をすることができる。

② 前項の請求があつたときは、監査委員は、直ちに当該請求の要旨を公表しなければならない。

③ 監査委員は、第一項の請求に係る事項につき監査し、監査の結果に関する報告を決定し、これを同項の代表者（第五項及び第六項において「代表者」という。）に送付し、かつ、公表するとともに、これを当該普通地方公共団体の議会及び長並びに関係のある教育委員会、選挙管理委員会、人事委員会若しくは公平委員会、公安委員会、労働委員会、農業委員会その他法律に基づく委員会又は委員に提出しなければならない。

④ 前項の規定による監査の結果に関する報告の決定は、監査委員の合議によるものとする。

⑤ 監査委員は、第三項の規定による監査の結果に関する報告の決定について、各監査委員の意見が一致しないことにより、前項の合議により決定することができない事項がある場合には、その旨及び当該事項についての各監査委員の意見を代表者に送付し、かつ、公表するとともに、これらを当該普通地方公共団体の議会及び長並びに関係のある教育委員会、選挙管理委員会、人事委員会若しくは公平委員会、公安委員会、労働委員会、農業委員会その他法律に基づく委員会又は委員に提出しなければならない。

⑥ 第七十四条第五項の規定は第一項の選挙権を有する者及びその総数の五十分の一の数について、同条第六項の規定は代表者について、同条第七項から第九項まで及び第七十四条の二から前条までの規定は第一項の規定による請求者の署名について、それぞれ準用する。この場合において、第七十四条第六項第三号中「区域内」とあるのは、「区域内（道の方面公安委員会に係る請求については、当該方面公安委員会の管理する方面本部の管轄区域内）」と読み替えるものとする。

第二節 解散及び解職の請求

第七六条【議会の解散請求及びその処置】 ① 選挙権を有する者は、政令の定めるところにより、その総数の三分の一（その総数が四十万を超え八十万以下の場合にあつてはその四十万を超える数に六分の一を乗じて得た数と四十万に三分の一を乗じて得た数とを合算して得た数、その総数が八十万を超える場合にあつてはその八十万を超える数に八分の一を乗じて得た数と四十万に六分の一を乗じて得た数と四十万に三分の一を乗じて得た数とを合算して得た数）以上の者の連署をもつて、その代表者から、普通地方公共団体の選挙管理委員会に対し、当該普通地方公共団体の議会の解散の請求をすることができる。

② 前項の請求があつたときは、委員会は、直ちに請求の要旨を公表しなければならない。

③ 第一項の請求があつたとき、委員会は、これを選挙人の投票に付さなければならない。

④ 第七十四条第五項の規定は第一項の選挙権を有する者及びその総数の三分の一の数（その総数が四十万を超え八十万以下の場合にあつてはその四十万を超える数に六分の一を乗じて得た数と四十万に三分の一を乗じて得た数とを合算して得た数、その総数が八十万を超える場合にあつてはその八十万を超える数に八分の一を乗じて得た数と四十万に六分の一を乗じて得た数と四十万に三分の一を乗じて得た数とを合算して得た数）について、同条第六項の規定は第一項の代表者について、同条第七項から第九項まで及び第七十四条の二から第七十四条の四までの規定は第一項の規定による請求者の署名について準用する。

第七七条【解散の投票の結果とその処置】 解散の投票の結果が判明したときは、選挙管理委員会は、直ちにこれを前条第一項の代表者及び当該普通地方公共団体の議会の議長に通知し、かつ、これを公表するとともに、都道府県にあつては都道府県知事に、市町村にあつては市町村長に報告しなければならない。その投票の結果が確定したときも、また、同様とする。

第七八条【議会の解散】 普通地方公共団体の議会は、第七十六条第三項の規定による解散の投票において過半数の同意があつたときは、解散するものとする。

第七九条【解散請求の制限期間】 第七十六条第一項の規定による普通地方公共団体の議会の解散の請求は、その議会の議員の一般選挙のあつた日から一年間及び同条第三項の規定による解散の投票のあつた日から一年間は、これをすることができない。

第八〇条【議員の解職請求及びその処置】 ① 選挙権を有する者は、政令の定めるところにより、所属の選挙区におけるその総数の三分の一（その総数が四十万を超え八十万以下の場合にあつてはその四十万を超える数に六分の一を乗じて得た数と四十万に三分の一を乗じて得た数とを合算して得た数、その総数が八十万を超える場合にあつてはその八十万を超える数に八分の一を乗じて得た数と四十万に六分の一を乗じて得た数と四十万に三分の一を乗じて得た数とを合算して得た数）以上の者の連署をもつて、その代表者から、普通地方公共団体の選挙管理委員会に対し、当該選挙区に属する普通地方公共団体の議会の議員の解職の請求をすることができる。この場合において選挙区がないときは、選挙権を有する者の総数の三分の一（その総数が四十万を超え八十万以下の場合にあつてはその四十万を超える数に六分の一を乗じて得た数と四十万に三分の一を乗じて得た数とを合算して得た数、その総数が八十万を超える場合にあつてはその八十万を超える数に八分の一を乗じて得た数と四十万に六分の一を乗じて得た数と四十万に三分の一を乗じて得た数とを合算して得た数）以上の者の連署をもつて、議員の解職の請求をすることができる。

② 前項の請求があつたときは、委員会は、直ちに請求の要旨を関係区域内に公表しなければならない。

③ 第一項の請求があつたときは、委員会は、これを当該選挙区の選挙人の投票に付さなければならない。この場合において選挙区がないときは、すべての選挙人の投票に付さなければならない。

④ 第七十四条第五項の規定は第一項の選挙権を有する者及びその総数の三分の一の数（その総数が四十万を超え八十万以下の場合にあつてはその四十万を超える数に六分の一を乗じて得た数と四十万に三分の一を乗じて得た数とを合算して得た数、その総数が八十万を超える場合にあつてはその八十万を超える数に八分の一を乗じて得た数と四十万に六分の一を乗じて得た数と四十万に三分の一を乗じて得た数とを合算して得た数）について、同条第六項の規定は第一項の代表者について、同条第七項から第九項まで及び第七十四条の二から第七十四条の四までの規定は第一項の規定による請求者の署名について準用する。

この場合において、第七十四条第六項第三号中「都道府県の区域内の」とあり、及び「市の」とあるのは、「選挙区の区域の全部又は一部が含まれる」と読み替えるものとする。

第八一条【長の解職請求及びその処置】① 選挙権を有する者は、政令の定めるところにより、その総数の三分の一（その総数が四十万を超え八十万以下の場合にあつてはその四十万を超える数に六分の一を乗じて得た数と四十万に三分の一を乗じて得た数とを合算して得た数、その総数が八十万を超える場合にあつてはその八十万を超える数に八分の一を乗じて得た数と四十万に六分の一を乗じて得た数と四十万に三分の一を乗じて得た数とを合算して得た数）以上の者の連署をもつて、その代表者から、普通地方公共団体の選挙管理委員会に対し、当該普通地方公共団体の長の解職の請求をすることができる。

② 第七十四条第五項の規定は前項の選挙権を有する者及びその総数の三分の一の数（その総数が四十万を超え八十万以下の場合にあつてはその四十万を超える数に六分の一を乗じて得た数と四十万に三分の一を乗じて得た数とを合算して得た数、その総数が八十万を超える場合にあつてはその八十万を超える数に八分の一を乗じて得た数と四十万に六分の一を乗じて得た数と四十万に三分の一を乗じて得た数とを合算して得た数）について、同条第六項の規定は前項の代表者について、同条第七項から第九項まで及び第七十四条の二から第七十四条の四までの規定は前項の規定による請求者の署名について、第七十六条第二項及び第三項の規定は前項の請求について準用する。

第八二条【解職の投票の結果とその処置】① 第八十条第三項の規定による解職の投票の結果が判明したときは、普通地方公共団体の選挙管理委員会は、直ちにこれを同条第一項の代表者並びに当該普通地方公共団体の議会の関係議員及び議長に通知し、かつ、これを公表するとともに、都道府県にあつては都道府県知事に、市町村にあつては市町村長に報告しなければならない。その投票の結果が確定したときも、また、同様とする。

② 前条第二項の規定による解職の投票の結果が判明したときは、委員会は、直ちにこれを同条第一項の代表者並びに当該普通地方公共団体の長及び議会の議長に通知し、かつ、これを公表しなければならない。その投票の結果が確定したときも、また、同様とする。

第八三条【議員又は長の失職】 普通地方公共団体の議会の議員又は長は、第八十条第三項又は第八十一条第二項の規定による解職の投票において、過半数の同意があつたときは、その職を失う。

第八四条【議員又は長の解職請求の制限期間】 第八十条第一項又は第八十一条第一項の規定による普通地方公共団体の議会の議員又は長の解職の請求は、その就職の日から一年間及び第八十条第三項又は第八十一条第二項の規定による解職の投票の日から一年間は、これをすることができない。ただし、公職選挙法第百条第六項の規定により当選人と定められ普通地方公共団体の議会の議員又は長となつた者に対する解職の請求は、その就職の日から一年以内においても、これをすることができる。

第八五条【解散及び解職投票の手続】① 政令で特別の定をするものを除く外、公職選挙法中普通地方公共団体の選挙に関する規定は、第七十六条第三項の規定による解散の投票並びに第八十条第三項及び第八十一条第二項の規定による解職の投票にこれを準用する。

② 前項の投票は、政令の定めるところにより、普通地方公共団体の選挙と同時にこれを行うことができる。

第八六条【役員の解職請求及びその処置】① 選挙権を有する者（第二百五十二条の十九第一項に規定する指定都市（以下この項において「指定都市」という。）の総合区長については当該総合区の区域内において選挙権を有する者、指定都市の区又は総合区の選挙管理委員については当該区又は総合区の区域内において選挙権を有する者、道の方面公安委員会の委員については当該方面公安委員会の管理する方面本部の管轄区域内において選挙権を有する者）は、政令の定めるところにより、その総数の三分の一（その総数が四十万を超え八十万以下の場合にあつてはその四十万を超える数に六分の一を乗じて得た数と四十万に三分の一を乗じて得た数とを合算して得た数、その総数が八十万を超える場合にあつてはその八十万を超える数に八分の一を乗じて得た数と四十万に六分の一を乗じて得た数と四十万に三分の一を乗じて得た数とを合算して得た数）以上の者の連署をもつて、その代表者から、普通地方公共団体の長に対し、副知事若しくは副市町村長、指定都市の総合区長、選挙管理委員若しくは監査委員又は公安委員会の委員の解職の請求をすることができる。

② 前項の請求があつたときは、当該普通地方公共団体の長は、直ちに請求の要旨を公表しなければならない。

③ 第一項の請求があつたときは、当該普通地方公共団体の長は、これを議会に付議し、その結果を同項の代表者及び関係者に通知し、かつ、これを公表しなければならない。

④ 第七十四条第五項の規定は第一項の選挙権を有する者及びその総数の三分の一の数（その総数が四十万を超え八十万以下の場合にあつてはその四十万を超える数に六分の一を乗じて得た数と四十万に三分の一を乗じて得た数とを合算して得た数、その総数が八十万を超える場合にあつてはその八十万を超える数に八分の一を乗じて得た数と四十万に六分の一を乗じて得た数と四十万に三分の一を乗じて得た数とを合算して得た数）について、同条第六項の規定は第一項の代表者について、同条第七項から第九項まで及び第七十四条の二から第七十四条の四までの規定は第一項の規定による請求者の署名について準用する。この場合において、第七十四条第六項第三号中「区域内」とあるのは「区域内（道の方面公安委員会の委員に係る請求については、当該方面公安委員会の管理する方面本部の管轄区域内）」と、「市の区及び総合区」とあるのは「市の区及び総合区（総合区長に係る請求については当該総合区、区又は総合区の選挙管理委員に係る請求については当該区又は総合区に限る。）」と読み替えるものとする。

第八七条【役員の失職】① 前条第一項に掲げる職に在る者は、同条第三項の場合において、当該普通地方公共団体の議会の議員の三分の二以上の者が出席し、その四分の三以上の者の同意があつたときは、その職を失う。

② 第百十八条第五項の規定は、前条第三項の規定による議決についてこれを準用する。

第八八条【役員の解職請求の制限期間】① 第八十六条第一項の規定による副知事若しくは副市町村長又は第二百五十二条の十九第一項に規定する指定都市の総合区長の解職の請求は、その就職の日から一年間及び第八十六条第三項の規定による議会の議決の日から一年間は、これをすることができない。

② 第八十六条第一項の規定による選挙管理委員若しくは監査委員又は公安委員会の委員の解職の請求は、その就職の日から六箇月間及び同条第三項の規定による議会の議決の日から六箇月間は、これをすることができない。

第六章　議会

第一節　組織

第八九条【議会の設置】① 普通地方公共団体に、その議事機関として、当該普通地方公共団体の住民が選挙した議員をもつて組織される議会を置く。

② 普通地方公共団体の議会は、この法律の定めるところにより当該普通地方公共団体の重要な意思決定に関する事件を議決し、並びにこの法律に定める検査及び調査その他の権限を行使する。

③ 前項に規定する議会の権限の適切な行使に資するため、普通地方公共団体の議会の議員は、住民の負託を受け、誠実にその職務を行わなければならない。

第九〇条【都道府県議会の議員の定数】① 都道府県の議会の議員の定数は、条例で定める。

② 前項の規定による議員の定数の変更は、一般選挙の場合でな

ければ、これを行うことができない。

③ 第六条の二第一項の規定による処分により、著しく人口の増加があつた都道府県においては、前項の規定にかかわらず、議員の任期中においても、議員の定数を増加することができる。

④ 第六条の二第一項の規定により都道府県の設置をしようとする場合において、その区域の全部が当該新たに設置される都道府県の区域の一部となる都道府県（以下本条において「設置関係都道府県」という。）は、その協議により、あらかじめ、新たに設置される都道府県の議会の議員の定数を定めなければならない。

⑤ 前項の規定により新たに設置される都道府県の議会の議員の定数を定めたときは、設置関係都道府県は、直ちに当該定数を告示しなければならない。

⑥ 前項の規定により告示された新たに設置される都道府県の議会の議員の定数は、第一項の規定に基づく当該都道府県の条例により定められたものとみなす。

⑦ 第四項の協議については、設置関係都道府県の議会の議決を経なければならない。

第九一条【市町村議会の議員の定数】 ① 市町村の議会の議員の定数は、条例で定める。

② 前項の規定による議員の定数の変更は、一般選挙の場合でなければ、これを行うことができない。

③ 第七条第一項又は第三項の規定による処分により、著しく人口の増減があつた市町村においては、前項の規定にかかわらず、議員の任期中においても、議員の定数を増減することができる。

④ 前項の規定により議員の任期中にその定数を減少した場合において当該市町村の議会の議員の職に在る者の数がその減少した定数を超えているときは、当該議員の任期中は、その数を以て定数とする。但し、議員に欠員を生じたときは、これに応じて、その定数は、当該定数に至るまで減少するものとする。

⑤ 第七条第一項又は第三項の規定により市町村の設置を伴う市町村の廃置分合をしようとする場合において、その区域の全部又は一部が当該廃置分合により新たに設置される市町村の区域の全部又は一部となる市町村（以下本条において「設置関係市町村」という。）は、設置関係市町村が二以上のときは設置関係市町村の協議により、設置関係市町村が一のときは当該設置関係市町村の議会の議決を経て、あらかじめ、新たに設置される市町村の議会の議員の定数を定めなければならない。

⑥ 前項の規定により新たに設置される市町村の議会の議員の定数を定めたときは、設置関係市町村は、直ちに当該定数を告示しなければならない。

⑦ 前項の規定により告示された新たに設置される市町村の議会の議員の定数は、第一項の規定に基づく当該市町村の条例により定められたものとみなす。

⑧ 第五項の協議については、設置関係市町村の議会の議決を経なければならない。

第九二条【兼職の禁止】 ① 普通地方公共団体の議会の議員は、衆議院議員又は参議院議員と兼ねることができない。

② 普通地方公共団体の議会の議員は、地方公共団体の議会の議員並びに常勤の職員及び地方公務員法（昭和二十五年法律第二百六十一号）第二十二条の四第一項に規定する短時間勤務の職を占める職員（以下「短時間勤務職員」という。）と兼ねることができない。

第九二条の二【関係私企業からの隔離】 普通地方公共団体の議会の議員は、当該普通地方公共団体に対し請負（業として行う工事の完成若しくは作業その他の役務の給付又は物件の納入その他の取引で当該普通地方公共団体が対価の支払をすべきものをいう。以下この条、第百四十二条、第百八十条の五第六項及び第二百五十二条の二十八第三項第十二号において同じ。）をする者（各会計年度において支払を受ける当該請負の対価の総額が普通地方公共団体の議会の適正な運営の確保のための環境の整備を図る観点から政令で定める額を超えない者を除く。）及びその支配人又は主として同一の行為をする法人の無限責任社員、取締役、執行役若しくは監査役若しくはこれらに準ずべき者、支配人及び清算人たることができない。

第九三条【任期】 ① 普通地方公共団体の議会の議員の任期は、四年とする。

② 前項の任期の起算、補欠議員の在任期間及び議員の定数に異動を生じたためあらたに選挙された議員の在任期間については、公職選挙法第二百五十八条及び第二百六十条の定めるところによる。

第九四条【町村総会】 町村は、条例で、第八十九条第一項の規定にかかわらず、議会を置かず、選挙権を有する者の総会を設けることができる。

第九五条【同前】 前条の規定による町村総会に関しては、町村の議会に関する規定を準用する。

第二節　権限

第九六条【議決事件】 ① 普通地方公共団体の議会は、次に掲げる事件を議決しなければならない。

一　条例を設け又は改廃すること。
二　予算を定めること。
三　決算を認定すること。
四　法律又はこれに基づく政令に規定するものを除くほか、地方税の賦課徴収又は分担金、使用料、加入金若しくは手数料の徴収に関すること。
五　その種類及び金額について政令で定める基準に従い条例で定める契約を締結すること。
六　条例で定める場合を除くほか、財産を交換し、出資の目的とし、若しくは支払手段として使用し、又は適正な対価なくしてこれを譲渡し、若しくは貸し付けること。
七　不動産を信託すること。
八　前二号に定めるものを除くほか、その種類及び金額について政令で定める基準に従い条例で定める財産の取得又は処分をすること。
九　負担付きの寄附又は贈与を受けること。
十　法律若しくはこれに基づく政令又は条例に特別の定めがある場合を除くほか、権利を放棄すること。
十一　条例で定める重要な公の施設につき条例で定める長期かつ独占的な利用をさせること。
十二　普通地方公共団体がその当事者である審査請求その他の不服申立て、訴えの提起（普通地方公共団体の行政庁の処分又は裁決（行政事件訴訟法第三条第二項に規定する処分又は同条第三項に規定する裁決をいう。以下この号、第百五条の二、第百九十二条及び第百九十九条の三第三項において同じ。）に係る同法第十一条第一項（同法第三十八条第一項（同法第四十三条第二項において準用する場合を含む。）又は同法第四十三条第一項において準用する場合を含む。）の規定による普通地方公共団体を被告とする訴訟（以下この号、第百五条の二、第百九十二条及び第百九十九条の三第三項において「普通地方公共団体を被告とする訴訟」という。）に係るものを除く。）、和解（普通地方公共団体の行政庁の処分又は裁決に係る普通地方公共団体を被告とする訴訟に係るものを除く。）、あつせん、調停及び仲裁に関すること。
十三　法律上その義務に属する損害賠償の額を定めること。
十四　普通地方公共団体の区域内の公共的団体等の活動の総合調整に関すること。
十五　その他法律又はこれに基づく政令（これらに基づく条例を含む。）により議会の権限に属する事項

② 前項に定めるものを除くほか、普通地方公共団体は、条例で普通地方公共団体に関する事件（法定受託事務に係るものにあつては、国の安全に関することその他の事由により議会の議決すべきものとすることが適当でないものとして政令で定めるものを除く。）につき議会の議決すべきものを定めることができる。

第九七条【選挙、予算の増額修正】 ① 普通地方公共団体の議会は、法律又はこれに基く政令によりその権限に属する選挙を行わなければならない。

② 議会は、予算について、増額してこれを議決することを妨げない。但し、普通地方公共団体の長の予算の提出の権限を侵すことはできない。

第九八条【検査、監査の請求】 ① 普通地方公共団体の議会は、当該普通地方公共団体の事務（自治事務にあつては労働委員会及び収用委員会の権限に属する事務で政令で定めるものを除き、法定受託事務にあつては国の安全を害するおそれがあることその他の事由により議会の検査の対象とすることが適当でないものとして政令で定めるものを除く。）に関する書類及び計算書を検閲し、当該普通地方公共団体の長、教育委員会、選挙管理委員会、人事委員会若しくは公平委員会、公安委員会、労働委員会、農業委員会又は監査委員その他法律に基づく委員会又は委員の報告を請求して、当該事務の管理、議決の執行及び出納を検査することができる。

② 議会は、監査委員に対し、当該普通地方公共団体の事務（自治事務にあつては労働委員会及び収用委員会の権限に属する事務で政令で定めるものを除き、法定受託事務にあつては国の安全を害するおそれがあることその他の事由により本項の監査の対象とすることが適当でないものとして政令で定めるものを除く。）に関する監査を求め、監査の結果に関する報告を請求することができる。この場合における監査の実施については、第百九十九条第二項後段の規定を準用する。

第九九条【意見書の提出】 普通地方公共団体の議会は、当該普通地方公共団体の公益に関する事件につき意見書を国会又は関係行政庁に提出することができる。

第一〇〇条【調査権、出頭証言及び記録の提出請求、協議・調整の場、議員の派遣、政務活動費、刊行物の送付、図書室等】 ① 普通地方公共団体の議会は、当該普通地方公共団体の事務（自治事務にあつては労働委員会及び収用委員会の権限に属する事務で政令で定めるものを除き、法定受託事務にあつては国の安全を害するおそれがあることその他の事由により議会の調査の対象とすることが適当でないものとして政令で定めるものを除く。次項において同じ。）に関する調査を行うことができる。この場合において、当該調査を行うため特に必要があると認めるときは、選挙人その他の関係人の出頭及び証言並びに記録の提出を請求することができる。

② 民事訴訟に関する法令の規定中証人の尋問に関する規定（過料、罰金、拘留又は勾引に関する規定を除く。）は、この法律に特別の定めがあるものを除くほか、前項後段の規定により議会が当該普通地方公共団体の事務に関する調査のため選挙人その他の関係人の証言を請求する場合に、これを準用する。この場合において、民事訴訟法第二百五条第二項中「、最高裁判所規則で」とあるのは「、議会が」と、「最高裁判所規則で定める電子情報処理組織を使用してファイルに記録し、又は当該書面に記載すべき事項に係る電磁的記録を記録した記録媒体を提出する」とあるのは「電磁的方法（電子情報処理組織を使用する方法その他の情報通信の技術を利用する方法をいう。）により提供する」と、同条第三項中「ファイルに記録された事項若しくは同項の記録媒体に記録された」とあるのは「提供された」と読み替えるものとする。

> **＊令和四法四八（令和八・五・二四までに施行）による改正前**
> ② 民事訴訟に関する法令の規定中証人の訊問に関する規定は、この法律に特別の定めがあるものを除くほか、前項後段の規定により議会が当該普通地方公共団体の事務に関する調査のため選挙人その他の関係人の証言を請求する場合に、これを準用する。ただし、過料、罰金、拘留又は勾引に関する規定は、この限りでない。

③ 第一項後段の規定により出頭又は記録の提出の請求を受けた選挙人その他の関係人が、正当の理由がないのに、議会に出頭せず若しくは記録を提出しないとき又は証言を拒んだときは、六箇月以下の拘禁刑又は十万円以下の罰金に処する。

④ 議会は、選挙人その他の関係人が公務員たる地位において知り得た事実については、その者から職務上の秘密に属するものである旨の申立てを受けたときは、当該官公署の承認がなければ、当該事実に関する証言又は記録の提出を請求することができない。この場合において当該官公署が承認を拒むときは、その理由を疎明しなければならない。

⑤ 議会が前項の規定による疎明を理由がないと認めるときは、当該官公署に対し、当該証言又は記録の提出が公の利益を害する旨の声明を要求することができる。

⑥ 当該官公署が前項の規定による要求を受けた日から二十日以内に声明をしないときは、選挙人その他の関係人は、証言又は記録の提出をしなければならない。

⑦ 第二項において準用する民事訴訟に関する法令の規定により宣誓した選挙人その他の関係人が虚偽の陳述をしたときは、これを三箇月以上五年以下の拘禁刑に処する。

⑧ 前項の罪を犯した者が議会において調査が終了した旨の議決がある前に自白したときは、その刑を減軽し又は免除することができる。

⑨ 議会は、選挙人その他の関係人が、第三項又は第七項の罪を犯したものと認めるときは、告発しなければならない。ただし、虚偽の陳述をした選挙人その他の関係人が、議会の調査が終了した旨の議決がある前に自白したときは、告発しないことができる。

⑩ 議会が第一項の規定による調査を行うため当該普通地方公共団体の区域内の団体等に対し照会をし又は記録の送付を求めたときは、当該団体等は、その求めに応じなければならない。

⑪ 議会は、第一項の規定による調査を行う場合においては、あらかじめ、予算の定額の範囲内において、当該調査のため要する経費の額を定めて置かなければならない。その額を超えて経費の支出を必要とするときは、更に議決を経なければならない。

⑫ 議会は、会議規則の定めるところにより、議案の審査又は議会の運営に関し協議又は調整を行うための場を設けることができる。

⑬ 議会は、議案の審査又は当該普通地方公共団体の事務に関する調査のためその他議会において必要があると認めるときは、会議規則の定めるところにより、議員を派遣することができる。

⑭ 普通地方公共団体は、条例の定めるところにより、その議会の議員の調査研究その他の活動に資するため必要な経費の一部として、その議会における会派又は議員に対し、政務活動費を交付することができる。この場合において、当該政務活動費の交付の対象、額及び交付の方法並びに当該政務活動費を充てることができる経費の範囲は、条例で定めなければならない。

⑮ 前項の政務活動費の交付を受けた会派又は議員は、条例の定めるところにより、当該政務活動費に係る収入及び支出の状況を書面又は電磁的記録（電子的方式、磁気的方式その他人の知覚によつては認識することができない方式で作られる記録であつて、電子計算機による情報処理の用に供されるものをいう。以下同じ。）をもつて議長に報告するものとする。

⑯ 議長は、第十四項の政務活動費については、その使途の透明性の確保に努めるものとする。

⑰ 政府は、都道府県の議会に官報及び政府の刊行物を、市町村の議会に官報及び市町村に特に関係があると認める政府の刊行物を送付しなければならない。

⑱ 都道府県は、当該都道府県の区域内の市町村の議会及び他の都道府県の議会に、公報及び適当と認める刊行物を送付しなければならない。

⑲ 議会は、議員の調査研究に資するため、図書室を附置し前二項の規定により送付を受けた官報、公報及び刊行物を保管して置かなければならない。

⑳前項の図書室は、一般にこれを利用させることができる。

第一〇〇条の二【専門的事項の調査】 普通地方公共団体の議会は、議案の審査又は当該普通地方公共団体の事務に関する調査のために必要な専門的事項に係る調査を学識経験を有する者等にさせることができる。

第三節　招集及び会期

第一〇一条【招集】 ①普通地方公共団体の議会は、普通地方公共団体の長がこれを招集する。
②議長は、議会運営委員会の議決を経て、当該普通地方公共団体の長に対し、会議に付議すべき事件を示して臨時会の招集を請求することができる。
③議員の定数の四分の一以上の者は、当該普通地方公共団体の長に対し、会議に付議すべき事件を示して臨時会の招集を請求することができる。
④前二項の規定による請求があつたときは、当該普通地方公共団体の長は、請求のあつた日から二十日以内に臨時会を招集しなければならない。
⑤第二項の規定による請求のあつた日から二十日以内に当該普通地方公共団体の長が臨時会を招集しないときは、第一項の規定にかかわらず、議長は、臨時会を招集することができる。
⑥第三項の規定による請求のあつた日から二十日以内に当該普通地方公共団体の長が臨時会を招集しないときは、第一項の規定にかかわらず、議長は、第三項の規定による請求をした者の申出に基づき、当該申出のあつた日から、都道府県及び市にあつては十日以内、町村にあつては六日以内に臨時会を招集しなければならない。
⑦招集は、開会の日前、都道府県及び市にあつては七日、町村にあつては三日までにこれを告示しなければならない。ただし、緊急を要する場合は、この限りでない。
⑧前項の規定による招集の告示をした後に当該招集に係る開会の日に会議を開くことが災害その他やむを得ない事由により困難であると認めるときは、当該告示をした者は、当該招集に係る開会の日の変更をすることができる。この場合においては、変更後の開会の日及び変更の理由を告示しなければならない。

第一〇二条【定例会・臨時会、会期】 ①普通地方公共団体の議会は、定例会及び臨時会とする。
②定例会は、毎年、条例で定める回数これを招集しなければならない。
③臨時会は、必要がある場合において、その事件に限りこれを招集する。
④臨時会に付議すべき事件は、普通地方公共団体の長があらかじめこれを告示しなければならない。
⑤前条第五項又は第六項の場合においては、前項の規定にかかわらず、議長が、同条第二項又は第三項の規定による請求において示された会議に付議すべき事件を臨時会に付議すべき事件として、あらかじめ告示しなければならない。
⑥臨時会の開会中に緊急を要する事件があるときは、前三項の規定にかかわらず、直ちにこれを会議に付議することができる。
⑦普通地方公共団体の議会の会期及びその延長並びにその開閉に関する事項は、議会がこれを定める。

第一〇二条の二【通年の会期】 ①普通地方公共団体の議会は、前条の規定にかかわらず、条例で定めるところにより、定例会及び臨時会とせず、毎年、条例で定める日から翌年の当該日の前日までを会期とすることができる。
②前項の議会は、第四項の規定により招集しなければならないものとされる場合を除き、前項の条例で定める日の到来をもつて、普通地方公共団体の長が当該日にこれを招集したものとみなす。
③第一項の会期中において、議員の任期が満了したとき、議会が解散されたとき又は議員が全てなくなつたときは、同項の規定にかかわらず、その任期満了の日、その解散の日又はその議員が全てなくなつた日をもつて、会期は終了するものとする。
④前項の規定により会期が終了した場合には、普通地方公共団体の長は、同項に規定する事由により行われた一般選挙により選出された議員の任期が始まる日から三十日以内に議会を招集しなければならない。この場合においては、その招集の日から同日後の最初の第一項の条例で定める日の前日までを会期とするものとする。
⑤第三項の規定は、前項後段に規定する会期について準用する。
⑥第一項の議会は、条例で、定期的に会議を開く日（以下「定例日」という。）を定めなければならない。
⑦普通地方公共団体の長は、第一項の議会の議長に対し、会議に付議すべき事件を示して定例日以外の日において会議を開くことを請求することができる。この場合において、議長は、当該請求のあつた日から、都道府県及び市にあつては七日以内、町村にあつては三日以内に会議を開かなければならない。
⑧第一項の場合における第七十四条第三項、第百二十一条第一項、第二百四十三条の三第二項及び第三項並びに第二百五十二条の三十九第四項の規定の適用については、第七十四条第三項中「二十日以内に議会を招集し、」とあるのは「二十日以内に」と、第百二十一条第一項中「議会の審議」とあるのは「定例日に開かれる会議の審議又は議案の審議」と、第二百四十三条の三第二項及び第三項中「次の議会」とあるのは「次の定例日に開かれる会議」と、第二百五十二条の三十九第四項中「二十日以内に議会を招集し」とあるのは「二十日以内に」とする。

第四節　議長及び副議長

第一〇三条【議長・副議長】 ①普通地方公共団体の議会は、議員の中から議長及び副議長一人を選挙しなければならない。
②議長及び副議長の任期は、議員の任期による。

第一〇四条【議長の権限】 普通地方公共団体の議会の議長は、議場の秩序を保持し、議事を整理し、議会の事務を統理し、議会を代表する。

第一〇五条【同前】 普通地方公共団体の議会の議長は、委員会に出席し、発言することができる。

第一〇五条の二【訴訟の取扱い】 普通地方公共団体の議会又は議長（第百三十八条の二第一項及び第二項において「議会等」という。）の処分又は裁決に係る普通地方公共団体を被告とする訴訟については、議長が当該普通地方公共団体を代表する。

第一〇六条【議長の代理、仮議長】 ①普通地方公共団体の議会の議長に事故があるとき、又は議長が欠けたときは、副議長が議長の職務を行う。
②議長及び副議長にともに事故があるときは、仮議長を選挙し、議長の職務を行わせる。
③議会は、仮議長の選任を議長に委任することができる。

第一〇七条【臨時議長】 第百三条第一項及び前条第二項の規定による選挙を行う場合において、議長の職務を行う者がないときは、年長の議員が臨時に議長の職務を行う。

第一〇八条【議長・副議長の辞職】 普通地方公共団体の議会の議長及び副議長は、議会の許可を得て辞職することができる。但し、副議長は、議会の閉会中においては、議長の許可を得て辞職することができる。

第五節　委員会

第一〇九条【常任委員会、議会運営委員会、特別委員会】 ①普通地方公共団体の議会は、条例で、常任委員会、議会運営委員会及び特別委員会を置くことができる。
②常任委員会は、その部門に属する当該普通地方公共団体の事務に関する調査を行い、議案、請願等を審査する。
③議会運営委員会は、次に掲げる事項に関する調査を行い、議案、請願等を審査する。
一　議会の運営に関する事項

二　議会の会議規則、委員会に関する条例等に関する事項
三　議長の諮問に関する事項

④　特別委員会は、議会の議決により付議された事件を審査する。
⑤　第百十五条の二の規定は、委員会について準用する。
⑥　委員会は、議会の議決すべき事件のうちその部門に属する当該普通地方公共団体の事務に関するものにつき、議会に議案を提出することができる。ただし、予算については、この限りでない。
⑦　前項の規定による議案の提出は、文書をもつてしなければならない。
⑧　委員会は、議会の議決により付議された特定の事件については、閉会中も、なお、これを審査することができる。
⑨　前各項に定めるもののほか、委員の選任その他委員会に関し必要な事項は、条例で定める。

第一一〇条及び第一一一条　削除

第六節　会議

第一一二条【議員の議案提出権】①　普通地方公共団体の議会の議員は、議会の議決すべき事件につき、議会に議案を提出することができる。但し、予算については、この限りでない。
②　前項の規定により議案を提出するに当たつては、議員の定数の十二分の一以上の者の賛成がなければならない。
③　第一項の規定による議案の提出は、文書を以てこれをしなければならない。

第一一三条【定足数】　普通地方公共団体の議会は、議員の定数の半数以上の議員が出席しなければ、会議を開くことができない。但し、第百十七条の規定による除斥のため半数に達しないとき、同一の事件につき再度招集してもなお半数に達しないとき、又は招集に応じても出席議員が定数を欠き議長において出席を催告してもなお半数に達しないとき若しくは半数に達してもその後半数に達しなくなつたときは、この限りでない。

第一一四条【議員の請求による開議】①　普通地方公共団体の議会の議員の定数の半数以上の者から請求があるときは、議長は、その日の会議を開かなければならない。この場合において議長がなお会議を開かないときは、第百六条第一項又は第二項の例による。
②　前項の規定により会議を開いたとき、又は議員中に異議があるときは、議長は、会議の議決によらない限り、その日の会議を閉じ又は中止することができない。

第一一五条【議事の公開の原則・秘密会】①　普通地方公共団体の議会の会議は、これを公開する。但し、議長又は議員三人以上の発議により、出席議員の三分の二以上の多数で議決したときは、秘密会を開くことができる。
②　前項但書の議長又は議員の発議は、討論を行わないでその可否を決しなければならない。

第一一五条の二【利害関係者等からの意見聴取】①　普通地方公共団体の議会は、会議において、予算その他重要な議案、請願等について公聴会を開き、真に利害関係を有する者又は学識経験を有する者等から意見を聴くことができる。
②　普通地方公共団体の議会は、会議において、当該普通地方公共団体の事務に関する調査又は審査のため必要があると認めるときは、参考人の出頭を求め、その意見を聴くことができる。

第一一五条の三【修正の動議】　普通地方公共団体の議会が議案に対する修正の動議を議題とするに当たつては、議員の定数の十二分の一以上の者の発議によらなければならない。

第一一六条【表決】①　この法律に特別の定がある場合を除く外、普通地方公共団体の議会の議事は、出席議員の過半数でこれを決し、可否同数のときは、議長の決するところによる。
②　前項の場合においては、議長は、議員として議決に加わる権利を有しない。

第一一七条【議長及び議員の除斥】　普通地方公共団体の議会の議長及び議員は、自己若しくは父母、祖父母、配偶者、子、孫若しくは兄弟姉妹の一身上に関する事件又は自己若しくはこれらの者の従事する業務に直接の利害関係のある事件については、その議事に参与することができない。但し、議会の同意があつたときは、会議に出席し、発言することができる。

第一一八条【投票による選挙、指名推選、投票の効力の異議】①　法律又はこれに基づく政令により普通地方公共団体の議会において行う選挙については、公職選挙法第四十六条第一項及び第四項、第四十七条、第四十八条、第六十八条第一項並びに普通地方公共団体の議会の議員の選挙に関する第九十五条の規定を準用する。その投票の効力に関し異議があるときは、議会がこれを決定する。
②　議会は、議員中に異議がないときは、前項の選挙につき指名推選の方法を用いることができる。
③　指名推選の方法を用いる場合においては、被指名人を以て当選人と定めるべきかどうかを会議に諮り、議員の全員の同意があつた者を以て当選人とする。
④　一の選挙を以て二人以上を選挙する場合においては、被指名人を区分して前項の規定を適用してはならない。
⑤　第一項の規定による決定に不服がある者は、決定があつた日から二十一日以内に、都道府県にあつては総務大臣、市町村にあつては都道府県知事に審査を申し立て、その裁決に不服がある者は、裁決のあつた日から二十一日以内に裁判所に出訴することができる。
⑥　第一項の規定による決定は、文書を以てし、その理由を附けてこれを本人に交付しなければならない。

第一一九条【会期の不継続】　会期中に議決に至らなかつた事件は、後会に継続しない。

第一二〇条【会議規則】　普通地方公共団体の議会は、会議規則を設けなければならない。

第一二一条【長及び委員等の出席義務】①　普通地方公共団体の長、教育委員会の教育長、選挙管理委員会の委員長、人事委員会の委員長又は公平委員会の委員長、公安委員会の委員長、労働委員会の委員、農業委員会の会長及び監査委員その他法律に基づく委員会の代表者又は委員並びにその委任又は嘱託を受けた者は、議会の審議に必要な説明のため議長から出席を求められたときは、議場に出席しなければならない。ただし、出席すべき日時に議場に出席できないことについて正当な理由がある場合において、その旨を議長に届け出たときは、この限りでない。
②　第百二条の二第一項の議会の議長は、前項本文の規定により議場への出席を求めるに当たつては、普通地方公共団体の執行機関の事務に支障を及ぼすことのないよう配慮しなければならない。

第一二二条【長の説明書提出】　普通地方公共団体の長は、議会に、第二百十一条第二項に規定する予算に関する説明書その他当該普通地方公共団体の事務に関する説明書を提出しなければならない。

第一二三条【会議録】①　議長は、事務局長又は書記長（書記長を置かない町村においては書記）に書面又は電磁的記録により会議録を作成させ、並びに会議の次第及び出席議員の氏名を記載させ、又は記録させなければならない。
②　会議録が書面をもつて作成されているときは、議長及び議会において定めた二人以上の議員がこれに署名しなければならない。
③　会議録が電磁的記録をもつて作成されているときは、議長及び議会において定めた二人以上の議員が当該電磁的記録に総務省令で定める署名に代わる措置をとらなければならない。
④　議長は、会議録が書面をもつて作成されているときはその写しを、会議録が電磁的記録をもつて作成されているときは当該電磁的記録を添えて会議の結果を普通地方公共団体の長に報告しなければならない。

第七節　請願

第一二四条【請願書】 普通地方公共団体の議会に請願しようとする者は、議員の紹介により請願書を提出しなければならない。

第一二五条【採択請願の送付及び報告の請求】 普通地方公共団体の議会は、その採択した請願で当該普通地方公共団体の長、教育委員会、選挙管理委員会、人事委員会若しくは公平委員会、公安委員会、労働委員会、農業委員会又は監査委員その他法律に基づく委員会又は委員において措置することが適当と認めるものは、これらの者にこれを送付し、かつ、その請願の処理の経過及び結果の報告を請求することができる。

第八節　議員の辞職及び資格の決定

第一二六条【辞職】 普通地方公共団体の議会の議員は、議会の許可を得て辞職することができる。但し、閉会中においては、議長の許可を得て辞職することができる。

第一二七条【失職・資格決定】 ①普通地方公共団体の議会の議員が被選挙権を有しない者であるとき、又は第九十二条の二（第二百八十七条の二第七項において準用する場合を含む。以下この項において同じ。）の規定に該当するときは、その職を失う。その被選挙権の有無又は第九十二条の二の規定に該当するかどうかは、議員が公職選挙法第十一条、第十一条の二若しくは第二百五十二条又は政治資金規正法第二十八条の規定に該当するため被選挙権を有しない場合を除くほか、議会がこれを決定する。この場合においては、出席議員の三分の二以上の多数によりこれを決定しなければならない。

②前項の場合においては、議員は、第百十七条の規定にかかわらず、その会議に出席して自己の資格に関し弁明することはできるが決定に加わることができない。

③第百十八条第五項及び第六項の規定は、第一項の場合について準用する。

第一二八条【失職の時期】 普通地方公共団体の議会の議員は、公職選挙法第二百二条第一項若しくは第二百六条第一項の規定による異議の申出、同法第二百二条第二項若しくは第二百六条第二項の規定による審査の申立て、同法第二百三条第一項、第二百七条第一項、第二百十条若しくは第二百十一条の訴訟の提起に対する決定、裁決又は判決が確定するまでの間（同法第二百十条第一項の規定による訴訟を提起することができる場合において、当該訴訟が提起されなかつたとき、当該訴訟についての訴えを却下し若しくは訴状を却下する裁判が確定したとき、又は当該訴訟が取り下げられたときは、それぞれ同項に規定する出訴期間が経過するまで、当該裁判が確定するまで又は当該取下げが行われるまでの間）は、その職を失わない。

第九節　紀律

第一二九条【議場の秩序維持】 ①普通地方公共団体の議会の会議中この法律又は会議規則に違反しその他議場の秩序を乱す議員があるときは、議長は、これを制止し、又は発言を取り消させ、その命令に従わないときは、その日の会議が終るまで発言を禁止し、又は議場の外に退去させることができる。

②議長は、議場が騒然として整理することが困難であると認めるときは、その日の会議を閉じ、又は中止することができる。

第一三〇条【傍聴人に対する措置】 ①傍聴人が公然と可否を表明し、又は騒ぎ立てる等会議を妨害するときは、普通地方公共団体の議会の議長は、これを制止し、その命令に従わないときは、これを退場させ、必要がある場合においては、これを当該警察官に引き渡すことができる。

②傍聴席が騒がしいときは、議長は、すべての傍聴人を退場させることができる。

③前二項に定めるものを除くほか、議長は、会議の傍聴に関し必要な規則を設けなければならない。

第一三一条【議長の注意の喚起】 議場の秩序を乱し又は会議を妨害するものがあるときは、議員は、議長の注意を喚起することができる。

第一三二条【言論の品位】 普通地方公共団体の議会の会議又は委員会においては、議員は、無礼の言葉を使用し、又は他人の私生活にわたる言論をしてはならない。

第一三三条【侮辱に対する処置】 普通地方公共団体の議会の会議又は委員会において、侮辱を受けた議員は、これを議会に訴えて処分を求めることができる。

第十節　懲罰

第一三四条【懲罰理由等】 ①普通地方公共団体の議会は、この法律並びに会議規則及び委員会に関する条例に違反した議員に対し、議決により懲罰を科することができる。

②懲罰に関し必要な事項は、会議規則中にこれを定めなければならない。

第一三五条【懲罰の種類、除名の手続】 ①懲罰は、左の通りとする。

一　公開の議場における戒告
二　公開の議場における陳謝
三　一定期間の出席停止
四　除名

②懲罰の動議を議題とするに当つては、議員の定数の八分の一以上の者の発議によらなければならない。

③第一項第四号の除名については、当該普通地方公共団体の議会の議員の三分の二以上の者が出席し、その四分の三以上の者の同意がなければならない。

第一三六条【除名議員の再当選】 普通地方公共団体の議会は、除名された議員で再び当選した議員を拒むことができない。

第一三七条【欠席議員の懲罰】 普通地方公共団体の議会の議員が正当な理由がなくて招集に応じないため、又は正当な理由がなくて会議に欠席したため、議長が、特に招状を発しても、なお故なく出席しない者は、議長において、議会の議決を経て、これに懲罰を科することができる。

第十一節　議会の事務局及び事務局長、書記長、書記その他の職員

第一三八条【事務局、事務局長、書記長、書記その他の職員】

①都道府県の議会に事務局を置く。

②市町村の議会に条例の定めるところにより、事務局を置くことができる。

③事務局に事務局長、書記その他の職員を置く。

④事務局を置かない市町村の議会に書記長、書記その他の職員を置く。ただし、町村においては、書記長を置かないことができる。

⑤事務局長、書記長、書記その他の職員は、議長がこれを任免する。

⑥事務局長、書記長、書記その他の常勤の職員の定数は、条例でこれを定める。ただし、臨時の職については、この限りでない。

⑦事務局長及び書記長は議長の命を受け、書記その他の職員は上司の指揮を受けて、議会に関する事務に従事する。

⑧事務局長、書記長、書記その他の職員に関する任用、人事評価、給与、勤務時間その他の勤務条件、分限及び懲戒、服務、退職管理、研修、福祉及び利益の保護その他身分取扱いに関しては、この法律に定めるものを除くほか、地方公務員法の定めるところによる。

第十二節　雑則

第一三八条の二【電子情報処理組織を使用する手続】 ①議会等に対して行われる通知のうちこの章（第百条第十五項を除く。）の規定において文書その他の人の知覚によつて認識することができる情報が記載された紙その他の有体物（次項において「文書等」という。）により行うことが規定されているもの（情報通信技術を活用した行政の推進等に関する法律（平成十四年法律第百五十一号）第七条第一項の規定が適用されるものを除く。）

については、当該通知に関するこの章の規定にかかわらず、総務省令で定めるところにより、総務省令で定める電子情報処理組織（議会等の使用に係る電子計算機（入出力装置を含む。以下この項及び第四項において同じ。）とその通知の相手方の使用に係る電子計算機とを電気通信回線で接続した電子情報処理組織をいう。以下この条において同じ。）を使用する方法により行うことができる。

② 議会等が行う通知のうちこの章（第百二十三条第四項を除く。）の規定において文書等により行うことが規定されているもの（情報通信技術を活用した行政の推進等に関する法律第六条第一項の規定が適用されるものを除く。）については、当該通知に関するこの章の規定にかかわらず、総務省令で定めるところにより、総務省令で定める電子情報処理組織を使用する方法により行うことができる。ただし、当該通知のうち第九十九条の規定によるもの以外のものにあつては、当該通知を受ける者が当該電子情報処理組織を使用する方法により受ける旨の総務省令で定める方式による表示をする場合に限る。

③ 前二項の電子情報処理組織を使用する方法により行われた通知については、当該通知に関するこの章の規定に規定する方法により行われたものとみなして、この法律その他の当該通知に関する法令の規定を適用する。

④ 第一項又は第二項の電子情報処理組織を使用する方法により行われた通知は、当該通知を受ける者の使用に係る電子計算機に備えられたファイルへの記録がされた時に当該者に到達したものとみなす。

第七章　執行機関

第一節　通則

第一三八条の二の二【執行機関の義務】 普通地方公共団体の執行機関は、当該普通地方公共団体の条例、予算その他の議会の議決に基づく事務及び法令、規則その他の規程に基づく当該普通地方公共団体の事務を、自らの判断と責任において、誠実に管理し及び執行する義務を負う。

第一三八条の三【執行機関組織の原則】 ① 普通地方公共団体の執行機関の組織は、普通地方公共団体の長の所轄の下に、それぞれ明確な範囲の所掌事務と権限を有する執行機関によつて、系統的にこれを構成しなければならない。

② 普通地方公共団体の執行機関は、普通地方公共団体の長の所轄の下に、執行機関相互の連絡を図り、すべて、一体として、行政機能を発揮するようにしなければならない。

③ 普通地方公共団体の長は、当該普通地方公共団体の執行機関相互の間にその権限につき疑義が生じたときは、これを調整するように努めなければならない。

第一三八条の四【委員会・委員、附属機関】 ① 普通地方公共団体にその執行機関として普通地方公共団体の長の外、法律の定めるところにより、委員会又は委員を置く。

② 普通地方公共団体の委員会は、法律の定めるところにより、法令又は普通地方公共団体の条例若しくは規則に違反しない限りにおいて、その権限に属する事務に関し、規則その他の規程を定めることができる。

③ 普通地方公共団体は、法律又は条例の定めるところにより、執行機関の附属機関として自治紛争処理委員、審査会、審議会、調査会その他の調停、審査、諮問又は調査のための機関を置くことができる。ただし、政令で定める執行機関については、この限りでない。

第二節　普通地方公共団体の長

第一款　地位

第一三九条【知事、市町村長】 ① 都道府県に知事を置く。

② 市町村に市町村長を置く。

第一四〇条【任期】 ① 普通地方公共団体の長の任期は、四年とする。

② 前項の任期の起算については、公職選挙法第二百五十九条及び第二百五十九条の二の定めるところによる。

第一四一条【兼職の禁止】 ① 普通地方公共団体の長は、衆議院議員又は参議院議員と兼ねることができない。

② 普通地方公共団体の長は、地方公共団体の議会の議員並びに常勤の職員及び短時間勤務職員と兼ねることができない。

第一四二条【関係私企業からの隔離】 普通地方公共団体の長は、当該普通地方公共団体に対し請負をする者及びその支配人又は主として同一の行為をする法人（当該普通地方公共団体が出資している法人で政令で定めるものを除く。）の無限責任社員、取締役、執行役若しくは監査役若しくはこれらに準ずべき者、支配人及び清算人たることができない。

第一四三条【失職】 ① 普通地方公共団体の長が、被選挙権を有しなくなつたとき又は前条の規定に該当するときは、その職を失う。その被選挙権の有無又は同条の規定に該当するかどうかは、普通地方公共団体の長が公職選挙法第十一条、第十一条の二若しくは第二百五十二条又は政治資金規正法第二十八条の規定に該当するため被選挙権を有しない場合を除くほか、当該普通地方公共団体の選挙管理委員会がこれを決定しなければならない。

② 前項の規定による決定は、文書をもつてし、その理由をつけてこれを本人に交付しなければならない。

③ 第一項の規定による決定についての審査請求は、都道府県にあつては総務大臣、市町村にあつては都道府県知事に対してするものとする。

④ 前項の審査請求に関する行政不服審査法（平成二十六年法律第六十八号）第十八条第一項本文の期間は、第一項の決定があつた日の翌日から起算して二十一日とする。

第一四四条【失職の時期】 普通地方公共団体の長は、公職選挙法第二百二条第一項若しくは第二百六条第一項の規定による異議の申出、同法第二百二条第二項若しくは第二百六条第二項の規定による審査の申立て、同法第二百三条第一項、第二百七条第一項、第二百十条若しくは第二百十一条の訴訟の提起に対する決定、裁決又は判決が確定するまでの間（同法第二百十条第一項の規定による訴訟を提起することができる場合において、当該訴訟が提起されなかつたとき、当該訴訟についての訴えを却下し若しくは訴状を却下する裁判が確定したとき、又は当該訴訟が取り下げられたときは、それぞれ同項に規定する出訴期間が経過するまで、当該裁判が確定するまで又は当該取下げが行われるまでの間）は、その職を失わない。

第一四五条【退職】 普通地方公共団体の長は、退職しようとするときは、その退職しようとする日前、都道府県知事にあつては三十日、市町村長にあつては二十日までに、当該普通地方公共団体の議会の議長に申し出なければならない。但し、議会の同意を得たときは、その期日前に退職することができる。

第一四六条　削除

第二款　権限

第一四七条【地方公共団体の統轄及び代表】 普通地方公共団体の長は、当該普通地方公共団体を統轄し、これを代表する。

第一四八条【事務の管理及び執行】 普通地方公共団体の長は、当該普通地方公共団体の事務を管理し及びこれを執行する。

第一四九条【担任事務】 普通地方公共団体の長は、概ね左に掲げる事務を担任する。

一　普通地方公共団体の議会の議決を経べき事件につきその議案を提出すること。
二　予算を調製し、及びこれを執行すること。
三　地方税を賦課徴収し、分担金、使用料、加入金又は手数料を徴収し、及び過料を科すること。
四　決算を普通地方公共団体の議会の認定に付すること。
五　会計を監督すること。
六　財産を取得し、管理し、及び処分すること。
七　公の施設を設置し、管理し、及び廃止すること。
八　証書及び公文書類を保管すること。

九　前各号に定めるものを除く外、当該普通地方公共団体の事務を執行すること。

第一五〇条【内部統制に関する方針と体制整備】① 都道府県知事及び第二百五十二条の十九第一項に規定する指定都市（以下この条において「指定都市」という。）の市長は、その担任する事務のうち次に掲げるものの管理及び執行が法令に適合し、かつ、適正に行われることを確保するための方針を定め、及びこれに基づき必要な体制を整備しなければならない。

一　財務に関する事務その他総務省令で定める事務

二　前号に掲げるもののほか、その管理及び執行が法令に適合し、かつ、適正に行われることを特に確保する必要がある事務として当該都道府県知事又は指定都市の市長が認めるもの

② 市町村長（指定都市の市長を除く。第二号及び第四項において同じ。）は、その担任する事務のうち次に掲げるものの管理及び執行が法令に適合し、かつ、適正に行われることを確保するための方針を定め、及びこれに基づき必要な体制を整備するよう努めなければならない。

一　前項第一号に掲げる事務

二　前号に掲げるもののほか、その管理及び執行が法令に適合し、かつ、適正に行われることを特に確保する必要がある事務として当該市町村長が認めるもの

③ 都道府県知事又は市町村長は、第一項若しくは前項の方針を定め、又はこれを変更したときは、遅滞なく、これを公表しなければならない。

④ 都道府県知事、指定都市の市長及び第二項の方針を定めた市町村長（以下この条において「都道府県知事等」という。）は、毎会計年度少なくとも一回以上、総務省令で定めるところにより、第一項又は第二項の方針及びこれに基づき整備した体制について評価した報告書を作成しなければならない。

⑤ 都道府県知事等は、前項の報告書を監査委員の審査に付さなければならない。

⑥ 都道府県知事等は、前項の規定により監査委員の審査に付した報告書を監査委員の意見を付けて議会に提出しなければならない。

⑦ 前項の規定による意見の決定は、監査委員の合議によるものとする。

⑧ 都道府県知事等は、第六項の規定により議会に提出した報告書を公表しなければならない。

⑨ 前各項に定めるもののほか、第一項又は第二項の方針及びこれに基づき整備する体制に関し必要な事項は、総務省令で定める。

第一五一条　削除

第一五二条【長の職務の代理】① 普通地方公共団体の長に事故があるとき、又は長が欠けたときは、副知事又は副市町村長がその職務を代理する。この場合において副知事又は副市町村長が二人以上あるときは、あらかじめ当該普通地方公共団体の長が定めた順序、又はその定めがないときは席次の上下により、席次の上下が明らかでないときは年齢の多少により、年齢が同じであるときはくじにより定めた順序で、その職務を代理する。

② 副知事若しくは副市町村長にも事故があるとき若しくは副知事若しくは副市町村長も欠けたとき又は副知事若しくは副市町村長を置かない普通地方公共団体において当該普通地方公共団体の長に事故があるとき若しくは当該普通地方公共団体の長が欠けたときは、その補助機関である職員のうちから当該普通地方公共団体の長の指定する職員がその職務を代理する。

③ 前項の場合において、同項の規定により普通地方公共団体の長の職務を代理する者がないときは、その補助機関である職員のうちから当該普通地方公共団体の規則で定めた上席の職員がその職務を代理する。

第一五三条【長の事務の委任・臨時代理】① 普通地方公共団体の長は、その権限に属する事務の一部をその補助機関である職員に委任し、又はこれに臨時に代理させることができる。

② 普通地方公共団体の長は、その権限に属する事務の一部をその管理に属する行政庁に委任することができる。

第一五四条【職員の指揮監督】 普通地方公共団体の長は、その補助機関である職員を指揮監督する。

第一五四条の二【所管庁の処分の取消し及び停止】 普通地方公共団体の長は、その管理に属する行政庁の処分が法令、条例又は規則に違反すると認めるときは、その処分を取り消し、又は停止することができる。

第一五五条【支庁・地方事務所・支所・出張所の設置】① 普通地方公共団体の長は、その権限に属する事務を分掌させるため、条例で、必要な地に、都道府県にあつては支庁（道にあつては支庁出張所を含む。以下これに同じ。）及び地方事務所、市町村にあつては支所又は出張所を設けることができる。

② 支庁若しくは地方事務所又は支所若しくは出張所の位置、名称及び所管区域は、条例でこれを定めなければならない。

③ 第四条第二項の規定は、前項の支庁若しくは地方事務所又は支所若しくは出張所の位置及び所管区域にこれを準用する。

第一五六条【行政機関の設置、国の地方行政機関設置の条件】① 普通地方公共団体の長は、前条第一項に定めるものを除くほか、法律又は条例で定めるところにより、保健所、警察署その他の行政機関を設けるものとする。

② 前項の行政機関の位置、名称及び所管区域は、条例で定める。

③ 第四条第二項の規定は、第一項の行政機関の位置及び所管区域について準用する。

④ 国の地方行政機関（駐在機関を含む。以下この項において同じ。）は、国会の承認を経なければ、設けてはならない。国の地方行政機関の設置及び運営に要する経費は、国において負担しなければならない。

⑤ 前項前段の規定は、司法行政及び懲戒機関、地方出入国在留管理局の支局及び出張所並びに支局の出張所、警察機関、官民人材交流センターの支所、検疫機関、防衛省の機関、税関の出張所及び監視署、税関支署並びにその出張所及び監視署、税務署及びその支署、国税不服審判所の支部、地方航空局の事務所その他の航空現業官署、総合通信局の出張所、電波観測所、文教施設、国立の病院及び療養施設、気象官署、海上警備救難機関、航路標識及び水路官署、森林管理署並びに専ら国費をもつて行う工事の施行機関については、適用しない。

第一五七条【公共的団体等の監督】① 普通地方公共団体の長は、当該普通地方公共団体の区域内の公共的団体等の活動の綜合調整を図るため、これを指揮監督することができる。

② 前項の場合において必要があるときは、普通地方公共団体の長は、当該普通地方公共団体の区域内の公共的団体等をして事務の報告をさせ、書類及び帳簿を提出させ及び実地について事務を視察することができる。

③ 普通地方公共団体の長は、当該普通地方公共団体の区域内の公共的団体等の監督上必要な処分をし又は当該公共的団体等の監督官庁の措置を申請することができる。

④ 前項の監督官庁は、普通地方公共団体の長の処分を取り消すことができる。

第一五八条【内部組織の設置・編成】① 普通地方公共団体の長は、その権限に属する事務を分掌させるため、必要な内部組織を設けることができる。この場合において、当該普通地方公共団体の長の直近下位の内部組織の設置及びその分掌する事務については、条例で定めるものとする。

② 普通地方公共団体の長は、前項の内部組織の編成に当たつては、当該普通地方公共団体の事務及び事業の運営が簡素かつ効率的なものとなるよう十分配慮しなければならない。

第一五九条【事務の引継ぎ】① 普通地方公共団体の長の事務の引継ぎに関する規定は、政令でこれを定める。

② 前項の政令には、正当の理由がなくて事務の引継ぎを拒んだ者に対し、十万円以下の過料を科する規定を設けることができる。

第一六〇条【内部統制規定の一部事務組合等への準用】 一部事務組合の管理者（第二百八十七条の三第二項の規定により管理者に代えて理事会を置く第二百八十五条の一部事務組合にあつては、理事会）又は広域連合の長（第二百九十一条の十三において準用する第二百八十七条の三第二項の規定により長に代えて理事会を置く広域連合にあつては、理事会）に係る第百五十条第一項又は第二項の方針及びこれに基づき整備する体制については、これらの者を市町村長（第二百五十二条の十九第一項に規定する指定都市の市長を除く。）とみなして、第百五十条第二項から第九項までの規定を準用する。

第三款　補助機関

第一六一条【副知事及び副市町村長の設置、定数】 ①都道府県に副知事を、市町村に副市町村長を置く。ただし、条例で置かないことができる。
②副知事及び副市町村長の定数は、条例で定める。

第一六二条【副知事及び副市町村長の選任】 副知事及び副市町村長は、普通地方公共団体の長が議会の同意を得てこれを選任する。

第一六三条【副知事及び副市町村長の任期】 副知事及び副市町村長の任期は、四年とする。ただし、普通地方公共団体の長は、任期中においてもこれを解職することができる。

第一六四条【副知事及び副市町村長の欠格事由】 ①公職選挙法第十一条第一項又は第十一条の二の規定に該当する者は、副知事又は副市町村長となることができない。
②副知事又は副市町村長は、公職選挙法第十一条第一項の規定に該当するに至つたときは、その職を失う。

第一六五条【副知事及び副市町村長の退職】 ①普通地方公共団体の長の職務を代理する副知事又は副市町村長は、退職しようとするときは、その退職しようとする日前二十日までに、当該普通地方公共団体の議会の議長に申し出なければならない。ただし、議会の承認を得たときは、その期日前に退職することができる。
②前項に規定する場合を除くほか、副知事又は副市町村長は、その退職しようとする日前二十日までに、当該普通地方公共団体の長に申し出なければならない。ただし、当該普通地方公共団体の長の承認を得たときは、その期日前に退職することができる。

第一六六条【副知事及び副市町村長の兼職禁止等、事務の引継ぎ】 ①副知事及び副市町村長は、検察官、警察官若しくは収税官吏又は普通地方公共団体における公安委員会の委員と兼ねることができない。
②第百四十一条、第百四十二条及び第百五十九条の規定は、副知事及び副市町村長にこれを準用する。
③普通地方公共団体の長は、副知事又は副市町村長が前項において準用する第百四十二条の規定に該当するときは、これを解職しなければならない。

第一六七条【副知事及び副市町村長の職務】 ①副知事及び副市町村長は、普通地方公共団体の長を補佐し、普通地方公共団体の長の命を受け政策及び企画をつかさどり、その補助機関である職員の担任する事務を監督し、別に定めるところにより、普通地方公共団体の長の職務を代理する。
②前項に定めるもののほか、副知事及び副市町村長は、普通地方公共団体の長の権限に属する事務の一部について、第百五十三条第一項の規定により委任を受け、その事務を執行する。
③前項の場合においては、普通地方公共団体の長は、直ちに、その旨を告示しなければならない。

第一六八条【会計管理者】 ①普通地方公共団体に会計管理者一人を置く。
②会計管理者は、普通地方公共団体の長の補助機関である職員のうちから、普通地方公共団体の長が命ずる。

第一六九条【親族の就職禁止】 ①普通地方公共団体の長、副知事若しくは副市町村長又は監査委員と親子、夫婦又は兄弟姉妹の関係にある者は、会計管理者となることができない。
②会計管理者は、前項に規定する関係が生じたときは、その職を失う。

第一七〇条【会計管理者の職務権限】 ①法律又はこれに基づく政令に特別の定めがあるものを除くほか、会計管理者は、当該普通地方公共団体の会計事務をつかさどる。
②前項の会計事務を例示すると、おおむね次のとおりである。
一　現金（現金に代えて納付される証券及び基金に属する現金を含む。）の出納及び保管を行うこと。
二　小切手を振り出すこと。
三　有価証券（公有財産又は基金に属するものを含む。）の出納及び保管を行うこと。
四　物品（基金に属する動産を含む。）の出納及び保管（使用中の物品に係る保管を除く。）を行うこと。
五　現金及び財産の記録管理を行うこと。
六　支出負担行為に関する確認を行うこと。
七　決算を調製し、これを普通地方公共団体の長に提出すること。
③普通地方公共団体の長は、会計管理者に事故がある場合において必要があるときは、当該普通地方公共団体の長の補助機関である職員にその事務を代理させることができる。

第一七一条【出納員その他の会計職員】 ①会計管理者の事務を補助させるため出納員その他の会計職員を置く。ただし、町村においては、出納員を置かないことができる。
②出納員その他の会計職員は、普通地方公共団体の長の補助機関である職員のうちから、普通地方公共団体の長がこれを命ずる。
③出納員は、会計管理者の命を受けて現金の出納（小切手の振出しを含む。）若しくは保管又は物品の出納若しくは保管の事務をつかさどり、その他の会計職員は、上司の命を受けて当該普通地方公共団体の会計事務をつかさどる。
④普通地方公共団体の長は、会計管理者をしてその事務の一部を出納員に委任させ、又は当該出納員をしてさらに当該委任を受けた事務の一部を出納員以外の会計職員に委任させることができる。この場合においては、普通地方公共団体の長は、直ちに、その旨を告示しなければならない。
⑤普通地方公共団体の長は、会計管理者の権限に属する事務を処理させるため、規則で、必要な組織を設けることができる。

第一七二条【職員】 ①前十一条に定める者を除くほか、普通地方公共団体に職員を置く。
②前項の職員は、普通地方公共団体の長がこれを任免する。
③第一項の職員の定数は、条例でこれを定める。ただし、臨時又は非常勤の職については、この限りでない。
④第一項の職員に関する任用、人事評価、給与、勤務時間その他の勤務条件、分限及び懲戒、服務、退職管理、研修、福祉及び利益の保護その他身分取扱いに関しては、この法律に定めるものを除くほか、地方公務員法の定めるところによる。

第一七三条　削除

第一七四条【専門委員】 ①普通地方公共団体は、常設又は臨時の専門委員を置くことができる。
②専門委員は、専門の学識経験を有する者の中から、普通地方公共団体の長がこれを選任する。
③専門委員は、普通地方公共団体の長の委託を受け、その権限に属する事務に関し必要な事項を調査する。
④専門委員は、非常勤とする。

第一七五条【長の権限分掌機関の長】 ①都道府県の支庁若しくは地方事務所又は市町村の支所の長は、当該普通地方公共団体の長の補助機関である職員をもつて充てる。
②前項に規定する機関の長は、普通地方公共団体の長の定めるところにより、上司の指揮を受け、その主管の事務を掌理し部下の職員を指揮監督する。

第四款　議会との関係

第一七六条【議会の瑕疵ある議決又は選挙に対する長の処置】 ①普通地方公共団体の議会の議決について異議があるときは、当該普通地方公共団体の長は、この法律に特別の定めがあるものを除くほか、その議決の日（条例の制定若しくは改廃又は予算に関する議決については、その送付を受けた日）から十日以内に理由を示してこれを再議に付することができる。

②前項の規定による議会の議決が再議に付された議決と同じ議決であるときは、その議決は、確定する。

③前項の規定による議決のうち条例の制定若しくは改廃又は予算に関するものについては、出席議員の三分の二以上の者の同意がなければならない。

④普通地方公共団体の議会の議決又は選挙がその権限を超え又は法令若しくは会議規則に違反すると認めるときは、当該普通地方公共団体の長は、理由を示してこれを再議に付し又は再選挙を行わせなければならない。

⑤前項の規定による議会の議決又は選挙がなおその権限を超え又は法令若しくは会議規則に違反すると認めるときは、都道府県知事にあつては総務大臣、市町村長にあつては都道府県知事に対し、当該議決又は選挙があつた日から二十一日以内に、審査を申し立てることができる。

⑥前項の規定による申立てがあつた場合において、総務大臣又は都道府県知事は、審査の結果、議会の議決又は選挙がその権限を超え又は法令若しくは会議規則に違反すると認めるときは、当該議決又は選挙を取り消す旨の裁定をすることができる。

⑦前項の裁定に不服があるときは、普通地方公共団体の議会又は長は、裁定のあつた日から六十日以内に、裁判所に出訴することができる。

⑧前項の訴えのうち第四項の規定による議会の議決又は選挙の取消しを求めるものは、当該議会を被告として提起しなければならない。

第一七七条【必要経費の削除・減額議決に対する長の処置】 ①普通地方公共団体の議会において次に掲げる経費を削除し又は減額する議決をしたときは、その経費及びこれに伴う収入について、当該普通地方公共団体の長は、理由を示してこれを再議に付さなければならない。

一　法令により負担する経費、法律の規定に基づき当該行政庁の職権により命ずる経費その他の普通地方公共団体の義務に属する経費

二　非常の災害による応急若しくは復旧の施設のために必要な経費又は感染症予防のために必要な経費

②前項第一号の場合において、議会の議決がなお同号に掲げる経費を削除し又は減額したときは、当該普通地方公共団体の長は、その経費及びこれに伴う収入を予算に計上してその経費を支出することができる。

③第一項第二号の場合において、議会の議決がなお同号に掲げる経費を削除し又は減額したときは、当該普通地方公共団体の長は、その議決を不信任の議決とみなすことができる。

第一七八条【議会の不信任議決と長の処置】 ①普通地方公共団体の議会において、当該普通地方公共団体の長の不信任の議決をしたときは、直ちに議長からその旨を当該普通地方公共団体の長に通知しなければならない。この場合においては、普通地方公共団体の長は、その通知を受けた日から十日以内に議会を解散することができる。

②議会において当該普通地方公共団体の長の不信任の議決をした場合において、前項の期間内に議会を解散しないとき、又はその解散後初めて招集された議会において再び不信任の議決があり、議長から当該普通地方公共団体の長に対しその旨の通知があつたときは、普通地方公共団体の長は、同項の期間が経過した日又は議長から通知があつた日においてその職を失う。

③前二項の規定による不信任の議決については、議員数の三分の二以上の者が出席し、第一項の場合においてはその四分の三以上の者の、前項の場合においてはその過半数の者の同意がなければならない。

第一七九条【長の専決処分】 ①普通地方公共団体の議会が成立しないとき、第百十三条ただし書の場合においてなお会議を開くことができないとき、普通地方公共団体の長において議会の議決すべき事件について特に緊急を要するため議会を招集する時間的余裕がないことが明らかであると認めるとき、又は議会において議決すべき事件を議決しないときは、当該普通地方公共団体の長は、その議決すべき事件を処分することができる。ただし、第百六十二条の規定による副知事又は副市町村長の選任の同意及び第二百五十二条の二十の二第四項の規定による第二百五十二条の十九第一項に規定する指定都市の総合区長の選任の同意については、この限りでない。

②議会の決定すべき事件に関しては、前項の例による。

③前二項の規定による処置については、普通地方公共団体の長は、次の会議においてこれを議会に報告し、その承認を求めなければならない。

④前項の場合において、条例の制定若しくは改廃又は予算に関する処置について承認を求める議案が否決されたときは、普通地方公共団体の長は、速やかに、当該処置に関して必要と認める措置を講ずるとともに、その旨を議会に報告しなければならない。

第一八〇条【議会の委任による専決処分】 ①普通地方公共団体の議会の権限に属する軽易な事項で、その議決により特に指定したものは、普通地方公共団体の長において、これを専決処分にすることができる。

②前項の規定により専決処分をしたときは、普通地方公共団体の長は、これを議会に報告しなければならない。

第五款　他の執行機関との関係

第一八〇条の二【長の権限事務の委任及び補助執行】 普通地方公共団体の長は、その権限に属する事務の一部を、当該普通地方公共団体の委員会、委員会の委員長（教育委員会にあつては、教育長）、委員若しくはこれらの執行機関の事務を補助する職員若しくはこれらの執行機関の管理に属する機関の職員に委任し、又はこれらの執行機関の事務を補助する職員若しくはこれらの執行機関の管理に属する機関の職員をして補助執行させることができる。ただし、政令で定める普通地方公共団体の委員会又は委員については、この限りでない。

第一八〇条の三【職員の融通】 普通地方公共団体の長は、当該普通地方公共団体の委員会又は委員と協議して、その補助機関である職員を、当該執行機関の事務を補助する職員若しくはこれらの執行機関の管理に属する機関の職員と兼ねさせ、若しくは当該執行機関の事務を補助する職員若しくはこれらの執行機関の管理に属する機関の職員に充て、又は当該執行機関の事務に従事させることができる。

第一八〇条の四【長の勧告権、協議】 ①普通地方公共団体の長は、各執行機関を通じて組織及び運営の合理化を図り、その相互の間に権衡を保持するため、必要があると認めるときは、当該普通地方公共団体の委員会若しくは委員の事務局又は委員会若しくは委員の管理に属する事務を掌る機関（以下本条中「事務局等」という。）の組織、事務局等に属する職員の定数又はこれらの職員の身分取扱について、委員会又は委員に必要な措置を講ずべきことを勧告することができる。

②普通地方公共団体の委員会又は委員は、事務局等の組織、事務局等に属する職員の定数又はこれらの職員の身分取扱で当該委員会又は委員の権限に属する事項の中政令で定めるものについて、当該委員会又は委員の規則その他の規程を定め、又は変更しようとする場合においては、予め当該普通地方公共団体の長に協議しなければならない。

第三節　委員会及び委員

第一款　通則

第一八〇条の五【委員会及び委員の設置】① 執行機関として法律の定めるところにより普通地方公共団体に置かなければならない委員会及び委員は、左の通りである。
一 教育委員会
二 選挙管理委員会
三 人事委員会又は人事委員会を置かない普通地方公共団体にあつては公平委員会
四 監査委員
② 前項に掲げるもののほか、執行機関として法律の定めるところにより都道府県に置かなければならない委員会は、次のとおりである。
一 公安委員会
二 労働委員会
三 収用委員会
四 海区漁業調整委員会
五 内水面漁場管理委員会
③ 第一項に掲げるものの外、執行機関として法律の定めるところにより市町村に置かなければならない委員会は、左の通りである。
一 農業委員会
二 固定資産評価審査委員会
④ 前三項の委員会若しくは委員の事務局又は委員会の管理に属する事務を掌る機関で法律により設けられなければならないものとされているものの組織を定めるに当たつては、当該普通地方公共団体の長が第百五十八条第一項の規定により設けるその内部組織との間に権衡を失しないようにしなければならない。
⑤ 普通地方公共団体の委員会の委員又は委員は、法律に特別の定があるものを除く外、非常勤とする。
⑥ 普通地方公共団体の委員会の委員（教育委員会にあつては、教育長及び委員）又は委員は、当該普通地方公共団体に対しその職務に関し請負をする者及びその支配人又は主として同一の行為をする法人（当該普通地方公共団体が出資している法人で政令で定めるものを除く。）の無限責任社員、取締役、執行役若しくは監査役若しくはこれらに準ずべき者、支配人及び清算人たることができない。
⑦ 法律に特別の定めがあるものを除くほか、普通地方公共団体の委員会の委員（教育委員会にあつては、教育長及び委員）又は委員が前項の規定に該当するときは、その職を失う。その同項の規定に該当するかどうかは、その選任権者がこれを決定しなければならない。
⑧ 第百四十三条第二項から第四項までの規定は、前項の場合にこれを準用する。

第一八〇条の六【委員会・委員の権限に属しない事項】 普通地方公共団体の委員会又は委員は、左に掲げる権限を有しない。但し、法律に特別の定があるものは、この限りでない。
一 普通地方公共団体の予算を調製し、及びこれを執行すること。
二 普通地方公共団体の議会の議決を経べき事件につきその議案を提出すること。
三 地方税を賦課徴収し、分担金若しくは加入金を徴収し、又は過料を科すること。
四 普通地方公共団体の決算を議会の認定に付すること。

第一八〇条の七【権限事務の委任・補助執行・調査の委託】 普通地方公共団体の委員会又は委員は、その権限に属する事務の一部を、当該普通地方公共団体の長と協議して、普通地方公共団体の長の補助機関である職員若しくはその管理に属する支庁若しくは地方事務所、支所若しくは出張所、第二百二条の四第二項に規定する地域自治区の事務所、第二百五十二条の十九第一項に規定する指定都市の区若しくは総合区の事務所若しくはその出張所、保健所その他の行政機関の長に委任し、若しくは普通地方公共団体の長の補助機関である職員若しくはその管理に属する行政機関に属する職員をして補助執行させ、又は専門委員に委託して必要な事項を調査させることができる。ただし、政令で定める事務については、この限りではない。

第二款 教育委員会

第一八〇条の八【教育委員会の事務】 教育委員会は、別に法律の定めるところにより、学校その他の教育機関を管理し、学校の組織編制、教育課程、教科書その他の教材の取扱及び教育職員の身分取扱に関する事務を行い、並びに社会教育その他教育、学術及び文化に関する事務を管理し及びこれを執行する。

第三款 公安委員会

第一八〇条の九【公安委員会・都道府県警察】① 公安委員会は、別に法律の定めるところにより、都道府県警察を管理する。
② 都道府県警察に、別に法律の定めるところにより、地方警務官、地方警務官以外の警察官その他の職員を置く。

第四款 選挙管理委員会

第一八一条【選挙管理委員会の設置及び組織】① 普通地方公共団体に選挙管理委員会を置く。
② 選挙管理委員会は、四人の選挙管理委員を以てこれを組織する。

第一八二条【選挙管理委員及び補充員の選挙】① 選挙管理委員は、選挙権を有する者で、人格が高潔で、政治及び選挙に関し公正な識見を有するもののうちから、普通地方公共団体の議会においてこれを選挙する。
② 議会は、前項の規定による選挙を行う場合においては、同時に、同項に規定する者のうちから委員と同数の補充員を選挙しなければならない。補充員がすべてなくなつたときも、また、同様とする。
③ 委員中に欠員があるときは、選挙管理委員会の委員長は、補充員の中からこれを補欠する。その順序は、選挙の時が異なるときは選挙の前後により、選挙の時が同時であるときは得票数により、得票数が同じであるときはくじにより、これを定める。
④ 法律の定めるところにより行なわれる選挙、投票又は国民審査に関する罪を犯し刑に処せられた者は、委員又は補充員となることができない。
⑤ 委員又は補充員は、それぞれその中の二人が同時に同一の政党その他の政治団体に属する者となることとなつてはならない。
⑥ 第一項又は第二項の規定による選挙において、同一の政党その他の政治団体に属する者が前項の制限を超えて選挙された場合及び第三項の規定により委員の補欠を行えば同一の政党その他の政治団体に属する委員の数が前項の制限を超える場合等に関し必要な事項は、政令でこれを定める。
⑦ 委員は、地方公共団体の議会の議員及び長と兼ねることができない。
⑧ 委員又は補充員の選挙を行うべき事由が生じたときは、選挙管理委員会の委員長は、直ちにその旨を当該普通地方公共団体の議会及び長に通知しなければならない。

第一八三条【任期】① 選挙管理委員の任期は、四年とする。但し、後任者が就任する時まで在任する。
② 補欠委員の任期は、前任者の残任期間とする。
③ 補充員の任期は、委員の任期による。
④ 委員及び補充員は、その選挙に関し第百十八条第五項の規定による裁決又は判決が確定するまでは、その職を失わない。

第一八四条【失職】① 選挙管理委員は、選挙権を有しなくなつたとき、第百八十条の五第六項の規定に該当するとき又は第百八十二条第四項に規定する者に該当するときは、その職を失う。その選挙権の有無又は第百八十条の五第六項の規定に該当するかどうかは、選挙管理委員が公職選挙法第十一条若しくは同法第二百五十二条又は政治資金規正法第二十八条の規定に該当するため選挙権を有しない場合を除くほか、選挙管理委員会がこれを決定する。

② 第百四十三条第二項から第四項までの規定は、前項の場合にこれを準用する。

第一八四条の二【罷免】 ① 普通地方公共団体の議会は、選挙管理委員が心身の故障のため職務の遂行に堪えないと認めるとき、又は選挙管理委員に職務上の義務違反その他選挙管理委員たるに適しない非行があると認めるときは、議決によりこれを罷免することができる。この場合においては、議会の常任委員会又は特別委員会において公聴会を開かなければならない。

② 委員は、前項の規定による場合を除くほか、その意に反して罷免されることがない。

第一八五条【退職】 ① 選挙管理委員会の委員長が退職しようとするときは、当該選挙管理委員会の承認を得なければならない。

② 委員が退職しようとするときは、委員長の承認を得なければならない。

第一八五条の二【秘密を守る義務】 選挙管理委員は、職務上知り得た秘密を漏らしてはならない。その職を退いた後も、同様とする。

第一八六条【事務】 選挙管理委員会は、法律又はこれに基づく政令の定めるところにより、当該普通地方公共団体が処理する選挙に関する事務及びこれに関係のある事務を管理する。

第一八七条【委員長】 ① 選挙管理委員会は、委員の中から委員長を選挙しなければならない。

② 委員長は、委員会に関する事務を処理し、委員会を代表する。

③ 委員長に事故があるとき、又は委員長が欠けたときは、委員長の指定する委員がその職務を代理する。

第一八八条【招集】 選挙管理委員会は、委員長がこれを招集する。委員から委員会の招集の請求があるときは、委員長は、これを招集しなければならない。

第一八九条【会議】 ① 選挙管理委員会は、三人以上の委員が出席しなければ、会議を開くことができない。

② 委員長及び委員は、自己若しくは父母、祖父母、配偶者、子、孫若しくは兄弟姉妹の一身上に関する事件又は自己若しくはこれらの者の従事する業務に直接の利害関係のある事件については、その議事に参与することができない。但し、委員会の同意を得たときは、会議に出席し、発言することができる。

③ 前項の規定により委員の数が減少して第一項の数に達しないときは、委員長は、補充員でその事件に関係のないものを以て第百八十二条第三項の順序により、臨時にこれに充てなければならない。委員の事故に因り委員の数が第一項の数に達しないときも、また、同様とする。

第一九〇条【表決】 選挙管理委員会の議事は、出席委員の過半数を以てこれを決する。可否同数のときは、委員長の決するところによる。

第一九一条【書記長・書記その他の職員】 ① 都道府県及び市の選挙管理委員会に書記長、書記その他の職員を置き、町村の選挙管理委員会に書記その他の職員を置く。

② 書記長、書記その他の常勤の職員の定数は、条例でこれを定める。但し、臨時の職については、この限りでない。

③ 書記長は委員長の命を受け、書記その他の職員又は第百八十条の三の規定による職員は上司の指揮を受け、それぞれ委員会に関する事務に従事する。

第一九二条【訴訟の取扱い】 選挙管理委員会の処分又は裁決に係る普通地方公共団体を被告とする訴訟については、選挙管理委員会が当該普通地方公共団体を代表する。

第一九三条【準用規定】 第百四十一条第一項及び第百六十六条第一項の規定は選挙管理委員について、第百五十三条第一項、第百五十四条及び第百五十九条の規定は選挙管理委員会の委員長について、第百七十二条第二項及び第四項の規定は選挙管理委員会の書記長、書記その他の職員について、それぞれ準用する。

第一九四条【委員会の自律】 この法律及びこれに基く政令に規定するものを除く外、選挙管理委員会に関し必要な事項は、委員会がこれを定める。

第五款　監査委員

第一九五条【監査委員の設置及び定数】 ① 普通地方公共団体に監査委員を置く。

② 監査委員の定数は、都道府県及び政令で定める市にあつては四人とし、その他の市及び町村にあつては二人とする。ただし、条例でその定数を増加することができる。

第一九六条【選任、兼職の禁止】 ① 監査委員は、普通地方公共団体の長が、議会の同意を得て、人格が高潔で、普通地方公共団体の財務管理、事業の経営管理その他行政運営に関し優れた識見を有する者（議員である者を除く。以下この款において「識見を有する者」という。）及び議員のうちから、これを選任する。ただし、条例で議員のうちから監査委員を選任しないことができる。

② 識見を有する者のうちから選任される監査委員の数が二人以上である普通地方公共団体にあつては、少なくともその数から一を減じた人数以上は、当該普通地方公共団体の職員で政令で定めるものでなかつた者でなければならない。

③ 監査委員は、地方公共団体の常勤の職員及び短時間勤務職員と兼ねることができない。

④ 識見を有する者のうちから選任される監査委員は、常勤とすることができる。

⑤ 都道府県及び政令で定める市にあつては、識見を有する者のうちから選任される監査委員のうち少なくとも一人以上は、常勤としなければならない。

⑥ 議員のうちから選任される監査委員の数は、都道府県及び前条第二項の政令で定める市にあつては二人又は一人、その他の市及び町村にあつては一人とする。

第一九七条【任期】 監査委員の任期は、識見を有する者のうちから選任される者にあつては四年とし、議員のうちから選任される者にあつては議員の任期による。ただし、後任者が選任されるまでの間は、その職務を行うことを妨げない。

第一九七条の二【罷免】 ① 普通地方公共団体の長は、監査委員が心身の故障のため職務の遂行に堪えないと認めるとき、又は監査委員に職務上の義務違反その他監査委員たるに適しない非行があると認めるときは、議会の同意を得て、これを罷免することができる。この場合においては、議会の常任委員会又は特別委員会において公聴会を開かなければならない。

② 監査委員は、前項の規定による場合を除くほか、その意に反して罷免されることがない。

第一九八条【退職】 監査委員は、退職しようとするときは、普通地方公共団体の長の承認を得なければならない。

第一九八条の二【親族の就職禁止】 ① 普通地方公共団体の長又は副知事若しくは副市町村長と親子、夫婦又は兄弟姉妹の関係にある者は、監査委員となることができない。

② 監査委員は、前項に規定する関係が生じたときは、その職を失う。

第一九八条の三【職務上の義務】 ① 監査委員は、その職務を遂行するに当たつては、法令に特別の定めがある場合を除くほか、監査基準（法令の規定により監査委員が行うこととされている監査、検査、審査その他の行為（以下この項において「監査等」という。）の適切かつ有効な実施を図るための基準をいう。次条において同じ。）に従い、常に公正不偏の態度を保持して、監査等をしなければならない。

② 監査委員は、職務上知り得た秘密を漏らしてはならない。その職を退いた後も、同様とする。

第一九八条の四【監査基準】 ① 監査基準は、監査委員が定めるものとする。

② 前項の規定による監査基準の策定は、監査委員の合議によるものとする。

③　監査委員は、監査基準を定めたときは、直ちに、これを普通地方公共団体の議会、長、教育委員会、選挙管理委員会、人事委員会又は公平委員会、公安委員会、労働委員会、農業委員会その他法律に基づく委員会及び委員に通知するとともに、これを公表しなければならない。

④　前二項の規定は、監査基準の変更について準用する。

⑤　総務大臣は、普通地方公共団体に対し、監査基準の策定又は変更について、指針を示すとともに、必要な助言を行うものとする。

第一九九条【職務】①　監査委員は、普通地方公共団体の財務に関する事務の執行及び普通地方公共団体の経営に係る事業の管理を監査する。

②　監査委員は、前項に定めるもののほか、必要があると認めるときは、普通地方公共団体の事務（自治事務にあつては労働委員会及び収用委員会の権限に属する事務で政令で定めるものを除き、法定受託事務にあつては国の安全を害するおそれがあることその他の事由により監査委員の監査の対象とすることが適当でないものとして政令で定めるものを除く。）の執行について監査をすることができる。この場合において、当該監査の実施に関し必要な事項は、政令で定める。

③　監査委員は、第一項又は前項の規定による監査をするに当たつては、当該普通地方公共団体の財務に関する事務の執行及び当該普通地方公共団体の経営に係る事業の管理又は同項に規定する事務の執行が第二条第十四項及び第十五項の規定の趣旨にのつとつてなされているかどうかについて、特に、意を用いなければならない。

④　監査委員は、毎会計年度少なくとも一回以上期日を定めて第一項の規定による監査をしなければならない。

⑤　監査委員は、前項に定める場合のほか、必要があると認めるときは、いつでも第一項の規定による監査をすることができる。

⑥　監査委員は、当該普通地方公共団体の長から当該普通地方公共団体の事務の執行に関し監査の要求があつたときは、その要求に係る事項について監査をしなければならない。

⑦　監査委員は、必要があると認めるとき、又は普通地方公共団体の長の要求があるときは、当該普通地方公共団体が補助金、交付金、負担金、貸付金、損失補償、利子補給その他の財政的援助を与えているものの出納その他の事務の執行で当該財政的援助に係るものを監査することができる。当該普通地方公共団体が出資しているもので政令で定めるもの、当該普通地方公共団体が借入金の元金又は利子の支払を保証しているもの、当該普通地方公共団体が受益権を有する信託で政令で定めるものの受託者及び当該普通地方公共団体が第二百四十四条の二第三項の規定に基づき公の施設の管理を行わせているものについても、同様とする。

⑧　監査委員は、監査のため必要があると認めるときは、関係人の出頭を求め、若しくは関係人について調査し、若しくは関係人に対し帳簿、書類その他の記録の提出を求め、又は学識経験を有する者等から意見を聴くことができる。

⑨　監査委員は、第九十八条第二項の請求若しくは第六項の要求に係る事項についての監査又は第一項、第二項若しくは第七項の規定による監査について、監査の結果に関する報告を決定し、これを普通地方公共団体の議会及び長並びに関係のある教育委員会、選挙管理委員会、人事委員会若しくは公平委員会、公安委員会、労働委員会、農業委員会その他法律に基づく委員会又は委員に提出するとともに、これを公表しなければならない。

⑩　監査委員は、監査の結果に基づいて必要があると認めるときは、当該普通地方公共団体の組織及び運営の合理化に資するため、第七十五条第三項又は前項の規定による監査の結果に関する報告に添えてその意見を提出することができる。この場合において、監査委員は、当該意見の内容を公表しなければならない。

⑪　監査委員は、第七十五条第三項の規定又は第九項の規定による監査の結果に関する報告のうち、普通地方公共団体の議会、長、教育委員会、選挙管理委員会、人事委員会若しくは公平委員会、公安委員会、労働委員会、農業委員会その他法律に基づく委員会又は委員において特に措置を講ずる必要があると認める事項については、その者に対し、理由を付して、必要な措置を講ずべきことを勧告することができる。この場合において、監査委員は、当該勧告の内容を公表しなければならない。

⑫　第九項の規定による監査の結果に関する報告の決定、第十項の規定による意見の決定又は前項の規定による勧告の決定は、監査委員の合議によるものとする。

⑬　監査委員は、第九項の規定による監査の結果に関する報告の決定について、各監査委員の意見が一致しないことにより、前項の合議により決定することができない事項がある場合には、その旨及び当該事項についての各監査委員の意見を普通地方公共団体の議会及び長並びに関係のある教育委員会、選挙管理委員会、人事委員会若しくは公平委員会、公安委員会、労働委員会、農業委員会その他法律に基づく委員会又は委員に提出するとともに、これらを公表しなければならない。

⑭　監査委員から第七十五条第三項の規定又は第九項の規定による監査の結果に関する報告の提出があつた場合において、当該監査の結果に関する報告の提出を受けた普通地方公共団体の議会、長、教育委員会、選挙管理委員会、人事委員会若しくは公平委員会、公安委員会、労働委員会、農業委員会その他法律に基づく委員会又は委員は、当該監査の結果に基づき、又は当該監査の結果を参考として措置（次項に規定する措置を除く。以下この項において同じ。）を講じたときは、当該措置の内容を監査委員に通知しなければならない。この場合において、監査委員は、当該措置の内容を公表しなければならない。

⑮　監査委員から第十一項の規定による勧告を受けた普通地方公共団体の議会、長、教育委員会、選挙管理委員会、人事委員会若しくは公平委員会、公安委員会、労働委員会、農業委員会その他法律に基づく委員会又は委員は、当該勧告に基づき必要な措置を講ずるとともに、当該措置の内容を監査委員に通知しなければならない。この場合において、監査委員は、当該措置の内容を公表しなければならない。

第一九九条の二【利害関係事件の監査禁止】　監査委員は、自己若しくは父母、祖父母、配偶者、子、孫若しくは兄弟姉妹の一身上に関する事件又は自己若しくはこれらの者の従事する業務に直接の利害関係のある事件については、監査することができない。

第一九九条の三【代表監査委員】①　監査委員は、識見を有する者のうちから選任される監査委員の一人（監査委員の定数が二人の場合において、そのうち一人が議員のうちから選任される監査委員であるときは、識見を有する者のうちから選任される監査委員）を代表監査委員としなければならない。

②　代表監査委員は、監査委員に関する庶務及び次項又は第二百四十二条の三第五項に規定する訴訟に関する事務を処理する。

③　代表監査委員又は監査委員の処分又は裁決に係る普通地方公共団体を被告とする訴訟については、代表監査委員が当該普通地方公共団体を代表する。

④　代表監査委員に事故があるとき、又は代表監査委員が欠けたときは、監査委員の定数が三人以上の場合には代表監査委員の指定する監査委員が、二人の場合には他の監査委員がその職務を代理する。

第二〇〇条【事務局】①　都道府県の監査委員に事務局を置く。

②　市町村の監査委員に条例の定めるところにより、事務局を置くことができる。

③　事務局に事務局長、書記その他の職員を置く。

④　事務局を置かない市町村の監査委員の事務を補助させるため書記その他の職員を置く。

⑤　事務局長、書記その他の職員は、代表監査委員がこれを任免する。

⑥ 事務局長、書記その他の常勤の職員の定数は、条例でこれを定める。ただし、臨時の職については、この限りでない。
⑦ 事務局長は監査委員の命を受け、書記その他の職員又は第百八十条の三の規定による職員は上司の指揮を受け、それぞれ監査委員に関する事務に従事する。

第二〇〇条の二【監査専門委員】 ① 監査委員に常設又は臨時の監査専門委員を置くことができる。
② 監査専門委員は、専門の学識経験を有する者の中から、代表監査委員が、代表監査委員以外の監査委員の意見を聴いて、これを選任する。
③ 監査専門委員は、監査委員の委託を受け、その権限に属する事務に関し必要な事項を調査する。
④ 監査専門委員は、非常勤とする。

第二〇一条【準用規定】 第百四十一条第一項、第百五十四条、第百五十九条、第百六十四条及び第百六十六条第一項の規定は監査委員に、第百五十三条第一項の規定は代表監査委員に、第百七十二条第四項の規定は監査委員の事務局長、書記その他の職員にこれを準用する。

第二〇二条【条例への委任】 法令に特別の定めがあるものを除くほか、監査委員に関し必要な事項は、条例でこれを定める。

第六款　人事委員会、公平委員会、労働委員会、農業委員会その他の委員会

第二〇二条の二【各委員会の事務】 ① 人事委員会は、別に法律の定めるところにより、人事行政に関する調査、研究、企画、立案、勧告等を行い、職員の競争試験及び選考を実施し、並びに職員の勤務条件に関する措置の要求及び職員に対する不利益処分を審査し、並びにこれについて必要な措置を講ずる。
② 公平委員会は、別に法律の定めるところにより、職員の勤務条件に関する措置の要求及び職員に対する不利益処分を審査し、並びにこれについて必要な措置を講ずる。
③ 労働委員会は、別に法律の定めるところにより、労働組合の資格の立証を受け及び証明を行い、並びに不当労働行為に関し調査し、審問し、命令を発し及び和解を勧め、労働争議のあつせん、調停及び仲裁を行い、その他労働関係に関する事務を執行する。
④ 農業委員会は、別に法律の定めるところにより、農地等の利用関係の調整、農地の交換分合その他農地に関する事務を執行する。
⑤ 収用委員会は別に法律の定めるところにより土地の収用に関する裁決その他の事務を行い、海区漁業調整委員会又は内水面漁場管理委員会は別に法律の定めるところにより漁業調整のため必要な指示その他の事務を行い、固定資産評価審査委員会は別に法律の定めるところにより固定資産課税台帳に登録された価格に関する不服の審査決定その他の事務を行う。

第七款　附属機関

第二〇二条の三【附属機関の事務等】 ① 普通地方公共団体の執行機関の附属機関は、法律若しくはこれに基く政令又は条例の定めるところにより、その担任する事項について調停、審査、審議又は調査等を行う機関とする。
② 附属機関を組織する委員その他の構成員は、非常勤とする。
③ 附属機関の庶務は、法律又はこれに基く政令に特別の定があるものを除く外、その属する執行機関において掌るものとする。

第四節　地域自治区

第二〇二条の四（地域自治区の設置） ① 市町村は、市町村長の権限に属する事務を分掌させ、及び地域の住民の意見を反映させつつこれを処理させるため、条例で、その区域を分けて定める区域ごとに地域自治区を設けることができる。
② 地域自治区に事務所を置くものとし、事務所の位置、名称及び所管区域は、条例で定める。
③ 地域自治区の事務所の長は、当該普通地方公共団体の長の補助機関である職員をもつて充てる。
④ 第四条第二項の規定は第二項の地域自治区の事務所の位置及び所管区域について、第百七十五条第二項の規定は前項の事務所の長について準用する。

第二〇二条の五（地域協議会の設置及び構成員） ① 地域自治区に、地域協議会を置く。
② 地域協議会の構成員は、地域自治区の区域内に住所を有する者のうちから、市町村長が選任する。
③ 市町村長は、前項の規定による地域協議会の構成員の選任に当たつては、地域協議会の構成員の構成が、地域自治区の区域内に住所を有する者の多様な意見が適切に反映されるものとなるよう配慮しなければならない。
④ 地域協議会の構成員の任期は、四年以内において条例で定める期間とする。
⑤ 第二百三条の二第一項の規定にかかわらず、地域協議会の構成員には報酬を支給しないこととすることができる。

第二〇二条の六（地域協議会の会長及び副会長） ① 地域協議会に、会長及び副会長を置く。
② 地域協議会の会長及び副会長の選任及び解任の方法は、条例で定める。
③ 地域協議会の会長及び副会長の任期は、地域協議会の構成員の任期による。
④ 地域協議会の会長は、地域協議会の事務を掌理し、地域協議会を代表する。
⑤ 地域協議会の副会長は、地域協議会の会長に事故があるとき又は地域協議会の会長が欠けたときは、その職務を代理する。

第二〇二条の七（地域協議会の権限） ① 地域協議会は、次に掲げる事項のうち、市町村長その他の市町村の機関により諮問されたもの又は必要と認めるものについて、審議し、市町村長その他の市町村の機関に意見を述べることができる。
一　地域自治区の事務所が所掌する事務に関する事項
二　前号に掲げるもののほか、市町村が処理する地域自治区の区域に係る事務に関する事項
三　市町村の事務処理に当たつての地域自治区の区域内に住所を有する者との連携の強化に関する事項
② 市町村長は、条例で定める市町村の施策に関する重要事項であつて地域自治区の区域に係るものを決定し、又は変更しようとする場合においては、あらかじめ、地域協議会の意見を聴かなければならない。
③ 市町村長その他の市町村の機関は、前二項の意見を勘案し、必要があると認めるときは、適切な措置を講じなければならない。

第二〇二条の八（地域協議会の組織及び運営） この法律に定めるもののほか、地域協議会の構成員の定数その他の地域協議会の組織及び運営に関し必要な事項は、条例で定める。

第二〇二条の九（政令への委任） この法律に規定するものを除くほか、地域自治区に関し必要な事項は、政令で定める。

第八章　給与その他の給付

第二〇三条【議員報酬、費用弁償、期末手当】 ① 普通地方公共団体は、その議会の議員に対し、議員報酬を支給しなければならない。
② 普通地方公共団体の議会の議員は、職務を行うため要する費用の弁償を受けることができる。
③ 普通地方公共団体は、条例で、その議会の議員に対し、期末手当を支給することができる。
④ 議員報酬、費用弁償及び期末手当の額並びにその支給方法は、条例でこれを定めなければならない。

第二〇三条の二【非常勤の委員等の報酬等】① 普通地方公共団体は、その委員会の非常勤の委員、非常勤の監査委員、自治紛争処理委員、審査会、審議会及び調査会等の委員その他の構成員、専門委員、監査専門委員、投票管理者、開票管理者、選挙長、投票立会人、開票立会人及び選挙立会人その他普通地方公共団体の非常勤の職員（短時間勤務職員及び地方公務員法第二十二条の二第一項第二号に掲げる職員を除く。）に対し、報酬を支給しなければならない。

② 前項の者に対する報酬は、その勤務日数に応じてこれを支給する。ただし、条例で特別の定めをした場合は、この限りでない。

③ 第一項の者は、職務を行うため要する費用の弁償を受けることができる。

④ 普通地方公共団体は、条例で、第一項の者のうち地方公務員法第二十二条の二第一項第一号に掲げる職員に対し、期末手当又は勤勉手当を支給することができる。

⑤ 報酬、費用弁償、期末手当及び勤勉手当の額並びにその支給方法は、条例でこれを定めなければならない。

第二〇四条【常勤の職員等の給料・旅費、諸手当】① 普通地方公共団体は、普通地方公共団体の長及びその補助機関たる常勤の職員、委員会の常勤の委員（教育委員会にあつては、教育長）、常勤の監査委員、議会の事務局長又は書記長、書記その他の常勤の職員、委員会の事務局長若しくは書記長、委員の事務局長又は委員会若しくは委員の事務を補助する書記その他の常勤の職員その他普通地方公共団体の常勤の職員並びに短時間勤務職員及び地方公務員法第二十二条の二第一項第二号に掲げる職員に対し、給料及び旅費を支給しなければならない。

② 普通地方公共団体は、条例で、前項の者に対し、扶養手当、地域手当、住居手当、初任給調整手当、通勤手当、単身赴任手当、特殊勤務手当、特地勤務手当（これに準ずる手当を含む。）、へき地手当（これに準ずる手当を含む。）、時間外勤務手当、宿日直手当、管理職員特別勤務手当、夜間勤務手当、休日勤務手当、管理職手当、期末手当、勤勉手当、寒冷地手当、特定任期付職員業績手当、任期付研究員業績手当、義務教育等教員特別手当、定時制通信教育手当、産業教育手当、農林漁業普及指導手当、災害派遣手当（武力攻撃災害等派遣手当及び特定新型インフルエンザ等対策派遣手当を含む。）又は退職手当を支給することができる。

③ 給料、手当及び旅費の額並びにその支給方法は、条例でこれを定めなければならない。

第二〇四条の二【給与等の根拠】 普通地方公共団体は、いかなる給与その他の給付も法律又はこれに基づく条例に基づかずには、これをその議会の議員、第二百三条の二第一項の者及び前条第一項の者に支給することができない。

第二〇五条【退職年金・退職一時金】 第二百四条第一項の者は、退職年金又は退職一時金を受けることができる。

第二〇六条【給与給付に関する審査請求】① 普通地方公共団体の長以外の機関がした第二百三条から第二百四条まで又は前条の規定による給与その他の給付に関する処分についての審査請求は、法律に特別の定めがある場合を除くほか、普通地方公共団体の長が当該機関の最上級行政庁でない場合においても、当該普通地方公共団体の長に対してするものとする。

② 普通地方公共団体の長は、第二百三条から第二百四条まで又は前条の規定による給与その他の給付に関する処分についての審査請求がされた場合には、当該審査請求が不適法であり、却下するときを除き、議会に諮問した上、当該審査請求に対する裁決をしなければならない。

③ 議会は、前項の規定による諮問を受けた日から二十日以内に意見を述べなければならない。

④ 普通地方公共団体の長は、第二項の規定による諮問をしないで同項の審査請求を却下したときは、その旨を議会に報告しなければならない。

第二〇七条【実費弁償】 普通地方公共団体は、条例の定めるところにより、第七十四条の三第三項及び第百条第一項後段（第二百八十七条の二第七項において準用する場合を含む。）の規定により出頭した選挙人その他の関係人、第百十五条の二第二項（第百九条第五項において準用する場合を含む。）の規定により出頭した参考人、第百九十九条第八項の規定により出頭した関係人、第二百五十一条の二第九項の規定により出頭した当事者及び関係人並びに第百十五条の二第一項（第百九条第五項において準用する場合を含む。）の規定による公聴会に参加した者の要した実費を弁償しなければならない。

第九章　財務（抄）

第一節　会計年度及び会計の区分

（会計年度及びその独立の原則）

第二〇八条① 普通地方公共団体の会計年度は、毎年四月一日に始まり、翌年三月三十一日に終わるものとする。

② 各会計年度における歳出は、その年度の歳入をもつて、これに充てなければならない。

（会計の区分）

第二〇九条① 普通地方公共団体の会計は、一般会計及び特別会計とする。

② 特別会計は、普通地方公共団体が特定の事業を行なう場合その他特定の歳入をもつて特定の歳出に充て一般の歳入歳出と区分して経理する必要がある場合において、条例でこれを設置することができる。

第二節　予算

（総計予算主義の原則）

第二一〇条 一会計年度における一切の収入及び支出は、すべてこれを歳入歳出予算に編入しなければならない。

（予算の調製及び議決）

第二一一条① 普通地方公共団体の長は、毎会計年度予算を調製し、年度開始前に、議会の議決を経なければならない。この場合において、普通地方公共団体の長は、遅くとも年度開始前、都道府県及び第二百五十二条の十九第一項に規定する指定都市にあつては三十日、その他の市及び町村にあつては二十日までに当該予算を議会に提出するようにしなければならない。

② 普通地方公共団体の長は、予算を議会に提出するときは、政令で定める予算に関する説明書をあわせて提出しなければならない。

（継続費）

第二一二条① 普通地方公共団体の経費をもつて支弁する事件でその履行に数年度を要するものについては、予算の定めるところにより、その経費の総額及び年割額を定め、数年度にわたつて支出することができる。

② 前項の規定により支出することができる経費は、これを継続費という。

（繰越明許費）

第二一三条① 歳出予算の経費のうちその性質上又は予算成立後の事由に基づき年度内にその支出を終わらない見込みのあるものについては、予算の定めるところにより、翌年度に繰り越して使用することができる。

② 前項の規定により翌年度に繰り越して使用することができる経費は、これを繰越明許費という。

（債務負担行為）

第二一四条 歳出予算の金額、継続費の総額又は繰越明許費の金額の範囲内におけるものを除くほか、普通地方公共団体が債務を負担する行為をするには、予算で債務負担行為として定めておかなければならない。

（予算の内容）

第二一五条 予算は、次の各号に掲げる事項に関する定めから成るものとする。

一 歳入歳出予算

二 継続費

三　繰越明許費
四　債務負担行為
五　地方債
六　一時借入金
七　歳出予算の各項の経費の金額の流用

（**歳入歳出予算の区分**）
第二一六条　歳入歳出予算は、歳入にあつては、その性質に従つて款に大別し、かつ、各款中においてはこれを項に区分し、歳出にあつては、その目的に従つてこれを款項に区分しなければならない。

（**予備費**）
第二一七条①　予算外の支出又は予算超過の支出に充てるため、歳入歳出予算に予備費を計上しなければならない。ただし、特別会計にあつては、予備費を計上しないことができる。
②　予備費は、議会の否決した費途に充てることができない。

（**補正予算、暫定予算等**）
第二一八条①　普通地方公共団体の長は、予算の調製後に生じた事由に基づいて、既定の予算に追加その他の変更を加える必要が生じたときは、補正予算を調製し、これを議会に提出することができる。
②　普通地方公共団体の長は、必要に応じて、一会計年度のうちの一定期間に係る暫定予算を調製し、これを議会に提出することができる。
③　前項の暫定予算は、当該会計年度の予算が成立したときは、その効力を失うものとし、その暫定予算に基づく支出又は債務の負担があるときは、その支出又は債務の負担は、これを当該会計年度の予算に基づく支出又は債務の負担とみなす。
④　普通地方公共団体の長は、特別会計のうちその事業の経費を主として当該事業の経営に伴う収入をもつて充てるもので条例で定めるものについて、業務量の増加により業務のため直接必要な経費に不足を生じたときは、当該業務量の増加により増加する収入に相当する金額を当該経費（政令で定める経費を除く。）に使用することができる。この場合においては、普通地方公共団体の長は、次の会議においてその旨を議会に報告しなければならない。

（**予算の送付及び公表**）
第二一九条①　普通地方公共団体の議会の議長は、予算を定める議決があつたときは、その日から三日以内にこれを当該普通地方公共団体の長に送付しなければならない。
②　普通地方公共団体の長は、前項の規定により予算の送付を受けた場合において、再議その他の措置を講ずる必要がないと認めるときは、直ちに、その要領を住民に公表しなければならない。

（**予算の執行及び事故繰越し**）
第二二〇条①　普通地方公共団体の長は、政令で定める基準に従つて予算の執行に関する手続を定め、これに従つて予算を執行しなければならない。
②　歳出予算の経費の金額は、各款の間又は各項の間において相互にこれを流用することができない。ただし、歳出予算の各項の経費の金額は、予算の執行上必要がある場合に限り、予算の定めるところにより、これを流用することができる。
③　繰越明許費の金額を除くほか、毎会計年度の歳出予算の経費の金額は、これを翌年度において使用することができない。ただし、歳出予算の経費の金額のうち、年度内に支出負担行為をし、避けがたい事故のため年度内に支出を終わらなかつたもの（当該支出負担行為に係る工事その他の事業の遂行上の必要に基づきこれに関連して支出を要する経費の金額を含む。）は、これを翌年度に繰り越して使用することができる。

（**予算の執行に関する長の調査権等**）
第二二一条①　普通地方公共団体の長は、予算の執行の適正を期するため、委員会若しくは委員又はこれらの管理に属する機関で権限を有するものに対して、収入及び支出の実績若しくは見込みについて報告を徴し、予算の執行状況を実地について調査し、又はその結果に基づいて必要な措置を講ずべきことを求めることができる。
②　普通地方公共団体の長は、予算の執行の適正を期するため、工事の請負契約者、物品の納入者、補助金、交付金、貸付金等の交付若しくは貸付けを受けた者（補助金、交付金、貸付金等の終局の受領者を含む。）又は調査、試験、研究等の委託を受けた者に対して、その状況を調査し、又は報告を徴することができる。
③　前二項の規定は、普通地方公共団体が出資している法人で政令で定めるもの、普通地方公共団体が借入金の元金若しくは利子の支払を保証し、又は損失補償を行う等その者のために債務を負担している法人で政令で定めるもの及び普通地方公共団体が受益権を有する信託で政令で定めるものの受託者にこれを準用する。

（**予算を伴う条例、規則等についての制限**）
第二二二条①　普通地方公共団体の長は、条例その他議会の議決を要すべき案件があらたに予算を伴うこととなるものであるときは、必要な予算上の措置が適確に講ぜられる見込みが得られるまでの間は、これを議会に提出してはならない。
②　普通地方公共団体の長、委員会若しくは委員又はこれらの管理に属する機関は、その権限に属する事務に関する規則その他の規程の制定又は改正があらたに予算を伴うこととなるものであるときは、必要な予算上の措置が適確に講ぜられることとなるまでの間は、これを制定し、又は改正してはならない。

第三節　収入（抄）

（**地方税**）
第二二三条　普通地方公共団体は、法律の定めるところにより、地方税を賦課徴収することができる。

（**分担金**）
第二二四条　普通地方公共団体は、政令で定める場合を除くほか、数人又は普通地方公共団体の一部に対し利益のある事件に関し、その必要な費用に充てるため、当該事件により特に利益を受ける者から、その受益の限度において、分担金を徴収することができる。

（**使用料**）
第二二五条　普通地方公共団体は、第二百三十八条の四第七項の規定による許可を受けてする行政財産の使用又は公の施設の利用につき使用料を徴収することができる。

（**旧慣使用の使用料及び加入金**）
第二二六条　市町村は、第二百三十八条の六の規定による公有財産の使用につき使用料を徴収することができるほか、同条第二項の規定により使用の許可を受けた者から加入金を徴収することができる。

（**手数料**）
第二二七条　普通地方公共団体は、当該普通地方公共団体の事務で特定の者のためにするものにつき、手数料を徴収することができる。

（**分担金等に関する規制及び罰則**）
第二二八条①　分担金、使用料、加入金及び手数料に関する事項については、条例でこれを定めなければならない。この場合において、手数料について全国的に統一して定めることが特に必要と認められるものとして政令で定める事務（以下本項において「標準事務」という。）について手数料を徴収する場合においては、当該標準事務に係る事務のうち政令で定めるものにつき、政令で定める金額の手数料を徴収することを標準として条例を定めなければならない。
②　分担金、使用料、加入金及び手数料の徴収に関しては、次項に定めるものを除くほか、条例で五万円以下の過料を科する規定を設けることができる。
③　詐欺その他不正の行為により、分担金、使用料、加入金又は手数料の徴収を免れた者については、条例でその徴収を免れた金額の五倍に相当する金額（当該五倍に相当する金額が五万円

を超えないときは、五万円とする。）以下の過料を科する規定を設けることができる。

（分担金等の徴収に関する処分についての審査請求）
第二二九条① 普通地方公共団体の長以外の機関がした分担金、使用料、加入金又は手数料の徴収に関する処分についての審査請求は、普通地方公共団体の長が当該機関の最上級行政庁でない場合においても、当該普通地方公共団体の長に対してするものとする。

② 普通地方公共団体の長は、分担金、使用料、加入金又は手数料の徴収に関する処分についての審査請求がされた場合には、当該審査請求が不適法であり、却下するときを除き、議会に諮問した上、当該審査請求に対する裁決をしなければならない。

③ 議会は、前項の規定による諮問を受けた日から二十日以内に意見を述べなければならない。

④ 普通地方公共団体の長は、第二項の規定による諮問をしないで同項の審査請求を却下したときは、その旨を議会に報告しなければならない。

⑤ 第二項の審査請求に対する裁決を経た後でなければ、同項の処分については、裁判所に出訴することができない。

（地方債）
第二三〇条① 普通地方公共団体は、別に法律で定める場合において、予算の定めるところにより、地方債を起こすことができる。

② 前項の場合において、地方債の起債の目的、限度額、起債の方法、利率及び償還の方法は、予算でこれを定めなければならない。

（歳入の収入の方法）
第二三一条 普通地方公共団体の歳入を収入するときは、政令の定めるところにより、これを調定し、納入義務者に対して納入の通知をしなければならない。

第二三一条の二から第二三一条の二の七まで （略）

（督促、滞納処分等）
第二三一条の三① 分担金、使用料、加入金、手数料、過料その他の普通地方公共団体の歳入を納期限までに納付しない者があるときは、普通地方公共団体の長は、期限を指定してこれを督促しなければならない。

② 普通地方公共団体の長は、前項の歳入について同項の規定による督促をした場合には、条例で定めるところにより、手数料及び延滞金を徴収することができる。

③ 普通地方公共団体の長は、分担金、加入金、過料又は法律で定める使用料その他の普通地方公共団体の歳入（以下この項及び次条第一項において「分担金等」という。）につき第一項の規定による督促を受けた者が同項の規定により指定された期限までにその納付すべき金額を納付しないときは、当該分担金等並びに当該分担金等に係る前項の手数料及び延滞金について、地方税の滞納処分の例により処分することができる。この場合におけるこれらの徴収金の先取特権の順位は、国税及び地方税に次ぐものとする。

④ 第一項の歳入並びに第二項の手数料及び延滞金の還付並びにこれらの徴収金の徴収又は還付に関する書類の送達及び公示送達については、地方税の例による。

⑤ 普通地方公共団体の長以外の機関がした前各項の規定による処分についての審査請求は、普通地方公共団体の長が当該機関の最上級行政庁でない場合においても、当該普通地方公共団体の長に対してするものとする。

⑥ 第三項の規定により普通地方公共団体の長が地方税の滞納処分の例によりした処分についての審査請求については、地方税法（昭和二十五年法律第二百二十六号）第十九条の四の規定を準用する。

⑦ 普通地方公共団体の長は、第一項から第四項までの規定による処分についての審査請求がされた場合には、当該審査請求が不適法であり、却下するときを除き、議会に諮問した上、当該審査請求に対する裁決をしなければならない。

⑧ 議会は、前項の規定による諮問を受けた日から二十日以内に意見を述べなければならない。

⑨ 普通地方公共団体の長は、第七項の規定による諮問をしないで同項の審査請求を却下したときは、その旨を議会に報告しなければならない。

⑩ 第七項の審査請求に対する裁決を経た後でなければ、第一項から第四項までの規定による処分については、裁判所に出訴することができない。

⑪ 第三項の規定による処分中差押物件の公売は、その処分が確定するまで執行を停止する。

⑫ 第三項の規定による処分は、当該普通地方公共団体の区域外においても、することができる。

第二三一条の四 （略）

第四節　支出

（経費の支弁等）
第二三二条① 普通地方公共団体は、当該普通地方公共団体の事務を処理するために必要な経費その他法律又はこれに基づく政令により当該普通地方公共団体の負担に属する経費を支弁するものとする。

② 法律又はこれに基づく政令により普通地方公共団体に対し事務の処理を義務付ける場合においては、国は、そのために要する経費の財源につき必要な措置を講じなければならない。

（寄附又は補助）
第二三二条の二 普通地方公共団体は、その公益上必要がある場合においては、寄附又は補助をすることができる。

（支出負担行為）
第二三二条の三 普通地方公共団体の支出の原因となるべき契約その他の行為（これを支出負担行為という。）は、法令又は予算の定めるところに従い、これをしなければならない。

（支出の方法）
第二三二条の四① 会計管理者は、普通地方公共団体の長の政令で定めるところによる命令がなければ、支出をすることができない。

② 会計管理者は、前項の命令を受けた場合においても、当該支出負担行為が法令又は予算に違反していないこと及び当該支出負担行為に係る債務が確定していることを確認したうえでなければ、支出をすることができない。

第二三二条の五① 普通地方公共団体の支出は、債権者のためでなければ、これをすることができない。

② 普通地方公共団体の支出は、政令の定めるところにより、資金前渡、概算払、前金払、繰替払、隔地払又は口座振替の方法によつてこれをすることができる。

（小切手の振出し及び公金振替書の交付）
第二三二条の六① 第二百三十五条の規定により金融機関を指定している普通地方公共団体における支出は、政令の定めるところにより、現金の交付に代え、当該金融機関を支払人とする小切手を振り出し、又は公金振替書を当該金融機関に交付してこれをするものとする。ただし、小切手を振り出すべき場合において、債権者から申出があるときは、会計管理者は、自ら現金で小口の支払をし、又は当該金融機関をして現金で支払をさせることができる。

② 前項の金融機関は、会計管理者の振り出した小切手の提示を受けた場合において、その小切手が振出日付から十日以上を経過しているものであつても一年を経過しないものであるときは、その支払をしなければならない。

第五節　決算

（決算）
第二三三条① 会計管理者は、毎会計年度、政令で定めるところにより、決算を調製し、出納の閉鎖後三箇月以内に、証書類その他政令で定める書類と併せて、普通地方公共団体の長に提出しなければならない。

②普通地方公共団体の長は、決算及び前項の書類を監査委員の審査に付さなければならない。
③普通地方公共団体の長は、前項の規定により監査委員の審査に付した決算を監査委員の意見を付けて次の通常予算を議する会議までに議会の認定に付さなければならない。
④前項の規定による意見の決定は、監査委員の合議によるものとする。
⑤普通地方公共団体の長は、第三項の規定により決算を議会の認定に付するに当たつては、当該決算に係る会計年度における主要な施策の成果を説明する書類その他政令で定める書類を併せて提出しなければならない。
⑥普通地方公共団体の長は、第三項の規定により議会の認定に付した決算の要領を住民に公表しなければならない。
⑦普通地方公共団体の長は、第三項の規定による決算の認定に関する議案が否決された場合において、当該議決を踏まえて必要と認める措置を講じたときは、速やかに、当該措置の内容を議会に報告するとともに、これを公表しなければならない。

第二三三条の二（**歳計剰余金の処分**）各会計年度において決算上剰余金を生じたときは、翌年度の歳入に編入しなければならない。ただし、条例の定めるところにより、又は普通地方公共団体の議会の議決により、剰余金の全部又は一部を翌年度に繰り越さないで基金に編入することができる。

第六節　契約

（**契約の締結**）
第二三四条①売買、貸借、請負その他の契約は、一般競争入札、指名競争入札、随意契約又はせり売りの方法により締結するものとする。
②前項の指名競争入札、随意契約又はせり売りは、政令で定める場合に該当するときに限り、これによることができる。
③普通地方公共団体は、一般競争入札又は指名競争入札（以下この条において「競争入札」という。）に付する場合においては、政令の定めるところにより、契約の目的に応じ、予定価格の制限の範囲内で最高又は最低の価格をもつて申込みをした者を契約の相手方とするものとする。ただし、普通地方公共団体の支出の原因となる契約については、政令の定めるところにより、予定価格の制限の範囲内の価格をもつて申込みをした者のうち最低の価格をもつて申込みをした者以外の者を契約の相手方とすることができる。
④普通地方公共団体が競争入札につき入札保証金を納付させた場合において、落札者が契約を締結しないときは、その者の納付に係る入札保証金（政令の定めるところによりその納付に代えて提供された担保を含む。）は、当該普通地方公共団体に帰属するものとする。
⑤普通地方公共団体が契約につき契約書又は契約内容を記録した電磁的記録を作成する場合においては、当該普通地方公共団体の長又はその委任を受けた者が契約の相手方とともに、契約書に記名押印し、又は契約内容を記録した電磁的記録に当該普通地方公共団体の長若しくはその委任を受けた者及び契約の相手方の作成に係るものであることを示すために講ずる措置であつて、当該電磁的記録が改変されているかどうかを確認することができる等これらの者の作成に係るものであることを確実に示すことができるものとして総務省令で定めるものを講じなければ、当該契約は、確定しないものとする。
⑥競争入札に加わろうとする者に必要な資格、競争入札における公告又は指名の方法、随意契約及びせり売りの手続その他契約の締結の方法に関し必要な事項は、政令でこれを定める。

（**契約の履行の確保**）
第二三四条の二①普通地方公共団体が工事若しくは製造その他についての請負契約又は物件の買入れその他の契約を締結した場合においては、当該普通地方公共団体の職員は、政令の定めるところにより、契約の適正な履行を確保するため又はその受ける給付の完了の確認（給付の完了前に代価の一部を支払う必要がある場合において行なう工事若しくは製造の既済部分又は物件の既納部分の確認を含む。）をするため必要な監督又は検査をしなければならない。
②普通地方公共団体が契約の相手方をして契約保証金を納付させた場合において、契約の相手方が契約上の義務を履行しないときは、その契約保証金（政令の定めるところによりその納付に代えて提供された担保を含む。）は、当該普通地方公共団体に帰属するものとする。ただし、損害の賠償又は違約金について契約で別段の定めをしたときは、その定めたところによるものとする。

（**長期継続契約**）
第二三四条の三　普通地方公共団体は、第二百十四条の規定にかかわらず、翌年度以降にわたり、電気、ガス若しくは水の供給若しくは電気通信役務の提供を受ける契約又は不動産を借りる契約その他政令で定める契約を締結することができる。この場合においては、各年度におけるこれらの経費の予算の範囲内においてその給付を受けなければならない。

第七節　現金及び有価証券

（**金融機関の指定**）
第二三五条①都道府県は、政令の定めるところにより、金融機関を指定して、都道府県の公金の収納又は支払の事務を取り扱わせなければならない。
②市町村は、政令の定めるところにより、金融機関を指定して、市町村の公金の収納又は支払の事務を取り扱わせることができる。

（**現金出納の検査及び公金の収納等の監査**）
第二三五条の二①普通地方公共団体の現金の出納は、毎月例日を定めて監査委員がこれを検査しなければならない。
②監査委員は、必要があると認めるとき、又は普通地方公共団体の長の要求があるときは、前条の規定により指定された金融機関が取り扱う当該普通地方公共団体の公金の収納又は支払の事務について監査することができる。
③監査委員は、第一項の規定による検査の結果に関する報告又は前項の規定による監査の結果に関する報告を普通地方公共団体の議会及び長に提出しなければならない。

（**一時借入金**）
第二三五条の三①普通地方公共団体の長は、歳出予算内の支出をするため、一時借入金を借り入れることができる。
②前項の規定による一時借入金の借入れの最高額は、予算でこれを定めなければならない。
③第一項の規定による一時借入金は、その会計年度の歳入をもつて償還しなければならない。

（**現金及び有価証券の保管**）
第二三五条の四①普通地方公共団体の歳入歳出に属する現金（以下「歳計現金」という。）は、政令の定めるところにより、最も確実かつ有利な方法によりこれを保管しなければならない。
②債権の担保として徴するもののほか、普通地方公共団体の所有に属しない現金又は有価証券は、法律又は政令の規定によるのでなければ、これを保管することができない。
③法令又は契約に特別の定めがあるものを除くほか、普通地方公共団体が保管する前項の現金（以下「歳入歳出外現金」という。）には、利子を付さない。

（**出納の閉鎖**）
第二三五条の五　普通地方公共団体の出納は、翌年度の五月三十一日をもつて閉鎖する。

第八節　時効

（**金銭債権の消滅時効**）
第二三六条①金銭の給付を目的とする普通地方公共団体の権利は、時効に関し他の法律に定めがあるものを除くほか、これを行使することができる時から五年間行使しないときは、時効によつて消滅する。普通地方公共団体に対する権利で、金銭の給付を目的とするものについても、また同様とする。

② 金銭の給付を目的とする普通地方公共団体の権利の時効による消滅については、法律に特別の定めがある場合を除くほか、時効の援用を要せず、また、その利益を放棄することができないものとする。普通地方公共団体に対する権利で、金銭の給付を目的とするものについても、また同様とする。

③ 金銭の給付を目的とする普通地方公共団体の権利について、消滅時効の完成猶予、更新その他の事項（前項に規定する事項を除く。）に関し、適用すべき法律の規定がないときは、民法（明治二十九年法律第八十九号）の規定を準用する。普通地方公共団体に対する権利で、金銭の給付を目的とするものについても、また同様とする。

④ 法令の規定により普通地方公共団体がする納入の通知及び督促は、時効の更新の効力を有する。

第九節　財産

（財産の管理及び処分）

第二百三十七条① この法律において「財産」とは、公有財産、物品及び債権並びに基金をいう。

② 第二百三十八条の四第一項の規定の適用がある場合を除き、普通地方公共団体の財産は、条例又は議会の議決による場合でなければ、これを交換し、出資の目的とし、若しくは支払手段として使用し、又は適正な対価なくしてこれを譲渡し、若しくは貸し付けてはならない。

③ 普通地方公共団体の財産は、第二百三十八条の五第二項の規定の適用がある場合で議会の議決によるとき又は同条第三項の規定の適用がある場合でなければ、これを信託してはならない。

第一款　公有財産

（公有財産の範囲及び分類）

第二百三十八条① この法律において「公有財産」とは、普通地方公共団体の所有に属する財産のうち次に掲げるもの（基金に属するものを除く。）をいう。

一 不動産

二 船舶、浮標、浮桟橋及び浮ドック並びに航空機

三 前二号に掲げる不動産及び動産の従物

四 地上権、地役権、鉱業権その他これらに準ずる権利

五 特許権、著作権、商標権、実用新案権その他これらに準ずる権利

六 株式、社債（特別の法律により設立された法人の発行する債券に表示されるべき権利を含み、短期社債等を除く。）、地方債及び国債その他これらに準ずる権利

七 出資による権利

八 財産の信託の受益権

② 前項第六号の「短期社債等」とは、次に掲げるものをいう。

一 社債、株式等の振替に関する法律（平成十三年法律第七十五号）第六十六条第一号に規定する短期社債

二 投資信託及び投資法人に関する法律（昭和二十六年法律第百九十八号）第百三十九条の十二第一項に規定する短期投資法人債

三 信用金庫法（昭和二十六年法律第二百三十八号）第五十四条の四第一項に規定する短期債

四 保険業法（平成七年法律第百五号）第六十一条の十第一項に規定する短期社債

五 資産の流動化に関する法律（平成十年法律第百五号）第二条第八項に規定する特定短期社債

六 農林中央金庫法（平成十三年法律第九十三号）第六十二条の二第一項に規定する短期農林債

③ 公有財産は、これを行政財産と普通財産とに分類する。

④ 行政財産とは、普通地方公共団体において公用又は公共用に供し、又は供することと決定した財産をいい、普通財産とは、行政財産以外の一切の公有財産をいう。

（公有財産に関する長の総合調整権）

第二百三十八条の二① 普通地方公共団体の長は、公有財産の効率的運用を図るため必要があると認めるときは、委員会若しくは委員又はこれらの管理に属する機関で権限を有するものに対し、公有財産の取得又は管理について、報告を求め、実地について調査し、又はその結果に基づいて必要な措置を講ずべきことを求めることができる。

② 普通地方公共団体の委員会若しくは委員又はこれらの管理に属する機関で権限を有するものは、公有財産を取得し、又は行政財産の用途を変更し、若しくは第二百三十八条の四第二項若しくは第三項（同条第四項において準用する場合を含む。）の規定による行政財産である土地の貸付け若しくはこれに対する地上権若しくは地役権の設定若しくは同条第七項の規定による行政財産の使用の許可で当該普通地方公共団体の長が指定するものをしようとするときは、あらかじめ当該普通地方公共団体の長に協議しなければならない。

③ 普通地方公共団体の委員会若しくは委員又はこれらの管理に属する機関で権限を有するものは、その管理に属する行政財産の用途を廃止したときは、直ちにこれを当該普通地方公共団体の長に引き継がなければならない。

（職員の行為の制限）

第二百三十八条の三① 公有財産に関する事務に従事する職員は、その取扱いに係る公有財産を譲り受け、又は自己の所有物と交換することができない。

② 前項の規定に違反する行為は、これを無効とする。

（行政財産の管理及び処分）

第二百三十八条の四① 行政財産は、次項から第四項までに定めるものを除くほか、これを貸し付け、交換し、売り払い、譲与し、出資の目的とし、若しくは信託し、又はこれに私権を設定することができない。

② 行政財産は、次に掲げる場合には、その用途又は目的を妨げない限度において、貸し付け、又は私権を設定することができる。

一 当該普通地方公共団体以外の者が行政財産である土地の上に政令で定める堅固な建物その他の土地に定着する工作物であつて当該行政財産である土地の供用の目的を効果的に達成することに資すると認められるものを所有し、又は所有しようとする場合（当該普通地方公共団体と一棟の建物を区分して所有する場合を除く。）において、その者（当該行政財産を管理する普通地方公共団体が当該行政財産の適正な方法による管理を行う上で適当と認める者に限る。）に当該土地を貸し付けるとき。

二 普通地方公共団体が国、他の地方公共団体又は政令で定める法人と行政財産である土地の上に一棟の建物を区分して所有するためその者に当該土地を貸し付ける場合

三 普通地方公共団体が行政財産である土地及びその隣接地の上に当該普通地方公共団体以外の者と一棟の建物を区分して所有するためその者（当該建物のうち行政財産である部分を管理する普通地方公共団体が当該行政財産の適正な方法による管理を行う上で適当と認める者に限る。）に当該土地を貸し付ける場合

四 行政財産のうち庁舎その他の建物及びその附帯施設並びにこれらの敷地（以下この号において「庁舎等」という。）についてその床面積又は敷地に余裕がある場合として政令で定める場合において、当該普通地方公共団体以外の者（当該庁舎等を管理する普通地方公共団体が当該庁舎等の適正な方法による管理を行う上で適当と認める者に限る。）に当該余裕がある部分を貸し付けるとき（前三号に掲げる場合に該当する場合を除く。）。

五 行政財産である土地を国、他の地方公共団体又は政令で定める法人の経営する鉄道、道路その他政令で定める施設の用

に供する場合において、その者のために当該土地に地上権を設定するとき。

六　行政財産である土地を国、他の地方公共団体又は政令で定める法人の使用する電線路その他政令で定める施設の用に供する場合において、その者のために当該土地に地役権を設定するとき。

③　前項第二号に掲げる場合において、当該行政財産である土地の貸付けを受けた者が当該土地の上に所有する一棟の建物の一部（以下この項及び次項において「特定施設」という。）を当該普通地方公共団体以外の者に譲渡しようとするときは、当該特定施設を譲り受けようとする者（当該行政財産を管理する普通地方公共団体が当該行政財産の適正な方法による管理を行う上で適当と認める者に限る。）に当該土地を貸し付けることができる。

④　前項の規定は、同項（この項において準用する場合を含む。）の規定により行政財産である土地の貸付けを受けた者が当該特定施設を譲渡しようとする場合について準用する。

⑤　前三項の場合においては、次条第四項及び第五項の規定を準用する。

⑥　第一項の規定に違反する行為は、これを無効とする。

⑦　行政財産は、その用途又は目的を妨げない限度においてその使用を許可することができる。

⑧　前項の規定による許可を受けてする行政財産の使用については、借地借家法（平成三年法律第九十号）の規定は、これを適用しない。

⑨　第七項の規定により行政財産の使用を許可した場合において、公用若しくは公共用に供するため必要を生じたとき、又は許可の条件に違反する行為があると認めるときは、普通地方公共団体の長又は委員会は、その許可を取り消すことができる。

第二三八条の五（普通財産の管理及び処分）①　普通財産は、これを貸し付け、交換し、売り払い、譲与し、若しくは出資の目的とし、又はこれに私権を設定することができる。

②　普通財産である土地（その土地の定着物を含む。）は、当該普通地方公共団体を受益者として政令で定める信託の目的により、これを信託することができる。

③　普通財産のうち国債その他の政令で定める有価証券（以下この項において「国債等」という。）は、当該普通地方公共団体を受益者として、指定金融機関その他の確実な金融機関に国債等をその価額に相当する担保の提供を受けて貸し付ける方法により当該国債等を運用することを信託の目的とする場合に限り、信託することができる。

④　普通財産を貸し付けた場合において、その貸付期間中に国、地方公共団体その他公共団体において公用又は公共用に供するため必要を生じたときは、普通地方公共団体の長は、その契約を解除することができる。

⑤　前項の規定により契約を解除した場合においては、借受人は、これによつて生じた損失につきその補償を求めることができる。

⑥　普通地方公共団体の長が一定の用途並びにその用途に供しなければならない期日及び期間を指定して普通財産を貸し付けた場合において、借受人が指定された期日を経過してもなおこれをその用途に供せず、又はこれをその用途に供した後指定された期間内にその用途を廃止したときは、当該普通地方公共団体の長は、その契約を解除することができる。

⑦　第四項及び第五項の規定は貸付け以外の方法により普通財産を使用させる場合に、前項の規定は普通財産を売り払い、又は譲与する場合に準用する。

⑧　第四項から第六項までの規定は、普通財産である土地（その土地の定着物を含む。）を信託する場合に準用する。

⑨　第七項に定めるもののほか普通財産の売払いに関し必要な事項及び普通財産の交換に関し必要な事項は、政令でこれを定める。

第二三八条の六（旧慣による公有財産の使用）①　旧来の慣行により市町村の住民中特に公有財産を使用する権利を有する者があるときは、その旧慣による。その旧慣を変更し、又は廃止しようとするときは、市町村の議会の議決を経なければならない。

②　前項の公有財産をあらたに使用しようとする者があるときは、市町村長は、議会の議決を経て、これを許可することができる。

第二三八条の七（行政財産を使用する権利に関する処分についての審査請求）①　第二百三十八条の四の規定により普通地方公共団体の長以外の機関がした行政財産を使用する権利に関する処分についての審査請求は、普通地方公共団体の長が当該機関の最上級行政庁でない場合においても、当該普通地方公共団体の長に対してするものとする。

②　普通地方公共団体の長は、行政財産を使用する権利に関する処分についての審査請求がされた場合には、当該審査請求が不適法であり、却下するときを除き、議会に諮問した上、当該審査請求に対する裁決をしなければならない。

③　議会は、前項の規定による諮問を受けた日から二十日以内に意見を述べなければならない。

④　普通地方公共団体の長は、第二項の規定による諮問をしないで同項の審査請求を却下したときは、その旨を議会に報告しなければならない。

第二款　物品

第二三九条（物品）①　この法律において「物品」とは、普通地方公共団体の所有に属する動産で次の各号に掲げるもの以外のもの及び普通地方公共団体が使用のために保管する動産（政令で定める動産を除く。）をいう。

一　現金（現金に代えて納付される証券を含む。）

二　公有財産に属するもの

三　基金に属するもの

②　物品に関する事務に従事する職員は、その取扱いに係る物品（政令で定める物品を除く。）を普通地方公共団体から譲り受けることができない。

③　前項の規定に違反する行為は、これを無効とする。

④　前二項に定めるもののほか、物品の管理及び処分に関し必要な事項は、政令でこれを定める。

⑤　普通地方公共団体の所有に属しない動産で普通地方公共団体が保管するもの（使用のために保管するものを除く。）のうち政令で定めるもの（以下「占有動産」という。）の管理に関し必要な事項は、政令でこれを定める。

第三款　債権

第二四〇条（債権）①　この章において「債権」とは、金銭の給付を目的とする普通地方公共団体の権利をいう。

②　普通地方公共団体の長は、債権について、政令の定めるところにより、その督促、強制執行その他その保全及び取立てに関し必要な措置をとらなければならない。

③　普通地方公共団体の長は、債権について、政令の定めるところにより、その徴収停止、履行期限の延長又は当該債権に係る債務の免除をすることができる。

④　前二項の規定は、次の各号に掲げる債権については、これを適用しない。

一　地方税法の規定に基づく徴収金に係る債権

二　過料に係る債権

三　証券に化体されている債権（国債に関する法律（明治三十九年法律第三十四号）の規定により登録されたもの及び社債、株式等の振替に関する法律の規定により振替口座簿に記載され、又は記録されたものを含む。）

四　電子記録債権法（平成十九年法律第百二号）第二条第一項

に規定する電子記録債権
五　預金に係る債権
六　歳入歳出外現金となるべき金銭の給付を目的とする債権
七　寄附金に係る債権
八　基金に属する債権

第四款　基金

（**基金**）

第二四一条①　普通地方公共団体は、条例の定めるところにより、特定の目的のために財産を維持し、資金を積み立て、又は定額の資金を運用するための基金を設けることができる。

②　基金は、これを前項の条例で定める特定の目的に応じ、及び確実かつ効率的に運用しなければならない。

③　第一項の規定により特定の目的のために財産を取得し、又は資金を積み立てるための基金を設けた場合においては、当該目的のためでなければこれを処分することができない。

④　基金の運用から生ずる収益及び基金の管理に要する経費は、それぞれ毎会計年度の歳入歳出予算に計上しなければならない。

⑤　第一項の規定により特定の目的のために定額の資金を運用するための基金を設けた場合においては、普通地方公共団体の長は、毎会計年度、その運用の状況を示す書類を作成し、これを監査委員の審査に付し、その意見を付けて、第二百三十三条第五項の書類と併せて議会に提出しなければならない。

⑥　前項の規定による意見の決定は、監査委員の合議によるものとする。

⑦　基金の管理については、基金に属する財産の種類に応じ、収入若しくは支出の手続、歳計現金の出納若しくは保管、公有財産若しくは物品の管理若しくは処分又は債権の管理の例による。

⑧　第二項から前項までに定めるもののほか、基金の管理及び処分に関し必要な事項は、条例でこれを定めなければならない。

第十節　住民による監査請求及び訴訟

（**住民監査請求**）

第二四二条①　普通地方公共団体の住民は、当該普通地方公共団体の長若しくは委員会若しくは委員又は当該普通地方公共団体の職員について、違法若しくは不当な公金の支出、財産の取得、管理若しくは処分、契約の締結若しくは履行若しくは債務その他の義務の負担がある（当該行為がなされることが相当の確実さをもつて予測される場合を含む。）と認めるとき、又は違法若しくは不当に公金の賦課若しくは徴収若しくは財産の管理を怠る事実（以下「怠る事実」という。）があると認めるときは、これらを証する書面を添え、監査委員に対し、監査を求め、当該行為を防止し、若しくは是正し、若しくは当該怠る事実を改め、又は当該行為若しくは怠る事実によつて当該普通地方公共団体の被つた損害を補塡するために必要な措置を講ずべきことを請求することができる。

②　前項の規定による請求は、当該行為のあつた日又は終わつた日から一年を経過したときは、これをすることができない。ただし、正当な理由があるときは、この限りでない。

③　第一項の規定による請求があつたときは、監査委員は、直ちに当該請求の要旨を当該普通地方公共団体の議会及び長に通知しなければならない。

④　第一項の規定による請求があつた場合において、当該行為が違法であると思料するに足りる相当な理由があり、当該行為により当該普通地方公共団体に生ずる回復の困難な損害を避けるため緊急の必要があり、かつ、当該行為を停止することによつて人の生命又は身体に対する重大な危害の発生の防止その他公共の福祉を著しく阻害するおそれがないと認めるときは、監査委員は、当該普通地方公共団体の長その他の執行機関又は職員に対し、理由を付して次項の手続が終了するまでの間当該行為を停止すべきことを勧告することができる。この場合においては、監査委員は、当該勧告の内容を第一項の規定による請求人（以下この条において「請求人」という。）に通知するとともに、これを公表しなければならない。

⑤　第一項の規定による請求があつた場合には、監査委員は、監査を行い、当該請求に理由がないと認めるときは、理由を付してその旨を書面により請求人に通知するとともに、これを公表し、当該請求に理由があると認めるときは、当該普通地方公共団体の議会、長その他の執行機関又は職員に対し期間を示して必要な措置を講ずべきことを勧告するとともに、当該勧告の内容を請求人に通知し、かつ、これを公表しなければならない。

⑥　前項の規定による監査委員の監査及び勧告は、第一項の規定による請求があつた日から六十日以内に行わなければならない。

⑦　監査委員は、第五項の規定による監査を行うに当たつては、請求人に証拠の提出及び陳述の機会を与えなければならない。

⑧　監査委員は、前項の規定による陳述の聴取を行う場合又は関係のある当該普通地方公共団体の長その他の執行機関若しくは職員の陳述の聴取を行う場合において、必要があると認めるときは、関係のある当該普通地方公共団体の長その他の執行機関若しくは職員又は請求人を立ち会わせることができる。

⑨　第五項の規定による監査委員の勧告があつたときは、当該勧告を受けた議会、長その他の執行機関又は職員は、当該勧告に示された期間内に必要な措置を講ずるとともに、その旨を監査委員に通知しなければならない。この場合において、監査委員は、当該通知に係る事項を請求人に通知するとともに、これを公表しなければならない。

⑩　普通地方公共団体の議会は、第一項の規定による請求があつた後に、当該請求に係る行為又は怠る事実に関する損害賠償又は不当利得返還の請求権その他の権利の放棄に関する議決をしようとするときは、あらかじめ監査委員の意見を聴かなければならない。

⑪　第四項の規定による勧告、第五項の規定による監査及び勧告並びに前項の規定による意見についての決定は、監査委員の合議によるものとする。

（**住民訴訟**）

第二四二条の二①　普通地方公共団体の住民は、前条第一項の規定による請求をした場合において、同条第五項の規定による監査委員の監査の結果若しくは勧告若しくは同条第九項の規定による普通地方公共団体の議会、長その他の執行機関若しくは職員の措置に不服があるとき、又は監査委員が同条第五項の規定による監査若しくは勧告を同条第六項の期間内に行わないとき、若しくは議会、長その他の執行機関若しくは職員が同条第九項の規定による措置を講じないときは、裁判所に対し、同条第一項の請求に係る違法な行為又は怠る事実につき、訴えをもつて次に掲げる請求をすることができる。

一　当該執行機関又は職員に対する当該行為の全部又は一部の差止めの請求
二　行政処分たる当該行為の取消し又は無効確認の請求
三　当該執行機関又は職員に対する当該怠る事実の違法確認の請求
四　当該職員又は当該行為若しくは怠る事実に係る相手方に損害賠償又は不当利得返還の請求をすることを当該普通地方公共団体の執行機関又は職員に対して求める請求。ただし、当該職員又は当該行為若しくは怠る事実に係る相手方が第二百四十三条の二の九第三項の規定による賠償の命令の対象となる者である場合には、当該賠償の命令をすることを求める請求

＊令和六法六五（令和八・一二・二五までに施行）**による改正**　第四号ただし書中「第二百四十三条の二の八第三項」は「第二百四十三条の二の九第三項」に改められた。（本文織込み済み）

②前項の規定による訴訟は、次の各号に掲げる場合の区分に応じ、当該各号に定める期間内に提起しなければならない。

一　監査委員の監査の結果又は勧告に不服がある場合　当該監査の結果又は当該勧告の内容の通知があつた日から三十日以内

二　監査委員の勧告を受けた議会、長その他の執行機関又は職員の措置に不服がある場合　当該措置に係る監査委員の通知があつた日から三十日以内

三　監査委員が請求をした日から六十日を経過しても監査又は勧告を行わない場合　当該六十日を経過した日から三十日以内

四　監査委員の勧告を受けた議会、長その他の執行機関又は職員が措置を講じない場合　当該勧告に示された期間を経過した日から三十日以内

③前項の期間は、不変期間とする。

④第一項の規定による訴訟が係属しているときは、当該普通地方公共団体の他の住民は、別訴をもつて同一の請求をすることができない。

⑤第一項の規定による訴訟は、当該普通地方公共団体の事務所の所在地を管轄する地方裁判所の管轄に専属する。

⑥第一項第一号の規定による請求に基づく差止めは、当該行為を差し止めることによつて人の生命又は身体に対する重大な危害の発生の防止その他公共の福祉を著しく阻害するおそれがあるときは、することができない。

⑦第一項第四号の規定による訴訟が提起された場合には、当該職員又は当該行為若しくは怠る事実の相手方に対して、当該普通地方公共団体の執行機関又は職員は、遅滞なく、その訴訟の告知をしなければならない。

⑧前項の訴訟告知があつたときは、第一項第四号の規定による訴訟が終了した日から六月を経過するまでの間は、当該訴訟に係る損害賠償又は不当利得返還の請求権の時効は、完成しない。

⑨民法第百五十三条第二項の規定は、前項の規定による時効の完成猶予について準用する。

⑩第一項に規定する違法な行為又は怠る事実については、民事保全法（平成元年法律第九十一号）に規定する仮処分をすることができない。

⑪第二項から前項までに定めるもののほか、第一項の規定による訴訟については、行政事件訴訟法第四十三条の規定の適用があるものとする。

⑫第一項の規定による訴訟を提起した者が勝訴（一部勝訴を含む。）した場合において、弁護士、弁護士法人又は弁護士・外国法事務弁護士共同法人に報酬を支払うべきときは、当該普通地方公共団体に対し、その報酬額の範囲内で相当と認められる額の支払を請求することができる。

（訴訟の提起）

第二四二条の三①前条第一項第四号本文の規定による訴訟について、損害賠償又は不当利得返還の請求を命ずる判決が確定した場合においては、普通地方公共団体の長は、当該判決が確定した日から六十日以内の日を期限として、当該請求に係る損害賠償金又は不当利得の返還金の支払を請求しなければならない。

②前項に規定する場合において、当該判決が確定した日から六十日以内に当該請求に係る損害賠償金又は不当利得による返還金が支払われないときは、当該普通地方公共団体は、当該損害賠償又は不当利得返還の請求を目的とする訴訟を提起しなければならない。

③前項の訴訟の提起については、第九十六条第一項第十二号の規定にかかわらず、当該普通地方公共団体の議会の議決を要しない。

④前条第一項第四号本文の規定による訴訟の裁判が同条第七項の訴訟告知を受けた者に対してもその効力を有するときは、当該訴訟の裁判は、当該普通地方公共団体と当該訴訟告知を受けた者との間においてもその効力を有する。

⑤前条第一項第四号本文の規定による訴訟について、普通地方公共団体の執行機関又は職員に損害賠償又は不当利得返還の請求を命ずる判決が確定した場合において、当該普通地方公共団体がその長に対し当該損害賠償又は不当利得返還の請求を目的とする訴訟を提起するときは、当該訴訟については、代表監査委員が当該普通地方公共団体を代表する。

第十一節　雑則（抄）

（私人の公金取扱いの制限）

第二四三条　普通地方公共団体は、法律若しくはこれに基づく政令に特別の定めがある場合又は次条第一項の規定により委託する場合若しくは第二百四十三条の二の七第二項の規定により地方税共同機構に行わせる場合を除くほか、公金の徴収若しくは収納又は支出の権限を私人に委任し、又は私人をして行わせてはならない。

＊令和六法六五（令和八・一二・二五までに施行）**による改正**
第二四三条中「委託する場合」の下に「若しくは第二百四十三条の二の七第二項の規定により地方税共同機構に行わせる場合」が加えられた。（本文織込み済み）

（指定公金事務取扱者）

第二四三条の二①普通地方公共団体の長は、公金の徴収若しくは収納又は支出に関する事務（以下この条及び次条第一項において「公金事務」という。）を適切かつ確実に遂行することができる者として政令で定める者のうち当該普通地方公共団体の長が総務省令で定めるところにより指定するものに、この条から第二百四十三条の二の六までの規定の定めるところにより、公金事務を委託することができる。

②普通地方公共団体の長は、前項の規定による委託をしたときは、当該委託を受けた者（以下「指定公金事務取扱者」という。）の名称、住所又は事務所の所在地、指定公金事務取扱者に委託した公金事務に係る歳入等又は歳出その他総務省令で定める事項を告示しなければならない。

③指定公金事務取扱者は、その名称、住所又は事務所の所在地を変更しようとするときは、総務省令で定めるところにより、あらかじめ、その旨を普通地方公共団体の長に届け出なければならない。

④普通地方公共団体の長は、前項の規定による届出があつたときは、当該届出に係る事項を告示しなければならない。

⑤指定公金事務取扱者は、第一項の規定により委託を受けた公金事務の一部について、公金事務を適切かつ確実に遂行することができる者として政令で定める者に委託をすることができる。この場合において、指定公金事務取扱者は、あらかじめ、当該委託について普通地方公共団体の長の承認を受けなければならない。

⑥前項の規定により公金事務の一部の委託を受けた者は、当該委託をした指定公金事務取扱者の許諾を得た場合であつて、かつ、公金事務を適切かつ確実に遂行することができる者として政令で定める者に対してするときに限り、その一部の再委託をすることができる。この場合において、指定公金事務取扱者は、あらかじめ、当該再委託について普通地方公共団体の長の承認を受けなければならない。

⑦前項の規定により公金事務の一部の再委託を受けた者は、当該公金事務の一部の委託を受けた者とみなして、同項の規定を適用する。

⑧会計管理者は、指定公金事務取扱者について、定期及び臨時に公金事務の状況を検査しなければならない。

⑨会計管理者は、前項の規定による検査をしたときは、その結果に基づき、指定公金事務取扱者に対して必要な措置を講ずべきことを求めることができる。

⑩監査委員は、第八項の規定による検査について、会計管理者に対し報告を求めることができる。

（指定公金事務取扱者の帳簿保存等の義務）

第二四三条の二の二① 指定公金事務取扱者は、総務省令で定めるところにより、帳簿を備え付け、これに公金事務に関する事項を記載し、及びこれを保存しなければならない。

② 普通地方公共団体の長は、前条、この条及び第二百四十三条の二の四から第二百四十三条の二の六までの規定を施行するため必要があると認めるときは、その必要な限度で、総務省令で定めるところにより、指定公金事務取扱者に対し、報告をさせることができる。

③ 普通地方公共団体の長は、前条、この条及び第二百四十三条の二の四から第二百四十三条の二の六までの規定を施行するため必要があると認めるときは、その必要な限度で、その職員に、指定公金事務取扱者の事務所に立ち入り、指定公金事務取扱者の帳簿書類その他必要な物件を検査させ、又は関係者に質問させることができる。

④ 前項の規定により立入検査を行う職員は、その身分を示す証明書を携帯し、かつ、関係者の請求があるときは、これを提示しなければならない。

⑤ 第三項に規定する権限は、犯罪捜査のために認められたものと解してはならない。

（指定公金事務取扱者の指定の取消し）

第二四三条の二の三① 普通地方公共団体の長は、指定公金事務取扱者が次の各号のいずれかに該当するときは、総務省令で定めるところにより、第二百四十三条の二第一項の規定による指定を取り消すことができる。

一 第二百四十三条の二第一項に規定する政令で定める者に該当しなくなつたとき。

二 前条第一項の規定に違反して、帳簿を備え付けず、帳簿に記載せず、若しくは帳簿に虚偽の記載をし、又は帳簿を保存しなかつたとき。

三 前条第二項又は第二百四十三条の二の六第三項の規定による報告をせず、又は虚偽の報告をしたとき。

四 前条第三項の規定による立入り若しくは検査を拒み、妨げ、若しくは忌避し、又は同項の規定による質問に対して陳述をせず、若しくは虚偽の陳述をしたとき。

② 普通地方公共団体の長は、前項の規定により指定を取り消したときは、その旨を告示しなければならない。

（公金の徴収の委託）

第二四三条の二の四① 普通地方公共団体の長が第二百四十三条の二第一項の規定によりその徴収に関する事務を委託することができる歳入は、他の法律又はこれに基づく政令に特別の定めがあるものを除くほか、政令で定めるものとする。

② 指定公金事務取扱者（歳入の徴収に関する事務の委託を受けた者に限る。以下この条において同じ。）は、現金の納付その他総務省令で定める方法により納入義務者から歳入の納付を受けるものとする。

③ 前項の場合において、普通地方公共団体の歳入の納入義務は、納入義務者が指定公金事務取扱者に当該歳入を納付したときに履行されたものとする。

④ 指定公金事務取扱者は、政令の定めるところにより、その徴収した歳入を普通地方公共団体に払い込まなければならない。

（公金の収納の委託）

第二四三条の二の五① 普通地方公共団体の長が第二百四十三条の二第一項の規定によりその収納に関する事務を委託することができる歳入等は、次の各号のいずれにも該当するものとして当該普通地方公共団体の長が定めるものとする。

一 指定公金事務取扱者が収納することにより、その収入の確保及び住民の便益の増進に寄与すると認められるもの

二 その性質上その収納に関する事務を委託することが適当でないものとして総務省令で定めるもの以外のもの

② 指定公金事務取扱者（歳入等の収納に関する事務の委託を受けた者に限る。次項において同じ。）は、第二百三十一条の規定による納入の通知（その性質上納入の通知を必要としない歳入等にあつては、普通地方公共団体の長が定める方法）に基づかなければ、歳入等の収納をすることができない。

③ 前条第二項から第四項までの規定は、指定公金事務取扱者が歳入等の収納をする場合について準用する。

（公金の支出の委託）

第二四三条の二の六① 普通地方公共団体の長が第二百四十三条の二第一項の規定によりその支出に関する事務を委託することができる歳出は、他の法律又はこれに基づく政令に特別の定めがあるものを除くほか、政令で定めるものとする。

② 普通地方公共団体の長は、指定公金事務取扱者（歳出の支出に関する事務の委託を受けた者に限る。次項において同じ。）に対し、当該支出に必要な資金を交付するものとする。

③ 指定公金事務取扱者は、普通地方公共団体の規則の定めるところにより、その支出の結果を会計管理者に報告しなければならない。

第二四三条の二の七 （略）

＊令和六法六五（令和八・一二・二五までに施行）により第二四三条の二の七追加

（普通地方公共団体の長等の損害賠償責任の一部免責）

第二四三条の二の八① 普通地方公共団体は、条例で、当該普通地方公共団体の長若しくは委員会の委員若しくは委員又は当該普通地方公共団体の職員（次条第三項の規定による賠償の命令の対象となる者を除く。以下この項において「普通地方公共団体の長等」という。）の当該普通地方公共団体に対する損害を賠償する責任を、普通地方公共団体の長等が職務を行うにつき善意でかつ重大な過失がないときは、普通地方公共団体の長等が賠償の責任を負う額から、普通地方公共団体の長等の職責その他の事情を考慮して政令で定める基準を参酌して、政令で定める額以上で当該条例で定める額を控除して得た額について免れさせる旨を定めることができる。

② 普通地方公共団体の議会は、前項の条例の制定又は改廃に関する議決をしようとするときは、あらかじめ監査委員の意見を聴かなければならない。

③ 前項の規定による意見の決定は、監査委員の合議によるものとする。

＊令和六法六五（令和八・一二・二五までに施行）による改正
第二四三条の二の七は第二四三条の二の八とされた。（本文織込み済み）

（職員の賠償責任）

第二四三条の二の九① 会計管理者若しくは会計管理者の事務を補助する職員、資金前渡を受けた職員、占有動産を保管している職員又は物品を使用している職員が故意又は重大な過失（現金については、故意又は過失）により、その保管に係る現金、有価証券、物品（基金に属する動産を含む。）若しくは占有動産又はその使用に係る物品を亡失し、又は損傷したときは、これによつて生じた損害を賠償しなければならない。次に掲げる行為をする権限を有する職員又はその権限に属する事務を直接補助する職員で普通地方公共団体の規則で指定したものが故意又は重大な過失により法令の規定に違反して当該行為をしたこと又は怠つたことにより普通地方公共団体に損害を与えたときも、同様とする。

一 支出負担行為

二 第二百三十二条の四第一項の命令又は同条第二項の確認

三 支出又は支払

四 第二百三十四条の二第一項の監督又は検査

② 前項の場合において、その損害が二人以上の職員の行為により生じたものであるときは、当該職員は、それぞれの職分に応じ、かつ、当該行為が当該損害の発生の原因となつた程度に応じて賠償の責めに任ずるものとする。

③ 普通地方公共団体の長は、第一項の職員が同項に規定する行為により当該普通地方公共団体に損害を与えたと認めるときは、監査委員に対し、その事実があるかどうかを監査し、賠償責任の有無及び賠償額を決定することを求め、その決定に基づき、期限を定めて賠償を命じなければならない。
④ 第二百四十二条の二第一項第四号ただし書の規定による訴訟について、賠償の命令を命ずる判決が確定した場合には、普通地方公共団体の長は、当該判決が確定した日から六十日以内の日を期限として、賠償を命じなければならない。この場合においては、前項の規定による監査委員の監査及び決定を求めることを要しない。
⑤ 前項の規定により賠償を命じた場合において、当該判決が確定した日から六十日以内に当該賠償の命令に係る損害賠償金が支払われないときは、当該普通地方公共団体は、当該損害賠償の請求を目的とする訴訟を提起しなければならない。
⑥ 前項の訴訟の提起については、第九十六条第一項第十二号の規定にかかわらず、当該普通地方公共団体の議会の議決を要しない。
⑦ 第二百四十二条の二第一項第四号ただし書の規定による訴訟の判決に従いなされた賠償の命令について取消訴訟が提起されているときは、裁判所は、当該取消訴訟の判決が確定するまで、当該賠償の命令に係る損害賠償の請求を目的とする訴訟の訴訟手続を中止しなければならない。
⑧ 第三項の規定により監査委員が賠償責任があると決定した場合において、普通地方公共団体の長は、当該職員からなされた当該損害が避けることのできない事故その他やむを得ない事情によるものであることの証明を相当と認めるときは、議会の同意を得て、賠償責任の全部又は一部を免除することができる。この場合においては、あらかじめ監査委員の意見を聴き、その意見を付けて議会に付議しなければならない。
⑨ 第三項の規定による決定又は前項後段の規定による意見の決定は、監査委員の合議によるものとする。
⑩ 第二百四十二条の二第一項第四号ただし書の規定による訴訟の判決に従い第三項の規定による処分がなされた場合には、当該処分については、審査請求をすることができない。
⑪ 普通地方公共団体の長は、第三項の規定による処分についての審査請求がされた場合には、当該審査請求が不適法であり、却下するときを除き、議会に諮問した上、当該審査請求に対する裁決をしなければならない。
⑫ 議会は、前項の規定による諮問を受けた日から二十日以内に意見を述べなければならない。
⑬ 普通地方公共団体の長は、第十一項の規定による諮問をしないで同項の審査請求を却下したときは、その旨を議会に報告しなければならない。
⑭ 第一項の規定により損害を賠償しなければならない場合には、同項の職員の賠償責任については、賠償責任に関する民法の規定は、適用しない。

＊令和六法六五（令和八・一二・二五までに施行）**による改正**
第二百四十三条の二の八は第二百四十三条の二の九とされた。（本文織込み済み）

（財政状況の公表等）
第二百四十三条の三① 普通地方公共団体の長は、条例の定めるところにより、毎年二回以上歳入歳出予算の執行状況並びに財産、地方債及び一時借入金の現在高その他財政に関する事項を住民に公表しなければならない。
② 普通地方公共団体の長は、第二百二十一条第三項の法人について、毎事業年度、政令で定めるその経営状況を説明する書類を作成し、これを次の議会に提出しなければならない。
③ 普通地方公共団体の長は、第二百二十一条第三項の信託について、信託契約に定める計算期ごとに、当該信託に係る事務の処理状況を説明する政令で定める書類を作成し、これを次の議会に提出しなければならない。

（普通地方公共団体の財政の運営に関する事項等）
第二百四十三条の四 普通地方公共団体の財政の運営、普通地方公共団体の財政と国の財政との関係等に関する基本原則については、この法律に定めるもののほか、別に法律でこれを定める。

（政令への委任）
第二百四十三条の五 歳入及び歳出の会計年度所属区分、予算及び決算の調製の様式、過年度収入及び過年度支出並びに翌年度歳入の繰上充用その他財務に関し必要な事項は、この法律に定めるもののほか、政令でこれを定める。

第十章 公の施設

（公の施設）
第二百四十四条① 普通地方公共団体は、住民の福祉を増進する目的をもつてその利用に供するための施設（これを公の施設という。）を設けるものとする。
② 普通地方公共団体（次条第三項に規定する指定管理者を含む。次項において同じ。）は、正当な理由がない限り、住民が公の施設を利用することを拒んではならない。
③ 普通地方公共団体は、住民が公の施設を利用することについて、不当な差別的取扱いをしてはならない。

（公の施設の設置、管理及び廃止）
第二百四十四条の二① 普通地方公共団体は、法律又はこれに基づく政令に特別の定めがあるものを除くほか、公の施設の設置及びその管理に関する事項は、条例でこれを定めなければならない。
② 普通地方公共団体は、条例で定める重要な公の施設のうち条例で定める特に重要なものについて、これを廃止し、又は条例で定める長期かつ独占的な利用をさせようとするときは、議会において出席議員の三分の二以上の者の同意を得なければならない。
③ 普通地方公共団体は、公の施設の設置の目的を効果的に達成するため必要があると認めるときは、条例の定めるところにより、法人その他の団体であつて当該普通地方公共団体が指定するもの（以下本条及び第二百四十四条の四において「指定管理者」という。）に、当該公の施設の管理を行わせることができる。
④ 前項の条例には、指定管理者の指定の手続、指定管理者が行う管理の基準及び業務の範囲その他必要な事項を定めるものとする。
⑤ 指定管理者の指定は、期間を定めて行うものとする。
⑥ 普通地方公共団体は、指定管理者の指定をしようとするときは、あらかじめ、当該普通地方公共団体の議会の議決を経なければならない。
⑦ 指定管理者は、毎年度終了後、その管理する公の施設の管理の業務に関し事業報告書を作成し、当該公の施設を設置する普通地方公共団体に提出しなければならない。
⑧ 普通地方公共団体は、適当と認めるときは、指定管理者にその管理する公の施設の利用に係る料金（次項において「利用料金」という。）を当該指定管理者の収入として収受させることができる。
⑨ 前項の場合における利用料金は、公益上必要があると認める場合を除くほか、条例の定めるところにより、指定管理者が定めるものとする。この場合において、指定管理者は、あらかじめ当該利用料金について当該普通地方公共団体の承認を受けなければならない。
⑩ 普通地方公共団体の長又は委員会は、指定管理者の管理する公の施設の管理の適正を期するため、指定管理者に対して、当該管理の業務又は経理の状況に関し報告を求め、実地について調査し、又は必要な指示をすることができる。
⑪ 普通地方公共団体は、指定管理者が前項の指示に従わないときその他当該指定管理者による管理を継続することが適当でないと認めるときは、その指定を取り消し、又は期間を定めて管

理の業務の全部又は一部の停止を命ずることができる。

（公の施設の区域外設置及び他の団体の公の施設の利用）

第二四四条の三① 普通地方公共団体は、その区域外においても、また、関係普通地方公共団体との協議により、公の施設を設けることができる。

② 普通地方公共団体は、他の普通地方公共団体との協議により、当該他の普通地方公共団体の公の施設を自己の住民の利用に供させることができる。

③ 前二項の協議については、関係普通地方公共団体の議会の議決を経なければならない。

（公の施設を利用する権利に関する処分についての審査請求）

第二四四条の四① 普通地方公共団体の長以外の機関（指定管理者を含む。）がした公の施設を利用する権利に関する処分についての審査請求は、普通地方公共団体の長が当該機関の最上級行政庁でない場合においても、当該普通地方公共団体の長に対してするものとする。

② 普通地方公共団体の長は、公の施設を利用する権利に関する処分についての審査請求がされた場合には、当該審査請求が不適法であり、却下するときを除き、議会に諮問した上、当該審査請求に対する裁決をしなければならない。

③ 議会は、前項の規定による諮問を受けた日から二十日以内に意見を述べなければならない。

④ 普通地方公共団体の長は、第二項の規定による諮問をしないで同項の審査請求を却下したときは、その旨を議会に報告しなければならない。

第十一章 情報システム

（情報システムの利用に係る基本原則）

第二四四条の五① 普通地方公共団体は、その事務を処理するに当たつて、事務の種類及び内容に応じ、第二条第十四項及び第十五項の規定の趣旨を達成するため必要があると認めるときは、情報システムを有効に利用するとともに、他の普通地方公共団体又は国と協力して当該事務の処理に係る情報システムの利用の最適化を図るよう努めなければならない。

② 普通地方公共団体は、その事務の処理に係る情報システムの利用に当たつて、サイバーセキュリティ（サイバーセキュリティ基本法（平成二十六年法律第百四号）第二条に規定するサイバーセキュリティをいう。次条第一項において同じ。）の確保、個人情報の保護その他の当該情報システムの適正な利用を図るために必要な措置を講じなければならない。

（サイバーセキュリティを確保するための方針等）

第二四四条の六① 普通地方公共団体の議会及び長その他の執行機関は、それぞれその管理する情報システムの利用に当たつてのサイバーセキュリティを確保するための方針を定め、及びこれに基づき必要な措置を講じなければならない。

② 普通地方公共団体の議会及び長その他の執行機関は、前項の方針を定め、又はこれを変更したときは、遅滞なく、これを公表しなければならない。

③ 総務大臣は、普通地方公共団体に対し、第一項の方針（政令で定める執行機関が定めるものを除く。）の策定又は変更について、指針を示すとともに、必要な助言を行うものとする。

④ 総務大臣は、前項の指針を定め、又は変更しようとするときは、国の関係行政機関の長に協議しなければならない。

＊令和六法六五（令和八・四・一施行）により第二四四条の六追加

第十二章 国と普通地方公共団体との関係及び普通地方公共団体相互間の関係（抄）

第一節 普通地方公共団体に対する国又は都道府県の関与等

第一款 普通地方公共団体に対する国又は都道府県の関与等

（関与の意義）

第二四五条 この章並びに第二百五十二条の二十六の三第一項及び第二項において「普通地方公共団体に対する国又は都道府県の関与」とは、普通地方公共団体の事務の処理に関し、国の行政機関（内閣府設置法（平成十一年法律第八十九号）第四条第三項に規定する事務をつかさどる機関たる内閣府、宮内庁、同法第四十九条第一項若しくは第二項に規定する機関、デジタル庁設置法（令和三年法律第三十六号）第四条第二項に規定する事務をつかさどる機関たるデジタル庁、国家行政組織法（昭和二十三年法律第百二十号）第三条第二項に規定する機関、法律の規定に基づき内閣の所轄の下に置かれる機関又はこれらに置かれる機関をいう。以下この章において同じ。）又は都道府県の機関が行う次に掲げる行為（普通地方公共団体がその固有の資格において当該行為の名宛人となるものに限り、国又は都道府県の普通地方公共団体に対する支出金の交付及び返還に係るものを除く。）をいう。

一 普通地方公共団体に対する次に掲げる行為

イ 助言又は勧告

ロ 資料の提出の要求

ハ 是正の要求（普通地方公共団体の事務の処理が法令の規定に違反しているとき又は著しく適正を欠き、かつ、明らかに公益を害しているときに当該普通地方公共団体に対して行われる当該違反の是正又は改善のため必要な措置を講ずべきことの求めであつて、当該求めを受けた普通地方公共団体がその違反の是正又は改善のため必要な措置を講じなければならないものをいう。）

ニ 同意

ホ 許可、認可又は承認

ヘ 指示

ト 代執行（普通地方公共団体の事務の処理が法令の規定に違反しているとき又は当該普通地方公共団体がその事務の処理を怠つているときに、その是正のための措置を当該普通地方公共団体に代わつて行うことをいう。）

二 普通地方公共団体との協議

三 前二号に掲げる行為のほか、一定の行政目的を実現するため普通地方公共団体に対して具体的かつ個別的に関わる行為（相反する利害を有する者の間の利害の調整を目的としてされる裁定その他の行為（その双方を名宛人とするものに限る。）及び審査請求その他の不服申立てに対する裁決、決定その他の行為を除く。）

（関与の法定主義）

第二四五条の二 普通地方公共団体は、その事務の処理に関し、法律又はこれに基づく政令によらなければ、普通地方公共団体に対する国又は都道府県の関与を受け、又は要することとされることはない。

（関与の基本原則）

第二四五条の三① 国は、普通地方公共団体が、その事務の処理に関し、普通地方公共団体に対する国又は都道府県の関与を受け、又は要することとする場合には、その目的を達成するために必要な最小限度のものとするとともに、普通地方公共団体の自主性及び自立性に配慮しなければならない。

② 国は、できる限り、普通地方公共団体が、自治事務の処理に関しては普通地方公共団体に対する国又は都道府県の関与のうち第二百四十五条第一号ト及び第三号に規定する行為を、法定受託事務の処理に関しては普通地方公共団体に対する国又は都道府県の関与のうち同号に規定する行為を受け、又は要することとすることのないようにしなければならない。

③ 国は、国又は都道府県の計画と普通地方公共団体の計画との調和を保つ必要がある場合等国又は都道府県の施策と普通地方公共団体の施策との間の調整が必要な場合を除き、普通地方公共団体の事務の処理に関し、普通地方公共団体が、普通地方公

共団体に対する国又は都道府県の関与のうち第二百四十五条第二号に規定する行為を要することとすることのないようにしなければならない。

④国は、法令に基づき国がその内容について財政上又は税制上の特例措置を講ずるものとされている計画を普通地方公共団体が作成する場合等国又は都道府県の施策と普通地方公共団体の施策との整合性を確保しなければこれらの施策の実施に著しく支障が生ずると認められる場合を除き、自治事務の処理に関し、普通地方公共団体が、普通地方公共団体に対する国又は都道府県の関与のうち第二百四十五条第一号ニに規定する行為を要することとすることのないようにしなければならない。

⑤国は、普通地方公共団体が特別の法律により法人を設立する場合等自治事務の処理について国の行政機関又は都道府県の機関の許可、認可又は承認を要することとすること以外の方法によつてその処理の適正を確保することが困難であると認められる場合を除き、自治事務の処理に関し、普通地方公共団体が、普通地方公共団体に対する国又は都道府県の関与のうち第二百四十五条第一号ホに規定する行為を要することとすることのないようにしなければならない。

⑥国は、国民の生命、身体又は財産の保護のため緊急に自治事務の的確な処理を確保する必要がある場合等特に必要と認められる場合を除き、自治事務の処理に関し、普通地方公共団体が、普通地方公共団体に対する国又は都道府県の関与のうち第二百四十五条第一号ヘに規定する行為に従わなければならないこととすることのないようにしなければならない。

（技術的な助言及び勧告並びに資料の提出の要求）

第二四五条の四①各大臣（内閣府設置法第四条第三項若しくはデジタル庁設置法第四条第二項に規定する事務を分担管理する大臣たる内閣総理大臣又は国家行政組織法第五条第一項に規定する各省大臣をいう。以下この章から第十四章まで及び第十六章において同じ。）又は都道府県知事その他の都道府県の執行機関は、その担任する事務に関し、普通地方公共団体に対し、普通地方公共団体の事務の運営その他の事項について適切と認める技術的な助言若しくは勧告をし、又は当該助言若しくは勧告をするため若しくは普通地方公共団体の事務の適正な処理に関する情報を提供するため必要な資料の提出を求めることができる。

②各大臣は、その担任する事務に関し、都道府県知事その他の都道府県の執行機関に対し、前項の規定による市町村に対する助言若しくは勧告又は資料の提出の求めに関し、必要な指示をすることができる。

③普通地方公共団体の長その他の執行機関は、各大臣又は都道府県知事その他の都道府県の執行機関に対し、その担任する事務の管理及び執行について技術的な助言若しくは勧告又は必要な情報の提供を求めることができる。

（是正の要求）

第二四五条の五①各大臣は、その担任する事務に関し、都道府県の自治事務の処理が法令の規定に違反していると認めるとき、又は著しく適正を欠き、かつ、明らかに公益を害していると認めるときは、当該都道府県に対し、当該自治事務の処理について違反の是正又は改善のため必要な措置を講ずべきことを求めることができる。

②各大臣は、その担任する事務に関し、市町村の次の各号に掲げる事務の処理が法令の規定に違反していると認めるとき、又は著しく適正を欠き、かつ、明らかに公益を害していると認めるときは、当該各号に定める都道府県の執行機関に対し、当該事務の処理について違反の是正又は改善のため必要な措置を講ずべきことを当該市町村に求めるよう指示をすることができる。

一　市町村長その他の市町村の執行機関（教育委員会及び選挙管理委員会を除く。）の担任する事務（第一号法定受託事務を除く。次号及び第三号において同じ。）　都道府県知事

二　市町村教育委員会の担任する事務　都道府県教育委員会

三　市町村選挙管理委員会の担任する事務　都道府県選挙管理委員会

③前項の指示を受けた都道府県の執行機関は、当該市町村に対し、当該事務の処理について違反の是正又は改善のため必要な措置を講ずべきことを求めなければならない。

④各大臣は、第二項の規定によるほか、その担任する事務に関し、市町村の事務（第一号法定受託事務を除く。）の処理が法令の規定に違反していると認める場合、又は著しく適正を欠き、かつ、明らかに公益を害していると認める場合において、緊急を要するときその他特に必要があると認めるときは、自ら当該市町村に対し、当該事務の処理について違反の是正又は改善のため必要な措置を講ずべきことを求めることができる。

⑤普通地方公共団体は、第一項、第三項又は前項の規定による求めを受けたときは、当該事務の処理について違反の是正又は改善のための必要な措置を講じなければならない。

（是正の勧告）

第二四五条の六　次の各号に掲げる都道府県の執行機関は、市町村の当該各号に定める自治事務の処理が法令の規定に違反していると認めるとき、又は著しく適正を欠き、かつ、明らかに公益を害していると認めるときは、当該市町村に対し、当該自治事務の処理について違反の是正又は改善のため必要な措置を講ずべきことを勧告することができる。

一　都道府県知事　市町村長その他の市町村の執行機関（教育委員会及び選挙管理委員会を除く。）の担任する自治事務

二　都道府県教育委員会　市町村教育委員会の担任する自治事務

三　都道府県選挙管理委員会　市町村選挙管理委員会の担任する自治事務

（是正の指示）

第二四五条の七①各大臣は、その所管する法律又はこれに基づく政令に係る都道府県の法定受託事務の処理が法令の規定に違反していると認めるとき、又は著しく適正を欠き、かつ、明らかに公益を害していると認めるときは、当該都道府県に対し、当該法定受託事務の処理について違反の是正又は改善のため講ずべき措置に関し、必要な指示をすることができる。

②次の各号に掲げる都道府県の執行機関は、市町村の当該各号に定める法定受託事務の処理が法令の規定に違反していると認めるとき、又は著しく適正を欠き、かつ、明らかに公益を害していると認めるときは、当該市町村に対し、当該法定受託事務の処理について違反の是正又は改善のため講ずべき措置に関し、必要な指示をすることができる。

一　都道府県知事　市町村長その他の市町村の執行機関（教育委員会及び選挙管理委員会を除く。）の担任する法定受託事務

二　都道府県教育委員会　市町村教育委員会の担任する法定受託事務

三　都道府県選挙管理委員会　市町村選挙管理委員会の担任する法定受託事務

③各大臣は、その所管する法律又はこれに基づく政令に係る市町村の第一号法定受託事務の処理について、前項各号に掲げる都道府県の執行機関に対し、同項の規定による市町村に対する指示に関し、必要な指示をすることができる。

④各大臣は、前項の規定によるほか、その所管する法律又はこれに基づく政令に係る市町村の第一号法定受託事務の処理が法令の規定に違反していると認める場合、又は著しく適正を欠き、かつ、明らかに公益を害していると認める場合において、緊急を要するときその他特に必要があると認めるときは、自ら当該市町村に対し、当該第一号法定受託事務の処理について違反の是正又は改善のため講ずべき措置に関し、必要な指示をすることができる。

（代執行等）

第二四五条の八①各大臣は、その所管する法律若しくはこれに基づく政令に係る都道府県知事の法定受託事務の管理若しくは執行が法令の規定若しくは当該各大臣の処分に違反するものが

ある場合又は当該法定受託事務の管理若しくは執行を怠るものがある場合において、本項から第八項までに規定する措置以外の方法によつてその是正を図ることが困難であり、かつ、それを放置することにより著しく公益を害することが明らかであるときは、文書により、当該都道府県知事に対して、その旨を指摘し、期限を定めて、当該違反を是正し、又は当該怠る法定受託事務の管理若しくは執行を改めるべきことを勧告することができる。

② 各大臣は、都道府県知事が前項の期限までに同項の規定による勧告に係る事項を行わないときは、文書により、当該都道府県知事に対し、期限を定めて当該事項を行うべきことを指示することができる。

③ 各大臣は、都道府県知事が前項の期限までに当該事項を行わないときは、高等裁判所に対し、訴えをもつて、当該事項を行うべきことを命ずる旨の裁判を請求することができる。

④ 各大臣は、高等裁判所に対し前項の規定により訴えを提起したときは、直ちに、文書により、その旨を当該都道府県知事に通告するとともに、当該高等裁判所に対し、その通告をした日時、場所及び方法を通知しなければならない。

⑤ 当該高等裁判所は、第三項の規定により訴えが提起されたときは、速やかに口頭弁論の期日を定め、当事者を呼び出さなければならない。その期日は、同項の訴えの提起があつた日から十五日以内の日とする。

⑥ 当該高等裁判所は、各大臣の請求に理由があると認めるときは、当該都道府県知事に対し、期限を定めて当該事項を行うべきことを命ずる旨の裁判をしなければならない。

⑦ 第三項の訴えは、当該都道府県の区域を管轄する高等裁判所の専属管轄とする。

⑧ 各大臣は、都道府県知事が第六項の裁判に従い同項の期限までに、なお、当該事項を行わないときは、当該都道府県知事に代わつて当該事項を行うことができる。この場合においては、各大臣は、あらかじめ当該都道府県知事に対し、当該事項を行う日時、場所及び方法を通知しなければならない。

⑨ 第三項の訴えに係る高等裁判所の判決に対する上告の期間は、一週間とする。

⑩ 前項の上告は、執行停止の効力を有しない。

⑪ 各大臣の請求に理由がない旨の判決が確定した場合において、既に第八項の規定に基づき第二項の規定による指示に係る事項が行われているときは、都道府県知事は、当該判決の確定後三月以内にその処分を取り消し、又は原状の回復その他必要な措置を執ることができる。

⑫ 前各項の規定は、市町村長の法定受託事務の管理若しくは執行が法令の規定若しくは各大臣若しくは都道府県知事の処分に違反するものがある場合又は当該法定受託事務の管理若しくは執行を怠るものがある場合において、本項に規定する措置以外の方法によつてその是正を図ることが困難であり、かつ、それを放置することにより著しく公益を害することが明らかであるときについて準用する。この場合においては、前各項の規定中「各大臣」とあるのは「都道府県知事」と、「都道府県知事」とあるのは「市町村長」と、「当該都道府県の区域」とあるのは「当該市町村の区域」と読み替えるものとする。

⑬ 各大臣は、その所管する法律又はこれに基づく政令に係る市町村長の第一号法定受託事務の管理又は執行について、都道府県知事に対し、前項において準用する第一項から第八項までの規定による措置に関し、必要な指示をすることができる。

⑭ 第三項（第十二項において準用する場合を含む。次項において同じ。）の訴えについては、行政事件訴訟法第四十三条第三項の規定にかかわらず、同法第四十一条第二項の規定は、準用しない。

⑮ 前各項に定めるもののほか、第三項の訴えについては、主張及び証拠の申出の時期の制限その他審理の促進に関し必要な事項は、最高裁判所規則で定める。

第二四五条の九（処理基準）① 各大臣は、その所管する法律又はこれに基づく政令に係る都道府県の法定受託事務の処理について、都道府県が当該法定受託事務を処理するに当たりよるべき基準を定めることができる。

② 次の各号に掲げる都道府県の執行機関は、市町村の当該各号に定める法定受託事務の処理について、市町村が当該法定受託事務を処理するに当たりよるべき基準を定めることができる。この場合において、都道府県の執行機関の定める基準は、次項の規定により各大臣の定める基準に抵触するものであつてはならない。

一 都道府県知事　市町村長その他の市町村の執行機関（教育委員会及び選挙管理委員会を除く。）の担任する法定受託事務

二 都道府県教育委員会　市町村教育委員会の担任する法定受託事務

三 都道府県選挙管理委員会　市町村選挙管理委員会の担任する法定受託事務

③ 各大臣は、特に必要があると認めるときは、その所管する法律又はこれに基づく政令に係る市町村の第一号法定受託事務の処理について、市町村が当該第一号法定受託事務を処理するに当たりよるべき基準を定めることができる。

④ 各大臣は、その所管する法律又はこれに基づく政令に係る市町村の第一号法定受託事務の処理について、第二項各号に掲げる都道府県の執行機関に対し、同項の規定により定める基準に関し、必要な指示をすることができる。

⑤ 第一項から第三項までの規定により定める基準は、その目的を達成するために必要な最小限度のものでなければならない。

第二款　普通地方公共団体に対する国又は都道府県の関与等の手続

第二四六条（普通地方公共団体に対する国又は都道府県の関与の手続の適用） 次条から第二百五十条の五までの規定は、普通地方公共団体に対する国又は都道府県の関与について適用する。ただし、他の法律に特別の定めがある場合は、この限りでない。

第二四七条（助言等の方式等）① 国の行政機関又は都道府県の機関は、普通地方公共団体に対し、助言、勧告その他これらに類する行為（以下本条及び第二百五十二条の十七の三第二項において「助言等」という。）を書面によらないで行つた場合において、当該普通地方公共団体から当該助言等の趣旨及び内容を記載した書面の交付を求められたときは、これを交付しなければならない。

② 前項の規定は、次に掲げる助言等については、適用しない。

一 普通地方公共団体に対しその場において完了する行為を求めるもの

二 既に書面により当該普通地方公共団体に通知されている事項と同一の内容であるもの

③ 国又は都道府県の職員は、普通地方公共団体が国の行政機関又は都道府県の機関が行つた助言等に従わなかつたことを理由として、不利益な取扱いをしてはならない。

第二四八条（資料の提出の要求等の方式） 国の行政機関又は都道府県の機関は、普通地方公共団体に対し、資料の提出の要求その他これに類する行為（以下本条及び第二百五十二条の十七の三第二項において「資料の提出の要求等」という。）を書面によらないで行つた場合において、当該普通地方公共団体から当該資料の提出の要求等の趣旨及び内容を記載した書面の交付を求められたときは、これを交付しなければならない。

第二四九条（是正の要求等の方式）① 国の行政機関又は都道府県の機関は、普通地方公共団体に対し、是正の要求、指示その他これらに類する行為（以下本条及び第二百五十二条の十七の三第二項において「是正の要求等」という。）をするときは、同時に、当該是正の要求等の内容及び理由を記載した書面を交付しなければならない。

ただし、当該書面を交付しないで是正の要求等をすべき差し迫つた必要がある場合は、この限りでない。

② 前項ただし書の場合においては、国の行政機関又は都道府県の機関は、是正の要求等をした後相当の期間内に、同項の書面を交付しなければならない。

（協議の方式）

第二五〇条① 普通地方公共団体から国の行政機関又は都道府県の機関に対して協議の申出があつたときは、国の行政機関又は都道府県の機関及び普通地方公共団体は、誠実に協議を行うとともに、相当の期間内に当該協議が調うよう努めなければならない。

② 国の行政機関又は都道府県の機関は、普通地方公共団体の申出に基づく協議について意見を述べた場合において、当該普通地方公共団体から当該協議に関する意見の趣旨及び内容を記載した書面の交付を求められたときは、これを交付しなければならない。

（許認可等の基準）

第二五〇条の二① 国の行政機関又は都道府県の機関は、普通地方公共団体からの法令に基づく申請又は協議の申出（以下この款、第二百五十条の十三第二項、第二百五十一条の三第二項、第二百五十一条の五第一項、第二百五十一条の六第一項及び第二百五十二条の十七の三第三項において「申請等」という。）があつた場合において、許可、認可、承認、同意その他これらに類する行為（以下この款及び第二百五十二条の十七の三第三項において「許認可等」という。）をするかどうかを法令の定めに従つて判断するために必要とされる基準を定め、かつ、行政上特別の支障があるときを除き、これを公表しなければならない。

② 国の行政機関又は都道府県の機関は、普通地方公共団体に対し、許認可等の取消しその他これに類する行為（以下本条及び第二百五十条の四において「許認可等の取消し等」という。）をするかどうかを法令の定めに従つて判断するために必要とされる基準を定め、かつ、これを公表するよう努めなければならない。

③ 国の行政機関又は都道府県の機関は、第一項又は前項に規定する基準を定めるに当たつては、当該許認可等又は許認可等の取消し等の性質に照らしてできる限り具体的なものとしなければならない。

（許認可等の標準処理期間）

第二五〇条の三① 国の行政機関又は都道府県の機関は、申請等が当該国の行政機関又は都道府県の機関の事務所に到達してから当該申請等に係る許認可等をするまでに通常要すべき標準的な期間（法令により当該国の行政機関又は都道府県の機関と異なる機関が当該申請等の提出先とされている場合は、併せて、当該申請等が当該提出先とされている機関の事務所に到達してから当該国の行政機関又は都道府県の機関の事務所に到達するまでに通常要すべき標準的な期間）を定め、かつ、これを公表するよう努めなければならない。

② 国の行政機関又は都道府県の機関は、申請等が法令により当該申請等の提出先とされている機関の事務所に到達したときは、遅滞なく当該申請等に係る許認可等をするための事務を開始しなければならない。

（許認可等の取消し等の方式）

第二五〇条の四 国の行政機関又は都道府県の機関は、普通地方公共団体に対し、申請等に係る許認可等を拒否する処分をするとき又は許認可等の取消し等をするときは、当該許認可等を拒否する処分又は許認可等の取消し等の内容及び理由を記載した書面を交付しなければならない。

（届出）

第二五〇条の五 普通地方公共団体から国の行政機関又は都道府県の機関への届出が届出書の記載事項に不備がないこと、届出書に必要な書類が添付されていることその他の法令に定められた届出の形式上の要件に適合している場合は、当該届出が法令により当該届出の提出先とされている機関の事務所に到達したときに、当該届出をすべき手続上の義務が履行されたものとする。

（国の行政機関が自治事務と同一の事務を自らの権限に属する事務として処理する場合の方式）

第二五〇条の六① 国の行政機関は、自治事務として普通地方公共団体が処理している事務と同一の内容の事務を法令の定めるところにより自らの権限に属する事務として処理するときは、あらかじめ当該普通地方公共団体に対し、当該事務の処理の内容及び理由を記載した書面により通知しなければならない。ただし、当該通知をしないで当該事務を処理すべき差し迫つた必要がある場合は、この限りでない。

② 前項ただし書の場合においては、国の行政機関は、自ら当該事務を処理した後相当の期間内に、同項の通知をしなければならない。

第二節　国と普通地方公共団体との間並びに普通地方公共団体相互間及び普通地方公共団体の機関相互間の紛争処理

第一款　国地方係争処理委員会

（設置及び権限）

第二五〇条の七① 総務省に、国地方係争処理委員会（以下本節において「委員会」という。）を置く。

② 委員会は、普通地方公共団体に対する国又は都道府県の関与のうち国の行政機関が行うもの（以下本節において「国の関与」という。）に関する審査の申出につき、この法律の規定によりその権限に属させられた事項を処理する。

（組織）

第二五〇条の八① 委員会は、委員五人をもつて組織する。

② 委員は、非常勤とする。ただし、そのうち二人以内は、常勤とすることができる。

（委員）

第二五〇条の九① 委員は、優れた識見を有する者のうちから、両議院の同意を得て、総務大臣が任命する。

② 委員の任命については、そのうち三人以上が同一の政党その他の政治団体に属することとなつてはならない。

③ 委員の任期が満了し、又は欠員を生じた場合において、国会の閉会又は衆議院の解散のために両議院の同意を得ることができないときは、総務大臣は、第一項の規定にかかわらず、同項に定める資格を有する者のうちから、委員を任命することができる。

④ 前項の場合においては、任命後最初の国会において両議院の事後の承認を得なければならない。この場合において、両議院の事後の承認が得られないときは、総務大臣は、直ちにその委員を罷免しなければならない。

⑤ 委員の任期は、三年とする。ただし、補欠の委員の任期は、前任者の残任期間とする。

⑥ 委員は、再任されることができる。

⑦ 委員の任期が満了したときは、当該委員は、後任者が任命されるまで引き続きその職務を行うものとする。

⑧ 総務大臣は、委員が破産手続開始の決定を受け、又は拘禁刑以上の刑に処せられたときは、その委員を罷免しなければならない。

⑨ 総務大臣は、両議院の同意を得て、次に掲げる委員を罷免するものとする。

一　委員のうち何人も属していなかつた同一の政党その他の政治団体に新たに三人以上の委員が属するに至つた場合においては、これらの者のうち二人を超える員数の委員

二　委員のうち一人が既に属している政党その他の政治団体に新たに二人以上の委員が属するに至つた場合においては、これらの者のうち一人を超える員数の委員

⑩ 総務大臣は、委員のうち二人が既に属している政党その他の

政治団体に新たに属するに至つた委員を直ちに罷免するものとする。

⑪ 総務大臣は、委員が心身の故障のため職務の執行ができないと認めるとき、又は委員に職務上の義務違反その他委員たるに適しない非行があると認めるときは、両議院の同意を得て、その委員を罷免することができる。

⑫ 委員は、第四項後段及び第八項から前項までの規定による場合を除くほか、その意に反して罷免されることがない。

⑬ 委員は、職務上知り得た秘密を漏らしてはならない。その職を退いた後も、同様とする。

⑭ 委員は、在任中、政党その他の政治団体の役員となり、又は積極的に政治運動をしてはならない。

⑮ 常勤の委員は、在任中、総務大臣の許可がある場合を除き、報酬を得て他の職務に従事し、又は営利事業を営み、その他金銭上の利益を目的とする業務を行つてはならない。

⑯ 委員は、自己に直接利害関係のある事件については、その議事に参与することができない。

⑰ 委員の給与は、別に法律で定める。

（委員長）

第二五〇条の一〇① 委員会に、委員長を置き、委員の互選によりこれを定める。

② 委員長は、会務を総理し、委員会を代表する。

③ 委員長に事故があるときは、あらかじめその指名する委員が、その職務を代理する。

（会議）

第二五〇条の一一① 委員会は、委員長が招集する。

② 委員会は、委員長及び二人以上の委員の出席がなければ、会議を開き、議決をすることができない。

③ 委員会の議事は、出席者の過半数でこれを決し、可否同数のときは、委員長の決するところによる。

④ 委員長に事故がある場合の第二項の規定の適用については、前条第三項に規定する委員は、委員長とみなす。

（政令への委任）

第二五〇条の一二 この法律に規定するもののほか、委員会に関し必要な事項は、政令で定める。

第二款 国地方係争処理委員会による審査の手続

（国の関与に関する審査の申出）

第二五〇条の一三① 普通地方公共団体の長その他の執行機関は、その担任する事務に関する国の関与のうち是正の要求、許可の拒否その他の処分その他公権力の行使に当たるもの（次に掲げるものを除く。）に不服があるときは、委員会に対し、当該国の関与を行つた国の行政庁を相手方として、文書で、審査の申出をすることができる。

一 第二百四十五条の八第二項及び第十三項の規定による指示

二 第二百四十五条の八第八項の規定に基づき都道府県知事に代わつて同条第二項の規定による指示に係る事項を行うこと。

三 第二百五十二条の十七の四第二項の規定により読み替えて適用する第二百四十五条の八第十二項において準用する同条第二項の規定による指示

四 第二百五十二条の十七の四第二項の規定により読み替えて適用する第二百四十五条の八第十二項において準用する同条第八項の規定に基づき市町村長に代わつて前号の指示に係る事項を行うこと。

② 普通地方公共団体の長その他の執行機関は、その担任する事務に関する国の不作為（国の行政庁が、申請等が行われた場合において、相当の期間内に何らかの国の関与のうち許可その他の処分その他公権力の行使に当たるものをすべきにかかわらず、これをしないことをいう。以下本節において同じ。）に不服があるときは、委員会に対し、当該国の不作為に係る国の行政庁を相手方として、文書で、審査の申出をすることができる。

③ 普通地方公共団体の長その他の執行機関は、その担任する事務に関する当該普通地方公共団体の法令に基づく協議の申出が国の行政庁に対して行われた場合において、当該協議に係る当該普通地方公共団体の義務を果たしたと認めるにもかかわらず当該協議が調わないときは、委員会に対し、当該協議の相手方である国の行政庁を相手方として、文書で、審査の申出をすることができる。

④ 第一項の規定による審査の申出は、当該国の関与があつた日から三十日以内にしなければならない。ただし、天災その他同項の規定による審査の申出をしなかつたことについてやむを得ない理由があるときは、この限りでない。

⑤ 前項ただし書の場合における第一項の規定による審査の申出は、その理由がやんだ日から一週間以内にしなければならない。

⑥ 第一項の規定による審査の申出に係る文書を郵便又は民間事業者による信書の送達に関する法律（平成十四年法律第九十九号）第二条第六項に規定する一般信書便事業者若しくは同条第九項に規定する特定信書便事業者による同条第二項に規定する信書便（第二百六十条の二第十二項において「信書便」という。）で提出した場合における前二項の期間の計算については、送付に要した日数は、算入しない。

⑦ 普通地方公共団体の長その他の執行機関は、第一項から第三項までの規定による審査の申出（以下本款において「国の関与に関する審査の申出」という。）をしようとするときは、相手方となるべき国の行政庁に対し、その旨をあらかじめ通知しなければならない。

（審査及び勧告）

第二五〇条の一四① 委員会は、自治事務に関する国の関与について前条第一項の規定による審査の申出があつた場合においては、審査を行い、相手方である国の行政庁の行つた国の関与が違法でなく、かつ、普通地方公共団体の自主性及び自立性を尊重する観点から不当でないと認めるときは、理由を付してその旨を当該審査の申出をした普通地方公共団体の長その他の執行機関及び当該国の行政庁に通知するとともに、これを公表し、当該国の行政庁の行つた国の関与が違法又は普通地方公共団体の自主性及び自立性を尊重する観点から不当であると認めるときは、当該国の行政庁に対し、理由を付し、かつ、期間を示して、必要な措置を講ずべきことを勧告するとともに、当該勧告の内容を当該普通地方公共団体の長その他の執行機関に通知し、かつ、これを公表しなければならない。

② 委員会は、法定受託事務に関する国の関与について前条第一項の規定による審査の申出があつた場合においては、審査を行い、相手方である国の行政庁の行つた国の関与が違法でないと認めるときは、理由を付してその旨を当該審査の申出をした普通地方公共団体の長その他の執行機関及び当該国の行政庁に通知するとともに、これを公表し、当該国の行政庁の行つた国の関与が違法であると認めるときは、当該国の行政庁に対し、理由を付し、かつ、期間を示して、必要な措置を講ずべきことを勧告するとともに、当該勧告の内容を当該普通地方公共団体の長その他の執行機関に通知し、かつ、これを公表しなければならない。

③ 委員会は、前条第二項の規定による審査の申出があつた場合においては、審査を行い、当該審査の申出に理由がないと認めるときは、理由を付してその旨を当該審査の申出をした普通地方公共団体の長その他の執行機関及び相手方である国の行政庁に通知するとともに、これを公表し、当該審査の申出に理由があると認めるときは、当該国の行政庁に対し、理由を付し、かつ、期間を示して、必要な措置を講ずべきことを勧告するとともに、当該勧告の内容を当該普通地方公共団体の長その他の執行機関に通知し、かつ、これを公表しなければならない。

④ 委員会は、前条第三項の規定による審査の申出があつたときは、当該審査の申出に係る協議について当該協議に係る普通地方公共団体がその義務を果たしているかどうかを審査し、理由を付してその結果を当該審査の申出をした普通地方公共団体の

長その他の執行機関及び相手方である国の行政庁に通知するとともに、これを公表しなければならない。

⑤ 前各項の規定による審査及び勧告は、審査の申出があつた日から九十日以内に行わなければならない。

（関係行政機関の参加）

第二五〇条の一五① 委員会は、関係行政機関を審査の手続に参加させる必要があると認めるときは、国の関与に関する審査の申出をした普通地方公共団体の長その他の執行機関、相手方である国の行政庁若しくは当該関係行政機関の申立てにより又は職権で、当該関係行政機関を審査の手続に参加させることができる。

② 委員会は、前項の規定により関係行政機関を審査の手続に参加させるときは、あらかじめ、当該国の関与に関する審査の申出をした普通地方公共団体の長その他の執行機関及び相手方である国の行政庁並びに当該関係行政機関の意見を聴かなければならない。

（証拠調べ）

第二五〇条の一六① 委員会は、審査を行うため必要があると認めるときは、国の関与に関する審査の申出をした普通地方公共団体の長その他の執行機関、相手方である国の行政庁若しくは前条第一項の規定により当該審査の手続に参加した関係行政機関（以下本条において「参加行政機関」という。）の申立てにより又は職権で、次に掲げる証拠調べをすることができる。

一 適当と認める者に、参考人としてその知つている事実を陳述させ、又は鑑定を求めること。

二 書類その他の物件の所持人に対し、その物件の提出を求め、又はその提出された物件を留め置くこと。

三 必要な場所につき検証をすること。

四 国の関与に関する審査の申出をした普通地方公共団体の長その他の執行機関、相手方である国の行政庁若しくは参加行政機関又はこれらの職員を審尋すること。

② 委員会は、審査を行うに当たつては、国の関与に関する審査の申出をした普通地方公共団体の長その他の執行機関、相手方である国の行政庁及び参加行政機関に証拠の提出及び陳述の機会を与えなければならない。

（国の関与に関する審査の申出の取下げ）

第二五〇条の一七① 国の関与に関する審査の申出をした普通地方公共団体の長その他の執行機関は、第二百五十条の十四第一項から第四項までの規定による審査の結果の通知若しくは勧告があるまで又は第二百五十条の十九第二項の規定により調停が成立するまでは、いつでも当該国の関与に関する審査の申出を取り下げることができる。

② 国の関与に関する審査の申出の取下げは、文書でしなければならない。

（国の行政庁の措置等）

第二五〇条の一八① 第二百五十条の十四第一項から第三項までの規定による委員会の勧告があつたときは、当該勧告を受けた国の行政庁は、当該勧告に示された期間内に、当該勧告に即して必要な措置を講ずるとともに、その旨を委員会に通知しなければならない。この場合においては、委員会は、当該通知に係る事項を当該勧告に係る審査の申出をした普通地方公共団体の長その他の執行機関に通知し、かつ、これを公表しなければならない。

② 委員会は、前項の勧告を受けた国の行政庁に対し、同項の規定により講じた措置についての説明を求めることができる。

（調停）

第二五〇条の一九① 委員会は、国の関与に関する審査の申出があつた場合において、相当であると認めるときは、職権により、調停案を作成して、これを当該国の関与に関する審査の申出をした普通地方公共団体の長その他の執行機関及び相手方である国の行政庁に示し、その受諾を勧告するとともに、理由を付してその要旨を公表することができる。

② 前項の調停案に係る調停は、調停案を示された普通地方公共団体の長その他の執行機関及び国の行政庁から、これを受諾した旨を記載した文書が委員会に提出されたときに成立するものとする。この場合においては、委員会は、直ちにその旨及び調停の要旨を公表するとともに、当該普通地方公共団体の長その他の執行機関及び国の行政庁にその旨を通知しなければならない。

（政令への委任）

第二五〇条の二〇 この法律に規定するもののほか、委員会の審査及び勧告並びに調停に関し必要な事項は、政令で定める。

第三款　自治紛争処理委員

（自治紛争処理委員）

第二五一条① 自治紛争処理委員は、この法律の定めるところにより、普通地方公共団体相互の間又は普通地方公共団体の機関相互の間の紛争の調停、普通地方公共団体に対する国又は都道府県の関与のうち都道府県の機関が行うもの（以下この節において「都道府県の関与」という。）に関する審査、第二百五十二条の二第一項に規定する連携協約に係る紛争を処理するための方策の提示及び第百四十三条第三項（第百八十条の五第八項及び第百八十四条第二項において準用する場合を含む。）の審査請求又はこの法律の規定による審査の申立て若しくは審決の申請に係る審理を処理する。

② 自治紛争処理委員は、三人とし、事件ごとに、優れた識見を有する者のうちから、総務大臣又は都道府県知事がそれぞれ任命する。この場合においては、総務大臣又は都道府県知事は、あらかじめ当該事件に関係のある事務を担任する各大臣又は都道府県の委員会若しくは委員に協議するものとする。

③ 自治紛争処理委員は、非常勤とする。

④ 自治紛争処理委員は、次の各号のいずれかに該当するときは、その職を失う。

一 当事者が次条第二項の規定により調停の申請を取り下げたとき。

二 自治紛争処理委員が次条第六項の規定により当事者に調停を打ち切つた旨を通知したとき。

三 総務大臣又は都道府県知事が次条第七項又は第二百五十一条の三第十三項の規定により調停が成立した旨を当事者に通知したとき。

四 市町村長その他の市町村の執行機関が第二百五十一条の三第五項から第七項までにおいて準用する第二百五十条の十七の規定により自治紛争処理委員の審査に付することを求める旨の申出を取り下げたとき。

五 自治紛争処理委員が第二百五十一条の三第五項において準用する第二百五十条の十四第一項若しくは第二項若しくは第二百五十一条の三第六項において準用する第二百五十条の十四第三項の規定による審査の結果の通知若しくは勧告及び勧告の内容の通知又は第二百五十一条の三第七項において準用する第二百五十条の十四第四項の規定による審査の結果の通知をし、かつ、これらを公表したとき。

六 普通地方公共団体が第二百五十一条の三の二第二項の規定により同条第一項の処理方策の提示を求める旨の申請を取り下げたとき。

七 自治紛争処理委員が第二百五十一条の三の二第三項の規定により当事者である普通地方公共団体に同条第一項に規定する処理方策を提示するとともに、総務大臣又は都道府県知事にその旨及び当該処理方策を通知し、かつ、公表したとき。

八 第二百五十五条の五第一項の規定による審理に係る審査請求、審査の申立て又は審決の申請をした者が、当該審査請求、審査の申立て又は審決の申請を取り下げたとき。

九 第二百五十五条の五第一項の規定による審理を経て、総務大臣又は都道府県知事が審査請求に対する裁決をし、審査の申立てに対する裁決若しくは裁定をし、又は審決をしたとき。

⑤ 総務大臣又は都道府県知事は、自治紛争処理委員が当該事件

に直接利害関係を有することとなつたときは、当該自治紛争処理委員を罷免しなければならない。

⑥ 第二百五十条の九第二項、第八項、第九項（第二号を除く。）及び第十項から第十四項までの規定は、自治紛争処理委員に準用する。この場合において、同条第二項中「三人以上」とあるのは「二人以上」と、同条第八項中「総務大臣」とあるのは「総務大臣又は都道府県知事」と、同条第九項中「総務大臣は、両議院の同意を得て」とあるのは「総務大臣又は都道府県知事は」と、「三人以上」とあるのは「二人以上」と、「二人」とあるのは「一人」と、同条第十項中「総務大臣」とあるのは「総務大臣又は都道府県知事」と、「二人」とあるのは「一人」と、同条第十一項中「総務大臣」とあるのは「総務大臣又は都道府県知事」と、「両議院の同意を得て、その委員を」とあるのは「その自治紛争処理委員を」と、同条第十二項中「第四項後段及び第八項から前項まで」とあるのは「第八項、第九項（第二号を除く。）、第十項及び前項並びに第二百五十一条第五項」と読み替えるものとする。

第四款　自治紛争処理委員による調停、審査及び処理方策の提示の手続

（調停）

第二五一条の二① 普通地方公共団体相互の間又は普通地方公共団体の機関相互の間に紛争があるときは、この法律に特別の定めがあるものを除くほか、都道府県又は都道府県の機関が当事者となるものにあつては総務大臣、その他のものにあつては都道府県知事は、当事者の文書による申請に基づき又は職権により、紛争の解決のため、前条第二項の規定により自治紛争処理委員を任命し、その調停に付することができる。

② 当事者の申請に基づき開始された調停においては、当事者は、総務大臣又は都道府県知事の同意を得て、当該申請を取り下げることができる。

③ 自治紛争処理委員は、調停案を作成して、これを当事者に示し、その受諾を勧告するとともに、理由を付してその要旨を公表することができる。

④ 自治紛争処理委員は、前項の規定により調停案を当事者に示し、その受諾を勧告したときは、直ちに調停案の写しを添えてその旨及び調停の経過を総務大臣又は都道府県知事に報告しなければならない。

⑤ 自治紛争処理委員は、調停による解決の見込みがないと認めるときは、総務大臣又は都道府県知事の同意を得て、調停を打ち切り、事件の要点及び調停の経過を公表することができる。

⑥ 自治紛争処理委員は、前項の規定により調停を打ち切つたときは、その旨を当事者に通知しなければならない。

⑦ 第一項の調停は、当事者のすべてから、調停案を受諾した旨を記載した文書が総務大臣又は都道府県知事に提出されたときに成立するものとする。この場合においては、総務大臣又は都道府県知事は、直ちにその旨及び調停の要旨を公表するとともに、当事者に調停が成立した旨を通知しなければならない。

⑧ 総務大臣又は都道府県知事は、前項の規定により当事者から文書の提出があつたときは、その旨を自治紛争処理委員に通知するものとする。

⑨ 自治紛争処理委員は、第三項に規定する調停案を作成するため必要があると認めるときは、当事者及び関係人の出頭及び陳述を求め、又は当事者及び関係人並びに紛争に係る事件に関係のある者に対し、紛争の調停のため必要な記録の提出を求めることができる。

⑩ 第三項の規定による調停案の作成及びその要旨の公表についての決定、第五項の規定による調停の打切りについての決定並びに事件の要点及び調停の経過の公表についての決定並びに前項の規定による出頭、陳述及び記録の提出の求めについての決定は、自治紛争処理委員の合議によるものとする。

（審査及び勧告）

第二五一条の三① 総務大臣は、市町村長その他の市町村の執行機関が、その担任する事務に関する都道府県の関与のうち是正の要求、許可の拒否その他の処分その他公権力の行使に当たるもの（次に掲げるものを除く。）に不服があり、文書により、自治紛争処理委員の審査に付することを求める旨の申出をしたときは、速やかに、第二百五十一条第二項の規定により自治紛争処理委員を任命し、当該申出に係る事件をその審査に付さなければならない。

一 第二百四十五条の八第十二項において準用する同条第二項の規定による指示

二 第二百四十五条の八第十二項において準用する同条第八項の規定に基づき市町村長に代わつて前号の指示に係る事項を行うこと。

② 総務大臣は、市町村長その他の市町村の執行機関が、その担任する事務に関する都道府県の不作為（都道府県の行政庁が、申請等が行われた場合において、相当の期間内に何らかの都道府県の関与のうち許可その他の処分その他公権力の行使に当たるものをすべきにかかわらず、これをしないことをいう。以下本節において同じ。）に不服があり、文書により、自治紛争処理委員の審査に付することを求める旨の申出をしたときは、速やかに、第二百五十一条第二項の規定により自治紛争処理委員を任命し、当該申出に係る事件をその審査に付さなければならない。

③ 総務大臣は、市町村長その他の市町村の執行機関が、その担任する事務に関する当該市町村の法令に基づく協議の申出が都道府県の行政庁に対して行われた場合において、当該協議に係る当該市町村の義務を果たしたと認めるにもかかわらず当該協議が調わないことについて、文書により、自治紛争処理委員の審査に付することを求める旨の申出をしたときは、速やかに、第二百五十一条第二項の規定により自治紛争処理委員を任命し、当該申出に係る事件をその審査に付さなければならない。

④ 前三項の規定による申出においては、次に掲げる者を相手方としなければならない。

一 第一項の規定による申出の場合は、当該申出に係る都道府県の関与を行つた都道府県の行政庁

二 第二項の規定による申出の場合は、当該申出に係る都道府県の不作為に係る都道府県の行政庁

三 前項の規定による申出の場合は、当該申出に係る協議の相手方である都道府県の行政庁

⑤ 第二百五十条の十三第四項から第七項まで、第二百五十条の十四第一項、第二項及び第五項並びに第二百五十条の十五から第二百五十条の十七までの規定は、第一項の規定による申出について準用する。この場合において、これらの規定中「普通地方公共団体の長その他の執行機関」とあるのは「市町村長その他の市町村の執行機関」と、「国の行政庁」とあるのは「都道府県の行政庁」と、「委員会」とあるのは「自治紛争処理委員」と、第二百五十条の十三第四項並びに第二百五十条の十四第一項及び第二項中「国の関与」とあるのは「都道府県の関与」と、第二百五十条の十七第一項中「第二百五十条の十九第二項」とあるのは「第二百五十一条の三第十三項」と読み替えるものとする。

⑥ 第二百五十条の十三第七項、第二百五十条の十四第三項及び第五項並びに第二百五十条の十五から第二百五十条の十七までの規定は、第二項の規定による申出について準用する。この場合において、これらの規定中「普通地方公共団体の長その他の執行機関」とあるのは「市町村長その他の市町村の執行機関」と、「国の行政庁」とあるのは「都道府県の行政庁」と、「委員会」とあるのは「自治紛争処理委員」と、第二百五十条の十七第一項中「第二百五十条の十九第二項」とあるのは「第二百五十一条の三第十三項」と読み替えるものとする。

⑦ 第二百五十条の十三第七項、第二百五十条の十四第四項及び第五項並びに第二百五十条の十五から第二百五十条の十七までの規定は、第三項の規定による申出について準用する。この場合において、これらの規定中「普通地方公共団体の長その他の

執行機関」とあるのは「市町村長その他の市町村の執行機関」と、「国の行政庁」とあるのは「都道府県の行政庁」と、「委員会」とあるのは「自治紛争処理委員」と、第二百五十条の十四第四項中「当該協議に係る普通地方公共団体」とあるのは「当該協議に係る市町村」と、第二百五十条の十七第一項中「第二百五十条の十九第二項」とあるのは「第二百五十一条の三第十三項」と読み替えるものとする。

⑧ 自治紛争処理委員は、第五項において準用する第二百五十条の十四第一項若しくは第二項若しくは第六項において準用する第二百五十条の十四第三項の規定による審査の結果の通知若しくは勧告及び勧告の内容の通知又は前項において準用する第二百五十条の十四第四項の規定による審査の結果の通知をしたときは、直ちにその旨及び審査の結果又は勧告の内容を総務大臣に報告しなければならない。

⑨ 第五項において準用する第二百五十条の十四第一項若しくは第二項又は第六項において準用する第二百五十条の十四第三項の規定による自治紛争処理委員の勧告があつたときは、当該勧告を受けた都道府県の行政庁は、当該勧告に示された期間内に、当該勧告に即して必要な措置を講ずるとともに、その旨を総務大臣に通知しなければならない。この場合においては、総務大臣は、当該通知に係る事項を当該勧告に係る第一項又は第二項の規定による申出をした市町村長その他の市町村の執行機関に通知し、かつ、これを公表しなければならない。

⑩ 総務大臣は、前項の勧告を受けた都道府県の行政庁に対し、同項の規定により講じた措置についての説明を求めることができる。

⑪ 自治紛争処理委員は、第五項において準用する第二百五十条の十四第一項若しくは第二項、第六項において準用する第二百五十条の十四第三項又は第七項において準用する第二百五十条の十四第四項の規定により審査をする場合において、相当であると認めるときは、職権により、調停案を作成して、これを第一項から第三項までの規定による申出をした市町村長その他の市町村の執行機関及び相手方である都道府県の行政庁に示し、その受諾を勧告するとともに、理由を付してその要旨を公表することができる。

⑫ 自治紛争処理委員は、前項の規定により調停案を第一項から第三項までの規定による申出をした市町村長その他の市町村の執行機関及び相手方である都道府県の行政庁に示し、その受諾を勧告したときは、直ちに調停案の写しを添えてその旨及び調停の経過を総務大臣に報告しなければならない。

⑬ 第十一項の調停案に係る調停は、調停案を示された市町村長その他の市町村の執行機関及び都道府県の行政庁から、これを受諾した旨を記載した文書が総務大臣に提出されたときに成立するものとする。この場合においては、総務大臣は、直ちにその旨及び調停の要旨を公表するとともに、当該市町村長その他の市町村の執行機関及び都道府県の行政庁にその旨を通知しなければならない。

⑭ 総務大臣は、前項の規定により市町村長その他の市町村の執行機関及び都道府県の行政庁から文書の提出があつたときは、その旨を自治紛争処理委員に通知するものとする。

⑮ 次に掲げる事項は、自治紛争処理委員の合議によるものとする。

一 第五項において準用する第二百五十条の十四第一項の規定による都道府県の関与が違法又は普通地方公共団体の自主性及び自立性を尊重する観点から不当であるかどうかについての決定及び同項の規定による勧告の決定

二 第五項において準用する第二百五十条の十四第二項の規定による都道府県の関与が違法であるかどうかについての決定及び同項の規定による勧告の決定

三 第六項において準用する第二百五十条の十四第三項の規定による第二項の申出に理由があるかどうかについての決定及び第六項において準用する第二百五十条の十四第三項の規定による勧告の決定

四 第七項において準用する第二百五十条の十四第四項の規定による第三項の申出に係る協議について当該協議に係る市町村がその義務を果たしているかどうかについての決定

五 第五項から第七項までにおいて準用する第二百五十条の十五第一項の規定による関係行政機関の参加についての決定

六 第五項から第七項までにおいて準用する第二百五十条の十六第一項の規定による証拠調べの実施についての決定

七 第十一項の規定による調停案の作成及びその要旨の公表についての決定

第二五一条の三の二（処理方策の提示） ① 総務大臣又は都道府県知事は、第二百五十二条の二第七項の規定により普通地方公共団体から自治紛争処理委員による同条第一項に規定する連携協約に係る紛争を処理するための方策（以下この条において「処理方策」という。）の提示を求める旨の申請があつたときは、第二百五十一条第二項の規定により自治紛争処理委員を任命し、処理方策を定めさせなければならない。

② 前項の申請をした普通地方公共団体は、総務大臣又は都道府県知事の同意を得て、当該申請を取り下げることができる。

③ 自治紛争処理委員は、処理方策を定めたときは、これを当事者である普通地方公共団体に提示するとともに、その旨及び当該処理方策を総務大臣又は都道府県知事に通知し、かつ、これらを公表しなければならない。

④ 自治紛争処理委員は、処理方策を定めるため必要があると認めるときは、当事者及び関係人の出頭及び陳述を求め、又は当事者及び関係人並びに紛争に係る事件に関係のある者に対し、処理方策を定めるため必要な記録の提出を求めることができる。

⑤ 第三項の規定による処理方策の決定並びに前項の規定による出頭、陳述及び記録の提出の求めについての決定は、自治紛争処理委員の合議によるものとする。

⑥ 第三項の規定により処理方策の提示を受けたときは、当事者である普通地方公共団体は、これを尊重して必要な措置を執るようにしなければならない。

第二五一条の四（政令への委任） この法律に規定するもののほか、自治紛争処理委員の調停、審査及び勧告並びに処理方策の提示に関し必要な事項は、政令で定める。

第五款 普通地方公共団体に対する国又は都道府県の関与に関する訴え

第二五一条の五（国の関与に関する訴えの提起） ① 第二百五十条の十三第一項又は第二項の規定による審査の申出をした普通地方公共団体の長その他の執行機関は、次の各号のいずれかに該当するときは、高等裁判所に対し、当該審査の申出の相手方となつた国の行政庁（国の関与があつた後又は申請等が行われた後に当該行政庁の権限が他の行政庁に承継されたときは、当該他の行政庁）を被告として、訴えをもつて当該審査の申出に係る違法な国の関与の取消し又は当該審査の申出に係る国の不作為の違法の確認を求めることができる。ただし、違法な国の関与の取消しを求める訴えを提起する場合において、被告とすべき行政庁がないときは、当該訴えは、国を被告として提起しなければならない。

一 第二百五十条の十四第一項から第三項までの規定による委員会の審査の結果又は勧告に不服があるとき。

二 第二百五十条の十八第一項の規定による国の行政庁の措置に不服があるとき。

三 当該審査の申出をした日から九十日を経過しても、委員会が第二百五十条の十四第一項から第三項までの規定による審査又は勧告を行わないとき。

四 国の行政庁が第二百五十条の十八第一項の規定による措置を講じないとき。

② 前項の訴えは、次に掲げる期間内に提起しなければならな

い。

一　前項第一号の場合は、第二百五十条の十四第一項から第三項までの規定による委員会の審査の結果又は勧告の内容の通知があつた日から三十日以内

二　前項第二号の場合は、第二百五十条の十八第一項の規定による委員会の通知があつた日から三十日以内

三　前項第三号の場合は、当該審査の申出をした日から九十日を経過した日から三十日以内

四　前項第四号の場合は、第二百五十条の十四第一項から第三項までの規定による委員会の勧告に示された期間を経過した日から三十日以内

③　第一項の訴えは、当該普通地方公共団体の区域を管轄する高等裁判所の管轄に専属する。

④　原告は、第一項の訴えを提起したときは、直ちに、文書により、その旨を被告に通知するとともに、当該高等裁判所に対し、その通知をした日時、場所及び方法を通知しなければならない。

⑤　当該高等裁判所は、第一項の訴えが提起されたときは、速やかに口頭弁論の期日を指定し、当事者を呼び出さなければならない。その期日は、同項の訴えの提起があつた日から十五日以内の日とする。

⑥　第一項の訴えに係る高等裁判所の判決に対する上告の期間は、一週間とする。

⑦　国の関与を取り消す判決は、関係行政機関に対しても効力を有する。

⑧　第一項の訴えのうち違法な国の関与の取消しを求めるものについては、行政事件訴訟法第四十三条第一項の規定にかかわらず、同法第八条第二項、第十一条から第二十二条まで、第二十五条から第二十九条まで、第三十一条、第三十二条及び第三十四条の規定は、準用しない。

⑨　第一項の訴えのうち国の不作為の違法の確認を求めるものについては、行政事件訴訟法第四十三条第三項の規定にかかわらず、同法第四十条第二項及び第四十一条第二項の規定は、準用しない。

⑩　前各項に定めるもののほか、第一項の訴えについては、主張及び証拠の申出の時期の制限その他審理の促進に関し必要な事項は、最高裁判所規則で定める。

（都道府県の関与に関する訴えの提起）

第二五一条の六①　第二百五十一条の三第一項又は第二項の規定による申出をした市町村長その他の市町村の執行機関は、次の各号のいずれかに該当するときは、高等裁判所に対し、当該申出の相手方となつた都道府県の行政庁（都道府県の関与があつた後又は申請等が行われた後に当該行政庁の権限が他の行政庁に承継されたときは、当該他の行政庁）を被告として、訴えをもつて当該申出に係る違法な都道府県の関与の取消し又は当該申出に係る都道府県の不作為の違法の確認を求めることができる。ただし、違法な都道府県の関与の取消しを求める訴えを提起する場合において、被告とすべき行政庁がないときは、当該訴えは、当該都道府県を被告として提起しなければならない。

一　第二百五十一条の三第五項において準用する第二百五十条の十四第一項若しくは第二項又は第二百五十一条の三第六項において準用する第二百五十条の十四第三項の規定による自治紛争処理委員の審査の結果又は勧告に不服があるとき。

二　第二百五十一条の三第九項の規定による都道府県の行政庁の措置に不服があるとき。

三　当該申出をした日から九十日を経過しても、自治紛争処理委員が第二百五十一条の三第五項において準用する第二百五十条の十四第一項若しくは第二項又は第二百五十一条の三第六項において準用する第二百五十条の十四第三項の規定による審査又は勧告を行わないとき。

四　都道府県の行政庁が第二百五十一条の三第九項の規定による措置を講じないとき。

②　前項の訴えは、次に掲げる期間内に提起しなければならない。

一　前項第一号の場合は、第二百五十一条の三第五項において準用する第二百五十条の十四第一項若しくは第二項又は第二百五十一条の三第六項において準用する第二百五十条の十四第三項の規定による自治紛争処理委員の審査の結果又は勧告の内容の通知があつた日から三十日以内

二　前項第二号の場合は、第二百五十一条の三第九項の規定による総務大臣の通知があつた日から三十日以内

三　前項第三号の場合は、当該申出をした日から九十日を経過した日から三十日以内

四　前項第四号の場合は、第二百五十一条の三第五項において準用する第二百五十条の十四第一項若しくは第二項又は第二百五十一条の三第六項において準用する第二百五十条の十四第三項の規定による自治紛争処理委員の勧告に示された期間を経過した日から三十日以内

③　前条第三項から第七項までの規定は、第一項の訴えに準用する。この場合において、同条第三項中「当該普通地方公共団体の区域」とあるのは「当該市町村の区域」と、同条第七項中「国の関与」とあるのは「都道府県の関与」と読み替えるものとする。

④　第一項の訴えのうち違法な都道府県の関与の取消しを求めるものについては、行政事件訴訟法第四十三条第一項の規定にかかわらず、同法第八条第二項、第十一条から第二十二条まで、第二十五条から第二十九条まで、第三十一条、第三十二条及び第三十四条の規定は、準用しない。

⑤　第一項の訴えのうち都道府県の不作為の違法の確認を求めるものについては、行政事件訴訟法第四十三条第三項の規定にかかわらず、同法第四十条第二項及び第四十一条第二項の規定は、準用しない。

⑥　前各項に定めるもののほか、第一項の訴えについては、主張及び証拠の申出の時期の制限その他審理の促進に関し必要な事項は、最高裁判所規則で定める。

（普通地方公共団体の不作為に関する国の訴えの提起）

第二五一条の七①　第二百四十五条の五第一項若しくは第四項の規定による是正の要求又は第二百四十五条の七第一項若しくは第四項の規定による指示を行つた各大臣は、次の各号のいずれかに該当するときは、高等裁判所に対し、当該是正の要求又は指示を受けた普通地方公共団体の不作為（是正の要求又は指示を受けた普通地方公共団体の行政庁が、相当の期間内に是正の要求に応じた措置又は指示に係る措置を講じなければならないにもかかわらず、これを講じないことをいう。以下この項、次条及び第二百五十二条の十七の四第三項において同じ。）に係る普通地方公共団体の行政庁（当該是正の要求又は指示があつた後に当該行政庁の権限が他の行政庁に承継されたときは、当該他の行政庁）を被告として、訴えをもつて当該普通地方公共団体の不作為の違法の確認を求めることができる。

一　普通地方公共団体の長その他の執行機関が当該是正の要求又は指示に関する第二百五十条の十三第一項の規定による審査の申出をせず（審査の申出後に第二百五十条の十七第一項の規定により当該審査の申出が取り下げられた場合を含む。）、かつ、当該是正の要求に応じた措置又は指示に係る措置を講じないとき。

二　普通地方公共団体の長その他の執行機関が当該是正の要求又は指示に関する第二百五十条の十三第一項の規定による審査の申出をした場合において、次に掲げるとき。

イ　委員会が第二百五十条の十四第一項又は第二項の規定による審査の結果又は勧告の内容の通知をした場合において、当該普通地方公共団体の長その他の執行機関が第二百五十一条の五第一項の規定による当該是正の要求又は指示の取消しを求める訴えの提起をせず（訴えの提起後に当該訴えが取り下げられた場合を含む。ロにおいて同じ。）、かつ、当該是正の要求に応じた措置又は指示に係る措置を講じないとき。

ロ　委員会が当該審査の申出をした日から九十日を経過しても第二百五十条の十四第一項又は第二項の規定による審査又は勧告を行わない場合において、当該普通地方公共団体の長その他の執行機関が第二百五十一条の五第一項の規定による当該是正の要求又は指示の取消しを求める訴えの提起をせず、かつ、当該是正の要求に応じた措置又は指示に係る措置を講じないとき。

② 前項の訴えは、次に掲げる期間が経過するまでは、提起することができない。

一　前項第一号の場合は、第二百五十条の十三第四項本文の期間

二　前項第二号イの場合は、第二百五十一条の五第二項第一号、第二号又は第四号に掲げる期間

三　前項第二号ロの場合は、第二百五十一条の五第二項第三号に掲げる期間

③ 第二百五十一条の五第三項から第六項までの規定は、第一項の訴えについて準用する。

④ 第一項の訴えについては、行政事件訴訟法第四十三条第三項の規定にかかわらず、同法第四十条第二項及び第四十一条第二項の規定は、準用しない。

⑤ 前各項に定めるもののほか、第一項の訴えについては、主張及び証拠の申出の時期の制限その他審理の促進に関し必要な事項は、最高裁判所規則で定める。

（市町村の不作為に関する都道府県の訴えの提起）

第二五二条① 第二百四十五条の五第二項の指示を行つた各大臣は、次の各号のいずれかに該当するときは、同条第三項の規定による是正の要求を行つた都道府県の執行機関に対し、高等裁判所に対し、当該是正の要求を受けた市町村の不作為に係る市町村の行政庁（当該是正の要求があつた後に当該行政庁の権限が他の行政庁に承継されたときは、当該他の行政庁。次項において同じ。）を被告として、訴えをもつて当該市町村の不作為の違法の確認を求めるよう指示をすることができる。

一　市町村長その他の市町村の執行機関が当該是正の要求に関する第二百五十一条の三第一項の規定による申出をせず（申出後に同条第五項において準用する第二百五十条の十七第一項の規定により当該申出が取り下げられた場合を含む。）、かつ、当該是正の要求に応じた措置を講じないとき。

二　市町村長その他の市町村の執行機関が当該是正の要求に関する第二百五十一条の三第一項の規定による申出をした場合において、次に掲げるとき。

イ　自治紛争処理委員が第二百五十一条の三第五項において準用する第二百五十条の十四第一項の規定による審査の結果又は勧告の内容の通知をした場合において、当該市町村長その他の市町村の執行機関が第二百五十一条の六第一項の規定による当該是正の要求の取消しを求める訴えの提起をせず（訴えの提起後に当該訴えが取り下げられた場合を含む。ロにおいて同じ。）、かつ、当該是正の要求に応じた措置を講じないとき。

ロ　自治紛争処理委員が当該申出をした日から九十日を経過しても第二百五十一条の三第五項において準用する第二百五十条の十四第一項の規定による審査又は勧告を行わない場合において、当該市町村長その他の市町村の執行機関が第二百五十一条の六第一項の規定による当該是正の要求の取消しを求める訴えの提起をせず、かつ、当該是正の要求に応じた措置を講じないとき。

② 前項の指示を受けた都道府県の執行機関は、高等裁判所に対し、当該市町村の不作為に係る市町村の行政庁を被告として、訴えをもつて当該市町村の不作為の違法の確認を求めなければならない。

③ 第二百四十五条の七第二項の規定による指示を行つた都道府県の執行機関は、次の各号のいずれかに該当するときは、高等裁判所に対し、当該指示を受けた市町村の不作為に係る市町村の行政庁（当該指示があつた後に当該行政庁の権限が他の行政庁に承継されたときは、当該他の行政庁）を被告として、訴えをもつて当該市町村の不作為の違法の確認を求めることができる。

一　市町村長その他の市町村の執行機関が当該指示に関する第二百五十一条の三第一項の規定による申出をせず（申出後に同条第五項において準用する第二百五十条の十七第一項の規定により当該申出が取り下げられた場合を含む。）、かつ、当該指示に係る措置を講じないとき。

二　市町村長その他の市町村の執行機関が当該指示に関する第二百五十一条の三第一項の規定による申出をした場合において、次に掲げるとき。

イ　自治紛争処理委員が第二百五十一条の三第五項において準用する第二百五十条の十四第二項の規定による審査の結果又は勧告の内容の通知をした場合において、当該市町村長その他の市町村の執行機関が第二百五十一条の六第一項の規定による当該指示の取消しを求める訴えの提起をせず（訴えの提起後に当該訴えが取り下げられた場合を含む。ロにおいて同じ。）、かつ、当該指示に係る措置を講じないとき。

ロ　自治紛争処理委員が当該申出をした日から九十日を経過しても第二百五十一条の三第五項において準用する第二百五十条の十四第二項の規定による審査又は勧告を行わない場合において、当該市町村長その他の市町村の執行機関が第二百五十一条の六第一項の規定による当該指示の取消しを求める訴えの提起をせず、かつ、当該指示に係る措置を講じないとき。

④ 第二百四十五条の七第三項の指示を行つた各大臣は、前項の都道府県の執行機関に対し、同項の規定による訴えの提起に関し、必要な指示をすることができる。

⑤ 第二項及び第三項の訴えは、次に掲げる期間が経過するまでは、提起することができない。

一　第一項第一号及び第三項第一号の場合は、第二百五十一条の三第五項において準用する第二百五十条の十三第四項本文の期間

二　第一項第二号イ及び第三項第二号イの場合は、第二百五十一条の六第二項第一号、第二号又は第四号に掲げる期間

三　第一項第二号ロ及び第三項第二号ロの場合は、第二百五十一条の六第二項第三号に掲げる期間

⑥ 第二百五十一条の五第三項から第六項までの規定は、第二項及び第三項の訴えについて準用する。この場合において、同条第三項中「当該普通地方公共団体の区域」とあるのは、「当該市町村の区域」と読み替えるものとする。

⑦ 第二項及び第三項の訴えについては、行政事件訴訟法第四十三条第三項の規定にかかわらず、同法第四十条第二項及び第四十一条第二項の規定は、準用しない。

⑧ 前各項に定めるもののほか、第二項及び第三項の訴えについては、主張及び証拠の申出の時期の制限その他審理の促進に関し必要な事項は、最高裁判所規則で定める。

第三節　普通地方公共団体相互間の協力（抄）

第一款　連携協約

（連携協約）

第二五二条の二① 普通地方公共団体は、当該普通地方公共団体及び他の普通地方公共団体の区域における当該普通地方公共団体及び当該他の普通地方公共団体の事務の処理に当たつての当該他の普通地方公共団体との連携を図るため、協議により、当該普通地方公共団体及び当該他の普通地方公共団体が連携して事務を処理するに当たつての基本的な方針及び役割分担を定める協約（以下「連携協約」という。）を当該他の普通地方公共団体と締結することができる。

② 普通地方公共団体は、連携協約を締結したときは、その旨及び当該連携協約を告示するとともに、都道府県が締結したものにあつては総務大臣、その他のものにあつては都道府県知事に

届け出なければならない。

③ 第一項の協議については、関係普通地方公共団体の議会の議決を経なければならない。

④ 普通地方公共団体は、連携協約を変更し、又は連携協約を廃止しようとするときは、前三項の例によりこれを行わなければならない。

⑤ 公益上必要がある場合においては、都道府県が締結するものについては総務大臣、その他のものについては都道府県知事は、関係のある普通地方公共団体に対し、連携協約を締結すべきことを勧告することができる。

⑥ 連携協約を締結した普通地方公共団体は、当該連携協約に基づいて、当該連携協約を締結した他の普通地方公共団体と連携して事務を処理するに当たつて当該普通地方公共団体が分担すべき役割を果たすため必要な措置を執るようにしなければならない。

⑦ 連携協約を締結した普通地方公共団体相互の間に連携協約に係る紛争があるときは、当事者である普通地方公共団体は、都道府県が当事者となる紛争にあつては総務大臣、その他の紛争にあつては都道府県知事に対し、文書により、自治紛争処理委員による当該紛争を処理するための方策の提示を求める旨の申請をすることができる。

第二款 協議会

（協議会の設置）

第二五二条の二の二① 普通地方公共団体は、普通地方公共団体の事務の一部を共同して管理し及び執行し、若しくは普通地方公共団体の事務の管理及び執行について連絡調整を図り、又は広域にわたる総合的な計画を共同して作成するため、協議により規約を定め、普通地方公共団体の協議会を設けることができる。

② 普通地方公共団体は、協議会を設けたときは、その旨及び規約を告示するとともに、都道府県の加入するものにあつては総務大臣、その他のものにあつては都道府県知事に届け出なければならない。

③ 第一項の協議については、関係普通地方公共団体の議会の議決を経なければならない。ただし、普通地方公共団体の事務の管理及び執行について連絡調整を図るため普通地方公共団体の協議会を設ける場合は、この限りでない。

④ 公益上必要がある場合においては、都道府県の加入するものについては総務大臣、その他のものについては都道府県知事は、関係のある普通地方公共団体に対し、普通地方公共団体の協議会を設けるべきことを勧告することができる。

⑤ 普通地方公共団体の協議会が広域にわたる総合的な計画を作成したときは、関係普通地方公共団体は、当該計画に基づいて、その事務を処理するようにしなければならない。

⑥ 普通地方公共団体の協議会は、必要があると認めるときは、関係のある公の機関の長に対し、資料の提出、意見の開陳、説明その他必要な協力を求めることができる。

（協議会の組織）

第二五二条の三① 普通地方公共団体の協議会は、会長及び委員をもつてこれを組織する。

② 普通地方公共団体の協議会の会長及び委員は、規約の定めるところにより常勤又は非常勤とし、関係普通地方公共団体の職員のうちから、これを選任する。

③ 普通地方公共団体の協議会の会長は、普通地方公共団体の協議会の事務を掌理し、協議会を代表する。

（協議会の規約）

第二五二条の四① 普通地方公共団体の協議会の規約には、次に掲げる事項につき規定を設けなければならない。

一 協議会の名称
二 協議会を設ける普通地方公共団体
三 協議会の管理し及び執行し、若しくは協議会において連絡調整を図る関係普通地方公共団体の事務又は協議会の作成する計画の項目
四 協議会の組織並びに会長及び委員の選任の方法
五 協議会の経費の支弁の方法

② 普通地方公共団体の事務の一部を共同して管理し及び執行するため普通地方公共団体の協議会を設ける場合には、協議会の規約には、前項各号に掲げるもののほか、次に掲げる事項につき規定を設けなければならない。

一 協議会の管理し及び執行する関係普通地方公共団体の事務（以下本項中「協議会の担任する事務」という。）の管理及び執行の方法
二 協議会の担任する事務を管理し及び執行する場所
三 協議会の担任する事務に従事する関係普通地方公共団体の職員の身分取扱い
四 協議会の担任する事務の用に供する関係普通地方公共団体の財産の取得、管理及び処分又は公の施設の設置、管理及び廃止の方法
五 前各号に掲げるものを除くほか、協議会と協議会を設ける関係普通地方公共団体との関係その他協議会に関し必要な事項

（協議会の事務の管理及び執行の効力）

第二五二条の五 普通地方公共団体の協議会が関係普通地方公共団体又は関係普通地方公共団体の長その他の執行機関の名においてした事務の管理及び執行は、関係普通地方公共団体の長その他の執行機関が管理し及び執行したものとしての効力を有する。

（協議会の組織の変更及び廃止）

第二五二条の六 普通地方公共団体は、普通地方公共団体の協議会を設ける普通地方公共団体の数を増減し、若しくは協議会の規約を変更し、又は協議会を廃止しようとするときは、第二百五十二条の二の二第一項から第三項までの例によりこれを行わなければならない。

（脱退による協議会の組織の変更及び廃止の特例）

第二五二条の六の二① 前条の規定にかかわらず、協議会を設ける普通地方公共団体は、その議会の議決を経て、脱退する日の二年前までに他の全ての関係普通地方公共団体に書面で予告をすることにより、協議会から脱退することができる。

② 前項の予告を受けた関係普通地方公共団体は、当該予告をした普通地方公共団体が脱退する時までに、第二百五十二条の二の二第一項から第三項までの例により、当該脱退により必要となる規約の変更を行わなければならない。ただし、第二百五十二条の四第一項第二号に掲げる事項のみに係る規約の変更については、第二百五十二条の二の二第三項本文の例によらないものとする。

③ 第一項の予告の撤回は、他の全ての関係普通地方公共団体が議会の議決を経て同意をした場合に限り、することができる。この場合において、同項の予告をした普通地方公共団体が他の関係普通地方公共団体に当該予告の撤回について同意を求めるに当たつては、あらかじめ、その議会の議決を経なければならない。

④ 普通地方公共団体は、第一項の規定により協議会から脱退したときは、その旨を告示しなければならない。

⑤ 第一項の規定による脱退により協議会を設ける普通地方公共団体が一となつたときは、当該協議会は廃止されるものとする。この場合において、当該普通地方公共団体は、その旨を告示するとともに、第二百五十二条の二の二第二項の例により、総務大臣又は都道府県知事に届け出なければならない。

第三款 機関等の共同設置（抄）

（機関等の共同設置）

第二五二条の七① 普通地方公共団体は、協議により規約を定め、共同して、第百三十八条第一項若しくは第二項に規定する事務局若しくはその内部組織（次項及び第二百五十二条の十三において「議会事務局」という。）、第百三十八条の四第一項に

規定する委員会若しくは委員、同条第三項に規定する附属機関、第百五十六条第一項に規定する行政機関、第百五十八条第一項に規定する内部組織、委員会若しくは委員の事務局若しくはその内部組織（次項及び第二百五十二条の十三において「委員会事務局」という。）、普通地方公共団体の議会、長、委員会若しくは委員の事務を補助する職員、第百七十四条第一項に規定する専門委員又は第二百条の二第一項に規定する監査専門委員を置くことができる。ただし、政令で定める委員会については、この限りでない。

② 前項の規定による議会事務局、執行機関、附属機関、行政機関、内部組織、委員会事務局若しくは職員を共同設置する普通地方公共団体の数を増減し、若しくはこれらの議会事務局、執行機関、附属機関、行政機関、内部組織、委員会事務局若しくは職員の共同設置に関する規約を変更し、又はこれらの議会事務局、執行機関、附属機関、行政機関、内部組織、委員会事務局若しくは職員の共同設置を廃止しようとするときは、関係普通地方公共団体は、同項の例により、協議してこれを行わなければならない。

③ 第二百五十二条の二の二第二項及び第三項本文の規定は前二項の場合について、同条第四項の規定は第一項の場合について、それぞれ準用する。

第二五二条の七の二から第二五二条の一三まで　（略）

第四款　事務の委託

（事務の委託）

第二五二条の一四① 普通地方公共団体は、協議により規約を定め、普通地方公共団体の事務の一部を、他の普通地方公共団体に委託して、当該他の普通地方公共団体の長又は同種の委員会若しくは委員をして管理し及び執行させることができる。

② 前項の規定により委託した事務を変更し、又はその事務の委託を廃止しようとするときは、関係普通地方公共団体は、同項の例により、協議してこれを行わなければならない。

③ 第二百五十二条の二の二第二項及び第三項本文の規定は前二項の規定により普通地方公共団体の事務を委託し、又は委託した事務を変更し、若しくはその事務の委託を廃止する場合に、同条第四項の規定は第一項の場合にこれを準用する。

（事務の委託の規約）

第二五二条の一五　前条の規定により委託する普通地方公共団体の事務（以下本条中「委託事務」という。）の委託に関する規約には、次に掲げる事項につき規定を設けなければならない。

一　委託する普通地方公共団体及び委託を受ける普通地方公共団体

二　委託事務の範囲並びに委託事務の管理及び執行の方法

三　委託事務に要する経費の支弁の方法

四　前各号に掲げるもののほか、委託事務に関し必要な事項

（事務の委託の効果）

第二五二条の一六　普通地方公共団体の事務を、他の普通地方公共団体に委託して、当該他の普通地方公共団体の長又は同種の委員会若しくは委員をして管理し及び執行させる場合においては、当該事務の管理及び執行に関する法令中委託した普通地方公共団体又はその執行機関に適用すべき規定は、当該委託された事務の範囲内において、その事務の委託を受けた普通地方公共団体又はその執行機関について適用があるものとし、別に規約で定めをするものを除くほか、事務の委託を受けた普通地方公共団体の当該委託された事務の管理及び執行に関する条例、規則又はその機関の定める規程は、委託した普通地方公共団体の条例、規則又はその機関の定める規程としての効力を有する。

第五款　事務の代替執行

（事務の代替執行）

第二五二条の一六の二① 普通地方公共団体は、他の普通地方公共団体の求めに応じて、協議により規約を定め、当該他の普通地方公共団体の事務の一部を、当該他の普通地方公共団体又は当該他の普通地方公共団体の長若しくは同種の委員会若しくは委員の名において管理し及び執行すること（以下この条及び次条において「事務の代替執行」という。）ができる。

② 前項の規定により事務の代替執行をする事務（以下この款において「代替執行事務」という。）を変更し、又は事務の代替執行を廃止しようとするときは、関係普通地方公共団体は、同項の例により、協議してこれを行わなければならない。

③ 第二百五十二条の二の二第二項及び第三項本文の規定は前二項の規定により事務の代替執行をし、又は代替執行事務を変更し、若しくは事務の代替執行を廃止する場合に、同条第四項の規定は第一項の場合に準用する。

（事務の代替執行の規約）

第二五二条の一六の三　事務の代替執行に関する規約には、次に掲げる事項につき規定を設けなければならない。

一　事務の代替執行をする普通地方公共団体及びその相手方となる普通地方公共団体

二　代替執行事務の範囲並びに代替執行事務の管理及び執行の方法

三　代替執行事務に要する経費の支弁の方法

四　前三号に掲げるもののほか、事務の代替執行に関し必要な事項

（代替執行事務の管理及び執行の効力）

第二五二条の一六の四　第二百五十二条の十六の二の規定により普通地方公共団体が他の普通地方公共団体又は他の普通地方公共団体の長若しくは同種の委員会若しくは委員の名において管理し及び執行した事務の管理及び執行は、当該他の普通地方公共団体の長又は同種の委員会若しくは委員が管理し及び執行したものとしての効力を有する。

第六款　職員の派遣

（職員の派遣）

第二五二条の一七① 普通地方公共団体の長又は委員会若しくは委員は、法律に特別の定めがあるものを除くほか、当該普通地方公共団体の事務の処理のため特別の必要があると認めるときは、他の普通地方公共団体の長又は委員会若しくは委員に対し、当該普通地方公共団体の職員の派遣を求めることができる。

② 前項の規定による求めに応じて派遣される職員は、派遣を受けた普通地方公共団体の職員の身分をあわせ有することとなるものとし、その給料、手当（退職手当を除く。）及び旅費は、当該職員の派遣を受けた普通地方公共団体の負担とし、退職手当及び退職年金又は退職一時金は、当該職員の派遣をした普通地方公共団体の負担とする。ただし、当該派遣が長期間にわたることその他の特別の事情があるときは、当該職員の派遣を求める普通地方公共団体及びその求めに応じて当該職員の派遣をしようとする普通地方公共団体の長又は委員会若しくは委員の協議により、当該派遣の趣旨に照らして必要な範囲内において、当該職員の派遣を求める普通地方公共団体が当該職員の退職手当の全部又は一部を負担することとすることができる。

③ 普通地方公共団体の委員会又は委員が、第一項の規定により職員の派遣を求め、若しくはその求めに応じて職員を派遣しようとするとき、又は前項ただし書の規定により退職手当の負担について協議しようとするときは、あらかじめ、当該普通地方公共団体の長に協議しなければならない。

④ 第二項に規定するもののほか、第一項の規定に基づき派遣された職員の身分取扱いに関しては、当該職員の派遣をした普通地方公共団体の職員に関する法令の規定の適用があるものとする。ただし、当該法令の趣旨に反しない範囲内で政令で特別の定めをすることができる。

第四節　条例による事務処理の特例

（条例による事務処理の特例）

第二五二条の一七の二① 都道府県は、都道府県知事の権限に属する事務の一部を、条例の定めるところにより、市町村が処理することとすることができる。この場合においては、当該市町村が処理することとされた事務は、当該市町村の長が管理し及び執行するものとする。

② 前項の条例（同項の規定により都道府県の規則に基づく事務を市町村が処理することとする場合で、同項の条例の定めるところにより、規則に委任して当該事務の範囲を定めるときは、当該規則を含む。以下この節及び第二百五十二条の二十六の四第一項第三号において同じ。）を制定し又は改廃する場合においては、都道府県知事は、あらかじめ、その権限に属する事務の一部を処理し又は処理することとなる市町村の長に協議しなければならない。

③ 市町村の長は、その議会の議決を経て、都道府県知事に対し、第一項の規定によりその権限に属する事務の一部を当該市町村が処理することとするよう要請することができる。

④ 前項の規定による要請があつたときは、都道府県知事は、速やかに、当該市町村の長と協議しなければならない。

（条例による事務処理の特例の効果）

第二五二条の一七の三① 前条第一項の条例の定めるところにより、都道府県知事の権限に属する事務の一部を市町村が処理する場合においては、当該条例の定めるところにより市町村が処理することとされた事務について規定する法令、条例又は規則中都道府県に関する規定は、当該事務の範囲内において、当該市町村に関する規定として当該市町村に適用があるものとする。

② 前項の規定により市町村に適用があるものとされる法令の規定により国の行政機関が市町村に対して行うものとなる助言等、資料の提出の要求等又は是正の要求等は、都道府県知事を通じて行うことができるものとする。

③ 第一項の規定により市町村に適用があるものとされる法令の規定により市町村が国の行政機関と行うものとなる協議は、都道府県知事を通じて行うものとし、当該法令の規定により国の行政機関が市町村に対して行うものとなる許認可等に係る申請等は、都道府県知事を経由して行うものとする。

（是正の要求等の特則）

第二五二条の一七の四① 都道府県知事は、第二百五十二条の十七の二第一項の条例の定めるところにより市町村が処理することとされた事務のうち自治事務の処理が法令の規定に違反していると認めるとき、又は著しく適正を欠き、かつ、明らかに公益を害していると認めるときは、当該市町村に対し、第二百四十五条の五第二項に規定する各大臣の指示がない場合であつても、同条第三項の規定により、当該自治事務の処理について違反の是正又は改善のため必要な措置を講ずべきことを求めることができる。

② 第二百五十二条の十七の二第一項の条例の定めるところにより市町村が処理することとされた事務のうち法定受託事務に対する第二百四十五条の八第十二項において準用する同条第一項から第十一項までの規定の適用については、同条第十二項において読み替えて準用する同条第二項から第四項まで、第六項、第八項及び第十二項中「都道府県知事」とあるのは、「各大臣」とする。この場合においては、同条第十三項の規定は適用しない。

③ 第二百五十二条の十七の二第一項の条例の定めるところにより市町村が処理することとされた事務のうち自治事務の処理について第二百四十五条の五第三項の規定による是正の要求（第一項の規定による是正の要求を含む。）を行つた都道府県知事は、第二百五十二条第一項各号のいずれかに該当するときは、同項に規定する各大臣の指示がない場合であつても、同条第二項の規定により、訴えをもつて当該是正の要求を受けた市町村の不作為の違法の確認を求めることができる。

④ 第二百五十二条の十七の二第一項の条例の定めるところにより市町村が処理することとされた事務のうち法定受託事務に係る市町村長の処分についての第二百五十五条の二第一項の審査請求の裁決に不服がある者は、当該処分に係る事務を規定する法律又はこれに基づく政令を所管する各大臣に対して再審査請求をすることができる。

⑤ 市町村長が第二百五十二条の十七の二第一項の条例の定めるところにより市町村が処理することとされた事務のうち法定受託事務に係る処分をする権限をその補助機関である職員又はその管理に属する行政機関の長に委任した場合において、委任を受けた職員又は行政機関の長がその委任に基づいてした処分につき、第二百五十五条の二第二項の再審査請求の裁決があつたときは、当該裁決に不服がある者は、再々審査請求をすることができる。この場合において、再々審査請求は、当該処分を対象として、当該処分に係る事務を規定する法律又はこれに基づく政令を所管する各大臣に対してするものとする。

⑥ 前項の再々審査請求については、行政不服審査法第四章の規定を準用する。

⑦ 前項において準用する行政不服審査法の規定に基づく処分及びその不作為については、行政不服審査法第二条及び第三条の規定は、適用しない。

第五節 雑則（抄）

（組織及び運営の合理化に係る助言及び勧告並びに資料の提出の要求）

第二五二条の一七の五① 総務大臣又は都道府県知事は、普通地方公共団体の組織及び運営の合理化に資するため、普通地方公共団体に対し、適切と認める技術的な助言若しくは勧告をし、又は当該助言若しくは勧告をするため若しくは普通地方公共団体の組織及び運営の合理化に関する情報を提供するため必要な資料の提出を求めることができる。

② 総務大臣は、都道府県知事に対し、前項の規定による市町村に対する助言若しくは勧告又は資料の提出の求めに関し、必要な指示をすることができる。

③ 普通地方公共団体の長は、第二条第十四項及び第十五項の規定の趣旨を達成するため必要があると認めるときは、総務大臣又は都道府県知事に対し、当該普通地方公共団体の組織及び運営の合理化に関する技術的な助言若しくは勧告又は必要な情報の提供を求めることができる。

（財務に係る実地検査）

第二五二条の一七の六① 総務大臣は、必要があるときは、都道府県について財務に関係のある事務に関し、実地の検査を行うことができる。

② 都道府県知事は、必要があるときは、市町村について財務に関係のある事務に関し、実地の検査を行うことができる。

③ 総務大臣は、都道府県知事に対し、前項の規定による検査に関し、必要な指示をすることができる。

④ 総務大臣は、前項の規定によるほか、緊急を要するときその他特に必要があると認めるときは、市町村について財務に関係のある事務に関し、実地の検査を行うことができる。

（市町村に関する調査）

第二五二条の一七の七 総務大臣は、第二百五十二条の十七の五第一項及び第二項並びに前条第三項及び第四項の規定による権限の行使のためその他市町村の適正な運営を確保するため必要があるときは、都道府県知事に対し、市町村についてその特に指定する事項の調査を行うよう指示をすることができる。

第二五二条の一七の八から第二五二条の一八の二まで（略）

第十三章 大都市等に関する特例（抄）

第一節 大都市に関する特例（抄）

（指定都市の権能）

第二五二条の一九① 政令で指定する人口五十万以上の市（以下「指定都市」という。）は、次に掲げる事務のうち都道府県が法律又はこれに基づく政令の定めるところにより処理することとされているものの全部又は一部で政令で定めるものを、政令で定めるところにより、処理することができる。
一　児童福祉に関する事務
二　民生委員に関する事務
三　身体障害者の福祉に関する事務
四　生活保護に関する事務
五　行旅病人及び行旅死亡人の取扱に関する事務
五の二　社会福祉事業に関する事務
五の三　知的障害者の福祉に関する事務
六　母子家庭及び父子家庭並びに寡婦の福祉に関する事務
六の二　老人福祉に関する事務
七　母子保健に関する事務
七の二　介護保険に関する事務
八　障害者の自立支援に関する事務
八の二　生活困窮者の自立支援に関する事務
九　食品衛生に関する事務
九の二　医療に関する事務
十　精神保健及び精神障害者の福祉に関する事務
十一　結核の予防に関する事務
十一の二　難病の患者に対する医療等に関する事務
十二　土地区画整理事業に関する事務
十三　屋外広告物の規制に関する事務

②　指定都市がその事務を処理するに当たつて、法律又はこれに基づく政令の定めるところにより都道府県知事若しくは都道府県の委員会の許可、認可、承認その他これらに類する処分を要し、又はその事務の処理について都道府県知事若しくは都道府県の委員会の改善、停止、制限、禁止その他これらに類する指示その他の命令を受けるものとされている事項で政令で定めるものについては、政令の定めるところにより、これらの許可、認可等の処分を要せず、若しくはこれらの指示その他の命令に関する法令の規定を適用せず、又は都道府県知事若しくは都道府県の委員会の許可、認可等の処分若しくは指示その他の命令に代えて、各大臣の許可、認可等の処分を要するものとし、若しくは各大臣の指示その他の命令を受けるものとする。

第二五二条の二〇（**区の設置**）①　指定都市は、市長の権限に属する事務を分掌させるため、条例で、その区域を分けて区を設け、区の事務所又は必要があると認めるときはその出張所を置くものとする。

②　区の事務所又はその出張所の位置、名称及び所管区域並びに区の事務所が分掌する事務は、条例でこれを定めなければならない。

③　区にその事務所の長として区長を置く。

④　区長又は区の事務所の出張所の長は、当該普通地方公共団体の長の補助機関である職員をもつて充てる。

⑤　区に選挙管理委員会を置く。

⑥　第四条第二項の規定は第二項の区の事務所又はその出張所の位置及び所管区域に、第百七十五条第二項の規定は区長又は第四項の区の事務所の出張所の長に、第二編第七章第三節中市の選挙管理委員会に関する規定は前項の選挙管理委員会について、これを準用する。

⑦　指定都市は、必要と認めるときは、条例で、区ごとに区地域協議会を置くことができる。この場合において、その区域内に地域自治区が設けられる区には、区地域協議会を設けないことができる。

⑧　第二百二条の五第二項から第五項まで及び第二百二条の六から第二百二条の九までの規定は、区地域協議会に準用する。

⑨　指定都市は、地域自治区を設けるときは、その区域は、区の区域を分けて定めなければならない。

⑩　第七項の規定に基づき、区に区地域協議会を置く指定都市は、第二百二条の四第一項の規定にかかわらず、その一部の区の区域に地域自治区を設けることができる。

⑪　前各項に定めるもののほか、指定都市の区に関し必要な事項は、政令でこれを定める。

第二五二条の二〇の二（**総合区の設置**）①　指定都市は、その行政の円滑な運営を確保するため必要があると認めるときは、前条第一項の規定にかかわらず、市長の権限に属する事務のうち特定の区の区域内に関するものを第八項の規定により総合区長に執行させるため、条例で、当該区に代えて総合区を設け、総合区の事務所又は必要があると認めるときはその出張所を置くことができる。

②　総合区の事務所又はその出張所の位置、名称及び所管区域並びに総合区の事務所が分掌する事務は、条例でこれを定めなければならない。

③　総合区にその事務所の長として総合区長を置く。

④　総合区長は、市長が議会の同意を得てこれを選任する。

⑤　総合区長の任期は、四年とする。ただし、市長は、任期中においてもこれを解職することができる。

⑥　総合区の事務所の職員のうち、総合区長があらかじめ指定する者は、総合区長に事故があるとき又は総合区長が欠けたときは、その職務を代理する。

⑦　第百四十一条、第百四十二条、第百五十九条、第百六十四条、第百六十五条第二項、第百六十六条第一項及び第三項並びに第百七十五条第二項の規定は、総合区長について準用する。

⑧　総合区長は、総合区の区域に係る政策及び企画をつかさどるほか、法律若しくはこれに基づく政令又は条例により総合区長が執行することとされた事務及び市長の権限に属する事務のうち主として総合区の区域内に関するもので次に掲げるものを執行し、これらの事務の執行について当該指定都市を代表する。ただし、法律又はこれに基づく政令に特別の定めがある場合は、この限りでない。
一　総合区の区域に住所を有する者の意見を反映させて総合区の区域のまちづくりを推進する事務（法律若しくはこれに基づく政令又は条例により市長が執行することとされたものを除く。）
二　総合区の区域に住所を有する者相互間の交流を促進するための事務（法律若しくはこれに基づく政令又は条例により市長が執行することとされたものを除く。）
三　社会福祉及び保健衛生に関する事務のうち総合区の区域に住所を有する者に対して直接提供される役務に関する事務（法律若しくはこれに基づく政令又は条例により市長が執行することとされたものを除く。）
四　前三号に掲げるもののほか、主として総合区の区域内に関する事務で条例で定めるもの

⑨　総合区長は、総合区の事務所又はその出張所の職員（政令で定めるものを除く。）を任免する。ただし、指定都市の規則で定める主要な職員を任免する場合においては、あらかじめ、市長の同意を得なければならない。

⑩　総合区長は、歳入歳出予算のうち総合区長が執行する事務に係る部分に関し必要があると認めるときは、市長に対し意見を述べることができる。

⑪　総合区に選挙管理委員会を置く。

⑫　第四条第二項の規定は第二項の総合区の事務所又はその出張所の位置及び所管区域について、第百七十五条第二項の規定は総合区の事務所の出張所の長について、第二編第七章第三節中市の選挙管理委員会に関する規定は前項の選挙管理委員会について準用する。

⑬　前条第七項から第十項までの規定は、総合区について準用する。

⑭　前各項に定めるもののほか、指定都市の総合区に関し必要な事項は、政令でこれを定める。

第二五二条の二一（**政令への委任**）　法律又はこれに基づく政令に定めるもののほか、第二百五十二条の十九第一項の規定による指定都市の指定があつた場合において必要な事項は、政令でこれを定める。

第二五二条の二二の二から第二五二条の二二の五まで（略）

第二節　中核市に関する特例

（**中核市の権能**）

第二五二条の二二①　政令で指定する人口二十万以上の市（以下「中核市」という。）は、第二百五十二条の十九第一項の規定により指定都市が処理することができる事務のうち、都道府県がその区域にわたり一体的に処理することが中核市が処理することに比して効率的な事務その他の中核市において処理することが適当でない事務以外の事務で政令で定めるものを、政令で定めるところにより、処理することができる。

② 中核市がその事務を処理するに当たつて、法律又はこれに基づく政令の定めるところにより都道府県知事の改善、停止、制限、禁止その他これらに類する指示その他の命令を受けるものとされている事項で政令で定めるものについては、政令の定めるところにより、これらの指示その他の命令に関する法令の規定を適用せず、又は都道府県知事の指示その他の命令に代えて、各大臣の指示その他の命令を受けるものとする。

第二五二条の二三　削除

（**中核市の指定に係る手続**）

第二五二条の二四①　総務大臣は、第二百五十二条の二十二第一項の中核市の指定に係る政令の立案をしようとするときは、関係市からの申出に基づき、これを行うものとする。

② 前項の規定による申出をしようとするときは、関係市は、あらかじめ、当該市の議会の議決を経て、都道府県の同意を得なければならない。

③ 前項の同意については、当該都道府県の議会の議決を経なければならない。

（**政令への委任**）

第二五二条の二五　第二百五十二条の二十一の規定は、第二百五十二条の二十二第一項の規定による中核市の指定があつた場合について準用する。

（**指定都市の指定があつた場合の取扱い**）

第二五二条の二六　中核市に指定された市について第二百五十二条の十九第一項の規定による指定都市の指定があつた場合は、当該市に係る第二百五十二条の二十二第一項の規定による中核市の指定は、その効力を失うものとする。

（**中核市の指定に係る手続の特例**）

第二五二条の二六の二　第七条第一項又は第三項の規定により中核市に指定された市の区域の全部を含む区域をもつて市を設置する処分について同項の規定により総務大臣に届出又は申請があつた場合は、第二百五十二条の二十四第一項の関係市からの申出があつたものとみなす。

第十四章　国民の安全に重大な影響を及ぼす事態における国と普通地方公共団体との関係等の特例（抄）

（**資料及び意見の提出の要求**）

第二五二条の二六の三①　各大臣又は都道府県知事その他の都道府県の執行機関は、大規模な災害、感染症のまん延その他その及ぼす被害の程度においてこれらに類する国民の安全に重大な影響を及ぼす事態（以下この章において「国民の安全に重大な影響を及ぼす事態」と総称する。）が発生し、又は発生するおそれがある場合において、その担任する事務に関し、当該国民の安全に重大な影響を及ぼす事態への対処に関する基本的な方針について検討を行い、若しくは国民の生命、身体若しくは財産の保護のための措置（以下この章において「生命等の保護の措置」という。）を講じ、又は普通地方公共団体が講ずる生命等の保護の措置について適切と認める普通地方公共団体に対する国又は都道府県の関与（第二百四十五条の四第一項の規定による助言及び勧告を除く。）を行うため必要があると認めるときは、普通地方公共団体に対し、資料の提出を求めることができる。

② 各大臣又は都道府県知事その他の都道府県の執行機関は、国民の安全に重大な影響を及ぼす事態が発生し、又は発生するおそれがある場合において、その担任する事務に関し、当該国民の安全に重大な影響を及ぼす事態への対処に関する基本的な方針について検討を行い、若しくは生命等の保護の措置を講じ、又は普通地方公共団体が講ずる生命等の保護の措置について適切と認める技術的な助言その他の普通地方公共団体に対する国又は都道府県の関与若しくは情報の提供を行うため必要があると認めるときは、普通地方公共団体に対し、意見の提出を求めることができる。

③ 第二百四十五条の四第二項の規定は、前二項の規定による市町村に対する都道府県知事その他の都道府県の執行機関の資料又は意見の提出の求めについて準用する。

（**事務処理の調整の指示**）

第二五二条の二六の四①　各大臣は、国民の安全に重大な影響を及ぼす事態が発生し、又は発生するおそれがある場合において、その担任する事務に関し、生命等の保護の措置の的確かつ迅速な実施を確保するため、当該国民の安全に重大な影響を及ぼす事態に係る都道府県において、一の市町村の区域を超える広域の見地から、当該都道府県の事務（法律又はこれに基づく政令により都道府県が処理することとされている事務であつて、当該生命等の保護の措置に係るものに限る。）の処理と当該都道府県の区域内の市町村の事務（法律又はこれに基づく政令により都道府県が処理することとされている事務のうち、次に掲げるものであつて、当該生命等の保護の措置に密接に関連するものに限る。）の処理との間の調整を図る必要があると認めるときは、第二百四十五条の四第二項（前条第三項において準用する場合を含む。）の規定によるほか、当該都道府県に対し、当該調整を図るために必要な措置を講ずるよう指示をすることができる。この場合において、各大臣は、当該市町村に対し、当該指示をした旨を通知するものとする。

一　法律又はこれに基づく政令により指定都市又は中核市が処理することとされている事務（法律又はこれに基づく政令によりこれらの市以外の市町村が当該事務を処理することとされている場合における当該事務を除く。）

二　前号に掲げる事務を除くほか、法律又はこれに基づく政令により市町村が処理することとされている事務のうち政令で定めるもの

三　第二百五十二条の十七の二第一項の条例又は地方教育行政の組織及び運営に関する法律（昭和三十一年法律第百六十二号）第五十五条第一項の条例の定めるところにより市町村が処理することとされている事務

② 前項後段の規定による通知は、都道府県知事その他の都道府県の執行機関を通じてすることができる。

（**生命等の保護の措置に関する指示**）

第二五二条の二六の五①　各大臣は、国民の安全に重大な影響を及ぼす事態が発生し、又は発生するおそれがある場合において、当該国民の安全に重大な影響を及ぼす事態の規模及び態様、当該国民の安全に重大な影響を及ぼす事態に係る地域の状況その他の当該国民の安全に重大な影響を及ぼす事態に関する状況を勘案して、その担任する事務に関し、生命等の保護の措置の的確かつ迅速な実施を確保するため特に必要があると認めるときは、他の法律の規定に基づき当該生命等の保護の措置に関し必要な指示をすることができる場合を除き、閣議の決定を経て、その必要な限度において、普通地方公共団体に対し、当該普通地方公共団体の事務の処理について当該生命等の保護の措置の的確かつ迅速な実施を確保するため講ずべき措置に関し、必要な指示をすることができる。

② 各大臣は、前項の規定により普通地方公共団体に対して指示をしようとするときは、あらかじめ、当該指示に係る同項に規定する国民の安全に重大な影響を及ぼす事態に関する状況を適切に把握し、当該普通地方公共団体の事務の処理について同項の生命等の保護の措置の的確かつ迅速な実施を確保するため講

ずべき措置の検討を行うため、第二百五十二条の二十六の三第一項又は第二項の規定による当該普通地方公共団体に対する資料又は意見の提出の求めその他の適切な措置を講ずるように努めなければならない。

③ 市町村に対する第一項の指示は、都道府県知事その他の都道府県の執行機関を通じてすることができる。

④ 各大臣は、第一項の指示をしたときは、その旨及びその内容を国会に報告するものとする。

第二五二条の二六の六から第二五二条の二六の一〇まで　（略）

第十五章　外部監査契約に基づく監査（抄）

第一節　通則

（外部監査契約）

第二五二条の二七① この法律において「外部監査契約」とは、包括外部監査契約及び個別外部監査契約をいう。

② この法律において「包括外部監査契約」とは、第二百五十二条の三十六第一項各号に掲げる普通地方公共団体及び同条第二項の条例を定めた同条第一項第二号に掲げる市以外の市又は町村が、第二条第十四項及び第十五項の規定の趣旨を達成するため、この法律の定めるところにより、次条第一項又は第二項に規定する者の監査を受けるとともに監査の結果に関する報告の提出を受けることを内容とする契約であつて、この法律の定めるところにより、当該監査を行う者と締結するものをいう。

③ この法律において「個別外部監査契約」とは、次の各号に掲げる普通地方公共団体が、当該各号に掲げる請求又は要求があつた場合において、この法律の定めるところにより、当該請求又は要求に係る事項について次条第一項又は第二項に規定する者の監査を受けるとともに監査の結果に関する報告の提出を受けることを内容とする契約であつて、この法律の定めるところにより、当該監査を行う者と締結するものをいう。

一　第二百五十二条の三十九第一項に規定する普通地方公共団体　第七十五条第一項の請求

二　第二百五十二条の四十第一項に規定する普通地方公共団体　第九十八条第二項の請求

三　第二百五十二条の四十一第一項に規定する普通地方公共団体　第百九十九条第六項の要求

四　第二百五十二条の四十二第一項に規定する普通地方公共団体　第百九十九条第七項の要求

五　第二百五十二条の四十三第一項に規定する普通地方公共団体　第二百四十二条第一項の請求

（外部監査契約を締結できる者）

第二五二条の二八① 普通地方公共団体が外部監査契約を締結できる者は、普通地方公共団体の財務管理、事業の経営管理その他行政運営に関し優れた識見を有する者であつて、次の各号のいずれかに該当するものとする。

一　弁護士（弁護士となる資格を有する者を含む。）

二　公認会計士（公認会計士となる資格を有する者を含む。）

三　国の行政機関において会計検査に関する行政事務に従事した者又は地方公共団体において監査若しくは財務に関する行政事務に従事した者であつて、監査に関する実務に精通しているものとして政令で定めるもの

② 普通地方公共団体は、外部監査契約を円滑に締結し、又はその適正な履行を確保するため必要と認めるときは、前項の規定にかかわらず、同項の識見を有する者であつて税理士（税理士となる資格を有する者を含む。）であるものと外部監査契約を締結することができる。

③ 前二項の規定にかかわらず、普通地方公共団体は、次の各号のいずれかに該当する者と外部監査契約を締結してはならない。

一　拘禁刑以上の刑に処せられ、その執行を終わり、又は執行を受けることがなくなつてから三年を経過しない者

二　破産手続開始の決定を受けて復権を得ない者

三　国家公務員法（昭和二十二年法律第百二十号）又は地方公務員法の規定により懲戒免職の処分を受け、当該処分の日から三年を経過しない者

四　弁護士法（昭和二十四年法律第二百五号）、公認会計士法（昭和二十三年法律第百三号）又は税理士法（昭和二十六年法律第二百三十七号）の規定による懲戒処分により、弁護士会からの除名、公認会計士の登録の抹消又は税理士の業務の禁止の処分を受けた者で、これらの処分を受けた日から三年を経過しないもの（これらの法律の規定により再び業務を営むことができることとなつた者を除く。）

五　税理士法第四十八条第一項の規定により同法第四十四条第三号に掲げる処分を受けるべきであつたことについて決定を受けた者で、当該決定を受けた日から三年を経過しないもの

六　懲戒処分により、弁護士、公認会計士又は税理士の業務を停止された者で、現にその処分を受けているもの

七　税理士法第四十八条第一項の規定により同法第四十四条第二号に掲げる処分を受けるべきであつたことについて決定を受けた者で、同項後段の規定により明らかにされた期間を経過しないもの

八　当該普通地方公共団体の議会の議員

九　当該普通地方公共団体の職員

十　当該普通地方公共団体の職員で政令で定めるものであつた者

十一　当該普通地方公共団体の長、副知事若しくは副市町村長、会計管理者又は監査委員と親子、夫婦又は兄弟姉妹の関係にある者

十二　当該普通地方公共団体に対し請負（外部監査契約に基づくものを除く。）をする者及びその支配人又は主として同一の行為をする法人の無限責任社員、取締役、執行役若しくは監査役若しくはこれらに準ずべき者、支配人及び清算人

（特定の事件についての監査の制限）

第二五二条の二九　包括外部監査人（普通地方公共団体と包括外部監査契約を締結し、かつ、包括外部監査契約の期間（包括外部監査契約に基づく監査を行い、監査の結果に関する報告を提出すべき期間をいう。以下本章において同じ。）内にある者をいう。以下本章において同じ。）又は個別外部監査人（普通地方公共団体と個別外部監査契約を締結し、かつ、個別外部監査契約の期間（個別外部監査契約に基づく監査を行い、監査の結果に関する報告を提出すべき期間をいう。以下本章において同じ。）内にある者をいう。以下本章において同じ。）は、自己若しくは父母、祖父母、配偶者、子、孫若しくは兄弟姉妹の一身上に関する事件又は自己若しくはこれらの者の従事する業務に直接の利害関係のある事件については、監査することができない。

（監査の実施に伴う外部監査人と監査委員相互間の配慮）

第二五二条の三〇① 外部監査人（包括外部監査人及び個別外部監査人をいう。以下本章において同じ。）は、監査を実施するに当たつては、監査委員にその旨を通知する等相互の連絡を図るとともに、監査委員の監査の実施に支障を来さないよう配慮しなければならない。

② 監査委員は、監査を実施するに当たつては、外部監査人の監査の実施に支障を来さないよう配慮しなければならない。

（監査の実施に伴う外部監査人の義務）

第二五二条の三一① 外部監査人は、外部監査契約の本旨に従い、善良な管理者の注意をもつて、誠実に監査を行う義務を負う。

② 外部監査人は、外部監査契約の履行に当たつては、常に公正不偏の態度を保持し、自らの判断と責任において監査をしなければならない。

③ 外部監査人は、監査の実施に関して知り得た秘密を漏らしてはならない。外部監査人でなくなつた後であつても、同様とする。

④ 前項の規定に違反した者は、二年以下の拘禁刑又は百万円以下の罰金に処する。

⑤ 外部監査人は、監査の事務に関しては、刑法（明治四十年法

律第四十五号）その他の罰則の適用については、法令により公務に従事する職員とみなす。

（外部監査人の監査の事務の補助）

第二五二条の三二① 外部監査人は、監査の事務を他の者に補助させることができる。この場合においては、外部監査人は、政令の定めるところにより、あらかじめ監査委員に協議しなければならない。

② 監査委員は、前項の規定による協議が調つた場合には、直ちに当該監査の事務を補助する者の氏名及び住所並びに当該監査の事務を補助する者が外部監査人の監査の事務を補助できる期間を告示しなければならない。

③ 第一項の規定による協議は、監査委員の合議によるものとする。

④ 外部監査人は、監査が適正かつ円滑に行われるよう外部監査人補助者（第二項の規定により外部監査人の監査の事務を補助する者として告示された者であつて、かつ、外部監査人の監査の事務を補助できる期間内にあるものをいう。以下本条において同じ。）を監督しなければならない。

⑤ 外部監査人補助者は、外部監査人の監査の事務を補助したことに関して知り得た秘密を漏らしてはならない。外部監査人補助者でなくなつた後であつても、同様とする。

⑥ 前項の規定に違反した者は、二年以下の拘禁刑又は百万円以下の罰金に処する。

⑦ 外部監査人補助者は、外部監査人の監査の事務の補助に関しては、刑法その他の罰則の適用については、法令により公務に従事する職員とみなす。

⑧ 外部監査人は、第二項の規定により告示された者に監査の事務を補助させる必要がなくなつたときは、速やかに、その旨を監査委員に通知しなければならない。

⑨ 前項の通知があつたときは、監査委員は、速やかに、当該通知があつた者の氏名及び住所並びにその者が外部監査人を補助する者でなくなつたことを告示しなければならない。

⑩ 前項の規定による告示があつたときは、当該告示された者が外部監査人の監査の事務を補助できる期間は終了する。

（外部監査人の監査への協力）

第二五二条の三三① 普通地方公共団体が外部監査人の監査を受けるに当たつては、当該普通地方公共団体の議会、長その他の執行機関又は職員は、外部監査人の監査の適正かつ円滑な遂行に協力するよう努めなければならない。

② 代表監査委員は、外部監査人の求めに応じ、監査委員の監査の事務に支障のない範囲内において、監査委員の事務局長、書記その他の職員、監査専門委員又は第百八十条の三の規定による職員を外部監査人の監査の事務に協力させることができる。

（議会による説明の要求又は意見の陳述）

第二五二条の三四① 普通地方公共団体の議会は、外部監査人の監査に関し必要があると認めるときは、外部監査人又は外部監査人であつた者の説明を求めることができる。

② 普通地方公共団体の議会は、外部監査人の監査に関し必要があると認めるときは、外部監査人に対し意見を述べることができる。

（外部監査契約の解除）

第二五二条の三五① 普通地方公共団体の長は、外部監査人が第二百五十二条の二十八第一項各号のいずれにも該当しなくなつたとき（同条第二項の規定により外部監査契約が締結された場合にあつては、税理士（税理士となる資格を有する者を含む。）でなくなつたとき）、又は同条第三項各号のいずれかに該当するに至つたときは、当該外部監査人と締結している外部監査契約を解除しなければならない。

② 普通地方公共団体の長は、外部監査人が心身の故障のため監査の遂行に堪えないと認めるとき、外部監査人にこの法律若しくはこれに基づく命令の規定又は外部監査契約に係る義務に違反する行為があると認めるときその他外部監査人と外部監査契約を締結していることが著しく不適当と認めるときは、外部監査契約を解除することができる。この場合においては、あらかじめ監査委員の意見を聴くとともに、その意見を付けて議会の同意を得なければならない。

③ 外部監査人が、外部監査契約を解除しようとするときは、普通地方公共団体の長の同意を得なければならない。この場合においては、当該普通地方公共団体の長は、あらかじめ監査委員の意見を聴かなければならない。

④ 前項の規定による意見は、監査委員の合議によるものとする。

⑤ 普通地方公共団体の長は、第一項若しくは第二項の規定により外部監査契約を解除したとき、又は第三項の規定により外部監査契約を解除されたときは、直ちに、その旨を告示するとともに、遅滞なく、新たに外部監査契約を締結しなければならない。

⑥ 外部監査契約の解除は、将来に向かつてのみその効力を生ずる。

第二節 包括外部監査契約に基づく監査

（包括外部監査契約の締結）

第二五二条の三六① 次に掲げる普通地方公共団体の長は、政令で定めるところにより、毎会計年度、当該会計年度に係る包括外部監査契約を、速やかに、一の者と締結しなければならない。この場合においては、あらかじめ監査委員の意見を聴くとともに、議会の議決を経なければならない。

一 都道府県

二 政令で定める市

② 前項第二号に掲げる市以外の市又は町村で、契約に基づく監査を受けることを条例により定めたものの長は、同項の政令で定めるところにより、条例で定める会計年度において、当該会計年度に係る包括外部監査契約を、速やかに、一の者と締結しなければならない。この場合においては、あらかじめ監査委員の意見を聴くとともに、議会の議決を経なければならない。

③ 前二項の規定による意見の決定は、監査委員の合議によるものとする。

④ 第一項又は第二項の規定により包括外部監査契約を締結する場合には、第一項各号に掲げる普通地方公共団体及び第二項の条例を定めた第一項第二号に掲げる市以外の市又は町村（以下「包括外部監査対象団体」という。）は、連続して四回、同一の者と包括外部監査契約を締結してはならない。

⑤ 包括外部監査契約には、次に掲げる事項について定めなければならない。

一 包括外部監査契約の期間の始期

二 包括外部監査契約を締結した者に支払うべき監査に要する費用の額の算定方法

三 前二号に掲げる事項のほか、包括外部監査契約に基づく監査のために必要な事項として政令で定めるもの

⑥ 包括外部監査対象団体の長は、包括外部監査契約を締結したときは、前項第一号及び第二号に掲げる事項その他政令で定める事項を直ちに告示しなければならない。

⑦ 包括外部監査契約の期間の終期は、包括外部監査契約に基づく監査を行うべき会計年度の末日とする。

⑧ 包括外部監査対象団体は、包括外部監査契約の期間を十分に確保するよう努めなければならない。

（包括外部監査人の監査）

第二五二条の三七① 包括外部監査人は、包括外部監査対象団体の財務に関する事務の執行及び包括外部監査対象団体の経営に係る事業の管理のうち、第二条第十四項及び第十五項の規定の趣旨を達成するため必要と認める特定の事件について監査するものとする。

② 包括外部監査人は、前項の規定による監査をするに当たつては、当該包括外部監査対象団体の財務に関する事務の執行及び当該包括外部監査対象団体の経営に係る事業の管理が第二条第十四項及び第十五項の規定の趣旨にのつとつてなされているか

どうかに、特に、意を用いなければならない。

③ 包括外部監査人は、包括外部監査契約で定める包括外部監査契約の期間内に少なくとも一回以上第一項の規定による監査をしなければならない。

④ 包括外部監査対象団体は、当該包括外部監査対象団体が第百九十九条第七項に規定する財政的援助を与えているものの出納その他の事務の執行で当該財政的援助に係るもの、当該包括外部監査対象団体が出資しているもので同項の政令で定めるものの出納その他の事務の執行で当該出資に係るもの、当該包括外部監査対象団体が借入金の元金若しくは利子の支払を保証しているものの出納その他の事務の執行で当該保証に係るもの、当該包括外部監査対象団体が受益権を有する信託で同項の政令で定めるものの受託者の出納その他の事務の執行で当該信託に係るもの又は当該包括外部監査対象団体が第二百四十四条の二第三項の規定に基づき公の施設の管理を行わせているものの出納その他の事務の執行で当該管理の業務に係るものについて、包括外部監査人が必要があると認めるときは監査することができることを条例により定めることができる。

⑤ 包括外部監査人は、包括外部監査契約で定める包括外部監査契約の期間内に、監査の結果に関する報告を決定し、これを包括外部監査対象団体の議会、長及び監査委員並びに関係のある教育委員会、選挙管理委員会、人事委員会若しくは公平委員会、公安委員会、労働委員会、農業委員会その他法律に基づく委員会又は委員に提出しなければならない。

第二五二条の三八① 包括外部監査人は、監査のため必要があると認めるときは、監査委員と協議して、関係人の出頭を求め、若しくは関係人について調査し、若しくは関係人の帳簿、書類その他の記録の提出を求め、又は学識経験を有する者等から意見を聴くことができる。

② 包括外部監査人は、監査の結果に基づいて必要があると認めるときは、当該包括外部監査対象団体の組織及び運営の合理化に資するため、監査の結果に関する報告に添えてその意見を提出することができる。

③ 監査委員は、前条第五項の規定により監査の結果に関する報告の提出があつたときは、これを公表しなければならない。

④ 監査委員は、包括外部監査人の監査の結果に関し必要があると認めるときは、当該包括外部監査対象団体の議会及び長並びに関係のある教育委員会、選挙管理委員会、人事委員会若しくは公平委員会、公安委員会、労働委員会、農業委員会その他法律に基づく委員会又は委員にその意見を提出することができる。

⑤ 第一項の規定による協議又は前項の規定による意見の決定は、監査委員の合議によるものとする。

⑥ 前条第五項の規定による監査の結果に関する報告の提出があつた場合において、当該監査の結果に関する報告の提出を受けた包括外部監査対象団体の議会、長、教育委員会、選挙管理委員会、人事委員会若しくは公平委員会、公安委員会、労働委員会、農業委員会その他法律に基づく委員会又は委員は、当該監査の結果に基づき、又は当該監査の結果を参考として措置を講じたときは、その旨を監査委員に通知するものとする。この場合においては、監査委員は、当該通知に係る事項を公表しなければならない。

第三節　個別外部監査契約に基づく監査　及び　第四節　雑則

（第二五二条の三九から第二五二条の四六まで）

（略）

第十六章　補則（抄）

第二五三条【数都道府県にわたる市町村関係事件を管理する知事の決定、総務大臣の権限】① 都道府県知事の権限に属する市町村に関する事件で数都道府県にわたるものがあるときは、関係都道府県知事の協議により、その事件を管理すべき都道府県知事を定めることができる。

② 前項の場合において関係都道府県知事の協議が調わないときは、総務大臣は、その事件を管理すべき都道府県知事を定め、又は都道府県知事に代つてその権限を行うことができる。

第二五四条【人口】 この法律における人口は、官報で公示された最近の国勢調査又はこれに準ずる全国的な人口調査の結果による人口による。

第二五五条【廃置分合及び境界変更に関する事項の政令への委任】 この法律に規定するものを除くほか、第六条第一項及び第二項、第六条の二第一項並びに第七条第一項及び第三項の場合において必要な事項は、政令でこれを定める。

第二五五条の二【法定受託事務に係る審査請求】① 法定受託事務に係る次の各号に掲げる処分及びその不作為についての審査請求は、他の法律に特別の定めがある場合を除くほか、当該各号に定める者に対してするものとする。この場合において、不作為についての審査請求は、他の法律に特別の定めがある場合を除くほか、当該各号に定める者に代えて、当該不作為に係る執行機関に対してすることもできる。

一 都道府県知事その他の都道府県の執行機関の処分　当該処分に係る事務を規定する法律又はこれに基づく政令を所管する各大臣

二 市町村長その他の市町村の執行機関（教育委員会及び選挙管理委員会を除く。）の処分　都道府県知事

三 市町村教育委員会の処分　都道府県教育委員会

四 市町村選挙管理委員会の処分　都道府県選挙管理委員会

② 普通地方公共団体の長その他の執行機関が法定受託事務に係る処分をする権限を当該執行機関の事務を補助する職員若しくは当該執行機関の管理に属する機関の職員又は当該執行機関の管理に属する行政機関の長に委任した場合において、委任を受けた職員又は行政機関の長がその委任に基づいてした処分に係る審査請求につき、当該委任をした執行機関が裁決をしたときは、他の法律に特別の定めがある場合を除くほか、当該裁決に不服がある者は、再審査請求をすることができる。この場合において、当該再審査請求は、当該委任をした執行機関が自ら当該処分をしたものとした場合におけるその処分に係る審査請求をすべき者に対してするものとする。

第二五五条の三【過料の処分の手続】 普通地方公共団体の長が過料の処分をしようとする場合においては、過料の処分を受ける者に対し、あらかじめその旨を告知するとともに、弁明の機会を与えなければならない。

第二五五条の四【審決の申請】 法律の定めるところにより異議申出、審査請求、再審査請求又は審査の申立てをすることができる場合を除くほか、普通地方公共団体の事務についてこの法律の規定により普通地方公共団体の機関がした処分により違法に権利を侵害されたとする者は、その処分があつた日から二十一日以内に、都道府県の機関がした処分については総務大臣、市町村の機関がした処分については都道府県知事に審決の申請をすることができる。

第二五五条の五【自治紛争処理委員の審理】① 総務大臣又は都道府県知事に対して第百四十三条第三項（第百八十条の五第八項及び第百八十四条第二項において準用する場合を含む。）の審査請求又はこの法律の規定による審査の申立て若しくは審決の申請があつた場合においては、総務大臣又は都道府県知事は、第二百五十一条第二項の規定により自治紛争処理委員を任命し、その審理を経た上、審査請求に対する裁決をし、審査の申立てに対する裁決若しくは裁定をし、又は審決をするものとする。ただし、行政不服審査法第二十四条（第二百五十八条第一項において準用する場合を含む。）の規定により当該審査請求、審査の申立て又は審決の申請を却下する場合は、この限りでない。

② 前項に規定する審査請求については、行政不服審査法第九条、第十七条及び第四十三条の規定は、適用しない。この場合における同法の他の規定の適用についての必要な技術的読替え

は、政令で定める。

③ 第一項に規定する審査の申立て又は審決の申請については、第二百五十八条第一項において準用する行政不服審査法第九条の規定は、適用しない。この場合における同項において準用する行政不服審査法の他の規定の適用についての必要な技術的読替えは、政令で定める。

④ 前三項に規定するもののほか、第一項の規定による自治紛争処理委員の審理に関し必要な事項は、政令で定める。

第二五六条【争訟の方式】 市町村の境界に関する裁定若しくは決定又は市町村の境界の確定、普通地方公共団体における直接請求の署名簿の署名、直接請求に基づく議会の解散又は議員若しくは長の解職の投票及び副知事、副市町村長、指定都市の総合区長、選挙管理委員、監査委員又は公安委員会の委員の解職の議決、議会において行う選挙若しくは決定又は再議決若しくは再選挙、選挙管理委員会において行う資格の決定その他この法律に基づく住民の賛否の投票に関する効力は、この法律に定める争訟の提起期間及び管轄裁判所に関する規定によることによつてのみこれを争うことができる。

第二五七条【裁決の期間】 ① この法律に特別の定めがあるものを除くほか、この法律の規定による審査の申立てに対する裁決は、その申立てを受理した日から九十日以内にこれをしなければならない。

② この法律の規定による異議の申出又は審査の申立てに対して決定又は裁決をすべき期間内に決定又は裁決がないときは、その申出又は申立てをしりぞける旨の決定又は裁決があつたものとみなすことができる。

第二五八条【異議の申出等に対する行政不服審査法の準用】 ① この法律又は政令に特別の定めがあるものを除くほか、この法律の規定による異議の申出、審査の申立て又は審決の申請については、行政不服審査法第九条から第十四条まで、第十八条第一項ただし書及び第三項、第十九条第一項、第二項、第四項及び第五項第三号、第二十一条、第二十二条第一項から第三項まで及び第五項、第二十三条から第三十八条まで、第四十条から第四十二条まで、第四十四条、第四十五条、第四十六条第一項、第四十七条、第四十八条並びに第五十条から第五十三条までの規定を準用する。

② 前項において準用する行政不服審査法の規定に基づく処分及びその不作為については、行政不服審査法第二条及び第三条の規定は、適用しない。

第二五九条【郡の区域】 ① 郡の区域をあらたに画し若しくはこれを廃止し、又は郡の区域若しくはその名称を変更しようとするときは、都道府県知事が、当該都道府県の議会の議決を経てこれを定め、総務大臣に届け出なければならない。

② 郡の区域内において市の設置があつたとき、又は郡の区域の境界にわたつて市町村の境界の変更があつたときは、郡の区域も、また、自ら変更する。

③ 郡の区域の境界にわたつて町村が設置されたときは、その町村の属すべき郡の区域は、第一項の例によりこれを定める。

④ 第一項から第三項までの場合においては、総務大臣は、直ちにその旨を告示するとともに、これを国の関係行政機関の長に通知しなければならない。第七条第八項の規定は、第一項又は前項の規定により郡の区域をあらたに画し、若しくはこれを廃止し、又は郡の区域を変更する場合にこれを準用する。

⑤ 第一項乃至第三項の場合において必要な事項は、政令でこれを定める。

第二六〇条【市町村区域内の町又は字の区域】 ① 市町村長は、政令で特別の定めをする場合を除くほか、市町村の区域内の町若しくは字の区域を新たに画し若しくはこれを廃止し、又は町若しくは字の区域若しくはその名称を変更しようとするときは、当該市町村の議会の議決を経て定めなければならない。

② 前項の規定による処分をしたときは、市町村長は、これを告示しなければならない。

③ 第一項の規定による処分は、政令で特別の定めをする場合を除くほか、前項の規定による告示によりその効力を生ずる。

第二六〇条の二【地縁による団体】 ① 町又は字の区域その他市町村内の一定の区域に住所を有する者の地縁に基づいて形成された団体（以下この条及び第二百六十条の四十九第二項において「地縁による団体」という。）は、地域的な共同活動を円滑に行うため市町村長の認可を受けたときは、その規約に定める目的の範囲内において、権利を有し、義務を負う。

② 前項の認可は、地縁による団体のうち次に掲げる要件に該当するものについて、その団体の代表者が総務省令で定めるところにより行う申請に基づいて行う。

一 その区域の住民相互の連絡、環境の整備、集会施設の維持管理等良好な地域社会の維持及び形成に資する地域的な共同活動を行うことを目的とし、現にその活動を行つていると認められること。

二 その区域が、住民にとつて客観的に明らかなものとして定められていること。

三 その区域に住所を有するすべての個人は、構成員となることができるものとし、その相当数の者が現に構成員となつていること。

四 規約を定めていること。

③ 規約には、次に掲げる事項が定められていなければならない。

一 目的

二 名称

三 区域

四 主たる事務所の所在地

五 構成員の資格に関する事項

六 代表者に関する事項

七 会議に関する事項

八 資産に関する事項

④ 第二項第二号の区域は、当該地縁による団体が相当の期間にわたつて存続している区域の現況によらなければならない。

⑤ 市町村長は、地縁による団体が第二項各号に掲げる要件に該当していると認めるときは、第一項の認可をしなければならない。

⑥ 第一項の認可は、当該認可を受けた地縁による団体を、公共団体その他の行政組織の一部とすることを意味するものと解釈してはならない。

⑦ 第一項の認可を受けた地縁による団体（以下「認可地縁団体」という。）は、正当な理由がない限り、その区域に住所を有する個人の加入を拒んではならない。

⑧ 認可地縁団体は、民主的な運営の下に、自主的に活動するものとし、構成員に対し不当な差別的取扱いをしてはならない。

⑨ 認可地縁団体は、特定の政党のために利用してはならない。

⑩ 市町村長は、第一項の認可をしたときは、総務省令で定めるところにより、これを告示しなければならない。告示した事項に変更があつたときも、また同様とする。

⑪ 認可地縁団体は、前項の規定に基づいて告示された事項に変更があつたときは、総務省令で定めるところにより、市町村長に届け出なければならない。

⑫ 何人も、市町村長に対し、総務省令で定めるところにより、第十項の規定により告示した事項に関する証明書の交付を請求することができる。この場合において、当該請求をしようとする者は、郵便又は信書便により、当該証明書の送付を求めることができる。

⑬ 認可地縁団体は、第十項の告示があるまでは、認可地縁団体となつたこと及び同項の規定に基づいて告示された事項をもつて第三者に対抗することができない。

⑭ 市町村長は、認可地縁団体が第二項各号に掲げる要件のいずれかを欠くこととなつたとき、又は不正な手段により第一項の認可を受けたときは、その認可を取り消すことができる。

⑮ 一般社団法人及び一般財団法人に関する法律（平成十八年法律第四十八号）第四条及び第七十八条の規定は、認可地縁団体

に準用する。

⑯ 認可地縁団体は、法人税法（昭和四十年法律第三十四号）その他法人税に関する法令の規定の適用については、同法第二条第六号に規定する公益法人等とみなす。この場合において、同法第三十七条の規定を適用する場合には同条第四項中「公益法人等（」とあるのは「公益法人等（地方自治法（昭和二十二年法律第六十七号）第二百六十条の二第七項に規定する認可地縁団体（以下「認可地縁団体」という。）並びに」と、同法第六十六条の規定を適用する場合には同条第一項中「普通法人」とあるのは「普通法人（認可地縁団体を含む。）」と、同条第三項中「除く」とあるのは「除くものとし、認可地縁団体を含む」と、同条第三項中「公益法人等（」とあるのは「公益法人等（認可地縁団体及び」とする。

⑰ 認可地縁団体は、消費税法（昭和六十三年法律第百八号）その他消費税に関する法令の規定の適用については、同法別表第三に掲げる法人とみなす。

第二六〇条の三【規約の変更】 ① 認可地縁団体の規約は、総構成員の四分の三以上の同意があるときに限り、変更することができる。ただし、当該規約に別段の定めがあるときは、この限りでない。

② 前項の規定による規約の変更は、市町村長の認可を受けなければ、その効力を生じない。

第二六〇条の四【財産目録、構成員名簿】 ① 認可地縁団体は、認可を受ける時及び毎年一月から三月までの間に財産目録を作成し、常にこれをその主たる事務所に備え置かなければならない。ただし、特に事業年度を設けるものは、認可を受ける時及び毎事業年度の終了の時に財産目録を作成しなければならない。

② 認可地縁団体は、構成員名簿を備え置き、構成員の変更があるごとに必要な変更を加えなければならない。

第二六〇条の五【代表者】 認可地縁団体には、一人の代表者を置かなければならない。

第二六〇条の六【同前】 認可地縁団体の代表者は、認可地縁団体のすべての事務について、認可地縁団体を代表する。ただし、規約の規定に反することはできず、また、総会の決議に従わなければならない。

第二六〇条の七【同前】 認可地縁団体の代表者の代表権に加えた制限は、善意の第三者に対抗することができない。

第二六〇条の八【特定行為の委任】 認可地縁団体の代表者は、規約又は総会の決議によつて禁止されていないときに限り、特定の行為の代理を他人に委任することができる。

第二六〇条の九【仮代表者の選任】 認可地縁団体の代表者が欠けた場合において、事務が遅滞することにより損害を生ずるおそれがあるときは、裁判所は、利害関係人又は検察官の請求により、仮代表者を選任しなければならない。

第二六〇条の一〇【特別代理人の選任】 認可地縁団体と代表者との利益が相反する事項については、代表者は、代表権を有しない。この場合においては、裁判所は、利害関係人又は検察官の請求により、特別代理人を選任しなければならない。

第二六〇条の一一【監事】 認可地縁団体には、規約又は総会の決議で、一人又は数人の監事を置くことができる。

第二六〇条の一二【同前】 認可地縁団体の監事の職務は、次のとおりとする。

一 財産の状況を監査すること。

二 代表者の業務の執行の状況を監査すること。

三 財産の状況又は業務の執行について、法令若しくは規約に違反し、又は著しく不当な事項があると認めるときは、総会に報告をすること。

四 前号の報告をするため必要があるときは、総会を招集すること。

第二六〇条の一三【通常総会】 認可地縁団体の代表者は、少なくとも毎年一回、構成員の通常総会を開かなければならない。

第二六〇条の一四【臨時総会】 ① 認可地縁団体の代表者は、必要があると認めるときは、いつでも臨時総会を招集することができる。

② 総構成員の五分の一以上から会議の目的である事項を示して請求があつたときは、認可地縁団体の代表者は、臨時総会を招集しなければならない。ただし、総構成員の五分の一の割合については、規約でこれと異なる割合を定めることができる。

第二六〇条の一五【総会招集の通知】 認可地縁団体の総会の招集の通知は、総会の日より少なくとも五日前に、その会議の目的である事項を示し、規約で定めた方法に従つてしなければならない。

第二六〇条の一六【総会決議による事務の執行】 認可地縁団体の事務は、規約で代表者その他の役員に委任したものを除き、すべて総会の決議によつて行う。

第二六〇条の一七【総会決議事項】 認可地縁団体の総会においては、第二百六十条の十五の規定によりあらかじめ通知をした事項についてのみ、決議をすることができる。ただし、規約に別段の定めがあるときは、この限りでない。

第二六〇条の一八【表決権】 ① 認可地縁団体の各構成員の表決権は、平等とする。

② 認可地縁団体の総会に出席しない構成員は、書面で、又は代理人によつて表決をすることができる。

③ 前項の構成員は、規約又は総会の決議により、同項の規定による書面による表決に代えて、電磁的方法（電子情報処理組織を使用する方法その他の情報通信の技術を利用する方法であつて総務省令で定めるものをいう。第二百六十条の十九の二において同じ。）により表決をすることができる。

④ 前三項の規定は、規約に別段の定めがある場合には、適用しない。

第二六〇条の一九【同前】 認可地縁団体と特定の構成員との関係について議決をする場合には、その構成員は、表決権を有しない。

第二六〇条の一九の二【書面・電磁的方法による決議】 ① この法律又は規約により総会において決議をすべき場合において、構成員全員の承諾があるときは、書面又は電磁的方法による決議をすることができる。ただし、電磁的方法による決議に係る構成員の承諾については、総務省令で定めるところによらなければならない。

② この法律又は規約により総会において決議すべきものとされた事項については、構成員全員の書面又は電磁的方法による合意があつたときは、書面又は電磁的方法による決議があつたものとみなす。

③ この法律又は規約により総会において決議すべきものとされた事項についての書面又は電磁的方法による決議は、総会の決議と同一の効力を有する。

④ 総会に関する規定は、書面又は電磁的方法による決議について準用する。

第二六〇条の二〇【解散の事由】 認可地縁団体は、次に掲げる事由によつて解散する。

一 規約で定めた解散事由の発生

二 破産手続開始の決定

三 第二百六十条の二第十四項の規定による同条第一項の認可の取消し

四 総会の決議

五 構成員が欠けたこと。

六 合併（合併により当該認可地縁団体が消滅する場合に限る。）

第二六〇条の二一【解散の決議】 認可地縁団体は、総構成員の四分の三以上の賛成がなければ、解散の決議をすることができない。ただし、規約に別段の定めがあるときは、この限りでない。

第二六〇条の二二【破産手続開始の決定】 ① 認可地縁団体がその債務につきその財産をもつて完済することができなくなつた場合には、裁判所は、代表者若しくは債権者の申立てにより又は職権で、破産手続開始の決定をする。

② 前項に規定する場合には、代表者は、直ちに破産手続開始の申立てをしなければならない。

第二六〇条の二三から第二六〇条の四八まで（略）

第二六〇条の四九【指定地域共同活動団体】 ① 市町村は、基礎的な地方公共団体として、その事務を処理するに当たり、地域の多様な主体の自主性を尊重しつつ、これらの主体と協力して、住民の福祉の増進を効率的かつ効果的に図るようにしなければならない。

② 市町村長は、前項の規定の趣旨を達成するため必要があると認めるときは、地域的な共同活動を行う団体のうち、地縁による団体その他の団体（当該市町村内の一定の区域に住所を有する者を主たる構成員とするものに限る。）又は当該団体を主たる構成員とする団体であつて、次に掲げる要件を備えるものを、その申請により、指定地域共同活動団体として指定することができる。

一 良好な地域社会の維持及び形成に資する地域的な共同活動であつて、地域において住民が日常生活を営むために必要な環境の持続的な確保に資するものとして条例で定めるもの（以下この条において「特定地域共同活動」という。）を、地域の多様な主体との連携その他の方法により効率的かつ効果的に行うと認められること。

二 民主的で透明性の高い運営その他適正な運営を確保するために必要なものとして条例で定める要件を備えること。

三 目的、名称、主としてその活動を行う区域その他の総務省令で定める事項を内容とする定款、規約その他これらに準ずるものを定めていること。

四 前三号に掲げるもののほか、条例で定める要件を備えること。

③ 市町村は、指定地域共同活動団体に対し、当該指定地域共同活動団体が行う特定地域共同活動に関し必要な支援を行うものとする。

④ 市町村長は、指定地域共同活動団体が行う特定地域共同活動の状況及び当該特定地域共同活動に対する前項の支援の状況について公表するものとする。

⑤ 指定地域共同活動団体は、特定地域共同活動を他の地域的な共同活動を行う団体と連携して効率的かつ効果的に行うため、当該特定地域共同活動と他の地域的な共同活動を行う団体が行う当該特定地域共同活動と関連性が高い活動との間の調整を行うよう市町村長に求めることができる。この場合において、市町村長は、必要があると認めるときは、当該調整を図るために必要な措置を講じなければならない。

⑥ 市町村は、当該市町村の事務の処理が指定地域共同活動団体が行う当該事務に関連する特定地域共同活動と一体的に行われることにより、住民の福祉の増進が効率的かつ効果的に図られると認めるときは、当該事務の当該指定地域共同活動団体への委託については、第二百三十四条第二項の規定にかかわらず、政令の定めるところにより、当該市町村の規則で定める手続により、随意契約によることができる。

⑦ 市町村は、指定地域共同活動団体が当該市町村の所有に属する行政財産を使用して特定地域共同活動を行うことにより、当該特定地域共同活動に関連する当該市町村の事務の処理と相まつて、住民の福祉の増進が効率的かつ効果的に図られると認めるときは、第二百三十八条の四第一項の規定にかかわらず、当該特定地域共同活動の用に供するため、当該行政財産を、その用途又は目的を妨げない限度において、当該指定地域共同活動団体に貸し付けることができる。

⑧ 前項の規定による貸付けについては、民法第六百四条並びに借地借家法第三条及び第四条の規定は、適用しない。

⑨ 第二百三十八条の二第二項及び第二百三十八条の五第四項から第六項までの規定は、第七項の規定による貸付けについて準用する。

⑩ 市町村長は、指定地域共同活動団体が行う特定地域共同活動の適正な実施を確保するため必要があると認めるときは、当該指定地域共同活動団体に対し、当該特定地域共同活動の状況その他必要な事項に関し報告を求めることができる。

⑪ 市町村長は、指定地域共同活動団体が第二項に規定する要件を欠くに至つたと認めるときその他法令、法令に基づいてする行政庁の処分若しくは当該市町村の条例に違反し、又はその運営が著しく適正を欠くと認めるときは、この条の規定の施行に必要な限度において、当該指定地域共同活動団体に対し、期限を定めて、その改善のために必要な措置を講ずべきことを命ずることができる。

⑫ 市町村長は、指定地域共同活動団体が第二項に規定する要件を欠くに至つたと認める場合であつて前項の規定による命令によつてはその改善を期待することができないことが明らかであるとき、同項の規定による命令に違反したとき、又は不正な手段により第二項の指定を受けたときその他条例で定めるときは、その指定を取り消すことができる。

第二六一条【特別法の住民投票】 ① 一の普通地方公共団体のみに適用される特別法が国会又は参議院の緊急集会において議決されたときは、最後に議決した議院の議長（衆議院の議決が国会の議決となつた場合には衆議院議長とし、参議院の緊急集会において議決した場合には参議院議長とする。）は、当該法律を添えてその旨を内閣総理大臣に通知しなければならない。

② 前項の規定による通知があつたときは、内閣総理大臣は、直ちに当該法律を添えてその旨を総務大臣に通知し、総務大臣は、その通知を受けた日から五日以内に、関係普通地方公共団体の長にその旨を通知するとともに、当該法律その他関係書類を移送しなければならない。

③ 前項の規定による通知があつたときは、関係普通地方公共団体の長は、その日から三十一日以後六十日以内に、選挙管理委員会をして当該法律について賛否の投票を行わしめなければならない。

④ 前項の投票の結果が判明したときは、関係普通地方公共団体の長は、その日から五日以内に関係書類を添えてその結果を総務大臣に報告し、総務大臣は、直ちにその旨を内閣総理大臣に報告しなければならない。その投票の結果が確定したことを知つたときも、また、同様とする。

⑤ 前項の規定により第三項の投票の結果が確定した旨の報告があつたときは、内閣総理大臣は、直ちに当該法律の公布の手続をとるとともに衆議院議長及び参議院議長に通知しなければならない。

第二六二条【同前】 ① 政令で特別の定をするものを除く外、公職選挙法中普通地方公共団体の選挙に関する規定は、前条第三項の規定による投票にこれを準用する。

② 前条第三項の規定による投票は、政令の定めるところにより、普通地方公共団体の選挙又は第七十六条第三項の規定による解散の投票若しくは第八十条第三項及び第八十一条第二項の規定による解職の投票と同時にこれを行うことができる。

第二六三条【地方公営企業】 普通地方公共団体の経営する企業の組織及びこれに従事する職員の身分取扱並びに財務その他企業の経営に関する特例は、別に法律でこれを定める。

第二六三条の二【相互救済事業経営の委託】 ① 普通地方公共団体は、議会の議決を経て、その利益を代表する全国的な公益的法人に委託することにより、他の普通地方公共団体と共同して、火災、水災、震災その他の災害に因る財産の損害に対する相互救済事業を行うことができる。

② 前項の公益的法人は、毎年一回以上定期に、その事業の経営状況を関係普通地方公共団体の長に通知するとともに、これを適当と認める新聞紙に二回以上掲載しなければならない。

③ 第一項の相互救済事業で保険業に該当するものについては、保険業法は、これを適用しない。

第二六三条の三【全国的連合組織の届出、意見の申出等】

① 都道府県知事若しくは都道府県の議会の議長、市長若しくは市の議会の議長又は町村長若しくは町村の議会の議長が、その

相互間の連絡を緊密にし、並びに共通の問題を協議し、及び処理するためのそれぞれの全国的連合組織を設けた場合においては、当該連合組織の代表者は、その旨を総務大臣に届け出なければならない。
② 前項の連合組織で同項の規定による届出をしたものは、地方自治に影響を及ぼす法律又は政令その他の事項に関し、総務大臣を経由して内閣に対し意見を申し出、又は国会に意見書を提出することができる。
③ 内閣は、前項の意見の申出を受けたときは、これに遅滞なく回答するよう努めるものとする。
④ 前項の場合において、当該意見が地方公共団体に対し新たに事務又は負担を義務付けると認められる国の施策に関するものであるときは、内閣は、これに遅滞なく回答するものとする。
⑤ 各大臣は、その担任する事務に関し地方公共団体に対し新たに事務又は負担を義務付けると認められる施策の立案をしようとする場合には、第二項の連合組織が同項の規定により内閣に対して意見を申し出ることができるよう、当該連合組織に当該施策の内容となるべき事項を知らせるために適切な措置を講ずるものとする。

第三編 特別地方公共団体（抄）

第一章 削除

第二六四条乃至第二八〇条 削除

第二章 特別区（抄）

（特別区）
第二八一条① 都の区は、これを特別区という。
② 特別区は、法律又はこれに基づく政令により都が処理することとされているものを除き、地域における事務並びにその他の事務で法律又はこれに基づく政令により市が処理することとされるもの及び法律又はこれに基づく政令により特別区が処理することとされるものを処理する。

（都と特別区との役割分担の原則）
第二八一条の二① 都は、特別区の存する区域において、特別区を包括する広域の地方公共団体として、第二条第五項において都道府県が処理するものとされている事務及び特別区に関する連絡調整に関する事務のほか、同条第三項において市町村が処理するものとされている事務のうち、人口が高度に集中する大都市地域における行政の一体性及び統一性の確保の観点から当該区域を通じて都が一体的に処理することが必要であると認められる事務を処理するものとする。
② 特別区は、基礎的な地方公共団体として、前項において特別区の存する区域を通じて都が一体的に処理するものとされているものを除き、一般的に、第二条第三項において市町村が処理するものとされている事務を処理するものとする。
③ 都及び特別区は、その事務を処理するに当たつては、相互に競合しないようにしなければならない。

第二八一条の三から第二八一条の五まで （略）

（都及び特別区並びに特別区相互の間の調整）
第二八一条の六 都知事は、特別区に対し、都と特別区及び特別区相互の間の調整上、特別区の事務の処理について、その処理の基準を示す等必要な助言又は勧告をすることができる。

（特別区財政調整交付金）
第二八二条① 都は、都及び特別区並びに特別区相互間の財源の均衡化を図り、並びに特別区の行政の自主的かつ計画的な運営を確保するため、政令で定めるところにより、条例で、特別区財政調整交付金を交付するものとする。
② 前項の特別区財政調整交付金とは、地方税法第五条第二項に掲げる税のうち同法第七百三十四条第一項及び第二項（第二号に係る部分に限る。）の規定により都が課するものの収入額と法人の行う事業に対する事業税の収入額（同法第七十二条の二十四の七第九項の規定により同条第一項から第五項までに規定する標準税率を超える税率で事業税を課する場合には、法人の行う事業に対する事業税の収入額に相当する額から当該額に同法第七百三十四条第四項に規定する政令で定めるところにより算定した率を乗じて得た額を控除した額）に同項に規定する政令で定める率を乗じて得た額を統計法（平成十九年法律第五十三号）第二条第四項に規定する基幹統計である事業所統計の最近に公表された結果による各市町村及び特別区の従業者数で按分して得た額のうち特別区に係る額との合算額に条例で定める割合を乗じて得た額で特別区がひとしくその行うべき事務を遂行することができるように都が交付する交付金をいう。
③ 都は、政令で定めるところにより、特別区財政調整交付金に関する事項について総務大臣に報告しなければならない。
④ 総務大臣は、必要があると認めるときは、特別区財政調整交付金に関する事項について必要な助言又は勧告をすることができる。

（都区協議会）
第二八二条の二① 都及び特別区の事務の処理について、都と特別区及び特別区相互の間の連絡調整を図るため、都及び特別区をもつて都区協議会を設ける。
② 前条第一項又は第二項の規定により条例を制定する場合においては、都知事は、あらかじめ都区協議会の意見を聴かなければならない。
③ 前二項に定めるもののほか、都区協議会に関し必要な事項は、政令で定める。

（市に関する規定の適用）
第二八三条① この法律又は政令で特別の定めをするものを除くほか、第二編及び第四編中市に関する規定は、特別区にこれを適用する。
② 他の法令の市に関する規定中法律又はこれに基づく政令により市が処理することとされている事務で第二百八十一条第二項の規定により特別区が処理することとされているものに関するものは、特別区にこれを適用する。
③ 前項の場合において、都と特別区又は特別区相互の間の調整上他の法令の市に関する規定をそのまま特別区に適用しがたいときは、政令で特別の定めをすることができる。

第三章 地方公共団体の組合（抄）

第一節 総則

（組合の種類及び設置）
第二八四条① 地方公共団体の組合は、一部事務組合及び広域連合とする。
② 普通地方公共団体及び特別区は、その事務の一部を共同処理するため、その協議により規約を定め、都道府県の加入するものにあつては総務大臣、その他のものにあつては都道府県知事の許可を得て、一部事務組合を設けることができる。この場合において、一部事務組合内の地方公共団体につきその執行機関の権限に属する事項がなくなつたときは、その執行機関は、一部事務組合の成立と同時に消滅する。
③ 普通地方公共団体及び特別区は、その事務で広域にわたり処理することが適当であると認めるものに関し、広域にわたる総合的な計画（以下「広域計画」という。）を作成し、その事務の管理及び執行について広域計画の実施のために必要な連絡調整を図り、並びにその事務の一部を広域にわたり総合的かつ計画的に処理するため、その協議により規約を定め、前項の例により、総務大臣又は都道府県知事の許可を得て、広域連合を設けることができる。この場合においては、同項後段の規定を準用する。
④ 総務大臣は、前項の許可をしようとするときは、国の関係行政機関の長に協議しなければならない。

第二八五条 市町村及び特別区の事務に関し相互に関連するものを共同処理するための市町村及び特別区の一部事務組合については、市町村又は特別区の共同処理しようとする事務が他の市町村又は特別区の共同処理しようとする事務と同一の種類のものでない場合においても、これを設けることを妨げるものではない。

ない。

（設置の勧告等）

第二八五条の二① 公益上必要がある場合においては、都道府県知事は、関係のある市町村及び特別区に対し、一部事務組合又は広域連合を設けるべきことを勧告することができる。

② 都道府県知事は、第二百八十四条第三項の許可をしたときは直ちにその旨を公表するとともに、総務大臣に報告しなければならない。

③ 総務大臣は、第二百八十四条第三項の許可をしたときは直ちにその旨を告示するとともに、国の関係行政機関の長に通知し、前項の規定による報告を受けたときは直ちにその旨を国の関係行政機関の長に通知しなければならない。

第二節　一部事務組合

（組織、事務及び規約の変更）

第二八六条① 一部事務組合は、これを組織する地方公共団体（以下この節において「構成団体」という。）の数を増減し若しくは共同処理する事務を変更し、又は一部事務組合の規約を変更しようとするときは、関係地方公共団体の協議によりこれを定め、都道府県の加入するものにあつては総務大臣、その他のものにあつては都道府県知事の許可を受けなければならない。ただし、第二百八十七条第一項第一号、第四号又は第七号に掲げる事項のみに係る一部事務組合の規約を変更しようとするときは、この限りでない。

② 一部事務組合は、第二百八十七条第一項第一号、第四号又は第七号に掲げる事項のみに係る一部事務組合の規約を変更しようとするときは、構成団体の協議によりこれを定め、前項本文の例により、直ちに総務大臣又は都道府県知事に届出をしなければならない。

（脱退による組織、事務及び規約の変更の特例）

第二八六条の二① 前条第一項本文の規定にかかわらず、構成団体は、その議会の議決を経て、脱退する日の二年前までに他の全ての構成団体に書面で予告をすることにより、一部事務組合から脱退することができる。

② 前項の予告を受けた構成団体は、当該予告をした構成団体が脱退する時までに、前条の例により、当該脱退により必要となる規約の変更を行わなければならない。この場合において、同条中「第二百八十七条第一項第一号」とあるのは、「第二百八十七条第一項第一号、第二号」とする。

③ 第一項の予告の撤回は、他の全ての構成団体が議会の議決を経て同意をした場合に限り、することができる。この場合において、同項の予告をした構成団体が他の構成団体に当該予告の撤回について同意を求めるに当たつては、あらかじめ、その議会の議決を経なければならない。

④ 第一項の規定による脱退により一部事務組合の構成団体が一となつたときは、当該一部事務組合は解散するものとする。この場合において、当該構成団体は、前条第一項本文の例により、総務大臣又は都道府県知事に届け出なければならない。

（規約等）

第二八七条① 一部事務組合の規約には、次に掲げる事項につき規定を設けなければならない。

一　一部事務組合の名称
二　一部事務組合の構成団体
三　一部事務組合の共同処理する事務
四　一部事務組合の事務所の位置
五　一部事務組合の議会の組織及び議員の選挙の方法
六　一部事務組合の執行機関の組織及び選任の方法
七　一部事務組合の経費の支弁の方法

② 一部事務組合の議会の議員又は管理者（第二百八十七条の三第二項の規定により管理者に代えて理事会を置く第二百八十五条の一部事務組合にあつては、理事）その他の職員は、第九十二条第二項、第百四十一条第二項及び第百九十六条第三項（これらの規定を適用し又は準用する場合を含む。）の規定にかかわらず、当該一部事務組合の構成団体の議会の議員又は長その他の職員と兼ねることができる。

（特例一部事務組合）

第二八七条の二① 一部事務組合（一部事務組合を構成団体とするもの並びに第二百八十五条に規定する場合に設けられたもの及び次条第二項の規定により管理者に代えて理事会を置くものを除く。）は、規約で定めるところにより、当該一部事務組合の議会を構成団体の議会をもつて組織することとすることができる。

② 前項の規定によりその議会を構成団体の議会をもつて組織することとした一部事務組合（以下この条において「特例一部事務組合」という。）の管理者は、この法律その他の法令の規定により一部事務組合の管理者が一部事務組合の議会に付議することとされている事件があるときは、構成団体の長を通じて、当該事件に係る議案を全ての構成団体の議会に提出しなければならない。

③ 前項の規定により同項に規定する事件に係る議案の提出を受けた構成団体の議会は、当該事件を議決するものとする。

④ 構成団体の議会の議長は、前項の議決があつたときは、当該構成団体の長を通じて、議決の結果を特例一部事務組合の管理者に送付しなければならない。

⑤ 特例一部事務組合にあつては、第二項に規定する事件の議会の議決は、当該議会を組織する構成団体の議会の一致する議決によらなければならない。

⑥ 特例一部事務組合にあつては、この法律その他の法令の規定により一部事務組合の執行機関が一部事務組合の議会に通知し、報告し、提出し、又は勧告することとされている事項の議会への通知、報告、提出又は勧告は、当該特例一部事務組合の執行機関が構成団体の長を通じて当該事項を全ての構成団体の議会に通知し、報告し、提出し、又は勧告することにより行うものとする。

⑦―⑪（略）

（議決方法の特例及び理事会の設置）

第二八七条の三① 第二百八十五条の一部事務組合の規約には、その議会の議決すべき事件のうち当該一部事務組合を組織する市町村又は特別区の一部に係るものその他特別の必要があるものの議決の方法について特別の規定を設けることができる。

② 第二百八十五条の一部事務組合には、当該一部事務組合の規約で定めるところにより、管理者に代えて、理事をもつて組織する理事会を置くことができる。

③ 前項の理事は、一部事務組合を組織する市町村若しくは特別区の長又は当該市町村若しくは特別区の長がその議会の同意を得て当該市町村又は特別区の職員のうちから指名する者をもつて充てる。

（議決事件の通知）

第二八七条の四 一部事務組合の管理者（前条第二項の規定により管理者に代えて理事会を置く第二百八十五条の一部事務組合にあつては、理事会。第二百九十一条第一項及び第二項において同じ。）は、当該一部事務組合の議会の議決すべき事件のうち政令で定める重要なものについて当該議会の議決を求めようとするときは、あらかじめ、これを当該一部事務組合の構成団体の長に通知しなければならない。当該議決の結果についても、同様とする。

（解散）

第二八八条 一部事務組合を解散しようとするときは、構成団体の協議により、第二百八十四条第二項の例により、総務大臣又は都道府県知事に届出をしなければならない。

（財産処分）

第二八九条 第二百八十六条、第二百八十六条の二又は前条の場合において、財産処分を必要とするときは、関係地方公共団体の協議によりこれを定める。

（議会の議決を要する協議）

第二九〇条 第二百八十四条第二項、第二百八十六条（第二百八

十六条の二第二項の規定によりその例によることとされる場合（同項の規定による規約の変更が第二百八十七条第一項第二号に掲げる事項のみに係るものである場合を除く。）を含む。）及び前二条の協議については、関係地方公共団体の議会の議決を経なければならない。

第二九一条（**経費分賦に関する異議**）① 一部事務組合の経費の分賦に関し、違法又は錯誤があると認めるときは、一部事務組合の構成団体は、その告知を受けた日から三十日以内に当該一部事務組合の管理者に異議を申し出ることができる。

② 前項の規定による異議の申出があつたときは、一部事務組合の管理者は、その議会に諮つてこれを決定しなければならない。

③ 一部事務組合の議会は、前項の規定による諮問があつた日から二十日以内にその意見を述べなければならない。

第三節　広域連合（抄）

第二九一条の二（**広域連合による事務の処理等**）① 国は、その行政機関の長の権限に属する事務のうち広域連合の事務に関連するものを、別に法律又はこれに基づく政令の定めるところにより、当該広域連合が処理することとすることができる。

② 都道府県は、その執行機関の権限に属する事務のうち都道府県の加入しない広域連合の事務に関連するものを、条例の定めるところにより、当該広域連合が処理することとすることができる。

③ 第二百五十二条の十七の二第二項、第二百五十二条の十七の三及び第二百五十二条の十七の四の規定は、前項の規定により広域連合が都道府県の事務を処理する場合について準用する。

④ 都道府県の加入する広域連合の長（第二百九十一条の十三において準用する第二百八十七条の三第二項の規定により長に代えて理事会を置く広域連合にあつては、理事会。第二百九十一条の四第四項、第二百九十一条の五第二項、第二百九十一条の六第一項及び第二百九十一条の八第二項を除き、以下同じ。）は、その議会の議決を経て、国の行政機関の長に対し、当該広域連合の事務に密接に関連する国の行政機関の長の権限に属する事務の一部を当該広域連合が処理することとするよう要請することができる。

⑤ 都道府県の加入しない広域連合の長は、その議会の議決を経て、都道府県に対し、当該広域連合の事務に密接に関連する都道府県の事務の一部を当該広域連合が処理することとするよう要請することができる。

第二九一条の三（**組織、事務及び規約の変更**）① 広域連合は、これを組織する地方公共団体の数を増減し若しくは処理する事務を変更し、又は広域連合の規約を変更しようとするときは、関係地方公共団体の協議によりこれを定め、都道府県の加入するものにあつては総務大臣、その他のものにあつては都道府県知事の許可を受けなければならない。ただし、次条第一項第六号若しくは第九号に掲げる事項又は前条第一項若しくは第二項の規定により広域連合が新たに事務を処理することとされた場合（変更された場合を含む。）における当該事務のみに係る広域連合の規約を変更しようとするときは、この限りでない。

② 総務大臣は、前項の許可をしようとするときは、国の関係行政機関の長に協議しなければならない。

③ 広域連合は、次条第一項第六号又は第九号に掲げる事項のみに係る広域連合の規約を変更しようとするときは、関係地方公共団体の協議によりこれを定め、第一項本文の例により、直ちに総務大臣又は都道府県知事に届出をしなければならない。

④ 前条第一項又は第二項の規定により広域連合が新たに事務を処理することとされたとき（変更されたときを含む。）は、広域連合の長は、直ちに次条第一項第四号又は第九号に掲げる事項に係る規約につき必要な変更を行い、第一項本文の例により、総務大臣又は都道府県知事に届出をするとともに、その旨を当該広域連合を組織する地方公共団体の長に通知しなければならない。

⑤ 都道府県知事は、第一項の許可をしたとき、又は第三項若しくは前項の届出を受理したときは、直ちにその旨を公表するとともに、総務大臣に報告しなければならない。

⑥ 総務大臣は、第一項の許可をしたとき又は第三項若しくは第四項の届出を受理したときは直ちにその旨を告示するとともに、これを国の関係行政機関の長に通知し、前項の規定による報告を受けたときは直ちにその旨を国の関係行政機関の長に通知しなければならない。

⑦ 広域連合の長は、広域計画に定める事項に関する事務を総合的かつ計画的に処理するため必要があると認めるときは、その議会の議決を経て、当該広域連合を組織する地方公共団体に対し、当該広域連合の規約を変更するよう要請することができる。

⑧ 前項の規定による要請があつたときは、広域連合を組織する地方公共団体は、これを尊重して必要な措置を執るようにしなければならない。

第二九一条の四（**規約等**）① 広域連合の規約には、次に掲げる事項につき規定を設けなければならない。

一　広域連合の名称
二　広域連合を組織する地方公共団体
三　広域連合の区域
四　広域連合の処理する事務
五　広域連合の作成する広域計画の項目
六　広域連合の事務所の位置
七　広域連合の議会の組織及び議員の選挙の方法
八　広域連合の長、選挙管理委員会その他執行機関の組織及び選任の方法
九　広域連合の経費の支弁の方法

② 前項第三号に掲げる広域連合の区域は、当該広域連合を組織する地方公共団体の区域を合わせた区域を定めるものとする。ただし、都道府県の加入する広域連合について、当該広域連合の処理する事務が当該都道府県の区域の一部のみに係るものであることその他の特別の事情があるときは、当該都道府県の包括する市町村又は特別区で当該広域連合を組織しないものの一部又は全部の区域を除いた区域を定めることができる。

③ 広域連合の長は、広域連合の規約が定められ又は変更されたときは、速やかにこれを公表しなければならない。

④ 広域連合の議会の議員又は長（第二百九十一条の十三において準用する第二百八十七条の三第二項の規定により長に代えて理事会を置く広域連合にあつては、理事。次条第二項及び第二百九十一条の六第一項において同じ。）その他の職員は、第九十二条第二項、第百四十一条第二項及び第百九十六条第三項（これらの規定を適用し又は準用する場合を含む。）の規定にかかわらず、当該広域連合を組織する地方公共団体の議会の議員又は長その他の職員と兼ねることができる。

第二九一条の五（**議会の議員及び長の選挙**）① 広域連合の議会の議員は、政令で特別の定めをするものを除くほか、広域連合の規約で定めるところにより、広域連合の選挙人（広域連合を組織する普通地方公共団体又は特別区の議会の議員及び長の選挙権を有する者で当該広域連合の区域内に住所を有するものをいう。次項及び次条第八項において同じ。）が投票により又は広域連合を組織する地方公共団体の議会においてこれを選挙する。

② 広域連合の長は、政令で特別の定めをするものを除くほか、広域連合の規約で定めるところにより、広域連合の選挙人が投票により又は広域連合を組織する地方公共団体の長が投票によりこれを選挙する。

第二九一条の六（**広域計画**）（略）

第二九一条の七① 広域連合は、当該広域連合が設けられた後、速やかに、その議会の議決を経て、広域計画を作成しなければならない。
② 広域計画は、第二百九十一条の二第一項又は第二項の規定により広域連合が新たに事務を処理することとされたとき（変更されたときを含む。）その他これを変更することが適当であると認められるときは、変更することができる。
③ 広域連合は、広域計画を変更しようとするときは、その議会の議決を経なければならない。
④ 広域連合及び当該広域連合を組織する地方公共団体は、広域計画に基づいて、その事務を処理するようにしなければならない。
⑤ 広域連合の長は、当該広域連合を組織する地方公共団体の事務の処理が広域計画の実施に支障があり又は支障があるおそれがあると認めるときは、当該広域連合の議会の議決を経て、当該広域連合を組織する地方公共団体に対し、当該広域計画の実施に関し必要な措置を講ずべきことを勧告することができる。
⑥ 広域連合の長は、前項の規定による勧告を行つたときは、当該勧告を受けた地方公共団体に対し、当該勧告に基づいて講じた措置について報告を求めることができる。

（協議会）
第二九一条の八① 広域連合は、広域計画に定める事項を一体的かつ円滑に推進するため、広域連合の条例で、必要な協議を行うための協議会を置くことができる。
② 前項の協議会は、広域連合の長（第二百九十一条の十三において準用する第二百八十七条の三第二項の規定により長に代えて理事会を置く広域連合にあつては、理事）及び国の地方行政機関の長、都道府県知事（当該広域連合を組織する地方公共団体である都道府県の知事を除く。）、広域連合の区域内の公共的団体等の代表者又は学識経験を有する者のうちから広域連合の長（第二百九十一条の十三において準用する第二百八十七条の三第二項の規定により長に代えて理事会を置く広域連合にあつては、理事会）が任命する者をもつて組織する。
③ 前項に定めるもののほか、第一項の協議会の運営に関し必要な事項は、広域連合の条例で定める。

（広域連合の分賦金）
第二九一条の九① 第二百九十一条の四第一項第九号に掲げる広域連合の経費の支弁の方法として、広域連合を組織する普通地方公共団体又は特別区の分賦金に関して定める場合には、広域連合が作成する広域計画の実施のために必要な連絡調整及び広域計画に基づく総合的かつ計画的な事務の処理に資するため、当該広域連合を組織する普通地方公共団体又は特別区の人口、面積、地方税の収入額、財政力その他の客観的な指標に基づかなければならない。
② 前項の規定により定められた広域連合の規約に基づく地方公共団体の分賦金については、当該地方公共団体は、必要な予算上の措置をしなければならない。

（解散）
第二九一条の一〇① 広域連合を解散しようとするときは、関係地方公共団体の協議により、第二百八十四条第二項の例により、総務大臣又は都道府県知事の許可を受けなければならない。
② 総務大臣は、前項の許可をしようとするときは、国の関係行政機関の長に協議しなければならない。
③ 都道府県知事は、第一項の許可をしたときは、直ちにその旨を公表するとともに、総務大臣に報告しなければならない。
④ 総務大臣は、第一項の許可をしたときは直ちにその旨を告示するとともに、これを国の関係行政機関の長に通知し、前項の規定による報告を受けたときは直ちにその旨を国の関係行政機関の長に通知しなければならない。

（議会の議決を要する協議）
第二九一条の一一 第二百八十四条第三項、第二百九十一条の三第一項及び第三項、前条第一項並びに第二百九十一条の十三において準用する第二百八十九条の協議については、関係地方公共団体の議会の議決を経なければならない。

（経費分賦等に関する異議）
第二九一条の一二① 広域連合の経費の分賦に関し、違法又は錯誤があると認めるときは、広域連合を組織する地方公共団体は、その告知を受けた日から三十日以内に当該広域連合の長に異議を申し出ることができる。
② 第二百九十一条の三第四項の規定による広域連合の規約の変更のうち第二百九十一条の四第一項第九号に掲げる事項に係るものに関し不服があるときは、広域連合を組織する地方公共団体は、第二百九十一条の三第四項の規定による通知を受けた日から三十日以内に当該広域連合の長に異議を申し出ることができる。
③ 広域連合の長は、第一項の規定による異議の申出があつたときは当該広域連合の議会に諮つてこれを決定し、前項の規定による異議の申出があつたときは当該広域連合の議会に諮つて規約の変更その他必要な措置を執らなければならない。
④ 広域連合の議会は、前項の規定による諮問があつた日から二十日以内にその意見を述べなければならない。

（一部事務組合に関する規定の準用）
第二九一条の一三 第二百八十七条の三第二項、第二百八十七条の四及び第二百八十九条の規定は、広域連合について準用する。この場合において、第二百八十七条の三第二項中「第二百八十五条の一部事務組合」とあるのは「広域連合」と、第二百八十九条中「第二百八十六条、第二百八十六条の二又は前条」とあるのは「第二百九十一条の三第一項、第三項若しくは第四項又は第二百九十一条の十第一項」と読み替えるものとする。

第四節　雑則

（普通地方公共団体に関する規定の準用）
第二九二条 地方公共団体の組合については、法律又はこれに基づく政令に特別の定めがあるものを除くほか、都道府県の加入するものにあつては都道府県に関する規定、市及び特別区の加入するもので都道府県の加入しないものにあつては市に関する規定、その他のものにあつては町村に関する規定を準用する。

（数都道府県にわたる組合に関する特例）
第二九三条 市町村及び特別区の組合で数都道府県にわたるものに係る第二百八十四条第二項及び第三項、第二百八十六条第一項本文、第二百九十一条の三第一項本文並びに第二百九十一条の十第一項の許可並びに第二百八十五条の二第一項の規定による勧告は、これらの規定にかかわらず、政令で定めるところにより、総務大臣が関係都道府県知事の意見を聴いてこれを行い、市町村及び特別区の組合で数都道府県にわたるものに係る第二百八十六条第二項、第二百八十八条並びに第二百九十一条の三第三項及び第四項の届出は、これらの規定にかかわらず、関係都道府県知事を経て総務大臣にこれをしなければならない。

（政令への委任）
第二九三条の二 この法律に規定するもののほか、地方公共団体の組合の規約に関する事項その他本章の規定の適用に関し必要な事項は、政令で定める。

第四章　財産区

（財産区の意義及びその財産又は公の施設の管理処分等）
第二九四条① 法律又はこれに基く政令に特別の定があるものを除く外、市町村及び特別区の一部で財産を有し若しくは公の施設を設けているもの又は市町村及び特別区の廃置分合若しくは境界変更の場合におけるこの法律若しくはこれに基く政令の定める財産処分に関する協議に基き市町村及び特別区の一部が財産を有し若しくは公の施設を設けるものとなるもの（これらを財産区という。）があるときは、その財産又は公の施設の管理及び処分又は廃止については、この法律中地方公共団体の財産又は公の施設の管理及び処分又は廃止に関する規定による。

② 前項の財産又は公の施設に関し特に要する経費は、財産区の負担とする。

③ 前二項の場合においては、地方公共団体は、財産区の収入及び支出については会計を分別しなければならない。

第二九五条【財産区の議会又は総会】 財産区の財産又は公の施設に関し必要があると認めるときは、都道府県知事は、議会の議決を経て市町村又は特別区の条例を設定し、財産区の議会又は総会を設けて財産区に関し市町村又は特別区の議会の議決すべき事項を議決させることができる。

第二九六条【同前】 ① 財産区の議会の議員の定数、任期、選挙権、被選挙権及び選挙人名簿に関する事項は、前条の条例中にこれを規定しなければならない。財産区の総会の組織に関する事項についても、また、同様とする。

② 前項に規定するものを除く外、財産区の議会の議員の選挙については、公職選挙法第二百六十八条の定めるところによる。

③ 財産区の議会又は総会に関しては、第二編中町村の議会に関する規定を準用する。

第二九六条の二【財産区管理会の設置及び組織】 ① 市町村及び特別区は、条例で、財産区に財産区管理会を置くことができる。但し、市町村及び特別区の廃置分合又は境界変更の場合において、この法律又はこれに基く政令の定める財産処分に関する協議により財産区を設けるときは、その協議により当該財産区に財産区管理会を置くことができる。

② 財産区管理会は、財産区管理委員七人以内を以てこれを組織する。

③ 財産区管理委員は、非常勤とし、その任期は、四年とする。

④ 第二百九十五条の規定により財産区の議会又は総会を設ける場合においては、財産区管理会を置くことができない。

第二九六条の三【財産区管理会の権限事務】 ① 市町村長及び特別区の区長は、財産区の財産又は公の施設の管理及び処分又は廃止で条例又は前条第一項但書に規定する協議で定める重要なものについては、財産区管理会の同意を得なければならない。

② 市町村長及び特別区の区長は、財産区の財産又は公の施設の管理に関する事務の全部又は一部を財産区管理会の同意を得て、財産区管理会又は財産区管理委員に委任することができる。

③ 財産区管理会は、当該財産区の事務の処理について監査することができる。

第二九六条の四【条例への委任】 ① 前二条に定めるものを除く外、財産区管理委員の選任、財産区管理会の運営その他財産区管理会に関し必要な事項は、条例でこれを定める。但し、第二百九十六条の二第一項但書の規定により財産区管理会を置く場合においては、同項但書に規定する協議によりこれを定めることができる。

② 市町村長及び特別区の区長は、財産区管理会の同意を得て、条例で第二百九十六条の二第一項但書に規定する協議の内容を変更することができる。

第二九六条の五【財産区の運営】 ① 財産区は、その財産又は公の施設の管理及び処分又は廃止については、その住民の福祉を増進するとともに、財産区のある市町村又は特別区の一体性をそこなわないように努めなければならない。

② 財産区のある市町村又は特別区は、財産区と協議して、当該財産区の財産又は公の施設から生ずる収入の全部又は一部を市町村又は特別区の事務に要する経費の一部に充てることができる。この場合においては、当該市町村又は特別区は、その充当した金額の限度において、財産区の住民に対して不均一の課税をし、又は使用料その他の徴収金について不均一の徴収をすることができる。

③ 前項前段の協議をしようとするときは、財産区は、予めその議会若しくは総会の議決を経、又は財産区管理会の同意を得なければならない。

第二九六条の六【知事の権限】 ① 都道府県知事は、必要があると認めるときは、財産区の事務の処理について、当該財産区のある市町村若しくは特別区の長に報告若しくは資料の提出を求め、又は監査することができる。

② 財産区の事務に関し、市町村若しくは特別区の長若しくは議会、財産区の議会若しくは総会又は財産区管理会の相互の間に紛争があるときは、都道府県知事は、当事者の申請に基き又は職権により、これを裁定することができる。

③ 前項に規定するものを除く外、同項の裁定に関し必要な事項は、政令で定める。

第二九七条【政令への委任】 この法律に規定するものを除く外、財産区の事務に関しては、政令でこれを定める。

第四編　補則

第二九八条（事務の区分） ① 都道府県が第三条第六項、第七条第一項及び第二項（第八条第三項の規定によりその例によることとされる場合を含む。）、第八条の二第一項、第二項及び第四項、第九条第一項及び第二項（同条第十一項において準用する場合を含む。）並びに第五項及び第九項（同条第十一項及び第九条の三第六項において準用する場合を含む。）、第九条の二第一項及び第五項並びに第九条の三第一項及び第三項の規定により処理することとされている事務、第二百四十五条の四第一項の規定により処理することとされている事務（市町村が処理する事務が自治事務又は第二号法定受託事務である場合には、同条第二項の規定による各大臣の指示を受けて行うものに限る。）、第二百四十五条の五第三項の規定により処理することとされている事務、第二百四十五条の七第二項、第二百四十五条の八第十二項において準用する同条第一項から第四項まで及び第八項並びに第二百四十五条の九第二項の規定により処理することとされている事務（市町村が処理する第一号法定受託事務に係るものに限る。）、第二百五十二条第二項の規定により処理することとされている事務、同条第三項の規定により処理することとされている事務（市町村が処理する第一号法定受託事務に係るものに限る。）、第二百五十二条の十七の三第二項及び第三項並びに第二百五十二条の十七の四第一項及び第三項（第二百九十一条の二第三項において準用する場合を含む。）の規定により処理することとされている事務、第二百五十二条の十七の五第一項の規定により処理することとされている事務（同条第二項の規定による総務大臣の指示を受けて行うものに限る。）、第二百五十二条の十七の六第二項及び第二百五十二条の十七の七の規定により処理することとされている事務、第二百五十二条の二十六の三第一項及び第二項の規定により処理することとされている事務（市町村が処理する事務が自治事務又は第二号法定受託事務である場合には、同条第三項において準用する第二百四十五条の四第二項の規定による各大臣の指示を受けて行うものに限る。）、第二百五十二条の二十六の四及び第二百五十二条の二十六の五第三項の規定により処理することとされている事務、第二百五十五条の二の規定により処理することとされている事務（第一号法定受託事務に係るものに限る。）、第二百六十一条第二項から第四項までの規定により処理することとされている事務、第二百八十四条第二項の規定により処理することとされている事務（都道府県の加入しない一部事務組合に係る許可に係るものに限る。）、同条第三項の規定により処理することとされている事務（都道府県の加入しない広域連合に係る許可に係るものに限る。）、第二百八十六条（第二百八十六条の二第二項の規定によりその例によることとされる場合を含む。）及び第二百八十六条の二第四項の規定により処理することとされている事務（都道府県の加入しない一部事務組合に係る許可又は届出に係るものに限る。）、第二百八十八条の規定により処理することとされている事務（都道府県の加入しない一部事務組合に係る届出に係るものに限る。）、第二百九十一条の三第一項及び第三項から第五項までの規定により処理することとされている事務（都道府県の加入しない広域連合に係る許可又は届出に係るものに限る。）、第二百九十一条の十第一項の規定により処理することとされている事務（都道府県の加入しない広域連合に係る許可に係るものに限る。）、同条第三項の規定により処理することとされている事務並びに第二百六十二条第一項において準用する公職選挙法中普通地方公共団体の選挙に関する規定により処理することとされている事務は、第一号法定受託事務とする。

② 都が第二百八十一条の四第一項、第二項（同条第九項及び第十一項において準用する場合を含む。）、第八項及び第十項の規定により処理することとされている事務は、第一号法定受託事務とする。

③ 市町村が第二百六十一条第二項から第四項までの規定により処理することとされている事務及び第二百六十二条第一項において準用する公職選挙法中普通地方公共団体の選挙に関する規定により処理することとされている事務は、第一号法定受託事務とする。

第二九九条 市町村が第七十四条の二第一項から第三項まで、第五項、第六項及び第十項並びに第七十四条の三第三項（これらの規定を第七十五条第六項、第七十六条第四項、第八十条第四項、第八十一条第二項及び第八十六条第四項において準用する場合を含む。）の規定により処理することとされている事務（都道府県に対する請求に係るものに限る。）並びに第八十五条第一項において準用する公職選挙法中普通地方公共団体の選挙に関する規定により処理することとされている事務（第七十六条第三項の規定による都道府県の議会の解散の投票並びに第八十条第三項及び第八十一条第二項の規定による都道府県の議会の議員及び長の解職の投票に関するものに限る。）は、第二号法定受託事務とする。

附　則（抄）

第一条 この法律は、日本国憲法施行の日（昭和二二・五・三）から、これを施行する。

第二条 東京都制、道府県制、市制及び町村制は、これを廃止する。（後略）

第二〇条① 戸籍法の適用を受けない者の選挙権及び被選挙権は、当分の間、これを停止する。

② 前項の者は、選挙人名簿にこれを登録することができない。

第二一条 この法律の施行に関し必要な規定は、政令でこれを定める。

別表（略）

附　則（平成一一・七・一六法八七）（抄）

（施行期日）

第一条 この法律は、平成十二年四月一日から施行する。（後略）

（検討）

第二五〇条 新地方自治法第二条第九項第一号に規定する第一号法定受託事務については、できる限り新たに設けることのないようにするとともに、新地方自治法別表第一に掲げるもの及び新地方自治法に基づく政令に示すものについては、地方分権を推進する観点から検討を加え、適宜、適切な見直しを行うものとする。

第二五一条 政府は、地方公共団体が事務及び事業を自主的かつ自立的に執行できるよう、国と地方公共団体との役割分担に応じた地方税財源の充実確保の方途について、経済情勢の推移等を勘案しつつ検討し、その結果に基づいて必要な措置を講ずるものとする。

第二五二条 政府は、医療保険制度、年金制度等の改革に伴い、社会保険の事務処理の体制、これに従事する職員の在り方等について、被保険者等の利便性の確保、事務処理の効率化等の視点に立って、検討し、必要があると認めるときは、その結果に基づいて所要の措置を講ずるものとする。

附　則（令和四・五・二五法四八）（抄）

（施行期日）

第一条 この法律は、公布の日から起算して四年を超えない範囲内において政令で定める日から施行する。ただし、次の各号に掲げる規定は、当該各号に定める日から施行する。

一 （前略）附則第百二十五条の規定　公布の日

二―五（略）

（地方自治法及び市町村の合併の特例に関する法律の一部改正に伴う経過措置）

第一〇一条① 附則第三十六条の規定による改正後の地方自治法（次項において「新地方自治法」という。）第九条第十項の規定は、地方自治法第九条第九項の規定による訴えであって施行日以後に提起されたものに係る裁判所がする通知について適用し、同項の規定による訴えであって施行日前に提起されたものに係る裁判所がする通知については、なお従前の例による。

② 新地方自治法第七十四条の二第十項（前条の規定による改正後の市町村の合併の特例に関する法律第五条第三十項において準用する場合を含む。）の規定は、地方自治法第七十四条の二第八項（市町村の合併の特例に関する法律第五条第三十項において準用する場合を含む。）及び第九項の規定による訴えであって施行日以後に提起されたものに係る裁判所がする送付について適用し、これらの規定による訴えであって施行日前に提起されたものに係る裁判所がする送付については、なお従前の例による。

（政令への委任）

第一二五条 この附則に定めるもののほか、この法律の施行に関し必要な経過措置は、政令で定める。

刑法等の一部を改正する法律の施行に伴う関係法律整理法中経過規定（令和四・六・一七法六八）（抄）

第四四一条から第四四三条まで（刑法の同経過規定参照）

第五〇九条（刑法の同経過規定参照）

刑法等の一部を改正する法律の施行に伴う関係法律整理法

附　則（令和四・六・一七法六八）（抄）

（施行期日）

① この法律は、刑法等一部改正法（刑法等の一部を改正する法律（令和四法六七））施行日（令和七・六・一）から施行する。ただし、次の各号に掲げる規定は、当該各号に定める日から施行する。

一 第五百九条の規定　公布の日

二 （略）

附　則（令和六・六・二六法六五）（抄）

（施行期日）

第一条 この法律は、公布の日から起算して三月を経過した日（令和六・九・二六）から施行する。ただし、次の各号に掲げる規定は、当該各号に定める日から施行する。

一 （前略）附則第六条の規定　公布の日

二 第二編第十章の次に一章を加える改正規定（第二百四十四条の六に係る部分に限る。）（中略）　令和八年四月一日

三 （前略）第二百四十二条の二第一項第四号ただし書並びに第二百四十三条の改正規定、第二百四十三条の二の八を第二百四十三条の二の九とし、第二百四十三条の二の七を第二百四十三条の二の八とし、第二百四十三条の二の六の次に一条を加える改正規定（中略）並びに附則第五条（中略）の規定　公布の日から起算して二年六月を超えない範囲内において政令で定める日

（新法第二百四十四条の五第二項の規定等の適用に関する経過措置）

第三条① この法律の施行の日から附則第一条第二号に掲げる規定の施行の日の前日までの間における新法第二百四十四条の五第二項の規定の適用については、同項中「をいう。次条第一項において同じ」とあるのは、「をいう」とする。

② （略）

（罰則に関する経過措置）

第五条 附則第一条第三号に掲げる規定の施行前にした行為に対する罰則の適用については、なお従前の例による。

（政令への委任）

第六条　この附則に定めるもののほか、この法律の施行に伴い必要な経過措置（罰則に関する経過措置を含む。）は、政令で定める。

〇地方公務員法（抄）（昭和二五・一二・一三 法　二六一）

施行（附則参照）
最終改正　令和四法六八

目次

第一章　総則

（この法律の目的）

第一条　この法律は、地方公共団体の人事機関並びに地方公務員の任用、人事評価、給与、勤務時間その他の勤務条件、休業、分限及び懲戒、服務、退職管理、研修、福祉及び利益の保護並びに団体等人事行政に関する根本基準を確立することにより、地方公共団体の行政の民主的かつ能率的な運営並びに特定地方独立行政法人の事務及び事業の確実な実施を保障し、もつて地方自治の本旨の実現に資することを目的とする。

（この法律の効力）

第二条　地方公務員（地方公共団体のすべての公務員をいう。）に関する従前の法令又は条例、地方公共団体の規則若しくは地方公共団体の機関の定める規程の規定がこの法律の規定に抵触する場合には、この法律の規定が、優先する。

（一般職に属する地方公務員及び特別職に属する地方公務員）

第三条①　地方公務員（地方公共団体及び特定地方独立行政法人（地方独立行政法人法（平成十五年法律第百十八号）第二条第二項に規定する特定地方独立行政法人をいう。以下同じ。）の全ての公務員をいう。以下同じ。）の職は、一般職と特別職とに分ける。

②　一般職は、特別職に属する職以外の一切の職とする。

③　特別職は、次に掲げる職とする。

一　就任について公選又は地方公共団体の議会の選挙、議決若しくは同意によることを必要とする職

一の二　地方公営企業の管理者及び企業団の企業長の職

二　法令又は条例、地方公共団体の規則若しくは地方公共団体の機関の定める規程により設けられた委員及び委員会（審議会その他これに準ずるものを含む。）の構成員の職で臨時又は非常勤のもの

二の二　都道府県労働委員会の委員の職で常勤のもの

三　臨時又は非常勤の顧問、参与、調査員、嘱託員及びこれらの者に準ずる者の職（専門的な知識経験又は識見を有する者が就く職であつて、当該知識経験又は識見に基づき、助言、調査、診断その他総務省令で定める事務を行うものに限る。）

三の二　投票管理者、開票管理者、選挙長、選挙分会長、審査分会長、国民投票分会長、投票立会人、開票立会人、選挙立会人、審査分会立会人、国民投票分会立会人その他総務省令で定める者の職

四　地方公共団体の長、議会の議長その他地方公共団体の機関の長の秘書の職で条例で指定するもの

五　非常勤の消防団員及び水防団員の職

六　特定地方独立行政法人の役員

（この法律の適用を受ける地方公務員）

第四条①　この法律の規定は、一般職に属するすべての地方公務員（以下「職員」という。）に適用する。

②　この法律の規定は、法律に特別の定がある場合を除く外、特別職に属する地方公務員には適用しない。

（人事委員会及び公平委員会並びに職員に関する条例の制定）

第五条①　地方公共団体は、法律に特別の定がある場合を除く外、この法律に定める根本基準に従い、条例で、人事委員会又は公平委員会の設置、職員に適用される基準の実施その他職員

に関する事項について必要な規定を定めるものとする。但し、その条例は、この法律の精神に反するものであつてはならない。

② 第七条第一項又は第二項の規定により人事委員会を置く地方公共団体においては、前項の条例を制定し、又は改廃しようとするときは、当該地方公共団体の議会において、人事委員会の意見を聞かなければならない。

第二章　人事機関（抄）

（任命権者）

第六条① 地方公共団体の長、議会の議長、選挙管理委員会、代表監査委員、教育委員会、人事委員会及び公平委員会並びに警視総監、道府県警察本部長、市町村の消防長（特別区が連合して維持する消防の消防長を含む。）その他法令又は条例に基づく任命権者は、法律に特別の定めがある場合を除くほか、この法律並びにこれに基づく条例、地方公共団体の規則及び地方公共団体の機関の定める規程に従い、それぞれ職員の任命、人事評価（任用、給与、分限その他の人事管理の基礎とするために、職員がその職務を遂行するに当たり発揮した能力及び挙げた業績を把握した上で行われる勤務成績の評価をいう。以下同じ。）、休職、免職及び懲戒等を行う権限を有するものとする。

② 前項の任命権者は、同項に規定する権限の一部をその補助機関たる上級の地方公務員に委任することができる。

（人事委員会又は公平委員会の設置）

第七条① 都道府県及び地方自治法（昭和二十二年法律第六十七号）第二百五十二条の十九第一項の指定都市は、条例で人事委員会を置くものとする。

② 前項の指定都市以外の市で人口（官報で公示された最近の国勢調査又はこれに準ずる人口調査の結果による人口をいう。以下同じ。）十五万以上のもの及び特別区は、条例で人事委員会又は公平委員会を置くものとする。

③ 人口十五万未満の市、町、村及び地方公共団体の組合は、条例で公平委員会を置くものとする。

④ 公平委員会を置く地方公共団体は、議会の議決を経て定める規約により、公平委員会を置く他の地方公共団体と共同して公平委員会を置き、又は他の地方公共団体の人事委員会に委託して次条第二項に規定する公平委員会の事務を処理させることができる。

（人事委員会又は公平委員会の権限）

第八条① 人事委員会は、次に掲げる事務を処理する。

一 人事行政に関する事項について調査し、人事記録に関することを管理し、及びその他人事に関する統計報告を作成すること。

二 人事評価、給与、勤務時間その他の勤務条件、研修、厚生福利制度その他職員に関する制度について絶えず研究を行い、その成果を地方公共団体の議会若しくは長又は任命権者に提出すること。

三 人事機関及び職員に関する条例の制定又は改廃に関し、地方公共団体の議会及び長に意見を申し出ること。

四 人事行政の運営に関し、任命権者に勧告すること。

五 給与、勤務時間その他の勤務条件に関し講ずべき措置について地方公共団体の議会及び長に勧告すること。

六 職員の競争試験及び選考並びにこれらに関する事務を行うこと。

七 削除

八 職員の給与がこの法律及びこれに基く条例に適合して行われることを確保するため必要な範囲において、職員に対する給与の支払を監理すること。

九 職員の給与、勤務時間その他の勤務条件に関する措置の要求を審査し、判定し、及び必要な措置を執ること。

十 職員に対する不利益な処分についての審査請求に対する裁決をすること。

十一 前二号に掲げるものを除くほか、職員の苦情を処理すること。

十二 前各号に掲げるものを除く外、法律又は条例に基きその権限に属せしめられた事務

② 公平委員会は、次に掲げる事務を処理する。

一 職員の給与、勤務時間その他の勤務条件に関する措置の要求を審査し、判定し、及び必要な措置を執ること。

二 職員に対する不利益な処分についての審査請求に対する裁決をすること。

三 前二号に掲げるものを除くほか、職員の苦情を処理すること。

四 前三号に掲げるものを除くほか、法律に基づきその権限に属せしめられた事務

③ 人事委員会は、第一項第一号、第二号、第六号、第八号及び第十二号に掲げる事務で人事委員会規則で定めるものを当該地方公共団体の他の機関又は人事委員会の事務局長に委任することができる。

④ 人事委員会又は公平委員会は、第一項第十一号又は第二項第三号に掲げる事務を委員又は事務局長に委任することができる。

⑤ 人事委員会又は公平委員会は、法律又は条例に基づきその権限に属せしめられた事務に関し、人事委員会規則又は公平委員会規則を制定することができる。

⑥ 人事委員会又は公平委員会は、法律又は条例に基くその権限の行使に関し必要があるときは、証人を喚問し、又は書類若しくはその写の提出を求めることができる。

⑦ 人事委員会又は公平委員会は、人事行政に関する技術的及び専門的な知識、資料その他の便宜の授受のため、国若しくは他の地方公共団体の機関又は特定地方独立行政法人との間に協定を結ぶことができる。

⑧ 第一項第九号及び第十号又は第二項第一号及び第二号の規定により人事委員会又は公平委員会に属せしめられた権限に基く人事委員会又は公平委員会の決定（判定を含む。）及び処分は、人事委員会規則又は公平委員会規則で定める手続により、人事委員会又は公平委員会によつてのみ審査される。

⑨ 前項の規定は、法律問題につき裁判所に出訴する権利に影響を及ぼすものではない。

（抗告訴訟の取扱い）

第八条の二 人事委員会又は公平委員会は、人事委員会又は公平委員会の行政事件訴訟法（昭和三十七年法律第百三十九号）第三条第二項に規定する処分又は同条第三項に規定する裁決に係る同法第十一条第一項（同法第三十八条第一項において準用する場合を含む。）の規定による地方公共団体を被告とする訴訟について、当該地方公共団体を代表する。

第九条（略）

（人事委員会又は公平委員会の委員）

第九条の二① 人事委員会又は公平委員会は、三人の委員をもつて組織する。

② 委員は、人格が高潔で、地方自治の本旨及び民主的で能率的な事務の処理に理解があり、かつ、人事行政に関し識見を有する者のうちから、議会の同意を得て、地方公共団体の長が選任する。

③ 第十六条第一号、第二号若しくは第四号のいずれかに該当する者又は第六十条から第六十三条までに規定する罪を犯し、刑に処せられた者は、委員となることができない。

④ 委員の選任については、そのうちの二人が、同一の政党に属する者となることとなつてはならない。

⑤ 委員のうち二人以上が同一の政党に属することとなつた場合には、これらの者のうち一人を除く他の者は、地方公共団体の長が議会の同意を得て罷免するものとする。ただし、政党所属関係について異動のなかつた者を罷免することはできない。

⑥ 地方公共団体の長は、委員が心身の故障のため職務の遂行に堪えないと認めるとき、又は委員に職務上の義務違反その他委員たるに適しない非行があると認めるときは、議会の同意を得

て、これを罷免することができる。この場合においては、議会の常任委員会又は特別委員会において公聴会を開かなければならない。

⑦ 委員は、前二項の規定による場合を除くほか、その意に反して罷免されることがない。

⑧ 委員は、第十六条第一号、第三号又は第四号のいずれかに該当するに至つたときは、その職を失う。

⑨ 委員は、地方公共団体の議会の議員及び当該地方公共団体の地方公務員（第七条第四項の規定により公平委員会の事務の処理の委託を受けた地方公共団体の人事委員会の委員については、他の地方公共団体に公平委員会の事務の処理を委託した地方公共団体の地方公務員を含む。）の職（執行機関の附属機関の委員その他の構成員の職を除く。）を兼ねることができない。

⑩ 委員の任期は、四年とする。ただし、補欠委員の任期は、前任者の残任期間とする。

⑪ 人事委員会の委員は、常勤又は非常勤とし、公平委員会の委員は、非常勤とする。

⑫ 第三十条から第三十八条までの規定は常勤の人事委員会の委員の服務について、第三十条から第三十四条まで、第三十六条及び第三十七条の規定は非常勤の人事委員会の委員及び公平委員会の委員の服務について、それぞれ準用する。

第一〇条（人事委員会又は公平委員会の委員長）① 人事委員会又は公平委員会は、委員のうちから委員長を選挙しなければならない。

② 委員長は、委員会に関する事務を処理し、委員会を代表する。

③ 委員長に事故があるとき、又は委員長が欠けたときは、委員長の指定する委員が、その職務を代理する。

第一一条（人事委員会又は公平委員会の議事）① 人事委員会又は公平委員会は、三人の委員が出席しなければ会議を開くことができない。

② 人事委員会又は公平委員会は、会議を開かなければ公務の運営又は職員の福祉若しくは利益の保護に著しい支障が生ずると認められる十分な理由があるときは、前項の規定にかかわらず、二人の委員が出席すれば会議を開くことができる。

③ 人事委員会又は公平委員会の議事は、出席委員の過半数で決する。

④ 人事委員会又は公平委員会の議事は、議事録として記録して置かなければならない。

⑤ 前各項に定めるものを除くほか、人事委員会又は公平委員会の議事に関し必要な事項は、人事委員会又は公平委員会が定める。

第一二条　（略）

第三章　職員に適用される基準（抄）

第一節　通則

第一三条（平等取扱いの原則）全て国民は、この法律の適用について、平等に取り扱われなければならず、人種、信条、性別、社会的身分若しくは門地によつて、又は第十六条第四号に該当する場合を除くほか、政治的意見若しくは政治的所属関係によつて、差別されてはならない。

第一四条（情勢適応の原則）① 地方公共団体は、この法律に基いて定められた給与、勤務時間その他の勤務条件が社会一般の情勢に適応するように、随時、適当な措置を講じなければならない。

② 人事委員会は、随時、前項の規定により講ずべき措置について地方公共団体の議会及び長に勧告することができる。

第二節　任用（抄）

第一五条（任用の根本基準）職員の任用は、この法律の定めるところにより、受験成績、人事評価その他の能力の実証に基づいて行わなければならない。

第一五条の二（定義）① この法律において、次の各号に掲げる用語の意義は、当該各号に定めるところによる。

一 採用　職員以外の者を職員の職に任命すること（臨時的任用を除く。）をいう。

二 昇任　職員をその職員が現に任命されている職より上位の職制上の段階に属する職員の職に任命することをいう。

三 降任　職員をその職員が現に任命されている職より下位の職制上の段階に属する職員の職に任命することをいう。

四 転任　職員をその職員が現に任命されている職以外の職員の職に任命することであつて前二号に定めるものに該当しないものをいう。

五 標準職務遂行能力　職制上の段階の標準的な職（職員の職に限る。以下同じ。）の職務を遂行する上で発揮することが求められる能力として任命権者が定めるものをいう。

② 前項第五号の標準的な職は、職制上の段階及び職務の種類に応じ、任命権者が定める。

③ 地方公共団体の長及び議会の議長以外の任命権者は、標準職務遂行能力及び第一項第五号の標準的な職を定めようとするときは、あらかじめ、地方公共団体の長に協議しなければならない。

第一六条（欠格条項）次の各号のいずれかに該当する者は、条例で定める場合を除くほか、職員となり、又は競争試験若しくは選考を受けることができない。

一 禁錮以上の刑に処せられ、その執行を終わるまで又はその執行を受けることがなくなるまでの者

二 当該地方公共団体において懲戒免職の処分を受け、当該処分の日から二年を経過しない者

三 人事委員会又は公平委員会の委員の職にあつて、第六十条から第六十三条までに規定する罪を犯し、刑に処せられた者

四 日本国憲法施行の日以後において、日本国憲法又はその下に成立した政府を暴力で破壊することを主張する政党その他の団体を結成し、又はこれに加入した者

第一七条（任命の方法）① 職員の職に欠員を生じた場合においては、任命権者は、採用、昇任、降任又は転任のいずれかの方法により、職員を任命することができる。

② 人事委員会（競争試験等を行う公平委員会を含む。以下この節において同じ。）を置く地方公共団体においては、人事委員会は、前項の任命の方法のうちのいずれによるべきかについての一般的基準を定めることができる。

第一七条の二（採用の方法）① 人事委員会を置く地方公共団体においては、職員の採用は、競争試験によるものとする。ただし、人事委員会規則（競争試験等を行う公平委員会を置く地方公共団体においては、公平委員会規則。以下この節において同じ。）で定める場合には、選考（競争試験以外の能力の実証に基づく試験をいう。以下同じ。）によることを妨げない。

② 人事委員会を置かない地方公共団体においては、職員の採用は、競争試験又は選考によるものとする。

③ 人事委員会（人事委員会を置かない地方公共団体においては、任命権者とする。以下この節において「人事委員会等」という。）は、正式任用になつてある職に就いていた職員が、職制若しくは定数の改廃又は予算の減少に基づく廃職又は過員によりその職を離れた後において、再びその職に復する場合における資格要件、採用手続及び採用の際における身分に関し必要な事項を定めることができる。

第一八条（試験機関）採用のための競争試験（以下「採用試験」という。）又は選考は、人事委員会等が行うものとする。ただし、人事委員会等は、他の地方公共団体の機関との協定によりこれと共同し

て、又は国若しくは他の地方公共団体の機関との協定によりこれらの機関に委託して、採用試験又は選考を行うことができる。

（採用試験の公開平等）

第一八条の二 採用試験は、人事委員会等の定める受験の資格を有する全ての国民に対して平等の条件で公開されなければならない。

第一八条の三から第二一条の四まで （略）

（**降任及び転任の方法**）

第二一条の五① 任命権者は、職員を降任させる場合には、当該職員の人事評価その他の能力の実証に基づき、任命しようとする職の属する職制上の段階の標準的な職に係る標準職務遂行能力及び当該任命しようとする職についての適性を有すると認められる職に任命するものとする。

② 職員の転任は、任命権者が、職員の人事評価その他の能力の実証に基づき、任命しようとする職の属する職制上の段階の標準的な職に係る標準職務遂行能力及び当該任命しようとする職についての適性を有すると認められる者の中から行うものとする。

（**条件付採用**）

第二二条 職員の採用は、全て条件付のものとし、当該職員がその職において六月の期間を勤務し、その間その職務を良好な成績で遂行したときに、正式のものとなるものとする。この場合において、人事委員会等は、人事委員会規則（人事委員会を置かない地方公共団体においては、地方公共団体の規則。第二十二条の四第一項及び第二十二条の五第一項において同じ。）で定めるところにより、条件付採用の期間を一年を超えない範囲内で延長することができる。

（**会計年度任用職員の採用の方法等**）

第二二条の二① 次に掲げる職員（以下この条において「会計年度任用職員」という。）の採用は、第十七条の二第一項及び第二項の規定にかかわらず、競争試験又は選考によるものとする。

一 一会計年度を超えない範囲内で置かれる非常勤の職（第二十二条の四第一項に規定する短時間勤務の職を除く。）（次号において「会計年度任用の職」という。）を占める職員であつて、その一週間当たりの通常の勤務時間が常時勤務を要する職を占める職員の一週間当たりの通常の勤務時間に比し短い時間であるもの

二 会計年度任用の職を占める職員であつて、その一週間当たりの通常の勤務時間が常時勤務を要する職を占める職員の一週間当たりの通常の勤務時間と同一の時間であるもの

② 会計年度任用職員の任期は、その採用の日から同日の属する会計年度の末日までの期間の範囲内で任命権者が定める。

③ 任命権者は、前二項の規定により会計年度任用職員を採用する場合には、当該会計年度任用職員にその任期を明示しなければならない。

④ 任命権者は、会計年度任用職員の任期が第二項に規定する期間に満たない場合には、当該会計年度任用職員の勤務実績を考慮した上で、当該期間の範囲内において、その任期を更新することができる。

⑤ 第三項の規定は、前項の規定により任期を更新する場合について準用する。

⑥ 任命権者は、会計年度任用職員の採用又は任期の更新に当たつては、職務の遂行に必要かつ十分な任期を定めるものとし、必要以上に短い任期を定めることにより、採用又は任期の更新を反復して行うことのないよう配慮しなければならない。

⑦ 会計年度任用職員に対する前条の規定の適用については、同条中「六月」とあるのは、「一月」とする。

（**臨時的任用**）

第二二条の三① 人事委員会を置く地方公共団体においては、任命権者は、人事委員会規則で定めるところにより、常時勤務を要する職に欠員を生じた場合において、緊急のとき、臨時の職に関するとき、又は採用候補者名簿（第二十一条の四第四項において読み替えて準用する第二十一条第一項に規定する昇任候補者名簿を含む。）がないときは、人事委員会の承認を得て、六月を超えない期間で臨時的任用を行うことができる。この場合において、任命権者は、人事委員会の承認を得て、当該臨時的任用を六月を超えない期間で更新することができるが、再度更新することはできない。

② 前項の場合において、人事委員会は、臨時的に任用される者の資格要件を定めることができる。

③ 人事委員会は、前二項の規定に違反する臨時的任用を取り消すことができる。

④ 人事委員会を置かない地方公共団体においては、任命権者は、地方公共団体の規則で定めるところにより、常時勤務を要する職に欠員を生じた場合において、緊急のとき、又は臨時の職に関するときは、六月を超えない期間で臨時的任用を行うことができる。この場合において、任命権者は、当該臨時的任用を六月を超えない期間で更新することができるが、再度更新することはできない。

⑤ 臨時的任用は、正式任用に際して、いかなる優先権をも与えるものではない。

⑥ 前各項に定めるもののほか、臨時的に任用された職員に対しては、この法律を適用する。

（**定年前再任用短時間勤務職員の任用**）

第二二条の四① 任命権者は、当該任命権者の属する地方公共団体の条例年齢以上退職者（条例で定める年齢に達した日以後に退職（臨時的に任用される職員その他の法律により任期を定めて任用される職員及び非常勤職員が退職する場合を除く。）をした者をいう。以下同じ。）を、条例で定めるところにより、従前の勤務実績その他の人事委員会規則で定める情報に基づく選考により、短時間勤務の職（当該職を占める職員の一週間当たりの通常の勤務時間が、常時勤務を要する職でその職務が当該短時間勤務の職と同種の職を占める職員の一週間当たりの通常の勤務時間に比し短い時間である職をいう。以下同じ。）に採用することができる。ただし、条例年齢以上退職者がその者を採用しようとする短時間勤務の職に係る定年退職日相当日（短時間勤務の職を占める職員が、常時勤務を要する職でその職務が当該短時間勤務の職と同種の職を占めているものとした場合における第二十八条の六第一項に規定する定年退職日をいう。第三項及び第四項において同じ。）を経過した者であるときは、この限りでない。

② 前項の条例で定める年齢は、国の職員につき定められている国家公務員法（昭和二十二年法律第百二十号）第六十条の二第一項に規定する年齢を基準として定めるものとする。

③ 第一項の規定により採用された職員（以下この条及び第二十九条第三項において「定年前再任用短時間勤務職員」という。）の任期は、採用の日から定年退職日相当日までとする。

④ 任命権者は、条例年齢以上退職者のうちその者を採用しようとする短時間勤務の職に係る定年退職日相当日を経過していない者以外の者を当該短時間勤務の職に採用することができず、定年前再任用短時間勤務職員のうち当該定年前再任用短時間勤務職員を昇任し、降任し、又は転任しようとする短時間勤務の職に係る定年退職日相当日を経過していない定年前再任用短時間勤務職員以外の職員を当該短時間勤務の職に昇任し、降任し、又は転任することができない。

⑤ 任命権者は、定年前再任用短時間勤務職員を、常時勤務を要する職に昇任し、降任し、又は転任することができない。

⑥ 第一項の規定による採用については、第二十二条の規定は、適用しない。

第二二条の五① 地方公共団体の組合を組織する地方公共団体の任命権者は、前条第一項本文の規定によるほか、当該地方公共団体の組合の条例年齢以上退職者を、条例で定めるところにより、従前の勤務実績その他の人事委員会規則で定める情報に基づく選考により、短時間勤務の職に採用することができる。

② 地方公共団体の組合の任命権者は、前条第一項本文の規定に

よるほか、当該地方公共団体の組合を組織する地方公共団体の条例で定めるところにより、従前の勤務実績その他の地方公共団体の組合の規則（競争試験等を行う公平委員会を置く地方公共団体の組合においては、公平委員会規則）で定める情報に基づく選考により、短時間勤務の職に採用することができる。

③ 前二項の場合においては、前条第一項ただし書及び第三項から第六項までの規定を準用する。

第三節　人事評価（抄）

（人事評価の根本基準）

第二三条① 職員の人事評価は、公正に行われなければならない。

② 任命権者は、人事評価を任用、給与、分限その他の人事管理の基礎として活用するものとする。

第二三条の二から第二三条の四まで（略）

第四節　給与、勤務時間その他の勤務条件（抄）

（給与、勤務時間その他の勤務条件の根本基準）

第二四条① 職員の給与は、その職務と責任に応ずるものでなければならない。

② 職員の給与は、生計費並びに国及び他の地方公共団体の職員並びに民間事業の従事者の給与その他の事情を考慮して定められなければならない。

③ 職員は、他の職員の職を兼ねる場合においても、これに対して給与を受けてはならない。

④ 職員の勤務時間その他職員の給与以外の勤務条件を定めるに当つては、国及び他の地方公共団体の職員との間に権衡を失しないように適当な考慮が払われなければならない。

⑤ 職員の給与、勤務時間その他の勤務条件は、条例で定める。

（給与に関する条例及び給与の支給）

第二五条① 職員の給与は、前条第五項の規定による給与に関する条例に基づいて支給されなければならず、また、これに基づかずには、いかなる金銭又は有価物も職員に支給してはならない。

② 職員の給与は、法律又は条例により特に認められた場合を除き、通貨で、直接職員に、その全額を支払わなければならない。

③ 給与に関する条例には、次に掲げる事項を規定するものとする。

一　給料表

二　等級別基準職務表

三　昇給の基準に関する事項

四　時間外勤務手当、夜間勤務手当及び休日勤務手当に関する事項

五　前号に規定するものを除くほか、地方自治法第二百四条第二項に規定する手当を支給する場合には、当該手当に関する事項

六　非常勤の職その他勤務条件の特別な職があるときは、これらについて行う給与の調整に関する事項

七　前各号に規定するものを除くほか、給与の支給方法及び支給条件に関する事項

④ 前項第一号の給料表には、職員の職務の複雑、困難及び責任の度に基づく等級ごとに明確な給料額の幅を定めていなければならない。

⑤ 第三項第二号の等級別基準職務表には、職員の職務を前項の等級ごとに分類する際に基準となるべき職務の内容を定めていなければならない。

第二六条から第二六条の三まで（略）

第四節の二　休業（抄）

（休業の種類）

第二六条の四① 職員の休業は、自己啓発等休業、配偶者同行休業、育児休業及び大学院修学休業とする。

② 育児休業及び大学院修学休業については、別に法律で定めるところによる。

第二六条の五及び第二六条の六（略）

第五節　分限及び懲戒（抄）

（分限及び懲戒の基準）

第二七条① 全て職員の分限及び懲戒については、公正でなければならない。

② 職員は、この法律で定める事由による場合でなければ、その意に反して、降任され、又は免職されず、この法律又は条例で定める事由による場合でなければ、その意に反して、休職され、又は降給されることがない。

③ 職員は、この法律で定める事由による場合でなければ、懲戒処分を受けることがない。

（降任、免職、休職等）

第二八条① 職員が、次の各号に掲げる場合のいずれかに該当するときは、その意に反して、これを降任し、又は免職することができる。

一　人事評価又は勤務の状況を示す事実に照らして、勤務実績がよくない場合

二　心身の故障のため、職務の遂行に支障があり、又はこれに堪えない場合

三　前二号に規定する場合のほか、その職に必要な適格性を欠く場合

四　職制若しくは定数の改廃又は予算の減少により廃職又は過員を生じた場合

② 職員が、次の各号に掲げる場合のいずれかに該当するときは、その意に反して、これを休職することができる。

一　心身の故障のため、長期の休養を要する場合

二　刑事事件に関し起訴された場合

③ 職員の意に反する降任、免職、休職及び降給の手続及び効果は、法律に特別の定めがある場合を除くほか、条例で定めなければならない。

④ 職員は、第十六条各号（第二号を除く。）のいずれかに該当するに至つたときは、条例に特別の定めがある場合を除くほか、その職を失う。

第二八条の二から第二八条の五まで（略）

（定年による退職）

第二八条の六① 職員は、定年に達したときは、定年に達した日以後における最初の三月三十一日までの間において、条例で定める日（次条第一項及び第二項ただし書において「定年退職日」という。）に退職する。

② 前項の定年は、国の職員につき定められている定年を基準として条例で定めるものとする。

③ 前項の場合において、地方公共団体における当該職員に関しその職務と責任に特殊性があること又は欠員の補充が困難であることにより国の職員につき定められている定年を基準として定めることが実情に即さないと認められるときは、当該職員の定年については、条例で別の定めをすることができる。この場合においては、国及び他の地方公共団体の職員との間に権衡を失しないように適当な考慮が払われなければならない。

④ 前三項の規定は、臨時的に任用される職員その他の法律により任期を定めて任用される職員及び非常勤職員には適用しない。

第二八条の七（略）

（懲戒）

第二九条① 職員が次の各号のいずれかに該当する場合には、当該職員に対し、懲戒処分として戒告、減給、停職又は免職の処分をすることができる。

一　この法律若しくは第五十七条に規定する特例を定めた法律又はこれらに基づく条例、地方公共団体の規則若しくは地方公共団体の機関の定める規程に違反した場合

二　職務上の義務に違反し、又は職務を怠つた場合
三　全体の奉仕者たるにふさわしくない非行のあつた場合

② 職員が、任命権者の要請に応じ当該地方公共団体の特別職に属する地方公務員、他の地方公共団体若しくは特定地方独立行政法人の地方公務員、国家公務員又は地方公社（地方住宅供給公社、地方道路公社及び土地開発公社をいう。）その他その業務が地方公共団体若しくは国の事務若しくは事業と密接な関連を有する法人のうち条例で定めるものに使用される者（以下この項において「特別職地方公務員等」という。）となるため退職し、引き続き特別職地方公務員等として在職した後、引き続いて当該退職を前提として職員として採用された場合（一の特別職地方公務員等として在職した後、引き続き一以上の特別職地方公務員等として在職し、引き続いて当該退職を前提として職員として採用された場合を含む。）において、当該退職までの引き続く職員としての在職期間（当該退職前に同様の退職（以下この項において「先の退職」という。）、特別職地方公務員等としての在職及び職員としての採用がある場合には、当該先の退職までの引き続く職員としての在職期間を含む。次項において「要請に応じた退職前の在職期間」という。）中に前項各号のいずれかに該当したときは、当該職員に対し同項に規定する懲戒処分を行うことができる。

③ 定年前再任用短時間勤務職員（第二十二条の四第一項の規定により採用された職員に限る。以下この項において同じ。）が、条例年齢以上退職者となつた日までの引き続く職員としての在職期間（要請に応じた退職前の在職期間を含む。）又は第二十二条の四第一項の規定によりかつて採用されて定年前再任用短時間勤務職員として在職していた期間中に第一項各号のいずれかに該当したときは、当該職員に対し同項に規定する懲戒処分を行うことができる。

④ 職員の懲戒の手続及び効果は、法律に特別の定めがある場合を除くほか、条例で定めなければならない。

（適用除外）
第二九条の二① 次に掲げる職員及びこれに対する処分については、第二十七条第二項、第二十八条第一項から第三項まで、第四十九条第一項及び第二項並びに行政不服審査法（平成二十六年法律第六十八号）の規定を適用しない。
一　条件附採用期間中の職員
二　臨時的に任用された職員

② 前項各号に掲げる職員の分限については、条例で必要な事項を定めることができる。

第六節　服務

（服務の根本基準）
第三〇条　すべて職員は、全体の奉仕者として公共の利益のために勤務し、且つ、職務の遂行に当つては、全力を挙げてこれに専念しなければならない。

（服務の宣誓）
第三一条　職員は、条例の定めるところにより、服務の宣誓をしなければならない。

（法令等及び上司の職務上の命令に従う義務）
第三二条　職員は、その職務を遂行するに当つて、法令、条例、地方公共団体の規則及び地方公共団体の機関の定める規程に従い、且つ、上司の職務上の命令に忠実に従わなければならない。

（信用失墜行為の禁止）
第三三条　職員は、その職の信用を傷つけ、又は職員の職全体の不名誉となるような行為をしてはならない。

（秘密を守る義務）
第三四条① 職員は、職務上知り得た秘密を漏らしてはならない。その職を退いた後も、また、同様とする。

② 法令による証人、鑑定人等となり、職務上の秘密に属する事項を発表する場合においては、任命権者（退職者については、その退職した職又はこれに相当する職に係る任命権者）の許可を受けなければならない。

③ 前項の許可は、法律に特別の定がある場合を除く外、拒むことができない。

（職務に専念する義務）
第三五条　職員は、法律又は条例に特別の定がある場合を除く外、その勤務時間及び職務上の注意力のすべてをその職責遂行のために用い、当該地方公共団体がなすべき責を有する職務にのみ従事しなければならない。

（政治的行為の制限）
第三六条① 職員は、政党その他の政治的団体の結成に関与し、若しくはこれらの団体の役員となつてはならず、又はこれらの団体の構成員となるように、若しくはならないように勧誘運動をしてはならない。

② 職員は、特定の政党その他の政治的団体又は特定の内閣若しくは地方公共団体の執行機関を支持し、又はこれに反対する目的をもつて、あるいは公の選挙又は投票において特定の人又は事件を支持し、又はこれに反対する目的をもつて、次に掲げる政治的行為をしてはならない。ただし、当該職員の属する地方公共団体の区域（当該職員が都道府県の支庁若しくは地方事務所又は地方自治法第二百五十二条の十九第一項の指定都市の区若しくは総合区に勤務する者であるときは、当該支庁若しくは地方事務所又は区若しくは総合区の所管区域）外において、第一号から第三号まで及び第五号に掲げる政治的行為をすることができる。
一　公の選挙又は投票において投票をするように、又はしないように勧誘運動をすること。
二　署名運動を企画し、又は主宰する等これに積極的に関与すること。
三　寄附金その他の金品の募集に関与すること。
四　文書又は図画を地方公共団体又は特定地方独立行政法人の庁舎（特定地方独立行政法人にあつては、事務所。以下この号において同じ。）、施設等に掲示し、又は掲示させ、その他地方公共団体又は特定地方独立行政法人の庁舎、施設、資材又は資金を利用し、又は利用させること。
五　前各号に定めるものを除く外、条例で定める政治的行為

③ 何人も前二項に規定する政治的行為を行うよう職員に求め、職員をそそのかし、若しくはあおつてはならず、又は職員が前二項に規定する政治的行為をなし、若しくはなさないことに対する代償若しくは報復として、任用、職務、給与その他職員の地位に関してなんらかの利益若しくは不利益を与え、与えようと企て、若しくは約束してはならない。

④ 職員は、前項に規定する違法な行為に応じなかつたことの故をもつて不利益な取扱を受けることはない。

⑤ 本条の規定は、職員の政治的中立性を保障することにより、地方公共団体の行政及び特定地方独立行政法人の業務の公正な運営を確保するとともに職員の利益を保護することを目的とするものであるという趣旨において解釈され、及び運用されなければならない。

（争議行為等の禁止）
第三七条① 職員は、地方公共団体の機関が代表する使用者としての住民に対して同盟罷業、怠業その他の争議行為をし、又は地方公共団体の機関の活動能率を低下させる怠業的行為をしてはならない。又、何人も、このような違法な行為を企て、又はその遂行を共謀し、そそのかし、若しくはあおつてはならない。

② 職員で前項の規定に違反する行為をしたものは、その行為の開始とともに、地方公共団体に対し、法令又は条例、地方公共団体の規則若しくは地方公共団体の機関の定める規程に基いて保有する任命上又は雇用上の権利をもつて対抗することができなくなるものとする。

（営利企業への従事等の制限）
第三八条① 職員は、任命権者の許可を受けなければ、商業、工業又は金融業その他営利を目的とする私企業（以下この項及び

次条第一項において「営利企業」という。）を営むことを目的とする会社その他の団体の役員その他人事委員会規則（人事委員会を置かない地方公共団体においては、地方公共団体の規則）で定める地位を兼ね、若しくは自ら営利企業を営み、又は報酬を得ていかなる事業若しくは事務にも従事してはならない。ただし、非常勤職員（短時間勤務の職を占める職員及び第二十二条の二第一項第二号に掲げる職員を除く。）については、この限りでない。

② 人事委員会は、人事委員会規則により前項の場合における任命権者の許可の基準を定めることができる。

第六節の二　退職管理　及び　**第七節**　研修

（第三八条の二から第四〇条まで）（略）

第八節　福祉及び利益の保護（抄）

（福祉及び利益の保護の根本基準）

第四一条　職員の福祉及び利益の保護は、適切であり、且つ、公正でなければならない。

第一款　厚生福利制度　及び　**第二款**　公務災害補償

（第四二条から第四五条まで）（略）

第三款　勤務条件に関する措置の要求

（勤務条件に関する措置の要求）

第四六条　職員は、給与、勤務時間その他の勤務条件に関し、人事委員会又は公平委員会に対して、地方公共団体の当局により適当な措置が執られるべきことを要求することができる。

（審査及び審査の結果執るべき措置）

第四七条　前条に規定する要求があつたときは、人事委員会又は公平委員会は、事案について口頭審理その他の方法による審査を行い、事案を判定し、その結果に基いて、その権限に属する事項については、自らこれを実行し、その他の事項については、当該事項に関し権限を有する地方公共団体の機関に対し、必要な勧告をしなければならない。

（要求及び審査、判定の手続等）

第四八条　前二条の規定による要求及び審査、判定の手続並びに審査、判定の結果執るべき措置に関し必要な事項は、人事委員会規則又は公平委員会規則で定めなければならない。

第四款　不利益処分に関する審査請求

（不利益処分に関する説明書の交付）

第四九条①　任命権者は、職員に対し、懲戒その他その意に反すると認める不利益な処分を行う場合においては、その際、当該職員に対し、処分の事由を記載した説明書を交付しなければならない。ただし、他の職への降任等に該当する降任をする場合又は他の職への降任等に伴い降給をする場合は、この限りでない。

② 職員は、その意に反して不利益な処分を受けたと思うときは、任命権者に対し処分の事由を記載した説明書の交付を請求することができる。

③ 前項の規定による請求を受けた任命権者は、その日から十五日以内に、同項の説明書を交付しなければならない。

④ 第一項又は第二項の説明書には、当該処分につき、人事委員会又は公平委員会に対して審査請求をすることができる旨及び審査請求をすることができる期間を記載しなければならない。

（審査請求）

第四九条の二①　前条第一項に規定する処分を受けた職員は、人事委員会又は公平委員会に対してのみ審査請求をすることができる。

② 前条第一項に規定する処分を除くほか、職員に対する処分については、審査請求をすることができない。職員がした申請に対する不作為についても、同様とする。

③ 第一項に規定する審査請求については、行政不服審査法第二章の規定を適用しない。

（審査請求期間）

第四九条の三　前条第一項に規定する審査請求は、処分があつたことを知つた日の翌日から起算して三月以内にしなければならず、処分があつた日の翌日から起算して一年を経過したときは、することができない。

（審査及び審査の結果執るべき措置）

第五〇条①　第四十九条の二第一項に規定する審査請求を受理したときは、人事委員会又は公平委員会は、直ちにその事案を審査しなければならない。この場合において、処分を受けた職員から請求があつたときは、口頭審理を行わなければならない。口頭審理は、その職員から請求があつたときは、公開して行わなければならない。

② 人事委員会又は公平委員会は、必要があると認めるときは、当該審査請求に対する裁決を除き、審査に関する事務の一部を委員又は事務局長に委任することができる。

③ 人事委員会又は公平委員会は、第一項に規定する審査の結果に基いて、その処分を承認し、修正し、又は取り消し、及び必要がある場合においては、任命権者にその職員の受けるべきであつた給与その他の給付を回復するため必要で且つ適切な措置をさせる等その職員がその処分によつて受けた不当な取扱を是正するための指示をしなければならない。

（審査請求の手続等）

第五一条　審査請求の手続及び審査の結果執るべき措置に関し必要な事項は、人事委員会規則又は公平委員会規則で定めなければならない。

（審査請求と訴訟との関係）

第五一条の二　第四十九条第一項に規定する処分であつて人事委員会又は公平委員会に対して審査請求をすることができるものの取消しの訴えは、審査請求に対する人事委員会又は公平委員会の裁決を経た後でなければ、提起することができない。

第九節　職員団体（抄）

（職員団体）

第五二条①　この法律において「職員団体」とは、職員がその勤務条件の維持改善を図ることを目的として組織する団体又はその連合体をいう。

② 前項の「職員」とは、第五項に規定する職員以外の職員をいう。

③ 職員は、職員団体を結成し、若しくは結成せず、又はこれに加入し、若しくは加入しないことができる。ただし、重要な行政上の決定を行う職員、重要な行政上の決定に参画する管理的地位にある職員、職員の任免に関して直接の権限を持つ監督的地位にある職員、職員の任免、分限、懲戒若しくは服務、職員の給与その他の勤務条件又は職員団体との関係についての当局の計画及び方針に関する機密の事項に接し、そのためにその職務上の義務と責任とが職員団体の構成員としての誠意と責任とに直接に抵触すると認められる監督的地位にある職員その他職員団体との関係において当局の立場に立つて遂行すべき職務を担当する職員（以下「管理職員等」という。）と管理職員等以外の職員とは、同一の職員団体を組織することができず、管理職員等と管理職員等以外の職員とが組織する団体は、この法律にいう「職員団体」ではない。

④ 前項ただし書に規定する管理職員等の範囲は、人事委員会規則又は公平委員会規則で定める。

⑤ 警察職員及び消防職員は、職員の勤務条件の維持改善を図ることを目的とし、かつ、地方公共団体の当局と交渉する団体を結成し、又はこれに加入してはならない。

第五三条　（略）

第五四条　削除

（交渉）

第五五条①　地方公共団体の当局は、登録を受けた職員団体から、職員の給与、勤務時間その他の勤務条件に関し、及びこれに附帯して、社交的又は厚生的活動を含む適法な活動に係る事項に関し、適法な交渉の申入れがあつた場合においては、その申入れに応ずべき地位に立つものとする。

② 職員団体と地方公共団体の当局との交渉は、団体協約を締結する権利を含まないものとする。

③ 地方公共団体の事務の管理及び運営に関する事項は、交渉の対象とすることができない。

④ 職員団体が交渉することのできる地方公共団体の当局は、交渉事項について適法に管理し、又は決定することのできる地方公共団体の当局とする。

⑤ 交渉は、職員団体と地方公共団体の当局があらかじめ取り決めた員数の範囲内で、職員団体がその役員の中から指名する者と地方公共団体の当局の指名する者との間において行なわなければならない。交渉に当たつては、職員団体と地方公共団体の当局との間において、議題、時間、場所その他必要な事項をあらかじめ取り決めて行なうものとする。

⑥ 前項の場合において、特別の事情があるときは、職員団体は、役員以外の者を指名することができるものとする。ただし、その指名する者は、当該交渉の対象である特定の事項について交渉する適法な委任を当該職員団体の執行機関から受けたことを文書によつて証明できる者でなければならない。

⑦ 交渉は、前二項の規定に適合しないこととなつたとき、又は他の職員の職務の遂行を妨げ、若しくは地方公共団体の事務の正常な運営を阻害することとなつたときは、これを打ち切ることができる。

⑧ 本条に規定する適法な交渉は、勤務時間中においても行なうことができる。

⑨ 職員団体は、法令、条例、地方公共団体の規則及び地方公共団体の機関の定める規程にてい触しない限りにおいて、当該地方公共団体の当局と書面による協定を結ぶことができる。

⑩ 前項の協定は、当該地方公共団体の当局及び職員団体の双方において、誠意と責任をもつて履行しなければならない。

⑪ 職員は、職員団体に属していないという理由で、第一項に規定する事項に関し、不満を表明し、又は意見を申し出る自由を否定されてはならない。

（職員団体のための職員の行為の制限）

第五五条の二① 職員は、職員団体の業務にもつぱら従事することができない。ただし、任命権者の許可を受けて、登録を受けた職員団体の役員としてもつぱら従事する場合は、この限りでない。

② 前項ただし書の許可は、任命権者が相当と認める場合に与えることができるものとし、これを与える場合においては、任命権者は、その許可の有効期間を定めるものとする。

③―⑤（略）

⑥ 職員は、条例で定める場合を除き、給与を受けながら、職員団体のためその業務を行ない、又は活動してはならない。

（不利益取扱の禁止）

第五六条 職員は、職員団体の構成員であること、職員団体を結成しようとしたこと、若しくはこれに加入しようとしたこと又は職員団体のために正当な行為をしたことの故をもつて不利益な取扱を受けることはない。

第四章　補則（抄）

第五七条（略）

（他の法律の適用除外等）

第五八条① 労働組合法（昭和二十四年法律第百七十四号）、労働関係調整法（昭和二十一年法律第二十五号）及び最低賃金法（昭和三十四年法律第百三十七号）並びにこれらに基く命令の規定は、職員に関して適用しない。

②―⑤（略）

第五八条の二及び第五八条の三（略）

（総務省の協力及び技術的助言）

第五九条 総務省は、地方公共団体の人事行政がこの法律によつて確立される地方公務員制度の原則に沿つて運営されるように協力し、及び技術的助言をすることができる。

第五章　罰則（抄）

（罰則）

第六〇条 次の各号のいずれかに該当する者は、一年以下の拘禁刑又は五十万円以下の罰金に処する。

一 第十三条の規定に違反して差別をした者

二 第三十四条第一項又は第二項の規定（第九条の二第十二項において準用する場合を含む。）に違反して秘密を漏らした者

三 第五十条第三項の規定による人事委員会又は公平委員会の指示に故意に従わなかつた者

四 離職後二年を経過するまでの間に、離職前五年間に在職していた地方公共団体の執行機関の組織等に属する役職員又はこれに類する者として人事委員会規則で定めるものに対し、契約等事務であつて離職前五年間の職務に属するものに関し、職務上不正な行為をするように、又は相当の行為をしないように要求し、又は依頼した再就職者

五―八（略）

第六一条 次の各号のいずれかに該当する者は、三年以下の拘禁刑又は百万円以下の罰金に処する。

一 第五十条第一項に規定する権限の行使に関し、第八条第六項の規定により人事委員会若しくは公平委員会から証人として喚問を受け、正当な理由がなくてこれに応ぜず、若しくは虚偽の陳述をした者又は同項の規定により人事委員会若しくは公平委員会から書類若しくはその写の提出を求められ、正当な理由がなくてこれに応ぜず、若しくは虚偽の事項を記載した書類若しくはその写を提出した者

二 第十五条の規定に違反して任用した者

三（略）

四 何人たるを問わず、第三十七条第一項前段に規定する違法な行為の遂行を共謀し、唆し、若しくはあおり、又はこれらの行為を企てた者

五 第四十六条の規定による勤務条件に関する措置の要求の申出を故意に妨げた者

第六二条 第六十条第二号又は前条第一号から第三号まで若しくは第五号に掲げる行為を企て、命じ、故意にこれを容認し、そそのかし、又はそのほう助をした者は、それぞれ各本条の刑に処する。

第六三条 次の各号のいずれかに該当する者は、三年以下の拘禁刑に処する。ただし、刑法（明治四十年法律第四十五号）に正条があるときは、刑法による。

一 職務上不正な行為（当該職務上不正な行為が、営利企業等に対し、他の役職員をその離職後に、若しくは役職員であつた者を、当該営利企業等若しくはその子法人の地位に就かせることを目的として、当該役職員若しくは役職員であつた者に関する情報を提供し、若しくは当該地位に関する情報の提供を依頼し、若しくは当該役職員若しくは役職員であつた者を当該地位に就かせることを要求し、若しくは依頼する行為又は営利企業等に対し、離職後に当該営利企業等若しくはその子法人の地位に就くことを目的として、自己に関する情報を提供し、若しくは当該地位に関する情報の提供を依頼し、若しくは当該地位に就くことを要求し、若しくは約束する行為である場合における当該職務上不正な行為を除く。次号において同じ。）をすること若しくはしたこと、又は相当の行為をしないこと若しくはしなかつたことに関し、営利企業等に対し、離職後に当該営利企業等若しくはその子法人の地位に就くこと、又は他の役職員をその離職後に、若しくは役職員であつた者を、当該営利企業等若しくはその子法人の地位に就かせることを要求し、又は約束した職員

二 職務に関し、他の役職員に職務上不正な行為をするように、又は相当の行為をしないように要求し、依頼し、若しくは唆すこと、又は要求し、依頼し、若しくは唆したことに関

し、営利企業等に対し、離職後に当該営利企業等若しくはその子法人の地位に就くこと、又は他の役職員をその離職後に、若しくは役職員であつた者を、当該営利企業等若しくはその子法人の地位に就かせることを要求し、又は約束した職員

三　前号（地方独立行政法人法第五十条の二において準用する場合を含む。）の不正な行為をするように、又は相当の行為をしないように要求し、依頼し、又は唆した行為の相手方であつて、同号（同条において準用する場合を含む。）の要求又は約束があつたことの情を知つて職務上不正な行為をし、又は相当の行為をしなかつた職員

第六四条及び第六五条　（略）

附　則（抄）

（施行期日）

①　この法律の規定中、第十五条及び第十七条から第二十三条までの規定並びに第六十一条第二号及び第三号の罰則並びに第六十二条中第六十一条第二号及び第三号に関する部分は、都道府県及び地方自治法第百五十五条第二項の市にあつてはこの法律公布の日から起算して二年を経過した日（昭和二七・一二・一三）から、その他の地方公共団体にあつてはこの法律公布の日から起算して二年六月を経過した日（昭和二八・六・一三）からそれぞれ施行し、第二十七条から第二十九条まで及び第四十六条から第五十一条までの規定並びに第六十条第三号、第六十一条第一号及び同条第五号の罰則並びに第六十二条中第六十一条第一号及び第五号に関する部分は、この法律公布の日から起算して八月を経過した日（昭和二六・八・一三）から施行し、その他の規定は、この法律公布の日から起算して二月を経過した日（昭和二六・二・一三）から施行する。

刑法等の一部を改正する法律の施行に伴う関係法律整理法中経過規定　（令和四・六・一七法六八）（抄）

第四四一条から第四四三条まで　（刑法の同経過規定参照）

第五〇九条　（刑法の同経過規定参照）

刑法等の一部を改正する法律の施行に伴う関係法律整理法

附　則（令和四・六・一七法六八）（抄）

（施行期日）

①　この法律は、刑法等一部改正法（刑法等の一部を改正する法律（令和四法六七））施行日（令和七・六・一）から施行する。ただし、次の各号に掲げる規定は、当該各号に定める日から施行する。

一　第五百九条の規定　公布の日

二　（略）

◉行政手続法

（平成五・一一・一二法 八八）

施行 平成六・一〇・一（平成六政三〇二）

改正 平成一一法一五一・法一六〇、平成一四法一五二、平成一五法一一九、平成一七法七三、平成一八法五八・法六六、平成二六法六九・法七〇、平成二九法四、令和四法五二、令和五法五六・法六三、令和六法六五

目次

第一章 総則

（目的等）

第一条① この法律は、処分、行政指導及び届出に関する手続並びに命令等を定める手続に関し、共通する事項を定めることによって、行政運営における公正の確保と透明性（行政上の意思決定について、その内容及び過程が国民にとって明らかであることをいう。第四十六条において同じ。）の向上を図り、もって国民の権利利益の保護に資することを目的とする。

② 処分、行政指導及び届出に関する手続並びに命令等を定める手続に関しこの法律に規定する事項について、他の法律に特別の定めがある場合は、その定めるところによる。

参❶憲一三・三一【処分→二［二］】【行政指導→二［六］】【届出→二［七］】【命令等→二［八］】❷【他の法律の特別の定め→一三参・一五①参・二〇参】【他の法律による適用除外→二章参・三章参】【本法の定める適用除外→三・四】

（定義）

第二条 この法律において、次の各号に掲げる用語の意義は、当該各号に定めるところによる。

一 法令 法律、法律に基づく命令（告示を含む。）、条例及び地方公共団体の執行機関の規則（規程を含む。以下「規則」という。）をいう。

二 処分 行政庁の処分その他公権力の行使に当たる行為をいう。

三 申請 法令に基づき、行政庁の許可、認可、免許その他の自己に対し何らかの利益を付与する処分（以下「許認可等」という。）を求める行為であって、当該行為に対して行政庁が諾否の応答をすべきこととされているものをいう。

四 不利益処分 行政庁が、法令に基づき、特定の者を名あて人として、直接に、これに義務を課し、又はその権利を制限する処分をいう。ただし、次のいずれかに該当するものを除く。

イ 事実上の行為及び事実上の行為をするに当たりその範囲、時期等を明らかにするために法令上必要とされている手続としての処分

ロ 申請により求められた許認可等を拒否する処分その他申請に基づき当該申請をした者を名あて人としてされる処分

ハ 名あて人となるべき者の同意の下にすることとされている処分

ニ 許認可等の効力を失わせる処分であって、当該許認可等の基礎となった事実が消滅した旨の届出があったことを理由としてされるもの

五 行政機関 次に掲げる機関をいう。

イ 法律の規定に基づき内閣に置かれる機関若しくは内閣の所轄の下に置かれる機関、宮内庁、内閣府設置法（平成十一年法律第八十九号）第四十九条第一項若しくは第二項に規定する機関、国家行政組織法（昭和二十三年法律第百二十号）第三条第二項に規定する機関、会計検査院若しくはこれらに置かれる機関又はこれらの機関の職員であって法律上独立に権限を行使することを認められた職員

ロ 地方公共団体の機関（議会を除く。）

六 行政指導 行政機関がその任務又は所掌事務の範囲内において一定の行政目的を実現するため特定の者に一定の作為又は不作為を求める指導、勧告、助言その他の行為であって処分に該当しないものをいう。

七 届出 行政庁に対し一定の事項の通知をする行為（申請に該当するものを除く。）であって、法令により直接に当該通知が義務付けられているもの（自己の期待する一定の法律上の効果を発生させるためには当該通知をすべきこととされているものを含む。）をいう。

八 命令等 内閣又は行政機関が定める次に掲げるものをいう。

イ 法律に基づく命令（処分の要件を定める告示を含む。次条第二項において単に「命令」という。）又は規則

ロ 審査基準（申請により求められた許認可等をするかどうかをその法令の定めに従って判断するために必要とされる基準をいう。以下同じ。）

ハ 処分基準（不利益処分をするかどうか又はどのような不利益処分とするかについてその法令の定めに従って判断するために必要とされる基準をいう。以下同じ。）

ニ 行政指導指針（同一の行政目的を実現するため一定の条件に該当する複数の者に対し行政指導をしようとするときにこれらの行政指導に共通してその内容となるべき事項をいう。以下同じ。）

参［二］【公権力の行使→行審一、行訴三①】［三］行審三、行訴三⑤ ［四］【イの例―手続としての処分→代執三①、ETC【ロの例―申請に基づき当該申請をした者を名宛人としてされる処分→弁護一一・一七、ETC【ニの例→収用三〇②、ETC【ハの例→文化財保護法三二の二、ETC ［五］【内閣所轄機関→国公三、ETC【独立に権限を行使する者→労基九七・一〇一―一〇三、ETC【地方公共団体の機関→自治一三九・一三八の四・一八〇の五 ［七］【事後届出→生活保護六一、ETC【事前届出→浄化槽法五①、ETC【申請に該当するもの→戸七四・一二二 ［八］【審査基準→五【処分基準→一二【行政指導指針→三六

（適用除外）

第三条① 次に掲げる処分及び行政指導については、次章から第四章の二までの規定は、適用しない。

一 国会の両院若しくは一院又は議会の議決によってされる処分

二 裁判所若しくは裁判官の裁判により、又は裁判の執行としてされる処分

三 国会の両院若しくは一院若しくは議会の議決を経て、又はこれらの同意若しくは承認を得た上でされるべきものとされている処分

四 検査官会議で決すべきものとされている処分及び会計検査の際にされる行政指導

五 刑事事件に関する法令に基づいて検察官、検察事務官又は司法警察職員がする処分及び行政指導

六 国税又は地方税の犯則事件に関する法令（他の法令において準用する場合を含む。）に基づいて国税庁長官、国税局長、税務署長、国税庁、国税局若しくは税務署の当該職員、税関

長、税関職員又は徴税吏員（他の法令の規定に基づいてこれらの職員の職務を行う者を含む。）がする処分及び行政指導並びに金融商品取引の犯則事件に関する法令（他の法令において準用する場合を含む。）に基づいて証券取引等監視委員会、その職員（当該法令においてその職員とみなされる者を含む。）、財務局長又は財務支局長がする処分及び行政指導

七　学校、講習所、訓練所又は研修所において、教育、講習、訓練又は研修の目的を達成するために、学生、生徒、児童若しくは幼児若しくはこれらの保護者、講習生、訓練生又は研修生に対してされる処分及び行政指導

八　刑務所、少年刑務所、拘置所、留置施設、海上保安留置施設、少年院又は少年鑑別所において、収容の目的を達成するためにされる処分及び行政指導

九　公務員（国家公務員法（昭和二十二年法律第百二十号）第二条第一項に規定する国家公務員及び地方公務員法（昭和二十五年法律第二百六十一号）第三条第一項に規定する地方公務員をいう。以下同じ。）又は公務員であった者に対してその職務又は身分に関してされる処分及び行政指導

十　外国人の出入国、出入国管理及び難民認定法（昭和二十六年政令第三百十九号）第六十一条の二第一項に規定する難民の認定、同条第二項に規定する補完的保護対象者の認定又は帰化に関する処分及び行政指導

十一　専ら人の学識技能に関する試験又は検定の結果についての処分

十二　相反する利害を有する者の間の利害の調整を目的として法令の規定に基づいてされる裁定その他の処分（その双方を名宛人とするものに限る。）及び行政指導

十三　公衆衛生、環境保全、防疫、保安その他の公益に関わる事象が発生し又は発生する可能性のある現場において警察官若しくは海上保安官又はこれらの公益を確保するために行使すべき権限を法律上直接に与えられたその他の職員によってされる処分及び行政指導

十四　報告又は物件の提出を命ずる処分その他その職務の遂行上必要な情報の収集を直接の目的としてされる処分及び行政指導

十五　審査請求、再調査の請求その他の不服申立てに対する行政庁の裁決、決定その他の処分

十六　前号に規定する処分の手続又は第三章に規定する聴聞若しくは弁明の機会の付与の手続その他の意見陳述のための手続において法令に基づいてされる処分及び行政指導

②　次に掲げる命令等を定める行為については、第六章の規定は、適用しない。

一　法律の施行期日について定める政令

二　恩赦に関する命令

三　命令又は規則を定める行為が処分に該当する場合における当該命令又は規則

四　法律の規定に基づき施設、区間、地域その他これらに類するものを指定する命令又は規則

五　公務員の給与、勤務時間その他の勤務条件について定める命令等

六　審査基準、処分基準又は行政指導指針であって、法令の規定により若しくは慣行として、又は命令等を定める機関の判断により公にされるもの以外のもの

③　第一項各号及び前項各号に掲げるもののほか、地方公共団体の機関がする処分（その根拠となる規定が条例又は規則に置かれているものに限る。）及び行政指導、地方公共団体の機関に対する届出（前条第七号の通知の根拠となる規定が条例又は規則に置かれているものに限る。）並びに地方公共団体の機関が命令等を定める行為については、次章から第六章までの規定は、適用しない。

参❶[二]国会一二二、ETC【類似の規定↓行審七①㈠ [三]非訟一二〇・一二一、ETC【類似の規定↓行審七①㈢ [四]【類似の規定↓行審七①㈣ [五]刑訴四八五、ETC【類似の規定↓行審七①㈥ [六]【類似の規定↓行審七①㈦ [七]学教一一、ETC【類似の規定↓行審七①㈣ [八]【類似の規定↓行審七①㈤ [九]国公八二、ETC [十]国籍四、ETC【類似の規定↓行審七①㈤ [十一]司試八、ETC【類似の規定↓行審七①[十一] [十二]著作六八①、ETC [十三]道交六、ETC [十五]【審査請求等に対する裁決、決定↓行審四五―四九・五八・五九・六四・六五、ETC [十六]【手続中の処分↓一七、行審一三、二〇③・二五、ETC【類似の規定↓行審七①[十二] ❷【命令等↓二四

第四条（国の機関等に対する処分等の適用除外）①　国の機関又は地方公共団体若しくはその機関に対する処分（これらの機関又は団体がその固有の資格において当該処分の名あて人となるものに限る。）及び行政指導並びにこれらの機関又は団体がする届出（これらの機関又は団体がその固有の資格においてすべきこととされているものに限る。）については、この法律の規定は、適用しない。

②　次の各号のいずれかに該当する法人に対する処分であって、当該法人の監督に関する法律の特別の規定に基づいてされるもの（当該法人の解散を命じ、若しくは設立に関する認可を取り消す処分又は当該法人の役員若しくは当該法人の業務に従事する者の解任を命ずる処分を除く。）については、次章及び第三章の規定は、適用しない。

一　法律により直接に設立された法人又は特別の法律により特別の設立行為をもって設立された法人

二　特別の法律により設立され、かつ、その設立に関し行政庁の認可を要する法人のうち、その行う業務が国又は地方公共団体の行政運営と密接な関連を有するものとして政令で定める法人

③　行政庁が法律の規定に基づく試験、検査、検定、登録その他の行政上の事務について当該法律に基づきその全部又は一部を行わせる者を指定した場合において、その指定を受けた者（その者が法人である場合にあっては、その役員）又は職員その他の者が当該事務に従事することに関し公務に従事する職員とみなされるときは、その指定を受けた者に対し当該法律に基づいて当該事務に関し監督上される処分（当該指定を取り消す処分、その指定を受けた者が法人である場合におけるその役員の解任を命ずる処分又はその指定を受けた者の当該事務に従事する者の解任を命ずる処分を除く。）については、次章及び第三章の規定は、適用しない。

④　次に掲げる命令等を定める行為については、第六章の規定は、適用しない。

一　国又は地方公共団体の機関の設置、所掌事務の範囲その他の組織について定める命令等

二　皇室典範（昭和二十二年法律第三号）第二十六条の皇統譜について定める命令等

三　公務員の礼式、服制、研修、教育訓練、表彰及び報償並びに公務員の間における競争試験について定める命令等

四　国又は地方公共団体の予算、決算及び会計について定める命令等（入札の参加者の資格、入札保証金その他の国又は地方公共団体の契約の相手方又は相手方になろうとする者に係る事項を定める命令等を除く。）並びに国又は地方公共団体の財産及び物品の管理について定める命令等（国又は地方公共団体が財産及び物品を貸し付け、交換し、売り払い、譲与し、信託し、若しくは出資の目的とし、又はこれらに私権を設定することについて定める命令等であって、これらの行為の相手方又は相手方になろうとする者に係る事項を定めるものを除く。）

五　会計検査について定める命令等

六　国の機関相互間の関係について定める命令等並びに地方自治法（昭和二十二年法律第六十七号）第二編第十一章に規定する国と普通地方公共団体との関係及び普通地方公共団体相互間の関係その他の国と地方公共団体との関係及び地方公共団体相互間の関係について定める命令等（第一項の規定によ

りこの法律の規定を適用しないこととされる処分に係る命令等を含む。）

七　第二項各号に規定する法人の役員及び職員、業務の範囲、財務及び会計その他の組織、運営及び管理について定める命令等（これらの法人に対する処分であって、これらの法人の解散を命じ、若しくは設立に関する認可を取り消す処分又はこれらの法人の役員若しくはこれらの法人の業務に従事する者の解任を命ずる処分に係る命令等を除く。）

参❶【類似の規定→行審七②　❹【命令等→二四

第二章　申請に対する処分

参【本法による本章の適用除外→三、四②③【他の法律による本章の適用除外→収用一二八の二、不登一五三、供一ノ三、戸一二七、後見登記一二、商登一三九、労組二七の二五、独禁七〇の二一、特許一九五の三、ETC

（**審査基準**）

第五条①　行政庁は、審査基準を定めるものとする。

②　行政庁は、審査基準を定めるに当たっては、許認可等の性質に照らしてできる限り具体的なものとしなければならない。

③　行政庁は、行政上特別の支障があるときを除き、法令により申請の提出先とされている機関の事務所における備付けその他の適当な方法により審査基準を公にしておかなければならない。

参【審査基準→二四ロ【処分基準→二四ハ、一二

（**標準処理期間**）

第六条　行政庁は、申請がその事務所に到達してから当該申請に対する処分をするまでに通常要すべき標準的な期間（法令により当該行政庁と異なる機関が当該申請の提出先とされている場合は、併せて、当該申請が当該提出先とされている機関の事務所に到達してから当該行政庁の事務所に到達するまでに通常要すべき標準的な期間）を定めるよう努めるとともに、これを定めたときは、これらの当該申請の提出先とされている機関の事務所における備付けその他の適当な方法により公にしておかなければならない。

参【法定処理期間の例→建基六④、生活保護二四⑤

（**申請に対する審査、応答**）

第七条　行政庁は、申請がその事務所に到達したときは遅滞なく当該申請の審査を開始しなければならず、かつ、申請書の記載事項に不備がないこと、申請書に必要な書類が添付されていること、申請をすることができる期間内にされたものであることその他の法令に定められた申請の形式上の要件に適合しない申請については、速やかに、申請をした者（以下「申請者」という。）に対し相当の期間を定めて当該申請の補正を求め、又は当該申請により求められた許認可等を拒否しなければならない。

参【審査請求の補正→行審二三

（**理由の提示**）

第八条①　行政庁は、申請により求められた許認可等を拒否する処分をする場合は、申請者に対し、同時に、当該処分の理由を示さなければならない。ただし、法令に定められた許認可等の要件又は公にされた審査基準が数量的指標その他の客観的指標により明確に定められている場合であって、当該申請がこれらに適合しないことが申請書の記載又は添付書類その他の申請の内容から明らかであるときは、申請者の求めがあったときにこれを示せば足りる。

②　前項本文に規定する処分を書面でするときは、同項の理由は、書面により示さなければならない。

参【不利益処分の理由の提示→一四

（**情報の提供**）

第九条①　行政庁は、申請者の求めに応じ、当該申請に係る審査の進行状況及び当該申請に対する処分の時期の見通しを示すよう努めなければならない。

②　行政庁は、申請をしようとする者又は申請者の求めに応じ、申請書の記載及び添付書類に関する事項その他の申請に必要な情報の提供に努めなければならない。

参❶【処分の時期→六

（**公聴会の開催等**）

第一〇条　行政庁は、申請に対する処分であって、申請者以外の者の利害を考慮すべきことが当該法令において許認可等の要件とされているものを行う場合には、必要に応じ、公聴会の開催その他の適当な方法により当該申請者以外の者の意見を聴く機会を設けるよう努めなければならない。

参【行訴九

（**複数の行政庁が関与する処分**）

第一一条①　行政庁は、申請の処理をするに当たり、他の行政庁において同一の申請者からされた関連する申請が審査中であることをもって自らすべき許認可等をするかどうかについての審査又は判断を殊更に遅延させるようなことをしてはならない。

②　一の申請又は同一の申請者からされた相互に関連する複数の申請に対する処分について複数の行政庁が関与する場合においては、当該複数の行政庁は、必要に応じ、相互に連絡をとり、当該申請者からの説明の聴取を共同して行う等により審査の促進に努めるものとする。

第三章　不利益処分

参【本法による本章の適用除外→三、四②③【他の法律による本章の適用除外→収用一二八の二、学教一三八、不登一五三、戸一二七、後見登記一二、商登一三九、労組二七の二五、独禁七〇の二一、景表二一、特許一九五の三、ETC【他の法律による本章（一二条及び一四条を除く）の適用除外→ストーカー五③、道交一一三の二、建基九⑮、四五②、国年七③、生活保護二九の二、六二⑤、ETC

第一節　通則

（**処分の基準**）

第一二条①　行政庁は、処分基準を定め、かつ、これを公にしておくよう努めなければならない。

②　行政庁は、処分基準を定めるに当たっては、不利益処分の性質に照らしてできる限り具体的なものとしなければならない。

参【処分基準→二四ハ【審査基準→二四ロ、五

（**不利益処分をしようとする場合の手続**）

第一三条①　行政庁は、不利益処分をしようとする場合には、次の各号の区分に従い、この章の定めるところにより、当該不利益処分の名あて人となるべき者について、当該各号に定める意見陳述のための手続を執らなければならない。

一　次のいずれかに該当するとき　聴聞

イ　許認可等を取り消す不利益処分をしようとするとき。

ロ　イに規定するもののほか、名あて人の資格又は地位を直接にはく奪する不利益処分をしようとするとき。

ハ　名あて人が法人である場合におけるその役員の解任を命ずる不利益処分、名あて人の業務に従事する者の解任を命ずる不利益処分又は名あて人の会員である者の除名を命ずる不利益処分をしようとするとき。

ニ　イからハまでに掲げる場合以外の場合であって行政庁が相当と認めるとき。

二　前号イからニまでのいずれにも該当しないとき　弁明の機会の付与

②　次の各号のいずれかに該当するときは、前項の規定は、適用しない。

一　公益上、緊急に不利益処分をする必要があるため、前項に規定する意見陳述のための手続を執ることができないとき。

二　法令上必要とされる資格がなかったこと又は失われるに至ったことが判明した場合に必ずすることとされている不利益処分であって、その資格の不存在又は喪失の事実が裁判所の判決書又は決定書、一定の職に就いたことを証する当該任命権者の書類その他の客観的な資料により直接証明されたものをしようとするとき。

三　施設若しくは設備の設置、維持若しくは管理又は物の製造、販売その他の取扱いについて遵守すべき事項が法令において技術的な基準をもって明確にされている場合において、専ら当該基準が充足されていないことを理由として当該基準に従うべきことを命ずる不利益処分であってその不充足の事実が計測、実験その他客観的な認定方法によって確認されたものをしようとするとき。

四　納付すべき金銭の額を確定し、一定の額の金銭の納付を命じ、又は金銭の給付決定の取消しその他の金銭の給付を制限する不利益処分をしようとするとき。

五　当該不利益処分の性質上、それによって課される義務の内容が著しく軽微なものであるため名あて人となるべき者の意見をあらかじめ聴くことを要しないものとして政令で定める処分をしようとするとき。

㊟❶【本項の特例→道交七五④、一〇四の二①、金商九①・一〇①・一一①・二三の九①・二三の一〇①・二三の一一①・二七の八④・一九三の二⑦、ETC】㊁【聴聞→三章二節】㊂【弁明の機会の付与→三章三節】

（**不利益処分の理由の提示**）

第一四条①　行政庁は、不利益処分をする場合には、その名あて人に対し、同時に、当該不利益処分の理由を示さなければならない。ただし、当該理由を示さないで処分をすべき差し迫った必要がある場合は、この限りでない。

②　行政庁は、前項ただし書の場合においては、当該名あて人の所在が判明しなくなったときその他処分後において理由を示すことが困難な事情があるときを除き、処分後相当の期間内に、同項の理由を示さなければならない。

③　不利益処分を書面でするときは、前二項の理由は、書面により示さなければならない。

㊟【申請拒否の理由の提示→八】

第二節　聴聞

㊟【本節の準用→ストーカー五④】

（**聴聞の通知の方式**）

第一五条①　行政庁は、聴聞を行うに当たっては、聴聞を行うべき期日までに相当な期間をおいて、不利益処分の名あて人となるべき者に対し、次に掲げる事項を書面により通知しなければならない。

一　予定される不利益処分の内容及び根拠となる法令の条項

二　不利益処分の原因となる事実

三　聴聞の期日及び場所

四　聴聞に関する事務を所掌する組織の名称及び所在地

②　前項の書面においては、次に掲げる事項を教示しなければならない。

一　聴聞の期日に出頭して意見を述べ、及び証拠書類又は証拠物（以下「証拠書類等」という。）を提出し、又は聴聞の期日への出頭に代えて陳述書及び証拠書類等を提出することができること。

二　聴聞が終結する時までの間、当該不利益処分の原因となる事実を証する資料の閲覧を求めることができること。

③　行政庁は、不利益処分の名宛人となるべき者の所在が判明しない場合においては、第一項の規定による通知を、公示の方法によって行うことができる。

④　前項の公示の方法による通知は、不利益処分の名宛人となるべき者の氏名、第一項第三号及び第四号に掲げる事項並びに当該行政庁が同項各号に掲げる事項を記載した書面をいつでもその者に交付する旨（以下この項において「公示事項」という。）を総務省令で定める方法により不特定多数の者が閲覧することができる状態に置くとともに、公示事項が記載された書面を当該行政庁の事務所の掲示場に掲示し、又は公示事項を当該事務所に設置した電子計算機の映像面に表示したものの閲覧をすることができる状態に置く措置をとることによって行うものとする。この場合においては、当該措置を開始した日から二週間を経過したときに、当該通知がその者に到達したものとみなす。

＊令和五法六三（令和八・六・一五までに施行）による改正前

第一五条①　行政庁は、聴聞を行うに当たっては、聴聞を行うべき期日までに相当な期間をおいて、不利益処分の名あて人となるべき者に対し、次に掲げる事項を書面により通知しなければならない。

一―四　（略）

②　（略）

③　行政庁は、不利益処分の名あて人となるべき者の所在が判明しない場合においては、第一項の規定による通知を、その者の氏名、同項第三号及び第四号に掲げる事項並びに当該行政庁が同項各号に掲げる事項を記載した書面をいつでもその者に交付する旨を当該行政庁の事務所の掲示場に掲示することによって行うことができる。この場合においては、掲示を始めた日から二週間を経過したときに、当該通知がその者に到達したものとみなす。

④　（改正により追加）

㊟❶【聴聞を行う場合→一三①㊀】【本項の特例→道交七五⑤⑥・一〇四の二②③、ETC】❷【意見陳述、証拠書類等の提出→二〇】【資料の閲覧→一八】❸❹【本項の準用→二二③・三一】

（**代理人**）

第一六条①　前条第一項の通知を受けた者（同条第四項後段の規定により当該通知が到達したものとみなされる者を含む。以下「当事者」という。）は、代理人を選任することができる。

＊令和五法六三（令和八・六・一五までに施行）による改正

第一項中「同条第三項後段」は「同条第四項後段」に改められた。（本文織込み済み）

②　代理人は、各自、当事者のために、聴聞に関する一切の行為をすることができる。

③　代理人の資格は、書面で証明しなければならない。

④　代理人がその資格を失ったときは、当該代理人を選任した当事者は、書面でその旨を行政庁に届け出なければならない。

㊟行審一二【本条の準用→三一】❶【当事者の特例→二八①】❷―❹【準用規定→一七③】

（**参加人**）

第一七条①　第十九条の規定により聴聞を主宰する者（以下「主宰者」という。）は、必要があると認めるときは、当事者以外の者であって当該不利益処分の根拠となる法令に照らし当該不利益処分につき利害関係を有するものと認められる者（同条第二項第六号において「関係人」という。）に対し、当該聴聞に関する手続に参加することを求め、又は当該聴聞に関する手続に参加することを許可することができる。

②　前項の規定により当該聴聞に関する手続に参加する者（以下「参加人」という。）は、代理人を選任することができる。

③　前条第二項から第四項までの規定は、前項の代理人について準用する。この場合において、同条第二項及び第四項中「当事者」とあるのは、「参加人」と読み替えるものとする。

㊟行審一三、行訴二二

（**文書等の閲覧**）

第一八条①　当事者及び当該不利益処分がされた場合に自己の利益を害されることとなる参加人（以下この条及び第二十四条第

三項において「当事者等」という。）は、聴聞の通知があった時から聴聞が終結する時までの間、行政庁に対し、当該事案についてした調査の結果に係る調書その他の当該不利益処分の原因となる事実を証する資料の閲覧を求めることができる。この場合において、行政庁は、第三者の利益を害するおそれがあるときその他正当な理由があるときでなければ、その閲覧を拒むことができない。

② 前項の規定は、当事者等が聴聞の期日における審理の進行に応じて必要となった資料の閲覧を更に求めることを妨げない。

③ 行政庁は、前二項の閲覧について日時及び場所を指定することができる。

参+行審三八

（聴聞の主宰）

第一九条① 聴聞は、行政庁が指名する職員その他政令で定める者が主宰する。

② 次の各号のいずれかに該当する者は、聴聞を主宰することができない。

一 当該聴聞の当事者又は参加人

二 前号に規定する者の配偶者、四親等内の親族又は同居の親族

三 第一号に規定する者の代理人又は次条第三項に規定する補佐人

四 前三号に規定する者であった者

五 第一号に規定する者の後見人、後見監督人、保佐人、保佐監督人、補助人又は補助監督人

六 参加人以外の関係人

（聴聞の期日における審理の方式）

第二〇条① 主宰者は、最初の聴聞の期日の冒頭において、行政庁の職員に、予定される不利益処分の内容及び根拠となる法令の条項並びにその原因となる事実を聴聞の期日に出頭した者に対し説明させなければならない。

② 当事者又は参加人は、聴聞の期日に出頭して、意見を述べ、及び証拠書類等を提出し、並びに主宰者の許可を得て行政庁の職員に対し質問を発することができる。

③ 前項の場合において、当事者又は参加人は、主宰者の許可を得て、補佐人とともに出頭することができる。

④ 主宰者は、聴聞の期日において必要があると認めるときは、当事者若しくは参加人に対し質問を発し、意見の陳述若しくは証拠書類等の提出を促し、又は行政庁の職員に対し説明を求めることができる。

⑤ 主宰者は、当事者又は参加人の一部が出頭しないときであっても、聴聞の期日における審理を行うことができる。

⑥ 聴聞の期日における審理は、行政庁が公開することを相当と認めるときを除き、公開しない。

参+行審三一【本条の特例→道交一〇四の二⑤、ETC ❻【聴聞の公開の特例→国籍一六③、国公一〇八の三⑦、地公五三⑦、道交七五⑦・一〇四の二④、ETC

（陳述書等の提出）

第二一条① 当事者又は参加人は、聴聞の期日への出頭に代えて、主宰者に対し、聴聞の期日までに陳述書及び証拠書類等を提出することができる。

② 主宰者は、聴聞の期日に出頭した者に対し、その求めに応じて、前項の陳述書及び証拠書類等を示すことができる。

参+行審三〇

（続行期日の指定）

第二二条① 主宰者は、聴聞の期日における審理の結果、なお聴聞を続行する必要があると認めるときは、さらに新たな期日を定めることができる。

② 前項の場合においては、当事者及び参加人に対し、あらかじめ、次回の聴聞の期日及び場所を書面により通知しなければならない。ただし、聴聞の期日に出頭した当事者及び参加人に対しては、当該聴聞の期日においてこれを告知すれば足りる。

③ 第十五条第三項及び第四項の規定は、前項本文の場合において、当事者又は参加人の所在が判明しないときにおける通知の方法について準用する。この場合において、同条第三項及び第四項中「不利益処分の名宛人となるべき者」とあるのは「当事者又は参加人」と、同項中「とき」とあるのは「とき（同一の当事者又は参加人に対する二回目以降の通知にあっては、当該措置を開始した日の翌日）」と読み替えるものとする。

＊令和五法六三（令和八・六・一五までに施行）による改正前

③ 第十五条第三項の規定は、前項本文の場合において、当事者又は参加人の所在が判明しないときにおける通知の方法について準用する。この場合において、同条第三項中「不利益処分の名あて人となるべき者」とあるのは「当事者又は参加人」と、「掲示を始めた日から二週間を経過したとき」とあるのは「掲示を始めた日から二週間を経過したとき（同一の当事者又は参加人に対する二回目以降の通知にあっては、掲示を始めた日の翌日）」と読み替えるものとする。

参❷❸【準用規定→二五

（当事者の不出頭等の場合における聴聞の終結）

第二三条① 主宰者は、当事者の全部若しくは一部が正当な理由なく聴聞の期日に出頭せず、かつ、第二十一条第一項に規定する陳述書若しくは証拠書類等を提出しない場合、又は参加人の全部若しくは一部が聴聞の期日に出頭しない場合には、これらの者に対し改めて意見を述べ、及び証拠書類等を提出する機会を与えることなく、聴聞を終結することができる。

② 主宰者は、前項に規定する場合のほか、当事者の全部又は一部が聴聞の期日に出頭せず、かつ、第二十一条第一項に規定する陳述書又は証拠書類等を提出しない場合において、これらの者の聴聞の期日への出頭が相当期間引き続き見込めないときは、これらの者に対し、期限を定めて陳述書及び証拠書類等の提出を求め、当該期限が到来したときに聴聞を終結することとすることができる。

（聴聞調書及び報告書）

第二四条① 主宰者は、聴聞の審理の経過を記載した調書を作成し、当該調書において、不利益処分の原因となる事実に対する当事者及び参加人の陳述の要旨を明らかにしておかなければならない。

② 前項の調書は、聴聞の期日における審理が行われた場合には各期日ごとに、当該審理が行われなかった場合には聴聞の終結後速やかに作成しなければならない。

③ 主宰者は、聴聞の終結後速やかに、不利益処分の原因となる事実に対する当事者等の主張に理由があるかどうかについての意見を記載した報告書を作成し、第一項の調書とともに行政庁に提出しなければならない。

④ 当事者又は参加人は、第一項の調書及び前項の報告書の閲覧を求めることができる。

（聴聞の再開）

第二五条 行政庁は、聴聞の終結後に生じた事情にかんがみ必要があると認めるときは、主宰者に対し、前条第三項の規定により提出された報告書を返戻して聴聞の再開を命ずることができる。第二十二条第二項本文及び第三項の規定は、この場合について準用する。

（聴聞を経てされる不利益処分の決定）

第二六条 行政庁は、不利益処分の決定をするときは、第二十四条第一項の調書の内容及び同条第三項の報告書に記載された主宰者の意見を十分に参酌してこれをしなければならない。

（審査請求の制限）

第二七条 この節の規定に基づく処分又はその不作為については、審査請求をすることができない。

参+【処分→一七①・一八①・二〇②③、行審七①十二

（役員等の解任等を命ずる不利益処分をしようとする場合の聴聞等の特例）

第二八条① 第十三条第一項第一号ハに該当する不利益処分に係る聴聞において第十五条第一項の通知があった場合におけるこの節の規定の適用については、名あて人である法人の役員、名あて人の業務に従事する者又は名あて人の会員である者（当該処分において解任し又は除名すべきこととされている者に限る。）は、同項の通知を受けた者とみなす。

② 前項の不利益処分のうち名あて人である法人の役員又は名あて人の業務に従事する者（以下この項において「役員等」という。）の解任を命ずるものに係る聴聞が行われた場合においては、当該処分にその名あて人が従わないことを理由として法令の規定によりされる当該役員等を解任する不利益処分については、第十三条第一項の規定にかかわらず、行政庁は、当該役員等について聴聞を行うことを要しない。

第三節　弁明の機会の付与

（弁明の機会の付与の方式）

第二九条① 弁明は、行政庁が口頭ですることを認めたときを除き、弁明を記載した書面（以下「弁明書」という。）を提出してするものとする。

② 弁明をするときは、証拠書類等を提出することができる。

☞【弁明の機会の付与→一三①㈡【行審三一

（弁明の機会の付与の通知の方式）

第三〇条 行政庁は、弁明書の提出期限（口頭による弁明の機会の付与を行う場合には、その日時）までに相当な期間をおいて、不利益処分の名あて人となるべき者に対し、次に掲げる事項を書面により通知しなければならない。

一 予定される不利益処分の内容及び根拠となる法令の条項

二 不利益処分の原因となる事実

三 弁明書の提出先及び提出期限（口頭による弁明の機会の付与を行う場合には、その旨並びに出頭すべき日時及び場所）

（聴聞に関する手続の準用）

第三一条 第十五条第三項及び第四項並びに第十六条の規定は、弁明の機会の付与について準用する。この場合において、第十五条第三項中「第一項」とあるのは「第三十条」と、同条第四項中「第一項第三号及び第四号」とあるのは「第三十条第三号」と、第十六条第一項中「前条第一項」とあるのは「第三十条」と、「同条第四項後段」とあるのは「第三十一条において準用する第十五条第四項後段」と読み替えるものとする。

＊令和五法六三（令和八・六・一五までに施行）による改正前

（聴聞に関する手続の準用）

第三一条 第十五条第三項及び第十六条の規定は、弁明の機会の付与について準用する。この場合において、第十五条第三項中「第一項」とあるのは「第三十条」と、「同項第三号及び第四号」とあるのは「同条第三号」と、第十六条第一項中「前条第一項」とあるのは「第三十条」と、「同条第三項後段」とあるのは「第三十一条において準用する第十五条第三項後段」と読み替えるものとする。

第四章　行政指導

☞【本法による本章の適用除外→三

（行政指導の一般原則）

第三二条① 行政指導にあっては、行政指導に携わる者は、いやしくも当該行政機関の任務又は所掌事務の範囲を逸脱してはならないこと及び行政指導の内容があくまでも相手方の任意の協力によってのみ実現されるものであることに留意しなければならない。

② 行政指導に携わる者は、その相手方が行政指導に従わなかったことを理由として、不利益な取扱いをしてはならない。

☞【行政指導→二㈥【行政機関→二㈤

（申請に関連する行政指導）

第三三条 申請の取下げ又は内容の変更を求める行政指導にあっては、行政指導に携わる者は、申請者が当該行政指導に従う意思がない旨を表明したにもかかわらず当該行政指導を継続すること等により当該申請者の権利の行使を妨げるようなことをしてはならない。

☞【申請→二㈢

（許認可等の権限に関連する行政指導）

第三四条 許認可等をする権限又は許認可等に基づく処分をする権限を有する行政機関が、当該権限を行使することができない場合又は行使する意思がない場合においてする行政指導にあっては、行政指導に携わる者は、当該権限を行使し得る旨を殊更に示すことにより相手方に当該行政指導に従うことを余儀なくさせるようなことをしてはならない。

☞【許認可等に基づく処分→道交一〇三、建基九、ETC

（行政指導の方式）

第三五条① 行政指導に携わる者は、その相手方に対して、当該行政指導の趣旨及び内容並びに責任者を明確に示さなければならない。

② 行政指導に携わる者は、当該行政指導をする際に、行政機関が許認可等をする権限又は許認可等に基づく処分をする権限を行使し得る旨を示すときは、その相手方に対して、次に掲げる事項を示さなければならない。

一 当該権限を行使し得る根拠となる法令の条項

二 前号の条項に規定する要件

三 当該権限の行使が前号の要件に適合する理由

③ 行政指導が口頭でされた場合において、その相手方から前二項に規定する事項を記載した書面の交付を求められたときは、当該行政指導に携わる者は、行政上特別の支障がない限り、これを交付しなければならない。

④ 前項の規定は、次に掲げる行政指導については、適用しない。

一 相手方に対しその場において完了する行為を求めるもの

二 既に文書（前項の書面を含む。）又は電磁的記録（電子的方式、磁気的方式その他人の知覚によっては認識することができない方式で作られる記録であって、電子計算機による情報処理の用に供されるものをいう。）によりその相手方に通知されている事項と同一の内容を求めるもの

（複数の者を対象とする行政指導）

第三六条 同一の行政目的を実現するため一定の条件に該当する複数の者に対し行政指導をしようとするときは、行政機関は、あらかじめ、事案に応じ、行政指導指針を定め、かつ、行政上特別の支障がない限り、これを公表しなければならない。

☞【行政指導指針→二㈧ニ

（行政指導の中止等の求め）

第三六条の二① 法令に違反する行為の是正を求める行政指導（その根拠となる規定が法律に置かれているものに限る。）の相手方は、当該行政指導が当該法律に規定する要件に適合しないと思料するときは、当該行政指導をした行政機関に対し、その旨を申し出て、当該行政指導の中止その他必要な措置をとることを求めることができる。ただし、当該行政指導がその相手方について弁明その他意見陳述のための手続を経てされたものであるときは、この限りでない。

② 前項の申出は、次に掲げる事項を記載した申出書を提出してしなければならない。

一 申出をする者の氏名又は名称及び住所又は居所

二 当該行政指導の内容

三 当該行政指導がその根拠とする法律の条項

四　前号の条項に規定する要件
五　当該行政指導が前号の要件に適合しないと思料する理由
六　その他参考となる事項
③　当該行政機関は、第一項の規定による申出があったときは、必要な調査を行い、当該行政指導が当該法律に規定する要件に適合しないと認めるときは、当該行政指導の中止その他必要な措置をとらなければならない。

第四章の二　処分等の求め

【本法による本章の適用除外→三】

第三六条の三①　何人も、法令に違反する事実がある場合において、その是正のためにされるべき処分又は行政指導（その根拠となる規定が法律に置かれているものに限る。）がされていないと思料するときは、当該処分をする権限を有する行政庁又は当該行政指導をする権限を有する行政機関に対し、その旨を申し出て、当該処分又は行政指導をすることを求めることができる。
②　前項の申出は、次に掲げる事項を記載した申出書を提出してしなければならない。
一　申出をする者の氏名又は名称及び住所又は居所
二　法令に違反する事実の内容
三　当該処分又は行政指導の内容
四　当該処分又は行政指導の根拠となる法令の条項
五　当該処分又は行政指導がされるべきであると思料する理由
六　その他参考となる事項
③　当該行政庁又は行政機関は、第一項の規定による申出があったときは、必要な調査を行い、その結果に基づき必要があると認めるときは、当該処分又は行政指導をしなければならない。

【他の法律による適用除外→国籍一八の二】

第五章　届出

【本法による本章の適用除外→三③】

（届出）
第三七条　届出が届出書の記載事項に不備がないこと、届出書に必要な書類が添付されていることその他の法令に定められた届出の形式上の要件に適合している場合は、当該届出が法令により当該届出の提出先とされている機関の事務所に到達したときに、当該届出をすべき手続上の義務が履行されたものとする。

【届出→二㈦】

第六章　意見公募手続等

（命令等を定める場合の一般原則）
第三八条①　命令等を定める機関（閣議の決定により命令等が定められる場合にあっては、当該命令等の立案をする各大臣。以下「命令等制定機関」という。）は、命令等を定めるに当たっては、当該命令等がこれを定める根拠となる法令の趣旨に適合するものとなるようにしなければならない。
②　命令等制定機関は、命令等を定めた後においても、当該命令等の規定の実施状況、社会経済情勢の変化等を勘案し、必要に応じ、当該命令等の内容について検討を加え、その適正を確保するよう努めなければならない。

【命令等→二㈧】

（意見公募手続）
第三九条①　命令等制定機関は、命令等を定めようとする場合には、当該命令等の案（命令等で定めようとする内容を示すものをいう。以下同じ。）及びこれに関連する資料をあらかじめ公示し、意見（情報を含む。以下同じ。）の提出先及び意見の提出のための期間（以下「意見提出期間」という。）を定めて広く一般の意見を求めなければならない。
②　前項の規定により公示する命令等の案は、具体的かつ明確な内容のものであって、かつ、当該命令等の題名及び当該命令等を定める根拠となる法令の条項が明示されたものでなければならない。
③　第一項の規定により定める意見提出期間は、同項の公示の日から起算して三十日以上でなければならない。
④　次の各号のいずれかに該当するときは、第一項の規定は、適用しない。
一　公益上、緊急に命令等を定める必要があるため、第一項の規定による手続（以下「意見公募手続」という。）を実施することが困難であるとき。
二　納付すべき金銭について定める法律の制定又は改正により必要となる当該金銭の額の算定の基礎となるべき金額及び率並びに算定方法についての命令等その他当該法律の施行に関し必要な事項を定める命令等を定めようとするとき。
三　予算の定めるところにより金銭の給付決定を行うために必要となる当該金銭の額の算定の基礎となるべき金額及び率並びに算定方法その他の事項を定める命令等を定めようとするとき。
四　法律の規定により、内閣府設置法第四十九条第一項若しくは第二項若しくは国家行政組織法第三条第二項に規定する委員会又は内閣府設置法第三十七条若しくは第五十四条若しくは国家行政組織法第八条に規定する機関（以下「委員会等」という。）の議を経て定めることとされている命令等であって、相反する利害を有する者の間の利害の調整を目的として、法律又は政令の規定により、これらの者及び公益をそれぞれ代表する委員をもって組織される委員会等において審議を行うこととされているものとして政令で定める命令等を定めようとするとき。
五　他の行政機関が意見公募手続を実施して定めた命令等と実質的に同一の命令等を定めようとするとき。
六　法律の規定に基づき法令の規定の適用又は準用について必要な技術的読替えを定める命令等を定めようとするとき。
七　命令等を定める根拠となる法令の規定の削除に伴い当然必要とされる当該命令等の廃止をしようとするとき。
八　他の法令の制定又は改廃に伴い当然必要とされる規定の整理その他の意見公募手続を実施することを要しない軽微な変更として政令で定めるものを内容とする命令等を定めようとするとき。

（意見公募手続の特例）
第四〇条①　命令等制定機関は、命令等を定めようとする場合において、三十日以上の意見提出期間を定めることができないやむを得ない理由があるときは、前条第三項の規定にかかわらず、三十日を下回る意見提出期間を定めることができる。この場合においては、当該命令等の案の公示の際その理由を明らかにしなければならない。
②　命令等制定機関は、委員会等の議を経て命令等を定めようとする場合（前条第四項第四号に該当する場合を除く。）において、当該委員会等が意見公募手続に準じた手続を実施したときは、同条第一項の規定にかかわらず、自ら意見公募手続を実施することを要しない。

（意見公募手続の周知等）
第四一条　命令等制定機関は、意見公募手続を実施して命令等を定めるに当たっては、必要に応じ、当該意見公募手続の実施について周知するよう努めるとともに、当該意見公募手続の実施に関連する情報の提供に努めるものとする。

【情報の提供→九】

（提出意見の考慮）
第四二条　命令等制定機関は、意見公募手続を実施して命令等を定める場合には、意見提出期間内に当該命令等制定機関に対し提出された当該命令等の案についての意見（以下「提出意見」という。）を十分に考慮しなければならない。

（結果の公示等）
第四三条① 命令等制定機関は、意見公募手続を実施して命令等を定めた場合には、当該命令等の公布（公布をしないものにあっては、公にする行為。第五項において同じ。）と同時期に、次に掲げる事項を公示しなければならない。
一 命令等の題名
二 命令等の案の公示の日
三 提出意見（提出意見がなかった場合にあっては、その旨）
四 提出意見を考慮した結果（意見公募手続を実施した命令等の案と定めた命令等との差異を含む。）及びその理由
② 命令等制定機関は、前項の規定にかかわらず、必要に応じ、同項第三号の提出意見に代えて、当該提出意見を整理又は要約したものを公示することができる。この場合においては、当該公示の後遅滞なく、当該提出意見を当該命令等制定機関の事務所における備付けその他の適当な方法により公にしなければならない。
③ 命令等制定機関は、前二項の規定により提出意見を公示し又は公にすることにより第三者の利益を害するおそれがあるとき、その他正当な理由があるときは、当該提出意見の全部又は一部を除くことができる。
④ 命令等制定機関は、意見公募手続を実施したにもかかわらず命令等を定めないこととした場合には、その旨（別の命令等の案について改めて意見公募手続を実施しようとする場合にあっては、その旨を含む。）並びに第一項第一号及び第二号に掲げる事項を速やかに公示しなければならない。
⑤ 命令等制定機関は、第三十九条第四項各号のいずれかに該当することにより意見公募手続を実施しないで命令等を定めた場合には、当該命令等の公布と同時期に、次に掲げる事項を公示しなければならない。ただし、第一号に掲げる事項のうち命令等の趣旨については、同項第一号から第四号までのいずれかに該当することにより意見公募手続を実施しなかった場合において、当該命令等自体から明らかでないときに限る。
一 命令等の題名及び趣旨
二 意見公募手続を実施しなかった旨及びその理由

参❶[四]【理由の提示→八、一四 ❸【第三者の利益等の保護→一八① ❺【趣旨の明示・理由の提示→八、一四、三五①

（準用）
第四四条 第四十二条の規定は第四十条第二項に該当することにより命令等制定機関が自ら意見公募手続を実施しないで命令等を定める場合について、前条第一項から第三項までの規定は第四十条第二項に該当することにより命令等制定機関が自ら意見公募手続を実施しないで命令等を定めた場合について、前条第四項の規定は第四十条第二項に該当することにより命令等制定機関が自ら意見公募手続を実施しないで命令等を定めないこととした場合について準用する。この場合において、第四十二条中「当該命令等制定機関」とあるのは「委員会等」と、前条第一項第二号中「命令等の案の公示の日」とあるのは「委員会等が命令等の案について公示に準じた手続を実施した日」と、同項第四号中「意見公募手続を実施した」とあるのは「委員会等が意見公募手続に準じた手続を実施した」と読み替えるものとする。

（公示の方法）
第四五条① 第三十九条第一項並びに第四十三条第一項（前条において読み替えて準用する場合を含む。）、第四項（前条において準用する場合を含む。）及び第五項の規定による公示は、電子情報処理組織を使用する方法その他の情報通信の技術を利用する方法により行うものとする。
② 前項の公示に関し必要な事項は、総務大臣が定める。

第七章 補則

（地方公共団体の措置）
第四六条 地方公共団体は、第三条第三項において第二章から前章までの規定を適用しないこととされた処分、行政指導及び届出並びに命令等を定める行為に関する手続について、この法律の規定の趣旨にのっとり、行政運営における公正の確保と透明性の向上を図るため必要な措置を講ずるよう努めなければならない。

参†【同旨の規定→個人情報五

附 則 （抄）

（施行期日）
① この法律は、公布の日から起算して一年を超えない範囲内において政令で定める日（平成六・一〇・一―平成六政三〇二）から施行する。

附 則 （令和五・六・一六法六三）（抄）

（施行期日）
第一条 （前略）次の各号に掲げる規定は、当該各号に定める日から施行する。
一 （前略）附則第七条（中略）の規定 公布の日
二 （前略）第四十四条（行政手続法の一部改正）（中略）の規定並びに次条（中略）の規定 公布の日から起算して三年を超えない範囲内において政令で定める日

（公示送達等の方法に関する経過措置）
第二条 次に掲げる法律の規定は、前条第二号に掲げる規定の施行の日以後にする公示送達、送達又は通知について適用し、同日前にした公示送達、送達又は通知については、なお従前の例による。
一―九 （略）
十 第四十四条の規定による改正後の行政手続法第十五条第三項及び第四項（これらの規定を同法又は他の法律において準用する場合を含む。）
十一―十五 （略）

（政令への委任）
第七条 この附則に定めるもののほか、この法律の施行に関し必要な経過措置（中略）は、政令で定める。

●行政代執行法（昭和二三・五・一五 法 四 三）

施行 昭和二三・六・一四（附則参照）
改正 昭和二六法九五、昭和三四法一四八、昭和三七法一六一

第一条【適用】 行政上の義務の履行確保に関しては、別に法律で定めるものを除いては、この法律の定めるところによる。

第二条【代執行】 法律（法律の委任に基く命令、規則及び条例を含む。以下同じ。）により直接に命ぜられ、又は法律に基き行政庁により命ぜられた行為（他人が代つてなすことのできる行為に限る。）について義務者がこれを履行しない場合、他の手段によつてその履行を確保することが困難であり、且つその不履行を放置することが著しく公益に反すると認められるときは、当該行政庁は、自ら義務者のなすべき行為をなし、又は第三者をしてこれをなさしめ、その費用を義務者から徴収することができる。

第三条【戒告、通知】 ① 前条の規定による処分（代執行）をなすには、相当の履行期限を定め、その期限までに履行がなされないときは、代執行をなすべき旨を、予め文書で戒告しなければならない。
② 義務者が、前項の戒告を受けて、指定の期限までにその義務を履行しないときは、当該行政庁は、代執行令書をもつて、代執行をなすべき時期、代執行のために派遣する執行責任者の氏名及び代執行に要する費用の概算による見積額を義務者に通知する。
③ 非常の場合又は危険切迫の場合において、当該行為の急速な実施について緊急の必要があり、前二項に規定する手続をとる暇がないときは、その手続を経ないで代執行をすることができる。

第四条【証票の携帯】 代執行のために現場に派遣される執行責任者は、その者が執行責任者たる本人であることを示すべき証票を携帯し、要求があるときは、何時でもこれを呈示しなければならない。

第五条【費用の徴収】 代執行に要した費用の徴収については、実際に要した費用の額及びその納期日を定め、義務者に対し、文書をもつてその納付を命じなければならない。

第六条【同前】 ① 代執行に要した費用は、国税滞納処分の例により、これを徴収することができる。
② 代執行に要した費用については、行政庁は、国税及び地方税に次ぐ順位の先取特権を有する。
③ 代執行に要した費用を徴収したときは、その徴収金は、事務費の所属に従い、国庫又は地方公共団体の経済の収入となる。

附 則

① この法律は、公布の日から起算し、三十日を経過した日（昭和二三・六・一四）から、これを施行する。
② 行政執行法は、これを廃止する。

●行政不服審査法（平成二六・六・一三 法 六 八）

施行 平成二八・四・一（附則参照）
改正 平成二九法四、令和三法三七、令和四法五二・法六八、令和五法六三

目次

第一章 総則

（目的等）

第一条① この法律は、行政庁の違法又は不当な処分その他公権力の行使に当たる行為に関し、国民が簡易迅速かつ公正な手続の下で広く行政庁に対する不服申立てをすることができるための制度を定めることにより、国民の権利利益の救済を図るとともに、行政の適正な運営を確保することを目的とする。

② 行政庁の処分その他公権力の行使に当たる行為（以下単に「処分」という。）に関する不服申立てについては、他の法律に特別の定めがある場合を除くほか、この法律の定めるところによる。

（処分についての審査請求）

第二条 行政庁の処分に不服がある者は、第四条及び第五条第二項の定めるところにより、審査請求をすることができる。

（不作為についての審査請求）

第三条 法令に基づき行政庁に対して処分についての申請をした者は、当該申請から相当の期間が経過したにもかかわらず、行政庁の不作為（法令に基づく申請に対して何らの処分をもしないことをいう。以下同じ。）がある場合には、次条の定めるところにより、当該不作為についての審査請求をすることができる。

（審査請求をすべき行政庁）

第四条 審査請求は、法律（条例に基づく処分については、条例）に特別の定めがある場合を除くほか、次の各号に掲げる場合の区分に応じ、当該各号に定める行政庁に対してするものとする。

一 処分庁等（処分をした行政庁（以下「処分庁」という。）又は不作為に係る行政庁（以下「不作為庁」という。）をいう。以下同じ。）に上級行政庁がない場合又は処分庁等が主任の大臣若しくは宮内庁長官若しくは内閣府設置法（平成十一年法律第八十九号）第四十九条第一項若しくは第二項若しくは国家行政組織法（昭和二十三年法律第百二十号）第三条第二項に規定する庁の長である場合 当該処分庁等

二 宮内庁長官又は内閣府設置法第四十九条第一項若しくは第二項若しくは国家行政組織法第三条第二項に規定する庁の長が処分庁等の上級行政庁である場合 宮内庁長官又は当該庁の長

三 主任の大臣が処分庁等の上級行政庁である場合（前二号に掲げる場合を除く。） 当該主任の大臣

四 前三号に掲げる場合以外の場合 当該処分庁等の最上級行政庁

（再調査の請求）

第五条① 行政庁の処分につき処分庁以外の行政庁に対して審査請求をすることができる場合において、法律に再調査の請求をすることができる旨の定めがあるときは、当該処分に不服がある者は、処分庁に対して再調査の請求をすることができる。ただし、当該処分について第二条の規定により審査請求をしたときは、この限りでない。

② 前項本文の規定により再調査の請求をしたときは、当該再調査の請求についての決定を経た後でなければ、審査請求をすることができない。ただし、次の各号のいずれかに該当する場合は、この限りでない。

一 当該処分につき再調査の請求をした日（第六十一条において読み替えて準用する第二十三条の規定により不備を補正すべきことを命じられた場合にあっては、当該不備を補正した日）の翌日から起算して三月を経過しても、処分庁が当該再調査の請求につき決定をしない場合

二 その他再調査の請求についての決定を経ないことにつき正当な理由がある場合

（再審査請求）

第六条① 行政庁の処分につき法律に再審査請求をすることができる旨の定めがある場合には、当該処分についての審査請求の裁決に不服がある者は、再審査請求をすることができる。

② 再審査請求は、原裁決（再審査請求をすることができる処分についての審査請求の裁決をいう。以下同じ。）又は当該処分（以下「原裁決等」という。）を対象として、前項の法律に定める行政庁に対してするものとする。

（適用除外）

第七条① 次に掲げる処分及びその不作為については、第二条及び第三条の規定は、適用しない。

一 国会の両院若しくは一院又は議会の議決によってされる処分

二 裁判所若しくは裁判官の裁判により、又は裁判の執行としてされる処分

三 国会の両院若しくは一院若しくは議会の議決を経て、又はこれらの同意若しくは承認を得た上でされるべきものとされている処分

四 検査官会議で決すべきものとされている処分

五 当事者間の法律関係を確認し、又は形成する処分で、法令の規定により当該処分に関する訴えにおいてその法律関係の当事者の一方を被告とすべきものと定められているもの

六 刑事事件に関する法令に基づいて検察官、検察事務官又は司法警察職員がする処分

七 国税又は地方税の犯則事件に関する法令（他の法令において準用する場合を含む。）に基づいて国税庁長官、国税局長、税務署長、国税庁、国税局若しくは税務署の当該職員、税関長、税関職員又は徴税吏員（他の法令の規定に基づいてこれらの職員の職務を行う者を含む。）がする処分及び金融商品取引の犯則事件に関する法令（他の法令において準用する場合を含む。）に基づいて証券取引等監視委員会、その職員（当該法令においてその職員とみなされる者を含む。）、財務局長又は財務支局長がする処分

八 学校、講習所、訓練所又は研修所において、教育、講習、訓練又は研修の目的を達成するために、学生、生徒、児童若しくは幼児若しくはこれらの保護者、講習生、訓練生又は研修生に対してされる処分

九 刑務所、少年刑務所、拘置所、留置施設、海上保安留置施設、少年院又は少年鑑別所において、収容の目的を達成するためにされる処分

十　外国人の出入国又は帰化に関する処分
十一　専ら人の学識技能に関する試験又は検定の結果についての処分
十二　この法律に基づく処分（第五章第一節第一款の規定に基づく処分を除く。）

② 国の機関又は地方公共団体その他の公共団体若しくはその機関に対する処分で、これらの機関又は団体がその固有の資格において当該処分の相手方となるもの及びその不作為については、この法律の規定は、適用しない。

第八条（特別の不服申立ての制度） 前条の規定は、同条の規定により審査請求をすることができない処分又は不作為につき、別に法令で当該処分又は不作為の性質に応じた不服申立ての制度を設けることを妨げない。

第二章　審査請求

第一節　審査庁及び審理関係人

（審理員）
第九条① 第四条又は他の法律若しくは条例の規定により審査請求がされた行政庁（第十四条の規定により引継ぎを受けた行政庁を含む。以下「審査庁」という。）は、審査庁に所属する職員（第十七条に規定する名簿を作成した場合にあっては、当該名簿に記載されている者）のうちから第三節に規定する審理手続（この節に規定する手続を含む。）を行う者を指名するとともに、その旨を審査請求人及び処分庁等（審査庁以外の処分庁等に限る。）に通知しなければならない。ただし、次の各号のいずれかに掲げる機関が審査庁である場合若しくは条例に基づく処分について条例に特別の定めがある場合又は第二十四条の規定により当該審査請求を却下する場合は、この限りでない。
一　内閣府設置法第四十九条第一項若しくは第二項又は国家行政組織法第三条第二項に規定する委員会
二　内閣府設置法第三十七条若しくは第五十四条又は国家行政組織法第八条に規定する機関
三　地方自治法（昭和二十二年法律第六十七号）第百三十八条の四第一項に規定する委員会若しくは委員又は同条第三項に規定する機関

② 審査庁が前項の規定により指名する者は、次に掲げる者以外の者でなければならない。
一　審査請求に係る処分若しくは当該処分に係る再調査の請求についての決定に関与した者又は審査請求に係る不作為に係る処分に関与し、若しくは関与することとなる者
二　審査請求人
三　審査請求人の配偶者、四親等内の親族又は同居の親族
四　審査請求人の代理人
五　前二号に掲げる者であった者
六　審査請求人の後見人、後見監督人、保佐人、保佐監督人、補助人又は補助監督人
七　第十三条第一項に規定する利害関係人

③ 審査庁が第一項各号に掲げる機関である場合又は同項ただし書の特別の定めがある場合においては、別表第一の上欄に掲げる規定の適用については、これらの規定中同表の中欄に掲げる字句は、それぞれ同表の下欄に掲げる字句に読み替えるものとし、第十七条、第四十条、第四十二条及び第五十条第二項の規定は、適用しない。

④ 前項に規定する場合において、審査庁は、必要があると認めるときは、その職員（第二項各号（第一項各号に掲げる機関の構成員にあっては、第一号を除く。）に掲げる者以外の者に限る。）に、前項において読み替えて適用する第三十一条第一項の規定による審査請求人若しくは第十三条第四項に規定する参加人の意見の陳述を聴かせ、前項において読み替えて適用する第三十四条の規定による参考人の陳述を聴かせ、同項において読み替えて適用する第三十五条第一項の規定による検証をさせ、前項において読み替えて適用する第三十六条の規定による第二十八条に規定する審理関係人に対する質問をさせ、又は同項において読み替えて適用する第三十七条第一項若しくは第二項の規定による意見の聴取を行わせることができる。

第一〇条（法人でない社団又は財団の審査請求） 法人でない社団又は財団で代表者又は管理人の定めがあるものは、その名で審査請求をすることができる。

（総代）
第一一条① 多数人が共同して審査請求をしようとするときは、三人を超えない総代を互選することができる。

② 共同審査請求人が総代を互選しない場合において、必要があると認めるときは、第九条第一項の規定により指名された者（以下「審理員」という。）は、総代の互選を命ずることができる。

③ 総代は、各自、他の共同審査請求人のために、審査請求の取下げを除き、当該審査請求に関する一切の行為をすることができる。

④ 総代が選任されたときは、共同審査請求人は、総代を通じてのみ、前項の行為をすることができる。

⑤ 共同審査請求人に対する行政庁の通知その他の行為は、二人以上の総代が選任されている場合においても、一人の総代に対してすれば足りる。

⑥ 共同審査請求人は、必要があると認める場合には、総代を解任することができる。

（代理人による審査請求）
第一二条① 審査請求は、代理人によってすることができる。

② 前項の代理人は、各自、審査請求人のために、当該審査請求に関する一切の行為をすることができる。ただし、審査請求の取下げは、特別の委任を受けた場合に限り、することができる。

（参加人）
第一三条① 利害関係人（審査請求人以外の者であって審査請求に係る処分又は不作為に係る処分の根拠となる法令に照らし当該処分につき利害関係を有するものと認められる者をいう。以下同じ。）は、審理員の許可を得て、当該審査請求に参加することができる。

② 審理員は、必要があると認める場合には、利害関係人に対し、当該審査請求に参加することを求めることができる。

③ 審査請求への参加は、代理人によってすることができる。

④ 前項の代理人は、各自、第一項又は第二項の規定により当該審査請求に参加する者（以下「参加人」という。）のために、当該審査請求への参加に関する一切の行為をすることができる。ただし、審査請求への参加の取下げは、特別の委任を受けた場合に限り、することができる。

第一四条（行政庁が裁決をする権限を有しなくなった場合の措置） 行政庁が審査請求がされた後法令の改廃により当該審査請求につき裁決をする権限を有しなくなったときは、当該行政庁は、第十九条に規定する審査請求書又は第二十一条第二項に規定する審査請求録取書及び関係書類その他の物件を新たに当該審査請求につき裁決をする権限を有することとなった行政庁に引き継がなければならない。この場合において、その引継ぎを受けた行政庁は、速やかに、その旨を審査請求人及び参加人に通知しなければならない。

（審理手続の承継）
第一五条① 審査請求人が死亡したときは、相続人その他法令により審査請求の目的である処分に係る権利を承継した者は、審査請求人の地位を承継する。

② 審査請求人について合併又は分割（審査請求の目的である処分に係る権利を承継させるものに限る。）があったときは、合併後存続する法人その他の社団若しくは財団若しくは合併により設立された法人その他の社団若しくは財団又は分割により当該権利を承継した法人は、審査請求人の地位を承継する。

③ 前二項の場合には、審査請求人の地位を承継した相続人その他の者又は法人その他の社団若しくは財団は、書面でその旨を審査庁に届け出なければならない。この場合には、届出書に

は、死亡若しくは分割による権利の承継又は合併の事実を証する書面を添付しなければならない。

④　第一項又は第二項の場合において、前項の規定による届出がされるまでの間において、死亡者又は合併前の法人その他の社団若しくは財団若しくは分割をした法人に宛ててされた通知が審査請求人の地位を承継した相続人その他の者又は合併後の法人その他の社団若しくは財団若しくは分割により審査請求人の地位を承継した法人に到達したときは、当該通知は、これらの者に対する通知としての効力を有する。

⑤　第一項の場合において、審査請求人の地位を承継した相続人その他の者が二人以上あるときは、その一人に対する通知その他の行為は、全員に対してされたものとみなす。

⑥　審査請求の目的である処分に係る権利を譲り受けた者は、審査庁の許可を得て、審査請求人の地位を承継することができる。

（標準審理期間）

第一六条　第四条又は他の法律若しくは条例の規定により審査庁となるべき行政庁（以下「審査庁となるべき行政庁」という。）は、審査請求がその事務所に到達してから当該審査請求に対する裁決をするまでに通常要すべき標準的な期間を定めるよう努めるとともに、これを定めたときは、当該審査庁となるべき行政庁及び関係処分庁（当該審査請求の対象となるべき処分の権限を有する行政庁であって当該審査庁となるべき行政庁以外のものをいう。次条において同じ。）の事務所における備付けその他の適当な方法により公にしておかなければならない。

（審理員となるべき者の名簿）

第一七条　審査庁となるべき行政庁は、審理員となるべき者の名簿を作成するよう努めるとともに、これを作成したときは、当該審査庁となるべき行政庁及び関係処分庁の事務所における備付けその他の適当な方法により公にしておかなければならない。

第二節　審査請求の手続

（審査請求期間）

第一八条①　処分についての審査請求は、処分があったことを知った日の翌日から起算して三月（当該処分について再調査の請求をしたときは、当該再調査の請求についての決定があったことを知った日の翌日から起算して一月）を経過したときは、することができない。ただし、正当な理由があるときは、この限りでない。

②　処分についての審査請求は、処分（当該処分について再調査の請求をしたときは、当該再調査の請求についての決定）があった日の翌日から起算して一年を経過したときは、することができない。ただし、正当な理由があるときは、この限りでない。

③　次条に規定する審査請求書を郵便又は民間事業者による信書の送達に関する法律（平成十四年法律第九十九号）第二条第六項に規定する一般信書便事業者若しくは同条第九項に規定する特定信書便事業者による同条第二項に規定する信書便で提出した場合における前二項に規定する期間（以下「審査請求期間」という。）の計算については、送付に要した日数は、算入しない。

（審査請求書の提出）

第一九条①　審査請求は、他の法律（条例に基づく処分については、条例）に口頭ですることができる旨の定めがある場合を除き、政令で定めるところにより、審査請求書を提出してしなければならない。

②　処分についての審査請求書には、次に掲げる事項を記載しなければならない。

一　審査請求人の氏名又は名称及び住所又は居所

二　審査請求に係る処分の内容

三　審査請求に係る処分（当該処分について再調査の請求についての決定を経たときは、当該決定）があったことを知った年月日

四　審査請求の趣旨及び理由

五　処分庁の教示の有無及びその内容

六　審査請求の年月日

③　不作為についての審査請求書には、次に掲げる事項を記載しなければならない。

一　審査請求人の氏名又は名称及び住所又は居所

二　当該不作為に係る処分についての申請の内容及び年月日

三　審査請求の年月日

④　審査請求人が、法人その他の社団若しくは財団である場合、総代を互選した場合又は代理人によって審査請求をする場合には、審査請求書には、第二項各号又は前項各号に掲げる事項のほか、その代表者若しくは管理人、総代又は代理人の氏名及び住所又は居所を記載しなければならない。

⑤　処分についての審査請求書には、第二項及び前項に規定する事項のほか、次の各号に掲げる場合においては、当該各号に定める事項を記載しなければならない。

一　第五条第二項第一号の規定により再調査の請求についての決定を経ないで審査請求をする場合　再調査の請求をした年月日

二　第五条第二項第二号の規定により再調査の請求についての決定を経ないで審査請求をする場合　その決定を経ないことについての正当な理由

三　審査請求期間の経過後において審査請求をする場合　前条第一項ただし書又は第二項ただし書に規定する正当な理由

（口頭による審査請求）

第二〇条　口頭で審査請求をする場合には、前条第二項から第五項までに規定する事項を陳述しなければならない。この場合において、陳述を受けた行政庁は、その陳述の内容を録取し、これを陳述人に読み聞かせて誤りのないことを確認しなければならない。

（処分庁等を経由する審査請求）

第二一条①　審査請求をすべき行政庁が処分庁等と異なる場合における審査請求は、処分庁等を経由してすることができる。この場合において、審査請求人は、処分庁等に審査請求書を提出し、又は処分庁等に対し第十九条第二項から第五項までに規定する事項を陳述するものとする。

②　前項の場合には、処分庁等は、直ちに、審査請求書又は審査請求録取書（前条後段の規定により陳述の内容を録取した書面をいう。第二十九条第一項及び第五十五条において同じ。）を審査庁となるべき行政庁に送付しなければならない。

③　第一項の場合における審査請求期間の計算については、処分庁に審査請求書を提出し、又は処分庁に対し当該事項を陳述した時に、処分についての審査請求があったものとみなす。

（誤った教示をした場合の救済）

第二二条①　審査請求をすることができる処分につき、処分庁が誤って審査請求をすべき行政庁でない行政庁を審査請求をすべき行政庁として教示した場合において、その教示された行政庁に書面で審査請求がされたときは、当該行政庁は、速やかに、審査請求書を処分庁又は審査庁となるべき行政庁に送付し、かつ、その旨を審査請求人に通知しなければならない。

②　前項の規定により処分庁に審査請求書が送付されたときは、処分庁は、速やかに、これを審査庁となるべき行政庁に送付し、かつ、その旨を審査請求人に通知しなければならない。

③　第一項の処分のうち、再調査の請求をすることができない処分につき、処分庁が誤って再調査の請求をすることができる旨を教示した場合において、当該処分庁に再調査の請求がされたときは、処分庁は、速やかに、再調査の請求書（第六十一条において読み替えて準用する第十九条に規定する再調査の請求書をいう。以下この条において同じ。）又は再調査の請求録取書（第六十一条において準用する第二十条後段の規定により陳述の内容を録取した書面をいう。以下この条において同じ。）を審査庁となるべき行政庁に送付し、かつ、その旨を再調査の請求

人に通知しなければならない。

④ 再調査の請求をすることができる処分につき、処分庁が誤って審査請求をすることができる旨を教示しなかった場合において、当該処分庁に再調査の請求がされた場合であって、再調査の請求人から申立てがあったときは、処分庁は、速やかに、再調査の請求書又は再調査の請求録取書及び関係書類その他の物件を審査庁となるべき行政庁に送付しなければならない。この場合において、その送付を受けた行政庁は、速やかに、その旨を再調査の請求人及び第六十一条において読み替えて準用する第十三条第一項又は第二項の規定により当該再調査の請求に参加する者に通知しなければならない。

⑤ 前各項の規定により審査請求書又は再調査の請求書若しくは再調査の請求録取書が審査庁となるべき行政庁に送付されたときは、初めから審査庁となるべき行政庁に審査請求がされたものとみなす。

（審査請求書の補正）

第二三条 審査請求書が第十九条の規定に違反する場合には、審査庁は、相当の期間を定め、その期間内に不備を補正すべきことを命じなければならない。

（審理手続を経ないでする却下裁決）

第二四条① 前条の場合において、審査請求人が同条の期間内に不備を補正しないときは、審査庁は、次節に規定する審理手続を経ないで、第四十五条第一項又は第四十九条第一項の規定に基づき、裁決で、当該審査請求を却下することができる。

② 審査請求が不適法であって補正することができないことが明らかなときも、前項と同様とする。

（執行停止）

第二五条① 審査請求は、処分の効力、処分の執行又は手続の続行を妨げない。

② 処分庁の上級行政庁又は処分庁である審査庁は、必要があると認める場合には、審査請求人の申立てにより又は職権で、処分の効力、処分の執行又は手続の続行の全部又は一部の停止その他の措置（以下「執行停止」という。）をとることができる。

③ 処分庁の上級行政庁又は処分庁のいずれでもない審査庁は、必要があると認める場合には、審査請求人の申立てにより、処分庁の意見を聴取した上、執行停止をすることができる。ただし、処分の効力、処分の執行又は手続の続行の全部又は一部の停止以外の措置をとることはできない。

④ 前二項の規定による審査請求人の申立てがあった場合において、処分、処分の執行又は手続の続行により生ずる重大な損害を避けるために緊急の必要があると認めるときは、審査庁は、執行停止をしなければならない。ただし、公共の福祉に重大な影響を及ぼすおそれがあるとき、又は本案について理由がないとみえるときは、この限りでない。

⑤ 審査庁は、前項に規定する重大な損害を生ずるか否かを判断するに当たっては、損害の回復の困難の程度を考慮するものとし、損害の性質及び程度並びに処分の内容及び性質をも勘案するものとする。

⑥ 第二項から第四項までの場合において、処分の効力の停止は、処分の効力の停止以外の措置によって目的を達することができるときは、することができない。

⑦ 執行停止の申立てがあったとき、又は審理員から第四十条に規定する執行停止をすべき旨の意見書が提出されたときは、審査庁は、速やかに、執行停止をするかどうかを決定しなければならない。

（執行停止の取消し）

第二六条 執行停止をした後において、執行停止が公共の福祉に重大な影響を及ぼすことが明らかとなったとき、その他事情が変更したときは、審査庁は、その執行停止を取り消すことができる。

（審査請求の取下げ）

第二七条① 審査請求人は、裁決があるまでは、いつでも審査請求を取り下げることができる。

② 審査請求の取下げは、書面でしなければならない。

第三節　審理手続

（審理手続の計画的進行）

第二八条 審査請求人、参加人及び処分庁等（以下「審理関係人」という。）並びに審理員は、簡易迅速かつ公正な審理の実現のため、審理において、相互に協力するとともに、審理手続の計画的な進行を図らなければならない。

（弁明書の提出）

第二九条① 審理員は、審査庁から指名されたときは、直ちに、審査請求書又は審査請求録取書の写しを処分庁等に送付しなければならない。ただし、処分庁等が審査庁である場合には、この限りでない。

② 審理員は、相当の期間を定めて、処分庁等に対し、弁明書の提出を求めるものとする。

③ 処分庁等は、前項の弁明書に、次の各号の区分に応じ、当該各号に定める事項を記載しなければならない。

一 処分についての審査請求に対する弁明書　処分の内容及び理由

二 不作為についての審査請求に対する弁明書　処分をしていない理由並びに予定される処分の時期、内容及び理由

④ 処分庁が次に掲げる書面を保有する場合には、前項第一号に掲げる弁明書にこれを添付するものとする。

一 行政手続法（平成五年法律第八十八号）第二十四条第一項の調書及び同条第三項の報告書

二 行政手続法第二十九条第一項に規定する弁明書

⑤ 審理員は、処分庁等から弁明書の提出があったときは、これを審査請求人及び参加人に送付しなければならない。

（反論書等の提出）

第三〇条① 審査請求人は、前条第五項の規定により送付された弁明書に記載された事項に対する反論を記載した書面（以下「反論書」という。）を提出することができる。この場合において、審理員が、反論書を提出すべき相当の期間を定めたときは、その期間内にこれを提出しなければならない。

② 参加人は、審査請求に係る事件に関する意見を記載した書面（第四十条及び第四十二条第一項を除き、以下「意見書」という。）を提出することができる。この場合において、審理員が、意見書を提出すべき相当の期間を定めたときは、その期間内にこれを提出しなければならない。

③ 審理員は、審査請求人から反論書の提出があったときはこれを参加人及び処分庁等に、参加人から意見書の提出があったときはこれを審査請求人及び処分庁等に、それぞれ送付しなければならない。

（口頭意見陳述）

第三一条① 審査請求人又は参加人の申立てがあった場合には、審理員は、当該申立てをした者（以下この条及び第四十一条第二項第二号において「申立人」という。）に口頭で審査請求に係る事件に関する意見を述べる機会を与えなければならない。ただし、当該申立人の所在その他の事情により当該意見を述べる機会を与えることが困難であると認められる場合には、この限りでない。

② 前項本文の規定による意見の陳述（以下「口頭意見陳述」という。）は、審理員が期日及び場所を指定し、全ての審理関係人を招集してさせるものとする。

③ 口頭意見陳述において、申立人は、審理員の許可を得て、補佐人とともに出頭することができる。

④ 口頭意見陳述において、審理員は、申立人のする陳述が事件に関係のない事項にわたる場合その他相当でない場合には、これを制限することができる。

⑤ 口頭意見陳述に際し、申立人は、審理員の許可を得て、審査請求に係る事件に関し、処分庁等に対して、質問を発することができる。

（証拠書類等の提出）

第三二条① 審査請求人又は参加人は、証拠書類又は証拠物を提出することができる。

② 処分庁等は、当該処分の理由となる事実を証する書類その他の物件を提出することができる。

③ 前二項の場合において、審理員が、証拠書類若しくは証拠物又は書類その他の物件を提出すべき相当の期間を定めたときは、その期間内にこれを提出しなければならない。

（物件の提出要求）

第三三条 審理員は、審査請求人若しくは参加人の申立てにより又は職権で、書類その他の物件の所持人に対し、相当の期間を定めて、その物件の提出を求めることができる。この場合において、審理員は、その提出された物件を留め置くことができる。

（参考人の陳述及び鑑定の要求）

第三四条 審理員は、審査請求人若しくは参加人の申立てにより又は職権で、適当と認める者に、参考人としてその知っている事実の陳述を求め、又は鑑定を求めることができる。

（検証）

第三五条① 審理員は、審査請求人若しくは参加人の申立てにより又は職権で、必要な場所につき、検証をすることができる。

② 審理員は、審査請求人又は参加人の申立てにより前項の検証をしようとするときは、あらかじめ、その日時及び場所を当該申立てをした者に通知し、これに立ち会う機会を与えなければならない。

（審理関係人への質問）

第三六条 審理員は、審査請求人若しくは参加人の申立てにより又は職権で、審査請求に係る事件に関し、審理関係人に質問することができる。

（審理手続の計画的遂行）

第三七条① 審理員は、審査請求に係る事件について、審理すべき事項が多数であり又は錯綜しているなど事件が複雑であることその他の事情により、迅速かつ公正な審理を行うため、第三十一条から前条までに定める審理手続を計画的に遂行する必要があると認める場合には、期日及び場所を指定して、審理関係人を招集し、あらかじめ、これらの審理手続の申立てに関する意見の聴取を行うことができる。

② 審理員は、審理関係人が遠隔の地に居住している場合その他相当と認める場合には、政令で定めるところにより、審理員及び審理関係人が音声の送受信により通話をすることができる方法によって、前項に規定する意見の聴取を行うことができる。

③ 審理員は、前二項の規定による意見の聴取を行ったときは、遅滞なく、第三十一条から前条までに定める審理手続の期日及び場所並びに第四十一条第一項の規定による審理手続の終結の予定時期を決定し、これらを審理関係人に通知するものとする。当該予定時期を変更したときも、同様とする。

（審査請求人等による提出書類等の閲覧等）

第三八条① 審査請求人又は参加人は、第四十一条第一項又は第二項の規定により審理手続が終結するまでの間、審理員に対し、提出書類等（第二十九条第四項各号に掲げる書面又は第三十二条第一項若しくは第二項若しくは第三十三条の規定により提出された書類その他の物件をいう。次項において同じ。）の閲覧（電磁的記録（電子的方式、磁気的方式その他人の知覚によっては認識することができない方式で作られる記録であって、電子計算機による情報処理の用に供されるものをいう。以下同じ。）にあっては、記録された事項を審査庁が定める方法により表示したものの閲覧）又は当該書面若しくは当該書類の写し若しくは当該電磁的記録に記録された事項を記載した書面の交付を求めることができる。この場合において、審理員は、第三者の利益を害するおそれがあると認めるとき、その他正当な理由があるときでなければ、その閲覧又は交付を拒むことができない。

② 審理員は、前項の規定による閲覧をさせ、又は同項の規定による交付をしようとするときは、当該閲覧又は交付に係る提出書類等の提出人の意見を聴かなければならない。ただし、審理員が、その必要がないと認めるときは、この限りでない。

③ 審理員は、第一項の規定による閲覧について、日時及び場所を指定することができる。

④ 第一項の規定による交付を受ける審査請求人又は参加人は、政令で定めるところにより、実費の範囲内において政令で定める額の手数料を納めなければならない。

⑤ 審理員は、経済的困難その他特別の理由があると認めるときは、政令で定めるところにより、前項の手数料を減額し、又は免除することができる。

⑥ 地方公共団体（都道府県、市町村及び特別区並びに地方公共団体の組合に限る。以下同じ。）に所属する行政庁が審査庁である場合における前二項の規定の適用については、これらの規定中「政令」とあるのは、「条例」とし、国又は地方公共団体に所属しない行政庁が審査庁である場合におけるこれらの規定の適用については、これらの規定中「政令で」とあるのは、「審査庁が」とする。

（審理手続の併合又は分離）

第三九条 審理員は、必要があると認める場合には、数個の審査請求に係る審理手続を併合し、又は併合された数個の審査請求に係る審理手続を分離することができる。

（審理員による執行停止の意見書の提出）

第四〇条 審理員は、必要があると認める場合には、審査庁に対し、執行停止をすべき旨の意見書を提出することができる。

（審理手続の終結）

第四一条① 審理員は、必要な審理を終えたと認めるときは、審理手続を終結するものとする。

② 前項に定めるもののほか、審理員は、次の各号のいずれかに該当するときは、審理手続を終結することができる。

一 次のイからホまでに掲げる規定の相当の期間内に、当該イからホまでに定める物件が提出されない場合において、更に一定の期間を示して、当該物件の提出を求めたにもかかわらず、当該提出期間内に当該物件が提出されなかったとき。

イ 第二十九条第二項 弁明書

ロ 第三十条第一項後段 反論書

ハ 第三十条第二項後段 意見書

ニ 第三十二条第三項 証拠書類若しくは証拠物又は書類その他の物件

ホ 第三十三条前段 書類その他の物件

二 申立人が、正当な理由なく、口頭意見陳述に出頭しないとき。

③ 審理員が前二項の規定により審理手続を終結したときは、速やかに、審理関係人に対し、審理手続を終結した旨並びに次条第一項に規定する審理員意見書及び事件記録（審査請求書、弁明書その他審査請求に係る事件に関する書類その他の物件のうち政令で定めるものをいう。同条第二項及び第四十三条第二項において同じ。）を審査庁に提出する予定時期を通知するものとする。当該予定時期を変更したときも、同様とする。

（審理員意見書）

第四二条① 審理員は、審理手続を終結したときは、遅滞なく、審査庁がすべき裁決に関する意見書（以下「審理員意見書」という。）を作成しなければならない。

② 審理員は、審理員意見書を作成したときは、速やかに、これを事件記録とともに、審査庁に提出しなければならない。

第四節 行政不服審査会等への諮問

第四三条① 審査庁は、審理員意見書の提出を受けたときは、次の各号のいずれかに該当する場合を除き、審査庁が主任の大臣又は宮内庁長官若しくは内閣府設置法第四十九条第一項若しくは第二項若しくは国家行政組織法第三条第二項に規定する庁の長である場合にあっては行政不服審査会に、審査庁が地方公共団体の長（地方公共団体の組合にあっては、長、管理者又は理事会）である場合にあっては第八十一条第一項又は第二項の機関に、それぞれ諮問しなければならない。
一　審査請求に係る処分をしようとするときに他の法律又は政令（条例に基づく処分については、条例）に第九条第一項各号に掲げる機関若しくは地方公共団体の議会又はこれらの機関に類するものとして政令で定めるもの（以下「審議会等」という。）の議を経るべき旨又は経ることができる旨の定めがあり、かつ、当該議を経て当該処分がされた場合
二　裁決をしようとするときに他の法律又は政令（条例に基づく処分については、条例）に第九条第一項各号に掲げる機関若しくは地方公共団体の議会又はこれらの機関に類するものとして政令で定めるものの議を経るべき旨又は経ることができる旨の定めがあり、かつ、当該議を経て裁決をしようとする場合
三　第四十六条第三項又は第四十九条第四項の規定により審議会等の議を経て裁決をしようとする場合
四　審査請求人から、行政不服審査会又は第八十一条第一項若しくは第二項の機関（以下「行政不服審査会等」という。）への諮問を希望しない旨の申出がされている場合（参加人から、行政不服審査会等に諮問しないことについて反対する旨の申出がされている場合を除く。）
五　審査請求が、行政不服審査会等によって、国民の権利利益及び行政の運営に対する影響の程度その他当該事件の性質を勘案して、諮問を要しないものと認められたものである場合
六　審査請求が不適法であり、却下する場合
七　第四十六条第一項の規定により審査請求に係る処分（法令に基づく申請を却下し、又は棄却する処分及び事実上の行為を除く。）の全部を取り消し、又は第四十七条第一号若しくは第二号の規定により審査請求に係る事実上の行為の全部を撤廃すべき旨を命じ、若しくは撤廃することとする場合（当該処分の全部を取り消すこと又は当該事実上の行為の全部を撤廃すべき旨を命じ、若しくは撤廃することについて反対する旨の意見書が提出されている場合及び口頭意見陳述においてその旨の意見が述べられている場合を除く。）
八　第四十六条第二項各号又は第四十九条第三項各号に定める措置（法令に基づく申請の全部を認容すべき旨を命じ、又は認容するものに限る。）をとることとする場合（当該申請の全部を認容することについて反対する旨の意見書が提出されている場合及び口頭意見陳述においてその旨の意見が述べられている場合を除く。）
② 前項の規定による諮問は、審理員意見書及び事件記録の写しを添えてしなければならない。
③ 第一項の規定により諮問をした審査庁は、審理関係人（処分庁等が審査庁である場合にあっては、審査請求人及び参加人）に対し、当該諮問をした旨を通知するとともに、審理員意見書の写しを送付しなければならない。

第五節　裁決

（裁決の時期）
第四四条　審査庁は、行政不服審査会等から諮問に対する答申を受けたとき（前条第一項の規定による諮問を要しない場合（同項第二号又は第三号に該当する場合を除く。）にあっては審理員意見書が提出されたとき、同項第二号又は第三号に該当する場合にあっては同項第二号又は第三号に規定する議を経たとき）は、遅滞なく、裁決をしなければならない。

（処分についての審査請求の却下又は棄却）
第四五条① 処分についての審査請求が法定の期間経過後にされたものである場合その他不適法である場合には、審査庁は、裁決で、当該審査請求を却下する。
② 処分についての審査請求が理由がない場合には、審査庁は、裁決で、当該審査請求を棄却する。
③ 審査請求に係る処分が違法又は不当ではあるが、これを取り消し、又は撤廃することにより公の利益に著しい障害を生ずる場合において、審査請求人の受ける損害の程度、その損害の賠償又は防止の程度及び方法その他一切の事情を考慮した上、処分を取り消し、又は撤廃することが公共の福祉に適合しないと認めるときは、審査庁は、裁決で、当該審査請求を棄却することができる。この場合には、審査庁は、裁決の主文で、当該処分が違法又は不当であることを宣言しなければならない。

（処分についての審査請求の認容）
第四六条① 処分（事実上の行為を除く。以下この条及び第四十八条において同じ。）についての審査請求が理由がある場合（前条第三項の規定の適用がある場合を除く。）には、審査庁は、裁決で、当該処分の全部若しくは一部を取り消し、又はこれを変更する。ただし、審査庁が処分庁の上級行政庁又は処分庁のいずれでもない場合には、当該処分を変更することはできない。
② 前項の規定により法令に基づく申請を却下し、又は棄却する処分の全部又は一部を取り消す場合において、次の各号に掲げる審査庁は、当該申請に対して一定の処分をすべきものと認めるときは、当該各号に定める措置をとる。
一　処分庁の上級行政庁である審査庁　当該処分庁に対し、当該処分をすべき旨を命ずること。
二　処分庁である審査庁　当該処分をすること。
③ 前項に規定する一定の処分に関し、第四十三条第一項第一号に規定する議を経るべき旨の定めがある場合において、審査庁が前項各号に定める措置をとるために必要があると認めるときは、審査庁は、当該定めに係る審議会等の議を経ることができる。
④ 前項に規定する定めがある場合のほか、第二項に規定する一定の処分に関し、他の法令に関係行政機関との協議の実施その他の手続をとるべき旨の定めがある場合において、審査庁が同項各号に定める措置をとるために必要があると認めるときは、審査庁は、当該手続をとることができる。

第四七条　事実上の行為についての審査請求が理由がある場合（第四十五条第三項の規定の適用がある場合を除く。）には、審査庁は、裁決で、当該事実上の行為が違法又は不当である旨を宣言するとともに、次の各号に掲げる審査庁の区分に応じ、当該各号に定める措置をとる。ただし、審査庁が処分庁の上級行政庁以外の審査庁である場合には、当該事実上の行為を変更すべき旨を命ずることはできない。
一　処分庁以外の審査庁　当該処分庁に対し、当該事実上の行為の全部若しくは一部を撤廃し、又はこれを変更すべき旨を命ずること。
二　処分庁である審査庁　当該事実上の行為の全部若しくは一部を撤廃し、又はこれを変更すること。

（不利益変更の禁止）
第四八条　第四十六条第一項本文又は前条の場合において、審査庁は、審査請求人の不利益に当該処分を変更し、又は当該事実上の行為を変更すべき旨を命じ、若しくはこれを変更することはできない。

（不作為についての審査請求の裁決）
第四九条① 不作為についての審査請求が当該不作為に係る処分についての申請から相当の期間が経過しないでされたものである場合その他不適法である場合には、審査庁は、裁決で、当該審査請求を却下する。
② 不作為についての審査請求が理由がない場合には、審査庁は、裁決で、当該審査請求を棄却する。
③ 不作為についての審査請求が理由がある場合には、審査庁は、裁決で、当該不作為が違法又は不当である旨を宣言する。この場合において、次の各号に掲げる審査庁は、当該申請に対して一定の処分をすべきものと認めるときは、当該各号に定める措置をとる。
一　不作為庁の上級行政庁である審査庁　当該不作為庁に対し、当該処分をすべき旨を命ずること。
二　不作為庁である審査庁　当該処分をすること。
④ 審査請求に係る不作為に係る処分に関し、第四十三条第一項第一号に規定する議を経るべき旨の定めがある場合において、

審査庁が前項各号に定める措置をとるために必要があると認めるときは、当該定めに係る審議会等の議を経ることができる。

⑤ 前項に規定する定めがある場合のほか、審査請求に係る不作為に係る処分に関し、他の法令に関係行政機関との協議の実施その他の手続をとるべき旨の定めがある場合において、審査庁が第三項各号に定める措置をとるために必要があると認めるときは、審査庁は、当該手続をとることができる。

（裁決の方式）

第五〇条① 裁決は、次に掲げる事項を記載し、審査庁が記名押印した裁決書によりしなければならない。

一 主文

二 事案の概要

三 審理関係人の主張の要旨

四 理由（第一号の主文が審理員意見書又は行政不服審査会等若しくは審議会等の答申書と異なる内容である場合には、異なることとなった理由を含む。）

② 第四十三条第一項の規定による行政不服審査会等への諮問を要しない場合には、前項の裁決書には、審理員意見書を添付しなければならない。

③ 審査庁は、再審査請求をすることができる裁決をする場合には、裁決書に再審査請求をすることができる旨並びに再審査請求をすべき行政庁及び再審査請求期間（第六十二条に規定する期間をいう。）を記載して、これらを教示しなければならない。

（裁決の効力発生）

第五一条① 裁決は、審査請求人（当該審査請求が処分の相手方以外の者のしたものである場合における第四十六条第一項及び第四十七条の規定による裁決にあっては、審査請求人及び処分の相手方）に送達された時に、その効力を生ずる。

② 裁決の送達は、送達を受けるべき者に裁決書の謄本を送付することによってする。ただし、送達を受けるべき者の所在が知れない場合その他裁決書の謄本を送付することができない場合には、公示の方法によってすることができる。

③ 公示の方法による送達は、審査庁が裁決書の謄本を保管し、いつでもその送達を受けるべき者に交付する旨を総務省令で定める方法により不特定多数の者が閲覧することができる状態に置くとともに、その旨が記載された書面を当該審査庁の事務所の掲示場に掲示し、又はその旨を当該審査庁の事務所に設置した電子計算機の映像面に表示したものの閲覧をすることができる状態に置く措置をとることにより行うものとする。この場合において、当該措置を開始した日の翌日から起算して二週間を経過した時に裁決書の謄本の送付があったものとみなす。

＊令和五法六三（令和八・六・一五までに施行）による改正前

③ 公示の方法による送達は、審査庁が裁決書の謄本を保管し、いつでもその送達を受けるべき者に交付する旨を当該審査庁の掲示場に掲示し、かつ、その旨を官報その他の公報又は新聞紙に少なくとも一回掲載してするものとする。この場合において、その掲示を始めた日の翌日から起算して二週間を経過した時に裁決書の謄本の送付があったものとみなす。

④ 審査庁は、裁決書の謄本を参加人及び処分庁等（審査庁以外の処分庁等に限る。）に送付しなければならない。

（裁決の拘束力）

第五二条① 裁決は、関係行政庁を拘束する。

② 申請に基づいてした処分が手続の違法若しくは不当を理由として裁決で取り消され、又は申請を却下し、若しくは棄却した処分が裁決で取り消された場合には、処分庁は、裁決の趣旨に従い、改めて申請に対する処分をしなければならない。

③ 法令の規定により公示された処分が裁決で取り消され、又は変更された場合には、処分庁は、当該処分が取り消され、又は変更された旨を公示しなければならない。

④ 法令の規定により処分の相手方以外の利害関係人に通知された処分が裁決で取り消され、又は変更された場合には、処分庁は、その通知を受けた者（審査請求人及び参加人を除く。）に、当該処分が取り消され、又は変更された旨を通知しなければならない。

（証拠書類等の返還）

第五三条 審査庁は、裁決をしたときは、速やかに、第三十二条第一項又は第二項の規定により提出された証拠書類若しくは証拠物又は書類その他の物件及び第三十三条の規定による提出要求に応じて提出された書類その他の物件をその提出人に返還しなければならない。

第三章 再調査の請求

（再調査の請求期間）

第五四条① 再調査の請求は、処分があったことを知った日の翌日から起算して三月を経過したときは、することができない。ただし、正当な理由があるときは、この限りでない。

② 再調査の請求は、処分があった日の翌日から起算して一年を経過したときは、することができない。ただし、正当な理由があるときは、この限りでない。

（誤った教示をした場合の救済）

第五五条① 再調査の請求をすることができる処分につき、処分庁が誤って再調査の請求をすることができる旨を教示しなかった場合において、審査請求がされた場合であって、審査請求人から申立てがあったときは、審査庁は、速やかに、審査請求書又は審査請求録取書を処分庁に送付しなければならない。ただし、審査請求人に対し弁明書が送付された後においては、この限りでない。

② 前項本文の規定により審査請求書又は審査請求録取書の送付を受けた処分庁は、速やかに、その旨を審査請求人及び参加人に通知しなければならない。

③ 第一項本文の規定により審査請求書又は審査請求録取書が処分庁に送付されたときは、初めから処分庁に再調査の請求がされたものとみなす。

（再調査の請求についての決定を経ずに審査請求がされた場合）

第五六条 第五条第二項ただし書の規定により審査請求がされたときは、同項の再調査の請求は、取り下げられたものとみなす。ただし、処分庁において当該審査請求がされた日以前に再調査の請求に係る処分（事実上の行為を除く。）を取り消す旨の第六十条第一項の決定書の謄本を発している場合又は再調査の請求に係る事実上の行為を撤廃している場合は、当該審査請求（処分（事実上の行為を除く。）の一部を取り消す旨の第五十九条第一項の決定がされている場合又は事実上の行為の一部が撤廃されている場合にあっては、その部分に限る。）が取り下げられたものとみなす。

（三月後の教示）

第五七条 処分庁は、再調査の請求がされた日（第六十一条において読み替えて準用する第二十三条の規定により不備を補正すべきことを命じた場合にあっては、当該不備が補正された日）の翌日から起算して三月を経過しても当該再調査の請求が係属しているときは、遅滞なく、当該処分について直ちに審査請求をすることができる旨を書面でその再調査の請求人に教示しなければならない。

（再調査の請求の却下又は棄却の決定）

第五八条① 再調査の請求が法定の期間経過後にされたものである場合その他不適法である場合には、処分庁は、決定で、当該再調査の請求を却下する。

② 再調査の請求が理由がない場合には、処分庁は、決定で、当該再調査の請求を棄却する。

（再調査の請求の認容の決定）

第五九条① 処分（事実上の行為を除く。）についての再調査の請求が理由がある場合には、処分庁は、決定で、当該処分の全部若しくは一部を取り消し、又はこれを変更する。

② 事実上の行為についての再調査の請求が理由がある場合に

は、処分庁は、決定で、当該事実上の行為が違法又は不当である旨を宣言するとともに、当該事実上の行為の全部若しくは一部を撤廃し、又はこれを変更する。

③ 処分庁は、前二項の場合において、再調査の請求人の不利益に当該処分又は当該事実上の行為を変更することはできない。

（決定の方式）

第六〇条① 前二条の決定は、主文及び理由を記載し、処分庁が記名押印した決定書によりしなければならない。

② 処分庁は、前項の決定書（再調査の請求に係る処分の全部を取り消し、又は撤廃する決定に係るものを除く。）に、再調査の請求に係る処分につき審査請求をすることができる旨（却下の決定である場合にあっては、当該却下の決定が違法な場合に限り審査請求をすることができる旨）並びに審査請求をすべき行政庁及び審査請求期間を記載して、これらを教示しなければならない。

（審査請求に関する規定の準用）

第六一条 第九条第四項、第十条から第十六条まで、第十八条第三項、第十九条（第三項並びに第五項第一号及び第二号を除く。）、第二十条、第二十三条、第二十四条、第二十五条（第三項を除く。）、第二十六条、第二十七条、第三十一条（第五項を除く。）、第三十二条（第二項を除く。）、第三十九条、第五十一条及び第五十三条の規定は、再調査の請求について準用する。この場合において、別表第二の上欄に掲げる規定中同表の中欄に掲げる字句は、それぞれ同表の下欄に掲げる字句に読み替えるものとする。

第四章　再審査請求

（再審査請求期間）

第六二条① 再審査請求は、原裁決があったことを知った日の翌日から起算して一月を経過したときは、することができない。ただし、正当な理由があるときは、この限りでない。

② 再審査請求は、原裁決があった日の翌日から起算して一年を経過したときは、することができない。ただし、正当な理由があるときは、この限りでない。

（裁決書の送付）

第六三条 第六十六条第一項において読み替えて準用する第十一条第二項に規定する審理員又は第六十六条第一項において準用する第九条第一項各号に掲げる機関である再審査庁（他の法律の規定により再審査請求がされた行政庁（第六十六条第一項において読み替えて準用する第十四条の規定により引継ぎを受けた行政庁を含む。）をいう。以下同じ。）は、原裁決をした行政庁に対し、原裁決に係る裁決書の送付を求めるものとする。

（再審査請求の却下又は棄却の裁決）

第六四条① 再審査請求が法定の期間経過後にされたものである場合その他不適法である場合には、再審査庁は、裁決で、当該再審査請求を却下する。

② 再審査請求が理由がない場合には、再審査庁は、裁決で、当該再審査請求を棄却する。

③ 再審査請求に係る原裁決（審査請求を却下し、又は棄却したものに限る。）が違法又は不当である場合において、当該審査請求に係る処分が違法又は不当のいずれでもないときは、再審査庁は、裁決で、当該再審査請求を棄却する。

④ 前項に規定する場合のほか、再審査請求に係る原裁決等が違法又は不当ではあるが、これを取り消し、又は撤廃することにより公の利益に著しい障害を生ずる場合において、再審査請求人の受ける損害の程度、その損害の賠償又は防止の程度及び方法その他一切の事情を考慮した上、原裁決等を取り消し、又は撤廃することが公共の福祉に適合しないと認めるときは、再審査庁は、裁決で、当該再審査請求を棄却することができる。この場合には、再審査庁は、裁決の主文で、当該原裁決等が違法又は不当であることを宣言しなければならない。

（再審査請求の認容の裁決）

第六五条① 原裁決等（事実上の行為を除く。）についての再審査請求が理由がある場合（前条第三項に規定する場合及び同条第四項の規定の適用がある場合を除く。）には、再審査庁は、裁決で、当該原裁決等の全部又は一部を取り消す。

② 事実上の行為についての再審査請求が理由がある場合（前条第四項の規定の適用がある場合を除く。）には、裁決で、当該事実上の行為が違法又は不当である旨を宣言するとともに、処分庁に対し、当該事実上の行為の全部又は一部を撤廃すべき旨を命ずる。

（審査請求に関する規定の準用）

第六六条① 第二章（第九条第三項、第十八条（第三項を除く。）、第十九条第三項並びに第五項第一号及び第二号、第二十二条、第二十五条第二項、第二十九条（第一項を除く。）、第三十条第一項、第四十一条第二項第一号イ及びロ、第四節、第四十五条から第四十九条まで並びに第五十条第三項を除く。）の規定は、再審査請求について準用する。この場合において、別表第三の上欄に掲げる規定中同表の中欄に掲げる字句は、それぞれ同表の下欄に掲げる字句に読み替えるものとする。

② 再審査庁が前項において準用する第九条第一項各号に掲げる機関である場合には、前項において準用する第十七条、第四十条、第四十二条及び第五十条第二項の規定は、適用しない。

第五章　行政不服審査会等

第一節　行政不服審査会

第一款　設置及び組織

（設置）

第六七条① 総務省に、行政不服審査会（以下「審査会」という。）を置く。

② 審査会は、この法律の規定によりその権限に属させられた事項を処理する。

（組織）

第六八条① 審査会は、委員九人をもって組織する。

② 委員は、非常勤とする。ただし、そのうち三人以内は、常勤とすることができる。

（委員）

第六九条① 委員は、審査会の権限に属する事項に関し公正な判断をすることができ、かつ、法律又は行政に関して優れた識見を有する者のうちから、両議院の同意を得て、総務大臣が任命する。

② 委員の任期が満了し、又は欠員を生じた場合において、国会の閉会又は衆議院の解散のために両議院の同意を得ることができないときは、総務大臣は、前項の規定にかかわらず、同項に定める資格を有する者のうちから、委員を任命することができる。

③ 前項の場合においては、任命後最初の国会で両議院の事後の承認を得なければならない。この場合において、両議院の事後の承認が得られないときは、総務大臣は、直ちにその委員を罷免しなければならない。

④ 委員の任期は、三年とする。ただし、補欠の委員の任期は、前任者の残任期間とする。

⑤ 委員は、再任されることができる。

⑥ 委員の任期が満了したときは、当該委員は、後任者が任命されるまで引き続きその職務を行うものとする。

⑦ 総務大臣は、委員が心身の故障のために職務の執行ができないと認める場合又は委員に職務上の義務違反その他委員たるに適しない非行があると認める場合には、両議院の同意を得て、その委員を罷免することができる。

⑧ 委員は、職務上知ることができた秘密を漏らしてはならない。その職を退いた後も同様とする。

⑨ 委員は、在任中、政党その他の政治的団体の役員となり、又は積極的に政治運動をしてはならない。

⑩ 常勤の委員は、在任中、総務大臣の許可がある場合を除き、

報酬を得て他の職務に従事し、又は営利事業を営み、その他金銭上の利益を目的とする業務を行ってはならない。

⑪　委員の給与は、別に法律で定める。

（会長）

第七〇条①　審査会に、会長を置き、委員の互選により選任する。

②　会長は、会務を総理し、審査会を代表する。

③　会長に事故があるときは、あらかじめその指名する委員が、その職務を代理する。

（専門委員）

第七一条①　審査会に、専門の事項を調査させるため、専門委員を置くことができる。

②　専門委員は、学識経験のある者のうちから、総務大臣が任命する。

③　専門委員は、その者の任命に係る当該専門の事項に関する調査が終了したときは、解任されるものとする。

④　専門委員は、非常勤とする。

（合議体）

第七二条①　審査会は、委員のうちから、審査会が指名する者三人をもって構成する合議体で、審査請求に係る事件について調査審議する。

②　前項の規定にかかわらず、審査会が定める場合においては、委員の全員をもって構成する合議体で、審査請求に係る事件について調査審議する。

（事務局）

第七三条①　審査会の事務を処理させるため、審査会に事務局を置く。

②　事務局に、事務局長のほか、所要の職員を置く。

③　事務局長は、会長の命を受けて、局務を掌理する。

第二款　審査会の調査審議の手続

（審査会の調査権限）

第七四条　審査会は、必要があると認める場合には、審査請求に係る事件に関し、審査請求人、参加人又は第四十三条第一項の規定により審査会に諮問をした審査庁（以下この款において「審査関係人」という。）にその主張を記載した書面（以下この款において「主張書面」という。）又は資料の提出を求めること、適当と認める者にその知っている事実の陳述又は鑑定を求めることその他必要な調査をすることができる。

（意見の陳述）

第七五条①　審査会は、審査関係人の申立てがあった場合には、当該審査関係人に口頭で意見を述べる機会を与えなければならない。ただし、審査会が、その必要がないと認める場合には、この限りでない。

②　前項本文の場合において、審査請求人又は参加人は、審査会の許可を得て、補佐人とともに出頭することができる。

（主張書面等の提出）

第七六条　審査関係人は、審査会に対し、主張書面又は資料を提出することができる。この場合において、審査会が、主張書面又は資料を提出すべき相当の期間を定めたときは、その期間内にこれを提出しなければならない。

（委員による調査手続）

第七七条　審査会は、必要があると認める場合には、その指名する委員に、第七十四条の規定による調査をさせ、又は第七十五条第一項本文の規定による審査関係人の意見の陳述を聴かせることができる。

（提出資料の閲覧等）

第七八条①　審査関係人は、審査会に対し、審査会に提出された主張書面若しくは資料の閲覧（電磁的記録にあっては、記録された事項を審査会が定める方法により表示したものの閲覧）又は当該主張書面若しくは当該資料の写し若しくは当該電磁的記録に記録された事項を記載した書面の交付を求めることができる。この場合において、審査会は、第三者の利益を害するおそれがあると認めるとき、その他正当な理由があるときでなければ、その閲覧又は交付を拒むことができない。

②　審査会は、前項の規定による閲覧をさせ、又は同項の規定による交付をしようとするときは、当該閲覧又は交付に係る主張書面又は資料の提出人の意見を聴かなければならない。ただし、審査会が、その必要がないと認めるときは、この限りでない。

③　審査会は、第一項の規定による閲覧について、日時及び場所を指定することができる。

④　第一項の規定による交付を受ける審査請求人又は参加人は、政令で定めるところにより、実費の範囲内において政令で定める額の手数料を納めなければならない。

⑤　審査会は、経済的困難その他特別の理由があると認めるときは、政令で定めるところにより、前項の手数料を減額し、又は免除することができる。

（答申書の送付等）

第七九条　審査会は、諮問に対する答申をしたときは、答申書の写しを審査請求人及び参加人に送付するとともに、答申の内容を公表するものとする。

第三款　雑則

（政令への委任）

第八〇条　この法律に定めるもののほか、審査会に関し必要な事項は、政令で定める。

第二節　地方公共団体に置かれる機関

第八一条①　地方公共団体に、執行機関の附属機関として、この法律の規定によりその権限に属させられた事項を処理するための機関を置く。

②　前項の規定にかかわらず、地方公共団体は、当該地方公共団体における不服申立ての状況等に鑑み同項の機関を置くことが不適当又は困難であるときは、条例で定めるところにより、事件ごとに、執行機関の附属機関として、この法律の規定によりその権限に属させられた事項を処理するための機関を置くこととすることができる。

③　前節第二款の規定は、前二項の機関について準用する。この場合において、第七十八条第四項及び第五項中「政令」とあるのは、「条例」と読み替えるものとする。

④　前三項に定めるもののほか、第一項又は第二項の機関の組織及び運営に関し必要な事項は、当該機関を置く地方公共団体の条例（地方自治法第二百五十二条の七第一項の規定により共同設置する機関にあっては、同項の規約）で定める。

第六章　補則

（不服申立てをすべき行政庁等の教示）

第八二条①　行政庁は、審査請求若しくは再調査の請求又は他の法令に基づく不服申立て（以下この条において「不服申立て」と総称する。）をすることができる処分をする場合には、処分の相手方に対し、当該処分につき不服申立てをすることができる旨並びに不服申立てをすべき行政庁及び不服申立てをすることができる期間を書面で教示しなければならない。ただし、当該処分を口頭でする場合は、この限りでない。

②　行政庁は、利害関係人から、当該処分が不服申立てをすることができる処分であるかどうか並びに当該処分が不服申立てをすることができるものである場合における不服申立てをすべき行政庁及び不服申立てをすることができる期間につき教示を求められたときは、当該事項を教示しなければならない。

③　前項の場合において、教示を求めた者が書面による教示を求めたときは、当該教示は、書面でしなければならない。

（教示をしなかった場合の不服申立て）

第八三条①　行政庁が前条の規定による教示をしなかった場合には、当該処分について不服がある者は、当該処分庁に不服申立書を提出することができる。

② 第十九条（第五項第一号及び第二号を除く。）の規定は、前項の不服申立書について準用する。
③ 第一項の規定により不服申立書の提出があった場合において、当該処分が処分庁以外の行政庁に対し審査請求をすることができる処分であるときは、処分庁は、速やかに、当該不服申立書を当該行政庁に送付しなければならない。当該処分が他の法令に基づき、処分庁以外の行政庁に不服申立てをすることができる処分であるときも、同様とする。
④ 前項の規定により不服申立書が送付されたときは、初めから当該行政庁に審査請求又は当該法令に基づく不服申立てがされたものとみなす。
⑤ 第三項の場合を除くほか、第一項の規定により不服申立書が提出されたときは、初めから当該処分庁に審査請求又は当該法令に基づく不服申立てがされたものとみなす。

（情報の提供）

第八四条 審査請求、再調査の請求若しくは再審査請求又は他の法令に基づく不服申立て（以下この条及び次条において「不服申立て」と総称する。）につき裁決、決定その他の処分（同条において「裁決等」という。）をする権限を有する行政庁は、不服申立てをしようとする者又は不服申立てをした者の求めに応じ、不服申立書の記載に関する事項その他の不服申立てに必要な情報の提供に努めなければならない。

（公表）

第八五条 不服申立てにつき裁決等をする権限を有する行政庁は、当該行政庁がした裁決等の内容その他当該行政庁における不服申立ての処理状況について公表するよう努めなければならない。

（政令への委任）

第八六条 この法律に定めるもののほか、この法律の実施のために必要な事項は、政令で定める。

（罰則）

第八七条 第六十九条第八項の規定に違反して秘密を漏らした者は、一年以下の拘禁刑又は五十万円以下の罰金に処する。

附　則（抄）

（施行期日）

第一条 この法律は、公布の日から起算して二年を超えない範囲内において政令で定める日（平成二八・四・一―平成二七政三九〇）から施行する。（後略）

別表（略）

刑法等の一部を改正する法律の施行に伴う関係法律整理法

（令和四・六・一七法六八）（抄）

中経過規定

第四四一条から第四四三条まで（刑法の同経過規定参照）

第五〇九条（刑法の同経過規定参照）

刑法等の一部を改正する法律の施行に伴う関係法律整理法

附　則（令和四・六・一七法六八）（抄）

（施行期日）

① この法律は、刑法等一部改正法（令和四法六七）施行日（令和七・六・一）から施行する。ただし、次の各号に掲げる規定は、当該各号に定める日から施行する。
一 第五百九条の規定　公布の日
二 （略）

附　則（令和五・六・一六法六三）（抄）

（施行期日）

第一条（前略）次の各号に掲げる規定は、当該各号に定める日から施行する。
一 （前略）附則第七条（中略）の規定　公布の日
二 （前略）第六十二条（行政不服審査法の一部改正）（中略）の規定並びに次条（中略）の規定　公布の日から起算して三年を超えない範囲内において政令で定める日

（公示送達等の方法に関する経過措置）

第二条 次に掲げる法律の規定は、前条第二号に掲げる規定の施行の日以後にする公示送達、送達又は通知について適用し、同日前にした公示送達、送達又は通知については、なお従前の例による。
一―十三 （略）
十四 第六十二条の規定による改正後の行政不服審査法第五十一条第三項（同法又は他の法律において準用する場合を含む。）
十五 （略）

（政令への委任）

第七条 この附則に定めるもののほか、この法律の施行に関し必要な経過措置（中略）は、政令で定める。

◉行政事件訴訟法（昭和三七・五・一六 法一三九）

施行 昭和三七・一〇・一（附則）
改正 平成一法九一、平成八法一一〇、平成一六法七四・**法八四**・法一〇二・法一〇五（平成一六法八四）・法一五五、平成一七法八二・法一〇二、平成一九法一六・法五八・法六四・法七四・法七六・法八二・法八五・法一〇〇・法一〇九、平成二一法七六、平成二三法三九・法五四・法九四、平成二六法四〇・法六九、平成二七法五九、平成二八法八九、令和四法四八・法五四、令和五法三二・法四七・法七九、令和六法六〇

目次

第一章 総則

（この法律の趣旨）

第一条 行政事件訴訟については、他の法律に特別の定めがある場合を除くほか、この法律の定めるところによる。

参【行政事件訴訟に関する司法裁判所の権限→憲三二・七六①②、裁三①②【特別の定めの例→公選二〇三―二〇五・二〇七―二〇九の二・二一九、自治二四二の二・二四五の八、独禁七七―八八

（行政事件訴訟）

第二条 この法律において「行政事件訴訟」とは、抗告訴訟、当事者訴訟、民衆訴訟及び機関訴訟をいう。

参【抗告訴訟→三【当事者訴訟→四【民衆訴訟→五【機関訴訟→六

（抗告訴訟）

第三条① この法律において「抗告訴訟」とは、行政庁の公権力の行使に関する不服の訴訟をいう。

② この法律において「処分の取消しの訴え」とは、行政庁の処分その他公権力の行使に当たる行為（次項に規定する裁決、決定その他の行為を除く。以下単に「処分」という。）の取消しを求める訴訟をいう。

③ この法律において「裁決の取消しの訴え」とは、審査請求その他の不服申立て（以下単に「審査請求」という。）に対する行政庁の裁決、決定その他の行為（以下単に「裁決」という。）の取消しを求める訴訟をいう。

④ この法律において「無効等確認の訴え」とは、処分若しくは裁決の存否又はその効力の有無の確認を求める訴訟をいう。

⑤ この法律において「不作為の違法確認の訴え」とは、行政庁が法令に基づく申請に対し、相当の期間内に何らかの処分又は裁決をすべきであるにかかわらず、これをしないことについての違法の確認を求める訴訟をいう。

⑥ この法律において「義務付けの訴え」とは、次に掲げる場合において、行政庁がその処分又は裁決をすべき旨を命ずることを求める訴訟をいう。

一 行政庁が一定の処分をすべきであるにかかわらずこれがされないとき（次号に掲げる場合を除く。）。

二 行政庁に対し一定の処分又は裁決を求める旨の法令に基づく申請又は審査請求がされた場合において、当該行政庁がその処分又は裁決をすべきであるにかかわらずこれがされないとき。

⑦ この法律において「差止めの訴え」とは、行政庁が一定の処分又は裁決をすべきでないにかかわらずこれがされようとしている場合において、行政庁がその処分又は裁決をしてはならない旨を命ずることを求める訴訟をいう。

参❷【処分→行手二㈡ ❸【審査請求→行審二・三【その他の不服申立ての例→行審五・六、公選二〇二①・二〇六①、自治七四の二⑦・一一八⑤・二五五の四 ❹【無効等確認の訴え→三六・三八①―③ ❺【不作為の違法確認の訴え→三七・三八①④ ❻【義務付けの訴え→三七の二・三七の三・三七の五・三八① ❼【差止めの訴え→三七の四・三七の五・三八①

（当事者訴訟）

第四条 この法律において「当事者訴訟」とは、当事者間の法律関係を確認し又は形成する処分又は裁決に関する訴訟で法令の規定によりその法律関係の当事者の一方を被告とするもの及び公法上の法律関係に関する確認の訴えその他の公法上の法律関係に関する訴訟をいう。

参【当事者訴訟→三九―四一【法令の規定により、当事者の一方を被告とするものの例→自衛一〇五⑨⑩、収用一三三、著作七二

（民衆訴訟）

第五条 この法律において「民衆訴訟」とは、国又は公共団体の機関の法規に適合しない行為の是正を求める訴訟で、選挙人たる資格その他自己の法律上の利益にかかわらない資格で提起するものをいう。

参【民衆訴訟→四二・四三【民衆訴訟の例→公選二〇三・二〇四・二〇七・二〇八、自治二四二の二

（機関訴訟）

第六条 この法律において「機関訴訟」とは、国又は公共団体の機関相互間における権限の存否又はその行使に関する紛争についての訴訟をいう。

参【機関訴訟→四二・四三【機関訴訟の例→自治一七六⑦・二五一の五・二五二

（この法律に定めがない事項）

第七条 行政事件訴訟に関し、この法律に定めがない事項については、民事訴訟の例による。

参民訴、民訴規、民訴費

第二章 抗告訴訟

第一節 取消訴訟

（処分の取消しの訴えと審査請求との関係）

第八条① 処分の取消しの訴えは、当該処分につき法令の規定により審査請求をすることができる場合においても、直ちに提起することを妨げない。ただし、法律に当該処分についての審査請求に対する裁決を経た後でなければ処分の取消しの訴えを提起することができない旨の定めがあるときは、この限りでない。

② 前項ただし書の場合においても、次の各号の一に該当するときは、裁決を経ないで、処分の取消しの訴えを提起することができる。

一 審査請求があつた日から三箇月を経過しても裁決がないとき。

二 処分、処分の執行又は手続の続行により生ずる著しい損害を避けるため緊急の必要があるとき。

三 その他裁決を経ないことにつき正当な理由があるとき。

③ 第一項本文の場合において、当該処分につき審査請求がされているときは、裁判所は、その審査請求に対する裁決があるま

で（審査請求があつた日から三箇月を経過しても裁決がないときは、その期間を経過するまで）、訴訟手続を中止することができる。

⊗❶【審査請求をすることができる場合→行審二・三 ❶【処分の取消しの訴え→三②【審査請求・裁決→三③【法律により審査請求が前置される場合の例→国公九二の二、自治二二九⑤・二三一の三⑩、地公五一の二、ETC ❸【訴訟手続の中止の効果→民訴一三二

（原告適格）

第九条① 処分の取消しの訴え及び裁決の取消しの訴え（以下「取消訴訟」という。）は、当該処分又は裁決の取消しを求めるにつき法律上の利益を有する者（処分又は裁決の効果が期間の経過その他の理由によりなくなつた後においてもなお処分又は裁決の取消しによつて回復すべき法律上の利益を有する者を含む。）に限り、提起することができる。

② 裁判所は、処分又は裁決の相手方以外の者について前項に規定する法律上の利益の有無を判断するに当たつては、当該処分又は裁決の根拠となる法令の規定の文言のみによることなく、当該法令の趣旨及び目的並びに当該処分において考慮されるべき利益の内容及び性質を考慮するものとする。この場合において、当該法令の趣旨及び目的を考慮するに当たつては、当該法令と目的を共通にする関係法令があるときはその趣旨及び目的をも参酌するものとし、当該利益の内容及び性質を考慮するに当たつては、当該処分又は裁決がその根拠となる法令に違反してされた場合に害されることとなる利益の内容及び性質並びにこれが害される態様及び程度をも勘案するものとする。

⊗【民衆訴訟及び機関訴訟の特例→四三①

（取消しの理由の制限）

第一〇条① 取消訴訟においては、自己の法律上の利益に関係のない違法を理由として取消しを求めることができない。

② 処分の取消しの訴えとその処分についての審査請求を棄却した裁決の取消しの訴えとを提起することができる場合には、裁決の取消しの訴えにおいては、処分の違法を理由として取消しを求めることができない。

⊗❷【いわゆる裁決主義の場合→労組二七の一九②、ETC

（被告適格等）

第一一条① 処分又は裁決をした行政庁（処分又は裁決があつた後に当該行政庁の権限が他の行政庁に承継されたときは、当該他の行政庁。以下同じ。）が国又は公共団体に所属する場合には、取消訴訟は、次の各号に掲げる訴えの区分に応じてそれぞれ当該各号に定める者を被告として提起しなければならない。

一 処分の取消しの訴え　当該処分をした行政庁の所属する国又は公共団体

二 裁決の取消しの訴え　当該裁決をした行政庁の所属する国又は公共団体

② 処分又は裁決をした行政庁が国又は公共団体に所属しない場合には、取消訴訟は、当該行政庁を被告として提起しなければならない。

③ 前二項の規定により被告とすべき国若しくは公共団体又は行政庁がない場合には、取消訴訟は、当該処分又は裁決に係る事務の帰属する国又は公共団体を被告として提起しなければならない。

④ 第一項又は前項の規定により国又は公共団体を被告として取消訴訟を提起する場合には、訴状には、民事訴訟の例により記載すべき事項のほか、次の各号に掲げる訴えの区分に応じてそれぞれ当該各号に定める行政庁を記載するものとする。

一 処分の取消しの訴え　当該処分をした行政庁

二 裁決の取消しの訴え　当該裁決をした行政庁

⑤ 第一項又は第三項の規定により国又は公共団体を被告として取消訴訟が提起された場合には、被告は、遅滞なく、裁判所に対し、前項各号に掲げる訴えの区分に応じてそれぞれ当該各号に定める行政庁を明らかにしなければならない。

⑥ 処分又は裁決をした行政庁は、当該処分又は裁決に係る第一項の規定による国又は公共団体を被告とする訴訟について、裁判上の一切の行為をする権限を有する。

⊗【選挙及び当選訴訟の被告→公選二〇三①・二〇四・二〇七①・二〇八

（管轄）

第一二条① 取消訴訟は、被告の普通裁判籍の所在地を管轄する裁判所又は処分若しくは裁決をした行政庁の所在地を管轄する裁判所の管轄に属する。

② 土地の収用、鉱業権の設定その他不動産又は特定の場所に係る処分又は裁決についての取消訴訟は、その不動産又は場所の所在地の裁判所にも、提起することができる。

③ 取消訴訟は、当該処分又は裁決に関し事案の処理に当たつた下級行政機関の所在地の裁判所にも、提起することができる。

④ 国又は独立行政法人通則法（平成十一年法律第百三号）第二条第一項に規定する独立行政法人若しくは別表に掲げる法人を被告とする取消訴訟は、原告の普通裁判籍の所在地を管轄する高等裁判所の所在地を管轄する地方裁判所（次項において「特定管轄裁判所」という。）にも、提起することができる。

⑤ 前項の規定により特定管轄裁判所に同項の取消訴訟が提起された場合であつて、他の裁判所に事実上及び法律上同一の原因に基づいてされた処分又は裁決に係る抗告訴訟が係属している場合においては、当該特定管轄裁判所は、当事者の住所又は所在地、尋問を受けるべき証人の住所、争点又は証拠の共通性その他の事情を考慮して、相当と認めるときは、申立てにより又は職権で、訴訟の全部又は一部について、当該他の裁判所又は第一項から第三項までに定める裁判所に移送することができる。

⊗❶【普通裁判籍→民訴四【管轄に関する特別規定→公選二五②、自治七四の二⑫・二四二の二⑤、独禁八五㈠、ETC【事物管轄→裁二四㈠・三三①㈠ ❷【土地の収用→収用、ETC ❸【下級行政機関→行組九【本項の適用除外→労組二七の一九② ❺【訴訟の移送→一三、民訴一七・一九①、行政情報公開二一

（関連請求に係る訴訟の移送）

第一三条 取消訴訟と次の各号の一に該当する請求（以下「関連請求」という。）に係る訴訟とが各別の裁判所に係属する場合において、相当と認めるときは、関連請求に係る訴訟の係属する裁判所は、申立てにより又は職権で、その訴訟を取消訴訟の係属する裁判所に移送することができる。ただし、取消訴訟又は関連請求に係る訴訟の係属する裁判所が高等裁判所であるときは、この限りでない。

一 当該処分又は裁決に関連する原状回復又は損害賠償の請求

二 当該処分とともに一個の手続を構成する他の処分の取消しの請求

三 当該処分に係る裁決の取消しの請求

四 当該裁決に係る処分の取消しの請求

五 当該処分又は裁決の取消しを求める他の請求

六 その他当該処分又は裁決の取消しの請求と関連する請求

⊗【請求の併合→一六―一九【移送→民訴二二・二二【特定管轄裁判所からの移送→一二⑤、行政情報公開二一 【一】【損害賠償の請求→国賠

（出訴期間）

第一四条① 取消訴訟は、処分又は裁決があつたことを知つた日から六箇月を経過したときは、提起することができない。ただし、正当な理由があるときは、この限りでない。

② 取消訴訟は、処分又は裁決の日から一年を経過したときは、提起することができない。ただし、正当な理由があるときは、この限りでない。

③ 処分又は裁決につき審査請求をすることができる場合又は行

政庁が誤つて審査請求をすることができる旨を教示した場合において、審査請求があつたときは、処分又は裁決に係る取消訴訟は、その審査請求をした者については、前二項の規定にかかわらず、これに対する裁決があつたことを知つた日から六箇月を経過したとき又は当該裁決の日から一年を経過したときは、提起することができない。ただし、正当な理由があるときは、この限りでない。

参❶❷【出訴期間の特例→公選二〇三・二〇四・二〇七・二〇八、自治二四二の二②、労組二七の一九① ❸【審査請求をすることができる場合→行審二・三、五―七【出訴期間の教示→四六【審査請求の教示→行審八二

（被告を誤つた訴えの救済）

第一五条① 取消訴訟において、原告が故意又は重大な過失によらないで被告とすべき者を誤つたときは、裁判所は、原告の申立てにより、決定をもつて、被告を変更することを許すことができる。

② 前項の決定は、電子決定書（民事訴訟法（平成八年法律第百九号）第百二十二条において準用する同法第二百五十二条第一項の規定により作成された電磁的記録（電子的方式、磁気的方式その他人の知覚によつては認識することができない方式で作られる記録であつて、電子計算機による情報処理の用に供されるものをいう。以下この項において同じ。）を作成してするものとし、その電子決定書（同法第百二十二条において準用する同法第二百五十三条第二項の規定により裁判所の使用に係る電子計算機（入出力装置を含む。）に備えられたファイルに記録されたものに限る。）を新たな被告に送達しなければならない。

＊令和四法四八（令和八・五・二四までに施行）**による改正前**
② 前項の決定は、書面でするものとし、その正本を新たな被告に送達しなければならない。

③ 第一項の決定があつたときは、出訴期間の遵守については、新たな被告に対する訴えは、最初に訴えを提起した時に提起されたものとみなす。

④ 第一項の決定があつたときは、従前の被告に対しては、訴えの取下げがあつたものとみなす。

⑤ 第一項の決定に対しては、不服を申し立てることができない。

⑥ 第一項の申立てを却下する決定に対しては、即時抗告をすることができる。

⑦ 上訴審において第一項の決定をしたときは、裁判所は、その訴訟を管轄裁判所に移送しなければならない。

参❶【被告適格→一一 ❸【出訴期間→一四 ❹【訴えの取下げ→民訴二六一・二六二 ❺民訴二八三 ❻【即時抗告→民訴三三二 ❼【管轄裁判所→一二【移送の裁判の拘束力等→民訴二二【上級審による移送の例→民訴三〇九・三一五

（請求の客観的併合）

第一六条① 取消訴訟には、関連請求に係る訴えを併合することができる。

② 前項の規定により訴えを併合する場合において、取消訴訟の第一審裁判所が高等裁判所であるときは、関連請求に係る訴えの被告の同意を得なければならない。被告が異議を述べないで、本案について弁論をし、又は弁論準備手続において申述をしたときは、同意したものとみなす。

参❶【関連請求→一三【訴えの併合→民訴一三六 ❷【第一審裁判所が高等裁判所である場合→特許一七八①、ETC【弁論準備手続→民訴一六八

（共同訴訟）

第一七条① 数人は、その数人の請求又はその数人に対する請求が処分又は裁決の取消しの請求と関連請求とである場合に限り、共同訴訟人として訴え、又は訴えられることができる。

② 前項の場合には、前条第二項の規定を準用する。

参+【関連請求→一三【民事訴訟における共同訴訟→民訴三八―四一

（第三者による請求の追加的併合）

第一八条 第三者は、取消訴訟の口頭弁論の終結に至るまで、その訴訟の当事者の一方を被告として、関連請求に係る訴えをこれに併合して提起することができる。この場合において、当該取消訴訟が高等裁判所に係属しているときは、第十六条第二項の規定を準用する。

参+【関連請求→一三【請求の併合→一六【共同訴訟→一七

（原告による請求の追加的併合）

第一九条① 原告は、取消訴訟の口頭弁論の終結に至るまで、関連請求に係る訴えをこれに併合して提起することができる。この場合において、当該取消訴訟が高等裁判所に係属しているときは、第十六条第二項の規定を準用する。

② 前項の規定は、取消訴訟について民事訴訟法第百四十三条の規定の例によることを妨げない。

＊令和四法四八（令和八・五・二四までに施行）**による改正**
第二項中「民事訴訟法」の下の「（平成八年法律第百九号）」は削られた。（本文織込み済み）

参❶【関連請求→一三【請求の併合→一六【共同訴訟→一七【出訴期間→一四

第二〇条 前条第一項前段の規定により、処分の取消しの訴えをその処分についての審査請求を棄却した裁決の取消しの訴えに併合して提起する場合には、同項後段において準用する第十六条第二項の規定にかかわらず、処分の取消しの訴えの被告の同意を得ることを要せず、また、その提起があつたときは、出訴期間の遵守については、処分の取消しの訴えは、裁決の取消しの訴えを提起した時に提起されたものとみなす。

参+【出訴期間→一四

（国又は公共団体に対する請求への訴えの変更）

第二一条① 裁判所は、取消訴訟の目的たる請求を当該処分又は裁決に係る事務の帰属する国又は公共団体に対する損害賠償その他の請求に変更することが相当であると認めるときは、請求の基礎に変更がない限り、口頭弁論の終結に至るまで、原告の申立てにより、決定をもつて、訴えの変更を許すことができる。

② 前項の決定には、第十五条第二項の規定を準用する。

③ 裁判所は、第一項の規定により訴えの変更を許す決定をするには、あらかじめ、当事者及び損害賠償その他の請求に係る訴えの被告の意見をきかなければならない。

④ 訴えの変更を許す決定に対しては、即時抗告をすることができる。

⑤ 訴えの変更を許さない決定に対しては、不服を申し立てることができない。

参❶【取消訴訟の目的たる請求→三②③【損害賠償→国賠【請求の基礎→民訴一四三①

（第三者の訴訟参加）

第二二条① 裁判所は、訴訟の結果により権利を害される第三者があるときは、当事者若しくはその第三者の申立てにより又は職権で、決定をもつて、その第三者を訴訟に参加させることができる。

② 裁判所は、前項の決定をするには、あらかじめ、当事者及び第三者の意見をきかなければならない。

③ 第一項の申立てをした第三者は、その申立てを却下する決定に対して即時抗告をすることができる。

④ 第一項の規定により訴訟に参加した第三者については、民事訴訟法第四十条第一項から第三項までの規定を準用する。

⑤ 第一項の規定により第三者が参加の申立てをした場合には、

民事訴訟法第四十五条第三項及び第四項の規定を準用する。

参❶【民事訴訟法上の独立当事者参加→民訴四七

（行政庁の訴訟参加）
第二三条① 裁判所は、処分又は裁決をした行政庁以外の行政庁を訴訟に参加させることが必要であると認めるときは、当事者若しくはその行政庁の申立てにより又は職権で、決定をもつて、その行政庁を訴訟に参加させることができる。
② 裁判所は、前項の決定をするには、あらかじめ、当事者及び当該行政庁の意見をきかなければならない。
③ 第一項の規定により訴訟に参加した行政庁については、民事訴訟法第四十五条第一項及び第二項の規定を準用する。
参+【補助参加→民訴四二

（釈明処分の特則）
第二三条の二① 裁判所は、訴訟関係を明瞭にするため、必要があると認めるときは、次に掲げる処分をすることができる。
一 被告である国若しくは公共団体に所属する行政庁又は被告である行政庁に対し、処分又は裁決の内容、処分又は裁決の根拠となる法令の条項、処分又は裁決の原因となる事実その他処分又は裁決の理由を明らかにする資料（次項に規定する審査請求に係る事件の記録を除く。）であつて当該行政庁が保有するものの全部又は一部の提出を求めること。
二 前号に規定する行政庁以外の行政庁に対し、同号に規定する資料であつて当該行政庁が保有するものの全部又は一部の送付を嘱託すること。
② 裁判所は、処分についての審査請求に対する裁決を経た後に取消訴訟の提起があつたときは、次に掲げる処分をすることができる。
一 被告である国若しくは公共団体に所属する行政庁又は被告である行政庁に対し、当該審査請求に係る事件の記録であつて当該行政庁が保有するものの全部又は一部の提出を求めること。
二 前号に規定する行政庁以外の行政庁に対し、同号に規定する事件の記録であつて当該行政庁が保有するものの全部又は一部の送付を嘱託すること。
参❶【釈明処分→民訴一五一 ❷【審査請求→行審二、三

（職権証拠調べ）

第二四条 裁判所は、必要があると認めるときは、職権で、証拠調べをすることができる。ただし、その証拠調べの結果について、当事者の意見をきかなければならない。

参+【職権探知→人訴二〇

（執行停止）
第二五条① 処分の取消しの訴えの提起は、処分の効力、処分の執行又は手続の続行を妨げない。
② 処分の取消しの訴えの提起があつた場合において、処分、処分の執行又は手続の続行により生ずる重大な損害を避けるため緊急の必要があるときは、裁判所は、申立てにより、決定をもつて、処分の効力、処分の執行又は手続の続行の全部又は一部の停止（以下「執行停止」という。）をすることができる。ただし、処分の効力の停止は、処分の執行又は手続の続行の停止によつて目的を達することができる場合には、することができない。
③ 裁判所は、前項に規定する重大な損害を生ずるか否かを判断するに当たつては、損害の回復の困難の程度を考慮するものとし、損害の性質及び程度並びに処分の内容及び性質をも勘案するものとする。
④ 執行停止は、公共の福祉に重大な影響を及ぼすおそれがあるとき、又は本案について理由がないとみえるときは、することができない。
⑤ 第二項の決定は、疎明に基づいてする。
⑥ 第二項の決定は、口頭弁論を経ないですることができる。ただし、あらかじめ、当事者の意見をきかなければならない。
⑦ 第二項の申立てに対する決定に対しては、即時抗告をすることができる。
⑧ 第二項の決定に対する即時抗告は、その決定の執行を停止する効力を有しない。
参❶【仮処分の排除→四四【障害としての内閣総理大臣の異議→二七 ❷【上訴と強制執行の停止→民訴四〇三【民事執行法上の訴えと強制執行の停止→民執三六―三八 ❺【疎明→民訴一八八、民保一三 ❻【任意的口頭弁論→民訴八七、民保三 +【行政機関に対する争訟の提起と処分の執行との関係→行審二五、自治二五八①

（事情変更による執行停止の取消し）
第二六条① 執行停止の決定が確定した後に、その理由が消滅し、その他事情が変更したときは、裁判所は、相手方の申立てにより、決定をもつて、執行停止の決定を取り消すことができる。
② 前項の申立てに対する決定及びこれに対する不服については、前条第五項から第八項までの規定を準用する。
参❶【民保三八、+行審二六

（内閣総理大臣の異議）
第二七条① 第二十五条第二項の申立てがあつた場合には、内閣総理大臣は、裁判所に対し、異議を述べることができる。執行停止の決定があつた後においても、同様とする。
② 前項の異議には、理由を附さなければならない。
③ 前項の異議の理由においては、内閣総理大臣は、処分の効力を存続し、処分を執行し、又は手続を続行しなければ、公共の福祉に重大な影響を及ぼすおそれのある事情を示すものとする。
④ 第一項の異議があつたときは、裁判所は、執行停止をすることができず、また、すでに執行停止の決定をしているときは、これを取り消さなければならない。
⑤ 第一項後段の異議は、執行停止の決定をした裁判所に対して述べなければならない。ただし、その決定に対する抗告が抗告裁判所に係属しているときは、抗告裁判所に対して述べなければならない。
⑥ 内閣総理大臣は、やむをえない場合でなければ、第一項の異議を述べてはならず、また、異議を述べたときは、次の常会において国会にこれを報告しなければならない。
参❶【内閣総理大臣→憲六六① ❸【公共の福祉に重大な影響を及ぼすおそれのある事情→二五④ ❺【抗告→二五⑦ ❻【常会→憲五二、国会二

（執行停止等の管轄裁判所）

第二八条 執行停止又はその決定の取消しの申立ての管轄裁判所は、本案の係属する裁判所とする。

参+【強制執行の停止の管轄裁判所→二五②参【仮処分命令の管轄裁判所→民保一二

（執行停止に関する規定の準用）

第二九条 前四条の規定は、裁決の取消しの訴えの提起があつた場合における執行停止に関する事項について準用する。

参+【裁決の取消しの訴え→三③

（裁量処分の取消し）
第三〇条 行政庁の裁量処分については、裁量権の範囲をこえ又はその濫用があつた場合に限り、裁判所は、その処分を取り消すことができる。

（特別の事情による請求の棄却）
第三一条① 取消訴訟については、処分又は裁決が違法ではあるが、これを取り消すことにより公の利益に著しい障害を生ずる場合において、原告の受ける損害の程度、その損害の賠償又は防止の程度及び方法その他一切の事情を考慮したうえ、処分又は裁決を取り消すことが公共の福祉に適合しないと認めるときは、裁判所は、請求を棄却することができる。この場合には、

当該判決の主文において、処分又は裁決が違法であることを宣言しなければならない。
② 裁判所は、相当と認めるときは、終局判決前に、判決をもつて、処分又は裁決が違法であることを宣言することができる。
③ 終局判決に事実及び理由を記載するには、前項の判決を引用することができる。
∞❶【判決の主文→民訴二五三①㈠】 ❷【終局判決→民訴二四三】 ❸【事実及び理由→民訴二五三①㈡㈢】 ✝【類似の規定→行審四五③・六四④】

（取消判決等の効力）
第三二条① 処分又は裁決を取り消す判決は、第三者に対しても効力を有する。
② 前項の規定は、執行停止の決定又はこれを取り消す決定に準用する。
∞✝【第三者の訴訟参加→二二】【第三者の再審の訴え→三四】 ❶【民事訴訟の一般原則→民訴一一五】【第三者にも効力を有する判決の例→人訴二四、会社八三八・八二八―八三三】

第三三条① 処分又は裁決を取り消す判決は、その事件について、処分又は裁決をした行政庁その他の関係行政庁を拘束する。
② 申請を却下し若しくは棄却した処分又は審査請求を却下し若しくは棄却した裁決が判決により取り消されたときは、その処分又は裁決をした行政庁は、判決の趣旨に従い、改めて申請に対する処分又は審査請求に対する裁決をしなければならない。
③ 前項の規定は、申請に基づいてした処分又は審査請求を認容した裁決が判決により手続に違法があることを理由として取り消された場合に準用する。
④ 第一項の規定は、執行停止の決定に準用する。
∞✝【審査請求の裁決の拘束力→行審五二】

（第三者の再審の訴え）
第三四条① 処分又は裁決を取り消す判決により権利を害された第三者で、自己の責めに帰することができない理由により訴訟に参加することができなかつたため判決に影響を及ぼすべき攻撃又は防御の方法を提出することができなかつたものは、これを理由として、確定の終局判決に対し、再審の訴えをもつて、不服の申立てをすることができる。
② 前項の訴えは、確定判決を知つた日から三十日以内に提起しなければならない。
③ 前項の期間は、不変期間とする。
④ 第一項の訴えは、判決が確定した日から一年を経過したときは、提起することができない。
∞✝【民事訴訟法上の再審→民訴三三八―三四八】【会社法上の詐害再審→会社八五三】 ❶【第三者の訴訟参加→二二】【取消判決の第三者への効力→三二】 ❸【不変期間→民訴九六・九七】

（訴訟費用の裁判の効力）

第三五条 国又は公共団体に所属する行政庁が当事者又は参加人である訴訟における確定した訴訟費用の裁判は、当該行政庁が所属する国又は公共団体に対し、又はそれらの者のために、効力を有する。

∞✝【訴訟費用の裁判→民訴六七】

第二節　その他の抗告訴訟

（無効等確認の訴えの原告適格）

第三六条 無効等確認の訴えは、当該処分又は裁決に続く処分により損害を受けるおそれのある者その他当該処分又は裁決の無効等の確認を求めるにつき法律上の利益を有する者で、当該処分若しくは裁決の存否又はその効力の有無を前提とする現在の法律関係に関する訴えによつて目的を達することができないものに限り、提起することができる。

∞✝【無効等確認の訴え→三④】【現在の法律関係に関する訴え→四・四五】

（不作為の違法確認の訴えの原告適格）

第三七条 不作為の違法確認の訴えは、処分又は裁決についての申請をした者に限り、提起することができる。

∞✝【不作為の違法確認の訴え→三⑤】【不作為についての審査請求→行審三】

（義務付けの訴えの要件等）
第三七条の二① 第三条第六項第一号に掲げる場合において、義務付けの訴えは、一定の処分がされないことにより重大な損害を生ずるおそれがあり、かつ、その損害を避けるため他に適当な方法がないときに限り、提起することができる。
② 裁判所は、前項に規定する重大な損害を生ずるか否かを判断するに当たつては、損害の回復の困難の程度を考慮するものとし、損害の性質及び程度並びに処分の内容及び性質をも勘案するものとする。
③ 第一項の義務付けの訴えは、行政庁が一定の処分をすべき旨を命ずることを求めるにつき法律上の利益を有する者に限り、提起することができる。
④ 前項に規定する法律上の利益の有無の判断については、第九条第二項の規定を準用する。
⑤ 義務付けの訴えが第一項及び第三項に規定する要件に該当する場合において、その義務付けの訴えに係る処分につき、行政庁がその処分をすべきであることがその処分の根拠となる法令の規定から明らかであると認められ又は行政庁がその処分をしないことがその裁量権の範囲を超え若しくはその濫用となると認められるときは、裁判所は、行政庁がその処分をすべき旨を命ずる判決をする。
∞❶【義務付けの訴え→三⑥㈠】 ❸【法律上の利益→九①】 ❺【裁量権の濫用→三〇】

第三七条の三① 第三条第六項第二号に掲げる場合において、義務付けの訴えは、次の各号に掲げる要件のいずれかに該当するときに限り、提起することができる。
一 当該法令に基づく申請又は審査請求に対し相当の期間内に何らの処分又は裁決がされないこと。
二 当該法令に基づく申請又は審査請求を却下し又は棄却する旨の処分又は裁決がされた場合において、当該処分又は裁決が取り消されるべきものであり、又は無効若しくは不存在であること。
② 前項の義務付けの訴えは、同項各号に規定する法令に基づく申請又は審査請求をした者に限り、提起することができる。
③ 第一項の義務付けの訴えを提起するときは、次の各号に掲げる区分に応じてそれぞれ当該各号に定める訴えをその義務付けの訴えに併合して提起しなければならない。この場合において、当該各号に定める訴えに係る訴訟の管轄について他の法律に特別の定めがあるときは、当該義務付けの訴えに係る訴訟の管轄は、第三十八条第一項において準用する第十二条の規定にかかわらず、その定めに従う。
一 第一項第一号に掲げる要件に該当する場合　同号に規定する処分又は裁決に係る不作為の違法確認の訴え
二 第一項第二号に掲げる要件に該当する場合　同号に規定する処分又は裁決に係る取消訴訟又は無効等確認の訴え
④ 前項の規定により併合して提起された義務付けの訴え及び同項各号に定める訴えに係る弁論及び裁判は、分離しないでしなければならない。
⑤ 義務付けの訴えが第一項から第三項までに規定する要件に該当する場合において、同項各号に定める訴えに係る請求に理由があると認められ、かつ、その義務付けの訴えに係る処分又は裁決につき、行政庁がその処分若しくは裁決をすべきであることがその処分若しくは裁決の根拠となる法令の規定から明らかであると認められ又は行政庁がその処分若しくは裁決をしない

ことがその裁量権の範囲を超え若しくはその濫用となると認められるときは、裁判所は、その義務付けの訴えに係る処分又は裁決をすべき旨を命ずる判決をする。

⑥　第四項の規定にかかわらず、裁判所は、審理の状況その他の事情を考慮して、第三項各号に定める訴えについてのみ終局判決をすることがより迅速な争訟の解決に資すると認めるときは、当該訴えについてのみ終局判決をすることができる。この場合において、裁判所は、当該訴えについてのみ終局判決をしたときは、当事者の意見を聴いて、当該訴えに係る訴訟手続が完結するまでの間、義務付けの訴えに係る訴訟手続を中止することができる。

⑦　第一項の義務付けの訴えのうち、行政庁が一定の裁決をすべき旨を命ずることを求めるものは、処分についての審査請求がされた場合において、当該処分に係る処分の取消しの訴え又は無効等確認の訴えを提起することができないときに限り、提起することができる。

❶【義務付けの訴え↓三⑥㈡【審査請求↓行審二・三　❸【不作為の違法確認の訴え↓三⑤【取消訴訟↓三②③【無効等確認の訴え↓三④　❹【弁論及び裁判の併合↓民訴四一・一五二　❺【裁量権の濫用↓三〇　❻【終局判決↓民訴二四三【訴訟手続の中止↓民訴四〇・一三〇―一三二

第三七条の四（差止めの訴えの要件）①　差止めの訴えは、一定の処分又は裁決がされることにより重大な損害を生ずるおそれがある場合に限り、提起することができる。ただし、その損害を避けるため他に適当な方法があるときは、この限りでない。

②　裁判所は、前項に規定する重大な損害を生ずるか否かを判断するに当たつては、損害の回復の困難の程度を考慮するものとし、損害の性質及び程度並びに処分又は裁決の内容及び性質をも勘案するものとする。

③　差止めの訴えは、行政庁が一定の処分又は裁決をしてはならない旨を命ずることを求めるにつき法律上の利益を有する者に限り、提起することができる。

④　前項に規定する法律上の利益の有無の判断については、第九条第二項の規定を準用する。

⑤　差止めの訴えが第一項及び第三項に規定する要件に該当する場合において、その差止めの訴えに係る処分又は裁決につき、行政庁がその処分若しくは裁決をすべきでないことがその処分若しくは裁決の根拠となる法令の規定から明らかであると認められ又は行政庁がその処分若しくは裁決をすることがその裁量権の範囲を超え若しくはその濫用となると認められるときは、裁判所は、行政庁がその処分又は裁決をしてはならない旨を命ずる判決をする。

❶【差止めの訴え↓三⑦　❸【法律上の利益↓九①　❺【裁量権の濫用↓三〇

第三七条の五（仮の義務付け及び仮の差止め）①　義務付けの訴えの提起があつた場合において、その義務付けの訴えに係る処分又は裁決がされないことにより生ずる償うことのできない損害を避けるため緊急の必要があり、かつ、本案について理由があるとみえるときは、裁判所は、申立てにより、決定をもつて、仮に行政庁がその処分又は裁決をすべき旨を命ずること（以下この条において「仮の義務付け」という。）ができる。

②　差止めの訴えの提起があつた場合において、その差止めの訴えに係る処分又は裁決がされることにより生ずる償うことのできない損害を避けるため緊急の必要があり、かつ、本案について理由があるとみえるときは、裁判所は、申立てにより、決定をもつて、仮に行政庁がその処分又は裁決をしてはならない旨を命ずること（以下この条において「仮の差止め」という。）ができる。

③　仮の義務付け又は仮の差止めは、公共の福祉に重大な影響を及ぼすおそれがあるときは、することができない。

④　第二十五条第五項から第八項まで、第二十六条から第二十八条まで及び第三十三条第一項の規定は、仮の義務付け又は仮の差止めに関する事項について準用する。

⑤　前項において準用する第二十五条第七項の即時抗告についての裁判又は前項において準用する第二十六条第一項の決定により仮の義務付けの決定が取り消されたときは、当該行政庁は、当該仮の義務付けの決定に基づいてした処分又は裁決を取り消さなければならない。

❶【義務付けの訴え↓三⑥・三七の二・三七の三　❷【差止めの訴え↓三⑦・三七の四

第三八条（取消訴訟に関する規定の準用）①　第十一条から第十三条まで、第十六条から第十九条まで、第二十一条から第二十三条まで、第二十四条、第三十三条及び第三十五条の規定は、取消訴訟以外の抗告訴訟について準用する。

②　第十条第二項の規定は、処分の無効等確認の訴えとその処分についての審査請求を棄却した裁決に係る抗告訴訟とを提起することができる場合に、第二十条の規定は、処分の無効等確認の訴えをその処分についての審査請求を棄却した裁決に係る抗告訴訟に併合して提起する場合に準用する。

③　第二十三条の二、第二十五条から第二十九条まで及び第三十二条第二項の規定は、無効等確認の訴えについて準用する。

④　第八条及び第十条第二項の規定は、不作為の違法確認の訴えに準用する。

＋【取消訴訟以外の抗告訴訟↓三①④―⑦【無効等確認の訴え↓三④【不作為の違法確認の訴え↓三⑤

第三章　当事者訴訟

第三九条（出訴の通知）　当事者間の法律関係を確認し又は形成する処分又は裁決に関する訴訟で、法令の規定によりその法律関係の当事者の一方を被告とするものが提起されたときは、裁判所は、当該処分又は裁決をした行政庁にその旨を通知するものとする。

＋【当事者訴訟↓四

第四〇条（出訴期間の定めがある当事者訴訟）①　法令に出訴期間の定めがある当事者訴訟は、その法令に別段の定めがある場合を除き、正当な理由があるときは、その期間を経過した後であつても、これを提起することができる。

②　第十五条の規定は、法令に出訴期間の定めがある当事者訴訟について準用する。

＋【当事者訴訟↓四【不変期間↓民訴九六・九七【出訴期間の定めのある例↓収用一三三①、ETC

第四一条（抗告訴訟に関する規定の準用）①　第二十三条、第二十四条、第三十三条第一項及び第三十五条の規定は当事者訴訟について、第二十三条の二の規定は当事者訴訟における処分又は裁決の理由を明らかにする資料の提出について準用する。

②　第十三条の規定は、当事者訴訟とその目的たる請求と関連請求の関係にある請求に係る訴訟とが各別の裁判所に係属する場合における移送に、第十六条から第十九条までの規定は、これらの訴えの併合について準用する。

＋【当事者訴訟↓四【関連請求↓一三【本条の特例↓公選二一九②

第四章　民衆訴訟及び機関訴訟

第四二条（訴えの提起）　民衆訴訟及び機関訴訟は、法律に定める場合において、法律に定める者に限り、提起することができる。

⊛【民衆訴訟の例→五⊛【機関訴訟の例→六⊛【取消訴訟の原告適格→九

（抗告訴訟又は当事者訴訟に関する規定の準用）

第四三条① 民衆訴訟又は機関訴訟で、処分又は裁決の取消しを求めるものについては、第九条及び第十条第一項の規定を除き、取消訴訟に関する規定を準用する。

② 民衆訴訟又は機関訴訟で、処分又は裁決の無効の確認を求めるものについては、第三十六条の規定を除き、無効等確認の訴えに関する規定を準用する。

③ 民衆訴訟又は機関訴訟で、前二項に規定する訴訟以外のものについては、第三十九条及び第四十条第一項の規定を除き、当事者訴訟に関する規定を準用する。

⊛【民衆訴訟→五【機関訴訟→六【住民訴訟に関する本条の適用→自治二四二の二⑪【本条の特例→公選二二五④・二一九①、自治七四の二⑬

第五章 補則

（仮処分の排除）

第四四条 行政庁の処分その他公権力の行使に当たる行為については、民事保全法（平成元年法律第九十一号）に規定する仮処分をすることができない。

⊛【仮処分→民保二三―二五の二【行政処分の執行停止→二五―二九・三七の五【住民訴訟の仮処分の排除→自治二四二の二⑩

（処分の効力等を争点とする訴訟）

第四五条① 私法上の法律関係に関する訴訟において、処分若しくは裁決の存否又はその効力の有無が争われている場合には、第二十三条第一項及び第二項並びに第三十九条の規定を準用する。

② 前項の規定により行政庁が訴訟に参加した場合には、民事訴訟法第四十五条第一項及び第二項の規定を準用する。ただし、攻撃又は防御の方法は、当該処分若しくは裁決の存否又はその効力の有無に関するものに限り、提出することができる。

③ 第一項の規定により行政庁が訴訟に参加した後において、処分若しくは裁決の存否又はその効力の有無に関する争いがなくなつたときは、裁判所は、参加の決定を取り消すことができる。

④ 第一項の場合には、当該争点について第二十三条の二及び第二十四条の規定を、訴訟費用の裁判について第三十五条の規定を準用する。

⊛【無効等確認の訴え→三④・三六

（取消訴訟等の提起に関する事項の教示）

第四六条① 行政庁は、取消訴訟を提起することができる処分又は裁決をする場合には、当該処分又は裁決の相手方に対し、次に掲げる事項を書面で教示しなければならない。ただし、当該処分を口頭でする場合は、この限りでない。

一 当該処分又は裁決に係る取消訴訟の被告とすべき者

二 当該処分又は裁決に係る取消訴訟の出訴期間

三 法律に当該処分についての審査請求に対する裁決を経た後でなければ処分の取消しの訴えを提起することができない旨の定めがあるときは、その旨

② 行政庁は、法律に処分についての審査請求に対する裁決に対してのみ取消訴訟を提起することができる旨の定めがある場合において、当該処分をするときは、当該処分の相手方に対し、法律にその定めがある旨を書面で教示しなければならない。ただし、当該処分を口頭でする場合は、この限りでない。

③ 行政庁は、当事者間の法律関係を確認し又は形成する処分又は裁決に関する訴訟で法令の規定によりその法律関係の当事者の一方を被告とするものを提起することができる処分又は裁決をする場合には、当該処分又は裁決の相手方に対し、次に掲げる事項を書面で教示しなければならない。ただし、当該処分を口頭でする場合は、この限りでない。

一 当該訴訟の被告とすべき者

二 当該訴訟の出訴期間

⊛❶【取消訴訟→三②③【審査請求の教示→行審八二【被告適格→一一【出訴期間→一四【審査請求前置主義→八① ❸【形式的当事者訴訟→四

附 則（抄）

（行政事件訴訟特例法の廃止）

第二条 行政事件訴訟特例法（昭和二十三年法律第八十一号。以下「旧法」という。）は、廃止する。

別表（略）

附 則（令和四・五・二五法四八）（抄）

（施行期日）

第一条 この法律は、公布の日から起算して四年を超えない範囲内において政令で定める日から施行する。ただし、次の各号に掲げる規定は、当該各号に定める日から施行する。

一 （前略）附則第百二十五条の規定 公布の日

二―五 （略）

（行政事件訴訟法の一部改正に伴う経過措置）

第五九条 前条の規定による改正後の行政事件訴訟法第十五条第二項（同法第二十一条第二項（同法第三十八条第一項（同法第四十三条第二項において準用する場合を含む。）及び同法第四十三条第一項において準用する場合を含む。）、同法第四十条第二項（同法第四十三条第三項において準用する場合を含む。）及び同法第四十三条第一項において準用する場合を含む。）の規定は、施行日以後に提起される取消訴訟、法令に出訴期間の定めがある当事者訴訟、同法第四十三条第一項に規定する訴訟若しくは同条第三項に規定する訴訟（法令に出訴期間の定めがあるものに限る。）における被告の変更を許す決定又は抗告訴訟、同条第一項に規定する訴訟若しくは同条第二項に規定する訴訟における訴えの変更を許す決定の送達について適用し、施行日前に提起された取消訴訟、法令に出訴期間の定めがある当事者訴訟、同条第一項に規定する訴訟若しくは同条第三項に規定する訴訟（法令に出訴期間の定めがあるものに限る。）における被告の変更を許す決定又は抗告訴訟、同条第一項に規定する訴訟若しくは同条第二項に規定する訴訟における訴えの変更を許す決定の送達については、なお従前の例による。

（政令への委任）

第一二五条 この附則に定めるもののほか、この法律の施行に関し必要な経過措置は、政令で定める。

◉国家賠償法（昭和二二・一〇・二七 法 一二五）

施行 昭和二二・一〇・二七（附則）

第一条【公権力の行使に基づく損害の賠償責任、求償権】 ① 国又は公共団体の公権力の行使に当る公務員が、その職務を行うについて、故意又は過失によつて違法に他人に損害を加えたときは、国又は公共団体が、これを賠償する責に任ずる。

② 前項の場合において、公務員に故意又は重大な過失があつたときは、国又は公共団体は、その公務員に対して求償権を有する。

参【憲法上の権利→憲一七【民法上の不法行為→民七〇九、七一五

第二条【公の営造物の設置管理の瑕疵に基づく損害の賠償責任、求償権】 ① 道路、河川その他の公の営造物の設置又は管理に瑕疵があつたために他人に損害を生じたときは、国又は公共団体は、これを賠償する責に任ずる。

② 前項の場合において、他に損害の原因について責に任ずべき者があるときは、国又は公共団体は、これに対して求償権を有する。

参【民法上の土地工作物等の占有者及び所有者の責任→民七一七

第三条【賠償責任者】 ① 前二条の規定によつて国又は公共団体が損害を賠償する責に任ずる場合において、公務員の選任若しくは監督又は公の営造物の設置若しくは管理に当る者と公務員の俸給、給与その他の費用又は公の営造物の設置若しくは管理の費用を負担する者とが異なるときは、費用を負担する者もまた、その損害を賠償する責に任ずる。

② 前項の場合において、損害を賠償した者は、内部関係でその損害を賠償する責任ある者に対して求償権を有する。

第四条【民法の適用】 国又は公共団体の損害賠償の責任については、前三条の規定によるの外、民法の規定による。

参【民法の規定の例→民七一〇、七二二、七二四ETC、失火

第五条【他の法律の適用】 国又は公共団体の損害賠償の責任について民法以外の他の法律に別段の定があるときは、その定めるところによる。

参【他の法律→刑補五②、ETC

第六条【相互保証主義】 この法律は、外国人が被害者である場合には、相互の保証があるときに限り、これを適用する。

附 則（抄）

⑥ この法律施行前の行為に基づく損害については、なお従前の例による。

●公文書等の管理に関する法律（抄）

（平成二一・七・一
法　六六）

施行　平成二三・四・一（附則参照）
改正　平成二一法四九・法七六、平成二三法三九・法五四・法九四、平成二四法九八、平成二六法四〇・法六九、平成二七法五九、平成二八法八九、令和三法三七、令和四法五四、令和五法三二・法四七・法七九、令和六法六〇

目次

第一章　総則

（目的）

第一条　この法律は、国及び独立行政法人等の諸活動や歴史的事実の記録である公文書等が、健全な民主主義の根幹を支える国民共有の知的資源として、主権者である国民が主体的に利用し得るものであることにかんがみ、国民主権の理念にのっとり、公文書等の管理に関する基本的事項を定めること等により、行政文書等の適正な管理、歴史公文書等の適切な保存及び利用等を図り、もって行政が適正かつ効率的に運営されるようにするとともに、国及び独立行政法人等の有するその諸活動を現在及び将来の国民に説明する責務が全うされるようにすることを目的とする。

（定義）

第二条①　この法律において「行政機関」とは、次に掲げる機関をいう。
一　法律の規定に基づき内閣に置かれる機関（内閣府を除く。）及び内閣の所轄の下に置かれる機関
二　内閣府、宮内庁並びに内閣府設置法（平成十一年法律第八十九号）第四十九条第一項及び第二項に規定する機関（これらの機関のうち第四号の政令で定める機関が置かれる機関にあっては、当該政令で定める機関を除く。）
三　国家行政組織法（昭和二十三年法律第百二十号）第三条第二項に規定する機関（第五号の政令で定める機関が置かれる機関にあっては、当該政令で定める機関を除く。）
四　内閣府設置法第三十九条及び第五十五条並びに宮内庁法（昭和二十二年法律第七十号）第十六条第二項の機関並びに内閣府設置法第四十条及び第五十六条（宮内庁法第十八条第一項において準用する場合を含む。）の特別の機関で、政令で定めるもの
五　国家行政組織法第八条の二の施設等機関及び同法第八条の三の特別の機関で、政令で定めるもの
六　会計検査院

②　この法律において「独立行政法人等」とは、独立行政法人通則法（平成十一年法律第百三号）第二条第一項に規定する独立行政法人及び別表第一に掲げる法人をいう。

③　この法律において「国立公文書館等」とは、次に掲げる施設をいう。
一　独立行政法人国立公文書館（以下「国立公文書館」という。）の設置する公文書館
二　行政機関の施設及び独立行政法人等の施設であって、前号に掲げる施設に類する機能を有するものとして政令で定めるもの

④　この法律において「行政文書」とは、行政機関の職員が職務上作成し、又は取得した文書（図画及び電磁的記録（電子的方式、磁気的方式その他人の知覚によっては認識することができない方式で作られた記録をいう。以下同じ。）を含む。第十九条を除き、以下同じ。）であって、当該行政機関の職員が組織的に用いるものとして、当該行政機関が保有しているものをいう。ただし、次に掲げるものを除く。
一　官報、白書、新聞、雑誌、書籍その他不特定多数の者に販売することを目的として発行されるもの
二　特定歴史公文書等
三　政令で定める研究所その他の施設において、政令で定めるところにより、歴史的若しくは文化的な資料又は学術研究用の資料として特別の管理がされているもの（前号に掲げるものを除く。）

⑤　この法律において「法人文書」とは、独立行政法人等の役員又は職員が職務上作成し、又は取得した文書であって、当該独立行政法人等の役員又は職員が組織的に用いるものとして、当該独立行政法人等が保有しているものをいう。ただし、次に掲げるものを除く。
一　官報、白書、新聞、雑誌、書籍その他不特定多数の者に販売することを目的として発行されるもの
二　特定歴史公文書等
三　政令で定める博物館その他の施設において、政令で定めるところにより、歴史的若しくは文化的な資料又は学術研究用の資料として特別の管理がされているもの（前号に掲げるものを除く。）
四　別表第二の上欄に掲げる独立行政法人等が保有している文書であって、政令で定めるところにより、専ら同表下欄に掲げる業務に係るものとして、同欄に掲げる業務以外の業務に係るものと区分されるもの

⑥　この法律において「歴史公文書等」とは、歴史資料として重要な公文書その他の文書をいう。

⑦　この法律において「特定歴史公文書等」とは、歴史公文書等のうち、次に掲げるものをいう。
一　第八条第一項の規定により国立公文書館等に移管されたもの
二　第十一条第四項の規定により国立公文書館等に移管されたもの
三　第十四条第四項の規定により国立公文書館の設置する公文書館に移管されたもの
四　法人その他の団体（国及び独立行政法人等を除く。以下「法人等」という。）又は個人から国立公文書館等に寄贈され、又は寄託されたもの

⑧　この法律において「公文書等」とは、次に掲げるものをいう。
一　行政文書
二　法人文書
三　特定歴史公文書等

（他の法令との関係）

第三条　公文書等の管理については、他の法律又はこれに基づく命令に特別の定めがある場合を除くほか、この法律の定めるところによる。

第二章　行政文書の管理

第一節　文書の作成

第四条　行政機関の職員は、第一条の目的の達成に資するため、当該行政機関における経緯も含めた意思決定に至る過程並びに当該行政機関の事務及び事業の実績を合理的に跡付け、又は検証することができるよう、処理に係る事案が軽微なものである

場合を除き、次に掲げる事項その他の事項について、文書を作成しなければならない。
一　法令の制定又は改廃及びその経緯
二　前号に定めるもののほか、閣議、関係行政機関の長で構成される会議又は省議（これらに準ずるものを含む。）の決定又は了解及びその経緯
三　複数の行政機関による申合せ又は他の行政機関若しくは地方公共団体に対して示す基準の設定及びその経緯
四　個人又は法人の権利義務の得喪及びその経緯
五　職員の人事に関する事項

第二節　行政文書の整理等

（整理）

第五条①　行政機関の職員が行政文書を作成し、又は取得したときは、当該行政機関の長は、政令で定めるところにより、当該行政文書について分類し、名称を付するとともに、保存期間及び保存期間の満了する日を設定しなければならない。

②　行政機関の長は、能率的な事務又は事業の処理及び行政文書の適切な保存に資するよう、単独で管理することが適当であると認める行政文書を除き、適時に、相互に密接な関連を有する行政文書（保存期間を同じくすることが適当であるものに限る。）を一の集合物（以下「行政文書ファイル」という。）にまとめなければならない。

③　前項の場合において、行政機関の長は、政令で定めるところにより、当該行政文書ファイルについて分類し、名称を付するとともに、保存期間及び保存期間の満了する日を設定しなければならない。

④　行政機関の長は、第一項及び前項の規定により設定した保存期間及び保存期間の満了する日を、政令で定めるところにより、延長することができる。

⑤　行政機関の長は、行政文書ファイル及び単独で管理している行政文書（以下「行政文書ファイル等」という。）について、保存期間（延長された場合にあっては、延長後の保存期間。以下同じ。）の満了前のできる限り早い時期に、保存期間が満了したときの措置として、歴史公文書等に該当するものにあっては政令で定めるところにより国立公文書館等への移管の措置を、それ以外のものにあっては廃棄の措置をとるべきことを定めなければならない。

（保存）

第六条①　行政機関の長は、行政文書ファイル等について、当該行政文書ファイル等の保存期間の満了する日までの間、その内容、時の経過、利用の状況等に応じ、適切な保存及び利用を確保するために必要な場所において、適切な記録媒体により、識別を容易にするための措置を講じた上で保存しなければならない。

②　前項の場合において、行政機関の長は、当該行政文書ファイル等の集中管理の推進に努めなければならない。

（行政文書ファイル管理簿）

第七条①　行政機関の長は、行政文書ファイル等の管理を適切に行うため、政令で定めるところにより、行政文書ファイル等の分類、名称、保存期間、保存期間の満了する日、保存期間が満了したときの措置及び保存場所その他の必要な事項（行政機関の保有する情報の公開に関する法律（平成十一年法律第四十二号。以下「行政機関情報公開法」という。）第五条に規定する不開示情報に該当するものを除く。）を帳簿（以下「行政文書ファイル管理簿」という。）に記載しなければならない。ただし、政令で定める期間未満の保存期間が設定された行政文書ファイル等については、この限りでない。

②　行政機関の長は、行政文書ファイル管理簿について、政令で定めるところにより、当該行政機関の事務所に備えて一般の閲覧に供するとともに、電子情報処理組織を使用する方法その他の情報通信の技術を利用する方法により公表しなければならない。

（移管又は廃棄）

第八条①　行政機関の長は、保存期間が満了した行政文書ファイル等について、第五条第五項の規定による定めに基づき、国立公文書館等に移管し、又は廃棄しなければならない。

②　行政機関（会計検査院を除く。以下この項、第四項、次条第三項、第十条第三項、第三十条及び第三十一条において同じ。）の長は、前項の規定により、保存期間が満了した行政文書ファイル等を廃棄しようとするときは、あらかじめ、内閣総理大臣に協議し、その同意を得なければならない。この場合において、内閣総理大臣の同意が得られないときは、当該行政機関の長は、当該行政文書ファイル等について、新たに保存期間及び保存期間の満了する日を設定しなければならない。

③　行政機関の長は、第一項の規定により国立公文書館等に移管する行政文書ファイル等について、第十六条第一項第一号に掲げる場合に該当するものとして国立公文書館等において利用の制限を行うことが適切であると認める場合には、その旨の意見を付さなければならない。

④　内閣総理大臣は、行政文書ファイル等について特に保存の必要があると認める場合には、当該行政文書ファイル等を保有する行政機関の長に対し、当該行政文書ファイル等について、廃棄の措置をとらないように求めることができる。

（管理状況の報告等）

第九条①　行政機関の長は、行政文書ファイル管理簿の記載状況その他の行政文書の管理の状況について、毎年度、内閣総理大臣に報告しなければならない。

②　内閣総理大臣は、毎年度、前項の報告を取りまとめ、その概要を公表しなければならない。

③　内閣総理大臣は、第一項に定めるもののほか、行政文書の適正な管理を確保するために必要があると認める場合には、行政機関の長に対し、行政文書の管理について、その状況に関する報告若しくは資料の提出を求め、又は当該職員に実地調査をさせることができる。

④　内閣総理大臣は、前項の場合において歴史公文書等の適切な移管を確保するために必要があると認めるときは、国立公文書館に、当該報告若しくは資料の提出を求めさせ、又は実地調査をさせることができる。

（行政文書管理規則）

第一〇条①　行政機関の長は、行政文書の管理が第四条から前条までの規定に基づき適正に行われることを確保するため、行政文書の管理に関する定め（以下「行政文書管理規則」という。）を設けなければならない。

②　行政文書管理規則には、行政文書に関する次に掲げる事項を記載しなければならない。
一　作成に関する事項
二　整理に関する事項
三　保存に関する事項
四　行政文書ファイル管理簿に関する事項
五　移管又は廃棄に関する事項
六　管理状況の報告に関する事項
七　その他政令で定める事項

③　行政機関の長は、行政文書管理規則を設けようとするときは、あらかじめ、内閣総理大臣に協議し、その同意を得なければならない。これを変更しようとするときも、同様とする。

④　行政機関の長は、行政文書管理規則を設けたときは、遅滞なく、これを公表しなければならない。これを変更したときも、同様とする。

第三章　法人文書の管理

（法人文書の管理に関する原則）

第一一条①　独立行政法人等は、第四条から第六条までの規定に準じて、法人文書を適正に管理しなければならない。

②　独立行政法人等は、法人文書ファイル等（能率的な事務又は事業の処理及び法人文書の適切な保存に資するよう、相互に密

接な関連を有する法人文書を一の集合物にまとめたもの並びに単独で管理している法人文書をいう。以下同じ。）の管理を適切に行うため、政令で定めるところにより、法人文書ファイル等の分類、名称、保存期間、保存期間の満了する日、保存期間が満了したときの措置及び保存場所その他の必要な事項（独立行政法人等の保有する情報の公開に関する法律（平成十三年法律第百四十号。以下「独立行政法人等情報公開法」という。）第五条に規定する不開示情報に該当するものを除く。）を帳簿（以下「法人文書ファイル管理簿」という。）に記載しなければならない。ただし、政令で定める期間未満の保存期間が設定された法人文書ファイル等については、この限りでない。

③ 独立行政法人等は、法人文書ファイル管理簿について、政令で定めるところにより、当該独立行政法人等の事務所に備えて一般の閲覧に供するとともに、電子情報処理組織を使用する方法その他の情報通信の技術を利用する方法により公表しなければならない。

④ 独立行政法人等は、保存期間が満了した法人文書ファイル等について、歴史公文書等に該当するものにあっては政令で定めるところにより国立公文書館等に移管し、それ以外のものにあっては廃棄しなければならない。

⑤ 独立行政法人等は、前項の規定により国立公文書館等に移管する法人文書ファイル等について、第十六条第一項第二号に掲げる場合に該当するものとして国立公文書館等において利用の制限を行うことが適切であると認める場合には、その旨の意見を付さなければならない。

（管理状況の報告等）

第一二条① 独立行政法人等は、法人文書ファイル管理簿の記載状況その他の法人文書の管理の状況について、毎年度、内閣総理大臣に報告しなければならない。

② 内閣総理大臣は、毎年度、前項の報告を取りまとめ、その概要を公表しなければならない。

（法人文書管理規則）

第一三条① 独立行政法人等は、法人文書の管理が前二条の規定に基づき適正に行われることを確保するため、第十条第二項の規定を参酌して、法人文書の管理に関する定め（以下「法人文書管理規則」という。）を設けなければならない。

② 独立行政法人等は、法人文書管理規則を設けたときは、遅滞なく、これを公表しなければならない。これを変更したときも、同様とする。

第四章　歴史公文書等の保存、利用等（抄）

（行政機関以外の国の機関が保有する歴史公文書等の保存及び移管）

第一四条① 国の機関（行政機関を除く。以下この条において同じ。）は、内閣総理大臣と協議して定めるところにより、当該国の機関が保有する歴史公文書等の適切な保存のために必要な措置を講ずるものとする。

② 内閣総理大臣は、前項の協議による定めに基づき、歴史公文書等について、国立公文書館において保存する必要があると認める場合には、当該歴史公文書等を保有する国の機関との合意により、その移管を受けることができる。

③ 前項の場合において、必要があると認めるときは、内閣総理大臣は、あらかじめ、国立公文書館の意見を聴くことができる。

④ 内閣総理大臣は、第二項の規定により移管を受けた歴史公文書等を国立公文書館の設置する公文書館に移管するものとする。

（特定歴史公文書等の保存等）

第一五条① 国立公文書館等の長（国立公文書館等が行政機関の施設である場合にあってはその属する行政機関の長、国立公文書館等が独立行政法人等の施設である場合にあってはその施設を設置した独立行政法人等をいう。以下同じ。）は、特定歴史公文書等について、第二十五条の規定により廃棄されるに至る場合を除き、永久に保存しなければならない。

② 国立公文書館等の長は、特定歴史公文書等について、その内容、保存状態、時の経過、利用の状況等に応じ、適切な保存及び利用を確保するために必要な場所において、適切な記録媒体により、識別を容易にするための措置を講じた上で保存しなければならない。

③ 国立公文書館等の長は、特定歴史公文書等に個人情報（生存する個人に関する情報であって、当該情報に含まれる氏名、生年月日その他の記述等により特定の個人を識別することができるもの（他の情報と容易に照合することができ、それにより特定の個人を識別することができることとなるものを含む。）をいう。）が記録されている場合には、当該個人情報の漏えいの防止のために必要な措置を講じなければならない。

④ 国立公文書館等の長は、政令で定めるところにより、特定歴史公文書等の分類、名称、移管又は寄贈若しくは寄託をした者の名称又は氏名、移管又は寄贈若しくは寄託を受けた時期及び保存場所その他の特定歴史公文書等の適切な保存を行い、及び適切な利用に資するために必要な事項を記載した目録を作成し、公表しなければならない。

（特定歴史公文書等の利用請求及びその取扱い）

第一六条① 国立公文書館等の長は、当該国立公文書館等において保存されている特定歴史公文書等について前条第四項の目録の記載に従い利用の請求があった場合には、次に掲げる場合を除き、これを利用させなければならない。

一 当該特定歴史公文書等が行政機関の長から移管されたものであって、当該特定歴史公文書等に次に掲げる情報が記録されている場合
　イ 行政機関情報公開法第五条第一号に掲げる情報
　ロ 行政機関情報公開法第五条第二号又は第六号イ若しくはホに掲げる情報
　ハ 公にすることにより、国の安全が害されるおそれ、他国若しくは国際機関との信頼関係が損なわれるおそれ又は他国若しくは国際機関との交渉上不利益を被るおそれがあると当該特定歴史公文書等を移管した行政機関の長が認めることにつき相当の理由がある情報
　ニ 公にすることにより、犯罪の予防、鎮圧又は捜査、公訴の維持、刑の執行その他の公共の安全と秩序の維持に支障を及ぼすおそれがあると当該特定歴史公文書等を移管した行政機関の長が認めることにつき相当の理由がある情報

二 当該特定歴史公文書等が独立行政法人等から移管されたものであって、当該特定歴史公文書等に次に掲げる情報が記録されている場合
　イ 独立行政法人等情報公開法第五条第一号に掲げる情報
　ロ 独立行政法人等情報公開法第五条第二号又は第四号イからハまで若しくはトに掲げる情報

三 当該特定歴史公文書等が国の機関（行政機関を除く。）から移管されたものであって、当該国の機関との合意において利用の制限を行うこととされている場合

四 当該特定歴史公文書等がその全部又は一部を一定の期間公にしないことを条件に法人等又は個人から寄贈され、又は寄託されたものであって、当該期間が経過していない場合

五 当該特定歴史公文書等の原本を利用に供することにより当該原本の破損若しくはその汚損を生ずるおそれがある場合又は当該特定歴史公文書等を保存する国立公文書館等において当該原本が現に使用されている場合

② 国立公文書館等の長は、前項に規定する利用の請求（以下「利用請求」という。）に係る特定歴史公文書等が同項第一号又は第二号に該当するか否かについて判断するに当たっては、当該特定歴史公文書等が行政文書又は法人文書として作成又は取得されてからの時の経過を考慮するとともに、当該特定歴史公文書等に第八条第三項又は第十一条第五項の規定による意見が付されている場合には、当該意見を参酌しなければならない。

③ 国立公文書館等の長は、第一項第一号から第四号までに掲げ

る場合であっても、同項第一号イから二まで若しくは第二号イ若しくはロに掲げる情報又は同項第三号の制限若しくは同項第四号の条件に係る情報が記録されている部分を容易に区分して除くことができるときは、利用請求をした者に対し、当該部分を除いた部分を利用させなければならない。ただし、当該部分を除いた部分に有意の情報が記録されていないと認められるときは、この限りでない。

（本人情報の取扱い）
第一七条　国立公文書館等の長は、前条第一項第一号イ及び第二号イの規定にかかわらず、これらの規定に掲げる情報により識別される特定の個人（以下この条において「本人」という。）から、当該情報が記録されている特定歴史公文書等について利用請求があった場合において、政令で定めるところにより本人であることを示す書類の提示又は提出があったときは、本人の生命、健康、生活又は財産を害するおそれがある情報が記録されている場合を除き、当該特定歴史公文書等につきこれらの規定に掲げる情報が記録されている部分についても、利用させなければならない。

（第三者に対する意見書提出の機会の付与等）
第一八条①　利用請求に係る特定歴史公文書等に国、独立行政法人等、地方公共団体、地方独立行政法人及び利用請求をした者以外の者（以下この条において「第三者」という。）に関する情報が記録されている場合には、国立公文書館等の長は、当該特定歴史公文書等を利用させるか否かについての決定をするに当たって、当該情報に係る第三者に対し、利用請求に係る特定歴史公文書等の名称その他政令で定める事項を通知して、意見書を提出する機会を与えることができる。
② 国立公文書館等の長は、第三者に関する情報が記録されている特定歴史公文書等の利用をさせようとする場合であって、当該情報が行政機関情報公開法第五条第一号ロ若しくは第二号ただし書に規定する情報又は独立行政法人等情報公開法第五条第一号ロ若しくは第二号ただし書に規定する情報に該当すると認めるときは、利用させる旨の決定に先立ち、当該第三者に対し、利用請求に係る特定歴史公文書等の名称その他政令で定める事項を書面により通知して、意見書を提出する機会を与えなければならない。ただし、当該第三者の所在が判明しない場合は、この限りでない。
③ 国立公文書館等の長は、特定歴史公文書等であって第十六条第一項第一号ハ又はニに該当するものとして第八条第三項の規定により意見を付されたものを利用させる旨の決定をする場合には、あらかじめ、当該特定歴史公文書等を移管した行政機関の長に対し、利用請求に係る特定歴史公文書等の名称その他政令で定める事項を書面により通知して、意見書を提出する機会を与えなければならない。
④ 国立公文書館等の長は、第一項又は第二項の規定により意見書を提出する機会を与えられた第三者が当該特定歴史公文書等を利用させることに反対の意思を表示した意見書を提出した場合において、当該特定歴史公文書等を利用させる旨の決定をするときは、その決定の日と利用させる日との間に少なくとも二週間を置かなければならない。この場合において、国立公文書館等の長は、その決定後直ちに、当該意見書（第二十一条第四項第二号において「反対意見書」という。）を提出した第三者に対し、利用させる旨の決定をした旨及びその理由並びに利用させる日を書面により通知しなければならない。

（利用の方法）
第一九条　国立公文書館等の長が特定歴史公文書等を利用させる場合には、文書又は図画については閲覧又は写しの交付の方法により、電磁的記録についてはその種別、情報化の進展状況等を勘案して政令で定める方法により行う。ただし、閲覧の方法により特定歴史公文書等を利用させる場合にあっては、当該特定歴史公文書等の保存に支障を生ずるおそれがあると認めるときその他正当な理由があるときに限り、その写しを閲覧させる方法により、これを利用させることができる。

（手数料）
第二〇条①　写しの交付により特定歴史公文書等を利用する者は、政令で定めるところにより、手数料を納めなければならない。
② 前項の手数料の額は、実費の範囲内において、できる限り利用しやすい額とするよう配慮して、国立公文書館等の長が定めるものとする。

（審査請求及び公文書管理委員会への諮問）
第二一条①　利用請求に対する処分又は利用請求に係る不作為について不服がある者は、国立公文書館等の長に対し、審査請求をすることができる。
② 利用請求に対する処分又は利用請求に係る不作為に係る審査請求については、行政不服審査法（平成二十六年法律第六十八号）第九条、第十七条、第二十四条、第二章第三節及び第四節並びに第五十条第二項の規定は、適用しない。
③ 利用請求に対する処分又は利用請求に係る不作為に係る審査請求についての行政不服審査法第二章の規定の適用については、同法第十一条第二項中「第九条第一項の規定により指名された者（以下「審理員」という。）」とあるのは「第四条の規定により審査請求がされた行政庁（第十四条の規定により引継ぎを受けた行政庁を含む。以下「審査庁」という。）」と、同法第十三条第一項及び第二項中「審理員」とあるのは「審査庁」と、同法第二十五条第七項中「あったとき、又は審理員から第四十条に規定する執行停止をすべき旨の意見書が提出されたとき」とあるのは「あったとき」と、同法第四十四条中「行政不服審査会等」とあるのは「公文書管理委員会」と、「受けたとき（前条第一項の規定による諮問を要しない場合（同項第二号又は第三号に該当する場合を除く。）にあっては審理員意見書が提出されたとき、同項第二号又は第三号に該当する場合にあっては同項第二号又は第三号に規定する議を経たとき）」とあるのは「受けたとき」と、同法第五十条第一項第四号中「審理員意見書又は行政不服審査会等若しくは審議会等」とあるのは「公文書管理委員会」とする。
④ 利用請求に対する処分又は利用請求に係る不作為に係る審査請求があったときは、国立公文書館等の長は、次の各号のいずれかに該当する場合を除き、公文書管理委員会に諮問しなければならない。
一　審査請求が不適法であり、却下する場合
二　裁決で、審査請求の全部を認容し、当該審査請求に係る特定歴史公文書等の全部を利用させることとする場合（当該特定歴史公文書等の利用について反対意見書が提出されている場合を除く。）

第二二条　（略）

（利用の促進）
第二三条　国立公文書館等の長は、特定歴史公文書等（第十六条の規定により利用させることができるものに限る。）について、展示その他の方法により積極的に一般の利用に供するよう努めなければならない。

（移管元行政機関等による利用の特例）
第二四条　特定歴史公文書等を移管した行政機関の長又は独立行政法人等が国立公文書館等の長に対してそれぞれその所掌事務又は業務を遂行するために必要であるとして当該特定歴史公文書等について利用請求をした場合には、第十六条第一項第一号又は第二号の規定は、適用しない。

（特定歴史公文書等の廃棄）
第二五条　国立公文書館等の長は、特定歴史公文書等として保存されている文書が歴史資料として重要でなくなったと認める場合には、内閣総理大臣に協議し、その同意を得て、当該文書を廃棄することができる。

（保存及び利用の状況の報告等）
第二六条①　国立公文書館等の長は、特定歴史公文書等の保存及び利用の状況について、毎年度、内閣総理大臣に報告しなければならない。

② 内閣総理大臣は、毎年度、前項の報告を取りまとめ、その概要を公表しなければならない。

（利用等規則）

第二七条① 国立公文書館等の長は、特定歴史公文書等の保存、利用及び廃棄が第十五条から第二十条まで及び第二十三条から前条までの規定に基づき適切に行われることを確保するため、特定歴史公文書等の保存、利用及び廃棄に関する定め（以下「利用等規則」という。）を設けなければならない。

② 利用等規則には、特定歴史公文書等に関する次に掲げる事項を記載しなければならない。

一 保存に関する事項

二 第二十条に規定する手数料その他一般の利用に関する事項

三 特定歴史公文書等を移管した行政機関の長又は独立行政法人等による当該特定歴史公文書等の利用に関する事項

四 廃棄に関する事項

五 保存及び利用の状況の報告に関する事項

③ 国立公文書館等の長は、利用等規則を設けようとするときは、あらかじめ、内閣総理大臣に協議し、その同意を得なければならない。これを変更しようとするときも、同様とする。

④ 国立公文書館等の長は、利用等規則を設けたときは、遅滞なく、これを公表しなければならない。これを変更したときも、同様とする。

第五章 公文書管理委員会

（委員会の設置）

第二八条① 内閣府に、公文書管理委員会（以下「委員会」という。）を置く。

② 委員会は、この法律の規定によりその権限に属させられた事項を処理する。

③ 委員会の委員は、公文書等の管理に関して優れた識見を有する者のうちから、内閣総理大臣が任命する。

④ この法律に規定するもののほか、委員会の組織及び運営に関し必要な事項は、政令で定める。

（委員会への諮問）

第二九条 内閣総理大臣は、次に掲げる場合には、委員会に諮問しなければならない。

一 第二条第一項第四号若しくは第五号、第三項第二号、第四項第三号若しくは第五項第三号若しくは第四号、第五条第一項若しくは第三項から第五項まで、第七条、第十条第二項第七号、第十一条第二項から第四項まで、第十五条第四項、第十七条、第十八条第一項から第三項まで、第十九条又は第二十条第一項の政令の制定又は改廃の立案をしようとするとき。

二 第十条第三項、第二十五条又は第二十七条第三項の規定による同意をしようとするとき。

三 第三十一条の規定による勧告をしようとするとき。

（資料の提出等の求め）

第三〇条 委員会は、その所掌事務を遂行するため必要があると認める場合には、関係行政機関の長又は国立公文書館等の長に対し、資料の提出、意見の開陳、説明その他必要な協力を求めることができる。

第六章 雑則（抄）

（内閣総理大臣の勧告）

第三一条 内閣総理大臣は、この法律を実施するため特に必要があると認める場合には、行政機関の長に対し、公文書等の管理について改善すべき旨の勧告をし、当該勧告の結果とられた措置について報告を求めることができる。

第三二条及び第三三条（略）

（地方公共団体の文書管理）

第三四条 地方公共団体は、この法律の趣旨にのっとり、その保有する文書の適正な管理に関して必要な施策を策定し、及びこれを実施するよう努めなければならない。

附 則（抄）

（施行期日）

第一条 この法律は、公布の日から起算して二年を超えない範囲内において政令で定める日（平成二三・四・一―平成二二政二四九）から施行する。ただし、次の各号に掲げる規定は、当該各号に定める日から施行する。

一 第五章（第二十九条第二号及び第三号を除く。）の規定（中略） 公布の日から起算して一年を超えない範囲内において政令で定める日（平成二二・六・二八―平成二二政一六五）

二 削除

別表（略）

●行政機関の保有する情報の公開に関する法律（平成一一・五・一四 法 四 二）

施行 平成一三・四・一（附則参照）
改正 平成一一法一〇二・法一六〇、平成一三法一四〇、平成一四法九八、平成一五法六一・法一一九、平成一六法八四、平成一七法一〇二、平成二一法六六、平成二四法四二、平成二六法六七・法六九、平成二八法五一、令和三法三七

目次

第一章 総則

（目的）

第一条 この法律は、国民主権の理念にのっとり、行政文書の開示を請求する権利につき定めること等により、行政機関の保有する情報の一層の公開を図り、もって政府の有するその諸活動を国民に説明する責務が全うされるようにするとともに、国民の的確な理解と批判の下にある公正で民主的な行政の推進に資することを目的とする。

（定義）

第二条① この法律において「行政機関」とは、次に掲げる機関をいう。

一 法律の規定に基づき内閣に置かれる機関（内閣府を除く。）及び内閣の所轄の下に置かれる機関

二 内閣府、宮内庁並びに内閣府設置法（平成十一年法律第八十九号）第四十九条第一項及び第二項に規定する機関（これらの機関のうち第四号の政令で定める機関が置かれる機関にあっては、当該政令で定める機関を除く。）

三 国家行政組織法（昭和二十三年法律第百二十号）第三条第二項に規定する機関（第五号の政令で定める機関が置かれる機関にあっては、当該政令で定める機関を除く。）

四 内閣府設置法第三十九条及び第五十五条並びに宮内庁法（昭和二十二年法律第七十号）第十六条第二項の機関並びに内閣府設置法第四十条及び第五十六条（宮内庁法第十八条第一項において準用する場合を含む。）の特別の機関で、政令で定めるもの

五 国家行政組織法第八条の二の施設等機関及び同法第八条の三の特別の機関で、政令で定めるもの

六 会計検査院

② この法律において「行政文書」とは、行政機関の職員が職務上作成し、又は取得した文書、図画及び電磁的記録（電子的方式、磁気的方式その他人の知覚によっては認識することができない方式で作られた記録をいう。以下同じ。）であって、当該行政機関の職員が組織的に用いるものとして、当該行政機関が保有しているものをいう。ただし、次に掲げるものを除く。

一 官報、白書、新聞、雑誌、書籍その他不特定多数の者に販売することを目的として発行されるもの

二 公文書等の管理に関する法律（平成二十一年法律第六十六号）第二条第七項に規定する特定歴史公文書等

三 政令で定める研究所その他の施設において、政令で定めるところにより、歴史的若しくは文化的な資料又は学術研究用の資料として特別の管理がされているもの（前号に掲げるものを除く。）

第二章 行政文書の開示

（開示請求権）

第三条 何人も、この法律の定めるところにより、行政機関の長（前条第一項第四号及び第五号の政令で定める機関にあっては、その機関ごとに政令で定める者をいう。以下同じ。）に対し、当該行政機関の保有する行政文書の開示を請求することができる。

（開示請求の手続）

第四条① 前条の規定による開示の請求（以下「開示請求」という。）は、次に掲げる事項を記載した書面（以下「開示請求書」という。）を行政機関の長に提出してしなければならない。

一 開示請求をする者の氏名又は名称及び住所又は居所並びに法人その他の団体にあっては代表者の氏名

二 行政文書の名称その他の開示請求に係る行政文書を特定するに足りる事項

② 行政機関の長は、開示請求書に形式上の不備があると認めるときは、開示請求をした者（以下「開示請求者」という。）に対し、相当の期間を定めて、その補正を求めることができる。この場合において、行政機関の長は、開示請求者に対し、補正の参考となる情報を提供するよう努めなければならない。

（行政文書の開示義務）

第五条 行政機関の長は、開示請求があったときは、開示請求に係る行政文書に次の各号に掲げる情報（以下「不開示情報」という。）のいずれかが記録されている場合を除き、開示請求者に対し、当該行政文書を開示しなければならない。

一 個人に関する情報（事業を営む個人の当該事業に関する情報を除く。）であって、当該情報に含まれる氏名、生年月日その他の記述等（文書、図画若しくは電磁的記録に記載され、若しくは記録され、又は音声、動作その他の方法を用いて表された一切の事項をいう。次条第二項において同じ。）により特定の個人を識別することができるもの（他の情報と照合することにより、特定の個人を識別することができることとなるものを含む。）又は特定の個人を識別することはできないが、公にすることにより、なお個人の権利利益を害するおそれがあるもの。ただし、次に掲げる情報を除く。

イ 法令の規定により又は慣行として公にされ、又は公にすることが予定されている情報

ロ 人の生命、健康、生活又は財産を保護するため、公にすることが必要であると認められる情報

ハ 当該個人が公務員等（国家公務員法（昭和二十二年法律第百二十号）第二条第一項に規定する国家公務員（独立行政法人通則法（平成十一年法律第百三号）第二条第四項に規定する行政執行法人の役員及び職員を除く。）、独立行政法人等（独立行政法人等の保有する情報の公開に関する法律（平成十三年法律第百四十号。以下「独立行政法人等情報公開法」という。）第二条第一項に規定する独立行政法人等をいう。以下同じ。）の役員及び職員、地方公務員法（昭和二十五年法律第二百六十一号）第二条に規定する地方公務員並びに地方独立行政法人（地方独立行政法人法（平成十五年法律第百十八号）第二条第一項に規定する地方独立行政法人をいう。以下同じ。）の役員及び職員をいう。）である場合において、当該情報がその職務の遂行に係る情報であるときは、当該情報のうち、当該公務員等の職及び当該職務遂行の内容に係る部分

一の二 個人情報の保護に関する法律（平成十五年法律第五十七号）第六十条第三項に規定する行政機関等匿名加工情報（同条第四項に規定する行政機関等匿名加工情報ファイルを構成するものに限る。以下この号において「行政機関等匿名加工情報」という。）又は行政機関等匿名加工情報の作成に用いた同条第一項に規定する保有個人情報から削除した同法第二条第一項第一号に規定する記述等若しくは同条第二項に規定する個人識別符号

二 法人その他の団体（国、独立行政法人等、地方公共団体及

び地方独立行政法人を除く。以下「法人等」という。）に関する情報又は事業を営む個人の当該事業に関する情報であって、次に掲げるもの。ただし、人の生命、健康、生活又は財産を保護するため、公にすることが必要であると認められる情報を除く。

イ　公にすることにより、当該法人等又は当該個人の権利、競争上の地位その他正当な利益を害するおそれがあるもの

ロ　行政機関の要請を受けて、公にしないとの条件で任意に提供されたものであって、法人等又は個人における通例として公にしないこととされているものその他の当該条件を付することが当該情報の性質、当時の状況等に照らして合理的であると認められるもの

三　公にすることにより、国の安全が害されるおそれ、他国若しくは国際機関との信頼関係が損なわれるおそれ又は他国若しくは国際機関との交渉上不利益を被るおそれがあると行政機関の長が認めることにつき相当の理由がある情報

四　公にすることにより、犯罪の予防、鎮圧又は捜査、公訴の維持、刑の執行その他の公共の安全と秩序の維持に支障を及ぼすおそれがあると行政機関の長が認めることにつき相当の理由がある情報

五　国の機関、独立行政法人等、地方公共団体及び地方独立行政法人の内部又は相互間における審議、検討又は協議に関する情報であって、公にすることにより、率直な意見の交換若しくは意思決定の中立性が不当に損なわれるおそれ、不当に国民の間に混乱を生じさせるおそれ又は特定の者に不当に利益を与え若しくは不利益を及ぼすおそれがあるもの

六　国の機関、独立行政法人等、地方公共団体又は地方独立行政法人が行う事務又は事業に関する情報であって、公にすることにより、次に掲げるおそれその他当該事務又は事業の性質上、当該事務又は事業の適正な遂行に支障を及ぼすおそれがあるもの

イ　監査、検査、取締り、試験又は租税の賦課若しくは徴収に係る事務に関し、正確な事実の把握を困難にするおそれ又は違法若しくは不当な行為を容易にし、若しくはその発見を困難にするおそれ

ロ　契約、交渉又は争訟に係る事務に関し、国、独立行政法人等、地方公共団体又は地方独立行政法人の財産上の利益又は当事者としての地位を不当に害するおそれ

ハ　調査研究に係る事務に関し、その公正かつ能率的な遂行を不当に阻害するおそれ

ニ　人事管理に係る事務に関し、公正かつ円滑な人事の確保に支障を及ぼすおそれ

ホ　独立行政法人等、地方公共団体が経営する企業又は地方独立行政法人に係る事業に関し、その企業経営上の正当な利益を害するおそれ

（部分開示）

第六条①　行政機関の長は、開示請求に係る行政文書の一部に不開示情報が記録されている場合において、不開示情報が記録されている部分を容易に区分して除くことができるときは、開示請求者に対し、当該部分を除いた部分につき開示しなければならない。ただし、当該部分を除いた部分に有意の情報が記録されていないと認められるときは、この限りでない。

②　開示請求に係る行政文書に前条第一号の情報（特定の個人を識別することができるものに限る。）が記録されている場合において、当該情報のうち、氏名、生年月日その他の特定の個人を識別することができることとなる記述等の部分を除くことにより、公にしても、個人の権利利益が害されるおそれがないと認められるときは、当該部分を除いた部分は、同号の情報に含まれないものとみなして、前項の規定を適用する。

（公益上の理由による裁量的開示）

第七条　行政機関の長は、開示請求に係る行政文書に不開示情報（第五条第一号の二に掲げる情報を除く。）が記録されている場合であっても、公益上特に必要があると認めるときは、開示請求者に対し、当該行政文書を開示することができる。

（行政文書の存否に関する情報）

第八条　開示請求に対し、当該開示請求に係る行政文書が存在しているか否かを答えるだけで、不開示情報を開示することとなるときは、行政機関の長は、当該行政文書の存否を明らかにしないで、当該開示請求を拒否することができる。

（開示請求に対する措置）

第九条①　行政機関の長は、開示請求に係る行政文書の全部又は一部を開示するときは、その旨の決定をし、開示請求者に対し、その旨及び開示の実施に関し政令で定める事項を書面により通知しなければならない。

②　行政機関の長は、開示請求に係る行政文書の全部を開示しないとき（前条の規定により開示請求を拒否するとき及び開示請求に係る行政文書を保有していないときを含む。）は、開示をしない旨の決定をし、開示請求者に対し、その旨を書面により通知しなければならない。

（開示決定等の期限）

第一〇条①　前条各項の決定（以下「開示決定等」という。）は、開示請求があった日から三十日以内にしなければならない。ただし、第四条第二項の規定により補正を求めた場合にあっては、当該補正に要した日数は、当該期間に算入しない。

②　前項の規定にかかわらず、行政機関の長は、事務処理上の困難その他正当な理由があるときは、同項に規定する期間を三十日以内に限り延長することができる。この場合において、行政機関の長は、開示請求者に対し、遅滞なく、延長後の期間及び延長の理由を書面により通知しなければならない。

（開示決定等の期限の特例）

第一一条　開示請求に係る行政文書が著しく大量であるため、開示請求があった日から六十日以内にそのすべてについて開示決定等をすることにより事務の遂行に著しい支障が生ずるおそれがある場合には、前条の規定にかかわらず、行政機関の長は、開示請求に係る行政文書のうちの相当の部分につき当該期間内に開示決定等をし、残りの行政文書については相当の期間内に開示決定等をすれば足りる。この場合において、行政機関の長は、同条第一項に規定する期間内に、開示請求者に対し、次に掲げる事項を書面により通知しなければならない。

一　本条を適用する旨及びその理由

二　残りの行政文書について開示決定等をする期限

（事案の移送）

第一二条①　行政機関の長は、開示請求に係る行政文書が他の行政機関により作成されたものであるときその他他の行政機関の長において開示決定等をすることにつき正当な理由があるときは、当該他の行政機関の長と協議の上、当該他の行政機関の長に対し、事案を移送することができる。この場合においては、移送をした行政機関の長は、開示請求者に対し、事案を移送した旨を書面により通知しなければならない。

②　前項の規定により事案が移送されたときは、移送を受けた行政機関の長において、当該開示請求についての開示決定等をしなければならない。この場合において、移送をした行政機関の長が移送前にした行為は、移送を受けた行政機関の長がしたものとみなす。

③　前項の場合において、移送を受けた行政機関の長が第九条第一項の決定（以下「開示決定」という。）をしたときは、当該行政機関の長は、開示の実施をしなければならない。この場合において、移送をした行政機関の長は、当該開示の実施に必要な協力をしなければならない。

（独立行政法人等への事案の移送）

第一二条の二①　行政機関の長は、開示請求に係る行政文書が独立行政法人等により作成されたものであるときその他独立行政法人等において独立行政法人等情報公開法第十条第一項に規定する開示決定等をすることにつき正当な理由があるときは、当該独立行政法人等と協議の上、当該独立行政法人等に対し、事案を移送することができる。この場合においては、移送をした

行政機関の長は、開示請求者に対し、事案を移送した旨を書面により通知しなければならない。

② 前項の規定により事案が移送されたときは、当該事案については、行政文書を移送を受けた独立行政法人等が保有する独立行政法人等情報公開法第二条第二項に規定する法人文書と、開示請求を移送を受けた独立行政法人等に対する独立行政法人等情報公開法第四条第一項に規定する開示請求とみなして、独立行政法人等情報公開法の規定を適用する。この場合において、独立行政法人等情報公開法第十条第一項中「第四条第二項」とあるのは「行政機関の保有する情報の公開に関する法律（平成十一年法律第四十二号）第四条第二項」と、独立行政法人等情報公開法第十七条第一項中「開示請求をする者又は法人文書」とあるのは「法人文書」と、「により、それぞれ」とあるのは「により」と、「開示請求に係る手数料又は開示」とあるのは「開示」とする。

③ 第一項の規定により事案が移送された場合において、移送を受けた独立行政法人等が開示の実施をするときは、移送をした行政機関の長は、当該開示の実施に必要な協力をしなければならない。

第一三条（**第三者に対する意見書提出の機会の付与等**）① 開示請求に係る行政文書に国、独立行政法人等、地方公共団体、地方独立行政法人及び開示請求者以外の者（以下この条、第十九条第二項及び第二十条第一項において「第三者」という。）に関する情報が記録されているときは、行政機関の長は、開示決定等をするに当たって、当該情報に係る第三者に対し、開示請求に係る行政文書の表示その他政令で定める事項を通知して、意見書を提出する機会を与えることができる。

② 行政機関の長は、次の各号のいずれかに該当するときは、開示決定に先立ち、当該第三者に対し、開示請求に係る行政文書の表示その他政令で定める事項を書面により通知して、意見書を提出する機会を与えなければならない。ただし、当該第三者の所在が判明しない場合は、この限りでない。

一 第三者に関する情報が記録されている行政文書を開示しようとする場合であって、当該情報が第五条第一号ロ又は同条第二号ただし書に規定する情報に該当すると認められるとき。

二 第三者に関する情報が記録されている行政文書を第七条の規定により開示しようとするとき。

③ 行政機関の長は、前二項の規定により意見書の提出の機会を与えられた第三者が当該行政文書の開示に反対の意思を表示した意見書を提出した場合において、開示決定をするときは、開示決定の日と開示を実施する日との間に少なくとも二週間を置かなければならない。この場合において、行政機関の長は、開示決定後直ちに、当該意見書（第十九条において「反対意見書」という。）を提出した第三者に対し、開示決定をした旨及びその理由並びに開示を実施する日を書面により通知しなければならない。

第一四条（**開示の実施**）① 行政文書の開示は、文書又は図画については閲覧又は写しの交付により、電磁的記録についてはその種別、情報化の進展状況等を勘案して政令で定める方法により行う。ただし、閲覧の方法による行政文書の開示にあっては、行政機関の長は、当該行政文書の保存に支障を生ずるおそれがあると認めるときその他正当な理由があるときは、その写しにより、これを行うことができる。

② 開示決定に基づき行政文書の開示を受ける者は、政令で定めるところにより、当該開示決定をした行政機関の長に対し、その求める開示の実施の方法その他の政令で定める事項を申し出なければならない。

③ 前項の規定による申出は、第九条第一項に規定する通知があった日から三十日以内にしなければならない。ただし、当該期間内に当該申出をすることができないことにつき正当な理由があるときは、この限りでない。

④ 開示決定に基づき行政文書の開示を受けた者は、最初に開示を受けた日から三十日以内に限り、行政機関の長に対し、更に開示を受ける旨を申し出ることができる。この場合においては、前項ただし書の規定を準用する。

第一五条（**他の法令による開示の実施との調整**）① 行政機関の長は、他の法令の規定により、何人にも開示請求に係る行政文書が前条第一項本文に規定する方法と同一の方法で開示することとされている場合（開示の期間が定められている場合にあっては、当該期間内に限る。）には、同項本文の規定にかかわらず、当該行政文書については、当該同一の方法による開示を行わない。ただし、当該他の法令の規定に一定の場合には開示をしない旨の定めがあるときは、この限りでない。

② 他の法令の規定に定める開示の方法が縦覧であるときは、当該縦覧を前条第一項本文の閲覧とみなして、前項の規定を適用する。

第一六条（**手数料**）① 開示請求をする者又は行政文書の開示を受ける者は、政令で定めるところにより、それぞれ、実費の範囲内において政令で定める額の開示請求に係る手数料又は開示の実施に係る手数料を納めなければならない。

② 前項の手数料の額を定めるに当たっては、できる限り利用しやすい額とするよう配慮しなければならない。

③ 行政機関の長は、経済的困難その他特別の理由があると認めるときは、政令で定めるところにより、第一項の手数料を減額し、又は免除することができる。

第一七条（**権限又は事務の委任**）行政機関の長は、政令（内閣の所轄の下に置かれる機関及び会計検査院にあっては、当該機関の命令）で定めるところにより、この章に定める権限又は事務を当該行政機関の職員に委任することができる。

第三章　審査請求等

第一八条（**審理員による審理手続に関する規定の適用除外等**）① 開示決定等又は開示請求に係る不作為に係る審査請求については、行政不服審査法（平成二十六年法律第六十八号）第九条、第十七条、第二十四条、第二章第三節及び第四節並びに第五十条第二項の規定は、適用しない。

② 開示決定等又は開示請求に係る不作為に係る審査請求についての行政不服審査法第二章の規定の適用については、同法第十一条第二項中「第九条第一項の規定により指名された者（以下「審理員」という。）」とあるのは「第四条（行政機関の保有する情報の公開に関する法律（平成十一年法律第四十二号）第二十条第二項の規定に基づく政令を含む。）の規定により審査請求がされた行政庁（第十四条の規定により引継ぎを受けた行政庁を含む。以下「審査庁」という。）」と、同法第十三条第一項及び第二項中「審理員」とあるのは「審査庁」と、同法第二十五条第七項中「あったとき、又は審理員から第四十条に規定する執行停止をすべき旨の意見書が提出されたとき」とあるのは「あったとき」と、同法第四十四条中「行政不服審査会等」とあるのは「情報公開・個人情報保護審査会（審査庁が会計検査院の長である場合にあっては、別に法律で定める審査会。第五十条第一項第四号において同じ。）」と、「受けたとき（前条第一項の規定による諮問を要しない場合（同項第二号又は第三号に該当する場合を除く。）にあっては審理員意見書が提出されたとき、同項第二号又は第三号に該当する場合にあっては同項第二号又は第三号に規定する議を経たとき）」とあるのは「受けたとき」と、同法第五十条第一項第四号中「審理員意見書又は行政不服審査会等若しくは審議会等」とあるのは「情報公開・個人情報保護審査会」とする。

第一九条（**審査会への諮問**）① 開示決定等又は開示請求に係る不作為について審査請求があったときは、当該審査請求に対する裁決をすべき行政機関の長は、次の各号のいずれかに該当する場合を除き、情報公開・個人情報保護審査会（審査請求に対する裁決をすべき行政機関の長が会計検査院の長である場合にあっては、別に法律で定める審査会）に諮問しなければならない。

一　審査請求が不適法であり、却下する場合

二　裁決で、審査請求の全部を認容し、当該審査請求に係る行政文書の全部を開示することとする場合（当該行政文書の開示について反対意見書が提出されている場合を除く。）

② 前項の規定により諮問をした行政機関の長は、次に掲げる者に対し、諮問をした旨を通知しなければならない。

一　審査請求人及び参加人（行政不服審査法第十三条第四項に規定する参加人をいう。以下この項及び次条第一項第二号において同じ。）

二　開示請求者（開示請求者が審査請求人又は参加人である場合を除く。）

三　当該審査請求に係る行政文書の開示について反対意見書を提出した第三者（当該第三者が審査請求人又は参加人である場合を除く。）

（第三者からの審査請求を棄却する場合等における手続等）

第二〇条①　第十三条第三項の規定は、次の各号のいずれかに該当する裁決をする場合について準用する。

一　開示決定に対する第三者からの審査請求を却下し、又は棄却する裁決

二　審査請求に係る開示決定等（開示請求に係る行政文書の全部を開示する旨の決定を除く。）を変更し、当該審査請求に係る行政文書を開示する旨の裁決（第三者である参加人が当該行政文書の開示に反対の意思を表示している場合に限る。）

② 開示決定等又は開示請求に係る不作為についての審査請求については、政令で定めるところにより、行政不服審査法第四条の規定の特例を設けることができる。

（訴訟の移送の特例）

第二一条①　行政事件訴訟法（昭和三十七年法律第百三十九号）第十二条第四項の規定により同項に規定する特定管轄裁判所に開示決定等の取消しを求める訴訟又は開示決定等若しくは開示請求に係る不作為に係る審査請求に対する裁決の取消しを求める訴訟（次項及び附則第二項において「情報公開訴訟」という。）が提起された場合においては、同法第十二条第五項の規定にかかわらず、他の裁判所に同一又は同種若しくは類似の行政文書に係る開示決定等又は開示決定等若しくは開示請求に係る不作為に係る審査請求に対する裁決に係る抗告訴訟（同法第三条第一項に規定する抗告訴訟をいう。次項において同じ。）が係属しているときは、当該特定管轄裁判所は、当事者の住所又は所在地、尋問を受けるべき証人の住所、争点又は証拠の共通性その他の事情を考慮して、相当と認めるときは、申立てにより又は職権で、訴訟の全部又は一部について、当該他の裁判所又は同法第十二条第一項から第三項までに定める裁判所に移送することができる。

② 前項の規定は、行政事件訴訟法第十二条第四項の規定により同項に規定する特定管轄裁判所に開示決定等又は開示決定等若しくは開示請求に係る不作為に係る審査請求に対する裁決に係る抗告訴訟で情報公開訴訟以外のものが提起された場合について準用する。

第四章　補則

（開示請求をしようとする者に対する情報の提供等）

第二二条①　行政機関の長は、開示請求をしようとする者が容易かつ的確に開示請求をすることができるよう、公文書等の管理に関する法律第七条第二項に規定するもののほか、当該行政機関が保有する行政文書の特定に資する情報の提供その他開示請求をしようとする者の利便を考慮した適切な措置を講ずるものとする。

② 総務大臣は、この法律の円滑な運用を確保するため、開示請求に関する総合的な案内所を整備するものとする。

（施行の状況の公表）

第二三条①　総務大臣は、行政機関の長に対し、この法律の施行の状況について報告を求めることができる。

② 総務大臣は、毎年度、前項の報告を取りまとめ、その概要を公表するものとする。

（行政機関の保有する情報の提供に関する施策の充実）

第二四条　政府は、その保有する情報の公開の総合的な推進を図るため、行政機関の保有する情報が適時に、かつ、適切な方法で国民に明らかにされるよう、行政機関の保有する情報の提供に関する施策の充実に努めるものとする。

（地方公共団体の情報公開）

第二五条　地方公共団体は、この法律の趣旨にのっとり、その保有する情報の公開に関し必要な施策を策定し、及びこれを実施するよう努めなければならない。

（政令への委任）

第二六条　この法律に定めるもののほか、この法律の実施のため必要な事項は、政令で定める。

附　則（抄）

① この法律は、公布の日から起算して二年を超えない範囲内において政令で定める日（平成一三・四・一―平成一二政四〇）から施行する。（後略）

○情報公開・個人情報保護審査会設置法（抄）

（平成一五・五・三〇 法　六〇）

施行　平成一七・四・一（附則参照）
最終改正　令和四法六八

目次

第一章　総則

（趣旨）

第一条　この法律は、情報公開・個人情報保護審査会の設置及び組織並びに調査審議の手続等について定めるものとする。

第二章　設置及び組織（抄）

（設置）

第二条　次に掲げる法律の規定による諮問に応じ審査請求について調査審議するため、総務省に、情報公開・個人情報保護審査会（以下「審査会」という。）を置く。

一　行政機関の保有する情報の公開に関する法律（平成十一年法律第四十二号）第十九条第一項

二　独立行政法人等の保有する情報の公開に関する法律（平成十三年法律第百四十号）第十九条第一項

三　個人情報の保護に関する法律（平成十五年法律第五十七号）第百五条第一項

（組織）

第三条①　審査会は、委員十五人をもって組織する。

② 委員は、非常勤とする。ただし、そのうち五人以内は、常勤とすることができる。

（委員）

第四条①　委員は、優れた識見を有する者のうちから、両議院の同意を得て、内閣総理大臣が任命する。

②―⑪（略）

第五条から**第七条**まで　（略）

第三章　審査会の調査審議の手続（抄）

第八条（略）

（**審査会の調査権限**）

第九条① 審査会は、必要があると認めるときは、諮問庁に対し、行政文書等又は保有個人情報の提示を求めることができる。この場合においては、何人も、審査会に対し、その提示された行政文書等又は保有個人情報の開示を求めることができない。

② 諮問庁は、審査会から前項の規定による求めがあったときは、これを拒んではならない。

③ 審査会は、必要があると認めるときは、諮問庁に対し、行政文書等に記録されている情報又は保有個人情報に含まれている情報の内容を審査会の指定する方法により分類又は整理した資料を作成し、審査会に提出するよう求めることができる。

④ 第一項及び前項に定めるもののほか、審査会は、審査請求に係る事件に関し、審査請求人、参加人（行政不服審査法（平成二十六年法律第六十八号）第十三条第四項に規定する参加人をいう。次条第二項及び第十六条において同じ。）又は諮問庁（以下「審査請求人等」という。）に意見書又は資料の提出を求めること、適当と認める者にその知っている事実を陳述させ又は鑑定を求めることその他必要な調査をすることができる。

（**意見の陳述**）

第一〇条① 審査会は、審査請求人等から申立てがあったときは、当該審査請求人等に口頭で意見を述べる機会を与えなければならない。ただし、審査会が、その必要がないと認めるときは、この限りでない。

② 前項本文の場合においては、審査請求人又は参加人は、審査会の許可を得て、補佐人とともに出頭することができる。

（**意見書等の提出**）

第一一条 審査請求人等は、審査会に対し、意見書又は資料を提出することができる。ただし、審査会が意見書又は資料を提出すべき相当の期間を定めたときは、その期間内にこれを提出しなければならない。

第一二条（略）

（**提出資料の写しの送付等**）

第一三条① 審査会は、第九条第三項若しくは第四項又は第十一条の規定による意見書又は資料の提出があったときは、当該意見書又は資料の写し（電磁的記録（電子的方式、磁気的方式その他人の知覚によっては認識することができない方式で作られる記録であって、電子計算機による情報処理の用に供されるものをいう。以下この項及び次項において同じ。）にあっては、当該電磁的記録に記録された事項を記載した書面）を当該意見書又は資料を提出した審査請求人等以外の審査請求人等に送付するものとする。ただし、第三者の利益を害するおそれがあると認められるとき、その他正当な理由があるときは、この限りでない。

② 審査請求人等は、審査会に対し、審査会に提出された意見書又は資料の閲覧（電磁的記録にあっては、記録された事項を審査会が定める方法により表示したものの閲覧）を求めることができる。この場合において、審査会は、第三者の利益を害するおそれがあると認めるとき、その他正当な理由があるときでなければ、その閲覧を拒むことができない。

③ 審査会は、第一項の規定による送付をし、又は前項の規定による閲覧をさせようとするときは、当該送付又は閲覧に係る意見書又は資料を提出した審査請求人等の意見を聴かなければならない。ただし、審査会が、その必要がないと認めるときは、この限りでない。

④ 審査会は、第二項の規定による閲覧について、日時及び場所を指定することができる。

（**調査審議手続の非公開**）

第一四条 審査会の行う調査審議の手続は、公開しない。

（**審査請求の制限**）

第一五条 この法律の規定による審査会又は委員の処分又はその不作為については、審査請求をすることができない。

（**答申書の送付等**）

第一六条 審査会は、諮問に対する答申をしたときは、答申書の写しを審査請求人及び参加人に送付するとともに、答申の内容を公表するものとする。

第四章　雑則（第一七条及び第一八条）（略）

附　則

この法律は、行政機関の保有する個人情報の保護に関する法律の施行の日（平成一七・四・一）から施行する。ただし、第四条第一項中両議院の同意を得ることに関する部分は、公布の日から施行する。

●財政法（昭和二二・三・三一 法　三四）

施行　昭和二二・四・一（附則参照）
改正　昭和二四法二三・法一四五、昭和二五法六〇・法一四一、昭和二六法一七三、昭和二七法四・法二六八、昭和二九法九〇、昭和三七法一〇八、昭和四〇法四六、昭和五三法五五、平成三法八六、平成九法一〇九、平成一一法一〇二・法一六〇、平成一四法一五二、令和一法一六、令和三法三六

目次

第一章　財政総則

第一条【目的】 国の予算その他財政の基本に関しては、この法律の定めるところによる。

第二条【収入・支出、歳入・歳出の意義】 ① 収入とは、国の各般の需要を充たすための支払の財源となるべき現金の収納をいい、支出とは、国の各般の需要を充たすための現金の支払をいう。

② 前項の現金の収納には、他の財産の処分又は新たな債務の負担に因り生ずるものをも含み、同項の現金の支払には、他の財産の取得又は債務の減少を生ずるものをも含む。

③ なお第一項の収入及び支出には、会計間の繰入その他国庫内において行う移換によるものを含む。

④ 歳入とは、一会計年度における一切の収入をいい、歳出とは、一会計年度における一切の支出をいう。

第三条【財政収入と国会議決主義】 租税を除く外、国が国権に基いて収納する課徴金及び法律上又は事実上国の独占に属する事業における専売価格若しくは事業料金については、すべて法律又は国会の議決に基いて定めなければならない。

第四条【歳出財源の制限】 ① 国の歳出は、公債又は借入金以外の歳入を以て、その財源としなければならない。但し、公共事業費、出資金及び貸付金の財源については、国会の議決を経た金額の範囲内で、公債を発行し又は借入金をなすことができる。

② 前項但書の規定により公債を発行し又は借入金をなす場合においては、その償還の計画を国会に提出しなければならない。

③ 第一項に規定する公共事業費の範囲については、毎会計年度、国会の議決を経なければならない。

第五条【公債発行及び借入れの制限】 すべて、公債の発行については、日本銀行にこれを引き受けさせ、又、借入金の借入については、日本銀行からこれを借り入れてはならない。但し、特別の事由がある場合において、国会の議決を経た金額の範囲内では、この限りでない。

第六条【剰余金の公債等償還財源への充当】 ① 各会計年度において歳入歳出の決算上剰余を生じた場合においては、当該剰余金のうち、二分の一を下らない金額は、他の法律によるものの外、これを剰余金を生じた年度の翌翌年度までに、公債又は借入金の償還財源に充てなければならない。

② 前項の剰余金の計算については、政令でこれを定める。

第七条【財務省証券の発行及び一時借入金】 ① 国は、国庫金の出納上必要があるときは、財務省証券を発行し又は日本銀行から一時借入金をなすことができる。

② 前項に規定する財務省証券及び一時借入金は、当該年度の歳入を以て、これを償還しなければならない。

③ 財務省証券の発行及び一時借入金の借入の最高額については、毎会計年度、国会の議決を経なければならない。

第八条【債権の免除】 国の債権の全部若しくは一部を免除し又はその効力を変更するには、法律に基くことを要する。

第九条【財産の処分、管理】 ① 国の財産は、法律に基く場合を除く外、これを交換しその他支払手段として使用し、又は適正な対価なくしてこれを譲渡し若しくは貸し付けてはならない。

② 国の財産は、常に良好の状態においてこれを管理し、その所有の目的に応じて、最も効率的に、これを運用しなければならない。

第一〇条【国費分賦法律主義】 国の特定の事務のために要する費用について、国以外の者にその全部又は一部を負担させるには、法律に基かなければならない。

第二章　会計区分

第一一条【会計年度】 国の会計年度は、毎年四月一日に始まり、翌年三月三十一日に終るものとする。

第一二条【経費支弁】 各会計年度における経費は、その年度の歳入を以て、これを支弁しなければならない。

第一三条【一般会計・特別会計】 ① 国の会計を分つて一般会計及び特別会計とする。

② 国が特定の事業を行う場合、特定の資金を保有してその運用を行う場合その他特定の歳入を以て特定の歳出に充て一般の歳入歳出と区分して経理する必要がある場合に限り、法律を以て、特別会計を設置するものとする。

第三章　予算

第一節　総則

第一四条【歳入歳出予算】 歳入歳出は、すべて、これを予算に編入しなければならない。

第一四条の二【継続費】 ① 国は、工事、製造その他の事業で、その完成に数年度を要するものについて、特に必要がある場合においては、経費の総額及び年割額を定め、予め国会の議決を経て、その議決するところに従い、数年度にわたつて支出することができる。

② 前項の規定により国が支出することができる年限は、当該会計年度以降五箇年度以内とする。但し、予算を以て、国会の議決を経て更にその年限を延長することができる。

③ 前二項の規定により支出することができる経費は、これを継続費という。

④ 前三項の規定は、国会が、継続費成立後の会計年度の予算の審議において、当該継続費につき重ねて審議することを妨げるものではない。

第一四条の三【繰越明許費】 ① 歳出予算の経費のうち、その性質上又は予算成立後の事由に基き年度内にその支出を終らない見込のあるものについては、予め国会の議決を経て、翌年度に繰り越して使用することができる。

② 前項の規定により翌年度に繰り越して使用することができる経費は、これを繰越明許費という。

第一五条【国庫債務負担行為】 ① 法律に基くもの又は歳出予算の金額（第四十三条の三に規定する承認があつた金額を含む。）若しくは継続費の総額の範囲内におけるものの外、国が債務を負担する行為をなすには、予め予算を以て、国会の議決を経なければならない。

② 前項に規定するものの外、災害復旧その他緊急の必要がある場合においては、国は毎会計年度、国会の議決を経た金額の範囲内において、債務を負担する行為をなすことができる。

③ 前二項の規定により国が債務を負担する行為に因り支出すべき年限は、当該会計年度以降五箇年度以内とする。但し、国会の議決により更にその年限を延長するもの並びに外国人に支給

する給料及び恩給、地方公共団体の債務の保証又は債務の元利若しくは利子の補給、土地、建物の借料及び国際条約に基く分担金に関するもの、その他法律で定めるものは、この限りでない。

④ 第二項の規定により国が債務を負担した行為については、次の常会において国会に報告しなければならない。

⑤ 第一項又は第二項の規定により国が債務を負担する行為は、これを国庫債務負担行為という。

第二節　予算の作成

第一六条【予算の内容】 予算は、予算総則、歳入歳出予算、継続費、繰越明許費及び国庫債務負担行為とする。

第一七条【歳入歳出等の見積り】 ① 衆議院議長、参議院議長、最高裁判所長官及び会計検査院長は、毎会計年度、その所掌に係る歳入、歳出、継続費、繰越明許費及び国庫債務負担行為の見積に関する書類を作製し、これを内閣における予算の統合調整に供するため、内閣に送付しなければならない。

② 内閣総理大臣及び各省大臣は、毎会計年度、その所掌に係る歳入、歳出、継続費、繰越明許費及び国庫債務負担行為の見積に関する書類を作製し、これを財務大臣に送付しなければならない。

第一八条【歳入歳出等の概算】 ① 財務大臣は、前条の見積を検討して必要な調整を行い、歳入、歳出、継続費、繰越明許費及び国庫債務負担行為の概算を作製し、閣議の決定を経なければならない。

② 内閣は、前項の決定をしようとするときは、国会、裁判所及び会計検査院に係る歳出の概算については、予め衆議院議長、参議院議長、最高裁判所長官及び会計検査院長に対しその決定に関し意見を求めなければならない。

第一九条【独立機関の歳出見積りの減額】 内閣は、国会、裁判所及び会計検査院の歳出見積を減額した場合においては、国会、裁判所又は会計検査院の送付に係る歳出見積について、その詳細を歳入歳出予算に附記するとともに、国会が、国会、裁判所又は会計検査院に係る歳出額を修正する場合における必要な財源についても明記しなければならない。

第二〇条【歳入予算明細書、予定経費要求書等の作製】 ① 財務大臣は、毎会計年度、第十八条の閣議決定に基いて歳入予算明細書を作製しなければならない。

② 衆議院議長、参議院議長、最高裁判所長官、会計検査院長並びに内閣総理大臣及び各省大臣（以下各省各庁の長という。）は、毎会計年度、第十八条の閣議決定のあつた概算の範囲内で予定経費要求書、継続費要求書、繰越明許費要求書及び国庫債務負担行為要求書（以下予定経費要求書等という。）を作製し、これを財務大臣に送付しなければならない。

第二一条【予算の作成】 財務大臣は、歳入予算明細書、衆議院、参議院、裁判所、会計検査院並びに内閣（内閣府及びデジタル庁を除く。）、内閣府、デジタル庁及び各省（以下「各省各庁」という。）の予定経費要求書等に基づいて予算を作成し、閣議の決定を経なければならない。

第二二条【予算総則】 予算総則には、歳入歳出予算、継続費、繰越明許費及び国庫債務負担行為に関する総括的規定を設ける外、左の事項に関する規定を設けるものとする。

一 第四条第一項但書の規定による公債又は借入金の限度額

二 第四条第三項の規定による公共事業費の範囲

三 第五条但書の規定による日本銀行の公債の引受及び借入金の借入の限度額

四 第七条第三項の規定による財務省証券の発行及び一時借入金の借入の最高額

五 第十五条第二項の規定による国庫債務負担行為の限度額

六 前各号に掲げるものの外、予算の執行に関し必要な事項

七 その他政令で定める事項

第二三条【予算の部款項の区分】 歳入歳出予算は、その収入又は支出に関係のある部局等の組織の別に区分し、その部局等内においては、更に歳入にあつては、その性質に従つて部に大別し、且つ、各部中においてはこれを款項に区分し、歳出にあつては、その目的に従つてこれを項に区分しなければならない。

第二四条【予備費】 予見し難い予算の不足に充てるため、内閣は、予備費として相当と認める金額を、歳入歳出予算に計上することができる。

第二五条【継続費の区分】 継続費は、その支出に関係のある部局等の組織の別に区分し、その部局等内においては、項に区分し、更に各項ごとにその総額及び年割額を示し、且つ、その必要の理由を明らかにしなければならない。

第二六条【国庫債務負担行為】 国庫債務負担行為は、事項ごとに、その必要の理由を明らかにし、且つ、行為をなす年度及び債務負担の限度額を明らかにし、又、必要に応じて行為に基いて支出をなすべき年度、年限又は年割額を示さなければならない。

第二七条【予算の国会提出】 内閣は、毎会計年度の予算を、前年度の一月中に、国会に提出するのを常例とする。

第二八条【予算添付書類】 国会に提出する予算には、参考のために左の書類を添附しなければならない。

一 歳入予算明細書

二 各省各庁の予定経費要求書等

三 前前年度歳入歳出決算の総計表及び純計表、前年度歳入歳出決算見込の総計表及び純計表並びに当該年度歳入歳出予算の総計表及び純計表

四 国庫の状況に関する前前年度末における実績並びに前年度末及び当該年度末における見込に関する調書

五 国債及び借入金の状況に関する前前年度末における実績並びに前年度末及び当該年度末における現在高の見込及びその償還年次表に関する調書

六 国有財産の前前年度末における現在高並びに前年度末及び当該年度末における現在高の見込に関する調書

七 国が出資している主要な法人の資産、負債、損益その他についての前前年度、前年度及び当該年度の状況に関する調書

八 国庫債務負担行為で翌年度以降に亘るものについての前年度末までの支出額及び支出額の見込、当該年度以降の支出予定額並びに数会計年度に亘る事業に伴うものについてはその全体の計画その他事業等の進行状況等に関する調書

九 継続費についての前前年度末までの支出額、前年度末までの支出額及び支出額の見込、当該年度以降の支出予定額並びに事業の全体の計画及びその進行状況等に関する調書

十 その他財政の状況及び予算の内容を明らかにするため必要な書類

第二九条【補正予算】 内閣は、次に掲げる場合に限り、予算作成の手続に準じ、補正予算を作成し、これを国会に提出することができる。

一 法律上又は契約上国の義務に属する経費の不足を補うほか、予算作成後に生じた事由に基づき特に緊要となつた経費の支出（当該年度において国庫内の移換えにとどまるものを含む。）又は債務の負担を行なうため必要な予算の追加を行なう場合

二 予算作成後に生じた事由に基づいて、予算に追加以外の変更を加える場合

第三〇条【暫定予算】 ① 内閣は、必要に応じて、一会計年度のうちの一定期間に係る暫定予算を作成し、これを国会に提出することができる。

② 暫定予算は、当該年度の予算が成立したときは、失効するものとし、暫定予算に基く支出又はこれに基く債務の負担があるときは、これを当該年度の予算に基いてなしたものとみなす。

第三節　予算の執行

第三一条【予算の配賦】 ① 予算が成立したときは、内閣は、国会の議決したところに従い、各省各庁の長に対し、その執行の

責に任ずべき歳入歳出予算、継続費及び国庫債務負担行為を配賦する。

② 前項の規定により歳入歳出予算及び継続費を配賦する場合においては、項を目に区分しなければならない。

③ 財務大臣は、第一項の規定による配賦のあつたときは、会計検査院に通知しなければならない。

第三二条【予算の目的外使用の禁止】 各省各庁の長は、歳出予算及び継続費については、各項に定める目的の外にこれを使用することができない。

第三三条【予算の彼此移用又は流用】 ① 各省各庁の長は、歳出予算又は継続費の定める各部局等の経費の金額又は部局等内の各項の経費の金額については、各部局等の間又は各項の間において彼此移用することができない。但し、予算の執行上の必要に基き、あらかじめ予算をもつて国会の議決を経た場合に限り、財務大臣の承認を経て移用することができる。

② 各省各庁の長は、各目の経費の金額については、財務大臣の承認を経なければ、目の間において、彼此流用することができない。

③ 財務大臣は、第一項但書又は前項の規定に基く移用又は流用について承認をしたときは、その旨を当該各省各庁の長及び会計検査院に通知しなければならない。

④ 第一項但書又は第二項の規定により移用又は流用した経費の金額については、歳入歳出の決算報告書において、これを明らかにするとともに、その理由を記載しなければならない。

第三四条【支払の計画】 ① 各省各庁の長は、第三十一条第一項の規定により配賦された予算に基いて、政令の定めるところにより、支出担当事務職員ごとに支出の所要額を定め、支払の計画に関する書類を作製して、これを財務大臣に送付し、その承認を経なければならない。

② 財務大臣は、国庫金、歳入及び金融の状況並びに経費の支出状況等を勘案して、適時に、支払の計画の承認に関する方針を作製し、閣議の決定を経なければならない。

③ 財務大臣は、第一項の支払の計画について承認をしたときは、各省各庁の長に通知するとともに、財務大臣が定める場合を除き、これを日本銀行に通知しなければならない。

第三四条の二【公共事業費等の支出負担行為の実施計画】 ① 各省各庁の長は、第三十一条第一項の規定により配賦された歳出予算、継続費及び国庫債務負担行為のうち、公共事業費その他財務大臣の指定する経費に係るものについては、政令の定めるところにより、当該歳出予算、継続費又は国庫債務負担行為に基いてなす支出負担行為（国の支出の原因となる契約その他の行為をいう。以下同じ。）の実施計画に関する書類を作製して、これを財務大臣に送付し、その承認を経なければならない。

② 財務大臣は、前項の支出負担行為の実施計画を承認したときは、これを各省各庁の長及び会計検査院に通知しなければならない。

第三五条【予備費の管理及び使用】 ① 予備費は、財務大臣が、これを管理する。

② 各省各庁の長は、予備費の使用を必要と認めるときは、理由、金額及び積算の基礎を明らかにした調書を作製し、これを財務大臣に送付しなければならない。

③ 財務大臣は、前項の要求を調査し、これに所要の調整を加えて予備費使用書を作製し、閣議の決定を求めなければならない。但し、予め閣議の決定を経て財務大臣の指定する経費については、閣議を経ることを必要とせず、財務大臣が予備費使用書を決定することができる。

④ 予備費使用書が決定したときは、当該使用書に掲げる経費については、第三十一条第一項の規定により、予算の配賦があつたものとみなす。

⑤ 第一項の規定は、第十五条第二項の規定による国庫債務負担行為に、第二項、第三項本文及び前項の規定は、各省各庁の長が第十五条第二項の規定により国庫債務負担行為をなす場合に、これを準用する。

第三六条【予備費支弁の調書】 ① 予備費を以て支弁した金額については、各省各庁の長は、その調書を作製して、次の国会の常会の開会後直ちに、これを財務大臣に送付しなければならない。

② 財務大臣は、前項の調書に基いて予備費を以て支弁した金額の総調書を作製しなければならない。

③ 内閣は、予備費を以て支弁した総調書及び各省各庁の調書を次の常会において国会に提出して、その承諾を求めなければならない。

④ 財務大臣は、前項の総調書及び調書を会計検査院に送付しなければならない。

第四章 決算

第三七条【歳出決算報告書及び歳入決算明細書】 ① 各省各庁の長は、毎会計年度、財務大臣の定めるところにより、その所掌に係る歳入及び歳出の決算報告書並びに国の債務に関する計算書を作製し、これを財務大臣に送付しなければならない。

② 財務大臣は、前項の歳入決算報告書に基いて、歳入予算明細書と同一の区分により、歳入決算明細書を作製しなければならない。

③ 各省各庁の長は、その所掌の継続費に係る事業が完成した場合においては、財務大臣の定めるところにより、継続費決算報告書を作製し、これを財務大臣に送付しなければならない。

第三八条【歳入歳出の決算】 ① 財務大臣は、歳入決算明細書及び歳出の決算報告書に基いて、歳入歳出の決算を作成しなければならない。

② 歳入歳出の決算は、歳入歳出予算と同一の区分により、これを作製し、且つ、これに左の事項を明らかにしなければならない。

㈠ 歳入
一 歳入予算額
二 徴収決定済額（徴収決定のない歳入については収納後に徴収済として整理した額）
三 収納済歳入額
四 不納欠損額
五 収納未済歳入額

㈡ 歳出
一 歳出予算額
二 前年度繰越額
三 予備費使用額
四 流用等増減額
五 支出済歳出額
六 翌年度繰越額
七 不用額

第三九条【決算の会計検査院への送付】 内閣は、歳入歳出決算に、歳入決算明細書、各省各庁の歳出決算報告書及び継続費決算報告書並びに国の債務に関する計算書を添附して、これを翌年度の十一月三十日までに会計検査院に送付しなければならない。

第四〇条【決算の国会提出】 ① 内閣は、会計検査院の検査を経た歳入歳出決算を、翌年度開会の常会において国会に提出するのを常例とする。

② 前項の歳入歳出決算には、会計検査院の検査報告の外、歳入決算明細書、各省各庁の歳出決算報告書及び継続費決算報告書並びに国の債務に関する計算書を添附する。

第四一条【決算上の剰余の翌年度繰入れ】 毎会計年度において、歳入歳出の決算上剰余を生じたときは、これをその翌年度の歳入に繰り入れるものとする。

第五章 雑則

第四二条【経費の繰越使用の制限】 繰越明許費の金額を除く外、毎会計年度の歳出予算の経費の金額は、これを翌年度において使用することができない。但し、歳出予算の経費の金額のうち、年度内に支出負担行為をなし避け難い事故のため年度内に支出を終らなかつたもの（当該支出負担行為に係る工事その他の事業の遂行上の必要に基きこれに関連して支出を要する経費の金額を含む。）は、これを翌年度に繰り越して使用することができる。

第四三条【繰越使用の承認】① 各省各庁の長は、第十四条の三第一項又は前条但書の規定による繰越を必要とするときは、繰越計算書を作製し、事項ごとに、その事由及び金額を明らかにして、財務大臣の承認を経なければならない。

② 前項の承認があつたときは、当該経費に係る歳出予算は、その承認があつた金額の範囲内において、これを翌年度に繰り越して使用することができる。

③ 各省各庁の長は、前項の規定による繰越をしたときは、事項ごとに、その金額を明らかにして、財務大臣及び会計検査院に通知しなければならない。

④ 第二項の規定により繰越をしたときは、当該経費については、第三十一条第一項の規定による予算の配賦があつたものとみなす。この場合においては、同条第三項の規定による通知は、これを必要としない。

第四三条の二【継続費年割額の繰越使用】① 継続費の毎会計年度の年割額に係る歳出予算の経費の金額のうち、その年度内に支出を終らなかつたものは、第四十二条の規定にかかわらず、継続費に係る事業の完成年度まで、逓次繰り越して使用することができる。

② 前条第三項及び第四項の規定は、前項の規定により繰越をした場合に、これを準用する。

第四三条の三【繰越明許費の翌年度使用】 各省各庁の長は、繰越明許費の金額について、予算の執行上やむを得ない事由がある場合においては、事項ごとに、その事由及び金額を明らかにし、財務大臣の承認を経て、その承認があつた金額の範囲内において、翌年度にわたつて支出すべき債務を負担することができる。

第四四条【特別資金の保有】 国は、法律を以て定める場合に限り、特別の資金を保有することができる。

第四五条【特別会計における特例】 各特別会計において必要がある場合には、この法律の規定と異なる定めをなすことができる。

第四六条【財政状況の報告】① 内閣は、予算が成立したときは、直ちに予算、前前年度の歳入歳出決算並びに公債、借入金及び国有財産の現在高その他財政に関する一般の事項について、印刷物、講演その他適当な方法で国民に報告しなければならない。

② 前項に規定するものの外、内閣は、少くとも毎四半期ごとに、予算使用の状況、国庫の状況その他財政の状況について、国会及び国民に報告しなければならない。

第四六条の二【電磁的記録による作成】 この法律又はこの法律に基づく命令の規定により作成することとされている書類等（書類、調書その他文字、図形その他の人の知覚によつて認識することができる情報が記載された紙その他の有体物をいう。次条において同じ。）については、当該書類等に記載すべき事項を記録した電磁的記録（電子的方式、磁気的方式その他人の知覚によつては認識することができない方式で作られる記録であつて、電子計算機による情報処理の用に供されるものとして財務大臣が定めるものをいう。同条第一項において同じ。）の作成をもつて、当該書類等の作成に代えることができる。この場合において、当該電磁的記録は、当該書類等とみなす。

第四六条の三【電磁的方法による提出】① この法律又はこの法律に基づく命令の規定による書類等の提出については、当該書類等が電磁的記録で作成されている場合には、電磁的方法（電子情報処理組織を使用する方法その他の情報通信の技術を利用する方法であつて財務大臣が定めるものをいう。次項において同じ。）をもつて行うことができる。

② 前項の規定により書類等の提出が電磁的方法によつて行われたときは、当該書類等の提出を受けるべき者の使用に係る電子計算機に備えられたファイルへの記録がされた時に当該提出を受けるべき者に到達したものとみなす。

第四七条【施行政令】 この法律の施行に関し必要な事項は、政令で、これを定める。

附　則（抄）

第一条【施行期日】① この法律は、昭和二十二年四月一日から、これを施行する。但し、第十七条第一項、第十八条第二項、第十九条、第三十条、第三十一条、第三十五条並びに第三十六条の規定は、日本国憲法施行の日（昭和二二・五・三）から、これを施行し、第三条、第十条及び第三十四条の規定の施行の日は、政令でこれを定める（第三条は昭和二三・四・一六施行—昭和二三政八六、第三四条は昭和二二・一〇・二一施行—昭和二二政二二八。第一〇条は未施行）。

② （略）

第五条【廃止法令】 左に掲げる法令は、これを廃止する。

明治四十四年法律第二号（公共団体に対する工事補助費繰越使用に関する法律）

明治五年太政官布告第十七号（政府に対する寄附に関する件）

○警察法（抄）

（昭和二九・六・八
法　一六二）

施行　昭和二九・七・一（附則参照）
最終改正　令和四法九七

目次

第一章　総則

（この法律の目的）

第一条　この法律は、個人の権利と自由を保護し、公共の安全と秩序を維持するため、民主的理念を基調とする警察の管理と運営を保障し、且つ、能率的にその任務を遂行するに足る警察の組織を定めることを目的とする。

（警察の責務）

第二条①　警察は、個人の生命、身体及び財産の保護に任じ、犯罪の予防、鎮圧及び捜査、被疑者の逮捕、交通の取締その他公共の安全と秩序の維持に当ることをもつてその責務とする。

②　警察の活動は、厳格に前項の責務の範囲に限られるべきものであつて、その責務の遂行に当つては、不偏不党且つ公平中正を旨とし、いやしくも日本国憲法の保障する個人の権利及び自由の干渉にわたる等その権限を濫用することがあつてはならない。

（服務の宣誓の内容）

第三条　この法律により警察の職務を行うすべての職員は、日本国憲法及び法律を擁護し、不偏不党且つ公平中正にその職務を遂行する旨の服務の宣誓を行うものとする。

第二章　国家公安委員会（抄）

（設置及び組織）

第四条①　内閣総理大臣の所轄の下に、国家公安委員会を置く。

②　国家公安委員会は、委員長及び五人の委員をもつて組織する。

（任務及び所掌事務）

第五条①　国家公安委員会は、国の公安に係る警察運営をつかさどり、警察教養、警察通信、情報技術の解析、犯罪鑑識、犯罪統計及び警察装備に関する事項を統轄し、並びに警察行政に関する調整を行うことにより、個人の権利と自由を保護し、公共の安全と秩序を維持することを任務とする。

②　前項に定めるもののほか、国家公安委員会は、同項の任務に関連する特定の内閣の重要政策に関する内閣の事務を助けることを任務とする。

③　国家公安委員会は、前項の任務を遂行するに当たり、内閣官房を助けるものとする。

④　国家公安委員会は、第一項の任務を達成するため、次に掲げる事務について、警察庁を管理する。

一　警察に関する制度の企画及び立案に関すること。
二　警察に関する国の予算に関すること。
三　警察に関する国の政策の評価に関すること。
四　次に掲げる事案で国の公安に係るものについての警察運営に関すること。
イ　民心に不安を生ずべき大規模な災害に係る事案
ロ　地方の静穏を害するおそれのある騒乱に係る事案
ハ　国際関係に重大な影響を与え、その他国の重大な利益を著しく害するおそれのある航空機の強取、人質による強要、爆発物の所持その他これらに準ずる犯罪に係る事案
五　第七十一条の緊急事態に対処するための計画及びその実施に関すること。
六　次のいずれかに該当する広域組織犯罪その他の事案（以下「広域組織犯罪等」という。）に対処するための警察の態勢に関すること。
イ　全国の広範な区域において個人の生命、身体及び財産並びに公共の安全と秩序を害し、又は害するおそれのある事案（ハに掲げるものを除く。）
ロ　国外において日本国民の生命、身体及び財産並びに日本国の重大な利益を害し、又は害するおそれのある事案（ハに掲げるものを除く。）
ハ　サイバーセキュリティ（サイバーセキュリティ基本法（平成二十六年法律第百四号）第二条に規定するサイバーセキュリティをいう。）が害されることその他情報技術を用いた不正な行為により生ずる個人の生命、身体及び財産並びに公共の安全と秩序を害し、又は害するおそれのある事案（以下この号及び第二十五条第一号において「サイバー事案」という。）のうち次のいずれかに該当するもの（第十六号及び第六十一条の三において「重大サイバー事案」という。）
(1)　次に掲げる事務又は事業の実施に重大な支障が生じ、又は生ずるおそれのある事案
(i)　国又は地方公共団体の重要な情報の管理又は重要な情報システムの運用に関する事務
(ii)　国民生活及び経済活動の基盤であつて、その機能が停止し、又は低下した場合に国民生活又は経済活動に多大な影響を及ぼすおそれが生ずるものに関する事業
(2)　高度な技術的手法が用いられる事案その他のその対処に高度な技術を要する事案
(3)　国外に所在する者であつてサイバー事案を生じさせる不正な活動を行うものが関与する事案
七　全国的な幹線道路における交通の規制に関すること。
八　犯罪による収益に関する情報の集約、整理及び分析並びに関係機関に対する提供に関すること。
九　国際刑事警察機構、外国の警察行政機関その他国際的な警察に関する関係機関との連絡に関すること。
十　国際捜査共助に関すること。
十一　国際緊急援助活動に関すること。
十二　所掌事務に係る国際協力に関すること。
十三　犯罪被害者等基本計画（犯罪被害者等基本法（平成十六年法律第百六十一号）第八条第一項に規定する犯罪被害者等基本計画をいう。第二十一条第二十一号において同じ。）の作成及び推進に関すること。
十四　債権管理回収業に関する特別措置法（平成十年法律第百二十六号）の規定に基づく意見の陳述その他の活動に関すること。
十五　無差別大量殺人行為を行った団体の規制に関する法律（平成十一年法律第百四十七号）の規定に基づく意見の陳述その他の活動に関すること。
十六　重大サイバー事案に係る犯罪の捜査その他の重大サイバー事案に対処するための警察の活動に関すること。

十七 皇宮警察に関すること。
十八 警察教養施設の維持管理その他警察教養に関すること。
十九 警察通信施設の維持管理その他警察通信に関すること。
二十 犯罪の取締りのための電子情報処理組織及び電磁的記録（電子的方式、磁気的方式その他人の知覚によつては認識することができない方式で作られる記録であつて、電子計算機による情報処理の用に供されるものをいう。）の解析その他情報技術の解析に関すること。
二十一 犯罪鑑識施設の維持管理その他犯罪鑑識に関すること。
二十二 犯罪統計に関すること。
二十三 警察装備に関すること。
二十四 警察職員の任用、勤務及び活動の基準に関すること。
二十五 前号に掲げるもののほか、警察行政に関する調整に関すること。
二十六 前各号に掲げる事務を遂行するために必要な監察に関すること。
二十七 前各号に掲げるもののほか、他の法律（これに基づく命令を含む。）の規定に基づき警察庁の権限に属させられた事務

⑤ 前項に定めるもののほか、国家公安委員会は、第一項の任務を達成するため、法律（法律に基づく命令を含む。）の規定に基づきその権限に属させられた事務をつかさどる。
⑥ 前二項に定めるもののほか、国家公安委員会は、第二項の任務を達成するため、内閣府設置法（平成十一年法律第八十九号）第四条第二項に規定する事務のうち、第一項の任務に関連する特定の内閣の重要政策について、当該重要政策に関して閣議において決定された基本的な方針に基づいて、行政各部の施策の統一を図るために必要となる企画及び立案並びに総合調整に関する事務をつかさどる。
⑦ 国家公安委員会は、都道府県公安委員会と常に緊密な連絡を保たなければならない。

（委員長）
第六条① 委員長は、国務大臣をもつて充てる。
② 委員長は、会務を総理し、国家公安委員会を代表する。
③ 国家公安委員会は、あらかじめ委員の互選により、委員長に故障がある場合において委員長を代理する者を定めておかなければならない。

（委員の任命）
第七条① 委員は、任命前五年間に警察又は検察の職務を行う職業的公務員の前歴のない者のうちから、内閣総理大臣が両議院の同意を得て任命する。
② 委員の任期が満了し、又は欠員を生じた場合において、国会の閉会又は衆議院の解散のために両議院の同意を得ることができないときは、内閣総理大臣は、前項の規定にかかわらず、同項に定める資格を有する者のうちから、委員を任命することができる。
③ 前項の場合においては、任命後最初の国会で両議院の事後の承認を得なければならない。この場合において両議院の事後の承認を得られないときは、内閣総理大臣は、直ちにその委員を罷免しなければならない。
④ 次の各号のいずれかに該当する者は、委員となることができない。
一 破産者で復権を得ない者
二 拘禁刑以上の刑に処せられた者
⑤ 委員の任命については、そのうち三人以上が同一の政党に所属することとなつてはならない。

（委員の任期）
第八条① 委員の任期は、五年とする。但し、補欠の委員は、前任者の残任期間在任する。
② 委員は、一回に限り再任されることができる。

（委員の失職及び罷免）
第九条① 委員は、第七条第四項各号の一に該当するに至つた場合においては、その職を失うものとする。
② 内閣総理大臣は、委員が心身の故障のため職務の執行ができないと認める場合又は委員に職務上の義務違反その他委員たるに適しない非行があると認める場合においては、両議院の同意を得て、これを罷免することができる。
③ 内閣総理大臣は、両議院の同意を得て、左に掲げる委員を罷免する。
一 委員のうち何人も所属していなかつた同一の政党に新たに三人以上の委員が所属するに至つた場合においては、これらの者のうち二人をこえる員数の委員
二 委員のうち一人がすでに所属している政党に新たに二人以上の委員が所属するに至つた場合においては、これらの者のうち一人をこえる員数の委員
④ 内閣総理大臣は、委員のうち二人がすでに所属している政党に新たに所属するに至つた委員を直ちに罷免する。
⑤ 第七条第三項及び前三項の場合を除く外、委員は、その意に反して罷免されることがない。

第一〇条及び第一一条 （略）

（規則の制定）
第一二条 国家公安委員会は、その所掌事務について、法律、政令又は内閣府令の特別の委任に基づいて、国家公安委員会規則を制定することができる。

（監察の指示等）
第一二条の二① 国家公安委員会は、第五条第四項第二十六号の監察について必要があると認めるときは、警察庁に対する同項の規定に基づく指示を具体的又は個別的な事項にわたるものとすることができる。
② 国家公安委員会は、前項の規定による指示をした場合において、必要があると認めるときは、その指名する委員に、当該指示に係る事項の履行の状況を点検させることができる。
③ 国家公安委員会は、警察庁の職員に、前項の規定により指名された委員の同項に規定する事務を補助させることができる。

（資料の提出の要求等）
第一二条の三① 国家公安委員会は、第五条第六項に規定する事務の遂行のため必要があると認めるときは、関係行政機関の長に対し、必要な資料の提出及び説明を求めることができる。
② 国家公安委員会は、第五条第六項に規定する事務の遂行のため特に必要があると認めるときは、関係行政機関の長に対し、勧告することができる。
③ 国家公安委員会は、前項の規定により関係行政機関の長に対し勧告したときは、当該関係行政機関の長に対し、その勧告に基づいてとつた措置について報告を求めることができる。
④ 国家公安委員会は、第二項の規定により勧告した事項に関し特に必要があると認めるときは、内閣総理大臣に対し、当該事項について内閣法（昭和二十二年法律第五号）第六条の規定による措置がとられるよう意見を具申することができる。

（専門委員）
第一二条の四① 国家公安委員会に、犯罪被害者等給付金の支給等による犯罪被害者等の支援に関する法律（昭和五十五年法律第三十六号）、オウム真理教犯罪被害者等を救済するための給付金の支給に関する法律（平成二十年法律第八十号）及び国外犯罪被害弔慰金等の支給に関する法律（平成二十八年法律第七十三号）の規定による裁定に係る審査請求について専門の事項を調査審議させるため、専門委員若干人を置く。
② 専門委員の任命、任期その他専門委員に関し必要な事項は、政令で定める。

第一三条及び第一四条 （略）

第三章 警察庁（抄）

第一節 総則

（設置）
第一五条 国家公安委員会に、警察庁を置く。

（長官）

第一六条① 警察庁の長は、警察庁長官とし、国家公安委員会が内閣総理大臣の承認を得て、任免する。
② 警察庁長官（以下「長官」という。）は、国家公安委員会の管理に服し、警察庁の庁務を統括し、所部の職員を任免し、及びその服務についてこれを統督し、並びに警察庁の所掌事務について、都道府県警察を指揮監督する。

（所掌事務）
第一七条 警察庁は、国家公安委員会の管理の下に、第五条第四項各号に掲げる事務をつかさどり、並びに同条第五項及び第六項に規定する事務について国家公安委員会を補佐する。

（次長）
第一八条① 警察庁に、次長一人を置く。
② 次長は、長官を助け、庁務を整理し、各部局及び機関の事務を監督する。

第二節 内部部局

（第一九条から第二六条まで）（略）

第三節 附属機関

（警察大学校）
第二七条① 警察庁に、警察大学校を附置する。
② 警察大学校は、警察職員に対し、上級の幹部として必要な教育訓練を行い、警察に関する学術の研修をつかさどる。
③ 警察大学校に、校長を置く。
④ 警察大学校の位置及び内部組織は、内閣府令で定める。

（科学警察研究所）
第二八条① 警察庁に、科学警察研究所を附置する。
② 科学警察研究所は、左に掲げる事務をつかさどる。
一 科学捜査についての研究及び実験並びにこれらを応用する鑑定及び検査に関すること。
二 少年の非行防止その他犯罪の防止についての研究及び実験に関すること。
三 交通事故の防止その他交通警察についての研究及び実験に関すること。
③ 科学警察研究所に、所長を置く。
④ 科学警察研究所の位置及び内部組織は、内閣府令で定める。

（皇宮警察本部）
第二九条① 警察庁に、皇宮警察本部を附置する。
② 皇宮警察本部は、天皇及び皇后、皇太子その他の皇族の護衛、皇居及び御所の警備その他の皇宮警察に関する事務をつかさどる。
③ 皇宮警察本部に、本部長を置く。
④ 皇宮警察本部に、皇宮警察学校を置き、皇宮警察の職員に対して必要な教育訓練を行う。
⑤ 皇宮警察本部の位置及び内部組織は、内閣府令で定める。

第四節 地方機関

（第三〇条から第三三条まで）（略）

第五節 職員

（職員）
第三四条① 警察庁に、警察官、皇宮護衛官、事務官、技官その他所要の職員を置く。
② 皇宮護衛官は、皇宮警察本部に置く。
③ 長官は警察官とし、警察庁の次長、官房長、局長及び部長、管区警察局長その他政令で定める職は警察官をもつて、皇宮警察本部長は皇宮護衛官をもつて充てる。

第三五条 削除

第四章 都道府県警察（抄）

第一節 総則

（設置及び責務）
第三六条① 都道府県に、都道府県警察を置く。
② 都道府県警察は、当該都道府県の区域につき、第二条の責務に任ずる。

（経費）
第三七条① 都道府県警察に要する次に掲げる経費で政令で定めるものは、国庫が支弁する。
一 警視正以上の階級にある警察官の俸給その他の給与、地方公務員共済組合負担金及び公務災害補償に要する経費
二 警察教養施設の維持管理及び警察学校における教育訓練に要する経費
三 警察通信施設の維持管理その他警察通信に要する経費
四 犯罪鑑識施設の維持管理その他犯罪鑑識に要する経費
五 犯罪統計に要する経費
六 警察用車両及び船舶並びに警備装備品の整備に要する経費
七 警衛及び警備に要する経費
八 国の公安に係る犯罪その他特殊の犯罪の捜査に要する経費
九 武力攻撃事態等における対処措置及び緊急対処事態における緊急対処措置並びに国の機関と共同して行うこれらの措置についての訓練に要する経費
十 国際連合安全保障理事会決議第千二百六十七号等を踏まえ我が国が実施する財産の凍結等に関する特別措置法（平成二十六年法律第百二十四号）第三章の規定による措置に要する経費
十一 犯罪被害者等給付金に関する事務の処理に要する経費
十二 第二十一条第二十三号に規定する給付金に関する事務の処理に要する経費
十三 第二十一条第二十四号に規定する国外犯罪被害弔慰金等に関する事務の処理に要する経費
② 前項の規定により国庫が支弁することとなる経費を除き、都道府県警察に要する経費は、当該都道府県が支弁する。
③ 都道府県の支弁に係る都道府県警察に要する経費については、予算の範囲内において、政令で定めるところにより、国がその一部を補助する。

第二節 都道府県公安委員会（抄）

（組織及び権限）
第三八条① 都道府県知事の所轄の下に、都道府県公安委員会を置く。
② 都道府県公安委員会は、都、道、府及び地方自治法（昭和二十二年法律第六十七号）第二百五十二条の十九第一項の規定により指定する市（以下「指定市」という。）を包括する県（以下「指定県」という。）にあつては五人の委員、指定県以外の県にあつては三人の委員をもつて組織する。
③ 都道府県公安委員会は、都道府県警察を管理する。
④ 第五条第五項の規定は、都道府県公安委員会の事務について準用する。
⑤ 都道府県公安委員会は、その権限に属する事務に関し、法令又は条例の特別の委任に基いて、都道府県公安委員会規則を制定することができる。
⑥ 都道府県公安委員会は、国家公安委員会及び他の都道府県公安委員会と常に緊密な連絡を保たなければならない。

（委員の任命）
第三九条① 委員は、当該都道府県の議会の議員の被選挙権を有する者で、任命前五年間に警察又は検察の職務を行う職業的公務員の前歴のないもののうちから、都道府県知事が都道府県の議会の同意を得て、任命する。ただし、道、府又は県にあつては、その委員のうち二人は、当該道、府又は県が包括する指定市の議会の議員の被選挙権を有する者で、任命前五年間に警察又は検察の職務を行う職業的公務員の前歴のないもののうちから、当該指定市の市長がその市の議会の同意を得て推薦したものについて、当該道、府又は県の知事が任命する。
② 次の各号のいずれかに該当する者は、委員となることができない。
一 破産者で復権を得ない者

二 拘禁刑以上の刑に処せられた者

③ 委員の任命については、そのうち二人以上（都、道、府及び指定県にあつては三人以上）が同一の政党に所属することとなつてはならない。

（委員の任期）

第四〇条① 委員の任期は、三年とする。但し、補欠の委員は、前任者の残任期間在任する。

② 委員は、二回に限り再任されることができる。

（委員の失職及び罷免）

第四一条① 委員は、次の各号のいずれかに該当するに至つた場合においては、その職を失うものとする。

一 第三十九条第二項各号のいずれかに該当するに至つた場合

二 当該都道府県の議会の議員の被選挙権を有する者でなくなつた場合（第三十九条第一項ただし書に規定する委員については、当該指定市の議会の議員の被選挙権を有する者でなくなつた場合）

② 都道府県知事は、委員が心身の故障のため職務の執行ができないと認める場合又は委員に職務上の義務違反その他委員たるに適しない非行があると認める場合においては、当該都道府県の議会の同意を得て、これを罷免することができる。但し、第三十九条第一項但書に規定する委員の罷免については、道、府又は指定県の知事は、当該指定市の市長に対しその市の議会の同意を得ることを求めるものとし、その同意があつたときは、これを罷免することができる。

③ 指定県以外の県の知事は、委員のうち二人以上が同一の政党に所属するに至つた場合においては、これらの者のうち一人をこえる員数の委員を当該県の議会の同意を得て、罷免する。

④ 都、道、府及び指定県の知事は、委員のうち三人以上が同一の政党に所属するに至つた場合においては、第九条第三項各号の規定の例により、そのこえるに至つた員数の委員を、当該都、道、府又は指定県の議会の同意を得て、罷免する。但し、新たに同一の政党に所属するに至つた委員のうちに第三十九条第一項但書に規定するものを含むときは、これらの委員のうち罷免すべきものは、くじで定める。

⑤ 都道府県知事は、委員のうち一人（都、道、府及び指定県にあつては二人）がすでに所属している政党に新たに所属するに至つた委員を直ちに罷免する。

⑥ 前四項の場合を除く外、委員は、その意に反して罷免されることがない。

第四二条から第四六条の二まで （略）

第三節　都道府県警察の組織（抄）

（警視庁及び道府県警察本部）

第四七条① 都警察の本部として警視庁を、道府県警察の本部として道府県警察本部を置く。

② 警視庁及び道府県警察本部は、それぞれ、都道府県公安委員会の管理の下に、都警察及び道府県警察の事務をつかさどり、並びに第三十八条第四項において準用する第五条第五項の事務について都道府県公安委員会を補佐する。

③ 警視庁は特別区の区域内に、道府県警察本部は道府県庁所在地に置く。

④ 警視庁及び道府県警察本部の内部組織は、政令で定める基準に従い、条例で定める。

（警視総監及び警察本部長）

第四八条① 都警察に警視総監を、道府県警察に道府県警察本部長を置く。

② 警視総監及び道府県警察本部長（以下「警察本部長」という。）は、それぞれ、都道府県公安委員会の管理に服し、警視庁及び道府県警察本部の事務を統括し、並びに都警察及び道府県警察の所属の警察職員を指揮監督する。

（警視総監の任免）

第四九条① 警視総監は、国家公安委員会が都公安委員会の同意を得た上内閣総理大臣の承認を得て、任免する。

② 都公安委員会は、国家公安委員会に対し、警視総監の懲戒又は罷免に関し必要な勧告をすることができる。

（警察本部長の任免）

第五〇条① 警察本部長は、国家公安委員会が道府県公安委員会の同意を得て、任免する。

② 道府県公安委員会は、国家公安委員会に対し、警察本部長の懲戒又は罷免に関し必要な勧告をすることができる。

第五一条から第五四条まで （略）

（職員）

第五五条① 都道府県警察に、警察官その他所要の職員を置く。

② 警視総監、警察本部長、方面本部長、市警察部長及び警察署長は、警察官をもつて充てる。

③ 第一項の職員のうち、警視総監、警察本部長及び方面本部長以外の警視正以上の階級にある警察官は、国家公安委員会が都道府県公安委員会の同意を得て、任免し、その他の職員は、警視総監又は警察本部長がそれぞれ都道府県公安委員会の意見を聞いて、任免する。

④ 都道府県公安委員会は、警視総監、警察本部長及び方面本部長以外の警視正以上の階級にある警察官については国家公安委員会に対し、その他の職員については警視総監又は警察本部長に対し、それぞれその懲戒又は罷免に関し必要な勧告をすることができる。

（職員の人事管理）

第五六条① 都道府県警察の職員のうち、警視正以上の階級にある警察官（以下「地方警務官」という。）は、一般職の国家公務員とする。

② 前項の職員以外の都道府県警察の職員（以下「地方警察職員」という。）の任用及び給与、勤務時間その他の勤務条件、並びに服務に関して地方公務員法の規定により条例又は人事委員会規則で定めることとされている事項については、第三十四条第一項に規定する職員の例を基準として当該条例又は人事委員会規則を定めるものとする。

③ 警視総監又は警察本部長は、第四十三条の二第一項の規定による指示がある場合のほか、都道府県警察の職員が次の各号のいずれかに該当する疑いがあると認める場合は、速やかに事実を調査し、当該職員が当該各号のいずれかに該当することが明らかになつたときは、都道府県公安委員会に対し、都道府県公安委員会の定めるところにより、その結果を報告しなければならない。

一 その職務を遂行するに当たつて、法令又は条例の規定に違反した場合

二 前号に掲げるもののほか、職務上の義務に違反し、又は職務を怠つた場合

三 全体の奉仕者たるにふさわしくない非行のあつた場合

第五六条の二から第五六条の五まで （略）

（職員の定員）

第五七条① 地方警務官の定員は、都道府県警察を通じて、政令で定め、その都道府県警察ごとの階級別定員は、内閣府令で定める。

② 地方警察職員の定員（警察官については、階級別定員を含む。）は、条例で定める。この場合において、警察官の定員については、政令で定める基準に従わなければならない。

第五八条 （略）

第四節　都道府県警察相互間の関係等

（協力の義務）

第五九条 都道府県警察は、相互に協力する義務を負う。

（援助の要求）

第六〇条① 都道府県公安委員会は、警察庁又は他の都道府県警察に対して援助の要求をすることができる。

② 前項の規定により都道府県公安委員会が他の都道府県警察に対して援助の要求をしようとするときは、あらかじめ（やむを得ない場合においては、事後に）必要な事項を警察庁に連絡し

なければならない。

③ 第一項の規定による援助の要求により派遣された警察庁又は都道府県警察の警察官は、援助の要求をした都道府県公安委員会の管理する都道府県警察の管轄区域内において、当該都道府県公安委員会の管理の下に、職権を行うことができる。

第六〇条の二（管轄区域の境界周辺における事案に関する権限） 管轄区域が隣接し、又は近接する都道府県警察は、相互に協議して定めたところにより、社会的経済的一体性の程度、地理的状況等から判断して相互に権限を及ぼす必要があると認められる境界の周辺の区域（境界から政令で定める距離までの区域に限る。）における事案を処理するため、当該関係都道府県警察の管轄区域に権限を及ぼすことができる。

第六〇条の三（広域組織犯罪等に関する権限） 都道府県警察は、広域組織犯罪等を処理するため、必要な限度において、その管轄区域外に権限を及ぼすことができる。

第六一条（管轄区域外における権限） 都道府県警察は、居住者、滞在者その他のその管轄区域の関係者の生命、身体及び財産の保護並びにその管轄区域における犯罪の鎮圧及び捜査、被疑者の逮捕その他公安の維持に関連して必要がある限度においては、その管轄区域外にも、権限を及ぼすことができる。

第六一条の二（事案の共同処理等に係る指揮及び連絡）① 警視総監又は警察本部長は、当該都道府県警察が、他の都道府県警察の管轄区域に権限を及ぼし、その他他の都道府県警察と共同して事案を処理する場合において、必要があると認めるときは、相互に協議して定めたところにより、関係都道府県警察の一の警察官（第六十条第一項の規定による援助の要求により派遣された者を含む。）に、当該事案の処理に関し、当該協議によりあらかじめ定めた方針の範囲内で、それぞれの都道府県警察の警察職員に対して必要な指揮を行わせることができる。

② 第六十条第二項の規定は、前項の規定による協議をしようとする場合について準用する。

③ 都道府県警察は、他の都道府県警察の管轄区域に権限を及ぼすときは、当該他の都道府県警察と緊密な連絡を保たなければならない。

第六一条の三（広域組織犯罪等に対処するための措置）① 長官は、広域組織犯罪等に対処するため必要があると認めるときは、都道府県警察に対し、広域組織犯罪等の処理に係る関係都道府県警察間の分担（重大サイバー事案の処理にあつては、警察庁及び関係都道府県警察間の分担）その他の広域組織犯罪等に対処するための警察の態勢に関する事項について、必要な指示をすることができる。

② 都道府県警察は、前項の指示に係る事項を実施するため必要があるときは、第六十条第一項の規定により他の都道府県警察に対し広域組織犯罪等の処理に要する人員の派遣を要求すること、第六十条の三の規定により広域組織犯罪等を処理するためその管轄区域外に権限を及ぼすことその他のこの節に規定する措置をとらなければならない。

③ 長官は、重大サイバー事案について警察庁と都道府県警察が共同して処理を行う必要があると認めるときは、当該重大サイバー事案の処理に関する方針を定め、警察庁又は関係都道府県警察の一の警察官（第六十条第一項の規定による援助の要求又は第一項の規定による指示により派遣された者を含む。）に、当該重大サイバー事案の処理に関し、当該方針の範囲内で、警察庁及び関係都道府県警察の警察職員に対して必要な指揮を行わせることができる。

④ 第一項の規定による指示により重大サイバー事案の処理に関して警察庁に派遣された都道府県警察の警察官は、国家公安委員会の管理の下に、当該重大サイバー事案の処理に必要な限度で、全国において、職権を行うことができる。

第五章　警察職員（抄）

第六二条（警察官の階級） 警察官（長官を除く。）の階級は、警視総監、警視監、警視長、警視正、警視、警部、警部補、巡査部長及び巡査とする。

第六三条（警察官の職務） 警察官は、上官の指揮監督を受け、警察の事務を執行する。

第六四条（警察官の職権行使）① 第五条第四項第十六号に掲げるものに係る事務に関して必要な職務を行う警察庁の警察官は、この法律に特別の定めがある場合を除くほか、当該職務に必要な限度で職権を行うものとする。

② 都道府県警察の警察官は、この法律に特別の定めがある場合を除くほか、当該都道府県警察の管轄区域内において職権を行うものとする。

第六五条（現行犯人に関する職権行使） 警察官は、いかなる地域においても、刑事訴訟法（昭和二十三年法律第百三十一号）第二百十二条に規定する現行犯人の逮捕に関しては、警察官としての職権を行うことができる。

第六六条（移動警察等に関する職権行使）① 警察官は、二以上の都道府県警察の管轄区域にわたる交通機関における移動警察については、関係都道府県警察の協議して定めたところにより、当該関係都道府県警察の管轄区域内において、職権を行うことができる。

② 警察官は、二以上の都道府県警察の管轄区域にわたる道路運送法（昭和二十六年法律第百八十三号）第二条第八項に規定する自動車道及び政令で定める道路法（昭和二十七年法律第百八十号）第二条第一項に規定する道路の政令で定める区域における交通の円滑と危険の防止を図るため必要があると認められる場合においては、前項の規定の例により、当該道路の区域における事案について、当該関係都道府県警察の管轄区域内において、職権を行うことができる。

第六七条（小型武器の所持） 警察官は、その職務の遂行のため小型武器を所持することができる。

第六八条から第七〇条まで　（略）

第六章　緊急事態の特別措置

第七一条（布告）① 内閣総理大臣は、大規模な災害又は騒乱その他の緊急事態に際して、治安の維持のため特に必要があると認めるときは、国家公安委員会の勧告に基き、全国又は一部の区域について緊急事態の布告を発することができる。

② 前項の布告には、その区域、事態の概要及び布告の効力を発する日時を記載しなければならない。

第七二条（内閣総理大臣の統制） 内閣総理大臣は、前条に規定する緊急事態の布告が発せられたときは、本章の定めるところに従い、一時的に警察を統制する。この場合においては、内閣総理大臣は、その緊急事態を収拾するため必要な限度において、長官を直接に指揮監督するものとする。

第七三条（長官の命令、指揮等）① 第七十一条に規定する緊急事態の布告が発せられたときは、長官は布告に記載された区域（以下本条中「布告区域」という。）を管轄する都道府県警察の警視総監又は警察本部長に対し、管区警察局長は布告区域を管轄する府県警察の警察本部長に対し、必要な命令をし、又は指揮をするものとする。

② 第七十一条に規定する緊急事態の布告が発せられたときは、長官は、布告区域を管轄する都道府県警察以外の都道府県警察に対して、布告区域その他必要な区域に警察官を派遣することを命ずることができる。

③　第七十一条に規定する緊急事態の布告が発せられたときは、布告区域（前項の規定により布告区域以外の区域に派遣された場合においては、当該区域）に派遣された警察官は、当該区域内のいかなる地域においても職権を行うことができる。

（国会の承認及び布告の廃止）

第七四条①　内閣総理大臣は、第七十一条の規定により、緊急事態の布告を発した場合には、これを発した日から二十日以内に国会に付議して、その承認を求めなければならない。但し、国会が閉会中の場合又は衆議院が解散されている場合には、その後最初に召集される国会においてすみやかにその承認を求めなければならない。

②　内閣総理大臣は、前項の場合において不承認の議決があつたとき、国会が緊急事態の布告の廃止を議決したとき、又は当該布告の必要がなくなつたときは、すみやかに当該布告を廃止しなければならない。

（国家公安委員会の助言義務）

第七五条　国家公安委員会は、内閣総理大臣に対し、本章に規定する内閣総理大臣の職権の行使について、常に必要な助言をしなければならない。

第七章　雑則（抄）

（検察官との関係）

第七六条①　都道府県公安委員会及び警察官と検察官との関係は、刑事訴訟法の定めるところによる。

②　国家公安委員会及び長官は、検事総長と常に緊密な連絡を保つものとする。

第七七条　（略）

（国有財産等の無償使用等）

第七八条①　国は、国有財産法（昭和二十三年法律第七十三号）第二十二条（同法第十九条において準用する場合を含む。）及び財政法（昭和二十二年法律第三十四号）第九条第一項の規定にかかわらず、警察教養施設、警察通信施設、犯罪鑑識施設その他都道府県警察の用に供する必要のある警察用の国有財産（国有財産法第二条第一項に規定する国有財産をいう。）及び国有の物品を当該都道府県警察に無償で使用させることができる。

②　警察庁又は都道府県警察は、連絡のため、相互に警察通信施設を使用することができる。

（苦情の申出等）

第七九条①　都道府県警察の職員（第六十一条の三第四項に規定する都道府県警察の警察官を除く。）の職務執行について苦情がある者は、都道府県公安委員会に対し、国家公安委員会規則で定める手続に従い、文書により苦情の申出をすることができる。

②　第六十四条第一項に規定する警察庁の警察官及び第六十一条の三第四項に規定する都道府県警察の警察官の当該職務執行について苦情がある者は、国家公安委員会に対し、国家公安委員会規則で定める手続に従い、文書により苦情の申出をすることができる。

③　都道府県公安委員会又は国家公安委員会は、前二項の申出があつたときは、法令又は条例の規定に基づきこれを誠実に処理し、処理の結果を文書により申出者に通知しなければならない。ただし、次に掲げる場合は、この限りでない。

一　申出が警察の事務の適正な遂行を妨げる目的で行われたと認められるとき。

二　申出者の所在が不明であるとき。

三　申出者が他の者と共同で苦情の申出を行つたと認められる場合において、当該他の者に当該苦情に係る処理の結果を通知したとき。

第八〇条及び第八一条　（略）

附　則（抄）

（施行期日）

①　この法律は、昭和二十九年七月一日から施行する。但し、附則第三項、附則第六項及び附則第二十六項の規定は、公布の日から施行し、指定府県の府県公安委員会の委員及び市警察部に関する規定は、昭和三十年七月一日から施行する。

刑法等の一部を改正する法律の施行に伴う関係法律整理法中経過規定　（令和四・六・一七法六八）（抄）

第四四一条から第四四三条まで　（刑法の同経過規定参照）

第五〇九条　（刑法の同経過規定参照）

刑法等の一部を改正する法律の施行に伴う関係法律整理法

附　則（令和四・六・一七法六八）（抄）

（施行期日）

①　この法律は、刑法等一部改正法（刑法等の一部を改正する法律（令和四法六七））施行日（令和七・六・一）から施行する。ただし、次の各号に掲げる規定は、当該各号に定める日から施行する。

一　第五百九条の規定　公布の日

二　（略）

○警察官職務執行法（昭和二三・七・一二法一三六）

施行　昭和二三・七・一二（附則）
題名改正　昭和二九法一六三（旧・警察官等職務執行法）
最終改正　令和四法六八

（この法律の目的）

第一条①　この法律は、警察官が警察法（昭和二十九年法律第百六十二号）に規定する個人の生命、身体及び財産の保護、犯罪の予防、公安の維持並びに他の法令の執行等の職権職務を忠実に遂行するために、必要な手段を定めることを目的とする。

②　この法律に規定する手段は、前項の目的のため必要な最小の限度において用いるべきものであつて、いやしくもその濫用にわたるようなことがあつてはならない。

（質問）

第二条①　警察官は、異常な挙動その他周囲の事情から合理的に判断して何らかの犯罪を犯し、若しくは犯そうとしていると疑うに足りる相当な理由のある者又は既に行われた犯罪について、若しくは犯罪が行われようとしていることについて知つていると認められる者を停止させて質問することができる。

②　その場で前項の質問をすることが本人に対して不利であり、又は交通の妨害になると認められる場合においては、質問するため、その者に附近の警察署、派出所又は駐在所に同行することを求めることができる。

③　前二項に規定する者は、刑事訴訟に関する法律の規定によらない限り、身柄を拘束され、又はその意に反して警察署、派出所若しくは駐在所に連行され、若しくは答弁を強要されることはない。

④　警察官は、刑事訴訟に関する法律により逮捕されている者については、その身体について凶器を所持しているかどうかを調べることができる。

（保護）

第三条①　警察官は、異常な挙動その他周囲の事情から合理的に判断して次の各号のいずれかに該当することが明らかであり、かつ、応急の救護を要すると信ずるに足りる相当な理由のある者を発見したときは、取りあえず警察署、病院、救護施設等の適当な場所において、これを保護しなければならない。

一　精神錯乱又は泥酔のため、自己又は他人の生命、身体又は財産に危害を及ぼすおそれのある者

二　迷い子、病人、負傷者等で適当な保護者を伴わず、応急の

救護を要すると認められる者（本人がこれを拒んだ場合を除く。）

② 前項の措置をとつた場合においては、警察官は、できるだけすみやかに、その者の家族、知人その他の関係者にこれを通知し、その者の引取方について必要な手配をしなければならない。責任ある家族、知人等が見つからないときは、すみやかにその事件を適当な公衆保健若しくは公共福祉のための機関又はこの種の者の処置について法令により責任を負う他の公の機関に、その事件を引き継がなければならない。

③ 第一項の規定による警察の保護は、二十四時間をこえてはならない。但し、引き続き保護することを承認する簡易裁判所（当該保護をした警察官の属する警察署所在地を管轄する簡易裁判所をいう。以下同じ。）の裁判官の許可状のある場合は、この限りでない。

④ 前項但書の許可状は、警察官の請求に基き、裁判官において已むを得ない事情があると認めた場合に限り、これを発するものとし、その延長に係る期間は、通じて五日をこえてはならない。この許可状には已むを得ないと認められる事情を明記しなければならない。

⑤ 警察官は、第一項の規定により警察で保護をした者の氏名、住所、保護の理由、保護及び引渡の時日並びに引渡先を毎週簡易裁判所に通知しなければならない。

（避難等の措置）

第四条① 警察官は、人の生命若しくは身体に危険を及ぼし、又は財産に重大な損害を及ぼす虞のある天災、事変、工作物の損壊、交通事故、危険物の爆発、狂犬、奔馬の類等の出現、極端な雑踏等危険な事態がある場合においては、その場に居合わせた者、その事物の管理者その他関係者に必要な警告を発し、及び特に急を要する場合においては、危害を受ける虞のある者に対し、その場の危害を避けしめるために必要な限度でこれを引き留め、若しくは避難させ、又はその場に居合わせた者、その事物の管理者その他関係者に対し、危害防止のため通常必要と認められる措置をとることを命じ、又は自らその措置をとることができる。

② 前項の規定により警察官がとつた処置については、順序を経て所属の公安委員会にこれを報告しなければならない。この場合において、公安委員会は他の公の機関に対し、その後の処置について必要と認める協力を求めるため適当な措置をとらなければならない。

（犯罪の予防及び制止）

第五条 警察官は、犯罪がまさに行われようとするのを認めたときは、その予防のため関係者に必要な警告を発し、又、もしその行為により人の生命若しくは身体に危険が及び、又は財産に重大な損害を受ける虞があつて、急を要する場合においては、その行為を制止することができる。

（立入）

第六条① 警察官は、前二条に規定する危険な事態が発生し、人の生命、身体又は財産に対し危害が切迫した場合において、その危害を予防し、損害の拡大を防ぎ、又は被害者を救助するため、已むを得ないと認めるときは、合理的に必要と判断される限度において他人の土地、建物又は船車の中に立ち入ることができる。

② 興行場、旅館、料理屋、駅その他多数の客の来集する場所の管理者又はこれに準ずる者は、その公開時間中において、警察官が犯罪の予防又は人の生命、身体若しくは財産に対する危害予防のため、その場所に立ち入ることを要求した場合においては、正当の理由なくして、これを拒むことができない。

③ 警察官は、前二項の規定による立入に際しては、みだりに関係者の正当な業務を妨害してはならない。

④ 警察官は、第一項又は第二項の規定による立入に際して、その場所の管理者又はこれに準ずる者から要求された場合には、その理由を告げ、且つ、その身分を示す証票を呈示しなければならない。

（武器の使用）

第七条 警察官は、犯人の逮捕若しくは逃走の防止、自己若しくは他人に対する防護又は公務執行に対する抵抗の抑止のため必要であると認める相当な理由のある場合においては、その事態に応じ合理的に必要と判断される限度において、武器を使用することができる。ただし、刑法（明治四十年法律第四十五号）第三十六条（正当防衛）若しくは同法第三十七条（緊急避難）に該当する場合又は次の各号のいずれかに該当する場合を除いては、人に危害を与えてはならない。

一 死刑又は無期若しくは長期三年以上の拘禁刑に当たる凶悪な罪を現に犯し、若しくは既に犯したと疑うに足りる充分な理由のある者がその者に対する警察官の職務の執行に対して抵抗し、若しくは逃亡しようとするとき又は第三者がその者を逃がそうとして警察官に抵抗するとき、これを防ぎ、又は逮捕するために他に手段がないと警察官において信ずるに足りる相当な理由のある場合

二 逮捕状により逮捕する際又は勾引状若しくは勾留状を執行する際その本人がその者に対する警察官の職務の執行に対して抵抗し、若しくは逃亡しようとするとき又は第三者がその者を逃がそうとして警察官に抵抗するとき、これを防ぎ、又は逮捕するために他に手段がないと警察官において信ずるに足りる相当な理由のある場合

（他の法令による職権職務）

第八条 警察官は、この法律の規定によるの外、刑事訴訟その他に関する法令及び警察の規則による職権職務を遂行すべきものとする。

刑法等の一部を改正する法律の施行に伴う関係法律整理法中経過規定（令和四・六・一七法六八）（抄）

（警察官職務執行法の一部改正に伴う経過措置）

第四四一条から第四四三条まで（刑法の同経過規定参照）

第四九九条 刑法等一部改正法等（刑法等の一部を改正する法律（令和四法六七）及び刑法等の一部を改正する法律の施行に伴う関係法律の整理等に関する法律（令和四法六八））の施行前にした行為に係る第九十七条の規定による改正後の警察官職務執行法第七条（第一号に係る部分に限る。）の規定の適用については、無期又は長期三年以上の懲役又は禁錮に当たる罪は、それぞれ無期又は長期三年以上の拘禁刑に当たる罪とみなす。

第五〇九条（刑法の同経過規定参照）

刑法等の一部を改正する法律の施行に伴う関係法律整理法

附 則（令和四・六・一七法六八）（抄）

（施行期日）

① この法律は、刑法等一部改正法（刑法等の一部を改正する法律（令和四法六七））施行日（令和七・六・一）から施行する。ただし、次の各号に掲げる規定は、当該各号に定める日から施行する。

一 第五百九条の規定 公布の日

二 （略）

○破壊活動防止法（抄）（昭和二七・七・二一 法 二 四 〇）

施行 昭和二七・七・二一（附則）
最終改正 令和四法六八

目次

第一章 総則

（この法律の目的）

第一条 この法律は、団体の活動として暴力主義的破壊活動を行つた団体に対する必要な規制措置を定めるとともに、暴力主義的破壊活動に関する刑罰規定を補整し、もつて、公共の安全の確保に寄与することを目的とする。

（この法律の解釈適用）

第二条 この法律は、国民の基本的人権に重大な関係を有するものであるから、公共の安全の確保のために必要な最小限度においてのみ適用すべきであつて、いやしくもこれを拡張して解釈するようなことがあつてはならない。

（規制の基準）

第三条① この法律による規制及び規制のための調査は、第一条に規定する目的を達成するために必要な最小限度においてのみ行うべきであつて、いやしくも権限を逸脱して、思想、信教、集会、結社、表現及び学問の自由並びに勤労者の団結し、及び団体行動をする権利その他日本国憲法の保障する国民の自由と権利を、不当に制限するようなことがあつてはならない。

② この法律による規制及び規制のための調査については、いやしくもこれを濫用し、労働組合その他の団体の正当な活動を制限し、又はこれに介入するようなことがあつてはならない。

（定義）

第四条① この法律で「暴力主義的破壊活動」とは、次に掲げる行為をいう。

一 イ 刑法（明治四十年法律第四十五号）第七十七条（内乱）、第七十八条（予備及び陰謀）、第七十九条（内乱等幇助）、第八十一条（外患誘致）、第八十二条（外患援助）、第八十七条（未遂罪）又は第八十八条（予備及び陰謀）に規定する行為をなすこと。

ロ この号イに規定する行為の教唆をなすこと。

ハ 刑法第七十七条、第八十一条又は第八十二条に規定する行為を実行させる目的をもつて、その行為のせん動をなすこと。

ニ 刑法第七十七条、第八十一条又は第八十二条に規定する行為を実行させる目的をもつて、その実行の正当性又は必要性を主張した文書又は図画を印刷し、頒布し、又は公然掲示すること。

ホ 刑法第七十七条、第八十一条又は第八十二条に規定する行為を実行させる目的をもつて、無線通信又は有線放送により、その実行の正当性又は必要性を主張する通信をなすこと。

二 政治上の主義若しくは施策を推進し、支持し、又はこれに反対する目的をもつて、次に掲げる行為の一をなすこと。

イ 刑法第百六条（騒乱）に規定する行為

ロ 刑法第百八条（現住建造物等放火）又は第百九条第一項（非現住建造物等放火）に規定する行為

ハ 刑法第百十七条第一項前段（激発物破裂）に規定する行為

ニ 刑法第百二十五条（往来危険）に規定する行為

ホ 刑法第百二十六条第一項又は第二項（汽車転覆等）に規定する行為

ヘ 刑法第百九十九条（殺人）に規定する行為

ト 刑法第二百三十六条第一項（強盗）に規定する行為

チ 爆発物取締罰則（明治十七年太政官布告第三十二号）第一条（爆発物使用）に規定する行為

リ 検察若しくは警察の職務を行い、若しくはこれを補助する者、法令により拘禁された者を看守し、若しくは護送する者又はこの法律の規定により調査に従事する者に対し、凶器又は毒劇物を携え、多衆共同してなす刑法第九十五条（公務執行妨害及び職務強要）に規定する行為

ヌ この号イからリまでに規定する行為の一の予備、陰謀若しくは教唆をなし、又はこの号イからリまでに規定する行為の一を実行させる目的をもつてその行為のせん動をなすこと。

② この法律で「せん動」とは、特定の行為を実行させる目的をもつて、文書若しくは図画又は言動により、人に対し、その行為を実行する決意を生ぜしめ又は既に生じている決意を助長させるような勢のある刺激を与えることをいう。

③ この法律で「団体」とは、特定の共同目的を達成するための多数人の継続的結合体又はその連合体をいう。但し、ある団体の支部、分会その他の下部組織も、この要件に該当する場合には、これに対して、この法律による規制を行うことができるものとする。

第二章 破壊的団体の規制

（団体活動の制限）

第五条① 公安審査委員会は、団体の活動として暴力主義的破壊活動を行つた団体に対して、当該団体が継続又は反覆して将来さらに団体の活動として暴力主義的破壊活動を行う明らかなおそれがあると認めるに足りる十分な理由があるときは、左に掲げる処分を行うことができる。但し、その処分は、そのおそれを除去するために必要且つ相当な限度をこえてはならない。

一 当該暴力主義的破壊活動が集団示威運動、集団行進又は公開の集会において行われたものである場合においては、六月をこえない期間及び地域を定めて、それぞれ、集団示威運動、集団行進又は公開の集会を行うことを禁止すること。

二 当該暴力主義的破壊活動が機関誌紙（団体がその目的、主義、方針等を主張し、通報し、又は宣伝するために継続的に刊行する出版物をいう。）によつて行われたものである場合においては、六月をこえない期間を定めて、当該機関誌紙を続けて印刷し、又は頒布することを禁止すること。

三 六月をこえない期間を定めて、当該暴力主義的破壊活動に関与した特定の役職員（代表者、主幹者その他名称のいかんを問わず当該団体の事務に従事する者をいう。以下同じ。）又は構成員に当該団体のためにする行為をさせることを禁止すること。

② 前項の処分が効力を生じた後は、何人も、当該団体の役職員又は構成員として、その処分の趣旨に反する行為をしてはならない。但し、同項第三号の処分が効力を生じた場合において、当該役職員又は構成員が当該処分の効力に関する訴訟に通常必要とされる行為をすることは、この限りでない。

（脱法行為の禁止）

第六条 前条第一項の処分を受けた団体の役職員又は構成員は、いかなる名義においても、同条第二項の規定による禁止を免れる行為をしてはならない。

（解散の指定）

第七条 公安審査委員会は、左に掲げる団体が継続又は反覆して将来さらに団体の活動として暴力主義的破壊活動を行う明らかなおそれがあると認めるに足りる十分な理由があり、且つ、第五条第一項の処分によつては、そのおそれを有効に除去するこ

とができないと認められるときは、当該団体に対して、解散の指定を行うことができる。

一　団体の活動として第四条第一項第一号に掲げる暴力主義的破壊活動を行つた団体

二　団体の活動として第四条第一項第二号イからリまでに掲げる暴力主義的破壊活動を行い、若しくはその実行に着手してこれを遂げず、又は人を教唆し、若しくはこれを実行させる目的をもつて人をせん動して、これを行わせた団体

三　第五条第一項の処分を受け、さらに団体の活動として暴力主義的破壊活動を行つた団体

（団体のためにする行為の禁止）

第八条　前条の処分が効力を生じた後は、当該処分の原因となつた暴力主義的破壊活動が行われた日以後当該団体の役職員又は構成員であつた者は、当該団体のためにするいかなる行為もしてはならない。但し、その処分の効力に関する訴訟又は当該団体の財産若しくは事務の整理に通常必要とされる行為は、この限りでない。

（脱法行為の禁止）

第九条　前条に規定する者は、いかなる名義においても、同条の規定による禁止を免れる行為をしてはならない。

（財産の整理）

第一〇条①　法人について、第七条の処分が訴訟手続によつてその取消を求めることのできないことが確定したときは、その法人は、解散する。

②　第七条の処分が訴訟手続によつてその取消を求めることのできないことが確定したときは、当該団体は、すみやかに、その財産を整理しなければならない。

③　前項の財産整理が終了したときは、当該団体の役職員であつた者は、そのてん末を公安調査庁長官に届け出なければならない。

第三章　破壊的団体の規制の手続

（処分の請求）

第一一条　第五条第一項及び第七条の処分は、公安調査庁長官の請求があつた場合にのみ行う。

（通知）

第一二条①　公安調査庁長官は、前条の請求をしようとするときは、あらかじめ、当該団体が事件につき弁明をなすべき期日及び場所を定め、その期日の七日前までに、当該団体に対し、処分の請求をしようとする事由の要旨並びに弁明の期日及び場所を通知しなければならない。

②　前項の通知は、官報で公示して行う。この場合においては、公示した日から七日を経過した時に、通知があつたものとする。

③　当該団体の代表者又は主幹者の住所又は居所が知れているときは、前項の規定による公示の外、これに通知書を送付しなければならない。

（代理人）

第一三条　前条第一項の通知を受けた団体は、事件につき弁護士その他の者を代理人に選任することができる。

（意見の陳述及び証拠の提出）

第一四条　当該団体の役職員、構成員及び代理人は、五人以内に限り、弁明の期日に出頭して、公安調査庁長官の指定する公安調査庁の職員（以下「受命職員」という。）に対し、事実及び証拠につき意見を述べ、並びに有利な証拠を提出することができる。

（傍聴）

第一五条①　当該団体は、五人以内の立会人を選任することができる。

②　当該団体が立会人を選任したときは、公安調査庁長官にその氏名を届け出なければならない。

③　弁明の期日には、立会人及び新聞、通信又は放送の事業の取材業務に従事する者は、手続を傍聴することができる。

④　受命職員は、前項に規定する者が弁明の聴取を妨げる行為をしたときは、その者に退去を命ずることができる。

（不必要な証拠）

第一六条　第十四条の規定により提出された証拠であつても、不必要なものは、取り調べることを要しない。但し、受命職員は、当該団体の公正且つ十分な弁明の聴取を受ける権利を不当に制限するようなことがあつてはならない。

（調書）

第一七条①　受命職員は、弁明の期日における経過について調書を作成しなければならない。

②　前項の調書については、第十四条の規定により出頭した者に意見を述べる機会を与え、意見の有無及び意見があるときはその要旨をこれに附記しなければならない。

（調書等の謄本の交付）

第一八条　受命職員は、当該団体から請求があつたときは、調書及び取り調べた証拠書類の謄本各一通をこれに交付しなければならない。

（処分の請求をしない旨の通知）

第一九条　公安調査庁長官は、第十二条第一項の通知をした事件について、第十一条の請求をしないものと決定したときは、すみやかに、当該団体に対しその旨を通知するとともに、これを官報で公示しなければならない。

（処分の請求の方式）

第二〇条①　第十一条の請求は、請求の原因たる事実、第五条第一項又は第七条の処分を請求する旨その他公安審査委員会の規則で定める事項を記載した処分請求書を公安審査委員会に提出して行わなければならない。

②　処分請求書には、請求の原因たる事実を証すべき証拠、当該団体が提出したすべての証拠及び第十七条に規定する調書を添附しなければならない。

③　前項の請求の原因たる事実を証すべき証拠は、当該団体に意見を述べる機会が与えられたものでなければならない。

（処分の請求の通知及び意見書）

第二一条①　公安調査庁長官は、処分請求書を公安審査委員会に提出した場合には、当該団体に対し、その請求の内容を通知しなければならない。

②　前項の通知は、官報で公示して行う。この場合においては、公示した日から七日を経過した時に、通知があつたものとする。

③　当該団体の代表者又は主幹者の住所又は居所が知れているときは、前項の規定による公示の外、これに処分請求書の謄本を送付しなければならない。

④　当該団体は、第一項の通知があつた日から十四日以内に、処分の請求に対する意見書を公安審査委員会に提出することができる。

（公安審査委員会の決定）

第二二条①　公安審査委員会は、公安調査庁長官が提出した処分請求書、証拠及び調書並びに当該団体が提出した意見書につき審査を行わなければならない。この場合においては、審査のため必要な取調をすることができる。

②　公安審査委員会は、前項の取調をするため、左の各号に掲げる処分をすることができる。

一　関係人若しくは参考人の任意の出頭を求めて取り調べ、又はこれらの者から意見若しくは報告を徴すること。

二　帳簿書類その他の物件の所有者、所持者若しくは保管者に対し、当該物件の任意の提出を求め、又は任意に提出した物件を留めておくこと。

三　看守者若しくは住居主又はこれらの者に代るべき者の承諾を得て、当該団体の事務所その他必要な場所に臨み、業務の状況又は帳簿書類その他の物件を検査すること。

四　公務所又は公私の団体に対し、必要な報告又は資料の提出を求めること。

③　公安審査委員会は、相当と認めるときは、公安審査委員会の

委員又は職員に前項の処分をさせることができる。

④　公安審査委員会の委員又は職員は、第二項の処分を行うに当つて、関係人から求められたときは、その身分を示す証票を呈示しなければならない。

⑤　公安審査委員会は、第一項の規定による審査の結果に基いて、事件につき、左の区別に従い、決定をしなければならない。

一　処分の請求が不適法であるときは、これを却下する決定

二　処分の請求が理由がないときは、これを棄却する決定

三　処分の請求が理由があるときは、それぞれその処分を行う決定

⑥　公安審査委員会は、解散の処分の請求に係る事件につき第七条の処分をすることができない場合においても、当該団体が第五条第一項の規定に該当するときは、前項第二号の規定にかかわらず、第五条第一項の処分を行う決定をしなければならない。

（決定の方式）

第二三条　決定は、文書をもつて行い、且つ、理由を附して、委員長及び決定に関与した委員がこれに署名押印をしなければならない。

（決定の通知及び公示）

第二四条①　決定は、公安調査庁長官及び当該団体に通知しなければならない。

②　前項の通知は、公安調査庁長官及び当該団体に決定書の謄本を送付して行う。

③　決定は、官報で公示しなければならない。

（決定の効力発生時期）

第二五条①　決定は、左の各号に掲げる時に、それぞれその効力を生ずる。

一　処分の請求を却下し、又は棄却する決定は、決定書の謄本が公安調査庁長官に送付された時

二　第五条第一項又は第七条の処分を行う決定は、前条第三項の規定により官報で公示した時

②　前項の決定の取消しの訴えについては、裁判所は、他の訴訟の順序にかかわらず、すみやかに審理を開始し、事件を受理した日から百日以内にその裁判をするようにつとめなければならない。

（処分の手続に関する細則）

第二六条　この章に規定するものを除く外、公安審査委員会における手続に関する細則は、公安審査委員会の規則で定める。

第四章　調査（第二七条から第三四条まで）（略）

第五章　雑則（第三五条から第三七条まで）（略）

第六章　罰則

（内乱、外患の罪の教唆等）

第三八条①　刑法第七十七条、第八十一条若しくは第八十二条の罪の教唆をなし、又はこれらの罪を実行させる目的をもつてその罪の煽動をなした者は、七年以下の拘禁刑に処する。

②　次の各号のいずれかに該当する者は、五年以下の拘禁刑に処する。

一　刑法第七十八条、第七十九条又は第八十八条の罪の教唆をなした者

二　刑法第七十七条、第八十一条又は第八十二条の罪を実行させる目的をもつて、その実行の正当性又は必要性を主張した文書又は図画を印刷し、頒布し、又は公然掲示した者

三　刑法第七十七条、第八十一条又は第八十二条の罪を実行させる目的をもつて、無線通信又は有線放送により、その実行の正当性又は必要性を主張する通信をなした者

③　刑法第七十七条、第七十八条又は第七十九条の罪に係る前二項の罪を犯し、いまだ暴動にならない前に自首した者は、その刑を減軽し、又は免除する。

（政治目的のための放火の罪の予備等）

第三九条　政治上の主義若しくは施策を推進し、支持し、又はこれに反対する目的をもつて、刑法第百八条、第百九条第一項、第百十七条第一項前段、第百二十六条第一項若しくは第二項、第百九十九条若しくは第二百三十六条第一項の罪の予備、陰謀若しくは教唆をなし、又はこれらの罪を実行させる目的をもつてするその罪の煽動をなした者は、五年以下の拘禁刑に処する。

（政治目的のための騒乱の罪の予備等）

第四〇条　政治上の主義若しくは施策を推進し、支持し、又はこれに反対する目的をもつて、次に掲げる罪の予備、陰謀若しくは教唆をなし、又はこれらの罪を実行させる目的をもつてするその罪の煽動をなした者は、三年以下の拘禁刑に処する。

一　刑法第百六条の罪

二　刑法第百二十五条の罪

三　検察若しくは警察の職務を行い、若しくはこれを補助する者、法令により拘禁された者を看守し、若しくは護送する者又はこの法律の規定により調査に従事する者に対し、凶器又は毒劇物を携え、多衆共同してなす刑法第九十五条の罪

（教唆）

第四一条　この法律に定める教唆の規定は、教唆された者が教唆に係る犯罪を実行したときは、刑法総則に定める教唆の規定の適用を排除するものではない。この場合においては、その刑を比較し、重い刑をもつて処断する。

（団体のためにする行為の禁止違反の罪）

第四二条　第八条又は第九条の規定に違反した者は、三年以下の拘禁刑又は五万円以下の罰金に処する。

（団体活動の制限処分の違反の罪）

第四三条　第五条第一項又は第六条の規定に違反した者は、二年以下の拘禁刑又は三万円以下の罰金に処する。

（退去命令違反の罪）

第四四条　第十五条第四項の規定による命令に違反した者は、三万円以下の罰金に処する。

（公安調査官の職権濫用の罪）

第四五条　公安調査官がその職権を濫用し、人をして義務のないことを行わせ、又は行うべき権利を妨害したときは、三年以下の拘禁刑に処する。

附　則（抄）

②　左に掲げる政令は、廃止する。

一　団体等規正令（昭和二十四年政令第六十四号）

二　解散団体の財産の管理及び処分等に関する政令（昭和二十三年政令第二百三十八号）

三　解散団体財産売却理事会令（昭和二十三年政令第二百八十五号）

刑法等の一部を改正する法律の施行に伴う関係法律整理法中経過規定（令和四・六・一七法六八）（抄）

第四四一条から第四四三条まで　（刑法の同経過規定参照）

第五〇九条　（刑法の同経過規定参照）

刑法等の一部を改正する法律の施行に伴う関係法律整理法

附　則（令和四・六・一七法六八）（抄）

（施行期日）

①　この法律は、刑法等一部改正法（刑法等の一部を改正する法律（令和四法六七））施行日（令和七・六・一）から施行する。ただし、次の各号に掲げる規定は、当該各号に定める日から施行する。

一　第五百九条の規定　公布の日

二　（略）

○道路交通法（抄）（昭和三五・六・二五法一〇五）

施行 昭和三五・一二・二〇（昭和三五政二六九）
最終改正 令和六法五九

目次

第一章 総則

（目的）
第一条 この法律は、道路における危険を防止し、その他交通の安全と円滑を図り、及び道路の交通に起因する障害の防止に資することを目的とする。

（定義）
第二条① この法律において、次の各号に掲げる用語の意義は、それぞれ当該各号に定めるところによる。
一 道路 道路法（昭和二十七年法律第百八十号）第二条第一項に規定する道路、道路運送法（昭和二十六年法律第百八十三号）第二条第八項に規定する自動車道及び一般交通の用に供するその他の場所をいう。
二 歩道 歩行者の通行の用に供するため縁石線又は柵その他これに類する工作物によつて区画された道路の部分をいう。
三 車道 車両の通行の用に供するため縁石線若しくは柵その他これに類する工作物又は道路標示によつて区画された道路の部分をいう。
三の二 本線車道 高速自動車国道（高速自動車国道法（昭和三十二年法律第七十九号）第四条第一項に規定する道路をいう。以下同じ。）又は自動車専用道路（道路法第四十八条の四に規定する自動車専用道路をいう。以下同じ。）の本線車線により構成する車道をいう。
三の三 自転車道 自転車の通行の用に供するため縁石線又は柵その他これに類する工作物によつて区画された車道の部分をいう。
三の四 路側帯 歩行者の通行の用に供し、又は車道の効用を保つため、歩道の設けられていない道路又は道路の歩道の設けられていない側の路端寄りに設けられた帯状の道路の部分で、道路標示によつて区画されたものをいう。
四 横断歩道 道路標識又は道路標示（以下「道路標識等」という。）により歩行者の横断の用に供するための場所であることが示されている道路の部分をいう。
四の二 自転車横断帯 道路標識等により自転車の横断の用に供するための場所であることが示されている道路の部分をいう。
五 交差点 十字路、丁字路その他二以上の道路が交わる場合における当該二以上の道路（歩道と車道の区別のある道路においては、車道）の交わる部分をいう。
六 安全地帯 路面電車に乗降する者若しくは横断している歩行者の安全を図るため道路に設けられた島状の施設又は道路標識及び道路標示により安全地帯であることが示されている道路の部分をいう。
七 車両通行帯 車両が道路の定められた部分を通行すべきことが道路標示により示されている場合における当該道路標示により示されている道路の部分をいう。

八　車両　自動車、原動機付自転車、軽車両及びトロリーバスをいう。
九　自動車　原動機を用い、かつ、レール又は架線によらないで運転する車又は特定自動運行を行う車であつて、原動機付自転車、軽車両、移動用小型車、身体障害者用の車及び遠隔操作型小型車並びに歩行補助車、乳母車その他の歩きながら用いる小型の車で政令で定めるもの（以下「歩行補助車等」という。）以外のものをいう。
十　原動機付自転車　原動機を用い、かつ、レール又は架線によらないで運転する車であつて次に掲げるもののうち、軽車両、移動用小型車、身体障害者用の車、遠隔操作型小型車及び歩行補助車等以外のものをいう。
イ　内閣府令で定める大きさ以下の総排気量又は定格出力を有する原動機を用いる車（ロに該当するものを除く。）
ロ　車体の大きさ及び構造が自転車道における他の車両の通行を妨げるおそれのないものであり、かつ、その運転に関し高い技能を要しないものである車として内閣府令で定める基準に該当するもの
十一　軽車両　次に掲げるものであつて、移動用小型車、身体障害者用の車及び歩行補助車等以外のもの（遠隔操作（車から離れた場所から当該車に電気通信技術を用いて指令を与えることにより当該車の操作をすること（当該操作をする車に備えられた衝突を防止するために自動的に当該車の通行を制御する装置を使用する場合を含む。）をいう。以下同じ。）により通行させることができるものを除く。）をいう。
イ　自転車、荷車その他人若しくは動物の力により、又は他の車両に牽引され、かつ、レールによらないで運転する車（そり及び牛馬を含み、小児用の車（小児が用いる小型の車であつて、歩きながら用いるもの以外のものをいう。次号及び第三項第一号において同じ。）を除く。）
ロ　原動機を用い、かつ、レール又は架線によらないで運転する車であつて、車体の大きさ及び構造を勘案してイに準ずるものとして内閣府令で定めるもの
十一の二　自転車　ペダル又はハンド・クランクを用い、かつ、人の力により運転する二輪以上の車（レールにより運転する車を除く。）であつて、身体障害者用の車、小児用の車及び歩行補助車等以外のもの（原動機を用いるものにあつては、人の力を補うため原動機を用いるものであつて内閣府令で定める基準に該当するものを含み、移動用小型車及び遠隔操作により通行させることができるものを除く。）をいう。
十一の三　移動用小型車　人の移動の用に供するための原動機を用いる小型の車（遠隔操作により通行させることができるものを除く。）であつて、車体の大きさ及び構造が他の歩行者の通行を妨げるおそれのないものとして内閣府令で定める基準に該当するもののうち、身体障害者用の車以外のものをいう。
十一の四　身体障害者用の車　身体の障害により歩行が困難な者の移動の用に供するための車（原動機を用いるものにあつては、内閣府令で定める基準に該当するものに限り、遠隔操作により通行させることができるものを除く。）をいう。
十一の五　遠隔操作型小型車　人又は物の運送の用に供するための原動機を用いる小型の車であつて遠隔操作により通行させることができるもののうち、車体の大きさ及び構造が歩行者の通行を妨げるおそれのないものとして内閣府令で定める基準に該当するものであり、かつ、内閣府令で定める基準に適合する非常停止装置を備えているものをいう。
十二　トロリーバス　架線から供給される電力により、かつ、レールによらないで運転する車をいう。
十三　路面電車　レールにより運転する車をいう。
十三の二　自動運行装置　道路運送車両法（昭和二十六年法律第百八十五号）第四十一条第一項第二十号に規定する自動運行装置をいう。
十四　信号機　電気により操作され、かつ、道路の交通に関し、灯火により交通整理等のための信号を表示する装置をいう。
十五　道路標識　道路の交通に関し、規制又は指示を表示する標示板をいう。
十六　道路標示　道路の交通に関し、規制又は指示を表示する標示で、路面に描かれた道路鋲、ペイント、石等による線、記号又は文字をいう。
十七　運転　道路において、車両又は路面電車（以下「車両等」という。）をその本来の用い方に従つて用いること（原動機に加えてペダルその他の人の力により走行させることができる装置を備えている自動車又は原動機付自転車にあつては当該装置を用いて走行させる場合を含み、特定自動運行を行う場合を除く。）をいう。
十七の二　特定自動運行　道路において、自動運行装置（当該自動運行装置を備えている自動車が第六十二条に規定する整備不良車両に該当することとなつたとき又は当該自動運行装置の使用が当該自動運行装置に係る使用条件（道路運送車両法第四十一条第二項に規定する条件をいう。以下同じ。）を満たさないこととなつたときに、直ちに自動的に安全な方法で当該自動車を停止させることができるものに限る。）を当該自動運行装置に係る使用条件で使用して当該自動運行装置を備えている自動車を運行すること（当該自動車の運行中の道路、交通及び当該自動車の状況に応じて当該自動車の装置を操作する者がいる場合のものを除く。）をいう。
十八　駐車　車両等が客待ち、荷待ち、貨物の積卸し、故障その他の理由により継続的に停止すること（貨物の積卸しのための停止で五分を超えない時間内のもの及び人の乗降のための停止を除く。）、又は車両等が停止（特定自動運行中の停止を除く。）をし、かつ、当該車両等の運転をする者（以下「運転者」という。）がその車両等を離れて直ちに運転することができない状態にあることをいう。
十九　停車　車両等が停止することで駐車以外のものをいう。
二十　徐行　車両等が直ちに停止することができるような速度で進行することをいう。
二十一　追越し　車両が他の車両等に追い付いた場合において、その進路を変えてその追い付いた車両等の側方を通過し、かつ、当該車両等の前方に出ることをいう。
二十二　進行妨害　車両等が、進行を継続し、又は始めた場合においては危険を防止するため他の車両等がその速度又は方向を急に変更しなければならないこととなるおそれがあるときに、その進行を継続し、又は始めることをいう。
二十三　交通公害　道路の交通に起因して生ずる大気の汚染、騒音及び振動のうち内閣府令・環境省令で定めるものによつて、人の健康又は生活環境に係る被害が生ずることをいう。
②　道路法第四十五条第一項の規定により設置された区画線は、この法律の規定の適用については、内閣府令・国土交通省令で定めるところにより、道路標示とみなす。
③　この法律の規定の適用については、次に掲げる者は、歩行者とする。
一　移動用小型車、身体障害者用の車、遠隔操作型小型車、小児用の車又は歩行補助車等を通行させている者（遠隔操作型小型車にあつては、遠隔操作により通行させている者を除く。）
二　次条の大型自動二輪車又は普通自動二輪車、二輪の原動機付自転車、二輪又は三輪の自転車その他車体の大きさ及び構造が他の歩行者の通行を妨げるおそれのないものとして内閣府令で定める基準に該当する車両（これらの車両で側車付きのもの及び他の車両を牽引しているものを除く。）を押して歩いている者

第三条（**自動車の種類**）　自動車は、内閣府令で定める車体の大きさ及び構造並びに原動機の大きさを基準として、大型自動車、中型自動車、準中型自動車、普通自動車、大型特殊自動車、大型自動二輪車

付きのものを含む。以下同じ。）、普通自動二輪車（側車付きのものを含む。以下同じ。）及び小型特殊自動車に区分する。

（公安委員会の交通規制）

第四条① 都道府県公安委員会（以下「公安委員会」という。）は、道路における危険を防止し、その他交通の安全と円滑を図り、又は交通公害その他の道路の交通に起因する障害を防止するため必要があると認めるときは、政令で定めるところにより、信号機又は道路標識等を設置し、及び管理して、交通整理、歩行者若しくは遠隔操作型小型車（遠隔操作により道路を通行しているものに限る。）（次条から第十三条の二までにおいて「歩行者等」という。）又は車両等の通行の禁止その他の道路における交通の規制をすることができる。この場合において、緊急を要するため道路標識等を設置するいとまがないとき、その他道路標識等による交通の規制をすることが困難であると認めるときは、公安委員会は、その管理に属する都道府県警察の警察官の現場における指示により、道路標識等の設置及び管理による交通の規制に相当する交通の規制をすることができる。

② 前項の規定による交通の規制は、区域、道路の区間又は場所を定めて行なう。この場合において、その規制は、対象を限定し、又は適用される日若しくは時間を限定して行なうことができる。

③ 公安委員会は、環状交差点（車両の通行の用に供する部分が環状の交差点であつて、道路標識等により車両が当該部分を右回りに通行すべきことが指定されているものをいう。以下同じ。）以外の交通の頻繁な交差点その他交通の危険を防止するために必要と認められる場所には、信号機を設置するように努めなければならない。

④ 信号機の表示する信号の意味その他信号機について必要な事項は、政令で定める。

⑤ 道路標識等の種類、様式、設置場所その他道路標識等について必要な事項は、内閣府令・国土交通省令で定める。

（罰則 第一項後段については第百十九条第一項第一号、第百二十一条第一項第一号及び第二号）

（警察署長等への委任）

第五条① 公安委員会は、政令で定めるところにより、前条第一項に規定する歩行者等又は車両等の通行の禁止その他の交通の規制のうち、適用期間の短いものを警察署長に行わせることができる。

② 公安委員会は、信号機の設置又は管理に係る事務を政令で定める者に委任することができる。

（警察官等の交通規制）

第六条① 警察官又は第百十四条の四第一項に規定する交通巡視員（以下「警察官等」という。）は、手信号その他の信号（以下「手信号等」という。）により交通整理を行なうことができる。この場合において、警察官等は、道路における危険を防止し、その他交通の安全と円滑を図るため特に必要があると認めるときは、信号機の表示する信号にかかわらず、これと異なる意味を表示する手信号等をすることができる。

② 警察官は、車両等の通行が著しく停滞したことにより道路（高速自動車国道及び自動車専用道路を除く。第四項において同じ。）における交通が著しく混雑するおそれがある場合において、当該道路における交通の円滑を図るためやむを得ないと認めるときは、その現場における混雑を緩和するため必要な限度において、その現場に進行してくる車両等の通行を禁止し、若しくは制限し、その現場にある車両等の運転者に対し、当該車両等を後退させることを命じ、又は第八条第一項、第三章第一節、第三節若しくは第六節に規定する通行方法と異なる通行方法によるべきことを命ずることができる。

③ 警察官は、前項の規定による措置のみによつては、その現場における混雑を緩和することができないと認めるときは、その混雑を緩和するため必要な限度において、その現場にある関係者に対し必要な指示をすることができる。

④ 警察官は、道路の損壊、火災の発生その他の事情により道路において交通の危険が生ずるおそれがある場合において、当該道路における危険を防止するため緊急の必要があると認めるときは、必要な限度において、当該道路につき、一時、歩行者等又は車両等の通行を禁止し、又は制限することができる。

⑤ 第一項の手信号等の意味は、政令で定める。

（罰則 第二項については第百二十条第一項第一号、第四項については第百十九条第一項第一号、第百二十一条第一項第一号及び第二号）

（信号機の信号等に従う義務）

第七条 道路を通行する歩行者等又は車両等は、信号機の表示する信号又は警察官等の手信号等（前条第一項後段の場合においては、当該手信号等）に従わなければならない。

（罰則 第百十九条第一項第二号、同条第三項、第百二十一条第一項第一号及び第二号）

（通行の禁止等）

第八条① 歩行者等又は車両等は、道路標識等によりその通行を禁止されている道路又はその部分を通行してはならない。

② 車両は、警察署長が政令で定めるやむを得ない理由があると認めて許可をしたときは、前項の規定にかかわらず、道路標識等によりその通行を禁止されている道路又はその部分を通行することができる。

③ 警察署長は、前項の許可をしたときは、許可証を交付しなければならない。

④ 前項の規定により許可証の交付を受けた車両の運転者は、当該許可に係る通行中、当該許可証を携帯していなければならない。

⑤ 第二項の許可を与える場合において、必要があると認めるときは、警察署長は、当該許可に条件を付することができる。

⑥ 第三項の許可証の様式その他第二項の許可について必要な事項は、内閣府令で定める。

（罰則 第一項については第百十九条第一項第二号、同条第三項、第百二十一条第一項第一号及び第二号 第五項については第百二十一条第一項第三号）

（歩行者用道路を通行する車両の義務）

第九条 車両は、歩行者の通行の安全と円滑を図るため車両の通行が禁止されていることが道路標識等により表示されている道路（第十三条の二において「歩行者用道路」という。）を、前条第二項の許可を受け、又はその禁止の対象から除外されていることにより通行するときは、特に歩行者に注意して徐行しなければならない。

（罰則 第百十九条第一項第二号、同条第三項）

第二章 歩行者等の通行方法

（第一〇条から第一五条の二まで）（略）

第二章の二 遠隔操作型小型車の使用者の義務

（第一五条の三から第一五条の六まで）（略）

第三章 車両及び路面電車の交通方法

第一節 通則（抄）

（通則）

第一六条① 道路における車両及び路面電車の交通方法については、この章の定めるところによる。

② この章の規定の適用については、自動車又は原動機付自転車により他の車両を牽引する場合における当該牽引される車両は、その牽引する自動車又は原動機付自転車の一部とする。

③ この章の規定のうち交差点における交通に係る規定は、本線車道を通行している自動車については、適用しない。

④ この章の規定の適用については、自転車道が設けられている道路における自転車道と自転車道以外の車道の部分とは、それぞれ一の車道とする。

（通行区分）

第一七条① 車両は、歩道又は路側帯（以下この条及び次条第一項において「歩道等」という。）と車道の区別のある道路においては、車道を通行しなければならない。ただし、道路外の施設又は場所に出入するためやむを得ない場合において歩道等を横断するとき、又は第四十七条第三項若しくは第四十八条の規定により歩道等で停車し、若しくは駐車するため必要な限度において歩道等を通行するときは、この限りでない。

② 前項ただし書の場合において、車両は、歩道等に入る直前で一時停止し、かつ、歩行者の通行を妨げないようにしなければならない。

③ 特定小型原動機付自転車（原動機付自転車のうち第二条第一項第十号ロに該当するものをいう。以下同じ。）、二輪又は三輪の自転車その他車体の大きさ及び構造が自転車道における他の車両の通行を妨げるおそれのないものとして内閣府令で定める基準に該当する車両（これらの車両で側車付きのもの及び他の車両を牽引しているものを除く。）以外の車両は、自転車道を通行してはならない。ただし、道路外の施設又は場所に出入するためやむを得ないときは、自転車道を横断することができる。

④ 車両は、道路（歩道等と車道の区別のある道路においては、車道。以下第九節の二までにおいて同じ。）の中央（軌道が道路の側端に寄つて設けられている場合においては当該道路の軌道敷を除いた部分の中央とし、道路標識等による中央線が設けられているときはその中央線の設けられた道路の部分を中央とする。以下同じ。）から左の部分（以下「左側部分」という。）を通行しなければならない。

⑤ 車両は、次の各号に掲げる場合においては、前項の規定にかかわらず、道路の中央から右の部分（以下「右側部分」という。）にその全部又は一部をはみ出して通行することができる。この場合において、車両は、第一号に掲げる場合を除き、そのはみ出し方ができるだけ少なくなるようにしなければならない。

一 当該道路が一方通行（道路における車両の通行につき一定の方向にする通行が禁止されていることをいう。以下同じ。）となつているとき。

二 当該道路の左側部分の幅員が当該車両の通行のため十分なものでないとき。

三 当該車両が道路の損壊、道路工事その他の障害のため当該道路の左側部分を通行することができないとき。

四 当該道路の左側部分の幅員が六メートルに満たない道路において、他の車両を追い越そうとするとき（当該道路の右側部分を見とおすことができ、かつ、反対の方向からの交通を妨げるおそれがない場合に限るものとし、道路標識等により追越しのため右側部分にはみ出して通行することが禁止されている場合を除く。）。

五 勾配の急な道路のまがりかど附近について、道路標識等により通行の方法が指定されている場合において、当該車両が当該指定に従い通行するとき。

⑥ 車両は、安全地帯又は道路標識等により車両の通行の用に供しない部分であることが表示されているその他の道路の部分に入つてはならない。

（罰則 第一項から第三項まで及び第六項については第百十九条第一項第六号 第四項については第百十七条の二の二第一項第四号、第百十七条の二の二第一項第八号イ、第百十九条第一項第六号）

第一七条の二及び第一七条の三　（略）

第一八条（左側寄り通行等）① 車両（トロリーバスを除く。）は、車両通行帯の設けられた道路を通行する場合を除き、自動車及び一般原動機付自転車（原動機付自転車のうち第二条第一項第十号イに該当するものをいう。以下同じ。）にあつては道路の左側に寄つて、特定小型原動機付自転車及び軽車両（以下「特定小型原動機付自転車等」という。）にあつては道路の左側端に寄つて、それぞれ当該道路を通行しなければならない。ただし、追越しをするとき、第二十五条第二項若しくは第三十四条第二項若しくは第四項の規定により道路の中央若しくは右側端に寄るとき、又は道路の状況その他の事情によりやむを得ないときは、この限りでない。

② 車両は、前項の規定により歩道と車道の区別のない道路を通行する場合その他の場合において、歩行者の側方を通過するときは、これとの間に安全な間隔を保ち、又は徐行しなければならない。

③ 車両（特定小型原動機付自転車等を除く。）は、当該車両と同一の方向に進行している特定小型原動機付自転車等（歩道又は自転車道を通行しているものを除く。）の右側を通過する場合（当該特定小型原動機付自転車等を追い越す場合を除く。）において、当該車両と当該特定小型原動機付自転車等との間に十分な間隔がないときは、当該特定小型原動機付自転車等との間隔に応じた安全な速度で進行しなければならない。

④ 前項に規定する場合においては、当該特定小型原動機付自転車等は、できる限り道路の左側端に寄つて通行しなければならない。

（罰則 第二項については第百十九条第一項第六号 第三項については第百十七条の二の二第一項第四号、第百十七条の二の二第一項第八号ロ、第百十九条第一項第六号 第四項については第百二十条第一項第二号）

＊令和六法三四（令和八・五・二三までに施行）による改正前

第一八条（左側寄り通行等）①② （略）

③④ （改正により追加）

（罰則 第二項については第百十九条第一項第六号）

第一九条から第二一条まで　（略）

第二節　速度

第二二条（最高速度）① 車両は、道路標識等によりその最高速度が指定されている道路においてはその最高速度を、その他の道路においては政令で定める最高速度をこえる速度で進行してはならない。

② 路面電車又はトロリーバスは、軌道法（大正十年法律第七十六号）第十四条（同法第三十一条において準用する場合を含む。第六十二条において同じ。）の規定に基づく命令で定める最高速度をこえない範囲内で道路標識等によりその最高速度が指定されている道路においてはその最高速度を、その他の道路においては当該命令で定める最高速度をこえる速度で進行してはならない。

（罰則 第百十八条第一項第一号、同条第三項）

第二二条の二（最高速度違反行為に係る車両の使用者に対する指示）① 車両の運転者が前条の規定に違反する行為（以下この条及び第七十五条の二第一項において「最高速度違反行為」という。）を当該車両の使用者（当該車両の運転者であるものを除く。以下この条において同じ。）の業務に関してした場合において、当該最高速度違反行為に係る車両の使用者が当該車両につき最高速度違反行為を防止するため必要な運行の管理を行つていると認められないときは、当該車両の使用の本拠の位置を管轄する公安委員会は、当該車両の使用者に対し、最高速度違反行為となる運転が行われることのないよう運転者に指導し又は助言することその他最高速度違反行為を防止するため必要な措置をとることを指示することができる。

② 前項の規定による指示に係る車両の使用者が道路運送法の規定による自動車運送事業者、貨物利用運送事業法（平成元年法律第八十二号）の規定による第二種貨物利用運送事業を経営する者又は軌道法の規定による軌道経営者（トロリーバスを運行するものに限る。）である場合における当該指示は、公安委員会が当該事業を監督する行政庁とあらかじめ協議して定めたところによつてしなければならない。

（**最低速度**）

第二三条　自動車は、道路標識等によりその最低速度が指定されている道路（第七十五条の四に規定する高速自動車国道の本線車道を除く。）においては、法令の規定により速度を減ずる場合及び危険を防止するためやむを得ない場合を除き、その最低速度に達しない速度で進行してはならない。

（**急ブレーキの禁止**）

第二四条　車両等の運転者は、危険を防止するためやむを得ない場合を除き、その車両等を急に停止させ、又はその速度を急激に減ずることとなるような急ブレーキをかけてはならない。

（罰則　第百十七条の二第一項第四号、第百十七条の二の二第一項第八号ハ、第百十九条第一項第三号）

＊令和六法三四（令和八・五・二三までに施行）**による改正**
第二四条の付記中「第百十七条の二の二第一項第八号ロ」は「第百十七条の二の二第一項第八号ハ」に改められた。（本文織込み済み）

第三節　横断等　から　**第六節の二**　横断歩行者等の保護のための通行方法　まで
（第二五条から第三八条の二まで）（略）

第七節　緊急自動車等

（**緊急自動車の通行区分等**）

第三九条①　緊急自動車（消防用自動車、救急用自動車その他の政令で定める自動車で、当該緊急用務のため、政令で定めるところにより、運転中のものをいう。以下同じ。）は、第十七条第五項に規定する場合のほか、追越しをするためその他やむを得ない必要があるときは、同条第四項の規定にかかわらず、道路の右側部分にその全部又は一部をはみ出して通行することができる。

②　緊急自動車は、法令の規定により停止しなければならない場合においても、停止することを要しない。この場合においては、他の交通に注意して徐行しなければならない。

（**緊急自動車の優先**）

第四〇条①　交差点又はその附近において、緊急自動車が接近してきたときは、路面電車は交差点を避けて、車両（緊急自動車を除く。以下この条において同じ。）は交差点を避け、かつ、道路の左側（一方通行となつている道路においてその左側に寄ることが緊急自動車の通行を妨げることとなる場合にあつては、道路の右側。次項において同じ。）に寄つて一時停止しなければならない。

②　前項以外の場所において、緊急自動車が接近してきたときは、車両は、道路の左側に寄つて、これに進路を譲らなければならない。

（罰則　第百二十条第一項第二号）

（**緊急自動車等の特例**）

第四一条①　緊急自動車については、第八条第一項、第十七条第六項、第十八条第一項から第三項まで、第二十条第一項及び第二項、第二十条の二、第二十五条第一項及び第二項、第二十五条の二第二項、第二十六条の二第三項、第二十九条、第三十条、第三十四条第一項、第二項及び第四項、第三十五条第一項並びに第三十八条第一項前段及び第三項の規定は、適用しない。

＊令和六法三四（令和八・五・二三までに施行）**による改正**
第一項中「第十八条」は「第十八条第一項から第三項まで」に改められた。（本文織込み済み）

②　前項に規定するもののほか、第二十二条の規定に違反する車両等を取り締まる場合における緊急自動車については、同条の規定は、適用しない。

③　もつぱら交通の取締りに従事する自動車で内閣府令で定めるものについては、第十八条第一項、第二十条第一項及び第二項、第二十条の二並びに第二十五条の二第二項の規定は、適用しない。

④　政令で定めるところにより道路の維持、修繕等のための作業に従事している場合における道路維持作業用自動車（専ら道路の維持、修繕等のために使用する自動車で政令で定めるものをいう。以下第七十五条の九において同じ。）については、第十七条第四項及び第六項、第十八条第一項、第二十条第一項及び第二項、第二十条の二、第二十三条並びに第二十五条の二第二項の規定は、適用しない。

（**消防用車両の優先等**）

第四一条の二①　交差点又はその付近において、消防用車両（消防用自動車以外の消防の用に供する車両で、消防用務のため、政令で定めるところにより、運転中のものをいう。以下この条及び第七十五条の二十二第二項において同じ。）が接近してきたときは、車両等（車両にあつては、緊急自動車及び消防用車両を除く。）は、交差点を避けて一時停止しなければならない。

②　前項以外の場所において、消防用車両が接近してきたときは、車両（緊急自動車及び消防用車両を除く。）は、当該消防用車両の通行を妨げてはならない。

③　第三十九条の規定は、消防用車両について準用する。

④　消防用車両については、第八条第一項、第十七条第六項、第十八条、第二十条第一項及び第二項、第二十五条第一項及び第二項、第二十五条の二第二項、第二十六条の二第三項、第二十九条、第三十条、第三十四条第一項から第五項まで、第三十五条第一項、第三十八条第一項前段及び第三項、第四十条第一項、第六十三条の六並びに第六十三条の七の規定は、適用しない。

（罰則　第一項及び第二項については第百二十条第一項第二号）

第八節　徐行及び一時停止

（**徐行すべき場所**）

第四二条　車両等は、道路標識等により徐行すべきことが指定されている道路の部分を通行する場合及び次に掲げるその他の場合においては、徐行しなければならない。

一　左右の見とおしがきかない交差点に入ろうとし、又は交差点内で左右の見とおしがきかない部分を通行しようとするとき（当該交差点において交通整理が行なわれている場合及び優先道路を通行している場合を除く。）。

二　道路のまがりかど附近、上り坂の頂上附近又は勾配の急な下り坂を通行するとき。

（罰則　第百十九条第一項第五号、同条第三項）

（**指定場所における一時停止**）

第四三条　車両等は、交通整理が行なわれていない交差点又はその手前の直近において、道路標識等により一時停止すべきことが指定されているときは、道路標識等による停止線の直前（道路標識等による停止線が設けられていない場合にあつては、交差点の直前）で一時停止しなければならない。この場合において、当該車両等は、第三十六条第二項の規定に該当する場合のほか、交差道路を通行する車両等の進行妨害をしてはならない。

（罰則　第百十九条第一項第五号、同条第三項）

第九節　停車及び駐車（抄）

（**停車及び駐車を禁止する場所**）

第四四条①　車両は、道路標識等により停車及び駐車が禁止されている道路の部分及び次に掲げるその他の道路の部分においては、法令の規定若しくは警察官の命令により、又は危険を防止するため一時停止する場合のほか、停車し、又は駐車してはならない。

一　交差点、横断歩道、自転車横断帯、踏切、軌道敷内、坂の頂上付近、勾配の急な坂又はトンネル

二　交差点の側端又は道路の曲がり角から五メートル以内の部分
三　横断歩道又は自転車横断帯の前後の側端からそれぞれ前後に五メートル以内の部分
四　安全地帯が設けられている道路の当該安全地帯の左側の部分及び当該部分の前後の側端からそれぞれ前後に十メートル以内の部分
五　乗合自動車の停留所又はトロリーバス若しくは路面電車の停留場を表示する標示柱又は標示板が設けられている位置から十メートル以内の部分（当該停留所又は停留場に係る運行系統に属する乗合自動車、トロリーバス又は路面電車の運行時間中に限る。）
六　踏切の前後の側端からそれぞれ前後に十メートル以内の部分

②　前項の規定は、次に掲げる場合には、適用しない。
一　乗合自動車又はトロリーバスが、その属する運行系統に係る停留所又は停留場において、乗客の乗降のため停車するとき、又は運行時間を調整するため駐車するとき。
二　旅客の運送の用に供する自動車（乗合自動車を除く。第四十九条の三第一項において同じ。）が、乗合自動車の停留所又はトロリーバス若しくは路面電車の停留場において、乗客の乗降のため停車するとき、又は運行時間を調整するため駐車するとき（当該停留所又は停留場における停車又は駐車であつて、地域住民の生活に必要な旅客輸送を確保するために有用であり、かつ、道路又は交通の状況により支障がないことについて、内閣府令で定めるところにより、道路運送法第九条第一項に規定する一般乗合旅客自動車運送事業者、公安委員会その他の当該停車又は駐車に関係のある者として内閣府令で定める者が合意し、その旨を公安委員会が公示したものをする場合に限る。）。

（罰則　第一項については第百十九条の二の四第一項第一号、同条第三項、第百十九条の三第一項第一号、同条第三項）

（駐車を禁止する場所）

第四五条①　車両は、道路標識等により駐車が禁止されている道路の部分及び次に掲げるその他の道路の部分においては、駐車してはならない。ただし、公安委員会の定めるところにより警察署長の許可を受けたときは、この限りでない。
一　人の乗降、貨物の積卸し、駐車又は自動車の格納若しくは修理のため道路外に設けられた施設又は場所の道路に接する自動車用の出入口から三メートル以内の部分
二　道路工事が行なわれている場合における当該工事区域の側端から五メートル以内の部分
三　消防用機械器具の置場若しくは消防用防火水槽の側端又はこれらの道路に接する出入口から五メートル以内の部分
四　消火栓、指定消防水利の標識が設けられている位置又は消防用防火水槽の吸水口若しくは吸管投入孔から五メートル以内の部分
五　火災報知機から一メートル以内の部分

②　車両は、第四十七条第二項又は第三項の規定により駐車する場合に当該車両の右側の道路上に三・五メートル（道路標識等により距離が指定されているときは、その距離）以上の余地がないこととなる場所においては、駐車してはならない。ただし、貨物の積卸しを行なう場合で運転者がその車両を離れないとき、若しくは運転者がその車両を離れたが直ちに運転に従事することができる状態にあるとき、又は傷病者の救護のためやむを得ないときは、この限りでない。

③　公安委員会が交通がひんぱんでないと認めて指定した区域においては、前項本文の規定は、適用しない。

（罰則　第一項及び第二項については第百十九条の二の四第一項第一号、同条第三項、第百十九条の三第一項第一号、同条第三項）

（**高齢運転者等標章自動車の停車又は駐車の特例**）

第四五条の二①　次の各号のいずれかに該当する者（以下この項及び次項において「高齢運転者等」という。）が運転する普通自動車（当該高齢運転者等が内閣府令で定めるところによりその者の住所地を管轄する公安委員会に届出をしたものに限る。）であつて、当該高齢運転者等が同項の規定により交付を受けた高齢運転者等標章をその停車又は駐車をしている間前面の見やすい箇所に掲示したもの（以下「高齢運転者等標章自動車」という。）は、第四十四条第一項の規定による停車及び駐車を禁止する道路の部分又は前条第一項の規定による駐車を禁止する道路の部分の全部又は一部について、道路標識等により停車又は駐車をすることができることとされているときは、これらの規定にかかわらず、停車し、又は駐車することができる。
一　第七十一条の五第三項に規定する普通自動車対応免許（以下この条において単に「普通自動車対応免許」という。）を受けた者で七十歳以上のもの
二　第七十一条の六第二項又は第三項に規定する者
三　前二号に掲げるもののほか、普通自動車対応免許を受けた者で、妊娠その他の事由により身体の機能に制限があることからその者の運転する普通自動車が停車又は駐車をすることができる場所について特に配慮する必要があるものとして政令で定めるもの

②　公安委員会は、高齢運転者等に対し、その申請により、その者が前項の届出に係る普通自動車の運転をする高齢運転者等であることを示す高齢運転者等標章を交付するものとする。

③　高齢運転者等標章の交付を受けた者は、当該高齢運転者等標章を亡失し、滅失し、汚損し、又は破損したときは、その者の住所地を管轄する公安委員会に高齢運転者等標章の再交付を申請することができる。

④　高齢運転者等標章の交付を受けた者は、普通自動車対応免許が取り消され、又は失効したとき、第一項第三号に規定する事由がなくなつたときその他内閣府令で定める事由が生じたときは、速やかに、当該高齢運転者等標章をその者の住所地を管轄する公安委員会に返納しなければならない。

⑤　前三項に定めるもののほか、高齢運転者等標章について必要な事項は、内閣府令で定める。

（罰則　第四項については第百二十一条第一項第十号）

（**停車又は駐車を禁止する場所の特例**）

第四六条　車両は、前条第一項に規定するもののほか、第四十四条第一項又は第四十五条第一項の規定による停車及び駐車を禁止する道路の部分又は駐車を禁止する道路の部分の一部について、道路標識等により停車又は駐車をすることができることとされているときは、これらの規定にかかわらず、停車し、又は駐車することができる。

（**停車又は駐車の方法**）

第四七条①　車両は、人の乗降又は貨物の積卸しのため停車するときは、できる限り道路の左側端に沿い、かつ、他の交通の妨害とならないようにしなければならない。

②　車両は、駐車するときは、道路の左側端に沿い、かつ、他の交通の妨害とならないようにしなければならない。

③　車両は、車道の左側端に接して路側帯（当該路側帯における停車及び駐車を禁止することを表示する道路標示によつて区画されたもの及び政令で定めるものを除く。）が設けられている場所において、停車し、又は駐車するときは、前二項の規定にかかわらず、政令で定めるところにより、当該路側帯に入り、かつ、他の交通の妨害とならないようにしなければならない。

（罰則　第一項については第百十九条の三第一項第四号　第二項及び第三項については第百十九条の二の四第一項第二号、第百十九条の三第一項第四号）

（**停車又は駐車の方法の特例**）

第四八条　車両は、道路標識等により停車又は駐車の方法が指定されているときは、前条の規定にかかわらず、当該方法によつて停車し、又は駐車しなければならない。

（罰則　第百十九条の二の四第一項第一号、同条第三項、第百十九条の三第一項第一号、同条第三項）

第四九条①（**時間制限駐車区間**）公安委員会は、時間を限つて同一の車両が引き続き駐車することができる道路の区間であることが道路標識等により指定されている道路の区間（以下「時間制限駐車区間」という。）について、当該時間制限駐車区間における駐車の適正を確保するため、パーキング・メーター（内閣府令で定める機能を有するものに限る。以下同じ。）又はパーキング・チケット（内閣府令で定める様式の標章であつて、発給を受けた時刻その他内閣府令で定める事項を表示するものをいう。以下同じ。）を発給するための設備で内閣府令で定める機能を有するもの（以下「パーキング・チケット発給設備」という。）を設置し、及び管理するものとする。

②前項に定めるもののほか、公安委員会は、時間制限駐車区間において駐車しようとする車両の運転者に対する情報の提供、時間制限駐車区間において駐車する車両の整理その他時間制限駐車区間における駐車の適正を確保するために必要な措置を講じなければならない。

③公安委員会は、第一項のパーキング・メーター及びパーキング・チケット発給設備の管理に関する事務並びに前項に規定する措置に関する事務の全部又は一部を内閣府令で定める者に委託することができる。

第四九条の二から第五〇条まで　（略）

第九節の二　違法停車及び違法駐車に対する措置　（抄）

第五〇条の二（**違法停車に対する措置**）車両（トロリーバスを除く。以下この条、次条及び第五十一条の四において同じ。）が第四十四条第一項、第四十七条第一項若しくは第三項又は第四十八条の規定に違反して停車していると認められるときは、警察官等は、当該車両の運転者に対し、当該車両の停車の方法を変更し、又は当該車両を当該停車が禁止されている場所から移動すべきことを命ずることができる。

（罰則　第百十九条第一項第七号）

第五一条①（**違法駐車に対する措置**）車両が第四十四条第一項、第四十五条第一項若しくは第二項、第四十七条第二項若しくは第三項、第四十八条、第四十九条の三第二項若しくは第三項、第四十九条の四若しくは第四十九条の五後段の規定に違反して駐車していると認められるとき、又は第四十九条第一項のパーキング・チケット発給設備を設置する時間制限駐車区間において駐車している場合において当該車両に当該パーキング・チケット発給設備により発給を受けたパーキング・チケットが掲示されておらず、かつ、第四十九条の三第四項の規定に違反していると認められるとき（第五十一条の四第一項及び第七十五条の二十二第三項において「違法駐車と認められる場合」と総称する。）は、警察官等は、当該車両の運転者その他当該車両の管理について責任がある者（以下この条において「運転者等」という。）に対し、当該車両の駐車の方法を変更し、若しくは当該車両を当該駐車が禁止されている場所から移動すべきこと又は当該車両を当該時間制限駐車区間の当該車両が駐車している場所から移動すべきことを命ずることができる。

②車両の故障その他の理由により当該車両の運転者等が直ちに前項の規定による命令に従うことが困難であると認められるときは、警察官等は、道路における危険を防止し、その他交通の安全と円滑を図るため必要な限度において、当該車両の駐車の方法を変更し、又は当該車両を移動することができる。

③第一項の場合において、現場に当該車両の運転者等がいないために、当該運転者等に対して同項の規定による命令をすることができないときは、警察官等は、道路における交通の危険を防止し、又は交通の円滑を図るため必要な限度において、当該車両の駐車の方法の変更その他必要な措置をとり、又は当該車両が駐車している場所からの距離が五十メートルを超えない道路上の場所に当該車両を移動することができる。

④前項の規定により車両の移動をしようとする場合において、当該車両が駐車している場所からの距離が五十メートルを超えない範囲の地域内の道路上に当該車両を移動する場所がないときは、警察官等は、当該車両が駐車している場所を管轄する警察署長にその旨を報告しなければならない。

⑤前項の報告を受けた警察署長は、駐車場、空地、第三項に規定する場所以外の道路上の場所その他の場所に当該車両を移動することができる。

⑥警察署長は、前項の規定により車両を移動したときは、当該車両を保管しなければならない。この場合において、警察署長は、車両の保管の場所の形状、管理の態様等に応じ、当該車両に係る盗難等の事故の発生を防止するため、警察署長が当該車両を保管している旨の表示、車輪止め装置の取付けその他の必要な措置を講じなければならない。

⑦警察署長は、前項の規定により車両を保管したときは、当該車両の使用者に対し、保管を始めた日時及び保管の場所並びに当該車両を速やかに引き取るべき旨を告知しなければならない。

⑧警察署長は、前項の場合において、当該車両の使用者の氏名及び住所を知ることができないとき、その他当該使用者に当該車両を返還することが困難であると認められるときは、当該車両の所有者に対し、同項に規定する旨を告知しなければならない。

⑨警察署長は、前項の場合において、当該車両の所有者の氏名及び住所を知ることができないときは、政令で定めるところにより、当該車両の保管の場所その他の政令で定める事項を公示しなければならない。

⑩警察署長は、前項の規定による公示をしたときは、内閣府令で定めるところにより、当該公示の日付及び内容をインターネットの利用その他の方法により公表するものとする。

⑪第七項から前項までに定めるもののほか、第六項の規定により保管した車両の返還に関し必要な事項は、政令で定める。

⑫警察署長は、第六項の規定により保管した車両につき、第八項の規定による告知の日又は第九項の規定による公示の日から起算して一月を経過してもなお当該車両を返還することができない場合において、政令で定めるところにより評価した当該車両の価額に比し、その保管に不相当な費用を要するときは、政令で定めるところにより、当該車両を売却し、その売却した代金を保管することができる。

⑬警察署長は、前項の規定による車両の売却につき買受人がない場合において、同項に規定する価額が著しく低いときは、当該車両を廃棄することができる。

⑭第十二項の規定により売却した代金は、売却に要した費用に充てることができる。

⑮第二項、第三項又は第五項から第十一項までの規定による車両の移動、車両の保管、公示その他の措置に要した費用は、当該車両の運転者等又は使用者若しくは所有者（以下この条及び次条において「使用者等」という。）の負担とする。

⑯警察署長は、前項の規定により運転者等又は使用者等の負担とされる負担金につき納付すべき金額、納付の期限及び場所を定め、これらの者に対し、文書でその納付を命じなければならない。この場合において、納付すべき金額は、同項に規定する費用につき実費を勘案して都道府県規則でその額を定めたときは、その定めた額とする。

⑰警察署長は、前項の規定により納付を命ぜられた者が納付の期限を経過しても負担金を納付しないときは、督促状によつて納付すべき期限を指定して督促しなければならない。この場合において、警察署長は、負担金につき年十四・五パーセントの割合により計算した額の範囲内の延滞金及び督促に要した手数料を徴収することができる。

⑱前項の規定による督促を受けた者がその指定期限までに負担金並びに同項後段の延滞金及び手数料（以下この条において

「負担金等」という。）を納付しないときは、警察署長は、地方税の滞納処分の例により、負担金等を徴収することができる。この場合における負担金等の先取特権の順位は、国税及び地方税に次ぐものとする。

⑲ 納付され、又は徴収された負担金等は、当該警察署の属する都道府県の収入とする。

⑳ 第八項の規定による告知の日又は第九項の規定による公示の日から起算して三月を経過してもなお第六項の規定により保管した車両（第十二項の規定により売却した代金を含む。以下この項において同じ。）を返還することができないときは、当該車両の所有権は、当該警察署の属する都道府県に帰属する。

㉑ 警察署長は、第十二項の規定による車両（道路運送車両法による登録を受けた自動車に限る。以下この項において同じ。）の売却、第十三項の規定による車両の廃棄又は前項の規定による車両の所有権の都道府県への帰属があつたときは、政令で定めるところにより、当該車両について、これらの処分等に係る同法による登録を国土交通大臣又は同法第百五条第一項若しくは第二項の規定により委任を受けた者に嘱託しなければならない。

㉒ （略）

（罰則　第一項については第百十九条第一項第七号）

（報告徴収等）

第五一条の二① 警察署長は、前条の規定の施行のため必要があると認めるときは、同条第六項の規定により保管した車両の使用者等その他の関係者又は同条第二十二項において準用する同条第六項の規定により保管した積載物の所有者、占有者その他当該積載物について権原を有する者その他の関係者に対し、当該車両又は積載物に関し必要な報告又は資料の提出を求めることができる。

② 警察署長は、前条の規定の施行のため必要があると認めるときは、官庁、公共団体その他の者に照会し、又は協力を求めることができる。

（車両移動保管関係事務の委託）

第五一条の三① 警察署長は、第五十一条第五項及び第六項（同条第二十二項において準用する場合を含む。）の規定による車両（積載物を含む。以下この項において同じ。）の移動及び保管に関する事務（当該車両の移動、返還、売却及び廃棄の決定、同条第十六項の規定による命令、滞納処分その他の政令で定めるものを除く。）の全部又は一部を内閣府令で定める法人に委託することができる。

② （略）

（付記略）

（放置違反金）

第五一条の四① 警察署長は、警察官等に、違法駐車と認められる場合における車両（軽車両にあつては、牽引されるための構造及び装置を有し、かつ、車両総重量（道路運送車両法第四十条第三号の車両総重量をいう。）が七百五十キログラムを超えるもの（以下「重被牽引車」という。）に限る。以下この条において同じ。）であつて、その運転者がこれを離れて直ちに運転することができない状態にあるもの（以下「放置車両」という。）の確認をさせ、内閣府令で定めるところにより、当該確認をした旨及び当該車両に係る違法駐車行為（違法駐車と認められる場合に係る車両の運転者の行為をいう。第四項及び第十六項において同じ。）をした者について第四項ただし書に規定する場合に該当しないときは同項本文の規定により当該車両の使用者が放置違反金の納付を命ぜられることがある旨を告知する標章を当該車両の見やすい箇所に取り付けさせることができる。

② 何人も、前項の規定により車両に取り付けられた標章を破損し、若しくは汚損し、又はこれを取り除いてはならない。ただし、当該車両の使用者、運転者その他当該車両の管理について責任がある者が取り除く場合は、この限りでない。

③ 警察署長は、第一項の規定により車両に標章を取り付けさせたときは、当該車両の駐車に関する状況を公安委員会に報告しなければならない。

④ 前項の規定による報告を受けた公安委員会は、当該報告に係る車両を放置車両と認めるときは、当該車両の使用者に対し、放置違反金の納付を命ずることができる。ただし、第一項の規定により当該車両に標章が取り付けられた日の翌日から起算して三十日以内に、当該車両に係る違法駐車行為をした者が当該違法駐車行為について第百二十八条第一項の規定による反則金の納付をした場合又は当該違法駐車行為に係る事件について公訴を提起され、若しくは家庭裁判所の審判に付された場合は、この限りでない。

⑤ 前項本文の規定による命令（以下「納付命令」という。）は、放置違反金の額並びに納付の期限及び場所を記載した文書により行うものとする。

⑥ 公安委員会は、納付命令をしようとするときは、当該車両の使用者に対し、あらかじめ、次に掲げる事項を書面で通知し、相当の期間を指定して、当該事案について弁明を記載した書面（以下この項及び第九項において「弁明書」という。）及び有利な証拠を提出する機会を与えなければならない。

一 当該納付命令の原因となる事実

二 弁明書の提出先及び提出期限

⑦ 公安委員会は、納付命令を受けるべき者の所在が判明しないときは、前項の規定による通知を、その者の氏名及び同項第二号に掲げる事項並びに公安委員会が同項各号に掲げる事項を記載した書面をいつでもその者に交付する旨（以下この項において「公示事項」という。）を内閣府令で定める方法により不特定多数の者が閲覧することができる状態に置くとともに、公示事項が記載された書面を当該公安委員会の掲示板に掲示し、又は公示事項を当該公安委員会の庁舎に設置した電子計算機の映像面に表示したものの閲覧をすることができる状態に置く措置をとることによつて行うことができる。この場合においては、当該措置を開始した日から二週間を経過したときに、当該通知がその者に到達したものとみなす。

＊令和五法六三（令和八・六・一五までに施行）による改正前

⑦ 公安委員会は、納付命令を受けるべき者の所在が判明しないときは、前項の規定による通知を、その者の氏名及び同項第二号に掲げる事項並びに公安委員会が同項各号に掲げる事項を記載した書面をいつでもその者に交付する旨を当該公安委員会の掲示板に掲示することによつて行うことができる。この場合においては、掲示を始めた日から二週間を経過したときに、当該通知がその者に到達したものとみなす。

⑧ 放置違反金の額は、別表第一に定める金額の範囲内において、政令で定める。

⑨ 第六項の規定による通知を受けた者は、弁明書の提出期限までに、政令で定めるところにより、放置違反金に相当する金額を仮に納付することができる。

⑩ 納付命令は、前項の規定による仮納付をした者については、政令で定めるところにより、公示して行うことができる。

⑪ 第九項の規定による仮納付をした者について同項の通知に係る納付命令があつたときは、当該放置違反金に相当する金額の仮納付は、当該納付命令による放置違反金の納付とみなす。

⑫ 公安委員会は、第九項の規定による仮納付をした者について同項の通知に係る納付命令をしないこととしたときは、速やかに、その者に対し、理由を明示してその旨を書面で通知し、当該仮納付に係る金額を返還しなければならない。

⑬ 公安委員会は、納付命令を受けた者が納付の期限を経過しても放置違反金を納付しないときは、督促状によつて納付すべき期限を指定して督促しなければならない。この場合において、公安委員会は、放置違反金につき年十四・五パーセントの割合により計算した額の範囲内の延滞金及び督促に要した手数料を徴収することができる。

⑭ 前項の規定による督促を受けた者がその指定期限までに放置違反金並びに同項後段の延滞金及び手数料（以下この条及び第

五十一条の七において「放置違反金等」という。）を納付しないときは、公安委員会は、地方税の滞納処分の例により、放置違反金等を徴収することができる。この場合における放置違反金等の先取特権の順位は、国税及び地方税に次ぐものとする。

⑮ 納付され、又は徴収された放置違反金等は、当該公安委員会が置かれている都道府県の収入とする。

⑯ 公安委員会は、納付命令をした場合において、当該納付命令の原因となつた車両に係る違法駐車行為をした者が当該違法駐車行為について第百二十八条第一項の規定による反則金の納付をしたとき、又は当該違法駐車行為に係る事件について公訴を提起され、若しくは家庭裁判所の審判に付されたときは、当該納付命令を取り消さなければならない。

⑰ 公安委員会は、前項の規定により納付命令を取り消したときは、速やかに、理由を明示してその旨を当該納付命令を受けた者に通知しなければならない。この場合において、既に当該納付命令に係る放置違反金等が納付され、又は徴収されているときは、公安委員会は、当該放置違反金等に相当する金額を還付しなければならない。

⑱ 放置違反金等の徴収又は還付に関する書類の送達及び公示送達については、地方税の例による。

（罰則　第二項については第百二十一条第一項第十号）

第五一条の五（**報告徴収等**）① 公安委員会は、前条の規定の施行のため必要があると認めるときは、同条第一項の規定により標章を取り付けられた車両の使用者、所有者その他の関係者に対し、当該車両の使用に関し必要な報告又は資料の提出を求めることができる。

② 公安委員会は、前条の規定の施行のため必要があると認めるときは、官庁、公共団体その他の者に照会し、又は協力を求めることができる。

（罰則　第一項については第百十九条の三第二項第一号、第百二十三条）

第五一条の六（略）

第五一条の七（**放置違反金等の納付等を証する書面の提示**）① 自動車検査証の返付（道路運送車両法第六十二条第二項（同法第六十七条第四項において準用する場合を含む。）又は総合特別区域法（平成二十三年法律第八十一号）第二十二条の二第三項の規定による自動車検査証の返付をいう。以下この条において同じ。）を受けようとする者は、その自動車（道路運送車両法第五十八条第一項に規定する自動車をいう。）が最後に同法第六十条第一項若しくは第七十一条第四項の規定による自動車検査証の交付又は自動車検査証の返付を受けた後に第五十一条の四第十三項の規定による督促（当該自動車が原因となつた納付命令（同条第十六項の規定により取り消されたものを除く。）に係るものに限る。）を受けたことがあるときは、国土交通大臣等に対して、当該督促に係る放置違反金等を納付したこと又はこれを徴収されたことを証する書面を提示しなければならない。

② 国土交通大臣等は、前項の規定により同項の書面を提示しなければならないこととされる者（前条第二項前段の通知に係る者に限る。）による当該書面の提示がないときは、自動車検査証の返付をしないものとする。

第五一条の八（**確認事務の委託**）① 警察署長は、第五十一条の四第一項に規定する放置車両の確認及び標章の取付け（以下「放置車両の確認等」という。）に関する事務（以下「確認事務」という。）の全部又は一部を、公安委員会の登録を受けた法人に委託することができる。

②―⑦（略）

第五一条の九から第五一条の一一まで（略）

第五一条の一二（**放置車両確認機関**）① 警察署長は、第五十一条の八第一項の規定により確認事務を委託したときは、その受託者（以下「放置車両確認機関」という。）の名称及び主たる事務所の所在地その他政令で定める事項を公示しなければならない。

② 放置車両確認機関は、公正に、かつ、第五十一条の八第四項第一号及び第二号に掲げる要件に適合する方法により確認事務を行わなければならない。

③ 放置車両確認機関は、次条第一項の駐車監視員資格者証の交付を受けている者のうちから選任した駐車監視員以外の者に放置車両の確認等を行わせてはならない。

④ 放置車両確認機関は、駐車監視員に制服を着用させ、又はその他の方法によりその者が駐車監視員であることを表示させ、かつ、国家公安委員会規則でその制式を定める記章を着用させなければ、その者に放置車両の確認等を行わせてはならない。

⑤ 駐車監視員は、放置車両の確認等を行うときは、次条第一項の駐車監視員資格者証を携帯し、警察官等から提示を求められたときは、これを提示しなければならない。

⑥ 放置車両確認機関の役員若しくは職員（駐車監視員を含む。次項において同じ。）又はこれらの職にあつた者は、確認事務に関して知り得た秘密を漏らしてはならない。

⑦ 確認事務に従事する放置車両確認機関の役員又は職員は、刑法（明治四十年法律第四十五号）その他の罰則の適用に関しては、法令により公務に従事する職員とみなす。

⑧ 第五十一条の八第一項の規定により確認事務を委託した場合における第五十一条の四第一項の規定の適用については、同項中「警察官等」とあるのは、「警察官等又は第五十一条の十二第一項の放置車両確認機関」とする。

（罰則　第六項については第百十七条の四第一項第一号）

第五一条の一三（**駐車監視員資格者証**）① 公安委員会は、次の各号のいずれにも該当する者に対し、駐車監視員資格者証を交付する。

一 次のいずれかに該当する者

イ 公安委員会が国家公安委員会規則で定めるところにより放置車両の確認等に関する技能及び知識に関して行う講習を受け、その課程を修了した者

ロ 公安委員会が国家公安委員会規則で定めるところにより放置車両の確認等に関しイに掲げる者と同等以上の技能及び知識を有すると認める者

二 次のいずれにも該当しない者

イ 十八歳未満の者

ロ 第五十一条の八第三項第二号イからへまでのいずれかに該当する者

ハ 次項第二号又は第三号に該当して同項の規定により駐車監視員資格者証の返納を命ぜられ、その返納の日から起算して二年を経過しない者

② 公安委員会は、駐車監視員資格者証の交付を受けた者が次の各号のいずれかに該当すると認めるときは、その者に係る駐車監視員資格者証の返納を命ずることができる。

一 第五十一条の八第三項第二号イからへまでのいずれかに該当するに至つたとき。

二 偽りその他不正の手段により駐車監視員資格者証の交付を受けたとき。

三 前条第五項の規定に違反し、又は放置車両の確認等に関し不正な行為をし、その情状が駐車監視員として不適当であると認められるとき。

第五一条の一四（**国家公安委員会規則への委任**）第五十一条の八から前条までに定めるもののほか、確認事務の委託の手続及び駐車監視員資格者証に関し必要な事項は、国家公安委員会規則で定める。

第五一条の一五（**放置違反金関係事務の委託**）① 公安委員会は、第五十一条の四に規定する放置違反金に関する事務（確認事務、納付命令、督促及び滞納処分を除く。）の全部又は一部を会社その他の法人に委託することができる。

② 前項の規定により公安委員会から事務の委託を受けた法人の

役員若しくは職員又はこれらの職にあつた者は、当該事務に関して知り得た秘密を漏らしてはならない。

（罰則　第二項については第百十七条の四第一項第一号）

第十節　灯火及び合図

（第五二条から第五四条まで）（略）

第十一節　乗車、積載及び牽引（抄）

（乗車又は積載の方法）

第五五条①　車両の運転者は、当該車両の乗車のために設備された場所以外の場所に乗車させ、又は乗車若しくは積載のために設備された場所以外の場所に積載して車両を運転してはならない。ただし、もつぱら貨物を運搬する構造の自動車（以下次条及び第五十七条において「貨物自動車」という。）で貨物を積載しているものにあつては、当該貨物を看守するため必要な最小限度の人員をその荷台に乗車させて運転することができる。

②　車両の運転者は、運転者の視野若しくはハンドルその他の装置の操作を妨げ、後写鏡の効用を失わせ、車両の安定を害し、又は外部から当該車両の方向指示器、車両の番号標、制動灯、尾灯若しくは後部反射器を確認することができないこととなるような乗車をさせ、又は積載をして車両を運転してはならない。

③　車両に乗車する者は、当該車両の運転者が前二項の規定に違反することとなるような方法で乗車をしてはならない。

（罰則　第一項及び第二項については第百二十条第二項第一号、第三項については第百二十一条第一項第九号）

第五六条　（略）

（乗車又は積載の制限等）

第五七条①　車両（軽車両を除く。以下この項及び第五十八条の二から第五十八条の五までにおいて同じ。）の運転者は、当該車両について政令で定める乗車人員又は積載物の重量、大きさ若しくは積載の方法（以下この条において「積載重量等」という。）の制限を超えて乗車をさせ、又は積載をして車両を運転してはならない。ただし、第五十五条第一項ただし書の規定により、又は前条第二項の規定による許可を受けて貨物自動車の荷台に乗車させる場合にあつては、当該制限を超える乗車をさせて運転することができる。

②③　（略）

（罰則　第一項については第百十八条第二項第一号、第百十九条第二項第一号、第百二十条第二項第二号、第百二十三条（後略））

第五八条　（略）

（積載物の重量の測定等）

第五八条の二　警察官は、第五十七条第一項の積載物の重量の制限を超える積載をしていると認められる車両が運転されているときは、当該車両を停止させ、並びに当該車両の運転者に対し、自動車検査証（道路運送車両法第六十条の自動車検査証をいう。第六十三条第一項において同じ。）その他政令で定める書類の提示を求め、及び当該車両の積載物の重量を測定することができる。

（罰則　第百十九条第一項第八号）

（過積載車両に係る措置命令）

第五八条の三①　警察官は、過積載（車両に積載をする積載物の重量が第五十七条第一項の制限に係る重量（同条第三項の規定による許可に係る積載物にあつては、当該許可に係る重量）を超える場合における当該積載をいう。以下同じ。）をしている車両の運転者に対し、当該車両に係る積載が過積載とならないようにするため必要な応急の措置をとることを命ずることができる。

②　警察官は、前項の規定による命令によつては車両に係る積載が過積載とならないようにすることができないと認められる場合においては、当該車両に係る過積載の程度及び道路又は交通の状況を勘案して当該車両を警察官が指示した事項を遵守して運転させることに支障がないと認めるときは、当該車両の運転者に対し、第五十七条第一項の規定にかかわらず、車両の通行の区間及び経路、道路における危険を防止するためにとるべき必要な措置その他の事項であつて警察官が指示したものを遵守して当該車両を運転し、及び当該車両に係る積載が過積載とならないようにするため必要な措置をとることを命ずることができる。この場合において、警察官は、当該車両の運転者に対し、通行指示書を交付しなければならない。

③　前項の規定により通行指示書の交付を受けた車両の運転者は、同項の規定による命令に係る運転に当たつては、当該通行指示書を携帯していなければならない。

④　第二項の通行指示書の様式その他同項の通行指示書に関し必要な事項は、内閣府令で定める。

（罰則　第一項及び第二項については第百十九条第一項第九号）

（過積載車両に係る指示）

第五八条の四　前条第一項又は第二項の規定による命令がされた場合において、当該命令に係る車両の使用者（当該車両の運転者であるものを除く。以下この条において同じ。）が当該車両に係る過積載を防止するため必要な運行の管理を行つていると認められないときは、当該車両の使用の本拠の位置を管轄する公安委員会は、当該車両の使用者に対し、車両を運転者に運転させる場合にあらかじめ車両の積載物の重量を確認することを運転者に指導し又は助言することその他車両に係る過積載を防止するため必要な措置をとることを指示することができる。

（過積載車両の運転の要求等の禁止）

第五八条の五①　第七十五条第一項に規定する使用者等以外の者は、次に掲げる行為をしてはならない。

一　車両の運転者に対し、過積載をして車両を運転することを要求すること。

二　車両の運転者に対し、当該車両への積載が過積載となるとの情を知りながら、第五十七条第一項の制限に係る重量を超える積載物を当該車両に積載をさせるため売り渡し、又は当該積載物を引き渡すこと。

②　警察署長は、前項の規定に違反する行為が行われた場合において、当該行為をした者が反復して同項の規定に違反する行為をするおそれがあると認めるときは、内閣府令で定めるところにより、当該行為をした者に対し、同項の規定に違反する行為をしてはならない旨を命ずることができる。

（罰則　第二項については第百十八条第二項第二号、第百二十三条）

第五九条及び第六〇条　（略）

（危険防止の措置）

第六一条　警察官は、第五十八条の三第一項及び第二項の規定による場合のほか、車両等の乗車、積載又は牽引について危険を防止するため特に必要があると認めるときは、当該車両等を停止させ、及び当該車両等の運転者に対し、危険を防止するため必要な応急の措置をとることを命ずることができる。

（罰則　第百十九条第一項第十号）

第十二節　整備不良車両の運転の禁止等　及び　第十三節　自転車の交通方法の特例

（第六二条から第六三条の一一まで）（略）

第四章　車両等の運転者及び使用者の義務（抄）

第一節　運転者の義務（抄）

（無免許運転等の禁止）

第六四条①　何人も、第八十四条第一項の規定による公安委員会の運転免許を受けないで（第九十条第五項、第百三条第一項若しくは第四項、第百三条の二第一項、第百四条の二の三第一項若しくは第三項又は同条第五項において準用する第百三条第四項の規定により運転免許の効力が停止されている場合を含む。）、自動車又は一般原動機付自転車を運転してはならない。

② 何人も、前項の規定に違反して自動車又は一般原動機付自転車を運転することとなるおそれがある者に対し、自動車又は一般原動機付自転車を提供してはならない。

③ 何人も、自動車（道路運送法第二条第三項に規定する旅客自動車運送事業（以下単に「旅客自動車運送事業」という。）の用に供する自動車で当該業務に従事中のものその他の政令で定める自動車を除く。以下この項において同じ。）又は一般原動機付自転車の運転者が第八十四条第一項の規定による公安委員会の運転免許を受けていないこと（第九十条第五項、第百三条第一項若しくは第四項、第百三条の二第一項、第百四条の二の三第一項若しくは第三項又は同条第五項において準用する第百三条第四項の規定により運転免許の効力が停止されていることを含む。）を知りながら、当該運転者に対し、当該自動車又は一般原動機付自転車を運転して自己を運送することを要求し、又は依頼して、当該運転者が第一項の規定に違反して運転する自動車又は一般原動機付自転車に同乗してはならない。

（罰則　第一項については第百十七条の二の二第一項第一号　第二項については第百十七条の二の二第一項第二号　第三項については第百十七条の三の二第一号）

（十六歳未満の者による特定小型原動機付自転車の運転等の禁止）

第六四条の二① 十六歳未満の者は、特定小型原動機付自転車を運転してはならない。

② 何人も、前項の規定に違反して特定小型原動機付自転車を運転することとなるおそれがある者に対し、特定小型原動機付自転車を提供してはならない。

（罰則　第一項については第百十八条第一項第二号　第二項については第百十八条第一項第三号）

（酒気帯び運転等の禁止）

第六五条① 何人も、酒気を帯びて車両等を運転してはならない。

② 何人も、酒気を帯びている者で、前項の規定に違反して車両等を運転することとなるおそれがあるものに対し、車両等を提供してはならない。

③ 何人も、第一項の規定に違反して車両等を運転することとなるおそれがある者に対し、酒類を提供し、又は飲酒をすすめてはならない。

④ 何人も、車両（トロリーバス及び旅客自動車運送事業の用に供する自動車で当該業務に従事中のものその他の政令で定める自動車を除く。以下この項、第百十七条の二の二第一項第六号及び第百十七条の三の二第三号において同じ。）の運転者が酒気を帯びていることを知りながら、当該運転者に対し、当該車両を運転して自己を運送することを要求し、又は依頼して、当該運転者が第一項の規定に違反して運転する車両に同乗してはならない。

（罰則　第一項については第百十七条の二第一項第一号、第百十七条の二の二第一項第三号　第二項については第百十七条の二第一項第二号、第百十七条の二の二第一項第四号　第三項については第百十七条の二の二第一項第五号、第百十七条の三の二第二号　第四項については第百十七条の二の二第一項第六号、第百十七条の三の二第三号）

（過労運転等の禁止）

第六六条 何人も、前条第一項に規定する場合のほか、過労、病気、薬物の影響その他の理由により、正常な運転ができないおそれがある状態で車両等を運転してはならない。

（罰則　第百十七条の二第一項第三号、第百十七条の二の二第一項第七号）

（過労運転に係る車両の使用者に対する指示）

第六六条の二① 車両の運転者が前条の規定に違反して過労により正常な運転ができないおそれがある状態で車両を運転する行為（以下この条及び第七十五条の二第一項において「過労運転」という。）を当該車両の使用者（当該車両の運転者であるものを除く。以下この条において同じ。）の業務に関してした場合において、当該過労運転に係る車両の使用者が当該車両につき過労運転を防止するため必要な運行の管理を行つていると認められないときは、当該車両の使用の本拠の位置を管轄する公安委員会は、当該車両の使用者に対し、過労運転が行われることのないよう運転者に指導し又は助言することその他過労運転を防止するため必要な措置をとることを指示することができる。

② 第二十二条の二第二項の規定は、前項の規定による指示について準用する。

（危険防止の措置）

第六七条① 警察官は、車両等の運転者が第六十四条第一項、第六十五条第一項、第六十六条、第七十一条の四第四項から第七項まで又は第八十五条第五項から第七項（第二号を除く。）までの規定に違反して車両等を運転していると認めるときは、当該車両等を停止させ、及び当該車両等の運転者に対し、第九十二条第一項の運転免許証又は第百七条の二の国際運転免許証若しくは外国運転免許証の提示を求めることができる。

② 前項に定めるもののほか、警察官は、車両等の運転者が車両等の運転に関しこの法律（第六十四条第一項、第六十五条第一項、第六十六条、第七十一条の四第四項から第七項まで及び第八十五条第五項から第七項（第二号を除く。）までを除く。）若しくはこの法律に基づく命令の規定若しくはこの法律の規定に基づく処分に違反し、又は車両等の交通による人の死傷若しくは物の損壊（以下「交通事故」という。）を起こした場合において、当該車両等の運転者に引き続き当該車両等を運転させることができるかどうかを確認するため必要があると認めるときは、当該車両等の運転者に対し、第九十二条第一項の運転免許証又は第百七条の二の国際運転免許証若しくは外国運転免許証の提示を求めることができる。

③ 車両等に乗車し、又は乗車しようとしている者が第六十五条第一項の規定に違反して車両等を運転するおそれがあると認められるときは、警察官は、次項の規定による措置に関し、その者が身体に保有しているアルコールの程度について調査するため、政令で定めるところにより、その者の呼気の検査をすることができる。

④ 前三項の場合において、当該車両等の運転者が第六十四条第一項、第六十五条第一項、第六十六条、第七十一条の四第四項から第七項（第二号を除く。）までの規定に違反して車両等を運転するおそれがあるときは、警察官は、その者が正常な運転ができる状態になるまで車両等の運転をしてはならない旨を指示する等道路における交通の危険を防止するため必要な応急の措置をとることができる。

（罰則　第一項については第百十九条第一項第十三号　第三項については第百十八条の二）

（共同危険行為等の禁止）

第六八条 二人以上の自動車又は原動機付自転車の運転者は、道路において二台以上の自動車又は原動機付自転車を連ねて通行させ、又は並進させる場合において、共同して、著しく道路における交通の危険を生じさせ、又は著しく他人に迷惑を及ぼすこととなる行為をしてはならない。

（罰則　第百十七条の三）

第六九条 削除

（安全運転の義務）

第七〇条 車両等の運転者は、当該車両等のハンドル、ブレーキその他の装置を確実に操作し、かつ、道路、交通及び当該車両等の状況に応じ、他人に危害を及ぼさないような速度と方法で運転しなければならない。

（罰則　第百十七条の二の二第一項第四号、第百十七条の二の二第一項第八号リ、第百十九条第一項第十四号、同条第三項）

＊令和六法三四（令和八・五・二三までに施行）による改正
第七〇条の付記中「第百十七条の二の二第一項第八号チ」は

「第百十七条の二の二第一項第八号リ」に改められた。（本文織込み済み）

らない。

（運転者の遵守事項）

第七一条 車両等の運転者は、次に掲げる事項を守らなければならない。

一 ぬかるみ又は水たまりを通行するときは、泥よけ器を付け、又は徐行する等して、泥土、汚水等を飛散させて他人に迷惑を及ぼすことがないようにすること。

二 身体障害者用の車が通行しているとき、目が見えない者が第十四条第一項の規定に基づく政令で定めるつえを携え、若しくは同項の規定に基づく政令で定める盲導犬を連れて通行しているとき、耳が聞こえない者若しくは同条第二項の規定に基づく政令で定める程度の身体の障害のある者が同項の規定に基づく政令で定めるつえを携えて通行しているとき、又は監護者が付き添わない児童若しくは幼児が歩行しているときは、一時停止し、又は徐行して、その通行又は歩行を妨げないようにすること。

二の二 前号に掲げるもののほか、高齢の歩行者、身体の障害のある歩行者その他の歩行者でその通行に支障のあるものが通行しているときは、一時停止し、又は徐行して、その通行を妨げないようにすること。

二の三 児童、幼児等の乗降のため、政令で定めるところにより停車している通学通園バス（専ら小学校、幼稚園等に通う児童、幼児等を運送するために使用する自動車で政令で定めるものをいう。）の側方を通過するときは、徐行して安全を確認すること。

三 道路の左側部分に設けられた安全地帯の側方を通過する場合において、当該安全地帯に歩行者がいるときは、徐行すること。

四 乗降口のドアを閉じ、貨物の積載を確実に行う等当該車両等に乗車している者の転落又は積載している物の転落若しくは飛散を防ぐため必要な措置を講ずること。

四の二 車両等に積載している物が道路に転落し、又は飛散したときは、速やかに転落し、又は飛散した物を除去する等道路における危険を防止するため必要な措置を講ずること。

四の三 安全を確認しないで、ドアを開き、又は車両等から降りないようにし、及びその車両等に乗車している他の者がこれらの行為により交通の危険を生じさせないようにするため必要な措置を講ずること。

五 車両等を離れるときは、その原動機を止め、完全にブレーキをかける等当該車両等が停止の状態を保つため必要な措置を講ずること。

五の二 自動車又は原動機付自転車を離れるときは、その車両の装置に応じ、その車両が他人に無断で運転されることがないようにするため必要な措置を講ずること。

五の三 正当な理由がないのに、著しく他人に迷惑を及ぼすこととなる騒音を生じさせるような方法で、自動車若しくは原動機付自転車を急に発進させ、若しくはその速度を急激に増加させ、又は自動車若しくは原動機付自転車の原動機の動力を車輪に伝達させないで原動機の回転数を増加させないこと。

五の四 自動車を運転する場合において、第七十一条の五第一項から第四項まで若しくは第七十一条の六第一項から第三項までに規定する者又は第八十四条第二項に規定する仮運転免許を受けた者が表示自動車（第七十一条の五第一項、第七十一条の六第一項若しくは第八十七条第三項に規定する標識を付けた準中型自動車又は第七十一条の五第二項から第四項まで、第七十一条の六第二項若しくは第三項若しくは第八十七条第三項に規定する標識を付けた普通自動車をいう。以下この号において同じ。）を運転しているときは、危険防止のためやむを得ない場合を除き、進行している当該表示自動車の側方に幅寄せをし、又は当該自動車が進路を変更した場合にその変更した後の進路と同一の進路を後方から進行してくる表示自動車が当該自動車との間に第二十六条に規定する必要な距離を保つことができないこととなるときは進路を変更しないこと。

五の五 自動車、原動機付自転車又は自転車（以下この号において「自動車等」という。）を運転する場合においては、当該自動車等が停止しているときを除き、携帯電話用装置、自動車電話用装置その他の無線通話装置（その全部又は一部を手で保持しなければ送信及び受信のいずれをも行うことができないものに限る。第百十八条第一項第四号において「無線通話装置」という。）を通話（傷病者の救護又は公共の安全の維持のため当該自動車等の走行中に緊急やむを得ずに行うものを除く。同号において同じ。）のために使用し、又は当該自動車等に取り付けられ若しくは持ち込まれた画像表示用装置（道路運送車両法第四十一条第一項第十六号若しくは第十七号又は第四十四条第十一号に規定する装置であるものを除く。第百十八条第一項第四号において同じ。）に表示された画像を注視しないこと。

六 前各号に掲げるもののほか、道路又は交通の状況により、公安委員会が道路における危険を防止し、その他交通の安全を図るため必要と認めて定めた事項

（罰則 第一号、第四号から第五号まで、第五号の三、第五号の四及び第六号については第百二十条第一項第十号 第二号、第二号の三及び第三号については第百十九条第一項第十五号 第五号の五については第百十七条の四第一項第二号、第百十八条第一項第四号）

（自動車等の運転者の遵守事項）

第七一条の二 自動車又は原動機付自転車（これらのうち内閣府令で定めるものを除く。以下この条において同じ。）の運転者は、道路運送車両法第四十一条第一項第十一号又は第四十四条第八号に規定する消音器を備えていない自動車又は原動機付自転車（当該消音器を切断したものその他の消音器の機能に著しい支障を及ぼす改造等で内閣府令で定めるものを加えた当該消音器を備えている自動車又は原動機付自転車を含む。）を運転してはならない。

（罰則 第百二十条第一項第十号）

（普通自動車等の運転者の遵守事項）

第七一条の三 ① 自動車（大型自動二輪車及び普通自動二輪車を除く。以下この条において同じ。）の運転者は、道路運送車両法第三章及びこれに基づく命令の規定により当該自動車に備えなければならないこととされている座席ベルト（以下「座席ベルト」という。）を装着しないで自動車を運転してはならない。ただし、疾病のため座席ベルトを装着することが療養上適当でない者が自動車を運転するとき、緊急自動車の運転者が当該緊急自動車を運転するとき、その他政令で定めるやむを得ない理由があるときは、この限りでない。

② 自動車の運転者は、座席ベルトを装着しない者を運転者席以外の乗車装置（当該乗車装置につき座席ベルトを備えなければならないこととされているものに限る。以下この項において同じ。）に乗車させて自動車を運転してはならない。ただし、幼児（適切に座席ベルトを装着させるに足りる座高を有するものを除く。以下この条において同じ。）を当該乗車装置に乗車させるとき、疾病のため座席ベルトを装着させることが療養上適当でない者を当該乗車装置に乗車させるとき、その他政令で定めるやむを得ない理由があるときは、この限りでない。

③ 自動車の運転者は、幼児用補助装置（幼児を乗車させる際座席ベルトに代わる機能を果たさせるため座席に固定して用いる補助装置であつて道路運送車両法第三章及びこれに基づく命令の規定に適合し、かつ、幼児の発育の程度に応じた形状を有するものをいう。以下この項において同じ。）を使用しない幼児を乗車させて自動車を運転してはならない。ただし、疾病のため幼児用補助装置を使用させることが療養上適当でない幼児を乗車させるとき、その他政令で定めるやむを得ない理由がある

ときは、この限りでない。

第七一条の四　（略）

（自動運行装置を備えている自動車の運転者の遵守事項等）

第七一条の四の二①　自動運行装置を備えている自動車の運転者は、自動運行装置に係る使用条件を満たさない場合においては、当該自動運行装置を使用して当該自動車を運転してはならない。

②　自動運行装置を備えている自動車の運転者が当該自動運行装置を使用して当該自動車を運転する場合において、次の各号のいずれにも該当するときは、当該運転者については、第七十一条第五号の五の規定は、適用しない。

一　当該自動車が整備不良車両に該当しないこと。

二　当該自動運行装置に係る使用条件を満たしていること。

三　当該運転者が、前二号のいずれかに該当しなくなつた場合において、直ちに、そのことを認知するとともに、当該自動運行装置以外の当該自動車の装置を確実に操作することができる状態にあること。

（罰則　第一項については第百十九条第一項第十六号、同条第三項）

（初心運転者標識等の表示義務）

第七一条の五①　第八十四条第三項の準中型自動車免許を受けた者で、当該準中型自動車免許を受けていた期間（当該免許の効力が停止されていた期間を除く。）が通算して一年に達しないもの（当該免許を受けた日前六月以内に準中型自動車免許を受けていたことがある者その他の者で政令で定めるもの及び同項の普通自動車免許を現に受けており、かつ、現に受けている準中型自動車免許を受けた日前に当該普通自動車免許を受けていた期間（当該免許の効力が停止されていた期間を除く。）が通算して二年以上である者を除く。）は、内閣府令で定めるところにより準中型自動車の前面及び後面に内閣府令で定める様式の標識を付けないで準中型自動車を運転してはならない。

②　第八十四条第三項の準中型自動車免許又は普通自動車免許を受けた者で、当該準中型自動車免許又は普通自動車免許を受けていた期間（当該免許の効力が停止されていた期間を除く。）が通算して一年に達しないもの（当該免許を受けた日前六月以内に準中型自動車免許又は普通自動車免許を受けていたことがある者、現に受けている準中型自動車免許又は普通自動車免許を受けた日以後に当該免許に係る上位免許（第八十五条第二項の規定により一の種類の運転免許について同条第一項の表の区分に従い運転することができる自動車等（以下「免許自動車等」という。）を運転することができる他の種類の運転免許（第八十四条第二項の仮運転免許を除く。）をいう。第百条の二第一項第一号及び第三号において同じ。）を受けた者その他の者で政令で定めるものを除く。）は、内閣府令で定めるところにより普通自動車の前面及び後面に内閣府令で定める様式の標識を付けないで普通自動車を運転してはならない。

③　第八十五条第一項若しくは第二項又は第八十六条第一項若しくは第二項の規定により普通自動車を運転することができる免許（以下「普通自動車対応免許」という。）を受けた者で七十五歳以上のものは、内閣府令で定めるところにより普通自動車の前面及び後面に内閣府令で定める様式の標識を付けないで普通自動車を運転してはならない。

④　普通自動車対応免許を受けた者で七十歳以上七十五歳未満のものは、加齢に伴つて生ずる身体の機能の低下が自動車の運転に影響を及ぼすおそれがあるときは、内閣府令で定めるところにより普通自動車の前面及び後面に内閣府令で定める様式の標識を付けて普通自動車を運転するように努めなければならない。

（罰則　第一項から第三項までについては第百二十一条第一項第十一号、同条第三項）

第七一条の六①　第八十五条第一項若しくは第二項又は第八十六条第一項若しくは第二項の規定により準中型自動車を運転することができる免許を受けた者で政令で定める程度の聴覚障害のあることを理由に当該免許に条件を付されているものは、内閣府令で定めるところにより準中型自動車の前面及び後面に内閣府令で定める様式の標識を付けないで準中型自動車を運転してはならない。

②　普通自動車対応免許を受けた者で政令で定める程度の聴覚障害のあることを理由に当該普通自動車対応免許に条件を付されているものは、内閣府令で定めるところにより普通自動車の前面及び後面に内閣府令で定める様式の標識を付けないで普通自動車を運転してはならない。

③　普通自動車対応免許を受けた者で肢体不自由であることを理由に当該普通自動車対応免許に条件を付されているものは、当該肢体不自由が自動車の運転に影響を及ぼすおそれがあるときは、内閣府令で定めるところにより普通自動車の前面及び後面に内閣府令で定める様式の標識を付けて普通自動車を運転するように努めなければならない。

（罰則　第一項及び第二項については第百二十一条第一項第十一号、同条第三項）

第二節　交通事故の場合の措置等

（交通事故の場合の措置）

第七二条①　交通事故があつたときは、当該交通事故に係る車両等の運転者その他の乗務員（以下この節において「運転者等」という。）は、直ちに車両等の運転を停止して、負傷者を救護し、道路における危険を防止する等必要な措置を講じなければならない。この場合において、当該車両等の運転者（運転者が死亡し、又は負傷したためやむを得ないときは、その他の乗務員。次項において同じ。）は、警察官が現場にいるときは当該警察官に、警察官が現場にいないときは直ちに最寄りの警察署（派出所又は駐在所を含む。同項において同じ。）の警察官に当該交通事故が発生した日時及び場所、当該交通事故における死傷者の数及び負傷者の負傷の程度並びに損壊した物及びその損壊の程度、当該交通事故に係る車両等の積載物並びに当該交通事故について講じた措置（第七十五条の二十三第一項及び第三項において「交通事故発生日時等」という。）を報告しなければならない。

②　前項後段の規定により報告を受けた最寄りの警察署の警察官は、負傷者を救護し、又は道路における危険を防止するため必要があると認めるときは、当該報告をした運転者に対し、警察官が現場に到着するまで現場を去つてはならない旨を命ずることができる。

③　前二項の場合において、現場にある警察官は、当該車両等の運転者等に対し、負傷者を救護し、又は道路における危険を防止し、その他交通の安全と円滑を図るため必要な指示をすることができる。

④　緊急自動車若しくは傷病者を運搬中の車両又は乗合自動車、トロリーバス若しくは路面電車で当該業務に従事中のものの運転者は、当該業務のため引き続き当該車両等を運転する必要があるときは、第一項の規定にかかわらず、その他の乗務員に第一項前段に規定する措置を講じさせ、又は同項後段に規定する報告をさせて、当該車両等の運転を継続することができる。

（罰則　第一項前段については第百十七条第一項、同条第二項、第百十七条の五第一項第一号　第一項後段については第百十九条第一項第十七号　第二項については第百二十条第一項第十一号）

第七二条の二①　前条第三項の場合において、当該車両等の運転者等が負傷その他の理由により直ちに同項の規定による指示に従うことが困難であると認められるときは、現場にある警察官は、道路における交通の危険を防止し、その他交通の安全と円滑を図るため必要な限度において、当該交通事故において損壊した物及び当該交通事故に係る車両等の積載物（以下この条において「損壊物等」という。）の移動その他応急の措置をとることができる。

② 前項の規定による措置をとつた場合において、当該損壊物等を移動したときは、警察官は、当該損壊物等の在つた場所を管轄する警察署長に差し出さなければならない。この場合において、警察署長は、当該損壊物等を保管しなければならない。

③ 第五十一条第七項及び第九項から第二十一項まで並びに第五十一条の二の規定は、前二項の規定による措置に係る損壊物等について準用する。この場合において、第五十一条第七項中「使用者」とあるのは「所有者、占有者その他当該損壊物等について権原を有する者（以下この条及び次条において「所有者等」という。）」と、同条第九項中「前項」とあるのは「第七十二条の二第三項において読み替えて準用する第七項」と、「知ることができない」とあるのは「知ることができず、かつ、当該損壊物等の所有者以外の者に当該損壊物等を返還することが困難であると認められる」と、同条第十一項中「第七項から前項まで」とあるのは「第七十二条の二第三項において読み替えて準用する第七項及び前二項」と、同条第十二項中「第八項の規定による告知の日又は」とあるのは「腐敗し、若しくは変質するおそれがあるとき又は第七十二条の二第三項において読み替えて準用する第七項の規定による当該損壊物等の所有者に対する告知の日若しくは」と、「費用」とあるのは「費用若しくは手数」と、同条第十五項中「運転者等又は使用者若しくは所有者（以下この条及び次条において「使用者等」という。）」とあるのは「所有者等」と、同条第十六項中「運転者等又は使用者等」とあるのは「所有者等」と、同条第二十項中「第八項の規定による」とあるのは「第七十二条の二第三項において読み替えて準用する第七項の規定による当該損壊物等の所有者に対する」と、第五十一条の二第一項中「同条第六項の規定により保管した車両の使用者等その他の関係者又は同条第二十二項において準用する同条第六項の規定により保管した積載物の所有者、占有者その他当該積載物について権原を有する者」とあるのは「第七十二条の二第二項後段の規定により保管した損壊物等の所有者等」と読み替えるものとする。

（妨害の禁止）

第七三条 交通事故があつた場合において、当該交通事故に係る車両等の運転者等以外の者で当該車両等に乗車しているものがあるときは、その者は、当該車両等の運転者等が第七十二条第一項前段に規定する措置を講じ、又は同項後段に規定する報告をするのを妨げてはならない。

（罰則 第百二十条第一項第十号）

第三節 使用者の義務（抄）

（車両等の使用者の義務）

第七四条① 車両等の使用者は、その者の業務に関し当該車両等を運転させる場合には、当該車両等の運転者及び安全運転管理者、副安全運転管理者その他当該車両等の運行を直接管理する地位にある者に、この法律又はこの法律に基づく命令に規定する車両等の安全な運転に関する事項を遵守させるように努めなければならない。

② 車両の使用者は、当該車両の運転者に、当該車両を運転するに当たつて車両の速度、駐車及び積載並びに運転者の心身の状態に関しこの法律又はこの法律に基づく命令に規定する事項を遵守させるように努めなければならない。

③ 消防用自動車、救急用自動車その他の政令で定める自動車の使用者（第七十四条の三第一項の規定により安全運転管理者を選任したものを除く。）は、当該自動車の運転者に対し、当該自動車の安全な運転を確保するために必要な交通安全教育を行うように努めなければならない。

第七四条の二 車両の使用者は、当該車両を適正に駐車する場所を確保することその他駐車に関しての車両の適正な使用のために必要な措置を講じなければならない。

第七四条の三（略）

（自動車の使用者の義務等）

第七五条① 自動車（重被牽引車を含む。以下この条、次条第一項及び第七十五条の二の二第二項において同じ。）の使用者（安全運転管理者等その他自動車の運行を直接管理する地位にある者を含む。次項において「使用者等」という。）は、その者の業務に関し、自動車の運転者に対し、次の各号のいずれかに掲げる行為をすることを命じ、又は自動車の運転者がこれらの行為をすることを容認してはならない。

一 第八十四条第一項の規定による公安委員会の運転免許を受けている者（第百七条の二の規定により国際運転免許証又は外国運転免許証で自動車を運転することができることとされている者を含む。以下この項において同じ。）でなければ運転することができないこととされている自動車を当該運転免許を受けている者以外の者（第九十条第五項、第百三条第一項若しくは第四項、第百三条の二第一項、第百四条の二の三第一項若しくは第三項又は同条第五項において準用する第百三条第四項の規定により当該運転免許の効力が停止されている者を含む。）が運転すること。

二 第二十二条第一項の規定に違反して自動車を運転すること。

三 第六十五条第一項の規定に違反して自動車を運転すること。

四 第六十六条の規定に違反して自動車を運転すること。

五 第八十五条第五項の規定に違反して大型自動車、中型自動車若しくは準中型自動車を運転し、同条第六項の規定に違反して中型自動車若しくは準中型自動車を運転し、同条第七項の規定に違反して準中型自動車若しくは普通自動車を運転し、同条第八項の規定に違反して普通自動車を運転し、同条第九項の規定に違反して大型自動二輪車若しくは普通自動二輪車を運転し、又は同条第十項の規定に違反して普通自動二輪車を運転すること。

六 第五十七条第一項の規定に違反して積載をして自動車を運転すること。

七 自動車を離れて直ちに運転することができない状態にする行為（当該行為により自動車が第四十四条第一項、第四十五条第一項若しくは第二項、第四十七条第二項若しくは第三項、第四十八条、第四十九条の三第三項若しくは第七十五条の八第一項の規定に違反して駐車することとなる場合のもの又は自動車がこれらの規定に違反して駐車している場合におけるものに限る。）

② 自動車の使用者等が前項の規定に違反し、当該違反により自動車の運転者が同項各号のいずれかに掲げる行為をした場合において、自動車の使用者がその者の業務に関し自動車を使用することが著しく道路における交通の危険を生じさせ、又は著しく交通の妨害となるおそれがあると認めるときは、当該違反に係る自動車の使用の本拠の位置を管轄する公安委員会は、政令で定める基準に従い、当該自動車の使用者に対し、六月を超えない範囲内で期間を定めて、当該違反に係る自動車を運転し、又は運転させてはならない旨を命ずることができる。

③ 公安委員会は、前項の規定による命令をしようとする場合において、当該命令に係る自動車の使用者が道路運送法の規定による自動車運送事業者又は貨物利用運送事業法の規定による第二種貨物利用運送事業を経営する者であるときは、当該事業を監督する行政庁の意見を聴かなければならない。

④ 公安委員会は、第二項の規定による命令をしようとするときは、行政手続法（平成五年法律第八十八号）第十三条第一項の規定による意見陳述のための手続の区分にかかわらず、聴聞を行わなければならない。

⑤ 公安委員会は、前項の聴聞を行うに当たつては、その期日の一週間前までに、行政手続法第十五条第一項の規定による通知をし、かつ、聴聞の期日及び場所を公示しなければならない。

⑥ 前項の通知を行政手続法第十五条第三項に規定する方法によ

つて行う場合においては、同条第一項の規定により聴聞の期日までにおくべき相当な期間は、二週間を下回つてはならない。

⑦ 第四項の聴聞の期日における審理は、公開により行わなければならない。

⑧ 第四項の聴聞の主宰者は、必要があると認めるときは、道路交通に関する事項に関し専門的知識を有する参考人又は当該事案の関係人の出頭を求め、これらの者からその意見又は事情を聴くことができる。

⑨ 公安委員会は、第二項の規定による命令をしたときは、当該命令を受けた自動車の使用者に対し、運転し、又は運転させてはならないこととなる自動車の番号標の番号その他の内閣府令で定める事項を記載した文書を交付し、かつ、当該自動車の前面の見やすい箇所に内閣府令で定める様式の標章をはり付けるものとする。

⑩ 前項の規定により標章をはり付けられた自動車について、当該自動車の使用者から当該自動車を買い受けた者その他当該自動車の使用について権原を有する第三者は、内閣府令で定めるところにより、公安委員会に対し、当該標章を取り除くべきことを申請することができる。この場合において、公安委員会は、当該標章を取り除かなければならない。

⑪ 何人も、第九項の規定によりはり付けられた標章を破損し、又は汚損してはならず、また、当該自動車に係る運転の禁止の期間を経過した後でなければ、これを取り除いてはならない。

（罰則 第一項第一号については第百十七条の二の二第二項第一号、第百二十三条 第一項第二号及び第五号については第百十八条第二項第三号、第百二十三条 第一項第三号については第百十七条の二の二第二項第一号、第百十七条の二の二第二項第二号、第百二十三条 第一項第四号については第百十七条の二の二第二項第二号、第百十七条の二の二第二項第三号、第百二十三条 第一項第六号については第百十八条第二項第四号、第百十九条第二項第四号、第百二十三条 第一項第七号については第百十九条の二の四第二項、第百二十三条 第二項については第百十九条第二項第五号、第百二十三条 第十項については第百十九条第二項第五号、第百二十三条 第十一項については第百二十一条第一項第十号）

第七五条の二① 公安委員会が自動車の使用者に対し次の表の上欄に掲げる指示をした場合において、当該使用者に係る当該自動車につきその指示を受けた後一年以内にその指示の区分ごとに同表の下欄に掲げる違反行為が行われ、かつ、当該使用者が当該自動車を使用することについて著しく交通の危険を生じさせるおそれがあると認めるときは、当該自動車の使用の本拠の位置を管轄する公安委員会は、政令で定める基準に従い、当該使用者に対し、三月を超えない範囲内で期間を定めて、当該自動車を運転し、又は運転させてはならない旨を命ずることができる。

自動車の使用者に対する指示	違反行為
第二十二条の二第一項の規定による指示	最高速度違反行為
第五十八条の四の規定による指示	過積載をして自動車を運転する行為
第六十六条の二第一項の規定による指示	過労運転

② 公安委員会が第五十一条の四第一項の規定により標章が取り付けられた車両の使用者に対し納付命令をした場合において、当該使用者が当該標章が取り付けられた日前六月以内に当該車両が原因となつた納付命令（同条第十六項の規定により取り消されたものを除く。）を受けたことがあり、かつ、当該使用者が当該車両を使用することについて著しく交通の妨害となるおそれがあると認めるときは、当該車両の使用の本拠の位置を管轄する公安委員会は、政令で定める基準に従い、当該使用者に対し、三月を超えない範囲内で期間を定めて、当該車両を運転し、又は運転させてはならない旨を命ずることができる。

③ 前条第三項から第十一項までの規定は、前二項の規定による命令について準用する。

（罰則 第一項及び第二項については第百十九条第二項第五号、第百二十三条 第三項については第百二十一条第一項第十号）

第七五条の二の二（略）

第四章の二 高速自動車国道等における自動車の交通方法等の特例

（第七五条の二の三から第七五条の一一まで）（略）

第四章の三 特定自動運行の許可等

（第七五条の一二から第七五条の二九まで）（略）

第五章 道路の使用等（抄）

第一節 道路における禁止行為等

（禁止行為）

第七六条① 何人も、信号機若しくは道路標識等又はこれらに類似する工作物若しくは物件をみだりに設置してはならない。

② 何人も、信号機又は道路標識等の効用を妨げるような工作物又は物件を設置してはならない。

③ 何人も、交通の妨害となるような方法で物件をみだりに道路に置いてはならない。

④ 何人も、次の各号に掲げる行為は、してはならない。

一 道路において、酒に酔つて交通の妨害となるような程度にふらつくこと。

二 道路において、交通の妨害となるような方法で寝そべり、すわり、しやがみ、又は立ちどまつていること。

三 交通のひんぱんな道路において、球戯をし、ローラー・スケートをし、又はこれらに類する行為をすること。

四 石、ガラスびん、金属片その他道路上の人若しくは車両等を損傷するおそれのある物件を投げ、又は発射すること。

五 前号に掲げるもののほか、道路において進行中の車両等から物件を投げること。

六 道路において進行中の自動車、トロリーバス又は路面電車に飛び乗り、若しくはこれらから飛び降り、又はこれらに外からつかまること。

七 前各号に掲げるもののほか、道路又は交通の状況により、公安委員会が、道路における交通の危険を生じさせ、又は著しく交通の妨害となるおそれがあると認めて定めた行為

（罰則 第一項及び第二項については第百十八条第二項第五号、第百二十三条 第三項については第百十九条第二項第七号、第百二十三条 第四項については第百二十条第一項第十号）

（道路の使用の許可）

第七七条① 次の各号のいずれかに該当する者は、それぞれ当該各号に掲げる行為について当該行為に係る場所を管轄する警察署長（以下この節において「所轄警察署長」という。）の許可（当該行為に係る場所が同一の公安委員会の管理に属する二以上の警察署長の管轄にわたるときは、そのいずれかの所轄警察署長の許可。以下この節において同じ。）を受けなければならない。

一 道路において工事若しくは作業をしようとする者又は当該工事若しくは作業の請負人

二 道路に石碑、銅像、広告板、アーチその他これらに類する工作物を設けようとする者

三 場所を移動しないで、道路に露店、屋台店その他これらに類する店を出そうとする者

四 前各号に掲げるもののほか、道路において祭礼行事をし、又はロケーションをする等一般交通に著しい影響を及ぼすような通行の形態若しくは方法により道路を使用する行為又は

道路に人が集まり一般交通に著しい影響を及ぼすような行為で、公安委員会が、その土地の道路又は交通の状況により、道路における危険を防止し、その他交通の安全と円滑を図るため必要と認めて定めたものをしようとする者

② 前項の許可の申請があつた場合において、当該申請に係る行為が次の各号のいずれかに該当するときは、所轄警察署長は、許可をしなければならない。

一 当該申請に係る行為が現に交通の妨害となるおそれがないと認められるとき。

二 当該申請に係る行為が許可に付された条件に従つて行なわれることにより交通の妨害となるおそれがなくなると認められるとき。

三 当該申請に係る行為が現に交通の妨害となるおそれはあるが公益上又は社会の慣習上やむを得ないものであると認められるとき。

③ 第一項の規定による許可をする場合において、必要があると認めるときは、所轄警察署長は、当該許可に係る行為が前項第一号に該当する場合を除き、当該許可に道路における危険を防止し、その他交通の安全と円滑を図るため必要な条件を付することができる。

④ 所轄警察署長は、道路における危険を防止し、その他交通の安全と円滑を図るため特別の必要が生じたときは、前項の規定により付した条件を変更し、又は新たに条件を付することができる。

⑤ 所轄警察署長は、第一項の規定による許可を受けた者が前二項の規定による条件に違反したとき、又は道路における危険を防止し、その他交通の安全と円滑を図るため特別の必要が生じたときは、その許可を取り消し、又はその許可の効力を停止することができる。

⑥ 所轄警察署長は、第三項又は第四項の規定による条件に違反した者について前項の規定による処分をしようとするときは、当該処分に係る者に対し、あらかじめ、弁明をなすべき日時、場所及び当該処分をしようとする理由を通知して、当該事案について弁明及び有利な証拠の提出の機会を与えなければならない。ただし、交通の危険を防止するため緊急やむを得ないときは、この限りでない。

⑦ 第一項の規定による許可を受けた者は、当該許可の期間が満了したとき、又は第五項の規定により当該許可が取り消されたときは、すみやかに当該工作物の除去その他道路を原状に回復する措置を講じなければならない。

（罰則 第一項については第百十九条第二項第七号、第百二十三条 第三項及び第四項については第百十九条第二項第八号、第百二十三条 第七項については第百二十条第二項第五号、第百二十三条）

（許可の手続）

第七八条① 前条第一項の規定による許可を受けようとする者は、内閣府令で定める事項を記載した申請書を所轄警察署長に提出しなければならない。

② 前条第一項の規定による許可に係る行為が道路法第三十二条第一項又は第三項の規定の適用を受けるものであるときは、前項の規定による申請書の提出は、当該道路の管理者を経由して行なうことができる。この場合において、道路の管理者は、すみやかに当該申請書を所轄警察署長に送付しなければならない。

③ 所轄警察署長は、前条第一項の規定による許可をしたときは、許可証を交付しなければならない。

④ 前項の規定による許可証の交付を受けた者は、当該許可証の記載事項に変更を生じたときは、所轄警察署長に届け出て、許可証に変更に係る事項の記載を受けなければならない。

⑤ 第三項の規定による許可証の交付を受けた者は、当該許可証を亡失し、滅失し、汚損し、又は破損したときは、所轄警察署長に許可証の再交付を申請することができる。

⑥ 第一項の申請書の様式、第三項の許可証の様式その他前条第一項の許可の手続について必要な事項は、内閣府令で定める。

（罰則 第四項については第百二十一条第一項第十号）

（道路の管理者との協議）

第七九条 所轄警察署長は、第七十七条第一項の規定による許可をしようとする場合において、当該許可に係る行為が道路法第三十二条第一項又は第三項の規定の適用を受けるものであるときは、あらかじめ、当該道路の管理者に協議しなければならない。

（道路の管理者の特例）

第八〇条① 道路法による道路の管理者が道路の維持、修繕その他の管理のため工事又は作業を行なおうとするときは、当該道路の管理者は、第七十七条第一項の規定にかかわらず、所轄警察署長に協議すれば足りる。

② 前項の協議について必要な事項は、内閣府令・国土交通省令で定める。

第二節 危険防止等の措置

（第八一条から第八三条まで）（略）

第六章 自動車及び一般原動機付自転車の運転免許（抄）

第一節 通則

（運転免許）

第八四条① 自動車及び一般原動機付自転車（以下「自動車等」という。）を運転しようとする者は、公安委員会の運転免許（以下「免許」という。）を受けなければならない。

② 免許は、第一種運転免許（以下「第一種免許」という。）、第二種運転免許（以下「第二種免許」という。）及び仮運転免許（以下「仮免許」という。）に区分する。

③ 第一種免許を分けて、大型自動車免許（以下「大型免許」という。）、中型自動車免許（以下「中型免許」という。）、準中型自動車免許（以下「準中型免許」という。）、普通自動車免許（以下「普通免許」という。）、大型特殊自動車免許（以下「大型特殊免許」という。）、大型自動二輪車免許（以下「大型二輪免許」という。）、普通自動二輪車免許（以下「普通二輪免許」という。）、小型特殊自動車免許（以下「小型特殊免許」という。）、原動機付自転車免許（以下「原付免許」という。）及び牽引免許の十種類とする。

④ 第二種免許を分けて、大型自動車第二種免許（以下「大型第二種免許」という。）、中型自動車第二種免許（以下「中型第二種免許」という。）、普通自動車第二種免許（以下「普通第二種免許」という。）、大型特殊自動車第二種免許（以下「大型特殊第二種免許」という。）及び牽引第二種免許の五種類とする。

⑤ 仮免許を分けて、大型自動車仮免許（以下「大型仮免許」という。）、中型自動車仮免許（以下「中型仮免許」という。）、準中型自動車仮免許（以下「準中型仮免許」という。）及び普通自動車仮免許（以下「普通仮免許」という。）の四種類とする。

（第一種免許）

第八五条① 次の表の上欄に掲げる自動車等を運転しようとする者は、当該自動車等の種類に応じ、それぞれ同表の下欄に掲げる第一種免許を受けなければならない。

自動車等の種類	第一種免許の種類
大型自動車	大型免許
中型自動車	中型免許
準中型自動車	準中型免許
普通自動車	普通免許
大型特殊自動車	大型特殊免許
大型自動二輪車	大型二輪免許

普通自動二輪車	普通二輪免許
小型特殊自動車	小型特殊免許
一般原動機付自転車	原付免許

② 前項の表の下欄に掲げる第一種免許を受けた者は、同表の区分に従い当該自動車等を運転することができるほか、次の表の上欄に掲げる免許の種類に応じ、それぞれ同表の下欄に掲げる種類の自動車等を運転することができる。

第一種免許の種類	運転することができる自動車等の種類
大型免許	中型自動車、準中型自動車、普通自動車、小型特殊自動車及び一般原動機付自転車
中型免許	準中型自動車、普通自動車、小型特殊自動車及び一般原動機付自転車
準中型免許	普通自動車、小型特殊自動車及び一般原動機付自転車
普通免許	小型特殊自動車及び一般原動機付自転車
大型特殊免許	小型特殊自動車及び一般原動機付自転車
大型二輪免許	普通自動二輪車、小型特殊自動車及び一般原動機付自転車
普通二輪免許	小型特殊自動車及び一般原動機付自転車

③ 牽引自動車によつて重被牽引車を牽引して当該牽引自動車を運転しようとする者は、当該牽引自動車に係る免許（仮免許を除く。）のほか、牽引免許を受けなければならない。

④ 牽引免許を受けた者で、大型免許、中型免許、準中型免許、普通免許、大型特殊免許、大型第二種免許、中型第二種免許、普通第二種免許又は大型特殊第二種免許を現に受けているものは、これらの免許によつて運転することができる牽引自動車によつて重被牽引車を牽引して当該牽引自動車を運転することができる。

⑤ 大型免許を受けた者で、二十一歳に満たないもの又は大型免許、中型免許、準中型免許、普通免許若しくは大型特殊免許のいずれかを受けていた期間（当該免許の効力が停止されていた期間を除く。）が通算して三年に達しないものは、第二項の規定にかかわらず、政令で定める大型自動車、中型自動車又は準中型自動車を運転することはできない。

⑥ 中型免許を受けた者（大型免許を現に受けている者を除く。）で、二十一歳に満たないもの又は大型免許、中型免許、準中型免許、普通免許若しくは大型特殊免許のいずれかを受けていた期間（当該免許の効力が停止されていた期間を除く。）が通算して三年に達しないものは、第二項の規定にかかわらず、政令で定める中型自動車又は準中型自動車を運転することはできない。

⑦ 準中型免許を受けた者（大型免許又は中型免許を現に受けている者を除く。）で、次の各号に掲げるものは、第二項の規定にかかわらず、それぞれ当該各号に定める自動車を運転することはできない。

一 二十一歳に満たない者又は大型免許、中型免許、準中型免許、普通免許若しくは大型特殊免許のいずれかを受けていた期間（当該免許の効力が停止されていた期間を除く。）が通算して三年に達しない者　政令で定める準中型自動車

二 大型免許、中型免許、準中型免許、普通免許又は大型特殊免許のいずれかを受けていた期間（当該免許の効力が停止されていた期間を除く。）が通算して二年に達しない者　政令で定める普通自動車

⑧ 普通免許を受けた者（準中型免許を現に受けている者を除く。）で、大型免許、中型免許、準中型免許、普通免許又は大型特殊免許のいずれかを受けていた期間（当該免許の効力が停止されていた期間を除く。）が通算して二年に達しないものは、第二項の規定にかかわらず、政令で定める普通自動車を運転することはできない。

⑨ 大型二輪免許を受けた者で、大型二輪免許又は普通二輪免許のいずれかを受けていた期間（当該免許の効力が停止されていた期間を除く。）が通算して二年に達しないものは、第二項の規定にかかわらず、政令で定める大型自動二輪車又は普通自動二輪車を運転することはできない。

⑩ 普通二輪免許を受けた者（大型二輪免許を現に受けている者を除く。）で、大型二輪免許又は普通二輪免許のいずれかを受けていた期間（当該免許の効力が停止されていた期間を除く。）が通算して二年に達しないものは、第二項の規定にかかわらず、政令で定める普通自動二輪車を運転することはできない。

⑪ 第一種免許を受けた者は、第二項の規定により運転することができる自動車又は第四項の規定により牽引自動車によつて重被牽引車を牽引して当該牽引自動車を運転することができる場合における当該重被牽引車が旅客自動車運送事業の用に供される自動車（以下「旅客自動車」という。）又は旅客自動車運送事業の用に供される重被牽引車（以下「旅客用車両」という。）であるときは、第二項及び第四項の規定にかかわらず、旅客自動車運送事業に係る旅客を運送する目的で、当該旅客自動車を運転し、又は牽引自動車によつて当該旅客用車両を牽引して当該牽引自動車を運転することはできない。

⑫ 大型免許、中型免許、準中型免許又は普通免許を受けた者は、第二項の規定にかかわらず、自動車運転代行業の業務の適正化に関する法律（平成十三年法律第五十七号）第二条第六項に規定する代行運転自動車（普通自動車に限る。以下「代行運転普通自動車」という。）を運転することはできない。

（罰則　第五項から第十項までについては第百十八条第一項第五号）

（第二種免許）

第八六条① 次の表の上欄に掲げる自動車で旅客自動車であるものを旅客自動車運送事業に係る旅客を運送する目的で運転しようとする者は、当該自動車の種類に応じ、それぞれ同表の下欄に掲げる第二種免許を受けなければならない。

自動車の種類	第二種免許の種類
大型自動車	大型第二種免許
中型自動車及び準中型自動車	中型第二種免許
普通自動車	普通第二種免許
大型特殊自動車	大型特殊第二種免許

② 前項の表の下欄に掲げる第二種免許を受けた者は、同表の区分に従い当該自動車を当該目的で運転することができるほか、当該第二種免許に対応する第一種免許を受けた者が前条第二項の規定により運転することができる自動車等を運転すること（大型第二種免許を受けた者にあつては旅客自動車である中型自動車、準中型自動車又は普通自動車を、中型第二種免許を受けた者にあつては旅客自動車である普通自動車を当該目的で運転することを含む。）ができる。

③ 牽引自動車によつて旅客用車両を旅客自動車運送事業に係る旅客を運送する目的で牽引して当該牽引自動車を運転しようとする者は、当該牽引自動車に係る免許（仮免許を除く。）のほか、牽引第二種免許を受けなければならない。

④ 牽引第二種免許を受けた者で、大型免許、中型免許、準中型免許、普通免許、大型特殊免許、大型第二種免許、中型第二種免許、普通第二種免許又は大型特殊第二種免許を現に受けているものは、これらの免許によつて運転することができる牽引自動車によつて旅客用車両を旅客自動車運送事業に係る旅客を運

送する目的で牽引して当該牽引自動車を運転することができるほか、これらの免許によつて運転することができる牽引自動車によつて重被牽引車を牽引して当該牽引自動車を運転することができる。

⑤ 代行運転普通自動車を運転しようとする者は、普通第二種免許を受けなければならない。

⑥ 大型第二種免許又は中型第二種免許を受けた者は、第二項に規定するもののほか、代行運転普通自動車を運転することができる。

第八七条（仮免許）① 大型自動車、中型自動車、準中型自動車又は普通自動車を当該自動車を運転することができる第一種免許又は第二種免許を受けないで練習のため又は第九十七条第一項第二号に掲げる事項について行う運転免許試験若しくは第九十九条第一項に規定する指定自動車教習所における自動車の運転に関する技能についての技能検定（次項において「試験等」という。）において運転しようとする者は、その運転しようとする自動車が大型自動車であるときは大型仮免許を、中型自動車であるときは中型仮免許を、準中型自動車であるときは準中型仮免許を、普通自動車であるときは普通仮免許を受けなければならない。

② 大型仮免許を受けた者は大型自動車、中型自動車、準中型自動車又は普通自動車を、中型仮免許を受けた者は中型自動車、準中型自動車又は普通自動車を、準中型仮免許を受けた者は準中型自動車又は普通自動車を、普通仮免許を受けた者は普通自動車を、練習のため又は試験等において運転することができる。この場合において、仮免許を受けた者は、練習のため自動車を運転しようとするときは、その運転者席の横の乗車装置に、当該自動車を運転することができる第一種免許を受けている者（免許の効力が停止されている者を除く。）で当該免許を受けていた期間（当該免許の効力が停止されていた期間を除く。）が通算して三年以上のもの、当該自動車を運転することができる第二種免許を受けている者（免許の効力が停止されている者及び二十一歳に満たない者を除く。）その他政令で定める者を同乗させ、かつ、その指導の下に、当該自動車を運転しなければならない。

③ 仮免許を受けた者は、練習のため自動車を運転しようとするときは、内閣府令で定めるところにより当該自動車の前面及び後面に内閣府令で定める様式の標識を付けて当該自動車を運転しなければならない。

④ 仮免許を受けた者は、第二項の規定にかかわらず、旅客自動車運送事業に係る旅客を運送する目的で旅客自動車を運転することはできない。

⑤ 仮免許を受けた者は、第二項の規定にかかわらず、代行運転普通自動車を運転することはできない。

⑥ 仮免許の有効期間は、当該仮免許に係る第九十七条第一項第一号に掲げる事項について行う運転免許試験（第九十条第一項及び第九十五条の六第一項において「適性試験」という。）を受けた日から起算して六月とする。ただし、当該期間が満了するまでの間に、大型仮免許を受けた者が大型免許若しくは大型第二種免許を受け、中型仮免許を受けた者が大型自動車若しくは中型自動車を運転することができる第一種免許若しくは第二種免許を受け、準中型仮免許を受けた者が大型自動車、中型自動車若しくは準中型自動車を運転することができる第一種免許若しくは第二種免許を受け、又は普通仮免許を受けた者が大型自動車、中型自動車、準中型自動車若しくは普通自動車を運転することができる第一種免許若しくは第二種免許を受けたときは、当該仮免許は、その効力を失う。

（罰則　第二項後段については第百十八条第一項第六号、第三項については第百二十条第一項第十四号、同条第三項）

第二節　免許の申請等（抄）

第八八条（免許の欠格事由）① 次の各号のいずれかに該当する者に対しては、第一種免許又は第二種免許を与えない。

一　大型免許にあつては二十一歳（政令で定める者にあつては、十九歳）に、中型免許にあつては二十歳（政令で定める者にあつては、十九歳）に、準中型免許、普通免許、大型特殊免許、大型二輪免許及び牽引免許にあつては十八歳に、普通二輪免許、小型特殊免許及び原付免許にあつては十六歳に、それぞれ満たない者

二　第九十条第一項ただし書の規定による免許の拒否（同項第三号又は第七号に該当することを理由とするものを除く。）をされた日から起算して同条第九項の規定により指定された期間を経過していない者若しくは免許を保留されている者若しくは同条第二項の規定による免許の拒否をされた日から起算して同条第十項の規定により指定された期間を経過していない者又は同条第五項の規定により免許を取り消された日から起算して同条第九項の規定により指定された期間を経過していない者若しくは免許の効力を停止されている者若しくは同条第六項の規定により免許を取り消された日から起算して同条第十項の規定により指定された期間を経過していない者

三　第百三条第一項若しくは第四項の規定による免許の取消し（同条第一項（第四号を除く。）に係るものに限る。）をされた日から起算して同条第七項の規定により指定された期間（第百三条の二第一項の規定により免許の効力を停止された者が当該事案について免許を取り消された場合にあつては、当該指定された期間から当該免許の効力が停止されていた期間を除いた期間。以下この号において同じ。）を経過していない者若しくは第百三条第二項若しくは第四項の規定による免許の取消し（同条第四項の規定による免許の取消しにあつては、同条第二項に係るものに限る。）をされた日から起算して同条第八項の規定により指定された期間を経過していない者又は同条第一項若しくは第四項、第百三条の二第一項、第百四条の二の三第一項若しくは第三項若しくは同条第五項において準用する第百三条第四項の規定により免許の効力が停止されている者

四　第百七条の五第一項若しくは第二項、同条第九項において準用する第百三条第四項又は第百七条の五第十項において準用する第百三条の二第一項の規定により自動車等の運転を禁止されている者

② 大型仮免許にあつては二十一歳（政令で定める者にあつては、十九歳）に、中型仮免許にあつては二十歳（政令で定める者にあつては、十九歳）に、準中型仮免許及び普通仮免許にあつては十七歳六か月に、それぞれ満たない者に対しては、仮免許を与えない。

＊令和六法三四（令和八・五・二三までに施行）による改正
第二項中「十八歳」は「十七歳六か月」に改められた。（本文織込み済み）

③ 免許を現に受けている者は、当該免許と同一の種類の免許を重ねて受けることができない。

第八九条（免許の申請等）① 免許を受けようとする者は、その者の住所地（仮免許を受けようとする者で現に第九十八条第二項の規定による届出をした自動車教習所において自動車の運転に関する教習を受けているものにあつては、その者の住所地又は当該自動車教習所の所在地）を管轄する公安委員会に、内閣府令で定める様式の免許申請書（次項の規定による質問票の交付を受けた者にあつては、当該免許申請書及び必要な事項を記載した当該質問票）を提出し、かつ、当該公安委員会の行う運転免許試験を受けなければならない。

② 前項に規定する公安委員会は、同項の規定により免許申請書を提出しようとする者に対し、その者が次条第一項第一号から第二号までのいずれかに該当するかどうかの判断に必要な質問

をするため、内閣府令で定める様式の質問票を交付することができる。

③　第一項の規定により自動車教習所の所在地を管轄する公安委員会（その者の住所地を管轄する公安委員会を除く。）に仮免許に係る免許申請書を提出し、当該公安委員会の仮免許を受けている者であつて、現に当該自動車教習所において自動車の運転に関する教習を受けているものは、自動車の運転について必要な技能を有するかどうかについて当該公安委員会が内閣府令で定めるところにより行う検査を受けることができる。この場合において、当該公安委員会は、その者が自動車の運転について必要な技能を有すると認めるときは、内閣府令で定めるところにより、その者に対しその旨を証する書面を交付するものとする。

（罰則　第一項については第百十七条の四第一項第三号）

（免許の拒否等）

第九〇条①　公安委員会は、前条第一項の運転免許試験に合格した者（当該運転免許試験に係る適性試験を受けた日から起算して、第一種免許又は第二種免許にあつては一年を、仮免許にあつては三月を経過していない者に限り、かつ、第九十六条第一項ただし書の規定の適用を受けて当該運転免許試験を受けた場合にあつてはその年齢が十八歳に達した者に限る。）に対し、免許を与えなければならない。ただし、次の各号のいずれかに該当する者については、政令で定める基準に従い、免許（仮免許を除く。以下この項から第十二項までにおいて同じ。）を与えず、又は六月を超えない範囲内において免許を保留することができる。

一　次に掲げる病気にかかつている者

イ　幻覚の症状を伴う精神病であつて政令で定めるもの

ロ　発作により意識障害又は運動障害をもたらす病気であつて政令で定めるもの

ハ　イ又はロに掲げるもののほか、自動車等の安全な運転に支障を及ぼすおそれがある病気として政令で定めるもの

一の二　介護保険法（平成九年法律第百二十三号）第五条の二第一項に規定する認知症（第百二条第一項及び第百三条第一項第一号の二において単に「認知症」という。）である者

二　アルコール、麻薬、大麻、あへん又は覚醒剤の中毒者

三　第八項の規定による命令に違反した者

四　自動車等の運転に関しこの法律若しくはこの法律に基づく命令の規定又はこの法律の規定に基づく処分に違反する行為（次項第一号から第四号までに規定する行為を除く。）をした者

五　自動車等の運転者を唆してこの法律の規定に違反する行為で重大なものとして政令で定めるもの（以下この号において「重大違反」という。）をさせ、又は自動車等の運転者が重大違反をした場合において当該重大違反を助ける行為（以下「重大違反唆し等」という。）をした者

六　道路以外の場所において自動車等をその本来の用い方に従つて用いることにより人を死傷させる行為（以下「道路外致死傷」という。）で次項第五号に規定する行為以外のものをした者

七　第百二条第一項から第四項までの規定による命令を受け、又は同条第六項の規定による通知を受けた者

＊令和六法三四（令和八・五・二三までに施行）による改正
第一項柱書中「限る」は「限り、かつ、第九十六条第一項ただし書の規定の適用を受けて当該運転免許試験を受けた場合にあつてはその年齢が十八歳に達した者に限る」に改められた。
（本文織込み済み）

②　前項本文の規定にかかわらず、公安委員会は、次の各号のいずれかに該当する者については、政令で定める基準に従い、免許を与えないことができる。

一　自動車等の運転により人を死傷させ、又は建造物を損壊させる行為で故意によるものをした者

二　自動車等の運転に関し自動車の運転により人を死傷させる行為等の処罰に関する法律（平成二十五年法律第八十六号）第二条から第四条までの罪に当たる行為をした者

三　自動車等の運転に関し第百十七条の二第一項第一号、第三号又は第四号の違反行為をした者（前二号のいずれかに該当する者を除く。）

四　自動車等の運転に関し第百十七条第一項又は第二項の違反行為をした者

五　道路外致死傷で故意によるもの又は自動車の運転により人を死傷させる行為等の処罰に関する法律第二条から第四条までの罪に当たるものをした者

③　第一項ただし書の規定は、同項第四号に該当する者が第百二条の二（第百七条の四の二において準用する場合を含む。第百八条の二第一項及び第百八条の三の二において同じ。）の規定の適用を受ける者であるときは、その者が第百二条の二に規定する講習を受けないで同条の期間を経過した後でなければ、適用しない。

④　公安委員会は、第一項ただし書の規定により免許を拒否し、若しくは保留しようとするとき又は第二項の規定により免許を拒否しようとするときは、あらかじめ、弁明をなすべき日時、場所及び当該処分をしようとする理由を通知して、当該事案について弁明及び有利な証拠の提出の機会を与えなければならない。

⑤　公安委員会は、免許を与えた後において、当該免許を受けた者が当該免許を受ける前に第一項第四号から第六号までのいずれかに該当していたことが判明したときは、政令で定める基準に従い、その者の免許を取り消し、又は六月を超えない範囲内で期間を定めて免許の効力を停止することができる。

⑥　公安委員会は、免許を与えた後において、当該免許を受けた者が当該免許を受ける前に第二項各号のいずれかに該当していたことが判明したときは、その者の免許を取り消すことができる。

⑦　第三項の規定は第五項の規定による処分について、第四項の規定は前二項の規定による処分について、それぞれ準用する。この場合において、第三項中「第一項ただし書」とあるのは「第五項」と、「同項第四号」とあるのは「第一項第四号」と、第四項中「第一項ただし書」とあるのは「次項」と、「第二項」とあるのは「第六項」と読み替えるものとする。

⑧　公安委員会は、第一項第一号から第三号までのいずれかに該当することを理由として同項ただし書の規定により免許を保留する場合において、必要があると認めるときは、当該処分の際に、その者に対し、公安委員会が指定する期日及び場所において適性検査を受け、又は公安委員会が指定する期限までに内閣府令で定める要件を満たす医師の診断書を提出すべき旨を命ずることができる。

⑨　公安委員会は、第一項ただし書の規定により免許の拒否（同項第三号又は第七号に該当することを理由とするものを除く。）をし、又は第五項の規定により免許を取り消したときは、政令で定める基準に従い、五年を超えない範囲内で当該処分を受けた者が免許を受けることができない期間を指定するものとする。

⑩　公安委員会は、第二項の規定により免許の拒否をし、又は第六項の規定により免許を取り消したときは、政令で定める基準に従い、十年を超えない範囲内で当該処分を受けた者が免許を受けることができない期間を指定するものとする。

⑪　第五項の規定により免許を取り消され、若しくは免許の効力の停止を受けた時又は第六項の規定により免許を取り消された時におけるその者の住所が当該処分をした公安委員会以外の公安委員会の管轄区域内にあるときは、当該処分をした公安委員会は、速やかに当該処分をした旨をその者の住所地を管轄する公安委員会に通知しなければならない。

⑫　公安委員会は、第一項ただし書の規定により免許の保留（同項第四号から第六号までのいずれかに該当することを理由とす

るものに限る。）をされ、又は第五項の規定により免許の効力の停止を受けた者が第百八条の二第一項第三号に掲げる講習を終了したときは、政令で定める範囲内で、その者の免許の保留の期間又は効力の停止の期間を短縮することができる。

⑬ 公安委員会は、仮免許の運転免許試験に合格した者が第一項第一号から第二号までのいずれかに該当するときは、同項本文の規定にかかわらず、政令で定める基準に従い、仮免許を与えないことができる。

⑭ 第四項の規定は、前項の規定により仮免許を拒否しようとする場合について準用する。この場合において、第四項中「第一項ただし書」とあるのは、「第十三項」と読み替えるものとする。

（大型免許等を受けようとする者の義務）

第九〇条の二① 次の各号に掲げる種類の免許を受けようとする者は、それぞれ当該各号に定める講習を受けなければならない。ただし、当該講習を受ける必要がないものとして政令で定める者は、この限りでない。

一 大型免許、中型免許、準中型免許又は普通免許　第百八条の二第一項第四号及び第八号に掲げる講習

二 大型二輪免許又は普通二輪免許　第百八条の二第一項第五号及び第八号に掲げる講習

三 原付免許　第百八条の二第一項第六号に掲げる講習

四 大型第二種免許、中型第二種免許又は普通第二種免許　第百八条の二第一項第七号及び第八号に掲げる講習

② 公安委員会は、前項各号に掲げる種類の免許に係る運転免許試験に合格した者（同項ただし書の政令で定める者を除く。）がそれぞれ同項各号に定める講習を受けていないときは、その者に対し、免許を与えないことができる。

（免許の条件）

第九一条 公安委員会は、道路における危険を防止し、その他交通の安全を図るため必要があると認めるときは、必要な限度において、免許に、その免許に係る者の身体の状態又は運転の技能に応じ、その者が運転することができる自動車等の種類を限定し、その他自動車等を運転するについて必要な条件を付し、及びこれを変更することができる。

（罰則　第百十九条第一項第二十号）

第九一条の二　（略）

第三節　免許証等（抄）

（免許証の交付）

第九二条① 免許は、運転免許証（以下「免許証」という。）を交付して行なう。この場合において、同一人に対し、日を同じくして第一種免許又は第二種免許のうち二以上の種類の免許を与えるときは、一の種類の免許に係る免許証に他の種類の免許に係る事項を記載して、当該種類の免許に係る免許証の交付に代えるものとする。

② 免許を現に受けている者に対し、当該免許の種類と異なる種類の免許を与えるときは、その異なる種類の免許に係る免許証にその者が現に受けている免許に係る事項を記載して、その者が現に有する免許証と引換えに交付するものとする。

（免許証の記載事項）

第九三条① 免許証には、次に掲げる事項（次条の規定による記録が行われる場合にあつては、内閣府令で定めるものを除く。）を記載するものとする。

一 免許証の番号

二 免許の年月日並びに免許証の交付年月日及び有効期間の末日

三 免許の種類

四 免許を受けた者の本籍、住所、氏名及び生年月日

五 免許を受けた者が第九十五条の六第一項の表の備考一のロに規定する優良運転者（第百一条第三項及び第百一条の二の二第一項において単に「優良運転者」という。）である場合にあつては、その旨

② 公安委員会は、前項に規定するもののほか、免許を受けた者について、第九十一条又は第九十一条の二第二項の規定により、免許に条件を付し、又は免許に付されている条件を変更したときは、その者の免許証に当該条件に係る事項を記載しなければならない。

③ 前二項に規定するもののほか、免許証の様式、免許証に表示すべきものその他免許証について必要な事項は、内閣府令で定める。

（免許証の電磁的方法による記録）

第九三条の二 公安委員会は、前条第一項各号に掲げる事項又は同条第二項若しくは第三項の規定により記載され若しくは表示されるものの一部を、内閣府令で定めるところにより、免許証に電磁的方法（電子的方法、磁気的方法その他の人の知覚によつて認識することができない方法をいう。以下同じ。）により記録することができる。

（免許証の記載事項の変更届出等）

第九四条① 免許を受けた者は、第九十三条第一項各号に掲げる事項に変更を生じたときは、速やかに住所地を管轄する公安委員会（公安委員会の管轄区域を異にして住所を変更したときは、変更した後の住所地を管轄する公安委員会）に届け出て、免許証に変更に係る事項の記載（前条の規定による記録が行われる場合にあつては、同条の規定による記録）を受けなければならない。

② 免許を受けた者は、免許証を亡失し、滅失し、汚損し、若しくは破損したとき、前条の規定による記録を毀損したとき、又は前項の規定による届出をしたとき、その他内閣府令で定めるときは、その者の住所地（仮免許に係る免許証にあつては、その者が現に自動車の運転に関する教習を受けている第九十八条第二項の規定による届出をした自動車教習所の所在地）を管轄する公安委員会に免許証の再交付を申請することができる。

③ 第一項の規定による届出の手続及び前項に規定する免許証の再交付の申請の手続は、内閣府令で定める。

（罰則　第一項については第百二十一条第一項第十号）

（免許証の携帯及び提示義務）

第九五条① 免許を受けた者は、自動車等を運転するときは、当該自動車等に係る免許証を携帯していなければならない。

② 免許を受けた者は、自動車等を運転している場合において、警察官から第六十七条第一項又は第二項の規定による免許証の提示を求められたときは、これを提示しなければならない。

（罰則　第一項については第百二十一条第一項第十二号、同条第三項、第二項については第百二十条第一項第十号）

第九五条の二から第九五条の六まで　（略）

第四節　運転免許試験　から　第四節の三　再試験　まで（第九六条から第一〇〇条の三まで）（略）

第五節　免許証等の更新等（抄）

第一〇一条から第一〇一条の四の二まで　（略）

（免許を受けた者に対する報告徴収）

第一〇一条の五 公安委員会は、免許を受けた者が第百三条第一項第一号、第一号の二又は第三号のいずれかに該当するかどうかを調査するため必要があると認めるときは、内閣府令で定めるところにより、その者に対し、必要な報告を求めることができる。

（罰則　第百十七条の四第一項第三号）

（医師の届出）

第一〇一条の六① 医師は、その診察を受けた者が第百三条第一項第一号、第一号の二又は第三号のいずれかに該当すると認めた場合において、その者が免許を受けた者又は第百七条の二の国際運転免許証若しくは外国運転免許証を所持する者（本邦に上陸（同条に規定する上陸をいう。）をした日から起算して滞在

期間が一年を超えている者を除く。）であることを知つたときは、当該診察の結果を公安委員会に届け出ることができる。

② 前項に規定する場合において、公安委員会は、医師からその診察を受けた者が免許を受けた者であるかどうかについて確認を求められたときは、これに回答するものとする。

③ 刑法の秘密漏示罪の規定その他の守秘義務に関する法律の規定は、第一項の規定による届出をすることを妨げるものと解釈してはならない。

④ 公安委員会は、その管轄する都道府県の区域外に居住する者について第一項の規定による届出を受けたときは、当該届出の内容を、その者の居住地を管轄する公安委員会に通知しなければならない。

第一〇一条の七から第一〇二条の三まで　（略）

第六節　免許の取消し、停止等（抄）

（免許の取消し、停止等）

第一〇三条① 免許（仮免許を除く。以下第百六条までにおいて同じ。）を受けた者が次の各号のいずれかに該当することとなつたときは、その者が当該各号のいずれかに該当することとなつた時におけるその者の住所地を管轄する公安委員会は、政令で定める基準に従い、その者の免許を取り消し、又は六月を超えない範囲内で期間を定めて免許の効力を停止することができる。ただし、第五号に該当する者が第百二条の二の規定の適用を受ける者であるときは、当該処分は、その者が同条に規定する講習を受けないで同条の期間を経過した後でなければ、することができない。

一 次に掲げる病気にかかつている者であることが判明したとき。

イ 幻覚の症状を伴う精神病であつて政令で定めるもの

ロ 発作により意識障害又は運動障害をもたらす病気であつて政令で定めるもの

ハ イ及びロに掲げるもののほか、自動車等の安全な運転に支障を及ぼすおそれがある病気として政令で定めるもの

一の二 認知症であることが判明したとき。

二 目が見えないことその他自動車等の安全な運転に支障を及ぼすおそれがある身体の障害として政令で定めるものが生じている者であることが判明したとき。

三 アルコール、麻薬、大麻、あへん又は覚醒剤の中毒者であることが判明したとき。

四 第六項の規定による命令に違反したとき。

五 自動車等の運転に関しこの法律若しくはこの法律に基づく命令の規定又はこの法律の規定に基づく処分に違反したとき（次項第一号から第四号までのいずれかに該当する場合を除く。）。

六 重大違反唆し等をしたとき。

七 道路外致死傷をしたとき（次項第五号に該当する場合を除く。）。

八 前各号に掲げるもののほか、免許を受けた者が自動車等を運転することが著しく道路における交通の危険を生じさせるおそれがあるとき。

② 免許を受けた者が次の各号のいずれかに該当することとなつたときは、その者が当該各号のいずれかに該当することとなつた時におけるその者の住所地を管轄する公安委員会は、その者の免許を取り消すことができる。

一 自動車等の運転により人を死傷させ、又は建造物を損壊させる行為で故意によるものをしたとき。

二 自動車等の運転に関し自動車の運転により人を死傷させる行為等の処罰に関する法律第二条から第四条までの罪に当たる行為をしたとき。

三 自動車等の運転に関し第百十七条の二第一項第一号、第三号又は第四号の違反行為をしたとき（前二号のいずれかに該当する場合を除く。）。

四 自動車等の運転に関し第百十七条第一項又は第二項の違反行為をしたとき。

五 道路外致死傷で故意によるもの又は自動車の運転により人を死傷させる行為等の処罰に関する法律第二条から第四条までの罪に当たるものをしたとき。

③ 公安委員会は、第一項の規定により免許を取り消し、若しくは免許の効力を九十日（公安委員会が九十日を超えない範囲内で期間を定めたときは、その期間）以上停止しようとする場合において、又は前項の規定により免許を取り消そうとする場合において、当該処分に係る者がその住所を他の公安委員会の管轄区域内に変更していたときは、当該処分に係る事案に関する第百四条第一項の意見の聴取又は聴聞を終了している場合を除き、速やかに現にその者の住所地を管轄する公安委員会に内閣府令で定める処分移送通知書を送付しなければならない。

④ 前項の処分移送通知書が当該公安委員会に送付されたときは、当該公安委員会は、その者が第一項各号のいずれかに該当する場合（同項第五号に該当する者が第百二条の二の規定の適用を受ける者であるときは、その者が同条に規定する講習を受けないで同条の期間を経過した後に限る。）には、同項の政令で定める基準に従い、その者の免許を取り消し、又は六月を超えない範囲内において期間を定めて免許の効力を停止することができるものとし、その者が第二項各号のいずれかに該当する場合には、その者の免許を取り消すことができるものとし、処分移送通知書を送付した公安委員会は、第一項又は第二項の規定にかかわらず、当該事案について、その者の免許を取り消し、又は免許の効力を停止することができないものとする。

⑤ 第三項の規定は、公安委員会が前項の規定により免許を取り消し、又は免許の効力を停止しようとする場合について準用する。

⑥ 公安委員会は、第一項第一号から第四号までのいずれかに該当することを理由として同項又は第四項の規定により免許の効力を停止する場合において、必要があると認めるときは、当該処分の際に、その者に対し、公安委員会が指定する期日及び場所において適性検査を受け、又は公安委員会が指定する期限までに内閣府令で定める要件を満たす医師の診断書を提出すべき旨を命ずることができる。

⑦ 公安委員会は、第一項各号（第四号を除く。）のいずれかに該当することを理由として同項又は第四項の規定により免許を取り消したときは、政令で定める基準に従い、一年以上五年を超えない範囲内で当該処分を受けた者が免許を受けることができない期間を指定するものとする。

⑧ 公安委員会は、第二項各号のいずれかに該当することを理由として同項又は第四項の規定により免許を取り消したときは、政令で定める基準に従い、三年以上十年を超えない範囲内で当該処分を受けた者が免許を受けることができない期間を指定するものとする。

⑨ 第一項、第二項又は第四項の規定により免許を取り消され、又は免許の効力の停止を受けた時におけるその者の住所が当該処分をした公安委員会以外の公安委員会の管轄区域内にあるときは、当該処分をした公安委員会は、速やかに当該処分をした旨をその者の住所地を管轄する公安委員会に通知しなければならない。

⑩ 公安委員会は、第一項又は第四項の規定による免許の効力の停止（第一項第一号から第四号までのいずれかに該当することを理由とするものを除く。）を受けた者が第百八条の二第一項第三号に掲げる講習を終了したときは、政令で定める範囲内で、その者の免許の効力の停止の期間を短縮することができる。

（免許の効力の仮停止）

第一〇三条の二① 免許を受けた者が自動車等の運転に関し次の各号のいずれかに該当することとなつたときは、その者が当該交通事故を起こした場所を管轄する警察署長は、その者に対し、当該交通事故を起こした日から起算して三十日を経過する日を終期とする免許の効力の停止（以下この条において「仮停止」という。）をすることができる。

一　交通事故を起こして人を死亡させ、又は傷つけた場合において、第百十七条第一項又は第二項の違反行為をしたとき。

二　第百十七条の二第一項第一号、第三号若しくは第四号、第百十七条の二の二第一項第一号、第三号若しくは第七号、第百十七条の四第一項第二号又は第百十八条第一項第五号の違反行為をし、よつて交通事故を起こして人を死亡させ、又は傷つけたとき。

三　第百十八条第一項第一号若しくは第二項第一号又は第百十九条第一項第一号から第六号まで、第十五号若しくは第二十号若しくは第二項第一号若しくは第二号の違反行為をし、よつて交通事故を起こして人を死亡させたとき。

②　警察署長は、仮停止をしたときは、当該処分をした日から起算して五日以内に、当該処分を受けた者に対し弁明の機会を与えなければならない。

③　免許証を有する者が仮停止を受けたときは、免許証を当該処分をした警察署長に提出しなければならない。

④　免許情報記録個人番号カードを有する者が仮停止を受けたときは、免許情報記録個人番号カードを当該処分をした警察署長に提示して免許情報記録の抹消を受けなければならない。

⑤　仮停止をした警察署長は、速やかに、当該処分を受けた者が第一項各号のいずれかに該当することとなつた時におけるその者の住所地を管轄する公安委員会に対し、内閣府令で定める仮停止通知書（第三項の規定により免許証の提出を受けた場合にあつては、当該仮停止通知書及び当該免許証。次項及び第七項において同じ。）を送付しなければならない。

⑥　前項の仮停止通知書の送付を受けた公安委員会は、当該事案について前条第三項（同条第五項において準用する場合を含む。）の規定により処分移送通知書を送付するときは、併せて当該送付を受けた仮停止通知書を送付しなければならない。

⑦　仮停止は、前二項の規定により仮停止通知書の送付を受けた公安委員会が当該仮停止の期間内に当該事案について前条第一項、第二項又は第四項の規定による処分をしたときは、その効力を失う。

⑧　仮停止を受けた者が当該事案について前条第一項又は第四項の規定により免許の効力の停止を受けたときは、仮停止をされていた期間は、当該免許の効力の停止の期間に通算する。

（罰則　第三項及び第四項については第百二十一条第一項第十号）

（意見の聴取）

第一〇四条①　公安委員会は、第百三条第一項第五号の規定により免許を取り消し、若しくは免許の効力を九十日（公安委員会が九十日を超えない範囲内においてこれと異なる期間を定めたときは、その期間。次条第一項において同じ。）以上停止しようとするとき、第百三条第二項第一号から第四号までのいずれかの規定により免許を取り消そうとするとき、又は同条第三項（同条第五項において準用する場合を含む。）の処分移送通知書（同条第一項第五号又は第二項第一号から第四号までのいずれかに係るものに限る。）の送付を受けたときは、公開による意見の聴取を行わなければならない。この場合において、公安委員会は、意見の聴取の期日の一週間前までに、当該処分に係る者に対し、処分をしようとする理由並びに意見の聴取の期日及び場所を通知し、かつ、意見の聴取の期日及び場所を公示しなければならない。

②　意見の聴取に際しては、当該処分に係る者又はその代理人は、当該事案について意見を述べ、かつ、有利な証拠を提出することができる。

③　意見の聴取を行う場合において、必要があると認めるときは、公安委員会は、道路交通に関する事項に関し専門的知識を有する参考人又は当該事案の関係人の出頭を求め、これらの者からその意見又は事情を聴くことができる。

④　公安委員会は、当該処分に係る者又はその代理人が正当な理由がなくて出頭しないとき、又は当該処分に係る者の所在が不明であるため第一項の通知をすることができず、かつ、同項後段の規定による公示をした日から三十日を経過してもその者の所在が判明しないときは、同項の規定にかかわらず、意見の聴取を行わないで第百三条第一項若しくは第四項の規定による免許の取消し若しくは効力の停止（同条第一項第五号に係るものに限る。）又は同条第二項若しくは第四項の規定による免許の取消し（同条第二項第一号から第四号までのいずれかに係るものに限る。）をすることができる。

⑤　前各項に定めるもののほか、意見の聴取の実施について必要な事項は、政令で定める。

（聴聞の特例）

第一〇四条の二①　公安委員会は、第百三条第一項又は第四項の規定により免許の効力を九十日以上停止しようとするとき（同条第一項第五号に係る場合を除く。）は、行政手続法第十三条第一項の規定による意見陳述のための手続の区分にかかわらず、聴聞を行わなければならない。

②　公安委員会は、前項の聴聞又は第百三条第一項若しくは第四項の規定による免許の取消し（同条第一項各号（第五号を除く。）に係るものに限る。）若しくは同条第二項若しくは第四項の規定による免許の取消し（同条第二項第五号に係るものに限る。）に係る聴聞を行うに当たつては、その期日の一週間前までに、行政手続法第十五条第一項の規定による通知をし、かつ、聴聞の期日及び場所を公示しなければならない。

③　前項の通知を行政手続法第十五条第三項に規定する方法によつて行う場合においては、同条第一項の規定により聴聞の期日までにおくべき相当な期間は、二週間を下回つてはならない。

④　第二項の聴聞の期日における審理は、公開により行わなければならない。

⑤　第二項の聴聞の主宰者は、聴聞の期日において必要があると認めるときは、道路交通に関する事項に関し専門的知識を有する参考人又は当該事案の関係人の出頭を求め、これらの者からその意見又は事情を聴くことができる。

第一〇四条の二の二から第一〇四条の二の四まで　（略）

（免許の取消し又は効力の停止に係る書面の交付等）

第一〇四条の三①　第百三条第一項、第二項若しくは第四項、第百四条の二の二第一項、第二項若しくは第四項、第百四条の二の三第一項若しくは第三項、同条第五項において準用する第百三条第四項又は前条第一項、第二項若しくは第四項の規定による免許の取消し又は効力の停止は、内閣府令で定めるところにより、当該取消し又は効力の停止に係る者に対し当該取消し又は効力の停止の内容及び理由を記載した書面を交付して行うものとする。

②　公安委員会がその者の所在が不明であることその他の理由により前項の規定による書面の交付をすることができなかつた場合において、警察官が当該書面の交付を受けていない者の所在を知つたときは、警察官は、内閣府令で定めるところにより、その者に対し、日時及び場所を指定して当該書面の交付を受けるために出頭すべき旨を命ずることができる。

③　警察官は、前項の規定による命令をしたときは、内閣府令で定めるところにより、速やかに、当該命令に係る者の氏名及び住所、当該命令に係る出頭すべき日時及び場所その他必要な事項を当該命令に係る者の住所地を管轄する公安委員会（その者に対し第一項に規定する免許の取消し又は効力の停止をした公安委員会とその者の住所地を管轄する公安委員会が異なる場合にあつては、それぞれの公安委員会）に通知しなければならない。

（罰則　第二項については第百二十三条の二第一号）

（申請による取消し）

第一〇四条の四①　免許を受けた者は、その者の住所地を管轄する公安委員会に免許の取消しを申請することができる。この場合において、その者は、第八十九条第一項及び第九十条の二第一項の規定にかかわらず、併せて、当該免許が取り消された場合には他の種類の免許（取消しに係る免許の種類ごとに政令で定める種類のものに限る。）を受けたい旨の申出をすることができる。

② 前項の規定による申請を受けた公安委員会は、政令で定めるところにより、当該申請に係る免許を取り消すものとする。

③ 前項の規定により免許を取り消した公安委員会は、第一項の申出をした者から第百六条の三第一項第一号の規定による当該免許に係る免許証の返納を受け、又は第一項の申出をした者に係る第百六条の四第一項第一号の規定による免許情報記録の抹消を行つたとき（第一項の申出をした者が免許証（仮免許に係るものを除く。次条において同じ。）及び免許情報記録個人番号カードを有する者である場合にあつては、当該免許証の返納を受け、かつ、当該免許情報記録の抹消を行つたとき）は、その者に対し、当該申出に係る免許を与えることができる。

④ 前項の規定により与えられる免許は、第二項の規定により取り消された免許を受けた日に受けたものとみなす。

⑤ 前各項に定めるもののほか、第二項の規定による免許の取消しについて必要な事項は、内閣府令で定める。

（免許の失効）

第一〇五条 免許は、免許を受けた者が免許証等の更新を受けなかつたとき（免許証及び免許情報記録個人番号カードを有する者にあつては、免許証の有効期間の更新及び免許情報記録の有効期間の更新のいずれをも受けなかつたとき）は、その効力を失う。

（運転経歴証明書及び運転経歴情報の記録）

第一〇五条の二① 第百四条の四第二項の規定により免許を取り消された者（同条第三項の規定により免許を受けた者を除く。）及び前条の規定により免許が失効した者（当該免許が失効した日の前日において第九十条第五項の規定による免許の取消しの基準に該当する者その他の政令で定める者を除く。）は、その者の住所地を管轄する公安委員会に対し、運転経歴証明書（当該取消しを受けた日又は当該免許が失効した日前五年間の自動車等の運転に関する経歴について、第九十五条の六第一項の表の上欄に規定する優良運転者、一般運転者又は違反運転者等の区分に準じた区分（第三項において「運転経歴区分」という。）により表示する書面をいう。以下この条及び次条において同じ。）の交付を申請することができる。

② 前項の規定による申請を受けた公安委員会は、政令で定めるところにより、運転経歴証明書を交付するものとする。この場合において、運転経歴証明書は、免許証と紛らわしい外観を有するものであつてはならない。

③ 第一項に規定する者は、その者の住所地を管轄する公安委員会に対し、運転経歴情報（第百四条の四第二項の規定による免許の取消しを受けた日又は免許が前条の規定により効力を失つた日前五年間の自動車等の運転に関する経歴について、運転経歴区分により示した情報をいう。以下この条及び次条において同じ。）をその者の個人番号カードの区分部分に記録することを申請することができる。

④ 前項の規定による申請を受けた公安委員会は、政令で定めるところにより、運転経歴情報をその者の個人番号カードの区分部分に電磁的方法により記録するものとする。

⑤ 前各項に定めるもののほか、運転経歴証明書及び運転経歴情報の記録について必要な事項は、内閣府令で定める。

第一〇六条 （略）

（仮免許の取消し）

第一〇六条の二① 仮免許を受けた者が第百三条第一項各号（第四号及び第八号を除く。）又は第二項各号のいずれかに該当することとなつたときは、その者が当該各号のいずれかに該当することとなつた時におけるその者の住所地を管轄する公安委員会は、政令で定める基準に従い、その者の仮免許を取り消すことができる。

② 第百一条の七第二項の規定による通知を受けた者（仮免許を受けた者に限る。）が同条第三項の規定に違反して当該通知に係る認知機能検査等を受けないと認めるとき、同条第五項の規定による通知を受けた者（仮免許を受けた者に限る。）が同条第六項の規定に違反して当該通知に係る講習を受けないと認めるとき、第百二条第一項から第四項までの規定による命令を受けた者（仮免許を受けた者に限る。）が当該命令に違反したと認めるとき又は同条第六項の規定による通知を受けた者（仮免許を受けた者に限る。）が同条第七項の規定に違反して当該通知に係る適性検査を受けないと認めるときは、第百一条の七第三項若しくは第六項に規定する期間が通算して一月となる日、第百二条第一項から第四項までに規定する期限の満了の日又は同条第七項の通知された期日におけるその者の住所地を管轄する公安委員会は、政令で定める基準に従い、その者の仮免許を取り消すことができる。ただし、当該認知機能検査等を受けないこと、当該講習を受けないこと、当該命令に応じないこと又は当該適性検査を受けないことについてやむを得ない理由がある場合は、この限りでない。

（免許証の返納等）

第一〇六条の三① 免許証を有する者は、次の各号のいずれかに該当することとなつたときは、速やかに、免許証（第三号の場合にあつては、発見し、又は回復した免許証）をその者の住所地を管轄する公安委員会に返納しなければならない。

一 免許が取り消されたとき。

二 免許が失効したとき。

三 免許証の再交付を受けた後において亡失した免許証を発見し、又は回復したとき。

四 免許証の有効期間が満了したとき（第二号に該当する場合を除く。）。

② 第百四条の二の二第一項、第二項若しくは第四項、第百四条の二の四第一項、第二項若しくは第四項又は第百四条の四第二項の規定により免許を取り消された者がなお他の種類の免許を受けている場合（同条第三項の規定により免許が与えられる場合を含む。次条第二項において同じ。）において、前項の規定により免許証を返納したときは、公安委員会は、当該他の種類の免許に係る免許証を交付するものとする。

③ 第九十五条の二第五項及び第六項の規定は、前項の規定による免許証の交付について準用する。

④ 免許証を有する者は、第九十条第五項、第百三条第一項若しくは第四項、第百四条の二の三第一項若しくは第三項又は同条第五項において準用する第百三条第四項の規定により免許の効力が停止されたときは、速やかに、免許証をその者の住所地を管轄する公安委員会に提出しなければならない。

⑤ 前項の規定により免許証の提出を受けた公安委員会又は第百三条の二第五項若しくは第六項の規定により免許証の送付を受けた公安委員会は、当該免許証に係る免許の効力の停止の期間が満了した場合又は当該免許証に係る免許の効力の停止が解除された場合においてその提出者から返還の請求があつたときは、直ちに当該免許証を返還しなければならない。

⑥ 第三項において準用する第九十五条の二第六項の申出の手続について必要な事項は、内閣府令で定める。

（罰則　第一項及び第四項については第百二十一条第一項第十号）

第一〇六条の四から第一〇七条まで （略）

第七節　国際運転免許証及び外国運転免許証並びに国外運転免許証（抄）

（国際運転免許証又は外国運転免許証を所持する者の自動車等の運転）

第一〇七条の二 道路交通に関する条約（以下「条約」という。）第二十四条第一項の運転免許証（第百七条の七第一項の国外運転免許証を除く。）で条約附属書九若しくは条約附属書十に定める様式に合致したもの（以下この条において「国際運転免許証」という。）又は自動車等の運転に関する本邦の域外にある国若しくは地域（国際運転免許証を発給していない国又は地域であつて、道路における危険を防止し、その他交通の安全と円滑を図る上で我が国と同等の水準にあると認められる運転免許の制度を有している国又は地域として政令で定めるものに限る。）の行政庁若しくは権限のある機関の免許に係る運転免許証（日本語による翻訳文で政令で定める者が作成したものが添付されているものに限る。以下この条において「外国運転免許証」という。）を所持する者（第八十八条第一項第二号から第四号までのいずれかに該当する者を除く。）は、第六十四条第一項の規定にかかわらず、本邦に上陸（住民基本台帳法（昭和四十二年法律第八十一号）に基づき住民基本台帳に記録されている者が出入国管理及び難民認定法（昭和二十六年政令第三百十九号）第六十条第一項の規定による出国の確認、同法第二十六条第一項の規定による再入国の許可（同法第二十六条の二第一項（日本国との平和条約に基づき日本の国籍を離脱した者等の出入国管理に関する特例法（平成三年法律第七十一号）第二十三条第二項において準用する場合を含む。）の規定により出入国管理及び難民認定法第二十六条第一項の規定による再入国の許可を受けたものとみなされる場合を含む。）又は出入国管理及び難民認定法第六十一条の二の十五第一項の規定による難民旅行証明書の交付を受けて出国し、当該出国の日から三月に満たない期間内に再び本邦に上陸した場合における当該上陸を除く。第百十七条の二の二第一項第一号において同じ。）をした日から起算して一年間、当該国際運転免許証又は外国運転免許証（以下「国際運転免許証等」という。）で運転することができることとされている自動車等を運転することができる。ただし、旅客自動車運送事業に係る旅客を運送する目的で、旅客自動車を運転し若しくは牽引自動車によつて旅客用車両を牽引して当該牽引自動車を運転する場合、又は代行運転普通自動車を運転する場合は、この限りでない。

第一〇七条の三から第一〇七条の一〇まで　（略）

第八節　免許関係事務の委託

（第一〇八条）（略）

第六章の二　講習

（第一〇八条の二から第一〇八条の一二まで）（略）

第六章の三　交通事故調査分析センター

（第一〇八条の一三から第一〇八条の二五まで）（略）

第六章の四　交通の安全と円滑に資するための民間の組織活動等の促進

（第一〇八条の二六から第一〇八条の三二の四まで）

（略）

第七章　雑則（抄）

第一〇八条の三三から第一一二条まで　（略）

第一一三条　削除

（行政手続法の適用除外）

第一一三条の二　第七十五条の十五第二項（第七十五条の十六第二項において準用する場合を含む。）の規定による条件の変更及び新たな条件の付加、第七十七条第四項の規定による条件の変更及び新たな条件の付加並びに同条第五項の規定による許可の取消し及び効力の停止、第九十条第五項の規定による免許の取消し及び効力の停止、同条第六項の規定による免許の取消し並びに同条第九項又は第十項の規定による免許を受けることができない期間の指定、第九十七条の三第三項の規定による運転免許試験を受けることができないものとする措置（同条第一項の合格の決定の取消しに係るものに限る。）、第百三条第一項又は第四項の規定による免許の取消し及び効力の停止（同条第一項第五号に係るものに限る。）、同条第二項又は第四項の規定による免許の取消し（同条第二項第一号から第四号までのいずれかに係るものに限る。）並びに同条第七項又は第八項の規定による免許を受けることができない期間の指定、第百四条の二の二第二項若しくは第四項又は第百四条の二の四第一項、第二項若しくは第四項の規定による免許の取消し、第百六条の二の規定による仮免許の取消し並びに第百七条の五第一項又は同条第九項において準用する第百三条第四項の規定による自動車等の運転の禁止（第百七条の五第一項第二号に係るものに限る。）及び第百七条の五第二項又は同条第九項において準用する第百三条第四項の規定による自動車等の運転の禁止（第百七条の五第九項において準用する第百三条第四項の規定による自動車等の運転の禁止にあつては、第百七条の五第二項に係るものに限る。）については、行政手続法第三章（第十二条及び第十四条を除く。）の規定は、適用しない。

（審査請求の制限）

第一一三条の三　この法律の規定に基づき警察官等が現場においてした処分については、審査請求をすることができない。

第一一三条の四から第一一四条の七まで　（略）

第八章　罰則（抄）

第一一五条及び第一一六条　（略）

第一一七条①　車両等（軽車両を除く。以下この項において同じ。）の運転者が、当該車両等の交通による人の死傷があつた場合において、第七十二条（交通事故の場合の措置）第一項前段の規定に違反したときは、五年以下の拘禁刑又は五十万円以下の罰金に処する。

②　前項の場合において、同項の人の死傷が当該運転者の運転に起因するものであるときは、十年以下の拘禁刑又は百万円以下の罰金に処する。

③　特定自動運行において特定自動運行用自動車の交通による人の死傷があつた場合において、第七十五条の二十三（特定自動運行において交通事故があつた場合の措置）第一項前段又は第三項前段の規定に違反したとき（特定自動運行主任者が違反した場合に限る。）は、当該違反行為をした者は、五年以下の拘禁刑又は五十万円以下の罰金に処する。

第一一七条の二①　次の各号のいずれかに該当する者は、五年以下の拘禁刑又は百万円以下の罰金に処する。

一　第六十五条（酒気帯び運転等の禁止）第一項の規定に違反して車両等を運転した者で、その運転をした場合において酒に酔つた状態（アルコールの影響により正常な運転ができないおそれがある状態をいう。以下同じ。）にあつたもの

二　第六十五条（酒気帯び運転等の禁止）第二項の規定に違反した者（当該違反により当該車両等の提供を受けた者が酒に酔つた状態で当該車両等を運転した場合に限る。）

三　第六十六条（過労運転等の禁止）の規定に違反した者（麻薬、大麻、あへん、覚醒剤又は毒物及び劇物取締法（昭和二十五年法律第三百三号）第三条の三の規定に基づく政令で定める物の影響により正常な運転ができないおそれがある状態で車両等を運転した者に限る。）

四　次条第一項第八号の罪を犯し、よつて高速自動車国道等において他の自動車を停止させ、その他道路における著しい交通の危険を生じさせた者

②　次の各号のいずれかに該当する場合には、当該違反行為をした者は、五年以下の拘禁刑又は百万円以下の罰金に処する。

一　第七十五条（自動車の使用者の義務等）第一項第三号の規定に違反して、酒に酔つた状態で自動車を運転することを命じ、又は容認したとき。

二　第七十五条（自動車の使用者の義務等）第一項第四号の規定に違反して、前項第三号に規定する状態で自動車を運転することを命じ、又は容認したとき。

三　第七十五条の十二（特定自動運行の許可）第一項の許可を受けないで（第七十五条の二十七（許可の取消し等）第一項又は第七十五条の二十八（許可の効力の仮停止）第一項の規定により当該許可の効力が停止されている場合を含む。）特定自動運行を行つたとき。

四　偽りその他不正の手段により第七十五条の十二（特定自動運行の許可）第一項又は第七十五条の十六（許可事項の変

更）第一項の許可を受けたとき。

五　第七十五条の十六（許可事項の変更）第一項の規定に違反して特定自動運行計画を変更したとき。

六　第七十五条の二十六（特定自動運行実施者に対する指示）第一項の規定による公安委員会の指示に従わなかつたとき。

第一一七条の二の二①　次の各号のいずれかに該当する者は、三年以下の拘禁刑又は五十万円以下の罰金に処する。

一　法令の規定による運転の免許を受けている者（第百七条の二の規定により国際運転免許証等で自動車等を運転することができることとされている者を含む。）でなければ運転し、又は操縦することができないこととされている車両等を当該免許を受けないで（法令の規定により当該免許の効力が停止されている場合を含む。）又は国際運転免許証等を所持しないで（第八十八条第一項第二号から第四号までのいずれかに該当している場合又は本邦に上陸をした日から起算して滞在期間が一年を超えている場合を含む。）運転した者

二　第六十四条（無免許運転等の禁止）第二項の規定に違反した者（当該違反により当該自動車又は一般原動機付自転車の提供を受けた者が同条第一項の規定に違反して当該自動車又は一般原動機付自転車を運転した場合に限る。）

三　第六十五条（酒気帯び運転等の禁止）第一項の規定に違反して車両等（自転車以外の軽車両を除く。次号において同じ。）を運転した者で、その運転をした場合において身体に政令で定める程度以上にアルコールを保有する状態にあつたもの

四　第六十五条（酒気帯び運転等の禁止）第二項の規定に違反した者（当該違反により当該車両等の提供を受けた者が身体に前号の政令で定める程度以上にアルコールを保有する状態で当該車両等を運転した場合に限るものとし、前条第一項第二号に該当する場合を除く。）

五　第六十五条（酒気帯び運転等の禁止）第三項の規定に違反して酒類を提供した者（当該違反により当該酒類の提供を受けた者が酒に酔つた状態で車両等を運転した場合に限る。）

六　第六十五条（酒気帯び運転等の禁止）第四項の規定に違反した者（その者が当該同乗した車両の運転者が酒に酔つた状態にあることを知りながら同項の規定に違反した場合であつて、当該運転者が酒に酔つた状態で当該車両を運転したときに限る。）

七　第六十六条（過労運転等の禁止）の規定に違反した者（前条第一項第三号の規定に該当する者を除く。）

八　他の車両等の通行を妨害する目的で、次のいずれかに掲げる行為であつて、当該他の車両等に道路における交通の危険を生じさせるおそれのある方法によるものをした者

イ　第十七条（通行区分）第四項の規定の違反となるような行為

ロ　第十八条（左側寄り通行等）第三項の規定の違反となるような行為

ハ　第二十四条（急ブレーキの禁止）の規定に違反する行為

ニ　第二十六条（車間距離の保持）の規定の違反となるような行為

ホ　第二十六条の二（進路の変更の禁止）第二項の規定の違反となるような行為

ヘ　第二十八条（追越しの方法）第一項又は第四項の規定の違反となるような行為

ト　第五十二条（車両等の灯火）第二項の規定に違反する行為

チ　第五十四条（警音器の使用等）第二項の規定に違反する行為

リ　第七十条（安全運転の義務）の規定に違反する行為

ヌ　第七十五条の四（最低速度）の規定の違反となるような行為

ル　第七十五条の八（停車及び駐車の禁止）第一項の規定の違反となるような行為

＊令和六法三四（令和八・五・二三までに施行）による改正前

八（柱書略）

イ（略）

新ロ（改正により追加）

ロ―ヌ（略、改正後のハ―ル）

九　偽りその他不正の手段により免許証若しくは国外運転免許証の交付又は特定免許情報の記録を受けた者

②　次の各号のいずれかに該当する場合には、当該違反行為をした者は、三年以下の拘禁刑又は五十万円以下の罰金に処する。

一　第七十五条（自動車の使用者の義務等）第一項第一号の規定に違反したとき。

二　第七十五条（自動車の使用者の義務等）第一項第三号の規定に違反したとき（当該違反により運転者が酒に酔つた状態で自動車を運転し、又は身体に前項第三号の政令で定める程度以上にアルコールを保有する状態で自動車を運転した場合に限るものとし、前条第二項第一号に該当する場合を除く。）。

三　第七十五条（自動車の使用者の義務等）第一項第四号の規定に違反したとき（前条第二項第二号に該当する場合を除く。）。

第一一七条の三　第六十八条（共同危険行為等の禁止）の規定に違反した者は、二年以下の拘禁刑又は五十万円以下の罰金に処する。

第一一七条の三の二　次の各号のいずれかに該当する者は、二年以下の拘禁刑又は三十万円以下の罰金に処する。

一　第六十四条（無免許運転等の禁止）第三項の規定に違反した者

二　第六十五条（酒気帯び運転等の禁止）第三項の規定に違反して酒類を提供した者（当該違反により当該酒類の提供を受けた者が身体に第百十七条の二の二第一項第三号の政令で定める程度以上にアルコールを保有する状態で車両等（自転車以外の軽車両を除く。）を運転した場合に限るものとし、同項第五号に該当する場合を除く。）

三　第六十五条（酒気帯び運転等の禁止）第四項の規定に違反した者（当該同乗した車両（自転車以外の軽車両を除く。以下この号において同じ。）の運転者が酒に酔つた状態で当該車両を運転し、又は身体に第百十七条の二の二第一項第三号の政令で定める程度以上にアルコールを保有する状態で当該車両を運転した場合に限るものとし、同項第六号に該当する場合を除く。）

第一一七条の四から第一二四条まで（略）

第九章　反則行為に関する処理手続の特例（抄）

第一節　通則

（通則）

第一二五条①　この章において「反則行為」とは、前章の罪に当たる行為のうち別表第二の上欄に掲げるものであつて、車両等の運転者がしたものをいい、その種別は、政令で定める。

②　この章において「反則者」とは、反則行為をした者であつて、次の各号のいずれかに該当する者以外のものをいう。

一　当該反則行為に係る車両等（特定小型原動機付自転車等を除く。）に関し法令の規定による運転の免許を受けていない者（法令の規定により当該免許の効力が停止されている者を含み、第百七条の二の規定により国際運転免許証等で当該車両等を運転することができることとされている者を除く。）又は第八十五条第五項から第十項までの規定により当該反則行為に係る自動車を運転することができないこととされている者

二　当該反則行為をした場合において、酒に酔つた状態若しくは第百十七条の二第一項第三号に規定する状態で車両等を運転していた者又は身体に第百十七条の二の二第一項第三号の政令で定める程度以上にアルコールを保有する状態で車両等（自転車以外の軽車両を除く。）を運転していた者

三　当該反則行為をし、よつて交通事故を起こした者
四　十六歳未満の者

③　この章において「反則金」とは、反則者がこの章の規定の適用を受けようとする場合に国に納付すべき金銭をいい、その額は、別表第二に定める金額の範囲内において、反則行為の種別に応じ政令で定める。

＊令和六法三四（令和八・五・二三までに施行）による改正前

（通則）
第一二五条①　この章において「反則行為」とは、前章の罪に当たる行為のうち別表第二の上欄に掲げるものであつて、車両等（重被牽引車以外の軽車両を除く。次項において同じ。）の運転者がしたものをいい、その種別は、政令で定める。

②（柱書略）

一　当該反則行為に係る車両等（特定小型原動機付自転車を除く。）に関し法令の規定による運転の免許を受けていない者（法令の規定により当該免許の効力が停止されている者を含み、第百七条の二の規定により国際運転免許証等で当該車両等を運転することができることとされている者を除く。）、第六十四条の二第一項の規定により当該反則行為に係る特定小型原動機付自転車を運転することができないこととされている者又は第八十五条第五項から第十項までの規定により当該反則行為に係る自動車を運転することができないこととされている者

二　当該反則行為をした場合において、酒に酔つた状態、第百十七条の二第一項第三号に規定する状態又は身体に第百十七条の二の二第一項第三号の政令で定める程度以上にアルコールを保有する状態で車両等を運転していた者

三（略）
四（改正により追加）

③（略）

第二節　告知及び通告

（告知）
第一二六条①　警察官は、反則者があると認めるときは、次に掲げる場合を除き、その者に対し、速やかに、反則行為となるべき事実の要旨及び当該反則行為が属する反則行為の種別並びにその者が次条第一項前段の規定による通告を受けるための出頭の期日及び場所を書面で告知するものとする。ただし、出頭の期日及び場所の告知は、その必要がないと認めるときは、この限りでない。

一　その者の居所又は氏名が明らかでないとき。
二　その者が逃亡するおそれがあるとき。

②　前項の書面には、この章に定める手続を理解させるため必要な事項を記載するものとする。

③　警察官は、第一項の規定による告知をしたときは、当該告知に係る反則行為が行われた地を管轄する都道府県警察の警察本部長に速やかにその旨を報告しなければならない。ただし、警察法第六十条の二又は第六十六条第二項の規定に基づいて、当該警察官の所属する都道府県警察の管轄区域以外の区域において反則行為をしたと認めた者に対し告知をしたときは、当該警察官の所属する都道府県警察の警察本部長に報告しなければならない。

④　第百十四条の四第一項に規定する交通巡視員は、第百十九条の二の四第一項若しくは第三項又は第百十九条の三第一項第一号から第四号まで若しくは第三項の罪に当たる行為をした反則者があると認めるときは、第一項の例により告知するものとし、当該告知をしたときは、前項の例により報告しなければならない。

（通告）
第一二七条①　警察本部長は、前条第三項又は第四項の報告を受けた場合において、当該報告に係る告知を受けた者が当該告知に係る種別に属する反則行為をした反則者であると認めるときは、その者に対し、理由を明示して当該反則行為が属する種別に係る反則金の納付を書面で通告するものとする。この場合においては、その者が当該告知に係る出頭の期日及び場所に出頭した場合並びにその者が第百二十九条第一項の規定による仮納付をしている場合を除き、当該通告書の送付に要する費用の納付をあわせて通告するものとする。

②　警察本部長は、前条第三項又は第四項の報告を受けた場合において、当該報告に係る告知を受けた者が当該告知に係る種別に属する反則行為をした反則者でないと認めるときは、その者に対し、すみやかに理由を明示してその旨を書面で通知するものとする。この場合において、その者が当該告知に係る種別以外の種別に属する反則行為をした反則者であると認めるときは、その者に対し、理由を明示して当該反則行為が属する種別に係る反則金の納付を書面で通告するものとする。

③　第一項の規定による通告は、第百二十九条第一項に規定する期間を経過した日以後において、すみやかに行なうものとする。

第三節　反則金の納付及び仮納付

（反則金の納付）
第一二八条①　前条第一項又は第二項後段の規定による通告に係る反則金（同条第一項後段の規定による通告を受けた者にあつては、反則金及び通告書の送付に要する費用。以下この条において同じ。）の納付は、当該通告を受けた日の翌日から起算して十日以内（政令で定めるやむを得ない理由のため当該期間内に反則金を納付することができなかつた者にあつては、当該事情がやんだ日の翌日から起算して十日以内）に、政令で定めるところにより、国に対してしなければならない。

②　前項の規定により反則金を納付した者は、当該通告の理由となつた行為に係る事件について、公訴を提起されず、又は家庭裁判所の審判に付されない。

（仮納付）
第一二九条①　第百二十六条第一項又は第四項の規定による告知を受けた者は、当該告知を受けた日の翌日から起算して七日以内に、政令で定めるところにより、当該告知された反則行為の種別に係る反則金に相当する金額を仮に納付することができる。ただし、第百二十七条第二項前段の規定による通知を受けた後は、この限りでない。

②　第百二十七条第一項前段の規定による通告は、前項の規定による仮納付をした者については、政令で定めるところにより、公示して行うことができる。

③　第一項の規定による仮納付をした者について当該告知に係る第百二十七条第一項前段の規定による通告があつたときは、当該仮納付をした者は、前条第一項の規定により当該通告に係る反則金を納付した者とみなし、当該反則金に相当する金額の仮納付は、同項の規定による反則金の納付とみなす。

④　警察本部長は、第一項の規定による仮納付をした者に対し、第百二十七条第二項前段の規定による通知をしたときは、当該仮納付に係る金額を速やかにその者に返還しなければならない。

（期間の特例）
第一二九条の二　第百二十八条第一項及び前条第一項に規定する期間の末日が日曜日その他政令で定める日に当たるときは、これらの日の翌日を当該期間の末日とみなす。

第四節　反則者に係る刑事事件等

（反則者に係る刑事事件）
第一三〇条　反則者は、当該反則行為についてその者が第百二十七条第一項又は第二項後段の規定により当該反則行為が属する種別に係る反則金の納付の通告を受け、かつ、第百二十八条第一項に規定する期間が経過した後でなければ、当該反則行為に係る事件について、公訴を提起されず、又は家庭裁判所の審判に付されない。ただし、次の各号に掲げる場合においては、こ

の限りでない。

一　第百二十六条第一項各号のいずれかに掲げる場合に該当するため、同項又は同条第四項の規定による告知をしなかつたとき。

二　その者が書面の受領を拒んだため、又はその者の居所が明らかでないため、第百二十六条第一項若しくは第四項の規定による告知又は第百二十七条第一項若しくは第二項後段の規定による通告をすることができなかつたとき。

第一三〇条の二（反則者に係る保護事件）① 家庭裁判所は、前条本文に規定する通告があつた事件について審判を開始した場合において、相当と認めるときは、期限を定めて反則金の納付を指示することができる。この場合において、その反則金の額は、第百二十五条第三項の規定にかかわらず、別表第二に定める金額の範囲内において家庭裁判所が定める額とする。

② 前項の規定による指示の告知は、書面で行うものとし、この書面には、同項の規定によつて定めた期限及び反則金の額を記載するものとする。

③ 第百二十八条の規定は、第一項の規定による指示に係る反則金の納付について準用する。この場合において、同条第一項中「当該通告を受けた日の翌日から起算して十日以内」とあるのは、「第百三十条の二第一項の規定により定められた期限まで」と読み替えるものとする。

第五節　雑則（第一三一条及び第一三二条）（略）

附　則（抄）

（施行期日）

第一条　この法律（以下「新法」という。）は、公布の日から起算して六月をこえない範囲内において政令で定める日（昭和三五・一二・二〇―昭和三五政二六九）から施行する。

（道路交通取締法等の廃止）

第二条　道路交通取締法（昭和二十二年法律第百三十号。以下「旧法」という。）及び道路交通取締法施行令（昭和二十八年政令第二百六十一号。以下「旧令」という。）は、廃止する。

（高齢運転者標識表示義務に関する当面の措置）

第二二条　第七十一条の五第三項の規定は、当分の間、適用しない。この場合において、同条第四項中「七十歳以上七十五歳未満」とあるのは、「七十歳以上」とする。

別表（略）

附　則（令和四・四・二七法三二）（抄）

（施行期日）

第一条　この法律は、公布の日から起算して一年を超えない範囲内において政令で定める日（令和五・四・一―令和四政三九〇）から施行する。ただし、次の各号に掲げる規定は、当該各号に定める日から施行する。

一　附則第九条の規定　公布の日

二　第一条（道路交通法の一部改正）並びに附則第六条（中略）の規定　公布の日から起算して六月を超えない範囲内において政令で定める日（令和四・一〇・一―令和四政三〇三）

三　第三条（道路交通法の一部改正）（中略）の規定　公布の日から起算して二年を超えない範囲内において政令で定める日（令和五・七・一―令和五政五三）

四　第四条（道路交通法の一部改正）並びに附則第五条（中略）の規定　公布の日から起算して三年を超えない範囲内において政令で定める日

（免許の拒否等に関する経過措置）

第三条　この法律（附則第一条第三号に掲げる規定については、当該規定）の施行前にした行為を理由とする免許の拒否、保留、取消し若しくは効力の停止又は自動車等の運転の禁止については、なお従前の例による。

（免許証の保管等に関する経過措置）

第五条① 附則第一条第四号に掲げる規定の施行の際現に第四条の規定による改正前の道路交通法（以下この条において「旧法」という。）第百四条の三第三項（旧法第百七条の五第十一項において読み替えて準用する場合を含む。）又は第百九条第一項の規定により保管されている免許証又は国際運転免許証若しくは外国運転免許証の保管及び返還並びにこれらの規定により交付されている保管証については、なお従前の例による。

② （略）

（罰則等に関する経過措置）

第六条　この法律（附則第一条第二号及び第三号に掲げる規定については、当該各規定）の施行前にした行為に対する罰則の適用については、なお従前の例による。

第七条　この法律（附則第一条第三号に掲げる規定については、当該規定。次条において同じ。）の施行前にした行為に係る放置違反金の取扱いに関しては、なお従前の例による。

第八条　この法律の施行前にした行為に対する反則行為の取扱いに関しては、なお従前の例による。

（政令への委任）

第九条　附則第三条から前条までに定めるもののほか、この法律の施行に関し必要な経過措置（罰則に関する経過措置を含む。）は、政令で定める。

刑法等の一部を改正する法律の施行に伴う関係法律整理法

中経過規定　（令和四・六・一七法六八）（抄）

第四四一条から第四四三条まで（刑法の同経過規定参照）

第五〇九条（刑法の同経過規定参照）

刑法等の一部を改正する法律の施行に伴う関係法律整理法

附　則（令和四・六・一七法六八）（抄）

（施行期日）

① この法律は、刑法等一部改正法（刑法等の一部を改正する法律（令和四法六七））施行日（令和七・六・一）から施行する。ただし、次の各号に掲げる規定は、当該各号に定める日から施行する。

一　第五百九条の規定　公布の日

二　（略）

附　則（令和五・六・一六法六三）（抄）

（施行期日）

第一条　（前略）次の各号に掲げる規定は、当該各号に定める日から施行する。

一　（前略）附則第七条（中略）の規定　公布の日

二　（前略）第三十一条（道路交通法の一部改正）（中略）の規定並びに次条（中略）の規定　公布の日から起算して三年を超えない範囲内において政令で定める日

（公示送達等の方法に関する経過措置）

第二条　次に掲げる法律の規定は、前条第二号に掲げる規定の施行の日以後にする公示送達、送達又は通知について適用し、同日前にした公示送達、送達又は通知については、なお従前の例による。

一―四　（略）

五　第三十一条の規定による改正後の道路交通法第五十一条の四第七項

六―十五　（略）

（政令への委任）

第七条　この附則に定めるもののほか、この法律の施行に関し必要な経過措置（中略）は、政令で定める。

附　則（令和六・五・二四法三四）

（施行期日）

① この法律は、公布の日から起算して二年を超えない範囲内において政令で定める日から施行する。ただし、次の各号に掲げる規定は、当該各号に定める日から施行する。

一　附則第三項の規定　公布の日

二　第二条第一項の改正規定、第七十一条第五号の五の改正規定、第百十七条の二の二第一項第三号の改正規定、第百十七

条の三の二の改正規定（中略）　公布の日から起算して六月を超えない範囲内において政令で定める日

（経過措置）

② この法律の施行前にした行為に対する反則行為の取扱いに関しては、なお従前の例による。

（政令への委任）

③ 前項に定めるもののほか、この法律の施行に関し必要な経過措置（罰則に関する経過措置を含む。）は、政令で定める。

○自衛隊法（抄）

（昭和二九・六・九 法 一 六 五）

施行 昭和二九・七・一（附則参照）
最終改正 令和六法二四

目次

第一章 総則（抄）

（**この法律の目的**）

第一条 この法律は、自衛隊の任務、自衛隊の部隊の組織及び編成、自衛隊の行動及び権限、隊員の身分取扱等を定めることを目的とする。

（**定義**）

第二条① この法律において「自衛隊」とは、防衛大臣、防衛副大臣、防衛大臣政務官、防衛大臣補佐官、防衛大臣政策参与及び防衛大臣秘書官並びに防衛省の事務次官及び防衛審議官並びに防衛省本省の内部部局、防衛大学校、防衛医科大学校、防衛会議、統合幕僚監部、情報本部、防衛監察本部、地方防衛局その他の機関（政令で定める合議制の機関並びに防衛省設置法（昭和二十九年法律第百六十四号）第四条第一項第二十四号又は第二十五号に掲げる事務をつかさどる部局及び職で政令で定めるものを除く。）並びに陸上自衛隊、海上自衛隊及び航空自衛隊並びに防衛装備庁（政令で定める合議制の機関を除く。）を含むものとする。

② この法律において「陸上自衛隊」とは、陸上幕僚監部並びに統合幕僚長及び陸上幕僚長の監督を受ける部隊及び機関を含むものとする。

③ この法律において「海上自衛隊」とは、海上幕僚監部並びに統合幕僚長及び海上幕僚長の監督を受ける部隊及び機関を含むものとする。

④ この法律において「航空自衛隊」とは航空幕僚監部並びに統合幕僚長及び航空幕僚長の監督を受ける部隊及び機関を含むものとする。

⑤ この法律（第九十四条の七第三号を除く。）において「隊員」とは、防衛省の職員で、防衛大臣、防衛副大臣、防衛大臣政務官、防衛大臣補佐官、防衛大臣政策参与、防衛大臣秘書官、第一項の政令で定める合議制の機関の委員、同項の政令で定める部局に勤務する職員及び同項の政令で定める職にある職員以外のものをいうものとする。

（**自衛隊の任務**）

第三条① 自衛隊は、我が国の平和と独立を守り、国の安全を保つため、我が国を防衛することを主たる任務とし、必要に応じ、公共の秩序の維持に当たるものとする。

② 自衛隊は、前項に規定するもののほか、同項の主たる任務の遂行に支障を生じない限度において、かつ、武力による威嚇又は武力の行使に当たらない範囲において、次に掲げる活動であつて、別に法律で定めるところにより自衛隊が実施することとされるものを行うことを任務とする。

一 我が国の平和及び安全に重要な影響を与える事態に対応して行う我が国の平和及び安全の確保に資する活動

二 国際連合を中心とした国際平和のための取組への寄与その他の国際協力の推進を通じて我が国を含む国際社会の平和及び安全の維持に資する活動

③ 陸上自衛隊は主として陸において、海上自衛隊は主として海において、航空自衛隊は主として空においてそれぞれ行動することを任務とする。

（**自衛隊の旗**）

第四条① 内閣総理大臣は、政令で定めるところにより、自衛隊旗又は自衛艦旗を自衛隊の部隊又は自衛艦に交付する。

② 前項の自衛隊旗及び自衛艦旗の制式は、政令で定める。

（**礼式**）

第五条 （略）

第六条 自衛隊の礼式は、防衛省令の定めるところによる。

第二章 指揮監督

（**内閣総理大臣の指揮監督権**）

第七条 内閣総理大臣は、内閣を代表して自衛隊の最高の指揮監督権を有する。

（**防衛大臣の指揮監督権**）

第八条 防衛大臣は、この法律の定めるところに従い、自衛隊の隊務を統括する。ただし、陸上自衛隊、海上自衛隊又は航空自衛隊の部隊及び機関（以下「部隊等」という。）に対する防衛大臣の指揮監督は、次の各号に掲げる隊務の区分に応じ、当該各号に定める者を通じて行うものとする。

一 統合幕僚監部の所掌事務に係る陸上自衛隊、海上自衛隊又は航空自衛隊の隊務 統合幕僚長

二 陸上幕僚監部の所掌事務に係る陸上自衛隊の隊務 陸上幕僚長

三 海上幕僚監部の所掌事務に係る海上自衛隊の隊務 海上幕僚長

四 航空幕僚監部の所掌事務に係る航空自衛隊の隊務 航空幕僚長

（**幕僚長の職務**）

第九条① 統合幕僚長、陸上幕僚長、海上幕僚長又は航空幕僚長（以下「幕僚長」という。）は、防衛大臣の指揮監督を受け、それぞれ前条各号に掲げる隊務及び統合幕僚監部、陸上自衛隊、海上自衛隊又は航空自衛隊の隊員の服務を監督する。

② 幕僚長は、それぞれ前条各号に掲げる隊務に関し最高の専門

的助言者として防衛大臣を補佐する。

③　幕僚長は、それぞれ、前条各号に掲げる隊務に関し、部隊等に対する防衛大臣の命令を執行する。

（統合幕僚長とその他の幕僚長との関係）

第九条の二　統合幕僚長は、前条に規定する職務を行うに当たり、部隊等の運用の円滑化を図る観点から、陸上幕僚長、海上幕僚長又は航空幕僚長に対し、それぞれ第八条第二号から第四号までに掲げる隊務に関し必要な措置をとらせることができる。

第三章　部隊

（第一〇条から第二三条まで）（略）

第四章　機関

（第二四条から第三〇条まで）（略）

第五章　隊員

（第三〇条の二から第七五条の一三まで）（略）

第六章　自衛隊の行動

（防衛出動）

第七六条①　内閣総理大臣は、次に掲げる事態に際して、我が国を防衛するため必要があると認める場合には、自衛隊の全部又は一部の出動を命ずることができる。この場合においては、武力攻撃事態等及び存立危機事態における我が国の平和と独立並びに国及び国民の安全の確保に関する法律（平成十五年法律第七十九号）第九条の定めるところにより、国会の承認を得なければならない。

一　我が国に対する外部からの武力攻撃が発生した事態又は我が国に対する外部からの武力攻撃が発生する明白な危険が切迫していると認められるに至つた事態

二　我が国と密接な関係にある他国に対する武力攻撃が発生し、これにより我が国の存立が脅かされ、国民の生命、自由及び幸福追求の権利が根底から覆される明白な危険がある事態

②　内閣総理大臣は、出動の必要がなくなつたときは、直ちに、自衛隊の撤収を命じなければならない。

（防衛出動待機命令）

第七七条　防衛大臣は、事態が緊迫し、前条第一項の規定による防衛出動命令が発せられることが予測される場合において、これに対処するため必要があると認めるときは、内閣総理大臣の承認を得て、自衛隊の全部又は一部に対し出動待機命令を発することができる。

（防御施設構築の措置）

第七七条の二　防衛大臣は、事態が緊迫し、第七十六条第一項（第一号に係る部分に限る。以下この条において同じ。）の規定による防衛出動命令が発せられることが予測される場合において、同項の規定により出動を命ぜられた自衛隊の部隊を展開させることが見込まれ、かつ、防備をあらかじめ強化しておく必要があると認める地域（以下「展開予定地域」という。）があるときは、内閣総理大臣の承認を得た上、その範囲を定めて、自衛隊の部隊等に当該展開予定地域内において陣地その他の防御のための施設（以下「防御施設」という。）を構築する措置を命ずることができる。

（防衛出動下令前の行動関連措置）

第七七条の三①　防衛大臣又はその委任を受けた者は、事態が緊迫し、第七十六条第一項の規定による防衛出動命令が発せられることが予測される場合において、武力攻撃事態等及び存立危機事態におけるアメリカ合衆国等の軍隊の行動に伴い我が国が実施する措置に関する法律（平成十六年法律第百十三号）の定めるところにより、行動関連措置としての物品の提供を実施することができる。

②　防衛大臣は、前項に規定する場合において、武力攻撃事態等及び存立危機事態におけるアメリカ合衆国等の軍隊の行動に伴い我が国が実施する措置に関する法律の定めるところにより、防衛省の機関及び部隊等に行動関連措置としての役務の提供を行わせることができる。

（国民保護等派遣）

第七七条の四①　防衛大臣は、都道府県知事から武力攻撃事態等における国民の保護のための措置に関する法律第十五条第一項の規定による要請を受けた場合において事態やむを得ないと認めるとき、又は事態対策本部長から同条第二項の規定による求めがあつたときは、内閣総理大臣の承認を得て、当該要請又は求めに係る国民の保護のための措置を実施するため、部隊等を派遣することができる。

②　防衛大臣は、都道府県知事から武力攻撃事態等における国民の保護のための措置に関する法律第百八十三条において準用する同法第十五条第一項の規定による要請を受けた場合において事態やむを得ないと認めるとき、又は緊急対処事態対策本部長から同法第百八十三条において準用する同法第十五条第二項の規定による求めがあつたときは、内閣総理大臣の承認を得て、当該要請又は求めに係る緊急対処保護措置を実施するため、部隊等を派遣することができる。

（命令による治安出動）

第七八条①　内閣総理大臣は、間接侵略その他の緊急事態に際して、一般の警察力をもつては、治安を維持することができないと認められる場合には、自衛隊の全部又は一部の出動を命ずることができる。

②　内閣総理大臣は、前項の規定による出動を命じた場合には、出動を命じた日から二十日以内に国会に付議して、その承認を求めなければならない。ただし、国会が閉会中の場合又は衆議院が解散されている場合には、その後最初に召集される国会においてすみやかに、その承認を求めなければならない。

③　内閣総理大臣は、前項の場合において不承認の議決があつたとき、又は出動の必要がなくなつたときは、すみやかに、自衛隊の撤収を命じなければならない。

（治安出動待機命令）

第七九条①　防衛大臣は、事態が緊迫し、前条第一項の規定による治安出動命令が発せられることが予測される場合において、これに対処するため必要があると認めるときは、内閣総理大臣の承認を得て、自衛隊の全部又は一部に対し出動待機命令を発することができる。

②　前項の場合においては、防衛大臣は、国家公安委員会と緊密な連絡を保つものとする。

（治安出動下令前に行う情報収集）

第七九条の二　防衛大臣は、事態が緊迫し第七十八条第一項の規定による治安出動命令が発せられること及び小銃、機関銃（機関けん銃を含む。）、砲、化学兵器、生物兵器その他その殺傷力がこれらに類する武器を所持した者による不法行為が行われることが予測される場合において、当該事態の状況の把握に資する情報の収集を行うため特別の必要があると認めるときは、国家公安委員会と協議の上、内閣総理大臣の承認を得て、武器を携行する自衛隊の部隊に当該者が所在すると見込まれる場所及びその近傍において当該情報の収集を行うことを命ずることができる。

（海上保安庁の統制）

第八〇条①　内閣総理大臣は、第七十六条第一項（第一号に係る部分に限る。）又は第七十八条第一項の規定による自衛隊の全部又は一部に対する出動命令があつた場合において、特別の必要があると認めるときは、海上保安庁の全部又は一部を防衛大臣の統制下に入れることができる。

②　内閣総理大臣は、前項の規定により海上保安庁の全部又は一部を防衛大臣の統制下に入れた場合には、政令で定めるところにより、防衛大臣にこれを指揮させるものとする。

③　内閣総理大臣は、第一項の規定による統制につき、その必要がなくなつたと認める場合には、すみやかに、これを解除しなければならない。

（要請による治安出動）

第八一条① 都道府県知事は、治安維持上重大な事態につきやむを得ない必要があると認める場合には、当該都道府県の都道府県公安委員会と協議の上、内閣総理大臣に対し、部隊等の出動を要請することができる。

② 内閣総理大臣は、前項の要請があり、事態やむを得ないと認める場合には、部隊等の出動を命ずることができる。

③ 都道府県知事は、事態が収まり、部隊等の出動の必要がなくなつたと認める場合には、内閣総理大臣に対し、すみやかに、部隊等の撤収を要請しなければならない。

④ 内閣総理大臣は、前項の要請があつた場合又は部隊等の出動の必要がなくなつたと認める場合には、すみやかに、部隊等の撤収を命じなければならない。

⑤ 都道府県知事は、第一項に規定する要請をした場合には、事態が収つた後、すみやかに、その旨を当該都道府県の議会に報告しなければならない。

⑥ 第一項及び第三項に規定する要請の手続は、政令で定める。

（自衛隊の施設等の警護出動）

第八一条の二① 内閣総理大臣は、本邦内にある次に掲げる施設又は施設及び区域において、政治上その他の主義主張に基づき、国家若しくは他人にこれを強要し、又は社会に不安若しくは恐怖を与える目的で多数の人を殺傷し、又は重要な施設その他の物を破壊する行為が行われるおそれがあり、かつ、その被害を防止するため特別の必要があると認める場合には、当該施設又は施設及び区域の警護のため部隊等の出動を命ずることができる。

一 自衛隊の施設

二 日本国とアメリカ合衆国との間の相互協力及び安全保障条約第六条に基づく施設及び区域並びに日本国における合衆国軍隊の地位に関する協定第二条第一項の施設及び区域（同協定第二十五条の合同委員会において自衛隊の部隊等が警護を行うこととされたものに限る。）

② 内閣総理大臣は、前項の規定により部隊等の出動を命ずる場合には、あらかじめ、関係都道府県知事の意見を聴くとともに、防衛大臣と国家公安委員会との間で協議をさせた上で、警護を行うべき施設又は施設及び区域並びに期間を指定しなければならない。

③ 内閣総理大臣は、前項の期間内であつても、部隊等の出動の必要がなくなつたと認める場合には、速やかに、部隊等の撤収を命じなければならない。

（海上における警備行動）

第八二条 防衛大臣は、海上における人命若しくは財産の保護又は治安の維持のため特別の必要がある場合には、内閣総理大臣の承認を得て、自衛隊の部隊に海上において必要な行動をとることを命ずることができる。

（海賊対処行動）

第八二条の二 防衛大臣は、海賊行為の処罰及び海賊行為への対処に関する法律（平成二十一年法律第五十五号）の定めるところにより、自衛隊の部隊による海賊対処行動を行わせることができる。

（弾道ミサイル等に対する破壊措置）

第八二条の三① 防衛大臣は、弾道ミサイル等（弾道ミサイルその他その落下により人命又は財産に対して重大な被害が生じると認められる物体であつて航空機以外のものをいう。以下同じ。）が我が国に飛来するおそれがあり、その落下による我が国領域における人命又は財産に対する被害を防止するため必要があると認めるときは、内閣総理大臣の承認を得て、自衛隊の部隊に対し、我が国に向けて現に飛来する弾道ミサイル等を我が国領域又は公海（海洋法に関する国際連合条約に規定する排他的経済水域を含む。）の上空において破壊する措置をとるべき旨を命ずることができる。

② 防衛大臣は、前項に規定するおそれがなくなつたと認めるときは、内閣総理大臣の承認を得て、速やかに、同項の命令を解除しなければならない。

③ 防衛大臣は、第一項の場合のほか、事態が急変し同項の内閣総理大臣の承認を得るいとまがなく我が国に向けて弾道ミサイル等が飛来する緊急の場合における我が国領域における人命又は財産に対する被害を防止するため、防衛大臣が作成し、内閣総理大臣の承認を受けた緊急対処要領に従い、あらかじめ、自衛隊の部隊に対し、同項の命令をすることができる。この場合において、防衛大臣は、その命令に係る措置をとるべき期間を定めるものとする。

④ 前項の緊急対処要領の作成及び内閣総理大臣の承認に関し必要な事項は、政令で定める。

⑤ 内閣総理大臣は、第一項又は第三項の規定による措置がとられたときは、その結果を、速やかに、国会に報告しなければならない。

（災害派遣）

第八三条① 都道府県知事その他政令で定める者は、天災地変その他の災害に際して、人命又は財産の保護のため必要があると認める場合には、部隊等の派遣を防衛大臣又はその指定する者に要請することができる。

② 防衛大臣又はその指定する者は、前項の要請があり、事態やむを得ないと認める場合には、部隊等を救援のため派遣することができる。ただし、天災地変その他の災害に際し、その事態に照らし特に緊急を要し、前項の要請を待ついとまがないと認められるときは、同項の要請を待たないで、部隊等を派遣することができる。

③ 庁舎、営舎その他の防衛省の施設又はこれらの近傍に火災その他の災害が発生した場合においては、部隊等の長は、部隊等を派遣することができる。

④ 第一項の要請の手続は、政令で定める。

⑤ 第一項から第三項までの規定は、武力攻撃事態等における国民の保護のための措置に関する法律第二条第四項に規定する武力攻撃災害及び同法第百八十三条において準用する同法第十四条第一項に規定する緊急対処事態における災害については、適用しない。

（地震防災派遣）

第八三条の二 防衛大臣は、大規模地震対策特別措置法（昭和五十三年法律第七十三号）第十一条第一項に規定する地震災害警戒本部長から同法第十三条第二項の規定による要請があつた場合には、部隊等を支援のため派遣することができる。

（原子力災害派遣）

第八三条の三 防衛大臣は、原子力災害対策特別措置法（平成十一年法律第百五十六号）第十七条第一項に規定する原子力災害対策本部長から同法第二十条第四項の規定による要請があつた場合には、部隊等を支援のため派遣することができる。

（領空侵犯に対する措置）

第八四条 防衛大臣は、外国の航空機が国際法規又は航空法（昭和二十七年法律第二百三十一号）その他の法令の規定に違反してわが国の領域の上空に侵入したときは、自衛隊の部隊に対し、これを着陸させ、又はわが国の領域の上空から退去させるため必要な措置を講じさせることができる。

（機雷等の除去）

第八四条の二 海上自衛隊は、防衛大臣の命を受け、海上における機雷その他の爆発性の危険物の除去及びこれらの処理を行うものとする。

（在外邦人等の保護措置）

第八四条の三① 防衛大臣は、外務大臣から外国における緊急事態に際して生命又は身体に危害が加えられるおそれがある邦人の警護、救出その他の当該邦人の生命又は身体の保護のための措置（輸送を含む。以下「保護措置」という。）を行うことの依頼があつた場合において、外務大臣と協議し、次の各号のいずれにも該当すると認めるときは、内閣総理大臣の承認を得て、部隊等に当該保護措置を行わせることができる。

一 当該外国の領域の当該保護措置を行う場所において、当該外国の権限ある当局が現に公共の安全と秩序の維持に当たつており、かつ、戦闘行為（国際的な武力紛争の一環として行われる人を殺傷し又は物を破壊する行為をいう。第九十五条の二第一項において同じ。）が行われることがないと認められること。

二　自衛隊が当該保護措置（武器の使用を含む。）を行うことについて、当該外国（国際連合の総会又は安全保障理事会の決議に従つて当該外国において施政を行う機関がある場合にあつては、当該機関）の同意があること。

三　予想される危険に対応して当該保護措置をできる限り円滑かつ安全に行うための部隊等と第一号に規定する当該外国の権限ある当局との間の連携及び協力が確保されると見込まれること。

② 内閣総理大臣は、前項の規定による外務大臣と防衛大臣の協議の結果を踏まえて、同項各号のいずれにも該当すると認める場合に限り、同項の承認をするものとする。

③ 防衛大臣は、第一項の規定により保護措置を行わせる場合において、外務大臣から同項の緊急事態に際して生命又は身体に危害が加えられるおそれがある外国人として保護することを依頼された者その他の当該保護措置と併せて保護を行うことが適当と認められる者（第九十四条の五第一項において「その他の保護対象者」という。）の生命又は身体の保護のための措置を部隊等に行わせることができる。

第八四条の四（**在外邦人等の輸送**）① 防衛大臣は、外務大臣から外国における災害、騒乱その他の緊急事態に際して生命又は身体の保護を要する邦人（邦人の配偶者若しくは子、外務公務員法（昭和二十七年法律第四十一号）第二十四条に規定する名誉総領事若しくは名誉領事若しくは同法第二十五条第二項の規定により採用された者又は独立行政法人との契約により外国において当該独立行政法人のために勤務する者として採用された者であつて、日本の国籍を有しないものを含む。以下この項及び第九十四条の六において同じ。）の輸送の依頼があつた場合において、当該輸送において予想される危険及びこれを避けるための方策について外務大臣と協議し、当該方策を講ずることができると認めるときは、当該邦人の輸送を行うことができる。この場合において、防衛大臣は、外務大臣から当該緊急事態に際して生命若しくは身体の保護を要する外国人（邦人以外の者をいう。以下この項において同じ。）として同乗させることを依頼された者、当該外国との連絡調整その他の当該輸送の実施に伴い必要となる措置をとらせるため当該輸送の職務に従事する自衛官に同行させる必要があると認められる者又は当該邦人若しくは当該外国人の家族その他の関係者で当該邦人若しくは当該外国人に早期に面会させ、若しくは同行させることが適当であると認められる者を同乗させることができる。

② 前項の輸送は、次に掲げる航空機又は船舶により行うことができる。

一　輸送の用に主として供するための航空機

二　前項の輸送に適する船舶

三　前号に掲げる船舶に搭載された回転翼航空機で第一号に掲げる航空機以外のもの（当該船舶と陸地との間の輸送に用いる場合におけるものに限る。）

③ 第一項の輸送は、前項に規定する航空機又は船舶のほか、特に必要があると認められるときは、当該輸送に適する車両（当該輸送のために借り受けて使用するものを含む。第九十四条の六において同じ。）により行うことができる。

第八四条の五（**後方支援活動等**）① 防衛大臣又はその委任を受けた者は、第三条第二項に規定する活動として、次の各号に掲げる法律の定めるところにより、それぞれ、当該各号に定める活動を実施することができる。

一　重要影響事態に際して我が国の平和及び安全を確保するための措置に関する法律（平成十一年法律第六十号）　後方支援活動としての物品の提供

二　重要影響事態等に際して実施する船舶検査活動に関する法律（平成十二年法律第百四十五号）　後方支援活動又は協力支援活動としての物品の提供

三　国際連合平和維持活動等に対する協力に関する法律（平成四年法律第七十九号）　大規模な災害に対処するアメリカ合衆国、オーストラリア、英国、フランス、カナダ、インド又はドイツの軍隊に対する物品の提供

四　国際平和共同対処事態に際して我が国が実施する諸外国の軍隊等に対する協力支援活動等に関する法律（平成二十七年法律第七十七号）　協力支援活動としての物品の提供

② 防衛大臣は、第三条第二項に規定する活動として、次の各号に掲げる法律の定めるところにより、それぞれ、当該各号に定める活動を行わせることができる。

一　重要影響事態に際して我が国の平和及び安全を確保するための措置に関する法律　防衛省の機関又は部隊等による後方支援活動としての役務の提供及び部隊等による捜索救助活動

二　重要影響事態等に際して実施する船舶検査活動に関する法律　部隊等による船舶検査活動及びその実施に伴う後方支援活動又は協力支援活動としての役務の提供

三　国際緊急援助隊の派遣に関する法律（昭和六十二年法律第九十三号）　部隊等又は隊員による国際緊急援助活動及び当該活動を行う人員又は当該活動に必要な物資の輸送

四　国際連合平和維持活動等に対する協力に関する法律　部隊等による国際平和協力業務、委託に基づく輸送及び大規模な災害に対処するアメリカ合衆国、オーストラリア、英国、フランス、カナダ、インド又はドイツの軍隊に対する役務の提供

五　国際平和共同対処事態に際して我が国が実施する諸外国の軍隊等に対する協力支援活動等に関する法律　部隊等による協力支援活動としての役務の提供及び部隊等による捜索救助活動

第八五条（**防衛大臣と国家公安委員会との相互の連絡**）　内閣総理大臣は、第七十八条第一項又は第八十一条第二項の規定による出動命令を発するに際しては、防衛大臣と国家公安委員会との相互の間に緊密な連絡を保たせるものとする。

第八六条（**関係機関との連絡及び協力**）　第七十六条第一項、第七十七条の二、第七十七条の四、第七十八条第一項、第八十一条第二項、第八十一条の二第一項、第八十二条の三第一項若しくは第三項、第八十三条第二項、第八十三条の二又は第八十三条の三の規定により部隊等が行動する場合には、当該部隊等及び当該部隊等に関係のある都道府県知事、市町村長、警察消防機関その他の国又は地方公共団体の機関は、相互に緊密に連絡し、及び協力するものとする。

第七章　自衛隊の権限（抄）

第八七条（**武器の保有**）　自衛隊は、その任務の遂行に必要な武器を保有することができる。

第八八条（**防衛出動時の武力行使**）① 第七十六条第一項の規定により出動を命ぜられた自衛隊は、わが国を防衛するため、必要な武力を行使することができる。

② 前項の武力行使に際しては、国際の法規及び慣例によるべき場合にあつてはこれを遵守し、かつ、事態に応じ合理的に必要と判断される限度をこえてはならないものとする。

第八九条（**治安出動時の権限**）① 警察官職務執行法（昭和二十三年法律第百三十六号）の規定は、第七十八条第一項又は第八十一条第二項の規定により出動を命ぜられた自衛隊の自衛官の職務の執行について準用する。この場合において、同法第四条第二項中「公安委員

会」とあるのは、「防衛大臣の指定する者」と読み替えるものとする。

② 前項において準用する警察官職務執行法第七条の規定により自衛官が武器を使用するには、刑法（明治四十年法律第四十五号）第三十六条又は第三十七条に該当する場合を除き、当該部隊指揮官の命令によらなければならない。

第九〇条から第九三条の二まで（略）

（弾道ミサイル等に対する破壊措置のための武器の使用）

第九三条の三　第八十二条の三第一項又は第三項の規定により措置を命ぜられた自衛隊の部隊は、弾道ミサイル等の破壊のため必要な武器を使用することができる。

第九四条から第九四条の九まで（略）

（自衛隊の武器等の防護のための武器の使用）

第九五条　自衛官は、自衛隊の武器、弾薬、火薬、船舶、航空機、車両、有線電気通信設備、無線設備又は液体燃料（以下「武器等」という。）を職務上警護するに当たり、人又は武器等を防護するため必要であると認める相当の理由がある場合には、その事態に応じ合理的に必要と判断される限度で武器を使用することができる。ただし、刑法第三十六条又は第三十七条に該当する場合のほか、人に危害を与えてはならない。

（合衆国軍隊等の部隊の武器等の防護のための武器の使用）

第九五条の二①　自衛官は、アメリカ合衆国の軍隊その他の外国の軍隊その他これに類する組織（次項において「合衆国軍隊等」という。）の部隊であつて自衛隊と連携して我が国の防衛に資する活動（共同訓練を含み、現に戦闘行為が行われている現場で行われるものを除く。）に現に従事しているものの武器等を職務上警護するに当たり、人又は武器等を防護するため必要であると認める相当の理由がある場合には、その事態に応じ合理的に必要と判断される限度で武器を使用することができる。ただし、刑法第三十六条又は第三十七条に該当する場合のほか、人に危害を与えてはならない。

② 前項の警護は、合衆国軍隊等から要請があつた場合であつて、防衛大臣が必要と認めるときに限り、自衛官が行うものとする。

第九五条の三から第九六条まで（略）

第八章　雑則（抄）

第九七条から第一〇〇条の四まで（略）

（国賓等の輸送）

第一〇〇条の五①　防衛大臣は、国の機関から依頼があつた場合には、自衛隊の任務遂行に支障を生じない限度において、航空機による国賓、内閣総理大臣その他政令で定める者（次項において「国賓等」という。）の輸送を行うことができる。

② 自衛隊は、国賓等の輸送の用に主として供するための航空機を保有することができる。

（合衆国軍隊に対する物品又は役務の提供）

第一〇〇条の六①　防衛大臣又はその委任を受けた者は、次に掲げる合衆国軍隊（アメリカ合衆国の軍隊をいう。以下この条及び次条において同じ。）から要請があつた場合には、自衛隊の任務遂行に支障を生じない限度において、当該合衆国軍隊に対し、自衛隊に属する物品の提供を実施することができる。

一　自衛隊及び合衆国軍隊の双方の参加を得て行われる訓練に参加する合衆国軍隊（重要影響事態に際して我が国の平和及び安全を確保するための措置に関する法律第三条第一項第一号に規定する合衆国軍隊等に該当する合衆国軍隊、武力攻撃事態等及び存立危機事態におけるアメリカ合衆国等の軍隊の行動に伴い我が国が実施する措置に関する法律第二条第六号に規定する特定合衆国軍隊、同条第七号に規定する外国軍隊に該当する合衆国軍隊及び国際平和共同対処事態に際して我が国が実施する諸外国の軍隊等に対する協力支援活動等に関する法律第三条第一項第一号に規定する諸外国の軍隊等に該当する合衆国軍隊を除く。次号から第四号まで及び第六号から第十一号までにおいて同じ。）

二　部隊等が第八十一条の二第一項第二号に掲げる施設及び区域に係る同項の警護を行う場合において、当該部隊等と共に当該施設及び区域内に所在して当該施設及び区域の警護を行う合衆国軍隊

三　自衛隊の部隊が第八十二条の二に規定する海賊対処行動を行う場合において、当該部隊と共に現場に所在して当該海賊対処行動と同種の活動を行う合衆国軍隊

四　自衛隊の部隊が第八十二条の三第一項又は第三項の規定により弾道ミサイル等を破壊する措置をとるため必要な行動をとる場合において、当該部隊と共に現場に所在して当該行動と同種の活動を行う合衆国軍隊

五　天災地変その他の災害に際して、政府の要請に基づき災害応急対策のための活動を行う合衆国軍隊であつて、第八十三条第二項又は第八十三条の三の規定により派遣された部隊等と共に現場に所在するもの

六　自衛隊の部隊が第八十四条の二に規定する機雷その他の爆発性の危険物の除去及びこれらの処理を行う場合において、当該部隊と共に現場に所在してこれらの活動と同種の活動を行う合衆国軍隊

七　部隊等が第八十四条の三第一項に規定する外国における緊急事態に際して同項の保護措置を行う場合又は第八十四条の四第一項に規定する外国における緊急事態に際して同項の邦人の輸送を行う場合において、当該部隊等と共に現場に所在して当該保護措置又は当該輸送と同種の活動を行う合衆国軍隊

八　部隊等が第八十四条の五第二項第三号に規定する国際緊急援助活動又は当該活動を行う人員若しくは当該活動に必要な物資の輸送を行う場合において、同一の災害に対処するために当該部隊等と共に現場に所在してこれらの活動と同種の活動を行う合衆国軍隊

九　自衛隊の部隊が船舶又は航空機により外国の軍隊の動向に関する情報その他の我が国の防衛に資する情報の収集のための活動を行う場合において、当該部隊と共に現場に所在して当該活動と同種の活動を行う合衆国軍隊

十　前各号に掲げるもののほか、訓練、連絡調整その他の日常的な活動のため、航空機、船舶又は車両により本邦内にある自衛隊の施設に到着して一時的に滞在する合衆国軍隊

十一　第一号から第九号までに掲げるもののほか、訓練、連絡調整その他の日常的な活動のため、航空機、船舶又は車両により合衆国軍隊の施設に到着して一時的に滞在する部隊等と共に現場に所在し、訓練、連絡調整その他の日常的な活動を行う合衆国軍隊

② 防衛大臣は、前項各号に掲げる合衆国軍隊から要請があつた場合には、自衛隊の任務遂行に支障を生じない限度において、防衛省の機関又は部隊等に、当該合衆国軍隊に対する役務の提供を行わせることができる。

③ 前二項の規定による自衛隊に属する物品の提供及び防衛省の機関又は部隊等による役務の提供として行う業務は、次の各号に掲げる合衆国軍隊の区分に応じ、当該各号に定めるものとする。

一　第一項第一号、第十号及び第十一号に掲げる合衆国軍隊　補給、輸送、修理若しくは整備、医療、通信、空港若しくは港湾に関する業務、基地に関する業務、宿泊、保管、施設の利用又は訓練に関する業務（これらの業務にそれぞれ附帯する業務を含む。）

二　第一項第二号から第九号までに掲げる合衆国軍隊　補給、輸送、修理若しくは整備、医療、通信、空港若しくは港湾に関する業務、基地に関する業務、宿泊、保管又は施設の利用（これらの業務にそれぞれ附帯する業務を含む。）

④ 第一項に規定する物品の提供には、武器の提供は含まないものとする。

（合衆国軍隊に対する物品又は役務の提供に伴う手続）

第一〇〇条の七　この法律又は他の法律の規定により、合衆国軍

隊に対し、防衛大臣又はその委任を受けた者が自衛隊に属する物品の提供を実施する場合及び防衛省の機関又は部隊等が役務の提供を実施する場合における決済その他の手続については、法律に別段の定めがある場合を除き、日本国の自衛隊とアメリカ合衆国軍隊との間における後方支援、物品又は役務の相互の提供に関する日本国政府とアメリカ合衆国政府との間の協定の定めるところによる。

第一〇〇条の八から第一〇二条まで　（略）

（防衛出動時における物資の収用等）

第一〇三条①　第七十六条第一項（第一号に係る部分に限る。以下この条において同じ。）の規定により自衛隊が出動を命ぜられ、当該自衛隊の行動に係る地域において自衛隊の任務遂行上必要があると認められる場合には、都道府県知事は、防衛大臣又は政令で定める者の要請に基づき、病院、診療所その他政令で定める施設（以下この条において「施設」という。）を管理し、土地、家屋若しくは物資（以下この条において「土地等」という。）を使用し、物資の生産、集荷、販売、配給、保管若しくは輸送を業とする者に対してその取り扱う物資の保管を命じ、又はこれらの物資を収用することができる。ただし、事態に照らし緊急を要すると認めるときは、防衛大臣又は政令で定める者は、都道府県知事に通知した上で、自らこれらの権限を行うことができる。

②　第七十六条第一項の規定により自衛隊が出動を命ぜられた場合においては、当該自衛隊の行動に係る地域以外の地域においても、都道府県知事は、防衛大臣又は政令で定める者の要請に基づき、自衛隊の任務遂行上特に必要があると認めるときは、防衛大臣が告示して定めた地域内に限り、施設の管理、土地等の使用若しくは物資の収用を行い、又は取扱物資の保管命令を発し、また、当該地域内にある医療、土木建築工事又は輸送を業とする者に対して、当該地域内においてこれらの者が現に従事している医療、土木建築工事又は輸送の業務と同種の業務で防衛大臣又は政令で定める者が指定したものに従事することを命ずることができる。

③　前二項の規定により土地を使用する場合において、当該土地の上にある立木その他土地に定着する物件（家屋を除く。以下「立木等」という。）が自衛隊の任務遂行の妨げとなると認められるときは、都道府県知事（第一項ただし書の場合にあつては、同項ただし書の防衛大臣又は政令で定める者。次項、第七項、第十三項及び第十四項において同じ。）は、第一項の規定の例により、当該立木等を移転することができる。この場合において、事態に照らし移転が著しく困難であると認めるときは、同項の規定の例により、当該立木等を処分することができる。

④　第一項の規定により家屋を使用する場合において、自衛隊の任務遂行上やむを得ない必要があると認められるときは、都道府県知事は、同項の規定の例により、その必要な限度において、当該家屋の形状を変更することができる。

⑤　第二項に規定する医療、土木建築工事又は輸送に従事する者の範囲は、政令で定める。

⑥　第一項本文又は第二項の規定による処分の対象となる施設、土地等又は物資を第七十六条第一項の規定により出動を命ぜられた自衛隊の用に供するため必要な事項は、都道府県知事と当該処分を要請した者とが協議して定める。

⑦　第一項から第四項までの規定による処分を行う場合には、都道府県知事は、政令で定めるところにより公用令書を交付して行わなければならない。ただし、土地の使用に際して公用令書を交付すべき相手方の所在が知れない場合その他の政令で定める場合にあつては、政令で定めるところにより事後に交付すれば足りる。

⑧　前項の公用令書には、次に掲げる事項を記載しなければならない。

一　公用令書の交付を受ける者の氏名（法人にあつては、名称）及び住所

二　当該処分の根拠となつたこの法律の規定

三　次に掲げる処分の区分に応じ、それぞれ次に定める事項

イ　施設の管理　管理する施設の所在する場所及び管理する期間

ロ　土地又は家屋の使用　使用する土地又は家屋の所在する場所及び使用する期間

ハ　物資の使用　使用する物資の種類、数量、所在する場所及び使用する期間

ニ　取扱物資の保管命令　保管すべき物資の種類、数量、保管すべき場所及び期間

ホ　物資の収用　収用する物資の種類、数量、所在する場所及び収用する期日

へ　業務従事命令　従事すべき業務、場所及び期間

ト　立木等の移転又は処分　移転し、又は処分する立木等の種類、数量及び所在する場所

チ　家屋の形状の変更　家屋の所在する場所及び変更の内容

四　当該処分を行う理由

⑨　前二項に定めるもののほか、公用令書の様式その他公用令書について必要な事項は、政令で定める。

⑩　都道府県（第一項ただし書の場合にあつては、国）は、第一項から第四項までの規定による処分（第二項の規定による業務従事命令を除く。）が行われたときは、当該処分により通常生ずべき損失を補償しなければならない。

⑪　都道府県は、第二項の規定による業務従事命令により業務に従事した者に対して、政令で定める基準に従い、その実費を弁償しなければならない。

⑫　都道府県は、第二項の規定による業務従事命令により業務に従事した者がそのため死亡し、負傷し、若しくは疾病にかかり、又は障害の状態となつたときは、政令で定めるところにより、その者又はその者の遺族若しくは被扶養者がこれらの原因によつて受ける損害を補償しなければならない。

⑬　都道府県知事は、第一項又は第二項の規定により施設を管理し、土地等を使用し、取扱物資の保管を命じ、又は物資を収用するため必要があるときは、その職員に施設、土地、家屋若しくは物資の所在する場所又は取扱物資を保管させる場所に立ち入り、当該施設、土地、家屋又は物資の状況を検査させることができる。

⑭　都道府県知事は、第一項又は第二項の規定により取扱物資を保管させたときは、保管を命じた者に対し必要な報告を求め、又はその職員に当該物資を保管させてある場所に立ち入り、当該物資の保管の状況を検査させることができる。

⑮　前二項の規定により立入検査をする場合には、あらかじめその旨をその場所の管理者に通知しなければならない。

⑯　第十三項又は第十四項の規定により立入検査をする職員は、その身分を示す証明書を携帯し、関係者の請求があつたときは、これを提示しなければならない。

⑰　前各項に定めるもののほか、第一項から第四項までの規定による処分について必要な手続は、政令で定める。

⑱　第一項から第四項までの規定による処分については、審査請求をすることができない。

⑲　第一項から第四項まで、第六項、第七項及び第十項から第十五項までの規定の実施に要する費用は、国庫の負担とする。

（展開予定地域内の土地の使用等）

第一〇三条の二①　第七十七条の二の規定による措置を命ぜられた自衛隊の部隊等の任務遂行上必要があると認められるときは、都道府県知事は、展開予定地域内において、防衛大臣又は政令で定める者の要請に基づき、土地を使用することができる。

②　前項の規定により土地を使用する場合において、立木等が自衛隊の任務遂行の妨げとなると認められるときは、都道府県知事は、同項の規定の例により、当該立木等を移転することができる。この場合において、事態に照らし移転が著しく困難であると認めるときは、同項の規定の例により、当該立木等を処分することができる。

③　前条第七項から第十項まで及び第十七項から第十九項までの規定は前二項の規定により土地を使用し、又は立木等を移転し、若しくは処分する場合について、同条第六項、第十三項、第十五項及び第十六項の規定は第一項の規定により土地を使用する場合について準用する。この場合において、前条第六項中「第七十六条第一項の規定により出動を命ぜられた自衛隊」とあるのは、「第七十七条の二の規定による措置を命ぜられた自衛隊の部隊等」と読み替えるものとする。

④　第一項の規定により土地を使用している場合において、第七十六条第一項（第一号に係る部分に限る。）の規定により自衛隊が出動を命ぜられ、当該土地が前条第一項又は第二項の規定の適用を受ける地域に含まれることとなつたときは、前三項の規定により都道府県知事がした処分、手続その他の行為は、前条の規定によりした処分、手続その他の行為とみなす。

（電気通信設備の利用等）

第一〇四条①　防衛大臣は、第七十六条第一項（第一号に係る部分に限る。）の規定により出動を命ぜられた自衛隊の任務遂行上必要があると認める場合には、緊急を要する通信を確保するため、総務大臣に対し、電気通信事業法（昭和五十九年法律第八十六号）第二条第五号に規定する電気通信事業者がその事業の用に供する電気通信設備を優先的に利用し、又は有線電気通信法（昭和二十八年法律第九十六号）第三条第四項第四号に掲げる者が設置する電気通信設備を使用することに関し必要な措置をとることを求めることができる。

②　総務大臣は、前項の要求があつたときは、その要求に沿うように適当な措置をとるものとする。

（訓練のための漁船の操業の制限又は禁止）

第一〇五条①　防衛大臣は、自衛隊の行う訓練及び試験研究のため水面を使用する必要があるときは、農林水産大臣及び関係都道府県知事の意見を聴き、一定の区域及び期間を定めて、漁船の操業を制限し、又は禁止することができる。

②　国は、前項の規定による制限又は禁止により、当該区域において従来適法に漁業を営んでいた者が漁業経営上こうむつた損失を補償する。

③　前項の規定により補償する損失は、通常生ずべき損失とする。

④　前二項の規定による損失の補償を受けようとする者は、その者の住所地を管轄する都道府県知事を経由して、損失補償申請書を防衛大臣に提出しなければならない。

⑤　都道府県知事は、前項の申請書を受理したときは、その意見を記載した書面を当該申請書に添えて、これを防衛大臣に送付しなければならない。

⑥　防衛大臣は、前項の書類を受理したときは、補償すべき損失の有無及び損失を補償すべき場合には補償の額を決定し、遅滞なくこれを都道府県知事を経由して当該申請者に通知しなければならない。

⑦　前項の規定による決定に不服がある者は、同項の通知を受けた日の翌日から起算して三月以内に、防衛大臣に対して異議を申し出ることができる。

⑧　防衛大臣は、前項の規定による申出があつたときは、その申出のあつた日から三十日以内に、改めて補償すべき損失の有無及び損失を補償すべき場合には補償の額を決定し、これを申出人に通知しなければならない。

⑨　第六項又は前項の規定により決定された補償金の額に不服がある者は、その決定を知つた日から六月以内に訴えをもつてその増額を請求することができる。

⑩　前項の訴においては、国を被告とする。

⑪　第六項の規定による決定に不服がある者は、第七項及び第九項の規定によることによつてのみ争うことができる。

⑫　前各項に定めるもののほか、第二項の規定による損失の補償の実施に関し必要な事項は、政令で定める。

第一〇六条から第一一七条の二まで　（略）

第九章　罰則（抄）

第一一八条から第一二〇条まで　（略）

第一二一条　自衛隊の所有し、又は使用する武器、弾薬、航空機その他の防衛の用に供する物を損壊し、又は傷害した者は、五年以下の拘禁刑又は五万円以下の罰金に処する。

第一二二条及び第一二二条の二　（略）

第一二三条　第百三条第十三項（第百三条の二第三項において準用する場合を含む。）又は第十四項の規定による立入検査を拒み、妨げ、若しくは忌避し、又は同項の規定による報告をせず、若しくは虚偽の報告をした者は、二十万円以下の罰金に処する。

第一二四条　第百三条第一項又は第二項の規定による取扱物資の保管命令に違反して当該物資を隠匿し、毀棄し、又は搬出した者は、六月以下の拘禁刑又は三十万円以下の罰金に処する。

第一二五条　法人の代表者又は法人若しくは人の代理人、使用人その他の従業員が、その法人又は人の業務に関し前二条の違反行為をしたときは、行為者を罰するほか、その法人又は人に対しても、各本条の罰金刑を科する。

第一二六条　（略）

附　則　（抄）

①　この法律は、防衛庁設置法施行の日（昭和二九・七・一）から施行する。

別表　（略）

刑法等の一部を改正する法律の施行に伴う関係法律整理法中経過規定　（令和四・六・一七法六八）（抄）

第四四一条から第四四三条まで　（刑法の同経過規定参照）

第五〇九条　（刑法の同経過規定参照）

刑法等の一部を改正する法律の施行に伴う関係法律整理法

附　則（令和四・六・一七法六八）（抄）

（施行期日）

①　この法律は、刑法等一部改正法（刑法等の一部を改正する法律（令和四法六七））施行日（令和七・六・一）から施行する。ただし、次の各号に掲げる規定は、当該各号に定める日から施行する。

一　第五百九条の規定　公布の日

二　（略）

附　則（令和六・五・一七法二四）（抄）

（施行期日）

第一条　（前略）次の各号に掲げる規定は、当該各号に定める日から施行する。

一　（略）

二　第二条中自衛隊法第八十四条の五第一項第三号及び第二項第四号の改正規定（中略）日本国の自衛隊とドイツ連邦共和国の軍隊との間における物品又は役務の相互の提供に関する日本国政府とドイツ連邦共和国政府との間の協定の効力発生の日（令和六・七・一二）

三・四　（略）

○武力攻撃事態等及び存立危機事態における我が国の平和と独立並びに国及び国民の安全の確保に関する法律（抄）

（平成一五・六・一三 法 七 九）

施行 平成一五・六・一三（附則参照）
題名改正 平成二七法七六（旧・武力攻撃事態等における我が国の平和と独立並びに国及び国民の安全の確保に関する法律）
最終改正 令和三法三六

目次

第一章 総則

（目的）

第一条 この法律は、武力攻撃事態等（武力攻撃事態及び武力攻撃予測事態をいう。以下同じ。）及び存立危機事態への対処について、基本理念、国、地方公共団体等の責務、国民の協力その他の基本となる事項を定めることにより、武力攻撃事態等及び存立危機事態への対処のための態勢を整備し、もって我が国の平和と独立並びに国及び国民の安全の確保に資することを目的とする。

（定義）

第二条 この法律（第一号に掲げる用語にあっては、第四号及び第八号ハ(1)を除く。）において、次の各号に掲げる用語の意義は、それぞれ当該各号に定めるところによる。

一 武力攻撃 我が国に対する外部からの武力攻撃をいう。

二 武力攻撃事態 武力攻撃が発生した事態又は武力攻撃が発生する明白な危険が切迫していると認められるに至った事態をいう。

三 武力攻撃予測事態 武力攻撃事態には至っていないが、事態が緊迫し、武力攻撃が予測されるに至った事態をいう。

四 存立危機事態 我が国と密接な関係にある他国に対する武力攻撃が発生し、これにより我が国の存立が脅かされ、国民の生命、自由及び幸福追求の権利が根底から覆される明白な危険がある事態をいう。

五 指定行政機関 次に掲げる機関で政令で定めるものをいう。

イ 内閣府、宮内庁並びに内閣府設置法（平成十一年法律第八十九号）第四十九条第一項及び第二項に規定する機関、デジタル庁並びに国家行政組織法（昭和二十三年法律第百二十号）第三条第二項に規定する機関

ロ 内閣府設置法第三十七条及び第五十四条並びに宮内庁法（昭和二十二年法律第七十号）第十六条第一項並びに国家行政組織法第八条に規定する機関

ハ 内閣府設置法第三十九条及び第五十五条並びに宮内庁法第十六条第二項並びに国家行政組織法第八条の二に規定する機関

ニ 内閣府設置法第四十条及び第五十六条並びに国家行政組織法第八条の三に規定する機関

六 指定地方行政機関 指定行政機関の地方支分部局（内閣府設置法第四十三条及び第五十七条（宮内庁法第十八条第一項において準用する場合を含む。）並びに宮内庁法第十七条第一項並びに国家行政組織法第九条の地方支分部局をいう。）その他の国の地方行政機関で、政令で定めるものをいう。

七 指定公共機関 独立行政法人（独立行政法人通則法（平成十一年法律第百三号）第二条第一項に規定する独立行政法人をいう。）、日本銀行、日本赤十字社、日本放送協会その他の公共的機関及び電気、ガス、輸送、通信その他の公益的事業を営む法人で、政令で定めるものをいう。

八 対処措置 第九条第一項の対処基本方針が定められてから廃止されるまでの間に、指定行政機関、地方公共団体又は指定公共機関が法律の規定に基づいて実施する次に掲げる措置をいう。

イ 武力攻撃事態等を終結させるためにその推移に応じて実施する次に掲げる措置

(1) 武力攻撃を排除するために必要な自衛隊が実施する武力の行使、部隊等の展開その他の行動

(2) (1)に掲げる自衛隊の行動、アメリカ合衆国の軍隊が実施する日本国とアメリカ合衆国との間の相互協力及び安全保障条約（以下「日米安保条約」という。）に従って武力攻撃を排除するために必要な行動及びその他の外国の軍隊が実施する自衛隊と協力して武力攻撃を排除するために必要な行動が円滑かつ効果的に行われるために実施する物品、施設又は役務の提供その他の措置

(3) (1)及び(2)に掲げるもののほか、外交上の措置その他の措置

ロ 武力攻撃から国民の生命、身体及び財産を保護するため、又は武力攻撃が国民生活及び国民経済に影響を及ぼす場合において当該影響が最小となるようにするために武力攻撃事態等の推移に応じて実施する次に掲げる措置

(1) 警報の発令、避難の指示、被災者の救助、施設及び設備の応急の復旧その他の措置

(2) 生活関連物資等の価格安定、配分その他の措置

ハ 存立危機事態を終結させるためにその推移に応じて実施する次に掲げる措置

(1) 我が国と密接な関係にある他国に対する武力攻撃であって、これにより我が国の存立が脅かされ、国民の生命、自由及び幸福追求の権利が根底から覆される明白な危険があるもの（以下「存立危機武力攻撃」という。）を排除するために必要な自衛隊が実施する武力の行使、部隊等の展開その他の行動

(2) (1)に掲げる自衛隊の行動及び外国の軍隊が実施する自衛隊と協力して存立危機武力攻撃を排除するために必要な行動が円滑かつ効果的に行われるために実施する物品、施設又は役務の提供その他の措置

(3) (1)及び(2)に掲げるもののほか、外交上の措置その他の措置

ニ 存立危機武力攻撃による深刻かつ重大な影響から国民の生命、身体及び財産を保護するため、又は存立危機武力攻撃が国民生活及び国民経済に影響を及ぼす場合において当該影響が最小となるようにするために存立危機事態の推移に応じて実施する公共的な施設の保安の確保、生活関連物資等の安定供給その他の措置

（武力攻撃事態等及び存立危機事態への対処に関する基本理念）

第三条① 武力攻撃事態等及び存立危機事態への対処においては、国、地方公共団体及び指定公共機関が、国民の協力を得つつ、相互に連携協力し、万全の措置が講じられなければならない。

② 武力攻撃予測事態においては、武力攻撃の発生が回避されるようにしなければならない。

③ 武力攻撃事態においては、武力攻撃の発生に備えるとともに、武力攻撃が発生した場合には、これを排除しつつ、その速やかな終結を図らなければならない。ただし、武力攻撃が発生

した場合においてこれを排除するに当たっては、武力の行使は、事態に応じ合理的に必要と判断される限度においてなされなければならない。

④存立危機事態においては、存立危機武力攻撃を排除しつつ、その速やかな終結を図らなければならない。ただし、存立危機武力攻撃を排除するに当たっては、武力の行使は、事態に応じ合理的に必要と判断される限度においてなされなければならない。

⑤武力攻撃事態等及び存立危機事態への対処においては、日本国憲法の保障する国民の自由と権利が尊重されなければならず、これに制限が加えられる場合にあっても、その制限は当該武力攻撃事態等及び存立危機事態に対処するため必要最小限のものに限られ、かつ、公正かつ適正な手続の下に行われなければならない。この場合において、日本国憲法第十四条、第十八条、第十九条、第二十一条その他の基本的人権に関する規定は、最大限に尊重されなければならない。

⑥武力攻撃事態等及び存立危機事態においては、当該武力攻撃事態等及び存立危機事態並びにこれらへの対処に関する状況について、適時に、かつ、適切な方法で国民に明らかにされるようにしなければならない。

⑦武力攻撃事態等及び存立危機事態への対処においては、日米安保条約に基づいてアメリカ合衆国と緊密に協力するほか、関係する外国との協力を緊密にしつつ、国際連合を始めとする国際社会の理解及び協調的行動が得られるようにしなければならない。

第四条（**国の責務**）①国は、我が国の平和と独立を守り、国及び国民の安全を保つため、武力攻撃事態等及び存立危機事態において、我が国を防衛し、国土並びに国民の生命、身体及び財産を保護する固有の使命を有することから、前条の基本理念にのっとり、組織及び機能の全てを挙げて、武力攻撃事態等及び存立危機事態に対処するとともに、国全体として万全の措置が講じられるようにする責務を有する。

②国は、前項の責務を果たすため、武力攻撃事態等及び存立危機事態への円滑かつ効果的な対処が可能となるよう、関係機関が行うこれらの事態への対処についての訓練その他の関係機関相互の緊密な連携協力の確保に資する施策を実施するものとする。

第五条（**地方公共団体の責務**）地方公共団体は、当該地方公共団体の地域並びに当該地方公共団体の住民の生命、身体及び財産を保護する使命を有することにかんがみ、国及び他の地方公共団体その他の機関と相互に協力し、武力攻撃事態等への対処に関し、必要な措置を実施する責務を有する。

第六条（**指定公共機関の責務**）指定公共機関は、国及び地方公共団体その他の機関と相互に協力し、武力攻撃事態等への対処に関し、その業務について、必要な措置を実施する責務を有する。

第七条（**国と地方公共団体との役割分担**）武力攻撃事態等への対処の性格にかんがみ、国においては武力攻撃事態等への対処に関する主要な役割を担い、地方公共団体においては武力攻撃事態等における当該地方公共団体の住民の生命、身体及び財産の保護に関して、国の方針に基づく措置の実施その他適切な役割を担うことを基本とするものとする。

第八条（**国民の協力**）国民は、国及び国民の安全を確保することの重要性に鑑み、指定行政機関、地方公共団体又は指定公共機関が武力攻撃事態等において対処措置を実施する際は、必要な協力をするよう努めるものとする。

第二章　武力攻撃事態等及び存立危機事態への対処のための手続等（抄）

第九条（**対処基本方針**）①政府は、武力攻撃事態等又は存立危機事態に至ったときは、武力攻撃事態等又は存立危機事態への対処に関する基本的な方針（以下「対処基本方針」という。）を定めるものとする。

②対処基本方針に定める事項は、次のとおりとする。

一　対処すべき事態に関する次に掲げる事項

イ　事態の経緯、事態が武力攻撃事態であること、武力攻撃予測事態であること又は存立危機事態であることの認定及び当該認定の前提となった事実

ロ　事態が武力攻撃事態又は存立危機事態であると認定する場合にあっては、我が国の存立を全うし、国民を守るために他に適当な手段がなく、事態に対処するため武力の行使が必要であると認められる理由

二　当該武力攻撃事態等又は存立危機事態への対処に関する全般的な方針

三　対処措置に関する重要事項

③武力攻撃事態又は存立危機事態においては、対処基本方針には、前項第三号に定める事項として、次に掲げる内閣総理大臣の承認を行う場合はその旨を記載しなければならない。

一　防衛大臣が自衛隊法（昭和二十九年法律第百六十五号）第七十条第一項又は第八項の規定に基づき発する同条第一項第一号に定める防衛招集命令書による防衛招集命令に関して同項又は同条第八項の規定により内閣総理大臣が行う承認

二　防衛大臣が自衛隊法第七十五条の四第一項又は第六項の規定に基づき発する同条第一項第一号に定める防衛招集命令書による防衛招集命令に関して同項又は同条第六項の規定により内閣総理大臣が行う承認

三　防衛大臣が自衛隊法第七十七条の規定に基づき発する防衛出動待機命令に関して同条の規定により内閣総理大臣が行う承認

四　防衛大臣が自衛隊法第七十七条の二の規定に基づき命ずる防御施設構築の措置に関して同条の規定により内閣総理大臣が行う承認

五　防衛大臣が武力攻撃事態等及び存立危機事態におけるアメリカ合衆国等の軍隊の行動に伴い我が国が実施する措置に関する法律（平成十六年法律第百十三号）第十条第三項の規定に基づき実施を命ずる行動関連措置としての役務の提供に関して同項の規定により内閣総理大臣が行う承認

六　防衛大臣が武力攻撃事態及び存立危機事態における外国軍用品等の海上輸送の規制に関する法律（平成十六年法律第百十六号）第四条の規定に基づき命ずる同法第四章の規定による措置に関して同条の規定により内閣総理大臣が行う承認

④武力攻撃事態又は存立危機事態においては、対処基本方針には、前項に定めるもののほか、第二項第三号に定める事項として、第一号に掲げる内閣総理大臣が行う国会の承認（衆議院が解散されているときは、日本国憲法第五十四条に規定する緊急集会による参議院の承認。以下この条において同じ。）の求めを行う場合にあってはその旨を、内閣総理大臣が第二号に掲げる防衛出動を命ずる場合にあってはその旨を記載しなければならない。ただし、同号に掲げる防衛出動を命ずる旨の記載は、特に緊急の必要があり事前に国会の承認を得るいとまがない場合でなければ、することができない。

一　内閣総理大臣が防衛出動を命ずることについての自衛隊法第七十六条第一項の規定に基づく国会の承認の求め

二　自衛隊法第七十六条第一項の規定に基づき内閣総理大臣が命ずる防衛出動

⑤武力攻撃予測事態においては、対処基本方針には、第二項第三号に定める事項として、次に掲げる内閣総理大臣の承認を行う場合はその旨を記載しなければならない。

一　防衛大臣が自衛隊法第七十条第一項又は第八項の規定に基づき発する同条第一項第一号に定める防衛招集命令書による防衛招集命令（事態が緊迫し、同法第七十六条第一項の規定

による防衛出動命令が発せられることが予測される場合に係るものに限る。）に関して同法第七十条第一項又は第八項の規定により内閣総理大臣が行う承認

二　防衛大臣が自衛隊法第七十五条の四第一項又は第六項の規定に基づき発する同条第一項第一号に定める防衛招集命令書による防衛招集命令（事態が緊迫し、同法第七十六条第一項の規定による防衛出動命令が発せられることが予測される場合に係るものに限る。）に関して同法第七十五条の四第一項又は第六項の規定により内閣総理大臣が行う承認

三　防衛大臣が自衛隊法第七十七条の規定に基づき発する防衛出動待機命令に関して同条の規定により内閣総理大臣が行う承認

四　防衛大臣が自衛隊法第七十七条の二の規定に基づき命ずる防御施設構築の措置に関して同条の規定により内閣総理大臣が行う承認

五　防衛大臣が武力攻撃事態等及び存立危機事態におけるアメリカ合衆国等の軍隊の行動に伴い我が国が実施する措置に関する法律第十条第三項の規定に基づき実施を命ずる行動関連措置としての役務の提供に関して同項の規定により内閣総理大臣が行う承認

⑥　内閣総理大臣は、対処基本方針の案を作成し、閣議の決定を求めなければならない。

⑦　内閣総理大臣は、前項の閣議の決定があったときは、直ちに、対処基本方針（第四項第一号に規定する国会の承認の求めに関する部分を除く。）につき、国会の承認を求めなければならない。

⑧　内閣総理大臣は、第六項の閣議の決定があったときは、直ちに、対処基本方針を公示してその周知を図らなければならない。

⑨　内閣総理大臣は、第七項の規定に基づく対処基本方針の承認があったときは、直ちに、その旨を公示しなければならない。

⑩　第四項第一号に規定する防衛出動を命ずることについての承認の求めに係る国会の承認が得られたときは、対処基本方針を変更して、これに当該承認に係る防衛出動を命ずる旨を記載するものとする。

⑪　第七項の規定に基づく対処基本方針の承認の求めに対し、不承認の議決があったときは、当該議決に係る対処措置は、速やかに、終了されなければならない。この場合において、内閣総理大臣は、第四項第二号に規定する防衛出動を命じた自衛隊については、直ちに撤収を命じなければならない。

⑫　内閣総理大臣は、対処措置を実施するに当たり、対処基本方針に基づいて、内閣を代表して行政各部を指揮監督する。

⑬　第六項から第九項まで及び第十一項の規定は、対処基本方針の変更について準用する。ただし、第十項の規定に基づく変更及び対処措置を構成する措置の終了を内容とする変更については、第七項、第九項及び第十一項の規定は、この限りでない。

⑭　内閣総理大臣は、対処措置を実施する必要がなくなったと認めるとき又は国会が対処措置を終了すべきことを議決したときは、対処基本方針の廃止につき、閣議の決定を求めなければならない。

⑮　内閣総理大臣は、前項の閣議の決定があったときは、速やかに、対処基本方針が廃止された旨及び対処基本方針に定める対処措置の結果を国会に報告するとともに、これを公示しなければならない。

（対策本部の設置）

第一〇条①　内閣総理大臣は、対処基本方針が定められたときは、当該対処基本方針に係る対処措置の実施を推進するため、内閣法（昭和二十二年法律第五号）第十二条第四項の規定にかかわらず、閣議にかけて、臨時に内閣に事態対策本部（以下「対策本部」という。）を設置するものとする。

②　内閣総理大臣は、対策本部を置いたときは、当該対策本部の名称並びに設置の場所及び期間を国会に報告するとともに、これを公示しなければならない。

第一一条から第一三条まで　（略）

（対策本部長の権限）

第一四条①　対策本部長は、対処措置を的確かつ迅速に実施するため必要があると認めるときは、対処基本方針に基づき、指定行政機関の長及び関係する指定地方行政機関の長並びに前条の規定により権限を委任された当該指定行政機関の職員及び当該指定地方行政機関の職員、関係する地方公共団体の長その他の執行機関並びに関係する指定公共機関に対し、指定行政機関、関係する地方公共団体及び関係する指定公共機関が実施する対処措置に関する総合調整を行うことができる。

②　前項の場合において、当該地方公共団体の長その他の執行機関及び指定公共機関（次条及び第十六条において「地方公共団体の長等」という。）は、当該地方公共団体又は指定公共機関が実施する対処措置に関して対策本部長が行う総合調整に関し、対策本部長に対して意見を申し出ることができる。

（内閣総理大臣の権限）

第一五条①　内閣総理大臣は、国民の生命、身体若しくは財産の保護又は武力攻撃の排除に支障があり、特に必要があると認める場合であって、前条第一項の総合調整に基づく所要の対処措置が実施されないときは、対策本部長の求めに応じ、別に法律で定めるところにより、関係する地方公共団体の長等に対し、当該対処措置を実施すべきことを指示することができる。

②　内閣総理大臣は、次に掲げる場合において、対策本部長の求めに応じ、別に法律で定めるところにより、関係する地方公共団体の長等に通知した上で、自ら又は当該対処措置に係る事務を所掌する大臣を指揮し、当該地方公共団体又は指定公共機関が実施すべき当該対処措置を実施し、又は実施させることができる。

一　前項の指示に基づく所要の対処措置が実施されないとき。

二　国民の生命、身体若しくは財産の保護又は武力攻撃の排除に支障があり、特に必要があると認める場合であって、事態に照らし緊急を要すると認めるとき。

（損失に関する財政上の措置）

第一六条　政府は、第十四条第一項又は前条第一項の規定により、対処措置の実施に関し、関係する地方公共団体の長等に対する総合調整又は指示が行われた場合において、その総合調整又は指示に基づく措置の実施により当該地方公共団体又は指定公共機関が損失を受けたときは、その損失に関し、必要な財政上の措置を講ずるものとする。

（安全の確保）

第一七条　政府は、地方公共団体及び指定公共機関が実施する対処措置について、その内容に応じ、安全の確保に配慮しなければならない。

（国際連合安全保障理事会への報告）

第一八条　政府は、武力攻撃又は存立危機武力攻撃の排除に当たって我が国が講じた措置について、国際連合憲章第五十一条（武力攻撃の排除に当たって我が国が講じた措置にあっては、同条及び日米安保条約第五条第二項）の規定に従って、直ちに国際連合安全保障理事会に報告しなければならない。

（対策本部の廃止）

第一九条①　対策本部は、対処基本方針が廃止されたときに、廃止されるものとする。

②　内閣総理大臣は、対策本部が廃止されたときは、直ちに、その旨を公示しなければならない。

（主任の大臣）

第二〇条　対策本部に係る事項については、内閣法にいう主任の大臣は、内閣総理大臣とする。

第三章　緊急対処事態その他の緊急事態への対処のための措置

（第二一条から第二四条まで）（略）

附　則

①　この法律は、公布の日から施行する。ただし、第十四条から第十六条までの規定は、武力攻撃事態等における国民の保護のための措置に関する法律（平成十六年法律第百十二号）の施行の日（平成一六・九・一七）から施行する。

②　政府は、国及び国民の安全に重大な影響を及ぼす緊急事態へのより的確かつ迅速な対処に資する組織の在り方について検討を行うものとする。

○国際連合平和維持活動等に対する協力に関する法律（抄）

（平成四・六・一九
法 七 九）

施行 平成四・八・一〇（平成四政二六七）
最終改正 令和六法二四

目次

第一章 総則

（目的）

第一条 この法律は、国際連合平和維持活動、国際連携平和安全活動、人道的な国際救援活動及び国際的な選挙監視活動に対し適切かつ迅速な協力を行うため、国際平和協力業務実施計画及び国際平和協力業務実施要領の策定手続、国際平和協力隊の設置等について定めることにより、国際平和協力業務の実施体制を整備するとともに、これらの活動に対する物資協力のための措置等を講じ、もって我が国が国際連合を中心とした国際平和のための努力に積極的に寄与することを目的とする。

（国際連合平和維持活動等に対する協力の基本原則）

第二条① 政府は、この法律に基づく国際平和協力業務の実施、物資協力、これらについての国以外の者の協力等（以下「国際平和協力業務の実施等」という。）を適切に組み合わせるとともに、国際平和協力業務の実施等に携わる者の創意と知見を活用することにより、国際連合平和維持活動、国際連携平和安全活動、人道的な国際救援活動及び国際的な選挙監視活動に効果的に協力するものとする。

② 国際平和協力業務の実施等は、武力による威嚇又は武力の行使に当たるものであってはならない。

③ 内閣総理大臣は、国際平和協力業務の実施等に当たり、国際平和協力業務実施計画に基づいて、内閣を代表して行政各部を指揮監督する。

④ 関係行政機関の長は、前条の目的を達成するため、国際平和協力業務の実施等に関し、国際平和協力本部長に協力するものとする。

（定義）

第三条 この法律において、次の各号に掲げる用語の意義は、それぞれ当該各号に定めるところによる。

一 国際連合平和維持活動 国際連合の総会又は安全保障理事会が行う決議に基づき、武力紛争の当事者（以下「紛争当事者」という。）間の武力紛争の再発の防止に関する合意の遵守の確保、紛争による混乱に伴う切迫した暴力の脅威からの住民の保護、武力紛争の終了後に行われる民主的な手段による統治組織の設立及び再建の援助その他紛争に対処して国際の平和及び安全を維持することを目的として、国際連合の統括の下に行われる活動であって、国際連合事務総長（以下「事務総長」という。）の要請に基づき参加する二以上の国及び国際連合によって実施されるもののうち、次に掲げるものをいう。

イ 武力紛争の停止及びこれを維持するとの紛争当事者間の合意があり、かつ、当該活動が行われる地域の属する国（当該国において国際連合の総会又は安全保障理事会が行う決議に従って施政を行う機関がある場合にあっては、当該機関。以下同じ。）及び紛争当事者の当該活動が行われることについての同意がある場合に、いずれの紛争当事者にも偏ることなく実施される活動

ロ 武力紛争が終了して紛争当事者が当該活動が行われる地域に存在しなくなった場合において、当該活動が行われる地域の属する国の当該活動が行われることについての同意がある場合に実施される活動

ハ 武力紛争がいまだ発生していない場合において、当該活動が行われる地域の属する国の当該活動が行われることについての同意がある場合に、武力紛争の発生を未然に防止することを主要な目的として、特定の立場に偏ることなく実施される活動

二 国際連携平和安全活動 国際連合の総会、安全保障理事会若しくは経済社会理事会が行う決議、別表第一に掲げる国際機関が行う要請又は当該活動が行われる地域の属する国の要請（国際連合憲章第七条1に規定する国際連合の主要機関のいずれかの支持を受けたものに限る。）に基づき、紛争当事者間の武力紛争の再発の防止に関する合意の遵守の確保、紛争による混乱に伴う切迫した暴力の脅威からの住民の保護、武力紛争の終了後に行われる民主的な手段による統治組織の設立及び再建の援助その他紛争に対処して国際の平和及び安全を維持することを目的として行われる活動であって、二以上の国の連携により実施されるもののうち、次に掲げるもの（国際連合平和維持活動として実施される活動を除く。）をいう。

イ 武力紛争の停止及びこれを維持するとの紛争当事者間の合意があり、かつ、当該活動が行われる地域の属する国及び紛争当事者の当該活動が行われることについての同意がある場合に、いずれの紛争当事者にも偏ることなく実施される活動

ロ 武力紛争が終了して紛争当事者が当該活動が行われる地域に存在しなくなった場合において、当該活動が行われる地域の属する国の当該活動が行われることについての同意がある場合に実施される活動

ハ 武力紛争がいまだ発生していない場合において、当該活動が行われる地域の属する国の当該活動が行われることについての同意がある場合に、武力紛争の発生を未然に防止することを主要な目的として、特定の立場に偏ることなく実施される活動

三 人道的な国際救援活動 国際連合の総会、安全保障理事会若しくは経済社会理事会が行う決議又は別表第二に掲げる国際機関が行う要請に基づき、国際の平和及び安全の維持を危うくするおそれのある紛争（以下単に「紛争」という。）によって被害を受け若しくは受けるおそれがある住民その他の者（以下「被災民」という。）の救援のために又は紛争によって生じた被害の復旧のために人道的精神に基づいて行われる活動であって、当該活動が行われる地域の属する国の当該活動が行われることについての同意があり、かつ、当該活動が行われる地域の属する国が紛争当事者である場合においては武力紛争の停止及びこれを維持するとの紛争当事者間の合意がある場合に、国際連合その他の国際機関又は国際連合加盟国その他の国（次号及び第六号において「国際連合等」という。）によって実施されるもの（国際連合平和維持活動として実施される活動及び国際連携平和安全活動として実施される活動を除く。）をいう。

四 国際的な選挙監視活動 国際連合の総会若しくは安全保障理事会が行う決議又は別表第三に掲げる国際機関が行う要請に基づき、紛争によって混乱を生じた地域において民主的な手段により統治組織を設立しその他紛争による混乱を解消する過程で行われる選挙又は投票の公正な執行を確保するために行われる活動であって、当該活動が行われる地域の属する国の当

該活動が行われることについての同意があり、かつ、当該活動が行われる地域の属する国が紛争当事者である場合においては武力紛争の停止及びこれを維持するとの紛争当事者間の合意がある場合に、国際連合等によって実施されるもの（国際連合平和維持活動として実施される活動及び国際連携平和安全活動として実施される活動を除く。）をいう。

五　国際平和協力業務　国際連合平和維持活動のために実施される業務で次に掲げるもの、国際連携平和安全活動のために実施される業務で次に掲げるもの、人道的な国際救援活動のために実施される業務で次のワからツまで、ナ及びラに掲げるもの並びに国際的な選挙監視活動のために実施される業務で次のチ及びナに掲げるもの（これらの業務にそれぞれ附帯する業務を含む。以下同じ。）であって、海外で行われるものをいう。

イ　武力紛争の停止の遵守状況の監視又は紛争当事者間で合意された軍隊の再配置若しくは撤退若しくは武装解除の履行の監視

ロ　緩衝地帯その他の武力紛争の発生の防止のために設けられた地域における駐留及び巡回

ハ　車両その他の運搬手段又は通行人による武器（武器の部品及び弾薬を含む。ニにおいて同じ。）の搬入又は搬出の有無の検査又は確認

ニ　放棄された武器の収集、保管又は処分

ホ　紛争当事者が行う停戦線その他これに類する境界線の設定の援助

ヘ　紛争当事者間の捕虜の交換の援助

ト　防護を必要とする住民、被災民その他の者の生命、身体及び財産に対する危害の防止及び抑止その他特定の区域の保安のための監視、駐留、巡回、検問及び警護

チ　議会の議員の選挙、住民投票その他これらに類する選挙若しくは投票の公正な執行の監視又はこれらの管理

リ　警察行政事務に関する助言若しくは指導又は警察行政事務の監視

ヌ　矯正行政事務に関する助言若しくは指導又は矯正行政事務の監視

ル　リ及びヌに掲げるもののほか、立法、行政（ヲに規定する組織に係るものを除く。）又は司法に関する事務に関する助言又は指導

ヲ　国の防衛に関する組織その他のイからトまで又はワからネまでに掲げるものと同種の業務を行う組織の設立又は再建を援助するための次に掲げる業務

(1)　イからトまで又はワからネまでに掲げるものと同種の業務に関する助言又は指導

(2)　(1)に規定する業務の実施に必要な基礎的な知識及び技能を修得させるための教育訓練

ワ　医療（防疫上の措置を含む。）

カ　被災民の捜索若しくは救出又は帰還の援助

ヨ　被災民に対する食糧、衣料、医薬品その他の生活関連物資の配布

タ　被災民を収容するための施設又は設備の設置

レ　紛争によって被害を受けた施設又は設備であって被災民の生活上必要なものの復旧又は整備のための措置

ソ　紛争によって汚染その他の被害を受けた自然環境の復旧のための措置

ツ　イからソまでに掲げるもののほか、輸送、保管（備蓄を含む。）、通信、建設、機械器具の据付け、検査若しくは修理又は補給（武器の提供を行う補給を除く。）

ネ　国際連合平和維持活動又は国際連携平和安全活動を統括し、又は調整する組織において行うイからツまでに掲げる業務の実施に必要な企画及び立案並びに調整又は情報の収集整理

ナ　イからネまでに掲げる業務に類するものとして政令で定める業務

ラ　ヲからネまでに掲げる業務又はこれらの業務に類するものとしてナの政令で定める業務を行う場合であって、国際連合平和維持活動、国際連携平和安全活動若しくは人道的な国際救援活動に従事する者又はこれらの活動を支援する者（以下このラ及び第二十六条第二項において「活動関係者」という。）の生命又は身体に対する不測の侵害又は危難が生じ、又は生ずるおそれがある場合に、緊急の要請に対応して行う当該活動関係者の生命及び身体の保護

六　物資協力　次に掲げる活動を行っている国際連合等に対して、その活動に必要な物品を無償又は時価よりも低い対価で譲渡することをいう。

イ　国際連合平和維持活動

ロ　国際連携平和安全活動

ハ　人道的な国際救援活動（別表第四に掲げる国際機関によって実施される場合にあっては、第三号に規定する決議若しくは要請又は合意が存在しない場合における同号に規定する活動を含むものとする。第三十条第一項及び第三項において同じ。）

ニ　国際的な選挙監視活動

七　海外　我が国以外の領域（公海を含む。）をいう。

八　派遣先国　国際平和協力業務が行われる外国（公海を除く。）をいう。

九　関係行政機関　次に掲げる機関で政令で定めるものをいう。

イ　内閣府並びに内閣府設置法（平成十一年法律第八十九号）第四十九条第一項及び第二項に規定する機関、デジタル庁並びに国家行政組織法（昭和二十三年法律第百二十号）第三条第二項に規定する機関

ロ　内閣府設置法第四十条及び第五十六条並びに国家行政組織法第八条の三に規定する特別の機関

第二章　国際平和協力本部

（設置及び所掌事務）

第四条① 内閣府に、国際平和協力本部（以下「本部」という。）を置く。

② 本部は、次に掲げる事務をつかさどる。

一　国際平和協力業務実施計画（以下「実施計画」という。）の案の作成に関すること。

二　国際平和協力業務実施要領（以下「実施要領」という。）の作成又は変更に関すること。

三　前号の変更を適正に行うための、派遣先国において実施される必要のある国際平和協力業務の具体的内容を把握するための調査、実施した国際平和協力業務の効果の測定及び分析並びに派遣先国における国際連合の職員その他の者との連絡に関すること。

四　国際平和協力隊（以下「協力隊」という。）の運用に関すること。

五　国際平和協力業務の実施のための関係行政機関への要請、輸送の委託及び国以外の者に対する協力の要請に関すること。

六　物資協力に関すること。

七　国際平和協力業務の実施等に関する調査（第三号に掲げるものを除く。）及び知識の普及に関すること。

八　前各号に掲げるもののほか、法令の規定により本部に属させられた事務

（組織）

第五条① 本部の長は、国際平和協力本部長（以下「本部長」という。）とし、内閣総理大臣をもって充てる。

② 本部長は、本部の事務を総括し、所部の職員を指揮監督する。

③ 本部に、国際平和協力副本部長（次項において「副本部長」という。）を置き、内閣官房長官をもって充てる。

④ 副本部長は、本部長の職務を助ける。

⑤ 本部に、国際平和協力本部員（以下この条において「本部員」という。）を置く。
⑥ 本部員は、内閣法（昭和二十二年法律第五号）第九条の規定によりあらかじめ指定された国務大臣、関係行政機関の長、内閣府設置法第九条第一項に規定する特命担当大臣及びデジタル大臣のうちから、内閣総理大臣が任命する。
⑦ 本部員は、本部長に対し、本部の事務に関し意見を述べることができる。
⑧ 本部に、政令で定めるところにより、実施計画ごとに、期間を定めて、自ら国際平和協力業務を行うとともに海外において前条第二項第三号に掲げる事務を行う組織として、協力隊を置くことができる。
⑨ 本部に、本部の事務（協力隊の行うものを除く。）を処理させるため、事務局を置く。
⑩ 事務局に、事務局長その他の職員を置く。
⑪ 事務局長は、本部長の命を受け、局務を掌理する。
⑫ 前各項に定めるもののほか、本部の組織に関し必要な事項は、政令で定める。

第三章　国際平和協力業務等（抄）

第一節　国際平和協力業務（抄）

（実施計画）
第六条① 内閣総理大臣は、我が国として国際平和協力業務を実施することが適当であると認める場合であって、次に掲げる同意があるとき（国際連合平和維持活動又は国際連携平和安全活動のために実施する国際平和協力業務であって第三条第五号トに掲げるもの若しくはこれに類するものとして同号ナの政令で定めるもの又は同号ラに掲げるものを実施する場合にあっては、同条第一号イからハまで又は第二号イからハまでに規定する同意及び第一号又は第二号に掲げる同意が当該活動及び当該業務が行われる期間を通じて安定的に維持されると認められるときに限り、人道的な国際救援活動のために実施する国際平和協力業務であって同条第五号ラに掲げるものを実施する場合にあっては、同条第三号に規定する同意及び第三号に掲げる同意が当該活動及び当該業務が行われる期間を通じて安定的に維持され、並びに当該活動が行われる地域の属する国が紛争当事者であるときは、紛争当事者の当該活動及び当該業務が行われることについての同意があり、かつ、その同意が当該活動及び当該業務が行われる期間を通じて安定的に維持されると認められるときに限る。）は、国際平和協力業務を実施すること及び実施計画の案につき閣議の決定を求めなければならない。
一 国際連合平和維持活動のために実施する国際平和協力業務については、紛争当事者及び当該活動が行われる地域の属する国の当該業務の実施についての同意（第三条第一号ロ又はハに該当する活動にあっては、当該活動が行われる地域の属する国の当該業務の実施についての同意（同号ハに該当する活動にあっては、当該地域において当該業務の実施に支障となる明確な反対の意思を示す者がいない場合に限る。））
二 国際連携平和安全活動のために実施する国際平和協力業務については、紛争当事者及び当該活動が行われる地域の属する国の当該業務の実施についての同意（第三条第二号ロ又はハに該当する活動にあっては、当該活動が行われる地域の属する国の当該業務の実施についての同意（同号ハに該当する活動にあっては、当該地域において当該業務の実施に支障となる明確な反対の意思を示す者がいない場合に限る。））
三 人道的な国際救援活動のために実施する国際平和協力業務については、当該活動が行われる地域の属する国の当該業務の実施についての同意
四 国際的な選挙監視活動のために実施する国際平和協力業務については、当該活動が行われる地域の属する国の当該業務の実施についての同意
② 実施計画に定める事項は、次のとおりとする。
一 当該国際平和協力業務の実施に関する基本方針
二 協力隊の設置その他当該国際平和協力業務の実施に関する次に掲げる事項
イ 実施すべき国際平和協力業務の種類及び内容
ロ 派遣先国及び国際平和協力業務を行うべき期間
ハ 協力隊の規模及び構成並びに装備
ニ 海上保安庁の船舶又は航空機を用いて当該国際平和協力業務を行う場合における次に掲げる事項
(1) 海上保安庁の船舶又は航空機を用いて行う国際平和協力業務の種類及び内容
(2) 国際平和協力業務を行う海上保安庁の職員の規模及び構成並びに装備
ホ 自衛隊の部隊等（自衛隊法（昭和二十九年法律第百六十五号）第八条に規定する部隊等をいう。以下同じ。）が当該国際平和協力業務を行う場合における次に掲げる事項
(1) 自衛隊の部隊等が行う国際平和協力業務の種類及び内容
(2) 国際平和協力業務を行う自衛隊の部隊等の規模及び構成並びに装備
ヘ 第二十一条第一項の規定に基づき海上保安庁長官又は防衛大臣に委託することができる輸送の範囲
ト 関係行政機関の協力に関する重要事項
チ その他当該国際平和協力業務の実施に関する重要事項
③ 外務大臣は、国際平和協力業務を実施することが適当であると認めるときは、内閣総理大臣に対し、第一項の閣議の決定を求めるよう要請することができる。
④ 第二項第二号に掲げる装備は、第二条第二項及び第三条第一号から第四号までの規定の趣旨に照らし、この節の規定を実施するのに必要な範囲内で実施計画に定めるものとする。この場合において、国際連合平和維持活動のために実施する国際平和協力業務に係る装備は、事務総長が必要と認める限度で定めるものとする。
⑤ 海上保安庁の船舶又は航空機を用いて行われる国際平和協力業務は、第三条第五号リ若しくはルに掲げる業務（海上保安庁法（昭和二十三年法律第二十八号）第五条に規定する事務に係るものに限る。）、同号ワからツまでに掲げる業務又はこれらの業務に類するものとして同号ナの政令で定める業務であって、同法第二十五条の趣旨に鑑み海上保安庁の船舶又は航空機を用いて行うことが適当であると認められるもののうちから、海上保安庁の任務遂行に支障を生じない限度において、実施計画に定めるものとする。
⑥ 自衛隊の部隊等が行う国際平和協力業務は、第三条第五号イからトまでに掲げる業務、同号ヲからネまでに掲げる業務、これらの業務に類するものとして同号ナの政令で定める業務又は同号ラに掲げる業務であって自衛隊の部隊等が行うことが適当であると認められるもののうちから、自衛隊の主たる任務の遂行に支障を生じない限度において、実施計画に定めるものとする。
⑦ 自衛隊の部隊等が行う国際連合平和維持活動又は国際連携平和安全活動のために実施される国際平和協力業務であって第三条第五号イからトまでに掲げるもの又はこれらの業務に類するものとして同号ナの政令で定めるものについては、内閣総理大臣は、当該国際平和協力業務に従事する自衛隊の部隊等の海外への派遣の開始前に、我が国として国際連合平和維持隊に参加し、又は他国と連携して国際連携平和安全活動を実施するに際しての基本的な五つの原則（第三条第一号及び第二号、本条第一項（第三号及び第四号を除く。）及び第十三項（第一号から第六号まで、第九号及び第十号に係る部分に限る。）、第八条第一項第六号及び第七号、第二十五条並びに第二十六条の規定の趣旨をいう。）及びこの法律の目的に照らし、当該国際平和協力業務を実施することにつき、実施計画を添えて国会の承認を得なければならない。ただし、国会が閉会中の場合又は衆議院が解散されている場合には、当該国際平和協力業務に従事する自衛隊の部隊等の海外への派遣の開始後最初に召集される国会にお

いて、遅滞なく、その承認を求めなければならない。

⑧　前項本文の規定により内閣総理大臣から国会の承認を求められた場合には、先議の議院にあっては内閣総理大臣が国会の承認を求めた後国会の休会中の期間を除いて七日以内に、後議の議院にあっては先議の議院から議案の送付があった後国会の休会中の期間を除いて七日以内に、それぞれ議決するよう努めなければならない。

⑨　政府は、第七項ただし書の場合において不承認の議決があったときは、遅滞なく、同項の国際平和協力業務を終了させなければならない。

⑩　第七項の国際平和協力業務については、同項の規定による国会の承認を得た日から二年を経過する日を超えて引き続きこれを行おうとするときは、内閣総理大臣は、当該日の三十日前の日から当該日までの間に、当該国際平和協力業務を引き続き行うことにつき、実施計画を添えて国会に付議して、その承認を求めなければならない。ただし、国会が閉会中の場合又は衆議院が解散されている場合には、その後最初に召集される国会においてその承認を求めなければならない。

⑪　政府は、前項の場合において不承認の議決があったときは、遅滞なく、第七項の国際平和協力業務を終了させなければならない。

⑫　前二項の規定は、国会の承認を得て第七項の国際平和協力業務を継続した後、更に二年を超えて当該国際平和協力業務を引き続き行おうとする場合について準用する。

⑬　内閣総理大臣は、実施計画の変更（第一号から第八号までに掲げる場合に行うべき国際平和協力業務に従事する者の海外への派遣の終了及び第九号から第十一号までに掲げる場合に行うべき当該各号に規定する業務の終了に係る変更を含む。次項において同じ。）をすることが必要であると認めるとき、又は適当であると認めるときは、実施計画の変更の案につき閣議の決定を求めなければならない。

一　国際連合平和維持活動（第三条第一号イに該当するものに限る。）のために実施する国際平和協力業務については、同号イに規定する合意若しくは同意若しくは第一項第一号に掲げる同意が存在しなくなったと認められる場合又は当該活動がいずれの紛争当事者にも偏ることなく実施されなくなったと認められる場合

二　国際連合平和維持活動（第三条第一号ロに該当するものに限る。）のために実施する国際平和協力業務については、同号ロに規定する同意若しくは第一項第一号に掲げる同意が存在しなくなったと認められる場合又は紛争当事者が当該活動が行われる地域に存在すると認められる場合

三　国際連合平和維持活動（第三条第一号ハに該当するものに限る。）のために実施する国際平和協力業務については、同号ハに規定する同意若しくは第一項第一号に掲げる同意が存在しなくなったと認められる場合、当該活動が特定の立場に偏ることなく実施されなくなったと認められる場合又は武力紛争の発生を防止することが困難となった場合

四　国際連携平和安全活動（第三条第二号イに該当するものに限る。）のために実施する国際平和協力業務については、同号イに規定する合意若しくは同意若しくは第一項第二号に掲げる同意が存在しなくなったと認められる場合又は当該活動がいずれの紛争当事者にも偏ることなく実施されなくなったと認められる場合

五　国際連携平和安全活動（第三条第二号ロに該当するものに限る。）のために実施する国際平和協力業務については、同号ロに規定する同意若しくは第一項第二号に掲げる同意が存在しなくなったと認められる場合又は紛争当事者が当該活動が行われる地域に存在すると認められる場合

六　国際連携平和安全活動（第三条第二号ハに該当するものに限る。）のために実施する国際平和協力業務については、同号ハに規定する同意若しくは第一項第二号に掲げる同意が存在しなくなったと認められる場合、当該活動が特定の立場に偏ることなく実施されなくなったと認められる場合又は武力紛争の発生を防止することが困難となった場合

七　人道的な国際救援活動のために実施する国際平和協力業務については、第三条第三号に規定する同意若しくは合意又は第一項第三号に掲げる同意が存在しなくなったと認められる場合

八　国際的な選挙監視活動のために実施する国際平和協力業務については、第三条第四号に規定する同意若しくは合意又は第一項第四号に掲げる同意が存在しなくなったと認められる場合

九　国際連合平和維持活動のために実施する国際平和協力業務であって第三条第五号トに掲げるもの若しくはこれに類するものとして同号ナの政令で定めるもの又は同号ラに掲げるものについては、同条第一号イに規定する合意の遵守の状況その他の事情を勘案して、同号イからハまでに規定する同意又は第一項第一号に掲げる同意が当該活動及び当該業務が行われる期間を通じて安定的に維持されると認められなくなった場合

十　国際連携平和安全活動のために実施する国際平和協力業務であって第三条第五号トに掲げるもの若しくはこれに類するものとして同号ナの政令で定めるもの又は同号ラに掲げるものについては、同条第二号イに規定する合意の遵守の状況その他の事情を勘案して、同号イからハまでに規定する同意又は第一項第二号に掲げる同意が当該活動及び当該業務が行われる期間を通じて安定的に維持されると認められなくなった場合

十一　人道的な国際救援活動のために実施する国際平和協力業務であって第三条第五号ラに掲げるものについては、同条第三号に規定する合意がある場合におけるその遵守の状況その他の事情を勘案して、同号に規定する同意若しくは第一項第三号に掲げる同意又は当該活動が行われる地域の属する国が紛争当事者である場合における紛争当事者の当該活動若しくは当該業務が行われることについての同意が当該活動及び当該業務が行われる期間を通じて安定的に維持されると認められなくなった場合

⑭　外務大臣は、実施計画の変更をすることが必要であると認めるとき、又は適当であると認めるときは、内閣総理大臣に対し、前項の閣議の決定を求めるよう要請することができる。

（国会に対する報告）

第七条　内閣総理大臣は、次の各号に掲げる場合には、それぞれ当該各号に規定する事項を、遅滞なく、国会に報告しなければならない。

一　実施計画の決定又は変更があったとき　当該決定又は変更に係る実施計画の内容

二　実施計画に定める国際平和協力業務が終了したとき　当該国際平和協力業務の実施の結果

三　実施計画に定める国際平和協力業務を行う期間に係る変更があったとき　当該変更前の期間における当該国際平和協力業務の実施の状況

第八条　**（実施要領）**（略）

（国際平和協力業務等の実施）

第九条①　協力隊は、実施計画及び実施要領に従い、国際平和協力業務を行う。

②　協力隊の隊員は、第二条第一項の規定の趣旨にかんがみ、第四条第二項第三号に掲げる事務に従事するに当たり、国際平和協力業務が行われる現地の状況の変化に応じ、同号の事務が適切に実施される上で有益であると思われる情報及び資料の収集に積極的に努めるものとする。

③　海上保安庁長官は、実施計画に定められた第六条第五項の国際平和協力業務について本部長から要請があった場合には、実施計画及び実施要領に従い、海上保安庁の船舶又は航空機の乗組員たる海上保安庁の職員に、当該船舶又は航空機を用いて国

際平和協力業務を行わせることができる。
④ 防衛大臣は、実施計画に定められた第六条第六項の国際平和協力業務について本部長から要請があった場合には、実施計画及び実施要領に従い、自衛隊の部隊等に国際平和協力業務を行わせることができる。
⑤ 前二項の規定に基づいて国際平和協力業務が実施される場合には、第三項の海上保安庁の職員又は前項の自衛隊の部隊等に所属する自衛隊員（自衛隊法第二条第五項に規定する隊員をいう。以下同じ。）は、それぞれ、実施計画及び実施要領に従い、当該国際平和協力業務に従事するものとする。
⑥ 協力隊は、外務大臣の指定する在外公館と密接に連絡を保つものとする。
⑦ 外務大臣の指定する在外公館長は、外務大臣の命を受け、国際平和協力業務の実施のため必要な協力を行うものとする。

（隊員の安全の確保等）
第一〇条 本部長は、国際平和協力業務の実施に当たっては、その円滑かつ効果的な推進に努めるとともに、協力隊の隊員（以下「隊員」という。）の安全の確保に配慮しなければならない。

（隊員の任免）
第一一条 本部長は、隊員の任免を行う。

（隊員の採用）
第一二条① 本部長は、第三条第五号ニ若しくはチからネまでに掲げる業務又はこれらの業務に類するものとして同号ナの政令で定める業務に係る国際平和協力業務に従事させるため、当該国際平和協力業務に従事することを志望する者のうちから、選考により、任期を定めて隊員を採用することができる。
② 本部長は、前項の規定による採用に当たり、関係行政機関若しくは地方公共団体又は民間の団体の協力を得て、広く人材の確保に努めるものとする。

第一三条から第一八条まで （略）

（国際平和協力業務に従事する者の総数の上限）
第一九条 国際平和協力業務に従事する者の総数は、二千人を超えないものとする。

（隊員の定員）
第二〇条 隊員の定員は、実施計画に従って行われる国際平和協力業務の実施に必要な定員で個々の協力隊ごとに政令で定めるものとする。

（輸送の委託）
第二一条① 本部長は、実施計画に基づき、海上保安庁長官又は防衛大臣に対し、第三条第五号カに規定する国際平和協力業務の実施のための船舶若しくは航空機による被災民の輸送又は同号ワからソまでに規定する国際平和協力業務の実施のための船舶若しくは航空機による物品の輸送（派遣先国の国内の地域間及び一の派遣先国と隣接する他の派遣先国との間で行われる被災民の輸送又は物品の輸送を除く。）を委託することができる。
② 海上保安庁長官は、前項の規定による委託があった場合には、海上保安庁の任務遂行に支障を生じない限度において、当該委託を受け、及びこれを実施することができる。
③ 防衛大臣は、第一項の規定による委託があった場合には、自衛隊の主たる任務の遂行に支障を生じない限度において、当該委託を受け、及びこれを実施することができる。

（関係行政機関の協力）
第二二条① 本部長は、協力隊が行う国際平和協力業務を実施するため必要があると認めるときは、関係行政機関の長に対し、その所管に属する物品の管理換えその他の協力を要請することができる。
② 関係行政機関の長は、前項の規定による要請があったときは、その所掌事務に支障を生じない限度において、同項の協力を行うものとする。

（小型武器の保有及び貸与）
第二三条 本部は、隊員の安全保持のために必要な政令で定める種類の小型武器を保有することができる。
第二四条① 本部長は、第九条第一項の規定により協力隊が派遣先国において行う国際平和協力業務（第三条第五号チに掲げる業務及びこれに類するものとして同号ナの政令で定める業務を除く。）に隊員を従事させるに当たり、現地の治安の状況等を勘案して特に必要と認める場合には、当該隊員が派遣先国に滞在する間、前条の小型武器であって第六条第二項第二号ハ及び第四項の規定により実施計画に定める装備であるものを当該隊員に貸与することができる。
② 小型武器を管理する責任を有する者として本部の職員のうちから本部長により指定された者は、前項の規定により隊員に貸与するため、小型武器を保管することができる。
③ 小型武器の貸与の基準、管理等に関し必要な事項は、政令で定める。

（武器の使用）
第二五条① 前条第一項の規定により小型武器の貸与を受け、派遣先国において国際平和協力業務に従事する隊員は、自己又は自己と共に現場に所在する他の隊員若しくはその職務を行うに伴い自己の管理の下に入った者の生命又は身体を防護するためやむを得ない必要があると認める相当の理由がある場合には、その事態に応じ合理的に必要と判断される限度で、当該小型武器を使用することができる。
② 第九条第五項の規定により派遣先国において国際平和協力業務に従事する海上保安官又は海上保安官補（以下この条において「海上保安官等」という。）は、自己又は自己と共に現場に所在する他の海上保安庁の職員、隊員若しくはその職務を行うに伴い自己の管理の下に入った者の生命又は身体を防護するためやむを得ない必要があると認める相当の理由がある場合には、その事態に応じ合理的に必要と判断される限度で、第六条第二項第二号ニ(2)及び第四項の規定により実施計画に定める装備である第二十三条の政令で定める種類の小型武器で、当該海上保安官等が携帯するものを使用することができる。
③ 第九条第五項の規定により派遣先国において国際平和協力業務に従事する自衛官は、自己又は自己と共に現場に所在する他の自衛隊員、隊員若しくはその職務を行うに伴い自己の管理の下に入った者の生命又は身体を防護するためやむを得ない必要があると認める相当の理由がある場合には、その事態に応じ合理的に必要と判断される限度で、第六条第二項第二号ホ(2)及び第四項の規定により実施計画に定める装備である武器を使用することができる。
④ 前二項の規定による小型武器又は武器の使用は、当該現場に上官が在るときは、その命令によらなければならない。ただし、生命又は身体に対する侵害又は危難が切迫し、その命令を受けるいとまがないときは、この限りでない。
⑤ 第二項又は第三項の場合において、当該現場に在る上官は、統制を欠いた小型武器又は武器の使用によりかえって生命若しくは身体に対する危険又は事態の混乱を招くこととなることを未然に防止し、当該小型武器又は武器の使用がこれらの規定及び次項の規定に従いその目的の範囲内において適正に行われることを確保する見地から必要な命令をするものとする。
⑥ 第一項から第三項までの規定による小型武器又は武器の使用に際しては、刑法（明治四十年法律第四十五号）第三十六条又は第三十七条の規定に該当する場合を除いては、人に危害を与えてはならない。
⑦ 第九条第五項の規定により派遣先国において国際平和協力業務に従事する自衛官は、その宿営する宿営地（宿営のために使用する区域であって、囲障が設置されることにより他と区別されるものをいう。以下この項において同じ。）であって当該国際平和協力業務に係る国際連合平和維持活動、国際連携平和安全活動又は人道的な国際救援活動に従事する外国の軍隊の部隊の要員が共に宿営するものに対する攻撃があったときは、当該宿営地に所在する者の生命又は身体を防護するための措置をとる当該要員と共同して、第三項の規定による武器の使用をすることができる。この場合において、同項から第五項までの規定の適用については、第三項中「現場に所在する他の自衛隊員、隊

員若しくはその職務を行うに伴い自己の管理の下に入った者」とあるのは「その宿営する宿営地（第七項に規定する宿営地をいう。次項及び第五項において同じ。）に所在する者」と、「その事態」とあるのは「第七項に規定する外国の軍隊の部隊の要員による措置の状況をも踏まえ、その事態」と、第四項及び第五項中「現場」とあるのは「宿営地」とする。

⑧ 海上保安庁法第二十条の規定は、第九条第五項の規定により派遣先国において国際平和協力業務に従事する海上保安官等については、適用しない。

⑨ 自衛隊法第九十六条第三項の規定は、第九条第五項の規定により派遣先国において国際平和協力業務に従事する自衛官については、自衛隊員以外の者の犯した犯罪に関しては適用しない。

⑩ 第一項の規定は第八条第一項第六号に規定する国際平和協力業務の中断（以下この項において「業務の中断」という。）がある場合における当該国際平和協力業務に係る隊員について、第二項及び第八項の規定は業務の中断がある場合における当該国際平和協力業務に係る海上保安官等について、第三項、第七項及び前項の規定は業務の中断がある場合における当該国際平和協力業務に係る自衛官について、第四項及び第五項の規定はこの項において準用する第二項の規定及びこの項において準用する第三項（第七項の規定により読み替えて適用する場合を含む。）の規定による小型武器又は武器の使用について、第六項の規定はこの項において準用する第一項及び第二項の規定並びにこの項において準用する第三項（第七項の規定により読み替えて適用する場合を含む。）の規定による小型武器又は武器の使用について、それぞれ準用する。

第二六条① 前条第三項（同条第七項の規定により読み替えて適用する場合を含む。）に規定するもののほか、第九条第五項の規定により派遣先国において国際平和協力業務であって第三条第五号トに掲げるもの又はこれに類するものとして同号ナの政令で定めるものに従事する自衛官は、その業務を行うに際し、自己若しくは他人の生命、身体若しくは財産を防護し、又はその業務を妨害する行為を排除するためやむを得ない必要があると認める相当の理由がある場合には、その事態に応じ合理的に必要と判断される限度で、第六条第二項第二号ホ(2)及び第四項の規定により実施計画に定める装備である武器を使用することができる。

② 前条第三項（同条第七項の規定により読み替えて適用する場合を含む。）に規定するもののほか、第九条第五項の規定により派遣先国において国際平和協力業務であって第三条第五号ラに掲げるものに従事する自衛官は、その業務を行うに際し、自己又はその保護しようとする活動関係者の生命又は身体を防護するためやむを得ない必要があると認める相当の理由がある場合には、その事態に応じ合理的に必要と判断される限度で、第六条第二項第二号ホ(2)及び第四項の規定により実施計画に定める装備である武器を使用することができる。

③ 前二項の規定による武器の使用に際しては、刑法第三十六条又は第三十七条の規定に該当する場合を除いては、人に危害を与えてはならない。

④ 自衛隊法第八十九条第二項の規定は、第一項又は第二項の規定により自衛官が武器を使用する場合について準用する。

第二節　自衛官の国際連合への派遣

（自衛官の派遣）

第二七条① 防衛大臣は、国際連合の要請に応じ、国際連合の業務であって、国際連合平和維持活動に参加する自衛隊の部隊等又は外国の軍隊の部隊により実施される業務の統括に関するものに従事させるため、内閣総理大臣の同意を得て、自衛官を派遣することができる。

② 内閣総理大臣は、前項の規定により派遣される自衛官が従事することとなる業務に係る国際連合平和維持活動が行われることについての第三条第一号イからハまでに規定する同意が当該派遣の期間を通じて安定的に維持されると認められ、かつ、当該派遣を中断する事情が生ずる見込みがないと認められる場合に限り、当該派遣について同項の同意をするものとする。

③ 防衛大臣は、第一項の規定により自衛官を派遣する場合には、当該自衛官の同意を得なければならない。

（身分及び処遇）

第二八条 前条第一項の規定により派遣された自衛官の身分及び処遇については、国際機関等に派遣される防衛省の職員の処遇等に関する法律（平成七年法律第百二十二号）第三条から第十四条までの規定を準用する。

（小型武器の無償貸付け）

第二九条 防衛大臣又はその委任を受けた者は、第二十七条第一項の規定により派遣された自衛官の活動の用に供するため、国際連合から小型武器の無償貸付けを求める旨の申出があった場合において、当該活動の円滑な実施に必要であると認めるときは、当該申出に係る小型武器を国際連合に対し無償で貸し付けることができる。

第四章　物資協力

（第三〇条）（略）

第五章　雑則

（民間の協力等）

第三一条① 本部長は、第三章第一節の規定による措置によっては国際平和協力業務を十分に実施することができないと認めるとき、又は物資協力に関し必要があると認めるときは、関係行政機関の長の協力を得て、物品の譲渡若しくは貸付け又は役務の提供について国以外の者に協力を求めることができる。

② 政府は、前項の規定により協力を求められた国以外の者に対し適正な対価を支払うとともに、その者が当該協力により損失を受けた場合には、その損失に関し、必要な財政上の措置を講ずるものとする。

（請求権の放棄）

第三二条 政府は、国際連合平和維持活動、国際連携平和安全活動、人道的な国際救援活動又は国際的な選挙監視活動に参加するに際して、国際連合若しくは別表第一から別表第三までに掲げる国際機関又はこれらの活動に参加する国際連合加盟国その他の国（以下この条において「活動参加国等」という。）から、これらの活動に起因する損害についての請求権を相互に放棄することを約することを求められた場合において、我が国がこれらの活動に参加する上でこれに応じることが必要と認めるときは、これらの活動に起因する損害についての活動参加国等及びその要員に対する我が国の請求権を放棄することを約することができる。

（大規模な災害に対処する合衆国軍隊等に対する物品又は役務の提供）

第三三条① 防衛大臣又はその委任を受けた者は、防衛大臣が自衛隊の部隊等に第九条第四項の規定に基づき国際平和協力業務を行わせる場合又は第二十一条第一項の規定による委託に基づく輸送を実施させる場合において、これらの活動を実施する自衛隊の部隊等と共に当該活動が行われる地域に所在して、次に掲げる活動であって当該国際平和協力業務又は当該輸送に係る国際連合平和維持活動、国際連携平和安全活動又は人道的な国際救援活動を補完し、又は支援すると認められるものを行うアメリカ合衆国、オーストラリア、英国、フランス、カナダ、インド又はドイツの軍隊（以下この条において「合衆国軍隊等」という。）から、当該地域において講ずべき応急の措置に必要な物品の提供に係る要請があったときは、当該国際平和協力業務又は当該輸送の実施に支障を生じない限度において、当該合衆国軍隊等に対し、自衛隊に属する物品の提供を実施することができる。

一 派遣先国において発生し、又は正に発生しようとしている

大規模な災害に係る救助活動、医療活動（防疫活動を含む。）その他の災害応急対策及び災害復旧のための活動

二 前号に掲げる活動を行う人員又は当該活動に必要な機材その他の物資の輸送

② 防衛大臣は、合衆国軍隊等から、前項の地域において講ずべき応急の措置に必要な役務の提供に係る要請があった場合には、当該国際平和協力業務又は当該輸送の実施に支障を生じない限度において、当該自衛隊の部隊等に、当該合衆国軍隊等に対する役務の提供を行わせることができる。

③ 前二項の規定による自衛隊に属する物品の提供及び自衛隊の部隊等による役務の提供として行う業務は、補給、輸送、修理若しくは整備、医療、通信、空港若しくは港湾に関する業務、基地に関する業務、宿泊、保管又は施設の利用（これらの業務にそれぞれ附帯する業務を含む。）とする。

④ 第一項に規定する物品の提供には、武器の提供は含まないものとする。

⑤ 第一項に規定する物品の提供には、インドの軍隊に対する弾薬の提供は含まないものとする。

（政令への委任）

第三四条 この法律に特別の定めがあるもののほか、この法律の実施のための手続その他この法律の施行に関し必要な事項は、政令で定める。

附　則（抄）

（**施行期日**）

第一条 この法律は、公布の日から起算して三月を超えない範囲内において政令で定める日（平成四・八・一〇―平成四政二六七）から施行する。

別表第一（第三条、第三十二条関係）

一 国際連合

二 国際連合の総会によって設立された機関又は国際連合の専門機関で、国際連合難民高等弁務官事務所その他政令で定めるもの

三 国際連携平和安全活動に係る実績若しくは専門的能力を有する国際連合憲章第五十二条に規定する地域的機関又は多国間の条約により設立された機関で、欧州連合その他政令で定めるもの

別表第二（第三条、第三十二条関係）

一 国際連合

二 国際連合の総会によって設立された機関又は国際連合の専門機関で、次に掲げるものその他政令で定めるもの

イ 国際連合難民高等弁務官事務所
ロ 国際連合パレスチナ難民救済事業機関
ハ 国際連合児童基金
ニ 国際連合ボランティア計画
ホ 国際連合開発計画
ヘ 国際連合人口基金
ト 国際連合環境計画
チ 国際連合人間居住計画
リ 世界食糧計画
ヌ 国際連合食糧農業機関
ル 世界保健機関

三 国際移住機関

別表第三（第三条、第三十二条関係）

一 国際連合

二 国際連合の総会によって設立された機関又は国際連合の専門機関で、国際連合開発計画その他政令で定めるもの

三 国際的な選挙監視の活動に係る実績又は専門的能力を有する国際連合憲章第五十二条に規定する地域的機関で政令で定めるもの

別表第四（第三条関係）

一 国際連合の総会によって設立された機関又は国際連合の専門機関で、次に掲げるものその他政令で定めるもの

イ 国際連合難民高等弁務官事務所
ロ 国際連合パレスチナ難民救済事業機関
ハ 国際連合児童基金
ニ 国際連合ボランティア計画
ホ 国際連合開発計画
ヘ 国際連合人口基金
ト 国際連合環境計画
チ 国際連合人間居住計画
リ 世界食糧計画
ヌ 国際連合食糧農業機関
ル 世界保健機関

二 国際移住機関

附　則（令和六・五・一七法二四）（抄）

（**施行期日**）

第一条 （前略）次の各号に掲げる規定は、当該各号に定める日から施行する。

一 （略）

二 （前略）第四条（国際連合平和維持活動等に対する協力に関する法律の一部改正）の規定　日本国の自衛隊とドイツ連邦共和国の軍隊との間における物品又は役務の相互の提供に関する日本国政府とドイツ連邦共和国政府との間の協定の効力発生の日（令和六・七・一二）

三・四 （略）

○土地収用法（抄）（昭和二六・六・九 法 二一九）

施行 昭和二六・一二・一（昭和二六政三四二）
最終改正 令和五法五三

目次

第一章 総則（抄）

（この法律の目的）

第一条 この法律は、公共の利益となる事業に必要な土地等の収用又は使用に関し、その要件、手続及び効果並びにこれに伴う損失の補償等について規定し、公共の利益の増進と私有財産との調整を図り、もつて国土の適正且つ合理的な利用に寄与することを目的とする。

（土地の収用又は使用）

第二条 公共の利益となる事業の用に供するため土地を必要とする場合において、その土地を当該事業の用に供することが土地の利用上適正且つ合理的であるときは、この法律の定めるところにより、これを収用し、又は使用することができる。

（土地を収用し、又は使用することができる事業）

第三条 土地を収用し、又は使用することができる公共の利益となる事業は、次の各号のいずれかに該当するものに関する事業でなければならない。

一 道路法（昭和二十七年法律第百八十号）による道路、道路運送法（昭和二十六年法律第百八十三号）による一般自動車道若しくは専用自動車道（同法による一般旅客自動車運送事業又は貨物自動車運送事業法（平成元年法律第八十三号）による一般貨物自動車運送事業の用に供するものに限る。）又は駐車場法（昭和三十二年法律第百六号）による路外駐車場

二 河川法（昭和三十九年法律第百六十七号）が適用され、若しくは準用される河川その他公共の利害に関係のある河川又はこれらの河川に治水若しくは利水の目的をもつて設置する堤防、護岸、ダム、水路、貯水池その他の施設

三 砂防法（明治三十年法律第二十九号）による砂防設備又は同法が準用される砂防のための施設

三の二 国又は都道府県が設置する地すべり等防止法（昭和三十三年法律第三十号）による地すべり防止施設又はぼた山崩壊防止施設

三の三 国又は都道府県が設置する急傾斜地の崩壊による災害の防止に関する法律（昭和四十四年法律第五十七号）による急傾斜地崩壊防止施設

四 運河法（大正二年法律第十六号）による運河の用に供する施設

五 国、地方公共団体、土地改良区（土地改良区連合を含む。以下同じ。）又は独立行政法人エネルギー・金属鉱物資源機構が設置する農業用道路、用水路、排水路、海岸堤防、かんがい用若しくは農作物の災害防止用のため池又は防風林その他これに準ずる施設

六 国、都道府県又は土地改良区が土地改良法（昭和二十四年法律第百九十五号）によつて行う客土事業又は土地改良事業の施行に伴い設置する用排水機若しくは地下水源の利用に関する設備

七 鉄道事業法（昭和六十一年法律第九十二号）による鉄道事業者又は索道事業者がその鉄道事業又は索道事業で一般の需要に応ずるものの用に供する施設

七の二 独立行政法人鉄道建設・運輸施設整備支援機構が設置する鉄道又は軌道の用に供する施設

八 軌道法（大正十年法律第七十六号）による軌道又は同法が準用される無軌条電車の用に供する施設

八の二 石油パイプライン事業法（昭和四十七年法律第百五号）による石油パイプライン事業の用に供する施設

九 道路運送法による一般乗合旅客自動車運送事業（路線を定めて定期に運行する自動車により乗合旅客の運送を行うものに限る。）又は貨物自動車運送事業法による一般貨物自動車運送事業（特別積合せ貨物運送をするものに限る。）の用に供する施設

九の二 自動車ターミナル法（昭和三十四年法律第百三十六号）第三条の許可を受けて経営する自動車ターミナル事業の用に供する施設

十 港湾法（昭和二十五年法律第二百十八号）による港湾施設又は漁港及び漁場の整備等に関する法律（昭和二十五年法律第百三十七号）による漁港施設

十の二 海岸法（昭和三十一年法律第百一号）による海岸保全施設

十の三 津波防災地域づくりに関する法律（平成二十三年法律第百二十三号）による津波防護施設

十一 航路標識法（昭和二十四年法律第九十九号）による航路標識又は水路業務法（昭和二十五年法律第百二号）による水路測量標

十二 航空法（昭和二十七年法律第二百三十一号）による飛行場又は航空保安施設で公共の用に供するもの

十三 気象、海象、地象又は洪水その他これに類する現象の観測又は通報の用に供する施設

十三の二 日本郵便株式会社が日本郵便株式会社法（平成十七年法律第百号）第四条第一項第一号に掲げる業務の用に供する施設

十四 国が電波監視のために設置する無線方位又は電波の質の

測定装置

十五　国又は地方公共団体が設置する電気通信設備

十五の二　電気通信事業法（昭和五十九年法律第八十六号）第百二十条第一項に規定する認定電気通信事業者が同項に規定する認定電気通信事業の用に供する施設（同法の規定により土地等を使用することができるものを除く。）

十六　放送法（昭和二十五年法律第百三十二号）による基幹放送事業者又は基幹放送局提供事業者が基幹放送の用に供する放送設備

十七　電気事業法（昭和三十九年法律第百七十号）による一般送配電事業、送電事業、配電事業、特定送配電事業又は発電事業の用に供する電気工作物

十七の二　ガス事業法（昭和二十九年法律第五十一号）によるガス工作物

十八　水道法（昭和三十二年法律第百七十七号）による水道事業若しくは水道用水供給事業、工業用水道事業法（昭和三十三年法律第八十四号）による工業用水道事業又は下水道法（昭和三十三年法律第七十九号）による公共下水道、流域下水道若しくは都市下水路の用に供する施設

十九　市町村が消防法（昭和二十三年法律第百八十六号）によつて設置する消防の用に供する施設

二十　都道府県又は水防法（昭和二十四年法律第百九十三号）による水防管理団体が水防の用に供する施設

二十一　学校教育法（昭和二十二年法律第二十六号）第一条に規定する学校又はこれに準ずるその他の教育若しくは学術研究のための施設

二十二　社会教育法（昭和二十四年法律第二百七号）による公民館（同法第四十二条に規定する公民館類似施設を除く。）若しくは博物館又は図書館法（昭和二十五年法律第百十八号）による図書館（同法第二十九条に規定する図書館同種施設を除く。）

二十三　社会福祉法（昭和二十六年法律第四十五号）による社会福祉事業若しくは更生保護事業法（平成七年法律第八十六号）による更生保護事業の用に供する施設又は職業能力開発促進法（昭和四十四年法律第六十四号）による公共職業能力開発施設若しくは職業能力開発総合大学校

二十四　国、地方公共団体、独立行政法人国立病院機構、国立研究開発法人国立がん研究センター、国立研究開発法人国立循環器病研究センター、国立研究開発法人国立精神・神経医療研究センター、国立研究開発法人国立成育医療研究センター、国立研究開発法人国立長寿医療研究センター、国立健康危機管理研究機構、健康保険組合若しくは健康保険組合連合会、国民健康保険組合若しくは国民健康保険団体連合会、国家公務員共済組合若しくは国家公務員共済組合連合会若しくは地方公務員共済組合若しくは全国市町村職員共済組合連合会が設置する病院、療養所、診療所若しくは助産所、地域保健法（昭和二十二年法律第百一号）による保健所若しくは医療法（昭和二十三年法律第二百五号）による公的医療機関又は検疫所

二十五　墓地、埋葬等に関する法律（昭和二十三年法律第四十八号）による火葬場

二十六　と畜場法（昭和二十八年法律第百十四号）によると畜場又は化製場等に関する法律（昭和二十三年法律第百四十号）による化製場若しくは死亡獣畜取扱場

二十七　地方公共団体又は廃棄物の処理及び清掃に関する法律（昭和四十五年法律第百三十七号）第十五条の五第一項に規定する廃棄物処理センターが設置する同法による一般廃棄物処理施設、産業廃棄物処理施設その他の廃棄物の処理施設（廃棄物の処分（再生を含む。）に係るものに限る。）及び地方公共団体が設置する公衆便所

二十七の二　国が設置する平成二十三年三月十一日に発生した東北地方太平洋沖地震に伴う原子力発電所の事故により放出された放射性物質による環境の汚染への対処に関する特別措置法（平成二十三年法律第百十号）による汚染廃棄物等の処理施設

二十八　卸売市場法（昭和四十六年法律第三十五号）による中央卸売市場及び地方卸売市場

二十九　自然公園法（昭和三十二年法律第百六十一号）による公園事業

二十九の二　自然環境保全法（昭和四十七年法律第八十五号）による原生自然環境保全地域に関する保全事業及び自然環境保全地域に関する保全事業

三十　国、地方公共団体、独立行政法人都市再生機構又は地方住宅供給公社が都市計画法（昭和四十三年法律第百号）第四条第二項に規定する都市計画区域について同法第二章の規定により定められた第一種低層住居専用地域、第二種低層住居専用地域、第一種中高層住居専用地域、第二種中高層住居専用地域、第一種住居地域、第二種住居地域、準住居地域又は田園住居地域内において、自ら居住するため住宅を必要とする者に対し賃貸し、又は譲渡する目的で行う五十戸以上の一団地の住宅経営

三十一　国又は地方公共団体が設置する庁舎、工場、研究所、試験所その他直接その事務又は事業の用に供する施設

三十二　国又は地方公共団体が設置する公園、緑地、広場、運動場、墓地、市場その他公共の用に供する施設

三十三　国立研究開発法人日本原子力研究開発機構が国立研究開発法人日本原子力研究開発機構法（平成十六年法律第百五十五号）第十七条第一項第一号から第三号までに掲げる業務の用に供する施設

三十四　独立行政法人水資源機構が設置する独立行政法人水資源機構法（平成十四年法律第百八十二号）による水資源開発施設及び愛知豊川用水施設

三十四の二　国立研究開発法人宇宙航空研究開発機構が国立研究開発法人宇宙航空研究開発機構法（平成十四年法律第百六十一号）第十八条第一号から第四号までに掲げる業務の用に供する施設

三十四の三　国立研究開発法人国立がん研究センター、国立研究開発法人国立循環器病研究センター、国立研究開発法人国立精神・神経医療研究センター、国立研究開発法人国立成育医療研究センター又は国立研究開発法人国立長寿医療研究センターが高度専門医療に関する研究等を行う国立研究開発法人に関する法律（平成二十年法律第九十三号）第十三条第一項第一号、第十四条第一号、第十五条第一号若しくは第三号、第十六条第一号又は第十七条第一号若しくは第二号に掲げる業務の用に供する施設

三十四の四　国立健康危機管理研究機構が国立健康危機管理研究機構法（令和五年法律第四十六号）第二十三条第一項第一号、第三号、第五号、第六号、第八号から第十号まで又は第十四号に掲げる業務の用に供する施設

三十五　前各号のいずれかに掲げるものに関する事業のために欠くことができない通路、橋、鉄道、軌道、索道、電線路、水路、池井、土石の捨場、材料の置場、職務上常駐を必要とする職員の詰所又は宿舎その他の施設

（収用し、又は使用することができる土地等の制限）

第四条　この法律又は他の法律によつて、土地等を収用し、又は使用することができる事業の用に供している土地等は、特別の必要がなければ、収用し、又は使用することができない。

（権利の収用又は使用）

第五条①　土地を第三条各号の一に規定する事業の用に供するため、その土地にある左の各号に掲げる権利を消滅させ、又は制限することが必要且つ相当である場合においては、この法律の定めるところにより、これらの権利を収用し、又は使用することができる。

一　地上権、永小作権、地役権、採石権、質権、抵当権、使用貸借又は賃貸借による権利その他土地に関する所有権以外の権利

二　鉱業権
三　温泉を利用する権利

② 土地の上にある立木、建物その他土地に定着する物件をその土地とともに第三条各号の一に規定する事業の用に供するため、これらの物件に関する所有権以外の権利を消滅させ、又は制限することが必要且つ相当である場合においては、この法律の定めるところにより、これらの権利を収用し、又は使用することができる。

③ 土地、河川の敷地、海底又は流水、海水その他の水を第三条各号の一に規定する事業の用に供するため、これらのもの（当該土地が埋立て又は干拓により造成されるものであるときは、当該埋立て又は干拓に係る河川の敷地又は海底）に関係のある漁業権、入漁権その他河川の敷地、海底又は流水、海水その他の水を利用する権利を消滅させ、又は制限することが必要且つ相当である場合においては、この法律の定めるところにより、これらの権利を収用し、又は使用することができる。

第六条及び第七条　（略）

（定義等）

第八条① この法律において「起業者」とは、土地、第五条に掲げる権利若しくは第六条に掲げる立木、建物その他土地に定着する物件を収用し、若しくは使用し、又は前条に規定する土石砂れきを収用することを必要とする第三条各号の一に規定する事業を行う者をいう。

② この法律において「土地所有者」とは、収用又は使用に係る土地の所有者をいう。

③ この法律において「関係人」とは、第二条の規定によつて土地を収用し、又は使用する場合においては当該土地に関して地上権、永小作権、地役権、採石権、質権、抵当権、使用貸借若しくは賃貸借による権利その他所有権以外の権利を有する者及びその土地にある物件に関して所有権その他の権利を有する者を、第五条の規定によつて同条に掲げる権利を収用し、又は使用する場合においては当該権利に関して質権、抵当権、使用貸借若しくは賃貸借による権利その他の権利を有する者を、第六条の規定によつて同条に掲げる立木、建物その他土地に定着する物件を収用し、又は使用する場合においては当該物件に関して所有権以外の権利を有する者を、第七条の規定によつて土石砂れきを収用する場合においては当該土石砂れきの属する土地に関して所有権以外の権利を有する者及びその土地にある物件に関して所有権その他の権利を有する者をいう。ただし、第二十六条第一項（第百三十八条第一項において準用する場合を含む。）の規定による事業の認定の告示があつた後において新たな権利を取得した者は、既存の権利を承継した者を除き、関係人に含まれないものとする。

④ この法律において、土地又は物件に関する所有権以外の権利を有する者には、当該土地若しくは物件又は当該土地若しくは物件に関する所有権以外の権利につき、仮登記上の権利又は既登記の買戻権を有する者、既登記の差押債権者及び既登記の仮差押債権者が含まれるものとする。

⑤ 前項の規定は、鉱業権、漁業権又は入漁権に関する権利を有する者について準用する。この場合において、同項中「仮登記」とあるのは「仮登録」と、「既登記」とあるのは「既登録」と読み替えるものとする。

第九条から第一〇条の二まで　（略）

第二章　事業の準備（抄）

（事業の準備のための立入権）

第一一条① 第三条各号の一に掲げる事業の準備のために他人の占有する土地に立ち入つて測量又は調査をする必要がある場合においては、起業者は、事業の種類並びに立ち入ろうとする土地の区域及び期間を記載した申請書を当該区域を管轄する都道府県知事に提出して立入の許可を受けなければならない。但し、起業者が国又は地方公共団体であるときは、事業の種類並びに立ち入ろうとする土地の区域及び期間を都道府県知事にあらかじめ通知することをもつて足り、許可を受けることを要しない。

② 都道府県知事は、前項本文の規定によつて立入の許可の申請があつた事業が第三条各号の一に掲げる事業に該当しない場合又は立ち入ろうとする土地の区域及び期間が当該事業の準備のために必要な範囲をこえる場合を除いては、立入を許可するものとする。

③ 前項の規定によつて都道府県知事の許可を受けた起業者又は第一項但書の規定によつて都道府県知事に通知をした起業者は、土地に、自ら立ち入り、又は起業者が命じた者若しくは委任した者を立ち入らせることができる。

④ 都道府県知事は、第二項の規定による許可をしたとき、又は第一項但書の規定による通知を受けたときは、直ちに、起業者の名称、事業の種類並びに起業者が立ち入ろうとする土地の区域及び期間をその土地の占有者に通知し、又はこれらの事項を公告しなければならない。

（立入の通知）

第一二条① 前条第三項の規定によつて他人の占有する土地に立ち入ろうとする者は、立ち入ろうとする日の五日前までに、その日時及び場所を市町村長に通知しなければならない。

② 市町村長は、前項の規定による通知を受けたときは、直ちに、その旨を土地の占有者に通知し、又は公告しなければならない。

③ 前条第三項の規定によつて宅地又はかき、さく等で囲まれた土地に立ち入ろうとする場合においては、その土地に立ち入ろうとする者は、立入の際あらかじめその旨を占有者に告げなければならない。

④ 日出前又は日没後においては、宅地又はかき、さく等で囲まれた土地に立ち入つてはならない。

（立入の受忍）

第一三条 土地の占有者は、正当な理由がない限り、第十一条第三項の規定による立入を拒み、又は妨げてはならない。

第一四条及び第一五条　（略）

第二章の二　土地等の取得に関する紛争の処理

（第一五条の二から第一五条の一三まで）（略）

第三章　事業の認定等（抄）

第一節　事業の認定

（事業の説明）

第一五条の一四 起業者は、次条の規定による事業の認定を受けようとするときは、あらかじめ、国土交通省令で定める説明会の開催その他の措置を講じて、事業の目的及び内容について、当該事業の認定について利害関係を有する者に説明しなければならない。

（事業の認定）

第一六条 起業者は、当該事業又は当該事業の施行により必要を生じた第三条各号の一に該当するものに関する事業（以下「関連事業」という。）のために土地を収用し、又は使用しようとするときは、この節の定めるところに従い、事業の認定を受けなければならない。

（事業の認定に関する処分を行う機関）

第一七条① 事業が次の各号のいずれかに掲げるものであるときは、国土交通大臣が事業の認定に関する処分を行う。

一　国又は都道府県が起業者である事業
二　事業を施行する土地（以下「起業地」という。）が二以上の都道府県の区域にわたる事業
三　一の都道府県の区域を超え、又は道の区域の全部にわたり利害の影響を及ぼす事業その他の事業で次に掲げるもの
イ　道路整備特別措置法（昭和三十一年法律第七号）第二条第四項に規定する会社が行う同法による高速道路に関する事業
ロ　鉄道事業法による鉄道事業者がその鉄道事業（当該事業

に係る路線又はその路線及び当該鉄道事業者若しくは当該鉄道事業者がその路線に係る鉄道線路を譲渡し、若しくは使用させる鉄道事業者が運送を行う上でその路線と密接に関連する他の路線が一の都府県の区域内にとどまるものを除く。）の用に供する施設に関する事業

ハ　港湾法による港湾施設で国際戦略港湾、国際拠点港湾又は重要港湾に係るものに関する事業

ニ　航空法による飛行場又は航空保安施設で公共の用に供するものに関する事業

ホ　電気通信事業法第百二十条第一項に規定する認定電気通信事業者が同項に規定する認定電気通信事業（その業務区域が一の都府県の区域内にとどまるものを除く。）の用に供する施設に関する事業

ヘ　日本放送協会が放送事業の用に供する放送設備に関する事業

ト　電気事業法による一般送配電事業（供給区域が一の都府県の区域内にとどまるものを除く。）、送電事業（供給の相手方たる一般送配電事業者又は配電事業者の供給区域が一の都府県の区域内にとどまるものを除く。）、配電事業（供給区域が一の都府県の区域内にとどまるものを除く。）、特定送配電事業（供給地点が一の都府県の区域内にとどまるものを除く。）又は発電事業（当該事業の用に供する電気工作物と電気的に接続する電線路が一の都府県の区域内にとどまるものを除く。）の用に供する電気工作物に関する事業

チ　イからトまでに掲げる事業のために欠くことができない通路、橋、鉄道、軌道、索道、電線路、水路、池井、土石の捨場、材料の置場、職務上常駐を必要とする職員の詰所又は宿舎その他の施設に関する事業

四　前三号に掲げる事業に係る関連事業

②　事業が前項各号の一に掲げるもの以外のものであるときは、起業地を管轄する都道府県知事が事業の認定に関する処分を行う。

③　国土交通大臣又は都道府県知事は、次条の規定による事業認定申請書を受理した日から三月以内に、事業の認定に関する処分を行なうように努めなければならない。

（**事業認定申請書**）

第一八条①　起業者は、第十六条の規定による事業の認定を受けようとするときは、国土交通省令で定める様式に従い、左に掲げる事項を記載した事業認定申請書を、前条第一項又は第二十七条第一項の場合においては国土交通大臣に、前条第二項の場合においては都道府県知事に提出しなければならない。

一　起業者の名称

二　事業の種類

三　収用又は使用の別を明らかにした起業地

四　事業の認定を申請する理由

②　前項の申請書には、国土交通省令で定める様式に従い、次に掲げる書類を添付しなければならない。

一　事業計画書

二　起業地及び事業計画を表示する図面

三　事業が関連事業に係るものであるときは、起業者が当該関連事業を施行する必要を生じたことを証する書面

四　起業地内に第四条に規定する土地があるときは、その土地に関する調書、図面及び当該土地の管理者の意見書

五　起業地内にある土地の利用について法令の規定による制限があるときは、当該法令の施行について権限を有する行政機関の意見書

六　事業の施行に関して行政機関の免許、許可又は認可等の処分を必要とする場合においては、これらの処分があつたことを証明する書類又は当該行政機関の意見書

七　第十五条の十四の規定に基づき講じた措置の実施状況を記載した書面

③　前項第四号から第六号までに掲げる意見書は、起業者が意見を求めた日から三週間を経過しても、これを得ることができなかつたときは、添附することを要しない。この場合においては、意見書を得ることができなかつた事情を疎明する書面を添附しなければならない。

④　第一項第三号及び第二項第二号に規定する起業地の表示は、土地所有者及び関係人が自己の権利に係る土地が起業地の範囲に含まれることを容易に判断できるものでなければならない。

第一九条　（略）

（**事業の認定の要件**）

第二〇条　国土交通大臣又は都道府県知事は、申請に係る事業が左の各号のすべてに該当するときは、事業の認定をすることができる。

一　事業が第三条各号の一に掲げるものに関するものであること。

二　起業者が当該事業を遂行する充分な意思と能力を有する者であること。

三　事業計画が土地の適正且つ合理的な利用に寄与するものであること。

四　土地を収用し、又は使用する公益上の必要があるものであること。

（**土地の管理者及び関係行政機関の意見の聴取**）

第二一条①　国土交通大臣又は都道府県知事は、事業の認定に関する処分を行おうとする場合において、第十八条第三項の規定により意見書の添附がなかつたとき、その他必要があると認めるときは、起業地内にある第四条に規定する土地の管理者又は当該事業の施行について関係のある行政機関若しくはその地方支分部局の長の意見を求めなければならない。ただし、土地の管理者については、その管理者を確知することができないとき、その他その意見を求めることができないときは、この限りでない。

②　事業の施行について関係のある行政機関又はその地方支分部局の長は、事業の認定に関する処分について、国土交通大臣又は都道府県知事に対して意見を述べることができる。

（**専門的学識及び経験を有する者の意見の聴取**）

第二二条　国土交通大臣又は都道府県知事は、事業の認定に関する処分を行おうとする場合において必要があると認めるときは、申請に係る事業の事業計画について専門的学識又は経験を有する者の意見を求めることができる。

（**公聴会**）

第二三条①　国土交通大臣又は都道府県知事は、事業の認定に関する処分を行おうとする場合において、当該事業の認定について利害関係を有する者から次条第二項の縦覧期間内に国土交通省令で定めるところにより公聴会を開催すべき旨の請求があつたときその他必要があると認めるときは、公聴会を開いて一般の意見を求めなければならない。

②　前項の規定による公聴会を開こうとするときは、起業者の名称、事業の種類及び起業地並びに公聴会の期日及び場所を一般に公告しなければならない。

③　公聴会の手続に関して必要な事項は、国土交通省令で定める。

（**事業認定申請書の送付及び縦覧**）

第二四条①　国土交通大臣又は都道府県知事は、事業の認定に関する処分を行おうとするときは、申請に係る事業が第二十条に規定する要件に該当しないことが明らかである場合を除き、起業地が所在する市町村の長に対して事業認定申請書及びその添附書類のうち当該市町村に関係のある部分の写を送付しなければならない。

②　市町村長が前項の書類を受け取つたときは、直ちに、起業者の名称、事業の種類及び起業地を公告し、公告の日から二週間その書類を公衆の縦覧に供しなければならない。

③　国土交通大臣は、第一項の規定による送付をしたときは、直ちに、起業地を管轄する都道府県知事にその旨を通知し、事業認定申請書及びその添附書類の写を送付しなければならない。

④　市町村長が第一項の書類を受け取つた日から二週間を経過し

ても、第二項の規定による手続を行なわないときは、起業地を管轄する都道府県知事は、起業者の申請により、当該市町村長に代わつてその手続を行なうことができる。

⑤ 前項の規定により、都道府県知事が市町村長に代わつて手続を行なおうとするときは、あらかじめ、その旨を当該市町村長に通知しなければならない。

⑥ 前項の規定による都道府県知事の通知を受けた後においては、市町村長は、当該事件につき、第二項の規定による手続を行なうことができない。

（利害関係人の意見書の提出）

第二五条① 前条第二項の規定による公告があつたときは、事業の認定について利害関係を有する者は、同項の縦覧期間内に、都道府県知事に意見書を提出することができる。

② 都道府県知事は、国土交通大臣が認定に関する処分を行おうとする事業について、前項の規定による意見書を受け取つたときは、直ちに、これを国土交通大臣に送付し、前条第二項に規定する期間内に意見書の提出がなかつたときは、その旨を国土交通大臣に報告しなければならない。

（社会資本整備審議会等の意見の聴取）

第二五条の二① 国土交通大臣は、事業の認定に関する処分を行おうとするときは、あらかじめ社会資本整備審議会の意見を聴き、その意見を尊重しなければならない。ただし、第二十四条第二項の縦覧期間内に前条第一項の意見書（国土交通大臣が、事業の認定をしようとする場合にあつては事業の認定をすることについて異議がある旨の意見が記載されたものに限り、事業の認定を拒否しようとする場合にあつては事業の認定をすべき旨の意見が記載されたものに限る。）の提出がなかつた場合においては、この限りでない。

② 都道府県知事は、事業の認定に関する処分を行おうとするときは、あらかじめ第三十四条の七第一項の審議会その他の合議制の機関の意見を聴き、その意見を尊重しなければならない。ただし、第二十四条第二項の縦覧期間内に前条第一項の意見書（都道府県知事が、事業の認定をしようとする場合にあつては事業の認定をすることについて異議がある旨の意見が記載されたものに限り、事業の認定を拒否しようとする場合にあつては事業の認定をすべき旨の意見が記載されたものに限る。）の提出がなかつた場合においては、この限りでない。

（事業の認定の告示）

第二六条① 国土交通大臣又は都道府県知事は、第二十条の規定によつて事業の認定をしたときは、遅滞なく、その旨を起業者に文書で通知するとともに、起業者の名称、事業の種類、起業地、事業の認定をした理由及び次条の規定による図面の縦覧場所を国土交通大臣にあつては官報で、都道府県知事にあつては都道府県知事が定める方法で告示しなければならない。

② 都道府県知事は、前項の規定による告示をしたときは、直ちに、国土交通大臣にその旨を報告しなければならない。

③ 国土交通大臣は、第一項の規定による告示をしたときは、直ちに、関係都道府県知事にその旨を通知しなければならない。

④ 事業の認定は、第一項の規定による告示があつた日から、その効力を生ずる。

（起業地を表示する図面の長期縦覧）

第二六条の二① 国土交通大臣又は都道府県知事は、第二十条の規定によつて事業の認定をしたときは、直ちに、起業地が所在する市町村の長にその旨を通知しなければならない。

② 市町村長は、前項の通知を受けたときは、直ちに、第二十四条第一項の規定により送付を受けた起業地を表示する図面を、事業の認定が効力を失う日又は第三十条の二において準用する第三十条第二項若しくは第三項の規定による通知を受ける日まで公衆の縦覧に供しなければならない。

③ 第二十四条第四項及び第五項の規定は、市町村長が第一項の通知を受けた日から二週間を経過しても前項の規定による手続を行なわない場合に準用する。

第二七条（略）

（事業の認定の拒否）

第二八条 国土交通大臣又は都道府県知事は、事業の認定を拒否したときは、遅滞なく、その旨を起業者に文書で通知しなければならない。

（補償等について周知させるための措置）

第二八条の二 起業者は、第二十六条第一項の規定による事業の認定の告示があつたときは、直ちに、国土交通省令で定めるところにより、土地所有者及び関係人が受けることができる補償その他国土交通省令で定める事項について、土地所有者及び関係人に周知させるため必要な措置を講じなければならない。

（土地の保全）

第二八条の三① 第二十六条第一項の規定による事業の認定の告示があつた後においては、何人も、都道府県知事の許可を受けなければ、起業地について明らかに事業に支障を及ぼすような形質の変更をしてはならない。

② 都道府県知事は、土地の形質の変更について起業者の同意がある場合又は土地の形質の変更が災害の防止その他正当な理由に基づき必要があると認められる場合に限り、前項の規定による許可をするものとする。

（事業の認定の失効）

第二九条① 起業者が第二十六条第一項の規定による事業の認定の告示があつた日から一年以内に第三十九条第一項の規定による収用又は使用の裁決の申請をしないときは、事業の認定は、期間満了の日の翌日から将来に向つて、その効力を失う。

② 第二十六条第一項の規定による事業の認定の告示があつた日から四年以内に第四十七条の二第三項の規定による明渡裁決の申立てがないときも、前項と同様とする。この場合において、既にされた裁決手続開始の決定及び権利取得裁決は、取り消されたものとみなす。

第三〇条及び第三〇条の二（略）

第二節 収用又は使用の手続の保留

（第三一条から第三四条の六まで）（略）

第三章の二 都道府県知事が事業の認定に関する処分を行うに際して意見を聴く審議会等

（第三四条の七）（略）

第四章 収用又は使用の手続（抄）

第一節 調書の作成（抄）

（土地物件調査権）

第三五条① 第二十六条第一項の規定による事業の認定の告示があつた後は、起業者又はその命を受けた者若しくは委任を受けた者は、事業の準備のため又は次条第一項の土地調書及び物件調書の作成のために、その土地又はその土地にある工作物に立ち入つて、これを測量し、又はその土地及びその土地若しくは工作物にある物件を調査することができる。

② 前項の規定によつて土地又は工作物に立ち入ろうとする者は、立ち入ろうとする日の三日前までに、その日時及び場所を当該土地又は工作物の占有者に通知しなければならない。

③ （略）

（土地調書及び物件調書の作成）

第三六条① 第二十六条第一項の規定による事業の認定の告示があつた後、起業者は、土地調書及び物件調書を作成しなければならない。

② 前項の規定により土地調書及び物件調書を作成する場合において、起業者は、自ら土地調書及び物件調書に署名押印し、土地所有者及び関係人（起業者が過失がなくて知ることができない者を除く。以下この節において同じ。）を立ち会わせた上、土地調書及び物件調書に署名押印させなければならない。

③ 前項の場合において、土地所有者及び関係人のうち、土地調書及び物件調書の記載事項が真実でない旨の異議を有する者は、その内容を当該調書に附記して署名押印することができ

る。

④　第二項の場合において、土地所有者及び関係人のうちに、同項の規定による署名押印を拒んだ者、同項の規定による署名押印を求められたにもかかわらず相当の期間内にその責めに帰すべき事由によりこれをしない者又は同項の規定による署名押印をすることができない者があるときは、起業者は、市町村長の立会い及び署名押印を求めなければならない。この場合において、市町村長は、当該市町村の職員を立ち会わせ、署名押印させることができる。

⑤　前項の場合において、市町村長が署名押印を拒んだときは、都道府県知事は、起業者の申請により、当該都道府県の職員のうちから立会人を指名し、署名押印させなければならない。

⑥　前二項の規定による立会人は、起業者又は起業者に対し第六十一条第一項第二号又は第三号の規定に該当する関係にある者であつてはならない。

第三六条の二（略）

（土地調書及び物件調書の記載事項）

第三七条①　第三十六条第一項の土地調書には、収用し、又は使用しようとする土地について、次に掲げる事項を記載し、実測平面図を添付しなければならない。

一　土地の所在、地番、地目及び地積並びに土地所有者の氏名及び住所

二　収用し、又は使用しようとする土地の面積

三　土地に関して権利を有する関係人の氏名及び住所並びにその権利の種類及び内容

四　調書を作成した年月日

五　その他必要な事項

②　第三十六条第一項の物件調書には、収用し、又は使用しようとする土地にある物件について、次に掲げる事項を記載しなければならない。

一　物件がある土地の所在、地番及び地目

二　物件の種類及び数量並びにその所有者の氏名及び住所

三　物件に関して権利を有する関係人の氏名及び住所並びにその権利の種類及び内容

四　調書を作成した年月日

五　その他必要な事項

③　物件が建物であるときは、前項に掲げる事項の外、建物の種類、構造、床面積等を記載し、実測平面図を添附しなければならない。

④　土地調書及び物件調書の様式は、国土交通省令で定める。

第三七条の二（略）

（土地調書及び物件調書の効力）

第三八条　起業者、土地所有者及び関係人は、第三十六条第三項の規定によつて異議を付記した者及び第三十六条の二第六項の規定によつて異議申出書を提出した者がその内容を述べる場合を除き、第三十六条から前条までの規定によつて作成された土地調書及び物件調書の記載事項の真否について異議を述べることができない。ただし、その調書の記載事項が真実に反していることを立証するときは、この限りでない。

第二節　裁決手続の開始（抄）

（収用又は使用の裁決の申請）

第三九条①　起業者は、第二十六条第一項の規定による事業の認定の告示があつた日から一年以内に限り、収用し、又は使用しようとする土地が所在する都道府県の収用委員会に収用又は使用の裁決を申請することができる。

②　土地所有者又は土地に関して権利を有する関係人（先取特権を有する者、質権者、抵当権者、差押債権者又は仮差押債権者である関係人を除く。）は、自己の権利に係る土地について、起業者に対し、前項の規定による申請をすべきことを請求することができる。ただし、一団の土地については、当該収用又は使用に因つて残地となるべき部分を除き、分割して請求することができない。

③　前項の規定による請求の手続に関して必要な事項は、国土交通省令で定める。

（裁決申請書）

第四〇条①　起業者は、前条の規定によつて収用委員会の裁決を申請しようとするときは、国土交通省令で定める様式に従い、裁決申請書に次に掲げる書類を添付して、これを収用委員会に提出しなければならない。

一　事業計画書並びに起業地及び事業計画を表示する図面

二　市町村別に次に掲げる事項を記載した書類

イ　収用し又は使用しようとする土地の所在、地番及び地目

ロ　収用し、又は使用しようとする土地の面積（土地が分割されることとなる場合においては、その全部の面積を含む。）

ハ　土地を使用しようとする場合においては、その方法及び期間

ニ　土地所有者及び土地に関して権利を有する関係人の氏名及び住所

ホ　土地又は土地に関する所有権以外の権利に対する損失補償の見積及びその内訳

ヘ　権利を取得し、又は消滅させる時期

三　第三十六条第一項の土地調書又はその写し

②　前項第二号ニに掲げる事項に関して起業者が過失がなくて知ることができないものについては、同項の規定による申請書の添附書類に記載することを要しない。

第四一条（略）

（裁決申請書の送付及び縦覧）

第四二条①　収用委員会は、第四十条第一項の規定による裁決申請書及びその添附書類を受理したときは、前条において準用する第十九条第二項の規定により裁決申請書を却下する場合を除くの外、市町村別に当該市町村に関係がある部分の写を当該市町村長に送付するとともに、添附書類に記載されている土地所有者及び関係人に裁決の申請があつた旨の通知をしなければならない。

②　市町村長は、前項の書類を受け取つたときは、直ちに、裁決の申請があつた旨及び第四十条第一項第二号イに掲げる事項を公告し、公告の日から二週間その書類を公衆の縦覧に供しなければならない。

③　市町村長は、前項の規定による公告をしたときは、遅滞なく、公告の日を収用委員会に報告しなければならない。

④　第二十四条第四項から第六項までの規定は、市町村長が第一項の書類を受け取つた日から二週間を経過しても第二項の規定による手続を行なわない場合に準用する。この場合において、同条第四項中「起業地」とあるのは、「裁決の申請に係る土地」と読み替えるものとする。

⑤　都道府県知事は、収用委員会に対して前項の規定により第二項の規定による公衆の縦覧に供しなければならない書類の送付を求めることができる。

⑥　都道府県知事は、第四項の規定により第二項の規定による公告をしたときは、遅滞なく、公告の日を収用委員会に通知しなければならない。

（土地所有者及び関係人等の意見書の提出）

第四三条①　前条第二項の規定による公告があつたときは、土地所有者及び関係人は、同条の縦覧期間内に、収用委員会に意見書を提出することができる。但し、縦覧期間が経過した後において意見書が提出された場合においても、収用委員会は、相当の理由があると認めるときは、当該意見書を受理することができる。

②　前条第二項の規定による公告があつたときは、その公告があつた土地及びこれに関する権利について仮処分をした者その他損失の補償の決定によつて権利を害される虞のある者（以下「準関係人」と総称する。）は、収用委員会の審理が終るまでは、自己の権利が影響を受ける限度において、損失の補償に関して

収用委員会に意見書を提出することができる。

③　土地所有者、関係人及び準関係人は、前二項の規定による意見書において、事業の認定に対する不服に関する事項その他の事項であつて、収用委員会の審理と関係がないものを記載することができない。

④　（略）

第四四条から**第四五条の二**まで　（略）

（**裁決手続開始の登記の効果**）

第四五条の三①　裁決手続開始の登記があつた後において、当該登記に係る権利を承継し、当該登記に係る権利について仮登記若しくは買戻しの特約の登記をし、又は当該登記に係る権利について差押え、仮差押えの執行若しくは仮処分の執行をした者は、当該承継、仮登記上の権利若しくは買戻権又は当該処分を起業者に対抗することができない。ただし、相続人その他の一般承継人及び当該裁決手続開始の登記前に登記された買戻権の行使又は当該裁決手続開始の登記前にされた差押え若しくは仮差押えの執行に係る国税徴収法（昭和三十四年法律第百四十七号）による滞納処分（その例による滞納処分を含むものとし、以下単に「滞納処分」という。）、強制執行若しくは担保権の実行としての競売（その例による競売を含むものとし、以下単に「競売」という。）により権利を取得した者の当該権利の承継については、この限りでない。

②　裁決手続開始の登記前においては、土地が収用され、又は使用されることによる損失の補償を請求する権利については、差押え、仮差押えの執行、譲渡又は質権の設定をすることができない。裁決手続開始の登記後においても、その登記に係る権利で、その登記前に差押え又は仮差押えの執行がされているもの（質権、抵当権その他の権利で、当該差押え又は仮差押えの執行に係る滞納処分、強制執行又は競売によつて消滅すべきものを含む。）に対する損失の補償を請求する権利につき、同様とする。

（**審理手続の開始**）

第四六条①　収用委員会は、第四十二条第二項に規定する縦覧期間を経過した後、遅滞なく、審理を開始しなければならない。

②　収用委員会は、審理を開始する場合においては、起業者、第四十条第一項の規定による裁決申請書の添附書類に記載されている土地所有者及び関係人並びに第四十三条又は第八十七条ただし書の規定によつて意見書を提出した者に、あらかじめ審理の期日及び場所を通知しなければならない。

③　収用委員会は、審理の促進を図り、裁決が遅延することのないように努めなければならない。

第三節　補償金の支払請求（抄）

（**補償金の支払請求**）

第四六条の二①　土地所有者又は土地に関して権利を有する関係人（先取特権を有する者、質権者、抵当権者、差押債権者又は仮差押債権者である関係人を除く。）は、第二十六条第一項の規定による事業の認定の告示があつた後は、第四十八条第一項の規定による裁決前であつても、起業者に対し、土地又は土地に関する所有権以外の権利に対する補償金（第七十六条第三項の規定によるものを除く。）の支払を請求することができる。第三十九条第二項ただし書及び第三項の規定は、この場合に準用する。

②　前項の規定による補償金の支払の請求は、第三十九条第二項の規定による請求とあわせてしなければならない。ただし、既に、起業者が同条第一項の規定による収用若しくは使用の裁決の申請をし、又は他の土地所有者若しくは関係人が同条第二項の規定による請求をしているときは、この限りでない。

③　裁決手続開始の登記前から差押え又は仮差押えの執行がされている権利（当該差押え又は仮差押えの執行に係る滞納処分、強制執行又は競売によつて消滅すべき権利を含む。）については、第一項の規定による補償金の支払の請求は、することができない。差押え又は仮差押えの執行前に同項の規定による補償金の支払の請求がされた権利について、差押え又は仮差押えの執行後に裁決手続開始の登記がされたときは、同項の規定による補償金の支払の請求は、その効力を失う。

第四六条の三　（略）

（**見積りによる補償金の支払**）

第四六条の四①　起業者は、第四十六条の二第一項の規定による補償金の支払の請求を受けたときは、国土交通省令で定めるところにより、二月以内に自己の見積りによる補償金を支払わなければならない。ただし、裁決手続開始の登記がされていないときは、その登記がされた日から一週間以内に支払えば足りる。

②③　（略）

④　第一項の規定による支払期限前に権利取得裁決の裁決書の正本が起業者に送達されたときは、第四十六条の二第一項の規定による補償金の支払の請求は、その効力を失う。

第四節　裁決

（**却下の裁決**）

第四七条　収用又は使用の裁決の申請が左の各号の一に該当するときその他この法律の規定に違反するときは、収用委員会は、裁決をもつて申請を却下しなければならない。

一　申請に係る事業が第二十六条第一項の規定によつて告示された事業と異なるとき。

二　申請に係る事業計画が第十八条第二項第一号の規定によつて事業認定申請書に添附された事業計画書に記載された計画と著しく異なるとき。

（**収用又は使用の裁決**）

第四七条の二①　収用委員会は、前条の規定によつて申請を却下する場合を除くの外、収用又は使用の裁決をしなければならない。

②　収用又は使用の裁決は、権利取得裁決及び明渡裁決とする。

③　明渡裁決は、起業者、土地所有者又は関係人の申立てをまつてするものとする。

④　明渡裁決は、権利取得裁決とあわせて、又は権利取得裁決のあつた後に行なう。ただし、明渡裁決のため必要な審理を権利取得裁決前に行なうことを妨げない。

（**明渡裁決の申立て等**）

第四七条の三①　起業者は、明渡裁決の申立てをしようとするとき、又は土地所有者若しくは関係人から明渡裁決の申立てがあつたときは、国土交通省令で定める様式に従い、次に掲げる書類を収用委員会に提出しなければならない。

一　市町村別に次に掲げる事項を記載した書類

イ　土地の所在、地番及び地目

ロ　土地にある物件の種類及び数量（物件が分割されることになる場合においては、その全部の物件の数量を含む。）

ハ　土地所有者及び関係人の氏名及び住所

ニ　第四十条第一項第二号ホに掲げるものを除くその他の損失補償の見積り及びその内訳

ホ　土地若しくは物件の引渡し又は物件の移転の期限

二　第三十六条第一項の物件調書又はその写し

②　第四十条第二項の規定は、前項第一号ハに掲げる事項の記載について準用する。

③　第三十七条の二に規定する場合においては、第一項第一号の書類に記載すべき事項のうちロに掲げる事項については、第三十五条第一項の規定による方法以外の方法により知ることができる程度で記載すれば足りるものとする。この場合においては、その書類にその旨を附記しなければならない。

④　第一項第二号に掲げる書類については、既に作成したこれらの書類の内容が現況と著しく異なると認められるときは、新たにこれを作成して、従前の書類とともに提出しなければならない。

⑤　第十九条第一項前段の規定は、第一項に規定する書類の欠陥

の補正について準用する。この場合において、「前条」とあるのは「第四十七条の三第一項から第四項まで」と、「事業認定申請書及びその添附書類」とあるのは「書類」と、「同条」とあるのは「これらの規定」と、「国土交通大臣又は都道府県知事」とあるのは「収用委員会」と読み替えるものとする。

⑥　第一項から前項までに定めるものの外、明渡裁決の申立ての手続に関して必要な事項は、国土交通省令で定める。

第四七条の四（書類の送付及び縦覧）①　収用委員会は、前条第一項の書類を受理したときは、市町村別に当該市町村に関係がある部分の写しを当該市町村長に送付するとともに、その書類に記載されている土地所有者及び関係人に明渡裁決の申立てがあつた旨の通知をしなければならない。

②　（略）

第四八条（権利取得裁決）①　権利取得裁決においては、次に掲げる事項について裁決しなければならない。

一　収用する土地の区域又は使用する土地の区域並びに使用の方法及び期間

二　土地又は土地に関する所有権以外の権利に対する損失の補償

三　権利を取得し、又は消滅させる時期（以下「権利取得の時期」という。）

四　その他この法律に規定する事項

②　収用委員会は、前項第一号に掲げる事項については、第四十条第一項の規定による裁決申請書の添附書類によつて起業者が申し立てた範囲内で、且つ、事業に必要な限度において裁決しなければならない。但し、第七十六条第一項又は第八十一条第一項の規定による請求があつた場合においては、その請求の範囲内において裁決することができる。

③　収用委員会は、第一項第二号に掲げる事項については、第四十条第一項の規定による裁決申請書の添附書類並びに第四十三条、第六十三条第二項若しくは第八十七条ただし書の規定による意見書又は第六十五条第一項第一号の規定に基いて提出された意見書によつて起業者、土地所有者、関係人及び準関係人が申し立てた範囲をこえて裁決してはならない。

④　収用委員会は、第一項第二号に掲げる事項については、前項の規定によるのほか、当該補償金を受けるべき土地所有者及び関係人の氏名及び住所を明らかにして裁決しなければならない。ただし、土地所有者又は関係人の氏名又は住所を確知することができないときは、当該事項については、この限りでない。

⑤　収用委員会は、第一項第二号に掲げる事項については、前二項の規定によるのほか、土地に関する所有権以外の権利に関して争いがある場合において、裁決の時期までにその権利の存否が確定しないときは、当該権利が存するものとして裁決しなければならない。この場合においては、裁決の後に土地に関する所有権以外の権利が存しないことが確定した場合における土地所有者の受けるべき補償金をあわせて裁決しなければならない。

第四九条（明渡裁決）①　明渡裁決においては、次に掲げる事項について裁決しなければならない。

一　前条第一項第二号に掲げるものを除くその他の損失の補償

二　土地若しくは物件の引渡し又は物件の移転の期限（以下「明渡しの期限」という。）

三　その他この法律に規定する事項

②　前条第三項から第五項までの規定は、前項第一号に掲げる事項について準用する。

第五〇条（和解）①　収用委員会は、審理の途中において、何時でも、起業者、土地所有者及び関係人に和解を勧めることができる。

②　収用し、又は使用しようとする土地の全部又は一部について起業者と土地所有者及び関係人の全員との間に第四十八条第一項各号又は前条第一項各号に掲げるすべての事項に関して和解がととのつた場合において、その和解の内容が第七章の規定に適合するときは、収用委員会は、起業者、土地所有者及び関係人の申請により、和解調書を作成することができる。

③　前項の和解調書には、第四十八条第一項各号又は前条第一項各号に掲げるすべての事項を記載し、収用委員会の会長及び和解調書の作成に加わつた委員並びに起業者、土地所有者及び関係人が、これに署名押印しなければならない。

④　和解調書の正本には、収用委員会の印章を押し、これを起業者、土地所有者及び関係人に送達しなければならない。

⑤　第三項の規定による和解調書が作成されたときは、この法律の適用については、権利取得裁決又は明渡裁決があつたものとみなす。この場合において、起業者、土地所有者及び関係人は、和解の成立及び内容を争うことができない。

第五章　収用委員会（抄）

第一節　組織及び権限（抄）

第五一条（設置）①　この法律に基く権限を行うため、都道府県知事の所轄の下に、収用委員会を設置する。

②　収用委員会は、独立してその職権を行う。

第五二条から第五九条まで（略）

第二節　会議及び審理

（第六〇条から第六七条まで）（略）

第六章　損失の補償（抄）

第一節　収用又は使用に因る損失の補償（抄）

第六八条（損失を補償すべき者）　土地を収用し、又は使用することに因つて土地所有者及び関係人が受ける損失は、起業者が補償しなければならない。

第六九条（個別払の原則）　損失の補償は、土地所有者及び関係人に、各人別にしなければならない。但し、各人別に見積ることが困難であるときは、この限りでない。

第七〇条（損失補償の方法）　損失の補償は、金銭をもつてするものとする。但し、替地の提供その他補償の方法について、第八十二条から第八十六条までの規定により収用委員会の裁決があつた場合は、この限りでない。

第七一条（土地等に対する補償金の額）　収用する土地又はその土地に関する所有権以外の権利に対する補償金の額は、近傍類地の取引価格等を考慮して算定した事業の認定の告示の時における相当な価格に、権利取得裁決の時までの物価の変動に応ずる修正率を乗じて得た額とする。

第七二条　前条の規定は、使用する土地又はその土地に関する所有権以外の権利に対する補償金の額について準用する。この場合において、同条中「近傍類地の取引価格」とあるのは、「その土地及び近傍類地の地代及び借賃」と読み替えるものとする。

第七三条（その他の補償額算定の時期）　この節に別段の定めがある場合を除くの外、損失の補償は、明渡裁決の時の価格によつて算定してしなければならない。

第七四条（残地補償）①　同一の土地所有者に属する一団の土地の一部を収用し、又は使用することに因つて、残地の価格が減じ、その他残地に関して損失が生ずるときは、その損失を補償しなければならない。

②　前項の規定による残地又は残地に関する所有権以外の権利に

対する補償金の額については、第七十一条及び第七十二条の例による。

（工事の費用の補償）

第七五条　同一の土地所有者に属する一団の土地の一部を収用し、又は使用することに因つて、残地に通路、みぞ、かき、さくその他の工作物の新築、改築、増築若しくは修繕又は盛土若しくは切土をする必要が生ずるときは、これに要する費用を補償しなければならない。

（残地収用の請求権）

第七六条①　同一の土地所有者に属する一団の土地の一部を収用することに因つて、残地を従来利用していた目的に供することが著しく困難となるときは、土地所有者は、その全部の収用を請求することができる。

②　前項の規定によつて収用の請求がされた残地又はその上にある物件に関して権利を有する関係人は、収用委員会に対して、起業者の業務の執行に特別の支障がなく、且つ、他の関係人の権利を害しない限りにおいて、従前の権利の存続を請求することができる。

③　第一項の規定によつて収用の請求がされた土地に関する所有権以外の権利に対しては、第七十一条の規定にかかわらず、近傍類地の取引価格等を考慮して算定した権利取得裁決の時における相当な価格をもつて補償しなければならない。

（移転料の補償）

第七七条　収用し、又は使用する土地に物件があるときは、その物件の移転料を補償して、これを移転させなければならない。この場合において、物件が分割されることとなり、その全部を移転しなければ従来利用していた目的に供することが著しく困難となるときは、その所有者は、その物件の全部の移転料を請求することができる。

第七八条から第八七条まで　（略）

（通常受ける損失の補償）

第八八条　第七十一条、第七十二条、第七十四条、第七十五条、第七十七条、第八十条及び第八十条の二に規定する損失の補償の外、離作料、営業上の損失、建物の移転による賃貸料の損失その他土地を収用し、又は使用することに因つて土地所有者又は関係人が通常受ける損失は、補償しなければならない。

第八八条の二及び第八九条　（略）

（起業利益との相殺の禁止）

第九〇条　同一の土地所有者に属する一団の土地の一部を収用し、又は使用する場合において、当該土地を収用し、又は使用する事業の施行に因つて残地の価格が増加し、その他残地に利益が生ずることがあつても、その利益を収用又は使用に因つて生ずる損失と相殺してはならない。

第九〇条の二から第九〇条の四まで　（略）

第二節　測量、事業の廃止等に因る損失の補償（第九一条から第九四条まで）（略）

第七章　収用又は使用の効果（抄）

（権利取得裁決に係る補償の払渡し又は供託等）

第九五条①　起業者は、権利取得裁決において定められた権利取得の時期までに、権利取得裁決に係る補償金、加算金及び過怠金（以下「補償金等」という。）の払渡、替地の譲渡及び引渡又は第八十六条第二項の規定に基く宅地の造成をしなければならない。

②　起業者は、次に掲げる場合においては、前項の規定にかかわらず、権利取得の時期までに補償金等を供託することができる。

一　補償金等の提供をした場合において、補償金等を受けるべき者がその受領を拒んだとき。

二　補償金等を受けるべき者が補償金等を受領することができないとき。

三　起業者が補償金等を受けるべき者を確知することができないとき。ただし、起業者に過失があるときは、この限りでない。

四　起業者が収用委員会の裁決した補償金等の額に対して不服があるとき。

五　起業者が差押え又は仮差押えにより補償金等の払渡しを禁じられたとき。

③　前項第四号の場合において補償金等を受けるべき者の請求があるときは、起業者は、自己の見積金額を払い渡し、裁決による補償金等の額との差額を供託しなければならない。

④　起業者は、第四十八条第五項の規定による裁決があつた場合においては、第一項の規定にかかわらず、権利取得の時期までに、その裁決においてあるものとされた権利に係る補償金等（その裁決において併存し得ない二以上の権利があるものとされた場合においては、それらの権利に対する補償金等のうち最高額のもの）を供託しなければならない。裁決手続開始の登記前に仮登記又は買戻しの特約の登記がされた権利に係る補償金等についても、同様とする。

⑤　起業者は、次に掲げる場合においては、第一項の規定にかかわらず、権利取得の時期までに替地を供託することができる。

一　替地の提供をした場合において、替地を受けるべき者がその受領を拒んだとき。

二　替地を受けるべき者が替地の譲渡又は引渡しを受けることができないとき。

三　起業者が差押え又は仮差押えにより替地の譲渡又は引渡しを禁じられたとき。

⑥　起業者は、裁決で定められた工事を完了すべき時期までに、権利取得裁決に係る第八十三条第二項の規定に基く耕地の造成をしなければならない。

第九六条から第九九条まで　（略）

（収用又は使用の裁決の失効）

第一〇〇条①　起業者が権利取得裁決において定められた権利取得の時期までに、権利取得裁決に係る補償金等の払渡若しくは供託、替地の譲渡及び引渡若しくは供託、第八十六条第二項の規定に基く宅地の造成の提供又は第八十三条第四項の規定に基く金銭若しくは有価証券の供託をしないときは、権利取得裁決は、その効力を失い、裁決手続開始の決定は、取り消されたものとみなす。

②　起業者が、明渡裁決において定められた明渡しの期限までに、明渡裁決に係る補償金の払渡し若しくは供託、第八十五条第二項の規定に基づく物件の移転の代行の提供、第八十六条第二項の規定に基づく宅地の造成の提供又は第八十四条第三項において準用する第八十三条第四項の規定に基づく金銭若しくは有価証券の供託をしないときは、明渡裁決は、その効力を失う。この場合において、第二十六条第一項の規定による事業認定の告示があつた日から四年を経過していないときは、その期間経過前に限り、なお明渡裁決の申立てをすることができるものとし、その期間を経過しているときは、裁決手続開始の決定及び権利取得裁決は、取り消されたものとみなす。

第一〇〇条の二　（略）

（権利の取得、消滅及び制限）

第一〇一条①　土地を収用するときは、権利取得裁決において定められた権利取得の時期において、起業者は、当該土地の所有権を取得し、当該土地に関するその他の権利並びに当該土地又は当該土地に関する所有権以外の権利に係る仮登記上の権利及び買戻権は消滅し、当該土地又は当該土地に関する所有権以外の権利に係る差押え、仮差押えの執行及び仮処分の執行はその効力を失う。但し、第七十六条第二項又は第八十一条第二項の規定に基く請求に係る裁決で存続を認められた権利については、この限りでない。

②　土地を使用するときは、起業者は、権利取得裁決において定められた権利取得の時期において、裁決で定められたところにより、当該土地を使用する権利を取得し、当該土地に関するその他の権利は、使用の期間中は、行使することができない。但

し、裁決で認められた方法による当該土地の使用を妨げない権利については、この限りでない。

③　第一項本文の規定は、第七十八条又は第七十九条の規定によつて物件を収用する場合に準用する。この場合において、同項中「権利取得裁決において定められた権利取得の時期」とあるのは、「明渡裁決において定められた明渡しの期限」と読み替えるものとする。

第一〇一条の二　（略）

（土地若しくは物件の引渡し又は物件の移転）

第一〇二条　明渡裁決があつたときは、当該土地又は当該土地にある物件を占有している者は、明渡裁決において定められた明渡しの期限までに、起業者に土地若しくは物件を引き渡し、又は物件を移転しなければならない。

（土地若しくは物件の引渡し又は物件の移転の代行及び代執行）

第一〇二条の二①　前条の場合において次の各号の一に該当するときは、市町村長は、起業者の請求により、土地若しくは物件を引き渡し、又は物件を移転すべき者に代わつて、土地若しくは物件を引き渡し、又は物件を移転しなければならない。

一　土地若しくは物件を引き渡し、又は物件を移転すべき者がその責めに帰することができない理由に因りその義務を履行することができないとき。

二　起業者が過失がなくて土地若しくは物件を引き渡し、又は物件を移転すべき者を確知することができないとき。

②　前条の場合において、土地若しくは物件を引き渡し、又は物件を移転すべき者がその義務を履行しないとき、履行しても充分でないとき、又は履行しても明渡しの期限までに完了する見込みがないときは、都道府県知事は、起業者の請求により、行政代執行法（昭和二十三年法律第四十三号）の定めるところに従い、自ら義務者のなすべき行為をし、又は第三者をしてこれをさせることができる。物件を移転すべき者が明渡裁決に係る第八十五条第二項の規定に基づく移転の代行の提供の受領を拒んだときも、同様とする。

③　前項前段の場合において、都道府県知事は、義務者及び起業者にあらかじめ通知した上で、当該代執行に要した費用に充てるため、その費用の額の範囲内で、義務者が起業者から受けるべき明渡裁決に係る補償金を義務者に代わつて受けることができる。

④　起業者が前項の規定に基づき補償金の全部又は一部を都道府県知事に支払つた場合においては、この法律の適用については、起業者が都道府県知事に支払つた金額の限度において、起業者が土地所有者又は関係人に明渡裁決に係る補償金を支払つたものとみなす。

⑤　第二項後段の場合においては、物件の移転に要した費用は、行政代執行法第二条の規定にかかわらず、起業者から徴収するものとし、起業者がその費用を支払つたときは、起業者は、移転の代行による補償をしたものとみなす。

（危険負担）

第一〇三条　権利取得裁決又は明渡裁決があつた後に、収用し、若しくは使用すべき土地又は収用すべき物件が土地所有者又は関係人の責に帰することができない事由に因つて滅失し、又はき損したときは、その滅失又はき損に因る損失は、起業者の負担とする。

第一〇四条から第一〇七条まで　（略）

第八章　収用又は使用に関する特別手続（抄）

第一節　削除

第一〇八条から第一一五条まで　削除

第二節　協議の確認（抄）

（協議の確認の申請）

第一一六条①　起業地の全部又は一部について起業者と土地所有者及び関係人の全員との間に権利を取得し、又は消滅させるための協議が成立したときは、起業者は、第二十六条第一項の規定による事業の認定の告示があつた日以後収用又は使用の裁決の申請前に限り、当該土地所有者及び関係人の同意を得て、当該土地の所在する都道府県の収用委員会に協議の確認を申請することができる。

②　起業者は、前項の規定による申請をしようとするときは、国土交通省令で定める様式に従い、土地所有者及び関係人の同意を得たことを証する書面を添えて、左に掲げる事項を記載した確認申請書を収用委員会に提出しなければならない。

一　協議が成立した土地の所在、地番、地目及び面積

二　前号の土地の土地所有者及び関係人の氏名及び住所

三　協議によつて取得し、又は消滅させる権利の種類及び内容

四　権利を取得し、又は消滅させる時期及び土地若しくは物件の引渡し又は物件の移転の期限

五　対償

第一一七条　（略）

（協議の確認）

第一一八条①　収用委員会は、第百十六条第二項の規定による確認申請書を受理したときは、前条において準用する第十九条第二項の規定により確認申請書を却下する場合を除くの外、市町村別に当該市町村に関係のある部分の写を当該市町村長に送付しなければならない。

②　市町村長は、前項の規定による書類を受け取つたときは、直ちに、確認の申請があつた旨を公告し、公告があつた日から二週間その書類を公衆の縦覧に供しなければならない。

③　市町村長は、前項の規定による公告をしたときは、遅滞なく、公告の日を収用委員会に報告しなければならない。

④　第二項の規定による公告があつたときは、利害関係人は、同項の縦覧期間内に、収用委員会に、協議の成立及び内容について、書面により、異議を申し出ることができる。

⑤　収用委員会は、第百十六条の規定による協議の確認の申請が法令の規定に違反せず、前項の規定による異議の申出がなく、又は異議の申出があつた場合においてその異議の申出が同項の規定に違反し、若しくは理由のないことが明らかであり、且つ、協議の内容が第七章の規定に適合するときは、第百十六条第二項各号に掲げる事項について確認をしなければならない。

（確認の拒否）

第一一九条　収用委員会は、第百十六条の規定による協議の確認の申請があつた場合において、その申請が前条第五項の規定に該当しないときは、確認を拒否しなければならない。但し、異議の申出が申請に係る土地の一部に関するものであつて、他の部分に影響がないときは、その影響のない部分について、確認をしなければならない。

第一二〇条　（略）

（確認の効果）

第一二一条　第百十八条第五項又は第百十九条但書の規定による確認があつたときは、この法律の適用については、同時に権利取得裁決と明渡裁決があつたものとみなす。この場合において、起業者、土地所有者及び関係人は、協議の成立及び内容を争うことができない。

第三節　緊急に施行する必要がある事業のための土地の使用

（第一二二条から第一二四条まで）（略）

第九章　手数料及び費用負担

（第一二五条から第一二八条まで）（略）

第九章の二　行政手続法の適用除外

第一二八条の二　この法律の規定により会長又は指名委員がする処分（第六十四条の規定により会長又は指名委員がする処分を含む。）については、行政手続法（平成五年法律第八十八号）第二章及び第三章の規定は、適用しない。

第十章　審査請求及び訴訟

（**収用委員会の裁決についての審査請求**）

第一二九条　収用委員会の裁決に不服がある者は、国土交通大臣に対して審査請求をすることができる。

（**審査請求期間**）

第一三〇条① 事業の認定についての審査請求に関する行政不服審査法（平成二十六年法律第六十八号）第十八条第一項本文の期間は、事業の認定の告示があつた日の翌日から起算して三月とする。

② 収用委員会の裁決についての審査請求に関する行政不服審査法第十八条第一項本文の期間は、裁決書の正本の送達を受けた日の翌日から起算して三十日とする。

（**審査請求に対する裁決**）

第一三一条① 国土交通大臣の事業の認定に関する処分又は収用委員会の裁決についての審査請求に対する裁決は、公害等調整委員会の意見を聴いた後にしなければならない。

② 国土交通大臣又は都道府県知事は、事業の認定又は収用委員会の裁決についての審査請求があつた場合において、事業の認定又は裁決に至るまでの手続その他の行為に関して違法があつても、それが軽微なものであつて事業の認定又は裁決に影響を及ぼすおそれがないと認めるときは、裁決をもつて当該審査請求を棄却することができる。

（**事業の認定又は収用委員会の裁決の手続の省略**）

第一三一条の二　審査請求に対する裁決により事業の認定又は収用委員会の裁決が取り消された場合において、国土交通大臣若しくは都道府県知事が再び事業の認定に関する処分をしようとするとき、又は収用委員会が再び裁決をしようとするときは、事業の認定又は裁決につき既に行つた手続その他の行為は、法令の規定に違反するものとして当該取消しの理由となつたものを除き、省略することができる。

（**審査請求の制限**）

第一三二条① 次に掲げる処分については、審査請求をすることができない。

一　都道府県知事がした事業の認定の拒否

二　第百二十二条第一項又は第百二十三条第一項の規定による処分

② 収用委員会の裁決についての審査請求においては、損失の補償（第九十条の三の規定による加算金及び第九十条の四の規定による過怠金を含む。次条において同じ。）についての不服をその裁決についての不服の理由とすることができない。

（**訴訟**）

第一三三条① 収用委員会の裁決に関する訴え（次項及び第三項に規定する損失の補償に関する訴えを除く。）は、裁決書の正本の送達を受けた日から三月の不変期間内に提起しなければならない。

② 収用委員会の裁決のうち損失の補償に関する訴えは、裁決書の正本の送達を受けた日から六月以内に提起しなければならない。

③ 前項の規定による訴えは、これを提起した者が起業者であるときは土地所有者又は関係人を、土地所有者又は関係人であるときは起業者を、それぞれ被告としなければならない。

第一三四条　前条第二項及び第三項の規定による訴えの提起は、事業の進行及び土地の収用又は使用を停止しない。

第十一章　雑則

（第一三五条から第一四〇条の二まで）（略）

第十二章　罰則

（第一四一条から第一四六条まで）（略）

附　則

この法律の施行期日は、公布の日から起算して一年をこえない期間内において、政令で定める（昭和二六・一二・一施行―昭和二六政三四二）。

附　則（令和五・六・七法四七）（抄）

（**施行期日**）

第一条　この法律は、国立健康危機管理研究機構法（令和五年法律第四十六号）の施行の日（令和七・四・一）（中略）から施行する。ただし、附則第五条の規定は、公布の日から施行する。

（**政令への委任**）

第五条（前略）この法律の施行に関し必要な経過措置は、政令で定める。

○都市計画法（抄）

（昭和四三・六・一五 法一〇〇）

施行 昭和四四・六・一四（昭和四三法一〇一）
最終改正 令和六法四〇

目次

第一章 総則（抄）

（目的）
第一条 この法律は、都市計画の内容及びその決定手続、都市計画制限、都市計画事業その他都市計画に関し必要な事項を定めることにより、都市の健全な発展と秩序ある整備を図り、もつて国土の均衡ある発展と公共の福祉の増進に寄与することを目的とする。

（都市計画の基本理念）
第二条 都市計画は、農林漁業との健全な調和を図りつつ、健康で文化的な都市生活及び機能的な都市活動を確保すべきこと並びにこのためには適正な制限のもとに土地の合理的な利用が図られるべきことを基本理念として定めるものとする。

（国、地方公共団体及び住民の責務）
第三条① 国及び地方公共団体は、都市の整備、開発その他都市計画の適切な遂行に努めなければならない。
② 都市の住民は、国及び地方公共団体がこの法律の目的を達成するため行なう措置に協力し、良好な都市環境の形成に努めなければならない。
③ 国及び地方公共団体は、都市の住民に対し、都市計画に関する知識の普及及び情報の提供に努めなければならない。

（定義）
第四条① この法律において「都市計画」とは、都市の健全な発展と秩序ある整備を図るための土地利用、都市施設の整備及び市街地開発事業に関する計画で、次章の規定に従い定められたものをいう。
② この法律において「都市計画区域」とは次条の規定により指定された区域を、「準都市計画区域」とは第五条の二の規定により指定された区域をいう。
③ この法律において「地域地区」とは、第八条第一項各号に掲げる地域、地区又は街区をいう。
④ この法律において「促進区域」とは、第十条の二第一項各号に掲げる区域をいう。
⑤ この法律において「都市施設」とは、都市計画において定められるべき第十一条第一項各号に掲げる施設をいう。
⑥ この法律において「都市計画施設」とは、都市計画において定められた第十一条第一項各号に掲げる施設をいう。
⑦ この法律において「市街地開発事業」とは、第十二条第一項各号に掲げる事業をいう。
⑧ この法律において「市街地開発事業等予定区域」とは、第十二条の二第一項各号に掲げる予定区域をいう。
⑨ この法律において「地区計画等」とは、第十二条の四第一項各号に掲げる計画をいう。
⑩ この法律において「建築物」とは建築基準法（昭和二十五年法律第二百一号）第二条第一号に定める建築物を、「建築」とは同条第十三号に定める建築をいう。
⑪ この法律において「特定工作物」とは、コンクリートプラントその他周辺の地域の環境の悪化をもたらすおそれがある工作物で政令で定めるもの（以下「第一種特定工作物」という。）又はゴルフコースその他大規模な工作物で政令で定めるもの（以下「第二種特定工作物」という。）をいう。
⑫ この法律において「開発行為」とは、主として建築物の建築又は特定工作物の建設の用に供する目的で行なう土地の区画形質の変更をいう。
⑬ この法律において「開発区域」とは、開発行為をする土地の区域をいう。
⑭ この法律において「公共施設」とは、道路、公園その他政令で定める公共の用に供する施設をいう。
⑮ この法律において「都市計画事業」とは、この法律で定めるところにより第五十九条の規定による認可又は承認を受けて行なわれる都市計画施設の整備に関する事業及び市街地開発事業をいう。
⑯ この法律において「施行者」とは、都市計画事業を施行する者をいう。

（都市計画区域）
第五条① 都道府県は、市又は人口、就業者数その他の事項が政令で定める要件に該当する町村の中心の市街地を含み、かつ、自然的及び社会的条件並びに人口、土地利用、交通量その他国土交通省令で定める事項に関する現況及び推移を勘案して、一体の都市として総合的に整備し、開発し、及び保全する必要がある区域を都市計画区域として指定するものとする。この場合において、必要があるときは、当該市町村の区域外にわたり、都市計画区域を指定することができる。
② 都道府県は、前項の規定によるもののほか、首都圏整備法（昭和三十一年法律第八十三号）による都市開発区域、近畿圏整備法（昭和三十八年法律第百二十九号）による都市開発区域、中部圏開発整備法（昭和四十一年法律第百二号）による都市開発区域その他新たに住居都市、工業都市その他の都市として開発し、及び保全する必要がある区域を都市計画区域として指定するものとする。
③ 都道府県は、前二項の規定により都市計画区域を指定しようとするときは、あらかじめ、関係市町村及び都道府県都市計画審議会の意見を聴くとともに、国土交通省令で定めるところにより、国土交通大臣に協議し、その同意を得なければならない。
④ 二以上の都府県の区域にわたる都市計画区域は、第一項及び第二項の規定にかかわらず、国土交通大臣が、あらかじめ、関係都府県の意見を聴いて指定するものとする。この場合において、関係都府県が意見を述べようとするときは、あらかじめ、

関係市町村及び都道府県都市計画審議会の意見を聴かなければならない。

⑤都市計画区域の指定は、国土交通省令で定めるところにより、公告することによつて行なう。

⑥前各項の規定は、都市計画区域の変更又は廃止について準用する。

第五条の二（略）

（都市計画に関する基礎調査）

第六条①都道府県は、都市計画区域について、おおむね五年ごとに、都市計画に関する基礎調査として、国土交通省令で定めるところにより、人口規模、産業分類別の就業人口の規模、市街地の面積、土地利用、交通量その他国土交通省令で定める事項に関する現況及び将来の見通しについての調査を行うものとする。

②都道府県は、準都市計画区域について、必要があると認めるときは、都市計画に関する基礎調査として、国土交通省令で定めるところにより、土地利用その他国土交通省令で定める事項に関する現況及び将来の見通しについての調査を行うものとする。

③—⑤（略）

第二章　都市計画（抄）

第一節　都市計画の内容（抄）

（都市計画区域の整備、開発及び保全の方針）

第六条の二①都市計画区域については、都市計画に、当該都市計画区域の整備、開発及び保全の方針を定めるものとする。

②都市計画区域の整備、開発及び保全の方針には、第一号に掲げる事項を定めるものとするとともに、第二号及び第三号に掲げる事項を定めるよう努めるものとする。

一　次条第一項に規定する区域区分の決定の有無及び当該区域区分を定めるときはその方針

二　都市計画の目標

三　第一号に掲げるもののほか、土地利用、都市施設の整備及び市街地開発事業に関する主要な都市計画の決定の方針

③都市計画区域について定められる都市計画（第十一条第一項後段の規定により都市計画区域外において定められる都市施設（以下「区域外都市施設」という。）に関するものを含む。）は、当該都市計画区域の整備、開発及び保全の方針に即したものでなければならない。

（区域区分）

第七条①都市計画区域について無秩序な市街化を防止し、計画的な市街化を図るため必要があるときは、都市計画に、市街化区域と市街化調整区域との区分（以下「区域区分」という。）を定めることができる。ただし、次に掲げる都市計画区域については、区域区分を定めるものとする。

一　次に掲げる土地の区域の全部又は一部を含む都市計画区域

イ　首都圏整備法第二条第三項に規定する既成市街地又は同条第四項に規定する近郊整備地帯

ロ　近畿圏整備法第二条第三項に規定する既成都市区域又は同条第四項に規定する近郊整備区域

ハ　中部圏開発整備法第二条第三項に規定する都市整備区域

二　前号に掲げるもののほか、大都市に係る都市計画区域として政令で定めるもの

②市街化区域は、すでに市街地を形成している区域及びおおむね十年以内に優先的かつ計画的に市街化を図るべき区域とする。

③市街化調整区域は、市街化を抑制すべき区域とする。

第七条の二（略）

（地域地区）

第八条①都市計画区域については、都市計画に、次に掲げる地域、地区又は街区を定めることができる。

一　第一種低層住居専用地域、第二種低層住居専用地域、第一種中高層住居専用地域、第二種中高層住居専用地域、第一種住居地域、第二種住居地域、準住居地域、田園住居地域、近隣商業地域、商業地域、準工業地域、工業地域又は工業専用地域（以下「用途地域」と総称する。）

二　特別用途地区

二の二　特定用途制限地域

二の三　特例容積率適用地区

二の四　高層住居誘導地区

三　高度地区又は高度利用地区

四　特定街区

四の二　都市再生特別措置法（平成十四年法律第二十二号）第三十六条第一項の規定による都市再生特別地区、同法第八十九条の規定による居住調整地域、同法第九十四条の二第一項の規定による居住環境向上用途誘導地区又は同法第百九条第一項の規定による特定用途誘導地区

五　防火地域又は準防火地域

五の二　密集市街地整備法第三十一条第一項の規定による特定防災街区整備地区

六　景観法（平成十六年法律第百十号）第六十一条第一項の規定による景観地区

七　風致地区

八　駐車場法（昭和三十二年法律第百六号）第三条第一項の規定による駐車場整備地区

九　臨港地区

十　古都における歴史的風土の保存に関する特別措置法（昭和四十一年法律第一号）第六条第一項の規定による歴史的風土特別保存地区

十一　明日香村における歴史的風土の保存及び生活環境の整備等に関する特別措置法（昭和五十五年法律第六十号）第三条第一項の規定による第一種歴史的風土保存地区又は第二種歴史的風土保存地区

十二　都市緑地法（昭和四十八年法律第七十二号）第五条の規定による緑地保全地域、同法第十二条の規定による特別緑地保全地区又は同法第三十四条第一項の規定による緑化地域

十三　流通業務市街地の整備に関する法律（昭和四十一年法律第百十号）第四条第一項の規定による流通業務地区

十四　生産緑地法（昭和四十九年法律第六十八号）第三条第一項の規定による生産緑地地区

十五　文化財保護法（昭和二十五年法律第二百十四号）第百四十三条第一項の規定による伝統的建造物群保存地区

十六　特定空港周辺航空機騒音対策特別措置法（昭和五十三年法律第二十六号）第四条第一項の規定による航空機騒音障害防止地区又は航空機騒音障害防止特別地区

②準都市計画区域については、都市計画に、前項第一号から第二号の二まで、第三号（高度地区に係る部分に限る。）、第六号、第七号、第十二号（都市緑地法第五条の規定による緑地保全地域に係る部分に限る。）又は第十五号に掲げる地域又は地区を定めることができる。

③地域地区については、都市計画に、第一号及び第二号に掲げる事項を定めるものとするとともに、第三号に掲げる事項を定めるよう努めるものとする。

一　地域地区の種類（特別用途地区にあつては、その指定により実現を図るべき特別の目的を明らかにした特別用途地区の種類）、位置及び区域

二　次に掲げる地域地区については、それぞれ次に定める事項

イ　用途地域　建築基準法第五十二条第一項第一号から第四号までに規定する建築物の容積率（延べ面積の敷地面積に対する割合をいう。以下同じ。）並びに同法第五十三条の二第一項及び第二項に規定する建築物の敷地面積の最低限度（建築物の敷地面積の最低限度にあつては、当該地域における市街地の環境を確保するため必要な場合に限る。）

ロ　第一種低層住居専用地域、第二種低層住居専用地域又は田園住居地域　建築基準法第五十三条第一項第一号に規定する建築物の建蔽率（建築面積の敷地面積に対する割合を

いう。以下同じ。）、同法第五十四条に規定する外壁の後退距離の限度（低層住宅に係る良好な住居の環境を保護するため必要な場合に限る。）及び同法第五十五条第一項に規定する建築物の高さの限度

ハ　第一種中高層住居専用地域、第二種中高層住居専用地域、第一種住居地域、第二種住居地域、準住居地域、近隣商業地域、準工業地域、工業地域又は工業専用地域　建築基準法第五十三条第一項第一号から第三号まで又は第五号に規定する建築物の建蔽率

ニ　特定用途制限地域　制限すべき特定の建築物等の用途の概要

ホ　特例容積率適用地区　建築物の高さの最高限度（当該地区における市街地の環境を確保するために必要な場合に限る。）

ヘ　高層住居誘導地区　建築基準法第五十二条第一項第五号に規定する建築物の容積率、建築物の建蔽率の最高限度（当該地区における市街地の環境を確保するため必要な場合に限る。次条第十七項において同じ。）及び建築物の敷地面積の最低限度（当該地区における市街地の環境を確保するため必要な場合に限る。次条第十七項において同じ。）

ト　高度地区　建築物の高さの最高限度又は最低限度（準都市計画区域内にあつては、建築物の高さの最高限度。次条第十八項において同じ。）

チ　高度利用地区　建築物の容積率の最高限度及び最低限度、建築物の建蔽率の最高限度、建築物の建築面積の最低限度並びに壁面の位置の制限（壁面の位置の制限にあつては、敷地内に道路（都市計画において定められた計画道路を含む。以下この号において同じ。）に接して有効な空間を確保して市街地の環境の向上を図るため必要な場合における当該道路に面する壁面の位置に限る。次条第十九項において同じ。）

リ　特定街区　建築物の容積率並びに建築物の高さの最高限度及び壁面の位置の制限

三　面積その他の政令で定める事項

④　都市再生特別地区、居住環境向上用途誘導地区、特定用途誘導地区、特定防災街区整備地区、景観地区及び緑化地域について都市計画に定めるべき事項は、前項第一号及び第三号に掲げるもののほか、別に法律で定める。

第九条①　第一種低層住居専用地域は、低層住宅に係る良好な住居の環境を保護するため定める地域とする。

②　第二種低層住居専用地域は、主として低層住宅に係る良好な住居の環境を保護するため定める地域とする。

③　第一種中高層住居専用地域は、中高層住宅に係る良好な住居の環境を保護するため定める地域とする。

④　第二種中高層住居専用地域は、主として中高層住宅に係る良好な住居の環境を保護するため定める地域とする。

⑤　第一種住居地域は、住居の環境を保護するため定める地域とする。

⑥　第二種住居地域は、主として住居の環境を保護するため定める地域とする。

⑦　準住居地域は、道路の沿道としての地域の特性にふさわしい業務の利便の増進を図りつつ、これと調和した住居の環境を保護するため定める地域とする。

⑧　田園住居地域は、農業の利便の増進を図りつつ、これと調和した低層住宅に係る良好な住居の環境を保護するため定める地域とする。

⑨　近隣商業地域は、近隣の住宅地の住民に対する日用品の供給を行うことを主たる内容とする商業その他の業務の利便を増進するため定める地域とする。

⑩　商業地域は、主として商業その他の業務の利便を増進するため定める地域とする。

⑪　準工業地域は、主として環境の悪化をもたらすおそれのない工業の利便を増進するため定める地域とする。

⑫　工業地域は、主として工業の利便を増進するため定める地域とする。

⑬　工業専用地域は、工業の利便を増進するため定める地域とする。

⑭　特別用途地区は、用途地域内の一定の地区における当該地区の特性にふさわしい土地利用の増進、環境の保護等の特別の目的の実現を図るため当該用途地域の指定を補完して定める地区とする。

⑮　特定用途制限地域は、用途地域が定められていない土地の区域（市街化調整区域を除く。）内において、その良好な環境の形成又は保持のため当該地域の特性に応じて合理的な土地利用が行われるよう、制限すべき特定の建築物等の用途の概要を定める地域とする。

⑯　特例容積率適用地区は、第一種中高層住居専用地域、第二種中高層住居専用地域、第一種住居地域、第二種住居地域、準住居地域、近隣商業地域、商業地域、準工業地域又は工業地域内の適正な配置及び規模の公共施設を備えた土地の区域において、建築基準法第五十二条第一項から第九項までの規定による建築物の容積率の限度からみて未利用となつている建築物の容積の活用を促進して土地の高度利用を図るため定める地区とする。

⑰　高層住居誘導地区は、住居と住居以外の用途とを適正に配分し、利便性の高い高層住宅の建設を誘導するため、第一種住居地域、第二種住居地域、準住居地域、近隣商業地域又は準工業地域でこれらの地域に関する都市計画において建築基準法第五十二条第一項第二号に規定する建築物の容積率が十分の四十又は十分の五十と定められたものの内において、建築物の容積率の最高限度、建築物の建蔽率の最高限度及び建築物の敷地面積の最低限度を定める地区とする。

⑱　高度地区は、用途地域内において市街地の環境を維持し、又は土地利用の増進を図るため、建築物の高さの最高限度又は最低限度を定める地区とする。

⑲　高度利用地区は、用途地域内の市街地における土地の合理的かつ健全な高度利用と都市機能の更新とを図るため、建築物の容積率の最高限度及び最低限度、建築物の建蔽率の最高限度、建築物の建築面積の最低限度並びに壁面の位置の制限を定める地区とする。

⑳　特定街区は、市街地の整備改善を図るため街区の整備又は造成が行われる地区について、その街区内における建築物の容積率並びに建築物の高さの最高限度及び壁面の位置の制限を定める街区とする。

㉑　防火地域又は準防火地域は、市街地における火災の危険を防除するため定める地域とする。

㉒　風致地区は、都市の風致を維持するため定める地区とする。

㉓　臨港地区は、港湾を管理運営するため定める地区とする。

第一〇条から第一〇条の四まで（略）

（都市施設）

第一一条①　都市計画区域については、都市計画に、次に掲げる施設を定めることができる。この場合において、特に必要があるときは、当該都市計画区域外においても、これらの施設を定めることができる。

一　道路、都市高速鉄道、駐車場、自動車ターミナルその他の交通施設

二　公園、緑地、広場、墓園その他の公共空地

三　水道、電気供給施設、ガス供給施設、下水道、汚物処理場、ごみ焼却場その他の供給施設又は処理施設

四　河川、運河その他の水路

五　学校、図書館、研究施設その他の教育文化施設

六　病院、保育所その他の医療施設又は社会福祉施設

七　市場、と畜場又は火葬場

八　一団地の住宅施設（一団地における五十戸以上の集団住宅及びこれらに附帯する通路その他の施設をいう。）

九　一団地の官公庁施設（一団地の国家機関又は地方公共団体

の建築物及びこれらに附帯する通路その他の施設をいう。）
十　一団地の都市安全確保拠点施設（溢水、湛水、津波、高潮その他の自然現象による災害が発生した場合における居住者等（居住者、来訪者又は滞在者をいう。以下同じ。）の安全を確保するための拠点となる一団地の特定公益的施設（避難場所の提供、生活関連物資の配布、保健医療サービスの提供その他の当該災害が発生した場合における居住者等の安全を確保するために必要な機能を有する集会施設、購買施設、医療施設その他の施設をいう。第四項第一号において同じ。）及び公共施設をいう。）
十一　流通業務団地
十二　一団地の津波防災拠点市街地形成施設（津波防災地域づくりに関する法律（平成二十三年法律第百二十三号）第二条第十五項に規定する一団地の津波防災拠点市街地形成施設をいう。）
十三　一団地の復興再生拠点市街地形成施設（福島復興再生特別措置法（平成二十四年法律第二十五号）第三十二条第一項に規定する一団地の復興再生拠点市街地形成施設をいう。）
十四　一団地の復興拠点市街地形成施設（大規模災害からの復興に関する法律（平成二十五年法律第五十五号）第二条第八号に規定する一団地の復興拠点市街地形成施設をいう。）
十五　その他政令で定める施設

② 都市施設については、都市計画に、都市施設の種類、名称、位置及び区域を定めるものとするとともに、面積その他の政令で定める事項を定めるよう努めるものとする。

③ 道路、都市高速鉄道、河川その他の政令で定める都市施設については、前項に規定するもののほか、適正かつ合理的な土地利用を図るため必要があるときは、当該都市施設の区域の地下又は空間について、当該都市施設を整備する立体的な範囲を都市計画に定めることができる。この場合において、地下に当該立体的な範囲を定めるときは、併せて当該立体的な範囲からの離隔距離の最小限度及び載荷重の最大限度（当該離隔距離に応じて定めるものを含む。）を定めることができる。

④ 一団地の都市安全確保拠点施設については、第二項に規定するもののほか、都市計画に、次に掲げる事項を定めるものとする。
一　特定公益的施設及び公共施設の位置及び規模
二　建築物の高さの最高限度若しくは最低限度、建築物の容積率の最高限度若しくは最低限度又は建築物の建蔽率の最高限度

⑤ 密集市街地整備法第三十条に規定する防災都市施設に係る都市施設、都市再生特別措置法第十九条の四の規定により付議して定める都市計画に係る都市施設及び同法第五十一条第一項の規定により決定又は変更をする都市計画に係る都市施設、都市鉄道等利便増進法（平成十七年法律第四十一号）第十九条の規定により付議して定める都市計画に係る都市施設、流通業務団地、一団地の津波防災拠点市街地形成施設、一団地の復興再生拠点市街地形成施設並びに一団地の復興拠点市街地形成施設について都市計画に定めるべき事項は、この法律に定めるもののほか、別に法律で定める。

⑥ 次に掲げる都市施設については、第十二条の三第一項の規定により定められる場合を除き、第一号又は第二号に掲げる都市施設にあつては国の機関又は地方公共団体のうちから、第三号に掲げる都市施設にあつては流通業務市街地の整備に関する法律第十条に規定する者のうちから、当該都市施設に関する都市計画事業の施行予定者を都市計画に定めることができる。
一　区域の面積が二十ヘクタール以上の一団地の住宅施設
二　一団地の官公庁施設
三　流通業務団地

⑦ 前項の規定により施行予定者が定められた都市施設に関する都市計画は、これを変更して施行予定者を定めないものとすることができない。

第一二条の二から第一二条の三まで　（略）

（地区計画等）

第一二条の四① 都市計画区域については、都市計画に、次に掲げる計画を定めることができる。
一　地区計画
二　密集市街地整備法第三十二条第一項の規定による防災街区整備地区計画
三　地域における歴史的風致の維持及び向上に関する法律（平成二十年法律第四十号）第三十一条第一項の規定による歴史的風致維持向上地区計画
四　幹線道路の沿道の整備に関する法律（昭和五十五年法律第三十四号）第九条第一項の規定による沿道地区計画
五　集落地域整備法（昭和六十二年法律第六十三号）第五条第一項の規定による集落地区計画

② 地区計画等については、都市計画に、地区計画等の種類、名称、位置及び区域を定めるものとするとともに、区域の面積その他の政令で定める事項を定めるよう努めるものとする。

（地区計画）

第一二条の五① 地区計画は、建築物の建築形態、公共施設その他の施設の配置等からみて、一体としてそれぞれの区域の特性にふさわしい態様を備えた良好な環境の各街区を整備し、開発し、及び保全するための計画とし、次の各号のいずれかに該当する土地の区域について定めるものとする。
一　用途地域が定められている土地の区域
二　用途地域が定められていない土地の区域のうち次のいずれかに該当するもの
イ　住宅市街地の開発その他建築物若しくはその敷地の整備に関する事業が行われる、又は行われた土地の区域
ロ　建築物の建築又はその敷地の造成が無秩序に行われ、又は行われると見込まれる一定の土地の区域で、公共施設の整備の状況、土地利用の動向等からみて不良な街区の環境が形成されるおそれがあるもの
ハ　健全な住宅市街地における良好な居住環境その他優れた街区の環境が形成されている土地の区域

② 地区計画については、前条第二項に定めるもののほか、都市計画に、第一号に掲げる事項を定めるものとするとともに、第二号及び第三号に掲げる事項を定めるよう努めるものとする。
一　次に掲げる施設（以下「地区施設」という。）及び建築物等の整備並びに土地の利用に関する計画（以下「地区整備計画」という。）
イ　主として街区内の居住者等の利用に供される道路、公園その他の政令で定める施設
ロ　街区における防災上必要な機能を確保するための避難施設、避難路、雨水貯留浸透施設（雨水を一時的に貯留し、又は地下に浸透させる機能を有する施設であつて、浸水による被害の防止を目的とするものをいう。）その他の政令で定める施設
二　当該地区計画の目標
三　当該区域の整備、開発及び保全に関する方針

③ 次に掲げる条件に該当する土地の区域における地区計画については、土地の合理的かつ健全な高度利用と都市機能の増進とを図るため、一体的かつ総合的な市街地の再開発又は開発整備を実施すべき区域（以下「再開発等促進区」という。）を都市計画に定めることができる。
一　現に土地の利用状況が著しく変化しつつあり、又は著しく変化することが確実であると見込まれる土地の区域であること。
二　土地の合理的かつ健全な高度利用を図るため、適正な配置及び規模の公共施設を整備する必要がある土地の区域であること。
三　当該区域内の土地の高度利用を図ることが、当該都市の機能の増進に貢献することとなる土地の区域であること。
四　用途地域が定められている土地の区域であること。

④ 次に掲げる条件に該当する土地の区域における地区計画につ

いては、劇場、店舗、飲食店その他これらに類する用途に供する大規模な建築物（以下「特定大規模建築物」という。）の整備による商業その他の業務の利便の増進を図るため、一体的かつ総合的な市街地の開発整備を実施すべき区域（以下「開発整備促進区」という。）を都市計画に定めることができる。

一　現に土地の利用状況が著しく変化しつつあり、又は著しく変化することが確実であると見込まれる土地の区域であること。

二　特定大規模建築物の整備による商業その他の業務の利便の増進を図るため、適正な配置及び規模の公共施設を整備する必要がある土地の区域であること。

三　当該区域内において特定大規模建築物の整備による商業その他の業務の利便の増進を図ることが、当該都市の機能の増進に貢献することとなる土地の区域であること。

四　第二種住居地域、準住居地域若しくは工業地域が定められている土地の区域又は用途地域が定められていない土地の区域（市街化調整区域を除く。）であること。

⑤　開発整備促進区又は開発整備促進区を定める地区計画においては、第二項各号に掲げるもののほか、都市計画に、第一号に掲げる事項を定めるものとするとともに、第二号に掲げる事項を定めるよう努めるものとする。

一　道路、公園その他の政令で定める施設（都市計画施設及び地区施設を除く。）の配置及び規模

二　土地利用に関する基本方針

⑥　再開発等促進区又は開発整備促進区を都市計画に定める際、当該再開発等促進区又は開発整備促進区について、当面建築物又はその敷地の整備と併せて整備されるべき公共施設の整備に関する事業が行われる見込みがないときその他前項第一号に規定する施設の配置及び規模を定めることができない特別の事情があるときは、当該再開発等促進区又は開発整備促進区について同号に規定する施設の配置及び規模を定めることを要しない。

⑦　地区整備計画においては、次に掲げる事項（市街化調整区域内において定められる地区整備計画については、建築物の容積率の最低限度、建築物の建築面積の最低限度及び建築物等の高さの最低限度を除く。）を定めることができる。

一　地区施設の配置及び規模

二　建築物等の用途の制限、建築物の容積率の最高限度又は最低限度、建築物の建蔽率の最高限度、建築物の敷地の地積又は建築面積の最低限度、建築物の敷地の地盤面の高さの最低限度、壁面の位置の制限、壁面後退区域（壁面の位置の制限として定められた限度の線と敷地境界線との間の土地の区域をいう。以下同じ。）における工作物の設置の制限、建築物等の高さの最高限度又は最低限度、建築物の居室（建築基準法第二条第四号に規定する居室をいう。）の床面の高さの最低限度、建築物等の形態又は色彩その他の意匠の制限、建築物の緑化率（都市緑地法第三十四条第二項に規定する緑化率をいう。）の最低限度その他建築物等に関する事項で政令で定めるもの

三　現に存する樹林地、草地等で良好な居住環境を確保するため必要なものの保全に関する事項（次号に該当するものを除く。）

四　現に存する農地（耕作の目的に供される土地をいう。以下同じ。）で農業の利便の増進と調和した良好な居住環境を確保するため必要なものにおける土地の形質の変更その他の行為の制限に関する事項

五　前各号に掲げるもののほか、土地の利用に関する事項で政令で定めるもの

⑧　地区計画を都市計画に定める際、当該地区計画の区域の全部又は一部について地区整備計画を定めることができない特別の事情があるときは、当該区域の全部又は一部について地区整備計画を定めることを要しない。この場合において、地区計画の区域の一部について地区整備計画を定めるときは、当該地区計画については、地区整備計画の区域をも都市計画に定めなければならない。

第一二条の六から第一二条の一三まで　（略）

（都市計画基準）

第一三条①　都市計画区域について定められる都市計画（区域外都市施設に関するものを含む。次項において同じ。）は、国土形成計画、首都圏整備計画、近畿圏整備計画、中部圏開発整備計画、北海道総合開発計画、沖縄振興計画その他の国土計画又は地方計画に関する法律に基づく計画（当該都市について公害防止計画が定められているときは、当該公害防止計画を含む。第三項において同じ。）及び道路、河川、鉄道、港湾、空港等の施設に関する国の計画に適合するとともに、当該都市の特質及び当該都市における自然的環境の整備又は保全の重要性を考慮して、次に掲げるところに従つて、土地利用、都市施設の整備及び市街地開発事業に関する事項で当該都市の健全な発展と秩序ある整備を図るため必要なものを、一体的かつ総合的に定めなければならない。

一　都市計画区域の整備、開発及び保全の方針は、当該都市の発展の動向、当該都市計画区域における人口及び産業の現状及び将来の見通し等を勘案して、当該都市計画区域を一体の都市として総合的に整備し、開発し、及び保全することを目途として、当該方針に即して都市計画が適切に定められることとなるように定めること。

二　区域区分は、当該都市の発展の動向、当該都市計画区域における人口及び産業の将来の見通し等を勘案して、産業活動の利便と居住環境の保全との調和を図りつつ、国土の合理的利用を確保し、効率的な公共投資を行うことができるように定めること。

三　都市再開発の方針は、市街化区域内において、計画的な再開発が必要な市街地について定めること。

四　住宅市街地の開発整備の方針は、大都市地域における住宅及び住宅地の供給の促進に関する特別措置法第四条第一項に規定する都市計画区域について、良好な住宅市街地の開発整備が図られるように定めること。

五　拠点業務市街地の開発整備の方針は、地方拠点都市地域の整備及び産業業務施設の再配置の促進に関する法律第八条第一項の同意基本計画において定められた同法第二条第二項の拠点地区に係る市街化区域について、当該同意基本計画の達成に資するように定めること。

六　防災街区整備方針は、市街化区域内において、密集市街地整備法第二条第一号の密集市街地内の各街区について同条第二号の防災街区としての整備が図られるように定めること。

七　地域地区は、土地の自然的条件及び土地利用の動向を勘案して、住居、商業、工業その他の用途を適正に配分することにより、都市機能を維持増進し、かつ、住居の環境を保護し、商業、工業等の利便を増進し、良好な景観を形成し、風致を維持し、公害を防止する等適正な都市環境を保持するように定めること。この場合において、市街化区域については、少なくとも用途地域を定めるものとし、市街化調整区域については、原則として用途地域を定めないものとする。

八　促進区域は、市街化区域又は区域区分が定められていない都市計画区域内において、主として関係権利者による市街地の計画的な整備又は開発を促進する必要があると認められる土地の区域について定めること。

九　遊休土地転換利用促進地区は、主として関係権利者による有効かつ適切な利用を促進する必要があると認められる土地の区域について定めること。

十　被災市街地復興推進地域は、大規模な火災、震災その他の災害により相当数の建築物が滅失した市街地の計画的な整備改善を推進して、その緊急かつ健全な復興を図る必要があると認められる土地の区域について定めること。

十一　都市施設は、土地利用、交通等の現状及び将来の見通しを勘案して、適切な規模で必要な位置に配置することによ

り、円滑な都市活動を確保し、良好な都市環境を保持するように定めること。この場合において、市街化区域及び区域区分が定められていない都市計画区域については、少なくとも道路、公園及び下水道を定めるものとし、第一種低層住居専用地域、第二種低層住居専用地域、第一種中高層住居専用地域、第二種中高層住居専用地域、第一種住居地域、第二種住居地域、準住居地域及び田園住居地域については、義務教育施設をも定めるものとする。

十二　一団地の都市安全確保拠点施設については、前号に定めるもののほか、次に掲げるところに従つて定めること。

イ　溢水、湛水、津波、高潮その他の自然現象による災害の発生のおそれが著しく、かつ、当該災害が発生した場合に居住者等の安全を確保する必要性が高いと認められる区域（当該区域に隣接し、又は近接する区域を含む。）について定めること。

ロ　第十一条第四項第一号に規定する施設は、溢水、湛水、津波、高潮その他の自然現象による災害が発生した場合においてイに規定する区域内における同条第一項第十号に規定する機能が一体的に発揮されるよう、必要な位置に適切な規模で配置すること。

ハ　第十一条第四項第二号に掲げる事項は、溢水、湛水、津波、高潮その他の自然現象による災害が発生した場合においてイに規定する区域内における居住者等の安全の確保が図られるよう定めること。

十三　市街地開発事業は、市街化区域又は区域区分が定められていない都市計画区域内において、一体的に開発し、又は整備する必要がある土地の区域について定めること。

十四　市街地開発事業等予定区域は、市街地開発事業に係るものにあつては市街化区域又は区域区分が定められていない都市計画区域内において、一体的に開発し、又は整備する必要がある土地の区域について、都市施設に係るものにあつては当該都市施設が第十一号前段の基準に合致することとなるような土地の区域について定めること。

十五　地区計画は、公共施設の整備、建築物の建築その他の土地利用の現状及び将来の見通しを勘案し、当該区域の各街区における防災、安全、衛生等に関する機能が確保され、かつ、その良好な環境の形成又は保持のためその区域の特性に応じて合理的な土地利用が行われることを目途として、当該計画に従つて秩序ある開発行為、建築又は施設の整備が行われることとなるように定めること。この場合において、次のイからハまでに掲げる地区計画については、当該イからハまでに定めるところによること。

イ　市街化調整区域における地区計画　市街化区域における市街化の状況等を勘案して、地区計画の区域の周辺における市街化を促進することがない等当該都市計画区域における計画的な市街化を図る上で支障がないように定めること。

ロ　再開発等促進区を定める地区計画　土地の合理的かつ健全な高度利用と都市機能の増進とが図られることを目途として、一体的かつ総合的な市街地の再開発又は開発整備が実施されることとなるように定めること。この場合において、第一種低層住居専用地域、第二種低層住居専用地域及び田園住居地域については、再開発等促進区の周辺の低層住宅に係る良好な住居の環境の保護に支障がないように定めること。

ハ　開発整備促進区を定める地区計画　特定大規模建築物の整備による商業その他の業務の利便の増進が図られることを目途として、一体的かつ総合的な市街地の開発整備が実施されることとなるように定めること。この場合において、第二種住居地域及び準住居地域については、開発整備促進区の周辺の住宅に係る住居の環境の保護に支障がないように定めること。

十六　防災街区整備地区計画は、当該区域の各街区が火事又は地震が発生した場合の延焼防止上及び避難上確保されるべき機能を備えるとともに、土地の合理的かつ健全な利用が図られることを目途として、一体的かつ総合的な市街地の整備が行われることとなるように定めること。

十七　歴史的風致維持向上地区計画は、地域におけるその固有の歴史及び伝統を反映した人々の活動とその活動が行われる歴史上価値の高い建造物及びその周辺の市街地とが一体となつて形成してきた良好な市街地の環境の維持及び向上並びに土地の合理的かつ健全な利用が図られるように定めること。

十八　沿道地区計画は、道路交通騒音により生ずる障害を防止するとともに、適正かつ合理的な土地利用が図られるように定めること。この場合において、沿道再開発等促進区（幹線道路の沿道の整備に関する法律第九条第三項の規定による沿道再開発等促進区をいう。以下同じ。）を定める沿道地区計画については、土地の合理的かつ健全な高度利用と都市機能の増進とが図られることを目途として、一体的かつ総合的な市街地の再開発又は開発整備が実施されることとなるように定めることとし、そのうち第一種低層住居専用地域、第二種低層住居専用地域及び田園住居地域におけるものについては、沿道再開発等促進区の周辺の低層住宅に係る良好な住居の環境の保護に支障がないように定めること。

十九　集落地区計画は、営農条件と調和のとれた居住環境を整備するとともに、適正な土地利用が図られるように定めること。

二十　前各号の基準を適用するについては、第六条第一項の規定による都市計画に関する基礎調査の結果に基づき、かつ、政府が法律に基づき行う人口、産業、住宅、建築、交通、工場立地その他の調査の結果について配慮すること。

②　都市計画区域について定められる都市計画は、当該都市の住民が健康で文化的な都市生活を享受することができるように、住宅の建設及び居住環境の整備に関する計画を定めなければならない。

③　準都市計画区域について定められる都市計画は、第一項に規定する国土計画若しくは地方計画又は施設に関する国の計画に適合するとともに、地域の特質及び当該地域における自然的環境の整備又は保全の重要性を考慮して、次に掲げるところに従つて、土地利用の整序又は環境の保全を図るため必要な事項を定めなければならない。この場合においては、当該地域における農林漁業の生産条件の整備に配慮しなければならない。

一　地域地区は、土地の自然的条件及び土地利用の動向を勘案して、住居の環境を保護し、良好な景観を形成し、風致を維持し、公害を防止する等地域の環境を適正に保持するように定めること。

二　前号の基準を適用するについては、第六条第二項の規定による都市計画に関する基礎調査の結果に基づくこと。

④—⑥　（略）

第一四条　（略）

第二節　都市計画の決定及び変更（抄）

（都市計画を定める者）

第一五条①　次に掲げる都市計画は都道府県が、その他の都市計画は市町村が定める。

一　都市計画区域の整備、開発及び保全の方針に関する都市計画

二　区域区分に関する都市計画

三　都市再開発方針等に関する都市計画

四　第八条第一項第四号の二、第九号から第十三号まで及び第十六号に掲げる地域地区（同項第四号の二に掲げる地区にあつては都市再生特別措置法第三十六条第一項の規定による都市再生特別地区に、第八条第一項第九号に掲げる地区にあつては港湾法（昭和二十五年法律第二百十八号）第二条第二項の国際戦略港湾、国際拠点港湾又は重要港湾に係るものに、第八条第一項第十二号に掲げる地区にあつては都市緑地法第

五条の規定による緑地保全地域（二以上の市町村の区域にわたるものに限る。）、首都圏近郊緑地保全法（昭和四十一年法律第百一号）第四条第二項第三号の近郊緑地特別保全地区及び近畿圏の保全区域の整備に関する法律（昭和四十二年法律第百三号）第六条第二項の近郊緑地特別保全地区に限る。）に関する都市計画

五　一の市町村の区域を超える広域の見地から決定すべき地域地区として政令で定めるもの又は一の市町村の区域を超える広域の見地から決定すべき都市施設若しくは根幹的都市施設として政令で定めるものに関する都市計画

六　市街地開発事業（土地区画整理事業、市街地再開発事業、住宅街区整備事業及び防災街区整備事業にあつては、政令で定める大規模なものであつて国の機関又は都道府県が施行すると見込まれるものに限る。）に関する都市計画

七　市街地開発事業等予定区域（第十二条の二第一項第四号から第六号までに掲げる予定区域にあつては、一の市町村の区域を超える広域の見地から決定すべき都市施設又は根幹的都市施設の予定区域として政令で定めるものに限る。）に関する都市計画

② 市町村の合併その他の理由により、前項第五号に該当する都市計画が同号に該当しないこととなつたとき、又は同号に該当しない都市計画が同号に該当することとなつたときは、当該都市計画は、それぞれ市町村又は都道府県が決定したものとみなす。

③ 市町村が定める都市計画は、議会の議決を経て定められた当該市町村の建設に関する基本構想に即し、かつ、都道府県が定めた都市計画に適合したものでなければならない。

④ 市町村が定めた都市計画が、都道府県が定めた都市計画と抵触するときは、その限りにおいて、都道府県が定めた都市計画が優先するものとする。

（都道府県の都市計画の案の作成）

第一五条の二① 市町村は、必要があると認めるときは、都道府県に対し、都道府県が定める都市計画の案の内容となるべき事項を申し出ることができる。

② 都道府県は、都市計画の案を作成しようとするときは、関係市町村に対し、資料の提出その他必要な協力を求めることができる。

（公聴会の開催等）

第一六条① 都道府県又は市町村は、次項の規定による場合を除くほか、都市計画の案を作成しようとする場合において必要があると認めるときは、公聴会の開催等住民の意見を反映させるために必要な措置を講ずるものとする。

② 都市計画に定める地区計画等の案は、意見の提出方法その他の政令で定める事項について条例で定めるところにより、その案に係る区域内の土地の所有者その他政令で定める利害関係を有する者の意見を求めて作成するものとする。

③ 市町村は、前項の条例において、住民又は利害関係人から地区計画等に関する都市計画の決定若しくは変更又は地区計画等の案の内容となるべき事項を申し出る方法を定めることができる。

（都市計画の案の縦覧等）

第一七条① 都道府県又は市町村は、都市計画を決定しようとするときは、あらかじめ、国土交通省令で定めるところにより、その旨を公告し、当該都市計画の案を、当該都市計画を決定しようとする理由を記載した書面を添えて、当該公告の日から二週間公衆の縦覧に供しなければならない。

② 前項の規定による公告があつたときは、関係市町村の住民及び利害関係人は、同項の縦覧期間満了の日までに、縦覧に供された都市計画の案について、都道府県の作成に係るものにあつては都道府県に、市町村の作成に係るものにあつては市町村に、意見書を提出することができる。

③ 特定街区に関する都市計画の案については、政令で定める利害関係を有する者の同意を得なければならない。

④ 遊休土地転換利用促進地区に関する都市計画の案については、当該遊休土地転換利用促進地区内の土地に関する所有権又は地上権その他の政令で定める使用若しくは収益を目的とする権利を有する者の意見を聴かなければならない。

⑤ 都市計画事業の施行予定者を定める都市計画の案については、当該施行予定者の同意を得なければならない。ただし、第十二条の三第二項の規定の適用がある事項については、この限りでない。

（条例との関係）

第一七条の二 前二条の規定は、都道府県又は市町村が、住民又は利害関係人に係る都市計画の決定の手続に関する事項（前二条の規定に反しないものに限る。）について、条例で必要な規定を定めることを妨げるものではない。

（都道府県の都市計画の決定）

第一八条① 都道府県は、関係市町村の意見を聴き、かつ、都道府県都市計画審議会の議を経て、都市計画を決定するものとする。

② 都道府県は、前項の規定により都市計画の案を都道府県都市計画審議会に付議しようとするときは、第十七条第二項の規定により提出された意見書の要旨を都道府県都市計画審議会に提出しなければならない。

③ 都道府県は、国の利害に重大な関係がある政令で定める都市計画の決定をしようとするときは、あらかじめ、国土交通省令で定めるところにより、国土交通大臣に協議し、その同意を得なければならない。

④ 国土交通大臣は、国の利害との調整を図る観点から、前項の協議を行うものとする。

（市町村の都市計画に関する基本的な方針）

第一八条の二① 市町村は、議会の議決を経て定められた当該市町村の建設に関する基本構想並びに都市計画区域の整備、開発及び保全の方針に即し、当該市町村の都市計画に関する基本的な方針（以下この条において「基本方針」という。）を定めるものとする。

② 市町村は、基本方針を定めようとするときは、あらかじめ、公聴会の開催等住民の意見を反映させるために必要な措置を講ずるものとする。

③ 市町村は、基本方針を定めたときは、遅滞なく、これを公表するとともに、都道府県知事に通知しなければならない。

④ 市町村が定める都市計画は、基本方針に即したものでなければならない。

（市町村の都市計画の決定）

第一九条① 市町村は、市町村都市計画審議会（当該市町村に市町村都市計画審議会が置かれていないときは、当該市町村の存する都道府県の都道府県都市計画審議会）の議を経て、都市計画を決定するものとする。

② 市町村は、前項の規定により都市計画の案を市町村都市計画審議会又は都道府県都市計画審議会に付議しようとするときは、第十七条第二項の規定により提出された意見書の要旨を市町村都市計画審議会又は都道府県都市計画審議会に提出しなければならない。

③ 市町村は、都市計画区域又は準都市計画区域について都市計画（都市計画区域について定めるものにあつては区域外都市施設に関するものを含み、地区計画等にあつては当該都市計画に定めようとする事項のうち政令で定める地区施設の配置及び規模その他の事項に限る。）を決定しようとするときは、あらかじめ、都道府県知事に協議しなければならない。

④ 都道府県知事は、一の市町村の区域を超える広域の見地からの調整を図る観点又は都道府県が定め、若しくは定めようとする都市計画との適合を図る観点から、前項の協議を行うものとする。

⑤ 都道府県知事は、第三項の協議を行うに当たり必要があると認めるときは、関係市町村に対し、資料の提出、意見の開陳、説明その他必要な協力を求めることができる。

（都市計画の告示等）

第二〇条① 都道府県又は市町村は、都市計画を決定したときは、その旨を告示し、かつ、都道府県にあつては関係市町村長に、市町村にあつては都道府県知事に、第十四条第一項に規定する図書の写しを送付しなければならない。

② 都道府県知事及び市町村長は、国土交通省令で定めるところにより、前項の図書又はその写しを当該都道府県又は市町村の事務所に備え置いて一般の閲覧に供する方法その他の適切な方法により公衆の縦覧に供しなければならない。

③ 都市計画は、第一項の規定による告示があつた日から、その効力を生ずる。

（都市計画の変更）

第二一条① 都道府県又は市町村は、都市計画区域又は準都市計画区域が変更されたとき、第六条第一項若しくは第二項の規定による都市計画に関する基礎調査又は第十三条第一項第二十号に規定する政府が行う調査の結果都市計画を変更する必要が明らかとなつたとき、遊休土地転換利用促進地区に関する都市計画についてその目的が達成されたと認めるとき、その他都市計画を変更する必要が生じたときは、遅滞なく、当該都市計画を変更しなければならない。

② 第十七条から第十八条まで及び前二条の規定は、都市計画の変更（第十七条、第十八条第二項及び第三項並びに第十九条第二項及び第三項の規定については、政令で定める軽易な変更を除く。）について準用する。この場合において、施行予定者を変更する都市計画の変更については、第十七条第五項中「当該施行予定者」とあるのは、「変更前後の施行予定者」と読み替えるものとする。

（都市計画の決定等の提案）

第二一条の二① 都市計画区域又は準都市計画区域のうち、一体として整備し、開発し、又は保全すべき土地の区域としてふさわしい政令で定める規模以上の一団の土地の区域について、当該土地の所有権又は建物の所有を目的とする対抗要件を備えた地上権若しくは賃借権（臨時設備その他一時的に使用する施設のため設定されたことが明らかなものを除く。第四項第二号において「借地権」という。）を有する者（同号において「土地所有者等」という。）は、一人で、又は数人共同して、都道府県又は市町村に対し、都市計画（都市計画区域の整備、開発及び保全の方針並びに都市再開発方針等に関するものを除く。次項及び第三項並びに第七十五条の九第一項において同じ。）の決定又は変更をすることを提案することができる。この場合においては、当該提案に係る都市計画の素案を添えなければならない。

② まちづくりの推進を図る活動を行うことを目的とする特定非営利活動促進法（平成十年法律第七号）第二条第二項の特定非営利活動法人、一般社団法人若しくは一般財団法人その他の営利を目的としない法人、独立行政法人都市再生機構、地方住宅供給公社若しくはまちづくりの推進に関し経験と知識を有するものとして国土交通省令で定める団体又はこれらに準ずるものとして地方公共団体の条例で定める団体は、前項に規定する土地の区域について、都道府県又は市町村に対し、都市計画の決定又は変更をすることを提案することができる。この場合においては、同項後段の規定を準用する。

③ 都市緑地法第六十九条第一項の規定により指定された都市緑化支援機構は、第一項に規定する土地の区域について、都道府県又は市町村に対し、都市における緑地の保全及び緑化の推進を図るために必要な都市計画の決定又は変更をすることを提案することができる。この場合においては同項後段の規定を準用する。

④ 前三項の規定による提案（以下「計画提案」という。）は、次に掲げるところに従つて、国土交通省令で定めるところにより行うものとする。

一 当該計画提案に係る都市計画の素案の内容が、第十三条その他の法令の規定に基づく都市計画に関する基準に適合するものであること。

二 当該計画提案に係る都市計画の素案の対象となる土地（国又は地方公共団体の所有している土地で公共施設の用に供されているものを除く。以下この号において同じ。）の区域内の土地所有者等の三分の二以上の同意（同意した者が所有するその区域内の土地の地積と同意した者が有する借地権の目的となつているその区域内の土地の地積の合計が、その区域内の土地の総地積と借地権の目的となつている土地の総地積との合計の三分の二以上となる場合に限る。）を得ていること。

（計画提案に対する都道府県又は市町村の判断等）

第二一条の三 都道府県又は市町村は、計画提案が行われたときは、遅滞なく、計画提案を踏まえた都市計画（計画提案に係る都市計画の素案の内容の全部又は一部を実現することとなる都市計画をいう。以下同じ。）の決定又は変更をする必要があるかどうかを判断し、当該都市計画の決定又は変更をする必要があると認めるときは、その案を作成しなければならない。

（計画提案を踏まえた都市計画の案の都道府県都市計画審議会等への付議）

第二一条の四 都道府県又は市町村は、計画提案を踏まえた都市計画（当該計画提案に係る都市計画の素案の内容の全部を実現するものを除く。）の決定又は変更をしようとする場合において、第十八条第一項又は第十九条第一項（これらの規定を第二十一条第二項において準用する場合を含む。）の規定により都市計画の案を都道府県都市計画審議会又は市町村都市計画審議会に付議しようとするときは、当該都市計画の案に併せて、当該計画提案に係る都市計画の素案を提出しなければならない。

（計画提案を踏まえた都市計画の決定等をしない場合にとるべき措置）

第二一条の五① 都道府県又は市町村は、計画提案を踏まえた都市計画の決定又は変更をする必要がないと判断したときは、遅滞なく、その旨及びその理由を、当該計画提案をした者に通知しなければならない。

② 都道府県又は市町村は、前項の通知をしようとするときは、あらかじめ、都道府県都市計画審議会（当該市町村に市町村都市計画審議会が置かれているときは、当該市町村都市計画審議会）に当該計画提案に係る都市計画の素案を提出してその意見を聴かなければならない。

第二二条から第二八条まで（略）

第三章　都市計画制限等（抄）

第一節　開発行為等の規制（抄）

（開発行為の許可）

第二九条① 都市計画区域又は準都市計画区域内において開発行為をしようとする者は、あらかじめ、国土交通省令で定めるところにより、都道府県知事（地方自治法（昭和二十二年法律第六十七号）第二百五十二条の十九第一項の指定都市又は同法第二百五十二条の二十二第一項の中核市（以下「指定都市等」という。）の区域内にあつては、当該指定都市等の長。以下この節において同じ。）の許可を受けなければならない。ただし、次に掲げる開発行為については、この限りでない。

一 市街化区域、区域区分が定められていない都市計画区域又は準都市計画区域内において行う開発行為で、その規模が、それぞれの区域の区分に応じて政令で定める規模未満であるもの

二 市街化調整区域、区域区分が定められていない都市計画区域又は準都市計画区域内において行う開発行為で、農業、林業若しくは漁業の用に供する政令で定める建築物又はこれらの業務を営む者の居住の用に供する建築物の建築の用に供する目的で行うもの

三 駅舎その他の鉄道の施設、図書館、公民館、変電所その他これらに類する公益上必要な建築物のうち開発区域及びその周辺の地域における適正かつ合理的な土地利用及び環境の保全を図る上で支障がないものとして政令で定める建築物の建築の用に供する目的で行う開発行為

四　都市計画事業の施行として行う開発行為
五　土地区画整理事業の施行として行う開発行為
六　市街地再開発事業の施行として行う開発行為
七　住宅街区整備事業の施行として行う開発行為
八　防災街区整備事業の施行として行う開発行為
九　公有水面埋立法（大正十年法律第五十七号）第二条第一項の免許を受けた埋立地であつて、まだ同法第二十二条第二項の告示がないものにおいて行う開発行為
十　非常災害のため必要な応急措置として行う開発行為
十一　通常の管理行為、軽易な行為その他の行為で政令で定めるもの

②　都市計画区域及び準都市計画区域外の区域内において、それにより一定の市街地を形成すると見込まれる規模として政令で定める規模以上の開発行為をしようとする者は、あらかじめ、国土交通省令で定めるところにより、都道府県知事の許可を受けなければならない。ただし、次に掲げる開発行為については、この限りでない。
一　農業、林業若しくは漁業の用に供する政令で定める建築物又はこれらの業務を営む者の居住の用に供する建築物の建築の用に供する目的で行う開発行為
二　前項第三号、第四号及び第九号から第十一号までに掲げる開発行為

③　開発区域が、市街化区域、区域区分が定められていない都市計画区域、準都市計画区域又は都市計画区域及び準都市計画区域外の区域のうち二以上の区域にわたる場合における第一項第一号及び前項の規定の適用については、政令で定める。

第三〇条及び第三一条　（略）

（公共施設の管理者の同意等）

第三二条①　開発許可を申請しようとする者は、あらかじめ、開発行為に関係がある公共施設の管理者と協議し、その同意を得なければならない。

②　開発許可を申請しようとする者は、あらかじめ、開発行為又は開発行為に関する工事により設置される公共施設を管理することとなる者その他政令で定める者と協議しなければならない。

③　前二項に規定する公共施設の管理者又は公共施設を管理することとなる者は、公共施設の適切な管理を確保する観点から、前二項の協議を行うものとする。

（開発許可の基準）

第三三条①　都道府県知事は、開発許可の申請があつた場合において、当該申請に係る開発行為が、次に掲げる基準（第四項及び第五項の条例が定められているときは、当該条例で定める制限を含む。）に適合しており、かつ、その申請の手続がこの法律又はこの法律に基づく命令の規定に違反していないと認めるときは、開発許可をしなければならない。
一　次のイ又はロに掲げる場合には、予定建築物等の用途が当該イ又はロに定める用途の制限に適合していること。ただし、都市再生特別地区の区域内において当該都市再生特別地区に定められた誘導すべき用途に適合するものにあつては、この限りでない。
イ　当該申請に係る開発区域内の土地について用途地域、特別用途地区、特定用途制限地域、居住環境向上用途誘導地区、特定用途誘導地区、流通業務地区又は港湾法第三十九条第一項の分区（以下「用途地域等」という。）が定められている場合　当該用途地域等内における用途の制限（建築基準法第四十九条第一項若しくは第二項、第四十九条の二、第六十条の二の二第四項若しくは第六十条の三第三項（これらの規定を同法第八十八条第二項において準用する場合を含む。）又は港湾法第四十条第一項（同法第五十条の五第二項の規定により読み替えて適用する場合を含む。）の条例による用途の制限を含む。）
ロ　当該申請に係る開発区域内の土地（都市計画区域（市街化調整区域を除く。）又は準都市計画区域内の土地に限る。）について用途地域等が定められていない場合　建築基準法第四十八条第十四項及び第六十八条の三第七項（同法第四十八条第十四項に係る部分に限る。）（これらの規定を同法第八十八条第二項において準用する場合を含む。）の規定による用途の制限
二　主として、自己の居住の用に供する住宅の建築の用に供する目的で行う開発行為以外の開発行為にあつては、道路、公園、広場その他の公共の用に供する空地（消防に必要な水利が十分でない場合に設置する消防の用に供する貯水施設を含む。）が、次に掲げる事項を勘案して、環境の保全上、災害の防止上、通行の安全上又は事業活動の効率上支障がないような規模及び構造で適当に配置され、かつ、開発区域内の主要な道路が、開発区域外の相当規模の道路に接続するように設計が定められていること。この場合において、当該空地に関する都市計画が定められているときは、設計がこれに適合していること。
イ　開発区域の規模、形状及び周辺の状況
ロ　開発区域内の土地の地形及び地盤の性質
ハ　予定建築物等の用途
ニ　予定建築物等の敷地の規模及び配置
三　排水路その他の排水施設が、次に掲げる事項を勘案して、開発区域内の下水道法（昭和三十三年法律第七十九号）第二条第一号に規定する下水を有効に排出するとともに、その排出によつて開発区域及びその周辺の地域に溢水等による被害が生じないような構造及び能力で適当に配置されるように設計が定められていること。この場合において、当該排水施設に関する都市計画が定められているときは、設計がこれに適合していること。
イ　当該地域における降水量
ロ　前号イからニまでに掲げる事項及び放流先の状況
四　主として、自己の居住の用に供する住宅の建築の用に供する目的で行う開発行為以外の開発行為にあつては、水道その他の給水施設が、第二号イからニまでに掲げる事項を勘案して、当該開発区域について想定される需要に支障を来さないような構造及び能力で適当に配置されるように設計が定められていること。この場合において、当該給水施設に関する都市計画が定められているときは、設計がこれに適合していること。
五　当該申請に係る開発区域内の土地について地区計画等（次のイからホまでに掲げる地区計画等の区分に応じて、当該イからホまでに定める事項が定められているものに限る。）が定められているときは、予定建築物等の用途又は開発行為の設計が当該地区計画等に定められた内容に即して定められていること。
イ　地区計画　再開発等促進区若しくは開発整備促進区（いずれも第十二条の五第五項第一号に規定する施設の配置及び規模が定められているものに限る。）又は地区整備計画
ロ　防災街区整備地区計画　地区防災施設の区域、特定建築物地区整備計画又は防災街区整備地区整備計画
ハ　歴史的風致維持向上地区計画　歴史的風致維持向上地区整備計画
ニ　沿道地区計画　沿道再開発等促進区（幹線道路の沿道の整備に関する法律第九条第四項第一号に規定する施設の配置及び規模が定められているものに限る。）又は沿道地区整備計画
ホ　集落地区計画　集落地区整備計画
六　当該開発行為の目的に照らして、開発区域における利便の増進と開発区域及びその周辺の地域における環境の保全とが図られるように公共施設、学校その他の公益的施設及び開発区域内において予定される建築物の用途の配分が定められていること。
七　地盤の沈下、崖崩れ、出水その他による災害を防止するため、開発区域内の土地について、地盤の改良、擁壁又は排水

施設の設置その他安全上必要な措置が講ぜられるように設計が定められていること。この場合において、開発区域内の土地の全部又は一部が次の表の上欄に掲げる区域内の土地であるときは、当該土地における同表の中欄に掲げる工事の計画が、同表の下欄に掲げる基準に適合していること。

上欄	中欄	下欄
宅地造成及び特定盛土等規制法（昭和三十六年法律第百九十一号）第十条第一項の宅地造成等工事規制区域	開発行為に関する工事	宅地造成及び特定盛土等規制法第十三条の規定に適合するものであること。
宅地造成及び特定盛土等規制法第二十六条第一項の特定盛土等規制区域	開発行為（宅地造成及び特定盛土等規制法第三十条第一項の政令で定める規模（同法第三十二条の条例が定められているときは、当該条例で定める規模）のものに限る。）に関する工事	宅地造成及び特定盛土等規制法第三十一条の規定に適合するものであること。
津波防災地域づくりに関する法律第七十二条第一項の津波災害特別警戒区域	津波防災地域づくりに関する法律第七十三条第一項に規定する特定開発行為（同条第四項各号に掲げる行為を除く。）に関する工事	津波防災地域づくりに関する法律第七十五条に規定する措置を同条の国土交通省令で定める技術的基準に従い講じるものであること。

八　主として、自己の居住の用に供する住宅の建築の用に供する目的で行う開発行為以外の開発行為にあつては、開発区域内に建築基準法第三十九条第一項の災害危険区域、地すべり等防止法（昭和三十三年法律第三十号）第三条第一項の地すべり防止区域、土砂災害警戒区域等における土砂災害防止対策の推進に関する法律（平成十二年法律第五十七号）第九条第一項の土砂災害特別警戒区域及び特定都市河川浸水被害対策法（平成十五年法律第七十七号）第五十六条第一項の浸水被害防止区域（次条第八号の二において「災害危険区域等」という。）その他政令で定める開発行為を行うのに適当でない区域内の土地を含まないこと。ただし、開発区域及びその周辺の地域の状況等により支障がないと認められるときは、この限りでない。

九　政令で定める規模以上の開発行為にあつては、開発区域及びその周辺の地域における環境を保全するため、開発行為の目的及び第二号イからニまでに掲げる事項を勘案して、開発区域における植物の生育の確保上必要な樹木の保存、表土の保全その他の必要な措置が講ぜられるように設計が定められていること。

十　政令で定める規模以上の開発行為にあつては、開発区域及びその周辺の地域における環境を保全するため、第二号イからニまでに掲げる事項を勘案して、騒音、振動等による環境の悪化の防止上必要な緑地帯その他の緩衝帯が配置されるように設計が定められていること。

十一　政令で定める規模以上の開発行為にあつては、当該開発行為が道路、鉄道等による輸送の便等からみて支障がないと認められること。

十二　主として、自己の居住の用に供する住宅の建築の用に供する目的で行う開発行為（当該開発行為に関する工事が宅地造成及び特定盛土等規制法第十二条第一項又は第三十条第一項の許可を要するものを除く。）又は住宅以外の建築物若しくは特定工作物で自己の業務の用に供するものの建築若しくは建設の用に供する目的で行う開発行為（当該開発行為に関する工事が当該許可を要するもの並びに当該開発行為の中断により当該開発区域及びその周辺の地域に出水、崖崩れ、土砂の流出等による被害が生じるおそれがあることを考慮して政令で定める規模以上のものを除く。）以外の開発行為にあつては、申請者に当該開発行為を行うために必要な資力及び信用があること。

十三　主として、自己の居住の用に供する住宅の建築の用に供する目的で行う開発行為（当該開発行為に関する工事が宅地造成及び特定盛土等規制法第十二条第一項又は第三十条第一項の許可を要するものを除く。）又は住宅以外の建築物若しくは特定工作物で自己の業務の用に供するものの建築若しくは建設の用に供する目的で行う開発行為（当該開発行為に関する工事が当該許可を要するもの並びに当該開発行為の中断により当該開発区域及びその周辺の地域に出水、崖崩れ、土砂の流出等による被害が生じるおそれがあることを考慮して政令で定める規模以上のものを除く。）以外の開発行為にあつては、工事施行者に当該開発行為に関する工事を完成するために必要な能力があること。

十四　当該開発行為をしようとする土地若しくは当該開発行為に関する工事をしようとする土地の区域内の土地又はこれらの土地にある建築物その他の工作物につき当該開発行為の施行又は当該開発行為に関する工事の実施の妨げとなる権利を有する者の相当数の同意を得ていること。

②―⑧　（略）

第三四条　前条の規定にかかわらず、市街化調整区域に係る開発行為（主として第二種特定工作物の建設の用に供する目的で行う開発行為を除く。）については、当該申請に係る開発行為及びその申請の手続が同条に定める要件に該当するほか、当該申請に係る開発行為が次の各号のいずれかに該当すると認める場合でなければ、都道府県知事は、開発許可をしてはならない。

一　主として当該開発区域の周辺の地域において居住している者の利用に供する政令で定める公益上必要な建築物又はこれらの者の日常生活のため必要な物品の販売、加工若しくは修理その他の業務を営む店舗、事業場その他これらに類する建築物の建築の用に供する目的で行う開発行為

二　市街化調整区域内に存する鉱物資源、観光資源その他の資源の有効な利用上必要な建築物又は第一種特定工作物の建築又は建設の用に供する目的で行う開発行為

三　温度、湿度、空気等について特別の条件を必要とする政令で定める事業の用に供する建築物又は第一種特定工作物で、当該特別の条件を必要とするため市街化区域内において建築し、又は建設することが困難なものの建築又は建設の用に供する目的で行う開発行為

四　農業、林業若しくは漁業の用に供する建築物で第二十九条第一項第二号の政令で定める建築物以外のものの建築又は市街化調整区域内において生産される農産物、林産物若しくは水産物の処理、貯蔵若しくは加工に必要な建築物若しくは第一種特定工作物の建築若しくは建設の用に供する目的で行う開発行為

五　特定農山村地域における農林業等の活性化のための基盤整備の促進に関する法律（平成五年法律第七十二号）第九条第一項の規定による公告があつた所有権移転等促進計画の定めるところによつて設定され、又は移転された同法第二条第三項第三号の権利に係る土地において当該所有権移転等促進計画に定める利用目的（同項第二号に規定する農林業等活性化基盤施設である建築物の建築の用に供するためのものに限る。）に従つて行う開発行為

六　都道府県が国又は独立行政法人中小企業基盤整備機構と一体となつて助成する中小企業者の行う他の事業者との連携若しくは事業の共同化又は中小企業の集積の活性化に寄与する事業の用に供する建築物又は第一種特定工作物の建築又は建

設の用に供する目的で行う開発行為

七　市街化調整区域内において現に工業の用に供されている工場施設における事業と密接な関連を有する事業の用に供する建築物又は第一種特定工作物で、これらの事業活動の効率化を図るため市街化調整区域内において建築し、又は建設することが必要なものの建築又は建設の用に供する目的で行う開発行為

八　政令で定める危険物の貯蔵又は処理に供する建築物又は第一種特定工作物で、市街化区域内において建築し、又は建設することが不適当なものとして政令で定めるものの建築又は建設の用に供する目的で行う開発行為

八の二　市街化調整区域のうち災害危険区域等その他の政令で定める開発行為を行うのに適当でない区域内に存する建築物又は第一種特定工作物に代わるべき建築物又は第一種特定工作物（いずれも当該区域外において従前の建築物又は第一種特定工作物の用途と同一の用途に供されることとなるものに限る。）の建築又は建設の用に供する目的で行う開発行為

九　前各号に規定する建築物又は第一種特定工作物のほか、市街化区域内において建築し、又は建設することが困難又は不適当なものとして政令で定める建築物又は第一種特定工作物の建築又は建設の用に供する目的で行う開発行為

十　地区計画又は集落地区計画の区域（地区整備計画又は集落地区整備計画が定められている区域に限る。）内において、当該地区計画又は集落地区計画に定められた内容に適合する建築物又は第一種特定工作物の建築又は建設の用に供する目的で行う開発行為

十一　市街化区域に隣接し、又は近接し、かつ、自然的社会的諸条件から市街化区域と一体的な日常生活圏を構成していると認められる地域であつておおむね五十以上の建築物（市街化区域内に存するものを含む。）が連たんしている地域のうち、災害の防止その他の事情を考慮して政令で定める基準に従い、都道府県（指定都市等又は事務処理市町村の区域内にあつては、当該指定都市等又は事務処理市町村。以下この号及び次号において同じ。）の条例で指定する土地の区域内において行う開発行為で、予定建築物等の用途が、開発区域及びその周辺の地域における環境の保全上支障があると認められる用途として都道府県の条例で定めるものに該当しないもの

十二　開発区域の周辺における市街化を促進するおそれがないと認められ、かつ、市街化区域内において行うことが困難又は著しく不適当と認められる開発行為として、災害の防止その他の事情を考慮して政令で定める基準に従い、都道府県の条例で区域、目的又は予定建築物等の用途を限り定められたもの

十三　区域区分に関する都市計画が決定され、又は当該都市計画を変更して市街化調整区域が拡張された際、自己の居住若しくは業務の用に供する建築物を建築し、又は自己の業務の用に供する第一種特定工作物を建設する目的で土地又は土地の利用に関する所有権以外の権利を有していた者で、当該都市計画の決定又は変更の日から起算して六月以内に国土交通省令で定める事項を都道府県知事に届け出たものが、当該目的に従つて、当該土地に関する権利の行使として行う開発行為（政令で定める期間内に行うものに限る。）

十四　前各号に掲げるもののほか、都道府県知事が開発審査会の議を経て、開発区域の周辺における市街化を促進するおそれがなく、かつ、市街化区域内において行うことが困難又は著しく不適当と認める開発行為

第三四条の二から第三五条の二まで　（略）

（工事完了の検査）

第三六条①　開発許可を受けた者は、当該開発区域（開発区域を工区に分けたときは、工区）の全部について当該開発行為に関する工事（当該開発行為に関する工事のうち公共施設に関する部分については、当該公共施設に関する工事）を完了したときは、国土交通省令で定めるところにより、その旨を都道府県知事に届け出なければならない。

②　都道府県知事は、前項の規定による届出があつたときは、遅滞なく、当該工事が開発許可の内容に適合しているかどうかについて検査し、その検査の結果当該工事が当該開発許可の内容に適合していると認めたときは、国土交通省令で定める様式の検査済証を当該開発許可を受けた者に交付しなければならない。

③　都道府県知事は、前項の規定により検査済証を交付したときは、遅滞なく、国土交通省令で定めるところにより、当該工事が完了した旨を公告しなければならない。この場合において、当該工事が津波災害特別警戒区域（津波防災地域づくりに関する法律第七十二条第一項の津波災害特別警戒区域をいう。以下この項において同じ。）内における同法第七十三条第一項に規定する特定開発行為（同条第四項各号に掲げる行為を除く。）に係るものであり、かつ、当該工事の完了後において当該工事に係る同条第四項第一号に規定する開発区域（津波災害特別警戒区域内のものに限る。）に地盤面の高さが同法第五十三条第二項に規定する基準水位以上である土地の区域があるときは、その区域を併せて公告しなければならない。

（不服申立て）

第三七条から第四九条まで　（略）

第五〇条①　第二十九条第一項若しくは第二項、第三十五条の二第一項、第四十一条第二項ただし書、第四十二条第一項ただし書若しくは第四十三条第一項の規定に基づく処分若しくはその不作為又はこれらの規定に違反した者に対する第八十一条第一項の規定に基づく監督処分についての審査請求は、開発審査会に対してするものとする。この場合において、不作為についての審査請求は、開発審査会に代えて、当該不作為に係る都道府県知事に対してすることもできる。

②　開発審査会は、前項前段の規定による審査請求がされた場合においては、当該審査請求がされた日（行政不服審査法（平成二十六年法律第六十八号）第二十三条の規定により不備を補正すべきことを命じた場合にあつては、当該不備が補正された日）から二月以内に、裁決をしなければならない。

③　開発審査会は、前項の裁決を行う場合においては、行政不服審査法第二十四条の規定により当該審査請求を却下する場合を除き、あらかじめ、審査請求人、処分をした行政庁その他の関係人又はこれらの者の代理人の出頭を求めて、公開による口頭審理を行わなければならない。

④　第一項前段の規定による審査請求については、行政不服審査法第三十一条の規定は適用せず、前項の口頭審理については、同法第九条第三項の規定により読み替えられた同法第三十一条第二項から第五項までの規定を準用する。

第五一条①　第二十九条第一項若しくは第二項、第三十五条の二第一項、第四十二条第一項ただし書又は第四十三条第一項の規定による処分に不服がある者は、その不服の理由が鉱業、採石業又は砂利採取業との調整に関するものであるときは、公害等調整委員会に裁定の申請をすることができる。この場合においては、審査請求をすることができない。

②　行政不服審査法第二十二条の規定は、前項に規定する処分につき、処分をした行政庁が誤つて審査請求又は再調査の請求をすることができる旨を教示した場合に準用する。

第一節の二　田園住居地域内における建築等の規制 及び 第一節の三　市街地開発事業等予定区域の区域内における建築等の規制

（第五二条から第五二条の五まで）（略）

第二節　都市計画施設等の区域内における建築等の規制

（建築の許可）

第五三条①　都市計画施設の区域又は市街地開発事業の施行区域内において建築物の建築をしようとする者は、国土交通省令で

定めるところにより、都道府県知事等の許可を受けなければならない。ただし、次に掲げる行為については、この限りでない。

一　政令で定める軽易な行為

二　非常災害のため必要な応急措置として行う行為

三　都市計画事業の施行として行う行為又はこれに準ずる行為として政令で定める行為

四　第十一条第三項後段の規定により離隔距離の最小限度及び載荷重の最大限度が定められている都市計画施設の区域内において行う行為であつて、当該離隔距離の最小限度及び載荷重の最大限度に適合するもの

五　第十二条の十一に規定する道路（都市計画施設であるものに限る。）の区域のうち建築物等の敷地として併せて利用すべき区域内において行う行為であつて、当該道路を整備する上で著しい支障を及ぼすおそれがないものとして政令で定めるもの

② 第五十二条の二第二項の規定は、前項の規定による許可について準用する。

③ 第一項の規定は、第六十五条第一項に規定する告示があつた後は、当該告示に係る土地の区域内においては、適用しない。

第五四条（許可の基準）　都道府県知事等は、前条第一項の規定による許可の申請があつた場合において、当該申請が次の各号のいずれかに該当するときは、その許可をしなければならない。

一　当該建築が、都市計画施設又は市街地開発事業に関する都市計画のうち建築物について定めるものに適合するものであること。

二　当該建築が、第十一条第三項の規定により都市計画施設の区域について都市施設を整備する立体的な範囲が定められている場合において、当該立体的な範囲外において行われ、かつ、当該都市計画施設を整備する上で著しい支障を及ぼすおそれがないと認められること。ただし、当該立体的な範囲が道路である都市施設を整備するものとして空間について定められているときは、安全上、防火上及び衛生上支障がないものとして政令で定める場合に限る。

三　当該建築物が次に掲げる要件に該当し、かつ、容易に移転し、又は除却することができるものであると認められること。

イ　階数が二以下で、かつ、地階を有しないこと。

ロ　主要構造部（建築基準法第二条第五号に定める主要構造部をいう。）が木造、鉄骨造、コンクリートブロック造その他これらに類する構造であること。

第五五条（許可の基準の特例等）① 都道府県知事等は、都市計画施設の区域内の土地でその指定したものの区域又は市街地開発事業（土地区画整理事業及び新都市基盤整備事業を除く。）の施行区域（次条及び第五十七条において「事業予定地」という。）内において行われる建築物の建築については、前条の規定にかかわらず、第五十三条第一項の許可をしないことができる。ただし、次条第二項の規定により買い取らない旨の通知があつた土地における建築物の建築については、この限りでない。

② 都市計画事業を施行しようとする者その他政令で定める者は、都道府県知事等に対し、前項の規定による土地の指定をすべきこと又は次条第一項の規定による土地の買取りの申出及び第五十七条第二項本文の規定による届出の相手方として定めるべきことを申し出ることができる。

③ 都道府県知事等は、前項の規定により土地の指定をすべきことを申し出た者を次条第一項の規定による土地の買取りの申出及び第五十七条第二項本文の規定による届出の相手方として定めることができる。

④ 都道府県知事等は、第一項の規定による土地の指定をするとき、又は第二項の規定による申出に基づき、若しくは前項の規定により、次条第一項の規定による土地の買取りの申出及び第五十七条第二項本文の規定による届出の相手方を定めるときは、国土交通省令で定めるところにより、その旨を公告しなければならない。

第五六条（土地の買取り）① 都道府県知事等（前条第四項の規定により、土地の買取りの申出の相手方として公告された者があるときは、その者）は、事業予定地内の土地の所有者から、同条第一項本文の規定により建築物の建築が許可されないときはその土地の利用に著しい支障を来すこととなることを理由として、当該土地を買い取るべき旨の申出があつた場合においては、特別の事情がない限り、当該土地を時価で買い取るものとする。

② 前項の規定による申出を受けた者は、遅滞なく、当該土地を買い取る旨又は買い取らない旨を当該土地の所有者に通知しなければならない。

③ 前条第四項の規定により土地の買取りの申出の相手方として公告された者は、前項の規定により土地を買い取らない旨の通知をしたときは、直ちに、その旨を都道府県知事等に通知しなければならない。

④ 第一項の規定により土地を買い取つた者は、当該土地に係る都市計画に適合するようにこれを管理しなければならない。

（土地の先買い等）

第五七条① 市街地開発事業に関する都市計画についての第二十条第一項（第二十一条第二項において準用する場合を含む。）の規定による告示又は市街地開発事業若しくは市街化区域若しくは区域区分が定められていない都市計画区域内の都市計画施設に係る第五十五条第四項の規定による公告があつたときは、都道府県知事等（同項の規定により、次項本文の規定による届出の相手方として公告された者があるときは、その者。以下この条において同じ。）は、速やかに、国土交通省令で定める事項を公告するとともに、国土交通省令で定めるところにより、事業予定地内の土地の有償譲渡について、次項から第四項までの規定による制限があることを関係権利者に周知させるため必要な措置を講じなければならない。

② 前項の規定による公告の日の翌日から起算して十日を経過した後に事業予定地内の土地を有償で譲り渡そうとする者（土地及びこれに定着する建築物その他の工作物を有償で譲り渡そうとする者を除く。）は、当該土地、その予定対価の額（予定対価が金銭以外のものであるときは、これを時価を基準として金銭に見積つた額。以下この条において同じ。）及び当該土地を譲り渡そうとする相手方その他国土交通省令で定める事項を書面で都道府県知事等に届け出なければならない。ただし、当該土地の全部又は一部が、文化財保護法第四十六条（同法第八十三条において準用する場合を含む。）の規定の適用を受けるものであるとき、又は第六十六条の公告の日の翌日から起算して十日を経過した後における当該公告に係る都市計画事業を施行する土地に含まれるものであるときは、この限りでない。

③ 前項の規定による届出があつた後三十日以内に都道府県知事等が届出をした者に対し届出に係る土地を買い取るべき旨の通知をしたときは、当該土地について、都道府県知事等と届出をした者との間に届出書に記載された予定対価の額に相当する代金で、売買が成立したものとみなす。

④ 第二項の届出をした者は、前項の期間（その期間内に都道府県知事等が届出に係る土地を買い取らない旨の通知をしたときは、その時までの期間）内は、当該土地を譲り渡してはならない。

⑤ 前条第四項の規定は、第三項の規定により土地を買い取つた者について準用する。

（施行予定者が定められている都市計画施設の区域等についての特例）

第五七条の二　施行予定者が定められている都市計画に係る都市計画施設の区域及び市街地開発事業の施行区域（以下「施行予定者が定められている都市計画施設の区域等」という。）については、第五十三条から前条までの規定は適用せず、次条から第

五十七条の六までに定めるところによる。ただし、第六十条の二第二項の規定による公告があつた場合における当該公告に係る都市計画施設の区域及び市街地開発事業の施行区域については、この限りでない。

（**建築等の制限**）

第五七条の三① 施行予定者が定められている都市計画施設の区域等内における土地の形質の変更又は建築物の建築その他工作物の建設については、第五十二条の二第一項及び第二項の規定を準用する。

② 前項の規定は、第六十五条第一項に規定する告示があつた後は、当該告示に係る土地の区域内においては、適用しない。

（**土地建物等の先買い等**）

第五七条の四 施行予定者が定められている都市計画施設の区域等内の土地建物等の有償譲渡については、第五十二条の三の規定を準用する。この場合において、同条第一項中「市街地開発事業等予定区域に関する」とあるのは「施行予定者が定められている都市施設又は市街地開発事業に関する」と、「当該市街地開発事業等予定区域の区域内」とあるのは「当該都市計画施設の区域又は市街地開発事業の施行区域内」と、同条第二項中「市街地開発事業等予定区域の区域内」とあるのは「施行予定者が定められている都市計画施設の区域又は市街地開発事業の施行区域内」と読み替えるものとする。

（**土地の買取請求**）

第五七条の五 施行予定者が定められている都市計画施設の区域等内の土地の買取請求については、第五十二条の四第一項から第三項までの規定を準用する。

（**損失の補償**）

第五七条の六① 施行予定者が定められている市街地開発事業又は都市施設に関する都市計画についての第二十条第一項の規定による告示の日から起算して二年を経過する日までの間に当該都市計画に定められた区域又は施行区域が変更された場合において、その変更により当該区域又は施行区域外となつた土地の所有者又は関係人のうちに当該都市計画が定められたことにより損失を受けた者があるときは、当該施行予定者は、その損失を補償しなければならない。

② 第五十二条の五第二項及び第三項の規定は、前項の場合について準用する。

第三節 風致地区内における建築等の規制 から **第五節** 遊休土地転換利用促進地区内における土地利用に関する措置等 まで

（第五八条から第五八条の一二まで）（略）

第四章 都市計画事業（抄）

第一節 都市計画事業の認可等（抄）

（**施行者**）

第五九条① 都市計画事業は、市町村が、都道府県知事（第一号法定受託事務として施行する場合にあつては、国土交通大臣）の認可を受けて施行する。

② 都道府県は、市町村が施行することが困難又は不適当な場合その他特別な事情がある場合においては、国土交通大臣の認可を受けて、都市計画事業を施行することができる。

③ 国の機関は、国土交通大臣の承認を受けて、国の利害に重大な関係を有する都市計画事業を施行することができる。

④ 国の機関、都道府県及び市町村以外の者は、事業の施行に関して行政機関の免許、許可、認可等の処分を必要とする場合においてこれらの処分を受けているとき、その他特別な事情がある場合においては、都道府県知事の認可を受けて、都市計画事業を施行することができる。

⑤ 都道府県知事は、前項の認可をしようとするときは、あらかじめ、関係地方公共団体の長の意見をきかなければならない。

⑥ 国土交通大臣又は都道府県知事は、第一項から第四項までの規定による認可又は承認をしようとする場合において、当該都市計画事業が、用排水施設その他農用地の保全若しくは利用上必要な公共の用に供する施設を廃止し、若しくは変更するものであるとき、又はこれらの施設の管理、新設若しくは改良に係る土地改良事業計画に影響を及ぼすおそれがあるものであるときは、当該都市計画事業について、当該施設を管理する者又は当該土地改良事業計画による事業を行う者の意見をきかなければならない。ただし、政令で定める軽易なものについては、この限りでない。

⑦ 施行予定者が定められている都市計画に係る都市計画施設の整備に関する事業及び市街地開発事業は、その定められている者でなければ、施行することができない。

第六〇条から第六一条まで （略）

（**都市計画事業の認可等の告示**）

第六二条① 国土交通大臣又は都道府県知事は、第五十九条の認可又は承認をしたときは、遅滞なく、国土交通省令で定めるところにより、施行者の名称、都市計画事業の種類、事業施行期間及び事業地を告示し、かつ、国土交通大臣にあつては関係都道府県知事及び関係市町村長に、都道府県知事にあつては国土交通大臣及び関係市町村長に、第六十条第三項第一号及び第二号に掲げる図書の写しを送付しなければならない。

② 市町村長は、前項の告示に係る事業施行期間の終了の日又は第六十九条の規定により適用される土地収用法第三十条の二の規定により準用される同法第三十条第二項の通知を受ける日まで、国土交通省令で定めるところにより、前項の図書の写しを当該市町村の事務所において公衆の縦覧に供しなければならない。

第六三条及び第六四条 （略）

第二節 都市計画事業の施行（抄）

（**建築等の制限**）

第六五条① 第六十二条第一項の規定による告示又は新たな事業地の編入に係る第六十三条第二項において準用する第六十二条第一項の規定による告示があつた後においては、当該事業地内において、都市計画事業の施行の障害となるおそれがある土地の形質の変更若しくは建築物の建築その他工作物の建設を行い、又は政令で定める移動の容易でない物件の設置若しくは堆積を行おうとする者は、都道府県知事等の許可を受けなければならない。

② 都道府県知事等は、前項の許可の申請があつた場合において、その許可を与えようとするときは、あらかじめ、施行者の意見を聴かなければならない。

③ 第五十二条の二第二項の規定は、第一項の規定による許可について準用する。

（**事業の施行について周知させるための措置**）

第六六条 前条第一項に規定する告示があつたときは、施行者は、すみやかに、国土交通省令で定める事項を公告するとともに、国土交通省令で定めるところにより、事業地内の土地建物等の有償譲渡について、次条の規定による制限があることを関係権利者に周知させるため必要な措置を講じ、かつ、自己が施行する都市計画事業の概要について、事業地及びその附近地の住民に説明し、これらの者から意見を聴取する等の措置を講ずることにより、事業の施行についてこれらの者の協力が得られるように努めなければならない。

（**土地建物等の先買い**）

第六七条① 前条の公告の日の翌日から起算して十日を経過した後に事業地内の土地建物等を有償で譲り渡そうとする者は、当該土地建物等、その予定対価の額（予定対価が金銭以外のものであるときは、これを時価を基準として金銭に見積もつた額。

以下この条において同じ。）及び当該土地建物等を譲り渡そうとする相手方その他国土交通省令で定める事項を書面で施行者に届け出なければならない。ただし、当該土地建物等の全部又は一部が文化財保護法第四十六条（同法第八十三条において準用する場合を含む。）の規定の適用を受けるものであるときは、この限りでない。

② 前項の規定による届出があつた後三十日以内に施行者が届出をした者に対し届出に係る土地建物等を買い取るべき旨の通知をしたときは、当該土地建物等について、施行者と届出をした者との間に届出書に記載された予定対価の額に相当する代金で、売買が成立したものとみなす。

③ 第一項の届出をした者は、前項の期間（その期間内に施行者が届出に係る土地建物等を買い取らない旨の通知をしたときは、その時までの期間）内は、当該土地建物等を譲り渡してはならない。

（土地の買取請求）

第六八条① 事業地内の土地で、次条の規定により適用される土地収用法第三十一条の規定により収用の手続が保留されているものの所有者は、施行者に対し、国土交通省令で定めるところにより、当該土地を時価で買い取るべきことを請求することができる。ただし、当該土地が他人の権利の目的となつているとき、及び当該土地に建築物その他の工作物又は立木に関する法律第一条第一項に規定する立木があるときは、この限りでない。

② 前項の規定により買い取るべき土地の価額は、施行者と土地の所有者とが協議して定める。

③ 第二十八条第三項の規定は、前項の場合について準用する。

（都市計画事業のための土地等の収用又は使用）

第六九条 都市計画事業については、これを土地収用法第三条各号の一に規定する事業に該当するものとみなし、同法の規定を適用する。

第七〇条から第七三条まで （略）

（生活再建のための措置）

第七四条① 都市計画事業の施行に必要な土地等を提供したため生活の基礎を失うこととなる者は、その受ける補償と相まつて実施されることを必要とする場合においては、生活再建のための措置で次の各号に掲げるものの実施のあつせんを施行者に申し出ることができる。

一 宅地、開発して農地とすることが適当な土地その他の土地の取得に関すること。

二 住宅、店舗その他の建物の取得に関すること。

三 職業の紹介、指導又は訓練に関すること。

② 施行者は、前項の規定による申出があつた場合においては、事情の許す限り、当該申出に係る措置を講ずるように努めるものとする。

（受益者負担金）

第七五条① 国、都道府県又は市町村は、都市計画事業によつて著しく利益を受ける者があるときは、その利益を受ける限度において、当該事業に要する費用の一部を当該利益を受ける者に負担させることができる。

②—⑦ （略）

第五章　都市施設等整備協定

（第七五条の二から第七五条の四まで）（略）

第六章　都市計画協力団体

（第七五条の五から第七五条の一〇まで）（略）

第七章　社会資本整備審議会の調査審議等及び都道府県都市計画審議会等（抄）

第七六条から第七七条の二まで （略）

（開発審査会）

第七八条① 第五十条第一項前段に規定する審査請求に対する裁決その他この法律によりその権限に属させられた事項を行わせるため、都道府県及び指定都市等に、開発審査会を置く。

② 開発審査会は、委員五人以上をもつて組織する。

③ 委員は、法律、経済、都市計画、建築、公衆衛生又は行政に関し優れた経験と知識を有し、公共の福祉に関し公正な判断をすることができる者のうちから、都道府県知事又は指定都市等の長が任命する。

④ 次の各号のいずれかに該当する者は、委員となることができない。

一 破産者で復権を得ない者

二 拘禁刑以上の刑に処せられ、その執行を終わるまで又はその執行を受けることがなくなるまでの者

⑤ 都道府県知事又は指定都市等の長は、委員が前項各号のいずれかに該当するに至つたときは、その委員を解任しなければならない。

⑥ 都道府県知事又は指定都市等の長は、その任命に係る委員が次の各号のいずれかに該当するときは、その委員を解任することができる。

一 心身の故障のため職務の執行に堪えないと認められるとき。

二 職務上の義務違反その他委員たるに適しない非行があると認められるとき。

⑦ 委員は、自己又は三親等以内の親族の利害に関係のある事件については、第五十条第一項前段に規定する審査請求に対する裁決に関する議事に加わることができない。

⑧ 第二項から前項までに定めるもののほか、開発審査会の組織及び運営に関し必要な事項は、政令で定める基準に従い、都道府県又は指定都市等の条例で定める。

第八章　雑則（抄）

（許可等の条件）

第七九条 この法律の規定による許可、認可又は承認には、都市計画上必要な条件を附することができる。この場合において、その条件は、当該許可、認可又は承認を受けた者に不当な義務を課するものであつてはならない。

第八〇条 （略）

（監督処分等）

第八一条① 国土交通大臣、都道府県知事又は市町村長は、次の各号のいずれかに該当する者に対して、都市計画上必要な限度において、この法律の規定によつてした許可、認可若しくは承認を取り消し、変更し、その効力を停止し、その条件を変更し、若しくは新たに条件を付し、又は工事その他の行為の停止を命じ、若しくは相当の期限を定めて、建築物その他の工作物若しくは物件（以下この条において「工作物等」という。）の改築、移転若しくは除却その他違反を是正するため必要な措置をとることを命ずることができる。

一 この法律若しくはこの法律に基づく命令の規定若しくはこれらの規定に基づく処分に違反した者又は当該違反の事実を知つて、当該違反に係る土地若しくは工作物等を譲り受け、若しくは賃貸借その他により当該違反に係る土地若しくは工作物等を使用する権利を取得した者

二 この法律若しくはこの法律に基づく命令の規定若しくはこれらの規定に基づく処分に違反した工事の注文主若しくは請負人（請負工事の下請人を含む。）又は請負契約によらないで自らその工事をしている者若しくはした者

三 この法律の規定による許可、認可又は承認に付した条件に違反している者

四 詐欺その他不正な手段により、この法律の規定による許可、認可又は承認を受けた者

②—④ （略）

第八二条から第八七条の三まで （略）

（事務の区分）

第八七条の四① この法律の規定により地方公共団体が処理する

こととされている事務のうち次に掲げるものは、第一号法定受託事務とする。

一　第二十条第二項（国土交通大臣から送付を受けた図書の写しを公衆の縦覧に供する事務に係る部分に限り、第二十一条第二項において準用する場合を含む。第三号において同じ。）、第二十二条第二項、第二十四条第一項前段及び第五項並びに第六十五条第一項（国土交通大臣が第五十九条第一項若しくは第二項の認可又は同条第三項の承認をした都市計画事業について許可をする事務に係る部分に限る。次号において同じ。）の規定により都道府県が処理することとされている事務

二　第六十五条第一項の規定により市が処理することとされている事務

三　第二十条第二項及び第六十二条第二項（国土交通大臣から送付を受けた図書の写しを公衆の縦覧に供する事務に係る部分に限り、第六十三条第二項において準用する場合を含む。）の規定により市町村が処理することとされている事務

②　第二十条第二項（都道府県から送付を受けた図書の写しを公衆の縦覧に供する事務に係る部分に限り、第二十一条第二項において準用する場合を含む。）及び第六十二条第二項（都道府県知事から送付を受けた図書の写しを公衆の縦覧に供する事務に係る部分に限り、第六十三条第二項において準用する場合を含む。）の規定により市町村が処理することとされている事務は、地方自治法第二条第九項第二号に規定する第二号法定受託事務とする。

第八八条及び第八八条の二　（略）

第九章　罰則　（第八九条から第九八条まで）（略）

附　則　（抄）

（施行期日）

①　この法律は、別に法律で定める日（昭和四四・六・一四—昭和四三法一〇二）から施行する。

刑法等の一部を改正する法律の施行に伴う関係法律整理法　（令和四・六・一七法六八）（抄）

中経過規定

第四四一条から第四四三条まで　（刑法の同経過規定参照）

第五〇九条　（刑法の同経過規定参照）

附　則　（令和四・六・一七法六八）（抄）

（施行期日）

①　この法律は、刑法等一部改正法（刑法等の一部を改正する法律（令和四法六七））施行日（令和七・六・一）から施行する。ただし、次の各号に掲げる規定は、当該各号に定める日から施行する。

一　第五百九条の規定　公布の日

二　（略）

附　則　（令和六・五・二九法四〇）（抄）

（施行期日）

第一条　この法律は、公布の日から起算して六月を超えない範囲内において政令で定める日から施行する。ただし、附則第三条の規定は、公布の日から施行する。

（政令への委任）

第三条　（前略）この法律の施行に関し必要な経過措置（中略）は、政令で定める。

（検討）

第四条　政府は、この法律の施行後五年を目途として、この法律による改正後のそれぞれの法律の規定について、その施行の状況等を勘案して検討を加え、必要があると認めるときは、その結果に基づいて所要の措置を講ずるものとする。

＊建築基準法（抜粋）（昭和二五・五・二四 法　二〇一）

最終改正　令和六法五三

第一章　総則　（抄）

（目的）

第一条　この法律は、建築物の敷地、構造、設備及び用途に関する最低の基準を定めて、国民の生命、健康及び財産の保護を図り、もつて公共の福祉の増進に資することを目的とする。

（用語の定義）

第二条　この法律において次の各号に掲げる用語の意義は、当該各号に定めるところによる。

一　建築物　土地に定着する工作物のうち、屋根及び柱若しくは壁を有するもの（これに類する構造のものを含む。）、これに附属する門若しくは塀、観覧のための工作物又は地下若しくは高架の工作物内に設ける事務所、店舗、興行場、倉庫その他これらに類する施設（鉄道及び軌道の線路敷地内の運転保安に関する施設並びに跨線橋、プラットホームの上家、貯蔵槽その他これらに類する施設を除く。）をいい、建築設備を含むものとする。

二—十二　（略）

十三　建築　建築物を新築し、増築し、改築し、又は移転することをいう。

十四—十八　（略）

十九　都市計画　都市計画法（昭和四十三年法律第百号）第四条第一項に規定する都市計画をいう。

二十—三十四　（略）

三十五　特定行政庁　この法律の規定により建築主事又は建築副主事を置く市町村の区域については当該市町村の長をいい、その他の市町村の区域については都道府県知事をいう。ただし、第九十七条の二第一項若しくは第二項又は第九十七条の三第一項若しくは第二項の規定により建築主事又は建築副主事を置く市町村の区域内の政令で定める建築物については、都道府県知事とする。

（適用の除外）

第三条①　（略）

②　この法律又はこれに基づく命令若しくは条例の規定の施行又は適用の際現に存する建築物若しくはその敷地又は現に建築、修繕若しくは模様替の工事中の建築物若しくはその敷地がこれ

らの規定に適合せず、又はこれらの規定に適合しない部分を有する場合においては、当該建築物、建築物の敷地又は建築物若しくはその敷地の部分に対しては、当該規定は、適用しない。

③（略）

（建築主事又は建築副主事）

第四条① 政令で指定する人口二十五万以上の市は、その長の指揮監督の下に、第六条第一項の規定による確認に関する事務その他のこの法律の規定により建築主事の権限に属するものとされている事務（以下この条において「確認等事務」という。）をつかさどらせるために、建築主事を置かなければならない。

② 市町村（前項の市を除く。）は、その長の指揮監督の下に、確認等事務をつかさどらせるために、建築主事を置くことができる。

③④（略）

⑤ 都道府県は、都道府県知事の指揮監督の下に、第一項又は第二項の規定によつて建築主事を置いた市町村（第九十七条の二を除き、以下「建築主事を置く市町村」という。）の区域外における確認等事務をつかさどらせるために、建築主事を置かなければならない。

⑥ 第一項、第二項及び前項の建築主事は、市町村又は都道府県の職員で第七十七条の五十八第一項の登録（同条第二項の一級建築基準適合判定資格者登録簿への登録に限る。）を受けている者のうちから、それぞれ市町村の長又は都道府県知事が命ずる。

⑦ 第一項、第二項又は第五項の規定によつて建築主事を置いた市町村又は都道府県は、当該市町村又は都道府県における確認等事務の実施体制の確保又は充実を図るため必要があると認めるときは、建築主事のほか、当該市町村の長又は都道府県知事の指揮監督の下に、確認等事務のうち建築士法第三条第一項各号に掲げる建築物（以下「大規模建築物」という。）に係るもの以外のものをつかさどらせるために、建築副主事を置くことができる。

⑧ 前項の建築副主事は、市町村又は都道府県の職員で第七十七条の五十八第一項の登録（同条第二項の二級建築基準適合判定資格者登録簿への登録に限る。）を受けている者のうちから、それぞれ市町村の長又は都道府県知事が命ずる。

⑨（略）

（建築物の建築等に関する申請及び確認）

第六条① 建築主は、第一号若しくは第二号に掲げる建築物を建築しようとする場合（増築しようとする場合においては、建築物が増築後において第一号又は第二号に規定する規模のものとなる場合を含む。）、これらの建築物の大規模の修繕若しくは大規模の模様替をしようとする場合又は第三号に掲げる建築物を建築しようとする場合においては、当該工事に着手する前に、その計画が建築基準関係規定（この法律並びにこれに基づく命令及び条例の規定（以下「建築基準法令の規定」という。）その他建築物の敷地、構造又は建築設備に関する法律並びにこれに基づく命令及び条例の規定で政令で定めるものをいう。以下同じ。）に適合するものであることについて、確認の申請書を提出して建築主事又は建築副主事（以下「建築主事等」という。）の確認（建築副主事の確認にあつては、大規模建築物以外の建築物に係るものに限る。以下この項において同じ。）を受け、確認済証の交付を受けなければならない。当該確認を受けた建築物の計画の変更（国土交通省令で定める軽微な変更を除く。）をして、第一号若しくは第二号に掲げる建築物を建築しようとする場合（増築しようとする場合においては、建築物が増築後において第一号又は第二号に規定する規模のものとなる場合を含む。）、これらの建築物の大規模の修繕若しくは大規模の模様替をしようとする場合又は第三号に掲げる建築物を建築しようとする場合も、同様とする。

一 別表第一(い)欄に掲げる用途に供する特殊建築物で、その用途に供する部分の床面積の合計が二百平方メートルを超えるもの

二 前号に掲げる建築物を除くほか、二以上の階数を有し、又は延べ面積が二百平方メートルを超える建築物

三 前二号に掲げる建築物を除くほか、都市計画区域若しくは準都市計画区域（いずれも都道府県知事が都道府県都市計画審議会の意見を聴いて指定する区域を除く。）若しくは景観法（平成十六年法律第百十号）第七十四条第一項の準景観地区（市町村長が指定する区域を除く。）内又は都道府県知事が関係市町村の意見を聴いてその区域の全部若しくは一部について指定する区域内における建築物

② 前項の規定は、防火地域及び準防火地域外において建築物を増築し、改築し、又は移転しようとする場合で、その増築、改築又は移転に係る部分の床面積の合計が十平方メートル以内であるときについては、適用しない。

③ 建築主事等は、第一項の申請書が提出された場合において、その計画が次の各号のいずれかに該当するときは、当該申請書を受理することができない。

一 建築士法第三条第一項、第三条の二第一項、第三条の三第一項、第二十条の二第一項若しくは第二十条の三第一項の規定又は同法第三条の二第三項の規定に基づく条例の規定に違反するとき。

二 構造設計一級建築士以外の一級建築士が建築士法第二十条の二第一項の建築物の構造設計を行つた場合において、当該建築物が構造関係規定に適合することを構造設計一級建築士が確認した構造設計によるものでないとき。

三 設備設計一級建築士以外の一級建築士が建築士法第二十条の三第一項の建築物の設備設計を行つた場合において、当該建築物が設備関係規定に適合することを設備設計一級建築士が確認した設備設計によるものでないとき。

④ 建築主事等は、第一項の申請書を受理した場合においては、同項第一号又は第二号に係るものにあつてはその受理した日から三十五日以内に、同項第三号に係るものにあつてはその受理した日から七日以内に、申請に係る建築物の計画が建築基準関係規定に適合するかどうかを審査し、審査の結果に基づいて建築基準関係規定に適合することを確認したときは、当該申請者に確認済証を交付しなければならない。

⑤ 建築主事等は、前項の場合において、申請に係る建築物の計画が第六条の三第一項の構造計算適合性判定を要するものであるときは、建築主から同条第七項の適合判定通知書又はその写しの提出を受けた場合に限り、第一項の規定による確認をすることができる。

⑥ 建築主事等は、第四項の場合（申請に係る建築物の計画が第六条の三第一項本文に規定する特定構造計算基準（第二十条第一項第二号イの政令で定める基準に従つた構造計算で同号イに規定する方法によるものによつて確かめられる安全性を有することに係る部分に限る。）に適合するかどうかを審査する場合その他国土交通省令で定める場合に限る。）において、第四項の期間内に当該申請者に第一項の確認済証を交付することができない合理的な理由があるときは、三十五日の範囲内において、第四項の期間を延長することができる。この場合においては、その旨及びその延長する期間並びにその期間を延長する理由を記載した通知書を同項の期間内に当該申請者に交付しなければならない。

⑦ 建築主事等は、第四項の場合において、申請に係る建築物の計画が建築基準関係規定に適合しないことを認めたとき、又は建築基準関係規定に適合するかどうかを決定することができない正当な理由があるときは、その旨及びその理由を記載した通知書を同項の期間（前項の規定により第四項の期間を延長した場合にあつては、当該延長後の期間）内に当該申請者に交付しなければならない。

⑧ 第一項の確認済証の交付を受けた後でなければ、同項の建築物の建築、大規模の修繕又は大規模の模様替の工事は、することができない。

⑨ 第一項の規定による確認の申請書、同項の確認済証並びに第

六項及び第七項の通知書の様式は、国土交通省令で定める。

第六条の二（国土交通大臣等の指定を受けた者による確認）

第六条の二① 前条第一項各号に掲げる建築物の計画（前条第三項各号のいずれかに該当するものを除く。）が建築基準関係規定に適合するものであることについて、第七十七条の十八から第七十七条の二十一までの規定の定めるところにより国土交通大臣又は都道府県知事が指定した者の確認を受け、国土交通省令で定めるところにより確認済証の交付を受けたときは、当該確認は前条第一項の規定による確認と、当該確認済証は同項の確認済証とみなす。

② 前項の規定による指定は、二以上の都道府県の区域において同項の規定による確認の業務を行おうとする者を指定する場合にあつては国土交通大臣が、一の都道府県の区域において同項の規定による確認の業務を行おうとする者を指定する場合にあつては都道府県知事がするものとする。

③ 第一項の規定による指定を受けた者は、同項の規定による確認の申請を受けた場合において、申請に係る建築物の計画が次条第一項の構造計算適合性判定を要するものであるときは、建築主から同条第七項の適合判定通知書又はその写しの提出を受けた場合に限り、第一項の規定による確認をすることができる。

④ 第一項の規定による指定を受けた者は、同項の規定による確認の申請を受けた場合において、申請に係る建築物の計画が建築基準関係規定に適合しないことを認めたとき、又は建築基準関係規定に適合するかどうかを決定することができない正当な理由があるときは、国土交通省令で定めるところにより、その旨及びその理由を記載した通知書を当該申請者に交付しなければならない。

⑤ 第一項の規定による指定を受けた者は、同項の確認済証又は前項の通知書の交付をしたときは、国土交通省令で定める期間内に、国土交通省令で定めるところにより、確認審査報告書を作成し、当該確認済証又は当該通知書の交付に係る建築物の計画に関する国土交通省令で定める書類を添えて、これを特定行政庁に提出しなければならない。

⑥ 特定行政庁は、前項の規定による確認審査報告書の提出を受けた場合において、第一項の確認済証の交付を受けた建築物の計画が建築基準関係規定に適合しないと認めるときは、当該建築物の建築主及び当該確認済証を交付した同項の規定による指定を受けた者にその旨を通知しなければならない。この場合において、当該確認済証は、その効力を失う。

⑦ 前項の場合において、特定行政庁は、必要に応じ、第九条第一項又は第十項の命令その他の措置を講ずるものとする。

第七条（建築物に関する完了検査）

第七条① 建築主は、第六条第一項の規定による工事を完了したときは、国土交通省令で定めるところにより、建築主事等の検査（建築副主事の検査にあつては、大規模建築物以外の建築物に係るものに限る。第七条の三第一項において同じ。）を申請しなければならない。

② 前項の規定による申請は、第六条第一項の規定による工事が完了した日から四日以内に建築主事等に到達するように、しなければならない。ただし、申請をしなかつたことについて国土交通省令で定めるやむを得ない理由があるときは、この限りでない。

③ 前項ただし書の場合における検査の申請は、その理由がやんだ日から四日以内に建築主事等に到達するように、しなければならない。

④ 建築主事等が第一項の規定による申請を受理した場合においては、建築主事等又はその委任を受けた当該市町村若しくは都道府県の職員（以下この章において「検査実施者」という。）は、その申請を受理した日から七日以内に、当該工事に係る建築物及びその敷地が建築基準関係規定に適合しているかどうかを検査しなければならない。

⑤ 検査実施者は、前項の規定による検査をした場合において、当該建築物及びその敷地が建築基準関係規定に適合していることを認めたときは、国土交通省令で定めるところにより、当該建築物の建築主に対して検査済証を交付しなければならない。

第七条の二（国土交通大臣等の指定を受けた者による完了検査）

第七条の二① 第七十七条の十八から第七十七条の二十一までの規定の定めるところにより国土交通大臣又は都道府県知事が指定した者が、第六条第一項の規定による工事の完了の日から四日が経過する日までに、当該工事に係る建築物及びその敷地が建築基準関係規定に適合しているかどうかの検査を引き受けた場合において、当該検査の引受けに係る工事が完了したときについては、前条第一項から第三項までの規定は、適用しない。

② 前項の規定による指定は、二以上の都道府県の区域において同項の検査の業務を行おうとする者を指定する場合にあつては国土交通大臣が、一の都道府県の区域において同項の検査の業務を行おうとする者を指定する場合にあつては都道府県知事がするものとする。

③ 第一項の規定による指定を受けた者は、同項の規定による検査の引受けを行つたときは、国土交通省令で定めるところにより、その旨を証する書面を建築主に交付するとともに、その旨を建築主事等（当該検査の引受けが大規模建築物に係るものである場合にあつては、建築主事。第七条の四第二項において同じ。）に通知しなければならない。

④ 第一項の規定による指定を受けた者は、同項の規定による検査の引受けを行つたときは、当該検査の引受けを行つた第六条第一項の規定による工事が完了した日又は当該検査の引受けを行つた日のいずれか遅い日から七日以内に、第一項の検査をしなければならない。

⑤ 第一項の規定による指定を受けた者は、同項の検査をした建築物及びその敷地が建築基準関係規定に適合していることを認めたときは、国土交通省令で定めるところにより、当該建築物の建築主に対して検査済証を交付しなければならない。この場合において、当該検査済証は、前条第五項の検査済証とみなす。

⑥ 第一項の規定による指定を受けた者は、同項の検査をしたときは、国土交通省令で定める期間内に、国土交通省令で定めるところにより、完了検査報告書を作成し、同項の検査をした建築物及びその敷地に関する国土交通省令で定める書類を添えて、これを特定行政庁に提出しなければならない。

⑦ 特定行政庁は、前項の規定による完了検査報告書の提出を受けた場合において、第一項の規定による完了検査をした建築物及びその敷地が建築基準関係規定に適合しないと認めるときは、遅滞なく、第九条第一項又は第七項の規定による命令その他必要な措置を講ずるものとする。

第七条の六（検査済証の交付を受けるまでの建築物の使用制限）

第七条の六① 第六条第一項第一号若しくは第二号に掲げる建築物を新築する場合又はこれらの建築物（共同住宅以外の住宅及び居室を有しない建築物を除く。）の増築、改築、移転、大規模の修繕若しくは大規模の模様替の工事で、廊下、階段、出入口その他の避難施設、消火栓、スプリンクラーその他の消火設備、排煙設備、非常用の照明装置、非常用の昇降機若しくは防火区画で政令で定めるものに関する工事（政令で定める軽易な工事を除く。以下この項、第十八条第三十八項及び第九十条の三において「避難施設等に関する工事」という。）を含むものをする場合においては、当該建築物の建築主は、第七条第五項の検査済証の交付を受けた後でなければ、当該新築に係る建築物又は当該避難施設等に関する工事に係る建築物若しくは建築物の部分を使用し、又は使用させてはならない。ただし、次の各号のいずれかに該当する場合には、検査済証の交付を受ける前においても、仮に、当該建築物又は建築物の部分を使用し、又は使用させることができる。

一 特定行政庁が、安全上、防火上及び避難上支障がないと認めたとき。

二 建築主事等（当該建築物又は建築物の部分が大規模建築物

又はその部分に該当する場合にあつては、建築主事）又は第七条の二第一項の規定による指定を受けた者が、安全上、防火上及び避難上支障がないものとして国土交通大臣が定める基準に適合していることを認めたとき。

三　第七条第一項の規定による申請が受理された日（第七条の二第一項の規定による指定を受けた者が同項の規定による検査の引受けを行つた場合にあつては、当該検査の引受けに係る工事が完了した日又は当該検査の引受けを行つた日のいずれか遅い日）から七日を経過したとき。

② 前項第一号及び第二号の規定による認定の申請の手続に関し必要な事項は、国土交通省令で定める。

③ 第七条の二第一項の規定による指定を受けた者は、第一項第二号の規定による認定をしたときは、国土交通省令で定める期間内に、国土交通省令で定めるところにより、仮使用認定報告書を作成し、同号の規定による認定をした建築物に関する国土交通省令で定める書類を添えて、これを特定行政庁に提出しなければならない。

④ 特定行政庁は、前項の規定による仮使用認定報告書の提出を受けた場合において、第一項第二号の規定による認定を受けた建築物が同号の国土交通大臣が定める基準に適合しないと認めるときは、当該建築物の建築主及び当該認定を行つた第七条の二第一項の規定による指定を受けた者にその旨を通知しなければならない。この場合において、当該認定は、その効力を失う。

第九条（**違反建築物に対する措置**）① 特定行政庁は、建築基準法令の規定又はこの法律の規定に基づく許可に付した条件に違反した建築物又は建築物の敷地については、当該建築物の建築主、当該建築物に関する工事の請負人（請負工事の下請人を含む。）若しくは現場管理者又は当該建築物若しくは建築物の敷地の所有者、管理者若しくは占有者に対して、当該工事の施工の停止を命じ、又は、相当の猶予期限を付けて、当該建築物の除却、移転、改築、増築、修繕、模様替、使用禁止、使用制限その他これらの規定又は条件に対する違反を是正するために必要な措置をとることを命ずることができる。

② 特定行政庁は、前項の措置を命じようとする場合においては、あらかじめ、その措置を命じようとする者に対して、その命じようとする措置及びその事由並びに意見書の提出先及び提出期限を記載した通知書を交付して、その措置を命じようとする者又はその代理人に意見書及び自己に有利な証拠を提出する機会を与えなければならない。

③ 前項の通知書の交付を受けた者は、その交付を受けた日から三日以内に、特定行政庁に対して、意見書の提出に代えて公開による意見の聴取を行うことを請求することができる。

④ 特定行政庁は、前項の規定による意見の聴取の請求があつた場合においては、第一項の措置を命じようとする者又はその代理人の出頭を求めて、公開による意見の聴取を行わなければならない。

⑤ 特定行政庁は、前項の規定による意見の聴取を行う場合においては、第一項の規定によつて命じようとする措置並びに意見の聴取の期日及び場所を、期日の二日前までに、前項に規定する者に通知するとともに、これを公告しなければならない。

⑥ 第四項に規定する者は、意見の聴取に際して、証人を出席させ、かつ、自己に有利な証拠を提出することができる。

⑦ 特定行政庁は、緊急の必要がある場合においては、前五項の規定にかかわらず、これらに定める手続によらないで、仮に、使用禁止又は使用制限の命令をすることができる。

⑧ 前項の命令を受けた者は、その命令を受けた日から三日以内に、特定行政庁に対して公開による意見の聴取を行うことを請求することができる。この場合においては、第四項から第六項までの規定を準用する。ただし、意見の聴取は、その請求があつた日から五日以内に行わなければならない。

⑨ 特定行政庁は、前項の意見の聴取の結果に基づいて、第七項の規定によつて仮にした命令が不当でないと認めた場合においては、第一項の命令をすることができる。意見の聴取の結果、第七項の規定によつて仮にした命令が不当であると認めた場合においては、直ちに、その命令を取り消さなければならない。

⑩ 特定行政庁は、建築基準法令の規定又はこの法律の規定に基づく許可に付した条件に違反することが明らかな建築、修繕又は模様替の工事中の建築物については、緊急の必要があつて第二項から第六項までに定める手続によることができない場合に限り、これらの手続によらないで、当該建築物の建築主又は当該工事の請負人（請負工事の下請人を含む。）若しくは現場管理者に対して、当該工事の施工の停止を命ずることができる。この場合において、これらの者が当該工事の現場にいないときは、当該工事に従事する者に対して、当該工事に係る作業の停止を命ずることができる。

⑪ 第一項の規定により必要な措置を命じようとする場合において、過失がなくてその措置を命ぜられるべき者を確知することができず、かつ、その違反を放置することが著しく公益に反すると認められるときは、特定行政庁は、その者の負担において、その措置を自ら行い、又はその命じた者若しくは委任した者に行わせることができる。この場合においては、相当の期限を定めて、その措置を行うべき旨及びその期限までにその措置を行わないときは、特定行政庁又はその命じた者若しくは委任した者がその措置を行うべき旨をあらかじめ公告しなければならない。

⑫ 特定行政庁は、第一項の規定により必要な措置を命じた場合において、その措置を命ぜられた者がその措置を履行しないとき、履行しても十分でないとき、又は履行しても同項の期限までに完了する見込みがないときは、行政代執行法（昭和二十三年法律第四十三号）の定めるところに従い、みずから義務者のなすべき行為をし、又は第三者をしてこれをさせることができる。

⑬ 特定行政庁は、第一項又は第十項の規定による命令をした場合（建築監視員が第十項の規定による命令をした場合を含む。）においては、標識の設置その他国土交通省令で定める方法により、その旨を公示しなければならない。

⑭ 前項の標識は、第一項又は第十項の規定による命令に係る建築物又は建築物の敷地内に設置することができる。この場合においては、第一項又は第十項の規定による命令に係る建築物又は建築物の敷地の所有者、管理者又は占有者は、当該標識の設置を拒み、又は妨げてはならない。

⑮ 第一項、第七項又は第十項の規定による命令については、行政手続法（平成五年法律第八十八号）第三章（第十二条及び第十四条を除く。）の規定は、適用しない。

第九条の四（**保安上危険な建築物等の所有者等に対する指導及び助言**） 特定行政庁は、建築物の敷地、構造又は建築設備（いずれも第三条第二項の規定により次章の規定又はこれに基づく命令若しくは条例の規定の適用を受けないものに限る。）について、損傷、腐食その他の劣化が生じ、そのまま放置すれば保安上危険となり、又は衛生上有害となるおそれがあると認める場合においては、当該建築物又はその敷地の所有者、管理者又は占有者に対して、修繕、防腐措置その他当該建築物又はその敷地の維持保全に関し必要な指導及び助言をすることができる。

第三章　都市計画区域等における建築物の敷地、構造、建築設備及び用途（抄）

第一節　総則

第四一条の二（**適用区域**） この章（第八節を除く。）の規定は、都市計画区域及び準都市計画区域内に限り、適用する。

第四二条（**道路の定義**）① この章の規定において「道路」とは、次の各号のいずれかに該当する幅員四メートル（特定行政庁がその地方の気候若しくは風土の特殊性又は土地の状況により必要と認めて都道府県都市計画審議会の議を経て指定する区域内においては、六メートル。次項及び第三項において同じ。）以上のもの（地下におけるものを除く。）をいう。

一　道路法（昭和二十七年法律第百八十号）による道路

二　都市計画法、土地区画整理法（昭和二十九年法律第百十九号）、旧住宅地造成事業に関する法律（昭和三十九年法律第百六十号）、都市再開発法（昭和四十四年法律第三十八号）、新都市基盤整備法（昭和四十七年法律第八十六号）、大都市地域における住宅及び住宅地の供給の促進に関する特別措置法（昭和五十年法律第六十七号）又は密集市街地整備法（第六章に限る。以下この項において同じ。）による道路

三　都市計画区域若しくは準都市計画区域の指定若しくは変更又は第六十八条の九第一項の規定に基づく条例の制定若しくは改正によりこの章の規定が適用されるに至つた際現に存在する道

四　道路法、都市計画法、土地区画整理法、都市再開発法、新都市基盤整備法、大都市地域における住宅及び住宅地の供給の促進に関する特別措置法又は密集市街地整備法による新設又は変更の事業計画のある道路で、二年以内にその事業が執行される予定のものとして特定行政庁が指定したもの

五　土地を建築物の敷地として利用するため、道路法、都市計画法、土地区画整理法、都市再開発法、新都市基盤整備法、大都市地域における住宅及び住宅地の供給の促進に関する特別措置法又は密集市街地整備法によらないで築造する政令で定める基準に適合する道で、これを築造しようとする者が特定行政庁からその位置の指定を受けたもの

② 都市計画区域若しくは準都市計画区域の指定若しくは変更又は第六十八条の九第一項の規定に基づく条例の制定若しくは改正によりこの章の規定が適用されるに至つた際現に建築物が立ち並んでいる幅員四メートル未満の道で、特定行政庁の指定したものは、前項の規定にかかわらず、同項の道路とみなし、その中心線からの水平距離二メートル（同項の規定により指定された区域内においては、三メートル（特定行政庁が周囲の状況により避難及び通行の安全上支障がないと認める場合は、二メートル）。以下この項及び次項において同じ。）の線をその道路の境界線とみなす。ただし、当該道がその中心線からの水平距離二メートル未満で崖地、川、線路敷地その他これらに類するものに沿う場合においては、当該崖地等の道の側の境界線及びその境界線から道の側に水平距離四メートルの線をその道路の境界線とみなす。

③ 特定行政庁は、土地の状況に因りやむを得ない場合においては、前項の規定にかかわらず、同項に規定する中心線からの水平距離については二メートル未満一・三五メートル以上の範囲内において、同項に規定するがけ地等の境界線からの水平距離については四メートル未満二・七メートル以上の範囲内において、別にその水平距離を指定することができる。

④ 第一項の区域内の幅員六メートル未満の道（第一号又は第二号に該当する道にあつては、幅員四メートル以上のものに限る。）で、特定行政庁が次の各号の一に該当すると認めて指定したものは、同項の規定にかかわらず、同項の道路とみなす。

一　周囲の状況により避難及び通行の安全上支障がないと認められる道

二　地区計画等に定められた道の配置及び規模又はその区域に即して築造される道

三　第一項の区域が指定された際現に道路とされていた道

⑤ 前項第三号に該当すると認めて特定行政庁が指定した幅員四メートル未満の道については、第二項の規定にかかわらず、第一項の区域が指定された際道路の境界線とみなされていた線をその道路の境界線とみなす。

⑥ 特定行政庁は、第二項の規定により幅員一・八メートル未満の道を指定する場合又は第三項の規定により別に水平距離を指定する場合においては、あらかじめ、建築審査会の同意を得なければならない。

第二節　建築物又はその敷地と道路又は壁面線との関係等（抄）

（敷地等と道路との関係）

第四三条① 建築物の敷地は、道路（次に掲げるものを除く。第四十四条第一項を除き、以下同じ。）に二メートル以上接しなければならない。

一　自動車のみの交通の用に供する道路

二　地区計画の区域（地区整備計画が定められている区域のうち都市計画法第十二条の十一の規定により建築物その他の工作物の敷地として併せて利用すべき区域として定められている区域に限る。）内の道路

② 前項の規定は、次の各号のいずれかに該当する建築物については、適用しない。

一　その敷地が幅員四メートル以上の道（道路に該当するものを除き、避難及び通行の安全上必要な国土交通省令で定める基準に適合するものに限る。）に二メートル以上接する建築物のうち、利用者が少数であるものとしてその用途及び規模に関し国土交通省令で定める基準に適合するもので、特定行政庁が交通上、安全上、防火上及び衛生上支障がないと認めるもの

二　その敷地の周囲に広い空地を有する建築物その他の国土交通省令で定める基準に適合する建築物で、特定行政庁が交通上、安全上、防火上及び衛生上支障がないと認めて建築審査会の同意を得て許可したもの

③ 地方公共団体は、次の各号のいずれかに該当する建築物について、その用途、規模又は位置の特殊性により、第一項の規定によつては避難又は通行の安全の目的を十分に達成することが困難であると認めるときは、条例で、その敷地が接しなければならない道路の幅員、その敷地が道路に接する部分の長さその他その敷地又は建築物と道路との関係に関して必要な制限を付加することができる。

一　特殊建築物

二　階数が三以上である建築物

三　政令で定める窓その他の開口部を有しない居室を有する建築物

四　延べ面積（同一敷地内に二以上の建築物がある場合にあつては、その延べ面積の合計。次号、第四節、第七節及び別表第三において同じ。）が千平方メートルを超える建築物

五　その敷地が袋路状道路（その一端のみが他の道路に接続したものをいう。）にのみ接する建築物で、延べ面積が百五十平方メートルを超えるもの（一戸建ての住宅を除く。）

（その敷地が四メートル未満の道路にのみ接する建築物に対する制限の付加）

第四三条の二 地方公共団体は、交通上、安全上、防火上又は衛生上必要があると認めるときは、その敷地が第四十二条第三項の規定により水平距離が指定された道路にのみ二メートル（前条第三項各号のいずれかに該当する建築物で同項の条例によりその敷地が道路に接する部分の長さの制限が付加されているものにあつては、当該長さ）以上接する建築物について、条例で、その敷地、構造、建築設備又は用途に関して必要な制限を付加することができる。

（道路内の建築制限）

第四四条① 建築物又は敷地を造成するための擁壁は、道路内に、又は道路に突き出して建築し、又は築造してはならない。ただし、次の各号のいずれかに該当する建築物については、この限りでない。

一　地盤面下に設ける建築物

二　公衆便所、巡査派出所その他これらに類する公益上必要な建築物で特定行政庁が通行上支障がないと認めて建築審査会の同意を得て許可したもの

三　第四十三条第二項第二号の道路の上空又は路面下に設ける建築物のうち、当該道路に係る地区計画の内容に適合し、かつ、政令で定める基準に適合するものであつて特定行政庁が安全上、防火上及び衛生上支障がないと認めるもの

四　公共用歩廊その他政令で定める建築物で特定行政庁が安全上、防火上及び衛生上他の建築物の利便を妨げ、その他周囲の環境を害するおそれがないと認めて許可したもの

②　特定行政庁は、前項第四号の規定による許可をする場合においては、あらかじめ、建築審査会の同意を得なければならない。

（壁面線の指定）

第四六条①　特定行政庁は、街区内における建築物の位置を整えその環境の向上を図るために必要があると認める場合においては、建築審査会の同意を得て、壁面線を指定することができる。この場合においては、あらかじめ、その指定に利害関係を有する者の出頭を求めて公開による意見の聴取を行わなければならない。

②　前項の規定による意見の聴取を行う場合においては、同項の規定による指定の計画並びに意見の聴取の期日及び場所を期日の三日前までに公告しなければならない。

③　特定行政庁は、第一項の規定による指定をした場合においては、遅滞なく、その旨を公告しなければならない。

（壁面線による建築制限）

第四七条　建築物の壁若しくはこれに代る柱又は高さ二メートルをこえる門若しくはへいは、壁面線を越えて建築してはならない。ただし、地盤面下の部分又は特定行政庁が建築審査会の同意を得て許可した歩廊の柱その他これに類するものについては、この限りでない。

第五節　防火地域及び準防火地域（抄）

（隣地境界線に接する外壁）

第六三条　防火地域又は準防火地域内にある建築物で、外壁が耐火構造のものについては、その外壁を隣地境界線に接して設けることができる。

第七節　地区計画等の区域（抄）

（市町村の条例に基づく制限）

第六八条の二①　市町村は、地区計画等の区域（地区整備計画、特定建築物地区整備計画、防災街区整備地区整備計画、歴史的風致維持向上地区整備計画、沿道地区整備計画又は集落地区整備計画（以下「地区整備計画等」という。）が定められている区域に限る。）内において、建築物の敷地、構造、建築設備又は用途に関する事項で当該地区計画等の内容として定められたものを、条例で、これらに関する制限として定めることができる。

②　前項の規定による制限は、建築物の利用上の必要性、当該区域内における土地利用の状況等を考慮し、地区計画、防災街区整備地区計画、歴史的風致維持向上地区計画又は沿道地区計画の区域にあつては適正な都市機能と健全な都市環境を確保するため、集落地区計画の区域にあつては当該集落地区計画の区域の特性にふさわしい良好な居住環境の確保と適正な土地利用を図るため、それぞれ合理的に必要と認められる限度において、同項に規定する事項のうち特に重要な事項につき、政令で定める基準に従い、行うものとする。

③—⑤　（略）

第四章の二　指定建築基準適合判定資格者検定機関等（抄）

第二節　指定確認検査機関（抄）

（指定）

第七七条の一八①　第六条の二第一項（第八十七条第一項、第八十七条の四又は第八十八条第一項若しくは第二項において準用する場合を含む。以下この項において同じ。）又は第七条の二第一項（第八十七条の四又は第八十八条第一項若しくは第二項において準用する場合を含む。以下この項において同じ。）の規定による指定（以下この節において「指定」という。）は、第六条の二第一項の規定による確認及び第十八条第四項（第八十七条第一項、第八十七条の四又は第八十八条第一項若しくは第二項において準用する場合を含む。）の規定による審査又は第七条の二第一項、第七条の四第一項（第八十七条の四又は第八十八条第一項において準用する場合を含む。）、第十八条第二十三項（第八十七条の四又は第八十八条第一項若しくは第二項において準用する場合を含む。）及び第十八条第三十二項（第八十七条の四又は第八十八条第一項において準用する場合を含む。）の検査並びに第七条の六第一項第二号及び第十八条第三十八項第二号（これらの規定を第八十七条の四又は第八十八条第一項若しくは第二項において準用する場合を含む。）の規定による認定（以下「確認検査」という。）の業務を行おうとする者の申請により行う。

②③　（略）

（指定の基準）

第七七条の二〇　国土交通大臣又は都道府県知事は、指定の申請が次に掲げる基準に適合していると認めるときでなければ、指定をしてはならない。

一　第七十七条の二十四第一項の確認検査員又は副確認検査員（いずれも常勤の職員である者に限る。）の数が、指定区分ごとに確認検査を行おうとする建築物の種類、規模及び数に応じて国土交通省令で定める数以上であること。

二　前号に定めるもののほか、職員、確認検査の業務の実施の方法その他の事項についての確認検査の業務の実施に関する計画が、確認検査の業務の適確な実施のために適切なものであること。

三　その者の有する財産の評価額（その者が法人である場合にあつては、資本金、基本金その他これらに準ずるものの額）が国土交通省令で定める額以上であること。

四　前号に定めるもののほか、第二号の確認検査の業務の実施に関する計画を適確に実施するに足りる経理的基礎を有するものであること。

五　法人にあつては役員、法人の種類に応じて国土交通省令で定める構成員又は職員（第七十七条の二十四第一項の確認検査員又は副確認検査員を含む。以下この号において同じ。）の構成が、法人以外の者にあつてはその者及びその職員の構成が、確認検査の業務の公正な実施に支障を及ぼすおそれがないものであること。

六　その者又はその者の親会社等が第七十七条の三十五の五第一項の指定構造計算適合性判定機関である場合には、当該指定構造計算適合性判定機関に対してされた第十八条の二第四項の規定により読み替えて適用される第六条の三第一項又は第十八条第五項の規定による構造計算適合性判定の申請又は求めに係る建築物の計画について、第六条の二第一項の規定による確認又は第十八条第四項の規定による審査をしないものであること。

七　前号に定めるもののほか、その者又はその者の親会社等が確認検査の業務以外の業務を行つている場合には、その業務を行うことによつて確認検査の業務の公正な実施に支障を及ぼすおそれがないものであること。

八　前各号に定めるもののほか、確認検査の業務を行うにつき十分な適格性を有するものであること。

（秘密保持義務等）

第七七条の二五①　指定確認検査機関（その者が法人である場合にあつては、その役員。次項において同じ。）及びその職員（確認検査員又は副確認検査員を含む。同項において同じ。）並びにこれらの者であつた者は、確認検査の業務に関して知り得た秘密を漏らし、又は盗用してはならない。

②　指定確認検査機関及びその職員で確認検査の業務に従事するものは、刑法その他の罰則の適用については、法令により公務

に従事する職員とみなす。

（確認検査の義務）

第七七条の二六　指定確認検査機関は、確認検査を行うべきことを求められたときは、当該確認検査が大規模建築物に係るものである場合において当該指定確認検査機関が確認検査員を選任しないものであることその他の正当な理由がある場合を除き、遅滞なく、確認検査を行わなければならない。

（照会及び指示）

第七七条の三二①　指定確認検査機関は、確認検査の適正な実施のため必要な事項について、特定行政庁に照会することができる。この場合において、当該特定行政庁は、当該照会をした者に対して、照会に係る事項の通知その他必要な措置を講ずるものとする。

②　特定行政庁は、前条第二項に規定する建築物の確認検査の適正な実施を確保するため必要があると認めるときは、指定確認検査機関に対し、当該確認検査の適正な実施のために必要な措置をとるべきことを指示することができる。

第五章　建築審査会（抄）

（建築審査会）

第七八条①　この法律に規定する同意及び第九十四条第一項前段の審査請求に対する裁決についての議決を行わせるとともに、特定行政庁の諮問に応じて、この法律の施行に関する重要事項を調査審議させるために、建築主事を置く市町村及び都道府県に、建築審査会を置く。

②　建築審査会は、前項に規定する事務を行う外、この法律の施行に関する事項について、関係行政機関に対し建議することができる。

（建築審査会の組織）

第七九条①　建築審査会は、委員五人以上をもつて組織する。

②　委員は、法律、経済、建築、都市計画、公衆衛生又は行政に関しすぐれた経験と知識を有し、公共の福祉に関し公正な判断をすることができる者のうちから、市町村長又は都道府県知事が任命する。

第六章　雑則（抄）

（許可の条件）

第九二条の二　この法律の規定による許可には、建築物又は建築物の敷地を交通上、安全上、防火上又は衛生上支障がないものとするための条件その他必要な条件を付することができる。この場合において、その条件は、当該許可を受けた者に不当な義務を課するものであつてはならない。

（許可又は確認に関する消防長等の同意等）

第九三条①　特定行政庁、建築主事等又は指定確認検査機関は、この法律の規定による許可又は確認をする場合においては、当該許可又は確認に係る建築物の工事施工地又は所在地を管轄する消防長（消防本部を置かない市町村にあつては、市町村長。以下同じ。）又は消防署長の同意を得なければ、当該許可又は確認をすることができない。ただし、確認に係る建築物が防火地域及び準防火地域以外の区域内における住宅（長屋、共同住宅その他政令で定める住宅を除く。）である場合又は建築主事等若しくは指定確認検査機関が第八十七条の四において準用する第六条第一項若しくは第六条の二第一項の規定による確認をする場合においては、この限りでない。

②　消防長又は消防署長は、前項の規定によつて同意を求められた場合においては、当該建築物の計画が法律又はこれに基づく命令若しくは条例の規定（建築主事等又は指定確認検査機関が第六条の四第一項第一号若しくは第二号に掲げる建築物の建築、大規模の修繕、大規模の模様替若しくは用途の変更又は同項第三号に掲げる建築物の建築について確認する場合において同意を求められたときは、同項の規定により読み替えて適用される第六条第一項の政令で定める建築基準法令の規定を除く。）で建築物の防火に関するものに違反しないものであるときは、第六条第一項第三号に係る場合にあつては、同意を求められた日から三日以内に、その他の場合にあつては、同意を求められた日から七日以内に同意を与えてその旨を当該特定行政庁、建築主事等又は指定確認検査機関に通知しなければならない。この場合において、消防長又は消防署長は、同意することができない事由があると認めるときは、これらの期限内に、その事由を当該特定行政庁、建築主事等又は指定確認検査機関に通知しなければならない。

③　第六十八条の二十第一項（第六十八条の二十二第二項において準用する場合を含む。）の規定は、消防長又は消防署長が第一項の規定によつて同意を求められた場合に行う審査について準用する。

④　建築主事等又は指定確認検査機関は、第一項ただし書の場合において第六条第一項（第八十七条の四において準用する場合を含む。）の規定による確認申請書を受理したとき若しくは第六条の二第一項（第八十七条の四において準用する場合を含む。）の規定による確認の申請を受けたとき又は第十八条第二項若しくは第四項（これらの規定を第八十七条第一項又は第八十七条の四において準用する場合を含む。）の規定による通知を受けた場合においては、遅滞なく、これを当該申請又は通知に係る建築物の工事施工地又は所在地を管轄する消防長又は消防署長に通知しなければならない。

⑤　建築主事等又は指定確認検査機関は、第三十一条第二項に規定する屎尿浄化槽又は建築物における衛生的環境の確保に関する法律（昭和四十五年法律第二十号）第二条第一項に規定する特定建築物に該当する建築物に関して、第六条第一項（第八十七条第一項において準用する場合を含む。）の規定による確認の申請書を受理した場合、第六条の二第一項（第八十七条第一項において準用する場合を含む。）の規定による確認の申請を受けた場合又は第十八条第二項若しくは第四項（これらの規定を第八十七条第一項において準用する場合を含む。）の規定による通知を受けた場合においては、遅滞なく、これを当該申請又は通知に係る建築物の工事施工地又は所在地を管轄する保健所長に通知しなければならない。

⑥　保健所長は、必要があると認める場合においては、この法律の規定による許可又は確認について、特定行政庁、建築主事等又は指定確認検査機関に対して意見を述べることができる。

（書類の閲覧）

第九三条の二　特定行政庁は、確認その他の建築基準法令の規定による処分並びに第十二条第一項及び第三項の規定による報告に関する書類のうち、当該処分若しくは報告に係る建築物若しくは建築物の敷地の所有者、管理者若しくは占有者又は第三者の権利利益を不当に侵害するおそれがないものとして国土交通省令で定めるものについては、国土交通省令で定めるところにより、閲覧の請求があつた場合には、これを閲覧させなければならない。

（不服申立て）

第九四条①　建築基準法令の規定による特定行政庁、建築主事等若しくは建築監視員、都道府県知事、指定確認検査機関又は指定構造計算適合性判定機関の処分又はその不作為についての審査請求は、行政不服審査法第四条第一号に規定する処分庁又は不作為庁が、特定行政庁、建築主事等若しくは建築監視員又は都道府県知事である場合にあつては当該市町村又は都道府県の建築審査会に、指定確認検査機関である場合にあつては当該処分又は不作為に係る建築物又は工作物について確認その他の建築基準法令の規定による処分をする権限を有する建築主事等が置かれた市町村又は都道府県の建築審査会に、指定構造計算適合性判定機関である場合にあつては第十八条の二第一項の規定により当該指定構造計算適合性判定機関にその構造計算適合性判定を行わせた都道府県知事が統括する都道府県の建築審査会に対してするものとする。この場合において、不作為についての審査請求は、建築審査会に代えて、当該不作為庁が、特定行政庁、建築主事等、建築監視員又は都道府県知事である場合にあつては当該市町村の長又は都道府県知事に、指定確認検査機関である場合にあつては当該指定確認検査機関に、指定構造計算適合性判定機関である場合にあつては当該指定構造計算適合性判定機関に対してすることもできる。

② 建築審査会は、前項前段の規定による審査請求がされた場合においては、当該審査請求がされた日（行政不服審査法第二十三条の規定により不備を補正すべきことを命じた場合にあつては、当該不備が補正された日）から一月以内に、裁決をしなければならない。

③ 建築審査会は、前項の裁決を行う場合においては、行政不服審査法第二十四条の規定により当該審査請求を却下する場合を除き、あらかじめ、審査請求人、特定行政庁、建築主事等、建築監視員、都道府県知事、指定確認検査機関、指定構造計算適合性判定機関その他の関係人又はこれらの者の代理人の出頭を求めて、公開による口頭審査を行わなければならない。

④ 第一項前段の規定による審査請求については、行政不服審査法第三十一条の規定は適用せず、前項の口頭審査については、同法第九条第三項の規定により読み替えられた同法第三十一条第二項から第五項までの規定を準用する。

第九五条 建築審査会の裁決に不服がある者は、国土交通大臣に対して再審査請求をすることができる。

附　則（令和四・六・一七法六九）（抄）

（施行期日）

第一条 この法律は、公布の日から起算して三年を超えない範囲内において政令で定める日（令和七・四・一―令和六政一七二）から施行する。ただし、次の各号に掲げる規定は、当該各号に定める日から施行する。

一 附則第五条の規定　公布の日

二・三 （略）

四 （前略）第四条（建築基準法第二条の改正規定（中略）に限る。）（中略）の規定（中略）　公布の日から起算して二年を超えない範囲内において政令で定める日（令和六・四・一―令和五政二七九）

（建築基準法の一部改正に伴う経過措置）

第三条 第四条の規定による改正後の建築基準法第六条第一項又は第十八条第二項の規定は、施行日以後にその工事に着手する建築物の建築、大規模の修繕又は大規模の模様替について適用する。

（政令への委任）

第五条 前三条に定めるもののほか、この法律の施行に関し必要な経過措置（罰則に関する経過措置を含む。）は、政令で定める。

（検討）

第六条 政府は、この法律の施行後五年を目途として、この法律による改正後のそれぞれの法律の規定について、その施行の状況等を勘案して検討を加え、必要があると認めるときは、その結果に基づいて所要の措置を講ずるものとする。

附　則（令和六・六・一九法五三）（抄）

（施行期日）

第一条 （前略）次の各号に掲げる規定は、当該各号に定める日から施行する。

一 （前略）附則第八条の規定　公布の日

二 （略）

三 第七条（建築基準法の一部改正）の規定並びに附則第四条（中略）の規定　公布の日から起算して六月を超えない範囲内において政令で定める日

四・五 （略）

（建築基準法の一部改正に伴う経過措置）

第四条 附則第一条第三号に掲げる規定の施行の際現に第七条の規定による改正前の建築基準法（以下この条において「旧建築基準法」という。）第六条の二第一項（旧建築基準法第八十七条第一項、第八十七条の四又は第八十八条第一項若しくは第二項において準用する場合を含む。）又は第七条の二第一項（旧建築基準法第八十七条の四又は第八十八条第一項若しくは第二項において準用する場合を含む。）の規定による指定を受けている者は、第七条の規定による改正後の建築基準法（以下この条において「新建築基準法」という。）第六条の二第一項（新建築基準法第八十七条第一項、第八十七条の四又は第八十八条第一項若しくは第二項において準用する場合を含む。）又は第七条の二第一項（新建築基準法第八十七条の四又は第八十八条第一項若しくは第二項において準用する場合を含む。）の規定による指定を受けた者とみなす。

（政令への委任）

第八条 附則第二条から前条までに規定するもののほか、この法律の施行に関し必要な経過措置（中略）は、政令で定める。

●環境基本法（平成五・一一・一九 法 九一）

施行　平成五・一一・一九（附則参照）
改正　平成一一法八七・法一〇二（平成一一法一二一、平成一二法一〇〇）・法一六〇、平成一四法八七・法八八（平成一四法八七）、平成一六法七八、平成一八法四、平成一九法八三、平成二〇法五八・法八三、平成二三法一〇五、平成二四法四七、平成二六法四六、平成三〇法五〇、令和三法三六

目次

第一章　総則

（目的）
第一条　この法律は、環境の保全について、基本理念を定め、並びに国、地方公共団体、事業者及び国民の責務を明らかにするとともに、環境の保全に関する施策の基本となる事項を定めることにより、環境の保全に関する施策を総合的かつ計画的に推進し、もって現在及び将来の国民の健康で文化的な生活の確保に寄与するとともに人類の福祉に貢献することを目的とする。

（定義）
第二条①　この法律において「環境への負荷」とは、人の活動により環境に加えられる影響であって、環境の保全上の支障の原因となるおそれのあるものをいう。

②　この法律において「地球環境保全」とは、人の活動による地球全体の温暖化又はオゾン層の破壊の進行、海洋の汚染、野生生物の種の減少その他の地球の全体又はその広範な部分の環境に影響を及ぼす事態に係る環境の保全であって、人類の福祉に貢献するとともに国民の健康で文化的な生活の確保に寄与するものをいう。

③　この法律において「公害」とは、環境の保全上の支障のうち、事業活動その他の人の活動に伴って生ずる相当範囲にわたる大気の汚染、水質の汚濁（水質以外の水の状態又は水底の底質が悪化することを含む。第二十一条第一項第一号において同じ。）、土壌の汚染、騒音、振動、地盤の沈下（鉱物の掘採のための土地の掘削によるものを除く。以下同じ。）及び悪臭によって、人の健康又は生活環境（人の生活に密接な関係のある財産並びに人の生活に密接な関係のある動植物及びその生育環境を含む。以下同じ。）に係る被害が生ずることをいう。

（環境の恵沢の享受と継承等）
第三条　環境の保全は、環境を健全で恵み豊かなものとして維持することが人間の健康で文化的な生活に欠くことのできないものであること及び生態系が微妙な均衡を保つことによって成り立っており人類の存続の基盤である限りある環境が、人間の活動による環境への負荷によって損なわれるおそれが生じてきていることにかんがみ、現在及び将来の世代の人間が健全で恵み豊かな環境の恵沢を享受するとともに人類の存続の基盤である環境が将来にわたって維持されるように適切に行われなければならない。

（環境への負荷の少ない持続的発展が可能な社会の構築等）
第四条　環境の保全は、社会経済活動その他の活動による環境への負荷をできる限り低減することその他の環境の保全に関する行動がすべての者の公平な役割分担の下に自主的かつ積極的に行われるようになることによって、健全で恵み豊かな環境を維持しつつ、環境への負荷の少ない健全な経済の発展を図りながら持続的に発展することができる社会が構築されることを旨とし、及び科学的知見の充実の下に環境の保全上の支障が未然に防がれることを旨として、行われなければならない。

（国際的協調による地球環境保全の積極的推進）
第五条　地球環境保全が人類共通の課題であるとともに国民の健康で文化的な生活を将来にわたって確保する上での課題であること及び我が国の経済社会が国際的な密接な相互依存関係の中で営まれていることにかんがみ、地球環境保全は、我が国の能力を生かして、及び国際社会において我が国の占める地位に応じて、国際的協調の下に積極的に推進されなければならない。

（国の責務）
第六条　国は、前三条に定める環境の保全についての基本理念（以下「基本理念」という。）にのっとり、環境の保全に関する基本的かつ総合的な施策を策定し、及び実施する責務を有する。

（地方公共団体の責務）
第七条　地方公共団体は、基本理念にのっとり、環境の保全に関し、国の施策に準じた施策及びその他のその地方公共団体の区域の自然的社会的条件に応じた施策を策定し、及び実施する責務を有する。

（事業者の責務）
第八条①　事業者は、基本理念にのっとり、その事業活動を行うに当たっては、これに伴って生ずるばい煙、汚水、廃棄物等の処理その他の公害を防止し、又は自然環境を適正に保全するために必要な措置を講ずる責務を有する。

②　事業者は、基本理念にのっとり、環境の保全上の支障を防止するため、物の製造、加工又は販売その他の事業活動を行うに当たって、その事業活動に係る製品その他の物が廃棄物となった場合にその適正な処理が図られることとなるように必要な措置を講ずる責務を有する。

③　前二項に定めるもののほか、事業者は、基本理念にのっとり、環境の保全上の支障を防止するため、物の製造、加工又は販売その他の事業活動を行うに当たって、その事業活動に係る製品その他の物が使用され又は廃棄されることによる環境への負荷の低減に資するように努めるとともに、その事業活動において、再生資源その他の環境への負荷の低減に資する原材料、役務等を利用するように努めなければならない。

④　前三項に定めるもののほか、事業者は、基本理念にのっとり、その事業活動に関し、これに伴う環境への負荷の低減その他環境の保全に自ら努めるとともに、国又は地方公共団体が実施する環境の保全に関する施策に協力する責務を有する。

（国民の責務）
第九条①　国民は、基本理念にのっとり、環境の保全上の支障を防止するため、その日常生活に伴う環境への負荷の低減に努めなければならない。

②　前項に定めるもののほか、国民は、基本理念にのっとり、環境の保全に自ら努めるとともに、国又は地方公共団体が実施する環境の保全に関する施策に協力する責務を有する。

（環境の日）
第一〇条①　事業者及び国民の間に広く環境の保全についての関心と理解を深めるとともに、積極的に環境の保全に関する活動を行う意欲を高めるため、環境の日を設ける。

②　環境の日は、六月五日とする。

③　国及び地方公共団体は、環境の日の趣旨にふさわしい事業を実施するように努めなければならない。

（法制上の措置等）

第一一条　政府は、環境の保全に関する施策を実施するため必要な法制上又は財政上の措置その他の措置を講じなければならない。

（年次報告等）

第一二条①　政府は、毎年、国会に、環境の状況及び政府が環境の保全に関して講じた施策に関する報告を提出しなければならない。

②　政府は、毎年、前項の報告に係る環境の状況を考慮して講じようとする施策を明らかにした文書を作成し、これを国会に提出しなければならない。

第一三条　削除

第二章　環境の保全に関する基本的施策

第一節　施策の策定等に係る指針

第一四条　この章に定める環境の保全に関する施策の策定及び実施は、基本理念にのっとり、次に掲げる事項の確保を旨として、各種の施策相互の有機的な連携を図りつつ総合的かつ計画的に行わなければならない。

一　人の健康が保護され、及び生活環境が保全され、並びに自然環境が適正に保全されるよう、大気、水、土壌その他の環境の自然的構成要素が良好な状態に保持されること。

二　生態系の多様性の確保、野生生物の種の保存その他の生物の多様性の確保が図られるとともに、森林、農地、水辺地等における多様な自然環境が地域の自然的社会的条件に応じて体系的に保全されること。

三　人と自然との豊かな触れ合いが保たれること。

第二節　環境基本計画

第一五条①　政府は、環境の保全に関する施策の総合的かつ計画的な推進を図るため、環境の保全に関する基本的な計画（以下「環境基本計画」という。）を定めなければならない。

②　環境基本計画は、次に掲げる事項について定めるものとする。

一　環境の保全に関する総合的かつ長期的な施策の大綱

二　前号に掲げるもののほか、環境の保全に関する施策を総合的かつ計画的に推進するために必要な事項

③　環境大臣は、中央環境審議会の意見を聴いて、環境基本計画の案を作成し、閣議の決定を求めなければならない。

④　環境大臣は、前項の規定による閣議の決定があったときは、遅滞なく、環境基本計画を公表しなければならない。

⑤　前二項の規定は、環境基本計画の変更について準用する。

第三節　環境基準

第一六条①　政府は、大気の汚染、水質の汚濁、土壌の汚染及び騒音に係る環境上の条件について、それぞれ、人の健康を保護し、及び生活環境を保全する上で維持されることが望ましい基準を定めるものとする。

②　前項の基準が、二以上の類型を設け、かつ、それぞれの類型を当てはめる地域又は水域を指定すべきものとして定められる場合には、その地域又は水域の指定に関する事務は、次の各号に掲げる地域又は水域の区分に応じ、当該各号に定める者が行うものとする。

一　二以上の都道府県の区域にわたる地域又は水域であって政令で定めるもの　政府

二　前号に掲げる地域又は水域以外の地域又は水域　次のイ又はロに掲げる地域又は水域の区分に応じ、当該イ又はロに定める者

イ　騒音に係る基準（航空機の騒音に係る基準及び新幹線鉄道の列車の騒音に係る基準を除く。）の類型を当てはめる地域であって市に属するもの　その地域が属する市の長

ロ　イに掲げる地域以外の地域又は水域　その地域又は水域が属する都道府県の知事

③　第一項の基準については、常に適切な科学的判断が加えられ、必要な改定がなされなければならない。

④　政府は、この章に定める施策であって公害の防止に関係するもの（以下「公害の防止に関する施策」という。）を総合的かつ有効適切に講ずることにより、第一項の基準が確保されるように努めなければならない。

第四節　特定地域における公害の防止

（公害防止計画の作成）

第一七条①　都道府県知事は、次のいずれかに該当する地域について、環境基本計画を基本として、当該地域において実施する公害の防止に関する施策に係る計画（以下「公害防止計画」という。）を作成することができる。

一　現に公害が著しく、かつ、公害の防止に関する施策を総合的に講じなければ公害の防止を図ることが著しく困難であると認められる地域

二　人口及び産業の急速な集中その他の事情により公害が著しくなるおそれがあり、かつ、公害の防止に関する施策を総合的に講じなければ公害の防止を図ることが著しく困難になると認められる地域

（公害防止計画の達成の推進）

第一八条　国及び地方公共団体は、公害防止計画の達成に必要な措置を講ずるように努めるものとする。

第五節　国が講ずる環境の保全のための施策等

（国の施策の策定等に当たっての配慮）

第一九条　国は、環境に影響を及ぼすと認められる施策を策定し、及び実施するに当たっては、環境の保全について配慮しなければならない。

（環境影響評価の推進）

第二〇条　国は、土地の形状の変更、工作物の新設その他これらに類する事業を行う事業者が、その事業の実施に当たりあらかじめその事業に係る環境への影響について自ら適正に調査、予測又は評価を行い、その結果に基づき、その事業に係る環境の保全について適正に配慮することを推進するため、必要な措置を講ずるものとする。

（環境の保全上の支障を防止するための規制）

第二一条①　国は、環境の保全上の支障を防止するため、次に掲げる規制の措置を講じなければならない。

一　大気の汚染、水質の汚濁、土壌の汚染又は悪臭の原因となる物質の排出、騒音又は振動の発生、地盤の沈下の原因となる地下水の採取その他の行為に関し、事業者等の遵守すべき基準を定めること等により行う公害を防止するために必要な規制の措置

二　土地利用に関し公害を防止するために必要な規制の措置及び公害が著しく、又は著しくなるおそれがある地域における公害の原因となる施設の設置に関し公害を防止するために必要な規制の措置

三　自然環境を保全することが特に必要な区域における土地の形状の変更、工作物の新設、木竹の伐採その他の自然環境の適正な保全に支障を及ぼすおそれがある行為に関し、その支障を防止するために必要な規制の措置

四　採捕、損傷その他の行為であって、保護することが必要な野生生物、地形若しくは地質又は温泉源その他の自然物の適正な保護に支障を及ぼすおそれがあるものに関し、その支障を防止するために必要な規制の措置

五　公害及び自然環境の保全上の支障が共に生ずるか又は生ずるおそれがある場合にこれらを共に防止するために必要な規制の措置

②　前項に定めるもののほか、国は、人の健康又は生活環境に係

る環境の保全上の支障を防止するため、同項第一号又は第二号に掲げる措置に準じて必要な規制の措置を講ずるように努めなければならない。

（環境の保全上の支障を防止するための経済的措置）

第二二条① 国は、環境への負荷を生じさせる活動又は生じさせる原因となる活動（以下この条において「負荷活動」という。）を行う者がその負荷活動に係る環境への負荷の低減のための施設の整備その他の適切な措置をとることを助長することにより環境の保全上の支障を防止するため、その負荷活動を行う者にその者の経済的な状況等を勘案しつつ必要かつ適正な経済的な助成を行うために必要な措置を講ずるように努めるものとする。

② 国は、負荷活動を行う者に対し適正かつ公平な経済的な負担を課すことによりその者が自らその負荷活動に係る環境への負荷の低減に努めることとなるように誘導することを目的とする施策が、環境の保全上の支障を防止するための有効性を期待され、国際的にも推奨されていることにかんがみ、その施策に関し、これに係る措置を講じた場合における環境の保全上の支障の防止に係る効果、我が国の経済に与える影響等を適切に調査し及び研究するとともに、その措置を講ずる必要がある場合には、その措置に係る施策を活用して環境の保全上の支障を防止することについて国民の理解と協力を得るように努めるものとする。この場合において、その措置が地球環境保全のための施策に係るものであるときは、その効果が適切に確保されるようにするため、国際的な連携に配慮するものとする。

（環境の保全に関する施設の整備その他の事業の推進）

第二三条① 国は、緩衝地帯その他の環境の保全上の支障を防止するための公共的施設の整備及び汚泥のしゅんせつ、絶滅のおそれのある野生動植物の保護増殖その他の環境の保全上の支障を防止するための事業を推進するため、必要な措置を講ずるものとする。

② 国は、下水道、廃棄物の公共的な処理施設、環境への負荷の低減に資する交通施設（移動施設を含む。）その他の環境の保全上の支障の防止に資する公共的施設の整備及び森林の整備その他の環境の保全上の支障の防止に資する事業を推進するため、必要な措置を講ずるものとする。

③ 国は、公園、緑地その他の公共的施設の整備その他の自然環境の適正な整備及び健全な利用のための事業を推進するため、必要な措置を講ずるものとする。

④ 国は、前二項に定める公共的施設の適切な利用を促進するための措置その他のこれらの施設に係る環境の保全上の効果が増進されるために必要な措置を講ずるものとする。

（環境への負荷の低減に資する製品等の利用の促進）

第二四条① 国は、事業者に対し、物の製造、加工又は販売その他の事業活動に際して、あらかじめ、その事業活動に係る製品その他の物が使用され又は廃棄されることによる環境への負荷について事業者が自ら評価することにより、その物に係る環境への負荷の低減について適正に配慮することができるように技術的支援等を行うため、必要な措置を講ずるものとする。

② 国は、再生資源その他の環境への負荷の低減に資する原材料、製品、役務等の利用が促進されるように、必要な措置を講ずるものとする。

（環境の保全に関する教育、学習等）

第二五条 国は、環境の保全に関する教育及び学習の振興並びに環境の保全に関する広報活動の充実により事業者及び国民が環境の保全についての理解を深めるとともにこれらの者の環境の保全に関する活動を行う意欲が増進されるようにするため、必要な措置を講ずるものとする。

（民間団体等の自発的な活動を促進するための措置）

第二六条 国は、事業者、国民又はこれらの者の組織する民間の団体（以下「民間団体等」という。）が自発的に行う緑化活動、再生資源に係る回収活動その他の環境の保全に関する活動が促進されるように、必要な措置を講ずるものとする。

（情報の提供）

第二七条 国は、第二十五条の環境の保全に関する教育及び学習の振興並びに前条の民間団体等が自発的に行う環境の保全に関する活動の促進に資するため、個人及び法人の権利利益の保護に配慮しつつ環境の状況その他の環境の保全に関する必要な情報を適切に提供するように努めるものとする。

（調査の実施）

第二八条 国は、環境の状況の把握、環境の変化の予測又は環境の変化による影響の予測に関する調査その他の環境を保全するための施策の策定に必要な調査を実施するものとする。

（監視等の体制の整備）

第二九条 国は、環境の状況を把握し、及び環境の保全に関する施策を適正に実施するために必要な監視、巡視、観測、測定、試験及び検査の体制の整備に努めるものとする。

（科学技術の振興）

第三〇条① 国は、環境の変化の機構の解明、環境への負荷の低減並びに環境が経済から受ける影響及び経済に与える恵沢を総合的に評価するための方法の開発に関する科学技術その他の環境の保全に関する科学技術の振興を図るものとする。

② 国は、環境の保全に関する科学技術の振興を図るため、試験研究の体制の整備、研究開発の推進及びその成果の普及、研究者の養成その他の必要な措置を講ずるものとする。

（公害に係る紛争の処理及び被害の救済）

第三一条① 国は、公害に係る紛争に関するあっせん、調停その他の措置を効果的に実施し、その他公害に係る紛争の円滑な処理を図るため、必要な措置を講じなければならない。

② 国は、公害に係る被害の救済のための措置の円滑な実施を図るため、必要な措置を講じなければならない。

第六節 地球環境保全等に関する国際協力等

（地球環境保全等に関する国際協力等）

第三二条① 国は、地球環境保全に関する国際的な連携を確保することその他の地球環境保全に関する国際協力を推進するために必要な措置を講ずるように努めるほか、開発途上にある海外の地域の環境の保全及び国際的に高い価値があると認められている環境の保全であって人類の福祉に貢献するとともに国民の健康で文化的な生活の確保に寄与するもの（以下この条において「開発途上地域の環境の保全等」という。）に資するための支援を行うことその他の開発途上地域の環境の保全等に関する国際協力を推進するために必要な措置を講ずるように努めるものとする。

② 国は、地球環境保全及び開発途上地域の環境の保全等（以下「地球環境保全等」という。）に関する国際協力について専門的な知見を有する者の育成、本邦以外の地域の環境の状況その他の地球環境保全等に関する情報の収集、整理及び分析その他の地球環境保全等に関する国際協力の円滑な推進を図るために必要な措置を講ずるように努めるものとする。

（監視、観測等に係る国際的な連携の確保等）

第三三条 国は、地球環境保全等に関する環境の状況の監視、観測及び測定の効果的な推進を図るための国際的な連携を確保するように努めるとともに、地球環境保全等に関する調査及び試験研究の推進を図るための国際協力を推進するように努めるものとする。

（地方公共団体又は民間団体等による活動を促進するための措置）

第三四条① 国は、地球環境保全等に関する国際協力を推進する上で地方公共団体が果たす役割の重要性にかんがみ、地方公共団体による地球環境保全等に関する国際協力のための活動の促進を図るため、情報の提供その他の必要な措置を講ずるように努めるものとする。

② 国は、地球環境保全等に関する国際協力を推進する上で民間団体等によって本邦以外の地域において地球環境保全等に関する国際協力のための自発的な活動が行われることの重要性にか

んがみ、その活動の促進を図るため、情報の提供その他の必要な措置を講ずるように努めるものとする。

（国際協力の実施等に当たっての配慮）

第三五条① 国は、国際協力の実施に当たっては、その国際協力の実施に関する地域に係る地球環境保全等について配慮するように努めなければならない。

② 国は、本邦以外の地域において行われる事業活動に関し、その事業活動に係る事業者がその事業活動が行われる地域に係る地球環境保全等について適正に配慮することができるようにするため、その事業者に対する情報の提供その他の必要な措置を講ずるように努めるものとする。

第七節 地方公共団体の施策

第三六条 地方公共団体は、第五節に定める国の施策に準じた施策及びその他のその地方公共団体の区域の自然的社会的条件に応じた環境の保全のために必要な施策を、これらの総合的かつ計画的な推進を図りつつ実施するものとする。この場合において、都道府県は、主として、広域にわたる施策の実施及び市町村が行う施策の総合調整を行うものとする。

第八節 費用負担等

（原因者負担）

第三七条 国及び地方公共団体は、公害又は自然環境の保全上の支障（以下この条において「公害等に係る支障」という。）を防止するために国若しくは地方公共団体又はこれらに準ずる者（以下この条において「公的事業主体」という。）により実施されることが公害等に係る支障の迅速な防止の必要性、事業の規模その他の事情を勘案して必要かつ適切であると認められる事業が公的事業主体により実施される場合において、その事業の必要を生じさせた者の活動により生ずる公害等に係る支障の程度及びその活動がその公害等に係る支障の原因となると認められる程度を勘案してその事業の必要を生じさせた者にその事業の実施に要する費用を負担させることが適当であると認められるものについて、その事業の必要を生じさせた者にその事業の必要を生じさせた限度においてその事業の実施に要する費用の全部又は一部を適正かつ公平に負担させるために必要な措置を講ずるものとする。

（受益者負担）

第三八条 国及び地方公共団体は、自然環境を保全することが特に必要な区域における自然環境の保全のための事業の実施により著しく利益を受ける者がある場合において、その者にその受益の限度においてその事業の実施に要する費用の全部又は一部を適正かつ公平に負担させるために必要な措置を講ずるものとする。

（地方公共団体に対する財政措置等）

第三九条 国は、地方公共団体が環境の保全に関する施策を策定し、及び実施するための費用について、必要な財政上の措置その他の措置を講ずるように努めるものとする。

（国及び地方公共団体の協力）

第四〇条 国及び地方公共団体は、環境の保全に関する施策を講ずるにつき、相協力するものとする。

（事務の区分）

第四〇条の二 第十六条第二項の規定により都道府県又は市が処理することとされている事務（政令で定めるものを除く。）は、地方自治法（昭和二十二年法律第六十七号）第二条第九項第一号に規定する第一号法定受託事務とする。

第三章 環境の保全に関する審議会その他の合議制の機関等

第一節 環境の保全に関する審議会その他の合議制の機関

（中央環境審議会）

第四一条① 環境省に、中央環境審議会を置く。

② 中央環境審議会は、次に掲げる事務をつかさどる。

一 環境基本計画に関し、第十五条第三項に規定する事項を処理すること。

二 環境大臣又は関係大臣の諮問に応じ、環境の保全に関する重要事項を調査審議すること。

三 自然公園法（昭和三十二年法律第百六十一号）、農用地の土壌の汚染防止等に関する法律（昭和四十五年法律第百三十九号）、自然環境保全法（昭和四十七年法律第八十五号）、動物の愛護及び管理に関する法律（昭和四十八年法律第百五号）、瀬戸内海環境保全特別措置法（昭和四十八年法律第百十号）、公害健康被害の補償等に関する法律（昭和四十八年法律第百十一号）、絶滅のおそれのある野生動植物の種の保存に関する法律（平成四年法律第七十五号）、ダイオキシン類対策特別措置法（平成十一年法律第百五号）、循環型社会形成推進基本法（平成十二年法律第百十号）、食品循環資源の再生利用等の促進に関する法律（平成十二年法律第百十六号）、使用済自動車の再資源化等に関する法律（平成十四年法律第八十七号）、鳥獣の保護及び管理並びに狩猟の適正化に関する法律（平成十四年法律第八十八号）、特定外来生物による生態系等に係る被害の防止に関する法律（平成十六年法律第七十八号）、石綿による健康被害の救済に関する法律（平成十八年法律第四号）、生物多様性基本法（平成二十年法律第五十八号）、愛がん動物用飼料の安全性の確保に関する法律（平成二十年法律第八十三号）、水銀による環境の汚染の防止に関する法律（平成二十七年法律第四十二号）及び気候変動適応法（平成三十年法律第五十号）によりその権限に属させられた事項を処理すること。

③ 中央環境審議会は、前項に規定する事項に関し、環境大臣又は関係大臣に意見を述べることができる。

④ 前二項に定めるもののほか、中央環境審議会の組織、所掌事務及び委員その他の職員その他中央環境審議会に関し必要な事項については、政令で定める。

第四二条 削除

（都道府県の環境の保全に関する審議会その他の合議制の機関）

第四三条① 都道府県は、その都道府県の区域における環境の保全に関して、基本的事項を調査審議させる等のため、環境の保全に関し学識経験のある者を含む者で構成される審議会その他の合議制の機関を置く。

② 前項の審議会その他の合議制の機関の組織及び運営に関し必要な事項は、その都道府県の条例で定める。

（市町村の環境の保全に関する審議会その他の合議制の機関）

第四四条 市町村は、その市町村の区域における環境の保全に関して、基本的事項を調査審議させる等のため、その市町村の条例で定めるところにより、環境の保全に関し学識経験のある者を含む者で構成される審議会その他の合議制の機関を置くことができる。

第二節 公害対策会議

（設置及び所掌事務）

第四五条① 環境省に、特別の機関として、公害対策会議（以下「会議」という。）を置く。

② 会議は、次に掲げる事務をつかさどる。

一 公害の防止に関する施策であって基本的かつ総合的なものの企画に関して審議し、及びその施策の実施を推進すること。

二 前号に掲げるもののほか、他の法令の規定によりその権限に属させられた事務

（組織等）

第四六条① 会議は、会長及び委員をもって組織する。

② 会長は、環境大臣をもって充てる。

③ 委員は、内閣官房長官、関係行政機関の長、内閣府設置法

（平成十一年法律第八十九号）第九条第一項に規定する特命担当大臣及びデジタル大臣のうちから、環境大臣の申出により、内閣総理大臣が任命する。

④ 会議に、幹事を置く。

⑤ 幹事は、関係行政機関の職員のうちから、環境大臣が任命する。

⑥ 幹事は、会議の所掌事務について、会長及び委員を助ける。

⑦ 前各項に定めるもののほか、会議の組織及び運営に関し必要な事項は、政令で定める。

附 則

この法律は公布の日から施行する。ただし、第四十三条及び第四十四条の規定は、公布の日から起算して一年を超えない範囲内において政令で定める日〔平成六・八・一—平成五政三六九〕から施行する。

環境基本法の施行に伴う関係法律整備法（平成五・一一・一九法九二）（抄）

（公害対策基本法の廃止）

第一条 公害対策基本法（昭和四十二年法律第百三十二号）は、廃止する。

環境基本法の施行に伴う関係法律整備法

附 則（平成五・一一・一九法九二）

この法律は、公布の日から施行する。（後略）

○環境影響評価法（抄）（平成九・六・一三 法 八 一）

施行 平成一一・六・一二（附則参照）
最終改正 令和二法四一

目次

第一章 総則

（目的）

第一条 この法律は、土地の形状の変更、工作物の新設等の事業を行う事業者がその事業の実施に当たりあらかじめ環境影響評価を行うことが環境の保全上極めて重要であることにかんがみ、環境影響評価について国等の責務を明らかにするとともに、規模が大きく環境影響の程度が著しいものとなるおそれがある事業について環境影響評価が適切かつ円滑に行われるための手続その他所要の事項を定め、その手続等によって行われた環境影響評価の結果をその事業に係る環境の保全のための措置その他のその事業の内容に関する決定に反映させるための措置をとること等により、その事業に係る環境の保全について適正な配慮がなされることを確保し、もって現在及び将来の国民の健康で文化的な生活の確保に資することを目的とする。

（定義）

第二条① この法律において「環境影響評価」とは、事業（特定の目的のために行われる一連の土地の形状の変更（これと併せて行うしゅんせつを含む。）並びに工作物の新設及び増改築をいう。以下同じ。）の実施が環境に及ぼす影響（当該事業の実施後の土地又は工作物において行われることが予定される事業活動その他の人の活動が当該事業の目的に含まれる場合には、これらの活動に伴って生ずる影響を含む。以下単に「環境影響」という。）について環境の構成要素に係る項目ごとに調査、予測及び評価を行うとともに、これらを行う過程においてその事業に係る環境の保全のための措置を検討し、この措置が講じられた場合における環境影響を総合的に評価することをいう。

② この法律において「第一種事業」とは、次に掲げる要件を満たしている事業であって、規模（形状が変更される部分の土地の面積、新設される工作物の大きさその他の数値で表される事業の規模をいう。次項において同じ。）が大きく、環境影響の程度が著しいものとなるおそれがあるものとして政令で定めるものをいう。

一 次に掲げる事業の種類のいずれかに該当する一の事業であること。

イ 高速自動車国道、一般国道その他の道路法（昭和二十七年法律第百八十号）第二条第一項に規定する道路その他の道路の新設及び改築の事業

ロ 河川法（昭和三十九年法律第百六十七号）第三条第一項に規定する河川に関するダムの新築、堰の新築及び改築の事業（以下この号において「ダム新築等事業」という。）並びに同法第八条の河川工事の事業でダム新築等事業でないもの

ハ 鉄道事業法（昭和六十一年法律第九十二号）による鉄道及び軌道法（大正十年法律第七十六号）による軌道の建設及び改良の事業

ニ 空港法（昭和三十一年法律第八十号）第二条に規定する空港その他の飛行場及びその施設の設置又は変更の事業

ホ 電気事業法（昭和三十九年法律第百七十号）第三十八条に規定する事業用電気工作物であって発電用のものの設置又は変更の工事の事業

ヘ 廃棄物の処理及び清掃に関する法律（昭和四十五年法律第百三十七号）第八条第一項に規定する一般廃棄物の最終処分場及び同法第十五条第一項に規定する産業廃棄物の最終処分場の設置並びにその構造及び規模の変更の事業

ト 公有水面埋立法（大正十年法律第五十七号）による公有

水面の埋立て及び干拓その他の水面の埋立て及び干拓の事業

チ　土地区画整理法（昭和二十九年法律第百十九号）第二条第一項に規定する土地区画整理事業

リ　新住宅市街地開発法（昭和三十八年法律第百三十四号）第二条第一項に規定する新住宅市街地開発事業

ヌ　首都圏の近郊整備地帯及び都市開発区域の整備に関する法律（昭和三十三年法律第九十八号）第二条第五項に規定する工業団地造成事業及び近畿圏の近郊整備区域及び都市開発区域の整備及び開発に関する法律（昭和三十九年法律第百四十五号）第二条第四項に規定する工業団地造成事業

ル　新都市基盤整備法（昭和四十七年法律第八十六号）第二条第一項に規定する新都市基盤整備事業

ヲ　流通業務市街地の整備に関する法律（昭和四十一年法律第百十号）第二条第二項に規定する流通業務団地造成事業

ワ　イからヲまでに掲げるもののほか、一の事業に係る環境影響を受ける地域の範囲が広く、その一の事業に係る環境影響評価を行う必要の程度がこれらに準ずるものとして政令で定める事業の種類

二　次のいずれかに該当する事業であること。

イ　法律の規定であって政令で定めるものにより、その実施に際し、免許、特許、許可、認可、承認若しくは同意又は届出（当該届出に係る法律において、当該届出に関し、当該届出を受理した日から起算して一定の期間内に、その変更について勧告又は命令をすることができることが規定されているものに限る。ホにおいて同じ。）が必要とされる事業（ホに掲げるものを除く。）

ロ　国の補助金等（補助金等に係る予算の執行の適正化に関する法律（昭和三十年法律第百七十九号）第二条第一項第一号の補助金、同項第二号の負担金及び同項第四号の政令で定める給付金のうち政令で定めるものをいう。以下同じ。）の交付の対象となる事業（イに掲げるものを除く。）

ハ　特別の法律により設立された法人（国が出資しているものに限る。）がその業務として行う事業（イ及びロに掲げるものを除く。）

ニ　国が行う事業（イ及びホに掲げるものを除く。）

ホ　国が行う事業のうち、法律の規定であって政令で定めるものにより、その実施に際し、免許、特許、許可、認可、承認若しくは同意又は届出が必要とされる事業

③　この法律において「第二種事業」とは、前項各号に掲げる要件を満たしている事業であって、第一種事業に準ずる規模（その規模に係る数値の第一種事業の規模に係る数値に対する比が政令で定める数値以上であるものに限る。）を有するもののうち、環境影響の程度が著しいものとなるおそれがあるかどうかの判定（以下単に「判定」という。）を第四条第一項各号に定める者が同条の規定により行う必要があるものとして政令で定めるものをいう。

④　この法律において「対象事業」とは、第一種事業又は第四条第三項第一号（第三十九条第二項の規定により読み替えて適用される場合を含む。）の措置がとられた第二種事業（第四条第四項（第三十九条第二項の規定により読み替えて適用される場合を含む。）及び第二十九条第二項（第四十条第二項の規定により読み替えて適用される場合を含む。）において準用する第四条第三項第二号の措置がとられたものを除く。）をいう。

⑤　この法律（この章を除く。）において「事業者」とは、対象事業を実施しようとする者（国が行う対象事業にあっては当該対象事業の実施を担当する行政機関（地方支分部局を含む。）の長、委託に係る対象事業にあってはその委託をしようとする者）をいう。

（国等の責務）

第三条　国、地方公共団体、事業者及び国民は、事業の実施前における環境影響評価の重要性を深く認識して、この法律の規定による環境影響評価その他の手続が適切かつ円滑に行われ、事業の実施による環境への負荷をできる限り回避し、又は低減することその他の環境の保全についての配慮が適正になされるようにそれぞれの立場で努めなければならない。

第二章　方法書の作成前の手続（抄）

第一節　配慮書（抄）

（計画段階配慮事項についての検討）

第三条の二①　第一種事業を実施しようとする者（国が行う事業にあっては当該事業の実施を担当する行政機関（地方支分部局を含む。）の長、委託に係る事業にあってはその委託をしようとする者。以下同じ。）は、第一種事業に係る計画の立案の段階において、当該事業が実施されるべき区域その他の第二条第二項第一号イからワまでに掲げる事業の種類ごとに主務省令で定める事項を決定するに当たっては、同号イからワまでに掲げる事業の種類ごとに主務省令で定めるところにより、一又は二以上の当該事業の実施が想定される区域（以下「事業実施想定区域」という。）における当該事業に係る環境の保全のために配慮すべき事項（以下「計画段階配慮事項」という。）についての検討を行わなければならない。

②　前項の事業が実施されるべき区域その他の事項を定める主務省令は、主務大臣（主務大臣が内閣府の外局の長であるときは、内閣総理大臣）が環境大臣に協議して定めるものとする。

③　第一項の主務省令（事業が実施されるべき区域その他の事項を定める主務省令を除く。）は、計画段階配慮事項についての検討を適切に行うために必要であると認められる計画段階配慮事項の選定並びに当該計画段階配慮事項に係る調査、予測及び評価の手法に関する指針につき主務大臣（主務大臣が内閣府の外局の長であるときは、内閣総理大臣）が環境大臣に協議して定めるものとする。

（配慮書の作成等）

第三条の三①　第一種事業を実施しようとする者は、計画段階配慮事項についての検討を行った結果について、次に掲げる事項を記載した計画段階環境配慮書（以下「配慮書」という。）を作成しなければならない。

一　第一種事業を実施しようとする者の氏名及び住所（法人にあってはその名称、代表者の氏名及び主たる事務所の所在地）

二　第一種事業の目的及び内容

三　事業実施想定区域及びその周囲の概況

四　計画段階配慮事項ごとに調査、予測及び評価の結果をとりまとめたもの

五　その他環境省令で定める事項

②　相互に関連する二以上の第一種事業を実施しようとする場合は、当該第一種事業を実施しようとする者は、これらの第一種事業について、併せて配慮書を作成することができる。

第三条の四から第三条の七まで　（略）

（基本的事項の公表）

第三条の八　環境大臣は、関係する行政機関の長に協議して、第三条の二第三項及び前条第二項の規定により主務大臣（主務大臣が内閣府の外局の長であるときは、内閣総理大臣）が定めるべき指針に関する基本的事項を定めて公表するものとする。

（第一種事業の廃止等）

第三条の九①　第一種事業を実施しようとする者は、第三条の四第一項の規定による公表を行ってから第七条の規定による公告を行うまでの間において、次の各号のいずれかに該当することとなった場合には、配慮書の送付を当該第一種事業を実施しようとする者から受けた者にその旨を通知するとともに、環境省令で定めるところにより、その旨を公表しなければならない。

一　第一種事業を実施しないこととしたとき。

二　第三条の三第一項第二号に掲げる事項を修正した場合において当該修正後の事業が第一種事業又は第二種事業のいずれにも該当しないこととなったとき。

三　第一種事業の実施を他の者に引き継いだとき。

② 前項第三号の場合において、当該引継ぎ後の事業が第一種事業であるときは、同項の規定による公表の日以前に当該引継ぎ前の第一種事業を実施しようとする者が行った計画段階配慮事項についての検討その他の手続は新たに第一種事業を実施しようとする者となった者が行ったものとみなし、当該引継ぎ前の第一種事業を実施しようとする者について行われた計画段階配慮事項についての検討その他の手続は新たに第一種事業を実施しようとする者となった者について行われたものとみなす。

（第二種事業に係る計画段階配慮事項についての検討）

第三条の一〇① 第二種事業を実施しようとする者（国が行う事業にあっては当該事業の実施を担当する行政機関（地方支分部局を含む。）の長、委託に係る事業にあってはその委託をしようとする者。以下同じ。）は、第二種事業に係る計画の立案の段階において、第三条の二第一項の主務省令で定める事項を決定するに当たっては、一又は二以上の当該事業の実施が想定される区域における当該事業に係る環境の保全のために配慮すべき事項についての検討その他の手続を行うことができる。この場合において、当該第二種事業を実施しようとする者は、当該事業の実施が想定される区域における環境の保全のために配慮すべき事項についての検討その他の手続を行うこととした旨を主務大臣に書面により通知するものとする。

② 前項の規定による通知をした第二種事業を実施しようとする者については、第一種事業を実施しようとする者とみなし、第三条の二から前条までの規定を適用する。

第二節　第二種事業に係る判定

第四条① 第二種事業を実施しようとする者は、第二条第二項第一号イからワまでに掲げる事業の種類ごとに主務省令で定めるところにより、その氏名及び住所（法人にあってはその名称、代表者の氏名及び主たる事務所の所在地）並びに第二種事業の種類及び規模、第二種事業が実施されるべき区域その他第二種事業の概要（以下この項において「氏名等」という。）を次の各号に掲げる第二種事業の区分に応じ当該各号に定める者に書面により届け出なければならない。この場合において、第四号又は第五号に掲げる第二種事業を実施しようとする者が第四号又は第五号に定める主任の大臣であるときは、主任の大臣に届け出ることに代えて、氏名等を記載した書面を作成するものとする。

一 第二条第二項第二号イに該当する第二種事業　同号イに規定する免許、特許、許可、認可、承認若しくは同意（以下「免許等」という。）を行い、又は同号イに規定する届出（以下「特定届出」という。）を受理する者

二 第二条第二項第二号ロに該当する第二種事業　同号ロに規定する国の補助金等の交付の決定を行う者（以下「交付決定権者」という。）

三 第二条第二項第二号ハに該当する第二種事業　同号ハに規定する法律の規定に基づき同号ハに規定する法人を当該事業に関して監督する者（以下「法人監督者」という。）

四 第二条第二項第二号ニに該当する第二種事業　当該事業の実施に関する事務を所掌する主任の大臣

五 第二条第二項第二号ホに該当する第二種事業　当該事業の実施に関する事務を所掌する主任の大臣及び同号ホに規定する免許、特許、許可、認可、承認若しくは同意を行う者又は同号ホに規定する届出の受理を行う者

②―⑩（略）

第三章　方法書（抄）

（方法書の作成）

第五条① 事業者は、配慮書を作成しているときはその配慮書の内容を踏まえるとともに、第三条の六の意見が述べられたときはこれを勘案して、第三条の二第一項の事業が実施されるべき区域その他の主務省令で定める事項を決定し、対象事業に係る環境影響評価を行う方法（調査、予測及び評価に係るものに限る。）について、第二条第二項第一号イからワまでに掲げる事業の種類ごとに主務省令で定めるところにより、次に掲げる事項（配慮書を作成していない場合においては、第四号から第六号までに掲げる事項を除く。）を記載した環境影響評価方法書（以下「方法書」という。）を作成しなければならない。

一 事業者の氏名及び住所（法人にあってはその名称、代表者の氏名及び主たる事務所の所在地）

二 対象事業の目的及び内容

三 対象事業が実施されるべき区域（以下「対象事業実施区域」という。）及びその周囲の概況

四 第三条の三第一項第四号に掲げる事項

五 第三条の六の主務大臣の意見

六 前号の意見についての事業者の見解

七 対象事業に係る環境影響評価の項目並びに調査、予測及び評価の手法（当該手法が決定されていない場合にあっては、対象事業に係る環境影響評価の項目）

八 その他環境省令で定める事項

② 相互に関連する二以上の対象事業を実施しようとする場合は、当該対象事業に係る事業者は、これらの対象事業について、併せて方法書を作成することができる。

第六条から第九条まで（略）

（方法書についての都道府県知事等の意見）

第一〇条① 前条に規定する都道府県知事は、同条の書類の送付を受けたときは、第四項に規定する場合を除き、政令で定める期間内に、事業者に対し、方法書について環境の保全の見地からの意見を書面により述べるものとする。

② 前項の場合において、当該都道府県知事は、期間を指定して、方法書について前条に規定する市町村長の環境の保全の見地からの意見を求めるものとする。

③ 第一項の場合において、当該都道府県知事は、前項の規定による当該市町村長の意見を勘案するとともに、前条の書類に記載された意見に配意するものとする。

④ 第六条第一項に規定する地域の全部が一の政令で定める市の区域に限られるものである場合は、当該市の長が、前条の書類の送付を受けたときは、第一項の政令で定める期間内に、事業者に対し、方法書について環境の保全の見地からの意見を書面により述べるものとする。

⑤ 前項の場合において、前条に規定する都道府県知事は、同条の書類の送付を受けたときは、必要に応じ、第一項の政令で定める期間内に、事業者に対し、方法書について環境の保全の見地からの意見を書面により述べることができる。

⑥ 第四項の場合において、当該市の長は、前条の書類に記載された意見に配意するものとする。

第四章　環境影響評価の実施等

（環境影響評価の項目等の選定）

第一一条① 事業者は、前条第一項、第四項又は第五項の意見が述べられたときはこれを勘案するとともに、第八条第一項の意見に配意して第五条第一項第七号に掲げる事項に検討を加え、第二条第二項第一号イからワまでに掲げる事業の種類ごとに主務省令で定めるところにより、対象事業に係る環境影響評価の項目並びに調査、予測及び評価の手法を選定しなければならない。

② 事業者は、前項の規定による選定を行うに当たり必要があると認めるときは、主務大臣に対し、技術的な助言を記載した書面の交付を受けたい旨の申出を書面によりすることができる。

③ 主務大臣は、前項の規定による事業者の申出に応じて技術的な助言を記載した書面の交付をしようとするときは、あらかじめ、環境大臣の意見を聴かなければならない。

④ 第一項の主務省令は、環境基本法（平成五年法律第九十一号）第十四条各号に掲げる事項の確保を旨として、既に得られている科学的知見に基づき、対象事業に係る環境影響評価を適

切に行うために必要であると認められる環境影響評価の項目並びに当該項目に係る調査、予測及び評価を合理的に行うための手法を選定するための指針につき主務大臣（主務大臣が内閣府の外局の長であるときは、内閣総理大臣）が環境大臣に協議して定めるものとする。

（**環境影響評価の実施**）

第一二条① 事業者は、前条第一項の規定により選定した項目及び手法に基づいて、第二条第二項第一号イからワまでに掲げる事業の種類ごとに主務省令で定めるところにより、対象事業に係る環境影響評価を行わなければならない。

② 前条第四項の規定は、前項の主務省令について準用する。この場合において、同条第四項中「環境影響評価の項目並びに当該項目に係る調査、予測及び評価を合理的に行うための手法を選定するための指針」とあるのは、「環境の保全のための措置に関する指針」と読み替えるものとする。

（**基本的事項の公表**）

第一三条 環境大臣は、関係する行政機関の長に協議して、第十一条第四項（前条第二項において準用する場合を含む。）の規定により主務大臣（主務大臣が内閣府の外局の長であるときは、内閣総理大臣）が定めるべき指針に関する基本的事項を定めて公表するものとする。

第五章　準備書

（**準備書の作成**）

第一四条① 事業者は、第十二条第一項の規定により対象事業に係る環境影響評価を行った後、当該環境影響評価の結果について環境の保全の見地からの意見を聴くための準備として、第二条第二項第一号イからワまでに掲げる事業の種類ごとに主務省令で定めるところにより、当該結果に係る次に掲げる事項を記載した環境影響評価準備書（以下「準備書」という。）を作成しなければならない。

一 第五条第一項第一号から第六号までに掲げる事項

二 第八条第一項の意見の概要

三 第十条第一項の都道府県知事の意見又は同条第四項の政令で定める市の長の意見及び同条第五項の都道府県知事の意見がある場合にはその意見

四 前二号の意見についての事業者の見解

五 環境影響評価の項目並びに調査、予測及び評価の手法

六 第十一条第二項の助言がある場合には、その内容

七 環境影響評価の結果のうち、次に掲げるもの

イ 調査の結果の概要並びに予測及び評価の結果を環境影響評価の項目ごとにとりまとめたもの（環境影響評価を行ったにもかかわらず環境影響の内容及び程度が明らかとならなかった項目に係るものを含む。）

ロ 環境の保全のための措置（当該措置を講ずることとするに至った検討の状況を含む。）

ハ ロに掲げる措置が将来判明すべき環境の状況に応じて講ずるものである場合には、当該環境の状況の把握のための措置

ニ 対象事業に係る環境影響の総合的な評価

八 環境影響評価の全部又は一部を他の者に委託して行った場合には、その者の氏名及び住所（法人にあってはその名称、代表者の氏名及び主たる事務所の所在地）

九 その他環境省令で定める事項

② 第五条第二項の規定は、準備書の作成について準用する。

（**準備書の送付等**）

第一五条 事業者は、準備書を作成したときは、第六条第一項の主務省令で定めるところにより、対象事業に係る環境影響を受ける範囲であると認められる地域（第八条第一項及び第十条第一項、第四項又は第五項の意見並びに第十二条第一項の規定により行った環境影響評価の結果にかんがみ第六条第一項の地域に追加すべきものと認められる地域を含む。以下「関係地域」という。）を管轄する都道府県知事（以下「関係都道府県知事」という。）及び関係地域を管轄する市町村長（以下「関係市町村長」という。）に対し、準備書及びこれを要約した書類（次条において「要約書」という。）を送付しなければならない。

（**準備書についての公告及び縦覧**）

第一六条 事業者は、前条の規定による送付を行った後、準備書に係る環境影響評価の結果について環境の保全の見地からの意見を求めるため、環境省令で定めるところにより、準備書を作成した旨その他環境省令で定める事項を公告し、公告の日から起算して一月間、準備書及び要約書を関係地域内において縦覧に供するとともに、環境省令で定めるところにより、インターネットの利用その他の方法により公表しなければならない。

（**説明会の開催等**）

第一七条① 事業者は、環境省令で定めるところにより、前条の縦覧期間内に、関係地域内において、準備書の記載事項を周知させるための説明会（以下「準備書説明会」という。）を開催しなければならない。この場合において、関係地域内に準備書説明会を開催する適当な場所がないときは、関係地域以外の地域において開催することができる。

② 第七条の二第二項から第五項までの規定は、前項の規定により事業者が準備書説明会を開催する場合について準用する。この場合において、同条第三項中「第六条第一項に規定する地域」とあるのは「第十五条に規定する関係地域」と、同条第四項中「第二項」とあるのは「第十七条第二項において準用する第二項」と、同条第五項中「前各項」とあるのは「第十七条第一項及び第二項において準用する前三項」と読み替えるものとする。

（**準備書についての意見書の提出**）

第一八条① 準備書について環境の保全の見地からの意見を有する者は、第十六条の公告の日から、同条の縦覧期間満了の日の翌日から起算して二週間を経過する日までの間に、事業者に対し、意見書の提出により、これを述べることができる。

② 前項の意見書の提出に関し必要な事項は、環境省令で定める。

（**準備書についての意見の概要等の送付**）

第一九条 事業者は、前条第一項の期間を経過した後、関係都道府県知事及び関係市町村長に対し、同項の規定により述べられた意見の概要及び当該意見についての事業者の見解を記載した書類を送付しなければならない。

（**準備書についての関係都道府県知事等の意見**）

第二〇条① 関係都道府県知事は、前条の書類の送付を受けたときは、第四項に規定する場合を除き、政令で定める期間内に、事業者に対し、準備書について環境の保全の見地からの意見を書面により述べるものとする。

② 前項の場合において、当該関係都道府県知事は、期間を指定して、準備書について関係市町村長の環境の保全の見地からの意見を求めるものとする。

③ 第一項の場合において、当該関係都道府県知事は、前項の規定による当該関係市町村長の意見を勘案するとともに、前条の書類に記載された意見及び事業者の見解に配意するものとする。

④ 関係地域の全部が一の第十条第四項の政令で定める市の区域に限られるものである場合は、当該市の長が、前条の書類の送付を受けたときは、第一項の政令で定める期間内に、事業者に対し、準備書について環境の保全の見地からの意見を書面により述べるものとする。

⑤ 前項の場合において、関係都道府県知事は、前条の書類の送付を受けたときは、必要に応じ、第一項の政令で定める期間内に、事業者に対し、準備書について環境の保全の見地からの意見を書面により述べることができる。

⑥ 第四項の場合において、当該市の長は、前条の書類に記載された意見及び事業者の見解に配意するものとする。

第六章　評価書（抄）

第一節　評価書の作成等

（評価書の作成）

第二一条① 事業者は、前条第一項、第四項又は第五項の意見が述べられたときはこれを勘案するとともに、第十八条第一項の意見に配意して準備書の記載事項について検討を加え、当該事項の修正を必要とすると認めるとき（当該修正後の事業が対象事業に該当するときに限る。）は、次の各号に掲げる当該修正の区分に応じ当該各号に定める措置をとらなければならない。

一　第五条第一項第二号に掲げる事項の修正（事業規模の縮小、政令で定める軽微な修正その他の政令で定める修正に該当するものを除く。）　同条から第二十七条までの規定による環境影響評価その他の手続を経ること。

二　第五条第一項第一号又は第十四条第一項第二号から第四号まで、第六号若しくは第八号に掲げる事項の修正（前号に該当する場合を除く。）　次項及び次条から第二十七条までの規定による環境影響評価その他の手続を行うこと。

三　前二号に掲げるもの以外のもの　第十一条第一項及び第十二条第一項の主務省令で定めるところにより当該修正に係る部分について対象事業に係る環境影響評価を行うこと。

② 事業者は、前項第一号に該当する場合を除き、同項第三号の規定による環境影響評価を行った場合には当該環境影響評価及び準備書に係る環境影響評価の結果に、同号の規定による環境影響評価を行わなかった場合には準備書に係る環境影響評価の結果に係る次に掲げる事項を記載した環境影響評価書（以下第二十六条まで、第二十九条及び第三十条において「評価書」という。）を、第二条第二項第一号イからワまでに掲げる事業の種類ごとに主務省令で定めるところにより作成しなければならない。

一　第十四条第一項各号に掲げる事項

二　第十八条第一項の意見の概要

三　前条第一項の関係都道府県知事の意見又は同条第四項の政令で定める市の長の意見及び同条第五項の関係都道府県知事の意見がある場合にはその意見

四　前二号の意見についての事業者の見解

（免許等を行う者等への送付）

第二二条① 事業者は、評価書を作成したときは、速やかに、次の各号に掲げる評価書の区分に応じ当該各号に定める者にこれを送付しなければならない。

一　第二条第二項第二号イに該当する対象事業（免許等に係るものに限る。）に係る評価書　当該免許等を行う者

二　第二条第二項第二号イに該当する対象事業（特定届出に係るものに限る。）に係る評価書　当該特定届出の受理を行う者

三　第二条第二項第二号ロに該当する対象事業に係る評価書　交付決定権者

四　第二条第二項第二号ハに該当する対象事業に係る評価書　法人監督者

五　第二条第二項第二号ニに該当する対象事業に係る評価書　第四条第一項第四号に定める者

六　第二条第二項第二号ホに該当する対象事業に係る評価書　第四条第一項第五号に定める者

② 前項各号に定める者（環境大臣を除く。）が次の各号に掲げる者であるときは、その者は、評価書の送付を受けた後、速やかに、当該各号に定める措置をとらなければならない。

一　内閣総理大臣若しくは各省大臣又は委員会の長である国務大臣　環境大臣に当該評価書の写しを送付して意見を求めること。

二　委員会の長（国務大臣を除く。）若しくは庁の長又は国の行政機関の地方支分部局の長　その委員会若しくは庁又は地方支分部局が置かれている内閣府若しくは省又は委員会の長である内閣総理大臣又は各省大臣を経由して環境大臣に当該評価書の写しを送付して意見を求めること。

（環境大臣の意見）

第二三条　環境大臣は、前条第二項各号の措置がとられたときは、必要に応じ、政令で定める期間内に、同項各号に掲げる者に対し、評価書について環境の保全の見地からの意見を書面により述べることができる。この場合において、同項第二号に掲げる者に対する意見は、同号に規定する内閣総理大臣又は各省大臣を経由して述べるものとする。

（環境大臣の助言）

第二三条の二　第二十二条第一項各号に定める者が地方公共団体その他公法上の法人で政令で定めるもの（以下この条において「地方公共団体等」という。）であるときは、当該地方公共団体等の長は、次条の規定に基づき環境の保全の見地からの意見を書面により述べることが必要と認める場合には、評価書の送付を受けた後、環境大臣に当該評価書の写しを送付して助言を求めるように努めなければならない。

（免許等を行う者等の意見）

第二四条　第二十二条第一項各号に定める者は、同項の規定による送付を受けたときは、必要に応じ、政令で定める期間内に、事業者に対し、評価書について環境の保全の見地からの意見を書面により述べることができる。この場合において、第二十三条の規定による環境大臣の意見があるときは、これを勘案しなければならない。

第二節　評価書の補正等

（第二五条から第二七条まで）（略）

第七章　対象事業の内容の修正等

（第二八条から第三〇条まで）（略）

第八章　評価書の公告及び縦覧後の手続（抄）

第三一条及び第三二条　（略）

（免許等に係る環境の保全の配慮についての審査等）

第三三条① 対象事業に係る免許等を行う者は、当該免許等の審査に際し、評価書の記載事項及び第二十四条の書面に基づいて、当該対象事業につき、環境の保全についての適正な配慮がなされるものであるかどうかを審査しなければならない。

② 前項の場合においては、次の各号に掲げる当該免許等（次項に規定するものを除く。）の区分に応じ、当該各号に定めるところによる。

一　一定の基準に該当している場合には免許等を行うものとする旨の法律の規定であって政令で定めるものに係る免許等　当該免許等を行う者は、当該免許等に係る当該規定にかかわらず、当該規定に定める当該基準に関する審査と前項の規定による環境の保全に関する審査の結果を併せて判断するものとし、当該基準に該当している場合であっても、当該判断に基づき、当該免許等を拒否する処分を行い、又は当該免許等に必要な条件を付することができるものとする。

二　一定の基準に該当している場合には免許等を行わないものとする旨の法律の規定であって政令で定めるものに係る免許等　当該免許等を行う者は、当該免許等に係る当該規定にかかわらず、当該規定に定める当該基準に該当している場合のほか、対象事業の実施による利益に関する審査と前項の規定による環境の保全に関する審査の結果を併せて判断するものとし、当該判断に基づき、当該免許等を拒否する処分を行い、又は当該免許等に必要な条件を付することができるものとする。

三　免許等を行い又は行わない基準を法律の規定で定めていない免許等（当該免許等に係る法律の規定で政令で定めるものに係るものに限る。）　当該免許等を行う者は、対象事業の実施による利益に関する審査と前項の規定による環境の保全に関する審査の結果を併せて判断するものとし、当該判断に基づき、当該免許等を拒否する処分を行い、又は当該免許等に必要な条件を付することができるものとする。

③ 対象事業に係る免許等であって対象事業の実施において環境

の保全についての適正な配慮がなされるものでなければ当該免許等を行わないものとする旨の法律の規定があるものを行う者は、評価書の記載事項及び第二十四条の書面に基づいて、当該法律の規定による環境の保全に関する審査を行うものとする。

④　前各項の規定は、第二条第二項第二号ホに該当する対象事業に係る免許、特許、許可、認可、承認又は同意（同号ホに規定するものに限る。）について準用する。

（**特定届出に係る環境の保全の配慮についての審査等**）

第三四条①　対象事業に係る特定届出を受理した者は、評価書の記載事項及び第二十四条の書面に基づいて、当該対象事業につき、環境の保全についての適正な配慮がなされるものであるかどうかを審査し、この配慮に欠けると認めるときは、当該特定届出に係る法律の規定にかかわらず、当該特定届出をした者に対し、当該規定によって勧告又は命令をすることができることとされている期間（当該特定届出の受理の時に評価書の送付を受けていないときは、その送付を受けた日から起算する当該期間）内において、当該特定届出に係る事項の変更を求める旨の当該規定による勧告又は命令をすることができる。

②　前項の規定は、第二条第二項第二号ホに該当する対象事業に係る同号ホの届出について準用する。

（**交付決定権者の行う環境の保全の配慮についての審査等**）

第三五条　対象事業に係る交付決定権者は、評価書の記載事項及び第二十四条の書面に基づいて、当該対象事業につき、環境の保全についての適正な配慮がなされるものであるかどうかを審査しなければならない。この場合において、当該審査は、補助金等に係る予算の執行の適正化に関する法律第六条第一項の規定による調査として行うものとする。

（**法人監督者の行う環境の保全の配慮についての審査等**）

第三六条　対象事業に係る法人監督者は、評価書の記載事項及び第二十四条の書面に基づいて、当該対象事業につき、環境の保全についての適正な配慮がなされるものであるかどうかを審査し、当該法人に対する監督を通じて、この配慮がなされることを確保するようにしなければならない。

（**主任の大臣の行う環境の保全の配慮についての審査等**）

第三七条　対象事業に係る第四条第一項第四号又は第五号に定める主任の大臣は、評価書の記載事項及び第二十四条の書面に基づいて、当該対象事業につき、環境の保全についての適正な配慮がなされるものであるかどうかを審査し、この配慮がなされることを確保するようにしなければならない。

（**事業者の環境の保全の配慮等**）

第三八条①　事業者は、評価書に記載されているところにより、環境の保全についての適正な配慮をして当該対象事業を実施するようにしなければならない。

②　この章の規定による環境の保全に関する審査を行うべき者が事業者の地位を兼ねる場合には、当該審査を行うべき者は、当該審査に係る業務に従事するその者の職員を当該事業の実施に係る業務に従事させないように努めなければならない。

第三八条の二から第三八条の五まで　（略）

第九章　環境影響評価その他の手続の特例等

（第三八条の六から第四八条まで）（略）

第十章　雑則（抄）

第四九条から第六〇条まで　（略）

（**条例との関係**）

第六一条　この法律の規定は、地方公共団体が次に掲げる事項に関し条例で必要な規定を定めることを妨げるものではない。

一　第二種事業及び対象事業以外の事業に係る環境影響評価その他の手続に関する事項

二　第二種事業又は対象事業に係る環境影響評価についての当該地方公共団体における手続に関する事項（この法律の規定に反しないものに限る。）

（**地方公共団体の施策におけるこの法律の趣旨の尊重**）

第六二条　地方公共団体は、当該地域の環境に影響を及ぼす事業について環境影響評価に関し必要な施策を講ずる場合においては、この法律の趣旨を尊重して行うものとする。

附　則（抄）

（**施行期日**）

第一条　この法律は、公布の日から起算して二年を超えない範囲内において政令で定める日（平成一一・六・一二―平成一〇政一七〇）から施行する。ただし、次の各号に掲げる規定は、当該各号に定める日から施行する。

一　第一条、第二条（中略）、第十三条（中略）の規定　公布の日から起算して六月を超えない範囲内において政令で定める日（平成九・一二・一二―平成九政三四五）

二　（前略）第五条第一項（同項の主務省令に係る部分に限る。以下この号において同じ。）（中略）、第十一条第一項（同項の主務省令に係る部分に限る。以下この号において同じ。）及び第三項、第十二条第一項（同項の主務省令に係る部分に限る。以下この号において同じ。）及び第二項（中略）の規定　公布の日から起算して一年を超えない範囲内において政令で定める日（平成一〇・六・一二―平成一〇政一七〇）

○公害紛争処理法（抄）（昭和四五・六・一法一〇八）

施行　昭和四五・一一・一（附則参照）
最終改正　令和四法六八

目次

第一章　総則

（目的）
第一条　この法律は、公害に係る紛争について、あつせん、調停、仲裁及び裁定の制度を設けること等により、その迅速かつ適正な解決を図ることを目的とする。

（定義）
第二条　この法律において「公害」とは、環境基本法（平成五年法律第九十一号）第二条第三項に規定する公害をいう。

第二章　公害に係る紛争の処理機構（抄）

第一節　公害等調整委員会

（公害等調整委員会）
第三条　公害等調整委員会（以下「中央委員会」という。）は、この法律の定めるところにより公害に係る紛争についてあつせん、調停、仲裁及び裁定を行うとともに、地方公共団体が行う公害に関する苦情の処理について指導等を行う。

第四条から第一二条まで　削除

第二節　都道府県公害審査会等（抄）

（審査会の設置）
第一三条　都道府県は、条例で定めるところにより、都道府県公害審査会（以下「審査会」という。）を置くことができる。

（審査会の所掌事務）
第一四条　審査会の所掌事務は、次のとおりとする。
一　この法律の定めるところにより、公害に係る紛争について、あつせん、調停及び仲裁を行うこと。
二　前号に掲げるもののほか、この法律の定めるところにより、審査会の権限に属させられた事項を行うこと。

（審査会の組織）
第一五条①　審査会は、委員九人以上十五人以内をもつて組織する。
②　審査会に会長を置き、委員の互選によつてこれを定める。
③　会長は、会務を総理し、審査会を代表する。
④　会長に事故があるときは、あらかじめその指名する委員が、その職務を代理する。

第一六条から第二三条まで　（略）

第三章　公害に係る紛争の処理手続（抄）

第一節　総則（抄）

第二三条の二及び第二三条の三　（略）

（参加）
第二三条の四①　公害に係る被害に関する紛争につき調停又は裁定の手続が係属している場合において、同一の原因による被害を主張する者は、調停委員会又は裁定委員会の許可を得て、当事者として当該手続に参加することができる。
②　調停委員会又は裁定委員会は、前項の許可をするときは、あらかじめ、当事者の意見をきかなければならない。

第二三条の五　（略）

第二節　あつせん、調停及び仲裁（抄）

第一款　通則（抄）

（管轄）
第二四条①　中央委員会は、次の各号に掲げる紛争に関するあつせん、調停及び仲裁について管轄する。
一　現に人の健康又は生活環境（環境基本法第二条第三項に規定する生活環境をいう。）に公害に係る著しい被害が生じ、かつ、当該被害が相当多数の者に及び、又は及ぶおそれのある場合における当該公害に係る紛争であつて政令で定めるもの
二　前号に掲げるもののほか、二以上の都道府県にわたる広域的な見地から解決する必要がある公害に係る紛争であつて政令で定めるもの
三　前二号に掲げるもののほか、事業活動その他の人の活動の行われた場所及び当該活動に伴う公害に係る被害の生じた場所が異なる都道府県の区域内にある場合又はこれらの場所の一方若しくは双方が二以上の都道府県の区域内にある場合における当該公害に係る紛争
②　審査会（審査会を置かない都道府県にあつては、都道府県知事とし、以下「審査会等」という。）は、前項各号に掲げる紛争以外の紛争に関するあつせん、調停及び仲裁について管轄する。
③　前二項の規定にかかわらず、仲裁については、当事者は、双方の合意によつてその管轄を定めることができる。

第二五条　（略）

（申請）
第二六条①　公害に係る被害について、損害賠償に関する紛争その他の民事上の紛争が生じた場合においては、当事者の一方又は双方は、公害等調整委員会規則で定めるところにより中央委員会に対し、政令で定めるところにより審査会等に対し、書面をもつて、あつせん、調停又は仲裁の申請をすることができる。この場合において、審査会に対する申請は、都道府県知事を経由してしなければならない。
②　当事者の一方からする仲裁の申請は、この法律の規定による仲裁に付する旨の合意に基づくものでなければならない。

第二七条　（略）

（あつせん又は調停の開始等の特例）
第二七条の二①　被害の程度が著しく、その範囲が広い公害に係る民事上の紛争が生じ、当事者間の交渉が円滑に進行していない場合において、当該紛争を放置するときは多数の被害者の生活の困窮等社会的に重大な影響があると認められるときは、中央委員会又は審査会は、当該紛争について、実情を調査し、当事者の意見を聴いた上、その議決に基づき、あつせんを行うことができる。
②　前項の規定による審査会のあつせんは、当該都道府県知事の要請により行うものとする。
③　第一項の場合において、中央委員会又は審査会は、当事者の住所、紛争の実情その他の事情を考慮して相当と認める理由がある場合に限り、第二十四条第一項又は第二項の規定にかかわ

らず、それぞれ、審査会等又は中央委員会と協議してその管轄を定めることができる。

第二七条の三① 中央委員会又は審査会は、前条第一項の規定によるあつせんに係る紛争について、あつせんによつては当該紛争を解決することが困難であり、かつ、相当と認めるときは、あつせん委員の申出により、当事者の意見を聴いた上、その議決に基づき、当該紛争に関する調停を行うことができる。

② 前項の調停の管轄は、当該紛争に関するあつせんの管轄が前条第三項の規定により定められたものであるときは、その定められたところによる。

第二款　あつせん（抄）

（あつせん委員の指名等）

第二八条① 中央委員会又は審査会等によるあつせんは、三人以内のあつせん委員が行う。

② 前項のあつせん委員は、中央委員会の委員長及び委員又は審査会の委員（審査会を置かない都道府県にあつては、候補者名簿に記載されている者とし、以下「審査会の委員等」という。）のうちから、事件ごとに、それぞれ、中央委員会の委員長又は審査会の会長（審査会を置かない都道府県にあつては、都道府県知事とし、以下「審査会の会長等」という。）が指名する。

③ 連合審査会によるあつせんは、連合審査会の委員の全員があつせん委員となつて行う。

④ 第十六条第六項及び第十七条の規定は、候補者名簿に記載されている者のうちからの指名に係るあつせん委員について準用する。この場合において、第十六条第六項中「議会の同意を得て、これを」とあるのは「これを」と読み替えるものとする。

第二九条及び第三〇条　（略）

第三款　調停（抄）

（調停委員の指名等）

第三一条① 中央委員会又は審査会等による調停は、三人の調停委員からなる調停委員会を設けて行なう。

② 前項の調停委員は、中央委員会の委員長及び委員又は審査会の委員等のうちから、事件ごとに、それぞれ、中央委員会の委員長又は審査会の会長等が指名する。

③ 連合審査会による調停は、連合審査会の委員の全員を調停委員とする調停委員会を設けて行なう。

④ 第十六条第六項及び第十七条の規定は、候補者名簿に記載されている者のうちからの指名に係る調停委員について準用する。この場合において、第十六条第六項中「議会の同意を得て、これを」とあるのは「これを」と読み替えるものとする。

（出頭の要求）

第三二条 調停委員会は、調停のため必要があると認めるときは、当事者の出頭を求め、その意見をきくことができる。

（文書の提出等）

第三三条① 調停委員会は、第二十四条第一項第一号に掲げる紛争に関する調停を行う場合において、必要があると認めるときは、当事者から当該調停に係る事件に関係のある文書又は物件の提出を求めることができる。

② 調停委員会は、第二十四条第一項第一号に掲げる紛争に関する調停を行う場合において、紛争の原因たる事実関係を明確にするため必要があると認めるときは、当事者の占有する工場、事業場その他事件に関係のある場所に立ち入つて、事件に関係のある文書又は物件を検査することができる。

③ 調停委員会は、前項の規定による立入検査について、専門委員をして補助させることができる。

（調停前の措置）

第三三条の二 調停委員会は、調停前に、当事者に対し、調停の内容たる事項の実現を不能にし、又は著しく困難にする行為の制限その他調停のために必要と認める措置を採ることを勧告することができる。

（調停案の受諾の勧告）

第三四条① 調停委員会は、当事者間に合意が成立することが困難であると認める場合において、相当であると認めるときは、一切の事情を考慮して調停案を作成し、当事者に対し、三十日以上の期間を定めて、その受諾を勧告することができる。

② 前項の調停案は、調停委員の過半数の意見で作成しなければならない。

③ 第一項の規定による勧告がされた場合において、当事者が調停委員会に対し指定された期間内に受諾しない旨の申出をしなかつたときは、当該当事者間に調停案と同一の内容の合意が成立したものとみなす。

（調停案の公表）

第三四条の二 調停委員会は、前条第一項の規定による勧告をした場合において、相当と認めるときは、第三十七条の規定にかかわらず、理由を付して、当該調停案を公表することができる。

（調停をしない場合）

第三五条 調停委員会は、申請に係る紛争がその性質上調停をするのに適当でないと認めるとき、又は当事者が不当な目的でみだりに調停の申請をしたと認めるときは、調停をしないものとすることができる。

第三六条　（略）

（時効の完成猶予等）

第三六条の二 前条第一項の規定により調停が打ち切られ、又は同条第二項の規定により調停が打ち切られたものとみなされた場合において、当該調停の申請をした者がその旨の通知を受けた日から三十日以内に調停の目的となつた請求について第四十二条の十二第一項に規定する責任裁定を申請し、又は訴えを提起したときは、時効の完成猶予及び出訴期間の遵守に関しては、調停の申請の時に、責任裁定の申請又は訴えの提起があつたものとみなす。

（手続の非公開）

第三七条 調停委員会の行なう調停の手続は、公開しない。

第三八条　（略）

第四款　仲裁

（仲裁委員の指名等）

第三九条① 中央委員会又は審査会等による仲裁は、三人の仲裁委員からなる仲裁委員会を設けて行なう。

② 前項の仲裁委員は、中央委員会の委員長及び委員又は審査会の委員等のうちから、当事者が合意によつて選定した者につき、事件ごとに、それぞれ、中央委員会の委員長又は審査会の会長等が指名する。ただし、当事者の合意による選定がなされなかつたときは、中央委員会の委員長及び委員又は審査会の委員等のうちから、事件ごとに、それぞれ、中央委員会の委員長又は審査会の会長等が指名する。

③ 第一項の仲裁委員のうち少なくとも一人は、弁護士法（昭和二十四年法律第二百五号）第二章の規定により、弁護士となる資格を有する者でなければならない。

④ 第十六条第六項及び第十七条の規定は、候補者名簿に記載されている者のうちからの指名に係る仲裁委員について準用する。この場合において、第十六条第六項中「議会の同意を得て、これを」とあるのは「これを」と読み替えるものとする。

（文書の提出等）

第四〇条① 仲裁委員会は、仲裁を行なう場合において、必要があると認めるときは、当事者から当該仲裁に係る事件に関係のある文書又は物件の提出を求めることができる。

② 仲裁委員会は、仲裁を行なう場合において、紛争の原因たる事実関係を明確にするため、必要があると認めるときは、当事者の占有する工場、事業場その他事件に関係のある場所に立ち入つて、事件に関係のある文書又は物件を検査することができる。

③ 中央委員会に設けられる仲裁委員会は、前項の規定による立入検査について、専門委員をして補助させることができる。

（仲裁法の準用）

第四一条　仲裁委員会の行う仲裁については、この法律に別段の定めがある場合を除き、仲裁委員を仲裁人とみなして、仲裁法（平成十五年法律第百三十八号）の規定を準用する。

（準用規定）

第四二条　第三十三条の二及び第三十七条の規定は、仲裁委員会の行う仲裁について準用する。

第三節　裁定（抄）

第一款　通則

（裁定委員会の指名等）

第四二条の二①中央委員会による裁定は、三人又は五人の裁定委員からなる裁定委員会を設けて行なう。

②前項の裁定委員は、中央委員会の委員長及び委員のうちから、事件ごとに、中央委員会の委員長が指名する。

③第三十九条第三項の規定は、第一項の裁定委員会について準用する。

（裁定委員の除斥）

第四二条の三①裁定委員は、次の各号のいずれかに該当するときは、その職務の執行から除斥される。

一　裁定委員又はその配偶者若しくは配偶者であつた者が事件の当事者（第四十二条の七第三項に規定する選定者及び第四十二条の九第三項に規定する被代表者を含む。以下この項、第四十二条の十八第二項、第四十二条の十九、第四十二条の二十、第五十三条及び第五十五条において同じ。）又は法人である当事者の代表者であり、又はあつたとき。

二　裁定委員が事件の当事者の四親等内の血族、三親等内の姻族又は同居の親族であり、又はあつたとき。

三　裁定委員が事件の当事者の後見人、後見監督人、保佐人、保佐監督人、補助人又は補助監督人であるとき。

四　裁定委員が事件について参考人又は鑑定人となつたとき。

五　裁定委員が事件について当事者の代理人であり、又はあつたとき。

②前項に規定する除斥の原因があるときは、当事者は、除斥の申立てをすることができる。

（裁定委員の忌避）

第四二条の四①裁定委員について裁定の公正を妨げるべき事情があるときは、当事者は、これを忌避することができる。

②当事者は、事件について裁定委員会に対し書面又は口頭をもつて陳述した後は、裁定委員を忌避することができない。ただし、忌避の原因があることを知らなかつたとき、又は忌避の原因がその後に生じたときは、この限りでない。

（除斥又は忌避の申立てについての決定）

第四二条の五①除斥又は忌避の申立てについては、中央委員会が決定する。

②除斥又は忌避の申立てに係る裁定委員は、前項の規定による決定に関与することができない。ただし、意見を述べることができる。

③第一項の規定による決定は、文書をもつて行ない、かつ、理由を附さなければならない。

（裁定手続の中止）

第四二条の六　裁定委員会は、除斥又は忌避の申立てがあつたときは、その申立てについての決定があるまで裁定手続を中止しなければならない。ただし、急速を要する行為については、この限りでない。

（代表当事者の選定）

第四二条の七①公害に係る被害に関する紛争について共同の利益を有する多数の者は、その中から、全員のために裁定手続における当事者となる一人又は数人（以下「代表当事者」という。）を選定することができる。

②前項の代表当事者を選定した者（以下「選定者」という。）は、その選定を取り消し、又は変更することができる。

③第一項の規定による代表当事者の選定並びに前項の規定によるその取消し及び変更は、書面をもつて証明しなければならない。

④裁定手続が係属した後に代表当事者を選定したときは、他の選定者は、裁定手続から当然脱退する。

（代表当事者の選定命令）

第四二条の八①共同の利益を有する当事者が著しく多数であり、かつ、代表当事者を選定することが適当であると認められるときは、裁定委員会は、当該共同の利益を有する当事者に対し、相当の期間を定めて、代表当事者の選定を命ずることができる。

②裁定委員会は、前項の規定による命令を取り消し、又は変更することができる。

（裁定委員会による代表当事者の選定）

第四二条の九①裁定委員会は、前条第一項の規定による命令を受けた者のうち代表当事者を選定しない者がある場合において、これらの者について代表当事者を選定しなければ裁定手続の進行に支障があると認めるときは、適当と認める者を、その同意を得て、代表当事者に選定することができる。この場合においては、代表当事者としての資格を特定の争点に関する審理に限定することができる。

②前条第二項の規定は、前項の規定による代表当事者の選定について準用する。

③第一項の規定により代表当事者が選定された場合においては、当該代表当事者は、その者のために代表当事者が選定されている者（以下「被代表者」という。）が第四十二条の七第一項の規定により選定したものとみなす。

④第一項の規定により代表当事者が選定された場合における当該代表当事者と被代表者との間の関係については、民法（明治二十九年法律第八十九号）第六百四十四条から第六百四十七条まで、第六百四十九条、第六百五十条及び第六百五十四条の規定を準用する。

（裁定委員会の合議）

第四二条の一〇①裁定委員会の判断は、合議によらなければならない。

②前項の合議は、裁定委員の過半数の意見により決する。

（合議の非公開）

第四二条の一一　裁定委員会の合議は、公開しない。

第二款　責任裁定（抄）

（申請）

第四二条の一二①公害に係る被害について、損害賠償に関する紛争が生じた場合においては、その賠償を請求する者は、公害等調整委員会規則で定めるところにより、書面をもつて、中央委員会に対し、損害賠償の責任に関する裁定（以下「責任裁定」という。）を申請することができる。

②中央委員会は、被害の程度が軽微であり、かつ、その範囲が限られている等の被害の態様及び規模、紛争の実情その他一切の事情を考慮して責任裁定をすることが相当でないと認めるときは、申請を受理しないことができる。

③審査会等による調停に係る紛争に関し責任裁定の申請があつた場合においては、中央委員会は、申請の受理に関し、当該審査会等の意見を聴かなければならない。

（不適法な申請の却下）

第四二条の一三①裁定委員会は、不適法な責任裁定の申請で、その欠陥を補正することができないものについては、決定をもつてこれを却下しなければならない。この場合においては、審問を経ないことができる。

②第四十二条の十九の規定は、前項の決定について準用する。

（審問）

第四二条の一四①裁定委員会は、審問の期日を開き、当事者に意見の陳述をさせなければならない。

②当事者は、審問に立ち会うことができる。

（審問の公開）

第四二条の一五　審問は、公開して行なう。ただし、裁定委員会が個人の秘密若しくは事業者の事業上の秘密を保つため必要があると認めるとき、又は手続の公正が害されるおそれがあると認めるときその他公益上必要があると認めるときは、この限りでない。

（証拠調べ）

第四二条の一六①　裁定委員会は、申立てにより、又は職権で、次の各号に掲げる証拠調べをすることができる。

一　当事者又は参考人に出頭を命じて陳述させること。

二　鑑定人に出頭を命じて鑑定させること。

三　事件に関係のある文書又は物件の所持人に対し、当該文書若しくは物件の提出を命じ、又は提出された文書若しくは物件を留め置くこと。

四　事件に関係のある場所に立ち入つて、文書又は物件を検査すること。

②　当事者は、審問の期日以外の期日における証拠調べに立ち会うことができる。

③　裁定委員会は、職権で証拠調べをしたときは、その結果について、当事者の意見をきかなければならない。

④　裁定委員会が第一項第一号又は第二号の規定により参考人に陳述させ、又は鑑定人に鑑定させるときは、これらの者に宣誓をさせなければならない。

⑤　裁定委員会が第一項第一号の規定により当事者に陳述させるときは、その当事者に宣誓をさせることができる。

⑥　裁定委員会は、第一項第四号の規定による立入検査について、専門委員をして補助させることができる。

（証拠保全）

第四二条の一七①　中央委員会は、責任裁定の申請前において、あらかじめ証拠調べをしなければその証拠を使用するのに困難な事情があると認めるときは、責任裁定の申請をしようとする者の申立てにより、証拠保全をすることができる。

②　前項の申立てがあつたときは、中央委員会の委員長は、中央委員会の委員長及び委員のうちから、証拠保全に関与すべき者を指名する。

（事実の調査）

第四二条の一八①　裁定委員会は、必要があると認めるときは、自ら事実の調査をし、又は中央委員会の事務局の職員をしてこれを行なわせることができる。

②　裁定委員会が前項の事実の調査をする場合において必要があると認めるときは、裁定委員会又はその命を受けた中央委員会の事務局の職員は、当事者の占有する工場、事業場その他事件に関係のある場所に立ち入つて、事件に関係のある文書又は物件を検査することができる。

③　裁定委員会は、事実の調査の結果を責任裁定の資料とするときは、その事実の調査の結果について、当事者の意見をきかなければならない。

④　裁定委員会は、第二項の規定による立入検査について、専門委員をして補助させることができる。

（責任裁定）

第四二条の一九①　責任裁定は、文書をもつて行ない、裁定書には次の各号に掲げる事項を記載し、裁定委員がこれに署名押印しなければならない。

一　主文

二　理由

三　当事者及び代理人の氏名又は名称並びに法人にあつては、代表者の氏名

四　裁定の年月日

②　裁定委員会は、責任裁定をしたときは、裁定書の正本を当事者に送達しなければならない。

（責任裁定の効力）

第四二条の二〇①　責任裁定があつた場合において、裁定書の正本が当事者に送達された日から三十日以内に当該責任裁定に係る損害賠償に関する訴えが提起されないとき、又はその訴えが取り下げられたときは、その損害賠償に関し、当事者間に当該責任裁定と同一の内容の合意が成立したものとみなす。

②　前項の訴えの取下げは、被告の同意を得なければ、その効力を生じない。

（行政事件訴訟の制限）

第四二条の二一　責任裁定及びその手続に関してされた処分については、行政事件訴訟法（昭和三十七年法律第百三十九号）による訴えを提起することができない。

第四二条の二二　（略）

第四二条の二三　削除

（職権調停）

第四二条の二四①　裁定委員会は、相当と認めるときは、職権で、事件を調停に付したうえ、当事者の同意を得て管轄審査会等に処理させ、又は第二十四条第一項及び第二項並びに第三十一条第一項の規定にかかわらず、自ら処理することができる。

②　前項の規定により事件を調停に付した場合において、当事者間に合意が成立したときは、責任裁定の申請は、取り下げられたものとみなす。

（時効の完成猶予等）

第四二条の二五①　責任裁定の申請は、時効の完成猶予及び更新並びに出訴期間の遵守に関しては、裁判上の請求とみなす。

②　責任裁定の申請が第四十二条の十二第二項の規定により受理されなかつた場合において、当該責任裁定の申請をした者がその旨の通知を受けた日から三十日以内に申請の目的となつた請求について訴えを提起したときは、時効の完成猶予及び出訴期間の遵守に関しては、責任裁定の申請の時に、訴えの提起があつたものとみなす。

（訴訟との関係）

第四二条の二六①　責任裁定の申請があつた事件について訴訟が係属するときは、受訴裁判所は、責任裁定があるまで訴訟手続を中止することができる。

②　前項の場合において、訴訟手続が中止されないときは、裁定委員会は、責任裁定の手続を中止することができる。

（準用規定）

第四二条の二六の二　第三十三条の二の規定は、裁定委員会の行う責任裁定について準用する。

第三款　原因裁定

（申請）

第四二条の二七①　公害に係る被害について、損害賠償に関する紛争その他の民事上の紛争が生じた場合において、当事者の一方の行為に因り被害が生じたことについて争いがあるときは、当事者は、公害等調整委員会規則で定めるところにより、書面をもつて、中央委員会に対し、被害の原因に関する裁定（以下「原因裁定」という。）を申請することができる。

②　第四十二条の十二第二項及び第三項の規定は、原因裁定の申請があつた場合について準用する。

（相手方の特定の留保）

第四二条の二八①　前条第一項に規定する場合において、相手方を特定しないことについてやむを得ない理由があるときは、その被害を主張する者は、相手方の特定を留保して原因裁定を申請することができる。

②　裁定委員会は、相手方を特定させることが相当であると認めるときは、前項の規定により原因裁定を申請した者に対し、期間を定めて、相手方の特定を命じなければならない。

③　前項の規定による命令を受けた者が当該命令において定められた期間内に相手方を特定しないときは、原因裁定の申請は、取り下げられたものとみなす。

（職権による原因裁定）

第四二条の二九①　裁定委員会は、責任裁定の手続において、相当であると認めるときは、職権で、原因裁定をすることができる。

②　前項の原因裁定については、次条の規定は、適用しない。

（裁定事項等）

第四二条の三〇① 裁定委員会は、被害の原因を明らかにするため特に必要があると認めるときは、原因裁定において、原因裁定の申請をした者が裁定を求めた事項以外の事項についても、裁定することができる。

② 前項の場合において、裁定の結果について利害関係を有する第三者があるときは、裁定委員会は、その第三者若しくは当事者の申立てにより、又は職権で、決定をもつて、相手方としてその第三者を原因裁定の手続に参加させることができる。

③ 裁定委員会は、前項の決定をするときは、あらかじめ、その第三者及び当事者の意見をきかなければならない。

（通知及び意見の申出）

第四二条の三一① 中央委員会は、原因裁定があつたときは、遅滞なく、その内容を関係行政機関の長又は関係地方公共団体の長に通知するものとする。

② 中央委員会は、原因裁定があつたときは、公害の拡大の防止等に資するため、関係行政機関の長又は関係地方公共団体の長に対し、必要な措置についての意見を述べることができる。

（受訴裁判所からの原因裁定の嘱託）

第四二条の三二① 公害に係る被害に関する民事訴訟において、受訴裁判所は、必要があると認めるときは、中央委員会に対し、その意見をきいたうえ、原因裁定をすることを嘱託することができる。

② 前項の規定による嘱託に基づいて原因裁定がされた場合において、受訴裁判所は、必要があると認めるときは、中央委員会が指定した者に原因裁定の説明をさせることができる。

③ 第一項の規定による嘱託に基づいて行なう原因裁定の手続に要する費用で、第四十四条第一項の規定により当事者が負担すべきもののうち民事訴訟費用等に関する法律（昭和四十六年法律第四十号）の規定の例によれば当事者が負担することとなる費用に相当するものは、訴訟費用とみなす。

④ 第四十二条の二十九第二項の規定は、第一項の規定による嘱託に基づいて行なう原因裁定について準用する。

（準用規定）

第四二条の三三 第四十二条の十三から第四十二条の十九まで、第四十二条の二十一、第四十二条の二十四及び第四十二条の二十六の規定は、原因裁定について準用する。

第四節 補則

（第四三条から第四七条まで）（略）

第四章 雑則

（第四八条から第五〇条まで）（略）

第五章 罰則（抄）

第五一条 （略）

第五二条 第四十二条の十六第四項（第四十二条の三十三において準用する場合を含む。）の規定により宣誓した参考人又は鑑定人が虚偽の陳述又は鑑定をしたときは、六月以下の拘禁刑又は三万円以下の罰金に処する。

第五三条 次の各号の一に該当する者は、三万円以下の過料に処する。

一 正当な理由がなくて第四十二条の十六第一項第一号又は第二号（第四十二条の三十三においてこれらの規定を準用する場合を含む。）の規定による命令に違反して出頭せず、又は陳述若しくは鑑定を拒んだ者

二 正当な理由がなくて第四十二条の十六第一項第三号（第四十二条の三十三において準用する場合を含む。）の規定による命令に違反して文書又は物件を提出しなかつた者

三 正当な理由がなくて第四十二条の十六第一項第四号（第四十二条の三十三において準用する場合を含む。）の規定による立入検査を拒み、妨げ、又は忌避した当事者又は立入検査を受ける者

四 正当な理由がなくて第四十二条の十六第四項又は第五項（第四十二条の三十三においてこれらの規定を準用する場合を含む。）の規定による命令に違反して宣誓を拒んだ者

第五四条 第四十二条の十六第五項（第四十二条の三十三において準用する場合を含む。）の規定により宣誓した当事者が虚偽の陳述をしたときは、三万円以下の過料に処する。

第五五条 次の各号に掲げる違反があつた場合においては、その行為をした当事者を一万円以下の過料に処する。

一 正当な理由がなくて第三十二条の規定による出頭の要求に応じなかつたとき。

二 正当な理由がなくて第三十三条第一項又は第四十条第一項の規定による文書又は物件の提出の要求に応じなかつたとき。

三 正当な理由がなくて第三十三条第二項、第四十条第二項又は第四十二条の十八第二項（第四十二条の三十三において準用する場合を含む。）の規定による立入検査を拒み、妨げ、又は忌避したとき。

附 則 （抄）

（施行期日）

① この法律は、公布の日から起算して六月をこえない範囲内において政令で定める日（昭和四五・一一・一―昭和四五政二五二）から施行する。ただし、第六条第一項中両議院の同意を得ることに係る部分は、公布の日から施行する。

刑法等の一部を改正する法律の施行に伴う関係法律整理法中経過規定 （令和四・六・一七法六八）（抄）

第四四一条から第四四三条まで （刑法の同経過規定参照）

第五〇九条 （刑法の同経過規定参照）

刑法等の一部を改正する法律の施行に伴う関係法律整理法

附 則 （令和四・六・一七法六八）（抄）

（施行期日）

① この法律は、刑法等一部改正法（刑法等の一部を改正する法律（令和四法六七））施行日（令和七・六・一）から施行する。ただし、次の各号に掲げる規定は、当該各号に定める日から施行する。

一 第五百九条の規定 公布の日

二 （略）

●教育基本法（平成一八・一二・二二 法一二〇）

施行　平成一八・一二・二二（附則）

目次

我々日本国民は、たゆまぬ努力によって築いてきた民主的で文化的な国家を更に発展させるとともに、世界の平和と人類の福祉の向上に貢献することを願うものである。

我々は、この理想を実現するため、個人の尊厳を重んじ、真理と正義を希求し、公共の精神を尊び、豊かな人間性と創造性を備えた人間の育成を期するとともに、伝統を継承し、新しい文化の創造を目指す教育を推進する。

ここに、我々は、日本国憲法の精神にのっとり、我が国の未来を切り拓く教育の基本を確立し、その振興を図るため、この法律を制定する。

第一章　教育の目的及び理念

（教育の目的）

第一条　教育は、人格の完成を目指し、平和で民主的な国家及び社会の形成者として必要な資質を備えた心身ともに健康な国民の育成を期して行われなければならない。

（教育の目標）

第二条　教育は、その目的を実現するため、学問の自由を尊重しつつ、次に掲げる目標を達成するよう行われるものとする。

一　幅広い知識と教養を身に付け、真理を求める態度を養い、豊かな情操と道徳心を培うとともに、健やかな身体を養うこと。

二　個人の価値を尊重して、その能力を伸ばし、創造性を培い、自主及び自律の精神を養うとともに、職業及び生活との関連を重視し、勤労を重んずる態度を養うこと。

三　正義と責任、男女の平等、自他の敬愛と協力を重んずるとともに、公共の精神に基づき、主体的に社会の形成に参画し、その発展に寄与する態度を養うこと。

四　生命を尊び、自然を大切にし、環境の保全に寄与する態度を養うこと。

五　伝統と文化を尊重し、それらをはぐくんできた我が国と郷土を愛するとともに、他国を尊重し、国際社会の平和と発展に寄与する態度を養うこと。

（生涯学習の理念）

第三条　国民一人一人が、自己の人格を磨き、豊かな人生を送ることができるよう、その生涯にわたって、あらゆる機会に、あらゆる場所において学習することができ、その成果を適切に生かすことのできる社会の実現が図られなければならない。

（教育の機会均等）

第四条①　すべて国民は、ひとしく、その能力に応じた教育を受ける機会を与えられなければならず、人種、信条、性別、社会的身分、経済的地位又は門地によって、教育上差別されない。

②　国及び地方公共団体は、障害のある者が、その障害の状態に応じ、十分な教育を受けられるよう、教育上必要な支援を講じなければならない。

③　国及び地方公共団体は、能力があるにもかかわらず、経済的理由によって修学が困難な者に対して、奨学の措置を講じなければならない。

第二章　教育の実施に関する基本

（義務教育）

第五条①　国民は、その保護する子に、別に法律で定めるところにより、普通教育を受けさせる義務を負う。

②　義務教育として行われる普通教育は、各個人の有する能力を伸ばしつつ社会において自立的に生きる基礎を培い、また、国家及び社会の形成者として必要とされる基本的な資質を養うことを目的として行われるものとする。

③　国及び地方公共団体は、義務教育の機会を保障し、その水準を確保するため、適切な役割分担及び相互の協力の下、その実施に責任を負う。

④　国又は地方公共団体の設置する学校における義務教育については、授業料を徴収しない。

（学校教育）

第六条①　法律に定める学校は、公の性質を有するものであって、国、地方公共団体及び法律に定める法人のみが、これを設置することができる。

②　前項の学校においては、教育の目標が達成されるよう、教育を受ける者の心身の発達に応じて、体系的な教育が組織的に行われなければならない。この場合において、教育を受ける者が、学校生活を営む上で必要な規律を重んずるとともに、自ら進んで学習に取り組む意欲を高めることを重視して行われなければならない。

（大学）

第七条①　大学は、学術の中心として、高い教養と専門的能力を培うとともに、深く真理を探究して新たな知見を創造し、これらの成果を広く社会に提供することにより、社会の発展に寄与するものとする。

②　大学については、自主性、自律性その他の大学における教育及び研究の特性が尊重されなければならない。

（私立学校）

第八条　私立学校の有する公の性質及び学校教育において果たす重要な役割にかんがみ、国及び地方公共団体は、その自主性を尊重しつつ、助成その他の適当な方法によって私立学校教育の振興に努めなければならない。

（教員）

第九条①　法律に定める学校の教員は、自己の崇高な使命を深く自覚し、絶えず研究と修養に励み、その職責の遂行に努めなければならない。

②　前項の教員については、その使命と職責の重要性にかんがみ、その身分は尊重され、待遇の適正が期せられるとともに、養成と研修の充実が図られなければならない。

（家庭教育）

第一〇条①　父母その他の保護者は、子の教育について第一義的責任を有するものであって、生活のために必要な習慣を身に付けさせるとともに、自立心を育成し、心身の調和のとれた発達を図るよう努めるものとする。

②　国及び地方公共団体は、家庭教育の自主性を尊重しつつ、保護者に対する学習の機会及び情報の提供その他の家庭教育を支援するために必要な施策を講ずるよう努めなければならない。

（幼児期の教育）

第一一条　幼児期の教育は、生涯にわたる人格形成の基礎を培う重要なものであることにかんがみ、国及び地方公共団体は、幼児の健やかな成長に資する良好な環境の整備その他適当な方法によって、その振興に努めなければならない。

（社会教育）

第一二条①　個人の要望や社会の要請にこたえ、社会において行われる教育は、国及び地方公共団体によって奨励されなければならない。

②　国及び地方公共団体は、図書館、博物館、公民館その他の社会教育施設の設置、学校の施設の利用、学習の機会及び情報の提供その他の適当な方法によって社会教育の振興に努めなければならない。

（学校、家庭及び地域住民等の相互の連携協力）

第一三条　学校、家庭及び地域住民その他の関係者は、教育におけるそれぞれの役割と責任を自覚するとともに、相互の連携及び協力に努めるものとする。

（政治教育）
第一四条①　良識ある公民として必要な政治的教養は、教育上尊重されなければならない。
②　法律に定める学校は、特定の政党を支持し、又はこれに反対するための政治教育その他政治的活動をしてはならない。

（宗教教育）
第一五条①　宗教に関する寛容の態度、宗教に関する一般的な教養及び宗教の社会生活における地位は、教育上尊重されなければならない。
②　国及び地方公共団体が設置する学校は、特定の宗教のための宗教教育その他宗教的活動をしてはならない。

第三章　教育行政

（教育行政）
第一六条①　教育は、不当な支配に服することなく、この法律及び他の法律の定めるところにより行われるべきものであり、教育行政は、国と地方公共団体との適切な役割分担及び相互の協力の下、公正かつ適正に行われなければならない。
②　国は、全国的な教育の機会均等と教育水準の維持向上を図るため、教育に関する施策を総合的に策定し、実施しなければならない。
③　地方公共団体は、その地域における教育の振興を図るため、その実情に応じた教育に関する施策を策定し、実施しなければならない。
④　国及び地方公共団体は、教育が円滑かつ継続的に実施されるよう、必要な財政上の措置を講じなければならない。

（教育振興基本計画）
第一七条①　政府は、教育の振興に関する施策の総合的かつ計画的な推進を図るため、教育の振興に関する施策についての基本的な方針及び講ずべき施策その他必要な事項について、基本的な計画を定め、これを国会に報告するとともに、公表しなければならない。
②　地方公共団体は、前項の計画を参酌し、その地域の実情に応じ、当該地方公共団体における教育の振興のための施策に関する基本的な計画を定めるよう努めなければならない。

第四章　法令の制定

第一八条　この法律に規定する諸条項を実施するため、必要な法令が制定されなければならない。

○学校教育法（昭和二二・三・三一法二六）

施行　昭和二二・四・一（附則参照）
最終改正　令和六法六九

目次

第一章　総則

第一条【学校の範囲】この法律で、学校とは、幼稚園、小学校、中学校、義務教育学校、高等学校、中等教育学校、特別支援学校、大学及び高等専門学校とする。

第二条【学校の設置者、国立・公立・私立学校】①　学校は、国（国立大学法人法（平成十五年法律第百十二号）第二条第一項に規定する国立大学法人及び独立行政法人国立高等専門学校機構を含む。以下同じ。）、地方公共団体（地方独立行政法人法（平成十五年法律第百十八号）第六十八条第一項に規定する公立大学法人（以下「公立大学法人」という。）を含む。次項及び第百二十七条において同じ。）及び私立学校法（昭和二十四年法律第二百七十号）第三条に規定する学校法人（以下「学校法人」という。）のみが、これを設置することができる。
②　この法律で、国立学校とは、国の設置する学校を、公立学校とは、地方公共団体の設置する学校を、私立学校とは、学校法人の設置する学校をいう。

第三条【学校の設置基準】学校を設置しようとする者は、学校の種類に応じ、文部科学大臣の定める設備、編制その他に関する設置基準に従い、これを設置しなければならない。

第四条【設置廃止等の認可等】①　次の各号に掲げる学校の設置廃止、設置者の変更その他政令で定める事項（次条において「設置廃止等」という。）は、それぞれ当該各号に定める者の認可を受けなければならない。これらの学校のうち、高等学校（中等教育学校の後期課程を含む。）の通常の課程（以下「全日制の課程」という。）、夜間その他特別の時間又は時期において授業を行う課程（以下「定時制の課程」という。）及び通信による教育を行う課程（以下「通信制の課程」という。）、大学の学部、大学院及び大学院の研究科並びに第百八条第二項の大学の学科についても、同様とする。
一　公立又は私立の大学及び高等専門学校　文部科学大臣
二　市町村（市町村が単独で又は他の市町村と共同して設立する公立大学法人を含む。次条、第十三条第二項、第十四条、第百三十条第一項及び第百三十一条において同じ。）の設置する高等学校、中等教育学校及び特別支援学校　都道府県の教育委員会
三　私立の幼稚園、小学校、中学校、義務教育学校、高等学校、中等教育学校及び特別支援学校　都道府県知事
②　前項の規定にかかわらず、同項第一号に掲げる学校を設置する者は、次に掲げる事項を行うときは、同項の認可を受けることを要しない。この場合において、当該学校を設置する者は、文部科学大臣の定めるところにより、あらかじめ、文部科学大臣に届け出なければならない。
一　大学の学部若しくは大学院の研究科又は第百八条第二項の大学の学科の設置であつて、当該大学が授与する学位の種類及び分野の変更を伴わないもの
二　大学の学部若しくは大学院の研究科又は第百八条第二項の大学の学科の廃止
三　前二号に掲げるもののほか、政令で定める事項
③　文部科学大臣は、前項の届出があつた場合において、その届出に係る事項が、設備、授業その他の事項に関する法令の規定に適合しないと認めるときは、その届出をした者に対し、必要な措置をとるべきことを命ずることができる。
④　地方自治法（昭和二十二年法律第六十七号）第二百五十二条の十九第一項の指定都市（以下「指定都市」という。）（指定都市が単独で又は他の市町村と共同して設立する公立大学法人を含む。）の設置する高等学校、中等教育学校及び特別支援学校については、第一項の規定は、適用しない。この場合において、当該高等学校、中等教育学校及び特別支援学校を設置する者は、同項の規定により認可を受けなければならないとされている事項を行おうとするときは、あらかじめ、都道府県の教育委

員会に届け出なければならない。

⑤　第二項第一号の学位の種類及び分野の変更に関する基準は、文部科学大臣が、これを定める。

第四条の二【幼稚園の設置廃止等の届出】 市町村は、その設置する幼稚園の設置廃止等を行おうとするときは、あらかじめ、都道府県の教育委員会に届け出なければならない。

第五条【学校の管理と費用負担】 学校の設置者は、その設置する学校を管理し、法令に特別の定のある場合を除いては、その学校の経費を負担する。

第六条【授業料】 学校においては、授業料を徴収することができる。ただし、国立又は公立の小学校及び中学校、義務教育学校、中等教育学校の前期課程又は特別支援学校の小学部及び中学部における義務教育については、これを徴収することができない。

第七条【校長と教員】 学校には、校長及び相当数の教員を置かなければならない。

第八条【校長及び教員の資格】 校長及び教員（教育職員免許法（昭和二十四年法律第百四十七号）の適用を受ける者を除く。）の資格に関する事項は、別に法律で定めるもののほか、文部科学大臣がこれを定める。

第九条【校長又は教員の欠格事由】 次の各号のいずれかに該当する者は、校長又は教員となることができない。

一　拘禁刑以上の刑に処せられた者

二　教育職員免許法第十条第一項第二号又は第三号に該当することにより免許状がその効力を失い、当該失効の日から三年を経過しない者

三　教育職員免許法第十一条第一項から第三項までの規定により免許状取上げの処分を受け、三年を経過しない者

四　日本国憲法施行の日以後において、日本国憲法又はその下に成立した政府を暴力で破壊することを主張する政党その他の団体を結成し、又はこれに加入した者

第一〇条【私立学校の校長届出義務】 私立学校は、校長を定め、大学及び高等専門学校にあつては文部科学大臣に、大学及び高等専門学校以外の学校にあつては都道府県知事に届け出なければならない。

第一一条【児童生徒等の懲戒】 校長及び教員は、教育上必要があると認めるときは、文部科学大臣の定めるところにより、児童、生徒及び学生に懲戒を加えることができる。ただし、体罰を加えることはできない。

第一二条【健康診断等】 学校においては、別に法律で定めるところにより、幼児、児童、生徒及び学生並びに職員の健康の保持増進を図るため、健康診断を行い、その他その保健に必要な措置を講じなければならない。

第一二条の二【児童対象性暴力等の防止等のための措置】 学校（大学を除く。）の設置者は、学校設置者等及び民間教育保育等事業者による児童対象性暴力等の防止等のための措置に関する法律（令和六年法律第六十九号）で定めるところにより、児童対象性暴力等（同法第二条第二項に規定する児童対象性暴力等をいう。以下この条において同じ。）を防止し、並びに児童対象性暴力等が行われた場合に幼児、児童、生徒及び学生を適切に保護するために必要な措置を講じなければならない。

＊令和六法六九（令和八・一二・二五までに施行）により第一二条の二追加

第一三条【学校閉鎖命令】 ①　第四条第一項各号に掲げる学校が次の各号のいずれかに該当する場合においては、それぞれ同項各号に定める者は、当該学校の閉鎖を命ずることができる。

一　法令の規定に故意に違反したとき

二　法令の規定によりその者がした命令に違反したとき

三　六箇月以上授業を行わなかつたとき

②　前項の規定は、市町村の設置する幼稚園に準用する。この場合において、同項中「それぞれ同項各号に定める者」とあり、及び同項第二号中「その者」とあるのは、「都道府県の教育委員会」と読み替えるものとする。

第一四条【設備・授業等の変更命令】 大学及び高等専門学校以外の市町村の設置する学校については都道府県の教育委員会、大学及び高等専門学校以外の私立学校については都道府県知事は、当該学校が、設備、授業その他の事項について、法令の規定又は都道府県の教育委員会若しくは都道府県知事の定める規程に違反したときは、その変更を命ずることができる。

第一五条【大学等の設備・授業等の改善勧告、変更命令等】 ①　文部科学大臣は、公立又は私立の大学及び高等専門学校が、設備、授業その他の事項について、法令の規定に違反していると認めるときは、当該学校に対し、必要な措置をとるべきことを勧告することができる。

②　文部科学大臣は、前項の規定による勧告によつてもなお当該勧告に係る事項（次項において「勧告事項」という。）が改善されない場合には、当該学校に対し、その変更を命ずることができる。

③　文部科学大臣は、前項の規定による命令によつてもなお勧告事項が改善されない場合には、当該学校に対し、当該勧告事項に係る組織の廃止を命ずることができる。

④　文部科学大臣は、第一項の規定による勧告又は第二項若しくは前項の規定による命令を行うために必要があると認めるときは、当該学校に対し、報告又は資料の提出を求めることができる。

第二章　義務教育

第一六条【普通教育を受けさせる義務】 保護者（子に対して親権を行う者（親権を行う者のないときは、未成年後見人）をいう。以下同じ。）は、次条に定めるところにより、子に九年の普通教育を受けさせる義務を負う。

第一七条【小学校等に就学させる義務】 ①　保護者は、子の満六歳に達した日の翌日以後における最初の学年の初めから、満十二歳に達した日の属する学年の終わりまで、これを小学校、義務教育学校の前期課程又は特別支援学校の小学部に就学させる義務を負う。ただし、子が、満十二歳に達した日の属する学年の終わりまでに小学校の課程、義務教育学校の前期課程又は特別支援学校の小学部の課程を修了しないときは、満十五歳に達した日の属する学年の終わり（それまでの間においてこれらの課程を修了したときは、その修了した日の属する学年の終わり）までとする。

②　保護者は、子が小学校の課程、義務教育学校の前期課程又は特別支援学校の小学部の課程を修了した日の翌日以後における最初の学年の初めから、満十五歳に達した日の属する学年の終わりまで、これを中学校、義務教育学校の後期課程、中等教育学校の前期課程又は特別支援学校の中学部に就学させる義務を負う。

③　前二項の義務の履行の督促その他これらの義務の履行に関し必要な事項は、政令で定める。

第一八条【病弱等のための義務の猶予又は免除】 前条第一項又は第二項の規定によつて、保護者が就学させなければならない子（以下それぞれ「学齢児童」又は「学齢生徒」という。）で、病弱、発育不完全その他やむを得ない事由のため、就学困難と認められる者の保護者に対しては、市町村の教育委員会は、文部科学大臣の定めるところにより、同条第一項又は第二項の義務を猶予又は免除することができる。

第一九条【保護者に対する援助】 経済的理由によつて、就学困難と認められる学齢児童又は学齢生徒の保護者に対しては、市町村は、必要な援助を与えなければならない。

第二〇条【学齢児童等使用者の義務】 学齢児童又は学齢生徒を使用する者は、その使用によつて、当該学齢児童又は学齢生徒が、義務教育を受けることを妨げてはならない。

第二一条【教育の目標】 義務教育として行われる普通教育は、教育基本法（平成十八年法律第百二十号）第五条第二項に規定す

る目的を実現するため、次に掲げる目標を達成するよう行われるものとする。

一　学校内外における社会的活動を促進し、自主、自律及び協同の精神、規範意識、公正な判断力並びに公共の精神に基づき主体的に社会の形成に参画し、その発展に寄与する態度を養うこと。

二　学校内外における自然体験活動を促進し、生命及び自然を尊重する精神並びに環境の保全に寄与する態度を養うこと。

三　我が国と郷土の現状と歴史について、正しい理解に導き、伝統と文化を尊重し、それらをはぐくんできた我が国と郷土を愛する態度を養うとともに、進んで外国の文化の理解を通じて、他国を尊重し、国際社会の平和と発展に寄与する態度を養うこと。

四　家族と家庭の役割、生活に必要な衣、食、住、情報、産業その他の事項について基礎的な理解と技能を養うこと。

五　読書に親しませ、生活に必要な国語を正しく理解し、使用する基礎的な能力を養うこと。

六　生活に必要な数量的な関係を正しく理解し、処理する基礎的な能力を養うこと。

七　生活にかかわる自然現象について、観察及び実験を通じて、科学的に理解し、処理する基礎的な能力を養うこと。

八　健康、安全で幸福な生活のために必要な習慣を養うとともに、運動を通じて体力を養い、心身の調和的発達を図ること。

九　生活を明るく豊かにする音楽、美術、文芸その他の芸術について基礎的な理解と技能を養うこと。

十　職業についての基礎的な知識と技能、勤労を重んずる態度及び個性に応じて将来の進路を選択する能力を養うこと。

第三章　幼稚園

第二二条【幼稚園の目的】　幼稚園は、義務教育及びその後の教育の基礎を培うものとして、幼児を保育し、幼児の健やかな成長のために適当な環境を与えて、その心身の発達を助長することを目的とする。

第二三条【幼稚園教育の目標】　幼稚園における教育は、前条に規定する目的を実現するため、次に掲げる目標を達成するよう行われるものとする。

一　健康、安全で幸福な生活のために必要な基本的な習慣を養い、身体諸機能の調和的発達を図ること。

二　集団生活を通じて、喜んでこれに参加する態度を養うとともに家族や身近な人への信頼感を深め、自主、自律及び協同の精神並びに規範意識の芽生えを養うこと。

三　身近な社会生活、生命及び自然に対する興味を養い、それらに対する正しい理解と態度及び思考力の芽生えを養うこと。

四　日常の会話や、絵本、童話等に親しむことを通じて、言葉の使い方を正しく導くとともに、相手の話を理解しようとする態度を養うこと。

五　音楽、身体による表現、造形等に親しむことを通じて、豊かな感性と表現力の芽生えを養うこと。

第二四条【家庭・地域における教育の支援】　幼稚園においては、第二十二条に規定する目的を実現するための教育を行うほか、幼児期の教育に関する各般の問題につき、保護者及び地域住民その他の関係者からの相談に応じ、必要な情報の提供及び助言を行うなど、家庭及び地域における幼児期の教育の支援に努めるものとする。

第二五条【教育課程等に関する事項】　①　幼稚園の教育課程その他の保育内容に関する事項は、第二十二条及び第二十三条の規定に従い、文部科学大臣が定める。

②　文部科学大臣は、前項の規定により幼稚園の教育課程その他の保育内容に関する事項を定めるに当たつては、児童福祉法（昭和二十二年法律第百六十四号）第四十五条第二項の規定により児童福祉施設に関して内閣府令で定める基準（同項第三号の保育所における保育の内容に係る部分に限る。）並びに就学前の子どもに関する教育、保育等の総合的な提供の推進に関する法律（平成十八年法律第七十七号）第十条第一項の規定により主務大臣が定める幼保連携型認定こども園の教育課程その他の教育及び保育の内容に関する事項との整合性の確保に配慮しなければならない。

③　文部科学大臣は、第一項の幼稚園の教育課程その他の保育内容に関する事項を定めるときは、あらかじめ、内閣総理大臣に協議しなければならない。

第二六条【入園資格年齢】　幼稚園に入園することのできる者は、満三歳から、小学校就学の始期に達するまでの幼児とする。

第二七条【園長・教頭・教諭その他の職員】　①　幼稚園には、園長、教頭及び教諭を置かなければならない。

②　幼稚園には、前項に規定するもののほか、副園長、主幹教諭、指導教諭、養護教諭、栄養教諭、事務職員、養護助教諭その他必要な職員を置くことができる。

③　第一項の規定にかかわらず、副園長を置くときその他特別の事情のあるときは、教頭を置かないことができる。

④　園長は、園務をつかさどり、所属職員を監督する。

⑤　副園長は、園長を助け、命を受けて園務をつかさどる。

⑥　教頭は、園長（副園長を置く幼稚園にあつては、園長及び副園長）を助け、園務を整理し、及び必要に応じ幼児の保育をつかさどる。

⑦　主幹教諭は、園長（副園長を置く幼稚園にあつては、園長及び副園長）及び教頭を助け、命を受けて園務の一部を整理し、並びに幼児の保育をつかさどる。

⑧　指導教諭は、幼児の保育をつかさどり、並びに教諭その他の職員に対して、保育の改善及び充実のために必要な指導及び助言を行う。

⑨　教諭は、幼児の保育をつかさどる。

⑩　特別の事情のあるときは、第一項の規定にかかわらず、教諭に代えて助教諭又は講師を置くことができる。

⑪　学校の実情に照らし必要があると認めるときは、第七項の規定にかかわらず、園長（副園長を置く幼稚園にあつては、園長及び副園長）及び教頭を助け、命を受けて園務の一部を整理し、並びに幼児の養護又は栄養の指導及び管理をつかさどる主幹教諭を置くことができる。

第二八条【準用規定】　第三十七条第六項、第八項及び第十二項から第十七項まで並びに第四十二条から第四十四条までの規定は、幼稚園に準用する。

第四章　小学校

第二九条【小学校の目的】　小学校は、心身の発達に応じて、義務教育として行われる普通教育のうち基礎的なものを施すことを目的とする。

第三〇条【小学校教育の目標】　①　小学校における教育は、前条に規定する目的を実現するために必要な程度において第二十一条各号に掲げる目標を達成するよう行われるものとする。

②　前項の場合においては、生涯にわたり学習する基盤が培われるよう、基礎的な知識及び技能を習得させるとともに、これらを活用して課題を解決するために必要な思考力、判断力、表現力その他の能力をはぐくみ、主体的に学習に取り組む態度を養うことに、特に意を用いなければならない。

第三一条【体験的学習活動】　小学校においては、前条第一項の規定による目標の達成に資するよう、教育指導を行うに当たり、児童の体験的な学習活動、特にボランティア活動など社会奉仕体験活動、自然体験活動その他の体験活動の充実に努めるものとする。この場合において、社会教育関係団体その他の関係団体及び関係機関との連携に十分配慮しなければならない。

第三二条【修業年限】　小学校の修業年限は、六年とする。

第三三条【教育課程】　小学校の教育課程に関する事項は、第二十九条及び第三十条の規定に従い、文部科学大臣が定める。

第三四条【教科用図書】　①　小学校においては、文部科学大臣の検定を経た教科用図書又は文部科学省が著作の名義を有する教科用図書を使用しなければならない。

② 前項に規定する教科用図書（以下この条において「教科用図書」という。）の内容を文部科学大臣の定めるところにより記録した電磁的記録（電子的方式、磁気的方式その他人の知覚によつては認識することができない方式で作られる記録であつて、電子計算機による情報処理の用に供されるものをいう。）である教材がある場合には、同項の規定にかかわらず、文部科学大臣の定めるところにより、児童の教育の充実を図るため必要があると認められる教育課程の一部において、教科用図書に代えて当該教材を使用することができる。

③ 前項に規定する場合において、視覚障害、発達障害その他の文部科学大臣の定める事由により教科用図書を使用して学習することが困難な児童に対し、教科用図書に用いられた文字、図形等の拡大又は音声への変換その他の同項に規定する教材を電子計算機において用いることにより可能となる方法で指導することにより当該児童の学習上の困難の程度を低減させる必要があると認められるときは、文部科学大臣の定めるところにより、教育課程の全部又は一部において、教科用図書に代えて当該教材を使用することができる。

④ 教科用図書及び第二項に規定する教材以外の教材で、有益適切なものは、これを使用することができる。

⑤ 第一項の検定の申請に係る教科用図書に関し調査審議させるための審議会等（国家行政組織法（昭和二十三年法律第百二十号）第八条に規定する機関をいう。以下同じ。）については、政令で定める。

第三五条【児童の出席停止】 ① 市町村の教育委員会は、次に掲げる行為の一又は二以上を繰り返し行う等性行不良であつて他の児童の教育に妨げがあると認める児童があるときは、その保護者に対して、児童の出席停止を命ずることができる。

一　他の児童に傷害、心身の苦痛又は財産上の損失を与える行為
二　職員に傷害又は心身の苦痛を与える行為
三　施設又は設備を損壊する行為
四　授業その他の教育活動の実施を妨げる行為

② 市町村の教育委員会は、前項の規定により出席停止を命ずる場合には、あらかじめ保護者の意見を聴取するとともに、理由及び期間を記載した文書を交付しなければならない。

③ 前項に規定するもののほか、出席停止の命令の手続に関し必要な事項は、教育委員会規則で定めるものとする。

④ 市町村の教育委員会は、出席停止の命令に係る児童の出席停止の期間における学習に対する支援その他の教育上必要な措置を講ずるものとする。

第三六条【学齢未満の子の入学禁止】 学齢に達しない子は、小学校に入学させることができない。

第三七条【校長・教頭・教諭その他の職員】 ① 小学校には、校長、教頭、教諭、養護教諭及び事務職員を置かなければならない。

② 小学校には、前項に規定するもののほか、副校長、主幹教諭、指導教諭、栄養教諭その他必要な職員を置くことができる。

③ 第一項の規定にかかわらず、副校長を置くときその他特別の事情のあるときは教頭を、養護をつかさどる主幹教諭を置くときは養護教諭を、特別の事情のあるときは事務職員を、それぞれ置かないことができる。

④ 校長は、校務をつかさどり、所属職員を監督する。

⑤ 副校長は、校長を助け、命を受けて校務をつかさどる。

⑥ 副校長は、校長に事故があるときはその職務を代理し、校長が欠けたときはその職務を行う。この場合において、副校長が二人以上あるときは、あらかじめ校長が定めた順序で、その職務を代理し、又は行う。

⑦ 教頭は、校長（副校長を置く小学校にあつては、校長及び副校長）を助け、校務を整理し、及び必要に応じ児童の教育をつかさどる。

⑧ 教頭は、校長（副校長を置く小学校にあつては、校長及び副校長）に事故があるときは校長の職務を代理し、校長（副校長を置く小学校にあつては、校長及び副校長）が欠けたときは校長の職務を行う。この場合において、教頭が二人以上あるときは、あらかじめ校長が定めた順序で、校長の職務を代理し、又は行う。

⑨ 主幹教諭は、校長（副校長を置く小学校にあつては、校長及び副校長）及び教頭を助け、命を受けて校務の一部を整理し、並びに児童の教育をつかさどる。

⑩ 指導教諭は、児童の教育をつかさどり、並びに教諭その他の職員に対して、教育指導の改善及び充実のために必要な指導及び助言を行う。

⑪ 教諭は、児童の教育をつかさどる。

⑫ 養護教諭は、児童の養護をつかさどる。

⑬ 栄養教諭は、児童の栄養の指導及び管理をつかさどる。

⑭ 事務職員は、事務をつかさどる。

⑮ 助教諭は、教諭の職務を助ける。

⑯ 講師は、教諭又は助教諭に準ずる職務に従事する。

⑰ 養護助教諭は、養護教諭の職務を助ける。

⑱ 特別の事情のあるときは、第一項の規定にかかわらず、教諭に代えて助教諭又は講師を、養護教諭に代えて養護助教諭を置くことができる。

⑲ 学校の実情に照らし必要があると認めるときは、第九項の規定にかかわらず、校長（副校長を置く小学校にあつては、校長及び副校長）及び教頭を助け、命を受けて校務の一部を整理し、並びに児童の養護又は栄養の指導及び管理をつかさどる主幹教諭を置くことができる。

第三八条【市町村の小学校等の設置義務】 市町村は、その区域内にある学齢児童を就学させるに必要な小学校を設置しなければならない。ただし、教育上有益かつ適切であると認めるときは、義務教育学校の設置をもつてこれに代えることができる。

第三九条【市町村組合による処理】 市町村は、適当と認めるときは、前条の規定による事務の全部又は一部を処理するため、市町村の組合を設けることができる。

第四〇条【教育事務の委託】 ① 市町村は、前二条の規定によることを不可能又は不適当と認めるときは、小学校又は義務教育学校の設置に代え、学齢児童の全部又は一部の教育事務を、他の市町村又は前条の市町村の組合に委託することができる。

② 前項の場合においては、地方自治法第二百五十二条の十四第三項において準用する同法第二百五十二条の二の二第二項中「都道府県知事」とあるのは、「都道府県知事及び都道府県の教育委員会」と読み替えるものとする。

第四一条【都道府県の町村に対する補助】 町村が、前二条の規定による負担に堪えないと都道府県の教育委員会が認めるときは、都道府県は、その町村に対して、必要な補助を与えなければならない。

第四二条【評価】 小学校は、文部科学大臣の定めるところにより当該小学校の教育活動その他の学校運営の状況について評価を行い、その結果に基づき学校運営の改善を図るため必要な措置を講ずることにより、その教育水準の向上に努めなければならない。

第四三条【情報提供】 小学校は、当該小学校に関する保護者及び地域住民その他の関係者の理解を深めるとともに、これらの者との連携及び協力の推進に資するため、当該小学校の教育活動その他の学校運営の状況に関する情報を積極的に提供するものとする。

第四四条【所管庁】 私立の小学校は、都道府県知事の所管に属する。

第五章　中学校

第四五条【中学校の目的】 中学校は、小学校における教育の基礎の上に、心身の発達に応じて、義務教育として行われる普通教

育を施すことを目的とする。

第四六条【中学校教育の目標】 中学校における教育は、前条に規定する目的を実現するため、第二十一条各号に掲げる目標を達成するよう行われるものとする。

第四七条【修業年限】 中学校の修業年限は、三年とする。

第四八条【教育課程】 中学校の教育課程に関する事項は、第四十五条及び第四十六条の規定並びに次条において読み替えて準用する第三十条第二項の規定に従い、文部科学大臣が定める。

第四九条【準用規定】 第三十条第二項、第三十一条、第三十四条、第三十五条及び第三十七条から第四十四条までの規定は、中学校に準用する。この場合において、第三十条第二項中「前項」とあるのは「第四十六条」と、第三十一条中「前条第一項」とあるのは「第四十六条」と読み替えるものとする。

第五章の二　義務教育学校

第四九条の二【義務教育学校の目的】 義務教育学校は、心身の発達に応じて、義務教育として行われる普通教育を基礎的なものから一貫して施すことを目的とする。

第四九条の三【義務教育学校の目標】 義務教育学校における教育は、前条に規定する目的を実現するため、第二十一条各号に掲げる目標を達成するよう行われるものとする。

第四九条の四【修業年限】 義務教育学校の修業年限は、九年とする。

第四九条の五【前期課程・後期課程】 義務教育学校の課程は、これを前期六年の前期課程及び後期三年の後期課程に区分する。

第四九条の六【各課程の教育の目標】 ① 義務教育学校の前期課程における教育は、第四十九条の二に規定する目的のうち、心身の発達に応じて、義務教育として行われる普通教育のうち基礎的なものを施すことを実現するために必要な程度において第二十一条各号に掲げる目標を達成するよう行われるものとする。

② 義務教育学校の後期課程における教育は、第四十九条の二に規定する目的のうち、前期課程における教育の基礎の上に、心身の発達に応じて、義務教育として行われる普通教育を施すことを実現するため、第二十一条各号に掲げる目標を達成するよう行われるものとする。

第四九条の七【各課程の教育課程事項】 義務教育学校の前期課程及び後期課程の教育課程に関する事項は、第四十九条の二、第四十九条の三及び前条の規定並びに次条において読み替えて準用する第三十条第二項の規定に従い、文部科学大臣が定める。

第四九条の八【準用規定】 第三十条第二項、第三十一条、第三十四条から第三十七条まで及び第四十二条から第四十四条までの規定は、義務教育学校に準用する。この場合において、第三十条第二項中「前項」とあるのは「第四十九条の三」と、第三十一条中「前条第一項」とあるのは「第四十九条の三」と読み替えるものとする。

第六章　高等学校

第五〇条【高等学校の目的】 高等学校は、中学校における教育の基礎の上に、心身の発達及び進路に応じて、高度な普通教育及び専門教育を施すことを目的とする。

第五一条【高等学校教育の目標】 高等学校における教育は、前条に規定する目的を実現するため、次に掲げる目標を達成するよう行われるものとする。

一　義務教育として行われる普通教育の成果を更に発展拡充させて、豊かな人間性、創造性及び健やかな身体を養い、国家及び社会の形成者として必要な資質を養うこと。

二　社会において果たさなければならない使命の自覚に基づき、個性に応じて将来の進路を決定させ、一般的な教養を高め、専門的な知識、技術及び技能を習得させること。

三　個性の確立に努めるとともに、社会について、広く深い理解と健全な批判力を養い、社会の発展に寄与する態度を養うこと。

第五二条【学科と教育課程】 高等学校の学科及び教育課程に関する事項は、前二条の規定及び第六十二条において読み替えて準用する第三十条第二項の規定に従い、文部科学大臣が定める。

第五三条【定時制課程】 ① 高等学校には、全日制の課程のほか、定時制の課程を置くことができる。

② 高等学校には、定時制の課程のみを置くことができる。

第五四条【通信制課程】 ① 高等学校には、全日制の課程又は定時制の課程のほか、通信制の課程を置くことができる。

② 高等学校には、通信制の課程のみを置くことができる。

③ 市（指定都市を除く。以下この項において同じ。）町村（市町村が単独で又は他の市町村と共同して設立する公立大学法人を含む。）の設置する高等学校については都道府県の教育委員会、私立の高等学校については都道府県知事は、高等学校の通信制の課程のうち、当該高等学校の所在する都道府県の区域内に住所を有する者のほか、全国的に他の都道府県の区域内に住所を有する者を併せて生徒とするものその他政令で定めるもの（以下この項において「広域の通信制の課程」という。）に係る第四条第一項に規定する認可（政令で定める事項に係るものに限る。）を行うときは、あらかじめ、文部科学大臣に届け出なければならない。都道府県（都道府県が単独で又は他の地方公共団体と共同して設立する公立大学法人を含む。）又は指定都市（指定都市が単独で又は他の指定都市若しくは市町村と共同して設立する公立大学法人を含む。）の設置する高等学校の広域の通信制の課程について、当該都道府県又は指定都市の教育委員会（公立大学法人の設置する高等学校にあつては、当該公立大学法人）がこの項前段の政令で定める事項を行うときも、同様とする。

④ 通信制の課程に関し必要な事項は、文部科学大臣が、これを定める。

第五五条【定時制・通信制の教科の履修の特則】 ① 高等学校の定時制の課程又は通信制の課程に在学する生徒が、技能教育のための施設で当該施設の所在地の都道府県の教育委員会の指定するものにおいて教育を受けているときは、校長は、文部科学大臣の定めるところにより、当該施設における学習を当該高等学校における教科の一部の履修とみなすことができる。

② 前項の施設の指定に関し必要な事項は、政令で、これを定める。

第五六条【修業年限】 高等学校の修業年限は、全日制の課程については、三年とし、定時制の課程及び通信制の課程については、三年以上とする。

第五七条【入学資格】 高等学校に入学することのできる者は、中学校若しくはこれに準ずる学校若しくは義務教育学校を卒業した者若しくは中等教育学校の前期課程を修了した者又は文部科学大臣の定めるところにより、これと同等以上の学力があると認められた者とする。

第五八条【専攻科及び別科】 ① 高等学校には、専攻科及び別科を置くことができる。

② 高等学校の専攻科は、高等学校若しくはこれに準ずる学校若しくは中等教育学校を卒業した者又は文部科学大臣の定めるところにより、これと同等以上の学力があると認められた者に対して、精深な程度において、特別の事項を教授し、その研究を指導することを目的とし、その修業年限は、一年以上とする。

③ 高等学校の別科は、前条に規定する入学資格を有する者に対して、簡易な程度において、特別の技能教育を施すことを目的とし、その修業年限は、一年以上とする。

第五八条の二【大学への編入学】 高等学校の専攻科の課程（修業年限が二年以上であることその他の文部科学大臣の定める基準を満たすものに限る。）を修了した者（第九十条第一項に規定する者に限る。）は、文部科学大臣の定めるところにより、大学に編入学することができる。

第五九条【入退学等】 高等学校に関する入学、退学、転学その他必要な事項は、文部科学大臣が、これを定める。

第六〇条【校長・教頭・教諭その他の職員】 ① 高等学校には、

校長、教頭、教諭及び事務職員を置かなければならない。

② 高等学校には、前項に規定するもののほか、副校長、主幹教諭、指導教諭、養護教諭、栄養教諭、養護助教諭、実習助手、技術職員その他必要な職員を置くことができる。

③ 第一項の規定にかかわらず、副校長を置くときは、教頭を置かないことができる。

④ 実習助手は、実験又は実習について、教諭の職務を助ける。

⑤ 特別の事情のあるときは、第一項の規定にかかわらず、教諭に代えて助教諭又は講師を置くことができる。

⑥ 技術職員は、技術に従事する。

第六一条【教頭を置かなければならない場合】 高等学校に、全日制の課程、定時制の課程又は通信制の課程のうち二以上の課程を置くときは、それぞれの課程に関する校務を分担して整理する教頭を置かなければならない。ただし、命を受けて当該課程に関する校務をつかさどる副校長が置かれる一の課程については、この限りでない。

第六二条【準用規定】 第三十条第二項、第三十一条、第三十四条、第三十七条第四項から第十七項まで及び第十九項並びに第四十二条から第四十四条までの規定は、高等学校に準用する。この場合において、第三十条第二項中「前項」とあるのは「第五十一条」と、第三十一条中「前条第一項」とあるのは「第五十一条」と読み替えるものとする。

第七章　中等教育学校

第六三条【中等教育学校の目的】 中等教育学校は、小学校における教育の基礎の上に、心身の発達及び進路に応じて、義務教育として行われる普通教育並びに高度な普通教育及び専門教育を一貫して施すことを目的とする。

第六四条【中等教育学校教育の目標】 中等教育学校における教育は、前条に規定する目的を実現するため、次に掲げる目標を達成するよう行われるものとする。

一 豊かな人間性、創造性及び健やかな身体を養い、国家及び社会の形成者として必要な資質を養うこと。

二 社会において果たさなければならない使命の自覚に基づき、個性に応じて将来の進路を決定させ、一般的な教養を高め、専門的な知識、技術及び技能を習得させること。

三 個性の確立に努めるとともに、社会について、広く深い理解と健全な批判力を養い、社会の発展に寄与する態度を養うこと。

第六五条【修業年限】 中等教育学校の修業年限は、六年とする。

第六六条【前期課程・後期課程】 中等教育学校の課程は、これを前期三年の前期課程及び後期三年の後期課程に区分する。

第六七条【各課程の教育の目標】 ① 中等教育学校の前期課程における教育は、第六十三条に規定する目的のうち、小学校における教育の基礎の上に、心身の発達に応じて、義務教育として行われる普通教育を施すことを実現するため、第二十一条各号に掲げる目標を達成するよう行われるものとする。

② 中等教育学校の後期課程における教育は、第六十三条に規定する目的のうち、心身の発達及び進路に応じて、高度な普通教育及び専門教育を施すことを実現するため、第六十四条各号に掲げる目標を達成するよう行われるものとする。

第六八条【前期課程の教育課程・後期課程の学科と教育課程】 中等教育学校の前期課程の教育課程に関する事項並びに後期課程の学科及び教育課程に関する事項は、第六十三条、第六十四条及び前条の規定並びに第七十条第一項において読み替えて準用する第三十条第二項の規定に従い、文部科学大臣が定める。

第六九条【校長・教頭・教諭その他の職員】 ① 中等教育学校には、校長、教頭、教諭、養護教諭及び事務職員を置かなければならない。

② 中等教育学校には、前項に規定するもののほか、副校長、主幹教諭、指導教諭、栄養教諭、実習助手、技術職員その他必要な職員を置くことができる。

③ 第一項の規定にかかわらず、副校長を置くときは教頭を、養護をつかさどる主幹教諭を置くときは養護教諭を、それぞれ置かないことができる。

④ 特別の事情のあるときは、第一項の規定にかかわらず、教諭に代えて助教諭又は講師を、養護教諭に代えて養護助教諭を置くことができる。

第七〇条【準用規定】 ① 第三十条第二項、第三十一条、第三十四条、第三十七条第四項から第十七項まで及び第十九項、第四十二条から第四十四条まで、第五十九条並びに第六十条第四項及び第六項の規定は中等教育学校に、第五十三条から第五十五条まで、第五十八条、第五十八条の二及び第六十一条の規定は中等教育学校の後期課程に、それぞれ準用する。この場合において、第三十条第二項中「前項」とあるのは「第六十四条」と、第三十一条中「前条第一項」とあるのは「第六十四条」と読み替えるものとする。

② 前項において準用する第五十三条又は第五十四条の規定により後期課程に定時制の課程又は通信制の課程を置く中等教育学校については、第六十五条の規定にかかわらず、当該定時制の課程又は通信制の課程に係る修業年限は、六年以上とする。この場合において、第六十六条中「後期三年の後期課程」とあるのは、「後期三年以上の後期課程」とする。

第七一条【中学校と高等学校の一貫教育】 同一の設置者が設置する中学校及び高等学校においては、文部科学大臣の定めるところにより、中等教育学校に準じて、中学校における教育と高等学校における教育を一貫して施すことができる。

第八章　特別支援教育

第七二条【特別支援学校の目的】 特別支援学校は、視覚障害者、聴覚障害者、知的障害者、肢体不自由者又は病弱者（身体虚弱者を含む。以下同じ。）に対して、幼稚園、小学校、中学校又は高等学校に準ずる教育を施すとともに、障害による学習上又は生活上の困難を克服し自立を図るために必要な知識技能を授けることを目的とする。

第七三条【各特別支援学校が行う教育の明示】 特別支援学校においては、文部科学大臣の定めるところにより、前条に規定する者に対する教育のうち当該学校が行うものを明らかにするものとする。

第七四条【特別支援教育に関する助言又は援助】 特別支援学校においては、第七十二条に規定する目的を実現するための教育を行うほか、幼稚園、小学校、中学校、義務教育学校、高等学校又は中等教育学校の要請に応じて、第八十一条第一項に規定する幼児、児童又は生徒の教育に関し必要な助言又は援助を行うよう努めるものとする。

第七五条【障害の程度】 第七十二条に規定する視覚障害者、聴覚障害者、知的障害者、肢体不自由者又は病弱者の障害の程度は、政令で定める。

第七六条【特別支援学校の部別】 ① 特別支援学校には、小学部及び中学部を置かなければならない。ただし、特別の必要のある場合においては、そのいずれかのみを置くことができる。

② 特別支援学校には、小学部及び中学部のほか、幼稚部又は高等部を置くことができ、また、特別の必要のある場合においては、前項の規定にかかわらず、小学部及び中学部を置かないで幼稚部又は高等部のみを置くことができる。

第七七条【教育課程等に関する事項】 特別支援学校の幼稚部の教育課程その他の保育内容、小学部及び中学部の教育課程又は高等部の学科及び教育課程に関する事項は、幼稚園、小学校、中学校又は高等学校に準じて、文部科学大臣が定める。

第七八条【寄宿舎】 特別支援学校には、寄宿舎を設けなければならない。ただし、特別の事情のあるときは、これを設けないことができる。

第七九条【寄宿舎指導員】 ① 寄宿舎を設ける特別支援学校には、寄宿舎指導員を置かなければならない。

② 寄宿舎指導員は、寄宿舎における幼児、児童又は生徒の日常生活上の世話及び生活指導に従事する。

第八〇条【都道府県の設置義務】 都道府県は、その区域内にある学齢児童及び学齢生徒のうち、視覚障害者、聴覚障害者、知的障害者、肢体不自由者又は病弱者で、その障害が第七十五条の政令で定める程度のものを就学させるに必要な特別支援学校を設置しなければならない。

第八一条【特別支援学級】 ① 幼稚園、小学校、中学校、義務教育学校、高等学校及び中等教育学校においては、次項各号のいずれかに該当する幼児、児童及び生徒その他教育上特別の支援を必要とする幼児、児童及び生徒に対し、文部科学大臣の定めるところにより、障害による学習上又は生活上の困難を克服するための教育を行うものとする。

② 小学校、中学校、義務教育学校、高等学校及び中等教育学校には、次の各号のいずれかに該当する児童及び生徒のために、特別支援学級を置くことができる。

一 知的障害者
二 肢体不自由者
三 身体虚弱者
四 弱視者
五 難聴者
六 その他障害のある者で、特別支援学級において教育を行うことが適当なもの

③ 前項に規定する学校においては、疾病により療養中の児童及び生徒に対して、特別支援学級を設け、又は教員を派遣して、教育を行うことができる。

第八二条【準用規定】 第二十六条、第二十七条、第三十一条（第四十九条及び第六十二条において読み替えて準用する場合を含む。）、第三十二条、第三十四条（第四十九条及び第六十二条において準用する場合を含む。）、第三十六条、第三十七条（第二十八条、第四十九条及び第六十二条において準用する場合を含む。）、第四十二条から第四十四条まで、第四十七条及び第五十六条から第六十条までの規定は特別支援学校に、第八十四条の規定は特別支援学校の高等部に、それぞれ準用する。

第九章　大学

第八三条【大学の目的】 ① 大学は、学術の中心として、広く知識を授けるとともに、深く専門の学芸を教授研究し、知的、道徳的及び応用的能力を展開させることを目的とする。

② 大学は、その目的を実現するための教育研究を行い、その成果を広く社会に提供することにより、社会の発展に寄与するものとする。

第八三条の二【専門職大学】 ① 前条の大学のうち、深く専門の学芸を教授研究し、専門性が求められる職業を担うための実践的かつ応用的な能力を展開させることを目的とするものは、専門職大学とする。

② 専門職大学は、文部科学大臣の定めるところにより、その専門性が求められる職業に就いている者、当該職業に関連する事業を行う者その他の関係者の協力を得て、教育課程を編成し、及び実施し、並びに教員の資質の向上を図るものとする。

③ 専門職大学には、第八十七条第二項に規定する課程を置くことができない。

第八四条【通信教育】 大学は、通信による教育を行うことができる。

第八五条【学部と学部以外の教育研究組織】 大学には、学部を置くことを常例とする。ただし、当該大学の教育研究上の目的を達成するため有益かつ適切である場合においては、学部以外の教育研究上の基本となる組織を置くことができる。

第八六条【夜間・通信教育の学部】 大学には、夜間において授業を行う学部又は通信による教育を行う学部を置くことができる。

第八七条【修業年限】 ① 大学の修業年限は、四年とする。ただし、特別の専門事項を教授研究する学部及び前条の夜間において授業を行う学部については、その修業年限は、四年を超えるものとすることができる。

② 医学を履修する課程、歯学を履修する課程、薬学を履修する課程のうち臨床に係る実践的な能力を培うことを主たる目的とするもの又は獣医学を履修する課程については、前項本文の規定にかかわらず、その修業年限は、六年とする。

第八七条の二【課程の区分】 ① 専門職大学の課程は、これを前期二年の前期課程及び後期二年の後期課程又は前期三年の前期課程及び後期一年の後期課程（前条第一項ただし書の規定により修業年限を四年を超えるものとする学部にあつては、前期二年の前期課程及び後期二年以上の後期課程又は前期三年の前期課程及び後期一年以上の後期課程）に区分することができる。

② 専門職大学の前期課程における教育は、第八十三条の二第一項に規定する目的のうち、専門性が求められる職業を担うための実践的かつ応用的な能力を育成することを実現するために行われるものとする。

③ 専門職大学の後期課程における教育は、前期課程における教育の基礎の上に、第八十三条の二第一項に規定する目的を実現するために行われるものとする。

④ 第一項の規定により前期課程及び後期課程に区分された専門職大学の課程においては、当該前期課程を修了しなければ、当該前期課程から当該後期課程に進学することができないものとする。

第八八条【修業年限への通算】 大学の学生以外の者として一の大学において一定の単位を修得した者が当該大学に入学する場合において、当該単位の修得により当該大学の教育課程の一部を履修したと認められるときは、文部科学大臣の定めるところにより、修得した単位数その他の事項を勘案して大学が定める期間を修業年限に通算することができる。ただし、その期間は、当該大学の修業年限の二分の一を超えてはならない。

第八八条の二【同前】 専門性が求められる職業に係る実務の経験を通じて当該職業を担うための実践的な能力を修得した者が専門職大学等（専門職大学又は第百八条第四項に規定する目的をその目的とする大学（第百四条第五項及び第六項において「専門職短期大学」という。）をいう。以下同じ。）に入学する場合において、当該実践的な能力の修得により当該専門職大学等の教育課程の一部を履修したと認められるときは、文部科学大臣の定めるところにより、修得した実践的な能力の水準その他の事項を勘案して専門職大学等が定める期間を修業年限に通算することができる。ただし、その期間は、当該専門職大学等の修業年限の二分の一を超えない範囲内で文部科学大臣の定める期間を超えてはならない。

第八九条【三年以上の在学者の卒業】 大学は、文部科学大臣の定めるところにより、当該大学の学生（第八十七条第二項に規定する課程に在学するものを除く。）で当該大学に三年（同条第一項ただし書の規定により修業年限を四年を超えるものとする学部の学生にあつては、三年以上で文部科学大臣の定める期間）以上在学したもの（これに準ずるものとして文部科学大臣の定める者を含む。）が、卒業の要件として当該大学の定める単位を優秀な成績で修得したと認める場合には、同項の規定にかかわらず、その卒業を認めることができる。

第九〇条【入学資格】 ① 大学に入学することのできる者は、高等学校若しくは中等教育学校を卒業した者若しくは通常の課程による十二年の学校教育を修了した者（通常の課程以外の課程によりこれに相当する学校教育を修了した者を含む。）又は文部科学大臣の定めるところにより、これと同等以上の学力があると認められた者とする。

② 前項の規定にかかわらず、次の各号に該当する大学は、文部科学大臣の定めるところにより、高等学校に文部科学大臣の定める年数以上在学した者（これに準ずる者として文部科学大臣が定める者を含む。）であつて、当該大学の定める分野において特に優れた資質を有すると認めるものを、当該大学に入学させることができる。

一 当該分野に関する教育研究が行われている大学院が置かれていること。

二　当該分野における特に優れた資質を有する者の育成を図るのにふさわしい教育研究上の実績及び指導体制を有すること。

第九一条【専攻科及び別科】①　大学には、専攻科及び別科を置くことができる。

②　大学の専攻科は、大学を卒業した者又は文部科学大臣の定めるところにより、これと同等以上の学力があると認められた者に対して、精深な程度において、特別の事項を教授し、その研究を指導することを目的とし、その修業年限は、一年以上とする。

③　大学の別科は、前条第一項に規定する入学資格を有する者に対して、簡易な程度において、特別の技能教育を施すことを目的とし、その修業年限は、一年以上とする。

第九二条【学長・副学長・学部長・教授その他の職員】①　大学には学長、教授、准教授、助教、助手及び事務職員を置かなければならない。ただし、教育研究上の組織編制として適切と認められる場合には、准教授、助教又は助手を置かないことができる。

②　大学には、前項のほか、副学長、学部長、講師、技術職員その他必要な職員を置くことができる。

③　学長は、校務をつかさどり、所属職員を統督する。

④　副学長は、学長を助け、命を受けて校務をつかさどる。

⑤　学部長は、学部に関する校務をつかさどる。

⑥　教授は、専攻分野について、教育上、研究上又は実務上の特に優れた知識、能力及び実績を有する者であつて、学生を教授し、その研究を指導し、又は研究に従事する。

⑦　准教授は、専攻分野について、教育上、研究上又は実務上の優れた知識、能力及び実績を有する者であつて、学生を教授し、その研究を指導し、又は研究に従事する。

⑧　助教は、専攻分野について、教育上、研究上又は実務上の知識及び能力を有する者であつて、学生を教授し、その研究を指導し、又は研究に従事する。

⑨　助手は、その所属する組織における教育研究の円滑な実施に必要な業務に従事する。

⑩　講師は、教授又は准教授に準ずる職務に従事する。

第九三条【教授会】①　大学に、教授会を置く。

②　教授会は、学長が次に掲げる事項について決定を行うに当たり意見を述べるものとする。

一　学生の入学、卒業及び課程の修了

二　学位の授与

三　前二号に掲げるもののほか、教育研究に関する重要な事項で、教授会の意見を聴くことが必要なものとして学長が定めるもの

③　教授会は、前項に規定するもののほか、学長及び学部長その他の教授会が置かれる組織の長（以下この項において「学長等」という。）がつかさどる教育研究に関する事項について審議し、及び学長等の求めに応じ、意見を述べることができる。

④　教授会の組織には、准教授その他の職員を加えることができる。

第九四条【審議会等への諮問】大学について第三条に規定する設置基準を定める場合及び第四条第五項に規定する基準を定める場合には、文部科学大臣は、審議会等で政令で定めるものに諮問しなければならない。

第九五条【同前】大学の設置の認可を行う場合及び大学に対し第四条第三項若しくは第十五条第二項若しくは第三項の規定による命令又は同条第一項の規定による勧告を行う場合には、文部科学大臣は、審議会等で政令で定めるものに諮問しなければならない。

第九六条【研究施設】大学には、研究所その他の研究施設を附置することができる。

第九七条【大学院】大学には、大学院を置くことができる。

第九八条【所轄庁】公立又は私立の大学は、文部科学大臣の所轄とする。

第九九条【大学院の目的、専門職大学院】①　大学院は、学術の理論及び応用を教授研究し、その深奥をきわめ、又は高度の専門性が求められる職業を担うための深い学識及び卓越した能力を培い、文化の進展に寄与することを目的とする。

②　大学院のうち、学術の理論及び応用を教授研究し、高度の専門性が求められる職業を担うための深い学識及び卓越した能力を培うことを目的とするものは、専門職大学院とする。

③　専門職大学院は、文部科学大臣の定めるところにより、その高度の専門性が求められる職業に就いている者、当該職業に関連する事業を行う者その他の関係者の協力を得て、教育課程を編成し、及び実施し、並びに教員の資質の向上を図るものとする。

第一〇〇条【大学院の研究科】大学院を置く大学には、研究科を置くことを常例とする。ただし、当該大学の教育研究上の目的を達成するため有益かつ適切である場合においては、文部科学大臣の定めるところにより、研究科以外の教育研究上の基本となる組織を置くことができる。

第一〇一条【夜間・通信教育の研究科】大学院を置く大学には、夜間において授業を行う研究科又は通信による教育を行う研究科を置くことができる。

第一〇二条【入学資格】①　大学院に入学することのできる者は、第八十三条の大学を卒業した者又は文部科学大臣の定めるところにより、これと同等以上の学力があると認められた者とする。ただし、研究科の教育研究上必要がある場合においては、当該研究科に係る入学資格を、修士の学位若しくは第百四条第三項に規定する文部科学大臣の定める学位を有する者又は文部科学大臣の定めるところにより、これと同等以上の学力があると認められた者とすることができる。

②　前項本文の規定にかかわらず、大学院を置く大学は、文部科学大臣の定めるところにより、第八十三条の大学に文部科学大臣の定める年数以上在学した者（これに準ずる者として文部科学大臣が定める者を含む。）であつて、当該大学院を置く大学の定める単位を優秀な成績で修得したと認めるもの（当該単位の修得の状況及びこれに準ずるものとして文部科学大臣が定めるものに基づき、これと同等以上の能力及び資質を有すると認めるものを含む。）を、当該大学院に入学させることができる。

第一〇三条【大学院のみを置く大学】教育研究上特別の必要がある場合においては、第八十五条の規定にかかわらず、学部を置くことなく大学院を置くものを大学とすることができる。

第一〇四条【学位】①　大学（専門職大学及び第百八条第二項の大学（以下この条において「短期大学」という。）を除く。以下この項及び第七項において同じ。）は、文部科学大臣の定めるところにより、大学を卒業した者に対し、学士の学位を授与するものとする。

②　専門職大学は、文部科学大臣の定めるところにより、専門職大学を卒業した者（第八十七条の二第一項の規定によりその課程を前期課程及び後期課程に区分している専門職大学にあつては、前期課程を修了した者を含む。）に対し、文部科学大臣の定める学位を授与するものとする。

③　大学院を置く大学は、文部科学大臣の定めるところにより、大学院（専門職大学院を除く。）の課程を修了した者に対し修士又は博士の学位を、専門職大学院の課程を修了した者に対し文部科学大臣の定める学位を授与するものとする。

④　大学院を置く大学は、文部科学大臣の定めるところにより、前項の規定により博士の学位を授与された者と同等以上の学力があると認める者に対し、博士の学位を授与することができる。

⑤　短期大学（専門職短期大学を除く。以下この項において同じ。）は、文部科学大臣の定めるところにより、短期大学を卒業した者に対し、短期大学士の学位を授与するものとする。

⑥　専門職短期大学は、文部科学大臣の定めるところにより、専門職短期大学を卒業した者に対し、文部科学大臣の定める学位を授与するものとする。

⑦ 独立行政法人大学改革支援・学位授与機構は、文部科学大臣の定めるところにより、次の各号に掲げる者に対し、当該各号に定める学位を授与するものとする。

一 短期大学（専門職大学の前期課程を含む。）若しくは高等専門学校を卒業した者（専門職大学の前期課程にあつては、修了した者）又はこれに準ずる者で、大学における一定の単位の修得又はこれに相当するものとして文部科学大臣の定める学習を行い、大学を卒業した者と同等以上の学力を有すると認める者 学士

二 学校以外の教育施設で学校教育に類する教育を行うもののうち当該教育を行うにつき他の法律に特別の規定があるものに置かれる課程で、大学又は大学院に相当する教育を行うと認めるものを修了した者 学士、修士又は博士

⑧ 学位に関する事項を定めるについては、文部科学大臣は、第九十四条の政令で定める審議会等に諮問しなければならない。

第一〇五条【特別の課程】 大学は、文部科学大臣の定めるところにより、当該大学の学生以外の者を対象とした特別の課程を編成し、これを修了した者に対し、修了の事実を証する証明書を交付することができる。

第一〇六条【名誉教授】 大学は、当該大学に学長、副学長、学部長、教授、准教授又は講師として勤務した者であつて、教育上又は学術上特に功績のあつた者に対し、当該大学の定めるところにより、名誉教授の称号を授与することができる。

第一〇七条【公開講座】 ① 大学においては、公開講座の施設を設けることができる。

② 公開講座に関し必要な事項は、文部科学大臣が、これを定める。

第一〇八条【短期大学・専門職短期大学】 ① 大学は、第八十三条第一項に規定する目的に代えて、深く専門の学芸を教授研究し、職業又は実際生活に必要な能力を育成することを主な目的とすることができる。

② 前項に規定する目的をその目的とする大学は、第八十七条第一項の規定にかかわらず、その修業年限を二年又は三年とする。

③ 前項の大学は、短期大学と称する。

④ 第二項の大学のうち、深く専門の学芸を教授研究し、専門性が求められる職業を担うための実践的かつ応用的な能力を育成することを目的とするものは、専門職短期大学とする。

⑤ 第八十三条の二第二項の規定は、前項の大学に準用する。

⑥ 第二項の大学には、第八十五条及び第八十六条の規定にかかわらず、学部を置かないものとする。

⑦ 第二項の大学には、学科を置く。

⑧ 第二項の大学には、夜間において授業を行う学科又は通信による教育を行う学科を置くことができる。

⑨ 第二項の大学を卒業した者は、文部科学大臣の定めるところにより、第八十三条の大学に編入学することができる。

⑩ 第九十七条の規定は、第二項の大学については適用しない。

第一〇九条【点検及び評価、認証評価】 ① 大学は、その教育研究水準の向上に資するため、文部科学大臣の定めるところにより、当該大学の教育及び研究、組織及び運営並びに施設及び設備（次項及び第五項において「教育研究等」という。）の状況について自ら点検及び評価を行い、その結果を公表するものとする。

② 大学は、前項の措置に加え、当該大学の教育研究等の総合的な状況について、政令で定める期間ごとに、文部科学大臣の認証を受けた者（以下「認証評価機関」という。）による評価（以下「認証評価」という。）を受けるものとする。ただし、認証評価機関が存在しない場合その他特別の事由がある場合であつて、文部科学大臣の定める措置を講じているときは、この限りでない。

③ 専門職大学等又は専門職大学院を置く大学にあつては、前項に規定するもののほか、当該専門職大学等又は専門職大学院の設置の目的に照らし、当該専門職大学等又は専門職大学院の教育課程、教員組織その他教育研究活動の状況について、政令で定める期間ごとに、認証評価を受けるものとする。ただし、当該専門職大学等又は専門職大学院の課程に係る分野について認証評価を行う認証評価機関が存在しない場合その他特別の事由がある場合であつて、文部科学大臣の定める措置を講じているときは、この限りでない。

④ 前二項の認証評価は、大学からの求めにより、大学評価基準（前二項の認証評価を行うために認証評価機関が定める基準をいう。以下この条及び次条において同じ。）に従つて行うものとする。

⑤ 第二項及び第三項の認証評価においては、それぞれの認証評価の対象たる教育研究等状況（第二項に規定する大学の教育研究等の総合的な状況及び第三項に規定する専門職大学等又は専門職大学院の教育課程、教員組織その他教育研究活動の状況をいう。次項及び第七項において同じ。）が大学評価基準に適合しているか否かの認定を行うものとする。

⑥ 大学は、教育研究等状況について大学評価基準に適合している旨の認証評価機関の認定（次項において「適合認定」という。）を受けるよう、その教育研究水準の向上に努めなければならない。

⑦ 文部科学大臣は、大学が教育研究等状況について適合認定を受けられなかつたときは、当該大学に対し、当該大学の教育研究等状況について、報告又は資料の提出を求めるものとする。

第一一〇条【認証評価機関】 ① 認証評価機関になろうとする者は、文部科学大臣の定めるところにより、申請により、文部科学大臣の認証を受けることができる。

② 文部科学大臣は、前項の規定による認証の申請が次の各号のいずれにも適合すると認めるときは、その認証をするものとする。

一 大学評価基準及び評価方法が認証評価を適確に行うに足りるものであること。

二 認証評価の公正かつ適確な実施を確保するために必要な体制が整備されていること。

三 第四項に規定する措置（同項に規定する通知を除く。）の前に認証評価の結果に係る大学からの意見の申立ての機会を付与していること。

四 認証評価を適確かつ円滑に行うに必要な経理的基礎を有する法人（人格のない社団又は財団で代表者又は管理人の定めのあるものを含む。次号において同じ。）であること。

五 次条第二項の規定により認証を取り消され、その取消しの日から二年を経過しない法人でないこと。

六 その他認証評価の公正かつ適確な実施に支障を及ぼすおそれがないこと。

③ 前項に規定する基準を適用するに際して必要な細目は、文部科学大臣が、これを定める。

④ 認証評価機関は、認証評価を行つたときは、遅滞なく、その結果を大学に通知するとともに、文部科学大臣の定めるところにより、これを公表し、かつ、文部科学大臣に報告しなければならない。

⑤ 認証評価機関は、大学評価基準、評価方法その他文部科学大臣の定める事項を変更しようとするとき、又は認証評価の業務の全部若しくは一部を休止若しくは廃止しようとするときは、あらかじめ、文部科学大臣に届け出なければならない。

⑥ 文部科学大臣は、認証評価機関の認証をしたとき、又は前項の規定による届出があつたときは、その旨を官報で公示しなければならない。

第一一一条【同前】 ① 文部科学大臣は、認証評価の公正かつ適確な実施が確保されないおそれがあると認めるときは、認証評価機関に対し、必要な報告又は資料の提出を求めることができる。

② 文部科学大臣は、認証評価機関が前項の求めに応じず、若しくは虚偽の報告若しくは資料の提出をしたとき、又は前条第二項及び第三項の規定に適合しなくなつたと認めるときその他認

証評価の公正かつ適確な実施に著しく支障を及ぼす事由があると認めるときは、当該認証評価機関に対してこれを改善すべきことを求め、及びその求めによつてもなお改善されないときは、その認証を取り消すことができる。

③　文部科学大臣は、前項の規定により認証評価機関の認証を取り消したときは、その旨を官報で公示しなければならない。

第一一二条【審議会等への諮問】 文部科学大臣は、次に掲げる場合には、第九十四条の政令で定める審議会等に諮問しなければならない。

一　認証評価機関の認証をするとき。
二　第百十条第三項の細目を定めるとき。
三　認証評価機関の認証を取り消すとき。

第一一三条【公表】 大学は、教育研究の成果の普及及び活用の促進に資するため、その教育研究活動の状況を公表するものとする。

第一一四条【準用規定】 第三十七条第十四項及び第六十条第六項の規定は、大学に準用する。

第十章　高等専門学校

第一一五条【高等専門学校の目的】 ①高等専門学校は、深く専門の学芸を教授し、職業に必要な能力を育成することを目的とする。

②　高等専門学校は、その目的を実現するための教育を行い、その成果を広く社会に提供することにより、社会の発展に寄与するものとする。

第一一六条【学科】 ①高等専門学校には、学科を置く。

②　前項の学科に関し必要な事項は、文部科学大臣が、これを定める。

第一一七条【修業年限】 高等専門学校の修業年限は、五年とする。ただし、商船に関する学科については、五年六月とする。

第一一八条【入学資格】 高等専門学校に入学することのできる者は、第五十七条に規定する者とする。

第一一九条【専攻科】 ①高等専門学校には、専攻科を置くことができる。

②　高等専門学校の専攻科は、高等専門学校を卒業した者又は文部科学大臣の定めるところにより、これと同等以上の学力があると認められた者に対して、精深な程度において、特別の事項を教授し、その研究を指導することを目的とし、その修業年限は、一年以上とする。

第一二〇条【校長、教授その他の職員】 ①高等専門学校には、校長、教授、准教授、助教、助手及び事務職員を置かなければならない。ただし、教育上の組織編制として適切と認められる場合には、准教授、助教又は助手を置かないことができる。

②　高等専門学校には、前項のほか、講師、技術職員その他必要な職員を置くことができる。

③　校長は、校務を掌り、所属職員を監督する。

④　教授は、専攻分野について、教育上又は実務上の特に優れた知識、能力及び実績を有する者であつて、学生を教授する。

⑤　准教授は、専攻分野について、教育上又は実務上の優れた知識、能力及び実績を有する者であつて、学生を教授する。

⑥　助教は、専攻分野について、教育上又は実務上の知識及び能力を有する者であつて、学生を教授する。

⑦　助手は、その所属する組織における教育の円滑な実施に必要な業務に従事する。

⑧　講師は、教授又は准教授に準ずる職務に従事する。

第一二一条【準学士】 高等専門学校を卒業した者は、準学士と称することができる。

第一二二条【大学への編入学】 高等専門学校を卒業した者は、文部科学大臣の定めるところにより、大学に編入学することができる。

第一二三条【準用規定】 第三十七条第十四項、第五十九条、第六十条第六項、第九十四条（設置基準に係る部分に限る。）、第九十五条、第九十八条、第百五条から第百七条まで、第百九条（第三項を除く。）及び第百十条から第百十三条までの規定は、高等専門学校に準用する。

第十一章　専修学校

第一二四条【専修学校の目的】 第一条に掲げるもの以外の教育施設で、職業若しくは実際生活に必要な能力を育成し、又は教養の向上を図ることを目的として次の各号に該当する組織的な教育を行うもの（当該教育を行うにつき他の法律に特別の規定があるもの及び我が国に居住する外国人を専ら対象とするものを除く。）は、専修学校とする。

一　修業年限が一年以上であること。
二　授業時数又は単位数が文部科学大臣の定める授業時数又は単位数以上であること。

> **＊令和六法五〇（令和八・四・一施行）による改正**
> 第二号中「授業時数」の下に「又は単位数」が加えられた。
> （本文織込み済み）

三　教育を受ける者が常時四十人以上であること。

第一二五条【課程】 ①専修学校には、高等課程、専門課程又は一般課程を置く。

②　専修学校の高等課程においては、中学校若しくはこれに準ずる学校若しくは義務教育学校を卒業した者若しくは中等教育学校の前期課程を修了した者又は文部科学大臣の定めるところによりこれと同等以上の学力があると認められた者に対して、中学校における教育の基礎の上に、心身の発達に応じて前条の教育を行うものとする。

③　専修学校の専門課程においては、高等学校若しくはこれに準ずる学校若しくは中等教育学校を卒業した者又は文部科学大臣の定めるところによりこれと同等以上の学力があると認められた者に対して、高等学校における教育の基礎の上に、前条の教育を行うものとする。

> **＊令和六法五〇（令和八・四・一施行）による改正**
> 第三項中「に準ずる学力」は「と同等以上の学力」に改められた。（本文織込み済み）

④　専修学校の一般課程においては、高等課程又は専門課程の教育以外の前条の教育を行うものとする。

第一二五条の二【専攻科】 ①専修学校（修業年限が二年以上であることその他の文部科学大臣の定める基準を満たす専門課程（以下この章において「特定専門課程」という。）を置くものに限る。）には、専攻科を置くことができる。

②　専修学校の専攻科は、専修学校の特定専門課程を修了した者又は文部科学大臣の定めるところによりこれと同等以上の学力があると認められた者に対して、精深な程度において、特別の事項を教授し、その研究を指導することを目的とし、その修業年限は、一年以上とする。

> **＊令和六法五〇（令和八・四・一施行）により第一二五条の二追加**

第一二六条【高等専修学校・専門学校】 ①高等課程を置く専修学校は、高等専修学校と称することができる。

②　専門課程を置く専修学校は、専門学校と称することができる。

第一二七条【設置者】 専修学校は、国及び地方公共団体のほか、次に該当する者でなければ、設置することができない。

一　専修学校を経営するために必要な経済的基礎を有すること。
二　設置者（設置者が法人である場合にあつては、その経営を担当する当該法人の役員とする。次号において同じ。）が専修学校を経営するために必要な知識又は経験を有すること。
三　設置者が社会的信望を有すること。

第一二八条【基準】 専修学校は、次に掲げる事項について文部科学大臣の定める基準に適合していなければならない。

一 目的、生徒等（高等課程及び一般課程の生徒並びに専門課程の学生をいう。次号及び第三号において同じ。）の数又は課程の種類に応じて置かなければならない教員の数

二 目的、生徒等の数又は課程の種類に応じて有しなければならない校地及び校舎の面積並びにその位置及び環境

三 目的、生徒等の数又は課程の種類に応じて有しなければならない設備

四 目的又は課程の種類に応じた教育課程及び編制の大綱

＊令和六法五〇（令和八・四・一施行）**による改正前**

第一二八条【基準】（柱書略）

一 目的、生徒の数又は課程の種類に応じて置かなければならない教員の数

二 目的、生徒の数又は課程の種類に応じて有しなければならない校地及び校舎の面積並びにその位置及び環境

三 目的、生徒の数又は課程の種類に応じて有しなければならない設備

四（略）

第一二九条【校長・教員】 ① 専修学校には、校長及び相当数の教員を置かなければならない。

② 専修学校の校長は、教育に関する識見を有し、かつ、教育、学術又は文化に関する業務に従事した者でなければならない。

③ 専修学校の教員は、その担当する教育に関する専門的な知識又は技能に関し、文部科学大臣の定める資格を有する者でなければならない。

第一三〇条【専修学校の認可】 ① 国又は都道府県（都道府県が単独で又は他の地方公共団体と共同して設立する公立大学法人を含む。）が設置する専修学校を除くほか、専修学校の設置廃止（高等課程、専門課程又は一般課程の設置廃止を含む。）、設置者の変更及び目的の変更は、市町村の設置する専修学校にあつては都道府県の教育委員会、私立の専修学校にあつては都道府県知事の認可を受けなければならない。

② 都道府県の教育委員会又は都道府県知事は、専修学校の設置（高等課程、専門課程又は一般課程の設置を含む。）の認可の申請があつたときは、申請の内容が第百二十四条、第百二十五条及び前三条の基準に適合するかどうかを審査した上で、認可に関する処分をしなければならない。

③ 前項の規定は、専修学校の設置者の変更及び目的の変更の認可の申請があつた場合について準用する。

④ 都道府県の教育委員会又は都道府県知事は、第一項の認可をしない処分をするときは、理由を付した書面をもつて申請者にその旨を通知しなければならない。

第一三一条【専修学校の名称等の届出】 国又は都道府県（都道府県が単独で又は他の地方公共団体と共同して設立する公立大学法人を含む。）が設置する専修学校を除くほか、専修学校の設置者は、その設置する専修学校の名称、位置又は学則を変更しようとするときその他政令で定める場合に該当するときは、市町村の設置する専修学校にあつては都道府県の教育委員会に、私立の専修学校にあつては都道府県知事に届け出なければならない。

第一三一条の二【専門士】 専修学校の特定専門課程を修了した者は、文部科学大臣の定めるところにより、専門士と称することができる。

＊令和六法五〇（令和八・四・一施行）**により第一三一条の二追加**

第一三二条【大学への編入学】 専修学校の特定専門課程を修了した者は、文部科学大臣の定めるところにより、大学に編入学することができる。

＊令和六法五〇（令和八・四・一施行）**による改正前**

第一三二条【大学への編入学】 専修学校の専門課程（修業年限が二年以上であることその他の文部科学大臣の定める基準を満たすものに限る。）を修了した者（第九十条第一項に規定する者に限る。）は、文部科学大臣の定めるところにより、大学に編入学することができる。

第一三二条の二【点検及び評価】 ① 専門課程を置く専修学校は、その教育水準の向上に資するため、文部科学大臣の定めるところにより、当該専修学校の教育、組織及び運営並びに施設及び設備の状況について自ら点検及び評価を行い、その結果を公表するものとする。

② 専門課程を置く専修学校は、前項に規定する状況について、当該専修学校の職員以外の者で専修学校に関し広くかつ高い識見を有するものによる評価を受け、その結果を公表するよう努めるものとする。

＊令和六法五〇（令和八・四・一施行）**により第一三二条の二追加**

第一三三条【準用規定】 ① 第五条、第六条、第九条から第十二条まで、第十三条第一項、第十四条、第四十三条及び第四十四条の規定は専修学校に、第十二条の二の規定は専修学校（高等課程を置くものに限る。）に、第四十二条の規定は専修学校（専門課程を置くものを除く。）に、第百五条の規定は専修学校（専門課程を置くものに限る。）に準用する。この場合において、第十条中「大学及び高等専門学校にあつては文部科学大臣に、大学及び高等専門学校以外の学校にあつては都道府県知事に」とあるのは「都道府県知事に」と、同項中「第四条第一項各号に掲げる学校」とあるのは「市町村（市町村が単独で又は他の市町村と共同して設立する公立大学法人を含む。）の設置する専修学校又は私立の専修学校」と、「同項各号に定める者」とあるのは「都道府県の教育委員会又は都道府県知事」と、同項第二号中「その者」とあるのは「当該都道府県の教育委員会又は都道府県知事」と、第十四条中「大学及び高等専門学校以外の市町村の設置する学校については都道府県の教育委員会、大学及び高等専門学校以外の私立学校については都道府県知事」とあるのは「市町村（市町村が単独で又は他の市町村と共同して設立する公立大学法人を含む。）の設置する専修学校については都道府県の教育委員会、私立の専修学校については都道府県知事」と読み替えるものとする。

＊令和六法五〇（令和八・四・一施行）**・法六九**（令和八・一二・二五までに施行）**による改正前**

① 第五条、第六条、第九条から第十二条まで、第十三条第一項、第十四条及び第四十二条から第四十四条までの規定は専修学校に、第百五条の規定は専門課程を置く専修学校に準用する。この場合において、第十条中「大学及び高等専門学校にあつては文部科学大臣に、大学及び高等専門学校以外の学校にあつては都道府県知事に」とあるのは「都道府県知事に」と、同項中「第四条第一項各号に掲げる学校」とあるのは「市町村（市町村が単独で又は他の市町村と共同して設立する公立大学法人を含む。）の設置する専修学校又は私立の専修学校」と、「同項各号に定める者」とあるのは「都道府県の教育委員会又は都道府県知事」と、同項第二号中「その者」とあるのは「当該都道府県の教育委員会又は都道府県知事」と、第十四条中「大学及び高等専門学校以外の市町村の設置する学校については都道府県の教育委員会、大学及び高等専門学校以外の私立学校については都道府県知事」とあるのは「市町村（市町村が単独で又は他の市町村と共同して設立する公立大学法人を含む。）の設置する専修学校については都道府県の教育委員会、私立の専修学校については都道府県知事」と読み替えるものとする。

② 都道府県の教育委員会又は都道府県知事は、前項において準用する第十三条第一項の規定による処分をするときは、理由を付した書面をもつて当該専修学校の設置者にその旨を通知しなければならない。

第十二章　雑則

第一三四条【各種学校】 ①　第一条に掲げるもの以外のもので、学校教育に類する教育を行うもの（当該教育を行うにつき他の法律に特別の規定があるもの及び第百二十四条に規定する専修学校の教育を行うものを除く。）は、各種学校とする。

②　第四条第一項前段、第五条から第七条まで、第九条から第十一条まで、第十三条第一項、第十四条及び第四十二条から第四十四条までの規定は、各種学校に準用する。この場合において、第四条第一項前段中「次の各号に掲げる学校」とあるのは「市町村の設置する各種学校又は私立の各種学校」と、「当該各号に定める者」とあるのは「都道府県の教育委員会又は都道府県知事」と、第十条中「大学及び高等専門学校にあつては文部科学大臣に、大学及び高等専門学校以外の学校にあつては都道府県知事に」とあるのは「都道府県知事に」と、第十三条第一項中「第四条第一項各号に掲げる学校」とあるのは「市町村の設置する各種学校又は私立の各種学校」と、「同項各号に定める者」とあるのは「都道府県の教育委員会又は都道府県知事」と、同項第二号中「その者」とあるのは「当該都道府県の教育委員会又は都道府県知事」と、第十四条中「大学及び高等専門学校以外の市町村の設置する学校については都道府県の教育委員会、大学及び高等専門学校以外の私立学校については都道府県知事」とあるのは「市町村の設置する各種学校については都道府県の教育委員会、私立の各種学校については都道府県知事」と読み替えるものとする。

③　前項のほか、各種学校に関し必要な事項は、文部科学大臣が、これを定める。

第一三五条【名称使用の禁止】 ①　専修学校、各種学校その他第一条に掲げるもの以外の教育施設は、同条に掲げる学校の名称又は大学院の名称を用いてはならない。

②　高等課程を置く専修学校以外の教育施設は高等専修学校の名称を、専門課程を置く専修学校以外の教育施設は専門学校の名称を、専修学校以外の教育施設は専修学校の名称を用いてはならない。

第一三六条【無認可の教育施設】 ①　都道府県の教育委員会（私人の経営に係るものにあつては、都道府県知事）は、学校以外のもの又は専修学校若しくは各種学校以外のものが専修学校又は各種学校の教育を行うものと認める場合においては、関係者に対して、一定の期間内に専修学校設置又は各種学校設置の認可を申請すべき旨を勧告することができる。ただし、その期間は、一箇月を下ることができない。

②　都道府県の教育委員会（私人の経営に係るものにあつては、都道府県知事）は、前項に規定する関係者が、同項の規定による勧告に従わず引き続き専修学校若しくは各種学校の教育を行つているとき、又は専修学校設置若しくは各種学校設置の認可を申請したがその認可が得られなかつた場合において引き続き専修学校若しくは各種学校の教育を行つているときは、当該関係者に対して、当該教育をやめるべき旨を命ずることができる。

③　都道府県知事は、前項の規定による命令をなす場合においては、あらかじめ私立学校審議会の意見を聞かなければならない。

第一三七条【学校と社会教育】 学校教育上支障のない限り、学校には、社会教育に関する施設を附置し、又は学校の施設を社会教育その他公共のために、利用させることができる。

第一三八条【行政手続法の適用除外】 第十七条第三項の政令で定める事項のうち同条第一項又は第二項の義務の履行に関する処分に該当するもので政令で定めるものについては、行政手続法（平成五年法律第八十八号）第三章の規定は、適用しない。

第一三九条【審査請求の除外】 文部科学大臣がする大学又は高等専門学校の設置の認可に関する処分又はその不作為については、審査請求をすることができない。

第一四〇条【東京都の区の取扱い】 この法律における市には、東京都の区を含むものとする。

第一四一条【学部の意義】 この法律（第八十五条及び第百条を除く。）及び他の法令（教育公務員特例法（昭和二十四年法律第一号）及び当該法令に特別の定めのあるものを除く。）において、大学の学部には第八十五条ただし書に規定する組織を含み、大学の大学院の研究科には第百条ただし書に規定する組織を含むものとする。

第一四二条【法律施行と文部科学大臣の権限】 この法律に規定するもののほか、この法律施行のため必要な事項で、地方公共団体の機関が処理しなければならないものについては政令で、その他のものについては文部科学大臣が、これを定める。

第十三章　罰則

第一四三条【学校閉鎖命令違反の処罰】 第十三条第一項（同条第二項、第百三十三条第一項及び第百三十四条第二項において準用する場合を含む。）の規定による閉鎖命令又は第百三十六条第二項の規定による命令に違反した者は、六月以下の拘禁刑又は二十万円以下の罰金に処する。

第一四四条【保護者の義務違反の処罰】 ①　第十七条第一項又は第二項の義務の履行の督促を受け、なお履行しない者は、十万円以下の罰金に処する。

②　法人の代表者、代理人、使用人その他の従業者が、その法人の業務に関し、前項の違反行為をしたときは、行為者を罰するほか、その法人に対しても、同項の刑を科する。

第一四五条【学齢児童等使用者の義務違反の処罰】 第二十条の規定に違反した者は、十万円以下の罰金に処する。

第一四六条【学校名称独占侵害の処罰】 第百三十五条の規定に違反した者は、十万円以下の罰金に処する。

附　則（抄）

第一条　この法律は、昭和二十二年四月一日から、これを施行する。ただし、第二十二条第一項及び第三十九条第一項に規定する盲学校、聾学校及び養護学校における就学義務並びに第七十四条に規定するこれらの学校の設置義務に関する部分の施行期日は、政令で、これを定める（昭和二三・四・一―昭和二三政七九、昭和二九・四・一―昭和二八政三三九、昭和五四・四・一―昭和四八政三三九）。

刑法等の一部を改正する法律の施行に伴う関係法律整理法中経過規定

（令和四・六・一七法六八）（抄）

第四四一条から第四四三条まで（刑法の同経過規定参照）

第五〇九条（刑法の同経過規定参照）

刑法等の一部を改正する法律の施行に伴う関係法律整理法

附　則（令和四・六・一七法六八）（抄）

（施行期日）

①　この法律は、刑法等一部改正法（刑法等の一部を改正する法律（令和四法六七））施行日（令和七・六・一）から施行する。ただし、次の各号に掲げる規定は、当該各号に定める日から施行する。

一　第五百九条の規定　公布の日

二　（略）

附　則（令和六・六・一四法五〇）（抄）

（施行期日）

第一条　この法律は、令和八年四月一日から施行する。

（経過措置）

第二条　この法律による改正後の学校教育法第百二十五条第三項及び第百三十二条の規定は、この法律の施行の日（以下この条において「施行日」という。）以後に専修学校の専門課程に入学する者について適用し、施行日前に専修学校の専門課程に入学した者に係る当該専門課程の入学資格及び大学の編入学資格については、なお従前の例による。

（検討）

第三条　政府は、この法律の施行後五年を目途として、この法律による改正後の規定の施行の状況について検討を加え、必要があると認めるときは、その結果に基づいて所要の措置を講ずるものとする。

附　則（令和六・六・二六法六九）（抄）

（施行期日）

第一条　この法律は、公布の日から起算して二年六月を超えない範囲内において政令で定める日から施行する。（後略）

◉民法（明治二九・四・二七法八九）

施行　明治三一・七・一六（明治三一勅一二三）

改正　明治三一法九、明治三四法三六、明治三五法三七、大正一四法四二、大正一五法六九、昭和一三法一八、昭和一六法二一、昭和一七法七、昭和二二法六一・法二二二、昭和二三法二六〇、昭和二四法一一五・法一四一、昭和二五法一二三、昭和三三法五・法六二、昭和三七法四〇・法六九、昭和三八法一二六、昭和三九法一〇〇、昭和四一法九三・法一一一、昭和四六法九九、昭和五一法六六、昭和五四法五・法六八、昭和五五法五一、昭和六二法一〇一、平成一法二七・法九一、平成二法六五、平成三法七九、平成八法一一〇、平成一一法八七・法一四九・法二二五、平成一二法九一、平成一三法四一、平成一五法一〇九・法一三四・法一三八、平成一六法七六・法一二四・法一四七、平成一七法八七、平成一八法五〇・法七三・法七八、平成二三法五三・法六一、平成二五法九四、平成二八法二七・法七一、平成二九法四四（平成三〇法七二）、平成三〇法五九・法七二、令和一法二・法三四、令和三法二四・法三七、令和四法四八（令和五法五三）・法一〇二、令和五法五三、令和六法三三

注　民法の一部を改正する法律（平成二九法四四）による改正前の全条文を、有斐閣ウェブサイトにて公開している。同ウェブサイト又は法令名索引末尾にあるＱＲコードから閲覧できる。

目次

朕帝国議会ノ協賛ヲ経タル民法中修正ノ件ヲ裁可シ茲ニ之ヲ公布セシム

民法第一編第二編第三編別冊ノ通定ム

此法律施行ノ期日ハ勅令ヲ以テ之ヲ定ム（明治二二・七・一六施行―明治三一勅一二三）

明治二十三年法律第二十八号民法財産編財産取得編債権担保編証拠編ハ此法律発布ノ日ヨリ廃止ス

第一編　総則（平成一六法一四七本編全部改正）

第一章　通則

（**基本原則**）

第一条① 私権は、公共の福祉に適合しなければならない。

② 権利の行使及び義務の履行は、信義に従い誠実に行わなければならない。

③ 権利の濫用は、これを許さない。

（昭和二二法二二二本条追加）

❶【公共の福祉↓憲一二・一三・二九② ❷【信義誠実↓四一五・四九三【消費者契約における信義則違反↓消費契約一〇 ❸【権利濫用↓憲一二、七〇九・八三四・八三四の二

（**解釈の基準**）

第二条 この法律は、個人の尊厳と両性の本質的平等を旨として、解釈しなければならない。（昭和二二法二二二本条追加）

【個人の尊厳↓憲一三・二四【両性の平等↓憲一四・二四、労基四、女子差別撤廃約、雇均

第二章　人

第一節　権利能力

第三条① 私権の享有は、出生に始まる。

② 外国人は、法令又は条約の規定により禁止される場合を除き、私権を享有する。

❶【胎児の特則の例↓七二一・八八六・九六五・七八三【出生の届出↓戸四九―五九 ❷【外国人↓憲一〇、国籍、三五【法令による禁止↓商七〇〇【法令による制限↓国賠六、特許二五、著作六【脱法信託の禁止↓信託九

第二節　意思能力（平成二九法四四本節追加）

第三条の二 法律行為の当事者が意思表示をした時に意思能力を有しなかったときは、その法律行為は、無効とする。

【意思能力↓九七③・九八の二・一二一の二③【無効↓一一九・一二一の二【身分行為と意思能力↓七三八・七六四・七八〇・七九九・八一二

第三節　行為能力

（**成年**）

第四条 年齢十八歳をもって、成年とする。（平成三〇法五九本条改正）

【年齢の計算方法↓年齢計算、年齢称呼【本条の特則↓典二二【外国人の能力↓法適用四

（**未成年者の法律行為**）

第五条① 未成年者が法律行為をするには、その法定代理人の同意を得なければならない。ただし、単に権利を得、又は義務を免れる法律行為については、この限りでない。

② 前項の規定に反する法律行為は、取り消すことができる。

③ 第一項の規定にかかわらず、法定代理人が目的を定めて処分を許した財産は、その目的の範囲内において、未成年者が自由に処分することができる。目的を定めないで処分を許した財産を処分するときも、同様とする。

四 ❶【親権者の同意↓八一八②③・八一九・八二四―八二六・八三三【未成年後見人の同意↓八三八―八四一・八五九・八六〇・八六四・八六七【包括的な同意↓六【親族・相続法上の行為の特則↓七三一・七八〇・八三三・八六七①・九六一・九六二、人訴一三【その他の行為における未成年者の能力↓九八の二・一〇二、民訴二八・三一、労基五九、特許七 ❷【取消し↓一二〇―一二六、二〇・二一

（**未成年者の営業の許可**）

第六条① 一種又は数種の営業を許された未成年者は、その営業に関しては、成年者と同一の行為能力を有する。

② 前項の場合において、未成年者がその営業に堪えることができない事由があるときは、その法定代理人は、第四編（親族）の規定に従い、その許可を取り消し、又はこれを制限することができる。

四【営業の許可又は取消し↓八二三・八五七・八六四・八六五【商法・会社法上の営業の許可又は取消し・制限↓商五、会社五八四・九〇八・九〇九、商登三五―三九

（**後見開始の審判**）

第七条 精神上の障害により事理を弁識する能力を欠く常況にある者については、家庭裁判所は、本人、配偶者、四親等内の親族、未成年後見人、未成年後見監督人、保佐人、保佐監督人、補助人、補助監督人又は検察官の請求により、後見開始の審判をすることができる。（昭和二二法二二二、平成一一法一四九本条改正）

八―一〇・一九【親族↓七二五【親等↓七二六【未成年後見人↓八三九―八四一【未成年後見監督人↓八四八・八四九【保佐人↓一二・八七六の二・八七六の四・八七六の五【保佐監督人↓八七六の三【補助人↓一六・八七六の六・八七六の七・八七六の九・八七六の一〇【補助監督人↓八七六の八【検察官↓検察三・四【後見開始の審判↓八三八㈡、家事三九・別表第一〈一の項〉【登記事項↓後見登記四①㈠【他の審判との関係↓一九【任意後見契約との関係↓任意後見一〇【後見の準拠法↓法適用五・三五

（**成年被後見人及び成年後見人**）

第八条 後見開始の審判を受けた者は、成年被後見人とし、これに成年後見人を付する。（平成一一法一四九本条全部改正）

【後見開始の審判↓八三八㈡【成年被後見人の行為能力↓九【成年後見人↓八四三・八五八―八五九の二・一二〇、家事三九・別表第一〈三の項〉【登記事項↓後見登記四①㈡㈢

（**成年被後見人の法律行為**）

第九条 成年被後見人の法律行為は、取り消すことができる。ただし、日用品の購入その他日常生活に関する行為については、この限りでない。（平成一一法一四九本条改正）

【取消し↓一二〇―一二六、二〇・二一【親族・相続法上の行為の特則↓七三八・七六四・七八〇・七九九・八一二・九六二・九六三、人訴一三・一四【その他の行為における成年被後見人の行為能力↓九八の二・一〇二、民訴三一、特許七

（**後見開始の審判の取消し**）

第一〇条 第七条に規定する原因が消滅したときは、家庭裁判所は、本人、配偶者、四親等内の親族、後見人（未成年後見人及び成年後見人をいう。以下同じ。）、後見監督人（未成年後見監督人及び成年後見監督人をいう。以下同じ。）又は検察官の請求により、後見開始

の審判を取り消さなければならない。（平成一一法一四九本条改正）

⊛【審判の取消しの手続↓家事三九、別表第一〈二の項〉【他の理由による審判の取消し↓一九②、任意後見四②

（保佐開始の審判）

第一一条　精神上の障害により事理を弁識する能力が著しく不十分である者については、家庭裁判所は、本人、配偶者、四親等内の親族、後見人、後見監督人、補助人、補助監督人又は検察官の請求により、保佐開始の審判をすることができる。ただし、第七条に規定する原因がある者については、この限りでない。（平成一一法一四九本条全部改正）

⊛一一・一四・一九【親族↓七二五【親等↓七二六【後見人↓八三九―八四七【後見監督人↓八四八―八五二【補助人↓一六・八七六の七【補助監督人↓八七六の八【保佐開始の審判↓八七六、家事三九、別表第一〈十七の項〉【登記事項↓後見登記四①㈢【他の審判との関係↓一九【任意後見契約との関係↓任意後見一〇【外国人についての保佐開始の審判↓法適用五【保佐の準拠法↓法適用三五

（被保佐人及び保佐人）

第一二条　保佐開始の審判を受けた者は、被保佐人とし、これに保佐人を付する。（平成一一法一四九本条追加）

⊛【保佐開始の審判↓一一⊛【被保佐人の行為能力↓一三【保佐人↓八七六の二、家事三九、別表第一〈二十二の項〉【保佐人の同意権・取消権・代理権↓一三①②・一二〇、八七六の四【登記事項↓後見登記四①㈢㈢

（保佐人の同意を要する行為等）

第一三条①　被保佐人が次に掲げる行為をするには、その保佐人の同意を得なければならない。ただし、第九条ただし書に規定する行為については、この限りでない。

一　元本を領収し、又は利用すること。
二　借財又は保証をすること。
三　不動産その他重要な財産に関する権利の得喪を目的とする行為をすること。
四　訴訟行為をすること。
五　贈与、和解又は仲裁合意（仲裁法（平成十五年法律第百三十八号）第二条第一項に規定する仲裁合意をいう。）をすること。（平成一五法一三八本号改正）
六　相続の承認若しくは放棄又は遺産の分割をすること。
七　贈与の申込みを拒絶し、遺贈を放棄し、負担付贈与の申込みを承諾し、又は負担付遺贈を承認すること。
八　新築、改築、増築又は大修繕をすること。
九　第六百二条に定める期間を超える賃貸借をすること。
十　前各号に掲げる行為を制限行為能力者（未成年者、成年被後見人、被保佐人及び第十七条第一項の審判を受けた被補助人をいう。以下同じ。）の法定代理人としてすること。（平成二九法四四本号追加）

②　家庭裁判所は、第十一条本文に規定する者又は保佐人若しくは保佐監督人の請求により、被保佐人が前項各号に掲げる行為以外の行為をする場合であってもその保佐人の同意を得なければならない旨の審判をすることができる。ただし、第九条ただし書に規定する行為については、この限りでない。

③　保佐人の同意を得なければならない行為について、保佐人が被保佐人の利益を害するおそれがないにもかかわらず同意をしないときは、家庭裁判所は、被保佐人の請求により、保佐人の同意に代わる許可を与えることができる。（平成一一法一四九本項追加）

④　保佐人の同意を得なければならない行為であって、その同意又はこれに代わる許可を得ないでしたものは、取り消すことができる。

（平成一一法一四九本条改正）

⊛❶【相続法上の行為の特則↓九六二、人訴一三【保佐人↓一二、八七六の二・八七六の四・八七六の五【保佐人の同意を要するその他の行為↓特許七②④　㈢【保証↓四四六―四六五の一〇　㈣【訴訟行為↓民訴三二　㈤【贈与↓五四九【和解↓六九五【仲裁合意↓仲裁二①・一三―一五　㈥【相続の承認・放棄↓九二〇―九四〇【遺産分割↓九〇六・九〇七　㈦【遺贈の承認・放棄↓九八六―九八九【負担付遺贈↓一〇〇二　㈨【賃貸借↓六〇一　㈩【未成年者の法定代理人↓八一八②③・八一九・八二四―八二六・八三二【成年被後見人の法定代理人↓八四三・八五八―八六〇【被保佐人の法定代理人↓八七六・八七六の四【一七条一項の審判を受けた被補助人の法定代理人↓八七六の六・八七六の九　❷【保佐監督人↓八七六の三【家庭裁判所の審判↓家事三九、別表第一〈十八の項〉【登記事項↓後見登記四①㈤　❸【同意に代わる許可↓家事三九、別表第一〈十九の項〉　❹【取消し↓一二〇―一二六・二〇・二一

（保佐開始の審判等の取消し）

第一四条①　第十一条本文に規定する原因が消滅したときは、家庭裁判所は、本人、配偶者、四親等内の親族、未成年後見人、未成年後見監督人、保佐人、保佐監督人又は検察官の請求により、保佐開始の審判を取り消さなければならない。

②　家庭裁判所は、前項に規定する者の請求により、前条第二項の審判の全部又は一部を取り消すことができる。

（平成一一法一四九本条全部改正）

⊛【親族↓七二五【親等↓七二六【未成年後見人↓八三九―八四二【未成年後見監督人↓八四八・八四九【保佐人↓一二・八七六の二・八七六の四・八七六の五【保佐監督人↓八七六の三【検察官↓検察三・四【審判の取消し↓家事三九、別表第一〈二十の項〉【他の理由による取消し↓一九、任意後見四②

（補助開始の審判）

第一五条①　精神上の障害により事理を弁識する能力が不十分である者については、家庭裁判所は、本人、配偶者、四親等内の親族、後見人、後見監督人、保佐人、保佐監督人又は検察官の請求により、補助開始の審判をすることができる。ただし、第七条又は第十一条本文に規定する原因がある者については、この限りでない。

②　本人以外の者の請求により補助開始の審判をするには、本人の同意がなければならない。

③　補助開始の審判は、第十七条第一項の審判又は第八百七十六条の九第一項の審判とともにしなければなら

ない。

（平成一一法一四九本条全部改正）

⊛+一六—一九　❶【精神上の障害により事理を弁識する能力が不十分→任意後見二□・四①【後見人→八三九—八四七【後見監督人→八四八—八五二【保佐人→八七六の二・八七六の四・八七六の五【保佐監督人→八七六の三【検察→検察三・四【補助開始の審判→八七六の六、家事三九・別表第一〈三十六の項〉【他の審判との関係→一九【登記事項→後見登記四①□【任意後見契約との関係→任意後見一〇【外国人についての補助開始の審判→法適用五【補助の準拠法→法適用三五

第一六条（被補助人及び補助人）　補助開始の審判を受けた者は、被補助人とし、これに補助人を付する。（平成一一法一四九本条全部改正）

⊛+【補助開始の審判→一五⊛【被補助人→一七【補助人→八七六の七・一七・一二〇・八七六の九、家事三九・別表第一〈四十一の項〉【登記事項→後見登記四①□□

第一七条（補助人の同意を要する旨の審判等）①　家庭裁判所は、第十五条第一項本文に規定する者又は補助人若しくは補助監督人の請求により、被補助人が特定の法律行為をするにはその補助人の同意を得なければならない旨の審判をすることができる。ただし、その審判によりその同意を得なければならないものとすることができる行為は、第十三条第一項に規定する行為の一部に限る。

②　本人以外の者の請求により前項の審判をするには、本人の同意がなければならない。

③　補助人の同意を得なければならない行為について、補助人が被補助人の利益を害するおそれがないにもかかわらず同意をしないときは、家庭裁判所は、被補助人の請求により、補助人の同意に代わる許可を与えることができる。

④　補助人の同意を得なければならない行為であって、その同意又はこれに代わる許可を得ないでしたものは、取り消すことができる。

（平成一一法一四九本条全部改正）

⊛+【補助人→一六、八七六の七・八七六の九・八七六の一〇【補助監督人→八七六の八【相続法上の行為の特則→九六二、人訴一三　❶家事三九・別表第一〈三十七の項〉　❸【同意に代わる許可→家事三九・別表第一〈三十八の項〉　❹【取消し→一二〇—一二六、二〇・二一

第一八条（補助開始の審判等の取消し）①　第十五条第一項本文に規定する原因が消滅したときは、家庭裁判所は、本人、配偶者、四親等内の親族、未成年後見人、未成年後見監督人、補助人、補助監督人又は検察官の請求により、補助開始の審判を取り消さなければならない。

②　家庭裁判所は、前項に規定する者の請求により、前条第一項の審判の全部又は一部を取り消すことができる。

③　前条第一項の審判及び第八百七十六条の九第一項の審判をすべて取り消す場合には、家庭裁判所は、補助開始の審判を取り消さなければならない。

（平成一一法一四九本条全部改正）

⊛❶【親族→七二五【親等→七二六【未成年後見人→八三九—八四一【未成年後見監督人→八四八・八四九【補助人→一六・八七六の七・八七六の九・八七六の一〇【補助監督人→八七六の八【検察官→検察三・四　+【審判の取消し→家事三九・別表第一〈三十九の項〉【他の理由による審判の取消し→一九、任意後見四②

第一九条（審判相互の関係）①　後見開始の審判をする場合において、本人が被保佐人又は被補助人であるときは、家庭裁判所は、その本人に係る保佐開始又は補助開始の審判を取り消さなければならない。

②　前項の規定は、保佐開始の審判をする場合において本人が成年被後見人若しくは被補助人であるとき、又は補助開始の審判をする場合において本人が成年被後見人若しくは被保佐人であるときについて準用する。

（平成一一法一四九本条全部改正）

⊛+【後見開始の審判→七【保佐開始の審判→一一【補助開始の審判→一五【被保佐人→一二・一三【被補助人→一六・一七【成年被後見人→八・九【審判の取消し→家事三九・別表第一〈二の項〉〈二十の項〉〈三十九の項〉

第二〇条（制限行為能力者の相手方の催告権）①　制限行為能力者の相手方は、その制限行為能力者が行為能力者（行為能力の制限を受けない者をいう。以下同じ。）となった後、その者に対し、一箇月以上の期間を定めて、その期間内にその取り消すことができる行為を追認するかどうかを確答すべき旨の催告をすることができる。この場合において、その者がその期間内に確答を発しないときは、その行為を追認したものとみなす。（平成一一法一四九、平成二九法四四本項改正）

②　制限行為能力者の相手方が、制限行為能力者が行為能力者とならない間に、その法定代理人、保佐人又は補助人に対し、その権限内の行為について前項に規定する催告をした場合において、これらの者が同項の期間内に確答を発しないときも、同項後段と同様とする。（昭和二二法二二二、平成一一法一四九本項改正）

③　特別の方式を要する行為については、前二項の期間内にその方式を具備した旨の通知を発しないときは、その行為を取り消したものとみなす。

④　制限行為能力者の相手方は、被保佐人又は第十七条第一項の審判を受けた被補助人に対しては、第一項の期間内にその保佐人又は補助人の追認を得るべき旨の催告をすることができる。この場合において、その被保佐人又は被補助人がその期間内にその追認を得た旨の通知を発しないときは、その行為を取り消したものとみなす。（昭和二二法二二二、平成一一法一四九本項改正）

⊛+【制限行為能力者と取消し→五・九・一三・一七・一二一【取消し・追認→一二〇—一二二　❷【法定代理人→八二四・八五九【保佐人→一二・八七六の二・八七六の四【補助人→一六・八七六の七・八七六の九【法定代理人の権限外の行為→八二六・八六〇・八三〇・八六九　❸【特別の方式を要する行為→八六四　❹【被保佐人・被補助人・保佐人・補助人→一一—一三・一五—一七

（制限行為能力者の詐術）

第二一条　制限行為能力者が行為能力者であることを信じさせるため詐術を用いたときは、その行為を取り消すことができない。（平成一一法一四九本条改正）

参【制限行為能力者の法律行為の取消し↓五②・九・一三④・一七④】

第四節　住所

（住所）

第二二条　各人の生活の本拠をその者の住所とする。

参 二三・二四【法人の住所↓会社四】【各種の法律関係と住所↓二五・四八四①・八八三、商五一六、手二③・四・二一・七六③、小八、民訴三の二・四②・九六②・一〇三、人訴四、非訟五、民調三、破四・五①②、家事四、法適用五・八②・一一・一九・三八・三九

（居所）

第二三条①　住所が知れない場合には、居所を住所とみなす。

② 日本に住所を有しない者は、その者が日本人又は外国人のいずれであるかを問わず、日本における居所をその者の住所とみなす。ただし、準拠法を定める法律に従いその者の住所地法によるべき場合は、この限りでない。（昭和三九法一〇〇、平成一八法七八本項改正）

参 二二 ❶【各種の法律関係と居所↓民訴三の二・四②、人訴四、民調三】❷【準拠法を定める法律による例外↓法適用五・三八・三九、遺言準拠法二・四・七】

（仮住所）

第二四条　ある行為について仮住所を選定したときは、その行為に関しては、その仮住所を住所とみなす。

参 二二

第五節　不在者の財産の管理及び失踪の宣告

（不在者の財産の管理）

第二五条①　従来の住所又は居所を去った者（以下「不在者」という。）がその財産の管理人（以下この節において単に「管理人」という。）を置かなかったときは、家庭裁判所は、利害関係人又は検察官の請求により、その財産の管理について必要な処分を命ずることができる。本人の不在中に管理人の権限が消滅したときも、同様とする。

② 前項の規定による命令後、本人が管理人を置いたときは、家庭裁判所は、その管理人、利害関係人又は検察官の請求により、その命令を取り消さなければならない。

参 ❶【住所・居所↓二二―二四】【家庭裁判所の処分↓家事三九・別表第一〈五十五の項〉】

（管理人の改任）

第二六条　不在者が管理人を置いた場合において、その不在者の生死が明らかでないときは、家庭裁判所は、利害関係人又は検察官の請求により、管理人を改任することができる。

参【家庭裁判所による改任↓家事三九・別表第一〈五十五の項〉】

（管理人の職務）

第二七条①　前二条の規定により家庭裁判所が選任した管理人は、その管理すべき財産の目録を作成しなければならない。この場合において、その費用は、不在者の財産の中から支弁する。

② 不在者の生死が明らかでない場合において、利害関係人又は検察官の請求があるときは、家庭裁判所は、不在者が置いた管理人にも、前項の目録の作成を命ずることができる。

③ 前二項に定めるもののほか、家庭裁判所は、管理人に対し、不在者の財産の保存に必要と認める処分を命ずることができる。

参【家庭裁判所の処分↓家事三九・別表第一〈五十五の項〉】

（管理人の権限）

第二八条　管理人は、第百三条に規定する権限を超える行為を必要とするときは、家庭裁判所の許可を得て、その行為をすることができる。不在者の生死が明らかでない場合において、その管理人が不在者が定めた権限を超える行為を必要とするときも、同様とする。

参【家庭裁判所の許可↓家事三九・別表第一〈五十五の項〉】

（管理人の担保提供及び報酬）

第二九条①　家庭裁判所は、管理人に財産の管理及び返還について相当の担保を立てさせることができる。

② 家庭裁判所は、管理人と不在者との関係その他の事情により、不在者の財産の中から、相当な報酬を管理人に与えることができる。

参【家庭裁判所の処分↓家事三九・別表第一〈五十五の項〉】

（失踪の宣告）

第三〇条①　不在者の生死が七年間明らかでないときは、家庭裁判所は、利害関係人の請求により、失踪の宣告をすることができる。

② 戦地に臨んだ者、沈没した船舶の中に在った者その他死亡の原因となるべき危難に遭遇した者の生死が、それぞれ、戦争が止んだ後、船舶が沈没した後又はその他の危難が去った後一年間明らかでないときも、前項と同様とする。（昭和三七法四〇本項改正）

参【家庭裁判所の宣告↓家事三九・別表第一〈五十六の項〉】【届出↓戸九四】【認定死亡↓戸八九・九一】【外国人の失踪宣告↓法適用六】

（失踪の宣告の効力）

第三一条　前条第一項の規定により失踪の宣告を受けた者は同項の期間が満了した時に、同条第二項の規定により失踪の宣告を受けた者はその危難が去った時に、死亡したものとみなす。（昭和三七法四〇本条全部改正）

参【届書への記載↓戸九四】

（失踪の宣告の取消し）

第三二条①　失踪者が生存すること又は前条に規定する時と異なる時に死亡したことの証明があったときは、家庭裁判所は、本人又は利害関係人の請求により、失踪の宣告を取り消さなければならない。この場合において、その取消しは、失踪の宣告後その取消し前に善意でした行為の効力に影響を及ぼさない。

② 失踪の宣告によって財産を得た者は、その取消しに

よって権利を失う。ただし、現に利益を受けている限度においてのみ、その財産を返還する義務を負う。

❶【家庭裁判所の取消し↓家事三九、別表第一〈五十七の項〉【届出↓戸九四 ❷【現に利益を受けている限度での返還義務↓七〇三

第六節　同時死亡の推定

（昭和三七法四〇本節追加）

第三二条の二　数人の者が死亡した場合において、そのうちの一人が他の者の死亡後になお生存していたことが明らかでないときは、これらの者は、同時に死亡したものと推定する。

【同時死亡の効果↓八八二、八八七②③、九九四

第三章　法人

（法人の成立等）

第三三条①　法人は、この法律その他の法律の規定によらなければ、成立しない。

②　学術、技芸、慈善、祭祀、宗教その他の公益を目的とする法人、営利事業を営むことを目的とする法人その他の法人の設立、組織、運営及び管理については、この法律その他の法律の定めるところによる。（平成一八法五〇本項追加）

❶【本法その他の法律の規定↓三五、九五一、一般法人三、建物区分四七、会社三、自治二六〇の二、弁護三〇の二・三一・四五、労組一一 ❷【公益を目的とする法人↓一般法人、公益法人【営利事業を営むことを目的とする法人↓会社【その他の法人↓自治二六〇の二【名称の使用↓一般法人五一七、公益法人九

（法人の能力）

第三四条　法人は、法令の規定に従い、定款その他の基本約款で定められた目的の範囲内において、権利を有し、義務を負う。（平成一八法五〇本条全部改正）

【目的による能力の制限の例↓九五一

（外国法人）

第三五条①　外国法人は、国、国の行政区画及び外国会社を除き、その成立を認許しない。ただし、法律又は条約の規定により認許された外国法人は、この限りでない。

②　前項の規定により認許された外国法人は、日本において成立する同種の法人と同一の私権を有する。ただし、外国人が享有することのできない権利及び法律又は条約中に特別の規定がある権利については、この限りでない。

（平成一八法五〇本条全部改正）

❶【外国会社↓会社八一七―八二三【外国法人の登記↓三七 ❷【法人の権利能力↓三四【外国人の権利能力↓三②

（登記）

第三六条　法人及び外国法人は、この法律その他の法令の定めるところにより、登記をするものとする。（平成一八法五〇本条全部改正）

【設立登記↓一般法人二二・一六三、会社四九・五七九、労組一一①【登記の効力↓一般法人二九九、会社九〇八、労組一一③【外国法人の登記↓三七

（外国法人の登記）

第三七条①　外国法人（第三十五条第一項ただし書に規定する外国法人に限る。以下この条において同じ。）が日本に事務所を設けたときは、三週間以内に、その事務所の所在地において、次に掲げる事項を登記しなければならない。

一　外国法人の設立の準拠法

二　目的

三　名称

四　事務所の所在場所

五　存続期間を定めたときは、その定め

六　代表者の氏名及び住所

②　前項各号に掲げる事項に変更を生じたときは、三週間以内に、変更の登記をしなければならない。この場合において、登記前にあっては、その変更をもって第三者に対抗することができない。

③　代表者の職務の執行を停止し、若しくはその職務を代行する者を選任する仮処分命令又はその仮処分命令を変更し、若しくは取り消す決定がされたときは、その登記をしなければならない。この場合においては、前項後段の規定を準用する。

④　前二項の規定により登記すべき事項が外国において生じたときは、登記の期間は、その通知が到達した日から起算する。

⑤　外国法人が初めて日本に事務所を設けたときは、その事務所の所在地において登記するまでは、第三者は、その法人の成立を否認することができる。

⑥　外国法人が事務所を移転したときは、旧所在地においては三週間以内に移転の登記をし、新所在地においては四週間以内に第一項各号に掲げる事項を登記しなければならない。

⑦　同一の登記所の管轄区域内において事務所を移転したときは、その移転を登記すれば足りる。

⑧　外国法人の代表者が、この条に規定する登記を怠ったときは、五十万円以下の過料に処する。

（平成一八法五〇本条全部改正）

第三八条から第八四条まで【法人の設立・管理・解散に関する規定】　削除（平成一八法五〇）

第四章　物

（定義）

第八五条　この法律において「物」とは、有体物をいう。

【八六【電気と財物↓刑二四五

（不動産及び動産）

第八六条①　土地及びその定着物は、不動産とする。

②　不動産以外の物は、すべて動産とする。

（平成二九法四四本条改正）

（主物及び従物）

第八七条①　物の所有者が、その物の常用に供するため、自己の所有に属する他の物をこれに附属させたとき

きは、その附属させた物を従物とする。
② 従物は、主物の処分に従う。
参❶【船舶の属具と従物↓商六八五　❷【船舶の抵当権の属具に対する効力↓商八四七②

（天然果実及び法定果実）
第八八条① 物の用法に従い収取する産出物を天然果実とする。
② 物の使用の対価として受けるべき金銭その他の物を法定果実とする。
参八九

（果実の帰属）
第八九条① 天然果実は、その元物から分離する時に、これを収取する権利を有する者に帰属する。
② 法定果実は、これを収取する権利の存続期間に応じて、日割計算によりこれを取得する。
参八八【果実の収取権者↓一八九①・二〇六・二六五・二七〇・三五六・五七五・五九三・六〇一・八二八・九九二

第五章　法律行為

第一節　総則

（公序良俗）
第九〇条 公の秩序又は善良の風俗に反する法律行為は、無効とする。（平成二九法四四本条改正）
参九一・九二【公序良俗↓法適用三・四二、会社八二四①㈠、七〇八【無効行為と追認↓一一九【消費者契約における無効な条項↓消費契約八—一〇【法律行為の効力の準拠法↓法適用七—一二

（任意規定と異なる意思表示）

第九一条 法律行為の当事者が法令中の公の秩序に関しない規定と異なる意思を表示したときは、その意思に従う。

参九二【当事者の意思と準拠法↓法適用七—一二【公序規定と地役権↓二八〇

（任意規定と異なる慣習）

第九二条 法令中の公の秩序に関しない規定と異なる慣習がある場合において、法律行為の当事者がその慣習による意思を有しているものと認められるときは、その慣習に従う。

参九一【慣習法の効力↓法適用三

第二節　意思表示

（心裡留保）
第九三条① 意思表示は、表意者がその真意ではないことを知ってしたときであっても、そのためにその効力を妨げられない。ただし、相手方がその意思表示が表意者の真意ではないことを知り、又は知ることができたときは、その意思表示は、無効とする。
② 前項ただし書の規定による意思表示の無効は、善意の第三者に対抗することができない。（平成二九法四四本項追加）
（平成二九法四四本条改正）

参【親族法上の行為と心裡留保↓七四二㈠・八〇二㈠【代理行為と心裡留保↓一〇一①②【無効行為と追認↓一一九　❶【ただし書の不適用↓一般法人一四〇①、会社五一①・一〇二⑤・二一一①

（虚偽表示）
第九四条① 相手方と通じてした虚偽の意思表示は、無効とする。
② 前項の規定による意思表示の無効は、善意の第三者に対抗することができない。
参【親族法上の行為と虚偽表示↓七四二㈠・八〇二㈠【代理行為と虚偽表示↓一〇一①②【無効行為と追認↓一一九　❶【本項の不適用↓一般法人一四〇①、会社五一①・一〇二⑤・二一一①

（錯誤）
第九五条① 意思表示は、次に掲げる錯誤に基づくものであって、その錯誤が法律行為の目的及び取引上の社会通念に照らして重要なものであるときは、取り消すことができる。
一 意思表示に対応する意思を欠く錯誤
二 表意者が法律行為の基礎とした事情についてのその認識が真実に反する錯誤
② 前項第二号の規定による意思表示の取消しは、その事情が法律行為の基礎とされていることが表示されていたときに限り、することができる。
③ 錯誤が表意者の重大な過失によるものであった場合には、次に掲げる場合を除き、第一項の規定による意思表示の取消しをすることができない。
一 相手方が表意者に錯誤があることを知り、又は重大な過失によって知らなかったとき。
二 相手方が表意者と同一の錯誤に陥っていたとき。
④ 第一項の規定による意思表示の取消しは、善意でかつ過失がない第三者に対抗することができない。
（平成二九法四四本条全部改正）

参【親族・相続法上の行為と錯誤↓七四二㈠・八〇二㈠・一〇二五【代理行為と錯誤↓一〇一①②【取消し↓一二〇—一二六【錯誤による弁済と不当利得↓七〇六・七〇七【基金の引受けと錯誤↓一般法人一四〇②【財産の拠出と錯誤↓一般法人一六五【株式引受けと錯誤↓会社五一②・一〇二⑥・二一一②【交互計算と錯誤↓商五三二　❸【本項の不適用↓電子契約特三　❹【意思表示の取消しと第三者の保護↓九六③【本項の特則↓電子債権一二①

（詐欺又は強迫）
第九六条① 詐欺又は強迫による意思表示は、取り消すことができる。
② 相手方に対する意思表示について第三者が詐欺を行った場合においては、相手方がその事実を知り、又は知ることができたときに限り、その意思表示を取り消すことができる。（平成二九法四四本項改正）
③ 前二項の規定による詐欺による意思表示の取消しは、善意でかつ過失がない第三者に対抗することができない。（平成二九法四四本項改正）
参【親族・相続法上の行為と詐欺・強迫↓七四七・八〇八①・八九一㈢㈣・一〇二五【代理行為と詐欺・強迫↓一〇一①②【消費者契約と取消し↓消費契約四—六【取消し↓一二〇—一二六【詐欺・強迫と損害賠償↓七〇九【詐欺・強迫と刑罰↓刑二二二・二二三・二四六・二四六の二・二四九【株式引受けと詐欺・強迫↓会社五一②・一〇二⑥・二一一②　❸【本項の特則

→電子債権一二①

第九七条①（意思表示の効力発生時期等） 意思表示は、その通知が相手方に到達した時からその効力を生ずる。

② 相手方が正当な理由なく意思表示の通知が到達することを妨げたときは、その通知は、通常到達すべきであった時に到達したものとみなす。（平成二九法四四本項追加）

③ 意思表示は、表意者が通知を発した後に死亡し、意思能力を喪失し、又は行為能力の制限を受けたときであっても、そのためにその効力を妨げられない。

（平成二九法四四本条改正）

参❸【意思能力→三の二】【契約申込みについての特則→五二六

第九八条①（公示による意思表示） 意思表示は、表意者が相手方を知ることができず、又はその所在を知ることができないときは、公示の方法によってすることができる。

② 前項の公示は、公示送達に関する民事訴訟法（平成八年法律第百九号）の規定に従い、裁判所の掲示場に掲示し、かつ、その掲示があったことを官報に少なくとも一回掲載して行う。ただし、裁判所は、相当と認めるときは、官報への掲載に代えて、市役所、区役所、町村役場又はこれらに準ずる施設の掲示場に掲示すべきことを命ずることができる。（平成一六法一四七本項改正）

＊令和五法五三（令和一〇・六・一三までに施行）による改正後

② 前項の公示は、公示送達に関する民事訴訟法（平成八年法律第百九号）の規定に従い、次の各号に掲げる区分に応じ、それぞれ当該各号に定める事項を不特定多数の者が閲覧することができる状態に置くとともに、当該事項が記載された書面を裁判所の掲示場に掲示し、又は当該事項を裁判所に設置した電子計算機（入出力装置を含む。以下この項において同じ。）の映像面に表示したものの閲覧をすることができる状態に置く措置をとり、かつ、その措置がとられたことを官報に少なくとも一回掲載して行う。ただし、裁判所は、相当と認めるときは、官報への掲載に代えて、市役所、区役所、町村役場又はこれらに準ずる施設の掲示場に掲示すべきことを命ずることができる。

一 書類の公示による意思表示　裁判所書記官が意思表示を記載した書類を保管し、いつでも相手方に交付すべきこと。（改正により追加）

二 電磁的記録（電子的方式、磁気的方式その他人の知覚によっては認識することができない方式で作られる記録であって、電子計算機による情報処理の用に供されるものをいう。以下同じ。）の公示による意思表示　裁判所書記官が、裁判所の使用に係る電子計算機に備えられたファイルに記録された電磁的記録に記録されている意思表示に係る事項につき、いつでも相手方にその事項を出力することにより作成した書面を交付し、又は閲覧若しくは記録をすることができる措置をとるとともに、相手方に対し、裁判所の使用に係る電子計算機と相手方の使用に係る電子計算機とを電気通信回線で接続した電子情報処理組織を使用して当該措置がとられた旨の通知を発すべきこと。（改正により追加）

③ 公示による意思表示は、最後に官報に掲載した日又はその掲載に代わる掲示を始めた日から二週間を経過した時に、相手方に到達したものとみなす。ただし、表意者が相手方を知らないこと又はその所在を知らないことについて過失があったときは、到達の効力を生じない。

④ 公示に関する手続は、相手方を知ることができない場合には表意者の住所地の、相手方の所在を知ることができない場合には相手方の最後の住所地の簡易裁判所の管轄に属する。

⑤ 裁判所は、表意者に、公示に関する費用を予納させなければならない。

（昭和二三法一八本条追加）

参❷【公示送達→民訴一一〇―一一二】❸【公示送達による意思表示の到達→民訴一一三】

第九八条の二（意思表示の受領能力） 意思表示の相手方がその意思表示を受けた時に意思能力を有しなかったとき又は未成年者若しくは成年被後見人であったときは、その意思表示をもってその相手方に対抗することができない。ただし、次に掲げる者がその意思表示を知った後は、この限りでない。

一 相手方の法定代理人（平成二九法四四本号追加）

二 意思能力を回復し、又は行為能力者となった相手方（平成二九法四四本号追加）

（平成一一法一四九、平成二九法四四本条改正）

参＋【意思能力→三の二】【未成年者→四】【成年被後見人→七、八】【法定代理人→八一八②③・八一九、八三九―八四一・八四三】

第三節　代理

第九九条①（代理行為の要件及び効果） 代理人がその権限内において本人のためにすることを示してした意思表示は、本人に対して直接にその効力を生ずる。

② 前項の規定は、第三者が代理人に対してした意思表示について準用する。

参＋【法定代理人の例→八二四、八一八②③、八一九、八五九、八三九―八四一・八四三、八七六の四、八七六の九、二八・二五、二六、九四三②、九五二【任意代理人の例→商二一・二七、会社一一・一六【代理人の権限→一〇三、一〇九、一一〇、一一二―一一八【本人のためにすることを表示しない行為の効力→一〇〇、商五〇四

第一〇〇条（本人のためにすることを示さない意思表示） 代理人が本人のためにすることを示さないでした意思表示は、自己のためにしたものとみなす。ただし、相手方が、代理人が本人のためにすることを知り、又は知ることができたときは、前条第一項の規定を準用する。

参＋九九【商行為の特則→商五〇四

第一〇一条①（代理行為の瑕疵） 代理人が相手方に対してした意思表示の効力が意思の不存在、錯誤、詐欺、強迫又はある事情を知っていたこと若しくは知らなかったことにつき過失があったことによって影響を受けるべき場合には、

その事実の有無は、代理人について決するものとする。

② 相手方が代理人に対してした意思表示の効力が意思表示を受けた者がある事情を知っていたこと又は知らなかったことにつき過失があったことによって影響を受けるべき場合には、その事実の有無は、代理人について決するものとする。（平成二九法四四本項追加）

③ 特定の法律行為をすることを委託された代理人がその行為をしたときは、本人は、自ら知っていた事情について代理人が知らなかったことを主張することができない。本人が過失によって知らなかった事情についても、同様とする。

（平成二九法四四本条改正）

参【意思の不存在→九三、九四【錯誤→九五【詐欺・強迫→九六

（代理人の行為能力）

第一〇二条 制限行為能力者が代理人としてした行為は、行為能力の制限によっては取り消すことができない。ただし、制限行為能力者が他の制限行為能力者の法定代理人としてした行為については、この限りでない。（平成二九法四四本条全部改正）

参【制限行為能力者→四、七、八、一一、一二、一五、一六【制限行為能力者が他の制限行為能力者の法定代理人としてする行為→一三①㈩、一二〇①【取消し→一二〇―一二六

（権限の定めのない代理人の権限）

第一〇三条 権限の定めのない代理人は、次に掲げる行為のみをする権限を有する。

一 保存行為

二 代理の目的である物又は権利の性質を変えない範囲内において、その利用又は改良を目的とする行為

参【本条の権限を越える行為と家庭裁判所の許可→二八、九四三②、九五〇②、九五三

（任意代理人による復代理人の選任）

第一〇四条 委任による代理人は、本人の許諾を得たとき、又はやむを得ない事由があるときでなければ、復代理人を選任することができない。

参一〇五、一〇六【委任→六四三【受任者による復受任者の選任→六四四の二①【遺言執行者の復任権→一〇一六【訴訟と復代理→民訴五五②㈤

（法定代理人による復代理人の選任）

第一〇五条 法定代理人は、自己の責任で復代理人を選任することができる。この場合において、やむを得ない事由があるときは、本人に対してその選任及び監督についての責任のみを負う。（平成二九法四四本条改正）

参【任意代理人による復代理人の選任→一〇四

（復代理人の権限等）

第一〇六条① 復代理人は、その権限内の行為について、本人を代表する。

② 復代理人は、本人及び第三者に対して、その権限の範囲内において、代理人と同一の権利を有し、義務を負う。（平成二九法四四本項改正）

参一〇四、一〇五 ❷【代理人の権利義務→九九―一〇三【任意代理人が選任した復代理人と本人との間の内部関係→六四四の二②

（代理権の濫用）

第一〇七条 代理人が自己又は第三者の利益を図る目的で代理権の範囲内の行為をした場合において、相手方がその目的を知り、又は知ることができたときは、その行為は、代理権を有しない者がした行為とみなす。

（平成二九法四四本条追加）

参【代理行為の要件と効果→九九【無権代理→一一三―一一七

（自己契約及び双方代理等）

第一〇八条① 同一の法律行為について、相手方の代理人として、又は当事者双方の代理人としてした行為は、代理権を有しない者がした行為とみなす。ただし、債務の履行及び本人があらかじめ許諾した行為については、この限りでない。

② 前項本文に規定するもののほか、代理人と本人との利益が相反する行為については、代理権を有しない者がした行為とみなす。ただし、本人があらかじめ許諾した行為については、この限りでない。（平成二九法四四本項追加）

（平成一六法一四七、平成二九法四四本条改正）

参【無権代理→一一三―一一七【利益相反行為の特則→八二六、八六〇、八五一㈣、八六六【利益相反取引の特則→一般法人八四、会社五九五、三五六

（代理権授与の表示による表見代理等）

第一〇九条① 第三者に対して他人に代理権を与えた旨を表示した者は、その代理権の範囲内においてその他人が第三者との間でした行為について、その責任を負う。ただし、第三者が、その他人が代理権を与えられていないことを知り、又は過失によって知らなかったときは、この限りでない。

② 第三者に対して他人に代理権を与えた旨を表示した者は、その代理権の範囲内においてその他人が第三者との間で行為をしたとすれば前項の規定によりその責任を負うべき場合において、その他人が第三者との間でその代理権の範囲外の行為をしたときは、第三者がその行為についてその他人の代理権があると信ずべき正当な理由があるときに限り、その行為についての責任を負う。（平成二九法四四本項追加）

（平成一六法一四七本条改正）

参【代理行為の要件と効果→九九【表見代理→一一〇、一一二【代理権があるとみなされる者→商二四、二六、会社一三、一五、三五四【氏名商号の使用を許諾した者の責任→商一四、会社九 ❷【本条一項との重畳適用→一一〇

（権限外の行為の表見代理）

第一一〇条 前条第一項本文の規定は、代理人がその権限外の行為をした場合において、第三者が代理人の権限があると信ずべき正当な理由があるときについて準用する。

参【代理行為の要件と効果→九九【表見代理→一〇九、一一二【代理権の制限と善意の第三者→一般法人七七⑤、商六②、二一③、会社一一③、三四九⑤、五九九⑤

（代理権の消滅事由）

第一一一条① 代理権は、次に掲げる事由によって消滅

する。

一　本人の死亡

二　代理人の死亡又は代理人が破産手続開始の決定若しくは後見開始の審判を受けたこと。（平成一一法一四九、平成一六法七六本号改正）

② 委任による代理権は、前項各号に掲げる事由のほか、委任の終了によって消滅する。

一一二【法定代理権に特有の消滅事由↓二六、八三四―八三七、八四四―八四七、一般法人二一〇　❶【二】【商事代理の特則↓商五〇六【登記申請代理の特則↓不登一七　【三】【破産手続開始↓破三〇【後見開始の審判↓七　❷【委任の終了↓六五一―六五四【本項の特例↓任意後見一一

（代理権消滅後の表見代理等）

第一一二条① 他人に代理権を与えた者は、代理権の消滅後にその代理権の範囲内においてその他人が第三者との間でした行為について、代理権の消滅の事実を知らなかった第三者に対してその責任を負う。ただし、第三者が過失によってその事実を知らなかったときは、この限りでない。

② 他人に代理権を与えた者は、代理権の消滅後に、その代理権の範囲内においてその他人が第三者との間で行為をしたとすれば前項の規定によりその責任を負うべき場合において、その他人が第三者との間でその代理権の範囲外の行為をしたときは、第三者がその行為についてその他人の代理権があると信ずべき正当な理由があるときに限り、その行為についての責任を負う。

（平成二九法四四本条全部改正）

【代理行為の要件と効果↓九九【表見代理↓一〇九、一一〇【代理権の消滅事由↓一一一【代理権の消滅と対抗要件↓六五五、八三一、八七四、商二二、会社九一八　❷【本条一項との重畳適用↓一一〇

（無権代理）

第一一三条① 代理権を有しない者が他人の代理人としてした契約は、本人がその追認をしなければ、本人に対してその効力を生じない。

② 追認又はその拒絶は、相手方に対してしなければ、その相手方に対抗することができない。ただし、相手方がその事実を知ったときは、この限りでない。

❶一一四―一一八【表見代理の特則↓一〇九、一一〇、一一二

（無権代理の相手方の催告権）

第一一四条 前条の場合において、相手方は、本人に対し、相当の期間を定めて、その期間内に追認をするかどうかを確答すべき旨の催告をすることができる。この場合において、本人がその期間内に確答をしないときは、追認を拒絶したものとみなす。

一一六

（無権代理の相手方の取消権）

第一一五条 代理権を有しない者がした契約は、本人が追認をしない間は、相手方が取り消すことができる。ただし、契約の時において代理権を有しないことを相手方が知っていたときは、この限りでない。

一一三、一一六

（無権代理行為の追認）

第一一六条 追認は、別段の意思表示がないときは、契約の時にさかのぼってその効力を生ずる。ただし、第三者の権利を害することはできない。

一一三―一一五

（無権代理人の責任）

第一一七条① 他人の代理人として契約をした者は、自己の代理権を証明したとき、又は本人の追認を得たときを除き、相手方の選択に従い、相手方に対して履行又は損害賠償の責任を負う。

② 前項の規定は、次に掲げる場合には、適用しない。

一　他人の代理人として契約をした者が代理権を有しないことを相手方が知っていたとき。

二　他人の代理人として契約をした者が代理権を有しないことを相手方が過失によって知らなかったとき。ただし、他人の代理人として契約をした者が自己に代理権がないことを知っていたときは、この限りでない。

三　他人の代理人として契約をした者が行為能力の制限を受けていたとき。

（平成二九法四四本条改正）

一一三、一一六【自称社員の責任↓会社五八八、五八九　❷【本項の特則↓電子債権一三

（単独行為の無権代理）

第一一八条 単独行為については、その行為の時において、相手方が、代理人と称する者が代理権を有しないで行為をすることに同意し、又はその代理権を争わなかったときに限り、第百十三条から前条までの規定を準用する。代理権を有しない者に対しその同意を得て単独行為をしたときも、同様とする。

第四節　無効及び取消し

（無効な行為の追認）

第一一九条 無効な行為は、追認によっても、その効力を生じない。ただし、当事者がその行為の無効であることを知って追認をしたときは、新たな行為をしたものとみなす。

【無効の行為の例↓三の二、九〇、九三、九四、一三一―一三四、七四二、八〇二、借地借家九、三〇、利息一【無効の効果の制限↓九四②、七〇八

（取消権者）

第一二〇条① 行為能力の制限によって取り消すことができる行為は、制限行為能力者（他の制限行為能力者の法定代理人としてした行為にあっては、当該他の制限行為能力者を含む。）又はその代理人、承継人若しくは同意をすることができる者に限り、取り消すことができる。

② 錯誤、詐欺又は強迫によって取り消すことができる行為は、瑕疵ある意思表示をした者又はその代理人若しくは承継人に限り、取り消すことができる。（平成一一法一四九本項追加）

（昭和二二法二二二、平成一一法一四九、平成二九法四四本条改

正）

参 一二〇―一二六　❶【行為能力の制限によって取り消すことができる行為↓五・九・一三・一七【制限行為能力者が他の制限行為能力者の法定代理人としてする行為↓一〇二　❷【錯誤・詐欺・強迫によって取り消すことができる行為↓九五・九六【消費者契約における取り消すことができる行為↓消費契約四―六

（取消しの効果）
第一二一条　取り消された行為は、初めから無効であったものとみなす。（平成一一法一四九、平成二九法四四本条改正）

参【取消しの効果の制限↓九六③【親族法上の行為の取消しの効果の特則↓七四八・八〇八①

（原状回復の義務）
第一二一条の二①　無効な行為に基づく債務の履行として給付を受けた者は、相手方を原状に復させる義務を負う。

②　前項の規定にかかわらず、無効な無償行為に基づく債務の履行として給付を受けた者は、給付を受けた当時その行為が無効であること（給付を受けた後に前条の規定により初めから無効であったものとみなされた行為にあっては、給付を受けた当時その行為が取り消すことができるものであること）を知らなかったときは、その行為によって現に利益を受けている限度において、返還の義務を負う。

③　第一項の規定にかかわらず、行為の時に意思能力を有しなかった者は、その行為によって現に利益を受けている限度において、返還の義務を負う。行為の時に制限行為能力者であった者についても、同様とする。

（平成二九法四四本条追加）

参【無効な行為の例↓三の二・九〇・九三・九四・一二一【原状回復義務↓五四五③【不当利得↓七〇三・七〇三参・七〇四・七〇四参　❷【無償行為の例↓五四九　❸【意思無能力↓三の二【制限行為能力者↓四・七・八・一一・一三・一五・一六

（取り消すことができる行為の追認）
第一二二条　取り消すことができる行為は、第百二十条に規定する者が追認したときは、以後、取り消すことができない。（平成二九法四四本条改正）

参 一一三・一二四【追認とみなされる場合↓二〇・一二五

（取消し及び追認の方法）
第一二三条　取り消すことができる行為の相手方が確定している場合には、その取消し又は追認は、相手方に対する意思表示によってする。

参 一二〇―一二二

（追認の要件）
第一二四条①　取り消すことができる行為の追認は、取消しの原因となっていた状況が消滅し、かつ、取消権を有することを知った後にしなければ、その効力を生じない。

②　次に掲げる場合には、前項の追認は、取消しの原因となっていた状況が消滅した後にすることを要しない。

一　法定代理人又は制限行為能力者の保佐人若しくは補助人が追認をするとき。

二　制限行為能力者（成年被後見人を除く。）が法定代理人、保佐人又は補助人の同意を得て追認をするとき。

（平成二九法四四本条改正）

参 一二一・一二三　❷【法定代理人↓八一八②③・八一九・八三九―八四一・八四三・八七六の四・八七六の九【保佐人↓八七六の二・八七六の四・八七六の五【補助人↓八七六の七・八七六の九・八七六の一〇【制限行為能力者↓五・一三・一七

（法定追認）
第一二五条　追認をすることができる時以後に、取り消すことができる行為について次に掲げる事実があったときは、追認をしたものとみなす。ただし、異議をとどめたときは、この限りでない。

一　全部又は一部の履行
二　履行の請求
三　更改
四　担保の供与
五　取り消すことができる行為によって取得した権利の全部又は一部の譲渡
六　強制執行

（平成二九法四四本条改正）

参［三］【更改↓五一三

（取消権の期間の制限）
第一二六条　取消権は、追認をすることができる時から五年間行使しないときは、時効によって消滅する。行為の時から二十年を経過したときも、同様とする。

参【追認をすることができる時↓一二四【消費者契約における取消権の行使期間↓消費契約七①

第五節　条件及び期限

（条件が成就した場合の効果）
第一二七条①　停止条件付法律行為は、停止条件が成就した時からその効力を生ずる。

②　解除条件付法律行為は、解除条件が成就した時からその効力を失う。

③　当事者が条件が成就した場合の効果をその成就した時以前にさかのぼらせる意思を表示したときは、その意思に従う。

参 一二八―一三四【条件の不許↓五〇六①、手一二、一二①・二六①・七五㈢・七七①、小一㈡・一五①　❶【停止条件付法律行為の効力↓三八一【停止条件付遺言↓九八五②

（条件の成否未定の間における相手方の利益の侵害の禁止）
第一二八条　条件付法律行為の各当事者は、条件の成否が未定である間は、条件が成就した場合にその法律行為から生ずべき相手方の利益を害することができない。

参 一二九・一三〇【権利侵害による損害賠償↓七〇九

（条件の成否未定の間における権利の処分等）
第一二九条　条件の成否が未定である間における当事者の権利義務は、一般の規定に従い、処分し、相続し、若しくは保存し、又はそのために担保を供することができる。

⇒一二八【保存↓不登一〇五―一一〇

（条件の成就の妨害等）

第一三〇条① 条件が成就することによって不利益を受ける当事者が故意にその条件の成就を妨げたときは、相手方は、その条件が成就したものとみなすことができる。

② 条件が成就することによって利益を受ける当事者が不正にその条件を成就させたときは、相手方は、その条件が成就しなかったものとみなすことができる。（平成二九法四四本項追加）

⇒一二八

（既成条件）

第一三一条① 条件が法律行為の時に既に成就していた場合において、その条件が停止条件であるときはその法律行為は無条件とし、その条件が解除条件であるときはその法律行為は無効とする。

② 条件が成就しないことが法律行為の時に既に確定していた場合において、その条件が停止条件であるときはその法律行為は無効とし、その条件が解除条件であるときはその法律行為は無条件とする。

③ 前二項に規定する場合において、当事者が条件が成就したこと又は成就しなかったことを知らない間は、第百二十八条〈条件の成否未定の間における相手方の利益の侵害の禁止〉及び第百二十九条〈条件の成否未定の間における権利の処分等〉の規定を準用する。

⇒一二七

（不法条件）

第一三二条 不法な条件を付した法律行為は、無効とする。不法な行為をしないことを条件とするものも、同様とする。

⇒【不法↓九〇【無効↓一一九【不法行為↓七〇九

（不能条件）

第一三三条① 不能の停止条件を付した法律行為は、無効とする。

② 不能の解除条件を付した法律行為は、無条件とする。

⇒一二七

（随意条件）

第一三四条 停止条件付法律行為は、その条件が単に債務者の意思のみに係るときは、無効とする。

⇒一二七

（期限の到来の効果）

第一三五条① 法律行為に始期を付したときは、その法律行為の履行は、期限が到来するまで、これを請求することができない。

② 法律行為に終期を付したときは、その法律行為の効力は、期限が到来した時に消滅する。

⇒一三六、一三七【期限の不許↓五〇六①【履行期↓四一二

（期限の利益及びその放棄）

第一三六条① 期限は、債務者の利益のために定めたものと推定する。

② 期限の利益は、放棄することができる。ただし、これによって相手方の利益を害することはできない。

⇒一三七

（期限の利益の喪失）

第一三七条 次に掲げる場合には、債務者は、期限の利益を主張することができない。

一 債務者が破産手続開始の決定を受けたとき。（平成一六法七六本号改正）

二 債務者が担保を滅失させ、損傷させ、又は減少させたとき。

三 債務者が担保を供する義務を負う場合において、これを供しないとき。

⇒一三六 【一】【破産手続開始↓破三〇【破産手続開始決定による弁済期の到来↓破一〇三③ 【三】【担保を供する義務↓六五〇②、九九一、四五〇、四五一 ＋【判決等による分割払と期限の利益の喪失の定め↓民訴三七五②、二七五の二②

第六章 期間の計算

（期間の計算の通則）

第一三八条 期間の計算方法は、法令若しくは裁判上の命令に特別の定めがある場合又は法律行為に別段の定めがある場合を除き、この章の規定に従う。

⇒【別段の定め↓一四〇―一四三⇒

（期間の起算）

第一三九条 時間によって期間を定めたときは、その期間は、即時から起算する。

第一四〇条 日、週、月又は年によって期間を定めたときは、期間の初日は、算入しない。ただし、その期間が午前零時から始まるときは、この限りでない。

⇒一四一―一四三【初日を算入する他の法律の規定↓年齢計算、戸四三、刑二三、二四、国会一三三

年齢計算ニ関スル法律（明治三五・一二・二法五〇）

①年齢ハ出生ノ日ヨリ之ヲ起算ス

②民法第百四十三条ノ規定ハ年齢ノ計算ニ之ヲ準用ス

③明治六年第三十六号布告（年齢計算方ヲ定ム）ハ之ヲ廃止ス

（期間の満了）

第一四一条 前条の場合には、期間は、その末日の終了をもって満了する。

⇒一四二、一四三②【取引時間の定めのある場合↓四八四②

第一四二条 期間の末日が日曜日、国民の祝日に関する法律（昭和二十三年法律第百七十八号）に規定する休日その他の休日に当たるときは、その日に取引をしない慣習がある場合に限り、期間は、その翌日に満了する。

⇒【他の法律の規定↓手七二、七七①四、八七、小六〇、七五、民訴九五③、刑訴五五③、特許三②

（暦による期間の計算）

第一四三条① 週、月又は年によって期間を定めたとき

は、その期間は、暦に従って計算する。

② 週、月又は年の初めから期間を起算しないときは、その期間は、最後の週、月又は年においてその起算日に応当する日の前日に満了する。ただし、月又は年によって期間を定めた場合において、最後の月に応当する日がないときは、その月の末日に満了する。

参+【他の法律の規定→年齢計算、年齢称呼、手三六、民訴九五①、刑二二、刑訴五五②、特許三①㈡

第七章　時効

第一節　総則

（時効の効力）

第一四四条　時効の効力は、その起算日にさかのぼる。

参+【時効消滅した債権と相殺→五〇八【消滅時効の起算日→一六六①②・一六八①

（時効の援用）

第一四五条　時効は、当事者（消滅時効にあっては、保証人、物上保証人、第三取得者その他権利の消滅について正当な利益を有する者を含む。）が援用しなければ、裁判所がこれによって裁判をすることができない。（平成二九法四四本条改正）

参+【保証人→四四六

（時効の利益の放棄）

第一四六条　時効の利益は、あらかじめ放棄することができない。

参+一四五

（裁判上の請求等による時効の完成猶予及び更新）

第一四七条①　次に掲げる事由がある場合には、その事由が終了する（確定判決又は確定判決と同一の効力を有するものによって権利が確定することなくその事由が終了した場合にあっては、その終了の時から六箇月を経過する）までの間は、時効は、完成しない。

一　裁判上の請求

二　支払督促

三　民事訴訟法第二百七十五条第一項の和解又は民事調停法（昭和二十六年法律第二百二十二号）若しくは家事事件手続法（平成二十三年法律第五十二号）による調停

四　破産手続参加、再生手続参加又は更生手続参加

② 前項の場合において、確定判決又は確定判決と同一の効力を有するものによって権利が確定したときは、時効は、同項各号に掲げる事由が終了した時から新たにその進行を始める。

（平成二九法四四本条全部改正）

参+【確定判決と同一の効力を有するもの→民訴二六七・二六七・三九六、民執二二㈦【時効の完成猶予及び更新→一四八・一五一・一五三①・四五七【時効の完成猶予の例→一四九―一五一・一五三②・一五八―一六一・二八四③、船主責任制限五四、犯罪被害保護二九【時効の更新の例→一五二・一五三③、自治二三六④【時効の中断の例→一六四・一六五・二九〇　❶[一]【裁判上の請求→民訴一三四、民調一九、家事二七二③・二八〇⑤・二八六⑥、手八六②、小七三②【時効の完成及び更新に関して裁判上の請求があったとみなされるものの例→会社五四五③、破一七八④、労基八五⑤【時効の完成猶予の時期→民訴一四七・四九①・三五五②【訴えの却下→民訴一四〇・三五五①【訴えの取下げ→民訴二六一―二六三　[二]【支払督促→民訴三八二【仮執行の宣言→民訴三九一　[四]【破産手続参加→破一一一【再生手続参加→民再九四【更生手続参加→会更一三八【類似の規定→船主責任制限五四

（強制執行等による時効の完成猶予及び更新）

第一四八条①　次に掲げる事由がある場合には、その事由が終了する（申立ての取下げ又は法律の規定に従わないことによる取消しによってその事由が終了した場合にあっては、その終了の時から六箇月を経過する）までの間は、時効は、完成しない。

一　強制執行

二　担保権の実行

三　民事執行法（昭和五十四年法律第四号）第百九十五条に規定する担保権の実行としての競売の例による競売

四　民事執行法第百九十六条に規定する財産開示手続又は同法第二百四条に規定する第三者からの情報取得手続（令和一法二本号改正）

② 前項の場合には、時効は、同項各号に掲げる事由が終了した時から新たにその進行を始める。ただし、申立ての取下げ又は法律の規定に従わないことによる取消しによってその事由が終了した場合は、この限りでない。

（平成二九法四四本条全部改正）

参+【時効の完成猶予及び更新→一四七・一五三①　❶[二]民執二章　[三]民執三章

（仮差押え等による時効の完成猶予）

第一四九条　次に掲げる事由がある場合には、その事由が終了した時から六箇月を経過するまでの間は、時効は、完成しない。

一　仮差押え

二　仮処分

（平成二九法四四本条全部改正）

参+【時効の完成猶予→一五〇・一五一・一五三②・一五八―一六一　[一]民保二〇　[二]民保二三

（催告による時効の完成猶予）

第一五〇条①　催告があったときは、その時から六箇月を経過するまでの間は、時効は、完成しない。

② 催告によって時効の完成が猶予されている間にされた再度の催告は、前項の規定による時効の完成猶予の効力を有しない。

（平成二九法四四本条全部改正）

参+【時効の完成猶予→一四九・一五一・一五三②・一五八―一六一

（協議を行う旨の合意による時効の完成猶予）

第一五一条①　権利についての協議を行う旨の合意が書面でされたときは、次に掲げる時のいずれか早い時までの間は、時効は、完成しない。

一　その合意があった時から一年を経過した時

二　その合意において当事者が協議を行う期間（一年に満たないものに限る。）を定めたときは、その期間を経過した時

三　当事者の一方から相手方に対して協議の続行を拒絶する旨の通知が書面でされたときは、その通知の時から六箇月を経過した時

②　前項の規定により時効の完成が猶予されている間にされた再度の同項の合意は、同項の規定による時効の完成猶予の効力を有する。ただし、その効力は、時効の完成が猶予されなかったとすれば時効が完成すべき時から通じて五年を超えることができない。

③　催告によって時効の完成が猶予されている間にされた第一項の合意は、同項の規定による時効の完成猶予の効力を有しない。同項の規定により時効の完成が猶予されている間にされた催告についても、同様とする。

④　第一項の合意がその内容を記録した電磁的記録（電子的方式、磁気的方式その他人の知覚によっては認識することができない方式で作られる記録であって、電子計算機による情報処理の用に供されるものをいう。以下同じ。）によってされたときは、その合意は、書面によってされたものとみなして、前三項の規定を適用する。

＊令和五法五三（令和一〇・六・一三までに施行）による改正後

④　第一項の合意がその内容を記録した電磁的記録によってされたときは、その合意は、書面によってされたものとみなして、前三項の規定を適用する。

⑤　前項の規定は、第一項第三号の通知について準用する。

（平成二九法四四本条全部改正）

【時効の完成猶予↓一四九、一五〇、一五三②、一五八—一六一　❸一五〇】

第一五二条（**承認による時効の更新**）①　時効は、権利の承認があったときは、その時から新たにその進行を始める。

②　前項の承認をするには、相手方の権利についての処分につき行為能力の制限を受けていないこと又は権限があることを要しない。

（平成二九法四四本条全部改正）

❶一六六③、一六八②

第一五三条（**時効の完成猶予又は更新の効力が及ぶ者の範囲**）①　第百四十七条又は第百四十八条の規定による時効の完成猶予又は更新は、完成猶予又は更新の事由が生じた当事者及びその承継人の間においてのみ、その効力を有する。

②　第百四十九条から第百五十一条までの規定による時効の完成猶予は、完成猶予の事由が生じた当事者及びその承継人の間においてのみ、その効力を有する。

③　前条の規定による時効の更新は、更新の事由が生じた当事者及びその承継人の間においてのみ、その効力を有する。

（平成二九法四四本条全部改正）

一四七—一五二【本条の例外↓二八四②、二九二、四五七①】【本条の特則↓手七一、七七①四、小五二】

第一五四条　第百四十八条第一項各号又は第百四十九条各号に掲げる事由に係る手続は、時効の利益を受ける者に対してしないときは、その者に通知をした後でなければ、第百四十八条又は第百四十九条の規定による時効の完成猶予又は更新の効力を生じない。（平成二九法四四本条全部改正）

第一五五条から第一五七条まで　**【差押え、仮差押え及び仮処分、承認、中断後の時効の進行】**　削除（平成二九法四四）

第一五八条（**未成年者又は成年被後見人と時効の完成猶予**）①　時効の期間の満了前六箇月以内の間に未成年者又は成年被後見人に法定代理人がないときは、その未成年者若しくは成年被後見人が行為能力者となった時又は法定代理人が就職した時から六箇月を経過するまでの間は、その未成年者又は成年被後見人に対して、時効は、完成しない。

②　未成年者又は成年被後見人がその財産を管理する父、母又は後見人に対して権利を有するときは、その未成年者若しくは成年被後見人が行為能力者となった時又は後任の法定代理人が就職した時から六箇月を経過するまでの間は、その権利について、時効は、完成しない。（昭和二二法二二二本項改正）

（平成一一法一四九本条改正）

【時効の完成猶予↓一四九—一五一、一五九—一六一】【未成年者↓四】【成年被後見人↓七、八　❶【法定代理人↓八一八②③、八一九、八三九—八四一、八四三　❷【未成年者又は成年被後見人の財産管理者↓八二四、八五九、八三九—八四一、八三四—八三七、八四三—八四六

第一五九条（**夫婦間の権利の時効の完成猶予**）　夫婦の一方が他の一方に対して有する権利については、婚姻の解消の時から六箇月を経過するまでの間は、時効は、完成しない。（昭和二二法二二二本条追加）

【時効の完成猶予↓一四九—一五一、一五八、一六〇、一六一】【夫婦間の権利の例↓七五五—七六二】【婚姻解消↓七六四、七七〇、七五一①、三一、七四三】

第一六〇条（**相続財産に関する時効の完成猶予**）　相続財産に関しては、相続人が確定した時、管理人が選任された時又は破産手続開始の決定があった時から六箇月を経過するまでの間は、時効は、完成しない。（平成一六法七六本条改正）

【時効の完成猶予↓一四九—一五一、一五八、一五九、一六一】【相続人の確定↓九一五、九二〇、九二二】【管理人の選任↓九四三②、九五〇②】【破産手続開始↓破二二三、二二四】

第一六一条（**天災等による時効の完成猶予**）　時効の期間の満了の時に当たり、天災その他避けることのできない事変のため第百四十七条第一項各号又は第百四十八条第一項各号に掲げる事由に係る手続を行うことができないときは、その障害が消滅した時から三箇月を経過するまでの間は、時効は、完成しない。（平成二九法四四本条改正）

【時効の完成猶予↓一四九—一五一、一五八—一六〇】

第二節　取得時効

民法

（所有権の取得時効）
第一六二条① 二十年間、所有の意思をもって、平穏に、かつ、公然と他人の物を占有した者は、その所有権を取得する。
② 十年間、所有の意思をもって、平穏に、かつ、公然と他人の物を占有した者は、その占有の開始の時に、善意であり、かつ、過失がなかったときは、その所有権を取得する。（平成一六法一四七本項改正）
⊛一六三・一六四・一六六③【占有↓一八〇・一八一【所有の意思↓一八五・一八六【平穏・公然・善意・継続の推定↓一八六【他人の物↓八六【時効取得の効果↓二八九・三九七【動産の即時取得↓一九二

（所有権以外の財産権の取得時効）

第一六三条 所有権以外の財産権を、自己のためにする意思をもって、平穏に、かつ、公然と行使する者は、前条の区別に従い二十年又は十年を経過した後、その権利を取得する。

⊛一六五【財産権の行使↓二〇五【自己のためにする意思↓二〇五・一八五・一八六【平穏・公然・善意・継続の推定↓二〇五・一八六【地役権の時効取得↓二八三・二八四

（占有の中止等による取得時効の中断）

第一六四条 第百六十二条の規定による時効は、占有者が任意にその占有を中止し、又は他人によってその占有を奪われたときは、中断する。

⊛【占有権の消滅↓二〇三【占有の侵奪↓二〇〇・二〇一③

第一六五条 前条の規定は、第百六十三条の場合について準用する。

第三節　消滅時効

（債権等の消滅時効）
第一六六条① 債権は、次に掲げる場合には、時効によって消滅する。
一 債権者が権利を行使することができることを知った時から五年間行使しないとき。
二 権利を行使することができる時から十年間行使しないとき。
② 債権又は所有権以外の財産権は、権利を行使することができる時から二十年間行使しないときは、時効によって消滅する。（平成二九法四四本項追加）
③ 前二項の規定は、始期付権利又は停止条件付権利の目的物を占有する第三者のために、その占有の開始の時から取得時効が進行することを妨げない。ただし、権利者は、その時効を更新するため、いつでも占有者の承認を求めることができる。
（平成二九法四四本条改正）

⊛【権利を行使することができる時↓一二七①・一三五①・一三七【時効の起算日と時効の効力↓一四四【地役権の消滅時効の起算点↓二九一【留置権・質権の行使と債権の消滅時効の進行↓三〇〇・三五〇 ❶【本項の特則↓一二六・八三二 〔二〕【本号の特則↓一六八①㊀・七二四㊀・七二四の二・八八四前段、一〇四八前段、不正競争一五①㊀ 〔三〕【本号の特則↓一六六・一六八①㊁・七二四㊁・八八四後段・一〇四八後段、不正競争一五①㊁、自治二三六①、労基一一五・一四三③、手七〇・七七①㊃、小五一 ❷【本項の特則↓三九六 ❸【承認による時効の更新↓一五二

（人の生命又は身体の侵害による損害賠償請求権の消滅時効）
第一六七条 人の生命又は身体の侵害による損害賠償請求権の消滅時効についての前条第一項第二号の規定の適用については、同号中「十年間」とあるのは、「二十年間」とする。（平成二九法四四本条全部改正）
⊛七二四㊁ ❶【債権の消滅時効期間の特則の例↓一六八・一六九・七二四・八三二

（定期金債権の消滅時効）
第一六八条① 定期金の債権は、次に掲げる場合には、時効によって消滅する。
一 債権者が定期金の債権から生ずる金銭その他の物の給付を目的とする各債権を行使することができることを知った時から十年間行使しないとき。
二 前号に規定する各債権を行使することができる時から二十年間行使しないとき。
② 定期金の債権者は、時効の更新の証拠を得るため、いつでも、その債務者に対して承認書の交付を求めることができる。
（平成二九法四四本条改正）
⊛一六六① ❶【定期金債権の例↓六八九―六九四 ❷【承認と時効の更新↓一五二

（判決で確定した権利の消滅時効）
第一六九条① 確定判決又は確定判決と同一の効力を有するものによって確定した権利については、十年より短い時効期間の定めがあるものであっても、その時効期間は、十年とする。
② 前項の規定は、確定の時に弁済期の到来していない債権については、適用しない。
（平成二九法四四本条全部改正）

⊛【確定判決↓民訴一一四①・一一五、民執二二㊀【十年より短い時効期間の例↓一六六⊛【確定判決と同一の効力を有するもの↓民訴二六七・二六七⊛・三九六、民執二二㊆

第一七〇条から第一七四条まで【三年の短期消滅時効、二年の短期消滅時効、一年の短期消滅時効】削除（平成二九法四四）

第二編　物権（平成一六法一四七本編全部改正）

第一章　総則

（物権の創設）

第一七五条 物権は、この法律その他の法律に定めるもののほか、創設することができない。

⊛【民法に定める物権↓一八〇・二〇六・二六五・二七〇・二八〇・二六三・二九四・二九五・三〇三・三四二・三六九【他の法律に定める物権↓民施三五・三六、商三一・五二一・五五七・五六二・五七四・七四一②、会社二〇【物権の準拠法↓法適用一三

民法施行法（明治三一・六・二一法一一）（抜粋）
第三五条【慣習上の物権】慣習上物権ト認メタル権利ニシテ民法施行前ニ発生シタルモノト雖モ其施行ノ後ハ民法其他ノ法律ニ定ムルモノノ外ハ物権タル効力ヲ有セス

（物権の設定及び移転）

第一七六条　物権の設定及び移転は、当事者の意思表示のみによって、その効力を生ずる。

参 一七七、一七八【所有権留保の推定↓割賦七】【本条の特則↓一八二―一八四、二六三、二九四、二九五、三〇六、三一一、三二五、三四四、仮登記担保二】【物権の得喪の準拠法↓法適用一三】

（不動産に関する物権の変動の対抗要件）

第一七七条　不動産に関する物権の得喪及び変更は、不動産登記法（平成十六年法律第百二十三号）その他の登記に関する法律の定めるところに従いその登記をしなければ、第三者に対抗することができない。

参 一七六、八九九の二【不動産↓八六①】【登記法↓不登】【登記を要する権利↓五八一①、六〇五の二③、六〇五の三、不登三、九六、民施三七、収用一〇六】【登記を要しない権利↓一八〇、二六三、二九四、二九五、三〇六】【本条の特則↓三九五、借地借家一〇①②、三一、建物区分一一③】【物権の得喪の準拠法↓法適用一三】

（動産に関する物権の譲渡の対抗要件）

第一七八条　動産に関する物権の譲渡は、その動産の引渡しがなければ、第三者に対抗することができない。

参 一七六【動産↓八六②】【引渡し↓一八二―一八四】【証券による引渡し↓商六〇七、七六三】【効力要件としての引渡し↓三四四】

（混同）

第一七九条①　同一物について所有権及び他の物権が同一人に帰属したときは、当該他の物権は、消滅する。ただし、その物又は当該他の物権が第三者の権利の目的であるときは、この限りでない。

② 所有権以外の物権及びこれを目的とする他の権利が同一人に帰属したときは、当該他の権利は、消滅する。この場合においては、前項ただし書の規定を準用する。

③ 前二項の規定は、占有権については、適用しない。

参【混同による消滅の例外↓借地借家一五②】【債権の混同↓五二〇】

第二章　占有権

第一節　占有権の取得

（占有権の取得）

第一八〇条　占有権は、自己のためにする意思をもって物を所持することによって取得する。

参 一八一―一八四【占有権と登記↓不登三】【占有権の消滅↓二〇三、二〇四】

（代理占有）

第一八一条　占有権は、代理人によって取得することができる。

参 一八〇【代理占有と占有権の譲渡↓一八二②、一八三、一八四】【代理占有の消滅↓二〇四】

（現実の引渡し及び簡易の引渡し）

第一八二条①　占有権の譲渡は、占有物の引渡しによってする。

② 譲受人又はその代理人が現に占有物を所持する場合には、占有権の譲渡は、当事者の意思表示のみによってすることができる。

参 一八〇、一八三、一八四【物権変動の対抗要件としての引渡し↓一七八】　❷【代理占有↓一八一】

（占有改定）

第一八三条　代理人が自己の占有物を以後本人のために占有する意思を表示したときは、本人は、これによって占有権を取得する。

参 一八〇、一八二、一八四【代理占有↓一八一】【物権変動の対抗要件としての引渡し↓一七八】

（指図による占有移転）

第一八四条　代理人によって占有をする場合において、本人がその代理人に対して以後第三者のためにその物を占有することを命じ、その第三者がこれを承諾したときは、その第三者は、占有権を取得する。

参 一八〇、一八二、一八三【代理占有↓一八一】【物権変動の対抗要件としての引渡し↓一七八】

（占有の性質の変更）

第一八五条　権原の性質上占有者に所有の意思がないものとされる場合には、その占有者が、自己に占有をさせた者に対して所有の意思があることを表示し、又は新たな権原により更に所有の意思をもって占有を始めるのでなければ、占有の性質は、変わらない。

参 一八〇【所有の意思↓一八六①、一六二、一九一、二三九①】

（占有の態様等に関する推定）

第一八六条①　占有者は、所有の意思をもって、善意で、平穏に、かつ、公然と占有をするものと推定する。

② 前後の両時点において占有をした証拠があるときは、占有は、その間継続したものと推定する。

参 一八〇　❶【所有の意思↓一八五参】【占有の善意・悪意↓一八九―一九一、一九六②】【占有の瑕疵の有無↓一六二、一九二】　❷【占有の継続↓一六二、三五二、二〇三但】

（占有の承継）

第一八七条①　占有者の承継人は、その選択に従い、自己の占有のみを主張し、又は自己の占有に前の占有者の占有を併せて主張することができる。

② 前の占有者の占有を併せて主張する場合には、その瑕疵をも承継する。

参 一八二―一八四、一八六

第二節　占有権の効力

（占有物について行使する権利の適法の推定）

第一八八条　占有者が占有物について行使する権利は、適法に有するものと推定する。

（善意の占有者による果実の取得等）

第一八九条①　善意の占有者は、占有物から生ずる果実を取得する。

② 善意の占有者が本権の訴えにおいて敗訴したときは、その訴えの提起の時から悪意の占有者とみなす。

参 一九〇、一九一、一九六【不当利得の返還義務↓七〇三、七〇四】　❶【善意の推定↓一八六】【果実↓八八、八九】　❷【本権の訴

え↓二〇二

（悪意の占有者による果実の返還等）

第一九〇条①　悪意の占有者は、果実を返還し、かつ、既に消費し、過失によって損傷し、又は収取を怠った果実の代価を償還する義務を負う。

② 前項の規定は、暴行若しくは強迫又は隠匿によって占有をしている者について準用する。

参一八九、一九一、一九六【悪意・暴行・強迫・隠匿と占有の態様の推定↓一八六】【果実↓八八、八九】【不当利得の返還義務↓七〇三、七〇四】【悪意の占有と不法行為↓七〇九】

（占有者による損害賠償）

第一九一条　占有物が占有者の責めに帰すべき事由によって滅失し、又は損傷したときは、その回復者に対し、悪意の占有者はその損害の全部の賠償をする義務を負い、善意の占有者はその滅失又は損傷によって現に利益を受けている限度において賠償をする義務を負う。ただし、所有の意思のない占有者は、善意であるときであっても、全部の賠償をしなければならない。

参一八九、一九〇、一九六【善意の推定↓一八六①】【所有の意思↓一八五、一八六①】【不当利得の返還義務↓七〇三、七〇四】【悪意の占有と損害賠償↓七〇九】

（即時取得）

第一九二条　取引行為によって、平穏に、かつ、公然と動産の占有を始めた者は、善意であり、かつ、過失がないときは、即時にその動産について行使する権利を取得する。（平成一六法一四七本条改正）

参一九三―一九五【動産↓八六②】【占有権の取得↓一八〇―一八四】【平穏・公然・善意の推定↓一八六①】【有価証券の特則↓五二〇の五、五二〇の一五、五二〇の二〇、会社一三一②、手一六②、七七①㈠、小二一【本条の準用↓三一九、建物区分七③、六六

（盗品又は遺失物の回復）

第一九三条　前条の場合において、占有物が盗品又は遺失物であるときは、被害者又は遺失者は、盗難又は遺失の時から二年間、占有者に対してその物の回復を請求することができる。

参一九二、一九四【遺失物↓二四〇】【有価証券の特則↓五二〇の五、会社一三一②、手一六②、七七①㈠、小二一【動産質権者と質物の占有回復↓三五三】

第一九四条　占有者が、盗品又は遺失物を、競売若しくは公の市場において、又はその物と同種の物を販売する商人から、善意で買い受けたときは、被害者又は遺失者は、占有者が支払った代価を弁償しなければ、その物を回復することができない。

参一九二、一九三

（動物の占有による権利の取得）

第一九五条　家畜以外の動物で他人が飼育していたものを占有する者は、その占有の開始の時に善意であり、かつ、その動物が飼主の占有を離れた時から一箇月以内に飼主から回復の請求を受けなかったときは、その動物について行使する権利を取得する。

参【遺失物拾得↓二四〇】

（占有者による費用の償還請求）

第一九六条①　占有者が占有物を返還する場合には、その物の保存のために支出した金額その他の必要費を回復者から償還させることができる。ただし、占有者が果実を取得したときは、通常の必要費は、占有者の負担に帰する。

② 占有者が占有物の改良のために支出した金額その他の有益費については、その価格の増加が現存する場合に限り、回復者の選択に従い、その支出した金額又は増価額を償還させることができる。ただし、悪意の占有者に対しては、裁判所は、回復者の請求により、その償還について相当の期限を許与することができる。

参一九一　❶【占有者の果実取得↓一八九、一九〇　❷【期限許与の効果↓二九五①但　+【他の場合における費用の償還↓二九九、三九一、五八三②、五八五、五九五②、六〇〇、六〇八、六二二、六五〇、六六五、六七一、七〇二、九九三

（占有の訴え）

第一九七条　占有者は、次条から第二百二条までの規定に従い、占有の訴えを提起することができる。他人のために占有をする者も、同様とする。

参二〇二【他人のために占有をする者↓一八一】

（占有保持の訴え）

第一九八条　占有者がその占有を妨害されたときは、占有保持の訴えにより、その妨害の停止及び損害の賠償を請求することができる。

参二〇一①、二〇二【損害賠償↓七〇九】

（占有保全の訴え）

第一九九条　占有者がその占有を妨害されるおそれがあるときは、占有保全の訴えにより、その妨害の予防又は損害賠償の担保を請求することができる。

参二〇一②、二〇二【損害賠償↓七〇九】

（占有回収の訴え）

第二〇〇条①　占有者がその占有を奪われたときは、占有回収の訴えにより、その物の返還及び損害の賠償を請求することができる。

② 占有回収の訴えは、占有を侵奪した者の特定承継人に対して提起することができない。ただし、その承継人が侵奪の事実を知っていたときは、この限りでない。

参二〇一③、二〇二【損害賠償↓七〇九】【本条による占有回復の効力↓二〇三、三五二、三五三】

（占有の訴えの提起期間）

第二〇一条①　占有保持の訴えは、妨害の存する間又はその消滅した後一年以内に提起しなければならない。ただし、工事により占有物に損害を生じた場合において、その工事に着手した時から一年を経過し、又はその工事が完成したときは、これを提起することができない。

② 占有保全の訴えは、妨害の危険の存する間は、提起することができる。この場合において、工事により占有物に損害を生ずるおそれがあるときは、前項ただし書の規定を準用する。

③　占有回収の訴えは、占有を奪われた時から一年以内に提起しなければならない。
一九七―二〇〇【損害賠償請求権の消滅時効→七二四】

（本権の訴えとの関係）
第二〇二条①　占有の訴えは本権の訴えを妨げず、また、本権の訴えは占有の訴えを妨げない。
②　占有の訴えについては、本権に関する理由に基づいて裁判をすることができない。
【占有の訴え→一九七―二〇〇】

第三節　占有権の消滅

（占有権の消滅事由）

第二〇三条　占有権は、占有者が占有の意思を放棄し、又は占有物の所持を失うことによって消滅する。ただし、占有者が占有回収の訴えを提起したときは、この限りでない。

【占有回収の訴え→二〇〇【占有の喪失の効果→一六四、三〇二】

（代理占有権の消滅事由）
第二〇四条①　代理人によって占有をする場合には、占有権は、次に掲げる事由によって消滅する。
一　本人が代理人に占有をさせる意思を放棄したこと。
二　代理人が本人に対して以後自己又は第三者のために占有物を所持する意思を表示したこと。
三　代理人が占有物の所持を失ったこと。
②　占有権は、代理権の消滅のみによっては、消滅しない。
【代理占有→一八一】

第四節　準占有

第二〇五条　この章の規定は、自己のためにする意思をもって財産権の行使をする場合について準用する。
【準占有と取得時効→一六三】

第三章　所有権

第一節　所有権の限界

第一款　所有権の内容及び範囲

（所有権の内容）

第二〇六条　所有者は、法令の制限内において、自由にその所有物の使用、収益及び処分をする権利を有する。

【所有権の保障→憲二九①③【所有権の公共性→憲二九②、一【法令の制限の例→憲二九②③、二〇七、二〇九―二三八【所有権と登記→不登三】


（土地所有権の範囲）

第二〇七条　土地の所有権は、法令の制限内において、その土地の上下に及ぶ。

二〇六【土地→八六①】

第二〇八条【建物の区分所有】　削除（昭和三七法六九）

第二款　相隣関係

（隣地の使用）
第二〇九条①　土地の所有者は、次に掲げる目的のため必要な範囲内で、隣地を使用することができる。ただし、住家については、その居住者の承諾がなければ、立ち入ることはできない。
一　境界又はその付近における障壁、建物その他の工作物の築造、収去又は修繕（令和三法二四本号追加）
二　境界標の調査又は境界に関する測量（令和三法二四本号追加）
三　第二百三十三条第三項の規定による枝の切取り（令和三法二四本号追加）
②　前項の場合には、使用の日時、場所及び方法は、隣地の所有者及び隣地を現に使用している者（以下この条において「隣地使用者」という。）のために損害が最も少ないものを選ばなければならない。（令和三法二四本項追加）
③　第一項の規定により隣地を使用する者は、あらかじめ、その目的、日時、場所及び方法を隣地の所有者及び隣地使用者に通知しなければならない。ただし、あらかじめ通知することが困難なときは、使用を開始した後、遅滞なく、通知することをもって足りる。（令和三法二四本項追加）
④　第一項の場合において、隣地の所有者又は隣地使用者が損害を受けたときは、その償金を請求することができる。
（令和三法二四本条改正）

【住家への立入り→刑一三〇【境界標→二二三、二二四】

（公道に至るための他の土地の通行権）
第二一〇条①　他の土地に囲まれて公道に通じない土地の所有者は、公道に至るため、その土地を囲んでいる他の土地を通行することができる。
②　池沼、河川、水路若しくは海を通らなければ公道に至ることができないとき、又は崖があって土地と公道とに著しい高低差があるときも、前項と同様とする。
二一一―二一三

第二一一条①　前条の場合には、通行の場所及び方法は、同条の規定による通行権を有する者のために必要であり、かつ、他の土地のために損害が最も少ないものを選ばなければならない。
②　前条の規定による通行権を有する者は、必要があるときは、通路を開設することができる。
二一〇、二一二、二一三

第二一二条　第二百十条の規定による通行権を有する者は、その通行する他の土地の損害に対して償金を支払わなければならない。ただし、通路の開設のために生じた損害に対するものを除き、一年ごとにその償金を支払うことができる。
二一〇、二一一、二一三

第二一三条①　分割によって公道に通じない土地が生じたときは、その土地の所有者は、公道に至るため、他の分割者の所有地のみを通行することができる。この場合においては、償金を支払うことを要しない。

② 前項の規定は、土地の所有者がその土地の一部を譲り渡した場合について準用する。

⊜二一〇―二一二【分割→二五六、二五八】

第二一三条の二（継続的給付を受けるための設備の設置権等） ① 土地の所有者は、他の土地に設備を設置し、又は他人が所有する設備を使用しなければ電気、ガス又は水道水の供給その他これらに類する継続的給付（以下この項及び次条第一項において「継続的給付」という。）を受けることができないときは、継続的給付を受けるため必要な範囲内で、他の土地に設備を設置し、又は他人が所有する設備を使用することができる。

② 前項の場合には、設備の設置又は使用の場所及び方法は、他の土地又は他人が所有する設備（次項において「他の土地等」という。）のために損害が最も少ないものを選ばなければならない。

③ 第一項の規定により他の土地に設備を設置し、又は他人が所有する設備を使用する者は、あらかじめ、その目的、場所及び方法を他の土地等の所有者及び他の土地を現に使用している者に通知しなければならない。

④ 第一項の規定による権利を有する者は、同項の規定により他の土地に設備を設置し、又は他人が所有する設備を使用するために当該他の土地又は当該他人が所有する設備がある土地を使用することができる。この場合においては、第二百九条第一項ただし書及び第二項から第四項まで（隣地の使用）の規定を準用する。

⑤ 第一項の規定により他の土地に設備を設置する者は、その土地の損害（前項において準用する第二百九条第四項に規定する損害を除く。）に対して償金を支払わなければならない。ただし、一年ごとにその償金を支払うことができる。

⑥ 第一項の規定により他人が所有する設備を使用する者は、その設備の使用を開始するために生じた損害に対して償金を支払わなければならない。

⑦ 第一項の規定により他人が所有する設備を使用する者は、その利益を受ける割合に応じて、その設置、改築、修繕及び維持に要する費用を負担しなければならない。

（令和三法二四本条追加）

⊜二一三の三

第二一三条の三 ① 分割によって他の土地に設備を設置しなければ継続的給付を受けることができない土地が生じたときは、その土地の所有者は、継続的給付を受けるため、他の分割者の所有地のみに設備を設置することができる。この場合においては、前条第五項の規定は、適用しない。

② 前項の規定は、土地の所有者がその土地の一部を譲り渡した場合について準用する。

（令和三法二四本条追加）

⊜二一三の二【分割→二五六、二五八】

第二一四条（自然水流に対する妨害の禁止） 土地の所有者は、隣地から水が自然に流れて来るのを妨げてはならない。

⊜二一五―二二一

第二一五条（水流の障害の除去） 水流が天災その他避けることのできない事変により低地において閉塞したときは、高地の所有者は、自己の費用で、水流の障害を除去するため必要な工事をすることができる。

⊜二一四、二一六、二一七、二二〇、二二一

第二一六条（水流に関する工作物の修繕等） 他の土地に貯水、排水又は引水のために設けられた工作物の破壊又は閉塞により、自己の土地に損害が及び、又は及ぶおそれがある場合には、その土地の所有者は、当該他の土地の所有者に、工作物の修繕若しくは障害の除去をさせ、又は必要があるときは予防工事をさせることができる。

⊜二一五、二一七【占有権に基づく予防請求→一九九【土地の工作物による賠償責任→七一七①③

第二一七条（費用の負担についての慣習） 前二条の場合において、費用の負担について別段の慣習があるときは、その慣習に従う。

第二一八条（雨水を隣地に注ぐ工作物の設置の禁止） 土地の所有者は、直接に雨水を隣地に注ぐ構造の屋根その他の工作物を設けてはならない。

⊜二一四

第二一九条（水流の変更） ① 溝、堀その他の水流地の所有者は、対岸の土地が他人の所有に属するときは、その水路又は幅員を変更してはならない。

② 両岸の土地が水流地の所有者に属するときは、その所有者は、水路及び幅員を変更することができる。ただし、水流が隣地と交わる地点において、自然の水路に戻さなければならない。

③ 前二項の規定と異なる慣習があるときは、その慣習に従う。

第二二〇条（排水のための低地の通水） 高地の所有者は、その高地が浸水した場合にこれを乾かすため、又は自家用若しくは農工業用の余水を排出するため、公の水流又は下水道に至るまで、低地に水を通過させることができる。この場合においては、低地のために損害が最も少ない場所及び方法を選ばなければならない。

⊜二一四、二一五、二二一

第二二一条（通水用工作物の使用） ① 土地の所有者は、その所有地の水を通過させるため、高地又は低地の所有者が設けた工作物を使用することができる。

② 前項の場合には、他人の工作物の利益を受ける割合に応じて、工作物の設置及び保存の費用を分担しなければならない。

参＋二一四、二一五、二三〇

第二二二条（堰の設置及び使用）① 水流地の所有者は、堰を設ける必要がある場合には、対岸の土地が他人の所有に属するときであっても、その堰を対岸に付着させて設けることができる。ただし、これによって生じた損害に対して償金を支払わなければならない。

② 対岸の土地の所有者は、水流地の一部がその所有に属するときは、前項の堰を使用することができる。

③ 前条第二項の規定は、前項の場合について準用する。

参＋二一九

第二二三条（境界標の設置） 土地の所有者は、隣地の所有者と共同の費用で、境界標を設けることができる。

参＋二二四【境界標の共有推定↓二二九【境界標の損壊↓刑二六二の二

第二二四条（境界標の設置及び保存の費用） 境界標の設置及び保存の費用は、相隣者が等しい割合で負担する。ただし、測量の費用は、その土地の広狭に応じて分担する。

参＋二二三

第二二五条（囲障の設置）① 二棟の建物がその所有者を異にし、かつ、その間に空地があるときは、各所有者は、他の所有者と共同の費用で、その境界に囲障を設けることができる。

② 当事者間に協議が調わないときは、前項の囲障は、板塀又は竹垣その他これらに類する材料のものであって、かつ、高さ二メートルのものでなければならない。（昭和三三法六二本項改正）

参＋二二六―二二八【囲障の共有推定↓二二九

第二二六条（囲障の設置及び保存の費用） 前条の囲障の設置及び保存の費用は、相隣者が等しい割合で負担する。

参＋二二五、二二七、二二八

第二二七条（相隣者の一人による囲障の設置） 相隣者の一人は、第二百二十五条第二項に規定する材料より良好なものを用い、又は同項に規定する高さを増して囲障を設けることができる。ただし、これによって生ずる費用の増加額を負担しなければならない。

参＋二二五、二二六、二二八

第二二八条（囲障の設置等に関する慣習） 前三条の規定と異なる慣習があるときは、その慣習に従う。

第二二九条（境界標等の共有の推定） 境界線上に設けた境界標、囲障、障壁、溝及び堀は、相隣者の共有に属するものと推定する。

参＋【境界標↓二二三、二二四【囲障↓二二五―二二八【障壁↓二〇九、二三〇、二三一【堀及び溝↓二一九、二三七②【共有↓二四九―二六二【本条の共有物の分割禁止↓二五七

第二三〇条① 一棟の建物の一部を構成する境界線上の障壁については、前条の規定は、適用しない。

② 高さの異なる二棟の隣接する建物を隔てる障壁の高さが、低い建物の高さを超えるときは、その障壁のうち低い建物を超える部分についても、前項と同様とする。ただし、防火障壁については、この限りでない。

参＋二三一【区分された建物の所有↓建物区分四、一一

第二三一条（共有の障壁の高さを増す工事）① 相隣者の一人は、共有の障壁の高さを増すことができる。ただし、その障壁がその工事に耐えないときは、自己の費用で、必要な工作を加え、又はその障壁を改築しなければならない。

② 前項の規定により障壁の高さを増したときは、その高さを増した部分は、その工事をした者の単独の所有に属する。

参＋二二九、二三〇、二三二【共有物の変更↓二五一

第二三二条 前条の場合において、隣人が損害を受けたときは、その償金を請求することができる。

第二三三条（竹木の枝の切除及び根の切取り）① 土地の所有者は、隣地の竹木の枝が境界線を越えるときは、その竹木の所有者に、その枝を切除させることができる。（令和三法二四本項改正）

② 前項の場合において、竹木が数人の共有に属するときは、各共有者は、その枝を切り取ることができる。（令和三法二四本項追加）

③ 第一項の場合において、次に掲げるときは、土地の所有者は、その枝を切り取ることができる。

一 竹木の所有者に枝を切除するよう催告したにもかかわらず、竹木の所有者が相当の期間内に切除しないとき。

二 竹木の所有者を知ることができず、又はその所在を知ることができないとき。

三 急迫の事情があるとき。

（令和三法二四本項追加）

④ 隣地の竹木の根が境界線を越えるときは、その根を切り取ることができる。

参❷【共有物の管理↓二五二

第二三四条（境界線付近の建築の制限）① 建物を築造するには、境界線から五十センチメートル以上の距離を保たなければならない。

（昭和三三法六二本項改正）

② 前項の規定に違反して建築をしようとする者があるときは、隣地の所有者は、その建築を中止させ、又は変更させることができる。ただし、建築に着手した時から一年を経過し、又はその建物が完成した後は、損害賠償の請求のみをすることができる。

参＋二三六、❷【損害賠償↓七〇九

第二三五条① 境界線から一メートル未満の距離において他人の宅地を見通すことのできる窓又は縁側（ベラ

ンダを含む。次項において同じ。）を設ける者は、目隠しを付けなければならない。（昭和三三法六二本項改正）

② 前項の距離は、窓又は縁側の最も隣地に近い点から垂直線によって境界線に至るまでを測定して算出する。

⊛†二三六

第二三六条（**境界線付近の建築に関する慣習**） 前二条の規定と異なる慣習があるときは、その慣習に従う。

第二三七条（**境界線付近の掘削の制限**）① 井戸、用水だめ、下水だめ又は肥料だめを掘るには境界線から二メートル以上、池、穴蔵又はし尿だめを掘るには境界線から一メートル以上の距離を保たなければならない。

② 導水管を埋め、又は溝若しくは堀を掘るには、境界線からその深さの二分の一以上の距離を保たなければならない。ただし、一メートルを超えることを要しない。

（昭和三三法六二本条改正）

⊛†二三八

第二三八条（**境界線付近の掘削に関する注意義務**） 境界線の付近において前条の工事をするときは、土砂の崩壊又は水若しくは汚液の漏出を防ぐため必要な注意をしなければならない。

第二節 所有権の取得

第二三九条（**無主物の帰属**）① 所有者のない動産は、所有の意思をもって占有することによって、その所有権を取得する。

② 所有者のない不動産は、国庫に帰属する。

⊛†【動産・不動産↓八六【所有の意思の推定↓一八六【無主の相続財産の国庫帰属↓九五九 ❷相続国庫帰属

相続等により取得した土地所有権の国庫への帰属に関する法律（令和三・四・二八法二五）（抜粋）

（**承認申請**）

第二条① 土地の所有者（相続等によりその土地の所有権の全部又は一部を取得した者に限る。）は、法務大臣に対し、その土地の所有権を国庫に帰属させることについての承認を申請することができる。

② 土地が数人の共有に属する場合には、前項の規定による承認の申請（以下「承認申請」という。）は、共有者の全員が共同して行うときに限り、することができる。この場合においては、同項の規定にかかわらず、その有する共有持分の全部を相続等以外の原因により取得した共有者であっても、相続等により共有持分の全部又は一部を取得した共有者と共同して、承認申請をすることができる。

③ 承認申請は、その土地が次の各号のいずれかに該当するものであるときは、することができない。

一 建物の存する土地

二 担保権又は使用及び収益を目的とする権利が設定されている土地

三 通路その他の他人による使用が予定される土地として政令で定めるものが含まれる土地

四 土壌汚染対策法（平成十四年法律第五十三号）第二条第一項に規定する特定有害物質（法務省令で定める基準を超えるものに限る。）により汚染されている土地

五 境界が明らかでない土地その他の所有権の存否、帰属又は範囲について争いがある土地

第二四〇条（**遺失物の拾得**） 遺失物は、遺失物法（平成十八年法律第七十三号）の定めるところに従い公告をした後三箇月以内にその所有者が判明しないときは、これを拾得した者がその所有権を取得する。（昭和三三法五、平成一八法七三本条改正）

⊛†【逃失した家畜外の動物↓一九五【遺失物横領罪↓刑二五四、二五五【遺失物と即時取得↓一九三、一九四

第二四一条（**埋蔵物の発見**） 埋蔵物は、遺失物法の定めるところに従い公告をした後六箇月以内にその所有者が判明しないときは、これを発見した者がその所有権を取得する。ただし、他人の所有する物の中から発見された埋蔵物については、これを発見した者及びその他人が等しい割合でその所有権を取得する。

第二四二条（**不動産の付合**） 不動産の所有者は、その不動産に従として付合した物の所有権を取得する。ただし、権原によってその物を附属させた他人の権利を妨げない。

⊛†【不動産↓八六①【付合の効果↓二四七、二四八【付合した物の収去権↓二六九、二七九、五九九①②、六二二【付加物と抵当権↓三七〇

第二四三条（**動産の付合**） 所有者を異にする数個の動産が、付合により、損傷しなければ分離することができなくなったときは、その合成物の所有権は、主たる動産の所有者に帰属する。分離するのに過分の費用を要するときも、同様とする。

⊛†二四四【動産↓八六②【付合の効果↓二四七、二四八

第二四四条 付合した動産について主従の区別をすることができないときは、各動産の所有者は、その付合の時における価格の割合に応じてその合成物を共有する。

⊛†二四三【動産↓八六②【付合の効果↓二四七、二四八【共有↓二四九—二六二

第二四五条（**混和**） 前二条の規定は、所有者を異にする物が混和して識別することができなくなった場合について準用する。

⊛†【混和の効果↓二四七、二四八

第二四六条（**加工**）① 他人の動産に工作を加えた者（以下この条において「加工者」という。）があるときは、その加工物の所有権は、材料の所有者に帰属する。ただし、工作によって生じた価格が材料の価格を著しく超えるときは、加工者がその加工物の所有権を取得する。

② 前項に規定する場合において、加工者が材料の一部を供したときは、その価格に工作によって生じた価格を加えたものが他人の材料の価格を超えるときに限

り、加工者がその加工物の所有権を取得する。

参【動産→八六②【加工の効果→二四七、二四八

（付合、混和又は加工の効果）

第二四七条① 第二百四十二条から前条までの規定により物の所有権が消滅したときは、その物について存する他の権利も、消滅する。

② 前項に規定する場合において、物の所有者が、合成物、混和物又は加工物（以下この項において「合成物等」という。）の単独所有者となったときは、その物について存する他の権利は以後その合成物等について存し、物の所有者が合成物等の共有者となったときは、その物について存する他の権利は以後その持分について存する。

参二四八

（付合、混和又は加工に伴う償金の請求）

第二四八条 第二百四十二条から前条までの規定の適用によって損失を受けた者は、第七百三条及び第七百四条の規定に従い、その償金を請求することができる。

参【償金請求権への物上代位→三〇四、三五〇、三七二

第三節 共有

参【共有に関する特別規定→六六八、六七四―六七七、八九八、八九九、九〇六―九一四、建物区分

（共有物の使用）

第二四九条① 各共有者は、共有物の全部について、その持分に応じた使用をすることができる。

② 共有物を使用する共有者は、別段の合意がある場合を除き、他の共有者に対し、自己の持分を超える使用の対価を償還する義務を負う。（令和三法二四本項追加）

③ 共有者は、善良な管理者の注意をもって、共有物の使用をしなければならない。（令和三法二四本項追加）

参二五〇―二五三、一〇三七―一〇四一【共有に類似の関係→信託七九、二六三、二九四、二六四

（共有持分の割合の推定）

第二五〇条 各共有者の持分は、相等しいものと推定する。

参【共有の持分に関する規定→二四一、二四四、二四五、八九八②、九〇〇―九〇二【持分の効果→二五二、二五三、二五五、二六一、六七四【持分の登記→不登五九㈣

（共有物の変更）

第二五一条① 各共有者は、他の共有者の同意を得なければ、共有物に変更（その形状又は効用の著しい変更を伴わないものを除く。次項において同じ。）を加えることができない。

② 共有者が他の共有者を知ることができず、又はその所在を知ることができないときは、裁判所は、共有者の請求により、当該他の共有者以外の他の共有者の同意を得て共有物に変更を加えることができる旨の裁判をすることができる。（令和三法二四本項追加）

（令和三法二四本条改正）

参二五二―二五三【本条の特則→二三一、二三二 ❷【本項の規定による裁判→非訟八五

（共有物の管理）

第二五二条① 共有物の管理に関する事項（次条第一項に規定する共有物の管理者の選任及び解任を含み、共有物に前条第一項に規定する変更を加えるものを除く。次項において同じ。）は、各共有者の持分の価格に従い、その過半数で決する。共有物を使用する共有者があるときも、同様とする。

② 裁判所は、次の各号に掲げるときは、当該各号に規定する他の共有者以外の共有者の請求により、当該他の共有者以外の共有者の持分の価格に従い、その過半数で共有物の管理に関する事項を決することができる旨の裁判をすることができる。

一 共有者が他の共有者を知ることができず、又はその所在を知ることができないとき。

二 共有者が他の共有者に対し相当の期間を定めて共有物の管理に関する事項を決することについて賛否を明らかにすべき旨を催告した場合において、当該他の共有者がその期間内に賛否を明らかにしないとき。

③ 前二項の規定による決定が、共有者間の決定に基づいて共有物を使用する共有者に特別の影響を及ぼすべきときは、その承諾を得なければならない。（令和三法二四本項追加）

④ 共有者は、前三項の規定により、共有物に、次の各号に掲げる賃借権その他の使用及び収益を目的とする権利（以下この項において「賃借権等」という。）であって、当該各号に定める期間を超えないものを設定することができる。

一 樹木の栽植又は伐採を目的とする山林の賃借権等 十年

二 前号に掲げる賃借権等以外の土地の賃借権等 五年

三 建物の賃借権等 三年

四 動産の賃借権等 六箇月

（令和三法二四本項追加）

⑤ 各共有者は、前各項の規定にかかわらず、保存行為をすることができる。（令和三法二四本項追加）

（令和三法二四本条改正）

参二五〇、二五一、二五二の二、二五三【本条の特則→六七〇 ❷【本項の規定による裁判→非訟八五

（共有物の管理者）

第二五二条の二① 共有物の管理者は、共有物の管理に関する行為をすることができる。ただし、共有者の全員の同意を得なければ、共有物に変更（その形状又は効用の著しい変更を伴わないものを除く。次項において同じ。）を加えることができない。

② 共有物の管理者が共有者を知ることができず、又はその所在を知ることができないときは、裁判所は、共有物の管理者の請求により、当該共有者以外の共有者の同意を得て共有物に変更を加えることができる旨の裁判をすることができる。

③　共有物の管理者は、共有者が共有物の管理に関する事項を決した場合には、これに従ってその職務を行わなければならない。

④　前項の規定に違反して行った共有物の管理者の行為は、共有者に対してその効力を生じない。ただし、共有者は、これをもって善意の第三者に対抗することができない。

（令和三法二四本条追加）

参　二五一—二五三　❷【本項の規定による裁判→非訟八五

（共有物に関する負担）

第二五三条①　各共有者は、その持分に応じ、管理の費用を支払い、その他共有物に関する負担を負う。

②　共有者が一年以内に前項の義務を履行しないときは、他の共有者は、相当の償金を支払ってその者の持分を取得することができる。

参　二五〇、二五二、二五二の二、二五四、二五九

（共有物についての債権）

第二五四条　共有者の一人が共有物について他の共有者に対して有する債権は、その特定承継人に対しても行使することができる。

参　二五三、二五九

（持分の放棄及び共有者の死亡）

第二五五条　共有者の一人が、その持分を放棄したとき、又は死亡して相続人がないときは、その持分は、他の共有者に帰属する。

参　【相続人の不存在→九五八の二、九五九

（共有物の分割請求）

第二五六条①　各共有者は、いつでも共有物の分割を請求することができる。ただし、五年を超えない期間内は分割をしない旨の契約をすることを妨げない。

②　前項ただし書の契約は、更新することができる。ただし、その期間は、更新の時から五年を超えることができない。

参　【分割の実行→二五八、九〇七【分割の制限→二五七、六七六③、九〇八【破産と共有分割→破五二【不分割契約の効力→二五四、不登五九㈥、六五

第二五七条　前条の規定は、第二百二十九条に規定する共有物については、適用しない。（昭和三七法六九本条改正）

（裁判による共有物の分割）

第二五八条①　共有物の分割について共有者間に協議が調わないとき、又は協議をすることができないときは、その分割を裁判所に請求することができる。

②　裁判所は、次に掲げる方法により、共有物の分割を命ずることができる。

一　共有物の現物を分割する方法

二　共有者に債務を負担させて、他の共有者の持分の全部又は一部を取得させる方法

（令和三法二四本項追加）

③　前項に規定する方法により共有物を分割することができないとき、又は分割によってその価格を著しく減少させるおそれがあるときは、裁判所は、その競売を命ずることができる。

④　裁判所は、共有物の分割の裁判において、当事者に対して、金銭の支払、物の引渡し、登記義務の履行その他の給付を命ずることができる。（令和三法二四本項追加）

（令和三法二四本条改正）

参❶二五六【遺産分割の請求→九〇七②　❷【遺産の分割方法→九〇六—九〇八　❸【競売→民執一九五

第二五八条の二①　共有物の全部又はその持分が相続財産に属する場合において、共同相続人間で当該共有物の全部又はその持分について遺産の分割をすべきときは、当該共有物又はその持分について前条の規定による分割をすることができない。

②　共有物の持分が相続財産に属する場合において、相続開始の時から十年を経過したときは、前項の規定にかかわらず、相続財産に属する共有物の持分について前条の規定による分割をすることができる。ただし、当該共有物の持分について遺産の分割の請求があった場合において、相続人が当該共有物の持分について同条の規定による分割をすることに異議の申出をしたときは、この限りでない。

③　相続人が前項ただし書の申出をする場合には、当該申出は、当該相続人が前条第一項の規定による請求を受けた裁判所から当該請求があった旨の通知を受けた日から二箇月以内に当該裁判所にしなければならない。

（令和三法二四本条追加）

参　二五八【遺産の分割→九〇六—九〇七

（共有に関する債権の弁済）

第二五九条①　共有者の一人が他の共有者に対して共有に関する債権を有するときは、分割に際し、債務者に帰属すべき共有物の部分をもって、その弁済に充てることができる。

②　債権者は、前項の弁済を受けるため債務者に帰属すべき共有物の部分を売却する必要があるときは、その売却を請求することができる。

参　二五三、二五四、二五六、二五八

（共有物の分割への参加）

第二六〇条①　共有物について権利を有する者及び各共有者の債権者は、自己の費用で、分割に参加することができる。

②　前項の規定による参加の請求があったにもかかわらず、その請求をした者を参加させないで分割をしたときは、その分割は、その請求をした者に対抗することができない。

参　二五六、二五八【訴訟による参加の方式→民訴四七

（分割における共有者の担保責任）

第二六一条　各共有者は、他の共有者が分割によって取得した物について、売主と同じく、その持分に応じて担保の責任を負う。

参　【持分→二五〇【売主の担保責任→五六二—五七二、五五九

【遺産分割と担保責任→九一一―九一四

（共有物に関する証書）

第二六二条① 分割が完了したときは、各分割者は、その取得した物に関する証書を保存しなければならない。

② 共有者の全員又はそのうちの数人に分割した物に関する証書は、その物の最大の部分を取得した者が保存しなければならない。

③ 前項の場合において、最大の部分を取得した者がないときは、分割者間の協議で証書の保存者を定める。協議が調わないときは、裁判所が、これを指定する。

④ 証書の保存者は、他の分割者の請求に応じて、その証書を使用させなければならない。

参❸【証書保存者の指定→非訟八六　❹【訴訟における文書提出義務→民訴二二〇

（所在等不明共有者の持分の取得）

第二六二条の二① 不動産が数人の共有に属する場合において、共有者が他の共有者を知ることができず、又はその所在を知ることができないときは、裁判所は、共有者の請求により、その共有者に、当該他の共有者（以下この条において「所在等不明共有者」という。）の持分を取得させる旨の裁判をすることができる。この場合において、請求をした共有者が二人以上あるときは、請求をした各共有者に、所在等不明共有者の持分を、請求をした各共有者の持分の割合で按分してそれぞれ取得させる。

② 前項の請求があった持分に係る不動産について第二百五十八条第一項の規定による請求又は遺産の分割の請求があり、かつ、所在等不明共有者以外の共有者が前項の請求を受けた裁判所に同項の裁判をすることについて異議がある旨の届出をしたときは、裁判所は、同項の裁判をすることができない。

③ 所在等不明共有者の持分が相続財産に属する場合（共同相続人間で遺産の分割をすべき場合に限る。）において、相続開始の時から十年を経過していないときは、裁判所は、第一項の裁判をすることができない。

④ 第一項の規定により共有者が所在等不明共有者の持分を取得したときは、所在等不明共有者は、当該共有者に対し、当該共有者が取得した持分の時価相当額の支払を請求することができる。

⑤ 前各項の規定は、不動産の使用又は収益をする権利（所有権を除く。）が数人の共有に属する場合について準用する。

（令和三法二四本条追加）

参＊二六二の三【取得の裁判→非訟八七　❷【遺産の分割→九〇六―九〇七　❸【相続財産→八九六

（所在等不明共有者の持分の譲渡）

第二六二条の三① 不動産が数人の共有に属する場合において、共有者が他の共有者を知ることができず、又はその所在を知ることができないときは、裁判所は、共有者の請求により、その共有者に、当該他の共有者（以下この条において「所在等不明共有者」という。）以外の共有者の全員が特定の者に対してその有する持分の全部を譲渡することを停止条件として所在等不明共有者の持分を当該特定の者に譲渡する権限を付与する旨の裁判をすることができる。

② 所在等不明共有者の持分が相続財産に属する場合（共同相続人間で遺産の分割をすべき場合に限る。）において、相続開始の時から十年を経過していないときは、裁判所は、前項の裁判をすることができない。

③ 第一項の裁判により付与された権限に基づき共有者が所在等不明共有者の持分を第三者に譲渡したときは、所在等不明共有者は、当該譲渡をした共有者に対し、不動産の時価相当額を所在等不明共有者の持分に応じて按分して得た額の支払を請求することができる。

④ 前三項の規定は、不動産の使用又は収益をする権利（所有権を除く。）が数人の共有に属する場合について準用する。

（令和三法二四本条追加）

参＊二六二の二【譲渡権限付与の裁判→非訟八八　❷【相続財産→八九六

（共有の性質を有する入会権）

第二六三条 共有の性質を有する入会権については、各地方の慣習に従うほか、この節の規定を適用する。

参＊【共有の性質を有しない入会権→二九四【入会権と登記→不登三

（準共有）

第二六四条 この節（第二百六十二条の二及び第二百六十二条の三を除く。）の規定は、数人で所有権以外の財産権を有する場合について準用する。ただし、法令に特別の定めがあるときは、この限りでない。（令和三法二四本条改正）

参＊【別段の定め→二八二、二八四、二九二、三九八の一四、四二七、五四四、六七〇―六七六、会社一〇六、六〇八⑤、六八六、特許三三③、三八、七三、七七⑤、九四⑥、著作六四、六五、一一七

第四節　所有者不明土地管理命令及び所有者不明建物管理命令（令和三法二四本節追加）

（所有者不明土地管理命令）

第二六四条の二① 裁判所は、所有者を知ることができず、又はその所在を知ることができない土地（土地が数人の共有に属する場合にあっては、共有者を知ることができず、又はその所在を知ることができない土地の共有持分）について、必要があると認めるときは、利害関係人の請求により、その請求に係る土地又は共有持分を対象として、所有者不明土地管理人（第四項に規定する所有者不明土地管理人をいう。以下同じ。）による管理を命ずる処分（以下「所有者不明土地管理命令」という。）をすることができる。

② 所有者不明土地管理命令の効力は、当該所有者不明土地管理命令の対象とされた土地（共有持分を対象として所有者不明土地管理命令が発せられた場合にあっては、共有物である土地）にある動産（当該所有者不

明土地管理命令の対象とされた土地の所有者又は共有持分を有する者が所有するものに限る。）に及ぶ。

③ 所有者不明土地管理命令は、所有者不明土地管理命令が発せられた後に当該所有者不明土地管理命令が取り消された場合において、当該所有者不明土地管理命令の対象とされた土地又は共有持分及び当該所有者不明土地管理命令の効力が及ぶ動産の管理、処分その他の事由により所有者不明土地管理人が得た財産について、必要があると認めるときも、することができる。

④ 裁判所は、所有者不明土地管理命令をする場合には、当該所有者不明土地管理命令において、所有者不明土地管理人を選任しなければならない。

②

§§＋二六四の三―二六四の七【手続→非訟九〇　❷❸【動産→八六

（所有者不明土地管理人の権限）

第二六四条の三① 前条第四項の規定により所有者不明土地管理人が選任された場合には、所有者不明土地管理命令の対象とされた土地又は共有持分及び所有者不明土地管理命令の効力が及ぶ動産並びにその管理、処分その他の事由により所有者不明土地管理人が得た財産（以下「所有者不明土地等」という。）の管理及び処分をする権利は、所有者不明土地管理人に専属する。

② 所有者不明土地管理人が次に掲げる行為の範囲を超える行為をするには、裁判所の許可を得なければならない。ただし、この許可がないことをもって善意の第三者に対抗することはできない。

一 保存行為

二 所有者不明土地等の性質を変えない範囲内において、その利用又は改良を目的とする行為

§§＋二六四の二、二六四の四―二六四の七　❶【動産→八六②

（所有者不明土地等に関する訴えの取扱い）

第二六四条の四 所有者不明土地管理命令が発せられた場合には、所有者不明土地等に関する訴えについては、所有者不明土地管理人を原告又は被告とする。

§§＋二六四の二、二六四の三、二六四の五―二六四の七【訴訟手続の中断及び受継→民訴一二五

（所有者不明土地管理人の義務）

第二六四条の五① 所有者不明土地管理人は、所有者不明土地等の所有者（その共有持分を有する者を含む。）のために、善良な管理者の注意をもって、その権限を行使しなければならない。

② 数人の者の共有持分を対象として所有者不明土地管理命令が発せられたときは、所有者不明土地管理人は、当該所有者不明土地管理命令の対象とされた共有持分を有する者全員のために、誠実かつ公平にその権限を行使しなければならない。

§§＋二六四の二―二六四の四、二六四の六、二六四の七

（所有者不明土地管理人の解任及び辞任）

第二六四条の六① 所有者不明土地管理人がその任務に違反して所有者不明土地等に著しい損害を与えたことその他重要な事由があるときは、裁判所は、利害関係人の請求により、所有者不明土地管理人を解任することができる。

② 所有者不明土地管理人は、正当な事由があるときは、裁判所の許可を得て、辞任することができる。

§§＋二六四の二―二六四の五、二六四の七

（所有者不明土地管理人の報酬等）

第二六四条の七① 所有者不明土地管理人は、所有者不明土地等から裁判所が定める額の費用の前払及び報酬を受けることができる。

② 所有者不明土地管理人による所有者不明土地等の管理に必要な費用及び報酬は、所有者不明土地等の所有者（その共有持分を有する者を含む。）の負担とする。

§§＋二六四の二―二六四の六

（所有者不明建物管理命令）

第二六四条の八① 裁判所は、所有者を知ることができず、又はその所在を知ることができない建物（建物が数人の共有に属する場合にあっては、共有者を知ることができず、又はその所在を知ることができない建物の共有持分）について、必要があると認めるときは、利害関係人の請求により、その請求に係る建物又は共有持分を対象として、所有者不明建物管理人（第四項に規定する所有者不明建物管理人をいう。以下この条において同じ。）による管理を命ずる処分（以下この条において「所有者不明建物管理命令」という。）をすることができる。

② 所有者不明建物管理命令の効力は、当該所有者不明建物管理命令の対象とされた建物（共有持分を対象として所有者不明建物管理命令が発せられた場合にあっては、共有物である建物）にある動産（当該所有者不明建物管理命令の対象とされた建物の所有者又は共有持分を有する者が所有するものに限る。）及び当該建物を所有し、又は当該建物の共有持分を有するための建物の敷地に関する権利（賃借権その他の使用及び収益を目的とする権利（所有権を除く。）であって、当該所有者不明建物管理命令の対象とされた建物の所有者又は共有持分を有する者が有するものに限る。）に及ぶ。

③ 所有者不明建物管理命令は、所有者不明建物管理命令が発せられた後に当該所有者不明建物管理命令が取り消された場合において、当該所有者不明建物管理命令の対象とされた建物又は共有持分並びに当該所有者不明建物管理命令の効力が及ぶ動産及び建物の敷地に関する権利の管理、処分その他の事由により所有者不明建物管理人が得た財産について、必要があると認めるときも、することができる。

④ 裁判所は、所有者不明建物管理命令をする場合には、当該所有者不明建物管理命令において、所有者不明建物管理人を選任しなければならない。

⑤ 第二百六十四条の三から前条まで（所有者不明土地管理人の権限、所有者不明土地等に関する訴えの取扱い、所有者不明土地管理人の義務、解任及び辞任、報酬等）の規定は、所有者不明建物管理命令及び所有者不明建物管理人について準用する。

§§＋二六四の二―二六四の七　❺【訴訟手続の中断及び受継→民訴一二五③

第五節　管理不全土地管理命令及び管理不全建物管理命令（令和三法二四本節追加）

第二六四条の九（管理不全土地管理命令）① 裁判所は、所有者による土地の管理が不適当であることによって他人の権利又は法律上保護される利益が侵害され、又は侵害されるおそれがある場合において、必要があると認めるときは、利害関係人の請求により、当該土地を対象として、管理不全土地管理人（第三項に規定する管理不全土地管理人をいう。以下同じ。）による管理を命ずる処分（以下「管理不全土地管理命令」という。）をすることができる。
② 管理不全土地管理命令の効力は、当該管理不全土地管理命令の対象とされた土地にある動産（当該管理不全土地管理命令の対象とされた土地の所有者又はその共有持分を有する者が所有するものに限る。）に及ぶ。
③ 裁判所は、管理不全土地管理命令をする場合には、当該管理不全土地管理命令において、管理不全土地管理人を選任しなければならない。
⊛+二六四の一〇―二六四の一三【手続→非訟九一　❷【動産→八六②

第二六四条の一〇（管理不全土地管理人の権限）① 管理不全土地管理人は、管理不全土地管理命令の対象とされた土地及び管理不全土地管理命令の効力が及ぶ動産並びにその管理、処分その他の事由により管理不全土地管理人が得た財産（以下「管理不全土地等」という。）の管理及び処分をする権限を有する。
② 管理不全土地管理人が次に掲げる行為の範囲を超える行為をするには、裁判所の許可を得なければならない。ただし、この許可がないことをもって善意でかつ過失がない第三者に対抗することはできない。
一　保存行為
二　管理不全土地等の性質を変えない範囲内において、その利用又は改良を目的とする行為
③ 管理不全土地管理命令の対象とされた土地の処分についての前項の許可をするには、その所有者の同意がなければならない。
⊛+二六四の九、二六四の一一―二六四の一三

第二六四条の一一（管理不全土地管理人の義務）① 管理不全土地管理人は、管理不全土地等の所有者のために、善良な管理者の注意をもって、その権限を行使しなければならない。
② 管理不全土地等が数人の共有に属する場合には、管理不全土地管理人は、その共有持分を有する者全員のために、誠実かつ公平にその権限を行使しなければならない。
⊛+二六四の九、二六四の一〇、二六四の一二、二六四の一三

第二六四条の一二（管理不全土地管理人の解任及び辞任）① 管理不全土地管理人がその任務に違反して管理不全土地等に著しい損害を与えたことその他重要な事由があるときは、裁判所は、利害関係人の請求により、管理不全土地管理人を解任することができる。
② 管理不全土地管理人は、正当な事由があるときは、裁判所の許可を得て、辞任することができる。
⊛+二六四の九―二六四の一一、二六四の一三

第二六四条の一三（管理不全土地管理人の報酬等）① 管理不全土地管理人は、管理不全土地等から裁判所が定める額の費用の前払及び報酬を受けることができる。
② 管理不全土地管理人による管理不全土地等の管理に必要な費用及び報酬は、管理不全土地等の所有者の負担とする。
⊛+二六四の九―二六四の一二

第二六四条の一四（管理不全建物管理命令）① 裁判所は、所有者による建物の管理が不適当であることによって他人の権利又は法律上保護される利益が侵害され、又は侵害されるおそれがある場合において、必要があると認めるときは、利害関係人の請求により、当該建物を対象として、管理不全建物管理人（第三項に規定する管理不全建物管理人をいう。第四項において同じ。）による管理を命ずる処分（以下この条において「管理不全建物管理命令」という。）をすることができる。
② 管理不全建物管理命令は、当該管理不全建物管理命令の対象とされた建物にある動産（当該管理不全建物管理命令の対象とされた建物の所有者又はその共有持分を有する者が所有するものに限る。）及び当該建物を所有するための建物の敷地に関する権利（賃借権その他の使用及び収益を目的とする権利（所有権を除く。）であって、当該管理不全建物管理命令の対象とされた建物の所有者又はその共有持分を有する者が有するものに限る。）に及ぶ。
③ 裁判所は、管理不全建物管理命令をする場合には、当該管理不全建物管理命令において、管理不全建物管理人を選任しなければならない。
④ 第二百六十四条の十から前条まで〈管理不全土地管理人の権限、義務、解任及び辞任、報酬等〉の規定は、管理不全建物管理命令及び管理不全建物管理人について準用する。
⊛+二六四の九―二六四の一三

第四章　地上権

第二六五条（地上権の内容） 地上権者は、他人の土地において工作物又は竹木を所有するため、その土地を使用する権利を有する。

⊛+【法定地上権→三八八、三八八⊛【地上権の対抗力→一七七、借地借家一〇①②【建物所有を目的とする地上権→借地借家二㈡【地上権と登記→不登三㈢・七八

第二六六条（地代）① 〈小作料の減免、永小作権の放棄・消滅請求〉第二百七十四条から第二百七十六条までの規定は、地

上権者が土地の所有者に定期の地代を支払わなければならない場合について準用する。

② 地代については、前項に規定するもののほか、その性質に反しない限り、賃貸借に関する規定を準用する。

参【地代の登記→不登七八③】【賃貸借に関する規定→三一二―三一六、六一一、六一四】【地代→借地借家一一、三八八】【地代と先取特権→三一二―三一六、借地借家一二】

第二六七条（**相隣関係の規定の準用**）　前章第一節第二款（相隣関係）の規定は、地上権者間又は地上権者と土地の所有者との間について準用する。ただし、第二百二十九条（境界標等の共有の推定）の規定は、境界線上の工作物が地上権の設定後に設けられた場合に限り、地上権者について準用する。

第二六八条（**地上権の存続期間**）① 設定行為で地上権の存続期間を定めなかった場合において、別段の慣習がないときは、地上権者は、いつでもその権利を放棄することができる。ただし、地代を支払うべきときは、一年前に予告をし、又は期限の到来していない一年分の地代を支払わなければならない。

② 地上権者が前項の規定によりその権利を放棄しないときは、裁判所は、当事者の請求により、二十年以上五十年以下の範囲内において、工作物又は竹木の種類及び状況その他地上権の設定当時の事情を考慮して、その存続期間を定める。

参【存続期間の特則→借地借家三―七、九、二二―二五、不登七八③】【地上権の放棄の制限→三九八】

第二六九条（**工作物等の収去等**）① 地上権者は、その権利が消滅した時に、土地を原状に復してその工作物及び竹木を収去することができる。ただし、土地の所有者が時価相当額を提供してこれを買い取る旨を通知したときは、地上権者は、正当な理由がなければ、これを拒むことができない。

② 前項の規定と異なる慣習があるときは、その慣習に従う。

参❶【本項の特則→借地借家一三、一六】

第二六九条の二（**地下又は空間を目的とする地上権**）① 地下又は空間は、工作物を所有するため、上下の範囲を定めて地上権の目的とすることができる。この場合においては、設定行為で、地上権の行使のためにその土地の使用に制限を加えることができる。

② 前項の地上権は、第三者がその土地の使用又は収益をする権利を有する場合においても、その権利又はこれを目的とする権利を有するすべての者の承諾があるときは、設定することができる。この場合において、土地の使用又は収益をする権利を有する者は、その地上権の行使を妨げることができない。

（昭和四一法九三本条追加）

参【本条の地上権と登記→不登七八⑤】

第五章　永小作権

第二七〇条（**永小作権の内容**）　永小作人は、小作料を支払って他人の土地において耕作又は牧畜をする権利を有する。

参【小作料→二七四―二七七】【永小作権と登記→不登三③、七九】

第二七一条（**永小作人による土地の変更の制限**）　永小作人は、土地に対して、回復することのできない損害を生ずべき変更を加えることができない。

参二七七

第二七二条（**永小作権の譲渡又は土地の賃貸**）　永小作人は、その権利を他人に譲り渡し、又はその権利の存続期間内において耕作若しくは牧畜のため土地を賃貸することができる。ただし、設定行為で禁じたときは、この限りでない。

参二七七【ただし書の定めの登記→不登七九】

第二七三条（**賃貸借に関する規定の準用**）　永小作人の義務については、この章の規定及び設定行為で定めるもののほか、その性質に反しない限り、賃貸借に関する規定を準用する。

参二七七【賃貸借に関する規定→六〇六②、六一二―六一六、六一七②、六二〇―六二二、三一二―三一六】

第二七四条（**小作料の減免**）　永小作人は、不可抗力により収益について損失を受けたときであっても、小作料の免除又は減額を請求することができない。

参二七七、二七五【金納小作料と不可抗力→四一九】

第二七五条（**永小作権の放棄**）　永小作人は、不可抗力によって、引き続き三年以上全く収益を得ず、又は五年以上小作料より少ない収益を得たときは、その権利を放棄することができる。

参二七七、二七四【永小作権の放棄→三九八】

第二七六条（**永小作権の消滅請求**）　永小作人が引き続き二年以上小作料の支払を怠ったときは、土地の所有者は、永小作権の消滅を請求することができる。（平成一六法七六本条改正）

参二七七

第二七七条（**永小作権に関する慣習**）　第二百七十一条から前条までの規定と異なる慣習があるときは、その慣習に従う。

第二七八条（**永小作権の存続期間**）① 永小作権の存続期間は、二十年以上五十年以下とする。設定行為で五十年より長い期間を定めたときであっても、その期間は、五十年とする。

② 永小作権の設定は、更新することができる。ただし、その存続期間は、更新の時から五十年を超えることができない。

③　設定行為で永小作権の存続期間を定めなかったときは、その期間は、別段の慣習がある場合を除き、三十年とする。

【存続期間の登記↓不登七九[三]

（工作物等の収去等）

第二七九条　第二百六十九条（地上権者による工作物等の収去等）の規定は、永小作権について準用する。

第六章　地役権

（地役権の内容）

第二八〇条　地役権者は、設定行為で定めた目的に従い、他人の土地を自己の土地の便益に供する権利を有する。ただし、第三章第一節（所有権の限界）の規定（公の秩序に関するものに限る。）に違反しないものでなければならない。

【第三章第一節中の公の秩序に関する規定↓二〇六・二〇七・二〇九—二一七・二二〇【地役権と登記↓不登三[四]・八〇

（地役権の付従性）

第二八一条①　地役権は、要役地（地役権者の土地であって、他人の土地から便益を受けるものをいう。以下同じ。）の所有権に従たるものとして、その所有権とともに移転し、又は要役地について存する他の権利の目的となるものとする。ただし、設定行為に別段の定めがあるときは、この限りでない。

②　地役権は、要役地から分離して譲り渡し、又は他の権利の目的とすることができない。

❶【別段の定めの登記↓不登八〇①[三]

（地役権の不可分性）

第二八二条①　土地の共有者の一人は、その持分につき、その土地のために又はその土地について存する地役権を消滅させることができない。

②　土地の分割又はその一部の譲渡の場合には、地役権は、その各部のために又はその各部について存する。ただし、地役権がその性質により土地の一部のみに関するときは、この限りでない。

❶【地役権の不可分性↓二八四・二九二

（地役権の時効取得）

第二八三条　地役権は、継続的に行使され、かつ、外形上認識することができるものに限り、時効によって取得することができる。

【地役権の時効取得↓一六三・二八四【継続の推定↓二〇五・一八六②

第二八四条①　土地の共有者の一人が時効によって地役権を取得したときは、他の共有者も、これを取得する。

②　共有者に対する時効の更新は、地役権を行使する各共有者に対してしなければ、その効力を生じない。（平成二九法四四本項改正）

③　地役権を行使する共有者が数人ある場合には、その一人について時効の完成猶予の事由があっても、時効は、各共有者のために進行する。（平成二九法四四本項改正）

【地役権の不可分性↓二八二・二九二　❶【地役権の時効取得↓二八三・一六三　❷【時効更新・中断↓一四七②・一四八②・一五二・一五三①③・一六五・一六四　❸【時効完成猶予↓一四七①・一四八①・一四九—一五一・一五三①②・一五八—一六一

（用水地役権）

第二八五条①　用水地役権の承役地（地役権者以外の者の土地であって、要役地の便益に供されるものをいう。以下同じ。）において、水が要役地及び承役地の需要に比して不足するときは、その各土地の需要に応じて、まずこれを生活用に供し、その残余を他の用途に供するものとする。ただし、設定行為に別段の定めがあるときは、この限りでない。

②　同一の承役地について数個の用水地役権を設定したときは、後の地役権者は、前の地役権者の水の使用を妨げてはならない。

❶【別段の定めの登記↓不登八〇①[三]　❷【権利の順位↓不登四

（承役地の所有者の工作物の設置義務等）

第二八六条　設定行為又は設定後の契約により、承役地の所有者が自己の費用で地役権の行使のために工作物を設け、又はその修繕をする義務を負担したときは、承役地の所有者の特定承継人も、その義務を負担する。

二八七・二八八【本条の定めの登記↓不登八〇①[三]

第二八七条　承役地の所有者は、いつでも、地役権に必要な土地の部分の所有権を放棄して地役権者に移転し、これにより前条の義務を免れることができる。

二八六

（承役地の所有者の工作物の使用）

第二八八条①　承役地の所有者は、地役権の行使を妨げない範囲内において、その行使のために承役地の上に設けられた工作物を使用することができる。

②　前項の場合には、承役地の所有者は、その利益を受ける割合に応じて、工作物の設置及び保存の費用を分担しなければならない。

二八六

（承役地の時効取得による地役権の消滅）

第二八九条　承役地の占有者が取得時効に必要な要件を具備する占有をしたときは、地役権は、これによって消滅する。

二九〇【取得時効↓一六二・一六三

第二九〇条　前条の規定による地役権の消滅時効は、地役権者がその権利を行使することによって中断する。

【一般の時効更新↓一四七②・一四八②・一五二

（地役権の消滅時効）

第二九一条　第百六十六条第二項に規定する消滅時効の期間は、継続的でなく行使される地役権については最後の行使の時から起算し、継続的に行使される地役権についてはその行使を妨げる事実が生じた時から起算する。（平成二九法四四本条改正）

第二九二条　要役地が数人の共有に属する場合において、その一人のために時効の完成猶予又は更新がある

ときは、その完成猶予又は更新は、他の共有者のためにも、その効力を生ずる。（平成二九法四四本条改正）

参【時効の更新・完成猶予→一五三参【地役権の不可分性→二八二・二八四

第二九三条　地役権者がその権利の一部を行使しないときは、その部分のみが時効によって消滅する。

参【地役権の消滅時効→一六六②・二九一・二九二

（共有の性質を有しない入会権）

第二九四条　共有の性質を有しない入会権については、各地方の慣習に従うほか、この章の規定を準用する。

参【共有の性質を有する入会権→二六三【入会権と登記→不登三

第七章　留置権

（留置権の内容）

第二九五条①　他人の物の占有者は、その物に関して生じた債権を有するときは、その債権の弁済を受けるまで、その物を留置することができる。ただし、その債権が弁済期にないときは、この限りでない。

②　前項の規定は、占有が不法行為によって始まった場合には、適用しない。

参【留置権の効力→民執一九五・五九④⑤・一八八・一二四、破六六③【商事留置権→商三一・五二一・五五七・五六二・五七四・七四一②、会社二〇、破六六①②、会更二⑩【同時履行の抗弁権→五三三　❷【不法行為→七〇九【占有の不法→一八六①・一八七②

（留置権の不可分性）

第二九六条　留置権者は、債権の全部の弁済を受けるまでは、留置物の全部についてその権利を行使することができる。

参【本条の準用→三〇五・三五〇・三七二

（留置権者による果実の収取）

第二九七条①　留置権者は、留置物から生ずる果実を収取し、他の債権者に先立って、これを自己の債権の弁済に充当することができる。

②　前項の果実は、まず債権の利息に充当し、なお残余があるときは元本に充当しなければならない。

参【果実→八八・八九【質権への準用→三五〇　❷【法定充当→四八九

（留置権者による留置物の保管等）

第二九八条①　留置権者は、善良な管理者の注意をもって、留置物を占有しなければならない。

②　留置権者は、債務者の承諾を得なければ、留置物を使用し、賃貸し、又は担保に供することができない。ただし、その物の保存に必要な使用をすることは、この限りでない。

③　留置権者が前二項の規定に違反したときは、債務者は、留置権の消滅を請求することができる。

参【質権への準用→三五〇　❶【特定物の引渡しと債務者の注意義務→四〇〇

（留置権者による費用の償還請求）

第二九九条①　留置権者は、留置物について必要費を支出したときは、所有者にその償還をさせることができる。

②　留置権者は、留置物について有益費を支出したときは、これによる価格の増加が現存する場合に限り、所有者の選択に従い、その支出した金額又は増価額を償還させることができる。ただし、裁判所は、所有者の請求により、その償還について相当の期限を許与することができる。

参【占有と費用の償還→一九六【質権への準用→三五〇　❷【期限許与の効果→二九五①但

（留置権の行使と債権の消滅時効）

第三〇〇条　留置権の行使は、債権の消滅時効の進行を妨げない。

参【債権の消滅時効→一六六―一六九【質権への準用→三五〇

（担保の供与による留置権の消滅）

第三〇一条　債務者は、相当の担保を供して、留置権の消滅を請求することができる。

（占有の喪失による留置権の消滅）

第三〇二条　留置権は、留置権者が留置物の占有を失うことによって、消滅する。ただし、第二百九十八条第二項の規定により留置物を賃貸し、又は質権の目的としたときは、この限りでない。

参【占有の喪失→二〇三・二〇〇

第八章　先取特権

第一節　総則

（先取特権の内容）

第三〇三条　先取特権者は、この法律その他の法律の規定に従い、その債務者の財産について、他の債権者に先立って自己の債権の弁済を受ける権利を有する。

参【先取特権の順位→三二九―三三二【先取特権の効力→三三三―三四一、民執一八〇・一八一・一八八―一九〇・一九三・五九・八五・八七・一三三、破九八・二⑨、会更二⑩【先取特権と登記→不登三五・八三―八七【他の法律の規定→商八〇二・七〇三・八四二―八四六、借地借家一二

（物上代位）

第三〇四条①　先取特権は、その目的物の売却、賃貸、滅失又は損傷によって債務者が受けるべき金銭その他の物に対しても、行使することができる。ただし、先取特権者は、その払渡し又は引渡しの前に差押えをしなければならない。

②　債務者が先取特権の目的物につき設定した物権の対価についても、前項と同様とする。

参【補償金・清算金等と物上代位→仮登記担保四①【差押え→民執一九三、民保二〇【本条の準用→三五〇・三七二・九四六・九五〇②

（先取特権の不可分性）

第三〇五条　第二百九十六条〈留置権の不可分性〉の規定は、先取特権について準用する。

第二節　先取特権の種類

第一款　一般の先取特権

（一般の先取特権）
第三〇六条　次に掲げる原因によって生じた債権を有する者は、債務者の総財産について先取特権を有する。
一　共益の費用
二　雇用関係（平成一五法一三四本号全部改正）
三　子の監護の費用（令和六法三三本号追加）
四　葬式の費用
五　日用品の供給
（昭和二四法一一五本条改正）

＊令和六法三三（令和八・五・二三までに施行）による改正前
（一般の先取特権）
第三〇六条（柱書略）
一・二（略）
新三（改正により追加）
三・四（略、改正後の四・五）

⊛＋三〇七―三一〇【一般の先取特権の効力→三二九、三三二・三三三―三三六、民執一八一①三八・一八九、一九〇・一九三・八七・五一・一三三、一五四、破九八【他の法律による一般の先取特権→建物区分七①②

（共益費用の先取特権）
第三〇七条①　共益の費用の先取特権は、各債権者の共同の利益のためにされた債務者の財産の保存、清算又は配当に関する費用について存在する。
②　前項の費用のうちすべての債権者に有益でなかったものについては、先取特権は、その費用によって利益を受けた債権者に対してのみ存在する。
⊛＋三〇六㈠【保存行為の例→二七・二九・四二三・四二四・七〇二【清算行為の例→二五八・二六〇、一般法人二〇六―二三八、民執一九四・四二【配当の例→民執一八八・八四―九二・一九二・一三九―一四二・一九三・一六六【更生手続と共益債権→会更一二七・六一④・一三二【区分所有と先取特権→建物区分七

（雇用関係の先取特権）
第三〇八条　雇用関係の先取特権は、給料その他債務者と使用人との間の雇用関係に基づいて生じた債権について存在する。（平成一五法一三四本条全部改正）
⊛＋三〇六㈡【雇用関係に基づき生じた債権の例→六二四・六二四の二・六二九②、労基二三ⅠⅡⅢ【使用人のための他の先取特権→三二三・三二四【使用人の給料と破産免責の除外→破二五三①㈤

（子の監護費用の先取特権）
第三〇八条の二　子の監護の費用の先取特権は、次に掲げる義務に係る確定期限の定めのある定期金債権の各期における定期金のうち子の監護に要する費用として相当な額（子の監護に要する標準的な費用その他の事情を勘案して当該定期金により扶養を受けるべき子の数に応じて法務省令で定めるところにより算定した額）について存在する。
一　第七百五十二条の規定による夫婦間の協力及び扶助の義務
二　第七百六十条の規定による婚姻から生ずる費用の分担の義務
三　第七百六十六条及び第七百六十六条の三（これらの規定を第七百四十九条、第七百七十一条及び第七百八十八条において準用する場合を含む。）の規定による子の監護に関する義務
四　第八百七十七条から第八百八十条までの規定による扶養の義務
（令和六法三三本条追加）

＊令和六法三三（令和八・五・二三までに施行）により第三〇八条の二追加

⊛＋三〇六㈢

（葬式費用の先取特権）
第三〇九条①　葬式の費用の先取特権は、債務者のためにされた葬式の費用のうち相当な額について存在する。
②　前項の先取特権は、債務者がその扶養すべき親族のためにした葬式の費用のうち相当な額についても存在する。（昭和二二法二二二本項改正）
⊛＋三〇六㈣　❷【扶養すべき親族→八七七・八七八

（日用品供給の先取特権）
第三一〇条　日用品の供給の先取特権は、債務者又はその扶養すべき同居の親族及びその家事使用人の生活に必要な最後の六箇月間の飲食料品、燃料及び電気の供給について存在する。（昭和二二法二二二本条改正）
（昭和二四法一一五本条改正）
⊛＋三〇六㈤【扶養すべき親族→八七七・八七八

第二款　動産の先取特権

（動産の先取特権）
第三一一条　次に掲げる原因によって生じた債権を有する者は、債務者の特定の動産について先取特権を有する。
一　不動産の賃貸借
二　旅館の宿泊
三　旅客又は荷物の運輸
四　動産の保存
五　動産の売買
六　種苗又は肥料（蚕種又は蚕の飼養に供した桑葉を含む。以下同じ。）の供給
七　農業の労務
八　工業の労務
（平成一六法一四七本条改正）
⊛［一］三一二―三一六　［二］三一七　［三］三一八　［四］三二〇　［五］三二一　［六］三二二　［七］三二三　［八］三二四　＋【動産→八六②【動産の先取特権の効力→三二九②・三三〇・三三二―三三四、民執一九〇、破二⑨・六五・六六、民再五三、会更二⑩【他の法律による動産の先取特権→商八〇二・七〇三・八四二―八四六

（不動産賃貸の先取特権）
第三一二条　不動産の賃貸の先取特権は、その不動産の賃料その他の賃貸借関係から生じた賃借人の債務に関し、賃借人の動産について存在する。
⊛＋三一一㈠・三一三―三一六、三一九【不動産→八六①【他の法律による不動産賃貸の先取特権→借地借家一二

第三一三条①（不動産賃貸の先取特権の目的物の範囲）土地の賃貸人の先取特権は、その土地又はその利用のための建物に備え付けられた動産、その土地の利用に供された動産及び賃借人が占有するその土地の果実について存在する。

② 建物の賃貸人の先取特権は、賃借人がその建物に備え付けた動産について存在する。

三一一㊀・三一二・三二九

第三一四条 賃借権の譲渡又は転貸の場合には、賃貸人の先取特権は、譲受人又は転借人の動産にも及ぶ。譲渡人又は転貸人が受けるべき金銭についても、同様とする。

三一一㊀・三一二・三二九【賃借権の譲渡転貸→六一二・六一三

（不動産賃貸の先取特権の被担保債権の範囲）

第三一五条 賃借人の財産のすべてを清算する場合には、賃貸人の先取特権は、前期、当期及び次期の賃料その他の債務並びに前期及び当期に生じた損害の賠償債務についてのみ存在する。

三一二【総清算の例→九二二―九三六・九四一―九五〇・九五七、一般法人二〇六―二三八、破【借賃の支払時期→六一四

第三一六条 賃貸人は、第六百二十二条の二第一項に規定する敷金を受け取っている場合には、その敷金で弁済を受けない債権の部分についてのみ先取特権を有する。（平成二九法四四本条改正）

三一二

（旅館宿泊の先取特権）

第三一七条 旅館の宿泊の先取特権は、宿泊客が負担すべき宿泊料及び飲食料に関し、その旅館に在るその宿泊客の手荷物について存在する。

三一一㊁・三二九

（運輸の先取特権）

第三一八条 運輸の先取特権は、旅客又は荷物の運送賃及び付随の費用に関し、運送人の占有する荷物について存在する。

三一一㊂・三二九【荷物と留置権→二九五

（即時取得の規定の準用）

第三一九条 第百九十二条から第百九十五条まで〈動産の即時取得〉の規定は、第三百十二条から前条までの規定による先取特権について準用する。

【本条の準用→建物区分七③

（動産保存の先取特権）

第三二〇条 動産の保存の先取特権は、動産の保存のために要した費用又は動産に関する権利の保存、承認若しくは実行のために要した費用に関し、その動産について存在する。

三一一㊃【動産の保存と留置権→二九五

（動産売買の先取特権）

第三二一条 動産の売買の先取特権は、動産の代価及びその利息に関し、その動産について存在する。

三一一㊄

（種苗又は肥料の供給の先取特権）

第三二二条 種苗又は肥料の供給の先取特権は、種苗又は肥料の代価及びその利息に関し、その種苗又は肥料を用いた後一年以内にこれを用いた土地から生じた果実（蚕種又は蚕の飼養に供した桑葉の使用によって生じた物を含む。）について存在する。

三一一㊅【果実→八八・八九

（農業労務の先取特権）

第三二三条 農業の労務の先取特権は、その労務に従事する者の最後の一年間の賃金に関し、その労務によって生じた果実について存在する。

三一一㊆【雇用関係の先取特権→三〇八

（工業労務の先取特権）

第三二四条 工業の労務の先取特権は、その労務に従事する者の最後の三箇月間の賃金に関し、その労務によって生じた製作物について存在する。

三一一㊇【雇用関係の先取特権→三〇八

第三款　不動産の先取特権

（不動産の先取特権）

第三二五条 次に掲げる原因によって生じた債権を有する者は、債務者の特定の不動産について先取特権を有する。

一　不動産の保存
二　不動産の工事
三　不動産の売買

三二六―三二八【不動産→八六①【不動産の先取特権の効力→三二九②・三三一・三三二・三三七―三四一、民執一八〇・一八一、破二⑨・六五・六六、民再五三、会更二⑩【不動産の先取特権と登記→不登三㊄・八三・八五・八六【他の法律による不動産の先取特権→借地借家一二

（不動産保存の先取特権）

第三二六条 不動産の保存の先取特権は、不動産の保存のために要した費用又は不動産に関する権利の保存、承認若しくは実行のために要した費用に関し、その不動産について存在する。

三二五㊀【本条の先取特権の登記と効力→三三七・三三九・三四一

（不動産工事の先取特権）

第三二七条① 不動産の工事の先取特権は、工事の設計、施工又は監理をする者が債務者の不動産に関してした工事の費用に関し、その不動産について存在する。

② 前項の先取特権は、工事によって生じた不動産の価格の増加が現存する場合に限り、その増価額についてのみ存在する。

三二五㊁【本条の先取特権の登記と効力→三三八・三三九・三四一、不登八三―八七

（不動産売買の先取特権）

第三二八条　不動産の売買の先取特権は、不動産の代価及びその利息に関し、その不動産について存在する。

⊛＋三二五㈢【利息→四〇四【不動産売買の先取特権の登記と効力→三四〇、三四一

第三節　先取特権の順位

（一般の先取特権の順位）

第三二九条①　一般の先取特権が互いに競合する場合には、その優先権の順位は、第三百六条各号に掲げる順序に従う。

②　一般の先取特権と特別の先取特権とが競合する場合には、特別の先取特権は、一般の先取特権に優先する。ただし、共益の費用の先取特権は、その利益を受けたすべての債権者に対して優先する効力を有する。

⊛＋三〇六、三三二【他の法律による一般の先取特権の順位→破六六①②　❷【特別の先取特権→三一一、三二五【共益費用の先取特権→三〇六㈠

（動産の先取特権の順位）

第三三〇条①　同一の動産について特別の先取特権が互いに競合する場合には、その優先権の順位は、次に掲げる順序に従う。この場合において、第二号に掲げる動産の保存の先取特権について数人の保存者があるときは、後の保存者が前の保存者に優先する。

一　不動産の賃貸、旅館の宿泊及び運輸の先取特権

二　動産の保存の先取特権

三　動産の売買、種苗又は肥料の供給、農業の労務及び工業の労務の先取特権

②　前項の場合において、第一順位の先取特権者は、その債権取得の時において第二順位又は第三順位の先取特権者があることを知っていたときは、これらの者に対して優先権を行使することができない。第一順位の先取特権者のために物を保存した者に対しても、同様とする。

③　果実に関しては、第一の順位は農業の労務に従事する者に、第二の順位は種苗又は肥料の供給者に、第三の順位は土地の賃貸人に属する。

⊛＋三一一、三三四【動産の先取特権→三一一【他の法律による動産の先取特権の順位→商八四四　❸【果実→八八

（不動産の先取特権の順位）

第三三一条①　同一の不動産について特別の先取特権が互いに競合する場合には、その優先権の順位は、第三百二十五条各号に掲げる順序に従う。

②　同一の不動産について売買が順次された場合には、売主相互間における不動産売買の先取特権の優先権の順位は、売買の前後による。

⊛＋三三二【他の法律による不動産の先取特権の順位→借地借家一二

（同一順位の先取特権）

第三三二条　同一の目的物について同一順位の先取特権者が数人あるときは、各先取特権者は、その債権額の割合に応じて弁済を受ける。

第四節　先取特権の効力

（先取特権と第三取得者）

第三三三条　先取特権は、債務者がその目的である動産をその第三取得者に引き渡した後は、その動産について行使することができない。

⊛＋【動産→八六②【引渡し→一八二―一八四【動産の対価と物上代位→三〇四

（先取特権と動産質権との競合）

第三三四条　先取特権と動産質権とが競合する場合には、動産質権者は、第三百三十条の規定による第一順位の先取特権者と同一の権利を有する。

⊛＋【動産質権→三四二、三五二

（一般の先取特権の効力）

第三三五条①　一般の先取特権者は、まず不動産以外の財産から弁済を受け、なお不足があるのでなければ、不動産から弁済を受けることができない。

②　一般の先取特権者は、不動産については、まず特別担保の目的とされていないものから弁済を受けなければならない。

③　一般の先取特権者は、前二項の規定に従って配当に加入することを怠ったときは、その配当加入をしたならば弁済を受けることができた額については、登記をした第三者に対してその先取特権を行使することができない。

④　前三項の規定は、不動産以外の財産の代価に先立って不動産の代価を配当し、又は他の不動産の代価に先立って特別担保の目的である不動産の代価を配当する場合には、適用しない。

⊛❶【一般の先取特権→三〇六【不動産→八六①　❷【特別担保→三二五、三五六、三六九

（一般の先取特権の対抗力）

第三三六条　一般の先取特権は、不動産について登記をしなくても、特別担保を有しない債権者に対抗することができる。ただし、登記をした第三者に対しては、この限りでない。

⊛＋【一般の先取特権→三〇六【不動産→八六①【登記の一般原則→一七七【先取特権と登記→三三五⊛【特別担保→三三五⊛

（不動産保存の先取特権の登記）

第三三七条　不動産の保存の先取特権の効力を保存するためには、保存行為が完了した後直ちに登記をしなければならない。

⊛＋三三九、三四一【不動産保存の先取特権→三二五㈠、三二六【登記→三三五⊛

（不動産工事の先取特権の登記）

第三三八条①　不動産の工事の先取特権の効力を保存するためには、工事を始める前にその費用の予算額を登記しなければならない。この場合において、工事の費用が予算額を超えるときは、先取特権は、その超過額については存在しない。

②　工事によって生じた不動産の増価額は、配当加入の時に、裁判所が選任した鑑定人に評価させなければならない。

⊛三三九、三四一【不動産工事の先取特権↓三二五㊂、三二七【登記↓不登八三―八七、三三五】

（登記をした不動産保存又は不動産工事の先取特権）
第三三九条　前二条の規定に従って登記をした先取特権は、抵当権に先立って行使することができる。

⊛【抵当権↓三六九、三六一【他の不動産の先取特権との順位↓借地借家一二】

（不動産売買の先取特権の登記）
第三四〇条　不動産の売買の先取特権の効力を保存するためには、売買契約と同時に、不動産の代価又はその利息の弁済がされていない旨を登記しなければならない。

⊛【不動産売買の先取特権↓三二五㊂、三二八【登記↓三三五】

（抵当権に関する規定の準用）
第三四一条　先取特権の効力については、この節に定めるもののほか、その性質に反しない限り、抵当権に関する規定を準用する。

⊛【抵当権に関する規定の準用↓三七〇、三七一、三七三―三八六、三九四、三九五

第九章　質権

第一節　総則

（質権の内容）
第三四二条　質権者は、その債権の担保として債務者又は第三者から受け取った物を占有し、かつ、その物について他の債権者に先立って自己の債権の弁済を受ける権利を有する。

⊛三四三【占有↓一八〇、一八一、三四四、三四五【質権の効力↓三四六―三五一、三五四、三五六、三六一、三六六、民執一八〇、一八一、一八九、一九〇、一九三、五九①④、一二四、八七、四九②㊂、五〇、一三三、一五四、破二⑨、六五、六六、民再五三、会更二⑩【質権と登記↓不登三㊅、九五

（質権の目的）
第三四三条　質権は、譲り渡すことができない物をその目的とすることができない。

⊛【質権の目的となり得ない物の例↓商八四九、八五〇【質権の目的となり得ない権利の例↓三六二】

（質権の設定）
第三四四条　質権の設定は、債権者にその目的物を引き渡すことによって、その効力を生ずる。

⊛【引渡し↓一八二、一八四、三四五

（質権設定者による代理占有の禁止）
第三四五条　質権者は、質権設定者に、自己に代わって質物の占有をさせることができない。

⊛三四四【代理占有の禁止↓一八一、一八三

（質権の被担保債権の範囲）
第三四六条　質権は、元本、利息、違約金、質権の実行の費用、質物の保存の費用及び債務の不履行又は質物の隠れた瑕疵によって生じた損害の賠償を担保する。ただし、設定行為に別段の定めがあるときは、この限りでない。

⊛【質権実行の費用↓民執一九四、四二【質物保存の費用↓三五〇、二九九【損害賠償↓四一五、五六四【別段の定めの登記↓不登九五①㊄

（質物の留置）
第三四七条　質権者は、前条に規定する債権の弁済を受けるまでは、質物を留置することができる。ただし、この権利は、自己に対して優先権を有する債権者に対抗することができない。

⊛【留置↓三五〇、二九六―二九九、民執一二四【質権者に対し優先権を有する債権↓三三四、三三〇②、三五五、三六一、三七三、三三九

（転質）
第三四八条　質権者は、その権利の存続期間内において、自己の責任で、質物について、転質をすることができる。この場合において、転質をしたことによって生じた損失については、不可抗力によるものであっても、その責任を負う。

⊛【本条の例外↓担信三九①

（契約による質物の処分の禁止）
第三四九条　質権設定者は、設定行為又は債務の弁済期前の契約において、質権者に弁済として質物の所有権を取得させ、その他法律に定める方法によらないで質物を処分させることを約することができない。

⊛【法律に定めた方法による処分↓三五四、三六六、民執一八〇、一八一、一九〇【本条の例外↓商五一五

（留置権及び先取特権の規定の準用）
第三五〇条　第二百九十六条から第三百条まで〈留置権者の権利義務〉及び第三百四条〈物上代位〉の規定は、質権について準用する。

（物上保証人の求償権）
第三五一条　他人の債務を担保するため質権を設定した者は、その債務を弁済し、又は質権の実行によって質物の所有権を失ったときは、保証債務に関する規定に従い、債務者に対して求償権を有する。

⊛【保証債務に関する規定↓四五九―四六五の一〇【第三者の弁済↓四七四【代位弁済↓四九九―五〇一

第二節　動産質

（動産質の対抗要件）
第三五二条　動産質権者は、継続して質物を占有しなければ、その質権をもって第三者に対抗することができない。

⊛三五三【動産↓八六②【占有と質権↓三四四、三四五【占有の継続↓一八六②、二〇三但

（質物の占有の回復）
第三五三条　動産質権者は、質物の占有を奪われたときは、占有回収の訴えによってのみ、その質物を回復することができる。

⊛三五二【占有回収の訴え↓二〇〇、二〇一③、二〇三但

（動産質権の実行）
第三五四条　動産質権者は、その債権の弁済を受けないときは、正当な理由がある場合に限り、鑑定人の評価

に従い質物をもって直ちに弁済に充てることを裁判所に請求することができる。この場合において、動産質権者は、あらかじめ、その請求をする旨を債務者に通知しなければならない。

参+【流質契約の禁止→三四九【裁判所への申請手続→非訟九三

（動産質権の順位）

第三五五条　同一の動産について数個の質権が設定されたときは、その質権の順位は、設定の前後による。

参+【質権の順位と質物留置権→三四七【動産質権の設定→三四四【動産物権変動の対抗要件→一七八【抵当権の順位→三七三、三七四

第三節　不動産質

（不動産質権者による使用及び収益）

第三五六条　不動産質権者は、質権の目的である不動産の用法に従い、その使用及び収益をすることができる。

参+三五九【不動産→八六①【不動産質権の登記→不登三[四]、九五

（不動産質権者による管理の費用等の負担）

第三五七条　不動産質権者は、管理の費用を支払い、その他不動産に関する負担を負う。

参+三五九【本条と異なる定めの登記→不登九五①[四]

（不動産質権者による利息の請求の禁止）

第三五八条　不動産質権者は、その債権の利息を請求することができない。

参+三五六、三五九

（設定行為に別段の定めがある場合等）
第三五九条　前三条の規定は、設定行為に別段の定めがあるとき、又は担保不動産収益執行（民事執行法第百八十条第二号に規定する担保不動産収益執行をいう。以下同じ。）の開始があったときは、適用しない。（平成一五法一三四本条改正）
参+【別段の定めの登記→不登九五①[四]【担保不動産収益執行→民執一八〇、一八八

（不動産質権の存続期間）
第三六〇条①　不動産質権の存続期間は、十年を超えることができない。設定行為でこれより長い期間を定めたときであっても、その期間は、十年とする。
②　不動産質権の設定は、更新することができる。ただし、その存続期間は、更新の時から十年を超えることができない。

（抵当権の規定の準用）

第三六一条　不動産質権については、この節に定めるもののほか、その性質に反しない限り、次章（抵当権）の規定を準用する。

参+【準用される主要な規定→三七〇、三八七

第四節　権利質

（権利質の目的等）
第三六二条①　質権は、財産権をその目的とすることができる。
②　前項の質権については、この節に定めるもののほか、その性質に反しない限り、前三節（総則、動産質及び不動産質）の規定を準用する。
参❶【権利質の例→会社一四六―一五四、手一九、特許九五・九六・九八①[三]②【不動産権利質と登記→不登九五【質権の目的となり得ない財産権の例→四六六①参【権利質の実行→民執一九三・一九四　❷【すべての権利質に準用される主要な規定→三四二・三四三・三四六・三四八―三五一・三五五【地上権・永小作権の質権に準用される主要な規定→不動産質に適用される規定全部

第三六三条【債権質の設定】　削除（平成二九法四四）

（債権を目的とする質権の対抗要件）
第三六四条　債権を目的とする質権の設定（現に発生していない債権を目的とするものを含む。）は、第四百六十七条の規定に従い、第三債務者にその質権の設定を通知し、又は第三債務者がこれを承諾しなければ、これをもって第三債務者その他の第三者に対抗することができない。（平成一七法八七、平成二九法四四本条改正）
参+【法人がする質権設定→動産債権譲渡特一四

第三六五条【指図債権を目的とする質権の対抗要件】　削除（平成二九法四四）

（質権者による債権の取立て等）
第三六六条①　質権者は、質権の目的である債権を直接に取り立てることができる。
②　債権の目的物が金銭であるときは、質権者は、自己の債権額に対応する部分に限り、これを取り立てることができる。
③　前項の債権の弁済期が質権者の債権の弁済期前に到来したときは、質権者は、第三債務者にその弁済をすべき金額を供託させることができる。この場合において、質権は、その供託金について存在する。
④　債権の目的物が金銭でないときは、質権者は、弁済として受けた物について質権を有する。
参+民執一九三　❸【供託→四九五

第三六七条及び第三六八条　削除（平成一七法八七本条追加）

第十章　抵当権

第一節　総則

（抵当権の内容）
第三六九条①　抵当権者は、債務者又は第三者が占有を移転しないで債務の担保に供した不動産について、他の債権者に先立って自己の債権の弁済を受ける権利を有する。
②　地上権及び永小作権も、抵当権の目的とすることができる。この場合においては、この章の規定を準用する。
参❶【不動産→八六①【抵当権の効力→三七三―三九五、民執一八〇・一八一・五九・一八八・八七・四九②[三]・五〇、破二⑨・六五・六六、民再五三、会更二⑩【抵当権と登記→不登三[七]・八八―九四　❷【地上権→二六五【永小作権→二七〇　+【他の法律による抵当権→商八四七

（抵当権の効力の及ぶ範囲）
第三七〇条　抵当権は、抵当地の上に存する建物を除

民法

き、その目的である不動産（以下「抵当不動産」という。）に付加して一体となっている物に及ぶ。ただし、設定行為に別段の定めがある場合及び債務者の行為について第四百二十四条第三項に規定する詐害行為取消請求をすることができる場合は、この限りでない。

（平成二九法四四本条改正）

三七一【不動産→八六①【付加した物→二四二【別段の定めの登記→不登八八①四

第三七一条　抵当権は、その担保する債権について不履行があったときは、その後に生じた抵当不動産の果実に及ぶ。（平成一五法一三四本条全部改正）

【果実→八八【不履行→四一二

（**留置権等の規定の準用**）

第三七二条　第二百九十六条〈留置権の不可分性〉、第三百四条〈物上代位〉及び第三百五十一条〈物上保証人の求償権〉の規定は、抵当権について準用する。

第二節　抵当権の効力

（**抵当権の順位**）

第三七三条　同一の不動産について数個の抵当権が設定されたときは、その抵当権の順位は、登記の前後による。

【不動産物権変動の対抗要件→一七七【登記の前後→不登四・一九・二〇【先取特権と抵当権の順位→三三九【動産質権の順位→三五五

（**抵当権の順位の変更**）

第三七四条①　抵当権の順位は、各抵当権者の合意によって変更することができる。ただし、利害関係を有する者があるときは、その承諾を得なければならない。

②　前項の規定による順位の変更は、その登記をしなければ、その効力を生じない。

（昭和四六法九九本条追加）

【不動産物権変動の対抗要件→一七七　❶【順位の処分→三七六　❷【順位の変更の登記→不登八九

（**抵当権の被担保債権の範囲**）

第三七五条①　抵当権者は、利息その他の定期金を請求する権利を有するときは、その満期となった最後の二年分についてのみ、その抵当権を行使することができる。ただし、それ以前の定期金についても、満期後に特別の登記をしたときは、その登記の時からその抵当権を行使することを妨げない。

②　前項の規定は、抵当権者が債務の不履行によって生じた損害の賠償を請求する権利を有する場合におけるその最後の二年分についても適用する。ただし、利息その他の定期金と通算して二年分を超えることができない。

❶【利息→不登八八①㈠　❷【債務不履行による損害賠償→四一九　【根抵当権の場合→三九八の三

（**抵当権の処分**）

第三七六条①　抵当権者は、その抵当権を他の債権の担保とし、又は同一の債務者に対する他の債権者の利益のためにその抵当権若しくはその順位を譲渡し、若しくは放棄することができる。

②　前項の場合において、抵当権者が数人のためにその抵当権の処分をしたときは、その処分の利益を受ける者の権利の順位は、抵当権の登記にした付記の前後による。

❶三七三【根抵当権の特則→三九八の一一①【抵当権の処分の登記→不登九〇【順位の変更→三七四　❷【付記登記と順位→不登四②　【本条の特則→担信三九①・四二・四一・三二

（**抵当権の処分の対抗要件**）

第三七七条①　前条の場合には、第四百六十七条の規定に従い、主たる債務者に抵当権の処分を通知し、又は主たる債務者がこれを承諾しなければ、これをもって主たる債務者、保証人、抵当権設定者及びこれらの者の承継人に対抗することができない。

②　主たる債務者が前項の規定により通知を受け、又は承諾をしたときは、抵当権の処分の利益を受ける者の承諾を得ないでした弁済は、その受益者に対抗することができない。

❷【根抵当権の特則→三九八の一一②

（**代価弁済**）

第三七八条　抵当不動産について所有権又は地上権を買い受けた第三者が、抵当権者の請求に応じてその抵当権者にその代価を弁済したときは、抵当権は、その第三者のために消滅する。

【第三取得者の有する他の権利→三七九―三八六【第三取得者が任意に弁済するとき→四七四・四九九―五〇四

（**抵当権消滅請求**）

第三七九条　抵当不動産の第三取得者は、第三百八十三条の定めるところにより、抵当権消滅請求をすることができる。（平成一五法一三四本条全部改正）

三七九【保証人→四四六

第三八〇条　主たる債務者、保証人及びこれらの者の承継人は、抵当権消滅請求をすることができない。（平成一五法一三四本条改正）

三七九【保証人→四四六

第三八一条　抵当不動産の停止条件付第三取得者は、その停止条件の成否が未定である間は、抵当権消滅請求をすることができない。（平成一五法一三四本条改正）

三七九【停止条件→一二七①

（**抵当権消滅請求の時期**）

第三八二条　抵当不動産の第三取得者は、抵当権の実行としての競売による差押えの効力が発生する前に、抵当権消滅請求をしなければならない。（平成一五法一三四本条全部改正）

三七九【差押え→民執一八〇・一八八・四五

（**抵当権消滅請求の手続**）

第三八三条　抵当不動産の第三取得者は、抵当権消滅請求をするときは、登記をした各債権者に対し、次に掲げる書面を送付しなければならない。

一　取得の原因及び年月日、譲渡人及び取得者の氏名及び住所並びに抵当不動産の性質、所在及び代価そ

の他取得者の負担を記載した書面

二　抵当不動産に関する登記事項証明書（現に効力を有する登記事項のすべてを証明したものに限る。）（平成一六法一二四本号改正）

三　債権者が二箇月以内に抵当権を実行して競売の申立てをしないときは、抵当不動産の第三取得者が第一号に規定する代価又は特に指定した金額を債権の順位に従って弁済し又は供託すべき旨を記載した書面（平成一五法一三四本号改正）

（平成一五法一三四本条改正）

参＋三七九【登記事項証明書→不登一一九①【競売の申立て→民執一八〇・一八一・一八八、四五【供託→四九四、四九五

（債権者のみなし承諾）

第三八四条　次に掲げる場合には、前条各号に掲げる書面の送付を受けた債権者は、抵当不動産の第三取得者が同条第三号に掲げる書面に記載したところにより提供した同号の代価又は金額を承諾したものとみなす。

一　その債権者が前条各号に掲げる書面の送付を受けた後二箇月以内に抵当権を実行して競売の申立てをしないとき。

二　その債権者が前号の申立てを取り下げたとき。

三　第一号の申立てを却下する旨の決定が確定したとき。

四　第一号の申立てに基づく競売の手続を取り消す旨の決定（民事執行法第百八十八条において準用する同法第六十三条第三項若しくは第六十八条の三第三項の規定又は同法第百八十三条第一項第二号に掲げる文書が提出された場合における同条第二項の規定による決定を除く。）が確定したとき。（令和五法五三本号改正）

（平成一五法一三四本条全部改正）

参＋三七九、三八三【競売の申立て→民執一八〇・一八一・一八八、四五

（競売の申立ての通知）

第三八五条　第三百八十三条各号に掲げる書面の送付を受けた債権者は、前条第一号の申立てをするときは、同号の期間内に、債務者及び抵当不動産の譲渡人にその旨を通知しなければならない。（平成一五法一三四本条改正）

参＋【競売の申立て→民執一八〇・一八一・一八八、四五

（抵当権消滅請求の効果）

第三八六条　登記をしたすべての債権者が抵当不動産の第三取得者の提供した代価又は金額を承諾し、かつ、抵当不動産の第三取得者がその承諾を得た代価又は金額を払い渡し又は供託したときは、抵当権は、消滅する。（平成一五法一三四本条全部改正）

参＋三七九、三八四【供託→四九四、四九五

（抵当権者の同意の登記がある場合の賃貸借の対抗力）

第三八七条①　登記をした賃貸借は、その登記前に登記をした抵当権を有するすべての者が同意をし、かつ、その同意の登記があるときは、その同意をした抵当権者に対抗することができる。

②　抵当権者が前項の同意をするには、その抵当権を目的とする権利を有する者その他抵当権者の同意によって不利益を受けるべき者の承諾を得なければならない。

（平成一五法一三四本条全部改正）

参＋【登記をした賃借権→六〇五参

（法定地上権）

第三八八条　土地及びその上に存する建物が同一の所有者に属する場合において、その土地又は建物につき抵当権が設定され、その実行により所有者を異にするに至ったときは、その建物について、地上権が設定されたものとみなす。この場合において、地代は、当事者の請求により、裁判所が定める。

参＋三七九、三八三【抵当権の実行→民執一八〇、一八一【地上権→二六五【他の法律による法定地上権等→民執八一、仮登記担保一〇

（抵当地の上の建物の競売）

第三八九条①　抵当権の設定後に抵当地に建物が築造されたときは、抵当権者は、土地とともにその建物を競売することができる。ただし、その優先権は、土地の代価についてのみ行使することができる。

②　前項の規定は、その建物の所有者が抵当地を占有するについて抵当権者に対抗することができる権利を有する場合には、適用しない。（平成一五法一三四本項追加）

（平成一五法一三四本条改正）

参＋三七〇【競売→民執一八〇、一八一、一八八、六一

（抵当不動産の第三取得者による買受け）

第三九〇条　抵当不動産の第三取得者は、その競売において買受人となることができる。

（抵当不動産の第三取得者による費用の償還請求）

第三九一条　抵当不動産の第三取得者は、抵当不動産について必要費又は有益費を支出したときは、第百九十六条の区別に従い、抵当不動産の代価から、他の債権者より先にその償還を受けることができる。

（共同抵当における代価の配当）

第三九二条①　債権者が同一の債権の担保として数個の不動産につき抵当権を有する場合において、同時にその代価を配当すべきときは、その各不動産の価額に応じて、その債権の負担を按分する。

②　債権者が同一の債権の担保として数個の不動産につき抵当権を有する場合において、ある不動産の代価のみを配当すべきときは、抵当権者は、その代価から債権の全部の弁済を受けることができる。この場合において、次順位の抵当権者は、その弁済を受ける抵当権者が前項の規定に従い他の不動産の代価から弁済を受けるべき金額を限度として、その抵当権者に代位して抵当権を行使することができる。

参＋三九三【根抵当権の特則→三九八の一六―三九八の一八❷【抵当権の順位→三七三、三七四＋【共同抵当の登記→不登八三①四②

（共同抵当における代位の付記登記）

第三九三条　前条第二項後段の規定により代位によって抵当権を行使する者は、その抵当権の登記にその代位を付記することができる。

参+【根抵当権の特則→三九八の一六―三九八の一八【代位の登記→不登九一、四②

（抵当不動産以外の財産からの弁済）

第三九四条①　抵当権者は、抵当不動産の代価から弁済を受けない債権の部分についてのみ、他の財産から弁済を受けることができる。

② 前項の規定は、抵当不動産の代価に先立って他の財産の代価を配当すべき場合には、適用しない。この場合において、他の各債権者は、抵当権者に同項の規定による弁済を受けさせるため、抵当権者に配当すべき金額の供託を請求することができる。

参+【抵当不動産についての優先弁済権→三六九　❷【供託→四九五

（抵当建物使用者の引渡しの猶予）

第三九五条①　抵当権者に対抗することができない賃貸借により抵当権の目的である建物の使用又は収益をする者であって次に掲げるもの（次項において「抵当建物使用者」という。）は、その建物の競売における買受人の買受けの時から六箇月を経過するまでは、その建物を買受人に引き渡すことを要しない。

一　競売手続の開始前から使用又は収益をする者

二　強制管理又は担保不動産収益執行の管理人が競売手続の開始後にした賃貸借により使用又は収益をする者

② 前項の規定は、買受人の買受けの時より後に同項の建物の使用をしたことの対価について、買受人が抵当建物使用者に対し相当の期間を定めてその一箇月分以上の支払の催告をし、その相当の期間内に履行がない場合には、適用しない。

（平成一五法一三四本条全部改正）

参+【競売→民執一八一【強制管理→民執九三―九八【担保不動産収益執行→民執一八〇、一八八

第三節　抵当権の消滅

（抵当権の消滅時効）

第三九六条　抵当権は、債務者及び抵当権設定者に対しては、その担保する債権と同時でなければ、時効によって消滅しない。

参+【債権の消滅時効→一六六①

（抵当不動産の時効取得による抵当権の消滅）

第三九七条　債務者又は抵当権設定者でない者が抵当不動産について取得時効に必要な要件を具備する占有をしたときは、抵当権は、これによって消滅する。

参+【取得時効→一六二

（抵当権の目的である地上権等の放棄）

第三九八条　地上権又は永小作権を抵当権の目的とした地上権者又は永小作人は、その権利を放棄しても、これをもって抵当権者に対抗することができない。

参+【地上権・永小作権の抵当→三六九②

第四節　根抵当（昭和四六法九九本節追加）

（根抵当権）

第三九八条の二①　抵当権は、設定行為で定めるところにより、一定の範囲に属する不特定の債権を極度額の限度において担保するためにも設定することができる。

② 前項の規定による抵当権（以下「根抵当権」という。）の担保すべき不特定の債権の範囲は、債務者との特定の継続的取引契約によって生ずるものその他債務者との一定の種類の取引によって生ずるものに限定して、定めなければならない。

③ 特定の原因に基づいて債務者との間に継続して生ずる債権、手形上若しくは小切手上の請求権又は電子記録債権（電子記録債権法（平成十九年法律第百二号）第二条第一項に規定する電子記録債権をいう。次条第二項において同じ。）は、前項の規定にかかわらず、根抵当権の担保すべき債権とすることができる。（平成二九法四四本項改正）

参+【抵当権→三六九―三九八【不特定の債権→三九八の四・三九八の七【極度額→三九八の三①・三九八の五【根抵当権と登記→不登三㈦・八八―九四　❷【取引→五八七・五五五　❸【特定の原因に基づく債権→七〇九【手形・小切手上の請求権→手一一・一四・七七、小五・一四・一七、三九八の三②

（根抵当権の被担保債権の範囲）

第三九八条の三①　根抵当権者は、確定した元本並びに利息その他の定期金及び債務の不履行によって生じた損害の賠償の全部について、極度額を限度として、その根抵当権を行使することができる。

② 債務者との取引によらないで取得する手形上若しくは小切手上の請求権又は電子記録債権を根抵当権の担保すべき債権とした場合において、次に掲げる事由があったときは、その前に取得したものについてのみ、その根抵当権を行使することができる。ただし、その後に取得したものであっても、その事由を知らないで取得したものについては、これを行使することを妨げない。

一　債務者の支払の停止

二　債務者についての破産手続開始、再生手続開始、更生手続開始又は特別清算開始の申立て（平成一七法八七本号改正）

三　抵当不動産に対する競売の申立て又は滞納処分による差押え

（平成一一法二二五、平成一六法七六、平成二九法四四本項改正）

参+三九八の二　❶【元本の確定事由→三九八の六・三九八の八④・三九八の九③―⑤・三九八の一九・三九八の二〇【債務不履行による損害賠償→四一九・四二〇【極度額→三九八の二①・三九八の二一、不登八八②㈠【極度額内の弁済順位→四八八―四九一【普通抵当権の場合→三七五　❷【手形・小切手上の請求権、電子記録債権→三九八の二③【支払停止→破一五②【破産等の申立て→破一五・一六・一八・一九、民再二一、会更一七、会社五一一【抵当不動産に対する競売の申立て等→民執一八〇・一八一・四三―四五

（根抵当権の被担保債権の範囲及び債務者の変更）

第三九八条の四① 元本の確定前においては、根抵当権の担保すべき債権の範囲の変更をすることができる。債務者の変更についても、同様とする。
② 前項の変更をするには、後順位の抵当権者その他の第三者の承諾を得ることを要しない。
③ 第一項の変更について元本の確定前に登記をしなかったときは、その変更をしなかったものとみなす。
参【元本の確定事由→三九八の三①参【被担保債権の範囲→三九八の二②③ ❸【登記→不登八八②、八三①□

(根抵当権の極度額の変更)

第三九八条の五 根抵当権の極度額の変更は、利害関係を有する者の承諾を得なければ、することができない。

参【極度額→三九八の二①、三九八の三①【極度額変更の登記→不登八八②□、六六

(根抵当権の元本確定期日の定め)
第三九八条の六① 根抵当権の担保すべき元本については、その確定すべき期日を定め又は変更することができる。
② 第三百九十八条の四第二項〈後順位抵当権者等の承諾不要〉の規定は、前項の場合について準用する。
③ 第一項の期日は、これを定め又は変更した日から五年以内でなければならない。
④ 第一項の期日の変更についてその変更前の期日より前に登記をしなかったときは、担保すべき元本は、その変更前の期日に確定する。
参【確定期日の登記→不登八八②□【確定期日の効果→三九八の三①、三九八の一九③

(根抵当権の被担保債権の譲渡等)
第三九八条の七① 元本の確定前に根抵当権者から債権を取得した者は、その債権について根抵当権を行使することができない。元本の確定前に債務者のために又は債務者に代わって弁済をした者も、同様とする。
② 元本の確定前に債務の引受けがあったときは、根抵当権者は、引受人の債務について、その根抵当権を行使することができない。
③ 元本の確定前に免責的債務引受があった場合における債権者は、第四百七十二条の四第一項の規定にかかわらず、根抵当権を引受人が負担する債務に移すことができない。(平成二九法四四本項追加)
④ 元本の確定前に債権者の交替による更改があった場合における更改前の債権者は、第五百十八条第一項の規定にかかわらず、根抵当権を更改後の債務に移すことができない。元本の確定前に債務者の交替による更改があった場合における債権者も、同様とする。(平成二九法四四本項改正)
参【元本の確定事由→三九八の三①参 ❶【債権の取得→四六六、三九八の八―三九八の一〇【弁済による代位→四九九―五〇一 ❷【債務者の変更→三九八の四 ❸【免責的債務引受→四七二 ❹【債権者・債務者の交替による更改→五一五、五一四

(根抵当権者又は債務者の相続)
第三九八条の八① 元本の確定前に根抵当権者について相続が開始したときは、根抵当権は、相続開始の時に存する債権のほか、相続人と根抵当権設定者との合意により定めた相続人が相続の開始後に取得する債権を担保する。
② 元本の確定前にその債務者について相続が開始したときは、根抵当権は、相続開始の時に存する債務のほか、根抵当権者と根抵当権設定者との合意により定めた相続人が相続の開始後に負担する債務を担保する。
③ 第三百九十八条の四第二項〈後順位抵当権者等の承諾不要〉の規定は、前二項の合意をする場合について準用する。
④ 第一項及び第二項の合意について相続の開始後六箇月以内に登記をしないときは、担保すべき元本は、相続開始の時に確定したものとみなす。
参【元本の確定事由→三九八の三①参【相続の開始→八八二【相続人→八八六―八九〇、九九〇【合意の登記→不登九二 ❹【元本確定の効果→三九八の三①

(根抵当権者又は債務者の合併)
第三九八条の九① 元本の確定前に根抵当権者について合併があったときは、根抵当権は、合併の時に存する債権のほか、合併後存続する法人又は合併によって設立された法人が合併後に取得する債権を担保する。
② 元本の確定前にその債務者について合併があったときは、根抵当権は、合併の時に存する債務のほか、合併後存続する法人又は合併によって設立された法人が合併後に負担する債務を担保する。
③ 前二項の場合には、根抵当権設定者は、担保すべき元本の確定を請求することができる。ただし、前項の場合において、その債務者が根抵当権設定者であるときは、この限りでない。
④ 前項の規定による請求があったときは、担保すべき元本は、合併の時に確定したものとみなす。
⑤ 第三項の規定による請求は、根抵当権設定者が合併のあったことを知った日から二週間を経過したときは、することができない。合併の日から一箇月を経過したときも、同様とする。
参【元本の確定事由→三九八の三①参【合併→一般法人二四二―二六〇、会社七四八―七五六 ❹【合併の時→会社七五〇①、七五二①、七五四①、七五六①、一般法人二四五、二五五【元本確定の効果→三九八の三①

(根抵当権者又は債務者の会社分割)
第三九八条の一〇① 元本の確定前に根抵当権者を分割をする会社とする分割があったときは、根抵当権は、分割の時に存する債権のほか、分割をした会社及び分割により設立された会社又は当該分割をした会社がその事業に関して有する権利義務の全部又は一部を当該会社から承継した会社が分割後に取得する債権を担保する。(平成一七法八七本項改正)
② 元本の確定前にその債務者を分割をする会社とする分割があったときは、根抵当権は、分割の時に存する債務のほか、分割をした会社及び分割により設立された会社又は当該分割をした会社がその事業に関して有する権利義務の全部又は一部を当該会社から承継した会社が分割後に負担する債務を担保する。(平成一七法八七本項改正)

③　前条第三項から第五項までの規定は、前二項の場合について準用する。
（平成一二法九一本条追加）

⊛【会社の分割→会社七五七―七六六】

（根抵当権の処分）
第三九八条の一一①　元本の確定前においては、根抵当権者は、第三百七十六条第一項の規定による根抵当権の処分をすることができない。ただし、その根抵当権を他の債権の担保とすることを妨げない。
②　第三百七十七条第二項の規定は、前項ただし書の場合において元本の確定前にした弁済については、適用しない。
⊛【元本の確定事由→三九八の三①⊛【転抵当の登記→不登九〇【根抵当権の譲渡→三九八の一二、三九八の一三

（根抵当権の譲渡）
第三九八条の一二①　元本の確定前においては、根抵当権者は、根抵当権設定者の承諾を得て、その根抵当権を譲り渡すことができる。
②　根抵当権者は、その根抵当権を二個の根抵当権に分割して、その一方を前項の規定により譲り渡すことができる。この場合において、その根抵当権を目的とする権利は、譲り渡した根抵当権について消滅する。
③　前項の規定による譲渡をするには、その根抵当権を目的とする権利を有する者の承諾を得なければならない。
⊛三九八の一三【元本の確定事由→三九八の三①⊛　❶【譲渡の登記→不登九〇、六六　❷❸【分割譲渡の登記→不登六六、九〇

（根抵当権の一部譲渡）

第三九八条の一三　元本の確定前においては、根抵当権者は、根抵当権設定者の承諾を得て、その根抵当権の一部譲渡（譲渡人が譲受人と根抵当権を共有するため、これを分割しないで譲り渡すことをいう。以下この節において同じ。）をすることができる。

⊛三九八の一二【元本の確定事由→三九八の三①⊛【一部譲渡の効果→三九八の一四【一部譲渡の登記→不登九〇、六六

（根抵当権の共有）
第三九八条の一四①　根抵当権の共有者は、それぞれその債権額の割合に応じて弁済を受ける。ただし、元本の確定前に、これと異なる割合を定め、又はある者が他の者に先立って弁済を受けるべきことを定めたときは、その定めに従う。
②　根抵当権の共有者は、他の共有者の同意を得て、第三百九十八条の十二第一項の規定によりその権利を譲り渡すことができる。
⊛【根抵当権の共有→三九八の二、三九八の一三、三九八の八①　❶【優先弁済権→三九八の三【元本の確定事由→三九八の三①⊛【ただし書の定め→不登八八②四

（抵当権の順位の譲渡又は放棄と根抵当権の譲渡又は一部譲渡）

第三九八条の一五　抵当権の順位の譲渡又は放棄を受けた根抵当権者が、その根抵当権の譲渡又は一部譲渡をしたときは、譲受人は、その順位の譲渡又は放棄の利益を受ける。

⊛【抵当権の順位の譲渡・放棄→三七六【根抵当権の譲渡・一部譲渡→三九八の一二―三九八の一四

（共同根抵当）

第三九八条の一六　第三百九十二条及び第三百九十三条の規定は、根抵当権については、その設定と同時に同一の債権の担保として数個の不動産につき根抵当権が設定された旨の登記をした場合に限り、適用する。

⊛三九八の一七、三九八の一八【根抵当権の設定→三九八の二、不登八八②【共同担保の登記→不登八三①四②

（共同根抵当の変更等）
第三九八条の一七①　前条の登記がされている根抵当権の担保すべき債権の範囲、債務者若しくは極度額の変更又はその譲渡若しくは一部譲渡は、その根抵当権が設定されているすべての不動産について登記をしなければ、その効力を生じない。
②　前条の登記がされている根抵当権の担保すべき元本は、一個の不動産についてのみ確定すべき事由が生じた場合においても、確定する。
⊛❶【被担保債権の範囲・債務者の変更→三九八の四【極度額の変更→三九八の五【根抵当権の譲渡・一部譲渡→三九八の一二、三九八の一三　❷【元本の確定事由→三九八の三①⊛【極度額の減額請求→三九八の二一②【根抵当権の消滅請求→三九八の二二②

（累積根抵当）
第三九八条の一八　数個の不動産につき根抵当権を有する者は、第三百九十八条の十六の場合を除き、各不動産の代価について、各極度額に至るまで優先権を行使することができる。

（根抵当権の元本の確定請求）
第三九八条の一九①　根抵当権設定者は、根抵当権の設定の時から三年を経過したときは、担保すべき元本の確定を請求することができる。この場合において、担保すべき元本は、その請求の時から二週間を経過することによって確定する。
②　根抵当権者は、いつでも、担保すべき元本の確定を請求することができる。この場合において、担保すべき元本は、その請求の時に確定する。
③　前二項の規定は、担保すべき元本の確定すべき期日の定めがあるときは、適用しない。（平成一五法一三四本項追加）
（平成一五法一三四本条改正）

⊛【元本確定の効果→三九八の三①【元本の確定期日の定め→三九八の六

（根抵当権の元本の確定事由）
第三九八条の二〇①　次に掲げる場合には、根抵当権の担保すべき元本は、確定する。
一　根抵当権者が抵当不動産について競売若しくは担保不動産収益執行又は第三百七十二条において準用する第三百四条の規定による差押えを申し立てたとき。ただし、競売手続若しくは担保不動産収益執行手続の開始又は差押えがあったときに限る。（平成一

五法一三四本号改正)
二 根抵当権者が抵当不動産に対して滞納処分による差押えをしたとき。
三 根抵当権者が抵当不動産に対する競売手続の開始又は滞納処分による差押えがあったことを知った時から二週間を経過したとき。
四 債務者又は根抵当権設定者が破産手続開始の決定を受けたとき。(平成一六法七六本号改正)
(平成一五法一三四本項改正)

② 前項第三号の競売手続の開始若しくは差押え又は同項第四号の破産手続開始の決定の効力が消滅したときは、担保すべき元本は、確定しなかったものとみなす。ただし、元本が確定したものとしてその根抵当権又はこれを目的とする権利を取得した者があるときは、この限りでない。(平成一六法七六本項改正)

⊛+【他の元本確定事由→三九八の三①⊛【元本確定の効果→三九八の三① ❶[二]【抵当不動産に対する競売等の申立て→民執一八〇・一八一・四三―四五・一四五【競売手続の開始→民執一八〇・一八一・四五【差押え→民執一四三 [三]【競売手続の開始→民執一八〇・一八一・四五・四九・一八八【本号による確定の登記手続→不登九三 [四]【破産手続開始の決定→破一五・一六・三〇 ❷【競売手続の開始の効力の消滅→民執一八八・五四・七六・六三【差押えの効力の消滅→民執四〇【破産手続開始決定の取消し→破九・三三

(根抵当権の極度額の減額請求)

第三九八条の二一 ① 元本の確定後においては、根抵当権設定者は、その根抵当権の極度額を、現に存する債務の額と以後二年間に生ずべき利息その他の定期金及び債務の不履行による損害賠償の額とを加えた額に減額することを請求することができる。

② 第三百九十八条の十六の登記がされている根抵当権の極度額の減額については、前項の規定による請求は、そのうちの一個の不動産についてすれば足りる。

⊛+【元本の確定事由→三九八の三①⊛【極度額→三九八の二①・三九八の三①【債務不履行による損害賠償→四一九、四二〇

(根抵当権の消滅請求)

第三九八条の二二 ① 元本の確定後において現に存する債務の額が根抵当権の極度額を超えるときは、他人の債務を担保するためその根抵当権を設定した者又は抵当不動産について所有権、地上権、永小作権若しくは第三者に対抗することができる賃借権を取得した第三者は、その極度額に相当する金額を払い渡し又は供託して、その根抵当権の消滅請求をすることができる。この場合において、その払渡し又は供託は、弁済の効力を有する。

② 第三百九十八条の十六の登記がされている根抵当権は、一個の不動産について前項の消滅請求があったときは、消滅する。

③ 第三百八十条及び第三百八十一条〈抵当権消滅請求をすることができない者〉の規定は、第一項の消滅請求について準用する。

⊛+【元本の確定事由→三九八の三①⊛【現存債務額→三九八の三①【極度額→三九八の二①・三九八の三①【地上権→二六五【永小作権→二七〇【第三者に対抗することができる賃借権→六〇五、借地借家一〇①②、三一【供託→四九五

第三編 債権 (平成一六法一四七本編全部改正)

第一章 総則

第一節 債権の目的

(債権の目的)

第三九九条 債権は、金銭に見積もることができないものであっても、その目的とすることができる。

⊛+【本条の特則→保険三

(特定物の引渡しの場合の注意義務)

第四〇〇条 債権の目的が特定物の引渡しであるときは、債務者は、その引渡しをするまで、契約その他の債権の発生原因及び取引上の社会通念に照らして定まる善良な管理者の注意をもって、その物を保存しなければならない。(平成二九法四四本条改正)

⊛+【特定物の引渡し→四八三【本条の特則→四一三①、六五九

(種類債権)

第四〇一条 ① 債権の目的物を種類のみで指定した場合において、法律行為の性質又は当事者の意思によってその品質を定めることができないときは、債務者は、中等の品質を有する物を給付しなければならない。

② 前項の場合において、債務者が物の給付をするのに必要な行為を完了し、又は債権者の同意を得てその給付すべき物を指定したときは、以後その物を債権の目的物とする。

⊛❶【法律行為の性質で定まる例→五八七、五八七の二④、六六六① ❷【給付に必要な行為→四九三【目的物特定の効果→四〇〇

(金銭債権)

第四〇二条 ① 債権の目的物が金銭であるときは、債務者は、その選択に従い、各種の通貨で弁済をすることができる。ただし、特定の種類の通貨の給付を債権の目的としたときは、この限りでない。

② 債権の目的物である特定の種類の通貨が弁済期に強制通用の効力を失っているときは、債務者は、他の通貨で弁済をしなければならない。

③ 前二項の規定は、外国の通貨の給付を債権の目的とした場合について準用する。

⊛❷【消費貸借の場合→五九二 ❸【外国通貨→四〇三

第四〇三条 外国の通貨で債権額を指定したときは、債務者は、履行地における為替相場により、日本の通貨で弁済をすることができる。

⊛+四〇二③【本条の特則→手四一、小三六

(法定利率)

第四〇四条 ① 利息を生ずべき債権について別段の意思表示がないときは、その利率は、その利息が生じた最初の時点における法定利率による。

② 法定利率は、年三パーセントとする。(平成二九法四四本項追加)

③ 前項の規定にかかわらず、法定利率は、法務省令で

定めるところにより、三年を一期とし、一期ごとに、次項の規定により変動するものとする。（平成二九法四四本項追加）

④　各期における法定利率は、この項の規定により法定利率に変動があった期のうち直近のもの（以下この項において「直近変動期」という。）における基準割合（その割合に一パーセント未満の端数があるときは、これを切り捨てる。）を直近変動期における法定利率に加算し、又は減算した割合とする。（平成二九法四四本項追加）

⑤　前項に規定する「基準割合」とは、法務省令で定めるところにより、各期の初日の属する年の六年前の年の一月から前々年の十二月までの各月における短期貸付けの平均利率（当該各月において銀行が新たに行った貸付け（貸付期間が一年未満のものに限る。）に係る利率の平均をいう。）の合計を六十で除して計算した割合（その割合に〇・一パーセント未満の端数があるときは、これを切り捨てる。）として法務大臣が告示するものをいう。（平成二九法四四本項追加）

（平成二九法四四本条改正）

注　第五項の「基準割合」を定める告示

民法第四百四条第五項の規定に基づき、令和五年四月一日から令和八年三月三十一日までの期における基準割合を告示する件（令和四・三・三〇法務告六四）

年〇・五パーセント

【法定利率の適用↓四一七の二・七二二①・四一九①・四四二②・四五九の二②、商五一三、手四八①㈡・四九㈡、小四四㈡・四五㈡、ETC【約定利率の制限↓利息、出資取締五　❺【基準割合↓法定利率告

（利息の元本への組入れ）

第四〇五条　利息の支払が一年分以上延滞した場合において、債権者が催告をしても、債務者がその利息を支払わないときは、債権者は、これを元本に組み入れることができる。

四〇四

（選択債権における選択権の帰属）

第四〇六条　債権の目的が数個の給付の中から選択によって定まるときは、その選択権は、債務者に属する。

四〇七―四一一

（選択権の行使）

第四〇七条①　前条の選択権は、相手方に対する意思表示によって行使する。

②　前項の意思表示は、相手方の承諾を得なければ、撤回することができない。

（選択権の移転）

第四〇八条　債権が弁済期にある場合において、相手方から相当の期間を定めて催告をしても、選択権を有する当事者がその期間内に選択をしないときは、その選択権は、相手方に移転する。

四〇六

（第三者の選択権）

第四〇九条①　第三者が選択をすべき場合には、その選択は、債権者又は債務者に対する意思表示によってする。

②　前項に規定する場合において、第三者が選択をすることができず、又は選択をする意思を有しないときは、選択権は、債務者に移転する。

四〇六―四〇八

（不能による選択債権の特定）

第四一〇条　債権の目的である給付の中に不能のものがある場合において、その不能が選択権を有する者の過失によるものであるときは、債権は、その残存するものについて存在する。（平成二九法四四本条改正）

【給付不能による損害賠償↓四一五

（選択の効力）

第四一一条　選択は、債権の発生の時にさかのぼってその効力を生ずる。ただし、第三者の権利を害することはできない。

四〇六―四一〇

第二節　債権の効力

第一款　債務不履行の責任等

（平成一六法一四七款名追加）

（履行期と履行遅滞）

第四一二条①　債務の履行について確定期限があるときは、債務者は、その期限の到来した時から遅滞の責任を負う。

②　債務の履行について不確定期限があるときは、債務者は、その期限の到来した後に履行の請求を受けた時又はその期限の到来したことを知った時のいずれか早い時から遅滞の責任を負う。（平成二九法四四本項改正）

③　債務の履行について期限を定めなかったときは、債務者は、履行の請求を受けた時から遅滞の責任を負う。

【期限↓一三五―一三七、五七三【履行遅滞による責任↓四一三の二①・四一五・五四一・五四二①㈣㈤・四九二・五九一【本条の特則↓五二〇の九・五二〇の一八・五二〇の二〇・【判決等による支払の猶予↓民訴三七五①・二七五の二①

（履行不能）

第四一二条の二①　債務の履行が契約その他の債務の発生原因及び取引上の社会通念に照らして不能であるときは、債権者は、その債務の履行を請求することができない。

②　契約に基づく債務の履行がその契約の成立の時に不能であったことは、第四百十五条の規定によりその履行の不能によって生じた損害の賠償を請求することを妨げない。

（平成二九法四四本条追加）

【代償請求権↓四二二の二【危険負担↓五三六【履行不能による解除↓五四二

（受領遅滞）

第四一三条①　債権者が債務の履行を受けることを拒み、又は受けることができない場合において、その債

務の目的が特定物の引渡しであるときは、債務者は、履行の提供をした時からその引渡しをするまで、自己の財産に対するのと同一の注意をもって、その物を保存すれば足りる。

② 債権者が債務の履行を受けることを拒み、又は受けることができないことによって、その履行の費用が増加したときは、その増加額は、債権者の負担とする。

(平成二九法四四本条全部改正)

【履行の提供↓四九二、四九三【受領遅滞と供託↓四九四①【受領遅滞中の履行不能↓四一三の二② ❶【一般原則↓四〇〇 ❷【一般原則↓四八五

第四一三条の二（履行遅滞中又は受領遅滞中の履行不能と帰責事由）① 債務者がその債務について遅滞の責任を負っている間に当事者双方の責めに帰することができない事由によってその債務の履行が不能となったときは、その履行の不能は、債務者の責めに帰すべき事由によるものとみなす。

② 債権者が債務の履行を受けることを拒み、又は受けることができない場合において、履行の提供があった時以後に当事者双方の責めに帰することができない事由によってその債務の履行が不能となったときは、その履行の不能は、債権者の責めに帰すべき事由によるものとみなす。

(平成二九法四四本条追加)

❶【履行遅滞↓四一二 ❷【受領遅滞↓四一三

第四一四条（履行の強制）① 債務者が任意に債務の履行をしないときは、債権者は、民事執行法その他強制執行の手続に関する法令の規定に従い、直接強制、代替執行、間接強制その他の方法による履行の強制を裁判所に請求することができる。ただし、債務の性質がこれを許さないときは、この限りでない。

② 前項の規定は、損害賠償の請求を妨げない。

(平成二九法四四本条改正)

❶【直接強制↓民執四三―一六七の一四、一六八―一七〇【代替執行↓民執一七一【間接強制↓民執一七二、一七三、一六七の一五、一六七の一六【その他の方法↓民執一七七、ETC ❷【損害賠償↓四一五

第四一五条（債務不履行による損害賠償）① 債務者がその債務の本旨に従った履行をしないとき又は債務の履行が不能であるときは、債権者は、これによって生じた損害の賠償を請求することができる。ただし、その債務の不履行が契約その他の債務の発生原因及び取引上の社会通念に照らして債務者の責めに帰することができない事由によるものであるときは、この限りでない。

② 前項の規定により損害賠償の請求をすることができる場合において、債権者は、次に掲げるときは、債務の履行に代わる損害賠償の請求をすることができる。

一 債務の履行が不能であるとき。

二 債務者がその債務の履行を拒絶する意思を明確に表示したとき。

三 債務が契約によって生じたものである場合において、その契約が解除され、又は債務の不履行による契約の解除権が発生したとき。

(平成二九法四四本条全部改正)

【債務の履行↓四九二、四九三【履行遅滞↓四一二【履行不能↓四一二の二、四一三の二①【損害賠償↓四一六―四二二【帰責事由・免責事由に関する特則↓商五六〇、五七五、五九〇、五九六、六一〇、国際海運三―五【特殊の物の滅失等による責任に関する特則↓商五六四、五七七、五九七【減免責条項の制限↓消費契約八①㈠㈡【国際物品売買の場合↓国際売買約七九 ❷〔三〕【契約の解除↓五四一、五四二

第四一六条（損害賠償の範囲）① 債務の不履行に対する損害賠償の請求は、これによって通常生ずべき損害の賠償をさせることをその目的とする。

② 特別の事情によって生じた損害であっても、当事者がその事情を予見すべきであったときは、債権者は、その賠償を請求することができる。(平成二九法四四本項改正)

【四一五【損害賠償額の算定に関する特則↓商五七六、国際海運八【責任限度額↓国際海運九【定期金賠償を命じた判決の変更の訴え↓民訴一一七【損害額の認定↓民訴二四八【国際物品売買の場合↓国際売買約七四―七七

第四一七条（損害賠償の方法）損害賠償は、別段の意思表示がないときは、金銭をもってその額を定める。

【四一五、四一六【本条の準用↓七二二①

第四一七条の二（中間利息の控除）① 将来において取得すべき利益についての損害賠償の額を定める場合において、その利益を取得すべき時までの利息相当額を控除するときは、その損害賠償の請求権が生じた時点における法定利率により、これをする。

② 将来において負担すべき費用についての損害賠償の額を定める場合において、その費用を負担すべき時までの利息相当額を控除するときも、前項と同様とする。

(平成二九法四四本条追加)

【四一五、四一六【法定利率↓四〇四【本条の準用↓七二二①

第四一八条（過失相殺）債務の不履行又はこれによる損害の発生若しくは拡大に関して債権者に過失があったときは、裁判所は、これを考慮して、損害賠償の責任及びその額を定める。(平成二九法四四本条改正)

【四一五、四一六【不法行為の場合↓七二二②

第四一九条（金銭債務の特則）① 金銭の給付を目的とする債務の不履行については、その損害賠償の額は、債務者が遅滞の責任を負った最初の時点における法定利率によって定める。ただし、約定利率が法定利率を超えるときは、約定利率による。(平成二九法四四本項改正)

② 前項の損害賠償については、債権者は、損害の証明をすることを要しない。

③　第一項の損害賠償については、債務者は、不可抗力をもって抗弁とすることができない。

∞四一五、四一六、四二〇、四二一【国際物品売買の場合↓国際売買約七八　❶【法定利率↓四〇四∞【約定利率の制限↓四〇四∞【本項の特則↓六四七、六六五、六七一、六六九、八七三②、八七六の五③、八七六の一〇②、会社五八二　＊【判決等による遅延損害金の免除↓民訴三七五①、二七五の二①

（賠償額の予定）

第四二〇条①　当事者は、債務の不履行について損害賠償の額を予定することができる。（平成二九法四四本項改正）

②　賠償額の予定は、履行の請求又は解除権の行使を妨げない。

③　違約金は、賠償額の予定と推定する。

∞四一五、四一六、四一九、四二一　❶❸【賠償額の予定・違約金の定めの禁止↓労基一六【賠償額の予定・違約金の定めの制限↓消費契約九、割賦六、三〇の三、三五の三の一八、特定商取引一〇、二五、四〇の二③④、四九②④⑥、五八の三、五八の一六、利息四、七　❷【履行の請求↓四一四【解除↓五四一・五四二

第四二一条　前条の規定は、当事者が金銭でないものを損害の賠償に充てるべき旨を予定した場合について準用する。

∞四一七

（損害賠償による代位）

第四二二条　債権者が、損害賠償として、その債権の目的である物又は権利の価額の全部の支払を受けたときは、債務者は、その物又は権利について当然に債権者に代位する。

ETC　∞【類似の規定↓保険二四、二五、自賠二三、労災一二の四①、

（代償請求権）

第四二二条の二　債務者が、その債務の履行が不能となったのと同一の原因により債務の目的物の代償である権利又は利益を取得したときは、債権者は、その受けた損害の額の限度において、債務者に対し、その権利の移転又はその利益の償還を請求することができる。（平成二九法四四本条追加）

∞【履行不能↓四一二の二

第二款　債権者代位権

（平成一六法一四七款名追加、平成二九法四四款名改正）

（債権者代位権の要件）

第四二三条①　債権者は、自己の債権を保全するため必要があるときは、債務者に属する権利（以下「被代位権利」という。）を行使することができる。ただし、債務者の一身に専属する権利及び差押えを禁じられた権利は、この限りでない。

②　債権者は、その債権の期限が到来しない間は、被代位権利を行使することができない。ただし、保存行為は、この限りでない。

③　債権者は、その債権が強制執行により実現することのできないものであるときは、被代位権利を行使することができない。（平成二九法四四本項追加）

（平成二九法四四本条改正）

∞四二三の二―四二三の七【代位による登記↓不登五九㈦【買戻権の代位行使↓五八二【倒産の場合の訴訟の中断・受継↓破四五、民再四〇の二、会更五二の二【本条の特則↓電子債権一〇⑤　❶【一身専属権の例↓七四三、七七〇、七七五、七八七、八〇三、八一四、八二〇、八七七、八九二【差押禁止債権の例↓民執一五二、労基八三②、労災一二の五、自賠一八、生活保護五八　❷【期限↓一三五―一三七　❸【強制執行↓四一四、四一四∞

（代位行使の範囲）

第四二三条の二　債権者は、被代位権利を行使する場合において、被代位権利の目的が可分であるときは、自己の債権の額の限度においてのみ、被代位権利を行使することができる。（平成二九法四四本条追加）

∞四二三

（債権者への支払又は引渡し）

第四二三条の三　債権者は、被代位権利を行使する場合において、被代位権利が金銭の支払又は動産の引渡しを目的とするものであるときは、相手方に対し、その支払又は引渡しを自己に対してすることを求めることができる。この場合において、相手方が債権者に対してその支払又は引渡しをしたときは、被代位権利は、これによって消滅する。（平成二九法四四本条追加）

∞四二三

（相手方の抗弁）

第四二三条の四　債権者が被代位権利を行使したときは、相手方は、債務者に対して主張することができる抗弁をもって、債権者に対抗することができる。（平成二九法四四本条追加）

∞四二三、四二三の七

（債務者の取立てその他の処分の権限等）

第四二三条の五　債権者が被代位権利を行使した場合であっても、債務者は、被代位権利について、自ら取立てその他の処分をすることを妨げられない。この場合においては、相手方も、被代位権利について、債務者に対して履行をすることを妨げられない。（平成二九法四四本条追加）

∞四二三、四二三の七

（被代位権利の行使に係る訴えを提起した場合の訴訟告知）

第四二三条の六　債権者は、被代位権利の行使に係る訴えを提起したときは、遅滞なく、債務者に対し、訴訟告知をしなければならない。（平成二九法四四本条追加）

∞四二三、四二三の七【訴訟告知↓民訴五三【類似の規定↓会社八四九④

（登記又は登録の請求権を保全するための債権者代位権）

第四二三条の七　登記又は登録をしなければ権利の得喪及び変更を第三者に対抗することができない財産を譲り受けた者は、その譲渡人が第三者に対して有する登記手続又は登録手続をすべきことを請求する権利を行

民法

使しないときは、その権利を行使することができる。この場合においては、前三条の規定を準用する。（平成二九法四四本条追加）

§+四二三【登記が必要な財産→一七七、一七七§【登録が必要な財産→一七八§

第三款　詐害行為取消権（平成二九法四四款名追加）

第一目　詐害行為取消権の要件（平成二九法四四目名追加）

（詐害行為取消請求）

第四二四条①　債権者は、債務者が債権者を害することを知ってした行為の取消しを裁判所に請求することができる。ただし、その行為によって利益を受けた者（以下この款において「受益者」という。）がその行為の時において債権者を害することを知らなかったときは、この限りでない。

②　前項の規定は、財産権を目的としない行為については、適用しない。

③　債権者は、その債権が第一項に規定する行為の前の原因に基づいて生じたものである場合に限り、同項の規定による請求（以下「詐害行為取消請求」という。）をすることができる。（平成二九法四四本項追加）

④　債権者は、その債権が強制執行により実現することのできないものであるときは、詐害行為取消請求をすることができない。（平成二九法四四本項追加）

（平成二九法四四本条改正）

§+四二四の二―四二六【倒産の場合の訴訟の中断・受継→破四五、民再四〇の二・一四〇、会更五二の二【類似の制度→破一六〇―一七六、民再一二七―一四一、信託一一、商一八の二、会社二三の二・七五九・七六一・七六四・七六六・八三二②・八六三・八六五

（相当の対価を得てした財産の処分行為の特則）

第四二四条の二　債務者が、その有する財産を処分する行為をした場合において、受益者から相当の対価を取得しているときは、債権者は、次に掲げる要件のいずれにも該当する場合に限り、その行為について、詐害行為取消請求をすることができる。

一　その行為が、不動産の金銭への換価その他の当該処分による財産の種類の変更により、債務者において隠匿、無償の供与その他の債権者を害することとなる処分（以下この条において「隠匿等の処分」という。）をするおそれを現に生じさせるものであること。

二　債務者が、その行為の当時、対価として取得した金銭その他の財産について、隠匿等の処分をする意思を有していたこと。

三　受益者が、その行為の当時、債務者が隠匿等の処分をする意思を有していたことを知っていたこと。

（平成二九法四四本条追加）

§+四二四【否認の場合→破一六一、民再一二七の二

（特定の債権者に対する担保の供与等の特則）

第四二四条の三①　債務者がした既存の債務についての担保の供与又は債務の消滅に関する行為について、債権者は、次に掲げる要件のいずれにも該当する場合に限り、詐害行為取消請求をすることができる。

一　その行為が、債務者が支払不能（債務者が、支払能力を欠くために、その債務のうち弁済期にあるものにつき、一般的かつ継続的に弁済することができない状態をいう。次項第一号において同じ。）の時に行われたものであること。

二　その行為が、債務者と受益者とが通謀して他の債権者を害する意図をもって行われたものであること。

②　前項に規定する行為が、債務者の義務に属せず、又はその時期が債務者の義務に属しないものである場合において、次に掲げる要件のいずれにも該当するときは、債権者は、同項の規定にかかわらず、その行為について、詐害行為取消請求をすることができる。

一　その行為が、債務者が支払不能になる前三十日以内に行われたものであること。

二　その行為が、債務者と受益者とが通謀して他の債権者を害する意図をもって行われたものであること。

（平成二九法四四本条追加）

§+四二四【否認の場合→破一六二、民再一二七の三

（過大な代物弁済等の特則）

第四二四条の四　債務者がした債務の消滅に関する行為であって、受益者の受けた給付の価額がその行為によって消滅した債務の額より過大であるものについて、第四百二十四条に規定する要件に該当するときは、債権者は、前条第一項の規定にかかわらず、その消滅した債務の額に相当する部分以外の部分については、詐害行為取消請求をすることができる。（平成二九法四四本条追加）

§+【否認の場合→破一六〇②、民再一二七②

（転得者に対する詐害行為取消請求）

第四二四条の五　債権者は、受益者に対して詐害行為取消請求をすることができる場合において、受益者に移転した財産を転得した者があるときは、次の各号に掲げる区分に応じ、それぞれ当該各号に定める場合に限り、その転得者に対しても、詐害行為取消請求をすることができる。

一　その転得者が受益者から転得した者である場合　その転得者が、転得の当時、債務者がした行為が債権者を害することを知っていたとき。

二　その転得者が他の転得者から転得した者である場合　その転得者及びその前に転得した全ての転得者が、それぞれの転得の当時、債務者がした行為が債権者を害することを知っていたとき。

（平成二九法四四本条追加）

§+四二四―四二四の四【否認の場合→破一七〇、民再一三四

第二目　詐害行為取消権の行使の方法等

（平成二九法四四本目追加）

（財産の返還又は価額の償還の請求）

第四二四条の六① 債権者は、受益者に対する詐害行為取消請求において、債務者がした行為の取消しとともに、その行為によって受益者に移転した財産の返還を請求することができる。受益者がその財産の返還をすることが困難であるときは、債権者は、その価額の償還を請求することができる。

② 債権者は、転得者に対する詐害行為取消請求において、債務者がした行為の取消しとともに、転得者が転得した財産の返還を請求することができる。転得者がその財産の返還をすることが困難であるときは、債権者は、その価額の償還を請求することができる。

⊛四二四、四二四の五【否認の場合→破一六七、民再一三二】

（被告及び訴訟告知）

第四二四条の七① 詐害行為取消請求に係る訴えについては、次の各号に掲げる区分に応じ、それぞれ当該各号に定める者を被告とする。

一 受益者に対する詐害行為取消請求に係る訴え　受益者

二 転得者に対する詐害行為取消請求に係る訴え　その詐害行為取消請求の相手方である転得者

② 債権者は、詐害行為取消請求に係る訴えを提起したときは、遅滞なく、債務者に対し、訴訟告知をしなければならない。

⊛四二四、四二四の五【否認の場合→破一七三、一七四、民再一三五、一三六、会更九五、九六】❷【訴訟告知→民訴五三】

（詐害行為の取消しの範囲）

第四二四条の八① 債権者は、詐害行為取消請求をする場合において、債務者がした行為の目的が可分であるときは、自己の債権の額の限度においてのみ、その行為の取消しを請求することができる。

② 債権者が第四百二十四条の六第一項後段又は第二項後段の規定により価額の償還を請求する場合についても、前項と同様とする。

⊛四二四、四二四の五、四二四の六

（債権者への支払又は引渡し）

第四二四条の九① 債権者は、第四百二十四条の六第一項前段又は第二項前段の規定により受益者又は転得者に対して財産の返還を請求する場合において、その返還の請求が金銭の支払又は動産の引渡しを求めるものであるときは、受益者に対してその支払又は引渡しを、転得者に対してその引渡しを、自己に対してすることを求めることができる。この場合において、受益者又は転得者は、債権者に対してその支払又は引渡しをしたときは、債務者に対してその支払又は引渡しをすることを要しない。

② 債権者が第四百二十四条の六第一項後段又は第二項後段の規定により受益者又は転得者に対して価額の償還を請求する場合についても、前項と同様とする。

⊛四二四、四二四の五【否認の場合→破一六七、民再一三二】

第三目　詐害行為取消権の行使の効果

（平成二九法四四目名追加）

（認容判決の効力が及ぶ者の範囲）

第四二五条　詐害行為取消請求を認容する確定判決は、債務者及びその全ての債権者に対してもその効力を有する。（平成二九法四四本条全部改正）

⊛四二四、四二四の五―四二四の七【否認の場合→破一六七、民再一三二】

（債務者の受けた反対給付に関する受益者の権利）

第四二五条の二　債務者がした財産の処分に関する行為（債務の消滅に関する行為を除く。）が取り消されたときは、受益者は、債務者に対し、その財産を取得するためにした反対給付の返還を請求することができる。債務者がその反対給付の返還をすることが困難であるときは、受益者は、その価額の償還を請求することができる。（平成二九法四四本条追加）

⊛四二四、四二四の五―四二四の七、四二五【否認の場合→破一六八、民再一三二の二】

（受益者の債権の回復）

第四二五条の三　債務者がした債務の消滅に関する行為が取り消された場合（第四百二十四条の四の規定により取り消された場合を除く。）において、受益者が債務者から受けた給付を返還し、又はその価額を償還したときは、受益者の債務者に対する債権は、これによって原状に復する。（平成二九法四四本条追加）

⊛四二四、四二四の三、四二四の六、四二五【否認の場合→破一六九、民再一三三】

（詐害行為取消請求を受けた転得者の権利）

第四二五条の四　債務者がした行為が転得者に対する詐害行為取消請求によって取り消されたときは、その転得者は、次の各号に掲げる区分に応じ、それぞれ当該各号に定める権利を行使することができる。ただし、その転得者がその前者から財産を取得するためにした反対給付又はその前者から財産を取得することによって消滅した債権の価額を限度とする。

一 第四百二十五条の二に規定する行為が取り消された場合　その行為が受益者に対する詐害行為取消請求によって取り消されたとすれば同条の規定により生ずべき受益者の債務者に対する反対給付の返還請求権又はその価額の償還請求権

二 前条に規定する行為が取り消された場合（第四百二十四条の四の規定により取り消された場合を除く。）　その行為が受益者に対する詐害行為取消請求によって取り消されたとすれば前条の規定により回復すべき受益者の債務者に対する債権

（平成二九法四四本条追加）

⊛四二四、四二四の五、四二四の六、四二五【一】【否認の場合→破一七〇の二、民再一三四の二】【二】【否認の場合→破一七〇の三、民再一三四の三】

第四目　詐害行為取消権の期間の制限
（平成二九法四四目名追加）

第四二六条　詐害行為取消請求に係る訴えは、債務者が債権者を害することを知って行為をしたことを債権者が知った時から二年を経過したときは、提起することができない。行為の時から十年を経過したときも、同様とする。（平成二九法四四本条全部改正）

⊛四二四、四二四の五―四二四の七【否認の場合↓破一七六、民再一三九、会更九八

第三節　多数当事者の債権及び債務

第一款　総則

（分割債権及び分割債務）
第四二七条　数人の債権者又は債務者がある場合において、別段の意思表示がないときは、各債権者又は各債務者は、それぞれ等しい割合で権利を有し、又は義務を負う。

⊛【本条の特則↓四二八、四三〇、四三二、四三六、四六五、六七五②、六七六②

第二款　不可分債権及び不可分債務

（不可分債権）
第四二八条　次款（連帯債権）の規定（第四百三十三条及び第四百三十五条の規定を除く。）は、債権の目的がその性質上不可分である場合において、数人の債権者があるときについて準用する。（平成二九法四四本条全部改正）

⊛四二七、四二九、四三二

（不可分債権者の一人との間の更改又は免除）
第四二九条　不可分債権者の一人と債務者との間に更改又は免除があった場合においても、他の不可分債権者は、債務の全部の履行を請求することができる。この場合においては、その一人の不可分債権者がその権利を失わなければ分与されるべき利益を債務者に償還しなければならない。（平成二九法四四本条改正）

⊛四二八【更改↓五一三【免除↓五一九

（不可分債務）
第四三〇条　第四款（連帯債務）の規定（第四百四十条の規定を除く。）は、債務の目的がその性質上不可分である場合において、数人の債務者があるときについて準用する。（平成二九法四四本条全部改正）

⊛四二七、四三一

（可分債権又は可分債務への変更）
第四三一条　不可分債権が可分債権となったときは、各債権者は自己が権利を有する部分についてのみ履行を請求することができ、不可分債務が可分債務となったときは、各債務者はその負担部分についてのみ履行の責任を負う。

⊛四二八、四三〇、四二七

第三款　連帯債権　（平成二九法四四本款追加）

（連帯債権者による履行の請求等）
第四三二条　債権の目的がその性質上可分である場合において、法令の規定又は当事者の意思表示によって数人が連帯して債権を有するときは、各債権者は、全ての債権者のために全部又は一部の履行を請求することができ、債務者は、全ての債権者のために各債権者に対して履行をすることができる。

⊛四二七、四三五の二【履行の請求↓四一四

（連帯債権者の一人との間の更改又は免除）
第四三三条　連帯債権者の一人と債務者との間に更改又は免除があったときは、その連帯債権者がその権利を失わなければ分与されるべき利益に係る部分については、他の連帯債権者は、履行を請求することができない。

⊛四三二、四三五の二【更改↓五一三【免除↓五一九

（連帯債権者の一人との間の相殺）
第四三四条　債務者が連帯債権者の一人に対して債権を有する場合において、その債務者が相殺を援用したときは、その相殺は、他の連帯債権者に対しても、その効力を生ずる。

⊛四三二、四三五の二【相殺↓五〇五

（連帯債権者の一人との間の混同）
第四三五条　連帯債権者の一人と債務者との間に混同があったときは、債務者は、弁済をしたものとみなす。

⊛四三二、四三五の二【混同↓五二〇

（相対的効力の原則）
第四三五条の二　第四百三十二条から前条までに規定する場合を除き、連帯債権者の一人の行為又は一人について生じた事由は、他の連帯債権者に対してその効力を生じない。ただし、他の連帯債権者の一人及び債務者が別段の意思を表示したときは、当該他の連帯債権者に対する効力は、その意思に従う。

⊛四三二

第四款　連帯債務

（連帯債務者に対する履行の請求）
第四三六条　債務の目的がその性質上可分である場合において、法令の規定又は当事者の意思表示によって数人が連帯して債務を負担するときは、債権者は、その連帯債務者の一人に対し、又は同時に若しくは順次に全ての連帯債務者に対し、全部又は一部の履行を請求することができる。（平成二九法四四本条改正）

⊛四二七【連帯債務の例↓四七〇、七一九、七六一、一般法人一一八、商五一一①、五七九③、ETC

（連帯債務者の一人についての法律行為の無効等）
第四三七条　連帯債務者の一人について法律行為の無効又は取消しの原因があっても、他の連帯債務者の債務は、その効力を妨げられない。

⊛四三六

（連帯債務者の一人との間の更改）

第四三八条　連帯債務者の一人と債権者との間に更改があったときは、債権は、全ての連帯債務者の利益のために消滅する。

参 四三六、四四一【更改→五一三

（連帯債務者の一人による相殺等）

第四三九条①　連帯債務者の一人が債権者に対して債権を有する場合において、その連帯債務者が相殺を援用したときは、債権は、全ての連帯債務者の利益のために消滅する。

②　前項の債権を有する連帯債務者が相殺を援用しない間は、その連帯債務者の負担部分の限度において、他の連帯債務者は、債権者に対して債務の履行を拒むことができる。（平成二九法四四本項改正）

参 四三六、四四一【相殺→五〇五

（連帯債務者の一人との間の混同）

第四四〇条　連帯債務者の一人と債権者との間に混同があったときは、その連帯債務者は、弁済をしたものとみなす。

参 四三六、四四一【混同→五二〇

（相対的効力の原則）

第四四一条　第四百三十八条、第四百三十九条第一項及び前条に規定する場合を除き、連帯債務者の一人について生じた事由は、他の連帯債務者に対してその効力を生じない。ただし、債権者及び他の連帯債務者の一人が別段の意思を表示したときは、当該他の連帯債務者に対する効力は、その意思に従う。（平成二九法四四本条改正）

参 四三六

（連帯債務者間の求償権）

第四四二条①　連帯債務者の一人が弁済をし、その他自己の財産をもって共同の免責を得たときは、その連帯債務者は、その免責を得た額が自己の負担部分を超えるかどうかにかかわらず、他の連帯債務者に対し、その免責を得るために支出した財産の額（その財産の額が共同の免責を得た額を超える場合にあっては、その免責を得た額）のうち各自の負担部分に応じた額の求償権を有する。（平成二九法四四本項改正）

②　前項の規定による求償は、弁済その他免責があった日以後の法定利息及び避けることができなかった費用その他の損害の賠償を包含する。

参 四四三―四四五　❶【弁済による代位→四九九　❷【法定利息→四〇四

（通知を怠った連帯債務者の求償の制限）

第四四三条①　他の連帯債務者があることを知りながら、連帯債務者の一人が共同の免責を得ることを他の連帯債務者に通知しないで弁済をし、その他自己の財産をもって共同の免責を得た場合において、他の連帯債務者は、債権者に対抗することができる事由を有していたときは、その負担部分について、その事由をもってその免責を得た連帯債務者に対抗することができる。この場合において、相殺をもってその免責を得た連帯債務者に対抗したときは、その連帯債務者は、債権者に対し、相殺によって消滅すべきであった債務の履行を請求することができる。

②　弁済をし、その他自己の財産をもって共同の免責を得た連帯債務者が、他の連帯債務者があることを知りながらその免責を得たことを他の連帯債務者に通知することを怠ったため、他の連帯債務者が善意で弁済その他自己の財産をもって免責を得るための行為をしたときは、当該他の連帯債務者は、その免責を得るための行為を有効であったものとみなすことができる。

（平成二九法四四本条改正）

参 四四二　❶【相殺→五〇五

（償還をする資力のない者の負担部分の分担）

第四四四条①　連帯債務者の中に償還をする資力のない者があるときは、その償還をすることができない部分は、求償者及び他の資力のある者の間で、各自の負担部分に応じて分割して負担する。

②　前項に規定する場合において、求償者及び他の資力のある者がいずれも負担部分を有しない者であるときは、その償還をすることができない部分は、求償者及び他の資力のある者の間で、等しい割合で分割して負担する。（平成二九法四四本項追加）

③　前二項の規定にかかわらず、償還を受けることができないことについて求償者に過失があるときは、他の連帯債務者に対して分担を請求することができない。

（平成二九法四四本項追加）

（平成二九法四四本条改正）

参 四四二

（連帯債務者の一人との間の免除等と求償権）

第四四五条　連帯債務者の一人に対して債務の免除がされ、又は連帯債務者の一人のために時効が完成した場合においても、他の連帯債務者は、その一人の連帯債務者に対し、第四百四十二条第一項の求償権を行使することができる。（平成二九法四四本条全部改正）

参【免除→五一九【時効の完成→一六六―一六九

第五款　保証債務

第一目　総則（平成一六法一四七目名追加）

（保証人の責任等）

第四四六条①　保証人は、主たる債務者がその債務を履行しないときに、その履行をする責任を負う。

②　保証契約は、書面でしなければ、その効力を生じない。（平成一六法一四七本項追加）

③　保証契約がその内容を記録した電磁的記録によってされたときは、その保証契約は、書面によってされたものとみなして、前項の規定を適用する。（平成一六法一四七本項追加、平成二九法四四本項改正）

参 ❶【保証債務の性質→四四七②・四四八・四五七・四五二―四五五【特殊の保証→四五四、商五一一②、手三〇―三二、小二五―二七【免責等と保証債務→破二五三②、民再一七七②、会更二〇三②　❷❸【本項の特則→四六五の二③・四六五の三④・四六五の六①

（保証債務の範囲）

第四四七条① 保証債務は、主たる債務に関する利息、違約金、損害賠償その他その債務に従たるすべてのものを包含する。

② 保証人は、その保証債務についてのみ、違約金又は損害賠償の額を約定することができる。

⊛四四八 ❶【損害賠償→四一五 ❷四四六①【賠償額の予定・違約金→四二〇・四二一

（保証人の負担と主たる債務の目的又は態様）

第四四八条① 保証人の負担が債務の目的又は態様において主たる債務より重いときは、これを主たる債務の限度に減縮する。

② 主たる債務の目的又は態様が保証契約の締結後に加重されたときであっても、保証人の負担は加重されない。（平成二九法四四本項追加）

⊛四四六①・四四七【免責等と保証債務→四四六①⊛

（取り消すことができる債務の保証）

第四四九条 行為能力の制限によって取り消すことができる債務を保証した者は、保証契約の時においてその取消しの原因を知っていたときは、主たる債務の不履行の場合又はその債務の取消しの場合においてこれと同一の目的を有する独立の債務を負担したものと推定する。（平成一一法一四九本条改正）

⊛【行為能力の制限による取消し→五②・九・一三④・一七④【本条の特則→手三二②、小二七②

（保証人の要件）

第四五〇条① 債務者が保証人を立てる義務を負う場合には、その保証人は、次に掲げる要件を具備する者でなければならない。

一 行為能力者であること。

二 弁済をする資力を有すること。

（昭和二二法二二三本項改正）

② 保証人が前項第二号に掲げる要件を欠くに至ったときは、債権者は、同項各号に掲げる要件を具備する者をもってこれに代えることを請求することができる。

③ 前二項の規定は、債権者が保証人を指名した場合には、適用しない。

（昭和二二法二二三本項改正）

⊛四五一【義務の不履行の効果→一三七③ ❶【一】【制限行為能力者→四・七・八・一一・一二・一五・一六

（他の担保の供与）

第四五一条 債務者は、前条第一項各号に掲げる要件を具備する保証人を立てることができないときは、他の担保を供してこれに代えることができる。

（催告の抗弁）

第四五二条 債権者が保証人に債務の履行を請求したときは、保証人は、まず主たる債務者に催告をすべき旨を請求することができる。ただし、主たる債務者が破産手続開始の決定を受けたとき、又はその行方が知れないときは、この限りでない。（平成一六法七六本条改正）

⊛四四六①・四五三―四五五【破産手続開始→破三〇

（検索の抗弁）

第四五三条 債権者が前条の規定に従い主たる債務者に催告をした後であっても、保証人が主たる債務者に弁済をする資力があり、かつ、執行が容易であることを証明したときは、債権者は、まず主たる債務者の財産について執行をしなければならない。

⊛四四六①・四五四・四五五

（連帯保証の場合の特則）

第四五四条 保証人は、主たる債務者と連帯して債務を負担したときは、前二条の権利を有しない。

⊛四四六①【連帯保証の例→商五一一②【連帯保証人について生じた事由の効力→四五八

（催告の抗弁及び検索の抗弁の効果）

第四五五条 第四百五十二条又は第四百五十三条の規定により保証人の請求又は証明があったにもかかわらず、債権者が催告又は執行をすることを怠ったために主たる債務者から全部の弁済を得られなかったときは、保証人は、債権者が直ちに催告又は執行をすれば弁済を得ることができた限度において、その義務を免れる。

⊛四四六①

（数人の保証人がある場合）

第四五六条 数人の保証人がある場合には、それらの保証人が各別の行為により債務を負担したときであっても、第四百二十七条の規定を適用する。

⊛【本条の特則→四六五、商五一一②【共同保証人間の求償権→四六五②

（主たる債務者について生じた事由の効力）

第四五七条① 主たる債務者に対する履行の請求その他の事由による時効の完成猶予及び更新は、保証人に対しても、その効力を生ずる。

② 保証人は、主たる債務者が主張することができる抗弁をもって債権者に対抗することができる。

③ 主たる債務者が債権者に対して相殺権、取消権又は解除権を有するときは、これらの権利の行使によって主たる債務者がその債務を免れるべき限度において、保証人は、債権者に対して債務の履行を拒むことができる。（平成二九法四四本項追加）

（平成二九法四四本条改正）

⊛四四六①・四五八 ❶【時効の完成猶予・更新→一四七―一五二 ❸【相殺権→五〇五【取消権→一二〇【解除権→五四〇

（連帯保証人について生じた事由の効力）

第四五八条 第四百三十八条（連帯債務者の一人との間の更改）、第四百三十九条第一項（連帯債務者の一人による相殺）、第四百四十条（連帯債務者の一人との間の混同）及び第四百四十一条（相対的効力の原則）の規定は、主たる債務者と連帯して債務を負担する保証人について生じた事由について準用する。（平成二九法四四本条全部改正）

⊛四五七【連帯保証人の抗弁権→四五四【連帯保証の例→商五一一②

（主たる債務の履行状況に関する情報の提供義務）

第四五八条の二 保証人が主たる債務者の委託を受けて保証をした場合において、保証人の請求があったときは、債権者は、保証人に対し、遅滞なく、主たる債務の元本及び主たる債務に関する利息、違約金、損害賠償その他その債務に従たる全てのものについての不履行の有無並びにこれらの残額及びそのうち弁済期が到来しているものの額に関する情報を提供しなければならない。（平成二九法四四本条追加）

⊛四五八の三、四四七①

（主たる債務者が期限の利益を喪失した場合における情報の提供義務）

第四五八条の三① 主たる債務者が期限の利益を有する場合において、その利益を喪失したときは、債権者は、保証人に対し、その利益の喪失を知った時から二箇月以内に、その旨を通知しなければならない。

② 前項の期間内に同項の通知をしなかったときは、債権者は、保証人に対し、主たる債務者が期限の利益を喪失した時から同項の通知を現にするまでに生じた遅延損害金（期限の利益を喪失しなかったとしても生ずべきものを除く。）に係る保証債務の履行を請求することができない。

③ 前二項の規定は、保証人が法人である場合には、適用しない。

（平成二九法四四本条追加）

⊛四五八の二 ❶【期限の利益の喪失→一三七 ❷【遅延損害金→四一九①

（委託を受けた保証人の求償権）

第四五九条① 保証人が主たる債務者の委託を受けて保証をした場合において、主たる債務者に代わって弁済その他自己の財産をもって債務を消滅させる行為（以下「債務の消滅行為」という。）をしたときは、その保証人は、主たる債務者に対し、そのために支出した財産の額（その財産の額がその債務の消滅行為によって消滅した主たる債務の額を超える場合にあっては、その消滅した額）の求償権を有する。（平成二九法四四本項改正）

② 第四百四十二条第二項（連帯債務者間の求償権）の規定は、前項の場合について準用する。

⊛四五九の二―四六二【弁済による代位→四九九

（委託を受けた保証人が弁済期前に弁済等をした場合の求償権）

第四五九条の二① 保証人が主たる債務者の委託を受けて保証をした場合において、主たる債務の弁済期前に債務の消滅行為をしたときは、その保証人は、主たる債務者に対し、主たる債務者がその当時利益を受けた限度において求償権を有する。この場合において、主たる債務者が債務の消滅行為の日以前に相殺の原因を有していたことを主張するときは、保証人は、債権者に対し、その相殺によって消滅すべきであった債務の履行を請求することができる。

② 前項の規定による求償は、主たる債務の弁済期以後の法定利息及びその弁済期以後に債務の消滅行為をしたとしても避けることができなかった費用その他の損害の賠償を包含する。

③ 第一項の求償権は、主たる債務の弁済期以後でなければ、これを行使することができない。

（平成二九法四四本条追加）

⊛四五九、四六二【弁済期→四一二 ❶【相殺→五〇五 ❷【法定利息→四〇四【損害賠償→四一五

（委託を受けた保証人の事前の求償権）

第四六〇条 保証人は、主たる債務者の委託を受けて保証をした場合において、次に掲げるときは、主たる債務者に対して、あらかじめ、求償権を行使することができる。

一 主たる債務者が破産手続開始の決定を受け、かつ、債権者がその破産財団の配当に加入しないとき。（平成一六法七六本号改正）

二 債務が弁済期にあるとき。ただし、保証契約の後に債権者が主たる債務者に許与した期限は、保証人に対抗することができない。

三 保証人が過失なく債権者に弁済をすべき旨の裁判の言渡しを受けたとき。（平成二九法四四本号全部改正）

⊛四五九、四六一 [一]【破産手続開始→破三〇【債権者・求償権者の破産手続参加→破一〇四

（主たる債務者が保証人に対して償還をする場合）

第四六一条① 前条の規定により主たる債務者が保証人に対して償還をする場合において、債権者が全部の弁済を受けない間は、主たる債務者は、保証人に担保を供させ、又は保証人に対して自己に免責を得させることを請求することができる。（平成二九法四四本項改正）

② 前項に規定する場合において、主たる債務者は、供託をし、担保を供し、又は保証人に免責を得させて、その償還の義務を免れることができる。

⊛四五九 ❷【供託→四九四

（委託を受けない保証人の求償権）

第四六二条① 第四百五十九条の二第一項（委託を受けた保証人が弁済期前に弁済等をした場合の求償権）の規定は、主たる債務者の委託を受けないで保証をした者が債務の消滅行為をした場合について準用する。（平成二九法四四本項全部改正）

② 主たる債務者の意思に反して保証をした者は、主たる債務者が現に利益を受けている限度においてのみ求償権を有する。この場合において、主たる債務者が求償の日以前に相殺の原因を有していたことを主張するときは、保証人は、債権者に対し、その相殺によって消滅すべきであった債務の履行を請求することができる。

③ 第四百五十九条の二第三項（委託を受けた保証人が弁済期前に弁済等をした場合の求償権）の規定は、前二項に規定する保証人が主たる債務の弁済期前に債務の消滅行為をした場合における求償権の行使について準用する。（平成二九法四四本項追加）

⊛四五九【弁済による代位→四九九 ❷【相殺→五〇五

（通知を怠った保証人の求償の制限等）

第四六三条① 保証人が主たる債務者の委託を受けて保証をした場合において、主たる債務者にあらかじめ通知しないで債務の消滅行為をしたときは、主たる債務者は、債権者に対抗することができた事由をもってその保証人に対抗することができる。この場合において、相殺をもってその保証人に対抗したときは、その保証人は、債権者に対し、相殺によって消滅すべきであった債務の履行を請求することができる。

② 保証人が主たる債務者の委託を受けて保証をした場合において、主たる債務者が債務の消滅行為をしたことを保証人に通知することを怠ったため、その保証人が善意で債務の消滅行為をしたときは、その保証人は、その債務の消滅行為を有効であったものとみなすことができる。

③ 保証人が債務の消滅行為をした後に主たる債務者が債務の消滅行為をした場合においては、保証人が主たる債務者の意思に反して保証をしたときのほか、保証人が債務の消滅行為をしたことを主たる債務者に通知することを怠ったため、主たる債務者が善意で債務の消滅行為をしたときも、主たる債務者は、その債務の消滅行為を有効であったものとみなすことができる。

(平成二九法四四本条全部改正)

+四五九・四五九の二・四六二　❶【相殺↓五〇五

（連帯債務又は不可分債務の保証人の求償権）

第四六四条　連帯債務者又は不可分債務者の一人のために保証をした者は、他の債務者に対し、その負担部分のみについて求償権を有する。

+【保証人の求償権↓四五九・四五九の二・四六二【連帯債務↓四三六【不可分債務↓四三〇【求償権の範囲↓四四二【弁済による代位↓四九九

（共同保証人間の求償権）

第四六五条①　第四百四十二条から第四百四十四条まで〈連帯債務者間の求償権〉の規定は、数人の保証人がある場合において、そのうちの一人の保証人が、主たる債務が不可分であるため又は各保証人が全額を弁済すべき旨の特約があるため、その全額又は自己の負担部分を超える額を弁済したときについて準用する。

②　第四百六十二条〈委託を受けない保証人の求償権〉の規定は、前項に規定する場合を除き、互いに連帯しない保証人の一人が全額又は自己の負担部分を超える額を弁済したときについて準用する。

+四五六

第二目　個人根保証契約

(平成一六法一四七本目追加、平成二九法四四目名改正)

（個人根保証契約の保証人の責任等）

第四六五条の二①　一定の範囲に属する不特定の債務を主たる債務とする保証契約（以下「根保証契約」という。）であって保証人が法人でないもの（以下「個人根保証契約」という。）の保証人は、主たる債務の元本、主たる債務に関する利息、違約金、損害賠償その他その債務に従たる全てのもの及びその保証債務について約定された違約金又は損害賠償の額について、その全部に係る極度額を限度として、その履行をする責任を負う。

②　個人根保証契約は、前項に規定する極度額を定めなければ、その効力を生じない。

③　第四百四十六条第二項及び第三項〈保証契約の有効要件としての書面〉の規定は、個人根保証契約における第一項に規定する極度額の定めについて準用する。

(平成二九法四四本条改正)

+四六五の三・四六五の四　❶【保証契約↓四四六・四四七【損害賠償↓四一五【賠償額の予定・違約金↓四二〇・四二一【保証人が法人である場合↓四六五の五

（個人貸金等根保証契約の元本確定期日）

第四六五条の三①　個人根保証契約であってその主たる債務の範囲に金銭の貸渡し又は手形の割引を受けることによって負担する債務（以下「貸金等債務」という。）が含まれるもの（以下「個人貸金等根保証契約」という。）において主たる債務の元本の確定すべき期日（以下「元本確定期日」という。）の定めがある場合において、その元本確定期日がその個人貸金等根保証契約の締結の日から五年を経過する日より後の日と定められているときは、その元本確定期日の定めは、その効力を生じない。

②　個人貸金等根保証契約において元本確定期日の定めがない場合（前項の規定により元本確定期日の定めがその効力を生じない場合を含む。）には、その元本確定期日は、その個人貸金等根保証契約の締結の日から三年を経過する日とする。

③　個人貸金等根保証契約における元本確定期日の変更をする場合において、変更後の元本確定期日がその変更をした日から五年を経過する日より後の日となるときは、その元本確定期日の変更は、その効力を生じない。ただし、元本確定期日の前二箇月以内に元本確定期日の変更をする場合において、変更後の元本確定期日が変更前の元本確定期日から五年以内の日となるときは、この限りでない。

④　第四百四十六条第二項及び第三項〈保証契約の有効要件としての書面〉の規定は、個人貸金等根保証契約における元本確定期日の定め及びその変更（その個人貸金等根保証契約の締結の日から三年以内の日を元本確定期日とする旨の定め及び元本確定期日より前の日を変更後の元本確定期日とする変更を除く。）について準用する。

(平成二九法四四本条改正)

+四六五の二【元本確定事由↓四六五の四

（個人根保証契約の元本の確定事由）

第四六五条の四①　次に掲げる場合には、個人根保証契約における主たる債務の元本は、確定する。ただし、第一号に掲げる場合にあっては、強制執行又は担保権の実行の手続の開始があったときに限る。

一　債権者が、保証人の財産について、金銭の支払を

民法

目的とする債権についての強制執行又は担保権の実行を申し立てたとき。

二 保証人が破産手続開始の決定を受けたとき。

三 主たる債務者又は保証人が死亡したとき。

② 前項に規定する場合のほか、個人貸金等根保証契約における主たる債務の元本は、次に掲げる場合にも確定する。ただし、第一号に掲げる場合にあっては、強制執行又は担保権の実行の手続の開始があったときに限る。

一 債権者が、主たる債務者の財産について、金銭の支払を目的とする債権についての強制執行又は担保権の実行を申し立てたとき。

二 主たる債務者が破産手続開始の決定を受けたとき。

（平成二九法四四本項追加）
（平成二九法四四本条改正）

参 四六五の二【強制執行の申立て・開始→民執二・四五・九三・一二三・一四三ETC【担保権実行の申立て・開始→民執二・一八一・一八八・一九〇・一九三ETC【破産手続開始決定→破三〇

（保証人が法人である根保証契約の求償権）

第四六五条の五① 保証人が法人である根保証契約において、第四百六十五条の二第一項に規定する極度額の定めがないときは、その根保証契約の保証人の主たる債務者に対する求償権に係る債務を主たる債務とする保証契約は、その効力を生じない。

② 保証人が法人である根保証契約であってその主たる債務の範囲に貸金等債務が含まれるものにおいて、元本確定期日の定めがないとき、又は元本確定期日の定め若しくはその変更が第四百六十五条の三第一項若しくは第三項の規定を適用するとすればその効力を生じないものであるときは、その根保証契約の保証人の主たる債務者に対する求償権に係る債務を主たる債務とする保証契約は、その効力を生じない。主たる債務の範囲にその求償権に係る債務が含まれる根保証契約も、同様とする。

③ 前二項の規定は、求償権に係る債務を主たる債務とする保証契約又は主たる債務の範囲に求償権に係る債務が含まれる根保証契約の保証人が法人である場合には、適用しない。

（平成二九法四四本条全部改正）

参【元本確定期日→四六五の三【保証人の求償権→四五九・四五九の二・四六二

第三目 事業に係る債務についての保証契約の特則（平成二九法四四本目追加）

（公正証書の作成と保証の効力）

第四六五条の六① 事業のために負担した貸金等債務を主たる債務とする保証契約又は主たる債務の範囲に事業のために負担する貸金等債務が含まれる根保証契約は、その契約の締結に先立ち、その締結の日前一箇月以内に作成された公正証書で保証人になろうとする者が保証債務を履行する意思を表示していなければ、その効力を生じない。

② 前項の公正証書を作成するには、次に掲げる方式に従わなければならない。

一 保証人になろうとする者が、次のイ又はロに掲げる契約の区分に応じ、それぞれ当該イ又はロに定める事項を公証人に口授すること。

イ 保証契約（ロに掲げるものを除く。） 主たる債務の債権者及び債務者、主たる債務の元本、主たる債務に関する利息、違約金、損害賠償その他その債務に従たる全てのものの定めの有無及びその内容並びに主たる債務者がその債務を履行しないときには、その債務の全額について履行する意思（保証人になろうとする者が主たる債務者と連帯して債務を負担しようとするものである場合には、債権者が主たる債務者に対して催告をしたかどうか、主たる債務者がその債務を履行することができるかどうか、又は他に保証人があるかどうかにかかわらず、その全額について履行する意思）を有していること。

ロ 根保証契約 主たる債務の債権者及び債務者、主たる債務の範囲、根保証契約における極度額、元本確定期日の定めの有無及びその内容並びに主たる債務者がその債務を履行しないときには、極度額の限度において元本確定期日又は第四百六十五条の四第一項各号若しくは第二項各号に掲げる事由その他の元本を確定すべき事由が生ずる時までに生ずべき主たる債務の元本及び主たる債務に関する利息、違約金、損害賠償その他その債務に従たる全てのものの全額について履行する意思（保証人になろうとする者が主たる債務者と連帯して債務を負担しようとするものである場合には、債権者が主たる債務者に対して催告をしたかどうか、主たる債務者がその債務を履行することができるかどうか、又は他に保証人があるかどうかにかかわらず、その全額について履行する意思）を有していること。

二 公証人が、保証人になろうとする者の口述を筆記し、これを保証人になろうとする者に読み聞かせ、又は閲覧させること。

三 保証人になろうとする者が、筆記の正確なことを承認した後、署名し、印を押すこと。ただし、保証人になろうとする者が署名することができない場合は、公証人がその事由を付記して、署名に代えることができる。

四 公証人が、その証書は前三号に掲げる方式に従って作ったものである旨を付記して、これに署名し、印を押すこと。

③ 前二項の規定は、保証人になろうとする者が法人である場合には、適用しない。

参【保証契約→四四六【個人根保証契約→四六五の二 ❷【類似の規定→九六九 【二】【イ―保証債務の範囲→四四七①【同―連帯保証→四五四【ロ―根保証債務の範囲→四六五の二①【同―元本確定期日→四六五の三

（保証に係る公正証書の方式の特則）

第四六五条の七① 前条第一項の保証契約又は根保証契約の保証人になろうとする者が口がきけない者である場合には、公証人の前で、同条第二項第一号イ又はロに掲げる契約の区分に応じ、それぞれ当該イ又はロに定める事項を通訳人の通訳により申述し、又は自書して、同号の口授に代えなければならない。この場合における同項第二号の規定の適用については、同号中「口述」とあるのは、「通訳人の通訳による申述又は自書」とする。

② 前条第一項の保証契約又は根保証契約の保証人になろうとする者が耳が聞こえない者である場合には、公証人は、同条第二項第二号に規定する筆記した内容を通訳人の通訳により保証人になろうとする者に伝えて、同号の読み聞かせに代えることができる。

③ 公証人は、前二項に定める方式に従って公正証書を作ったときは、その旨をその証書に付記しなければならない。

参【類似の規定→九六九の二

（公正証書の作成と求償権についての保証の効力）

第四六五条の八① 第四百六十五条の六第一項及び第二項並びに前条の規定は、事業のために負担した貸金等債務を主たる債務とする保証契約又は主たる債務の範囲に事業のために負担する貸金等債務が含まれる根保証契約の保証人の主たる債務者に対する求償権に係る債務を主たる債務とする保証契約について準用する。主たる債務の範囲にその求償権に係る債務が含まれる根保証契約も、同様とする。

② 前項の規定は、保証人になろうとする者が法人である場合には、適用しない。

参【事業に係る債務についての保証契約→四六五の六【個人根保証契約→四六五の二【保証人の求償権→四五九、四五九の二、四六二

（公正証書の作成と保証の効力に関する規定の適用除外）

第四六五条の九 前三条の規定は、保証人になろうとする者が次に掲げる者である保証契約については、適用しない。

一 主たる債務者が法人である場合のその理事、取締役、執行役又はこれらに準ずる者

二 主たる債務者が法人である場合の次に掲げる者

イ 主たる債務者の総株主の議決権（株主総会において決議をすることができる事項の全部につき議決権を行使することができない株式についての議決権を除く。以下この号において同じ。）の過半数を有する者

ロ 主たる債務者の総株主の議決権の過半数を他の株式会社が有する場合における当該他の株式会社の総株主の議決権の過半数を有する者

ハ 主たる債務者の総株主の議決権の過半数を他の株式会社及び当該他の株式会社の総株主の議決権の過半数を有する者が有する場合における当該他の株式会社の総株主の議決権の過半数を有する者

ニ 株式会社以外の法人が主たる債務者である場合におけるイ、ロ又はハに掲げる者に準ずる者

三 主たる債務者（法人であるものを除く。以下この号において同じ。）と共同して事業を行う者又は主たる債務者が行う事業に現に従事している主たる債務者の配偶者

（契約締結時の情報の提供義務）

第四六五条の一〇① 主たる債務者は、事業のために負担する債務を主たる債務とする保証又は主たる債務の範囲に事業のために負担する債務が含まれる根保証の委託をするときは、委託を受ける者に対し、次に掲げる事項に関する情報を提供しなければならない。

一 財産及び収支の状況

二 主たる債務以外に負担している債務の有無並びにその額及び履行状況

三 主たる債務の担保として他に提供し、又は提供しようとするものがあるときは、その旨及びその内容

② 主たる債務者が前項各号に掲げる事項に関して情報を提供せず、又は事実と異なる情報を提供したために委託を受けた者がその事項について誤認をし、それによって保証契約の申込み又はその承諾の意思表示をした場合において、主たる債務者がその事項に関して情報を提供せず又は事実と異なる情報を提供したことを債権者が知り又は知ることができたときは、保証人は、保証契約を取り消すことができる。

③ 前二項の規定は、保証をする者が法人である場合には、適用しない。

参【保証契約→四四六【個人根保証契約→四六五の二　❷【類似の規定→九六②

第四節　債権の譲渡

参【本節の規定の準用→五二〇の一九①、手一一②、二〇①、七七①㈠、小一四②、二四①

（債権の譲渡性）

第四六六条① 債権は、譲り渡すことができる。ただし、その性質がこれを許さないときは、この限りでない。

② 当事者が債権の譲渡を禁止し、又は制限する旨の意思表示（以下「譲渡制限の意思表示」という。）をしたときであっても、債権の譲渡は、その効力を妨げられない。（平成二九法四四本項全部改正）

③ 前項に規定する場合には、譲渡制限の意思表示がされたことを知り、又は重大な過失によって知らなかった譲受人その他の第三者に対しては、債務者は、その債務の履行を拒むことができ、かつ、譲渡人に対する弁済その他の債務を消滅させる事由をもってその第三者に対抗することができる。（平成二九法四四本項追加）

④ 前項の規定は、債務者が債務を履行しない場合において、同項に規定する第三者が相当の期間を定めて譲渡人への履行の催告をし、その期間内に履行がないときは、その債務者については、適用しない。（平成二九法四四本項追加）

参❶【譲渡性のない債権の例→八八一、労基八三②、労災一二の五②、生活保護五九【譲渡に債務者の承諾を要する債権の例→五九四②、六一二①、六二五①【譲渡に利害関係人の同意を必

民法

要とする債権の例→保険四七【電子記録債権に関する特則→電子債権一七 ❷【本項の特則→四六六の五 ❸【債務消滅事由の例→一六六、四七三、五〇五、五一三、五一九、五二〇【本項の特則→四六六の四 ❹四六八②、四六九③

（譲渡制限の意思表示がされた債権に係る債務者の供託）

第四六六条の二① 債務者は、譲渡制限の意思表示がされた金銭の給付を目的とする債権が譲渡されたときは、その債権の全額に相当する金銭を債務の履行地（債務の履行地が債権者の現在の住所により定まる場合にあっては、譲渡人の現在の住所を含む。次条において同じ。）の供託所に供託することができる。

② 前項の規定により供託をした債務者は、遅滞なく、譲渡人及び譲受人に供託の通知をしなければならない。

③ 第一項の規定により供託をした金銭は、譲受人に限り、還付を請求することができる。

（平成二九法四四本条追加）

参+四六六②、四六六の三【供託→四九四―四九七 ❶四九四、四九五① ❷四九五③ ❸四九八①

第四六六条の三 前条第一項に規定する場合において、譲渡人について破産手続開始の決定があったときは、譲受人（同項の債権の全額を譲り受けた者であって、その債権の譲渡を債務者その他の第三者に対抗することができるものに限る。）は、譲渡制限の意思表示がされたことを知り、又は重大な過失によって知らなかったときであっても、債務者にその債権の全額に相当する金銭を債務の履行地の供託所に供託させることができる。この場合においては、同条第二項及び第三項の規定を準用する。（平成二九法四四本条追加）

参+四六六②、四六八②、四六九③【供託→四九四、四九五①③、四九八①【破産手続開始決定→破三〇

（譲渡制限の意思表示がされた債権の差押え）

第四六六条の四① 第四百六十六条第三項の規定は、譲渡制限の意思表示がされた債権に対する強制執行をした差押債権者に対しては、適用しない。

② 前項の規定にかかわらず、譲受人その他の第三者が譲渡制限の意思表示がされたことを知り、又は重大な過失によって知らなかった場合において、その債権者が同項の債権に対する強制執行をしたときは、債務者は、その債務の履行を拒むことができ、かつ、譲渡人に対する弁済その他の債務を消滅させる事由をもって差押債権者に対抗することができる。

（平成二九法四四本条追加）

参+四六六②【債権に対する強制執行→民執一四三―一六六、一六七の二―一六七の一四 ❷【債務消滅事由の例→四六六③参

（預金債権又は貯金債権に係る譲渡制限の意思表示の効力）

第四六六条の五① 預金口座又は貯金口座に係る預金又は貯金に係る債権（以下「預貯金債権」という。）について当事者がした譲渡制限の意思表示は、第四百六十六条第二項の規定にかかわらず、その譲渡制限の意思表示がされたことを知り、又は重大な過失によって知らなかった譲受人その他の第三者に対抗することができる。

② 前項の規定は、譲渡制限の意思表示がされた預貯金債権に対する強制執行をした差押債権者に対しては、適用しない。

（平成二九法四四本条追加）

参❷四六六の四 +九〇九の二

（将来債権の譲渡性）

第四六六条の六① 債権の譲渡は、その意思表示の時に債権が現に発生していることを要しない。

② 債権が譲渡された場合において、その意思表示の時に債権が現に発生していないときは、譲受人は、発生した債権を当然に取得する。

③ 前項に規定する場合において、譲渡人が次条の規定による通知をし、又は債務者が同条の規定による承諾をした時（以下「対抗要件具備時」という。）までに譲渡制限の意思表示がされたときは、譲受人その他の第三者がそのことを知っていたものとみなして、第四百六十六条第三項（譲渡制限の意思表示がされた債権が預貯金債権の場合にあっては、前条第一項）の規定を適用する。

（平成二九法四四本条追加）

参+四六六①、四六七 ❸【本項の特則→動産債権譲渡特四③

（債権の譲渡の対抗要件）

第四六七条① 債権の譲渡（現に発生していない債権の譲渡を含む。）は、譲渡人が債務者に通知をし、又は債務者が承諾をしなければ、債務者その他の第三者に対抗することができない。（平成二九法四四本項改正）

② 前項の通知又は承諾は、確定日付のある証書によってしなければ、債務者以外の第三者に対抗することができない。

参❶四六八①、八九九の二②【現に発生していない債権の譲渡→四六六の六①【本項の特則→動産債権譲渡特四② ❷【確定日付のある証書→民施五【本項の特則→動産債権譲渡特四① +【債権譲渡の対抗要件の準拠法→法適用二三

民法施行法（明治三一・六・二一法一一）（抜粋）

第五条【確定日付のある証書】①証書ハ左ノ場合ニ限リ確定日付アルモノトス

一 公正証書ナルトキハ其日付ヲ以テ確定日付トス

二 登記所又ハ公証人役場ニ於テ私署証書ニ日付アル印章ヲ押捺シタルトキハ其印章ノ日付ヲ以テ確定日付トス

三 私署証書ノ署名者中ニ死亡シタル者アルトキハ其死亡ノ日ヨリ確定日付アルモノトス

四 確定日付アル証書中ニ私署証書ヲ引用シタルトキハ其証書ノ日付ヲ以テ引用シタル私署証書ノ確定日付トス

五 官庁又ハ公署ニ於テ私署証書ニ或事項ヲ記入シ之ニ日付ヲ記載シタルトキハ其日付ヲ以テ其証書ノ確定日付トス

六 郵便認証司（郵便法（昭和二十二年法律第百六十五号）第五十九条第一項ニ規定スル郵便認証司ヲ謂フ）ガ同法第五十八条第一号ニ規定スル内容証明ノ取扱ニ係ル認証ヲ為シタルトキハ同号ノ規定ニ従ヒテ記載シタル日付ヲ以テ確定日付トス

②指定公証人（公証人法（明治四十一年法律第五十三号）第七条ノ二第一項ニ規定スル指定公証人ヲ謂フ以下之ニ同ジ）ガ其設ケタル公証人役場ニ於テ請求ニ基キ法務省令ノ定ムル方法ニ依リ電磁的記録（電子的方式、磁気的方式其他人ノ知覚ヲ以テ認識スルコト能ハザル方式（以下電磁的方式ト称ス）ニ依リ作ラルル記録ニシテ電子計算機ニ依ル情報処理ノ用ニ供セラルルモノヲ謂フ以下之ニ同ジ）ニ記録セラレタル情報ニ日付ヲ内容トスル情報（以下日付情報ト称ス）ヲ電磁的方式ニ依リ付シタルトキハ当該電磁的記録ニ記録セラレタル情報ハ確定日付アル証書ト看做ス但公務員ガ職務上作成シタル電磁的記録以外ノモノニ付シタルトキニ限ル

③前項ノ場合ニ於テハ日付情報ノ日付ヲ以テ確定日付トス

（債権の譲渡における債務者の抗弁）

第四六八条① 債務者は、対抗要件具備時までに譲渡人に対して生じた事由をもって譲受人に対抗することができる。

② 第四百六十六条第四項の場合における前項の規定の適用については、同項中「対抗要件具備時」とあるのは、「第四百六十六条第四項の相当の期間を経過した時」とし、第四百六十六条の三の場合における同項の規定の適用については、同項中「対抗要件具備時」とあるのは、「第四百六十六条の三の規定により同条の譲受人から供託の請求を受けた時」とする。

（平成二九法四四本条全部改正）

参四六七① ❶【本項の特則→五二〇の六・五二〇の一六・五二〇の二〇、動産債権譲渡特四③、電子債権二〇【債務引受の場合→四七一①・四七二の二①

（債権の譲渡における相殺権）

第四六九条① 債務者は、対抗要件具備時より前に取得した譲渡人に対する債権による相殺をもって譲受人に対抗することができる。

② 債務者が対抗要件具備時より後に取得した譲渡人に対する債権であっても、その債権が次に掲げるものであるときは、前項と同様とする。ただし、債務者が対抗要件具備時より後に他人の債権を取得したときは、この限りでない。

一 対抗要件具備時より前の原因に基づいて生じた債権

二 前号に掲げるもののほか、譲受人の取得した債権の発生原因である契約に基づいて生じた債権

③ 第四百六十六条第四項の場合における前二項の規定の適用については、これらの規定中「対抗要件具備時」とあるのは、「第四百六十六条第四項の相当の期間を経過した時」とし、第四百六十六条の三の場合におけるこれらの規定の適用については、これらの規定中「対抗要件具備時」とあるのは、「第四百六十六条の三の規定により同条の譲受人から供託の請求を受けた時」とする。

（平成二九法四四本条全部改正）

参四六七①・四六八①【相殺→五〇五【本条の特則→動産債権譲渡特四③【相殺と差押えの場合→五一一

第五節 債務の引受け

（平成二九法四四本節追加）

第一款 併存的債務引受

（併存的債務引受の要件及び効果）

第四七〇条① 併存的債務引受の引受人は、債務者と連帯して、債務者が債権者に対して負担する債務と同一の内容の債務を負担する。

② 併存的債務引受は、債権者と引受人となる者との契約によってすることができる。

③ 併存的債務引受は、債務者と引受人となる者との契約によってもすることができる。この場合において、併存的債務引受は、債権者が引受人となる者に対して承諾をした時に、その効力を生ずる。

④ 前項の規定によってする併存的債務引受は、第三者のためにする契約に関する規定に従う。

参四七一 ❶【連帯債務→四三六―四四五 ❸❹【第三者のためにする契約→五三七―五三九

（併存的債務引受における引受人の抗弁等）

第四七一条① 引受人は、併存的債務引受により負担した自己の債務について、その効力が生じた時に債務者が主張することができた抗弁をもって債権者に対抗することができる。

② 債務者が債権者に対して取消権又は解除権を有するときは、引受人は、これらの権利の行使によって債務者がその債務を免れるべき限度において、債権者に対して債務の履行を拒むことができる。

参四七〇【免責的債務引受の場合→四七二の二 ❶【債権譲渡の場合→四六八① ❷【取消権→一二〇【解除権→五四〇

第二款 免責的債務引受

（免責的債務引受の要件及び効果）

第四七二条① 免責的債務引受の引受人は債務者が債権者に対して負担する債務と同一の内容の債務を負担し、債務者は自己の債務を免れる。

② 免責的債務引受は、債権者と引受人となる者との契約によってすることができる。この場合において、免責的債務引受は、債権者が債務者に対してその契約をした旨を通知した時に、その効力を生ずる。

③ 免責的債務引受は、債務者と引受人となる者が契約をし、債権者が引受人となる者に対して承諾をすることによってもすることができる。

参四七二の二―四七二の四

（免責的債務引受における引受人の抗弁等）

第四七二条の二① 引受人は、免責的債務引受により負担した自己の債務について、その効力が生じた時に債務者が主張することができた抗弁をもって債権者に対抗することができる。

② 債務者が債権者に対して取消権又は解除権を有するときは、引受人は、免責的債務引受がなければこれらの権利の行使によって債務者がその債務を免れることができた限度において、債権者に対して債務の履行を拒むことができる。

参四七二【併存的債務引受の場合→四七一 ❶【債権譲渡の場合→四六八① ❷【取消権→一二〇【解除権→五四〇

（免責的債務引受における引受人の求償権）

第四七二条の三　免責的債務引受の引受人は、債務者に対して求償権を取得しない。

参 四七二

（免責的債務引受による担保の移転）

第四七二条の四① 債権者は、第四百七十二条第一項の規定により債務者が免れる債務の担保として設定された担保権を引受人が負担する債務に移すことができる。ただし、引受人以外の者がこれを設定した場合には、その承諾を得なければならない。

② 前項の規定による担保権の移転は、あらかじめ又は同時に引受人に対してする意思表示によってしなければならない。

③ 前二項の規定は、第四百七十二条第一項の規定により債務者が免れる債務の保証をした者があるときについて準用する。

④ 前項の場合において、同項において準用する第一項の承諾は、書面でしなければ、その効力を生じない。

⑤ 前項の承諾がその内容を記録した電磁的記録によってされたときは、その承諾は、書面によってされたものとみなして、同項の規定を適用する。

参 四七二　❶❷【担保権の例→三四二、三六九　❶【本項の特則→三九八の七③　❸―❺【保証債務→四四六

第六節　債権の消滅

第一款　弁済

第一目　総則（平成一六法一四七目名追加）

（弁済）

第四七三条　債務者が債権者に対して債務の弁済をしたときは、その債権は、消滅する。（平成二九法四四本条追加）

参 【債務の不存在を知ってした弁済→七〇五【期限前の弁済→七〇六

（第三者の弁済）

第四七四条① 債務の弁済は、第三者もすることができる。

② 弁済をするについて正当な利益を有する者でない第三者は、債務者の意思に反して弁済をすることができない。ただし、債務者の意思に反することを債権者が知らなかったときは、この限りでない。

③ 前項に規定する第三者は、債権者の意思に反して弁済をすることができない。ただし、その第三者が債務者の委託を受けて弁済をする場合において、そのことを債権者が知っていたときは、この限りでない。（平成二九法四四本項追加）

④ 前三項の規定は、その債務の性質が第三者の弁済を許さないとき、又は当事者が第三者の弁済を禁止し、若しくは制限する旨の意思表示をしたときは、適用しない。（平成二九法四四本項追加）

（平成二九法四四本条改正）

参 【弁済による代位→四九九【錯誤による他人の債務の弁済→七〇七　❶四七三　❷❸【正当な利益を有する者でない第三者の弁済による代位→五〇〇　❹【債務の性質が第三者の弁済を許さない場合の例→六二五②③

（弁済として引き渡した物の取戻し）

第四七五条　弁済をした者が弁済として他人の物を引き渡したときは、その弁済をした者は、更に有効な弁済をしなければ、その物を取り戻すことができない。

参 四七六【本条の適用のない場合→一九二

（弁済として引き渡した物の消費又は譲渡がされた場合の弁済の効力等）

第四七六条　前条の場合において、債権者が弁済として受領した物を善意で消費し、又は譲り渡したときは、その弁済は、有効とする。この場合において、債権者が第三者から賠償の請求を受けたときは、弁済をした者に対して求償をすることを妨げない。（平成二九法四四本条改正）

参 【賠償の請求→七〇三、七〇九

（預金又は貯金の口座に対する払込みによる弁済）

第四七七条　債権者の預金又は貯金の口座に対する払込みによってする弁済は、債権者がその預金又は貯金に係る債権の債務者に対してその払込みに係る金額の払戻しを請求する権利を取得した時に、その効力を生ずる。（平成二九法四四本条追加）

参 四七三

（受領権者としての外観を有する者に対する弁済）

第四七八条　受領権者（債権者及び法令の規定又は当事者の意思表示によって弁済を受領する権限を付与された第三者をいう。以下同じ。）以外の者であって取引上の社会通念に照らして受領権者としての外観を有するものに対してした弁済は、その弁済をした者が善意であり、かつ、過失がなかったときに限り、その効力を有する。（平成一六法一四七、平成二九法四四本条改正）

参 四七三・四七九【法令の規定による受領権者の例→三六六・四二三・四二四、民執一五五、破七八①【本条の特則→五二〇の一〇・五二〇の一八・五二〇の二〇、商一七④、会社二二④、電子債権二一【本条の不適用→偽造カード三

（受領権者以外の者に対する弁済）

第四七九条　前条の場合を除き、受領権者以外の者に対してした弁済は、債権者がこれによって利益を受けた限度においてのみ、その効力を有する。（平成二九法四四本条改正）

参 四七三

第四八〇条【受取証書の持参人に対する弁済】削除（平成二九法四四）

（差押えを受けた債権の第三債務者の弁済）

第四八一条① 差押えを受けた債権の第三債務者が自己の債権者に弁済をしたときは、差押債権者は、その受けた損害の限度において更に弁済をすべき旨を第三債務者に請求することができる。（平成二九法四四本項改正）

② 前項の規定は、第三債務者からその債権者に対する求償権の行使を妨げない。

参 ❶【差押え→民執一四五、民保五〇　❷【求償権→七〇三

（代物弁済）

第四八二条　弁済をすることができる者（以下「弁済者」という。）が、債権者との間で、債務者の負担した給付に代えて他の給付をすることにより債務を消滅させる旨の契約をした場合において、その弁済者が当該他の給付をしたときは、その給付は、弁済と同一の効力を有する。（平成二九法四四本条改正）

⊛＋【代物弁済と仮登記】→仮登記担保

（特定物の現状による引渡し）

第四八三条　債権の目的が特定物の引渡しである場合において、契約その他の債権の発生原因及び取引上の社会通念に照らしてその引渡しをすべき時の品質を定めることができないときは、弁済をする者は、その引渡しをすべき時の現状でその物を引き渡さなければならない。（平成二九法四四本条改正）

⊛＋四七三、四〇〇【本条の特則】→五五一①、五九〇、五九六

（弁済の場所及び時間）

第四八四条①　弁済をすべき場所について別段の意思表示がないときは、特定物の引渡しは債権発生の時にその物が存在した場所において、その他の弁済は債権者の現在の住所において、それぞれしなければならない。

②　法令又は慣習により取引時間の定めがあるときは、その取引時間内に限り、弁済をし、又は弁済の請求をすることができる。（平成二九法四四本項追加）

⊛＋四七三　❶【住所】→二二―二四【弁済の費用の増加】→四八五【裁判管轄】→民訴五㈠【本項の特則】→五二〇の八、五二〇の一八、五二〇の二〇、五七四、六六四、商五一六

（弁済の費用）

第四八五条　弁済の費用について別段の意思表示がないときは、その費用は、債務者の負担とする。ただし、債権者が住所の移転その他の行為によって弁済の費用を増加させたときは、その増加額は、債権者の負担とする。

⊛＋四七三【住所と弁済の場所】→四八四①【本条の特則】→四一三②【売買契約に関する費用の負担】→五五八

（受取証書の交付請求等）

第四八六条①　弁済をする者は、弁済と引換えに、弁済を受領する者に対して受取証書の交付を請求することができる。

②　弁済をする者は、前項の受取証書の交付に代えて、その内容を記録した電磁的記録の提供を請求することができる。ただし、弁済を受領する者に不相当な負担を課するものであるときは、この限りでない。（令和三法三七本項追加）

（平成二九法四四本条改正）

⊛＋四七三、五三三【本条の特則】→手三九、五〇、五一、七七①㈢四、小三四、四六

（債権証書の返還請求）

第四八七条　債権に関する証書がある場合において、弁済をした者が全部の弁済をしたときは、その証書の返還を請求することができる。

⊛＋四七三、四八六【本条の特則】→五〇三、手三九、七七①㈢、小三四、商六一三、七六四

（同種の給付を目的とする数個の債務がある場合の充当）

第四八八条①　債務者が同一の債権者に対して同種の給付を目的とする数個の債務を負担する場合において、弁済として提供した給付が全ての債務を消滅させるのに足りないとき（次条第一項に規定する場合を除く。）は、弁済をする者は、給付の時に、その弁済を充当すべき債務を指定することができる。（平成二九法四四本項改正）

②　弁済をする者が前項の規定による指定をしないときは、弁済を受領する者は、その受領の時に、その弁済を充当すべき債務を指定することができる。ただし、弁済をする者がその充当に対して直ちに異議を述べたときは、この限りでない。

③　前二項の場合における弁済の充当の指定は、相手方に対する意思表示によってする。

④　弁済をする者及び弁済を受領する者がいずれも第一項又は第二項の規定による指定をしないときは、次の各号の定めるところに従い、その弁済を充当する。

一　債務の中に弁済期にあるものと弁済期にないものとがあるときは、弁済期にあるものに先に充当する。

二　全ての債務が弁済期にあるとき、又は弁済期にないときは、債務者のために弁済の利益が多いものに先に充当する。

三　債務者のために弁済の利益が相等しいときは、弁済期が先に到来したもの又は先に到来すべきものに先に充当する。

四　前二号に掲げる事項が相等しい債務の弁済は、各債務の額に応じて充当する。

（平成二九法四四本項追加）

⊛＋四八九―四九一　❹【弁済期】→一三五―一三七、四一二

（元本、利息及び費用を支払うべき場合の充当）

第四八九条①　債務者が一個又は数個の債務について元本のほか利息及び費用を支払うべき場合（債務者が数個の債務を負担する場合にあっては、同一の債権者に対して同種の給付を目的とする数個の債務を負担するときに限る。）において、弁済をする者がその債務の全部を消滅させるのに足りない給付をしたときは、これを順次に費用、利息及び元本に充当しなければならない。

②　前条の規定は、前項の場合において、費用、利息又は元本のいずれかの全てを消滅させるのに足りない給付をしたときについて準用する。

（平成二九法四四本条全部改正）

⊛＋四九〇、四九一

（合意による弁済の充当）

第四九〇条　前二条の規定にかかわらず、弁済をする者と弁済を受領する者との間に弁済の充当の順序に関する合意があるときは、その順序に従い、その弁済を充

当する。（平成二九法四四本条追加）

参 四九一

（数個の給付をすべき場合の充当）

第四九一条 一個の債務の弁済として数個の給付をすべき場合において、弁済をする者がその債務の全部を消滅させるのに足りない給付をしたときは、前三条の規定を準用する。（平成二九法四四本条改正）

（弁済の提供の効果）

第四九二条 債務者は、弁済の提供の時から、債務を履行しないことによって生ずべき責任を免れる。（平成二九法四四本条改正）

参 四九三【不履行とその責任→四一二、四一五【提供と受領遅滞→四一三、四一三の二②【弁済供託→四九四①【同時履行の抗弁権の制限→五三三

（弁済の提供の方法）

第四九三条 弁済の提供は、債務の本旨に従って現実にしなければならない。ただし、債権者があらかじめその受領を拒み、又は債務の履行について債権者の行為を要するときは、弁済の準備をしたことを通知してその受領の催告をすれば足りる。

参 四九二、四九四①【債務の履行→一②、四八三―四八五

第二目　弁済の目的物の供託

（平成一六法一四七目名追加）

（供託）

第四九四条① 弁済者は、次に掲げる場合には、債権者のために弁済の目的物を供託することができる。この場合においては、弁済者が供託をした時に、その債権は、消滅する。

一 弁済の提供をした場合において、債権者がその受領を拒んだとき。

二 債権者が弁済を受領することができないとき。

② 弁済者が債権者を確知することができないときも、前項と同様とする。ただし、弁済者に過失があるときは、この限りでない。

（平成二九法四四本条全部改正）

参 四九二、四九三、四九五、四九八【供託の手続→供二【受領遅滞→四一三、四一三の二②【本条の特則→四六六の二①、商五二四、五二七、五八二、五八三

（供託の方法）

第四九五条① 前条の規定による供託は、債務の履行地の供託所にしなければならない。

② 供託所について法令に特別の定めがない場合には、裁判所は、弁済者の請求により、供託所の指定及び供託物の保管者の選任をしなければならない。

③ 前条の規定により供託をした者は、遅滞なく、債権者に供託の通知をしなければならない。

参 四九四、四九七【供託の手続→供二 ❶【本項の特則→四六六の二①、四六六の三 ❷【供託所の指定・供託物保管者の選任→非訟九四 ❸【本項の特則→四六六の二②、四六六の三

（供託物の取戻し）

第四九六条① 債権者が供託を受諾せず、又は供託を有効と宣告した判決が確定しない間は、弁済者は、供託物を取り戻すことができる。この場合においては、供託をしなかったものとみなす。

② 前項の規定は、供託によって質権又は抵当権が消滅した場合には、適用しない。

参 四九四 ❶【供託物の取戻し→供八② ❷【質権→三四二【抵当権→三六九

（供託に適しない物等）

第四九七条 弁済者は、次に掲げる場合には、裁判所の許可を得て、弁済の目的物を競売に付し、その代金を供託することができる。

一 その物が供託に適しないとき。

二 その物について滅失、損傷その他の事由による価格の低落のおそれがあるとき。

三 その物の保存について過分の費用を要するとき。

四 前三号に掲げる場合のほか、その物を供託することが困難な事情があるとき。

（平成二九法四四本条全部改正）

参 四九四【競売→民執一九五【裁判所の許可→非訟九五、九四①②④【本条の特則→商五二四、五二七、五八二、五八三

（供託物の還付請求等）

第四九八条① 弁済の目的物又は前条の代金が供託された場合には、債権者は、供託物の還付を請求することができる。（平成二九法四四本項追加）

② 債務者が債権者の給付に対して弁済をすべき場合には、債権者は、その給付をしなければ、供託物を受け取ることができない。

参 五三三【供託物の受取り→供八①、一〇 ❶【本項の特則→四六六の二③、四六六の三

第三目　弁済による代位

（平成一六法一四七目名追加）

（弁済による代位の要件）

第四九九条 債務者のために弁済をした者は、債権者に代位する。（平成二九法四四本条改正）

参【第三者の弁済→四七四【代位の根拠たる求償権→三五一・三七二、四三〇、四四二、四五九、四五九の二、四六二、六五〇①、七〇二①

第五〇〇条 第四百六十七条（債権の譲渡の対抗要件）の規定は、前条の場合（弁済をするについて正当な利益を有する者が債権者に代位する場合を除く。）について準用する。（平成二九法四四本条全部改正）

参 四九九【第三者の弁済と正当な利益→四七四②③

（弁済による代位の効果）

第五〇一条① 前二条の規定により債権者に代位した者は、債権の効力及び担保としてその債権者が有していた一切の権利を行使することができる。

② 前項の規定による権利の行使は、債権者に代位した者が自己の権利に基づいて債務者に対して求償をすることができる範囲内（保証人の一人が他の保証人に対して債権者に代位する場合には、自己の権利に基づいて当該他の保証人に対して求償をすることができる範囲内）に限り、することができる。（平成二九法四四本項

追加）

③ 第一項の場合には、前項の規定によるほか、次に掲げるところによる。

一 第三取得者（債務者から担保の目的となっている財産を譲り受けた者をいう。以下この項において同じ。）は、保証人及び物上保証人に対して債権者に代位しない。

二 第三取得者の一人は、各財産の価格に応じて、他の第三取得者に対して債権者に代位する。

三 前号の規定は、物上保証人の一人が他の物上保証人に対して債権者に代位する場合について準用する。

四 保証人と物上保証人との間においては、その数に応じて、債権者に代位する。ただし、物上保証人が数人あるときは、保証人の負担部分を除いた残額について、各財産の価格に応じて、債権者に代位する。

五 第三取得者から担保の目的となっている財産を譲り受けた者は、第三取得者とみなして第一号及び第二号の規定を適用し、物上保証人から担保の目的となっている財産を譲り受けた者は、物上保証人とみなして第一号、第三号及び前号の規定を適用する。

（平成二九法四四本項追加）

（平成二九法四四本条改正）

㊜❷【求償権の範囲↓三五一・三七二・四三〇・四四二―四四五・四五九・四五九の二・四六二―四六五

（一部弁済による代位）

第五〇二条① 債権の一部について代位弁済があったときは、代位者は、債権者の同意を得て、その弁済をした価額に応じて、債権者とともにその権利を行使することができる。（平成二九法四四本項改正）

② 前項の場合であっても、債権者は、単独でその権利を行使することができる。（平成二九法四四本項追加）

③ 前二項の場合に債権者が行使する権利は、その債権の担保の目的となっている財産の売却代金その他の当該権利の行使によって得られる金銭について、代位者が行使する権利に優先する。（平成二九法四四本項追加）

④ 第一項の場合において、債務の不履行による契約の解除は、債権者のみがすることができる。この場合においては、代位者に対し、その弁済をした価額及びその利息を償還しなければならない。

㊜⁺四九九・五〇〇・五〇三② ❹【契約の解除↓五四一・五四二

（債権者による債権証書の交付等）

第五〇三条① 代位弁済によって全部の弁済を受けた債権者は、債権に関する証書及び自己の占有する担保物を代位者に交付しなければならない。

② 債権の一部について代位弁済があった場合には、債権者は、債権に関する証書にその代位を記入し、かつ、自己の占有する担保物の保存を代位者に監督させなければならない。

㊜⁺四九九・五〇四 ❶【弁済による債権証書の返還↓四八七 ❷【一部弁済による代位↓五〇二

（債権者による担保の喪失等）

第五〇四条① 弁済をするについて正当な利益を有する者（以下この項において「代位権者」という。）がある場合において、債権者が故意又は過失によってその担保を喪失し、又は減少させたときは、その代位権者は、代位をするに当たって担保の喪失又は減少によって償還を受けることができなくなる限度において、その責任を免れる。その代位権者が物上保証人である場合において、その代位権者から担保の目的となっている財産を譲り受けた第三者及びその特定承継人についても、同様とする。

② 前項の規定は、債権者が担保を喪失し、又は減少させたことについて取引上の社会通念に照らして合理的な理由があると認められるときは、適用しない。（平成二九法四四本項追加）

（平成二九法四四本条改正）

㊜⁺四九九

第二款 相殺

（相殺の要件等）

第五〇五条① 二人が互いに同種の目的を有する債務を負担する場合において、双方の債務が弁済期にあるときは、各債務者は、その対当額について相殺によってその債務を免れることができる。ただし、債務の性質がこれを許さないときは、この限りでない。

② 前項の規定にかかわらず、当事者が相殺を禁止し、又は制限する旨の意思表示をした場合には、その意思表示は、第三者がこれを知り、又は重大な過失によって知らなかったときに限り、その第三者に対抗することができる。（平成二九法四四本項全部改正）

㊜⁺【弁済期↓一三五―一三七・四一二【異主体間での援用↓四三九②・四五七③・四四三①・四六三①・四六九①②【相殺の禁止↓五〇九―五一一・六七七、会社二〇八③、労基一七、船主責任制限三四【相殺と交互計算↓商五二九【相殺と既判力↓民訴一一四②【倒産手続と相殺権↓破六七―七三、民再九二―九三の二、会更四八―四九の二

（相殺の方法及び効力）

第五〇六条① 相殺は、当事者の一方から相手方に対する意思表示によってする。この場合において、その意思表示には、条件又は期限を付することができない。

② 前項の意思表示は、双方の債務が互いに相殺に適するようになった時にさかのぼってその効力を生ずる。

㊜⁺五〇五 ❶【条件↓一二七【期限↓一三五

（履行地の異なる債務の相殺）

第五〇七条 相殺は、双方の債務の履行地が異なるときであっても、することができる。この場合において、相殺をする当事者は、相手方に対し、これによって生じた損害を賠償しなければならない。

㊜⁺五〇五【債務の履行地↓四八四①

（時効により消滅した債権を自働債権とする相殺）

第五〇八条 時効によって消滅した債権がその消滅以前に相殺に適するようになっていた場合には、その債権

者は、相殺をすることができる。

⊛＋五〇五【債権の消滅時効→一六六―一六九

（不法行為等により生じた債権を受働債権とする相殺の禁止）

第五〇九条　次に掲げる債務の債務者は、相殺をもって債権者に対抗することができない。ただし、その債権者がその債務に係る債権を他人から譲り受けたときは、この限りでない。

一　悪意による不法行為に基づく損害賠償の債務

二　人の生命又は身体の侵害による損害賠償の債務（前号に掲げるものを除く。）

（平成二九法四四本条全部改正）

⊛＋五〇五　［一］【不法行為→七〇九　［二］【損害賠償→四一五

（差押禁止債権を受働債権とする相殺の禁止）

第五一〇条　債権が差押えを禁じたものであるときは、その債務者は、相殺をもって債権者に対抗することができない。

⊛＋五〇五【差押禁止債権の例→四二三①⊛

（差押えを受けた債権を受働債権とする相殺の禁止）

第五一一条①　差押えを受けた債権の第三債務者は、差押え後に取得した債権による相殺をもって差押債権者に対抗することはできないが、差押え前に取得した債権による相殺をもって対抗することができる。

②　前項の規定にかかわらず、差押え後に取得した債権が差押え前の原因に基づいて生じたものであるときは、その第三債務者は、その債権による相殺をもって差押債権者に対抗することができる。ただし、第三債務者が差押え後に他人の債権を取得したときは、この限りでない。（平成二九法四四本項追加）

（平成二九法四四本条改正）

⊛＋五〇五【差押え→民執一四五、民保五〇【相殺と債権譲渡の場合→四六九【弁済と差押えの場合→四八一

（相殺の充当）

第五一二条①　債権者が債務者に対して有する一個又は数個の債権と、債権者が債務者に対して負担する一個又は数個の債務について、債権者が相殺の意思表示をした場合において、当事者が別段の合意をしなかったときは、債権者の有する債権とその負担する債務は、相殺に適するようになった時期の順序に従って、その対当額について相殺によって消滅する。

②　前項の場合において、相殺をする債権者の有する債権がその負担する債務の全部を消滅させるのに足りないときであって、当事者が別段の合意をしなかったときは、次に掲げるところによる。

一　債権者が数個の債務を負担するとき（次号に規定する場合を除く。）は、第四百八十八条第四項第二号から第四号まで（同種の給付を目的とする数個の債務がある場合の充当）の規定を準用する。

二　債権者が負担する一個又は数個の債務について元本のほか利息及び費用を支払うべきときは、第四百八十九条（元本、利息及び費用を支払うべき場合の充当）の規定を準用する。この場合において、同条第二項中「前条」とあるのは、「前条第四項第二号から第四号まで」と読み替えるものとする。

③　第一項の場合において、相殺をする債権者の負担する債務がその有する債権の全部を消滅させるのに足りないときは、前項の規定を準用する。

（平成二九法四四本条全部改正）

⊛＋五〇五【弁済の充当の場合→四八八―四九〇

第五一二条の二　債権者が債務者に対して有する債権に、一個の債権の弁済として数個の給付をすべきものがある場合における相殺については、前条の規定を準用する。債権者が債務者に対して負担する債務に、一個の債務の弁済として数個の給付をすべきものがある場合における相殺についても、同様とする。（平成二九法四四本条追加）

⊛＋五〇五【弁済の充当の場合→四九一

第三款　更改

（更改）

第五一三条　当事者が従前の債務に代えて、新たな債務であって次に掲げるものを発生させる契約をしたときは、従前の債務は、更改によって消滅する。

一　従前の給付の内容について重要な変更をするもの（平成二九法四四本号追加）

二　従前の債務者が第三者と交替するもの（平成二九法四四本号追加）

三　従前の債権者が第三者と交替するもの（平成二九法四四本号追加）

（平成二九法四四本条改正）

⊛＋【更改が絶対的効力を有する場合→四二九、四三〇、四三八、四三三、四五八

（債務者の交替による更改）

第五一四条①　債務者の交替による更改は、債権者と更改後に債務者となる者との契約によってすることができる。この場合において、更改は、債権者が更改前の債務者に対してその契約をした旨を通知した時に、その効力を生ずる。

②　債務者の交替による更改後の債務者は、更改前の債務者に対して求償権を取得しない。（平成二九法四四本項追加）

（平成二九法四四本条改正）

⊛＋五一三【免責的債務引受の場合→四七二②、四七二の三

（債権者の交替による更改）

第五一五条①　債権者の交替による更改は、更改前の債権者、更改後に債権者となる者及び債務者の契約によってすることができる。（平成二九法四四本項追加）

②　債権者の交替による更改は、確定日付のある証書によってしなければ、第三者に対抗することができない。

（平成二九法四四本条改正）

⊛＋五一三【確定日付のある証書→民施五【債権譲渡の場合→四六七

第五一六条及び第五一七条【債権者の交替による更改、更改前の債務が消滅しない場合】 削除（平成二九法四四）

（更改後の債務への担保の移転）

第五一八条① 債権者（債権者の交替による更改にあっては、更改前の債権者）は、更改前の債務の目的の限度において、その債務の担保として設定された質権又は抵当権を更改後の債務に移すことができる。ただし、第三者がこれを設定した場合には、その承諾を得なければならない。

② 前項の質権又は抵当権の移転は、あらかじめ又は同時に更改の相手方（債権者の交替による更改にあっては、債務者）に対してする意思表示によってしなければならない。（平成二九法四四本項追加）

（平成二九法四四本条改正）

参五一三―五一五【質権→三四二【抵当権→三六九　❶【本項の特則→三九八の七④

第四款　免除

第五一九条　債権者が債務者に対して債務を免除する意思を表示したときは、その債権は、消滅する。

参【免除が絶対的効力を有する場合→四二九・四三三【連帯債務の免除→四四五

第五款　混同

第五二〇条　債権及び債務が同一人に帰属したときは、その債権は、消滅する。ただし、その債権が第三者の権利の目的であるときは、この限りでない。

参【混同が絶対的効力を有する場合→四三五・四四〇・四五八【債権が第三者の権利の目的である例→三六一【本条の特則→借地借家一五②、電子債権二二、信託二〇③、手一一③・七七①㈠、小一四③【物権の混同→一七九

第七節　有価証券（平成二九法四四本節追加）

第一款　指図証券

（指図証券の譲渡）

第五二〇条の二　指図証券の譲渡は、その証券に譲渡の裏書をして譲受人に交付しなければ、その効力を生じない。

参【法律上当然の指図証券→手一一①・七七①㈠、小一四①、商六〇六・七六二【本条の準用→五二〇の七

（指図証券の裏書の方式）

第五二〇条の三　指図証券の譲渡については、その指図証券の性質に応じ、手形法（昭和七年法律第二十号）中裏書の方式に関する規定を準用する。

参手一二・一三・七七①㈠【本条の特則→小一五・一六【本条の準用→五二〇の七

（指図証券の所持人の権利の推定）

第五二〇条の四　指図証券の所持人が裏書の連続によりその権利を証明するときは、その所持人は、証券上の権利を適法に有するものと推定する。

参【同旨の規定→手一六①・七七①㈠、小一九【本条の準用→五二〇の七

（指図証券の善意取得）

第五二〇条の五　何らかの事由により指図証券の占有を失った者がある場合において、その所持人が前条の規定によりその権利を証明するときは、その所持人は、その証券を返還する義務を負わない。ただし、その所持人が悪意又は重大な過失によりその証券を取得したときは、この限りでない。

参【動産の善意取得→一九二【同旨の規定→手一六②・七七①㈠、小二一【本条の準用→五二〇の七

（指図証券の譲渡における債務者の抗弁の制限）

第五二〇条の六　指図証券の債務者は、その証券に記載した事項及びその証券の性質から当然に生ずる結果を除き、その証券の譲渡前の債権者に対抗することができた事由をもって善意の譲受人に対抗することができない。

参四六八①【本条の特則→手一七・七七①㈠、小二二【本条の準用→五二〇の七

（指図証券の質入れ）

第五二〇条の七　第五百二十条の二から前条までの規定は、指図証券を目的とする質権の設定について準用する。

参三四二・三六二【本条の特則→手一九・七七①㈠

（指図証券の弁済の場所）

第五二〇条の八　指図証券の弁済は、債務者の現在の住所においてしなければならない。

参四八四①【本条の特則→手四・二七①・七七②、小八【本条の準用→五二〇の一八

（指図証券の提示と履行遅滞）

第五二〇条の九　指図証券の債務者は、その債務の履行について期限の定めがあるときであっても、その期限が到来した後に所持人がその証券を提示してその履行の請求をした時から遅滞の責任を負う。

参四一二【本条の特則→手三八・七七①㈢、小二八・二九・三二【本条の準用→五二〇の一八

（指図証券の債務者の調査の権利等）

第五二〇条の一〇　指図証券の債務者は、その証券の所持人並びにその署名及び押印の真偽を調査する権利を有するが、その義務を負わない。ただし、債務者に悪意又は重大な過失があるときは、その弁済は、無効とする。

参四七八【本条の特則→手四〇③・七七①㈢、小三五【本条の準用→五二〇の一八

（指図証券の喪失）

第五二〇条の一一　指図証券は、非訟事件手続法（平成二十三年法律第五十一号）第百条に規定する公示催告手続によって無効とすることができる。

参五二〇の一二【有価証券無効宣言公示催告事件の手続→非訟一一四―一一八【同旨の規定→信託二一①【本条の準用→五二〇の一八・五二〇の一九②

（指図証券喪失の場合の権利行使方法）

第五二〇条の一二　金銭その他の物又は有価証券の給付

を目的とする指図証券の所持人がその指図証券を喪失した場合において、非訟事件手続法第百十四条に規定する公示催告の申立てをしたときは、その債務者に、その債務の目的物を供託させ、又は相当の担保を供してその指図証券の趣旨に従い履行をさせることができる。

参五二〇の一二【本条の特則→信託二一一③【証券の再発行→信託二一一②、商六〇八【本条の準用→五二〇の一八、五二〇の一九②

第二款　記名式所持人払証券

（記名式所持人払証券の譲渡）

第五二〇条の一三　記名式所持人払証券（債権者を指名する記載がされている証券であって、その所持人に弁済をすべき旨が付記されているものをいう。以下同じ。）の譲渡は、その証券を交付しなければ、その効力を生じない。

参【記名式所持人払証券の例→小五②【本条の準用→五二〇の一七、五二〇の二〇

（記名式所持人払証券の所持人の権利の推定）

第五二〇条の一四　記名式所持人払証券の所持人は、証券上の権利を適法に有するものと推定する。

参【本条の準用→五二〇の一七、五二〇の二〇

（記名式所持人払証券の善意取得）

第五二〇条の一五　何らかの事由により記名式所持人払証券の占有を失った者がある場合において、その所持人が前条の規定によりその権利を証明するときは、その所持人は、その証券を返還する義務を負わない。ただし、その所持人が悪意又は重大な過失によりその証券を取得したときは、この限りでない。

参【動産の善意取得→一九二【本条の準用→五二〇の一七、五二〇の二〇

（記名式所持人払証券の譲渡における債務者の抗弁の制限）

第五二〇条の一六　記名式所持人払証券の債務者は、その証券に記載した事項及びその証券の性質から当然に生ずる結果を除き、その証券の譲渡前の債権者に対抗することができた事由をもって善意の譲受人に対抗することができない。

参四六八①【本条の準用→五二〇の一七、五二〇の二〇

（記名式所持人払証券の質入れ）

第五二〇条の一七　第五百二十条の十三から前条までの規定は、記名式所持人払証券を目的とする質権の設定について準用する。

参三四二、三六二【本条の準用→五二〇の二〇

（指図証券の規定の準用）

第五二〇条の一八　第五百二十条の八から第五百二十条の十二まで（指図証券）の規定は、記名式所持人払証券について準用する。

参【本条の準用→五二〇の二〇

第三款　その他の記名証券

第五二〇条の一九①　債権者を指名する記載がされている証券であって指図証券及び記名式所持人払証券以外のものは、債権の譲渡又はこれを目的とする質権の設定に関する方式に従い、かつ、その効力をもってのみ、譲渡し、又は質権の目的とすることができる。

②　第五百二十条の十一（指図証券の喪失）及び第五百二十条の十二（指図証券喪失の場合の権利行使方法）の規定は、前項の証券について準用する。

参四六六―四六九、三六二、三六四【その他の記名証券の例→手一一②、七七①㈠、小一四②、商六〇六但、七六二但

第四款　無記名証券

第五二〇条の二〇　第二款（記名式所持人払証券）の規定は、無記名証券について準用する。

第二章　契約

参消費契約

第一節　総則

第一款　契約の成立

（契約の締結及び内容の自由）

第五二一条①　何人も、法令に特別の定めがある場合を除き、契約をするかどうかを自由に決定することができる。

②　契約の当事者は、法令の制限内において、契約の内容を自由に決定することができる。

（平成二九法四四本条追加）

参❷【法令による制限→九〇、九一、五四八の二、消費契約八―一〇、借地借家九、一六、二一、三〇、割賦五、三〇の二の四、三五の三の一七、特定商取引九、二四、四〇、四〇の二、四八、四九、五八、五八の一四、ETC

（契約の成立と方式）

第五二二条①　契約は、契約の内容を示してその締結を申し入れる意思表示（以下「申込み」という。）に対して相手方が承諾をしたときに成立する。

②　契約の成立には、法令に特別の定めがある場合を除き、書面の作成その他の方式を具備することを要しない。

（平成二九法四四本条追加）

参五二三―五二八　❶【意思表示→九三―九八の二【意思表示の効力発生時期→九七①【申込み又は承諾の取消し→消費契約四、五、七【国際物品売買における特則→国際売買約一四―二四　❷【法令の定めの例→四四六②、五八七の二、割賦四・二九の三、三〇の二の三、特定商取引四、一四、ETC【その他の方式の例→四六六③、五四八の三、五八七の二④【契約の方式の準拠法→法適用一〇【国際物品売買における同種規定→国際売買約一一

（承諾の期間の定めのある申込み）

第五二三条①　承諾の期間を定めてした申込みは、撤回することができない。ただし、申込者が撤回をする権利を留保したときは、この限りでない。（平成二九法四

四本項改正）

② 申込者が前項の期間内に承諾の通知を受けなかったときは、その申込みは、その効力を失う。

参 五二四、五二五、五二八【商行為における特則→商五〇八・五〇九【国際物品売買における同種規定→国際売買約一六(2)

（遅延した承諾の効力）

第五二四条 申込者は、遅延した承諾を新たな申込みとみなすことができる。

参 五二三②、五二八【商行為における準用→商五〇八②

（承諾の期間の定めのない申込み）

第五二五条① 承諾の期間を定めないでした申込みは、申込者が承諾の通知を受けるのに相当な期間を経過するまでは、撤回することができない。ただし、申込者が撤回をする権利を留保したときは、この限りでない。

② 対話者に対してした前項の申込みは、同項の規定にかかわらず、その対話が継続している間は、いつでも撤回することができる。（平成二九法四四本項追加）

③ 対話者に対してした第一項の申込みに対して対話が継続している間に申込者が承諾の通知を受けなかったときは、その申込みは、その効力を失う。ただし、申込者が対話の終了後もその申込みが効力を失わない旨を表示したときは、この限りでない。（平成二九法四四本項追加）

（平成二九法四四本条改正）

参 五二三【商行為における特則→商五〇八【国際物品売買における特則→国際売買約一六(1)

（申込者の死亡等）

第五二六条 申込者が申込みの通知を発した後に死亡し、意思能力を有しない常況にある者となり、又は行為能力の制限を受けた場合において、申込者がその事実が生じたとすればその申込みは効力を有しない旨の意思を表示していたとき、又はその相手方が承諾の通知を発するまでにその事実が生じたことを知ったときは、その申込みは、その効力を有しない。（平成二九法四四本条全部改正）

参【意思能力→三の二【行為能力喪失→七、一一、一五

（承諾の通知を必要としない場合における契約の成立時期）

第五二七条 申込者の意思表示又は取引上の慣習により承諾の通知を必要としない場合には、契約は、承諾の意思表示と認めるべき事実があった時に成立する。

（平成二九法四四本条全部改正）

参 五二二①、五二三、五二四【到達主義の原則→九七①、国際売買約一八(2)【本条の特則→商五〇九②【契約の成立・効力の準拠法→法適用七―一二

（申込みに変更を加えた承諾）

第五二八条 承諾者が、申込みに条件を付し、その他変更を加えてこれを承諾したときは、その申込みの拒絶とともに新たな申込みをしたものとみなす。

参 五二四【国際物品売買における特則→国際売買約一九

（懸賞広告）

第五二九条 ある行為をした者に一定の報酬を与える旨を広告した者（以下「懸賞広告者」という。）は、その行為をした者がその広告を知っていたかどうかにかかわらず、その者に対してその報酬を与える義務を負う。（平成二九法四四本条改正）

参 五二九の二―五三二

（指定した行為をする期間の定めのある懸賞広告）

第五二九条の二① 懸賞広告者は、その指定した行為をする期間を定めてした広告を撤回することができない。ただし、その広告において撤回をする権利を留保したときは、この限りでない。

② 前項の広告は、その期間内に指定した行為を完了する者がないときは、その効力を失う。

（平成二九法四四本条追加）

参 五二九の三、五三〇

（指定した行為をする期間の定めのない懸賞広告）

第五二九条の三 懸賞広告者は、その指定した行為を完了する者がない間は、その指定した行為をする期間を定めないでした広告を撤回することができる。ただし、その広告中に撤回をしない旨を表示したときは、この限りでない。（平成二九法四四本条追加）

参【撤回→五三〇

（懸賞広告の撤回の方法）

第五三〇条① 前の広告と同一の方法による広告の撤回は、これを知らない者に対しても、その効力を有する。

② 広告の撤回は、前の広告と異なる方法によっても、することができる。ただし、その撤回は、これを知った者に対してのみ、その効力を有する。

（平成二九法四四本条全部改正）

参 五二九の二、五二九の三 ❷五二九

（懸賞広告の報酬を受ける権利）

第五三一条① 広告に定めた行為をした者が数人あるときは、最初にその行為をした者のみが報酬を受ける権利を有する。

② 数人が同時に前項の行為をした場合には、各自が等しい割合で報酬を受ける権利を有する。ただし、報酬がその性質上分割に適しないとき、又は広告において一人のみがこれを受けるものとしたときは、抽選でこれを受ける者を定める。

③ 前二項の規定は、広告中にこれと異なる意思を表示したときは、適用しない。

参 五二九、五三二

（優等懸賞広告）

第五三二条① 広告に定めた行為をした者が数人ある場合において、その優等者のみに報酬を与えるべきときは、その広告は、応募の期間を定めたときに限り、その効力を有する。

② 前項の場合において、応募者中いずれの者の行為が

優等であるかは、広告中に定めた者が判定し、広告中に判定をする者を定めなかったときは懸賞広告者が判定する。

③ 応募者は、前項の判定に対して異議を述べることができない。

④ 前条第二項の規定は、数人の行為が同等と判定された場合について準用する。

参 五二九、五二九の三

第二款　契約の効力

（同時履行の抗弁）

第五三三条　双務契約の当事者の一方は、相手方がその債務の履行（債務の履行に代わる損害賠償の債務の履行を含む。）を提供するまでは、自己の債務の履行を拒むことができる。ただし、相手方の債務が弁済期にないときは、この限りでない。（平成二九法四四本条改正）

参【債務の履行の提供↓四九三【履行に代わる損害賠償↓四一五【弁済期↓一三五―一三七、四一二【同時履行に係る場合の強制執行↓民執三一①【同時履行と留置権↓二九五【本条の準用↓五四六、六九二、仮登記担保三②【組合契約への不適用↓六六七の二

第五三四条及び第五三五条【債権者の危険負担、停止条件付双務契約における危険負担】　削除（平成二九法四四）

（債務者の危険負担等）

第五三六条① 当事者双方の責めに帰することができない事由によって債務を履行することができなくなったときは、債権者は、反対給付の履行を拒むことができる。

② 債権者の責めに帰すべき事由によって債務を履行することができなくなったときは、債権者は、反対給付の履行を拒むことができない。この場合において、債務者は、自己の債務を免れたことによって利益を得たときは、これを債権者に償還しなければならない。

（平成二九法四四本条改正）

参【本条の特則↓商五七三③【組合契約への不適用↓六六七の二

❷【本項の特則↓労基二六

（第三者のためにする契約）

第五三七条① 契約により当事者の一方が第三者に対してある給付をすることを約したときは、その第三者は、債務者に対して直接にその給付を請求する権利を有する。

② 前項の契約は、その成立の時に第三者が現に存しない場合又は第三者が特定していない場合であっても、そのためにその効力を妨げられない。（平成二九法四四本項追加）

③ 第一項の場合において、第三者の権利は、その第三者が債務者に対して同項の契約の利益を享受する意思を表示した時に発生する。

参 五三八、五三九【第三者のためにする契約の例（ただし受益の意思表示は不要）↓信託一⑥、保険八、四二、七一

（第三者の権利の確定）

第五三八条① 前条の規定により第三者の権利が発生した後は、当事者は、これを変更し、又は消滅させることができない。

② 前条の規定により第三者の権利が発生した後に、債務者がその第三者に対する債務を履行しない場合には、同条第一項の契約の相手方は、その第三者の承諾を得なければ、契約を解除することができない。（平成二九法四四本項追加）

参❷【解除↓五四一―五四三

（債務者の抗弁）

第五三九条　債務者は、第五百三十七条第一項の契約に基づく抗弁をもって、その契約の利益を受ける第三者に対抗することができる。

参【抗弁の例↓五三三

第三款　契約上の地位の移転

（平成二九法四四本款追加）

第五三九条の二　契約の当事者の一方が第三者との間で契約上の地位を譲渡する旨の合意をした場合において、その契約の相手方がその譲渡を承諾したときは、契約上の地位は、その第三者に移転する。

参【本条の特則↓六〇五の二、六〇五の三、一〇三二②

第四款　契約の解除

（解除権の行使）

第五四〇条① 契約又は法律の規定により当事者の一方が解除権を有するときは、その解除は、相手方に対する意思表示によってする。

② 前項の意思表示は、撤回することができない。

参【契約による解除権の例↓五五七、五七九―五八五【法律の規定による解除権の例↓五四一―五四三、五六二―五六五、五五〇、五九四③、六〇七、六一〇―六一二、六二五、六二六、六二八、六三六、六四一、六四二、六五一、六九一、商三〇、五二五―五二七、五四〇、会社一九、割賦三五の三の一〇―三五の三の一二、特定商取引九―九の三、一五の三、二四―二四の三、四〇―四〇の三、四八―四九の二、五八、五八の二、五八の一四、民再四九、会更六一

（催告による解除）

第五四一条　当事者の一方がその債務を履行しない場合において、相手方が相当の期間を定めてその履行の催告をし、その期間内に履行がないときは、相手方は、契約の解除をすることができる。ただし、その期間を経過した時における債務の不履行がその契約及び取引上の社会通念に照らして軽微であるときは、この限りでない。（平成二九法四四本条改正）

参 五四二【債務不履行↓四一二、四一五、五三三【履行↓四九三、四九二【解除の制限↓割賦五、三〇の二の四【国際物品売買の買主による解除↓国際売買約四九、二五【国際物品売買の売主による解除↓国際売買約六四

（催告によらない解除）

第五四二条① 次に掲げる場合には、債権者は、前条の催告をすることなく、直ちに契約の解除をすることができる。

一　債務の全部の履行が不能であるとき。

民法

二　債務者がその債務の全部の履行を拒絶する意思を明確に表示したとき。
三　債務の一部の履行が不能である場合又は債務者がその債務の一部の履行を拒絶する意思を明確に表示した場合において、残存する部分のみでは契約をした目的を達することができないとき。
四　契約の性質又は当事者の意思表示により、特定の日時又は一定の期間内に履行をしなければ契約をした目的を達することができない場合において、債務者が履行をしないでその時期を経過したとき。
五　前各号に掲げる場合のほか、債務者がその債務の履行をせず、債権者が前条の催告をしても契約をした目的を達するのに足りる履行がされる見込みがないことが明らかであるとき。

②　次に掲げる場合には、債権者は、前条の催告をすることなく、直ちに契約の一部の解除をすることができる。
一　債務の一部の履行が不能であるとき。
二　債務者がその債務の一部の履行を拒絶する意思を明確に表示したとき。
（平成二九法四四本条全部改正）

参【履行不能→四一二の二、四一五②　❶［四］【本号の特則→商五二五

（債権者の責めに帰すべき事由による場合）
第五四三条　債務の不履行が債権者の責めに帰すべき事由によるものであるときは、債権者は、前二条の規定による契約の解除をすることができない。（平成二九法四四本条全部改正）

参【債務不履行による損害賠償→四一五【債権者の責めに帰すべき履行不能→五三六②

（解除権の不可分性）
第五四四条①　当事者の一方が数人ある場合には、契約の解除は、その全員から又はその全員に対してのみ、することができる。
②　前項の場合において、解除権が当事者のうちの一人について消滅したときは、他の者についても消滅する。

参五四〇　❷五四七、五四八

（解除の効果）
第五四五条①　当事者の一方がその解除権を行使したときは、各当事者は、その相手方を原状に復させる義務を負う。ただし、第三者の権利を害することはできない。
②　前項本文の場合において、金銭を返還するときは、その受領の時から利息を付さなければならない。
③　第一項本文の場合において、金銭以外の物を返還するときは、その受領の時以後に生じた果実をも返還しなければならない。（平成二九法四四本項追加）
④　解除権の行使は、損害賠償の請求を妨げない。

参五四六　❶【原状回復→七〇三、七〇四【解除の効果の特則→六二〇、六三〇、六五二、六八四　❸【果実→八八、八九　❹【損害賠償→四一五【本項の特則→五五七②【損害賠償額等の制限→割賦六①、特定商取引一〇①、二五、四〇①、四八④―⑧、四九②④⑥、五八の三、五八の一六

（契約の解除と同時履行）
第五四六条　第五百三十三条〈同時履行の抗弁〉の規定は、前条の場合について準用する。

（催告による解除権の消滅）
第五四七条　解除権の行使について期間の定めがないときは、相手方は、解除権を有する者に対し、相当の期間を定めて、その期間内に解除をするかどうかを確答すべき旨の催告をすることができる。この場合において、その期間内に解除の通知を受けないときは、解除権は、消滅する。

参五四八、五四四②

（解除権者の故意による目的物の損傷等による解除権の消滅）
第五四八条　解除権を有する者が故意若しくは過失によって契約の目的物を著しく損傷し、若しくは返還することができなくなったとき、又は加工若しくは改造によってこれを他の種類の物に変えたときは、解除権は、消滅する。ただし、解除権を有する者がその解除権を有することを知らなかったときは、この限りでない。（平成二九法四四本条改正）

第五款　定型約款（平成二九法四四本款追加）

参消費契約

（定型約款の合意）
第五四八条の二①　定型取引（ある特定の者が不特定多数の者を相手方として行う取引であって、その内容の全部又は一部が画一的であることがその双方にとって合理的なものをいう。以下同じ。）を行うことの合意（次条において「定型取引合意」という。）をした者は、次に掲げる場合には、定型約款（定型取引において、契約の内容とすることを目的としてその特定の者により準備された条項の総体をいう。以下同じ。）の個別の条項についても合意をしたものとみなす。
一　定型約款を契約の内容とする旨の合意をしたとき。
二　定型約款を準備した者（以下「定型約款準備者」という。）があらかじめその定型約款を契約の内容とする旨を相手方に表示していたとき。
②　前項の規定にかかわらず、同項の条項のうち、相手方の権利を制限し、又は相手方の義務を加重する条項であって、その定型取引の態様及びその実情並びに取引上の社会通念に照らして第一条第二項に規定する基本原則に反して相手方の利益を一方的に害すると認められるものについては、合意をしなかったものとみなす。

参【契約の成立と書面→五二二②　❷【消費者契約における内容規制→消費契約八―一〇

（定型約款の内容の表示）
第五四八条の三①　定型取引を行い、又は行おうとする定型約款準備者は、定型取引合意の前又は定型取引合意の後相当の期間内に相手方から請求があった場合に

は、遅滞なく、相当な方法でその定型約款の内容を示さなければならない。ただし、定型約款準備者が既に相手方に対して定型約款を記載した書面を交付し、又はこれを記録した電磁的記録を提供していたときは、この限りでない。

② 定型約款準備者が定型取引合意の前において前項の請求を拒んだときは、前条の規定は、適用しない。ただし、一時的な通信障害が発生した場合その他正当な事由がある場合は、この限りでない。

⊛＋五四八の二

（定型約款の変更）

第五四八条の四① 定型約款準備者は、次に掲げる場合には、定型約款の変更をすることにより、変更後の定型約款の条項について合意があったものとみなし、個別に相手方と合意をすることなく契約の内容を変更することができる。

一 定型約款の変更が、相手方の一般の利益に適合するとき。

二 定型約款の変更が、契約をした目的に反せず、かつ、変更の必要性、変更後の内容の相当性、この条の規定により定型約款の変更をすることがある旨の定めの有無及びその内容その他の変更に係る事情に照らして合理的なものであるとき。

② 定型約款準備者は、前項の規定による定型約款の変更をするときは、その効力発生時期を定め、かつ、定型約款を変更する旨及び変更後の定型約款の内容並びにその効力発生時期をインターネットの利用その他の適切な方法により周知しなければならない。

③ 第一項第二号の規定による定型約款の変更は、前項の効力発生時期が到来するまでに同項の規定による周知をしなければ、その効力を生じない。

④ 第五百四十八条の二第二項の規定は、第一項の規定による定型約款の変更については、適用しない。

⊛＋五四八の二、五四八の三【契約の成立についての原則→五二二①【意思表示の効力発生時期についての原則→九七

第二節　贈与

（贈与）

第五四九条 贈与は、当事者の一方がある財産を無償で相手方に与える意思を表示し、相手方が受諾をすることによって、その効力を生ずる。（平成二九法四四本条改正）

⊛＋五五一・五五四【倒産手続と贈与の否認→破一六〇③、民再一二七③

（書面によらない贈与の解除）

第五五〇条 書面によらない贈与は、各当事者が解除をすることができる。ただし、履行の終わった部分については、この限りでない。（平成二九法四四本条改正）

⊛＋【契約の解除→五四〇、五四四

（贈与者の引渡義務等）

第五五一条① 贈与者は、贈与の目的である物又は権利を、贈与の目的として特定した時の状態で引き渡し、又は移転することを約したものと推定する。（平成二九法四四本項全部改正）

② 負担付贈与については、贈与者は、その負担の限度において、売主と同じく担保の責任を負う。

⊛❶【現状による引渡しの場合→四八三　❷【負担付贈与→五五三【売主の担保責任→五六二—五七〇、五七二　＋【本条の準用→五九〇、五九六

（定期贈与）

第五五二条 定期の給付を目的とする贈与は、贈与者又は受贈者の死亡によって、その効力を失う。

⊛＋【終身定期金契約→六八九

（負担付贈与）

第五五三条 負担付贈与については、この節に定めるもののほか、その性質に反しない限り、双務契約に関する規定を準用する。

⊛＋五五一②【双務契約に関する規定→五三三、五三六、五四〇—五四五【負担付死因贈与→五五四、一〇〇二、一〇〇三、一〇四五

（死因贈与）

第五五四条 贈与者の死亡によって効力を生ずる贈与については、その性質に反しない限り、遺贈に関する規定を準用する。

⊛＋【準用される遺贈に関する主要規定→九九一—九九三、九九六—一〇〇三

第三節　売買

第一款　総則

（売買）

第五五五条 売買は、当事者の一方がある財産権を相手方に移転することを約し、相手方がこれに対してその代金を支払うことを約することによって、その効力を生ずる。

⊛＋【財産権移転の具体的内容の例→一八二—一八四、五六〇【商事売買→商五二四—五二八【国際物品売買→国際売買約【割賦販売→割賦【国際物品売買における売主の義務→国際売買約三〇—五二【国際物品売買における買主の義務→国際売買約五三—六五【訪問販売等→特定商取引

（売買の一方の予約）

第五五六条① 売買の一方の予約は、相手方が売買を完結する意思を表示した時から、売買の効力を生ずる。

② 前項の意思表示について期間を定めなかったときは、予約者は、相手方に対し、相当の期間を定めて、その期間内に売買を完結するかどうかを確答すべき旨の催告をすることができる。この場合において、相手方がその期間内に確答をしないときは、売買の一方の予約は、その効力を失う。

⊛＋五五九【仮登記担保→仮登記担保一

（手付）

第五五七条① 買主が売主に手付を交付したときは、買主はその手付を放棄し、売主はその倍額を現実に提供して、契約の解除をすることができる。ただし、その相手方が契約の履行に着手した後は、この限りでない。（平成二九法四四本項改正）

② 第五百四十五条第四項の規定は、前項の場合には、適用しない。

参 五五九【契約の解除→五四〇【現実の提供→四九三

（売買契約に関する費用）

第五五八条　売買契約に関する費用は、当事者双方が等しい割合で負担する。

参 五五九【弁済の費用→四八五

（有償契約への準用）

第五五九条　この節の規定は、売買以外の有償契約について準用する。ただし、その有償契約の性質がこれを許さないときは、この限りでない。

第二款　売買の効力

（権利移転の対抗要件に係る売主の義務）

第五六〇条　売主は、買主に対し、登記、登録その他の売買の目的である権利の移転についての対抗要件を備えさせる義務を負う。（平成二九法四四本条全部改正）

参 五五五【対抗要件の具備の例→一七七、一七八、四六七【登記→不登

（他人の権利の売買における売主の義務）

第五六一条　他人の権利（権利の一部が他人に属する場合におけるその権利の一部を含む。）を売買の目的としたときは、売主は、その権利を取得して買主に移転する義務を負う。（平成二九法四四本条全部改正）

参 五六二―五六七、五七二【契約の解除→五四〇

（買主の追完請求権）

第五六二条①　引き渡された目的物が種類、品質又は数量に関して契約の内容に適合しないものであるときは、買主は、売主に対し、目的物の修補、代替物の引渡し又は不足分の引渡しによる履行の追完を請求することができる。ただし、売主は、買主に不相当な負担を課するものでないときは、買主が請求した方法と異なる方法による履行の追完をすることができる。

② 前項の不適合が買主の責めに帰すべき事由によるものであるときは、買主は、同項の規定による履行の追完の請求をすることができない。（平成二九法四四本条全部改正）

参 五六〇、五六一、五七二【本条の特則→商五二六、国際売買約四六、五一

（買主の代金減額請求権）

第五六三条①　前条第一項本文に規定する場合において、買主が相当の期間を定めて履行の追完の催告をし、その期間内に履行の追完がないときは、買主は、その不適合の程度に応じて代金の減額を請求することができる。

② 前項の規定にかかわらず、次に掲げる場合には、買主は、同項の催告をすることなく、直ちに代金の減額を請求することができる。

一　履行の追完が不能であるとき。

二　売主が履行の追完を拒絶する意思を明確に表示したとき。

三　契約の性質又は当事者の意思表示により、特定の日時又は一定の期間内に履行をしなければ契約をした目的を達することができない場合において、売主が履行の追完をしないでその時期を経過したとき。

四　前三号に掲げる場合のほか、買主が前項の催告をしても履行の追完を受ける見込みがないことが明らかであるとき。

③ 第一項の不適合が買主の責めに帰すべき事由によるものであるときは、買主は、前二項の規定による代金の減額の請求をすることができない。

（平成二九法四四本条全部改正）

参 五六二、五六四【本条の特則→商五二六、国際売買約五〇❷【無催告解除の要件→五四二

（買主の損害賠償請求及び解除権の行使）

第五六四条　前二条の規定は、第四百十五条の規定による損害賠償の請求並びに第五百四十一条及び第五百四十二条の規定による解除権の行使を妨げない。（平成二九法四四本条全部改正）

参 五六二、五六三【本条の特則→商五二六、国際売買約三五、四五、四九、七四―七七【免責条項の効力→消費契約八②

（移転した権利が契約の内容に適合しない場合における売主の担保責任）

第五六五条　前三条の規定は、売主が買主に移転した権利が契約の内容に適合しないものである場合（権利の一部が他人に属する場合においてその権利の一部を移転しないときを含む。）について準用する。（平成二九法四四本条全部改正）

参 五七二

（目的物の種類又は品質に関する担保責任の期間の制限）

第五六六条　売主が種類又は品質に関して契約の内容に適合しない目的物を買主に引き渡した場合において、買主がその不適合を知った時から一年以内にその旨を売主に通知しないときは、買主は、その不適合を理由として、履行の追完の請求、代金の減額の請求、損害賠償の請求及び契約の解除をすることができない。ただし、売主が引渡しの時にその不適合を知り、又は重大な過失によって知らなかったときは、この限りでない。（平成二九法四四本条全部改正）

参 五六二―五六四【本条の特則→商五二六

（目的物の滅失等についての危険の移転）

第五六七条①　売主が買主に目的物（売買の目的として特定したものに限る。以下この条において同じ。）を引き渡した場合において、その引渡しがあった時以後にその目的物が当事者双方の責めに帰することができない事由によって滅失し、又は損傷したときは、買主は、その滅失又は損傷を理由として、履行の追完の請求、代金の減額の請求、損害賠償の請求及び契約の解除をすることができない。この場合において、買主は、代金の支払を拒むことができない。

② 売主が契約の内容に適合する目的物をもって、その引渡しの債務の履行を提供したにもかかわらず、買主

がその履行を受けることを拒み、又は受けることができない場合において、その履行の提供があった時以後に当事者双方の責めに帰することができない事由によってその目的物が滅失し、又は損傷したときも、前項と同様とする。

（平成二九法四四本条全部改正）

参 五六二—五六四、五三六　❶【債務者の責めによる滅失・損傷→四一五【債権者の責めによる滅失・損傷→五四三【国際物品売買における特則→国際売買約六六—六九　❷【受領拒絶・受領不能→四一三【履行の提供→四九三、四九二

（競売における担保責任等）

第五六八条① 民事執行法その他の法律の規定に基づく競売（以下この条において単に「競売」という。）における買受人は、第五百四十一条及び第五百四十二条の規定並びに第五百六十三条（第五百六十五条において準用する場合を含む。）の規定により、債務者に対し、契約の解除をし、又は代金の減額を請求することができる。（平成二九法四四本項改正）

② 前項の場合において、債務者が無資力であるときは、買受人は、代金の配当を受けた債権者に対し、その代金の全部又は一部の返還を請求することができる。

③ 前二項の場合において、債務者が物若しくは権利の不存在を知りながら申し出なかったとき、又は債権者がこれを知りながら競売を請求したときは、買受人は、これらの者に対し、損害賠償の請求をすることができる。

④ 前三項の規定は、競売の目的物の種類又は品質に関する不適合については、適用しない。（平成二九法四四本項追加）

（昭和五四法五本条改正）

参 ❶【競売→民執四五、一一二、一三四、一八〇、一八一、一八九、一九〇　❹【種類・品質の不適合→五六二

（債権の売主の担保責任）

第五六九条① 債権の売主が債務者の資力を担保したときは、契約の時における資力を担保したものと推定する。

② 弁済期に至らない債権の売主が債務者の将来の資力を担保したときは、弁済期における資力を担保したものと推定する。

（抵当権等がある場合の買主による費用の償還請求）

第五七〇条 買い受けた不動産について契約の内容に適合しない先取特権、質権又は抵当権が存していた場合において、買主が費用を支出してその不動産の所有権を保存したときは、買主は、売主に対し、その費用の償還を請求することができる。（平成二九法四四本条全部改正）

参 五七七【買主の所有権の保存→三七八、三七九【費用の支出による代位→四九九

第五七一条【売主の担保責任と同時履行】 削除（平成二九法四四）

（担保責任を負わない旨の特約）

第五七二条 売主は、第五百六十二条第一項本文又は第五百六十五条に規定する場合における担保の責任を負わない旨の特約をしたときであっても、知りながら告げなかった事実及び自ら第三者のために設定し又は第三者に譲り渡した権利については、その責任を免れることができない。（平成二九法四四本条改正）

参【本条の特則→住宅品質九五①②

住宅の品質確保の促進等に関する法律（平成一一・六・二三法八一）（抜粋）

第七章　瑕疵担保責任

（住宅の新築工事の請負人の瑕疵担保責任）

第九四条① 住宅を新築する建設工事の請負契約（以下「住宅新築請負契約」という。）においては、請負人は、注文者に引き渡した時から十年間、住宅のうち構造耐力上主要な部分又は雨水の浸入を防止する部分として政令で定めるもの（次条において「住宅の構造耐力上主要な部分等」という。）の瑕疵（構造耐力又は雨水の浸入に影響のないものを除く。次条において同じ。）について、民法（明治二十九年法律第八十九号）第四百十五条、第五百四十一条及び第五百四十二条並びに同法第五百五十九条において準用する同法第五百六十二条及び第五百六十三条に規定する担保の責任を負う。

② 前項の規定に反する特約で注文者に不利なものは、無効とする。

③ 第一項の場合における民法第六百三十七条の規定の適用については、同条第一項中「前条本文に規定する」とあるのは「請負人が住宅の品質確保の促進等に関する法律（平成十一年法律第八十一号）第九十四条第一項に規定する瑕疵がある目的物を注文者に引き渡した」と、同項及び同条第二項中「不適合」とあるのは「瑕疵」とする。

（新築住宅の売主の瑕疵担保責任）

第九五条① 新築住宅の売買契約においては、売主は、買主に引き渡した時（当該新築住宅が住宅新築請負契約に基づき請負人から当該売主に引き渡されたものである場合にあっては、その引渡しの時）から十年間、住宅の構造耐力上主要な部分等の瑕疵について、民法第四百十五条、第五百四十一条、第五百四十二条、第五百六十二条及び第五百六十三条に規定する担保の責任を負う。

② 前項の規定に反する特約で買主に不利なものは、無効とする。

③ 第一項の場合における民法第五百六十六条の規定の適用については、同条中「種類又は品質に関して契約の内容に適合しない」とあるのは「住宅の品質確保の促進等に関する法律（平成十一年法律第八十一号）第九十五条第一項に規定する瑕疵がある」と、「不適合」とあるのは「瑕疵」とする。

（一時使用目的の住宅の適用除外）

第九六条 前二条の規定は、一時使用のため建設されたことが明らかな住宅については、適用しない。

（瑕疵担保責任の期間の伸長等）

第九七条 住宅新築請負契約又は新築住宅の売買契約においては、請負人が第九十四条第一項に規定する瑕疵その他の住宅の瑕疵について同項に規定する担保の責任を負うべき期間又は売主が第九十五条第一項に規定する瑕疵その他の住宅の瑕疵について同項に規定する担保の責任を負うべき期間は、注文者又は買主に引き渡した時から二十年以内とすることができる。

（代金の支払期限）

第五七三条 売買の目的物の引渡しについて期限があるときは、代金の支払についても同一の期限を付したものと推定する。

のと推定する。

参【代金支払時期→国際売買約五八【同時履行の抗弁権→五三三

（代金の支払場所）

第五七四条 売買の目的物の引渡しと同時に代金を支払うべきときは、その引渡しの場所において支払わなければならない。

参【弁済の場所→四八四①、国際売買約五七【同時履行の抗弁権→五三三

（果実の帰属及び代金の利息の支払）

第五七五条① まだ引き渡されていない売買の目的物が果実を生じたときは、その果実は、売主に帰属する。

② 買主は、引渡しの日から、代金の利息を支払う義務を負う。ただし、代金の支払について期限があるときは、その期限が到来するまでは、利息を支払うことを要しない。

参五七三 ❶【果実→八八、八九【特定物引渡債務の原則→四八三

（権利を取得することができない等のおそれがある場合の買主による代金の支払の拒絶）

第五七六条 売買の目的について権利を主張する者があることその他の事由により、買主がその買い受けた権利の全部若しくは一部を取得することができず、又は失うおそれがあるときは、買主は、その危険の程度に応じて、代金の全部又は一部の支払を拒むことができる。ただし、売主が相当の担保を供したときは、この限りでない。（平成二九法四四本条改正）

参五七七、五七八【売主の責任→五六二―五六五

（抵当権等の登記がある場合の買主による代金の支払の拒絶）

第五七七条① 買い受けた不動産について契約の内容に適合しない抵当権の登記があるときは、買主は、抵当権消滅請求の手続が終わるまで、その代金の支払を拒むことができる。この場合において、売主は、買主に対し、遅滞なく抵当権消滅請求をすべき旨を請求することができる。

② 前項の規定は、買い受けた不動産について契約の内容に適合しない先取特権又は質権の登記がある場合について準用する。（平成一五法一三四本項追加）

（平成一五法一三四、平成二九法四四本条改正）

参五七八、五七六【抵当権消滅請求→三七九―三八六、三四一、三六一【売主の責任→五七〇、五六五

（売主による代金の供託の請求）

第五七八条 前二条の場合においては、売主は、買主に対して代金の供託を請求することができる。

参【供託→四九四―四九八

第三款　買戻し

（買戻しの特約）

第五七九条 不動産の売主は、売買契約と同時にした買戻しの特約により、買主が支払った代金（別段の合意をした場合にあっては、その合意により定めた金額。第五百八十三条第一項において同じ。）及び契約の費用を返還して、売買の解除をすることができる。この場合において、当事者が別段の意思を表示しなかったときは、不動産の果実と代金の利息とは相殺したものとみなす。（平成二九法四四本条改正）

参【不動産→八六①【買戻しの特約の登記→五八一、不登九六【契約の費用→五五八【買戻しの実行と費用の返還→五八三【解除→五四〇、五四五【果実→八八【相殺→五〇五

（買戻しの期間）

第五八〇条① 買戻しの期間は、十年を超えることができない。特約でこれより長い期間を定めたときは、その期間は、十年とする。

② 買戻しについて期間を定めたときは、その後にこれを伸長することができない。

③ 買戻しについて期間を定めなかったときは、五年以内に買戻しをしなければならない。

参五八三

（買戻しの特約の対抗力）

第五八一条① 売買契約と同時に買戻しの特約を登記したときは、買戻しは、第三者に対抗することができる。

② 前項の登記がされた後に第六百五条の二第一項に規定する対抗要件を備えた賃借人の権利は、その残存期間中一年を超えない期間に限り、売主に対抗することができる。ただし、売主を害する目的で賃貸借をしたときは、この限りでない。

（平成二九法四四本条改正）

参❶【買戻しの特約の登記→不登九六【契約解除と第三者の権利→五四五①但

（買戻権の代位行使）

第五八二条 売主の債権者が第四百二十三条の規定により売主に代わって買戻しをしようとするときは、買主は、裁判所において選任した鑑定人の評価に従い、不動産の現在の価額から売主が返還すべき金額を控除した残額に達するまで売主の債務を弁済し、なお残余があるときはこれを売主に返還して、買戻権を消滅させることができる。

参【鑑定人の選定等の手続→非訟九六

（買戻しの実行）

第五八三条① 売主は、第五百八十条に規定する期間内に代金及び契約の費用を提供しなければ、買戻しをすることができない。

② 買主又は転得者が不動産について費用を支出したときは、売主は、第百九十六条の規定に従い、その償還をしなければならない。ただし、有益費については、裁判所は、売主の請求により、その償還について相当の期限を許与することができる。

参❶五八〇、五七九【提供→四九三 ❷【使用貸借への準用→五九五

（共有持分の買戻特約付売買）

第五八四条 不動産の共有者の一人が買戻しの特約を付

してその持分を売却した後に、その不動産の分割又は競売があったときは、売主は、買主が受け、若しくは受けるべき部分又は代金について、買戻しをすることができる。ただし、売主に通知をしないでした分割及び競売は、売主に対抗することができない。

⊛五八五【共有物の分割→二五六、二五八【競売→民執一九五

第五八五条① 前条の場合において、買主が不動産の競売における買受人となったときは、売主は、競売の代金及び第五百八十三条に規定する費用を支払って買戻しをすることができる。この場合において、売主は、その不動産の全部の所有権を取得する。

② 他の共有者が分割を請求したことにより買主が競売における買受人となったときは、売主は、その持分のみについて買戻しをすることはできない。

（昭和五四法五本条改正）

⊛【競売→民執一九五 ❷【共有物の分割請求→二五八

第四節　交換

第五八六条① 交換は、当事者が互いに金銭の所有権以外の財産権を移転することを約することによって、その効力を生ずる。

② 当事者の一方が他の権利とともに金銭の所有権を移転することを約した場合におけるその金銭については、売買の代金に関する規定を準用する。

⊛【売買の規定の準用→五五九【売買の代金に関する規定→五六三―五六五、五七二―五七八、三二一、三二八

第五節　消費貸借

（**消費貸借**）

第五八七条　消費貸借は、当事者の一方が種類、品質及び数量の同じ物をもって返還をすることを約して相手方から金銭その他の物を受け取ることによって、その効力を生ずる。

⊛【契約の成立についての原則→五二二①【受取→一八二―一八四【貸金業の規制→出資取締五

（**書面でする消費貸借等**）

第五八七条の二① 前条の規定にかかわらず、書面でする消費貸借は、当事者の一方が金銭その他の物を引き渡すことを約し、相手方がその受け取った物と種類、品質及び数量の同じ物をもって返還をすることを約することによって、その効力を生ずる。

② 書面でする消費貸借の借主は、貸主から金銭その他の物を受け取るまで、契約の解除をすることができる。この場合において、貸主は、その契約の解除によって損害を受けたときは、借主に対し、その賠償を請求することができる。

③ 書面でする消費貸借は、借主が貸主から金銭その他の物を受け取る前に当事者の一方が破産手続開始の決定を受けたときは、その効力を失う。

④ 消費貸借がその内容を記録した電磁的記録によってされたときは、その消費貸借は、書面によってされたものとみなして、前三項の規定を適用する。

（平成二九法四四本条追加）

⊛五八七【書面による契約→五二二② ❷【解除→五四〇【損害賠償→四一五 ❸【破産手続開始→破三〇

（**準消費貸借**）

第五八八条　金銭その他の物を給付する義務を負う者がある場合において、当事者がその物を消費貸借の目的とすることを約したときは、消費貸借は、これによって成立したものとみなす。（平成二九法四四本条改正）

⊛五八七

（**利息**）

第五八九条① 貸主は、特約がなければ、借主に対して利息を請求することができない。

② 前項の特約があるときは、貸主は、借主が金銭その他の物を受け取った日以後の利息を請求することができる。

（平成二九法四四本条全部改正）

⊛五八七【消費貸借と利息の制限→四〇四⊛【商人間の金銭消費貸借と利息→商五一三①

（**貸主の引渡義務等**）

第五九〇条① 第五百五十一条〈贈与者の引渡義務等〉の規定は、前条第一項の特約のない消費貸借について準用する。

② 前条第一項の特約の有無にかかわらず、貸主から引き渡された物が種類又は品質に関して契約の内容に適合しないものであるときは、借主は、その物の価額を返還することができる。

（平成二九法四四本条全部改正）

⊛【本条の準用→六六六②

（**返還の時期**）

第五九一条① 当事者が返還の時期を定めなかったときは、貸主は、相当の期間を定めて返還の催告をすることができる。

② 借主は、返還の時期の定めの有無にかかわらず、いつでも返還をすることができる。（平成二九法四四本項改正）

③ 当事者が返還の時期を定めた場合において、貸主は、借主がその時期の前に返還をしたことによって損害を受けたときは、借主に対し、その賠償を請求することができる。（平成二九法四四本項追加）

⊛【期限の定めのない債務の弁済期の原則→四一二③【期限の利益→一三六 ❷❸【消費寄託への準用→六六六③

（**価額の償還**）

第五九二条　借主が貸主から受け取った物と種類、品質及び数量の同じ物をもって返還をすることができなくなったときは、その時における物の価額を償還しなければならない。ただし、第四百二条第二項に規定する場合は、この限りでない。

⊛【本条の準用→六六六②

第六節　使用貸借

（**使用貸借**）

第五九三条　使用貸借は、当事者の一方がある物を引き

渡すことを約し、相手方がその受け取った物について無償で使用及び収益をして契約が終了したときに返還をすることを約することによって、その効力を生ずる。（平成二九法四四本条改正）

⊛一〇二八―一〇四一【受取→一八二―一八四【使用収益→五九四【借主の注意義務→四〇〇

（借用物受取り前の貸主による使用貸借の解除）

第五九三条の二 貸主は、借主が借用物を受け取るまで、契約の解除をすることができる。ただし、書面による使用貸借については、この限りでない。（平成二九法四四本条追加）

⊛五二二②【契約の解除→五四〇

（借主による使用及び収益）

第五九四条① 借主は、契約又はその目的物の性質によって定まった用法に従い、その物の使用及び収益をしなければならない。

② 借主は、貸主の承諾を得なければ、第三者に借用物の使用又は収益をさせることができない。

③ 借主が前二項の規定に違反して使用又は収益をしたときは、貸主は、契約の解除をすることができる。

⊛❶【被相続人の配偶者の居住権→一〇三二、一〇三八【賃貸借への準用→六一六 ❸六〇〇【契約の解除→五四〇、五四五

（借用物の費用の負担）

第五九五条① 借主は、借用物の通常の必要費を負担する。

② 第五百八十三条第二項（買戻目的物についての費用償還）の規定は、前項の通常の必要費以外の費用について準用する。

⊛六〇〇、一九六【費用と留置権→二九五

（貸主の引渡義務等）

第五九六条 第五百五十一条（贈与者の引渡義務等）の規定は、使用貸借について準用する。

（期間満了等による使用貸借の終了）

第五九七条① 当事者が使用貸借の期間を定めたときは、使用貸借は、その期間が満了することによって終了する。

② 当事者が使用貸借の期間を定めなかった場合において、使用及び収益の目的を定めたときは、使用貸借は、借主がその目的に従い使用及び収益を終えることによって終了する。

③ 使用貸借は、借主の死亡によって終了する。（平成二九法四四本条全部改正）

⊛一〇三〇、一〇三七①【債務の履行期→四一二 ❶【賃貸借への準用→六二二 ❸【配偶者居住権への準用→一〇三六【配偶者短期居住権への準用→一〇四一

（使用貸借の解除）

第五九八条① 貸主は、前条第二項に規定する場合において、同項の目的に従い借主が使用及び収益をするのに足りる期間を経過したときは、契約の解除をすることができる。

② 当事者が使用貸借の期間並びに使用及び収益の目的を定めなかったときは、貸主は、いつでも契約の解除をすることができる。

③ 借主は、いつでも契約の解除をすることができる。（平成二九法四四本条全部改正）

⊛【契約の解除→五四〇

（借主による収去等）

第五九九条① 借主は、借用物を受け取った後にこれに附属させた物がある場合において、使用貸借が終了したときは、その附属させた物を収去する義務を負う。ただし、借用物から分離することができない物又は分離するのに過分の費用を要する物については、この限りでない。

② 借主は、借用物を受け取った後にこれに附属させた物を収去することができる。

③ 借主は、借用物を受け取った後にこれに生じた損傷がある場合において、使用貸借が終了したときは、その損傷を原状に復する義務を負う。ただし、その損傷が借主の責めに帰することができない事由によるものであるときは、この限りでない。（平成二九法四四本条全部改正）

⊛❶❷【賃貸借への準用→六二二

（損害賠償及び費用の償還の請求権についての期間の制限）

第六〇〇条① 契約の本旨に反する使用又は収益によって生じた損害の賠償及び借主が支出した費用の償還は、貸主が返還を受けた時から一年以内に請求しなければならない。

② 前項の損害賠償の請求権については、貸主が返還を受けた時から一年を経過するまでの間は、時効は、完成しない。（平成二九法四四本項追加）

⊛【使用収益の方法→五九四【損害賠償→四一五【費用の償還→五九五【時効の完成猶予→一四七―一五四【賃貸借への準用→六二二【配偶者居住権への準用→一〇三六【配偶者短期居住権への準用→一〇四一

第七節 賃貸借

⊛【賃貸借に関する特別法→借地借家、民調二―二三、二四―三〇

第一款 総則

（賃貸借）

第六〇一条 賃貸借は、当事者の一方がある物の使用及び収益を相手方にさせることを約し、相手方がこれに対してその賃料を支払うこと及び引渡しを受けた物を契約が終了したときに返還することを約することによって、その効力を生ずる。（平成二九法四四本条改正）

⊛【使用収益→六一六、五九四①【賃料→三一二―三一六、借地借家一一、三二【法定賃借権→仮登記担保一〇

（短期賃貸借）

第六〇二条 処分の権限を有しない者が賃貸借をする場合には、次の各号に掲げる賃貸借は、それぞれ当該各号に定める期間を超えることができない。契約でこれより長い期間を定めたときであっても、その期間は、当該各号に定める期間とする。

一　樹木の栽植又は伐採を目的とする山林の賃貸借　十年
二　前号に掲げる賃貸借以外の土地の賃貸借　五年
三　建物の賃貸借　三年
四　動産の賃貸借　六箇月
（平成二九法四四本条改正）

⊛六〇三【処分の権限のない者の例→二八、一〇三、八六四、九四三②、九五〇②

（短期賃貸借の更新）

第六〇三条　前条に定める期間は、更新することができる。ただし、その期間満了前、土地については一年以内、建物については三箇月以内、動産については一箇月以内に、その更新をしなければならない。

⊛【更新→六〇四⊛

（賃貸借の存続期間）
第六〇四条①　賃貸借の存続期間は、五十年を超えることができない。契約でこれより長い期間を定めたときであっても、その期間は、五十年とする。
②　賃貸借の存続期間は、更新することができる。ただし、その期間は、更新の時から五十年を超えることができない。
（平成二九法四四本条改正）

⊛❶【存続期間の特則→借地借家三、四、七、九、二二―二五、二九　❷【黙示の更新→六一九【更新拒絶の制限→借地借家五、六、九、二六、三〇【更新拒絶の制限の例外→借地借家二二―二五、三八―四〇

第二款　賃貸借の効力

（不動産賃貸借の対抗力）
第六〇五条　不動産の賃貸借は、これを登記したときは、その不動産について物権を取得した者その他の第三者に対抗することができる。（平成二九法四四本条改正）
⊛【賃借権と登記→一七七、不登三四、八一、商七〇一【配偶者居住権の登記と対抗力→一〇三一【登記によらない対抗力→借地借家一〇①②、三一【賃借権の対抗の例→三九五、五八一②

（不動産の賃貸人たる地位の移転）
第六〇五条の二①　前条、借地借家法（平成三年法律第九十号）第十条又は第三十一条その他の法令の規定による賃貸借の対抗要件を備えた場合において、その不動産が譲渡されたときは、その不動産の賃貸人たる地位は、その譲受人に移転する。
②　前項の規定にかかわらず、不動産の譲渡人及び譲受人が、賃貸人たる地位を譲渡人に留保する旨及びその不動産を譲受人が譲渡人に賃貸する旨の合意をしたときは、賃貸人たる地位は、譲受人に移転しない。この場合において、譲渡人と譲受人又はその承継人との間の賃貸借が終了したときは、譲渡人に留保されていた賃貸人たる地位は、譲受人又はその承継人に移転する。
③　第一項又は前項後段の規定による賃貸人たる地位の移転は、賃貸物である不動産について所有権の移転の登記をしなければ、賃借人に対抗することができない。
④　第一項又は第二項後段の規定により賃貸人たる地位が譲受人又はその承継人に移転したときは、第六百八条の規定による費用の償還に係る債務及び第六百二十二条の二第一項の規定による同項に規定する敷金の返還に係る債務は、譲受人又はその承継人が承継する。
（平成二九法四四本条追加）

⊛六〇五、六〇五の三【賃借権の対抗要件→六〇五⊛【契約上の地位の移転の原則→五三九の二【登記→一七七、不登

（合意による不動産の賃貸人たる地位の移転）
第六〇五条の三　不動産の譲渡人が賃貸人であるときは、その賃貸人たる地位は、賃借人の承諾を要しないで、譲渡人と譲受人との合意により、譲受人に移転させることができる。この場合においては、前条第三項及び第四項の規定を準用する。（平成二九法四四本条追加）
⊛六〇五、六〇五の二

（不動産の賃借人による妨害の停止の請求等）
第六〇五条の四　不動産の賃借人は、第六百五条の二第一項に規定する対抗要件を備えた場合において、次の各号に掲げるときは、それぞれ当該各号に定める請求をすることができる。
一　その不動産の占有を第三者が妨害しているとき　その第三者に対する妨害の停止の請求
二　その不動産を第三者が占有しているとき　その第三者に対する返還の請求
（平成二九法四四本条追加）

⊛六〇五の二【妨害の停止の請求→一九八【返還の請求→二〇〇

（賃貸人による修繕等）
第六〇六条①　賃貸人は、賃貸物の使用及び収益に必要な修繕をする義務を負う。ただし、賃借人の責めに帰すべき事由によってその修繕が必要となったときは、この限りでない。（平成二九法四四本項改正）
②　賃貸人が賃貸物の保存に必要な行為をしようとするときは、賃借人は、これを拒むことができない。
⊛❶【使用収益→六一六、五九四①【要修繕の通知→六一五　❷【保存行為→六〇七

（賃借人の意思に反する保存行為）

第六〇七条　賃貸人が賃借人の意思に反して保存行為をしようとする場合において、そのために賃借人が賃借をした目的を達することができなくなるときは、賃借人は、契約の解除をすることができる。

⊛六〇六②【契約の解除→五四〇、六二〇

（賃借人による修繕）
第六〇七条の二　賃借物の修繕が必要である場合において、次に掲げるときは、賃借人は、その修繕をすることができる。
一　賃借人が賃貸人に修繕が必要である旨を通知し、又は賃貸人がその旨を知ったにもかかわらず、賃貸人が相当の期間内に必要な修繕をしないとき。
二　急迫の事情があるとき。
（平成二九法四四本条追加）

∞+六〇六【修繕等の通知→六一五

（賃借人による費用の償還請求）

第六〇八条① 賃借人は、賃借物について賃貸人の負担に属する必要費を支出したときは、賃貸人に対し、直ちにその償還を請求することができる。

② 賃借人が賃借物について有益費を支出したときは、賃貸人は、賃貸借の終了の時に、第百九十六条第二項の規定に従い、その償還をしなければならない。ただし、裁判所は、賃貸人の請求により、その償還について相当の期限を許与することができる。

∞+【費用償還請求権の期間制限→六二二、六〇〇【費用償還債務の承継→六〇五の二④ ❶【保存費と担保権→二九五①・三二〇・三二六 ❷【期限許与の効果→二九五①但

（減収による賃料の減額請求）

第六〇九条 耕作又は牧畜を目的とする土地の賃借人は、不可抗力によって賃料より少ない収益を得たときは、その収益の額に至るまで、賃料の減額を請求することができる。（平成二九法四四本条改正）

∞+六一〇【永小作権→二七四

（減収による解除）

第六一〇条 前条の場合において、同条の賃借人は、不可抗力によって引き続き二年以上賃料より少ない収益を得たときは、契約の解除をすることができる。

∞+【契約の解除→六〇七∞【永小作権→二七五

（賃借物の一部滅失等による賃料の減額等）

第六一一条① 賃借物の一部が滅失その他の事由により使用及び収益をすることができなくなった場合において、それが賃借人の責めに帰することができない事由によるものであるときは、賃料は、その使用及び収益をすることができなくなった部分の割合に応じて、減額される。

② 賃借物の一部が滅失その他の事由により使用及び収益をすることができなくなった場合において、残存する部分のみでは賃借人が賃借をした目的を達することができないときは、賃借人は、契約の解除をすることができる。

（平成二九法四四本条改正）

∞❶六〇六①【危険負担の原則→五三六 ❷【契約の解除→六〇七∞

（賃借権の譲渡及び転貸の制限）

第六一二条① 賃借人は、賃貸人の承諾を得なければ、その賃借権を譲り渡し、又は賃借物を転貸することができない。

② 賃借人が前項の規定に違反して第三者に賃借物の使用又は収益をさせたときは、賃貸人は、契約の解除をすることができる。

∞❶六一三【建物の譲渡と敷地賃借権の譲渡・転貸の許可→借地借家一九―二〇・四一―六一 ❷【契約の解除→六〇七∞

（転貸の効果）

第六一三条① 賃借人が適法に賃借物を転貸したときは、転借人は、賃貸人と賃借人との間の賃貸借に基づく賃借人の債務の範囲を限度として、賃貸人に対して転貸借に基づく債務を直接履行する義務を負う。この場合においては、賃料の前払をもって賃貸人に対抗することができない。（平成二九法四四本項改正）

② 前項の規定は、賃貸人が賃借人に対してその権利を行使することを妨げない。

③ 賃借人が適法に賃借物を転貸した場合には、賃貸人は、賃借人との間の賃貸借を合意により解除したことをもって転借人に対抗することができない。ただし、その解除の当時、賃貸人が賃借人の債務不履行による解除権を有していたときは、この限りでない。（平成二九法四四本項追加）

∞+六一三【配偶者居住権への準用→一〇三六【賃借権の譲渡・転貸と賃貸人の先取特権→三一四【建物の転貸借→借地借家三四①、三七 ❸【債務不履行による解除権→五四一・五四二

（賃料の支払時期）

第六一四条 賃料は、動産、建物及び宅地については毎月末に、その他の土地については毎年末に、支払わなければならない。ただし、収穫の季節があるものについては、その季節の後に遅滞なく支払わなければならない。

∞+六〇六

（賃借人の通知義務）

第六一五条 賃借物が修繕を要し、又は賃借物について権利を主張する者があるときは、賃借人は、遅滞なくその旨を賃貸人に通知しなければならない。ただし、賃貸人が既にこれを知っているときは、この限りでない。

∞+六〇六

（賃借人による使用及び収益）

第六一六条 第五百九十四条第一項（借主による使用及び収益）の規定は、賃貸借について準用する。（平成二九法四四本条改正）

第三款　賃貸借の終了

（賃借物の全部滅失等による賃貸借の終了）

第六一六条の二 賃借物の全部が滅失その他の事由により使用及び収益をすることができなくなった場合には、賃貸借は、これによって終了する。（平成二九法四四本条追加）

∞+五三六【配偶者居住権への準用→一〇三六【配偶者短期居住権への準用→一〇四一

（期間の定めのない賃貸借の解約の申入れ）

第六一七条① 当事者が賃貸借の期間を定めなかったときは、各当事者は、いつでも解約の申入れをすることができる。この場合においては、次の各号に掲げる賃貸借は、解約の申入れの日からそれぞれ当該各号に定める期間を経過することによって終了する。

一　土地の賃貸借　一年
二　建物の賃貸借　三箇月
三　動産及び貸席の賃貸借　一日

② 収穫の季節がある土地の賃貸借については、その季節の後次の耕作に着手する前に、解約の申入れをしなければならない。

参【六一八―六二〇【特別法による本条の修正→借地借家三、二七、二八、三〇【定期建物賃貸借の終了→借地借家三八⑥⑦

（期間の定めのある賃貸借の解約をする権利の留保）

第六一八条 当事者が賃貸借の期間を定めた場合であっても、その一方又は双方がその期間内に解約をする権利を留保したときは、前条の規定を準用する。

参【解約権→五四〇

（賃貸借の更新の推定等）
第六一九条① 賃貸借の期間が満了した後賃借人が賃借物の使用又は収益を継続する場合において、賃貸人がこれを知りながら異議を述べないときは、従前の賃貸借と同一の条件で更に賃貸借をしたものと推定する。この場合において、各当事者は、第六百十七条の規定により解約の申入れをすることができる。
② 従前の賃貸借について当事者が担保を供していたときは、その担保は、期間の満了によって消滅する。ただし、第六百二十二条の二第一項に規定する敷金については、この限りでない。（平成二九法四四本項改正）
参【契約による更新→六〇三、六〇四②【本条の特則→借地借家五―七、九、二二―二八、三〇、三八―四〇

（賃貸借の解除の効力）
第六二〇条 賃貸借の解除をした場合には、その解除は、将来に向かってのみその効力を生ずる。この場合においては、損害賠償の請求を妨げない。（平成二九法四四本条改正）
参【解除の例→五四一、六〇七、六一〇、六一一②、六一二②【解除の遡及効の原則→五四五【損害賠償→四一五、六二二、六〇〇【本条の準用→六三〇、六五二、六八四

（賃借人の原状回復義務）
第六二一条 賃借人は、賃借物を受け取った後にこれに生じた損傷（通常の使用及び収益によって生じた賃借物の損耗並びに賃借物の経年変化を除く。以下この条において同じ。）がある場合において、賃貸借が終了したときは、その損傷を原状に復する義務を負う。ただし、その損傷が賃借人の責めに帰することができない事由によるものであるときは、この限りでない。（平成二九法四四本条全部改正）
参【賃借物の使用収益→六一六、五九四【賃借物の原状回復義務→六二二、五九九

（使用貸借の規定の準用）
第六二二条 第五百九十七条第一項（期間満了による使用貸借の終了）、第五百九十九条第一項及び第二項（借主による収去）並びに第六百条（損害賠償及び費用の償還の請求権についての期間の制限）の規定は、賃貸借について準用する。（平成二九法四四本条全部改正）
参【収去権の特則→借地借家一三、一六、三三

第四款 敷金（平成二九法四四本款追加）

第六二二条の二① 賃貸人は、敷金（いかなる名目によるかを問わず、賃料債務その他の賃貸借に基づいて生ずる賃借人の賃貸人に対する金銭の給付を目的とする債務を担保する目的で、賃借人が賃貸人に交付する金銭をいう。以下この条において同じ。）を受け取っている場合において、次に掲げるときは、賃借人に対し、その受け取った敷金の額から賃貸借に基づいて生じた賃借人の賃貸人に対する金銭の給付を目的とする債務の額を控除した残額を返還しなければならない。
一 賃貸借が終了し、かつ、賃貸物の返還を受けたとき。
二 賃借人が適法に賃借権を譲り渡したとき。
② 賃貸人は、賃借人が賃貸借に基づいて生じた金銭の給付を目的とする債務を履行しないときは、敷金をその債務の弁済に充てることができる。この場合において、賃借人は、賃貸人に対し、敷金をその債務の弁済に充てることを請求することができない。
参【賃貸借の終了→六一六の二―六二〇【賃借物の返還→六〇一【賃借人の債務→六〇一・六二一【賃借権の譲渡→六一二【敷金の承継→六〇五④【不動産賃貸の先取特権→三一六 ❷【充当の指定→四八八

第八節 雇用

参【雇用に関する特別法→労契、労基、労組、労調、行執労【男女均等処遇→女子差別撤廃約、雇均

（雇用）

第六二三条 雇用は、当事者の一方が相手方に対して労働に従事することを約し、相手方がこれに対してその報酬を与えることを約することによって、その効力を生ずる。

参【労働契約の成立→労契六【勤労条件の基準→憲二七②、労基、国公一〇六、地公二四【労働条件→労基一・二・一五・一三、労契八―一二、労組一六―一八【強制労働の禁止→労基五【年少者・妊産婦等の保護→労基五六―六八、雇均【未成年者の雇用→五①②・八二四但・八五九②、労基五八

（報酬の支払時期）
第六二四条① 労働者は、その約した労働を終わった後でなければ、報酬を請求することができない。
② 期間によって定めた報酬は、その期間を経過した後に、請求することができる。
参【賃金の支払時期→労基二四②・二五【未成年者の賃金独立請求→労基五九【報酬請求権の保護→三〇八、民執一五二・一五三、労基一七・一八【報酬請求権の時効→労基一一五・一四三③【請負契約への準用→六三三

（履行の割合に応じた報酬）
第六二四条の二 労働者は、次に掲げる場合には、既にした履行の割合に応じて報酬を請求することができる。
一 使用者の責めに帰することができない事由によって労働に従事することができなくなったとき。
二 雇用が履行の中途で終了したとき。
（平成二九法四四本条追加）
参【危険負担→五三六【雇用の終了→六二五―六二八

（使用者の権利の譲渡の制限等）
第六二五条① 使用者は、労働者の承諾を得なければ、その権利を第三者に譲り渡すことができない。
② 労働者は、使用者の承諾を得なければ、自己に代

わって第三者を労働に従事させることができない。

③ 労働者が前項の規定に違反して第三者を労働に従事させたときは、使用者は、契約の解除をすることができる。

⊛❶【債権の譲渡性→四六六①　❷【本項の特則→商七〇九　❸【第三者の弁済→四七四【契約の解除→五四〇・六三〇　＋【会社分割との関係→労働承継

（期間の定めのある雇用の解除）

第六二六条① 雇用の期間が五年を超え、又はその終期が不確定であるときは、当事者の一方は、五年を経過した後、いつでも契約の解除をすることができる。

② 前項の規定により契約の解除をしようとする者は、それが使用者であるときは三箇月前、労働者であるときは二週間前に、その予告をしなければならない。

（平成二九法四四本条改正）

⊛＋六二七・六二八【雇用の期間→労基一四【解雇の制限→労基一九【契約の解除→六二五⊛【職業訓練の場合の雇用期間→労基七〇

（期間の定めのない雇用の解約の申入れ）

第六二七条① 当事者が雇用の期間を定めなかったときは、各当事者は、いつでも解約の申入れをすることができる。この場合において、雇用は、解約の申入れの日から二週間を経過することによって終了する。

② 期間によって報酬を定めた場合には、使用者からの解約の申入れは、次期以後についてすることができる。ただし、その解約の申入れは、当期の前半にしなければならない。（平成二九法四四本項改正）

③ 六箇月以上の期間によって報酬を定めた場合には、前項の解約の申入れは、三箇月前にしなければならない。

⊛＋六二九【解雇権の濫用→労契一六【解雇の予告期間と予告手当→労基二〇、二一【解雇の制限→労基一九

（やむを得ない事由による雇用の解除）

第六二八条 当事者が雇用の期間を定めた場合であっても、やむを得ない事由があるときは、各当事者は、直ちに契約の解除をすることができる。この場合において、その事由が当事者の一方の過失によって生じたものであるときは、相手方に対して損害賠償の責任を負う。

⊛＋【雇用の期間→労基一四・七〇・一三七【やむを得ない事由による解除→労基一九①但②・二〇①但③【契約の解除→六二五

⊛【損害賠償→四一五

（雇用の更新の推定等）

第六二九条① 雇用の期間が満了した後労働者が引き続きその労働に従事する場合において、使用者がこれを知りながら異議を述べないときは、従前の雇用と同一の条件で更に雇用をしたものと推定する。この場合において、各当事者は、第六百二十七条の規定により解約の申入れをすることができる。

② 従前の雇用について当事者が担保を供していたときは、その担保は、期間の満了によって消滅する。ただし、身元保証金については、この限りでない。

⊛❶【雇用の期間→労基一四・七〇　❷【身元保証金→身元保証

（雇用の解除の効力）

第六三〇条 第六百二十条〈賃貸借の解除の効力〉の規定は、雇用について準用する。

（使用者についての破産手続の開始による解約の申入れ）

第六三一条 使用者が破産手続開始の決定を受けた場合には、雇用に期間の定めがあるときであっても、労働者又は破産管財人は、第六百二十七条の規定により解約の申入れをすることができる。この場合において、各当事者は、相手方に対し、解約によって生じた損害の賠償を請求することができない。（平成一六法七六本条改正）

⊛＋【破産手続開始→破三〇【破産管財人→破七四―九〇【破産管財人に対する催告→破五三②③【損害賠償請求の原則→破五四【解約申入期間中に生じた請求権と財団債権→破一四八①[四]【類似の場合→会更六一

第九節　請負

（請負）

第六三二条 請負は、当事者の一方がある仕事を完成することを約し、相手方がその仕事の結果に対してその報酬を支払うことを約することによって、その効力を生ずる。

⊛＋【売買の規定の準用→五五九【請負と商法の適用→商五〇二[三]―[四]【請負の例→商五六九【請負契約の適正化→下請、フリーランス【請負類似の事業→労派遣【注文者の第三者に対する責任→七一六

（報酬の支払時期）

第六三三条 報酬は、仕事の目的物の引渡しと同時に、支払わなければならない。ただし、物の引渡しを要しないときは、第六百二十四条第一項〈雇用報酬の支払時期〉の規定を準用する。

⊛＋【報酬と担保権→二九五・三二八・三三〇・三二六・三二七

（注文者が受ける利益の割合に応じた報酬）

第六三四条 次に掲げる場合において、請負人が既にした仕事の結果のうち可分な部分の給付によって注文者が利益を受けるときは、その部分を仕事の完成とみなす。この場合において、請負人は、注文者が受ける利益の割合に応じて報酬を請求することができる。

一 注文者の責めに帰することができない事由によって仕事を完成することができなくなったとき。

二 請負が仕事の完成前に解除されたとき。

（平成二九法四四本条全部改正）

⊛＋六三二・六三三【解除→五四〇―五四二・六四一

第六三五条【請負人の担保責任】 削除（平成二九法四四）

（請負人の担保責任の制限）

第六三六条 請負人が種類又は品質に関して契約の内容に適合しない仕事の目的物を注文者に引き渡したとき（その引渡しを要しない場合にあっては、仕事が終了した時に仕事の目的物が種類又は品質に関して契約の内容に適合しないとき）は、注文者は、注文者の供した材料の性質又は注文者の与えた指図によって生じた不適合を理由として、履行の追完の請求、報酬の減額

の請求、損害賠償の請求及び契約の解除をすることができない。ただし、請負人がその材料又は指図が不適当であることを知りながら告げなかったときは、この限りでない。（平成二九法四四本条全部改正）

参＋六三七【損害賠償→四一五【追完請求→五六二【報酬減額請求→五六三【解除→五四〇【免責条項の効力→消費契約八②

第六三七条（目的物の種類又は品質に関する担保責任の期間の制限）① 前条本文に規定する場合において、注文者がその不適合を知った時から一年以内にその旨を請負人に通知しないときは、注文者は、その不適合を理由として、履行の追完の請求、報酬の減額の請求、損害賠償の請求及び契約の解除をすることができない。

② 前項の規定は、仕事の目的物を注文者に引き渡した時（その引渡しを要しない場合にあっては、仕事が終了した時）において、請負人が同項の不適合を知り、又は重大な過失によって知らなかったときは、適用しない。

（平成二九法四四本条全部改正）

参＋六三六

第六三八条から第六四〇条まで【請負人の担保責任の存続期間の伸長、担保責任を負わない旨の特約】削除（平成二九法四四）

注　請負人の担保責任に関する特則として、本法第五七二条の後に掲げた住宅の品質確保の促進等に関する法律を参照。

第六四一条（注文者による契約の解除） 請負人が仕事を完成しない間は、注文者は、いつでも損害を賠償して契約の解除をすることができる。

参＋六四一【損害賠償の範囲→四一六【契約の解除→五四〇、五四五【運送の中止の場合→商五八〇

第六四二条（注文者についての破産手続の開始による解除）① 注文者が破産手続開始の決定を受けたときは、請負人又は破産管財人は、契約の解除をすることができる。ただし、請負人による契約の解除については、仕事を完成した後は、この限りでない。（平成二九法四四本項改正）

② 前項に規定する場合において、請負人は、既にした仕事の報酬及びその中に含まれていない費用について、破産財団の配当に加入することができる。（平成二九法四四本項追加）

③ 第一項の場合には、契約の解除によって生じた損害の賠償は、破産管財人が契約の解除をした場合における請負人に限り、請求することができる。この場合において、請負人は、その損害賠償について、破産財団の配当に加入する。

（平成一六法七六本条改正）

参＋六三一 参【請負人の破産の場合→破五三、五四

第十節　委任

第六四三条（委任） 委任は、当事者の一方が法律行為をすることを相手方に委託し、相手方がこれを承諾することによって、その効力を生ずる。

参＋【委任と代理→一〇四、一〇六、一一一②【準委任→六五六【委任関係の例→六七一、一般法人六四、商二七、五四三、五五二②、会社一六、三三〇、建物区分二八【委任と背任罪→刑二四七【本条の特則→任意後見三

第六四四条（受任者の注意義務） 受任者は、委任の本旨に従い、善良な管理者の注意をもって、委任事務を処理する義務を負う。

参＋【商行為の受任者の権限→商五〇五【任意後見監督人への準用→任意後見七④

第六四四条の二（復受任者の選任等）① 受任者は、委任者の許諾を得たとき、又はやむを得ない事由があるときでなければ、復受任者を選任することができない。

② 代理権を付与する委任において、受任者が代理権を有する復受任者を選任したときは、復受任者は、委任者に対して、その権限の範囲内において、受任者と同一の権利を有し、義務を負う。

（平成二九法四四本条追加）

参＋【復代理→一〇四、一〇六

第六四五条（受任者による報告） 受任者は、委任者の請求があるときは、いつでも委任事務の処理の状況を報告し、委任が終了した後は、遅滞なくその経過及び結果を報告しなければならない。

参＋【委任の終了→六五一、六五三

第六四六条（受任者による受取物の引渡し等）① 受任者は、委任事務を処理するに当たって受け取った金銭その他の物を委任者に引き渡さなければならない。その収取した果実についても、同様とする。

② 受任者は、委任者のために自己の名で取得した権利を委任者に移転しなければならない。

参❶【果実→八八

第六四七条（受任者の金銭の消費についての責任） 受任者は、委任者に引き渡すべき金額又はその利益のために用いるべき金額を自己のために消費したときは、その消費した日以後の利息を支払わなければならない。この場合において、なお損害があるときは、その賠償の責任を負う。

参＋【損害賠償の範囲→四一六【金銭債務に関する損害賠償の原則→四一九

第六四八条（受任者の報酬）① 受任者は、特約がなければ、委任者に対して報酬を請求することができない。

② 受任者は、報酬を受けるべき場合には、委任事務を履行した後でなければ、これを請求することができない。ただし、期間によって報酬を定めたときは、第六百二十四条第二項（雇用報酬の支払時期）の規定を準用

する。

③ 受任者は、次に掲げる場合には、既にした履行の割合に応じて報酬を請求することができる。

一 委任者の責めに帰することができない事由によって委任事務の履行をすることができなくなったとき。

二 委任が履行の中途で終了したとき。

（平成二九法四四本項全部改正）

⊛❶【当然報酬を請求することができる場合→商五一二】❸【委任の終了→六五一・六五三】

第六四八条の二（成果等に対する報酬）① 委任事務の履行により得られる成果に対して報酬を支払うことを約した場合において、その成果が引渡しを要するときは、報酬は、その成果の引渡しと同時に、支払わなければならない。

② 第六百三十四条〈注文者が受ける利益の割合に応じた報酬〉の規定は、委任事務の履行により得られる成果に対して報酬を支払うことを約した場合について準用する。

（平成二九法四四本条追加）

⊛六四八【同時履行の抗弁→五三三】

第六四九条（受任者による費用の前払請求） 委任事務を処理するについて費用を要するときは、委任者は、受任者の請求により、その前払をしなければならない。

⊛六五〇①

第六五〇条（受任者による費用等の償還請求等）① 受任者は、委任事務を処理するのに必要と認められる費用を支出したときは、委任者に対し、その費用及び支出の日以後におけるその利息の償還を請求することができる。

② 受任者は、委任事務を処理するのに必要と認められる債務を負担したときは、委任者に対し、自己に代わってその弁済をすることを請求することができる。この場合において、その債務が弁済期にないときは、委任者に対し、相当の担保を供させることができる。

③ 受任者は、委任事務を処理するため自己に過失なく損害を受けたときは、委任者に対し、その賠償を請求することができる。

⊛❶六四九【商人と金銭の立替え→商五一三②】❸【損害賠償請求の範囲→四一六】

第六五一条（委任の解除）① 委任は、各当事者がいつでもその解除をすることができる。

② 前項の規定により委任の解除をした者は、次に掲げる場合には、相手方の損害を賠償しなければならない。ただし、やむを得ない事由があったときは、この限りでない。

一 相手方に不利な時期に委任を解除したとき。

二 委任者が受任者の利益（専ら報酬を得ることによるものを除く。）をも目的とする委任を解除したとき。

（平成二九法四四本項全部改正）

⊛❶六五四・六五五【解除→五四〇・六五二】【委任の終了と代理権の消滅→一一一②】【委任関係解除の特例→六七二、商三〇、会社一九・三三九、任意後見九】❷【損害賠償の範囲→四一六、会社三三九②】

第六五二条（委任の解除の効力） 第六百二十条〈賃貸借の解除の効力〉の規定は、委任について準用する。

⊛六五一

第六五三条（委任の終了事由） 委任は、次に掲げる事由によって終了する。

一 委任者又は受任者の死亡

二 委任者又は受任者が破産手続開始の決定を受けたこと。

三 受任者が後見開始の審判を受けたこと。

（平成一一法一四九、平成一六法七六本条改正）

⊛六五四・六五五【破産手続開始→破三〇】【後見開始の審判→七】【委任の終了と代理権の消滅→一一一、民訴五八①、任意後見一一】【本条の特則→商五〇六、破五七、任意後見一〇③】

第六五四条（委任の終了後の処分） 委任が終了した場合において、急迫の事情があるときは、受任者又はその相続人若しくは法定代理人は、委任者又はその相続人若しくは法定代理人が委任事務を処理することができるに至るまで、必要な処分をしなければならない。

⊛【委任の終了→六五一・六五三】【法定代理人→八一八②③・八一九、八三九―八四一・八四三・八七六の四・八七六の九・九四三②・九五〇②・九五二、破七四―九〇】【本義務による費用と財団債権→破一四八①[四]】【任意後見監督人への準用→任意後見七④】

第六五五条（委任の終了の対抗要件） 委任の終了事由は、これを相手方に通知したとき、又は相手方がこれを知っていたときでなければ、これをもってその相手方に対抗することができない。

⊛【委任終了の事由→六五一・六五三】【代理権の消滅→一一一②・一一二、民訴三六・五九、会社九〇八・九一一③[十三]・九一五】【破産の場合→破五七】【任意後見監督人への準用→任意後見七④】

第六五六条（準委任） この節の規定は、法律行為でない事務の委託について準用する。

第十一節 寄託

第六五七条（寄託） 寄託は、当事者の一方がある物を保管することを相手方に委託し、相手方がこれを承諾することによって、その効力を生ずる。（平成二九法四四本条改正）

⊛【寄託の例→六六六、商五〇二[十]・五九五―五九八・五九九―六一七】

（寄託物受取り前の寄託者による寄託の解除等）

第六五七条の二① 寄託者は、受寄者が寄託物を受け取るまで、契約の解除をすることができる。この場合において、受寄者は、その契約の解除によって損害を受けたときは、寄託者に対し、その賠償を請求することができる。

② 無報酬の受寄者は、寄託物を受け取るまで、契約の解除をすることができる。ただし、書面による寄託については、この限りでない。

③ 受寄者（無報酬で寄託を受けた場合にあっては、書面による寄託の受寄者に限る。）は、寄託物を受け取るべき時期を経過したにもかかわらず、寄託者が寄託物を引き渡さない場合において、相当の期間を定めてその引渡しの催告をし、その期間内に引渡しがないときは、契約の解除をすることができる。

（平成二九法四四本条追加）

参+【受取→一八二―一八四【解除→五四〇【損害賠償→四一六
❷【書面による契約→五二二②

（寄託物の使用及び第三者による保管）

第六五八条① 受寄者は、寄託者の承諾を得なければ、寄託物を使用することができない。

② 受寄者は、寄託者の承諾を得たとき、又はやむを得ない事由があるときでなければ、寄託物を第三者に保管させることができない。

③ 再受寄者は、寄託者に対して、その権限の範囲内において、受寄者と同一の権利を有し、義務を負う。

（平成二九法四四本項追加）

（平成二九法四四本条改正）

参❸【受寄者の権利・義務→六五九―六六四

（無報酬の受寄者の注意義務）

第六五九条 無報酬の受寄者は、自己の財産に対するのと同一の注意をもって、寄託物を保管する義務を負う。（平成二九法四四本条改正）

参+【有償受寄者の注意義務→四〇〇【商事寄託の特則→商五九五―五九八、六一〇【自己の財産に対するのと同一の注意→九一八、九二六、九四〇、九四四①

（受寄者の通知義務等）

第六六〇条① 寄託物について権利を主張する第三者が受寄者に対して訴えを提起し、又は差押え、仮差押え若しくは仮処分をしたときは、受寄者は、遅滞なくその事実を寄託者に通知しなければならない。ただし、寄託者が既にこれを知っているときは、この限りでない。

② 第三者が寄託物について権利を主張する場合であっても、受寄者は、寄託者の指図がない限り、寄託者に対しその寄託物を返還しなければならない。ただし、受寄者が前項の通知をした場合又は同項ただし書の規定によりその通知を要しない場合において、その寄託物をその第三者に引き渡すべき旨を命ずる確定判決（確定判決と同一の効力を有するものを含む。）があったときであって、その第三者にその寄託物を引き渡したときは、この限りでない。（平成二九法四四本項追加）

③ 受寄者は、前項の規定により寄託者に対して寄託物を返還しなければならない場合には、寄託者にその寄託物を引き渡したことによって第三者に損害が生じたときであっても、その賠償の責任を負わない。（平成二九法四四本項追加）

（平成一六法一四七、平成二九法四四本条改正）

参+【所有者以外の第三者の例→三五三【差押え→民執四五、九三、一一二、一二二、一四三【仮差押え→民保二〇、四七―五一【仮処分→民保二三、五二―五七　❷【確定判決と同一の効力→民訴二六七

（寄託者による損害賠償）

第六六一条 寄託者は、寄託物の性質又は瑕疵によって生じた損害を受寄者に賠償しなければならない。ただし、寄託者が過失なくその性質若しくは瑕疵を知らなかったとき、又は受寄者がこれを知っていたときは、この限りでない。

参+【損害賠償の範囲→四一六

（寄託者による返還請求等）

第六六二条① 当事者が寄託物の返還の時期を定めたときであっても、寄託者は、いつでもその返還を請求することができる。

② 前項に規定する場合において、受寄者は、寄託者がその時期の前に返還を請求したことによって損害を受けたときは、寄託者に対し、その賠償を請求することができる。（平成二九法四四本項追加）

参+六六三、六六四、六六六【期限に関する原則→一三五、一三六
❷【損害賠償の範囲→四一六

（寄託物の返還の時期）

第六六三条① 当事者が寄託物の返還の時期を定めなかったときは、受寄者は、いつでもその返還をすることができる。

② 返還の時期の定めがあるときは、受寄者は、やむを得ない事由がなければ、その期限前に返還をすることができない。

参❶【本項の特則→商六一二　❷六六二【期限に関する原則→一三五、一三六

（寄託物の返還の場所）

第六六四条 寄託物の返還は、その保管をすべき場所でしなければならない。ただし、受寄者が正当な事由によってその物を保管する場所を変更したときは、その現在の場所で返還をすることができる。

参+【弁済の場所についての原則→四八四①

（損害賠償及び費用の償還の請求権についての期間の制限）

第六六四条の二① 寄託物の一部滅失又は損傷によって生じた損害の賠償及び受寄者が支出した費用の償還は、寄託者が返還を受けた時から一年以内に請求しなければならない。

② 前項の損害賠償の請求権については、寄託者が返還を受けた時から一年を経過するまでの間は、時効は、完成しない。

（平成二九法四四本条追加）

参+六五九、六六五

（委任の規定の準用）

第六六五条　第六百四十六条から第六百四十八条まで〈受任者の権利義務〉、第六百四十九条〈受任者による費用の前払請求〉並びに第六百五十条第一項及び第二項〈受任者による費用等の償還請求等〉の規定は、寄託について準用する。（平成二九法四四本条改正）

（混合寄託）

第六六五条の二①　複数の者が寄託した物の種類及び品質が同一である場合には、受寄者は、各寄託者の承諾を得たときに限り、これらを混合して保管することができる。

②　前項の規定に基づき受寄者が複数の寄託者からの寄託物を混合して保管したときは、寄託者は、その寄託した物と同じ数量の物の返還を請求することができる。

③　前項に規定する場合において、寄託物の一部が滅失したときは、寄託者は、混合して保管されている総寄託物に対するその寄託した物の割合に応じた数量の物の返還を請求することができる。この場合においては、損害賠償の請求を妨げない。

（平成二九法四四本条追加）

※六六二　❸【損害賠償→四一五

（消費寄託）

第六六六条①　受寄者が契約により寄託物を消費することができる場合には、受寄者は、寄託された物と種類、品質及び数量の同じ物をもって返還しなければならない。

②　第五百九十条〈貸主の引渡義務等〉及び第五百九十二条〈価額の償還〉の規定は、前項に規定する場合について準用する。

③　第五百九十一条第二項及び第三項〈返還の時期〉の規定は、預金又は貯金に係る契約により金銭を寄託した場合について準用する。

（平成二九法四四本条全部改正）

第十二節　組合

（組合契約）

第六六七条①　組合契約は、各当事者が出資をして共同の事業を営むことを約することによって、その効力を生ずる。

②　出資は、労務をその目的とすることができる。

※【匿名組合→商五三五―五四二

（他の組合員の債務不履行）

第六六七条の二①　第五百三十三条及び第五百三十六条の規定は、組合契約については、適用しない。

②　組合員は、他の組合員が組合契約に基づく債務の履行をしないことを理由として、組合契約を解除することができない。

（平成二九法四四本条追加）

※❷【解除→五四一・五四二・五四五・五四八

（組合員の一人についての意思表示の無効等）

第六六七条の三　組合員の一人について意思表示の無効又は取消しの原因があっても、他の組合員の間においては、組合契約は、その効力を妨げられない。（平成二九法四四本条追加）

※【意思表示の無効・取消し→九三―九六

（組合財産の共有）

第六六八条　各組合員の出資その他の組合財産は、総組合員の共有に属する。

※六六七・六七六【共有→二四九・二五〇・二六二・二六四【匿名組合の特則→商五三六①

（金銭出資の不履行の責任）

第六六九条　金銭を出資の目的とした場合において、組合員がその出資をすることを怠ったときは、その利息を支払うほか、損害の賠償をしなければならない。

※六六七【損害賠償→四一九・四一六

（業務の決定及び執行の方法）

第六七〇条①　組合の業務は、組合員の過半数をもって決定し、各組合員がこれを執行する。

②　組合の業務の決定及び執行は、組合契約の定めるところにより、一人又は数人の組合員又は第三者に委任することができる。

③　前項の委任を受けた者（以下「業務執行者」という。）は、組合の業務を決定し、これを執行する。この場合において、業務執行者が数人あるときは、組合の業務は、業務執行者の過半数をもって決定し、各業務執行者がこれを執行する。（平成二九法四四本項追加）

④　前項の規定にかかわらず、組合の業務については、総組合員の同意によって決定し、又は総組合員が執行することを妨げない。（平成二九法四四本項追加）

⑤　組合の常務は、前各項の規定にかかわらず、各組合員又は各業務執行者が単独で行うことができる。ただし、その完了前に他の組合員又は業務執行者が異議を述べたときは、この限りでない。

（平成二九法四四本条改正）

※❶【業務執行以外についての決定→六八五②・六八〇

（組合の代理）

第六七〇条の二①　各組合員は、組合の業務を執行する場合において、組合員の過半数の同意を得たときは、他の組合員を代理することができる。

②　前項の規定にかかわらず、業務執行者があるときは、業務執行者のみが組合員を代理することができる。この場合において、業務執行者が数人あるときは、各業務執行者は、業務執行者の過半数の同意を得たときに限り、組合員を代理することができる。

③　前二項の規定にかかわらず、各組合員又は各業務執行者は、組合の常務を行うときは、単独で組合員を代理することができる。

（平成二九法四四本条追加）

※六七〇【代理→九九―一一八

（委任の規定の準用）

第六七一条　第六百四十四条から第六百五十条まで〈受

任者の権利義務）の規定は、組合の業務を決定し、又は執行する組合員について準用する。（平成二九法四四本条改正）

（業務執行組合員の辞任及び解任）
第六七二条①　組合契約の定めるところにより一人又は数人の組合員に業務の決定及び執行を委任したときは、その組合員は、正当な事由がなければ、辞任することができない。（平成二九法四四本項改正）

②　前項の組合員は、正当な事由がある場合に限り、他の組合員の一致によって解任することができる。

参【委任と解除→六五一】【本条の準用→六八七

（組合員の組合の業務及び財産状況に関する検査）
第六七三条　各組合員は、組合の業務の決定及び執行をする権利を有しないときであっても、その業務及び組合財産の状況を検査することができる。（平成二九法四四本条改正）

参【業務執行権のないとき→六七〇②、六七二】【業務執行組合員の報告義務→六七一、六四五

（組合員の損益分配の割合）
第六七四条①　当事者が損益分配の割合を定めなかったときは、その割合は、各組合員の出資の価額に応じて定める。

②　利益又は損失についてのみ分配の割合を定めたときは、その割合は、利益及び損失に共通であるものと推定する。

参六七五【出資→六六八、二五〇】【出資の価額と残余財産の分配→六八八③

（組合の債権者の権利の行使）
第六七五条①　組合の債権者は、組合財産についてその権利を行使することができる。

②　組合の債権者は、その選択に従い、各組合員に対して損失分担の割合又は等しい割合でその権利を行使することができる。ただし、組合の債権者がその債権の発生の時に各組合員の損失分担の割合を知っていたときは、その割合による。（平成二九法四四本項追加）

（平成二九法四四本条改正）

参六七四

（組合員の持分の処分及び組合財産の分割）
第六七六条①　組合員は、組合財産についてその持分を処分したときは、その処分をもって組合及び組合と取引をした第三者に対抗することができない。

②　組合員は、組合財産である債権について、その持分についての権利を単独で行使することができない。（平成二九法四四本項追加）

③　組合員は、清算前に組合財産の分割を求めることができない。

参【組合財産→六六八】【持分→二五〇】【本条の特則→商六九六③】❷【共有物分割の原則→二五六】【組合の残余財産の分割→六八八

（組合財産に対する組合員の債権者の権利の行使の禁止）
第六七七条　組合員の債権者は、組合財産についてその権利を行使することができない。（平成二九法四四本条全部改正）

参【権利行使の例→五〇五

（組合員の加入）
第六七七条の二①　組合員は、その全員の同意によって、又は組合契約の定めるところにより、新たに組合員を加入させることができる。

②　前項の規定により組合の成立後に加入した組合員は、その加入前に生じた組合の債務については、これを弁済する責任を負わない。

（平成二九法四四本条追加）

（組合員の脱退）
第六七八条①　組合契約で組合の存続期間を定めなかったとき、又はある組合員の終身の間組合が存続すべきことを定めたときは、各組合員は、いつでも脱退することができる。ただし、やむを得ない事由がある場合を除き、組合に不利な時期に脱退することができない。

②　組合の存続期間を定めた場合であっても、各組合員は、やむを得ない事由があるときは、脱退することができる。

参【脱退した組合員の責任→六八〇の二

第六七九条　前条の場合のほか、組合員は、次に掲げる事由によって脱退する。

一　死亡

二　破産手続開始の決定を受けたこと。（平成一六法七六本号全部改正）

三　後見開始の審判を受けたこと。（平成一一法一四九本号全部改正）

四　除名

参【二】【破産手続開始→破三〇】【後見開始の審判→七、八】【四】【除名→六八〇】【脱退組合員の持分の払戻し→六八一

（組合員の除名）
第六八〇条　組合員の除名は、正当な事由がある場合に限り、他の組合員の一致によってすることができる。ただし、除名した組合員にその旨を通知しなければ、これをもってその組合員に対抗することができない。

参六七九四、六八一

（脱退した組合員の責任等）
第六八〇条の二①　脱退した組合員は、その脱退前に生じた組合の債務について、従前の責任の範囲内でこれを弁済する責任を負う。この場合において、債権者が全部の弁済を受けない間は、脱退した組合員は、組合に担保を供させ、又は組合に対して自己に免責を得させることを請求することができる。

②　脱退した組合員は、前項に規定する組合の債務を弁済したときは、組合に対して求償権を有する。

（平成二九法四四本条追加）

参六七八、六七九

（脱退した組合員の持分の払戻し）

第六八一条① 脱退した組合員と他の組合員との間の計算は、脱退の時における組合財産の状況に従ってしなければならない。
② 脱退した組合員の持分は、その出資の種類を問わず、金銭で払い戻すことができる。
③ 脱退の時にまだ完了していない事項については、その完了後に計算をすることができる。
参 六七八、六七九、六八〇の二 ❷【出資の種類→六六七②】

（組合の解散事由）
第六八二条 組合は、次に掲げる事由によって解散する。
一 組合の目的である事業の成功又はその成功の不能（平成二九法四四本号追加）
二 組合契約で定めた存続期間の満了（平成二九法四四本号追加）
三 組合契約で定めた解散の事由の発生（平成二九法四四本号追加）
四 総組合員の同意（平成二九法四四本号追加）
（平成二九法四四本条改正）
参 六八四、六八五

（組合の解散の請求）
第六八三条 やむを得ない事由があるときは、各組合員は、組合の解散を請求することができる。
参 六八四、六八五【解散請求の方法→五四〇】

（組合契約の解除の効力）
第六八四条 第六百二十条〈賃貸借の解除の効力〉の規定は、組合契約について準用する。

（組合の清算及び清算人の選任）
第六八五条① 組合が解散したときは、清算は、総組合員が共同して、又はその選任した清算人がこれをする。
② 清算人の選任は、組合員の過半数で決する。（平成二九法四四本項改正）
参 六八二、六八三、六八六―六八八

（清算人の業務の決定及び執行の方法）
第六八六条 第六百七十条第三項から第五項まで〈業務の決定及び執行の方法〉並びに第六百七十条の二第二項及び第三項〈組合の代理〉の規定は、清算人について準用する。（平成二九法四四本条全部改正）
参 六八五

（組合員である清算人の辞任及び解任）
第六八七条 第六百七十二条〈業務執行組合員の辞任及び解任〉の規定は、組合契約の定めるところにより組合員の中から清算人を選任した場合について準用する。（平成二九法四四本条改正）
参 六八五

（清算人の職務及び権限並びに残余財産の分割方法）
第六八八条① 清算人の職務は、次のとおりとする。
一 現務の結了
二 債権の取立て及び債務の弁済
三 残余財産の引渡し
（平成一八法五〇本項全部改正）
② 清算人は、前項各号に掲げる職務を行うために必要な一切の行為をすることができる。（平成一八法五〇本項追加）
③ 残余財産は、各組合員の出資の価額に応じて分割する。

第十三節 終身定期金

（終身定期金契約）

第六八九条 終身定期金契約は、当事者の一方が、自己、相手方又は第三者の死亡に至るまで、定期に金銭その他の物を相手方又は第三者に給付することを約することによって、その効力を生ずる。

参【第三者のためにする契約→五三七―五三九【終身定期金の遺贈→六九四】

（終身定期金の計算）
第六九〇条 終身定期金は、日割りで計算する。

（終身定期金契約の解除）
第六九一条① 終身定期金債務者が終身定期金の元本を受領した場合において、その終身定期金の給付を怠り、又はその他の義務を履行しないときは、相手方は、元本の返還を請求することができる。この場合において、相手方は、既に受け取った終身定期金の中からその元本の利息を控除した残額を終身定期金債務者に返還しなければならない。
② 前項の規定は、損害賠償の請求を妨げない。
参❶六九二、六九三②【元本の返還の請求→五四〇】 ❷【損害賠償→四一五】

（終身定期金契約の解除と同時履行）
第六九二条 第五百三十三条〈同時履行の抗弁〉の規定は、前条の場合について準用する。

（終身定期金債権の存続の宣告）
第六九三条① 終身定期金債務者の責めに帰すべき事由によって第六百八十九条に規定する死亡が生じたときは、裁判所は、終身定期金債権者又はその相続人の請求により、終身定期金債権が相当の期間存続することを宣告することができる。
② 前項の規定は、第六百九十一条の権利の行使を妨げない。
参 六八九

（終身定期金の遺贈）

第六九四条 この節の規定は、終身定期金の遺贈について準用する。

参【遺贈→九六四、九八五―一〇〇三】

第十四節 和解

（和解）

第六九五条 和解は、当事者が互いに譲歩をしてその間に存する争いをやめることを約することによって、その効力を生ずる。

参【訴訟上の和解→民訴八九、二六七、二七五、民執二二⑦】

（和解の効力）

第六九六条　当事者の一方が和解によって争いの目的である権利を有するものと認められ、又は相手方がこれを有しないものと認められた場合において、その当事者の一方が従来その権利を有していなかった旨の確証又は相手方がこれを有していた旨の確証が得られたときは、その権利は、和解によってその当事者の一方に移転し、又は消滅したものとする。

【錯誤↓九五

第三章　事務管理

（事務管理）

第六九七条①　義務なく他人のために事務の管理を始めた者（以下この章において「管理者」という。）は、その事務の性質に従い、最も本人の利益に適合する方法によって、その事務の管理（以下「事務管理」という。）をしなければならない。

②　管理者は、本人の意思を知っているとき、又はこれを推知することができるときは、その意思に従って事務管理をしなければならない。

【事務管理の特則↓商七九二―八〇七【事務管理の準拠法↓法適用一四―一六

（緊急事務管理）

第六九八条　管理者は、本人の身体、名誉又は財産に対する急迫の危害を免れさせるために事務管理をしたときは、悪意又は重大な過失があるのでなければ、これによって生じた損害を賠償する責任を負わない。

六九七

（管理者の通知義務）

第六九九条　管理者は、事務管理を始めたことを遅滞なく本人に通知しなければならない。ただし、本人が既にこれを知っているときは、この限りでない。

六九七①【報告義務↓七〇一・六四五

（管理者による事務管理の継続）

第七〇〇条　管理者は、本人又はその相続人若しくは法定代理人が管理をすることができるに至るまで、事務管理を継続しなければならない。ただし、事務管理の継続が本人の意思に反し、又は本人に不利であることが明らかであるときは、この限りでない。

【法定代理人↓八一八②③・八一九・八三九―八四一・八四三・八七六の四・八七六の九【事務管理と本人の意思↓六九七②・七〇二③

（委任の規定の準用）

第七〇一条　第六百四十五条から第六百四十七条まで（受任者の義務と責任）の規定は、事務管理について準用する。

（管理者による費用の償還請求等）

第七〇二条①　管理者は、本人のために有益な費用を支出したときは、本人に対し、その償還を請求することができる。

②　第六百五十条第二項（受任者が負担した債務の代弁済請求）の規定は、管理者が本人のために有益な債務を負担した場合について準用する。

③　管理者が本人の意思に反して事務管理をしたときは、本人が現に利益を受けている限度においてのみ、前二項の規定を適用する。

❸【事務管理と本人の意思↓六九七②・七〇〇但【納付すべき者の意に反する登録料の納付↓特許一一〇②　+【事務管理と報酬の特則↓商七九二①

第四章　不当利得

（不当利得の返還義務）

第七〇三条　法律上の原因なく他人の財産又は労務によって利益を受け、そのために他人に損失を及ぼした者（以下この章において「受益者」という。）は、その利益の存する限度において、これを返還する義務を負う。

【本条の特則↓一二一の二①・一八九・一九六②・五四五①・七七八の三・七八六④【現に利益を受けている限度での返還↓三二②・一二一の二②③・二四八・四六二②・七四八②、手八五、小七二【不当利得の準拠法↓法適用一四―一六

（悪意の受益者の返還義務等）

第七〇四条　悪意の受益者は、その受けた利益に利息を付して返還しなければならない。この場合において、なお損害があるときは、その賠償の責任を負う。

七〇三【本条と類似の規定↓一九〇・七四八③【本条を準用する規定↓二四八【損害賠償↓七〇九

（債務の不存在を知ってした弁済）

第七〇五条　債務の弁済として給付をした者は、その時において債務の存在しないことを知っていたときは、その給付したものの返還を請求することができない。

【本条の特則↓保険三二

（期限前の弁済）

第七〇六条　債務者は、弁済期にない債務の弁済として給付をしたときは、その給付したものの返還を請求することができない。ただし、債務者が錯誤によってその給付をしたときは、債権者は、これによって得た利益を返還しなければならない。

七〇三【弁済期↓一三五―一三七・四一二

（他人の債務の弁済）

第七〇七条①　債務者でない者が錯誤によって債務の弁済をした場合において、債権者が善意で証書を滅失させ若しくは損傷し、担保を放棄し、又は時効によってその債権を失ったときは、その弁済をした者は、返還の請求をすることができない。

②　前項の規定は、弁済をした者から債務者に対する求償権の行使を妨げない。

【第三者の弁済↓四七四【債権の消滅時効↓一六六①・一六七―一六九　❶【弁済と債権証書↓四八七　❷七〇三【弁済による代位↓四九九

（不法原因給付）

第七〇八条　不法な原因のために給付をした者は、その給付したものの返還を請求することができない。ただし、不法な原因が受益者についてのみ存したときは、

民法

この限りでない。

参【不法の原因→九〇

第五章　不法行為

（不法行為による損害賠償）
第七〇九条　故意又は過失によって他人の権利又は法律上保護される利益を侵害した者は、これによって生じた損害を賠償する責任を負う。（平成一六法一四七本条改正）
参【法人の不法行為責任→一般法人七八、一九七、会社三五〇・六〇〇【占有侵害と損害賠償→一九八―二〇二【不法行為に関する特則→憲一七、四〇、国賠、失火、製造物三、自賠三、四、独禁二五、二六、特許一〇〇―一〇六、不正競争二―一四、著作一一二―一一八【定期金賠償を命じた判決の変更の訴え→民訴一一七【損害額の認定→民訴二四八【不法行為に基づく損害賠償債権と免責の除外→破二五三①[二][三]【責任制限→船主責任制限【免責条項の無効→消費契約八①[三][四]【損害賠償の保障→自賠【労働者の災害補償→労基七五―八八、労災【社会保障による給付との関係→労基八四②、労災一二の四【不法行為と裁判籍→民訴三の三[四]・五[九]【不法行為の準拠法→法適用一七―二二【公害と環境保全→環境基、公害犯罪【不法行為の紛争処理→民調三三、公害紛争【不法行為債権の特殊性→五〇九、破二五三①[二][三]【契約責任との関係→国際海運一六

失火ノ責任ニ関スル法律（明治三二・三・八法四〇）
民法第七百九条ノ規定ハ失火ノ場合ニハ之ヲ適用セス但シ失火者ニ重大ナル過失アリタルトキハ此ノ限ニ在ラス

（財産以外の損害の賠償）

第七一〇条　他人の身体、自由若しくは名誉を侵害した場合又は他人の財産権を侵害した場合のいずれであるかを問わず、前条の規定により損害賠償の責任を負う者は、財産以外の損害に対しても、その賠償をしなければならない。

参七一二【名誉毀損→七二三

（近親者に対する損害の賠償）

第七一一条　他人の生命を侵害した者は、被害者の父母、配偶者及び子に対しては、その財産権が侵害されなかった場合においても、損害の賠償をしなければならない。

参七一〇【子→七二一

（責任能力）

第七一二条　未成年者は、他人に損害を加えた場合において、自己の行為の責任を弁識するに足りる知能を備えていなかったときは、その行為について賠償の責任を負わない。

参七一四【未成年者→四【未成年者の刑事責任→刑四一、少

第七一三条　精神上の障害により自己の行為の責任を弁識する能力を欠く状態にある間に他人に損害を加えた者は、その賠償の責任を負わない。ただし、故意又は過失によって一時的にその状態を招いたときは、この限りでない。（平成一一法一四九本条改正）
参七一四【責任弁識能力を欠く状態→七【心神喪失者の刑事責任→刑三九

（責任無能力者の監督義務者等の責任）
第七一四条①　前二条の規定により責任無能力者がその責任を負わない場合において、その責任無能力者を監督する法定の義務を負う者は、その責任無能力者が第三者に加えた損害を賠償する責任を負う。ただし、監督義務者がその義務を怠らなかったとき、又はその義務を怠らなくても損害が生ずべきであったときは、この限りでない。
②　監督義務者に代わって責任無能力者を監督する者も、前項の責任を負う。
参【法定の監督義務者→八二〇、八三三、八六七、八五七、八五八

（使用者等の責任）
第七一五条①　ある事業のために他人を使用する者は、被用者がその事業の執行について第三者に加えた損害を賠償する責任を負う。ただし、使用者が被用者の選任及びその事業の監督について相当の注意をしたとき、又は相当の注意をしても損害が生ずべきであったときは、この限りでない。
②　使用者に代わって事業を監督する者も、前項の責任を負う。
③　前二項の規定は、使用者又は監督者から被用者に対する求償権の行使を妨げない。
参【法人の不法行為責任→一般法人七八、一九七、会社三五〇・六〇〇【本条の特則→製造物三、自賠三、国賠一・三―六【船舶所有者の責任→商六九〇　❸【本項の特則→国賠一②

（注文者の責任）

第七一六条　注文者は、請負人がその仕事について第三者に加えた損害を賠償する責任を負わない。ただし、注文又は指図についてその注文者に過失があったときは、この限りでない。

参【請負→六三二

（土地の工作物等の占有者及び所有者の責任）
第七一七条①　土地の工作物の設置又は保存に瑕疵があることによって他人に損害を生じたときは、その工作物の占有者は、被害者に対してその損害を賠償する責任を負う。ただし、占有者が損害の発生を防止するのに必要な注意をしたときは、所有者がその損害を賠償しなければならない。
②　前項の規定は、竹木の栽植又は支持に瑕疵がある場合について準用する。
③　前二項の場合において、損害の原因について他にその責任を負う者があるときは、占有者又は所有者は、その者に対して求償権を行使することができる。
参【本条の特則→国賠二―六

（動物の占有者等の責任）
第七一八条①　動物の占有者は、その動物が他人に加えた損害を賠償する責任を負う。ただし、動物の種類及び性質に従い相当の注意をもってその管理をしたときは、この限りでない。
②　占有者に代わって動物を管理する者も、前項の責任を負う。

（共同不法行為者の責任）

第七一九条① 数人が共同の不法行為によって他人に損害を加えたときは、各自が連帯してその損害を賠償する責任を負う。共同行為者のうちいずれの者がその損害を加えたかを知ることができないときも、同様とする。

② 行為者を教唆した者及び幇助した者は、共同行為者とみなして、前項の規定を適用する。

参❶【連帯債務→四三六―四四五　❷【教唆者→刑六一【幇助者→刑六二

（正当防衛及び緊急避難）

第七二〇条① 他人の不法行為に対し、自己又は第三者の権利又は法律上保護される利益を防衛するため、やむを得ず加害行為をした者は、損害賠償の責任を負わない。ただし、被害者から不法行為をした者に対する損害賠償の請求を妨げない。（平成一六法一四七本項改正）

② 前項の規定は、他人の物から生じた急迫の危難を避けるためその物を損傷した場合について準用する。

参❶【刑法上の正当防衛→刑三六、盗犯　❷【刑法上の緊急避難→刑三七

（損害賠償請求権に関する胎児の権利能力）

第七二一条 胎児は、損害賠償の請求権については、既に生まれたものとみなす。

参七二一【権利能力の始期→三①

（損害賠償の方法、中間利息の控除及び過失相殺）

第七二二条① 第四百十七条（損害賠償の方法）及び第四百十七条の二（中間利息の控除）の規定は、不法行為による損害賠償について準用する。（平成二九法四四本項改正）

② 被害者に過失があったときは、裁判所は、これを考慮して、損害賠償の額を定めることができる。

参❶【金銭賠償の原則の例外→七二三、不正競争一四　❷【債務不履行と過失相殺→四一八【本項の特則→商七八八

（名誉毀損における原状回復）

第七二三条 他人の名誉を毀損した者に対しては、裁判所は、被害者の請求により、損害賠償に代えて、又は損害賠償とともに、名誉を回復するのに適当な処分を命ずることができる。

参七一〇、七二二①、刑二三〇―二三二【類似の規定→特許一〇六、不正競争一四、著作一一五、一一六

（不法行為による損害賠償請求権の消滅時効）

第七二四条 不法行為による損害賠償の請求権は、次に掲げる場合には、時効によって消滅する。

一 被害者又はその法定代理人が損害及び加害者を知った時から三年間行使しないとき。

二 不法行為の時から二十年間行使しないとき。

（平成二九法四四本条全部改正）

参【時効→一四四―一五四、一六六①、一六七―一六九【本条の特則→独禁二六②、製造物五、自賠一九　【一】【法定代理人→八一八②③、八一九、八三九―八四一、八四三、八七六の四、八七六の九

（人の生命又は身体を害する不法行為による損害賠償請求権の消滅時効）

第七二四条の二 人の生命又は身体を害する不法行為による損害賠償請求権の消滅時効についての前条第一号の規定の適用については、同号中「三年間」とあるのは、「五年間」とする。（平成二九法四四本条追加）

参一六六①〔一〕

第四編　親族（昭和二二法二二二本編全部改正）

第一章　総則

（親族の範囲）

第七二五条 次に掲げる者は、親族とする。

一 六親等内の血族

二 配偶者

三 三親等内の姻族

参七二六―七二九【親族関係の準拠法→法適用三三【親族関係の主要な効果→七三〇、七三四―七三六、八七七、八八七―八九〇、一〇五〇【親族間の犯罪の特則→刑一〇五、二四四、二五一、二五五、二五七

（親等の計算）

第七二六条① 親等は、親族間の世代数を数えて、これを定める。

② 傍系親族の親等を定めるには、その一人又はその配偶者から同一の祖先にさかのぼり、その祖先から他の一人に下るまでの世代数による。

参七二五

（縁組による親族関係の発生）

第七二七条 養子と養親及びその血族との間においては、養子縁組の日から、血族間におけるのと同一の親族関係を生ずる。

参【養子縁組による嫡出子関係の発生→八〇九【養子縁組の日→七九九、七三九【血族間における親族関係→七二五〔一〕【縁組による親族関係の終了→七二九、八〇三―八〇八

（離婚等による姻族関係の終了）

第七二八条① 姻族関係は、離婚によって終了する。

② 夫婦の一方が死亡した場合において、生存配偶者が姻族関係を終了させる意思を表示したときも、前項と同様とする。

参【姻族関係終了の効果→七三〇、七三五、八七七②　❶【姻族関係→七二五〔三〕【離婚→七六三―七七一【離婚に準ずべきもの→七四三―七四九　❷【意思表示の届出→戸九六【意思表示の効果→七五一、七六九

（離縁による親族関係の終了）

第七二九条 養子及びその配偶者並びに養子の直系卑属及びその配偶者と養親及びその血族との親族関係は、離縁によって終了する。

参七二七【離縁→八一一―八一七、八一七の一〇、八一七の一一【離縁に準ずべきもの→八〇三―八〇八【婚姻障害の存続→七三六

（親族間の扶け合い）

第七三〇条 直系血族及び同居の親族は、互いに扶け合わなければならない。

参【扶養義務→八七七【夫婦の協力・扶助→七五二

第二章　婚姻

第一節　婚姻の成立

第一款　婚姻の要件

参+【婚姻と両性の平等↓憲二四①【婚姻の成立要件の準拠法↓法適用二四

（婚姻適齢）

第七三一条　婚姻は、十八歳にならなければ、することができない。（平成三〇法五九本条全部改正）

参+【年齢の計算↓年齢計算【本条違反の婚姻↓七四〇、七四四、七四五

（重婚の禁止）

第七三二条　配偶者のある者は、重ねて婚姻をすることができない。

参+【本条違反の婚姻↓七四〇、七四四、七七〇①[一]【失踪宣告の取消しと重婚↓三二①但【重婚と親子関係↓七七三【重婚の罪↓刑一八四

第七三三条　**【再婚禁止期間】**　削除（令和四法一〇二）

（近親者間の婚姻の禁止）

第七三四条①　直系血族又は三親等内の傍系血族の間では、婚姻をすることができない。ただし、養子と養方の傍系血族との間では、この限りでない。

②　第八百十七条の九の規定により親族関係が終了した後も、前項と同様とする。（昭和六二法一〇一本項追加）

参+【血族↓七二七、七二九、七三六【親等↓七二六【本条違反の婚姻↓七四〇、七四四

（直系姻族間の婚姻の禁止）

第七三五条　直系姻族の間では、婚姻をすることができない。第七百二十八条又は第八百十七条の九の規定により姻族関係が終了した後も、同様とする。（昭和六二法一〇一本条改正）

参+【姻族関係↓七二五[三]【本条違反の婚姻↓七四〇、七四四

（養親子等の間の婚姻の禁止）

第七三六条　養子若しくはその配偶者又は養子の直系卑属若しくはその配偶者と養親又はその直系尊属との間では、第七百二十九条の規定により親族関係が終了した後でも、婚姻をすることができない。

参+【養子縁組による親族関係↓七二七【近親婚の禁止↓七三四【本条違反の婚姻↓七四〇、七四四

第七三七条　**【未成年者の婚姻についての父母の同意】**　削除（平成三〇法五九）

（成年被後見人の婚姻）

第七三八条　成年被後見人が婚姻をするには、その成年後見人の同意を要しない。（平成一一法一四九本条改正）

参+【成年被後見人↓七一九【成年後見人↓八四三【意思能力↓三の二

（婚姻の届出）

第七三九条①　婚姻は、戸籍法（昭和二十二年法律第二百二十四号）の定めるところにより届け出ることによって、その効力を生ずる。

②　前項の届出は、当事者双方及び成年の証人二人以上が署名した書面で、又はこれらの者から口頭で、しなければならない。

参+❶【婚姻の届出↓戸七四【届出の受理↓七四〇【届出のない婚姻の無効↓七四二[二]【在外日本人間の婚姻の方式↓七四一【内縁関係の保護↓九五八の二、借地借家三六、労基七九、労災一一・一六の二・一六の七、厚年三②【婚姻と戸籍の記載↓戸六、一六、一四①、二三　❷【証人↓戸三三

（婚姻の届出の受理）

第七四〇条　婚姻の届出は、その婚姻が第七百三十一条、第七百三十二条、第七百三十四条から第七百三十六条まで及び前条第二項の規定その他の法令の規定に違反しないことを認めた後でなければ、受理することができない。（令和四法一〇二本条改正）

参+【その他の法令↓法適用二四【違反婚姻の効果↓七四三―七四五、七四二[二]但【不受理と不服申立て↓戸一二二、家事三九、別表第一（百二十五の項）

（外国に在る日本人間の婚姻の方式）

第七四一条　外国に在る日本人間で婚姻をしようとするときは、その国に駐在する日本の大使、公使又は領事にその届出をすることができる。この場合においては、前二条の規定を準用する。

参+【外国における届出↓戸四〇―四二【本籍地への届出も可↓戸二五

第二款　婚姻の無効及び取消し

参+【婚姻の成立要件の準拠法↓法適用二四

（婚姻の無効）

第七四二条　婚姻は、次に掲げる場合に限り、無効とする。

一　人違いその他の事由によって当事者間に婚姻をする意思がないとき。

二　当事者が婚姻の届出をしないとき。ただし、その届出が第七百三十九条第二項に定める方式を欠くだけであるときは、婚姻は、そのためにその効力を妨げられない。

参+【婚姻無効の訴え↓人訴二、三の二―三〇【婚姻無効の審判↓家事二七七、二七九【婚姻の無効と戸籍の訂正↓戸一一四―一一六　[一]【詐欺又は強迫による婚姻の取消し↓七四七　[二]【婚姻の届出↓七三九、七四一

（婚姻の取消し）

第七四三条　婚姻は、次条、第七百四十五条及び第七百四十七条の規定によらなければ、取り消すことができない。（令和四法一〇二本条改正）

参+【婚姻届出の際の審査↓七四〇【婚姻取消しの訴え↓人訴二、三の二―四〇【婚姻取消しの審判↓家事二七七、二七九【婚姻取消しの届出↓戸七五、七五の二【婚姻取消しの効果↓七四八、七四九

（不適法な婚姻の取消し）

第七四四条①　第七百三十一条、第七百三十二条及び第七百三十四条から第七百三十六条までの規定に違反した婚姻は、各当事者、その親族又は検察官から、その取消しを家庭裁判所に請求することができる。ただし、検察官は、当事者の一方が死亡した後は、これを請求することができない。（平成一五法一〇九本項改正）

② 第七百三十二条の規定に違反した婚姻については、前婚の配偶者も、その取消しを請求することができる。
（令和四法一〇二本条改正）

参【婚姻の取消し→七四三参【親族→七二五【婚姻取消権の消滅→七四五

（**不適齢者の婚姻の取消し**）
第七四五条① 第七百三十一条の規定に違反した婚姻は、不適齢者が適齢に達したときは、その取消しを請求することができない。
② 不適齢者は、適齢に達した後、なお三箇月間は、その婚姻の取消しを請求することができる。ただし、適齢に達した後に追認をしたときは、この限りでない。
参七四四【追認→一二二、一二三

第七四六条【再婚禁止期間内にした婚姻の取消し】 削除
（令和四法一〇二）

（**詐欺又は強迫による婚姻の取消し**）
第七四七条① 詐欺又は強迫によって婚姻をした者は、その婚姻の取消しを家庭裁判所に請求することができる。（平成一五法一〇九本項改正）
② 前項の規定による取消権は、当事者が、詐欺を発見し、若しくは強迫を免れた後三箇月を経過し、又は追認をしたときは、消滅する。
参【婚姻の取消し→七四三参【追認→一二二、一二三【婚姻無効の場合→七四二㈡

（**婚姻の取消しの効力**）
第七四八条① 婚姻の取消しは、将来に向かってのみその効力を生ずる。
② 婚姻の時においてその取消しの原因があることを知らなかった当事者が、婚姻によって財産を得たときは、現に利益を受けている限度において、その返還をしなければならない。
③ 婚姻の時においてその取消しの原因があることを知っていた当事者は、婚姻によって得た利益の全部を返還しなければならない。この場合において、相手方が善意であったときは、これに対して損害を賠償する責任を負う。
参七四三—七四七【財産法上の取消しの効力→一二一【婚姻の取消しのその他の効果→七四九、七二八①、七七二、七八九、八一九【利益の返還と不当利得→七〇三、七〇四

（**離婚の規定の準用**）
第七四九条 第七百二十八条第一項〈離婚による姻族関係の終了〉、第七百六十六条から第七百六十九条まで〈協議上の離婚の効果〉、第七百九十条第一項ただし書〈子の氏〉並びに第八百十九条第二項、第三項及び第五項から第七項まで〈離婚の際の親権者の決定〉の規定は、婚姻の取消しについて準用する。（平成一五法一〇九、令和六法三三本条改正）

＊**令和六法三三（令和八・五・二三までに施行）による改正**
第七四九条中、「第五項及び第六項」は「及び第五項から第七項まで」に改められた。（本文織込み済み）

参七四三—七四七、七四八【復氏と戸籍→戸一九①、二三【渉外婚姻の場合と氏の変更→戸一〇七③、二〇の二①【裁判所による子の監護・財産分与の決定→人訴三の四、三二、家事三八、三の一〇、三の一二、三九、別表第二〈三の項〉〈四の項〉・二四四

第二節　婚姻の効力

参【婚姻の効力の準拠法→法適用二五

（**夫婦の氏**）

第七五〇条 夫婦は、婚姻の際に定めるところに従い、夫又は妻の氏を称する。

参【氏の届出→戸七四㈠【戸籍の記載→戸六、一六、一四①【復氏→七五一、七六七【渉外婚姻と氏の変更→戸一〇七②③、二〇の二①

（**生存配偶者の復氏等**）
第七五一条① 夫婦の一方が死亡したときは、生存配偶者は、婚姻前の氏に復することができる。
② 第七百六十九条〈離婚による復氏の際の権利の承継〉の規定は、前項及び第七百二十八条第二項の場合について準用する。
参七五〇 ❶【渉外婚姻の場合と氏の変更→戸一〇七③、二〇の二①【復氏の届出→戸九五、一九②、二三

（**同居、協力及び扶助の義務**）

第七五二条 夫婦は同居し、互いに協力し扶助しなければならない。

参【事件の処理→家事三の一〇、三九、別表第二〈一の項〉・二四四【悪意の遺棄と離婚→七七〇①㈡【親族間の互助→七三〇【扶助義務→七六〇【扶養義務→八七七

第七五三条及び第七五四条【婚姻による成年擬制、夫婦間の契約の取消権】 削除（平成三〇法五九、令和六法三三）

＊**令和六法三三（令和八・五・二三までに施行）による改正前**
第七五三条【婚姻による成年擬制】 削除
（**夫婦間の契約の取消権**）
第七五四条 夫婦間でした契約は、婚姻中、いつでも、夫婦の一方からこれを取り消すことができる。ただし、第三者の権利を害することはできない。

第三節　夫婦財産制

参【夫婦財産制の準拠法→法適用二六

第一款　総則

（**夫婦の財産関係**）

第七五五条 夫婦が、婚姻の届出前に、その財産について別段の契約をしなかったときは、その財産関係は、次款に定めるところによる。

参【婚姻の届出→七三九【別段の契約→七五六

（**夫婦財産契約の対抗要件**）

第七五六条 夫婦が法定財産制と異なる契約をしたときは、婚姻の届出までにその登記をしなければ、これを夫婦の承継人及び第三者に対抗することができない。

参【法定財産制→七五五、七六〇—七六二【婚姻の届出→七三九

第七五七条【同前—外国人の場合】 削除（平成一法二七）

第七五八条① 夫婦の財産関係は、婚姻の届出後は、変更することができない。

② 夫婦の一方が、他の一方の財産を管理する場合において、管理が失当であったことによってその財産を危うくしたときは、他の一方は、自らその管理をすることを家庭裁判所に請求することができる。

③ 共有財産については、前項の請求とともに、その分割を請求することができる。

参❶【夫婦の財産関係→七五五、七五六【婚姻の届出→七三九 ❷❸【家庭裁判所への請求→家事三九、別表第一〈五十八の項〉【共有財産の分割→七六二②、二五六、二五八【第三者対抗要件→七五六、七五九

（財産の管理者の変更及び共有財産の分割の対抗要件）

第七五九条 前条の規定又は第七百五十五条の契約の結果により、財産の管理者を変更し、又は共有財産の分割をしたときは、その登記をしなければ、これを夫婦の承継人及び第三者に対抗することができない。

参七五六

第二款　法定財産制

（婚姻費用の分担）

第七六〇条 夫婦は、その資産、収入その他一切の事情を考慮して、婚姻から生ずる費用を分担する。

参【法定財産制の性質→七五五【夫婦の扶助義務→七五二【事件の処理→家事三の一〇、三九、別表第二〈二の項〉、二四四

（日常の家事に関する債務の連帯責任）

第七六一条 夫婦の一方が日常の家事に関して第三者と法律行為をしたときは、他の一方は、これによって生じた債務について、連帯してその責任を負う。ただし、第三者に対し責任を負わない旨を予告した場合は、この限りでない。

参七六〇【連帯→四三六—四四五

（夫婦間における財産の帰属）

第七六二条① 夫婦の一方が婚姻前から有する財産及び婚姻中自己の名で得た財産は、その特有財産（夫婦の一方が単独で有する財産をいう。）とする。

② 夫婦のいずれに属するか明らかでない財産は、その共有に属するものと推定する。

参❶【婚姻の成立時期→七三九 ❷【共有→二四九—二六二、二六四

第四節　離婚

参【離婚の準拠法→法適用二七

第一款　協議上の離婚

（協議上の離婚）

第七六三条 夫婦は、その協議で、離婚をすることができる。

参七六四、七六五【未成年者→四【離婚の効果→七六六—七六九、七二八①、七三五【協議以外の方法による離婚→七七〇・七七一、人訴二、家事二四四、二五七、二六八、二八四、戸七七

（婚姻の規定の準用）

第七六四条 第七百三十八条〈成年被後見人の婚姻〉、第七百三十九条〈婚姻の届出〉及び第七百四十七条〈詐欺又は強迫による婚姻の取消し〉の規定は、協議上の離婚について準用する。

参【離婚の届出→七六五、戸七六【不受理申出→戸二七の二③—⑤【詐欺・強迫による離婚の取消し→人訴二、三の二—四〇、家事二七七、二七九、戸七七

（離婚の届出の受理）

第七六五条① 離婚の届出は、その離婚が前条において準用する第七百三十九条第二項の規定その他の法令の規定に違反しないこと及び夫婦間に成年に達しない子がある場合には次の各号のいずれかに該当することを認めた後でなければ、受理することができない。

一　親権者の定めがされていること。（令和六法三三本号追加）

二　親権者の指定を求める家事審判又は家事調停の申立てがされていること。（令和六法三三本号追加）

（令和六法三三本項改正）

> **＊令和六法三三（令和八・五・二三までに施行）による改正前**
>
> ① 離婚の届出は、その離婚が前条において準用する第七百三十九条第二項の規定及び第八百十九条第一項の規定その他の法令の規定に違反しないことを認めた後でなければ、受理することができない。
>
> 一・二（改正により追加）

② 離婚の届出が前項の規定に違反して受理されたときであっても、離婚は、そのために その効力を妨げられない。

参【離婚の届出→七六四参【その他の法令→法適用二七、三四

（離婚後の子の監護に関する事項の定め等）

第七六六条① 父母が協議上の離婚をするときは、子の監護をすべき者又は子の監護の分掌、父又は母と子との交流、子の監護に要する費用の分担その他の子の監護について必要な事項は、その協議で定める。この場合においては、子の利益を最も優先して考慮しなければならない。（令和六法三三本項改正）

> **＊令和六法三三（令和八・五・二三までに施行）による改正前**
>
> ① 父母が協議上の離婚をするときは、子の監護をすべき者、父又は母と子との面会及びその他の交流、子の監護に要する費用の分担その他の子の監護について必要な事項は、その協議で定める。この場合においては、子の利益を最も優先して考慮しなければならない。

② 前項の協議が調わないとき、又は協議をすることができないときは、家庭裁判所が、同項の事項を定める。（平成二三法六一本項追加）

③ 家庭裁判所は、必要があると認めるときは、前二項の規定による定めを変更し、その他子の監護について相当な処分を命ずることができる。

④ 前三項の規定によっては、監護の範囲外では、父母

の権利義務に変更を生じない。
（平成二三法六一本条改正）

参 七六三 ❶【子の監護↓八二〇―八二二 ❷❸【家庭裁判所の処分↓家事三の一〇・三九・別表第二〈三の項〉・二四四 ❹【監護の範囲外の父母の権利義務の例↓八二三―八三三・八七七 【監護者によるわいせつ等↓刑一七九

（審判による父母以外の親族と子との交流の定め）
第七六六条の二① 家庭裁判所は、前条第二項又は第三項の場合において、子の利益のため特に必要があると認めるときは、同条第一項に規定する子の監護について必要な事項として父母以外の親族と子との交流を実施する旨を定めることができる。
② 前項の定めについての前条第二項又は第三項の規定による審判の請求は、次に掲げる者（第二号に掲げる者にあっては、その者と子との交流についての定めをするため他に適当な方法がないときに限る。）がすることができる。
一 父母
二 父母以外の子の親族（子の直系尊属及び兄弟姉妹以外の者にあっては、過去に当該子を監護していた者に限る。）
（令和六法三三本条追加）

＊令和六法三三（令和八・五・二三までに施行）により第七六六条の二追加

参 七六六②③ ❶【親族↓七二五 ❷［二］【直系尊属↓八八九①【兄弟姉妹↓八八九①

（子の監護に要する費用の分担の定めがない場合の特例）
第七六六条の三① 父母が子の監護に要する費用の分担についての定めをすることなく協議上の離婚をした場合には、父母の一方であって離婚の時から引き続きその子の監護を主として行うものは、他の一方に対し、離婚の日から、次に掲げる日のいずれか早い日までの間、毎月末に、その子の監護に要する費用の分担として、父母の扶養を受けるべき子の最低限度の生活の維持に要する標準的な費用の額その他の事情を勘案して子の数に応じて法務省令で定めるところにより算定した額の支払を請求することができる。ただし、当該他の一方は、支払能力を欠くためにその支払をすることができないこと又はその支払をすることによってその生活が著しく窮迫することを証明したときは、その全部又は一部の支払を拒むことができる。
一 父母がその協議により子の監護に要する費用の分担についての定めをした日
二 子の監護に要する費用の分担についての審判が確定した日
三 子が成年に達した日
② 離婚の日の属する月又は前項各号に掲げる日のいずれか早い日の属する月における同項の額は、法務省令で定めるところにより日割りで計算する。
③ 家庭裁判所は、第七百六十六条第二項又は第三項の規定により子の監護に要する費用の分担についての定めをし又はその定めを変更する場合には、第一項の規定による債務を負う他の一方の支払能力を考慮して、当該債務の全部若しくは一部の免除又は支払の猶予その他相当な処分を命ずることができる。
（令和六法三三本条追加）

＊令和六法三三（令和八・五・二三までに施行）により第七六六条の三追加

参 七六六①

（離婚による復氏等）
第七六七条① 婚姻によって氏を改めた夫又は妻は、協議上の離婚によって婚姻前の氏に復する。
② 前項の規定により婚姻前の氏に復した夫又は妻は、離婚の日から三箇月以内に戸籍法の定めるところにより届け出ることによって、離婚の際に称していた氏を称することができる。（昭和五一法六六本項追加）

参 七六三・七六九【婚姻による改氏↓七五〇【子の氏↓七九〇 ❶【復氏と戸籍↓戸一九①・一二三 【渉外離婚と氏の変更↓戸一〇七③・二〇の二① ❷【戸籍の届出↓戸七七の二

（財産分与）
第七六八条① 協議上の離婚をした者の一方は、相手方に対して財産の分与を請求することができる。
② 前項の規定による財産の分与について、当事者間に協議が調わないとき、又は協議をすることができないときは、当事者は、家庭裁判所に対して協議に代わる処分を請求することができる。ただし、離婚の時から五年を経過したときは、この限りでない。（令和六法三三本項改正）
③ 前項の場合には、家庭裁判所は、離婚後の当事者間の財産上の衡平を図るため、当事者双方がその婚姻中に取得し、又は維持した財産の額及びその取得又は維持についての各当事者の寄与の程度、婚姻の期間、婚姻中の生活水準、婚姻中の協力及び扶助の状況、各当事者の年齢、心身の状況、職業及び収入その他一切の事情を考慮して、分与をさせるべきかどうか並びに分与の額及び方法を定める。この場合において、婚姻中の財産の取得又は維持についての各当事者の寄与の程度は、その程度が異なることが明らかでないときは、相等しいものとする。（令和六法三三本項改正）

＊令和六法三三（令和八・五・二三までに施行）による改正前

（財産分与）
第七六八条① （略）
② 前項の規定による財産の分与について、当事者間に協議が調わないとき、又は協議をすることができないときは、当事者は、家庭裁判所に対して協議に代わる処分を請求することができる。ただし、離婚の時から二年を経過したときは、この限りでない。
③ 前項の場合には、家庭裁判所は、当事者双方がその協力によって得た財産の額その他一切の事情を考慮して、分与をさせるべきかどうか並びに分与の額及び方法を定める。

参 ❷【家庭裁判所の処分↓家事三の一二・三九・別表第二〈四の項〉・二四四 【離婚をした当事者間の扶養義務の準拠法↓扶養準拠法四①

（離婚による復氏の際の権利の承継）

第七六九条① 婚姻によって氏を改めた夫又は妻が、第八百九十七条第一項の権利を承継した後、協議上の離婚をしたときは、当事者その他の関係人の協議で、その権利を承継すべき者を定めなければならない。

② 前項の協議が調わないとき、又は協議をすることができないときは、同項の権利を承継すべき者は、家庭裁判所がこれを定める。

参 ❶【婚姻による改氏】→七五〇【離婚による復氏】→七六七① ❷【家庭裁判所の処理】→家事三九、別表第二〈五の項〉、二四四

第二款　裁判上の離婚

（裁判上の離婚）

第七七〇条① 夫婦の一方は、次に掲げる場合に限り、離婚の訴えを提起することができる。

一 配偶者に不貞な行為があったとき。

二 配偶者から悪意で遺棄されたとき。

三 配偶者の生死が三年以上明らかでないとき。

四 その他婚姻を継続し難い重大な事由があるとき。

② 裁判所は、前項第一号から第三号までに掲げる事由がある場合であっても、一切の事情を考慮して婚姻の継続を相当と認めるときは、離婚の請求を棄却することができる。

（令和六法三三本条改正）

＊令和六法三三（令和八・五・二三までに施行）による改正前

（裁判上の離婚）

第七七〇条①（柱書略）

一―三（略）

四 配偶者が強度の精神病にかかり、回復の見込みがないとき。（改正により削られた）

五（略、改正後の四）

② 裁判所は、前項第一号から第四号までに掲げる事由がある場合であっても、一切の事情を考慮して婚姻の継続を相当と認めるときは、離婚の請求を棄却することができる。

参 ❶七七一【離婚の訴え】→人訴二、三の二―三〇【裁判上の離婚の届出】→戸七七【訴え以外の方法による離婚】→七六三、七六三

参 [二]【夫婦の同居・扶助義務】→七五二 [三]【生死不明と失踪宣告】→三〇、三一

（協議上の離婚の規定の準用）

第七七一条 第七百六十六条から第七百六十九条まで〈協議上の離婚の効果〉の規定は、裁判上の離婚について準用する。

参 七七〇【親権者の決定】→八一九②【裁判所による子の監護・財産分与の決定】→人訴三の四、三二

第三章　親子

第一節　実子

生殖補助医療の提供等及びこれにより出生した子の親子関係に関する民法の特例に関する法律（令和二・一二・一一法七六）（抜粋）

第一章 総則

（定義）

第二条① この法律において「生殖補助医療」とは、人工授精又は体外受精若しくは体外受精胚移植を用いた医療をいう。

② 前項において「人工授精」とは、男性から提供され、処置された精子を、女性の生殖器に注入することをいい、「体外受精」とは、女性の卵巣から採取され、処置された未受精卵を、男性から提供され、処置された精子により受精させることをいい、「体外受精胚移植」とは、体外受精により生じた胚を女性の子宮に移植することをいう。

第三章 生殖補助医療により出生した子の親子関係に関する民法の特例

（他人の卵子を用いた生殖補助医療により出生した子の母）

第九条 女性が自己以外の女性の卵子（その卵子に由来する胚を含む。）を用いた生殖補助医療により子を懐胎し、出産したときは、その出産をした女性をその子の母とする。

（他人の精子を用いる生殖補助医療により出生した子についての嫡出否認の特則）

第一〇条 妻が、夫の同意を得て、夫以外の男性の精子（その精子に由来する胚を含む。）を用いた生殖補助医療により懐胎した子については、夫、子又は妻は、民法第七百七十四条第一項及び第三項の規定にかかわらず、その子が嫡出であることを否認することができない。

（嫡出の推定）

第七七二条① 妻が婚姻中に懐胎した子は、当該婚姻における夫の子と推定する。女が婚姻前に懐胎した子であって、婚姻が成立した後に生まれたものも、同様とする。

② 前項の場合において、婚姻の成立の日から二百日以内に生まれた子は、婚姻前に懐胎したものと推定し、婚姻の成立の日から二百日を経過した後又は婚姻の解消若しくは取消しの日から三百日以内に生まれた子は、婚姻中に懐胎したものと推定する。

③ 第一項の場合において、女が子を懐胎した時から子の出生の時までの間に二以上の婚姻をしていたときは、その子は、その出生の直近の婚姻における夫の子と推定する。（令和四法一〇二本項追加）

④ 前三項の規定により父が定められた子について、第七百七十四条の規定によりその父の嫡出であることが否認された場合における前項の規定の適用については、同項中「直近の婚姻」とあるのは、「直近の婚姻（第七百七十四条の規定により子がその嫡出であることが否認された夫との間の婚姻を除く。）」とする。（令和四法一〇二本項追加）

（令和四法一〇二本条改正）

参 七七二―七七八の二【出生の届出】→戸四九―五三【嫡出子の地位】→七九〇①、八一八②、八一九①―③⑤⑥【嫡出を決する準拠法】→法適用二八【生殖補助医療の特例】→生殖補助医療特九、一〇 ❷【婚姻成立の日】→七三九【前婚の解消又は取消しの日】→七三九、七四三、七六四、七七〇 ❹【父の嫡出であることが否認された場合】→七七四

（父を定めることを目的とする訴え）

第七七三条 第七百三十二条の規定に違反して婚姻をした女が出産した場合において、前条の規定によりその子の父を定めることができないときは、裁判所が、これを定める。（令和四法一〇二本条改正）

【父を定める訴え又は審判↓人訴二、三の二―三〇、四五、家事二七七、二七九【本条の場合の出生の届出↓戸五四【訴訟係属の利害関係人への通知↓人訴二八

（嫡出の否認）

第七七四条① 第七百七十二条の規定により子の父が定められる場合において、父又は子は、子が嫡出であることを否認することができる。

② 前項の規定による子の否認権は、親権を行う母、親権を行う養親又は未成年後見人が、子のために行使することができる。（令和四法一〇二本項追加）

③ 第一項に規定する場合において、母は、子が嫡出であることを否認することができる。ただし、その否認権の行使が子の利益を害することが明らかなときは、この限りでない。（令和四法一〇二本項追加）

④ 第七百七十二条第三項の規定により子の父が定められる場合において、子の懐胎の時から出生の時までの間に母と婚姻していた者であって、子の父以外のもの（以下「前夫」という。）は、子が嫡出であることを否認することができる。ただし、その否認権の行使が子の利益を害することが明らかなときは、この限りでない。（令和四法一〇二本項追加）

⑤ 前項の規定による否認権を行使し、第七百七十二条第四項の規定により読み替えられた同条第三項の規定により新たに子の父と定められた者は、第一項の規定にかかわらず、子が自らの嫡出であることを否認することができない。（令和四法一〇二本項追加）

七七五―七七八の四【嫡出否認の訴え又は審判↓人訴二、三の二―三〇、四一、家事二七七、二七九 ❷【親権を行う母↓八一八②③【親権を行う養親↓八一八③【未成年後見人↓八三九―八四一 ❸❹【子の利益↓八二〇

（令和四法一〇二本条改正）

（嫡出否認の訴え）

第七七五条① 次の各号に掲げる否認権は、それぞれ当該各号に定める者に対する嫡出否認の訴えによって行う。

一 父の否認権 子又は親権を行う母（令和四法一〇二本号追加）

二 子の否認権 父（令和四法一〇二本号追加）

三 母の否認権 父（令和四法一〇二本号追加）

四 前夫の否認権 父及び子又は親権を行う母（令和四法一〇二本号追加）

② 前項第一号又は第四号に掲げる否認権を親権を行う母に対し行使しようとする場合において、親権を行う母がないときは、家庭裁判所は、特別代理人を選任しなければならない。（令和四法一〇二本項追加）

（令和四法一〇二本条改正）

七七六―七七八の二【子の訴訟能力↓人訴一三【親権を行う母↓八一八②③【嫡出否認の訴え又は審判↓人訴二、三の二―三〇、四一、家事二七七、二七九 ❷【親権を行う母がないとき↓八一九、八三四、八三四の二、八三七【特別代理人の選任↓家事三の四、三九、別表第一〈五十九の項〉 †【否認の訴えの提起と出生の届出↓戸五三【判決の通知↓人訴四二

（嫡出の承認）

第七七六条 父又は母は、子の出生後において、その嫡出であることを承認したときは、それぞれその否認権を失う。（令和四法一〇二本条改正）

七七四

（嫡出否認の訴えの出訴期間）

第七七七条 次の各号に掲げる否認権の行使に係る嫡出否認の訴えは、それぞれ当該各号に定める時から三年以内に提起しなければならない。

一 父の否認権 父が子の出生を知った時（令和四法一〇二本号追加）

二 子の否認権 その出生の時（令和四法一〇二本号追加）

三 母の否認権 子の出生の時（令和四法一〇二本号追加）

四 前夫の否認権 前夫が子の出生を知った時（令和四法一〇二本号追加）

（令和四法一〇二本条改正）

七七四、七七五、七七八、七七八の二【夫死亡後の嫡出否認の訴えの提起期間↓人訴四一 ❶[四]【前夫↓七七四④

第七七八条 第七百七十二条第三項の規定により父が定められた子について第七百七十四条の規定により嫡出であることが否認されたときは、次の各号に掲げる否認権の行使に係る嫡出否認の訴えは、前条の規定にかかわらず、それぞれ当該各号に定める時から一年以内に提起しなければならない。

一 第七百七十二条第四項の規定により読み替えられた同条第三項の規定により新たに子の父と定められた者の否認権 新たに子の父と定められた者が当該子に係る嫡出否認の裁判が確定したことを知った時

二 子の否認権 子が前号の裁判が確定したことを知った時

三 母の否認権 母が第一号の裁判が確定したことを知った時

四 前夫の否認権 前夫が第一号の裁判が確定したことを知った時

（令和四法一〇二本条全部改正）

七七二、七七四 [四]【前夫↓七七四④

第七七八条の二① 第七百七十七条（第二号に係る部分に限る。）又は前条（第二号に係る部分に限る。）の期間の満了前六箇月以内の間に親権を行う母、親権を行う養親及び未成年後見人がないときは、子は、母若しくは養親の親権停止の期間が満了し、親権喪失若しくは親権停止の審判の取消しの審判が確定し、若しくは親権が回復された時、新たに養子縁組が成立した時又は未成年後見人が就職した時から六箇月を経過するまでの間は、嫡出否認の訴えを提起することができる。

② 子は、その父と継続して同居した期間（当該期間が二以上あるときは、そのうち最も長い期間）が三年を下回るときは、第七百七十七条（第二号に係る部分に限る。）及び前条（第二号に係る部分に限る。）の規定にかかわらず、二十一歳に達するまでの間、嫡出否認の訴えを提起することができる。ただし、子の否認権の行使が父による養育の状況に照らして父の利益を著しく害するときは、この限りでない。

③　第七百七十四条第二項の規定は、前項の場合には、適用しない。

④　第七百七十七条（第四号に係る部分に限る。）及び前条（第四号に係る部分に限る。）に掲げる否認権の行使に係る嫡出否認の訴えは、子が成年に達した後は、提起することができない。

（令和四法一〇二本条追加）

参　七七四　❶【親権を行う母→八一八②③【親権を行う養親→八一八③【未成年後見人→八三九—八四一【親権停止の期間→八三四の二②【親権喪失・親権喪失の審判の取消しの審判→八三六【親権の回復→八三七②【養子縁組の成立→七九九・八一七の二【未成年後見人の就職→八五六・八六一　❷【養育の状況→八一七の八②・八三四の二②　❹【成年→四

（子の監護に要した費用の償還の制限）

第七七八条の三　第七百七十四条の規定により嫡出であることが否認された場合であっても、子は、父であった者が支出した子の監護に要した費用を償還する義務を負わない。（令和四法一〇二本条追加）

参　七七四【監護費用→七五二・七六〇・七六六①・八七七①【償還義務を負わない→七〇三

（相続の開始後に新たに子と推定された者の価額の支払請求権）

第七七八条の四　相続の開始後、第七百七十四条の規定により否認権が行使され、第七百七十二条第四項の規定により読み替えられた同条第三項の規定により新たに被相続人がその父と定められた者が相続人として遺産の分割を請求しようとする場合において、他の共同相続人が既にその分割その他の処分をしていたときは、当該相続人の遺産分割の請求は、価額のみによる支払の請求により行うものとする。（令和四法一〇二本条追加）

参　九一〇

（認知）

第七七九条　嫡出でない子は、その父又は母がこれを認知することができる。

参　七八〇—七八九【嫡出子→七七二【嫡出でない子の出生の届出→戸五二②—④【嫡出でない子の地位→七九〇②・七九一・八一八②③・八一九④—⑥【認知の準拠法→法適用二九・三四

（認知能力）

第七八〇条　認知をするには、父又は母が未成年者又は成年被後見人であるときであっても、その法定代理人の同意を要しない。（平成一一法一四九本条改正）

参　七七九【未成年者→四【成年被後見人→七—九【法定代理人→八一八②③・八一九・八三九—八四一・八四三【意思能力→三の二【未成年者又は成年被後見人の認知と届出→戸三二

（認知の方式）

第七八一条①　認知は、戸籍法の定めるところにより届け出ることによってする。

②　認知は、遺言によっても、することができる。

参　七七九・七八四・七八七　❶【戸籍法の定め→戸六〇—六二　❷【遺言による認知の届出→戸六四

（成年の子の認知）

第七八二条　成年の子は、その承諾がなければ、これを認知することができない。

参　七七九・七八三③【成年→四【届出と承諾書の添付→戸三八①・三九

（胎児又は死亡した子の認知）

第七八三条①　父は、胎内に在る子でも、認知することができる。この場合においては、母の承諾を得なければならない。

②　前項の子が出生した場合において、第七百七十二条の規定によりその子の父が定められるときは、同項の規定による認知は、その効力を生じない。（令和四法一〇二本項追加）

③　父又は母は、死亡した子でも、その直系卑属があるときに限り、認知することができる。この場合において、その直系卑属が成年者であるときは、その承諾を得なければならない。

参　七七九・七八一　❶【認知の届出→戸六一・六四・六五・三八①・三九【認知された胎児の地位→七一一・七二一・八八六・九六五　❸七八九③【認知の届出→戸六〇㈢・三八①・三九【成年→四

（認知の効力）

第七八四条　認知は、出生の時にさかのぼってその効力を生ずる。ただし、第三者が既に取得した権利を害することはできない。

参　七七九・七八一【相続開始後の被認知者の遺産分割請求→九一〇【遡及効の効果→八七七【認知された子の国籍の取得→国籍三

（認知の取消しの禁止）

第七八五条　認知をした父又は母は、その認知を取り消すことができない。

参　七七九・七八一・七八六【認知の取消し→九五・九六・七八二・七八三、人訴二・三の二—三〇、家事二七七・二七九

（認知の無効の訴え）

第七八六条①　次の各号に掲げる者は、それぞれ当該各号に定める時（第七百八十三条第一項の規定による認知がされた場合にあっては、子の出生の時）から七年以内に限り、認知について反対の事実があることを理由として、認知の無効の訴えを提起することができる。ただし、第三号に掲げる者について、その認知の無効の主張が子の利益を害することが明らかなときは、この限りでない。

一　子又はその法定代理人　子又はその法定代理人が認知を知った時

二　認知をした者　認知の時

三　子の母　子の母が認知を知った時

②　子は、その子を認知した者と認知後に継続して同居した期間（当該期間が二以上あるときは、そのうち最も長い期間）が三年を下回るときは、前項（第一号に係る部分に限る。）の規定にかかわらず、二十一歳に達するまでの間、認知の無効の訴えを提起することができる。ただし、子による認知の無効の主張が認知をした者による養育の状況に照らして認知をした者の利益を著しく害するときは、この限りでない。

③ 前項の規定は、同項に規定する子の法定代理人が第一項の認知の無効の訴えを提起する場合には、適用しない。

④ 第一項及び第二項の規定により認知が無効とされた場合であっても、子は、認知をした者が支出した子の監護に要した費用を償還する義務を負わない。

（令和四法一〇二本条全部改正）

参+七七九・七八一・七八五 ❶【認知の無効又は取消し↓人訴二・三の二―三〇・四三、家事二七七・二七九、戸一一四―一一六【子の利益↓八二〇 ❷【養育の状況↓八一七の八②・八三四の二② ❹【監護費用↓七五二・七六〇・七六六①・八七七①【償還義務を負わない↓七〇三

（認知の訴え）

第七八七条　子、その直系卑属又はこれらの者の法定代理人は、認知の訴えを提起することができる。ただし、父又は母の死亡の日から三年を経過したときは、この限りでない。

参+七七九【法定代理人↓八一八②③・八一九・八三九―八四三・八七六の四・八七六の九【強制認知の方法↓人訴二・三の二―三〇・四四、家事二七七・二七九【強制認知の届出↓戸六三・六〇

（認知後の子の監護に関する事項の定め等）

第七八八条　第七百六十六条から第七百六十六条の三まで（離婚後の子の監護に関する事項の定め等、審判による父母以外の親族と子との交流の定め、子の監護に要する費用の分担の定めがない場合の特例）の規定は、父が認知する場合について準用する。（令和六法三三本条改正）

＊令和六法三三（令和八・五・二三までに施行）による改正
第七八八条中「第七百六十六条」の下に「から第七百六十六条の三まで」が加えられた。（本文織込み済み）

参+【家庭裁判所の処理↓家事三の一〇・三九・別表第二〈三の項〉・二四四【関連する規定↓七六六参

（準正）

第七八九条① 父が認知した子は、その父母の婚姻によって嫡出子の身分を取得する。

② 婚姻中父母が認知した子は、その認知の時から、嫡出子の身分を取得する。

③ 前二項の規定は、子が既に死亡していた場合について準用する。

参❶❷七七九・七八一【婚姻↓七三九【嫡出子の地位↓七九〇①・八一八②・八一九①―③⑤⑥【準正子についての嫡出子出生の届出の効力↓戸六二 ❸七八三③ +【準正の準拠法↓法適用三〇・三四

（子の氏）

第七九〇条① 嫡出である子は、父母の氏を称する。ただし、子の出生前に父母が離婚したときは、離婚の際における父母の氏を称する。

② 嫡出でない子は、母の氏を称する。

参+七九一 ❶【父母の氏↓七五〇【離婚↓七六三・七七〇【離婚に準ずべきもの↓七四三【離婚と氏↓七六七・七七一【養子と氏↓八一〇・八一六・八〇八②【出生の届出↓戸五二①③④ ❷【出生の届出↓戸五二②―④ +【棄児の氏↓戸五七―五九【子の氏と戸籍↓戸六・一八・二三

（子の氏の変更）

第七九一条① 子が父又は母と氏を異にする場合には、子は、家庭裁判所の許可を得て、戸籍法の定めるところにより届け出ることによって、その父又は母の氏を称することができる。

② 父又は母が氏を改めたことにより子が父母と氏を異にする場合には、子は、父母の婚姻中に限り、前項の許可を得ないで、戸籍法の定めるところにより届け出ることによって、その父母の氏を称することができる。（昭和六二法一〇一本項追加）

③ 子が十五歳未満であるときは、その法定代理人が、これに代わって、前二項の行為をすることができる。

④ 前三項の規定により氏を改めた未成年の子は、成年に達した時から一年以内に戸籍法の定めるところにより届け出ることによって、従前の氏に復することができる。

（昭和六二法一〇一本条改正）

参+七九〇 ❶【子が父又は母と氏を異にする場合の例↓七六七①・七七一・七四九・七五〇・八一〇・八一六①・八〇八②・七七九・七八七【氏の変更の届出↓戸九八・三八②・六・一八・二〇・二三【外国人の子の氏の変更↓戸一〇七④・二〇の二② ❶❸【家庭裁判所の許可↓家事三九・別表第一〈六十の項〉 ❷❸【氏の変更の届出↓戸九八 ❸【年齢の計算↓年齢計算【法定代理人↓八一八②③・八一九・八三九―八四二 ❹【成年↓四【復氏の届出↓戸九九・一九②・二〇・二三

第二節　養子

第一款　縁組の要件

参+【縁組の要件の準拠法↓法適用三一・三四

（養親となる者の年齢）

第七九二条　二十歳に達した者は、養子をすることができる。（平成三〇法五九本条改正）

参+【年齢の計算↓年齢計算【本条違反の縁組↓八〇〇・八〇四【特別養子の特則↓八一七の四

（尊属又は年長者を養子とすることの禁止）

第七九三条　尊属又は年長者は、これを養子とすることができない。

参+【本条違反の縁組↓八〇〇・八〇五【特別養子の特則↓八一七の五

（後見人が被後見人を養子とする縁組）

第七九四条　後見人が被後見人（未成年被後見人及び成年被後見人をいう。以下同じ。）を養子とするには、家庭裁判所の許可を得なければならない。後見人の任務が終了した後、まだその管理の計算が終わらない間も、同様とする。（平成一一法一四九本条改正）

参+【後見人↓八三九―八四七【未成年被後見人↓八三八㈠【成年被後見人↓七―九・八三八㈡【家庭裁判所の許可↓家事三九・別表第一〈六十一の項〉、戸三八②【管理の計算の終了↓八七〇【本条違反の縁組↓八〇〇・八〇六【特別養子の特則↓八一七の二②

（配偶者のある者が未成年者を養子とする縁組）

第七九五条　配偶者のある者が未成年者を養子とするには、配偶者とともにしなければならない。ただし、配偶者の嫡出である子を養子とする場合又は配偶者がそ

の意思を表示することができない場合は、この限りでない。（昭和六二法一〇一本条全部改正）

【未成年者↓四【未成年養子の許可↓七九八【本条違反の縁組↓八〇〇、八〇二㈡【特別養子の特則↓八一七の三

（配偶者のある者の縁組）

第七九六条　配偶者のある者が縁組をするには、その配偶者の同意を得なければならない。ただし、配偶者とともに縁組をする場合又は配偶者がその意思を表示することができない場合は、この限りでない。（昭和六二法一〇一本条全部改正）

【届出と同意書の添付↓戸三八①、三九【本条違反の縁組↓八〇〇、八〇六の二【特別養子の特則↓八一七の三②

（十五歳未満の者を養子とする縁組）

第七九七条①　養子となる者が十五歳未満であるときは、その法定代理人が、これに代わって、縁組の承諾をすることができる。

②　法定代理人が前項の承諾をするには、養子となる者の父母でその監護をすべき者であるものが他にあるときは、その同意を得なければならない。養子となる者の父母で親権を停止されているものがあるときも、同様とする。（昭和六二法一〇一本項追加、平成二三法六一本項改正）

③　第一項の縁組をすることが子の利益のため特に必要であるにもかかわらず、養子となる者の父母でその監護をすべき者であるものが縁組の同意をしないときは、家庭裁判所は、養子となる者の法定代理人の請求により、その同意に代わる許可を与えることができる。同項の縁組をすることが子の利益のため特に必要であるにもかかわらず、養子となる者の父母で親権を停止されているものが縁組の同意をしないときも、同様とする。（令和六法三三本項追加）

＊令和六法三三（令和八・五・二三までに施行）により第三項追加

④　第一項の承諾に係る親権の行使について第八百二十四条の二第三項に規定する請求を受けた家庭裁判所は、第一項の縁組をすることが子の利益のため特に必要であると認めるときに限り、同条第三項の規定による審判をすることができる。（令和六法三三本項追加）

＊令和六法三三（令和八・五・二三までに施行）により第四項追加

❶【年齢の計算↓年齢計算【法定代理人↓八一八②③、八一九、八三九—八四一、児福三三の二①但、四七①但【家庭裁判所の許可も必要↓七九八、八〇七【代諾養子の届出↓戸六八【本項違反の縁組↓八〇〇、八〇二㈡【養子が十五歳未満のときの離縁↓八一一②—⑤、八一五【特別養子の特則↓八一七の二①❷【監護をすべき者↓七六六【本項違反の縁組↓八〇〇、八〇六の三【親権の停止↓八三四の二❸【家庭裁判所の許可↓家事三の五、三九、別表第一〈六十一の二の項〉

（未成年者を養子とする縁組）

第七九八条　未成年者を養子とするには、家庭裁判所の許可を得なければならない。ただし、自己又は配偶者の直系卑属を養子とする場合は、この限りでない。

【未成年者↓四【家庭裁判所の許可↓家事三の五、三九、別表第一〈六十一の項〉、戸三八②【配偶者のある者の未成年者縁組↓七九五【配偶者の嫡出子の養子↓七九五但【本条違反の縁組↓八〇〇、八〇七【特別養子の特則↓八一七の二②

（婚姻の規定の準用）

第七九九条　第七百三十八条〈成年被後見人の婚姻〉及び第七百三十九条〈婚姻の届出〉の規定は、縁組について準用する。

【縁組の届出↓八〇〇、八〇二㈡、戸六六—六八の二【事実上の養親子の保護↓借地借家三六【事実上の養子を縁組と同視↓労災一六の四①㈢②【特別養子の特則↓八一七の二

（縁組の届出の受理）

第八〇〇条　縁組の届出は、その縁組が第七百九十二条から前条までの規定その他の法令の規定に違反しないことを認めた後でなければ、受理することができない。

【縁組の届出↓七九九、七三九、戸六六—六八の二【その他の法令↓法適用三一①、三四【違反縁組の効果↓八〇三、八〇四—八〇七、八〇二㈡【不受理と不服申立て↓戸一二二、家事三九、別表第一〈百二十五の項〉

（外国に在る日本人間の縁組の方式）

第八〇一条　外国に在る日本人間で縁組をしようとするときは、その国に駐在する日本の大使、公使又は領事にその届出をすることができる。この場合においては、第七百九十九条において準用する第七百三十九条〈婚姻の届出〉の規定及び前条の規定を準用する。

【外国における届出↓戸四〇—四二【本籍地への届出も可↓戸二五

第二款　縁組の無効及び取消し

【縁組の要件の準拠法↓法適用三一①

（縁組の無効）

第八〇二条　縁組は、次に掲げる場合に限り、無効とする。

一　人違いその他の事由によって当事者間に縁組をする意思がないとき。

二　当事者が縁組の届出をしないとき。ただし、その届出が第七百九十九条において準用する第七百三十九条第二項に定める方式を欠くだけであるときは、縁組は、そのためにその効力を妨げられない。

【縁組無効の訴え↓人訴二、三の二—三〇【縁組無効の審判↓家事二七七、二七九【縁組の無効と戸籍の訂正↓戸一一四—一一六　【㈠【詐欺又は強迫による縁組の取消し↓八〇八、七四七【配偶者との共同縁組の場合↓七九五【代諾縁組の場合↓七九七【㈡【縁組の届出↓七九九、七三九、八〇一

（縁組の取消し）

第八〇三条　縁組は、次条から第八百八条までの規定によらなければ、取り消すことができない。

【縁組届出の際の審査↓八〇〇【縁組取消しの訴え↓人訴二、三の二—三〇【縁組取消しの審判↓家事二七七、二七九【縁組取消しの届出↓戸六九、六三【縁組取消しの効果↓八〇八

（養親が二十歳未満の者である場合の縁組の取消し）

第八〇四条　第七百九十二条の規定に違反した縁組は、

養親又はその法定代理人から、その取消しを家庭裁判所に請求することができる。ただし、養親が、二十歳に達した後六箇月を経過し、又は追認をしたときは、この限りでない。（平成一五法一〇九、平成三〇法五九本条改正）

⊛【縁組の取消し↓八〇三⊛【法定代理人↓八一八②③・八一九・八三九―八四三【年齢の計算↓年齢計算【追認↓一二二・一二三

（養子が尊属又は年長者である場合の縁組の取消し）

第八〇五条　第七百九十三条の規定に違反した縁組は、各当事者又はその親族から、その取消しを家庭裁判所に請求することができる。（平成一五法一〇九本条改正）

⊛【縁組の取消し↓八〇三⊛【親族↓七二五

（後見人と被後見人との間の無許可縁組の取消し）

第八〇六条①　第七百九十四条の規定に違反した縁組は、養子又はその実方の親族から、その取消しを家庭裁判所に請求することができる。ただし、管理の計算が終わった後、養子が追認をし、又は六箇月を経過したときは、この限りでない。（平成一五法一〇九本項改正）

②　前項ただし書の追認は、養子が、成年に達し、又は行為能力を回復した後にしなければ、その効力を生じない。

③　養子が、成年に達せず、又は行為能力を回復しない間に、管理の計算が終わった場合には、第一項ただし書の期間は、養子が、成年に達し、又は行為能力を回復した時から起算する。

⊛【縁組の取消し↓八〇三⊛　❶【親族↓七二五【後見監督人による訴えの提起↓八五一④【管理の計算の終了↓八七〇【追認↓一二二・一二三　❷❸【成年↓四【行為能力の回復↓一〇

（配偶者の同意のない縁組等の取消し）

第八〇六条の二①　第七百九十六条の規定に違反した縁組は、縁組の同意をしていない者から、その取消しを家庭裁判所に請求することができる。ただし、その者が、縁組を知った後六箇月を経過し、又は追認をしたときは、この限りでない。

②　詐欺又は強迫によって第七百九十六条の同意をした者は、その縁組の取消しを家庭裁判所に請求することができる。ただし、その者が、詐欺を発見し、若しくは強迫を免れた後六箇月を経過し、又は追認をしたときは、この限りでない。

（昭和六二法一〇一本条追加、平成一五法一〇九本条改正）

⊛【縁組の取消し↓八〇三⊛【追認↓一二二・一二三　❷【詐欺・強迫↓九六

（子の監護をすべき者の同意のない縁組等の取消し）

第八〇六条の三①　第七百九十七条第二項の規定に違反した縁組は、縁組の同意をしていない者から、その取消しを家庭裁判所に請求することができる。ただし、その者が追認をしたとき、又は養子が十五歳に達した後六箇月を経過し、若しくは追認をしたときは、この限りでない。（平成一五法一〇九本項改正）

②　前条第二項の規定は、詐欺又は強迫によって第七百九十七条第二項の同意をした者について準用する。

（昭和六二法一〇一本条追加）

⊛【縁組の取消し↓八〇三⊛【追認↓一二二・一二三　❷【詐欺・強迫↓九六

（養子が未成年者である場合の無許可縁組の取消し）

第八〇七条　第七百九十八条の規定に違反した縁組は、養子、その実方の親族又は養子に代わって縁組の承諾をした者から、その取消しを家庭裁判所に請求することができる。ただし、養子が、成年に達した後六箇月を経過し、又は追認をしたときは、この限りでない。

（平成一五法一〇九本条改正）

⊛【縁組の取消し↓八〇三⊛【親族↓七二五【縁組の代諾者↓七九七①②【成年↓四【追認↓一二二・一二三

（婚姻の取消し等の規定の準用）

第八〇八条①　第七百四十七条〈詐欺又は強迫による婚姻の取消し〉及び第七百四十八条〈婚姻の取消しの効力〉の規定は、縁組について準用する。この場合において、第七百四十七条第二項中「三箇月」とあるのは、「六箇月」と読み替えるものとする。

②　第七百六十九条〈離婚による復氏の際の権利の承継〉及び第八百十六条〈離縁による復氏等〉の規定は、縁組の取消しについて準用する。

⊛❶【縁組の取消し↓八〇三⊛　❷【復氏と戸籍↓戸一九①③・二〇・二三・六九の二

第三款　縁組の効力

⊛【縁組の効力の準拠法↓法適用三一

（嫡出子の身分の取得）

第八〇九条　養子は、縁組の日から、養親の嫡出子の身分を取得する。

⊛八一〇【縁組の日↓七九九・七三九【縁組による親族関係の発生↓七二七【嫡出子の地位↓七七二⊛【養子の国籍取得↓国籍八②

（養子の氏）

第八一〇条　養子は、養親の氏を称する。ただし、婚姻によって氏を改めた者については、婚姻の際に定めた氏を称すべき間は、この限りでない。（昭和六二法一〇一本条改正）

⊛【離縁等による復氏↓八一六・八〇八②【養子と戸籍↓戸一八③・二〇・二三【養子の子の氏↓七九一・七九〇　【但】婚姻によって氏を改めた者↓七五〇

第四款　離縁

⊛【離縁の準拠法↓法適用三一②

（協議上の離縁等）

第八一一条①　縁組の当事者は、その協議で、離縁をすることができる。

②　養子が十五歳未満であるときは、その離縁は、養親と養子の離縁後にその法定代理人となるべき者との協議でこれをする。（昭和三七法四〇本項改正）

③　前項の場合において、養子の父母が離婚しているときは、その協議で、その双方又は一方を養子の離縁後にその親権者となるべき者と定めなければならない。

（昭和三七法四〇本項追加、令和六法三三本項改正）

> **＊令和六法三三（令和八・五・二三までに施行）による改正**
> 第三項中「一方」は「双方又は一方」に改められた。（本文織込み済み）

④　前項の協議が調わないとき、又は協議をすることができないときは、家庭裁判所は、同項の父若しくは母又は養親の請求によって、協議に代わる審判をすることができる。この場合においては、第八百十九条第七項〈離婚又は認知の場合の親権者〉の規定を準用する。（昭和三七法四〇本項追加、令和六法三三本項改正）

> **＊令和六法三三（令和八・五・二三までに施行）による改正前**
> ④　前項の協議が調わないとき、又は協議をすることができないときは、家庭裁判所は、同項の父若しくは母又は養親の請求によって、協議に代わる審判をすることができる。

⑤　第二項の法定代理人となるべき者がないときは、家庭裁判所は、養子の親族その他の利害関係人の請求によって、養子の離縁後にその未成年後見人となるべき者を選任する。（昭和三七法四〇本項追加、平成二三法六一、平成二三法一四九本項改正）

⑥　縁組の当事者の一方が死亡した後に生存当事者が離縁をしようとするときは、家庭裁判所の許可を得て、これをすることができる。（昭和六二法一〇一本項改正）

❶八一二、八一三【離縁の効果↓八一六、八一七、七二九、七三六　❷【年齢の計算↓年齢計算【法定代理人↓八一八②③、八一九、八三九―八四一【代諾離縁の届出↓戸七一　❹【離縁後に親権者となるべき者の選任↓家事三の八、三九、別表第二〈七の項〉、二四四　❺【離縁後に未成年後見人となるべき者の選任↓家事三の九、三九、別表第一〈七十の項〉　❻【家庭裁判所の許可↓家事三の六、三九、別表第一〈六十二の項〉【縁組の当事者の一方の死亡後の離縁の届出↓戸七二、三八②　+【協議以外の方法による離縁↓八一四、八一五、家事二四四、二五七、二六八、二八四、戸七三【特別養子の特則↓八一七の一〇【本条違反の離縁↓八一三

第八一一条の二　**（夫婦である養親と未成年者との離縁）**　養親が夫婦である場合において未成年者と離縁をするには、夫婦が共にしなければならない。ただし、夫婦の一方がその意思を表示することができないときは、この限りでない。（昭和六二法一〇一本条追加）

+【未成年者↓四【養親が夫婦である場合↓七九五、七九六但【本条違反の離縁↓八一三

第八一二条　**（婚姻の規定の準用）**　第七百三十八条〈成年被後見人の婚姻〉、第七百三十九条〈婚姻の届出〉及び第七百四十七条〈詐欺又は強迫による婚姻の取消し〉の規定は、協議上の離縁について準用する。この場合において、同条第二項中「三箇月」とあるのは、「六箇月」と読み替えるものとする。

+【離縁の届出↓八一三、戸七〇―七二【詐欺・強迫による離縁の取消し↓八〇八、人訴二、三の二―三〇、家事二七七、二七九、戸七三【特別養子の特則↓八一七の一〇

第八一三条　**（離縁の届出の受理）**　①　離縁の届出は、その離縁が前条において準用する第七百三十九条第二項の規定並びに第八百十一条及び第八百十一条の二の規定その他の法令の規定に違反しないことを認めた後でなければ、受理することができない。（昭和六二法一〇一本項改正）

②　離縁の届出が前項の規定に違反して受理されたときであっても、離縁は、そのためにその効力を妨げられない。

+【離縁の届出↓八一二【その他の法令↓法適用三一②、三四【特別養子の特則↓八一七の一〇

第八一四条　**（裁判上の離縁）**　①　縁組の当事者の一方は、次に掲げる場合に限り、離縁の訴えを提起することができる。

一　他の一方から悪意で遺棄されたとき。

二　他の一方の生死が三年以上明らかでないとき。

（昭和六二法一〇一本号改正）

三　その他縁組を継続し難い重大な事由があるとき。

②　第七百七十条第二項〈裁判所の裁量による離婚の請求の棄却〉の規定は、前項第一号及び第二号に掲げる場合について準用する。

❶八一五―八一七【離縁の訴え↓人訴二、三の二―三〇、四六【裁判上の離縁の届出↓戸七三【訴え以外の方法による離縁↓八一一、八一二　[二]【養親子間の扶養義務↓八〇九、八七七　[三]【生死不明と失踪宣告↓三〇、三一【特別養子の特則↓八一七の一〇

第八一五条　**（養子が十五歳未満である場合の離縁の訴えの当事者）**　養子が十五歳に達しない間は、第八百十一条の規定により養親と離縁の協議をすることができる者から、又はこれに対して、離縁の訴えを提起することができる。（昭和三七法四〇本条改正）

+八一四【年齢の計算↓年齢計算【縁組の代諾権者↓七九七①②【特別養子の特則↓八一七の一〇

第八一六条　**（離縁による復氏等）**　①　養子は、離縁によって縁組前の氏に復する。ただし、配偶者とともに養子をした養親の一方のみと離縁をした場合は、この限りでない。

②　縁組の日から七年を経過した後に前項の規定により縁組前の氏に復した者は、離縁の日から三箇月以内に戸籍法の定めるところにより届け出ることによって、離縁の際に称していた氏を称することができる。（昭和六二法一〇一本項追加）

（昭和六二法一〇一本条改正）

+八一七【縁組と氏↓八一〇【復氏と戸籍↓戸一九①、二〇、二三　❶[但]【配偶者と共に養子をした養親↓七九五　❷【離縁後の氏の回復↓戸七三の二、一九③

第八一七条　**（離縁による復氏の際の権利の承継）**　第七百六十九条〈離婚による復氏の際の権利の承継〉の規定は、離縁について準用する。

+七六九

第五款　特別養子

（昭和六二法一〇一本款追加）

（特別養子縁組の成立）

第八一七条の二① 家庭裁判所は、次条から第八百十七条の七までに定める要件があるときは、養親となる者の請求により、実方の血族との親族関係が終了する縁組（以下この款において「特別養子縁組」という。）を成立させることができる。

② 前項に規定する請求をするには、第七百九十四条又は第七百九十八条の許可を得ることを要しない。

❶【実方の血族との親族関係の終了】→八一七の九【特別養子縁組の審判】→家事三の五・三九・別表第一〈六十三の項〉【特別養子縁組の請求却下の場合の児童の保護】→児福二五①【特別養子縁組成立の効果】→八〇九、戸二〇の三・六八の二　八一七の九

（養親の夫婦共同縁組）

第八一七条の三① 養親となる者は、配偶者のある者でなければならない。

② 夫婦の一方は、他の一方が養親とならないときは、養親となることができない。ただし、夫婦の一方が他の一方の嫡出である子（特別養子縁組以外の縁組による養子を除く。）の養親となる場合は、この限りでない。

【配偶者のある者の未成年者縁組】→七九五

（養親となる者の年齢）

第八一七条の四 二十五歳に達しない者は、養親となることができない。ただし、養親となる夫婦の一方が二十五歳に達していない場合においても、その者が二十歳に達しているときは、この限りでない。

【年齢制限の必要性】→八一七の七【普通養子の場合の養親の年齢制限】→七九二【年齢の計算】→年齢計算

（養子となる者の年齢）

第八一七条の五① 第八百十七条の二に規定する請求の時に十五歳に達している者は、養子となることができない。特別養子縁組が成立するまでに十八歳に達した者についても、同様とする。

② 前項前段の規定は、養子となる者が十五歳に達する前から引き続き養親となる者に監護されている場合において、十五歳に達するまでに第八百十七条の二に規定する請求がされなかったことについてやむを得ない事由があるときは、適用しない。（令和一法三四本項追加）

③ 養子となる者が十五歳に達している場合においては、特別養子縁組の成立には、その者の同意がなければならない。（令和一法三四本項追加）

（令和一法三四本条改正）

【普通養子の場合の養子の年齢制限】→七九三【年齢の計算】→年齢計算

（父母の同意）

第八一七条の六 特別養子縁組の成立には、養子となる者の父母の同意がなければならない。ただし、父母がその意思を表示することができない場合又は父母による虐待、悪意の遺棄その他養子となる者の利益を著しく害する事由がある場合は、この限りでない。

【特別養子縁組の成立】→八一七の二、家事三の五・三九・別表第一〈六十三の項〉【普通養子の場合の父母の同意】→七九七①②【父母による虐待等】→児福二八・二九

（子の利益のための特別の必要性）

第八一七条の七 特別養子縁組は、父母による養子となる者の監護が著しく困難又は不適当であることその他特別の事情がある場合において、子の利益のため特に必要があると認めるときに、これを成立させるものとする。

【特別養子縁組の成立】→八一七の二、家事三の五・三九・別表第一〈六十三の項〉【父母による監護が著しく困難又は不適当】→児福二五・二六・二七・二八

（監護の状況）

第八一七条の八① 特別養子縁組を成立させるには、養親となる者が養子となる者を六箇月以上の期間監護した状況を考慮しなければならない。

② 前項の期間は、第八百十七条の二に規定する請求の時から起算する。ただし、その請求前の監護の状況が明らかであるときは、この限りでない。

❶【特別養子縁組の成立】→八一七の二、家事三の五・三九・別表第一〈六十三の項〉

（実方との親族関係の終了）

第八一七条の九 養子と実方の父母及びその血族との親族関係は、特別養子縁組によって終了する。ただし、第八百十七条の三第二項ただし書に規定する他の一方及びその血族との親族関係については、この限りでない。

【実方との親族関係終了の効果】→八一七の二・七三〇・八一八②③・八七七・八八七①【婚姻障害の存続】→七三四・七三五

（特別養子縁組の離縁）

第八一七条の一〇① 次の各号のいずれにも該当する場合において、養子の利益のため特に必要があると認めるときは、家庭裁判所は、養子、実父母又は検察官の請求により、特別養子縁組の当事者を離縁させることができる。

一 養親による虐待、悪意の遺棄その他養子の利益を著しく害する事由があること。

二 実父母が相当の監護をすることができること。

② 離縁は、前項の規定による場合のほか、これをすることができない。

❶【離縁の審判】→家事三の七・三九・別表第一〈六十四の項〉【戸籍】→戸七三・六三【二】【養親による虐待等】→八三四・八三四の二、児福二五・二六・二七・二八・二九

（離縁による実方との親族関係の回復）

第八一七条の一一 養子と実父母及びその血族との間においては、離縁の日から、特別養子縁組によって終了した親族関係と同一の親族関係を生ずる。

【実方との親族関係の発生】→八一七の九・八一六、戸一九①【養方との親族関係の終了】→七二九【婚姻障害の存続】→七三六

第三節　親の責務等（令和六法三三本節追加）

＊令和六法三三（令和八・五・二三までに施行）により第三節（第八一七条の一二・第八一七条の一三）追加

（親の責務等）

第八一七条の一二① 父母は、子の心身の健全な発達を図るため、その子の人格を尊重するとともに、その子の年齢及び発達の程度に配慮してその子を養育しなければならず、かつ、その子が自己と同程度の生活を維持することができるよう扶養しなければならない。

② 父母は、婚姻関係の有無にかかわらず、子に関する権利の行使又は義務の履行に関し、その子の利益のため、互いに人格を尊重し協力しなければならない。

⊛+【子の利益↓八一八・八二〇【子の人格の尊重↓八二一

（親子の交流等）

第八一七条の一三① 第七百六十六条（第七百四十九条、第七百七十一条及び第七百八十八条において準用する場合を含む。）の場合のほか、子と別居する父又は母その他の親族と当該子との交流について必要な事項は、父母の協議で定める。この場合においては、子の利益を最も優先して考慮しなければならない。

② 前項の協議が調わないとき、又は協議をすることができないときは、家庭裁判所が、父又は母の請求により、同項の事項を定める。

③ 家庭裁判所は、必要があると認めるときは、父又は母の請求により、前二項の規定による定めを変更することができる。

④ 前二項の請求を受けた家庭裁判所は、子の利益のため特に必要があると認めるときに限り、父母以外の親族と子との交流を実施する旨を定めることができる。

⑤ 前項の定めについての第二項又は第三項の規定による審判の請求は、父母以外の子の親族（子の直系尊属及び兄弟姉妹以外の者にあっては、過去に当該子を監護していた者に限る。）もすることができる。ただし、当該親族と子との交流についての定めをするため他に適当な方法があるときは、この限りでない。

⊛+【子との交流↓七六六①・七六六の二 ❷―❺【家庭裁判所の処理↓家事別表第二〈三の項〉

第四章 親権

第一節 総則

⊛+【親権の準拠法↓法適用三二

（親権）

第八一八条① 親権は、成年に達しない子について、その子の利益のために行使しなければならない。

② 父母の婚姻中はその双方を親権者とする。

③ 子が養子であるときは、次に掲げる者を親権者とする。

一 養親（当該子を養子とする縁組が二以上あるときは、直近の縁組により養親となった者に限る。）

二 子の父母であって、前号に掲げる養親の配偶者であるもの

（令和六法三三本条全部改正）

＊令和六法三三（令和八・五・二三までに施行）による改正前

（親権者）

第八一八条① 成年に達しない子は、父母の親権に服する。

② 子が養子であるときは、養親の親権に服する。

③ 親権は、父母の婚姻中は、父母が共同して行う。ただし、父母の一方が親権を行うことができないときは、他の一方が行う。

⊛+八一七の一二・八一九・八二〇 ❶【成年↓四 ❷【親権の行使方法等↓八二四の二 ❸【養親子関係↓八〇九【特別養子の特則↓八一七の九 +【親権の代行者↓八三三・八六七、児福三三・四七

（離婚又は認知の場合の親権者）

第八一九条① 父母が協議上の離婚をするときは、その協議で、その双方又は一方を親権者と定める。（令和六法三三本項改正）

② 裁判上の離婚の場合には、裁判所は、父母の双方又は一方を親権者と定める。（令和六法三三本項改正）

③ 子の出生前に父母が離婚した場合には、親権は、母が行う。ただし、子の出生後に、父母の協議で、父母の双方又は父を親権者と定めることができる。（令和六法三三本項改正）

④ 父が認知した子に対する親権は、母が行う。ただし、父母の協議で、父母の双方又は父を親権者と定めることができる。（令和六法三三本項改正）

⑤ 第一項、第三項又は前項の協議が調わないとき、又は協議をすることができないときは、家庭裁判所は、父又は母の請求によって、協議に代わる審判をすることができる。

⑥ 子の利益のため必要があると認めるときは、家庭裁判所は、子又はその親族の請求によって、親権者を変更することができる。（令和六法三三本項改正）

⑦ 裁判所は、第二項又は前二項の裁判において、父母の双方を親権者と定めるかその一方を親権者と定めるかを判断するに当たっては、子の利益のため、父母と子との関係、父と母との関係その他一切の事情を考慮しなければならない。この場合において、次の各号のいずれかに該当するときその他の父母の双方を親権者と定めることにより子の利益を害すると認められるときは、父母の一方を親権者と定めなければならない。

一 父又は母が子の心身に害悪を及ぼすおそれがあると認められるとき。

二 父母の一方が他の一方から身体に対する暴力その他の心身に有害な影響を及ぼす言動（次項において「暴力等」という。）を受けるおそれの有無、第一項、第三項又は第四項の協議が調わない理由その他の事情を考慮して、父母が共同して親権を行うことが困難であると認められるとき。

（令和六法三三本項追加）

⑧ 第六項の場合において、家庭裁判所は、父母の協議により定められた親権者を変更することが子の利益のため必要であるか否かを判断するに当たっては、当該協議の経過、その後の事情の変更その他の事情を考慮するものとする。この場合において、当該協議の経過を考慮するに当たっては、父母の一方から他の一方への暴力等の有無、家事事件手続法による調停の有無又

は裁判外紛争解決手続（裁判外紛争解決手続の利用の促進に関する法律（平成十六年法律第百五十一号）第一条に規定する裁判外紛争解決手続をいう。）の利用の有無、協議の結果についての公正証書の作成の有無その他の事情をも勘案するものとする。（令和六法三三本項追加）

＊令和六法三三（令和八・五・二三までに施行）による改正前

（離婚又は認知の場合の親権者）
第八一九条① 父母が協議上の離婚をするときは、その協議で、その一方を親権者と定めなければならない。
② 裁判上の離婚の場合には、裁判所は、父母の一方を親権者と定める。
③ 子の出生前に父母が離婚した場合には、親権は、母が行う。ただし、子の出生後に、父母の協議で、父を親権者と定めることができる。
④ 父が認知した子に対する親権は、父母の協議で父を親権者と定めたときに限り、父が行う。
⑤（略）
⑥ 子の利益のため必要があると認めるときは、家庭裁判所は、子の親族の請求によって、親権者を他の一方に変更することができる。
⑦⑧（改正により追加）

参八一八【離婚の際の子の監護者↓七六六、七六六の二、七七一 ❶【協議上の離婚と親権者↓七六三、七六五、戸七六 ❷【裁判上の離婚と親権者↓七七〇、人訴三の四①、三二③、戸七七【調停又は審判による離婚と親権者↓七六三参、戸七七 ❸【離婚後に生まれた子の届出↓戸五二①③④【協議による親権者の届出↓戸七八 ❹【認知↓七七九、七八七【親権者の届出↓戸七八 ❺❻【家庭裁判所の処理↓家事三の八、三九、別表第二〈八の項〉、二四四【親権者の届出↓戸七九

第二節　親権の効力

（監護及び教育の権利義務）
第八二〇条　親権を行う者は、子の利益のために子の監護及び教育をする権利を有し、義務を負う。（平成二三法六一本条改正）

参【親権を行う者↓八一八②③、八一九、八三三、八六七、児福四七【親権の行使方法等↓八二四の二【親権者でない監護者↓七六六、七六六の二、七七一、七四九【子の利益↓八三四―八三五【監護↓八二二【監護者によるわいせつ等↓刑一七九【教育↓憲二六②、教基五、学教一六―二一、八五七但【監護教育の費用↓八七七、八二八【子の不法行為と監護者の責任↓七一四【特別養子の特則↓八一七の九

（子の人格の尊重等）
第八二一条　親権を行う者は、前条の規定による監護及び教育をするに当たっては、子の人格を尊重するとともに、その年齢及び発達の程度に配慮しなければならず、かつ、体罰その他の子の心身の健全な発達に有害な影響を及ぼす言動をしてはならない。（令和四法一〇二本条追加）

参八二〇【親権を行う者↓八二〇参【体罰↓学教一一、児福三三の二②、四七③、児童虐待一四【子の心身の健全な発達に有害な影響を及ぼす言動↓児福三三の二②、四七③、児童虐待一四、二四、配偶者暴力一①、子奪取二八②㈡

（居所の指定）
第八二二条　子は、親権を行う者が指定した場所に、その居所を定めなければならない。

参八二〇【親権を行う者と親権者でない監護者↓八二〇参【居住移転の自由↓憲二二【居所指定権の濫用と親権喪失↓八三四、八三四の二【未成年後見人と親権者の定めた居所の変更↓八五七

（職業の許可）
第八二三条① 子は、親権を行う者の許可を得なければ、職業を営むことができない。
② 親権を行う者は、第六条第二項の場合には、前項の許可を取り消し、又はこれを制限することができる。

参【親権を行う者↓八二〇参 ❶【未成年者の職業許可↓六①、商五、会社五八四、商登三五―三九、労基五七、五八【未成年後見人の職業許可権と未成年後見監督人の同意↓八五七

（財産の管理及び代表）
第八二四条　親権を行う者は、子の財産を管理し、かつ、その財産に関する法律行為についてその子を代表する。ただし、その子の行為を目的とする債務を生ずべき場合には、本人の同意を得なければならない。

参【親権を行う者↓八二〇参【財産管理権↓八二七―八三二、八三四―八三七、八六八【代表権↓九九―一〇一、一〇五、一〇六【代表権の制限される場合↓六①、八二六、八三〇、労基五八①、五九【親権者と同意権↓五、六【身分行為と代表権↓七八七、七九一③、七九七①②、八一一②―⑤、八一五、八三三、八六七【訴訟と代表権↓民訴二八、三一、三二、三四―三六

（親権の行使方法等）
第八二四条の二① 親権は、父母が共同して行う。ただし、次に掲げるときは、その一方が行う。
一　その一方のみが親権者であるとき。
二　他の一方が親権を行うことができないとき。
三　子の利益のため急迫の事情があるとき。
② 父母は、その双方が親権者であるときであっても、前項本文の規定にかかわらず、監護及び教育に関する日常の行為に係る親権の行使を単独ですることができる。
③ 特定の事項に係る親権の行使（第一項ただし書又は前項の規定により父母の一方が単独で行うことができるものを除く。）について、父母間に協議が調わない場合であって、子の利益のため必要があると認めるときは、家庭裁判所は、父又は母の請求により、当該事項に係る親権の行使を父母の一方が単独ですることができる旨を定めることができる。
（令和六法三三本条追加）

＊令和六法三三（令和八・五・二三までに施行）により第八二四条の二追加

参【親権者↓八一八②③、八一九 ❶㈡【親権を行うことができないとき↓八三四、八三四の二、八三七、七【親権者のないとき↓八三八

（監護者の権利義務）
第八二四条の三① 第七百六十六条（第七百四十九条、第七百七十一条及び第七百八十八条において準用する場合を含む。）の規定により定められた子の監護をすべき者は、第八百二十条から第八百二十三条までに規定する事項について、親権を行う者と同一の権利義務を

有する。この場合において、子の監護をすべき者は、単独で、子の監護及び教育、居所の指定及び変更並びに営業の許可、その許可の取消し及びその制限をすることができる。

② 前項の場合には、親権を行う者（子の監護をすべき者を除く。）は、子の監護をすべき者が同項後段の規定による行為をすることを妨げてはならない。

（令和六法三三本条追加）

【子の監護者→七六六】

*令和六法三三（令和八・五・二三までに施行）により第八二四条の三追加

（父母の一方が共同の名義でした行為の効力）

第八二五条 父母が共同して親権を行う場合において、父母の一方が、共同の名義で、子に代わって法律行為をし又は子がこれをすることに同意したときは、その行為は、他の一方の意思に反したときであっても、そのためにその効力を妨げられない。ただし、相手方が悪意であったときは、この限りでない。

【父母の共同親権→八一八②③・八一九・八二四の二【子に代わる法律行為→八二四【子の法律行為に対する同意→五・六・八二三

（利益相反行為）

第八二六条① 親権を行う父又は母とその子との利益が相反する行為については、親権を行う者は、その子のために特別代理人を選任することを家庭裁判所に請求しなければならない。

② 親権を行う者が数人の子に対して親権を行う場合において、その一人と他の子との利益が相反する行為については、親権を行う者は、その一方のために特別代理人を選任することを家庭裁判所に請求しなければならない。

【父母の共同親権→八一八②③・八一九・八二四の二【特別代理人の選任→家事三の八・三九・別表第一（六十五の項）【本条違反の行為の効力→一〇八・一一三―一一八

（財産の管理における注意義務）

第八二七条 親権を行う者は、自己のためにするのと同一の注意をもって、その管理権を行わなければならない。

【親権を行う者→八二〇【管理権→八二四【管理の失当と管理権喪失→八三五

（財産の管理の計算）

第八二八条 子が成年に達したときは、親権を行った者は、遅滞なくその管理の計算をしなければならない。ただし、その子の養育及び財産の管理の費用は、その子の財産の収益と相殺したものとみなす。

八二四・八二九・八三二【成年→四【親権を行った者→八二〇【相殺→五〇五

第八二九条 前条ただし書の規定は、無償で子に財産を与える第三者が反対の意思を表示したときは、その財産については、これを適用しない。

八三〇【無償の財産譲与→五四九・五五四・九六四

（第三者が無償で子に与えた財産の管理）

第八三〇条① 無償で子に財産を与える第三者が、親権を行う父又は母にこれを管理させない意思を表示したときは、その財産は、父又は母の管理に属しないものとする。

② 前項の財産につき父母が共に管理権を有しない場合において、第三者が管理者を指定しなかったときは、家庭裁判所は、子、その親族又は検察官の請求によって、その管理者を選任する。

③ 第三者が管理者を指定したときであっても、その管理者の権限が消滅し、又はこれを改任する必要がある場合において、第三者が更に管理者を指定しないときも、前項と同様とする。

④ 第二十七条から第二十九条まで（不在者の財産管理人の権利義務）の規定は、前二項の場合について準用する。

八二九・八三一【無償の財産譲与→八二九 ❶八二四 ❷【親族→七二五【管理者の選任→家事三の八・三九・別表第一（六十六の項）

（委任の規定の準用）

第八三一条 第六百五十四条（委任の終了後の処分）及び第六百五十五条（委任の終了の対抗要件）の規定は、親権を行う者が子の財産を管理する場合及び前条の場合について準用する。

【親権者の財産管理→八二四

（財産の管理について生じた親子間の債権の消滅時効）

第八三二条① 親権を行った者とその子との間に財産の管理について生じた債権は、その管理権が消滅した時から五年間これを行使しないときは、時効によって消滅する。

② 子がまだ成年に達しない間に管理権が消滅した場合において子に法定代理人がないときは、前項の期間は、その子が成年に達し、又は後任の法定代理人が就職した時から起算する。

❶八二八【一般債権の消滅時効→一六六① ❷【成年→四【管理権の消滅の例→八一九⑥・八三四―八三七【法定代理人→八一八②③・八一九【後任の法定代理人→八四一 +【子の父母に対する権利の時効の完成猶予→一五八②

（子に代わる親権の行使）

第八三三条 父又は母が成年に達しない子であるときは、当該子について親権を行う者が当該子に代わって親権を行う。（令和六法三三本条改正）

*令和六法三三（令和八・五・二三までに施行）による改正前

（子に代わる親権の行使）

第八三三条 親権を行う者は、その親権に服する子に代わって親権を行う。

【親権を行う者→八二〇【後見人の親権代行→八六七

第三節 親権の喪失

（親権喪失の審判）

第八三四条　父又は母による虐待又は悪意の遺棄があるときその他父又は母による親権の行使が著しく困難又は不適当であることにより子の利益を著しく害するときは、家庭裁判所は、子、その親族、未成年後見人、未成年後見監督人又は検察官の請求により、その父又は母について、親権喪失の審判をすることができる。ただし、二年以内にその原因が消滅する見込みがあるときは、この限りでない。（平成二三法六一本条全部改正）

⊛八三六【親権を行う父母↓八一八②③・八一九【親権の濫用↓一③・八二七【虐待・悪意の遺棄↓七七〇①㊁・八一七の一〇①㊀【親族↓七二五【未成年後見人↓八三九―八四一【未成年後見監督人↓八四八【他の請求権者↓児福三三の七【親権喪失の審判↓家事三の八・三九・別表第一〈六十七の項〉【親権喪失の届出↓戸七九【親権喪失の効果↓八一八③・八三八㊀・八四一・八三一・八三二【他の規定により親権が制約される場合↓児福三三・四七

（親権停止の審判）

第八三四条の二①　父又は母による親権の行使が困難又は不適当であることにより子の利益を害するときは、家庭裁判所は、子、その親族、未成年後見人、未成年後見監督人又は検察官の請求により、その父又は母について、親権停止の審判をすることができる。

②　家庭裁判所は、親権停止の審判をするときは、その原因が消滅するまでに要すると見込まれる期間、子の心身の状態及び生活の状況その他一切の事情を考慮して、二年を超えない範囲内で、親権を停止する期間を定める。

（平成二三法六一本条追加）

⊛八三六【親権を行う父母↓八一八②③・八一九【親権の濫用↓一③・八二七【親族↓七二五【未成年後見人↓八三九―八四一【未成年後見監督人↓八四八【他の請求権者↓児福三三の七【親権停止の審判↓家事三九・別表第一〈六十七の項〉【親権停止の届出↓戸七九【親権停止の効果↓八三四⊛【他の規定により親権が制約される場合↓児福三三・四七

（管理権喪失の審判）

第八三五条　父又は母による管理権の行使が困難又は不適当であることにより子の利益を害するときは、家庭裁判所は、子、その親族、未成年後見人、未成年後見監督人又は検察官の請求により、その父又は母について、管理権喪失の審判をすることができる。（平成二三法六一本条全部改正）

⊛八三六【親権を行う父母↓八一八②③・八一九【管理権の行使↓八二四・八二七【管理権の濫用↓八二七【親族↓七二五【管理権喪失の審判↓家事三九・別表第一〈六十七の項〉【管理権喪失の届出↓戸七九【管理権喪失の効果↓八三四⊛・八六八【他の規定により管理権が制約される場合↓児福三三・四七、破六一

（親権喪失、親権停止又は管理権喪失の審判の取消し）

第八三六条　第八百三十四条本文、第八百三十四条の二第一項又は前条に規定する原因が消滅したときは、家庭裁判所は、本人又はその親族の請求によって、それぞれ親権喪失、親権停止又は管理権喪失の審判を取り消すことができる。（平成二三法六一本条改正）

⊛【親族↓七二五【親権喪失、親権停止又は管理権の喪失審判の取消し↓家事三の八・三九・別表第一〈六十八の項〉【親権喪失、親権停止又は管理権の喪失審判の取消しの届出↓戸七九

（親権又は管理権の辞任及び回復）

第八三七条①　親権を行う父又は母は、やむを得ない事由があるときは、家庭裁判所の許可を得て、親権又は管理権を辞することができる。

②　前項の事由が消滅したときは、父又は母は、家庭裁判所の許可を得て、親権又は管理権を回復することができる。

⊛【親権を行う父母↓八一八②③・八一九【家庭裁判所の許可↓家事三の八・三九・別表第一〈六十九の項〉【辞任及び回復の届出↓戸八〇・三八②【辞任の効果↓八一八③・八三八㊀・八四一・八六八・八三一・八三二

第五章　後見

第一節　後見の開始

⊛任意後見【後見の準拠法↓法適用三五

第八三八条　後見は、次に掲げる場合に開始する。

一　未成年者に対して親権を行う者がないとき、又は親権を行う者が管理権を有しないとき。

二　後見開始の審判があったとき。（平成一一法一四九本号改正）

⊛〔一〕【未成年者↓四【未成年後見人↓五・一二〇・八五九【親権を行う者↓八一八・八一九・八三三・八六七【親権・管理権の喪失又は辞任↓八三四―八三七・八四一【親権の停止↓八三四の二・八四一　〔二〕【未成年後見開始の届出↓戸八一【後見開始の審判↓七・八、家事三九・別表第一〈一の項〉【登記事項↓後見登記一・四【成年後見人↓一二〇・八五九【任意後見契約との関係↓任意後見一〇

第二節　後見の機関

第一款　後見人

（未成年後見人の指定）

第八三九条①　未成年者に対して最後に親権を行う者は、遺言で、未成年後見人を指定することができる。ただし、管理権を有しない者は、この限りでない。

②　親権を行う父母の一方が管理権を有しないときは、他の一方は、前項の規定により未成年後見人の指定をすることができる。

（平成一一法一四九本条改正）

⊛八三八㊀・八四〇・八四八【未成年者↓四【親権を行う者↓八一八②③・八一九・八三三・八六七【管理権を有しない場合↓八三五・八三七【未成年後見人の欠格事由↓八四七【未成年後見開始の届出↓戸八一

（未成年後見人の選任）

第八四〇条①　前条の規定により未成年後見人となるべき者がないときは、家庭裁判所は、未成年被後見人又はその親族その他の利害関係人の請求によって、未成年後見人を選任する。未成年後見人が欠けたときも、同様とする。

②　未成年後見人がある場合においても、家庭裁判所は、必要があると認めるときは、前項に規定する者若しくは未成年後見人の請求により又は職権で、更に未成年後見人を選任することができる。（平成二三法六一

本項追加）

③ 未成年後見人を選任するには、未成年被後見人の年齢、心身の状態並びに生活及び財産の状況、未成年後見人となる者の職業及び経歴並びに未成年被後見人との利害関係の有無（未成年後見人となる者が法人であるときは、その事業の種類及び内容並びにその法人及びその代表者と未成年被後見人との利害関係の有無）、未成年被後見人の意見その他一切の事情を考慮しなければならない。（平成二三法六一本項追加）

（平成一一法一四九本条全部改正）

§❶【親族↓七二五【その他の請求義務者↓八四一・八五一㈢、生活保護八一、児福三三の八【家庭裁判所による選任↓家事三の九・三九・別表第一〈七十一の項〉【未成年後見人の欠格事由↓八四七【未成年後見人が欠けたとき↓八四四―八四六【未成年後見人の選任・更迭と届出↓戸八一・八二 ❷【請求権者↓八四〇①・八三九【家庭裁判所の審判↓家事三の九・三九・別表第一〈七十一の項〉 ❸【未成年被後見人との利害関係↓八六〇

（父母による未成年後見人の選任の請求）

第八四一条 父若しくは母が親権若しくは管理権を辞し、又は父若しくは母について親権喪失、親権停止若しくは管理権喪失の審判があったことによって未成年後見人を選任する必要が生じたときは、その父又は母は、遅滞なく未成年後見人の選任を家庭裁判所に請求しなければならない。（平成一一法一四九本条全部改正、平成二三法六一本条改正）

§+【親権又は管理権の辞任↓八三七【親権の喪失↓八三四【親権の停止↓八三四の二【管理権の喪失↓八三五【その他の請求義務者↓八四〇§【家庭裁判所による選任↓八四〇§

第八四二条【未成年後見人の数】 削除（平成二三法六一）

（成年後見人の選任）

第八四三条① 家庭裁判所は、後見開始の審判をするときは、職権で、成年後見人を選任する。

② 成年後見人が欠けたときは、家庭裁判所は、成年被後見人若しくはその親族その他の利害関係人の請求により又は職権で、成年後見人を選任する。

③ 成年後見人が選任されている場合においても、家庭裁判所は、必要があると認めるときは、前項に規定する者若しくは成年後見人の請求により又は職権で、更に成年後見人を選任することができる。

④ 成年後見人を選任するには、成年被後見人の心身の状態並びに生活及び財産の状況、成年後見人となる者の職業及び経歴並びに成年被後見人との利害関係の有無（成年後見人となる者が法人であるときは、その事業の種類及び内容並びにその法人及びその代表者と成年被後見人との利害関係の有無）、成年被後見人の意見その他一切の事情を考慮しなければならない。

（平成一一法一四九本条全部改正）

§❶【後見開始の審判↓七、家事三九・別表第一〈一の項〉【登記事項↓後見登記四①㈡―㈢【成年後見人↓八【成年後見人の欠格事由↓八四七 ❷【成年後見人↓八【成年後見人が欠けたとき↓八四四・八四五・八四七【成年被後見人↓八【親族↓七二五【その他の請求義務者↓八四五・八五一㈢ ❸【成年後見人が数人あるときの権限行使↓八五九の二、家事三九・別表第一〈十の項〉【登記事項↓後見登記四①㈦ ❶―❸【家庭裁判所による選任↓家事三九・別表第一〈三の項〉

（後見人の辞任）

第八四四条 後見人は、正当な事由があるときは、家庭裁判所の許可を得て、その任務を辞することができる。

§+【家庭裁判所の許可↓家事三九・別表第一〈四の項〉〈七十二の項〉【後任後見人の選任↓八四〇①後段・八四一・八四三②・八五一㈢【未成年後見人の更迭と届出↓戸八二・八一②・三八②

（辞任した後見人による新たな後見人の選任の請求）

第八四五条 後見人がその任務を辞したことによって新たに後見人を選任する必要が生じたときは、その後見人は、遅滞なく新たな後見人の選任を家庭裁判所に請求しなければならない。（平成一一法一四九本条全部改正）

§+【後見人の辞任↓八四四【家庭裁判所による選任↓八四〇§【その他の請求義務者↓八五一㈢

（後見人の解任）

第八四六条 後見人に不正な行為、著しい不行跡その他後見の任務に適しない事由があるときは、家庭裁判所は、後見監督人、被後見人若しくはその親族若しくは検察官の請求により又は職権で、これを解任することができる。（平成一一法一四九本条全部改正）

§+【後見監督人↓八四八―八五二【親族↓七二五【その他の請求権者↓児福三三の九【家庭裁判所による解任↓家事三九・別表第一〈五の項〉〈七十三の項〉【後任後見人の選任↓八四〇①後段・八四三②・八五一㈢【後見人更迭と届出↓戸八二【任意後見人の解任↓任意後見八

（後見人の欠格事由）

第八四七条 次に掲げる者は、後見人となることができない。

一 未成年者

二 家庭裁判所で免ぜられた法定代理人、保佐人又は補助人

三 破産者

四 被後見人に対して訴訟をし、又はした者並びにその配偶者及び直系血族

五 行方の知れない者

（平成一一法一四九本条全部改正）

§[一]【未成年者↓四 [二]【家庭裁判所で免ぜられた法定代理人、保佐人又は補助人↓八三四―八三五、八四六、八七六の二②・八七六の七② [三]【破産者↓破二④・三〇・二五五・二五六

第二款 後見監督人

（未成年後見監督人の指定）

第八四八条 未成年後見人を指定することができる者は、遺言で、未成年後見監督人を指定することができる。（平成一一法一四九本条改正）

§+【未成年後見人を指定することができる者↓八三九【未成年後見監督人の欠格↓八五〇・八五二・八四七【未成年後見監督人の職務↓八五一【未成年後見監督人の届出↓戸八五・八一・八二

（後見監督人の選任）

第八四九条　家庭裁判所は、必要があると認めるときは、被後見人、その親族若しくは後見人の請求により又は職権で、後見監督人を選任することができる。（平成一一法一四九、平成二三法六一本条改正）

⊛＋八四八【被後見人↓八三八、七、八【親族↓七二五【家庭裁判所による未成年後見監督人の選任と届出↓家事三九、別表第一〈七十四の項〉、戸八五、八一、八二【成年後見監督人の選任↓家事三九、別表第一〈六の項〉【登記事項↓後見登記四①〔四〕【後見監督人↓八五〇、八五二、八四七、八五一【任意後見監督人↓任意後見四、後見登記五【後見監督人の欠けた場合↓八五二、八四四、八四六、八四七

（後見監督人の欠格事由）

第八五〇条　後見人の配偶者、直系血族及び兄弟姉妹は、後見監督人となることができない。

⊛＋【他の欠格事由↓八五二、八四七【任意後見監督人の欠格事由↓任意後見五

（後見監督人の職務）

第八五一条　後見監督人の職務は、次のとおりとする。

一　後見人の事務を監督すること。

二　後見人が欠けた場合に、遅滞なくその選任を家庭裁判所に請求すること。

三　急迫の事情がある場合に、必要な処分をすること。

四　後見人又はその代表する者と被後見人との利益が相反する行為について被後見人を代表すること。

⊛＋【後見監督人の注意義務↓八五二、六四四〔一〕【後見人の事務↓八五三―八六七〔二〕【後見人が欠けた場合↓八四四、八四六、八四七【未成年後見人の選任の請求↓八四〇①②【成年後見人の選任の請求↓八四三②〔三〕【その他の権限↓八四六、八五三②、八五五①、八五七、八六〇、八六三、八六四、八六七【成年後見人の配偶者が成年被後見人である場合の成年後見監督人の職務↓人訴一四②〔四〕【利益相反行為と後見監督人↓八六〇【任意後見監督人の職務等↓任意後見七

（委任及び後見人の規定の準用）

第八五二条　第六百四十四条〈受任者の注意義務〉、第六百五十四条〈委任の終了後の処分〉、第六百五十五条〈委任の終了の対抗要件〉、第八百四十四条〈後見人の辞任〉、第八百四十六条〈後見人の解任〉、第八百四十七条〈後見人の欠格事由〉、第八百六十一条第二項〈後見の事務の費用〉及び第八百六十二条〈後見人の報酬〉の規定は後見監督人について、第八百四十条第三項〈未成年後見人の選任〉及び第八百五十七条の二〈未成年後見人が数人ある場合の権限の行使等〉の規定は未成年後見監督人について、第八百四十三条第四項〈成年後見人の選任〉、第八百五十九条の二〈成年後見人が数人ある場合の権限の行使等〉及び第八百五十九条の三〈成年被後見人の居住用不動産の処分についての許可〉の規定は成年後見監督人について準用する。（平成一一法一四九、平成二三法六一本条改正）

第三節　後見の事務

（財産の調査及び目録の作成）

第八五三条①　後見人は、遅滞なく被後見人の財産の調査に着手し、一箇月以内に、その調査を終わり、かつ、その目録を作成しなければならない。ただし、この期間は、家庭裁判所において伸長することができる。

②　財産の調査及びその目録の作成は、後見監督人があるときは、その立会いをもってしなければ、その効力を生じない。

⊛＋八五四―八五六【家庭裁判所による期間の伸長↓家事三九、別表第一〈九の項〉〈七十七の項〉【後見人の財産目録提出義務等↓八六三

（財産の目録の作成前の権限）

第八五四条　後見人は、財産の目録の作成を終わるまでは、急迫の必要がある行為のみをする権限を有する。ただし、これをもって善意の第三者に対抗することができない。

⊛＋八五三、八五六【急迫の必要がある行為↓八五一〔三〕

（後見人の被後見人に対する債権又は債務の申出義務）

第八五五条①　後見人が、被後見人に対し、債権を有し、又は債務を負う場合において、後見監督人があるときは、財産の調査に着手する前に、これを後見監督人に申し出なければならない。

②　後見人が、被後見人に対し債権を有することを知ってこれを申し出ないときは、その債権を失う。

⊛＋八五三、八五六

（被後見人が包括財産を取得した場合についての準用）

第八五六条　前三条の規定は、後見人が就職した後被後見人が包括財産を取得した場合について準用する。

⊛＋【包括財産の取得↓八九六、九六四

（未成年被後見人の身上の監護に関する権利義務）

第八五七条　未成年後見人は、第八百二十条から第八百二十三条までに規定する事項について、親権を行う者と同一の権利義務を有する。ただし、親権を行う者が定めた教育の方法及び居所を変更し、営業を許可し、その許可を取り消し、又はこれを制限するには、未成年後見監督人があるときは、その同意を得なければならない。（平成一一法一四九、平成二三法六一本条改正）

⊛＋【監護教育の権利義務↓八二〇【居所指定権↓八二一【職業許可権↓八二三、八六四【財産に関する権限のみの未成年後見人↓八六八

（未成年後見人が数人ある場合の権限の行使等）

第八五七条の二①　未成年後見人が数人あるときは、共同してその権限を行使する。

②　未成年後見人が数人あるときは、家庭裁判所は、職権で、その一部の者について、財産に関する権限のみを行使すべきことを定めることができる。

③　未成年後見人が数人あるときは、家庭裁判所は、職権で、財産に関する権限について、各未成年後見人が単独で又は数人の未成年後見人が事務を分掌して、その権限を行使すべきことを定めることができる。

④　家庭裁判所は、職権で、前二項の規定による定めを取り消すことができる。

⑤　未成年後見人が数人あるときは、第三者の意思表示

は、その一人に対してすれば足りる。

（平成二三法六一本条追加）

§+【数人の未成年後見人→八四〇②　❷【財産の管理に関する権限→八五九【家庭裁判所の手続→家事三九・別表第一〈七十八の項〉❸【複数の後見人間の職務分掌→家事三九・別表第一〈七十八の項〉❹【家庭裁判所の処分の取消し→家事三九・別表第一〈七十八の項〉❺【意思表示に関する原則→九七―九八の二

（成年被後見人の意思の尊重及び身上の配慮）

第八五八条　成年後見人は、成年被後見人の生活、療養看護及び財産の管理に関する事務を行うに当たっては、成年被後見人の意思を尊重し、かつ、その心身の状態及び生活の状況に配慮しなければならない。（平成一一法一四九本条全部改正）

§+【成年後見人→八・八四三【成年被後見人→七―九【療養看護及び財産の管理に関する事務→八六一①

（財産の管理及び代表）

第八五九条①　後見人は、被後見人の財産を管理し、かつ、その財産に関する法律行為について被後見人を代表する。

② 第八百二十四条ただし書〈子の行為を目的とする債務と本人の同意〉の規定は、前項の場合について準用する。

§❶【財産管理権→八六〇―八六六・八六九【代表権→九九―一〇一・一〇五・一〇六　❷【代表権の制限される場合→八二四但・六①・八六〇・八二六・八六九・八三〇、労基五八①・五九【営業代理権の制限→商六②　+【未成年者の後見人と同意権→五・六【身分行為と代表権→七八七・七九一③・七九七①②・八一一②―⑤・八一五・八六七、人訴一四【訴訟と代表権→民訴二八・三一・三二・三四―三六【財産に関する権限のみの未成年後見人→八六八

（成年後見人が数人ある場合の権限の行使等）

第八五九条の二①　成年後見人が数人あるときは、家庭裁判所は、職権で、数人の成年後見人が、共同して又は事務を分掌して、その権限を行使すべきことを定めることができる。

② 家庭裁判所は、職権で、前項の規定による定めを取り消すことができる。

③ 成年後見人が数人あるときは、第三者の意思表示は、その一人に対してすれば足りる。

（平成一一法一四九本条追加）

§+【数人の成年後見人→八四三③　❶❷【家庭裁判所の権限行使についての定め→家事三九・別表第一〈十の項〉【登記事項→後見登記四①七

（成年被後見人の居住用不動産の処分についての許可）

第八五九条の三　成年後見人は、成年被後見人に代わって、その居住の用に供する建物又はその敷地について、売却、賃貸、賃貸借の解除又は抵当権の設定その他これらに準ずる処分をするには、家庭裁判所の許可を得なければならない。（平成一一法一四九本条追加）

§+【成年後見人→八・八四三【成年被後見人→七―九【建物又はその敷地についての売買等→五五五―五七八・六〇一―六二一・三六九―三九八の二二、借地借家【家庭裁判所の許可→家事三九・別表第一〈十一の項〉

（利益相反行為）

第八六〇条　第八百二十六条〈親権者と子の利益相反行為〉の規定は、後見人について準用する。ただし、後見監督人がある場合は、この限りでない。

§+八二六　§【後見監督人の代表権→八五一④【被後見人の財産等の譲受け→八六六

（成年後見人による郵便物等の管理）

第八六〇条の二①　家庭裁判所は、成年後見人がその事務を行うに当たって必要があると認めるときは、成年後見人の請求により、信書の送達の事業を行う者に対し、期間を定めて、成年被後見人に宛てた郵便物又は民間事業者による信書の送達に関する法律（平成十四年法律第九十九号）第二条第三項に規定する信書便物（次条において「郵便物等」という。）を成年後見人に配達すべき旨を嘱託することができる。

② 前項に規定する嘱託の期間は、六箇月を超えることができない。

③ 家庭裁判所は、第一項の規定による審判があった後事情に変更を生じたときは、成年被後見人、成年後見人若しくは成年後見監督人の請求により又は職権で、同項に規定する嘱託を取り消し、又は変更することができる。ただし、その変更の審判においては、同項の規定による審判において定められた期間を伸長することができない。

④ 成年後見人の任務が終了したときは、家庭裁判所は、第一項に規定する嘱託を取り消さなければならない。

（平成二八法二七本条追加）

§+【類似の規定→破八一、民再七三【信書の秘密→憲二一②、刑一三三【成年後見人の任務終了→八四四・八四六・八七三の二・八七〇―八七五

第八六〇条の三①　成年後見人は、成年被後見人に宛てた郵便物等を受け取ったときは、これを開いて見ることができる。

② 成年後見人は、その受け取った前項の郵便物等で成年後見人の事務に関しないものは、速やかに成年被後見人に交付しなければならない。

③ 成年被後見人は、成年後見人に対し、成年後見人が受け取った第一項の郵便物等（前項の規定により成年被後見人に交付されたものを除く。）の閲覧を求めることができる。

（平成二八法二七本条追加）

§+【類似の規定→破八二、民再七四

（支出金額の予定及び後見の事務の費用）

第八六一条①　後見人は、その就職の初めにおいて、被後見人の生活、教育又は療養看護及び財産の管理のために毎年支出すべき金額を予定しなければならない。

② 後見人が後見の事務を行うために必要な費用は、被後見人の財産の中から支弁する。（平成一一法一四九本項追加）

§❶【教育→八五七・八二〇【療養看護→八五八【財産の管理→八五九

（後見人の報酬）

第八六二条　家庭裁判所は、後見人及び被後見人の資力その他の事情によって、被後見人の財産の中から、相当な報酬を後見人に与えることができる。

参【家庭裁判所の処理↓家事三九、別表第一〈十三の項〉〈八十の項〉

（後見の事務の監督）

第八六三条①　後見監督人又は家庭裁判所は、いつでも、後見人に対し後見の事務の報告若しくは財産の目録の提出を求め、又は後見の事務若しくは被後見人の財産の状況を調査することができる。

②　家庭裁判所は、後見監督人、被後見人若しくはその親族その他の利害関係人の請求により又は職権で、被後見人の財産の管理その他後見の事務について必要な処分を命ずることができる。（平成一一法一四九本項改正）

参【財産目録↓八五三【親族↓七二五【家庭裁判所の監督↓家事三九、別表第一〈十四の項〉〈八十一の項〉

（後見監督人の同意を要する行為）

第八六四条　後見人が、被後見人に代わって営業若しくは第十三条第一項各号に掲げる行為をし、又は未成年被後見人がこれをすることに同意するには、後見監督人があるときは、その同意を得なければならない。ただし、同項第一号に掲げる元本の領収については、この限りでない。（平成一一法一四九本条改正）

参八六五【代表権↓八五九【同意権↓五、六【営業許可↓八五七【後見監督人の同意を要するその他の行為↓特許七③④【後見人の訴訟行為の特則↓民訴三二

第八六五条①　後見人が、前条の規定に違反してし又は同意を与えた行為は、被後見人又は後見人が取り消すことができる。この場合においては、第二十条〈制限行為能力者の相手方の催告権〉の規定を準用する。

②　前項の規定は、第百二十一条から第百二十六条までの規定の適用を妨げない。

（被後見人の財産等の譲受けの取消し）

第八六六条①　後見人が被後見人の財産又は被後見人に対する第三者の権利を譲り受けたときは、被後見人は、これを取り消すことができる。この場合においては、第二十条〈制限行為能力者の相手方の催告権〉の規定を準用する。

②　前項の規定は、第百二十一条から第百二十六条までの規定の適用を妨げない。

参【利益相反行為↓八六〇、八五一㈣

（未成年被後見人に代わる親権の行使）

第八六七条①　未成年後見人は、未成年被後見人に代わって親権を行う。（平成一一法一四九本項改正）

②　第八百五十三条から第八百五十七条まで及び第八百六十一条から前条まで〈後見の事務〉の規定は、前項の場合について準用する。

参❶【未成年後見人↓八三九―八四一【未成年被後見人↓八三八㈠【親権↓八二〇―八三二＊【家庭裁判所の監督↓家事三九、別表第一〈八十一の項〉【未成年者の親権者の親権代行↓八三三

（財産に関する権限のみを有する未成年後見人）

第八六八条　親権を行う者が管理権を有しない場合には、未成年後見人は、財産に関する権限のみを有する。（平成一一法一四九本条改正）

参【親権を行う者↓八三九参【管理権を有しない場合↓八三五、八三七①、八三八㈠【財産に関する権限↓八五九―八六六

（委任及び親権の規定の準用）

第八六九条　第六百四十四条〈受任者の注意義務〉及び第八百三十条〈第三者が無償で子に与えた財産の管理〉の規定は、後見について準用する。

参【第三者の与えた財産の管理に関する事件の処理↓家事三九、別表第一〈十五の項〉〈八十二の項〉

第四節　後見の終了

（後見の計算）

第八七〇条　後見人の任務が終了したときは、後見人又はその相続人は、二箇月以内にその管理の計算（以下「後見の計算」という。）をしなければならない。ただし、この期間は、家庭裁判所において伸長することができる。

参八七一―八七五【家庭裁判所による期間の伸長↓家事三九、別表第一〈十六の項〉〈八十三の項〉【未成年後見人の更迭と届出↓戸八四【未成年後見終了と届出↓戸八二【後見等の終了と登記↓後見登記四①㈣、八、九【後見人↓八三九―八四一、八四三【相続人↓八八七―八九〇

第八七一条　後見の計算は、後見監督人があるときは、その立会いをもってしなければならない。

参八七〇【後見監督人↓八四八―八五二

（未成年被後見人と未成年後見人等との間の契約等の取消し）

第八七二条①　未成年被後見人が成年に達した後後見の計算の終了前に、その者と未成年後見人又はその相続人との間でした契約は、その者が取り消すことができる。その者が未成年後見人又はその相続人に対してした単独行為も、同様とする。（平成一一法一四九本項改正）

②　第二十条〈制限行為能力者の相手方の催告権〉及び第百二十一条から第百二十六条まで〈取消し及び追認〉の規定は、前項の場合について準用する。

参八七〇【成年↓四【取消しによる債権の時効↓八七五②

（返還金に対する利息の支払等）

第八七三条①　後見人が被後見人に返還すべき金額及び被後見人が後見人に返還すべき金額には、後見の計算が終了した時から、利息を付さなければならない。

②　後見人は、自己のために被後見人の金銭を消費したときは、その消費の時から、これに利息を付さなければならない。この場合において、なお損害があるときは、その賠償の責任を負う。

参八七〇、八七五【利息↓四〇四　❷【損害賠償↓四一五、四一九

（成年被後見人の死亡後の成年後見人の権限）

第八七三条の二　成年後見人は、成年被後見人が死亡した場合において、必要があるときは、成年被後見人の相続人の意思に反することが明らかなときを除き、相

民法

続人が相続財産を管理することができるに至るまで、次に掲げる行為をすることができる。ただし、第三号に掲げる行為をするには、家庭裁判所の許可を得なければならない。

一　相続財産に属する特定の財産の保存に必要な行為

二　相続財産に属する債務（弁済期が到来しているものに限る。）の弁済

三　その死体の火葬又は埋葬に関する契約の締結その他相続財産の保存に必要な行為（前二号に掲げる行為を除く。）

（平成二八法二七本条追加）

⊛†八六九【相続人↓八八七―八九〇【相続財産に属する権利義務↓八九六【保存行為↓一〇三㈡、九二一、一〇一七②

第八七四条（**委任の規定の準用**）　第六百五十四条〈委任の終了後の処分〉及び第六百五十五条〈委任の終了の対抗要件〉の規定は、後見について準用する。

第八七五条（**後見に関して生じた債権の消滅時効**）①　第八百三十二条〈財産の管理について生じた親子間の債権の消滅時効〉の規定は、後見人又は後見監督人と被後見人との間において後見に関して生じた債権の消滅時効について準用する。

②　前項の消滅時効は、第八百七十二条の規定により法律行為を取り消した場合には、その取消しの時から起算する。

⊛†【一般債権の時効↓一六六①【被後見人の後見人に対する債権の時効の完成猶予↓一五八②

第六章　保佐及び補助

（平成一一法一四九章名追加）

⊛†【保佐及び補助の準拠法↓法適用三五

第一節　保佐（平成一一法一四九節名追加）

第八七六条（**保佐の開始**）　保佐は、保佐開始の審判によって開始する。（平成一一法一四九本条全部改正）

⊛†八七六の二―八七六の五【保佐↓一一―一三【保佐開始の審判↓一一、家事三九・別表第一〈十七の項〉【登記事項↓後見登記四①㈡―㈢【任意後見契約との関係↓任意後見一〇

第八七六条の二（**保佐人及び臨時保佐人の選任等**）①　家庭裁判所は、保佐開始の審判をするときは、職権で、保佐人を選任する。

②　第八百四十三条第二項から第四項まで〈成年後見人の選任〉及び第八百四十四条から第八百四十七条まで〈後見人の辞任、新後見人の選任、解任、欠格事由〉の規定は、保佐人について準用する。

③　保佐人又はその代表する者と被保佐人との利益が相反する行為については、保佐人は、臨時保佐人の選任を家庭裁判所に請求しなければならない。ただし、保佐監督人がある場合は、この限りでない。

（平成一一法一四九本条追加）

⊛❶【保佐開始の審判↓一一・八七六【保佐人↓一二・一三・一二〇・八七六の四、家事三九・別表第一〈二十二の項〉【登記事項↓後見登記四①㈢　❸【被保佐人↓一二【臨時保佐人↓家事三九・別表第一〈二十五の項〉【保佐監督人↓八七六の三、家事三九・別表第一〈二十六の項〉【登記事項↓後見登記四①㈣

第八七六条の三（**保佐監督人**）①　家庭裁判所は、必要があると認めるときは、被保佐人、その親族若しくは保佐人の請求により又は職権で、保佐監督人を選任することができる。

②　第六百四十四条〈受任者の注意義務〉、第六百五十四条〈委任の終了後の処分〉、第六百五十五条〈委任の終了の対抗要件〉、第八百四十三条第四項〈成年後見人の選任〉、第八百四十四条〈後見人の辞任〉、第八百四十六条〈後見人の解任〉、第八百四十七条〈後見人の欠格事由〉、第八百五十条〈後見監督人の欠格事由〉、第八百五十一条〈後見監督人の職務〉、第八百五十九条の二〈成年後見人が数人ある場合の権限の行使等〉、第八百五十九条の三〈成年被後見人の居住用不動産の処分についての許可〉、第八百六十一条第二項〈後見の事務の費用〉及び第八百六十二条〈後見人の報酬〉の規定は、保佐監督人について準用する。この場合において、第八百五十一条第四号中「被後見人を代表する」とあるのは、「被保佐人を代表し、又は被保佐人がこれをすることに同意する」と読み替えるものとする。

（平成一一法一四九本条追加）

⊛†【被保佐人・保佐人・保佐監督人↓八七六の二⊛【親族↓七二五

第八七六条の四（**保佐人に代理権を付与する旨の審判**）①　家庭裁判所は、第十一条本文に規定する者又は保佐人若しくは保佐監督人の請求によって、被保佐人のために特定の法律行為について保佐人に代理権を付与する旨の審判をすることができる。

②　本人以外の者の請求によって前項の審判をするには、本人の同意がなければならない。

③　家庭裁判所は、第一項に規定する者の請求によって、同項の審判の全部又は一部を取り消すことができる。

（平成一一法一四九本条追加）

⊛❶【代理権付与の審判↓家事三九・別表第一〈三十二の項〉【代理権の範囲の登記↓後見登記四①㈥　❸【審判の取消し↓家事三九・別表第一〈三十三の項〉

第八七六条の五（**保佐の事務及び保佐人の任務の終了等**）①　保佐人は、保佐の事務を行うに当たっては、被保佐人の意思を尊重し、かつ、その心身の状態及び生活の状況に配慮しなければならない。

②　第六百四十四条〈受任者の注意義務〉、第八百五十九条の二〈成年後見人が数人ある場合の権限の行使等〉、第八百五十九条の三〈成年被後見人の居住用不動産の処分についての許可〉、第八百六十一条第二項〈後見の事務の費用〉、第八百六十二条〈後見人の報酬〉及び第八百六十三条〈後見の事務の監督〉の規定は保佐の事務について、第八百二十四条ただし書〈子の行為を目的とする債務と本人の同意〉の規定は保佐人が前条第一項の代理権を付与する旨の審判に基づき被保佐人を代表する場合について準用す

る。

③　第六百五十四条〈委任の終了後の処分〉、第六百五十五条〈委任の終了の対抗要件〉、第八百七十条〈後見の計算〉、第八百七十一条〈同前〉及び第八百七十三条〈返還金に対する利息の支払等〉の規定は保佐人の任務が終了した場合について、第八百三十二条〈財産の管理について生じた親子間の債権の消滅時効〉の規定は保佐人又は保佐監督人と被保佐人との間において保佐に関して生じた債権について準用する。

（平成一一法一四九本条追加）

参†【類似の規定↓八五八、任意後見六

第二節　補助（平成一一法一四九本節追加）

（補助の開始）

第八七六条の六　補助は、補助開始の審判によって開始する。

参†八七六の七―八七六の一〇【補助↓一五―一八【補助開始の審判↓一五、家事三九・別表第一〈三十六の項〉【登記事項↓後見登記四①〔一〕―〔三〕【任意後見契約との関係↓任意後見一〇

（補助人及び臨時補助人の選任等）

第八七六条の七①　家庭裁判所は、補助開始の審判をするときは、職権で、補助人を選任する。

②　第八百四十三条第二項から第四項まで〈成年後見人の選任〉及び第八百四十四条から第八百四十七条まで〈後見人の辞任、新後見人の選任、解任、欠格事由〉の規定は、補助人について準用する。

③　補助人又はその代表する者と被補助人との利益が相反する行為については、補助人は、臨時補助人の選任を家庭裁判所に請求しなければならない。ただし、補助監督人がある場合は、この限りでない。

参❶【補助開始の審判↓一五・八七六の六【補助人↓一六・一七・一二〇・八七六の九、家事三九・別表第一〈四十一の項〉【登記事項↓後見登記四①〔三〕　❸【臨時補助人↓家事三九・別表第一〈四十四の項〉【補助監督人↓八七六の八、家事三九・別表第一〈四十五の項〉【登記事項↓後見登記四①〔四〕

（補助監督人）

第八七六条の八①　家庭裁判所は、必要があると認めるときは、被補助人、その親族若しくは補助人の請求により又は職権で、補助監督人を選任することができる。

②　第六百四十四条〈受任者の注意義務〉、第六百五十四条〈委任の終了後の処分〉、第六百五十五条〈委任の終了の対抗要件〉、第八百四十三条第四項〈成年後見人の選任〉、第八百四十四条〈後見人の辞任〉、第八百四十六条〈後見人の解任〉、第八百四十七条〈後見人の欠格事由〉、第八百五十条〈後見監督人の欠格事由〉、第八百五十一条〈後見監督人の職務〉、第八百五十九条の二〈成年後見人が数人ある場合の権限の行使等〉、第八百五十九条の三〈成年被後見人の居住用不動産の処分についての許可〉、第八百六十一条第二項〈後見の事務の費用〉及び第八百六十二条〈後見人の報酬〉の規定は、補助監督人について準用する。この場合において、第八百五十一条第四号中「被後見人を代表する」とあるのは、「被補助人を代表し、又は被補助人がこれをすることに同意する」と読み替えるものとする。

参†【被補助人・補助人・補助監督人↓八七六の七参【親族↓七二五

（補助人に代理権を付与する旨の審判）

第八七六条の九①　家庭裁判所は、第十五条第一項本文に規定する者又は補助人若しくは補助監督人の請求によって、被補助人のために特定の法律行為について補助人に代理権を付与する旨の審判をすることができる。

②　第八百七十六条の四第二項及び第三項〈保佐人に代理権を付与する旨の審判〉の規定は、前項の審判について準用する。

参❶【代理権付与の審判↓家事三九・別表第一〈五十一の項〉【登記事項↓後見登記四①〔六〕

（補助の事務及び補助人の任務の終了等）

第八七六条の一〇①　第六百四十四条〈受任者の注意義務〉、第八百五十九条の二〈成年後見人が数人ある場合の権限の行使等〉、第八百五十九条の三〈成年被後見人の居住用不動産の処分についての許可〉、第八百六十一条第二項〈後見の事務の費用〉、第八百六十二条〈後見人の報酬〉、第八百六十三条〈後見の事務の監督〉及び第八百七十六条の五第一項〈保佐の事務処理の基準〉の規定は補助の事務について、第八百二十四条ただし書〈子の行為を目的とする債務と本人の同意〉の規定は補助人が前条第一項の代理権を付与する旨の審判に基づき被補助人を代表する場合について準用する。

②　第六百五十四条〈委任の終了後の処分〉、第六百五十五条〈委任の終了の対抗要件〉、第八百七十条〈後見の計算〉、第八百七十一条〈同前〉及び第八百七十三条〈返還金に対する利息の支払等〉の規定は補助人の任務が終了した場合について、第八百三十二条〈財産の管理について生じた親子間の債権の消滅時効〉の規定は補助人又は補助監督人と被補助人との間において補助に関して生じた債権について準用する。

第七章　扶養

参†【扶養義務の準拠法↓扶養準拠法、法適用四三①

（扶養義務者）

第八七七条①　直系血族及び兄弟姉妹は、互いに扶養をする義務がある。

②　家庭裁判所は、特別の事情があるときは、前項に規定する場合のほか、三親等内の親族間においても扶養の義務を負わせることができる。

③　前項の規定による審判があった後事情に変更を生じたときは、家庭裁判所は、その審判を取り消すことができる。

参†【親族間の互助↓七三〇【夫婦の協力・扶助↓七五二　❶八七八―八八一【扶養義務の懈怠↓八一四①〔二〕、刑二一八・二一九　❷【親等↓七二六【親族↓七二五【家庭裁判所の処理↓家事三の一〇・三九・別表第一〈八十四の項〉　†【扶養と生活保護↓生活保護一・四・七七

（扶養の順位）

第八七八条　扶養をする義務のある者が数人ある場合に

おいて、扶養をすべき者の順序について、当事者間に協議が調わないとき、又は協議をすることができないときは、家庭裁判所が、これを定める。扶養を受ける権利のある者が数人ある場合において、扶養義務者の資力がその全員を扶養するのに足りないときの扶養を受けるべき者の順序についても、同様とする。

八七七・八八〇【家庭裁判所の処理↓家事三の一〇・三九・別表第二〈九の項〉・二四四

（扶養の程度又は方法）
第八七九条　扶養の程度又は方法について、当事者間に協議が調わないとき、又は協議をすることができないときは、扶養権利者の需要、扶養義務者の資力その他一切の事情を考慮して、家庭裁判所が、これを定める。

八七七・八七八・八八〇【家庭裁判所の処理↓家事三の一〇・三九・別表第二〈十の項〉・二四四

（扶養に関する協議又は審判の変更又は取消し）
第八八〇条　扶養をすべき者若しくは扶養を受けるべき者の順序又は扶養の程度若しくは方法について協議又は審判があった後事情に変更を生じたときは、家庭裁判所は、その協議又は審判の変更又は取消しをすることができる。

八七八・八七九【家庭裁判所による取消し・変更↓家事三の一〇・三九・別表第二〈九の項〉〈十の項〉・二四四

（扶養請求権の処分の禁止）
第八八一条　扶養を受ける権利は、処分することができない。

【債権の譲渡性↓四六六①【処分の禁止↓八九六、五一〇、民執一五二①〔一〕【破産と扶養請求権↓破三四③〔二〕

第五編　相続　（昭和二二法二二二本編全部改正）

【相続の準拠法↓法適用三六

第一章　総則

（相続開始の原因）
第八八二条　相続は、死亡によって開始する。

【死亡↓三一・三〇・三二の二【死亡・失踪の届出↓戸八六—九四【相続の効力↓八九六

（相続開始の場所）
第八八三条　相続は、被相続人の住所において開始する。

【住所↓二二【相続開始地の効果↓民訴三の三〔十二〕・五〔十四〕、破二二二

（相続回復請求権）
第八八四条　相続回復の請求権は、相続人又はその法定代理人が相続権を侵害された事実を知った時から五年間行使しないときは、時効によって消滅する。相続開始の時から二十年を経過したときも、同様とする。

【相続回復の請求↓民訴三の三〔十二〕・五〔十四〕【法定代理人↓八一八②③・八一九・八三九—八四七・八七六の四・八七六の九【相続開始の時↓八八二

（相続財産に関する費用）
第八八五条　相続財産に関する費用は、その財産の中から支弁する。ただし、相続人の過失によるものは、この限りでない。（平成三〇法七二本条改正）

【相続財産に関する費用の例↓九一八・九二六・九四〇・九四三・九四四・九五〇・九五二—九五八・一〇二二【共益費用の優先権↓三〇七、破一四八〔一〕【相続人の過失↓九一八・九二六・九四〇・九四四

第二章　相続人

（相続に関する胎児の権利能力）
第八八六条①　胎児は、相続については、既に生まれたものとみなす。

②　前項の規定は、胎児が死体で生まれたときは、適用しない。

【権利能力の始期↓三①　❶【胎児の権利能力↓三

（子及びその代襲者等の相続権）
第八八七条①　被相続人の子は、相続人となる。

②　被相続人の子が、相続の開始以前に死亡したとき、又は第八百九十一条の規定に該当し、若しくは廃除によって、その相続権を失ったときは、その者の子がこれを代襲して相続人となる。ただし、被相続人の直系卑属でない者は、この限りでない。

③　前項の規定は、代襲者が、相続の開始以前に死亡し、又は第八百九十一条の規定に該当し、若しくは廃除によって、その代襲相続権を失った場合について準用する。

（昭和三七法四〇本条全部改正）

八八九・八九〇・八八六【相続人となることができない者↓八九一—八九五　❶【子の相続権↓九〇〇〔一〕〔四〕・九〇二・九〇三・九〇四の二・一〇四二①〔一〕②【特別養子の特則↓八一七の九　❷❸【相続の開始以前の死亡↓八八二・三一・三二の二【代襲者の相続権↓九〇一①・九〇二・九〇三・九〇四の二・一〇四二【被相続人の直系卑属でない者↓七二七

第八八八条　【代襲相続】　削除（昭和三七法四〇）

（直系尊属及び兄弟姉妹の相続権）
第八八九条①　次に掲げる者は、第八百八十七条の規定により相続人となるべき者がない場合には、次に掲げる順序の順位に従って相続人となる。

一　被相続人の直系尊属。ただし、親等の異なる者の間では、その近い者を先にする。

二　被相続人の兄弟姉妹

②　第八百八十七条第二項〈子の代襲者〉の規定は、前項第二号の場合について準用する。（昭和五五法五一本項改正）

（昭和三七法四〇本条改正）

八九〇・八八六【相続人となることができない者↓八八七②・八九一—八九五【直系尊属の相続権↓九〇〇〔三〕〔四〕・九〇二・九〇三・九〇四の二・一〇四二①〔一〕②【兄弟姉妹の相続権↓九〇〇〔三〕〔四〕・九〇二・九〇三・九〇四の二・一〇四二　❷【兄弟姉妹の直系卑属の代襲相続権↓九〇一②・九〇二・九〇三・九〇四の二

（配偶者の相続権）
第八九〇条　被相続人の配偶者は、常に相続人となる。この場合において、第八百八十七条又は前条の規定により相続人となるべき者があるときは、その者と同順

位とする。

参【配偶者の相続権↓九〇〇㈠―㈢、九〇二、九〇三、九〇四の二、一〇四二①㈡【夫婦間の持戻し免除の意思表示推定↓九〇三④【配偶者居住権↓一〇二八―一〇四一

（相続人の欠格事由）

第八九一条　次に掲げる者は、相続人となることができない。

一　故意に被相続人又は相続について先順位若しくは同順位にある者を死亡するに至らせ、又は至らせようとしたために、刑に処せられた者

二　被相続人の殺害されたことを知って、これを告発せず、又は告訴しなかった者。ただし、その者に是非の弁別がないとき、又は殺害者が自己の配偶者若しくは直系血族であったときは、この限りでない。

三　詐欺又は強迫によって、被相続人が相続に関する遺言をし、撤回し、取り消し、又は変更することを妨げた者

四　詐欺又は強迫によって、被相続人に相続に関する遺言をさせ、撤回させ、取り消させ、又は変更させた者

五　相続に関する被相続人の遺言書を偽造し、変造し、破棄し、又は隠匿した者

参【一】【死亡するに至らせようとした者↓刑一九九、二〇二【死亡するに至らせようとした者↓刑二〇一、二〇三【二】【告発↓刑訴二三九、二四一【告訴↓刑訴二三〇・二三一、二四一【三】【四】【遺言の撤回・取消し・変更↓一〇二二―一〇二六【五】【遺言書の検認・開封↓一〇〇四、一〇〇五

（推定相続人の廃除）

第八九二条　遺留分を有する推定相続人（相続が開始した場合に相続人となるべき者をいう。以下同じ。）が、被相続人に対して虐待をし、若しくはこれに重大な侮辱を加えたとき、又は推定相続人にその他の著しい非行があったときは、被相続人は、その推定相続人の廃除を家庭裁判所に請求することができる。

参＋八九三―八九五【遺留分を有する推定相続人↓一〇四二【家庭裁判所の処理↓家事三の一一①②、三九、別表第一〈八十六の項〉【廃除と届出↓戸九七

（遺言による推定相続人の廃除）

第八九三条　被相続人が遺言で推定相続人を廃除する意思を表示したときは、遺言執行者は、その遺言が効力を生じた後、遅滞なく、その推定相続人の廃除を家庭裁判所に請求しなければならない。この場合において、その推定相続人の廃除は、被相続人の死亡の時にさかのぼってその効力を生ずる。

参＋八九二、八九四②、八九五【遺言↓九六〇―一〇二七【遺言執行者↓一〇〇六―一〇二一【遺言の効力発生↓九八五【家庭裁判所の処理↓家事三の一一①②、三九、別表第一〈八十六の項〉【廃除と届出↓戸九七

（推定相続人の廃除の取消し）

第八九四条①　被相続人は、いつでも、推定相続人の廃除の取消しを家庭裁判所に請求することができる。

②　前条の規定は、推定相続人の廃除の取消しについて準用する。

参＋八九二、八九三、八九五【家庭裁判所の処理↓家事三の一一①②、三九、別表第一〈八十七の項〉【廃除の取消しと届出↓戸九七

（推定相続人の廃除に関する審判確定前の遺産の管理）

第八九五条①　推定相続人の廃除又はその取消しの請求があった後その審判が確定する前に相続が開始したときは、家庭裁判所は、親族、利害関係人又は検察官の請求によって、遺産の管理について必要な処分を命ずることができる。推定相続人の廃除の遺言があったときも、同様とする。

②　第二十七条から第二十九条まで〈不在者の財産管理人の権利義務〉の規定は、前項の規定により家庭裁判所が遺産の管理人を選任した場合について準用する。

参＋八九二―八九四【審判の確定↓家事七四、八五、八六【相続の開始↓八八二【親族↓七二五【家庭裁判所の処分↓家事三の一一①③、三九、別表第一〈八十八の項〉❷【管理人の選任↓家事三の一一①③、三九、別表第一〈八十八の項〉【管理人の権利義務↓六四四、六四六、六四七、六五〇

第三章　相続の効力

第一節　総則

（相続の一般的効力）

第八九六条　相続人は、相続開始の時から、被相続人の財産に属した一切の権利義務を承継する。ただし、被相続人の一身に専属したものは、この限りでない。

参＋八九七―八九九【相続開始の時↓八八二【権利の承継の第三者への対抗↓八九九の二【登記申請義務↓不登七六の二、七六の三【特に承継の規定のあるもの↓民訴一二四【一身専属の権利義務の例↓一一一、五九七③、六二五、六五三、六七九、六八九、八八一【相続人の不存在と居住用建物の賃借権の承継↓借地借家三六【相続と根抵当権↓三九八の八

（祭祀に関する権利の承継）

第八九七条①　系譜、祭具及び墳墓の所有権は、前条の規定にかかわらず、慣習に従って祖先の祭祀を主宰すべき者が承継する。ただし、被相続人の指定に従って祖先の祭祀を主宰すべき者があるときは、その者が承継する。

②　前項本文の場合において慣習が明らかでないときは、同項の権利を承継すべき者は、家庭裁判所が定める。

参❷【家庭裁判所の処理↓家事三の一一①、三九、別表第二〈十一の項〉、二四四　＋【祭具等の生前承継↓七五一②、七六九、七七一、七四九、八一七、八〇八②

（相続財産の保存）

第八九七条の二①　家庭裁判所は、利害関係人又は検察官の請求によって、いつでも、相続財産の管理人の選任その他の相続財産の保存に必要な処分を命ずることができる。ただし、相続人が一人である場合においてその相続人が相続の単純承認をしたとき、相続人が数人ある場合において遺産の全部の分割がされたとき、又は第九百五十二条第一項の規定により相続財産の清算人が選任されているときは、この限りでない。

②　第二十七条から第二十九条まで〈管理人の職務、権限、担保提供及び報酬〉の規定は、前項の規定により家庭裁判所

判所が相続財産の管理人を選任した場合について準用する。

（令和三法二四本条追加）

参❶【家庭裁判所の処分→家事三の二一①③、三九、別表第一〈八十九の項〉】【単純承認→九二〇】【遺産の分割→九〇六、九〇七】❷【家庭裁判所による管理人の選任→家事三の一一①③、三九、別表第一〈八十九の項〉】

（共同相続の効力）

第八九八条① 相続人が数人あるときは、相続財産は、その共有に属する。

② 相続財産について共有に関する規定を適用するときは、第九百条から第九百二条までの規定により算定した相続分をもって各相続人の共有持分とする。（令和三法二四本項追加）

参＋八九九、八九九の二【相続人が数人あるとき→八八七、八八九①、八九〇、九〇〇、九〇一、九九〇】【共有→二四九―二六二、二六四、九〇六―九一四】【共同相続と限定承認→九二三、九三六】【相続放棄の効果→九三九】

第八九九条 各共同相続人は、その相続分に応じて被相続人の権利義務を承継する。

参＋八九八【相続分→九〇〇―九〇二の二、九九〇】【債権債務の共同承継→四二七、四二八、四三〇、四三二、四三六】

（共同相続における権利の承継の対抗要件）

第八九九条の二① 相続による権利の承継は、遺産の分割によるものかどうかにかかわらず、次条及び第九百一条の規定により算定した相続分を超える部分については、登記、登録その他の対抗要件を備えなければ、第三者に対抗することができない。

② 前項の権利が債権である場合において、次条及び第九百一条の規定により算定した相続分を超えて当該債権を承継した共同相続人が当該債権に係る遺言の内容（遺産の分割により当該債権を承継した場合にあっては、当該債権に係る遺産の分割の内容）を明らかにして債務者にその承継の通知をしたときは、共同相続人の全員が債務者に通知をしたものとみなして、同項の規定を適用する。

（平成三〇法七二本条追加）

参＋九〇〇、九〇一【遺産の分割→九〇六、九〇七】【対抗要件→一七七、一七八、四六七、信託九五の二】【特定財産承継遺言の遺言執行者→一〇一四②④】

第二節 相続分

（法定相続分）

第九〇〇条 同順位の相続人が数人あるときは、その相続分は、次の各号の定めるところによる。

一 子及び配偶者が相続人であるときは、子の相続分及び配偶者の相続分は、各二分の一とする。（昭和三七法四〇、昭和五五法五一本号改正）

二 配偶者及び直系尊属が相続人であるときは、配偶者の相続分は、三分の二とし、直系尊属の相続分は、三分の一とする。（昭和五五法五一本号改正）

三 配偶者及び兄弟姉妹が相続人であるときは、配偶者の相続分は、四分の三とし、兄弟姉妹の相続分は、四分の一とする。（昭和五五法五一本号改正）

四 子、直系尊属又は兄弟姉妹が数人あるときは、各自の相続分は、相等しいものとする。ただし、父母の一方のみを同じくする兄弟姉妹の相続分は、父母の双方を同じくする兄弟姉妹の相続分の二分の一とする。（昭和三七法四〇、平成二五法九四本号改正）

参＋八九九、九〇一―九〇四の二【遺留分に関する規定→一〇四二②】【二】【子→八八七①】【配偶者→八九〇】【三】【直系尊属→八八九①㈠】【三】【兄弟姉妹→八八九①㈡】

（代襲相続人の相続分）

第九〇一条① 第八百八十七条第二項又は第三項の規定により相続人となる直系卑属の相続分は、その直系尊属が受けるべきであったものと同じとする。ただし、直系卑属が数人あるときは、その各自の直系尊属が受けるべきであった部分について、前条の規定に従ってその相続分を定める。（昭和三七法四〇本項改正）

② 前項の規定は、第八百八十九条第二項の規定により兄弟姉妹の子が相続人となる場合について準用する。（昭和五五法五一本項改正）

参＋九〇〇、九〇二―九〇四の二【遺留分に関する規定→一〇四二②】

（遺言による相続分の指定）

第九〇二条① 被相続人は、前二条の規定にかかわらず、遺言で、共同相続人の相続分を定め、又はこれを定めることを第三者に委託することができる。（平成三〇法七二本項改正）

② 被相続人が、共同相続人中の一人若しくは数人の相続分のみを定め、又はこれを第三者に定めさせたときは、他の共同相続人の相続分は、前二条の規定により定める。

参＋九〇二の二―九〇四の二【遺産分割方法の指定・分割禁止→九〇八】【遺贈→九六四】

（相続分の指定がある場合の債権者の権利の行使）

第九〇二条の二 被相続人が相続開始の時において有した債務の債権者は、前条の規定による相続分の指定がされた場合であっても、各共同相続人に対し、第九百条及び第九百一条の規定により算定した相続分に応じてその権利を行使することができる。ただし、その債権者が共同相続人の一人に対してその指定された相続分に応じた債務の承継を承認したときは、この限りでない。（平成三〇法七二本条追加）

参＋【分割債務→四二七】

（特別受益者の相続分）

第九〇三条① 共同相続人中に、被相続人から、遺贈を受け、又は婚姻若しくは養子縁組のため若しくは生計の資本として贈与を受けた者があるときは、被相続人が相続開始の時において有した財産の価額にその贈与の価額を加えたものを相続財産とみなし、第九百条から第九百二条までの規定により算定した相続分の中からその遺贈又は贈与の価額を控除した残額をもってその者の相続分とする。

② 遺贈又は贈与の価額が、相続分の価額に等しく、又はこれを超えるときは、受遺者又は受贈者は、その相続分を受けることができない。

③ 被相続人が前二項の規定と異なった意思を表示したときは、その意思に従う。（平成三〇法七二本項改正）

④ 婚姻期間が二十年以上の夫婦の一方である被相続人が、他の一方に対し、その居住の用に供する建物又はその敷地について遺贈又は贈与をしたときは、当該被相続人は、その遺贈又は贈与について第一項の規定を適用しない旨の意思を表示したものと推定する。（平成三〇法七二本項追加）

参 九〇四、九〇四の二　❶【遺贈↓九六四】【贈与↓五四九、五五四】【相続開始の時↓八八二】　❹七六二

第九〇四条　前条に規定する贈与の価額は、受贈者の行為によって、その目的である財産が滅失し、又はその価格の増減があったときであっても、相続開始の時においてなお原状のままであるものとみなしてこれを定める。

参【相続開始の時↓八八二】

（寄与分）

第九〇四条の二① 共同相続人中に、被相続人の事業に関する労務の提供又は財産上の給付、被相続人の療養看護その他の方法により被相続人の財産の維持又は増加について特別の寄与をした者があるときは、被相続人が相続開始の時において有した財産の価額から共同相続人の協議で定めたその者の寄与分を控除したものを相続財産とみなし、第九百条から第九百二条までの規定により算定した相続分に寄与分を加えた額をもってその者の相続分とする。

② 前項の協議が調わないとき、又は協議をすることができないときは、家庭裁判所は、同項に規定する寄与をした者の請求により、寄与の時期、方法及び程度、相続財産の額その他一切の事情を考慮して、寄与分を定める。

③ 寄与分は、被相続人が相続開始の時において有した財産の価額から遺贈の価額を控除した残額を超えることができない。

④ 第二項の請求は、第九百七条第二項の規定による請求があった場合又は第九百十条に規定する場合にすることができる。

（昭和五五法五一本条追加）

参 九〇三【被相続人の親族の特別の寄与↓一〇五〇】　❶❸【相続開始の時↓八八二】　❷【家庭裁判所の処理↓家事三の二①④・三九、別表第二（十四の項）・二四四】　❸【遺贈↓九六四】

（期間経過後の遺産の分割における相続分）

第九〇四条の三　前三条の規定は、相続開始の時から十年を経過した後にする遺産の分割については、適用しない。ただし、次の各号のいずれかに該当するときは、この限りでない。

一　相続開始の時から十年を経過する前に、相続人が家庭裁判所に遺産の分割の請求をしたとき。

二　相続開始の時から始まる十年の期間の満了前六箇月以内の間に、遺産の分割を請求することができないやむを得ない事由が相続人にあった場合において、その事由が消滅した時から六箇月を経過する前に、当該相続人が家庭裁判所に遺産の分割の請求をしたとき。

（令和三法二四本条追加）

参 九〇三―九〇四の二【遺産の分割↓九〇六、九〇七】

（相続分の取戻権）

第九〇五条① 共同相続人の一人が遺産の分割前にその相続分を第三者に譲り渡したときは、他の共同相続人は、その価額及び費用を償還して、その相続分を譲り受けることができる。

② 前項の権利は、一箇月以内に行使しなければならない。

参【遺産の分割時期↓九〇七、九〇八】

第三節　遺産の分割

（遺産の分割の基準）

第九〇六条　遺産の分割は、遺産に属する物又は権利の種類及び性質、各相続人の年齢、職業、心身の状態及び生活の状況その他一切の事情を考慮してこれをする。（昭和五五法五一本条改正）

参【相続財産の共有↓八九八】

（遺産の分割前に遺産に属する財産が処分された場合の遺産の範囲）

第九〇六条の二① 遺産の分割前に遺産に属する財産が処分された場合であっても、共同相続人は、その全員の同意により、当該処分された財産が遺産の分割時に遺産として存在するものとみなすことができる。

② 前項の規定にかかわらず、共同相続人の一人又は数人により同項の財産が処分されたときは、当該共同相続人については、同項の同意を得ることを要しない。

（平成三〇法七二本条追加）

参 八九六、九〇九の二【共有物の処分↓二五一・二五二】

（遺産の分割の協議又は審判）

第九〇七条① 共同相続人は、次条第一項の規定により被相続人が遺言で禁じた場合又は同条第二項の規定により分割をしない旨の契約をした場合を除き、いつでも、その協議で、遺産の全部又は一部の分割をすることができる。（令和三法二四本項改正）

② 遺産の分割について、共同相続人間に協議が調わないとき、又は協議をすることができないときは、各共同相続人は、その全部又は一部の分割を家庭裁判所に請求することができる。ただし、遺産の一部を分割することにより他の共同相続人の利益を害するおそれがある場合におけるその一部の分割については、この限りでない。

（平成三〇法七二、令和三法二四本条改正）

参 九〇六、九〇六の二、九〇八―九一四【共有物の分割↓二五六―二六二】【分割前の財産処分↓九〇六の二、九〇九の二】　❷【家庭裁判所の処理↓家事三の二①④・三九、別表第二（十二の項）・二四四】【寄与分請求との関係↓九〇四の二④】

（遺産の分割の方法の指定及び遺産の分割の禁止）

第九〇八条① 被相続人は、遺言で、遺産の分割の方法を定め、若しくはこれを定めることを第三者に委託し、又は相続開始の時から五年を超えない期間を定め

て、遺産の分割を禁ずることができる。

② 共同相続人は、五年以内の期間を定めて、遺産の全部又は一部について、その分割をしない旨の契約をすることができる。ただし、その期間の終期は、相続開始の時から十年を超えることができない。（令和三法二四本項追加）

③ 前項の契約は、五年以内の期間を定めて更新することができる。ただし、その期間の終期は、相続開始の時から十年を超えることができない。（令和三法二四本項追加）

④ 前条第二項本文の場合において特別の事由があるときは、家庭裁判所は、五年以内の期間を定めて、遺産の全部又は一部について、その分割を禁ずることができる。ただし、その期間の終期は、相続開始の時から十年を超えることができない。（令和三法二四本項追加）

⑤ 家庭裁判所は、五年以内の期間を定めて前項の期間を更新することができる。ただし、その期間の終期は、相続開始の時から十年を超えることができない。（令和三法二四本項追加）

⊛九〇六―九〇七【指定相続分→九〇二【遺贈→九六四【特定財産承継遺言→一〇一四②【相続開始の時→八八二 ❷❸【家庭裁判所の処理→家事三の一一①④・三九・別表第二（十三の項）【分割禁止の定めの登記→不登五九㈥

（遺産の分割の効力）

第九〇九条 遺産の分割は、相続開始の時にさかのぼってその効力を生ずる。ただし、第三者の権利を害することはできない。

⊛【相続開始の時→八八二【対抗要件→八九九の二

（遺産の分割前における預貯金債権の行使）

第九〇九条の二 各共同相続人は、遺産に属する預貯金債権のうち相続開始の時の債権額の三分の一に第九百条及び第九百一条の規定により算定した当該共同相続人の相続分を乗じた額（標準的な当面の必要生計費、平均的な葬式の費用の額その他の事情を勘案して預貯金債権の債務者ごとに法務省令で定める額を限度とする。）については、単独でその権利を行使することができる。この場合において、当該権利の行使をした預貯金債権については、当該共同相続人が遺産の一部の分割によりこれを取得したものとみなす。（平成三〇法七二本条追加）

注　本条の「法務省令で定める額」についての規定

民法第九百九条の二に規定する法務省令で定める額を定める省令（平成三〇・一一・二一法務二九）

民法第九百九条の二に規定する法務省令で定める額は、百五十万円とする。

⊛九〇六の二【預貯金債権→四六六の五【遺産の一部分割→九〇七

（相続の開始後に認知された者の価額の支払請求権）

第九一〇条 相続の開始後認知によって相続人となった者が遺産の分割を請求しようとする場合において、他の共同相続人が既にその分割その他の処分をしたときは、価額のみによる支払の請求権を有する。

⊛【相続の開始→八八二【相続開始後における被相続人の子の認知→七八一②、七八七但【認知の遡及効→七八四【寄与分との関係→九〇四の二④

（共同相続人間の担保責任）

第九一一条 各共同相続人は、他の共同相続人に対して、売主と同じく、その相続分に応じて担保の責任を負う。

⊛九一四【相続分→九〇〇―九〇二【売主の担保責任→五六一―五七二

（遺産の分割によって受けた債権についての担保責任）

第九一二条① 各共同相続人は、その相続分に応じ、他の共同相続人が遺産の分割によって受けた債権について、その分割の時における債務者の資力を担保する。

② 弁済期に至らない債権及び停止条件付きの債権については、各共同相続人は、弁済をすべき時における債務者の資力を担保する。

⊛九一四【相続分→九〇〇―九〇二【停止条件→一二七①【弁済をすべき時→四一二【債権の売主の担保責任→五六九

（資力のない共同相続人がある場合の担保責任の分担）

第九一三条 担保の責任を負う共同相続人中に償還をする資力のない者があるときは、その償還することができない部分は、求償者及び他の資力のある者が、それぞれその相続分に応じて分担する。ただし、求償者に過失があるときは、他の共同相続人に対して分担を請求することができない。

⊛九一四【相続分→九〇〇―九〇二

（遺言による担保責任の定め）

第九一四条 前三条の規定は、被相続人が遺言で別段の意思を表示したときは、適用しない。

第四章　相続の承認及び放棄

第一節　総則

（相続の承認又は放棄をすべき期間）

第九一五条① 相続人は、自己のために相続の開始があったことを知った時から三箇月以内に、相続について、単純若しくは限定の承認又は放棄をしなければならない。ただし、この期間は、利害関係人又は検察官の請求によって、家庭裁判所において伸長することができる。

② 相続人は、相続の承認又は放棄をする前に、相続財産の調査をすることができる。

⊛九一六・九一七・九一九【相続の開始→八八二【単純承認→九二〇【限定承認→九二二【放棄→九三八【家庭裁判所による期間の伸長→家事三の一一①・三九・別表第一（八十九の項）【期間内に限定承認又は放棄をしないとき→九二一㈡

第九一六条 相続人が相続の承認又は放棄をしないで死亡したときは、前条第一項の期間は、その者の相続人が自己のために相続の開始があったことを知った時から起算する。

⊛【相続の開始→八八二

第九一七条　相続人が未成年者又は成年被後見人であるときは、第九百十五条第一項の期間は、その法定代理人が未成年者又は成年被後見人のために相続の開始があったことを知った時から起算する。（平成一一法一四九本条改正）

⊛+【未成年者↓四【成年被後見人↓七、八【法定代理人↓八一八②③、八一九、八三九―八四七【相続の開始↓八八二

（相続人による管理）

第九一八条　相続人は、その固有財産におけるのと同一の注意をもって、相続財産を管理しなければならない。ただし、相続の承認又は放棄をしたときは、この限りでない。（令和三法二四本条改正）

⊛+【承認又は放棄後の管理義務↓九二六、九四〇、九四四、九五〇

（相続の承認及び放棄の撤回及び取消し）

第九一九条①　相続の承認及び放棄は、第九百十五条第一項の期間内でも、撤回することができない。

② 前項の規定は、第一編（総則）及び前編（親族）の規定により相続の承認又は放棄の取消しをすることを妨げない。

③ 前項の取消権は、追認をすることができる時から六箇月間行使しないときは、時効によって消滅する。相続の承認又は放棄の時から十年を経過したときも、同様とする。

④ 第二項の規定により限定承認又は相続の放棄の取消しをしようとする者は、その旨を家庭裁判所に申述しなければならない。（昭和三七法四〇本項追加）

⊛+❷【第一編の規定による取消し↓五①②、九、一三①㈣④、一七④、九六、一二〇―一二六【前編の規定による取消し↓八六五、八六四、八六七　❸【追認をすることができる時↓一二四　❹【家庭裁判所への申述↓家事三の一一①、三九、別表第一〈九十一の項〉

第二節　相続の承認

第一款　単純承認

（単純承認の効力）

第九二〇条　相続人は、単純承認をしたときは、無限に被相続人の権利義務を承継する。

⊛+【単純承認↓九一五、九二一【相続と権利義務の承継↓八九六【第三者への対抗↓八九九の二【破産と単純承認↓破二三八、二四三

（法定単純承認）

第九二一条　次に掲げる場合には、相続人は、単純承認をしたものとみなす。

一　相続人が相続財産の全部又は一部を処分したとき。ただし、保存行為及び第六百二条に定める期間を超えない賃貸をすることは、この限りでない。

二　相続人が第九百十五条第一項の期間内に限定承認又は相続の放棄をしなかったとき。

三　相続人が、限定承認又は相続の放棄をした後であっても、相続財産の全部若しくは一部を隠匿し、私にこれを消費し、又は悪意でこれを相続財産の目録中に記載しなかったとき。ただし、その相続人が相続の放棄をしたことによって相続人となった者が相続の承認をした後は、この限りでない。

⊛+九二〇　㈠【相続人の管理義務↓九一八、九四〇、九四四　㈡【本号の事由と限定承認↓九三七　㈢【限定承認↓九二二【放棄↓九三八　㈢【限定承認又は放棄後の管理義務↓九二六、九四〇【限定承認者の相続財産目録の作成義務↓九二四【本号の事由と限定承認↓九三七

第二款　限定承認

（限定承認）

第九二二条　相続人は、相続によって得た財産の限度においてのみ被相続人の債務及び遺贈を弁済すべきことを留保して、相続の承認をすることができる。

⊛+九二三―九三七【限定承認の期間↓九一五、九二一㈡【相続によって得た財産↓八九六【破産と限定承認↓破二二五、二二八、二三八、二三九、二四一、二四二【限定承認と法定単純承認↓九二一、九三七【債権者側からの財産分離請求↓九四一・九五〇

（共同相続人の限定承認）

第九二三条　相続人が数人あるときは、限定承認は、共同相続人の全員が共同してのみこれをすることができる。

⊛+【共同相続人の一部の法定単純承認↓九三七【限定承認と相続財産清算人の選任↓九三六

（限定承認の方式）

第九二四条　相続人は、限定承認をしようとするときは、第九百十五条第一項の期間内に、相続財産の目録を作成して家庭裁判所に提出し、限定承認をする旨を申述しなければならない。

⊛+【方式違背と法定単純承認↓九二一㈡㈢【家庭裁判所への申述↓家事三の一一①、三九、別表第一〈九十二の項〉【限定承認前の財産の調査↓九一五②【限定承認の取消しの申述↓九一九④

（限定承認をしたときの権利義務）

第九二五条　相続人が限定承認をしたときは、その被相続人に対して有した権利義務は、消滅しなかったものとみなす。

⊛+九二二【相続と混同↓九二〇、一七九、五二〇

（限定承認者による管理）

第九二六条①　限定承認者は、その固有財産におけるのと同一の注意をもって、相続財産の管理を継続しなければならない。

② 第六百四十五条〈受任者による報告〉、第六百四十六条〈受任者による受取物の引渡し等〉並びに第六百五十条第一項及び第二項〈受任者による費用等の償還請求等〉の規定は、前項の場合について準用する。（令和三法二四本項改正）

⊛+九二七―九三五【限定承認者が数人あるとき↓九三六【限定承認前の管理義務↓九一八【不正な管理と法定単純承認↓九二一㈢、九三七

（相続債権者及び受遺者に対する公告及び催告）

第九二七条①　限定承認者は、限定承認をした後五日以内に、すべての相続債権者（相続財産に属する債務の債権者をいう。以下同じ。）及び受遺者に対し、限定承

認をしたこと及び一定の期間内にその請求の申出をすべき旨を公告しなければならない。この場合において、その期間は、二箇月を下ることができない。

② 前項の規定による公告には、相続債権者及び受遺者がその期間内に申出をしないときは弁済から除斥されるべき旨を付記しなければならない。ただし、限定承認者は、知れている相続債権者及び受遺者を除斥することができない。（平成一八法五〇本項全部改正）

③ 限定承認者は、知れている相続債権者及び受遺者には、各別にその申出の催告をしなければならない。（平成一八法五〇本項追加）

④ 第一項の規定による公告は、官報に掲載してする。（平成一八法五〇本項追加）

参九三六、九二八、九二九【公告又は催告懈怠の責任↓九三四【公告の費用の負担↓八八五【期間内に申し出なかった債権者の権利↓九三五

（公告期間満了前の弁済の拒絶）

第九二八条　限定承認者は、前条第一項の期間の満了前には、相続債権者及び受遺者に対して弁済を拒むことができる。

参九三六、九二九【期間内の不当な弁済の責任↓九三四

（公告期間満了後の弁済）

第九二九条　第九百二十七条第一項の期間が満了した後は、限定承認者は、相続財産をもって、その期間内に同項の申出をした相続債権者その他知れている相続債権者に、それぞれその債権額の割合に応じて弁済をしなければならない。ただし、優先権を有する債権者の権利を害することはできない。

参九三六、九三〇―九三三、九二八【期間内に申し出なかった債権者の権利↓九三五【優先権を有する債権者↓三〇三、三四二、三六九【本条違反の弁済の責任↓九三四

（期限前の債務等の弁済）

第九三〇条①　限定承認者は、弁済期に至らない債権であっても、前条の規定に従って弁済をしなければならない。

② 条件付きの債権又は存続期間の不確定な債権は、家庭裁判所が選任した鑑定人の評価に従って弁済をしなければならない。

参九三六、九三一―九三三【条件↓一二七【家庭裁判所による鑑定人の選任↓家事三の一一①、三九、別表第一〈九十三の項〉【本条違反の弁済の責任↓九三四

（受遺者に対する弁済）

第九三一条　限定承認者は、前二条の規定に従って各相続債権者に弁済をした後でなければ、受遺者に弁済をすることができない。

参九三六、九三二、九三三【本条違反の弁済の責任↓九三四

（弁済のための相続財産の換価）

第九三二条　前三条の規定に従って弁済をするにつき相続財産を売却する必要があるときは、限定承認者は、これを競売に付さなければならない。ただし、家庭裁判所が選任した鑑定人の評価に従い相続財産の全部又は一部の価額を弁済して、その競売を止めることができる。

参九三六、九三三【競売↓民執一九五【家庭裁判所による鑑定人の選任↓家事三の一一①、三九、別表第一〈九十三の項〉

（相続債権者及び受遺者の換価手続への参加）

第九三三条　相続債権者及び受遺者は、自己の費用で、相続財産の競売又は鑑定に参加することができる。この場合においては、第二百六十条第二項〈共有物の分割への参加〉の規定を準用する。

参九三二

（不当な弁済をした限定承認者の責任等）

第九三四条①　限定承認者は、第九百二十七条の公告若しくは催告をすることを怠り、又は同条第一項の期間内に相続債権者若しくは受遺者に弁済をしたことによって他の相続債権者若しくは受遺者に弁済をすることができなくなったときは、これによって生じた損害を賠償する責任を負う。第九百二十九条から第九百三十一条までの規定に違反して弁済をしたときも、同様とする。

② 前項の規定は、情を知って不当に弁済を受けた相続債権者又は受遺者に対する他の相続債権者又は受遺者の求償を妨げない。

③ 第七百二十四条〈不法行為による損害賠償請求権の消滅時効〉の規定は、前二項の場合について準用する。

参九三六

（公告期間内に申出をしなかった相続債権者及び受遺者）

第九三五条　第九百二十七条第一項の期間内に同項の申出をしなかった相続債権者及び受遺者で限定承認者に知れなかったものは、残余財産についてのみその権利を行使することができる。ただし、相続財産について特別担保を有する者は、この限りでない。

参【特別担保↓三二一、三二五、三四二、三六九

（相続人が数人ある場合の相続財産の清算人）

第九三六条①　相続人が数人ある場合には、家庭裁判所は、相続人の中から、相続財産の清算人を選任しなければならない。

② 前項の相続財産の清算人は、相続人のために、これに代わって、相続財産の管理及び債務の弁済に必要な一切の行為をする。

③ 第九百二十六条から前条まで〈限定承認者の任務〉の規定は、第一項の相続財産の清算人について準用する。この場合において、第九百二十七条第一項中「限定承認をした後五日以内」とあるのは、「その相続財産の清算人の選任があった後十日以内」と読み替えるものとする。

（令和三法二四本条改正）

参❶【共同相続と限定承認↓九二三【家庭裁判所による清算人の選任↓家事三の一一①③、三九、別表第一〈九十四の項〉 ❷【清算人と代理権↓九九―一〇一、一〇五、一〇六

（法定単純承認の事由がある場合の相続債権者）

第九三七条　限定承認をした共同相続人の一人又は数人

について第九百二十一条第一号又は第三号に掲げる事由があるときは、相続債権者は、相続財産をもって弁済を受けることができなかった債権額について、当該共同相続人に対し、その相続分に応じて権利を行使することができる。

【共同相続人の限定承認→九二三

第三節　相続の放棄

（相続の放棄の方式）
第九三八条　相続の放棄をしようとする者は、その旨を家庭裁判所に申述しなければならない。

九三九、九四〇【相続放棄の期間→九一五、九二一㈢【家庭裁判所への申述→家事三の一一①、三九、別表第一〈九十五の項〉【放棄と法定単純承認→九二一【放棄前の財産の調査→九一五②【放棄の取消しの申述→九一九④

（相続の放棄の効力）
第九三九条　相続の放棄をした者は、その相続に関しては、初めから相続人とならなかったものとみなす。

（昭和三七法四〇本条全部改正）
九三八、九四〇

（相続の放棄をした者による管理）
第九四〇条①　相続の放棄をした者は、その放棄の時に相続財産に属する財産を現に占有しているときは、相続人又は第九百五十二条第一項の相続財産の清算人に対して当該財産を引き渡すまでの間、自己の財産におけるのと同一の注意をもって、その財産を保存しなければならない。

② 第六百四十五条〈受任者による報告〉、第六百四十六条〈受任者による受取物の引渡し等〉並びに第六百五十条第一項及び第二項〈受任者による費用等の償還請求等〉の規定は、前項の場合について準用する。

（令和三法二四本条改正）
九三八【相続人の管理義務→九一八、九二六、九四四【不正な管理と法定単純承認→九二一㈢

第五章　財産分離

（相続債権者又は受遺者の請求による財産分離）
第九四一条①　相続債権者又は受遺者は、相続開始の時から三箇月以内に、相続人の財産の中から相続財産を分離することを家庭裁判所に請求することができる。相続財産が相続人の固有財産と混合しない間は、その期間の満了後も、同様とする。

② 家庭裁判所が前項の請求によって財産分離を命じたときは、その請求をした者は、五日以内に、他の相続債権者及び受遺者に対し、財産分離の命令があったこと及び一定の期間内に配当加入の申出をすべき旨を公告しなければならない。この場合において、その期間は、二箇月を下ることができない。

③ 前項の規定による公告は、官報に掲載してする。

（平成一七法八七本項追加）
九四二—九四九【相続開始の時→八八二【家庭裁判所の処理→家事三の一一①、三九、別表第一〈九十六の項〉【財産分離の阻止→九四九【第二種財産分離→九五〇【破産と財産分離→破二二八、二三九—二四二

（財産分離の効力）
第九四二条　財産分離の請求をした者及び前条第二項の規定により配当加入の申出をした者は、相続財産について、相続人の債権者に先立って弁済を受ける。

九四一、九四七、九四八

（財産分離の請求後の相続財産の管理）
第九四三条①　財産分離の請求があったときは、家庭裁判所は、相続財産の管理について必要な処分を命ずることができる。

② 第二十七条から第二十九条まで〈不在者の財産管理人の権利義務〉の規定は、前項の規定により家庭裁判所が相続財産の管理人を選任した場合について準用する。

九四一、九四四【家庭裁判所の処分→家事三の一一①③、三九、別表第一〈九十七の項〉 ❷【家庭裁判所による管理人の選任→家事三の一一①③、三九、別表第一〈九十七の項〉【管理人の権利義務→六四四、六四六、六四七、六五〇

（財産分離の請求後の相続人による管理）
第九四四条①　相続人は、単純承認をした後でも、財産分離の請求があったときは、以後、その固有財産におけるのと同一の注意をもって、相続財産の管理をしなければならない。ただし、家庭裁判所が相続財産の管理人を選任したときは、この限りでない。

② 第六百四十五条から第六百四十七条まで〈受任者の義務と責任〉並びに第六百五十条第一項及び第二項〈受任者による費用等の償還請求等〉の規定は、前項の場合について準用する。

【相続人の管理義務→九一八、九二六、九四〇【家庭裁判所による管理人の選任→九四三

（不動産についての財産分離の対抗要件）
第九四五条　財産分離は、不動産については、その登記をしなければ、第三者に対抗することができない。

九四二【不動産→八六①【登記とその効力→一七七、不登三、六三

（物上代位の規定の準用）
第九四六条　第三百四条〈先取特権の物上代位〉の規定は、財産分離の場合について準用する。

（相続債権者及び受遺者に対する弁済）
第九四七条①　相続人は、第九百四十一条第一項及び第二項の期間の満了前には、相続債権者及び受遺者に対して弁済を拒むことができる。

② 財産分離の請求があったときは、相続人は、第九百四十一条第二項の期間の満了後に、相続財産をもって、財産分離の請求又は配当加入の申出をした相続債権者及び受遺者に、それぞれその債権額の割合に応じて弁済をしなければならない。ただし、優先権を有する債権者の権利を害することはできない。

③ 第九百三十条から第九百三十四条まで〈限定承認者の弁済〉の規定は、前項の場合について準用する。

❷【請求者・申出者の優先権→九四二【優先権を有する債権者→三〇三、三四二、三六九

（相続人の固有財産からの弁済）

第九四八条　財産分離の請求をした者及び配当加入の申出をした者は、相続財産をもって全部の弁済を受けることができなかった場合に限り、相続人の固有財産についてその権利を行使することができる。この場合においては、相続人の債権者は、その者に先立って弁済を受けることができる。

九四二【請求者・申出者の相続財産に対する優先権↓九四二・九四七②

（財産分離の請求の防止等）

第九四九条　相続人は、その固有財産をもって相続債権者若しくは受遺者に弁済をし、又はこれに相当の担保を供して、財産分離の請求を防止し、又はその効力を消滅させることができる。ただし、相続人の債権者が、これによって損害を受けるべきことを証明して、異議を述べたときは、この限りでない。

【財産分離の請求と効力↓九四一・九四二【相続人の債権者の異議↓家事四二

（相続人の債権者の請求による財産分離）

第九五〇条①　相続人が限定承認をすることができる間又は相続財産が相続人の固有財産と混合しない間は、相続人の債権者は、家庭裁判所に対して財産分離の請求をすることができる。

②　第三百四条〈物上代位〉、第九百二十五条〈限定承認をしたときの権利義務〉、第九百二十七条から第九百三十四条まで〈限定承認における相続財産の清算〉、第九百四十三条から第九百四十五条まで〈第一種財産分離における相続財産の管理・対抗要件〉及び第九百四十八条〈相続人の固有財産からの弁済〉の規定は、前項の場合について準用する。ただし、第九百二十七条の公告及び催告は、財産分離の請求をした債権者がしなければならない。

【限定承認の期間↓九一五【家庭裁判所の処理↓家事三の一一①、三九、別表第一〈九十六の項〉【第一種財産分離↓九四一【破産と財産分離↓破二二八、二三九—二四二

第六章　相続人の不存在

【相続人不存在の場合における居住用建物の賃借権の承継↓借地借家三六

（相続財産法人の成立）

第九五一条　相続人のあることが明らかでないときは、相続財産は、法人とする。

【相続人↓八八七—八九〇【法人↓三三【相続人があることが明らかになったとき↓九五五、九五六

（相続財産の清算人の選任）

第九五二条①　前条の場合には、家庭裁判所は、利害関係人又は検察官の請求によって、相続財産の清算人を選任しなければならない。

②　前項の規定により相続財産の清算人を選任したときは、家庭裁判所は、遅滞なく、その旨及び相続人があるならば一定の期間内にその権利を主張すべき旨を公告しなければならない。この場合において、その期間は、六箇月を下ることができない。

（令和三法二四本条改正）

九五三、九五四【家庭裁判所による清算人の選任↓家事三の一一①③、三九、別表第一〈九十九の項〉❷【公告の手続↓家事三の一一①③、三九、別表第一〈九十九の項〉

（不在者の財産の管理人に関する規定の準用）

第九五三条　第二十七条から第二十九条まで〈不在者の財産管理人の権利義務〉の規定は、前条第一項の相続財産の清算人（以下この章において単に「相続財産の清算人」という。）について準用する。（令和三法二四本条改正）

九五二、九五四

（相続財産の清算人の報告）

第九五四条　相続財産の清算人は、相続債権者又は受遺者の請求があるときは、その請求をした者に相続財産の状況を報告しなければならない。（令和三法二四本条改正）

九五二、九五三

（相続財産法人の不成立）

第九五五条　相続人のあることが明らかになったときは、第九百五十一条の法人は、成立しなかったものとみなす。ただし、相続財産の清算人がその権限内でした行為の効力を妨げない。（令和三法二四本条改正）

九五一【清算人↓九五二【清算人の権限↓九五三、二八【相続人の権利義務の承継↓八九六

（相続財産の清算人の代理権の消滅）

第九五六条①　相続財産の清算人の代理権は、相続人が相続の承認をした時に消滅する。

②　前項の場合には、相続財産の清算人は、遅滞なく相続人に対して清算に係る計算をしなければならない。

（令和三法二四本条改正）

九五二【清算人の代理権↓九五三、二八【相続の承認↓九一五、九二〇、九二二

（相続債権者及び受遺者に対する弁済）

第九五七条①　第九百五十二条第二項の公告があったときは、相続財産の清算人は、全ての相続債権者及び受遺者に対し、二箇月以上の期間を定めて、その期間内にその請求の申出をすべき旨を公告しなければならない。この場合において、その期間は、同項の規定により相続人が権利を主張すべき期間として家庭裁判所が公告した期間内に満了するものでなければならない。

（令和三法二四本項改正）

②　第九百二十七条第二項から第四項まで〈相続債権者及び受遺者に対する公告及び催告〉及び第九百二十八条から第九百三十五条まで（第九百三十二条ただし書を除く。）〈限定承認における相続財産の清算〉の規定は、前項の場合について準用する。（平成一七法八七、平成一八法五〇本項改正）

九五八—九五九【清算人↓九五二

（権利を主張する者がない場合）

第九五八条　第九百五十二条第二項の期間内に相続人としての権利を主張する者がないときは、相続人並びに

相続財産の清算人に知れなかった相続債権者及び受遺者は、その権利を行使することができない。（昭和三七法四〇本条追加、令和三法二四本条改正）

⊛九五八の二、九五九

（特別縁故者に対する相続財産の分与）

第九五八条の二① 前条の場合において、相当と認めるときは、家庭裁判所は、被相続人と生計を同じくしていた者、被相続人の療養看護に努めた者その他被相続人と特別の縁故があった者の請求によって、これらの者に、清算後残存すべき相続財産の全部又は一部を与えることができる。

② 前項の請求は、第九百五十二条第二項の期間の満了後三箇月以内にしなければならない。（令和三法二四本項改正）

（昭和三七法四〇本条追加）

⊛【家庭裁判所の処分↓家事三の二①・三九・別表第一〈百一の項〉【清算↓九五七

（残余財産の国庫への帰属）

第九五九条 前条の規定により処分されなかった相続財産は、国庫に帰属する。この場合においては、第九百五十六条第二項〈清算人の計算義務〉の規定を準用する。（昭和三七法四〇本条全部改正）

⊛【本条の特則↓特許七六

第七章 遺言

⊛【遺言の準拠法↓法適用三七・四三②、遺言準拠法

第一節 総則

（遺言の方式）

第九六〇条 遺言は、この法律に定める方式に従わなければ、することができない。

⊛【この法律に定める方式↓九六七―九八四【遺言の撤回と要式性↓一〇二二【遺言自由の原則↓五二一・五二二

（遺言能力）

第九六一条 十五歳に達した者は、遺言をすることができる。

⊛【年齢の計算↓年齢計算【法定代理人の同意不要↓九六二・五【意思能力↓三の二

第九六二条 第五条、第九条、第十三条及び第十七条の規定は、遺言については、適用しない。（平成一一法一四九本条改正）

⊛【未成年者の遺言↓九六一【成年被後見人の遺言↓九七三、九八二

第九六三条 遺言者は、遺言をする時においてその能力を有しなければならない。

⊛【成年被後見人の遺言能力↓九七三、九八二

（包括遺贈及び特定遺贈）

第九六四条 遺言者は、包括又は特定の名義で、その財産の全部又は一部を処分することができる。（平成三〇法七二本条改正）

⊛【包括遺贈↓九九〇【特定遺贈の放棄↓九八六―九八九【破産と特定遺贈↓破二四四【夫婦間の居住用不動産の持戻し免除の意思表示推定↓九〇三④【相続人である受贈者による登記の単独申請↓不登六三③【相続人である受贈者の登記申請義務↓不登七六の二・七六の三【遺言ですることができる遺贈以外の行為↓七八一②・八三九・八四八・八九三・八九四②・八九七①・九〇二・九〇三③・九〇八・九一四・一〇〇六・一〇一四②、一般法人一五二②、信託三②、保険七三

（相続人に関する規定の準用）

第九六五条 第八百八十六条〈相続に関する胎児の権利能力〉及び第八百九十一条〈相続人の欠格事由〉の規定は、受遺者について準用する。

（被後見人の遺言の制限）

第九六六条① 被後見人が、後見の計算の終了前に、後見人又はその配偶者若しくは直系卑属の利益となるべき遺言をしたときは、その遺言は、無効とする。

② 前項の規定は、直系血族、配偶者又は兄弟姉妹が後見人である場合には、適用しない。

⊛【被後見人↓八三八、九六一、九六三【後見の計算↓八七〇【後見人↓八三九―八四三

第二節 遺言の方式

⊛【遺言の方式の準拠法↓遺言準拠法、法適用四三②

第一款 普通の方式

（普通の方式による遺言の種類）

第九六七条 遺言は、自筆証書、公正証書又は秘密証書によってしなければならない。ただし、特別の方式によることを許す場合は、この限りでない。

⊛【遺言の要式性↓九六〇、一〇二二【特別の方式による遺言↓九七六―九八四

（自筆証書遺言）

第九六八条① 自筆証書によって遺言をするには、遺言者が、その全文、日付及び氏名を自書し、これに印を押さなければならない。

② 前項の規定にかかわらず、自筆証書にこれと一体のものとして相続財産（第九百九十七条第一項に規定する場合における同項に規定する権利を含む。）の全部又は一部の目録を添付する場合には、その目録については、自書することを要しない。この場合において、遺言者は、その目録の毎葉（自書によらない記載がその両面にある場合にあっては、その両面）に署名し、印を押さなければならない。（平成三〇法七二本項追加）

③ 自筆証書（前項の目録を含む。）中の加除その他の変更は、遺言者が、その場所を指示し、これを変更した旨を付記して特にこれに署名し、かつ、その変更の場所に印を押さなければ、その効力を生じない。（平成三〇法七二本項改正）

⊛九六七、九六〇【自筆証書遺言の作成↓九七三、九七五【遺言書の検認・開封↓一〇〇四①③、一〇〇五

（公正証書遺言）

第九六九条① 公正証書によって遺言をするには、次に掲げる方式に従わなければならない。

一 証人二人以上の立会いがあること。

二 遺言者が遺言の趣旨を公証人に口授すること。

② 前項の公正証書は、公証人法（明治四十一年法律第

五十三号）の定めるところにより作成するものとする。（令和五法五三本項追加）

③　第一項第一号の証人については、公証人法第三十条に規定する証人とみなして、同法の規定（同法第三十五条第三項の規定を除く。）を適用する。（令和五法五三本項追加）

（令和五法五三本条改正）

⊛九六七、九六〇【公正証書遺言の作成→九八四、九七三、九七五【遺言書の検認不要→一〇〇四②】❶[二]【証人→九七四

（公正証書遺言の方式の特則）

第九六九条の二①　口がきけない者が公正証書によって遺言をする場合には、遺言者は、公証人及び証人の前で、遺言の趣旨を通訳人の通訳により申述し、又は自書して、前条第一項第二号の口授に代えなければならない。

②　公証人は、前項に定める方式に従って公正証書を作ったときは、その旨をその証書に記載し、又は記録しなければならない。

（平成一一法一四九本条追加、令和五法五三本条改正）

⊛【口がきけない者の他の方式による遺言→九七二、九七六②、九七九②】【公正証書遺言・証人→九六九⊛】【共同遺言の禁止→九七五】【遺言書の検認不要→一〇〇四②】

（秘密証書遺言）

第九七〇条①　秘密証書によって遺言をするには、次に掲げる方式に従わなければならない。

一　遺言者が、その証書に署名し、印を押すこと。

二　遺言者が、その証書を封じ、証書に用いた印章をもってこれに封印すること。

三　遺言者が、公証人一人及び証人二人以上の前に封書を提出して、自己の遺言書である旨並びにその筆者の氏名及び住所を申述すること。

四　公証人が、その証書を提出した日付及び遺言者の申述を封紙に記載した後、遺言者及び証人とともにこれに署名し、印を押すこと。

②　第九百六十八条第三項〈自筆証書遺言の加除訂正〉の規定は、秘密証書による遺言について準用する。（平成三〇法七二本項改正）

⊛九六七、九六〇、九七一【秘密証書遺言の作成→九八四、九七三、九七五【遺言書の検認・開封→一〇〇四①③、一〇〇五❶[三]【証人→九七四【申述→九七二

（方式に欠ける秘密証書遺言の効力）

第九七一条　秘密証書による遺言は、前条に定める方式に欠けるものがあっても、第九百六十八条に定める方式を具備しているときは、自筆証書による遺言としてその効力を有する。

（秘密証書遺言の方式の特則）

第九七二条①　口がきけない者が秘密証書によって遺言をする場合には、遺言者は、公証人及び証人の前で、その証書は自己の遺言書である旨並びにその筆者の氏名及び住所を通訳人の通訳により申述し、又は封紙に自書して、第九百七十条第一項第三号の申述に代えなければならない。

②　前項の場合において、遺言者が通訳人の通訳により申述したときは、公証人は、その旨を封紙に記載しなければならない。（平成一一法一四九本項追加）

③　第一項の場合において、遺言者が封紙に自書したときは、公証人は、その旨を封紙に記載して、第九百七十条第一項第四号に規定する申述の記載に代えなければならない。

（平成一一法一四九本条改正）

⊛【秘密証書による遺言→九七〇】【口がきけない者の他の方式による遺言→九六九の二、九七六②、九七九②】【証人→九七四

（成年被後見人の遺言）

第九七三条①　成年被後見人が事理を弁識する能力を一時回復した時において遺言をするには、医師二人以上の立会いがなければならない。

②　遺言に立ち会った医師は、遺言者が遺言をする時において精神上の障害により事理を弁識する能力を欠く状態になかった旨を遺言書に付記して、これに署名し、印を押さなければならない。ただし、秘密証書による遺言にあっては、その封紙にその旨の記載をし、署名し、印を押さなければならない。

（平成一一法一四九本条改正）

⊛【成年被後見人→七－九、九六二、九六三、三の二【立会人→九七四】❷【秘密証書による遺言→九七〇、九七二

（証人及び立会人の欠格事由）

第九七四条　次に掲げる者は、遺言の証人又は立会人となることができない。

一　未成年者

二　推定相続人及び受遺者並びにこれらの配偶者及び直系血族

三　公証人の配偶者、四親等内の親族、書記及び使用人

（平成一一法一四九本条改正）

⊛【遺言の証人→九六九①[二]、九七〇①[三]、九七二①、九七六①、九七七－九七九【遺言の立会人→九七三、九七七、九七八】❶[一]【未成年者→四】[二]【推定相続人→八八七－八九〇】【受遺者→九六四】[三]【親等→七二六】【親族→七二五

（共同遺言の禁止）

第九七五条　遺言は、二人以上の者が同一の証書ですることができない。

第二款　特別の方式

（死亡の危急に迫った者の遺言）

第九七六条①　疾病その他の事由によって死亡の危急に迫った者が遺言をしようとするときは、証人三人以上の立会いをもって、その一人に遺言の趣旨を口授して、これをすることができる。この場合においては、その口授を受けた者が、これを筆記して、遺言者及び他の証人に読み聞かせ、又は閲覧させ、各証人がその筆記の正確なことを承認した後、これに署名し、印を押さなければならない。（平成一一法一四九本項改正）

②　口がきけない者が前項の規定により遺言をする場合には、遺言者は、証人の前で、遺言の趣旨を通訳人の通訳により申述して、同項の口授に代えなければならない。（平成一一法一四九本項追加）

③　第一項後段の遺言者又は他の証人が耳が聞こえない者である場合には、遺言の趣旨の口授又は申述を受けた者は、同項後段に規定する筆記した内容を通訳人の通訳によりその遺言者又は他の証人に伝えて、同項後段の読み聞かせに代えることができる。（平成一一法一四九本項追加）

④　前三項の規定によりした遺言は、遺言の日から二十日以内に、証人の一人又は利害関係人から家庭裁判所に請求してその確認を得なければ、その効力を生じない。（平成一一法一四九本項改正）

⑤　家庭裁判所は、前項の遺言が遺言者の真意に出たものであるとの心証を得なければ、これを確認することができない。

参照【遺言の要式性→九六七但、九六〇【遺言書の検認・開封→一〇〇四①③、一〇〇五　❶【その他の事由→九七九【証人→九八二、九七四【本条の遺言の作成→九八二【本条の遺言の失効→九八三　❷【口がきけない者の他の方式による遺言→九六九の二、九七二、九七九②　❹❺【家庭裁判所の確認→家事三の一一①②、三九、別表第一〈百二の項〉

（伝染病隔離者の遺言）

第九七七条　伝染病のため行政処分によって交通を断たれた場所に在る者は、警察官一人及び証人一人以上の立会いをもって遺言書を作ることができる。

参照【遺言の要式性→九六七但、九六〇【証人→九八二、九七四【本条の遺言の作成→九八〇—九八二【本条の遺言の失効→九八三

（在船者の遺言）

第九七八条　船舶中に在る者は、船長又は事務員一人及び証人二人以上の立会いをもって遺言書を作ることができる。

参照九七九【遺言の要式性→九六七但、九六〇【証人→九八二、九七四【本条の遺言の作成→九八〇—九八二【本条の遺言の失効→九八三

（船舶遭難者の遺言）

第九七九条①　船舶が遭難した場合において、当該船舶中に在って死亡の危急に迫った者は、証人二人以上の立会いをもって口頭で遺言をすることができる。

②　口がきけない者が前項の規定により遺言をする場合には、遺言者は、通訳人の通訳によりこれをしなければならない。（平成一一法一四九本項追加）

③　前二項の規定に従ってした遺言は、証人が、その趣旨を筆記して、これに署名し、印を押し、かつ、証人の一人又は利害関係人から遅滞なく家庭裁判所に請求してその確認を得なければ、その効力を生じない。（平成一一法一四九本項改正）

④　第九百七十六条第五項〈家庭裁判所の確認の基準〉の規定は、前項の場合について準用する。

参照九七八、九七六【遺言の要式性→九六七但、九六〇【証人→九八二、九七四【本条の遺言の作成→九八二【本条の遺言の失効→九八三　❷【口がきけない者の他の方式による遺言→九六九の二、九七二、九七六②　❸【署名押印→九八一【家庭裁判所の確認→家事三の一一①②、三九、別表第一〈百二の項〉

（遺言関係者の署名及び押印）

第九八〇条　第九百七十七条及び第九百七十八条の場合には、遺言者、筆者、立会人及び証人は、各自遺言書に署名し、印を押さなければならない。

参照九八一

（署名又は押印が不能の場合）

第九八一条　第九百七十七条から第九百七十九条までの場合において、署名又は印を押すことのできない者があるときは、立会人又は証人は、その事由を付記しなければならない。

参照九八〇

（普通の方式による遺言の規定の準用）

第九八二条　第九百六十八条第三項〈自筆証書遺言の加除訂正〉及び第九百七十三条から第九百七十五条まで〈成年被後見人の遺言、証人及び立会人の欠格事由、共同遺言の禁止〉の規定は、第九百七十六条から前条までの規定による遺言について準用する。（平成三〇法七二本条改正）

（特別の方式による遺言の効力）

第九八三条　第九百七十六条から前条までの規定によりした遺言は、遺言者が普通の方式によって遺言をすることができるようになった時から六箇月間生存するときは、その効力を生じない。

参照【普通の方式による遺言→九六七—九七五

（外国に在る日本人の遺言の方式）

第九八四条　日本の領事の駐在する地に在る日本人が公正証書又は秘密証書によって遺言をしようとするときは、公証人の職務は、領事が行う。この場合においては、第九百七十条第一項第四号の規定にかかわらず、遺言者及び証人は、同号の印を押すことを要しない。（令和三法三七、令和五法五三本条改正）

参照【公正証書による遺言→九六九、九六九の二【秘密証書による遺言→九七〇、九七二

第三節　遺言の効力

参照【遺言の効力の準拠法→法適用三七

（遺言の効力の発生時期）

第九八五条①　遺言は、遺言者の死亡の時からその効力を生ずる。

②　遺言に停止条件を付した場合において、その条件が遺言者の死亡後に成就したときは、遺言は、条件が成就した時からその効力を生ずる。

参照❶【死亡→三一、三〇　❷【停止条件→一二七①【停止条件付遺贈→九九一、九九四②

（遺贈の放棄）

第九八六条①　受遺者は、遺言者の死亡後、いつでも、遺贈の放棄をすることができる。

②　遺贈の放棄は、遺言者の死亡の時にさかのぼってその効力を生ずる。

参照九八七—九八九【遺言者の死亡と遺言の効力発生→九八五①【制限行為能力者と放棄→一三①四、八六四【放棄の効果→九九五【包括受遺者の放棄→九九〇、九一五、九三八、九三九【破産者のための遺贈の承認放棄→破二四四、二四三、二三八

（受遺者に対する遺贈の承認又は放棄の催告）

第九八七条　遺贈義務者（遺贈の履行をする義務を負う者をいう。以下この節において同じ。）その他の利害関係人は、受遺者に対し、相当の期間を定めて、その期間内に遺贈の承認又は放棄をすべき旨の催告をすることができる。この場合において、受遺者がその期間内に遺贈義務者に対してその意思を表示しないときは、遺贈を承認したものとみなす。

参 九八六【遺贈義務者↓八八七―八九〇・九五一・一〇一二・一〇一五【包括受遺者の承認・放棄↓九九〇・九一五、九二一〔三〕

（受遺者の相続人による遺贈の承認又は放棄）

第九八八条　受遺者が遺贈の承認又は放棄をしないで死亡したときは、その相続人は、自己の相続権の範囲内で、遺贈の承認又は放棄をすることができる。ただし、遺言者がその遺言に別段の意思を表示したときは、その意思に従う。

参 九八六【死亡↓三一・三〇【自己の相続権の範囲↓九〇〇―九〇二【包括受遺者の相続人の承認・放棄↓九九〇・九一六

（遺贈の承認及び放棄の撤回及び取消し）

第九八九条①　遺贈の承認及び放棄は、撤回することができない。

②　第九百十九条第二項及び第三項〈第一編又は前編の規定による相続の承認・放棄の取消しの許容〉の規定は、遺贈の承認及び放棄について準用する。

参 九八六―九八八【包括受遺者の承認・放棄の撤回・取消し↓九九〇・九一九

（包括受遺者の権利義務）

第九九〇条　包括受遺者は、相続人と同一の権利義務を有する。

参【包括受遺者↓九六四【相続人の権利義務↓八九六―八九九・九〇六―九四〇

（受遺者による担保の請求）

第九九一条　受遺者は、遺贈が弁済期に至らない間は、遺贈義務者に対して相当の担保を請求することができる。停止条件付きの遺贈についてその条件の成否が未定である間も、同様とする。

参【遺贈義務者↓九八七参【停止条件付遺贈↓九八五参【弁済期前又は条件付の債権の弁済↓九三〇、九四七③、九五〇②

（受遺者による果実の取得）

第九九二条　受遺者は、遺贈の履行を請求することができる時から果実を取得する。ただし、遺言者がその遺言に別段の意思を表示したときは、その意思に従う。

参【遺贈の履行を請求することができる時↓九八五、一二七①・一三〇、一三五①、一三七【果実↓八八、八九

（遺贈義務者による費用の償還請求）

第九九三条①　第二百九十九条〈留置権者による費用の償還請求〉の規定は、遺贈義務者が遺言者の死亡後に遺贈の目的物について費用を支出した場合について準用する。

②　果実を収取するために支出した通常の必要費は、果実の価格を超えない限度で、その償還を請求することができる。

参【遺贈義務者↓九八七参　❷【果実↓八八、八九

（受遺者の死亡による遺贈の失効）

第九九四条①　遺贈は、遺言者の死亡以前に受遺者が死亡したときは、その効力を生じない。（昭和三七法四〇本項改正）

②　停止条件付きの遺贈については、受遺者がその条件の成就前に死亡したときも、前項と同様とする。ただし、遺言者がその遺言に別段の意思を表示したときは、その意思に従う。

参 九九五【遺言者の死亡以前の死亡↓三一・三〇、三二の二　❶【遺言者の死亡と遺言の効力発生時期↓九八五①　❷【停止条件付遺贈↓九八五②

（遺贈の無効又は失効の場合の財産の帰属）

第九九五条　遺贈が、その効力を生じないとき、又は放棄によってその効力を失ったときは、受遺者が受けるべきであったものは、相続人に帰属する。ただし、遺言者がその遺言に別段の意思を表示したときは、その意思に従う。

参【遺贈の無効の例↓九九四、九六五、八九一・九六六、九八三・九九六【遺贈の放棄↓九八六―九八九【包括遺贈の放棄の効果↓九九〇、九三九【負担付遺贈の放棄の効果↓一〇〇二②

（相続財産に属しない権利の遺贈）

第九九六条　遺贈は、その目的である権利が遺言者の死亡の時において相続財産に属しなかったときは、その効力を生じない。ただし、その権利が相続財産に属するかどうかにかかわらず、これを遺贈の目的としたものと認められるときは、この限りでない。

参 九九七【遺言者の死亡と遺言の効力発生時期↓九八五①

第九九七条①　相続財産に属しない権利を目的とする遺贈が前条ただし書の規定により有効であるときは、遺贈義務者は、その権利を取得して受遺者に移転する義務を負う。

②　前項の場合において、同項に規定する権利を取得することができないとき、又はこれを取得するについて過分の費用を要するときは、遺贈義務者は、その価額を弁償しなければならない。ただし、遺言者がその遺言に別段の意思を表示したときは、その意思に従う。

参【遺贈義務者↓九八七参

（遺贈義務者の引渡義務）

第九九八条　遺贈義務者は、遺贈の目的である物又は権利を、相続開始の時（その後に当該物又は権利について遺贈の目的として特定した場合にあっては、その特定した時）の状態で引き渡し、又は移転する義務を負う。ただし、遺言者がその遺言に別段の意思を表示したときは、その意思に従う。（平成三〇法七二本条全部改正）

参【遺贈義務者↓九八七参【遺言執行者がある場合↓一〇一二②

（遺贈の物上代位）

第九九九条①　遺言者が、遺贈の目的物の滅失若しくは変造又はその占有の喪失によって第三者に対して償金を請求する権利を有するときは、その権利を遺贈の目

的としたものと推定する。

② 遺贈の目的物が、他の物と付合し、又は混和した場合において、遺言者が第二百四十三条から第二百四十五条までの規定により合成物又は混和物の単独所有者又は共有者となったときは、その全部の所有権又は持分を遺贈の目的としたものと推定する。

参 一〇〇一 ❶【第三者に対する償金請求権→四一五、七〇九、二四八、二〇〇、保険二四】

第一〇〇〇条【第三者の権利の目的である財産の遺贈】 削除（平成三〇法七二）

（債権の遺贈の物上代位）

第一〇〇一条① 債権を遺贈の目的とした場合において、遺言者が弁済を受け、かつ、その受け取った物がなお相続財産中に在るときは、その物を遺贈の目的としたものと推定する。

② 金銭を目的とする債権を遺贈の目的とした場合においては、相続財産中にその債権額に相当する金銭がないときであっても、その金額を遺贈の目的としたものと推定する。

参 九九六、九九九

（負担付遺贈）

第一〇〇二条① 負担付遺贈を受けた者は、遺贈の目的の価額を超えない限度においてのみ、負担した義務を履行する責任を負う。

② 受遺者が遺贈の放棄をしたときは、負担の利益を受けるべき者は、自ら受遺者となることができる。ただし、遺言者がその遺言に別段の意思を表示したときは、その意思に従う。

参 一〇〇三【負担義務の不履行と遺言の取消し→一〇二七 ❷【遺贈の放棄→九八六―九九〇、九九五、九三九】

（負担付遺贈の受遺者の免責）

第一〇〇三条 負担付遺贈の目的の価額が相続の限定承認又は遺留分回復の訴えによって減少したときは、受遺者は、その減少の割合に応じて、その負担した義務を免れる。ただし、遺言者がその遺言に別段の意思を表示したときは、その意思に従う。

参 一〇〇二【限定承認→九二二【遺留分回復の訴え→一〇四六①、一〇四五①】

第四節　遺言の執行

（遺言書の検認）

第一〇〇四条① 遺言書の保管者は、相続の開始を知った後、遅滞なく、これを家庭裁判所に提出して、その検認を請求しなければならない。遺言書の保管者がない場合において、相続人が遺言書を発見した後も、同様とする。

② 前項の規定は、公正証書による遺言については、適用しない。

③ 封印のある遺言書は、家庭裁判所において相続人又はその代理人の立会いがなければ、開封することができない。

参 一〇〇五 ❶【遺言書→九六七【相続の開始→八八二【家庭裁判所の検認→家事三の一一①、三九、別表第一〈百三の項〉【特別方式遺言の確認→九七六④⑤、九七九③④ ❷【公正証書による遺言→九六九、九六九の二】

（過料）

第一〇〇五条 前条の規定により遺言書を提出することを怠り、その検認を経ないで遺言を執行し、又は家庭裁判所外においてその開封をした者は、五万円以下の過料に処する。（昭和五四法六八本条改正）

参【過料の裁判→非訟一一九―一二二】

（遺言執行者の指定）

第一〇〇六条① 遺言者は、遺言で、一人又は数人の遺言執行者を指定し、又はその指定を第三者に委託することができる。

② 遺言執行者の指定の委託を受けた者は、遅滞なく、その指定をして、これを相続人に通知しなければならない。

③ 遺言執行者の指定の委託を受けた者がその委託を辞そうとするときは、遅滞なくその旨を相続人に通知しなければならない。

参【遺言執行者→一〇〇七―一〇二〇【遺言執行と信託→信託三二、四②、五、六】

（遺言執行者の任務の開始）

第一〇〇七条① 遺言執行者が就職を承諾したときは、直ちにその任務を行わなければならない。

② 遺言執行者は、その任務を開始したときは、遅滞なく、遺言の内容を相続人に通知しなければならない。（平成三〇法七二本項追加）

参 一〇〇六、一〇〇八【その任務→一〇一二、一〇一三、一〇一四【任務の懈怠と解任→一〇一九①】

（遺言執行者に対する就職の催告）

第一〇〇八条 相続人その他の利害関係人は、遺言執行者に対し、相当の期間を定めて、その期間内に就職を承諾するかどうかを確答すべき旨の催告をすることができる。この場合において、遺言執行者が、その期間内に相続人に対して確答をしないときは、就職を承諾したものとみなす。

参 一〇〇六、一〇〇七【相続人→八八七―八九〇】

（遺言執行者の欠格事由）

第一〇〇九条 未成年者及び破産者は、遺言執行者となることができない。（平成一一法一四九本条改正）

参【未成年者→四【破産者→破二④【遺言執行者の選任→一〇〇六、一〇一〇】

（遺言執行者の選任）

第一〇一〇条 遺言執行者がないとき、又はなくなったときは、家庭裁判所は、利害関係人の請求によって、これを選任することができる。

参【遺言執行者がないとき又はなくなったとき→一〇〇六、一〇〇七、一〇〇九、一〇一九【家庭裁判所による選任→家事三の一一①、三九、別表第一〈百四の項〉】

（相続財産の目録の作成）

第一〇一一条① 遺言執行者は、遅滞なく、相続財産の目録を作成して、相続人に交付しなければならない。

② 遺言執行者は、相続人の請求があるときは、その立会いをもって相続財産の目録を作成し、又は公証人にこれを作成させなければならない。

参一〇二四【遅滞なく↓一〇〇七【目録作成の費用↓一〇二一

（遺言執行者の権利義務）

第一〇一二条① 遺言執行者は、遺言の内容を実現するため、相続財産の管理その他遺言の執行に必要な一切の行為をする権利義務を有する。（平成三〇法七二本項改正）

② 遺言執行者がある場合には、遺贈の履行は、遺言執行者のみが行うことができる。（平成三〇法七二本項追加）

③ 第六百四十四条〈受任者の注意義務〉、第六百四十五条から第六百四十七条まで〈受任者の義務と責任〉及び第六百五十条〈受任者による費用等の償還請求等〉の規定は、遺言執行者について準用する。（平成二九法四四（平成三〇法七二）本項改正）

参一〇一三―一〇一五【遺言執行者の権利義務の例↓一〇一一・一〇一四、七八一②、八九三、八九四、戸六四【破産と遺言執行者↓破二二四、七八【任務の懈怠と解任↓一〇一九 ❷【遺贈↓九六四

（遺言の執行の妨害行為の禁止）

第一〇一三条① 遺言執行者がある場合には、相続人は、相続財産の処分その他遺言の執行を妨げるべき行為をすることができない。

② 前項の規定に違反してした行為は、無効とする。ただし、これをもって善意の第三者に対抗することができない。（平成三〇法七二本項追加）

③ 前二項の規定は、相続人の債権者（相続債権者を含む。）が相続財産についてその権利を行使することを妨げない。（平成三〇法七二本項追加）

参一〇一二、一〇一四、一〇一五

（特定財産に関する遺言の執行）

第一〇一四条① 前三条の規定は、遺言が相続財産のうち特定の財産に関する場合には、その財産についてのみ適用する。

② 遺産の分割の方法の指定として遺産に属する特定の財産を共同相続人の一人又は数人に承継させる旨の遺言（以下「特定財産承継遺言」という。）があったときは、遺言執行者は、当該共同相続人が第八百九十九条の二第一項に規定する対抗要件を備えるために必要な行為をすることができる。（平成三〇法七二本項追加）

③ 前項の財産が預貯金債権である場合には、遺言執行者は、同項に規定する行為のほか、その預金又は貯金の払戻しの請求及びその預金又は貯金に係る契約の解約の申入れをすることができる。ただし、解約の申入れについては、その預貯金債権の全部が特定財産承継遺言の目的である場合に限る。（平成三〇法七二本項追加）

④ 前二項の規定にかかわらず、被相続人が遺言で別段の意思を表示したときは、その意思に従う。（平成三〇法七二本項追加）

参【対抗要件の具備↓八九九の二① ❷【遺産分割方法の指定↓九〇八 ❸【預貯金債権↓四六六の五

（遺言執行者の行為の効果）

第一〇一五条 遺言執行者がその権限内において遺言執行者であることを示してした行為は、相続人に対して直接にその効力を生ずる。（平成三〇法七二本条全部改正）

参一〇一二、一〇一三、一〇一四、一〇一六【代理人↓九九

（遺言執行者の復任権）

第一〇一六条① 遺言執行者は、自己の責任で第三者にその任務を行わせることができる。ただし、遺言者がその遺言に別段の意思を表示したときは、その意思に従う。

② 前項本文の場合において、第三者に任務を行わせることについてやむを得ない事由があるときは、遺言執行者は、相続人に対してその選任及び監督についての責任のみを負う。（平成三〇法七二本条全部改正）

参一〇一五【復代理人の選任・権限↓一〇四―一〇六

（遺言執行者が数人ある場合の任務の執行）

第一〇一七条① 遺言執行者が数人ある場合には、その任務の執行は、過半数で決する。ただし、遺言者がその遺言に別段の意思を表示したときは、その意思に従う。

② 各遺言執行者は、前項の規定にかかわらず、保存行為をすることができる。

参【数人の遺言執行者の例↓一〇〇六①【保存行為↓一〇三㈠・八七三の二・九二一

（遺言執行者の報酬）

第一〇一八条① 家庭裁判所は、相続財産の状況その他の事情によって遺言執行者の報酬を定めることができる。ただし、遺言者がその遺言に報酬を定めたときは、この限りでない。

② 第六百四十八条第二項及び第三項〈受任者の報酬〉並びに第六百四十八条の二〈成果等に対する報酬〉の規定は、遺言執行者が報酬を受けるべき場合について準用する。（平成二九法四四本項改正）

参【家庭裁判所の処理↓家事三の一一①、三九、別表第一〈百五の項〉【報酬の負担↓一〇二一

（遺言執行者の解任及び辞任）

第一〇一九条① 遺言執行者がその任務を怠ったときその他正当な事由があるときは、利害関係人は、その解任を家庭裁判所に請求することができる。

② 遺言執行者は、正当な事由があるときは、家庭裁判所の許可を得て、その任務を辞することができる。

参一〇二〇【その任務の例↓一〇一二、一〇一四、一〇〇七、八九三、八九四、戸六四【家庭裁判所の処理↓家事三の一一①、三九、別表第一〈百六の項〉〈百七の項〉

（委任の規定の準用）

第一〇二〇条 第六百五十四条〈委任の終了後の処分〉及び第六百五十五条〈委任の終了の対抗要件〉の規定は、遺

言執行者の任務が終了した場合について準用する。

⊛一〇一九

（遺言の執行に関する費用の負担）

第一〇二一条　遺言の執行に関する費用は、相続財産の負担とする。ただし、これによって遺留分を減ずることができない。

⊛【遺言の執行に関する費用の例→一〇〇四、一〇一〇—一〇一二、一〇一九、一〇一四②、一〇一八【遺留分→一〇四二【相続財産に関する費用の負担→八八五

第五節　遺言の撤回及び取消し

⊛【遺言の取消しの準拠法→法適用三七②、遺言準拠法三

（遺言の撤回）

第一〇二二条　遺言者は、いつでも、遺言の方式に従って、その遺言の全部又は一部を撤回することができる。

⊛一〇二三—一〇二六【遺言の方式→九六七、九六〇

（前の遺言と後の遺言との抵触等）

第一〇二三条①　前の遺言が後の遺言と抵触するときは、その抵触する部分については、後の遺言で前の遺言を撤回したものとみなす。

②　前項の規定は、遺言が遺言後の生前処分その他の法律行為と抵触する場合について準用する。

⊛一〇二四、一〇二五

（遺言書又は遺贈の目的物の破棄）

第一〇二四条　遺言者が故意に遺言書を破棄したときは、その破棄した部分については、遺言を撤回したものとみなす。遺言者が故意に遺贈の目的物を破棄したときも、同様とする。

⊛一〇二三、一〇二五【遺言書中の加除変更→九六八③、九七〇②、九八二

（撤回された遺言の効力）

第一〇二五条　前三条の規定により撤回された遺言は、その撤回の行為が、撤回され、取り消され、又は効力を生じなくなるに至ったときであっても、その効力を回復しない。ただし、その行為が錯誤、詐欺又は強迫による場合は、この限りでない。（平成三〇法七二本条改正）

⊛【一般の取消しの効果→一二一【錯誤と取消し→九五【詐欺・強迫と取消し→九六

（遺言の撤回権の放棄の禁止）

第一〇二六条　遺言者は、その遺言を撤回する権利を放棄することができない。

⊛一〇二二

（負担付遺贈に係る遺言の取消し）

第一〇二七条　負担付遺贈を受けた者がその負担した義務を履行しないときは、相続人は、相当の期間を定めてその履行の催告をすることができる。この場合において、その期間内に履行がないときは、その負担付遺贈に係る遺言の取消しを家庭裁判所に請求することができる。

⊛【負担付遺贈→一〇〇二、一〇〇三【家庭裁判所の処理→家事三の一一①、三九、別表第一〈百八の項〉

第八章　配偶者の居住の権利

（平成三〇法七二本章追加）

第一節　配偶者居住権

（配偶者居住権）

第一〇二八条①　被相続人の配偶者（以下この章において単に「配偶者」という。）は、被相続人の財産に属した建物に相続開始の時に居住していた場合において、次の各号のいずれかに該当するときは、その居住していた建物（以下この節において「居住建物」という。）の全部について無償で使用及び収益をする権利（以下この章において「配偶者居住権」という。）を取得する。ただし、被相続人が相続開始の時に居住建物を配偶者以外の者と共有していた場合にあっては、この限りでない。

一　遺産の分割によって配偶者居住権を取得するものとされたとき。

二　配偶者居住権が遺贈の目的とされたとき。

②　居住建物が配偶者の財産に属することとなった場合であっても、他の者がその共有持分を有するときは、配偶者居住権は、消滅しない。

③　第九百三条第四項〈特別受益者の相続分〉の規定は、配偶者居住権の遺贈について準用する。

⊛【相続開始の時→八八二【遺産の分割→九〇六・九〇七【遺贈→九六四【使用貸借→五九三【共有→二四九—二六二、二六四【配偶者居住権と登記→不登三四、八一の二

（審判による配偶者居住権の取得）

第一〇二九条　遺産の分割の請求を受けた家庭裁判所は、次に掲げる場合に限り、配偶者が配偶者居住権を取得する旨を定めることができる。

一　共同相続人間に配偶者が配偶者居住権を取得することについて合意が成立しているとき。

二　配偶者が家庭裁判所に対して配偶者居住権の取得を希望する旨を申し出た場合において、居住建物の所有者の受ける不利益の程度を考慮してもなお配偶者の生活を維持するために特に必要があると認めるとき（前号に掲げる場合を除く。）。

⊛【遺産の分割→九〇六・九〇七【家庭裁判所の処理→家事三の一一①④、三九、別表第二〈十二の項〉

（配偶者居住権の存続期間）

第一〇三〇条　配偶者居住権の存続期間は、配偶者の終身の間とする。ただし、遺産の分割の協議若しくは遺言に別段の定めがあるとき、又は家庭裁判所が遺産の分割の審判において別段の定めをしたときは、その定めるところによる。

⊛五九七②③【遺産の分割→九〇六・九〇七

（配偶者居住権の登記等）

第一〇三一条①　居住建物の所有者は、配偶者（配偶者居住権を取得した配偶者に限る。以下この節において同じ。）に対し、配偶者居住権の設定の登記を備えさせ

る義務を負う。

② 第六百五条〈不動産賃貸借の対抗力〉の規定は配偶者居住権について、第六百五条の四〈不動産の賃借人による妨害の停止の請求等〉の規定は配偶者居住権の設定の登記を備えた場合について準用する。

参 六〇五、一七七、不登三四、八一の二【売買の場合→五六〇】

（配偶者による使用及び収益）

第一〇三二条① 配偶者は、従前の用法に従い、善良な管理者の注意をもって、居住建物の使用及び収益をしなければならない。ただし、従前居住の用に供していなかった部分について、これを居住の用に供することを妨げない。

② 配偶者居住権は、譲渡することができない。

③ 配偶者は、居住建物の所有者の承諾を得なければ、居住建物の改築若しくは増築をし、又は第三者に居住建物の使用若しくは収益をさせることができない。

④ 配偶者が第一項又は前項の規定に違反した場合において、居住建物の所有者が相当の期間を定めてその是正の催告をし、その期間内に是正がされないときは、居住建物の所有者は、当該配偶者に対する意思表示によって配偶者居住権を消滅させることができる。

参 五九四、一〇三八

（居住建物の修繕等）

第一〇三三条① 配偶者は、居住建物の使用及び収益に必要な修繕をすることができる。

② 居住建物の修繕が必要である場合において、配偶者が相当の期間内に必要な修繕をしないときは、居住建物の所有者は、その修繕をすることができる。

③ 居住建物が修繕を要するとき（第一項の規定により配偶者が自らその修繕をするときを除く。）、又は居住建物について権利を主張する者があるときは、配偶者は、居住建物の所有者に対し、遅滞なくその旨を通知しなければならない。ただし、居住建物の所有者が既にこれを知っているときは、この限りでない。

参 六〇七の二、六〇六、六〇七

（居住建物の費用の負担）

第一〇三四条① 配偶者は、居住建物の通常の必要費を負担する。

② 第五百八十三条第二項〈買戻目的物についての費用償還〉の規定は、前項の通常の必要費以外の費用について準用する。

参 五九五

（居住建物の返還等）

第一〇三五条① 配偶者は、配偶者居住権が消滅したときは、居住建物の返還をしなければならない。ただし、配偶者が居住建物について共有持分を有する場合は、居住建物の所有者は、配偶者居住権が消滅したことを理由としては、居住建物の返還を求めることができない。

② 第五百九十九条第一項及び第二項〈借主による収去〉並びに第六百二十一条〈賃借人の原状回復義務〉の規定は、前項本文の規定により配偶者が相続の開始後に附属させた物がある居住建物又は相続の開始後に生じた損傷がある居住建物の返還をする場合について準用する。

参 五九三【配偶者居住権の消滅→一〇三二④、一〇三六、五九七①③、六一六の二】

（使用貸借及び賃貸借の規定の準用）

第一〇三六条 第五百九十七条第一項及び第三項〈期間満了等による使用貸借の終了〉、第六百条〈損害賠償及び費用の償還の請求権についての期間の制限〉、第六百十三条〈転貸の効果〉並びに第六百十六条の二〈賃借物の全部滅失等による賃貸借の終了〉の規定は、配偶者居住権について準用する。

第二節　配偶者短期居住権

（配偶者短期居住権）

第一〇三七条① 配偶者は、被相続人の財産に属した建物に相続開始の時に無償で居住していた場合には、次の各号に掲げる区分に応じてそれぞれ当該各号に定める日までの間、その居住していた建物（以下この節において「居住建物」という。）の所有権を相続又は遺贈により取得した者（以下この節において「居住建物取得者」という。）に対し、居住建物について無償で使用する権利（居住建物の一部のみを無償で使用していた場合にあっては、その部分について無償で使用する権利。以下この節において「配偶者短期居住権」という。）を有する。ただし、配偶者が、相続開始の時において居住建物に係る配偶者居住権を取得したとき、又は第八百九十一条の規定に該当し若しくは廃除によってその相続権を失ったときは、この限りでない。

一 居住建物について配偶者を含む共同相続人間で遺産の分割をすべき場合　遺産の分割により居住建物の帰属が確定した日又は相続開始の時から六箇月を経過する日のいずれか遅い日

二 前号に掲げる場合以外の場合　第三項の申入れの日から六箇月を経過する日

② 前項本文の場合においては、居住建物取得者は、第三者に対する居住建物の譲渡その他の方法により配偶者の居住建物の使用を妨げてはならない。

③ 居住建物取得者は、第一項第一号に掲げる場合を除くほか、いつでも配偶者短期居住権の消滅の申入れをすることができる。

参 五九三　❶五九七①、五九八【相続開始の時→八八二】【遺産の分割→九〇六、九〇七】【配偶者居住権→一〇二八―一〇三六】　❸一〇四一、一〇三八③

（配偶者による使用）

第一〇三八条① 配偶者（配偶者短期居住権を有する配偶者に限る。以下この節において同じ。）は、従前の用法に従い、善良な管理者の注意をもって、居住建物の使用をしなければならない。

② 配偶者は、居住建物取得者の承諾を得なければ、第三者に居住建物の使用をさせることができない。

③ 配偶者が前二項の規定に違反したときは、居住建物取得者は、当該配偶者に対する意思表示によって配偶

者短期居住権を消滅させることができる。

⊛⁺五九四、一〇三二

（配偶者居住権の取得による配偶者短期居住権の消滅）

第一〇三九条　配偶者が居住建物に係る配偶者居住権を取得したときは、配偶者短期居住権は、消滅する。

⊛⁺五二〇【配偶者居住権↓一〇二八―一〇三六】

（居住建物の返還等）

第一〇四〇条①　配偶者は、前条に規定する場合を除き、配偶者短期居住権が消滅したときは、居住建物の返還をしなければならない。ただし、配偶者が居住建物について共有持分を有する場合は、居住建物取得者は、配偶者短期居住権が消滅したことを理由としては、居住建物の返還を求めることができない。

②　第五百九十九条第一項及び第二項〈借主による収去〉並びに第六百二十一条〈賃借人の原状回復義務〉の規定は、前項本文の規定により配偶者が相続の開始後に附属させた物がある居住建物又は相続の開始後に生じた損傷がある居住建物の返還をする場合について準用する。

⊛⁺五九三【配偶者短期居住権の消滅↓一〇三八③、一〇三九、一〇四一、五九七③、六一六の二】

（使用貸借等の規定の準用）

第一〇四一条　第五百九十七条第三項〈借主の死亡による使用貸借の終了〉、第六百条〈損害賠償及び費用の償還の請求権についての期間の制限〉、第六百十六条の二〈賃借物の全部滅失等による賃貸借の終了〉、第千三十二条第二項〈配偶者居住権の譲渡禁止〉、第千三十三条〈居住建物の修繕等〉及び第千三十四条〈居住建物の費用の負担〉の規定は、配偶者短期居住権について準用する。

第九章　遺留分

（遺留分の帰属及びその割合）

第一〇四二条①　兄弟姉妹以外の相続人は、遺留分として、次条第一項に規定する遺留分を算定するための財産の価額に、次の各号に掲げる区分に応じてそれぞれ当該各号に定める割合を乗じた額を受ける。

一　直系尊属のみが相続人である場合　三分の一

二　前号に掲げる場合以外の場合　二分の一

②　相続人が数人ある場合には、前項各号に定める割合は、これらに第九百条及び第九百一条の規定により算定したその各自の相続分を乗じた割合とする。（平成三〇法七二本項追加）

（昭和五五法五一、平成三〇法七二本条改正）

⊛❶【兄弟姉妹以外の相続人↓八八七、八八九①㈠、八九〇【被相続人の財産↓一〇四三、一〇四四　❷【共同相続人間の遺留分の割合↓九〇〇、九〇一　⁺【相続財産の負担費用と遺留分↓一〇二一但

（遺留分を算定するための財産の価額）

第一〇四三条①　遺留分を算定するための財産の価額は、被相続人が相続開始の時において有した財産の価額にその贈与した財産の価額を加えた額から債務の全額を控除した額とする。（平成三〇法七二本項改正）

②　条件付きの権利又は存続期間の不確定な権利は、家庭裁判所が選任した鑑定人の評価に従って、その価格を定める。

⊛⁺一〇四二　❶【相続開始の時↓八八二【贈与↓五四九【算入される贈与↓一〇四四、一〇四五②、九〇三、九〇四　❷【条件↓一二七【家庭裁判所による鑑定人の選定↓家事三の一一①、三九、別表第一〈百九の項〉

第一〇四四条①　贈与は、相続開始前の一年間にしたものに限り、前条の規定によりその価額を算入する。当事者双方が遺留分権利者に損害を加えることを知って贈与をしたときは、一年前の日より前にしたものについても、同様とする。

②　第九百四条〈特別受益者の相続分〉の規定は、前項に規定する贈与の価額について準用する。（平成三〇法七二本項追加）

③　相続人に対する贈与についての第一項の規定の適用については、同項中「一年」とあるのは「十年」と、「価額」とあるのは「価額（婚姻若しくは養子縁組のため又は生計の資本として受けた贈与の価額に限る。）」とする。（平成三〇法七二本項追加）

⊛⁺一〇四六【贈与↓五四九【相続開始↓八八二【遺留分権利者↓一〇四二【贈与とみなされるもの↓一〇四五②【期間経過後の贈与で算入されるもの↓九〇三、九〇四

第一〇四五条①　負担付贈与がされた場合における第千四十三条第一項に規定する贈与した財産の価額は、その目的の価額から負担の価額を控除した額とする。

（平成三〇法七二本項追加）

②　不相当な対価をもってした有償行為は、当事者双方が遺留分権利者に損害を加えることを知ってしたものに限り、当該対価を負担の価額とする負担付贈与とみなす。

（平成三〇法七二本条改正）

⊛⁺一〇四六【負担付贈与↓五五三【効果↓一〇〇三、一〇四三①、一〇四四、一〇四七①㈡㈢　❷【遺留分権利者↓一〇四二

（遺留分侵害額の請求）

第一〇四六条①　遺留分権利者及びその承継人は、受遺者（特定財産承継遺言により財産を承継し又は相続分の指定を受けた相続人を含む。以下この章において同じ。）又は受贈者に対し、遺留分侵害額に相当する金銭の支払を請求することができる。

②　遺留分侵害額は、第千四十二条の規定による遺留分から第一号及び第二号に掲げる額を控除し、これに第三号に掲げる額を加算して算定する。

一　遺留分権利者が受けた遺贈又は第九百三条第一項に規定する贈与の価額

二　第九百条から第九百二条まで、第九百三条及び第九百四条の規定により算定した相続分に応じて遺留分権利者が取得すべき遺産の価額

三　被相続人が相続開始の時において有した債務のうち、第八百九十九条の規定により遺留分権利者が承継する債務（次条第三項において「遺留分権利者承継債務」という。）の額

民法

（平成三〇法七二本条追加）

【遺留分権利者↓一〇四二【遺贈↓九六四【特定財産承継遺言による財産の承継↓一〇一四②【相続分の指定↓九〇二【贈与↓五四九・五五四【遺留分に関する訴え↓民訴三の三[十二]・五[十四]、家事三の一一①④・三九・別表第二〈十四の項〉・二四四

第一〇四七条（受遺者又は受贈者の負担額） ① 受遺者又は受贈者は、次の各号の定めるところに従い、遺贈（特定財産承継遺言による財産の承継又は相続分の指定による遺産の取得を含む。以下この章において同じ。）又は贈与（遺留分を算定するための財産の価額に算入されるものに限る。以下この章において同じ。）の目的の価額（受遺者又は受贈者が相続人である場合にあっては、当該価額から第千四十二条の規定による遺留分として当該相続人が受けるべき額を控除した額）を限度として、遺留分侵害額を負担する。

一 受遺者と受贈者とがあるときは、受遺者が先に負担する。

二 受遺者が複数あるとき、又は受贈者が複数ある場合においてその贈与が同時にされたものであるときは、受遺者又は受贈者がその目的の価額の割合に応じて負担する。ただし、遺言者がその遺言に別段の意思を表示したときは、その意思に従う。

三 受贈者が複数あるとき（前号に規定する場合を除く。）は、後の贈与に係る受贈者から順次前の贈与に係る受贈者が負担する。

② 第九百四条、第千四十三条第二項及び第千四十五条〈特別受益者の相続分〉、第千四十三条第二項及び第千四十五条〈遺留分を算定するための財産の価額〉の規定は、前項に規定する遺贈又は贈与の目的の価額について準用する。

③ 前条第一項の請求を受けた受遺者又は受贈者は、遺留分権利者承継債務について弁済その他の債務を消滅させる行為をしたときは、消滅した債務の額の限度において、遺留分権利者に対する意思表示によって第一項の規定により負担する債務を消滅させることができる。この場合において、当該行為によって遺留分権利者に対して取得した求償権は、消滅した当該債務の額の限度において消滅する。

④ 受遺者又は受贈者の無資力によって生じた損失は、遺留分権利者の負担に帰する。

⑤ 裁判所は、受遺者又は受贈者の請求により、第一項の規定により負担する債務の全部又は一部の支払につき相当の期限を許与することができる。

（平成三〇法七二本条追加）

一〇四六【遺留分侵害額↓一〇四六②

第一〇四八条（遺留分侵害額請求権の期間の制限） 遺留分侵害額の請求権は、遺留分権利者が、相続の開始及び遺留分を侵害する贈与又は遺贈があったことを知った時から一年間行使しないときは、時効によって消滅する。相続開始の時から十年を経過したときも、同様とする。（平成三〇法七二本条改正）

一〇四六【遺留分侵害額↓一〇四六②【遺留分権利者↓一〇四二【相続の開始↓八八二【消滅時効↓一六六

第一〇四九条（遺留分の放棄） ① 相続の開始前における遺留分の放棄は、家庭裁判所の許可を受けたときに限り、その効力を生ずる。

② 共同相続人の一人のした遺留分の放棄は、他の各共同相続人の遺留分に影響を及ぼさない。

【相続の開始↓八八二【遺留分↓一〇四二【家庭裁判所の許可↓家事三の一一①②・三九・別表第一〈百十の項〉

第十章 特別の寄与 （平成三〇法七二本章追加）

第一〇五〇条 ① 被相続人に対して無償で療養看護その他の労務の提供をしたことにより被相続人の財産の維持又は増加について特別の寄与をした被相続人の親族（相続人、相続の放棄をした者及び第八百九十一条の規定に該当し又は廃除によってその相続権を失った者を除く。以下この条において「特別寄与者」という。）は、相続の開始後、相続人に対し、特別寄与者の寄与に応じた額の金銭（以下この条において「特別寄与料」という。）の支払を請求することができる。

② 前項の規定による特別寄与料の支払について、当事者間に協議が調わないとき、又は協議をすることができないときは、特別寄与者は、家庭裁判所に対して協議に代わる処分を請求することができる。ただし、特別寄与者が相続の開始及び相続人を知った時から六箇月を経過したとき、又は相続開始の時から一年を経過したときは、この限りでない。

③ 前項本文の場合には、家庭裁判所は、寄与の時期、方法及び程度、相続財産の額その他一切の事情を考慮して、特別寄与料の額を定める。

④ 特別寄与料の額は、被相続人が相続開始の時において有した財産の価額から遺贈の価額を控除した残額を超えることができない。

⑤ 相続人が数人ある場合には、各相続人は、特別寄与料の額に第九百条から第九百二条までの規定により算定した当該相続人の相続分を乗じた額を負担する。

九〇四の二【親族↓七二五 ❷【家庭裁判所の処理↓家事三の一一④・三九・別表第二〈十五の項〉・二四四 ❹【遺贈↓九六四

附 則 （昭和二二・一二・二二法二二二）（抄）

第一条【施行期日】 この法律は、昭和二十三年一月一日から、これを施行する。

第二条【廃止法律】 明治三十五年法律第三十七号（民法中改正法律）は、これを廃止する。

第三条【新法・旧法・応急措置法の定義】 この附則で、新法とは、この法律による改正後の民法をいい、旧法とは、従前の民法をいい、応急措置法とは、昭和二十二年法律第七十四号（日本国憲法の施行に伴う民法の応急的措置に関する法律）をいう。

第四条【新法の遡及効の原則】 新法は、別段の規定のある場合を除いては、新法施行前に生じた事項にもこれを適用する。但し、旧法及び応急措置法によつて生じた効力を妨げない。

附 則 （平成二九・六・二法四四）（抄）

（施行期日）

第一条 この法律は、公布の日から起算して三年を超えない範囲内において政令で定める日（令和二・四・一―平成二九政三〇九）から施行する。ただし、次の各号に掲げる規定は、当該各

号に定める日から施行する。

一　（略）

二　附則第三十三条第三項の規定　公布の日から起算して一年を超えない範囲内において政令で定める日（平成三〇・四・一―平成二九政三〇九）

三　附則第二十一条第二項及び第三項の規定　公布の日から起算して二年九月を超えない範囲内において政令で定める日（令和二・三・一―平成二九政三〇九）

（意思能力に関する経過措置）

第二条　この法律による改正後の民法（以下「新法」という。）第三条の二の規定は、この法律の施行の日（以下「施行日」という。）前にされた意思表示については、適用しない。

（行為能力に関する経過措置）

第三条　施行日前に制限行為能力者（新法第十三条第一項第十号に規定する制限行為能力者をいう。以下この条において同じ。）が他の制限行為能力者の法定代理人としてした行為については、同項及び新法第百二条の規定にかかわらず、なお従前の例による。

（無記名債権に関する経過措置）

第四条　施行日前に生じたこの法律による改正前の民法（以下「旧法」という。）第八十六条第三項に規定する無記名債権（その原因である法律行為が施行日前にされたものを含む。）については、なお従前の例による。

（公序良俗に関する経過措置）

第五条　施行日前にされた法律行為については、新法第九十条の規定にかかわらず、なお従前の例による。

（意思表示に関する経過措置）

第六条①　施行日前にされた意思表示については、新法第九十三条、第九十五条、第九十六条第二項及び第三項並びに第九十八条の二の規定にかかわらず、なお従前の例による。

②　施行日前に通知が発せられた意思表示については、新法第九十七条の規定にかかわらず、なお従前の例による。

（代理に関する経過措置）

第七条①　施行日前に代理権の発生原因が生じた場合（代理権授与の表示がされた場合を含む。）におけるその代理については、附則第三条に規定するもののほか、なお従前の例による。

②　施行日前に無権代理人が代理人として行為をした場合におけるその無権代理人の責任については、新法第百十七条（新法第百十八条において準用する場合を含む。）の規定にかかわらず、なお従前の例による。

（無効及び取消しに関する経過措置）

第八条①　施行日前に無効な行為に基づく債務の履行として給付がされた場合におけるその給付を受けた者の原状回復の義務については、新法第百二十一条の二（新法第八百七十二条第二項において準用する場合を含む。）の規定にかかわらず、なお従前の例による。

②　施行日前に取り消すことができる行為がされた場合におけるその行為の追認（法定追認を含む。）については、新法第百二十二条、第百二十四条及び第百二十五条（これらの規定を新法第八百七十二条第二項において準用する場合を含む。）の規定にかかわらず、なお従前の例による。

（条件に関する経過措置）

第九条　新法第百三十条第二項の規定は、施行日前にされた法律行為については、適用しない。

（時効に関する経過措置）

第一〇条①　施行日前に債権が生じた場合（施行日以後に債権が生じた場合であって、その原因である法律行為が施行日前にされたときを含む。以下同じ。）におけるその債権の消滅時効の援用については、新法第百四十五条の規定にかかわらず、なお従前の例による。

②　施行日前に旧法第百四十七条に規定する時効の中断の事由又は旧法第百五十八条から第百六十一条までに規定する時効の停止の事由が生じた場合におけるこれらの事由の効力については、なお従前の例による。

③　新法第百五十一条の規定は、施行日前に権利についての協議を行う旨の合意が書面でされた場合（その合意の内容を記録した電磁的記録（新法第百五十一条第四項に規定する電磁的記録をいう。附則第三十三条第二項において同じ。）によってされた場合を含む。）におけるその合意については、適用しない。

④　施行日前に債権が生じた場合におけるその債権の消滅時効の期間については、なお従前の例による。

（債権を目的とする質権の対抗要件に関する経過措置）

第一一条　施行日前に設定契約が締結された債権を目的とする質権の対抗要件については、新法第三百六十四条の規定にかかわらず、なお従前の例による。

（指図債権に関する経過措置）

第一二条　施行日前に生じた旧法第三百六十五条に規定する指図債権（その原因である法律行為が施行日前にされたものを含む。）については、なお従前の例による。

（根抵当権に関する経過措置）

第一三条①　施行日前に設定契約が締結された根抵当権の被担保債権の範囲については、新法第三百九十八条の二第三項及び第三百九十八条の三第二項の規定にかかわらず、なお従前の例による。

②　新法第三百九十八条の七第三項の規定は、施行日前に締結された債務の引受けに関する契約については、適用しない。

③　施行日前に締結された更改の契約に係る根抵当権の移転については、新法第三百九十八条の七第四項の規定にかかわらず、なお従前の例による。

（債権の目的に関する経過措置）

第一四条　施行日前に債権が生じた場合におけるその債務者の注意義務については、新法第四百条の規定にかかわらず、なお従前の例による。

第一五条①　施行日前に利息が生じた場合におけるその利息を生ずべき債権に係る法定利率については、新法第四百四条の規定にかかわらず、なお従前の例による。

②　新法第四百四条第四項の規定により法定利率に初めて変動があるまでの各期における同項の規定の適用については、同項中「この項の規定により法定利率に変動があった期のうち直近のもの（以下この項において「直近変動期」という。）」とあるのは「民法の一部を改正する法律（平成二十九年法律第四十四号）の施行後最初の期」と、「直近変動期における法定利率」とあるのは「年三パーセント」とする。

第一六条　施行日前に債権が生じた場合におけるその選択債権の不能による特定については、新法第四百十条の規定にかかわらず、なお従前の例による。

（債務不履行の責任等に関する経過措置）

第一七条①　施行日前に債務が生じた場合（施行日以後に債務が生じた場合であって、その原因である法律行為が施行日前にされたときを含む。附則第二十五条第一項において同じ。）におけるその債務不履行の責任等については、新法第四百十二条第二項、第四百十二条の二から第四百十三条の二まで、第四百十五条、第四百十六条第二項、第四百十八条及び第四百二十二条の二の規定にかかわらず、なお従前の例による。

②　新法第四百十七条の二（新法第七百二十二条第一項において準用する場合を含む。）の規定は、施行日前に生じた将来において取得すべき利益又は負担すべき費用についての損害賠償請求権については、適用しない。

③　施行日前に債務者が遅滞の責任を負った場合における遅延損害金を生ずべき債権に係る法定利率については、新法第四百十九条第一項の規定にかかわらず、なお従前の例による。

④　施行日前にされた旧法第四百二十条第一項に規定する損害賠償の額の予定に係る合意及び旧法第四百二十一条に規定する金

銭でないものを損害の賠償に充てるべき旨の予定に係る合意については、なお従前の例による。

第一八条①（債権者代位権に関する経過措置） 施行日前に旧法第四百二十三条第一項に規定する債務者に属する権利が生じた場合におけるその権利に係る債権者代位権については、なお従前の例による。

② 新法第四百二十三条の七の規定は、施行日前に生じた同条に規定する譲渡人が第三者に対して有する権利については、適用しない。

第一九条（詐害行為取消権に関する経過措置） 施行日前に旧法第四百二十四条第一項に規定する債務者が債権者を害することを知ってした法律行為がされた場合におけるその行為に係る詐害行為取消権については、なお従前の例による。

第二〇条①（不可分債権、不可分債務、連帯債権及び連帯債務に関する経過措置） 施行日前に生じた旧法第四百二十八条に規定する不可分債権（その原因である法律行為が施行日前にされたものを含む。）については、なお従前の例による。

② 施行日前に生じた旧法第四百三十条に規定する不可分債務及び旧法第四百三十二条に規定する連帯債務（これらの原因である法律行為が施行日前にされたものを含む。）については、なお従前の例による。

③ 新法第四百三十二条から第四百三十五条の二までの規定は、施行日前に生じた新法第四百三十二条に規定する債権（その原因である法律行為が施行日前にされたものを含む。）については、適用しない。

第二一条①（保証債務に関する経過措置） 施行日前に締結された保証契約に係る保証債務については、なお従前の例による。

② 保証人になろうとする者は、施行日前においても、新法第四百六十五条の六第一項（新法第四百六十五条の八第一項において準用する場合を含む。）の公正証書の作成を嘱託することができる。

③ 公証人は、前項の規定による公正証書の作成の嘱託があった場合には、施行日前においても、新法第四百六十五条の六第二項及び第四百六十五条の七（これらの規定を新法第四百六十五条の八第一項において準用する場合を含む。）の規定の例により、その作成をすることができる。

第二二条（債権の譲渡に関する経過措置） 施行日前に債権の譲渡の原因である法律行為がされた場合におけるその債権の譲渡については、新法第四百六十六条から第四百六十九条までの規定にかかわらず、なお従前の例による。

第二三条（債務の引受けに関する経過措置） 新法第四百七十条から第四百七十二条の四までの規定は、施行日前に締結された債務の引受けに関する契約については、適用しない。

第二四条（記名式所持人払債権に関する経過措置） 施行日前に生じた旧法第四百七十一条に規定する記名式所持人払債権（その原因である法律行為が施行日前にされたものを含む。）については、なお従前の例による。

第二五条①（弁済に関する経過措置） 施行日前に債務が生じた場合におけるその債務の弁済については、次項に規定するもののほか、なお従前の例による。

② 施行日前に弁済がされた場合におけるその弁済の充当については、新法第四百八十八条から第四百九十一条までの規定にかかわらず、なお従前の例による。

第二六条①（相殺に関する経過措置） 施行日前にされた旧法第五百五条第二項に規定する意思表示については、なお従前の例による。

② 施行日前に債権が生じた場合におけるその債権を受働債権とする相殺については、新法第五百九条の規定にかかわらず、なお従前の例による。

③ 施行日前の原因に基づいて債権が生じた場合におけるその債権を自働債権とする相殺（差押えを受けた債権を受働債権とするものに限る。）については、新法第五百十一条の規定にかかわらず、なお従前の例による。

④ 施行日前に相殺の意思表示がされた場合におけるその相殺の充当については、新法第五百十二条及び第五百十二条の二の規定にかかわらず、なお従前の例による。

第二七条（更改に関する経過措置） 施行日前に旧法第五百十三条に規定する更改の契約が締結された更改については、なお従前の例による。

第二八条（有価証券に関する経過措置） 新法第五百二十条の二から第五百二十条の二十までの規定は、施行日前に発行された証券については、適用しない。

第二九条①（契約の成立に関する経過措置） 施行日前に契約の申込みがされた場合におけるその申込み及びこれに対する承諾については、なお従前の例による。

② 施行日前に通知が発せられた契約の申込みについては、新法第五百二十六条の規定にかかわらず、なお従前の例による。

③ 施行日前にされた懸賞広告については、新法第五百二十九条から第五百三十条までの規定にかかわらず、なお従前の例による。

第三〇条①（契約の効力に関する経過措置） 施行日前に締結された契約に係る同時履行の抗弁及び危険負担については、なお従前の例による。

② 新法第五百三十七条第二項及び第五百三十八条第二項の規定は、施行日前に締結された第三者のためにする契約については、適用しない。

第三一条（契約上の地位の移転に関する経過措置） 新法第五百三十九条の二の規定は、施行日前にされた契約上の地位を譲渡する旨の合意については、適用しない。

第三二条（契約の解除に関する経過措置） 施行日前に契約が締結された場合におけるその契約の解除については、新法第五百四十一条から第五百四十三条まで、第五百四十五条第三項及び第五百四十八条の規定にかかわらず、なお従前の例による。

第三三条①（定型約款に関する経過措置） 新法第五百四十八条の二から第五百四十八条の四までの規定は、施行日前に締結された定型取引（新法第五百四十八条の二第一項に規定する定型取引をいう。）に係る契約についても、適用する。ただし、旧法の規定によって生じた効力を妨げない。

② 前項の規定は、同項に規定する契約の当事者の一方（契約又は法律の規定により解除権を現に行使することができる者を除く。）により反対の意思の表示が書面でされた場合（その内容を記録した電磁的記録によってされた場合を含む。）には、適用しない。

③ 前項に規定する反対の意思の表示は、施行日前にしなければならない。

第三四条①（贈与等に関する経過措置） 施行日前に贈与、売買、消費貸借（旧法第五百八十九条に規定する消費貸借の予約を含む。）、使用貸借、賃貸借、雇用、請負、委任、寄託又は組合の各契約が締結された場合におけるこれらの契約及びこれらの契約に付随する買戻しその他の特約については、なお従前の例による。

② 前項の規定にかかわらず、新法第六百四条第二項の規定は、施行日前に賃貸借契約が締結された場合において施行日以後にその契約の更新に係る合意がされるときにも適用する。

③ 第一項の規定にかかわらず、新法第六百五条の四の規定は、施行日前に不動産の賃貸借契約が締結された場合において施行日以後にその不動産の占有を第三者が妨害し、又はその不動産を第三者が占有しているときにも適用する。

（不法行為等に関する経過措置）

第三五条① 旧法第七百二十四条後段（旧法第九百三十四条第三項（旧法第九百三十六条第三項、第九百四十七条第三項、第九百五十条第二項及び第九百五十七条第二項において準用する場合を含む。）において準用する場合を含む。）に規定する期間がこの法律の施行の際既に経過していた場合におけるその期間の制限については、なお従前の例による。

② 新法第七百二十四条の二の規定は、不法行為による損害賠償請求権の旧法第七百二十四条前段に規定する時効がこの法律の施行の際既に完成していた場合については、適用しない。

（遺言執行者の報酬に関する経過措置）

第三六条 施行日前に遺言執行者となった者の報酬については、新法第千十八条第二項において準用する新法第六百四十八条第三項及び第六百四十八条の二の規定にかかわらず、なお従前の例による。

附 則（平成三〇・六・二〇法五九）（抄）

（施行期日）

第一条 この法律は、平成三十四年四月一日から施行する。（後略）

（成年に関する経過措置）

第二条① この法律による改正後の民法（以下「新法」という。）第四条の規定は、この法律の施行の日（以下「施行日」という。）以後に十八歳に達する者について適用し、この法律の施行の際に二十歳以上の者の成年に達した時については、なお従前の例による。

② この法律の施行の際に十八歳以上二十歳未満の者（次項に規定する者を除く。）は、施行日において成年に達するものとする。

③ 施行日前に婚姻をし、この法律による改正前の民法（次条第三項において「旧法」という。）第七百五十三条の規定により成年に達したものとみなされた者については、この法律の施行後も、なお従前の例により当該婚姻の時に成年に達したものとみなす。

（婚姻に関する経過措置）

第三条① 施行日前にした婚姻の取消し（女が適齢に達していないことを理由とするものに限る。）については、新法第七百三十一条及び第七百四十五条の規定にかかわらず、なお従前の例による。

② この法律の施行の際に十六歳以上十八歳未満の女は、新法第七百三十一条の規定にかかわらず、婚姻をすることができる。

③ 前項の規定による婚姻については、旧法第七百三十七条、第七百四十条（旧法第七百四十一条において準用する場合を含む。）及び第七百五十三条の規定は、なおその効力を有する。

（縁組に関する経過措置）

第四条 施行日前にした縁組の取消し（養親となる者が成年に達していないことを理由とするものに限る。）については、新法第四条、第七百九十二条及び第八百四条の規定並びに附則第二条第二項の規定にかかわらず、なお従前の例による。

附 則（平成三〇・七・一三法七二）（抄）

（施行期日）

第一条 この法律は、公布の日から起算して一年を超えない範囲内において政令で定める日（令和一・七・一―平成三〇政三一六）から施行する。ただし、次の各号に掲げる規定は、当該各号に定める日から施行する。

一 附則第三十条（民法の一部を改正する法律（平成二九法四四）の一部改正）（中略）の規定 公布の日

二 第一条中民法第九百六十八条、第九百七十条第二項及び第九百八十二条の改正規定並びに附則第六条の規定 公布の日から起算して六月を経過した日（平成三一・一・一三）

三 第一条中民法第九百九十八条、第千条及び第千二十五条ただし書の改正規定並びに附則第七条及び第九条の規定 民法の一部を改正する法律（平成二十九年法律第四十四号）の施行の日（令和二・四・一）

四 第二条（民法の一部改正）並びに附則第十条（中略）の規定 公布の日から起算して二年を超えない範囲内において政令で定める日（令和二・四・一―平成三〇政三一六）

五 （略）

（民法の一部改正に伴う経過措置の原則）

第二条 この法律の施行の日（以下「施行日」という。）前に開始した相続については、この附則に特別の定めがある場合を除き、なお従前の例による。

（共同相続における権利の承継の対抗要件に関する経過措置）

第三条 第一条の規定による改正後の民法（以下「新民法」という。）第八百九十九条の二の規定は、施行日前に開始した相続に関し遺産の分割による債権の承継がされた場合において、施行日以後にその承継の通知がされるときにも、適用する。

（夫婦間における居住用不動産の遺贈又は贈与に関する経過措置）

第四条 新民法第九百三条第四項の規定は、施行日前にされた遺贈又は贈与については、適用しない。

（遺産の分割前における預貯金債権の行使に関する経過措置）

第五条① 新民法第九百九条の二の規定は、施行日前に開始した相続に関し、施行日以後に預貯金債権が行使されるときにも、適用する。

② 施行日から附則第一条第三号に定める日の前日までの間における新民法第九百九条の二の規定の適用については、同条中「預貯金債権のうち」とあるのは、「預貯金債権（預金口座又は貯金口座に係る預金又は貯金に係る債権をいう。以下同じ。）のうち」とする。

（自筆証書遺言の方式に関する経過措置）

第六条 附則第一条第二号に掲げる規定の施行の日前にされた自筆証書遺言については、新民法第九百六十八条第二項及び第三項の規定にかかわらず、なお従前の例による。

（遺贈義務者の引渡義務等に関する経過措置）

第七条① 附則第一条第三号に掲げる規定の施行の日（以下「第三号施行日」という。）前にされた遺贈に係る遺贈義務者の引渡義務については、新民法第九百九十八条の規定にかかわらず、なお従前の例による。

② 第一条の規定による改正前の民法第千条の規定は、第三号施行日前にされた第三者の権利の目的である財産の遺贈については、なおその効力を有する。

（遺言執行者の権利義務等に関する経過措置）

第八条① 新民法第千七条第二項及び第千十二条の規定は、施行日前に開始した相続に関し、施行日以後に遺言執行者となる者にも、適用する。

② 新民法第千十四条第二項から第四項までの規定は、施行日前にされた特定の財産に関する遺言に係る遺言執行者によるその執行については、適用しない。

③ 施行日前にされた遺言に係る遺言執行者の復任権については、新民法第千十六条の規定にかかわらず、なお従前の例による。

（撤回された遺言の効力に関する経過措置）

第九条 第三号施行日前に撤回された遺言の効力については、新民法第千二十五条ただし書の規定にかかわらず、なお従前の例による。

（配偶者の居住の権利に関する経過措置）

第一〇条① 第二条の規定による改正後の民法（次項において「第四号新民法」という。）第千二十八条から第千四十一条までの規定は、次項に定めるものを除き、附則第一条第四号に掲げる規定の施行の日（以下この条において「第四号施行日」という。）以後に開始した相続について適用し、第四号施行日前に開始した相続については、なお従前の例による。

②　第四号新民法第千二十八条から第千三十六条までの規定は、第四号施行日前にされた遺贈については、適用しない。

附　則（令和三・四・二八法二四）（抄）

（施行期日）

第一条　この法律は、公布の日から起算して二年を超えない範囲内において政令で定める日（令和五・四・一―令和三政三三二）から施行する。ただし、次の各号に掲げる規定は、当該各号に定める日から施行する。

一　（前略）附則第三十四条の規定　公布の日

二・三　（略）

（相続財産の保存に必要な処分に関する経過措置）

第二条①　この法律の施行の日（以下「施行日」という。）前に第一条の規定による改正前の民法（以下「旧民法」という。）第九百十八条第二項（旧民法第九百二十六条第二項（旧民法第九百三十六条第三項において準用する場合を含む。）及び第九百四十条第二項において準用する場合を含む。次項において同じ。）の規定によりされた相続財産の保存に必要な処分は、施行日以後は、第一条の規定による改正後の民法（以下「新民法」という。）第八百九十七条の二の規定によりされた相続財産の保存に必要な処分とみなす。

②　施行日前に旧民法第九百十八条第二項の規定によりされた相続財産の保存に必要な処分の請求（施行日前に当該請求に係る審判が確定したものを除く。）は、施行日以後は、新民法第八百九十七条の二の規定によりされた相続財産の保存に必要な処分の請求とみなす。

（遺産の分割に関する経過措置）

第三条　新民法第九百四条の三及び第九百八条第二項から第五項までの規定は、施行日前に相続が開始した遺産の分割についても、適用する。この場合において、新民法第九百四条の三第一号中「相続開始の時から十年を経過する前」とあるのは「相続開始の時から十年を経過する時又は民法等の一部を改正する法律（令和三年法律第二十四号）の施行の時から五年を経過する時のいずれか遅い時まで」と、同条第二号中「十年の期間」とあるのは「十年の期間（相続開始の時から始まる十年の期間の満了後に民法等の一部を改正する法律の施行の時から始まる五年の期間が満了する場合にあっては、同法の施行の時から始まる五年の期間）」と、新民法第九百八条第二項ただし書、第三項ただし書、第四項ただし書及び第五項ただし書中「相続開始の時から十年」とあるのは「相続開始の時から十年を経過する時又は民法等の一部を改正する法律の施行の時から五年を経過する時のいずれか遅い時」とする。

（相続財産の清算に関する経過措置）

第四条①　施行日前に旧民法第九百三十六条第一項の規定により選任された相続財産の管理人は、施行日以後は、新民法第九百三十六条第一項の規定により選任された相続財産の清算人とみなす。

②　施行日前に旧民法第九百五十二条第一項の規定により選任された相続財産の管理人は、新民法第九百四十条第一項及び第九百五十三条から第九百五十六条までの規定の適用については、新民法第九百五十二条第一項の規定により選任された相続財産の清算人とみなす。

③　施行日前に旧民法第九百五十二条第一項の規定によりされた相続財産の管理人の選任の請求（施行日前に当該請求に係る審判が確定したものを除く。）は、施行日以後は、新民法第九百五十二条第一項の規定によりされた相続財産の清算人の選任の請求とみなす。

④　施行日前に旧民法第九百五十二条第一項の規定により相続財産の管理人が選任された場合における当該相続財産の管理人の選任の公告、相続債権者及び受遺者に対する請求の申出をすべき旨の公告及び催告、相続債権者及び受遺者に対する弁済並びにその弁済のための相続財産の換価、相続債権者及び受遺者の換価手続への参加、不当な弁済をした相続財産の管理人の責任、相続人の捜索の公告、公告期間内に申出をしなかった相続債権者及び受遺者の権利並びに相続人としての権利を主張する者がない場合における相続人、相続債権者及び受遺者の権利については、なお従前の例による。

⑤　施行日前に旧民法第九百五十二条第一項の規定により相続財産の管理人が選任された場合における特別縁故者に対する相続財産の分与については、新民法第九百五十八条の二第二項の規定にかかわらず、なお従前の例による。

（その他の経過措置の政令等への委任）

第三十四条①　この附則に定めるもののほか、この法律の施行に関し必要な経過措置は、政令で定める。

②　（略）

附　則（令和四・一二・一六法一〇二）

（施行期日）

第一条　この法律は、公布の日から起算して一年六月を超えない範囲内において政令で定める日（令和六・四・一―令和五政一七三）から施行する。ただし、第一条中民法第八百二十二条を削り、同法第八百二十一条を同法第八百二十二条とし、同法第八百二十条の次に一条を加える改正規定（中略）は、公布の日から施行する。

（再婚禁止に違反した婚姻の経過措置）

第二条　この法律の施行の日（以下「施行日」という。）より前にされた第一条の規定による改正前の民法第七百三十三条第一項の規定に違反した婚姻についての取消し及び同項の規定に違反して再婚をした女が出産した子に係る父を定めることを目的とする訴えについては、なお従前の例による。

（嫡出の推定に関する経過措置）

第三条　第一条の規定による改正後の民法（以下「新民法」という。）第七百七十二条の規定は、施行日以後に生まれる子について適用し、施行日前に生まれた子についての嫡出の推定については、なお従前の例による。

（嫡出の否認及び嫡出の承認に関する経過措置）

第四条①　新民法第七百七十四条第一項（父の否認権に係る部分に限る。）、第七百七十五条第一項（第一号に係る部分に限る。）及び第二項（同条第一項第一号に係る部分に限る。）並びに第七百七十七条（第一号に係る部分に限る。）の規定（中略）は、施行日以後に生まれる子について適用し、施行日前に生まれた子に対する父による嫡出否認の訴えについては、なお従前の例による。

②　新民法第七百七十四条第一項（子の否認権に係る部分に限る。）から第三項まで、第七百七十五条第一項（第二号及び第三号に係る部分に限る。）、第七百七十六条（母に係る部分に限る。）、第七百七十七条（第二号及び第三号に係る部分に限る。以下この項において同じ。）及び第七百七十八条の二第一項の規定（中略）は、施行日前に生まれた子についても適用する。この場合において、施行日前に生まれた子に係る嫡出否認の訴えに関する新民法第七百七十七条の適用については、同条中「当該各号に定める時から三年以内」とあるのは、「民法等の一部を改正する法律（令和四年法律第百二号）の施行の時から一年を経過する時まで」とする。

③　新民法第七百七十四条第四項及び第五項、第七百七十五条第一項（第四号に係る部分に限る。）及び第二項（同条第一項第四号に係る部分に限る。）、第七百七十七条（第四号に係る部分に限る。）、第七百七十八条、第七百七十八条の二第二項から第四項まで、第七百七十八条の三並びに第七百七十八条の四の規定は、施行日以後に生まれる子について適用する。

（胎児の認知及び認知の無効に関する経過措置）

第五条①　新民法第七百八十三条第二項の規定は、施行日以後に

② 生まれる子について適用する。

② 新民法第七百八十六条の規定は、施行日以後にされる認知について適用し、施行日前にされた認知に対する反対の事実の主張については、なお従前の例による。

第六条（**政令への委任**） この附則に定めるもののほか、この法律の施行に関し必要な経過措置は、政令で定める。

民事関係手続等における情報通信技術の活用等の推進を図るための関係法律の整備に関する法律中経過規定（令和五・六・一四法五三）（抄）

第四六条【民法の一部改正に伴う経過措置】 前条の規定による改正後の民法第九十八条第二項の規定は、施行日以後に開始される公示に関する手続における公示による意思表示について適用し、施行日前に開始された公示に関する手続における公示による意思表示については、なお従前の例による。

第三八七条から第三八九条まで （民事執行法の同経過規定参照）

民事関係手続等における情報通信技術の活用等の推進を図るための関係法律の整備に関する法律

附　則（令和五・六・一四法五三）

この法律は、公布の日から起算して五年を超えない範囲内において政令で定める日から施行する。ただし、次の各号に掲げる規定は、当該各号に定める日から施行する。

一 第三十二章（民事訴訟法等の一部を改正する法律（令和四法四八）の一部改正）の規定及び第三百八十八条の規定 公布の日

二 （前略）第四十五条（民法の一部改正）の規定（民法第九十八条第二項及び第百五十一条第四項の改正規定を除く。）（中略）並びに第三百八十七条の規定 公布の日から起算して二年六月を超えない範囲内において政令で定める日

三 （略）

附　則（令和六・五・二四法三三）（抄）

第一条（**施行期日**） この法律は、公布の日から起算して二年を超えない範囲内において政令で定める日から施行する。ただし、附則第十六条から第十八条まで及び第十九条第　項の規定は、公布の日から施行する。

第二条（**民法の一部改正に伴う経過措置の原則**） 第一条の規定による改正後の民法（以下「新民法」という。）の規定は、この附則に特別の定めがある場合を除き、この法律の施行前に生じた事項にも適用する。ただし、同条の規定による改正前の民法（附則第六条において「旧民法」という。）の規定により生じた効力を妨げない。

第三条（**子の監護費用に関する経過措置**）① 新民法第三百六条第三号及び第三百八条の二の規定は、同条に規定する定期金債権のうちこの法律の施行の日（以下「施行日」という。）以後に生じた各期の定期金について適用する。

② 新民法第七百六十六条の三（新民法第七百四十九条、第七百七十一条及び第七百八十八条において準用する場合を含む。）の規定は、施行日前に離婚し、婚姻が取り消され、又は認知した場合については、適用しない。

第四条（**財産分与に関する経過措置**） 施行日前に離婚し、又は婚姻が取り消された場合における財産の分与に関する処分を家庭裁判所に請求することができる期間の制限については、なお従前の例による。

第五条（**離婚原因に関する経過措置**） 離婚の訴えに係る事件であって、施行日前に、控訴審の口頭弁論が終結したもの又は第一審の判決に対して上告をする権利を留保して控訴をしない旨の合意をしたものについての離婚の訴えを提起することができる事由については、なお従前の例による。

第六条（**親権者の変更の請求に関する経過措置**） 施行日前に旧民法第八百十九条第六項（旧民法第七百四十九条において準用する場合を含む。）の規定によりされた親権者の変更の請求（施行日前に当該請求に係る審判が確定したものを除く。）は、施行日以後は、新民法第八百十九条第六項（新民法第七百四十九条において準用する場合を含む。）の規定によりされた親権者の変更の請求とみなす。

第一六条（**政令への委任**） この附則に定めるもののほか、この法律の施行に関し必要な経過措置は、政令で定める。

第一七条（**啓発活動**） 政府は、この法律による改正後のそれぞれの法律（次条及び附則第十九条第二項において「改正後の各法律」という。）の円滑な施行のため、新民法第七百六十六条第一項又は第二項（これらの規定を新民法第七百四十九条、第七百七十一条及び第七百八十八条において準用する場合を含む。）の規定により子の監護について必要な事項を定めることの重要性について父母が理解と関心を深めることができるよう、必要な広報その他の啓発活動を行うものとする。

第一八条（**周知**） 政府は、改正後の各法律の円滑な施行のため、新民法第八百十九条各項の規定による親権者の定め方、新民法第八百二十四条の二第一項第三号の急迫の事情の意義、同条第二項の監護及び教育に関する日常の行為の意義その他の改正後の各法律の規定の趣旨及び内容について、国民に周知を図るものとする。

第一九条（**検討**）① 政府は、施行日までに、父母が協議上の離婚をする場合における新民法第八百十九条第一項の規定による親権者の定めが父母の双方の真意に出たものであることを確認するための措置について検討を加え、その結果に基づいて必要な法制上の措置その他の措置を講ずるものとする。

② 政府は、この法律の施行後五年を目途として、改正後の各法律の施行の状況等を勘案し、父母の離婚後の子の養育に係る制度及び支援施策の在り方等について検討を加え、必要があると認めるときは、その結果に基づいて所要の措置を講ずるものとする。

●一般社団法人及び一般財団法人に関する法律（抄）

（平成一八・六・二 法 四 八）

施行 平成二〇・一二・一（平成一九政二七五）
改正 平成二三法五三、平成二六法九一、平成二九法四五、令和一法七一、令和二法三三、令和四法四八・法六八、令和五法五三

目次

第一章　総則

第一節　通則

（趣旨）
第一条　一般社団法人及び一般財団法人の設立、組織、運営及び管理については、他の法律に特別の定めがある場合を除くほか、この法律の定めるところによる。

（定義）
第二条　この法律において、次の各号に掲げる用語の意義は、当該各号に定めるところによる。
一　一般社団法人等　一般社団法人又は一般財団法人をいう。
二　大規模一般社団法人　最終事業年度（各事業年度に係る第百二十三条第二項に規定する計算書類につき第百二十六条第二項の承認（第百二十七条前段に規定する場合にあっては、第百二十四条第三項の承認）を受けた場合における当該各事業年度のうち最も遅いものをいう。）に係る貸借対照表（第百二十七条前段に規定する場合にあっては、同条の規定により定時社員総会に報告された貸借対照表をいい、一般社団法人の成立後最初の定時社員総会までの間においては、第百二十三条第一項の貸借対照表をいう。）の負債の部に計上した額の合計額が二百億円以上である一般社団法人をいう。
三　大規模一般財団法人　最終事業年度（各事業年度に係る第百九十九条において準用する第百二十三条第二項に規定する計算書類につき第百九十九条において準用する第百二十六条第二項の承認（第百九十九条において準用する第百二十七条前段に規定する場合にあっては、第百九十九条において準用する第百二十四条第三項の承認）を受けた場合における当該各事業年度のうち最も遅いものをいう。）に係る貸借対照表（第百九十九条において準用する第百二十七条前段に規定する場合にあっては、同条の規定により定時評議員会に報告された貸借対照表をいい、一般財団法人の成立後最初の定時評議員会までの間においては、第百九十九条において準用する第百二十三条第一項の貸借対照表をいう。）の負債の部に計上した額の合計額が二百億円以上である一般財団法人をいう。
四　子法人　一般社団法人又は一般財団法人がその経営を支配している法人として法務省令で定めるものをいう。
五　吸収合併　一般社団法人又は一般財団法人が他の一般社団法人又は一般財団法人とする合併であって、合併により消滅する法人の権利義務の全部を合併後存続する法人に承継させるものをいう。
六　新設合併　二以上の一般社団法人又は一般財団法人がする合併であって、合併により消滅する法人の権利義務の全部を合併により設立する法人に承継させるものをいう。
七　公告方法　一般社団法人又は一般財団法人が公告（この法律又は他の法律の規定により官報に掲載する方法によりしなければならないものとされているものを除く。）をする方法をいう。

（法人格）
第三条　一般社団法人及び一般財団法人は、法人とする。

（住所）
第四条　一般社団法人及び一般財団法人の住所は、その主たる事務所の所在地にあるものとする。

第二節　法人の名称

（名称）
第五条①　一般社団法人又は一般財団法人は、その種類に従い、その名称中に一般社団法人又は一般財団法人という文字を用いなければならない。
②　一般社団法人は、その名称中に、一般財団法人であると誤認されるおそれのある文字を用いてはならない。
③　一般財団法人は、その名称中に、一般社団法人であると誤認されるおそれのある文字を用いてはならない。

（一般社団法人又は一般財団法人と誤認させる名称等の使用の禁止）
第六条　一般社団法人又は一般財団法人でない者は、その名称又は商号中に、一般社団法人又は一般財団法人であると誤認されるおそれのある文字を用いてはならない。

第七条①　何人も、不正の目的をもって、他の一般社団法人又は一般財団法人であると誤認されるおそれのある名称又は商号を使用してはならない。
②　前項の規定に違反する名称又は商号の使用によって事業に係る利益を侵害され、又は侵害されるおそれがある一般社団法人又は一般財団法人は、その利益を侵害する者又は侵害するおそれがある者に対し、その侵害の停止又は予防を請求することができる。

（自己の名称の使用を他人に許諾した一般社団法人又は一般財団法人の責任）
第八条　自己の名称を使用して事業又は営業を行うことを他人に許諾した一般社団法人又は一般財団法人は、当該一般社団法人又は一般財団法人が当該事業を行うものと誤認して当該他人と取引をした者に対し、当該他人と連帯して、当該取引によって生じた債務を弁済する責任を負う。

第三節　商法の規定の不適用

第九条　商法（明治三十二年法律第四十八号）第十一条から第十五条まで及び第十九条から第二十四条までの規定は、一般社団法人及び一般財団法人については、適用しない。

第二章　一般社団法人（抄）

第一節　設立（抄）

第一款　定款の作成

（定款の作成）
第一〇条①　一般社団法人を設立するには、その社員になろうとする者（以下「設立時社員」という。）が、共同して定款を作成し、その全員がこれに署名し、又は記名押印しなければならない。
②　前項の定款は、電磁的記録（電子的方式、磁気的方式その他人の知覚によっては認識することができない方式で作られる記録であって、電子計算機による情報処理の用に供されるものとして法務省令で定めるものをいう。以下同じ。）をもって作成することができる。この場合において、当該電磁的記録に記録された情報については、法務省令で定める署名又は記名押印に代わる措置をとらなければならない。

＊令和五法五三（令和一〇・六・一三までに施行）による改正
第二項中「いう。」の下に「第二百九十八条の二第三項を除き、」を加える。（本文未織込み）

（定款の記載又は記録事項）
第一一条①　一般社団法人の定款には、次に掲げる事項を記載し、又は記録しなければならない。
一　目的
二　名称
三　主たる事務所の所在地
四　設立時社員の氏名又は名称及び住所
五　社員の資格の得喪に関する規定
六　公告方法
七　事業年度
②　社員に剰余金又は残余財産の分配を受ける権利を与える旨の定款の定めは、その効力を有しない。

第一二条　前条第一項各号に掲げる事項のほか、一般社団法人の定款には、この法律の規定により定款の定めがなければその効力を生じない事項及びその他の事項でこの法律の規定に違反しないものを記載し、又は記録することができる。

（定款の認証）

第一三条　第十条第一項の定款は、公証人の認証を受けなければ、その効力を生じない。

（定款の備置き及び閲覧等）

第一四条①　設立時社員（一般社団法人の成立後にあっては、当該一般社団法人）は、定款を設立時社員が定めた場所（一般社団法人の成立後にあっては、その主たる事務所及び従たる事務所）に備え置かなければならない。

② 設立時社員（一般社団法人の成立後にあっては、その社員及び債権者）は、設立時社員が定めた時間（一般社団法人の成立後にあっては、その業務時間）内は、いつでも、次に掲げる請求をすることができる。ただし、第二号又は第四号に掲げる請求をするには、設立時社員（一般社団法人の成立後にあっては、当該一般社団法人）の定めた費用を支払わなければならない。

一　定款が書面をもって作成されているときは、当該書面の閲覧の請求

二　前号の書面の謄本又は抄本の交付の請求

三　定款が電磁的記録をもって作成されているときは、当該電磁的記録に記録された事項を法務省令で定める方法により表示したものの閲覧の請求

四　前号の電磁的記録に記録された事項を電磁的方法（電子情報処理組織を使用する方法その他の情報通信の技術を利用する方法であって法務省令で定めるものをいう。以下同じ。）であって設立時社員（一般社団法人の成立後にあっては、当該一般社団法人）の定めたものにより提供することの請求又はその事項を記載した書面の交付の請求

③ 定款が電磁的記録をもって作成されている場合であって、従たる事務所における前項第三号及び第四号に掲げる請求に応じることを可能とするための措置として法務省令で定めるものをとっている一般社団法人についての第一項の規定の適用については、同項中「主たる事務所及び従たる事務所」とあるのは、「主たる事務所」とする。

第二款　設立時役員等の選任及び解任（抄）

第一五条　（略）

（設立時役員等の選任）

第一六条①　設立しようとする一般社団法人が理事会設置一般社団法人（理事会を置く一般社団法人をいう。以下同じ。）である場合には、設立時理事は、三人以上でなければならない。

② 第六十五条第一項又は第六十八条第一項若しくは第三項の規定により成立後の一般社団法人の理事、監事又は会計監査人となることができない者は、それぞれ設立時理事、設立時監事又は設立時会計監査人（以下この款において「設立時役員等」という。）となることができない。

③ 第六十五条の二の規定は、設立時理事及び設立時監事について準用する。

第一七条から第一九条まで　（略）

第三款　設立時理事等による調査

（第二〇条）（略）

第四款　設立時代表理事の選定等

第二一条①　設立時理事は、設立しようとする一般社団法人が理事会設置一般社団法人である場合には、設立時理事の中から一般社団法人の設立に際して代表理事（一般社団法人を代表する理事をいう。以下この章及び第三百一条第二項第六号において同じ。）となる者（以下この条及び第三百十八条第二項において「設立時代表理事」という。）を選定しなければならない。

② 設立時理事は、一般社団法人の成立の時までの間、設立時代表理事を解職することができる。

③ 前二項の規定による設立時代表理事の選定及び解職は、設立時理事の過半数をもって決定する。

第五款　一般社団法人の成立

第二二条　一般社団法人は、その主たる事務所の所在地において設立の登記をすることによって成立する。

第六款　設立時社員等の責任

（第二三条から第二六条まで）（略）

第二節　社員（抄）

第一款　総則

（経費の負担）

第二七条　社員は、定款で定めるところにより、一般社団法人に対し、経費を支払う義務を負う。

（任意退社）

第二八条①　社員は、いつでも退社することができる。ただし、定款で別段の定めをすることを妨げない。

② 前項ただし書の規定による定款の定めがある場合であっても、やむを得ない事由があるときは、社員は、いつでも退社することができる。

（法定退社）

第二九条　前条の場合のほか、社員は、次に掲げる事由によって退社する。

一　定款で定めた事由の発生

二　総社員の同意

三　死亡又は解散

四　除名

（除名）

第三〇条①　社員の除名は、正当な事由があるときに限り、社員総会の決議によってすることができる。この場合において、一般社団法人は、当該社員に対し、当該社員総会の日から一週間前までにその旨を通知し、かつ、社員総会において弁明する機会を与えなければならない。

② 除名は、除名した社員にその旨を通知しなければ、これをもって当該社員に対抗することができない。

第二款　社員名簿等（抄）

（社員名簿）

第三一条　一般社団法人は、社員の氏名又は名称及び住所を記載し、又は記録した名簿（以下「社員名簿」という。）を作成しなければならない。

（社員名簿の備置き及び閲覧等）

第三二条①　一般社団法人は、社員名簿をその主たる事務所に備え置かなければならない。

② 社員は、一般社団法人の業務時間内は、いつでも、次に掲げる請求をすることができる。この場合においては、当該請求の理由を明らかにしてしなければならない。

一　社員名簿が書面をもって作成されているときは、当該書面の閲覧又は謄写の請求

二　社員名簿が電磁的記録をもって作成されているときは、当該電磁的記録に記録された事項を法務省令で定める方法により表示したものの閲覧又は謄写の請求

③ 一般社団法人は、前項の請求があったときは、次のいずれかに該当する場合を除き、これを拒むことができない。

一　当該請求を行う社員（以下この項において「請求者」という。）がその権利の確保又は行使に関する調査以外の目的で請求を行ったとき。

二　請求者が当該一般社団法人の業務の遂行を妨げ、又は社員の共同の利益を害する目的で請求を行ったとき。

三　請求者が社員名簿の閲覧又は謄写によって知り得た事実を利益を得て第三者に通報するため請求を行ったとき。

四　請求者が、過去二年以内において、社員名簿の閲覧又は謄写によって知り得た事実を利益を得て第三者に通報したことがあるものであるとき。

第三三条及び第三四条　（略）

第三節　機関（抄）

第一款　社員総会（抄）

（社員総会の権限）

第三五条① 社員総会は、この法律に規定する事項及び一般社団法人の組織、運営、管理その他一般社団法人に関する一切の事項について決議をすることができる。

② 前項の規定にかかわらず、理事会設置一般社団法人においては、社員総会は、この法律に規定する事項及び定款で定めた事項に限り、決議をすることができる。

③ 前二項の規定にかかわらず、社員総会は、社員に剰余金を分配する旨の決議をすることができない。

④ この法律の規定により社員総会の決議を必要とする事項について、理事、理事会その他の社員総会以外の機関が決定することができることを内容とする定款の定めは、その効力を有しない。

（社員総会の招集）

第三六条① 定時社員総会は、毎事業年度の終了後一定の時期に招集しなければならない。

② 社員総会は、必要がある場合には、いつでも、招集することができる。

③ 社員総会は、次条第二項の規定により招集する場合を除き、理事が招集する。

（社員による招集の請求）

第三七条① 総社員の議決権の十分の一（五分の一以下の割合を定款で定めた場合にあっては、その割合）以上の議決権を有する社員は、理事に対し、社員総会の目的である事項及び招集の理由を示して、社員総会の招集を請求することができる。

② 次に掲げる場合には、前項の規定による請求をした社員は、裁判所の許可を得て、社員総会を招集することができる。

一　前項の規定による請求の後遅滞なく招集の手続が行われない場合

二　前項の規定による請求があった日から六週間（これを下回る期間を定款で定めた場合にあっては、その期間）以内の日を社員総会の日とする社員総会の招集の通知が発せられない場合

（社員総会の招集の決定）

第三八条① 理事（前条第二項の規定により社員が社員総会を招集する場合にあっては、当該社員。次条から第四十二条までにおいて同じ。）は、社員総会を招集する場合には、次に掲げる事項を定めなければならない。

一　社員総会の日時及び場所

二　社員総会の目的である事項があるときは、当該事項

三　社員総会に出席しない社員が書面によって議決権を行使することができることとするときは、その旨

四　社員総会に出席しない社員が電磁的方法によって議決権を行使することができることとするときは、その旨

五　前各号に掲げるもののほか、法務省令で定める事項

② 理事会設置一般社団法人においては、前条第二項の規定により社員が社員総会を招集するときを除き、前項各号に掲げる事項の決定は、理事会の決議によらなければならない。

（社員総会の招集の通知）

第三九条① 社員総会を招集するには、理事は、社員総会の日の一週間（理事会設置一般社団法人以外の一般社団法人において、これを下回る期間を定款で定めた場合にあっては、その期間）前までに、社員に対してその通知を発しなければならない。ただし、前条第一項第三号又は第四号に掲げる事項を定めた場合には、社員総会の日の二週間前までにその通知を発しなければならない。

② 次に掲げる場合には、前項の通知は、書面でしなければならない。

一　前条第一項第三号又は第四号に掲げる事項を定めた場合

二　一般社団法人が理事会設置一般社団法人である場合

③ 理事は、前項の書面による通知の発出に代えて、政令で定めるところにより、社員の承諾を得て、電磁的方法により通知を発することができる。この場合において、当該理事は、同項の書面による通知を発したものとみなす。

④ 前二項の通知には、前条第一項各号に掲げる事項を記載し、又は記録しなければならない。

（招集手続の省略）

第四〇条 前条の規定にかかわらず、社員総会は、社員の全員の同意があるときは、招集の手続を経ることなく開催することができる。ただし、第三十八条第一項第三号又は第四号に掲げる事項を定めた場合は、この限りでない。

第四一条及び第四二条　（略）

（社員提案権）

第四三条① 社員は、理事に対し、一定の事項を社員総会の目的とすることを請求することができる。

② 前項の規定にかかわらず、理事会設置一般社団法人においては、総社員の議決権の三十分の一（これを下回る割合を定款で定めた場合にあっては、その割合）以上の議決権を有する社員に限り、理事に対し、一定の事項を社員総会の目的とすることを請求することができる。この場合において、その請求は、社員総会の日の六週間（これを下回る期間を定款で定めた場合にあっては、その期間）前までにしなければならない。

第四四条 社員は、社員総会において、社員総会の目的である事項につき議案を提出することができる。ただし、当該議案が法令若しくは定款に違反する場合又は実質的に同一の議案につき社員総会において総社員の議決権の十分の一（これを下回る割合を定款で定めた場合にあっては、その割合）以上の賛成を得られなかった日から三年を経過していない場合は、この限りでない。

第四五条① 社員は、理事に対し、社員総会の日の六週間（これを下回る期間を定款で定めた場合にあっては、その期間）前までに、社員総会の目的である事項につき当該社員が提出しようとする議案の要領を社員に通知すること（第三十九条第二項又は第三項の通知をする場合にあっては、その通知に記載し、又は記録すること）を請求することができる。ただし、理事会設置一般社団法人においては総社員の議決権の三十分の一（これを下回る割合を定款で定めた場合にあっては、その割合）以上の議決権を有する社員に限り、当該請求をすることができる。

② 前項の規定は、同項の議案が法令若しくは定款に違反する場合又は実質的に同一の議案につき社員総会において総社員の議決権の十分の一（これを下回る割合を定款で定めた場合にあっては、その割合）以上の賛成を得られなかった日から三年を経過していない場合には、適用しない。

第四六条から第四七条の六まで　（略）

（議決権の数）

第四八条① 社員は、各一個の議決権を有する。ただし、定款で別段の定めをすることを妨げない。

② 前項ただし書の規定にかかわらず、社員総会において決議をする事項の全部につき社員が議決権を行使することができない旨の定款の定めは、その効力を有しない。

（社員総会の決議）

第四九条① 社員総会の決議は、定款に別段の定めがある場合を除き、総社員の議決権の過半数を有する社員が出席し、出席した当該社員の議決権の過半数をもって行う。

② 前項の規定にかかわらず、次に掲げる社員総会の決議は、総社員の半数以上であって、総社員の議決権の三分の二（これを上回る割合を定款で定めた場合にあっては、その割合）以上に当たる多数をもって行わなければならない。

一　第三十条第一項の社員総会

二　第七十条第一項の社員総会（監事を解任する場合に限る。）

三　第百十三条第一項の社員総会

四　第百四十六条の社員総会

五　第百四十七条の社員総会
六　第百四十八条第三号及び第百五十条の社員総会
七　第二百四十七条、第二百五十一条第一項及び第二百五十七条の社員総会

③　理事会設置一般社団法人においては、社員総会は、第三十八条第一項第二号に掲げる事項以外の事項については、決議をすることができない。ただし、第五十五条第一項若しくは第二項に規定する者の選任又は第百九条第二項の会計監査人の出席を求めることについては、この限りでない。

（議決権の代理行使）

第五〇条①　社員は、代理人によってその議決権を行使することができる。この場合においては、当該社員又は代理人は、代理権を証明する書面を一般社団法人に提出しなければならない。

②　前項の代理権の授与は、社員総会ごとにしなければならない。

③　第一項の社員又は代理人は、代理権を証明する書面の提出に代えて、政令で定めるところにより、一般社団法人の承諾を得て、当該書面に記載すべき事項を電磁的方法により提供することができる。この場合において、当該社員又は代理人は、当該書面を提出したものとみなす。

④　社員が第三十九条第三項の承諾をした者である場合には、一般社団法人は、正当な理由がなければ、前項の承諾をすることを拒んではならない。

⑤　一般社団法人は、社員総会の日から三箇月間、代理権を証明する書面及び第三項の電磁的方法により提供された事項が記録された電磁的記録をその主たる事務所に備え置かなければならない。

⑥　社員は、一般社団法人の業務時間内は、いつでも、次に掲げる請求をすることができる。この場合においては、当該請求の理由を明らかにしてしなければならない。

一　代理権を証明する書面の閲覧又は謄写の請求
二　前項の電磁的記録に記録された事項を法務省令で定める方法により表示したものの閲覧又は謄写の請求

⑦　一般社団法人は、前項の請求があったときは、次のいずれかに該当する場合を除き、これを拒むことができない。

一　当該請求を行う社員（以下この項において「請求者」という。）がその権利の確保又は行使に関する調査以外の目的で請求を行ったとき。
二　請求者が当該一般社団法人の業務の遂行を妨げ、又は社員の共同の利益を害する目的で請求を行ったとき。
三　請求者が代理権を証明する書面の閲覧若しくは謄写又は前項第二号の電磁的記録に記録された事項を法務省令で定める方法により表示したものの閲覧若しくは謄写によって知り得た事実を利益を得て第三者に通報するため請求を行ったとき。
四　請求者が、過去二年以内において、代理権を証明する書面の閲覧若しくは謄写又は前項第二号の電磁的記録に記録された事項を法務省令で定める方法により表示したものの閲覧若しくは謄写によって知り得た事実を利益を得て第三者に通報したことがあるものであるとき。

（書面による議決権の行使）

第五一条①　書面による議決権の行使は、議決権行使書面に必要な事項を記載し、法務省令で定める時までに当該記載をした議決権行使書面を一般社団法人に提出して行う。

②　前項の規定により書面によって行使した議決権の数は、出席した社員の議決権の数に算入する。

③　一般社団法人は、社員総会の日から三箇月間、第一項の規定により提出された議決権行使書面をその主たる事務所に備え置かなければならない。

④　社員は、一般社団法人の業務時間内は、いつでも、第一項の規定により提出された議決権行使書面の閲覧又は謄写の請求をすることができる。この場合においては、当該請求の理由を明らかにしてしなければならない。

⑤　一般社団法人は、前項の請求があったときは、次のいずれかに該当する場合を除き、これを拒むことができない。

一　当該請求を行う社員（以下この項において「請求者」という。）がその権利の確保又は行使に関する調査以外の目的で請求を行ったとき。
二　請求者が当該一般社団法人の業務の遂行を妨げ、又は社員の共同の利益を害する目的で請求を行ったとき。
三　請求者が第一項の規定により提出された議決権行使書面の閲覧又は謄写によって知り得た事実を利益を得て第三者に通報するため請求を行ったとき。
四　請求者が、過去二年以内において、第一項の規定により提出された議決権行使書面の閲覧又は謄写によって知り得た事実を利益を得て第三者に通報したことがあるものであるとき。

第五二条（略）

（理事等の説明義務）

第五三条　理事（監事設置一般社団法人にあっては、理事及び監事）は、社員総会において、社員から特定の事項について説明を求められた場合には、当該事項について必要な説明をしなければならない。ただし、当該事項が社員総会の目的である事項に関しないものである場合、その説明をすることにより社員の共同の利益を著しく害する場合その他正当な理由がある場合として法務省令で定める場合は、この限りでない。

（議長の権限）

第五四条①　社員総会の議長は、当該社員総会の秩序を維持し、議事を整理する。

②　社員総会の議長は、その命令に従わない者その他当該社員総会の秩序を乱す者を退場させることができる。

（社員総会に提出された資料等の調査）

第五五条①　社員総会においては、その決議によって、理事、監事及び会計監査人が当該社員総会に提出し、又は提供した資料を調査する者を選任することができる。

②　第三十七条の規定により招集された社員総会においては、その決議によって、一般社団法人の業務及び財産の状況を調査する者を選任することができる。

（延期又は続行の決議）

第五六条　社員総会においてその延期又は続行について決議があった場合には、第三十八条及び第三十九条の規定は、適用しない。

（議事録）

第五七条①　社員総会の議事については、法務省令で定めるところにより、議事録を作成しなければならない。

②　一般社団法人は、社員総会の日から十年間、前項の議事録をその主たる事務所に備え置かなければならない。

③　一般社団法人は、社員総会の日から五年間、第一項の議事録の写しをその従たる事務所に備え置かなければならない。ただし、当該議事録が電磁的記録をもって作成されている場合であって、従たる事務所における次項第二号に掲げる請求に応じることを可能とするための措置として法務省令で定めるものをとっているときは、この限りでない。

④　社員及び債権者は、一般社団法人の業務時間内は、いつでも、次に掲げる請求をすることができる。

一　第一項の議事録が書面をもって作成されているときは、当該書面又は当該書面の写しの閲覧又は謄写の請求
二　第一項の議事録が電磁的記録をもって作成されているときは、当該電磁的記録に記録された事項を法務省令で定める方法により表示したものの閲覧又は謄写の請求

（社員総会の決議の省略）

第五八条①　理事又は社員が社員総会の目的である事項について提案をした場合において、当該提案につき社員の全員が書面又は電磁的記録により同意の意思表示をしたときは、当該提案を可決する旨の社員総会の決議があったものとみなす。

②　一般社団法人は、前項の規定により社員総会の決議があった

ものとみなされた日から十年間、同項の書面又は電磁的記録をその主たる事務所に備え置かなければならない。

③ 社員及び債権者は、一般社団法人の業務時間内は、いつでも、次に掲げる請求をすることができる。

一 前項の書面の閲覧又は謄写の請求

二 前項の電磁的記録に記録された事項を法務省令で定める方法により表示したものの閲覧又は謄写の請求

④ 第一項の規定により定時社員総会の目的である事項のすべてについての提案を可決する旨の社員総会の決議があったものとみなされた場合には、その時に当該定時社員総会が終結したものとみなす。

第五九条 （略）

第二款 社員総会以外の機関の設置

（社員総会以外の機関の設置）

第六〇条① 一般社団法人には、一人又は二人以上の理事を置かなければならない。

② 一般社団法人は、定款の定めによって、理事会、監事又は会計監査人を置くことができる。

（監事の設置義務）

第六一条 理事会設置一般社団法人及び会計監査人設置一般社団法人は、監事を置かなければならない。

（会計監査人の設置義務）

第六二条 大規模一般社団法人は、会計監査人を置かなければならない。

第三款 役員等の選任及び解任

（選任）

第六三条① 役員（理事及び監事をいう。以下この款において同じ。）及び会計監査人は、社員総会の決議によって選任する。

② 前項の決議をする場合には、法務省令で定めるところにより、役員が欠けた場合又はこの法律若しくは定款で定めた役員の員数を欠くこととなるときに備えて補欠の役員を選任することができる。

（一般社団法人と役員等との関係）

第六四条 一般社団法人と役員及び会計監査人との関係は、委任に関する規定に従う。

（役員の資格等）

第六五条① 次に掲げる者は、役員となることができない。

一 法人

二 削除

三 この法律若しくは会社法（平成十七年法律第八十六号）の規定に違反し、又は民事再生法（平成十一年法律第二百二十五号）第二百五十五条、第二百五十六条、第二百五十八条から第二百六十条まで若しくは第二百六十二条の罪、外国倒産処理手続の承認援助に関する法律（平成十二年法律第百二十九号）第六十五条、第六十六条、第六十八条若しくは第六十九条の罪、会社更生法（平成十四年法律第百五十四号）第二百六十六条、第二百六十七条、第二百六十九条から第二百七十一条まで若しくは第二百七十三条の罪若しくは破産法（平成十六年法律第七十五号）第二百六十五条、第二百六十六条、第二百六十八条から第二百七十二条まで若しくは第二百七十四条の罪を犯し、刑に処せられ、その執行を終わり、又はその執行を受けることがなくなった日から二年を経過しない者

四 前号に規定する法律の規定以外の法令の規定に違反し、拘禁刑以上の刑に処せられ、その執行を終わるまで又はその執行を受けることがなくなるまでの者（刑の執行猶予中の者を除く。）

② 監事は、一般社団法人又はその子法人の理事又は使用人を兼ねることができない。

③ 理事会設置一般社団法人においては、理事は、三人以上でなければならない。

第六五条の二① 成年被後見人が役員に就任するには、その成年後見人が、成年被後見人の同意（後見監督人がある場合にあっては、成年被後見人及び後見監督人の同意）を得た上で、成年被後見人に代わって就任の承諾をしなければならない。

② 被保佐人が役員に就任するには、その保佐人の同意を得なければならない。

③ 第一項の規定は、保佐人が民法（明治二十九年法律第八十九号）第八百七十六条の四第一項の代理権を付与する旨の審判に基づき被保佐人に代わって就任の承諾をする場合について準用する。この場合において、第一項中「成年被後見人の同意（後見監督人がある場合にあっては、成年被後見人及び後見監督人の同意）」とあるのは、「被保佐人の同意」と読み替えるものとする。

④ 成年被後見人又は被保佐人がした役員の資格に基づく行為は、行為能力の制限によっては取り消すことができない。

（理事の任期）

第六六条 理事の任期は、選任後二年以内に終了する事業年度のうち最終のものに関する定時社員総会の終結の時までとする。ただし、定款又は社員総会の決議によって、その任期を短縮することを妨げない。

（監事の任期）

第六七条① 監事の任期は、選任後四年以内に終了する事業年度のうち最終のものに関する定時社員総会の終結の時までとする。ただし、定款によって、その任期を選任後二年以内に終了する事業年度のうち最終のものに関する定時社員総会の終結の時までとすることを限度として短縮することを妨げない。

② 前項の規定は、定款によって、任期の満了前に退任した監事の補欠として選任された監事の任期を退任した監事の任期の満了する時までとすることを妨げない。

③ 前二項の規定にかかわらず、監事を置く旨の定款の定めを廃止する定款の変更をした場合には、監事の任期は、当該定款の変更の効力が生じた時に満了する。

（会計監査人の資格等）

第六八条① 会計監査人は、公認会計士（外国公認会計士（公認会計士法（昭和二十三年法律第百三号）第十六条の二第五項に規定する外国公認会計士をいう。）を含む。以下同じ。）又は監査法人でなければならない。

② 会計監査人に選任された監査法人は、その社員の中から会計監査人の職務を行うべき者を選定し、これを一般社団法人に通知しなければならない。この場合においては、次項第二号に掲げる者を選定することはできない。

③ 次に掲げる者は、会計監査人となることができない。

一 公認会計士法の規定により、第百二十三条第二項に規定する計算書類について監査をすることができない者

二 一般社団法人の子法人若しくはその理事若しくは監事から公認会計士若しくは監査法人の業務以外の業務により継続的な報酬を受けている者又はその配偶者

三 監査法人でその社員の半数以上が前号に掲げる者であるもの

（会計監査人の任期）

第六九条① 会計監査人の任期は、選任後一年以内に終了する事業年度のうち最終のものに関する定時社員総会の終結の時までとする。

② 会計監査人は、前項の定時社員総会において別段の決議がされなかったときは、当該定時社員総会において再任されたものとみなす。

③ 前二項の規定にかかわらず、会計監査人設置一般社団法人が会計監査人を置く旨の定款の定めを廃止する定款の変更をした場合には、会計監査人の任期は、当該定款の変更の効力が生じた時に満了する。

（解任）

第七〇条① 役員及び会計監査人は、いつでも、社員総会の決議によって解任することができる。

② 前項の規定により解任された者は、その解任について正当な理由がある場合を除き、一般社団法人に対し、解任によって生じた損害の賠償を請求することができる。

第七一条（監事による会計監査人の解任）① 監事は、会計監査人が次のいずれかに該当するときは、その会計監査人を解任することができる。

一 職務上の義務に違反し、又は職務を怠ったとき。
二 会計監査人としてふさわしくない非行があったとき。
三 心身の故障のため、職務の執行に支障があり、又はこれに堪えないとき。

② 前項の規定による解任は、監事が二人以上ある場合には、監事の全員の同意によって行わなければならない。

③ 第一項の規定により会計監査人を解任したときは、監事（監事が二人以上ある場合にあっては、監事の互選によって定めた監事）は、その旨及び解任の理由を解任後最初に招集される社員総会に報告しなければならない。

第七二条（監事の選任に関する監事の同意等）① 理事は、監事がある場合において、監事の選任に関する議案を社員総会に提出するには、監事（監事が二人以上ある場合にあっては、その過半数）の同意を得なければならない。

② 監事は、理事に対し、監事の選任を社員総会の目的とすること又は監事の選任に関する議案を社員総会に提出することを請求することができる。

第七三条（会計監査人の選任等に関する議案の内容の決定）① 監事設置一般社団法人においては、社員総会に提出する会計監査人の選任及び解任並びに会計監査人を再任しないことに関する議案の内容は、監事が決定する。

② 監事が二人以上ある場合における前項の規定の適用については、同項中「監事が」とあるのは、「監事の過半数をもって」とする。

第七四条（監事等の選任等についての意見の陳述）① 監事は、社員総会において、監事の選任若しくは解任又は辞任について意見を述べることができる。

② 監事を辞任した者は、辞任後最初に招集される社員総会に出席して、辞任した旨及びその理由を述べることができる。

③ 理事は、前項の者に対し、同項の社員総会を招集する旨及び第三十八条第一項第一号に掲げる事項を通知しなければならない。

④ 第一項の規定は会計監査人について、前二項の規定は会計監査人を辞任した者及び第七十一条第一項の規定により会計監査人を解任された者について、それぞれ準用する。この場合において、第一項中「社員総会において、監事の選任若しくは解任又は辞任について」とあるのは「会計監査人の選任、解任若しくは不再任又は辞任について、社員総会に出席して」と、第二項中「辞任後」とあるのは「解任後又は辞任後」と、「辞任した旨及びその理由」とあるのは「辞任した旨及びその理由又は解任についての意見」と読み替えるものとする。

第七五条（役員等に欠員を生じた場合の措置）① 役員が欠けた場合又はこの法律若しくは定款で定めた役員の員数が欠けた場合には、任期の満了又は辞任により退任した役員は、新たに選任された役員（次項の一時役員の職務を行うべき者を含む。）が就任するまで、なお役員としての権利義務を有する。

② 前項に規定する場合において、裁判所は、必要があると認めるときは、利害関係人の申立てにより、一時役員の職務を行うべき者を選任することができる。

③ 裁判所は、前項の一時役員の職務を行うべき者を選任した場合には、一般社団法人がその者に対して支払う報酬の額を定めることができる。

④ 会計監査人が欠けた場合又は定款で定めた会計監査人の員数が欠けた場合において、遅滞なく会計監査人が選任されないときは、監事は、一時会計監査人の職務を行うべき者を選任しなければならない。

⑤ 第六十八条及び第七十一条の規定は、前項の一時会計監査人の職務を行うべき者について準用する。

第四款 理事

第七六条（業務の執行）① 理事は、定款に別段の定めがある場合を除き、一般社団法人（理事会設置一般社団法人を除く。以下この条において同じ。）の業務を執行する。

② 理事が二人以上ある場合には、一般社団法人の業務は、定款に別段の定めがある場合を除き、理事の過半数をもって決定する。

③ 前項の場合には、理事は、次に掲げる事項についての決定を各理事に委任することができない。

一 従たる事務所の設置、移転及び廃止
二 第三十八条第一項各号に掲げる事項
三 理事の職務の執行が法令及び定款に適合することを確保するための体制その他一般社団法人の業務の適正を確保するために必要なものとして法務省令で定める体制の整備
四 第百十四条第一項の規定による定款の定めに基づく第百十一条第一項の責任の免除

④ 大規模一般社団法人においては、理事は、前項第三号に掲げる事項を決定しなければならない。

第七七条（一般社団法人の代表）① 理事は、一般社団法人を代表する。ただし、他に代表理事その他一般社団法人を代表する者を定めた場合は、この限りでない。

② 前項本文の理事が二人以上ある場合には、理事は、各自、一般社団法人を代表する。

③ 一般社団法人（理事会設置一般社団法人を除く。）は、定款、定款の定めに基づく理事の互選又は社員総会の決議によって、理事の中から代表理事を定めることができる。

④ 代表理事は、一般社団法人の業務に関する一切の裁判上又は裁判外の行為をする権限を有する。

⑤ 前項の権限に加えた制限は、善意の第三者に対抗することができない。

第七八条（代表者の行為についての損害賠償責任） 一般社団法人は、代表理事その他の代表者がその職務を行うについて第三者に加えた損害を賠償する責任を負う。

第七九条（代表理事に欠員を生じた場合の措置）① 代表理事が欠けた場合又は定款で定めた代表理事の員数が欠けた場合には、任期の満了又は辞任により退任した代表理事は、新たに選定された代表理事（次項の一時代表理事の職務を行うべき者を含む。）が就任するまで、なお代表理事としての権利義務を有する。

② 前項に規定する場合において、裁判所は、必要があると認めるときは、利害関係人の申立てにより、一時代表理事の職務を行うべき者を選任することができる。

③ 裁判所は、前項の一時代表理事の職務を行うべき者を選任した場合には、一般社団法人がその者に対して支払う報酬の額を定めることができる。

第八〇条（理事の職務を代行する者の権限）① 民事保全法（平成元年法律第九十一号）第五十六条に規定する仮処分命令により選任された理事又は代表理事の職務を代行する者は、仮処分命令に別段の定めがある場合を除き、一般社団法人の常務に属しない行為をするには、裁判所の許可を得なければならない。

② 前項の規定に違反して行った理事又は代表理事の職務を代行する者の行為は、無効とする。ただし、一般社団法人は、これをもって善意の第三者に対抗することができない。

第八一条（一般社団法人と理事との間の訴えにおける法人の代表） 第七十七条第四項の規定にかかわらず、一般社団法人が理事（理事であった者を含む。以下この条において同じ。）に対し、又は理事が一般社団法人に対して訴えを提起する場合には、社員総会は、当該訴えについて一般社団法人を代表する者を定めることができる。

（表見代表理事）
第八二条　一般社団法人は、代表理事以外の理事に理事長その他一般社団法人を代表する権限を有するものと認められる名称を付した場合には、当該理事がした行為について、善意の第三者に対してその責任を負う。

（忠実義務）
第八三条　理事は、法令及び定款並びに社員総会の決議を遵守し、一般社団法人のため忠実にその職務を行わなければならない。

（競業及び利益相反取引の制限）
第八四条①　理事は、次に掲げる場合には、社員総会において、当該取引につき重要な事実を開示し、その承認を受けなければならない。
一　理事が自己又は第三者のために一般社団法人の事業の部類に属する取引をしようとするとき。
二　理事が自己又は第三者のために一般社団法人と取引をしようとするとき。
三　一般社団法人が理事の債務を保証することその他理事以外の者との間において一般社団法人と当該理事との利益が相反する取引をしようとするとき。
②　民法第百八条の規定は、前項の承認を受けた同項第二号又は第三号の取引については、適用しない。

（理事の報告義務）
第八五条　理事は、一般社団法人に著しい損害を及ぼすおそれのある事実があることを発見したときは、直ちに、当該事実を社員（監事設置一般社団法人にあっては、監事）に報告しなければならない。

（業務の執行に関する検査役の選任）
第八六条①　一般社団法人の業務の執行に関し、不正の行為又は法令若しくは定款に違反する重大な事実があることを疑うに足りる事由があるときは、総社員の議決権の十分の一（これを下回る割合を定款で定めた場合にあっては、その割合）以上の議決権を有する社員は、当該一般社団法人の業務及び財産の状況を調査させるため、裁判所に対し、検査役の選任の申立てをすることができる。
②　前項の申立てがあった場合には、裁判所は、これを不適法として却下する場合を除き、検査役を選任しなければならない。
③　裁判所は、前項の検査役を選任した場合には、一般社団法人が当該検査役に対して支払う報酬の額を定めることができる。
④　第二項の検査役は、その職務を行うため必要があるときは、一般社団法人の子法人の業務及び財産の状況を調査することができる。
⑤　第二項の検査役は、必要な調査を行い、当該調査の結果を記載し、又は記録した書面又は電磁的記録（法務省令で定めるものに限る。）を裁判所に提供して報告をしなければならない。
⑥　裁判所は、前項の報告について、その内容を明瞭にし、又はその根拠を確認するため必要があると認めるときは、第二項の検査役に対し、更に前項の報告を求めることができる。
⑦　第二項の検査役は、第五項の報告をしたときは、一般社団法人及び検査役の選任の申立てをした社員に対し、同項の書面の写しを交付し、又は同項の電磁的記録に記録された事項を法務省令で定める方法により提供しなければならない。

（裁判所による社員総会招集等の決定）
第八七条①　裁判所は、前条第五項の報告があった場合において、必要があると認めるときは、理事に対し、次に掲げる措置の全部又は一部を命じなければならない。
一　一定の期間内に社員総会を招集すること。
二　前条第五項の調査の結果を社員に通知すること。
②　裁判所が前項第一号に掲げる措置を命じた場合には、理事は、前条第五項の報告の内容を同号の社員総会において開示しなければならない。
③　前項に規定する場合には、理事（監事設置一般社団法人にあっては、理事及び監事）は、前条第五項の報告の内容を調査し、その結果を第一項第一号の社員総会に報告しなければならない。

（社員による理事の行為の差止め）
第八八条①　社員は、理事が一般社団法人の目的の範囲外の行為その他法令若しくは定款に違反する行為をし、又はこれらの行為をするおそれがある場合において、当該行為によって当該一般社団法人に著しい損害が生ずるおそれがあるときは、当該理事に対し、当該行為をやめることを請求することができる。
②　監事設置一般社団法人における前項の規定の適用については、同項中「著しい損害」とあるのは、「回復することができない損害」とする。

（理事の報酬等）
第八九条　理事の報酬等（報酬、賞与その他の職務執行の対価として一般社団法人等から受ける財産上の利益をいう。以下同じ。）は、定款にその額を定めていないときは、社員総会の決議によって定める。

第五款　理事会（抄）

（理事会の権限等）
第九〇条①　理事会は、すべての理事で組織する。
②　理事会は、次に掲げる職務を行う。
一　理事会設置一般社団法人の業務執行の決定
二　理事の職務の執行の監督
三　代表理事の選定及び解職
③　理事会は、理事の中から代表理事を選定しなければならない。
④　理事会は、次に掲げる事項その他の重要な業務執行の決定を理事に委任することができない。
一　重要な財産の処分及び譲受け
二　多額の借財
三　重要な使用人の選任及び解任
四　従たる事務所その他の重要な組織の設置、変更及び廃止
五　理事の職務の執行が法令及び定款に適合することを確保するための体制その他一般社団法人の業務の適正を確保するために必要なものとして法務省令で定める体制の整備
六　第百十四条第一項の規定による定款の定めに基づく第百十一条第一項の責任の免除
⑤　大規模一般社団法人である理事会設置一般社団法人においては、理事会は、前項第五号に掲げる事項を決定しなければならない。

（理事会設置一般社団法人の理事の権限）
第九一条①　次に掲げる理事は、理事会設置一般社団法人の業務を執行する。
一　代表理事
二　代表理事以外の理事であって、理事会の決議によって理事会設置一般社団法人の業務を執行する理事として選定されたもの
②　前項各号に掲げる理事は、三箇月に一回以上、自己の職務の執行の状況を理事会に報告しなければならない。ただし、定款で毎事業年度に四箇月を超える間隔で二回以上その報告をしなければならない旨を定めた場合は、この限りでない。

（競業及び理事会設置一般社団法人との取引等の制限）
第九二条①　理事会設置一般社団法人における第八十四条の規定の適用については、同条第一項中「社員総会」とあるのは、「理事会」とする。
②　理事会設置一般社団法人においては、第八十四条第一項各号の取引をした理事は、当該取引後、遅滞なく、当該取引についての重要な事実を理事会に報告しなければならない。

（招集権者）
第九三条①　理事会は、各理事が招集する。ただし、理事会を招

集する理事を定款又は理事会で定めたときは、その理事が招集する。

② 前項ただし書に規定する場合には、同項ただし書の規定により定められた理事（以下この項及び第百一条第二項において「招集権者」という。）以外の理事は、招集権者に対し、理事会の目的である事項を示して、理事会の招集を請求することができる。

③ 前項の規定による請求があった日から五日以内に、その請求があった日から二週間以内の日を理事会の日とする理事会の招集の通知が発せられない場合には、その請求をした理事は、理事会を招集することができる。

（招集手続）

第九四条① 理事会を招集する者は、理事会の日の一週間（これを下回る期間を定款で定めた場合にあっては、その期間）前までに、各理事及び各監事に対してその通知を発しなければならない。

② 前項の規定にかかわらず、理事会は、理事及び監事の全員の同意があるときは、招集の手続を経ることなく開催することができる。

（理事会の決議）

第九五条① 理事会の決議は、議決に加わることができる理事の過半数（これを上回る割合を定款で定めた場合にあっては、その割合以上）が出席し、その過半数（これを上回る割合を定款で定めた場合にあっては、その割合以上）をもって行う。

② 前項の決議について特別の利害関係を有する理事は、議決に加わることができない。

③ 理事会の議事については、法務省令で定めるところにより、議事録を作成し、議事録が書面をもって作成されているときは、出席した理事（定款で議事録に署名し、又は記名押印しなければならない者を当該理事会に出席した代表理事とする旨の定めがある場合にあっては、当該代表理事）及び監事は、これに署名し、又は記名押印しなければならない。

④ 前項の議事録が電磁的記録をもって作成されている場合における当該電磁的記録に記録された事項については、法務省令で定める署名又は記名押印に代わる措置をとらなければならない。

⑤ 理事会の決議に参加した理事であって第三項の議事録に異議をとどめないものは、その決議に賛成したものと推定する。

（理事会の決議の省略）

第九六条 理事会設置一般社団法人は、理事が理事会の決議の目的である事項について提案をした場合において、当該提案につき理事（当該事項について議決に加わることができるものに限る。）の全員が書面又は電磁的記録により同意の意思表示をしたとき（監事が当該提案について異議を述べたときを除く。）は、当該提案を可決する旨の理事会の決議があったものとみなす旨を定款で定めることができる。

（議事録等）

第九七条① 理事会設置一般社団法人は、理事会の日（前条の規定により理事会の決議があったものとみなされた日を含む。）から十年間、第九十五条第三項の議事録又は前条の意思表示を記載し、若しくは記録した書面若しくは電磁的記録（以下この条において「議事録等」という。）をその主たる事務所に備え置かなければならない。

② 社員は、その権利を行使するため必要があるときは、裁判所の許可を得て、次に掲げる請求をすることができる。

一 前項の議事録等が書面をもって作成されているときは、当該書面の閲覧又は謄写の請求

二 前項の議事録等が電磁的記録をもって作成されているときは、当該電磁的記録に記録された事項を法務省令で定める方法により表示したものの閲覧又は謄写の請求

③ 債権者は、理事又は監事の責任を追及するため必要があるときは、裁判所の許可を得て、第一項の議事録等について前項各号に掲げる請求をすることができる。

④ 裁判所は、前二項の請求に係る閲覧又は謄写をすることにより、当該理事会設置一般社団法人に著しい損害を及ぼすおそれがあると認めるときは、前二項の許可をすることができない。

第九八条 （略）

第六款　監事

（監事の権限）

第九九条① 監事は、理事の職務の執行を監査する。この場合において、監事は、法務省令で定めるところにより、監査報告を作成しなければならない。

② 監事は、いつでも、理事及び使用人に対して事業の報告を求め、又は監事設置一般社団法人の業務及び財産の状況の調査をすることができる。

③ 監事は、その職務を行うため必要があるときは、監事設置一般社団法人の子法人に対して事業の報告を求め、又はその子法人の業務及び財産の状況の調査をすることができる。

④ 前項の子法人は、正当な理由があるときは、同項の報告又は調査を拒むことができる。

（理事への報告義務）

第一〇〇条 監事は、理事が不正の行為をし、若しくは当該行為をするおそれがあると認めるとき、又は法令若しくは定款に違反する事実若しくは著しく不当な事実があると認めるときは、遅滞なく、その旨を理事（理事会設置一般社団法人にあっては、理事会）に報告しなければならない。

（理事会への出席義務等）

第一〇一条① 監事は、理事会に出席し、必要があると認めるときは、意見を述べなければならない。

② 監事は、前条に規定する場合において、必要があると認めるときは、理事（第九十三条第一項ただし書に規定する場合にあっては、招集権者）に対し、理事会の招集を請求することができる。

③ 前項の規定による請求があった日から五日以内に、その請求があった日から二週間以内の日を理事会の日とする理事会の招集の通知が発せられない場合は、その請求をした監事は、理事会を招集することができる。

（社員総会に対する報告義務）

第一〇二条 監事は、理事が社員総会に提出しようとする議案、書類その他法務省令で定めるものを調査しなければならない。この場合において、法令若しくは定款に違反し、又は著しく不当な事項があると認めるときは、その調査の結果を社員総会に報告しなければならない。

（監事による理事の行為の差止め）

第一〇三条① 監事は、理事が監事設置一般社団法人の目的の範囲外の行為その他法令若しくは定款に違反する行為をし、又はこれらの行為をするおそれがある場合において、当該行為によって当該監事設置一般社団法人に著しい損害が生ずるおそれがあるときは、当該理事に対し、当該行為をやめることを請求することができる。

② 前項の場合において、裁判所が仮処分をもって同項の理事に対し、その行為をやめることを命ずるときは、担保を立てさせないものとする。

（監事設置一般社団法人と理事との間の訴えにおける法人の代表）

第一〇四条① 第七十七条第四項及び第八十一条の規定にかかわらず、監事設置一般社団法人が理事（理事であった者を含む。以下この条において同じ。）に対し、又は理事が監事設置一般社団法人に対して訴えを提起する場合には、当該訴えについては、監事が監事設置一般社団法人を代表する。

② 第七十七条第四項の規定にかかわらず、次に掲げる場合には、監事が監事設置一般社団法人を代表する。

一 監事設置一般社団法人が第二百七十八条第一項の訴えの提起の請求（理事の責任を追及する訴えの提起の請求に限る。）を受ける場合

二　監事設置一般社団法人が第二百八十条第三項の訴訟告知（理事の責任を追及する訴えに係るものに限る。）並びに第二百八十一条第二項の規定による通知及び催告（理事の責任を追及する訴えに係る訴訟における和解に関するものに限る。）を受ける場合

（監事の報酬等）
第一〇五条①　監事の報酬等は、定款にその額を定めていないときは、社員総会の決議によって定める。
②　監事が二人以上ある場合において、各監事の報酬等について定款の定め又は社員総会の決議がないときは、当該報酬等は、前項の報酬等の範囲内において、監事の協議によって定める。
③　監事は、社員総会において、監事の報酬等について意見を述べることができる。

（費用等の請求）
第一〇六条　監事がその職務の執行について監事設置一般社団法人に対して次に掲げる請求をしたときは、当該監事設置一般社団法人は、当該請求に係る費用又は債務が当該監事の職務の執行に必要でないことを証明した場合を除き、これを拒むことができない。
一　費用の前払の請求
二　支出した費用及び支出の日以後におけるその利息の償還の請求
三　負担した債務の債権者に対する弁済（当該債務が弁済期にない場合にあっては、相当の担保の提供）の請求

第七款　会計監査人

（会計監査人の権限等）
第一〇七条①　会計監査人は、次節の定めるところにより、一般社団法人の計算書類（第百二十三条第二項に規定する計算書類をいう。第百十七条第二項第一号イにおいて同じ。）及びその附属明細書を監査する。この場合において、会計監査人は、法務省令で定めるところにより、会計監査報告を作成しなければならない。
②　会計監査人は、いつでも、次に掲げるものの閲覧及び謄写をし、又は理事及び使用人に対し、会計に関する報告を求めることができる。
一　会計帳簿又はこれに関する資料が書面をもって作成されているときは、当該書面
二　会計帳簿又はこれに関する資料が電磁的記録をもって作成されているときは、当該電磁的記録に記録された事項を法務省令で定める方法により表示したもの
③　会計監査人は、その職務を行うため必要があるときは、会計監査人設置一般社団法人の子法人に対して会計に関する報告を求め、又は会計監査人設置一般社団法人若しくはその子法人の業務及び財産の状況の調査をすることができる。
④　前項の子法人は、正当な理由があるときは、同項の報告又は調査を拒むことができる。
⑤　会計監査人は、その職務を行うに当たっては、次のいずれかに該当する者を使用してはならない。
一　第六十八条第三項第一号又は第二号に掲げる者
二　会計監査人設置一般社団法人又はその子法人の理事、監事又は使用人である者
三　会計監査人設置一般社団法人又はその子法人から公認会計士又は監査法人の業務以外の業務により継続的な報酬を受けている者

（監事に対する報告）
第一〇八条①　会計監査人は、その職務を行うに際して理事の職務の執行に関し不正の行為又は法令若しくは定款に違反する重大な事実があることを発見したときは、遅滞なく、これを監事に報告しなければならない。
②　監事は、その職務を行うため必要があるときは、会計監査人に対し、その監査に関する報告を求めることができる。

（定時社員総会における会計監査人の意見の陳述）
第一〇九条①　第百七条第一項に規定する書類が法令又は定款に適合するかどうかについて会計監査人が監事と意見を異にするときは、会計監査人（会計監査人が監査法人である場合にあっては、その職務を行うべき社員。次項において同じ。）は、定時社員総会に出席して意見を述べることができる。
②　定時社員総会において会計監査人の出席を求める決議があったときは、会計監査人は、定時社員総会に出席して意見を述べなければならない。

（会計監査人の報酬等の決定に関する監事の関与）
第一一〇条　理事は、会計監査人又は一時会計監査人の職務を行うべき者の報酬等を定める場合には、監事（監事が二人以上ある場合にあっては、その過半数）の同意を得なければならない。

第八款　役員等の損害賠償責任

（役員等の一般社団法人に対する損害賠償責任）
第一一一条①　理事、監事又は会計監査人（以下この節及び第三百一条第二項第十一号において「役員等」という。）は、その任務を怠ったときは、一般社団法人に対し、これによって生じた損害を賠償する責任を負う。
②　理事が第八十四条第一項の規定に違反して同項第一号の取引をしたときは、当該取引によって理事又は第三者が得た利益の額は、前項の損害の額と推定する。
③　第八十四条第一項第二号又は第三号の取引によって一般社団法人に損害が生じたときは、次に掲げる理事は、その任務を怠ったものと推定する。
一　第八十四条第一項の理事
二　一般社団法人が当該取引をすることを決定した理事
三　当該取引に関する理事会の承認の決議に賛成した理事

（一般社団法人に対する損害賠償責任の免除）
第一一二条　前条第一項の責任は、総社員の同意がなければ、免除することができない。

（責任の一部免除）
第一一三条①　前条の規定にかかわらず、役員等の第百十一条第一項の責任は、当該役員等が職務を行うにつき善意でかつ重大な過失がないときは、第一号に掲げる額から第二号に掲げる額（第百十五条第一項において「最低責任限度額」という。）を控除して得た額を限度として、社員総会の決議によって免除することができる。
一　賠償の責任を負う額
二　当該役員等がその在職中に一般社団法人から職務執行の対価として受け、又は受けるべき財産上の利益の一年間当たりの額に相当する額として法務省令で定める方法により算定される額に、次のイからハまでに掲げる役員等の区分に応じ、当該イからハまでに定める数を乗じて得た額
イ　代表理事　六
ロ　代表理事以外の理事であって、次に掲げるもの　四
(1)　理事会の決議によって一般社団法人の業務を執行する理事として選定されたもの
(2)　当該一般社団法人の業務を執行した理事（(1)に掲げる理事を除く。）
(3)　当該一般社団法人の使用人
ハ　理事（イ及びロに掲げるものを除く。）、監事又は会計監査人　二
②　前項の場合には、理事は、同項の社員総会において次に掲げる事項を開示しなければならない。
一　責任の原因となった事実及び賠償の責任を負う額
二　前項の規定により免除することができる額の限度及びその算定の根拠
三　責任を免除すべき理由及び免除額
③　監事設置一般社団法人においては、理事は、第百十一条第一項の責任の免除（理事の責任の免除に限る。）に関する議案を社員総会に提出するには、監事（監事が二人以上ある場合にあっ

ては、各監事）の同意を得なければならない。

④ 第一項の決議があった場合において、一般社団法人が当該決議後に同項の役員等に対し退職慰労金その他の法務省令で定める財産上の利益を与えるときは、社員総会の承認を受けなければならない。

（理事等による免除に関する定款の定め）

第一一四条① 第百十二条の規定にかかわらず、監事設置一般社団法人（理事が二人以上ある場合に限る。）は、第百十一条第一項の責任について、役員等が職務を行うにつき善意でかつ重大な過失がない場合において、責任の原因となった事実の内容、当該役員等の職務の執行の状況その他の事情を勘案して特に必要と認めるときは、前条第一項の規定により免除することができる額を限度として理事（当該責任を負う理事を除く。）の過半数の同意（理事会設置一般社団法人にあっては、理事会の決議）によって免除することができる旨を定款で定めることができる。

② 前条第三項の規定は、定款を変更して前項の規定による定款の定め（理事の責任を免除することができる旨の定めに限る。）を設ける議案を社員総会に提出する場合、同項の規定による定款の定めに基づく責任の免除（理事の責任の免除に限る。）についての理事の同意を得る場合及び当該責任の免除に関する議案を理事会に提出する場合について準用する。

③ 第一項の規定による定款の定めに基づいて役員等の責任を免除する旨の同意（理事会設置一般社団法人にあっては、理事会の決議）を行ったときは、理事は、遅滞なく、前条第二項各号に掲げる事項及び責任を免除することに異議がある場合には一定の期間内に当該異議を述べるべき旨を社員に通知しなければならない。ただし、当該期間は、一箇月を下ることができない。

④ 総社員（前項の責任を負う役員等であるものを除く。）の議決権の十分の一（これを下回る割合を定款で定めた場合にあっては、その割合）以上の議決権を有する社員が同項の期間内に同項の異議を述べたときは、一般社団法人は、第一項の規定による定款の定めに基づく免除をしてはならない。

⑤ 前条第四項の規定は、第一項の規定による定款の定めに基づき責任を免除した場合について準用する。

（責任限定契約）

第一一五条① 第百十二条の規定にかかわらず、一般社団法人は、理事（業務執行理事（代表理事、代表理事以外の理事であって理事会の決議によって一般社団法人の業務を執行する理事として選定されたもの及び当該一般社団法人の業務を執行したその他の理事をいう。次項及び第百四十一条第三項において同じ。）又は当該一般社団法人の使用人でないものに限る。）、監事又は会計監査人（以下この条及び第三百一条第二項第十二号において「非業務執行理事等」という。）の第百十一条第一項の責任について、当該非業務執行理事等が職務を行うにつき善意でかつ重大な過失がないときは、定款で定めた額の範囲内であらかじめ一般社団法人が定めた額と最低責任限度額とのいずれか高い額を限度とする旨の契約を非業務執行理事等と締結することができる旨を定款で定めることができる。

② 前項の契約を締結した非業務執行理事等が当該一般社団法人の業務執行理事又は使用人に就任したときは、当該契約は、将来に向かってその効力を失う。

③ 第百十三条第三項の規定は、定款を変更して第一項の規定による定款の定め（同項に規定する理事と契約を締結することができる旨の定めに限る。）を設ける議案を社員総会に提出する場合について準用する。

④ 第一項の契約を締結した一般社団法人が、当該契約の相手方である非業務執行理事等が任務を怠ったことにより損害を受けたことを知ったときは、その後最初に招集される社員総会において次に掲げる事項を開示しなければならない。

一 第百十三条第二項第一号及び第二号に掲げる事項

二 当該契約の内容及び当該契約を締結した理由

三 第百十一条第一項の損害のうち、当該非業務執行理事等が賠償する責任を負わないとされた額

⑤ 第百十三条第四項の規定は、非業務執行理事等が第一項の契約によって同項に規定する限度を超える部分について損害を賠償する責任を負わないとされた場合について準用する。

（理事が自己のためにした取引に関する特則）

第一一六条① 第八十四条第一項第二号の取引（自己のためにした取引に限る。）をした理事の第百十一条第一項の責任は、任務を怠ったことが当該理事の責めに帰することができない事由によるものであることをもって免れることができない。

② 前三条の規定は、前項の責任については、適用しない。

（役員等の第三者に対する損害賠償責任）

第一一七条① 役員等がその職務を行うについて悪意又は重大な過失があったときは、当該役員等は、これによって第三者に生じた損害を賠償する責任を負う。

② 次の各号に掲げる者が、当該各号に定める行為をしたときも、前項と同様とする。ただし、その者が当該行為をすることについて注意を怠らなかったことを証明したときは、この限りでない。

一 理事 次に掲げる行為

イ 計算書類及び事業報告並びにこれらの附属明細書に記載し、又は記録すべき重要な事項についての虚偽の記載又は記録

ロ 基金（第百三十一条に規定する基金をいう。）を引き受ける者の募集をする際に通知しなければならない重要な事項についての虚偽の通知又は当該募集のための当該一般社団法人の事業その他の事項に関する説明に用いた資料についての虚偽の記載若しくは記録

ハ 虚偽の登記

ニ 虚偽の公告（第百二十八条第三項に規定する措置を含む。）

二 監事 監査報告に記載し、又は記録すべき重要な事項についての虚偽の記載又は記録

三 会計監査人 会計監査報告に記載し、又は記録すべき重要な事項についての虚偽の記載又は記録

（役員等の連帯責任）

第一一八条 役員等が一般社団法人又は第三者に生じた損害を賠償する責任を負う場合において、他の役員等も当該損害を賠償する責任を負うときは、これらの者は、連帯債務者とする。

第九款 補償契約及び役員等のために締結される保険契約

（第一一八条の二及び第一一八条の三）（略）

第四節 計算

（第一一九条から第一三〇条まで）（略）

第五節 基金（抄）

第一款 基金を引き受ける者の募集（抄）

（基金を引き受ける者の募集等に関する定款の定め）

第一三一条 一般社団法人（一般社団法人の成立前にあっては、設立時社員。次条から第百三十四条まで（第百三十三条第一項第一号を除く。）及び第百三十六条第一号において同じ。）は、基金（この款の規定により一般社団法人に拠出された金銭その他の財産であって、当該一般社団法人が拠出者に対してこの法律及び当該一般社団法人と当該拠出者との間の合意の定めるところに従い返還義務（金銭以外の財産については、拠出時の当該財産の価額に相当する金銭の返還義務）を負うものをいう。以下同じ。）を引き受ける者の募集をすることができる旨を定款で定めることができる。この場合においては、次に掲げる事項を定款で定めなければならない。

一 基金の拠出者の権利に関する規定

二 基金の返還の手続

第一三二条から第一四〇条まで　（略）

第二款　基金の返還

（第一四一条から第一四五条まで）（略）

第六節　定款の変更　及び　第七節　事業の譲渡

（第一四六条及び第一四七条）（略）

第八節　解散（抄）

（解散の事由）
第一四八条　一般社団法人は、次に掲げる事由によって解散する。
一　定款で定めた存続期間の満了
二　定款で定めた解散の事由の発生
三　社員総会の決議
四　社員が欠けたこと。
五　合併（合併により当該一般社団法人が消滅する場合に限る。）
六　破産手続開始の決定
七　第二百六十一条第一項又は第二百六十八条の規定による解散を命ずる裁判

第一四九条から第一五一条まで　（略）

第三章　一般財団法人（抄）

第一節　設立（抄）

第一款　定款の作成

（定款の作成）
第一五二条①　一般財団法人を設立するには、設立者（設立者が二人以上あるときは、その全員）が定款を作成し、これに署名し、又は記名押印しなければならない。
②　設立者は、遺言で、次条第一項各号に掲げる事項及び第百五十四条に規定する事項を定めて一般財団法人を設立する意思を表示することができる。この場合においては、遺言執行者は、当該遺言の効力が生じた後、遅滞なく、当該遺言で定めた事項を記載した定款を作成し、これに署名し、又は記名押印しなければならない。
③　第十条第二項の規定は、前二項の定款について準用する。

（定款の記載又は記録事項）
第一五三条①　一般財団法人の定款には、次に掲げる事項を記載し、又は記録しなければならない。
一　目的
二　名称
三　主たる事務所の所在地
四　設立者の氏名又は名称及び住所
五　設立に際して設立者（設立者が二人以上あるときは、各設立者）が拠出をする財産及びその価額
六　設立時評議員（一般財団法人の設立に際して評議員となる者をいう。以下同じ。）、設立時理事（一般財団法人の設立に際して理事となる者をいう。以下この節及び第三百十九条第二項において同じ。）及び設立時監事（一般財団法人の設立に際して監事となる者をいう。以下この節、第二百五十四条第七号及び同項において同じ。）の選任に関する事項
七　設立しようとする一般財団法人が会計監査人設置一般財団法人（会計監査人を置く一般財団法人又はこの法律の規定により会計監査人を置かなければならない一般財団法人をいう。以下同じ。）であるときは、設立時会計監査人（一般財団法人の設立に際して会計監査人となる者をいう。以下この節及び第三百十九条第二項第六号において同じ。）の選任に関する事項
八　評議員の選任及び解任の方法
九　公告方法
十　事業年度
②　前項第五号の財産の価額の合計額は、三百万円を下回ってはならない。
③　次に掲げる定款の定めは、その効力を有しない。
一　第一項第八号の方法として、理事又は理事会が評議員を選任し、又は解任する旨の定款の定め
二　設立者に剰余金又は残余財産の分配を受ける権利を与える旨の定款の定め

第一五四条　前条第一項各号に掲げる事項のほか、一般財団法人の定款には、この法律の規定により定款の定めがなければその効力を生じない事項及びその他の事項でこの法律の規定に違反しないものを記載し、又は記録することができる。

（定款の認証）
第一五五条　第百五十二条第一項及び第二項の定款は、公証人の認証を受けなければ、その効力を生じない。

（定款の備置き及び閲覧等）
第一五六条①　設立者（一般財団法人の成立後にあっては、当該一般財団法人）は、定款を設立者が定めた場所（一般財団法人の成立後にあっては、その主たる事務所及び従たる事務所）に備え置かなければならない。
②　設立者（一般財団法人の成立後にあっては、その評議員及び債権者）は、設立者が定めた時間（一般財団法人の成立後にあっては、その業務時間）内は、いつでも、次に掲げる請求をすることができる。ただし、債権者が第二号又は第四号に掲げる請求をするには、設立者（一般財団法人の成立後にあっては、当該一般財団法人）の定めた費用を支払わなければならない。
一　定款が書面をもって作成されているときは、当該書面の閲覧の請求
二　前号の書面の謄本又は抄本の交付の請求
三　定款が電磁的記録をもって作成されているときは、当該電磁的記録に記録された事項を法務省令で定める方法により表示したものの閲覧の請求
四　前号の電磁的記録に記録された事項を電磁的方法であって設立者（一般財団法人の成立後にあっては、当該一般財団法人）の定めたものにより提供することの請求又はその事項を記載した書面の交付の請求
③　定款が電磁的記録をもって作成されている場合であって、従たる事務所における前項第三号及び第四号に掲げる請求に応じることを可能とするための措置として法務省令で定めるものをとっている一般財団法人についての第一項の規定の適用については、同項中「主たる事務所及び従たる事務所」とあるのは、「主たる事務所」とする。

第二款　財産の拠出

（財産の拠出の履行）
第一五七条①　設立者（第百五十二条第二項の場合にあっては、遺言執行者。以下この条、第百六十一条第二項、第百六十六条から第百六十八条まで、第二百条第二項、第三百十九条第三項及び第七章において同じ。）は、第百五十五条の公証人の認証の後遅滞なく、第百五十三条第一項第五号に規定する拠出に係る金銭の全額を払い込み、又は同号に規定する拠出に係る金銭以外の財産の全部を給付しなければならない。ただし、設立者が定めたとき（設立者が二人以上あるときは、その全員の同意があるとき）は、登記、登録その他権利の設定又は移転を第三者に対抗するために必要な行為は、一般財団法人の成立後にすることを妨げない。
②　前項の規定による払込みは、設立者が定めた銀行等の払込みの取扱いの場所においてしなければならない。

（贈与又は遺贈に関する規定の準用）
第一五八条①　生前の処分で財産の拠出をするときは、その性質に反しない限り、民法の贈与に関する規定を準用する。
②　遺言で財産の拠出をするときは、その性質に反しない限り、民法の遺贈に関する規定を準用する。

第三款　設立時評議員等の選任　から　第五款　設立時代表理事の選定等　まで

（第一五九条から第一六二条まで）（略）

第六款　一般財団法人の成立

（一般財団法人の成立）
第一六三条　一般財団法人は、その主たる事務所の所在地において設立の登記をすることによって成立する。

（財産の帰属時期）
第一六四条①　生前の処分で財産の拠出をしたときは、当該財産は、一般財団法人の成立の時から当該一般財団法人に帰属する。
②　遺言で財産の拠出をしたときは、当該財産は、遺言が効力を生じた時から一般財団法人に帰属したものとみなす。

（財産の拠出の取消しの制限）
第一六五条　設立者（第百五十二条第二項の場合にあっては、その相続人）は、一般財団法人の成立後は、錯誤、詐欺又は強迫を理由として財産の拠出の取消しをすることができない。

第七款　設立者等の責任

（第一六六条から第一六九条まで）（略）

第二節　機関（抄）

第一款　機関の設置

（機関の設置）
第一七〇条①　一般財団法人は、評議員、評議員会、理事、理事会及び監事を置かなければならない。
②　一般財団法人は、定款の定めによって、会計監査人を置くことができる。

（会計監査人の設置義務）
第一七一条　大規模一般財団法人は、会計監査人を置かなければならない。

第二款　評議員等の選任及び解任

（一般財団法人と評議員等との関係）
第一七二条①　一般財団法人と評議員、理事、監事及び会計監査人との関係は、委任に関する規定に従う。
②　理事は、一般財団法人の財産のうち一般財団法人の目的である事業を行うために不可欠なものとして定款で定めた基本財産があるときは、定款で定めるところにより、これを維持しなければならず、かつ、これについて一般財団法人の目的である事業を行うことを妨げることとなる処分をしてはならない。

（評議員の資格等）
第一七三条①　第六十五条第一項及び第六十五条の二の規定は、評議員について準用する。
②　評議員は、一般財団法人又はその子法人の理事、監事又は使用人を兼ねることができない。
③　評議員は、三人以上でなければならない。

（評議員の任期）
第一七四条①　評議員の任期は、選任後四年以内に終了する事業年度のうち最終のものに関する定時評議員会の終結の時までとする。ただし、定款によって、その任期を選任後六年以内に終了する事業年度のうち最終のものに関する定時評議員会の終結の時まで伸長することを妨げない。
②　前項の規定は、定款によって、任期の満了前に退任した評議員の補欠として選任された評議員の任期を退任した評議員の任期の満了する時までとすることを妨げない。

（評議員に欠員を生じた場合の措置）
第一七五条①　この法律又は定款で定めた評議員の員数が欠けた場合には、任期の満了又は辞任により退任した評議員は、新たに選任された評議員（次項の一時評議員の職務を行うべき者を含む。）が就任するまで、なお評議員としての権利義務を有する。
②　前項に規定する場合において、裁判所は、必要があると認めるときは、利害関係人の申立てにより、一時評議員の職務を行うべき者を選任することができる。
③　裁判所は、前項の一時評議員の職務を行うべき者を選任した場合には、一般財団法人がその者に対して支払う報酬の額を定めることができる。

（理事、監事又は会計監査人の解任）
第一七六条①　理事又は監事が次のいずれかに該当するときは、評議員会の決議によって、その理事又は監事を解任することができる。
一　職務上の義務に違反し、又は職務を怠ったとき。
二　心身の故障のため、職務の執行に支障があり、又はこれに堪えないとき。
②　会計監査人が第七十一条第一項各号のいずれかに該当するときは、評議員会の決議によって、その会計監査人を解任することができる。

（一般社団法人に関する規定の準用）
第一七七条　前章第三節第三款（第六十四条、第六十七条第三項及び第七十条を除く。）の規定は、一般財団法人の理事、監事及び会計監査人の選任及び解任について準用する。この場合において、これらの規定（第六十六条ただし書を除く。）中「社員総会」とあるのは「評議員会」と、第六十六条ただし書中「定款又は社員総会の決議によって」とあるのは「定款によって」と、第六十八条第三項第一号中「第百二十三条第二項」とあるのは「第百九十九条において準用する第百二十三条第二項」と、第七十四条第三項中「第三十八条第一項第一号」とあるのは「第百八十一条第一項第一号」と読み替えるものとする。

第三款　評議員及び評議員会（抄）

（評議員会の権限等）
第一七八条①　評議員会は、すべての評議員で組織する。
②　評議員会は、この法律に規定する事項及び定款で定めた事項に限り、決議をすることができる。
③　この法律の規定により評議員会の決議を必要とする事項について、理事、理事会その他の評議員会以外の機関が決定することができることを内容とする定款の定めは、その効力を有しない。

（評議員会の招集）
第一七九条①　定時評議員会は、毎事業年度の終了後一定の時期に招集しなければならない。
②　評議員会は、必要がある場合には、いつでも、招集することができる。
③　評議員会は、次条第二項の規定により招集する場合を除き、理事が招集する。

（評議員による招集の請求）
第一八〇条①　評議員は、理事に対し、評議員会の目的である事項及び招集の理由を示して、評議員会の招集を請求することができる。
②　次に掲げる場合には、前項の規定による請求をした評議員は、裁判所の許可を得て、評議員会を招集することができる。
一　前項の規定による請求の後遅滞なく招集の手続が行われない場合
二　前項の規定による請求があった日から六週間（これを下回る期間を定款で定めた場合にあっては、その期間）以内の日を評議員会の日とする評議員会の招集の通知が発せられない場合

（評議員会の招集の決定）
第一八一条①　評議員会を招集する場合には、理事会の決議によって、次に掲げる事項を定めなければならない。
一　評議員会の日時及び場所
二　評議員会の目的である事項があるときは、当該事項
三　前二号に掲げるもののほか、法務省令で定める事項
②　前項の規定にかかわらず、前条第二項の規定により評議員が

評議員会を招集する場合には、当該評議員は、前項各号に掲げる事項を定めなければならない。

（評議員会の招集の通知）

第一八二条① 評議員会を招集するには、理事（第百八十条第二項の規定により評議員が評議員会を招集する場合にあっては、当該評議員。次項において同じ。）は、評議員会の日の一週間（これを下回る期間を定款で定めた場合にあっては、その期間）前までに、評議員に対して、書面でその通知を発しなければならない。

② 理事は、前項の書面による通知の発出に代えて、政令で定めるところにより、評議員の承諾を得て、電磁的方法により通知を発することができる。この場合において、当該理事は、同項の書面による通知を発したものとみなす。

③ 前二項の通知には、前条第一項各号に掲げる事項を記載し、又は記録しなければならない。

（招集手続の省略）

第一八三条 前条の規定にかかわらず、評議員会は、評議員の全員の同意があるときは、招集の手続を経ることなく開催することができる。

（評議員提案権）

第一八四条 評議員は、理事に対し、一定の事項を評議員会の目的とすることを請求することができる。この場合において、その請求は、評議員会の日の四週間（これを下回る期間を定款で定めた場合にあっては、その期間）前までにしなければならない。

第一八五条 評議員は、評議員会において、評議員会の目的である事項につき議案を提出することができる。ただし、当該議案が法令若しくは定款に違反する場合又は実質的に同一の議案につき評議員会において議決に加わることができる評議員の十分の一（これを下回る割合を定款で定めた場合にあっては、その割合）以上の賛成を得られなかった日から三年を経過していない場合は、この限りでない。

第一八六条① 評議員は、理事に対し、評議員会の日の四週間（これを下回る期間を定款で定めた場合にあっては、その期間）前までに、評議員会の目的である事項につき当該評議員が提出しようとする議案の要領を第百八十二条第一項又は第二項の通知に記載し、又は記録して評議員に通知することを請求することができる。

② 前項の規定は、同項の議案が法令若しくは定款に違反する場合又は実質的に同一の議案につき評議員会において議決に加わることができる評議員の十分の一（これを下回る割合を定款で定めた場合にあっては、その割合）以上の賛成を得られなかった日から三年を経過していない場合には、適用しない。

（評議員会の決議）

第一八七条及び第一八八条 （略）

第一八九条① 評議員会の決議は、議決に加わることができる評議員の過半数（これを上回る割合を定款で定めた場合にあっては、その割合以上）が出席し、その過半数（これを上回る割合を定款で定めた場合にあっては、その割合以上）をもって行う。

② 前項の規定にかかわらず、次に掲げる評議員会の決議は、議決に加わることができる評議員の三分の二（これを上回る割合を定款で定めた場合にあっては、その割合）以上に当たる多数をもって行わなければならない。

一 第百七十六条第一項の評議員会（監事を解任する場合に限る。）

二 第百九十八条において準用する第百十三条第一項の評議員会

三 第二百条の評議員会

四 第二百一条の評議員会

五 第二百四条の評議員会

六 第二百四十七条、第二百五十一条第一項及び第二百五十七条の評議員会

③ 前二項の決議について特別の利害関係を有する評議員は、議決に加わることができない。

④ 評議員会は、第百八十一条第一項第二号に掲げる事項以外の事項については、決議をすることができない。ただし、第百九十一条第一項若しくは第二項に規定する者の選任又は第百九十七条において準用する第百九条第二項の会計監査人の出席を求めることについては、この限りでない。

（理事等の説明義務）

第一九〇条 理事及び監事は、評議員会において、評議員から特定の事項について説明を求められた場合には、当該事項について必要な説明をしなければならない。ただし、当該事項が評議員会の目的である事項に関しないものである場合その他正当な理由がある場合として法務省令で定める場合は、この限りでない。

（評議員会に提出された資料等の調査）

第一九一条① 評議員会においては、その決議によって、理事、監事及び会計監査人が当該評議員会に提出し、又は提供した資料を調査する者を選任することができる。

② 第百八十条の規定により招集された評議員会においては、その決議によって、一般財団法人の業務及び財産の状況を調査する者を選任することができる。

（延期又は続行の決議）

第一九二条 評議員会においてその延期又は続行について決議があった場合には、第百八十一条及び第百八十二条の規定は、適用しない。

（議事録）

第一九三条① 評議員会の議事については、法務省令で定めるところにより、議事録を作成しなければならない。

② 一般財団法人は、評議員会の日から十年間、前項の議事録をその主たる事務所に備え置かなければならない。

③ 一般財団法人は、評議員会の日から五年間、第一項の議事録の写しをその従たる事務所に備え置かなければならない。ただし、当該議事録が電磁的記録をもって作成されている場合であって、従たる事務所における次項第二号に掲げる請求に応じることを可能とするための措置として法務省令で定めるものをとっているときは、この限りでない。

④ 評議員及び債権者は、一般財団法人の業務時間内は、いつでも、次に掲げる請求をすることができる。

一 第一項の議事録が書面をもって作成されているときは、当該書面又は当該書面の写しの閲覧又は謄写の請求

二 第一項の議事録が電磁的記録をもって作成されているときは、当該電磁的記録に記録された事項を法務省令で定める方法により表示したものの閲覧又は謄写の請求

（評議員会の決議の省略）

第一九四条① 理事が評議員会の目的である事項について提案をした場合において、当該提案につき評議員（当該事項について議決に加わることができるものに限る。）の全員が書面又は電磁的記録により同意の意思表示をしたときは、当該提案を可決する旨の評議員会の決議があったものとみなす。

② 一般財団法人は、前項の規定により評議員会の決議があったものとみなされた日から十年間、同項の書面又は電磁的記録をその主たる事務所に備え置かなければならない。

③ 評議員及び債権者は、一般財団法人の業務時間内は、いつでも、次に掲げる請求をすることができる。

一 前項の書面の閲覧又は謄写の請求

二 前項の電磁的記録に記録された事項を法務省令で定める方法により表示したものの閲覧又は謄写の請求

④ 第一項の規定により定時評議員会の目的である事項のすべてについての提案を可決する旨の評議員会の決議があったものとみなされた場合には、その時に当該定時評議員会が終結したものとみなす。

第一九五条 （略）

（評議員の報酬等）

第一九六条　評議員の報酬等の額は、定款で定めなければならない。

第四款　理事、理事会、監事及び会計監査人　から
第六款　補償契約及び役員等のために締結される保険契約　まで
（第一九七条から第一九八条の二まで）（略）

第三節　計算

（第一九九条）（略）

第四節　定款の変更

第二〇〇条①一般財団法人は、その成立後、評議員会の決議によって、定款を変更することができる。ただし、第百五十三条第一項第一号及び第八号に掲げる事項に係る定款の定めについては、この限りでない。

②前項ただし書の規定にかかわらず、設立者が同項ただし書に規定する定款の定めを評議員会の決議によって変更することができる旨を第百五十二条第一項又は第二項の定款で定めたときは、評議員会の決議によって、前項ただし書に規定する定款の定めを変更することができる。

③一般財団法人は、その設立の当時予見することのできなかった特別の事情により、第一項ただし書に規定する定款の定めを変更しなければその運営の継続が不可能又は著しく困難となるに至ったときは、裁判所の許可を得て、評議員会の決議によって、同項ただし書に規定する定款の定めを変更することができる。

第五節　事業の譲渡

（第二〇一条）（略）

第六節　解散（抄）

（解散の事由）

第二〇二条①一般財団法人は、次に掲げる事由によって解散する。

一　定款で定めた存続期間の満了
二　定款で定めた解散の事由の発生
三　基本財産の滅失その他の事由による一般財団法人の目的である事業の成功の不能
四　合併（合併により当該一般財団法人が消滅する場合に限る。）
五　破産手続開始の決定
六　第二百六十一条第一項又は第二百六十八条の規定による解散を命ずる裁判

②一般財団法人は、前項各号に掲げる事由のほか、ある事業年度及びその翌事業年度に係る貸借対照表上の純資産額がいずれも三百万円未満となった場合においても、当該翌事業年度に関する定時評議員会の終結の時に解散する。

③新設合併により設立する一般財団法人は、前項に規定する場合のほか、第百九十九条において準用する第百二十三条第一項の貸借対照表及びその成立の日の属する事業年度に係る貸借対照表上の純資産額がいずれも三百万円未満となった場合においても、当該事業年度に関する定時評議員会の終結の時に解散する。

（第二〇三条から第二〇五条まで）（略）

第四章　清算（抄）

第一節　清算の開始

（清算の開始原因）

第二〇六条　一般社団法人又は一般財団法人は、次に掲げる場合には、この章の定めるところにより、清算をしなければならない。

一　解散した場合（第百四十八条第五号又は第二百二条第一項第四号に掲げる事由によって解散した場合及び破産手続開始の決定により解散した場合であって当該破産手続が終了していない場合を除く。）
二　設立の無効の訴えに係る請求を認容する判決が確定した場合
三　設立の取消しの訴えに係る請求を認容する判決が確定した場合

（清算法人の能力）

第二〇七条　前条の規定により清算をする一般社団法人又は一般財団法人（以下「清算法人」という。）は、清算の目的の範囲内において、清算が結了するまではなお存続するものとみなす。

第二節　清算法人の機関（抄）

第一款　清算法人における機関の設置

第二〇八条①清算法人には、一人又は二人以上の清算人を置かなければならない。

②清算法人は、定款の定めによって、清算人会又は監事を置くことができる。

③第二百六条各号に掲げる場合に該当することとなった時において大規模一般社団法人又は大規模一般財団法人であった清算法人は、監事を置かなければならない。

④第二章第三節第二款及び前章第二節第一款（評議員及び評議員会に係る部分を除く。）の規定は、清算法人については、適用しない。

第二款　清算人の就任及び解任並びに監事の退任等

（清算人の就任）

第二〇九条①次に掲げる者は、清算法人の清算人となる。

一　理事（次号又は第三号に掲げる者がある場合を除く。）
二　定款で定める者
三　社員総会又は評議員会の決議によって選任された者

②前項の規定により清算人となる者がないときは、裁判所は、利害関係人の申立てにより、清算人を選任する。

③前二項の規定にかかわらず、第百四十八条第七号又は第二百二条第一項第六号に掲げる事由によって解散した清算法人については、裁判所は、利害関係人若しくは法務大臣の申立てにより又は職権で、清算人を選任する。

④第一項及び第二項の規定にかかわらず、第二百六条第二号又は第三号に掲げる場合に該当することとなった清算法人については、裁判所は、利害関係人の申立てにより、清算人を選任する。

⑤第六十四条、第六十五条第一項及び第六十五条の二の規定は清算人について、第六十五条第三項の規定は清算人会設置法人（清算人会を置く清算法人をいう。以下同じ。）について、それぞれ準用する。この場合において、同項中「理事は」とあるのは、「清算人は」と読み替えるものとする。

（清算人の解任）

第二一〇条①清算一般社団法人（一般社団法人である清算法人をいう。以下同じ。）の清算人（前条第二項から第四項までの規定により裁判所が選任したものを除く。）は、いつでも、社員総会の決議によって解任することができる。

②清算一般財団法人（一般財団法人である清算法人をいう。以下同じ。）の清算人（前条第二項から第四項までの規定により裁判所が選任したものを除く。）が次のいずれかに該当するときは、評議員会の決議によって、その清算人を解任することができる。

一　職務上の義務に違反し、又は職務を怠ったとき。
二　心身の故障のため、職務の執行に支障があり、又はこれに堪えないとき。

③重要な事由があるときは、裁判所は、利害関係人の申立てにより、清算人を解任することができる。

④第七十五条第一項から第三項までの規定は、清算人について準用する。

（監事の退任等）

第二一一条① 清算法人の監事は、当該清算法人が監事を置く旨の定款の定めを廃止する定款の変更をした場合には、当該定款の変更の効力が生じた時に退任する。

② 次の各号に掲げる規定は、当該各号に定める清算法人については、適用しない。

一 第六十七条（第百七十七条において準用する場合を含む。） 清算法人

二 第百七十四条 清算一般財団法人

第三款 清算人の職務等

（清算人の職務）

第二一二条 清算人は、次に掲げる職務を行う。

一 現務の結了

二 債権の取立て及び債務の弁済

三 残余財産の引渡し

（業務の執行）

第二一三条① 清算人は、清算法人（清算人会設置法人を除く。次項において同じ。）の業務を執行する。

② 清算人が二人以上ある場合には、清算法人の業務は、定款に別段の定めがある場合を除き、清算人の過半数をもって決定する。

③ 前項の場合には、清算人は、次に掲げる事項についての決定を各清算人に委任することができない。

一 従たる事務所の設置、移転及び廃止

二 第三十八条第一項各号に掲げる事項

三 第百八十一条第一項各号に掲げる事項

四 清算人の職務の執行が法令及び定款に適合することを確保するための体制その他清算法人の業務の適正を確保するために必要なものとして法務省令で定める体制の整備

④ 第八十一条から第八十五条まで、第八十八条及び第八十九条の規定は、清算人（同条の規定については、第二百九条第二項から第四項までの規定により裁判所が選任したものを除く。）について準用する。この場合において、第八十一条中「第七十七条第四項」とあるのは「第二百十四条第七項において準用する第七十七条第四項」と、同条、第八十四条第一項及び第八十九条中「社員総会」とあるのは「社員総会又は評議員会」と、第八十二条中「代表理事」とあるのは「代表清算人（第二百十四条第一項に規定する代表清算人をいう。）」と、第八十三条中「並びに社員総会の決議」とあるのは「（清算一般社団法人にあっては、法令及び定款並びに社員総会の決議）」と、第八十五条及び第八十八条第一項中「社員」とあるのは「社員又は評議員」と、第八十五条及び第八十八条第二項中「監事設置一般社団法人」とあるのは「監事設置清算法人（第二百十四条第六項に規定する監事設置清算法人をいう。）」と読み替えるものとする。

（清算法人の代表）

第二一四条① 清算人は、清算法人を代表する。ただし、他に代表清算人（清算法人を代表する清算人をいう。以下同じ。）その他清算法人を代表する者を定めた場合は、この限りでない。

② 前項本文の清算人が二人以上ある場合には、清算人は、各自、清算法人を代表する。

③ 清算法人（清算人会設置法人を除く。）は、定款、定款の定めに基づく清算人（第二百九条第二項から第四項までの規定により裁判所が選任したものを除く。以下この項において同じ。）の互選又は社員総会若しくは評議員会の決議によって、清算人の中から代表清算人を定めることができる。

④ 第二百九条第一項第一号の規定により理事が清算人となる場合においては、代表理事（一般社団法人等を代表する理事をいう。以下この項、第二百六十一条第一項第三号、第二百八十九条第二号、第二百九十三条第一号、第三百五条、第三百十五条第一項第二号イ及び第三百二十条第一項において同じ。）を定めていたときは、当該代表理事が代表清算人となる。

⑤ 裁判所は、第二百九条第二項から第四項までの規定により清算人を選任する場合には、その清算人の中から代表清算人を定めることができる。

⑥ 前条第四項において準用する第八十一条の規定、次項において準用する第七十七条第四項の規定及び第二百二十条第八項の規定にかかわらず、監事設置清算法人（監事を置く清算法人又はこの法律の規定により監事を置かなければならない清算法人をいう。以下同じ。）が清算人（清算人であった者を含む。以下この項において同じ。）に対し、又は清算人が監事設置清算法人に対して訴えを提起する場合には、当該訴えについては、監事が監事設置清算法人を代表する。

⑦ 第七十七条第四項及び第五項並びに第七十九条の規定は代表清算人について、第八十条の規定は民事保全法第五十六条に規定する仮処分命令により選任された清算人又は代表清算人の職務を代行する者について、それぞれ準用する。

（清算法人についての破産手続の開始）

第二一五条① 清算法人の財産がその債務を完済するのに足りないことが明らかになったときは、清算人は、直ちに破産手続開始の申立てをしなければならない。

② 清算人は、清算法人が破産手続開始の決定を受けた場合において、破産管財人にその事務を引き継いだときは、その任務を終了したものとする。

③ 前項に規定する場合において、清算法人が既に債権者に支払い、又は残余財産の帰属すべき者に引き渡したものがあるときは、破産管財人は、これを取り戻すことができる。

（裁判所の選任する清算人の報酬）

第二一六条 裁判所は、第二百九条第二項から第四項までの規定により清算人を選任した場合には、清算法人が当該清算人に対して支払う報酬の額を定めることができる。

（清算人の清算法人に対する損害賠償責任）

第二一七条① 清算人は、その任務を怠ったときは、清算法人に対し、これによって生じた損害を賠償する責任を負う。

② 清算人が第二百十三条第四項において準用する第八十四条第一項の規定に違反して同項第一号の取引をしたときは、当該取引により清算人又は第三者が得た利益の額は、前項の損害の額と推定する。

③ 第二百十三条第四項において準用する第八十四条第一項第二号又は第三号の取引によって清算法人に損害が生じたときは、次に掲げる清算人は、その任務を怠ったものと推定する。

一 第二百十三条第四項において準用する第八十四条第一項の清算人

二 清算法人が当該取引をすることを決定した清算人

三 当該取引に関する清算人会の承認の決議に賛成した清算人

④ 第百十二条及び第百十六条第一項の規定は、清算人の第一項の責任について準用する。この場合において、第百十二条中「総社員」とあるのは「総社員又は総評議員」と、第百十六条第一項中「第八十四条第一項第二号」とあるのは「第二百十三条第四項において準用する第八十四条第一項第二号」と読み替えるものとする。

（清算人の第三者に対する損害賠償責任）

第二一八条① 清算人がその職務を行うについて悪意又は重大な過失があったときは、当該清算人は、これによって第三者に生じた損害を賠償する責任を負う。

② 清算人が、次に掲げる行為をしたときも、前項と同様とする。ただし、当該清算人が当該行為をすることについて注意を怠らなかったことを証明したときは、この限りでない。

一 第二百二十五条第一項に規定する財産目録等並びに第二百二十七条第一項の貸借対照表及び事務報告並びにこれらの附属明細書に記載し、又は記録すべき重要な事項についての虚偽の記載又は記録

二 虚偽の登記

三 虚偽の公告

四 基金を引き受ける者の募集をする際に通知しなければならない重要な事項についての虚偽の通知又は当該募集のための

当該清算一般社団法人の事業その他の事項に関する説明に用いた資料についての虚偽の記載若しくは記録

（**清算人等の連帯責任**）

第二一九条① 清算人、監事又は評議員が清算法人又は第三者に生じた損害を賠償する責任を負う場合において、他の清算人、監事又は評議員も当該損害を賠償する責任を負うときは、これらの者は、連帯債務者とする。

② 前項の場合には、第百十八条（第百九十八条において準用する場合を含む。）の規定は、適用しない。

第四款 清算人会 及び **第五款** 理事等に関する規定の適用（第二二〇条から第二二四条まで）（略）

第三節 財産目録等（第二二五条から第二三二条まで）（略）

第四節 債務の弁済等

（**債権者に対する公告等**）

第二三三条① 清算法人は、第二百六条各号に掲げる場合に該当することとなった後、遅滞なく、当該清算法人の債権者に対し、一定の期間内にその債権を申し出るべき旨を官報に公告し、かつ、知れている債権者には、各別にこれを催告しなければならない。ただし、当該期間は、二箇月を下ることができない。

② 前項の規定による公告には、当該債権者が当該期間内に申出をしないときは清算から除斥される旨を付記しなければならない。

（**債務の弁済の制限**）

第二三四条① 清算法人は、前条第一項の期間内は、債務の弁済をすることができない。この場合において、清算法人は、その債務の不履行によって生じた責任を免れることができない。

② 前項の規定にかかわらず、清算法人は、前条第一項の期間内であっても、裁判所の許可を得て、少額の債権、清算法人の財産につき存する担保権によって担保される債権その他これを弁済しても他の債権者を害するおそれがない債権に係る債務について、その弁済をすることができる。この場合において、当該許可の申立ては、清算人が二人以上あるときは、その全員の同意によってしなければならない。

（**条件付債権等に係る債務の弁済**）

第二三五条① 清算法人は、条件付債権、存続期間が不確定な債権その他その額が不確定な債権に係る債務を弁済することができる。この場合においては、これらの債権を評価させるため、裁判所に対し、鑑定人の選任の申立てをしなければならない。

② 前項の場合には、清算法人は、同項の鑑定人の評価に従い同項の債権に係る債務を弁済しなければならない。

③ 第一項の鑑定人の選任の手続に関する費用は、清算法人の負担とする。当該鑑定人による鑑定のための呼出し及び質問に関する費用についても、同様とする。

（**基金の返還の制限**）

第二三六条 基金の返還に係る債務の弁済は、その余の清算一般社団法人の債務の弁済がされた後でなければ、することができない。

（**債務の弁済前における残余財産の引渡しの制限**）

第二三七条 清算法人は、当該清算法人の債務を弁済した後でなければ、その財産の引渡しをすることができない。ただし、その存否又は額について争いのある債権に係る債務についてその弁済をするために必要と認められる財産を留保した場合は、この限りでない。

（**清算からの除斥**）

第二三八条① 清算法人の債権者（知れている債権者を除く。）であって第二百三十三条第一項の期間内にその債権の申出をしなかったものは、清算から除斥される。

② 前項の規定により清算から除斥された債権者は、引渡しがされていない残余財産に対してのみ、弁済を請求することができる。

第五節 残余財産の帰属

第二三九条① 残余財産の帰属は、定款で定めるところによる。

② 前項の規定により残余財産の帰属が定まらないときは、その帰属は、清算法人の社員総会又は評議員会の決議によって定める。

③ 前二項の規定により帰属が定まらない残余財産は、国庫に帰属する。

第六節 清算事務の終了等

（**清算事務の終了等**）

第二四〇条① 清算法人は、清算事務が終了したときは、遅滞なく、法務省令で定めるところにより、決算報告を作成しなければならない。

② 清算人会設置法人においては、決算報告は、清算人会の承認を受けなければならない。

③ 清算人は、決算報告（前項の規定の適用がある場合にあっては、同項の承認を受けたもの）を社員総会又は評議員会に提出し、又は提供し、その承認を受けなければならない。

④ 前項の承認があったときは、任務を怠ったことによる清算人の損害賠償の責任は、免除されたものとみなす。ただし、清算人の職務の執行に関し不正の行為があったときは、この限りでない。

（**帳簿資料の保存**）

第二四一条① 清算人（清算人会設置法人にあっては、第二百二十条第七項各号に掲げる清算人）は、清算法人の主たる事務所の所在地における清算結了の登記の時から十年間、清算法人の帳簿並びにその事業及び清算に関する重要な資料（以下この条において「帳簿資料」という。）を保存しなければならない。

② 裁判所は、利害関係人の申立てにより、前項の清算人に代わって帳簿資料を保存する者を選任することができる。この場合においては、同項の規定は、適用しない。

③ 前項の規定により選任された者は、清算法人の主たる事務所の所在地における清算結了の登記の時から十年間、帳簿資料を保存しなければならない。

④ 第二項の規定による選任の手続に関する費用は、清算法人の負担とする。

第五章 合併（第二四二条から第二六〇条まで）（略）

第六章 雑則（抄）

第一節 解散命令（第二六一条から第二六三条まで）（略）

第二節 訴訟（抄）

第一款 一般社団法人等の組織に関する訴え（抄）

（**一般社団法人等の組織に関する行為の無効の訴え**）

第二六四条① 次の各号に掲げる行為の無効は、当該各号に定める期間に、訴えをもってのみ主張することができる。

一 一般社団法人等の設立 一般社団法人等の成立の日から二年以内

二 一般社団法人等の吸収合併 吸収合併の効力が生じた日から六箇月以内

三 一般社団法人等の新設合併 新設合併の効力が生じた日から六箇月以内

② 次の各号に掲げる行為の無効の訴えは、当該各号に定める者に限り、提起することができる。

一 前項第一号に掲げる行為 設立する一般社団法人等の社員等（社員、評議員、理事、監事又は清算人をいう。以下この款において同じ。）

二　前項第二号に掲げる行為　当該行為の効力が生じた日において吸収合併をする一般社団法人等の社員等であった者又は吸収合併存続法人の社員等、破産管財人若しくは吸収合併について承認をしなかった債権者

三　前項第三号に掲げる行為　当該行為の効力が生じた日において新設合併をする一般社団法人等の社員等であった者又は新設合併設立法人の社員等、破産管財人若しくは新設合併について承認をしなかった債権者

（**社員総会等の決議の不存在又は無効の確認の訴え**）

第二六五条①　社員総会又は評議員会（以下この款及び第三百十五条第一項第一号ロにおいて「社員総会等」という。）の決議については、決議が存在しないことの確認を、訴えをもって請求することができる。

②　社員総会等の決議については、決議の内容が法令に違反することを理由として、決議が無効であることの確認を、訴えをもって請求することができる。

（**社員総会等の決議の取消しの訴え**）

第二六六条①　次に掲げる場合には、社員等は、社員総会等の決議の日から三箇月以内に、訴えをもって当該決議の取消しを請求することができる。当該決議の取消しにより社員等（第七十五条第一項（第百七十七条及び第二百十条第四項において準用する場合を含む。）又は第百七十五条第一項の規定により理事、監事、清算人又は評議員としての権利義務を有する者を含む。）となる者も、同様とする。

一　社員総会等の招集の手続又は決議の方法が法令若しくは定款に違反し、又は著しく不公正なとき。

二　社員総会等の決議の内容が定款に違反するとき。

三　社員総会等の決議について特別の利害関係を有する社員が議決権を行使したことによって、著しく不当な決議がされたとき。

②　前項の訴えの提起があった場合において、社員総会等の招集の手続又は決議の方法が法令又は定款に違反するときであっても、裁判所は、その違反する事実が重大でなく、かつ、決議に影響を及ぼさないものであると認めるときは、同項の規定による請求を棄却することができる。

（**一般社団法人等の設立の取消しの訴え**）

第二六七条　次の各号に掲げる場合には、当該各号に定める者は、一般社団法人等の成立の日から二年以内に、訴えをもって一般社団法人等の設立の取消しを請求することができる。

一　社員又は設立者が民法その他の法律の規定により設立に係る意思表示を取り消すことができるとき　当該社員又は設立者

二　設立者がその債権者を害することを知って一般財団法人を設立したとき　当該債権者

第二六八条　（略）

（**被告**）

第二六九条　次の各号に掲げる訴え（以下この節において「一般社団法人等の組織に関する訴え」と総称する。）については、当該各号に定める者を被告とする。

一　一般社団法人等の設立の無効の訴え　設立する一般社団法人等

二　一般社団法人等の吸収合併の無効の訴え　吸収合併存続法人

三　一般社団法人等の新設合併の無効の訴え　新設合併設立法人

四　社員総会等の決議が存在しないこと又は社員総会等の決議の内容が法令に違反することを理由として当該決議が無効であることの確認の訴え　当該一般社団法人等

五　社員総会等の決議の取消しの訴え　当該一般社団法人等

六　第二百六十七条第一号の規定による一般社団法人等の設立の取消しの訴え　当該一般社団法人等

七　第二百六十七条第二号の規定による一般財団法人の設立の取消しの訴え　当該一般財団法人及び同号の設立者

八　一般社団法人等の解散の訴え　当該一般社団法人等

第二七〇条から第二七二条まで　（略）

（**認容判決の効力が及ぶ者の範囲**）

第二七三条　一般社団法人等の組織に関する訴えに係る請求を認容する確定判決は、第三者に対してもその効力を有する。

（**無効又は取消しの判決の効力**）

第二七四条　一般社団法人等の組織に関する訴え（第二百六十九条第一号から第三号まで、第六号及び第七号に掲げる訴えに限る。）に係る請求を認容する判決が確定したときは、当該判決において無効とされ、又は取り消された行為（当該行為によって一般社団法人等が設立された場合にあっては、当該設立を含む。）は、将来に向かってその効力を失う。

第二七五条　（略）

（**設立の無効又は取消しの判決の効力**）

第二七六条①　一般社団法人の設立の無効又は取消しの訴えに係る請求を認容する判決が確定した場合において、その無効又は取消しの原因が一部の社員のみにあるときは、他の社員の全員の同意によって、当該一般社団法人を継続することができる。この場合においては、当該原因がある社員は、退社したものとみなす。

②　前項前段の規定は、一般財団法人の設立の無効又は取消しの訴えに係る請求を認容する判決が確定した場合について準用する。この場合において、同項中「社員」とあるのは、「設立者」と読み替えるものとする。

第二七七条　（略）

第二款　一般社団法人における責任追及の訴え　（抄）

（**責任追及の訴え**）

第二七八条①　社員は、一般社団法人に対し、書面その他の法務省令で定める方法により、設立時社員、設立時理事、役員等（第百十一条第一項に規定する役員等をいう。第三項において同じ。）又は清算人の責任を追及する訴え（以下この款において「責任追及の訴え」という。）の提起を請求することができる。ただし、責任追及の訴えが当該社員若しくは第三者の不正な利益を図り又は当該一般社団法人に損害を加えることを目的とする場合は、この限りでない。

②　一般社団法人が前項の規定による請求の日から六十日以内に責任追及の訴えを提起しないときは、当該請求をした社員は、一般社団法人のために、責任追及の訴えを提起することができる。

③　一般社団法人は、第一項の規定による請求の日から六十日以内に責任追及の訴えを提起しない場合において、当該請求をした社員又は同項の設立時社員、設立時理事、役員等若しくは清算人から請求を受けたときは、当該請求をした者に対し、遅滞なく、責任追及の訴えを提起しない理由を書面その他の法務省令で定める方法により通知しなければならない。

④　第一項及び第二項の規定にかかわらず、同項の期間の経過により一般社団法人に回復することができない損害が生ずるおそれがある場合には、第一項の社員は、一般社団法人のために、直ちに責任追及の訴えを提起することができる。ただし、同項ただし書に規定する場合は、この限りでない。

⑤　第二項又は前項の責任追及の訴えは、訴訟の目的の価額の算定については、財産権上の請求でない請求に係る訴えとみなす。

⑥　社員が責任追及の訴えを提起したときは、裁判所は、被告の申立てにより、当該社員に対し、相当の担保を立てるべきことを命ずることができる。

⑦　被告が前項の申立てをするには、責任追及の訴えの提起が悪意によるものであることを疎明しなければならない。

第二七九条から第二八三条まで　（略）

第三款　一般社団法人等の役員等の解任の訴え

（一般社団法人等の役員等の解任の訴え）

第二八四条 理事、監事又は評議員（以下この款において「役員等」という。）の職務の執行に関し不正の行為又は法令若しくは定款に違反する重大な事実があったにもかかわらず、当該役員等を解任する旨の議案が社員総会又は評議員会において否決されたときは、次に掲げる者は、当該社員総会又は評議員会の日から三十日以内に、訴えをもって当該役員等の解任を請求することができる。

一　総社員（当該請求に係る理事又は監事である社員を除く。）の議決権の十分の一（これを下回る割合を定款で定めた場合にあっては、その割合）以上の議決権を有する社員（当該請求に係る理事又は監事である社員を除く。）

二　評議員

（被告）

第二八五条 前条の訴え（次条及び第三百十五条第一項第一号ニにおいて「一般社団法人等の役員等の解任の訴え」という。）については、当該一般社団法人等及び前条の役員等を被告とする。

（訴えの管轄）

第二八六条 一般社団法人等の役員等の解任の訴えは、当該一般社団法人等の主たる事務所の所在地を管轄する地方裁判所の管轄に専属する。

第三節　非訟　から　第五節　公告　まで（第二八七条から第三三三条まで）（略）

第七章　罰則（第三三四条から第三四四条まで）（略）

附　則（抄）

（施行期日）

① この法律は、公布の日から起算して二年六月を超えない範囲内において政令で定める日（平成二〇・一二・一—平成一九政二七五）から施行する。

（経過措置の原則）

② この法律の規定（罰則を除く。）は、他の法律に特別の定めがある場合を除き、この法律の施行前に生じた事項にも適用する。

刑法等の一部を改正する法律の施行に伴う関係法律整理法中経過規定（令和四・六・一七法六八）（抄）

第四四一条から第四四三条まで（刑法の同経過規定参照）

第五〇九条（刑法の同経過規定参照）

刑法等の一部を改正する法律の施行に伴う関係法律整理法

附　則（令和四・六・一七法六八）（抄）

（施行期日）

① この法律は、刑法等一部改正法（刑法等の一部を改正する法律（令和四法六七））施行日（令和七・六・一）から施行する。ただし、次の各号に掲げる規定は、当該各号に定める日から施行する。

一　第五百九条の規定　公布の日

二　（略）

民事関係手続等における情報通信技術の活用等の推進を図るための関係法律の整備に関する法律中経過規定（令和五・六・一四法五三）（抄）

第三八七条から第三八九条まで（民事執行法の同経過規定参照）

民事関係手続等における情報通信技術の活用等の推進を図るための関係法律の整備に関する法律

附　則（令和五・六・一四法五三）

この法律は、公布の日から起算して五年を超えない範囲内において政令で定める日から施行する。ただし、次の各号に掲げる規定は、当該各号に定める日から施行する。

一　（前略）第三百八十八条の規定　公布の日

二　（前略）第三百八十七条の規定　公布の日から起算して二年六月を超えない範囲内において政令で定める日

三　（略）

○公益社団法人及び公益財団法人の認定等に関する法律（抄）

（平成一八・六・二 法 四九）

施行　平成二〇・一二・一（附則参照）
最終改正　令和六法三〇

目次

第一章　総則

（目的）

第一条 この法律は、内外の社会経済情勢の変化に伴い、民間の団体が自発的に行う公益を目的とする事業の実施が公益の増進のために重要となっていることにかんがみ、当該事業を適正に実施し得る公益法人を認定する制度を設けるとともに、公益法人による当該事業の適正な実施を確保するための措置等を定め、もって公益の増進及び活力ある社会の実現に資することを目的とする。

（**定義**）
第二条　この法律において、次の各号に掲げる用語の意義は、当該各号に定めるところによる。
一　公益社団法人　第四条の認定を受けた一般社団法人をいう。
二　公益財団法人　第四条の認定を受けた一般財団法人をいう。
三　公益法人　公益社団法人又は公益財団法人をいう。
四　公益目的事業　学術、技芸、慈善その他の公益に関する別表各号に掲げる種類の事業であって、不特定かつ多数の者の利益の増進に寄与するものをいう。

（**行政庁**）
第三条　この法律における行政庁は、次の各号に掲げる公益法人の区分に応じ、当該各号に定める内閣総理大臣又は都道府県知事とする。
一　次に掲げる公益法人　内閣総理大臣
イ　二以上の都道府県の区域内に事務所を設置するもの
ロ　公益目的事業を二以上の都道府県の区域内において行う旨を定款で定めるもの
ハ　国の事務又は事業と密接な関連を有する公益目的事業であって政令で定めるものを行うもの
二　前号に掲げる公益法人以外の公益法人　その事務所が所在する都道府県の知事

（**公益法人等の責務**）
第三条の二①　公益法人は、公益目的事業の質の向上を図るため、運営体制の充実を図るとともに、財務に関する情報の開示その他のその運営における透明性の向上を図るよう努めなければならない。
②　国は、前項の規定による公益法人の取組を促進するため、必要な情報の収集及び提供その他の必要な支援を行うものとする。

第二章　公益法人の認定等（抄）

第一節　公益法人の認定（抄）

（**公益認定**）
第四条　公益目的事業を行う一般社団法人又は一般財団法人は、行政庁の認定を受けることができる。

（**公益認定の基準**）
第五条　行政庁は、前条の認定（以下「公益認定」という。）の申請をした一般社団法人又は一般財団法人が次に掲げる基準に適合すると認めるときは、当該法人について公益認定をするものとする。
一　公益目的事業を行うことを主たる目的とするものであること。
二　公益目的事業を行うのに必要な経理的基礎及び技術的能力を有するものであること。
三　その事業を行うに当たり、社員、評議員、理事、監事、使用人その他の政令で定める当該法人の関係者に対し特別の利益を与えないものであること。
四　その事業を行うに当たり、株式会社その他の営利事業を営む者又は特定の個人若しくは団体の利益を図る活動を行うものとして政令で定める者に対し、寄附その他の特別の利益を与える行為を行わないものであること。ただし、次のいずれかに該当する場合は、この限りでない。
イ　公益法人に対し、当該公益法人が行う公益目的事業のために寄附その他の特別の利益を与える行為を行う場合
ロ　公益信託（公益信託に関する法律（令和六年法律第三十号。以下「公益信託法」という。）第二条第一項第一号に規定する公益信託をいう。以下同じ。）の受託者に対し、当該受託者が行う公益事務（同項第二号に規定する公益事務をいう。第二十号及び第二十一号において同じ。）のために寄附その他の特別の利益を与える行為を行う場合

＊令和六法三〇（令和八・五・二一までに施行）による改正前
四　その事業を行うに当たり、株式会社その他の営利事業を営む者又は特定の個人若しくは団体の利益を図る活動を行うものとして政令で定める者に対し、寄附その他の特別の利益を与える行為を行わないものであること。ただし、公益法人に対し、当該公益法人が行う公益目的事業のために寄附その他の特別の利益を与える行為を行う場合は、この限りでない。
イ・ロ（改正により追加）

五　投機的な取引、高利の融資その他の事業であって、公益法人の社会的信用を維持する上でふさわしくないものとして政令で定めるもの又は公の秩序若しくは善良の風俗を害するおそれのある事業を行わないものであること。
六　その行う公益目的事業について、第十四条の規定による収支の均衡が図られるものであると見込まれるものであること。
七　公益目的事業以外の事業（以下「収益事業等」という。）を行う場合には、収益事業等を行うことによって公益目的事業の実施に支障を及ぼすおそれがないものであること。
八　その事業活動を行うに当たり、第十五条に規定する公益目的事業比率が百分の五十以上となると見込まれるものであること。
九　その事業活動を行うに当たり、第十六条第二項に規定する使途不特定財産額が同条第一項の制限を超えないと見込まれるものであること。
十　各理事について、当該理事及び当該理事と特別利害関係（一方の者が他方の者の配偶者又は三親等以内の親族である関係その他特別な利害関係として政令で定めるものをいう。第十二号において同じ。）にある理事の合計数が理事の総数の三分の一を超えないものであること。監事についても、同様とする。
十一　他の同一の団体（公益法人又はこれに準ずるものとして政令で定めるものを除く。）の理事又は使用人である者その他これに準ずる相互に密接な関係にあるものとして政令で定める者である理事の合計数が理事の総数の三分の一を超えないものであること。監事についても、同様とする。
十二　各理事について、監事（監事が二人以上ある場合にあっては、各監事）と特別利害関係を有しないものであること。
十三　会計監査人を置いているものであること。ただし、毎事業年度における当該法人の収益の額、費用及び損失の額その他の政令で定める勘定の額がいずれも政令で定める基準に達しない場合は、この限りでない。
十四　その理事、監事及び評議員に対する報酬等（報酬、賞与その他の職務遂行の対価として受ける財産上の利益及び退職手当をいう。以下同じ。）について、内閣府令で定めるところにより、民間事業者の役員の報酬等及び従業員の給与、当該法人の経理の状況その他の事情を考慮して、不当に高額なものとならないような支給の基準を定めているものであること。
十五　理事のうち一人以上が、当該法人又はその子法人（一般社団法人及び一般財団法人に関する法律（平成十八年法律第四十八号。以下「一般社団・財団法人法」という。）第二条第四号に規定する子法人をいう。以下この号及び次号において同じ。）の業務執行理事（一般社団・財団法人法第百十五条第一項（一般社団・財団法人法第百九十八条において準用する場合を含む。）に規定する業務執行理事をいう。以下この号において同じ。）又は使用人でなく、かつ、その就任の前十年間当該法人又はその子法人の業務執行理事又は使用人であったことがない者その他これに準ずるものとして内閣府令で定める者であること。ただし、毎事業年度における当該法人の収益の額、費用及び損失の額その他の政令で定める勘定の額がいずれも政令で定める基準に達しない場合は、この限りでない。

十六 監事（監事が二人以上ある場合にあっては、監事のうち一人以上）が、その就任の前十年間当該法人又はその子法人の理事又は使用人であったことがない者その他これに準ずるものとして内閣府令で定める者であること。

十七 一般社団法人にあっては、次のいずれにも該当するものであること。

イ 社員の資格の得喪に関して、当該法人の目的に照らし、不当に差別的な取扱いをする条件その他の不当な条件を付していないものであること。

ロ 社員総会において行使できる議決権の数、議決権を行使することができる事項、議決権の行使の条件その他の社員の議決権に関する定款の定めがある場合には、その定めが次のいずれにも該当するものであること。

(1) 社員の議決権に関して、当該法人の目的に照らし、不当に差別的な取扱いをしないものであること。

(2) 社員の議決権に関して、社員が当該法人に対して提供した金銭その他の財産の価額に応じて異なる取扱いを行わないものであること。

ハ 理事会を置いているものであること。

十八 他の団体の意思決定に関与することができる株式その他の内閣府令で定める財産を保有していないものであること。ただし、当該財産の保有によって他の団体の事業活動を実質的に支配するおそれがない場合として政令で定める場合は、この限りでない。

十九 公益目的事業を行うために不可欠な特定の財産があるときは、その旨並びにその維持及び処分の制限について、必要な事項を定款で定めているものであること。

二十 第二十九条第一項若しくは第二項の規定による公益認定の取消しの処分を受けた場合又は合併により法人が消滅する場合（その権利義務を承継する法人が公益法人であるときを除く。）において、公益目的取得財産残額（第三十条第二項に規定する公益目的取得財産残額をいう。）があるときは、これに相当する額の財産を当該公益認定の取消しの日又は当該合併の日から一箇月以内に類似の事業を目的とする他の公益法人若しくは次に掲げる法人に贈与し、若しくは類似の公益事業をその目的とする公益信託の信託財産とし、又は国若しくは地方公共団体に贈与する旨を定款で定めているものであること。

イ 私立学校法（昭和二十四年法律第二百七十号）第三条に規定する学校法人

ロ 社会福祉法（昭和二十六年法律第四十五号）第二十二条に規定する社会福祉法人

ハ 更生保護事業法（平成七年法律第八十六号）第二条第六項に規定する更生保護法人

ニ 独立行政法人通則法（平成十一年法律第百三号）第二条第一項に規定する独立行政法人

ホ 国立大学法人法（平成十五年法律第百十二号）第二条第一項に規定する国立大学法人又は同条第三項に規定する大学共同利用機関法人

ヘ 地方独立行政法人法（平成十五年法律第百十八号）第二条第一項に規定する地方独立行政法人

ト その他イからヘまでに掲げる法人に準ずるものとして政令で定める法人

＊令和六法三〇（令和八・五・二一までに施行）による改正
第二十号柱書中「又は国」は「に贈与し、若しくは類似の公益事業をその目的とする公益信託の信託財産とし、又は国」に改められた。（本文織込み済み）

二十一 清算をする場合において残余財産を類似の事業を目的とする他の公益法人若しくは前号イからトまでに掲げる法人若しくは類似の公益事業をその目的とする公益信託の信託財産又は国若しくは地方公共団体に帰属させる旨を定款で定めているものであること。

＊令和六法三〇（令和八・五・二一までに施行）による改正
第二十一号中「又は」は「若しくは類似の公益事業をその目的とする公益信託の信託財産又は」に改められた。（本文織込み済み）

（欠格事由）

第六条 前条の規定にかかわらず、次のいずれかに該当する一般社団法人又は一般財団法人は、公益認定を受けることができない。

一―六 （略）

（公益認定の申請）

第七条① 公益認定の申請は、内閣府令で定めるところにより、次に掲げる事項を記載した申請書を行政庁に提出してしなければならない。

一 名称及び代表者の氏名

二 公益目的事業を行う都道府県の区域（定款に定めがある場合に限る。）並びに主たる事務所及び従たる事務所の所在場所

三 その行う公益目的事業の種類及び内容

四 その行う収益事業等の内容

② 前項の申請書には、次に掲げる書類を添付しなければならない。

一 定款

二 事業計画書及び収支予算書

三 事業を行うに当たり法令上行政機関の許認可等を必要とする場合においては、当該許認可等があったこと又はこれを受けることができることを証する書類

四 当該公益目的事業を行うのに必要な経理的基礎を有することを明らかにする財産目録、貸借対照表その他の内閣府令で定める書類

五 第五条第十四号に規定する報酬等の支給の基準を記載した書類

六 前各号に掲げるもののほか、内閣府令で定める書類

（公益認定に関する意見聴取）

第八条 行政庁は、公益認定をしようとするときは、次の各号に掲げる事由の区分に応じ、当該事由の有無について、当該各号に定める者の意見を聴くものとする。

一 第五条第一号、第二号及び第五号並びに第六条第三号及び第四号に規定する事由（事業を行うに当たり法令上行政機関の許認可等を必要とする場合に限る。） 当該行政機関（以下「許認可等行政機関」という。）

二 第六条第一号ニ及び第六号に規定する事由 行政庁が内閣総理大臣である場合にあっては警察庁長官、都道府県知事である場合にあっては警視総監又は道府県警察本部長（以下「警察庁長官等」という。）

三 第六条第五号に規定する事由 国税庁長官、関係都道府県知事又は関係市町村長（以下「国税庁長官等」という。）

（名称等）

第九条① 公益認定を受けた一般社団法人又は一般財団法人は、その名称中の一般社団法人又は一般財団法人の文字をそれぞれ公益社団法人又は公益財団法人と変更する定款の変更をしたものとみなす。

② 前項の規定による名称の変更の登記の申請書には、公益認定を受けたことを証する書面を添付しなければならない。

③ 公益社団法人又は公益財団法人は、その種類に従い、その名称中に公益社団法人又は公益財団法人という文字を用いなければならない。

④ 公益社団法人又は公益財団法人でない者は、その名称又は商号中に、公益社団法人又は公益財団法人であると誤認されるおそれのある文字を用いてはならない。

⑤ 何人も、不正の目的をもって、他の公益社団法人又は公益財団法人であると誤認されるおそれのある名称又は商号を使用してはならない。

⑥ 公益法人については、一般社団・財団法人法第五条第一項の規定は、適用しない。

（**公益認定の公示**）

第一〇条 行政庁は、公益認定をしたときは、内閣府令で定めるところにより、その旨を公示しなければならない。

第一一条から第一三条まで（略）

第二節 公益法人の事業活動等（抄）

第一款 公益目的事業の実施等（抄）

（**公益目的事業の収入及び費用**）

第一四条 公益法人は、その公益目的事業を行うに当たっては、内閣府令で定めるところにより、当該公益目的事業に係る収入をその実施に要する適正な費用（当該公益目的事業を充実させるため将来において必要となる資金として内閣府令で定める方法により積み立てる資金を含む。）に充てることにより、内閣府令で定める期間において、その収支の均衡が図られるようにしなければならない。

（**公益目的事業比率**）

第一五条 公益法人は、毎事業年度における公益目的事業比率（第一号に掲げる額の同号から第三号までに掲げる額の合計額に対する割合をいう。）が百分の五十以上となるように公益目的事業を行わなければならない。

一 公益目的事業の実施に係る費用の額として内閣府令で定めるところにより算定される額

二 収益事業等の実施に係る費用の額として内閣府令で定めるところにより算定される額

三 当該公益法人の運営に必要な経常的経費の額として内閣府令で定めるところにより算定される額

（**使途不特定財産額の保有の制限**）

第一六条① 公益法人の毎事業年度の末日における使途不特定財産額は、当該公益法人が公益目的事業を翌事業年度においても行うために必要な額として、当該事業年度前の事業年度において行った公益目的事業の実施に要した費用の額（その保有する資産の状況及び事業活動の態様に応じ当該費用の額に準ずるものとして内閣府令で定めるものの額を含む。）を基礎として内閣府令で定めるところにより算定した額を超えてはならない。

② 前項に規定する「使途不特定財産額」とは、公益法人による財産の使用若しくは管理の状況又は当該財産の性質に鑑み、公益目的事業又は公益目的事業を行うために必要な収益事業等その他の業務若しくは活動のために現に使用されておらず、かつ、引き続きこれらのために使用されることが見込まれない財産（第十八条に規定する公益目的事業財産のうち、災害その他の予見し難い事由が発生した場合においても公益目的事業を継続的に行うために必要な限度において保有する必要があるものとして内閣府令で定める要件に該当するもの（次項において「公益目的事業継続予備財産」という。）を除く。）として内閣府令で定めるものの価額の合計額をいう。

③ 公益法人は、毎事業年度の末日において公益目的事業継続予備財産を保有している場合には、翌事業年度開始後速やかに、内閣府令で定めるところにより、当該公益目的事業継続予備財産を保有する理由及びその額その他内閣府令で定める事項を公表しなければならない。

第一七条（略）

第二款 公益目的事業財産

第一八条 公益法人は、次に掲げる財産（以下「公益目的事業財産」という。）を公益目的事業を行うために使用し、又は処分しなければならない。ただし、内閣府令で定める正当な理由がある場合は、この限りでない。

一 公益認定を受けた日以後に寄附を受けた財産（寄附をした者が公益目的事業以外のために使用すべき旨を定めたものを除く。）

二 公益認定を受けた日以後に交付を受けた補助金その他の財産（財産を交付した者が公益目的事業以外のために使用すべき旨を定めたものを除く。）

三 公益認定を受けた日以後に行った公益目的事業に係る活動の対価として得た財産

四 公益認定を受けた日以後に行った収益事業等から生じた収益に内閣府令で定める割合を乗じて得た額に相当する財産

五 前各号に掲げる財産を運用し、支出し、又は処分することにより取得した財産

六 第五条第十九号に規定する財産（前各号に掲げるものを除く。）

七 前各号に掲げるもののほか、公益法人が保有する財産であって公益認定を受けた日以後に内閣府令で定める方法により公益目的事業の用に供するものである旨を表示した財産

八 前各号に掲げるもののほか、当該公益法人が公益目的事業を行うことにより取得し、又は公益目的事業を行うために保有していると認められるものとして内閣府令で定める財産

第三款 公益法人の計算等の特則（抄）

（**区分経理**）

第一九条① 公益法人は、内閣府令で定めるところにより、公益目的事業に係る経理、収益事業等に係る経理及び法人の運営に係る経理（収益事業等を行わない公益法人にあっては、公益目的事業に係る経理及び法人の運営に係る経理）をそれぞれ区分して整理しなければならない。ただし、収益事業等を行わない公益法人であって、その行う公益目的事業の内容その他の事項に関し内閣府令で定める要件に該当するものについては、この限りでない。

② 前項ただし書の規定の適用を受ける公益法人における前条及び第三十条第二項の規定の適用については、前条中「を公益目的事業」とあるのは「及び当該公益法人が保有する公益目的事業財産以外の財産のうち当該公益法人の運営を行うため必要な財産として内閣府令で定めるもの以外のもの（以下「公益目的事業財産等」という。）を公益目的事業」と、同項各号中「公益目的事業財産」とあるのは「公益目的事業財産等」とする。

第二〇条から第二三条まで（略）

第四款 合併等

（第二四条から第二六条まで）（略）

第三節 公益法人の監督（抄）

（**報告及び検査**）

第二七条① 行政庁は、公益法人の事業の適正な運営を確保するために必要な限度において、内閣府令で定めるところにより、公益法人に対し、その運営組織及び事業活動の状況に関し必要な報告を求め、又はその職員に、当該公益法人の事務所に立ち入り、その運営組織及び事業活動の状況若しくは帳簿、書類その他の物件を検査させ、若しくは関係者に質問させることができる。

②③（略）

（**勧告、命令等**）

第二八条① 行政庁は、公益法人について、次条第二項各号のいずれかに該当すると疑うに足りる相当な理由がある場合には、当該公益法人に対し、期限を定めて、必要な措置をとるべき旨の勧告をすることができる。

② 行政庁は、前項の勧告をしたときは、内閣府令で定めるところにより、その勧告の内容を公表しなければならない。

③ 行政庁は、第一項の勧告を受けた公益法人が、正当な理由がなく、その勧告に係る措置をとらなかったときは、当該公益法人に対し、その勧告に係る措置をとるべきことを命ずることができる。

④ 行政庁は、前項の規定による命令をしたときは、内閣府令で定めるところにより、その旨を公示しなければならない。

⑤（略）

第二九条（公益認定の取消し）① 行政庁は、公益法人が次のいずれかに該当するときは、その公益認定を取り消さなければならない。
一 第六条各号（第二号を除く。）のいずれかに該当するに至ったとき。
二 偽りその他不正の手段により公益認定、第十一条第一項の変更の認定又は第二十五条第一項の認可を受けたとき。
三 正当な理由がなく、前条第三項の規定による命令に従わないとき。
四 公益法人から公益認定の取消しの申請があったとき。
② 行政庁は、公益法人が次のいずれかに該当するときは、その公益認定を取り消すことができる。
一 第五条各号に掲げる基準のいずれかに適合しなくなったとき。
二 前節の規定を遵守していないとき。
三 前二号のほか、法令又は法令に基づく行政機関の処分に違反したとき。
③（略）
④ 行政庁は、第一項又は第二項の規定により公益認定を取り消したときは、内閣府令で定めるところにより、その旨を公示しなければならない。
⑤―⑦（略）

第三〇条（公益認定の取消し等に伴う贈与）① 行政庁が前条第一項若しくは第二項の規定による公益認定の取消しをした場合又は公益法人が合併により消滅する場合（その権利義務を承継する法人が公益法人であるときを除く。）において、第五条第二十号に規定する定款の定めに従い、当該公益認定の取消しの日又は当該合併の日から一月以内に公益目的取得財産残額に相当する額の財産の贈与に係る書面による契約が成立しないとき（当該財産を公益信託の信託財産とする場合にあっては、当該財産を当該公益信託の信託財産とすることができないとき）は、内閣総理大臣が行政庁である場合にあっては国、都道府県知事が行政庁である場合にあっては当該都道府県が当該公益目的取得財産残額に相当する額の金銭について、同号に規定する定款で定める贈与を当該公益認定の取消しを受けた法人又は当該合併により消滅する公益法人の権利義務を承継する法人（第四項において「認定取消法人等」という。）から受ける旨の書面による契約が成立したものとみなす。当該公益認定の取消しの日又は当該合併の日から一月以内に当該公益目的取得財産残額の一部に相当する額の財産について同号に規定する定款で定める贈与に係る書面による契約が成立した場合（当該財産を公益信託の信託財産とする場合にあっては、当該財産を当該公益信託の信託財産としたとき）における残余の部分についても、同様とする。

＊令和六法三〇（令和八・五・二一までに施行）による改正
第一項中「成立しないとき」の下に「（当該財産を当該公益信託の信託財産とする場合にあっては、当該財産を当該公益信託の信託財産とすることができないとき）」が、「成立した場合」の下に「（当該財産を公益信託の信託財産とする場合にあっては、当該財産を当該公益信託の信託財産としたとき）」が加えられた。（本文織込み済み）

②―⑤（略）
第三一条（略）

第三章 公益認定等委員会及び都道府県に置かれる合議制の機関（抄）

第一節 公益認定等委員会（抄）

第一款 設置及び組織（抄）

第三二条（設置及び権限）① 内閣府に、公益認定等委員会（以下「委員会」という。）を置く。
② 委員会は、この法律及び公益信託法によりその権限に属させられた事項を処理する。

＊令和六法三〇（令和八・五・二一までに施行）による改正
第二項中「この法律」の下に「及び公益信託法」が加えられた。（本文織込み済み）

第三三条から第四二条まで（略）

第二款 諮問等（抄）

第四三条（委員会への諮問）① 内閣総理大臣は、次に掲げる場合には、第八条又は第二十八条第五項（第二十九条第三項において準用する場合を含む。）の規定による許認可等行政機関の意見（第六条第三号及び第四号に該当する事由の有無に係るものを除く。）を付して、委員会に諮問しなければならない。ただし、委員会が諮問を要しないものと認めたものについては、この限りでない。

一 公益認定の申請、第十一条第一項の変更の認定の申請又は第二十五条第一項の認可の申請に対する処分をしようとする場合（申請をした法人が第六条各号のいずれかに該当するものである場合及び行政手続法第七条の規定に基づきこれらの認定を拒否する場合を除く。）

二（略）
②③（略）
第四四条から第四六条まで（略）

第三款 雑則

（第四七条から第四九条まで）（略）

第二節 都道府県に置かれる合議制の機関（抄）

第五〇条（設置及び権限）① 都道府県に、この法律及び公益信託法によりその権限に属させられた事項を処理するため、審議会その他の合議制の機関（以下単に「合議制の機関」という。）を置く。

＊令和六法三〇（令和八・五・二一までに施行）による改正
第一項中「この法律」の下に「及び公益信託法」が加えられた。（本文織込み済み）

② 合議制の機関の組織及び運営に関し必要な事項は、政令で定める基準に従い、都道府県の条例で定める。

第五一条（合議制の機関への諮問） 第四十三条（第二項を除く。）の規定は、都道府県知事について準用する。この場合において、同条第一項中「付して、委員会」とあるのは「付して、第五十条第一項に規定する合議制の機関（以下この条において単に「合議制の機関」という。）」と、同項ただし書中「委員会が」とあるのは「合議制の機関が政令で定める基準に従い」と、同項第二号ハ中「第四十六条第一項」とあるのは「第五十四条において準用する第四十六条第一項」と、同条第三項中「委員会に」とあるのは「合議制の機関に」と、同項ただし書中「委員会が」とあるのは「合議制の機関が政令で定める基準に従い」と読み替えるものとする。

第五二条から第五五条まで（略）

第四章 雑則（第五六条から第六一条まで）（略）

第五章 罰則（第六二条から第六六条まで）（略）

附 則（抄）

（施行期日）
① この法律は、一般社団・財団法人法の施行の日（平成二〇・一二・一）から施行する。（後略（ただし書第一号及び第二号の規定により分割施行あり））

別表（第二条関係）

一　学術及び科学技術の振興を目的とする事業
二　文化及び芸術の振興を目的とする事業
三　障害者若しくは生活困窮者又は事故、災害若しくは犯罪による被害者の支援を目的とする事業
四　高齢者の福祉の増進を目的とする事業
五　勤労意欲のある者に対する就労の支援を目的とする事業
六　公衆衛生の向上を目的とする事業
七　児童又は青少年の健全な育成を目的とする事業
八　勤労者の福祉の向上を目的とする事業
九　教育、スポーツ等を通じて国民の心身の健全な発達に寄与し、又は豊かな人間性を涵養することを目的とする事業
十　犯罪の防止又は治安の維持を目的とする事業
十一　事故又は災害の防止を目的とする事業
十二　人種、性別その他の事由による不当な差別又は偏見の防止及び根絶を目的とする事業
十三　思想及び良心の自由、信教の自由又は表現の自由の尊重又は擁護を目的とする事業
十四　男女共同参画社会の形成その他のより良い社会の形成の推進を目的とする事業
十五　国際相互理解の促進及び開発途上にある海外の地域に対する経済協力を目的とする事業
十六　地球環境の保全又は自然環境の保護及び整備を目的とする事業
十七　国土の利用、整備又は保全を目的とする事業
十八　国政の健全な運営の確保に資することを目的とする事業
十九　地域社会の健全な発展を目的とする事業
二十　公正かつ自由な経済活動の機会の確保及び促進並びにその活性化による国民生活の安定向上を目的とする事業
二十一　国民生活に不可欠な物資、エネルギー等の安定供給の確保を目的とする事業
二十二　一般消費者の利益の擁護又は増進を目的とする事業
二十三　前各号に掲げるもののほか、公益に関する事業として政令で定めるもの

附　則（令和六・五・二二法二九）（抄）

（施行期日）
第一条　この法律は、公布の日から起算して一年を超えない範囲内において政令で定める日から施行する。ただし、次条及び附則第十条の規定は、公布の日から施行する。

（公益法人の運営に関する経過措置）
第三条　新法（改正後の公益社団法人及び公益財団法人の認定等に関する法律）第十四条、第十六条、第十九条及び第二十一条第四項の規定は、施行日以後に開始する公益法人の事業年度について適用し、施行日前に開始した公益法人の事業年度に係る財務その他の公益法人の運営に関する事項については、なお従前の例による。

（公益認定の基準に関する経過措置）
第四条　次条に定めるもののほか、新法第五条（第十二号、第十五号及び第十六号に係る部分に限る。）の規定は、施行日以後にされる公益社団法人及び公益財団法人の認定等に関する法律第四条の認定（以下「公益認定」という。）の申請について適用し、施行日前にされた公益認定の申請に係る公益認定の基準（理事又は監事の資格に係るものに限る。）については、なお従前の例による。

（公益認定の基準に関する経過措置の特例）
第五条①　この法律の施行の際現に存する公益法人又は施行日以後に前条の規定によりなお従前の例によることとされる旧法第五条の基準に基づいて公益認定を受けた公益法人については、新法第五条（第十二号に係る部分に限る。）の規定は、この法律の施行又は当該公益認定の際現に在任する当該公益法人の全ての理事及び監事の任期が満了する日の翌日（その日前に当該公益法人が同号の基準に適合した場合にあっては、その適合した日）から適用する。
②　この法律の施行の際現に存する公益法人又は施行日以後に前条の規定によりなお従前の例によることとされる旧法第五条の基準に基づいて公益認定を受けた公益法人については、新法第五条（第十五号に係る部分に限る。）の規定は、この法律の施行又は当該公益認定の際現に在任する当該公益法人の全ての理事の任期が満了する日の翌日（その日前に当該公益法人が同号の基準に適合した場合にあっては、その適合した日）から適用する。
③　この法律の施行の際現に存する公益法人又は施行日以後に前条の規定によりなお従前の例によることとされる旧法第五条の基準に基づいて公益認定を受けた公益法人については、新法第五条（第十六号に係る部分に限る。）の規定は、この法律の施行又は当該公益認定の際現に在任する当該公益法人の全ての監事の任期が満了する日の翌日（その日前に当該公益法人が同号の基準に適合した場合にあっては、その適合した日）から適用する。

（報酬等の支給の基準の公表に関する経過措置）
第七条　施行日前に旧法第五条第十三号に規定する報酬等の支給の基準を定め、又は変更した場合の公表については、なお従前の例による。

（政令への委任）
第一〇条　附則第二条から前条までに定めるもののほか、この法律の施行に関し必要な経過措置（罰則に関する経過措置を含む。）は、政令で定める。

附　則（令和六・五・二二法三〇）（抄）

（施行期日）
第一条　この法律は、公布の日から起算して二年を超えない範囲内において政令で定める日から施行する。（後略）

（公益社団法人及び公益財団法人の認定等に関する法律の一部改正に伴う経過措置）
第二八条　公益法人は、前条の規定による改正後の公益社団法人及び公益財団法人の認定等に関する法律第五条第二十号に規定する場合に同号に規定する公益目的取得財産残額に相当する額の財産を同号に規定する公益信託の信託財産とする旨を定款に定める必要があるときは、公益社団法人及び公益財団法人の認定等に関する法律第三十条第五項の規定にかかわらず、一回に限り、同号に規定する定款の定めを変更することができる。

●不動産登記法（平成一六・六・一八 法　一　二　三）

施行 平成一七・三・七（附則参照）
改正 平成一六法一四七・法一五二、平成一七法二九、平成一八法一〇九、平成一九法二三・法一三二、平成二三法三二・法五三、平成二五法六一、平成二六法六九、平成二八法五一、平成二九法四五、平成三〇法七二、令和一法一六、令和二法一二、令和三法二四・法三七、令和四法六八、令和五法六三、令和六法三〇

目次

第一章 総則

（目的）
第一条 この法律は、不動産の表示及び不動産に関する権利を公示するための登記に関する制度について定めることにより、国民の権利の保全を図り、もって取引の安全と円滑に資することを目的とする。

（定義）
第二条 この法律において、次の各号に掲げる用語の意義は、それぞれ当該各号に定めるところによる。
一 不動産 土地又は建物をいう。
二 不動産の表示 不動産についての第二十七条第一号、第三号若しくは第四号、第三十四条第一項各号、第四十三条第一項、第四十四条第一項各号又は第五十八条第一項各号に規定する登記事項をいう。
三 表示に関する登記 不動産の表示に関する登記をいう。
四 権利に関する登記 不動産についての次条各号に掲げる権利に関する登記をいう。
五 登記記録 表示に関する登記又は権利に関する登記について、一筆の土地又は一個の建物ごとに第十二条の規定により作成される電磁的記録（電子的方式、磁気的方式その他人の知覚によっては認識することができない方式で作られる記録であって、電子計算機による情報処理の用に供されるものをいう。以下同じ。）をいう。
六 登記事項 この法律の規定により登記記録として登記すべき事項をいう。
七 表題部 登記記録のうち、表示に関する登記が記録される部分をいう。
八 権利部 登記記録のうち、権利に関する登記が記録される部分をいう。
九 登記簿 登記記録が記録される帳簿であって、磁気ディスク（これに準ずる方法により一定の事項を確実に記録することができる物を含む。以下同じ。）をもって調製するものをいう。
十 表題部所有者 所有権の登記がない不動産の登記記録の表題部に、所有者として記録されている者をいう。
十一 登記名義人 登記記録の権利部に、次条各号に掲げる権利について権利者として記録されている者をいう。
十二 登記権利者 権利に関する登記をすることにより、登記上、直接に利益を受ける者をいい、間接に利益を受ける者を除く。
十三 登記義務者 権利に関する登記をすることにより、登記上、直接に不利益を受ける登記名義人をいい、間接に不利益を受ける登記名義人を除く。
十四 登記識別情報 第二十二条本文の規定により登記名義人が登記を申請する場合において、当該登記名義人自らが当該登記を申請していることを確認するために用いられる符号その他の情報であって、登記名義人を識別することができるものをいう。
十五 変更の登記 登記事項に変更があった場合に当該登記事項を変更する登記をいう。
十六 更正の登記 登記事項に錯誤又は遺漏があった場合に当該登記事項を訂正する登記をいう。
十七 地番 第三十五条の規定により一筆の土地ごとに付す番号をいう。
十八 地目 土地の用途による分類であって、第三十四条第二項の法務省令で定めるものをいう。
十九 地積 一筆の土地の面積であって、第三十四条第二項の法務省令で定めるものをいう。
二十 表題登記 表示に関する登記のうち、当該不動産について表題部に最初にされる登記をいう。
二十一 家屋番号 第四十五条の規定により一個の建物ごとに付す番号をいう。
二十二 区分建物 一棟の建物の構造上区分された部分で独立して住居、店舗、事務所又は倉庫その他建物としての用途に供することができるものであって、建物の区分所有等に関する法律（昭和三十七年法律第六十九号。以下「区分所有法」という。）第二条第三項に規定する専有部分であるもの（区分所有法第四条第二項の規定により共用部分とされたものを含む。）をいう。
二十三 附属建物 表題登記がある建物に附属する建物であって、当該表題登記がある建物と一体のものとして一個の建物として登記されるものをいう。
二十四 抵当証券 抵当証券法（昭和六年法律第十五号）第一条第一項に規定する抵当証券をいう。

（登記することができる権利等）
第三条 登記は、不動産の表示又は不動産についての次に掲げる権利の保存等（保存、設定、移転、変更、処分の制限又は消滅をいう。次条第二項及び第百五条第一号において同じ。）についてする。
一 所有権
二 地上権

三　永小作権
四　地役権
五　先取特権
六　質権
七　抵当権
八　賃借権
九　配偶者居住権
十　採石権（採石法（昭和二十五年法律第二百九十一号）に規定する採石権をいう。第五十条、第七十条第二項及び第八十二条において同じ。）

（権利の順位）
第四条①同一の不動産について登記した権利の順位は、法令に別段の定めがある場合を除き、登記の前後による。
②付記登記（権利に関する登記のうち、既にされた権利に関する登記についてする登記であって、当該既にされた権利に関する登記を変更し、若しくは更正し、又は所有権以外の権利にあってはこれを移転し、若しくはこれを目的とする権利の保存等をするもので当該既にされた権利に関する登記と一体のものとして公示する必要があるものをいう。以下この項及び第六十六条において同じ。）の順位は主登記（付記登記の対象となる既にされた権利に関する登記をいう。以下この項において同じ。）の順位により、同一の主登記に係る付記登記の順位はその前後による。

（登記がないことを主張することができない第三者）
第五条①詐欺又は強迫によって登記の申請を妨げた第三者は、その登記がないことを主張することができない。
②他人のために登記を申請する義務を負う第三者は、その登記がないことを主張することができない。ただし、その登記の登記原因（登記の原因となる事実又は法律行為をいう。以下同じ。）が自己の登記の登記原因の後に生じたときは、この限りでない。

第二章　登記所及び登記官

（登記所）
第六条①登記の事務は、不動産の所在地を管轄する法務局若しくは地方法務局若しくはこれらの支局又はこれらの出張所（以下単に「登記所」という。）がつかさどる。
②不動産が二以上の登記所の管轄区域にまたがる場合は、法務省令で定めるところにより、法務大臣又は法務局若しくは地方法務局の長が、当該不動産に関する登記の事務をつかさどる登記所を指定する。
③前項に規定する場合において、同項の指定がされるまでの間、登記の申請は、当該二以上の登記所のうち、一の登記所にすることができる。

（事務の委任）
第七条　法務大臣は、一の登記所の管轄に属する事務を他の登記所に委任することができる。

（事務の停止）
第八条　法務大臣は、登記所においてその事務を停止しなければならない事由が生じたときは、期間を定めて、その停止を命ずることができる。

（登記官）
第九条　登記所における事務は、登記官（登記所に勤務する法務事務官のうちから、法務局又は地方法務局の長が指定する者をいう。以下同じ。）が取り扱う。

（登記官の除斥）
第一〇条　登記官又はその配偶者若しくは四親等内の親族（配偶者又は四親等内の親族であった者を含む。以下この条において同じ。）が登記の申請人であるときは、当該登記官は、当該登記をすることができない。登記官又はその配偶者若しくは四親等内の親族が申請人を代表して申請するときも、同様とする。

第三章　登記記録等

（登記）
第一一条　登記は、登記官が登記簿に登記事項を記録することによって行う。

（登記記録の作成）
第一二条　登記記録は、表題部及び権利部に区分して作成する。

（登記記録の滅失と回復）
第一三条　法務大臣は、登記記録の全部又は一部が滅失したときは、登記官に対し、一定の期間を定めて、当該登記記録の回復に必要な処分を命ずることができる。

（地図等）
第一四条①登記所には、地図及び建物所在図を備え付けるものとする。
②前項の地図は、一筆又は二筆以上の土地ごとに作成し、各土地の区画を明確にし、地番を表示するものとする。
③第一項の建物所在図は、一個又は二個以上の建物ごとに作成し、各建物の位置及び家屋番号を表示するものとする。
④第一項の規定にかかわらず、登記所には、同項の規定により地図が備え付けられるまでの間、これに代えて、地図に準ずる図面を備え付けることができる。
⑤前項の地図に準ずる図面は、一筆又は二筆以上の土地ごとに土地の位置、形状及び地番を表示するものとする。
⑥第一項の地図及び建物所在図並びに第四項の地図に準ずる図面は、電磁的記録に記録することができる。

（法務省令への委任）
第一五条　この章に定めるもののほか、登記簿及び登記記録並びに地図、建物所在図及び地図に準ずる図面の記録方法その他の登記の事務に関し必要な事項は、法務省令で定める。

第四章　登記手続

第一節　総則

（当事者の申請又は嘱託による登記）
第一六条①登記は、法令に別段の定めがある場合を除き、当事者の申請又は官庁若しくは公署の嘱託がなければ、することができない。
②第二条第十四号、第五条、第六条第三項、第十条及びこの章（この条、第二十七条、第二十八条、第三十二条、第三十四条、第三十五条、第四十一条、第四十三条から第四十六条まで、第五十一条第五項及び第六項、第五十三条第二項、第五十六条、第五十八条第一項及び第四項、第五十九条第一号、第三号から第六号まで及び第八号、第六十六条、第六十七条、第七十一条、第七十三条第一項第二号から第四号まで、第二項及び第三項、第七十六条から第七十六条の四まで、第七十六条の六、第七十八条から第八十六条まで、第八十八条、第九十条から第九十二条まで、第九十四条、第九十五条第一項、第九十六条、第九十七条、第九十八条第二項、第百一条、第百二条、第百六条、第百八条、第百十二条、第百十四条から第百十七条まで並びに第百十八条第二項、第五項及び第六項を除く。）の規定は、官庁又は公署の嘱託による登記の手続について準用する。

（代理権の不消滅）
第一七条　登記の申請をする者の委任による代理人の権限は、次に掲げる事由によっては、消滅しない。
一　本人の死亡
二　本人である法人の合併による消滅
三　本人である受託者の信託に関する任務の終了
四　法定代理人の死亡又はその代理権の消滅若しくは変更

（申請の方法）
第一八条　登記の申請は、次に掲げる方法のいずれかにより、不動産を識別するために必要な事項、申請人の氏名又は名称、登記の目的その他の登記の申請に必要な事項として政令で定める情報（以下「申請情報」という。）を登記所に提供してしなければならない。
一　法務省令で定めるところにより電子情報処理組織（登記所の使用に係る電子計算機（入出力装置を含む。以下この号において同じ。）と申請人又はその代理人の使用に係る電子計算機とを電気通信回線で接続した電子情報処理組織をいう。）を使用する方法

二　申請情報を記載した書面（法務省令で定めるところにより申請情報の全部又は一部を記録した磁気ディスクを含む。）を提出する方法

（受付）

第一九条①　登記官は、前条の規定により申請情報が登記所に提供されたときは、法務省令で定めるところにより、当該申請情報に係る登記の申請の受付をしなければならない。

②　同一の不動産に関し二以上の申請がされた場合において、その前後が明らかでないときは、これらの申請は、同時にされたものとみなす。

③　登記官は、申請の受付をしたときは、当該申請に受付番号を付さなければならない。この場合において、同一の不動産に関し同時に二以上の申請がされたとき（前項の規定により同時にされたものとみなされるときを含む。）は、同一の受付番号を付するものとする。

（登記の順序）

第二〇条　登記官は、同一の不動産に関し権利に関する登記の申請が二以上あったときは、これらの登記を受付番号の順序に従ってしなければならない。

（登記識別情報の通知）

第二一条　登記官は、その登記をすることによって申請人自らが登記名義人となる場合において、当該登記を完了したときは、法務省令で定めるところにより、速やかに、当該申請人に対し、当該登記に係る登記識別情報を通知しなければならない。ただし、当該申請人があらかじめ登記識別情報の通知を希望しない旨の申出をした場合その他の法務省令で定める場合は、この限りでない。

（登記識別情報の提供）

第二二条　登記権利者及び登記義務者が共同して権利に関する登記の申請をする場合その他登記名義人が政令で定める登記の申請をする場合には、申請人は、その申請情報と併せて登記義務者（政令で定める登記の申請にあっては、登記名義人。次条第一項、第二項及び第四項各号において同じ。）の登記識別情報を提供しなければならない。ただし、前条ただし書の規定により登記識別情報が通知されなかった場合その他の申請人が登記識別情報を提供することができないことにつき正当な理由がある場合は、この限りでない。

（事前通知等）

第二三条①　登記官は、申請人が前条に規定する申請をする場合において、同条ただし書の規定により登記識別情報を提供することができないときは、法務省令で定める方法により、同条に規定する登記義務者に対し、当該申請があった旨及び当該申請の内容が真実であると思料するときは法務省令で定める期間内に法務省令で定めるところによりその旨の申出をすべき旨を通知しなければならない。この場合において、登記官は、当該期間内にあっては、当該申出がない限り、当該申請に係る登記をすることができない。

②　登記官は、前項の登記の申請が所有権に関するものである場合において、同項の登記義務者の住所について変更の登記がされているときは、法務省令で定める場合を除き、同項の申請に基づいて登記をする前に、法務省令で定める方法により、同項の規定による通知のほか、当該登記義務者の登記記録上の前の住所にあてて、当該申請があった旨を通知しなければならない。

③　前二項の規定は、登記官が第二十五条（第十号を除く。）の規定により申請を却下すべき場合には、適用しない。

④　第一項の規定は、同項に規定する場合において、次の各号のいずれかに掲げるときは、適用しない。

一　当該申請が登記の申請の代理を業とすることができる代理人によってされた場合であって、登記官が当該代理人から法務省令で定めるところにより当該申請人が第一項の登記義務者であることを確認するために必要な情報の提供を受け、かつ、その内容を相当と認めるとき。

二　当該申請に係る申請情報（委任による代理人によって申請する場合にあっては、その権限を証する情報）を記載し、又は記録した書面又は電磁的記録について、公証人（公証人法（明治四十一年法律第五十三号）第八条の規定により公証人の職務を行う法務事務官を含む。）から当該申請人が第一項の登記義務者であることを確認するために必要な認証がされ、かつ、登記官がその内容を相当と認めるとき。

（登記官による本人確認）

第二四条①　登記官は、登記の申請があった場合において、申請人となるべき者以外の者が申請していると疑うに足りる相当な理由があると認めるときは、次条の規定により当該申請を却下すべき場合を除き、申請人又はその代表者若しくは代理人に対し、出頭を求め、質問をし、又は文書の提示その他必要な情報の提供を求める方法により、当該申請人の申請の権限の有無を調査しなければならない。

②　登記官は、前項に規定する申請人又はその代表者若しくは代理人が遠隔の地に居住しているとき、その他相当と認めるときは、他の登記所の登記官に同項の調査を嘱託することができる。

（申請の却下）

第二五条　登記官は、次に掲げる場合には、理由を付した決定で、登記の申請を却下しなければならない。ただし、当該申請の不備が補正することができるものである場合において、登記官が定めた相当の期間内に、申請人がこれを補正したときは、この限りでない。

一　申請に係る不動産の所在地が当該申請を受けた登記所の管轄に属しないとき。

二　申請が登記事項（他の法令の規定により登記記録として登記すべき事項を含む。）以外の事項の登記を目的とするとき。

三　申請に係る登記が既に登記されているとき。

四　申請の権限を有しない者の申請によるとき。

五　申請情報又はその提供の方法がこの法律に基づく命令又はその他の法令の規定により定められた方式に適合しないとき。

六　申請情報の内容である不動産又は登記の目的である権利が登記記録と合致しないとき。

七　申請情報の内容である登記義務者（第六十五条、第七十六条の五、第七十七条、第八十九条第一項（同条第二項（第九十五条第二項において準用する場合を含む。）及び第九十五条第二項において準用する場合を含む。）、第九十三条（第九十五条第二項において準用する場合を含む。）又は第百十条前段の場合にあっては、登記名義人）の氏名若しくは名称又は住所が登記記録と合致しないとき。

＊令和三法二四（令和八・四・一施行）による改正
第七号中「第六十五条」の下に「、第七十六条の五」が加えられた。（本文織込み済み）

八　申請情報の内容が第六十一条に規定する登記原因を証する情報の内容と合致しないとき。

九　第二十二条本文若しくは第六十一条の規定又はこの法律に基づく命令若しくはその他の法令の規定により申請情報と併せて提供しなければならないものとされている情報が提供されないとき。

十　第二十三条第一項に規定する期間内に同項の申出がないとき。

十一　表示に関する登記の申請に係る不動産の表示が第二十九条の規定による登記官の調査の結果と合致しないとき。

十二　登録免許税を納付しないとき。

十三　前各号に掲げる場合のほか、登記すべきものでないとき

として政令で定めるとき。

（政令への委任）

第二六条　この章に定めるもののほか、申請情報の提供の方法並びに申請情報と併せて提供することが必要な情報及びその提供の方法その他の登記申請の手続に関し必要な事項は、政令で定める。

第二節　表示に関する登記

第一款　通則

（表示に関する登記の登記事項）

第二七条　土地及び建物の表示に関する登記の登記事項は、次のとおりとする。

一　登記原因及びその日付

二　登記の年月日

三　所有権の登記がない不動産（共用部分（区分所有法第四条第二項に規定する共用部分をいう。以下同じ。）である旨の登記又は団地共用部分（区分所有法第六十七条第一項に規定する団地共用部分をいう。以下同じ。）である旨の登記がある建物を除く。）については、所有者の氏名又は名称及び住所並びに所有者が二人以上であるときはその所有者ごとの持分

四　前三号に掲げるもののほか、不動産を識別するために必要な事項として法務省令で定めるもの

（職権による表示に関する登記）

第二八条　表示に関する登記は、登記官が、職権ですることができる。

（登記官による調査）

第二九条①　登記官は、表示に関する登記について第十八条の規定により申請があった場合及び前条の規定により職権で登記しようとする場合において、必要があると認めるときは、当該不動産の表示に関する事項を調査することができる。

②　登記官は、前項の調査をする場合において、必要があると認めるときは、日出から日没までの間に限り、当該不動産を検査し、又は当該不動産の所有者その他の関係者に対し、文書若しくは電磁的記録に記録された事項を法務省令で定める方法により表示したものの提示を求め、若しくは質問をすることができる。この場合において、登記官は、その身分を示す証明書を携帯し、関係者の請求があったときは、これを提示しなければならない。

（一般承継人による申請）

第三〇条　表題部所有者又は所有権の登記名義人が表示に関する登記の申請人となることができる場合において、当該表題部所有者又は登記名義人について相続その他の一般承継があったときは、相続人その他の一般承継人は、当該表示に関する登記を申請することができる。

（表題部所有者の氏名等の変更の登記又は更正の登記）

第三一条　表題部所有者の氏名若しくは名称又は住所についての変更の登記又は更正の登記は、表題部所有者以外の者は、申請することができない。

（表題部所有者の変更等に関する登記手続）

第三二条　表題部所有者又はその持分についての変更は、当該不動産について所有権の保存の登記をした後において、その所有権の移転の登記の手続をするのでなければ、登記することができない。

（表題部所有者の更正の登記等）

第三三条①　不動産の所有者と当該不動産の表題部所有者とが異なる場合においてする当該表題部所有者についての更正の登記は、当該不動産の所有者以外の者は、申請することができない。

②　前項の場合において、当該不動産の所有者は、当該表題部所有者の承諾があるときでなければ、申請することができない。

③　不動産の表題部所有者である共有者の持分についての更正の登記は、当該共有者以外の者は、申請することができない。

④　前項の更正の登記をする共有者は、当該更正の登記によってその持分を更正することとなる他の共有者の承諾があるときでなければ、申請することができない。

第二款　土地の表示に関する登記

（土地の表示に関する登記の登記事項）

第三四条①　土地の表示に関する登記の登記事項は、第二十七条各号に掲げるもののほか、次のとおりとする。

一　土地の所在する市、区、郡、町、村及び字

二　地番

三　地目

四　地積

②　前項第三号の地目及び同項第四号の地積に関し必要な事項は、法務省令で定める。

（地番）

第三五条　登記所は、法務省令で定めるところにより、地番を付すべき区域（第三十九条第二項及び第四十一条第二号において「地番区域」という。）を定め、一筆の土地ごとに地番を付さなければならない。

（土地の表題登記の申請）

第三六条　新たに生じた土地又は表題登記がない土地の所有権を取得した者は、その所有権の取得の日から一月以内に、表題登記を申請しなければならない。

（地目又は地積の変更の登記の申請）

第三七条①　地目又は地積について変更があったときは、表題部所有者又は所有権の登記名義人は、その変更があった日から一月以内に、当該地目又は地積に関する変更の登記を申請しなければならない。

②　地目又は地積について変更があった後に表題部所有者又は所有権の登記名義人となった者は、その者に係る表題部所有者についての更正の登記又は所有権の登記があった日から一月以内に、当該地目又は地積に関する変更の登記を申請しなければならない。

（土地の表題部の更正の登記の申請）

第三八条　第二十七条第一号、第二号若しくは第四号（同号にあっては、法務省令で定めるものに限る。）又は第三十四条第一項第一号、第三号若しくは第四号に掲げる登記事項に関する更正の登記は、表題部所有者又は所有権の登記名義人以外の者は、申請することができない。

（分筆又は合筆の登記）

第三九条①　分筆又は合筆の登記は、表題部所有者又は所有権の登記名義人以外の者は、申請することができない。

②　登記官は、前項の申請がない場合であっても、一筆の土地の一部が別の地目となり、又は地番区域（地番区域でない字を含む。第四十一条第二号において同じ。）を異にするに至ったときは、職権で、その土地の分筆の登記をしなければならない。

③　登記官は、第一項の申請がない場合であっても、第十四条第一項の地図を作成するため必要があると認めるときは、第一項に規定する表題部所有者又は所有権の登記名義人の異議がないときに限り、職権で、分筆又は合筆の登記をすることができる。

（分筆に伴う権利の消滅の登記）

第四〇条　登記官は、所有権の登記以外の権利に関する登記がある土地について分筆の登記をする場合において、当該分筆の登記の申請情報と併せて当該権利に関する登記に係る権利の登記名義人（当該権利に関する登記が抵当権の登記である場合において、抵当証券が発行されているときは、当該抵当証券の所持人又は裏書人を含む。）が当該権利を分筆後のいずれかの土地について消滅させることを承諾したことを証する情報が提供されたとき（当該権利を目的とする第三者の権利に関する登記がある場合にあっては、当該第三者が承諾したことを証する情報が併せて提供されたときに限る。）は、法務省令で定めるところにより、当該承諾に係る土地について当該権利が消滅した旨を登記しなければならない。

（合筆の登記の制限）
第四一条　次に掲げる合筆の登記は、することができない。
一　相互に接続していない土地の合筆の登記
二　地目又は地番区域が相互に異なる土地の合筆の登記
三　表題部所有者又は所有権の登記名義人が相互に異なる土地の合筆の登記
四　表題部所有者又は所有権の登記名義人が相互に持分を異にする土地の合筆の登記
五　所有権の登記がない土地と所有権の登記がある土地との合筆の登記
六　所有権の登記以外の権利に関する登記がある土地（権利に関する登記であって、合筆後の土地の登記記録に登記することができるものとして法務省令で定めるものがある土地を除く。）の合筆の登記

（土地の滅失の登記の申請）
第四二条　土地が滅失したときは、表題部所有者又は所有権の登記名義人は、その滅失の日から一月以内に、当該土地の滅失の登記を申請しなければならない。

（河川区域内の土地の登記）
第四三条①　河川法（昭和三十九年法律第百六十七号）第六条第一項（同法第百条第一項において準用する場合を含む。第一号において同じ。）の河川区域内の土地の表示に関する登記の登記事項は、第二十七条各号及び第三十四条第一項各号に掲げるもののほか、第一号に掲げる土地である旨及び第二号から第五号までに掲げる土地にあってはそれぞれその旨とする。
一　河川法第六条第一項の河川区域内の土地
二　河川法第六条第二項（同法第百条第一項において準用する場合を含む。）の高規格堤防特別区域内の土地
三　河川法第六条第三項（同法第百条第一項において準用する場合を含む。）の樹林帯区域内の土地
四　河川法第二十六条第四項（同法第百条第一項において準用する場合を含む。）の特定樹林帯区域内の土地
五　河川法第五十八条の二第二項（同法第百条第一項において準用する場合を含む。）の河川立体区域内の土地
②　土地の全部又は一部が前項第一号の河川区域内又は同項第二号の高規格堤防特別区域内、同項第三号の樹林帯区域内、同項第四号の特定樹林帯区域内若しくは同項第五号の河川立体区域内の土地となったときは、河川管理者は、遅滞なく、その旨の登記を登記所に嘱託しなければならない。
③　土地の全部又は一部が第一項第一号の河川区域内又は同項第二号の高規格堤防特別区域内、同項第三号の樹林帯区域内、同項第四号の特定樹林帯区域内若しくは同項第五号の河川立体区域内の土地でなくなったときは、河川管理者は、遅滞なく、その旨の登記の抹消を登記所に嘱託しなければならない。
④　土地の一部について前二項の規定により登記の嘱託をするときは、河川管理者は、当該土地の表題部所有者若しくは所有権の登記名義人又はこれらの者の相続人その他の一般承継人に代わって、当該土地の分筆の登記を登記所に嘱託することができる。
⑤　第一項各号の河川区域内の土地の全部が滅失したときは、河川管理者は、遅滞なく、当該土地の滅失の登記を登記所に嘱託しなければならない。
⑥　第一項各号の河川区域内の土地の一部が滅失したときは、河川管理者は、遅滞なく、当該土地の地積に関する変更の登記を登記所に嘱託しなければならない。

第三款　建物の表示に関する登記

（建物の表示に関する登記の登記事項）
第四四条①　建物の表示に関する登記の登記事項は、第二十七条各号に掲げるもののほか、次のとおりとする。
一　建物の所在する市、区、郡、町、村、字及び土地の地番（区分建物である建物にあっては、当該建物が属する一棟の建物の所在する市、区、郡、町、村、字及び土地の地番）
二　家屋番号
三　建物の種類、構造及び床面積
四　建物の名称があるときは、その名称
五　附属建物があるときは、その所在する市、区、郡、町、村、字及び土地の地番（区分建物である附属建物にあっては、当該附属建物が属する一棟の建物の所在する市、区、郡、町、村、字及び土地の地番）並びに種類、構造及び床面積
六　建物が共用部分又は団地共用部分であるときは、その旨
七　建物又は附属建物が区分建物であるときは、当該建物又は附属建物が属する一棟の建物の構造及び床面積
八　建物又は附属建物が区分建物である場合であって、当該建物又は附属建物が属する一棟の建物の名称があるときは、その名称
九　建物又は附属建物が区分建物である場合において、当該区分建物について区分所有法第二条第六項に規定する敷地利用権（登記されたものに限る。）であって、区分所有法第二十二条第一項本文（同条第三項において準用する場合を含む。）の規定により区分所有者の有する専有部分と分離して処分することができないもの（以下「敷地権」という。）があるときは、その敷地権
②　前項第三号、第五号及び第七号の建物の種類、構造及び床面積に関し必要な事項は、法務省令で定める。

（家屋番号）
第四五条　登記所は、法務省令で定めるところにより、一個の建物ごとに家屋番号を付さなければならない。

（敷地権である旨の登記）
第四六条　登記官は、表示に関する登記のうち、区分建物に関する敷地権について表題部に最初に登記をするときは、当該敷地権の目的である土地の登記記録について、職権で、当該登記記録中の所有権、地上権その他の権利が敷地権である旨の登記をしなければならない。

（建物の表題登記の申請）
第四七条①　新築した建物又は区分建物以外の表題登記がない建物の所有権を取得した者は、その所有権の取得の日から一月以内に、表題登記を申請しなければならない。
②　区分建物である建物を新築した場合において、その所有者について相続その他の一般承継があったときは、相続人その他の一般承継人も、被承継人を表題部所有者とする当該建物についての表題登記を申請することができる。

（区分建物についての建物の表題登記の申請方法）
第四八条①　区分建物が属する一棟の建物が新築された場合又は表題登記がない建物に接続して区分建物が新築されて一棟の建物となった場合における当該区分建物についての表題登記の申請は、当該新築された一棟の建物又は当該区分建物が属することとなった一棟の建物に属する他の区分建物についての表題登記の申請と併せてしなければならない。
②　前項の場合において、当該区分建物の所有者は、他の区分建物の所有者に代わって、当該他の区分建物についての表題登記を申請することができる。
③　表題登記がある建物（区分建物を除く。）に接続して区分建物が新築された場合における当該区分建物についての表題登記の申請は、当該表題登記がある建物についての表題部の変更の登記の申請と併せてしなければならない。
④　前項の場合において、当該区分建物の所有者は、当該表題登記がある建物の表題部所有者若しくは所有権の登記名義人又はこれらの者の相続人その他の一般承継人に代わって、当該表題登記がある建物についての表題部の変更の登記を申請することができる。

（合体による登記等の申請）
第四九条①　二以上の建物が合体して一個の建物となった場合において、次の各号に掲げるときは、それぞれ当該各号に定める者は、当該合体の日から一月以内に、合体後の建物についての

建物の表題登記及び合体前の建物についての建物の表題部の登記の抹消（以下「合体による登記等」と総称する。）を申請しなければならない。この場合において、第二号に掲げる場合にあっては当該表題登記がない建物の所有者、第四号に掲げる場合にあっては当該表題登記がある建物（所有権の登記がある建物を除く。以下この条において同じ。）の表題部所有者、第六号に掲げる場合にあっては当該表題登記がない建物の所有者及び当該表題登記がある建物の表題部所有者をそれぞれ当該合体後の建物の登記名義人とする所有権の登記を併せて申請しなければならない。

一　合体前の二以上の建物が表題登記がない建物及び表題登記がある建物のみであるとき。当該表題登記がない建物の所有者又は当該表題登記がある建物の表題部所有者

二　合体前の二以上の建物が表題登記がない建物及び所有権の登記がある建物のみであるとき。当該表題登記がない建物の所有者又は当該所有権の登記がある建物の所有権の登記名義人

三　合体前の二以上の建物がいずれも表題登記がある建物であるとき。当該建物の表題部所有者

四　合体前の二以上の建物が表題登記がある建物及び所有権の登記がある建物のみであるとき。当該表題登記がある建物の表題部所有者又は当該所有権の登記がある建物の所有権の登記名義人

五　合体前の二以上の建物がいずれも所有権の登記がある建物であるとき。当該建物の所有権の登記名義人

六　合体前の三以上の建物が表題登記がない建物、表題登記がある建物及び所有権の登記がある建物のみであるとき。当該表題登記がない建物の所有者、当該表題登記がある建物の表題部所有者又は当該所有権の登記がある建物の所有権の登記名義人

②　第四十七条並びに前条第一項及び第二項の規定は、二以上の建物が合体して一個の建物となった場合において合体前の建物がいずれも表題登記がない建物であるときの当該建物についての表題登記の申請について準用する。この場合において、第四十七条第一項中「新築した建物又は区分建物以外の表題登記がない建物の所有権を取得した者」とあるのは「いずれも表題登記がない二以上の建物が合体して一個の建物となった場合における当該合体後の建物についての合体時の所有者又は当該合体後の建物が区分建物以外の表題登記がない建物である場合において当該合体時の所有者から所有権を取得した者」と、同条第二項中「区分建物である建物を新築した場合」とあり、及び前条第一項中「区分建物が属する一棟の建物が新築された場合又は表題登記がない建物に接続して区分建物が新築されて一棟の建物となった場合」とあるのは「いずれも表題登記がない二以上の建物が合体して一個の区分建物となった場合」と、同項中「当該新築された一棟の建物又は当該区分建物が属することとなった一棟の建物」とあるのは「当該合体後の区分建物が属する一棟の建物」と読み替えるものとする。

③　第一項第一号、第二号又は第六号に掲げる場合において、当該二以上の建物（同号に掲げる場合にあっては、当該三以上の建物）が合体して一個の建物となった後当該合体前の表題登記がない建物の所有者から当該合体後の建物について合体前の表題登記がない建物の所有権に相当する持分を取得した者は、その持分の取得の日から一月以内に、合体による登記等を申請しなければならない。

④　第一項各号に掲げる場合において、当該二以上の建物（同項第六号に掲げる場合にあっては、当該三以上の建物）が合体して一個の建物となった後に合体前の表題登記がある建物の表題部所有者又は合体前の所有権の登記がある建物の所有権の登記名義人となった者は、その者に係る表題部所有者についての更正の登記又は所有権の登記があった日から一月以内に、合体による登記等を申請しなければならない。

第五〇条（合体に伴う権利の消滅の登記）　登記官は、所有権等（所有権、地上権、永小作権、地役権及び採石権をいう。以下この款及び第百十八条第五項において同じ。）の登記以外の権利に関する登記がある建物について合体による登記等をする場合において、当該合体による登記等の申請情報と併せて当該権利に関する登記に係る権利の登記名義人（当該権利に関する登記が抵当権の登記である場合において、抵当証券が発行されているときは、当該抵当証券の所持人又は裏書人を含む。）が合体後の建物について当該権利を消滅させることについて承諾したことを証する情報が提供されたとき（当該権利を目的とする第三者の権利に関する登記がある場合にあっては、当該第三者が承諾したことを証する情報が併せて提供されたときに限る。）は、法務省令で定めるところにより、当該権利が消滅した旨を登記しなければならない。

第五一条（建物の表題部の変更の登記）①　第四十四条第一項各号（第二号及び第六号を除く。）に掲げる登記事項について変更があったときは、表題部所有者又は所有権の登記名義人（共用部分である旨の登記又は団地共用部分である旨の登記がある建物の場合にあっては、所有者）は、当該変更があった日から一月以内に、当該登記事項に関する変更の登記を申請しなければならない。

②　前項の登記事項について変更があった後に表題部所有者又は所有権の登記名義人となった者は、その者に係る表題部所有者についての更正の登記又は所有権の登記があった日から一月以内に、当該登記事項に関する変更の登記を申請しなければならない。

③　第一項の登記事項について変更があった後に共用部分である旨の登記又は団地共用部分である旨の登記があったときは、所有者（前二項の規定により登記を申請しなければならない者を除く。）は、共用部分である旨の登記又は団地共用部分である旨の登記がされた日から一月以内に、当該登記事項に関する変更の登記を申請しなければならない。

④　共用部分である旨の登記又は団地共用部分である旨の登記がある建物について、第一項の登記事項について変更があった後に所有権を取得した者（前項の規定により登記を申請しなければならない者を除く。）は、その所有権の取得の日から一月以内に、当該登記事項に関する変更の登記を申請しなければならない。

⑤　建物が区分建物である場合において、第四十四条第一項第一号（区分建物である建物に係るものに限る。）又は第七号から第九号までに掲げる登記事項（同号に掲げる登記事項にあっては、法務省令で定めるものに限る。次項及び第五十三条第二項において同じ。）に関する変更の登記は、当該登記に係る区分建物と同じ一棟の建物に属する他の区分建物についてされた変更の登記としての効力を有する。

⑥　前項の場合において、同項に規定する登記事項に関する変更の登記がされたときは、登記官は、職権で、当該一棟の建物に属する他の区分建物について、当該登記事項に関する変更の登記をしなければならない。

第五二条（区分建物となったことによる建物の表題部の変更の登記）①　表題登記がある建物（区分建物を除く。）に接続して区分建物が新築されて一棟の建物となったことにより当該表題登記がある建物が区分建物になった場合における当該表題登記がある建物についての表題部の変更の登記の申請は、当該新築に係る区分建物についての表題登記の申請と併せてしなければならない。

②　前項の場合において、当該表題登記がある建物の表題部所有者又は所有権の登記名義人は、当該新築に係る区分建物の所有者に代わって、当該新築に係る区分建物についての表題登記を申請することができる。

③　いずれも表題登記がある二以上の建物（区分建物を除く。）が増築その他の工事により相互に接続して区分建物になった場合における当該表題登記がある二以上の建物についての表題部の変更の登記の申請は、一括してしなければならない。

④　前項の場合において、当該表題登記がある二以上の建物のうち、表題登記がある一の建物の表題部所有者又は所有権の登記名義人は、表題登記がある他の建物の表題部所有者若しくは所有権の登記名義人又はこれらの者の相続人その他の一般承継人に代わって、当該表題登記がある他の建物について表題部の変更の登記を申請することができる。

（建物の表題部の更正の登記）

第五三条①　第二十七条第一号、第二号若しくは第四号（同号にあっては、法務省令で定めるものに限る。）又は第四十四条第一項各号（第二号及び第六号を除く。）に掲げる登記事項に関する更正の登記は、表題部所有者又は所有権の登記名義人（共用部分である旨の登記又は団地共用部分である旨の登記がある建物の場合にあっては、所有者）以外の者は、申請することができない。

②　第五十一条第五項及び第六項の規定は、建物が区分建物である場合における同条第五項に規定する登記事項に関する表題部の更正の登記について準用する。

（建物の分割、区分又は合併の登記）

第五四条①　次に掲げる登記は、表題部所有者又は所有権の登記名義人以外の者は、申請することができない。

一　建物の分割の登記（表題登記がある建物の附属建物を当該表題登記がある建物の登記記録から分割して登記記録上別の一個の建物とする登記をいう。以下同じ。）

二　建物の区分の登記（表題登記がある建物又は附属建物の部分であって区分建物に該当するものを登記記録上区分建物とする登記をいう。以下同じ。）

三　建物の合併の登記（表題登記がある建物を登記記録上他の表題登記がある建物の附属建物とする登記又は表題登記がある区分建物を登記記録上これと接続する他の区分建物である表題登記がある建物若しくは附属建物に合併して一個の建物とする登記をいう。以下同じ。）

②　共用部分である旨の登記又は団地共用部分である旨の登記がある建物についての建物の分割の登記又は建物の区分の登記は、所有者以外の者は、申請することができない。

③　第四十条の規定は、所有権等の登記以外の権利に関する登記がある建物についての建物の分割の登記又は建物の区分の登記をするときについて準用する。

（特定登記）

第五五条①　登記官は、敷地権付き区分建物（区分建物に関する敷地権の登記がある建物をいう。第七十三条第一項及び第三項、第七十四条第二項並びに第七十六条第一項において同じ。）のうち特定登記（所有権等の登記以外の権利に関する登記であって、第七十三条第一項の規定により敷地権についてされた登記としての効力を有するものをいう。以下この条において同じ。）があるものについて、第四十四条第一項第九号の敷地利用権が区分所有者の有する専有部分と分離して処分することができるものとなったことにより敷地権の変更の登記をする場合において、当該変更の登記の申請情報と併せて特定登記に係る権利の登記名義人（当該特定登記が抵当権の登記である場合において、抵当証券が発行されているときは、当該抵当証券の所持人又は裏書人を含む。）が当該変更の登記後の当該建物又は当該敷地権の目的であった土地について当該特定登記に係る権利を消滅させることを承諾したことを証する情報が提供されたとき（当該特定登記に係る権利を目的とする第三者の権利に関する登記がある場合にあっては、当該第三者が承諾したことを証する情報が併せて提供されたときに限る。）は、法務省令で定めるところにより、当該承諾に係る建物又は土地について当該特定登記に係る権利が消滅した旨を登記しなければならない。

②　前項の規定は、特定登記がある建物について敷地権の不存在を原因とする表題部の更正の登記について準用する。この場合において、同項中「第四十四条第一項第九号の敷地利用権が区分所有者の有する専有部分と分離して処分することができるものとなったことにより敷地権の変更の登記」とあるのは「敷地権の不存在を原因とする表題部の更正の登記」と、「当該変更の登記」とあるのは「当該更正の登記」と読み替えるものとする。

③　第一項の規定は、特定登記がある建物の合体又は合併により当該建物が敷地権のない建物となる場合における合体による登記等又は建物の合併の登記について準用する。この場合において、同項中「第四十四条第一項第九号の敷地利用権が区分所有者の有する専有部分と分離して処分することができるものとなったことにより敷地権の変更の登記」とあるのは「当該建物の合体又は合併により当該建物が敷地権のない建物となる場合における合体による登記等又は建物の合併の登記」と、「当該変更の登記」とあるのは「当該合体による登記等又は当該建物の合併の登記」と読み替えるものとする。

④　第一項の規定は、特定登記がある建物の滅失の登記について準用する。この場合において、同項中「第四十四条第一項第九号の敷地利用権が区分所有者の有する専有部分と分離して処分することができるものとなったことにより敷地権の変更の登記」とあるのは「建物の滅失の登記」と、「当該変更の登記」とあるのは「当該建物の滅失の登記」と、「当該建物又は当該敷地権の目的であった土地」とあるのは「当該敷地権の目的であった土地」と、「当該承諾に係る建物又は土地」とあるのは「当該土地」と読み替えるものとする。

（建物の合併の登記の制限）

第五六条　次に掲げる建物の合併の登記は、することができない。

一　共用部分である旨の登記又は団地共用部分である旨の登記がある建物の合併の登記

二　表題部所有者又は所有権の登記名義人が相互に異なる建物の合併の登記

三　表題部所有者又は所有権の登記名義人が相互に持分を異にする建物の合併の登記

四　所有権の登記がない建物と所有権の登記がある建物との建物の合併の登記

五　所有権等の登記以外の権利に関する登記がある建物（権利に関する登記であって、合併後の建物の登記記録に登記することができるものとして法務省令で定めるものがある建物を除く。）の建物の合併の登記

（建物の滅失の登記の申請）

第五七条　建物が滅失したときは、表題部所有者又は所有権の登記名義人（共用部分である旨の登記又は団地共用部分である旨の登記がある建物の場合にあっては、所有者）は、その滅失の日から一月以内に、当該建物の滅失の登記を申請しなければならない。

（共用部分である旨の登記等）

第五八条①　共用部分である旨の登記又は団地共用部分である旨の登記に係る建物の表示に関する登記の登記事項は、第二十七条各号（第三号を除く。）及び第四十四条第一項各号（第六号を除く。）に掲げるもののほか、次のとおりとする。

一　共用部分である旨の登記にあっては、当該共用部分である建物が当該建物の属する一棟の建物以外の一棟の建物に属する建物の区分所有者の共用に供されるものであるときは、その旨

二　団地共用部分である旨の登記にあっては、当該団地共用部分を共用すべき者の所有する建物（当該建物が区分建物であるときは、当該建物が属する一棟の建物）

②　共用部分である旨の登記又は団地共用部分である旨の登記は、当該共用部分である旨の登記又は団地共用部分である旨の登記をする建物の表題部所有者又は所有権の登記名義人以外の者は、申請することができない。

③　共用部分である旨の登記又は団地共用部分である旨の登記は、当該共用部分又は団地共用部分である建物に所有権等の登記以外の権利に関する登記があるときは、当該権利に関する登記に係る権利の登記名義人（当該権利に関する登記が抵当権の

登記である場合において、抵当証券が発行されているときは、当該抵当証券の所持人又は裏書人を含む。）の承諾があるとき（当該権利を目的とする第三者の権利に関する登記がある場合にあっては、当該第三者の承諾を得たときに限る。）でなければ、申請することができない。

④ 登記官は、共用部分である旨の登記又は団地共用部分である旨の登記をするときは、職権で、当該建物について表題部所有者の登記又は権利に関する登記を抹消しなければならない。

⑤ 第一項各号に掲げる登記事項についての変更の登記又は更正の登記は、当該共用部分である旨の登記又は団地共用部分である旨の登記がある建物の所有者以外の者は、申請することができない。

⑥ 共用部分である旨の登記又は団地共用部分である旨の登記がある建物について共用部分である旨又は団地共用部分である旨を定めた規約を廃止した場合には、当該建物の所有者は、当該規約の廃止の日から一月以内に、当該建物の表題登記を申請しなければならない。

⑦ 前項の規約を廃止した後に当該建物の所有権を取得した者は、その所有権の取得の日から一月以内に、当該建物の表題登記を申請しなければならない。

第三節　権利に関する登記

第一款　通則

第五九条（権利に関する登記の登記事項） 権利に関する登記の登記事項は、次のとおりとする。

一 登記の目的
二 申請の受付の年月日及び受付番号
三 登記原因及びその日付
四 登記に係る権利の権利者の氏名又は名称及び住所並びに登記名義人が二人以上であるときは当該権利の登記名義人ごとの持分
五 登記の目的である権利の消滅に関する定めがあるときは、その定め
六 共有物分割禁止の定め（共有物若しくは所有権以外の財産権について民法（明治二十九年法律第八十九号）第二百五十六条第一項ただし書（同法第二百六十四条において準用する場合を含む。）若しくは第九百八条第二項の規定により分割をしない旨の契約をした場合若しくは同条第一項の規定により被相続人が遺言で共有物若しくは所有権以外の財産権について分割を禁止した場合における共有物若しくは所有権以外の財産権の分割を禁止する定め又は同条第四項の規定により家庭裁判所が遺産である共有物若しくは所有権以外の財産権についてした分割を禁止する審判をいう。第六十五条において同じ。）があるときは、その定め
七 民法第四百二十三条その他の法令の規定により他人に代わって登記を申請した者（以下「代位者」という。）があるときは、当該代位者の氏名又は名称及び住所並びに代位原因
八 第二号に掲げるもののほか、権利の順位を明らかにするために必要な事項として法務省令で定めるもの

（共同申請）
第六〇条 権利に関する登記の申請は、法令に別段の定めがある場合を除き、登記権利者及び登記義務者が共同してしなければならない。

（登記原因証明情報の提供）
第六一条 権利に関する登記を申請する場合には、申請人は、法令に別段の定めがある場合を除き、その申請情報と併せて登記原因を証する情報を提供しなければならない。

（一般承継人による申請）
第六二条 登記権利者、登記義務者又は登記名義人が権利に関する登記の申請人となることができる場合において、当該登記権利者、登記義務者又は登記名義人について相続その他の一般承継があったときは、相続人その他の一般承継人は、当該権利に関する登記を申請することができる。

（判決による登記等）
第六三条① 第六十条、第六十五条又は第八十九条第一項（同条第二項（第九十五条第二項において準用する場合を含む。）及び第九十五条第二項において準用する場合を含む。）の規定にかかわらず、これらの規定により申請を共同してしなければならない者の一方に登記手続をすべきことを命ずる確定判決による登記は、当該申請を共同してしなければならない者の他方が単独で申請することができる。

② 相続又は法人の合併による権利の移転の登記は、登記権利者が単独で申請することができる。

③ 遺贈（相続人に対する遺贈に限る。）による所有権の移転の登記は、第六十条の規定にかかわらず、登記権利者が単独で申請することができる。

（登記名義人の氏名等の変更の登記又は更正の登記等）
第六四条① 登記名義人の氏名若しくは名称又は住所についての変更の登記又は更正の登記は、登記名義人が単独で申請することができる。

② 抵当証券が発行されている場合における債務者の氏名若しくは名称又は住所についての変更の登記又は更正の登記は、債務者が単独で申請することができる。

（共有物分割禁止の定めの登記）
第六五条 共有物分割禁止の定めに係る権利の変更の登記の申請は、当該権利の共有者であるすべての登記名義人が共同してしなければならない。

（権利の変更の登記又は更正の登記）
第六六条 権利の変更の登記又は更正の登記は、登記上の利害関係を有する第三者（権利の変更の登記又は更正の登記につき利害関係を有する抵当証券の所持人又は裏書人を含む。以下この条において同じ。）の承諾がある場合及び当該第三者がない場合に限り、付記登記によってすることができる。

（登記の更正）
第六七条① 登記官は、権利に関する登記に錯誤又は遺漏があることを発見したときは、遅滞なく、その旨を登記権利者及び登記義務者（登記権利者及び登記義務者がない場合にあっては、登記名義人。第三項及び第七十一条第一項において同じ。）に通知しなければならない。ただし、登記権利者、登記義務者又は登記名義人がそれぞれ二人以上あるときは、その一人に対し通知すれば足りる。

② 登記官は、前項の場合において、登記の錯誤又は遺漏が登記官の過誤によるものであるときは、遅滞なく、当該登記官を監督する法務局又は地方法務局の長の許可を得て、登記の更正をしなければならない。ただし、登記上の利害関係を有する第三者（当該登記の更正につき利害関係を有する抵当証券の所持人又は裏書人を含む。以下この項において同じ。）がある場合にあっては、当該第三者の承諾があるときに限る。

③ 登記官が前項の登記の更正をしたときは、その旨を登記権利者及び登記義務者に通知しなければならない。この場合においては、第一項ただし書の規定を準用する。

④ 第一項及び前項の通知は、代位者にもしなければならない。この場合においては、第一項ただし書の規定を準用する。

（登記の抹消）
第六八条 権利に関する登記の抹消は、登記上の利害関係を有する第三者（当該登記の抹消につき利害関係を有する抵当証券の所持人又は裏書人を含む。以下この条において同じ。）がある場合には、当該第三者の承諾があるときに限り、申請することができる。

（死亡又は解散による登記の抹消）
第六九条 権利が人の死亡又は法人の解散によって消滅する旨が登記されている場合において、当該権利がその死亡又は解散によって消滅したときは、第六十条の規定にかかわらず、登記権利者は、単独で当該権利に係る権利に関する登記の抹消を申請することができる。

（買戻しの特約に関する登記の抹消）

第六九条の二　買戻しの特約に関する登記がされている場合において、契約の日から十年を経過したときは、第六十条の規定にかかわらず、登記権利者は、単独で当該登記の抹消を申請することができる。

（除権決定による登記の抹消等）

第七〇条①　登記権利者は、共同して登記の抹消の申請をすべき者の所在が知れないためその者と共同して権利に関する登記の抹消を申請することができないときは、非訟事件手続法（平成二十三年法律第五十一号）第九十九条に規定する公示催告の申立てをすることができる。

②　前項の登記が地上権、永小作権、質権、賃借権若しくは採石権に関する登記又は買戻しの特約に関する登記であり、かつ、登記された存続期間又は買戻しの期間が満了している場合において、相当の調査が行われたと認められるものとして法務省令で定める方法により調査を行ってもなお共同して登記の抹消の申請をすべき者の所在が判明しないときは、その者の所在が知れないものとみなして、同項の規定を適用する。

③　前二項の場合において、非訟事件手続法第百六条第一項に規定する除権決定があったときは、第六十条の規定にかかわらず、当該登記権利者は、単独で第一項の登記の抹消を申請することができる。

④　第一項に規定する場合において、登記権利者が先取特権、質権又は抵当権の被担保債権が消滅したことを証する情報として政令で定めるものを提供したときは、第六十条の規定にかかわらず、当該登記権利者は、単独でそれらの権利に関する登記の抹消を申請することができる。同項に規定する場合において、被担保債権の弁済期から二十年を経過し、かつ、その期間を経過した後に当該被担保債権、その利息及び債務不履行により生じた損害の全額に相当する金銭が供託されたときも、同様とする。

（解散した法人の担保権に関する登記の抹消）

第七〇条の二　登記権利者は、共同して登記の抹消の申請をすべき法人が解散し、前条第二項に規定する方法により調査を行ってもなおその法人の清算人の所在が判明しないためその法人と共同して先取特権、質権又は抵当権に関する登記の抹消を申請することができない場合において、被担保債権の弁済期から三十年を経過し、かつ、その法人の解散の日から三十年を経過したときは、第六十条の規定にかかわらず、単独で当該登記の抹消を申請することができる。

（職権による登記の抹消）

第七一条①　登記官は、権利に関する登記を完了した後に当該登記が第二十五条第一号から第三号まで又は第十三号に該当することを発見したときは、登記権利者及び登記義務者並びに登記上の利害関係を有する第三者に対し、一月以内の期間を定め、当該登記の抹消について異議のある者がその期間内に書面で異議を述べないときは、当該登記を抹消する旨を通知しなければならない。

②　登記官は、通知を受けるべき者の住所又は居所が知れないときは、法務省令で定めるところにより、前項の通知に代えて、通知をすべき内容を公告しなければならない。

③　登記官は、第一項の異議を述べた者がある場合において、当該異議に理由がないと認めるときは決定で当該異議を却下し、当該異議に理由があると認めるときは決定でその旨を宣言し、かつ、当該異議を述べた者に通知しなければならない。

④　登記官は、第一項の異議を述べた者がないとき、又は前項の規定により当該異議を却下したときは、職権で、第一項に規定する登記を抹消しなければならない。

（抹消された登記の回復）

第七二条　抹消された登記（権利に関する登記に限る。）の回復は、登記上の利害関係を有する第三者（当該登記の回復につき利害関係を有する抵当証券の所持人又は裏書人を含む。以下この条において同じ。）がある場合には、当該第三者の承諾があるときに限り、申請することができる。

（敷地権付き区分建物に関する登記等）

第七三条①　敷地権付き区分建物についての所有権又は担保権（一般の先取特権、質権又は抵当権をいう。以下この条において同じ。）に係る権利に関する登記は、第四十六条の規定により敷地権である旨の登記をした土地の敷地権についてされた登記としての効力を有する。ただし、次に掲げる登記は、この限りでない。

一　敷地権付き区分建物についての所有権又は担保権に係る権利に関する登記であって、区分建物に関する敷地権の登記をする前に登記されたもの（担保権に係る権利に関する登記にあっては、当該登記の目的等（登記の目的、申請の受付の年月日及び受付番号並びに登記原因及びその日付をいう。以下この号において同じ。）が当該敷地権となった土地の権利についてされた担保権に係る権利に関する登記の目的等と同一であるものを除く。）

二　敷地権付き区分建物についての所有権に係る仮登記であって、区分建物に関する敷地権の登記をした後に登記されたものであり、かつ、その登記原因が当該建物の当該敷地権が生ずる前に生じたもの

三　敷地権付き区分建物についての質権又は抵当権に係る権利に関する登記であって、区分建物に関する敷地権の登記をした後に登記されたものであり、かつ、その登記原因が当該建物の当該敷地権が生ずる前に生じたもの

四　敷地権付き区分建物についての所有権又は質権若しくは抵当権に係る権利に関する登記であって、区分建物に関する敷地権の登記をした後に登記されたものであり、かつ、その登記原因が当該建物の当該敷地権が生じた後に生じたもの（区分所有法第二十二条第一項本文（同条第三項において準用する場合を含む。）の規定により区分所有者の有する専有部分とその専有部分に係る敷地利用権とを分離して処分することができない場合（以下この条において「分離処分禁止の場合」という。）を除く。）

②　第四十六条の規定により敷地権である旨の登記をした土地には、敷地権の移転の登記又は敷地権を目的とする担保権に係る権利に関する登記をすることができない。ただし、当該土地が敷地権の目的となった後にその登記原因が生じたもの（分離処分禁止の場合を除く。）又は敷地権についての仮登記若しくは質権若しくは抵当権に係る権利に関する登記であって当該土地が敷地権の目的となる前にその登記原因が生じたものは、この限りでない。

③　敷地権付き区分建物には、当該建物のみの所有権の移転を登記原因とする所有権の登記又は当該建物のみを目的とする担保権に係る権利に関する登記をすることができない。ただし、当該建物の敷地権が生じた後にその登記原因が生じたもの（分離処分禁止の場合を除く。）又は当該建物のみの所有権についての仮登記若しくは当該建物のみを目的とする質権若しくは抵当権に係る権利に関する登記であって当該建物の敷地権が生ずる前にその登記原因が生じたものは、この限りでない。

第二款　所有権に関する登記

（所有権の登記の登記事項）

第七三条の二①　所有権の登記の登記事項は、第五十九条各号に掲げるもののほか、次のとおりとする。

一　所有権の登記名義人が法人であるときは、会社法人等番号（商業登記法（昭和三十八年法律第百二十五号）第七条（他の法令において準用する場合を含む。）に規定する会社法人等番号をいう。）その他の特定の法人を識別するために必要な事項として法務省令で定めるもの

二　所有権の登記名義人が国内に住所を有しないときは、その国内における連絡先となる者の氏名又は名称及び住所その他の国内における連絡先に関する事項として法務省令で定めるもの

②　前項各号に掲げる登記事項についての登記に関し必要な事項

は、法務省令で定める。

（所有権の保存の登記）
第七四条① 所有権の保存の登記は、次に掲げる者以外の者は、申請することができない。
一 表題部所有者又はその相続人その他の一般承継人
二 所有権を有することが確定判決によって確認された者
三 収用（土地収用法（昭和二十六年法律第二百十九号）その他の法律の規定による収用をいう。第百十八条第一項及び第三項から第五項までにおいて同じ。）によって所有権を取得した者

② 区分建物にあっては、表題部所有者から所有権を取得した者も、前項の登記を申請することができる。この場合において、当該建物が敷地権付き区分建物であるときは、当該敷地権の登記名義人の承諾を得なければならない。

（表題登記がない不動産についてする所有権の保存の登記）
第七五条 登記官は、前条第一項第二号又は第三号に掲げる者の申請に基づいて表題登記がない不動産について所有権の保存の登記をするときは、当該不動産に関する不動産の表示のうち法務省令で定めるものを登記しなければならない。

（所有権の保存の登記の登記事項等）
第七六条① 所有権の保存の登記においては、第五十九条第三号の規定にかかわらず、登記原因及びその日付を登記することを要しない。ただし、敷地権付き区分建物について第七十四条第二項の規定により所有権の保存の登記をする場合は、この限りでない。

② 登記官は、所有権の登記がない不動産について嘱託により所有権の処分の制限の登記をするときは、職権で、所有権の保存の登記をしなければならない。

③ 前条の規定は、表題登記がない不動産について嘱託により所有権の処分の制限の登記をする場合について準用する。

（相続等による所有権の移転の登記の申請）
第七六条の二① 所有権の登記名義人について相続の開始があったときは、当該相続により所有権を取得した者は、自己のために相続の開始があったことを知り、かつ、当該所有権を取得したことを知った日から三年以内に、所有権の移転の登記を申請しなければならない。遺贈（相続人に対する遺贈に限る。）により所有権を取得した者も、同様とする。

② 前項前段の規定による登記（民法第九百条及び第九百一条の規定により算定した相続分に応じてされたものに限る。次条第四項において同じ。）がされた後に遺産の分割があったときは、当該遺産の分割によって当該相続分を超えて所有権を取得した者は、当該遺産の分割の日から三年以内に、所有権の移転の登記を申請しなければならない。

③ 前二項の規定は、代位者その他の者の申請又は嘱託により、当該各項の規定による登記がされた場合には、適用しない。

（相続人である旨の申出等）
第七六条の三① 前条第一項の規定により所有権の移転の登記を申請する義務を負う者は、法務省令で定めるところにより、登記官に対し、所有権の登記名義人について相続が開始した旨及び自らが当該所有権の登記名義人の相続人である旨を申し出ることができる。

② 前条第一項に規定する期間内に前項の規定による申出をした者は、同条第一項に規定する所有権の取得（当該申出の前にされた遺産の分割によるものを除く。）に係る所有権の移転の登記を申請する義務を履行したものとみなす。

③ 登記官は、第一項の規定による申出があったときは、職権で、その旨並びに当該申出をした者の氏名及び住所その他法務省令で定める事項を所有権の登記に付記することができる。

④ 第一項の規定による申出をした者は、その後の遺産の分割によって所有権を取得したとき（前条第一項前段の規定による登記がされた後に当該遺産の分割によって所有権を取得したときを除く。）は、当該遺産の分割の日から三年以内に、所有権の移転の登記を申請しなければならない。

⑤ 前項の規定は、代位者その他の者の申請又は嘱託により、同項の規定による登記がされた場合には、適用しない。

⑥ 第一項の規定による申出の手続及び第三項の規定による登記に関し必要な事項は、法務省令で定める。

（所有権の登記名義人についての符号の表示）
第七六条の四 登記官は、所有権の登記名義人（法務省令で定めるものに限る。）が権利能力を有しないこととなったと認めるべき場合として法務省令で定める場合には、法務省令で定めるところにより、職権で、当該所有権の登記名義人についてその旨を示す符号を表示することができる。

＊令和三法二四（令和八・四・一施行）により第七六条の四追加

（所有権の登記名義人の氏名等の変更の登記の申請）
第七六条の五 所有権の登記名義人の氏名若しくは名称又は住所について変更があったときは、当該所有権の登記名義人は、その変更があった日から二年以内に、氏名若しくは名称又は住所についての変更の登記を申請しなければならない。

＊令和三法二四（令和八・四・一施行）により第七六条の五追加

（職権による氏名等の変更の登記）
第七六条の六 登記官は、所有権の登記名義人の氏名若しくは名称又は住所について変更があったと認めるべき場合として法務省令で定める場合には、法務省令で定めるところにより、職権で、氏名若しくは名称又は住所についての変更の登記をすることができる。ただし、当該所有権の登記名義人が自然人であるときは、その申出があるときに限る。

＊令和三法二四（令和八・四・一施行）により第七六条の六追加

（所有権の登記の抹消）
第七七条 所有権の登記の抹消は、所有権の移転の登記がない場合に限り、所有権の登記名義人が単独で申請することができる。

第三款 用益権に関する登記

（地上権の登記の登記事項）
第七八条 地上権の登記の登記事項は、第五十九条各号に掲げるもののほか、次のとおりとする。
一 地上権設定の目的
二 地代又はその支払時期の定めがあるときは、その定め
三 存続期間又は借地借家法（平成三年法律第九十号）第二十二条第一項前段若しくは第二十三条第一項若しくは大規模な災害の被災地における借地借家に関する特別措置法（平成二十五年法律第六十一号）第七条第一項の定めがあるときはその定め
四 地上権設定の目的が借地借家法第二十三条第一項又は第二項に規定する建物の所有であるときは、その旨
五 民法第二百六十九条の二第一項前段に規定する地上権の設定にあっては、その目的である地下又は空間の上下の範囲及び同項後段の定めがあるときはその定め

（永小作権の登記の登記事項）
第七九条 永小作権の登記の登記事項は、第五十九条各号に掲げるもののほか、次のとおりとする。
一 小作料
二 存続期間又は小作料の支払時期の定めがあるときは、その定め
三 民法第二百七十二条ただし書の定めがあるときは、その定め
四 前二号に規定するもののほか、永小作人の権利又は義務に関する定めがあるときは、その定め

（地役権の登記の登記事項等）
第八〇条① 承役地（民法第二百八十五条第一項に規定する承役

地をいう。以下この条において同じ。）についてする地役権の登記の登記事項は、第五十九条各号に掲げるもののほか、次のとおりとする。

一 要役地（民法第二百八十一条第一項に規定する要役地をいう。以下この条において同じ。）

二 地役権設定の目的及び範囲

三 民法第二百八十一条第一項ただし書若しくは第二百八十五条第一項ただし書の別段の定め又は同法第二百八十六条の定めがあるときは、その定め

② 前項の登記においては、第五十九条第四号の規定にかかわらず、地役権者の氏名又は名称及び住所を登記することを要しない。

③ 要役地に所有権の登記がないときは、承役地に地役権の設定の登記をすることができない。

④ 登記官は、承役地に地役権の設定の登記をしたときは、要役地について、職権で、法務省令で定める事項を登記しなければならない。

（賃借権の登記等の登記事項）

第八十一条 賃借権の登記又は賃借物の転貸の登記の登記事項は、第五十九条各号に掲げるもののほか、次のとおりとする。

一 賃料

二 存続期間又は賃料の支払時期の定めがあるときは、その定め

三 賃借権の譲渡又は賃借物の転貸を許す旨の定めがあるときは、その定め

四 敷金があるときは、その旨

五 賃貸人が財産の処分につき行為能力の制限を受けた者又は財産の処分の権限を有しない者であるときは、その旨

六 土地の賃借権設定の目的が建物の所有であるときは、その旨

七 前号に規定する場合において建物が借地借家法第二十三条第一項又は第二項に規定する建物であるときは、その旨

八 借地借家法第二十二条第一項前段、第二十三条第一項、第三十八条第一項前段若しくは第三十九条第一項、高齢者の居住の安定確保に関する法律（平成十三年法律第二十六号）第五十二条第一項又は大規模な災害の被災地における借地借家に関する特別措置法第七条第一項の定めがあるときは、その定め

（配偶者居住権の登記の登記事項）

第八十一条の二 配偶者居住権の登記の登記事項は、第五十九条各号に掲げるもののほか、次のとおりとする。

一 存続期間

二 第三者に居住建物（民法第千二十八条第一項に規定する居住建物をいう。）の使用又は収益をさせることを許す旨の定めがあるときは、その定め

（採石権の登記の登記事項）

第八十二条 採石権の登記の登記事項は、第五十九条各号に掲げるもののほか、次のとおりとする。

一 存続期間

二 採石権の内容又は採石料若しくはその支払時期の定めがあるときは、その定め

第四款 担保権等に関する登記

（担保権の登記の登記事項）

第八十三条① 先取特権、質権若しくは転質又は抵当権の登記の登記事項は、第五十九条各号に掲げるもののほか、次のとおりとする。

一 債権額（一定の金額を目的としない債権については、その価額）

二 債務者の氏名又は名称及び住所

三 所有権以外の権利を目的とするときは、その目的となる権利

四 二以上の不動産に関する権利を目的とするときは、当該二以上の不動産及び当該権利

五 外国通貨で第一号の債権額を指定した債権を担保する質権若しくは転質又は抵当権の登記にあっては、本邦通貨で表示した担保限度額

② 登記官は、前項第四号に掲げる事項を明らかにするため、法務省令で定めるところにより、共同担保目録を作成することができる。

（債権の一部譲渡による担保権の移転の登記等の登記事項）

第八十四条 債権の一部について譲渡又は代位弁済がされた場合における先取特権、質権若しくは転質又は抵当権の移転の登記の登記事項は、第五十九条各号に掲げるもののほか、当該譲渡又は代位弁済の目的である債権の額とする。

（不動産工事の先取特権の保存の登記）

第八十五条 不動産工事の先取特権の保存の登記においては、第八十三条第一項第一号の債権額として工事費用の予算額を登記事項とする。

（建物を新築する場合の不動産工事の先取特権の保存の登記）

第八十六条① 建物を新築する場合における不動産工事の先取特権の保存の登記については、当該建物の所有者となるべき者を登記義務者とみなす。この場合においては、第二十二条本文の規定は、適用しない。

② 前項の登記の登記事項は、第五十九条各号及び第八十三条第一項各号（第三号を除く。）に掲げるもののほか、次のとおりとする。

一 新築する建物並びに当該建物の種類、構造及び床面積は設計書による旨

二 登記義務者の氏名又は名称及び住所

③ 前項第一号の規定は、所有権の登記がある建物の附属建物を新築する場合における不動産工事の先取特権の保存の登記について準用する。

（建物の建築が完了した場合の登記）

第八十七条① 前条第一項の登記をした場合において、建物の建築が完了したときは、当該建物の所有者は、遅滞なく、所有権の保存の登記を申請しなければならない。

② 前条第三項の登記をした場合において、附属建物の建築が完了したときは、当該附属建物が属する建物の所有権の登記名義人は、遅滞なく、当該附属建物の新築による建物の表題部の変更の登記を申請しなければならない。

（抵当権の登記の登記事項）

第八十八条① 抵当権（根抵当権（民法第三百九十八条の二第一項の規定による抵当権をいう。以下同じ。）を除く。）の登記の登記事項は、第五十九条各号及び第八十三条第一項各号に掲げるもののほか、次のとおりとする。

一 利息に関する定めがあるときは、その定め

二 民法第三百七十五条第二項に規定する損害の賠償額の定めがあるときは、その定め

三 債権に付した条件があるときは、その条件

四 民法第三百七十条ただし書の別段の定めがあるときは、その定め

五 抵当証券発行の定めがあるときは、その定め

六 前号の定めがある場合において元本又は利息の弁済期又は支払場所の定めがあるときは、その定め

② 根抵当権の登記の登記事項は、第五十九条各号及び第八十三条第一項各号（第一号を除く。）に掲げるもののほか、次のとおりとする。

一 担保すべき債権の範囲及び極度額

二 民法第三百七十条ただし書の別段の定めがあるときは、その定め

三 担保すべき元本の確定すべき期日の定めがあるときは、その定め

四 民法第三百九十八条の十四第一項ただし書の定めがあるときは、その定め

（抵当権の順位の変更の登記等）

第八九条① 抵当権の順位の変更の登記の申請は、順位を変更する当該抵当権の登記名義人が共同してしなければならない。

② 前項の規定は、民法第三百九十八条の十四第一項ただし書の定めがある場合の当該定めの登記の申請について準用する。

（抵当権の処分の登記）

第九〇条 第八十三条及び第八十八条の規定は、民法第三百七十六条第一項の規定により抵当権を他の債権のための担保とし、又は抵当権を譲渡し、若しくは放棄する場合の登記について準用する。

（共同抵当の代位の登記）

第九一条① 民法第三百九十三条の規定による代位の登記の登記事項は、第五十九条各号に掲げるもののほか、先順位の抵当権者が弁済を受けた不動産に関する権利、当該不動産の代価及び当該弁済を受けた額とする。

② 第八十三条及び第八十八条の規定は、前項の登記について準用する。

（根抵当権当事者の相続に関する合意の登記の制限）

第九二条 民法第三百九十八条の八第一項又は第二項の合意の登記は、当該相続による根抵当権の移転又は債務者の変更の登記をした後でなければ、することができない。

（根抵当権の元本の確定の登記）

第九三条 民法第三百九十八条の十九第二項又は第三百九十八条の二十第一項第三号若しくは第四号の規定により根抵当権の担保すべき元本が確定した場合の登記は、第六十条の規定にかかわらず、当該根抵当権の登記名義人が単独で申請することができる。ただし、同項第三号又は第四号の規定により根抵当権の担保すべき元本が確定した場合における申請は、当該根抵当権又はこれを目的とする権利の取得の登記の申請と併せてしなければならない。

（抵当証券に関する登記）

第九四条① 登記官は、抵当証券を交付したときは、職権で、抵当証券交付の登記をしなければならない。

② 抵当証券法第一条第二項の申請があった場合において、同法第五条第二項の嘱託を受けた登記所の登記官が抵当証券を作成したときは、当該登記官は、職権で、抵当証券作成の登記をしなければならない。

③ 前項の場合において、同項の申請を受けた登記所の登記官は、抵当証券を交付したときは抵当証券交付の登記を、同項の申請を却下したときは抵当証券作成の登記の抹消を同項の登記所に嘱託しなければならない。

④ 第二項の規定による抵当証券作成の登記をした不動産について、前項の規定による嘱託により抵当証券交付の登記をしたときは、当該抵当証券交付の登記は、当該抵当証券作成の登記をした時にさかのぼってその効力を生ずる。

（質権の登記等の登記事項）

第九五条① 質権又は転質の登記の登記事項は、第五十九条各号及び第八十三条第一項各号に掲げるもののほか、次のとおりとする。

一 存続期間の定めがあるときは、その定め

二 利息に関する定めがあるときは、その定め

三 違約金又は賠償額の定めがあるときは、その定め

四 債権に付した条件があるときは、その条件

五 民法第三百四十六条ただし書の別段の定めがあるときは、その定め

六 民法第三百五十九条の規定によりその設定行為について別段の定め（同法第三百五十六条又は第三百五十七条に規定するものに限る。）があるときは、その定め

七 民法第三百六十一条において準用する同法第三百七十条ただし書の別段の定めがあるときは、その定め

② 第八十八条第二項及び第八十九条から第九十三条までの規定は、質権について準用する。この場合において、第九十条及び第九十一条第二項中「第八十八条」とあるのは、「第九十五条第一項又は同条第二項において準用する第八十八条第二項」と読み替えるものとする。

（買戻しの特約の登記の登記事項）

第九六条 買戻しの特約の登記の登記事項は、第五十九条各号に掲げるもののほか、買主が支払った代金（民法第五百七十九条の別段の合意をした場合にあっては、その合意により定めた金額）及び契約の費用並びに買戻しの期間の定めがあるときはその定めとする。

第五款 信託に関する登記

（信託の登記の登記事項）

第九七条① 信託の登記の登記事項は、第五十九条各号に掲げるもののほか、次のとおりとする。

一 委託者、受託者及び受益者の氏名又は名称及び住所

二 受益者の指定に関する条件又は受益者を定める方法の定めがあるときは、その定め

三 信託管理人があるときは、その氏名又は名称及び住所

四 受益者代理人があるときは、その氏名又は名称及び住所

五 信託法（平成十八年法律第百八号）第百八十五条第三項に規定する受益証券発行信託であるときは、その旨

六 信託法第二百五十八条第一項に規定する受益者の定めのない信託であるときは、その旨

七 公益信託に関する法律（令和六年法律第三十号）第二条第一項第一号に規定する公益信託であるときは、その旨

> **＊令和六法三〇（令和八・五・二一までに施行）による改正前**
>
> 七 公益信託ニ関スル法律（大正十一年法律第六十二号）第一条に規定する公益信託であるときは、その旨

八 信託の目的

九 信託財産の管理方法

十 信託の終了の事由

十一 その他の信託の条項

② 前項第二号から第六号までに掲げる事項のいずれかを登記したときは、同項第一号の受益者（同項第四号に掲げる事項を登記した場合にあっては、当該受益者代理人が代理する受益者に限る。）の氏名又は名称及び住所を登記することを要しない。

③ 登記官は、第一項各号に掲げる事項を明らかにするため、法務省令で定めるところにより、信託目録を作成することができる。

（信託の登記の申請方法等）

第九八条① 信託の登記の申請は、当該信託に係る権利の保存、設定、移転又は変更の登記の申請と同時にしなければならない。

② 信託の登記は、受託者が単独で申請することができる。

③ 信託法第三条第三号に掲げる方法によってされた信託による権利の変更の登記は、受託者が単独で申請することができる。

（代位による信託の登記の申請）

第九九条 受益者又は委託者は、受託者に代わって信託の登記を申請することができる。

（受託者の変更による登記等）

第一〇〇条① 受託者の任務が死亡、後見開始若しくは保佐開始の審判、破産手続開始の決定、法人の合併以外の理由による解散又は裁判所若しくは主務官庁（その権限の委任を受けた国に所属する行政庁及びその権限に属する事務を処理する都道府県の執行機関を含む。第百二条第二項において同じ。）の解任命令により終了し、新たに受託者が選任されたときは、信託財産に属する不動産についてする受託者の変更による権利の移転の登記は、第六十条の規定にかかわらず、新たに選任された当該受託者が単独で申請することができる。

② 受託者が二人以上ある場合において、そのうち少なくとも一人の受託者の任務が前項に規定する事由により終了したときは、信託財産に属する不動産についてする当該受託者の任務の終了による権利の変更の登記は、第六十条の規定にかかわら

ず、他の受託者が単独で申請することができる。

第一〇一条（職権による信託の変更の登記） 登記官は、信託財産に属する不動産について次に掲げる登記をするときは、職権で、信託の変更の登記をしなければならない。

一　信託法第七十五条第一項又は第二項の規定による権利の移転の登記

二　信託法第八十六条第四項本文の規定による権利の変更の登記

三　受託者である登記名義人の氏名若しくは名称又は住所についての変更の登記又は更正の登記

第一〇二条（嘱託による信託の変更の登記）① 裁判所書記官は、受託者の解任の裁判があったとき、信託管理人若しくは受益者代理人の選任若しくは解任の裁判があったとき、又は信託の変更を命ずる裁判があったときは、職権で、遅滞なく、信託の変更の登記を登記所に嘱託しなければならない。

② 主務官庁は、受託者を解任したとき、信託管理人若しくは受益者代理人を選任し、若しくは解任したとき、又は信託の変更を命じたときは、遅滞なく、信託の変更の登記を登記所に嘱託しなければならない。

第一〇三条（信託の変更の登記の申請）① 前二条に規定するもののほか、第九十七条第一項各号に掲げる登記事項について変更があったときは、受託者は、遅滞なく、信託の変更の登記を申請しなければならない。

② 第九十九条の規定は、前項の信託の変更の登記の申請について準用する。

第一〇四条（信託の登記の抹消）① 信託財産に属する不動産に関する権利が移転、変更又は消滅により信託財産に属しないこととなった場合における信託の登記の抹消の申請は、当該権利の移転の登記若しくは変更の登記又は当該権利の登記の抹消の申請と同時にしなければならない。

② 信託の登記の抹消は、受託者が単独で申請することができる。

第一〇四条の二（権利の変更の登記等の特則）① 信託の併合又は分割により不動産に関する権利が一の信託の信託財産に属する財産から他の信託の信託財産に属する財産となった場合における当該権利に係る当該一の信託についての信託の登記の抹消及び当該他の信託についての信託の登記の申請は、信託の併合又は分割による権利の変更の登記の申請と同時にしなければならない。信託の併合又は分割以外の事由により不動産に関する権利が一の信託の信託財産に属する財産から受託者を同一とする他の信託の信託財産に属する財産となった場合も、同様とする。

② 信託財産に属する不動産についてする次の表の上欄に掲げる場合における権利の変更の登記（第九十八条第三項の登記を除く。）については、同表の中欄に掲げる者を登記権利者とし、同表の下欄に掲げる者を登記義務者とする。この場合において、受益者（信託管理人がある場合にあっては、信託管理人。以下この項において同じ。）については、第二十二条本文の規定は、適用しない。

一　不動産に関する権利が固有財産に属する財産から信託財産に属する財産となった場合	受益者	受託者
二　不動産に関する権利が信託財産に属する財産から固有財産に属する財産となった場合	受託者	受益者
三　不動産に関する権利が一の信託の信託財産に属する財産から他の信託の信託財産に属する財産となった場合	当該他の信託の受益者及び受託者	当該一の信託の受益者及び受託者

第六款　仮登記

第一〇五条（仮登記） 仮登記は、次に掲げる場合にすることができる。

一　第三条各号に掲げる権利について保存等があった場合において、当該保存等に係る登記の申請をするために登記所に対し提供しなければならない情報であって、第二十五条第九号の申請情報と併せて提供しなければならないものとされているもののうち法務省令で定めるものを提供することができないとき。

二　第三条各号に掲げる権利の設定、移転、変更又は消滅に関して請求権（始期付き又は停止条件付きのものその他将来確定することが見込まれるものを含む。）を保全しようとするとき。

第一〇六条（仮登記に基づく本登記の順位） 仮登記に基づいて本登記（仮登記がされた後、これと同一の不動産についてされる同一の権利についての権利に関する登記であって、当該不動産に係る登記記録に当該仮登記に基づく登記であることが記録されているものをいう。以下同じ。）をした場合は、当該本登記の順位は、当該仮登記の順位による。

第一〇七条（仮登記の申請方法）① 仮登記は、仮登記の登記義務者の承諾があるとき及び次条に規定する仮登記を命ずる処分があるときは、第六十条の規定にかかわらず、当該仮登記の登記権利者が単独で申請することができる。

② 仮登記の登記権利者及び登記義務者が共同して仮登記を申請する場合については、第二十二条本文の規定は、適用しない。

第一〇八条（仮登記を命ずる処分）① 裁判所は、仮登記の登記権利者の申立てにより、仮登記を命ずる処分をすることができる。

② 前項の申立てをするときは、仮登記の原因となる事実を疎明しなければならない。

③ 第一項の申立てに係る事件は、不動産の所在地を管轄する地方裁判所の管轄に専属する。

④ 第一項の申立てを却下した決定に対しては、即時抗告をすることができる。

⑤ 非訟事件手続法第二条及び第二編（同法第五条、第六条、第七条第二項、第四十条、第五十九条、第六十六条第一項及び第二項並びに第七十二条を除く。）の規定は、前項の即時抗告について準用する。

第一〇九条（仮登記に基づく本登記）① 所有権に関する仮登記に基づく本登記は、登記上の利害関係を有する第三者（本登記につき利害関係を有する抵当証券の所持人又は裏書人を含む。以下この条において同じ。）がある場合には、当該第三者の承諾があるときに限り、申請することができる。

② 登記官は、前項の規定による申請に基づいて登記をするときは、職権で、同項の第三者の権利に関する登記を抹消しなければならない。

第一一〇条（仮登記の抹消） 仮登記の抹消は、第六十条の規定にかかわらず、仮登記の登記名義人が単独で申請することができる。仮登記の登記名義人の承諾がある場合における当該仮登記の登記上の利害関係人も、同様とする。

第七款　仮処分に関する登記

第一一一条（仮処分の登記に後れる登記の抹消）① 所有権について民事保全法（平成元年法律第九十一号）第五十三条第一項の規定による処分禁止の登記（同条第二項に規定する保全仮登記（以下「保全仮登記」という。）とともにしたものを除く。以下この条において同じ。）がされた後、当該処分禁止の登記に係る仮処分の債権者が当該仮処分の債務者を登記義務者とする所有権の登記（仮登記を除く。）を申請する場合においては、当該債権者は、当該処分禁止の登記に後れる登記の抹消を単独で申請することができる。

② 前項の規定は、所有権以外の権利について民事保全法第五十三条第一項の規定による処分禁止の登記がされた後、当該処分禁止の登記に係る仮処分の債権者が当該仮処分の債務者を登記義務者とする当該権利の移転又は消滅に関し登記（仮登記を除く。）を申請する場合について準用する。

③ 登記官は、第一項（前項において準用する場合を含む。）の申請に基づいて当該処分禁止の登記に後れる登記を抹消するときは、職権で、当該処分禁止の登記も抹消しなければならない。

（保全仮登記に基づく本登記の順位）

第一一二条 保全仮登記に基づいて本登記をした場合は、当該本登記の順位は、当該保全仮登記の順位による。

（保全仮登記に係る仮処分の登記に後れる登記の抹消）

第一一三条 不動産の使用又は収益をする権利について保全仮登記がされた後、当該保全仮登記に係る仮処分の債権者が本登記を申請する場合においては、当該債権者は、所有権以外の不動産の使用若しくは収益をする権利又は当該権利を目的とする権利に関する登記であって当該保全仮登記とともにした処分禁止の登記に後れるものの抹消を単独で申請することができる。

（処分禁止の登記の抹消）

第一一四条 登記官は、保全仮登記に基づく本登記をするときは、職権で、当該保全仮登記とともにした処分禁止の登記を抹消しなければならない。

第八款　官庁又は公署が関与する登記等

（公売処分による登記）

第一一五条 官庁又は公署は、公売処分をした場合において、登記権利者の請求があったときは、遅滞なく、次に掲げる事項を登記所に嘱託しなければならない。

一 公売処分による権利の移転の登記

二 公売処分により消滅した権利の登記の抹消

三 滞納処分に関する差押えの登記の抹消

（官庁又は公署の嘱託による登記）

第一一六条① 国又は地方公共団体が登記権利者となって権利に関する登記をするときは、官庁又は公署は、遅滞なく、登記義務者の承諾を得て、当該登記を登記所に嘱託しなければならない。

② 国又は地方公共団体が登記義務者となる権利に関する登記について登記権利者の請求があったときは、官庁又は公署は、遅滞なく、当該登記を登記所に嘱託しなければならない。

（官庁又は公署の嘱託による登記の登記識別情報）

第一一七条① 登記官は、官庁又は公署が登記権利者（登記をすることによって登記名義人となる者に限る。以下この条において同じ。）のためにした登記の嘱託に基づいて登記を完了したときは、速やかに、当該登記権利者のために登記識別情報を当該官庁又は公署に通知しなければならない。

② 前項の規定により登記識別情報の通知を受けた官庁又は公署は、遅滞なく、これを同項の登記権利者に通知しなければならない。

（収用による登記）

第一一八条① 不動産の収用による所有権の移転の登記は、第六十条の規定にかかわらず、起業者が単独で申請することができる。

② 国又は地方公共団体が起業者であるときは、官庁又は公署は、遅滞なく、前項の登記を登記所に嘱託しなければならない。

③ 前二項の規定は、不動産に関する所有権以外の権利の収用による権利の消滅の登記について準用する。

④ 土地の収用による権利の移転の登記を申請する場合には、当該収用により消滅した権利又は失効した差押え、仮差押え若しくは仮処分に関する登記を指定しなければならない。この場合において、権利の移転の登記をするときは、登記官は、職権で、当該指定に係る登記を抹消しなければならない。

⑤ 登記官は、建物の収用による所有権の移転の登記をするときは、職権で、当該建物を目的とする所有権等の登記以外の権利に関する登記を抹消しなければならない。第三項の登記をする場合において同項の権利を目的とする権利に関する登記についても、同様とする。

⑥ 登記官は、第一項の登記をするときは、職権で、裁決手続開始の登記を抹消しなければならない。

第五章　登記事項の証明等

（登記事項証明書の交付等）

第一一九条① 何人も、登記官に対し、手数料を納付して、登記記録に記録されている事項の全部又は一部を証明した書面（以下「登記事項証明書」という。）の交付を請求することができる。

② 何人も、登記官に対し、手数料を納付して、登記記録に記録されている事項の概要を記載した書面の交付を請求することができる。

③ 前二項の手数料の額は、物価の状況、登記事項証明書の交付に要する実費その他一切の事情を考慮して政令で定める。

④ 第一項及び第二項の手数料の納付は、収入印紙をもってしなければならない。ただし、法務省令で定める方法で登記事項証明書の交付を請求するときは、法務省令で定めるところにより、現金をもってすることができる。

⑤ 第一項の交付の請求は、法務省令で定める場合を除き、請求に係る不動産の所在地を管轄する登記所以外の登記所の登記官に対してもすることができる。

⑥ 登記官は、第一項及び第二項の規定にかかわらず、登記記録に記録されている者（自然人であるものに限る。）の住所が明らかにされることにより、人の生命若しくは身体に危害を及ぼすおそれがある場合又はこれに準ずる程度に心身に有害な影響を及ぼすおそれがあるものとして法務省令で定める場合において、その者からの申出があったときは、法務省令で定めるところにより、第一項及び第二項に規定する各書面に当該住所に代わるものとして法務省令で定める事項を記載しなければならない。

（所有不動産記録証明書の交付等）

第一一九条の二① 何人も、登記官に対し、手数料を納付して、自らが所有権の登記名義人（これに準ずる者として法務省令で定めるものを含む。）として記録されている不動産に係る登記記録に記録されている事項のうち法務省令で定めるもの（記録がないときは、その旨）を証明した書面（以下この条において「所有不動産記録証明書」という。）の交付を請求することができる。

② 相続人その他の一般承継人は、登記官に対し、手数料を納付して、被承継人に係る所有不動産記録証明書の交付を請求することができる。

③ 前二項の交付の請求は、法務大臣の指定する登記所の登記官に対し、法務省令で定めるところにより、することができる。

④ 前条第三項及び第四項の規定は、所有不動産記録証明書の手数料について準用する。

（地図の写しの交付等）

第一二〇条① 何人も、登記官に対し、手数料を納付して、地図、建物所在図又は地図に準ずる図面（以下この条において「地図等」という。）の全部又は一部の写し（地図等が電磁的記録に記録されているときは、当該記録された情報の内容を証明した書面）の交付を請求することができる。

② 何人も、登記官に対し、手数料を納付して、地図等（地図等が電磁的記録に記録されているときは、当該記録された情報の内容を法務省令で定める方法により表示したもの）の閲覧を請求することができる。

③ 第百十九条第三項から第五項までの規定は、地図等について準用する。

（登記簿の附属書類の写しの交付等）

第一二一条① 何人も、登記官に対し、手数料を納付して、登記簿の附属書類（電磁的記録を含む。以下同じ。）のうち政令で定める図面の全部又は一部の写し（これらの図面が電磁的記録に記録されているときは、当該記録された情報の内容を証明した書面）の交付を請求することができる。

② 何人も、登記官に対し、手数料を納付して、登記簿の附属書類のうち前項の図面（電磁的記録にあっては、記録された情報の内容を法務省令で定める方法により表示したもの。次項において同じ。）の閲覧を請求することができる。

③ 何人も、正当な理由があるときは、登記官に対し、法務省令で定めるところにより、手数料を納付して、登記簿の附属書類（第一項の図面を除き、電磁的記録にあっては、記録された情報の内容を法務省令で定める方法により表示したもの。次項において同じ。）の全部又は一部（その正当な理由があると認められる部分に限る。）の閲覧を請求することができる。

④ 前項の規定にかかわらず、登記を申請した者は、登記官に対し、法務省令で定めるところにより、手数料を納付して、自己を申請人とする登記記録に係る登記簿の附属書類の閲覧を請求することができる。

⑤ 第百十九条第三項から第五項までの規定は、登記簿の附属書類について準用する。

（法務省令への委任）

第一二二条 この法律に定めるもののほか、登記簿、地図、建物所在図及び地図に準ずる図面並びに登記簿の附属書類（第百五十四条及び第百五十五条において「登記簿等」という。）の公開に関し必要な事項は、法務省令で定める。

第六章 筆界特定

第一節 総則

（定義）

第一二三条 この章において、次の各号に掲げる用語の意義は、それぞれ当該各号に定めるところによる。

一 筆界 表題登記がある一筆の土地（以下単に「一筆の土地」という。）とこれに隣接する他の土地（表題登記がない土地を含む。以下同じ。）との間において、当該一筆の土地が登記された時にその境を構成するものとされた二以上の点及びこれらを結ぶ直線をいう。

二 筆界特定 一筆の土地及びこれに隣接する他の土地について、この章の定めるところにより、筆界の現地における位置を特定すること（その位置を特定することができないときは、その位置の範囲を特定すること）をいう。

三 対象土地 筆界特定の対象となる筆界で相互に隣接する一筆の土地及び他の土地をいう。

四 関係土地 対象土地以外の土地（表題登記がない土地を含む。）であって、筆界特定の対象となる筆界上の点を含む他の筆界で対象土地の一方又は双方と接するものをいう。

五 所有権登記名義人等 所有権の登記がある一筆の土地にあっては所有権の登記名義人、所有権の登記がない一筆の土地にあっては表題部所有者、表題登記がない土地にあっては所有者をいい、所有権の登記名義人又は表題部所有者の相続人その他の一般承継人を含む。

（筆界特定の事務）

第一二四条① 筆界特定の事務は、対象土地の所在地を管轄する法務局又は地方法務局がつかさどる。

② 第六条第二項及び第三項の規定は、筆界特定の事務について準用する。この場合において、同条第二項中「不動産」とあるのは「対象土地」と、「登記所」とあるのは「法務局又は地方法務局」と、「法務局若しくは地方法務局」とあるのは「法務局」と、同条第三項中「登記所」とあるのは「法務局又は地方法務局」と読み替えるものとする。

（筆界特定登記官）

第一二五条 筆界特定は、筆界特定登記官（登記官のうちから、法務局又は地方法務局の長が指定する者をいう。以下同じ。）が行う。

（筆界特定登記官の除斥）

第一二六条 筆界特定登記官が次の各号のいずれかに該当する者であるときは、当該筆界特定登記官は、対象土地について筆界特定を行うことができない。

一 対象土地又は関係土地のうちいずれかの土地の所有権の登記名義人（仮登記の登記名義人を含む。以下この号において同じ。）、表題部所有者若しくは所有者又は所有権以外の権利の登記名義人若しくは当該権利を有する者

二 前号に掲げる者の配偶者又は四親等内の親族（配偶者又は四親等内の親族であった者を含む。次号において同じ。）

三 第一号に掲げる者の代理人若しくは代表者（代理人又は代表者であった者を含む。）又はその配偶者若しくは四親等内の親族

（筆界調査委員）

第一二七条① 法務局及び地方法務局に、筆界特定について必要な事実の調査を行い、筆界特定登記官に意見を提出させるため、筆界調査委員若干人を置く。

② 筆界調査委員は、前項の職務を行うのに必要な専門的知識及び経験を有する者のうちから、法務局又は地方法務局の長が任命する。

③ 筆界調査委員の任期は、二年とする。

④ 筆界調査委員は、再任されることができる。

⑤ 筆界調査委員は、非常勤とする。

（筆界調査委員の欠格事由）

第一二八条① 次の各号のいずれかに該当する者は、筆界調査委員となることができない。

一 拘禁刑以上の刑に処せられ、その執行を終わり、又はその執行を受けることがなくなった日から五年を経過しない者

二 弁護士法（昭和二十四年法律第二百五号）、司法書士法（昭和二十五年法律第百九十七号）又は土地家屋調査士法（昭和二十五年法律第二百二十八号）の規定による懲戒処分により、弁護士会からの除名又は司法書士若しくは土地家屋調査士の業務の禁止の処分を受けた者でこれらの処分を受けた日から三年を経過しないもの

三 公務員で懲戒免職の処分を受け、その処分の日から三年を経過しない者

② 筆界調査委員が前項各号のいずれかに該当するに至ったときは、当然失職する。

（筆界調査委員の解任）

第一二九条 法務局又は地方法務局の長は、筆界調査委員が次の各号のいずれかに該当するときは、その筆界調査委員を解任することができる。

一 心身の故障のため職務の執行に堪えないと認められるとき。

二 職務上の義務違反その他筆界調査委員たるに適しない非行があると認められるとき。

（標準処理期間）

第一三〇条 法務局又は地方法務局の長は、筆界特定の申請がされてから筆界特定登記官が筆界特定をするまでに通常要すべき標準的な期間を定め、法務局又は地方法務局における備付けその他の適当な方法により公にしておかなければならない。

第二節 筆界特定の手続

第一款 筆界特定の申請

（筆界特定の申請）

第一三一条① 土地の所有権登記名義人等は、筆界特定登記官に対し、当該土地とこれに隣接する他の土地との筆界について、筆界特定の申請をすることができる。

② 地方公共団体は、その区域内の対象土地の所有権登記名義人

等のうちいずれかの者の同意を得たときは、筆界特定登記官に対し、当該対象土地の筆界（第十四条第一項の地図に表示されないものに限る。）について、筆界特定の申請をすることができる。

③ 筆界特定の申請は、次に掲げる事項を明らかにしてしなければならない。

一 申請の趣旨

二 筆界特定の申請人の氏名又は名称及び住所

三 対象土地に係る第三十四条第一項第一号及び第二号に掲げる事項（表題登記がない土地にあっては、同項第一号に掲げる事項）

四 対象土地について筆界特定を必要とする理由

五 前各号に掲げるもののほか、法務省令で定める事項

④ 筆界特定の申請人は、政令で定めるところにより、手数料を納付しなければならない。

⑤ 第十八条の規定は、筆界特定の申請について準用する。この場合において、同条中「不動産を識別するために必要な事項、申請人の氏名又は名称、登記の目的その他の登記の申請に必要な事項として政令で定める情報（以下「申請情報」という。）」とあるのは「第百三十一条第三項各号に掲げる事項に係る情報（第二号、第百三十二条第一項第四号及び第百五十条において「筆界特定申請情報」という。）」と、「登記所」とあるのは「法務局又は地方法務局」と、同条第二号中「申請情報」とあるのは「筆界特定申請情報」と読み替えるものとする。

（申請の却下）

第一三二条① 筆界特定登記官は、次に掲げる場合には、理由を付した決定で、筆界特定の申請を却下しなければならない。ただし、当該申請の不備が補正することができるものである場合において、筆界特定登記官が定めた相当の期間内に、筆界特定の申請人がこれを補正したときは、この限りでない。

一 対象土地の所在地が当該申請を受けた法務局又は地方法務局の管轄に属しないとき。

二 申請の権限を有しない者の申請によるとき。

三 申請が前条第三項の規定に違反するとき。

四 筆界特定申請情報の提供の方法がこの法律に基づく命令の規定により定められた方式に適合しないとき。

五 申請が対象土地の所有権の境界の特定その他筆界特定以外の事項を目的とするものと認められるとき。

六 対象土地の筆界について、既に民事訴訟の手続により筆界の確定を求める訴えに係る判決（訴えを不適法として却下したものを除く。第百四十八条において同じ。）が確定しているとき。

七 対象土地の筆界について、既に筆界特定登記官による筆界特定がされているとき。ただし、対象土地について更に筆界特定をする特段の必要があると認められる場合を除く。

八 手数料を納付しないとき。

九 第百四十六条第五項の規定により予納を命じた場合においてその予納がないとき。

② 前項の規定による筆界特定の申請の却下は、登記官の処分とみなす。

（筆界特定の申請の通知）

第一三三条① 筆界特定の申請があったときは、筆界特定登記官は、遅滞なく、法務省令で定めるところにより、その旨を公告し、かつ、その旨を次に掲げる者（以下「関係人」という。）に通知しなければならない。ただし、前条第一項の規定により当該申請を却下すべき場合は、この限りでない。

一 対象土地の所有権登記名義人等であって筆界特定の申請人以外のもの

二 関係土地の所有権登記名義人等

② 前項本文の場合において、関係人の所在が判明しないときは、同項本文の規定による通知を、次に掲げる事項を法務省令で定める方法により不特定多数の者が閲覧することができる状態に置くとともに、当該事項が記載された書面を対象土地の所在地を管轄する法務局若しくは地方法務局の掲示場に掲示し、又は当該事項を対象土地の所在地を管轄する法務局若しくは地方法務局の事務所に設置した電子計算機の映像面に表示したものの閲覧をすることができる状態に置く措置をとることによって行うことができる。この場合においては、当該措置を開始した日から二週間を経過したときに、当該通知が関係人に到達したものとみなす。

一 関係人の氏名又は名称

二 通知をすべき事項

三 前号の事項を記載した書面をいつでも関係人に交付する旨

＊令和五法六三（令和八・六・一五までに施行）による改正前

② 前項本文の場合において、関係人の所在が判明しないときは、同項本文の規定による通知を、関係人の氏名又は名称、通知をすべき事項及び当該事項を記載した書面をいつでも関係人に交付する旨を対象土地の所在地を管轄する法務局又は地方法務局の掲示場に掲示することによって行うことができる。この場合においては、掲示を始めた日から二週間を経過したときに、当該通知が関係人に到達したものとみなす。

一―三（改正により追加）

第二款 筆界の調査等

（筆界調査委員の指定等）

第一三四条① 法務局又は地方法務局の長は、前条第一項本文の規定による公告及び通知がされたときは、対象土地の筆界特定のために必要な事実の調査を行うべき筆界調査委員を指定しなければならない。

② 次の各号のいずれかに該当する者は、前項の筆界調査委員に指定することができない。

一 対象土地又は関係土地のうちいずれかの土地の所有権の登記名義人（仮登記の登記名義人を含む。以下この号において同じ。）、表題部所有者若しくは所有者又は所有権以外の権利の登記名義人若しくは当該権利を有する者

二 前号に掲げる者の配偶者又は四親等内の親族（配偶者又は四親等内の親族であった者を含む。次号において同じ。）

三 第一号に掲げる者の代理人若しくは代表者（代理人又は代表者であった者を含む。）又はその配偶者若しくは四親等内の親族

③ 第一項の規定による指定を受けた筆界調査委員が数人あるときは、共同してその職務を行う。ただし、筆界特定登記官の許可を得て、それぞれ単独にその職務を行い、又は職務を分掌することができる。

④ 法務局又は地方法務局の長は、その職員に、筆界調査委員による事実の調査を補助させることができる。

（筆界調査委員による事実の調査）

第一三五条① 筆界調査委員は、前条第一項の規定による指定を受けたときは、対象土地又は関係土地その他の土地の測量又は実地調査をすること、筆界特定の申請人若しくは関係人又はその他の者からその知っている事実を聴取し又は資料の提出を求めることその他対象土地の筆界特定のために必要な事実の調査をすることができる。

② 筆界調査委員は、前項の事実の調査に当たっては、筆界特定が対象土地の所有権の境界の特定を目的とするものでないことに留意しなければならない。

（測量及び実地調査）

第一三六条① 筆界調査委員は、対象土地の測量又は実地調査を行うときは、あらかじめ、その旨並びにその日時及び場所を筆界特定の申請人及び関係人に通知して、これに立ち会う機会を与えなければならない。

② 第百三十三条第二項の規定は、前項の規定による通知について準用する。

（立入調査）

第一三七条① 法務局又は地方法務局の長は、筆界調査委員が対象土地又は関係土地その他の土地の測量又は実地調査を行う場合において、必要があると認めるときは、その必要の限度において、筆界調査委員又は第百三十四条第四項の職員（以下この条において「筆界調査委員等」という。）に、他人の土地に立ち入らせることができる。
② 法務局又は地方法務局の長は、前項の規定により筆界調査委員等を他人の土地に立ち入らせようとするときは、あらかじめ、その旨並びにその日時及び場所を当該土地の占有者に通知しなければならない。
③ 第一項の規定により宅地又は垣、さく等で囲まれた他人の占有する土地に立ち入ろうとする場合には、その立ち入ろうとする者は、立入りの際、あらかじめ、その旨を当該土地の占有者に告げなければならない。
④ 日出前及び日没後においては、土地の占有者の承諾があった場合を除き、前項に規定する土地に立ち入ってはならない。
⑤ 土地の占有者は、正当な理由がない限り、第一項の規定による立入りを拒み、又は妨げてはならない。
⑥ 第一項の規定による立入りをする場合には、筆界調査委員等は、その身分を示す証明書を携帯し、関係者の請求があったときは、これを提示しなければならない。
⑦ 国は、第一項の規定による立入りによって損失を受けた者があるときは、その損失を受けた者に対して、通常生ずべき損失を補償しなければならない。

（関係行政機関等に対する協力依頼）
第一三八条 法務局又は地方法務局の長は、筆界特定のため必要があると認めるときは、関係行政機関の長、関係地方公共団体の長又は関係のある公私の団体に対し、資料の提出その他必要な協力を求めることができる。

（意見又は資料の提出）
第一三九条① 筆界特定の申請があったときは、筆界特定の申請人及び関係人は、筆界特定登記官に対し、対象土地の筆界について、意見又は資料を提出することができる。この場合において、筆界特定登記官が意見又は資料を提出すべき相当の期間を定めたときは、その期間内にこれを提出しなければならない。
② 前項の規定による意見又は資料の提出は、電磁的方法（電子情報処理組織を使用する方法その他の情報通信の技術を利用する方法であって法務省令で定めるものをいう。）により行うことができる。

（意見聴取等の期日）
第一四〇条① 筆界特定の申請があったときは、筆界特定登記官は、第百三十三条第一項本文の規定による公告をした時から筆界特定をするまでの間に、筆界特定の申請人及び関係人に対し、あらかじめ期日及び場所を通知して、対象土地の筆界について、意見を述べ、又は資料（電磁的記録を含む。）を提出する機会を与えなければならない。
② 筆界特定登記官は、前項の期日において、適当と認める者に、参考人としてその知っている事実を陳述させることができる。
③ 筆界調査委員は、第一項の期日に立ち会うものとする。この場合において、筆界調査委員は、筆界特定登記官の許可を得て、筆界特定の申請人若しくは関係人又は参考人に対し質問を発することができる。
④ 筆界特定登記官は、第一項の期日の経過を記載した調書を作成し、当該調書において当該期日における筆界特定の申請人若しくは関係人又は参考人の陳述の要旨を明らかにしておかなければならない。
⑤ 前項の調書は、電磁的記録をもって作成することができる。
⑥ 第百三十三条第二項の規定は、第一項の規定による通知について準用する。

（調書等の閲覧）
第一四一条① 筆界特定の申請人及び関係人は、第百三十三条第一項本文の規定による公告があった時から第百四十四条第一項の規定により筆界特定の申請人に対する通知がされるまでの間、筆界特定登記官に対し、当該筆界特定の手続において作成された調書及び提出された資料（電磁的記録にあっては、記録された情報の内容を法務省令で定める方法により表示したもの）の閲覧を請求することができる。この場合において、筆界特定登記官は、第三者の利益を害するおそれがあるときその他正当な理由があるときでなければ、その閲覧を拒むことができない。
② 筆界特定登記官は、前項の閲覧について、日時及び場所を指定することができる。

第三節　筆界特定

（筆界調査委員の意見の提出）
第一四二条 筆界調査委員は、第百四十条第一項の期日の後、対象土地の筆界特定のために必要な事実の調査を終了したときは、遅滞なく、筆界特定登記官に対し、対象土地の筆界特定についての意見を提出しなければならない。

（筆界特定）
第一四三条① 筆界特定登記官は、前条の規定により筆界調査委員の意見が提出されたときは、その意見を踏まえ、登記記録、地図又は地図に準ずる図面及び登記簿の附属書類の内容、対象土地及び関係土地の地形、地目、面積及び形状並びに工作物、囲障又は境界標の有無その他の状況及びこれらの設置の経緯その他の事情を総合的に考慮して、対象土地の筆界特定をし、その結論及び理由の要旨を記載した筆界特定書を作成しなければならない。
② 筆界特定書においては、図面及び図面上の点の現地における位置を示す方法として法務省令で定めるものにより、筆界特定の内容を表示しなければならない。
③ 筆界特定書は、電磁的記録をもって作成することができる。

（筆界特定の通知等）
第一四四条① 筆界特定登記官は、筆界特定をしたときは、遅滞なく、筆界特定の申請人に対し、筆界特定書の写しを交付する方法（筆界特定書が電磁的記録をもって作成されているときは、法務省令で定める方法）により当該筆界特定書の内容を通知するとともに、法務省令で定めるところにより、筆界特定をした旨を公告し、かつ、関係人に通知しなければならない。
② 第百三十三条第二項の規定は、前項の規定による通知について準用する。

（筆界特定手続記録の保管）
第一四五条 前条第一項の規定により筆界特定の申請人に対する通知がされた場合における筆界特定の手続の記録（以下「筆界特定手続記録」という。）は、対象土地の所在地を管轄する登記所において保管する。

第四節　雑則

（手続費用の負担等）
第一四六条① 筆界特定の手続における測量に要する費用その他の法務省令で定める費用（以下この条において「手続費用」という。）は、筆界特定の申請人の負担とする。
② 筆界特定の申請人が二人ある場合において、その一人が対象土地の一方の土地の所有権登記名義人等であり、他の一人が他方の土地の所有権登記名義人等であるときは、各筆界特定の申請人は、等しい割合で手続費用を負担する。
③ 筆界特定の申請人が二人以上ある場合において、その全員が対象土地の一方の土地の所有権登記名義人等であるときは、各筆界特定の申請人は、その持分（所有権の登記がある一筆の土地にあっては第五十九条第四号の持分、所有権の登記がない一筆の土地にあっては第二十七条第三号の持分。次項において同じ。）の割合に応じて手続費用を負担する。
④ 筆界特定の申請人が三人以上ある場合において、その一人又は二人以上が対象土地の一方の土地の所有権登記名義人等であり、他の一人又は二人以上が他方の土地の所有権登記名義人等

であるときは、対象土地のいずれかの土地の一人の所有権登記名義人等である筆界特定の申請人は、手続費用の二分の一に相当する額を負担し、対象土地のいずれかの土地の二人以上の所有権登記名義人等である各筆界特定の申請人は、手続費用の二分の一に相当する額についてその持分の割合に応じてこれを負担する。

⑤　筆界特定登記官は、筆界特定の申請人に手続費用の概算額を予納させなければならない。

第一四七条（**筆界確定訴訟における釈明処分の特則**）　筆界特定がされた場合において、当該筆界特定に係る筆界について民事訴訟の手続により筆界の確定を求める訴えが提起されたときは、裁判所は、当該訴えに係る訴訟において、訴訟関係を明瞭にするため、登記官に対し、当該筆界特定に係る筆界特定手続記録の送付を嘱託することができる。民事訴訟の手続により筆界の確定を求める訴えが提起された後、当該訴えに係る筆界について筆界特定がされたときも、同様とする。

第一四八条（**筆界確定訴訟の判決との関係**）　筆界特定がされた場合において、当該筆界特定に係る筆界について民事訴訟の手続により筆界の確定を求める訴えに係る判決が確定したときは、当該筆界特定は、当該判決と抵触する範囲において、その効力を失う。

第一四九条（**筆界特定書等の写しの交付等**）①　何人も、登記官に対し、手数料を納付して、筆界特定手続記録のうち筆界特定書又は政令で定める図面の全部又は一部（以下この条及び第百五十四条において「筆界特定書等」という。）の写し（筆界特定書等が電磁的記録をもって作成されているときは、当該記録された情報の内容を証明した書面）の交付を請求することができる。

②　何人も、登記官に対し、手数料を納付して、筆界特定手続記録（電磁的記録にあっては、記録された情報の内容を法務省令で定める方法により表示したもの）の閲覧を請求することができる。ただし、筆界特定書等以外のものについては、請求人が利害関係を有する部分に限る。

③　第百十九条第三項及び第四項の規定は、前二項の手数料について準用する。

第一五〇条（**法務省令への委任**）　この章に定めるもののほか、筆界特定申請情報の提供の方法、筆界特定手続記録の公開その他の筆界特定の手続に関し必要な事項は、法務省令で定める。

第七章　雑則

第一五一条（**情報の提供の求め**）　登記官は、職権による登記をし、又は第十四条第一項の地図を作成するために必要な限度で、関係地方公共団体の長その他の者に対し、その対象となる不動産の所有者等（所有権が帰属し、又は帰属していた自然人又は法人（法人でない社団又は財団を含む。）をいう。）に関する情報の提供を求めることができる。

第一五二条（**登記識別情報の安全確保**）①　登記官は、その取り扱う登記識別情報の漏えい、滅失又はき損の防止その他の登記識別情報の安全管理のために必要かつ適切な措置を講じなければならない。

②　登記官その他の不動産登記の事務に従事する法務局若しくは地方法務局若しくはこれらの支局又はこれらの出張所に勤務する法務事務官又はその職にあった者は、その事務に関して知り得た登記識別情報の作成又は管理に関する秘密を漏らしてはならない。

第一五三条（**行政手続法の適用除外**）　登記官の処分については、行政手続法（平成五年法律第八十八号）第二章及び第三章の規定は、適用しない。

第一五四条（**行政機関の保有する情報の公開に関する法律の適用除外**）　登記簿等及び筆界特定書等については、行政機関の保有する情報の公開に関する法律（平成十一年法律第四十二号）の規定は、適用しない。

第一五五条（**個人情報の保護に関する法律の適用除外**）　登記簿等に記録されている保有個人情報（個人情報の保護に関する法律（平成十五年法律第五十七号）第六十条第一項に規定する保有個人情報をいう。）については、同法第五章第四節の規定は、適用しない。

第一五六条（**審査請求**）①　登記官の処分に不服がある者又は登記官の不作為に係る処分を申請した者は、当該登記官を監督する法務局又は地方法務局の長に審査請求をすることができる。

②　審査請求は、登記官を経由してしなければならない。

第一五七条（**審査請求事件の処理**）①　登記官は、処分についての審査請求を理由があると認め、又は審査請求に係る不作為に係る処分をすべきものと認めるときは、相当の処分をしなければならない。

②　登記官は、前項に規定する場合を除き、審査請求の日から三日以内に、意見を付して事件を前条第一項の法務局又は地方法務局の長に送付しなければならない。この場合において、当該法務局又は地方法務局の長は、当該意見を行政不服審査法（平成二十六年法律第六十八号）第十一条第二項に規定する審理員に送付するものとする。

③　前条第一項の法務局又は地方法務局の長は、処分についての審査請求を理由があると認め、又は審査請求に係る不作為に係る処分をすべきものと認めるときは、登記官に相当の処分を命じ、その旨を審査請求人のほか登記上の利害関係人に通知しなければならない。

④　前条第一項の法務局又は地方法務局の長は、前項の処分を命ずる前に登記官に仮登記を命ずることができる。

⑤　前条第一項の法務局又は地方法務局の長は、審査請求に係る不作為に係る処分についての申請を却下すべきものと認めるときは、登記官に当該申請を却下する処分を命じなければならない。

⑥　前条第一項の審査請求に関する行政不服審査法の規定の適用については、同法第二十九条第五項中「処分庁等」とあるのは「審査庁」と、「弁明書の提出」とあるのは「不動産登記法（平成十六年法律第百二十三号）第百五十七条第二項に規定する意見の送付」と、同法第三十条第一項中「弁明書」とあるのは「不動産登記法第百五十七条第二項の意見」とする。

第一五八条（**行政不服審査法の適用除外**）　行政不服審査法第十三条、第十五条第六項、第十八条、第二十一条、第二十五条第二項から第七項まで、第二十九条第一項から第四項まで、第三十一条、第三十七条、第四十五条第三項、第四十六条、第四十七条、第四十九条第三項（審査請求に係る不作為が違法又は不当である旨の宣言に係る部分を除く。）から第五項まで及び第五十二条の規定は、第百五十六条第一項の審査請求については、適用しない。

第八章　罰則

第一五九条（**秘密を漏らした罪**）　第百五十二条第二項の規定に違反して登記識別情報の作成又は管理に関する秘密を漏らした者は、二年以下の拘禁刑又は百万円以下の罰金に処する。

第一六〇条（**虚偽の登記名義人確認情報を提供した罪**）　第二十三条第四項第一号（第十六条第二項において準用する場合を含む。）の規定による情報の提供をする場合において、虚偽の情報を提供したときは、当該違反行為をした者は、二年以下の拘禁刑又は五十万円以下の罰金に処する。

第一六一条（**不正に登記識別情報を取得等した罪**）①　登記簿に不実の記録をさせることとなる登記の申請又は嘱託の用に供する目的で、登記識別情報を取得した者は、二年以下の拘禁刑又は五十万円以下の罰金に処する。情を知って、その情報を提供した者も、同様とする。

② 不正に取得された登記識別情報を、前項の目的で保管した者も、同項と同様とする。

（検査の妨害等の罪）

第一六二条 次の各号のいずれかに該当する場合には、当該違反行為をした者は、三十万円以下の罰金に処する。

一 第二十九条第二項（第十六条第二項において準用する場合を含む。次号において同じ。）の規定による検査を拒み、妨げ、又は忌避したとき。

二 第二十九条第二項の規定による文書若しくは電磁的記録に記録された事項を法務省令で定める方法により表示したものの提示をせず、若しくは虚偽の文書若しくは電磁的記録に記録された事項を法務省令で定める方法により表示したものを提示し、又は質問に対し陳述をせず、若しくは虚偽の陳述をしたとき。

三 第百三十七条第五項の規定に違反して、同条第一項の規定による立入りを拒み、又は妨げたとき。

（両罰規定）

第一六三条 法人の代表者又は法人若しくは人の代理人、使用人その他の従業者が、その法人又は人の業務に関し、第百六十条又は前条の違反行為をしたときは、行為者を罰するほか、その法人又は人に対しても、各本条の罰金刑を科する。

（過料）

第一六四条① 第三十六条、第三十七条第一項若しくは第二項、第四十二条、第四十七条第一項（第四十九条第二項において準用する場合を含む。）、第四十九条第一項、第三項若しくは第四項、第五十一条第一項から第四項まで、第五十七条、第五十八条第六項若しくは第七項、第七十六条の二第一項若しくは第二項又は第七十六条の三第四項の規定による申請をすべき義務がある者が正当な理由がないのにその申請を怠ったときは、十万円以下の過料に処する。

② 第七十六条の五の規定による申請をすべき義務がある者が正当な理由がないのにその申請を怠ったときは、五万円以下の過料に処する。

＊令和三法二四（令和八・四・一施行）による改正前

（過料）

第一六四条（略、改正後の①）

②（改正により追加）

附 則（抄）

（施行期日）

第一条 この法律は、公布の日から起算して一年を超えない範囲内において政令で定める日（平成一七・三・七―平成一六政三七八）から施行する。ただし、改正後の不動産登記法（中略）第百二十七条（中略）の規定は、行政機関の保有する個人情報の保護に関する法律の施行の日（平成十七年四月一日）又はこの法律の施行の日のいずれか遅い日から施行する。

附 則（令和三・四・二八法二四）（抄）

（施行期日）

第一条 この法律は、公布の日から起算して二年を超えない範囲内において政令で定める日（令和五・四・一―令和三政三三二）から施行する。ただし、次の各号に掲げる規定は、当該各号に定める日から施行する。

一 第二条中不動産登記法第百三十一条第五項の改正規定及び附則第三十四条の規定 公布の日

二 第二条中不動産登記法（中略）第十六条第二項の改正規定、同法第四章第三節第二款中第七十四条の前に一条を加える改正規定、同法第七十六条の次に五条を加える改正規定（第七十六条の二及び第七十六条の三に係る部分に限る。）、同法第百十九条の改正規定及び同法第百六十四条の改正規定（同条に一項を加える部分を除く。）並びに附則（中略）第六条（中略）の規定 公布の日から起算して三年を超えない範囲内において政令で定める日（令和六・四・一―令和三政三三二）

三 第二条中不動産登記法第二十五条第七号の改正規定、同法第七十六条の次に五条を加える改正規定（第七十六条の四から第七十六条の六までに係る部分に限る。）、同法第百十九条の次に一条を加える改正規定、同法第百二十条第三項の改正規定及び同法第百六十四条の改正規定（同条に一項を加える部分に限る。）並びに附則第五条第七項の規定 公布の日から起算して五年を超えない範囲内において政令で定める日（令和八・四・一、令和八・二・二―令和五政二五二）

（不動産登記法の一部改正に伴う経過措置）

第五条①―⑥（略）

⑦ 第二条の規定（附則第一条第三号に掲げる改正規定に限る。）による改正後の不動産登記法（以下この項において「第三号新不動産登記法」という。）第七十六条の五の規定は、同号に掲げる規定の施行の日（以下「第三号施行日」という。）前に所有権の登記名義人の氏名若しくは名称又は住所について変更があった場合についても、適用する。この場合において、第三号新不動産登記法第七十六条の五中「所有権の登記名義人の」とあるのは「民法等の一部を改正する法律（令和三年法律第二十四号）附則第一条第三号に掲げる規定の施行の日（以下この条において「第三号施行日」という。）前に所有権の登記名義人となった者の」と、「あった日」とあるのは「あった日又は第三号施行日のいずれか遅い日」とする。

（第三号施行日の前日までの間の読替え）

第六条 第二号施行日（附則第一条第二号に掲げる規定の施行の日）から第三号施行日の前日までの間における第二号新不動産登記法（第二条の規定（附則第一条第二号に掲げる改正規定に限る。）による改正後の不動産登記法）第十六条第二項の規定の適用については、同項中「第七十六条の四まで、第七十六条の六」とあるのは、「第七十六条の三まで」とする。

（その他の経過措置の政令等への委任）

第三四条① この附則に定めるもののほか、この法律の施行に関し必要な経過措置は、政令で定める。

② 第二条の規定による不動産登記法の一部改正に伴う登記に関する手続について必要な経過措置は、法務省令で定める。

刑法等の一部を改正する法律の施行に伴う関係法律整理法中経過規定（令和四・六・一七法六八）（抄）

第四四一条から第四四三条まで（刑法の同経過規定参照）

第五〇九条（刑法の同経過規定参照）

刑法等の一部を改正する法律の施行に伴う関係法律整理法

附 則（令和四・六・一七法六八）（抄）

（施行期日）

① この法律は、刑法等一部改正法（刑法等の一部を改正する法律（令和四法六七））施行日（令和七・六・一）から施行する。ただし、次の各号に掲げる規定は、当該各号に定める日から施行する。

一 第五百九条の規定 公布の日

二 （略）

附 則（令和五・六・一六法六三）（抄）

（施行期日）

第一条（前略）次の各号に掲げる規定は、当該各号に定める日から施行する。

一 （前略）附則第七条（中略）の規定 公布の日

二 （前略）第五十六条（不動産登記法の一部改正）（中略）の規定並びに次条（中略）の規定 公布の日から起算して三年を超えない範囲内において政令で定める日

（公示送達等の方法に関する経過措置）

第二条 次に掲げる法律の規定は、前条第二号に掲げる規定の施行の日以後にする公示送達、送達又は通知について適用し、同日前にした公示送達、送達又は通知については、なお従前の例による。

一―十一　（略）
十二　第五十六条の規定による改正後の不動産登記法第百三十三条第二項
十三―十五　（略）
（政令への委任）
第七条　この附則に定めるもののほか、この法律の施行に関し必要な経過措置（中略）は、政令で定める。

附　則（令和六・五・二二法三〇）（抄）

（施行期日）
第一条　この法律は、公布の日から起算して二年を超えない範囲内において政令で定める日から施行する。（後略）

○動産及び債権の譲渡の対抗要件に関する民法の特例等に関する法律（抄）

（平成一〇・六・一二 法一〇四）

施行　平成一〇・一〇・一（平成一〇政二九五）
題名改正　平成一六法一四八（旧・債権譲渡の対抗要件に関する民法の特例等に関する法律）
最終改正　令和三法三七

目次

第一章　総則

（趣旨）

第一条　この法律は、法人がする動産及び債権の譲渡の対抗要件に関し民法（明治二十九年法律第八十九号）の特例等を定めるものとする。

（定義）

第二条①　この法律において「登記事項」とは、この法律の規定により登記すべき事項をいう。

②　この法律において「延長登記」とは、次条第二項に規定する動産譲渡登記又は第四条第二項に規定する債権譲渡登記若しくは第十四条第一項に規定する質権設定登記の存続期間を延長する登記をいう。

③　この法律において「抹消登記」とは、次条第二項に規定する動産譲渡登記又は第四条第二項に規定する債権譲渡登記若しくは第十四条第一項に規定する質権設定登記を抹消する登記をいう。

（動産の譲渡の対抗要件の特例等）

第三条①　法人が動産（当該動産につき倉荷証券、船荷証券又は複合運送証券が作成されているものを除く。以下同じ。）を譲渡した場合において、当該動産の譲渡につき動産譲渡登記ファイルに譲渡の登記がされたときは、当該動産について、民法第百七十八条の引渡しがあったものとみなす。

②　代理人によって占有されている動産の譲渡につき前項に規定する登記（以下「動産譲渡登記」という。）がされ、その譲受人として登記されている者が当該代理人に対して当該動産の引渡しを請求した場合において、当該代理人が本人に対して当該請求につき異議があれば相当の期間内にこれを述べるべき旨を遅滞なく催告し、本人がその期間内に異議を述べなかったときは、当該代理人は、その譲受人として登記されている者に当該動産を引き渡し、それによって本人に損害が生じたときであっても、その賠償の責任を負わない。

③　前二項の規定は、当該動産の譲渡に係る第十条第一項第二号に掲げる事由に基づいてされた動産譲渡登記の抹消登記について準用する。この場合において、前項中「譲受人」とあるのは、「譲渡人」と読み替えるものとする。

（債権の譲渡の対抗要件の特例等）

第四条①　法人が債権（金銭の支払を目的とするものであって、民法第三編第一章第四節の規定により譲渡されるものに限る。以下同じ。）を譲渡した場合において、当該債権の譲渡につき債権譲渡登記ファイルに譲渡の登記がされたときは、当該債権の債務者以外の第三者については、同法第四百六十七条の規定による確定日付のある証書による通知があったものとみなす。この場合においては、当該登記の日付をもって確定日付とする。

②　前項に規定する登記（以下「債権譲渡登記」という。）がされた場合において、当該債権の譲渡及びその譲渡につき債権譲渡登記がされたことについて、譲渡人若しくは譲受人が当該債権の債務者に第十一条第二項に規定する登記事項証明書を交付して通知をし、又は当該債務者が承諾をしたときは、当該債務者についても、前項と同様とする。

③　債権譲渡登記がされた場合においては、民法第四百六十六条の六第三項、第四百六十八条第一項並びに第四百六十九条第一項及び第二項の規定は、前項に規定する場合に限り適用する。この場合において、同法第四百六十六条の六第三項中「譲渡人が次条」とあるのは「譲渡人若しくは譲受人が動産及び債権の譲渡の対抗要件に関する民法の特例等に関する法律（平成十年法律第百四号）第四条第二項」と、「同条」とあるのは「同項」とする。

④　第一項及び第二項の規定は当該債権の譲渡に係る第十条第一項第二号に掲げる事由に基づいてされた債権譲渡登記の抹消登記について、民法第四百六十八条第一項並びに第四百六十九条第一項及び第二項の規定はこの項において準用する第二項に規定する場合について、それぞれ準用する。この場合において、同法第四百六十八条第一項中「対抗要件具備時」とあるのは「動産及び債権の譲渡の対抗要件に関する民法の特例等に関する法律第四条第四項において準用する同条第二項に規定する通知又は承諾がされた時（以下「対抗要件具備時」という。）」と、同項並びに同法第四百六十九条第一項及び第二項中「譲渡人」とあるのは「譲受人」と、「譲受人」とあるのは「譲渡人」と読み替えるものとする。

第二章　動産譲渡登記及び債権譲渡登記等（抄）

第五条及び第六条　（略）

（動産譲渡登記）

第七条①　指定法務局等に、磁気ディスク（これに準ずる方法により一定の事項を確実に記録することができる物を含む。次条第一項及び第十二条第一項において同じ。）をもって調製する動産譲渡登記ファイルを備える。

②　動産譲渡登記は、譲渡人及び譲受人の申請により、動産譲渡登記ファイルに、次に掲げる事項を記録することによって行う。

一　譲渡人の商号又は名称及び本店又は主たる事務所
二　譲受人の氏名及び住所（法人にあっては、商号又は名称及び本店又は主たる事務所）
三　譲渡人又は譲受人の本店又は主たる事務所が外国にあるときは、日本における営業所又は事務所
四　動産譲渡登記の登記原因及びその日付
五　譲渡に係る動産を特定するために必要な事項で法務省令で定めるもの
六　動産譲渡登記の存続期間
七　登記番号
八　登記の年月日

③　前項第六号の存続期間は、十年を超えることができない。ただし、十年を超えて存続期間を定めるべき特別の事由がある場合は、この限りでない。

④　動産譲渡登記（以下この項において「旧登記」という。）がされた譲渡に係る動産につき譲受人が更に譲渡をし、旧登記の存続期間の満了前に動産譲渡登記（以下この項において「新登記」という。）がされた場合において、新登記の存続期間が満了する日が旧登記の存続期間が満了する日の後に到来するときは、当該動産については、旧登記の存続期間は、新登記の存続期間が満了する日まで延長されたものとみなす。

⑤　動産譲渡登記がされた譲渡に係る動産につき譲受人が更に譲渡をし、当該動産譲渡登記の存続期間の満了前に民法第百七十八条の引渡しがされた場合（第三条第一項の規定により同法第百七十八条の引渡しがあったものとみなされる場合を除く。）には、当該動産については、当該動産譲渡登記の存続期間は、無

期限とみなす。

（債権譲渡登記）

第八条① 指定法務局等に、磁気ディスクをもって調製する債権譲渡登記ファイルを備える。

② 債権譲渡登記は、譲渡人及び譲受人の申請により、債権譲渡登記ファイルに、次に掲げる事項を記録することによって行う。

一 前条第二項第一号から第三号まで、第七号及び第八号に掲げる事項

二 債権譲渡登記の登記原因及びその日付

三 譲渡に係る債権（既に発生した債権のみを譲渡する場合に限る。第十条第三項第三号において同じ。）の総額

四 譲渡に係る債権を特定するために必要な事項で法務省令で定めるもの

五 債権譲渡登記の存続期間

③ 前項第五号の存続期間は、次の各号に掲げる区分に応じ、それぞれ当該各号に定める期間を超えることができない。ただし、当該期間を超えて存続期間を定めるべき特別の事由がある場合は、この限りでない。

一 譲渡に係る債権の債務者のすべてが特定している場合 五十年

二 前号に掲げる場合以外の場合 十年

④ 債権譲渡登記（以下この項において「旧登記」という。）がされた譲渡に係る債権につき譲受人が更に譲渡をし、旧登記の存続期間の満了前に債権譲渡登記（以下この項において「新登記」という。）がされた場合において、新登記の存続期間が満了する日が旧登記の存続期間が満了する日の後に到来するときは、当該債権については、旧登記の存続期間は、新登記の存続期間が満了する日まで延長されたものとみなす。

⑤ 債権譲渡登記がされた譲渡に係る債権につき譲受人が更に譲渡をし、当該債権譲渡登記の存続期間の満了前に民法第四百六十七条の規定による通知又は承諾がされた場合（第四条第一項の規定により同法第四百六十七条の規定による通知があったものとみなされる場合を除く。）には、当該債権については、当該債権譲渡登記の存続期間は、無期限とみなす。

第九条 （略）

（抹消登記）

第一〇条① 譲渡人及び譲受人は、次に掲げる事由があるときは、動産譲渡登記又は債権譲渡登記に係る抹消登記を申請することができる。

一 動産の譲渡又は債権の譲渡が効力を生じないこと。

二 動産の譲渡又は債権の譲渡が取消し、解除その他の原因により効力を失ったこと。

三 譲渡に係る動産又は譲渡に係る債権が消滅したこと。

② 前項の規定による抹消登記は、当該動産譲渡登記に係る動産譲渡登記ファイル又は当該債権譲渡登記に係る債権譲渡登記ファイルの記録に、次に掲げる事項を記録することによって行う。

一 当該動産譲渡登記又は債権譲渡登記を抹消する旨

二 抹消登記の登記原因及びその日付

三 登記番号

四 登記の年月日

③ （略）

（登記事項概要証明書等の交付）

第一一条① 何人も、指定法務局等の登記官に対し、動産譲渡登記ファイル又は債権譲渡登記ファイルに記録されている登記事項の概要（動産譲渡登記ファイル又は債権譲渡登記ファイルに記録されている事項のうち、第七条第二項第五号、第八条第二項第四号及び前条第三項第二号に掲げる事項を除いたものをいう。次条第二項及び第三項において同じ。）を証明した書面（第二十一条第一項において「登記事項概要証明書」という。）の交付を請求することができる。

② 次に掲げる者は、指定法務局等の登記官に対し、動産の譲渡又は債権の譲渡について、動産譲渡登記ファイル又は債権譲渡登記ファイルに記録されている事項を証明した書面（第二十一条第一項において「登記事項証明書」という。）の交付を請求することができる。

一 譲渡に係る動産又は譲渡に係る債権の譲渡人又は譲受人

二 譲渡に係る動産を差し押さえた債権者その他の当該動産の譲渡につき利害関係を有する者として政令で定めるもの

三 譲渡に係る債権の債務者その他の当該債権の譲渡につき利害関係を有する者として政令で定めるもの

四 譲渡に係る動産又は譲渡に係る債権の譲渡人の使用人

第一二条及び第一三条 （略）

（債権質への準用）

第一四条① 第四条（第三項を除く。）及び第八条の規定並びに第五条、第六条及び第九条から前条までの規定中債権の譲渡に係る部分は、法人が債権を目的として質権を設定した場合において当該質権の設定につき債権譲渡登記ファイルに記録された質権の設定の登記（以下「質権設定登記」という。）について、民法第四百六十八条第一項の規定はこの項において準用する第四条第二項に規定する場合について、それぞれ準用する。（後略）

② （略）

第三章 補則（第一五条から第二二条まで）（略）

附 則（抄）

（施行期日）

第一条 この法律は、公布の日から起算して一年を超えない範囲内において政令で定める日（平成一〇・一〇・一―平成一〇政二九五）から施行する。

●建物の区分所有等に関する法律（昭和三七・四・四 法 六 九）

（抄）

施行 昭和三八・四・一（附則参照）
改正 昭和五八法五一、昭和六三法一〇八、平成一四法七九・法一四〇、平成一六法七六・法一二四、平成一七法八七、平成一八法五〇、平成二〇法二三、平成二三法五三、令和二法八、令和三法二四・法三七

目次

第一章 建物の区分所有

第一節 総則

（**建物の区分所有**）
第一条 一棟の建物に構造上区分された数個の部分で独立して住居、店舗、事務所又は倉庫その他建物としての用途に供することができるものがあるときは、その各部分は、この法律の定めるところにより、それぞれ所有権の目的とすることができる。

（**定義**）
第二条① この法律において「区分所有権」とは、前条に規定する建物の部分（第四条第二項の規定により共用部分とされたものを除く。）を目的とする所有権をいう。
② この法律において「区分所有者」とは、区分所有権を有する者をいう。
③ この法律において「専有部分」とは、区分所有権の目的たる建物の部分をいう。
④ この法律において「共用部分」とは、専有部分以外の建物の部分、専有部分に属しない建物の附属物及び第四条第二項の規定により共用部分とされた附属の建物をいう。
⑤ この法律において「建物の敷地」とは、建物が所在する土地及び第五条第一項の規定により建物の敷地とされた土地をいう。
⑥ この法律において「敷地利用権」とは、専有部分を所有するための建物の敷地に関する権利をいう。

（**区分所有者の団体**）
第三条 区分所有者は、全員で、建物並びにその敷地及び附属施設の管理を行うための団体を構成し、この法律の定めるところにより、集会を開き、規約を定め、及び管理者を置くことができる。一部の区分所有者のみの共用に供されるべきことが明らかな共用部分（以下「一部共用部分」という。）をそれらの区分所有者が管理するときも、同様とする。

（**共用部分**）
第四条① 数個の専有部分に通ずる廊下又は階段室その他構造上区分所有者の全員又はその一部の共用に供されるべき建物の部分は、区分所有権の目的とならないものとする。
② 第一条に規定する建物の部分及び附属の建物は、規約により共用部分とすることができる。この場合には、その旨の登記をしなければ、これをもつて第三者に対抗することができない。

（**規約による建物の敷地**）
第五条① 区分所有者が建物及び建物が所在する土地と一体として管理又は使用をする庭、通路その他の土地は、規約により建物の敷地とすることができる。
② 建物が所在する土地が建物の一部の滅失により建物が所在する土地以外の土地となつたときは、その土地は、前項の規定により規約で建物の敷地と定められたものとみなす。建物が所在する土地の一部が分割により建物が所在する土地以外の土地となつたときも、同様とする。

（**区分所有者の権利義務等**）
第六条① 区分所有者は、建物の保存に有害な行為その他建物の管理又は使用に関し区分所有者の共同の利益に反する行為をしてはならない。
② 区分所有者は、その専有部分又は共用部分を保存し、又は改良するため必要な範囲内において、他の区分所有者の専有部分又は自己の所有に属しない共用部分の使用を請求することができる。この場合において、他の区分所有者が損害を受けたときは、その償金を支払わなければならない。
③ 第一項の規定は、区分所有者以外の専有部分の占有者（以下「占有者」という。）に準用する。
④ 民法（明治二十九年法律第八十九号）第二百六十四条の八及び第二百六十四条の十四の規定は、専有部分及び共用部分には適用しない。

（**先取特権**）
第七条① 区分所有者は、共用部分、建物の敷地若しくは共用部分以外の建物の附属施設につき他の区分所有者に対して有する債権又は規約若しくは集会の決議に基づき他の区分所有者に対して有する債権について、債務者の区分所有権（共用部分に関する権利及び敷地利用権を含む。）及び建物に備え付けた動産の上に先取特権を有する。管理者又は管理組合法人がその職務又は業務を行うにつき区分所有者に対して有する債権についても、同様とする。
② 前項の先取特権は、優先権の順位及び効力については、共益費用の先取特権とみなす。
③ 民法第三百十九条の規定は、第一項の先取特権に準用する。

（**特定承継人の責任**）
第八条 前条第一項に規定する債権は、債務者たる区分所有者の特定承継人に対しても行うことができる。

（**建物の設置又は保存の瑕疵に関する推定**）
第九条 建物の設置又は保存に瑕疵があることにより他人に損害を生じたときは、その瑕疵は、共用部分の設置又は保存にあるものと推定する。

（**区分所有権売渡請求権**）
第一〇条 敷地利用権を有しない区分所有者があるときは、その専有部分の収去を請求する権利を有する者は、その区分所有者に対し、区分所有権を時価で売り渡すべきことを請求することができる。

第二節 共用部分等

（**共用部分の共有関係**）
第一一条① 共用部分は、区分所有者全員の共有に属する。ただし、一部共用部分は、これを共用すべき区分所有者の共有に属する。
② 前項の規定は、規約で別段の定めをすることを妨げない。ただし、第二十七条第一項の場合を除いて、区分所有者以外の者を共用部分の所有者と定めることはできない。
③ 民法第百七十七条の規定は、共用部分には適用しない。

第一二条 共用部分が区分所有者の全員又はその一部の共有に属する場合には、その共用部分の共有については、次条から第十九条までに定めるところによる。

（**共用部分の使用**）
第一三条 各共有者は、共用部分をその用方に従つて使用することができる。

（共用部分の持分の割合）

第一四条① 各共有者の持分は、その有する専有部分の床面積の割合による。

② 前項の場合において、一部共用部分（附属の建物であるものを除く。）で床面積を有するものがあるときは、その一部共用部分の床面積は、これを共用すべき各区分所有者の専有部分の床面積の割合により配分して、それぞれの区分所有者の専有部分の床面積に算入するものとする。

③ 前二項の床面積は、壁その他の区画の内側線で囲まれた部分の水平投影面積による。

④ 前三項の規定は、規約で別段の定めをすることを妨げない。

（共用部分の持分の処分）

第一五条① 共有者の持分は、その有する専有部分の処分に従う。

② 共有者は、この法律に別段の定めがある場合を除いて、その有する専有部分と分離して持分を処分することができない。

（一部共用部分の管理）

第一六条 一部共用部分の管理のうち、区分所有者全員の利害に関係するもの又は第三十一条第二項の規約に定めがあるものは区分所有者全員で、その他のものはこれを共用すべき区分所有者のみで行う。

（共用部分の変更）

第一七条① 共用部分の変更（その形状又は効用の著しい変更を伴わないものを除く。）は、区分所有者及び議決権の各四分の三以上の多数による集会の決議で決する。ただし、この区分所有者の定数は、規約でその過半数まで減ずることができる。

② 前項の場合において、共用部分の変更が専有部分の使用に特別の影響を及ぼすべきときは、その専有部分の所有者の承諾を得なければならない。

（共用部分の管理）

第一八条① 共用部分の管理に関する事項は、前条の場合を除いて、集会の決議で決する。ただし、保存行為は、各共有者がすることができる。

② 前項の規定は、規約で別段の定めをすることを妨げない。

③ 前条第二項の規定は、第一項本文の場合に準用する。

④ 共用部分につき損害保険契約をすることは、共用部分の管理に関する事項とみなす。

（共用部分の負担及び利益収取）

第一九条 各共有者は、規約に別段の定めがない限りその持分に応じて、共用部分の負担に任じ、共用部分から生ずる利益を収取する。

（管理所有者の権限）

第二〇条① 第十一条第二項の規定により規約で共用部分の所有者と定められた区分所有者は、区分所有者全員（一部共用部分については、これを共用すべき区分所有者）のためにその共用部分を管理する義務を負う。この場合には、それらの区分所有者に対し、相当な管理費用を請求することができる。

② 前項の共用部分の所有者は、第十七条第一項に規定する共用部分の変更をすることができない。

（共用部分に関する規定の準用）

第二一条 建物の敷地又は共用部分以外の附属施設（これらに関する権利を含む。）が区分所有者の共有に属する場合には、第十七条から第十九条までの規定は、その敷地又は附属施設に準用する。

第三節 敷地利用権

（分離処分の禁止）

第二二条① 敷地利用権が数人で有する所有権その他の権利である場合には、区分所有者は、その有する専有部分とその専有部分に係る敷地利用権とを分離して処分することができない。ただし、規約に別段の定めがあるときは、この限りでない。

② 前項本文の場合において、区分所有者が数個の専有部分を所有するときは、各専有部分に係る敷地利用権の割合は、第十四条第一項から第三項までに定める割合による。ただし、規約でこの割合と異なる割合が定められているときは、その割合による。

③ 前二項の規定は、建物の専有部分の全部を所有する者の敷地利用権が単独で有する所有権その他の権利である場合に準用する。

（分離処分の無効の主張の制限）

第二三条 前条第一項本文（同条第三項において準用する場合を含む。）の規定に違反する専有部分又は敷地利用権の処分については、その無効を善意の相手方に主張することができない。ただし、不動産登記法（平成十六年法律第百二十三号）の定めるところにより分離して処分することができない専有部分及び敷地利用権であることを登記した後に、その処分がされたときは、この限りでない。

（民法第二百五十五条の適用除外）

第二四条 第二十二条第一項本文の場合には、民法第二百五十五条（同法第二百六十四条において準用する場合を含む。）の規定は、敷地利用権には適用しない。

第四節 管理者

（選任及び解任）

第二五条① 区分所有者は、規約に別段の定めがない限り集会の決議によつて、管理者を選任し、又は解任することができる。

② 管理者に不正な行為その他その職務を行うに適しない事情があるときは、各区分所有者は、その解任を裁判所に請求することができる。

（権限）

第二六条① 管理者は、共用部分並びに第二十一条に規定する場合における当該建物の敷地及び附属施設（次項及び第四十七条第六項において「共用部分等」という。）を保存し、集会の決議を実行し、並びに規約で定めた行為をする権利を有し、義務を負う。

② 管理者は、その職務に関し、区分所有者を代理する。第十八条第四項（第二十一条において準用する場合を含む。）の規定による損害保険契約に基づく保険金額並びに共用部分等について生じた損害賠償金及び不当利得による返還金の請求及び受領についても、同様とする。

③ 管理者の代理権に加えた制限は、善意の第三者に対抗することができない。

④ 管理者は、規約又は集会の決議により、その職務（第二項後段に規定する事項を含む。）に関し、区分所有者のために、原告又は被告となることができる。

⑤ 管理者は、前項の規約により原告又は被告となつたときは、遅滞なく、区分所有者にその旨を通知しなければならない。この場合には、第三十五条第二項から第四項までの規定を準用する。

（管理所有）

第二七条① 管理者は、規約に特別の定めがあるときは、共用部分を所有することができる。

② 第六条第二項及び第二十条の規定は、前項の場合に準用する。

（委任の規定の準用）

第二八条 この法律及び規約に定めるもののほか、管理者の権利義務は、委任に関する規定に従う。

（区分所有者の責任等）

第二九条① 管理者がその職務の範囲内において第三者との間にした行為につき区分所有者がその責めに任ずべき割合は、第十四条に定める割合と同一の割合とする。ただし、規約で建物並びにその敷地及び附属施設の管理に要する経費につき負担の割合が定められているときは、その割合による。

② 前項の行為により第三者が区分所有者に対して有する債権は、その特定承継人に対しても行うことができる。

第五節　規約及び集会

第三〇条（規約事項）① 建物又はその敷地若しくは附属施設の管理又は使用に関する区分所有者相互間の事項は、この法律に定めるもののほか、規約で定めることができる。

② 一部共用部分に関する事項で区分所有者全員の利害に関係しないものは、区分所有者全員の規約に定めがある場合を除いて、これを共用すべき区分所有者の規約で定めることができる。

③ 前二項に規定する規約は、専有部分若しくは共用部分又は建物の敷地若しくは附属施設（建物の敷地又は附属施設に関する権利を含む。）につき、これらの形状、面積、位置関係、使用目的及び利用状況並びに区分所有者が支払つた対価その他の事情を総合的に考慮して、区分所有者間の利害の衡平が図られるように定めなければならない。

④ 第一項及び第二項の場合には、区分所有者以外の者の権利を害することができない。

⑤ 規約は、書面又は電磁的記録（電子的方式、磁気的方式その他人の知覚によつては認識することができない方式で作られる記録であつて、電子計算機による情報処理の用に供されるものとして法務省令で定めるものをいう。以下同じ。）により、これを作成しなければならない。

第三一条（規約の設定、変更及び廃止）① 規約の設定、変更又は廃止は、区分所有者及び議決権の各四分の三以上の多数による集会の決議によつてする。この場合において、規約の設定、変更又は廃止が一部の区分所有者の権利に特別の影響を及ぼすべきときは、その承諾を得なければならない。

② 前条第二項に規定する事項についての区分所有者全員の規約の設定、変更又は廃止は、当該一部共用部分を共用すべき区分所有者の四分の一を超える者又はその議決権の四分の一を超える議決権を有する者が反対したときは、することができない。

第三二条（公正証書による規約の設定） 最初に建物の専有部分の全部を所有する者は、公正証書により、第四条第二項、第五条第一項並びに第二十二条第一項ただし書及び第二項ただし書（これらの規定を同条第三項において準用する場合を含む。）の規約を設定することができる。

第三三条（規約の保管及び閲覧）① 規約は、管理者が保管しなければならない。ただし、管理者がないときは、建物を使用している区分所有者又はその代理人で規約又は集会の決議で定めるものが保管しなければならない。

② 前項の規定により規約を保管する者は、利害関係人の請求があつたときは、正当な理由がある場合を除いて、規約の閲覧（規約が電磁的記録で作成されているときは、当該電磁的記録に記録された情報の内容を法務省令で定める方法により表示したものの当該規約の保管場所における閲覧）を拒んではならない。

③ 規約の保管場所は、建物内の見やすい場所に掲示しなければならない。

第三四条（集会の招集）① 集会は、管理者が招集する。

② 管理者は、少なくとも毎年一回集会を招集しなければならない。

③ 区分所有者の五分の一以上で議決権の五分の一以上を有するものは、管理者に対し、会議の目的たる事項を示して、集会の招集を請求することができる。ただし、この定数は、規約で減ずることができる。

④ 前項の規定による請求がされた場合において、二週間以内にその請求の日から四週間以内の日を会日とする集会の招集の通知が発せられなかつたときは、その請求をした区分所有者は、集会を招集することができる。

⑤ 管理者がないときは、区分所有者の五分の一以上で議決権の五分の一以上を有するものは、集会を招集することができる。ただし、この定数は、規約で減ずることができる。

第三五条（招集の通知）① 集会の招集の通知は、会日より少なくとも一週間前に、会議の目的たる事項を示して、各区分所有者に発しなければならない。ただし、この期間は、規約で伸縮することができる。

② 専有部分が数人の共有に属するときは、前項の通知は、第四十条の規定により定められた議決権を行使すべき者（その者がないときは、共有者の一人）にすれば足りる。

③ 第一項の通知は、区分所有者が管理者に対して通知を受けるべき場所を通知したときはその場所に、これを通知しなかつたときは区分所有者の所有する専有部分が所在する場所にあててすれば足りる。この場合には、同項の通知は、通常それが到達すべき時に到達したものとみなす。

④ 建物内に住所を有する区分所有者又は前項の通知を受けるべき場所を通知しない区分所有者に対する第一項の通知は、規約に特別の定めがあるときは、建物内の見やすい場所に掲示してすることができる。この場合には、同項の通知は、その掲示をした時に到達したものとみなす。

⑤ 第一項の通知をする場合において、会議の目的たる事項が第十七条第一項、第三十一条第一項、第六十一条第五項、第六十二条第一項、第六十八条第一項又は第六十九条第七項に規定する決議事項であるときは、その議案の要領をも通知しなければならない。

第三六条（招集手続の省略） 集会は、区分所有者全員の同意があるときは、招集の手続を経ないで開くことができる。

第三七条（決議事項の制限）① 集会においては、第三十五条の規定によりあらかじめ通知した事項についてのみ、決議をすることができる。

② 前項の規定は、この法律に集会の決議につき特別の定数が定められている事項を除いて、規約で別段の定めをすることを妨げない。

③ 前二項の規定は、前条の規定による集会には適用しない。

第三八条（議決権） 各区分所有者の議決権は、規約に別段の定めがない限り、第十四条に定める割合による。

第三九条（議事）① 集会の議事は、この法律又は規約に別段の定めがない限り、区分所有者及び議決権の各過半数で決する。

② 議決権は、書面で、又は代理人によつて行使することができる。

③ 区分所有者は、規約又は集会の決議により、前項の規定による書面による議決権の行使に代えて、電磁的方法（電子情報処理組織を使用する方法その他の情報通信の技術を利用する方法であつて法務省令で定めるものをいう。以下同じ。）によつて議決権を行使することができる。

第四〇条（議決権行使者の指定） 専有部分が数人の共有に属するときは、共有者は、議決権を行使すべき者一人を定めなければならない。

第四一条（議長） 集会においては、規約に別段の定めがある場合及び別段の決議をした場合を除いて、管理者又は集会を招集した区分所有者の一人が議長となる。

第四二条（議事録）① 集会の議事については、議長は、書面又は電磁的記録により、議事録を作成しなければならない。

② 議事録には、議事の経過の要領及びその結果を記載し、又は記録しなければならない。

③ 前項の場合において、議事録が書面で作成されているときは、議長及び集会に出席した区分所有者の二人がこれに署名し

なければならない。

④ 第二項の場合において、議事録が電磁的記録で作成されているときは、当該電磁的記録に記録された情報については、議長及び集会に出席した区分所有者の二人が行う法務省令で定める署名に代わる措置を執らなければならない。

⑤ 第三十三条の規定は、議事録について準用する。

（事務の報告）

第四三条 管理者は、集会において、毎年一回一定の時期に、その事務に関する報告をしなければならない。

（占有者の意見陳述権）

第四四条① 区分所有者の承諾を得て専有部分を占有する者は、会議の目的たる事項につき利害関係を有する場合には、集会に出席して意見を述べることができる。

② 前項に規定する場合には、集会を招集する者は、第三十五条の規定により招集の通知を発した後遅滞なく、集会の日時、場所及び会議の目的たる事項を建物内の見やすい場所に掲示しなければならない。

（書面又は電磁的方法による決議）

第四五条① この法律又は規約により集会において決議をすべき場合において、区分所有者全員の承諾があるときは、書面又は電磁的方法による決議をすることができる。ただし、電磁的方法による決議に係る区分所有者の承諾については、法務省令で定めるところによらなければならない。

② この法律又は規約により集会において決議すべきものとされた事項については、区分所有者全員の書面又は電磁的方法による合意があつたときは、書面又は電磁的方法による決議があつたものとみなす。

③ この法律又は規約により集会において決議すべきものとされた事項についての書面又は電磁的方法による決議は、集会の決議と同一の効力を有する。

④ 第三十三条の規定は、書面又は電磁的方法による決議に係る書面並びに第一項及び第二項の電磁的方法が行われる場合に当該電磁的方法により作成される電磁的記録について準用する。

⑤ 集会に関する規定は、書面又は電磁的方法による決議について準用する。

（規約及び集会の決議の効力）

第四六条① 規約及び集会の決議は、区分所有者の特定承継人に対しても、その効力を生ずる。

② 占有者は、建物又はその敷地若しくは附属施設の使用方法につき、区分所有者が規約又は集会の決議に基づいて負う義務と同一の義務を負う。

第六節　管理組合法人

（成立等）

第四七条① 第三条に規定する団体は、区分所有者及び議決権の各四分の三以上の多数による集会の決議で法人となる旨並びにその名称及び事務所を定め、かつ、その主たる事務所の所在地において登記をすることによつて法人となる。

② 前項の規定による法人は、管理組合法人と称する。

③ この法律に規定するもののほか、管理組合法人の登記に関して必要な事項は、政令で定める。

④ 管理組合法人に関して登記すべき事項は、登記した後でなければ、第三者に対抗することができない。

⑤ 管理組合法人の成立前の集会の決議、規約及び管理者の職務の範囲内の行為は、管理組合法人につき効力を生ずる。

⑥ 管理組合法人は、その事務に関し、区分所有者を代理する。第十八条第四項（第二十一条において準用する場合を含む。）の規定による損害保険契約に基づく保険金額並びに共用部分等について生じた損害賠償金及び不当利得による返還金の請求及び受領についても、同様とする。

⑦ 管理組合法人の代理権に加えた制限は、善意の第三者に対抗することができない。

⑧ 管理組合法人は、規約又は集会の決議により、その事務（第六項後段に規定する事項を含む。）に関し、区分所有者のために、原告又は被告となることができる。

⑨ 管理組合法人は、前項の規約により原告又は被告となつたときは、遅滞なく、区分所有者にその旨を通知しなければならない。この場合においては、第三十五条第二項から第四項までの規定を準用する。

⑩ 一般社団法人及び一般財団法人に関する法律（平成十八年法律第四十八号）第四条及び第七十八条の規定は管理組合法人に、破産法（平成十六年法律第七十五号）第十六条第二項の規定は存立中の管理組合法人に準用する。

⑪ 第四節及び第三十三条第一項ただし書（第四十二条第五項及び第四十五条第四項において準用する場合を含む。）の規定は、管理組合法人には、適用しない。

⑫ 管理組合法人について、第三十三条第一項本文（第四十二条第五項及び第四十五条第四項において準用する場合を含む。以下この項において同じ。）の規定を適用する場合には第三十三条第一項本文中「管理者が」とあるのは「理事が管理組合法人の事務所において」と、第三十四条第一項から第三項まで及び第五項、第三十五条第三項、第四十一条並びに第四十三条の規定を適用する場合にはこれらの規定中「管理者」とあるのは「理事」とする。

⑬ 管理組合法人は、法人税法（昭和四十年法律第三十四号）その他法人税に関する法令の規定の適用については、同法第二条第六号に規定する公益法人等とみなす。この場合において、同法第三十七条の規定を適用する場合には同条第四項中「公益法人等（」とあるのは「公益法人等（管理組合法人並びに」と、同法第六十六条の規定を適用する場合には同条第一項中「普通法人」とあるのは「普通法人（管理組合法人を含む。）」と、同条第二項中「除く」とあるのは「除くものとし、管理組合法人を含む」と、同条第三項中「公益法人等（」とあるのは「公益法人等（管理組合法人及び」とする。

⑭ 管理組合法人は、消費税法（昭和六十三年法律第百八号）その他消費税に関する法令の規定の適用については、同法別表第三に掲げる法人とみなす。

（名称）

第四八条① 管理組合法人は、その名称中に管理組合法人という文字を用いなければならない。

② 管理組合法人でないものは、その名称中に管理組合法人という文字を用いてはならない。

（財産目録及び区分所有者名簿）

第四八条の二① 管理組合法人は、設立の時及び毎年一月から三月までの間に財産目録を作成し、常にこれをその主たる事務所に備え置かなければならない。ただし、特に事業年度を設けるものは、設立の時及び毎事業年度の終了の時に財産目録を作成しなければならない。

② 管理組合法人は、区分所有者名簿を備え置き、区分所有者の変更があるごとに必要な変更を加えなければならない。

（理事）

第四九条① 管理組合法人には、理事を置かなければならない。

② 理事が数人ある場合において、規約に別段の定めがないときは、管理組合法人の事務は、理事の過半数で決する。

③ 理事は、管理組合法人を代表する。

④ 理事が数人あるときは、各自管理組合法人を代表する。

⑤ 前項の規定は、規約若しくは集会の決議によつて、管理組合法人を代表すべき理事を定め、若しくは数人の理事が共同して管理組合法人を代表すべきことを定め、又は規約の定めに基づき理事の互選によつて管理組合法人を代表すべき理事を定めることを妨げない。

⑥ 理事の任期は、二年とする。ただし、規約で三年以内において別段の期間を定めたときは、その期間とする。

⑦ 理事が欠けた場合又は規約で定めた理事の員数が欠けた場合には、任期の満了又は辞任により退任した理事は、新たに選任

された理事（第四十九条の四第一項の仮理事を含む。）が就任するまで、なおその職務を行う。
⑧ 第二十五条の規定は、理事に準用する。

（理事の代理権）
第四九条の二 理事の代理権に加えた制限は、善意の第三者に対抗することができない。

（理事の代理行為の委任）
第四九条の三 理事は、規約又は集会の決議によつて禁止されていないときに限り、特定の行為の代理を他人に委任することができる。

（仮理事）
第四九条の四① 理事が欠けた場合において、事務が遅滞することにより損害を生ずるおそれがあるときは、裁判所は、利害関係人又は検察官の請求により、仮理事を選任しなければならない。
② 仮理事の選任に関する事件は、管理組合法人の主たる事務所の所在地を管轄する地方裁判所の管轄に属する。

（監事）
第五〇条① 管理組合法人には、監事を置かなければならない。
② 監事は、理事又は管理組合法人の使用人と兼ねてはならない。
③ 監事の職務は、次のとおりとする。
一 管理組合法人の財産の状況を監査すること。
二 理事の業務の執行の状況を監査すること。
三 財産の状況又は業務の執行について、法令若しくは規約に違反し、又は著しく不当な事項があると認めるときは、集会に報告をすること。
四 前号の報告をするため必要があるときは、集会を招集すること。
④ 第二十五条、第四十九条第六項及び第七項並びに前条の規定は、監事に準用する。

（監事の代表権）
第五一条 管理組合法人と理事との利益が相反する事項については、監事が管理組合法人を代表する。

（事務の執行）
第五二条① 管理組合法人の事務は、この法律に定めるもののほか、すべて集会の決議によつて行う。ただし、この法律に集会の決議につき特別の定数が定められている事項及び第五十七条第二項に規定する事項を除いて、規約で、理事その他の役員が決するものとすることができる。
② 前項の規定にかかわらず、保存行為は、理事が決することができる。

（区分所有者の責任）
第五三条① 管理組合法人の財産をもつてその債務を完済することができないときは、区分所有者は、第十四条に定める割合と同一の割合で、その債務の弁済の責めに任ずる。ただし、第二十九条第一項ただし書に規定する負担の割合が定められているときは、その割合による。
② 管理組合法人の財産に対する強制執行がその効を奏しなかつたときも、前項と同様とする。
③ 前項の規定は、区分所有者が管理組合法人に資力があり、かつ、執行が容易であることを証明したときは、適用しない。

（特定承継人の責任）
第五四条 区分所有者の特定承継人は、その承継前に生じた管理組合法人の債務についても、その区分所有者が前条の規定により負う責任と同一の責任を負う。

（解散）
第五五条① 管理組合法人は、次の事由によつて解散する。
一 建物（一部共用部分を共用すべき区分所有者で構成する管理組合法人にあつては、その共用部分）の全部の滅失
二 建物に専有部分がなくなつたこと。
三 集会の決議
② 前項第三号の決議は、区分所有者及び議決権の各四分の三以上の多数でする。

（清算中の管理組合法人の能力）
第五五条の二 解散した管理組合法人は、清算の目的の範囲内において、その清算の結了に至るまではなお存続するものとみなす。

（清算人）
第五五条の三 管理組合法人が解散したときは、破産手続開始の決定による解散の場合を除き、理事がその清算人となる。ただし、規約に別段の定めがあるとき、又は集会において理事以外の者を選任したときは、この限りでない。

（裁判所による清算人の選任）
第五五条の四 前条の規定により清算人となる者がないとき、又は清算人が欠けたため損害を生ずるおそれがあるときは、裁判所は、利害関係人若しくは検察官の請求により又は職権で、清算人を選任することができる。

（清算人の解任）
第五五条の五 重要な事由があるときは、裁判所は、利害関係人若しくは検察官の請求により又は職権で、清算人を解任することができる。

（清算人の職務及び権限）
第五五条の六① 清算人の職務は、次のとおりとする。
一 現務の結了
二 債権の取立て及び債務の弁済
三 残余財産の引渡し
② 清算人は、前項各号に掲げる職務を行うために必要な一切の行為をすることができる。

（債権の申出の催告等）
第五五条の七① 清算人は、その就職の日から二月以内に、少なくとも三回の公告をもつて、債権者に対し、一定の期間内にその債権の申出をすべき旨の催告をしなければならない。この場合において、その期間は、二月を下ることができない。
② 前項の公告には、債権者がその期間内に申出をしないときは清算から除斥されるべき旨を付記しなければならない。ただし、清算人は、知れている債権者を除斥することができない。
③ 清算人は、知れている債権者には、各別にその申出の催告をしなければならない。
④ 第一項の公告は、官報に掲載してする。

（期間経過後の債権の申出）
第五五条の八 前条第一項の期間の経過後に申出をした債権者は、管理組合法人の債務が完済された後まだ権利の帰属すべき者に引き渡されていない財産に対してのみ、請求をすることができる。

（清算中の管理組合法人についての破産手続の開始）
第五五条の九① 清算中に管理組合法人の財産がその債務を完済するのに足りないことが明らかになつたときは、清算人は、直ちに破産手続開始の申立てをし、その旨を公告しなければならない。
② 清算人は、清算中の管理組合法人が破産手続開始の決定を受けた場合において、破産管財人にその事務を引き継いだときは、その任務を終了したものとする。
③ 前項に規定する場合において、清算中の管理組合法人が既に債権者に支払い、又は権利の帰属すべき者に引き渡したものがあるときは、破産管財人は、これを取り戻すことができる。
④ 第一項の規定による公告は、官報に掲載してする。

（残余財産の帰属）
第五六条 解散した管理組合法人の財産は、規約に別段の定めがある場合を除いて、第十四条に定める割合と同一の割合で各区分所有者に帰属する。

（裁判所による監督）
第五六条の二① 管理組合法人の解散及び清算は、裁判所の監督に属する。
② 裁判所は、職権で、いつでも前項の監督に必要な検査をすることができる。

第五六条の三（解散及び清算の監督等に関する事件の管轄） 管理組合法人の解散及び清算の監督並びに清算人に関する事件は、その主たる事務所の所在地を管轄する地方裁判所の管轄に属する。

第五六条の四（不服申立ての制限） 清算人の選任の裁判に対しては、不服を申し立てることができない。

第五六条の五（裁判所の選任する清算人の報酬） 裁判所は、第五十五条の四の規定により清算人を選任した場合には、管理組合法人が当該清算人に対して支払う報酬の額を定めることができる。この場合においては、裁判所は、当該清算人及び監事の陳述を聴かなければならない。

第五六条の六 削除

第五六条の七（検査役の選任）① 裁判所は、管理組合法人の解散及び清算の監督に必要な調査をさせるため、検査役を選任することができる。

② 第五十六条の四及び第五十六条の五の規定は、前項の規定により裁判所が検査役を選任した場合について準用する。この場合において、同条中「清算人及び監事」とあるのは、「管理組合法人及び検査役」と読み替えるものとする。

第七節 義務違反者に対する措置

第五七条（共同の利益に反する行為の停止等の請求）① 区分所有者が第六条第一項に規定する行為をした場合又はその行為をするおそれがある場合には、他の区分所有者の全員又は管理組合法人は、区分所有者の共同の利益のため、その行為を停止し、その行為の結果を除去し、又はその行為を予防するため必要な措置を執ることを請求することができる。

② 前項の規定に基づき訴訟を提起するには、集会の決議によらなければならない。

③ 管理者又は集会において指定された区分所有者は、集会の決議により、第一項の他の区分所有者の全員のために、前項に規定する訴訟を提起することができる。

④ 前三項の規定は、占有者が第六条第三項において準用する同条第一項に規定する行為をした場合及びその行為をするおそれがある場合に準用する。

第五八条（使用禁止の請求）① 前条第一項に規定する場合において、第六条第一項に規定する行為による区分所有者の共同生活上の障害が著しく、前条第一項に規定する請求によつてはその障害を除去して共用部分の利用の確保その他の区分所有者の共同生活の維持を図ることが困難であるときは、他の区分所有者の全員又は管理組合法人は、集会の決議に基づき、訴えをもつて、相当の期間の当該行為に係る区分所有者による専有部分の使用の禁止を請求することができる。

② 前項の決議は、区分所有者及び議決権の各四分の三以上の多数でする。

③ 第一項の決議をするには、あらかじめ、当該区分所有者に対し、弁明する機会を与えなければならない。

④ 前条第三項の規定は、第一項の訴えの提起に準用する。

第五九条（区分所有権の競売の請求）① 第五十七条第一項に規定する場合において、第六条第一項に規定する行為による区分所有者の共同生活上の障害が著しく、他の方法によつてはその障害を除去して共用部分の利用の確保その他の区分所有者の共同生活の維持を図ることが困難であるときは、他の区分所有者の全員又は管理組合法人は、集会の決議に基づき、訴えをもつて、当該行為に係る区分所有者の区分所有権及び敷地利用権の競売を請求することができる。

② 第五十七条第三項の規定は前項の訴えの提起に、前条第二項及び第三項の規定は前項の決議に準用する。

③ 第一項の規定による判決に基づく競売の申立ては、その判決が確定した日から六月を経過したときは、することができない。

④ 前項の競売においては、競売を申し立てられた区分所有者又はその者の計算において買い受けようとする者は、買受けの申出をすることができない。

第六〇条（占有者に対する引渡し請求）① 第五十七条第四項に規定する場合において、第六条第三項において準用する同条第一項に規定する行為による区分所有者の共同生活上の障害が著しく、他の方法によつてはその障害を除去して共用部分の利用の確保その他の区分所有者の共同生活の維持を図ることが困難であるときは、区分所有者の全員又は管理組合法人は、集会の決議に基づき、訴えをもつて、当該行為に係る占有者が占有する専有部分の使用又は収益を目的とする契約の解除及びその専有部分の引渡しを請求することができる。

② 第五十七条第三項の規定は前項の訴えの提起に、第五十八条第二項及び第三項の規定は前項の決議に準用する。

③ 第一項の規定による判決に基づき専有部分の引渡しを受けた者は、遅滞なく、その専有部分を占有する権原を有する者にこれを引き渡さなければならない。

第八節 復旧及び建替え

第六一条（建物の一部が滅失した場合の復旧等）① 建物の価格の二分の一以下に相当する部分が滅失したときは、各区分所有者は、滅失した共用部分及び自己の専有部分を復旧することができる。ただし、共用部分については、復旧の工事に着手するまでに第三項、次条第一項又は第七十条第一項の決議があつたときは、この限りでない。

② 前項の規定により共用部分を復旧した者は、他の区分所有者に対し、復旧に要した金額を第十四条に定める割合に応じて償還すべきことを請求することができる。

③ 第一項本文に規定する場合には、集会において、滅失した共用部分を復旧する旨の決議をすることができる。

④ 前三項の規定は、規約で別段の定めをすることを妨げない。

⑤ 第一項本文に規定する場合を除いて、建物の一部が滅失したときは、集会において、区分所有者及び議決権の各四分の三以上の多数で、滅失した共用部分を復旧する旨の決議をすることができる。

⑥ 前項の決議をした集会の議事録には、その決議についての各区分所有者の賛否をも記載し、又は記録しなければならない。

⑦ 第五項の決議があつた場合において、その決議の日から二週間を経過したときは、次項の場合を除き、その決議に賛成した区分所有者（その承継人を含む。以下この条において「決議賛成者」という。）以外の区分所有者は、決議賛成者の全部又は一部に対し、建物及びその敷地に関する権利を時価で買い取るべきことを請求することができる。この場合において、その請求を受けた決議賛成者は、その請求の日から二月以内に、他の決議賛成者の全部又は一部に対し、決議賛成者以外の区分所有者を除いて算定した第十四条に定める割合に応じて当該建物及びその敷地に関する権利を時価で買い取るべきことを請求することができる。

⑧ 第五項の決議の日から二週間以内に、決議賛成者がその全員の合意により建物及びその敷地に関する権利を買い取ることができる者を指定し、かつ、その指定された者（以下この条において「買取指定者」という。）がその旨を決議賛成者以外の区分所有者に対して書面で通知したときは、その通知を受けた区分所有者は、買取指定者に対してのみ、前項前段に規定する請求をすることができる。

⑨ 買取指定者は、前項の規定による書面による通知に代えて、法務省令で定めるところにより、同項の規定による通知を受けるべき区分所有者の承諾を得て、電磁的方法により買取指定者の指定がされた旨を通知することができる。この場合において、当該買取指定者は、当該書面による通知をしたものとみなす。

⑩ 買取指定者が第七項前段に規定する請求に基づく売買の代金に係る債務の全部又は一部の弁済をしないときは、決議賛成者（買取指定者となつたものを除く。以下この項及び第十五項において同じ。）は、連帯してその債務の全部又は一部の弁済の責めに任ずる。ただし、決議賛成者が買取指定者に資力があり、かつ、執行が容易であることを証明したときは、この限りでない。

⑪ 第五項の集会を招集した者（買取指定者の指定がされているときは、当該買取指定者。次項において同じ。）は、決議賛成者以外の区分所有者に対し、四月以上の期間を定めて、第七項前段に規定する請求をするか否かを確答すべき旨を書面で催告することができる。

⑫ 第五項の集会を招集した者は、前項の規定による書面による催告に代えて、法務省令で定めるところにより、同項に規定する区分所有者の承諾を得て、電磁的方法により第七項前段に規定する請求をするか否かを確答すべき旨を催告することができる。この場合において、当該第五項の集会を招集した者は、当該書面による催告をしたものとみなす。

⑬ 第十一項に規定する催告を受けた区分所有者は、同項の規定により定められた期間を経過したときは、第七項前段に規定する請求をすることができない。

⑭ 第五項に規定する場合において、建物の一部が滅失した日から六月以内に同項、次条第一項又は第七十条第一項の決議がないときは、各区分所有者は、他の区分所有者に対し、建物及びその敷地に関する権利を時価で買い取るべきことを請求することができる。

⑮ 第二項、第七項、第八項及び前項の場合には、裁判所は、償還若しくは買取りの請求を受けた区分所有者、買取りの請求を受けた買取指定者又は第十項本文に規定する債務について履行の請求を受けた決議賛成者の請求により、償還金又は代金の支払につき相当の期限を許与することができる。

（建替え決議）

第六二条① 集会においては、区分所有者及び議決権の各五分の四以上の多数で、建物を取り壊し、かつ、当該建物の敷地若しくはその一部の土地又は当該建物の敷地の全部若しくは一部を含む土地に新たに建物を建築する旨の決議（以下「建替え決議」という。）をすることができる。

② 建替え決議においては、次の事項を定めなければならない。

一 新たに建築する建物（以下この項において「再建建物」という。）の設計の概要

二 建物の取壊し及び再建建物の建築に要する費用の概算額

三 前号に規定する費用の分担に関する事項

四 再建建物の区分所有権の帰属に関する事項

③ 前項第三号及び第四号の事項は、各区分所有者の衡平を害しないように定めなければならない。

④ 第一項に規定する決議事項を会議の目的とする集会を招集するときは、第三十五条第一項の通知は、同項の規定にかかわらず、当該集会の会日より少なくとも二月前に発しなければならない。ただし、この期間は、規約で伸長することができる。

⑤ 前項に規定する場合において、第三十五条第一項の通知をするときは、同条第五項に規定する議案の要領のほか、次の事項をも通知しなければならない。

一 建替えを必要とする理由

二 建物の建替えをしないとした場合における当該建物の効用の維持又は回復（建物が通常有すべき効用の確保を含む。）をするのに要する費用の額及びその内訳

三 建物の修繕に関する計画が定められているときは、当該計画の内容

四 建物につき修繕積立金として積み立てられている金額

⑥ 第四項の集会を招集した者は、当該集会の会日より少なくとも一月前までに、当該招集の際に通知すべき事項について区分所有者に対し説明を行うための説明会を開催しなければならない。

⑦ 第三十五条第一項から第四項まで及び第三十六条の規定は、前項の説明会の開催について準用する。この場合において、第三十五条第一項ただし書中「伸縮する」とあるのは、「伸長する」と読み替えるものとする。

⑧ 前条第六項の規定は、建替え決議をした集会の議事録について準用する。

（区分所有権等の売渡し請求等）

第六三条① 建替え決議があつたときは、集会を招集した者は、遅滞なく、建替え決議に賛成しなかつた区分所有者（その承継人を含む。）に対し、建替え決議の内容により建替えに参加するか否かを回答すべき旨を書面で催告しなければならない。

② 集会を招集した者は、前項の規定による書面による催告に代えて、法務省令で定めるところにより、同項に規定する区分所有者の承諾を得て、電磁的方法により建替え決議の内容により建替えに参加するか否かを回答すべき旨を催告することができる。この場合において、当該集会を招集した者は、当該書面による催告をしたものとみなす。

③ 第一項に規定する区分所有者は、同項の規定による催告を受けた日から二月以内に回答しなければならない。

④ 前項の期間内に回答しなかつた第一項に規定する区分所有者は、建替えに参加しない旨を回答したものとみなす。

⑤ 第三項の期間が経過したときは、建替え決議に賛成した各区分所有者若しくは建替え決議の内容により建替えに参加する旨を回答した各区分所有者（これらの者の承継人を含む。）又はこれらの者の全員の合意により区分所有権及び敷地利用権を買い受けることができる者として指定された者（以下「買受指定者」という。）は、同項の期間の満了の日から二月以内に、建替えに参加しない旨を回答した区分所有者（その承継人を含む。）に対し、区分所有権及び敷地利用権を時価で売り渡すべきことを請求することができる。建替え決議があつた後にこの区分所有者から敷地利用権のみを取得した者（その承継人を含む。）の敷地利用権についても、同様とする。

⑥ 前項の規定による請求があつた場合において、建替えに参加しない旨を回答した区分所有者が建物の明渡しによりその生活上著しい困難を生ずるおそれがあり、かつ、建替え決議の遂行に甚だしい影響を及ぼさないものと認めるべき顕著な事由があるときは、裁判所は、その者の請求により、代金の支払又は提供の日から一年を超えない範囲内において、建物の明渡しにつき相当の期限を許与することができる。

⑦ 建替え決議の日から二年以内に建物の取壊しの工事に着手しない場合には、第五項の規定により区分所有権又は敷地利用権を売り渡した者は、この期間の満了の日から六月以内に、買主が支払つた代金に相当する金銭をその区分所有権又は敷地利用権を現在有する者に提供して、これらの権利を売り渡すべきことを請求することができる。ただし、建物の取壊しの工事に着手しなかつたことにつき正当な理由があるときは、この限りでない。

⑧ 前項本文の規定は、同項ただし書に規定する場合において、建物の取壊しの工事の着手を妨げる理由がなくなつた日から六月以内にその着手をしないときに準用する。この場合において、同項本文中「この期間の満了の日から六月以内に」とあるのは、「建物の取壊しの工事の着手を妨げる理由がなくなつたことを知つた日から六月又はその理由がなくなつた日から二年のいずれか早い時期までに」と読み替えるものとする。

（建替えに関する合意）

第六四条 建替え決議に賛成した各区分所有者、建替え決議の内容により建替えに参加する旨を回答した各区分所有者及び区分所有権又は敷地利用権を買い受けた各買受指定者（これらの者の承継人を含む。）は、建替え決議の内容により建替えを行う旨の合意をしたものとみなす。

第二章 団地（抄）

（団地建物所有者の団体）

第六五条 一団地内に数棟の建物があつて、その団地内の土地又は附属施設（これらに関する権利を含む。）がそれらの建物の所有者（専有部分のある建物にあつては、区分所有者）の共有に属する場合には、それらの所有者（以下「団地建物所有者」という。）は、全員で、その団地内の土地、附属施設及び専有部分のある建物の管理を行うための団体を構成し、この法律の定めるところにより、集会を開き、規約を定め、及び管理者を置くことができる。

第六六条から第七〇条まで　（略）

第三章　罰則

（第七一条及び第七二条）（略）

附　則（抄）

（施行期日）

第一条① この法律は、昭和三十八年四月一日から施行する。

② 第十七条及び第二十四条から第三十四条まで（第三十六条においてこれらの規定を準用する場合を含む。）の規定は、前項の規定にかかわらず、公布の日から施行する。ただし、昭和三十八年四月一日前においては、この法律中その他の規定の施行に伴う準備のため必要な範囲内においてのみ、適用があるものとする。

○仮登記担保契約に関する法律（昭和五三・六・二〇 法 七 八）

施行 昭和五四・四・一（昭和五三政二九九）
最終改正 平成一六法一五二

（趣旨）

第一条 この法律は、金銭債務を担保するため、その不履行があるときは債権者に債務者又は第三者に属する所有権その他の権利の移転等をすることを目的としてされた代物弁済の予約、停止条件付代物弁済契約その他の契約で、その契約による権利について仮登記又は仮登録のできるもの（以下「仮登記担保契約」という。）の効力等に関し、特別の定めをするものとする。

（所有権移転の効力の制限等）

第二条① 仮登記担保契約が土地又は建物（以下「土地等」という。）の所有権の移転を目的とするものである場合には、予約を完結する意思を表示した日、停止条件が成就した日その他のその契約において所有権を移転するものとされている日以後に、債権者が次条に規定する清算金の見積額（清算金がないと認めるときは、その旨）をその契約の相手方である債務者又は第三者（以下「債務者等」という。）に通知し、かつ、その通知が債務者等に到達した日から二月を経過しなければ、その所有権の移転の効力は、生じない。

② 前項の規定による通知は、同項に規定する期間（以下「清算期間」という。）が経過する時の土地等の見積価額並びにその時の債権及び債務者等が負担すべき費用で債権者が代わつて負担したもの（土地等が二個以上あるときは、各土地等の所有権の移転によつて消滅させようとする債権及びその費用をいう。）の額（以下「債権等の額」という。）を明らかにしてしなければならない。

（清算金）

第三条① 債権者は、清算期間が経過した時の土地等の価額がその時の債権等の額を超えるときは、その超える額に相当する金銭（以下「清算金」という。）を債務者等に支払わなければならない。

② 民法（明治二十九年法律第八十九号）第五百三十三条の規定は、清算金の支払の債務と土地等の所有権移転の登記及び引渡しの債務の履行について準用する。

③ 前二項の規定に反する特約で債務者等に不利なものは、無効とする。ただし、清算期間が経過した後にされたものは、この限りでない。

（物上代位）

第四条① 第二条第一項に規定する場合において、債権者のために土地等の所有権の移転に関する仮登記がされているときは、その仮登記（以下「担保仮登記」という。）後に登記（仮登記を含む。）がされた先取特権、質権又は抵当権を有する者は、その順位により、債務者等が支払を受けるべき清算金（同項の規定による通知に係る清算金の見積額を限度とする。）に対しても、その権利を行うことができる。この場合には、清算金の払渡しの前に差押えをしなければならない。

② 前項の規定は、担保仮登記後にされた担保仮登記（第十四条の担保仮登記を除く。以下「後順位の担保仮登記」という。）の権利者について準用する。

③ 第十三条第二項及び第三項の規定は、後順位の担保仮登記の権利者が前項の規定によりその権利を行う場合について準用する。

（物上代位権者等に対する通知）

第五条① 第二条第一項の規定による通知が債務者等に到達した時において、担保仮登記後に登記（仮登記を含む。）がされている先取特権、質権若しくは抵当権を有する者又は後順位の担保仮登記の権利者があるときは、債権者は、遅滞なく、これらの者に対し、同項の規定による通知をした旨、その通知が債務者等に到達した日及び同条の規定により債務者等に通知した事項を通知しなければならない。

② 第二条第一項の規定による通知が債務者等に到達した時において、担保仮登記に基づく本登記につき登記上利害関係を有する第三者（前項の規定による通知を受けるべき者を除く。）があるときは、債権者は、遅滞なく、その第三者に対し、同条第一項の規定による通知をした旨及び同条の規定により債務者等に通知した債権等の額を通知しなければならない。

③ 前二項の規定による通知は、通知を受ける者の登記簿上の住所又は事務所にあてて発すれば足りる。

（清算金の支払に関する処分の禁止）

第六条① 清算金の支払を目的とする債権については、清算期間が経過するまでは、譲渡その他の処分をすることができない。

② 清算期間が経過する前に清算金の支払の債務が弁済された場合には、その弁済をもつて第四条第一項の先取特権、質権若しくは抵当権を有する者又は後順位の担保仮登記の権利者に対抗することができない。前条第一項の規定による通知がされないで清算金の支払の債務が弁済された場合も、同様とする。

（清算金の供託）

第七条① 債権者は、清算金の支払を目的とする債権につき差押え又は仮差押えの執行があつたときは、清算期間が経過した後、清算金を債務履行地の供託所に供託して、その限度において債務を免れることができる。

② 前項の規定により供託がされたときは、債務者等の供託金の還付請求権につき、同項の差押え又は仮差押えの執行がされたものとみなす。

③ 債権者は、第十五条第一項に規定する場合を除き、供託金を取り戻すことができない。

④ 債権者は、債務者等のほか、差押債権者又は仮差押債権者に対しても、遅滞なく、供託の通知をしなければならない。

（通知の拘束力）

第八条① 債権者は、清算金の額が第二条第一項の規定により通知した清算金の見積額に満たないことを主張することができない。

② 第四条第一項の先取特権、質権若しくは抵当権を有する者又は後順位の担保仮登記の権利者は、清算金の額が前項の見積額を超えることを主張することができない。

（債権の一部消滅）

第九条 清算期間が経過した時の土地等の価額がその時の債権等の額に満たないときは、債権は、反対の特約がない限り、その価額の限度において消滅する。

（法定借地権）

第一〇条 土地及びその上にある建物が同一の所有者に属する場合において、その土地につき担保仮登記がされたときは、その仮登記に基づく本登記がされる場合につき、その建物の所有を目的として土地の賃貸借がされたものとみなす。この場合において、その存続期間及び借賃は、当事者の請求により、裁判所が定める。

（受戻権）

第一一条 債務者等は、清算金の支払の債務の弁済を受けるまでは、債権等の額（債権が消滅しなかつたものとすれば、債務者が支払うべき債権等の額をいう。）に相当する金銭を債権者に提供して、土地等の所有権の受戻しを請求することができる。ただし、清算期間が経過した時から五年が経過したとき、又は第三者が所有権を取得したときは、この限りでない。

（競売の請求）

第一二条 第四条第一項の先取特権、質権又は抵当権を有する者は、清算期間内は、これらの権利によつて担保される債権の弁済期の到来前であつても、土地等の競売を請求することができる。

（優先弁済請求権）

第一三条① 担保仮登記がされている土地等に対する強制競売、担保権の実行としての競売又は企業担保権の実行手続（以下「強制競売等」という。）においては、その担保仮登記の権利者は、他の債権者に先立つて、その債権の弁済を受けることができる。この場合における順位に関しては、その担保仮登記に係る権利を抵当権とみなし、その担保仮登記のされた時にその抵当権の設定の登記がされたものとみなす。

② 前項の場合において、担保仮登記の権利者が利息その他の定期金を請求する権利を有するときは、その満期となつた最後の二年分についてのみ、同項の規定による権利を行うことができる。

③ 前項の規定は、担保仮登記の権利者が債務の不履行によつて生じた損害の賠償を請求する権利を有する場合において、その最後の二年分についても、これを適用する。ただし、利息その他の定期金と通算して二年分を超えることができない。

（根担保仮登記の効力）

第一四条 仮登記担保契約で、消滅すべき金銭債務がその契約の時に特定されていないものに基づく担保仮登記は、強制競売等においては、その効力を有しない。

（強制競売等の場合の担保仮登記）

第一五条① 担保仮登記がされている土地等につき強制競売等の開始の決定があつた場合において、その決定が清算金の支払の債務の弁済前（清算金がないときは、清算期間の経過前）にされた申立てに基づくときは、担保仮登記の権利者は、その仮登記に基づく本登記の請求をすることができない。

② 前項の強制競売等の開始の決定があつた場合において、その決定が清算金の支払の債務の弁済後（清算金がないときは、清算期間の経過後）にされた申立てに基づくときは、担保仮登記の権利者は、その土地等の所有権の取得をもつて差押債権者に対抗することができる。

第一六条① 担保仮登記がされている土地等につき強制競売等が行われたときは、担保仮登記に係る権利は、前条第二項の場合を除き、その土地等の売却によつて消滅する。

② 民事執行法（昭和五十四年法律第四号）第五十九条第二項及び第三項の規定は前項の規定により消滅する担保仮登記に係る権利を有する者に対抗することができない土地等に係る権利の取得及び仮処分の執行について、同条第五項の規定は利害関係を有する者のした前項の規定又はこの項において準用する同条第二項の規定と異なる合意の届出について準用する。

（強制競売等の特則）

第一七条① 裁判所書記官は、所有権の移転に関する仮登記がされている土地等に対する強制競売又は担保権の実行としての競売において配当要求の終期を定めたときは、仮登記の権利者に対し、その仮登記が担保仮登記であるときはその旨並びに債権（利息その他の附帯の債権を含む。）の存否、原因及び額を、担保仮登記でないときはその旨を配当要求の終期までに執行裁判所に届け出るべき旨を催告しなければならない。

② 差押えの登記前にされた担保仮登記に係る権利で売却により消滅するものを有する債権者は、前項の規定による債権の届出をしたときに限り、売却代金の配当又は弁済金の交付を受けることができる。

③ 所有権の移転に関する仮登記がされている土地等につき企業担保権の実行の開始の決定があつたときは、管財人は、仮登記の権利者に対し、第一項に規定する事項を企業担保法（昭和三十三年法律第百六号）第二十二条第一項第五号の期間内に届け出るべき旨を催告しなければならない。

④ 民事執行法第五十条の規定は第一項又は前項の規定による催告を受けた仮登記の権利者について、同法第八十七条第二項の規定は第二項の債権者のための担保仮登記が仮差押えの登記後にされたものである場合について、同条第三項の規定は第二項の債権者のための担保仮登記が執行停止に係る差押えの登記後にされたものである場合について準用する。

（不動産登記の特則）

第一八条 担保仮登記の権利者は、清算金を供託した日から一月を経過した後にその担保仮登記に基づき不動産登記法（平成十六年法律第百二十三号）第百九条第一項に規定する本登記を申請する場合には、同項の規定にかかわらず、先取特権、質権若しくは抵当権を有する者又は後順位の担保仮登記の権利者が第四条第一項（同条第二項において準用する場合を含む。）の差押えをしたこと及び清算金を供託したことをもつてこれらの者の承諾に代えることができる。ただし、その本登記の申請に係る土地等につきこれらの者のために担保権の実行としての競売の申立ての登記がされているときは、この限りでない。

（破産手続等における担保仮登記）

第一九条① 破産財団に属する土地等についてされている担保仮登記（第十四条の担保仮登記を除く。第三項及び第四項において同じ。）の権利者については、破産法（平成十六年法律第七十五号）中破産財団に属する財産につき抵当権を有する者に関する規定を適用する。

② 破産財団に属しない破産者の土地等についてされている担保仮登記の権利者については、破産法中同法第百八条第二項に規定する抵当権を有する者に関する規定を準用する。

③ 再生債務者の土地等についてされている担保仮登記の権利者については、民事再生法（平成十一年法律第二百二十五号）中抵当権を有する者に関する規定を適用する。

④ 担保仮登記に係る権利は、会社更生法（平成十四年法律第百五十四号）又は金融機関等の更生手続の特例等に関する法律（平成八年法律第九十五号）の適用に関しては、抵当権とみなす。

⑤ 第十四条の担保仮登記は、破産手続、再生手続及び更生手続においては、その効力を有しない。

（土地等の所有権以外の権利を目的とする契約への準用）

第二〇条 第二条から前条までの規定は、仮登記担保契約で、土地等の所有権以外の権利（先取特権、質権、抵当権及び企業担保権を除く。）の取得を目的とするものについて準用する。

附　則（抄）

（施行期日）

第一条 この法律は、公布の日から起算して一年を超えない範囲内において政令で定める日（昭和五四・四・一―昭和五三政二九九）から施行する。ただし、附則第三条の規定は、公布の日から施行する。

（経過措置）

第二条 この法律の規定は、この法律の施行前にされた仮登記担保契約で、この法律の施行後にその契約において土地等の所有権又はその所有権以外の権利を取得するものとされている日が到来するものについても適用する。

第三条 この法律の公布の際、現に存する第十四条の担保仮登記については、政令で定める日（昭和五四・四・一―昭和五三政二九九）までに仮登記担保契約に基づき消滅すべき債務が特定されたときは、その契約の時にその債務が消滅すべきものと定められていたものとみなす。

○電子記録債権法（抄）（平成一九・六・二七 法 一〇二）

施行 平成二〇・一二・一（平成二〇政三四一）
最終改正 令和五法五三

目次

第一章 総則

（趣旨）
第一条 この法律は、電子記録債権の発生、譲渡等について定めるとともに、電子記録債権に係る電子記録を行う電子債権記録機関の業務、監督等について必要な事項を定めるものとする。

（定義）
第二条① この法律において「電子記録債権」とは、その発生又は譲渡についてこの法律の規定による電子記録（以下単に「電子記録」という。）を要件とする金銭債権をいう。
② この法律において「電子債権記録機関」とは、第五十一条第一項の規定により主務大臣の指定を受けた株式会社をいう。
③ この法律において「記録原簿」とは、債権記録が記録される帳簿であって、磁気ディスク（これに準ずる方法により一定の事項を確実に記録することができる物として主務省令で定めるものを含む。）をもって電子債権記録機関が調製するものをいう。
④ この法律において「債権記録」とは、発生記録により発生する電子記録債権、電子記録債権から第四十三条第一項に規定する分割をする電子記録債権又は第四十七条の二第一項に規定する電子債権記録機関の変更をする電子記録債権ごとに作成される電磁的記録（電子的方式、磁気的方式その他人の知覚によっては認識することができない方式で作られる記録であって、電子計算機による情報処理の用に供されるものをいう。以下同じ。）をいう。
⑤ この法律において「記録事項」とは、この法律の規定に基づき債権記録に記録すべき事項をいう。
⑥ この法律において「電子記録名義人」とは、債権記録に電子記録債権の債権者又は質権者として記録されている者をいう。
⑦ この法律において「電子記録権利者」とは、電子記録をすることにより、電子記録上、直接に利益を受ける者をいい、間接に利益を受ける者を除く。
⑧ この法律において「電子記録義務者」とは、電子記録をすることにより、電子記録上、直接に不利益を受ける者をいい、間接に不利益を受ける者を除く。
⑨ この法律において「電子記録保証」とは、電子記録債権に係る債務を主たる債務とする保証であって、保証記録をしたものをいう。

第二章 電子記録債権の発生、譲渡等（抄）

第一節 通則

第一款 電子記録

（電子記録の方法）
第三条 電子記録は、電子債権記録機関が記録原簿に記録事項を記録することによって行う。

（当事者の請求又は官公署の嘱託による電子記録）
第四条① 電子記録は、法令に別段の定めがある場合を除き、当事者の請求又は官庁若しくは公署の嘱託がなければ、することができない。
② 請求による電子記録の手続に関するこの法律の規定は、法令に別段の定めがある場合を除き、官庁又は公署の嘱託による電子記録の手続について準用する。

（請求の当事者）
第五条① 電子記録の請求は、法令に別段の定めがある場合を除き、電子記録権利者及び電子記録義務者（これらの者について相続その他の一般承継があったときは、その相続人その他の一般承継人。第三項において同じ。）双方がしなければならない。
② 電子記録権利者又は電子記録義務者（これらの者について相続その他の一般承継があったときは、その相続人その他の一般承継人。以下この項において同じ。）に電子記録の請求をすべきことを命ずる確定判決による電子記録は、当該請求をしなければならない他の電子記録権利者又は電子記録義務者だけで請求することができる。
③ 電子記録権利者及び電子記録義務者が電子記録の請求を共同してしない場合における電子記録の請求は、これらの者のすべてが電子記録の請求をした時に、その効力を生ずる。

（請求の方法）
第六条 電子記録の請求は、請求者の氏名又は名称及び住所その他の電子記録の請求に必要な情報として政令で定めるものを電子債権記録機関に提供してしなければならない。

（電子債権記録機関による電子記録）
第七条① 電子債権記録機関は、この法律又はこの法律に基づく命令の規定による電子記録の請求があったときは、遅滞なく、当該請求に係る電子記録をしなければならない。
② 電子債権記録機関は、第五十一条第一項第五号に規定する業務規程（以下この章において単に「業務規程」という。）の定めるところにより、保証記録、質権設定記録、分割記録若しくは記録機関変更記録をしないこととし、又はこれらの電子記録若しくは譲渡記録について回数の制限その他の制限をすることができる。この場合において、電子債権記録機関が第十六条第二項第十五号に掲げる事項を債権記録に記録していないときは、何人も、当該業務規程の定めの効力を主張することができない。

（電子記録の順序）
第八条① 電子債権記録機関は、同一の電子記録債権に関し二以上の電子記録の請求があったときは、当該請求の順序に従って電子記録をしなければならない。
② 同一の電子記録債権に関し同時に二以上の電子記録が請求された場合において、請求に係る電子記録の内容が相互に矛盾するときは、前条第一項の規定にかかわらず、電子債権記録機関

は、いずれの請求に基づく電子記録もしてはならない。

③ 同一の電子記録債権に関し二以上の電子記録が請求された場合において、その前後が明らかでないときは、これらの請求は、同時にされたものとみなす。

（電子記録の効力）

第九条① 電子記録債権の内容は、債権記録（記録機関変更記録がされているときは、第四十七条の二第二項に規定する変更後債権記録とし、当該変更後債権記録が複数あるときは、記録機関変更記録の年月日が直近のものとする。）の記録により定まるものとする。

② 電子記録名義人は、電子記録に係る電子記録債権についての権利を適法に有するものと推定する。

（電子記録の訂正等）

第一〇条① 電子債権記録機関は、次に掲げる場合には、電子記録の訂正をしなければならない。ただし、電子記録上の利害関係を有する第三者がある場合にあっては、当該第三者の承諾があるときに限る。

一 電子記録の請求に当たって電子債権記録機関に提供された情報の内容と異なる内容の記録がされている場合

二 請求がなければすることができない電子記録が、請求がないのにされている場合

三 電子債権記録機関が自らの権限により記録すべき記録事項について、記録すべき内容と異なる内容の記録がされている場合

四 電子債権記録機関が自らの権限により記録すべき記録事項について、その記録がされていない場合（一の電子記録の記録事項の全部が記録されていないときを除く。）

② 電子債権記録機関は、第八十六条各号に掲げる場合の区分に応じ、当該各号に定める日までに電子記録が消去されたときは、当該電子記録の回復をしなければならない。この場合においては、前項ただし書の規定を準用する。

③ 電子債権記録機関は、前二項の規定により電子記録の訂正又は回復をするときは、当該訂正又は回復後の電子記録の内容と矛盾する電子記録について、電子記録の訂正をしなければならない。

④ 電子債権記録機関が第一項又は第二項の規定により電子記録の訂正又は回復をしたときは、その内容を電子記録権利者及び電子記録義務者（電子記録権利者及び電子記録義務者がない場合にあっては、電子記録名義人）に通知しなければならない。

⑤ 前項の規定による通知は、民法（明治二十九年法律第八十九号）第四百二十三条その他の法令の規定により他人に代わって電子記録の請求をした者にもしなければならない。ただし、その者が二人以上あるときは、その一人に対し通知すれば足りる。

（不実の電子記録等についての電子債権記録機関の責任）

第一一条 電子債権記録機関は、前条第一項各号に掲げる場合又は同条第二項に規定するときは、これらの規定に規定する事由によって当該電子記録の請求をした者その他の第三者に生じた損害を賠償する責任を負う。ただし、電子債権記録機関の代表者及び使用人その他の従業者がその職務を行うについて注意を怠らなかったことを証明したときは、この限りでない。

第二款 電子記録債権に係る意思表示等

（意思表示の取消しの特則）

第一二条① 電子記録の請求における相手方に対する意思表示についての民法第九十五条第一項又は第九十六条第一項若しくは第二項の規定による取消しは、善意でかつ重大な過失がない第三者（同条第一項の規定による強迫による意思表示の取消しにあっては、取消し後の第三者に限る。）に対抗することができない。

② 前項の規定は、次に掲げる場合には、適用しない。

一 前項に規定する第三者が、支払期日以後に電子記録債権の譲渡、質入れ、差押え、仮差押え又は破産手続開始の決定（分割払の方法により支払う電子記録債権の場合には、到来した支払期日に係る部分についてのものに限る。）があった場合におけるその譲受人、質権者、差押債権者、仮差押債権者又は破産管財人であるとき。

二 前項の意思表示の取消しを対抗しようとする者が個人（当該電子記録において個人事業者（消費者契約法（平成十二年法律第六十一号）第二条第二項に規定する事業者である個人をいう。以下同じ。）である旨の記録がされている者を除く。）である場合

（無権代理人の責任の特則）

第一三条 電子記録の請求における相手方に対する意思表示についての民法第百十七条第二項第二号の規定の適用については、同号中「過失」とあるのは、「重大な過失」とする。

（権限がない者の請求による電子記録についての電子債権記録機関の責任）

第一四条 電子債権記録機関は、次に掲げる者の請求により電子記録をした場合には、これによって第三者に生じた損害を賠償する責任を負う。ただし、電子債権記録機関の代表者及び使用人その他の従業者がその職務を行うについて注意を怠らなかったことを証明したときは、この限りでない。

一 代理権を有しない者

二 他人になりすました者

第二節 発生

（電子記録債権の発生）

第一五条 電子記録債権（保証記録に係るもの及び電子記録保証をした者（以下「電子記録保証人」という。）が第三十五条第一項（同条第二項及び第三項において準用する場合を含む。）の規定により取得する電子記録債権（以下「特別求償権」という。）を除く。次条において同じ。）は、発生記録をすることによって生ずる。

（発生記録）

第一六条① 発生記録においては、次に掲げる事項を記録しなければならない。

一 債務者が一定の金額を支払う旨

二 支払期日（確定日に限るものとし、分割払の方法により債務を支払う場合にあっては、各支払期日とする。）

三 債権者の氏名又は名称及び住所

四 債権者が二人以上ある場合において、その債権が不可分債権又は連帯債権であるときはその旨、可分債権であるときは債権者ごとの債権の金額

五 債務者の氏名又は名称及び住所

六 債務者が二人以上ある場合において、その債務が不可分債務又は連帯債務であるときはその旨、可分債務であるときは債務者ごとの債務の金額

七 記録番号（発生記録、分割記録又は記録機関変更記録をする際に一の債権記録ごとに付す番号をいう。以下同じ。）

八 電子記録の年月日

② 発生記録においては、次に掲げる事項を記録することができる。

一 第六十二条第一項に規定する口座間送金決済に関する契約に係る支払をするときは、その旨並びに債務者の預金又は貯金の口座（以下「債務者口座」という。）及び債権者の預金又は貯金の口座（以下「債権者口座」という。）

二 第六十四条に規定する契約に係る支払をするときは、その旨

三 前二号に規定するもののほか、支払方法についての定めをするときは、その定め（分割払の方法により債務を支払う場合にあっては、各支払期日ごとに支払うべき金額を含む。）

四 利息、遅延損害金又は違約金についての定めをするときは、その定め

五 期限の利益の喪失についての定めをするときは、その定め

六 相殺又は代物弁済についての定めをするときは、その定め

七　弁済の充当の指定についての定めをするときは、その定め
八　第十九条第一項（第三十八条において読み替えて準用する場合を含む。）の規定を適用しない旨の定めをするときは、その定め
九　債権者又は債務者が個人事業者であるときは、その旨
十　債務者が法人又は個人事業者（その旨の記録がされる者に限る。）である場合において、第二十条第一項（第三十八条において読み替えて準用する場合を含む。）の規定を適用しない旨の定めをするときは、その定め
十一　債務者が法人又は個人事業者（その旨の記録がされる者に限る。）であって前号に掲げる定めが記録されない場合において、債務者が債権者（譲渡記録における譲受人を含む。以下この項において同じ。）に対抗することができる抗弁についての定めをするときは、その定め
十二　譲渡記録、保証記録、質権設定記録、分割記録若しくは記録機関変更記録をすることができないこととし、又はこれらの電子記録について回数の制限その他の制限をする旨の定めをするときは、その定め
十三　債権者と債務者との間の通知の方法についての定めをするときは、その定め
十四　債権者と債務者との間の紛争の解決の方法についての定めをするときは、その定め
十五　電子債権記録機関が第七条第二項の規定により保証記録、質権設定記録、分割記録若しくは記録機関変更記録をしないこととし、又はこれらの電子記録若しくは譲渡記録について回数の制限その他の制限をしたときは、その定め
十六　前各号に掲げるもののほか、電子記録債権の内容となるものとして政令で定める事項

③　第一項第一号から第六号までに掲げる事項のいずれかの記録が欠けているときは、電子記録債権は、発生しない。

④　消費者契約法第二条第一項に規定する消費者（以下単に「消費者」という。）についてされた第二項第九号に掲げる事項の記録は、その効力を有しない。

⑤　第一項及び第二項の規定にかかわらず、電子債権記録機関は、業務規程の定めるところにより、第一項第二号（分割払の方法により債務を支払う場合における各支払期日の部分に限る。）及び第二項各号（第一号、第二号及び第九号を除く。）に掲げる事項について、その記録をしないこととし、又はその記録を制限することができる。

第三節　譲渡

（電子記録債権の譲渡）

第一七条　電子記録債権の譲渡は、譲渡記録をしなければ、その効力を生じない。

（譲渡記録）

第一八条①　譲渡記録においては、次に掲げる事項を記録しなければならない。
一　電子記録債権の譲渡をする旨
二　譲渡人が電子記録義務者の相続人であるときは、譲渡人の氏名及び住所
三　譲受人の氏名又は名称及び住所
四　電子記録の年月日

②　譲渡記録においては、次に掲げる事項を記録することができる。
一　発生記録（当該発生記録の記録事項について変更記録がされているときは、当該変更記録を含む。以下同じ。）において債務の支払を債権者口座に対する払込みによってする旨の定めが記録されている場合において、譲渡記録に当たり譲受人が譲受人の預金又は貯金の口座に対する払込みによって支払を受けようとするときは、当該口座（発生記録において払込みをする預金又は貯金の口座の変更に関する定めが記録されているときは、これと抵触しないものに限る。）
二　譲渡人が個人事業者であるときは、その旨
三　譲渡人と譲受人（譲渡記録後に譲受人として記録された者を含む。次号において同じ。）との間の通知の方法についての定めをするときは、その定め
四　譲渡人と譲受人との間の紛争の解決の方法についての定めをするときは、その定め
五　前各号に掲げるもののほか、政令で定める事項

③　消費者についてされた前項第二号に掲げる事項の記録は、その効力を有しない。

④　電子債権記録機関は、発生記録において第十六条第二項第十二号又は第十五号に掲げる事項（譲渡記録に係る部分に限る。）が記録されているときは、その記録の内容に抵触する譲渡記録をしてはならない。

（善意取得）

第一九条①　譲渡記録の請求により電子記録債権の譲受人として記録された者は、当該電子記録債権を取得する。ただし、その者に悪意又は重大な過失があるときは、この限りでない。

②　前項の規定は、次に掲げる場合には、適用しない。
一　第十六条第二項第八号に掲げる事項が記録されている場合
二　前項に規定する者が、支払期日以後にされた譲渡記録の請求により電子記録債権（分割払の方法により支払うものにあっては、到来した支払期日に係る部分に限る。）の譲受人として記録されたものである場合
三　個人（個人事業者である旨の記録がされている者を除く。）である電子記録債権の譲渡人がした譲渡記録の請求における譲受人に対する意思表示が効力を有しない場合において、前項に規定する者が当該譲渡記録後にされた譲渡記録の請求により記録されたものであるとき。

（抗弁の切断）

第二〇条①　発生記録における債務者又は電子記録保証人（以下「電子記録債務者」という。）は、電子記録債権の債権者に当該電子記録債権を譲渡した者に対する人的関係に基づく抗弁をもって当該債権者に対抗することができない。ただし、当該債権者が、当該電子記録債務者を害することを知って当該電子記録債権を取得したときは、この限りでない。

②　前項の規定は、次に掲げる場合には、適用しない。
一　第十六条第二項第十号又は第三十二条第二項第六号に掲げる事項が記録されている場合
二　前項の債権者が、支払期日以後にされた譲渡記録の請求により電子記録債権（分割払の方法により支払うものにあっては、到来した支払期日に係る部分に限る。）の譲受人として記録されたものである場合
三　前項の電子記録債務者が個人（個人事業者である旨の記録がされている者を除く。）である場合

第四節　消滅

（支払免責）

第二一条　電子記録名義人に対してした電子記録債権についての支払は、当該電子記録名義人がその支払を受ける権利を有しない場合であっても、その効力を有する。ただし、その支払をした者に悪意又は重大な過失があるときは、この限りでない。

（混同等）

第二二条①　電子記録債務者（その相続人その他の一般承継人を含む。以下この項において同じ。）が電子記録債権を取得した場合には、民法第五百二十条本文の規定にかかわらず、当該電子記録債権は消滅しない。ただし、当該電子記録債務者又は当該電子記録債務者の承諾を得た他の電子記録債務者の請求により、当該電子記録債務者の電子記録債権の取得に伴う混同を原因とする支払等記録がされたときは、この限りでない。

②　次の各号に掲げる者は、電子記録債権を取得しても、当該各号に定める者に対して電子記録保証によって生じた債務（以下「電子記録保証債務」という。）の履行を請求することができない。
一　発生記録における債務者　電子記録保証人

二 電子記録保証人（弁済その他自己の財産をもって主たる債務として記録された債務を消滅させるべき行為をしたとするならば、この号に掲げる電子記録保証人に対して特別求償権を行使することができるものに限る。）

（消滅時効）

第二三条 電子記録債権は、これを行使することができる時から三年間行使しないときは、時効によって消滅する。

（支払等記録の記録事項）

第二四条 支払等記録においては、次に掲げる事項を記録しなければならない。

一 支払、相殺その他の債務の全部若しくは一部を消滅させる行為又は混同（以下「支払等」という。）により消滅し、又は消滅することとなる電子記録名義人に対する債務を特定するために必要な事項

二 支払等をした金額その他の当該支払等の内容（利息、遅延損害金、違約金又は費用が生じている場合にあっては、消滅した元本の額を含む。）

三 支払等があった日

四 支払等をした者（支払等が相殺による債務の消滅である場合にあっては、電子記録名義人が当該相殺によって免れた債務の債権者。以下同じ。）の氏名又は名称及び住所

五 支払等をした者が当該支払等をするについて民法第五百条の正当な利益を有する者であるときは、その事由

六 電子記録の年月日

七 前各号に掲げるもののほか、政令で定める事項

（支払等記録の請求）

第二五条① 支払等記録は、次に掲げる者だけで請求することができる。

一 当該支払等記録についての電子記録義務者

二 前号に掲げる者の相続人その他の一般承継人

三 次に掲げる者であって、前二号に掲げる者全員の承諾を得たもの

イ 電子記録債務者

ロ 支払等をした者（前二号及びイに掲げる者を除く。）

ハ イ又はロに掲げる者の相続人その他の一般承継人

② 電子記録債権又はこれを目的とする質権の被担保債権（次項において「電子記録債権等」という。）について支払等がされた場合には、前項第三号イからハまでに掲げる者は、同項第一号又は第二号に掲げる者に対し、同項第三号の承諾をすることを請求することができる。

③ 電子記録債権等について支払をする者は、第一項第一号又は第二号に掲げる者に対し、当該支払をするのと引換えに、同項第三号の承諾をすることを請求することができる。

④ 根質権の担保すべき債権についての支払等をしたことによる支払等記録の請求は、当該支払等が当該根質権の担保すべき元本の確定後にされたものであり、かつ、当該確定の電子記録がされている場合でなければ、することができない。

第五節 記録事項の変更（抄）

（電子記録債権の内容等の意思表示による変更）

第二六条 電子記録債権又はこれを目的とする質権の内容の意思表示による変更は、この法律に別段の定めがある場合を除き、変更記録をしなければ、その効力を生じない。

（変更記録の記録事項）

第二七条 変更記録においては、次に掲げる事項を記録しなければならない。

一 変更する記録事項

二 前号の記録事項を変更する旨及びその原因

三 第一号の記録事項についての変更後の内容（当該記録事項を記録しないこととする場合にあっては、当該記録事項を削除する旨）

四 電子記録の年月日

第二八条から第三〇条まで （略）

第六節 電子記録保証

（保証記録による電子記録債権の発生）

第三一条 電子記録保証に係る電子記録債権は、保証記録をすることによって生ずる。

（保証記録）

第三二条① 保証記録においては、次に掲げる事項を記録しなければならない。

一 保証をする旨

二 保証人の氏名又は名称及び住所

三 主たる債務者の氏名又は名称及び住所その他主たる債務を特定するために必要な事項

四 電子記録の年月日

② 保証記録においては、次に掲げる事項を記録することができる。

一 保証の範囲を限定する旨の定めをするときは、その定め

二 遅延損害金又は違約金についての定めをするときは、その定め

三 相殺又は代物弁済についての定めをするときは、その定め

四 弁済の充当の指定についての定めをするときは、その定め

五 保証人が個人事業者であるときは、その旨

六 保証人が法人又は個人事業者（その旨の記録がされる者に限る。）である場合において、保証記録をした時の債権者に対抗することができる事由について第二十条第一項（第三十八条において読み替えて準用する場合を含む。）の規定を適用しない旨の定めをするときは、その定め

七 保証人が法人又は個人事業者（その旨の記録がされる者に限る。）であって前号に掲げる定めが記録されない場合において、保証人が債権者（譲渡記録における譲受人を含む。以下この項において同じ。）に対抗することができる抗弁についての定めをするときは、その定め

八 債権者と保証人との間の通知の方法についての定めをするときは、その定め

九 債権者と保証人との間の紛争の解決の方法についての定めをするときは、その定め

十 前各号に掲げるもののほか、政令で定める事項

③ 第一項第一号から第三号までに掲げる事項のいずれかの記録が欠けているときは、電子記録保証に係る電子記録債権は、発生しない。

④ 消費者についてされた第二項第五号に掲げる事項の記録は、その効力を有しない。

⑤ 電子債権記録機関は、発生記録において第十六条第二項第十二号又は第十五号に掲げる事項（保証記録に係る部分に限る。）が記録されているときは、その記録の内容に抵触する保証記録をしてはならない。

（電子記録保証の独立性）

第三三条① 電子記録保証債務は、その主たる債務者として記録されている者がその主たる債務を負担しない場合（第十六条第一項第一号から第六号まで又は前条第一項第一号から第三号までに掲げる事項の記録が欠けている場合を除く。）においても、その効力を妨げられない。

② 前項の規定は、電子記録保証人が個人（個人事業者である旨の記録がされている者を除く。）である場合には、適用しない。

（民法等の適用除外）

第三四条① 民法第四百五十二条、第四百五十三条及び第四百五十六条から第四百五十八条まで並びに商法（明治三十二年法律第四十八号）第五百十一条第二項の規定は、電子記録保証については、適用しない。

② 前項の規定にかかわらず、電子記録保証人が個人（個人事業者である旨の記録がされている者を除く。）である場合には、当該電子記録保証人は、主たる債務者が主張することができる抗弁をもって債権者に対抗することができる。

③ 第一項の規定にかかわらず、前項に規定する場合において、

主たる債務者が債権者に対して相殺権、取消権又は解除権を有するときは、これらの権利の行使によって主たる債務者がその債務を免れるべき限度において、当該電子記録保証人は、債権者に対して債務の履行を拒むことができる。

（**特別求償権**）

第三五条① 発生記録によって生じた債務を主たる債務とする電子記録保証人が出えん（弁済その他自己の財産をもって主たる債務として記録された債務を消滅させるべき行為をいう。以下この条において同じ。）をした場合において、その旨の支払等記録がされたときは、民法第四百五十九条、第四百五十九条の二、第四百六十二条、第四百六十三条及び第四百六十五条の規定にかかわらず、当該電子記録保証人は、次に掲げる者に対し、出えんにより共同の免責を得た額、出えんをした日以後の遅延損害金の額及び避けることができなかった費用の額の合計額について電子記録債権を取得する。ただし、第三号に掲げる者に対しては、自己の負担部分を超えて出えんをした額のうち同号に掲げる者の負担部分の額に限る。

一 主たる債務者

二 当該出えんをした者が電子記録保証人となる前に当該者を債権者として当該主たる債務と同一の債務を主たる債務とする電子記録保証をしていた他の電子記録保証人

三 当該主たる債務と同一の債務を主たる債務とする他の電子記録保証人（前号に掲げる者及び電子記録保証人となる前に当該出えんをした者の電子記録保証に係る債権者であったものを除く。）

② 前項の規定は、同項の規定によって生じた債務を主たる債務とする電子記録保証人が出えんをした場合について準用する。

③ 第一項の規定は、電子記録保証債務を主たる債務とする電子記録保証人が出えんをした場合について準用する。この場合において、同項中「次に掲げる者」とあるのは、「次に掲げる者及びその出えんを主たる債務者として記録されている電子記録保証人がしたとするならば、次に掲げる者に該当することとなるもの」と読み替えるものとする。

第七節 質権（抄）

（**電子記録債権の質入れ**）

第三六条① 電子記録債権を目的とする質権の設定は、質権設定記録をしなければ、その効力を生じない。

② 民法第三百六十二条第二項の規定は、前項の質権については、適用しない。

③ 民法第二百九十六条から第三百条まで、第三百四条、第三百四十二条、第三百四十三条、第三百四十六条、第三百四十八条、第三百四十九条、第三百五十一条、第三百七十三条、第三百七十四条、第三百七十八条、第三百九十条、第三百九十一条、第三百九十八条の二から第三百九十八条の十まで、第三百九十八条の十九、第三百九十八条の二十（第一項第三号を除く。）及び第三百九十八条の二十二の規定は、第一項の質権について準用する。

（**質権設定記録の記録事項**）

第三七条① 質権設定記録（根質権の質権設定記録を除く。次項において同じ。）においては、次に掲げる事項を記録しなければならない。

一 質権を設定する旨

二 質権者の氏名又は名称及び住所

三 被担保債権の債務者の氏名又は名称及び住所、被担保債権の額（一定の金額を目的としない債権については、その価額。以下同じ。）その他被担保債権を特定するために必要な事項

四 一の債権記録における質権設定記録及び転質の電子記録がされた順序を示す番号（以下「質権番号」という。）

五 電子記録の年月日

② 質権設定記録においては、次に掲げる事項を記録することができる。

一 被担保債権につき利息、遅延損害金又は違約金についての定めがあるときは、その定め

二 被担保債権に付した条件があるときは、その条件

三 前条第三項において準用する民法第三百四十六条ただし書の別段の定めをするときは、その定め

四 質権の実行に関し、その方法、条件その他の事項について定めをするときは、その定め

五 発生記録において電子記録債権に係る債務の支払を債権者口座に対する払込みによってする旨の定めが記録されている場合において、質権設定記録に当たり質権者が質権者の預金又は貯金の口座に対する払込みによって支払を受けようとするときは、当該口座（発生記録において払込みをする預金又は貯金の口座の変更に関する定めが記録されているときは、これと抵触しないものに限る。）

六 質権設定者と質権者（質権設定記録後に当該質権について質権者として記録された者を含む。次号において同じ。）との間の通知の方法についての定めをするときは、その定め

七 質権設定者と質権者との間の紛争の解決の方法についての定めをするときは、その定め

八 前各号に掲げるもののほか、政令で定める事項

③ 根質権の質権設定記録においては、次に掲げる事項を記録しなければならない。

一 根質権を設定する旨

二 根質権者の氏名又は名称及び住所

三 担保すべき債権の債務者の氏名又は名称及び住所

四 担保すべき債権の範囲及び極度額

五 質権番号

六 電子記録の年月日

④ 根質権の質権設定記録においては、次に掲げる事項を記録することができる。

一 担保すべき元本の確定すべき期日の定めをするときは、その定め

二 根質権の実行に関し、その方法、条件その他の事項について定めをするときは、その定め

三 発生記録において電子記録債権に係る債務の支払を債権者口座に対する払込みによってする旨の定めが記録されている場合において、根質権の質権設定記録に当たり根質権者が根質権者の預金又は貯金の口座に対する払込みによって支払を受けようとするときは、当該口座（発生記録において払込みをする預金又は貯金の口座の変更に関する定めが記録されているときは、これと抵触しないものに限る。）

四 根質権設定者と根質権者（根質権の質権設定記録後に当該根質権について根質権者として記録された者を含む。次号において同じ。）との間の通知の方法についての定めをするときは、その定め

五 根質権設定者と根質権者との間の紛争の解決の方法についての定めをするときは、その定め

六 前各号に掲げるもののほか、政令で定める事項

⑤ 電子債権記録機関は、発生記録において第十六条第二項第十二号又は第十五号に掲げる事項（質権設定記録に係る部分に限る。）が記録されているときは、その記録の内容に抵触する質権設定記録をしてはならない。

（**善意取得及び抗弁の切断**）

第三八条 第十九条及び第二十条の規定は、質権設定記録について準用する。この場合において、第十九条第一項中「譲受人」とあるのは「質権者」と、「当該電子記録債権」とあるのは「その質権」と、同条第二項第一号中「譲受人」とあるのは「質権者」と、同項第三号中「された譲渡記録」とあるのは「された質権設定記録」と、第二十条第一項中「債権者に当該電子記録債権を譲渡した」とあるのは「質権者にその質権を設定した」と、「当該債権者に」とあるのは「当該質権者に」と、同項ただし書中「当該債権者が」とあるのは「当該質権者が」と、「当該電子記録債権を取得した」とあるのは「当該質権を

取得した」と、同条第二項第二号中「債権者」とあり、及び「譲受人」とあるのは「質権者」と読み替えるものとする。

（**質権の順位の変更の電子記録**）

第三九条① 第三十六条第三項において準用する民法第三百七十四条第一項の規定による質権の順位の変更の電子記録においては、次に掲げる事項を記録しなければならない。

一 質権の順位を変更する旨
二 順位を変更する質権の質権番号
三 変更後の質権の順位
四 電子記録の年月日

② 前項の電子記録の請求は、順位を変更する質権の電子記録名義人の全員がしなければならない。この場合においては、第五条第二項及び第三項の規定を準用する。

（**転質**）

第四〇条① 第三十六条第三項において準用する民法第三百四十八条の規定による転質は、転質の電子記録をしなければ、その効力を生じない。

② 第三十七条第一項から第四項までの規定は、転質の電子記録について準用する。

③ 転質の電子記録においては、転質の目的である質権の質権番号をも記録しなければならない。

④ 質権者が二以上の者のために転質をしたときは、その転質の順位は、転質の電子記録の前後による。

第四一条 （略）

（**根質権の担保すべき元本の確定の電子記録**）

第四二条① 根質権の担保すべき元本（以下この条において単に「元本」という。）の確定の電子記録においては、次に掲げる事項を記録しなければならない。

一 元本が確定した旨
二 元本が確定した根質権の質権番号
三 元本の確定の年月日
四 電子記録の年月日

② 第三十六条第三項において準用する民法第三百九十八条の十九第二項又は第三百九十八条の二十第一項第四号の規定により元本が確定した場合の電子記録は、当該根質権の電子記録名義人だけで請求することができる。ただし、同号の規定により元本が確定した場合における請求は、当該根質権又はこれを目的とする権利の取得の電子記録の請求と併せてしなければならない。

第八節 分割（抄）

（**分割記録**）

第四三条① 電子記録債権は、分割（債権者又は債務者として記録されている者が二人以上ある場合において、特定の債権者又は債務者について分離をすることを含む。）をすることができる。

② 電子記録債権の分割は、次条から第四十七条までの規定により、分割をする電子記録債権が記録されている債権記録（以下「原債権記録」という。）及び新たに作成する債権記録（以下「分割債権記録」という。）に分割記録をすると同時に原債権記録に記録されている事項の一部を分割債権記録に記録することによって行う。

③ 分割記録の請求は、分割債権記録に債権者として記録される者だけですることができる。

第四四条から第四七条まで （略）

第九節 電子債権記録機関の変更（抄）

（**記録機関変更記録**）

第四七条の二① 電子記録債権は、その電子記録を行う電子債権記録機関の変更（以下単に「電子債権記録機関の変更」という。）をすることができる。

② 電子債権記録機関の変更は、次条から第四十七条の五までの規定により、電子債権記録機関の変更をしようとする電子記録債権についての債権記録（以下「変更前債権記録」という。）を記録原簿に記録している電子債権記録機関（以下「変更前電子債権記録機関」という。）から変更前債権記録の記録事項を引き継ぐ電子債権記録機関（以下「変更後電子債権記録機関」という。）がその記録原簿に新たに作成し、変更前債権記録の記録事項を記録する債権記録（以下「変更後債権記録」という。）に記録機関変更記録をすることによって行う。

第四七条の三から第四七条の五まで （略）

第十節 雑則

（**信託の電子記録**）

第四八条① 電子記録債権又はこれを目的とする質権（以下この項において「電子記録債権等」という。）については、信託の電子記録をしなければ、電子記録債権等が信託財産に属することを第三者に対抗することができない。

② この法律に定めるもののほか、信託の電子記録に関し必要な事項は、政令で定める。

（**電子記録債権に関する強制執行等**）

第四九条① 電子債権記録機関は、電子記録債権に関する強制執行、滞納処分その他の処分の制限がされた場合において、これらの処分の制限に係る書類の送達を受けたときは、遅滞なく、強制執行等の電子記録をしなければならない。

> **＊令和五法五三（令和一〇・六・一三までに施行）による改正**
> 第一項中「書類」を「書類又は電磁的記録」に改める。（本文未織込み）

② 強制執行等の電子記録に関し必要な事項は、政令で定める。

③ 電子記録債権に関する強制執行、仮差押え及び仮処分、競売並びに没収保全の手続に関し必要な事項は、最高裁判所規則で定める。

（**政令への委任**）

第五〇条 この法律に定めるもののほか、電子記録債権の電子記録の手続その他電子記録に関し必要な事項は、政令で定める。

第三章 電子債権記録機関（抄）

第一節 通則

（第五一条から第五五条まで）（略）

第二節 業務（抄）

（**電子債権記録機関の業務**）

第五六条 電子債権記録機関は、この法律及び業務規程の定めるところにより、電子記録債権に係る電子記録に関する業務を行うものとする。

第五七条から第六一条まで （略）

第三節 口座間送金決済等に係る措置

（**口座間送金決済に関する契約の締結**）

第六二条① 電子債権記録機関は、債務者及び銀行等と口座間送金決済に関する契約を締結することができる。

② 前項及び次条第二項に規定する「口座間送金決済」とは、電子記録債権（保証記録に係るもの及び特別求償権を除く。以下この節において同じ。）に係る債務について、電子債権記録機関、債務者及び銀行等の合意に基づき、あらかじめ電子債権記録機関が当該銀行等に対し債権記録に記録されている支払期日、支払うべき金額、債務者口座及び債権者口座に係る情報を提供し、当該支払期日に当該銀行等が当該債務者口座から当該債権者口座に対する払込みの取扱いをすることによって行われる支払をいう。

（**口座間送金決済についての支払等記録**）

第六三条① 電子債権記録機関は、前条第一項に規定する口座間送金決済に関する契約を締結した場合において、第十六条第二項第一号に掲げる事項が債権記録に記録されているときは、当該契約に係る銀行等に対し、前条第二項に規定する情報を提供しなければならない。

② 前項の場合において、支払期日に支払うべき電子記録債権に係る債務の全額について口座間送金決済があった旨の通知を同項に規定する銀行等から受けたときは、電子債権記録機関は、遅滞なく、当該口座間送金決済についての支払等記録をしなければならない。

（支払に関するその他の契約の締結）

第六四条 電子債権記録機関は、第六十二条第一項に規定する口座間送金決済に関する契約のほか、債務者又は債権者及び銀行等と電子記録債権に係る債務の債権者口座に対する払込みによる支払に関する契約を締結することができる。

（その他の契約に係る支払についての支払等記録）

第六五条 電子債権記録機関は、前条に規定する契約を締結し、第十六条第二項第二号に掲げる事項が債権記録に記録されている場合において、電子記録債権に係る債務の債権者口座に対する払込みによる支払に関する通知を当該契約に係る銀行等から受けたとき（電子記録債権に係る債務の支払があったことを電子債権記録機関において確実に知り得る場合として主務省令で定める場合に限る。）は、遅滞なく、当該支払についての支払等記録をしなければならない。

（口座間送金決済等の通知に係る第八条の適用）

第六六条 第六十三条第二項及び前条に規定する通知は、電子記録の請求とみなして、第八条の規定を適用する。

第四節 監督 から **第六節 解散等** まで

（第六七条から第八五条まで）（略）

第四章 雑則

（第八六条から第九二条まで）（略）

第五章 罰則

（第九三条から第一〇〇条まで）（略）

附 則 （抄）

（施行期日）

第一条 この法律は、公布の日から起算して一年六月を超えない範囲内において政令で定める日（平成二〇・一二・一―平成二〇政三四二）から施行する。

民事関係手続等における情報通信技術の活用等の推進を図るための関係法律の整備に関する法律中経過規定

（令和五・六・一四法五三）（抄）

第三八七条から第三八九条まで （民事執行法の同経過規定参照）

民事関係手続等における情報通信技術の活用等の推進を図るための関係法律の整備に関する法律

附 則（令和五・六・一四法五三）

１ この法律は、公布の日から起算して五年を超えない範囲内において政令で定める日から施行する。ただし、次の各号に掲げる規定は、当該各号に定める日から施行する。

一 （前略）第三百八十八条の規定 公布の日

二 （前略）第三百八十七条の規定 公布の日から起算して二年六月を超えない範囲内において政令で定める日

三 （略）

●利息制限法（昭和二九・五・一五法一〇〇）

施行 昭和二九・六・一五（附則参照）

改正 平成一一法一五五、平成一八法一一五

目次

第一章 利息等の制限

（利息の制限）

第一条 金銭を目的とする消費貸借における利息の契約は、その利息が次の各号に掲げる場合に応じ当該各号に定める利率により計算した金額を超えるときは、その超過部分について、無効とする。

一 元本の額が十万円未満の場合 年二割

二 元本の額が十万円以上百万円未満の場合 年一割八分

三 元本の額が百万円以上の場合 年一割五分

（利息の天引き）

第二条 利息の天引きをした場合において、天引額が債務者の受領額を元本として前条に規定する利率により計算した金額を超えるときは、その超過部分は、元本の支払に充てたものとみなす。

（みなし利息）

第三条 前二条の規定の適用については、金銭を目的とする消費貸借に関し債権者の受ける元本以外の金銭は、礼金、割引金、手数料、調査料その他いかなる名義をもってするかを問わず、利息とみなす。ただし、契約の締結及び債務の弁済の費用は、この限りでない。

（賠償額の予定の制限）

第四条① 金銭を目的とする消費貸借上の債務の不履行による賠償額の予定は、その賠償額の元本に対する割合が第一条に規定する率の一・四六倍を超えるときは、その超過部分について、無効とする。

② 前項の規定の適用については、違約金は、賠償額の予定とみなす。

第二章 営業的金銭消費貸借の特則

（元本額の特則）

第五条　次の各号に掲げる利息に関する第一条の規定の適用については、当該各号に定める額を同条に規定する元本の額とみなす。
一　営業的金銭消費貸借（債権者が業として行う金銭を目的とする消費貸借をいう。以下同じ。）上の債務を既に負担している債務者が同一の債権者から重ねて営業的金銭消費貸借による貸付けを受けた場合における当該貸付けに係る営業的金銭消費貸借上の利息　当該既に負担している債務の残元本の額と当該貸付けを受けた元本の額との合計額
二　債務者が同一の債権者から同時に二以上の営業的金銭消費貸借による貸付けを受けた場合におけるそれぞれの貸付けに係る営業的金銭消費貸借上の利息　当該二以上の貸付けを受けた元本の額の合計額

（みなし利息の特則）
第六条①　営業的金銭消費貸借に関し債権者の受ける元本以外の金銭のうち、金銭の貸付け及び弁済に用いるため債務者に交付されたカードの再発行の手数料その他の債務者の要請により債権者が行う事務の費用として政令で定めるものについては、第三条本文の規定は、適用しない。
②　営業的金銭消費貸借においては、次に掲げる契約の締結及び債務の弁済の費用に限り、第三条ただし書の規定の適用があるものとする。
一　公租公課の支払に充てられるべきもの
二　強制執行の費用、担保権の実行としての競売の手続の費用その他公の機関が行う手続に関してその機関に支払うべきもの
三　債務者が金銭の受領又は弁済のために利用する現金自動支払機その他の機械の利用料（政令で定める額の範囲内のものに限る。）

（賠償額の予定の特則）
第七条①　第四条第一項の規定にかかわらず、営業的金銭消費貸借上の債務の不履行による賠償額の予定は、その賠償額の元本に対する割合が年二割を超えるときは、その超過部分について、無効とする。
②　第四条第二項の規定は、前項の賠償額の予定について準用する。

（保証料の制限等）
第八条①　営業的金銭消費貸借上の債務を主たる債務とする保証（業として行うものに限る。以下同じ。）がされた場合における保証料（主たる債務者が支払うものに限る。以下同じ。）の契約は、その保証料が当該主たる債務の元本に係る法定上限額（第一条及び第五条の規定の例により計算した金額をいう。以下同じ。）から当該主たる債務について支払うべき利息の額を減じて得た金額を超えるときは、その超過部分について、無効とする。
②　前項の規定にかかわらず、同項の主たる債務について支払うべき利息が利息の契約後変動し得る利率（以下「変動利率」という。）をもって定められている場合における保証料の契約は、その保証料が次の各号に掲げる場合に応じ当該各号に定める金額を超えるときは、その超過部分について、無効とする。
一　保証契約の時に債権者と保証人の合意により債権者が主たる債務者から支払を受けることができる利息の利率の上限（以下「特約上限利率」という。）の定めをし、かつ、債権者又は保証人が主たる債務者に当該定めを通知した場合　法定上限額から特約上限利率により計算した利息の金額（以下「特約上限利息額」という。）を減じて得た金額
二　前号に掲げる場合以外の場合　法定上限額の二分の一の金額
③　第一項の保証が根保証（一定の範囲に属する不特定の債務を主たる債務とする保証をいう。以下同じ。）である場合における前二項の法定上限額は、その保証料が主たる債務の元本に対する割合をもって定められている場合を除き、保証契約の時に現に存する主たる債務の元本に係る法定上限額とする。
④　前三項の規定にかかわらず、第一項の保証が元本極度額（保証人が履行の責任を負うべき主たる債務の元本の上限の額をいう。以下同じ。）及び元本確定期日（根保証契約において主たる債務の元本の確定すべき期日（確定日に限る。）をいう。以下同じ。）の定めがある根保証であって、主たる債務者が個人（保証の業務に関して行政機関の監督を受ける者として政令で定める者が保証人である場合に限る。）又は法人であるときは、債権者が法令の規定により業として貸付けを行うことができない者である場合を除き、保証人は、次の各号に掲げる場合に応じ当該各号に定める金額の範囲内で、保証料の支払を受けることができる。
一　第二項第一号に掲げる場合　元本極度額を主たる債務の元本の額、元本確定期日を弁済期とみなして計算した法定上限額から元本極度額を主たる債務の元本の額、元本確定期日を弁済期とみなして計算した特約上限利息額を減じて得た金額
二　前号に掲げる場合以外の場合　同号の法定上限額の二分の一の金額
⑤　前項の規定は、保証人が保証契約の時に債権者に対して同項の規定の適用を受けない旨の意思を表示し、かつ、その旨を主たる債務者に通知した場合には、適用しない。
⑥　第一項の保証がその主たる債務について他に同項の保証があるときに行うものである場合における保証料の契約は、その保証料が同項から第四項までの規定により支払を受けることができる保証料の上限額から当該他にある保証に係る保証料の額を減じて得た金額を超えるときは、その超過部分について、無効とする。
⑦　第一項から第四項まで及び前項の規定の適用については、保証契約に関し保証人が主たる債務者から受ける保証料以外の金銭は、次に掲げるものを除き、礼金、手数料、調査料その他いかなる名義をもってするかを問わず、保証料とみなす。
一　契約の締結又は債務の弁済の費用であって、次に掲げるもの
イ　公租公課の支払に充てられるべきもの
ロ　強制執行の費用、担保権の実行としての競売の手続の費用その他公の機関が行う手続に関してその機関に支払うべきもの
ハ　主たる債務者が弁済のために利用する現金自動支払機その他の機械の利用料（政令で定める額の範囲内のものに限る。）
二　弁済に用いるため主たる債務者に交付されたカードの再発行の手数料その他の主たる債務者の要請により保証人が行う事務の費用として政令で定めるもの
⑧　営業的金銭消費貸借の債権者が保証契約を締結しようとする場合において、第五条の規定の適用があるとき（これにより第一条において適用される利率が異なるときに限る。）、利息の天引きをするとき又は主たる債務について既に他の保証契約があるときは、あらかじめ、保証人となるべき者に対し、その旨の通知をしなければならない。この場合において、当該債権者が当該通知を怠ったときは、これによって保証人に生じた損害を賠償する責任を負う。

（保証がある場合における利息の制限の特則）
第九条①　前条第一項の保証料の契約後に債権者と主たる債務者の合意により利息を増加した場合における利息の契約は、第一条の規定にかかわらず、増加後の利息が法定上限額から保証料の額を減じて得た金額を超えるときは、その超過部分について、無効とする。
②　前条第一項の主たる債務について支払うべき利息が変動利率をもって定められている場合における利息の契約は、その利息が次の各号に掲げる場合に応じ当該各号に定める金額を超えるときは、その超過部分について、無効とする。
一　前条第二項第一号に掲げる場合　特約上限利息額
二　前号に掲げる場合以外の場合　法定上限額の二分の一の金

額

③ 前条第四項の規定の適用がある場合における主たる債務に係る利息の契約は、第一条及び前二項の規定にかかわらず、その利息が次の各号に掲げる場合に応じ当該各号に定める金額を超えるときは、その超過部分について、無効とする。

一 前条第二項第一号に掲げる場合 特約上限利息額

二 前号に掲げる場合以外の場合 法定上限額の二分の一の金額

附 則（抄）

① この法律は、公布の日から起算して一月を経過した日（昭和二九・六・一五）から施行する。

② 利息制限法（明治十年太政官布告第六十六号）は、廃止する。

④ この法律の施行前になされた契約については、なお従前の例による。

＊出資の受入れ、預り金及び金利等の取締りに関する法律（抜粋）

（昭和二九・六・二三　法　一　九　五）

題名改正 昭和五八法三二（旧・出資の受入、預り金及び金利等の取締等に関する法律）

最終改正 令和四法六八

（出資金の受入の制限）

第一条 何人も、不特定且つ多数の者に対し、後日出資の払いもどしとして出資金の全額若しくはこれをこえる金額に相当する金銭を支払うべき旨を明示し、又は暗黙のうちに示して、出資金の受入をしてはならない。

（預り金の禁止）

第二条① 業として預り金をするにつき他の法律に特別の規定のある者を除く外、何人も業として預り金をしてはならない。

② 前項の「預り金」とは、不特定かつ多数の者からの金銭の受入れであつて、次に掲げるものをいう。

一 預金、貯金又は定期積金の受入れ

二 社債、借入金その他いかなる名義をもつてするかを問わず、前号に掲げるものと同様の経済的性質を有するもの

（高金利の処罰）

第五条① 金銭の貸付けを行う者が、年百九・五パーセント（二月二十九日を含む一年については年百九・八パーセントとし、一日当たりについては〇・三パーセントとする。）を超える割合による利息（債務の不履行について予定される賠償額を含む。以下同じ。）の契約をしたときは、五年以下の拘禁刑若しくは千万円以下の罰金に処し、又はこれを併科する。当該割合を超える割合による利息を受領し、又はその支払を要求した者も、同様とする。

② 前項の規定にかかわらず、金銭の貸付けを行う者が業として金銭の貸付けを行う場合において、年二十パーセントを超える割合による利息の契約をしたときは、五年以下の拘禁刑若しくは千万円以下の罰金に処し、又はこれを併科する。その貸付けに関し、当該割合を超える割合による利息を受領し、又はその支払を要求した者も、同様とする。

③ 前二項の規定にかかわらず、金銭の貸付けを行う者が業として金銭の貸付けを行う場合において、年百九・五パーセント（二月二十九日を含む一年については年百九・八パーセントとし、一日当たりについては〇・三パーセントとする。）を超える割合による利息の契約をしたときは、十年以下の拘禁刑若しくは三千万円以下の罰金に処し、又はこれを併科する。その貸付けに関し、当該割合を超える割合による利息を受領し、又はその支払を要求した者も、同様とする。

刑法等の一部を改正する法律の施行に伴う関係法律整理法中経過規定（令和四・六・一七法六八）（抄）

第四四一条から第四四三条まで（刑法の同経過規定参照）

第五〇九条（刑法の同経過規定参照）

刑法等の一部を改正する法律の施行に伴う関係法律整理法

附 則（令和四・六・一七法六八）（抄）

（施行期日）

① この法律は、刑法等一部改正法（刑法等の一部を改正する法律（令和四法六七））施行日（令和七・六・一）から施行する。ただし、次の各号に掲げる規定は、当該各号に定める日から施行する。

一 第五百九条の規定 公布の日

二 （略）

○身元保証ニ関スル法律（昭和八・四・一法四二）

施行　昭和八・一〇・一（昭和八勅二四九）

第一条【身元保証契約の存続期間】 引受、保証其ノ他名称ノ如何ヲ問ハズ期間ヲ定メズシテ被用者ノ行為ニ因リ使用者ノ受ケタル損害ヲ賠償スルコトヲ約スル身元保証契約ハ其ノ成立ノ日ヨリ三年間其ノ効力ヲ有ス但シ商工業見習者ノ身元保証契約ニ付テハ之ヲ五年トス

第二条【同前】 ①身元保証契約ノ期間ハ五年ヲ超ユルコトヲ得ズ若シ之ヨリ長キ期間ヲ定メタルトキハ其ノ期間ハ之ヲ五年ニ短縮ス

②身元保証契約ハ之ヲ更新スルコトヲ得但シ其ノ期間ハ更新ノ時ヨリ五年ヲ超ユルコトヲ得ズ

第三条【使用者の通知義務】 使用者ハ左ノ場合ニ於テハ遅滞ナク身元保証人ニ通知スベシ

一　被用者ニ業務上不適任又ハ不誠実ナル事跡アリテ之ガ為身元保証人ノ責任ヲ惹起スル虞アルコトヲ知リタルトキ

二　被用者ノ任務又ハ任地ヲ変更シ之ガ為身元保証人ノ責任ヲ加重シ又ハ其ノ監督ヲ困難ナラシムルトキ

第四条【保証人の契約解除権】 身元保証人前条ノ通知ヲ受ケタルトキハ将来ニ向テ契約ノ解除ヲ為スコトヲ得身元保証人自ラ前条第一号及第二号ノ事実アリタルコトヲ知リタルトキ亦同ジ

第五条【保証責任の限度】 裁判所ハ身元保証人ノ損害賠償ノ責任及其ノ金額ヲ定ムルニ付被用者ノ監督ニ関スル使用者ノ過失ノ有無、身元保証人ガ身元保証ヲ為スニ至リタル事由及之ヲ為スニ当リ用ヰタル注意ノ程度、被用者ノ任務又ハ身上ノ変化其ノ他一切ノ事情ヲ斟酌ス

第六条【強行規定】 本法ノ規定ニ反スル特約ニシテ身元保証人ニ不利益ナルモノハ総テ之ヲ無効トス

附　則（抄）

①本法施行ノ期日ハ勅令ヲ以テ之ヲ定ム（昭和八・一〇・一施行—昭和八勅二四九）

○偽造カード等及び盗難カード等を用いて行われる不正な機械式預貯金払戻し等からの預貯金者の保護等に関する法律（抄）（平成一七・八・一〇法九四）

施行　平成一八・二・一〇（附則参照）
最終改正　平成一九法七四

（目的）

第一条　この法律は、偽造カード等又は盗難カード等を用いて行われる不正な機械式預貯金払戻し等による被害が多数発生していることにかんがみ、これらのカード等を用いて行われる機械式預貯金払戻し等に関する民法（明治二十九年法律第八十九号）の特例等について定めるとともに、これらのカード等を用いて行われる不正な機械式預貯金払戻し等の防止のための措置等を講ずることにより、これらのカード等を用いて行われる不正な機械式預貯金払戻し等からの預貯金者の保護を図り、あわせて預貯金に対する信頼を確保し、もって国民経済の健全な発展及び国民生活の安定に資することを目的とする。

（定義）

第二条①　この法律において「金融機関」とは、次に掲げるものをいう。

一　銀行
二　信用金庫
三　信用金庫連合会
四　労働金庫
五　労働金庫連合会
六　信用協同組合
七　信用協同組合連合会
八　農業協同組合
九　農業協同組合連合会
十　漁業協同組合
十一　漁業協同組合連合会
十二　水産加工業協同組合
十三　水産加工業協同組合連合会
十四　農林中央金庫
十五　株式会社商工組合中央金庫

②　この法律において「預貯金者」とは、金融機関と預貯金等契約（預貯金の預入れ及び引出しに係る契約又はこれらに併せて金銭の借入れに係る事項を含む契約をいう。以下同じ。）を締結する個人をいう。

③　この法律において「真正カード等」とは、預貯金等契約に基づき預貯金者に交付された預貯金の引出用のカード又は預貯金通帳（金銭の借入れをするための機能を併せ有するものを含む。以下「カード等」という。）をいう。

④　この法律において「偽造カード等」とは、真正カード等以外のカード等その他これに類似するものをいう。

⑤　この法律において「盗難カード等」とは、盗取された真正カード等をいう。

⑥　この法律において「機械式預貯金払戻し」とは、金融機関と預貯金者との間において締結された預貯金等契約に基づき行われる現金自動支払機（預貯金等契約に基づき預貯金の払戻し又は金銭の借入れを行うことができる機能を有する機械をいう。次項において同じ。）による預貯金の払戻し（振込みに係る預貯金者の口座からの払戻しを含む。）をいう。

⑦　この法律において「機械式金銭借入れ」とは、金融機関と預貯金者との間において締結された預貯金等契約に基づき行われる現金自動支払機による金銭の借入れ（預貯金以外のものを担保とする借入れを除く。）をいう。

（カード等を用いて行われる機械式預貯金払戻し等に関する民法の特例）

第三条　民法第四百七十八条の規定は、カード等その他これに類似するものを用いて行われる機械式預貯金払戻し及び機械式金銭借入れ（以下「機械式預貯金払戻し等」という。）については、適用しない。ただし、真正カード等を用いて行われる機械式預貯金払戻し等については、この限りでない。

（偽造カード等を用いて行われた機械式預貯金払戻し等の効力）

第四条①　偽造カード等を用いて行われた機械式預貯金払戻しは、当該機械式預貯金払戻しに係る預貯金等契約を締結している預貯金者の故意により当該機械式預貯金払戻しが行われたものであるとき又は当該預貯金等契約を締結している金融機関が当該機械式預貯金払戻しについて善意でかつ過失がない場合であって当該預貯金者の重大な過失により当該機械式預貯金払戻しが行われることとなったときに限り、その効力を有する。

②　偽造カード等を用いて行われた機械式金銭借入れについては、当該機械式金銭借入れに係る預貯金等契約を締結している預貯金者の故意により当該機械式金銭借入れが行われたものであるとき又は当該預貯金等契約を締結している金融機関が当該

機械式金銭借入れについて善意でかつ過失がない場合であって当該預貯金者の重大な過失により当該機械式金銭借入れが行われることとなったときに限り、当該預貯金者がその責任を負う。

（盗難カード等を用いて行われた不正な機械式預貯金払戻し等の額に相当する金額の補てん等）

第五条① 預貯金者は、自らの預貯金等契約に係る真正カード等が盗取されたと認める場合において、次の各号のいずれにも該当するときは、当該預貯金等契約を締結している金融機関に対し、当該盗取に係る盗難カード等を用いて行われた機械式預貯金払戻しの額に相当する金額の補てんを求めることができる。

一　当該真正カード等が盗取されたと認めた後、速やかに、当該金融機関に対し盗取された旨の通知を行ったこと。

二　当該金融機関の求めに応じ、遅滞なく、当該盗取が行われるに至った事情その他の当該盗取に関する状況について十分な説明を行ったこと。

三　当該金融機関に対し、捜査機関に対して当該盗取に係る届出を提出していることを申し出たことその他当該盗取が行われたことが推測される事実として内閣府令で定めるものを示したこと。

② 前項の規定による補てんの求めを受けた金融機関は、当該補てんの求めに係る機械式預貯金払戻しが盗難カード等を用いて行われた不正なものでないこと又は当該機械式預貯金払戻しが当該補てんの求めをした預貯金者の故意により行われたことを証明した場合を除き、当該補てんの求めをした預貯金者に対して、当該機械式預貯金払戻しの額に相当する金額（基準日以後において行われた当該機械式預貯金払戻しの額に相当する金額に限る。以下「補てん対象額」という。）の補てんを行わなければならない。ただし、当該金融機関が、当該機械式預貯金払戻しが盗難カード等を用いて不正に行われたことについて善意でかつ過失がないこと及び当該機械式預貯金払戻しが当該預貯金者の過失（重大な過失を除く。）により行われたことを証明した場合は、その補てんを行わなければならない金額は、補てん対象額の四分の三に相当する金額とする。

③ 第一項の規定による補てんの求めを受けた金融機関は、前項の規定にかかわらず、次の各号のいずれかに該当することを証明した場合には、当該補てんの求めをした預貯金者に対して、補てんを行うことを要しない。

一　当該補てんの求めに係る機械式預貯金払戻しが盗難カード等を用いて不正に行われたことについて金融機関が善意でかつ過失がないこと及び次のいずれかに該当すること。

イ　当該機械式預貯金払戻しが当該預貯金者の重大な過失により行われたこと。

ロ　当該機械式預貯金払戻しが当該預貯金者の配偶者、二親等内の親族、同居の親族その他の同居人又は家事使用人によって行われたこと。

ハ　当該預貯金者が、第一項第二号に規定する金融機関に対する説明において、重要な事項について偽りの説明を行ったこと。

二　当該盗難カード等に係る盗取が戦争、暴動等による著しい社会秩序の混乱に乗じ、又はこれに付随して行われたこと。

④ 預貯金者が自らの預貯金等契約に係る真正カード等が盗取されたと認める場合において第一項各号のいずれにも該当するときは、当該預貯金等契約を締結している金融機関は、当該盗取に係る盗難カード等を用いて行われた機械式金銭借入れについて、当該金融機関が当該機械式金銭借入れが盗難カード等を用いて行われた不正なものでないこと又は当該機械式金銭借入れが当該預貯金者の故意により行われたものであることを証明した場合を除き、当該機械式金銭借入れ（基準日以後において行われた当該機械式金銭借入れに限る。以下「対象借入れ」という。）について、その支払を求めることができない。ただし、当該金融機関が、当該機械式金銭借入れが盗難カード等を用いて不正に行われたことについて善意でかつ過失がないこと及び当該機械式金銭借入れが当該預貯金者の過失（重大な過失を除く。）により行われたことを証明した場合は、その支払を求めることができない金額は、対象借入れに係る額の四分の三に相当する金額とする。

⑤ 第三項の規定は、前項の場合について準用する。この場合において、第三項中「第一項の規定による補てんの求めを受けた金融機関は、前項の規定にかかわらず、」とあるのは「第四項の規定は、同項の金融機関が」と、「当該補てんの求めをした預貯金者に対して、補てんを行うことを要しない」とあるのは「適用しない」と、同項第一号中「当該補てんの求めに係る機械式預貯金払戻し」とあるのは「第四項の機械式金銭借入れ」と、「当該機械式預貯金払戻し」とあるのは「当該機械式金銭借入れ」と読み替えるものとする。

⑥ 第二項及び第四項に規定する基準日とは、第一項第一号に規定する通知を行った日の三十日（預貯金者が、同項又は第四項の盗取が行われた日（当該盗取が行われた日が明らかでないときは、当該盗取に係る盗難カード等を用いて行われた不正な機械式預貯金払戻し又は機械式金銭借入れが最初に行われた日。以下この項及び第七条において同じ。）以後三十日を経過する日までの期間内に当該盗取が行われたことを知ることができなかったことその他の当該通知をすることができなかったことについてやむを得ない特別の事情がある期間があることを証明したときは、三十日に当該特別の事情が継続している期間の日数を加えた日数）前の日（その日が当該盗取が行われた日前の日であるときは、当該盗取が行われた日）をいう。

（損害賠償等がされた場合等の調整）

第六条① 前条第二項の規定に基づく補てんを受けることができることとされる預貯金者に対し、次のいずれかに掲げる請求権の全部又は一部に係る支払がされた場合においては、当該補てんの求めを受けた金融機関は、その支払の金額の限度で当該預貯金者に対して補てんを行う義務を免れる。ただし、同項ただし書の規定の適用がある場合にあっては、当該金融機関は、当該支払の金額が補てん対象額から同項ただし書の規定に基づく補てんを受けることができることとされる金額を控除した金額を超えるときに限り、当該超える金額の限度で当該預貯金者に対して補てんを行う義務を免れる。

一　盗難カード等を用いて行われた不正な機械式預貯金払戻しが弁済の効力を有しない場合に当該預貯金者が当該金融機関に対して有する当該機械式預貯金払戻しに係る預貯金の払戻請求権

二　盗難カード等を用いて行われた不正な機械式預貯金払戻しが弁済の効力を有する場合に当該預貯金者が当該機械式預貯金払戻しを受けた者その他の第三者に対して有する損害賠償請求権又は不当利得返還請求権

② 前条第二項の規定による補てんを受けた預貯金者は、当該補てんを受けた金額の限度において、前項第一号に掲げる請求権に係る支払の請求を行うことができない。

③ 前条第二項の規定により預貯金者に対し補てんを行った金融機関は、当該補てんを行った金額の限度において、当該預貯金者の有する第一項第二号に掲げる請求権を取得する。

（適用除外）

第七条 第五条の規定は、同条第一項第一号に規定する通知が同項又は同条第四項の盗取が行われた日から二年を経過する日後に行われたときは、適用しない。

（強行規定）

第八条 第三条から前条までの規定に反する特約で預貯金者に不利なものは、無効とする。

（偽造カード等又は盗難カード等を用いて行われる不正な機械式預貯金払戻し等の防止のための措置等）

第九条① 金融機関は、偽造カード等又は盗難カード等を用いて行われる不正な機械式預貯金払戻し等の発生を防止するため、できるだけ速やかに、機械式預貯金払戻し等に係る認証の技術の開発並びに情報の漏えいの防止及び異常な取引状況の早期の把握のための情報システムの整備その他の措置を講ずることにより、機械式預貯金払戻し等が正当な権限を有する者に対して適切に行われることを確保することができるようにするとともに、預貯金者に対するこれらの措置についての情報の提供並びに啓発及び知識の普及、容易に推測される暗証番号が使用されないような適切な措置の実施その他の必要な措置を講じなければならない。

②―④（略）

第一〇条及び第一一条（略）

附　則（抄）

（施行期日等）

第一条① この法律は、公布の日から起算して六月を経過した日（平成一八・二・一〇）から施行する。

② 第三条から第八条までの規定は、この法律の施行の日以後に行われる機械式預貯金払戻し等について適用する。

＊供託法（抜粋）

（明治三二・二・八法一五）

最終改正　平成二六法六九

第一条【供託物の保管】 法令ノ規定ニ依リテ供託スル金銭及ヒ有価証券ハ法務局若ハ地方法務局若ハ此等ノ支局又ハ法務大臣ノ指定スル此等ノ出張所カ供託所トシテ之ヲ保管ス

第二条【供託手続】 供託所ニ供託ヲ為サント欲スル者ハ法務大臣カ定メタル書式ニ依リテ供託書ヲ作リ供託物ニ添ヘテ之ヲ差出タスコトヲ要ス

第三条【利息】 供託金ニハ法務省令ノ定ムル所ニ依リ利息ヲ付スルコトヲ要ス

第五条【供託物品の保管者の指定】 ①法務大臣ハ法令ノ規定ニ依リテ供託スル金銭又ハ有価証券ニ非サル物品ヲ保管スヘキ倉庫営業者又ハ銀行ヲ指定スルコトヲ得

②倉庫営業者又ハ銀行ハ其営業ノ部類ニ属スル物ニシテ其保管シ得ヘキ数量ニ限リ之ヲ保管スル義務ヲ負フ

第六条【指定保管者への供託】 倉庫営業者又ハ銀行ニ供託ヲ為サント欲スル者ハ法務大臣カ定メタル書式ニ依リテ供託書ヲ作リ供託物ニ添ヘテ之ヲ交付スルコトヲ要ス

第八条【供託物の還付・取戻し】 ①供託物ノ還付ヲ請求スル者ハ法務大臣ノ定ムル所ニ依リ其権利ヲ証明スルコトヲ要ス

②供託者ハ民法第四百九十六条ノ規定ニ依レルコト、供託カ錯誤ニ出テシコト又ハ其原因カ消滅シタルコトヲ証明スルニ非サレハ供託物ヲ取戻スコトヲ得ス

第九条【無権利者への供託】 供託者カ供託物ヲ受取ル権利ヲ有セサル者ヲ指定シタルトキハ其供託ハ無効トス

第一〇条【反対給付】 供託物ヲ受取ルヘキ者カ反対給付ヲ為スヘキ場合ニ於テハ供託者ノ書面又ハ裁判、公正証書其他ノ公正ノ書面ニ依リ其給付アリタルコトヲ証明スルニ非サレハ供託物ヲ受取ルコトヲ得ス

●消費者契約法（抄）

（平成一二・五・一二法　六一）

施行　平成一三・四・一（附則）

改正　平成一三法一二九、平成一七法八七、平成一八法五〇・法五六、平成二〇法二九（平成二一法四九）、平成二一法四九、平成二四法五九、平成二五法七〇・法九六、平成二六法七一・法一一八、平成二八法六一、平成二九法四三・法四五（平成二八法六一、平成三〇法五四）、平成三〇法五四、令和四法五九（令和四法九九）・法六八・法九九、令和五法二九・法六三

目次

第一章　総則

（目的）

第一条　この法律は、消費者と事業者との間の情報の質及び量並びに交渉力の格差に鑑み、事業者の一定の行為により消費者が誤認し、又は困惑した場合等について契約の申込み又はその承諾の意思表示を取り消すことができることとするとともに、事業者の損害賠償の責任を免除する条項その他の消費者の利益を不当に害することとなる条項の全部又は一部を無効とするほ

か、消費者の被害の発生又は拡大を防止するため適格消費者団体が事業者等に対し差止請求をすることができることとすることにより、消費者の利益の擁護を図り、もって国民生活の安定向上と国民経済の健全な発展に寄与することを目的とする。

（定義）

第二条① この法律において「消費者」とは、個人（事業として又は事業のために契約の当事者となる場合におけるものを除く。）をいう。

② この法律（第四十三条第二項第二号を除く。）において「事業者」とは、法人その他の団体及び事業として又は事業のために契約の当事者となる場合における個人をいう。

③ この法律において「消費者契約」とは、消費者と事業者との間で締結される契約をいう。

④ この法律において「適格消費者団体」とは、不特定かつ多数の消費者の利益のためにこの法律の規定による差止請求権を行使するのに必要な適格性を有する法人である消費者団体（消費者基本法（昭和四十三年法律第七十八号）第八条の消費者団体をいう。以下同じ。）として第十三条の定めるところにより内閣総理大臣の認定を受けた者をいう。

（事業者及び消費者の努力）

第三条① 事業者は、次に掲げる措置を講ずるよう努めなければならない。

一 消費者契約の条項を定めるに当たっては、消費者の権利義務その他の消費者契約の内容が、その解釈について疑義が生じない明確なもので、かつ、消費者にとって平易なものになるよう配慮すること。

二 消費者契約の締結について勧誘をするに際しては、消費者の理解を深めるために、物品、権利、役務その他の消費者契約の目的となるものの性質に応じ、事業者が知ることができた個々の消費者の年齢、心身の状態、知識及び経験を総合的に考慮した上で、消費者の権利義務その他の消費者契約の内容についての必要な情報を提供すること。

三 民法（明治二十九年法律第八十九号）第五百四十八条の二第一項に規定する定型取引合意に該当する消費者契約の締結について勧誘をするに際しては、消費者が同項に規定する定型約款の内容を容易に知り得る状態に置く措置を講じているときを除き、消費者が同法第五百四十八条の三第一項に規定する請求を行うために必要な情報を提供すること。

四 消費者の求めに応じて、消費者契約により定められた当該消費者が有する解除権の行使に関して必要な情報を提供すること。

② 消費者は、消費者契約を締結するに際しては、事業者から提供された情報を活用し、消費者の権利義務その他の消費者契約の内容について理解するよう努めるものとする。

第二章 消費者契約

第一節 消費者契約の申込み又はその承諾の意思表示の取消し

（消費者契約の申込み又はその承諾の意思表示の取消し）

第四条① 消費者は、事業者が消費者契約の締結について勧誘をするに際し、当該消費者に対して次の各号に掲げる行為をしたことにより当該各号に定める誤認をし、それによって当該消費者契約の申込み又はその承諾の意思表示をしたときは、これを取り消すことができる。

一 重要事項について事実と異なることを告げること。 当該告げられた内容が事実であるとの誤認

二 物品、権利、役務その他の当該消費者契約の目的となるものに関し、将来におけるその価額、将来において当該消費者が受け取るべき金額その他の将来における変動が不確実な事項につき断定的判断を提供すること。 当該提供された断定的判断の内容が確実であるとの誤認

② 消費者は、事業者が消費者契約の締結について勧誘をするに際し、当該消費者に対してある重要事項又は当該重要事項に関連する事項について当該消費者の利益となる旨を告げ、かつ、当該重要事項について当該消費者の不利益となる事実（当該告知により当該事実が存在しないと消費者が通常考えるべきものに限る。）を故意又は重大な過失によって告げなかったことにより、当該事実が存在しないとの誤認をし、それによって当該消費者契約の申込み又はその承諾の意思表示をしたときは、これを取り消すことができる。ただし、当該事業者が当該消費者に対し当該事実を告げようとしたにもかかわらず、当該消費者がこれを拒んだときは、この限りでない。

③ 消費者は、事業者が消費者契約の締結について勧誘をするに際し、当該消費者に対して次に掲げる行為をしたことにより困惑し、それによって当該消費者契約の申込み又はその承諾の意思表示をしたときは、これを取り消すことができる。

一 当該事業者に対し、当該消費者が、その住居又はその業務を行っている場所から退去すべき旨の意思を示したにもかかわらず、それらの場所から退去しないこと。

二 当該事業者が当該消費者契約の締結について勧誘をしている場所から当該消費者が退去する旨の意思を示したにもかかわらず、その場所から当該消費者を退去させないこと。

三 当該消費者に対し、当該消費者契約の締結について勧誘をすることを告げずに、当該消費者が任意に退去することが困難な場所であることを知りながら、当該消費者をその場所に同行し、その場所において当該消費者契約の締結について勧誘をすること。

四 当該消費者が当該消費者契約の締結について勧誘を受けている場所において、当該消費者が当該消費者契約を締結するか否かについて相談を行うために電話その他の内閣府令で定める方法によって当該事業者以外の者と連絡する旨の意思を示したにもかかわらず、威迫する言動を交えて、当該消費者が当該方法によって連絡することを妨げること。

五 当該消費者が、社会生活上の経験が乏しいことから、次に掲げる事項に対する願望の実現に過大な不安を抱いていることを知りながら、その不安をあおり、裏付けとなる合理的な根拠がある場合その他の正当な理由がある場合でないのに、物品、権利、役務その他の当該消費者契約の目的となるものが当該願望を実現するために必要である旨を告げること。

イ 進学、就職、結婚、生計その他の社会生活上の重要な事項

ロ 容姿、体型その他の身体の特徴又は状況に関する重要な事項

六 当該消費者が、社会生活上の経験が乏しいことから、当該消費者契約の締結について勧誘を行う者に対して恋愛感情その他の好意の感情を抱き、かつ、当該勧誘を行う者も当該消費者に対して同様の感情を抱いているものと誤信していることを知りながら、これに乗じ、当該消費者契約を締結しなければ当該勧誘を行う者との関係が破綻することになる旨を告げること。

七 当該消費者が、加齢又は心身の故障によりその判断力が著しく低下していることから、生計、健康その他の事項に関しその現在の生活の維持に過大な不安を抱いていることを知りながら、その不安をあおり、裏付けとなる合理的な根拠がある場合その他の正当な理由がある場合でないのに、当該消費者契約を締結しなければその現在の生活の維持が困難となる旨を告げること。

八 当該消費者に対し、霊感その他の合理的に実証することが困難な特別な能力による知見として、当該消費者又はその親族の生命、身体、財産その他の重要な事項について、そのままでは現在生じ、若しくは将来生じ得る重大な不利益を回避することができないとの不安をあおり、又はそのような不安を抱いていることに乗じて、その重大な不利益を回避するためには、当該消費者契約を締結することが必要不可欠である旨を告げること。

九　当該消費者が当該消費者契約の申込み又はその承諾の意思表示をする前に、当該消費者契約を締結したならば負うこととなる義務の内容の全部若しくは一部を実施し、又は当該消費者契約の目的物の現状を変更し、その実施又は変更前の原状の回復を著しく困難にすること。

十　前号に掲げるもののほか、当該消費者が当該消費者契約の申込み又はその承諾の意思表示をする前に、当該事業者が調査、情報の提供、物品の調達その他の当該消費者契約の締結を目指した事業活動を実施した場合において、当該事業活動が当該消費者からの特別の求めに応じたものであったことその他の取引上の社会通念に照らして正当な理由がある場合でないのに、当該事業活動が当該消費者のために特に実施したものである旨及び当該事業活動の実施により生じた損失の補償を請求する旨を告げること。

④　消費者は、事業者が消費者契約の締結について勧誘をするに際し、物品、権利、役務その他の当該消費者契約の目的となるものの分量、回数又は期間（以下この項において「分量等」という。）が当該消費者にとっての通常の分量等（消費者契約の目的となるものの内容及び取引条件並びに事業者がその締結について勧誘をする際の消費者の生活の状況及びこれについての当該消費者の認識に照らして当該消費者契約の目的となるものの分量等として通常想定される分量等をいう。以下この項において同じ。）を著しく超えるものであることを知っていた場合において、その勧誘により当該消費者契約の申込み又はその承諾の意思表示をしたときは、これを取り消すことができる。事業者が消費者契約の締結について勧誘をするに際し、消費者が既に当該消費者契約の目的となるものと同種のものを目的とする消費者契約（以下この項において「同種契約」という。）を締結し、当該同種契約の目的となるものの分量等と当該消費者契約の目的となるものの分量等とを合算した分量等が当該消費者にとっての通常の分量等を著しく超えるものであることを知っていた場合において、その勧誘により当該消費者契約の申込み又はその承諾の意思表示をしたときも、同様とする。

⑤　第一項第一号及び第二項の「重要事項」とは、消費者契約に係る次に掲げる事項（同項の場合にあっては、第三号に掲げるものを除く。）をいう。

一　物品、権利、役務その他の当該消費者契約の目的となるものの質、用途その他の内容であって、消費者の当該消費者契約を締結するか否かについての判断に通常影響を及ぼすべきもの

二　物品、権利、役務その他の当該消費者契約の目的となるものの対価その他の取引条件であって、消費者の当該消費者契約を締結するか否かについての判断に通常影響を及ぼすべきもの

三　前二号に掲げるもののほか、物品、権利、役務その他の当該消費者契約の目的となるものが当該消費者の生命、身体、財産その他の重要な利益についての損害又は危険を回避するために通常必要であると判断される事情

⑥　第一項から第四項までの規定による消費者契約の申込み又はその承諾の意思表示の取消しは、これをもって善意でかつ過失がない第三者に対抗することができない。

第五条（媒介の委託を受けた第三者及び代理人）①　前条の規定は、事業者が第三者に対し、当該事業者と消費者との間における消費者契約の締結について媒介をすることの委託（以下この項において単に「委託」という。）をし、当該委託を受けた第三者（その第三者から委託（二以上の段階にわたる委託を含む。）を受けた者を含む。以下「受託者等」という。）が消費者に対して同条第一項から第四項までに規定する行為をした場合について準用する。この場合において、同条第二項ただし書中「当該事業者」とあるのは、「当該事業者又は次条第一項に規定する受託者等」と読み替えるものとする。

②　消費者契約の締結に係る消費者の代理人（復代理人（二以上の段階にわたり復代理人として選任された者を含む。）を含む。以下同じ。）、事業者の代理人及び受託者等の代理人は、前条第一項から第四項まで（前項において準用する場合を含む。次条から第七条までにおいて同じ。）の規定の適用については、それぞれ消費者、事業者及び受託者等とみなす。

第六条（解釈規定）　第四条第一項から第四項までの規定は、これらの項に規定する消費者契約の申込み又はその承諾の意思表示に対する民法第九十六条の規定の適用を妨げるものと解してはならない。

第六条の二（取消権を行使した消費者の返還義務）　民法第百二十一条の二第一項の規定にかかわらず、消費者契約に基づく債務の履行として給付を受けた消費者は、第四条第一項から第四項までの規定により当該消費者契約の申込み又はその承諾の意思表示を取り消した場合において、給付を受けた当時その意思表示が取り消すことができるものであることを知らなかったときは、当該消費者契約によって現に利益を受けている限度において、返還の義務を負う。

第七条（取消権の行使期間等）①　第四条第一項から第四項までの規定による取消権は、追認をすることができる時から一年間（同条第三項第八号に係る取消権については、三年間）行わないときは、時効によって消滅する。当該消費者契約の締結の時から五年（同号に係る取消権については、十年）を経過したときも、同様とする。

②　会社法（平成十七年法律第八十六号）その他の法律により詐欺又は強迫を理由として取消しをすることができないものとされている株式若しくは出資の引受け又は基金の拠出が消費者契約としてされた場合には、当該株式若しくは出資の引受け又は基金の拠出に係る意思表示については、第四条第一項から第四項までの規定によりその取消しをすることができない。

第二節　消費者契約の条項の無効

第八条（事業者の損害賠償の責任を免除する条項等の無効）①　次に掲げる消費者契約の条項は、無効とする。

一　事業者の債務不履行により消費者に生じた損害を賠償する責任の全部を免除し、又は当該事業者にその責任の有無を決定する権限を付与する条項

二　事業者の債務不履行（当該事業者、その代表者又はその使用する者の故意又は重大な過失によるものに限る。）により消費者に生じた損害を賠償する責任の一部を免除し、又は当該事業者にその責任の限度を決定する権限を付与する条項

三　消費者契約における事業者の債務の履行に際してされた当該事業者の不法行為により消費者に生じた損害を賠償する責任の全部を免除し、又は当該事業者にその責任の有無を決定する権限を付与する条項

四　消費者契約における事業者の債務の履行に際してされた当該事業者の不法行為（当該事業者、その代表者又はその使用する者の故意又は重大な過失によるものに限る。）により消費者に生じた損害を賠償する責任の一部を免除し、又は当該事業者にその責任の限度を決定する権限を付与する条項

②　前項第一号又は第二号に掲げる条項のうち、消費者契約が有償契約である場合において、引き渡された目的物が種類又は品質に関して契約の内容に適合しないとき（当該消費者契約が請負契約である場合には、請負人が種類又は品質に関して契約の内容に適合しない仕事の目的物を注文者に引き渡したとき（その引渡しを要しない場合には、仕事が終了した時に仕事の目的物が種類又は品質に関して契約の内容に適合しないとき。）。以下この項において同じ。）に、これにより消費者に生じた損害を賠償する事業者の責任を免除し、又は当該事業者にその責任の有無若しくは限度を決定する権限を付与するものについては、次に掲げる場合に該当するときは、前項の規定は、適用しない。

一　当該消費者契約において、引き渡された目的物が種類又は品質に関して契約の内容に適合しないときに、当該事業者が履行の追完をする責任又は不適合の程度に応じた代金若しくは

　は報酬の減額をする責任を負うこととされている場合

二　当該消費者と当該事業者との間の契約又は当該事業者と他の事業者との間の当該消費者のための契約で、当該消費者契約の締結に先立って又はこれと同時に締結されたものにおいて、引き渡された目的物が種類又は品質に関して契約の内容に適合しないときに、当該他の事業者が、その目的物が種類又は品質に関して契約の内容に適合しないことにより当該消費者に生じた損害を賠償する責任の全部若しくは一部を負い、又は履行の追完をする責任を負うこととされている場合

③　事業者の債務不履行（当該事業者、その代表者又はその使用する者の故意又は重大な過失によるものを除く。）又は消費者契約における事業者の債務の履行に際してされた当該事業者の不法行為（当該事業者、その代表者又はその使用する者の故意又は重大な過失によるものを除く。）により消費者に生じた損害を賠償する責任の一部を免除する消費者契約の条項であって、当該条項において事業者、その代表者又はその使用する者の重大な過失を除く過失による行為にのみ適用されることを明らかにしていないものは、無効とする。

（消費者の解除権を放棄させる条項等の無効）

第八条の二　事業者の債務不履行により生じた消費者の解除権を放棄させ、又は当該事業者にその解除権の有無を決定する権限を付与する消費者契約の条項は、無効とする。

（事業者に対し後見開始の審判等による解除権を付与する条項の無効）

第八条の三　事業者に対し、消費者が後見開始、保佐開始又は補助開始の審判を受けたことのみを理由とする解除権を付与する消費者契約（消費者が事業者に対し物品、権利、役務その他の消費者契約の目的となるものを提供することとされているものを除く。）の条項は、無効とする。

（消費者が支払う損害賠償の額を予定する条項等の無効等）

第九条①　次の各号に掲げる消費者契約の条項は、当該各号に定める部分について、無効とする。

一　当該消費者契約の解除に伴う損害賠償の額を予定し、又は違約金を定める条項であって、これらを合算した額が、当該条項において設定された解除の事由、時期等の区分に応じ、当該消費者契約と同種の消費者契約の解除に伴い当該事業者に生ずべき平均的な損害の額を超えるもの　当該超える部分

二　当該消費者契約に基づき支払うべき金銭の全部又は一部を消費者が支払期日（支払回数が二以上である場合には、それぞれの支払期日。以下この号において同じ。）までに支払わない場合における損害賠償の額を予定し、又は違約金を定める条項であって、これらを合算した額が、支払期日の翌日からその支払をする日までの期間について、その日数に応じ、当該支払期日に支払うべき額から当該支払期日に支払うべき額のうち既に支払われた額を控除した額に年十四・六パーセントの割合を乗じて計算した額を超えるもの　当該超える部分

②　事業者は、消費者に対し、消費者契約の解除に伴う損害賠償の額を予定し、又は違約金を定める条項に基づき損害賠償又は違約金の支払を請求する場合において、当該消費者から説明を求められたときは、損害賠償の額の予定又は違約金の算定の根拠（第十二条の四において「算定根拠」という。）の概要を説明するよう努めなければならない。

（消費者の利益を一方的に害する条項の無効）

第一〇条　消費者の不作為をもって当該消費者が新たな消費者契約の申込み又はその承諾の意思表示をしたものとみなす条項その他の法令中の公の秩序に関しない規定の適用による場合に比して消費者の権利を制限し又は消費者の義務を加重する消費者契約の条項であって、民法第一条第二項に規定する基本原則に反して消費者の利益を一方的に害するものは、無効とする。

第三節　補則

（他の法律の適用）

第一一条①　消費者契約の申込み又はその承諾の意思表示の取消し及び消費者契約の条項の効力については、この法律の規定によるほか、民法及び商法（明治三十二年法律第四十八号）の規定による。

②　消費者契約の申込み又はその承諾の意思表示の取消し及び消費者契約の条項の効力について民法及び商法以外の他の法律に別段の定めがあるときは、その定めるところによる。

第三章　差止請求（抄）

第一節　差止請求権等

（差止請求権）

第一二条①　適格消費者団体は、事業者、受託者等又は事業者の代理人若しくは受託者等の代理人（以下この項及び第四十三条第二項第一号において「事業者等」と総称する。）が、消費者契約の締結について勧誘をするに際し、不特定かつ多数の消費者に対して第四条第一項から第四項までに規定する行為（同条第二項に規定する行為にあっては、同項ただし書の場合に該当するものを除く。次項において同じ。）を現に行い又は行うおそれがあるときは、その事業者等に対し、当該行為の停止若しくは予防又は当該行為に供した物の廃棄若しくは除去その他の当該行為の停止若しくは予防に必要な措置をとることを請求することができる。ただし、民法及び商法以外の他の法律の規定によれば当該行為を理由として当該消費者契約を取り消すことができないときは、この限りでない。

②　適格消費者団体は、次の各号に掲げる者が、消費者契約の締結について勧誘をするに際し、不特定かつ多数の消費者に対して第四条第一項から第四項までに規定する行為を現に行い又は行うおそれがあるときは、当該各号に定める者に対し、当該各号に掲げる者に対する是正の指示又は教唆の停止その他の当該行為の停止又は予防に必要な措置をとることを請求することができる。この場合においては、前項ただし書の規定を準用する。

一　受託者等　当該受託者等に対して委託（二以上の段階にわたる委託を含む。）をした事業者又は他の受託者等

二　事業者の代理人又は受託者等の代理人　当該代理人を自己の代理人とする事業者若しくは受託者等又はこれらの他の代理人

③　適格消費者団体は、事業者又はその代理人が、消費者契約を締結するに際し、不特定かつ多数の消費者との間で第八条から第十条までに規定する消費者契約の条項（第八条第一項第一号又は第二号に掲げる消費者契約の条項にあっては、同条第二項の場合に該当するものを除く。次項及び第十二条の三第一項において同じ。）を含む消費者契約の申込み又はその承諾の意思表示を現に行い又は行うおそれがあるときは、その事業者又はその代理人に対し、当該行為の停止若しくは予防又は当該行為に供した物の廃棄若しくは除去その他の当該行為の停止若しくは予防に必要な措置をとることを請求することができる。ただし、民法及び商法以外の他の法律の規定によれば当該消費者契約の条項が無効とされないときは、この限りでない。

④　適格消費者団体は、事業者の代理人が、消費者契約を締結するに際し、不特定かつ多数の消費者との間で第八条から第十条までに規定する消費者契約の条項を含む消費者契約の申込み又はその承諾の意思表示を現に行い又は行うおそれがあるときは、当該代理人を自己の代理人とする事業者又は他の代理人に対し、当該代理人に対する是正の指示又は教唆の停止その他の当該行為の停止又は予防に必要な措置をとることを請求することができる。この場合においては、前項ただし書の規定を準用する。

（差止請求の制限）

第一二条の二①　前条、不当景品類及び不当表示防止法（昭和三十七年法律第百三十四号）第三十四条第一項、特定商取引に関する法律（昭和五十一年法律第五十七号）第五十八条の十八から第五十八条の二十四まで又は食品表示法（平成二十五年法律

第七十号）第十一条の規定による請求（以下「差止請求」という。）は、次に掲げる場合には、することができない。

一　当該適格消費者団体若しくは第三者の不正な利益を図り又は当該差止請求に係る相手方に損害を加えることを目的とする場合

二　他の適格消費者団体を当事者とする差止請求に係る訴訟等（訴訟並びに和解の申立てに係る手続、調停及び仲裁をいう。以下同じ。）につき既に確定判決等（確定判決及びこれと同一の効力を有するものをいい、次のイからハまでに掲げるものを除く。以下同じ。）が存する場合において、請求の内容及び相手方が同一である場合。ただし、当該他の適格消費者団体について、当該確定判決等に係る訴訟等の手続に関し、第十三条第一項の認定が第三十四条第一項第四号に掲げる事由により取り消され、又は同条第三項の規定により同号に掲げる事由があった旨の認定がされたときは、この限りでない。

イ　訴えを却下した確定判決

ロ　前号に掲げる場合に該当することのみを理由として差止請求を棄却した確定判決及び仲裁判断

ハ　差止請求をする権利（以下「差止請求権」という。）の不存在又は差止請求権に係る債務の不存在の確認の請求（第二十四条において「差止請求権不存在等確認請求」という。）を棄却した確定判決及びこれと同一の効力を有するもの

②　前項第二号本文の規定は、当該確定判決に係る訴訟の口頭弁論の終結後又は当該確定判決と同一の効力を有するものの成立後に生じた事由に基づいて同号本文に掲げる場合の当該差止請求をすることを妨げない。

（消費者契約の条項の開示要請）

第十二条の三①　適格消費者団体は、事業者又はその代理人が、消費者契約を締結するに際し、不特定かつ多数の消費者との間で第八条から第十条までに規定する消費者契約の条項を含む消費者契約の申込み又はその承諾の意思表示を現に行い又は行うおそれがあると疑うに足りる相当の理由があるときは、内閣府令で定めるところにより、その事業者又はその代理人に対し、その理由を示して、当該条項を開示するよう要請することができる。ただし、当該事業者又はその代理人が、当該条項を含む消費者契約の条項をインターネットの利用その他の適切な方法により公表しているときは、この限りでない。

②　事業者又はその代理人は、前項の規定による要請に応じるよう努めなければならない。

（損害賠償の額を予定する条項等に関する説明の要請等）

第十二条の四①　適格消費者団体は、消費者契約の解除に伴う損害賠償の額を予定し、又は違約金を定める条項におけるこれらを合算した額が第九条第一項第一号に規定する平均的な損害の額を超えると疑うに足りる相当な理由があるときは、内閣府令で定めるところにより、当該条項を定める事業者に対し、その理由を示して、当該条項に係る算定根拠を説明するよう要請することができる。

②　事業者は、前項の算定根拠に営業秘密（不正競争防止法（平成五年法律第四十七号）第二条第六項に規定する営業秘密をいう。）が含まれる場合その他の正当な理由がある場合を除き、前項の規定による要請に応じるよう努めなければならない。

（差止請求に係る講じた措置の開示要請）

第十二条の五①　第十二条第三項又は第四項の規定による請求により事業者又はその代理人がこれらの規定に規定する行為の停止若しくは予防又は当該行為の停止若しくは予防に必要な措置をとる義務を負うときは、当該請求をした適格消費者団体は、内閣府令で定めるところにより、その事業者又はその代理人に対し、これらの者が当該義務を履行するために講じた措置の内容を開示するよう要請することができる。

②　事業者又はその代理人は、前項の規定による要請に応じるよう努めなければならない。

第二節　適格消費者団体（抄）

第一款　適格消費者団体の認定等（抄）

（適格消費者団体の認定）

第十三条①　差止請求関係業務（不特定かつ多数の消費者の利益のために差止請求権を行使する業務並びに当該業務の遂行に必要な消費者の被害に関する情報の収集並びに消費者の被害の防止及び救済に資する差止請求権の行使の結果に関する情報の収集及び提供に係る業務をいう。以下同じ。）を行おうとする者は、内閣総理大臣の認定を受けなければならない。

②　前項の認定を受けようとする者は、内閣総理大臣に認定の申請をしなければならない。

③　内閣総理大臣は、前項の申請をした者が次に掲げる要件の全てに適合しているときに限り、第一項の認定をすることができる。

一　特定非営利活動促進法（平成十年法律第七号）第二条第二項に規定する特定非営利活動法人又は一般社団法人若しくは一般財団法人であること。

二　消費生活に関する情報の収集及び提供並びに消費者の被害の防止及び救済のための活動その他の不特定かつ多数の消費者の利益の擁護を図るための活動を行うことを主たる目的とし、現にその活動を相当期間にわたり継続して適正に行っていると認められること。

三　差止請求関係業務の実施に係る組織、差止請求関係業務の実施の方法、差止請求関係業務に関して知り得た情報の管理及び秘密の保持の方法その他の差止請求関係業務を適正に遂行するための体制及び業務規程が適切に整備されていること。

四　その理事に関し、次に掲げる要件に適合するものであること。

イ　差止請求関係業務の執行を決定する機関として理事をもって構成する理事会が置かれており、かつ、定款で定めるその決定の方法が次に掲げる要件に適合していると認められること。

(1)　当該理事会の決議が理事の過半数又はこれを上回る割合以上の多数決により行われるものとされていること。

(2)　第四十一条第一項の規定による差止請求、差止請求に係る訴えの提起その他の差止請求関係業務の執行に係る重要な事項の決定が理事その他の者に委任されていないこと。

ロ　理事の構成が次の(1)又は(2)のいずれかに該当するものでないこと。この場合において、第二号に掲げる要件に適合する者は、次の(1)又は(2)に規定する事業者に該当しないものとみなす。

(1)　理事の数のうちに占める特定の事業者（当該事業者との間に発行済株式の総数の二分の一以上の株式の数を保有する関係その他の内閣府令で定める特別の関係のある者を含む。）の関係者（当該事業者及びその役員又は職員である者その他の内閣府令で定める者をいう。(2)において同じ。）の数の割合が三分の一を超えていること。

(2)　理事の数のうちに占める同一の業種（内閣府令で定める事業の区分をいう。）に属する事業を行う事業者の関係者の数の割合が二分の一を超えていること。

五　差止請求の要否及びその内容についての検討を行う部門において次のイ及びロに掲げる者（以下「専門委員」と総称する。）が共にその専門的な知識経験に基づいて必要な助言を行い又は意見を述べる体制が整備されていることその他差止請求関係業務を適正に遂行するための人的体制に照らして、差止請求関係業務を適正に遂行することができる専門的な知識経験を有すると認められること。

イ　消費生活に関する消費者と事業者との間に生じた苦情に係る相談（第四十条第一項において「消費生活相談」という。）その他の消費生活に関する事項について専門的な知識

経験を有する者として内閣府令で定める条件に適合する者

ロ　弁護士、司法書士その他の法律に関する専門的な知識経験を有する者として内閣府令で定める条件に適合する者

六　差止請求関係業務を適正に遂行するに足りる経理的基礎を有すること。

七　差止請求関係業務以外の業務を行う場合には、その業務を行うことによって差止請求関係業務の適正な遂行に支障を及ぼすおそれがないこと。

④　前項第三号の業務規程には、差止請求関係業務の実施の方法、差止請求関係業務に関して知り得た情報の管理及び秘密の保持の方法その他の内閣府令で定める事項が定められていなければならない。この場合において、業務規程に定める差止請求関係業務の実施の方法には、同項第五号の検討を行う部門における専門委員からの助言又は意見の聴取に関する措置及び役員、職員又は専門委員が差止請求に係る相手方と特別の利害関係を有する場合の措置その他業務の公正な実施の確保に関する措置が含まれていなければならない。

⑤　次の各号のいずれかに該当する者は、第一項の認定を受けることができない。

一　この法律、消費者の財産的被害等の集団的な回復のための民事の裁判手続の特例に関する法律（平成二十五年法律第九十六号。以下「消費者裁判手続特例法」という。）その他消費者の利益の擁護に関する法律で政令で定めるもの若しくはこれらの法律に基づく命令の規定又はこれらの規定に基づく処分に違反して罰金の刑に処せられ、その刑の執行を終わり、又はその刑の執行を受けることがなくなった日から三年を経過しない法人

二　第三十四条第一項各号若しくは消費者裁判手続特例法第九十二条第二項各号に掲げる事由により第一項の認定を取り消され、又は第三十四条第三項の規定により同条第一項第四号に掲げる事由があった旨の認定がされ、その取消し又は認定の日から三年を経過しない法人

三　暴力団員による不当な行為の防止等に関する法律（平成三年法律第七十七号）第二条第六号に規定する暴力団員又は同号に規定する暴力団員でなくなった日から五年を経過しない者（次号及び第六号ハにおいて「暴力団員等」という。）がその事業活動を支配する法人

四　暴力団員等をその業務に従事させ、又はその業務の補助者として使用するおそれのある法人

五　政治団体（政治資金規正法（昭和二十三年法律第百九十四号）第三条第一項に規定する政治団体をいう。）

六　役員のうちに次のイからハまでのいずれかに該当する者のある法人

イ　拘禁刑以上の刑に処せられ、又はこの法律、消費者裁判手続特例法その他消費者の利益の擁護に関する法律で政令で定めるもの若しくはこれらの法律に基づく命令の規定若しくはこれらの規定に基づく処分に違反して罰金の刑に処せられ、その刑の執行を終わり、又はその刑の執行を受けることがなくなった日から三年を経過しない者

ロ　適格消費者団体が第三十四条第一項各号若しくは消費者裁判手続特例法第九十二条第二項各号に掲げる事由により第一項の認定を取り消され、又は第三十四条第三項の規定により同条第一項第四号に掲げる事由があった旨の認定がされた場合において、その取消し又は認定の日前六月以内に当該適格消費者団体の役員であった者でその取消し又は認定の日から三年を経過しないもの

ハ　暴力団員等

第一四条から第二二条まで　（略）

第二款　差止請求関係業務等

第二三条（**差止請求権の行使等**）①　適格消費者団体は、不特定かつ多数の消費者の利益のために、差止請求権を適切に行使しなければならない。

②　適格消費者団体は、差止請求権を濫用してはならない。

③　適格消費者団体は、事案の性質に応じて他の適格消費者団体と共同して差止請求権を行使するほか、差止請求関係業務について相互に連携を図りながら協力するように努めなければならない。

④　適格消費者団体は、次に掲げる場合には、内閣府令で定めるところにより、遅滞なく、その旨を他の適格消費者団体に通知するとともに、その旨及びその内容その他内閣府令で定める事項を内閣総理大臣に報告しなければならない。この場合において、当該適格消費者団体が、当該通知及び報告に代えて、すべての適格消費者団体及び内閣総理大臣が電磁的方法（電子情報処理組織を使用する方法その他の情報通信の技術を利用する方法をいう。以下同じ。）を利用して同一の情報を閲覧することができる状態に置く措置であって内閣府令で定めるものを講じたときは、当該通知及び報告をしたものとみなす。

一　第四十一条第一項（同条第三項において準用する場合を含む。）の規定による差止請求をしたとき。

二　前号に掲げる場合のほか、裁判外において差止請求をしたとき。

三　差止請求に係る訴えの提起（和解の申立て、調停の申立て又は仲裁合意を含む。）又は仮処分命令の申立てがあったとき。

四　差止請求に係る判決の言渡し（調停の成立、調停に代わる決定の告知又は仲裁判断を含む。）又は差止請求に係る仮処分命令の申立てについての決定の告知があったとき。

五　前号の判決に対する上訴の提起（調停に代わる決定に対する異議の申立て又は仲裁判断の取消しの申立てを含む。）又は同号の決定に対する不服の申立てがあったとき。

六　第四号の判決（調停に代わる決定又は仲裁判断を含む。）又は同号の決定が確定したとき。

七　差止請求に係る裁判上の和解が成立したとき。

八　前二号に掲げる場合のほか、差止請求に係る訴訟（和解の申立てに係る手続、調停手続又は仲裁手続を含む。）又は差止請求に係る仮処分命令に関する手続が終了したとき。

九　差止請求に係る裁判外の和解が成立したときその他差止請求に関する相手方との間の協議が調ったとき、又はこれが調わなかったとき。

十　差止請求に関し、請求の放棄、和解、上訴の取下げその他の内閣府令で定める手続に係る行為であって、それにより確定判決及びこれと同一の効力を有するものが存することとなるものをしようとするとき。

十一　その他差止請求に関し内閣府令で定める手続に係る行為がされたとき。

⑤　内閣総理大臣は、前項の規定による報告を受けたときは、すべての適格消費者団体並びに内閣総理大臣及び経済産業大臣が電磁的方法を利用して同一の情報を閲覧することができる状態に置く措置その他の内閣府令で定める方法により、他の適格消費者団体及び経済産業大臣に当該報告の日時及び概要その他内閣府令で定める事項を伝達するものとする。

⑥　適格消費者団体について、第十二条の二第一項第二号本文の確定判決等で強制執行をすることができるものが存する場合には、当該適格消費者団体は、当該確定判決等に係る差止請求権を放棄することができない。

第二四条（**消費者の被害に関する情報の取扱い**）　適格消費者団体は、差止請求権の行使（差止請求権不存在等確認請求に係る訴訟を含む。第二十八条において同じ。）に関し、消費者から収集した消費者の被害に関する情報をその相手方その他の第三者が当該被害に係る消費者を識別することができる方法で利用するに当たっては、あらかじめ、当該消費者の同意を得なければならない。

第二五条（**秘密保持義務**）　適格消費者団体の役員、職員若しくは専門委員又はこれらの職にあった者は、正当な理由がなく、差止請求関係業務

に関して知り得た秘密を漏らしてはならない。

（**氏名等の明示**）

第二六条　適格消費者団体の差止請求関係業務に従事する者は、その差止請求関係業務を行うに当たり、相手方の請求があったときは、当該適格消費者団体の名称、自己の氏名及び適格消費者団体における役職又は地位その他内閣府令で定める事項を、その相手方に明らかにしなければならない。

（**判決等に関する情報の提供**）

第二七条　適格消費者団体は、消費者の被害の防止及び救済に資するため、消費者に対し、差止請求に係る判決（確定判決と同一の効力を有するもの及び仮処分命令の申立てについての決定を含む。）又は裁判外の和解の内容その他必要な情報を提供するよう努めなければならない。

（**財産上の利益の受領の禁止等**）

第二八条①　適格消費者団体は、次に掲げる場合を除き、その差止請求権の行使に関し、寄附金、賛助金その他名目のいかんを問わず、金銭その他の財産上の利益を受けてはならない。

一　差止請求に係る判決（確定判決と同一の効力を有するもの及び仮処分命令の申立てについての決定を含む。以下この項において同じ。）又は民事訴訟法（平成八年法律第百九号）第七十三条第一項の決定により訴訟費用（和解の費用、調停手続の費用及び仲裁手続の費用を含む。）を負担することとされた相手方から当該訴訟費用に相当する額の償還として財産上の利益を受けるとき。

二　差止請求に係る判決に基づいて民事執行法（昭和五十四年法律第四号）第百七十二条第一項の規定により命じられた金銭の支払として財産上の利益を受けるとき。

三　差止請求に係る判決に基づく強制執行の執行費用に相当する額の償還として財産上の利益を受けるとき。

四　差止請求に係る相手方の債務の履行を確保するために約定された違約金の支払として財産上の利益を受けるとき。

②　適格消費者団体の役員、職員又は専門委員は、適格消費者団体の差止請求に係る相手方から、その差止請求権の行使に関し、寄附金、賛助金その他名目のいかんを問わず、金銭その他の財産上の利益を受けてはならない。

③　適格消費者団体又はその役員、職員若しくは専門委員は、適格消費者団体の差止請求に係る相手方から、その差止請求権の行使に関し、寄附金、賛助金その他名目のいかんを問わず、金銭その他の財産上の利益を第三者に受けさせてはならない。

④　前三項に規定する差止請求に係る相手方からその差止請求権の行使に関して受け又は受けさせてはならない財産上の利益には、その相手方がその差止請求権の行使に関してした不法行為によって生じた損害の賠償として受け又は受けさせる財産上の利益は含まれない。

⑤　適格消費者団体は、第一項各号に規定する財産上の利益を受けたときは、これに相当する金額を積み立て、これを差止請求関係業務に要する費用に充てなければならない。

⑥　適格消費者団体は、その定款において、差止請求関係業務を廃止し、又は第十三条第一項の認定の失効（差止請求関係業務の廃止によるものを除く。）若しくは取消しにより差止請求関係業務を終了した場合において、積立金（前項の規定により積み立てられた金額をいう。）に残余があるときは、その残余に相当する金額を、他の適格消費者団体（第三十五条の規定により差止請求権を承継した適格消費者団体がある場合にあっては、当該適格消費者団体）があるときは当該他の適格消費者団体に、これがないときは第十三条第三項第二号に掲げる要件に適合する消費者団体であって内閣総理大臣が指定するもの又は国に帰属させる旨を定めておかなければならない。

（**業務の範囲及び区分経理**）

第二九条①　適格消費者団体は、その行う差止請求関係業務に支障がない限り、定款の定めるところにより、差止請求関係業務以外の業務を行うことができる。

②　適格消費者団体は、次に掲げる業務に係る経理をそれぞれ区分して整理しなければならない。

一　差止請求関係業務

二　不特定かつ多数の消費者の利益の擁護を図るための活動に係る業務（前号に掲げる業務を除く。）

三　前二号に掲げる業務以外の業務

第三款　監督

（第三〇条から第三五条まで）（略）

第四款　補則

（**規律**）

第三六条　適格消費者団体は、これを政党又は政治的目的のために利用してはならない。

（**官公庁等への協力依頼**）

第三七条　内閣総理大臣は、この法律の実施のため必要があると認めるときは、官庁、公共団体その他の者に照会し、又は協力を求めることができる。

（**内閣総理大臣への意見**）

第三八条　次の各号に掲げる者は、適格消費者団体についてそれぞれ当該各号に定める事由があると疑うに足りる相当な理由があるため、内閣総理大臣が当該適格消費者団体に対して適当な措置をとることが必要であると認める場合には、内閣総理大臣に対し、その旨の意見を述べることができる。

一　経済産業大臣　第十三条第三項第二号に掲げる要件に適合しない事由又は第三十四条第一項第四号に掲げる事由

二　警察庁長官　第十三条第五項第三号、第四号又は第六号ハに該当する事由

（**判決等に関する情報の公表**）

第三九条①　内閣総理大臣は、消費者の被害の防止及び救済に資するため、適格消費者団体から第二十三条第四項第四号から第九号まで及び第十一号の規定による報告を受けたときは、インターネットの利用その他適切な方法により、速やかに、差止請求に係る判決（確定判決と同一の効力を有するもの及び仮処分命令の申立てについての決定を含む。）又は裁判外の和解の概要、当該適格消費者団体の名称及び当該差止請求に係る相手方の氏名又は名称その他内閣府令で定める事項を公表するものとする。

②　前項に規定する事項のほか、内閣総理大臣は、差止請求関係業務に関する情報を広く国民に提供するため、インターネットの利用その他適切な方法により、適格消費者団体の名称及び住所並びに差止請求関係業務を行う事務所の所在地その他内閣府令で定める必要な情報を公表することができる。

③　内閣総理大臣は、独立行政法人国民生活センターに、前二項の情報の公表に関する業務を行わせることができる。

（**適格消費者団体への協力等**）

第四〇条①　独立行政法人国民生活センター及び地方公共団体は、内閣府令で定めるところにより、適格消費者団体の求めに応じ、当該適格消費者団体が差止請求権を適切に行使するために必要な限度において、当該適格消費者団体に対し、消費生活相談及び消費者紛争（独立行政法人国民生活センター法（平成十四年法律第百二十三号）第一条の二第一項に規定する消費者紛争をいう。）に関する情報で内閣府令で定めるものを提供することができる。

②　前項の規定により情報の提供を受けた適格消費者団体は、当該情報を当該差止請求権の適切な行使の用に供する目的以外の目的のために利用し、又は提供してはならない。

第三節　訴訟手続等の特例

（**書面による事前の請求**）

第四一条①　適格消費者団体は、差止請求に係る訴えを提起しようとするときは、その訴えの被告となるべき者に対し、あらかじめ、請求の要旨及び紛争の要点その他の内閣府令で定める事

項を記載した書面により差止請求をし、かつ、その到達した時から一週間を経過した後でなければ、その訴えを提起することができない。ただし、当該被告となるべき者がその差止請求を拒んだときは、この限りでない。

② 前項の請求は、その請求が通常到達すべきであった時に、到達したものとみなす。

③ 前二項の規定は、差止請求に係る仮処分命令の申立てについて準用する。

（訴訟の目的の価額）

第四二条 差止請求に係る訴えは、訴訟の目的の価額の算定については、財産権上の請求でない請求に係る訴えとみなす。

（管轄）

第四三条① 差止請求に係る訴訟については、民事訴訟法第五条（第五号に係る部分を除く。）の規定は、適用しない。

② 次の各号に掲げる規定による差止請求に係る訴えは、当該各号に定める行為があった地を管轄する裁判所にも提起することができる。

一 第十二条　同条に規定する事業者等の行為

二 不当景品類及び不当表示防止法第三十四条第一項　同項に規定する事業者の行為

三 特定商取引に関する法律第五十八条の十八から第五十八条の二十四まで　これらの規定に規定する当該差止請求に係る相手方である販売業者、役務提供事業者、統括者、勧誘者、一般連鎖販売業者、関連商品の販売を行う者、業務提供誘引販売業を行う者又は購入業者（同法第五十八条の二十一第二項の規定による差止請求に係る訴えにあっては、勧誘者）の行為

四 食品表示法第十一条　同条に規定する食品関連事業者の行為

（移送）

第四四条 裁判所は、差止請求に係る訴えが提起された場合であって、他の裁判所に同一又は同種の行為の差止請求に係る訴訟が係属している場合においては、当事者の住所又は所在地、尋問を受けるべき証人の住所、争点又は証拠の共通性その他の事情を考慮して、相当と認めるときは、申立てにより又は職権で、当該訴えに係る訴訟の全部又は一部について、当該他の裁判所又は他の管轄裁判所に移送することができる。

（弁論等の併合）

第四五条① 請求の内容及び相手方が同一である差止請求に係る訴訟が同一の第一審裁判所又は控訴裁判所に数個同時に係属するときは、その弁論及び裁判は、併合してしなければならない。ただし、審理の状況その他の事情を考慮して、他の差止請求に係る訴訟と弁論及び裁判を併合してすることが著しく不相当であると認めるときは、この限りでない。

② 前項本文に規定する場合には、当事者は、その旨を裁判所に申し出なければならない。

（訴訟手続の中止）

第四六条① 内閣総理大臣は、現に係属する差止請求に係る訴訟につき既に他の適格消費者団体を当事者とする第十二条の二第一項第二号本文の確定判決等が存する場合において、当該他の適格消費者団体につき当該確定判決等に係る訴訟等の手続に関し第三十四条第一項第四号に掲げる事由があると疑うに足りる相当な理由がある場合（同条第二項の規定により同号に掲げる事由があるものとみなすことができる場合を含む。）であって、同条第一項の規定による第十三条第一項の認定の取消し又は第三十四条第三項の規定による認定（次項において「認定の取消し等」という。）をするかどうかの判断をするため相当の期間を要すると認めるときは、内閣府令で定めるところにより、当該差止請求に係る訴訟が係属する裁判所（以下この条において「受訴裁判所」という。）に対し、その旨及びその判断に要すると認められる期間を通知するものとする。

② 内閣総理大臣は、前項の規定による通知をした場合には、その通知に係る期間内に、認定の取消し等をするかどうかの判断をし、その結果を受訴裁判所に通知するものとする。

③ 第一項の規定による通知があった場合において、必要があると認めるときは、受訴裁判所は、その通知に係る期間を経過する日まで（その期間を経過する前に前項の規定による通知を受けたときは、その通知を受けた日まで）、訴訟手続を中止することができる。

（間接強制の支払額の算定）

第四七条 差止請求権について民事執行法第百七十二条第一項に規定する方法により強制執行を行う場合において、同項又は同条第二項の規定により債務者が債権者に支払うべき金銭の額を定めるに当たっては、執行裁判所は、債務不履行により不特定かつ多数の消費者が受けるべき不利益を特に考慮しなければならない。

第四章　雑則

（適用除外）

第四八条 この法律の規定は、労働契約については、適用しない。

（権限の委任）

第四八条の二 内閣総理大臣は、前章の規定による権限（政令で定めるものを除く。）を消費者庁長官に委任する。

第五章　罰則

（第四九条から第五三条まで）（略）

附　則

この法律は、平成十三年四月一日から施行し、この法律の施行後に締結された消費者契約について適用する。

刑法等の一部を改正する法律の施行に伴う関係法律整理法中経過規定　（令和四・六・一七法六八）（抄）

第四四一条から第四四三条まで　（刑法の同経過規定参照）

第五〇九条　（刑法の同経過規定参照）

刑法等の一部を改正する法律の施行に伴う関係法律整理法

附　則（令和四・六・一七法六八）（抄）

（施行期日）

① この法律は、刑法等一部改正法（刑法等の一部を改正する法律（令和四法六七））施行日（令和七・六・一）から施行する。ただし、次の各号に掲げる規定は、当該各号に定める日から施行する。

一 第五百九条の規定　公布の日

二 （略）

○電子消費者契約に関する民法の特例に関する法律（平成一三・六・二九 法 九 五）

施行 平成一三・一二・二五（平成一三政三九〇）
題名改正 平成二九法四五（旧・電子消費者契約及び電子承諾通知に関する民法の特例に関する法律）
最終改正 平成二九法四五

（趣旨）

第一条 この法律は、消費者が行う電子消費者契約の申込み又はその承諾の意思表示について特定の錯誤があった場合に関し民法（明治二十九年法律第八十九号）の特例を定めるものとする。

（定義）

第二条① この法律において「電子消費者契約」とは、消費者と事業者との間で電磁的方法により電子計算機の映像面を介して締結される契約であって、事業者又はその委託を受けた者が当該映像面に表示する手続に従って消費者がその使用する電子計算機を用いて送信することによってその申込み又はその承諾の意思表示を行うものをいう。

② この法律において「消費者」とは、個人（事業として又は事業のために契約の当事者となる場合におけるものを除く。）をいい、「事業者」とは、法人その他の団体及び事業として又は事業のために契約の当事者となる場合における個人をいう。

③ この法律において「電磁的方法」とは、電子情報処理組織を使用する方法その他の情報通信の技術を利用する方法をいう。

（電子消費者契約に関する民法の特例）

第三条 民法第九十五条第三項の規定は、消費者が行う電子消費者契約の申込み又はその承諾の意思表示について、その意思表示が同条第一項第一号に掲げる錯誤に基づくものであって、その錯誤が法律行為の目的及び取引上の社会通念に照らして重要なものであり、かつ、次のいずれかに該当するときは、適用しない。ただし、当該電子消費者契約の相手方である事業者（その委託を受けた者を含む。以下同じ。）が、当該申込み又はその承諾の意思表示に際して、電磁的方法によりその映像面を介して、その消費者の申込み若しくはその承諾の意思表示を行う意思の有無について確認を求める措置を講じた場合又はその消費者から当該事業者に対して当該措置を講ずる必要がない旨の意思の表明があった場合は、この限りでない。

一 消費者がその使用する電子計算機を用いて送信した時に当該事業者との間で電子消費者契約の申込み又はその承諾の意思表示を行う意思がなかったとき。

二 消費者がその使用する電子計算機を用いて送信した時に当該電子消費者契約の申込み又はその承諾の意思表示と異なる内容の意思表示を行う意思があったとき。

附 則（抄）

（施行期日）

第一条 この法律は、公布の日から起算して六月を超えない範囲内において政令で定める日（平成一三・一二・二五―平成一三政三九〇）から施行する。

＊消費者の財産的被害等の集団的な回復のための民事の裁判手続の特例に関する法律（抜粋）

（平成二五・一二・一一 法 九 六）

最終改正 令和五法六三

（目的）

第一条 この法律は、消費者契約に関して相当多数の消費者に生じた財産的被害等（財産的被害及び精神上の苦痛を受けたことによる損害をいう。以下同じ。）について、消費者と事業者との間の情報の質及び量並びに交渉力の格差により消費者が自らその回復を図ることには困難を伴う場合があることに鑑み、その財産的被害等を集団的に回復するため、特定適格消費者団体が被害回復裁判手続を追行することができることとすることにより、消費者の利益の擁護を図り、もって国民生活の安定向上と国民経済の健全な発展に寄与することを目的とする。

（定義）

第二条 この法律において、次の各号に掲げる用語の意義は、当該各号に定めるところによる。

一 消費者 個人（事業を行う場合におけるものを除く。）をいう。

二 事業者 法人その他の社団又は財団及び事業を行う場合における個人をいう。

三 消費者契約 消費者と事業者との間で締結される契約（労働契約を除く。）をいう。

四 共通義務確認の訴え 消費者契約に関して相当多数の消費者に生じた財産的被害等について、事業者、事業者に代わって事業を監督する者（次条第一項第五号ロ及び第三項第三号ロにおいて「事業監督者」という。）又は事業者の被用者（以下「事業者等」と総称する。）が、これらの消費者に対し、これらの消費者に共通する事実上及び法律上の原因に基づき、個々の消費者の事情によりその金銭の支払請求に理由がない場合を除いて、金銭を支払う義務を負うべきことの確認を求める訴えをいう。

五 対象債権 共通義務確認の訴えの被告とされた事業者等に対する金銭の支払請求権であって、前号に規定する義務に係るものをいう。

六 対象消費者 対象債権を有する消費者をいう。

七 簡易確定手続 共通義務確認の訴えに係る訴訟（以下「共通義務確認訴訟」という。）の結果を前提として、この法律の規定による裁判所に対する第三十三条第二項に規定する債権届出に基づき、相手方が認否をし、第四十六条第一項に規定する認否を争う旨の申出がない場合はその認否により、同項に規定する認否を争う旨の申出がある場合は裁判所の決定により、対象債権及び第十一条第二項に規定する和解金債権（以下「対象債権等」という。）の存否及び内容を確定する裁判手続をいう。

八 異議後の訴訟 簡易確定手続における対象債権等の存否及び内容を確定する決定（以下「簡易確定決定」という。）に対して適法な異議の申立てがあった後の当該請求に係る訴訟をいう。

九 被害回復裁判手続 次に掲げる手続をいう。

イ 共通義務確認訴訟の手続、簡易確定手続及び異議後の訴訟の手続

ロ 特定適格消費者団体が対象債権等に関して取得した債務名義による民事執行の手続（民事執行法（昭和五十四年法律第四号）第三十三条第一項、第三十四条第一項、第三十五条第一項、第三十八条第一項、第九十条第一項及び第百五十七条第一項の訴えに係る訴訟手続（第六十六条第一項第三号において「民事執行に係る訴訟手続」という。）を含む。）及び特定適格消費者団体が取得する可能性のある債務名義に係る対象債権の実現を保全するための仮差押えの手続（民事保全法（平成元年法律第九十一号）第四十六条において準用する民事執行法第三十三条第一項、第三十四条第一項及び第三十八条第一項の訴えに係る訴訟手続（第六十六条第一項第一号において「仮差押えの執行に係る訴訟手続」という。）を含む。）

十 特定適格消費者団体 被害回復裁判手続を追行するのに必要な適格性を有する法人である適格消費者団体（消費者契約法（平成十二年法律第六十一号）第二条第四項に規定する適格消費者団体をいう。以下同じ。）として第七十一条の定めるところにより内閣総理大臣の認定を受けた者をいう。

第三条（**共通義務確認の訴え**）① 特定適格消費者団体は、事業者が消費者に対して負う金銭の支払義務であって消費者契約に関する第一号から第四号までに掲げる請求及び第五号イからハまでに掲げる者が消費者に対して負う金銭の支払義務であって消費者契約に関する同号に掲げる請求（これらに附帯する利息、損害賠償、違約金又は費用の請求を含む。）に係るものについて、共通義務確認の訴えを提起することができる。

一 契約上の債務の履行の請求

二 不当利得に係る請求

三 契約上の債務の不履行による損害賠償の請求

四 不法行為に基づく損害賠償の請求（民法（明治二十九年法律第八十九号）の規定によるものに限り、次号（イに係る部分に限る。）に掲げるものを除く。）

五 事業者の被用者が消費者契約に関する業務の執行について第三者に損害を加えたことを理由とする次のイからハまでに掲げる者に対する当該イからハまでに定める請求

イ 事業者（当該被用者の選任及びその事業の監督について故意又は重大な過失により相当の注意を怠ったものに限る。第三項第三号において同じ。） 民法第七百十五条第一項の規定による損害賠償の請求

ロ 事業監督者（当該被用者の選任及びその事業の監督について故意又は重大な過失により相当の注意を怠ったものに限る。第三項第三号ロにおいて同じ。） 民法第七百十五条第二項の規定による損害賠償の請求

ハ 被用者（第三者に損害を加えたことについて故意又は重大な過失があるものに限る。第三項第三号ハにおいて同じ。） 不法行為に基づく損害賠償の請求（民法の規定によるものに限る。）

② 次に掲げる損害については、前項第三号から第五号までに掲げる請求に係る金銭の支払義務についての共通義務確認の訴えを提起することができない。

一 契約上の債務の不履行又は不法行為により、物品、権利その他の消費者契約の目的となるもの（役務を除く。次号において同じ。）以外の財産が滅失し、又は損傷したことによる損害

二 消費者契約の目的となるものの提供があるとすればその処分又は使用により得るはずであった利益を喪失したことによる損害

三 契約上の債務の不履行又は不法行為により、消費者契約による製造、加工、修理、運搬又は保管に係る物品その他の消費者契約の目的となる役務の対象となったもの以外の財産が滅失し、又は損傷したことによる損害

四 消費者契約の目的となる役務の提供があるとすれば当該役務を利用すること又は当該役務の対象となったものを処分し、若しくは使用することにより得るはずであった利益を喪失したことによる損害

五 人の生命又は身体を害されたことによる損害

六 精神上の苦痛を受けたことによる損害（その額の算定の基礎となる主要な事実関係が相当多数の消費者について共通するものであり、かつ、次のイ又はロのいずれかに該当するものを除く。）
イ 共通義務確認の訴えにおいて一の訴えにより、前項各号に掲げる請求（同項第三号から第五号までに掲げる請求にあっては、精神上の苦痛を受けたことによる損害に係る請求を含まないものに限る。以下このイにおいて「財産的請求」という。）と併せて請求されるものであって、財産的請求と共通する事実上の原因に基づくもの
ロ 事業者の故意によって生じたもの

③ 次の各号に掲げる請求に係る金銭の支払義務についての共通義務確認の訴えについては、当該各号に定める者を被告とする。
一 第一項第一号から第三号までに掲げる請求 消費者契約の相手方である事業者
二 第一項第四号に掲げる請求 消費者契約の相手方である事業者若しくはその債務の履行をする事業者又は消費者契約の締結について勧誘をし、当該勧誘をさせ、若しくは当該勧誘を助長する事業者
三 第一項第五号に掲げる請求 次に掲げる者
イ 消費者契約の相手方である事業者若しくはその債務の履行をする事業者又は消費者契約の締結について勧誘をし、当該勧誘をさせ、若しくは当該勧誘を助長する事業者であって、当該事業者の消費者契約に関する業務の執行について第三者に損害を加えた被用者を使用するもの
ロ イに掲げる事業者の事業監督者
ハ イに掲げる事業者の被用者であって、当該事業者の消費者契約に関する業務の執行について第三者に損害を加えたもの

④ 裁判所は、共通義務確認の訴えに係る請求を認容する判決をしたとしても、事案の性質、当該判決を前提とする簡易確定手続において予想される主張及び立証の内容その他の事情を考慮して、当該簡易確定手続において対象債権の存否及び内容を適切かつ迅速に判断することが困難であると認めるときは、共通義務確認の訴えの全部又は一部を却下することができる。

（確定判決の効力が及ぶ者の範囲）
第一〇条 共通義務確認訴訟の確定判決は、民事訴訟法第百十五条第一項の規定にかかわらず、当該共通義務確認訴訟の当事者以外の特定適格消費者団体及び当該共通義務確認訴訟に係る対象消費者の範囲に属する第三十三条第二項第一号に規定する届出消費者に対してもその効力を有する。

（簡易確定手続の当事者等）
第一三条 簡易確定手続は、共通義務確認訴訟における請求を認容する判決が確定した時又は請求の認諾等（請求の認諾、第二条第四号に規定する義務が存することを認める旨の和解又は和解金債権が存することを認める旨の和解をいう。以下この条において同じ。）によって共通義務確認訴訟が終了した時に当事者であった特定適格消費者団体（第九十三条第二項の規定による指定があった場合には、その指定を受けた特定適格消費者団体。第十五条において同じ。）の申立てにより、当該判決が確定した時又は請求の認諾等によって当該共通義務確認訴訟が終了した時に当事者であった事業者等を相手方として、共通義務確認訴訟の第一審の終局判決をした地方裁判所（第一審において請求の認諾等によって共通義務確認訴訟が終了したときは、当該共通義務確認訴訟が係属していた地方裁判所）が行う。

（簡易確定手続開始の申立義務）
第一五条① 共通義務確認訴訟における請求を認容する判決が確定した時又は請求の認諾によって共通義務確認訴訟が終了した時に当事者であった特定適格消費者団体は、正当な理由がある場合を除き、簡易確定手続開始の申立てをしなければならない。

② 第二条第四号に規定する義務が存することを認める旨の和解によって共通義務確認訴訟が終了した時に当事者であった特定適格消費者団体は、正当な理由がある場合を除き、当該義務に係る対象債権について、簡易確定手続開始の申立てをしなければならない。ただし、当該対象債権のうち、当該和解においてその額又は算定方法のいずれかが定められている部分（当該和解において簡易確定手続開始の申立てをしなければならない旨が定められている部分を除く。）については、この限りでない。

③ 和解金債権が存することを認める旨の和解によって共通義務確認訴訟が終了した場合において、当該和解において当該和解金債権の全部又は一部について簡易確定手続開始の申立てをしなければならない旨が定められているときは、当該共通義務確認訴訟が終了した時に当事者であった特定適格消費者団体は、正当な理由がある場合を除き、当該定めに係る和解金債権について簡易確定手続開始の申立てをしなければならない。

（簡易確定手続開始決定）
第二〇条① 裁判所は、簡易確定手続開始の申立てがあった場合には、当該申立てが不適法であると認めるとき又は第十八条に規定する費用の予納がないときを除き、簡易確定手続開始の決定（以下「簡易確定手続開始決定」という。）をする。

② 簡易確定手続開始の申立てを却下する決定に対しては、即時抗告をすることができる。

（簡易確定手続開始の公告等）
第二三条① 裁判所は、簡易確定手続開始決定をしたときは、直ちに、官報に掲載して次に掲げる事項を公告しなければならない。
一 簡易確定手続開始決定の主文
二 第二十一条各号に掲げる区分に応じ、当該各号に定める事項
三 簡易確定手続申立団体の名称及び住所
四 届出期間及び認否期間

② 裁判所は、簡易確定手続申立団体及び相手方に対し、前項の規定により公告すべき事項を通知しなければならない。

（簡易確定手続申立団体による公告等）
第二六条① 簡易確定手続申立団体は、正当な理由がある場合を除き、届出期間の末日の一月前までに、次に掲げる事項を相当な方法により公告しなければならない。
一 被害回復裁判手続の概要
二 被害回復裁判手続の事案の内容
三 共通義務確認訴訟の確定判決の内容（請求の認諾、第二条第四号に規定する義務が存することを認める旨の和解又は和解金債権が存することを認める旨の和解がされた場合には、その内容）
四 共通義務確認訴訟において第二条第四号に規定する義務が認められた場合には、当該義務に係る対象債権及び対象消費者の範囲
五 共通義務確認訴訟において和解金債権が存する旨を認める和解をした場合には、当該和解金債権に係る第十一条第二項第一号及び第三号に掲げる事項
六 共通義務確認訴訟における和解において対象債権等の額又は算定方法が定められた場合には、当該額又は算定方法
七 簡易確定手続申立団体の名称及び住所
八 簡易確定手続申立団体の連絡先
九 簡易確定手続申立団体が支払を受ける報酬又は費用がある場合には、その額又は算定方法、支払方法その他必要な事項
十 対象消費者等（対象消費者及び和解対象消費者をいう。以下同じ。）が簡易確定手続申立団体に対して第三十四条第一項の授権をする方法
十一 対象消費者等が簡易確定手続申立団体に対して第三十四条第一項の授権をする期間
十二 その他内閣府令で定める事項

② 前項の規定による公告後、届出期間中に同項第七号に掲げる事項に変更があったときは、当該変更に係る簡易確定手続申立

団体は、遅滞なく、その旨を、相当な方法により公告するとともに、裁判所及び相手方に通知しなければならない。この場合において、当該通知を受けた裁判所は、直ちに、官報に掲載してその旨を公告しなければならない。

③ 第一項の規定による公告後、届出期間中に同項第八号から第十二号までに掲げる事項に変更があったときは、当該変更に係る簡易確定手続申立団体は、遅滞なく、その旨を、相当な方法により公告しなければならない。

（簡易確定手続申立団体による通知）

第二七条① 簡易確定手続開始決定がされたときは、簡易確定手続申立団体は、正当な理由がある場合を除き、届出期間の末日の一月前までに、知れている対象消費者等（次条第一項の規定による通知（以下この目及び第九十八条第二項第二号において「相手方通知」という。）を受けたものを除く。）に対し、前条第一項各号に掲げる事項を書面又は電磁的方法（電子情報処理組織を使用する方法その他の情報通信の技術を利用する方法をいう。以下同じ。）であって内閣府令で定めるものにより通知しなければならない。

② 前項の規定にかかわらず、同項の規定による通知において次に掲げる事項を記載する場合には、前条第一項第一号、第三号、第六号、第九号、第十号及び第十二号に掲げる事項を記載することを要しない。

一 前条第一項の規定により公告を行っている旨

二 当該公告の方法

三 その他内閣府令で定める事項

（相手方による通知）

第二八条① 相手方は、簡易確定手続申立団体の求め（相手方通知のため通常必要な期間を考慮して内閣府令で定める日までにされたものに限る。）があるときは、届出期間の末日の二月以上前の日であって内閣府令で定める日までに、当該求めに係る知れている対象消費者等に対し、次に掲げる事項を書面又は電磁的方法であって内閣府令で定めるものにより通知しなければならない。

一 被害回復裁判手続の事案の内容

二 共通義務確認訴訟において第二条第四号に規定する義務が認められた場合には、当該義務に係る対象債権及び対象消費者の範囲

三 共通義務確認訴訟において和解金債権が存する旨を認める和解をした場合には、当該和解金債権に係る第十一条第二項第一号及び第三号に掲げる事項

四 簡易確定手続申立団体の名称、住所及び連絡先

五 対象消費者等が簡易確定手続申立団体に対して第三十四条第一項の授権をする期間

六 簡易確定手続申立団体が第二十六条第一項の規定により公告を行っている旨

七 当該公告の方法

八 相手方の氏名又は名称、住所及び連絡先

九 その他内閣府令で定める事項

② 簡易確定手続申立団体は、相手方に対し、前項の求めをするときは、同項第四号に掲げる連絡先、同項第五号から第七号までに掲げる事項その他内閣府令で定める事項を通知しなければならない。

③ 相手方は、相手方通知をしたときは、当該相手方通知をした時から一週間以内に、第一項の求めをした簡易確定手続申立団体に対し、次に掲げる事項を通知しなければならない。

一 相手方通知をした対象消費者等の氏名及び住所又は連絡先

二 相手方通知をした日

三 その他内閣府令で定める事項

（相手方による公表）

第二九条① 相手方は、簡易確定手続申立団体の求めがあるときは、遅滞なく、インターネットの利用、営業所その他の場所において公衆に見やすいように掲示する方法その他これらに類する方法により、届出期間中、前条第一項各号に掲げる事項（同項第四号、第五号、第八号又は第九号に掲げる事項に変更があったときは、変更後の当該各号に掲げる事項）を公表しなければならない。

② 前条第二項の規定は、簡易確定手続申立団体が相手方に対し前項の求めをするときについて準用する。この場合において、同条第二項中「ならない」とあるのは、「ならない。この場合において、当該求めの後、届出期間中に前項第四号又は第五号に掲げる事項その他内閣府令で定める事項に変更があったときは、当該変更に係る簡易確定手続申立団体は、遅滞なく、その旨を相手方に通知しなければならない」と読み替えるものとする。

（対象消費者等に関する情報に係る回答義務）

第三〇条 相手方は、簡易確定手続申立団体から次に掲げる事項について照会があるときは、当該照会があった時から一週間以内に、当該簡易確定手続申立団体に対し、書面又は電磁的方法であって内閣府令で定めるものにより回答しなければならない。

一 対象消費者等の数の見込み

二 知れている対象消費者等の数

三 相手方通知をする時期の見込み

四 その他内閣府令で定める事項

（情報開示義務）

第三一条① 相手方は、対象消費者等の氏名及び住所又は連絡先（内閣府令で定めるものに限る。次項において同じ。）が記載された文書（電磁的記録（電子的方式、磁気的方式その他人の知覚によっては認識することができない方式で作られる記録であって、電子計算機による情報処理の用に供されるものをいう。以下同じ。）を含む。）を所持する場合において、届出期間中に簡易確定手続申立団体の求めがあるときは、当該文書を当該簡易確定手続申立団体に開示することを拒むことができない。ただし、相手方が開示すべき文書の範囲を特定するために不相当な費用又は時間を要するときは、この限りでない。

＊令和五法五三（令和一〇・六・一三までに施行）による改正
第一項中「（電子的方式、磁気的方式その他人の知覚によっては認識することができない方式で作られる記録であって、電子計算機による情報処理の用に供されるものをいう。以下同じ。）」を削る。（本文未織込み）

② 前項に規定する文書の開示は、その写しの交付（電磁的記録については、当該電磁的記録を出力した書面の交付又は当該電磁的記録に記録された情報の電磁的方法による提供であって内閣府令で定めるもの）により行う。この場合において、相手方は、個人（対象消費者等でないことが明らかである者を除く。）の氏名及び住所又は連絡先が記載された部分以外の部分を除いて開示することができる。

③ 相手方は、第一項に規定する文書の開示をしないときは、簡易確定手続申立団体に対し、速やかに、その旨及びその理由を書面により通知しなければならない。

＊令和五法五三（令和一〇・六・一三までに施行）による改正
第三項中「書面」の下に「又は電磁的方法であって内閣府令で定めるもの」を加える。（本文未織込み）

（情報開示命令等）

第三二条① 簡易確定手続申立団体は、届出期間中、裁判所に対し、情報開示命令（前条第一項の規定により相手方が簡易確定手続申立団体に開示しなければならない同項に規定する文書について、同条第二項に規定する方法による開示を相手方に命ずる旨の決定をいう。以下この条において同じ。）の申立てをすることができる。

② 情報開示命令の申立ては、文書の表示を明らかにしてしなければならない。

③ 裁判所は、情報開示命令の申立てを理由があると認めるときは、情報開示命令を発する。

④ 裁判所は、情報開示命令の申立てについて決定をする場合には、相手方を審尋しなければならない。

⑤ 情報開示命令の申立てについての決定に対しては、即時抗告をすることができる。

⑥ 情報開示命令は、執行力を有しない。

⑦ 相手方が正当な理由なく情報開示命令に従わないときは、裁判所は、決定で、三十万円以下の過料に処する。

⑧ 前項の決定に対しては、即時抗告をすることができる。

⑨ 民事訴訟法第百八十九条の規定は、第七項の規定による過料の裁判について準用する。

（債権届出）

第三三条① 簡易確定手続開始決定に係る対象債権等については、簡易確定手続申立団体に限り、届け出ることができる。

② 前項の規定による届出（以下「債権届出」という。）は、届出期間内に、次に掲げる事項を記載した書面（以下この節において「届出書」という。）を簡易確定手続開始決定をした裁判所に提出してしなければならない。

一 対象債権等について債権届出をする簡易確定手続申立団体、相手方及び届出消費者（対象債権等として裁判所に債権届出があった債権（以下「届出債権」という。）の債権者である消費者をいう。以下同じ。）並びにこれらの法定代理人

二 請求の趣旨及び原因（請求の原因については、共通義務確認訴訟において認められた義務又は和解金債権に係る事実上及び法律上の原因を前提とするものに限る。）

三 前二号に掲げるもののほか、最高裁判所規則で定める事項

③ 簡易確定手続申立団体は、債権届出の時に対象消費者が事業者等に対して対象債権に基づく訴えを提起するとすれば民事訴訟法第一編第二章第一節の規定により日本の裁判所が管轄権を有しないときは、第一項の規定にかかわらず、当該対象債権については、債権届出をすることができない。

④ 簡易確定手続申立団体は、対象消費者等が提起したその有する対象債権等に基づく訴訟が裁判所に係属しているときは、第一項の規定にかかわらず、当該対象債権等については、債権届出をすることができない。

（簡易確定手続についての対象消費者等の授権）

第三四条① 簡易確定手続申立団体は、対象債権等について債権届出をし、及び当該対象債権等について簡易確定手続を追行するには、当該対象債権等に係る対象消費者等の授権がなければならない。

② 前項の対象消費者等は、簡易確定手続申立団体のうちから一の簡易確定手続申立団体を限り、同項の授権をすることができる。

③ 第一項の授権をした対象消費者等は、当該授権を取り消すことができる。

④ 前項の規定による第一項の授権の取消しは、当該授権をした対象消費者等又は当該授権を得た簡易確定手続申立団体から相手方に通知しなければ、その効力を生じない。

⑤ 第一項の授権を得た簡易確定手続申立団体の第七十一条第一項に規定する特定認定が、第八十条第一項各号に掲げる事由により失効し、又は第九十二条第一項各号若しくは第二項各号に掲げる事由により取り消されたときは、当該授権は、その効力を失う。

⑥ 簡易確定決定があるまでに簡易確定手続申立団体が届出債権について第一項の授権を欠いたとき（前項の規定により当該授権がその効力を失ったときを除く。）は、当該届出債権については、債権届出の取下げがあったものとみなす。

⑦ 債権届出に係る簡易確定手続申立団体（以下「債権届出団体」という。）の第七十一条第一項に規定する特定認定が、簡易確定決定があるまでに、第八十条第一項各号に掲げる事由により失効し、又は第九十二条第一項各号若しくは第二項各号に掲げる事由により取り消されたときは、届出消費者は、第二項の規定にかかわらず、第九十三条第六項の規定による公示がされた後一月の不変期間内に、同条第一項の規定による指定を受けた特定適格消費者団体に第一項の授権をすることができる。

⑧ 前項の届出消費者が同項の期間内に第一項の授権をしないときは、その届出債権については、債権届出の取下げがあったものとみなす。

⑨ 簡易確定決定があった後に、届出消費者が第三項の規定により第一項の授権を取り消したときは、当該届出消費者は、更に簡易確定手続申立団体に同項の授権をすることができない。

（説明義務）

第三五条 簡易確定手続申立団体は、前条第一項の授権に先立ち、当該授権をしようとする者に対し、内閣府令で定めるところにより、被害回復裁判手続の概要及び事案の内容その他内閣府令で定める事項について、これを記載した書面を交付し、又はこれを記録した電磁的記録を提供して説明をしなければならない。

（簡易確定手続授権契約の締結及び解除）

第三六条① 簡易確定手続申立団体は、やむを得ない理由があるときを除いては、簡易確定手続授権契約（対象消費者等が第三十四条第一項の授権をし、簡易確定手続申立団体が対象債権等について債権届出をすること及び簡易確定手続を追行することを約する契約をいう。以下同じ。）の締結を拒絶してはならない。

② 第三十四条第一項の授権を得た簡易確定手続申立団体は、やむを得ない理由があるときを除いては、簡易確定手続授権契約を解除してはならない。

（公平誠実義務等）

第三七条① 第三十四条第一項の授権を得た簡易確定手続申立団体は、当該授権をした対象消費者等のために、公平かつ誠実に債権届出、簡易確定手続の追行及び第二条第九号ロに規定する民事執行の手続の追行（当該授権に係る債権に係る裁判外の和解を含む。）並びにこれらに伴い取得した金銭その他の財産の管理をしなければならない。

② 第三十四条第一項の授権を得た簡易確定手続申立団体は、当該授権をした対象消費者等に対し、善良な管理者の注意をもって前項に規定する行為をしなければならない。

（簡易確定決定）

第四七条① 裁判所は、適法な認否を争う旨の申出があったときは、第三十九条第一項又は第六十九条第一項の規定により債権届出を却下する場合を除き、簡易確定決定をしなければならない。

② 裁判所は、簡易確定決定をする場合には、当事者双方を審尋しなければならない。

③ 簡易確定決定は、主文及び理由の要旨を記載した決定書を作成してしなければならない。

④ 届出債権の支払を命ずる簡易確定決定（第五十九条及び第八十九条第一項第二号において「届出債権支払命令」という。）については、裁判所は、必要があると認めるときは、申立てにより又は職権で、担保を立てて、又は立てないで仮執行をすることができることを宣言することができる。

⑤ 第三項の決定書は、当事者に送達しなければならない。この場合においては、簡易確定決定の効力は、当事者に送達された時に生ずる。

＊令和五法五三（令和一〇・六・一三までに施行）による改正後

（簡易確定決定）

第四七条①② （略）

③ 簡易確定決定は、主文及び理由の要旨を記録した電子決定書を作成してしなければならない。

④ （略）

⑤ 第三項の電子決定書（第五十三条において準用する民事訴訟法第百二十二条において準用する同法第二百五十三条第二項の規定によりファイルに記録されたものに限る。次項第一号において同じ。）は、当事者に送達しなければならない。この場合に

おいては、簡易確定決定の効力は、当事者に送達された時に生ずる。

⑥　前項の規定による送達は、次の各号に掲げる方法のいずれかによってする。
一　電子決定書に記録されている事項を記載した書面であって裁判所書記官が最高裁判所規則で定める方法により当該書面の内容が当該電子決定書に記録されている事項と同一であることを証明したものの送達
二　第五十三条において準用する民事訴訟法第百九条の二の規定による送達
（改正により追加）

（異議の申立て等）
第四九条①　当事者は、簡易確定決定に対し、第四十七条第五項の規定による送達を受けた日から一月の不変期間内に、当該簡易確定決定をした裁判所に異議の申立てをすることができる。
②　届出消費者は、簡易確定決定に対し、債権届出団体が第四十七条第五項の規定による送達を受けた日から一月の不変期間内に、当該簡易確定決定をした裁判所に異議の申立てをすることができる。
③　裁判所は、異議の申立てが不適法であると認めるときは、決定で、これを却下しなければならない。
④　前項の決定に対しては、即時抗告をすることができる。
⑤　適法な異議の申立てがあったときは、簡易確定決定は、仮執行の宣言を付したものを除き、その効力を失う。
⑥　適法な異議の申立てがないときは、簡易確定決定は、確定判決と同一の効力を有する。
⑦　民事訴訟法第二百六十一条第三項から第六項まで、第二百六十二条第一項、第二百六十三条、第三百五十八条並びに第三百六十条第一項及び第二項の規定は、第一項及び第二項の異議について準用する。この場合において、同法第二百六十一条第四項中「電子調書」とあるのは「調書」と、「記録しなければ」とあるのは「記載しなければ」と、同条第五項中「前項の規定により訴えの取下げがされた旨が記録された電子調書」とあるのは「その期日の調書の謄本」と読み替えるものとする。

＊令和四法四八（令和八・五・二四までに施行）による改正前
⑦　民事訴訟法第三百五十八条及び第三百六十条の規定は、第一項及び第二項の異議について準用する。
＊令和五法五三（令和一〇・六・一三までに施行）による改正
第七項後段を削る。（本文未織込み）

（認否を争う旨の申出がないときの届出債権の確定等）
第五〇条①　適法な認否を争う旨の申出がないときは、届出債権の内容は、届出債権の認否の内容により確定する。
②　前項の規定により確定した届出債権については、届出消費者表の記載は、確定判決と同一の効力を有する。この場合において、債権届出団体は、確定した届出債権について、相手方に対し、届出消費者表の記載により強制執行をすることができる。

＊令和五法五三（令和一〇・六・一三までに施行）による改正
第二項中「届出消費者表の記載」を「電子届出消費者表の記録」に改める。（本文未織込み）

（訴え提起の擬制等）
第五六条①　簡易確定決定に対し適法な異議の申立てがあったときは、債権届出に係る請求については、当該債権届出の時に、当該債権届出に係る債権届出団体（当該債権届出に係る届出消費者が当該異議の申立てをしたときは、その届出消費者）を原告として、当該簡易確定決定をした地方裁判所に訴えの提起があったものとみなす。この場合においては、届出書を訴状と、第三十八条の規定による送達を訴状の送達とみなす。
②　前項の規定により訴えの提起があったものとみなされる事件は、同項の地方裁判所の管轄に専属する。
③　前項の事件が係属する地方裁判所は、著しい損害又は遅滞を避けるため必要があると認めるときは、同項の規定にかかわらず、申立てにより又は職権で、その事件に係る訴訟を民事訴訟法第四条第一項又は第五条第一号、第五号若しくは第九号の規定により管轄権を有する地方裁判所に移送することができる。
④　和解金債権についての債権届出に係る請求について第一項の規定により訴えの提起があったものとみなされる事件には、民事訴訟法第七編の規定は、適用しない。

＊令和四法四八（令和八・五・二四までに施行）により第四項追加

（異議後の訴訟についての届出消費者の授権）
第五七条①　債権届出団体は、異議後の訴訟を追行するには、届出消費者の授権がなければならない。
②　届出消費者は、その届出債権に係る債権届出団体に限り、前項の授権をすることができる。
③　届出消費者が第八項において準用する第三十四条第三項の規定により第一項の授権を取り消し、又は自ら異議後の訴訟を追行したときは、当該届出消費者は、更に債権届出団体に同項の授権をすることができない。
④　債権届出団体は、正当な理由があるときを除いては、訴訟授権契約（届出消費者が第一項の授権をし、債権届出団体が異議後の訴訟を追行することを約する契約をいう。以下同じ。）の締結を拒絶してはならない。
⑤　第一項の授権を得た債権届出団体は、正当な理由があるときを除いては、訴訟授権契約を解除してはならない。
⑥　第一項の授権を得た債権届出団体は、当該授権をした届出消費者のために、公平かつ誠実に異議後の訴訟の追行及び第二条第九号ロに規定する民事執行の手続の追行（当該授権に係る債権に係る裁判外の和解を含む。）並びにこれらに伴い取得した金銭その他の財産の管理をしなければならない。
⑦　第一項の授権を得た債権届出団体は、当該授権をした届出消費者に対し、善良な管理者の注意をもって前項に規定する行為をしなければならない。
⑧　第三十四条第三項から第五項まで及び第三十五条の規定は、第一項の授権について準用する。
⑨　民事訴訟法第五十八条第二項並びに第百二十四条第一項（第六号に係る部分に限る。）及び第二項の規定は、異議後の訴訟において債権届出団体が第一項の授権を欠くときについて準用する。

（特定適格消費者団体の認定）
第七一条①　適格消費者団体は、内閣総理大臣の認定（以下「特定認定」という。）を受けた場合に限り、被害回復関係業務を行うことができる。
②　前項に規定する「被害回復関係業務」とは、次に掲げる業務をいう。
一　被害回復裁判手続に関する業務（第三十四条第一項又は第五十七条第一項の授権に係る債権に係る裁判外の和解を含む。）
二　前号に掲げる業務の遂行に必要な消費者の被害に関する情報の収集に係る業務
三　第一号に掲げる業務に付随する対象消費者等に対する情報の提供及び金銭その他の財産の管理に係る業務
③　特定認定を受けようとする適格消費者団体は、内閣総理大臣に特定認定の申請をしなければならない。
④　内閣総理大臣は、前項の申請をした適格消費者団体が次に掲げる要件の全てに適合しているときに限り、特定認定をすることができる。
一　差止請求関係業務（消費者契約法第十三条第一項に規定する差止請求関係業務をいう。以下同じ。）を相当期間にわたり継続して適正に行っていると認められること。
二　第二項に規定する被害回復関係業務（以下単に「被害回復関係業務」という。）の実施に係る組織、被害回復関係業務の実施の方法、被害回復関係業務に関して知り得た情報の管理及び秘密の保持の方法、被害回復関係業務の実施に関する金銭その他の財産の管理の方法その他の被害回復関係業務を適正に遂行するための体制及び業務規程が適切に整備されていること。

三　その理事に関し、次に掲げる要件に適合するものであること。

イ　被害回復関係業務の執行を決定する機関として理事をもって構成する理事会が置かれており、かつ、定款で定めるその決定の方法が次に掲げる要件に適合していると認められること。

(1)　当該理事会の決議が理事の過半数又はこれを上回る割合以上の多数決により行われるものとされていること。

(2)　共通義務確認の訴えの提起その他の被害回復関係業務の執行に係る重要な事項の決定が理事その他の者に委任されていないこと。

ロ　理事のうち一人以上が弁護士であること。

四　共通義務確認の訴えの提起その他の被害回復裁判手続についての検討を行う部門において消費者契約法第十三条第三項第五号イ及びロに掲げる者（以下「専門委員」と総称する。）が共にその専門的な知識経験に基づいて必要な助言を行い又は意見を述べる体制が整備されていることその他被害回復関係業務を遂行するための人的体制に照らして、被害回復関係業務を適正に遂行することができる専門的な知識経験を有すると認められること。

五　被害回復関係業務を適正に遂行するに足りる経理的基礎を有すること。

六　被害回復関係業務に関して支払を受ける報酬又は費用がある場合には、その額又は算定方法、支払方法その他必要な事項を定めており、これが消費者の利益の擁護の見地から不当なものでないこと。

七　被害回復関係業務以外の業務を行うことによって被害回復関係業務の適正な遂行に支障を及ぼすおそれがないこと。

⑤　前項第二号の業務規程には、被害回復関係業務の実施の方法、被害回復関係業務に関して知り得た情報の管理及び秘密の保持の方法、被害回復関係業務の実施に関する金銭その他の財産の管理の方法その他の内閣府令で定める事項が定められていなければならない。この場合において、業務規程に定める被害回復関係業務の実施の方法には、簡易確定手続授権契約及び訴訟授権契約の内容並びに請求の放棄、和解又は上訴の取下げをしようとする場合において第三十四条第一項又は第五十七条第一項の授権をした者（第八十二条第一項において単に「授権をした者」という。）の意思を確認するための措置、前項第四号の検討を行う部門における専門委員からの助言又は意見の聴取に関する措置及び役員、職員又は専門委員が被害回復裁判手続の相手方と特別の利害関係を有する場合の措置その他業務の公正な実施の確保に関する措置が含まれていなければならない。

⑥　次の各号のいずれかに該当する適格消費者団体は、特定認定を受けることができない。

一　この法律、消費者契約法その他消費者の利益の擁護に関する法律で政令で定めるもの若しくはこれらの法律に基づく命令の規定又はこれらの規定に基づく処分に違反して罰金の刑に処せられ、その刑の執行を終わり、又はその刑の執行を受けることがなくなった日から三年を経過しないもの

二　第九十二条第一項各号又は第二項各号に掲げる事由により特定認定を取り消され、その取消しの日から三年を経過しないもの

三　役員のうちに次のイ又はロのいずれかに該当する者のあるもの

イ　この法律、消費者契約法その他消費者の利益の擁護に関する法律で政令で定めるもの若しくはこれらの法律に基づく命令の規定又はこれらの規定に基づく処分に違反して罰金の刑に処せられ、その刑の執行を終わり、又はその刑の執行を受けることがなくなった日から三年を経過しない者

ロ　特定適格消費者団体が第九十二条第一項各号又は第二項各号に掲げる事由により特定認定を取り消された場合において、その取消しの日前六月以内に当該特定適格消費者団体の役員であった者でその取消しの日から三年を経過しないもの

附　則（令和四・五・二五法四八）（抄）

（施行期日）

第一条　この法律は、公布の日から起算して四年を超えない範囲内において政令で定める日から施行する。ただし、次の各号に掲げる規定は、当該各号に定める日から施行する。

一（前略）附則第百二十五条の規定　公布の日

二～五（略）

（政令への委任）

第百二十五条（前略）この法律の施行に関し必要な経過措置は、政令で定める。

民事関係手続等における情報通信技術の活用等の推進を図るための関係法律の整備に関する法律中経過規定（令和五・六・一四法五三）（抄）

（電子決定書の作成に関する経過措置）

第三六八条（前略）改正後消費者裁判手続特例法（改正後の消費者の財産的被害等の集団的な回復のための民事の裁判手続の特例に関する法律）第二十一条及び第四十七条第三項の規定は、改正後簡易確定手続事件（施行日以後に開始される簡易確定手続に係る事件）における電子決定書の作成について適用し、改正前簡易確定手続事件（施行日前に開始された簡易確定手続に係る事件）における決定書の作成については、なお従前の例による。

（電子決定書の送達に関する経過措置）

第三七〇条　改正後消費者裁判手続特例法第四十七条第五項及び第六項の規定は、改正後簡易確定手続事件における電子決定書の送達について適用し、改正前簡易確定手続事件における決定書の送達については、なお従前の例による。

（申立て等の取下げが口頭でされた場合における期日の電子調書の記録等に関する経過措置）

第三七一条　改正後消費者裁判手続特例法第十九条第二項、第四十三条第二項及び第四十九条第七項において準用する民事訴訟法第二百六十一条第四項の規定並びに改正後消費者裁判手続特例法第四十九条第七項において準用する民事訴訟法第二百六十一条第五項の規定は、改正後簡易確定手続事件における申立て又は債権届出の取下げが口頭でされた場合における期日の電子調書の記録及びその送達について適用し、改正前簡易確定手続事件における申立て又は債権届出の取下げが口頭でされた場合における期日の調書の記載及びその送達については、なお従前の例による。

（電子届出消費者表の作成等に関する経過措置）

第三七二条①　改正後消費者裁判手続特例法第四十四条、第四十五条第四項及び第五項、第四十六条第四項並びに第五十条第二項の規定は、改正後簡易確定手続事件における電子届出消費者表の作成、記録及び更正の処分について適用し、改正前簡易確定手続事件における届出消費者表の作成、記載及び更正の処分については、なお従前の例による。

②　前項の規定によりなお従前の例によることとされる届出消費者表の更正の処分は、最高裁判所規則で定めるところにより、その旨の書面を作成してしなければならない。

③　民事訴訟法第七十一条第四項、第五項及び第八項の規定は、第一項の規定によりなお従前の例によることとされる届出消費者表の更正の処分について準用する。

第三八七条から第三八九条まで（民事執行法の同経過規定参照）

民事関係手続等における情報通信技術の活用等の推進を図るための関係法律の整備に関する法律

附　則（令和五・六・一四法五三）（抄）

この法律は、公布の日から起算して五年を超えない範囲内にお

いて政令で定める日から施行する。ただし、次の各号に掲げる規定は、当該各号に定める日から施行する。
一　（前略）第三百八十八条の規定　公布の日
二　（前略）第三百八十七条の規定　公布の日から起算して二年六月を超えない範囲内において政令で定める日
三　（略）

○割賦販売法（抄）（昭和三六・七・一 法 一五九）

施行 昭和三六・一二・一（附則参照）
最終改正 令和四法六八

目次

第一章 総則

（目的及び運用上の配慮）

第一条① この法律は、割賦販売等に係る取引の公正の確保、購入者等が受けることのある損害の防止及びクレジットカード番号等の適切な管理等に必要な措置を講ずることにより、割賦販売等に係る取引の健全な発達を図るとともに、購入者等の利益を保護し、あわせて商品等の流通及び役務の提供を円滑にし、もつて国民経済の発展に寄与することを目的とする。

② この法律の運用にあたつては、割賦販売等を行なう中小商業者の事業の安定及び振興に留意しなければならない。

（定義）

第二条① この法律において「割賦販売」とは、次に掲げるものをいう。

一 購入者から商品若しくは権利の代金を、又は役務の提供を受ける者から役務の対価を二月以上の期間にわたり、かつ、三回以上に分割して受領すること（購入者又は役務の提供を受ける者をして販売業者又は役務の提供の事業を営む者（以下「役務提供事業者」という。）の指定する銀行その他預金の受入れを業とする者に対し、二月以上の期間にわたり三回以上預金させた後、その預金のうちから商品若しくは権利の代金又は役務の対価を受領することを含む。）を条件として指定商品若しくは指定権利を販売し、又は指定役務を提供すること。

二 それを提示し若しくは通知して、又はそれと引換えに、商品若しくは権利を購入し、又は有償で役務の提供を受けることができるカードその他の物又は番号、記号その他の符号（以下この項及び次項、次条並びに第二十九条の二において「カード等」という。）をこれにより商品若しくは権利を購入しようとする者又は役務の提供を受けようとする者（以下この項及び次項、次条、第四条の二（第二十九条の四第一項において準用する場合を含む。）、第二十九条の二並びに第三十八条において「利用者」という。）に交付し又は付与し、あらかじめ定められた時期ごとに、そのカード等の提示若しくは通知を受けて、又はそれと引換えに当該利用者に販売した商品若しくは権利の代金又は当該利用者に提供する役務の対価の合計額を基礎としてあらかじめ定められた方法により算定して得た金額を当該利用者から受領することを条件として、指定商品若しくは指定権利を販売し又は指定役務を提供すること。

② この法律において「ローン提携販売」とは、次に掲げるものをいう。

一 カード等を利用者に交付し又は付与し、当該利用者がそのカード等を提示し若しくは通知して、又はそれと引換えに購入した商品若しくは権利の代金又は提供を受ける役務の対価に充てるためにする金銭の借入れで、二月以上の期間にわたり、かつ、三回以上に分割して返還することを条件とするものに係る購入者又は役務の提供を受ける者の債務の保証（業として保証を行う者に当該債務の保証を委託することを含む。）をして、指定商品若しくは指定権利を販売し、又は指定役務を提供すること。

二 カード等を利用者に交付し又は付与し、当該利用者がそのカード等を提示し若しくは通知して、又はそれと引換えに購入した商品若しくは権利の代金又は提供を受ける役務の対価に充てるためにする金銭の借入れで、あらかじめ定められた時期ごとに、その借入金の合計額を基礎としてあらかじめ定められた方法により算定して得た金額を返済することを条件とするものに係る当該利用者の債務の保証（業として保証を行う者に当該債務の保証を委託することを含む。）をして、そのカード等の提示若しくは通知を受けて、又はそれと引換えに指定商品若しくは指定権利を販売し又は指定役務を提供すること。

③ この法律において「包括信用購入あっせん」とは、次に掲げるものをいう。

一 それを提示し若しくは通知して、又はそれと引換えに、特定の販売業者から商品若しくは権利を購入し、又は特定の役務提供事業者から有償で役務の提供を受けることができるカードその他の物又は番号、記号その他の符号（以下この項及び次項、第三章第一節並びに第三十五条の十六において「カード等」という。）をこれにより商品若しくは権利を購入しようとする者又は役務の提供を受けようとする者（以下この項、同節、同章第三節、同条、第三章の四第二節、第四十一条及び第四十一条の二において「利用者」という。）に交付し又は付与し、当該利用者がそのカード等を提示し若しくは通知して、又はそれと引換えに特定の販売業者から商品若しくは権利を購入し、又は特定の役務提供事業者から役務の提供を受けるときは、当該販売業者又は当該役務提供事業者に当該商品若しくは当該権利の代金又は当該役務の対価に相当する額の交付（当該販売業者又は当該役務提供事業者以外の者を通じた当該販売業者又は当該役務提供事業者への交付を含む。）をするとともに、当該利用者から当該代金又は当該対価に相当する額をあらかじめ定められた時期までに受領すること（当該利用者が当該販売業者から商品若しくは権利を購入する契約を締結し、又は当該役務提供事業者から役務の提供を受ける契約を締結した時から二月を超えない範囲内においてあらかじめ定められた時期までに受領することを除く。）。

二　カード等を利用者に交付し又は付与し、当該利用者がそのカード等を提示し若しくは通知して、又はそれと引換えに特定の販売業者から商品若しくは権利を購入し、又は特定の役務提供事業者から役務の提供を受けるときは、当該販売業者又は当該役務提供事業者に当該商品若しくは当該権利の代金又は当該役務の対価に相当する額の交付（当該販売業者又は当該役務提供事業者以外の者を通じた当該販売業者又は当該役務提供事業者への交付を含む。）をするとともに、当該利用者からあらかじめ定められた時期ごとに当該商品若しくは当該権利の代金又は当該役務の対価の合計額を基礎としてあらかじめ定められた方法により算定して得た金額を受領すること。

④　この法律において「個別信用購入あつせん」とは、カード等を利用することなく、特定の販売業者が行う購入者への商品若しくは指定権利の販売又は特定の役務提供事業者が行う役務の提供を受ける者への役務の提供を条件として、当該商品若しくは当該指定権利の代金又は当該役務の対価の全部又は一部に相当する金額の当該販売業者又は当該役務提供事業者への交付（当該販売業者又は当該役務提供事業者以外の者を通じた当該販売業者又は当該役務提供事業者への交付を含む。）をするとともに、当該購入者又は当該役務の提供を受ける者からあらかじめ定められた時期までに当該金額を受領すること（当該購入者又は当該役務の提供を受ける者が当該販売業者から商品若しくは指定権利を購入する契約を締結し、又は当該役務提供事業者から役務の提供を受ける契約を締結した時から二月を超えない範囲内においてあらかじめ定められた時期までに受領することを除く。）をいう。

⑤　この法律において「指定商品」とは、定型的な条件で販売するのに適する商品であつて政令で定めるものをいい、「指定権利」とは、施設を利用し又は役務の提供を受ける権利のうち国民の日常生活に係る取引において販売されるものであつて政令で定めるものをいい、「指定役務」とは、次項、第三十五条の三の六十一、第三十五条の三の六十二、第四十一条及び第四十一条の二を除き、国民の日常生活に係る取引において有償で提供される役務であつて政令で定めるものをいう。

⑥　この法律において「前払式特定取引」とは、次の各号に掲げる取引で、当該各号に定める者に対する商品の引渡し又は政令で定める役務（以下この項、第三十五条の三の六十一、第三十五条の三の六十二、第四十一条及び第四十一条の二において「指定役務」という。）の提供に先立つてその者から当該商品の代金又は当該指定役務の対価の全部又は一部を二月以上の期間にわたり、かつ、三回以上に分割して受領するものをいう。

一　商品の売買の取次ぎ　購入者

二　指定役務の提供又は指定役務の提供をすること若しくは指定役務の提供を受けることの取次ぎ　当該指定役務の提供を受ける者

第二章　割賦販売（抄）

第一節　総則

（割賦販売条件の表示）

第三条①　割賦販売を業とする者（以下「割賦販売業者」という。）は、前条第一項第一号に規定する割賦販売（カード等を利用者に交付し又は付与し、そのカード等の提示若しくは通知を受けて、又はそれと引換えに当該利用者に商品若しくは権利を販売し、又は役務を提供するものを除く。）の方法により、指定商品若しくは指定権利を販売しようとするとき又は指定役務を提供しようとするときは、その相手方に対して、経済産業省令・内閣府令で定めるところにより、当該指定商品、当該指定権利又は当該指定役務に関する次の事項を示さなければならない。

一　商品若しくは権利の現金販売価格（商品の引渡し又は権利の移転と同時にその代金の全額を受領する場合の価格をいう。以下同じ。）又は役務の現金提供価格（役務を提供する契約の締結と同時にその対価の全額を受領する場合の価格をいう。以下同じ。）

二　商品若しくは権利の割賦販売価格（割賦販売の方法により商品又は権利を販売する場合の価格をいう。以下同じ。）又は役務の割賦提供価格（割賦販売の方法により役務を提供する場合の価格をいう。以下同じ。）

三　割賦販売に係る商品若しくは権利の代金又は役務の対価の支払（その支払に充てるための預金の預入れを含む。次項を除き、以下同じ。）の期間及び回数

四　第十一条に規定する前払式割賦販売以外の割賦販売の場合には、経済産業省令・内閣府令で定める方法により算定した割賦販売の手数料の料率

五　第十一条に規定する前払式割賦販売の場合には、商品の引渡時期

②　割賦販売業者は、前条第一項第一号に規定する割賦販売（カード等を利用者に交付し又は付与し、そのカード等の提示若しくは通知を受けて、又はそれと引換えに当該利用者に商品若しくは権利を販売し、又は役務を提供するものに限る。）の方法により、指定商品若しくは指定権利を販売するため又は指定役務を提供するため、カード等を利用者に交付し又は付与するときは、経済産業省令・内閣府令で定めるところにより、当該割賦販売をする場合における商品若しくは権利の販売条件又は役務の提供条件に関する次の事項を記載した書面を当該利用者に交付しなければならない。

一　割賦販売に係る商品若しくは権利の代金又は役務の対価の支払の期間及び回数

二　経済産業省令・内閣府令で定める方法により算定した割賦販売の手数料の料率

三　前二号に掲げるもののほか、経済産業省令・内閣府令で定める事項

③　割賦販売業者は、前条第一項第二号に規定する割賦販売の方法により、指定商品若しくは指定権利を販売するため又は指定役務を提供するため、カード等を利用者に交付し又は付与するときは、経済産業省令・内閣府令で定めるところにより、当該割賦販売をする場合における商品若しくは権利の販売条件又は役務の提供条件に関する次の事項を記載した書面を当該利用者に交付しなければならない。

一　利用者が弁済をすべき時期及び当該時期ごとの弁済金の額の算定方法

二　経済産業省令・内閣府令で定める方法により算定した割賦販売の手数料の料率

三　前二号に掲げるもののほか、経済産業省令・内閣府令で定める事項

④　割賦販売業者は、第一項、第二項又は前項の割賦販売の方法により指定商品若しくは指定権利を販売する場合の販売条件又は指定役務を提供する場合の提供条件について広告をするときは、経済産業省令・内閣府令で定めるところにより、当該広告に、それぞれ第一項各号、第二項各号又は前項各号の事項を表示しなければならない。

（書面の交付）

第四条① 割賦販売業者は、第二条第一項第一号に規定する割賦販売の方法により指定商品若しくは指定権利を販売する契約又は指定役務を提供する契約を締結したときは、遅滞なく、経済産業省令・内閣府令で定めるところにより、次の事項について当該契約の内容を明らかにする書面を購入者又は役務の提供を受ける者に交付しなければならない。

一 商品若しくは権利の割賦販売価格又は役務の割賦提供価格
二 賦払金（割賦販売に係る各回ごとの代金の支払分をいう。以下同じ。）の額
三 賦払金の支払の時期及び方法
四 商品の引渡時期若しくは権利の移転時期又は役務の提供時期
五 契約の解除に関する事項
六 所有権の移転に関する定めがあるときは、その内容
七 前各号に掲げるもののほか、経済産業省令・内閣府令で定める事項

② 割賦販売業者は、第二条第一項第二号に規定する割賦販売の方法により指定商品若しくは指定権利を販売する契約又は指定役務を提供する契約を締結したときは、遅滞なく、経済産業省令・内閣府令で定めるところにより、次の事項について当該契約の内容を明らかにする書面を購入者又は役務の提供を受ける者に交付しなければならない。

一 商品若しくは権利の現金販売価格又は役務の現金提供価格
二 弁済金の支払の方法
三 商品の引渡時期若しくは権利の移転時期又は役務の提供時期
四 契約の解除に関する事項
五 所有権の移転に関する定めがあるときは、その内容
六 前各号に掲げるもののほか、経済産業省令・内閣府令で定める事項

③ 割賦販売業者は、指定商品、指定権利又は指定役務に係る第二条第一項第二号に規定する割賦販売に係る弁済金の支払を請求するときは、あらかじめ、経済産業省令・内閣府令で定めるところにより、次の事項を記載した書面を購入者又は役務の提供を受ける者に交付しなければならない。

一 弁済金を支払うべき時期
二 前号の時期に支払われるべき弁済金の額及びその算定根拠

第四条の二（情報通信の技術を利用する方法） 割賦販売業者は、前条各項の規定による書面の交付に代えて、政令で定めるところにより、当該利用者又は購入者若しくは役務の提供を受ける者の承諾を得て、当該書面に記載すべき事項を電子情報処理組織を使用する方法その他の情報通信の技術を利用する方法であつて経済産業省令・内閣府令で定めるもの（以下「電磁的方法」という。）により提供することができる。この場合において、当該割賦販売業者は、当該書面を交付したものとみなす。

第五条（契約の解除等の制限）① 割賦販売業者は、割賦販売の方法により指定商品若しくは指定権利を販売する契約又は指定役務を提供する契約について賦払金（第二条第一項第二号に規定する割賦販売の方法により指定商品若しくは指定権利を販売する契約又は指定役務を提供する契約にあつては、弁済金。以下この項において同じ。）の支払の義務が履行されない場合において、二十日以上の相当な期間を定めてその支払を書面で催告し、その期間内にその義務が履行されないときでなければ、賦払金の支払の遅滞を理由として、契約を解除し、又は支払時期の到来していない賦払金の支払を請求することができない。

② 前項の規定に反する特約は、無効とする。

第六条（契約の解除等に伴う損害賠償等の額の制限）① 割賦販売業者は、第二条第一項第一号に規定する割賦販売の方法により指定商品若しくは指定権利を販売する契約又は指定役務を提供する契約が解除された場合（第三項及び第四項に規定する場合を除く。）には、損害賠償額の予定又は違約金の定めがあるときにおいても、次の各号に掲げる場合に応じ当該各号に定める額にこれに対する法定利率による遅延損害金の額を加算した金額を超える額の金銭の支払を購入者又は役務の提供を受ける者に対して請求することができない。

一 当該商品又は当該権利が返還された場合　当該商品の通常の使用料の額又は当該権利の行使により通常得られる利益に相当する額（当該商品又は当該権利の割賦販売価格に相当する額から当該商品又は当該権利の返還された時における価額を控除した額が通常の使用料の額又は当該権利の行使により通常得られる利益に相当する額を超えるときは、その額）
二 当該商品又は当該権利が返還されない場合　当該商品又は当該権利の割賦販売価格に相当する額
三 当該商品又は当該権利を販売する契約又は当該役務を提供する契約の解除が当該商品の引渡し若しくは当該権利の移転又は当該役務の提供の開始前である場合（次号に掲げる場合を除く。）　契約の締結及び履行のために通常要する費用の額
四 当該役務が特定商取引に関する法律（昭和五十一年法律第五十七号）第四十一条第二項に規定する特定継続的役務に該当する場合であつて、当該役務を提供する契約の同法第四十九条第一項の規定に基づく解除が当該役務の提供の開始前である場合　契約の締結及び履行のために通常要する費用の額として当該役務ごとに同条第二項第二号の政令で定める額
五 当該役務を提供する契約の解除が当該役務の提供の開始後である場合（次号に掲げる場合を除く。）　提供された当該役務の対価に相当する額に、当該役務の割賦提供価格に相当する額から当該役務の現金提供価格に相当する額を控除した額を加算した額
六 当該役務が特定商取引に関する法律第四十一条第二項に規定する特定継続的役務に該当する場合であつて、当該役務を提供する契約の同法第四十九条第一項の規定に基づく解除が当該役務の提供の開始後である場合　次の額を合算した額
イ 提供された当該役務の対価に相当する額に、当該役務の割賦提供価格に相当する額から当該役務の現金提供価格に相当する額を控除した額を加算した額
ロ 当該役務を提供する契約の解除によつて通常生ずる損害の額として当該役務ごとに同条第二項第一号ロの政令で定める額

② 割賦販売業者は、前項の契約について賦払金の支払の義務が履行されない場合（契約が解除された場合を除く。）には、損害賠償額の予定又は違約金の定めがあるときにおいても、当該商品若しくは当該権利の割賦販売価格又は当該役務の割賦提供価格に相当する額から既に支払われた賦払金の額を控除した額にこれに対する法定利率による遅延損害金の額を加算した金額を超える額の金銭の支払を購入者又は役務の提供を受ける者に対して請求することができない。

③ 割賦販売業者は、第二条第一項第一号に規定する割賦販売の方法により指定商品若しくは指定権利を販売する契約又は指定役務を提供する契約が特定商取引に関する法律第三十七条第二項に規定する連鎖販売契約に該当する場合であつて、当該契約が同法第四十条の二第一項の規定により解除された場合には、損害賠償額の予定又は違約金の定めがあるときにおいても、契約の締結及び履行のために通常要する費用の額（次の各号のいずれかに該当する場合にあつては、当該額に当該各号に掲げる場合に応じ当該各号に定める額を加算した額）にこれに対する法定利率による遅延損害金の額を加算した金額を超える額の金銭の支払を購入者又は役務の提供を受ける者に対して請求することができない。

一 当該連鎖販売契約の解除が当該連鎖販売取引に伴う特定商取引に関する法律第三十三条第一項に規定する特定負担（次号、第三十五条の三の十一及び第三十五条の三の十四において「特定負担」という。）に係る商品の引渡し又は権利の移転後である場合　次の額を合算した額
イ 引渡しがされた当該商品又は移転がされた当該権利（当

該連鎖販売契約に基づき販売が行われた商品又は権利に限り、特定商取引に関する法律第四十条の二第二項の規定により当該商品又は当該権利に係る同項に規定する商品販売契約が解除されたものを除く。）の割賦販売価格に相当する額

ロ　提供された特定商取引に関する法律第三十三条第一項に規定する特定利益（第三十五条の三の十四において「特定利益」という。）その他の金品（同法第四十条の二第二項の規定により解除された同項に規定する商品販売契約に係る商品又は権利に係るものに限る。）に相当する額

二　当該連鎖販売契約の解除が当該連鎖販売取引に伴う特定負担に係る役務の提供開始後である場合　提供された当該役務（当該連鎖販売契約に基づき提供されたものに限る。）の対価に相当する額に、当該役務の割賦提供価格に相当する額から当該役務の現金提供価格に相当する額を控除した額を加算した額

④　割賦販売業者は、第二条第一項第一号に規定する割賦販売の方法により指定商品又は指定権利を販売する契約が特定商取引に関する法律第四十条の二第二項に規定する商品販売契約に該当する場合であつて、当該契約が同項の規定により解除された場合には、損害賠償額の予定又は違約金の定めがあるときにおいても、次の各号に掲げる場合に応じ当該各号に定める額にこれに対する法定利率による遅延損害金の額を加算した金額を超える額の金銭の支払を購入者に対して請求することができない。

一　当該商品若しくは当該権利が返還された場合又は当該商品販売契約の解除が当該商品の引渡し若しくは当該権利の移転前である場合　当該商品又は当該権利の現金販売価格の十分の一に相当する額に、当該商品又は当該権利の割賦販売価格に相当する額から当該商品又は当該権利の現金販売価格に相当する額を控除した額を加算した額

二　当該商品又は当該権利が返還されない場合　当該商品又は当該権利の割賦販売価格に相当する額

第七条（**所有権に関する推定**）　第二条第一項第一号に規定する割賦販売の方法により販売された指定商品（耐久性を有するものとして政令で定めるものに限る。）の所有権は、賦払金の全部の支払の義務が履行される時までは、割賦販売業者に留保されたものと推定する。

第八条（**適用除外**）　この章の規定は、次の割賦販売については、適用しない。

一　指定商品若しくは指定権利を販売する契約又は指定役務を提供する契約（次に掲げるものを除く。）であつて、当該契約の申込みをした者が営業のために若しくは営業として締結するもの又は購入者若しくは役務の提供を受ける者が営業のために若しくは営業として締結するものに係る割賦販売

イ　連鎖販売業（特定商取引に関する法律第三十三条第一項に規定する連鎖販売業をいう。以下同じ。）に係る連鎖販売取引（同項に規定する連鎖販売取引をいう。以下同じ。）についての契約（当該契約以外の契約であつてその連鎖販売業に係る商品若しくは権利の販売又は役務の提供に係るもの（以下「特定商品販売等契約」という。）を含む。）のうち、その連鎖販売業に係る商品若しくは権利の販売又は役務の提供を店舗その他これに類似する設備によらないで行う個人との契約（以下「連鎖販売個人契約」という。）

ロ　業務提供誘引販売業（特定商取引に関する法律第五十一条第一項に規定する業務提供誘引販売業をいう。以下同じ。）に係る業務提供誘引販売取引（同項に規定する業務提供誘引販売取引をいう。以下同じ。）についての契約のうち、その業務提供誘引販売業に関して提供され、又はあつせんされる業務を事業所その他これに類似する施設によらないで行う個人との契約（以下「業務提供誘引販売個人契約」という。）

二　本邦外に在る者に対して行う割賦販売

三　国又は地方公共団体が行う割賦販売

四　次の団体がその直接又は間接の構成員に対して行う割賦販売（当該団体が構成員以外の者にその事業又は施設を利用させることができる場合には、これらの者に対して行う割賦販売を含む。）

イ　特別の法律に基づいて設立された組合並びにその連合会及び中央会

ロ　国家公務員法（昭和二十二年法律第百二十号）第百八条の二又は地方公務員法（昭和二十五年法律第二百六十一号）第五十二条の団体

ハ　労働組合

五　事業者がその従業者に対して行う割賦販売

六　無尽業法（昭和六年法律第四十二号）第一条に規定する無尽に該当する割賦販売

第二節　割賦販売の標準条件

第九条（**標準条件の公示**）　主務大臣は、第二条第一項第一号に規定する割賦販売（第十一条に規定する前払式割賦販売を除く。以下次条において同じ。）について、その健全な発達を図るため必要があるときは、指定商品ごとに、割賦販売価格に対する第一回の賦払金の額の標準となるべき割合及び第二条第一項第一号に規定する割賦販売に係る代金の支払の標準となるべき期間を定め、これを告示するものとする。

第一〇条（**勧告**）①　主務大臣は、割賦販売業者が前条の規定により告示した割合より著しく低い第一回の賦払金の額の割賦販売価格に対する割合又は同条の規定により告示した期間より著しく長い代金の支払の期間によつて指定商品の第二条第一項第一号に規定する割賦販売を行つているため、当該商品の同号に規定する割賦販売の健全な発達に著しい支障が生じ、又は生ずるおそれがあると認めるときは、当該割賦販売業者に対し、その割合を引き上げ、又はその期間を短縮すべきことを勧告することができる。

②　前項の規定による勧告は、告示により行なうことができる。

第三節　前払式割賦販売（抄）

第一一条（**前払式割賦販売業の許可**）　指定商品を引き渡すに先立つて購入者から二回以上にわたりその代金の全部又は一部を受領する第二条第一項第一号に規定する割賦販売（以下「前払式割賦販売」という。）は、経済産業大臣の許可を受けた者でなければ、業として営んではならない。ただし、次の場合は、この限りでない。

一　指定商品の前払式割賦販売の方法による年間の販売額が政令で定める金額に満たない場合

二　指定商品が新たに定められた場合において、現に当該指定商品を前払式割賦販売の方法により販売することを業として営んでいる者が、その定められた日から六月間（その期間内に次条第一項の申請書を提出した場合には、その申請につき許可又は不許可の処分があるまでの間を含む。）当該商品を販売するとき。

三　前号の期間が経過した後において、その期間の末日までに締結した同号の指定商品の前払式割賦販売の契約に基づく取引を結了する目的の範囲内で営む場合

第一二条から**第二九条**まで　（略）

第二章の二　ローン提携販売

第二九条の二（**ローン提携販売条件の表示**）①　ローン提携販売を業とする者（以下「ローン提携販売業者」という。）は、第二条第二項第一号に規定するローン提携販売の方法により指定商品若しくは指定権利を販売するため又は指定役務を提供するためカード等を利用者に交付し又

は付与するときは、経済産業省令・内閣府令で定めるところにより、当該ローン提携販売をする場合における商品若しくは権利の販売条件又は役務の提供条件に関する次の事項を記載した書面を当該利用者に交付しなければならない。

一　ローン提携販売に係る借入金の返還（利息の支払を含む。）の期間及び回数

二　経済産業省令・内閣府令で定める方法により算定したローン提携販売に係る借入金の利息その他の手数料の料率

三　前二号に掲げるもののほか、経済産業省令・内閣府令で定める事項

②　ローン提携販売業者は、第二条第二項第二号に規定するローン提携販売の方法により、指定商品若しくは指定権利を販売するため又は指定役務を提供するため、カード等を利用者に交付し又は付与するときは、経済産業省令・内閣府令で定めるところにより、当該ローン提携販売をする場合における商品若しくは権利の販売条件又は役務の提供条件に関する次の事項を記載した書面を当該利用者に交付しなければならない。

一　利用者が弁済をすべき時期及び当該時期ごとの弁済金の額の算定方法

二　経済産業省令・内閣府令で定める方法により算定したローン提携販売に係る借入金の利息その他の手数料の料率

三　前二号に掲げるもののほか、経済産業省令・内閣府令で定める事項

③　ローン提携販売業者は、第一項又は前項のローン提携販売の方法により指定商品若しくは指定権利を販売する場合の販売条件又は指定役務を提供する場合の提供条件について広告をするときは、経済産業省令・内閣府令で定めるところにより、当該広告に、それぞれ第一項各号又は前項各号の事項を表示しなければならない。

（書面の交付）

第二九条の三①　ローン提携販売業者は、第二条第二項第一号に規定するローン提携販売の方法により指定商品若しくは指定権利を販売する契約又は指定役務を提供する契約を締結したときは、遅滞なく、経済産業省令・内閣府令で定めるところにより、次の事項について契約の内容を明らかにする書面を購入者又は役務の提供を受ける者に交付しなければならない。

一　購入者又は役務の提供を受ける者の支払総額（ローン提携販売の方法により商品若しくは権利を販売し又は役務を提供する場合の価格（保証料その他の手数料を含む。）及びローン提携販売に係る借入金の利息の合計額をいう。）

二　分割返済金（ローン提携販売に係る各回ごとの借入金の返還分（利息の支払分を含む。）をいう。以下同じ。）の額

三　分割返済金の返済の時期及び方法

四　商品の引渡時期若しくは権利の移転時期又は役務の提供時期

五　契約の解除に関する事項

六　所有権の移転に関する定めがあるときは、その内容

七　前各号に掲げるもののほか、経済産業省令・内閣府令で定める事項

②　ローン提携販売業者は、第二条第二項第二号に規定するローン提携販売の方法により指定商品若しくは指定権利を販売する契約又は指定役務を提供する契約を締結したときは、遅滞なく、経済産業省令・内閣府令で定めるところにより、次の事項について契約の内容を明らかにする書面を購入者又は役務の提供を受ける者に交付しなければならない。

一　購入者又は役務の提供を受ける者の当該ローン提携販売の契約に係る借入金の額

二　弁済金の返済の方法

三　商品の引渡時期若しくは権利の移転時期又は役務の提供時期

四　契約の解除に関する事項

五　所有権の移転に関する定めがあるときは、その内容

六　前各号に掲げるもののほか、経済産業省令・内閣府令で定める事項

（準用規定）

第二九条の四①　第四条の二の規定はローン提携販売業者に、第八条（第六号を除く。）の規定はローン提携販売に準用する。この場合において、第四条の二中「第三条第二項若しくは第三項又は前条各項」とあるのは、「第二十九条の二第一項若しくは第二項又は第二十九条の三各項」と読み替えるものとする。

②　第三十条の四の規定は、第二条第二項第一号に規定するローン提携販売に係る分割返済金の返済についてローン提供業者（同号に規定する債務の保証を受けてローン提携販売に係る購入者又は役務の提供を受ける者に対して同号に規定する金銭の貸付けを業として行う者をいう。）に対抗する場合に準用する。この場合において、第三十条の四第一項中「商品」とあるのは「指定商品」と、「役務に」とあるのは「指定役務に」と、「第三十条の二の三第一項第二号の支払分」とあるのは「第二十九条の三第一項第二号の分割返済金」と、「当該役務」とあるのは「当該指定役務」と、同条第四項中「支払分」とあるのは「分割返済金」と読み替えるものとする。

③　第三十条の五の規定は、第二条第二項第二号に規定するローン提携販売に係る弁済金の返済について準用する。この場合において、第三十条の五第一項中「前条」とあるのは、「第二十九条の四第二項において準用する前条」とするほか、必要な技術的読替えは、政令で定める。

第三章　信用購入あっせん

第一節　包括信用購入あっせん（抄）

第一款　業務

（包括信用購入あっせんの取引条件に関する情報の提供等）

第三〇条①　包括信用購入あっせんを業とする者（以下「包括信用購入あっせん業者」という。）は、第二条第三項第一号に規定する包括信用購入あっせんをするためカード等を利用者に交付し又は付与するときは、経済産業省令・内閣府令で定めるところにより、当該包括信用購入あっせんをする場合における取引条件に関する次の事項に係る情報を当該利用者に提供しなければならない。

一　包括信用購入あっせんに係る商品若しくは権利の代金又は役務の対価（包括信用購入あっせんの手数料を含む。）の支払の期間及び回数

二　経済産業省令・内閣府令で定める方法により算定した包括信用購入あっせんの手数料の料率

三　前二号に掲げるもののほか、経済産業省令・内閣府令で定める事項

②　包括信用購入あっせん業者は、第二条第三項第二号に規定する包括信用購入あっせんをするためカード等を利用者に交付し又は付与するときは、経済産業省令・内閣府令で定めるところにより、当該包括信用購入あっせんをする場合における取引条件に関する次の事項に係る情報を当該利用者に提供しなければならない。

一　利用者が弁済をすべき時期及び当該時期ごとの弁済金の額の算定方法

二　経済産業省令・内閣府令で定める方法により算定した包括信用購入あっせんの手数料の料率

三　前二号に掲げるもののほか経済産業省令・内閣府令で定める事項

③　包括信用購入あっせん業者は、前二項に規定するカード等の交付時又は付与時において利用者から第一項各号又は前項各号の事項を記載した書面の交付を求められたときは、遅滞なく、経済産業省令・内閣府令で定めるところにより、当該書面を交付しなければならない。ただし、当該利用者の保護に支障を生ずることがない場合として経済産業省令・内閣府令で定める場合は、この限りでない。

④ 包括信用購入あっせん業者は、第一項又は第二項に規定する包括信用購入あっせんをする場合の取引条件について広告をするときは、経済産業省令・内閣府令で定めるところにより、当該広告に、それぞれ第一項各号又は第二項各号の事項を表示しなければならない。

（包括支払可能見込額の調査）

第三〇条の二① 包括信用購入あっせん業者は、包括信用購入あっせんをするためカード等を利用者（個人である利用者に限る。以下この条、次条、第三十条の五の五、第三十条の五の六、第三十五条の二の四、第三十五条の二の五及び第三節において同じ。）に交付し若しくは付与しようとする場合又は利用者に交付し若しくは付与したカード等についてそれに係る極度額（包括信用購入あっせんに係る購入又は受領の方法により商品若しくは権利を購入し、又は役務を受領することができる額の上限であつて、あらかじめ定められたものをいう。以下同じ。）を増額しようとする場合には、その交付若しくは付与又はその増額に先立つて、経済産業省令・内閣府令で定めるところにより、年収、預貯金、信用購入あっせん（包括信用購入あっせん及び個別信用購入あっせんをいう。以下同じ。）に係る債務の支払の状況、借入れの状況その他の当該利用者の包括支払可能見込額を算定するために必要な事項として経済産業省令・内閣府令で定めるものを調査しなければならない。ただし、当該利用者の保護に支障を生ずることがない場合として経済産業省令・内閣府令で定める場合は、この限りでない。

② この節において「包括支払可能見込額」とは、主として自己の居住の用に供する住宅その他の経済産業省令・内閣府令で定める資産を譲渡し、又は担保に供することなく、かつ、生活維持費（最低限度の生活を維持するために必要な一年分の費用として経済産業省令・内閣府令で定める額をいう。第三十五条の三の三において同じ。）に充てるべき金銭を使用することなく、利用者が包括信用購入あっせんに係る購入又は受領の方法により購入しようとする商品若しくは指定権利の代金又は受領しようとする役務の対価に相当する額の支払に充てることができると見込まれる一年間当たりの額をいう。

③ 包括信用購入あっせん業者は、第一項本文の規定による調査を行うときは、第三十五条の三の三十六第一項の規定による指定を受けた者（以下「指定信用情報機関」という。）が保有する特定信用情報（利用者又は購入者（個人である購入者に限る。以下この項、第三十五条の三の三、第三十五条の三の四及び第三節において同じ。）若しくは役務の提供を受ける者（個人である役務の提供を受ける者に限る。以下この項、第三十五条の三の三、第三十五条の三の四及び同節において同じ。）の包括支払可能見込額、第三十条の五の四第一項に規定する利用者支払可能見込額又は第三十五条の三の三第二項に規定する個別支払可能見込額に関する情報（当該利用者又は購入者若しくは役務の提供を受ける者を識別することができる情報を含む。）のうち、信用購入あっせんに係る債務の支払の状況その他経済産業省令・内閣府令で定めるものをいう。以下同じ。）を使用しなければならない。

④ 包括信用購入あっせん業者は、包括信用購入あっせんをするためカード等を利用者に交付し若しくは付与した場合又は利用者に交付し若しくは付与したカード等についてそれに係る極度額を増額した場合には、経済産業省令・内閣府令で定めるところにより、第一項本文の規定による調査に関する記録を作成し、これを保存しなければならない。

（包括支払可能見込額を超える場合のカード等の交付等の禁止）

第三〇条の二の二 包括信用購入あっせん業者は、包括信用購入あっせんをするためカード等を利用者に交付し若しくは付与しようとする場合又は利用者に交付し若しくは付与したカード等についてそれに係る極度額を増額しようとする場合において、当該利用者に交付し若しくは付与しようとするカード等に係る極度額又は当該増額された後の極度額が、前条第一項本文の規定による調査により得られた事項を基礎として算定した包括支払可能見込額に包括信用購入あっせんに係る購入又は受領の方法により購入される商品若しくは指定権利の代金又は受領される役務の対価に相当する額の受領に係る平均的な期間を勘案して経済産業大臣及び内閣総理大臣が定める割合を乗じて得た額を超えるときは、当該カード等を交付し若しくは付与し、又は極度額を増額してはならない。ただし、当該利用者の保護に支障を生ずることがない場合として経済産業省令・内閣府令で定める場合は、この限りでない。

（包括信用購入あっせん関係受領契約に関する情報の提供等）

第三〇条の二の三① 包括信用購入あっせん業者は、包括信用購入あっせんに係る購入又は受領の方法により購入される商品若しくは指定権利の代金又は受領される役務の対価に相当する額の受領に係る契約（以下「包括信用購入あっせん関係受領契約」という。）であつて第二条第三項第一号に規定する包括信用購入あっせんに係るものを締結したときは、遅滞なく、経済産業省令・内閣府令で定めるところにより、当該契約に関する次の事項に係る情報を購入者又は役務の提供を受ける者に提供しなければならない。

一 購入者又は役務の提供を受ける者の支払総額（当該商品若しくは当該権利の現金販売価格又は当該役務の現金提供価格及び包括信用購入あっせんの手数料の合計額をいう。第三十条の三及び第三十条の四において同じ。）

二 包括信用購入あっせんに係る各回ごとの商品若しくは権利の代金又は役務の対価（包括信用購入あっせんの手数料を含む。）の支払分の額並びにその支払の時期及び方法

三 前二号に掲げるもののほか、経済産業省令・内閣府令で定める事項

② 包括信用購入あっせん業者は、包括信用購入あっせん関係受領契約であつて第二条第三項第二号に規定する包括信用購入あっせんに係るものを締結したときは、遅滞なく、経済産業省令・内閣府令で定めるところにより、当該契約に関する次の事項に係る情報を購入者又は役務の提供を受ける者に提供しなければならない。

一 当該商品若しくは当該権利の現金販売価格又は当該役務の現金提供価格

二 弁済金の支払の方法

三 前二号に掲げるもののほか、経済産業省令・内閣府令で定める事項

③ 包括信用購入あっせん業者は、商品、指定権利又は役務に係る第二条第三項第二号に規定する包括信用購入あっせんに係る弁済金の支払を請求するときは、あらかじめ、経済産業省令・内閣府令で定めるところにより、次の事項に係る情報を購入者又は役務の提供を受ける者に提供しなければならない。

一 弁済金を支払うべき時期

二 前号の時期に支払われるべき弁済金の額及びその算定根拠

④ 包括信用購入あっせん業者は、第一項若しくは第二項に規定する契約を締結する場合又は前項に規定する支払を請求する場合において、購入者又は役務の提供を受ける者から第一項各号若しくは第二項各号又は前項各号の事項を記載した書面の交付を求められたときは、遅滞なく、経済産業省令・内閣府令で定めるところにより、当該書面を交付しなければならない。ただし、当該購入者又は当該役務の提供を受ける者の保護に支障を生ずることがない場合として経済産業省令・内閣府令で定める場合は、この限りでない。

⑤ 包括信用購入あっせん業者と包括信用購入あっせんに係る契約を締結した販売業者（特定の包括信用購入あっせん業者のために、利用者がカード等を提示し若しくは通知して、又はそれと引換えに販売業者から商品若しくは権利を購入し、又は役務提供事業者から役務の提供を受けるときは、自己の名をもつて当該販売業者又は当該役務提供事業者に包括信用購入あっせんに係る購入又は受領の方法により購入された商品若しくは権利の代金又は受領される役務の対価に相当する額の交付（当該販

売業者又は当該役務提供事業者以外の者を通じた当該販売業者又は当該役務提供事業者への交付を含む。）をすること（以下「包括信用購入あっせん関係立替払取次ぎ」という。）を業とする者（以下「包括信用購入あっせん関係立替払取次業者」という。）と包括信用購入あっせん関係立替払取次ぎに係る契約を締結した販売業者を含む。以下「包括信用購入あっせん関係販売業者」という。）又は役務提供事業者（包括信用購入あっせん関係立替払取次業者と包括信用購入あっせん関係立替払取次ぎに係る契約を締結した役務提供事業者を含む。以下「包括信用購入あっせん関係役務提供事業者」という。）は、包括信用購入あっせんに係る販売の方法により商品若しくは指定権利を販売する契約又は包括信用購入あっせんに係る提供の方法により役務を提供する契約を締結したときは、遅滞なく、経済産業省令・内閣府令で定めるところにより、当該契約に関する次の事項に係る情報を購入者又は役務の提供を受ける者に提供しなければならない。

一　商品若しくは権利の現金販売価格又は役務の現金提供価格

二　契約の締結時において商品の引渡し若しくは権利の移転又は役務の提供をしないときは、当該商品の引渡時期若しくは当該権利の移転時期又は当該役務の提供時期

三　契約の解除に関する定めがあるときは、その内容

四　前三号に掲げるもののほか、経済産業省令・内閣府令で定める事項

⑥　包括信用購入あっせん関係販売業者又は包括信用購入あっせん関係役務提供事業者は、前項に規定する契約の締結時において購入者又は役務の提供を受ける者から同項各号の事項を記載した書面の交付を求められたときは、遅滞なく、経済産業省令・内閣府令で定めるところにより、当該書面を交付しなければならない。ただし、当該購入者又は当該役務の提供を受ける者の保護に支障を生ずることがない場合として経済産業省令・内閣府令で定める場合は、この限りでない。

（契約の解除等の制限）

第三〇条の二の四①　包括信用購入あっせん業者は、包括信用購入あっせん関係受領契約であつて次の各号に掲げる包括信用購入あっせんに係るものについて当該各号に定める支払分又は弁済金の支払の義務が履行されない場合において、二十日以上の相当な期間を定めてその支払を書面（購入者又は役務の提供を受ける者の保護に支障を生ずることがない場合として経済産業省令・内閣府令で定める場合にあつては、電磁的方法）により催告し、その期間内にその義務が履行されないときでなければ、支払分又は弁済金の支払の遅滞を理由として、契約を解除し、又は支払時期の到来していない支払分若しくは弁済金の支払を請求することができない。

一　第二条第三項第一号に規定する包括信用購入あっせん　前条第一項第二号の支払分

二　第二条第三項第二号に規定する包括信用購入あっせん　前条第三項第二号の弁済金

②　前項の規定に反する特約は、無効とする。

（契約の解除等に伴う損害賠償等の額の制限）

第三〇条の三①　包括信用購入あっせん業者は、第二条第三項第一号に規定する包括信用購入あっせんに係る包括信用購入あっせん関係受領契約であつて第二条第三項第一号に規定する包括信用購入あっせんに係るものが解除された場合には、損害賠償額の予定又は違約金の定めがあるときにおいても、当該契約に係る支払総額に相当する額にこれに対する法定利率による遅延損害金の額を加算した金額を超える額の金銭の支払を購入者又は役務の提供を受ける者に対して請求することができない。

②　包括信用購入あっせん業者は、前項の契約について第三十条の二の三第一項第二号の支払分の支払の義務が履行されない場合（契約が解除された場合を除く。）には、損害賠償額の予定又は違約金の定めがあるときにおいても、当該契約に係る支払総額に相当する額から既に支払われた同号の支払分の額を控除した額にこれに対する法定利率による遅延損害金の額を加算した金額を超える額の金銭の支払を購入者又は役務の提供を受ける者に対して請求することができない。

（包括信用購入あっせん業者に対する抗弁）

第三〇条の四①　購入者又は役務の提供を受ける者は、第二条第三項第一号に規定する包括信用購入あっせんに係る購入又は受領の方法により購入した商品若しくは指定権利又は受領する役務に係る第三十条の二の三第一項第二号の支払分の支払の請求を受けたときは、当該商品若しくは当該指定権利の販売につきそれを販売した包括信用購入あっせん関係販売業者又は当該役務の提供につきそれを提供する包括信用購入あっせん関係役務提供事業者に対して生じている事由をもつて、当該支払の請求をする包括信用購入あっせん業者に対抗することができる。

②　前項の規定に反する特約であつて購入者又は役務の提供を受ける者に不利なものは、無効とする。

③　第一項の規定による対抗をする購入者又は役務の提供を受ける者は、その対抗を受けた包括信用購入あっせん業者からその対抗に係る同項の事由の内容を記載した書面の提出を求められたときは、その書面を提出するよう努めなければならない。

④　前三項の規定は、第一項の支払分の支払であつて政令で定める金額に満たない支払総額に係るものについては、適用しない。

第三〇条の五①　第二条第三項第二号に規定する包括信用購入あっせんに係る弁済金の支払については、当該弁済金の支払が、その支払の時期ごとに、次の各号に規定するところにより当該各号に掲げる当該包括信用購入あっせんに係る債務に充当されたものとみなして、前条の規定を準用する。この場合において、同条第一項中「第三十条の二の三第一項第二号の支払分」とあるのは「第三十条の二の三第三項第二号の弁済金」と、同条第四項中「支払分」とあるのは「弁済金」と、「支払総額」とあるのは「第三十条の二の三第二項第一号の現金販売価格又は現金提供価格」と読み替えるものとする。

一　遅延損害金があるときは、それを優先し、次に、当該包括信用購入あっせんの手数料、これら以外の債務の順で、それぞれに充当する。

二　前号の遅延損害金については、その発生が早いものから順次に充当する。

三　第一号の手数料については、その支払うべき時期が早いものから順次に充当する。

四　遅延損害金及び包括信用購入あっせんの手数料以外の債務については、その包括信用購入あっせんの手数料の料率が高いものから順次に充当し、その充当の順位が等しいものについては、その債務が発生した時期が早いものから順次に充当する。

②　前項に定めるもののほか、第二条第三項第二号に規定する包括信用購入あっせんに係る弁済金の支払に関し前条の規定を準用するために弁済金の充当について必要な事項は、政令で定める。

（業務の運営に関する措置）

第三〇条の五の二　包括信用購入あっせん業者は、利用者又は購入者若しくは役務の提供を受ける者の利益の保護を図るため、経済産業省令・内閣府令で定めるところにより、その包括信用購入あっせんの業務に関して取得した利用者又は購入者若しくは役務の提供を受ける者に関する情報の適正な取扱い、その包括信用購入あっせんの業務を第三者に委託する場合における当該業務の適確な遂行及びその利用者又は購入者若しくは役務の提供を受ける者からの苦情の適切かつ迅速な処理のために必要な措置を講じなければならない。

（改善命令）

第三〇条の五の三①　経済産業大臣は、包括信用購入あっせん業者が第三十条の二第一項本文、第三項若しくは第四項、第三十条の二の二本文、前条、第三十五条の三の五十六から第三十五条の三の五十八まで又は第三十五条の三の五十九第一項の規定に違反していると認めるときは、その必要の限度において、当該包括信用購入あっせん業者に対し、包括信用購入あっせんに

係る業務の運営を改善するため必要な措置をとるべきことを命ずることができる。

② 経済産業大臣は、包括信用購入あつせん業者が第三十条の二第一項本文、第三項若しくは第四項、第三十条の二の二本文又は前条の規定に違反している場合において、前項の規定による命令をしようとするときは、あらかじめ、内閣総理大臣に協議しなければならない。

③ 内閣総理大臣は、包括信用購入あつせん業者が第三十条の二第一項本文、第三項若しくは第四項、第三十条の二の二本文又は前条の規定に違反している場合において、利用者又は購入者若しくは役務の提供を受ける者の利益を保護するため必要があると認めるときは、経済産業大臣に対し、第一項の規定による命令に関し、必要な意見を述べることができる。

第二款　包括支払可能見込額の調査等の特例

（認定包括信用購入あつせん業者）

第三〇条の五の四① 包括信用購入あつせん業者は、包括支払可能見込額に代えて、利用者支払可能見込額（最低限度の生活の維持に支障を生ずることなく、利用者が包括信用購入あつせんに係る購入又は受領の方法により購入しようとする商品若しくは指定権利の代金又は受領しようとする役務の対価に相当する額の支払に充てることができると見込まれる額をいう。以下同じ。）の算定を行おうとする場合は、経済産業省令で定めるところにより、次の各号のいずれにも該当する旨の経済産業大臣の認定を受けることができる。

一 当該算定の方法が、利用者の支払能力に関する情報を高度な技術的手法を用いて分析することにより利用者支払可能見込額を適確に算定することを可能とするものとして経済産業省令で定める基準に適合するものであること。

二 当該算定を行う体制が、経済産業省令で定める基準に適合するものであること。

② 経済産業大臣は、前項の認定の申請が同項各号のいずれにも適合していると認めるときは、同項の認定をするものとする。

③ 第一項の認定を受けた包括信用購入あつせん業者（以下「認定包括信用購入あつせん業者」という。）は、当該認定に係る同項第一号の方法又は同項第二号の体制を変更しようとするときは、経済産業省令で定めるところにより、経済産業大臣の認定を受けなければならない。

④ 第二項の規定は、前項の変更の認定に準用する。

⑤ 経済産業大臣は、認定包括信用購入あつせん業者が次の各号のいずれかに該当するときは、その認定を取り消すことができる。

一 第一項各号のいずれかに適合しなくなつたと認められるとき。

二 第三項の規定に違反して、同項の変更の認定を受けずに、第一項第一号の方法又は同項第二号の体制を変更したとき。

三 第三十条の六第一項（次条第一項本文、第二項及び第三項並びに第三十条の五の六本文に係る部分に限る。）の規定による命令に違反したとき。

四 不正の手段により第一項の認定又は第三項の変更の認定を受けたとき。

⑥ 第三十条の二、第三十条の二の二及び前条の規定は、認定包括信用購入あつせん業者については、適用しない。

（利用者支払可能見込額の算定）

第三〇条の五の五① 認定包括信用購入あつせん業者は、包括信用購入あつせんをするためカード等を利用者に交付し若しくは付与しようとする場合又は利用者に交付し若しくは付与したカード等についてそれに係る極度額を増額しようとする場合には、その交付若しくは付与又はその増額に先立つて、前条第一項の認定に係る同項第一号の方法により利用者支払可能見込額を算定しなければならない。ただし、当該利用者の保護に支障を生ずることがない場合として経済産業省令・内閣府令で定める場合は、この限りでない。

② 認定包括信用購入あつせん業者は、利用者支払可能見込額を算定するために必要な事項の調査を行うときは、指定信用情報機関が保有する特定信用情報を使用しなければならない。

③ 認定包括信用購入あつせん業者は、包括信用購入あつせんをするためカード等を利用者に交付し若しくは付与した場合又は利用者に交付し若しくは付与したカード等についてそれに係る極度額を増額した場合には、経済産業省令・内閣府令で定めるところにより、利用者支払可能見込額の算定に関する記録を作成し、これを保存しなければならない。

④ 認定包括信用購入あつせん業者は、経済産業省令で定めるところにより、定期的に、利用者支払可能見込額の算定の実績その他経済産業省令で定める事項を経済産業大臣に報告しなければならない。

（利用者支払可能見込額を超える場合のカード等の交付等の禁止）

第三〇条の五の六 認定包括信用購入あつせん業者は、包括信用購入あつせんをするためカード等を利用者に交付し若しくは付与しようとする場合又は利用者に交付し若しくは付与したカード等についてそれに係る極度額を増額しようとする場合において、当該利用者に交付し若しくは付与しようとするカード等に係る極度額又は当該増額された後の極度額が、利用者支払可能見込額を超えるときは、当該カード等を交付し若しくは付与し、又は極度額を増額してはならない。ただし、当該利用者の保護に支障を生ずることがない場合として経済産業省令・内閣府令で定める場合は、この限りでない。

（契約の解除等の制限の特例）

第三〇条の五の七 認定包括信用購入あつせん業者がその交付し又は付与したカード等に係る極度額が政令で定める金額以下である利用者と包括信用購入あつせん関係受領契約を締結した場合における第三十条の二の四第一項の規定の適用については、同項中「二十日」とあるのは、「七日以上二十日以下の間で政令で定める日数」とする。

（改善命令）

第三〇条の六① 経済産業大臣は、認定包括信用購入あつせん業者が第三十条の五の二、第三十条の五の五第一項本文、第二項若しくは第三項、第三十条の五の六本文、第三十五条の三の五十六から第三十五条の三の五十八まで又は第三十五条の三の五十九第一項の規定に違反していると認めるときは、その必要の限度において、当該認定包括信用購入あつせん業者に対し、包括信用購入あつせんに係る業務の運営を改善するため必要な措置をとるべきことを命ずることができる。

② 経済産業大臣は、認定包括信用購入あつせん業者が第三十条の五の二、第三十条の五の五第一項本文、第二項若しくは第三項又は第三十条の五の六本文の規定に違反している場合において、前項の規定による命令をしようとするときは、あらかじめ、内閣総理大臣に協議しなければならない。

③ 内閣総理大臣は、認定包括信用購入あつせん業者が第三十条の五の二、第三十条の五の五第一項本文、第二項若しくは第三項又は第三十条の五の六本文の規定に違反している場合において、利用者又は購入者若しくは役務の提供を受ける者の利益を保護するため必要があると認めるときは、経済産業大臣に対し、第一項の規定による命令に関し、必要な意見を述べることができる。

第三款　包括信用購入あつせん業者の登録等（抄）

（包括信用購入あつせん業者の登録）

第三一条 包括信用購入あつせんは、経済産業省に備える包括信用購入あつせん業者登録簿に登録を受けた法人（以下「登録包括信用購入あつせん業者」という。）でなければ、業として営んではならない。ただし、第三十五条の三の六十第一項第四号の団体については、この限りでない。

第三二条から**第三五条の二の二**まで　（略）

第四款　登録少額包括信用購入あつせん業者（抄）

（登録）

第三五条の二の三①　第三十一条の規定にかかわらず、経済産業省に備える少額包括信用購入あつせん業者登録簿に登録を受けた法人（以下「登録少額包括信用購入あつせん業者」という。）は、包括信用購入あつせん（その利用者に交付し又は付与するカード等に係る極度額が政令で定める金額以下のものに限る。以下この款において同じ。）を業として営むことができる。

②　第三十条の二、第三十条の二の二、第三十条の二の四及び第三十条の五の三から第三十条の六までの規定は、登録少額包括信用購入あつせん業者については、適用しない。

第三五条の二の四から第三五条の三まで　（略）

第二節　個別信用購入あつせん（抄）

第一款　業務

（個別信用購入あつせんの取引条件の表示）

第三五条の三の二①　個別信用購入あつせんを業とする者（以下「個別信用購入あつせん業者」という。）と個別信用購入あつせんに係る契約を締結した販売業者（以下「個別信用購入あつせん関係販売業者」という。）又は役務提供事業者（以下「個別信用購入あつせん関係役務提供事業者」という。）は、個別信用購入あつせんに係る販売又は提供の方法により商品若しくは指定権利を販売しようとするとき又は役務を提供しようとするときは、その相手方に対して、経済産業省令・内閣府令で定めるところにより、当該商品、当該指定権利又は当該役務に関する次の事項を示さなければならない。

一　商品若しくは権利の現金販売価格又は役務の現金提供価格

二　購入者又は役務の提供を受ける者の支払総額（個別信用購入あつせんに係る販売又は提供の方法により商品若しくは権利を販売する場合の価格又は役務を提供する場合の価格及び個別信用購入あつせんの手数料の合計額をいう。以下この節において同じ。）

三　個別信用購入あつせんに係る商品若しくは権利の代金又は役務の対価の全部又は一部（当該代金又は当該対価の全部又は一部に係る個別信用購入あつせんの手数料を含む。）の支払の期間及び回数

四　経済産業省令・内閣府令で定める方法により算定した個別信用購入あつせんの手数料の料率

五　前各号に掲げるもののほか、経済産業省令・内閣府令で定める事項

②　個別信用購入あつせん関係販売業者又は個別信用購入あつせん関係役務提供事業者は、個別信用購入あつせんに係る販売又は提供の方法により商品若しくは指定権利を販売する場合の販売条件又は役務を提供する場合の提供条件について広告をするときは、経済産業省令・内閣府令で定めるところにより、当該広告に前項各号の事項を表示しなければならない。

（個別支払可能見込額の調査）

第三五条の三の三①　個別信用購入あつせん業者は、個別信用購入あつせんに係る購入又は受領の方法により購入される商品若しくは指定権利の代金又は受領される役務の対価に相当する額の受領に係る契約（以下「個別信用購入あつせん関係受領契約」という。）を締結しようとする場合には、その契約の締結に先立つて、経済産業省令・内閣府令で定めるところにより、年収、預貯金、信用購入あつせんに係る債務の支払の状況、借入れの状況その他の当該購入者又は当該役務の提供を受ける者の個別支払可能見込額を算定するために必要な事項として経済産業省令・内閣府令で定めるものを調査しなければならない。ただし、当該購入者又は当該役務の提供を受ける者の保護に支障を生ずることがない場合として経済産業省令・内閣府令で定める場合は、この限りでない。

②　この節において「個別支払可能見込額」とは、主として自己の居住の用に供する住宅その他の経済産業省令・内閣府令で定める資産を譲渡し、又は担保に供することなく、かつ、生活維持費に充てるべき金銭を使用することなく、購入者又は役務の提供を受ける者が個別信用購入あつせんに係る購入又は受領の方法により購入しようとする商品若しくは指定権利の代金又は受領しようとする役務の対価に相当する額の支払に充てることができると見込まれる一年間当たりの額をいう。

③　個別信用購入あつせん業者は、第一項本文の規定による調査を行うときは、指定信用情報機関が保有する特定信用情報を使用しなければならない。

④　個別信用購入あつせん業者は、個別信用購入あつせん関係受領契約を締結した場合には、経済産業省令・内閣府令で定めるところにより、第一項本文の規定による調査に関する記録を作成し、これを保存しなければならない。

（個別支払可能見込額を超える場合の個別信用購入あつせん関係受領契約の締結の禁止）

第三五条の三の四　個別信用購入あつせん業者は、個別信用購入あつせん関係受領契約を締結しようとする場合において、購入者又は役務の提供を受ける者の支払総額のうち一年間に支払うこととなる額が、前条第一項本文の規定による調査により得られた事項を基礎として算定した個別支払可能見込額を超えるときは、当該個別信用購入あつせん関係受領契約を締結してはならない。ただし、当該購入者又は当該役務の提供を受ける者の保護に支障を生ずることがない場合として経済産業省令・内閣府令で定める場合は、この限りでない。

（個別信用購入あつせん関係販売契約等の勧誘に係る調査）

第三五条の三の五①　個別信用購入あつせん業者は、次の各号のいずれかに該当する契約（第三十五条の三の七において「特定契約」という。）であつて、個別信用購入あつせんに係る販売の方法により商品若しくは指定権利を販売する契約（以下「個別信用購入あつせん関係販売契約」という。）又は個別信用購入あつせんに係る提供の方法により役務を提供する契約（以下「個別信用購入あつせん関係役務提供契約」という。）に該当するものに係る個別信用購入あつせん関係受領契約を締結しようとする場合には、その契約の締結に先立つて、経済産業省令・内閣府令で定めるところにより、個別信用購入あつせん関係販売業者又は個別信用購入あつせん関係役務提供事業者による同条各号のいずれかに該当する行為の有無に関する事項であつて経済産業省令・内閣府令で定める事項を調査しなければならない。

一　特定商取引に関する法律第二条第一項に規定する訪問販売（以下「訪問販売」という。）に係る契約

二　特定商取引に関する法律第二条第三項に規定する電話勧誘販売（以下「電話勧誘販売」という。）に係る契約

三　連鎖販売個人契約のうち特定商品販売等契約を除いたもの（以下「特定連鎖販売個人契約」という。）

四　特定商取引に関する法律第四十一条第一項第一号に規定する特定継続的役務提供契約又は同項第二号に規定する特定権利販売契約（以下「特定継続的役務提供等契約」という。）

五　業務提供誘引販売個人契約

②　個別信用購入あつせん業者は、経済産業省令・内閣府令で定めるところにより、前項の規定による調査に関する記録を作成し、これを保存しなければならない。

（調査の協力）

第三五条の三の六　個別信用購入あつせん関係販売業者及び個別信用購入あつせん関係役務提供事業者は、前条第一項の規定による調査に協力するよう努めなければならない。

（個別信用購入あつせん関係受領契約の申込みの承諾等の禁止）

第三五条の三の七　個別信用購入あつせん業者は、第三十五条の三の五第一項の規定による調査その他の方法により知つた事項からみて、個別信用購入あつせん関係販売業者又は個別信用購入あつせん関係役務提供事業者が特定契約に係る個別信用購入あつせん関係販売契約又は個別信用購入あつせん関係役務提供契約の申込み又は締結の勧誘をするに際し、次の各号のいずれ

かに該当する行為をしたと認めるときは、当該勧誘の相手方に対し当該個別信用購入あっせん関係販売契約若しくは当該個別信用購入あっせん関係役務提供契約に係る個別信用購入あっせん関係受領契約の申込みをし、又は当該勧誘の相手方から受けた当該個別信用購入あっせん関係販売契約若しくは当該個別信用購入あっせん関係役務提供契約に係る個別信用購入あっせん関係受領契約の申込みを承諾してはならない。ただし、当該勧誘の相手方が当該個別信用購入あっせん関係販売契約又は当該個別信用購入あっせん関係役務提供契約の締結を必要とする特別の事情があることを確認した場合その他当該勧誘の相手方の利益の保護に欠け、又は欠けることとなるおそれがないと認めるときは、この限りでない。

一　特定商取引に関する法律第六条第一項から第三項まで、第二十一条各項、第三十四条第一項から第三項まで、第四十四条各項又は第五十二条第一項若しくは第二項の規定に違反する行為

二　消費者契約法（平成十二年法律第六十一号）第四条第一項から第三項までに規定する行為（同条第二項に規定する行為にあつては、同項ただし書の場合に該当するものを除く。）

第三五条の三の八（個別信用購入あっせん関係販売業者等による書面の交付）　個別信用購入あっせん関係販売業者又は個別信用購入あっせん関係役務提供事業者は、個別信用購入あっせん関係販売契約又は個別信用購入あっせん関係役務提供契約を締結したときは、遅滞なく、経済産業省令・内閣府令で定めるところにより、当該契約に関する次の事項を記載した書面を購入者又は役務の提供を受ける者に交付しなければならない。

一　商品若しくは権利又は役務の種類

二　購入者又は役務の提供を受ける者の支払総額

三　個別信用購入あっせんに係る各回ごとの商品若しくは権利の代金又は役務の対価の全部又は一部（当該代金又は当該対価の全部又は一部に係る個別信用購入あっせんの手数料を含む。以下同じ。）の支払分の額並びにその支払の時期及び方法

四　商品の引渡時期若しくは権利の移転時期又は役務の提供時期（当該契約が特定継続的役務提供等契約であるときは、役務の提供期間又は権利の行使により受けることができる役務の提供期間）

五　当該契約が連鎖販売個人契約であるときは、商品若しくは権利の再販売、受託販売又は同種役務の提供についての条件に関する基本的な事項

六　当該契約が特定継続的役務提供等契約であつて、当該役務の提供に際し当該役務の提供を受ける者が購入する必要のある商品があるときは、その商品名

七　当該契約が業務提供誘引販売個人契約であるときは、商品若しくは権利又は提供される役務を利用する業務の提供又はあっせんについての条件に関する基本的な事項

八　当該契約の解除に関する事項（購入者又は役務の提供を受ける者が第三十五条の三の十第一項第四号から第六号までに定める契約の相手方である場合には同条第五項本文の規定により当該契約が解除されたものとみなされることに関する事項を含み、購入者又は役務の提供を受ける者が第三十五条の三の十一第一項に規定する契約の相手方である場合には同条第七項本文の規定により当該契約が解除されたものとみなされることに関する事項を含む。）

九　前各号に掲げるもののほか、経済産業省令・内閣府令で定める事項

第三五条の三の九（個別信用購入あっせん業者による書面の交付）①　個別信用購入あっせん業者は、次に掲げる個別信用購入あっせん関係販売契約又は個別信用購入あっせん関係役務提供契約に係る個別信用購入あっせん関係受領契約の申込みを受けたときは、遅滞なく、経済産業省令・内閣府令で定めるところにより、当該契約に関する次項各号の事項を記載した書面を当該申込みをした者に交付しなければならない。

一　個別信用購入あっせん関係販売業者又は個別信用購入あっせん関係役務提供事業者が特定商取引に関する法律第二条第一項第一号に規定する営業所等（以下「営業所等」という。）以外の場所においてその申込みを受けた個別信用購入あっせん関係販売契約又は個別信用購入あっせん関係役務提供契約

二　個別信用購入あっせん関係販売業者又は個別信用購入あっせん関係役務提供事業者が営業所等において、営業所等以外の場所において呼び止めて営業所等に同行させた者その他特定商取引に関する法律第二条第一項第二号に規定する政令で定める方法により誘引した者（以下「個別信用購入あっせん関係特定顧客」という。）からその申込みを受けた個別信用購入あっせん関係販売契約又は個別信用購入あっせん関係役務提供契約

三　個別信用購入あっせん関係販売業者又は個別信用購入あっせん関係役務提供事業者が、電話をかけ又は特定商取引に関する法律第二条第三項に規定する政令で定める方法により電話をかけさせ、その電話において行う個別信用購入あっせん関係販売契約又は個別信用購入あっせん関係役務提供契約の締結についての勧誘により、その相手方（以下「個別信用購入あっせん関係電話勧誘顧客」という。）からその申込みを同条第二項に規定する郵便等（以下「郵便等」という。）により受けた当該個別信用購入あっせん関係販売契約又は当該個別信用購入あっせん関係役務提供契約

四　特定連鎖販売個人契約、特定継続的役務提供等契約又は業務提供誘引販売個人契約（以下「特定連鎖販売個人契約等」という。）であつて個別信用購入あっせん関係販売契約又は個別信用購入あっせん関係役務提供契約に該当するもの

②　前項の書面には、次の事項を記載するものとする。

一　前条第一号から第七号までの事項

二　当該契約の申込みの撤回又は当該契約の解除に関する事項（購入者又は役務の提供を受ける者が次条第一項第一号から第三号までに定める契約の申込みをした者である場合には同項から同条第三項まで、同条第五項から第七項まで及び同条第九項から第十四項までの規定に関する事項を含み、購入者又は役務の提供を受ける者が第三十五条の三の十一第一項に規定する契約の申込みをした者である場合には同項から同条第五項まで、同条第七項から第九項まで及び同条第十一項から第十四項までの規定に関する事項を含む。）

三　第三十五条の三の五第一項の規定による調査の対象となるべき事項

四　前三号に掲げるもののほか、経済産業省令・内閣府令で定める事項

③　個別信用購入あっせん業者は、次に掲げる個別信用購入あっせん関係販売契約又は個別信用購入あっせん関係役務提供契約に係る個別信用購入あっせん関係受領契約を締結したときは、遅滞なく、経済産業省令・内閣府令で定めるところにより、当該契約に関する次項各号の事項を記載した書面を購入者又は役務の提供を受ける者に交付しなければならない。

一　個別信用購入あっせん関係販売業者若しくは個別信用購入あっせん関係役務提供事業者が営業所等以外の場所において締結した個別信用購入あっせん関係販売契約若しくは個別信用購入あっせん関係役務提供契約（営業所等において個別信用購入あっせん関係特定顧客以外の顧客から申込みを受けた個別信用購入あっせん関係販売契約又は個別信用購入あっせん関係役務提供契約を除く。）又は個別信用購入あっせん関係販売業者若しくは個別信用購入あっせん関係役務提供事業者が営業所等以外の場所においてその申込みを受け、営業所等において締結した個別信用購入あっせん関係販売契約若しくは個別信用購入あっせん関係役務提供契約

二　個別信用購入あっせん関係販売業者又は個別信用購入あっせん関係役務提供事業者が営業所等において個別信用購入あっせん関係特定顧客と締結した個別信用購入あっせん関係販売契約又は個別信用購入あっせん関係役務提供契約

三　個別信用購入あっせん関係販売業者若しくは個別信用購入

あつせん関係役務提供事業者が個別信用購入あつせん関係電話勧誘顧客と郵便等により締結した当該個別信用購入あつせん関係販売契約若しくは当該個別信用購入あつせん関係役務提供契約又は個別信用購入あつせん関係販売業者若しくは個別信用購入あつせん関係役務提供事業者が個別信用購入あつせん関係電話勧誘顧客から申込みを郵便等により受け、締結した当該個別信用購入あつせん関係販売契約若しくは当該個別信用購入あつせん関係役務提供契約

四　特定連鎖販売個人契約等であつて個別信用購入あつせん関係販売契約又は個別信用購入あつせん関係役務提供契約に該当するもの

④　前項の書面には、次の事項を記載するものとする。

一　前条第一号から第七号までの事項

二　当該契約の解除に関する事項（購入者又は役務の提供を受ける者が次条第一項第四号から第六号までに定める契約の相手方である場合には同項から同条第三項まで、同条第五項から第七項まで及び同条第九項から第十四項までの規定に関する事項のうち契約の解除に関する事項を含み、購入者又は役務の提供を受ける者が第三十五条の三の十一第一項に規定する契約の相手方である場合には同項から同条第五項まで、同条第七項から第九項まで及び同条第十一項から第十四項までの規定に関する事項のうち契約の解除に関する事項を含む。）

三　第三十五条の三の五第一項の規定による調査の結果に関する事項

四　前三号に掲げるもののほか、経済産業省令・内閣府令で定める事項

（個別信用購入あつせん関係受領契約の申込みの撤回等）

第三五条の三の一〇①　次の各号に掲げる場合において、当該各号に定める者（以下この条において「申込者等」という。）は、書面により、申込みの撤回等（次の各号の個別信用購入あつせん関係販売契約若しくは個別信用購入あつせん関係役務提供契約に係る個別信用購入あつせん関係受領契約の申込みの撤回又は次の各号の個別信用購入あつせん関係販売契約若しくは個別信用購入あつせん関係役務提供契約に係る個別信用購入あつせん関係受領契約の解除をいう。以下この条において同じ。）を行うことができる。ただし、前条第三項の書面を受領した日（その日前に同条第一項の書面を受領した場合にあつては、当該書面を受領した日）から起算して八日を経過したとき（申込者等が、個別信用購入あつせん関係販売業者若しくは個別信用購入あつせん関係役務提供事業者若しくは個別信用購入あつせん業者が個別信用購入あつせん関係販売契約若しくは個別信用購入あつせん関係役務提供契約に係る個別信用購入あつせん関係受領契約の締結について勧誘をするに際し、若しくは申込みの撤回等を妨げるため、申込みの撤回等に関する事項につき不実のことを告げる行為をしたことにより当該告げられた内容が事実であるとの誤認をし、又は個別信用購入あつせん関係販売業者若しくは個別信用購入あつせん関係役務提供事業者若しくは個別信用購入あつせん業者が個別信用購入あつせん関係販売契約若しくは個別信用購入あつせん関係役務提供契約に係る個別信用購入あつせん関係受領契約を締結させ、若しくは申込みの撤回等を妨げるため、威迫したことにより困惑し、これらによつて当該期間を経過するまでに申込みの撤回等を行わなかつた場合には、当該申込者等が、当該個別信用購入あつせん関係販売業者若しくは当該個別信用購入あつせん関係役務提供事業者又は当該個別信用購入あつせん業者が経済産業省令・内閣府令で定めるところにより申込みの撤回等を行うことができる旨を記載して交付した書面を受領した日から起算して八日を経過したとき）は、この限りでない。

一　個別信用購入あつせん関係販売業者又は個別信用購入あつせん関係役務提供事業者が営業所等以外の場所において個別信用購入あつせん関係販売契約又は個別信用購入あつせん関係役務提供契約の申込みを受けた場合　当該申込みをした者

二　個別信用購入あつせん関係販売業者又は個別信用購入あつせん関係役務提供事業者が営業所等において個別信用購入あつせん関係特定顧客から個別信用購入あつせん関係販売契約又は個別信用購入あつせん関係役務提供契約の申込みを受けた場合　当該申込みをした者

三　個別信用購入あつせん関係販売業者又は個別信用購入あつせん関係役務提供事業者が個別信用購入あつせん関係電話勧誘顧客から当該個別信用購入あつせん関係販売契約又は当該個別信用購入あつせん関係役務提供契約の申込みを郵便等により受けた場合　当該申込みをした者

四　個別信用購入あつせん関係販売業者又は個別信用購入あつせん関係役務提供事業者が営業所等以外の場所において個別信用購入あつせん関係販売契約又は個別信用購入あつせん関係役務提供契約を締結した場合（個別信用購入あつせん関係販売業者又は個別信用購入あつせん関係役務提供事業者の営業所等において当該契約の申込みを受けた場合を除く。）　当該契約の相手方

五　個別信用購入あつせん関係販売業者又は個別信用購入あつせん関係役務提供事業者が営業所等において個別信用購入あつせん関係特定顧客と個別信用購入あつせん関係販売契約又は個別信用購入あつせん関係役務提供契約を締結した場合　当該契約の相手方

六　個別信用購入あつせん関係販売業者又は個別信用購入あつせん関係役務提供事業者が個別信用購入あつせん関係電話勧誘顧客と当該個別信用購入あつせん関係販売契約又は当該個別信用購入あつせん関係役務提供契約を郵便等により締結した場合　当該契約の相手方

②　申込みの撤回等は、前項本文の書面を発した時に、その効力を生ずる。

③　申込みの撤回等があつた場合においては、個別信用購入あつせん業者は、当該申込みの撤回等に伴う損害賠償又は違約金の支払を請求することができない。

④　個別信用購入あつせん業者は、第一項本文の書面を受領した時には、直ちに、個別信用購入あつせん関係販売業者又は個別信用購入あつせん関係役務提供事業者にその旨を通知しなければならない。

⑤　申込者等が申込みの撤回等を行つた場合には、当該申込みの撤回等に係る第一項本文の書面を発する時において現に効力を有する個別信用購入あつせん関係販売契約若しくは個別信用購入あつせん関係役務提供契約の申込み又は個別信用購入あつせん関係販売契約若しくは個別信用購入あつせん関係役務提供契約は、当該申込者等が当該書面を発した時に、撤回されたものとみなし、又は解除されたものとみなす。ただし、当該申込者等が当該書面において反対の意思を表示しているときは、この限りでない。

⑥　前項本文の規定により個別信用購入あつせん関係販売契約若しくは個別信用購入あつせん関係役務提供契約の申込みが撤回され、又は個別信用購入あつせん関係販売契約若しくは個別信用購入あつせん関係役務提供契約が解除されたものとみなされた場合においては、個別信用購入あつせん関係販売業者又は個別信用購入あつせん関係役務提供事業者は、当該契約の申込みの撤回又は当該契約の解除に伴う損害賠償又は違約金の支払を請求することができない。

⑦　個別信用購入あつせん業者は、申込みの撤回等があり、かつ、第五項本文の規定により個別信用購入あつせん関係販売契約若しくは個別信用購入あつせん関係役務提供契約の申込みが撤回され、又は個別信用購入あつせん関係販売契約若しくは個別信用購入あつせん関係役務提供契約が解除されたものとみなされた場合には、既に商品若しくは権利の代金又は役務の対価の全部又は一部に相当する金額の個別信用購入あつせん関係販売業者又は個別信用購入あつせん関係役務提供事業者への交付をしたときにおいても、申込者等に対し、当該個別信用購入あつせん関係販売業者又は当該個別信用購入あつせん関係役務提供業者に対して交付をした当該商品若しくは権利の代金又は役

務の対価の全部又は一部に相当する金額その他当該個別信用購入あつせんにより得られた利益に相当する金銭の支払を請求することができない。

⑧ 個別信用購入あつせん関係販売業者又は個別信用購入あつせん関係役務提供事業者は、第五項本文の規定により個別信用購入あつせん関係販売契約若しくは個別信用購入あつせん関係役務提供契約の申込みが撤回され、又は個別信用購入あつせん関係販売契約若しくは個別信用購入あつせん関係役務提供契約が解除されたものとみなされた場合において、個別信用購入あつせん業者から既に商品若しくは権利の代金又は役務の対価の全部又は一部に相当する金額の交付を受けたときは、当該個別信用購入あつせん業者に対し、当該交付を受けた商品若しくは権利の代金又は役務の対価の全部又は一部に相当する金額を返還しなければならない。

⑨ 個別信用購入あつせん業者は、申込みの撤回等があり、かつ、第五項本文の規定により個別信用購入あつせん関係販売契約若しくは個別信用購入あつせん関係役務提供契約の申込みが撤回され、又は個別信用購入あつせん関係販売契約若しくは個別信用購入あつせん関係役務提供契約が解除されたものとみなされた場合において、申込者等から当該個別信用購入あつせん関係受領契約に関連して金銭を受領しているときは、当該申込者等に対し、速やかに、これを返還しなければならない。

⑩ 第五項本文の規定により個別信用購入あつせん関係販売契約の申込みが撤回され、又は個別信用購入あつせん関係販売契約が解除されたものとみなされた場合において、その個別信用購入あつせん関係販売契約に係る商品の引渡し又は権利の移転が既にされているときは、その引取り又は返還に要する費用は、個別信用購入あつせん関係販売業者の負担とする。

⑪ 個別信用購入あつせん関係販売業者又は個別信用購入あつせん関係役務提供事業者は、第五項本文の規定により第一項第一号若しくは第二号の個別信用購入あつせん関係販売契約若しくは個別信用購入あつせん関係役務提供契約の申込みが撤回され、又は同項第四号若しくは第五号の個別信用購入あつせん関係販売契約若しくは個別信用購入あつせん関係役務提供契約が解除されたものとみなされた場合には、既に当該個別信用購入あつせん関係販売契約に基づき引き渡された商品が使用され若しくは指定権利の行使により施設が利用され若しくは役務が提供され又は当該個別信用購入あつせん関係役務提供契約に基づき役務が提供されたときにおいても、同項第一号、第二号、第四号又は第五号に定める者に対し、その商品の使用により得られた利益若しくは当該権利の行使により得られた利益に相当する金銭又は当該個別信用購入あつせん関係役務提供契約に係る役務の対価その他の金銭の支払を請求することができない。

⑫ 個別信用購入あつせん関係販売業者又は個別信用購入あつせん関係役務提供事業者は、第五項本文の規定により第一項第三号の個別信用購入あつせん関係役務提供契約若しくは個別信用購入あつせん関係販売契約であつて指定権利を販売するものの申込みが撤回され、又は同項第六号の個別信用購入あつせん関係役務提供契約若しくは個別信用購入あつせん関係販売契約であつて指定権利を販売するものが解除されたものとみなされた場合には、既に当該個別信用購入あつせん関係役務提供契約に基づき役務が提供され又は当該権利の行使により施設が利用され若しくは役務が提供されたときにおいても、同項第三号又は第六号に定める者に対し、当該個別信用購入あつせん関係役務提供契約に係る役務の対価その他の金銭又は当該権利の行使により得られた利益に相当する金銭の支払を請求することができない。

⑬ 個別信用購入あつせん関係役務提供事業者は、第五項本文の規定により個別信用購入あつせん関係役務提供契約の申込みが撤回され、又は個別信用購入あつせん関係役務提供契約が解除されたものとみなされた場合において、当該個別信用購入あつせん関係役務提供契約に関連して金銭（個別信用購入あつせん業者から交付されたものを除く。）を受領しているときは、申込者等に対し、速やかに、これを返還しなければならない。

⑭ 個別信用購入あつせん関係役務提供契約又は個別信用購入あつせんに係る販売の方法により指定権利を販売する契約における申込者等は、その個別信用購入あつせん関係役務提供契約又は個別信用購入あつせんに係る販売の方法により指定権利を販売する契約につき第五項本文の規定により契約の申込みが撤回され、又は契約が解除されたものとみなされた場合において、当該個別信用購入あつせん関係役務提供契約又は当該個別信用購入あつせんに係る販売の方法により指定権利を販売する契約に係る役務の提供に伴い申込者等の土地又は建物その他の工作物の現状が変更されたときは、当該個別信用購入あつせん関係役務提供事業者又は当該個別信用購入あつせん関係販売業者に対し、その原状回復に必要な措置を無償で講ずることを請求することができる。

⑮ 第一項から第三項まで、第五項から第七項まで及び第九項から前項までの規定に反する特約であつて申込者等に不利なものは、無効とする。

第三五条の三の一一① 個別信用購入あつせん関係販売業者又は個別信用購入あつせん関係役務提供事業者が特定連鎖販売個人契約等であつて個別信用購入あつせん関係販売契約若しくは個別信用購入あつせん関係役務提供契約に該当するものの申込みを受けた場合における当該申込みをした者又は特定連鎖販売個人契約等であつて個別信用購入あつせん関係販売契約若しくは個別信用購入あつせん関係役務提供契約に該当するものを締結した場合における当該契約の相手方（以下この条において「申込者等」という。）は、次に掲げる場合を除き、書面により、その特定連鎖販売個人契約等であつて個別信用購入あつせん関係販売契約若しくは個別信用購入あつせん関係役務提供契約に該当するものに係る個別信用購入あつせん関係受領契約の申込みの撤回又はその特定連鎖販売個人契約等であつて個別信用購入あつせん関係販売契約若しくは個別信用購入あつせん関係役務提供契約に該当するものに係る個別信用購入あつせん関係受領契約の解除を行うことができる。

一 特定連鎖販売個人契約であつて個別信用購入あつせん関係販売契約又は個別信用購入あつせん関係役務提供契約に該当するものの申込者等が第三十五条の三の九第三項の書面を受領した日（その日前に同条第一項の書面を受領した場合にあつては、当該書面を受領した日）から起算して二十日を経過したとき（その特定連鎖販売個人契約に係る特定負担が再販売をする商品の購入についてのものである場合において、同条第三項の書面を受領した日がその特定連鎖販売個人契約に基づき購入したその商品につき最初の引渡しを受けた日前の日となる場合には、その引渡しを受けた日から起算して二十日を経過したとき）。ただし、申込者等が、個別信用購入あつせん関係販売業者若しくは個別信用購入あつせん関係役務提供事業者若しくは個別信用購入あつせん業者若しくは特定商取引に関する法律第三十三条第二項に規定する統括者（以下「統括者」という。）、同法第三十三条の二に規定する勧誘者（以下「勧誘者」という。）若しくは同条に規定する一般連鎖販売業者（以下「一般連鎖販売業者」という。）がその統括者の統括する一連の連鎖販売業に係る特定連鎖販売個人契約であつて個別信用購入あつせん関係販売契約若しくは個別信用購入あつせん関係役務提供契約に該当するものに係る個別信用購入あつせん関係受領契約の締結について勧誘をするに際し、若しくは申込みの撤回等（その連鎖販売業に係る特定連鎖販売個人契約であつて個別信用購入あつせん関係販売契約若しくは個別信用購入あつせん関係役務提供契約に該当するものに係る個別信用購入あつせん関係受領契約の申込みの撤回又はその連鎖販売業に係る特定連鎖販売個人契約であつて個別信用購入あつせん関係販売契約若しくは個別信用購入あつせん関係役務提供契約に該当するものに係る個別信用購入あつせん関係受領契約の解除をいう。以下この号において同じ。）を妨げるため、申込みの撤回等に関する事項につき不実のことを告げる行為をしたことにより当該告げられた内容が事実であるとの誤認をし、又は個別信用購入あつせん関係販売業者若しくは個別信用購入あつせん関係役務提供事業者若しくは個別信用購入あつせん業者若しくは統括者、勧誘者若しくは一般連鎖販売業者がその統括者の統括する一連の連鎖販売業に係る特定連鎖販売個人契約であつて個別信用購入あつせん関係販売契約若しくは個別信用購入あつせん関係役務提供契約に該当するものに係る個別信用購入あつせん関係受領契約を締結させ、若しくは申込みの撤回等を妨げるため、威迫したことにより困惑し、これらによつて当該期間を経過するまでに申込みの撤回等を行わなかつた場合には、当該申込者等が、当該個別信用購入あつせん関係販売業者若しくは当該個別信用購入あつせん関係役務提供事業者若しくは当該個別信用購入あつせん業者又は当該統括者、当該勧誘者若しくは当該一般連鎖販売業者が経済産業省令・内閣府令で定めるところにより申込みの撤回等を行うことができる旨を記載して交付した書面を受領した日から起算して二十日を経過したとき。

二　特定継続的役務提供等契約であつて個別信用購入あつせん関係役務提供契約又は個別信用購入あつせん関係販売契約に該当するものの申込者等が第三十五条の三の九第三項の書面を受領した日（その日前に同条第一項の書面を受領した場合にあつては、当該書面を受領した日）から起算して八日を経過したとき。ただし、申込者等が、個別信用購入あつせん関係役務提供事業者若しくは個別信用購入あつせん関係販売業者若しくは個別信用購入あつせん業者が特定継続的役務提供等契約であつて個別信用購入あつせん関係役務提供契約若しくは個別信用購入あつせん関係販売契約に該当するものに係る個別信用購入あつせん関係受領契約の締結について勧誘をするに際し、若しくは申込みの撤回等（特定継続的役務提供等契約であつて個別信用購入あつせん関係役務提供契約若しくは個別信用購入あつせん関係販売契約に該当するものに係る個別信用購入あつせん関係受領契約の申込みの撤回又は特定継続的役務提供等契約であつて個別信用購入あつせん関係役務提供契約若しくは個別信用購入あつせん関係販売契約に該当するものに係る個別信用購入あつせん関係受領契約の解除をいう。以下この号において同じ。）を妨げるため、申込みの撤回等に関する事項につき不実のことを告げる行為をしたことにより当該告げられた内容が事実であるとの誤認をし、又は個別信用購入あつせん関係役務提供事業者若しくは個別信用購入あつせん関係販売業者若しくは個別信用購入あつせん業者が特定継続的役務提供等契約であつて個別信用購入あつせん関係役務提供契約若しくは個別信用購入あつせん関係販売契約に該当するものに係る個別信用購入あつせん関係受領契約を締結させ、若しくは申込みの撤回等を妨げるため、威迫したことにより困惑し、これらによつて当該期間を経過するまでに申込みの撤回等を行わなかつた場合には、当該申込者等が、当該個別信用購入あつせん関係役務提供事業者若しくは当該個別信用購入あつせん関係販売業者又は当該個別信用購入あつせん業者が経済産業省令・内閣府令で定めるところにより申込みの撤回等を行うことができる旨を記載して交付した書面を受領した日から起算して八日を経過したとき。

三　業務提供誘引販売個人契約であつて個別信用購入あつせん関係販売契約又は個別信用購入あつせん関係役務提供契約に該当するものの申込者等が第三十五条の三の九第三項の書面を受領した日（その日前に同条第一項の書面を受領した場合にあつては、当該書面を受領した日）から起算して二十日を経過したとき。ただし、申込者等が、個別信用購入あつせん関係販売業者若しくは個別信用購入あつせん関係役務提供事業者若しくは個別信用購入あつせん業者が業務提供誘引販売個人契約であつて個別信用購入あつせん関係販売契約若しくは個別信用購入あつせん関係役務提供契約に該当するものに係る個別信用購入あつせん関係受領契約の締結について勧誘をするに際し、若しくは申込みの撤回等（その業務提供誘引販売個人契約であつて個別信用購入あつせん関係販売契約若しくは個別信用購入あつせん関係役務提供契約に該当するものに係る個別信用購入あつせん関係受領契約の申込みの撤回又はその業務提供誘引販売個人契約であつて個別信用購入あつせん関係販売契約若しくは個別信用購入あつせん関係役務提供契約に該当するものに係る個別信用購入あつせん関係受領契約の解除をいう。以下この号において同じ。）を妨げるため、申込みの撤回等に関する事項につき不実のことを告げる行為をしたことにより当該告げられた内容が事実であるとの誤認をし、又は個別信用購入あつせん関係販売業者若しくは個別信用購入あつせん関係役務提供事業者若しくは個別信用購入あつせん業者が業務提供誘引販売個人契約であつて個別信用購入あつせん関係販売契約若しくは個別信用購入あつせん関係役務提供契約に該当するものに係る個別信用購入あつせん関係受領契約を締結させ、若しくは申込みの撤回等を妨げるため、威迫したことにより困惑し、これらによつて当該期間を経過するまでに申込みの撤回等を行わなかつた場合には、当該申込者等が、当該個別信用購入あつせん関係販売業者若しくは当該個別信用購入あつせん関係役務提供事業者又は当該個別信用購入あつせん業者が経済産業省令・内閣府令で定めるところにより申込みの撤回等を行うことができる旨を記載して交付した書面を受領した日から起算して二十日を経過したとき。

②　前項第一号ただし書に規定する申込みの撤回等があり、かつ、特定連鎖販売個人契約であつて個別信用購入あつせん関係販売契約又は個別信用購入あつせん関係役務提供契約に該当するものが特定商取引に関する法律第四十条第一項の規定により解除された場合又は第七項本文の規定により解除されたものとみなされた場合において、個別信用購入あつせん関係販売業者又は個別信用購入あつせん関係役務提供事業者が申込者等に対し、当該連鎖販売業に係る商品若しくは権利の販売又は役務の提供を行つており、かつ、特定連鎖販売個人契約であつて個別信用購入あつせん関係販売契約又は個別信用購入あつせん関係役務提供契約に該当するものに係る個別信用購入あつせん関係受領契約を締結した個別信用購入あつせん業者が併せて当該商品若しくは当該権利又は当該役務に係る特定商品販売等契約であつて個別信用購入あつせん関係販売契約又は個別信用購入あつせん関係役務提供契約に該当するものに係る個別信用購入あつせん関係受領契約を締結している場合には、申込者等は、前項第一号に掲げる場合を除き、当該特定商品販売等契約であつて個別信用購入あつせん関係販売契約又は個別信用購入あつせん関係役務提供契約に該当するものに係る個別信用購入あつせん関係受領契約についても、書面により、当該契約の申込みの撤回又は当該契約の解除を行うことができる。

③　第一項第二号ただし書に規定する申込みの撤回等があり、かつ、特定継続的役務提供等契約であつて個別信用購入あつせん関係役務提供契約又は個別信用購入あつせん関係販売契約に該当するものが特定商取引に関する法律第四十八条第一項の規定により解除された場合又は第七項本文の規定により解除されたものとみなされた場合において、個別信用購入あつせん関係役務提供事業者又は個別信用購入あつせん関係販売業者が関連商品（同条第二項に規定する関連商品をいう。以下同じ。）の販売又はその代理若しくは媒介を行つており、かつ、特定継続的役務提供等契約であつて個別信用購入あつせん関係役務提供契約又は個別信用購入あつせん関係販売契約に該当するものに係る個別信用購入あつせん関係受領契約を締結した個別信用購入あつせん業者が併せて当該関連商品の販売に係る契約（以下「関連商品販売契約」という。）であつて個別信用購入あつせん関係販売契約に該当するものに係る個別信用購入あつせん関係受領契約を締結している場合には、申込者等は、第一項第二号に掲げる場合を除き、当該関連商品販売契約であつて個別信用購入

あっせん関係販売契約に該当するものに係る個別信用購入あっせん関係受領契約についても、書面により、当該契約の申込みの撤回又は当該契約の解除を行うことができる。ただし、申込者等が第三十五条の三の九第一項の書面又は同条第三項の書面を受領した場合において、関連商品であつてその使用若しくは一部の消費により価額が著しく減少するおそれがある商品として同法第四十八条第二項に規定する政令で定めるものを使用し又はその全部若しくは一部を消費したとき（当該個別信用購入あっせん関係役務提供事業者若しくは当該個別信用購入あっせん関係販売業者又は当該個別信用購入あっせん業者が当該申込者等に当該商品を使用させ、又はその全部若しくは一部を消費させた場合を除く。）は、この限りでない。

④　第一項、第二項又は前項本文の規定による契約の申込みの撤回又は契約の解除は、当該契約の申込みの撤回又は当該契約の解除を行う旨の書面を発した時に、その効力を生ずる。

⑤　第一項、第二項又は第三項本文の規定による契約の申込みの撤回又は契約の解除があつた場合においては、個別信用購入あっせん業者は、当該契約の申込みの撤回又は当該契約の解除に伴う損害賠償又は違約金の支払を請求することができない。

⑥　個別信用購入あっせん業者は、第一項の書面又は第三項本文の書面を受領した時には、直ちに、個別信用購入あっせん関係販売業者又は個別信用購入あっせん関係役務提供事業者にその旨を通知しなければならない。

⑦　申込者等が第一項第一号ただし書に規定する申込みの撤回等、同項第二号ただし書に規定する申込みの撤回等又は同項第三号ただし書に規定する申込みの撤回等（以下この項において「申込みの撤回等」という。）を行つた場合には、当該申込みの撤回等に係る第一項の書面を発する時において現に効力を有する特定連鎖販売個人契約等であつて個別信用購入あっせん関係販売契約又は個別信用購入あっせん関係役務提供契約に該当するものは、当該申込者等が当該書面を発した時に、解除されたものとみなし、申込者等が第三項本文の規定により契約の申込みの撤回又は契約の解除を行つた場合には、当該契約の申込みの撤回又は当該契約の解除に係る同項本文の書面を発する時において現に効力を有する関連商品販売契約であつて個別信用購入あっせん関係販売契約に該当するものは、当該申込者等が当該書面を発した時に、解除されたものとみなす。ただし、当該申込者等が当該書面において反対の意思を表示しているときは、この限りでない。

⑧　前項本文の規定により特定連鎖販売個人契約等であつて個別信用購入あっせん関係販売契約若しくは個別信用購入あっせん関係役務提供契約に該当するもの又は関連商品販売契約であつて個別信用購入あっせん関係販売契約に該当するものが解除されたものとみなされた場合において、個別信用購入あっせん関係販売業者又は個別信用購入あっせん関係役務提供事業者は、当該契約の解除に伴う損害賠償又は違約金の支払を請求することができない。

⑨　個別信用購入あっせん業者は、第一項又は第三項本文の規定による契約の申込みの撤回又は契約の解除があり、かつ、第七項本文の規定により特定連鎖販売個人契約等であつて個別信用購入あっせん関係販売契約若しくは個別信用購入あっせん関係役務提供契約に該当するもの又は関連商品販売契約であつて個別信用購入あっせん関係販売契約に該当するものが解除されたものとみなされた場合には、既に商品若しくは権利の代金又は役務の対価の全部又は一部に相当する金額の個別信用購入あっせん関係販売業者又は個別信用購入あっせん関係役務提供事業者への交付をしたときにおいても、申込者等に対し、当該個別信用購入あっせん関係販売業者又は当該個別信用購入あっせん関係役務提供事業者に対して交付をした当該商品若しくは権利の代金又は役務の対価の全部又は一部に相当する金額その他当該個別信用購入あっせんにより得られた利益に相当する金銭の支払を請求することができない。

⑩　個別信用購入あっせん関係販売業者又は個別信用購入あっせん関係役務提供事業者は、第七項本文の規定により特定連鎖販売個人契約等であつて個別信用購入あっせん関係販売契約若しくは個別信用購入あっせん関係役務提供契約に該当するもの又は関連商品販売契約であつて個別信用購入あっせん関係販売契約に該当するものが解除されたものとみなされた場合において、個別信用購入あっせん業者から既に商品若しくは権利の代金又は役務の対価の全部又は一部に相当する金額の交付を受けたときは、当該個別信用購入あっせん業者に対し、当該交付を受けた商品若しくは権利の代金又は役務の対価の全部又は一部に相当する金額を返還しなければならない。

⑪　個別信用購入あっせん業者は、第一項又は第三項本文の規定による契約の申込みの撤回又は契約の解除があり、かつ、第七項本文の規定により特定連鎖販売個人契約等であつて個別信用購入あっせん関係販売契約若しくは個別信用購入あっせん関係役務提供契約に該当するもの又は関連商品販売契約であつて個別信用購入あっせん関係販売契約に該当するものが解除されたものとみなされた場合において、申込者等から当該個別信用購入あっせん関係受領契約に関連して金銭を受領しているときは、当該申込者等に対し、速やかに、これを返還しなければならない。

⑫　第七項本文の規定により特定連鎖販売個人契約等であつて個別信用購入あっせん関係販売契約に該当するもの又は関連商品販売契約であつて個別信用購入あっせん関係販売契約に該当するものが解除されたものとみなされた場合において、その特定連鎖販売個人契約等であつて個別信用購入あっせん関係販売契約に該当するもの又は関連商品販売契約であつて個別信用購入あっせん関係販売契約に該当するものに係る商品の引渡し又は権利の移転が既にされているときは、その引取り又は返還に要する費用は、個別信用購入あっせん関係販売業者の負担とする。

⑬　個別信用購入あっせん関係役務提供事業者又は個別信用購入あっせん関係販売業者は、第七項本文の規定により特定継続的役務提供等契約であつて個別信用購入あっせん関係役務提供契約又は個別信用購入あっせんに係る販売の方法により指定権利を販売する契約に該当するものが解除されたものとみなされた場合には、既に当該特定継続的役務提供等契約であつて個別信用購入あっせん関係役務提供契約に該当するものに基づき役務が提供され、又は当該権利の行使により施設が利用され若しくは役務が提供されたときにおいても、申込者等に対し、当該特定継続的役務提供等契約であつて個別信用購入あっせん関係役務提供契約に該当するものに係る役務の対価その他の金銭又は当該権利の行使により得られた利益に相当する金銭の支払を請求することができない。

⑭　個別信用購入あっせん関係役務提供事業者は、第七項本文の規定により特定継続的役務提供等契約であつて個別信用購入あっせん関係役務提供契約に該当するものが解除されたものとみなされた場合において、特定継続的役務提供等契約であつて個別信用購入あっせん関係役務提供契約に該当するものに関連して金銭（個別信用購入あっせん業者から交付されたものを除く。）を受領しているときは、申込者等に対し、速やかに、これを返還しなければならない。

⑮　第一項から第五項まで、第七項から第九項まで及び第十一項から前項までの規定に反する特約であつて申込者等に不利なものは、無効とする。

（通常必要とされる分量を著しく超える商品の販売契約等に係る個別信用購入あっせん関係受領契約の申込みの撤回等）

第三十五条の三の一二①　第三十五条の三の十第一項各号に掲げる場合において、当該各号に定める者（以下この条において「申込者等」という。）は、当該各号の個別信用購入あっせん関係販売契約又は個別信用購入あっせん関係役務提供契約であつて特定商取引に関する法律第九条の二第一項各号又は第二十四条の二第一項各号に掲げる契約に該当するもの（以下この条において「特定契約」という。）に係る個別信用購入あっせん関係受領契約の申込みの撤回又は特定契約に係る個別信用購入あつせん関係受領契約の解除（以下この条において「申込みの撤回等」という。）を行うことができる。ただし、申込者等に当該特定契約の締結を必要とする特別の事情があつたときは、この限りでない。

② 前項の規定による権利は、当該個別信用購入あつせん関係受領契約の締結の時から一年以内に行使しなければならない。

③ 申込みの撤回等があつた場合においては、個別信用購入あつせん業者は、当該申込みの撤回等に伴う損害賠償又は違約金の支払を請求することができない。

④ 個別信用購入あつせん業者は、申込みの撤回等があつた場合には、既に商品若しくは権利の代金又は役務の対価の全部又は一部に相当する金額の個別信用購入あつせん関係販売業者又は個別信用購入あつせん関係役務提供事業者への交付をしたときにおいても、申込者等に対し、当該個別信用購入あつせん関係販売業者又は当該個別信用購入あつせん関係役務提供事業者に対して交付をした当該商品若しくは権利の代金又は役務の対価の全部又は一部に相当する金額その他当該個別信用購入あつせんにより得られた利益に相当する金銭の支払を請求することができない。ただし、申込みの撤回等があつた時前に特定商取引に関する法律第九条第一項、第九条の二第一項、第二十四条第一項又は第二十四条の二第一項の規定により当該特定契約の申込みが撤回され、又は当該特定契約が解除された場合は、この限りでない。

⑤ 個別信用購入あつせん関係販売業者又は個別信用購入あつせん関係役務提供事業者は、申込みの撤回等があつた場合において、個別信用購入あつせん業者から既に商品若しくは権利の代金又は役務の対価の全部又は一部に相当する金額の交付を受けたときは、当該個別信用購入あつせん業者に対し、当該交付を受けた商品若しくは権利の代金又は役務の対価の全部又は一部に相当する金額を返還しなければならない。ただし、申込みの撤回等があつた時前に特定商取引に関する法律第九条第一項、第九条の二第一項、第二十四条第一項又は第二十四条の二第一項の規定により当該特定契約の申込みが撤回され、又は当該特定契約が解除された場合は、この限りでない。

⑥ 個別信用購入あつせん業者は、申込みの撤回等があつた場合において、申込者等から当該個別信用購入あつせん関係受領契約に関連して金銭を受領しているときは、当該申込者等に対し、速やかに、これを返還しなければならない。

⑦ 申込みの撤回等があつた時以後、特定商取引に関する法律第九条第一項、第九条の二第一項、第二十四条第一項又は第二十四条の二第一項の規定により当該特定契約の申込みが撤回され、又は当該特定契約が解除された場合においては、同法第九条第六項（同法第九条の二第三項において準用する場合を含む。）及び第二十四条第六項（同法第二十四条の二第三項において準用する場合を含む。）の規定の適用については、同法第九条第六項及び第二十四条第六項中「金銭」とあるのは、「金銭（割賦販売法第三十五条の三の二第一項に規定する個別信用購入あつせん業者から交付されたものを除く。）」とする。

⑧ 第一項から第四項まで及び第六項の規定に反する特約であつて申込者等に不利なものは、無効とする。

（個別信用購入あつせん関係受領契約の申込み又はその承諾の意思表示の取消し）

第三五条の三の一三① 購入者又は役務の提供を受ける者は、個別信用購入あつせん関係販売業者又は個別信用購入あつせん関係役務提供事業者が訪問販売に係る個別信用購入あつせん関係販売契約若しくは個別信用購入あつせん関係役務提供契約に係る個別信用購入あつせん関係受領契約又は電話勧誘販売に係る個別信用購入あつせん関係販売契約若しくは個別信用購入あつせん関係役務提供契約に係る個別信用購入あつせん関係受領契約の締結について勧誘をするに際し、次に掲げる事項につき不実のことを告げる行為をしたことにより当該告げられた内容が事実であるとの誤認をし、又は第一号から第五号までに掲げる事項につき故意に事実を告げない行為をしたことにより当該事実が存在しないとの誤認をし、これらによつて当該契約の申込み又はその承諾の意思表示をしたときは、これを取り消すことができる。

一 購入者又は役務の提供を受ける者の支払総額

二 個別信用購入あつせんに係る各回ごとの商品若しくは権利の代金又は役務の対価の全部又は一部の支払分の額並びにその支払の時期及び方法

三 商品の種類及びその性能若しくは品質又は権利若しくは役務の種類及びこれらの内容その他これらに類するものとして特定商取引に関する法律第六条第一項第一号又は第二十一条第一項第一号に規定する主務省令で定める事項のうち、購入者又は役務の提供を受ける者の判断に影響を及ぼすこととなる重要なもの

四 商品の引渡時期若しくは権利の移転時期又は役務の提供時期

五 個別信用購入あつせん関係受領契約若しくは個別信用購入あつせん関係販売契約若しくは個別信用購入あつせん関係役務提供契約の申込みの撤回又は個別信用購入あつせん関係受領契約若しくは個別信用購入あつせん関係販売契約若しくは個別信用購入あつせん関係役務提供契約の解除に関する事項（第三十五条の三の十第一項から第三項まで、第五項から第七項まで及び第九項から第十四項までの規定に関する事項を含む。）

六 前各号に掲げるもののほか、当該個別信用購入あつせん関係受領契約又は当該個別信用購入あつせん関係販売契約若しくは当該個別信用購入あつせん関係役務提供契約に関する事項であつて、購入者又は役務の提供を受ける者の判断に影響を及ぼすこととなる重要なもの

② 購入者又は役務の提供を受ける者が前項の規定により個別信用購入あつせん関係販売契約又は個別信用購入あつせん関係役務提供契約に係る個別信用購入あつせん関係受領契約の申込み又はその承諾の意思表示を取り消し、かつ、当該個別信用購入あつせん関係販売契約又は当該個別信用購入あつせん関係役務提供契約が取消しその他の事由により初めから無効である場合には、当該個別信用購入あつせん業者は、当該購入者又は当該役務の提供を受ける者に対し、個別信用購入あつせん関係販売業者又は個別信用購入あつせん関係役務提供事業者に対して交付をした商品若しくは指定権利の代金又は役務の対価の全部又は一部に相当する金額の支払を請求することができない。

③ 前項の場合において、個別信用購入あつせん関係販売業者又は個別信用購入あつせん関係役務提供事業者は、個別信用購入あつせん業者に対し、当該交付を受けた商品若しくは指定権利の代金又は役務の対価の全部又は一部に相当する金額を返還しなければならない。

④ 第二項の場合において、購入者又は役務の提供を受ける者は、個別信用購入あつせん関係受領契約に関連して個別信用購入あつせん業者に対して金銭を支払つているときは、その返還を請求することができる。

⑤ 第一項の規定による個別信用購入あつせん関係受領契約の申込み又はその承諾の意思表示の取消しは、これをもつて善意でかつ過失がない第三者に対抗することができない。

⑥ 第一項の規定は、同項に規定する個別信用購入あつせん関係受領契約の申込み又はその承諾の意思表示に対する民法（明治二十九年法律第八十九号）第九十六条の規定の適用を妨げるものと解してはならない。

⑦ 第一項の規定による取消権は、追認をすることができる時から一年間行わないときは、時効によつて消滅する。当該個別信用購入あつせん関係受領契約の締結の時から五年を経過したときも、同様とする。

第三五条の三の一四① 購入者又は役務の提供を受ける者は、統括者、勧誘者若しくは一般連鎖販売業者が特定連鎖販売個人契約であつて個別信用購入あつせん関係販売契約若しくは個別信

用購入あっせん関係役務提供契約に該当するものに係る個別信用購入あっせん関係受領契約の締結について勧誘をするに際し、次に掲げる事項につき不実のことを告げる行為をしたことにより当該告げられた内容が事実であるとの誤認をし、又は統括者若しくは勧誘者が当該契約の締結について勧誘をするに際し、第一号から第六号までに掲げる事項につき故意に事実を告げない行為をしたことにより当該事実が存在しないとの誤認をし、これらによつて当該契約の申込み又はその承諾の意思表示をしたときは、これを取り消すことができる。

一 購入者又は役務の提供を受ける者の支払総額

二 個別信用購入あっせんに係る各回ごとの商品若しくは権利の代金又は役務の対価の全部又は一部の支払分の額並びにその支払の時期及び方法

三 商品の種類及びその性能若しくは品質又は施設を利用し若しくは役務の提供を受ける権利若しくは役務の種類及びこれらの内容その他これらに類するものとして特定商取引に関する法律第三十四条第一項第一号に規定する主務省令で定める事項のうち、購入者又は役務の提供を受ける者の判断に影響を及ぼすこととなる重要なもの

四 当該連鎖販売取引に伴う特定負担に関する事項

五 個別信用購入あっせん関係受領契約若しくは個別信用購入あっせん関係販売契約若しくは個別信用購入あっせん関係役務提供契約の申込みの撤回又は個別信用購入あっせん関係受領契約若しくは個別信用購入あっせん関係販売契約若しくは個別信用購入あっせん関係役務提供契約の解除に関する事項（第三十五条の三の十一第一項から第五項まで、第七項から第九項まで及び第十一項から第十四項までの規定に関する事項を含む。）

六 特定利益に関する事項

七 前各号に掲げるもののほか、当該個別信用購入あっせん関係受領契約又は当該個別信用購入あっせん関係販売契約若しくは当該個別信用購入あっせん関係役務提供契約に関する事項であつて、購入者又は役務の提供を受ける者の判断に影響を及ぼすこととなる重要なもの

② 前項の規定により特定連鎖販売個人契約であつて個別信用購入あっせん関係販売契約又は個別信用購入あっせん関係役務提供契約に該当するものに係る個別信用購入あっせん関係受領契約の申込み又はその承諾の意思表示が取り消され、かつ、当該特定連鎖販売個人契約であつて個別信用購入あっせん関係販売契約又は個別信用購入あっせん関係役務提供契約に該当するものの申込み又はその承諾の意思表示が特定商取引に関する法律第四十条の三第一項の規定により取り消された場合であつて、個別信用購入あっせん関係販売業者又は個別信用購入あっせん関係役務提供事業者が購入者又は役務の提供を受ける者に対し、当該連鎖販売業に係る商品若しくは権利の販売又は役務の提供を行つており、かつ、当該特定連鎖販売個人契約であつて個別信用購入あっせん関係販売契約又は個別信用購入あっせん関係役務提供契約に該当するものに係る個別信用購入あっせん関係受領契約を締結した個別信用購入あっせん業者が併せて当該商品若しくは当該権利の販売又は当該役務の提供に係る特定商品販売等契約であつて個別信用購入あっせん関係販売契約又は個別信用購入あっせん関係役務提供契約に該当するものに係る個別信用購入あっせん関係受領契約を締結している場合には、購入者又は役務の提供を受ける者は、当該特定商品販売等契約であつて個別信用購入あっせん関係販売契約又は個別信用購入あっせん関係役務提供契約に該当するものに係る個別信用購入あっせん関係受領契約の解除を行うことができる。

③ 前条第二項から第七項までの規定は、第一項の規定による個別信用購入あっせん関係受領契約の申込み又はその承諾の意思表示の取消しに準用する。

第三五条の三の一五① 役務の提供を受ける者又は購入者は、個別信用購入あっせん関係役務提供事業者又は個別信用購入あっせん関係販売業者が特定継続的役務提供等契約であつて個別信用購入あっせん関係役務提供契約又は個別信用購入あっせん関係販売契約に該当するものに係る個別信用購入あっせん関係受領契約の締結について勧誘をするに際し、次に掲げる事項につき不実のことを告げる行為をしたことにより当該告げられた内容が事実であるとの誤認をし、又は第一号から第六号までに掲げる事項につき故意に事実を告げないことにより当該事実が存在しないとの誤認をし、これらによつて当該契約の申込み又はその承諾の意思表示をしたときは、これを取り消すことができる。

一 役務の提供を受ける者又は購入者の支払総額

二 個別信用購入あっせんに係る各回ごとの役務の対価又は権利の代金の全部又は一部の支払分の額並びにその支払の時期及び方法

三 役務又は役務の提供を受ける権利の種類及びこれらの内容又は効果（権利の場合にあつては、当該権利に係る役務の効果）その他これらに類するものとして特定商取引に関する法律第四十四条第一項第一号に規定する主務省令で定める事項のうち、役務の提供を受ける者又は購入者の判断に影響を及ぼすこととなる重要なもの

四 役務の提供又は権利の行使による役務の提供に際し当該役務の提供を受ける者又は当該権利の購入者が購入する必要のある商品がある場合には、その商品の種類及びその性能又は品質その他これらに類するものとして特定商取引に関する法律第四十四条第一項第二号に規定する主務省令で定める事項のうち、役務の提供を受ける者又は購入者の判断に影響を及ぼすこととなる重要なもの

五 役務の提供期間又は権利の行使により受けることができる役務の提供期間

六 個別信用購入あっせん関係受領契約若しくは個別信用購入あっせん関係役務提供契約若しくは個別信用購入あっせん関係販売契約の申込みの撤回又は個別信用購入あっせん関係受領契約若しくは個別信用購入あっせん関係役務提供契約若しくは個別信用購入あっせん関係販売契約の解除に関する事項（第三十五条の三の十一第一項から第五項まで、第七項から第九項まで及び第十一項から第十四項までの規定に関する事項を含む。）

七 前各号に掲げるもののほか、当該個別信用購入あっせん関係受領契約又は当該個別信用購入あっせん関係役務提供契約若しくは当該個別信用購入あっせん関係販売契約に関する事項であつて、役務の提供を受ける者又は購入者の判断に影響を及ぼすこととなる重要なもの

② 前項の規定により特定継続的役務提供等契約であつて個別信用購入あっせん関係役務提供契約又は個別信用購入あっせん関係販売契約に該当するものに係る個別信用購入あっせん関係受領契約の申込み又はその承諾の意思表示が取り消された場合において、個別信用購入あっせん関係役務提供事業者又は個別信用購入あっせん関係販売業者が役務の提供を受ける者又は購入者に対し、関連商品の販売又はその代理若しくは媒介を行つており、かつ、当該関連商品販売契約であつて個別信用購入あっせん関係販売契約に該当するものが特定商取引に関する法律第四十九条の二第三項において準用する同法第四十九条第五項の規定により解除された場合であつて、当該特定継続的役務提供等契約であつて個別信用購入あっせん関係役務提供契約又は個別信用購入あっせん関係販売契約に該当するものに係る個別信用購入あっせん関係受領契約を締結した個別信用購入あっせん業者が併せて当該関連商品販売契約であつて個別信用購入あっせん関係販売契約に該当するものに係る個別信用購入あっせん関係受領契約を締結している場合には、役務の提供を受ける者又は購入者は、当該関連商品販売契約であつて個別信用購入あっせん関係販売契約に該当するものに係る個別信用購入あっせん関係受領契約の解除を行うことができる。

③ 第三十五条の三の十三第二項から第七項までの規定は、第一項の規定による個別信用購入あっせん関係受領契約の申込み又

第三五条の三の一六① 購入者又は役務の提供を受ける者は、個別信用購入あっせん関係販売業者又は個別信用購入あっせん関係役務提供事業者が業務提供誘引販売個人契約であって個別信用購入あっせん関係販売契約又は個別信用購入あっせん関係役務提供契約に該当するものに係る個別信用購入あっせん関係受領契約の締結について勧誘をするに際し、次に掲げる事項につき不実のことを告げる行為をしたことにより当該告げられた内容が事実であるとの誤認をし、又は第一号から第六号までに掲げる事項につき故意に事実を告げない行為をしたことにより当該事実が存在しないとの誤認をし、これらによって当該契約の申込み又はその承諾の意思表示をしたときは、これを取り消すことができる。

一 購入者又は役務の提供を受ける者の支払総額

二 個別信用購入あっせんに係る各回ごとの商品若しくは権利の代金又は役務の対価の全部又は一部の支払分の額並びにその支払の時期及び方法

三 商品の種類及びその性能若しくは品質又は施設を利用し若しくは役務の提供を受ける権利若しくは役務の種類及びこれらの内容その他これらに類するものとして特定商取引に関する法律第五十二条第一項第一号に規定する主務省令で定める事項のうち、購入者又は役務の提供を受ける者の判断に影響を及ぼすこととなる重要なもの

四 当該業務提供誘引販売取引に伴う特定商取引に関する法律第五十一条第一項に規定する特定負担に関する事項

五 個別信用購入あっせん関係受領契約若しくは個別信用購入あっせん関係販売契約若しくは個別信用購入あっせん関係役務提供契約の申込みの撤回又は個別信用購入あっせん関係受領契約若しくは個別信用購入あっせん関係販売契約若しくは個別信用購入あっせん関係役務提供契約の解除に関する事項（第三十五条の三の十一第一項から第五項まで、第七項から第九項まで及び第十一項から第十四項までの規定に関する事項を含む。）

六 その業務提供誘引販売業に係る特定商取引に関する法律第五十一条第一項に規定する業務提供利益に関する事項

七 前各号に掲げるもののほか、当該個別信用購入あっせん関係受領契約又は当該個別信用購入あっせん関係販売契約若しくは当該個別信用購入あっせん関係役務提供契約に関する事項であって、購入者又は役務の提供を受ける者の判断に影響を及ぼすこととなる重要なもの

② 第三十五条の三の十三第二項から第七項までの規定は、前項の規定による個別信用購入あっせん関係受領契約の申込み又はその承諾の意思表示の取消しに準用する。

（契約の解除等の制限）

第三五条の三の一七① 個別信用購入あっせん業者は、個別信用購入あっせん関係受領契約について第三十五条の三の八第三号に定める支払分の支払の義務が履行されない場合において、二十日以上の相当な期間を定めてその支払を書面で催告し、その期間内にその義務が履行されないときでなければ、支払分の支払の遅滞を理由として、契約を解除し、又は支払時期の到来していない支払分の支払を請求することができない。

② 前項の規定に反する特約は、無効とする。

（契約の解除等に伴う損害賠償等の額の制限）

第三五条の三の一八① 個別信用購入あっせん業者は、個別信用購入あっせん関係受領契約が解除された場合（第三十五条の三の十第一項本文、第三十五条の三の十一第一項、第二項若しくは第三項本文又は第三十五条の三の十二第一項本文の規定により解除された場合を除く。）には、損害賠償額の予定又は違約金の定めがあるときにおいても、当該契約に係る支払総額に相当する額にこれに対する法定利率による遅延損害金の額を加算した金額を超える額の金銭の支払を購入者又は役務の提供を受ける者に対して請求することができない。

② 個別信用購入あっせん業者は、前項の契約について第三十五条の三の八第三号の支払分の支払の義務が履行されない場合（契約が解除された場合を除く。）には、損害賠償額の予定又は違約金の定めがあるときにおいても、当該契約に係る支払総額に相当する額から既に支払われた同号の支払分の額を控除した額にこれに対する法定利率による遅延損害金の額を加算した金額を超える額の金銭の支払を購入者又は役務の提供を受ける者に対して請求することができない。

（個別信用購入あっせん業者に対する抗弁）

第三五条の三の一九① 購入者又は役務の提供を受ける者は、個別信用購入あっせん関係販売契約又は個別信用購入あっせん関係役務提供契約に係る第三十五条の三の八第三号の支払分の支払の請求を受けたときは、当該契約に係る個別信用購入あっせん関係販売業者又は個別信用購入あっせん関係役務提供事業者に対して生じている事由をもって、当該支払の請求をする個別信用購入あっせん業者に対抗することができる。

② 前項の規定に反する特約であって購入者又は役務の提供を受ける者に不利なものは、無効とする。

③ 第一項の規定による対抗をする購入者又は役務の提供を受ける者は、その対抗を受けた個別信用購入あっせん業者からその対抗に係る同項の事由の内容を記載した書面の提出を求められたときは、その書面を提出するよう努めなければならない。

④ 前三項の規定は、第一項の支払分の支払であって政令で定める金額に満たない支払総額に係るものについては、適用しない。

（業務の運営に関する措置）

第三五条の三の二〇 個別信用購入あっせん業者は、購入者又は役務の提供を受ける者の利益の保護を図るため、経済産業省令・内閣府令で定めるところにより、その個別信用購入あっせんの業務に関して取得した購入者又は役務の提供を受ける者に関する情報の適正な取扱い、その個別信用購入あっせんの業務を第三者に委託する場合における当該業務の適確な遂行、その購入者又は役務の提供を受ける者の知識、経験、財産の状況及び個別信用購入あっせん関係受領契約を締結する目的に照らして適切な業務の実施並びにその購入者又は役務の提供を受ける者からの苦情の適切かつ迅速な処理のために必要な措置を講じなければならない。

（改善命令）

第三五条の三の二一① 経済産業大臣は、個別信用購入あっせん業者が第三十五条の三の三第一項本文、第三項若しくは第四項、第三十五条の三の四本文、第三十五条の三の五、第三十五条の三の七本文、第三十五条の三の十第四項、第三十五条の三の十一第六項、前条、第三十五条の三の五十六から第三十五条の三の五十八まで又は第三十五条の三の五十九第一項の規定に違反していると認めるときは、その必要の限度において、当該個別信用購入あっせん業者に対し、個別信用購入あっせんに係る業務の運営を改善するため必要な措置をとるべきことを命ずることができる。

② 経済産業大臣は、個別信用購入あっせん業者が第三十五条の三の三第一項本文、第三項若しくは第四項、第三十五条の三の四本文、第三十五条の三の五、第三十五条の三の七本文又は前条の規定に違反している場合において、前項の規定による命令をしようとするときは、あらかじめ、内閣総理大臣に協議しなければならない。

③ 内閣総理大臣は、個別信用購入あっせん業者が第三十五条の三の三第一項本文、第三項若しくは第四項、第三十五条の三の四本文、第三十五条の三の五、第三十五条の三の七本文又は前条の規定に違反している場合において、購入者又は役務の提供を受ける者の利益を保護するため必要があると認めるときは、経済産業大臣に対し、第一項の規定による命令に関し、必要な意見を述べることができる。

（情報通信の技術を利用する方法）

第三五条の三の二二① 個別信用購入あっせん関係販売業者若しくは個別信用購入あっせん関係役務提供事業者又は個別信用購

入あっせん業者は、第三十五条の三の八又は第三十五条の三の九第一項若しくは第三項の規定による書面の交付に代えて、政令で定めるところにより、当該購入者又は当該役務の提供を受ける者の承諾を得て、当該書面に記載すべき事項を電磁的方法により提供することができる。この場合において、当該個別信用購入あっせん関係販売業者若しくは当該個別信用購入あっせん関係役務提供事業者又は当該個別信用購入あっせん業者は、当該書面を交付したものとみなす。

② 前項前段に規定する方法（経済産業省令・内閣府令で定める方法を除く。）により第三十五条の三の九第一項又は第三項の規定による書面の交付に代えて行われた当該書面に記載すべき事項の提供は、購入者又は役務の提供を受ける者の使用に係る電子計算機に備えられたファイルへの記録がされた時に当該購入者又は当該役務の提供を受ける者に到達したものとみなす。

第二款　個別信用購入あっせん業者の登録等（抄）

（個別信用購入あっせん業者の登録）

第三五条の三の二三　個別信用購入あっせんは、経済産業省に備える個別信用購入あっせん業者登録簿に登録を受けた法人（以下「登録個別信用購入あっせん業者」という。）でなければ、業として営んではならない。ただし、第三十五条の三の六十第二項第四号の団体については、この限りでない。

第三五条の三の二四から第三五条の三の三五まで　（略）

第三節　指定信用情報機関（抄）

第一款　通則（抄）

（特定信用情報提供等業務を行う者の指定）

第三五条の三の三六①　経済産業大臣は、次に掲げる要件を備える者を、その申請により、この節の定めるところにより特定信用情報提供等業務（特定信用情報の収集及び包括信用購入あっせん業者又は個別信用購入あっせん業者に対する特定信用情報の提供を行う業務をいう。以下同じ。）を行う者として、指定することができる。

一　法人（人格のない社団又は財団で代表者又は管理人の定めのあるものを含み、外国の法令に準拠して設立された法人その他の外国の団体を除く。第四号ニにおいて同じ。）であること。

二　第三十五条の三の五十四第一項の規定によりこの項の規定による指定を取り消され、その取消しの日から五年を経過しない者でないこと。

三　この法律若しくは個人情報の保護に関する法律（平成十五年法律第五十七号）又はこれらに相当する外国の法令の規定に違反し、罰金の刑（これに相当する外国の法令による刑を含む。）に処せられ、その刑の執行を終わり、又はその刑の執行を受けることがなくなつた日から五年を経過しない者でないこと。

四　役員（業務を執行する社員（業務を執行する社員が法人であるときは、その職務を行うべき者を含む。）、取締役、執行役、会計参与（会計参与が法人であるときは、その職務を行うべき社員を含む。）、監査役、代表者若しくは管理人又はこれらに準ずる者をいう。以下この款及び第三款において同じ。）のうちに、次のいずれかに該当する者がないこと。

イ　心身の故障のため職務を適正に執行することができない者として経済産業省令で定める者

ロ　破産手続開始の決定を受けて復権を得ない者又は外国の法令上これと同様に取り扱われている者

ハ　拘禁刑以上の刑（これに相当する外国の法令による刑を含む。）に処せられ、その刑の執行を終わり、又は刑の執行を受けることがなくなつた日から五年を経過しない者

ニ　第三十五条の三の五十四第一項の規定によりこの項の規定による指定を取り消された場合又はこの法律に相当する外国の法令の規定により当該外国において受けている当該指定に類する行政処分を取り消された場合において、その取消しの日前三十日以内にその法人の役員（外国の法令上これと同様に取り扱われている者を含む。ホにおいて同じ。）であつた者でその取消しの日から五年を経過しない者

ホ　第三十五条の三の五十四第一項の規定又はこの法律に相当する外国の法令の規定により解任を命ぜられた役員でその処分を受けた日から五年を経過しない者

ヘ　この法律若しくは個人情報の保護に関する法律又はこれらに相当する外国の法令の規定に違反し、罰金の刑（これに相当する外国の法令による刑を含む。）に処せられ、その刑の執行を終わり、又はその刑の執行を受けることがなくなつた日から五年を経過しない者

五　その取り扱う特定信用情報の規模として経済産業省令で定めるものが、特定信用情報提供等業務を適正かつ効率的に行うに足りるものとして経済産業省令で定める基準に適合するものであること。

六　特定信用情報提供等業務を遂行するために必要と認められる財産的基礎で経済産業省令で定めるものを有すると認められること。

七　その人的構成に照らして、特定信用情報提供等業務を適正かつ確実に遂行することができる知識及び経験を有し、かつ、十分な社会的信用を有すると認められること。

② 経済産業大臣は、前項の規定による指定をしたときは、指定信用情報機関の商号又は名称及び主たる営業所又は事務所の所在地並びに当該指定をした日を官報で公示しなければならない。

第三五条の三の三七及び第三五条の三の三八　（略）

（秘密保持義務）

第三五条の三の三九　指定信用情報機関の役員若しくは職員又はこれらの職にあつた者は、特定信用情報提供等業務に関して知り得た秘密を漏らし、又は盗用してはならない。

第二款　業務（抄）

第三五条の三の四〇から第三五条の三の四二まで　（略）

（業務規程の認可）

第三五条の三の四三①　指定信用情報機関は、特定信用情報提供等業務に係る次に掲げる事項に関する業務規程を定め、経済産業大臣の認可を受けなければならない。これを変更しようとするときも、同様とする。

一　包括信用購入あっせん業者又は個別信用購入あっせん業者との特定信用情報の提供を内容とする契約（以下「特定信用情報提供契約」という。）の締結に関する事項

二　特定信用情報の収集及び提供に関する事項

三　特定信用情報の漏えい、滅失又はき損の防止その他の特定信用情報の安全管理に関する事項

四　特定信用情報の正確性の確保に関する事項

五　料金に関する事項

六　他の指定信用情報機関があるときは、当該他の指定信用情報機関に対する基礎特定信用情報（特定信用情報のうち、包括信用購入あっせん関係受領契約又は個別信用購入あっせん関係受領契約に係る第三十五条の三の五十六第一項各号に掲げる事項に係る情報をいう。以下同じ。）の提供に関する事項その他の当該他の指定信用情報機関との特定信用情報提供等業務の連携に関する事項（第三十五条の三の四十七第二項の規定により手数料を徴収する場合にあつては、当該手数料に関する事項を含む。）

七　特定信用情報提供契約を締結した相手方である包括信用購入あっせん業者（以下「加入包括信用購入あっせん業者」という。）又は特定信用情報提供契約を締結した相手方である個別信用購入あっせん業者（以下「加入個別信用購入あっせん業者」という。）に対する監督に関する事項

八　特定信用情報提供等業務の一部を他の者に委託する場合におけるその委託した業務の適正かつ確実な遂行を確保するための措置に関する事項

九　苦情の処理に関する事項
十　前各号に掲げるもののほか、特定信用情報提供等業務の実施に必要な事項として経済産業省令で定める事項
② 前項第二号に掲げる事項に関する業務規程は、次に掲げる事項を内容とするものでなければならない。
一　加入包括信用購入あつせん業者又は加入個別信用購入あつせん業者から利用者又は購入者若しくは役務の提供を受ける者に係る特定信用情報の提供を依頼された場合には、当該利用者又は購入者若しくは役務の提供を受ける者に係るすべての特定信用情報を提供すること。
二　加入包括信用購入あつせん業者又は加入個別信用購入あつせん業者から、その保有する基礎特定信用情報について、購入者又は役務の提供を受ける者ごとに当該購入者又は当該役務の提供を受ける者に係るすべての基礎特定信用情報の提供を受けること。
③ 第一項第五号に掲げる事項に関する業務規程は、特定信用情報提供等業務に関する料金が能率的な業務運営の下における適正な原価に照らし公正妥当なものであることを内容とするものでなければならない。
④ 経済産業大臣は、第一項の認可をした業務規程が特定信用情報提供等業務の適正かつ確実な実施上不適当となつたと認めるときは、指定信用情報機関に対し、その業務規程を変更すべきことを命ずることができる。

（差別的取扱いの禁止）

第三五条の三の四四① 指定信用情報機関は、包括信用購入あつせん業者又は個別信用購入あつせん業者が特定信用情報提供契約の締結を希望する場合には、正当な理由なくこれを拒否してはならない。
② 指定信用情報機関は、特定の加入包括信用購入あつせん業者又は加入個別信用購入あつせん業者に対し不当な差別的取扱いをしてはならない。

第三五条の三の四五及び第三五条の三の四六　（略）

（指定信用情報機関の情報提供）

第三五条の三の四七① 指定信用情報機関は、他の指定信用情報機関の加入包括信用購入あつせん業者又は加入個別信用購入あつせん業者の依頼に基づき当該他の指定信用情報機関から基礎特定信用情報の提供の依頼を受けたときは、正当な理由がある場合その他経済産業省令で定める場合を除き、当該依頼に応じ、基礎特定信用情報を提供しなければならない。
② 指定信用情報機関は、前項の規定による基礎特定信用情報の提供に関し、手数料を徴収することができる。
③ 指定信用情報機関は、前項の規定により手数料を徴収する場合には、第一項の規定による基礎特定信用情報の提供に関する能率的な業務運営の下における適正な原価に照らし公正妥当な手数料を定めなければならない。
④ 第三十五条の三の三十九及び第三十五条の三の四十五の規定は、第一項の規定による基礎特定信用情報の提供に係る業務について準用する。

第三五条の三の四八及び第三五条の三の四九　（略）

第三款　監督　（抄）

第三五条の三の五〇から第三五条の三の五四まで　（略）

（特定信用情報提供等業務移転命令）

第三五条の三の五五① 経済産業大臣は、指定信用情報機関が次の各号のいずれかに該当するときは、当該指定信用情報機関に対し、特定信用情報提供等業務の全部又は一部を他の指定信用情報機関に行わせることを命ずることができる。
一　前条第一項の規定により第三十五条の三の三十六第一項の規定による指定を取り消し、又は特定信用情報提供等業務の全部若しくは一部の停止を命ずるとき。
二　第三十五条の三の五十三第一項の認可をするとき。
三　弁済期にある債務の弁済が特定信用情報提供等業務の継続に著しい支障を来すこととなる事態又は破産手続開始の原因となる事実が生ずるおそれがあると認められるとき。
四　指定信用情報機関が天災その他の事由により特定信用情報提供等業務の全部又は一部を実施することが困難となつたとき。
② 経済産業大臣は、前項の規定による命令をしたときは、その旨を官報で公示しなければならない。

第四款　加入包括信用購入あつせん業者及び加入個別信用購入あつせん業者　（抄）

（基礎特定信用情報の提供）

第三五条の三の五六① 加入包括信用購入あつせん業者又は加入個別信用購入あつせん業者は、指定信用情報機関と特定信用情報提供契約を締結したときは、当該特定信用情報提供契約の締結前に締結した購入者又は役務の提供を受ける者を相手方とする包括信用購入あつせん関係受領契約又は個別信用購入あつせん関係受領契約で当該特定信用情報提供契約を締結した時点において支払時期の到来していない支払分又は弁済金（支払時期が到来しており、かつ、支払の義務が履行されていないものを含む。）があるものに係る次に掲げる事項を、当該指定信用情報機関に提供しなければならない。
一　当該購入者又は当該役務の提供を受ける者の氏名及び住所その他の当該購入者又は当該役務の提供を受ける者を識別することができる事項として経済産業省令で定めるもの
二　契約年月日
三　支払時期の到来していない又は支払の義務が履行されていない包括信用購入あつせん又は個別信用購入あつせんに係る債務の額
四　前三号に掲げるもののほか、経済産業省令で定める事項
② 加入包括信用購入あつせん業者又は加入個別信用購入あつせん業者は、購入者又は役務の提供を受ける者を相手方とする包括信用購入あつせん関係受領契約又は個別信用購入あつせん関係受領契約を締結したときは、遅滞なく、当該契約に係る基礎特定信用情報を加入指定信用情報機関（特定信用情報提供契約を締結した指定信用情報機関をいう。以下同じ。）に提供しなければならない。
③ 前二項の規定による基礎特定信用情報の提供をした加入包括信用購入あつせん業者又は加入個別信用購入あつせん業者は、当該提供をした基礎特定信用情報に変更があつたときは、遅滞なく、その変更内容を加入指定信用情報機関に提供しなければならない。

（指定信用情報機関への特定信用情報の提供等に係る同意の取得等）

第三五条の三の五七① 加入包括信用購入あつせん業者又は加入個別信用購入あつせん業者は、加入指定信用情報機関に利用者又は購入者若しくは役務の提供を受ける者に係る特定信用情報の提供の依頼（当該利用者又は購入者若しくは役務の提供を受ける者に係る他の指定信用情報機関が保有する基礎特定信用情報の提供の依頼を含む。）をする場合には、経済産業省令で定める場合を除き、あらかじめ、当該利用者又は購入者若しくは役務の提供を受ける者から書面又は電磁的方法による同意を得なければならない。
② 加入包括信用購入あつせん業者又は加入個別信用購入あつせん業者は、購入者又は役務の提供を受ける者を相手方とする包括信用購入あつせん関係受領契約又は個別信用購入あつせん関係受領契約を締結しようとする場合には、あらかじめ、次に掲げる同意を当該購入者又は当該役務の提供を受ける者から書面又は電磁的方法により得なければならない。
一　当該購入者又は当該役務の提供を受ける者に関する基礎特定信用情報を加入指定信用情報機関に提供する旨の同意
二　前号の基礎特定信用情報を加入指定信用情報機関が当該加入指定信用情報機関の他の加入包括信用購入あつせん業者又は加入個別信用購入あつせん業者に提供する旨の同意
三　第一号の基礎特定信用情報を第三十五条の三の四十七第一

項の規定による依頼に応じ、他の指定信用情報機関の加入包括信用購入あっせん業者又は加入個別信用購入あっせん業者に提供する旨の同意

③　加入包括信用購入あっせん業者又は加入個別信用購入あっせん業者は、前二項の同意を得た場合には、経済産業省令で定めるところにより、当該同意に関する記録を作成し、保存しなければならない。

第三五条の三の五八　（略）

（目的外使用等の禁止）

第三五条の三の五九①　加入包括信用購入あっせん業者若しくは加入個別信用購入あっせん業者又はこれらの役員若しくは職員は、支払能力調査以外の目的のために加入指定信用情報機関に特定信用情報の提供の依頼（当該利用者又は購入者若しくは役務の提供を受ける者に係る他の指定信用情報機関が保有する基礎特定信用情報の提供の依頼を含む。）をし、又は加入指定信用情報機関から提供を受けた特定信用情報を支払能力調査以外の目的に使用し、若しくは第三者に提供してはならない。

②　加入包括信用購入あっせん業者若しくは加入個別信用購入あっせん業者又はこれらの役員若しくは職員は、加入指定信用情報機関から提供を受けた特定信用情報について、これらの者に該当しなくなつた後において、当該特定信用情報を使用し、又は第三者に提供してはならない。

第四節　適用除外

（第三五条の三の六〇）（略）

第三章の二　前払式特定取引（抄）

（前払式特定取引業の許可）

第三五条の三の六一　前払式特定取引は、経済産業大臣の許可を受けた者でなければ、業として営んではならない。ただし、次の場合は、この限りでない。

一　商品又は指定役務の前払式特定取引の方法による年間の取引額が政令で定める金額に満たない場合

二　指定役務が新たに定められた場合において、現に当該指定役務につき前払式特定取引の方法による取引を業として営んでいる者が、その定められた日から六月間（その期間内に次条において準用する第十二条第一項の申請書を提出した場合には、その申請につき許可又は不許可の処分があるまでの間を含む。）当該指定役務につき取引をするとき。

三　前号の期間が経過した後において、その期間の末日までに締結した同号の指定役務についての前払式特定取引の契約に基づく取引を結了する目的の範囲内で営む場合

第三五条の三の六二　（略）

第三章の三　指定受託機関

（第三五条の四から第三五条の一五まで）（略）

第三章の四　クレジットカード番号等の適切な管理等（抄）

第一節　クレジットカード番号等の適切な管理

（クレジットカード番号等の適切な管理）

第三五条の一六①　クレジットカード番号等取扱業者（次の各号のいずれかに該当する者をいう。以下同じ。）は、経済産業省令で定める基準に従い、その取り扱うクレジットカード番号等（包括信用購入あっせん業者又は二月払購入あっせんを業とする者（以下「クレジットカード等購入あっせん業者」という。）が、その業務上利用者に付与する第二条第三項第一号の番号、記号その他の符号をいう。以下同じ。）の漏えい、滅失又は毀損の防止その他のクレジットカード番号等の適切な管理のために必要な措置を講じなければならない。

一　クレジットカード等購入あっせん業者

二　包括信用購入あっせん又は二月払購入あっせん（以下この項及び第三十五条の十七の二において「クレジットカード等購入あっせん」という。）に係る販売の方法により商品若しくは権利を販売する販売業者（以下「クレジットカード等購入あっせん関係販売業者」という。）又はクレジットカード等購入あっせんに係る提供の方法により役務を提供する役務提供事業者（以下「クレジットカード等購入あっせん関係役務提供事業者」という。）

三　特定のクレジットカード等購入あっせん業者のために、自己の名をもつて特定のクレジットカード等購入あっせん関係販売業者又はクレジットカード等購入あっせん関係役務提供事業者にクレジットカード等購入あっせんに係る購入の方法により購入された商品若しくは権利の代金又は受領される役務の対価に相当する額の交付（当該クレジットカード等購入あっせん関係販売業者又はクレジットカード等購入あっせん関係役務提供事業者以外の者を通じた当該クレジットカード等購入あっせん関係販売業者又はクレジットカード等購入あっせん関係役務提供事業者への交付を含む。次号において同じ。）をすることを業とする者（同号において「立替払取次業者」という。）

四　特定の立替払取次業者のために、自己の名をもつて特定のクレジットカード等購入あっせん関係販売業者又はクレジットカード等購入あっせん関係役務提供事業者にクレジットカード等購入あっせんに係る購入の方法により購入された商品若しくは権利の代金又は受領される役務の対価に相当する額の交付をすることを業とする者

五　利用者からクレジットカード番号等の提供を受けて、当該クレジットカード番号等を決済用情報（当該クレジットカード番号等以外の番号、記号その他の情報であつて、当該利用者がそれを提示し又は通知して、特定の販売業者から商品若しくは権利を購入し、又は特定の役務提供事業者から役務の提供を受けることができるものをいう。以下この項において同じ。）と結び付け、当該決済用情報を当該利用者に提供することを業とする者

六　前号に掲げる者から委託（二以上の段階にわたる委託を含む。）を受け、クレジットカード番号等をその結び付けられた決済用情報により特定することができる状態で管理することを業とする者

七　第三号から前号までに掲げる者のほか、大量のクレジットカード番号等を取り扱う者として経済産業省令で定める者

②　前項の「二月払購入あっせん」とは、カード等を利用者に交付し又は付与し、当該利用者がそのカード等を提示し若しくは通知して、又はそれと引換えに特定の販売業者から商品若しくは権利を購入し、又は特定の役務提供事業者から役務の提供を受けるときは、当該販売業者又は当該役務提供事業者に当該商品若しくは当該権利の代金又は当該役務の対価に相当する額の交付（当該販売業者又は当該役務提供事業者以外の者を通じた当該販売業者又は当該役務提供事業者への交付を含む。）をするとともに、当該利用者から当該代金又は当該対価に相当する額を、当該利用者が当該販売業者から商品若しくは権利を購入する契約を締結し、又は当該役務提供事業者から役務の提供を受ける契約を締結した時から二月を超えない範囲内においてあらかじめ定められた時期までに受領することをいう。

③　クレジットカード番号等取扱業者は、クレジットカード番号等取扱受託業者（当該クレジットカード番号等取扱業者からクレジットカード番号等の取扱いの全部若しくは一部の委託を受けた第三者又は当該第三者から委託（二以上の段階にわたる委託を含む。）を受けた者をいう。以下同じ。）の取り扱うクレジットカード番号等の適切な管理が図られるよう、経済産業省令で定める基準に従い、クレジットカード番号等取扱受託業者に対する必要な指導その他の措置を講じなければならない。

（改善命令）

第三五条の一七　経済産業大臣は、クレジットカード番号等取扱業者（前条第一項第二号に該当するものを除く。以下この条において同じ。）が講ずる前条第一項又は第三項に規定する措置が

それぞれ同条第一項又は第三項に規定する基準に適合していないと認めるときは、その必要の限度において、当該クレジットカード番号等取扱業者に対し、当該措置に係る業務の方法の変更その他必要な措置をとるべきことを命ずることができる。

第二節　クレジットカード番号等取扱契約（抄）

第三五条の一七の二（クレジットカード番号等取扱契約締結事業者の登録）　次の各号のいずれかに該当する者は、経済産業省に備えるクレジットカード番号等取扱契約締結事業者登録簿に登録を受けなければならない。

一　クレジットカード等購入あつせんに係る販売又は提供の方法により商品若しくは権利を販売し、又は役務を提供しようとする販売業者又は役務提供事業者に対して、自ら利用者に付与するクレジットカード番号等を取り扱うことを認める契約を当該販売業者又は当該役務提供事業者との間で締結することを業とするクレジットカード等購入あつせん業者

二　特定のクレジットカード等購入あつせん業者のために、クレジットカード等購入あつせんに係る販売又は提供の方法により商品若しくは権利を販売し、又は役務を提供しようとする販売業者又は役務提供事業者に対して、当該クレジットカード等購入あつせん業者が利用者に付与するクレジットカード番号等を取り扱うことを認める契約を当該販売業者又は当該役務提供事業者との間で締結することを業とする者

第三五条の一七の三から第三五条の一七の一五まで（略）

第三章の五　認定割賦販売協会（抄）

第三五条の一八（認定割賦販売協会の認定及び業務）　①　経済産業大臣は、政令で定めるところにより、割賦販売業者、ローン提携販売業者、包括信用購入あつせん業者、個別信用購入あつせん業者、クレジットカード等購入あつせん業者（包括信用購入あつせん業者を除く。）、第三十五条の十六第一項第三号から第七号までに掲げる者又はクレジットカード番号等取扱契約締結事業者（以下この章において「割賦販売業者等」と総称する。）が設立した一般社団法人であつて、次に掲げる要件に該当すると認められるものを、その申請により、次項に規定する業務（以下「認定業務」という。）を行う者として認定することができる。

一　割賦販売、ローン提携販売、包括信用購入あつせん又は個別信用購入あつせんに係る取引（以下この章において「割賦販売等に係る取引」という。）の健全な発達及び利用者（第二条第一項第二号に規定する利用者及び同条第三項第一号に規定する利用者をいう。）又は購入者若しくは役務の提供を受ける者（以下この章において「利用者等」という。）の利益の保護に資することを目的とすること。

二　割賦販売業者等を社員とする旨の定款の定めがあること。

三　次項に規定する業務を適正かつ確実に行うに必要な業務の実施の方法を定めているものであること。

四　次項に規定する業務を適正かつ確実に行うに足りる知識及び能力並びに財産的基礎を有するものであること。

②　前項の規定により認定された一般社団法人（以下「認定割賦販売協会」という。）は、次に掲げる業務を行うものとする。

一　割賦販売等に係る取引の公正の確保及びクレジットカード番号等の適切な管理等を図るために必要な規則の制定

二　会員のこの法律の規定若しくはこの法律に基づく命令若しくはこれらに基づく処分又は前号の規則の遵守の状況の調査

三　会員にこの法律の規定若しくはこの法律に基づく命令又は第一号の規則を遵守させるための会員に対する指導又は勧告その他の業務

四　利用者等の利益を保護するために必要な情報の収集、整理及び提供

五　会員の行う業務に関する利用者等からの苦情の処理

六　利用者等に対する広報その他認定割賦販売協会の目的を達成するため必要な業務

七　前各号に掲げるもののほか、クレジットカード番号等の適切な管理等に資する業務

第三五条の一九から第三五条の二四まで（略）

第四章　雑則（抄）

第三六条（略）

第三七条（カード等の譲受け等の禁止）　何人も、業として、カード等（第二条第一項第二号のカードその他の物及び同条第三項第一号のカードその他の物をいう。以下この条及び第五十一条の三において同じ。）を譲り受け、又は資金の融通に関してカード等の提供を受けてはならない。

第三八条（支払能力を超える購入等の防止）　割賦販売業者及びローン提携販売業者は、共同して設立した信用情報機関（信用情報の収集並びに割賦販売業者及びローン提携販売業者に対する信用情報の提供を業とする者をいう。以下同じ。）を利用すること等により得た正確な信用情報に基づき、それにより利用者又は購入者若しくは役務の提供を受ける者が支払うこととなる賦払金等が当該利用者又は購入者若しくは役務の提供を受ける者の支払能力を超えると認められる割賦販売又はローン提携販売を行わないよう努めなければならない。

第三九条（信用情報の適正な使用等）　①　割賦販売業者、ローン提携販売業者、包括信用購入あつせん業者若しくは個別信用購入あつせん業者又はこれらの役員若しくは職員は、利用者（第二条第一項第二号に規定する利用者及び同条第三項第一号に規定する利用者をいう。以下この条において同じ。）又は購入者若しくは役務の提供を受ける者の支払能力に関する事項の調査以外の目的のために信用情報機関に信用情報の提供の依頼をし、又は信用情報機関から提供を受けた信用情報を支払能力に関する事項の調査以外の目的に使用し、若しくは第三者に提供してはならない。

②　信用情報機関は、信用情報を利用者又は購入者若しくは役務の提供を受ける者の支払能力に関する事項の調査以外の目的のために使用してはならない。

③　信用情報機関は、正確な信用情報を割賦販売業者、ローン提携販売業者、包括信用購入あつせん業者及び個別信用購入あつせん業者に提供するよう努めなければならない。

第三九条の二から第四八条まで（略）

第五章　罰則（第四九条から第五五条の三まで）（略）

附　則（抄）

（施行期日）

①　この法律は、公布の日から起算して六月をこえない範囲内において政令で定める日（昭和三六・一二・一―昭和三六政三四〇）から施行する。ただし、第四章の規定は、公布の日から、第三十条の規定は、公布の日から起算して一年を経過した日（昭和三七・七・一）から施行する。

刑法等の一部を改正する法律の施行に伴う関係法律整理法中経過規定（令和四・六・一七法六八）（抄）

第四四一条から第四四三条まで（刑法の同経過規定参照）

第五〇九条（刑法の同経過規定参照）

刑法等の一部を改正する法律の施行に伴う関係法律整理法

附　則（令和四・六・一七法六八）（抄）

（施行期日）

①　この法律は、刑法等一部改正法（刑法等の一部を改正する法律（令和四法六七））施行日（令和七・六・一）から施行する。ただし、次の各号に掲げる規定は、当該各号に定める日から施行する。

一　第五百九条の規定　公布の日

二 （略）

○特定商取引に関する法律（抄）（昭和五一・六・四 法 五 七）

施行 昭和五一・一二・三（附則参照）
題名改正 平成一二法一二〇（旧・訪問販売等に関する法律）
最終改正 令和五法六三

目次

第一章 総則

（目的）

第一条 この法律は、特定商取引（訪問販売、通信販売及び電話勧誘販売に係る取引、連鎖販売取引、特定継続的役務提供に係る取引、業務提供誘引販売取引並びに訪問購入に係る取引をいう。以下同じ。）を公正にし、及び購入者等が受けることのある損害の防止を図ることにより、購入者等の利益を保護し、あわせて商品等の流通及び役務の提供を適正かつ円滑にし、もつて国民経済の健全な発展に寄与することを目的とする。

第二章 訪問販売、通信販売及び電話勧誘販売（抄）

第一節 定義

第二条① この章及び第五十八条の十八第一項において「訪問販売」とは、次に掲げるものをいう。

一 販売業者又は役務の提供の事業を営む者（以下「役務提供事業者」という。）が営業所、代理店その他の主務省令で定める場所（以下「営業所等」という。）以外の場所において、売買契約の申込みを受け、若しくは売買契約を締結して行う商品若しくは特定権利の販売又は役務を有償で提供する契約（以下「役務提供契約」という。）の申込みを受け、若しくは役務提供契約を締結して行う役務の提供

二 販売業者又は役務提供事業者が、営業所等において、営業所等以外の場所において呼び止めて営業所等に同行させた者その他政令で定める方法により誘引した者（以下「特定顧客」という。）から売買契約の申込みを受け、若しくは特定顧客と売買契約を締結して行う商品若しくは特定権利の販売又は特定顧客から役務提供契約の申込みを受け、若しくは特定顧客と役務提供契約を締結して行う役務の提供

② この章及び第五十八条の十九において「通信販売」とは、販売業者又は役務提供事業者が郵便その他の主務省令で定める方法（以下「郵便等」という。）により売買契約又は役務提供契約の申込みを受けて行う商品若しくは特定権利の販売又は役務の提供であつて電話勧誘販売に該当しないものをいう。

③ この章及び第五十八条の二十第一項において「電話勧誘販売」とは、販売業者又は役務提供事業者が、電話をかけ又は政令で定める方法により電話をかけさせ、その電話において行う売買契約又は役務提供契約の締結についての勧誘（以下「電話勧誘行為」という。）により、その相手方（以下「電話勧誘顧客」という。）から当該売買契約の申込みを郵便等により受け、若しくは電話勧誘顧客と当該売買契約を郵便等により締結して行う商品若しくは特定権利の販売又は電話勧誘顧客から当該役務提供契約の申込みを郵便等により受け、若しくは電話勧誘顧客と当該役務提供契約を郵便等により締結して行う役務の提供をいう。

④ この章並びに第五十八条の十九第一号及び第六十七条第一項において「特定権利」とは、次に掲げる権利をいう。

一 施設を利用し又は役務の提供を受ける権利のうち国民の日常生活に係る取引において販売されるものであつて政令で定めるもの

二 社債その他の金銭債権

三 株式会社の株式、合同会社、合名会社若しくは合資会社の社員の持分若しくはその他の社団法人の社員権又は外国法人の社員権でこれらの権利の性質を有するもの

第二節　訪問販売

（訪問販売における氏名等の明示）

第三条　販売業者又は役務提供事業者は、訪問販売をしようとするときは、その勧誘に先立つて、その相手方に対し、販売業者又は役務提供事業者の氏名又は名称、売買契約又は役務提供契約の締結について勧誘をする目的である旨及び当該勧誘に係る商品若しくは権利又は役務の種類を明らかにしなければならない。

（契約を締結しない旨の意思を表示した者に対する勧誘の禁止等）

第三条の二①　販売業者又は役務提供事業者は、訪問販売をしようとするときは、その相手方に対し、勧誘を受ける意思があることを確認するよう努めなければならない。

②　販売業者又は役務提供事業者は、訪問販売に係る売買契約又は役務提供契約を締結しない旨の意思を表示した者に対し、当該売買契約又は当該役務提供契約の締結について勧誘をしてはならない。

（訪問販売における書面の交付）

第四条①　販売業者又は役務提供事業者は、営業所等以外の場所において商品若しくは特定権利につき売買契約の申込みを受け、若しくは役務につき役務提供契約の申込みを受けたとき又は営業所等において特定顧客から商品若しくは特定権利につき売買契約の申込みを受け、若しくは役務につき役務提供契約の申込みを受けたときは、直ちに、主務省令で定めるところにより、次の事項についてその申込みの内容を記載した書面をその申込みをした者に交付しなければならない。ただし、その申込みを受けた際その売買契約又は役務提供契約を締結した場合においては、この限りでない。

一　商品若しくは権利又は役務の種類
二　商品若しくは権利の販売価格又は役務の対価
三　商品若しくは権利の代金又は役務の対価の支払の時期及び方法
四　商品の引渡時期若しくは権利の移転時期又は役務の提供時期
五　第九条第一項の規定による売買契約若しくは役務提供契約の申込みの撤回又は売買契約若しくは役務提供契約の解除に関する事項（同条第二項から第七項までの規定に関する事項（第二十六条第二項、第四項又は第五項の規定の適用がある場合にあつては、当該各項の規定に関する事項を含む。）を含む。）
六　前各号に掲げるもののほか、主務省令で定める事項

②　販売業者又は役務提供事業者は、前項の規定による書面の交付に代えて、政令で定めるところにより、当該申込みをした者の承諾を得て、当該書面に記載すべき事項を電磁的方法（電子情報処理組織を使用する方法その他の情報通信の技術を利用する方法であつて主務省令で定めるものをいう。以下同じ。）により提供することができる。この場合において、当該販売業者又は当該役務提供事業者は、当該書面を交付したものとみなす。

③　前項前段の規定による書面に記載すべき事項の電磁的方法（主務省令で定める方法を除く。）による提供は、当該申込みをした者の使用に係る電子計算機に備えられたファイルへの記録がされた時に当該申込みをした者に到達したものとみなす。

第五条①　販売業者又は役務提供事業者は、次の各号のいずれかに該当するときは、次項に規定する場合を除き、遅滞なく（前条第一項ただし書に規定する場合に該当するときは、直ちに）、主務省令で定めるところにより、同条第一項各号の事項（同項第五号の事項については、売買契約又は役務提供契約の解除に関する事項に限る。）についてその売買契約又は役務提供契約の内容を明らかにする書面を購入者又は役務の提供を受ける者に交付しなければならない。

一　営業所等以外の場所において、商品若しくは特定権利につき売買契約を締結したとき又は役務につき役務提供契約を締結したとき（営業所等において特定顧客以外の顧客から申込みを受け、営業所等以外の場所において売買契約又は役務提供契約を締結したときを除く。）。
二　営業所等以外の場所において商品若しくは特定権利又は役務につき売買契約又は役務提供契約の申込みを受け、営業所等においてその売買契約又は役務提供契約を締結したとき。
三　営業所等において、特定顧客と商品若しくは特定権利につき売買契約を締結したとき又は役務につき役務提供契約を締結したとき。

②　販売業者又は役務提供事業者は、前項各号のいずれかに該当する場合において、その売買契約又は役務提供契約を締結した際に、商品を引き渡し、若しくは特定権利を移転し、又は役務を提供し、かつ、商品若しくは特定権利の代金又は役務の対価の全部を受領したときは、直ちに、主務省令で定めるところにより、前条第一項第一号及び第二号の事項並びに同項第五号の事項のうち売買契約又は役務提供契約の解除に関する事項その他主務省令で定める事項を記載した書面を購入者又は役務の提供を受ける者に交付しなければならない。

③　前条第二項及び第三項の規定は、前二項の規定による書面の交付について準用する。この場合において、同条第二項及び第三項中「申込みをした者」とあるのは、「購入者又は役務の提供を受ける者」と読み替えるものとする。

（禁止行為）

第六条①　販売業者又は役務提供事業者は、訪問販売に係る売買契約若しくは役務提供契約の締結について勧誘をするに際し、又は訪問販売に係る売買契約若しくは役務提供契約の申込みの撤回若しくは解除を妨げるため、次の事項につき、不実のことを告げる行為をしてはならない。

一　商品の種類及びその性能若しくは品質又は権利若しくは役務の種類及びこれらの内容その他これらに類するものとして主務省令で定める事項
二　商品若しくは権利の販売価格又は役務の対価
三　商品若しくは権利の代金又は役務の対価の支払の時期及び方法
四　商品の引渡時期若しくは権利の移転時期又は役務の提供時期
五　当該売買契約若しくは当該役務提供契約の申込みの撤回又は当該売買契約若しくは当該役務提供契約の解除に関する事項（第九条第一項から第七項までの規定に関する事項（第二十六条第二項、第四項又は第五項の規定の適用がある場合にあつては、当該各項の規定に関する事項を含む。）を含む。）
六　顧客が当該売買契約又は当該役務提供契約の締結を必要とする事情に関する事項
七　前各号に掲げるもののほか、当該売買契約又は当該役務提供契約に関する事項であつて、顧客又は購入者若しくは役務の提供を受ける者の判断に影響を及ぼすこととなる重要なもの

②　販売業者又は役務提供事業者は、訪問販売に係る売買契約又は役務提供契約の締結について勧誘をするに際し、前項第一号から第五号までに掲げる事項につき、故意に事実を告げない行為をしてはならない。

③　販売業者又は役務提供事業者は、訪問販売に係る売買契約若しくは役務提供契約を締結させ、又は訪問販売に係る売買契約若しくは役務提供契約の申込みの撤回若しくは解除を妨げるため、人を威迫して困惑させてはならない。

④　販売業者又は役務提供事業者は、訪問販売に係る売買契約又は役務提供契約の締結について勧誘をするためのものであることを告げずに営業所等以外の場所において呼び止めて同行させることその他政令で定める方法により誘引した者に対し、公衆の出入りする場所以外の場所において、当該売買契約又は当該役務提供契約の締結について勧誘をしてはならない。

（合理的な根拠を示す資料の提出）

第六条の二　主務大臣は、前条第一項第一号に掲げる事項につき

不実のことを告げる行為をしたか否かを判断するため必要があると認めるときは、当該販売業者又は当該役務提供事業者に対し、期間を定めて、当該告げた事項の裏付けとなる合理的な根拠を示す資料の提出を求めることができる。この場合において、当該販売業者又は当該役務提供事業者が当該資料を提出しないときは、次条第一項及び第八条第一項の規定の適用については、当該販売業者又は当該役務提供事業者は、同号に掲げる事項につき不実のことを告げる行為をしたものとみなす。

（指示等）

第七条① 主務大臣は、販売業者又は役務提供事業者が第三条、第三条の二第二項、第四条第一項、第五条第一項若しくは第二項若しくは第六条の規定に違反し、又は次に掲げる行為をした場合において、訪問販売に係る取引の公正及び購入者又は役務の提供を受ける者の利益が害されるおそれがあると認めるときは、その販売業者又は役務提供事業者に対し、当該違反又は当該行為の是正のための措置、購入者又は役務の提供を受ける者の利益の保護を図るための措置その他の必要な措置をとるべきことを指示することができる。

一 訪問販売に係る売買契約若しくは役務提供契約に基づく債務又は訪問販売に係る売買契約若しくは役務提供契約の解除によつて生ずる債務の全部又は一部の履行を拒否し、又は不当に遅延させること。

二 訪問販売に係る売買契約又は役務提供契約の締結について勧誘をするに際し、当該売買契約又は当該役務提供契約に関する事項であつて、顧客の判断に影響を及ぼすこととなる重要なもの（第六条第一項第一号から第五号までに掲げるものを除く。）につき、故意に事実を告げないこと。

三 訪問販売に係る売買契約又は役務提供契約の申込みの撤回又は解除を妨げるため、当該売買契約又は当該役務提供契約に関する事項であつて、顧客又は購入者若しくは役務の提供を受ける者の判断に影響を及ぼすこととなる重要なものにつき、故意に事実を告げないこと。

四 正当な理由がないのに訪問販売に係る売買契約又は役務提供契約であつて日常生活において通常必要とされる分量を著しく超える商品若しくは特定権利（第二条第四項第一号に掲げるものに限る。）の売買契約又は日常生活において通常必要とされる回数、期間若しくは分量を著しく超えて役務の提供を受ける役務提供契約の締結について勧誘することその他顧客の財産の状況に照らし不適当と認められる行為として主務省令で定めるもの

五 前各号に掲げるもののほか、訪問販売に関する行為であつて、訪問販売に係る取引の公正及び購入者又は役務の提供を受ける者の利益を害するおそれがあるものとして主務省令で定めるもの

② 主務大臣は、前項の規定による指示をしたときは、その旨を公表しなければならない。

（販売業者等に対する業務の停止等）

第八条① 主務大臣は、販売業者若しくは役務提供事業者が第三条、第三条の二第二項、第四条第一項、第五条第一項若しくは第二項若しくは第六条の規定に違反し若しくは前条第一項各号に掲げる行為をした場合において訪問販売に係る取引の公正及び購入者若しくは役務の提供を受ける者の利益が著しく害されるおそれがあると認めるとき、又は販売業者若しくは役務提供事業者が同項の規定による指示に従わないときは、その販売業者又は役務提供事業者に対し、二年以内の期間を限り、訪問販売に関する業務の全部又は一部を停止すべきことを命ずることができる。この場合において、主務大臣は、その販売業者又は役務提供事業者が個人である場合にあつては、その者に対して、当該停止を命ずる期間と同一の期間を定めて、当該停止を命ずる範囲の業務を営む法人（人格のない社団又は財団で代表者又は管理人の定めのあるものを含む。以下同じ。）の当該業務を担当する役員（業務を執行する社員、取締役、執行役、代表者、管理人又はこれらに準ずる者をいい、相談役、顧問その他いかなる名称を有する者であるかを問わず、法人に対し業務を執行する社員、取締役、執行役、代表者、管理人又はこれらに準ずる者と同等以上の支配力を有するものと認められる者を含む。以下同じ。）となることの禁止を併せて命ずることができる。

② 主務大臣は、前項前段の規定により業務の停止を命ずる場合において、当該販売業者又は当該役務提供事業者が個人であり、かつ、その特定関係法人（販売業者若しくは役務提供事業者又はその役員若しくはその営業所の業務を統括する者その他の政令で定める使用人（以下単に「使用人」という。）（当該命令の日前一年以内において役員又は使用人であつた者を含む。次条第二項、第十五条の二第二項及び第二十三条の二第二項において同じ。）が事業経営を実質的に支配する法人その他の政令で定める法人をいう。以下この章において同じ。）において、当該停止を命ずる範囲の業務と同一の業務を行つていると認められるときは、当該販売業者又は当該役務提供事業者に対して、その特定関係法人で行つている当該同一の業務を停止すべきことを命ずることができる。

③ 主務大臣は、前二項の規定による命令をしたときは、その旨を公表しなければならない。

（役員等に対する業務の禁止等）

第八条の二① 主務大臣は、販売業者又は役務提供事業者に対して前条第一項前段の規定により業務の停止を命ずる場合において、次の各号に掲げる場合の区分に応じ、当該各号に定める者が当該命令の理由となつた事実及び当該事実に関してその者が有していた責任の程度を考慮して当該命令の実効性を確保するためにその者による訪問販売に関する業務を制限することが相当と認められる者として主務省令で定める者に該当するときは、その者に対して、当該停止を命ずる期間と同一の期間を定めて、当該停止を命ずる範囲の業務を新たに開始すること（当該業務を営む法人の当該業務を担当する役員となることを含む。）の禁止を命ずることができる。

一 当該販売業者又は当該役務提供事業者が法人である場合　その役員及び当該命令の日前一年以内においてその役員であつた者並びにその使用人及び当該命令の日前一年以内においてその使用人であつた者

二 当該販売業者又は当該役務提供事業者が個人である場合　その使用人及び当該命令の日前一年以内においてその使用人であつた者

② 主務大臣は、前項の規定により業務の禁止を命ずる役員又は使用人が、次の各号に掲げる者に該当するときは、当該役員又は当該使用人に対して、当該禁止を命ずる期間と同一の期間を定めて、その行つている当該各号に規定する同一の業務を停止すべきことを命ずることができる。

一 当該命令の理由となつた行為をしたと認められる販売業者又は役務提供事業者の特定関係法人において、当該命令により禁止を命ずる範囲の業務と同一の業務を行つていると認められる者

二 自ら販売業者又は役務提供事業者として当該命令により禁止を命ずる範囲の業務と同一の業務を行つていると認められる者

③ 主務大臣は、前二項の規定による命令をしたときは、その旨を公表しなければならない。

（訪問販売における契約の申込みの撤回等）

第九条① 販売業者若しくは役務提供事業者が営業所等以外の場所において商品若しくは特定権利若しくは役務につき売買契約若しくは役務提供契約の申込みを受けた場合若しくは販売業者若しくは役務提供事業者が営業所等において特定顧客から商品若しくは特定権利若しくは役務につき売買契約若しくは役務提供契約の申込みを受けた場合におけるその申込みをした者又は販売業者若しくは役務提供事業者が営業所等以外の場所において商品若しくは特定権利若しくは役務につき売買契約若しくは

役務提供契約を締結した場合（営業所等において申込みを受け、営業所等以外の場所において売買契約又は役務提供契約を締結した場合を除く。）若しくは販売業者若しくは役務提供事業者が営業所等において特定顧客と商品若しくは特定権利若しくは役務につき売買契約若しくは役務提供契約を締結した場合におけるその購入者若しくは役務の提供を受ける者（以下この条から第九条の三までにおいて「申込者等」という。）は、書面又は電磁的記録（電子的方式、磁気的方式その他人の知覚によつては認識することができない方式で作られる記録であつて、電子計算機による情報処理の用に供されるものをいう。以下同じ。）によりその売買契約若しくは役務提供契約の申込みの撤回又はその売買契約若しくは役務提供契約の解除（以下この条において「申込みの撤回等」という。）を行うことができる。ただし、申込者等が第五条第一項又は第二項の書面を受領した日（その日前に第四条第一項の書面を受領した場合にあつては、その書面を受領した日）から起算して八日を経過した場合（申込者等が、販売業者若しくは役務提供事業者が第六条第一項の規定に違反して申込みの撤回等に関する事項につき不実のことを告げる行為をしたことにより当該告げられた内容が事実であるとの誤認をし、又は販売業者若しくは役務提供事業者が同条第三項の規定に違反して威迫したことにより困惑し、これらによつて当該期間を経過するまでに申込みの撤回等を行わなかつた場合には、当該申込者等が、当該販売業者又は当該役務提供事業者が主務省令で定めるところにより当該売買契約又は当該役務提供契約の申込みの撤回等を行うことができる旨を記載して交付した書面を受領した日から起算して八日を経過した場合）においては、この限りでない。

② 申込みの撤回等は、当該申込みの撤回等に係る書面又は電磁的記録による通知を発した時に、その効力を生ずる。

③ 申込みの撤回等があつた場合においては、販売業者又は役務提供事業者は、その申込みの撤回等に伴う損害賠償又は違約金の支払を請求することができない。

④ 申込みの撤回等があつた場合において、その売買契約に係る商品の引渡し又は権利の移転が既にされているときは、その引取り又は返還に要する費用は、販売業者の負担とする。

⑤ 販売業者又は役務提供事業者は、商品若しくは特定権利の売買契約又は役務提供契約につき申込みの撤回等があつた場合には、既に当該売買契約に基づき引き渡された商品が使用され若しくは当該権利が行使され又は当該役務提供契約に基づき役務が提供されたときにおいても、申込者等に対し、当該商品の使用により得られた利益若しくは当該権利の行使により得られた利益に相当する金銭又は当該役務の対価その他の金銭の支払を請求することができない。

⑥ 役務提供事業者は、役務提供契約につき申込みの撤回等があつた場合において、当該役務提供契約に関連して金銭を受領しているときは、申込者等に対し、速やかに、これを返還しなければならない。

⑦ 役務提供契約又は特定権利の売買契約の申込者等は、その役務提供契約又は売買契約につき申込みの撤回等を行つた場合において、当該役務提供契約又は当該特定権利に係る役務の提供に伴い申込者等の土地又は建物その他の工作物の現状が変更されたときは、当該役務提供事業者又は当該特定権利の販売業者に対し、その原状回復に必要な措置を無償で講ずることを請求することができる。

⑧ 前各項の規定に反する特約で申込者等に不利なものは、無効とする。

（通常必要とされる分量を著しく超える商品の売買契約等の申込みの撤回等）

第九条の二① 申込者等は、次に掲げる契約に該当する売買契約若しくは役務提供契約の申込みの撤回又は売買契約若しくは役務提供契約の解除（以下この条において「申込みの撤回等」という。）を行うことができる。ただし、申込者等に当該契約の締結を必要とする特別の事情があつたときは、この限りでない。

一 その日常生活において通常必要とされる分量を著しく超える商品若しくは特定権利（第二条第四項第一号に掲げるものに限る。次号において同じ。）の売買契約又はその日常生活において通常必要とされる回数、期間若しくは分量を著しく超えて役務の提供を受ける役務提供契約

二 当該販売業者又は役務提供事業者が、当該売買契約若しくは役務提供契約に基づく債務を履行することにより申込者等にとつて当該売買契約に係る商品若しくは特定権利と同種の商品若しくは特定権利の分量がその日常生活において通常必要とされる分量を著しく超えることとなること若しくは当該役務提供契約に係る役務と同種の役務の提供を受ける回数若しくは期間若しくはその分量がその日常生活において通常必要とされる回数、期間若しくは分量を著しく超えることとなることを知り、又は申込者等にとつて当該売買契約に係る商品若しくは特定権利と同種の商品若しくは特定権利の分量がその日常生活において通常必要とされる分量を既に著しく超えていること若しくは当該役務提供契約に係る役務と同種の役務の提供を受ける回数若しくは期間若しくはその分量がその日常生活において通常必要とされる回数、期間若しくは分量を既に著しく超えていることを知りながら、申込みを受け、又は締結した売買契約又は役務提供契約

② 前項の規定による権利は、当該売買契約又は当該役務提供契約の締結の時から一年以内に行使しなければならない。

③ 前条第三項から第八項までの規定は、第一項の規定による申込みの撤回等について準用する。この場合において、同条第八項中「前各項」とあるのは、「次条第一項及び第二項並びに同条第三項において準用する第三項から前項まで」と読み替えるものとする。

（訪問販売における契約の申込み又はその承諾の意思表示の取消し）

第九条の三① 申込者等は、販売業者又は役務提供事業者が訪問販売に係る売買契約又は役務提供契約の締結について勧誘をするに際し次の各号に掲げる行為をしたことにより、当該各号に定める誤認をし、それによつて当該売買契約若しくは当該役務提供契約の申込み又はその承諾の意思表示をしたときは、これを取り消すことができる。

一 第六条第一項の規定に違反して不実のことを告げる行為 当該告げられた内容が事実であるとの誤認

二 第六条第二項の規定に違反して故意に事実を告げない行為 当該事実が存在しないとの誤認

② 前項の規定による訪問販売に係る売買契約若しくは役務提供契約の申込み又はその承諾の意思表示の取消しは、これをもつて善意でかつ過失がない第三者に対抗することができない。

③ 第一項の規定は、同項に規定する訪問販売に係る売買契約若しくは役務提供契約の申込み又はその承諾の意思表示に対する民法（明治二十九年法律第八十九号）第九十六条の規定の適用を妨げるものと解してはならない。

④ 第一項の規定による取消権は、追認をすることができる時から一年間行わないときは、時効によつて消滅する。当該売買契約又は当該役務提供契約の締結の時から五年を経過したときも、同様とする。

⑤ 民法第百二十一条の二第一項の規定にかかわらず、訪問販売に係る売買契約又は役務提供契約に基づく債務の履行として給付を受けた申込者等は、第一項の規定により当該売買契約若しくは当該役務提供契約の申込み又はその承諾の意思表示を取り消した場合において、給付を受けた当時その意思表示が取り消すことができるものであることを知らなかつたときは、当該売買契約又は当該役務提供契約によつて現に利益を受けている限度において、返還の義務を負う。

（訪問販売における契約の解除等に伴う損害賠償等の額の制限）

第一〇条① 販売業者又は役務提供事業者は、第五条第一項各号のいずれかに該当する売買契約又は役務提供契約の締結をした

場合において、その売買契約又はその役務提供契約が解除されたときは、損害賠償額の予定又は違約金の定めがあるときにおいても、次の各号に掲げる場合に応じ当該各号に定める額にこれに対する法定利率による遅延損害金の額を加算した金額を超える額の金銭の支払を購入者又は役務の提供を受ける者に対して請求することができない。

一 当該商品又は当該権利が返還された場合 当該商品の通常の使用料の額又は当該権利の行使により通常得られる利益に相当する額（当該商品又は当該権利の販売価格に相当する額から当該商品又は当該権利の返還された時における価額を控除した額が通常の使用料の額又は当該権利の行使により通常得られる利益に相当する額を超えるときは、その額）

二 当該商品又は当該権利が返還されない場合 当該商品又は当該権利の販売価格に相当する額

三 当該役務提供契約の解除が当該役務の提供の開始後である場合 提供された当該役務の対価に相当する額

四 当該契約の解除が当該商品の引渡し若しくは当該権利の移転又は当該役務の提供の開始前である場合 契約の締結及び履行のために通常要する費用の額

② 販売業者又は役務提供事業者は、第五条第一項各号のいずれかに該当する売買契約又は役務提供契約の締結をした場合において、その売買契約についての代金又はその役務提供契約についての対価の全部又は一部の支払の義務が履行されない場合（売買契約又は役務提供契約が解除された場合を除く。）には、損害賠償額の予定又は違約金の定めがあるときにおいても、当該商品若しくは当該権利の販売価格又は当該役務の対価に相当する額から既に支払われた当該商品若しくは当該権利の代金又は当該役務の対価の額を控除した額にこれに対する法定利率による遅延損害金の額を加算した金額を超える額の金銭の支払を購入者又は役務の提供を受ける者に対して請求することができない。

第三節 通信販売（抄）

（通信販売についての広告）

第一一条 販売業者又は役務提供事業者は、通信販売をする場合の商品若しくは特定権利の販売条件又は役務の提供条件について広告をするときは、主務省令で定めるところにより、当該広告に、当該商品若しくは当該権利又は当該役務に関する次の事項を表示しなければならない。ただし、当該広告に、請求により、これらの事項を記載した書面を遅滞なく交付し、又はこれらの事項を記録した電磁的記録を遅滞なく提供する旨の表示をする場合には、販売業者又は役務提供事業者は、主務省令で定めるところにより、これらの事項の一部を表示しないことができる。

一 商品若しくは権利の販売価格又は役務の対価（販売価格に商品の送料が含まれない場合には、販売価格及び商品の送料）

二 商品若しくは権利の代金又は役務の対価の支払の時期及び方法

三 商品の引渡時期若しくは権利の移転時期又は役務の提供時期

四 商品若しくは特定権利の売買契約又は役務提供契約に係る申込みの期間に関する定めがあるときは、その旨及びその内容

五 商品若しくは特定権利の売買契約又は役務提供契約の申込みの撤回又は解除に関する事項（第十五条の三第一項ただし書に規定する特約がある場合にはその内容を、第二十六条第二項の規定の適用がある場合には同項の規定に関する事項を含む。）

六 前各号に掲げるもののほか、主務省令で定める事項

（誇大広告等の禁止）

第一二条 販売業者又は役務提供事業者は、通信販売をする場合の商品若しくは特定権利の販売条件又は役務の提供条件について広告をするときは、当該商品の性能又は当該権利若しくは当該役務の内容、当該商品若しくは当該権利の売買契約又は当該役務の役務提供契約の申込みの撤回又は解除に関する事項（第十五条の三第一項ただし書に規定する特約がある場合には、その内容を含む。）その他の主務省令で定める事項について、著しく事実に相違する表示をし、又は実際のものよりも著しく優良であり、若しくは有利であると人を誤認させるような表示をしてはならない。

第一二条の二 （略）

（承諾をしていない者に対する電子メール広告の提供の禁止等）

第一二条の三① 販売業者又は役務提供事業者は、次に掲げる場合を除き、通信販売をする場合の商品若しくは特定権利の販売条件又は役務の提供条件について、その相手方となる者の承諾を得ないで電子メール広告（当該広告に係る通信文その他の情報を電磁的方法により送信し、これを当該広告の相手方の使用に係る電子計算機の映像面に表示されるようにする方法により行う広告をいう。以下同じ。）をしてはならない。

一 相手方となる者の請求に基づき、通信販売をする場合の商品若しくは特定権利の販売条件又は役務の提供条件に係る電子メール広告（以下この節において「通信販売電子メール広告」という。）をするとき。

二 当該販売業者の販売する商品若しくは特定権利若しくは当該役務提供事業者の提供する役務につき売買契約若しくは役務提供契約の申込みをした者又はこれらにつき売買契約若しくは役務提供契約を締結した者に対し、主務省令で定める方法により当該申込み若しくは当該契約の内容又は当該契約の履行に関する事項を通知する場合において、主務省令で定めるところにより通信販売電子メール広告をするとき。

三 前二号に掲げるもののほか、通常通信販売電子メール広告の提供を受ける者の利益を損なうおそれがないと認められる場合として主務省令で定める場合において、通信販売電子メール広告をするとき。

② 前項に規定する承諾を得、又は同項第一号に規定する請求を受けた販売業者又は役務提供事業者は、当該通信販売電子メール広告の相手方から通信販売電子メール広告の提供を受けない旨の意思の表示を受けたときは、当該相手方に対し、通信販売電子メール広告をしてはならない。ただし、当該意思の表示を受けた後に再び通信販売電子メール広告をすることにつき当該相手方から請求を受け、又は当該相手方の承諾を得た場合には、この限りでない。

③ 販売業者又は役務提供事業者は、通信販売電子メール広告をするときは、第一項第二号又は第三号に掲げる場合を除き、当該通信販売電子メール広告をすることにつきその相手方の承諾を得、又はその相手方から請求を受けたことの記録として主務省令で定めるものを作成し、主務省令で定めるところによりこれを保存しなければならない。

④ 販売業者又は役務提供事業者は、通信販売電子メール広告をするときは、第一項第二号又は第三号に掲げる場合を除き、当該通信販売電子メール広告に、第十一条各号に掲げる事項のほか、主務省令で定めるところにより、その相手方が通信販売電子メール広告の提供を受けない旨の意思の表示をするために必要な事項として主務省令で定めるものを表示しなければならない。

⑤ 前二項の規定は、販売業者又は役務提供事業者が他の者に次に掲げる業務の全てにつき一括して委託しているときは、その委託に係る通信販売電子メール広告については、適用しない。

一 通信販売電子メール広告をすることにつきその相手方の承諾を得、又はその相手方から請求を受ける業務

二 第三項に規定する記録を作成し、及び保存する業務

三 前項に規定する通信販売電子メール広告の提供を受けない旨の意思の表示をするために必要な事項を表示する業務

第一二条の四① 販売業者又は役務提供事業者は、役務提供事業者から前条第五項各

号に掲げる業務の全てにつき一括して委託を受けた者（以下この節並びに第六十六条第六項及び第六十七条第一項第四号において「通信販売電子メール広告受託事業者」という。）は、次に掲げる場合を除き、当該業務を委託した販売業者又は役務提供事業者（以下この節において「通信販売電子メール広告委託者」という。）が通信販売をする場合の商品若しくは特定権利の販売条件又は役務の提供条件について、その相手方となる者の承諾を得ないで通信販売電子メール広告をしてはならない。

一　相手方となる者の請求に基づき、通信販売電子メール広告委託者に係る通信販売電子メール広告をするとき。

二　前号に掲げるもののほか、通常通信販売電子メール広告委託者に係る通信販売電子メール広告の提供を受ける者の利益を損なうおそれがないと認められる場合として主務省令で定める場合において、通信販売電子メール広告委託者に係る通信販売電子メール広告をするとき。

②　前条第二項から第四項までの規定は、通信販売電子メール広告受託事業者による通信販売電子メール広告委託者に係る通信販売電子メール広告について準用する。この場合において、同条第三項及び第四項中「第一項第二号又は第三号」とあるのは、「次条第一項第二号」と読み替えるものとする。

（承諾をしていない者に対するファクシミリ広告の提供の禁止等）

第一二条の五①　販売業者又は役務提供事業者は、次に掲げる場合を除き、通信販売をする場合の商品若しくは特定権利の販売条件又は役務の提供条件について、その相手方となる者の承諾を得ないでファクシミリ広告（当該広告に係る通信文その他の情報をファクシミリ装置を用いて送信する方法により行う広告をいう。第一号において同じ。）をしてはならない。

一　相手方となる者の請求に基づき、通信販売をする場合の商品若しくは特定権利の販売条件又は役務の提供条件に係るファクシミリ広告（以下この条において「通信販売ファクシミリ広告」という。）をするとき。

二　当該販売業者の販売する商品若しくは特定権利若しくは当該役務提供事業者の提供する役務につき売買契約若しくは役務提供契約の申込みをした者又はこれらにつき売買契約若しくは役務提供契約を締結した者に対し、主務省令で定める方法により当該申込み若しくは当該契約の内容又は当該契約の履行に関する事項を通知する場合において、主務省令で定めるところにより通信販売ファクシミリ広告をするとき。

三　前二号に掲げるもののほか、通常通信販売ファクシミリ広告の提供を受ける者の利益を損なうおそれがないと認められる場合として主務省令で定める場合において、通信販売ファクシミリ広告をするとき。

②　前項に規定する承諾を得、又は同項第一号に規定する請求を受けた販売業者又は役務提供事業者は、当該通信販売ファクシミリ広告の相手方から通信販売ファクシミリ広告の提供を受けない旨の意思の表示を受けたときは、当該相手方に対し、通信販売ファクシミリ広告をしてはならない。ただし、当該意思の表示を受けた後に再び通信販売ファクシミリ広告をすることにつき当該相手方から請求を受け、又は当該相手方の承諾を得た場合には、この限りでない。

③　販売業者又は役務提供事業者は、通信販売ファクシミリ広告をするときは、第一項第二号又は第三号に掲げる場合を除き、当該通信販売ファクシミリ広告をすることにつきその相手方の承諾を得、又はその相手方から請求を受けたことの記録として主務省令で定めるものを作成し、主務省令で定めるところによりこれを保存しなければならない。

④　販売業者又は役務提供事業者は、通信販売ファクシミリ広告をするときは、第一項第二号又は第三号に掲げる場合を除き、当該通信販売ファクシミリ広告に、第十一条各号に掲げる事項のほか、主務省令で定めるところにより、その相手方が通信販売ファクシミリ広告の提供を受けない旨の意思の表示をするために必要な事項として主務省令で定めるものを表示しなければならない。

（特定申込みを受ける際の表示）

第一二条の六①　販売業者又は役務提供事業者は、当該販売業者若しくは当該役務提供事業者若しくはそれらの委託を受けた者が定める様式の書面により顧客が行う通信販売に係る売買契約若しくは役務提供契約の申込み又は当該販売業者若しくは当該役務提供事業者若しくはそれらの委託を受けた者が電子情報処理組織を使用する方法その他の情報通信の技術を利用する方法により顧客の使用に係る電子計算機の映像面に表示する手続に従つて顧客が行う通信販売に係る売買契約若しくは役務提供契約の申込み（以下「特定申込み」と総称する。）を受ける場合には、当該特定申込みに係る書面又は手続が表示される映像面に、次に掲げる事項を表示しなければならない。

一　当該売買契約に基づいて販売する商品若しくは特定権利又は当該役務提供契約に基づいて提供する役務の分量

二　当該売買契約又は当該役務提供契約に係る第十一条第一号から第五号までに掲げる事項

②　販売業者又は役務提供事業者は、特定申込みに係る書面又は手続が表示される映像面において、次に掲げる表示をしてはならない。

一　当該書面の送付又は当該手続に従つた情報の送信が通信販売に係る売買契約又は役務提供契約の申込みとなることにつき、人を誤認させるような表示

二　前項各号に掲げる事項につき、人を誤認させるような表示

（通信販売における承諾等の通知）

第一三条①　販売業者又は役務提供事業者は、商品若しくは特定権利又は役務につき売買契約又は役務提供契約の申込みをした者から当該商品の引渡し若しくは当該権利の移転又は当該役務の提供に先立つて当該商品若しくは当該権利の代金又は当該役務の対価の全部又は一部を受領することとする通信販売をする場合において、郵便等により当該商品若しくは当該権利又は当該役務につき売買契約又は役務提供契約の申込みを受け、かつ、当該商品若しくは当該権利の代金又は当該役務の対価の全部又は一部を受領したときは、遅滞なく、主務省令で定めるところにより、その申込みを承諾する旨又は承諾しない旨（その受領前にその申込みを承諾する旨又は承諾しない旨をその申込みをした者に通知している場合には、その旨）その他の主務省令で定める事項をその者に書面により通知しなければならない。ただし、当該商品若しくは当該権利の代金又は当該役務の対価の全部又は一部を受領した後遅滞なく当該商品を送付し、若しくは当該権利を移転し、又は当該役務を提供したときは、この限りでない。

②　販売業者又は役務提供事業者は、前項の規定による書面による通知に代えて、政令で定めるところにより、当該申込みをした者の承諾を得て、当該書面に記載すべき事項を電磁的方法により提供することができる。この場合において、当該販売業者又は当該役務提供事業者は、当該書面による通知をしたものとみなす。

（不実の告知の禁止）

第一三条の二　販売業者又は役務提供事業者は、通信販売に係る売買契約又は役務提供契約の申込みの撤回又は解除を妨げるため、当該売買契約若しくは当該役務提供契約の申込みの撤回若しくは当該売買契約若しくは当該役務提供契約の解除に関する事項（第十五条の三の規定に関する事項を含む。）又は顧客が当該売買契約若しくは当該役務提供契約の締結を必要とする事情に関する事項につき、不実のことを告げる行為をしてはならない。

（指示等）

第一四条①　主務大臣は、販売業者又は役務提供事業者が第十一条、第十二条、第十二条の三（第五項を除く。）、第十二条の五、第十二条の六、第十三条第一項若しくは前条の規定に違反し、又は次に掲げる行為をした場合において、通信販売に係る取引の公正及び購入者又は役務の提供を受ける者の利益が害さ

れるおそれがあると認めるときは、その販売業者又は役務提供事業者に対し、当該違反又は当該行為の是正のための措置、購入者又は役務の提供を受ける者の利益の保護を図るための措置その他の必要な措置をとるべきことを指示することができる。

一　通信販売に係る売買契約若しくは役務提供契約に基づく債務又は通信販売に係る売買契約若しくは役務提供契約の解除によつて生ずる債務の全部又は一部の履行を拒否し、又は不当に遅延させること。

二　顧客の意に反して通信販売に係る売買契約又は役務提供契約の申込みをさせようとする行為として主務省令で定めるもの

三　前二号に掲げるもののほか、通信販売に関する行為であつて、通信販売に係る取引の公正及び購入者又は役務の提供を受ける者の利益を害するおそれがあるものとして主務省令で定めるもの

②　主務大臣は、通信販売電子メール広告受託事業者が第十二条の四第一項若しくは同条第二項において準用する第十二条の三第二項から第四項までの規定に違反し、又は次に掲げる行為をした場合において、通信販売に係る取引の公正及び購入者又は役務の提供を受ける者の利益が害されるおそれがあると認めるときは、その通信販売電子メール広告受託事業者に対し、必要な措置をとるべきことを指示することができる。

一　顧客の意に反して通信販売電子メール広告委託者に対する通信販売に係る売買契約又は役務提供契約の申込みをさせようとする行為として主務省令で定めるもの

二　前号に掲げるもののほか、通信販売に関する行為であつて、通信販売に係る取引の公正及び購入者又は役務の提供を受ける者の利益を害するおそれがあるものとして主務省令で定めるもの

③　主務大臣は、第一項の規定による指示をしたときは、その旨を公表しなければならない。

④　主務大臣は、第二項の規定による指示をしたときは、その旨を公表しなければならない。

第一五条（販売業者等に対する業務の停止等）①　主務大臣は、販売業者若しくは役務提供事業者が第十一条、第十二条、第十二条の三（第五項を除く。）、第十二条の五、第十二条の六、第十三条第一項若しくは第十三条の二の規定に違反し若しくは前条第一項各号に掲げる行為をした場合において通信販売に係る取引の公正及び購入者若しくは役務の提供を受ける者の利益が著しく害されるおそれがあると認めるとき、又は販売業者若しくは役務提供事業者が同項の規定による指示に従わないときは、その販売業者又は役務提供事業者に対し、二年以内の期間を限り、通信販売に関する業務の全部又は一部を停止すべきことを命ずることができる。この場合において、主務大臣は、その販売業者又は役務提供事業者が個人である場合にあつては、その者に対して、当該停止を命ずる期間と同一の期間を定めて、当該停止を命ずる範囲の業務を営む法人の当該業務を担当する役員となることの禁止を併せて命ずることができる。

②　主務大臣は、前項前段の規定により業務の停止を命ずる場合において、当該販売業者又は当該役務提供事業者が個人であり、かつ、その特定関係法人において、当該停止を命ずる範囲の業務と同一の業務を行つていると認められるときは、当該販売業者又は当該役務提供事業者に対して、当該停止を命ずる期間と同一の期間を定めて、その特定関係法人で行つている当該同一の業務を停止すべきことを命ずることができる。

③　主務大臣は、通信販売電子メール広告受託事業者が第十二条の四第一項若しくは同条第二項において準用する第十二条の三第二項から第四項までの規定に違反し若しくは前条第二項各号に掲げる行為をした場合において通信販売に係る取引の公正及び購入者若しくは役務の提供を受ける者の利益が著しく害されるおそれがあると認めるとき、又は通信販売電子メール広告受託事業者が同項の規定による指示に従わないときは、その通信販売電子メール広告受託事業者に対し、一年以内の期間を限り、通信販売電子メール広告に関する業務の全部又は一部を停止すべきことを命ずることができる。

④　主務大臣は、第一項又は第二項の規定による命令をしたときは、その旨を公表しなければならない。

⑤　主務大臣は、第三項の規定による命令をしたときは、その旨を公表しなければならない。

第一五条の二（役員等に対する業務の禁止等）①　主務大臣は、販売業者又は役務提供事業者に対して前条第一項前段の規定により業務の停止を命ずる場合において、次の各号に掲げる場合の区分に応じ、当該各号に定める者が当該命令の理由となつた事実及び当該事実に関して当該者が有していた責任の程度を考慮して当該命令の実効性を確保するためにその者による通信販売に関する業務を制限することが相当と認められる者として主務省令で定める者に該当するときは、その者に対して、当該停止を命ずる期間と同一の期間を定めて、当該停止を命ずる範囲の業務を新たに開始すること（当該業務を営む法人の当該業務を担当する役員となることを含む。）の禁止を命ずることができる。

一　当該販売業者又は当該役務提供事業者が法人である場合　その役員及び当該命令の日前一年以内においてその役員であつた者並びにその使用人及び当該命令の日前一年以内においてその使用人であつた者

二　当該販売業者又は当該役務提供事業者が個人である場合　その使用人及び当該命令の日前一年以内においてその使用人であつた者

②　主務大臣は、前項の規定により業務の禁止を命ずる役員又は使用人が、次の各号に掲げる者に該当するときは、当該役員又は当該使用人に対して、当該禁止を命ずる期間と同一の期間を定めて、その行つている当該各号に規定する同一の業務を停止すべきことを命ずることができる。

一　当該命令の理由となつた行為をしたと認められる販売業者又は役務提供事業者の特定関係法人において、当該命令により禁止を命ずる範囲の業務と同一の業務を行つていると認められる者

二　自ら販売業者又は役務提供事業者として当該命令により禁止を命ずる範囲の業務と同一の業務を行つていると認められる者

③　主務大臣は、前二項の規定による命令をしたときは、その旨を公表しなければならない。

第一五条の三（通信販売における契約の解除等）①　通信販売をする場合の商品又は特定権利の販売条件について広告をした販売業者が当該商品若しくは当該特定権利の売買契約の申込みを受けた場合におけるその申込みをした者又は売買契約を締結した場合におけるその購入者（次項において単に「購入者」という。）は、その売買契約に係る商品の引渡し又は特定権利の移転を受けた日から起算して八日を経過するまでの間は、その売買契約の申込みの撤回又はその売買契約の解除（以下この条において「申込みの撤回等」という。）を行うことができる。ただし、当該販売業者が申込みの撤回等についての特約を当該広告に表示していた場合（当該売買契約が電子消費者契約に関する民法の特例に関する法律（平成十三年法律第九十五号）第二条第一項に規定する電子消費者契約に該当する場合その他主務省令で定める場合にあつては、当該広告に表示し、かつ、広告に表示する方法以外の方法であつて主務省令で定める方法により表示していた場合）には、この限りでない。

②　申込みの撤回等があつた場合において、その売買契約に係る商品の引渡し又は特定権利の移転が既にされているときは、その引取り又は返還に要する費用は、購入者の負担とする。

第一五条の四（通信販売における契約の申込みの意思表示の取消し）①　特定申込みをした者は、販売業者又は役務提供事業者が当該特定申込みを受けるに際し次の各号に掲げる行為

をしたことにより、当該各号に定める誤認をし、それによつて当該特定申込みの意思表示をしたときは、これを取り消すことができる。

一　第十二条の六第一項の規定に違反して不実の表示をする行為　当該表示が事実であるとの誤認

二　第十二条の六第一項の規定に違反して表示をしない行為　当該表示がされていない事項が存在しないとの誤認

三　第十二条の六第二項第一号に掲げる表示をする行為　同号に規定する書面の送付又は手続に従つた情報の送信が通信販売に係る売買契約又は役務提供契約の申込みとならないとの誤認

四　第十二条の六第二項第二号に掲げる表示をする行為　同条第一項各号に掲げる事項についての誤認

②　第九条の三第二項から第五項までの規定は、前項の規定による特定申込みの意思表示の取消しについて準用する。

第四節　電話勧誘販売（抄）

（電話勧誘販売における氏名等の明示）

第一六条　販売業者又は役務提供事業者は、電話勧誘販売をしようとするときは、その勧誘に先立つて、その相手方に対し、販売業者又は役務提供事業者の氏名又は名称及びその勧誘を行う者の氏名並びに商品若しくは権利又は役務の種類並びにその電話が売買契約又は役務提供契約の締結について勧誘をするためのものであることを告げなければならない。

（契約を締結しない旨の意思を表示した者に対する勧誘の禁止）

第一七条　販売業者又は役務提供事業者は、電話勧誘販売に係る売買契約又は役務提供契約を締結しない旨の意思を表示した者に対し、当該売買契約又は当該役務提供契約の締結について勧誘をしてはならない。

（電話勧誘販売における書面の交付）

第一八条①　販売業者又は役務提供事業者は、電話勧誘行為により、電話勧誘顧客から商品若しくは特定権利につき当該売買契約の申込みを郵便等により受け、又は役務につき当該役務提供契約の申込みを郵便等により受けたときは、遅滞なく、主務省令で定めるところにより、次の事項についてその申込みの内容を記載した書面をその申込みをした者に交付しなければならない。ただし、その申込みを受けた際その売買契約又は役務提供契約を締結した場合においては、この限りでない。

一　商品若しくは権利又は役務の種類

二　商品若しくは権利の販売価格又は役務の対価

三　商品若しくは権利の代金又は役務の対価の支払の時期及び方法

四　商品の引渡時期若しくは権利の移転時期又は役務の提供時期

五　第二十四条第一項の規定による売買契約若しくは役務提供契約の申込みの撤回又は売買契約若しくは役務提供契約の解除に関する事項（同条第二項から第七項までの規定に関する事項（第二十六条第二項、第四項又は第五項の規定の適用がある場合にあつては、当該各項の規定に関する事項を含む。）を含む。）

六　前各号に掲げるもののほか、主務省令で定める事項

②　販売業者又は役務提供事業者は、前項の規定による書面の交付に代えて、政令で定めるところにより、当該申込みをした者の承諾を得て、当該書面に記載すべき事項を電磁的方法により提供することができる。この場合において、当該販売業者又は当該役務提供事業者は、当該書面を交付したものとみなす。

③　前項前段の規定による書面に記載すべき事項の電磁的方法（主務省令で定める方法を除く。）による提供は、当該申込みをした者の使用に係る電子計算機に備えられたファイルへの記録がされた時に当該申込みをした者に到達したものとみなす。

第一九条①　販売業者又は役務提供事業者は、次の各号のいずれかに該当するときは、次項に規定する場合を除き、遅滞なく、主務省令で定めるところにより、前条第一項各号の事項（同項第五号の事項については、売買契約又は役務提供契約の解除に関する事項に限る。）についてその売買契約又は役務提供契約の内容を明らかにする書面を購入者又は役務の提供を受ける者に交付しなければならない。

一　電話勧誘行為により、電話勧誘顧客と商品若しくは特定権利につき当該売買契約を郵便等により締結したとき又は役務につき当該役務提供契約を郵便等により締結したとき。

二　電話勧誘行為により電話勧誘顧客から商品若しくは特定権利又は役務につき当該売買契約又は当該役務提供契約の申込みを郵便等により受け、その売買契約又は役務提供契約を締結したとき。

②　販売業者又は役務提供事業者は、前項第二号に該当する場合において、その売買契約又は役務提供契約を締結した際に、商品を引き渡し、若しくは特定権利を移転し、又は役務を提供し、かつ、商品若しくは特定権利の代金又は役務の対価の全部を受領したときは、直ちに、主務省令で定めるところにより、前条第一項第一号及び第二号の事項並びに同項第五号の事項のうち売買契約又は役務提供契約の解除に関する事項その他主務省令で定める事項を記載した書面を購入者又は役務の提供を受ける者に交付しなければならない。

③　前条第二項及び第三項の規定は、前二項の規定による書面の交付について準用する。この場合において、同条第二項及び第三項中「申込みをした者」とあるのは、「購入者又は役務の提供を受ける者」と読み替えるものとする。

（電話勧誘販売における承諾等の通知）

第二〇条①　販売業者又は役務提供事業者は、商品若しくは特定権利又は役務につき売買契約又は役務提供契約の申込みをした者から当該商品の引渡し若しくは当該権利の移転又は当該役務の提供に先立つて当該商品若しくは当該権利の代金又は当該役務の対価の全部又は一部を受領することとする電話勧誘販売をする場合において、郵便等により当該商品若しくは当該権利又は当該役務につき売買契約又は役務提供契約の申込みを受け、かつ、当該商品若しくは当該権利の代金又は当該役務の対価の全部又は一部を受領したときは、遅滞なく、主務省令で定めるところにより、その申込みを承諾する旨又は承諾しない旨（その受領前にその申込みを承諾する旨又は承諾しない旨をその申込みをした者に通知している場合には、その旨）その他の主務省令で定める事項をその者に書面により通知しなければならない。ただし、当該商品若しくは当該権利の代金又は当該役務の対価の全部又は一部を受領した後遅滞なく当該商品を送付し、若しくは当該権利を移転し、又は当該役務を提供したときは、この限りでない。

②　販売業者又は役務提供事業者は、前項の規定による書面による通知に代えて、政令で定めるところにより、当該申込みをした者の承諾を得て、当該書面に記載すべき事項を電磁的方法により提供することができる。この場合において、当該販売業者又は当該役務提供事業者は、当該書面による通知をしたものとみなす。

（禁止行為）

第二一条①　販売業者又は役務提供事業者は、電話勧誘販売に係る売買契約若しくは役務提供契約の締結について勧誘をするに際し、又は電話勧誘販売に係る売買契約若しくは役務提供契約の申込みの撤回若しくは解除を妨げるため、次の事項につき、不実のことを告げる行為をしてはならない。

一　商品の種類及びその性能若しくは品質又は権利若しくは役務の種類及びこれらの内容その他これらに類するものとして主務省令で定める事項

二　商品若しくは権利の販売価格又は役務の対価

三　商品若しくは権利の代金又は役務の対価の支払の時期及び方法

四　商品の引渡時期若しくは権利の移転時期又は役務の提供時期

五　当該売買契約若しくは当該役務提供契約の申込みの撤回又は当該売買契約若しくは当該役務提供契約の解除に関する事項（第二十四条第一項から第七項までの規定に関する事項（第二十六条第二項、第四項又は第五項の規定の適用がある場合にあつては、当該各項の規定に関する事項を含む。）を含む。）

六　電話勧誘顧客が当該売買契約又は当該役務提供契約の締結を必要とする事情に関する事項

七　前各号に掲げるもののほか、当該売買契約又は当該役務提供契約に関する事項であつて、電話勧誘顧客又は購入者若しくは役務の提供を受ける者の判断に影響を及ぼすこととなる重要なもの

②　販売業者又は役務提供事業者は、電話勧誘販売に係る売買契約又は役務提供契約の締結について勧誘をするに際し、前項第一号から第五号までに掲げる事項につき、故意に事実を告げない行為をしてはならない。

③　販売業者又は役務提供事業者は、電話勧誘販売に係る売買契約若しくは役務提供契約を締結させ、又は電話勧誘販売に係る売買契約若しくは役務提供契約の申込みの撤回若しくは解除を妨げるため、人を威迫して困惑させてはならない。

第二一条の二　（略）

（指示等）

第二二条①　主務大臣は、販売業者又は役務提供事業者が第十六条、第十七条、第十八条第一項、第十九条第一項若しくは第二項、第二十条第一項若しくは第二十一条の規定に違反し、又は次に掲げる行為をした場合において、電話勧誘販売に係る取引の公正及び購入者又は役務の提供を受ける者の利益が害されるおそれがあると認めるときは、その販売業者又は役務提供事業者に対し、当該違反又は当該行為の是正のための措置、購入者又は役務の提供を受ける者の利益の保護を図るための措置その他の必要な措置をとるべきことを指示することができる。

一　電話勧誘販売に係る売買契約若しくは役務提供契約に基づく債務又は電話勧誘販売に係る売買契約若しくは役務提供契約の解除によつて生ずる債務の全部又は一部の履行を拒否し、又は不当に遅延させること。

二　電話勧誘販売に係る売買契約又は役務提供契約の締結について勧誘をするに際し、当該売買契約又は当該役務提供契約に関する事項であつて、電話勧誘顧客の判断に影響を及ぼすこととなる重要なもの（第二十一条第一項第一号から第五号までに掲げるものを除く。）につき、故意に事実を告げないこと。

三　電話勧誘販売に係る売買契約又は役務提供契約の申込みの撤回又は解除を妨げるため、当該売買契約又は当該役務提供契約に関する事項であつて、電話勧誘顧客又は購入者若しくは役務の提供を受ける者の判断に影響を及ぼすこととなる重要なものにつき、故意に事実を告げないこと。

四　正当な理由がないのに電話勧誘販売に係る売買契約又は役務提供契約であつて日常生活において通常必要とされる分量を著しく超える商品若しくは特定権利（第二条第四項第一号に掲げるものに限る。）の売買契約又は日常生活において通常必要とされる回数、期間若しくは分量を著しく超えて役務の提供を受ける役務提供契約の締結について勧誘することその他電話勧誘顧客の財産の状況に照らし不適当と認められる行為として主務省令で定めるもの

五　前各号に掲げるもののほか、電話勧誘販売に関する行為であつて、電話勧誘販売に係る取引の公正及び購入者又は役務の提供を受ける者の利益を害するおそれがあるものとして主務省令で定めるもの

②　主務大臣は、前項の規定による指示をしたときは、その旨を公表しなければならない。

（販売業者等に対する業務の停止等）

第二三条①　主務大臣は、販売業者若しくは役務提供事業者が第十六条、第十七条、第十八条第一項、第十九条第一項若しくは第二項、第二十条第一項若しくは第二十一条の規定に違反し若しくは前条第一項各号に掲げる行為をした場合において電話勧誘販売に係る取引の公正及び購入者若しくは役務の提供を受ける者の利益が著しく害されるおそれがあると認めるとき、又は販売業者若しくは役務提供事業者が同項の規定による指示に従わないときは、その販売業者又は役務提供事業者に対し、二年以内の期間を限り、電話勧誘販売に関する業務の全部又は一部を停止すべきことを命ずることができる。この場合において、主務大臣は、その販売業者又は役務提供事業者が個人である場合にあつては、その者に対して、当該停止を命ずる期間と同一の期間を定めて、当該停止を命ずる範囲の業務を営む法人の当該業務を担当する役員となることの禁止を併せて命ずることができる。

②　主務大臣は、前項前段の規定により業務の停止を命ずる場合において、当該販売業者又は当該役務提供事業者が個人であり、かつ、その特定関係法人において、当該停止を命ずる範囲の業務と同一の業務を行つていると認められるときは、当該販売業者又は当該役務提供事業者に対して、当該停止を命ずる期間と同一の期間を定めて、その特定関係法人で行つている当該同一の業務を停止すべきことを命ずることができる。

③　主務大臣は、前二項の規定による命令をしたときは、その旨を公表しなければならない。

（役員等に対する業務の禁止等）

第二三条の二①　主務大臣は、販売業者又は役務提供事業者に対して前条第一項前段の規定により業務の停止を命ずる場合において、次の各号に掲げる場合の区分に応じ、当該各号に定める者が当該命令の理由となつた事実及び当該事実に関してその者が有していた責任の程度を考慮して当該命令の実効性を確保するためにその者による電話勧誘販売に関する業務を制限することが相当と認められる者として主務省令で定める者に該当するときは、その者に対して、当該停止を命ずる期間と同一の期間を定めて、当該停止を命ずる範囲の業務を新たに開始すること（当該業務を営む法人の当該業務を担当する役員となることを含む。）の禁止を命ずることができる。

一　当該販売業者又は当該役務提供事業者が法人である場合　その役員及び当該命令の日前一年以内においてその役員であつた者並びにその使用人及び当該命令の日前一年以内においてその使用人であつた者

二　当該販売業者又は当該役務提供事業者が個人である場合　その使用人及び当該命令の日前一年以内においてその使用人であつた者

②　主務大臣は、前項の規定により業務の禁止を命ずる役員又は使用人が、次の各号に掲げる者に該当するときは、当該役員又は当該使用人に対して、当該禁止を命ずる期間と同一の期間を定めて、その行つている当該各号に規定する同一の業務を停止すべきことを命ずることができる。

一　当該命令の理由となつた行為をしたと認められる販売業者又は役務提供事業者の特定関係法人において、当該命令により禁止を命ずる範囲の業務と同一の業務を行つていると認められる者

二　自ら販売業者又は役務提供事業者として当該命令により禁止を命ずる範囲の業務と同一の業務を行つていると認められる者

③　主務大臣は、前二項の規定による命令をしたときは、その旨を公表しなければならない。

（電話勧誘販売における契約の申込みの撤回等）

第二四条①　販売業者若しくは役務提供事業者が電話勧誘行為により電話勧誘顧客から商品若しくは特定権利若しくは役務につき当該売買契約若しくは当該役務提供契約の申込みを郵便等により受けた場合におけるその申込みをした者又は販売業者若しくは役務提供事業者が電話勧誘行為により電話勧誘顧客と商品若しくは特定権利若しくは役務につき当該売買契約若しくは当該役務提供契約を郵便等により締結した場合におけるその購入

者若しくは役務の提供を受ける者（以下この条から第二十四条の三までにおいて「申込者等」という。）は、書面又は電磁的記録によりその売買契約若しくは役務提供契約の申込みの撤回又はその売買契約若しくは役務提供契約の解除（以下この条において「申込みの撤回等」という。）を行うことができる。ただし、申込者等が第十九条第一項又は第二項の書面を受領した日（その日前に第十八条第一項の書面を受領した場合にあつては、その書面を受領した日）から起算して八日を経過した場合（申込者等が、販売業者若しくは役務提供事業者が第二十一条第一項の規定に違反して申込みの撤回等に関する事項につき不実のことを告げる行為をしたことにより当該告げられた内容が事実であるとの誤認をし、又は販売業者若しくは役務提供事業者が同条第三項の規定に違反して威迫したことにより困惑し、これらによつて当該期間を経過するまでに申込みの撤回等を行わなかつた場合には、当該申込者等が、当該販売業者又は当該役務提供事業者が主務省令で定めるところにより当該売買契約又は当該役務提供契約の申込みの撤回等を行うことができる旨を記載して交付した書面を受領した日から起算して八日を経過した場合）においては、この限りでない。

② 申込みの撤回等は、当該申込みの撤回等に係る書面又は電磁的記録による通知を発した時に、その効力を生ずる。

③ 申込みの撤回等があつた場合においては、販売業者又は役務提供事業者は、その申込みの撤回等に伴う損害賠償又は違約金の支払を請求することができない。

④ 申込みの撤回等があつた場合において、その売買契約に係る商品の引渡し又は権利の移転が既にされているときは、その引取り又は返還に要する費用は、販売業者の負担とする。

⑤ 販売業者又は役務提供事業者は、商品若しくは特定権利の売買契約又は役務提供契約につき申込みの撤回等があつた場合には、既に当該売買契約に基づき引き渡された商品が使用され若しくは当該権利が行使され又は当該役務提供契約に基づき役務が提供されたときにおいても、申込者等に対し、当該商品の使用により得られた利益若しくは当該権利の行使により得られた利益に相当する金銭又は当該役務提供契約に係る役務の対価その他の金銭の支払を請求することができない。

⑥ 役務提供事業者は、役務提供契約につき申込みの撤回等があつた場合において、当該役務提供契約に関連して金銭を受領しているときは、申込者等に対し、速やかに、これを返還しなければならない。

⑦ 役務提供契約又は特定権利の売買契約の申込者等は、その役務提供契約又は売買契約につき申込みの撤回等を行つた場合において、当該役務提供契約又は当該特定権利に係る役務の提供に伴い申込者等の土地又は建物その他の工作物の現状が変更されたときは、当該役務提供事業者又は当該特定権利の販売業者に対し、その原状回復に必要な措置を無償で講ずることを請求することができる。

⑧ 前各項の規定に反する特約で申込者等に不利なものは、無効とする。

（通常必要とされる分量を著しく超える商品の売買契約等の申込みの撤回等）

第二四条の二① 申込者等は、次に掲げる契約に該当する売買契約若しくは役務提供契約の申込みの撤回又は売買契約若しくは役務提供契約の解除（以下この条において「申込みの撤回等」という。）を行うことができる。ただし、申込者等に当該契約の締結を必要とする特別の事情があつたときは、この限りでない。

一 その日常生活において通常必要とされる分量を著しく超える商品若しくは特定権利（第二条第四項第一号に掲げるものに限る。次号において同じ。）の売買契約又はその日常生活において通常必要とされる回数、期間若しくは分量を著しく超えて役務の提供を受ける役務提供契約

二 当該販売業者又は役務提供事業者が、当該売買契約若しくは役務提供契約に基づく債務を履行することにより申込者等にとつて当該売買契約に係る商品若しくは特定権利と同種の商品若しくは特定権利の分量がその日常生活において通常必要とされる分量を著しく超えることとなること若しくは当該役務提供契約に係る役務と同種の役務の提供を受ける回数若しくは期間若しくはその分量がその日常生活において通常必要とされる回数、期間若しくは分量を著しく超えることとなることを知り、又は申込者等にとつて当該売買契約に係る商品若しくは特定権利と同種の商品若しくは特定権利の分量がその日常生活において通常必要とされる分量を既に著しく超えていること若しくは当該役務提供契約に係る役務と同種の役務の提供を受ける回数若しくは期間若しくはその分量がその日常生活において通常必要とされる回数、期間若しくは分量を既に著しく超えていることを知りながら、申込みを受け、又は締結した売買契約又は役務提供契約

② 前項の規定による権利は、当該売買契約又は当該役務提供契約の締結の時から一年以内に行使しなければならない。

③ 前条第三項から第八項までの規定は、第一項の規定による申込みの撤回等について準用する。この場合において、同条第八項中「前各項」とあるのは、「次条第一項及び第二項並びに同条第三項において準用する第三項から前項まで」と読み替えるものとする。

（電話勧誘販売における契約の申込み又はその承諾の意思表示の取消し）

第二四条の三① 申込者等は、販売業者又は役務提供事業者が電話勧誘販売に係る売買契約又は役務提供契約の締結について勧誘をするに際し次の各号に掲げる行為をしたことにより、当該各号に定める誤認をし、それによつて当該売買契約若しくは当該役務提供契約の申込み又はその承諾の意思表示をしたときは、これを取り消すことができる。

一 第二十一条第一項の規定に違反して不実のことを告げる行為 当該告げられた内容が事実であるとの誤認

二 第二十一条第二項の規定に違反して故意に事実を告げない行為 当該事実が存在しないとの誤認

② 第九条の三第二項から第五項までの規定は、前項の規定による電話勧誘販売に係る売買契約若しくは役務提供契約の申込み又はその承諾の意思表示の取消しについて準用する。

（電話勧誘販売における契約の解除等に伴う損害賠償等の額の制限）

第二五条① 販売業者又は役務提供事業者は、第十九条第一項各号のいずれかに該当する売買契約又は役務提供契約の締結をした場合において、その売買契約又はその役務提供契約が解除されたときは、損害賠償額の予定又は違約金の定めがあるときにおいても、次の各号に掲げる場合に応じ当該各号に定める額にこれに対する法定利率による遅延損害金の額を加算した金額を超える額の金銭の支払を購入者又は役務の提供を受ける者に対して請求することができない。

一 当該商品又は当該権利が返還された場合 当該商品の通常の使用料の額又は当該権利の行使により通常得られる利益に相当する額（当該商品又は当該権利の販売価格に相当する額から当該商品又は当該権利の返還された時における価額を控除した額が通常の使用料の額又は当該権利の行使により通常得られる利益に相当する額を超えるときは、その額）

二 当該商品又は当該権利が返還されない場合 当該商品又は当該権利の販売価格に相当する額

三 当該役務提供契約の解除が当該役務の提供の開始後である場合 提供された当該役務の対価に相当する額

四 当該契約の解除が当該商品の引渡し若しくは当該権利の移転又は当該役務の提供の開始前である場合 契約の締結及び履行のために通常要する費用の額

② 販売業者又は役務提供事業者は、第十九条第一項各号のいずれかに該当する売買契約又は役務提供契約の締結をした場合において、その売買契約についての代金又はその役務提供契約についての対価の全部又は一部の支払の義務が履行されない場合

（売買契約又は役務提供契約が解除された場合を除く。）には、損害賠償額の予定又は違約金の定めがあるときにおいても、当該商品若しくは当該権利の販売価格又は当該役務の対価に相当する額から既に支払われた当該商品若しくは当該権利の代金又は当該役務の対価の額を控除した額にこれに対する法定利率による遅延損害金の額を加算した金額を超える額の金銭の支払を購入者又は役務の提供を受ける者に対して請求することができない。

第五節　雑則（抄）

（適用除外）

第二六条①　前三節の規定は、次の販売又は役務の提供で訪問販売、通信販売又は電話勧誘販売に該当するものについては、適用しない。

一　売買契約又は役務提供契約で、第二条第一項から第三項までに規定する売買契約若しくは役務提供契約の申込みをした者が営業のために若しくは営業として締結するもの又は購入者若しくは役務の提供を受ける者が営業のために若しくは営業として締結するものに係る販売又は役務の提供

二　本邦外に在る者に対する商品若しくは権利の販売又は役務の提供

三　国又は地方公共団体が行う販売又は役務の提供

四　次の団体がその直接又は間接の構成員に対して行う販売又は役務の提供（その団体が構成員以外の者にその事業又は施設を利用させることができる場合には、これらの者に対して行う販売又は役務の提供を含む。）

イ　特別の法律に基づいて設立された組合並びにその連合会及び中央会

ロ　国家公務員法（昭和二十二年法律第百二十号）第百八条の二又は地方公務員法（昭和二十五年法律第二百六十一号）第五十二条の団体

ハ　労働組合

五　事業者がその従業者に対して行う販売又は役務の提供

六　株式会社以外の者が発行する新聞紙の販売

七　弁護士が行う弁護士法（昭和二十四年法律第二百五号）第三条第一項に規定する役務の提供及び同法第三十条の五に規定する弁護士法人が行う同法第三条第一項又は第三十条の二に規定する役務の提供並びに外国弁護士による法律事務の取扱い等に関する法律（昭和六十一年法律第六十六号）第二条第四号に規定する外国法事務弁護士が行う同法第三条第一項、第五条第一項、第六条第一項又は第七条に規定する役務の提供、同法第二条第五号に規定する外国法事務弁護士法人が行う同法第五十九条に規定する役務の提供及び同法第二条第六号に規定する弁護士・外国法事務弁護士共同法人が行う弁護士法第三条第一項又は外国弁護士による法律事務の取扱い等に関する法律第七十一条に規定する役務の提供

八　次に掲げる販売又は役務の提供

イ　金融商品取引法（昭和二十三年法律第二十五号）第二条第九項に規定する金融商品取引業者が行う同条第八項に規定する金融商品取引業に係る販売又は役務の提供、同条第十二項に規定する金融商品仲介業者が行う同条第十一項に規定する金融商品仲介業に係る役務の提供、同項に規定する登録金融機関が行う同法第三十三条の三第一項第六号イに規定する登録金融機関業務に係る販売又は役務の提供、同法第七十九条の十に規定する認定投資者保護団体が行う同法第七十九条の七第一項各号に掲げる業務に係る役務の提供及び同法第二条第三十項に規定する証券金融会社が行う同法第百五十六条の二十四第一項に規定する業務又は同法第百五十六条の二十七第一項各号に掲げる業務に係る役務の提供

ロ　宅地建物取引業法（昭和二十七年法律第百七十六号）第二条第三号に規定する宅地建物取引業者（信託会社又は金融機関の信託業務の兼営等に関する法律（昭和十八年法律第四十三号）第一条第一項の認可を受けた金融機関であつて、宅地建物取引業法第二条第二号に規定する宅地建物取引業を営むものを含む。）が行う同条第二号に規定する商品の販売又は役務の提供

ハ　旅行業法（昭和二十七年法律第二百三十九号）第六条の四第一項に規定する旅行業者及び同条第三項に規定する旅行業者代理業者が行う同法第二条第三項に規定する役務の提供

ニ　イからハまでに掲げるもののほか、他の法律の規定によつて訪問販売、通信販売又は電話勧誘販売における商品若しくは特定権利の売買契約又は役務提供契約について、その勧誘若しくは広告の相手方、その申込みをした者又は購入者若しくは役務の提供を受ける者の利益を保護することができると認められる販売又は役務の提供として政令で定めるもの

②　第九条から第九条の三まで、第十五条の三、第十五条の四及び第二十四条から第二十四条の三までの規定は、会社法（平成十七年法律第八十六号）その他の法律により詐欺又は強迫を理由として取消しをすることができないものとされている株式若しくは出資の引受け又は基金の拠出としてされた特定権利の販売で訪問販売、通信販売又は電話勧誘販売に該当するものについては、適用しない。

③　第四条、第五条、第九条、第十八条、第十九条及び第二十四条の規定は、その全部の履行が契約の締結後直ちに行われることが通例である役務の提供として政令で定めるものであつて、訪問販売又は電話勧誘販売に該当するものの全部又は一部が、契約の締結後直ちに履行された場合（主務省令で定める場合に限る。）については、適用しない。

④　第九条及び第二十四条の規定は、次の販売又は役務の提供で訪問販売又は電話勧誘販売に該当するものについては、適用しない。

一　その販売条件又は役務の提供条件についての交渉が、販売業者又は役務提供事業者と購入者又は役務の提供を受ける者との間で相当の期間にわたり行われることが通常の取引の態様である商品又は役務として政令で定めるものの販売又は提供

二　契約の締結後速やかに提供されない場合には、その提供を受ける者の利益を著しく害するおそれがある役務として政令で定める役務の提供

⑤　第九条及び第二十四条の規定は、訪問販売又は電話勧誘販売に該当する販売又は役務の提供が次に掲げる場合に該当する場合における当該販売又は役務の提供については、適用しない。

一　第九条第一項に規定する申込者等又は第二十四条第一項に規定する申込者等が第四条第一項若しくは第五条第一項若しくは第二項又は第十八条第一項若しくは第十九条第一項若しくは第二項の書面を受領した場合において、その使用若しくは一部の消費により価額が著しく減少するおそれがある商品として政令で定めるものを使用し又はその全部若しくは一部を消費したとき（当該販売業者が当該申込者等に当該商品を使用させ、又はその全部若しくは一部を消費させた場合を除く。）。

二　第九条第一項に規定する申込者等又は第二十四条第一項に規定する申込者等が第四条第一項若しくは第五条第一項若しくは第二項又は第十八条第一項若しくは第十九条第一項若しくは第二項の書面を受領した場合において、相当の期間品質を保持することが難しく、品質の低下により価額が著しく減少するおそれがある商品として政令で定めるものを引き渡されたとき。

三　第五条第二項又は第十九条第二項に規定する場合において、当該売買契約に係る商品若しくは特定権利の代金又は当該役務提供契約に係る役務の対価の総額が政令で定める金額に満たないとき。

⑥　第四条から第十条までの規定は、次の訪問販売については、

適用しない。

一　その住居において売買契約若しくは役務提供契約の申込みをし又は売買契約若しくは役務提供契約を締結することを請求した者に対して行う訪問販売

二　販売業者又は役務提供事業者がその営業所等以外の場所において商品若しくは特定権利若しくは役務につき売買契約若しくは役務提供契約の申込みを受け又は売買契約若しくは役務提供契約を締結することが通例であり、かつ、通常購入者又は役務の提供を受ける者の利益を損なうおそれがないと認められる取引の態様で政令で定めるものに該当する訪問販売

⑦　第十八条、第十九条及び第二十一条から前条までの規定は、次の電話勧誘販売については、適用しない。

一　売買契約若しくは役務提供契約の申込みをし又は売買契約若しくは役務提供契約を締結するために電話をかけることを請求した者（電話勧誘行為又は政令で定める行為によりこれを請求した者を除く。）に対して行う電話勧誘販売

二　販売業者又は役務提供事業者が電話勧誘行為により商品若しくは特定権利若しくは役務につき当該売買契約若しくは当該役務提供契約の申込みを郵便等により受け又は当該売買契約若しくは当該役務提供契約を郵便等により締結することが通例であり、かつ、通常購入者又は役務の提供を受ける者の利益を損なうおそれがないと認められる取引の態様で政令で定めるものに該当する電話勧誘販売

⑧　第十条及び前条の規定は、割賦販売（割賦販売法（昭和三十六年法律第百五十九号）第二条第一項に規定する割賦販売をいう。以下同じ。）で訪問販売又は電話勧誘販売に該当するものについては、適用しない。

⑨　第十一条及び第十三条の規定は、割賦販売等（割賦販売、割賦販売法第二条第二項に規定するローン提携販売、同条第三項に規定する包括信用購入あつせん又は同条第四項に規定する個別信用購入あつせんに係る販売をいう。次項において同じ。）で通信販売に該当するものについては、適用しない。

⑩　第二十条の規定は、割賦販売等で電話勧誘販売に該当するものについては、適用しない。

第二七条から第二八条まで　（略）

（購入者等の利益の保護に関する措置）

第二九条①　訪問販売協会は、購入者又は役務の提供を受ける者等から会員の営む訪問販売の業務に関する苦情について解決の申出があつたときは、その相談に応じ、申出人に必要な助言をし、その苦情に係る事情を調査するとともに、当該会員に対しその苦情の内容を通知してその迅速な処理を求めなければならない。

②　訪問販売協会は、前項の申出に係る苦情の解決について必要があると認めるときは、当該会員に対し、文書若しくは口頭による説明を求め、又は資料の提出を求めることができる。

③　会員は、訪問販売協会から前項の規定による求めがあつたときは、正当な理由がないのに、これを拒んではならない。

④　訪問販売協会は、第一項の申出、当該苦情に係る事情及びその解決の結果について会員に周知させなければならない。

第二九条の二①　訪問販売協会は、会員の営む訪問販売の業務に係る売買契約若しくは役務提供契約をこの法律の規定により解除し、又は会員の営む訪問販売の業務に係る売買契約若しくは役務提供契約の申込み若しくはその承諾の意思表示をこの法律の規定により取り消して当該会員に支払つた金銭の返還を請求した者に対し、正当な理由なくその金銭の返還がされない場合に、その者に対し、一定の金額の金銭を交付する業務を行うものとする。

②　訪問販売協会は、前項の業務に関する基金を設け、この業務に要する費用に充てることを条件として会員から出えんされた金額の合計額をもつてこれに充てるものとする。

③　訪問販売協会は、定款において、第一項の業務の実施の方法を定めておかなければならない。

④　訪問販売協会は、前項の規定により業務の実施の方法を定めたときは、これを公表しなければならない。これを変更したときも、同様とする。

第二九条の三から第三一条まで　（略）

（苦情の解決）

第三二条①　通信販売協会は、購入者又は役務の提供を受ける者等から会員の営む通信販売の業務に関する苦情について解決の申出があつたときは、その相談に応じ、申出人に必要な助言をし、その苦情に係る事情を調査するとともに、当該会員に対しその苦情の内容を通知してその迅速な処理を求めなければならない。

②　通信販売協会は、前項の申出に係る苦情の解決について必要があると認めるときは、当該会員に対し、文書若しくは口頭による説明を求め、又は資料の提出を求めることができる。

③　会員は、通信販売協会から前項の規定による求めがあつたときは、正当な理由がないのに、これを拒んではならない。

④　通信販売協会は、第一項の申出、当該苦情に係る事情及びその解決の結果について会員に周知させなければならない。

第三二条の二　（略）

第三章　連鎖販売取引（抄）

（定義）

第三三条①　この章並びに第五十八条の二十一第一項及び第三項並びに第六十七条第一項において「連鎖販売業」とは、物品（施設を利用し又は役務の提供を受ける権利を含む。以下この章及び第五章において同じ。）の販売（そのあつせんを含む。）又は有償で行う役務の提供（そのあつせんを含む。）の事業であつて、販売の目的物たる物品（以下この章及び第五十八条の二十一第一項第一号イにおいて「商品」という。）の再販売（販売の相手方が商品を買い受けて販売することをいう。以下同じ。）、受託販売（販売の委託を受けて商品を販売することをいう。以下同じ。）若しくは販売のあつせんをする者又は同種役務の提供（その役務と同一の種類の役務の提供をすることをいう。以下同じ。）若しくはその役務の提供のあつせんをする者を特定利益（その商品の再販売、受託販売若しくは販売のあつせんをする他の者又は同種役務の提供若しくはその役務の提供のあつせんをする他の者が提供する取引料その他の主務省令で定める要件に該当する利益の全部又は一部をいう。以下この章及び第五十八条の二十一第一項第四号において同じ。）を収受し得ることをもつて誘引し、その者と特定負担（その商品の購入若しくはその役務の対価の支払又は取引料の提供をいう。以下この章及び第五十八条の二十一第一項第四号において同じ。）を伴うその商品の販売若しくはそのあつせん又は同種役務の提供若しくはその役務の提供のあつせんに係る取引（その取引条件の変更を含む。以下「連鎖販売取引」という。）をするものをいう。

②　この章並びに第五十八条の二十一、第五十八条の二十六第一項、第六十六条第一項及び第六十七条第一項において「統括者」とは、連鎖販売業に係る商品に自己の商標を付し、若しくは連鎖販売業に係る役務の提供について自己の商号その他特定の表示を使用させ、連鎖販売取引に関する約款を定め、又は連鎖販売業を行う者の経営に関し継続的に指導を行う等一連の連鎖販売業を実質的に統括する者をいう。

③　この章において「取引料」とは、取引料、加盟料、保証金その他いかなる名義をもつてするかを問わず、取引をするに際し、又は取引条件を変更するに際し提供される金品をいう。

（連鎖販売取引における氏名等の明示）

第三三条の二　統括者、勧誘者（統括者がその統括する一連の連鎖販売業に係る連鎖販売取引について勧誘を行わせる者をいう。以下同じ。）又は一般連鎖販売業者（統括者又は勧誘者以外の者であつて、連鎖販売業を行う者をいう。以下同じ。）は、その統括者の統括する一連の連鎖販売業に係る連鎖販売取引をしようとするときは、その勧誘に先立つて、その相手方に対し、統括者、勧誘者又は一般連鎖販売業者の氏名又は名称（勧誘者又は一般連鎖販売業者にあつては、その連鎖販売業に係る統括

者の氏名又は名称を含む。）、特定負担を伴う取引についての契約の締結について勧誘をする目的である旨及び当該勧誘に係る商品又は役務の種類を明らかにしなければならない。

第三四条（禁止行為）① 統括者又は勧誘者は、その統括者の統括する一連の連鎖販売業に係る連鎖販売取引についての契約（その連鎖販売業に係る商品の販売若しくはそのあつせん又は役務の提供若しくはそのあつせんを店舗その他これに類似する設備（以下「店舗等」という。）によらないで行う個人との契約に限る。以下この条及び第三十八条第三項第二号において同じ。）の締結についての勧誘をするに際し、又はその連鎖販売業に係る連鎖販売取引についての契約の解除を妨げるため、次の事項につき、故意に事実を告げず、又は不実のことを告げる行為をしてはならない。

一　商品（施設を利用し及び役務の提供を受ける権利を除く。）の種類及びその性能若しくは品質又は施設を利用し若しくは役務の提供を受ける権利若しくは役務の種類及びこれらの内容その他これらに類するものとして主務省令で定める事項

二　当該連鎖販売取引に伴う特定負担に関する事項

三　当該契約の解除に関する事項（第四十条第一項から第三項まで及び第四十条の二第一項から第五項までの規定に関する事項を含む。）

四　その連鎖販売業に係る特定利益に関する事項

五　前各号に掲げるもののほか、その連鎖販売業に関する事項であつて、連鎖販売取引の相手方の判断に影響を及ぼすこととなる重要なもの

② 一般連鎖販売業者は、その統括者の統括する一連の連鎖販売業に係る連鎖販売取引についての契約の締結について勧誘をするに際し、又はその連鎖販売業に係る連鎖販売取引についての契約の解除を妨げるため、前項各号の事項につき、不実のことを告げる行為をしてはならない。

③ 統括者、勧誘者又は一般連鎖販売業者は、その統括者の統括する一連の連鎖販売業に係る連鎖販売取引についての契約を締結させ、又はその連鎖販売業に係る連鎖販売取引についての契約の解除を妨げるため、人を威迫して困惑させてはならない。

④ 統括者、勧誘者又は一般連鎖販売業者は、特定負担を伴う取引についての契約の締結について勧誘をするためのものであることを告げずに営業所、代理店その他の主務省令で定める場所以外の場所において呼び止めて同行させることその他政令で定める方法により誘引した者に対し、公衆の出入りする場所以外の場所において、当該契約の締結について勧誘をしてはならない。

第三四条の二（略）

第三五条（連鎖販売取引についての広告） 統括者、勧誘者又は一般連鎖販売業者は、その統括者の統括する一連の連鎖販売業に係る連鎖販売取引について広告をするときは、主務省令で定めるところにより、当該広告に、その連鎖販売業に関する次の事項を表示しなければならない。

一　商品又は役務の種類

二　当該連鎖販売取引に伴う特定負担に関する事項

三　その連鎖販売業に係る特定利益について広告をするときは、その計算の方法

四　前三号に掲げるもののほか、主務省令で定める事項

第三六条（誇大広告等の禁止） 統括者、勧誘者又は一般連鎖販売業者は、その統括者の統括する一連の連鎖販売業に係る連鎖販売取引について広告をするときは、その連鎖販売業に係る商品（施設を利用し及び役務の提供を受ける権利を除く。）の性能若しくは品質又は施設を利用し若しくは役務の提供を受ける権利若しくは役務の内容、当該連鎖販売取引に伴う特定負担、当該連鎖販売業に係る特定利益その他の主務省令で定める事項について、著しく事実に相違する表示をし、又は実際のものよりも著しく優良であり、若しくは有利であると人を誤認させるような表示をしてはならない。

第三六条の二（略）

第三六条の三（承諾をしていない者に対する電子メール広告の提供の禁止等）① 統括者、勧誘者又は一般連鎖販売業者は、次に掲げる場合を除き、その統括者の統括する一連の連鎖販売業に係る連鎖販売取引について、その相手方となる者の承諾を得ないで電子メール広告をしてはならない。

一　相手方となる者の請求に基づき、その統括者の統括する一連の連鎖販売業に係る連鎖販売取引に係る電子メール広告（以下この章において「連鎖販売取引電子メール広告」という。）をするとき。

二　前号に掲げるもののほか、通常連鎖販売取引電子メール広告の提供を受ける者の利益を損なうおそれがないと認められる場合として主務省令で定める場合において、連鎖販売取引電子メール広告をするとき。

② 前項に規定する承諾を得、又は同項第一号に規定する請求を受けた統括者、勧誘者又は一般連鎖販売業者は、当該連鎖販売取引電子メール広告の相手方から連鎖販売取引電子メール広告の提供を受けない旨の意思の表示を受けたときは、当該相手方に対し、連鎖販売取引電子メール広告をしてはならない。ただし、当該意思の表示を受けた後に再び連鎖販売取引電子メール広告をすることにつき当該相手方から請求を受け、又は当該相手方の承諾を得た場合には、この限りでない。

③ 統括者、勧誘者又は一般連鎖販売業者は、連鎖販売取引電子メール広告をするときは、第一項第二号に掲げる場合を除き、当該連鎖販売取引電子メール広告をすることにつきその相手方の承諾を得、又はその相手方から請求を受けたことの記録として主務省令で定めるものを作成し、主務省令で定めるところによりこれを保存しなければならない。

④ 統括者、勧誘者又は一般連鎖販売業者は、連鎖販売取引電子メール広告をするときは、第一項第二号に掲げる場合を除き、当該連鎖販売取引電子メール広告に、第三十五条各号に掲げる事項のほか、主務省令で定めるところにより、その相手方が連鎖販売取引電子メール広告の提供を受けない旨の意思の表示をするために必要な事項として主務省令で定めるものを表示しなければならない。

⑤ 前二項の規定は、統括者、勧誘者又は一般連鎖販売業者が他の者に次に掲げる業務の全てにつき一括して委託しているときは、その委託に係る連鎖販売取引電子メール広告については、適用しない。

一　連鎖販売取引電子メール広告をすることにつきその相手方の承諾を得、又はその相手方から請求を受ける業務

二　第三項に規定する記録を作成し、及び保存する業務

三　前項に規定する連鎖販売取引電子メール広告の提供を受けない旨の意思の表示をするために必要な事項を表示する業務

第三六条の四① 統括者、勧誘者又は一般連鎖販売業者から前条第五項各号に掲げる業務の全てにつき一括して委託を受けた者（以下この章並びに第六十六条第六項及び第六十七条第一項第四号において「連鎖販売取引電子メール広告受託事業者」という。）は、次に掲げる場合を除き、当該業務を委託した統括者、勧誘者又は一般連鎖販売業者（以下この条において「連鎖販売取引電子メール広告委託者」という。）が行うその統括者の統括する一連の連鎖販売業に係る連鎖販売取引について、その相手方となる者の承諾を得ないで連鎖販売取引電子メール広告をしてはならない。

一　相手方となる者の請求に基づき、連鎖販売取引電子メール広告委託者に係る連鎖販売取引電子メール広告をするとき。

二　前号に掲げるもののほか、通常連鎖販売取引電子メール広告の提供を受ける者の利益を損なうおそれがないと認められる場合として主務省令で定める場合において、連鎖販売取引電子メール広告委託者に係る連鎖販売取引電子メール広告をするとき。

② 前条第二項から第四項までの規定は、連鎖販売取引電子メール広告受託事業者による連鎖販売取引電子メール広告委託者に係る連鎖販売取引電子メール広告について準用する。この場合において、同条第三項及び第四項中「第一項第二号」とあるのは、「次条第一項第二号」と読み替えるものとする。

（連鎖販売取引における書面の交付）

第三七条① 連鎖販売業を行う者（連鎖販売業を行う者以外の者がその連鎖販売業に係る連鎖販売取引に伴う特定負担についての契約を締結する者であるときは、その者。第三項において同じ。）は、連鎖販売取引に伴う特定負担をしようとする者（その連鎖販売業に係る商品の販売若しくはそのあつせん又は役務の提供若しくはそのあつせんを店舗等によらないで行う個人に限る。）とその特定負担についての契約を締結しようとするときは、その契約を締結するまでに、主務省令で定めるところにより、その連鎖販売業の概要について記載した書面をその者に交付しなければならない。

② 連鎖販売業を行う者は、その連鎖販売業に係る連鎖販売取引についての契約（以下この章において「連鎖販売契約」という。）を締結した場合において、その連鎖販売契約の相手方がその連鎖販売業に係る商品の販売若しくはそのあつせん又は役務の提供若しくはそのあつせんを店舗等によらないで行う個人であるときは、遅滞なく、主務省令で定めるところにより、次の事項についてその連鎖販売契約の内容を明らかにする書面をその者に交付しなければならない。

一 商品（施設を利用し及び役務の提供を受ける権利を除く。）の種類及びその性能若しくは品質又は施設を利用し若しくは役務の提供を受ける権利若しくは役務の種類及びこれらの内容に関する事項

二 商品の再販売、受託販売若しくは販売のあつせん又は同種役務の提供若しくは役務の提供のあつせんについての条件に関する事項

三 当該連鎖販売取引に伴う特定負担に関する事項

四 当該連鎖販売契約の解除に関する事項（第四十条第一項から第三項まで及び第四十条の二第一項から第五項までの規定に関する事項を含む。）

五 前各号に掲げるもののほか、主務省令で定める事項

③ 連鎖販売業を行う者は、前二項の規定による書面の交付に代えて、政令で定めるところにより、当該連鎖販売取引に伴う特定負担をしようとする者又は当該連鎖販売契約の相手方の承諾を得て、当該書面に記載すべき事項を電磁的方法により提供することができる。この場合において、当該連鎖販売業を行う者は、当該書面を交付したものとみなす。

④ 前項前段の規定による第二項の書面に記載すべき事項の電磁的方法（主務省令で定める方法を除く。）による提供は、当該連鎖販売契約の相手方の使用に係る電子計算機に備えられたファイルへの記録がされた時に当該連鎖販売契約の相手方に到達したものとみなす。

（指示等）

第三八条① 主務大臣は、統括者が第三十三条の二、第三十四条第一項、第三項若しくは第四項、第三十五条、第三十六条、第三十六条の三（第五項を除く。）若しくは前条第一項若しくは第二項の規定に違反し若しくは次に掲げる行為をした場合又は勧誘者が第三十三条の二、第三十四条第一項、第三項若しくは第四項、第三十五条、第三十六条若しくは第三十六条の三（第五項を除く。）の規定に違反し若しくは第二号から第四号までに掲げる行為をした場合において連鎖販売取引の公正及び連鎖販売取引の相手方の利益が害されるおそれがあると認めるときは、その統括者に対し、当該違反又は当該行為の是正のための措置、連鎖販売取引の相手方の利益の保護を図るための措置その他の必要な措置をとるべきことを指示することができる。

一 その連鎖販売業に係る連鎖販売契約に基づく債務又はその解除によつて生ずる債務の全部又は一部の履行を拒否し、又は不当に遅延させること。

二 その統括者の統括する一連の連鎖販売業に係る連鎖販売取引につき利益を生ずることが確実であると誤解させるべき断定的判断を提供してその連鎖販売業に係る連鎖販売契約（その連鎖販売業に係る商品の販売若しくはそのあつせん又は役務の提供若しくはそのあつせんを店舗等によらないで行う個人との契約に限る。次号において同じ。）の締結について勧誘をすること。

三 その統括者の統括する一連の連鎖販売業に係る連鎖販売契約を締結しない旨の意思を表示している者に対し、当該連鎖販売契約の締結について迷惑を覚えさせるような仕方で勧誘をすること。

四 前三号に掲げるもののほか、その統括者の統括する一連の連鎖販売業に係る連鎖販売契約に関する行為であつて、連鎖販売取引の公正及び連鎖販売取引の相手方の利益を害するおそれがあるものとして主務省令で定めるもの

② 主務大臣は、勧誘者が第三十三条の二、第三十四条第一項、第三項若しくは第四項、第三十五条、第三十六条、第三十六条の三（第五項を除く。）若しくは前項各号に掲げる行為をした場合において連鎖販売取引の公正及び連鎖販売取引の相手方の利益が害されるおそれがあると認めるときは、その勧誘者に対し、当該違反又は当該行為の是正のための措置、連鎖販売取引の相手方の利益の保護を図るための措置その他の必要な措置をとるべきことを指示することができる。

③ 主務大臣は、一般連鎖販売業者が第三十三条の二、第三十四条第二項から第四項まで、第三十五条、第三十六条、第三十六条の三（第五項を除く。）若しくは前条第一項若しくは第二項の規定に違反し、又は次に掲げる行為をした場合において連鎖販売取引の公正及び連鎖販売取引の相手方の利益が害されるおそれがあると認めるときは、その一般連鎖販売業者に対し、当該違反又は当該行為の是正のための措置、連鎖販売取引の相手方の利益の保護を図るための措置その他の必要な措置をとるべきことを指示することができる。

一 第一項各号に掲げる行為

二 その統括者の統括する一連の連鎖販売業に係る連鎖販売取引についての契約の締結について勧誘をするに際し、又はその連鎖販売業に係る連鎖販売取引についての契約の解除を妨げるため、その連鎖販売業に関する事項であつて、連鎖販売取引の相手方の判断に影響を及ぼすこととなる重要なものにつき、故意に事実を告げないこと。

④ 主務大臣は、連鎖販売取引電子メール広告受託事業者が第三十六条の四第一項又は同条第二項において準用する第三十六条の三第二項から第四項までの規定に違反した場合において、連鎖販売取引の公正及び連鎖販売取引の相手方の利益が害されるおそれがあると認めるときは、その連鎖販売取引電子メール広告受託事業者に対し、必要な措置をとるべきことを指示することができる。

⑤ 主務大臣は、第一項から第三項までの規定による指示をしたときは、その旨を公表しなければならない。

⑥ 主務大臣は、第四項の規定による指示をしたときは、その旨を公表しなければならない。

（統括者等に対する連鎖販売取引の停止等）

第三九条① 主務大臣は、統括者が第三十三条の二、第三十四条第一項、第三項若しくは第四項、第三十五条、第三十六条、第三十六条の三（第五項を除く。）若しくは第三十七条第一項若しくは前条第一項各号に掲げる行為をした場合若しくは勧誘者が第三十三条の二、第三十四条第一項、第三項若しくは第四項、第三十五条、第三十六条若しくは第三十六条の三（第五項を除く。）の規定に違反し若しくは前条第一項第二号から第四号までに掲げる行為をした場合において連鎖販売取引の公正及び連鎖販売取引の相手方の利益が著しく害されるおそれがあると認めるとき、又は統括者が同項の規定による指示に従わないときは、その統括者に対し、二年以内

の期間を限り、当該連鎖販売業に係る連鎖販売取引について勧誘を行い若しくは勧誘者に行わせることを停止し、又はその行う連鎖販売取引の全部若しくは一部を停止すべきことを命ずることができる。この場合において、主務大臣は、その統括者が個人である場合にあつては、その者に対して、当該停止を命ずる期間と同一の期間を定めて、当該停止を命ずる範囲の連鎖販売取引に係る業務を営む法人の当該業務を担当する役員となることの禁止を併せて命ずることができる。

② 主務大臣は、勧誘者が第三十三条の二、第三十四条第一項、第三項若しくは第四項、第三十五条、第三十六条、第三十六条の三（第五項を除く。）若しくは第三十七条第一項若しくは第二項の規定に違反し若しくは前条第一項各号に掲げる行為をした場合において連鎖販売取引の公正及び連鎖販売取引の相手方の利益が著しく害されるおそれがあると認めるとき、又は勧誘者が同条第二項の規定による指示に従わないときは、その勧誘者に対し、二年以内の期間を限り、当該連鎖販売業に係る連鎖販売取引について勧誘を行うことを停止し、又はその行う連鎖販売取引の全部若しくは一部を停止すべきことを命ずることができる。この場合において、主務大臣は、その勧誘者が個人である場合にあつては、その者に対して、当該停止を命ずる期間と同一の期間を定めて、当該停止を命ずる範囲の連鎖販売取引に係る業務を営む法人の当該業務を担当する役員となることの禁止を併せて命ずることができる。

③ 主務大臣は、一般連鎖販売業者が第三十三条の二、第三十四条第二項から第四項まで、第三十五条、第三十六条、第三十六条の三（第五項を除く。）若しくは第三十七条第一項若しくは第二項の規定に違反し若しくは前条第三項各号に掲げる行為をした場合において連鎖販売取引の公正及び連鎖販売取引の相手方の利益が著しく害されるおそれがあると認めるとき、又は一般連鎖販売業者が同項の規定による指示に従わないときは、その一般連鎖販売業者に対し、二年以内の期間を限り、当該連鎖販売業に係る連鎖販売取引について勧誘を行うことを停止し、又はその行う連鎖販売取引の全部若しくは一部を停止すべきことを命ずることができる。この場合において、主務大臣は、その一般連鎖販売業者が個人である場合にあつては、その者に対して、当該停止を命ずる期間と同一の期間を定めて、当該停止を命ずる範囲の連鎖販売取引に係る業務を営む法人の当該業務を担当する役員となることの禁止を併せて命ずることができる。

④ 主務大臣は、第一項前段、第二項前段及び前項前段の規定により連鎖販売取引の停止を命ずる場合において、当該統括者、当該勧誘者又は当該一般連鎖販売業者が個人であり、かつ、その特定関係法人（統括者、勧誘者若しくは一般連鎖販売業者又はその役員若しくはその使用人（当該命令の日前一年以内において役員又は使用人であつた者を含む。次条第四項において同じ。）が事業経営を実質的に支配する法人その他の政令で定める法人をいう。以下この項及び同条第四項第一号において同じ。）において、当該停止を命ずる範囲の連鎖販売取引に係る業務と同一の業務を行つていると認められるときは、当該統括者、当該勧誘者又は当該一般連鎖販売業者に対して、当該停止を命ずる期間と同一の期間を定めて、その特定関係法人で行つている当該同一の業務を停止すべきことを命ずることができる。

⑤ 主務大臣は、連鎖販売取引電子メール広告受託事業者が第三十六条の四第一項若しくは同条第二項において準用する第三十六条の三第二項から第四項までの規定に違反した場合において連鎖販売取引の公正及び連鎖販売取引の相手方の利益が著しく害されるおそれがあると認めるとき、又は連鎖販売取引電子メール広告受託事業者が前条第四項の規定による指示に従わないときは、その連鎖販売取引電子メール広告受託事業者に対し、一年以内の期間を限り、連鎖販売取引電子メール広告に関する業務の全部又は一部を停止すべきことを命ずることができる。

⑥ 主務大臣は、第一項から第四項までの規定による命令をしたときは、その旨を公表しなければならない。

⑦ 主務大臣は、第五項の規定による命令をしたときは、その旨を公表しなければならない。

（役員等に対する業務の禁止等）

第三九条の二① 主務大臣は、統括者に対して前条第一項前段の規定によりその行う連鎖販売取引の停止を命ずる場合において、次の各号に掲げる場合の区分に応じ、当該各号に定める者が当該命令の理由となつた事実及び当該事実に関してその者が有していた責任の程度を考慮して当該命令の実効性を確保するためにその者による連鎖販売取引に係る業務を制限することが相当と認められる者として主務省令で定める者に該当するときは、その者に対して、当該停止を命ずる期間と同一の期間を定めて、当該停止を命ずる範囲の連鎖販売取引に係る業務を新たに開始すること（当該業務を営む法人の当該業務を担当する役員となることを含む。）の禁止を命ずることができる。

一　当該統括者が法人である場合　その役員及び当該命令の日前一年以内においてその役員であつた者並びにその使用人及び当該命令の日前一年以内においてその使用人であつた者

二　当該統括者が個人である場合　その使用人及び当該命令の日前一年以内においてその使用人であつた者

② 主務大臣は、勧誘者に対して前条第二項前段の規定によりその行う連鎖販売取引の停止を命ずる場合において、次の各号に掲げる場合の区分に応じ、当該各号に定める者が当該命令の理由となつた事実及び当該事実に関してその者が有していた責任の程度を考慮して当該命令の実効性を確保するためにその者による連鎖販売取引に係る業務を制限することが相当と認められる者として主務省令で定める者に該当するときは、その者に対して、当該停止を命ずる期間と同一の期間を定めて、当該停止を命ずる範囲の連鎖販売取引に係る業務を新たに開始すること（当該業務を営む法人の当該業務を担当する役員となることを含む。）の禁止を命ずることができる。

一　当該勧誘者が法人である場合　その役員及び当該命令の日前一年以内においてその役員であつた者並びにその使用人及び当該命令の日前一年以内においてその使用人であつた者

二　当該勧誘者が個人である場合　その使用人及び当該命令の日前一年以内においてその使用人であつた者

③ 主務大臣は、一般連鎖販売業者に対して前条第三項前段の規定によりその行う連鎖販売取引の停止を命ずる場合において、次の各号に掲げる場合の区分に応じ、当該各号に定める者が当該命令の理由となつた事実及び当該事実に関してその者が有していた責任の程度を考慮して当該命令の実効性を確保するためにその者による連鎖販売取引に係る業務を制限することが相当と認められる者として主務省令で定める者に該当するときは、その者に対して、当該停止を命ずる期間と同一の期間を定めて、当該停止を命ずる範囲の連鎖販売取引に係る業務を新たに開始すること（当該業務を営む法人の当該業務を担当する役員となることを含む。）の禁止を命ずることができる。

一　当該一般連鎖販売業者が法人である場合　その役員及び当該命令の日前一年以内においてその役員であつた者並びにその使用人及び当該命令の日前一年以内においてその使用人であつた者

二　当該一般連鎖販売業者が個人である場合　その使用人及び当該命令の日前一年以内においてその使用人であつた者

④ 主務大臣は、前三項の規定により業務の禁止を命ずる場合において、当該役員又は使用人が、次の各号に掲げる者に該当するときは、当該役員又は当該使用人に対して、当該禁止を命ずる期間と同一の期間を定めて、その行つている当該各号に規定する同一の業務を停止すべきことを命ずることができる。

一　当該命令の理由となつた行為をしたと認められる統括者、勧誘者又は一般連鎖販売業者の特定関係法人において、当該命令により禁止を命ずる範囲の連鎖販売取引に係る業務と同一の業務を行つていると認められる者

二　自ら統括者、勧誘者又は一般連鎖販売業者として当該命令

により禁止を命ずる範囲の連鎖販売取引に係る業務と同一の業務を行つていると認められる者

⑤ 主務大臣は、前各項の規定による命令をしたときは、その旨を公表しなければならない。

（連鎖販売契約の解除等）

第四〇条① 連鎖販売業を行う者がその連鎖販売業に係る連鎖販売契約を締結した場合におけるその連鎖販売契約の相手方（その連鎖販売業に係る商品の販売若しくはそのあつせん又は役務の提供若しくはそのあつせんを店舗等によらないで行う個人に限る。以下この章において「連鎖販売加入者」という。）は、第三十七条第二項の書面を受領した日（その連鎖販売契約に係る特定負担が再販売をする商品（施設を利用し及び役務の提供を受ける権利を除く。以下この項において同じ。）の購入についてのものである場合において、その連鎖販売契約に基づき購入したその商品につき最初の引渡しを受けた日がその受領した日後であるときは、その引渡しを受けた日。次条第一項において同じ。）から起算して二十日を経過したとき（連鎖販売加入者が、統括者若しくは勧誘者が第三十四条第一項の規定に違反し若しくは一般連鎖販売業者が同条第二項の規定に違反してこの項の規定による連鎖販売契約の解除に関する事項につき不実のことを告げる行為をしたことにより当該告げられた内容が事実であるとの誤認をし、又は統括者、勧誘者若しくは一般連鎖販売業者が同条第三項の規定に違反して威迫したことにより困惑し、これらによつて当該期間を経過するまでにこの項の規定による当該連鎖販売契約の解除を行わなかつた場合には、当該連鎖販売加入者が、その連鎖販売業に係る統括者、勧誘者又は一般連鎖販売業者が主務省令で定めるところによりこの項の規定による当該連鎖販売契約の解除を行うことができる旨を記載して交付した書面を受領した日から起算して二十日を経過したとき）を除き、書面又は電磁的記録によりその連鎖販売契約の解除を行うことができる。この場合において、その連鎖販売業を行う者は、その連鎖販売契約の解除に伴う損害賠償又は違約金の支払を請求することができない。

② 前項の連鎖販売契約の解除は、その連鎖販売契約の解除を行う旨の書面又は電磁的記録による通知を発した時に、その効力を生ずる。

③ 第一項の連鎖販売契約の解除があつた場合において、その連鎖販売契約に係る商品の引渡しが既にされているときは、その引取りに要する費用は、その連鎖販売業を行う者の負担とする。

④ 前三項の規定に反する特約でその連鎖販売加入者に不利なものは、無効とする。

第四〇条の二① 連鎖販売加入者は、第三十七条第二項の書面を受領した日から起算して二十日を経過した後（連鎖販売加入者が、統括者若しくは勧誘者が第三十四条第一項の規定に違反し若しくは一般連鎖販売業者が同条第二項の規定に違反して前条第一項の規定による連鎖販売契約の解除に関する事項につき不実のことを告げる行為をしたことにより当該告げられた内容が事実であるとの誤認をし、又は統括者、勧誘者若しくは一般連鎖販売業者が第三十四条第三項の規定に違反して威迫したことにより困惑し、これらによつて当該期間を経過するまでに前条第一項の規定による連鎖販売契約の解除を行わなかつた場合には、当該連鎖販売加入者が、その連鎖販売業に係る統括者、勧誘者又は一般連鎖販売業者が同項の主務省令で定めるところにより同項の規定による当該連鎖販売契約の解除を行うことができる旨を記載して交付した書面を受領した日から起算して二十日を経過した後）においては、将来に向かつてその連鎖販売契約の解除を行うことができる。

② 前項の規定により連鎖販売契約が解除された場合において、その解除がされる前に、連鎖販売業を行う者が連鎖販売加入者（当該連鎖販売契約（取引条件の変更に係る連鎖販売契約を除く。）を締結した日から一年を経過していない者に限る。以下この条において同じ。）に対し、既に、連鎖販売業に係る商品の販売（そのあつせんを含む。）を行つているときは、連鎖販売加入者は、次に掲げる場合を除き、当該商品の販売に係る契約（当該連鎖販売契約のうち当該連鎖販売取引に伴う特定負担に係る商品の販売に係る部分を含む。以下この条において「商品販売契約」という。）の解除を行うことができる。

一 当該商品の引渡し（当該商品が施設を利用し又は役務の提供を受ける権利である場合にあつては、その移転。以下この条において同じ。）を受けた日から起算して九十日を経過したとき。

二 当該商品を再販売したとき。

三 当該商品を使用し又はその全部若しくは一部を消費したとき（当該連鎖販売業に係る商品の販売を行つた者が当該連鎖販売加入者に当該商品を使用させ、又はその全部若しくは一部を消費させた場合を除く。）。

四 その他政令で定めるとき。

③ 連鎖販売業を行う者は、第一項の規定により連鎖販売契約が解除されたときは、損害賠償額の予定又は違約金の定めがあるときにおいても、契約の締結及び履行のために通常要する費用の額（次の各号のいずれかに該当する場合にあつては、当該額に当該各号に掲げる場合に応じ当該各号に定める額を加算した額）にこれに対する法定利率による遅延損害金の額を加算した金額を超える額の金銭の支払を連鎖販売加入者に対して請求することができない。

一 当該連鎖販売契約の解除が当該連鎖販売取引に伴う特定負担に係る商品の引渡し後である場合　次の額を合算した額

イ 引渡しがされた当該商品（当該連鎖販売契約に基づき販売が行われたものに限り、前項の規定により当該商品に係る商品販売契約が解除されたものを除く。）の販売価格に相当する額

ロ 提供された特定利益その他の金品（前項の規定により解除された商品販売契約に係る商品に係るものに限る。）に相当する額

二 当該連鎖販売契約の解除が当該連鎖販売取引に伴う特定負担に係る役務の提供開始後である場合　提供された当該役務（当該連鎖販売契約に基づき提供されたものに限る。）の対価に相当する額

④ 連鎖販売業に係る商品の販売を行つた者は、第二項の規定により商品販売契約が解除されたときは、損害賠償額の予定又は違約金の定めがあるときにおいても、次の各号に掲げる場合に応じ当該各号に定める額にこれに対する法定利率による遅延損害金の額を加算した金額を超える額の金銭の支払を当該連鎖販売加入者に対して請求することができない。

一 当該商品が返還された場合又は当該商品販売契約の解除が当該商品の引渡し前である場合　当該商品の販売価格の十分の一に相当する額

二 当該商品が返還されない場合　当該商品の販売価格に相当する額

⑤ 第二項の規定により商品販売契約が解除されたときは、当該商品に係る一連の連鎖販売業の統括者は、連帯して、その解除によつて生ずる当該商品の販売を行つた者の債務の弁済の責めに任ずる。

⑥ 前各項の規定に反する特約で連鎖販売加入者に不利なものは、無効とする。

⑦ 第三項及び第四項の規定は、連鎖販売業に係る商品又は役務を割賦販売により販売し又は提供するものについては、適用しない。

（連鎖販売契約の申込み又はその承諾の意思表示の取消し）

第四〇条の三① 連鎖販売加入者は、統括者若しくは勧誘者がその統括者の統括する一連の連鎖販売業に係る連鎖販売契約の締結について勧誘をするに際し第一号若しくは第二号に掲げる行為をしたことにより当該各号に定める誤認をし、又は一般連鎖販売業者がその連鎖販売業に係る連鎖販売契約の締結について勧誘をするに際し第三号に掲げる行為をしたことにより同号に

定める誤認をし、これらによつて当該連鎖販売契約の申込み又はその承諾の意思表示をしたときは、これを取り消すことができる。ただし、当該連鎖販売契約の相手方が、当該連鎖販売契約の締結の当時、当該統括者、当該勧誘者又は当該一般連鎖販売業者がこれらの行為をした事実を知らなかつたときは、この限りでない。

一　第三十四条第一項の規定に違反して不実のことを告げる行為　当該告げられた内容が事実であるとの誤認

二　第三十四条第一項の規定に違反して故意に事実を告げない行為　当該事実が存在しないとの誤認

三　第三十四条第二項の規定に違反して不実のことを告げる行為　当該告げられた内容が事実であるとの誤認

②　第九条の三第二項から第五項までの規定は、前項の規定による連鎖販売契約の申込み又はその承諾の意思表示の取消しについて準用する。

第四章　特定継続的役務提供（抄）

（定義）

第四一条①　この章及び第五十八条の二十二第一項第一号において「特定継続的役務提供」とは、次に掲げるものをいう。

一　役務提供事業者が、特定継続的役務をそれぞれの特定継続的役務ごとに政令で定める期間を超える期間にわたり提供することを約し、相手方がこれに応じて政令で定める金額を超える金銭を支払うことを約する契約（以下この章において「特定継続的役務提供契約」という。）を締結して行う特定継続的役務の提供

二　販売業者が、特定継続的役務の提供（前号の政令で定める期間を超える期間にわたり提供するものに限る。）を受ける権利を同号の政令で定める金額を超える金銭を受け取つて販売する契約（以下この章において「特定権利販売契約」という。）を締結して行う特定継続的役務の提供を受ける権利の販売

②　この章並びに第五十八条の二十二第一項第一号及び第六十七条第一項において「特定継続的役務」とは、国民の日常生活に係る取引において有償で継続的に提供される役務であつて、次の各号のいずれにも該当するものとして、政令で定めるものをいう。

一　役務の提供を受ける者の身体の美化又は知識若しくは技能の向上その他のその者の心身又は身上に関する目的を実現させることをもつて誘引が行われるもの

二　役務の性質上、前号に規定する目的が実現するかどうかが確実でないもの

（特定継続的役務提供における書面の交付）

第四二条①　役務提供事業者又は販売業者は、特定継続的役務の提供を受けようとする者又は特定継続的役務の提供を受ける権利を購入しようとする者と特定継続的役務提供契約又は特定権利販売契約（以下この章及び第五十八条の二十二において「特定継続的役務提供等契約」という。）を締結しようとするときは、当該特定継続的役務提供等契約を締結するまでに、主務省令で定めるところにより、当該特定継続的役務提供等契約の概要について記載した書面をその者に交付しなければならない。

②　役務提供事業者は、特定継続的役務提供契約を締結したときは、遅滞なく、主務省令で定めるところにより、次の事項について当該特定継続的役務提供契約の内容を明らかにする書面を当該特定継続的役務の提供を受ける者に交付しなければならない。

一　役務の内容であつて主務省令で定める事項及び当該役務の提供に際し当該役務の提供を受ける者が購入する必要のある商品がある場合にはその商品名

二　役務の対価その他の役務の提供を受ける者が支払わなければならない金銭の額

三　前号に掲げる金銭の支払の時期及び方法

四　役務の提供期間

五　第四十八条第一項の規定による特定継続的役務提供契約の解除に関する事項（同条第二項から第七項までの規定に関する事項を含む。）

六　第四十九条第一項の規定による特定継続的役務提供契約の解除に関する事項（同条第二項、第五項及び第六項の規定に関する事項を含む。）

七　前各号に掲げるもののほか、主務省令で定める事項

③　販売業者は、特定権利販売契約を締結したときは、遅滞なく、主務省令で定めるところにより、次の事項について当該特定権利販売契約の内容を明らかにする書面を当該特定継続的役務の提供を受ける権利の購入者に交付しなければならない。

一　権利の内容であつて主務省令で定める事項及び当該権利の行使による役務の提供に際し当該特定継続的役務の提供を受ける権利の購入者が購入する必要のある商品がある場合にはその商品名

二　権利の販売価格その他の当該特定継続的役務の提供を受ける権利の購入者が支払わなければならない金銭の額

三　前号に掲げる金銭の支払の時期及び方法

四　権利の行使により受けることができる役務の提供期間

五　第四十八条第一項の規定による特定権利販売契約の解除に関する事項（同条第二項から第七項までの規定に関する事項を含む。）

六　第四十九条第三項の規定による特定権利販売契約の解除に関する事項（同条第四項から第六項までの規定に関する事項を含む。）

七　前各号に掲げるもののほか、主務省令で定める事項

④　役務提供事業者又は販売業者は、前三項の規定による書面の交付に代えて、政令で定めるところにより、当該特定継続的役務の提供を受けようとする者若しくは当該特定継続的役務の提供を受ける者又は当該特定継続的役務の提供を受ける権利を購入しようとする者若しくは当該特定継続的役務の提供を受ける権利の購入者の承諾を得て、当該書面に記載すべき事項を電磁的方法により提供することができる。この場合において、当該役務提供事業者又は当該販売業者は、当該書面を交付したものとみなす。

⑤　前項前段の規定による第二項又は第三項の書面に記載すべき事項の電磁的方法（主務省令で定める方法を除く。）による提供は、当該特定継続的役務の提供を受ける者又は当該特定継続的役務の提供を受ける権利の購入者の使用に係る電子計算機に備えられたファイルへの記録がされた時に当該特定継続的役務の提供を受ける者又は当該特定継続的役務の提供を受ける権利の購入者に到達したものとみなす。

（誇大広告等の禁止）

第四三条　役務提供事業者又は販売業者は、特定継続的役務提供をする場合の特定継続的役務の提供条件又は特定継続的役務の提供を受ける権利の販売条件について広告をするときは、当該特定継続的役務の内容又は効果その他の主務省令で定める事項について、著しく事実に相違する表示をし、又は実際のものよりも著しく優良であり、若しくは有利であると人を誤認させるような表示をしてはならない。

第四三条の二　（略）

（禁止行為）

第四四条①　役務提供事業者又は販売業者は、特定継続的役務提供等契約の締結について勧誘をするに際し、又は特定継続的役務提供等契約の解除を妨げるため、次の事項につき、不実のことを告げる行為をしてはならない。

一　役務又は役務の提供を受ける権利の種類及びこれらの内容又は効果（権利の場合にあつては、当該権利に係る役務の効果）その他これらに類するものとして主務省令で定める事項

二　役務の提供又は権利の行使による役務の提供に際し当該役務の提供を受ける者又は当該権利の購入者が購入する必要のある商品がある場合には、その商品の種類及びその性能又は品質その他これらに類するものとして主務省令で定める事項

三　役務の対価又は権利の販売価格その他の役務の提供を受ける者又は役務の提供を受ける権利の購入者が支払わなければならない金銭の額
四　前号に掲げる金銭の支払の時期及び方法
五　役務の提供期間又は権利の行使により受けることができる役務の提供期間
六　当該特定継続的役務提供等契約の解除に関する事項（第四十八条第一項から第七項まで及び第四十九条第一項から第六項までの規定に関する事項を含む。）
七　顧客が当該特定継続的役務提供等契約の締結を必要とする事情に関する事項
八　前各号に掲げるもののほか、当該特定継続的役務提供等契約に関する事項であつて、顧客又は特定継続的役務の提供を受ける者若しくは特定継続的役務の提供を受ける権利の購入者の判断に影響を及ぼすこととなる重要なもの

②　役務提供事業者又は販売業者は、特定継続的役務提供等契約の締結について勧誘をするに際し、前項第一号から第六号までに掲げる事項につき、故意に事実を告げない行為をしてはならない。

③　役務提供事業者又は販売業者は、特定継続的役務提供等契約を締結させ、又は特定継続的役務提供等契約の解除を妨げるため、人を威迫して困惑させてはならない。

第四四条の二（略）

（書類の備付け及び閲覧等）

第四五条①　役務提供事業者又は販売業者は、特定継続的役務提供に係る前払取引（特定継続的役務提供に先立つてその相手方から政令で定める金額を超える金銭を受領する特定継続的役務提供に係る取引をいう。次項において同じ。）を行うときは、主務省令で定めるところにより、その業務及び財産の状況を記載した書類を、特定継続的役務提供等契約に関する業務を行う事務所に備え置かなければならない。

②　特定継続的役務提供に係る前払取引の相手方は、前項に規定する書類の閲覧を求め、又は同項の役務提供事業者若しくは販売業者の定める費用を支払つてその謄本若しくは抄本の交付を求めることができる。

（指示等）

第四六条①　主務大臣は、役務提供事業者又は販売業者が第四十二条第一項から第三項まで、第四十三条、第四十四条若しくは前条の規定に違反し、又は次に掲げる行為をした場合において、特定継続的役務提供に係る取引の公正及び特定継続的役務提供契約を締結して特定継続的役務の提供を受ける者又は特定権利販売契約を締結して特定継続的役務の提供を受ける権利を購入する者（以下この章において「特定継続的役務提供受領者等」という。）の利益が害されるおそれがあると認めるときは、その役務提供事業者又は販売業者に対し、当該違反又は当該行為の是正のための措置、特定継続的役務提供受領者等の利益の保護を図るための措置その他の必要な措置をとるべきことを指示することができる。
一　特定継続的役務提供等契約に基づく債務又は特定継続的役務提供等契約の解除によつて生ずる債務の全部又は一部の履行を拒否し、又は不当に遅延させること。
二　特定継続的役務提供等契約の締結について勧誘をするに際し、当該特定継続的役務提供等契約に関する事項であつて、顧客の判断に影響を及ぼすこととなる重要なもの（第四十四条第一項第一号から第六号までに掲げるものを除く。）につき、故意に事実を告げないこと。
三　特定継続的役務提供等契約の解除を妨げるため、当該特定継続的役務提供等契約に関する事項であつて、特定継続的役務提供受領者等の判断に影響を及ぼすこととなる重要なものにつき、故意に事実を告げないこと。
四　前三号に掲げるもののほか、特定継続的役務提供に関する行為であつて、特定継続的役務提供に係る取引の公正及び特定継続的役務提供受領者等の利益を害するおそれがあるものとして主務省令で定めるもの

②　主務大臣は、前項の規定による指示をしたときは、その旨を公表しなければならない。

（役務提供事業者等に対する業務の停止等）

第四七条①　主務大臣は、役務提供事業者又は販売業者が第四十二条第一項から第三項まで、第四十三条、第四十四条若しくは第四十五条の規定に違反し若しくは前条第一項各号に掲げる行為をした場合において特定継続的役務提供に係る取引の公正及び特定継続的役務提供受領者等の利益が著しく害されるおそれがあると認めるとき、又は役務提供事業者若しくは販売業者が同項の規定による指示に従わないときは、その役務提供事業者又は販売業者に対し、二年以内の期間を限り、特定継続的役務提供に関する業務の全部又は一部を停止すべきことを命ずることができる。この場合において、主務大臣は、その役務提供事業者又は販売業者が個人である場合にあつては、その者に対して、当該停止を命ずる期間と同一の期間を定めて、当該停止を命ずる範囲の業務を営む法人の当該業務を担当する役員となることの禁止を併せて命ずることができる。

②　主務大臣は、前項前段の規定により業務の停止を命ずる場合において、当該役務提供事業者又は当該販売業者が個人であり、かつ、その特定関係法人（役務提供事業者若しくは販売業者又はその役員若しくはその使用人（当該命令の日前一年以内において役員又は使用人であつた者を含む。次条第二項において同じ。）が事業経営を実質的に支配する法人その他の政令で定める法人をいう。以下この項及び同条第二項第一号において同じ。）において、当該停止を命ずる範囲の業務と同一の業務を行つていると認められるときは、当該役務提供事業者又は当該販売業者に対して、当該停止を命ずる期間と同一の期間を定めて、その特定関係法人で行つている当該同一の業務を停止すべきことを命ずることができる。

③　主務大臣は、前二項の規定による命令をしたときは、その旨を公表しなければならない。

（役員等に対する業務の禁止等）

第四七条の二①　主務大臣は、役務提供事業者又は販売業者に対して前条第一項前段の規定により業務の停止を命ずる場合において、次の各号に掲げる場合の区分に応じ、当該各号に定める者が当該命令の理由となつた事実及び当該事実に関してその者が有していた責任の程度を考慮して当該命令の実効性を確保するためにその者による特定継続的役務提供に関する業務を制限することが相当と認められる者として主務省令で定める者に該当するときは、その者に対して、当該停止を命ずる期間と同一の期間を定めて、当該停止を命ずる範囲の業務を新たに開始すること（当該業務を営む法人の当該業務を担当する役員となることを含む。）の禁止を命ずることができる。
一　当該役務提供事業者又は当該販売業者が法人である場合　その役員及び当該命令の日前一年以内においてその役員であつた者並びにその使用人及び当該命令の日前一年以内においてその使用人であつた者
二　当該役務提供事業者又は当該販売業者が個人である場合　その使用人及び当該命令の日前一年以内においてその使用人であつた者

②　主務大臣は、前項の規定により業務の禁止を命ずる役員又は使用人が、次の各号に掲げる者に該当するときは、当該役員又は当該使用人に対して、当該禁止を命ずる期間と同一の期間を定めて、その行つている当該各号に規定する同一の業務を停止すべきことを命ずることができる。
一　当該命令の理由となつた行為をしたと認められる役務提供事業者又は販売業者の特定関係法人において、当該命令により禁止を命ずる範囲の業務と同一の業務を行つていると認められる者
二　自ら役務提供事業者又は販売業者として当該命令により禁止を命ずる範囲の業務と同一の業務を行つていると認められる者

③主務大臣は、前二項の規定による命令をしたときは、その旨を公表しなければならない。

（特定継続的役務提供等契約の解除等）

第四八条① 役務提供事業者又は販売業者が特定継続的役務提供等契約を締結した場合におけるその特定継続的役務提供受領者等は、第四十二条第二項又は第三項の書面を受領した日から起算して八日を経過したとき（特定継続的役務提供受領者等が、役務提供事業者若しくは販売業者が第四十四条第一項の規定に違反してこの項の規定による特定継続的役務提供等契約の解除に関する事項につき不実のことを告げる行為をしたことにより当該告げられた内容が事実であるとの誤認をし、又は役務提供事業者若しくは販売業者が同条第三項の規定に違反して威迫したことにより困惑し、これらによつて当該期間を経過するまでにこの項の規定による特定継続的役務提供等契約の解除を行わなかつた場合には、当該特定継続的役務提供受領者等が、当該役務提供事業者又は当該販売業者が主務省令で定めるところによりこの項の規定による当該特定継続的役務提供等契約の解除を行うことができる旨を記載して交付した書面を受領した日から起算して八日を経過したとき）を除き、書面又は電磁的記録によりその特定継続的役務提供等契約の解除を行うことができる。

②前項の規定による特定継続的役務提供等契約の解除があつた場合において、役務提供事業者又は販売業者が特定継続的役務提供受領者等が購入する必要のある商品として政令で定める商品（以下この章並びに第五十八条の二十二第二項、第五十八条の二十六第一項及び第六十六条第二項において「関連商品」という。）の販売又はその代理若しくは媒介を行つている場合には、当該商品の販売に係る契約（以下この条、次条及び第五十八条の二十二第二項において「関連商品販売契約」という。）についても、前項と同様とする。ただし、特定継続的役務提供受領者等が第四十二条第二項又は第三項の書面を受領した場合において、関連商品であつてその使用若しくは一部の消費により価額が著しく減少するおそれがある商品として政令で定めるものを使用し又はその全部若しくは一部を消費したとき（当該役務提供事業者又は当該販売業者が当該特定継続的役務提供受領者等に当該商品を使用させ、又はその全部若しくは一部を消費させた場合を除く。）は、この限りでない。

③前二項の規定による特定継続的役務提供等契約の解除及び関連商品販売契約の解除は、それぞれ当該解除を行う旨の書面又は電磁的記録による通知を発した時に、その効力を生ずる。

④第一項の規定による特定継続的役務提供等契約の解除又は第二項の規定による関連商品販売契約の解除があつた場合においては、役務提供事業者若しくは販売業者又は関連商品の販売を行つた者は、当該解除に伴う損害賠償若しくは違約金の支払を請求することができない。

⑤第一項の規定による特定権利販売契約の解除又は第二項の規定による関連商品販売契約の解除があつた場合において、その特定権利販売契約又は関連商品販売契約に係る権利の移転又は関連商品の引渡しが既にされているときは、その返還又は引取りに要する費用は、販売業者又は関連商品の販売を行つた者の負担とする。

⑥役務提供事業者又は販売業者は、第一項の規定による特定継続的役務提供等契約の解除があつた場合には、既に当該特定継続的役務提供等契約に基づき特定継続的役務提供が行われたときにおいても、特定継続的役務提供受領者等に対し、当該特定継続的役務提供等契約に係る特定継続的役務の対価その他の金銭の支払を請求することができない。

⑦役務提供事業者は、第一項の規定による特定継続的役務提供契約の解除があつた場合において、当該特定継続的役務提供契約に関連して金銭を受領しているときは、特定継続的役務の提供を受ける者に対し、速やかに、これを返還しなければならない。

⑧前各項の規定に反する特約で特定継続的役務提供受領者等に不利なものは、無効とする。

第四九条① 役務提供事業者が特定継続的役務提供契約を締結した場合におけるその特定継続的役務の提供を受ける者は、第四十二条第二項の書面を受領した日から起算して八日を経過した後（その特定継続的役務の提供を受ける者が、役務提供事業者が第四十四条第一項の規定に違反して前条第一項の規定による特定継続的役務提供契約の解除に関する事項につき不実のことを告げる行為をしたことにより当該告げられた内容が事実であるとの誤認をし、又は役務提供事業者が第四十四条第三項の規定に違反して威迫したことにより困惑し、これらによつて当該期間を経過するまでに前条第一項の規定による特定継続的役務提供契約の解除を行わなかつた場合には、当該特定継続的役務の提供を受ける者が、当該役務提供事業者が同項の主務省令で定めるところにより同項の規定による当該特定継続的役務提供契約の解除を行うことができる旨を記載して交付した書面を受領した日から起算して八日を経過した後）においては、将来に向かつてその特定継続的役務提供契約の解除を行うことができる。

②役務提供事業者は、前項の規定により特定継続的役務提供契約が解除されたときは、損害賠償額の予定又は違約金の定めがあるときにおいても、次の各号に掲げる場合に応じ当該各号に定める額にこれに対する法定利率による遅延損害金の額を加算した金額を超える額の金銭の支払を特定継続的役務の提供を受ける者に対して請求することができない。

一　当該特定継続的役務提供契約の解除が特定継続的役務の提供開始後である場合　次の額を合算した額

イ　提供された特定継続的役務の対価に相当する額

ロ　当該特定継続的役務提供契約の解除によつて通常生ずる損害の額として第四十一条第二項の政令で定める役務ごとに政令で定める額

二　当該特定継続的役務提供契約の解除が特定継続的役務の提供開始前である場合　契約の締結及び履行のために通常要する費用の額として第四十一条第二項の政令で定める役務ごとに政令で定める額

③販売業者が特定権利販売契約を締結した場合におけるその特定継続的役務の提供を受ける権利の購入者は、第四十二条第三項の書面を受領した日から起算して八日を経過した後（その特定継続的役務の提供を受ける権利の購入者が、販売業者が第四十四条第一項の規定に違反して前条第一項の規定による特定権利販売契約の解除に関する事項につき不実のことを告げる行為をしたことにより当該告げられた内容が事実であるとの誤認をし、又は販売業者が第四十四条第三項の規定に違反して威迫したことにより困惑し、これらによつて当該期間を経過するまでに前条第一項の規定による特定権利販売契約の解除を行わなかつた場合には、当該特定継続的役務の提供を受ける権利の購入者が、当該販売業者が同項の主務省令で定めるところにより同項の規定による当該特定権利販売契約の解除を行うことができる旨を記載して交付した書面を受領した日から起算して八日を経過した後）においては、その特定権利販売契約の解除を行うことができる。

④販売業者は、前項の規定により特定権利販売契約が解除されたときは、損害賠償額の予定又は違約金の定めがあるときにおいても、次の各号に掲げる場合に応じ当該各号に定める額にこれに対する法定利率による遅延損害金の額を加算した金額を超える額の金銭の支払を特定継続的役務の提供を受ける権利の購入者に対して請求することができない。

一　当該権利が返還された場合　当該権利の行使により通常得られる利益に相当する額（当該権利の販売価格に相当する額から当該権利の返還されたときにおける価額を控除した額が当該権利の行使により通常得られる利益に相当する額を超えるときは、その額）

二　当該権利が返還されない場合　当該権利の販売価格に相当

する額

三　当該契約の解除が当該権利の移転前である場合　契約の締結及び履行のために通常要する費用の額

⑤　第一項又は第三項の規定により特定継続的役務提供等契約が解除された場合であつて、役務提供事業者又は販売業者が特定継続的役務提供受領者等に対し、関連商品の販売又はその代理若しくは媒介を行つている場合には、特定継続的役務提供受領者等は当該関連商品販売契約の解除を行うことができる。

⑥　関連商品の販売を行つた者は、前項の規定により関連商品販売契約が解除されたときは、損害賠償額の予定又は違約金の定めがあるときにおいても、次の各号に掲げる場合に応じ当該各号に定める額にこれに対する法定利率による遅延損害金の額を加算した金額を超える額の金銭の支払を特定継続的役務提供受領者等に対して請求することができない。

一　当該関連商品が返還された場合　当該関連商品の通常の使用料に相当する額（当該関連商品の販売価格に相当する額から当該関連商品の返還されたときにおける価額を控除した額が通常の使用料に相当する額を超えるときは、その額）

二　当該関連商品が返還されない場合　当該関連商品の販売価格に相当する額

三　当該契約の解除が当該関連商品の引渡し前である場合　契約の締結及び履行のために通常要する費用の額

⑦　前各項の規定に反する特約で特定継続的役務提供受領者等に不利なものは、無効とする。

（特定継続的役務提供等契約の申込み又はその承諾の意思表示の取消し）

第四九条の二①　特定継続的役務提供受領者等は、役務提供事業者又は販売業者が特定継続的役務提供等契約の締結について勧誘をするに際し次の各号に掲げる行為をしたことにより、当該各号に定める誤認をし、それによつて当該特定継続的役務提供等契約の申込み又はその承諾の意思表示をしたときは、これを取り消すことができる。

一　第四十四条第一項の規定に違反して不実のことを告げる行為　当該告げられた内容が事実であるとの誤認

二　第四十四条第二項の規定に違反して故意に事実を告げない行為　当該事実が存在しないとの誤認

②　第九条の三第二項から第五項までの規定は、前項の規定による特定継続的役務提供等契約の申込み又はその承諾の意思表示の取消しについて準用する。

③　前条第五項から第七項までの規定は、第一項の規定により特定継続的役務提供等契約の申込み又はその承諾の意思表示が取り消された場合について準用する。

（適用除外）

第五〇条①　この章の規定は、次の特定継続的役務提供については、適用しない。

一　特定継続的役務提供等契約で、特定継続的役務提供受領者等が営業のために又は営業として締結するものに係る特定継続的役務提供

二　本邦外に在る者に対する特定継続的役務提供

三　国又は地方公共団体が行う特定継続的役務提供

四　次の団体がその直接又は間接の構成員に対して行う特定継続的役務提供（その団体が構成員以外の者にその事業又は施設を利用させることができる場合には、これらの者に対して行う特定継続的役務提供を含む。）

イ　特別の法律に基づいて設立された組合並びにその連合会及び中央会

ロ　国家公務員法第百八条の二又は地方公務員法第五十二条の団体

ハ　労働組合

五　事業者がその従業者に対して行う特定継続的役務提供

②　第四十九条第二項、第四項及び第六項（前条第三項において準用する場合を含む。）の規定は、特定継続的役務又は関連商品を割賦販売により提供し又は販売するものについては、適用しない。

第五章　業務提供誘引販売取引（抄）

（定義）

第五一条①　この章並びに第五十八条の二十三、第五十八条の二十六第一項、第六十六条第一項及び第六十七条第一項において「業務提供誘引販売業」とは、物品の販売（そのあつせんを含む。）又は有償で行う役務の提供（そのあつせんを含む。）の事業であつて、その販売の目的物たる物品（以下この章及び第五十八条の二十三第一項第一号イにおいて「商品」という。）又はその提供される役務を利用する業務（その商品の販売若しくはそのあつせん又はその役務の提供若しくはそのあつせんを行う者が自ら提供を行い、又はあつせんを行うものに限る。）に従事することにより得られる利益（以下この章及び第五十八条の二十三第一項第三号において「業務提供利益」という。）を収受し得ることをもつて相手方を誘引し、その者と特定負担（その商品の購入若しくはその役務の対価の支払又は取引料の提供をいう。以下この章及び第五十八条の二十三第一項第三号において同じ。）を伴うその商品の販売若しくはそのあつせん又はその役務の提供若しくはそのあつせんに係る取引（その取引条件の変更を含む。以下「業務提供誘引販売取引」という。）をするものをいう。

②　この章において「取引料」とは、取引料、登録料、保証金その他いかなる名義をもつてするかを問わず、取引をするに際し、又は取引条件を変更するに際し提供される金品をいう。

（業務提供誘引販売取引における氏名等の明示）

第五一条の二　業務提供誘引販売業を行う者は、その業務提供誘引販売業に係る業務提供誘引販売取引をしようとするときは、その勧誘に先立つて、その相手方に対し、業務提供誘引販売業を行う者の氏名又は名称、特定負担を伴う取引についての契約の締結について勧誘をする目的である旨及び当該勧誘に係る商品又は役務の種類を明らかにしなければならない。

（禁止行為）

第五二条①　業務提供誘引販売業を行う者は、その業務提供誘引販売業に係る業務提供誘引販売取引についての契約（その業務提供誘引販売業に関して提供され、又はあつせんされる業務を事業所その他これに類似する施設（以下「事業所等」という。）によらないで行う個人との契約に限る。以下この条において同じ。）の締結について勧誘をするに際し、又はその業務提供誘引販売業に係る業務提供誘引販売取引についての契約の解除を妨げるため、次の事項につき、故意に事実を告げず、又は不実のことを告げる行為をしてはならない。

一　商品（施設を利用し及び役務の提供を受ける権利を除く。）の種類及びその性能若しくは品質又は施設を利用し若しくは役務の提供を受ける権利若しくは役務の種類及びこれらの内容その他これらに類するものとして主務省令で定める事項

二　当該業務提供誘引販売取引に伴う特定負担に関する事項

三　当該契約の解除に関する事項（第五十八条第一項から第三項までの規定に関する事項を含む。）

四　その業務提供誘引販売業に係る業務提供利益に関する事項

五　前各号に掲げるもののほか、その業務提供誘引販売業に関する事項であつて、業務提供誘引販売取引の相手方の判断に影響を及ぼすこととなる重要なもの

②　業務提供誘引販売業を行う者は、その業務提供誘引販売業に係る業務提供誘引販売取引についての契約を締結させ、又はその業務提供誘引販売業に係る業務提供誘引販売取引についての契約の解除を妨げるため、人を威迫して困惑させてはならない。

③　業務提供誘引販売業を行う者は、特定負担を伴う取引についての契約の締結について勧誘をするためのものであることを告げずに営業所、代理店その他の主務省令で定める場所以外の場所において呼び止めて同行させることその他政令で定める方法により誘引した者に対し、公衆の出入りする場所以外の場所に

おいて、当該業務提供誘引販売業に係る業務提供誘引販売取引についての契約の締結について勧誘をしてはならない。

第五二条の二（略）

第五三条（業務提供誘引販売取引についての広告） 業務提供誘引販売業を行う者は、その業務提供誘引販売業に係る業務提供誘引販売取引について広告をするときは、主務省令で定めるところにより、当該広告に、その業務提供誘引販売業に関する次の事項を表示しなければならない。

一 商品又は役務の種類

二 当該業務提供誘引販売取引に伴う特定負担に関する事項

三 その業務提供誘引販売業に関して提供し、又はあっせんする業務について広告をするときは、その業務の提供条件

四 前三号に掲げるもののほか、主務省令で定める事項

第五四条（誇大広告等の禁止） 業務提供誘引販売業を行う者は、その業務提供誘引販売業に係る業務提供誘引販売取引について広告をするときは、当該業務提供誘引販売取引に伴う特定負担、当該業務提供誘引販売業に係る業務提供利益その他の主務省令で定める事項について、著しく事実に相違する表示をし、又は実際のものよりも著しく優良であり、若しくは有利であると人を誤認させるような表示をしてはならない。

第五四条の二（略）

第五四条の三（承諾をしていない者に対する電子メール広告の提供の禁止等） ① 業務提供誘引販売業を行う者は、次に掲げる場合を除き、その相手方となる者の承諾を得ないで電子メール広告をしてはならない。

一 相手方となる者の請求に基づき、その業務提供誘引販売業に係る業務提供誘引販売取引に係る電子メール広告（以下この章において「業務提供誘引販売取引電子メール広告」という。）をするとき。

二 前号に掲げるもののほか、通常業務提供誘引販売取引電子メール広告の提供を受ける者の利益を損なうおそれがないと認められる場合として主務省令で定める場合において、業務提供誘引販売取引電子メール広告をするとき。

② 前項に規定する承諾を得、又は同項第一号に規定する請求を受けた業務提供誘引販売業を行う者は、当該業務提供誘引販売取引電子メール広告の相手方から業務提供誘引販売取引電子メール広告の提供を受けない旨の意思の表示を受けたときは、当該相手方に対し、業務提供誘引販売取引電子メール広告をしてはならない。ただし、当該意思の表示を受けた後に再び業務提供誘引販売取引電子メール広告をすることにつき当該相手方から請求を受け、又は当該相手方の承諾を得た場合には、この限りでない。

③ 業務提供誘引販売業を行う者は、業務提供誘引販売取引電子メール広告をするときは、第一項第二号に掲げる場合を除き、当該業務提供誘引販売取引電子メール広告をすることにつきその相手方の承諾を得、又はその相手方から請求を受けたことの記録として主務省令で定めるものを作成し、主務省令で定めるところによりこれを保存しなければならない。

④ 業務提供誘引販売業を行う者は、業務提供誘引販売取引電子メール広告をするときは、第一項第二号に掲げる場合を除き、当該業務提供誘引販売取引電子メール広告に、第五十三条各号に掲げる事項のほか、主務省令で定めるところにより、その相手方が業務提供誘引販売取引電子メール広告の提供を受けない旨の意思の表示をするために必要な事項として主務省令で定めるものを表示しなければならない。

⑤ 前二項の規定は、業務提供誘引販売業を行う者が他の者に次に掲げる業務の全てにつき一括して委託しているときは、その委託に係る業務提供誘引販売取引電子メール広告については、適用しない。

一 業務提供誘引販売取引電子メール広告をすることにつきその相手方の承諾を得、又はその相手方から請求を受ける業務

二 第三項に規定する記録を作成し、及び保存する業務

三 前項に規定する業務提供誘引販売取引電子メール広告の提供を受けない旨の意思の表示をするために必要な事項を表示する業務

第五四条の四 ① 業務提供誘引販売業を行う者から前条第五項各号に掲げる業務の全てにつき一括して委託を受けた者（以下この章並びに第六十六条第六項及び第六十七条第一項第四号において「業務提供誘引販売取引電子メール広告受託事業者」という。）は、次に掲げる場合を除き、当該業務を委託した業務提供誘引販売業を行う者（以下この条において「業務提供誘引販売取引電子メール広告委託者」という。）が行うその業務提供誘引販売業に係る業務提供誘引販売取引について、その相手方となる者の承諾を得ないで業務提供誘引販売取引電子メール広告をしてはならない。

一 相手方となる者の請求に基づき、業務提供誘引販売取引電子メール広告委託者に係る業務提供誘引販売取引電子メール広告をするとき。

二 前号に掲げるもののほか、通常業務提供誘引販売取引電子メール広告委託者に係る業務提供誘引販売取引電子メール広告の提供を受ける者の利益を損なうおそれがないと認められる場合として主務省令で定める場合において、業務提供誘引販売取引電子メール広告委託者に係る業務提供誘引販売取引電子メール広告をするとき。

② 前条第二項から第四項までの規定は、業務提供誘引販売取引電子メール広告受託事業者による業務提供誘引販売取引電子メール広告委託者に係る業務提供誘引販売取引電子メール広告について準用する。この場合において、同条第三項及び第四項中「第一項第二号」とあるのは、「次条第一項第二号」と読み替えるものとする。

第五五条（業務提供誘引販売取引における書面の交付） ① 業務提供誘引販売業を行う者は、その業務提供誘引販売業に係る業務提供誘引販売取引に伴う特定負担をしようとする者（その業務提供誘引販売業に関して提供され、又はあっせんされる業務を事業所等によらないで行う個人に限る。）とその特定負担についての契約を締結しようとするときは、その契約を締結するまでに、主務省令で定めるところにより、その業務提供誘引販売業の概要について記載した書面をその者に交付しなければならない。

② 業務提供誘引販売業を行う者は、その業務提供誘引販売業に係る業務提供誘引販売取引についての契約（以下この章において「業務提供誘引販売契約」という。）を締結した場合において、その業務提供誘引販売契約の相手方がその業務提供誘引販売業に関して提供され、又はあっせんされる業務を事業所等によらないで行う個人であるときは、遅滞なく、主務省令で定めるところにより、次の事項についてその業務提供誘引販売契約の内容を明らかにする書面をその者に交付しなければならない。

一 商品（施設を利用し及び役務の提供を受ける権利を除く。）の種類及びその性能若しくは品質又は施設を利用し若しくは役務の提供を受ける権利若しくは役務の種類及びこれらの内容に関する事項

二 商品若しくは提供される役務を利用する業務の提供又はあっせんについての条件に関する事項

三 当該業務提供誘引販売取引に伴う特定負担に関する事項

四 当該業務提供誘引販売契約の解除に関する事項（第五十八条第一項から第三項までの規定に関する事項を含む。）

五 前各号に掲げるもののほか、主務省令で定める事項

③ 業務提供誘引販売業を行う者は、前二項の規定による書面の交付に代えて、政令で定めるところにより、当該業務提供誘引販売取引に伴う特定負担をしようとする者又は当該業務提供誘引販売契約の相手方の承諾を得て、当該書面に記載すべき事項を電磁的方法により提供することができる。この場合において、当該業務提供誘引販売業を行う者は、当該書面を交付した

ものとみなす。

④ 前項前段の規定による第二項の書面に記載すべき事項の電磁的方法（主務省令で定める方法を除く。）による提供は、当該業務提供誘引販売契約の相手方の使用に係る電子計算機に備えられたファイルへの記録がされた時に当該業務提供誘引販売契約の相手方に到達したものとみなす。

（指示等）

第五六条① 主務大臣は、業務提供誘引販売業を行う者が第五十一条の二、第五十二条、第五十三条、第五十四条、第五十四条の三（第五項を除く。）若しくは前条第一項若しくは第二項の規定に違反し、又は次に掲げる行為をした場合において、業務提供誘引販売取引の公正及び業務提供誘引販売取引の相手方の利益が害されるおそれがあると認めるときは、その業務提供誘引販売業を行う者に対し、当該違反又は当該行為の是正のための措置、業務提供誘引販売取引の相手方の利益の保護を図るための措置その他の必要な措置をとるべきことを指示することができる。

一 その業務提供誘引販売業に係る業務提供誘引販売契約に基づく債務又はその解除によつて生ずる債務の全部又は一部の履行を拒否し、又は不当に遅延させること。

二 その業務提供誘引販売業に係る業務提供誘引販売取引につき利益を生ずることが確実であると誤解させるべき断定的判断を提供してその業務提供誘引販売業に係る業務提供誘引販売契約（その業務提供誘引販売業に関して提供され、又はあつせんされる業務を事業所等によらないで行う個人との契約に限る。次号において同じ。）の締結について勧誘をすること。

三 その業務提供誘引販売業に係る業務提供誘引販売契約を締結しない旨の意思を表示している者に対し、当該業務提供誘引販売契約の締結について迷惑を覚えさせるような仕方で勧誘をすること。

四 前三号に掲げるもののほか、その業務提供誘引販売業に係る業務提供誘引販売契約に関する行為であつて、業務提供誘引販売取引の公正及び業務提供誘引販売取引の相手方の利益を害するおそれがあるものとして主務省令で定めるもの

② 主務大臣は、業務提供誘引販売取引電子メール広告受託事業者が第五十四条の四第一項又は同条第二項において準用する第五十四条の三第二項から第四項までの規定に違反した場合において、業務提供誘引販売取引の公正及び業務提供誘引販売取引の相手方の利益が害されるおそれがあると認めるときは、その業務提供誘引販売取引電子メール広告受託事業者に対し、必要な措置をとるべきことを指示することができる。

③ 主務大臣は、第一項の規定による指示をしたときは、その旨を公表しなければならない。

④ 主務大臣は、第二項の規定による指示をしたときは、その旨を公表しなければならない。

（業務提供誘引販売業を行う者に対する業務提供誘引販売取引の停止等）

第五七条① 主務大臣は、業務提供誘引販売業を行う者が第五十一条の二、第五十二条、第五十三条、第五十四条、第五十四条の三（第五項を除く。）若しくは第五十五条第一項若しくは第二項の規定に違反し若しくは前条第一項各号に掲げる行為をした場合において業務提供誘引販売取引の公正及び業務提供誘引販売取引の相手方の利益が著しく害されるおそれがあると認めるとき、又は業務提供誘引販売業を行う者が同項の規定による指示に従わないときは、その業務提供誘引販売業を行う者に対し、二年以内の期間を限り、当該業務提供誘引販売業に係る業務提供誘引販売取引の全部又は一部を停止すべきことを命ずることができる。この場合において、主務大臣は、その業務提供誘引販売業を行う者が個人である場合にあつては、その者に対して、当該停止を命ずる期間と同一の期間を定めて、当該停止を命ずる範囲の業務提供誘引販売取引に係る業務を営む法人の当該業務を担当する役員となることの禁止を併せて命ずることができる。

② 主務大臣は、前項前段の規定によりその業務提供誘引販売業に係る業務提供誘引販売取引の停止を命ずる場合において、当該業務提供誘引販売業を行う者が個人であり、かつ、その特定関係法人（業務提供誘引販売業を行う者又はその役員若しくはその使用人（当該命令の日前一年以内において役員又は使用人であつた者を含む。次条第二項において同じ。）が事業経営を実質的に支配する法人その他の政令で定める法人をいう。以下この項及び同条第二項第一号において同じ。）において、当該停止を命ずる範囲の業務提供誘引販売取引に係る業務と同一の業務を行つていると認められるときは、当該業務提供誘引販売業を行う者に対して、当該停止を命ずる期間と同一の期間を定めて、その特定関係法人で行つている当該同一の業務を停止すべきことを命ずることができる。

③ 主務大臣は、業務提供誘引販売取引電子メール広告受託事業者が第五十四条の四第一項若しくは同条第二項において準用する第五十四条の三第二項から第四項までの規定に違反した場合において業務提供誘引販売取引の公正及び業務提供誘引販売取引の相手方の利益が著しく害されるおそれがあると認めるとき、又は業務提供誘引販売取引電子メール広告受託事業者が前条第二項の規定による指示に従わないときは、その業務提供誘引販売取引電子メール広告受託事業者に対し、一年以内の期間を限り、業務提供誘引販売取引電子メール広告に関する業務の全部又は一部を停止すべきことを命ずることができる。

④ 主務大臣は、第一項又は第二項の規定による命令をしたときは、その旨を公表しなければならない。

⑤ 主務大臣は、第三項の規定による命令をしたときは、その旨を公表しなければならない。

（役員等に対する業務の禁止等）

第五七条の二① 主務大臣は、業務提供誘引販売業を行う者に対して前条第一項前段の規定によりその業務提供誘引販売業に係る業務提供誘引販売取引の停止を命ずる場合において、次の各号に掲げる場合の区分に応じ、当該各号に定める者が当該命令の理由となつた事実及び当該事実に関してその者が有していた責任の程度を考慮して当該命令の実効性を確保するためにその者による業務提供誘引販売取引に係る業務を制限することが相当と認められる者として主務省令で定める者に該当するときは、その者に対して、当該停止を命ずる期間と同一の期間を定めて、当該停止を命ずる範囲の業務提供誘引販売取引に係る業務を新たに開始すること（当該業務を営む法人の当該業務を担当する役員となることを含む。）の禁止を命ずることができる。

一 当該業務提供誘引販売業を行う者が法人である場合　その役員及び当該命令の日前一年以内においてその役員であつた者並びにその使用人及び当該命令の日前一年以内においてその使用人であつた者

二 当該業務提供誘引販売業を行う者が個人である場合　その使用人及び当該命令の日前一年以内においてその使用人であつた者

② 主務大臣は、前項の規定により業務の禁止を命ずる役員又は使用人が、次の各号に掲げる者に該当するときは、当該役員又は当該使用人に対して、当該禁止を命ずる期間と同一の期間を定めて、その行つている当該各号に規定する同一の業務を停止すべきことを命ずることができる。

一 当該命令の理由となつた行為をしたと認められる業務提供誘引販売業を行う者の特定関係法人において、当該命令により禁止を命ずる範囲の業務提供誘引販売取引に係る業務と同一の業務を行つていると認められる者

二 自ら業務提供誘引販売業を行う者として当該命令により禁止を命ずる範囲の業務提供誘引販売取引に係る業務と同一の業務を行つていると認められる者

③ 主務大臣は、前二項の規定による命令をしたときは、その旨を公表しなければならない。

（業務提供誘引販売契約の解除）

第五八条① 業務提供誘引販売業を行う者がその業務提供誘引販売業に係る業務提供誘引販売契約を締結した場合におけるその業務提供誘引販売契約の相手方（その業務を事業所等によらないで行う個人に限る。以下この条から第五十八条の三までにおいて「相手方」という。）は、第五十五条第二項の書面を受領した日から起算して二十日を経過したとき（相手方が、業務提供誘引販売業を行う者が第五十二条第一項の規定に違反してこの項の規定による業務提供誘引販売契約の解除に関する事項につき不実のことを告げる行為をしたことにより当該告げられた内容が事実であるとの誤認をし、又は業務提供誘引販売業を行う者が同条第二項の規定に違反して威迫したことにより困惑し、これらによつて当該期間を経過するまでにこの項の規定による業務提供誘引販売契約の解除を行わなかつた場合には、相手方が、当該業務提供誘引販売業を行う者が主務省令で定めるところによりこの項の規定による当該業務提供誘引販売契約の解除を行うことができる旨を記載して交付した書面を受領した日から起算して二十日を経過したとき）を除き、書面又は電磁的記録によりその業務提供誘引販売契約の解除を行うことができる。この場合において、その業務提供誘引販売業を行う者は、その業務提供誘引販売契約の解除に伴う損害賠償又は違約金の支払を請求することができない。

② 前項の業務提供誘引販売契約の解除は、その業務提供誘引販売契約の解除を行う旨の書面又は電磁的記録による通知を発した時に、その効力を生ずる。

③ 第一項の業務提供誘引販売契約の解除があつた場合において、その業務提供誘引販売契約に係る商品の引渡しが既にされているときは、その引取りに要する費用は、その業務提供誘引販売業を行う者の負担とする。

④ 前三項の規定に反する特約でその相手方に不利なものは、無効とする。

（業務提供誘引販売契約の申込み又はその承諾の意思表示の取消し）

第五八条の二① 相手方は、業務提供誘引販売業を行う者がその業務提供誘引販売業に係る業務提供誘引販売契約の締結について勧誘をするに際し次の各号に掲げる行為をしたことにより、当該各号に定める誤認をし、それによつて当該業務提供誘引販売契約の申込み又はその承諾の意思表示をしたときは、これを取り消すことができる。

一 第五十二条第一項の規定に違反して不実のことを告げる行為 当該告げられた内容が事実であるとの誤認

二 第五十二条第一項の規定に違反して故意に事実を告げない行為 当該事実が存在しないとの誤認

② 第九条の三第二項から第五項までの規定は、前項の規定による業務提供誘引販売契約の申込み又はその承諾の意思表示の取消しについて準用する。

（業務提供誘引販売契約の解除等に伴う損害賠償等の額の制限）

第五八条の三① 業務提供誘引販売業を行う者は、その業務提供誘引販売業に係る業務提供誘引販売契約の締結をした場合において、その業務提供誘引販売契約が解除されたときは、損害賠償額の予定又は違約金の定めがあるときにおいても、次の各号に掲げる場合に応じ当該各号に定める額にこれに対する法定利率による遅延損害金の額を加算した金額を超える額の金銭の支払をその相手方に対して請求することができない。

一 当該商品（施設を利用し及び役務の提供を受ける権利を除く。以下この項において同じ。）又は当該権利が返還された場合 当該商品の通常の使用料の額又は当該権利の行使により通常得られる利益に相当する額（当該商品又は当該権利の販売価格に相当する額から当該商品又は当該権利の返還された時における価額を控除した額が通常の使用料の額又は当該権利の行使により通常得られる利益に相当する額を超えるときは、その額）

二 当該商品又は当該権利が返還されない場合 当該商品又は当該権利の販売価格に相当する額

三 当該業務提供誘引販売契約の解除が当該役務の提供の開始後である場合 提供された当該役務の対価に相当する額

四 当該業務提供誘引販売契約の解除が当該商品の引渡し若しくは当該権利の移転又は当該役務の提供の開始前である場合 契約の締結及び履行のために通常要する費用の額

② 業務提供誘引販売業を行う者は、その業務提供誘引販売業に係る業務提供誘引販売契約の締結をした場合において、その業務提供誘引販売契約に係る商品の代金又は役務の対価の全部又は一部の支払の義務が履行されない場合（業務提供誘引販売契約が解除された場合を除く。）には、損害賠償額の予定又は違約金の定めがあるときにおいても、当該商品の販売価格又は当該役務の対価に相当する額から既に支払われた当該商品の代金又は当該役務の対価の額を控除した額にこれに対する法定利率による遅延損害金の額を加算した金額を超える額の金銭の支払を相手方に対して請求することができない。

③ 前二項の規定は、業務提供誘引販売取引に係る商品又は役務を割賦販売により販売し又は提供するものについては、適用しない。

第五章の二　訪問購入

（定義）

第五八条の四 この章及び第五十八条の二十四第一項において「訪問購入」とは、物品の購入を業として営む者（以下「購入業者」という。）が営業所等以外の場所において、売買契約の申込みを受け、又は売買契約を締結して行う物品（当該売買契約の相手方の利益を損なうおそれがないと認められる物品又はこの章の規定の適用を受けることとされた場合に流通が著しく害されるおそれがあると認められる物品であつて、政令で定めるものを除く。以下この章、同項及び第六十七条第一項において同じ。）の購入をいう。

（訪問購入における氏名等の明示）

第五八条の五 購入業者は、訪問購入をしようとするときは、その勧誘に先立つて、その相手方に対し、購入業者の氏名又は名称、売買契約の締結について勧誘をする目的である旨及び当該勧誘に係る物品の種類を明らかにしなければならない。

（勧誘の要請をしていない者に対する勧誘の禁止等）

第五八条の六① 購入業者は、訪問購入に係る売買契約の締結についての勧誘の要請をしていない者に対し、営業所等以外の場所において、当該売買契約の締結について勧誘をし、又は勧誘を受ける意思の有無を確認してはならない。

② 購入業者は、訪問購入をしようとするときは、その勧誘に先立つて、その相手方に対し、勧誘を受ける意思があることを確認することをしないで勧誘をしてはならない。

③ 購入業者は、訪問購入に係る売買契約を締結しない旨の意思を表示した者に対し、当該売買契約の締結について勧誘をしてはならない。

（訪問購入における書面の交付）

第五八条の七① 購入業者は、営業所等以外の場所において物品につき売買契約の申込みを受けたときは、直ちに、主務省令で定めるところにより、次の事項についてその申込みの内容を記載した書面をその申込みをした者に交付しなければならない。ただし、その申込みを受けた際その売買契約を締結した場合においては、この限りでない。

一 物品の種類

二 物品の購入価格

三 物品の代金の支払の時期及び方法

四 物品の引渡時期及び引渡しの方法

五 第五十八条の十四第一項の規定による売買契約の申込みの撤回又は売買契約の解除に関する事項（同条第二項から第五項までの規定に関する事項を含む。）

六　第五十八条の十五の規定による物品の引渡しの拒絶に関する事項
七　前各号に掲げるもののほか、主務省令で定める事項
② 購入業者は、前項の規定による書面の交付に代えて、政令で定めるところにより、当該申込みをした者の承諾を得て、当該書面に記載すべき事項を電磁的方法により提供することができる。この場合において、当該購入業者は、当該書面を交付したものとみなす。
③ 前項前段の規定による書面に記載すべき事項の電磁的方法（主務省令で定める方法を除く。）による提供は、当該申込みをした者の使用に係る電子計算機に備えられたファイルへの記録がされた時に当該申込みをした者に到達したものとみなす。

第五八条の八① 購入業者は、次の各号のいずれかに該当するときは、次項に規定する場合を除き、遅滞なく（前条第一項ただし書に規定する場合に該当するときは、直ちに）、主務省令で定めるところにより、同条第一項各号の事項（同項第五号の事項については、売買契約の解除に関する事項に限る。）についてその売買契約の内容を明らかにする書面をその売買契約の相手方に交付しなければならない。
一　営業所等以外の場所において、物品につき売買契約を締結したとき（営業所等において申込みを受け、営業所等以外の場所において売買契約を締結したときを除く。）。
二　営業所等以外の場所において物品につき売買契約の申込みを受け、営業所等においてその売買契約を締結したとき。
② 購入業者は、前項各号のいずれかに該当する場合において、その売買契約を締結した際に、代金を支払い、かつ、物品の引渡しを受けたときは、直ちに、主務省令で定めるところにより、前条第一項第一号及び第二号の事項並びに同項第五号の事項のうち売買契約の解除に関する事項その他主務省令で定める事項を記載した書面をその売買契約の相手方に交付しなければならない。
③ 前条第二項及び第三項の規定は、前二項の規定による書面の交付について準用する。この場合において、同条第二項及び第三項中「申込みをした者」とあるのは、「売買契約の相手方」と読み替えるものとする。

（物品の引渡しの拒絶に関する告知）

第五八条の九　購入業者は、訪問購入に係る売買契約の相手方から直接物品の引渡しを受ける時は、その売買契約の相手方に対し、第五十八条の十四第一項ただし書に規定する場合を除き、当該物品の引渡しを拒むことができる旨を告げなければならない。

（禁止行為）

第五八条の一〇① 購入業者は、訪問購入に係る売買契約の締結について勧誘をするに際し、又は訪問購入に係る売買契約の申込みの撤回若しくは解除を妨げるため、次の事項につき、不実のことを告げる行為をしてはならない。
一　物品の種類及びその性能又は品質その他これらに類するものとして主務省令で定める事項
二　物品の購入価格
三　物品の代金の支払の時期及び方法
四　物品の引渡時期及び引渡しの方法
五　当該売買契約の申込みの撤回又は当該売買契約の解除に関する事項（第五十八条の十四第一項から第五項までの規定に関する事項を含む。）
六　第五十八条の十五の規定による物品の引渡しの拒絶に関する事項
七　顧客が当該売買契約の締結を必要とする事情に関する事項
八　前各号に掲げるもののほか、当該売買契約に関する事項であつて、顧客又は売買契約の相手方の判断に影響を及ぼすこととなる重要なもの
② 購入業者は、訪問購入に係る売買契約の締結について勧誘をするに際し、前項第一号から第六号までに掲げる事項につき、故意に事実を告げない行為をしてはならない。
③ 購入業者は、訪問購入に係る売買契約を締結させ、又は訪問購入に係る売買契約の申込みの撤回若しくは解除を妨げるため、人を威迫して困惑させてはならない。
④ 購入業者は、訪問購入に係る物品の引渡しを受けるため、物品の引渡時期その他物品の引渡しに関する事項であつて、売買契約の相手方の判断に影響を及ぼすこととなる重要なものにつき、故意に事実を告げず、又は不実のことを告げる行為をしてはならない。
⑤ 購入業者は、訪問購入に係る物品の引渡しを受けるため、人を威迫して困惑させてはならない。

（第三者への物品の引渡しについての相手方に対する通知）

第五八条の一一　購入業者は、第五十八条の八第一項各号のいずれかに該当する売買契約の相手方から物品の引渡しを受けた後に、第三者に当該物品を引き渡したときは、第五十八条の十四第一項ただし書に規定する場合を除き、その旨及びその引渡しに関する事項として主務省令で定める事項を、遅滞なく、その売買契約の相手方に通知しなければならない。

（物品の引渡しを受ける第三者に対する通知）

第五八条の一一の二　購入業者は、第五十八条の八第一項各号のいずれかに該当する売買契約の相手方から物品の引渡しを受けた後に、第五十八条の十四第一項ただし書に規定する場合以外の場合において第三者に当該物品を引き渡すときは、主務省令で定めるところにより、同項の規定により当該物品の売買契約が解除された旨又は解除されることがある旨を、その第三者に通知しなければならない。

（指示等）

第五八条の一二① 主務大臣は、購入業者が第五十八条の五、第五十八条の六、第五十八条の七第一項、第五十八条の八第一項若しくは第二項若しくは第五十八条の九から前条までの規定に違反し、又は次に掲げる行為をした場合において、訪問購入に係る取引の公正及び売買契約の相手方の利益が害されるおそれがあると認めるときは、その購入業者に対し、当該違反又は当該行為の是正のための措置、売買契約の相手方の利益の保護を図るための措置その他の必要な措置をとるべきことを指示することができる。
一　訪問購入に係る売買契約に基づく債務又は訪問購入に係る売買契約の解除によつて生ずる債務の全部又は一部の履行を拒否し、又は不当に遅延させること。
二　訪問購入に係る売買契約の締結について勧誘をするに際し、当該売買契約に関する事項であつて、顧客の判断に影響を及ぼすこととなる重要なもの（第五十八条の十第一項第一号から第六号までに掲げるものを除く。）につき、故意に事実を告げないこと。
三　訪問購入に係る売買契約の申込みの撤回又は解除を妨げるため、当該売買契約に関する事項であつて、顧客又は売買契約の相手方の判断に影響を及ぼすこととなる重要なものにつき、故意に事実を告げないこと。
四　前三号に掲げるもののほか、訪問購入に関する行為であつて、訪問購入に係る取引の公正及び売買契約の相手方の利益を害するおそれがあるものとして主務省令で定めるもの
② 主務大臣は、前項の規定による指示をしたときは、その旨を公表しなければならない。

（購入業者に対する業務の停止等）

第五八条の一三① 主務大臣は、購入業者が第五十八条の五、第五十八条の六、第五十八条の七第一項、第五十八条の八第一項若しくは第二項若しくは第五十八条の九から第五十八条の十一の二までの規定に違反し若しくは前条第一項各号に掲げる行為をした場合において訪問購入に係る取引の公正及び売買契約の相手方の利益が著しく害されるおそれがあると認めるとき、又は購入業者が同項の規定による指示に従わないときは、その購入業者に対し、二年以内の期間を限り、訪問購入に関する業務の全部又は一部を停止すべきことを命ずることができる。この場合において、主務大臣は、その購入業者が個人である場合に

あつては、その者に対して、当該停止を命ずる期間と同一の期間を定めて、当該停止を命ずる範囲の業務を営む法人の当該業務を担当する役員となることの禁止を併せて命ずることができる。

② 主務大臣は、前項前段の規定により業務の停止を命ずる場合において、当該購入業者が個人であり、かつ、その特定関係法人（購入業者又はその役員若しくはその使用人（当該命令の日前一年以内において役員又は使用人であつた者を含む。次条第二項において同じ。）が事業経営を実質的に支配する法人その他の政令で定める法人をいう。以下この項及び同条第二項第一号において同じ。）において、当該停止を命ずる範囲の業務と同一の業務を行つていると認められるときは、当該購入業者に対して、当該停止を命ずる期間と同一の期間を定めて、その特定関係法人で行つている当該同一の業務を停止すべきことを命ずることができる。

③ 主務大臣は、前二項の規定による命令をしたときは、その旨を公表しなければならない。

（役員等に対する業務の禁止等）

第五八条の一三の二① 主務大臣は、購入業者に対して前条第一項前段の規定により業務の停止を命ずる場合において、次の各号に掲げる場合の区分に応じ、当該各号に定める者が当該命令の理由となつた事実及び当該事実に関してその者が有していた責任の程度を考慮して当該命令の実効性を確保するためにその者による訪問購入に関する業務を制限することが相当と認められる者として主務省令で定める者に該当するときは、その者に対して、当該停止を命ずる期間と同一の期間を定めて、当該停止を命ずる範囲の業務を新たに開始すること（当該業務を営む法人の当該業務を担当する役員となることを含む。）の禁止を命ずることができる。

一 当該購入業者が法人である場合 その役員及び当該命令の日前一年以内においてその役員であつた者並びにその使用人及び当該命令の日前一年以内においてその使用人であつた者

二 当該購入業者が個人である場合 その使用人及び当該命令の日前一年以内においてその使用人であつた者

② 主務大臣は、前項の規定により業務の禁止を命ずる役員又は使用人が、次の各号に掲げる者に該当するときは、当該役員又は当該使用人に対して、当該禁止を命ずる期間と同一の期間を定めて、その行つている当該各号に規定する同一の業務を停止すべきことを命ずることができる。

一 当該命令の理由となつた行為をしたと認められる購入業者の特定関係法人において、当該命令により禁止を命ずる範囲の業務と同一の業務を行つていると認められる者

二 自ら購入業者として当該命令により禁止を命ずる範囲の業務と同一の業務を行つていると認められる者

③ 主務大臣は、前二項の規定による命令をしたときは、その旨を公表しなければならない。

（訪問購入における契約の申込みの撤回等）

第五八条の一四① 購入業者が営業所等以外の場所において物品につき売買契約の申込みを受けた場合におけるその申込みをした者又は購入業者が営業所等以外の場所において物品につき売買契約を締結した場合（営業所等において申込みを受け、営業所等以外の場所において売買契約を締結した場合を除く。）におけるその売買契約の相手方（以下この条及び次条において「申込者等」という。）は、書面又は電磁的記録によりその売買契約の申込みの撤回又はその売買契約の解除（以下この条において「申込みの撤回等」という。）を行うことができる。ただし、申込者等が第五十八条の八第一項又は第二項の書面を受領した日（その日前に第五十八条の七第一項の書面を受領した場合にあつては、その書面を受領した日）から起算して八日を経過した場合（申込者等が、購入業者が第五十八条の十第一項の規定に違反して申込みの撤回等に関する事項につき不実のことを告げる行為をしたことにより当該告げられた内容が事実であるとの誤認をし、又は購入業者が同条第三項の規定に違反して威迫したことにより困惑し、これらによつて当該期間を経過するまでに申込みの撤回等を行わなかつた場合には、当該申込者等が、当該購入業者が主務省令で定めるところにより当該売買契約の申込みの撤回等を行うことができる旨を記載して交付した書面を受領した日から起算して八日を経過した場合）においては、この限りでない。

② 申込みの撤回等は、当該申込みの撤回等に係る書面又は電磁的記録による通知を発した時に、その効力を生ずる。

③ 申込者等である売買契約の相手方は、第一項の規定による売買契約の解除をもつて、第三者に対抗することができる。ただし、第三者が善意であり、かつ、過失がないときは、この限りでない。

④ 申込みの撤回等があつた場合においては、購入業者は、その申込みの撤回等に伴う損害賠償又は違約金の支払を請求することができない。

⑤ 申込みの撤回等があつた場合において、その売買契約に係る代金の支払が既にされているときは、その代金の返還に要する費用及びその利息は、購入業者の負担とする。

⑥ 前各項の規定に反する特約で申込者等に不利なものは、無効とする。

（物品の引渡しの拒絶）

第五八条の一五 申込者等である売買契約の相手方は、前条第一項ただし書に規定する場合を除き、引渡しの期日の定めがあるときにおいても、購入業者及びその承継人に対し、訪問購入に係る物品の引渡しを拒むことができる。

（訪問購入における契約の解除等に伴う損害賠償等の額の制限）

第五八条の一六① 購入業者は、第五十八条の八第一項各号のいずれかに該当する売買契約の締結をした場合において、その売買契約が解除されたときは、損害賠償額の予定又は違約金の定めがあるときにおいても、次の各号に掲げる場合に応じ当該各号に定める額にこれに対する法定利率による遅延損害金の額を加算した金額を超える額の金銭の支払をその売買契約の相手方に対して請求することができない。

一 当該売買契約の解除が当該売買契約についての代金の支払後である場合 当該代金に相当する額及びその利息

二 当該売買契約の解除が当該売買契約についての代金の支払前である場合 契約の締結及び履行のために通常要する費用の額

② 購入業者は、第五十八条の八第一項各号のいずれかに該当する売買契約の締結をした場合において、その売買契約についての物品の引渡しの義務が履行されない場合（売買契約が解除された場合を除く。）には、損害賠償額の予定又は違約金の定めがあるときにおいても、次の各号に掲げる場合に応じ当該各号に定める額にこれに対する法定利率による遅延損害金の額を加算した金額を超える額の金銭の支払をその売買契約の相手方に対して請求することができない。

一 履行期限後に当該物品が引き渡された場合 当該物品の通常の使用料の額（当該物品の購入価格に相当する額から当該物品の引渡しの時における価額を控除した額が通常の使用料の額を超えるときは、その額）

二 当該物品が引き渡されない場合 当該物品の購入価格に相当する額

（適用除外）

第五八条の一七① この章の規定は、次の訪問購入については、適用しない。

一 売買契約で、第五十八条の四に規定する売買契約の申込みをした者が営業のために若しくは営業として締結するもの又はその売買契約の相手方が営業のために若しくは営業として締結するものに係る訪問購入

二 本邦外に在る者に対する訪問購入

三 国又は地方公共団体が行う訪問購入

四 次の団体がその直接又は間接の構成員に対して行う訪問購

入（その団体が構成員以外の者にその事業又は施設を利用させることができる場合には、これらの者に対して行う訪問購入を含む。）

イ 特別の法律に基づいて設立された組合並びにその連合会及び中央会

ロ 国家公務員法第百八条の二又は地方公務員法第五十二条の団体

ハ 労働組合

五 事業者がその従業者に対して行う訪問購入

② 第五十八条の六第一項及び第五十八条の七から前条までの規定は、次の訪問購入については、適用しない。

一 その住居において売買契約の申込みをし又は売買契約を締結することを請求した者に対して行う訪問購入

二 購入業者がその営業所等以外の場所において物品につき売買契約の申込みを受け又は売買契約を締結することが通例であり、かつ、通常売買契約の相手方の利益を損なうおそれがないと認められる取引の態様で政令で定めるものに該当する訪問購入

第五章の三　差止請求権

（訪問販売に係る差止請求権）

第五八条の一八① 消費者契約法（平成十二年法律第六十一号）第二条第四項に規定する適格消費者団体（以下この章において単に「適格消費者団体」という。）は、販売業者又は役務提供事業者が、訪問販売に関し、不特定かつ多数の者に対して次に掲げる行為を現に行い又は行うおそれがあるときは、その販売業者又は役務提供事業者に対し、当該行為の停止若しくは予防又は当該行為に供した物の廃棄若しくは除去その他の当該行為の停止若しくは予防に必要な措置をとることを請求することができる。

一 売買契約若しくは役務提供契約の締結について勧誘をするに際し、又は売買契約若しくは役務提供契約の申込みの撤回若しくは解除を妨げるため、次に掲げる事項につき、不実のことを告げる行為

イ 商品の種類及びその性能若しくは品質又は権利若しくは役務の種類及びこれらの内容

ロ 第六条第一項第二号から第五号までに掲げる事項

ハ 第六条第一項第六号又は第七号に掲げる事項

二 売買契約又は役務提供契約の締結について勧誘をするに際し、前号イ又はロに掲げる事項につき、故意に事実を告げない行為

三 売買契約若しくは役務提供契約を締結させ、又は売買契約若しくは役務提供契約の申込みの撤回若しくは解除を妨げるため、威迫して困惑させる行為

② 適格消費者団体は、販売業者又は役務提供事業者が、売買契約又は役務提供契約を締結するに際し、不特定かつ多数の者との間で次に掲げる特約を含む売買契約又は役務提供契約の申込み又はその承諾の意思表示を現に行い又は行うおそれがあるときは、その販売業者又は役務提供事業者に対し、当該行為の停止若しくは予防又は当該行為に供した物の廃棄若しくは除去その他の当該行為の停止若しくは予防に必要な措置をとることを請求することができる。

一 第九条第八項（第九条の二第三項において読み替えて準用する場合を含む。）に規定する特約

二 第十条の規定に反する特約

（通信販売に係る差止請求権）

第五八条の一九 適格消費者団体は、販売業者又は役務提供事業者が、通信販売に関し、不特定かつ多数の者に対して次に掲げる行為を現に行い又は行うおそれがあるときは、その販売業者又は役務提供事業者に対し、当該行為の停止若しくは予防又は当該行為に供した物の廃棄若しくは除去その他の当該行為の停止若しくは予防に必要な措置をとることを請求することができる。

一 商品若しくは特定権利の販売条件又は役務の提供条件について広告をするに際し、当該商品の性能若しくは当該特定権利若しくは当該役務の内容又は当該商品若しくは当該特定権利の売買契約若しくは当該役務の役務提供契約の申込みの撤回若しくは解除に関する事項（第十五条の三第一項ただし書に規定する特約がある場合には、その内容を含む。）について、著しく事実に相違する表示をし、又は実際のものよりも著しく優良であり、若しくは有利であると誤認させるような表示をする行為

二 特定申込みに係る書面又は手続が表示される映像面に、第十二条の六第一項各号に掲げる事項につき表示をしない行為又は不実の表示をする行為

三 特定申込みに係る書面又は手続が表示される映像面において、次に掲げる事項につき、人を誤認させるような表示をする行為

イ 当該書面の送付又は当該手続に従った情報の送信が通信販売に係る売買契約又は役務提供契約の申込みとなること。

ロ 第十二条の六第一項各号に掲げる事項

四 売買契約又は役務提供契約の申込みの撤回又は解除を妨げるため、当該売買契約若しくは当該役務提供契約の申込みの撤回若しくは当該売買契約若しくは当該役務提供契約の解除に関する事項（第十五条の三の規定に関する事項を含む。）又は顧客が当該売買契約若しくは当該役務提供契約の締結を必要とする事情に関する事項につき、不実のことを告げる行為

（電話勧誘販売に係る差止請求権）

第五八条の二〇① 適格消費者団体は、販売業者又は役務提供事業者が、電話勧誘販売に関し、不特定かつ多数の者に対して次に掲げる行為を現に行い又は行うおそれがあるときは、その販売業者又は役務提供事業者に対し、当該行為の停止若しくは予防又は当該行為に供した物の廃棄若しくは除去その他の当該行為の停止若しくは予防に必要な措置をとることを請求することができる。

一 売買契約若しくは役務提供契約の締結について勧誘をするに際し、又は売買契約若しくは役務提供契約の申込みの撤回若しくは解除を妨げるため、次に掲げる事項につき、不実のことを告げる行為

イ 商品の種類及びその性能若しくは品質又は権利若しくは役務の種類及びこれらの内容

ロ 第二十一条第一項第二号から第五号までに掲げる事項

ハ 第二十一条第一項第六号又は第七号に掲げる事項

二 売買契約又は役務提供契約の締結について勧誘をするに際し、前号イ又はロに掲げる事項につき、故意に事実を告げない行為

三 売買契約若しくは役務提供契約を締結させ、又は売買契約若しくは役務提供契約の申込みの撤回若しくは解除を妨げるため、威迫して困惑させる行為

② 適格消費者団体は、販売業者又は役務提供事業者が、売買契約又は役務提供契約を締結するに際し、不特定かつ多数の者との間で次に掲げる特約を含む売買契約又は役務提供契約の申込み又はその承諾の意思表示を現に行い又は行うおそれがあるときは、その販売業者又は役務提供事業者に対し、当該行為の停止若しくは予防又は当該行為に供した物の廃棄若しくは除去その他の当該行為の停止若しくは予防に必要な措置をとることを請求することができる。

一 第二十四条第八項（第二十四条の二第三項において読み替えて準用する場合を含む。）に規定する特約

二 第二十五条の規定に反する特約

（連鎖販売取引に係る差止請求権）

第五八条の二一① 適格消費者団体は、統括者、勧誘者又は一般連鎖販売業者が、不特定かつ多数の者に対して次に掲げる行為を現に行い又は行うおそれがあるときは、それぞれその統括者、勧誘者又は一般連鎖販売業者に対し、当該行為の停止若し

くは予防又は当該行為に供した物の廃棄若しくは除去その他の当該行為の停止若しくは予防に必要な措置をとることを請求することができる。

一　統括者又は勧誘者が、その統括者の統括する一連の連鎖販売業に係る連鎖販売取引についての契約（その連鎖販売業に係る商品の販売若しくはそのあつせん又は役務の提供若しくはそのあつせんを店舗等によらないで行う個人との契約に限る。以下この項及び第三項において同じ。）の締結について勧誘をするに際し、又はその連鎖販売業に係る連鎖販売取引についての契約の解除を妨げるため、次に掲げる事項につき、故意に事実を告げず、又は不実のことを告げる行為

イ　商品（施設を利用し及び役務の提供を受ける権利を除く。第四号において同じ。）の種類及びその性能若しくは品質又は施設を利用し若しくは役務の提供を受ける権利若しくは役務の種類及びこれらの内容

ロ　第三十四条第一項第二号から第五号までに掲げる事項

二　一般連鎖販売業者が、その統括者の統括する一連の連鎖販売業に係る連鎖販売取引についての契約の締結について勧誘をするに際し、又はその連鎖販売業に係る連鎖販売取引についての契約の解除を妨げるため、前号イ又はロに掲げる事項につき、不実のことを告げる行為

三　統括者、勧誘者又は一般連鎖販売業者が、その統括者の統括する一連の連鎖販売業に係る連鎖販売取引についての契約を締結させ、又はその連鎖販売業に係る連鎖販売取引についての契約の解除を妨げるため、威迫して困惑させる行為

四　統括者、勧誘者又は一般連鎖販売業者が、その統括者の統括する一連の連鎖販売業に係る連鎖販売取引について広告をするに際し、その連鎖販売業に係る商品の性能若しくは品質若しくは施設を利用し若しくは役務の提供を受ける権利若しくは役務の内容、当該連鎖販売取引に伴う特定負担又は当該連鎖販売業に係る特定利益について、著しく事実に相違する表示をし、又は実際のものよりも著しく優良であり、若しくは有利であると誤認させるような表示をする行為

五　統括者、勧誘者又は一般連鎖販売業者が、その統括者の統括する一連の連鎖販売業に係る連鎖販売取引につき利益を生ずることが確実であると誤解させるべき断定的判断を提供してその連鎖販売業に係る連鎖販売取引についての契約の締結について勧誘をする行為

②　適格消費者団体は、勧誘者が、不特定かつ多数の者に対して前項第一号又は第三号から第五号までに掲げる行為を現に行い又は行うおそれがあるときは、その統括者に対し、当該行為の停止若しくは予防又は当該行為に供した物の廃棄若しくは除去その他の当該行為の停止若しくは予防に必要な措置をとることを請求することができる。

③　適格消費者団体は、統括者、勧誘者又は一般連鎖販売業者が、その連鎖販売業に係る連鎖販売取引についての契約を締結するに際し、不特定かつ多数の者との間で次に掲げる特約を含む連鎖販売業に係る連鎖販売取引についての契約の申込み又はその承諾の意思表示を現に行い又は行うおそれがあるときは、それぞれその統括者、勧誘者又は一般連鎖販売業者に対し、当該行為の停止若しくは予防又は当該行為に供した物の廃棄若しくは除去その他の当該行為の停止若しくは予防に必要な措置をとることを請求することができる。

一　第四十条第四項に規定する特約

二　第四十条の二第六項に規定する特約

第五八条の二二（特定継続的役務提供に係る差止請求権）①　適格消費者団体は、役務提供事業者又は販売業者が、不特定かつ多数の者に対して次に掲げる行為を現に行い又は行うおそれがあるときは、その役務提供事業者又は販売業者に対し、当該行為の停止若しくは予防又は当該行為に供した物の廃棄若しくは除去その他の当該行為の停止若しくは予防に必要な措置をとることを請求することができる。

一　特定継続的役務提供をする場合の特定継続的役務の提供条件又は特定継続的役務の提供を受ける権利の販売条件について広告をするに際し、当該特定継続的役務の内容又は効果について、著しく事実に相違する表示をし、又は実際のものよりも著しく優良であり、若しくは有利であると誤認させるような表示をする行為

二　特定継続的役務提供等契約の締結について勧誘をするに際し、又は特定継続的役務提供等契約の解除を妨げるため、次に掲げる事項につき、不実のことを告げる行為

イ　役務又は役務の提供を受ける権利の種類及びこれらの内容又は効果（権利の場合にあつては、当該権利に係る役務の効果）

ロ　役務の提供又は権利の行使による役務の提供に際し当該役務の提供を受ける者又は当該権利の購入者が購入する必要のある商品がある場合には、その商品の種類及びその性能又は品質

ハ　第四十四条第一項第三号から第六号までに掲げる事項

ニ　第四十四条第一項第七号又は第八号に掲げる事項

三　特定継続的役務提供等契約の締結について勧誘をするに際し、前号イからハまでに掲げる事項につき、故意に事実を告げない行為

四　特定継続的役務提供等契約を締結させ、又は特定継続的役務提供等契約の解除を妨げるため、威迫して困惑させる行為

②　適格消費者団体は、役務提供事業者、販売業者又は関連商品の販売を行う者が、特定継続的役務提供等契約又は関連商品販売契約を締結するに際し、不特定かつ多数の者との間で次に掲げる特約を含む特定継続的役務提供等契約の申込み又はその承諾の意思表示を現に行い又は行うおそれがあるときは、それぞれその役務提供事業者、販売業者又は関連商品の販売を行う者に対し、当該行為の停止若しくは予防又は当該行為に供した物の廃棄若しくは除去その他の当該行為の停止若しくは予防に必要な措置をとることを請求することができる。

一　第四十八条第八項に規定する特約

二　第四十九条第七項（第四十九条の二第三項において準用する場合を含む。）に規定する特約

第五八条の二三（業務提供誘引販売取引に係る差止請求権）①　適格消費者団体は、業務提供誘引販売業を行う者が、不特定かつ多数の者に対して次に掲げる行為を現に行い又は行うおそれがあるときは、その業務提供誘引販売業を行う者に対し、当該行為の停止若しくは予防又は当該行為に供した物の廃棄若しくは除去その他の当該行為の停止若しくは予防に必要な措置をとることを請求することができる。

一　業務提供誘引販売業に係る業務提供誘引販売取引についての契約（その業務提供誘引販売業に関して提供され、又はあつせんされる業務を事業所等によらないで行う個人との契約に限る。以下この条において同じ。）の締結について勧誘をするに際し、又はその業務提供誘引販売業に係る業務提供誘引販売取引についての契約の解除を妨げるため、次に掲げる事項につき、故意に事実を告げず、又は不実のことを告げる行為

イ　商品（施設を利用し及び役務の提供を受ける権利を除く。）の種類及びその性能若しくは品質又は施設を利用し若しくは役務の提供を受ける権利若しくは役務の種類及びこれらの内容

ロ　第五十二条第一項第二号から第五号までに掲げる事項

二　業務提供誘引販売業に係る業務提供誘引販売取引についての契約を締結させ、又はその業務提供誘引販売業に係る業務提供誘引販売取引についての契約の解除を妨げるため、威迫して困惑させる行為

三　業務提供誘引販売業に係る業務提供誘引販売取引について広告をするに際し、当該業務提供誘引販売業に係る業務提供誘引販売取引に伴う特定負担又は当該業務提供誘引販売業に係る業務提供利益について、著しく事実に相違する表示をし、又は実際のものよりも著しく優良であり、若しくは有利であると誤認させるような

表示をする行為

四　業務提供誘引販売業に係る業務提供誘引販売取引につき利益を生ずることが確実であると誤解させるべき断定的判断を提供してその業務提供誘引販売業に係る業務提供誘引販売取引についての契約の締結について勧誘をする行為

② 適格消費者団体は、業務提供誘引販売業を行う者が、業務提供誘引販売業に係る業務提供誘引販売取引についての契約を締結するに際し、不特定かつ多数の者との間で次に掲げる特約を含む業務提供誘引販売業に係る業務提供誘引販売取引についての契約の申込み又はその承諾の意思表示を現に行い又は行うおそれがあるときは、その業務提供誘引販売業を行う者に対し、当該行為の停止若しくは予防又は当該行為に供した物の廃棄若しくは除去その他の当該行為の停止若しくは予防に必要な措置をとることを請求することができる。

一　第五十八条第四項に規定する特約

二　第五十八条の三第一項又は第二項の規定に反する特約

第五八条の二四（訪問購入に係る差止請求権）① 適格消費者団体は、購入業者が、訪問購入に関し、不特定かつ多数の者に対して次に掲げる行為を現に行い又は行うおそれがあるときは、その購入業者に対し、当該行為の停止若しくは予防又は当該行為に供した物の廃棄若しくは除去その他の当該行為の停止若しくは予防に必要な措置をとることを請求することができる。

一　売買契約の締結について勧誘をするに際し、又は売買契約の申込みの撤回若しくは解除を妨げるため、次に掲げる事項につき、不実のことを告げる行為

イ　物品の種類及びその性能又は品質

ロ　第五十八条の十第一項第二号から第六号までに掲げる事項

ハ　第五十八条の十第一項第七号又は第八号に掲げる事項

二　売買契約の締結について勧誘をするに際し、前号イ又はロに掲げる事項につき、故意に事実を告げない行為

三　売買契約を締結させ、又は売買契約の申込みの撤回若しくは解除を妨げるため、威迫して困惑させる行為

四　物品の引渡しを受けるため、物品の引渡時期その他物品の引渡しに関する事項であつて、売買契約の相手方の判断に影響を及ぼすこととなる重要なものにつき、故意に事実を告げず、又は不実のことを告げる行為

五　物品の引渡しを受けるため、威迫して困惑させる行為

② 適格消費者団体は、購入業者が、売買契約を締結するに際し、不特定かつ多数の者との間で次に掲げる特約を含む売買契約の申込み又はその承諾の意思表示を現に行い又は行うおそれがあるときは、その購入業者に対し、当該行為の停止若しくは予防又は当該行為に供した物の廃棄若しくは除去その他の当該行為の停止若しくは予防に必要な措置をとることを請求することができる。

一　第五十八条の十四第六項に規定する特約

二　第五十八条の十六の規定に反する特約

第五八条の二五（適用除外）　次の各号に掲げる規定は、当該各号に定める規定の適用について準用する。

一　第二十六条第一項　第五十八条の十八から第五十八条の二十まで

二　第二十六条第六項　第五十八条の十八

三　第二十六条第七項　第五十八条の二十

四　第二十六条第八項　第五十八条の十八第二項（第二号に係る部分に限る。）及び第五十八条の二十第二項（第二号に係る部分に限る。）

五　第四十条の二第七項　第五十八条の二十一第三項（第二号に掲げる特約のうち第四十条の二第三項及び第四項の規定に反するものに係る部分に限る。）

六　第五十条第一項　第五十八条の二十二

七　第五十条第二項　第五十八条の二十二第二項（第二号に掲げる特約のうち第四十九条第二項、第四項及び第六項（第四十九条の二第三項において準用する場合を含む。）の規定に反するものに係る部分に限る。）

八　第五十八条の三第三項　第五十八条の二十三第二項（第二号に係る部分に限る。）

九　第五十八条の十七　前条

第五八条の二六（適格消費者団体への情報提供）① 消費者安全法（平成二十一年法律第五十号）第十一条の七第一項に規定する消費生活協力団体及び消費生活協力員は、販売業者、役務提供事業者、統括者、勧誘者、一般連鎖販売業者、関連商品の販売を行う者、業務提供誘引販売業を行う者又は購入業者が不特定かつ多数の者に対して第五十八条の十八から第五十八条の二十四までに規定する行為を現に行い又は行うおそれがある旨の情報を得たときは、適格消費者団体が第五十八条の十八から第五十八条の二十四までの規定による請求をする権利を適切に行使するために必要な限度において、当該適格消費者団体に対し、当該情報を提供することができる。

② 前項の規定により情報の提供を受けた適格消費者団体は、当該情報を第五十八条の十八から第五十八条の二十四までの規定による請求をする権利の適切な行使の用に供する目的以外の目的のために利用し、又は提供してはならない。

第六章　雑則（抄）

第五九条（売買契約に基づかないで送付された商品）① 販売業者は、売買契約の申込みを受けた場合におけるその申込みをした者及び売買契約を締結した場合におけるその購入者（以下この項において「申込者等」という。）以外の者に対して売買契約の申込みをし、かつ、その申込みに係る商品を送付した場合又は申込者等に対してその売買契約に係る商品以外の商品につき売買契約の申込みをし、かつ、その申込みに係る商品を送付した場合には、その送付した商品の返還を請求することができない。

② 前項の規定は、その商品の送付を受けた者が営業のために又は営業として締結することとなる売買契約の申込みについては、適用しない。

第五九条の二　販売業者は、売買契約の成立を偽つてその売買契約に係る商品を送付した場合には、その送付した商品の返還を請求することができない。

第六〇条から第六九条の三まで　（略）

第七章　罰則

（第七〇条から第七六条まで）（略）

附　則（抄）

第一条（施行期日）　この法律は、公布の日から起算して六月を超えない範囲内において政令で定める日（昭和五一・一二・三―昭和五一政二九四）から施行する。ただし、第十九条、第二十一条第二号（中略）の規定は、公布の日から施行する。

○国際物品売買契約に関する国際連合条約（抄）（平成二〇・七・七条八）

発効　平成二一・八・一（平成二〇外告三九四）

目次

この条約の締約国は、

国際連合総会第六回特別会期において採択された新たな国際経済秩序の確立に関する決議の広範な目的に留意し、

平等及び相互の利益を基礎とした国際取引の発展が諸国間の友好関係を促進する上での重要な要素であることを考慮し、

異なる社会的、経済的及び法的な制度を考慮した国際物品売買契約を規律する統一的準則を採択することが、国際取引における法的障害の除去に貢献し、及び国際取引の発展を促進することを認めて、

次のとおり協定した。

第一部　適用範囲及び総則

第一章　適用範囲

第一条【適用基準】

(1) この条約は、営業所が異なる国に所在する当事者間の物品売買契約について、次のいずれかの場合に適用する。

(a) これらの国がいずれも締約国である場合

(b) 国際私法の準則によれば締約国の法の適用が導かれる場合

(2) 当事者の営業所が異なる国に所在するという事実は、その事実が、契約から認められない場合又は契約の締結時以前における当事者間のあらゆる取引関係から若しくは契約の締結時以前に当事者によって明らかにされた情報から認められない場合には、考慮しない。

(3) 当事者の国籍及び当事者又は契約の民事的又は商事的な性質は、この条約の適用を決定するに当たって考慮しない。

第二条【適用除外】

この条約は、次の売買については、適用しない。

(a) 個人用、家族用又は家庭用に購入された物品の売買。ただし、売主が契約の締結時以前に当該物品がそのような使用のために購入されたことを知らず、かつ、知っているべきでもなかった場合は、この限りでない。

(b) 競り売買

(c) 強制執行その他法令に基づく売買

(d) 有価証券、商業証券又は通貨の売買

(e) 船、船舶、エアクッション船又は航空機の売買

(f) 電気の売買

第三条【製作物供給契約、役務提供契約】

(1) 物品を製造し、又は生産して供給する契約は、売買とする。ただし、物品を注文した当事者がそのような製造又は生産に必要な材料の実質的な部分を供給することを引き受ける場合は、この限りでない。

(2) この条約は、物品を供給する当事者の義務の主要な部分が労働その他の役務の提供から成る契約については、適用しない。

第四条【条約の規律する事項】

この条約は、売買契約の成立並びに売買契約から生ずる売主及び買主の権利及び義務についてのみ規律する。この条約は、この条約に別段の明文の規定がある場合を除くほか、特に次の事項については、規律しない。

(a) 契約若しくはその条項又は慣習の有効性

(b) 売却された物品の所有権について契約が有し得る効果

第五条【人身損害についての適用除外】

この条約は、物品によって生じたあらゆる人の死亡又は身体の傷害に関する売主の責任については、適用しない。

第六条【条約の適用排除、任意規定性】

当事者は、この条約の適用を排除することができるものとし、第十二条の規定に従うことを条件として、この条約のいかなる規定も、その適用を制限し、又はその効力を変更することができる。

第二章　総則

第七条【条約の解釈及び補充】

(1) この条約の解釈に当たっては、その国際的な性質並びにその適用における統一及び国際取引における信義の遵守を促進する必要性を考慮する。

(2) この条約が規律する事項に関する問題であって、この条約において明示的に解決されていないものについては、この条約の基礎を成す一般原則に従い、又はこのような原則がない場合には国際私法の準則により適用される法に従って解決する。

第八条【当事者の行為の解釈】

(1) この条約の適用上、当事者の一方が行った言明その他の行為は、相手方が当該当事者の一方の意図を知り、又は知らないことはあり得なかった場合には、その意図に従って解釈する。

(2) (1)の規定を適用することができない場合には、当事者の一方が行った言明その他の行為は、相手方と同種の合理的な者が同様の状況の下で有したであろう理解に従って解釈する。

(3) 当事者の意図又は合理的な者が有したであろう理解を決定するに当たっては、関連するすべての状況（交渉、当事者間で確立した慣行、慣習及び当事者の事後の行為を含む。）に妥当な考慮を払う。

第九条【慣習及び慣行】

(1) 当事者は、合意した慣習及び当事者間で確立した慣行に拘束される。

(2) 当事者は、別段の合意がない限り、当事者双方が知り、又は知っているべきであった慣習であって、国際取引において、関係する特定の取引分野において同種の契約をする者に広く知られ、かつ、それらの者により通常遵守されているものが、黙示的に当事者間の契約又はその成立に適用されることとしたものとする。

第一〇条【営業所】
この条約の適用上、
(a) 営業所とは、当事者が二以上の営業所を有する場合には、契約の締結時以前に当事者双方が知り、又は想定していた事情を考慮して、契約及びその履行に最も密接な関係を有する営業所をいう。
(b) 当事者が営業所を有しない場合には、その常居所を基準とする。

第一一条【方式の自由】
売買契約は、書面によって締結し、又は証明することを要しないものとし、方式について他のいかなる要件にも服さない。売買契約は、あらゆる方法（証人を含む。）によって証明することができる。

第一二条【第九六条に基づく留保宣言の効果】
売買契約、合意によるその変更若しくは終了又は申込み、承諾その他の意思表示を書面による方法以外の方法で行うことを認める前条、第二十九条又は第二部のいかなる規定も、当事者のいずれかが第九十六条の規定に基づく宣言を行った締約国に営業所を有する場合には、適用しない。当事者は、この条の規定の適用を制限し、又はその効力を変更することができない。

第一三条【書面の定義】
この条約の適用上、「書面」には、電報及びテレックスを含む。

第二部　契約の成立

第一四条【申込み】
(1) 一人又は二人以上の特定の者に対してした契約を締結するための申入れは、それが十分に確定し、かつ、承諾があるときは拘束されるとの申入れをした者の意思が示されている場合には、申込みとなる。申入れは、物品を示し、並びに明示的又は黙示的に、その数量及び代金を定め、又はそれらの決定方法について規定している場合には、十分に確定しているものとする。
(2) 一人又は二人以上の特定の者に対してした申入れ以外の申入れは、申入れをした者が反対の意思を明確に示す場合を除くほか、単に申込みの誘引とする。

第一五条【申込みの効力発生時期、申込みの取りやめ】
(1) 申込みは、相手方に到達した時にその効力を生ずる。
(2) 申込みは、撤回することができない場合であっても、その取りやめの通知が申込みの到達時以前に相手方に到達するときは、取りやめることができる。

第一六条【申込みの撤回】
(1) 申込みは、契約が締結されるまでの間、相手方が承諾の通知を発する前に撤回の通知が当該相手方に到達する場合には、撤回することができる。
(2) 申込みは、次の場合には、撤回することができない。
(a) 申込みが、一定の承諾の期間を定めることによるか他の方法によるかを問わず、撤回することができないものであることを示している場合
(b) 相手方が申込みを撤回することができないものであると信頼したことが合理的であり、かつ、当該相手方が当該申込みを信頼して行動した場合

第一七条【拒絶による申込みの失効】
申込みは、撤回することができない場合であっても、拒絶の通知が申込者に到達した時にその効力を失う。

第一八条【承諾の方法、承諾の効力発生時期、承諾期間】
(1) 申込みに対する同意を示す相手方の言明その他の行為は、承諾とする。沈黙又はいかなる行為も行わないことは、それ自体では承諾とならない。
(2) 申込みに対する承諾は、同意の表示が申込者に到達した時にその効力を生ずる。同意の表示が、申込者の定めた期間内に、又は期間の定めがない場合には取引の状況（申込者が用いた通信手段の迅速性を含む。）について妥当な考慮を払った合理的な期間内に申込者に到達しないときは、承諾は、その効力を生じない。口頭による申込みは、別段の事情がある場合を除くほか、直ちに承諾されなければならない。
(3) 申込みに基づき、又は当事者間で確立した慣行若しくは慣習により、相手方が申込者に通知することなく、物品の発送又は代金の支払等の行為を行うことにより同意を示すことができる場合には、承諾は、当該行為が行われた時にその効力を生ずる。ただし、当該行為が(2)に規定する期間内に行われた場合に限る。

第一九条【変更を加えた承諾】
(1) 申込みに対する承諾を意図する応答であって、追加、制限その他の変更を含むものは、当該申込みの拒絶であるとともに、反対申込みとなる。
(2) 申込みに対する承諾を意図する応答は、追加的な又は異なる条件を含む場合であっても、当該条件が申込みの内容を実質的に変更しないときは、申込者が不当に遅滞することなくその相違について口頭で異議を述べ、又はその旨の通知を発した場合を除くほか、承諾となる。申込者がそのような異議を述べない場合には、契約の内容は、申込みの内容に承諾に含まれた変更を加えたものとする。
(3) 追加的な又は異なる条件であって、特に、代金、支払、物品の品質若しくは数量、引渡しの場所若しくは時期、当事者の一方の相手方に対する責任の限度又は紛争解決に関するものは、申込みの内容を実質的に変更するものとする。

第二〇条【承諾期間の計算】
(1) 申込者が電報又は書簡に定める承諾の期間は、電報が発信のために提出された時から又は書簡に示された日付若しくはこのような日付が示されていない場合には封筒に示された日付から起算する。申込者が電話、テレックスその他の即時の通信の手段によって定める承諾の期間は、申込みが相手方に到達した時から起算する。
(2) 承諾の期間中の公の休日又は非取引日は、当該期間に算入する。承諾の期間の末日が申込者の営業所の所在地の公の休日又は非取引日に当たるために承諾の通知が当該末日に申込者の住所に届かない場合には、当該期間は、当該末日に続く最初の取引日まで延長する。

第二一条【遅延した承諾、通信の遅延】
(1) 遅延した承諾であっても、それが承諾としての効力を有することを申込者が遅滞なく相手方に対して口頭で知らせ、又はその旨の通知を発した場合には、承諾としての効力を有する。
(2) 遅延した承諾が記載された書簡その他の書面が、通信状態が通常であったとしたならば期限までに申込者に到達したであろう状況の下で発送されたことを示している場合には、当該承諾は、承諾としての効力を有する。ただし、当該申込者が自己の申込みを失効していたものとすることを遅滞なく相手方に対して口頭で知らせ、又はその旨の通知を発した場合は、この限りでない。

第二二条【承諾の取りやめ】
承諾は、その取りやめの通知が当該承諾の効力の生ずる時以前に申込者に到達する場合には、取りやめることができる。

第二三条【契約の成立時期】
契約は、申込みに対する承諾がこの条約に基づいて効力を生ずる時に成立する。

第二四条【到達の定義】
この部の規定の適用上、申込み、承諾の意思表示その他の意思表示が相手方に「到達した」時とは、申込み、承諾の意思表示その他の意思表示が、相手方に対して口頭で行われた時又は他の方法により相手方個人に対し、若しくは相手方の営業所若しくは郵便送付先に対し、若しくは相手方が営業所及び郵便送付先を有しない場合には相手方の常居所に対して届けられた時とする。

第三部　物品の売買

第一章　総則

第二五条【重大な契約違反】

当事者の一方が行った契約違反は、相手方がその契約に基づいて期待することができたものを実質的に奪うような不利益を当該相手方に生じさせる場合には、重大なものとする。ただし、契約違反を行った当事者がそのような結果を予見せず、かつ、同様の状況の下において当該当事者と同種の合理的な者がそのような結果を予見しなかったであろう場合は、この限りでない。

第二六条【解除の方法】
契約の解除の意思表示は、相手方に対する通知によって行われた場合に限り、その効力を有する。

第二七条【通信の遅延、誤り又は不到達】
この部に別段の明文の規定がある場合を除くほか、当事者がこの部の規定に従い、かつ、状況に応じて適切な方法により、通知、要求その他の通信を行った場合には、当該通信の伝達において遅延若しくは誤りが生じ、又は当該通信が到達しなかったときでも、当該当事者は、当該通信を行ったことを援用する権利を奪われない。

第二八条【現実の履行を命ずる裁判】
当事者の一方がこの条約に基づいて相手方の義務の履行を請求することができる場合であっても、裁判所は、この条約が規律しない類似の売買契約について自国の法に基づいて同様の裁判をするであろうときを除くほか、現実の履行を命ずる裁判をする義務を負わない。

第二九条【契約の変更又は終了】
(1) 契約は、当事者の合意のみによって変更し、又は終了させることができる。
(2) 合意による変更又は終了を書面によって行うことを必要とする旨の条項を定めた書面による契約は、その他の方法による合意によって変更し、又は終了させることができない。ただし、当事者の一方は、相手方が自己の行動を信頼した限度において、その条項を主張することができない。

第二章　売主の義務

第三〇条【売主の義務】
売主は、契約及びこの条約に従い、物品を引き渡し、物品に関する書類を交付し、及び物品の所有権を移転しなければならない。

第一節　物品の引渡し及び書類の交付

第三一条【引渡しの場所及び引渡義務の内容】
売主が次の(a)から(c)までに規定する場所以外の特定の場所において物品を引き渡す義務を負わない場合には、売主の引渡しの義務は、次のことから成る。
(a) 売買契約が物品の運送を伴う場合には、買主に送付するために物品を最初の運送人に交付すること。
(b) (a)に規定する場合以外の場合において、契約が特定物、特定の在庫から取り出される不特定物又は製造若しくは生産が行われる不特定物に関するものであり、かつ、物品が特定の場所に存在し、又は特定の場所で製造若しくは生産が行われることを当事者双方が契約の締結時に知っていたときは、その場所において物品を買主の処分にゆだねること。
(c) その他の場合には、売主が契約の締結時に営業所を有していた場所において物品を買主の処分にゆだねること。

第三二条【運送に関連する義務】
(1) 売主は、契約又はこの条約に従い物品を運送人に交付した場合において、当該物品が荷印、船積書類その他の方法により契約上の物品として明確に特定されないときは、買主に対して物品を特定した発送の通知を行わなければならない。
(2) 売主は、物品の運送を手配する義務を負う場合には、状況に応じて適切な運送手段により、かつ、このような運送のための通常の条件により、定められた場所までの運送に必要となる契約を締結しなければならない。
(3) 売主は、物品の運送について保険を掛ける義務を負わない場合であっても、買主の要求があるときは、買主が物品の運送について保険を掛けるために必要な情報であって自己が提供することのできるすべてのものを、買主に対して提供しなければならない。

第三三条【引渡しの時期】
売主は、次のいずれかの時期に物品を引き渡さなければならない。
(a) 期日が契約によって定められ、又は期日を契約から決定することができる場合には、その期日
(b) 期間が契約によって定められ、又は期間を契約から決定することができる場合には、買主が引渡しの日を選択すべきことを状況が示していない限り、その期間内のいずれかの時
(c) その他の場合には、契約の締結後の合理的な期間内

第三四条【書類の交付】
売主は、物品に関する書類を交付する義務を負う場合には、契約に定める時期及び場所において、かつ、契約に定める方式により、当該書類を交付しなければならない。売主は、その時期より前に当該書類を交付した場合において、買主に不合理な不便又は不合理な費用を生じさせないときは、その時期まで、当該書類の不適合を追完することができる。ただし、買主は、この条約に規定する損害賠償の請求をする権利を保持する。

第二節　物品の適合性及び第三者の権利又は請求

第三五条【物品の適合性】
(1) 売主は、契約に定める数量、品質及び種類に適合し、かつ、契約に定める方法で収納され、又は包装された物品を引き渡さなければならない。
(2) 当事者が別段の合意をした場合を除くほか、物品は、次の要件を満たさない限り、契約に適合しないものとする。
(a) 同種の物品が通常使用されるであろう目的に適したものであること。
(b) 契約の締結時に売主に対して明示的又は黙示的に知らされていた特定の目的に適したものであること。ただし、状況からみて、買主が売主の技能及び判断に依存せず、又は依存することが不合理であった場合は、この限りでない。
(c) 売主が買主に対して見本又はひな形として示した物品と同じ品質を有するものであること。
(d) 同種の物品にとって通常の方法により、又はこのような方法がない場合にはその物品の保存及び保護に適した方法により、収納され、又は包装されていること。
(3) 買主が契約の締結時に物品の不適合を知り、又は知らないことはあり得なかった場合には、売主は、当該物品の不適合について(2)(a)から(d)までの規定に係る責任を負わない。

第三六条【不適合についての売主の責任】
(1) 売主は、契約及びこの条約に従い、危険が買主に移転した時に存在していた不適合について責任を負うものとし、当該不適合が危険の移転した時の後に明らかになった場合においても責任を負う。
(2) 売主は、(1)に規定する時の後に生じた不適合であって、自己の義務違反（物品が一定の期間通常の目的若しくは特定の目的に適し、又は特定の品質若しくは特性を保持するとの保証に対する違反を含む。）によって生じたものについても責任を負う。

第三七条【引渡期日前の追完】
売主は、引渡しの期日前に物品を引き渡した場合には、買主に不合理な不便又は不合理な費用を生じさせないときに限り、その期日までに、欠けている部分を引き渡し、若しくは引き渡した物品の数量の不足分を補い、又は引き渡した不適合な物品の代替品を引き渡し、若しくは引き渡した物品の不適合を修補することができる。ただし、買主は、この条約に規定する損害賠償の請求をする権利を保持する。

第三八条【買主による物品の検査】
(1) 買主は、状況に応じて実行可能な限り短い期間内に、物品を検査し、又は検査させなければならない。

(2) 契約が物品の運送を伴う場合には、検査は、物品が仕向地に到達した後まで延期することができる。

(3) 買主が自己による検査のための合理的な機会なしに物品の運送中に仕向地を変更し、又は物品を転送した場合において、売主が契約の締結時にそのような変更又は転送の可能性を知り、又は知っているべきであったときは、検査は、物品が新たな仕向地に到達した後まで延期することができる。

第三九条【買主による不適合の通知】

(1) 買主は、物品の不適合を発見し、又は発見すべきであった時から合理的な期間内に売主に対して不適合の性質を特定した通知を行わない場合には、物品の不適合を援用する権利を失う。

(2) 買主は、いかなる場合にも、自己に物品が現実に交付された日から二年以内に売主に対して(1)に規定する通知を行わないときは、この期間制限と契約上の保証期間とが一致しない場合を除くほか、物品の不適合を援用する権利を失う。

第四〇条【売主の知っていた不適合】

物品の不適合が、売主が知り、又は知らないことはあり得なかった事実であって、売主が買主に対して明らかにしなかったものに関するものである場合には、売主は、前二条の規定に依拠することができない。

第四一条【第三者の権利又は請求】

売主は、買主が第三者の権利又は請求の対象となっている物品を受領することに同意した場合を除くほか、そのような権利又は請求の対象となっていない物品を引き渡さなければならない。ただし、当該権利又は請求が工業所有権その他の知的財産権に基づくものである場合には、売主の義務は、次条の規定によって規律される。

第四二条【知的財産権に基づく第三者の権利又は請求】

(1) 売主は、自己が契約の締結時に知り、又は知らないことはあり得なかった工業所有権その他の知的財産権に基づく第三者の権利又は請求の対象となっていない物品を引き渡さなければならない。ただし、そのような権利又は請求が、次の国の法の下での工業所有権その他の知的財産権に基づく場合に限る。

(a) ある国において物品が転売され、又は他の方法によって使用されることを当事者双方が契約の締結時に想定していた場合には、当該国の法

(b) その他の場合には、買主が営業所を有する国の法

(2) 売主は、次の場合には、(1)の規定に基づく義務を負わない。

(a) 買主が契約の締結時に(1)に規定する権利又は請求を知り、又は知らないことはあり得なかった場合

(b) (1)に規定する権利又は請求が、買主の提供した技術的図面、設計、製法その他の指定に売主が従ったことによって生じた場合

第四三条【買主による第三者の権利又は請求の通知、売主の知っていた第三者の権利又は請求】

(1) 買主は、第三者の権利又は請求を知り、又は知るべきであった時から合理的な期間内に、売主に対してそのような権利又は請求の性質を特定した通知を行わない場合には、前二条の規定に依拠する権利を失う。

(2) 売主は、第三者の権利又は請求及びその性質を知っていた場合には、(1)の規定に依拠することができない。

第四四条【買主が通知をしなかった場合の例外的救済】

第三十九条(1)及び前条(1)の規定にかかわらず、買主は、必要とされる通知を行わなかったことについて合理的な理由を有する場合には、第五十条の規定に基づき代金を減額し、又は損害賠償（得るはずであった利益の喪失の賠償を除く。）の請求をすることができる。

第三節　売主による契約違反についての救済

第四五条【買主の救済方法】

(1) 買主は、売主が契約又はこの条約に基づく義務を履行しない場合には、次のことを行うことができる。

(a) 次条から第五十二条までに規定する権利を行使すること。

(b) 第七十四条から第七十七条までの規定に従って損害賠償の請求をすること。

(2) 買主は、損害賠償の請求をする権利を、その他の救済を求める権利の行使によって奪われない。

(3) 買主が契約違反についての救済を求める場合には、裁判所又は仲裁廷は、売主に対して猶予期間を与えることができない。

第四六条【履行を求める権利】

(1) 買主は、売主に対してその義務の履行を請求することができる。ただし、買主がその請求と両立しない救済を求めた場合は、この限りでない。

(2) 買主は、物品が契約に適合しない場合には、代替品の引渡しを請求することができる。ただし、その不適合が重大な契約違反となり、かつ、その請求を第三十九条に規定する通知の際に又はその後の合理的な期間内に行う場合に限る。

(3) 買主は、物品が契約に適合しない場合には、すべての状況に照らして不合理であるときを除くほか、売主に対し、その不適合を修補によって追完することを請求することができる。その請求は、第三十九条に規定する通知の際に又はその後の合理的な期間内に行わなければならない。

第四七条【履行のための付加期間の付与】

(1) 買主は、売主による義務の履行のために合理的な長さの付加期間を定めることができる。

(2) 買主は、(1)の規定に基づいて定めた付加期間内に履行をしない旨の通知を売主から受けた場合を除くほか、当該付加期間内は、契約違反についてのいかなる救済も求めることができない。ただし、買主は、これにより、履行の遅滞について損害賠償の請求をする権利を奪われない。

第四八条【売主の追完権】

(1) 次条の規定が適用される場合を除くほか、売主は、引渡しの期日後も、不合理に遅滞せず、かつ、買主に対して不合理な不便又は買主の支出した費用につき自己から償還を受けることについての不安を生じさせない場合には、自己の費用負担によりいかなる義務の不履行も追完することができる。ただし、買主は、この条約に規定する損害賠償の請求をする権利を保持する。

(2) 売主は、買主に対して履行を受け入れるか否かについて知らせることを要求した場合において、買主が合理的な期間内にその要求に応じないときは、当該要求において示した期間内に履行をすることができる。買主は、この期間中、売主による履行と両立しない救済を求めることができない。

(3) 一定の期間内に履行をする旨の売主の通知は、(2)に規定する買主の選択を知らせることの要求を含むものと推定する。

(4) (2)又は(3)に規定する売主の要求又は通知は、買主がそれらを受けない限り、その効力を生じない。

第四九条【契約解除権】

(1) 買主は、次のいずれかの場合には、契約の解除の意思表示をすることができる。

(a) 契約又はこの条約に基づく売主の義務の不履行が重大な契約違反となる場合

(b) 引渡しがない場合において、買主が第四十七条(1)の規定に基づいて定めた付加期間内に売主が物品を引き渡さず、又は売主が当該付加期間内に引き渡さない旨の意思表示をしたとき。

(2) 買主は、売主が物品を引き渡した場合には、次の期間内に契約の解除の意思表示をしない限り、このような意思表示をする権利を失う。

(a) 引渡しの遅滞については、買主が引渡しが行われたことを知った時から合理的な期間内

(b) 引渡しの遅滞を除く違反については、次の時から合理的な期間内

(i) 買主が当該違反を知り、又は知るべきであった時

(ii) 買主が第四十七条(1)の規定に基づいて定めた付加期間を経過した時又は売主が当該付加期間内に義務を履行しない

旨の意思表示をした時

(iii) 売主が前条(2)の規定に基づいて示した期間を経過した時又は買主が履行を受け入れない旨の意思表示をした時

第五〇条【代金の減額】

物品が契約に適合しない場合には、代金が既に支払われたか否かを問わず、買主は、現実に引き渡された物品が引渡時において有した価値が契約に適合する物品であったとしたならば当該引渡時において有したであろう価値に対して有する割合と同じ割合により、代金を減額することができる。ただし、売主が第三十七条若しくは第四十八条の規定に基づきその義務の不履行を追完した場合又は買主がこれらの規定に基づく売主による履行を受け入れることを拒絶した場合には、買主は、代金を減額することができない。

第五一条【一部不履行】

(1) 売主が物品の一部のみを引き渡した場合又は引き渡した物品の一部のみが契約に適合する場合には、第四十六条から前条までの規定は、引渡しのない部分又は適合しない部分について適用する。

(2) 買主は、完全な引渡し又は契約に適合した引渡しが行われないことが重大な契約違反となる場合に限り、その契約の全部を解除する旨の意思表示をすることができる。

第五二条【引渡履行期前の引渡し、数量超過の引渡し】

(1) 売主が定められた期日前に物品を引き渡す場合には、買主は、引渡しを受領し、又はその受領を拒絶することができる。

(2) 売主が契約に定める数量を超過する物品を引き渡す場合には、買主は、超過する部分の引渡しを受領し、又はその受領を拒絶することができる。買主は、超過する部分の全部又は一部の引渡しを受領した場合には、その部分について契約価格に応じて代金を支払わなければならない。

第三章　買主の義務

第五三条【買主の義務】

買主は、契約及びこの条約に従い、物品の代金を支払い、及び物品の引渡しを受領しなければならない。

第一節　代金の支払

第五四条【代金支払義務】

代金を支払う買主の義務には、支払を可能とするため、契約又は法令に従って必要とされる措置をとるとともに手続を遵守することを含む。

第五五条【代金の不確定】

契約が有効に締結されている場合において、当該契約が明示的又は黙示的に、代金を定めず、又は代金の決定方法について規定していないときは、当事者は、反対の意思を示さない限り、関係する取引分野において同様の状況の下で売却された同種の物品について、契約の締結時に一般的に請求されていた価格を黙示的に適用したものとする。

第五六条【重量に基づいた代金】

代金が物品の重量に基づいて定められる場合において、疑義があるときは、代金は、正味重量によって決定する。

第五七条【支払の場所】

(1) 買主は、次の(a)又は(b)に規定する場所以外の特定の場所において代金を支払う義務を負わない場合には、次のいずれかの場所において売主に対して代金を支払わなければならない。

(a) 売主の営業所

(b) 物品又は書類の交付と引換えに代金を支払うべき場合には、当該交付が行われる場所

(2) 売主は、契約の締結後に営業所を変更したことによって生じた支払に付随する費用の増加額を負担する。

第五八条【支払の時期、交付の条件としての支払、支払前の検査】

(1) 買主は、いずれか特定の期日に代金を支払う義務を負わない場合には、売主が契約及びこの条約に従い物品又はその処分を支配する書類を買主の処分にゆだねた時に代金を支払わなければならない。売主は、その支払を物品又は書類の交付の条件とすることができる。

(2) 売主は、契約が物品の運送を伴う場合には、代金の支払と引換えでなければ物品又はその処分を支配する書類を買主に交付しない旨の条件を付して、物品を発送することができる。

(3) 買主は、物品を検査する機会を有する時まで代金を支払う義務を負わない。ただし、当事者の合意した引渡し又は支払の手続が、買主がそのような機会を有することと両立しない場合は、この限りでない。

第五九条【催告の不要性】

売主によるいかなる要求又はいかなる手続の遵守も要することなく、買主は、契約若しくはこの条約によって定められた期日又はこれらから決定することができる期日に代金を支払わなければならない。

第二節　引渡しの受領

第六〇条【引渡受領義務】

引渡しを受領する買主の義務は、次のことから成る。

(a) 売主による引渡しを可能とするために買主に合理的に期待することのできるすべての行為を行うこと。

(b) 物品を受け取ること。

第三節　買主による契約違反についての救済

第六一条【売主の救済方法】

(1) 売主は、買主が契約又はこの条約に基づく義務を履行しない場合には、次のことを行うことができる。

(a) 次条から第六十五条までに規定する権利を行使すること。

(b) 第七十四条から第七十七条までの規定に従って損害賠償の請求をすること。

(2) 売主は、損害賠償の請求をする権利を、その他の救済を求める権利の行使によって奪われない。

(3) 売主が契約違反についての救済を求める場合には、裁判所又は仲裁廷は、買主に対して猶予期間を与えることができない。

第六二条【履行を求める権利】

売主は、買主に対して代金の支払、引渡しの受領その他の買主の義務の履行を請求することができる。ただし、売主がその請求と両立しない救済を求めた場合は、この限りでない。

第六三条【履行のための付加期間の付与】

(1) 売主は、買主による義務の履行のために合理的な長さの付加期間を定めることができる。

(2) 売主は、(1)の規定に基づいて定めた付加期間内に履行をしない旨の通知を買主から受けた場合を除くほか、当該付加期間内は、契約違反についてのいかなる救済も求めることができない。ただし、売主は、これにより、履行の遅滞について損害賠償の請求をする権利を奪われない。

第六四条【契約解除権】

(1) 売主は、次のいずれかの場合には、契約の解除の意思表示をすることができる。

(a) 契約又はこの条約に基づく買主の義務の不履行が重大な契約違反となる場合

(b) 売主が前条(1)の規定に基づいて定めた付加期間内に買主が代金の支払義務若しくは物品の引渡しの受領義務を履行しない場合又は買主が当該付加期間内にそれらの義務を履行しない旨の意思表示をした場合

(2) 売主は、買主が代金を支払った場合には、次の時期に契約の解除の意思表示をする権利を失う。

(a) 買主による履行の遅滞については、売主が履行のあったことを知る前

(b) 履行の遅滞を除く買主による違反については、次の時から合理的な期間内

(i) 売主が当該違反を知り、又は知るべきであった時

(ii) 売主が前条(1)の規定に基づいて定めた付加期間を経過した時又は買主が当該付加期間内に義務を履行しない旨の意思表示をした時

第六五条【売主による仕様の指定】
(1) 買主が契約に従い物品の形状、寸法その他の特徴を指定すべき場合において、合意した期日に又は売主から要求を受けた時から合理的な期間内に買主がその指定を行わないときは、売主は、自己が有する他の権利の行使を妨げられることなく、自己の知ることができた買主の必要に応じて、自らその指定を行うことができる。
(2) 売主は、自ら(1)に規定する指定を行う場合には、買主に対してその詳細を知らせ、かつ、買主がそれと異なる指定を行うことができる合理的な期間を定めなければならない。買主がその通信を受けた後、その定められた期間内に異なる指定を行わない場合には、売主の行った指定は、拘束力を有する。

第四章 危険の移転

第六六条【危険移転の効果】
買主は、危険が自己に移転した後に生じた物品の滅失又は損傷により、代金を支払う義務を免れない。ただし、その滅失又は損傷が売主の作為又は不作為による場合は、この限りでない。

第六七条【運送を伴う売買契約における危険の移転】
(1) 売買契約が物品の運送を伴う場合において、売主が特定の場所において物品を交付する義務を負わないときは、危険は、売買契約に従って買主に送付するために物品を最初の運送人に交付した時に買主に移転する。売主が特定の場所において物品を運送人に交付する義務を負うときは、危険は、物品をその場所において運送人に交付する時まで買主に移転しない。売主が物品の処分を支配する書類を保持することが認められている事実は、危険の移転に影響を及ぼさない。
(2) (1)の規定にかかわらず、危険は、荷印、船積書類、買主に対する通知又は他の方法のいずれによるかを問わず、物品が契約上の物品として明確に特定される時まで買主に移転しない。

第六八条【運送中の物品の売買契約における危険の移転】
運送中に売却された物品に関し、危険は、契約の締結時から買主に移転する。ただし、運送契約を証する書類を発行した運送人に対して物品が交付された時から買主が危険を引き受けることを状況が示している場合には、買主は、その時から危険を引き受ける。もっとも、売主が売買契約の締結時に、物品が滅失し、又は損傷していたことを知り、又は知っているべきであった場合において、そのことを買主に対して明らかにしなかったときは、その滅失又は損傷は、売主の負担とする。

第六九条【その他の場合における危険の移転】
(1) 前二条に規定する場合以外の場合には、危険は、買主が物品を受け取った時に、又は買主が期限までに物品を受け取らないときは、物品が買主の処分にゆだねられ、かつ、引渡しを受領しないことによって買主が契約違反を行った時から買主に移転する。
(2) もっとも、買主が売主の営業所以外の場所において物品を受け取る義務を負うときは、危険は、引渡しの期限が到来し、かつ、物品がその場所において買主の処分にゆだねられたことを買主が知った時に移転する。
(3) 契約が特定されていない物品に関するものである場合には、物品は、契約上の物品として明確に特定される時まで買主の処分にゆだねられていないものとする。

第七〇条【売主による重大な契約違反と危険移転の関係】
売主が重大な契約違反を行った場合には、前三条の規定は、買主が当該契約違反を理由として求めることができる救済を妨げるものではない。

第五章 売主及び買主の義務に共通する規定

第一節 履行期前の違反及び分割履行契約

第七一条【履行の停止】
(1) 当事者の一方は、次のいずれかの理由によって相手方がその義務の実質的な部分を履行しないであろうという事情が契約の締結後に明らかになった場合には、自己の義務の履行を停止することができる。
(a) 相手方の履行をする能力又は相手方の信用力の著しい不足
(b) 契約の履行の準備又は契約の履行における相手方の行動
(2) 売主が(1)に規定する事情が明らかになる前に物品を既に発送している場合には、物品を取得する権限を与える書類を買主が有しているときであっても、売主は、買主への物品の交付を妨げることができる。この(2)の規定は、物品に関する売主と買主との間の権利についてのみ規定する。
(3) 履行を停止した当事者は、物品の発送の前後を問わず、相手方に対して履行を停止した旨を直ちに通知しなければならず、また、相手方がその履行について適切な保証を提供した場合には、自己の履行を再開しなければならない。

第七二条【履行期前の契約解除】
(1) 当事者の一方は、相手方が重大な契約違反を行うであろうことが契約の履行期日前に明白である場合には、契約の解除の意思表示をすることができる。
(2) 時間が許す場合には、契約の解除の意思表示をする意図を有する当事者は、相手方がその履行について適切な保証を提供することを可能とするため、当該相手方に対して合理的な通知を行わなければならない。
(3) (2)の規定は、相手方がその義務を履行しない旨の意思表示をした場合には、適用しない。

第七三条【分割履行契約の解除】
(1) 物品を複数回に分けて引き渡す契約において、いずれかの引渡部分についての当事者の一方による義務の不履行が当該引渡部分についての重大な契約違反となる場合には、相手方は、当該引渡部分について契約の解除の意思表示をすることができる。
(2) いずれかの引渡部分についての当事者の一方による義務の不履行が将来の引渡部分について重大な契約違反が生ずると判断する十分な根拠を相手方に与える場合には、当該相手方は、将来の引渡部分について契約の解除の意思表示をすることができる。ただし、この意思表示を合理的な期間内に行う場合に限る。
(3) いずれかの引渡部分について契約の解除の意思表示をする買主は、当該引渡部分が既に引き渡された部分又は将来の引渡部分と相互依存関係にあることにより、契約の締結時に当事者双方が想定していた目的のために既に引き渡された部分又は将来の引渡部分を使用することができなくなった場合には、それらの引渡部分についても同時に契約の解除の意思表示をすることができる。

第二節 損害賠償

第七四条【損害賠償の範囲】
当事者の一方による契約違反についての損害賠償の額は、当該契約違反により相手方が被った損失（得るはずであった利益の喪失を含む。）に等しい額とする。そのような損害賠償の額は、契約違反を行った当事者が契約の締結時に知り、又は知っているべきであった事実及び事情に照らし、当該当事者が契約違反から生じ得る結果として契約の締結時に予見し、又は予見すべきであった損失の額を超えることができない。

第七五条【契約解除後に代替取引が行われた場合の損害賠償額】
契約が解除された場合において、合理的な方法で、かつ、解除後の合理的な期間内に、買主が代替品を購入し、又は売主が物品を再売却したときは、損害賠償の請求をする当事者は、契約価格とこのような代替取引における価格との差額及び前条の規定に従って求めることができるその他の損害賠償を請求することができる。

第七六条【契約解除後に代替取引が行われなかった場合の損害賠償額】

(1) 契約が解除され、かつ、物品に時価がある場合において、損害賠償の請求をする当事者が前条の規定に基づく購入又は再売却を行っていないときは、当該当事者は、契約に定める価格と解除時における時価との差額及び第七十四条の規定に従って求めることができるその他の損害賠償を請求することができる。ただし、当該当事者が物品を受け取った後に契約を解除した場合には、解除時における時価に代えて物品を受け取った時における時価を適用する。

(2) (1)の規定の適用上、時価は、物品の引渡しが行われるべきであった場所における実勢価格とし、又は当該場所に時価がない場合には、合理的な代替地となるような他の場所における価格に物品の運送費用の差額を適切に考慮に入れたものとする。

第七七条【損害の軽減】　契約違反を援用する当事者は、当該契約違反から生ずる損失（得るはずであった利益の喪失を含む。）を軽減するため、状況に応じて合理的な措置をとらなければならない。当該当事者がそのような措置をとらなかった場合には、契約違反を行った当事者は、軽減されるべきであった損失額を損害賠償の額から減額することを請求することができる。

第三節　利息

第七八条【利息】　当事者の一方が代金その他の金銭を期限を過ぎて支払わない場合には、相手方は、第七十四条の規定に従って求めることができる損害賠償の請求を妨げられることなく、その金銭の利息を請求することができる。

第四節　免責

第七九条【債務者の支配を超えた障害による不履行】

(1) 当事者は、自己の義務の不履行が自己の支配を超える障害によって生じたこと及び契約の締結時に当該障害を考慮することも、当該障害又はその結果を回避し、又は克服することも自己に合理的に期待することができなかったことを証明する場合には、その不履行について責任を負わない。

(2) 当事者は、契約の全部又は一部を履行するために自己の使用した第三者による不履行により自己の不履行が生じた場合には、次の(a)及び(b)の要件が満たされるときに限り、責任を免れる。

(a) 当該当事者が(1)の規定により責任を免れること。

(b) 当該当事者の使用した第三者に(1)の規定を適用するとしたならば、当該第三者が責任を免れるであろうこと。

(3) この条に規定する免責は、(1)に規定する障害が存在する間、その効力を有する。

(4) 履行をすることができない当事者は、相手方に対し、(1)に規定する障害及びそれが自己の履行をする能力に及ぼす影響について通知しなければならない。当該当事者は、自己がその障害を知り、又は知るべきであった時から合理的な期間内に相手方がその通知を受けなかった場合には、それを受けなかったことによって生じた損害を賠償する責任を負う。

(5) この条の規定は、当事者が損害賠償の請求をする権利以外のこの条約に基づく権利を行使することを妨げない。

第八〇条【債権者の作為、不作為によって生じた不履行】　当事者の一方は、相手方の不履行が自己の作為又は不作為によって生じた限度において、相手方の不履行を援用することができない。

第五節　解除の効果

第八一条【解除の効果】

(1) 当事者双方は、契約の解除により、損害を賠償する義務を除くほか、契約に基づく義務を免れる。契約の解除は、紛争解決のための契約条項又は契約の解除の結果生ずる当事者の権利及び義務を規律する他の契約条項に影響を及ぼさない。

(2) 契約の全部又は一部を履行した当事者は、相手方に対し、自己がその契約に従って供給し、又は支払ったものの返還を請求することができる。当事者双方が返還する義務を負う場合には、当事者双方は、それらの返還を同時に行わなければならない。

第八二条【物品の返還不能による解除権及び代替品引渡請求権の喪失】

(1) 買主は、受け取った時と実質的に同じ状態で物品を返還することができない場合には、契約の解除の意思表示をする権利及び売主に代替品の引渡しを請求する権利を失う。

(2) (1)の規定は、次の場合には、適用しない。

(a) 物品を返還することができないこと又は受け取った時と実質的に同じ状態で物品を返還することができないことが買主の作為又は不作為によるものでない場合

(b) 物品の全部又は一部が第三十八条に規定する検査によって滅失し、又は劣化した場合

(c) 買主が不適合を発見し、又は発見すべきであった時より前に物品の全部又は一部を通常の営業の過程において売却し、又は通常の使用の過程において消費し、若しくは改変した場合

第八三条【前条の場合におけるその他の救済方法】　前条の規定に従い契約の解除の意思表示をする権利又は売主に代替品の引渡しを請求する権利を失った買主であっても、契約又はこの条約に基づく他の救済を求める権利を保持する。

第八四条【売主による利益の支払、買主による利益の返還】

(1) 売主は、代金を返還する義務を負う場合には、代金が支払われた日からの当該代金の利息も支払わなければならない。

(2) 買主は、次の場合には、物品の全部又は一部から得たすべての利益を売主に対して返還しなければならない。

(a) 買主が物品の全部又は一部を返還しなければならない場合

(b) 買主が物品の全部若しくは一部を返還することができない場合又は受け取った時と実質的に同じ状態で物品の全部若しくは一部を返還することができない場合において、契約の解除の意思表示をし、又は売主に代替品の引渡しを請求したとき。

第六節　物品の保存

第八五条【売主の物品保存義務】　買主が物品の引渡しの受領を遅滞した場合又は代金の支払と物品の引渡しとが同時に行われなければならず、かつ、買主がその代金を支払っていない場合において、売主がその物品を占有しているとき又は他の方法によりその処分を支配することができるときは、売主は、当該物品を保存するため、状況に応じて合理的な措置をとらなければならない。売主は、自己の支出した合理的な費用について買主から償還を受けるまで、当該物品を保持することができる。

第八六条【買主の物品保存義務】

(1) 買主は、物品を受け取った場合において、当該物品を拒絶するために契約又はこの条約に基づく権利を行使する意図を有するときは、当該物品を保存するため、状況に応じて合理的な措置をとらなければならない。買主は、自己の支出した合理的な費用について売主から償還を受けるまで、当該物品を保持することができる。

(2) 買主に対して送付された物品が仕向地で買主の処分にゆだねられた場合において、買主が当該物品を拒絶する権利を行使するときは、買主は、売主のために当該物品の占有を取得しなければならない。ただし、代金を支払うことなく、かつ、不合理な不便又は不合理な費用を伴うことなしに占有を取得することができる場合に限る。この規定は、売主又は売主のために物品を管理する権限を有する者が仕向地に存在する場合には、適用しない。買主がこの(2)の規定に従い物品の占有を取得する場合には、買主の権利及び義務は、(1)の規定によって規律される。

第八七条【第三者への寄託】

物品を保存するための措置をとる義務を負う当事者は、相手方の費用負担により物品を第三者の倉庫に寄託することができる。ただし、それに関して生ずる費用が不合理でない場合に限る。

第八八条【保存物品の売却】

(1) 第八十五条又は第八十六条の規定に従い物品を保存する義務を負う当事者は、物品の占有の取得若しくは取戻し又は代金若しくは保存のための費用の支払を相手方が不合理に遅滞する場合には、適切な方法により当該物品を売却することができる。ただし、相手方に対し、売却する意図について合理的な通知を行った場合に限る。

(2) 物品が急速に劣化しやすい場合又はその保存に不合理な費用を伴う場合には、第八十五条又は第八十六条の規定に従い物品を保存する義務を負う当事者は、物品を売却するための合理的な措置をとらなければならない。当該当事者は、可能な限り、相手方に対し、売却する意図を通知しなければならない。

(3) 物品を売却した当事者は、物品の保存及び売却に要した合理的な費用に等しい額を売却代金から控除して保持する権利を有する。当該当事者は、その残額を相手方に対して返還しなければならない。

第四部　最終規定（抄）

第八九条から第九一条まで　（略）

第九二条【第二部又は第三部に拘束されない旨の留保宣言】

(1) 締約国は、署名、批准、受諾、承認又は加入の時に、自国が第二部の規定に拘束されないこと又は第三部の規定に拘束されないことを宣言することができる。

(2) 第二部又は第三部の規定に関して(1)の規定に基づいて宣言を行った締約国は、当該宣言が適用される部によって規律される事項については、第一条(1)に規定する締約国とみなされない。

第九三条及び第九四条　（略）

第九五条【第一条(1)(b)に拘束されない旨の留保宣言】

いずれの国も、批准書、受諾書、承認書又は加入書の寄託の時に、第一条(1)(b)の規定に拘束されないことを宣言することができる。

第九六条【書面を不要とする規定を適用しない旨の留保宣言】

売買契約が書面によって締結され、又は証明されるべきことを自国の法令に定めている締約国は、売買契約、合意によるその変更若しくは終了又は申込み、承諾その他の意思表示を書面による方法以外の方法で行うことを認める第十一条、第二十九条又は第二部のいかなる規定も、当事者のいずれかが当該締約国に営業所を有する場合には第十二条の規定に従って適用しないことを、いつでも宣言することができる。

第九七条　（略）

第九八条【他の留保の禁止】

この条約において明示的に認められた留保を除くほか、いかなる留保も認められない。

第九九条から第一〇一条まで　（略）

千九百八十年四月十一日にウィーンで、ひとしく正文であるアラビア語、中国語、英語、フランス語、ロシア語及びスペイン語により原本一通を作成した。

以上の証拠として、下名の全権委員は、各自の政府から正当に委任を受けてこの条約に署名した。

●借地借家法（平成三・一〇・四 法 九 〇）

施行 平成四・八・一（平成四政二五）
改正 平成八法一一〇、平成一一法一五三、平成一九法一三二、平成二三法五三、平成二九法四五、令和三法三七、令和四法四八、令和五法五三

目次

第一章 総則

（趣旨）
第一条 この法律は、建物の所有を目的とする地上権及び土地の賃借権の存続期間、効力等並びに建物の賃貸借の契約の更新、効力等に関し特別の定めをするとともに、借地条件の変更等の裁判手続に関し必要な事項を定めるものとする。

（定義）
第二条 この法律において、次の各号に掲げる用語の意義は、当該各号に定めるところによる。
一 借地権 建物の所有を目的とする地上権又は土地の賃借権をいう。
二 借地権者 借地権を有する者をいう。
三 借地権設定者 借地権者に対して借地権を設定している者をいう。
四 転借地権 建物の所有を目的とする土地の賃借権で借地権者が設定しているものをいう。
五 転借地権者 転借地権を有する者をいう。

第二章 借地

第一節 借地権の存続期間等

（借地権の存続期間）
第三条 借地権の存続期間は、三十年とする。ただし、契約でこれより長い期間を定めたときは、その期間とする。

借地法（大正一〇・四・八法四九）（抜粋）
第二条【借地権ノ存続期間】①借地権ノ存続期間ハ石造、土造、煉瓦造又ハ之ニ類スル堅固ノ建物ノ所有ヲ目的トスルモノニ付テハ六十年、其ノ他ノ建物ノ所有ヲ目的トスルモノニ付テハ三十年トス但シ建物カ此ノ期間満了前朽廃シタルトキハ借地権ハ之ニ因リテ消滅ス
②契約ヲ以テ堅固ノ建物ニ付三十年以上、其ノ他ノ建物ニ付二十年以上ノ存続期間ヲ定メタルトキハ借地権ハ前項ノ規定ニ拘ラス其ノ期間ノ満了ニ因リテ消滅ス

（借地権の更新後の期間）
第四条 当事者が借地契約を更新する場合においては、その期間は、更新の日から十年（借地権の設定後の最初の更新にあっては、二十年）とする。ただし、当事者がこれより長い期間を定めたときは、その期間とする。

借地法（大正一〇・四・八法四九）（抜粋）
第五条【借地権ノ更新後ノ期間】①当事者カ契約ヲ更新スル場合ニ於テハ借地権ノ存続期間ハ更新ノ時ヨリ起算シ堅固ノ建物ニ付テハ三十年、其ノ他ノ建物ニ付テハ二十年トス此ノ場合ニ於テハ第二条第一項但書ノ規定ヲ準用ス
②当事者カ前項ニ規定スル期間ヨリ長キ期間ヲ定メタルトキハ其ノ定ニ従フ

（借地契約の更新請求等）
第五条① 借地権の存続期間が満了する場合において、借地権者が契約の更新を請求したときは、建物がある場合に限り、前条の規定によるもののほか、従前の契約と同一の条件で契約を更新したものとみなす。ただし、借地権設定者が遅滞なく異議を述べたときは、この限りでない。
② 借地権の存続期間が満了した後、借地権者が土地の使用を継続するときも、建物がある場合に限り、前項と同様とする。
③ 転借地権が設定されている場合においては、転借地権者がする土地の使用の継続を借地権者がする土地の使用の継続とみなして、借地権者と借地権設定者との間について前項の規定を適用する。

（借地契約の更新拒絶の要件）
第六条 前条の異議は、借地権設定者及び借地権者（転借地権者を含む。以下この条において同じ。）が土地の使用を必要とする事情のほか、借地に関する従前の経過及び土地の利用状況並びに借地権設定者が土地の明渡しの条件として又は土地の明渡しと引換えに借地権者に対して財産上の給付をする旨の申出をした場合におけるその申出を考慮して、正当の事由があると認められる場合でなければ、述べることができない。

借地法（大正一〇・四・八法四九）（抜粋）
第四条【更新の請求等】①借地権消滅ノ場合ニ於テ借地権者カ契約ノ更新ヲ請求シタルトキハ建物アル場合ニ限リ前契約ト同一ノ条件ヲ以テ更ニ借地権ヲ設定シタルモノト看做ス但シ土地所有者カ自ラ土地ヲ使用スルコトヲ必要トスル場合其ノ他正当ノ事由アル場合ニ於テ遅滞ナク異議ヲ述ヘタルトキハ此ノ限ニ在ラス
②（略）
③第五条第一項ノ規定ハ第一項ノ場合ニ之ヲ準用ス
第六条【法定更新】①借地権者借地権ノ消滅後土地ノ使用ヲ継続スル場合ニ於テ土地所有者カ遅滞ナク異議ヲ述ヘサリシトキハ前契約ト同一ノ条件ヲ以テ更ニ借地権ヲ設定シタルモノト看做ス此ノ場合ニ於テハ前条第一項ノ規定ヲ準用ス
②前項ノ場合ニ於テ建物アルトキハ土地所有者ハ第四条第一項但書ニ規定スル事由アルニ非サレハ異議ヲ述フルコトヲ得ス

（建物の再築による借地権の期間の延長）
第七条① 借地権の存続期間が満了する前に建物の滅失（借地権者又は転借地権者による取壊しを含む。以下同じ。）があった場合において、借地権者が残存期間を超えて存続すべき建物を築造したときは、その建物を築造するにつき借地権設定者の承諾がある場合に限り、借地権は、承諾があった日又は建物が築造された日のいずれか早い日から二十年間存続する。ただし、残存期間がこれより長いとき、又は当事者がこれより長い期間を定めたときは、その期間による。
② 借地権者が借地権設定者に対し残存期間を超えて存続すべき建物を新たに築造する旨を通知した場合において、借地権設定者がその通知を受けた後二月以内に異議を述べなかったときは、その建物を築造するにつき前項の借地権設定者の承諾があったものとみなす。ただし、契約の更新の後（同項の規定により借地権の存続期間が延長された場合にあっては、借地権の当初の存続期間が満了すべき日の後。次条及び第十八条において同じ。）に通知があった場合においては、この限りでない。
③ 転借地権が設定されている場合においては、転借地権者がする建物の築造を借地権者がする建物の築造とみなして、借地権

者と借地権設定者との間について第一項の規定を適用する。

借地法（大正一〇・四・八法四九）（抜粋）
第七条【建物の再築の場合の法定更新】 借地権ノ消滅前建物カ滅失シタル場合ニ於テ残存期間ヲ超エテ存続スヘキ建物ノ築造ニ対シ土地所有者カ遅滞ナク異議ヲ述ヘサリシトキハ借地権ハ建物滅失ノ日ヨリ起算シ堅固ノ建物ニ付テハ三十年間、其ノ他ノ建物ニ付テハ二十年間存続ス但シ残存期間之ヨリ長キトキハ其ノ期間ニ依ル

第八条①（借地契約の更新後の建物の滅失による解約等） 契約の更新の後に建物の滅失があった場合においては、借地権者は、地上権の放棄又は土地の賃貸借の解約の申入れをすることができる。

② 前項に規定する場合において、借地権者が借地権設定者の承諾を得ないで残存期間を超えて存続すべき建物を築造したときは、借地権設定者は、地上権の消滅の請求又は土地の賃貸借の解約の申入れをすることができる。

③ 前二項の場合においては、借地権は、地上権の放棄若しくは消滅の請求又は土地の賃貸借の解約の申入れがあった日から三月を経過することによって消滅する。

④ 第一項に規定する地上権の放棄又は土地の賃貸借の解約の申入れをする権利は、第二項に規定する地上権の消滅の請求又は土地の賃貸借の解約の申入れをする権利を制限する場合に限り、制限することができる。

⑤ 転借地権が設定されている場合においては、転借地権者がする建物の築造を借地権者がする建物の築造とみなして、借地権者と借地権設定者との間について第二項の規定を適用する。

第九条（強行規定） この節の規定に反する特約で借地権者に不利なものは、無効とする。

第二節　借地権の効力

第一〇条①（借地権の対抗力） 借地権は、その登記がなくても、土地の上に借地権者が登記されている建物を所有するときは、これをもって第三者に対抗することができる。

② 前項の場合において、建物の滅失があっても、借地権者が、その建物を特定するために必要な事項、その滅失があった日及び建物を新たに築造する旨を土地の上の見やすい場所に掲示するときは、借地権は、なお同項の効力を有する。ただし、建物の滅失があった日から二年を経過した後にあっては、その前に建物を新たに築造し、かつ、その建物につき登記した場合に限る。

第一一条①（地代等増減請求権） 地代又は土地の借賃（以下この条及び次条において「地代等」という。）が、土地に対する租税その他の公課の増減により、土地の価格の上昇若しくは低下その他の経済事情の変動により、又は近傍類似の土地の地代等に比較して不相当となったときは、契約の条件にかかわらず、当事者は、将来に向かって地代等の額の増減を請求することができる。ただし、一定の期間地代等を増額しない旨の特約がある場合には、その定めに従う。

② 地代等の増額について当事者間に協議が調わないときは、その請求を受けた者は、増額を正当とする裁判が確定するまでは、相当と認める額の地代等を支払うことをもって足りる。ただし、その裁判が確定した場合において、既に支払った額に不足があるときは、その不足額に年一割の割合による支払期後の利息を付してこれを支払わなければならない。

③ 地代等の減額について当事者間に協議が調わないときは、その請求を受けた者は、減額を正当とする裁判が確定するまでは、相当と認める額の地代等の支払を請求することができる。ただし、その裁判が確定した場合において、既に支払を受けた額が正当とされた地代等の額を超えるときは、その超過額に年一割の割合による受領の時からの利息を付してこれを返還しなければならない。

第一二条①（借地権設定者の先取特権） 借地権設定者は、弁済期の到来した最後の二年分の地代等について、借地権者がその土地において所有する建物の上に先取特権を有する。

② 前項の先取特権は、地上権又は土地の賃貸借の登記をすることによって、その効力を保存する。

③ 第一項の先取特権は、他の権利に対して優先する効力を有する。ただし、共益費用、不動産保存及び不動産工事の先取特権並びに地上権又は土地の賃貸借の登記より前に登記された質権及び抵当権には後れる。

④ 前三項の規定は、転借地権者がその土地において所有する建物について準用する。

第一三条①（建物買取請求権） 借地権の存続期間が満了した場合において、契約の更新がないときは、借地権者は、借地権設定者に対し、建物その他借地権者が権原により土地に附属させた物を時価で買い取るべきことを請求することができる。

② 前項の場合において、建物が借地権の存続期間が満了する前に借地権設定者の承諾を得ないで残存期間を超えて存続すべきものとして新たに築造されたものであるときは、裁判所は、借地権設定者の請求により、代金の全部又は一部の支払につき相当の期限を許与することができる。

③ 前二項の規定は、借地権の存続期間が満了した場合における転借地権者と借地権設定者との間について準用する。

第一四条（第三者の建物買取請求権） 第三者が賃借権の目的である土地の上の建物その他借地権者が権原によって土地に附属させた物を取得した場合において、借地権設定者が賃借権の譲渡又は転貸を承諾しないときは、その第三者は、借地権設定者に対し、建物その他借地権者が権原によって土地に附属させた物を時価で買い取るべきことを請求することができる。

第一五条①（自己借地権） 借地権を設定する場合においては、他の者と共に有することとなるときに限り、借地権設定者が自らその借地権を有することを妨げない。

② 借地権が借地権設定者に帰した場合であっても、他の者と共にその借地権を有するときは、その借地権は、消滅しない。

第一六条（強行規定） 第十条、第十三条及び第十四条の規定に反する特約で借地権者又は転借地権者に不利なものは、無効とする。

第三節　借地条件の変更等

第一七条①（借地条件の変更及び増改築の許可） 建物の種類、構造、規模又は用途を制限する旨の借地条件がある場合において、法令による土地利用の規制の変更、付近の土地の利用状況の変化その他の事情の変更により現に借地権を設定するにおいてはその借地条件と異なる建物の所有を目的とすることが相当であるにもかかわらず、借地条件の変更につき当事者間に協議が調わないときは、裁判所は、当事者の申立てにより、その借地条件を変更することができる。

② 増改築を制限する旨の借地条件がある場合において、土地の通常の利用上相当とすべき増改築につき当事者間に協議が調わないときは、裁判所は、借地権者の申立てにより、その増改築についての借地権設定者の承諾に代わる許可を与えることができる。

③ 裁判所は、前二項の裁判をする場合において、当事者間の利益の衡平を図るため必要があるときは、他の借地条件を変更し、財産上の給付を命じ、その他相当の処分をすることができる。

④ 裁判所は、前三項の裁判をするには、借地権の残存期間、土地の状況、借地に関する従前の経過その他一切の事情を考慮し

なければならない。

⑤ 転借地権が設定されている場合において、必要があるときは、裁判所は、転借地権者の申立てにより、転借地権とともに借地権につき第一項から第三項までの裁判をすることができる。

⑥ 裁判所は、特に必要がないと認める場合を除き、第一項から第三項まで又は前項の裁判をする前に鑑定委員会の意見を聴かなければならない。

（借地契約の更新後の建物の再築の許可）

第一八条① 契約の更新の後において、借地権者が残存期間を超えて存続すべき建物を新たに築造することにつきやむを得ない事情があるにもかかわらず、借地権設定者がその建物の築造を承諾しないときは、借地権設定者が地上権の消滅の請求又は土地の賃貸借の解約の申入れをすることができない旨を定めた場合を除き、裁判所は、借地権者の申立てにより、借地権設定者の承諾に代わる許可を与えることができる。この場合において、当事者間の利益の衡平を図るため必要があるときは、延長すべき借地権の期間として第七条第一項の規定による期間と異なる期間を定め、他の借地条件を変更し、財産上の給付を命じ、その他相当の処分をすることができる。

② 裁判所は、前項の裁判をするには、建物の状況、建物の滅失があった場合には滅失に至った事情、借地に関する従前の経過、借地権設定者及び借地権者（転借地権者を含む。）が土地の使用を必要とする事情その他一切の事情を考慮しなければならない。

③ 前条第五項及び第六項の規定は、第一項の裁判をする場合に準用する。

（土地の賃借権の譲渡又は転貸の許可）

第一九条① 借地権者が賃借権の目的である土地の上の建物を第三者に譲渡しようとする場合において、その第三者が賃借権を取得し、又は転借をしても借地権設定者に不利となるおそれがないにもかかわらず、借地権設定者がその賃借権の譲渡又は転貸を承諾しないときは、裁判所は、借地権者の申立てにより、借地権設定者の承諾に代わる許可を与えることができる。この場合において、当事者間の利益の衡平を図るため必要があるときは、賃借権の譲渡若しくは転貸を条件とする借地条件の変更を命じ、又はその許可を財産上の給付に係らしめることができる。

② 裁判所は、前項の裁判をするには、賃借権の残存期間、借地に関する従前の経過、賃借権の譲渡又は転貸を必要とする事情その他一切の事情を考慮しなければならない。

③ 第一項の申立てがあった場合において、裁判所が定める期間内に借地権設定者が自ら建物の譲渡及び賃借権の譲渡又は転貸を受ける旨の申立てをしたときは、裁判所は、同項の規定にかかわらず、相当の対価及び転貸の条件を定めて、これを命ずることができる。この裁判においては、当事者双方に対し、その義務を同時に履行すべきことを命ずることができる。

④ 前項の申立ては、第一項の申立てが取り下げられたとき、又は不適法として却下されたときは、その効力を失う。

⑤ 第三項の裁判があった後は、第一項又は第三項の申立ては、当事者の合意がある場合でなければ取り下げることができない。

⑥ 裁判所は、特に必要がないと認める場合を除き、第一項又は第三項の裁判をする前に鑑定委員会の意見を聴かなければならない。

⑦ 前各項の規定は、転借地権が設定されている場合における転借地権者と借地権設定者との間について準用する。ただし、借地権設定者が第三項の申立てをするには、借地権者の承諾を得なければならない。

（建物競売等の場合における土地の賃借権の譲渡の許可）

第二〇条① 第三者が賃借権の目的である土地の上の建物を競売又は公売により取得した場合において、その第三者が賃借権を取得しても借地権設定者に不利となるおそれがないにもかかわらず、借地権設定者がその賃借権の譲渡を承諾しないときは、裁判所は、その第三者の申立てにより、借地権設定者の承諾に代わる許可を与えることができる。この場合において、当事者間の利益の衡平を図るため必要があるときは、借地条件を変更し、又は財産上の給付を命ずることができる。

② 前条第二項から第六項までの規定は、前項の申立てがあった場合に準用する。

③ 第一項の申立ては、建物の代金を支払った後二月以内に限り、することができる。

④ 民事調停法（昭和二十六年法律第二百二十二号）第十九条の規定は、同条に規定する期間内に第一項の申立てをした場合に準用する。

⑤ 前各項の規定は、転借地権者から競売又は公売により建物を取得した第三者と借地権設定者との間について準用する。ただし、借地権設定者が第二項において準用する前条第三項の申立てをするには、借地権者の承諾を得なければならない。

（強行規定）

第二一条 第十七条から第十九条までの規定に反する特約で借地権者又は転借地権者に不利なものは、無効とする。

第四節　定期借地権等

（定期借地権）

第二二条① 存続期間を五十年以上として借地権を設定する場合においては、第九条及び第十六条の規定にかかわらず、契約の更新（更新の請求及び土地の使用の継続によるものを含む。次条第一項において同じ。）及び建物の築造による存続期間の延長がなく、並びに第十三条の規定による買取りの請求をしないこととする旨を定めることができる。この場合においては、その特約は、公正証書による等書面によってしなければならない。

② 前項前段の特約がその内容を記録した電磁的記録（電子的方式、磁気的方式その他人の知覚によっては認識することができない方式で作られる記録であって、電子計算機による情報処理の用に供されるものをいう。第三十八条第二項及び第三十九条第三項において同じ。）によってされたときは、その特約は、書面によってされたものとみなして、前項後段の規定を適用する。

＊令和五法五三（令和一〇・六・一三までに施行）による改正
第二項中「第三十八条第二項及び第三十九条第三項において」を「以下」に、「前項後段」を「同項後段」に改める。（本文未織込み）

（事業用定期借地権等）

第二三条① 専ら事業の用に供する建物（居住の用に供するものを除く。次項において同じ。）の所有を目的とし、かつ、存続期間を三十年以上五十年未満として借地権を設定する場合においては、第九条及び第十六条の規定にかかわらず、契約の更新及び建物の築造による存続期間の延長がなく、並びに第十三条の規定による買取りの請求をしないこととする旨を定めることができる。

② 専ら事業の用に供する建物の所有を目的とし、かつ、存続期間を十年以上三十年未満として借地権を設定する場合には、第三条から第八条まで、第十三条及び第十八条の規定は、適用しない。

③ 前二項に規定する借地権の設定を目的とする契約は、公正証書によってしなければならない。

（建物譲渡特約付借地権）

第二四条① 借地権を設定する場合（前条第二項に規定する借地権を設定する場合を除く。）においては、第九条の規定にかかわらず、借地権を消滅させるため、その設定後三十年以上を経過した日に借地権の目的である土地の上の建物を借地権設定者に相当の対価で譲渡する旨を定めることができる。

② 前項の特約により借地権が消滅した場合において、その借地

権者又は建物の賃借人でその消滅後建物の使用を継続しているものが請求をしたときは、請求の時にその建物につきその借地権者又は建物の賃借人と借地権設定者との間で期間の定めのない賃貸借（借地権者が請求をした場合において、借地権の残存期間があるときは、その残存期間を存続期間とする賃貸借）がされたものとみなす。この場合において、建物の借賃は、当事者の請求により、裁判所が定める。

③　第一項の特約がある場合において、借地権者又は建物の賃借人と借地権設定者との間でその建物につき第三十八条第一項の規定による賃貸借契約をしたときは、前項の規定にかかわらず、その定めに従う。

（一時使用目的の借地権）

第二五条　第三条から第八条まで、第十三条、第十七条、第十八条及び第二十二条から前条までの規定は、臨時設備の設置その他一時使用のために借地権を設定したことが明らかな場合には、適用しない。

第三章　借家

第一節　建物賃貸借契約の更新等

（建物賃貸借契約の更新等）

第二六条①　建物の賃貸借について期間の定めがある場合において、当事者が期間の満了の一年前から六月前までの間に相手方に対して更新をしない旨の通知又は条件を変更しなければ更新をしない旨の通知をしなかったときは、従前の契約と同一の条件で契約を更新したものとみなす。ただし、その期間は、定めがないものとする。

②　前項の通知をした場合であっても、建物の賃貸借の期間が満了した後建物の賃借人が使用を継続する場合において、建物の賃貸人が遅滞なく異議を述べなかったときも、同項と同様とする。

③　建物の転貸借がされている場合においては、建物の転借人がする建物の使用の継続を建物の賃借人がする建物の使用の継続とみなして、建物の賃借人と賃貸人との間について前項の規定を適用する。

（解約による建物賃貸借の終了）

第二七条①　建物の賃貸人が賃貸借の解約の申入れをした場合においては、建物の賃貸借は、解約の申入れの日から六月を経過することによって終了する。

②　前条第二項及び第三項の規定は、建物の賃貸借が解約の申入れによって終了した場合に準用する。

（建物賃貸借契約の更新拒絶等の要件）

第二八条　建物の賃貸人による第二十六条第一項の通知又は建物の賃貸借の解約の申入れは、建物の賃貸人及び賃借人（転借人を含む。以下この条において同じ。）が建物の使用を必要とする事情のほか、建物の賃貸借に関する従前の経過、建物の利用状況及び建物の現況並びに建物の賃貸人が建物の明渡しの条件として又は建物の明渡しと引換えに建物の賃借人に対して財産上の給付をする旨の申出をした場合におけるその申出を考慮して、正当の事由があると認められる場合でなければ、することができない。

> **借家法**（大正一〇・四・八法五〇）（抜粋）
> **第一条ノ二【更新拒絶又は解約の制限】**建物ノ賃貸人ハ自ラ使用スルコトヲ必要トスル場合其ノ他正当ノ事由アル場合ニ非サレハ賃貸借ノ更新ヲ拒ミ又ハ解約ノ申入ヲ為スコトヲ得ス

（建物賃貸借の期間）

第二九条①　期間を一年未満とする建物の賃貸借は、期間の定めがない建物の賃貸借とみなす。

②　民法（明治二十九年法律第八十九号）第六百四条の規定は、建物の賃貸借については、適用しない。

（強行規定）

第三〇条　この節の規定に反する特約で建物の賃借人に不利なものは、無効とする。

第二節　建物賃貸借の効力

（建物賃貸借の対抗力）

第三一条　建物の賃貸借は、その登記がなくても、建物の引渡しがあったときは、その後その建物について物権を取得した者に対し、その効力を生ずる。

（借賃増減請求権）

第三二条①　建物の借賃が、土地若しくは建物に対する租税その他の負担の増減により、土地若しくは建物の価格の上昇若しくは低下その他の経済事情の変動により、又は近傍同種の建物の借賃に比較して不相当となったときは、契約の条件にかかわらず、当事者は、将来に向かって建物の借賃の額の増減を請求することができる。ただし、一定の期間建物の借賃を増額しない旨の特約がある場合には、その定めに従う。

②　建物の借賃の増額について当事者間に協議が調わないときは、その請求を受けた者は、増額を正当とする裁判が確定するまでは、相当と認める額の建物の借賃を支払うことをもって足りる。ただし、その裁判が確定した場合において、既に支払った額に不足があるときは、その不足額に年一割の割合による支払期後の利息を付してこれを支払わなければならない。

③　建物の借賃の減額について当事者間に協議が調わないときは、その請求を受けた者は、減額を正当とする裁判が確定するまでは、相当と認める額の建物の借賃の支払を請求することができる。ただし、その裁判が確定した場合において、既に支払を受けた額が正当とされた建物の借賃の額を超えるときは、その超過額に年一割の割合による受領の時からの利息を付してこれを返還しなければならない。

（造作買取請求権）

第三三条①　建物の賃貸人の同意を得て建物に付加した畳、建具その他の造作がある場合には、建物の賃借人は、建物の賃貸借が期間の満了又は解約の申入れによって終了するときに、建物の賃貸人に対し、その造作を時価で買い取るべきことを請求することができる。建物の賃貸人から買い受けた造作についても、同様とする。

②　前項の規定は、建物の賃貸借が期間の満了又は解約の申入れによって終了する場合における建物の転借人と賃貸人との間について準用する。

（建物賃貸借終了の場合における転借人の保護）

第三四条①　建物の転貸借がされている場合において、建物の賃貸借が期間の満了又は解約の申入れによって終了するときは、建物の賃貸人は、建物の転借人にその旨の通知をしなければ、その終了を建物の転借人に対抗することができない。

②　建物の賃貸人が前項の通知をしたときは、建物の転貸借は、その通知がされた日から六月を経過することによって終了する。

（借地上の建物の賃借人の保護）

第三五条①　借地権の目的である土地の上の建物につき賃貸借がされている場合において、借地権の存続期間の満了によって建物の賃借人が土地を明け渡すべきときは、建物の賃借人が借地権の存続期間が満了することをその一年前までに知らなかった場合に限り、裁判所は、建物の賃借人の請求により、建物の賃借人がこれを知った日から一年を超えない範囲内において、土地の明渡しにつき相当の期限を許与することができる。

②　前項の規定により裁判所が期限の許与をしたときは、建物の賃貸借は、その期限が到来することによって終了する。

（居住用建物の賃貸借の承継）

第三六条①　居住の用に供する建物の賃借人が相続人なしに死亡した場合において、その当時婚姻又は縁組の届出をしていないが、建物の賃借人と事実上夫婦又は養親子と同様の関係にあった同居者があるときは、その同居者は、建物の賃借人の権利義務を承継する。ただし、相続人なしに死亡したことを知った後一月以内に建物の賃貸人に反対の意思を表示したときは、この限りでない。

② 前項本文の場合においては、建物の賃貸借関係に基づき生じた債権又は債務は、同項の規定により建物の賃借人の権利義務を承継した者に帰属する。

（**強行規定**）

第三七条 第三十一条、第三十四条及び第三十五条の規定に反する特約で建物の賃借人又は転借人に不利なものは、無効とする。

第三節 定期建物賃貸借等

（**定期建物賃貸借**）

第三八条① 期間の定めがある建物の賃貸借をする場合においては、公正証書による等書面によって契約をするときに限り、第三十条の規定にかかわらず、契約の更新がないこととする旨を定めることができる。この場合には、第二十九条第一項の規定を適用しない。

② 前項の規定による建物の賃貸借の契約がその内容を記録した電磁的記録によってされたときは、その契約は、書面によってされたものとみなして、同項の規定を適用する。

③ 第一項の規定による建物の賃貸借をしようとするときは、建物の賃貸人は、あらかじめ、建物の賃借人に対し、同項の規定による建物の賃貸借は契約の更新がなく、期間の満了により当該建物の賃貸借は終了することについて、その旨を記載した書面を交付して説明しなければならない。

④ 建物の賃貸人は、前項の規定による書面の交付に代えて、政令で定めるところにより、建物の賃借人の承諾を得て、当該書面に記載すべき事項を電磁的方法（電子情報処理組織を使用する方法その他の情報通信の技術を利用する方法であって法務省令で定めるものをいう。）により提供することができる。この場合において、当該建物の賃貸人は、当該書面を交付したものとみなす。

⑤ 建物の賃貸人が第三項の規定による説明をしなかったときは、契約の更新がないこととする旨の定めは、無効とする。

⑥ 第一項の規定による建物の賃貸借において、期間が一年以上である場合には、建物の賃貸人は、期間の満了の一年前から六月前までの間（以下この項において「通知期間」という。）に建物の賃借人に対し期間の満了により建物の賃貸借が終了する旨の通知をしなければ、その終了を建物の賃借人に対抗することができない。ただし、建物の賃貸人が通知期間の経過後建物の賃借人に対しその旨の通知をした場合においては、その通知の日から六月を経過した後は、この限りでない。

⑦ 第一項の規定による居住の用に供する建物の賃貸借（床面積（建物の一部分を賃貸借の目的とする場合にあっては、当該一部分の床面積）が二百平方メートル未満の建物に係るものに限る。）において、転勤、療養、親族の介護その他のやむを得ない事情により、建物の賃借人が建物を自己の生活の本拠として使用することが困難となったときは、建物の賃借人は、建物の賃貸借の解約の申入れをすることができる。この場合においては、建物の賃貸借は、解約の申入れの日から一月を経過することによって終了する。

⑧ 前二項の規定に反する特約で建物の賃借人に不利なものは、無効とする。

⑨ 第三十二条の規定は、第一項の規定による建物の賃貸借において、借賃の改定に係る特約がある場合には、適用しない。

（**取壊し予定の建物の賃貸借**）

第三九条① 法令又は契約により一定の期間を経過した後に建物を取り壊すべきことが明らかな場合において、建物の賃貸借をするときは、第三十条の規定にかかわらず、建物を取り壊すこととなる時に賃貸借が終了する旨を定めることができる。

② 前項の特約は、同項の建物を取り壊すべき事由を記載した書面によってしなければならない。

③ 第一項の特約がその内容及び前項に規定する事由を記録した電磁的記録によってされたときは、その特約は、同項の書面によってされたものとみなして、同項の規定を適用する。

（**一時使用目的の建物の賃貸借**）

第四〇条 この章の規定は、一時使用のために建物の賃貸借をしたことが明らかな場合には、適用しない。

第四章 借地条件の変更等の裁判手続

（**管轄裁判所**）

第四一条 第十七条第一項、第二項若しくは第五項（第十八条第三項において準用する場合を含む。）、第十八条第一項、第十九条第一項（同条第七項において準用する場合を含む。）若しくは第三項（同条第七項及び第二十条第二項（同条第五項において準用する場合を含む。）において準用する場合を含む。）又は第二十条第一項（同条第五項において準用する場合を含む。）に規定する事件は、借地権の目的である土地の所在地を管轄する地方裁判所が管轄する。ただし、当事者の合意があるときは、その所在地を管轄する簡易裁判所が管轄することを妨げない。

（**非訟事件手続法の適用除外及び最高裁判所規則**）

第四二条① 前条の事件については、非訟事件手続法（平成二十三年法律第五十一号）第二十七条、第四十条、第四十二条の二及び第六十三条第一項後段の規定は、適用しない。

② この法律に定めるもののほか、前条の事件に関し必要な事項は、最高裁判所規則で定める。

＊令和五法五三（令和一〇・六・一三までに施行）による改正後

（**非訟事件手続法の適用関係及び最高裁判所規則**）

第四二条① 前条の事件については、非訟事件手続法（平成二十三年法律第五十一号）第二十七条、第四十条、第四十二条の二及び第六十三条第一項後段の規定は、適用しない。

② 前条の事件についての非訟事件手続法第三十八条の規定の適用については、同条中「非訟事件手続法第四十二条第一項」とあるのは、「借地借家法第五十一条第一項」とする。（改正により追加）

③ （略、改正前の②）

（**強制参加**）

第四三条① 裁判所は、当事者の申立てにより、当事者となる資格を有する者を第四十一条の事件の手続に参加させることができる。

② 前項の申立ては、その趣旨及び理由を記載した書面でしなければならない。

③ 第一項の申立てを却下する裁判に対しては、即時抗告をすることができる。

（**手続代理人の資格**）

第四四条① 法令により裁判上の行為をすることができる代理人のほか、弁護士でなければ手続代理人となることができない。ただし、簡易裁判所においては、その許可を得て、弁護士でない者を手続代理人とすることができる。

② 前項ただし書の許可は、いつでも取り消すことができる。

（**手続代理人の代理権の範囲**）

第四五条① 手続代理人は、委任を受けた事件について、非訟事件手続法第二十三条第一項に定める事項のほか、第十九条第三項（同条第七項及び第二十条第二項（同条第五項において準用する場合を含む。）において準用する場合を含む。次項において同じ。）の申立てに関する手続行為（次項に規定するものを除く。）をすることができる。

② 手続代理人は、非訟事件手続法第二十三条第二項各号に掲げる事項のほか、第十九条第三項の申立てについては、特別の委任を受けなければならない。

（**事件の記録の閲覧等**）

第四六条① 当事者及び利害関係を疎明した第三者は、裁判所書記官に対し、第四十一条の事件の記録の閲覧若しくは謄写、その正本、謄本若しくは抄本の交付又は同条の事件に関する事項の証明書の交付を請求することができる。

② 民事訴訟法（平成八年法律第百九号）第九十一条第四項及び第五項の規定は、前項の記録について準用する。

＊令和五法五三（令和一〇・六・一三までに施行）による改正後

（非電磁的事件記録の閲覧等）

第四六条① 当事者及び利害関係を疎明した第三者は、裁判所書記官に対し、非電磁的事件記録（第四十一条の事件の記録中次条第一項に規定する電磁的事件記録を除いた部分をいう。次項において同じ。）の閲覧若しくは謄写又はその正本、謄本若しくは抄本の交付を請求することができる。

② 民事訴訟法（平成八年法律第百九号）第九十一条第四項及び第五項の規定は、非電磁的事件記録について準用する。

＊令和五法五三（令和一〇・六・一三までに施行）による改正後

（電磁的事件記録の閲覧等）

第四七条① 当事者及び利害関係を疎明した第三者は、裁判所書記官に対し、最高裁判所規則で定めるところにより、電磁的事件記録（第四十一条の事件の記録中この法律その他の法令の規定により裁判所の使用に係る電子計算機（入出力装置を含む。次項及び第三項並びに次条において同じ。）に備えられたファイル（第五十一条第二項及び第五十八条第一項において単に「ファイル」という。）に記録された事項に係る部分をいう。以下この条において同じ。）の内容を最高裁判所規則で定める方法により表示したものの閲覧を請求することができる。

② 当事者及び利害関係を疎明した第三者は、裁判所書記官に対し、電磁的事件記録に記録されている事項について、最高裁判所規則で定めるところにより、最高裁判所規則で定める電子情報処理組織（裁判所の使用に係る電子計算機と手続の相手方の使用に係る電子計算機とを電気通信回線で接続した電子情報処理組織をいう。次項及び次条において同じ。）を使用してその者の使用に係る電子計算機に備えられたファイルに記録する方法その他の最高裁判所規則で定める方法による複写を請求することができる。

③ 当事者及び利害関係を疎明した第三者は、裁判所書記官に対し、最高裁判所規則で定めるところにより、電磁的事件記録に記録されている事項の全部若しくは一部を記載した書面であって裁判所書記官が最高裁判所規則で定める方法により当該書面の内容が電磁的事件記録に記録されている事項と同一であることを証明したものを交付し、又は当該事項の全部若しくは一部を記録した電磁的記録であって裁判所書記官が最高裁判所規則で定める方法により当該電磁的記録の内容が電磁的事件記録に記録されている事項と同一であることを証明したものを最高裁判所規則で定める電子情報処理組織を使用してその者の使用に係る電子計算機に備えられたファイルに記録する方法その他の最高裁判所規則で定める方法により提供することを請求することができる。

④ 民事訴訟法第九十一条第五項の規定は、第一項及び第二項の規定による電磁的事件記録に係る閲覧及び複写の請求について準用する。

（改正により追加）

（事件に関する事項の証明）

第四八条 当事者及び利害関係を疎明した第三者は、裁判所書記官に対し、最高裁判所規則で定めるところにより、第四十一条の事件に関する事項を記載した書面であって裁判所書記官が最高裁判所規則で定める方法により当該事項を証明したものを交付し、又は当該事項を記録した電磁的記録であって裁判所書記官が最高裁判所規則で定める方法により当該事項を証明したものを最高裁判所規則で定める電子情報処理組織を使用してその者の使用に係る電子計算機に備えられたファイルに記録する方法その他の最高裁判所規則で定める方法により提供することを請求することができる。（改正により追加）

（鑑定委員会）

第四七条① 鑑定委員会は、三人以上の委員で組織する。

② 鑑定委員は、次に掲げる者の中から、事件ごとに、裁判所が指定する。ただし、特に必要があるときは、それ以外の者の中から指定することを妨げない。

一 地方裁判所が特別の知識経験を有する者その他適当な者の中から毎年あらかじめ選任した者

二 当事者が合意によって選定した者

③ 鑑定委員には、最高裁判所規則で定める旅費、日当及び宿泊料を支給する。

＊令和五法五三（令和一〇・六・一三までに施行）による改正

第四七条を第四九条とする。（本文未織込み）

（手続の中止）

第四八条 裁判所は、借地権の目的である土地に関する権利関係について訴訟その他の事件が係属するときは、その事件が終了するまで、第四十一条の事件の手続を中止することができる。

＊令和五法五三（令和一〇・六・一三までに施行）による改正

第四八条を第五〇条とする。（本文未織込み）

＊令和五法五三（令和一〇・六・一三までに施行）による改正後

（電子情報処理組織による申立て等）

第五一条① 第四十一条の事件の手続における申立てその他の申述（次項及び第六十四条において「申立て等」という。）については、民事訴訟法第百三十二条の十（第一項第一号に係る部分を除く。）の規定を準用する。この場合において、同法第百三十二条の十第五項及び第六項並びに第百三十二条の十二第二項及び第三項中「送達」とあるのは「送達又は送付」と、同法第百三十二条の十一第一項第一号中「第五十四条第一項ただし書」とあるのは「非訟事件手続法（平成二十三年法律第五十一号）第二十二条第一項ただし書」と、同項第二号中「第二条」とあるのは「第九条において準用する同法第二条」と、同法第百三十二条の十二第一項第三号中「第百三十三条の二第二項」とあるのは「借地借家法第六十四条において読み替えて準用する第百三十三条の二第二項」と読み替えるものとする。

② 第四十一条の事件の手続においてこの法律その他の法令の規定に基づき裁判所に提出された書面等（書面、書類、文書、謄本、抄本、正本、副本、複本その他文字、図形等人の知覚によって認識することができる情報が記載された紙その他の有体物をいう。以下この項において同じ。）（申立て等が書面等により行われたときにおける当該書面等を除く。）又は電磁的記録を記録した記録媒体に記載され、又は記録されている事項のファイルへの記録については、民事訴訟法第百三十二条の十三（第一号に係る部分を除く。）の規定を準用する。この場合において、同条第三号中「第百三十三条の二第二項」とあるのは「借地借家法第六十四条において読み替えて準用する第百三十三条の二第二項」と、同条第四号中「第百三十三条の三第一項」とあるのは「借地借家法第六十四条において読み替えて準用する第百三十三条の三第一項」と読み替えるものとする。

（改正により追加）

（不適法な申立ての却下）

第四九条 申立てが不適法でその不備を補正することができないときは、裁判所は、審問期日を経ないで、申立てを却下することができる。

＊令和五法五三（令和一〇・六・一三までに施行）による改正

第四九条を第五二条とする。（本文未織込み）

（申立書の送達）

第五〇条① 裁判所は、前条の場合を除き、第四十一条の事件の申立書を相手方に送達しなければならない。

② 非訟事件手続法第四十三条第四項から第六項までの規定は、申立書の送達をすることができない場合（申立書の送達に必要な費用を予納しない場合を含む。）について準用する。

＊令和五法五三（令和一〇・六・一三までに施行）による改正

第五〇条を第五三条とする。（本文未織込み）

（審問期日）

第五一条① 裁判所は、審問期日を開き、当事者の陳述を聴かなければならない。

② 当事者は、他の当事者の審問に立ち会うことができる。

＊令和五法五三（令和一〇・六・一三までに施行）**による改正**
第五一条を第五四条とする。（本文未織込み）

（呼出費用の予納がない場合の申立ての却下）

第五二条 裁判所は、民事訴訟費用等に関する法律（昭和四十六年法律第四十号）の規定に従い当事者に対する期日の呼出しに必要な費用の予納を相当の期間を定めて申立人に命じた場合において、その予納がないときは、申立てを却下することができる。

＊令和五法五三（令和一〇・六・一三までに施行）**による改正**
第五二条を第五五条とする。（本文未織込み）

（事実の調査の通知）

第五三条 裁判所は、事実の調査をしたときは、特に必要がないと認める場合を除き、その旨を当事者及び利害関係参加人に通知しなければならない。

＊令和五法五三（令和一〇・六・一三までに施行）**による改正**
第五三条を第五六条とする。（本文未織込み）

（審理の終結）

第五四条 裁判所は、審理を終結するときは、審問期日においてその旨を宣言しなければならない。

＊令和五法五三（令和一〇・六・一三までに施行）**による改正**
第五四条を第五七条とする。（本文未織込み）

（裁判書の送達及び効力の発生）

第五五条① 第十七条第一項から第三項まで若しくは第五項（第十八条第三項において準用する場合を含む。）、第十八条第一項、第十九条第一項（同条第七項において準用する場合を含む。）若しくは第三項（同条第七項及び第二十条第二項（同条第五項において準用する場合を含む。）において準用する場合を含む。）又は第二十条第一項（同条第五項において準用する場合を含む。）の規定による裁判があったときは、その裁判書を当事者に送達しなければならない。

② 前項の裁判は、確定しなければその効力を生じない。

＊令和五法五三（令和一〇・六・一三までに施行）**による改正後**

（電子裁判書の送達及び効力の発生）

第五八条① 第十七条第一項から第三項まで若しくは第五項（第十八条第三項において準用する場合を含む。）、第十八条第一項、第十九条第一項（同条第七項において準用する場合を含む。）若しくは第三項（同条第七項及び第二十条第二項（同条第五項において準用する場合を含む。）において準用する場合を含む。）又は第二十条第一項（同条第五項において準用する場合を含む。）の規定による裁判があったときは、その電子裁判書（非訟事件手続法第五十七条第一項に規定する電子裁判書であって、同条第三項の規定によりファイルに記録されたものをいう。）を当事者に送達しなければならない。この場合においては、民事訴訟法第二百五十五条第二項の規定を準用する。

② （略）

（改正前の**第五五条**）

（理由の付記）

第五六条 前条第一項の裁判には、理由を付さなければならない。

＊令和五法五三（令和一〇・六・一三までに施行）**による改正**
第五六条を第五九条とする。（本文未織込み）

（裁判の効力が及ぶ者の範囲）

第五七条 第五十五条第一項の裁判は、当事者又は最終の審問期日の後裁判の確定前の承継人に対し、その効力を有する。

＊令和五法五三（令和一〇・六・一三までに施行）**による改正後**

（裁判の効力が及ぶ者の範囲）

第六〇条 第五十八条第一項の裁判は、当事者又は最終の審問期日の後裁判の確定前の承継人に対し、その効力を有する。（改正前の**第五七条**）

（給付を命ずる裁判の効力）

第五八条 第十七条第三項若しくは第五項（第十八条第三項において準用する場合を含む。）、第十八条第一項、第十九条第三項（同条第七項及び第二十条第二項（同条第五項において準用する場合を含む。）において準用する場合を含む。）又は第二十条第一項（同条第五項において準用する場合を含む。）の規定による裁判で給付を命ずるものは、強制執行に関しては、裁判上の和解と同一の効力を有する。

＊令和五法五三（令和一〇・六・一三までに施行）**による改正**
第五八条を第六一条とする。（本文未織込み）

（譲渡又は転貸の許可の裁判の失効）

第五九条 第十九条第一項（同条第七項において準用する場合を含む。）の規定による裁判は、その効力を生じた後六月以内に借地権者が建物の譲渡をしないときは、その効力を失う。ただし、この期間は、その裁判において伸長し、又は短縮することができる。

＊令和五法五三（令和一〇・六・一三までに施行）**による改正**
第五九条を第六二条とする。（本文未織込み）

（第一審の手続の規定の準用）

第六〇条 第四十九条、第五十条及び第五十二条の規定は、第五十五条第一項の裁判に対する即時抗告があった場合について準用する。

＊令和五法五三（令和一〇・六・一三までに施行）**による改正後**

（第一審の手続の規定の準用）

第六三条 第五十二条、第五十三条及び第五十五条の規定は、第五十八条第一項の裁判に対する即時抗告があった場合について準用する。（改正前の**第六〇条**）

（当事者に対する住所、氏名等の秘匿）

第六一条 第四十一条の事件の手続における申立てその他の申述については、民事訴訟法第一編第八章（第百三十三条の二第五項及び第六項並びに第百三十三条の三第二項を除く。）の規定を準用する。この場合において、同法第百三十三条第一項中「当事者」とあるのは「当事者又は利害関係参加人（非訟事件手続法（平成二十三年法律第五十一号）第二十一条第五項に規定する利害関係参加人をいう。第百三十三条の四第一項、第二項及び第七項において同じ。）」と、同条第三項中「訴訟記録等（訴訟記録又は第百三十二条の四第一項の処分の申立てに係る事件の記録をいう。以下この章において同じ。）」とあるのは「借地借家法第四十一条の事件の記録」と、「について訴訟記録等の閲覧等（訴訟記録の閲覧等、非電磁的証拠収集処分記録の閲覧等又は電磁的証拠収集処分記録の閲覧等をいう。以下この章において同じ。）」とあるのは「の閲覧若しくは謄写又はその謄本若しくは抄本の交付」と、同法第百三十三条の二第一項中「に係る訴訟記録等の閲覧等」とあるのは「の閲覧若しくは謄写又はその謄本若しくは抄本の交付」と、同条第二項中「訴訟記録等中」とあるのは「借地借家法第四十一条の事件の記録中」と、同項及び同条第三項中「に係る訴訟記録等の閲覧等」とあるのは「の閲覧若しくは謄写、その正本、謄本若しくは抄本の交付又はその複製」と、同法第百三十三条の三第一項中「記載され、又は記録された書面又は電磁的記録」とあるのは「記載された書面」と、「当該書面又は電磁的記録」とあるのは「当該書面」と、「又は電磁的記録その他これに類する書面又は電磁的記録に係る訴訟記録等の閲覧等」とあるのは「その他これに類する書面の閲覧若しくは謄写又はその謄本若しくは抄本の交付」と、同法第百三十三条の四第一項中「者は、訴訟記録等」とあるのは「当事者若しくは利害関係参加人又は利害関係を疎明した第三者は、借地借家法第四十一条の事件の記録」と、同条第二項中「当事者」とあるのは「当事者又は利害関係参加人」と、「訴訟記録等の存する」とあるのは「借地借家法第四十一条の事件の記録の存する」と、「訴訟記録等の閲覧等」とあるのは「閲覧若しくは謄写、その正本、謄本若しくは抄本の交付又はその複製」と、同条第七項中「当事者」とあるのは「当事者若しくは利害関係参加人」と読み替えるものとする。

令和四法四八（令和八・五・二四までに施行）**による改正前**

（当事者に対する住所、氏名等の秘匿）

第六一条 第四十一条の事件の手続における申立てその他の申述については、民事訴訟法第一編第八章の規定を準用する。この場合において、同法第百三十三条第一項中「当事者」とあるのは「当事者又は利害関係参加人（非訟事件手続法（平成二十三年法律第五十一号）第二十一条第五項に規定する利害関係参加人をいう。第百三十三条の四第一項、第二項及び第七項において同じ。）」と、同法第百三十三条の二第二項中「訴訟記録等（訴訟記録又は第百三十二条の四第一項の処分の申立てに係る事件の記録をいう。第百三十三条の四第一項及び第二項において同じ。）」とあるのは「借地借家法第四十一条の事件の記録」と、同法第百三十三条の四第一項中「者は、訴訟記録等」とあるのは「当事者若しくは利害関係参加人又は利害関係を疎明した第三者は、借地借家法第四十一条の事件の記録」と、同条第二項中「当事者」とあるのは「当事者又は利害関係参加人」と、「訴訟記録等」とあるのは「借地借家法第四十一条の事件の記録」と、同条第七項中「当事者」とあるのは「当事者若しくは利害関係参加人」と読み替えるものとする。

***令和五法五三**（令和一〇・六・一三までに施行）**による改正後**

（当事者に対する住所、氏名等の秘匿）

第六四条 第四十一条の事件の手続における申立てその他の申述については、民事訴訟法第一編第八章（第百三十三条の二第五項及び第六項並びに第百三十三条の三第二項を除く。）の規定を準用する。この場合において、次の表の上欄に掲げる同法の規定中同表の中欄に掲げる字句は、それぞれ同表の下欄に掲げる字句に読み替えるものとする。

第百三十三条第一項	当事者	当事者又は利害関係参加人（非訟事件手続法第二十一条第五項に規定する利害関係参加人をいう。第百三十三条の四第一項、第二項及び第七項において同じ。）
第百三十三条第三項	訴訟記録等（訴訟記録又は第百三十二条の四第一項の処分の申立てに係る事件の記録をいう。以下この章において同じ。）	借地借家法第四十一条の事件の記録
	訴訟記録等の閲覧等（訴訟記録の閲覧等、非電磁的証拠収集処分記録の閲覧等又は電磁的証拠収集処分記録の閲覧等	同法第四十一条の事件の記録の閲覧等（非電磁的事件記録（同法第四十六条第一項に規定する非電磁的事件記録をいう。）の閲覧若しくは謄写、その正本、謄本若しくは抄本の交付若しくはその複製又は電磁的事件記録（同法第四十七条第一項に規定する電磁的事件記録をいう。次条において同じ。）の閲覧若しくは複写若しくはその内容の全部若しくは一部を証明した書面の交付若しくは電磁的記録の提供
第百三十三条の二第一項及び第三項並びに第百三十三条の三第一項	訴訟記録等の閲覧等	借地借家法第四十一条の事件の記録の閲覧等
第百三十三条の二第二項	訴訟記録等中	借地借家法第四十一条の事件の記録中
第百三十三条の二第二項及び第百三十三条の四第二項	訴訟記録等の閲覧等	同法第四十一条の事件の記録の閲覧等
第百三十三条の二第五項	電磁的訴訟記録等（電磁的訴訟記録又は第百三十二条の四第一項の処分の申立てに係る事件の記録中ファイル記録事項に係る部分をいう。以下この項及び次項において同じ。）	電磁的事件記録
	電磁的訴訟記録等から	電磁的事件記録から
第百三十三条の二第六項	電磁的訴訟記録等	電磁的事件記録
第百三十三条の四第一項	者は、訴訟記録等	当事者若しくは利害関係参加人又は利害関係を疎明した第三者は、借地借家法第四十一条の事件の記録
第百三十三条の四第二項	当事者	当事者又は利害関係参加人
	訴訟記録等の存する	借地借家法第四十一条の事件の記録の存する
第百三十三条の四第七項	当事者	当事者若しくは利害関係参加人

（改正前の**第六一条**）

附　則（抄）

（施行期日）

第一条 この法律は、公布の日から起算して一年を超えない範囲内において政令で定める日（平成四・八・一―平成四政二五）から施行する。

（建物保護に関する法律等の廃止）

第二条 次に掲げる法律は、廃止する。

一 建物保護に関する法律（明治四十二年法律第四十号）

二 借地法（大正十年法律第四十九号）

三　借家法（大正十年法律第五十号）

（**旧借地法の効力に関する経過措置**）

第三条　接収不動産に関する借地借家臨時処理法（昭和三十一年法律第百三十八号）第九条第二項の規定の適用については、前条の規定による廃止前の借地法は、この法律の施行後も、なおその効力を有する。

（**経過措置の原則**）

第四条　この法律の規定は、この附則に特別の定めがある場合を除き、この法律の施行前に生じた事項にも適用する。ただし、附則第二条の規定による廃止前の建物保護に関する法律、借地法及び借家法の規定により生じた効力を妨げない。

（**借地上の建物の朽廃に関する経過措置**）

第五条　この法律の施行前に設定された借地権について、その借地権の目的である土地の上の建物の朽廃による消滅に関しては、なお従前の例による。

（**借地契約の更新に関する経過措置**）

第六条　この法律の施行前に設定された借地権に係る契約の更新に関しては、なお従前の例による。

（**建物の再築による借地権の期間の延長に関する経過措置**）

第七条①　この法律の施行前に設定された借地権について、その借地権の目的である土地の上の建物の滅失後の建物の築造による借地権の期間の延長に関しては、なお従前の例による。

②　第八条の規定は、この法律の施行前に設定された借地権については、適用しない。

（**借地権の対抗力に関する経過措置**）

第八条　第十条第二項の規定は、この法律の施行前に借地権の目的である土地の上の建物の滅失があった場合には、適用しない。

（**建物買取請求権に関する経過措置**）

第九条①　第十三条第二項の規定は、この法律の施行前に設定された借地権については、適用しない。

②　第十三条第三項の規定は、この法律の施行前に設定された転借地権については、適用しない。

（**借地条件の変更の裁判に関する経過措置**）

第一〇条　この法律の施行前にした申立てに係る借地条件の変更の事件については、なお従前の例による。

（**借地契約の更新後の建物の再築の許可の裁判に関する経過措置**）

第一一条　第十八条の規定は、この法律の施行前に設定された借地権については、適用しない。

（**建物賃貸借契約の更新拒絶等に関する経過措置**）

第一二条　この法律の施行前にされた建物の賃貸借契約の更新の拒絶の通知及び解約の申入れに関しては、なお従前の例による。

（**造作買取請求権に関する経過措置**）

第一三条　第三十三条第二項の規定は、この法律の施行前にされた建物の転貸借については、適用しない。

（**借地上の建物の賃借人の保護に関する経過措置**）

第一四条　第三十五条の規定は、この法律の施行前又は施行後一年以内に借地権の存続期間が満了する場合には、適用しない。

附　則（令和四・五・二五法四八）（抄）

（**施行期日**）

第一条　この法律は、公布の日から起算して四年を超えない範囲内において政令で定める日から施行する。ただし、次の各号に掲げる規定は、当該各号に定める日から施行する。

一　（前略）附則第百二十五条の規定　公布の日

二　（前略）附則第七十三条（借地借家法の一部改正）の規定（中略）　公布の日から起算して九月を超えない範囲内において政令で定める日（令和五・二・二〇—令和四政三八四）

三—五　（略）

（**政令への委任**）

第一二五条　（前略）この法律の施行に関し必要な経過措置は、政令で定める。

民事関係手続等における情報通信技術の活用等の推進を図るための関係法律の整備に関する法律中経過規定（令和五・六・一四法五三）（抄）

（**事件に関する事項の証明に関する経過措置**）

第一二六条　前条の規定による改正後の借地借家法（以下この節において「改正後借地借家法」という。）第四十八条の規定は、施行日以後に開始される改正後借地借家法第四十一条の事件（次条及び第百二十八条において「改正後第四十一条事件」という。）に関する事項の証明について適用し、施行日前に開始された前条の規定による改正前の借地借家法第四十一条の事件（第百二十八条において「改正前第四十一条事件」という。）に関する事項の証明については、なお従前の例による。

（**電子情報処理組織による申立て等に関する経過措置**）

第一二七条　改正後借地借家法第五十一条の規定は、改正後第四十一条事件における改正後借地借家法第五十一条第一項に規定する申立て等について適用する。

（**電子裁判書の送達に関する経過措置**）

第一二八条　改正後借地借家法第五十八条第一項の規定は、改正後第四十一条事件における電子裁判書の送達について適用し、改正前第四十一条事件における裁判書の送達については、なお従前の例による。

第三八七条から第三八九条まで　（民事執行法の同経過規定参照）

民事関係手続等における情報通信技術の活用等の推進を図るための関係法律の整備に関する法律

附　則（令和五・六・一四法五三）

この法律は、公布の日から起算して五年を超えない範囲内において政令で定める日から施行する。ただし、次の各号に掲げる規定は、当該各号に定める日から施行する。

一　（前略）第三百八十八条の規定　公布の日

二　（前略）第三百八十七条の規定　公布の日から起算して二年六月を超えない範囲内において政令で定める日

三　（略）

○信託法（抄）（平成一八・一二・一五 法一〇八）

施行　平成一九・九・三〇（平成一九政二三一）
最終改正　令和六法三〇

目次

第一章　総則

（趣旨）
第一条　信託の要件、効力等については、他の法令に定めるもののほか、この法律の定めるところによる。

（定義）
第二条①　この法律において「信託」とは、次条各号に掲げる方法のいずれかにより、特定の者が一定の目的（専らその者の利益を図る目的を除く。同条において同じ。）に従い財産の管理又は処分及びその他の当該目的の達成のために必要な行為をすべきものとすることをいう。

②　この法律において「信託行為」とは、次の各号に掲げる信託の区分に応じ、当該各号に定めるものをいう。
一　次条第一号に掲げる方法による信託　同号の信託契約
二　次条第二号に掲げる方法による信託　同号の遺言
三　次条第三号に掲げる方法による信託　同号の書面又は電磁的記録（同号に規定する電磁的記録をいう。）によってする意思表示

③　この法律において「信託財産」とは、受託者に属する財産であって、信託により管理又は処分をすべき一切の財産をいう。

④　この法律において「委託者」とは、次条各号に掲げる方法により信託をする者をいう。

⑤　この法律において「受託者」とは、信託行為の定めに従い、信託財産に属する財産の管理又は処分及びその他の信託の目的の達成のために必要な行為をすべき義務を負う者をいう。

⑥　この法律において「受益者」とは、受益権を有する者をいう。

⑦　この法律において「受益権」とは、信託行為に基づいて受託者が受益者に対し負う債務であって信託財産に属する財産の引渡しその他の信託財産に係る給付をすべきものに係る債権（以下「受益債権」という。）及びこれを確保するためにこの法律の規定に基づいて受託者その他の者に対し一定の行為を求めることができる権利をいう。

⑧　この法律において「固有財産」とは、受託者に属する財産であって、信託財産に属する財産でない一切の財産をいう。

⑨　この法律において「信託財産責任負担債務」とは、受託者が信託財産に属する財産をもって履行する責任を負う債務をいう。

⑩　この法律において「信託の併合」とは、受託者を同一とする二以上の信託の信託財産の全部を一の新たな信託の信託財産とすることをいう。

⑪　この法律において「吸収信託分割」とは、ある信託の信託財産の一部を受託者を同一とする他の信託の信託財産として移転することをいい、「新規信託分割」とは、ある信託の信託財産の一部を受託者を同一とする新たな信託の信託財産として移転することをいい、「信託の分割」とは、吸収信託分割又は新規信託分割をいう。

⑫　この法律において「限定責任信託」とは、受託者が当該信託のすべての信託財産責任負担債務について信託財産に属する財産のみをもってその履行の責任を負う信託をいう。

（信託の方法）
第三条　信託は、次に掲げる方法のいずれかによってする。
一　特定の者との間で、当該特定の者に対し財産の譲渡、担保権の設定その他の財産の処分をする旨並びに当該特定の者が一定の目的に従い財産の管理又は処分及びその他の当該目的の達成のために必要な行為をすべき旨の契約（以下「信託契約」という。）を締結する方法

二　特定の者に対し財産の譲渡、担保権の設定その他の財産の処分をする旨並びに当該特定の者が一定の目的に従い財産の管理又は処分及びその他の当該目的の達成のために必要な行為をすべき旨の遺言をする方法

三　特定の者が一定の目的に従い自己の有する一定の財産の管理又は処分及びその他の当該目的の達成のために必要な行為を自らすべき旨の意思表示を公正証書その他の書面又は電磁的記録（電子的方式、磁気的方式その他人の知覚によっては認識することができない方式で作られる記録であって、電子計算機による情報処理の用に供されるものとして法務省令で定めるものをいう。以下同じ。）で当該目的、当該財産の特定に必要な事項その他の法務省令で定める事項を記載し又は記録したものによってする方法

＊令和五法五三（令和一〇・六・一三までに施行）による改正
第三号中「いう。」の下に「第四十九条第五項（第五十三条第二項及び第五十四条第四項において準用する場合を含む。）及び第百七十二条の二第三項を除き、」を加える。（本文未織込み）

（信託の効力の発生）

第四条①　前条第一号に掲げる方法によってされる信託は、委託者となるべき者と受託者となるべき者との間の信託契約の締結によってその効力を生ずる。

②　前条第二号に掲げる方法によってされる信託は、当該遺言の効力の発生によってその効力を生ずる。

③　前条第三号に掲げる方法によってされる信託は、次の各号に掲げる場合の区分に応じ、当該各号に定めるものによってその効力を生ずる。

一　公正証書又は公証人の認証を受けた書面若しくは電磁的記録（以下この号及び次号において「公正証書等」と総称する。）によってされる場合　当該公正証書等の作成

二　公正証書等以外の書面又は電磁的記録によってされる場合　受益者となるべき者として指定された第三者（当該第三者が二人以上ある場合にあっては、その一人）に対する確定日付のある証書による当該信託がされた旨及びその内容の通知

④　前三項の規定にかかわらず、信託は、信託行為に停止条件又は始期が付されているときは、当該停止条件の成就又は当該始期の到来によってその効力を生ずる。

（遺言信託における信託の引受けの催告）

第五条①　第三条第二号に掲げる方法によって信託がされた場合において、当該遺言に受託者となるべき者を指定する定めがあるときは、利害関係人は、受託者となるべき者として指定された者に対し、相当の期間を定めて、その期間内に信託の引受けをするかどうかを確答すべき旨を催告することができる。ただし、当該定めに停止条件又は始期が付されているときは、当該停止条件が成就し、又は当該始期が到来した後に限る。

②　前項の規定による催告があった場合において、受託者となるべき者として指定された者は、同項の期間内に委託者の相続人に対し確答をしないときは、信託の引受けをしなかったものとみなす。

③　委託者の相続人が現に存しない場合における前項の規定の適用については、同項中「委託者の相続人」とあるのは、「受益者（二人以上の受益者が現に存する場合にあってはその一人、信託管理人が現に存する場合にあっては信託管理人）」とする。

（遺言信託における裁判所による受託者の選任）

第六条①　第三条第二号に掲げる方法によって信託がされた場合において、当該遺言に受託者の指定に関する定めがないとき、又は受託者となるべき者として指定された者が信託の引受けをせず、若しくはこれをすることができないときは、裁判所は、利害関係人の申立てにより、受託者を選任することができる。

②　前項の申立てについての裁判には、理由を付さなければならない。

③　第一項の規定による受託者の選任の裁判に対しては、受益者又は既に存する受託者に限り、即時抗告をすることができる。

④　前項の即時抗告は、執行停止の効力を有する。

（受託者の資格）

第七条　信託は、未成年者を受託者としてすることができない。

（受託者の利益享受の禁止）

第八条　受託者は、受益者として信託の利益を享受する場合を除き、何人の名義をもってするかを問わず、信託の利益を享受することができない。

（脱法信託の禁止）

第九条　法令によりある財産権を享有することができない者は、その権利を有するのと同一の利益を受益者として享受することができない。

（訴訟信託の禁止）

第一〇条　信託は、訴訟行為をさせることを主たる目的としてすることができない。

（詐害信託の取消し等）

第一一条①　委託者がその債権者を害することを知って信託をした場合には、受託者が債権者を害することを知っていたか否かにかかわらず、債権者は、受託者を被告として、民法（明治二十九年法律第八十九号）第四百二十四条第三項に規定する詐害行為取消請求をすることができる。ただし、受益者が現に存する場合においては、当該受益者（当該受益者の中に受益権を譲り受けた者がある場合にあっては、当該受益者及びその前に受益権を譲り渡した全ての者）の全部が、受益者としての指定（信託行為の定めにより又は第八十九条第一項に規定する受益者指定権等の行使により受益者又は変更後の受益者として指定されることをいう。以下同じ。）を受けたことを知った時（受益権を譲り受けた者にあっては、受益権を譲り受けた時）において債権者を害することを知っていたときに限る。

②　前項の規定による詐害行為取消請求を認容する判決が確定した場合において、信託財産責任負担債務に係る債権を有する債権者（委託者であるものを除く。）が当該債権を取得した時において債権者を害することを知らなかったときは、委託者は、当該債権を有する債権者に対し、当該信託財産責任負担債務について弁済の責任を負う。ただし、同項の規定による詐害行為取消請求により受託者から委託者に移転する財産の価額を限度とする。

③　前項の規定の適用については、第四十九条第一項（第五十三条第二項及び第五十四条第四項において準用する場合を含む。）の規定により受託者が有する権利は、金銭債権とみなす。

④　委託者がその債権者を害することを知って信託をした場合において、受益者が受託者から信託財産に属する財産の給付を受けたときは、債権者は、受益者を被告として、民法第四百二十四条第三項に規定する詐害行為取消請求をすることができる。ただし、当該受益者（当該受益者が受益権を譲り受けた者である場合にあっては、当該受益者及びその前に受益権を譲り渡した全ての者）が、受益者としての指定を受けたことを知った時（受益権を譲り受けた者にあっては、受益権を譲り受けた時）において債権者を害することを知っていたときに限る。

⑤　委託者がその債権者を害することを知って信託をした場合には、債権者は、受益者を被告として、その受益権を委託者に譲り渡すことを訴えをもって請求することができる。この場合においては、前項ただし書の規定を準用する。

⑥　民法第四百二十六条の規定は、前項の規定による請求権について準用する。

⑦　受益者の指定又は受益権の譲渡に当たっては、第一項本文、第四項本文又は第五項前段の規定の適用を不当に免れる目的で、債権者を害することを知らない者（以下この項において「善意者」という。）を無償（無償と同視すべき有償を含む。以下この項において同じ。）で受益者として指定し、又は善意者に対し無償で受益権を譲り渡してはならない。

⑧　前項の規定に違反する受益者の指定又は受益権の譲渡により受益者となった者については、第一項ただし書及び第四項ただ

し書（第五項後段において準用する場合を含む。）の規定は、適用しない。

（詐害信託の否認等）

第一二条① 破産者が委託者としてした信託における破産法（平成十六年法律第七十五号）第百六十条第一項の規定の適用については、同項各号中「これによって利益を受けた者が、その行為の当時」とあるのは「受益者が現に存する場合においては、当該受益者（当該受益者の中に受益権を譲り受けた者がある場合にあっては、当該受益者及びその前に受益権を譲り渡した全ての者）の全部が信託法第十一条第一項に規定する受益者としての指定を受けたことを知った時（受益権を譲り受けた者にあっては、受益権を譲り受けた時）において」と、「知らなかったときは、この限りでない」とあるのは「知っていたときに限る」とする。

② 破産者が破産債権者を害することを知って委託者として信託をした場合には、破産管財人は、受益者を被告として、その受益権を破産財団に返還することを訴えをもって請求することができる。この場合においては、前条第四項ただし書の規定を準用する。

③ 再生債務者が委託者としてした信託における民事再生法（平成十一年法律第二百二十五号）第百二十七条第一項の規定の適用については、同項各号中「これによって利益を受けた者が、その行為の当時」とあるのは「受益者が現に存する場合においては、当該受益者（当該受益者の中に受益権を譲り受けた者がある場合にあっては、当該受益者及びその前に受益権を譲り渡した全ての者）の全部が信託法（平成十八年法律第百八号）第十一条第一項に規定する受益者としての指定を受けたことを知った時（受益権を譲り受けた者にあっては、受益権を譲り受けた時）において」と、「知らなかったときは、この限りでない」とあるのは「知っていたときに限る」とする。

④ 再生債務者が再生債権者を害することを知って委託者として信託をした場合には、否認権限を有する監督委員又は管財人は、受益者を被告として、その受益権を再生債務者財産（民事再生法第十二条第一項第一号に規定する再生債務者財産をいう。第二十五条第四項において同じ。）に返還することを訴えをもって請求することができる。この場合においては、前条第四項ただし書の規定を準用する。

⑤ 前二項の規定は、更生会社（会社更生法（平成十四年法律第百五十四号）第二条第七項に規定する更生会社又は金融機関等の更生手続の特例等に関する法律（平成八年法律第九十五号）第百六十九条第七項に規定する更生会社をいう。）又は更生協同組織金融機関（同法第四条第七項に規定する更生協同組織金融機関をいう。）について準用する。この場合において、第三項中「民事再生法（平成十一年法律第二百二十五号）第百二十七条第一項」とあるのは「会社更生法（平成十四年法律第百五十四号）第八十六条第一項並びに金融機関等の更生手続の特例等に関する法律（平成八年法律第九十五号）第五十七条第一項及び第二百二十三条第一項」と、「同項各号」とあるのは「これらの規定」と、前項中「再生債権者」とあるのは「更生債権者又は更生担保権者」と、「否認権限を有する監督委員又は管財人」とあるのは「管財人」と、「再生債務者財産（民事再生法第十二条第一項第一号に規定する再生債務者財産をいう。第二十五条第四項において同じ。）」とあるのは「更生会社財産（会社更生法第二条第十四項に規定する更生会社財産又は金融機関等の更生手続の特例等に関する法律第百六十九条第十四項に規定する更生会社財産をいう。）又は更生協同組織金融機関財産（同法第四条第十四項に規定する更生協同組織金融機関財産をいう。）」と読み替えるものとする。

（会計の原則）

第一三条 信託の会計は、一般に公正妥当と認められる会計の慣行に従うものとする。

第二章　信託財産等

（信託財産に属する財産の対抗要件）

第一四条 登記又は登録をしなければ権利の得喪及び変更を第三者に対抗することができない財産については、信託の登記又は登録をしなければ、当該財産が信託財産に属することを第三者に対抗することができない。

（信託財産に属する財産の占有の瑕疵の承継）

第一五条 受託者は、信託財産に属する財産の占有について、委託者の占有の瑕疵を承継する。

（信託財産の範囲）

第一六条 信託行為において信託財産に属すべきものと定められた財産のほか、次に掲げる財産は、信託財産に属する。

一 信託財産に属する財産の管理、処分、滅失、損傷その他の事由により受託者が得た財産

二 次条、第十八条、第十九条（第八十四条の規定により読み替えて適用する場合を含む。以下この号において同じ。）、第二百二十六条第三項、第二百二十八条第三項及び第二百五十四条第二項の規定により信託財産に属することとなった財産（第十八条第一項（同条第三項において準用する場合を含む。）の規定により信託財産に属するものとみなされた共有持分及び第十九条の規定による分割によって信託財産に属することとされた財産を含む。）

（信託財産に属する財産の付合等）

第一七条 信託財産に属する財産と固有財産若しくは他の信託の信託財産に属する財産との付合若しくは混和又はこれらの財産を材料とする加工があった場合には、各信託の信託財産及び固有財産に属する財産は各別の所有者に属するものとみなして、民法第二百四十二条から第二百四十八条までの規定を適用する。

第一八条① 信託財産に属する財産と固有財産に属する財産とを識別することができなくなった場合（前条に規定する場合を除く。）には、各財産の共有持分が信託財産と固有財産とに属するものとみなす。この場合において、その共有持分の割合は、その識別することができなくなった当時における各財産の価格の割合に応ずる。

② 前項の共有持分は、相等しいものと推定する。

③ 前二項の規定は、ある信託の受託者が他の信託の受託者を兼ねる場合において、各信託の信託財産に属する財産を識別することができなくなったとき（前条に規定する場合を除く。）について準用する。この場合において、第一項中「信託財産と固有財産と」とあるのは、「各信託の信託財産」と読み替えるものとする。

（信託財産と固有財産等とに属する共有物の分割）

第一九条① 受託者に属する特定の財産について、その共有持分が信託財産と固有財産とに属する場合には、次に掲げる方法により、当該財産の分割をすることができる。

一 信託行為において定めた方法

二 受託者と受益者（信託管理人が現に存する場合にあっては、信託管理人）との協議による方法

三 分割をすることが信託の目的の達成のために合理的に必要と認められる場合であって、受益者の利益を害しないことが明らかであるとき、又は当該分割の信託財産に与える影響、当該分割の目的及び態様、受託者の受益者との実質的な利害関係の状況その他の事情に照らして正当な理由があるときは、受託者が決する方法

② 前項に規定する場合において、同項第二号の協議が調わないときその他同項各号に掲げる方法による分割をすることができないときは、受託者又は受益者（信託管理人が現に存する場合にあっては、信託管理人）は、裁判所に対し、同項の共有物の分割を請求することができる。

③ 受託者に属する特定の財産について、その共有持分が信託財産と他の信託の信託財産とに属する場合には、次に掲げる方法により、当該財産の分割をすることができる。

一 各信託の信託行為において定めた方法

二　各信託の受益者（信託管理人が現に存する場合にあっては、信託管理人）の協議による方法

三　各信託について、分割をすることが信託の目的の達成のために合理的に必要と認められる場合であって、受益者の利益を害しないことが明らかであるとき、又は当該分割の信託財産に与える影響、当該分割の目的及び態様、受託者の受益者との実質的な利害関係の状況その他の事情に照らして正当な理由があるときは、各信託の受託者が決する方法

④　前項に規定する場合において、同項第二号の協議が調わないときその他同項各号に掲げる方法による分割をすることができないときは、各信託の受益者（信託管理人が現に存する場合にあっては、信託管理人）は、裁判所に対し、同項の共有物の分割を請求することができる。

第二〇条（信託財産に属する財産についての混同の特例）①　同一物について所有権及び他の物権が信託財産と固有財産又は他の信託の信託財産とにそれぞれ帰属した場合には、民法第百七十九条第一項本文の規定にかかわらず、当該他の物権は、消滅しない。

②　所有権以外の物権及びこれを目的とする他の権利が信託財産と固有財産又は他の信託の信託財産とにそれぞれ帰属した場合には、民法第百七十九条第二項前段の規定にかかわらず、当該他の権利は、消滅しない。

③　次に掲げる場合には、民法第五百二十条本文の規定にかかわらず、当該債権は、消滅しない。

一　信託財産に属する債権に係る債務が受託者に帰属した場合（信託財産責任負担債務となった場合を除く。）

二　信託財産責任負担債務に係る債権が受託者に帰属した場合（当該債権が信託財産に属することとなった場合を除く。）

三　固有財産又は他の信託の信託財産に属する債権に係る債務が受託者に帰属した場合（信託財産責任負担債務となった場合に限る。）

四　受託者の債務（信託財産責任負担債務を除く。）に係る債権が受託者に帰属した場合（当該債権が信託財産に属することとなった場合に限る。）

第二一条（信託財産責任負担債務の範囲）①　次に掲げる権利に係る債務は、信託財産責任負担債務となる。

一　受益債権

二　信託財産に属する財産について信託前の原因によって生じた権利

三　信託前に生じた委託者に対する債権であって、当該債権に係る債務を信託財産責任負担債務とする旨の信託行為の定めがあるもの

四　第百三条第一項又は第二項の規定による受益権取得請求権

五　信託財産のためにした行為であって受託者の権限に属するものによって生じた権利

六　信託財産のためにした行為であって受託者の権限に属しないもののうち、次に掲げるものによって生じた権利

イ　第二十七条第一項又は第二項（これらの規定を第七十五条第四項において準用する場合を含む。ロにおいて同じ。）の規定により取り消すことができない行為（当該行為の相手方が、当該行為の当時、当該行為が信託財産のためにされたものであることを知らなかったもの（信託財産に属する財産について権利を設定し又は移転する行為を除く。）を除く。）

ロ　第二十七条第一項又は第二項の規定により取り消すことができる行為であって取り消されていないもの

七　第三十一条第六項に規定する処分その他の行為又は同条第七項に規定する行為のうち、これらの規定により取り消すことができない行為又はこれらの規定により取り消すことができる行為であって取り消されていないものによって生じた権利

八　受託者が信託事務を処理するについてした不法行為によって生じた権利

九　第五号から前号までに掲げるもののほか、信託事務の処理について生じた権利

②　信託財産責任負担債務のうち次に掲げる権利に係る債務について、受託者は、信託財産に属する財産のみをもってその履行の責任を負う。

一　受益債権

二　信託行為に第二百十六条第一項の定めがあり、かつ、第二百三十二条の定めるところにより登記がされた場合における信託債権（信託財産責任負担債務に係る債権であって、受益債権でないものをいう。以下同じ。）

三　前二号に掲げる場合のほか、この法律の規定により信託財産に属する財産のみをもってその履行の責任を負うものとされる場合における信託債権

四　信託債権を有する者（以下「信託債権者」という。）との間で信託財産に属する財産のみをもってその履行の責任を負う旨の合意がある場合における信託債権

第二二条（信託財産に属する債権等についての相殺の制限）①　受託者が固有財産又は他の信託の信託財産（第一号において「固有財産等」という。）に属する財産のみをもって履行する責任を負う債務（第一号及び第二号において「固有財産等責任負担債務」という。）に係る債権を有する者は、当該債権をもって信託財産に属する債権に係る債務と相殺をすることができない。ただし、次に掲げる場合は、この限りでない。

一　当該固有財産等責任負担債務に係る債権を有する者が、当該債権を取得した時又は当該信託財産に属する債権に係る債務を負担した時のいずれか遅い時において、当該信託財産に属する債権が固有財産等に属するものでないことを知らず、かつ、知らなかったことにつき過失がなかった場合

二　当該固有財産等責任負担債務に係る債権を有する者が、当該債権を取得した時又は当該信託財産に属する債権に係る債務を負担した時のいずれか遅い時において、当該固有財産等責任負担債務が信託財産責任負担債務でないことを知らず、かつ、知らなかったことにつき過失がなかった場合

②　前項本文の規定は、第三十一条第二項各号に掲げる場合において、受託者が前項の相殺を承認したときは、適用しない。

③　信託財産責任負担債務（信託財産に属する財産のみをもってその履行の責任を負うものに限る。）に係る債権を有する者は、当該債権をもって固有財産に属する債権に係る債務と相殺をすることができない。ただし、当該信託財産責任負担債務に係る債権を有する者が、当該債権を取得した時又は当該固有財産に属する債権に係る債務を負担した時のいずれか遅い時において、当該固有財産に属する債権が信託財産に属するものでないことを知らず、かつ、知らなかったことにつき過失がなかった場合は、この限りでない。

④　前項本文の規定は、受託者が同項の相殺を承認したときは、適用しない。

第二三条（信託財産に属する財産に対する強制執行等の制限等）①　信託財産責任負担債務に係る債権（信託財産に属する財産について生じた権利を含む。次項において同じ。）に基づく場合を除き、信託財産に属する財産に対しては、強制執行、仮差押え、仮処分若しくは担保権の実行若しくは競売（担保権の実行としてのものを除く。以下同じ。）又は国税滞納処分（その例による処分を含む。以下同じ。）をすることができない。

②　第三条第三号に掲げる方法によって信託がされた場合において、委託者がその債権者を害することを知って当該信託をしたときは、前項の規定にかかわらず、信託財産責任負担債務に係る債権を有する債権者のほか、当該委託者（受託者であるものに限る。）に対する債権で信託前に生じたものを有する者は、信託財産に属する財産に対し、強制執行、仮差押え、仮処分若しくは担保権の実行若しくは競売又は国税滞納処分をすることができる。

③　第十一条第一項ただし書、第七項及び第八項の規定は、前項

の規定の適用について準用する。

④ 前二項の規定は、第二項の信託がされた時から二年間を経過したときは、適用しない。

⑤ 第一項又は第二項の規定に違反してされた強制執行、仮差押え、仮処分又は担保権の実行若しくは競売に対しては、受託者又は受益者は、異議を主張することができる。この場合においては、民事執行法（昭和五十四年法律第四号）第三十八条及び民事保全法（平成元年法律第九十一号）第四十五条の規定を準用する。

⑥ 第一項又は第二項の規定に違反してされた国税滞納処分に対しては、受託者又は受益者は、異議を主張することができる。この場合においては、当該異議の主張は、当該国税滞納処分について不服の申立てをする方法でする。

（費用又は報酬の支弁等）

第二四条① 前条第五項又は第六項の規定による異議に係る訴えを提起した受益者が勝訴（一部勝訴を含む。）した場合において、当該訴えに係る訴訟に関し、必要な費用（訴訟費用を除く。）を支出したとき、又は弁護士、弁護士法人、弁護士・外国法事務弁護士共同法人、司法書士若しくは司法書士法人に報酬を支払うべきときは、その費用又は報酬は、その額の範囲内で相当と認められる額を限度として、信託財産から支弁する。

② 前項の訴えを提起した受益者が敗訴した場合であっても、悪意があったときを除き、当該受益者は、受託者に対し、これによって生じた損害を賠償する義務を負わない。

（信託財産と受託者の破産手続等との関係等）

第二五条① 受託者が破産手続開始の決定を受けた場合であっても、信託財産に属する財産は、破産財団に属しない。

② 前項の場合には、受益債権は、破産債権とならない。信託債権であって受託者が信託財産に属する財産のみをもってその履行の責任を負うものも、同様とする。

③ 第一項の場合には、破産法第二百五十二条第一項の免責許可の決定による信託債権（前項に規定する信託債権を除く。）に係る債務の免責は、信託財産との関係においては、その効力を主張することができない。

④ 受託者が再生手続開始の決定を受けた場合であっても、信託財産に属する財産は、再生債務者財産に属しない。

⑤ 前項の場合には、受益債権は、再生債権とならない。信託債権であって受託者が信託財産に属する財産のみをもってその履行の責任を負うものも、同様とする。

⑥ 第四項の場合には、再生計画、再生計画認可の決定又は民事再生法第二百三十五条第一項の免責の決定による信託債権（前項に規定する信託債権を除く。）に係る債務の免責又は変更は、信託財産との関係においては、その効力を主張することができない。

⑦ 前三項の規定は、受託者が更生手続開始の決定を受けた場合について準用する。この場合において、第四項中「再生債務者財産」とあるのは「更生会社財産（会社更生法第二条第十四項に規定する更生会社財産又は金融機関等の更生手続の特例等に関する法律第百六十九条第十四項に規定する更生会社財産をいう。）又は更生協同組織金融機関財産（同法第四条第十四項に規定する更生協同組織金融機関財産をいう。）」と、第五項中「再生債権」とあるのは「更生債権又は更生担保権」と、前項中「再生計画、再生計画認可の決定又は民事再生法第二百三十五条第一項の免責の決定」とあるのは「更生計画又は更生計画認可の決定」と読み替えるものとする。

第三章　受託者等

第一節　受託者の権限

（受託者の権限の範囲）

第二六条　受託者は、信託財産に属する財産の管理又は処分及びその他の信託の目的の達成のために必要な行為をする権限を有する。ただし、信託行為によりその権限に制限を加えることを妨げない。

（受託者の権限違反行為の取消し）

第二七条① 受託者が信託財産のためにした行為がその権限に属しない場合において、次のいずれにも該当するときは、受益者は、当該行為を取り消すことができる。

一 当該行為の当時、当該行為の相手方が、当該行為が信託財産のためにされたものであることを知っていたこと。

二 当該行為の相手方が、当該行為の当時、当該行為が受託者の権限に属しないことを知っていたこと又は知らなかったことにつき重大な過失があったこと。

② 前項の規定にかかわらず、受託者が信託財産に属する財産（第十四条の信託の登記又は登録をすることができるものに限る。）について権利を設定し又は移転した行為がその権限に属しない場合には、次のいずれにも該当するときに限り、受益者は、当該行為を取り消すことができる。

一 当該行為の当時、当該信託財産に属する財産について第十四条の信託の登記又は登録がされていたこと。

二 当該行為の相手方が、当該行為の当時、当該行為が受託者の権限に属しないことを知っていたこと又は知らなかったことにつき重大な過失があったこと。

③ 二人以上の受益者のうちの一人が前二項の規定による取消権を行使したときは、その取消しは、他の受益者のためにも、その効力を生ずる。

④ 第一項又は第二項の規定による取消権は、受益者（信託管理人が現に存する場合にあっては、信託管理人）が取消しの原因があることを知った時から三箇月間行使しないときは、時効によって消滅する。行為の時から一年を経過したときも、同様とする。

（信託事務の処理の第三者への委託）

第二八条　受託者は、次に掲げる場合には、信託事務の処理を第三者に委託することができる。

一 信託行為に信託事務の処理を第三者に委託する旨又は委託することができる旨の定めがあるとき。

二 信託行為に信託事務の処理の第三者への委託に関する定めがない場合において、信託事務の処理を第三者に委託することが信託の目的に照らして相当であると認められるとき。

三 信託行為に信託事務の処理を第三者に委託してはならない旨の定めがある場合において、信託事務の処理を第三者に委託することにつき信託の目的に照らしてやむを得ない事由があると認められるとき。

第二節　受託者の義務等

（受託者の注意義務）

第二九条① 受託者は、信託の本旨に従い、信託事務を処理しなければならない。

② 受託者は、信託事務を処理するに当たっては、善良な管理者の注意をもって、これをしなければならない。ただし、信託行為に別段の定めがあるときは、その定めるところによる注意をもって、これをするものとする。

（忠実義務）

第三〇条　受託者は、受益者のため忠実に信託事務の処理その他の行為をしなければならない。

（利益相反行為の制限）

第三一条① 受託者は、次に掲げる行為をしてはならない。

一 信託財産に属する財産（当該財産に係る権利を含む。）を固有財産に帰属させ、又は固有財産に属する財産（当該財産に係る権利を含む。）を信託財産に帰属させること。

二 信託財産に属する財産（当該財産に係る権利を含む。）を他の信託の信託財産に帰属させること。

三 第三者との間において信託財産のためにする行為であって、自己が当該第三者の代理人となって行うもの

四 信託財産に属する財産につき固有財産に属する財産のみをもって履行する責任を負う債務に係る債権を被担保債権とする担保権を設定することその他第三者との間において信託財

産のためにする行為であって受託者又はその利害関係人と受益者との利益が相反することとなるもの

② 前項の規定にかかわらず、次のいずれかに該当するときは、同項各号に掲げる行為をすることができる。ただし、第二号に掲げる事由にあっては、同号に該当する場合でも当該行為をすることができない旨の信託行為の定めがあるときは、この限りでない。

一 信託行為に当該行為をすることを許容する旨の定めがあるとき。

二 受託者が当該行為について重要な事実を開示して受益者の承認を得たとき。

三 相続その他の包括承継により信託財産に属する財産に係る権利が固有財産に帰属したとき。

四 受託者が当該行為をすることが信託の目的の達成のために合理的に必要と認められる場合であって、受益者の利益を害しないことが明らかであるとき、又は当該行為の信託財産に与える影響、当該行為の目的及び態様、受託者の受益者との実質的な利害関係の状況その他の事情に照らして正当な理由があるとき。

③ 受託者は、第一項各号に掲げる行為をしたときは、受益者に対し、当該行為についての重要な事実を通知しなければならない。ただし、信託行為に別段の定めがあるときは、その定めるところによる。

④ 第一項及び第二項の規定に違反して第一項第一号又は第二号に掲げる行為がされた場合には、これらの行為は、無効とする。

⑤ 前項の行為は、受益者の追認により、当該行為の時にさかのぼってその効力を生ずる。

⑥ 第四項に規定する場合において、受託者が第三者との間において第一項第一号又は第二号の財産について処分その他の行為をしたときは、当該第三者が同項及び第二項の規定に違反して第一項第一号又は第二号に掲げる行為がされたことを知っていたとき又は知らなかったことにつき重大な過失があったときに限り、受益者は、当該処分その他の行為を取り消すことができる。この場合においては、第二十七条第三項及び第四項の規定を準用する。

⑦ 第一項及び第二項の規定に違反して第一項第三号又は第四号に掲げる行為がされた場合には、当該第三者がこれを知っていたとき又は知らなかったことにつき重大な過失があったときに限り、受益者は、当該行為を取り消すことができる。この場合においては、第二十七条第三項及び第四項の規定を準用する。

第三二条① 受託者は、受託者として有する権限に基づいて信託事務の処理としてすることができる行為であってこれをしないことが受益者の利益に反するものについては、これを固有財産又は受託者の利害関係人の計算でしてはならない。

② 前項の規定にかかわらず、次のいずれかに該当するときは、同項に規定する行為を固有財産又は受託者の利害関係人の計算ですることができる。ただし、第二号に掲げる事由にあっては、同号に該当する場合でも当該行為を固有財産又は受託者の利害関係人の計算ですることができない旨の信託行為の定めがあるときは、この限りでない。

一 信託行為に当該行為を固有財産又は受託者の利害関係人の計算ですることを許容する旨の定めがあるとき。

二 受託者が当該行為を固有財産又は受託者の利害関係人の計算ですることについて重要な事実を開示して受益者の承認を得たとき。

③ 受託者は、第一項に規定する行為を固有財産又は受託者の利害関係人の計算でした場合には、受益者に対し、当該行為についての重要な事実を通知しなければならない。ただし、信託行為に別段の定めがあるときは、その定めるところによる。

④ 第一項及び第二項の規定に違反して受託者が第一項に規定する行為をした場合には、受益者は、当該行為は信託財産のためにされたものとみなすことができる。ただし、第三者の権利を害することはできない。

⑤ 前項の規定による権利は、当該行為の時から一年を経過したときは、消滅する。

（公平義務）

第三三条 受益者が二人以上ある信託においては、受託者は、受益者のために公平にその職務を行わなければならない。

（分別管理義務）

第三四条① 受託者は、信託財産に属する財産と固有財産及び他の信託の信託財産に属する財産とを、次の各号に掲げる財産の区分に応じ、当該各号に定める方法により、分別して管理しなければならない。ただし、分別して管理する方法について、信託行為に別段の定めがあるときは、その定めるところによる。

一 第十四条の信託の登記又は登録をすることができる財産（第三号に掲げるものを除く。） 当該信託の登記又は登録

二 第十四条の信託の登記又は登録をすることができない財産（次号に掲げるものを除く。） 次のイ又はロに掲げる財産の区分に応じ、当該イ又はロに定める方法

イ 動産（金銭を除く。） 信託財産に属する財産と固有財産及び他の信託の信託財産に属する財産とを外形上区別することができる状態で保管する方法

ロ 金銭その他のイに掲げる財産以外の財産 その計算を明らかにする方法

三 法務省令で定める財産 当該財産を適切に分別して管理する方法として法務省令で定めるもの

② 前項ただし書の規定にかかわらず、同項第一号に掲げる財産について第十四条の信託の登記又は登録をする義務は、これを免除することができない。

（信託事務の処理の委託における第三者の選任及び監督に関する義務）

第三五条① 第二十八条の規定により信託事務の処理を第三者に委託するときは、受託者は、信託の目的に照らして適切な者に委託しなければならない。

② 第二十八条の規定により信託事務の処理を第三者に委託したときは、受託者は、当該第三者に対し、信託の目的の達成のために必要かつ適切な監督を行わなければならない。

③ 受託者が信託事務の処理を次に掲げる第三者に委託したときは、前二項の規定は、適用しない。ただし、受託者は、当該第三者が不適任若しくは不誠実であること又は当該第三者による事務の処理が不適切であることを知ったときは、その旨の受益者に対する通知、当該第三者への委託の解除その他の必要な措置をとらなければならない。

一 信託行為において指名された第三者

二 信託行為において受託者が委託者又は受益者の指名に従い信託事務の処理を第三者に委託する旨の定めがある場合において、当該定めに従い指名された第三者

④ 前項ただし書の規定にかかわらず、信託行為に別段の定めがあるときは、その定めるところによる。

（信託事務の処理の状況についての報告義務）

第三六条 委託者又は受益者は、受託者に対し、信託事務の処理の状況並びに信託財産に属する財産及び信託財産責任負担債務の状況について報告を求めることができる。

（帳簿等の作成等、報告及び保存の義務）

第三七条① 受託者は、信託事務に関する計算並びに信託財産に属する財産及び信託財産責任負担債務の状況を明らかにするため、法務省令で定めるところにより、信託財産に係る帳簿その他の書類又は電磁的記録を作成しなければならない。

② 受託者は、毎年一回、一定の時期に、法務省令で定めるところにより、貸借対照表、損益計算書その他の法務省令で定める書類又は電磁的記録を作成しなければならない。

③ 受託者は、前項の書類又は電磁的記録を作成したときは、その内容について受益者（信託管理人が現に存する場合にあっては、信託管理人）に報告しなければならない。ただし、信託行為に別段の定めがあるときは、その定めるところによる。

④受託者は、第一項の書類又は電磁的記録を作成した場合には、その作成の日から十年間（当該期間内に信託の清算の結了があったときは、その日までの間。次項において同じ。）、当該書類（当該書類に代えて電磁的記録を法務省令で定める方法により作成した場合にあっては、当該電磁的記録）又は電磁的記録（当該電磁的記録に代えて書面を作成した場合にあっては、当該書面）を保存しなければならない。ただし、受益者（二人以上の受益者が現に存する場合にあってはそのすべての受益者、信託管理人が現に存する場合にあっては信託管理人。第六項ただし書において同じ。）に対し、当該書類若しくはその写しを交付し、又は当該電磁的記録に記録された事項を法務省令で定める方法により提供したときは、この限りでない。

⑤受託者は、信託財産に属する財産の処分に係る契約書その他の信託事務の処理に関する書類又は電磁的記録を作成し、又は取得した場合には、その作成又は取得の日から十年間、当該書類（当該書類に代えて電磁的記録を法務省令で定める方法により作成した場合にあっては、当該電磁的記録）又は電磁的記録（当該電磁的記録に代えて書面を作成した場合にあっては、当該書面）を保存しなければならない。この場合においては、前項ただし書の規定を準用する。

⑥受託者は、第二項の書類又は電磁的記録を作成した場合には、信託の清算の結了の日までの間、当該書類（当該書類に代えて電磁的記録を法務省令で定める方法により作成した場合にあっては、当該電磁的記録）又は電磁的記録（当該電磁的記録に代えて書面を作成した場合にあっては、当該書面）を保存しなければならない。ただし、その作成の日から十年間を経過した後において、受益者に対し、当該書類若しくはその写しを交付し、又は当該電磁的記録に記録された事項を法務省令で定める方法により提供したときは、この限りでない。

（帳簿等の閲覧等の請求）

第三八条① 受益者は、受託者に対し、次に掲げる請求をすることができる。この場合においては、当該請求の理由を明らかにしてしなければならない。

一 前条第一項又は第五項の書類の閲覧又は謄写の請求

二 前条第一項又は第五項の電磁的記録に記録された事項を法務省令で定める方法により表示したものの閲覧又は謄写の請求

②前項の請求があったときは、受託者は、次のいずれかに該当すると認められる場合を除き、これを拒むことができない。

一 当該請求を行う者（以下この項において「請求者」という。）がその権利の確保又は行使に関する調査以外の目的で請求を行ったとき。

二 請求者が不適当な時に請求を行ったとき。

三 請求者が信託事務の処理を妨げ、又は受益者の共同の利益を害する目的で請求を行ったとき。

四 請求者が当該信託に係る業務と実質的に競争関係にある事業を営み、又はこれに従事するものであるとき。

五 請求者が前項の規定による閲覧又は謄写によって知り得た事実を利益を得て第三者に通報するため請求したとき。

六 請求者が、過去二年以内において、前項の規定による閲覧又は謄写によって知り得た事実を利益を得て第三者に通報したことがあるものであるとき。

③前項（第一号及び第二号を除く。）の規定は、受益者が二人以上ある信託のすべての受益者から第一項の請求があったとき、又は受益者が一人である信託の当該受益者から同項の請求があったときは、適用しない。

④信託行為において、次に掲げる情報以外の情報について、受益者が同意をしたときは第一項の規定による閲覧又は謄写の請求をすることができない旨の定めがある場合には、当該同意をした受益者（その承継人を含む。以下この条において同じ。）は、その同意を撤回することができない。

一 前条第二項の書類又は電磁的記録の作成に欠くことのできない情報その他の信託に関する重要な情報

二 当該受益者以外の者の利益を害するおそれのない情報

⑤受託者は、前項の同意をした受益者から第一項の規定による閲覧又は謄写の請求があったときは、前項各号に掲げる情報に該当する部分を除き、これを拒むことができる。

⑥利害関係人は、受託者に対し、次に掲げる請求をすることができる。

一 前条第二項の書類の閲覧又は謄写の請求

二 前条第二項の電磁的記録に記録された事項を法務省令で定める方法により表示したものの閲覧又は謄写の請求

（他の受益者の氏名等の開示の請求）

第三九条① 受益者が二人以上ある信託においては、受益者は、受託者に対し、次に掲げる事項を相当な方法により開示することを請求することができる。この場合においては、当該請求の理由を明らかにしてしなければならない。

一 他の受益者の氏名又は名称及び住所

二 他の受益者が有する受益権の内容

②前項の請求があったときは、受託者は、次のいずれかに該当すると認められる場合を除き、これを拒むことができない。

一 当該請求を行う者（以下この項において「請求者」という。）がその権利の確保又は行使に関する調査以外の目的で請求を行ったとき。

二 請求者が不適当な時に請求を行ったとき。

三 請求者が信託事務の処理を妨げ、又は受益者の共同の利益を害する目的で請求を行ったとき。

四 請求者が前項の規定による開示によって知り得た事実を利益を得て第三者に通報するため請求を行ったとき。

五 請求者が、過去二年以内において、前項の規定による開示によって知り得た事実を利益を得て第三者に通報したことがあるものであるとき。

③前二項の規定にかかわらず、信託行為に別段の定めがあるときは、その定めるところによる。

第三節 受託者の責任等

（受託者の損失てん補責任等）

第四〇条① 受託者がその任務を怠ったことによって次の各号に掲げる場合に該当するに至ったときは、受益者は、当該受託者に対し、当該各号に定める措置を請求することができる。ただし、第二号に定める措置にあっては、原状の回復が著しく困難であるとき、原状の回復をするのに過分の費用を要するとき、その他受託者に原状の回復をさせることを不適当とする特別の事情があるときは、この限りでない。

一 信託財産に損失が生じた場合 当該損失のてん補

二 信託財産に変更が生じた場合 原状の回復

②受託者が第二十八条の規定に違反して信託事務の処理を第三者に委託した場合において、信託財産に損失又は変更を生じたときは、受託者は、第三者に委託をしなかったとしても損失又は変更が生じたことを証明しなければ、前項の責任を免れることができない。

③受託者が第三十条、第三十一条第一項及び第二項又は第三十二条第一項及び第二項の規定に違反する行為をした場合には、受託者は、当該行為によって受託者又はその利害関係人が得た利益の額と同額の損失を信託財産に生じさせたものと推定する。

④受託者が第三十四条の規定に違反して信託財産に属する財産を管理した場合において、信託財産に損失又は変更を生じたときは、受託者は、同条の規定に従い分別して管理をしたとしても損失又は変更が生じたことを証明しなければ、第一項の責任を免れることができない。

（法人である受託者の役員の連帯責任）

第四一条 法人である受託者の理事、取締役若しくは執行役又はこれらに準ずる者は、当該法人が前条の規定による責任を負う場合において、当該法人が行った法令又は信託行為の定めに違反する行為につき悪意又は重大な過失があるときは、受益者に対し、当該法人と連帯して、損失のてん補又は原状の回復をする責任を負う。

（損失てん補責任等の免除）

第四二条 受益者は、次に掲げる責任を免除することができる。

一 第四十条の規定による責任

二 前条の規定による責任

（損失填補責任等に係る債権の期間の制限）

第四三条① 第四十条の規定による責任に係る債権の消滅時効は、債務の不履行によって生じた責任に係る債権の消滅時効の例による。

② 第四十一条の規定による責任に係る債権は、次に掲げる場合には、時効によって消滅する。

一 受益者が当該債権を行使することができることを知った時から五年間行使しないとき。

二 当該債権を行使することができる時から十年間行使しないとき。

③ 第四十条又は第四十一条の規定による責任に係る受益者の債権の消滅時効は、受益者が受益者としての指定を受けたことを知るに至るまでの間（受益者が現に存しない場合にあっては、信託管理人が選任されるまでの間）は、進行しない。

④ 前項に規定する債権は、受託者がその任務を怠ったことによって信託財産に損失又は変更が生じた時から二十年を経過したときは、消滅する。

（受益者による受託者の行為の差止め）

第四四条① 受託者が法令若しくは信託行為の定めに違反する行為をし、又はこれらの行為をするおそれがある場合において、当該行為によって信託財産に著しい損害が生ずるおそれがあるときは、受益者は、当該受託者に対し、当該行為をやめることを請求することができる。

② 受託者が第三十三条の規定に違反する行為をし、又はこれをするおそれがある場合において、当該行為によって一部の受益者に著しい損害が生ずるおそれがあるときは、当該受益者は、当該受託者に対し、当該行為をやめることを請求することができる。

（費用又は報酬の支弁等）

第四五条① 第四十条、第四十一条又は前条の規定による請求に係る訴えを提起した受益者が勝訴（一部勝訴を含む。）した場合において、当該訴えに係る訴訟に関し、必要な費用（訴訟費用を除く。）を支出したとき、又は弁護士、弁護士法人、弁護士・外国法事務弁護士共同法人、司法書士若しくは司法書士法人に報酬を支払うべきときは、その費用又は報酬は、その額の範囲内で相当と認められる額を限度として、信託財産から支弁する。

② 前項の訴えを提起した受益者が敗訴した場合であっても、悪意があったときを除き、当該受益者は、受託者に対し、これによって生じた損害を賠償する義務を負わない。

（検査役の選任）

第四六条① 受益者は、受託者の信託事務の処理に関し、不正の行為又は法令若しくは信託行為の定めに違反する重大な事実があることを疑うに足りる事由があるときは、信託事務の処理の状況並びに信託財産に属する財産及び信託財産責任負担債務の状況を調査させるため、裁判所に対し、検査役の選任の申立てをすることができる。

② 前項の申立てがあった場合には、裁判所は、これを不適法として却下する場合を除き、検査役を選任しなければならない。

③ 第一項の申立てを却下する裁判には、理由を付さなければならない。

④ 第一項の規定による検査役の選任の裁判に対しては、不服を申し立てることができない。

⑤ 第二項の検査役は、信託財産から裁判所が定める報酬を受けることができる。

⑥ 前項の規定による検査役の報酬を定める裁判をする場合には、受託者及び第二項の検査役の陳述を聴かなければならない。

⑦ 第五項の規定による検査役の報酬を定める裁判に対しては、受託者及び第二項の検査役に限り、即時抗告をすることができる。

第四七条① 前条第二項の検査役は、その職務を行うため必要があるときは、受託者に対し、信託事務の処理の状況並びに信託財産に属する財産及び信託財産責任負担債務の状況について報告を求め、又は当該信託に係る帳簿、書類その他の物件を調査することができる。

② 前条第二項の検査役は、必要な調査を行い、当該調査の結果を記載し、又は記録した書面又は電磁的記録（法務省令で定めるものに限る。）を裁判所に提供して報告をしなければならない。

③ 裁判所は、前項の報告について、その内容を明瞭にし、又はその根拠を確認するため必要があると認めるときは、前条第二項の検査役に対し、更に前項の報告を求めることができる。

④ 前条第二項の検査役は、第二項の報告をしたときは、受託者及び同条第一項の申立てをした受益者に対し、第二項の書面の写しを交付し、又は同項の電磁的記録に記録された事項を法務省令で定める方法により提供しなければならない。

⑤ 受託者は、前項の規定による書面の写しの交付又は電磁的記録に記録された事項の法務省令で定める方法による提供があったときは、直ちに、その旨を受益者（前条第一項の申立てをしたものを除く。次項において同じ。）に通知しなければならない。ただし、信託行為に別段の定めがあるときは、その定めるところによる。

⑥ 裁判所は、第二項の報告があった場合において、必要があると認めるときは、受託者に対し、同項の調査の結果を受益者に通知することその他の当該報告の内容を周知するための適切な措置をとるべきことを命じなければならない。

第四節　受託者の費用等及び信託報酬等

（信託財産からの費用等の償還等）

第四八条① 受託者は、信託事務を処理するのに必要と認められる費用を固有財産から支出した場合には、信託財産から当該費用及び支出の日以後におけるその利息（以下「費用等」という。）の償還を受けることができる。ただし、信託行為に別段の定めがあるときは、その定めるところによる。

② 受託者は、信託事務を処理するについて費用を要するときは、信託財産からその前払を受けることができる。ただし、信託行為に別段の定めがあるときは、その定めるところによる。

③ 受託者は、前項本文の規定により信託財産から費用の前払を受けるには、受益者に対し、前払を受ける額及びその算定根拠を通知しなければならない。ただし、信託行為に別段の定めがあるときは、その定めるところによる。

④ 第一項又は第二項の規定にかかわらず、費用等の償還又は費用の前払は、受託者が第四十条の規定による責任を負う場合には、これを履行した後でなければ、受けることができない。ただし、信託行為に別段の定めがあるときは、その定めるところによる。

⑤ 第一項又は第二項の場合には、受託者が受益者との間の合意に基づいて当該受益者から費用等の償還又は費用の前払を受けることを妨げない。

（費用等の償還等の方法）

第四九条① 受託者は、前条第一項又は第二項の規定により信託財産から費用等の償還又は費用の前払を受けることができる場合には、その額の限度で、信託財産に属する金銭を固有財産に帰属させることができる。

② 前項に規定する場合において、必要があるときは、受託者は、信託財産に属する財産（当該財産を処分することにより信託の目的を達成することができないこととなるものを除く。）を処分することができる。ただし、信託行為に別段の定めがあるときは、その定めるところによる。

③第一項に規定する場合において、第三十一条第二項各号のいずれかに該当するときは、受託者は、第一項の規定により有する権利の行使に代えて、信託財産に属する財産で金銭以外のものを固有財産に帰属させることができる。ただし、信託行為に別段の定めがあるときは、その定めるところによる。

④第一項の規定により受託者が有する権利は、信託財産に属する財産に対し強制執行又は担保権の実行の手続が開始したときは、これらの手続との関係においては、金銭債権とみなす。

⑤前項の場合には、同項に規定する権利の存在を証する文書により当該権利を有することを証明した受託者も、同項の強制執行又は担保権の実行の手続において、配当要求をすることができる。

> **＊令和五法五三（令和一〇・六・一三までに施行）による改正後**
> ⑤前項の場合には、同項に規定する権利の存在を証する文書又は電磁的記録（電子的方式、磁気的方式その他人の知覚によっては認識することができない方式で作られる記録であって、電子計算機による情報処理の用に供されるものをいう。第百七十二条の二第三項において同じ。）により当該権利を有することを証明した受託者も、前項の強制執行又は担保権の実行の手続において、配当要求をすることができる。

⑥各債権者（信託財産責任負担債務に係る債権を有する債権者に限る。以下この項及び次項において同じ。）の共同の利益のためにされた信託財産に属する財産の保存、清算又は配当に関する費用等について第一項の規定により受託者が有する権利は、第四項の強制執行又は担保権の実行の手続において、他の債権者（当該費用等がすべての債権者に有益でなかった場合にあっては、当該費用等によって利益を受けていないものを除く。）の権利に優先する。この場合においては、その順位は、民法第三百七条第一項に規定する先取特権と同順位とする。

⑦次の各号に該当する費用等について第一項の規定により受託者が有する権利は、当該各号に掲げる区分に応じ、当該各号の財産に係る第四項の強制執行又は担保権の実行の手続において、当該各号に定める金額について、他の債権者の権利に優先する。

一　信託財産に属する財産の保存のために支出した金額その他の当該財産の価値の維持のために必要であると認められるもの　その金額

二　信託財産に属する財産の改良のために支出した金額その他の当該財産の価値の増加に有益であると認められるもの　その金額又は現に存する増価額のいずれか低い金額

（信託財産責任負担債務の弁済による受託者の代位）

第五〇条①受託者は、信託財産責任負担債務を固有財産をもって弁済した場合において、これにより前条第一項の規定による権利を有することとなったときは、当該信託財産責任負担債務に係る債権を有する債権者に代位する。この場合においては、同項の規定により受託者が有する権利は、その代位との関係においては、金銭債権とみなす。

②前項の規定により受託者が同項の債権者に代位するときは、受託者は、遅滞なく、当該債権者の有する債権が信託財産責任負担債務に係る債権である旨及びこれを固有財産をもって弁済した旨を当該債権者に通知しなければならない。

（費用等の償還等と同時履行）

第五一条　受託者は、第四十九条第一項の規定により受託者が有する権利が消滅するまでは、受益者又は第百八十二条第一項第二号に規定する帰属権利者に対する信託財産に係る給付をすべき債務の履行を拒むことができる。ただし、信託行為に別段の定めがあるときは、その定めるところによる。

（信託財産が費用等の償還等に不足している場合の措置）

第五二条①受託者は、第四十八条第一項又は第二項の規定により信託財産から費用等の償還又は費用の前払を受けるのに信託財産（第四十九条第二項の規定により処分することができないものを除く。第一号及び第四項において同じ。）が不足している場合において、委託者及び受益者に対し次に掲げる事項を通知し、第二号の相当の期間を経過しても委託者又は受益者から費用等の償還又は費用の前払を受けなかったときは、信託を終了させることができる。

一　信託財産が不足しているため費用等の償還又は費用の前払を受けることができない旨

二　受託者の定める相当の期間内に委託者又は受益者から費用等の償還又は費用の前払を受けないときは、信託を終了させる旨

②委託者が現に存しない場合における前項の規定の適用については、同項中「委託者及び受益者」とあり、及び「委託者又は受益者」とあるのは、「受益者」とする。

③受益者が現に存しない場合における第一項の規定の適用については、同項中「委託者及び受益者」とあり、及び「委託者又は受益者」とあるのは、「委託者」とする。

④第四十八条第一項又は第二項の規定により信託財産から費用等の償還又は費用の前払を受けるのに信託財産が不足している場合において、委託者及び受益者が現に存しないときは、受託者は、信託を終了させることができる。

（信託財産からの損害の賠償）

第五三条①受託者は、次の各号に掲げる場合には、当該各号に定める損害の額について、信託財産からその賠償を受けることができる。ただし、信託行為に別段の定めがあるときは、その定めるところによる。

一　受託者が信託事務を処理するため自己に過失なく損害を受けた場合　当該損害の額

二　受託者が信託事務を処理するため第三者の故意又は過失によって損害を受けた場合（前号に掲げる場合を除く。）　当該第三者に対し賠償を請求することができる額

②第四十八条第四項及び第五項、第四十九条（第六項及び第七項を除く。）並びに前二条の規定は、前項の規定による信託財産からの損害の賠償について準用する。

（受託者の信託報酬）

第五四条①受託者は、信託の引受けについて商法（明治三十二年法律第四十八号）第五百十二条の規定の適用がある場合のほか、信託行為に受託者が信託財産から信託報酬（信託事務の処理の対価として受託者の受ける財産上の利益をいう。以下同じ。）を受ける旨の定めがある場合に限り、信託財産から信託報酬を受けることができる。

②前項の場合には、信託報酬の額は、信託行為に信託報酬の額又は算定方法に関する定めがあるときはその定めるところにより、その定めがないときは相当の額とする。

③前項の定めがないときは、受託者は、信託財産から信託報酬を受けるには、受益者に対し、信託報酬の額及びその算定の根拠を通知しなければならない。

④第四十八条第四項及び第五項、第四十九条（第六項及び第七項を除く。）、第五十一条並びに第五十二条並びに民法第六百四十八条第二項及び第三項並びに第六百四十八条の二の規定は、受託者の信託報酬について準用する。

（受託者による担保権の実行）

第五五条　担保権が信託財産である信託において、信託行為において受益者が当該担保権によって担保される債権に係る債権者とされている場合には、担保権者である受託者は、信託事務として、当該担保権の実行の申立てをし、売却代金の配当又は弁済金の交付を受けることができる。

第五節　受託者の変更等

第一款　受託者の任務の終了

（受託者の任務の終了事由）

第五六条①受託者の任務は、信託の清算が結了した場合のほか、次に掲げる事由によって終了する。ただし、第三号又は第四号に掲げる事由による場合にあっては、信託行為に別段の定めがあるときは、その定めるところによる。

一　受託者である個人の死亡
二　受託者である個人が後見開始又は保佐開始の審判を受けたこと。
三　受託者（破産手続開始の決定により解散するものを除く。）が破産手続開始の決定を受けたこと。
四　受託者である法人が合併以外の理由により解散したこと。
五　次条の規定による受託者の辞任
六　第五十八条の規定による受託者の解任
七　信託行為において定めた事由

②　受託者である法人が合併をした場合における合併後存続する法人又は合併により設立する法人は、受託者の任務を引き継ぐものとする。受託者である法人が分割をした場合における分割により受託者としての権利義務を承継する法人も、同様とする。

③　前項の規定にかかわらず、信託行為に別段の定めがあるときは、その定めるところによる。

④　第一項第三号に掲げる事由が生じた場合において、同項ただし書の定めにより受託者の任務が終了しないときは、受託者の職務は、破産者が行う。

⑤　受託者の任務は、受託者が再生手続開始の決定を受けたことによっては、終了しない。ただし、信託行為に別段の定めがあるときは、その定めるところによる。

⑥　前項本文に規定する場合において、管財人があるときは、受託者の職務の遂行並びに信託財産に属する財産の管理及び処分をする権利は、管財人に専属する。保全管理人があるときも、同様とする。

⑦　前二項の規定は、受託者が更生手続開始の決定を受けた場合について準用する。この場合において、前項中「管財人があるとき」とあるのは、「管財人があるとき（会社更生法第七十四条第二項（金融機関等の更生手続の特例等に関する法律第四十七条及び第二百十三条において準用する場合を含む。）の期間を除く。）」と読み替えるものとする。

（受託者の辞任）

第五七条①　受託者は、委託者及び受益者の同意を得て、辞任することができる。ただし、信託行為に別段の定めがあるときは、その定めるところによる。

②　受託者は、やむを得ない事由があるときは、裁判所の許可を得て、辞任することができる。

③　受託者は、前項の許可の申立てをする場合には、その原因となる事実を疎明しなければならない。

④　第二項の許可の申立てを却下する裁判には、理由を付さなければならない。

⑤　第二項の規定による辞任の許可の裁判に対しては、不服を申し立てることができない。

⑥　委託者が現に存しない場合には、第一項本文の規定は、適用しない。

（受託者の解任）

第五八条①　委託者及び受益者は、いつでも、その合意により、受託者を解任することができる。

②　委託者及び受益者が受託者に不利な時期に受託者を解任したときは、委託者及び受益者は、受託者の損害を賠償しなければならない。ただし、やむを得ない事由があったときは、この限りでない。

③　前二項の規定にかかわらず、信託行為に別段の定めがあるときは、その定めるところによる。

④　受託者がその任務に違反して信託財産に著しい損害を与えたことその他重要な事由があるときは、裁判所は、委託者又は受益者の申立てにより、受託者を解任することができる。

⑤　裁判所は、前項の規定により受託者を解任する場合には、受託者の陳述を聴かなければならない。

⑥　第四項の申立てについての裁判には、理由を付さなければならない。

⑦　第四項の規定による解任の裁判に対しては、委託者、受託者又は受益者に限り、即時抗告をすることができる。

⑧　委託者が現に存しない場合には、第一項及び第二項の規定は、適用しない。

第二款　前受託者の義務等

（前受託者の通知及び保管の義務等）

第五九条①　第五十六条第一項第三号から第七号までに掲げる事由により受託者の任務が終了した場合には、受託者であった者（以下「前受託者」という。）は、受益者に対し、その旨を通知しなければならない。ただし、信託行為に別段の定めがあるときは、その定めるところによる。

②　第五十六条第一項第三号に掲げる事由により受託者の任務が終了した場合には、前受託者は、破産管財人に対し、信託財産に属する財産の内容及び所在、信託財産責任負担債務の内容その他の法務省令で定める事項を通知しなければならない。

③　第五十六条第一項第四号から第七号までに掲げる事由により受託者の任務が終了した場合には、前受託者は、新たな受託者（第六十四条第一項の規定により信託財産管理者が選任された場合にあっては、信託財産管理者。以下この節において「新受託者等」という。）が信託事務の処理をすることができるに至るまで、引き続き信託財産に属する財産の保管をし、かつ、信託事務の引継ぎに必要な行為をしなければならない。ただし、信託行為に別段の定めがあるときは、その義務を加重することができる。

④　前項の規定にかかわらず、第五十六条第一項第五号に掲げる事由（第五十七条第一項の規定によるものに限る。）により受託者の任務が終了した場合には、前受託者は、新受託者等が信託事務の処理をすることができるに至るまで、引き続き受託者としての権利義務を有する。ただし、信託行為に別段の定めがあるときは、この限りでない。

⑤　第三項の場合（前項本文に規定する場合を除く。）において、前受託者が信託財産に属する財産の処分をしようとするときは、受益者は、前受託者に対し、当該財産の処分をやめることを請求することができる。ただし、新受託者等が信託事務の処理をすることができるに至った後は、この限りでない。

（前受託者の相続人等の通知及び保管の義務等）

第六〇条①　第五十六条第一項第一号又は第二号に掲げる事由により受託者の任務が終了した場合において、前受託者の相続人（法定代理人が現に存する場合にあっては、その法定代理人）又は成年後見人若しくは保佐人（以下この節において「前受託者の相続人等」と総称する。）がその事実を知っているときは、前受託者の相続人等は、知れている受益者に対し、これを通知しなければならない。ただし、信託行為に別段の定めがあるときは、その定めるところによる。

②　第五十六条第一項第一号又は第二号に掲げる事由により受託者の任務が終了した場合には、前受託者の相続人等は、新受託者等又は信託財産法人管理人が信託事務の処理をすることができるに至るまで、信託財産に属する財産の保管をし、かつ、信託事務の引継ぎに必要な行為をしなければならない。

③　前項の場合において、前受託者の相続人等が信託財産に属する財産の処分をしようとするときは、受益者は、これらの者に対し、当該財産の処分をやめることを請求することができる。ただし、新受託者等又は信託財産法人管理人が信託事務の処理をすることができるに至った後は、この限りでない。

④　第五十六条第一項第三号に掲げる事由により受託者の任務が終了した場合には、破産管財人は、新受託者等が信託事務を処理することができるに至るまで、信託財産に属する財産の保管をし、かつ、信託事務の引継ぎに必要な行為をしなければならない。

⑤　前項の場合において、破産管財人が信託財産に属する財産の処分をしようとするときは、受益者は、破産管財人に対し、当該財産の処分をやめることを請求することができる。ただし、新受託者等が信託事務の処理をすることができるに至った後

は、この限りでない。

⑥　前受託者の相続人等又は破産管財人は、新受託者等又は信託財産法人管理人に対し、第一項、第二項又は第四項の規定によりする行為をするために支出した費用及び支出の日以後におけるその利息の償還を請求することができる。

⑦　第四十九条第六項及び第七項の規定は、前項の規定により前受託者の相続人等又は破産管財人が有する権利について準用する。

（費用又は報酬の支弁等）

第六一条①　第五十九条第五項又は前条第三項若しくは第五項の規定による請求に係る訴えを提起した受益者が勝訴（一部勝訴を含む。）した場合において、当該訴えに係る訴訟に関し、必要な費用（訴訟費用を除く。）を支出したとき、又は弁護士、弁護士法人、弁護士・外国法事務弁護士共同法人、司法書士若しくは司法書士法人に報酬を支払うべきときは、その費用又は報酬は、その額の範囲内で相当と認められる額を限度として、信託財産から支弁する。

②　前項の訴えを提起した受益者が敗訴した場合であっても、悪意があったときを除き、当該受益者は、受託者に対し、これによって生じた損害を賠償する義務を負わない。

第三款　新受託者の選任

第六二条①　第五十六条第一項各号に掲げる事由により受託者の任務が終了した場合において、信託行為に新たな受託者（以下「新受託者」という。）に関する定めがないとき、又は信託行為の定めにより新受託者となるべき者として指定された者が信託の引受けをせず、若しくはこれをすることができないときは、委託者及び受益者は、その合意により、新受託者を選任することができる。

②　第五十六条第一項各号に掲げる事由により受託者の任務が終了した場合において、信託行為に新受託者となるべき者を指定する定めがあるときは、利害関係人は、新受託者となるべき者として指定された者に対し、相当の期間を定めて、その期間内に就任の承諾をするかどうかを確答すべき旨を催告することができる。ただし、当該定めに停止条件又は始期が付されているときは、当該停止条件が成就し、又は当該始期が到来した後に限る。

③　前項の規定による催告があった場合において、新受託者となるべき者として指定された者は、同項の期間内に委託者及び受益者（二人以上の受益者が現に存する場合にあってはその一人、信託管理人が現に存する場合にあっては信託管理人）に対し確答をしないときは、就任の承諾をしなかったものとみなす。

④　第一項の場合において、同項の合意に係る協議の状況その他の事情に照らして必要があると認めるときは、裁判所は、利害関係人の申立てにより、新受託者を選任することができる。

⑤　前項の申立てについての裁判には、理由を付さなければならない。

⑥　第四項の規定による新受託者の選任の裁判に対しては、委託者若しくは受益者又は現に存する受託者に限り、即時抗告をすることができる。

⑦　前項の即時抗告は、執行停止の効力を有する。

⑧　委託者が現に存しない場合における前各項の規定の適用については、第一項中「委託者及び受益者は、その合意により」とあるのは「受益者は」と、第三項中「委託者及び受益者」とあるのは「受益者」と、第四項中「同項の合意に係る協議の状況」とあるのは「受益者の状況」とする。

第四款　信託財産管理者等

（信託財産管理命令）

第六三条①　第五十六条第一項各号に掲げる事由により受託者の任務が終了した場合において、新受託者が選任されておらず、かつ、必要があると認めるときは、新受託者が選任されるまでの間、裁判所は、利害関係人の申立てにより、信託財産管理者による管理を命ずる処分（以下この款において「信託財産管理命令」という。）をすることができる。

②　前項の申立てを却下する裁判には、理由を付さなければならない。

③　裁判所は、信託財産管理命令を変更し、又は取り消すことができる。

④　信託財産管理命令及び前項の規定による決定に対しては、利害関係人に限り、即時抗告をすることができる。

（信託財産管理者の選任等）

第六四条①　裁判所は、信託財産管理命令をする場合には、当該信託財産管理命令において、信託財産管理者を選任しなければならない。

②　前項の規定による信託財産管理者の選任の裁判に対しては、不服を申し立てることができない。

③　裁判所は、第一項の規定による信託財産管理者の選任の裁判をしたときは、直ちに、次に掲げる事項を公告しなければならない。

一　信託財産管理者を選任した旨

二　信託財産管理者の氏名又は名称

④　前項第二号の規定は、同号に掲げる事項に変更を生じた場合について準用する。

⑤　信託財産管理命令があった場合において、信託財産に属する権利で登記又は登録がされたものがあることを知ったときは、裁判所書記官は、職権で、遅滞なく、信託財産管理命令の登記又は登録を嘱託しなければならない。

⑥　信託財産管理命令を取り消す裁判があったとき、又は信託財産管理命令があった後に新受託者が選任された場合において当該新受託者が信託財産管理命令の登記若しくは登録の抹消の嘱託の申立てをしたときは、裁判所書記官は、職権で、遅滞なく、信託財産管理命令の登記又は登録の抹消を嘱託しなければならない。

（前受託者がした法律行為の効力）

第六五条①　前受託者が前条第一項の規定による信託財産管理者の選任の裁判があった後に信託財産に属する財産に関してした法律行為は、信託財産との関係においては、その効力を主張することができない。

②　前受託者が前条第一項の規定による信託財産管理者の選任の裁判があった日にした法律行為は、当該裁判があった後にしたものと推定する。

（信託財産管理者の権限）

第六六条①　第六十四条第一項の規定により信託財産管理者が選任された場合には、受託者の職務の遂行並びに信託財産に属する財産の管理及び処分をする権利は、信託財産管理者に専属する。

②　二人以上の信託財産管理者があるときは、これらの者が共同してその権限に属する行為をしなければならない。ただし、裁判所の許可を得て、それぞれ単独にその職務を行い、又は職務を分掌することができる。

③　二人以上の信託財産管理者があるときは、第三者の意思表示は、その一人に対してすれば足りる。

④　信託財産管理者が次に掲げる行為の範囲を超える行為をするには、裁判所の許可を得なければならない。

一　保存行為

二　信託財産に属する財産の性質を変えない範囲内において、その利用又は改良を目的とする行為

⑤　前項の規定に違反して行った信託財産管理者の行為は、無効とする。ただし、信託財産管理者は、これをもって善意の第三者に対抗することができない。

⑥　信託財産管理者は、第二項ただし書又は第四項の許可の申立てをする場合には、その原因となる事実を疎明しなければならない。

⑦　第二項ただし書又は第四項の許可の申立てを却下する裁判に

は、理由を付さなければならない。

⑧ 第二項ただし書又は第四項の規定による許可の裁判に対しては、不服を申し立てることができない。

（信託財産に属する財産の管理）

第六七条 信託財産管理者は、就職の後直ちに信託財産に属する財産の管理に着手しなければならない。

（当事者適格）

第六八条 信託財産に関する訴えについては、信託財産管理者を原告又は被告とする。

（信託財産管理者の義務等）

第六九条 信託財産管理者は、その職務を行うに当たっては、受託者と同一の義務及び責任を負う。

（信託財産管理者の辞任及び解任）

第七〇条 第五十七条第二項から第五項までの規定は信託財産管理者の辞任について、第五十八条第四項から第七項までの規定は信託財産管理者の解任について、それぞれ準用する。この場合において、第五十七条第二項中「やむを得ない事由」とあるのは、「正当な事由」と読み替えるものとする。

（信託財産管理者の報酬等）

第七一条① 信託財産管理者は、信託財産から裁判所が定める額の費用の前払及び報酬を受けることができる。

② 前項の規定による費用又は報酬の額を定める裁判をする場合には、信託財産管理者の陳述を聴かなければならない。

③ 第一項の規定による費用又は報酬の額を定める裁判に対しては、信託財産管理者に限り、即時抗告をすることができる。

（信託財産管理者による新受託者への信託事務の引継ぎ等）

第七二条 第七十七条の規定は、信託財産管理者の選任後に新受託者が就任した場合について準用する。この場合において、同条第一項中「受益者（二人以上の受益者が現に存する場合にあってはそのすべての受益者、信託管理人が現に存する場合にあっては信託管理人）」とあり、同条第二項中「受益者（信託管理人が現に存する場合にあっては、信託管理人。次項において同じ。）」とあり、及び同条第三項中「受益者」とあるのは「新受託者」と、同条第二項中「当該受益者」とあるのは「当該新受託者」と読み替えるものとする。

（受託者の職務を代行する者の権限）

第七三条 第六十六条の規定は、受託者の職務を代行する者を選任する仮処分命令により選任された受託者の職務を代行する者について準用する。

（受託者の死亡により任務が終了した場合の信託財産の帰属等）

第七四条① 第五十六条第一項第一号に掲げる事由により受託者の任務が終了した場合には、信託財産は、法人とする。

② 前項に規定する場合において、必要があると認めるときは、裁判所は、利害関係人の申立てにより、信託財産法人管理人による管理を命ずる処分（第六項において「信託財産法人管理命令」という。）をすることができる。

③ 第六十三条第二項から第四項までの規定は、前項の申立てに係る事件について準用する。

④ 新受託者が就任したときは、第一項の法人は、成立しなかったものとみなす。ただし、信託財産法人管理人がその権限内でした行為の効力を妨げない。

⑤ 信託財産法人管理人の代理権は、新受託者が信託事務の処理をすることができるに至った時に消滅する。

⑥ 第六十四条の規定は信託財産法人管理命令をする場合について、第六十六条から第七十二条までの規定は信託財産法人管理人について、それぞれ準用する。

第五款　受託者の変更に伴う権利義務の承継等

（信託に関する権利義務の承継等）

第七五条① 第五十六条第一項各号に掲げる事由により受託者の任務が終了した場合において、新受託者が就任したときは、新受託者は、前受託者の任務が終了した時に、その時に存する信託に関する権利義務を前受託者から承継したものとみなす。

② 前項の規定にかかわらず、第五十六条第一項第五号に掲げる事由（第五十七条第一項の規定によるものに限る。）により受託者の任務が終了した場合（第五十九条第四項ただし書の場合を除く。）には、新受託者は、新受託者等が就任した時に、その時に存する信託に関する権利義務を前受託者から承継したものとみなす。

③ 前二項の規定は、新受託者が就任するに至るまでの間に前受託者、信託財産管理者又は信託財産法人管理人がその権限内でした行為の効力を妨げない。

④ 第二十七条の規定は、新受託者等が就任するに至るまでの間に前受託者がその権限に属しない行為をした場合について準用する。

⑤ 前受託者（その相続人を含む。以下この条において同じ。）が第四十条の規定による責任を負う場合又は法人である前受託者の理事、取締役若しくは執行役若しくはこれらに準ずる者（以下この項において「理事等」と総称する。）が第四十一条の規定による責任を負う場合には、新受託者等又は信託財産法人管理人は、前受託者又は理事等に対し、第四十条又は第四十一条の規定による請求をすることができる。

⑥ 前受託者が信託財産から費用等の償還若しくは損害の賠償を受けることができ、又は信託報酬を受けることができる場合には、前受託者は、新受託者等又は信託財産法人管理人に対し、費用等の償還若しくは損害の賠償又は信託報酬の支払を請求することができる。ただし、新受託者等又は信託財産法人管理人は、信託財産に属する財産のみをもってこれを履行する責任を負う。

⑦ 第四十八条第四項並びに第四十九条第六項及び第七項の規定は、前項の規定により前受託者が有する権利について準用する。

⑧ 新受託者が就任するに至るまでの間に信託財産に属する財産に対し既にされている強制執行、仮差押え若しくは仮処分の執行又は担保権の実行若しくは競売の手続は、新受託者に対し続行することができる。

⑨ 前受託者は、第六項の規定による請求に係る債権の弁済を受けるまで、信託財産に属する財産を留置することができる。

（承継された債務に関する前受託者及び新受託者の責任）

第七六条① 前条第一項又は第二項の規定により信託債権に係る債務が新受託者に承継された場合にも、前受託者は、自己の固有財産をもって、その承継された債務を履行する責任を負う。ただし、信託財産に属する財産のみをもって当該債務を履行する責任を負うときは、この限りでない。

② 新受託者は、前項本文に規定する債務を承継した場合には、信託財産に属する財産のみをもってこれを履行する責任を負う。

（前受託者による新受託者等への信託事務の引継ぎ等）

第七七条① 新受託者等が就任した場合には、前受託者は、遅滞なく、信託事務に関する計算を行い、受益者（二人以上の受益者が現に存する場合にあってはそのすべての受益者、信託管理人が現に存する場合にあっては信託管理人）に対しその承認を求めるとともに、新受託者等が信託事務の処理を行うのに必要な信託事務の引継ぎをしなければならない。

② 受益者（信託管理人が現に存する場合にあっては、信託管理人。次項において同じ。）が前項の計算を承認した場合には、同項の規定による当該受益者に対する信託事務の引継ぎに関する責任は、免除されたものとみなす。ただし、前受託者の職務の執行に不正の行為があったときは、この限りでない。

③ 受益者が前受託者から第一項の計算の承認を求められた時から一箇月以内に異議を述べなかった場合には、当該受益者は、同項の計算を承認したものとみなす。

（前受託者の相続人等又は破産管財人による新受託者等への信託事務の引継ぎ等）

第七八条 前条の規定は、第五十六条第一項第一号又は第二号に掲げる事由により受託者の任務が終了した場合における前受託者の相続人等及び同項第三号に掲げる事由により受託者の任務が終了した場合における破産管財人について準用する。

第六節　受託者が二人以上ある信託の特例

（信託財産の合有）

第七九条　受託者が二人以上ある信託においては、信託財産は、その合有とする。

（信託事務の処理の方法）

第八〇条①　受託者が二人以上ある信託においては、信託事務の処理については、受託者の過半数をもって決する。

② 前項の規定にかかわらず、保存行為については、各受託者が単独で決することができる。

③ 前二項の規定により信託事務の処理について決定がされた場合には、各受託者は、当該決定に基づいて信託事務を執行することができる。

④ 前三項の規定にかかわらず、信託行為に受託者の職務の分掌に関する定めがある場合には、各受託者は、その定めに従い、信託事務の処理について決し、これを執行する。

⑤ 前二項の規定による信託事務の処理についての決定に基づく信託財産のためにする行為については、各受託者は、他の受託者を代理する権限を有する。

⑥ 前各項の規定にかかわらず、信託行為に別段の定めがあるときは、その定めるところによる。

⑦ 受託者が二人以上ある信託においては、第三者の意思表示は、その一人に対してすれば足りる。ただし、受益者の意思表示については、信託行為に別段の定めがあるときは、その定めるところによる。

（職務分掌者の当事者適格）

第八一条　前条第四項に規定する場合には、信託財産に関する訴えについて、各受託者は、自己の分掌する職務に関し、他の受託者のために原告又は被告となる。

（信託事務の処理についての決定の他の受託者への委託）

第八二条　受託者が二人以上ある信託においては、各受託者は、信託行為に別段の定めがある場合又はやむを得ない事由がある場合を除き、他の受託者に対し、信託事務（常務に属するものを除く。）の処理についての決定を委託することができない。

（信託事務の処理に係る債務の負担関係）

第八三条①　受託者が二人以上ある信託において、信託事務を処理するに当たって各受託者が第三者に対し債務を負担した場合には、各受託者は、連帯債務者とする。

② 前項の規定にかかわらず、信託行為に受託者の職務の分掌に関する定めがある場合において、ある受託者がその定めに従い信託事務を処理するに当たって第三者に対し債務を負担したときは、他の受託者は、信託財産に属する財産のみをもってこれを履行する責任を負う。ただし、当該第三者が、その債務の負担の原因である行為の当時、当該行為が信託事務の処理としてされたこと及び受託者が二人以上ある信託であることを知っていた場合であって、信託行為に受託者の職務の分掌に関する定めがあることを知らず、かつ、知らなかったことにつき過失がなかったときは、当該他の受託者は、これをもって当該第三者に対抗することができない。

（信託財産と固有財産等とに属する共有物の分割の特例）

第八四条　受託者が二人以上ある信託における第十九条の規定の適用については、同条第一項中「場合には」とあるのは「場合において、当該信託財産に係る信託に受託者が二人以上あるときは」と、同項第二号中「受託者」とあるのは「固有財産に共有持分が属する受託者」と、同項第三号中「受託者の」とあるのは「固有財産に共有持分が属する受託者の」と、同条第二項中「受託者」とあるのは「固有財産に共有持分が属する受託者」と、同条第三項中「場合には」とあるのは「場合において、当該信託財産に係る信託又は他の信託財産に係る信託に受託者が二人以上あるときは」と、同項第三号中「受託者の」とあるのは「各信託財産の共有持分が属する受託者の」と、「受託者が決する」とあるのは「受託者の協議による」と、同条第四項中「第二号」とあるのは「第二号又は第三号」とする。

（受託者の責任等の特例）

第八五条①　受託者が二人以上ある信託において、二人以上の受託者がその任務に違反する行為をしたことにより第四十条の規定による責任を負う場合には、当該行為をした各受託者は、連帯債務者とする。

② 受託者が二人以上ある信託における第四十条第一項及び第四十一条の規定の適用については、これらの規定中「受益者」とあるのは、「受益者又は他の受託者」とする。

③ 受託者が二人以上ある信託において第四十二条の規定により第四十条又は第四十一条の規定による責任が免除されたときは、他の受託者は、これらの規定によれば当該責任を負うべき者に対し、当該責任の追及に係る請求をすることができない。ただし、信託行為に別段の定めがあるときは、その定めるところによる。

④ 受託者が二人以上ある信託における第四十四条の規定の適用については、同条第一項中「受益者」とあるのは「受益者又は他の受託者」と、同条第二項中「当該受益者」とあるのは「当該受益者又は他の受託者」とする。

（受託者の変更等の特例）

第八六条①　受託者が二人以上ある信託における第五十九条の規定の適用については、同条第一項中「受益者」とあるのは「受益者及び他の受託者」と、同条第三項及び第四項中「受託者の任務」とあるのは「すべての受託者の任務」とする。

② 受託者が二人以上ある信託における第六十条の規定の適用については、同条第一項中「受益者」とあるのは「受益者及び他の受託者」と、同条第二項及び第四項中「受託者の任務」とあるのは「すべての受託者の任務」とする。

③ 受託者が二人以上ある信託における第七十四条第一項の規定の適用については、同項中「受託者の任務」とあるのは、「すべての受託者の任務」とする。

④ 受託者が二人以上ある信託においては、第七十五条第一項及び第二項の規定にかかわらず、その一人の任務が第五十六条第一項各号に掲げる事由により終了した場合には、その任務が終了した時に存する信託に関する権利義務は他の受託者が当然に承継し、その任務は他の受託者が行う。ただし、信託行為に別段の定めがあるときは、その定めるところによる。

（信託の終了の特例）

第八七条①　受託者が二人以上ある信託における第百六十三条第三号の規定の適用については、同号中「受託者が欠けた場合」とあるのは、「すべての受託者が欠けた場合」とする。

② 受託者が二人以上ある信託においては、受託者の一部が欠けた場合であって、前条第四項ただし書の規定によりその任務が他の受託者によって行われず、かつ、新受託者が就任しない状態が一年間継続したときも、信託は、終了する。

第四章　受益者等

第一節　受益者の権利の取得及び行使

（受益権の取得）

第八八条①　信託行為の定めにより受益者となるべき者として指定された者（次条第一項に規定する受益者指定権等の行使により受益者又は変更後の受益者として指定された者を含む。）は、当然に受益権を取得する。ただし、信託行為に別段の定めがあるときは、その定めるところによる。

② 受託者は、前項に規定する受益者となるべき者として指定された者が同項の規定により受益権を取得したことを知らないときは、その者に対し、遅滞なく、その旨を通知しなければならない。ただし、信託行為に別段の定めがあるときは、その定めるところによる。

（受益者指定権等）

第八九条①　受益者を指定し、又はこれを変更する権利（以下この条において「受益者指定権等」という。）を有する者の定めのある信託においては、受益者指定権等は、受託者に対する意思表示によって行使する。

② 前項の規定にかかわらず、受益者指定権等は、遺言によって行使することができる。

③ 前項の規定により遺言によって受益者指定権等が行使された場合において、受託者がこれを知らないときは、これにより受益者となったことをもって当該受託者に対抗することができない。

④ 受託者は、受益者を変更する権利が行使されたことにより受益者であった者がその受益権を失ったときは、その者に対し、遅滞なく、その旨を通知しなければならない。ただし、信託行為に別段の定めがあるときは、その定めるところによる。

⑤ 受益者指定権等は、相続によって承継されない。ただし、信託行為に別段の定めがあるときは、その定めるところによる。

⑥ 受益者指定権等を有する者が受託者である場合における第一項の規定の適用については、同項中「受託者」とあるのは、「受益者となるべき者」とする。

（委託者の死亡の時に受益権を取得する旨の定めのある信託等の特例）

第九〇条① 次の各号に掲げる信託においては、当該各号の委託者は、受益者を変更する権利を有する。ただし、信託行為に別段の定めがあるときは、その定めるところによる。

一 委託者の死亡の時に受益者となるべき者として指定された者が受益権を取得する旨の定めのある信託

二 委託者の死亡の時以後に受益者が信託財産に係る給付を受ける旨の定めのある信託

② 前項第二号の受益者は、同号の委託者が死亡するまでは、受益者としての権利を有しない。ただし、信託行為に別段の定めがあるときは、その定めるところによる。

（受益者の死亡により他の者が新たに受益権を取得する旨の定めのある信託の特例）

第九一条 受益者の死亡により、当該受益者の有する受益権が消滅し、他の者が新たな受益権を取得する旨の定め（受益者の死亡により順次他の者が受益権を取得する旨の定めを含む。）のある信託は、当該信託がされた時から三十年を経過した時以後に現に存する受益者が当該定めにより受益権を取得した場合であって当該受益者が死亡するまで又は当該受益権が消滅するまでの間、その効力を有する。

（信託行為の定めによる受益者の権利行使の制限の禁止）

第九二条 受益者による次に掲げる権利の行使は、信託行為の定めにより制限することができない。

一 この法律の規定による裁判所に対する申立権

二 第五条第一項の規定による催告権

三 第二十三条第五項又は第六項の規定による異議を主張する権利

四 第二十四条第一項の規定による支払の請求権

五 第二十七条第一項又は第二項（これらの規定を第七十五条第四項において準用する場合を含む。）の規定による取消権

六 第三十一条第六項又は第七項の規定による取消権

七 第三十六条の規定による報告を求める権利

八 第三十八条第一項又は第六項の規定による閲覧又は謄写の請求権

九 第四十条の規定による損失のてん補又は原状の回復の請求権

十 第四十一条の規定による損失のてん補又は原状の回復の請求権

十一 第四十四条の規定による差止めの請求権

十二 第四十五条第一項の規定による支払の請求権

十三 第五十九条第五項の規定による差止めの請求権

十四 第六十条第三項又は第五項の規定による差止めの請求権

十五 第六十一条第一項の規定による支払の請求権

十六 第六十二条第二項の規定による催告権

十七 第九十九条第一項の規定による受益権を放棄する権利

十八 第百三条第一項又は第二項の規定による受益権取得請求権

十九 第百三十一条第二項の規定による催告権

二十 第百三十八条第二項の規定による催告権

二十一 第百八十七条第一項の規定による交付又は提供の請求権

二十二 第百九十条第二項の規定による閲覧又は謄写の請求権

二十三 第百九十八条第一項の規定による記載又は記録の請求権

二十四 第二百二十六条第一項の規定による金銭のてん補又は支払の請求権

二十五 第二百二十八条第一項の規定による金銭のてん補又は支払の請求権

二十六 第二百五十四条第一項の規定による損失のてん補の請求権

第二節 受益権等

第一款 受益権の譲渡等

（受益権の譲渡性）

第九三条① 受益者は、その有する受益権を譲り渡すことができる。ただし、その性質がこれを許さないときは、この限りでない。

② 前項の規定にかかわらず、受益権の譲渡を禁止し、又は制限する旨の信託行為の定め（以下この項において「譲渡制限の定め」という。）は、その譲渡制限の定めがされたことを知り、又は重大な過失によって知らなかった譲受人その他の第三者に対抗することができる。

（受益権の譲渡の対抗要件）

第九四条① 受益権の譲渡は、譲渡人が受託者に通知をし、又は受託者が承諾をしなければ、受託者その他の第三者に対抗することができない。

② 前項の通知及び承諾は、確定日付のある証書によってしなければ、受託者以外の第三者に対抗することができない。

（受益権の譲渡における受託者の抗弁）

第九五条 受託者は、前条第一項の通知又は承諾がされるまでに譲渡人に対し生じた事由をもって譲受人に対抗することができる。

（共同相続における受益権の承継の対抗要件）

第九五条の二 相続により受益権が承継された場合において、民法第九百条及び第九百一条の規定により算定した相続分を超えて当該受益権を承継した共同相続人が当該受益権に係る遺言の内容（遺産の分割により当該受益権を承継した場合にあっては、当該受益権に係る遺産の分割の内容）を明らかにして受託者にその承継の通知をしたときは、共同相続人の全員が受託者に通知をしたものとみなして、同法第八百九十九条の二第一項の規定を適用する。

（受益権の質入れ）

第九六条① 受益者は、その有する受益権に質権を設定することができる。ただし、その性質がこれを許さないときは、この限りでない。

② 前項の規定にかかわらず、受益権の質入れを禁止し、又は制限する旨の信託行為の定め（以下この項において「質入制限の定め」という。）は、その質入制限の定めがされたことを知り、又は重大な過失によって知らなかった質権者その他の第三者に対抗することができる。

（受益権の質入れの効果）

第九七条 受益権を目的とする質権は、次に掲げる金銭等（金銭その他の財産をいう。以下この条及び次条において同じ。）について存在する。

一 当該受益権を有する受益者が受託者から信託財産に係る給付として受けた金銭等

二 第百三条第六項に規定する受益権取得請求によって当該受

益権を有する受益者が受ける金銭等

三　信託の変更による受益権の併合又は分割によって当該受益権を有する受益者が受ける金銭等

四　信託の併合又は分割（信託の併合又は信託の分割をいう。以下同じ。）によって当該受益権を有する受益者が受ける金銭等

五　前各号に掲げるもののほか、当該受益権を有する受益者が当該受益権に代わるものとして受ける金銭等

第九八条①　受益権の質権者は、前条の金銭等（金銭に限る。）を受領し、他の債権者に先立って自己の債権の弁済に充てることができる。

②　前項の債権の弁済期が到来していないときは、受益権の質権者は、受託者に同項に規定する金銭等に相当する金額を供託させることができる。この場合において、質権は、その供託金について存在する。

第二款　受益権の放棄

第九九条①　受益者は、受託者に対し、受益権を放棄する旨の意思表示をすることができる。ただし、受益者が信託行為の当事者である場合は、この限りでない。

②　受益者は、前項の規定による意思表示をしたときは、当初から受益権を有していなかったものとみなす。ただし、第三者の権利を害することはできない。

第三款　受益債権

（受益債権に係る受託者の責任）

第一〇〇条　受益債権に係る債務については、受託者は、信託財産に属する財産のみをもってこれを履行する責任を負う。

（受益債権と信託債権との関係）

第一〇一条　受益債権は、信託債権に後れる。

（受益債権の期間の制限）

第一〇二条①　受益債権の消滅時効は、次項及び第三項に定める事項を除き、債権の消滅時効の例による。

②　受益債権の消滅時効は、受益者が受益者としての指定を受けたことを知るに至るまでの間（受益者が現に存しない場合にあっては、信託管理人が選任されるまでの間）は、進行しない。

③　受益債権の消滅時効は、次に掲げる場合に限り、援用することができる。

一　受託者が、消滅時効の期間の経過後、遅滞なく、受益者に対し受益債権の存在及びその内容を相当の期間を定めて通知し、かつ、受益者からその期間内に履行の請求を受けなかったとき。

二　消滅時効の期間の経過時において受益者の所在が不明であるとき、その他信託行為の定め、受益者の状況、関係資料の滅失その他の事情に照らして、受益者に対し前号の規定による通知をしないことについて正当な理由があるとき。

④　受益債権は、これを行使することができる時から二十年を経過したときは、消滅する。

第四款　受益権取得請求権

（受益権取得請求）

第一〇三条①　次に掲げる事項に係る信託の変更（第三項において「重要な信託の変更」という。）がされる場合には、これにより損害を受けるおそれのある受益者は、受託者に対し、自己の有する受益権を公正な価格で取得することを請求することができる。ただし、第一号又は第二号に掲げる事項に係る信託の変更がされる場合にあっては、これにより損害を受けるおそれのあることを要しない。

一　信託の目的の変更

二　受益権の譲渡の制限

三　受託者の義務の全部又は一部の減免（当該減免について、その範囲及びその意思決定の方法につき信託行為に定めがある場合を除く。）

四　受益債権の内容の変更（当該内容の変更について、その範囲及びその意思決定の方法につき信託行為に定めがある場合を除く。）

五　信託行為において定めた事項

②　信託の併合又は分割がされる場合には、これらにより損害を受けるおそれのある受益者は、受託者に対し、自己の有する受益権を公正な価格で取得することを請求することができる。ただし、前項第一号又は第二号に掲げる事項に係る変更を伴う信託の併合又は分割がされる場合にあっては、これらにより損害を受けるおそれのあることを要しない。

③　前二項の受益者が、重要な信託の変更又は信託の併合若しくは信託の分割（以下この章において「重要な信託の変更等」という。）の意思決定に関与し、その際に当該重要な信託の変更等に賛成する旨の意思を表示したときは、前二項の規定は、当該受益者については、適用しない。

④　受託者は、重要な信託の変更等の意思決定の日から二十日以内に、受益者に対し、次に掲げる事項を通知しなければならない。

一　重要な信託の変更等をする旨

二　重要な信託の変更等がその効力を生ずる日（次条第一項において「効力発生日」という。）

三　重要な信託の変更等の中止に関する条件を定めたときは、その条件

⑤　前項の規定による通知は、官報による公告をもって代えることができる。

⑥　第一項又は第二項の規定による請求（以下この款において「受益権取得請求」という。）は、第四項の規定による通知又は前項の規定による公告の日から二十日以内に、その受益権取得請求に係る受益権の内容を明らかにしてしなければならない。

⑦　受益権取得請求をした受益者は、受託者の承諾を得た場合に限り、その受益権取得請求を撤回することができる。

⑧　重要な信託の変更等が中止されたときは、受益権取得請求は、その効力を失う。

（受益権の価格の決定等）

第一〇四条①　受益権取得請求があった場合において、受益権の価格の決定について、受託者と受益者との間に協議が調ったときは、受託者は、受益権取得請求の日から六十日を経過する日（その日までに効力発生日が到来していない場合にあっては、効力発生日）までにその支払をしなければならない。

②　受益権の価格の決定について、受益権取得請求の日から三十日以内に協議が調わないときは、受託者又は受益者は、その期間の満了の日後三十日以内に、裁判所に対し、価格の決定の申立てをすることができる。

③　裁判所は、前項の規定により価格の決定をする場合には、同項の申立てをすることができる者の陳述を聴かなければならない。

④　第二項の申立てについての裁判には、理由を付さなければならない。

⑤　第二項の規定による価格の決定の裁判に対しては、申立人及び同項の申立てをすることができる者に限り、即時抗告をすることができる。

⑥　前項の即時抗告は、執行停止の効力を有する。

⑦　前条第七項の規定にかかわらず、第二項に規定する場合において、受益権取得請求の日から六十日以内に同項の申立てがないときは、その期間の満了後は、受益者は、いつでも、受益権取得請求を撤回することができる。

⑧　第一項の受託者は、裁判所の決定した価格に対する同項の期間の満了の日後の利息をも支払わなければならない。

⑨　受託者は、受益権の価格の決定があるまでは、受益者に対し、当該受託者が公正な価格と認める額を支払うことができる。

⑩　受益権取得請求に係る受託者による受益権の取得は、当該受

益権の価格に相当する金銭の支払の時に、その効力を生ずる。

⑪　受益証券（第百八十五条第一項に規定する受益証券をいう。以下この章において同じ。）が発行されている受益権について受益権取得請求があったときは、当該受益証券と引換えに、その受益権取得請求に係る受益権の価格に相当する金銭を支払わなければならない。

⑫　受益権取得請求に係る債務については、受託者は、信託財産に属する財産のみをもってこれを履行する責任を負う。ただし、信託行為又は当該重要な信託の変更等の意思決定において別段の定めがされたときは、その定めるところによる。

⑬　前条第一項又は第二項の規定により受託者が受益権を取得したときは、その受益権は、消滅する。ただし、信託行為又は当該重要な信託の変更等の意思決定において別段の定めがされたときは、その定めるところによる。

第三節　二人以上の受益者による意思決定の方法の特例

第一款　総則

第百五条①　受益者が二人以上ある信託における受益者の意思決定（第九十二条各号に掲げる権利の行使に係るものを除く。）は、すべての受益者の一致によってこれを決する。ただし、信託行為に別段の定めがあるときは、その定めるところによる。

②　前項ただし書の場合において、信託行為に受益者集会における多数決による旨の定めがあるときは、次款の定めるところによる。ただし、信託行為に別段の定めがあるときは、その定めるところによる。

③　第一項ただし書又は前項の規定にかかわらず、第四十二条の規定による責任の免除に係る意思決定の方法についての信託行為の定めは、次款の定めるところによる受益者集会における多数決による旨の定めに限り、その効力を有する。

④　第一項ただし書及び前二項の規定は、次に掲げる責任の免除については、適用しない。

一　第四十二条の規定による責任の全部の免除

二　第四十二条第一号の規定による責任（受託者がその任務を行うにつき悪意又は重大な過失があった場合に生じたものに限る。）の一部の免除

三　第四十二条第二号の規定による責任の一部の免除

第二款　受益者集会

（受益者集会の招集）

第百六条①　受益者集会は、必要がある場合には、いつでも、招集することができる。

②　受益者集会は、受託者（信託監督人が現に存する場合にあっては、受託者又は信託監督人）が招集する。

（受益者による招集の請求）

第百七条①　受益者は、受託者（信託監督人が現に存する場合にあっては、受託者又は信託監督人）に対し、受益者集会の目的である事項及び招集の理由を示して、受益者集会の招集を請求することができる。

②　次に掲げる場合において、信託財産に著しい損害を生ずるおそれがあるときは、前項の規定による請求をした受益者は、受益者集会を招集することができる。

一　前項の規定による請求の後遅滞なく招集の手続が行われない場合

二　前項の規定による請求があった日から八週間以内の日を受益者集会の日とする受益者集会の招集の通知が発せられない場合

（受益者集会の招集の決定）

第百八条　受益者集会を招集する者（以下この款において「招集者」という。）は、受益者集会を招集する場合には、次に掲げる事項を定めなければならない。

一　受益者集会の日時及び場所

二　受益者集会の目的である事項があるときは、当該事項

三　受益者集会に出席しない受益者が電磁的方法（電子情報処理組織を使用する方法その他の情報通信の技術を利用する方法であって法務省令で定めるものをいう。以下この款において同じ。）によって議決権を行使することができることとするときは、その旨

四　前三号に掲げるもののほか、法務省令で定める事項

（受益者集会の招集の通知）

第百九条①　受益者集会を招集するには、招集者は、受益者集会の日の二週間前までに、知れている受益者及び受託者（信託監督人が現に存する場合にあっては、知れている受益者、受託者及び信託監督人）に対し、書面をもってその通知を発しなければならない。

②　招集者は、前項の書面による通知の発出に代えて、政令で定めるところにより、同項の通知を受けるべき者の承諾を得て、電磁的方法により通知を発することができる。この場合において、当該招集者は、同項の書面による通知を発したものとみなす。

③　前二項の通知には、前条各号に掲げる事項を記載し、又は記録しなければならない。

④　無記名式の受益証券が発行されている場合において、受益者集会を招集するには、招集者は、受益者集会の日の三週間前までに、受益者集会を招集する旨及び前条各号に掲げる事項を官報により公告しなければならない。

（受益者集会参考書類及び議決権行使書面の交付等）

第百十条①　招集者は、前条第一項の通知に際しては、法務省令で定めるところにより、知れている受益者に対し、議決権の行使について参考となるべき事項を記載した書類（以下この条において「受益者集会参考書類」という。）及び受益者が議決権を行使するための書面（以下この款において「議決権行使書面」という。）を交付しなければならない。

②　招集者は、前条第二項の承諾をした受益者に対し同項の電磁的方法による通知を発するときは、前項の規定による受益者集会参考書類及び議決権行使書面の交付に代えて、これらの書類に記載すべき事項を電磁的方法により提供することができる。ただし、受益者の請求があったときは、これらの書類を当該受益者に交付しなければならない。

③　招集者は、前条第四項の規定による公告をした場合において、受益者集会の日の一週間前までに無記名受益権（無記名式の受益証券が発行されている受益権をいう。第八章において同じ。）の受益者の請求があったときは、直ちに、受益者集会参考書類及び議決権行使書面を当該受益者に交付しなければならない。

④　招集者は、前項の規定による受益者集会参考書類及び議決権行使書面の交付に代えて、政令で定めるところにより、受益者の承諾を得て、これらの書類に記載すべき事項を電磁的方法により提供することができる。この場合において、当該招集者は、同項の規定によるこれらの書類の交付をしたものとみなす。

第百十一条①　招集者は、第百八条第三号に掲げる事項を定めた場合には、第百九条第二項の承諾をした受益者に対する電磁的方法による通知に際して、法務省令で定めるところにより、受益者に対し、議決権行使書面に記載すべき事項を当該電磁的方法により提供しなければならない。

②　招集者は、第百八条第三号に掲げる事項を定めた場合において、第百九条第二項の承諾をしていない受益者から受益者集会の日の一週間前までに議決権行使書面に記載すべき事項の電磁的方法による提供の請求があったときは、法務省令で定めるところにより、直ちに、当該受益者に対し、当該事項を電磁的方法により提供しなければならない。

（受益者の議決権）

第百十二条①　受益者は、受益者集会において、次の各号に掲げる区分に従い、当該各号に定めるものに応じて、議決権を有する

る。）

一　各受益権の内容が均等である場合　受益権の個数

二　前号に掲げる場合以外の場合　受益者集会の招集の決定の時における受益権の価格

②　前項の規定にかかわらず、受益権が当該受益権に係る信託の信託財産に属するときは、受託者は、当該受益権については、議決権を有しない。

（受益者集会の決議）

第一一三条①　受益者集会の決議は、議決権を行使することができる受益者の議決権の過半数を有する受益者が出席し、出席した当該受益者の議決権の過半数をもって行う。

②　前項の規定にかかわらず、次に掲げる事項に係る受益者集会の決議は、当該受益者集会において議決権を行使することができる受益者の議決権の過半数を有する受益者が出席し、出席した当該受益者の議決権の三分の二以上に当たる多数をもって行わなければならない。

一　第四十二条の規定による責任の免除（第百五条第四項各号に掲げるものを除く。）

二　第百三十六条第一項第一号に規定する合意

三　第百四十三条第一項第一号に規定する合意

四　第百四十九条第一項若しくは第二項第一号に規定する合意又は同条第三項に規定する意思表示

五　第百五十一条第一項又は第二項第一号に規定する合意

六　第百五十五条第一項又は第二項第一号に規定する合意

七　第百五十九条第一項又は第二項第一号に規定する合意

八　第百六十四条第一項に規定する合意

③　前二項の規定にかかわらず、第百三条第一項第二号から第四号までに掲げる事項（同号に掲げる事項にあっては、受益者間の権衡に変更を及ぼすものを除く。）に係る重要な信託の変更等に係る受益者集会の決議は、当該受益者集会において議決権を行使することができる受益者の半数以上であって、当該受益者の議決権の三分の二以上に当たる多数をもって行わなければならない。

④　前三項の規定にかかわらず、第百三条第一項第一号又は第四号に掲げる事項（同号に掲げる事項にあっては、受益者間の権衡に変更を及ぼすものに限る。）に係る重要な信託の変更等に係る受益者集会の決議は、総受益者の半数以上であって、総受益者の議決権の四分の三以上に当たる多数をもって行わなければならない。

⑤　受益者集会は、第百八条第二号に掲げる事項以外の事項については、決議をすることができない。

（議決権の代理行使）

第一一四条①　受益者は、代理人によってその議決権を行使することができる。この場合においては、当該受益者又は代理人は、代理権を証明する書面を招集者に提出しなければならない。

②　前項の代理権の授与は、受益者集会ごとにしなければならない。

③　第一項の受益者又は代理人は、代理権を証明する書面の提出に代えて、政令で定めるところにより、招集者の承諾を得て、当該書面に記載すべき事項を電磁的方法により提供することができる。この場合において、当該受益者又は代理人は、当該書面を提出したものとみなす。

④　受益者が第百九条第二項の承諾をした者である場合には、招集者は、正当な理由がなければ、前項の承諾をすることを拒んではならない。

（書面による議決権の行使）

第一一五条①　受益者集会に出席しない受益者は、書面によって議決権を行使することができる。

②　書面による議決権の行使は、議決権行使書面に必要な事項を記載し、法務省令で定める時までに当該記載をした議決権行使書面を招集者に提出して行う。

③　前項の規定により書面によって行使した議決権は、出席した議決権者の行使した議決権とみなす。

（電磁的方法による議決権の行使）

第一一六条①　電磁的方法による議決権の行使は、政令で定めるところにより、招集者の承諾を得て、法務省令で定める時までに議決権行使書面に記載すべき事項を、電磁的方法により当該招集者に提供して行う。

②　受益者が第百九条第二項の承諾をした者である場合には、招集者は、正当な理由がなければ、前項の承諾をすることを拒んではならない。

③　第一項の規定により電磁的方法によって行使した議決権は、出席した議決権者の行使した議決権とみなす。

（議決権の不統一行使）

第一一七条①　受益者は、その有する議決権を統一しないで行使することができる。この場合においては、受益者集会の日の三日前までに、招集者に対しその旨及びその理由を通知しなければならない。

②　招集者は、前項の受益者が他人のために受益権を有する者でないときは、当該受益者が同項の規定によりその有する議決権を統一しないで行使することを拒むことができる。

（受託者の出席等）

第一一八条①　受託者（法人である受託者にあっては、その代表者又は代理人。次項において同じ。）は、受益者集会に出席し、又は書面により意見を述べることができる。

②　受益者集会又は招集者は、必要があると認めるときは、受託者に対し、その出席を求めることができる。この場合において、受益者集会にあっては、これをする旨の決議を経なければならない。

（延期又は続行の決議）

第一一九条　受益者集会においてその延期又は続行について決議があった場合には、第百八条及び第百九条の規定は、適用しない。

（議事録）

第一二〇条　受益者集会の議事については、招集者は、法務省令で定めるところにより、議事録を作成しなければならない。

（受益者集会の決議の効力）

第一二一条　受益者集会の決議は、当該信託のすべての受益者に対してその効力を有する。

（受益者集会の費用の負担）

第一二二条①　受益者集会に関する必要な費用を支出した者は、受託者に対し、その償還を請求することができる。

②　前項の規定による請求に係る債務については、受託者は、信託財産に属する財産のみをもってこれを履行する責任を負う。

第四節　信託管理人等

第一款　信託管理人

（信託管理人の選任）

第一二三条①　信託行為においては、受益者が現に存しない場合に信託管理人となるべき者を指定する定めを設けることができる。

②　信託行為に信託管理人となるべき者を指定する定めがあるときは、利害関係人は、信託管理人となるべき者として指定された者に対し、相当の期間を定めて、その期間内に就任の承諾をするかどうかを確答すべき旨を催告することができる。ただし、当該定めに停止条件又は始期が付されているときは、当該停止条件が成就し、又は当該始期が到来した後に限る。

③　前項の規定による催告があった場合において、信託管理人となるべき者として指定された者は、同項の期間内に委託者（委託者が現に存しない場合にあっては、受託者）に対し確答をしないときは、就任の承諾をしなかったものとみなす。

④　受益者が現に存しないときは、信託行為に信託管理人に関する定めがないとき、又は信託行為の定めにより信託管理人となるべき者として指定された者が就任の承諾をせず、若しくはこれをすることができないときは、裁判所は、利害関係人

の申立てにより、信託管理人を選任することができる。

⑤ 前項の規定による信託管理人の選任の裁判があったときは、当該信託管理人について信託行為に第一項の定めが設けられたものとみなす。

⑥ 第四項の申立てについての裁判には、理由を付さなければならない。

⑦ 第四項の規定による信託管理人の選任の裁判に対しては、委託者若しくは受託者又は既に存する信託管理人に限り、即時抗告をすることができる。

⑧ 前項の即時抗告は、執行停止の効力を有する。

（信託管理人の資格）

第一二四条 次に掲げる者は、信託管理人となることができない。

一 未成年者

二 当該信託の受託者である者

（信託管理人の権限）

第一二五条① 信託管理人は、受益者のために自己の名をもって受益者の権利に関する一切の裁判上又は裁判外の行為をする権限を有する。ただし、信託行為に別段の定めがあるときは、その定めるところによる。

② 二人以上の信託管理人があるときは、これらの者が共同してその権限に属する行為をしなければならない。ただし、信託行為に別段の定めがあるときは、その定めるところによる。

③ この法律の規定により受益者に対してすべき通知は、信託管理人があるときは、信託管理人に対してしなければならない。

（信託管理人の義務）

第一二六条① 信託管理人は、善良な管理者の注意をもって、前条第一項の権限を行使しなければならない。

② 信託管理人は、受益者のために、誠実かつ公平に前条第一項の権限を行使しなければならない。

（信託管理人の費用等及び報酬）

第一二七条① 信託管理人は、その事務を処理するのに必要と認められる費用及び支出の日以後におけるその利息を受託者に請求することができる。

② 信託管理人は、次の各号に掲げる場合には、当該各号に定める損害の額について、受託者にその賠償を請求することができる。

一 信託管理人がその事務を処理するため自己に過失なく損害を受けた場合 当該損害の額

二 信託管理人がその事務を処理するため第三者の故意又は過失によって損害を受けた場合（前号に掲げる場合を除く。） 当該第三者に対し賠償を請求することができる額

③ 信託管理人は、商法第五百十二条の規定の適用がある場合のほか、信託行為に信託管理人が報酬を受ける旨の定めがある場合に限り、受託者に報酬を請求することができる。

④ 前三項の規定による請求に係る債務については、受託者は、信託財産に属する財産のみをもってこれを履行する責任を負う。

⑤ 第三項の場合には、報酬の額は、信託行為に報酬の額又は算定方法に関する定めがあるときはその定めるところにより、その定めがないときは相当の額とする。

⑥ 裁判所は、第百二十三条第四項の規定により信託管理人を選任した場合には、信託管理人の報酬を定めることができる。

⑦ 前項の規定による信託管理人の報酬の裁判があったときは、当該信託管理人について信託行為に第三項の定め及び第五項の報酬の額に関する定めがあったものとみなす。

⑧ 第六項の規定による信託管理人の報酬の裁判をする場合には、受託者及び信託管理人の陳述を聴かなければならない。

⑨ 第六項の規定による信託管理人の報酬の裁判に対しては、委託者及び信託管理人に限り、即時抗告をすることができる。

（信託管理人の任務の終了）

第一二八条① 第五十六条の規定は、信託管理人の任務の終了について準用する。この場合において、同条第一項第五号中「次条」とあるのは「第百二十八条第二項において準用する次条」と、同項第六号中「第五十八条」とあるのは「第百二十八条第二項において準用する第五十八条」と読み替えるものとする。

② 第五十七条の規定は信託管理人の辞任について、第五十八条の規定は信託管理人の解任について、それぞれ準用する。

（新信託管理人の選任等）

第一二九条① 第六十二条の規定は、前条第一項において準用する第五十六条第一項各号の規定により信託管理人の任務が終了した場合における新たな信託管理人（次項において「新信託管理人」という。）の選任について準用する。

② 新信託管理人が就任した場合には、信託管理人であった者は、遅滞なく、新信託管理人がその事務の処理を行うのに必要な事務の引継ぎをしなければならない。

③ 前項の信託管理人であった者は、受益者が存するに至った後においてその受益者となった者を知ったときは、遅滞なく、当該受益者となった者に対しその事務の経過及び結果を報告しなければならない。

（信託管理人による事務の処理の終了等）

第一三〇条① 信託管理人による事務の処理は、次に掲げる事由により終了する。ただし、第二号に掲げる事由による場合にあっては、信託行為に別段の定めがあるときは、その定めるところによる。

一 受益者が存するに至ったこと。

二 委託者が信託管理人に対し事務の処理を終了する旨の意思表示をしたこと。

三 信託行為において定めた事由

② 前項の規定により信託管理人による事務の処理が終了した場合には、信託管理人であった者は、遅滞なく、受益者に対しその事務の経過及び結果を報告しなければならない。ただし、受益者が存するに至った後においてその受益者となった者を知った場合に限る。

第二款 信託監督人

（信託監督人の選任）

第一三一条① 信託行為においては、受益者が現に存する場合に信託監督人となるべき者を指定する定めを設けることができる。

② 信託行為に信託監督人となるべき者を指定する定めがあるときは、利害関係人は、信託監督人となるべき者として指定された者に対し、相当の期間を定めて、その期間内に就任の承諾をするかどうかを確答すべき旨を催告することができる。ただし、当該定めに停止条件又は始期が付されているときは、当該停止条件が成就し、又は当該始期が到来した後に限る。

③ 前項の規定による催告があった場合において、信託監督人となるべき者として指定された者は、同項の期間内に委託者（委託者が現に存しない場合にあっては、受託者）に対し確答をしないときは、就任の承諾をしなかったものとみなす。

④ 受益者が受託者の監督を適切に行うことができない特別の事情がある場合において、信託行為に信託監督人に関する定めがないとき、又は信託行為の定めにより信託監督人となるべき者として指定された者が就任の承諾をせず、若しくはこれをすることができないときは、裁判所は、利害関係人の申立てにより、信託監督人を選任することができる。

⑤ 前項の規定による信託監督人の選任の裁判があったときは、当該信託監督人について信託行為に第一項の定めが設けられたものとみなす。

⑥ 第四項の申立てについての裁判には、理由を付さなければならない。

⑦ 第四項の規定による信託監督人の選任の裁判に対しては、委託者、受託者若しくは受益者又は既に存する信託監督人に限り、即時抗告をすることができる。

⑧ 前項の即時抗告は、執行停止の効力を有する。

（信託監督人の権限）

第一三二条① 信託監督人は、受益者のために自己の名をもって第九十二条各号（第十七号、第十八号、第二十一号及び第二十三号を除く。）に掲げる権利に関する一切の裁判上又は裁判外の行為をする権限を有する。ただし、信託行為に別段の定めがあるときは、その定めるところによる。

② 二人以上の信託監督人があるときは、これらの者が共同してその権限に属する行為をしなければならない。ただし、信託行為に別段の定めがあるときは、その定めるところによる。

（信託監督人の義務）

第一三三条① 信託監督人は、善良な管理者の注意をもって、前条第一項の権限を行使しなければならない。

② 信託監督人は、受益者のために、誠実かつ公平に前条第一項の権限を行使しなければならない。

（信託監督人の任務の終了）

第一三四条① 第五十六条の規定は、信託監督人の任務の終了について準用する。この場合において、同条第一項第五号中「次条」とあるのは「第百三十四条第二項において準用する次条」と、同項第六号中「第五十八条」とあるのは「第百三十四条第二項において準用する第五十八条」と読み替えるものとする。

② 第五十七条の規定は信託監督人の辞任について、第五十八条の規定は信託監督人の解任について、それぞれ準用する。

（新信託監督人の選任等）

第一三五条① 第六十二条の規定は、前条第一項において準用する第五十六条第一項各号の規定により信託監督人の任務が終了した場合における新たな信託監督人（次項において「新信託監督人」という。）の選任について準用する。

② 新信託監督人が就任した場合には、信託監督人であった者は、遅滞なく、受益者に対しその事務の経過及び結果を報告し、新信託監督人がその事務の処理を行うのに必要な事務の引継ぎをしなければならない。

（信託監督人による事務の処理の終了等）

第一三六条① 信託監督人による事務の処理は、信託の清算の結了のほか、次に掲げる事由により終了する。ただし、第一号に掲げる事由による場合にあっては、信託行為に別段の定めがあるときは、その定めるところによる。

一 委託者及び受益者が信託監督人による事務の処理を終了する旨の合意をしたこと。

二 信託行為において定めた事由

② 前項の規定により信託監督人による事務の処理が終了した場合には、信託監督人であった者は、遅滞なく、受益者に対しその事務の経過及び結果を報告しなければならない。

③ 委託者が現に存しない場合には、第一項第一号の規定は、適用しない。

（信託管理人に関する規定の準用）

第一三七条 第百二十四条及び第百二十七条の規定は、信託監督人について準用する。この場合において、同条第六項中「第百二十三条第四項」とあるのは、「第百三十一条第四項」と読み替えるものとする。

第三款　受益者代理人

（受益者代理人の選任）

第一三八条① 信託行為においては、その代理する受益者を定めて、受益者代理人となるべき者を指定する定めを設けることができる。

② 信託行為に受益者代理人となるべき者を指定する定めがあるときは、利害関係人は、受益者代理人となるべき者として指定された者に対し、相当の期間を定めて、その期間内に就任の承諾をするかどうかを確答すべき旨を催告することができる。ただし、当該定めに停止条件又は始期が付されているときは、当該停止条件が成就し、又は当該始期が到来した後に限る。

③ 前項の規定による催告があった場合において、受益者代理人となるべき者として指定された者は、同項の期間内に委託者（委託者が現に存しない場合にあっては、受託者）に対し確答をしないときは、就任の承諾をしなかったものとみなす。

（受益者代理人の権限等）

第一三九条① 受益者代理人は、その代理する受益者のために当該受益者の権利（第四十二条の規定による責任の免除に係るものを除く。）に関する一切の裁判上又は裁判外の行為をする権限を有する。ただし、信託行為に別段の定めがあるときは、その定めるところによる。

② 受益者代理人がその代理する受益者のために裁判上又は裁判外の行為をするときは、その代理する受益者の範囲を示せば足りる。

③ 一人の受益者につき二人以上の受益者代理人があるときは、これらの者が共同してその権限に属する行為をしなければならない。ただし、信託行為に別段の定めがあるときは、その定めるところによる。

④ 受益者代理人があるときは、当該受益者代理人に代理される受益者は、第九十二条各号に掲げる権利及び信託行為において定めた権利を除き、その権利を行使することができない。

（受益者代理人の義務）

第一四〇条① 受益者代理人は、善良な管理者の注意をもって、前条第一項の権限を行使しなければならない。

② 受益者代理人は、その代理する受益者のために、誠実かつ公平に前条第一項の権限を行使しなければならない。

（受益者代理人の任務の終了）

第一四一条① 第五十六条の規定は、受益者代理人の任務の終了について準用する。この場合において、同条第一項第五号中「次条」とあるのは「第百四十一条第二項において準用する次条」と、同項第六号中「第五十八条」とあるのは「第百四十一条第二項において準用する第五十八条」と読み替えるものとする。

② 第五十七条の規定は受益者代理人の辞任について、第五十八条の規定は受益者代理人の解任について、それぞれ準用する。

（新受益者代理人の選任等）

第一四二条① 第六十二条の規定は、前条第一項において準用する第五十六条第一項各号の規定により受益者代理人の任務が終了した場合における新たな受益者代理人（次項において「新受益者代理人」という。）の選任について準用する。この場合において、第六十二条第二項及び第四項中「利害関係人」とあるのは、「委託者又は受益者代理人に代理される受益者」と読み替えるものとする。

② 新受益者代理人が就任した場合には、受益者代理人であった者は、遅滞なく、その代理する受益者に対しその事務の経過及び結果を報告し、新受益者代理人がその事務の処理を行うのに必要な事務の引継ぎをしなければならない。

（受益者代理人による事務の処理の終了等）

第一四三条① 受益者代理人による事務の処理は、信託の清算の結了のほか、次に掲げる事由により終了する。ただし、第一号に掲げる事由による場合にあっては、信託行為に別段の定めがあるときは、その定めるところによる。

一 委託者及び受益者代理人に代理される受益者が受益者代理人による事務の処理を終了する旨の合意をしたこと。

二 信託行為において定めた事由

② 前項の規定により受益者代理人による事務の処理が終了した場合には、受益者代理人であった者は、遅滞なく、その代理した受益者に対しその事務の経過及び結果を報告しなければならない。

③ 委託者が現に存しない場合には、第一項第一号の規定は、適用しない。

（信託管理人に関する規定の準用）

第一四四条 第百二十四条及び第百二十七条第一項から第五項までの規定は、受益者代理人について準用する。

第五章　委託者

（委託者の権利等）

第一四五条① 信託行為においては、委託者がこの法律の規定によるその権利の全部又は一部を有しない旨を定めることができる。
② 信託行為においては、委託者も次に掲げる権利の全部又は一部を有する旨を定めることができる。
一 第二十三条第五項又は第六項の規定による異議を主張する権利
二 第二十七条第一項又は第二項（これらの規定を第七十五条第四項において準用する場合を含む。）の規定による取消権
三 第三十一条第六項又は第七項の規定による取消権
四 第三十二条第四項の規定による権利
五 第三十八条第一項の規定による閲覧又は謄写の請求権
六 第三十九条第一項の規定による開示の請求権
七 第四十条の規定による損失のてん補又は原状の回復の請求権
八 第四十一条の規定による損失のてん補又は原状の回復の請求権
九 第四十四条の規定による差止めの請求権
十 第四十六条第一項の規定による検査役の選任の申立権
十一 第五十九条第五項の規定による差止めの請求権
十二 第六十条第三項又は第五項の規定による差止めの請求権
十三 第二百二十六条第一項の規定による金銭のてん補又は支払の請求権
十四 第二百二十八条第一項の規定による金銭のてん補又は支払の請求権
十五 第二百五十四条第一項の規定による損失のてん補の請求権
③ 前項第一号、第七号から第九号まで又は第十一号から第十五号までに掲げる権利について同項の信託行為の定めがされた場合における第二十四条、第四十五条（第二百二十六条第六項、第二百二十八条第六項及び第二百五十四条第三項において準用する場合を含む。）又は第六十一条の規定の適用については、これらの規定中「受益者」とあるのは、「委託者又は受益者」とする。
④ 信託行為においては、受託者が次に掲げる義務を負う旨を定めることができる。
一 この法律の規定により受託者が受益者（信託管理人が現に存する場合にあっては、信託管理人。次号において同じ。）に対し通知すべき事項を委託者に対しても通知する義務
二 この法律の規定により受託者が受益者に対し報告すべき事項を委託者に対しても報告する義務
三 第七十七条第一項又は第百八十四条第一項の規定により受託者がする計算の承認を委託者に対しても求める義務
⑤ 委託者が二人以上ある信託における第一項、第二項及び前項の規定の適用については、これらの規定中「委託者」とあるのは、「委託者の全部又は一部」とする。

（委託者の地位の移転）
第一四六条① 委託者の地位は、受託者及び受益者の同意を得て、又は信託行為において定めた方法に従い、第三者に移転することができる。
② 委託者が二人以上ある信託における前項の規定の適用については、同項中「受託者及び受益者」とあるのは、「他の委託者、受託者及び受益者」とする。

（遺言信託における委託者の相続人）
第一四七条 第三条第二号に掲げる方法によって信託がされた場合には、委託者の相続人は、委託者の地位を相続により承継しない。ただし、信託行為に別段の定めがあるときは、その定めるところによる。

（委託者の死亡の時に受益権を取得する旨の定めのある信託等の特例）
第一四八条 第九十条第一項各号に掲げる信託において、その信託の受益者が現に存せず、又は同条第二項の規定により受益者としての権利を有しないときは、委託者が第百四十五条第二項各号に掲げる権利を有し、受託者が同条第四項各号に掲げる義務を負う。ただし、信託行為に別段の定めがあるときは、その定めるところによる。

第六章 信託の変更、併合及び分割（抄）

第一節 信託の変更（抄）

（関係当事者の合意等）
第一四九条① 信託の変更は、委託者、受託者及び受益者の合意によってすることができる。この場合においては、変更後の信託行為の内容を明らかにしてしなければならない。
② 前項の規定にかかわらず、信託の変更は、次の各号に掲げる場合には、当該各号に定めるものによりすることができる。この場合において、受託者は、第一号に掲げるときは委託者に対し、第二号に掲げるときは委託者及び受益者に対し、遅滞なく、変更後の信託行為の内容を通知しなければならない。
一 信託の目的に反しないことが明らかであるとき 受託者及び受益者の合意
二 信託の目的に反しないこと及び受益者の利益に適合することが明らかであるとき 受託者の書面又は電磁的記録によってする意思表示
③ 前二項の規定にかかわらず、信託の変更は、次の各号に掲げる場合には、当該各号に定める者による受託者に対する意思表示によってすることができる。この場合において、第二号に掲げるときは、受託者は、委託者に対し、遅滞なく、変更後の信託行為の内容を通知しなければならない。
一 受託者の利益を害しないことが明らかであるとき 委託者及び受益者
二 信託の目的に反しないこと及び受託者の利益を害しないことが明らかであるとき 受益者
④ 前三項の規定にかかわらず、信託行為に別段の定めがあるときは、その定めるところによる。
⑤ （略）
第一五〇条 （略）

第二節 信託の併合 及び 第三節 信託の分割
（第一五一条から第一六二条まで）（略）

第七章 信託の終了及び清算（抄）

第一節 信託の終了（抄）

（信託の終了事由）
第一六三条 信託は、次条の規定によるほか、次に掲げる場合に終了する。
一 信託の目的を達成したとき、又は信託の目的を達成することができなくなったとき。
二 受託者が受益権の全部を固有財産で有する状態が一年間継続したとき。
三 受託者が欠けた場合であって、新受託者が就任しない状態が一年間継続したとき。
四 受託者が第五十二条（第五十三条第二項及び第五十四条第四項において準用する場合を含む。）の規定により信託を終了させたとき。
五 信託の併合がされたとき。
六 第百六十五条又は第百六十六条の規定により信託の終了を命ずる裁判があったとき。
七 信託財産についての破産手続開始の決定があったとき。
八 委託者が破産手続開始の決定、再生手続開始の決定又は更生手続開始の決定を受けた場合において、破産法第五十三条第一項、民事再生法第四十九条第一項又は会社更生法第六十一条第一項（金融機関等の更生手続の特例等に関する法律第四十一条第一項及び第二百六条第一項において準用する場合を含む。）の規定による信託契約の解除がされたとき。
九 信託行為において定めた事由が生じたとき。

（委託者及び受益者の合意等による信託の終了）

第一六四条① 委託者及び受益者は、いつでも、その合意により、信託を終了することができる。
② 委託者及び受益者が受託者に不利な時期に信託を終了したときは、委託者及び受益者は、受託者の損害を賠償しなければならない。ただし、やむを得ない事由があったときは、この限りでない。
③ 前二項の規定にかかわらず、信託行為に別段の定めがあるときは、その定めるところによる。
④ 委託者が現に存しない場合には、第一項及び第二項の規定は、適用しない。

（特別の事情による信託の終了を命ずる裁判）
第一六五条① 信託行為の当時予見することのできなかった特別の事情により、信託を終了することが信託の目的及び信託財産の状況その他の事情に照らして受益者の利益に適合するに至ったことが明らかであるときは、裁判所は、委託者、受託者又は受益者の申立てにより、信託の終了を命ずることができる。
② 裁判所は、前項の申立てについての裁判をする場合には、受託者の陳述を聴かなければならない。ただし、不適法又は理由がないことが明らかであるとして申立てを却下する裁判をするときは、この限りでない。
③ 第一項の申立てについての裁判には、理由を付さなければならない。
④ 第一項の申立てについての裁判に対しては、委託者、受託者又は受益者に限り、即時抗告をすることができる。
⑤ 前項の即時抗告は、執行停止の効力を有する。

（公益の確保のための信託の終了を命ずる裁判）
第一六六条① 裁判所は、次に掲げる場合において、公益を確保するため信託の存立を許すことができないと認めるときは、法務大臣又は委託者、受益者、信託債権者その他の利害関係人の申立てにより、信託の終了を命ずることができる。
一 不法な目的に基づいて信託がされたとき。
二 受託者が、法令若しくは信託行為で定めるその権限を逸脱し若しくは濫用する行為又は刑罰法令に触れる行為をした場合において、法務大臣から書面による警告を受けたにもかかわらず、なお継続的に又は反覆して当該行為をしたとき。
② 裁判所は、前項の申立てについての裁判をする場合には、受託者の陳述を聴かなければならない。ただし、不適法又は理由がないことが明らかであるとして申立てを却下する裁判をするときは、この限りでない。
③ 第一項の申立てについての裁判には、理由を付さなければならない。
④ 第一項の申立てについての裁判に対しては、同項の申立てをした者又は委託者、受託者若しくは受益者に限り、即時抗告をすることができる。
⑤ 前項の即時抗告は、執行停止の効力を有する。
⑥ 委託者、受益者、信託債権者その他の利害関係人が第一項の申立てをしたときは、裁判所は、受託者の申立てにより、同項の申立てをした者に対し、相当の担保を立てるべきことを命ずることができる。
⑦ 受託者は、前項の規定による申立てをするには、第一項の申立てが悪意によるものであることを疎明しなければならない。
⑧ 民事訴訟法（平成八年法律第百九号）第七十五条第五項及び第七項並びに第七十六条から第八十条までの規定は、第六項の規定により第一項の申立てについて立てるべき担保について準用する。

第一六七条から第一七二条まで（略）

＊令和五法五三（令和一〇・六・一三までに施行）**による改正後**
第一七二条の二（略）（改正により追加）

（新受託者の選任）
第一七三条① 裁判所は、第百六十六条第一項の規定により信託の終了を命じた場合には、法務大臣若しくは委託者、受益者、信託債権者その他の利害関係人の申立てにより又は職権で、当該信託の清算のために新受託者を選任しなければならない。
② 前項の規定による新受託者の選任の裁判に対しては、不服を申し立てることができない。
③ 第一項の規定により新受託者が選任されたときは、前受託者の任務は、終了する。
④ 第一項の新受託者は、信託財産から裁判所が定める額の費用の前払及び報酬を受けることができる。
⑤ 前項の規定による費用又は報酬の額を定める裁判をする場合には、第一項の新受託者の陳述を聴かなければならない。
⑥ 第四項の規定による費用又は報酬の額を定める裁判に対しては、第一項の新受託者に限り、即時抗告をすることができる。

第一七四条（略）

第二節　信託の清算

（清算の開始原因）
第一七五条 信託は、当該信託が終了した場合（第百六十三条第五号に掲げる事由によって終了した場合及び信託財産についての破産手続開始の決定により終了した場合であって当該破産手続が終了していない場合を除く。）には、この節の定めるところにより、清算をしなければならない。

（信託の存続の擬制）
第一七六条 信託は、当該信託が終了した場合においても、清算が結了するまではなお存続するものとみなす。

（清算受託者の職務）
第一七七条 信託が終了した時以後の受託者（以下「清算受託者」という。）は、次に掲げる職務を行う。
一 現務の結了
二 信託財産に属する債権の取立て及び信託債権に係る債務の弁済
三 受益債権（残余財産の給付を内容とするものを除く。）に係る債務の弁済
四 残余財産の給付

（清算受託者の権限等）
第一七八条① 清算受託者は、信託の清算のために必要な一切の行為をする権限を有する。ただし、信託行為に別段の定めがあるときは、その定めるところによる。
② 清算受託者は、次に掲げる場合には、信託財産に属する財産を競売に付することができる。
一 受益者又は第百八十二条第一項第二号に規定する帰属権利者（以下この条において「受益者等」と総称する。）が信託財産に属する財産を受領することを拒み、又はこれを受領することができない場合において、相当の期間を定めてその受領の催告をしたとき。
二 受益者等の所在が不明である場合
③ 前項第一号の規定により信託財産に属する財産を競売に付したときは、遅滞なく、受益者等に対しその旨の通知を発しなければならない。
④ 損傷その他の事由による価格の低落のおそれがある物は、第二項第一号の催告をしないで競売に付することができる。

（清算中の信託財産についての破産手続の開始）
第一七九条① 清算中の信託において、信託財産に属する財産がその債務を完済するのに足りないことが明らかになったときは、清算受託者は、直ちに信託財産についての破産手続開始の申立てをしなければならない。
② 信託財産についての破産手続開始の決定がされた場合において、清算受託者が既に信託財産責任負担債務に係る債権を有する債権者に支払ったものがあるときは、破産管財人は、これを取り戻すことができる。

（条件付債権等に係る債務の弁済）
第一八〇条① 清算受託者は、条件付債権、存続期間が不確定な債権その他その額が不確定な債権に係る債務を弁済することができる。この場合においては、これらの債権を評価させるた

め、裁判所に対し、鑑定人の選任の申立てをしなければならない。

② 前項の場合には、清算受託者は、同項の鑑定人の評価に従い同項の債権に係る債務を弁済しなければならない。

③ 第一項の鑑定人の選任の手続に関する費用は、清算受託者の負担とする。当該鑑定人による鑑定のための呼出し及び質問に関する費用についても、同様とする。

④ 第一項の申立てを却下する裁判には、理由を付さなければならない。

⑤ 第一項の規定による鑑定人の選任の裁判に対しては、不服を申し立てることができない。

⑥ 前各項の規定は、清算受託者、受益者、信託債権者及び第百八十二条第一項第二号に規定する帰属権利者の間に別段の合意がある場合には、適用しない。

（債務の弁済前における残余財産の給付の制限）

第一八一条 清算受託者は、第百七十七条第二号及び第三号の債務を弁済した後でなければ、信託財産に属する財産を次条第二項に規定する残余財産受益者等に給付することができない。ただし、当該債務についてその弁済をするために必要と認められる財産を留保した場合は、この限りでない。

（残余財産の帰属）

第一八二条① 残余財産は、次に掲げる者に帰属する。

一 信託行為において残余財産の給付を内容とする受益債権に係る受益者（次項において「残余財産受益者」という。）となるべき者として指定された者

二 信託行為において残余財産の帰属すべき者（以下この節において「帰属権利者」という。）となるべき者として指定された者

② 信託行為に残余財産受益者若しくは帰属権利者（以下この項において「残余財産受益者等」と総称する。）の指定に関する定めがない場合又は信託行為の定めにより残余財産受益者等として指定を受けた者のすべてがその権利を放棄した場合には、信託行為に委託者又はその相続人その他の一般承継人を帰属権利者として指定する旨の定めがあったものとみなす。

③ 前二項の規定により残余財産の帰属が定まらないときは、残余財産は、清算受託者に帰属する。

（帰属権利者）

第一八三条① 信託行為の定めにより帰属権利者となるべき者として指定された者は、当然に残余財産の給付をすべき債務に係る債権を取得する。ただし、信託行為に別段の定めがあるときは、その定めるところによる。

② 第八十八条第二項の規定は、前項に規定する帰属権利者となるべき者として指定された者について準用する。

③ 信託行為の定めにより帰属権利者となった者は、受託者に対し、その権利を放棄する旨の意思表示をすることができる。ただし、信託行為の定めにより帰属権利者となった者が信託行為の当事者である場合は、この限りでない。

④ 前項本文に規定する帰属権利者となった者は、同項の規定による意思表示をしたときは、当初から帰属権利者としての権利を取得していなかったものとみなす。ただし、第三者の権利を害することはできない。

⑤ 第百条及び第百二条の規定は、帰属権利者が有する債権で残余財産の給付をすべき債務に係るものについて準用する。

⑥ 帰属権利者は、信託の清算中は、受益者とみなす。

（清算受託者の職務の終了等）

第一八四条① 清算受託者は、その職務を終了したときは、遅滞なく、信託事務に関する最終の計算を行い、信託が終了した時における受益者（信託管理人が現に存する場合にあっては、信託管理人）及び帰属権利者（以下この条において「受益者等」と総称する。）のすべてに対し、その承認を求めなければならない。

② 受益者等が前項の計算を承認した場合には、当該受益者等に対する清算受託者の責任は、免除されたものとみなす。ただし、清算受託者の職務の執行に不正の行為があったときは、この限りでない。

③ 受益者等が清算受託者から第一項の計算の承認を求められた時から一箇月以内に異議を述べなかった場合には、当該受益者等は、同項の計算を承認したものとみなす。

第八章 受益証券発行信託の特例（抄）

第一節 総則（抄）

（受益証券の発行に関する信託行為の定め）

第一八五条① 信託行為においては、この章の定めるところにより、一又は二以上の受益権を表示する証券（以下「受益証券」という。）を発行する旨を定めることができる。

② 前項の規定は、当該信託行為において特定の内容の受益権については受益証券を発行しない旨を定めることを妨げない。

③ 第一項の定めのある信託（以下「受益証券発行信託」という。）においては、信託の変更によって前二項の定めを変更することはできない。

④ 第一項の定めのない信託においては、信託の変更によって同項又は第二項の定めを設けることはできない。

第一八六条から第一九二条まで （略）

（共有者による権利の行使）

第一九三条 受益証券発行信託の受益権が二人以上の者の共有に属するときは、共有者は、当該受益権についての権利を行使する者一人を定め、受益証券発行信託の受託者に対し、その者の氏名又は名称を通知しなければ、当該受益権についての権利を行使することができない。ただし、当該受託者が当該権利を行使することに同意した場合は、この限りでない。

第二節 受益権の譲渡等の特例（抄）

（受益証券の発行された受益権の譲渡）

第一九四条 受益証券発行信託の受益権（第百八十五条第二項の定めのある受益権を除く。）の譲渡は、当該受益権に係る受益証券を交付しなければ、その効力を生じない。

（受益証券発行信託における受益権の譲渡の対抗要件）

第一九五条① 受益証券発行信託の受益権の譲渡は、その受益権を取得した者の氏名又は名称及び住所を受益権原簿に記載し、又は記録しなければ、受益証券発行信託の受託者に対抗することができない。

② 第百八十五条第二項の定めのある受益権に関する前項の規定の適用については、同項中「受託者」とあるのは、「受託者その他の第三者」とする。

③ 第一項の規定は、無記名受益権については、適用しない。

第一九六条から第二〇六条まで （略）

第三節 受益証券 及び 第四節 関係当事者の権利義務等の特例

（第二〇七条から第二一五条まで）（略）

第九章 限定責任信託の特例（抄）

第一節 総則（抄）

（限定責任信託の要件）

第二一六条① 限定責任信託は、信託行為においてそのすべての信託財産責任負担債務について受託者が信託財産に属する財産のみをもってその履行の責任を負う旨の定めをし、第二百三十二条の定めるところにより登記をすることによって、限定責任信託としての効力を生ずる。

② 前項の信託行為においては、次に掲げる事項を定めなければならない。

一 限定責任信託の目的

二 限定責任信託の名称

三 委託者及び受託者の氏名又は名称及び住所

四 限定責任信託の主たる信託事務の処理を行うべき場所（第三節において「事務処理地」という。）

五　信託財産に属する財産の管理又は処分の方法
六　その他法務省令で定める事項

（**固有財産に属する財産に対する強制執行等の制限**）

第二一七条①　限定責任信託においては、信託財産責任負担債務（第二十一条第一項第八号に掲げる権利に係る債務を除く。）に係る債権に基づいて固有財産に属する財産に対し強制執行、仮差押え、仮処分若しくは担保権の実行若しくは競売又は国税滞納処分をすることはできない。

②　前項の規定に違反してされた強制執行、仮差押え、仮処分又は担保権の実行若しくは競売に対しては、受託者は、異議を主張することができる。この場合においては、民事執行法第三十八条及び民事保全法第四十五条の規定を準用する。

③　第一項の規定に違反してされた国税滞納処分に対しては、受託者は、異議を主張することができる。この場合においては、当該異議の主張は、当該国税滞納処分について不服の申立てをする方法でする。

第二一八条及び第二一九条　（略）

（**登記の効力**）

第二二〇条①　この章の規定により登記すべき事項は、登記の後でなければ、これをもって善意の第三者に対抗することができない。登記の後であっても、第三者が正当な事由によってその登記があることを知らなかったときは、同様とする。

②　この章の規定により登記すべき事項につき故意又は過失によって不実の事項を登記した者は、その事項が不実であることをもって善意の第三者に対抗することができない。

第二二一条　（略）

第二節　計算等の特例

（第二二二条から第二三一条まで）（略）

第三節　限定責任信託の登記（抄）

（**限定責任信託の定めの登記**）

第二三二条　信託行為において第二百十六条第一項の定めがされたときは、限定責任信託の定めの登記は、二週間以内に、次に掲げる事項を登記してしなければならない。

一　限定責任信託の目的
二　限定責任信託の名称
三　受託者の氏名又は名称及び住所
四　限定責任信託の事務処理地
五　第六十四条第一項（第七十四条第六項において準用する場合を含む。）の規定により信託財産管理者又は信託財産法人管理人が選任されたときは、その氏名又は名称及び住所
六　第百六十三条第九号の規定による信託の終了についての信託行為の定めがあるときは、その定め
七　会計監査人設置信託（第二百四十八条第三項に規定する会計監査人設置信託をいう。第二百四十八条第三号において同じ。）であるときは、その旨及び会計監査人の氏名又は名称

第十章　受益証券発行限定責任信託の特例

第二三三条から第二四七条まで（第二四八条から第二五七条まで）（略）

第十一章　受益者の定めのない信託の特例（抄）

（**受益者の定めのない信託の要件**）

第二五八条①　受益者の定め（受益者を定める方法の定めを含む。以下同じ。）のない信託（公益信託に関する法律（令和六年法律第三十号）第二条第一項第一号に規定する公益信託を除く。以下この章において同じ。）は、第三条第一号又は第二号に掲げる方法によってすることができる。

> **＊令和六法三〇（令和八・五・二一までに施行）による改正**
> 第一項中「信託」の下に「（公益信託に関する法律（令和六年法律第三十号）第二条第一項第一号に規定する公益信託を除く。以下この章において同じ。）」が加えられた。（本文織込み済み）

②　受益者の定めのない信託においては、信託の変更によって受益者の定めを設けることはできない。

③　受益者の定めのある信託においては、信託の変更によって受益者の定めを廃止することはできない。

④　第三条第二号に掲げる方法によって受益者の定めのない信託をするときは、信託管理人を指定する定めを設けなければならない。この場合においては、信託管理人の権限のうち第百四十五条第二項各号（第六号を除く。）に掲げるものを行使する権限を制限する定めを設けることはできない。

⑤　第三条第二号に掲げる方法によってされた受益者の定めのない信託において信託管理人を指定する定めがない場合において、遺言執行者の定めがあるときは、当該遺言執行者は、信託管理人を選任しなければならない。この場合において、当該遺言執行者が信託管理人を選任したときは、当該信託管理人について信託行為に前項前段の定めが設けられたものとみなす。

⑥　第三条第二号に掲げる方法によってされた受益者の定めのない信託において信託管理人を指定する定めがない場合において、遺言執行者の定めがないとき、又は遺言執行者となるべき者として指定された者が信託管理人の選任をせず、若しくはこれをすることができないときは、裁判所は、利害関係人の申立てにより、信託管理人を選任することができる。この場合において、信託管理人の選任の裁判があったときは、当該信託管理人について信託行為に第四項前段の定めが設けられたものとみなす。

⑦　第百二十三条第六項から第八項までの規定は、前項の申立てについての裁判について準用する。

⑧　第三条第二号に掲げる方法によってされた受益者の定めのない信託において、信託管理人が欠けた場合であって、信託管理人が就任しない状態が一年間継続したときは、当該信託は、終了する。

（**受益者の定めのない信託の存続期間**）

第二五九条　受益者の定めのない信託の存続期間は、二十年を超えることができない。

（**受益者の定めのない信託における委託者の権利**）

第二六〇条①　第三条第一号に掲げる方法によってされた受益者の定めのない信託においては、委託者（委託者が二人以上ある場合にあっては、そのすべての委託者）が第百四十五条第二項各号（第六号を除く。）に掲げる権利を有する旨及び受託者が同条第四項各号に掲げる義務を負う旨の定めが設けられたものとみなす。この場合においては、信託の変更によってこれを変更することはできない。

②　第三条第二号に掲げる方法によってされた受益者の定めのない信託であって、第二百五十八条第五項後段又は第六項後段の規定により同条第四項前段の定めが設けられたものとみなされるものにおいては、信託の変更によって信託管理人の権限のうち第百四十五条第二項各号（第六号を除く。）に掲げるものを行使する権限を制限することはできない。

第二六一条　（略）

第十二章　雑則

（第二六二条から第二六六条まで）（略）

第十三章　罰則

（第二六七条から第二七一条まで）（略）

附　則（抄）

（**施行期日**）

①　この法律は、公布の日から起算して一年六月を超えない範囲内において政令で定める日（平成一九・九・三〇—平成一九政二三一）から施行する。

（**受益者の定めのない信託に関する経過措置**）

③　受益者の定めのない信託（公益信託に関する法律第二条第一

項第一号に規定する公益信託を除く。次項において同じ。）は、別に法律で定める日までの間、当該信託に関する信託事務を適正に処理するに足りる財産的基礎及び人的構成を有する者として政令で定める法人以外の者を受託者としてすることができない。

＊令和六法三〇（令和八・五・二一までに施行）による改正
附則第三項中「学術、技芸、慈善、祭祀、宗教その他公益を目的とするものを除く」は「公益信託に関する法律第二条第一項第一号に規定する公益信託を除く。次項において同じ」に改められた。（本文織込み済み）

④ 前項の別に法律で定める日については、受益者の定めのない信託のうち学術、技芸、慈善、祭祀、宗教その他公益を目的とする信託に係る見直しの状況その他の事情を踏まえて検討するものとし、その結果に基づいて定めるものとする。

＊令和六法三〇（令和八・五・二一までに施行）による改正
附則第四項中「祭祀」は「祭祀」に改められた。（本文織込み済み）

民事関係手続等における情報通信技術の活用等の推進を図るための関係法律の整備に関する法律中経過規定
（令和五・六・一四法五三）（抄）

第三八七条から第三八九条まで　（民事執行法の同経過規定参照）

民事関係手続等における情報通信技術の活用等の推進を図るための関係法律の整備に関する法律

附　則（令和五・六・一四法五三）

この法律は、公布の日から起算して五年を超えない範囲内において政令で定める日から施行する。ただし、次の各号に掲げる規定は、当該各号に定める日から施行する。
一 （前略）第三百八十八条の規定　公布の日
二 （前略）第三百八十七条の規定　公布の日から起算して二年六月を超えない範囲内において政令で定める日
三 （略）

附　則（令和六・五・二二法三〇）（抄）

（**施行期日**）
第一条　この法律は、公布の日から起算して二年を超えない範囲内において政令で定める日から施行する。（後略）

○公益信託に関する法律（抄）（令和六・五・二二法三〇）

施行（附則参照）

目次

第一章　総則（抄）

（**目的**）
第一条　この法律は、内外の社会経済情勢の変化に伴い、公益を目的とする信託による事務の実施が公益の増進のために重要となっていることに鑑み、当該事務が適正に行われるよう公益信託を認可する制度を設けるとともに、当該公益信託の受託者による信託事務の適正な処理を確保するため必要な措置等を定め、もって公益の増進及び活力ある社会の実現に資することを目的とする。

（**定義**）
第二条①　この法律において、次の各号に掲げる用語の意義は、当該各号に定めるところによる。
一 公益信託　この法律の定めるところによりする受益者の定め（受益者を定める方法の定めを含む。第四条第三項において同じ。）のない信託であって、公益事務を行うことのみを目的とするものをいう。
二 公益事務　学術の振興、福祉の向上その他の不特定かつ多数の者の利益の増進を目的とする事務として別表各号に掲げる事務をいう。

② この法律において、「信託」、「信託行為」、「信託財産」、「委託者」、「受託者」、「受益者」、「信託財産責任負担債務」、「信託の併合」、「吸収信託分割」、「新規信託分割」又は「信託の分割」とは、それぞれ信託法（平成十八年法律第百八号）第二条に規定する「信託」、「信託行為」、「信託財産」、「委託者」、「受託者」、「受益者」、「信託財産責任負担債務」、「信託の併合」、「吸収信託分割」、「新規信託分割」又は「信託の分割」をいう。

③ この法律において、信託法の規定を引用する場合における当該規定については、第三十三条第三項の規定により読み替えて適用するものとされたものにあっては、当該読み替えて適用するものとされた規定をいうものとする。

（**行政庁**）
第三条　この法律における行政庁は、次の各号に掲げる公益信託の区分に応じ、当該各号に定める内閣総理大臣又は都道府県知事とする。
一 次に掲げる公益信託　内閣総理大臣
イ 公益事務を二以上の都道府県の区域内において行う旨を信託行為で定めるもの
ロ 国の事務又は事業と密接な関連を有する公益事務であって政令で定めるものを行うもの
二 前号に掲げる公益信託以外の公益信託　その公益事務を行う区域を管轄する都道府県知事

（**公益信託の要件**）
第四条①　公益信託は、信託法第三条第一号又は第二号に掲げる方法によってしなければならない。

② 公益信託の信託行為においては、公益事務を行うことのみを目的とする旨のほか、次に掲げる事項を定めなければならない。
一 公益信託の名称（公益信託という文字を用いるものに限る。第七条第二項第一号において同じ。）
二 信託管理人（信託法第四章第四節第一款の信託管理人をいう。以下同じ。）となるべき者を指定する定め
三 帰属権利者（信託法第百八十二条第一項第二号に規定する帰属権利者をいう。第八条第十三号において同じ。）となるべき者（委託者を除く。）を指定する定め
四 その他内閣府令で定める事項

③ 公益信託においては、受益者の定めを設けることはできない。

第五条　（略）

第二章　公益信託の認可等（抄）

第一節　公益信託の効力

第六条　公益信託は、行政庁の認可を受けなければ、その効力を生じない。

第二節　公益信託の認可（抄）

（公益信託認可の申請）

第七条①　公益信託の受託者となろうとする者は、前条の認可（以下「公益信託認可」という。）を申請しなければならない。

②　公益信託認可の申請は、内閣府令で定めるところにより、次に掲げる事項を記載した申請書を行政庁に提出してしなければならない。

一　公益信託の名称
二　受託者及び信託管理人の氏名及び住所（法人にあっては、その名称、代表者の氏名及び主たる事務所の所在地）
三　公益事務を行う都道府県の区域
四　公益事務の種類及び内容
五　その他公益信託に係る信託行為の内容に関する事項

③　前項の申請書には、次に掲げる書類を添付しなければならない。

一　公益信託に係る信託行為の内容を証する書面
二　事業計画書及び収支予算書
三　公益事務を行うに当たり法令上行政機関の許認可等（行政手続法（平成五年法律第八十八号）第二条第三号に規定する許認可等をいう。以下同じ。）を必要とする場合においては、当該許認可等があったこと又はこれを受けることができることを証する書類
四　当該公益信託に係る信託事務（以下「公益信託事務」という。）を処理するのに必要な経理的基礎を有することを明らかにする当該公益信託の信託財産に係る財産目録その他の内閣府令で定める書類
五　次条第十一号に規定する支払基準を記載した書類
六　前各号に掲げるもののほか、内閣府令で定める書類

（公益信託認可の基準）

第八条　行政庁は、公益信託認可の申請に係る公益信託が次に掲げる基準（その信託行為において信託財産が寄附により受け入れた金銭又は預貯金、国債その他これらに準ずる資産（いずれも内閣府令で定める要件に該当するものに限る。）に限られる旨及び当該信託財産（その信託財産に帰せられる収益を含む。）について内閣府令で定める方法によってのみ支出する旨を定める公益信託（第十六条第一項において「特定資産公益信託」という。）にあっては、第八号から第十号までに掲げる基準を除く。第三十条第二項第一号において同じ。）に適合すると認めるときは、公益信託認可をするものとする。

一　公益事務を行うことのみを目的とするものであること。
二　その受託者が公益信託事務を適正に処理するのに必要な経理的基礎及び技術的能力を有するものであること。
三　その信託管理人が受託者による公益信託事務の適正な処理のため必要な監督をするのに必要な能力を有するものであること。
四　公益信託に係る信託行為の内容を証する書面、事業計画書及び収支予算書の内容に照らし、その存続期間を通じて公益信託事務が処理されることが見込まれるものであること。
五　その受託者がその公益信託事務を処理するに当たり、委託者、受託者、信託管理人その他の政令で定める公益信託の関係者に対し信託財産を用いて特別の利益を与えるものでないこと。
六　受託者がその公益信託事務を処理するに当たり、株式会社その他の営利事業を営む者又は特定の個人若しくは団体の利益を図る活動を行うものとして政令で定める者に対し、信託財産を用いて寄附その他の特別の利益を与える行為を行わないものであること。ただし、次のいずれかに該当する場合は、この限りでない。
　イ　公益法人（公益社団法人及び公益財団法人の認定等に関する法律（平成十八年法律第四十九号）第二条第三号に規定する公益法人をいう。以下このイ及び第十三号において同じ。）に対し、当該公益法人が行う公益目的事業（同条第四号に規定する公益目的事業をいう。第十三号において同じ。）のために寄附その他の特別の利益を与える行為を行う場合
　ロ　他の公益信託の受託者に対し、当該受託者が行う公益事務のために寄附その他の特別の利益を与える行為を行う場合
七　受託者がその公益信託事務を処理するに当たり、投機的な取引、高利の融資その他の事業であって、公益信託の社会的信用を維持する上でふさわしくないものとして政令で定めるもの又は公の秩序若しくは善良の風俗を害するおそれのある事業を行わないものであること。
八　その処理する公益信託事務について、第十六条第一項の規定による収支の均衡が図られるものであると見込まれるものであること。
九　その公益信託事務の処理に係る費用に対する公益事務の実施に係る費用の割合として内閣府令で定めるところにより算定される割合（第十六条第二項において「公益事務割合」という。）が公益事務の実施の状況その他の事情を勘案して内閣府令で定める割合（同項において「基準割合」という。）以上となると見込まれるものであること。
十　その公益信託事務を処理するに当たり、第十七条第二項に規定する使途不特定財産額が同条第一項の制限を超えないと見込まれるものであること。
十一　公益信託報酬（公益信託に係る信託報酬（信託法第五十四条第一項に規定する信託報酬をいう。）及び信託管理人の報酬（同法第百二十七条第三項に規定する報酬をいう。第十九条において同じ。）について、内閣府令で定めるところにより、当該公益信託の経理の状況その他の事情を考慮して、不当に高額なものとならないような支払基準を定めているものであること。
十二　その信託財産に他の団体の意思決定に関与することができる株式その他の内閣府令で定める財産が属しないものであること。ただし、当該信託財産に当該財産が属することによって他の団体の事業活動を実質的に支配するおそれがない場合として政令で定める場合は、この限りでない。
十三　当該公益信託の目的とする公益事務（以下この号において「対象公益事務」という。）と類似の公益事務をその目的とする他の公益信託の受託者若しくは対象公益事務と類似の公益目的事業をその目的とする公益法人若しくは次に掲げる法人又は国若しくは地方公共団体を帰属権利者とする旨を信託行為に定めているものであること。
　イ　私立学校法（昭和二十四年法律第二百七十号）第三条に規定する学校法人
　ロ　社会福祉法（昭和二十六年法律第四十五号）第二十二条に規定する社会福祉法人
　ハ　更生保護事業法（平成七年法律第八十六号）第二条第六項に規定する更生保護法人
　ニ　独立行政法人通則法（平成十一年法律第百三号）第二条第一項に規定する独立行政法人
　ホ　国立大学法人法（平成十五年法律第百十二号）第二条第一項に規定する国立大学法人又は同条第三項に規定する大学共同利用機関法人
　ヘ　地方独立行政法人法（平成十五年法律第百十八号）第二条第一項に規定する地方独立行政法人
　ト　その他イからヘまでに掲げる法人に準ずるものとして政令で定める法人

（欠格事由）

第九条　前条の規定にかかわらず、次の各号のいずれかに該当す

る公益信託は、公益信託認可を受けることができない。

一—六（略）

第一〇条（公益信託認可に関する意見聴取） 行政庁は、公益信託認可をしようとするときは、次の各号に掲げる事由の区分に応じ、当該事由の有無について、当該各号に定める者の意見を聴くものとする。

一　第八条第一号、第二号及び第七号並びに前条第一号イ及び第五号に規定する事由（公益事務を行うに当たり法令上行政機関の許認可等を必要とする場合に限る。）当該許認可等を行う行政機関（以下「許認可等行政機関」という。）

二　前条第一号ロに規定する事由　国税庁長官、関係都道府県知事又は関係市町村長（第二十九条第五項第二号及び第三十二条第二号において「国税庁長官等」という。）

三　前条第二号ニ、第四号（同条第二号ニに係る部分に限る。第二十九条第五項第三号及び第三十二条第三号において同じ。）及び第六号に規定する事由　行政庁が内閣総理大臣である場合にあっては警察庁長官、都道府県知事である場合にあっては警視総監又は道府県警察本部長（同項第三号及び第三十二条第三号において「警察庁長官等」という。）

（公益信託認可の公示）

第一一条 行政庁は、公益信託認可をしたときは、内閣府令で定めるところにより、その旨を公示しなければならない。

第一二条から第一四条まで（略）

（受託者の辞任の届出等）

第一五条① 公益信託の受託者は、次に掲げる場合には、内閣府令で定めるところにより、遅滞なく、その旨を行政庁に届け出なければならない。

一　受託者が辞任し、又は解任された場合

二　信託管理人が辞任し、又は解任された場合

②　行政庁は、前項の規定による届出があったときは、内閣府令で定めるところにより、その旨を公示しなければならない。

第三節　公益信託事務の処理等（抄）

（公益信託事務の収入及び費用等）

第一六条① 公益信託（特定資産公益信託を除く。次項及び次条において同じ。）の受託者は、その公益信託事務を処理するに当たっては、内閣府令で定めるところにより、当該公益信託事務に係る収入をその実施に要する適正な費用（当該公益信託事務を充実させるため将来において必要となる資金として内閣府令で定める方法により積み立てる資金を含む。）に充てることにより、内閣府令で定める期間において、その収支の均衡が図られるようにしなければならない。

②　公益信託の受託者は、公益事務割合が基準割合以上となるように公益信託事務を処理しなければならない。

（使途不特定財産額の保有の制限）

第一七条① 公益信託の毎信託事務年度の末日における使途不特定財産額は、当該公益信託の受託者が公益信託事務を翌信託事務年度においても処理するために必要な額として、当該信託事務年度前の信託事務年度において行った公益信託事務の処理に要した費用の額（その保有する信託財産の状況及び公益信託事務の態様に応じ当該費用の額に準ずるものとして内閣府令で定めるものの額を含む。）を基礎として内閣府令で定めるところにより算定した額を超えてはならない。

②　前項に規定する「使途不特定財産額」とは、公益信託の受託者による信託財産の管理の状況又は当該信託財産の性質に鑑み、公益信託事務のために現に使用されておらず、かつ、引き続き公益信託事務のために使用されることが見込まれない信託財産（災害その他の予見し難い事由が発生した場合においても公益信託事務を継続的に行うため必要な限度において保有する必要があるものとして内閣府令で定める要件に該当するもの（次項において「公益信託事務継続予備財産」という。）を除く。）として内閣府令で定めるものの価額の合計額をいう。

③　公益信託の受託者は、毎信託事務年度の末日において公益信託事務継続予備財産を保有している場合には、翌信託事務年度開始後速やかに、内閣府令で定めるところにより、当該公益信託事務継続予備財産を保有する理由及びその額その他内閣府令で定める事項を公表しなければならない。

（寄附の募集に関する禁止行為）

第一八条 公益信託の受託者又は信託管理人は、寄附の募集に関して、次に掲げる行為をしてはならない。

一　寄附の勧誘又は要求を受け、寄附をしない旨の意思を表示した者に対し、寄附の勧誘又は要求を継続すること。

二　粗野若しくは乱暴な言動を交えて、又は迷惑を覚えさせるような方法で、寄附の勧誘又は要求をすること。

三　寄附をする財産の使途について誤認させるおそれのある行為をすること。

四　前三号に掲げるもののほか、寄附の勧誘若しくは要求を受けた者又は寄附者の利益を不当に害するおそれのあるものとして内閣府令で定める行為をすること。

（公益信託報酬）

第一九条 公益信託報酬は、第八条第十一号に規定する支払基準に従って支払われなければならない。

（財産目録の備置き及び閲覧等）

第二〇条① 公益信託の受託者は、毎信託事務年度開始の日の前日までに（公益信託認可を受けた日の属する信託事務年度にあっては、当該公益信託認可を受けた後遅滞なく）、内閣府令で定めるところにより、当該信託事務年度の事業計画書、収支予算書その他の内閣府令で定める書類を作成し、当該信託事務年度の末日までの間、当該書類をその住所（当該受託者が法人である場合にあっては、その主たる事務所）に備え置かなければならない。

②　公益信託の受託者は、毎信託事務年度経過後三月以内に（公益信託認可を受けた日の属する信託事務年度にあっては、当該公益信託認可を受けた後遅滞なく）、内閣府令で定めるところにより、次に掲げる書類を作成し、五年間、当該書類を前項に規定する住所に備え置かなければならない。

一　信託財産に係る財産目録

二　受託者等名簿（受託者及び信託管理人の氏名又は名称及び住所を記載した名簿をいう。第五項及び次条第二項において同じ。）

三　第八条第十一号に規定する支払基準を記載した書類

四　前三号に掲げるもののほか、内閣府令で定める書類

③　第一項に規定する書類及び前項各号に掲げる書類は、電磁的記録（電子的方式、磁気的方式その他人の知覚によっては認識することができない方式で作られる記録であって、電子計算機による情報処理の用に供されるものとして内閣府令で定めるものをいう。次項第二号及び第四十七条第二号において同じ。）をもって作成することができる。

④　何人も、公益信託の受託者の業務時間内は、いつでも、第一項に規定する書類、第二項各号に掲げる書類、信託行為の内容を証する書面並びに信託法第三十七条第一項及び第二項に規定する書類（以下「財産目録等」という。）について、次に掲げる請求をすることができる。この場合においては、当該公益信託の受託者は、正当な理由がないのにこれを拒んではならない。

一　財産目録等が書面をもって作成されているときは、当該書面又は当該書面の写しの閲覧の請求

二　財産目録等が電磁的記録をもって作成されているときは、当該電磁的記録に記録された事項を内閣府令で定める方法により表示したものの閲覧の請求

⑤　前項の規定にかかわらず、公益信託の受託者は、受託者等名簿について当該公益信託の信託管理人以外の者から同項の請求があった場合には、これに記載され、又は記録された事項中、個人（受託者であるものを除く。次条第二項において同じ。）の住所に係る記載又は記録の部分を除外して、前項各号の閲覧をさせることができる。

第二一条（略）

第四節　公益信託の併合等（抄）

第二二条（略）

（公益信託の終了事由等）

第二三条① 公益信託は、信託法第百六十三条の規定によるほか、第三十条第一項又は第二項の規定により公益信託認可が取り消された場合に終了する。

② 公益信託においては、信託法第百六十四条の規定にかかわらず、信託行為に別段の定めがあるときを除き、委託者及び信託管理人の合意により、公益信託を終了することはできない。

（公益信託の継続）

第二四条① 信託法第百六十三条（第一号に係る部分に限る。）の規定により公益信託が終了した場合には、委託者、受託者及び信託管理人は、その合意により、公益信託の目的を変更することによって、公益信託を継続することができる。

② 前項の規定により公益信託の目的を変更する場合には、受託者は、次条第一項の規定による届出の日から三月以内に、当該変更について第十二条第一項の認可を受けなければならない。

③ 委託者が現に存しない場合における第一項の規定の適用については、同項中「委託者、受託者」とあるのは、「受託者」とする。

（信託の終了の届出等）

第二五条① 公益信託が終了した場合（信託法第百六十三条第五号に掲げる事由によって終了した場合及び第三十条第一項又は第二項の規定による公益信託認可の取消しによって終了した場合を除く。）には、その受託者（同法第百六十三条第七号に掲げる事由によって公益信託が終了した場合にあっては、破産管財人）は、遅滞なく、その旨を行政庁に届け出なければならない。

② 行政庁は、前項の規定による届出があったときは、内閣府令で定めるところにより、その旨を公示しなければならない。

（清算の届出等）

第二六条① 公益信託の清算受託者（信託法第百七十七条に規定する清算受託者をいう。次項及び第四十九条において同じ。）は、当該公益信託の終了の日から三月を経過したときは、遅滞なく、残余財産の給付の見込みを行政庁に届け出なければならない。当該見込みに変更があったときも、同様とする。

② 清算受託者は、清算が結了したときは、遅滞なく、その旨を行政庁に届け出なければならない。

③ 行政庁は、前項の規定による届出があったときは、内閣府令で定めるところにより、その旨を公示しなければならない。

（残余財産の帰属）

第二七条 公益信託の信託行為における第四条第二項第三号の定めにより残余財産の帰属が定まらないときは、信託法第百八十二条第二項及び第三項の規定にかかわらず、残余財産は、国庫（都道府県知事が行政庁である場合にあっては、当該都道府県）に帰属する。

第五節　公益信託の監督（抄）

（報告徴収及び立入検査）

第二八条① 行政庁は、公益信託事務の適正な処理を確保するために必要な限度において、内閣府令で定めるところにより、受託者に対し、その公益信託事務の処理の状況並びに信託財産に属する財産及び信託財産責任負担債務の状況に関し必要な報告を求め、又はその職員に、当該受託者の住所若しくは事務所に立ち入り、その公益信託事務及び信託財産に属する財産の状況若しくは帳簿、書類その他の物件を検査させ、若しくは関係者に質問させることができる。

②③（略）

（勧告、命令等）

第二九条① 行政庁は、公益信託について、次条第二項各号のいずれかに該当すると疑うに足りる相当な理由がある場合には、当該公益信託の受託者に対し、期限を定めて、必要な措置をとるべき旨の勧告をすることができる。

② 行政庁は、前項の勧告をしたときは、内閣府令で定めるところにより、その勧告の内容を公表しなければならない。

③ 行政庁は、第一項の勧告を受けた受託者が、正当な理由がなく、その勧告に係る措置をとらなかったときは、当該受託者に対し、その勧告に係る措置をとるべきことを命ずることができる。

④ 行政庁は、前項の規定による命令をしたときは、内閣府令で定めるところにより、その旨を公示しなければならない。

⑤（略）

（公益信託認可の取消し）

第三〇条① 行政庁は、公益信託が次の各号のいずれかに該当するときは、その公益信託認可を取り消さなければならない。

一 偽りその他不正の手段により公益信託認可又は第十二条第一項若しくは第二十二条第一項の認可を受けた場合

二 第九条第六号に該当するに至った場合

三 受託者が、正当な理由がなく、前条第三項の規定による命令に従わない場合

② 行政庁は、公益信託が次の各号のいずれかに該当するときは、その公益信託認可を取り消すことができる。

一 第八条各号に掲げる基準のいずれかに適合しなくなった場合

二 第九条第一号から第五号までのいずれかに該当するに至った場合

三 第十四条第一項、第十五条第一項又は第三節の規定に違反した場合

四 前三号に掲げるもののほか、法令又は法令に基づく行政機関の処分に違反した場合

③（略）

④ 行政庁は、第一項又は第二項の規定により公益信託認可を取り消したときは、内閣府令で定めるところにより、その旨を公示しなければならない。

（公益信託認可が取り消された場合における新受託者の選任）

第三一条① 裁判所は、前条第一項又は第二項の規定により公益信託認可が取り消されたことにより公益信託が終了した場合には、行政庁又は委託者、信託管理人、信託債権者（信託法第二十一条第二項第四号に規定する信託債権者をいう。）その他の利害関係人の申立てにより、当該公益信託の清算のために新受託者を選任しなければならない。

② 信託法第百七十三条第二項から第六項までの規定は、前項の規定による新受託者の選任について準用する。

第三二条（略）

第六節　信託法の適用関係

第三三条① 信託法第二十九条第二項ただし書、第三十一条第二項（第三号に係る部分に限る。）及び第三項ただし書、第三十二条第三項ただし書、第三十五条第四項、第三十七条第三項ただし書、第四十七条第五項ただし書、第四十八条第三項ただし書、第五十八条第二項、第五十九条第一項ただし書、第六十条第一項ただし書、第百二十五条第一項ただし書、第百四十七条、第百八十三条第六項並びに第二百二十二条第五項ただし書の規定は、公益信託については、適用しない。

② 公益信託においては、委託者の相続人は、委託者の地位を相続により承継しない。

③（略）

第三章　公益認定等委員会等への諮問等（抄）

第一節　公益認定等委員会への諮問等

（委員会への諮問）

第三四条① 内閣総理大臣は、次に掲げる場合には、第十条（第十二条第六項及び第二十二条第七項において準用する場合を含む。）又は第二十九条第五項（第三十条第三項において準用する場合を含む。）の規定による許認可等行政機関の意見（第九条第

一号イ及び第五号に規定する事由の有無に係るものを除く。）を付して、公益認定等委員会（以下「委員会」という。）に諮問しなければならない。ただし、委員会が諮問を要しないものと認めたものについては、この限りでない。

一　公益信託認可の申請又は第十二条第一項若しくは第二十二条第一項の認可の申請に対する処分をしようとする場合（公益信託が第九条各号のいずれかに該当するものである場合及び行政手続法第七条の規定に基づきこれらの認可を拒否する場合を除く。）

二　第二十九条第一項の勧告、同条第三項の規定による命令又は第三十条第一項若しくは第二項の規定による公益信託認可の取消し（以下この節において「監督処分等」という。）をしようとする場合（次に掲げる場合を除く。）

イ　公益信託が第三十条第一項第二号又は第二項第二号に該当するものである場合

ロ　第十四条第一項若しくは第十五条第一項の規定による届出又は第二十一条第一項の規定による財産目録等の提出をしなかったことを理由として監督処分等をしようとする場合

ハ　第三十七条第一項の勧告に基づいて監督処分等をしようとする場合

②③　（略）

第三五条から第三七条まで　（略）

第二節　都道府県に置かれる合議制の機関への諮問等　（抄）

（行政庁が都道府県知事である場合についての準用）

第三八条　第三十四条第一項及び第三項、第三十五条、第三十六条第一項、第二項及び第三項（第一号（ハ及びホに係る部分に限る。）を除く。）並びに前条の規定は、行政庁が都道府県知事である場合について準用する。この場合において、これらの規定（第三十四条第一項本文を除く。）中「委員会」とあるのは「合議制の機関」と、第三十四条第一項中「公益認定等委員会（以下「委員会」という。）」とあるのは「公益社団法人及び公益財団法人の認定等に関する法律第五十条第一項に規定する合議制の機関（以下「合議制の機関」という。）」と、同項ただし書及び同条第三項ただし書中「諮問」とあるのは「政令で定める基準に従い諮問」と読み替えるものとする。

第三九条　（略）

第四章　雑則

（第四〇条から第四四条まで）（略）

第五章　罰則

（第四五条から第四九条まで）（略）

附　則　（抄）

（施行期日）

第一条　この法律は、公布の日から起算して二年を超えない範囲内において政令で定める日から施行する。ただし、附則（中略）第二十三条の規定は、公布の日から施行する。

（公益信託に関する法律の適用等に関する経過措置）

第二条①　この法律による改正後の公益信託に関する法律（以下「新法」という。）の規定は、附則第四条に定める場合を除き、この法律の施行の日（以下「施行日」という。）以後にする公益信託について適用する。

②　この法律による改正前の公益信託ニ関スル法律（以下この項並びに附則第四条第三項及び第八条第二項において「旧公益信託法」という。）第一条に規定する公益信託で施行日前に旧公益信託法第二条第一項の許可（次条において「旧公益信託許可」という。）を受けてその効力が生じたもの（附則第四条第一項、第五条第一項及び第二十一条において「旧法公益信託」という。）については、施行日から起算して二年を経過する日までの間（附則第四条第一項及び第二項並びに第十七条第一項において「移行期間」という。）は、なお従前の例による。

（旧公益信託許可の申請に係る経過措置）

第三条　施行日前に旧公益信託許可の申請があった場合において、施行日の前日までに当該申請に対する処分がされないときは、当該申請は、施行日に、却下されたものとみなす。

（旧公益信託の新法の規定による公益信託への移行）

第四条①　旧法公益信託及び信託法の施行に伴う関係法律の整備等に関する法律（平成十八年法律第百九号。以下「信託法整備法」という。）第二条の規定によりなお従前の例によることとされた信託法整備法第一条の規定による改正前の信託法（大正十一年法律第六十二号。第三項及び附則第八条第二項において「旧信託法」という。）第六十六条に規定する公益信託（以下この項において「旧信託法公益信託」という。）は、移行期間内において、新法第三条に規定する行政庁（以下「行政庁」という。）の認可（以下「移行認可」という。）を受けた場合には、新法第七条第一項に規定する公益信託認可（附則第十二条において「公益信託認可」という。）を受けたものとして新法の規定による公益信託となることができる。この場合において、移行期間内に当該移行認可を受けていない旧法公益信託及び旧信託法公益信託（以下「旧公益信託」という。）は、移行期間が満了する日に終了するものとする。

②　（略）

③　第一項の規定により新法の規定による公益信託となった旧公益信託については、新法の規定（罰則を除く。）は、施行日前に生じた事項にも適用する。ただし、旧公益信託法及び信託法整備法第二条の規定によりなお従前の例によることとされた旧信託法の規定によって生じた効力を妨げない。

（政令への委任）

第二三条　この附則に定めるもののほか、この法律の施行に関し必要な経過措置（過料に関する経過措置を含む。）は、政令で定める。

別表（第二条関係）

一　学術及び科学技術の振興を目的とする事務

二　文化及び芸術の振興を目的とする事務

三　障害者若しくは生活困窮者又は事故、災害若しくは犯罪による被害者の支援を目的とする事務

四　高齢者の福祉の増進を目的とする事務

五　勤労意欲のある者に対する就労の支援を目的とする事務

六　公衆衛生の向上を目的とする事務

七　児童又は青少年の健全な育成を目的とする事務

八　勤労者の福祉の向上を目的とする事務

九　教育、スポーツ等を通じて国民の心身の健全な発達に寄与し、又は豊かな人間性を涵養することを目的とする事務

十　犯罪の防止又は治安の維持を目的とする事務

十一　事故又は災害の防止を目的とする事務

十二　人種、性別その他の事由による不当な差別又は偏見の防止及び根絶を目的とする事務

十三　思想及び良心の自由、信教の自由又は表現の自由の尊重又は擁護を目的とする事務

十四　男女共同参画社会の形成その他のより良い社会の形成の推進を目的とする事務

十五　国際相互理解の促進及び開発途上にある海外の地域に対する経済協力を目的とする事務

十六　地球環境の保全又は自然環境の保護及び整備を目的とする事務

十七　国土の利用、整備又は保全を目的とする事務

十八　国政の健全な運営の確保に資することを目的とする事務

十九　地域社会の健全な発展を目的とする事務

二十　公正かつ自由な経済活動の機会の確保及び促進並びにその活性化による国民生活の安定向上を目的とする事務

二十一　国民生活に不可欠な物資、エネルギー等の安定供給の確保を目的とする事務

二十二　一般消費者の利益の擁護又は増進を目的とする事務
二十三　前各号に掲げるもののほか、公益に関する事務として政令で定めるもの

公益信託ニ関スル法律（旧条文）（抜粋）

（大正一一・四・二一 法 六二）

全部改正　公益信託に関する法律（令和六法三〇）の施行の日

第一条【趣旨】 信託法（平成十八年法律第百八号）第二百五十八条第一項ニ規定スル受益者ノ定ナキ信託ノ内学術、技芸、慈善、祭祀、宗教其ノ他公益ヲ目的トスルモノニシテ次条ノ許可ヲ受ケタルモノ（以下公益信託ト謂フ）ニ付テハ本法ノ定ムル所ニ依ル

第二条【公益信託の効力、存続期間】 ①信託法第二百五十八条第一項ニ規定スル受益者ノ定ナキ信託ノ内学術、技芸、慈善、祭祀、宗教其ノ他公益ヲ目的トスルモノニ付テハ受託者ニ於テ主務官庁ノ許可ヲ受クルニ非ザレバ其ノ効力ヲ生ゼズ

②公益信託ノ存続期間ニ付テハ信託法第二百五十九条ノ規定ハ之ヲ適用セズ

第七条【公益信託の受託者の辞任】 公益信託ノ受託者ハ已ムコトヲ得サル事由アル場合ニ限リ主務官庁ノ許可ヲ受ケ其ノ任務ヲ辞スルコトヲ得

第八条【公益信託についての主務官庁の権限】 公益信託ニ付テハ信託法第二百五十八条第一項ニ規定スル受益者ノ定ナキ信託ニ関スル同法ニ規定スル裁判所ノ権限（次ニ掲グル裁判ニ関スルモノヲ除ク）ハ主務官庁ニ属ス但シ同法第五十八条第四項（同法第七十条（同法第七十四条第六項ニ於テ準用スル場合ヲ含ム）及第百二十八条第二項ニ於テ準用スル場合ヲ含ム）、第六十二条第四項（同法第百二十九条第一項ニ於テ準用スル場合ヲ含ム）、第六十三条第一項、第七十四条第二項及第百二十三条第四項ニ規定スル権限ニ付テハ職権ヲ以テ之ヲ行フコトヲ得

一　信託法第百五十条第一項ノ規定ニ依ル信託ノ変更ヲ命ズル裁判
二　信託法第百六十六条第一項ノ規定ニ依ル信託ノ終了ヲ命ズル裁判、同法第百六十九条第一項ノ規定ニ依ル保全処分ヲ命ズル裁判及同法第百七十三条第一項ノ規定ニ依ル新受託者ノ選任ノ裁判
三　信託法第百八十条第一項ノ規定ニ依ル鑑定人ノ選任ノ裁判
四　信託法第二百二十三条ノ規定ニ依ル書類ノ提出ヲ命ズル裁判
五　信託法第二百三十条第二項ノ規定ニ依ル弁済ノ許可ノ裁判

第九条【公益信託の継続】 公益信託ノ終了ノ場合ニ於テ帰属権利者ノ指定ニ関スル定ナキトキ又ハ帰属権利者ガ其ノ権利ヲ放棄シタルトキハ主務官庁ハ其ノ信託ノ本旨ニ従ヒ類似ノ目的ノ為ニ信託ヲ継続セシムルコトヲ得

●製造物責任法

（平成六・七・一 法 八 五）

施行 平成七・七・一（附則参照）
改正 平成二九法四五

（目的）

第一条 この法律は、製造物の欠陥により人の生命、身体又は財産に係る被害が生じた場合における製造業者等の損害賠償の責任について定めることにより、被害者の保護を図り、もって国民生活の安定向上と国民経済の健全な発展に寄与することを目的とする。

（定義）

第二条① この法律において「製造物」とは、製造又は加工された動産をいう。

② この法律において「欠陥」とは、当該製造物の特性、その通常予見される使用形態、その製造業者等が当該製造物を引き渡した時期その他の当該製造物に係る事情を考慮して、当該製造物が通常有すべき安全性を欠いていることをいう。

③ この法律において「製造業者等」とは、次のいずれかに該当する者をいう。

一 当該製造物を業として製造、加工又は輸入した者（以下単に「製造業者」という。）

二 自ら当該製造物の製造業者として当該製造物にその氏名、商号、商標その他の表示（以下「氏名等の表示」という。）をした者又は当該製造物にその製造業者と誤認させるような氏名等の表示をした者

三 前号に掲げる者のほか、当該製造物の製造、加工、輸入又は販売に係る形態その他の事情からみて、当該製造物にその実質的な製造業者と認めることができる氏名等の表示をした者

（製造物責任）

第三条 製造業者等は、その製造、加工、輸入又は前条第三項第二号若しくは第三号の氏名等の表示をした製造物であって、その引き渡したものの欠陥により他人の生命、身体又は財産を侵害したときは、これによって生じた損害を賠償する責めに任ずる。ただし、その損害が当該製造物についてのみ生じたときは、この限りでない。

（免責事由）

第四条 前条の場合において、製造業者等は、次の各号に掲げる事項を証明したときは、同条に規定する賠償の責めに任じない。

一 当該製造物をその製造業者等が引き渡した時における科学又は技術に関する知見によっては、当該製造物にその欠陥があることを認識することができなかったこと。

二 当該製造物が他の製造物の部品又は原材料として使用された場合において、その欠陥が専ら当該他の製造物の製造業者が行った設計に関する指示に従ったことにより生じ、かつ、その欠陥が生じたことにつき過失がないこと。

（消滅時効）

第五条① 第三条に規定する損害賠償の請求権は、次に掲げる場合には、時効によって消滅する。

一 被害者又はその法定代理人が損害及び賠償義務者を知った時から三年間行使しないとき。

二 その製造業者等が当該製造物を引き渡した時から十年を経過したとき。

② 人の生命又は身体を侵害した場合における損害賠償の請求権の消滅時効についての前項第一号の規定の適用については、同号中「三年間」とあるのは、「五年間」とする。

③ 第一項第二号の期間は、身体に蓄積した場合に人の健康を害することとなる物質による損害又は一定の潜伏期間が経過した後に症状が現れる損害については、その損害が生じた時から起算する。

（民法の適用）

第六条 製造物の欠陥による製造業者等の損害賠償の責任については、この法律の規定によるほか、民法（明治二十九年法律第八十九号）の規定による。

附 則（抄）

（施行期日等）

① この法律は、公布の日から起算して一年を経過した日（平成七・七・一）から施行し、この法律の施行後にその製造業者等が引き渡した製造物について適用する。

○自動車損害賠償保障法（抄）

（昭和三〇・七・二九 法 九 七）

施行（附則参照）
最終改正 令和五法六三

目次

第一章 総則

（この法律の目的）
第一条 この法律は、自動車の運行によつて人の生命又は身体が害された場合における損害賠償を保障する制度を確立するとともに、これを補完する措置を講ずることにより、被害者の保護を図り、あわせて自動車運送の健全な発達に資することを目的とする。

（定義）
第二条① この法律で「自動車」とは、道路運送車両法（昭和二十六年法律第百八十五号）第二条第二項に規定する自動車（農耕作業の用に供することを目的として製作した小型特殊自動車を除く。）及び同条第三項に規定する原動機付自転車をいう。
② この法律で「運行」とは、人又は物を運送するとしないとにかかわらず、自動車を当該装置の用い方に従い用いることをいう。
③ この法律で「保有者」とは、自動車の所有者その他自動車を使用する権利を有する者で、自己のために自動車を運行の用に供するものをいう。
④ この法律で「運転者」とは、他人のために自動車の運転又は運転の補助に従事する者をいう。

第二章 自動車損害賠償責任

（自動車損害賠償責任）
第三条 自己のために自動車を運行の用に供する者は、その運行によつて他人の生命又は身体を害したときは、これによつて生じた損害を賠償する責に任ずる。ただし、自己及び運転者が自動車の運行に関し注意を怠らなかつたこと、被害者又は運転者以外の第三者に故意又は過失があつたこと並びに自動車に構造上の欠陥又は機能の障害がなかつたことを証明したときは、この限りでない。

（民法の適用）
第四条 自己のために自動車を運行の用に供する者の損害賠償の責任については、前条の規定によるほか、民法（明治二十九年法律第八十九号）の規定による。

第三章 自動車損害賠償責任保険及び自動車損害賠償責任共済（抄）

第一節 自動車損害賠償責任保険契約又は自動車損害賠償責任共済契約の締結強制（抄）

（責任保険又は責任共済の契約の締結強制）
第五条 自動車は、これについてこの法律で定める自動車損害賠償責任保険（以下「責任保険」という。）又は自動車損害賠償責任共済（以下「責任共済」という。）の契約が締結されているものでなければ、運行の用に供してはならない。

（保険者及び共済責任を負う者）
第六条① 責任保険の保険者（以下「保険会社」という。）は、保険業法（平成七年法律第百五号）第二条第四項に規定する損害保険会社又は同条第九項に規定する外国損害保険会社等で、責任保険の引受けを行う者とする。
② 責任共済の共済責任を負う者は、次の各号に掲げる協同組合（以下「組合」という。）とする。
一 農業協同組合法（昭和二十二年法律第百三十二号）に基づき責任共済の事業を行う農業協同組合又は農業協同組合連合会（以下「農業協同組合等」という。）
二 消費生活協同組合法（昭和二十三年法律第二百号）に基づき責任共済の事業を行う消費生活協同組合又は消費生活協同組合連合会（以下「消費生活協同組合等」という。）
三 中小企業等協同組合法（昭和二十四年法律第百八十一号）に基づき責任共済の事業を行う事業協同組合又は協同組合連合会（以下「事業協同組合等」という。）

（自動車損害賠償責任保険証明書）
第七条① 保険会社は、保険料の支払があつたときは、保険契約者に対して、当該自動車につき自動車損害賠償責任保険証明書を交付しなければならない。
② 保険契約者は、当該自動車損害賠償責任保険証明書の記載事項について変更があつたときは、自動車損害賠償責任保険証明書にその変更についての記入を受けなければならない。
③ 保険会社は、前項の規定による記入の申出があつたときは、遅滞なく、その記入を行わなければならない。ただし、第二十二条第三項又は第四項の規定による請求をした場合において、その金額の支払がなかつたときは、この限りでない。
④ 保険契約者は、自動車損害賠償責任保険証明書が滅失し、損傷し、又はその識別が困難となつたときは、保険会社に対して、その再交付を求めることができる。
⑤ 自動車損害賠償責任保険証明書に関する細目は、国土交通省令で定める。
⑥ 保険法（平成二十年法律第五十六号）第六条の規定は、責任保険については、適用しない。

（自動車損害賠償責任保険証明書の備付）
第八条 自動車は、自動車損害賠償責任保険証明書（前条第二項の規定により変更についての記入を受けなければならないものにあつては、その記入を受けた自動車損害賠償責任保険証明書。次条において同じ。）を備え付けなければ、運行の用に供してはならない。

第九条から第一〇条の二まで （略）

第二節 自動車損害賠償責任保険契約及び自動車損害賠償責任共済契約（抄）

（責任保険及び責任共済の契約）
第一一条① 責任保険の契約は、第三条の規定による保有者の損害賠償の責任が発生した場合において、これによる保有者の損害及び運転者もその被害者に対して損害賠償の責任を負うべきときのこれによる運転者の損害を保険会社がてん補することを約し、保険契約者が保険会社に保険料を支払うことを約することによつて、その効力を生ずる。

② 責任共済の契約は、第三条の規定による保有者の損害賠償の責任が発生した場合において、これによる保有者の損害及び運転者もその被害者に対して損害賠償の責任を負うべきときのこれによる運転者の損害を組合がてん補することを約し、共済契約者が組合に共済掛金を支払うことを約することによつて、その効力を生ずる。

第一二条 責任保険の契約は、自動車一両ごとに締結しなければならない。

（保険金額）

第一三条① 責任保険の保険金額は、政令で定める。

② 前項の規定に基づき政令を制定し、又は改正する場合においては、政令で、当該政令の施行の際現に責任保険の契約が締結されている自動車についての責任保険の保険金額を当該制定又は改正による変更後の保険金額とするために必要な措置その他当該制定又は改正に伴う所要の経過措置を定めることができる。

（免責）

第一四条 保険会社は、第八十二条の三に規定する場合を除き、保険契約者又は被保険者の悪意によつて生じた損害についてのみ、てん補の責めを免れる。

（保険金の請求）

第一五条 被保険者は、被害者に対する損害賠償額について自己が支払をした限度においてのみ、保険会社に対して保険金の支払を請求することができる。

（保険会社に対する損害賠償額の請求）

第一六条① 第三条の規定による保有者の損害賠償の責任が発生したときは、被害者は、政令で定めるところにより、保険会社に対し、保険金額の限度において、損害賠償額の支払をなすべきことを請求することができる。

② 被保険者が被害者に損害の賠償をした場合において、保険会社が被保険者に対してその損害をてん補したときは、保険会社は、そのてん補した金額の限度において、被害者に対する前項の支払の義務を免かれる。

③ 第一項の規定により保険会社が被害者に対して損害賠償額の支払をしたときは、保険契約者又は被保険者の悪意によつて損害が生じた場合を除き、保険会社が、責任保険の契約に基づき被保険者に対して損害をてん補したものとみなす。

④ 保険会社は、保険契約者又は被保険者の悪意によつて損害が生じた場合において、第一項の規定により被害者に対して損害賠償額の支払をしたときは、その支払つた金額について、政府に対して補償を求めることができる。

（休業による損害等に係る保険金等の限度）

第一六条の二 保険会社が被保険者に対して支払うべき保険金又は前条第一項の規定により被害者に対して支払うべき損害賠償額（第二十八条の四第一項を除き、以下「保険金等」という。）のうち被害者が療養のため労働することができないことによる損害その他の政令で定める損害に係る部分は、政令で定める額を限度とする。

（支払基準）

第一六条の三① 保険会社は、保険金等を支払うときは、死亡、後遺障害及び傷害の別に国土交通大臣及び内閣総理大臣が定める支払基準（以下「支払基準」という。）に従つてこれを支払わなければならない。

② 国土交通大臣及び内閣総理大臣は、前項の規定により支払基準を定める場合には、公平かつ迅速な支払の確保の必要性を勘案して、これを定めなければならない。これを変更する場合も、同様とする。

第一六条の四から第一七条まで （略）

（差押の禁止）

第一八条 第十六条第一項及び前条第一項の規定による請求権は、差し押えることができない。

（時効）

第一九条 第十六条第一項及び第十七条第一項の規定による請求権は、被害者又はその法定代理人が損害及び保有者を知つた時から三年を経過したときは、時効によつて消滅する。

第二〇条から第二三条の四まで （略）

第二節の二　指定紛争処理機関　から　第四節　自動車損害賠償責任保険審議会　まで

（第二三条の五から第七〇条まで）（略）

第四章　自動車事故対策事業（抄）

第一節　総則

第七一条 政府は、この法律の規定により、自動車事故対策事業として、次条第一項に規定する自動車損害賠償保障事業及び第七十七条の二第一項に規定する被害者保護増進等事業を行う。

第二節　自動車損害賠償保障事業（抄）

（業務）

第七二条① 政府は、自動車損害賠償保障事業として、次の業務を行う。

一 自動車の運行によつて生命又は身体を害された者がある場合において、その自動車の保有者が明らかでないため被害者が第三条の規定による損害賠償の請求をすることができないときに、被害者の請求により、政令で定める金額の限度において、その受けた損害を塡補すること。

二 責任保険の被保険者及び責任共済の被共済者以外の者が、第三条の規定によつて損害賠償の責に任ずる場合（その責任が第十条に規定する自動車の運行によつて生ずる場合を除く。）に、被害者の請求により、政令で定める金額の限度において、その受けた損害を塡補すること。

三 第十六条第四項又は第十七条第四項（これらの規定を第二十三条の三第一項において準用する場合を含む。）の規定による請求により、これらの規定による補償を行うこと。

② 前項各号の請求の手続は、国土交通省令で定める。

第七三条から第七七条まで （略）

第三節　被害者保護増進等事業　及び　第四節　雑則

（第七七条の二から第八二条の二まで）（略）

第五章　雑則

（第八二条の三から第八六条まで）（略）

第六章　罰則

（第八六条の二から第九二条まで）（略）

附　則（抄）

（施行期日）

① この法律の施行期日は、公布の日から起算して八箇月をこえない範囲内において政令で定める日とする（昭和三〇政一六四、昭和三〇政二八五）。

○特定電気通信による情報の流通によって発生する権利侵害等への対処に関する法律（抄）

（平成一三・一一・三〇 法 一三七）

施行 平成一四・五・二七（平成一四政一七八）
題名改正 令和六法二五（旧・特定電気通信役務提供者の損害賠償責任の制限及び発信者情報の開示に関する法律）
最終改正 令和六法二五

目次

第一章 総則

（趣旨）
第一条 この法律は、特定電気通信による情報の流通によって権利の侵害等があった場合について、特定電気通信役務提供者の損害賠償責任の制限及び発信者情報の開示を請求する権利について定めるとともに、発信者情報開示命令事件に関する裁判手続に関し必要な事項を定め、あわせて、侵害情報送信防止措置の実施手続の迅速化及び送信防止措置の実施状況の透明化を図るための大規模特定電気通信役務提供者の義務について定めるものとする。

（定義）
第二条 この法律において、次の各号に掲げる用語の意義は、当該各号に定めるところによる。
一 特定電気通信 不特定の者によって受信されることを目的とする電気通信（電気通信事業法（昭和五十九年法律第八十六号）第二条第一号に規定する電気通信をいう。以下この号及び第五条第三項において同じ。）の送信（公衆によって直接受信されることを目的とする電気通信の送信を除く。）をいう。
二 特定電気通信設備 特定電気通信の用に供される電気通信設備（電気通信事業法第二条第二号に規定する電気通信設備をいう。第五条第二項において同じ。）をいう。
三 特定電気通信役務 特定電気通信設備を用いて提供する電気通信役務（電気通信事業法第二条第三号に規定する電気通信役務をいう。第五条第二項において同じ。）をいう。
四 特定電気通信役務提供者 特定電気通信役務を提供する者をいう。
五 発信者 特定電気通信役務提供者の用いる特定電気通信設備の記録媒体（当該記録媒体に記録された情報が不特定の者に送信されるものに限る。）に情報を記録し、又は当該特定電気通信設備の送信装置（当該送信装置に入力された情報が不特定の者に送信されるものに限る。）に情報を入力した者をいう。
六 侵害情報 特定電気通信による情報の流通によって自己の権利を侵害されたとする者が当該権利を侵害したとする情報をいう。
七 侵害情報等 侵害情報、侵害されたとする権利及び権利が侵害されたとする理由をいう。
八 侵害情報送信防止措置 侵害情報の送信を防止する措置をいう。
九 送信防止措置 侵害情報送信防止措置その他の特定電気通信による情報の送信を防止する措置（当該情報の送信を防止するとともに、当該情報の発信者に対する特定電気通信役務の提供を停止する措置（第二十六条第二項第二号において「役務提供停止措置」という。）を含む。）をいう。
十 発信者情報 氏名、住所その他の侵害情報の発信者の特定に資する情報であって総務省令で定めるものをいう。
十一 開示関係役務提供者 第五条第一項に規定する特定電気通信役務提供者及び同条第二項に規定する関連電気通信役務提供者をいう。
十二 発信者情報開示命令 第八条の規定による命令をいう。
十三 発信者情報開示命令事件 発信者情報開示命令の申立てに係る事件をいう。
十四 大規模特定電気通信役務提供者 第二十条第一項の規定により指定された特定電気通信役務提供者をいう。

＊令和五法五三（令和一〇・六・一三までに施行）による改正
第九号中「第二十六条第二項第二号」を「第二十七条第二項第二号」に改め、第十四号中「第二十条第一項」を「第二十一条第一項」に改める。（本文未織込み）

第二章 損害賠償責任の制限

（損害賠償責任の制限）
第三条① 特定電気通信による情報の流通により他人の権利が侵害されたときは、当該特定電気通信の用に供される特定電気通信設備を用いる特定電気通信役務提供者（以下この項において「関係役務提供者」という。）は、これによって生じた損害については、権利を侵害した情報の不特定の者に対する送信を防止する措置を講ずることが技術的に可能な場合であって、次の各号のいずれかに該当するときでなければ、賠償の責めに任じない。ただし、当該関係役務提供者が当該権利を侵害した情報の発信者である場合は、この限りでない。
一 当該関係役務提供者が当該特定電気通信による情報の流通によって他人の権利が侵害されていることを知っていたとき。
二 当該関係役務提供者が、当該特定電気通信による情報の流通を知っていた場合であって、当該特定電気通信による情報の流通によって他人の権利が侵害されていることを知ることができたと認めるに足りる相当の理由があるとき。

② 特定電気通信役務提供者は、特定電気通信による情報の送信を防止する措置を講じた場合において、当該措置により送信を防止された情報の発信者に生じた損害については、当該措置が当該情報の不特定の者に対する送信を防止するために必要な限度において行われたものである場合であって、次の各号のいずれかに該当するときは、賠償の責めに任じない。
一 当該特定電気通信役務提供者が当該特定電気通信による情報の流通によって他人の権利が不当に侵害されていると信じるに足りる相当の理由があったとき。
二 特定電気通信による情報の流通によって自己の権利を侵害されたとする者から、侵害情報等を示して当該特定電気通信役務提供者に対し侵害情報送信防止措置を講ずるよう申出があった場合に、当該特定電気通信役務提供者が、当該侵害情報の発信者に対し当該侵害情報等を示して当該侵害情報送信防止措置を講ずることに同意するかどうかを照会した場合において、当該発信者が当該照会を受けた日から七日を経過しても当該発信者から当該侵害情報送信防止措置を講ずることに同意しない旨の申出がなかったとき。

（公職の候補者等に係る特例）
第四条 前条第二項の場合のほか、特定電気通信役務提供者は、特定電気通信による情報（選挙運動の期間中に頒布された文書図画に係る情報に限る。以下この条において同じ。）の送信を防止する措置を講じた場合において、当該措置により送信を防止された情報の発信者に生じた損害については、当該措置が当該情報の不特定の者に対する送信を防止するために必要な限度において行われたものである場合であって、次の各号のいずれかに該当するときは、賠償の責めに任じない。

一　特定電気通信による情報であって、選挙運動のために使用し、又は当選を得させないための活動に使用する文書図画（以下この条において「特定文書図画」という。）に係るものの流通によって自己の名誉を侵害されたとする公職の候補者等（公職の候補者又は候補者届出政党（公職選挙法（昭和二十五年法律第百号）第八十六条第一項又は第八項の規定による届出をした政党その他の政治団体をいう。）若しくは衆議院名簿届出政党等（同法第八十六条の二第一項の規定による届出をした政党その他の政治団体をいう。）若しくは参議院名簿届出政党等（同法第八十六条の三第一項の規定による届出をした政党その他の政治団体をいう。）をいう。次号において同じ。）から、当該名誉を侵害したとする情報（以下この条において「名誉侵害情報」という。）、名誉が侵害された旨、名誉が侵害されたとする理由及び当該名誉侵害情報が特定文書図画に係るものである旨（以下この条において「名誉侵害情報等」という。）を示して当該特定電気通信役務提供者に対し名誉侵害情報の送信を防止する措置（以下この条において「名誉侵害情報送信防止措置」という。）を講ずるよう申出があった場合に、当該特定電気通信役務提供者が、当該名誉侵害情報の発信者に対し当該名誉侵害情報等を示して当該名誉侵害情報送信防止措置を講ずることに同意するかどうかを照会した場合において、当該発信者が当該照会を受けた日から二日を経過しても当該発信者から当該名誉侵害情報送信防止措置を講ずることに同意しない旨の申出がなかったとき。

二　特定電気通信による情報であって、特定文書図画に係るものの流通によって自己の名誉を侵害されたとする公職の候補者等から、名誉侵害情報等及び名誉侵害情報の発信者の電子メールアドレス等（公職選挙法第百四十二条の三第三項に規定する電子メールアドレス等をいう。以下この号において同じ。）が同項又は同法第百四十二条の五第一項の規定に違反して表示されていない旨を示して当該特定電気通信役務提供者に対し名誉侵害情報送信防止措置を講ずるよう申出があった場合であって、当該情報の発信者の電子メールアドレス等が当該情報に係る特定電気通信の受信をする者が使用する通信端末機器（入出力装置を含む。）の映像面に正しく表示されていないとき。

第三章　発信者情報の開示請求等

（**発信者情報の開示請求**）

第五条①　特定電気通信による情報の流通によって自己の権利を侵害されたとする者は、当該特定電気通信の用に供される特定電気通信設備を用いる特定電気通信役務提供者に対し、当該特定電気通信役務提供者が保有する当該権利の侵害に係る発信者情報のうち、特定発信者情報（発信者情報であって専ら侵害関連通信に係るものとして総務省令で定めるものをいう。以下この項及び第十五条第二項において同じ。）以外の発信者情報については第一号及び第二号のいずれにも該当するとき、特定発信者情報については次の各号のいずれにも該当するときは、それぞれその開示を請求することができる。

一　当該開示の請求に係る侵害情報の流通によって当該開示の請求をする者の権利が侵害されたことが明らかであるとき。

二　当該発信者情報が当該開示の請求をする者の損害賠償請求権の行使のために必要である場合その他当該発信者情報の開示を受けるべき正当な理由があるとき。

三　次のイからハまでのいずれかに該当するとき。

イ　当該特定電気通信役務提供者が当該権利の侵害に係る特定発信者情報以外の発信者情報を保有していないと認めるとき。

ロ　当該特定電気通信役務提供者が保有する当該権利の侵害に係る特定発信者情報以外の発信者情報が次に掲げる発信者情報以外の発信者情報であって総務省令で定めるもののみであると認めるとき。

(1)　当該開示の請求に係る侵害情報の発信者の氏名及び住所

(2)　当該権利の侵害に係る他の開示関係役務提供者を特定するために用いることができる発信者情報

ハ　当該開示の請求をする者がこの項の規定により開示を受けた発信者情報（特定発信者情報を除く。）によっては当該開示の請求に係る侵害情報の発信者を特定することができないと認めるとき。

②　特定電気通信による情報の流通によって自己の権利を侵害されたとする者は、次の各号のいずれにも該当するときは、当該特定電気通信に係る侵害関連通信の用に供される電気通信設備を用いて電気通信役務を提供した者（当該特定電気通信役務提供者である者を除く。以下この項において「関連電気通信役務提供者」という。）に対し、当該関連電気通信役務提供者が保有する当該侵害関連通信に係る発信者情報の開示を請求することができる。

一　当該開示の請求に係る侵害情報の流通によって当該開示の請求をする者の権利が侵害されたことが明らかであるとき。

二　当該発信者情報が当該開示の請求をする者の損害賠償請求権の行使のために必要である場合その他当該発信者情報の開示を受けるべき正当な理由があるとき。

③　前二項に規定する「侵害関連通信」とは、侵害情報の発信者が当該侵害情報の送信に係る特定電気通信役務を利用し、又はその利用を終了するために行った当該特定電気通信役務に係る識別符号（特定電気通信役務提供者が特定電気通信役務の提供に際して当該特定電気通信役務の提供を受けることができる者を他の者と区別して識別するために用いる文字、番号、記号その他の符号をいう。）その他の符号の電気通信による送信であって、当該侵害情報の発信者を特定するために必要な範囲内であるものとして総務省令で定めるものをいう。

（**開示関係役務提供者の義務等**）

第六条①　開示関係役務提供者は、前条第一項又は第二項の規定による開示の請求を受けたときは、当該開示の請求に係る侵害情報の発信者と連絡することができない場合その他特別の事情がある場合を除き、当該開示の請求に応じるかどうかについて当該発信者の意見（当該開示の請求に応じるべきでない旨の意見である場合には、その理由を含む。）を聴かなければならない。

②　開示関係役務提供者は、発信者情報開示命令を受けたときは、前項の規定による意見の聴取（当該発信者情報開示命令に係るものに限る。）において前条第一項又は第二項の規定による開示の請求に応じるべきでない旨の意見を述べた当該発信者情報開示命令に係る侵害情報の発信者に対し、遅滞なくその旨を通知しなければならない。ただし、当該発信者に対し通知することが困難であるときは、この限りでない。

③　開示関係役務提供者は、第十五条第一項（第二号に係る部分に限る。）の規定による命令を受けた他の開示関係役務提供者から当該命令による発信者情報の提供を受けたときは、当該発信者情報を、その保有する発信者情報（当該提供に係る侵害情報に係るものに限る。）を特定する目的以外に使用してはならない。

④　開示関係役務提供者は、前条第一項又は第二項の規定による開示の請求に応じないことにより当該開示の請求をした者に生じた損害については、故意又は重大な過失がある場合でなければ、賠償の責めに任じない。ただし、当該開示関係役務提供者が当該開示の請求に係る侵害情報の発信者である場合は、この限りでない。

（**発信者情報の開示を受けた者の義務**）

第七条　第五条第一項又は第二項の規定により発信者情報の開示を受けた者は、当該発信者情報をみだりに用いて、不当に当該発信者情報に係る発信者の名誉又は生活の平穏を害する行為をしてはならない。

第四章　発信者情報開示命令事件に関する裁判手続（抄）

（発信者情報開示命令）
第八条　裁判所は、特定電気通信による情報の流通によって自己の権利を侵害されたとする者の申立てにより、決定で、当該権利の侵害に係る開示関係役務提供者に対し、第五条第一項又は第二項の規定による請求に基づく発信者情報の開示を命ずることができる。

第九条から第一四条まで　（略）

（提供命令）
第一五条①　本案の発信者情報開示命令事件が係属する裁判所は、発信者情報開示命令の申立てに係る侵害情報の発信者を特定することができなくなることを防止するため必要があると認めるときは、当該発信者情報開示命令の申立てをした者（以下この項において「申立人」という。）の申立てにより、決定で、当該発信者情報開示命令の申立ての相手方である開示関係役務提供者に対し、次に掲げる事項を命ずることができる。

一　当該申立人に対し、次のイ又はロに掲げる場合の区分に応じそれぞれ当該イ又はロに定める事項（イに掲げる場合に該当すると認めるときは、イに定める事項）を書面又は電磁的方法（電子情報処理組織を使用する方法その他の情報通信の技術を利用する方法であって総務省令で定めるものをいう。次号において同じ。）により提供すること。

イ　当該開示関係役務提供者がその保有する発信者情報（当該発信者情報開示命令の申立てに係るものに限る。以下この項において同じ。）により当該侵害情報に係る他の開示関係役務提供者（当該侵害情報の発信者であると認めるものを除く。ロにおいて同じ。）の氏名又は名称及び住所（以下この項及び第三項において「他の開示関係役務提供者の氏名等情報」という。）の特定をすることができる場合　当該他の開示関係役務提供者の氏名等情報

ロ　当該開示関係役務提供者が当該侵害情報に係る他の開示関係役務提供者を特定するために用いることができる発信者情報として総務省令で定めるものを保有していない場合又は当該開示関係役務提供者がその保有する当該発信者情報によりイに規定する特定をすることができない場合　その旨

二　この項の規定による命令（以下この条において「提供命令」といい、前号に係る部分に限る。）により他の開示関係役務提供者の氏名等情報の提供を受けた当該申立人から、当該侵害情報について当該他の開示関係役務提供者を相手方として当該侵害情報についての発信者情報開示命令の申立てをした旨の書面又は電磁的方法による通知を受けたときは、当該他の開示関係役務提供者に対し、当該開示関係役務提供者が保有する発信者情報を書面又は電磁的方法により提供すること。

②　前項（各号列記以外の部分に限る。）に規定する発信者情報開示命令の申立ての相手方が第五条第一項に規定する特定電気通信役務提供者であって、かつ、当該申立てをした者が当該申立てにおいて特定発信者情報を含む発信者情報の開示を請求している場合における前項の規定の適用については、同項第一号イの規定中「に係るもの」とあるのは、次の表の上欄に掲げる場合の区分に応じ、それぞれ同表の下欄に掲げる字句とする。

当該特定発信者情報の開示の請求について第五条第一項第三号に該当すると認められる場合	に係る第五条第一項に規定する特定発信者情報
当該特定発信者情報の開示の請求について第五条第一項第三号に該当すると認められない場合	に係る第五条第一項に規定する特定発信者情報以外の発信者情報

③　次の各号のいずれかに該当するときは、提供命令（提供命令により二以上の他の開示関係役務提供者の氏名等情報の提供を受けた者が、当該他の開示関係役務提供者のうちの一部の者について第一項第二号に規定する通知をしないことにより第二号に該当することとなるときは、当該一部の者に係る部分に限る。）は、その効力を失う。

一　当該提供命令の本案である発信者情報開示命令事件（当該発信者情報開示命令事件についての前条第一項に規定する決定に対して同項に規定する訴えが提起されたときは、その訴訟）が終了したとき。

二　当該提供命令により他の開示関係役務提供者の氏名等情報の提供を受けた者が、当該提供を受けた日から二月以内に、当該提供命令を受けた開示関係役務提供者に対し、第一項第二号に規定する通知をしなかったとき。

④　提供命令の申立ては、当該提供命令があった後であっても、その全部又は一部を取り下げることができる。

⑤　提供命令を受けた開示関係役務提供者は、当該提供命令に対し、即時抗告をすることができる。

（消去禁止命令）
第一六条①　本案の発信者情報開示命令事件が係属する裁判所は、発信者情報開示命令の申立てに係る侵害情報の発信者を特定することができなくなることを防止するため必要があると認めるときは、当該発信者情報開示命令の申立てをした者の申立てにより、決定で、当該発信者情報開示命令の申立ての相手方である開示関係役務提供者に対し、当該発信者情報開示命令事件（当該発信者情報開示命令事件についての第十四条第一項に規定する決定に対して同項に規定する訴えが提起されたときは、その訴訟）が終了するまでの間、当該開示関係役務提供者が保有する発信者情報（当該発信者情報開示命令の申立てに係るものに限る。）を消去してはならない旨を命ずることができる。

②　前項の規定による命令（以下この条において「消去禁止命令」という。）の申立ては、当該消去禁止命令があった後であっても、その全部又は一部を取り下げることができる。

③　消去禁止命令を受けた開示関係役務提供者は、当該消去禁止命令に対し、即時抗告をすることができる。

第一七条から第一九条まで　（略）

＊令和五法五三（令和一〇・六・一三までに施行）による改正後
第一七条　（略）（改正により追加）

＊令和五法五三（令和一〇・六・一三までに施行）による改正後
第一八条から第二〇条まで　（略）（本文未織込み）

第五章　大規模特定電気通信役務提供者の義務（抄）

（大規模特定電気通信役務提供者の指定）
第二〇条①　総務大臣は、次の各号のいずれにも該当する特定電気通信役務であって、その利用に係る特定電気通信による情報の流通について侵害情報送信防止措置の実施手続の迅速化及び送信防止措置の実施状況の透明化を図る必要性が特に高いと認められるもの（以下「大規模特定電気通信役務」という。）を提供する特定電気通信役務提供者を、大規模特定電気通信役務提供者として指定することができる。

一　当該特定電気通信役務が次のいずれかに該当すること。

イ　当該特定電気通信役務を利用して一月間に発信者となった者（日本国外にあると推定される者を除く。ロにおいて同じ。）及びこれに準ずる者として総務省令で定める者の数の総務省令で定める期間における平均（以下この条及び第二十四条第二項において「平均月間発信者数」という。）が特定電気通信役務の種類に応じて総務省令で定める数を超えること。

ロ　当該特定電気通信役務を利用して一月間に発信者となった者の延べ数の総務省令で定める期間における平均（以下この条及び第二十四条第二項において「平均月間延べ発信者数」という。）が特定電気通信役務の種類に応じて総務省令で定める数を超えること。

＊**令和五法五三**（令和一〇・六・一三までに施行）**による改正**
第一号中「第二十四条第二項」を「第二十五条第二項」に改める。（本文未織込み）

二　当該特定電気通信役務の一般的な性質に照らして侵害情報送信防止措置（侵害情報の不特定の者に対する送信を防止するために必要な限度において行われるものに限る。以下同じ。）を講ずることが技術的に可能であること。

三　当該特定電気通信役務が、その利用に係る特定電気通信による情報の流通によって権利の侵害が発生するおそれの少ない特定電気通信役務として総務省令で定めるもの以外のものであること。

②　総務大臣は、大規模特定電気通信役務提供者について前項の規定による指定の理由がなくなったと認めるときは、遅滞なく、その指定を解除しなければならない。

③　総務大臣は、第一項の規定による指定及び前項の規定による指定の解除に必要な限度において、総務省令で定めるところにより、特定電気通信役務提供者に対し、その提供する特定電気通信役務の平均月間発信者数及び平均月間延べ発信者数を報告させることができる。

④　総務大臣は、前項の規定による報告の徴収によっては特定電気通信役務提供者の提供する特定電気通信役務の平均月間発信者数又は平均月間延べ発信者数を把握することが困難であると認めるときは、当該平均月間発信者数又は平均月間延べ発信者数を総務省令で定める合理的な方法により推計して、第一項の規定による指定及び第二項の規定による指定の解除を行うことができる。

＊**令和五法五三**（令和一〇・六・一三までに施行）**による改正**
第二〇条を第二一条とする。（本文未織込み）

（**大規模特定電気通信役務提供者による届出**）
第二一条①　大規模特定電気通信役務提供者は、前条第一項の規定による指定を受けた日から三月以内に、総務省令で定めるところにより、次に掲げる事項を総務大臣に届け出なければならない。

一　氏名又は名称及び住所並びに法人にあっては、その代表者の氏名

二　外国の法人若しくは団体又は外国に住所を有する個人にあっては、国内における代表者又は国内における代理人の氏名又は名称及び国内の住所

三　前二号に掲げる事項のほか、総務省令で定める事項

②　大規模特定電気通信役務提供者は、前項各号に掲げる事項に変更があったときは、遅滞なく、その旨を総務大臣に届け出なければならない。

＊**令和五法五三**（令和一〇・六・一三までに施行）**による改正**
第二一条を第二二条とする。（本文未織込み）

（**被侵害者からの申出を受け付ける方法の公表**）
第二二条①　大規模特定電気通信役務提供者（前条第一項の規定による届出をした者に限る。以下同じ。）は、総務省令で定めるところにより、その提供する大規模特定電気通信役務を利用して行われる特定電気通信による情報の流通によって自己の権利を侵害されたとする者（次条において「被侵害者」という。）が侵害情報等を示して当該大規模特定電気通信役務提供者に対し侵害情報送信防止措置を講ずるよう申出を行うための方法を定め、これを公表しなければならない。

②　前項の方法は、次の各号のいずれにも適合するものでなければならない。

一　電子情報処理組織を使用する方法による申出を行うことができるものであること。

二　申出を行おうとする者に過重な負担を課するものでないこと。

三　当該大規模特定電気通信役務提供者が申出を受けた日時が当該申出を行った者（第二十五条において「申出者」という。）に明らかとなるものであること。

＊**令和五法五三**（令和一〇・六・一三までに施行）**による改正**
第二二条第二項第三号中「第二十五条」を「第二十六条」に改め、同条を第二三条とする。（本文未織込み）

（**侵害情報に係る調査の実施**）
第二三条　大規模特定電気通信役務提供者は、被侵害者から前条第一項の方法に従って侵害情報送信防止措置を講ずるよう申出があったときは、当該申出に係る侵害情報の流通によって当該被侵害者の権利が不当に侵害されているかどうかについて、遅滞なく必要な調査を行わなければならない。

＊**令和五法五三**（令和一〇・六・一三までに施行）**による改正**
第二三条を第二四条とする。（本文未織込み）

（**侵害情報調査専門員**）
第二四条①　大規模特定電気通信役務提供者は、前条の調査のうち専門的な知識経験を必要とするものを適正に行わせるため、特定電気通信による情報の流通によって発生する権利侵害への対処に関して十分な知識経験を有する者のうちから、侵害情報調査専門員（以下この条及び次条第二項第二号において「専門員」という。）を選任しなければならない。

②　大規模特定電気通信役務提供者の専門員の数は、当該大規模特定電気通信役務提供者の提供する大規模特定電気通信役務の平均月間発信者数又は平均月間延べ発信者数及び種別に応じて総務省令で定める数（当該大規模特定電気通信役務提供者が複数の大規模特定電気通信役務を提供している場合にあっては、それぞれの大規模特定電気通信役務の平均月間発信者数又は平均月間延べ発信者数及び種別に応じて総務省令で定める数を合算した数）以上でなければならない。

③　大規模特定電気通信役務提供者は、専門員を選任したときは、総務省令で定めるところにより、遅滞なく、その旨及び総務省令で定める事項を総務大臣に届け出なければならない。これらを変更したときも、同様とする。

＊**令和五法五三**（令和一〇・六・一三までに施行）**による改正**
第二四条を第二五条とする。（本文未織込み）

（**申出者に対する通知**）
第二五条①　大規模特定電気通信役務提供者は、第二十三条の申出があったときは、同条の調査の結果に基づき侵害情報送信防止措置を講ずるかどうかを判断し、当該申出を受けた日から十四日以内の総務省令で定める期間内に、次の各号に掲げる区分に応じ、当該各号に定める事項を申出者に通知しなければならない。ただし、申出者から過去に同一の内容の申出が行われていたときその他の通知しないことについて正当な理由があるときは、この限りでない。

一　当該申出に応じて侵害情報送信防止措置を講じたとき　その旨

二　当該申出に応じた侵害情報送信防止措置を講じなかったとき　その旨及びその理由

②　前項本文の規定にかかわらず、大規模特定電気通信役務提供者は、次の各号のいずれかに該当するときは、第二十三条の調査の結果に基づき侵害情報送信防止措置を講ずるかどうかを判断した後、遅滞なく、同項各号に掲げる区分に応じ、当該各号に定める事項を申出者に通知すれば足りる。この場合において

は、同項の総務省令で定める期間内に、次の各号のいずれに該当するか（第三号に該当する場合にあっては、その旨及びやむを得ない理由の内容）を申出者に通知しなければならない。

一　第二十三条の調査のため侵害情報の発信者の意見を聴くこととしたとき。

二　第二十三条の調査を専門員に行わせることとしたとき。

三　前二号に掲げる場合のほか、やむを得ない理由があるとき。

＊令和五法五三（令和一〇・六・一三までに施行）による改正
第二五条中「第二十三条」を「第二十四条」に改め、同条を第二六条とする。（本文未織込み）

（送信防止措置の実施に関する基準等の公表）

第二六条①　大規模特定電気通信役務提供者は、その提供する大規模特定電気通信役務を利用して行われる特定電気通信による情報の流通については、次の各号のいずれかに該当する場合のほか、自ら定め、公表している基準に従う場合に限り、送信防止措置を講ずることができる。この場合において、当該基準は、当該送信防止措置を講ずる日の総務省令で定める一定の期間前までに公表されていなければならない。

一　当該大規模特定電気通信役務提供者が送信防止措置を講じようとする情報の発信者であるとき。

二　他人の権利を不当に侵害する情報の送信を防止する義務がある場合その他送信防止措置を講ずる法令上の義務（努力義務を除く。）がある場合において、当該義務に基づき送信防止措置を講ずるとき。

三　緊急の必要により送信防止措置を講ずる場合であって、当該送信防止措置を講ずる情報の種類が、通常予測することができないものであるため、当該基準における送信防止措置の対象として明示されていないとき。

②　大規模特定電気通信役務提供者は、前項の基準を定めるに当たっては、当該基準の内容が次の各号のいずれにも適合したものとなるよう努めなければならない。

一　送信防止措置の対象となる情報の種類が、当該大規模特定電気通信役務提供者が当該情報の流通を知ることとなった原因の別に応じて、できる限り具体的に定められていること。

二　役務提供停止措置を講ずることがある場合においては、役務提供停止措置の実施に関する基準ができる限り具体的に定められていること。

三　発信者その他の関係者が容易に理解することのできる表現を用いて記載されていること。

四　送信防止措置の実施に関する努力義務を定める法令との整合性に配慮されていること。

③　大規模特定電気通信役務提供者は、第一項第三号に該当することを理由に送信防止措置を講じたときは、速やかに、当該送信防止措置を講じた情報の種類が送信防止措置の対象となることが明らかになるよう同項の基準を変更しなければならない。

④　第一項の基準を公表している大規模特定電気通信役務提供者は、おおむね一年に一回、当該基準に従って送信防止措置を講じた情報の事例のうち発信者その他の関係者に参考となるべきものを情報の種類ごとに整理した資料を作成し、公表するよう努めなければならない。

＊令和五法五三（令和一〇・六・一三までに施行）による改正
第二六条を第二七条とする。（本文未織込み）

（発信者に対する通知等の措置）

第二七条　大規模特定電気通信役務提供者は、その提供する大規模特定電気通信役務を利用して行われる特定電気通信による情報の流通について送信防止措置を講じたときは、次の各号のいずれかに該当する場合を除き、遅滞なく、その旨及びその理由を当該送信防止措置により送信を防止された情報の発信者に通知し、又は当該情報の発信者が容易に知り得る状態に置く措置（第二号及び次条第三号において「通知等の措置」という。）を講じなければならない。この場合において、当該送信防止措置が前条第一項の基準に従って講じられたものであるときは、当該理由において、当該送信防止措置と当該基準との関係を明らかにしなければならない。

一　当該大規模特定電気通信役務提供者が送信防止措置を講じた情報の発信者であるとき。

二　過去に同一の発信者に対して同様の情報の送信を同様の理由により防止したことについて通知等の措置を講じていたときその他の通知等の措置を講じないことについて正当な理由があるとき。

＊令和五法五三（令和一〇・六・一三までに施行）による改正
第二七条を第二八条とする。（本文未織込み）

（措置の実施状況等の公表）

第二八条　大規模特定電気通信役務提供者は、毎年一回、総務省令で定めるところにより、次に掲げる事項を公表しなければならない。

一　第二十三条の申出の受付の状況

二　第二十五条の規定による通知の実施状況

三　前条の規定による通知等の措置の実施状況

四　送信防止措置の実施状況（前三号に掲げる事項を除く。）

五　前各号に掲げる事項について自ら行った評価

六　前各号に掲げる事項のほか、大規模特定電気通信役務提供者がこの章の規定に基づき講ずべき措置の実施状況を明らかにするために必要な事項として総務省令で定める事項

＊令和五法五三（令和一〇・六・一三までに施行）による改正
第二八条第一号中「第二十三条」を「第二十四条」に、同条第二号中「第二十五条」を「第二十六条」に改め、同条を第二九条とする。（本文未織込み）

（報告の徴収）

第二九条　総務大臣は、第二十二条、第二十四条、第二十五条、第二十六条第一項若しくは第三項、第二十七条又は前条の規定の施行に必要な限度において、大規模特定電気通信役務提供者に対し、その業務に関し報告をさせることができる。

＊令和五法五三（令和一〇・六・一三までに施行）による改正
第二九条中「第二十二条、第二十四条、第二十五条、第二十六条第一項若しくは第三項、第二十七条」を「第二十三条、第二十五条、第二十六条、第二十七条第一項若しくは第三項、第二十八条」に改め、同条を第三〇条とする。（本文未織込み）

（勧告及び命令）

第三〇条①　総務大臣は、大規模特定電気通信役務提供者が第二十二条、第二十四条、第二十五条、第二十六条第一項若しくは第三項、第二十七条又は第二十八条の規定に違反していると認めるときは、当該大規模特定電気通信役務提供者に対し、その違反を是正するために必要な措置を講ずべきことを勧告することができる。

②　総務大臣は、前項の規定による勧告を受けた大規模特定電気通信役務提供者が、正当な理由がなく当該勧告に係る措置を講じなかったときは、当該大規模特定電気通信役務提供者に対し、当該勧告に係る措置を講ずべきことを命ずることができる。

＊令和五法五三（令和一〇・六・一三までに施行）による改正
第三〇条第一項中「第二十二条、第二十四条、第二十五条、第二十六条第一項若しくは第三項、第二十七条又は第二十八条」を「第二十三条、第二十五条、第二十六条、第二十七条第一項若しくは第三項、第二十八条又は第二十九条」に改め、同条を第三一条とする。（本文未織込み）

第三一条から第三四条まで（略）

*令和五法五三（令和一〇・六・一三までに施行）による改正後
第三二条から第三五条まで（略）（本文未織込み）

第六章 罰則

第三五条 第三十条第二項の規定による命令に違反した場合には、当該違反行為をした者は、一年以下の拘禁刑又は百万円以下の罰金に処する。

*令和五法五三（令和一〇・六・一三までに施行）による改正
第三五条中「第三十条第二項」を「第三十一条第二項」に改め、同条を第三六条とする。（本文未織込み）

第三六条 次の各号のいずれかに該当する場合には、当該違反行為をした者は、五十万円以下の罰金に処する。
一 第二十一条の規定による届出をせず、又は虚偽の届出をしたとき。
二 第二十九条の規定による報告をせず、又は虚偽の報告をしたとき。

*令和五法五三（令和一〇・六・一三までに施行）による改正
第三六条第一号中「第二十一条」を「第二十二条」に改め、同条第二号中「第二十九条」を「第三十条」に改め、同条を第三七条とする。（本文未織込み）

第三七条 法人の代表者又は法人若しくは人の代理人、使用人その他の従業者が、その法人又は人の業務に関し、次の各号に掲げる規定の違反行為をしたときは、行為者を罰するほか、その法人に対して当該各号に定める罰金刑を、その人に対して各本条の罰金刑を科する。
一 第三十五条又は前条第一号 一億円以下の罰金刑
二 前条第二号 同条の罰金刑

*令和五法五三（令和一〇・六・一三までに施行）による改正
第三七条第一号中「第三十五条」を「第三十六条」に改め、同条を第三八条とする。（本文未織込み）

第三八条 次の各号のいずれかに該当する者は、三十万円以下の過料に処する。
一 正当な理由がなく、第二十条第三項の規定による報告をせず、又は虚偽の報告をした者
二 第二十四条第三項の規定による届出をせず、又は虚偽の届出をした者

*令和五法五三（令和一〇・六・一三までに施行）による改正
第三八条第一号中「第二十条第三項」を「第二十一条第三項」に改め、第二号中「第二十四条第三項」を「第二十五条第三項」に改め、同条を第三九条とする。（本文未織込み）

附 則

この法律は、公布の日から起算して六月を超えない範囲内において政令で定める日（平成一四・五・二七―平成一四政一七八）から施行する。

附 則（令和六・五・一七法二五）（抄）

（施行期日）
第一条 この法律は、公布の日から起算して一年を超えない範囲内において政令で定める日から施行する。

（検討）
第二条 政府は、この法律の施行後五年を経過した場合において、この法律による改正後の規定の施行の状況について検討を加え、必要があると認めるときは、その結果に基づいて所要の措置を講ずるものとする。

（調整規定）
第四条 この法律の施行の日が刑法等の一部を改正する法律（令和四年法律第六十七号）の施行の日（令和七・六・一）（以下この条において「刑法施行日」という。）前である場合には、この法律の施行の日から刑法施行日の前日までの間における新法第三十五条の規定の適用については、同条中「拘禁刑」とあるのは、「懲役」とする。刑法施行日以後における刑法施行日前にした行為に対する同条の規定の適用についても、同様とする。

*令和五法五三（令和一〇・六・一三までに施行）による改正
附則第四条中「新法第三十五条」を「特定電気通信による情報の流通によって発生する権利侵害等への対処に関する法律第三十六条」に改める。（本文未織込み）

●戸籍法（抄）（昭和二二・一二・二二 法　二二四）

施行　昭和二三・一・一（附則）
改正　昭和二三法二六〇、昭和二四法一三七、昭和二五法一四八、昭和二七法一〇六・法二六八、昭和三一法一四八、昭和三七法四〇・法一六一、昭和四五法一二、昭和五一法**六六**、昭和五五法五一、昭和五九法**四五**、昭和六二法一〇一、平成五法八九、平成六法六七、平成一一法四三・法八七・法一五一・法一五二・法一六〇、平成一三法一五三、平成一四法一〇〇・法一五二・法一七四、平成一五法六一・法一一一、平成一六法一四七・法一五二、平成一七法五〇・法一〇二、平成一九法**三五**、平成二三法五三・法六一、平成二六法四二・法六九、平成二八法五一、令和一法一六・**法一七**、令和二法三三、令和三法三七・法四二、令和四法六八、令和五法四八・法五三・法五八、令和六法三三

目次

第一章　総則

第一条【戸籍事務の管掌】①　戸籍に関する事務は、この法律に別段の定めがあるものを除き、市町村長がこれを管掌する。

②　前項の規定により市町村長が処理することとされている事務は、地方自治法（昭和二十二年法律第六十七号）第二条第九項第一号に規定する第一号法定受託事務とする。

第二条【戸籍管掌者の除斥】　市町村長は、自己又はその配偶者、直系尊属若しくは直系卑属に関する戸籍事件については、その職務を行うことができない。

第三条【戸籍事務処理の基準、関与】①　法務大臣は、市町村長が戸籍事務を処理するに当たりよるべき基準を定めることができる。

②　市役所又は町村役場の所在地を管轄する法務局又は地方法務局の長（以下「管轄法務局長等」という。）は、戸籍事務の処理に関し必要があると認めるときは、市町村長に対し、報告を求め、又は助言若しくは勧告をすることができる。この場合において、戸籍事務の処理の適正を確保するため特に必要があると認めるときは、指示をすることができる。

③　管轄法務局長等は、市町村長から戸籍事務の取扱いに関する照会を受けたときその他前項の規定による助言若しくは勧告又は指示をするために必要があると認めるときは、届出人、届出事件の本人その他の関係者に対し、質問をし、又は必要な書類の提出を求めることができる。

④　戸籍事務については、地方自治法第二百四十五条の四、第二百四十五条の七第二項第一号、第三項及び第四項、第二百四十五条の八第十二項及び第十三項並びに第二百四十五条の九第二項第一号、第三項及び第四項の規定は、適用しない。

第四条【特別区・指定都市の特例】　この法律中市、市長及び市役所に関する規定は、特別区においては特別区、特別区の区長及び特別区の区役所に、地方自治法第二百五十二条の十九第一項の指定都市においては区及び総合区、区長及び総合区長並びに区及び総合区の区役所にこれを準用する。

第五条　削除

第二章　戸籍簿

第六条【戸籍の編製】　戸籍は、市町村の区域内に本籍を定める一の夫婦及びこれと氏を同じくする子ごとに、これを編製する。ただし、日本人でない者（以下「外国人」という。）と婚姻をした者又は配偶者がない者について新たに戸籍を編製するときは、その者及びこれと氏を同じくする子ごとに、これを編製する。

第七条【戸籍簿】　戸籍は、これをつづつて帳簿とする。

第八条【戸籍の正本と副本】①　戸籍は、正本と副本を設ける。

②　正本は、これを市役所又は町村役場に備え、副本は、管轄法務局若しくは地方法務局又はその支局がこれを保存する。

第九条【戸籍の表示】　戸籍は、その筆頭に記載した者の氏名及び本籍でこれを表示する。その者が戸籍から除かれた後も、同様である。

第一〇条【戸籍謄本等の交付請求】①　戸籍に記載されている者（その戸籍から除かれた者（その者に係る全部の記載が市町村長の過誤によつてされたものであつて、当該記載が第二十四条第二項の規定によつて訂正された場合におけるその者を除く。）を含む。）又はその配偶者、直系尊属若しくは直系卑属は、その戸籍の謄本若しくは抄本又は戸籍に記載した事項に関する証明書（以下「戸籍謄本等」という。）の交付の請求をすることができる。

②　市町村長は、前項の請求が不当な目的によることが明らかなときは、これを拒むことができる。

③　第一項の請求をしようとする者は、郵便その他の法務省令で定める方法により、戸籍謄本等の送付を求めることができる。

第一〇条の二【第三者による戸籍謄本等の交付請求】①　前条第一項に規定する者以外の者は、次の各号に掲げる場合に限り、戸籍謄本等の交付の請求をすることができる。この場合において、当該請求をする者は、それぞれ当該各号に定める事項を明らかにしてこれをしなければならない。

一　自己の権利を行使し、又は自己の義務を履行するために戸籍の記載事項を確認する必要がある場合　権利又は義務の発生原因及び内容並びに当該権利を行使し、又は当該義務を履行するために戸籍の記載事項の確認を必要とする理由

二　国又は地方公共団体の機関に提出する必要がある場合　戸籍謄本等を提出すべき国又は地方公共団体の機関及び当該機関への提出を必要とする理由

三　前二号に掲げる場合のほか、戸籍の記載事項を利用する正当な理由がある場合　戸籍の記載事項の利用の目的及び方法

並びにその利用を必要とする事由

② 前項の規定にかかわらず、国又は地方公共団体の機関は、法令の定める事務を遂行するために必要がある場合には、戸籍謄本等の交付の請求をすることができる。この場合において、当該請求の任に当たる権限を有する職員は、その官職、当該事務の種類及び根拠となる法令の条項並びに戸籍の記載事項の利用の目的を明らかにしてこれをしなければならない。

③ 第一項の規定にかかわらず、弁護士（弁護士法人及び弁護士・外国法事務弁護士共同法人を含む。次項において同じ。）、司法書士（司法書士法人を含む。次項において同じ。）、土地家屋調査士（土地家屋調査士法人を含む。次項において同じ。）、税理士（税理士法人を含む。次項において同じ。）、社会保険労務士（社会保険労務士法人を含む。次項において同じ。）、弁理士（弁理士法人を含む。次項において同じ。）、海事代理士又は行政書士（行政書士法人を含む。）は、受任している事件又は事務に関する業務を遂行するために必要がある場合には、戸籍謄本等の交付の請求をすることができる。この場合において、当該請求をする者は、その有する資格、当該業務の種類、当該事件又は事務の依頼者の氏名又は名称及び当該依頼者についての第一項各号に定める事項を明らかにしてこれをしなければならない。

④ 第一項及び前項の規定にかかわらず、弁護士、司法書士、土地家屋調査士、税理士、社会保険労務士又は弁理士は、受任している事件について次に掲げる業務を遂行するために必要がある場合には、戸籍謄本等の交付の請求をすることができる。この場合において、当該請求をする者は、その有する資格、当該事件の種類、その業務として代理し又は代理しようとする手続及び戸籍の記載事項の利用の目的を明らかにしてこれをしなければならない。

一 弁護士にあつては、裁判手続又は裁判外における民事上若しくは行政上の紛争処理の手続についての代理業務（弁護士法人については弁護士法（昭和二十四年法律第二百五号）第三十条の六第一項各号に規定する代理業務を除き、弁護士・外国法事務弁護士共同法人については外国弁護士による法律事務の取扱い等に関する法律（昭和六十一年法律第六十六号）第八十条第一項において準用する弁護士法第三十条の六第一項各号に規定する代理業務を除く。）

二 司法書士にあつては、司法書士法（昭和二十五年法律第百九十七号）第三条第一項第三号及び第六号から第八号までに規定する代理業務（同項第七号及び第八号に規定する相談業務並びに司法書士法人については同項第六号に規定する代理業務を除く。）

三 土地家屋調査士にあつては、土地家屋調査士法（昭和二十五年法律第二百二十八号）第三条第一項第二号に規定する審査請求の手続についての代理業務並びに同項第四号及び第七号に規定する代理業務

四 税理士にあつては、税理士法（昭和二十六年法律第二百三十七号）第二条第一項第一号に規定する不服申立て及びこれに関する主張又は陳述についての代理業務

五 社会保険労務士にあつては、社会保険労務士法（昭和四十三年法律第八十九号）第二条第一項第一号の三に規定する審査請求及び再審査請求並びにこれらに係る行政機関等の調査又は処分に関し当該行政機関等に対してする主張又は陳述についての代理業務並びに同項第一号の四から第一号の六までに規定する代理業務（同条第三項第一号に規定する相談業務を除く。）

六 弁理士にあつては、弁理士法（平成十二年法律第四十九号）第四条第一項に規定する特許庁における手続（不服申立てに限る。）、審査請求及び裁定に関する経済産業大臣に対する手続（裁定の取消しに限る。）についての代理業務、同条第二項第一号に規定する税関長又は財務大臣に対する手続（不服申立てに限る。）についての代理業務、同項第二号に規定する代理業務、同法第六条に規定する訴訟の手続についての代理業務並びに同法第六条の二第一項に規定する特定侵害訴訟の手続についての代理業務（弁理士法人については同法第六条に規定する訴訟の手続についての代理業務及び同項に規定する特定侵害訴訟の手続についての代理業務を除く。）

⑤ 第一項及び第三項の規定にかかわらず、弁護士は、刑事に関する事件における弁護人としての業務、少年の保護事件若しくは心神喪失等の状態で重大な他害行為を行つた者の医療及び観察等に関する法律（平成十五年法律第百十号）第三条に規定する処遇事件における付添人としての業務、逃亡犯罪人引渡審査請求事件における補佐人としての業務、人身保護法（昭和二十三年法律第百九十九号）第十四条第二項の規定により裁判所が選任した代理人としての業務、人事訴訟法（平成十五年法律第百九号）第十三条第二項及び第三項の規定により裁判長が選任した訴訟代理人としての業務又は民事訴訟法（平成八年法律第百九号）第三十五条第一項に規定する特別代理人としての業務を遂行するために必要がある場合には、戸籍謄本等の交付の請求をすることができる。この場合において、当該請求をする者は、弁護士の資格、これらの業務の別及び戸籍の記載事項の利用の目的を明らかにしてこれをしなければならない。

⑥ 前条第三項の規定は、前各項の請求をしようとする者について準用する。

第一〇条の三【交付請求の際の本人確認等】 ① 第十条第一項又は前条第一項から第五項までの請求をする場合において、現に請求の任に当たつている者は、市町村長に対し、運転免許証を提示する方法その他の法務省令で定める方法により、当該請求の任に当たつている者を特定するために必要な氏名その他の法務省令で定める事項を明らかにしなければならない。

② 前項の場合において、現に請求の任に当たつている者が、当該請求をする者（前条第二項の請求にあつては、当該請求の任に当たる権限を有する職員。以下この項及び次条において「請求者」という。）の代理人であるときその他請求者と異なる者であるときは、当該請求の任に当たつている者は、市町村長に対し、法務省令で定める方法により、請求者の依頼又は法令の規定により当該請求の任に当たるものであることを明らかにする書面を提供しなければならない。

第一〇条の四【請求者に対する必要な説明の要求】 市町村長は、第十条の二第一項から第五項までの請求がされた場合において、これらの規定により請求者が明らかにしなければならない事項が明らかにされていないと認めるときは、当該請求者に対し、必要な説明を求めることができる。

第一一条【戸籍簿の再製又は補完】 戸籍簿の全部又は一部が、滅失したとき、又は滅失のおそれがあるときは、法務大臣は、その再製又は補完について必要な処分を指示する。この場合において、滅失したものであるときは、その旨を告示しなければならない。

第一一条の二【戸籍の再製の申出】 ① 虚偽の届出等（届出、報告、申請、請求若しくは嘱託、証書若しくは航海日誌の謄本又は裁判をいう。以下この項において同じ。）若しくは錯誤による届出等又は市町村長の過誤によつて記載がされ、かつ、その記載につき第二十四条第二項、第百十三条、第百十四条又は第百十六条の規定によつて訂正がされた戸籍について、当該戸籍に記載されている者（その戸籍から除かれた者を含む。次項において同じ。）から、当該訂正に係る事項の記載のない戸籍の再製の申出があつたときは、法務大臣は、その再製について必要な処分を指示する。ただし、再製によつて記載に錯誤又は遺漏がある戸籍となるときは、この限りでない。

② 市町村長が記載をするに当たつて文字の訂正、追加又は削除をした戸籍について、当該戸籍に記載されている者から、当該訂正、追加又は削除に係る事項の記載のない戸籍の再製の申出があつたときも、前項本文と同様とする。

第一二条【除籍簿】 ① 一戸籍内の全員をその戸籍から除いたときは、その戸籍は、これを戸籍簿から除いて別につづり、除籍簿として、これを保存する。

② 第九条、第十一条及び前条の規定は、除籍簿及び除かれた戸籍について準用する。

第一二条の二【除籍謄本等の交付請求】 第十条から第十条の四までの規定は、除かれた戸籍の謄本若しくは抄本又は除かれた戸籍に記載した事項に関する証明書（以下「除籍謄本等」という。）の交付の請求をする場合に準用する。

第三章　戸籍の記載

第一三条【戸籍の記載事項】 ① 戸籍には、本籍のほか、戸籍内の各人について、次に掲げる事項を記載しなければならない。

一　氏名
二　氏名の振り仮名（氏に用いられる文字の読み方を示す文字（以下「氏の振り仮名」という。）及び名に用いられる文字の読み方を示す文字（以下「名の振り仮名」という。）をいう。以下同じ。）
三　出生の年月日
四　戸籍に入つた原因及び年月日
五　実父母の氏名及び実父母との続柄
六　養子であるときは、養親の氏名及び養親との続柄
七　夫婦については、夫又は妻である旨
八　他の戸籍から入つた者については、その戸籍の表示
九　その他法務省令で定める事項

② 前項第二号の読み方は、氏名として用いられる文字の読み方として一般に認められているものでなければならない。

③ 氏名の振り仮名に用いることができる仮名及び記号の範囲は、法務省令で定める。

第一四条【氏名の記載順序】 ① 氏名を記載するには、左の順序による。

第一　夫婦が、夫の氏を称するときは夫、妻の氏を称するときは妻
第二　配偶者
第三　子

② 子の間では、出生の前後による。

③ 戸籍を編製した後にその戸籍に入るべき原因が生じた者については、戸籍の末尾にこれを記載する。

第一五条【戸籍の記載手続】 戸籍の記載は、届出、報告、申請、請求若しくは嘱託、証書若しくは航海日誌の謄本又は裁判によつてこれをする。

第一六条【婚姻による新戸籍の編製】 ① 婚姻の届出があつたときは、夫婦について新戸籍を編製する。但し、夫婦が、夫の氏を称する場合に夫、妻の氏を称する場合に妻が戸籍の筆頭に記載した者であるときは、この限りでない。

② 前項但書の場合には、夫の氏を称する妻は、夫の戸籍に入り、妻の氏を称する夫は、妻の戸籍に入る。

③ 日本人と外国人との婚姻の届出があつたときは、その日本人について新戸籍を編製する。ただし、その者が戸籍の筆頭に記載した者であるときは、この限りでない。

第一七条【子ができたことによる新戸籍の編製】 戸籍の筆頭に記載した者及びその配偶者以外の者がこれと同一の氏を称する子又は養子を有するに至つたときは、その者について新戸籍を編製する。

第一八条【子の入籍】 ① 父母の氏を称する子は、父母の戸籍に入る。

② 前項の場合を除く外、父の氏を称する子は、父の戸籍に入り、母の氏を称する子は、母の戸籍に入る。

③ 養子は、養親の戸籍に入る。

第一九条【離婚・離縁等による入籍又は新戸籍の編製】 ① 婚姻又は養子縁組によつて氏を改めた者が、離婚、離縁又は婚姻若しくは縁組の取消によつて、婚姻又は縁組前の氏に復するときは、婚姻又は縁組前の戸籍に入る。但し、その戸籍が既に除かれているとき、又はその者が新戸籍編製の申出をしたときは、新戸籍を編製する。

② 前項の規定は、民法第七百五十一条第一項の規定によつて婚姻前の氏に復する場合及び同法第七百九十一条第四項の規定によつて従前の氏に復する場合にこれを準用する。

③ 民法第七百六十七条第二項（同法第七百四十九条及び第七百七十一条において準用する場合を含む。）又は同法第八百十六条第二項（同法第八百八条第二項において準用する場合を含む。）の規定によつて離婚若しくは婚姻の取消し又は離縁若しくは縁組の取消しの際に称していた氏を称する旨の届出があつた場合において、その届出をした者を筆頭に記載した戸籍が編製されていないとき、又はその者を筆頭に記載した戸籍に在る者が他にあるときは、その届出をした者について新戸籍を編製する。

第二〇条【入籍者に配偶者があるときの新戸籍の編製】 前二条の規定によつて他の戸籍に入るべき者に配偶者があるときは、前二条の規定にかかわらず、その夫婦について新戸籍を編製する。

第二〇条の二【氏の変更による新戸籍の編製】 ① 第百七条第二項又は第三項の規定によつて氏を変更する旨の届出があつた場合において、その届出をした者の戸籍に在る者が他にあるときは、その届出をした者について新戸籍を編製する。

② 第百七条第四項において準用する同条第一項の規定によつて氏を変更する旨の届出があつたときは、届出事件の本人について新戸籍を編製する。

第二〇条の三【特別養子縁組届による新戸籍の編製】 ① 第六十八条の二の規定によつて縁組の届出があつたときは、まず養子について新戸籍を編製する。ただし、養子が養親の戸籍に在るときは、この限りではない。

② 第十四条第三項の規定は、前項ただし書の場合に準用する。

第二〇条の四【性別の取扱い変更審判の場合の新戸籍の編製】 性同一性障害者の性別の取扱いの特例に関する法律（平成十五年法律第百十一号）第三条第一項の規定による性別の取扱いの変更の審判があつた場合において、当該性別の取扱いの変更の審判を受けた者の戸籍に記載されている者（その戸籍から除かれた者を含む。）が他にあるときは、当該性別の取扱いの変更の審判を受けた者について新戸籍を編製する。

第二一条【分籍】 ① 成年に達した者は、分籍をすることができる。但し、戸籍の筆頭に記載した者及びその配偶者は、この限りでない。

② 分籍の届出があつたときは、新戸籍を編製する。

第二二条【無籍者についての新戸籍の編製】 父又は母の戸籍に入る者を除く外、戸籍に記載がない者についてあらたに戸籍の記載をすべきときは、新戸籍を編製する。

第二三条【除籍】 第十六条乃至第二十一条の規定によつて、新戸籍を編製され、又は他の戸籍に入る者は、従前の戸籍から除籍される。死亡し、失踪の宣告を受け、又は国籍を失つた者も、同様である。

第二四条【職権による戸籍の訂正】 ① 戸籍の記載が法律上許されないものであること又はその記載に錯誤若しくは遺漏があることを発見した場合には、市町村長は、遅滞なく届出人又は届出事件の本人にその旨を通知しなければならない。ただし、戸籍の記載、届書の記載その他の書類から市町村長において訂正の内容及び事由が明らかであると認めるときは、この限りでない。

② 前項ただし書の場合においては、市町村長は、管轄法務局長等の許可を得て、戸籍の訂正をすることができる。

③ 前項の規定にかかわらず、戸籍の訂正の内容が軽微なものであつて、かつ、戸籍に記載されている者の身分関係についての記載に影響を及ぼさないものについては、同項の許可を要しない。

④ 裁判所その他の官庁、検察官又は吏員がその職務上戸籍の記載が法律上許されないものであること又はその記載に錯誤若しくは遺漏があることを知つたときは、遅滞なく届出事件の本人の本籍地の市町村長にその旨を通知しなければならない。

第四章　届出

第一節　通則

第二五条【届出地】① 届出は、届出事件の本人の本籍地又は届出人の所在地でこれをしなければならない。

② 外国人に関する届出は、届出人の所在地でこれをしなければならない。

第二六条【本籍分明届】本籍が明かでない者又は本籍がない者について、届出があつた後に、その者の本籍が明かになつたとき、又はその者が本籍を有するに至つたときは、届出人又は届出事件の本人は、その事実を知つた日から十日以内に、届出事件を表示して、届出を受理した市町村長にその旨を届け出なければならない。

第二七条【届出の方法】届出は、書面又は口頭でこれをすることができる。

第二七条の二【縁組等の届出の際の本人確認、届出受理の通知等】① 市町村長は、届出によつて効力を生ずべき認知、縁組、離縁、婚姻又は離婚の届出（以下この条において「縁組等の届出」という。）が市役所又は町村役場に出頭した者によつてされる場合には、当該出頭した者に対し、法務省令で定めるところにより、当該出頭した者が届出事件の本人（認知にあつては認知する者、民法第七百九十七条第一項に規定する縁組にあつては養親となる者及び養子となる者の法定代理人、同法第八百十一条第二項に規定する離縁にあつては養親及び養子の法定代理人となるべき者とする。次項及び第三項において同じ。）であるかどうかの確認をするため、当該出頭した者を特定するために必要な氏名その他の法務省令で定める事項を示す運転免許証その他の資料の提供又はこれらの事項についての説明を求めるものとする。

② 市町村長は、縁組等の届出があつた場合において、届出事件の本人のうちに、前項の規定による措置によつては市役所又は町村役場に出頭して届け出たことを確認することができない者があるときは、当該縁組等の届出を受理した後遅滞なく、その者に対し、法務省令で定める方法により、当該縁組等の届出を受理したことを通知しなければならない。

③ 何人も、その本籍地の市町村長に対し、あらかじめ、法務省令で定める方法により、自らを届出事件の本人とする縁組等の届出がされた場合であつても、自らが市役所又は町村役場に出頭して届け出たことを第一項の規定による措置により確認することができないときは当該縁組等の届出を受理しないよう申し出ることができる。

④ 市町村長は、前項の規定による申出に係る縁組等の届出があつた場合において、当該申出をした者が市役所又は町村役場に出頭して届け出たことを第一項の規定による措置により確認することができなかつたときは、当該縁組等の届出を受理することができない。

⑤ 市町村長は、前項の規定により縁組等の届出を受理することができなかつた場合は、遅滞なく、第三項の規定による申出をした者に対し、法務省令で定める方法により、当該縁組等の届出があつたことを通知しなければならない。

第二七条の三【市町村長の調査権】市町村長は、次の各号のいずれかに該当すると認めるときは、届出人、届出事件の本人その他の関係者に対し、質問をし、又は必要な書類の提出を求めることができる。

一 届出の受理に際し、この法律の規定により届出人が明らかにすべき事項が明らかにされていないとき。

二 その他戸籍の記載のために必要があるとき。

第二八条【届書の様式】① 法務大臣は、事件の種類によつて、届書の様式を定めることができる。

② 前項の場合には、その事件の届出は、当該様式によつてこれをしなければならない。但し、やむを得ない事由があるときは、この限りでない。

第二九条【届書の記載事項】届書には、次に掲げる事項を記載し、届出人が、これに署名しなければならない。

一 届出事件

二 届出の年月日

三 届出人の出生の年月日、住所及び戸籍の表示

四 届出事件の本人の氏名及び氏名の振り仮名

五 届出人と届出事件の本人とが異なるときは、届出事件の本人の出生の年月日、住所及び戸籍の表示並びに届出人の資格

第三〇条【届書における戸籍の表示】① 届出事件によつて、届出人又は届出事件の本人が他の戸籍に入るべきときは、その戸籍の表示を、その者が従前の戸籍から除かれるべきときは、従前の戸籍の表示を、その者について新戸籍を編製すべきときは、その旨、新戸籍編製の原因及び新本籍を、届書に記載しなければならない。

② 届出事件によつて、届出人若しくは届出事件の本人でない者が他の戸籍に入り、又はその者について新戸籍を編製すべきときは、届書にその者の氏名、出生の年月日及び住所を記載する外、その者が他の戸籍に入るか又はその者について新戸籍を編製するかの区別に従つて、前項に掲げる事項を記載しなければならない。

③ 届出人でない者について新戸籍を編製すべきときは、その者の従前の本籍と同一の場所を新本籍と定めたものとみなす。

第三一条【未成年者・成年被後見人の親権者等の届出】① 届出をすべき者が未成年者又は成年被後見人であるときは、親権を行う者又は後見人を届出義務者とする。ただし、未成年者又は成年被後見人が届出をすることを妨げない。

② 親権を行う者又は後見人が届出をする場合には、届書に次に掲げる事項を記載しなければならない。

一 届出をすべき者の氏名、出生の年月日及び本籍

二 行為能力の制限の原因

三 届出人が親権を行う者又は後見人である旨

第三二条【未成年者・成年被後見人本人の届出】未成年者又は成年被後見人がその法定代理人の同意を得ないですることができる行為については、未成年者又は成年被後見人が、これを届け出なければならない。

第三三条【証人を必要とする事件の届出】証人を必要とする事件の届出については、証人は、届書に出生の年月日、住所及び本籍を記載して署名しなければならない。

第三四条【不存在又は不知の事項についての記載】① 届書に記載すべき事項であつて、存しないもの又は知れないものがあるときは、その旨を記載しなければならない。

② 市町村長は、特に重要であると認める事項を記載しない届書を受理することができない。

第三五条【法令所定以外の事項の記載】届書には、この法律その他の法令に定める事項の外、戸籍に記載すべき事項を明かにするために必要であるものは、これを記載しなければならない。

第三六条【届書の数】① 二箇所以上の市役所又は町村役場で戸籍の記載をすべき場合には、市役所又は町村役場の数と同数の届書を提出しなければならない。

② 本籍地外で届出をするときは、前項の規定によるものの外、なお、一通の届書を提出しなければならない。

③ 前二項の場合に、相当と認めるときは、市町村長は、届書の謄本を作り、これを届書に代えることができる。

第三七条【口頭届出】① 口頭で届出をするには、届出人は、市役所又は町村役場に出頭し、届書に記載すべき事項を陳述しなければならない。

② 市町村長は、届出人の陳述を筆記し、届出の年月日を記載して、これを届出人に読み聞かせ、かつ、届出人に、その書面に署名させなければならない。

③ 届出人が疾病その他の事故によつて出頭することができないときは、代理人によつて届出をすることができる。ただし、第六十条、第六十一条、第六十六条、第六十八条、第七十条から第七十二条まで、第七十四条及び第七十六条の届出については、この限りでない。

第三八条【同意書等の添付】① 届出事件について父母その他の者の同意又は承諾を必要とするときは、届書にその同意又は承諾を証する書面を添付しなければならない。ただし、同意又は承諾をした者に、届書にその旨を付記させて、署名させるだけで足りる。

② 届出事件について裁判又は官庁の許可を必要とするときは、届書に裁判又は許可書の謄本を添付しなければならない。

＊令和五法五三（令和一〇・六・一三までに施行）による改正
第二項中「に裁判」の下に「の謄本若しくは裁判の内容を記載した書面であつて裁判所書記官が当該書面の内容が当該裁判の内容と同一であることを証明したもの」を加える。（本文未織込み）

第三九条【届書の規定の準用】 届書に関する規定は、第三十七条第二項及び前条第一項の書面にこれを準用する。

第四〇条【在外日本人の届出】 外国に在る日本人は、この法律の規定に従つて、その国に駐在する日本の大使、公使又は領事に届出をすることができる。

第四一条【同前】① 外国に在る日本人が、その国の方式に従つて、届出事件に関する証書を作らせたときは、三箇月以内にその国に駐在する日本の大使、公使又は領事にその証書の謄本を提出しなければならない。

② 大使、公使又は領事がその国に駐在しないときは、三箇月以内に本籍地の市町村長に証書の謄本を発送しなければならない。

第四二条【同前】 大使、公使又は領事は、前二条の規定によつて書類を受理したときは、遅滞なく、外務大臣を経由してこれを本人の本籍地の市町村長に送付しなければならない。

第四三条【届出期間の起算日】① 届出期間は、届出事件発生の日からこれを起算する。

② 裁判が確定した日から期間を起算すべき場合に、裁判が送達又は交付前に確定したときは、その送達又は交付の日からこれを起算する。

第四四条【届出の催告】① 市町村長は、届出を怠つた者があることを知つたときは、相当の期間を定めて、届出義務者に対し、その期間内に届出をすべき旨を催告しなければならない。

② 届出義務者が前項の期間内に届出をしなかつたときは、市町村長は、更に相当の期間を定めて、催告をすることができる。

③ 前二項の催告をすることができないとき、又は催告をしても届出がないときは、市町村長は、管轄法務局長等の許可を得て、戸籍の記載をすることができる。

④ 第二十四条第四項の規定は、裁判所その他の官庁、検察官又は吏員がその職務上届出を怠つた者があることを知つた場合にこれを準用する。

第四五条【届出の追完】 市町村長は、届出を受理した場合に、届書に不備があるため戸籍の記載をすることができないときは、届出人に、その追完をさせなければならない。この場合には、前条の規定を準用する。

第四六条【期間経過後の届出】 市町村長は、届出期間が経過した後の届出であつても、これを受理しなければならない。

第四七条【死亡後に到達した届出】① 市町村長は、届出人がその生存中に郵便又は民間事業者による信書の送達に関する法律（平成十四年法律第九十九号）第二条第六項に規定する一般信書便事業者若しくは同条第九項に規定する特定信書便事業者による同条第二項に規定する信書便によつて発送した届書については、当該届出人の死亡後であつても、これを受理しなければならない。

② 前項の規定によつて届書が受理されたときは、届出人の死亡の時に届出があつたものとみなす。

第四八条【受理又は不受理の証明書、届書等の閲覧等】① 届出人は、届出の受理又は不受理の証明書を請求することができる。

② 利害関係人は、特別の事由がある場合に限り、届書その他市町村長の受理した書類の閲覧を請求し、又はその書類に記載した事項について証明書を請求することができる。

③ 第十条第三項及び第十条の三の規定は、前二項の場合に準用する。

第二節　出生

第四九条【出生届】① 出生の届出は、十四日以内（国外で出生があつたときは、三箇月以内）にこれをしなければならない。

② 届書には、次の事項を記載しなければならない。
一 子の男女の別及び嫡出子又は嫡出でない子の別
二 出生の年月日時分及び場所
三 父母の氏名及び本籍、父又は母が外国人であるときは、その氏名及び国籍
四 その他法務省令で定める事項

③ 医師、助産師又はその他の者が出産に立ち会つた場合には、医師、助産師、その他の者の順序に従つてそのうちの一人が法務省令・厚生労働省令の定めるところによつて作成する出生証明書を届書に添付しなければならない。ただし、やむを得ない事由があるときは、この限りでない。

第五〇条【子の名】① 子の名には、常用平易な文字を用いなければならない。

② 常用平易な文字の範囲は、法務省令でこれを定める。

第五一条【届出地】① 出生の届出は、出生地でこれをすることができる。

② 汽車その他の交通機関（船舶を除く。以下同じ。）の中で出生があつたときは母がその交通機関から降りた地で、航海日誌を備えない船舶の中で出生があつたときはその船舶が最初に入港した地で、出生の届出をすることができる。

第五二条【届出義務者】① 嫡出子出生の届出は、父又は母がこれをし、子の出生前に父母が離婚をした場合には、母がこれをしなければならない。

② 嫡出でない子の出生の届出は、母がこれをしなければならない。

③ 前二項の規定によつて届出をすべき者が届出をすることができない場合には、左の者は、その順序に従つて、届出をしなければならない。
第一 同居者
第二 出産に立ち会つた医師、助産師又はその他の者

④ 第一項又は第二項の規定によつて届出をすべき者が届出をすることができない場合には、その者以外の法定代理人も、届出をすることができる。

第五三条【嫡出子否認の訴えと出生届】 嫡出子否認の訴を提起したときであつても、出生の届出をしなければならない。

第五四条【裁判所が父を定むべきときと出生届】① 民法第七百七十三条の規定によつて裁判所が父を定むべきときは、出生の届出は、母がこれをしなければならない。この場合には、届書に、父が未定である事由を記載しなければならない。

② 第五十二条第三項及び第四項の規定は、前項の場合にこれを準用する。

第五五条【航海中の出生】① 航海中に出生があつたときは、船長は、二十四時間以内に、第四十九条第二項に掲げる事項を航海日誌に記載して、署名しなければならない。

② 前項の手続をした後に、船舶が日本の港に到着したときは、船長は、遅滞なく出生に関する航海日誌の謄本をその地の市町村長に送付しなければならない。

③ 船舶が外国の港に到着したときは、船長は、遅滞なく出生に関する航海日誌の謄本をその国に駐在する日本の大使、公使又は領事に送付し、大使、公使又は領事は、遅滞なく外務大臣を経由してこれを本籍地の市町村長に送付しなければならない。

第五六条【公設所における出生】 病院、刑事施設その他の公設所で出生があつた場合に、父母が共に届出をすることができないときは、公設所の長又は管理人が、届出をしなければならない。

第五七条【棄児】① 棄児を発見した者又は棄児発見の申告を受けた警察官は、二十四時間以内にその旨を市町村長に申し出なければならない。

② 前項の申出があつたときは、市町村長は、氏名及び氏名の振り仮名を付け、本籍を定め、かつ、附属品、発見の場所、年月日時その他の状況並びに氏名、氏名の振り仮名、男女の別、出生の推定年月日及び本籍を調書に記載しなければならない。その調書は、これを届書とみなす。

第五八条【同前】前条第一項に規定する手続をする前に、棄児が死亡したときは、死亡の届出とともにその手続をしなければならない。

第五九条【同前】父又は母は、棄児を引き取つたときは、その日から一箇月以内に、出生の届出をし、且つ、戸籍の訂正を申請しなければならない。

第三節　認知

第六〇条【認知届】認知をしようとする者は、左の事項を届書に記載して、その旨を届け出なければならない。

一　父が認知をする場合には、母の氏名及び本籍

二　死亡した子を認知する場合には、死亡の年月日並びにその直系卑属の氏名、出生の年月日及び本籍

第六一条【胎児の認知】胎内に在る子を認知する場合には、届書にその旨、母の氏名及び本籍を記載し、母の本籍地でこれを届け出なければならない。

第六二条【嫡出子出生届と認知の効力】民法第七百八十九条第二項の規定によつて嫡出子となるべき者について、父母が嫡出子出生の届出をしたときは、その届出は、認知の届出の効力を有する。

第六三条【強制認知】① 認知の裁判が確定したときは、訴を提起した者は、裁判が確定した日から十日以内に、裁判の謄本を添附して、その旨を届け出なければならない。その届書には、裁判が確定した日を記載しなければならない。

② 訴えを提起した者が前項の規定による届出をしないときは、その相手方は、裁判の謄本を添付して、認知の裁判が確定した旨を届け出ることができる。この場合には、同項後段の規定を準用する。

＊令和五法五三（令和一〇・六・一三までに施行）による改正後

第六三条【強制認知】① 認知の裁判が確定したときは、訴えを提起した者は、裁判が確定した日から十日以内に、裁判の謄本又は裁判の内容を記載した書面であつて裁判所書記官が当該書面の内容が当該裁判の内容と同一であることを証明したものを添付して、その旨を届け出なければならない。その届書には、裁判が確定した日を記載しなければならない。

② 訴えを提起した者が前項の規定による届出をしないときは、その相手方は、裁判の謄本又は裁判の内容を記載した書面であつて裁判所書記官が当該書面の内容が当該裁判の内容と同一であることを証明したものを添付して、認知の裁判が確定した旨を届け出ることができる。この場合には、同項後段の規定を準用する。

第六四条【遺言による認知】遺言による認知の場合には、遺言執行者は、その就職の日から十日以内に、認知に関する遺言の謄本を添附して、第六十条又は第六十一条の規定に従つて、その届出をしなければならない。

第六五条【認知された胎児の死産】認知された胎児が死体で生まれたときは、出生届出義務者は、その事実を知つた日から十四日以内に、認知の届出地で、その旨を届け出なければならない。但し、遺言執行者が前条の届出をした場合には、遺言執行者が、その届出をしなければならない。

第四節　養子縁組

第六六条【養子縁組届】縁組をしようとする者は、その旨を届け出なければならない。

第六七条　削除

第六八条【代諾縁組】民法第七百九十七条の規定によつて縁組の承諾をする場合には、届出は、その承諾をする者がこれをしなければならない。

第六八条の二【特別養子縁組届】第六十三条第一項の規定は、縁組の裁判が確定した場合に準用する。

第六九条【縁組の取消し】第六十三条の規定は、縁組取消の裁判が確定した場合にこれを準用する。

第六九条の二【取消し後の氏の回復】第七十三条の二の規定は、民法第八百八条第二項において準用する同法第八百十六条第二項の規定によつて縁組の取消しの際に称していた氏を称しようとする場合に準用する。

第五節　養子離縁

第七〇条【離縁届】離縁をしようとする者は、その旨を届け出なければならない。

第七一条【代諾離縁】民法第八百十一条第二項の規定によつて協議上の離縁をする場合には、届出は、その協議をする者がこれをしなければならない。

第七二条【縁組当事者一方の死亡後の離縁】民法第八百十一条第六項の規定によつて離縁をする場合には、生存当事者だけで、その届出をすることができる。

第七三条【裁判上の離縁・離縁の取消し】① 第六十三条の規定は、離縁又は離縁取消の裁判が確定した場合にこれを準用する。

② 第七十五条第二項の規定は、検察官が離縁の裁判を請求した場合に準用する。

第七三条の二【離縁後の氏の回復】民法第八百十六条第二項の規定によつて離縁の際に称していた氏を称しようとする者は、離縁の年月日を届書に記載して、その旨を届け出なければならない。

第六節　婚姻

第七四条【婚姻届】婚姻をしようとする者は、左の事項を届書に記載して、その旨を届け出なければならない。

一　夫婦が称する氏

二　その他法務省令で定める事項

第七五条【婚姻の取消し】① 第六十三条の規定は、婚姻取消の裁判が確定した場合にこれを準用する。

② 検察官が訴を提起した場合には、裁判が確定した後に、遅滞なく戸籍記載の請求をしなければならない。

第七五条の二【婚姻の取消し後の氏の回復】第七十七条の二の規定は、民法第七百四十九条において準用する同法第七百六十七条第二項の規定によつて婚姻の取消しの際に称していた氏を称しようとする場合に準用する。

第七節　離婚

第七六条【離婚届】離婚をしようとする者は、次に掲げる事項を届書に記載して、その旨を届け出なければならない。

一　親権者と定められる当事者の氏名（親権者の指定を求める家事審判又は家事調停の申立てがされている場合にあつては、その旨）及びその者が親権を行う子の氏名

二　その他法務省令で定める事項

＊令和六法三三（令和八・五・二三までに施行）による改正前

第七六条【離婚届】離婚をしようとする者は、左の事項を届書に記載して、その旨を届け出なければならない。

一　親権者と定められる当事者の氏名及びその親権に服する子の氏名

二　（略）

第七七条【裁判上の離婚・離婚の取消し】① 第六十三条の規定は、離婚又は離婚取消の裁判が確定した場合にこれを準用する。

る。

② 前項に規定する離婚の届書には、次に掲げる事項をも記載しなければならない。

一 親権者と定められた当事者の氏名及びその者が親権を行う子の氏名

二 その他法務省令で定める事項

＊令和六法三三（令和八・五・二三までに施行）による改正
第二項柱書中「左の」は「次に掲げる」に改められ、第一号中「親権に服する」は「者が親権を行う」に改められた。（本文織込み済み）

第七七条の二【離婚後の氏の回復】 民法第七百六十七条第二項（同法第七百七十一条において準用する場合を含む。）の規定によつて離婚の際に称していた氏を称しようとする者は、離婚の年月日を届書に記載して、その旨を届け出なければならない。

第八節 親権及び未成年者の後見

第七八条【協議による親権者の届出】 民法第八百十九条第三項ただし書又は第四項ただし書の規定によつて協議で親権者を定めようとする者は、その旨を届け出なければならない。

＊令和六法三三（令和八・五・二三までに施行）による改正
第七八条中「第八百十九条第三項但書又は第四項」は「第八百十九条第三項ただし書又は第四項ただし書」に改められた。（本文織込み済み）

第七九条【審判等による親権者の決定・変更等】 第六十三条第一項の規定は、民法第八百十九条第三項ただし書若しくは第四項ただし書の協議に代わる審判が確定し、又は親権者変更の裁判が確定した場合において親権者に、親権喪失、親権停止又は管理権喪失の審判の取消しの裁判が確定した場合においてその裁判を請求した者について準用する。

＊令和六法三三（令和八・五・二三までに施行）による改正
第七九条中「第四項」は「第四項ただし書」に改められた。（本文織込み済み）

第八〇条【親権・管理権の辞任又は回復】 親権若しくは管理権を辞し、又はこれを回復しようとする者は、その旨を届け出なければならない。

第八一条【未成年後見開始の届出】 ① 民法第八百三十八条第一号に規定する場合に開始する後見（以下「未成年者の後見」という。）の開始の届出は、同法第八百三十九条の規定による指定をされた未成年後見人が、その就職の日から十日以内に、これをしなければならない。

② 届書には、次に掲げる事項を記載し、未成年後見人の指定に関する遺言の謄本を添付しなければならない。

一 後見開始の原因及び年月日

二 未成年後見人が就職した年月日

第八二条【未成年後見人が地位を失つた旨の届出】 ① 未成年後見人が死亡し、又は民法第八百四十七条第二号から第五号までに掲げる者に該当することとなつたことによりその地位を失つたことによつて未成年後見人が欠けたときは、後任者は、就職の日から十日以内に、未成年後見人が地位を失つた旨の届出をしなければならない。

② 数人の未成年後見人の一部の者が死亡し、又は民法第八百四十七条第二号から第五号までに掲げる者に該当することとなつたことによりその地位を失つたときは、他の未成年後見人は、その事実を知つた日から十日以内に、未成年後見人が地位を失つた旨の届出をしなければならない。

③ 未成年者、その親族又は未成年後見監督人は、前二項の届出をすることができる。

④ 届書には、未成年後見人がその地位を失つた原因及び年月日を記載しなければならない。

第八三条 削除

第八四条【未成年後見終了の届出】 未成年者の後見の終了の届出は、未成年後見人が、十日以内に、これをしなければならない。その届書には、未成年者の後見の終了の原因及び年月日を記載しなければならない。

第八五条【未成年後見監督人への準用】 未成年後見人に関するこの節の規定は、未成年後見監督人について準用する。

第九節 死亡及び失踪

第八六条【死亡届】 ① 死亡の届出は、届出義務者が、死亡の事実を知つた日から七日以内（国外で死亡があつたときは、その事実を知つた日から三箇月以内）に、これをしなければならない。

② 届書には、次の事項を記載し、診断書又は検案書を添付しなければならない。

一 死亡の年月日時分及び場所

二 その他法務省令で定める事項

③ やむを得ない事由によつて診断書又は検案書を得ることができないときは、死亡の事実を証すべき書面を以てこれに代えることができる。この場合には、届書に診断書又は検案書を得ることができない事由を記載しなければならない。

第八七条【届出義務者】 ① 次の者は、その順序に従つて、死亡の届出をしなければならない。ただし、順序にかかわらず届出をすることができる。

第一 同居の親族

第二 その他の同居者

第三 家主、地主又は家屋若しくは土地の管理人

② 死亡の届出は、同居の親族以外の親族、後見人、保佐人、補助人、任意後見人及び任意後見受任者も、これをすることができる。

第八八条【届出地】 ① 死亡の届出は、死亡地でこれをすることができる。

② 死亡地が明らかでないときは死体が最初に発見された地で、汽車その他の交通機関の中で死亡があつたときは死体をその交通機関から降ろした地で、航海日誌を備えない船舶の中で死亡があつたときはその船舶が最初に入港した地で、死亡の届出をすることができる。

第八九条【事変による死亡の報告】 水難、火災その他の事変によつて死亡した者がある場合には、その取調をした官庁又は公署は、死亡地の市町村長に死亡の報告をしなければならない。但し、外国又は法務省令で定める地域で死亡があつたときは、死亡者の本籍地の市町村長に死亡の報告をしなければならない。

第九〇条【刑死等の報告】 ① 死刑の執行があつたときは、刑事施設の長は、遅滞なく刑事施設の所在地の市町村長に死亡の報告をしなければならない。

② 前項の規定は、刑事施設に収容中死亡した者の引取人がない場合にこれを準用する。この場合には、報告書に診断書又は検案書を添付しなければならない。

第九一条【報告書の記載事項】 前二条に規定する報告書には、第八十六条第二項に掲げる事項を記載しなければならない。

第九二条【本籍不明者等の死亡の報告】 ① 死亡者の本籍が明かでない場合又は死亡者を認識することができない場合には、警察官は、検視調書を作り、これを添附して、遅滞なく死亡地の市町村長に死亡の報告をしなければならない。

② 死亡者の本籍が明かになり、又は死亡者を認識することができるに至つたときは、警察官は、遅滞なくその旨を報告しなければならない。

③ 第一項の報告があつた後に、第八十七条第一項第一号又は第二号に掲げる者が、死亡者を認識したときは、その日から十日以内に、死亡の届出をしなければならない。

第九三条【航海中又は公設所における死亡】 第五十五条及び第五十六条の規定は、死亡の届出にこれを準用する。

第九四条【失踪宣告】 第六十三条第一項の規定は、失踪宣告又は

失踪宣告取消の裁判が確定した場合においてその裁判を請求した者にこれを準用する。この場合には、失踪宣告の届書に民法第三十一条の規定によつて死亡したとみなされる日をも記載しなければならない。

第十節　生存配偶者の復氏及び姻族関係の終了

第九五条【生存配偶者の復氏届】 民法第七百五十一条第一項の規定によつて婚姻前の氏に復しようとする者は、その旨を届け出なければならない。

第九六条【姻族関係終了届】 民法第七百二十八条第二項の規定によつて姻族関係を終了させる意思を表示しようとする者は、死亡した配偶者の氏名、本籍及び死亡の年月日を届書に記載して、その旨を届け出なければならない。

第十一節　推定相続人の廃除

第九七条【廃除又は廃除の取消し】 第六十三条第一項の規定は、推定相続人の廃除又は廃除取消の裁判が確定した場合において、その裁判を請求した者にこれを準用する。

第十二節　入籍

第九八条【子の改氏の届出】 ①　民法第七百九十一条第一項から第三項までの規定によつて父又は母の氏を称しようとする者は、その父又は母の氏名及び本籍を届書に記載して、その旨を届け出なければならない。

②　民法第七百九十一条第二項の規定によつて父母の氏を称しようとする者に配偶者がある場合には、配偶者とともに届け出なければならない。

第九九条【成年となつた後の復氏の届出】 ①　民法第七百九十一条第四項の規定によつて従前の氏に復しようとする者は、同条第一項から第三項までの規定によつて氏を改めた年月日を届書に記載して、その旨を届け出なければならない。

②　前項の者に配偶者がある場合には、配偶者とともに届け出なければならない。

第十三節　分籍

第一〇〇条【分籍の届出】 ①　分籍をしようとする者は、その旨を届け出なければならない。

②　他の市町村に新本籍を定める場合には、戸籍の謄本を届書に添附しなければならない。

第一〇一条【届出地】 分籍の届出は、分籍地でこれをすることができる。

第十四節　国籍の得喪

第一〇二条【国籍取得の届出】 ①　国籍法（昭和二十五年法律第百四十七号）第三条第一項又は第十七条第一項若しくは第二項の規定によつて国籍を取得した場合の国籍取得の届出は、国籍を取得した者が、その取得の日から一箇月以内（その者がその日に国外に在るときは、三箇月以内）に、これをしなければならない。

②　届書には、次の事項を記載し、国籍取得を証すべき書面を添付しなければならない。

一　国籍取得の年月日
二　国籍取得の際に有していた外国の国籍
三　父母の氏名及び本籍、父又は母が外国人であるときは、その氏名及び国籍
四　配偶者の氏名及び本籍、配偶者が外国人であるときは、その氏名及び国籍
五　その他法務省令で定める事項

第一〇二条の二【帰化の届出】 帰化の届出は、帰化した者が、告示の日から一箇月以内に、これをしなければならない。この場合における届書の記載事項については、前条第二項の規定を準用する。

第一〇三条【国籍喪失の届出】 ①　国籍喪失の届出は、届出事件の本人、配偶者又は四親等内の親族が、国籍喪失の事実を知つた日から一箇月以内（届出をすべき者がその事実を知つた日に国外に在るときは、その日から三箇月以内）に、これをしなければならない。

②　届書には、次の事項を記載し、国籍喪失を証すべき書面を添付しなければならない。

一　国籍喪失の原因及び年月日
二　新たに外国の国籍を取得したときは、その国籍

第一〇四条【国籍留保の意思表示】 ①　国籍法第十二条に規定する国籍の留保の意思の表示は、出生の届出をすることができる者（第五十二条第三項の規定によつて届出をすべき者を除く。）で、出生の日から三箇月以内に、日本の国籍を留保する旨を届け出ることによつて、これをしなければならない。

②　前項の届出は、出生の届出とともにこれをしなければならない。

③　天災その他第一項に規定する者の責めに帰することができない事由によつて同項の期間内に届出をすることができないときは、その期間は、届出をすることができるに至つた時から十四日とする。

第一〇四条の二【日本国籍選択の宣言】 ①　国籍法第十四条第二項の規定による日本の国籍の選択の宣言は、その宣言をしようとする者が、その旨を届け出ることによつて、これをしなければならない。

②　届書には、その者が有する外国の国籍を記載しなければならない。

第一〇四条の三【国籍選択未了の通知】 市町村長は、戸籍事務の処理に際し、国籍法第十四条第一項の規定により国籍の選択をすべき者が同項に定める期限内にその選択をしていないと思料するときは、その者の氏名、本籍その他法務省令で定める事項を管轄法務局長等に通知しなければならない。

第一〇五条【官庁又は公署の国籍喪失の報告】 ①　官庁又は公署がその職務上国籍を喪失した者があることを知つたときは、遅滞なく本籍地の市町村長に、国籍喪失を証すべき書面を添附して、国籍喪失の報告をしなければならない。

②　報告書には、第百三条第二項に掲げる事項を記載しなければならない。

第一〇六条【外国国籍喪失の届出】 ①　外国の国籍を有する日本人がその外国の国籍を喪失したときは、その者は、その喪失の事実を知つた日から一箇月以内（その者がその事実を知つた日に国外に在るときは、その日から三箇月以内）に、その旨を届け出なければならない。

②　届書には、外国の国籍の喪失の原因及び年月日を記載し、その喪失を証すべき書面を添付しなければならない。

第十五節　氏名の変更

第一〇七条【氏の変更】 ①　やむを得ない事由によつて氏を変更しようとするときは、戸籍の筆頭に記載した者及びその配偶者は、氏及び氏の振り仮名を変更することについて家庭裁判所の許可を得て、その許可を得た氏及び氏の振り仮名を届け出なければならない。

②　外国人と婚姻をした者がその氏を配偶者の称している氏に変更しようとするときは、その者は、その婚姻の日から六箇月以内に限り、家庭裁判所の許可を得ないで、その旨及び変更しようとする氏の振り仮名を届け出ることができる。

③　前項の規定によつて氏を変更した者が離婚、婚姻の取消し又は配偶者の死亡の日以後にその氏を変更の際に称していた氏に変更しようとするときは、その者は、その日から三箇月以内に限り、家庭裁判所の許可を得ないで、その旨を届け出ることができる。

④　第一項の規定は、父又は母が外国人である者（戸籍の筆頭に記載した者又はその配偶者を除く。）でその氏をその父又は母の称している氏に変更しようとするものに準用する。

第一〇七条の二【名の変更】 正当な事由によつて名を変更しようとする者は、名及び名の振り仮名を変更することについて家庭裁判所の許可を得て、その許可を得た名及び名の振り仮名を届け出なければならない。

第十五節の二　氏名の振り仮名の変更

第一〇七条の三【氏の振り仮名の変更】 やむを得ない事由によつて氏の振り仮名を変更しようとするときは、戸籍の筆頭に記載した者及びその配偶者は、家庭裁判所の許可を得て、その旨を届け出なければならない。

第一〇七条の四【名の振り仮名の変更】 正当な事由によつて名の振り仮名を変更しようとする者は、家庭裁判所の許可を得て、その旨を届け出なければならない。

第十六節　転籍及び就籍

第一〇八条【転籍の届出】 ① 転籍をしようとするときは、新本籍を届書に記載して、戸籍の筆頭に記載した者及びその配偶者が、その旨を届け出なければならない。

② 他の市町村に転籍をする場合には、戸籍の謄本を届書に添附しなければならない。

第一〇九条【届出地】 転籍の届出は、転籍地でこれをすることができる。

第一一〇条【就籍の届出】 ① 本籍を有しない者は、家庭裁判所の許可を得て、許可の日から十日以内に就籍の届出をしなければならない。

② 届書には、第十三条第一項に掲げる事項のほか、就籍許可の年月日を記載しなければならない。

第一一一条【同前】 前条の規定は、確定判決によつて就籍の届出をすべき場合にこれを準用する。この場合には、判決の謄本を届書に添附しなければならない。

> **＊令和五法五三（令和一〇・六・一三までに施行）による改正**
> 第一一一条中「謄本」の下に「又は判決の内容を記載した書面であつて裁判所書記官が当該書面の内容が当該判決の内容と同一であることを証明したもの」を加え、「添附しなければ」を「添付しなければ」に改める。（本文未織込み）

第一一二条【届出地】 就籍の届出は、就籍地でこれをすることができる。

第五章　戸籍の訂正

第一一三条【不適法な記載等の訂正】 戸籍の記載が法律上許されないものであること又はその記載に錯誤若しくは遺漏があることを発見した場合には、利害関係人は、家庭裁判所の許可を得て、戸籍の訂正を申請することができる。

第一一四条【無効な行為の記載の訂正】 届出によつて効力を生ずべき行為（第六十条、第六十一条、第六十六条、第六十八条、第七十条から第七十二条まで、第七十四条及び第七十六条の規定によりする届出に係る行為を除く。）について戸籍の記載をした後に、その行為が無効であることを発見したときは、届出人又は届出事件の本人は、家庭裁判所の許可を得て、戸籍の訂正を申請することができる。

第一一五条【訂正の申請】 前二条の許可の裁判があつたときは、一箇月以内に、その謄本を添附して、戸籍の訂正を申請しなければならない。

> **＊令和五法五三（令和一〇・六・一三までに施行）による改正**
> 第一一五条中「を添附して」を「又は裁判の内容を記載した書面であつて裁判所書記官が当該書面の内容が当該裁判の内容と同一であることを証明したものを添付して」に改める。（本文未織込み）

第一一六条【判決による戸籍の訂正】 ① 確定判決によつて戸籍の訂正をすべきときは、訴を提起した者は、判決が確定した日から一箇月以内に、判決の謄本を添附して、戸籍の訂正を申請しなければならない。

② 検察官が訴を提起した場合には、判決が確定した後に、遅滞なく戸籍の訂正を請求しなければならない。

> **＊令和五法五三（令和一〇・六・一三までに施行）による改正後**
> **第一一六条【判決による戸籍の訂正】** ① 確定判決によつて戸籍の訂正をすべきときは、訴えを提起した者は、判決が確定した日から一箇月以内に、判決の謄本又は判決の内容を記載した書面であつて裁判所書記官が当該書面の内容が当該判決の内容と同一であることを証明したものを添付して、戸籍の訂正を申請しなければならない。
> ② 検察官が訴えを提起した場合には、判決が確定した後に、遅滞なく戸籍の訂正を請求しなければならない。

第一一七条【届出の規定の準用】 第二十五条第一項、第二十七条から第三十二条まで、第三十四条から第三十九条まで、第四十三条から第四十八条まで、及び第六十三条第二項前段の規定は、戸籍訂正の申請に準用する。

第六章　電子情報処理組織による戸籍事務の取扱いに関する特例等（抄）

第一一八条【電子情報処理組織による戸籍事務】 ① 法務大臣の指定する市町村長は、法務省令で定めるところにより戸籍事務を電子情報処理組織（法務大臣の使用に係る電子計算機（磁気ディスク（これに準ずる方法により一定の事項を確実に記録することができる物を含む。以下同じ。）及び入出力装置を含む。以下同じ。）と市町村長の使用に係る電子計算機とを電気通信回線で接続した電子情報処理組織をいう。以下同じ。）によつて取り扱うものとする。ただし、電子情報処理組織によつて取り扱うことが相当でない戸籍又は除かれた戸籍として法務省令で定めるものに係る戸籍事務については、この限りでない。

② 前項の規定による指定は、市町村長の申出に基づき、告示してしなければならない。

第一一九条から第一二一条の三まで（略）

第七章　不服申立て

第一二二条【不服の申立て】 戸籍事件（第百二十四条に規定する請求に係るものを除く。）について、市町村長の処分を不当とする者は、家庭裁判所に不服の申立てをすることができる。

第一二三条【審査請求の適用除外】 戸籍事件（次条に規定する請求に係るものを除く。）に関する市町村長の処分又はその不作為については、審査請求をすることができない。

第一二四条【審査請求】 第十条第一項又は第十条の二第一項から第五項まで（これらの規定を第十二条の二において準用する場合を含む。）、第四十八条第二項、第百二十条第一項、第百二十条の二第一項、第百二十条の三第一項及び第百二十条の六第一項の規定によりする請求について市町村長が行う処分又はその不作為に不服がある者は、管轄法務局長等に審査請求をすることができる。

第一二五条　削除

第八章　雑則

第一二六条【戸籍記載事項等に係る情報提供】 市町村長又は法務局若しくは地方法務局の長は、法務省令で定める基準及び手続により、統計の作成又は学術研究であつて、公益性が高く、かつ、その目的を達成するために戸籍若しくは除かれた戸籍に記載した事項又は届書その他市町村長の受理した書類に記載した事項に係る情報を利用する必要があると認められるもののため、その必要の限度において、これらの情報を提供することができる。

第一二七条【行政手続法の適用除外】 戸籍事件に関する市町村長の処分については、行政手続法（平成五年法律第八十八号）第二章及び第三章の規定は、適用しない。

第一二八条【行政機関の保有する情報の公開に関する法律の適用

除外】戸籍及び除かれた戸籍の副本、第四十八条第二項に規定する書類並びに届書等情報については、行政機関の保有する情報の公開に関する法律（平成十一年法律第四十二号）の規定は、適用しない。

第一二九条【個人情報の保護に関する法律の適用除外】戸籍及び除かれた戸籍の正本及び副本、第四十八条第二項に規定する書類並びに届書等情報に記録されている保有個人情報（個人情報の保護に関する法律（平成十五年法律第五十七号）第六十条第一項に規定する保有個人情報をいう。）については、同法第五章第四節の規定は、適用しない。

第一三〇条【電子情報処理組織による届出等の特例】① 情報通信技術を活用した行政の推進等に関する法律第六条第一項の規定により同項に規定する電子情報処理組織を使用してする届出の届出地及び同項の規定により同項に規定する電子情報処理組織を使用してする申請の申請地については、第四章及び第五章の規定にかかわらず、法務省令で定めるところによる。

② 第四十七条の規定は、情報通信技術を活用した行政の推進等に関する法律第六条第一項の規定により同項に規定する電子情報処理組織を使用してした届出及び申請について準用する。

第一三一条【法務省令への委任】この法律に定めるもののほか、届書その他戸籍事務の処理に関し必要な事項は、法務省令で定める。

第九章　罰則（抄）

第一三二条（略）

第一三三条【戸籍に関する事項の不正提供に対する罰則】戸籍に関する事務に従事する市町村の職員若しくは職員であつた者又は市町村長の委託（二以上の段階にわたる委託を含む。）を受けて行う戸籍に関する事務の処理に従事している者若しくは従事していた者が、その事務に関して知り得た事項を自己若しくは第三者の不正な利益を図る目的で提供し、又は盗用したときは、一年以下の拘禁刑又は五十万円以下の罰金に処する。

第一三四条【虚偽の届出に対する罰則】戸籍の記載又は記録を要しない事項について虚偽の届出をした者は、一年以下の拘禁刑又は二十万円以下の罰金に処する。外国人に関する事項について虚偽の届出をした者も、同様とする。

第一三五条【不正手段による戸籍謄本等の交付等に対する罰金】偽りその他不正の手段により、第十条第一項若しくは第十条の二第一項から第五項までの規定による戸籍謄本等の交付、第十二条の二の規定による除籍謄本等の交付若しくは第百二十条第一項の規定による戸籍証明書若しくは除籍証明書の交付を受けた者、第百二十条の三第二項の規定による戸籍電子証明書提供用識別符号若しくは除籍電子証明書提供用識別符号の発行を受けた者又は同条第三項の規定による戸籍電子証明書若しくは除籍電子証明書の提供を受けた者は、三十万円以下の罰金に処する。

第一三六条【不正手段による届書等の閲覧等に対する過料】偽りその他不正の手段により、第四十八条第二項（第百十七条において準用する場合を含む。以下この条において同じ。）の規定による閲覧をし、若しくは同項の規定による証明書の交付を受けた者又は第百二十条の六第一項の規定による閲覧をし、若しくは同条の規定による証明書の交付を受けた者は、十万円以下の過料に処する。

第一三七条【届出を怠った者に対する過料】正当な理由がなくて期間内にすべき届出又は申請をしない者は、五万円以下の過料に処する。

第一三八条【催告期間を徒過した者に対する過料】市町村長が、第四十四条第一項又は第二項（これらの規定を第百十七条において準用する場合を含む。）の規定によつて、期間を定めて届出又は申請の催告をした場合に、正当な理由がなくてその期間内に届出又は申請をしない者は、十万円以下の過料に処する。

第一三九条【市町村長に対する過料】次の場合には、市町村長を十万円以下の過料に処する。

一　正当な理由がなくて届出又は申請を受理しないとき。

二　戸籍の記載又は記録をすることを怠つたとき。

三　正当な理由がなくて届書その他受理した書類の閲覧を拒んだとき、又は第百二十条の六第一項の規定による請求を拒んだとき。

四　正当な理由がなくて、戸籍謄本等、除籍謄本等、第四十八条第一項若しくは第二項（これらの規定を第百十七条において準用する場合を含む。）の証明書、戸籍証明書若しくは除籍証明書を交付しないとき、戸籍電子証明書提供用識別符号若しくは除籍電子証明書提供用識別符号の発行をしないとき、又は戸籍電子証明書若しくは除籍電子証明書を提供しないとき。

五　その他戸籍事件について職務を怠つたとき。

第一四〇条【過料についての裁判の管轄】過料についての裁判は、簡易裁判所がする。

刑法等の一部を改正する法律の施行に伴う関係法律整理法中経過規定　（令和四・六・一七法六八）（抄）

第四四一条から**第四四三条**まで　（刑法の同経過規定参照）

第五〇九条　（刑法の同経過規定参照）

刑法等の一部を改正する法律の施行に伴う関係法律整理法

附　則（令和四・六・一七法六八）（抄）

（施行期日）

① この法律は、刑法等一部改正法（刑法等の一部を改正する法律（令和四法六七））施行日（令和七・六・一）から施行する。ただし、次の各号に掲げる規定は、当該各号に定める日から施行する。

一　第五百九条の規定　公布の日

二　（略）

附　則（令和五・六・九法四八）（抄）

（施行期日）

第一条（前略）次の各号に掲げる規定は、当該各号に定める日から施行する。

一　（前略）附則（中略）第二十条の規定　公布の日

二　（略）

三　（前略）第七条（戸籍法の一部改正）の規定並びに附則（中略）第六条から第十四条まで（中略）の規定　公布の日から起算して二年を超えない範囲内において政令で定める日

四　（略）

（戸籍法の一部改正に伴う経過措置）

第六条① 附則第一条第三号に掲げる規定の施行の際現に戸籍の筆頭に記載されている者（以下「筆頭者」という。）（既にこの項又は次項の規定による届出をした者を除く。）は、第三号施行日（附則第一条第三号に掲げる規定の施行の日）から起算して一年以内に限り、当該筆頭者の戸籍に記載されている氏に係る氏の振り仮名の届出をすることができる。

② 前項の届出をすることができる筆頭者であって、附則第一条第三号に掲げる規定の施行の際現に同項の氏について第七条の規定による改正後の戸籍法（以下「新戸籍法」という。）第十三条第二項の規定による同条第一項第二号の読み方（以下「一般の読み方」という。）以外の氏の読み方を使用しているものは、第三号施行日から起算して一年以内に限り、前項の届出に代えて現に使用している氏の読み方を示す文字を戸籍の記載事項とする旨の届出をすることができる。この場合において、当該届出に係る戸籍に記載されている者に係る新戸籍法第十三条第一項第二号、第二十九条第四号、第百七条第一項及び第百七条の三の規定その他の法令の規定の適用については、当該届出に係る文字を氏の振り仮名とみなす。

③ 第一項の届出をすることができる筆頭者が当該戸籍から除籍されているときは、次に掲げる者は、第三号施行日から起算して一年以内に限り、その順序に従って、前二項の届出をすることができる。ただし、既に当該戸籍について前二項の届出がされているときは、この限りでない。

④ 一　配偶者（その戸籍から除かれた者を除く。）
二　子（その戸籍から除かれた者を除く。）

② 第二項の届出をする者は、現に使用している氏の読み方が通用していることを証する書面を提出しなければならない。

第七条① 附則第一条第三号に掲げる規定の施行の際現に戸籍に記載されている者（筆頭者を除く。）であって、第三号施行日以後に新たに編製される戸籍（以下この条及び附則第十一条において「新戸籍」という。）の筆頭に記載されるもの（既にこの項又は次項の規定による届出をした者を除く。）は、第三号施行日から起算して一年以内に限り、当該新戸籍に記載されている氏に係る氏の振り仮名の届出をすることができる。

② 前項に規定する者であって、附則第一条第三号に掲げる規定の施行の際現に同項の氏について一般の読み方以外の氏の読み方を使用しているものは、第三号施行日から起算して一年以内に限り、同項の届出に代えて現に使用している氏の読み方を示す文字を当該者に係る新戸籍の記載事項とする旨の届出をすることができる。この場合において、当該届出に係る新戸籍に記載されている者に係る新戸籍法第十三条第一項第二号、第二十九条第四号、第百七条第一項及び第百七条の三の規定その他の法令の規定の適用については、当該届出に係る文字を氏の振り仮名とみなす。

③ 第一項に規定する者が当該者に係る新戸籍から除籍されているときは、次に掲げる者は、第三号施行日から起算して一年以内に限り、その順序に従って、前二項の届出をすることができる。ただし、既に当該新戸籍について前二項の届出がされているときは、この限りでない。
一　配偶者（その戸籍から除かれた者を除く。）
二　子（その戸籍から除かれた者を除く。）

④ 前三項の規定は、新戸籍が編製される日前に当該新戸籍に記載される氏について前条第一項又は第二項の届出がされているときは、適用しない。

⑤ 第二項の届出をする者は、現に使用している氏の読み方が通用していることを証する書面を提出しなければならない。

第八条① 附則第一条第三号に掲げる規定の施行の際現に戸籍に記載されている者（既にこの項又は次項の規定による届出をした者を除く。）は、第三号施行日から起算して一年以内に限り、当該者の戸籍に記載されている名に係る名の振り仮名の届出をすることができる。

② 前項に規定する者であって、附則第一条第三号に掲げる規定の施行の際現に同項の名について一般の読み方以外の名の読み方を使用しているものは、第三号施行日から起算して一年以内に限り、同項の届出に代えて現に使用している名の読み方を示す文字を戸籍の記載事項とする旨の届出をすることができる。この場合において、当該届出をした者に係る新戸籍法第十三条第一項第二号、第二十九条第四号、第百七条の二及び第百七条の四の規定その他の法令の規定の適用については、当該届出に係る文字を名の振り仮名とみなす。

③ 前項の届出をする者は、現に使用している名の読み方が通用していることを証する書面を提出しなければならない。

第九条① 本籍地の市町村長（特別区の区長を含むものとし、地方自治法（昭和二十二年法律第六十七号）第二百五十二条の十九第一項の指定都市（以下この項において「指定都市」という。）にあっては、区長又は総合区長とする。以下この条及び附則第十三条において同じ。）は、第三号施行日から起算して一年を経過した日に、市役所（特別区の区役所を含むものとし、指定都市にあっては、区又は総合区の区役所とする。）又は町村役場の所在地を管轄する法務局又は地方法務局の長（次項において「管轄法務局長等」という。）の許可を得て、附則第一条第三号に掲げる規定の施行の際現に戸籍に記載されている者に係る氏の振り仮名を戸籍に記載するものとする。ただし、同日の前日までに附則第六条第一項若しくは第二項の届出又は附則第七条第一項若しくは第二項の届出があったときは、この限りでない。

② 本籍地の市町村長は、第三号施行日から起算して一年を経過した日に、管轄法務局長等の許可を得て、附則第一条第三号に掲げる規定の施行の際現に戸籍に記載されている者（同日の前日までに前条第一項又は第二項の届出をした者を除く。）に係る名の振り仮名を戸籍に記載するものとする。

③ 本籍地の市町村長は、前二項の場合において、附則第一条第三号に掲げる規定の施行の際現に戸籍に記載されている者に一般の読み方以外の氏の読み方又は名の読み方が使用されていると認めるときは、前二項の規定にかかわらず、氏の振り仮名又は名の振り仮名に代えてその使用されている氏の読み方又は名の読み方を示す文字を当該者の戸籍に記載することができる。この場合において、この項の規定により当該文字を戸籍に記載された者に係る新戸籍法第十三条第一項第二号、第二十九条第四号、第百七条第一項及び第百七条の二の規定その他の法令の規定の適用については、当該記載に係る文字を氏の振り仮名又は名の振り仮名とみなす。

④ 本籍地の市町村長は、第三号施行日後遅滞なく、附則第一条第三号に掲げる規定の施行の際現に戸籍に記載されている者に対し、前三項の規定により当該者の戸籍に記載しようとする氏の振り仮名若しくは名の振り仮名又は一般の読み方以外の氏の読み方若しくは名の読み方を示す文字を通知するものとする。ただし、あらかじめ通知することが困難である場合は、この限りでない。

第一〇条① 前条第一項の規定により戸籍に氏の振り仮名が記載されたときは、当該戸籍の筆頭者（既にこの項又は次項の規定による届出をした者を除く。同項において同じ。）は、氏の振り仮名を変更する旨の届出をすることができる。

② 前条第一項の規定により戸籍に氏の振り仮名が記載された場合において、当該戸籍の筆頭者が附則第一条第三号に掲げる規定の施行の際現に一般の読み方以外の氏の読み方を使用しているときは、当該戸籍の筆頭者は、戸籍の記載事項を現に使用している氏の読み方を示す文字に変更する旨の届出をすることができる。この場合において、当該届出に係る戸籍に記載されている者に係る新戸籍法第十三条第一項第二号、第二十九条第四号、第百七条第一項及び第百七条の三の規定その他の法令の規定の適用については、当該届出に係る文字を氏の振り仮名とみなす。

③ 前条第三項の規定により戸籍に一般の読み方以外の氏の読み方を示す文字を記載されたときは、当該戸籍の筆頭者（既にこの項又は次項の規定による届出をした者を除く。同項において同じ。）は、戸籍の記載事項を一般の読み方による氏の振り仮名に変更する旨の届出をすることができる。

④ 前条第三項の規定により戸籍に一般の読み方以外の氏の読み方を示す文字を記載された場合において、当該戸籍の筆頭者が附則第一条第三号に掲げる規定の施行の際現に戸籍に記載された氏の読み方以外の氏の読み方であって一般の読み方以外のものを使用しているときは、当該戸籍の筆頭者は、戸籍の記載事項を現に使用している氏の読み方を示す文字に変更する旨の届出をすることができる。この場合において、当該届出に係る戸籍に記載されている者に係る新戸籍法第十三条第一項第二号、第二十九条第四号、第百七条第一項及び第百七条の三の規定その他の法令の規定の適用については、当該届出に係る文字を氏の振り仮名とみなす。

⑤ 新戸籍法第百七条の三の規定は、前各項の届出には、適用しない。

⑥ 第一項から第四項までの届出をしようとする者に配偶者があるときは、配偶者とともに当該届出をしなければならない。

⑦ 附則第六条第三項の規定は、第一項から第四項までの筆頭者が当該戸籍から除籍されている場合について準用する。この場合において、同条第三項中「第三号施行日から起算して一年以内に限り、その」とあるのは、「その」と読み替えるものとする。

⑧ 第二項又は第四項の届出をする者は、当該届出に係る現に使

用している氏の読み方が通用していることを証する書面を提出しなければならない。

第十一条　前条の規定は、附則第九条第一項又は第三項の規定により氏の振り仮名又は一般の読み方以外の氏の読み方を示す文字が記載された戸籍に記載されている者（筆頭者を除く。）であって、新戸籍の筆頭に記載されるものについて準用する。ただし、当該新戸籍が編製される日前に当該新戸籍に記載される氏について前条第一項から第四項までの届出又はこの条において準用する前条第一項から第四項までの届出がされているときは、この限りでない。

第十二条①　附則第九条第二項の規定により戸籍に名の振り仮名を記載された者（既にこの項又は次項の規定による届出をした者を除く。同項において同じ。）は、当該名の振り仮名を変更する旨の届出をすることができる。

②　附則第九条第二項の規定により戸籍に名の振り仮名を記載された者であって、附則第一条第三号に掲げる規定の施行の際現に一般の読み方以外の名の読み方を使用しているものは、戸籍の記載事項を現に使用している名の読み方を示す文字に変更する旨の届出をすることができる。この場合において、当該届出により戸籍の記載事項を変更した者に係る新戸籍法第十三条第一項第二号、第二十九条第四号、第百七条の二及び第百七条の四の規定その他の法令の規定の適用については、当該届出に係る文字を名の振り仮名とみなす。

③　附則第九条第三項の規定により戸籍に一般の読み方以外の名の読み方を示す文字を記載された者（既にこの項又は次項の規定による届出をした者を除く。同項において同じ。）は、戸籍の記載事項を一般の読み方による名の振り仮名に変更する旨の届出をすることができる。

④　附則第九条第三項の規定により戸籍に一般の読み方以外の名の読み方を示す文字を記載された者であって、附則第一条第三号に掲げる規定の施行の際現に戸籍に記載された名の読み方以外の名の読み方であって一般の読み方以外のものを使用しているものは、戸籍の記載事項を現に使用している名の読み方を示す文字に変更する旨の届出をすることができる。この場合において、当該届出により名の読み方を示す文字を変更した者に係る新戸籍法第十三条第一項第二号、第二十九条第四号、第百七条の二及び第百七条の四の規定その他の法令の規定の適用については、当該届出に係る文字を名の振り仮名とみなす。

⑤　新戸籍法第百七条の四の規定は、前各項の届出には、適用しない。

⑥　第二項又は第四項の届出をする者は、当該届出に係る現に使用している名の読み方が通用していることを証する書面を提出しなければならない。

第十三条　本籍地の市町村長は、附則第六条から前条までの規定の施行に必要な限度において、関係地方公共団体の長その他の者に対し、附則第一条第三号に掲げる規定の施行の際現に戸籍に記載されている者に係る氏名の振り仮名並びに現に使用されている氏の読み方及び名の読み方を示す文字に関する情報の提供を求めることができる。

第十四条　一般の読み方以外の氏の読み方又は名の読み方を示す文字に用いることができる仮名及び記号の範囲は、新戸籍法第十三条第三項の法務省令で定められた仮名及び記号の範囲とする。

（**政令への委任**）

第二〇条　この附則に定めるもののほか、この法律の施行に関し必要な経過措置（罰則に関する経過措置を含む。）は、政令で定める。

民事関係手続等における情報通信技術の活用等の推進を図るための関係法律の整備に関する法律中経過規定　（令和五・六・一四法五三）（抄）

第三八七条から第三八九条まで　（民事執行法の同経過規定参照）

民事関係手続等における情報通信技術の活用等の推進を図るための関係法律の整備に関する法律

附　則（令和五・六・一四法五三）

この法律は、公布の日から起算して五年を超えない範囲内において政令で定める日から施行する。ただし、次の各号に掲げる規定は、当該各号に定める日から施行する。

一　（前略）第三百八十八条の規定　公布の日

二　（前略）第三百八十七条の規定　公布の日から起算して二年六月を超えない範囲内において政令で定める日

三　（略）

附　則（令和六・五・二四法三三）（抄）

（**施行期日**）

第一条　この法律は、公布の日から起算して二年を超えない範囲内において政令で定める日から施行する。ただし、附則第十六条（中略）の規定は、公布の日から施行する。

（**政令への委任**）

第一六条　（前略）この法律の施行に関し必要な経過措置は、政令で定める。

○性同一性障害者の性別の取扱いの特例に関する法律（平成一五・七・一六法一一一）

施行　平成一六・七・一六（附則参照）
最終改正　平成三〇法五九

（**趣旨**）

第一条　この法律は、性同一性障害者に関する法令上の性別の取扱いの特例について定めるものとする。

（**定義**）

第二条　この法律において「性同一性障害者」とは、生物学的には性別が明らかであるにもかかわらず、心理的にはそれとは別の性別（以下「他の性別」という。）であるとの持続的な確信を持ち、かつ、自己を身体的及び社会的に他の性別に適合させようとする意思を有する者であって、そのことについてその診断を的確に行うために必要な知識及び経験を有する二人以上の医師の一般に認められている医学的知見に基づき行う診断が一致しているものをいう。

（**性別の取扱いの変更の審判**）

第三条①　家庭裁判所は、性同一性障害者であって次の各号のいずれにも該当するものについて、その者の請求により、性別の取扱いの変更の審判をすることができる。

一　十八歳以上であること。

二　現に婚姻をしていないこと。

三　現に未成年の子がいないこと。

四　生殖腺がないこと又は生殖腺の機能を永続的に欠く状態にあること。

五　その身体について他の性別に係る身体の性器に係る部分に近似する外観を備えていること。

②　前項の請求をするには、同項の性同一性障害者に係る前条の診断の結果並びに治療の経過及び結果その他の厚生労働省令で定める事項が記載された医師の診断書を提出しなければならない。

（**性別の取扱いの変更の審判を受けた者に関する法令上の取扱い**）

第四条①　性別の取扱いの変更の審判を受けた者は、民法（明治二十九年法律第八十九号）その他の法令の規定の適用については、法律に別段の定めがある場合を除き、その性別につき他の性別に変わったものとみなす。

② 前項の規定は、法律に別段の定めがある場合を除き、性別の取扱いの変更の審判前に生じた身分関係及び権利義務に影響を及ぼすものではない。

附 則（抄）

（施行期日）

① この法律は、公布の日から起算して一年を経過した日（平成一六・七・一六）から施行する。

＊児童福祉法（抜粋）（昭和二二・一二・一二 法一六四）

最終改正 令和六法六九

第一章 総則（抄）

第二節 定義（抄）

第六条の四【里親等】 この法律で、里親とは、次に掲げる者をいう。

一 内閣府令で定める人数以下の要保護児童を養育することを希望する者（都道府県知事が内閣府令で定めるところにより行う研修を修了したことその他の内閣府令で定める要件を満たす者に限る。）のうち、第三十四条の十九に規定する養育里親名簿に登録されたもの（以下「養育里親」という。）

二 前号に規定する内閣府令で定める人数以下の要保護児童を養育すること及び養子縁組によつて養親となることを希望する者（都道府県知事が内閣府令で定めるところにより行う研修を修了した者に限る。）のうち、第三十四条の十九に規定する養子縁組里親名簿に登録されたもの（以下「養子縁組里親」という。）

三 第一号に規定する内閣府令で定める人数以下の要保護児童を養育することを希望する者（当該要保護児童の父母以外の親族であつて、内閣府令で定めるものに限る。）のうち、都道府県知事が第二十七条第一項第三号の規定により児童を委託する者として適当と認めるもの

第二章 福祉の保障（抄）

第六節 要保護児童の保護措置等（抄）

第二五条【要保護児童発見者の通告義務】 ① 要保護児童を発見した者は、これを市町村、都道府県の設置する福祉事務所若しくは児童相談所又は児童委員を介して市町村、都道府県の設置する福祉事務所若しくは児童相談所に通告しなければならない。ただし、罪を犯した満十四歳以上の児童については、この限りでない。この場合においては、これを家庭裁判所に通告しなければならない。

② 刑法の秘密漏示罪の規定その他の守秘義務に関する法律の規定は、前項の規定による通告をすることを妨げるものと解釈してはならない。

第二六条【児童相談所長の採るべき措置】 ① 児童相談所長は、第二十五条第一項の規定による通告を受けた児童、第二十五条の七第一項第一号若しくは第二項第一号、前条第一号又は少年法（昭和二十三年法律第百六十八号）第六条の六第一項若しくは第十八条第一項の規定による送致を受けた児童及び相談に応じた児童、その保護者又は妊産婦について、必要があると認めたときは、次の各号のいずれかの措置を採らなければならない。

一 次条の措置を要すると認める者は、これを都道府県知事に報告すること。

二 児童又はその保護者を児童相談所その他の関係機関若しくは関係団体の事業所若しくは事務所に通わせ当該事業所若しくは事務所において、又は当該児童若しくはその保護者の住所若しくは居所において、児童福祉司若しくは児童委員に指導させ、又は市町村、都道府県以外の者の設置する児童家庭支援センター、都道府県以外の障害者の日常生活及び社会生活を総合的に支援するための法律第五条第十九項に規定する一般相談支援事業若しくは特定相談支援事業（次条第一項第二号及び第三十四条の七において「障害者等相談支援事業」という。）を行う者その他当該指導を適切に行うことができる者として内閣府令で定めるものに委託して指導させること。

三 児童及び妊産婦の福祉に関し、情報を提供すること、相談（専門的な知識及び技術を必要とするものを除く。）に応ずること、調査及び指導（医学的、心理学的、教育学的、社会学的及び精神保健上の判定を必要とする場合を除く。）を行うことその他の支援（専門的な知識及び技術を必要とするものを除く。）を行うことを要すると認める者（次条の措置を要すると認める者を除く。）は、これを市町村に送致すること。

四 第二十五条の七第一項第二号又は前条第二号の措置が適当であると認める者は、これを福祉事務所に送致すること。

五 妊産婦等生活援助事業の実施又は保育の利用等が適当であると認める者は、これをそれぞれその妊産婦等生活援助事業の実施又は保育の利用等に係る都道府県又は市町村の長に報告し、又は通知すること。

六 児童自立生活援助の実施又は社会的養護自立支援拠点事業の実施が適当であると認める児童は、これをその実施に係る都道府県知事に報告すること。

七 第二十一条の六の規定による措置が適当であると認める者は、これをその措置に係る市町村の長に報告し、又は通知すること。

八 放課後児童健全育成事業、子育て短期支援事業、養育支援訪問事業、地域子育て支援拠点事業、一時預かり事業、子育て援助活動支援事業、子育て世帯訪問支援事業、児童育成支援拠点事業、親子関係形成支援事業、子ども・子育て支援法

第五十九条第一号に掲げる事業その他市町村が実施する児童の健全な育成に資する事業の実施が適当であると認める者は、これをその事業の実施に係る市町村の長に通知すること。

② 前項第一号の規定による報告書には、児童の住所、氏名、年齢、履歴、性行、健康状態及び家庭環境、同号に規定する措置についての当該児童及びその保護者の意向その他児童の福祉増進に関し、参考となる事項を記載しなければならない。

第二七条【都道府県の採るべき措置】① 都道府県は、前条第一項第一号の規定による報告又は少年法第十八条第二項の規定による送致のあつた児童につき、次の各号のいずれかの措置を採らなければならない。

一 児童又はその保護者に訓戒を加え、又は誓約書を提出させること。

二 児童又はその保護者を児童相談所その他の関係機関若しくは関係団体の事業所若しくは事務所に通わせ当該事業所若しくは事務所において、又は当該児童若しくはその保護者の住所若しくは居所において、児童福祉司、知的障害者福祉司、社会福祉主事、児童委員若しくは当該都道府県の設置する児童家庭支援センター若しくは当該都道府県が行う障害者等相談支援事業に係る職員に指導させ、又は市町村、当該都道府県以外の者の設置する児童家庭支援センター、当該都道府県以外の障害者等相談支援事業を行う者若しくは前条第一項第二号に規定する内閣府令で定める者に委託して指導させること。

三 児童を小規模住居型児童養育事業を行う者若しくは里親に委託し、又は乳児院、児童養護施設、障害児入所施設、児童心理治療施設若しくは児童自立支援施設に入所させること。

四 家庭裁判所の審判に付することが適当であると認める児童は、これを家庭裁判所に送致すること。

② 都道府県は、肢体不自由のある児童又は重症心身障害児については、前項第三号の措置に代えて、指定発達支援医療機関に対し、これらの児童を入院させて障害児入所施設（第四十二条第二号に規定する医療型障害児入所施設に限る。）におけると同様な治療等を行うことを委託することができる。

③ 都道府県知事は、少年法第十八条第二項の規定による送致のあつた児童につき、第一項の措置を採るにあたつては、家庭裁判所の決定による指示に従わなければならない。

④ 第一項第三号又は第二項の措置は、児童に親権を行う者（第四十七条第一項の規定により親権を行う児童福祉施設の長を除く。以下同じ。）又は未成年後見人があるときは、前項の場合を除いては、その親権を行う者又は未成年後見人の意に反して、これを採ることができない。

⑤ 都道府県知事は、第一項第二号若しくは第三号若しくは第二項の措置を解除し、停止し、又は他の措置に変更する場合には、児童相談所長の意見を聴かなければならない。

⑥ 都道府県知事は、政令の定めるところにより、第一項第一号から第三号までの措置（第三項の規定により採るもの及び第二十八条第一項第一号又は第二号ただし書の規定により採るものを除く。）若しくは第二項の措置を採る場合又は第一項第二号若しくは第三号若しくは第二項の措置を解除し、停止し、若しくは他の措置に変更する場合には、都道府県児童福祉審議会の意見を聴かなければならない。

第二七条の二【同前】① 都道府県は、少年法第二十四条第一項又は第二十六条の四第一項の規定により同法第二十四条第一項第二号の保護処分の決定を受けた児童につき、当該決定に従つて児童自立支援施設に入所させる措置（保護者の下から通わせて行うものを除く。）又は児童養護施設に入所させる措置を採らなければならない。

② 前項に規定する措置は、この法律の適用については、前条第一項第三号の児童自立支援施設又は児童養護施設に入所させる措置とみなす。ただし、同条第四項及び第六項（措置を解除し、停止し、又は他の措置に変更する場合に係る部分を除く。）並びに第二十八条の規定の適用については、この限りでない。

第二七条の三【家庭裁判所への送致】都道府県知事は、たまたま児童の行動の自由を制限し、又はその自由を奪うような強制的措置を必要とするときは、第三十三条、第三十三条の二及び第四十七条の規定により認められる場合を除き、事件を家庭裁判所に送致しなければならない。

第二七条の四【守秘義務】第二十六条第一項第二号又は第二十七条第一項第二号の規定により行われる指導（委託に係るものに限る。）の事務に従事する者又は従事していた者は、その事務に関して知り得た秘密を漏らしてはならない。

第二八条【保護者の児童虐待等の場合の措置】① 保護者が、その児童を虐待し、著しくその監護を怠り、その他保護者に監護させることが著しく当該児童の福祉を害する場合において、第二十七条第一項第三号の措置を採ることが児童の親権を行う者又は未成年後見人の意に反するときは、都道府県は、次の各号の措置を採ることができる。

一 保護者が親権を行う者又は未成年後見人であるときは、家庭裁判所の承認を得て、第二十七条第一項第三号の措置を採ること。

二 保護者が親権を行う者又は未成年後見人でないときは、その児童を親権を行う者又は未成年後見人に引き渡すこと。ただし、その児童を親権を行う者又は未成年後見人に引き渡すことが児童の福祉のため不適当であると認めるときは、家庭裁判所の承認を得て、第二十七条第一項第三号の措置を採ること。

② 前項第一号及び第二号ただし書の規定による措置の期間は、当該措置を開始した日から二年を超えてはならない。ただし、当該措置に係る保護者に対する指導措置（第二十七条第一項第二号の措置をいう。以下この条並びに第三十三条第二項及び第十八項において同じ。）の効果等に照らし、当該措置を継続しなければ保護者がその児童を虐待し、著しくその監護を怠り、その他著しく当該児童の福祉を害するおそれがあると認めるときは、都道府県は、家庭裁判所の承認を得て、当該期間を更新することができる。

③ 都道府県は、前項ただし書の規定による更新に係る承認の申立てをした場合において、やむを得ない事情があるときは、当該措置の期間が満了した後も、当該申立てに対する審判が確定するまでの間、引き続き当該措置を採ることができる。ただし、当該申立てを却下する審判があつた場合は、当該審判の結果を考慮してもなお当該措置を採る必要があると認めるときに限る。

④ 家庭裁判所は、第一項第一号若しくは第二号ただし書又は第二項ただし書の承認（以下「措置に関する承認」という。）の申立てがあつた場合は、都道府県に対し、期限を定めて、当該申立てに係る保護者に対する指導措置を採るよう勧告すること、当該申立てに係る保護者に対する指導措置に関し報告及び意見を求めること、又は当該申立てに係る児童及びその保護者に関する必要な資料の提出を求めることができる。

⑤ 家庭裁判所は、前項の規定による勧告を行つたときは、その旨を当該保護者に通知するものとする。

⑥ 家庭裁判所は、措置に関する承認の申立てに対する承認の審判をする場合において、当該措置の終了後の家庭その他の環境の調整を行うため当該保護者に対する指導措置を採ることが相当であると認めるときは、都道府県に対し、当該指導措置を採るよう勧告することができる。

⑦ 家庭裁判所は、第四項の規定による勧告を行つた場合において、措置に関する承認の申立てを却下する審判をするときであつて、家庭その他の環境の調整を行うため当該勧告に係る当該保護者に対する指導措置を採ることが相当であると認めるときは、都道府県に対し、当該指導措置を採るよう勧告することができる。

⑧ 第五項の規定は、前二項の規定による勧告について準用する。

第二九条【同前―調査質問】 都道府県知事は、前条の規定による措置をとるため、必要があると認めるときは、児童委員又は児童の福祉に関する事務に従事する職員をして、児童の住所若しくは居所又は児童の従事する場所に立ち入り、必要な調査又は質問をさせることができる。この場合においては、その身分を証明する証票を携帯させ、関係者の請求があつたときは、これを提示させなければならない。

第三三条【一時保護】 ① 児童相談所長は、児童虐待のおそれがあるとき、少年法第六条の六第一項の規定により事件の送致を受けたときその他の内閣府令で定める場合であつて、必要があると認めるときは、第二十六条第一項の措置を採るに至るまで、児童の安全を迅速に確保し適切な保護を図るため、又は児童の心身の状況、その置かれている環境その他の状況を把握するため、児童の一時保護を行い、又は適当な者に委託して、当該一時保護を行わせることができる。

② 都道府県知事は、前項に規定する場合であつて、必要があると認めるときは、第二十七条第一項又は第二項の措置（第二十八条第四項の規定による勧告を受けて採る指導措置を除く。）を採るに至るまで、児童の安全を迅速に確保し適切な保護を図るため、又は児童の心身の状況、その置かれている環境その他の状況を把握するため、児童相談所長をして、児童の一時保護を行わせ、又は適当な者に当該一時保護を行うことを委託させることができる。

③ 児童相談所長又は都道府県知事は、前二項の規定による一時保護を行うときは、次に掲げる場合を除き、一時保護を開始した日から起算して七日以内に、第一項に規定する場合に該当し、かつ、一時保護の必要があると認められる資料を添えて、これらの者の所属する官公署の所在地を管轄する地方裁判所、家庭裁判所又は簡易裁判所の裁判官に次項に規定する一時保護状を請求しなければならない。この場合において、一時保護を開始する前にあらかじめ一時保護状を請求することを妨げない。

一 当該一時保護を行うことについて当該児童の親権を行う者又は未成年後見人の同意がある場合

二 当該児童に親権を行う者又は未成年後見人がない場合

三 当該一時保護をその開始した日から起算して七日以内に解除した場合

④ 裁判官は、前項の規定による請求（以下この条において「一時保護状の請求」という。）のあつた児童について、第一項に規定する場合に該当すると認めるときは、一時保護状を発する。ただし、明らかに一時保護の必要がないと認めるときは、この限りでない。

⑤ 前項の一時保護状には、次に掲げる事項（第五号に掲げる事項にあつては、第三項後段に該当する場合に限る。）を記載し、裁判官がこれに記名押印しなければならない。

一 一時保護を行う児童の氏名

二 一時保護の理由

三 発付の年月日

四 裁判所名

五 有効期間及び有効期間経過後は一時保護を開始することができずこれを返還しなければならない旨

⑥ 一時保護状の請求についての裁判は、判事補が単独ですることができる。

⑦ 児童相談所長又は都道府県知事は、裁判官が一時保護状の請求を却下する裁判をしたときは、速やかに一時保護を解除しなければならない。ただし、一時保護を行わなければ児童の生命又は心身に重大な危害が生じると見込まれるときは、児童相談所長又は都道府県知事は、当該裁判があつた日の翌日から起算して三日以内に限り、第一項に規定する場合に該当し、かつ、一時保護の必要があると認められる資料及び一時保護を行わなければ児童の生命又は心身に重大な危害が生じると見込まれると認められる資料を添えて、簡易裁判所の裁判官がした裁判に対しては管轄地方裁判所に、その他の裁判官がした裁判に対してはその裁判官が所属する裁判所にその裁判の取消しを請求することができる。

⑧ 前項ただし書の請求を受けた地方裁判所又は家庭裁判所は、合議体で決定をしなければならない。

⑨ 第七項本文の規定にかかわらず、児童相談所長又は都道府県知事は、同項ただし書の規定による請求をするときは、一時保護状の請求についての裁判が確定するまでの間、引き続き第一項又は第二項の規定による一時保護を行うことができる。

⑩ 第七項ただし書の規定による請求を受けた裁判所は、当該請求がその規定に違反したとき、又は請求が理由のないときは、決定で請求を棄却しなければならない。

⑪ 第七項ただし書の規定による請求を受けた裁判所は、当該請求が理由のあるときは、決定で原裁判を取り消し、自ら一時保護状を発しなければならない。

⑫ 第一項及び第二項の規定による一時保護の期間は、当該一時保護を開始した日から二月を超えてはならない。

⑬ 前項の規定にかかわらず、児童相談所長又は都道府県知事は、必要があると認めるときは、引き続き第一項又は第二項の規定による一時保護を行うことができる。

⑭ 前項の規定により引き続き一時保護を行うことが当該児童の親権を行う者又は未成年後見人の意に反する場合においては、児童相談所長又は都道府県知事が引き続き一時保護を行おうとするとき、及び引き続き一時保護を行つた後二月を超えて引き続き一時保護を行おうとするときごとに、児童相談所長又は都道府県知事は、家庭裁判所の承認を得なければならない。ただし、当該児童に係る第二十八条第一項第一号若しくは第二号ただし書の承認の申立て又は当該児童の親権者に係る第三十三条の七の規定による親権喪失若しくは親権停止の審判の請求若しくは当該児童の未成年後見人に係る第三十三条の九の規定による未成年後見人の解任の請求がされている場合は、この限りでない。

⑮ 児童相談所長又は都道府県知事は、前項本文の規定による引き続いての一時保護に係る承認の申立てをした場合において、やむを得ない事情があるときは、一時保護を開始した日から二月を経過した後又は同項の規定により引き続き一時保護を行つた後二月を経過した後も、当該申立てに対する審判が確定するまでの間、引き続き一時保護を行うことができる。ただし、当該申立てを却下する審判があつた場合は、当該審判の結果を考慮してもなお引き続き一時保護を行う必要があると認めるときに限る。

⑯ 前項本文の規定により引き続き一時保護を行つた場合において、第十四項本文の規定による引き続いての一時保護に係る承認の申立てに対する審判が確定した場合における同項の規定の適用については、同項中「引き続き一時保護を行おうとするとき、及び引き続き一時保護を行つた」とあるのは、「引き続いての一時保護に係る承認の申立てに対する審判が確定した」とする。

⑰ 児童相談所長は、特に必要があると認めるときは、第一項の規定により一時保護が行われた児童については満二十歳に達するまでの間、次に掲げる措置を採るに至るまで、引き続き一時保護を行い、又は一時保護を行わせることができる。

一 第三十一条第四項の規定による措置を要すると認める者は、これを都道府県知事に報告すること。

二 児童自立生活援助の実施又は社会的養護自立支援拠点事業の実施が適当であると認める満二十歳未満義務教育終了児童等は、これをその実施に係る都道府県知事に報告すること。

⑱ 都道府県知事は、特に必要があると認めるときは、第二項の規定により一時保護が行われた児童については満二十歳に達するまでの間、第三十一条第四項の規定による措置（第二十八条第四項の規定による勧告を受けて採る指導措置を除く。第二十八条第四項において同じ。）を採るに至るまで、児童相談所長をして、引き続き一時保護を行わせ、又は一時保護を行うことを委託させることができる。

⑲ 児童相談所長は、特に必要があると認めるときは、第十七項各号に掲げる措置を採るに至るまで、保護延長者（児童以外の満二十歳に満たない者のうち、第三十一条第二項から第四項までの規定による措置が採られているものをいう。以下この項及び次項において同じ。）の安全を迅速に確保し適切な保護を図るため、又は保護延長者の心身の状況、その置かれている環境その他の状況を把握するため、保護延長者の一時保護を行い、又は適当な者に委託して、当該一時保護を行わせることができる。

⑳ 都道府県知事は、特に必要があると認めるときは、第三十一条第四項の規定による措置を採るに至るまで、保護延長者の安全を迅速に確保し適切な保護を図るため、又は保護延長者の心身の状況、その置かれている環境その他の状況を把握するため、児童相談所長をして、保護延長者の一時保護を行わせ、又は適当な者に当該一時保護を行うことを委託させることができる。

㉑ 第十七項から前項までの規定による一時保護は、この法律の適用については、第一項又は第二項の規定による一時保護とみなす。

第三三条の二【一時保護中の児童の親権等】 ① 児童相談所長は、一時保護が行われた児童で親権を行う者又は未成年後見人のないものに対し、親権を行う者又は未成年後見人があるに至るまでの間、親権を行う。ただし、民法第七百九十七条の規定による縁組の承諾をするには、内閣府令の定めるところにより、都道府県知事の許可を得なければならない。

② 児童相談所長は、一時保護が行われた児童で親権を行う者又は未成年後見人のあるものについても、監護及び教育に関し、その児童の福祉のため必要な措置をとることができる。この場合において、児童相談所長は、児童の人格を尊重するとともに、その年齢及び発達の程度に配慮しなければならず、かつ、体罰その他の児童の心身の健全な発達に有害な影響を及ぼす言動をしてはならない。

③ 前項の児童の親権を行う者又は未成年後見人は、同項の規定による措置を不当に妨げてはならない。

④ 第二項の規定による措置は、児童の生命又は身体の安全を確保するため緊急の必要があると認めるときは、その親権を行う者又は未成年後見人の意に反しても、これをとることができる。

第三三条の六の四【特別養子適格の確認の請求】 ① 児童相談所長は、児童について、家庭裁判所に対し、養親としての適格性を有する者との間における特別養子縁組について、家事事件手続法（平成二十三年法律第五十二号）第百六十四条第二項に規定する特別養子適格の確認を請求することができる。

② 児童相談所長は、前項の規定による請求に係る児童について、特別養子縁組によって養親となることを希望する者が現に存しないときは、養子縁組里親その他の適当な者に対し、当該児童に係る民法第八百十七条の二第一項に規定する請求を行うことを勧奨するよう努めるものとする。

第三三条の六の五【特別養子適格の確認の審判事件】 ① 児童相談所長は、児童に係る特別養子適格の確認の審判事件（家事事件手続法第三条の五に規定する特別養子適格の確認の審判事件をいう。）の手続に参加することができる。

② 前項の規定により手続に参加する児童相談所長は、家事事件手続法第四十二条第七項に規定する利害関係参加人とみなす。

第三三条の七【親権喪失等の審判の請求又は取消し】 児童の親権者に係る民法第八百三十四条本文、第八百三十四条の二第一項、第八百三十五条又は第八百三十六条の規定による親権喪失、親権停止若しくは管理権喪失の審判の請求又はこれらの審判の取消しの請求は、これらの規定に定める者のほか、児童相談所長も、これを行うことができる。

第三三条の八【未成年後見人選任の請求】 ① 児童相談所長は、親権を行う者のない児童について、その福祉のため必要があるときは、家庭裁判所に対し未成年後見人の選任を請求しなければならない。

② 児童相談所長は、前項の規定による未成年後見人の選任の請求に係る児童（小規模住居型児童養育事業を行う者若しくは里親に委託中、児童福祉施設に入所中又は一時保護中の児童を除く。）に対し、親権を行う者又は未成年後見人があるに至るまでの間、親権を行う。ただし、民法第七百九十七条の規定による縁組の承諾をするには、内閣府令の定めるところにより、都道府県知事の許可を得なければならない。

第三三条の九【未成年後見人解任の請求】 児童の未成年後見人に、不正な行為、著しい不行跡その他後見の任務に適しない事由があるときは、民法第八百四十六条の規定による未成年後見人の解任の請求は、同条に定める者のほか、児童相談所長も、これを行うことができる。

第三章　事業、養育里親及び養子縁組里親並びに施設（抄）

第三四条の一九【養育里親名簿等】 都道府県知事は、第二十七条第一項第三号の規定により児童を委託するため、内閣府令で定めるところにより、養育里親名簿及び養子縁組里親名簿を作成しておかなければならない。

第三四条の二〇【養育里親等の欠格事由】 ① 本人又はその同居人が次の各号のいずれかに該当する者は、養育里親及び養子縁組里親となることができない。

一 拘禁刑以上の刑に処せられ、その執行を終わり、又は執行を受けることがなくなるまでの者

二 この法律、児童買春、児童ポルノに係る行為等の規制及び処罰並びに児童の保護等に関する法律（平成十一年法律第五十二号）その他国民の福祉に関する法律で政令で定めるものの規定により罰金の刑に処せられ、その執行を終わり、又は執行を受けることがなくなるまでの者

三 児童虐待又は被措置児童等虐待を行つた者その他児童の福祉に関し著しく不適当な行為をした者

② 都道府県知事は、養育里親若しくは養子縁組里親又はその同居人が前項各号のいずれかに該当するに至つたときは、当該養育里親又は養子縁組里親を直ちに養育里親名簿又は養子縁組里親名簿から抹消しなければならない。

第四七条【施設の長の親権代行】 ① 児童福祉施設の長は、入所中の児童で親権を行う者又は未成年後見人のないものに対し、親権を行う者又は未成年後見人があるに至るまでの間、親権を行う。ただし、民法第七百九十七条の規定による縁組の承諾をするには、内閣府令の定めるところにより、都道府県知事の許可を得なければならない。

② 児童相談所長は、小規模住居型児童養育事業を行う者又は里親に委託中の児童で親権を行う者又は未成年後見人のないものに対し、親権を行う者又は未成年後見人があるに至るまでの間、親権を行う。ただし、民法第七百九十七条の規定による縁組の承諾をするには、内閣府令の定めるところにより、都道府県知事の許可を得なければならない。

③ 児童福祉施設の長、その住居において養育を行う第六条の三第八項に規定する内閣府令で定める者又は里親（以下この項において「施設長等」という。）は、入所中又は受託中の児童で親権を行う者又は未成年後見人のあるものについても、監護及び教育に関し、その児童の福祉のため必要な措置をとることができる。この場合において、施設長等は、児童の人格を尊重するとともに、その年齢及び発達の程度に配慮しなければならず、かつ、体罰その他の児童の心身の健全な発達に有害な影響を及ぼす言動をしてはならない。

④ 前項の児童の親権を行う者又は未成年後見人は、同項の規定による措置を不当に妨げてはならない。

⑤ 第三項の規定による措置は、児童の生命又は身体の安全を確保するため緊急の必要があると認めるときは、その親権を行う者又は未成年後見人の意に反しても、これをとることができる。この場合において、児童福祉施設の長、小規模住居型児童

養育事業を行う者又は里親は、速やかに、そのとつた措置について、当該児童に係る通所給付決定若しくは入所給付決定、第二十一条の六、第二十四条第五項若しくは第六項若しくは第二十七条第一項第三号の措置、助産の実施若しくは母子保護の実施又は当該児童に係る子ども・子育て支援法第二十条第四項に規定する教育・保育給付認定を行った都道府県又は市町村の長に報告しなければならない。

第四八条の三【親子関係再統合支援】 乳児院、児童養護施設、障害児入所施設、児童心理治療施設及び児童自立支援施設の長並びに小規模住居型児童養育事業を行う者及び里親は、当該施設に入所し、又は小規模住居型児童養育事業を行う者若しくは里親に委託された児童及びその保護者に対して、市町村、児童相談所、児童家庭支援センター、里親支援センター、教育機関、医療機関その他の関係機関との緊密な連携を図りつつ、親子の再統合のための支援その他の当該児童が家庭（家庭における養育環境と同様の養育環境及び良好な家庭的環境を含む。）で養育されるために必要な措置を採らなければならない。

附　則（令和四・六・一五法六六）（抄）

（施行期日）

第一条　この法律は、令和六年四月一日から施行する。ただし、次の各号に掲げる規定は、当該各号に定める日から施行する。

一　附則（中略）第十七条の規定　公布の日

二―四　（略）

五　第三条（児童福祉法の一部改正）の規定及び（中略）附則第十四条の規定（中略）　公布の日から起算して三年を超えない範囲内において政令で定める日（令和七・六・一―令和五政三七二）

（検討）

第二条①　（略）

②　政府は、この法律の施行後五年を目途として、この法律による改正後の児童福祉法及び母子保健法（以下この項において「改正後の両法律」という。）の施行の状況等を勘案し、必要があると認めるときは、改正後の両法律の規定について検討を加え、その結果に基づいて必要な措置を講ずるものとする。

（一時保護の手続に関する経過措置）

第一四条　第三条の規定による改正後の児童福祉法第三十三条第三項から第十一項までの規定は、附則第一条第五号に掲げる規定の施行の日以後に開始される一時保護について適用し、同日前に開始された一時保護については、なお従前の例による。

（政令への委任）

第一七条　附則第三条から前条までに規定するもののほか、この法律の施行に伴い必要な経過措置（罰則に関する経過措置を含む。）は、政令で定める。

刑法等の一部を改正する法律の施行に伴う関係法律整理法中経過規定　（令和四・六・一七法六八）（抄）

第四四一条から第四四三条まで　（刑法の同経過規定参照）

第五〇九条　（刑法の同経過規定参照）

刑法等の一部を改正する法律の施行に伴う関係法律整理法

附　則（令和四・六・一七法六八）（抄）

（施行期日）

①　この法律は、刑法等一部改正法（刑法等の一部を改正する法律（令和四法六七））施行日（令和七・六・一）から施行する。ただし、次の各号に掲げる規定は、当該各号に定める日から施行する。

一　第五百九条の規定　公布の日

二　（略）

附　則（令和四・一二・一六法一〇四）（抄）

（施行期日）

第一条　（前略）次の各号に掲げる規定は、当該各号に定める日から施行する。

一　（前略）附則（中略）第四十三条の規定　公布の日

二・三　（略）

四　（前略）第六条（児童福祉法の一部改正）の規定（中略）　公布の日から起算して三年を超えない範囲内において政令で定める日

（政令への委任）

第四三条　この附則に規定するもののほか、この法律の施行に伴い必要な経過措置（罰則に関する経過措置を含む。）は、政令で定める。

＊児童虐待の防止等に関する法律（抜粋）（平成一二・五・二四法　八二）

最終改正　令和四法一〇四

（目的）

第一条　この法律は、児童虐待が児童の人権を著しく侵害し、その心身の成長及び人格の形成に重大な影響を与えるとともに、我が国における将来の世代の育成にも懸念を及ぼすことにかんがみ、児童に対する虐待の禁止、児童虐待の予防及び早期発見その他の児童虐待の防止に関する国及び地方公共団体の責務、児童虐待を受けた児童の保護及び自立の支援のための措置等を定めることにより、児童虐待の防止等に関する施策を促進し、もつて児童の権利利益の擁護に資することを目的とする。

（児童虐待の定義）

第二条　この法律において、「児童虐待」とは、保護者（親権を行う者、未成年後見人その他の者で、児童を現に監護するものをいう。以下同じ。）がその監護する児童（十八歳に満たない者をいう。以下同じ。）について行う次に掲げる行為をいう。

一　児童の身体に外傷が生じ、又は生じるおそれのある暴行を加えること。

二　児童にわいせつな行為をすること又は児童をしてわいせつな行為をさせること。

三　児童の心身の正常な発達を妨げるような著しい減食又は長時間の放置、保護者以外の同居人による前二号又は次号に掲げる行為と同様の行為の放置その他の保護者としての監護を著しく怠ること。

四　児童に対する著しい暴言又は著しく拒絶的な対応、児童が同居する家庭における配偶者に対する暴力（配偶者（婚姻の届出をしていないが、事実上婚姻関係と同様の事情にある者を含む。）の身体に対する不法な攻撃であって生命又は身体に危害を及ぼすもの及びこれに準ずる心身に有害な影響を及ぼす言動をいう。）その他の児童に著しい心理的外傷を与える言動を行うこと。

（児童に対する虐待の禁止）

第三条　何人も、児童に対し、虐待をしてはならない。

（国及び地方公共団体の責務等）

第四条①　国及び地方公共団体は、児童虐待の予防及び早期発見、迅速かつ適切な児童虐待を受けた児童の保護及び自立の支援（児童虐待を受けた後十八歳となった者に対する自立の支援を含む。第三項及び次条第二項において同じ。）並びに児童虐待を行った保護者に対する親子の再統合の促進への配慮その他の児童虐待を受けた児童が家庭（家庭における養育環境と同様の養育環境及び良好な家庭的環境を含む。）で生活するために必要な配慮をした適切な指導及び支援を行うため、関係省庁相互間又は関係地方公共団体相互間、市町村、児童相談所、福祉事務所、配偶者からの暴力の防止及び被害者の保護等に関する法律（平成十三年法律第三十一号）第三条第一項に規定する配偶者暴力相談支援センター（次条第一項において単に「配偶者暴力相談支援センター」という。）、学校及び医療機関の間その他関係機関及び民間団体の間の連携の強化、民間団体の支援、医療の提供体制の整備その他児童虐待の防止等のために必要な体制の整備に努めなければならない。

② 国及び地方公共団体は、児童相談所等関係機関の職員及び学校の教職員、児童福祉施設の職員、医師、歯科医師、保健師、助産師、看護師、弁護士その他児童の福祉に職務上関係のある者が児童虐待を早期に発見し、その他児童虐待の防止に寄与することができるよう、研修等必要な措置を講ずるものとする。

③ 国及び地方公共団体は、児童虐待を受けた児童の保護及び自立の支援を専門的知識に基づき適切に行うことができるよう、児童相談所等関係機関の職員、学校の教職員、児童福祉施設の職員その他児童虐待を受けた児童の保護及び自立の支援の職務に携わる者の人材の確保及び資質の向上を図るため、研修等必要な措置を講ずるものとする。

④ 国及び地方公共団体は、児童虐待の防止に資するため、児童の人権、児童虐待が児童に及ぼす影響、児童虐待に係る通告義務等について必要な広報その他の啓発活動に努めなければならない。

⑤ 国及び地方公共団体は、児童虐待を受けた児童がその心身に著しく重大な被害を受けた事例の分析を行うとともに、児童虐待の予防及び早期発見のための方策、児童虐待を受けた児童のケア並びに児童虐待を行った保護者の指導及び支援のあり方、学校の教職員及び児童福祉施設の職員が児童虐待の防止に果たすべき役割その他児童虐待の防止等のために必要な事項についての調査研究及び検証を行うものとする。

⑥ 児童相談所の所長は、児童虐待を受けた児童が住所又は居所を当該児童相談所の管轄区域外に移転する場合においては、当該児童の家庭環境その他の環境の変化による影響に鑑み、当該児童及び当該児童虐待を行った保護者について、その移転の前後において指導、助言その他の必要な支援が切れ目なく行われるよう、移転先の住所又は居所を管轄する児童相談所の所長に対し、速やかに必要な情報の提供を行うものとする。この場合において、当該情報の提供を受けた児童相談所長は、児童福祉法（昭和二十二年法律第百六十四号）第二十五条の二第一項に規定する要保護児童対策地域協議会が速やかに当該情報の交換を行うことができるための措置その他の緊密な連携を図るために必要な措置を講ずるものとする。

⑦ 児童の親権を行う者は、児童を心身ともに健やかに育成することについて第一義的責任を有するものであって、親権を行うに当たっては、できる限り児童の利益を尊重するよう努めなければならない。

⑧ 何人も、児童の健全な成長のために、家庭（家庭における養育環境と同様の養育環境及び良好な家庭的環境を含む。）及び近隣社会の連帯が求められていることに留意しなければならない。

（児童虐待の早期発見等）

第五条① 学校、児童福祉施設、病院、都道府県警察、女性相談支援センター、教育委員会、配偶者暴力相談支援センターその他児童の福祉に業務上関係のある団体及び学校の教職員、児童福祉施設の職員、医師、歯科医師、保健師、助産師、看護師、弁護士、警察官、女性相談支援員その他児童の福祉に職務上関係のある者は、児童虐待を発見しやすい立場にあることを自覚し、児童虐待の早期発見に努めなければならない。

② 前項に規定する者は、児童虐待の予防その他の児童虐待の防止並びに児童虐待を受けた児童の保護及び自立の支援に関する国及び地方公共団体の施策に協力するよう努めなければならない。

③ 第一項に規定する者は、正当な理由がなく、その職務に関して知り得た児童虐待を受けたと思われる児童に関する秘密を漏らしてはならない。

④ 前項の規定その他の守秘義務に関する法律の規定は、第二項の規定による国及び地方公共団体の施策に協力するように努める義務の遵守を妨げるものと解釈してはならない。

⑤ 学校及び児童福祉施設は、児童及び保護者に対して、児童虐待の防止のための教育又は啓発に努めなければならない。

（児童虐待に係る通告）

第六条① 児童虐待を受けたと思われる児童を発見した者は、速やかに、これを市町村、都道府県の設置する福祉事務所若しくは児童相談所又は児童委員を介して市町村、都道府県の設置する福祉事務所若しくは児童相談所に通告しなければならない。

② 前項の規定による通告は、児童福祉法第二十五条第一項の規定による通告とみなして、同法の規定を適用する。

③ 刑法（明治四十年法律第四十五号）の秘密漏示罪の規定その他の守秘義務に関する法律の規定は、第一項の規定による通告をする義務の遵守を妨げるものと解釈してはならない。

第七条 市町村、都道府県の設置する福祉事務所又は児童相談所が前条第一項の規定による通告を受けた場合においては、当該通告を受けた市町村、都道府県の設置する福祉事務所又は児童相談所の所長、所員その他の職員及び当該通告を仲介した児童委員は、その職務上知り得た事項であって当該通告をした者を特定させるものを漏らしてはならない。

（通告又は送致を受けた場合の措置）

第八条① 市町村又は都道府県の設置する福祉事務所が第六条第一項の規定による通告を受けたときは、市町村又は福祉事務所の長は、必要に応じ近隣住民、学校の教職員、児童福祉施設の職員その他の者の協力を得つつ、当該児童との面会その他の当該児童の安全の確認を行うための措置を講ずるとともに、必要に応じ次に掲げる措置を採るものとする。

一 児童福祉法第二十五条の七第一項第一号若しくは第二項第一号又は第二十五条の八第一号の規定により当該児童を児童相談所に送致すること。

二 当該児童のうち次条第一項の規定による出頭の求め及び調査若しくは質問、第九条第一項の規定による立入り及び調査若しくは質問又は児童福祉法第三十三条第一項若しくは第二項の規定による一時保護の実施が適当であると認めるものを都道府県知事又は児童相談所長へ通知すること。

② 児童相談所が第六条第一項の規定による通告又は児童福祉法第二十五条の七第一項第一号若しくは第二項第一号若しくは第二十五条の八第一号の規定による送致を受けたときは、児童相談所長は、必要に応じ近隣住民、学校の教職員、児童福祉施設の職員その他の者の協力を得つつ、当該児童との面会その他の当該児童の安全の確認を行うための措置を講ずるとともに、必要に応じ次に掲げる措置を採るものとする。

一 児童福祉法第三十三条第一項の規定により当該児童の一時保護を行い、又は適当な者に委託して、当該一時保護を行わせること。

二 児童福祉法第二十六条第一項第三号の規定により当該児童のうち第六条第一項の規定による通告を受けたものを市町村に送致すること。

三 当該児童のうち児童福祉法第六条の三第十八項に規定する妊産婦等生活援助事業の実施又は同法第二十五条の八第三号に規定する保育の利用等（以下この号において「保育の利用等」という。）が適当であると認めるものをその妊産婦等生活援助事業の実施又は保育の利用等に係る都道府県又は市町村の長へ報告し、又は通知すること。

四　当該児童のうち児童福祉法第六条の三第二項に規定する放課後児童健全育成事業、同条第三項に規定する子育て短期支援事業、同条第五項に規定する養育支援訪問事業、同条第六項に規定する地域子育て支援拠点事業、同条第七項に規定する一時預かり事業、同条第十四項に規定する子育て援助活動支援事業、同条第十九項に規定する子育て世帯訪問支援事業、同条第二十項に規定する児童育成支援拠点事業、同条第二十一項に規定する親子関係形成支援事業、子ども・子育て支援法（平成二十四年法律第六十五号）第五十九条第一号に掲げる事業その他市町村が実施する児童の健全な育成に資する事業の実施が適当であると認めるものをその事業の実施に係る市町村の長へ通知すること。

③　前二項の児童の安全の確認を行うための措置、市町村若しくは児童相談所への送致又は一時保護を行う者は、速やかにこれを行うものとする。

（出頭要求等）

第八条の二①　都道府県知事は、児童虐待が行われているおそれがあると認めるときは、当該児童の保護者に対し、当該児童を同伴して出頭することを求め、児童委員又は児童の福祉に関する事務に従事する職員をして、必要な調査又は質問をさせることができる。この場合においては、その身分を証明する証票を携帯させ、関係者の請求があったときは、これを提示させなければならない。

②　（略）

③　都道府県知事は、第一項の保護者が同項の規定による出頭の求めに応じない場合は、次条第一項の規定による児童委員又は児童の福祉に関する事務に従事する職員の立入り及び調査又は質問その他の必要な措置を講ずるものとする。

（立入調査等）

第九条①　都道府県知事は、児童虐待が行われているおそれがあると認めるときは、児童委員又は児童の福祉に関する事務に従事する職員をして、児童の住所又は居所に立ち入り、必要な調査又は質問をさせることができる。この場合においては、その身分を証明する証票を携帯させ、関係者の請求があったときは、これを提示させなければならない。

②　（略）

（再出頭要求等）

第九条の二①　都道府県知事は、第八条の二第一項の保護者又は前条第一項の児童の保護者が正当な理由なく同項の規定による児童委員又は児童の福祉に関する事務に従事する職員の立入り又は調査を拒み、妨げ、又は忌避した場合において、児童虐待が行われているおそれがあると認めるときは、当該保護者に対し、当該児童を同伴して出頭することを求め、児童委員又は児童の福祉に関する事務に従事する職員をして、必要な調査又は質問をさせることができる。この場合においては、その身分を証明する証票を携帯させ、関係者の請求があったときは、これを提示させなければならない。

②　（略）

（臨検、捜索等）

第九条の三①　都道府県知事は、第八条の二第一項の保護者又は第九条第一項の児童の保護者が正当な理由なく同項の規定による児童委員又は児童の福祉に関する事務に従事する職員の立入り又は調査を拒み、妨げ、又は忌避した場合において、児童虐待が行われている疑いがあるときは、当該児童の安全の確認を行い、又はその安全を確保するため、児童の福祉に関する事務に従事する職員をして、当該児童の住所又は居所の所在地を管轄する地方裁判所、家庭裁判所又は簡易裁判所の裁判官があらかじめ発する許可状により、当該児童の住所若しくは居所に臨検させ、又は当該児童を捜索させることができる。

②　（略）

③　都道府県知事は、第一項の許可状（以下「許可状」という。）を請求する場合においては、児童虐待が行われている疑いがあると認められる資料、臨検させようとする住所又は居所に当該児童が現在すると認められる資料及び当該児童の保護者が第九条第一項の規定による立入り又は調査を拒み、妨げ、又は忌避したことを証する資料を提出しなければならない。

④　前項の請求があった場合においては、地方裁判所、家庭裁判所又は簡易裁判所の裁判官は、臨検すべき場所又は捜索すべき児童の氏名並びに有効期間、その期間経過後は執行に着手することができずこれを返還しなければならない旨、交付の年月日及び裁判所名を記載し、自己の記名押印した許可状を都道府県知事に交付しなければならない。

⑤　（略）

⑥　第一項の規定による臨検又は捜索に係る制度は、児童虐待が保護者がその監護する児童に対して行うものであるために他人から認知されること及び児童がその被害から自ら逃れることが困難である等の特別の事情から児童の生命又は身体に重大な危険を生じさせるおそれがあることにかんがみ特に設けられたものであることを十分に踏まえた上で、適切に運用されなければならない。

（責任者等の立会い）

第九条の九①　児童の福祉に関する事務に従事する職員は、第九条の三第一項の規定による臨検又は捜索をするときは、当該児童の住所若しくは居所の所有者若しくは管理者（これらの者の代表者、代理人その他これらの者に代わるべき者を含む。）又は同居の親族で成年に達した者を立ち会わせなければならない。

②　前項の場合において、同項に規定する者を立ち会わせることができないときは、その隣人で成年に達した者又はその地の地方公共団体の職員を立ち会わせなければならない。

（警察署長に対する援助要請等）

第一〇条①　児童相談所長は、第八条第二項の児童の安全の確認を行おうとする場合、又は同項第一号の一時保護を行おうとし、若しくは行わせようとする場合において、これらの職務の執行に際し必要があると認めるときは、当該児童の住所又は居所の所在地を管轄する警察署長に対し援助を求めることができる。都道府県知事が、第九条第一項の規定による立入り及び調査若しくは質問をさせ、又は臨検等をさせようとする場合についても、同様とする。

②　児童相談所長又は都道府県知事は、児童の安全の確認及び安全の確保に万全を期する観点から、必要に応じ迅速かつ適切に、前項の規定により警察署長に対し援助を求めなければならない。

③　警察署長は、第一項の規定による援助の求めを受けた場合において、児童の生命又は身体の安全を確認し、又は確保するため必要と認めるときは、速やかに、所属の警察官に、同項の職務の執行を援助するために必要な警察官職務執行法（昭和二十三年法律第百三十六号）その他の法令の定めるところによる措置を講じさせるよう努めなければならない。

（調書）

第一〇条の二　児童の福祉に関する事務に従事する職員は、第九条の三第一項の規定による臨検又は捜索をしたときは、これらの処分をした年月日及びその結果を記載した調書を作成し、立会人に示し、当該立会人とともにこれに署名押印しなければならない。ただし、立会人が署名押印をせず、又は署名押印することができないときは、その旨を付記すれば足りる。

（都道府県知事への報告）

第一〇条の三　児童の福祉に関する事務に従事する職員は、臨検等を終えたときは、その結果を都道府県知事に報告しなければならない。

（児童虐待を行った保護者に対する指導等）

第一一条①　都道府県知事又は児童相談所長は、児童虐待を行った保護者について児童福祉法第二十七条第一項第二号又は第二十六条第一項第二号の規定により指導を行う場合は、当該保護者について、児童虐待の再発を防止するため、医学的又は心理学的知見に基づく指導を行うよう努めるものとする。

②　児童虐待を行った保護者について児童福祉法第二十七条第一

項第二号の規定により行われる指導は、親子の再統合への配慮その他の児童虐待を受けた児童が家庭（家庭における養育環境と同様の養育環境及び良好な家庭的環境を含む。）で生活するために必要な配慮の下に適切に行われなければならない。

③　児童虐待を行った保護者について児童福祉法第二十七条第一項第二号の措置が採られた場合においては、当該保護者は、同号の指導を受けなければならない。

④　前項の場合において保護者が同項の指導を受けないときは、都道府県知事は、当該保護者に対し、同項の指導を受けるよう勧告することができる。

⑤　都道府県知事は、前項の規定による勧告を受けた保護者が当該勧告に従わない場合において必要があると認めるときは、児童福祉法第三十三条第二項の規定により児童相談所長をして児童虐待を受けた児童の一時保護を行わせ、又は適当な者に当該一時保護を行うことを委託させ、同法第二十七条第一項第三号又は第二十八条第一項の規定による措置を採る等の必要な措置を講ずるものとする。

⑥　児童相談所長は、第四項の規定による勧告を受けた保護者が当該勧告に従わず、その監護する児童に対し親権を行わせることが著しく当該児童の福祉を害する場合には、必要に応じて、適切に、児童福祉法第三十三条の七の規定による請求を行うものとする。

⑦　都道府県は、保護者への指導（第二項の指導及び児童虐待を行った保護者に対する児童福祉法第十一条第一項第二号ニの規定による指導をいう。以下この項において同じ。）を効果的に行うため、同法第十三条第五項に規定する指導教育担当児童福祉司に同項に規定する指導及び教育のほか保護者への指導を行う者に対する専門的技術に関する指導及び教育を行わせるとともに、第八条の二第一項の規定による立入り及び調査若しくは質問、第九条第一項の規定による立入り及び調査若しくは質問、第九条の二第一項の規定による調査若しくは質問、第九条の三第一項の規定による臨検若しくは捜索又は同条第二項の規定による調査若しくは質問をした児童の福祉に関する事務に従事する職員並びに同法第三十三条第一項又は第二項の規定による児童の一時保護を行った児童福祉司以外の者に当該児童に係る保護者への指導を行わせることその他の必要な措置を講じなければならない。

第十二条（面会等の制限等）①　児童虐待を受けた児童について児童福祉法第二十七条第一項第三号の措置（以下「施設入所等の措置」という。）が採られ、又は同法第三十三条第一項若しくは第二項の規定による一時保護が行われた場合において、児童虐待の防止及び児童虐待を受けた児童の保護のため必要があると認めるときは、児童相談所長及び当該児童について施設入所等の措置が採られている場合における当該施設入所等の措置に係る同号に規定する施設の長は、内閣府令で定めるところにより、当該児童虐待を行った保護者について、次に掲げる行為の全部又は一部を制限することができる。

一　当該児童との面会

二　当該児童との通信

②　前項の施設の長は、同項の規定による制限を行った場合又は行わなくなった場合は、その旨を児童相談所長に通知するものとする。

③　児童虐待を受けた児童について施設入所等の措置（児童福祉法第二十八条の規定によるものに限る。）が採られ、又は同法第三十三条第一項若しくは第二項の規定による一時保護が行われた場合において、当該児童虐待を行った保護者に対し当該児童の住所又は居所を明らかにしたとすれば、当該保護者が当該児童を連れ戻すおそれがある等再び児童虐待が行われるおそれがあり、又は当該児童の保護に支障をきたすと認めるときは、児童相談所長は、当該保護者に対し、当該児童の住所又は居所を明らかにしないものとする。

第十二条の二①　児童虐待を受けた児童について施設入所等の措置（児童福祉法第二十八条の規定によるものを除く。以下この項において同じ。）が採られた場合において、当該児童虐待を行った保護者に当該児童を引き渡した場合には再び児童虐待が行われるおそれがあると認められるにもかかわらず、当該保護者が当該児童の引渡しを求めること、当該保護者が前条第一項の規定による制限に従わないことその他の事情から当該児童について当該施設入所等の措置を採ることが当該保護者の意に反し、これを継続することが困難であると認めるときは、児童相談所長は、次項の報告を行うに至るまで、同法第三十三条第一項の規定により当該児童の一時保護を行い、又は適当な者に委託して、当該一時保護を行わせることができる。

②　児童相談所長は、前項の一時保護を行った、又は行わせた場合には、速やかに、児童福祉法第二十六条第一項第一号の規定に基づき、同法第二十八条の規定による施設入所等の措置を要する旨を都道府県知事に報告しなければならない。

第十二条の三　児童相談所長は、児童福祉法第三十三条第一項の規定により、児童虐待を受けた児童について一時保護を行っている、又は適当な者に委託して、一時保護を行わせている場合（前条第一項の一時保護を行っている、又は行わせている場合を除く。）において、当該児童について施設入所等の措置を要すると認めるときであって、当該児童虐待を行った保護者に当該児童を引き渡した場合には再び児童虐待が行われるおそれがあると認められるにもかかわらず、当該保護者が当該児童の引渡しを求めること、当該保護者が第十二条第一項の規定による制限に従わないことその他の事情から当該児童について施設入所等の措置を採ることが当該保護者の意に反すると認めるときは、速やかに、同法第二十六条第一項第一号の規定に基づき、同法第二十八条の規定による施設入所等の措置を要する旨を都道府県知事に報告しなければならない。

第十二条の四①　都道府県知事又は児童相談所長は、児童虐待を受けた児童について施設入所等の措置が採られ、又は児童福祉法第三十三条第一項若しくは第二項の規定による一時保護が行われ、かつ、第十二条第一項の規定により、当該児童虐待を行った保護者について、同項各号に掲げる行為の全部が制限されている場合において、児童虐待の防止及び児童虐待を受けた児童の保護のため特に必要があると認めるときは、内閣府令で定めるところにより、六月を超えない期間を定めて、当該保護者に対し、当該児童の住所若しくは居所、就学する学校その他の場所において当該児童の身辺につきまとい、又は当該児童の住所若しくは居所、就学する学校その他その通常所在する場所（通学路その他の当該児童が日常生活又は社会生活を営むために通常移動する経路を含む。）の付近をはいかいしてはならないことを命ずることができる。

②　都道府県知事又は児童相談所長は、前項に規定する場合において、引き続き児童虐待の防止及び児童虐待を受けた児童の保護のため特に必要があると認めるときは、六月を超えない期間を定めて、同項の規定による命令に係る期間を更新することができる。

③　都道府県知事又は児童相談所長は、第一項の規定による命令をしようとするとき（前項の規定により第一項の規定による命令に係る期間を更新しようとするときを含む。）は、行政手続法第十三条第一項の規定による意見陳述のための手続の区分にかかわらず、聴聞を行わなければならない。

④　第一項の規定による命令をするとき（第二項の規定により第一項の規定による命令に係る期間を更新するときを含む。）は、内閣府令で定める事項を記載した命令書を交付しなければならない。

⑤　第一項の規定による命令が発せられた後に施設入所等の措置が解除され、停止され、若しくは他の措置に変更された場合、児童福祉法第三十三条第一項若しくは第二項の規定による一時保護が解除された場合又は第十二条第一項の規定による制限の全部若しくは一部が行われなくなった場合は、当該命令は、その効力を失う。同法第二十八条第三項の規定により引き続き施

設入所等の措置が採られ、又は同法第三十三条第十五項の規定により引き続き一時保護が行われている場合において、第一項の規定による命令が発せられたときであって、当該命令に係る期間が経過する前に同法第二十八条第二項の規定による当該施設入所等の措置の期間の更新に係る承認の申立てに対する審判又は同法第三十三条第十四項本文の規定による引き続いての一時保護に係る承認の申立てに対する審判が確定したときも、同様とする。

⑥ 都道府県知事又は児童相談所長は、第一項の規定による命令をした場合において、その必要がなくなったと認めるときは、内閣府令で定めるところにより、その命令を取り消さなければならない。

（**施設入所等の措置の解除等**）

第一三条① 都道府県知事は、児童虐待を受けた児童について施設入所等の措置が採られ、及び当該児童の保護者について児童福祉法第二十七条第一項第二号の措置が採られた場合において、当該児童について採られた施設入所等の措置を解除しようとするときは、当該児童の保護者について同号の指導を行うこととされた児童福祉司等の意見を聴くとともに、当該児童の保護者に対し採られた当該指導の効果、当該児童に対し再び児童虐待が行われることを予防するために採られる措置について見込まれる効果、当該児童の家庭環境その他内閣府令で定める事項を勘案しなければならない。

② 都道府県知事は、児童虐待を受けた児童について施設入所等の措置が採られ、又は児童福祉法第三十三条第二項の規定による一時保護が行われた場合において、当該児童について採られた施設入所等の措置又は行われた一時保護を解除するときは、当該児童の保護者に対し、親子の再統合の促進その他の児童虐待を受けた児童が家庭で生活することを支援するために必要な助言を行うことができる。

③④ （略）

（**施設入所等の措置の解除時の安全確認等**）

第一三条の二 都道府県は、児童虐待を受けた児童について施設入所等の措置が採られ、又は児童福祉法第三十三条第二項の規定による一時保護が行われた場合において、当該児童について採られた施設入所等の措置若しくは行われた一時保護を解除するとき又は当該児童が一時的に帰宅するときは、必要と認める期間、市町村、児童福祉施設その他の関係機関との緊密な連携を図りつつ、当該児童の家庭を継続的に訪問することにより当該児童の安全の確認を行うとともに、当該児童の保護者からの相談に応じ、当該児童の養育に関する指導、助言その他の必要な支援を行うものとする。

（**児童虐待を受けた児童等に対する支援**）

第一三条の三① 市町村は、子ども・子育て支援法第二十七条第一項に規定する特定教育・保育施設（次項において「特定教育・保育施設」という。）又は同法第四十三条第二項に規定する特定地域型保育事業（次項において「特定地域型保育事業」という。）の利用について、同法第四十二条第一項若しくは第五十四条第一項の規定により相談、助言若しくはあっせん若しくは要請を行う場合又は児童福祉法第二十四条第三項の規定により調整若しくは要請を行う場合には、児童虐待の防止に寄与するため、特別の支援を要する家庭の福祉に配慮をしなければならない。

② 特定教育・保育施設の設置者又は子ども・子育て支援法第二十九条第一項に規定する特定地域型保育事業者は、同法第三十三条第二項又は第四十五条第二項の規定により当該特定教育・保育施設を利用する児童（同法第十九条第二号又は第三号に該当する児童に限る。以下この項において同じ。）又は当該特定地域型保育事業を利用する児童を選考するときは、児童虐待の防止に寄与するため、特別の支援を要する家庭の福祉に配慮をしなければならない。

③ 国及び地方公共団体は、児童虐待を受けた児童がその年齢及び能力に応じ充分な教育が受けられるようにするため、教育の内容及び方法の改善及び充実を図る等必要な施策を講じなければならない。

④ 国及び地方公共団体は、居住の場所の確保、進学又は就業の支援その他の児童虐待を受けた者の自立の支援のための施策を講じなければならない。

（**児童の人格の尊重等**）

第一四条① 児童の親権を行う者は、児童のしつけに際して、児童の人格を尊重するとともに、その年齢及び発達の程度に配慮しなければならず、かつ、体罰その他の児童の心身の健全な発達に有害な影響を及ぼす言動をしてはならない。

② 児童の親権を行う者は、児童虐待に係る暴行罪、傷害罪その他の犯罪について、当該児童の親権を行う者であることを理由として、その責めを免れることはない。

（**親権の喪失の制度の適切な運用**）

第一五条 民法（明治二十九年法律第八十九号）に規定する親権の喪失の制度は、児童虐待の防止及び児童虐待を受けた児童の保護の観点からも、適切に運用されなければならない。

（**大都市等の特例**）

第一六条 この法律中都道府県が処理することとされている事務で政令で定めるものは、地方自治法（昭和二十二年法律第六十七号）第二百五十二条の十九第一項の指定都市（以下「指定都市」という。）及び同法第二百五十二条の二十二第一項の中核市（以下「中核市」という。）並びに児童福祉法第五十九条の四第一項に規定する児童相談所設置市においては、政令で定めるところにより、指定都市若しくは中核市又は児童相談所設置市（以下「指定都市等」という。）が処理するものとする。この場合においては、この法律中都道府県に関する規定は、指定都市等に関する規定として指定都市等に適用があるものとする。

附　則（令和四・六・一五法六六）（抄）

（**施行期日**）

第一条 この法律は、令和六年四月一日から施行する。ただし、次の各号に掲げる規定は、当該各号に定める日から施行する。

一 附則（中略）第十七条の規定 公布の日

二―四 （略）

五 （前略）第七条中児童虐待の防止等に関する法律第十二条の四第五項の改正規定（中略） 公布の日から起算して三年を超えない範囲内において政令で定める日（令和七・六・一―令和五政三七二）

（**政令への委任**）

第一七条 （前略）この法律の施行に伴い必要な経過措置（中略）は、政令で定める。

○任意後見契約に関する法律（平成一一・一二・八法一五〇）

施行 平成一二・四・一（附則）
最終改正 平成二三法五三

（趣旨）

第一条 この法律は、任意後見契約の方式、効力等に関し特別の定めをするとともに、任意後見人に対する監督に関し必要な事項を定めるものとする。

（定義）

第二条 この法律において、次の各号に掲げる用語の意義は、当該各号の定めるところによる。

一 任意後見契約 委任者が、受任者に対し、精神上の障害により事理を弁識する能力が不十分な状況における自己の生活、療養看護及び財産の管理に関する事務の全部又は一部を委託し、その委託に係る事務について代理権を付与する委任契約であって、第四条第一項の規定により任意後見監督人が選任された時からその効力を生ずる旨の定めのあるものをいう。

二 本人 任意後見契約の委任者をいう。

三 任意後見受任者 第四条第一項の規定により任意後見監督人が選任される前における任意後見契約の受任者をいう。

四 任意後見人 第四条第一項の規定により任意後見監督人が選任された後における任意後見契約の受任者をいう。

（任意後見契約の方式）

第三条 任意後見契約は、法務省令で定める様式の公正証書によってしなければならない。

（任意後見監督人の選任）

第四条① 任意後見契約が登記されている場合において、精神上の障害により本人の事理を弁識する能力が不十分な状況にあるときは、家庭裁判所は、本人、配偶者、四親等内の親族又は任意後見受任者の請求により、任意後見監督人を選任する。ただし、次に掲げる場合は、この限りでない。

一 本人が未成年者であるとき。

二 本人が成年被後見人、被保佐人又は被補助人である場合において、当該本人に係る後見、保佐又は補助を継続することが本人の利益のため特に必要であると認めるとき。

三 任意後見受任者が次に掲げる者であるとき。

イ 民法（明治二十九年法律第八十九号）第八百四十七条各号（第四号を除く。）に掲げる者

ロ 本人に対して訴訟をし、又はした者及びその配偶者並びに直系血族

ハ 不正な行為、著しい不行跡その他任意後見人の任務に適しない事由がある者

② 前項の規定により任意後見監督人を選任する場合において、本人が成年被後見人、被保佐人又は被補助人であるときは、家庭裁判所は、当該本人に係る後見開始、保佐開始又は補助開始の審判（以下「後見開始の審判等」と総称する。）を取り消さなければならない。

③ 第一項の規定により本人以外の者の請求により任意後見監督人を選任するには、あらかじめ本人の同意がなければならない。ただし、本人がその意思を表示することができないときは、この限りでない。

④ 任意後見監督人が欠けた場合には、家庭裁判所は、本人、その親族若しくは任意後見人の請求により、又は職権で、任意後見監督人を選任する。

⑤ 任意後見監督人が選任されている場合においても、家庭裁判所は、必要があると認めるときは、前項に掲げる者の請求により、又は職権で、更に任意後見監督人を選任することができる。

（任意後見監督人の欠格事由）

第五条 任意後見受任者又は任意後見人の配偶者、直系血族及び兄弟姉妹は、任意後見監督人となることができない。

（本人の意思の尊重等）

第六条 任意後見人は、第二条第一号に規定する委託に係る事務（以下「任意後見人の事務」という。）を行うに当たっては、本人の意思を尊重し、かつ、その心身の状態及び生活の状況に配慮しなければならない。

（任意後見監督人の職務等）

第七条① 任意後見監督人の職務は、次のとおりとする。

一 任意後見人の事務を監督すること。

二 任意後見人の事務に関し、家庭裁判所に定期的に報告をすること。

三 急迫の事情がある場合に、任意後見人の代理権の範囲内において、必要な処分をすること。

四 任意後見人又はその代表する者と本人との利益が相反する行為について本人を代表すること。

② 任意後見監督人は、いつでも、任意後見人に対し任意後見人の事務の報告を求め、又は任意後見人の事務若しくは本人の財産の状況を調査することができる。

③ 家庭裁判所は、必要があると認めるときは、任意後見監督人に対し、任意後見人の事務に関する報告を求め、任意後見人の事務若しくは本人の財産の状況の調査を命じ、その他任意後見監督人の職務について必要な処分を命ずることができる。

④ 民法第六百四十四条、第六百五十四条、第六百五十五条、第八百四十三条第四項、第八百四十四条、第八百四十六条、第八百四十七条、第八百五十九条の二、第八百六十一条第二項及び第八百六十二条の規定は、任意後見監督人について準用する。

（任意後見人の解任）

第八条 任意後見人に不正な行為、著しい不行跡その他その任務に適しない事由があるときは、家庭裁判所は、任意後見監督人、本人、その親族又は検察官の請求により、任意後見人を解任することができる。

（任意後見契約の解除）

第九条① 第四条第一項の規定により任意後見監督人が選任される前においては、本人又は任意後見受任者は、いつでも、公証人の認証を受けた書面によって、任意後見契約を解除することができる。

② 第四条第一項の規定により任意後見監督人が選任された後においては、本人又は任意後見人は、正当な事由がある場合に限り、家庭裁判所の許可を得て、任意後見契約を解除することができる。

（後見、保佐及び補助との関係）

第一〇条① 任意後見契約が登記されている場合には、家庭裁判所は、本人の利益のため特に必要があると認めるときに限り、後見開始の審判等をすることができる。

② 前項の場合における後見開始の審判等の請求は、任意後見受任者、任意後見人又は任意後見監督人もすることができる。

③ 第四条第一項の規定により任意後見監督人が選任された後において本人が後見開始の審判等を受けたときは、任意後見契約は終了する。

（任意後見人の代理権の消滅の対抗要件）

第一一条 任意後見人の代理権の消滅は、登記をしなければ、善意の第三者に対抗することができない。

○後見登記等に関する法律（抄）（平成一一・一二・八 法一五二）

施行 平成一二・四・一（附則）
最終改正 令和三法三七

（趣旨）
第一条 民法（明治二十九年法律第八十九号）に規定する後見（後見開始の審判により開始するものに限る。以下同じ。）、保佐及び補助に関する登記並びに任意後見契約に関する法律（平成十一年法律第百五十号）に規定する任意後見契約の登記（以下「後見登記等」と総称する。）については、他の法令に定めるもののほか、この法律の定めるところによる。

（登記所）
第二条① 後見登記等に関する事務は、法務大臣の指定する法務局若しくは地方法務局若しくはこれらの支局又はこれらの出張所（次条において「指定法務局等」という。）が、登記所としてつかさどる。
② 前項の指定は、告示してしなければならない。

（登記官）
第三条 登記所における事務は、指定法務局等に勤務する法務事務官で、法務局又は地方法務局の長が指定した者が、登記官として取り扱う。

（後見等の登記等）
第四条① 後見、保佐又は補助（以下「後見等」と総称する。）の登記は、嘱託又は申請により、磁気ディスク（これに準ずる方法により一定の事項を確実に記録することができる物を含む。第九条において同じ。）をもって調製する後見登記等ファイルに、次に掲げる事項を記録することによって行う。
一 後見等の種別、開始の審判をした裁判所、その審判の事件の表示及び確定の年月日
二 成年被後見人、被保佐人又は被補助人（以下「成年被後見人等」と総称する。）の氏名、出生の年月日、住所及び本籍（外国人にあっては、国籍）
三 成年後見人、保佐人又は補助人（以下「成年後見人等」と総称する。）の氏名又は名称及び住所
四 成年後見監督人、保佐監督人又は補助監督人（以下「成年後見監督人等」と総称する。）が選任されたときは、その氏名又は名称及び住所
五 保佐人又は補助人の同意を得ることを要する行為が定められたときは、その行為
六 保佐人又は補助人に代理権が付与されたときは、その代理権の範囲
七 数人の成年後見人等又は数人の成年後見監督人等が、共同して又は事務を分掌して、その権限を行使すべきことが定められたときは、その定め
八 後見等が終了したときは、その事由及び年月日
九 家事事件手続法（平成二十三年法律第五十二号）第百二十七条第一項（同条第五項並びに同法第百三十五条及び第百四十四条において準用する場合を含む。）の規定により成年後見人等又は成年後見監督人等の職務の執行を停止する審判前の保全処分がされたときは、その旨
十 前号に規定する規定により成年後見人等又は成年後見監督人等の職務代行者を選任する審判前の保全処分がされたときは、その氏名又は名称及び住所
十一 登記番号
② 家事事件手続法第百二十六条第二項、第百三十四条第二項又は第百四十三条第二項の規定による審判前の保全処分（以下「後見命令等」と総称する。）の登記は、嘱託又は申請により、後見登記等ファイルに、次に掲げる事項を記録することによって行う。
一 後見命令等の種別、審判前の保全処分をした裁判所、その審判前の保全処分の事件の表示及び発効の年月日
二 財産の管理者の後見、保佐又は補助を受けるべきことを命ぜられた者（以下「後見命令等の本人」と総称する。）の氏名、出生の年月日、住所及び本籍（外国人にあっては、国籍）
三 財産の管理者の氏名又は名称及び住所
四 家事事件手続法第百四十三条第二項の規定による審判前の保全処分において、財産の管理者の同意を得ることを要するものと定められた行為
五 後見命令等が効力を失ったときは、その事由及び年月日
六 登記番号

（任意後見契約の登記）
第五条 任意後見契約の登記は、嘱託又は申請により、後見登記等ファイルに、次に掲げる事項を記録することによって行う。
一 任意後見契約に係る公正証書を作成した公証人の氏名及び所属並びにその証書の番号及び作成の年月日
二 任意後見契約の委任者（以下「任意後見契約の本人」という。）の氏名、出生の年月日、住所及び本籍（外国人にあっては、国籍）
三 任意後見受任者又は任意後見人の氏名又は名称及び住所
四 任意後見受任者又は任意後見人の代理権の範囲
五 数人の任意後見人が共同して代理権を行使すべきことを定めたときは、その定め
六 任意後見監督人が選任されたときは、その氏名又は名称及び住所並びにその選任の審判の確定の年月日
七 数人の任意後見監督人が、共同して又は事務を分掌して、その権限を行使すべきことが定められたときは、その定め
八 任意後見契約が終了したときは、その事由及び年月日
九 家事事件手続法第二百二十五条において準用する同法第百二十七条第一項の規定により任意後見人又は任意後見監督人の職務の執行を停止する審判前の保全処分がされたときは、その旨
十 前号に規定する規定により任意後見監督人の職務代行者を選任する審判前の保全処分がされたときは、その氏名又は名称及び住所
十一 登記番号

（後見登記等ファイルの記録の編成）
第六条 後見登記等ファイルの記録は、後見等の登記については後見等の開始の審判ごとに、後見命令等の登記については後見命令等ごとに、任意後見契約の登記については任意後見契約ごとに、それぞれ編成する。

（変更の登記）
第七条① 後見登記等ファイルの各記録（以下「登記記録」という。）に記録されている次の各号に掲げる者は、それぞれ当該各号に定める事項に変更が生じたことを知ったときは、嘱託による登記がされる場合を除き、変更の登記を申請しなければならない。
一 第四条第一項第二号から第四号までに規定する者 同項各号に掲げる事項
二 第四条第一項第十号に規定する職務代行者 同号に掲げる事項
三 第四条第二項第二号又は第三号に規定する者 同項各号に掲げる事項
四 第五条第二号、第三号又は第六号に規定する者 同条各号に掲げる事項
五 第五条第十号に規定する職務代行者 同号に掲げる事項
② 成年被後見人等の親族、後見命令等の本人の親族、任意後見契約の本人の親族その他の利害関係人は、前項各号に定める事項に変更を生じたときは、嘱託による登記がされる場合を除き、変更の登記を申請することができる。

（終了の登記）

第八条① 後見等に係る登記記録に記録されている前条第一項第一号に掲げる者は、成年被後見人等が死亡したことを知ったときは、終了の登記を申請しなければならない。

② 任意後見契約に係る登記記録に記録されている前条第一項第四号に掲げる者は、任意後見契約の本人の死亡その他の事由により任意後見契約が終了したことを知ったときは、嘱託による登記がされる場合を除き、終了の登記を申請しなければならない。

③ 成年被後見人等の親族、任意後見契約の本人の親族その他の利害関係人は、後見等又は任意後見契約が終了したときは、嘱託による登記がされる場合を除き、終了の登記を申請することができる。

（登記記録の閉鎖）

第九条 登記官は、終了の登記をしたときは、登記記録を閉鎖し、これを閉鎖登記記録として、磁気ディスクをもって調製する閉鎖登記ファイルに記録しなければならない。

（登記事項証明書の交付等）

第一〇条① 何人も、登記官に対し、次に掲げる登記記録について、後見登記等ファイルに記録されている事項（記録がないときは、その旨）を証明した書面（以下「登記事項証明書」という。）の交付を請求することができる。

一 自己を成年被後見人等又は任意後見契約の本人とする登記記録

二 自己を成年後見人等、成年後見監督人等、任意後見受任者、任意後見人又は任意後見監督人（退任したこれらの者を含む。）とする登記記録

三 自己の配偶者又は四親等内の親族を成年被後見人等又は任意後見契約の本人とする登記記録

四 自己を成年後見人等、成年後見監督人等又は任意後見監督人の職務代行者（退任したこれらの者を含む。）とする登記記録

五 自己を後見命令等の本人とする登記記録

六 自己を財産の管理者（退任した者を含む。）とする登記記録

七 自己の配偶者又は四親等内の親族を後見命令等の本人とする登記記録

② 次の各号に掲げる者は、登記官に対し、それぞれ当該各号に定める登記記録について、登記事項証明書の交付を請求することができる。

一 未成年後見人又は未成年後見監督人 その未成年被後見人を成年被後見人等、後見命令等の本人又は任意後見契約の本人とする登記記録

二 成年後見人等又は成年後見監督人等 その成年被後見人等を任意後見契約の本人とする登記記録

三 登記された任意後見契約の任意後見受任者 その任意後見契約の本人を成年被後見人等又は後見命令等の本人とする登記記録

③ 何人も、登記官に対し、次に掲げる閉鎖登記記録について、閉鎖登記ファイルに記録されている事項（記録がないときは、その旨）を証明した書面（以下「閉鎖登記事項証明書」という。）の交付を請求することができる。

一 自己が成年被後見人等又は任意後見契約の本人であった閉鎖登記記録

二 自己が成年後見人等、成年後見監督人等、任意後見受任者、任意後見人又は任意後見監督人であった閉鎖登記記録

三 自己が成年後見人等、成年後見監督人等又は任意後見監督人の職務代行者であった閉鎖登記記録

四 自己が後見命令等の本人であった閉鎖登記記録

五 自己が財産の管理者であった閉鎖登記記録

④ 相続人その他の承継人は、登記官に対し、被相続人その他の被承継人が成年被後見人等、後見命令等の本人又は任意後見契約の本人であった閉鎖登記記録について、閉鎖登記事項証明書の交付を請求することができる。

⑤ 国又は地方公共団体の職員は、職務上必要とする場合には、登記官に対し、登記事項証明書又は閉鎖登記事項証明書の交付を請求することができる。

（手数料）

第一一条① 次に掲げる者は、物価の状況、登記に要する実費、登記事項証明書の交付等に要する実費その他一切の事情を考慮して政令で定める額の手数料を納めなければならない。

一 登記を嘱託する者

二 登記を申請する者

三 登記事項証明書又は閉鎖登記事項証明書の交付を請求する者

② 前項の手数料の納付は、収入印紙をもってしなければならない。

第一二条から第一六条まで （略）

（政令への委任）

第一七条 この法律に定めるもののほか、後見登記等に関し必要な事項は、政令で定める。

◉商法

（明治三二・三・九法　四八）

施行　明治三二・六・一六（明治三二勅一三三）
改正　明治四四法七三、大正一一法七一、昭和七法二〇、昭和八法五七、昭和一二法七九、昭和一三法七二、昭和二二法六一・法一〇〇・法二二三、昭和二三法一四八、昭和二四法一三七、昭和二五法一六七（昭和二六法二〇九）・法二九〇、昭和二六法二一三、昭和二七法二六八、昭和三〇法二八、昭和三三法六二・法一〇六、昭和三七法八二、昭和三八法一二六、昭和四一法八三・法一一一、昭和四九法二一、昭和五〇法九四、昭和五四法五、昭和五六法七四、平成一法九一、平成二法六四、平成五法六二、平成六法六六、平成九法五六・法七一・法一〇七、平成一一法一二五・法一五一・法一六〇・法二二五、平成一二法九〇、平成一三法四一・法四九・法七九・法一二八（平成一三法一四九）・法一四九、平成一四法四四、平成一五法一三二・法一三四・法一三八、平成一六法七六・法八七・法八八・法一四七・法一五二・法一五四、平成一七法八七、平成一八法一〇九、平成二〇法五七、平成二三法五三、平成二六法四二・法九一、平成二九法四五（平成三〇法二九）、平成三〇法二九

目次

朕帝国議会ノ協賛ヲ経タル商法修正ノ件ヲ裁可シ玆ニ之ヲ公布セシム

商法別冊ノ通之ヲ定ム
此法律施行ノ期日ハ勅令ヲ以テ之ヲ定ム（明治三二・六・一六施行―明治三二勅一三三）
明治二十三年法律第三十二号商法ハ第三編ヲ除ク外此法律施行ノ日ヨリ之ヲ廃止ス

第一編　総則（平成一七法八七本編全部改正）

第一章　通則

（趣旨等）

第一条① 商人の営業、商行為その他商事については、他の法律に特別の定めがあるものを除くほか、この法律の定めるところによる。

② 商事に関し、この法律に定めがない事項については商慣習に従い、商慣習がないときは、民法（明治二十九年法律第八十九号）の定めるところによる。

参❶【商人→四【営業→四、五、一五―二二、二四、五〇二【商行為→五〇一―五〇三、会社五【他の法律→消費契約一一①、国際海運一五、ETC　❷【商慣習→法適用三、民九二

（公法人の商行為）

第二条　公法人が行う商行為については、法令に別段の定めがある場合を除き、この法律の定めるところによる。

参+【公法人の例→自治二【商行為→五〇一―五〇三

（一方的商行為）

第三条① 当事者の一方のために商行為となる行為については、この法律をその双方に適用する。

② 当事者の一方が二人以上ある場合において、その一人のために商行為となる行為については、この法律をその全員に適用する。

参❶【当事者双方が商人たることを要する場合→五一三①、五二一、五二四―五二八【当事者の一方が商人たることを要する場合→五〇九、五一〇、五一二、五一三②、五九五　❷【多数当事者の債務→五一一

第二章　商人

（定義）

第四条① この法律において「商人」とは、自己の名をもって商行為をすることを業とする者をいう。

② 店舗その他これに類似する設備によって物品を販売

することを業とする者又は鉱業を営む者は、商行為を行うことを業としない者であっても、これを商人とみなす。

§❶【商人→七【商行為→五〇一§、五〇二§、会社五

（未成年者登記）

第五条　未成年者が前条の営業を行うときは、その登記をしなければならない。

§+【未成年者の営業→民六、八二三、八五七、八六四、八六五【登記→九、商登六㊁、三五―三九【適用除外→七

（後見人登記）

第六条①　後見人が被後見人のために第四条の営業を行うときは、その登記をしなければならない。

②　後見人の代理権に加えた制限は、善意の第三者に対抗することができない。

§+【後見人の営業の代理→民八五九、八六四、八六五【登記→九、商登六㊂、四〇―四二【適用除外→七

（小商人）

第七条　第五条、前条、次章、第十一条第二項、第十五条第二項、第十七条第二項前段、第五章及び第二十二条の規定は、小商人（商人のうち、法務省令で定めるその営業のために使用する財産の価額が法務省令で定める金額を超えないものをいう。）については、適用しない。（平成一八法一〇九本条改正）

商法施行規則（平成一四・三・二九法務二二）（抜粋）

第三条①　商法第七条に規定する法務省令で定める財産の価額は、営業の用に供する財産につき最終の営業年度に係る貸借対照表（最終の営業年度がない場合にあっては、開業時における貸借対照表）に計上した額とする。

②　商法第七条に規定する法務省令で定める金額は、五十万円とする。

第三章　商業登記

（通則）

第八条　この編の規定により登記すべき事項は、当事者の申請により、商業登記法（昭和三十八年法律第百二十五号）の定めるところに従い、商業登記簿にこれを登記する。

§+【この編の規定により登記すべき事項→五、六、一〇、一一②、一七②、二二【登記所→商登一の三―五【商業登記簿→商登六―一一の二【登記手続→商登

（登記の効力）

第九条①　この編の規定により登記すべき事項は、登記の後でなければ、これをもって善意の第三者に対抗することができない。登記の後であっても、第三者が正当な事由によってその登記があることを知らなかったときは、同様とする。

②　故意又は過失によって不実の事項を登記した者は、その事項が不実であることをもって善意の第三者に対抗することができない。

§❶【この編の規定により登記すべき事項→八§【特則→一五②

（変更の登記及び消滅の登記）

第一〇条　この編の規定により登記した事項に変更が生じ、又はその事項が消滅したときは、当事者は、遅滞なく、変更の登記又は消滅の登記をしなければならない。

§+【登記した事項→八§【変更又は消滅の登記→九①

第四章　商号

（商号の選定）

第一一条①　商人（会社及び外国会社を除く。以下この編において同じ。）は、その氏、氏名その他の名称をもってその商号とすることができる。

②　商人は、その商号の登記をすることができる。

§❶【商人→四【会社の商号→会社六【外国会社→会社二㊁【商号選定自由の制限→一二、会社七、八【名板貸し→一四　❷【登記→九、商登六㊁、二七―三三

（他の商人と誤認させる名称等の使用の禁止）

第一二条①　何人も、不正の目的をもって、他の商人であると誤認されるおそれのある名称又は商号を使用してはならない。

②　前項の規定に違反する名称又は商号の使用によって営業上の利益を侵害され、又は侵害されるおそれがある商人は、その営業上の利益を侵害する者又は侵害するおそれがある者に対し、その侵害の停止又は予防を請求することができる。

§❶【不正の目的→不正競争二①㊀、独禁二⑨【制裁→一三　❷【差止請求→不正競争三①【損害賠償の請求→民七〇九、不正競争四

（過料）

第一三条　前条第一項の規定に違反した者は、百万円以下の過料に処する。

§+【過料の裁判→非訟一一九―一二二【類似の規定→会社九七八㊂

（自己の商号の使用を他人に許諾した商人の責任）

第一四条　自己の商号を使用して営業又は事業を行うことを他人に許諾した商人は、当該商人が当該営業を行うものと誤認して当該他人と取引をした者に対し、当該他人と連帯して、当該取引によって生じた債務を弁済する責任を負う。

§+【連帯責任→民四三六【類似の規定→五三七、会社五八八、五八九【名板貸しの禁止→金商三六の三

（商号の譲渡）

第一五条①　商人の商号は、営業とともにする場合又は営業を廃止する場合に限り、譲渡することができる。

②　前項の規定による商号の譲渡は、登記をしなければ、第三者に対抗することができない。

§❶【商号の続用→一七　❷【登記→九、商登三〇①②

（営業譲渡人の競業の禁止）

第一六条①　営業を譲渡した商人（以下この章において「譲渡人」という。）は、当事者の別段の意思表示がない限り、同一の市町村（特別区を含むものとし、地方自治法（昭和二十二年法律第六十七号）第二百五十二条の十九第一項の指定都市にあっては、区又は総合

区。以下同じ。）の区域内及びこれに隣接する市町村の区域内においては、その営業を譲渡した日から二十年間は、同一の営業を行ってはならない。（平成二六法四二本項改正）

② 譲渡人が同一の営業を行わない旨の特約をした場合には、その特約は、その営業を譲渡した日から三十年の期間内に限り、その効力を有する。

③ 前二項の規定にかかわらず、譲渡人は、不正の競争の目的をもって同一の営業を行ってはならない。

参❶【営業譲渡の効果↓会社二一　❸【不正の競争の目的↓一二①、不正競争二①㈠

（譲渡人の商号を使用した譲受人の責任等）

第一七条① 営業を譲り受けた商人（以下この章において「譲受人」という。）が譲渡人の商号を引き続き使用する場合には、その譲受人も、譲渡人の営業によって生じた債務を弁済する責任を負う。

② 前項の規定は、営業を譲渡した後、遅滞なく、譲受人が譲渡人の債務を弁済する責任を負わない旨を登記した場合には、適用しない。営業を譲渡した後、遅滞なく、譲受人及び譲渡人から第三者に対しその旨の通知をした場合において、その通知を受けた第三者についても、同様とする。

③ 譲受人が第一項の規定により譲渡人の債務を弁済する責任を負う場合には、譲渡人の責任は、営業を譲渡した日後二年以内に請求又は請求の予告をしない債権者に対しては、その期間を経過した時に消滅する。

④ 第一項に規定する場合において、譲渡人の営業によって生じた債権について、その譲受人にした弁済は、弁済者が善意でかつ重大な過失がないときは、その効力を有する。

参❶【商号を続用しない場合↓一八①　❷【責任を負わない旨の登記↓商登三一　❹【善意の弁済↓民四七八

（譲受人による債務の引受け）

第一八条① 譲受人が譲渡人の商号を引き続き使用しない場合においても、譲渡人の営業によって生じた債務を引き受ける旨の広告をしたときは、譲渡人の債権者は、その譲受人に対して弁済の請求をすることができる。

② 譲受人が前項の規定により譲渡人の債務を弁済する責任を負う場合には、譲渡人の責任は、同項の広告があった日後二年以内に請求又は請求の予告をしない債権者に対しては、その期間を経過した時に消滅する。

参❶【商号を続用する場合↓一七①

（詐害営業譲渡に係る譲受人に対する債務の履行の請求）

第一八条の二① 譲渡人が譲受人に承継されない債務の債権者（以下この条において「残存債権者」という。）を害することを知って営業を譲渡した場合には、残存債権者は、その譲受人に対して、承継した財産の価額を限度として、当該債務の履行を請求することができる。ただし、その譲受人が営業の譲渡の効力が生じた時において残存債権者を害することを知らなかったときは、この限りでない。（平成二九法四五本項改正）

② 譲受人が前項の規定により同項の債務を履行する責任を負う場合には、当該責任は、譲渡人が残存債権者を害することを知って営業を譲渡したことを知った時から二年以内に請求又は請求の予告をしない残存債権者に対しては、その期間を経過した時に消滅する。営業の譲渡の効力が生じた日から十年を経過したときも、同様とする。（平成二九法四五本項改正）

③ 譲渡人について破産手続開始の決定又は再生手続開始の決定があったときは、残存債権者は、譲受人に対して第一項の規定による請求をする権利を行使することができない。

（平成二六法九一本条追加）

参❶【会社が営業を譲り受けた場合↓会社二四②【譲受人の責任↓一七①・一八①

第五章　商業帳簿

第一九条① 商人の会計は、一般に公正妥当と認められる会計の慣行に従うものとする。

② 商人は、その営業のために使用する財産について、法務省令で定めるところにより、適時に、正確な商業帳簿（会計帳簿及び貸借対照表をいう。以下この条において同じ。）を作成しなければならない。

③ 商人は、帳簿閉鎖の時から十年間、その商業帳簿及びその営業に関する重要な資料を保存しなければならない。

④ 裁判所は、申立てにより又は職権で、訴訟の当事者に対し、商業帳簿の全部又は一部の提出を命ずることができる。

参❹【一般原則↓民訴二一九・二二〇【不提出の効果↓民訴二二四【適用除外↓七

商法施行規則（平成一四・三・二九法務二二）（抜粋）

（通則）

第四条① 商法第十九条第二項の規定により作成すべき商業帳簿については、この章の定めるところによる。

② この章の用語の解釈及び規定の適用に関しては、一般に公正妥当と認められる会計の基準その他の会計の慣行を斟酌しなければならない。

③ 商業帳簿は、書面又は電磁的記録をもって作成及び保存をすることができる。

（会計帳簿）

第五条① 商人の会計帳簿に計上すべき資産については、この省令又は商法以外の法令に別段の定めがある場合を除き、その取得価額を付さなければならない。ただし、取得価額を付すことが適切でない資産については、営業年度の末日（営業年度の末日以外の日において評価すべき場合にあっては、その日。以下この章において同じ。）における時価又は適正な価格を付すことができる。

② 償却すべき資産については、営業年度の末日において、相当の償却をしなければならない。

③ 次の各号に掲げる資産については、営業年度の末日において当該各号に定める価格を付すべき場合には、当該各号に定める価格を付さなければならない。

一 営業年度の末日における時価がその時の取得原価より著しく低い資産（当該資産の時価がその時の取得原価まで回復すると認められるものを除く。）　営業年度の末日における時価

二　営業年度の末日において予測することができない減損が生じた資産又は減損損失を認識すべき資産　その時の取得原価から相当の減額をした額

④　取立不能のおそれのある債権については、営業年度の末日においてその時に取り立てることができないと見込まれる額を控除しなければならない。

⑤　商人の会計帳簿に計上すべき負債については、この省令又は商法以外の法令に別段の定めがある場合を除き、債務額を付さなければならない。ただし、債務額を付すことが適切でない負債については、時価又は適正な価格を付すことができる。

⑥　のれんは、有償で譲り受けた場合に限り、資産又は負債として計上することができる。

（貸借対照表の作成）

第七条①　商人は、その開業時における貸借対照表を作成しなければならない。この場合においては、開業時の会計帳簿に基づき作成しなければならない。

②　商人は、各営業年度に係る貸借対照表を作成しなければならない。この場合においては、当該営業年度に係る会計帳簿に基づき作成しなければならない。

③　各営業年度に係る貸借対照表の作成に係る期間は、当該営業年度の前営業年度の末日の翌日（当該営業年度の前営業年度がない場合にあっては、開業の日）から当該営業年度の末日までの期間とする。この場合において、当該期間は、一年（営業年度の末日を変更する場合における変更後の最初の営業年度については、一年六箇月）を超えることができない。

（貸借対照表の区分）

第八条①　貸借対照表は、次に掲げる部に区分して表示しなければならない。

一　資産

二　負債

三　純資産

②　前項各号に掲げる部は、適当な項目に細分することができる。この場合において、当該各項目については、資産、負債又は純資産を示す適当な名称を付さなければならない。

第六章　商業使用人

（支配人）

第二〇条　商人は、支配人を選任し、その営業所において、その営業を行わせることができる。

参【支配人↓二一―二三、民六二三―六三二・六四三―六五六、商登四三、会社一〇

（支配人の代理権）

第二一条①　支配人は、商人に代わってその営業に関する一切の裁判上又は裁判外の行為をする権限を有する。

②　支配人は、他の使用人を選任し、又は解任することができる。

③　支配人の代理権に加えた制限は、善意の第三者に対抗することができない。

参❶【代理権↓五〇四―五〇六、民九九―一一八、民訴五四、五五【類似の代理権↓七〇八　❷【他の使用人↓二五、二六

（支配人の登記）

第二二条　商人が支配人を選任したときは、その登記をしなければならない。支配人の代理権の消滅についても、同様とする。

参【支配人↓二〇【登記↓商登四三

（支配人の競業の禁止）

第二三条①　支配人は、商人の許可を受けなければ、次に掲げる行為をしてはならない。

一　自ら営業を行うこと。

二　自己又は第三者のためにその商人の営業の部類に属する取引をすること。

三　他の商人又は会社若しくは外国会社の使用人となること。

四　会社の取締役、執行役又は業務を執行する社員となること。

②　支配人が前項の規定に違反して同項第二号に掲げる行為をしたときは、当該行為によって支配人又は第三者が得た利益の額は、商人に生じた損害の額と推定する。

参❶〔二〕【競業禁止↓二八①、会社三五六①〔一〕・四一九②・五九四①　❷【損害額の推定↓二八②、会社四二三②・五九四②

（表見支配人）

第二四条　商人の営業所の営業の主任者であることを示す名称を付した使用人は、当該営業所の営業に関し、一切の裁判外の行為をする権限を有するものとみなす。ただし、相手方が悪意であったときは、この限りでない。

参【支配人の権限↓二一【登記の効力と対比↓九【裁判上の行為↓民訴五四・五五④【表見代理↓民一〇九・一一〇

（ある種類又は特定の事項の委任を受けた使用人）

第二五条①　商人の営業に関するある種類又は特定の事項の委任を受けた使用人は、当該事項に関する一切の裁判外の行為をする権限を有する。

②　前項の使用人の代理権に加えた制限は、善意の第三者に対抗することができない。

参❶【使用人↓二一②【委任↓民六四三―六五六

（物品の販売等を目的とする店舗の使用人）

第二六条　物品の販売等（販売、賃貸その他これらに類する行為をいう。以下この条において同じ。）を目的とする店舗の使用人は、その店舗に在る物品の販売等をする権限を有するものとみなす。ただし、相手方が悪意であったときは、この限りでない。

参【店舗の使用人↓民一〇九・一一〇

第七章　代理商

（通知義務）

第二七条　代理商（商人のためにその平常の営業の部類に属する取引の代理又は媒介をする者で、その商人の使用人でないものをいう。以下この章において同じ。）は、取引の代理又は媒介をしたときは、遅滞なく、商人に対して、その旨の通知を発しなければならない。

参【代理商↓四【取引の代理・媒介↓五〇二〔十一〕〔十二〕・五〇四―五〇六【代理商と本人との関係↓五一二、民六四三―六五六【受任者の報告義務↓民六四五・六五六

（代理商の競業の禁止）

第二八条① 代理商は、商人の許可を受けなければ、次に掲げる行為をしてはならない。
一 自己又は第三者のためにその商人の営業の部類に属する取引をすること。
二 その商人の営業と同種の事業を行う会社の取締役、執行役又は業務を執行する社員となること。
② 代理商が前項の規定に違反して同項第一号に掲げる行為をしたときは、当該行為によって代理商又は第三者が得た利益の額は、商人に生じた損害の額と推定する。
参❶【競業禁止→民六四四、二三参 ❷【損害額の推定→二三参

（通知を受ける権限）

第二九条 物品の販売又はその媒介の委託を受けた代理商は、第五百二十六条第二項の通知その他売買に関する通知を受ける権限を有する。

参+【買主の通知義務→五二六、民六二一、五七〇【受動代理の原則→民九九②

（契約の解除）
第三〇条① 商人及び代理商は、契約の期間を定めなかったときは、二箇月前までに予告し、その契約を解除することができる。
② 前項の規定にかかわらず、やむを得ない事由があるときは、商人及び代理商は、いつでもその契約を解除することができる。
参+【委任契約解除の原則→民六五一

（代理商の留置権）

第三一条 代理商は、取引の代理又は媒介をしたことによって生じた債権の弁済期が到来しているときは、その弁済を受けるまでは、商人のために当該代理商が占有する物又は有価証券を留置することができる。ただし、当事者が別段の意思表示をしたときは、この限りでない。

参+【留置権→民二九五、五二一参【効力→民二九六—三〇二、破六六・一八六・一九二、民再一四八、会更二⑩・二九・一〇四、民執一九五

第三二条から第五〇〇条まで 削除（平成一七法八七、平成三〇法二九）

第二編 商行為

第一章 総則（平成一七法八七本章全部改正）

（絶対的商行為）
第五〇一条 次に掲げる行為は、商行為とする。
一 利益を得て譲渡する意思をもってする動産、不動産若しくは有価証券の有償取得又はその取得したものの譲渡を目的とする行為
二 他人から取得する動産又は有価証券の供給契約及びその履行のためにする有償取得を目的とする行為
三 取引所においてする取引
四 手形その他の商業証券に関する行為
参+【商行為→五〇二・五〇三・二一四・六八四、会社五【四】【商業証券上の行為→手、小、会社一二八・一二九・一四六②・二一四—二三三・二五五②・二六七⑤・二九二・六七六・六九六—七〇〇、六〇〇—六一七・七五七—七六九、国際海運一五

（営業的商行為）
第五〇二条 次に掲げる行為は、営業としてするときは、商行為とする。ただし、専ら賃金を得る目的で物を製造し、又は労務に従事する者の行為は、この限りでない。
一 賃貸する意思をもってする動産若しくは不動産の有償取得若しくは賃借又はその取得し若しくは賃借したものの賃貸を目的とする行為
二 他人のためにする製造又は加工に関する行為
三 電気又はガスの供給に関する行為
四 運送に関する行為
五 作業又は労務の請負
六 出版、印刷又は撮影に関する行為
七 客の来集を目的とする場屋における取引
八 両替その他の銀行取引
九 保険
十 寄託の引受け
十一 仲立ち又は取次ぎに関する行為
十二 商行為の代理の引受け
十三 信託の引受け（平成一八法一〇九本号追加）
参【一】【投機貸借→民六〇一—六二二の二【二】【他人のための製造・加工→民二四六【四】【運送→五六九—五九四、七三七—七六九、国際海運【五】【作業又は労務の請負→民六三二—六四二、労派遣【七】【場屋取引→五九六—五九八、ETC【九】【保険→保険二、八—五一—八三〇【十】【寄託の引受け→民六五七—六六六、五九五—六一七【十一】【仲立ち→五四三—五五〇、消費契約五①、金商二⑧㈢—㈣㈤、二七—三一、会社一六—二〇【取次ぎ→五五一—五五八、金商二⑧㈢—㈣㈤、五五九—五六四【十二】【商行為の代理の引受け→民九九—一一八・六三—六五六、二七—三一、会社一六—二〇、消費契約五②【十三】【信託の引受け→信託

（附属的商行為）
第五〇三条① 商人がその営業のためにする行為は、商行為とする。
② 商人の行為は、その営業のためにするものと推定する。
参+【商人→四

（商行為の代理）

第五〇四条 商行為の代理人が本人のためにすることを示さないでこれをした場合であっても、その行為は、本人に対してその効力を生ずる。ただし、相手方が、代理人が本人のためにすることを知らなかったときは、代理人に対して履行の請求をすることを妨げない。

参+【代理の顕名主義→民九九・一〇〇【手形・小切手の特則→手八・七七②、小一一

（商行為の委任）

第五〇五条 商行為の受任者は、委任の本旨に反しない範囲内において、委任を受けていない行為をすることができる。

参+【受任者の義務一般→民六四四

（商行為の委任による代理権の消滅事由の特例）
第五〇六条 商行為の委任による代理権は、本人の死亡

によっては、消滅しない。

※【商行為の委任による代理の例→二〇、会社一〇【一般原則→民一一一①㈠、六五三

第五〇七条【対話者間における契約の申込み】 削除（平成二九法四五）

（隔地者間における契約の申込み）

第五〇八条① 商人である隔地者の間において承諾の期間を定めないで契約の申込みを受けた者が相当の期間内に承諾の通知を発しなかったときは、その申込みは、その効力を失う。

② 民法第五百二十四条〈遅延した承諾の効力〉の規定は、前項の場合について準用する。（平成二九法四五本項改正）

※❶【隔地者間における申込みの効力→民五二五、五二三、五二二①、五二七

（契約の申込みを受けた者の諾否通知義務）

第五〇九条① 商人が平常取引をする者からその営業の部類に属する契約の申込みを受けたときは、遅滞なく、契約の申込みに対する諾否の通知を発しなければならない。

② 商人が前項の通知を発することを怠ったときは、その商人は、同項の契約の申込みを承諾したものとみなす。

※民五二二①、五二七

（契約の申込みを受けた者の物品保管義務）

第五一〇条 商人がその営業の部類に属する契約の申込みを受けた場合において、その申込みとともに受け取った物品があるときは、その申込みを拒絶したときであっても、申込者の費用をもってその物品を保管しなければならない。ただし、その物品の価額がその費用を償うのに足りないとき、又は商人がその保管によって損害を受けるときは、この限りでない。

※【売買契約解除の場合→五二七

（多数当事者間の債務の連帯）

第五一一条① 数人の者がその一人又は全員のために商行為となる行為によって債務を負担したときは、その債務は、各自が連帯して負担する。

② 保証人がある場合において、債務が主たる債務者の商行為によって生じたものであるとき、又は保証が商行為であるときは、主たる債務者及び保証人が各別の行為によって債務を負担したときであっても、その債務は、各自が連帯して負担する。

※❶【多数債務者間の連帯→民四二七、四三六—四四五 ❷【保証人の連帯→民四四六、四五四、四五八、四五二、四五三、四五六

（報酬請求権）

第五一二条 商人がその営業の範囲内において他人のために行為をしたときは、相当な報酬を請求することができる。

※【委任の無償性→民六四八①、六五六【寄託の無償性→民六六五、六六六【事務管理の無償性→民七〇一、七〇二

（利息請求権）

第五一三条① 商人間において金銭の消費貸借をしたときは、貸主は、法定利息を請求することができる。（平成二九法四五本項改正）

② 商人がその営業の範囲内において他人のために金銭の立替えをしたときは、その立替えの日以後の法定利息を請求することができる。

※❶【消費貸借の無償性→民五八七、五八九① ❷【立替費用→民六五〇①、六六五、七〇一、七〇二

第五一四条【商事法定利率】 削除（平成二九法四五）

（契約による質物の処分の禁止の適用除外）

第五一五条 民法第三百四十九条の規定は、商行為によって生じた債権を担保するために設定した質権については、適用しない。

※【流質契約禁止→民三四九、担信三九①

（債務の履行の場所）

第五一六条 商行為によって生じた債務の履行をすべき場所がその行為の性質又は当事者の意思表示によって定まらないときは、特定物の引渡しはその行為の時にその物が存在した場所において、その他の債務の履行は債権者の現在の営業所（営業所がない場合にあっては、その住所）において、それぞれしなければならない。（平成二九法四五本条改正）

※【営業所→会社二七㈢、五七六①㈢、九一一③㈢、九一二㈢、九一四㈢、九三六①【住所→民二二、一般法人四、会社四【債務履行の場所に関する原則→民四八四

第五一七条から第五二〇条まで【指図債権等の証券の提示と履行遅滞、有価証券喪失の場合の権利行使方法、有価証券の譲渡方法及び善意取得、取引時間】 削除（平成二九法四五）

（商人間の留置権）

第五二一条 商人間においてその双方のために商行為となる行為によって生じた債権が弁済期にあるときは、債権者は、その債権の弁済を受けるまで、その債務者との間における商行為によって自己の占有に属した債務者の所有する物又は有価証券を留置することができる。ただし、当事者の別段の意思表示があるときは、この限りでない。

※【留置権の効力→破六六、会更二⑩、二九、一〇四、民執一九五【民法の留置権と対比→民二九五【その他の商事留置権→三一、五五七、五六二、五七四、七四一②、会社二〇、国際海運一五

第五二二条及び第五二三条【商事消滅時効、準商行為】 削除（平成一七法八七、平成二九法四五）

第二章　売買（平成一七法八七本章全部改正）

（売主による目的物の供託及び競売）

第五二四条① 商人間の売買において、買主がその目的物の受領を拒み、又はこれを受領することができないときは、売主は、その物を供託し、又は相当の期間を定めて催告をした後に競売に付することができる。この場合において、売主がその物を供託し、又は競売に付したときは、遅滞なく、買主に対してその旨の通知

を発しなければならない。

② 損傷その他の事由による価格の低落のおそれがある物は、前項の催告をしないで競売に付することができる。

③ 前二項の規定により売買の目的物を競売に付したときは、売主は、その代価を供託しなければならない。ただし、その代価の全部又は一部を代金に充当することを妨げない。

参+【目的物の供託↓民四九四、四九六、供【競売↓民執一九五、民四九七　❶【発信主義につき対比↓民九七　❶❷【準用規定↓六一五　+【本条の準用↓五五六

（定期売買の履行遅滞による解除）

第五二五条　商人間の売買において、売買の性質又は当事者の意思表示により、特定の日時又は一定の期間内に履行をしなければ契約をした目的を達することができない場合において、当事者の一方が履行をしないでその時期を経過したときは、相手方は、直ちにその履行の請求をした場合を除き、契約の解除をしたものとみなす。

参+民五四二①四

（買主による目的物の検査及び通知）

第五二六条① 商人間の売買において、買主は、その売買の目的物を受領したときは、遅滞なく、その物を検査しなければならない。

② 前項に規定する場合において、買主は、同項の規定による検査により売買の目的物が種類、品質又は数量に関して契約の内容に適合しないことを発見したときは、直ちに売主に対してその旨の通知を発しなければ、その不適合を理由とする履行の追完の請求、代金の減額の請求、損害賠償の請求及び契約の解除をすることができない。売買の目的物が種類又は品質に関して契約の内容に適合しないことを直ちに発見することができない場合において、買主が六箇月以内にその不適合を発見したときも、同様とする。（平成二九法四五本項全部改正）

③ 前項の規定は、売買の目的物が種類、品質又は数量に関して契約の内容に適合しないことにつき売主が悪意であった場合には、適用しない。（平成二九法四五本項改正）

参+【一般の原則↓民五六二―五六四【代理商の通知受領権限↓二九、会社一八【責任の消滅↓五八四、六一六、国際海運七

（買主による目的物の保管及び供託）

第五二七条① 前条第一項に規定する場合においては、買主は、契約の解除をしたときであっても、売主の費用をもって売買の目的物を保管し、又は供託しなければならない。ただし、その物について滅失又は損傷のおそれがあるときは、裁判所の許可を得てその物を競売に付し、かつ、その代価を保管し、又は供託しなければならない。

② 前項ただし書の許可に係る事件は、同項の売買の目的物の所在地を管轄する地方裁判所が管轄する。

③ 第一項の規定により買主が売買の目的物を競売に付したときは、遅滞なく、売主に対してその旨の通知を発しなければならない。

④ 前三項の規定は、売主及び買主の営業所（営業所がない場合にあっては、その住所）が同一の市町村の区域内にある場合には、適用しない。

参❶【民法の原則↓民五四五【競売↓民執一九五　❸【発信主義と民法の原則↓民九七　❹【同市町村↓自治五

第五二八条　前条の規定は、売主から買主に引き渡した物品が注文した物品と異なる場合における当該売主から買主に引き渡した物品及び売主から買主に引き渡した物品の数量が注文した数量を超過した場合における当該超過した部分の数量の物品について準用する。

参+五一〇

第三章　交互計算（平成一七法八七本章全部改正）

（交互計算）

第五二九条　交互計算は、商人間又は商人と商人でない者との間で平常取引をする場合において、一定の期間内の取引から生ずる債権及び債務の総額について相殺をし、その残額の支払をすることを約することによって、その効力を生ずる。

参+【商人↓四、五〇三【一定の期間↓五三一【一括相殺↓民五〇五―五一二の二【譲渡質入れの不能↓民四六六、三四三、三六二②

（商業証券に係る債権債務に関する特則）

第五三〇条　手形その他の商業証券から生じた債権及び債務を交互計算に組み入れた場合において、その商業証券の債務者が弁済をしないときは、当事者は、その債務に関する項目を交互計算から除外することができる。

参+【弁済がない場合↓手四三、七七①四、小三九、破一九四②

（交互計算の期間）

第五三一条　当事者が相殺をすべき期間を定めなかったときは、その期間は、六箇月とする。

参+五二九

（交互計算の承認）

第五三二条　当事者は、債権及び債務の各項目を記載した計算書の承認をしたときは、当該各項目について異議を述べることができない。ただし、当該計算書の記載に錯誤又は脱漏があったときは、この限りでない。

参+【承認の効果↓民五一三、五一八【錯誤↓民九五、七〇三

（残額についての利息請求権等）

第五三三条① 相殺によって生じた残額については、債権者は、計算の閉鎖の日以後の法定利息を請求することができる。

② 前項の規定は、当該相殺に係る債権及び債務の各項目を交互計算に組み入れた日からこれに利息を付することを妨げない。

参❷【重利の許容↓民四〇五

（交互計算の解除）

第五三四条　各当事者は、いつでも交互計算の解除をす

ることができる。この場合において、交互計算の解除をしたときは、直ちに、計算を閉鎖して、残額の支払を請求することができる。

【法定原因による終了→破五九】

第四章　匿名組合（平成一七法八七本章全部改正）

（匿名組合契約）

第五三五条　匿名組合契約は、当事者の一方が相手方の営業のために出資をし、その営業から生ずる利益を分配することを約することによって、その効力を生ずる。

【営業者→四、五〇三】【匿名組合員の地位→五三六③④、五三八、五三九】

（匿名組合員の出資及び権利義務）

第五三六条①　匿名組合員の出資は、営業者の財産に属する。

②　匿名組合員は、金銭その他の財産のみをその出資の目的とすることができる。

③　匿名組合員は、営業者の業務を執行し、又は営業者を代表することができない。

④　匿名組合員は、営業者の行為について、第三者に対して権利及び義務を有しない。

❶【匿名組合員の出資→民四一二、五三六、五五九、五六一―五七〇、六六八、五三八、五四二　❷【出資の目的→会社五七六①㈥　❸【業務執行・代表権→会社五九〇①　❹【匿名組合員の対外関係→会社五八〇②、民六七五、五三七

（自己の氏名等の使用を許諾した匿名組合員の責任）

第五三七条　匿名組合員は、自己の氏若しくは氏名を営業者の商号中に用いること又は自己の商号を営業者の商号として使用することを許諾したときは、その使用以後に生じた債務については、営業者と連帯してこれを弁済する責任を負う。

【同旨の規定→一四、会社九、五八八、五八九、六一三】

（利益の配当の制限）

第五三八条　出資が損失によって減少したときは、その損失をてん補した後でなければ、匿名組合員は、利益の配当を請求することができない。

五四二但、民六七四

（貸借対照表の閲覧等並びに業務及び財産状況に関する検査）

第五三九条①　匿名組合員は、営業年度の終了時において、営業者の営業時間内に、次に掲げる請求をし、又は営業者の業務及び財産の状況を検査することができる。

一　営業者の貸借対照表が書面をもって作成されているときは、当該書面の閲覧又は謄写の請求

二　営業者の貸借対照表が電磁的記録（電子的方式、磁気的方式その他人の知覚によっては認識することができない方式で作られる記録であって、電子計算機による情報処理の用に供されるもので法務省令で定めるものをいう。）をもって作成されているときは、当該電磁的記録に記録された事項を法務省令で定める方法により表示したものの閲覧又は謄写の請求

②　匿名組合員は、重要な事由があるときは、いつでも、裁判所の許可を得て、営業者の業務及び財産の状況を検査することができる。

③　前項の許可に係る事件は、営業者の営業所の所在地（営業所がない場合にあっては、営業者の住所地）を管轄する地方裁判所が管轄する。

❶【貸借対照表→一九②】

（匿名組合契約の解除）

第五四〇条①　匿名組合契約で匿名組合の存続期間を定めなかったとき、又はある当事者の終身の間匿名組合が存続すべきことを定めたときは、各当事者は、営業年度の終了時において、契約の解除をすることができる。ただし、六箇月前にその予告をしなければならない。

②　匿名組合の存続期間を定めたか否かにかかわらず、やむを得ない事由があるときは、各当事者は、いつでも匿名組合契約の解除をすることができる。

【組合・合資会社の場合→民六七八、六八三、会社六〇六③】

（匿名組合契約の終了事由）

第五四一条　前条の場合のほか、匿名組合契約は、次に掲げる事由によって終了する。

一　匿名組合の目的である事業の成功又はその成功の不能

二　営業者の死亡又は営業者が後見開始の審判を受けたこと。

三　営業者又は匿名組合員が破産手続開始の決定を受けたこと。

【組合・合資会社の場合→民六七九、六八二、会社六〇七―六〇九、六四一】

（匿名組合契約の終了に伴う出資の価額の返還）

第五四二条　匿名組合契約が終了したときは、営業者は、匿名組合員にその出資の価額を返還しなければならない。ただし、出資が損失によって減少したときは、その残額を返還すれば足りる。

【出資→五三六】【民法の場合→民六八一】

第五章　仲立営業（平成三〇法二九本章全部改正）

（定義）

第五四三条　この章において「仲立人」とは、他人間の商行為の媒介をすることを業とする者をいう。

【商行為の媒介→五〇二㈩、民六五六、金商二⑧㈡―㈣㈩【仲立人→四【媒介代理商→二七、会社一六、消費契約五②

（当事者のために給付を受けることの制限）

第五四四条　仲立人は、その媒介により成立させた行為について、当事者のために支払その他の給付を受けることができない。ただし、当事者の別段の意思表示又は別段の慣習があるときは、この限りでない。

【自ら履行をする義務→五四九】

（見本保管義務）

第五四五条　仲立人がその媒介に係る行為について見本

を受け取ったときは、その行為が完了するまで、これを保管しなければならない。

参 民六五六、六四四

第五四六条（**結約書の交付義務等**）① 当事者間において媒介に係る行為が成立したときは、仲立人は、遅滞なく、次に掲げる事項を記載した書面（以下この章において「結約書」という。）を作成し、かつ、署名し、又は記名押印した後、これを各当事者に交付しなければならない。

一　各当事者の氏名又は名称

二　当該行為の年月日及びその要領

② 前項の場合においては、当事者が直ちに履行をすべきときを除き、仲立人は、各当事者に結約書に署名させ、又は記名押印させた後、これをその相手方に交付しなければならない。

③ 前二項の場合において、当事者の一方が結約書を受領せず、又はこれに署名若しくは記名押印をしないときは、仲立人は、遅滞なく、相手方に対してその旨の通知を発しなければならない。

参【結約書】→五四八、五五〇①

第五四七条（**帳簿記載義務等**）① 仲立人は、その帳簿に前条第一項各号に掲げる事項を記載しなければならない。

② 当事者は、いつでも、仲立人がその媒介により当該当事者のために成立させた行為について、前項の帳簿の謄本の交付を請求することができる。

参【帳簿】→一九③【謄本】→五四八

第五四八条（**当事者の氏名等を相手方に示さない場合**）当事者がその氏名又は名称を相手方に示してはならない旨を仲立人に命じたときは、仲立人は、結約書及び前条第二項の謄本にその氏名又は名称を記載することができない。

参 五四九

第五四九条　仲立人は、当事者の一方の氏名又は名称をその相手方に示さなかったときは、当該相手方に対して自ら履行をする責任を負う。

参【弁済による代位】→民五〇〇【問屋の場合】→五五二①、五五五

第五五〇条（**仲立人の報酬**）① 仲立人は、第五百四十六条の手続を終了した後でなければ、報酬を請求することができない。

② 仲立人の報酬は、当事者双方が等しい割合で負担する。

参❶【報酬の請求】→五一二【民法の準委任の場合】→民六五六、六四八② ❷【当事者の平分負担】→五四六、五四七②

第六章　問屋営業（平成三〇法二九本章全部改正）

第五五一条（**定義**）この章において「問屋」とは、自己の名をもって他人のために物品の販売又は買入れをすることを業とする者をいう。

参【取次ぎに関する行為】→五〇二(十一)、五五八―五六四【問屋】→四、金商二⑧(二)―(四)(十)

第五五二条（**問屋の権利義務**）① 問屋は、他人のためにした販売又は買入れにより、相手方に対して、自ら権利を取得し、義務を負う。

② 問屋と委託者との間の関係については、この章に定めるもののほか、委任及び代理に関する規定を準用する。

参【委任】→民六四三―六五六、五〇五【代理】→民九九―一一八、五〇四、五〇六、民執三八、破六二、六三③、六四、民再五二

第五五三条（**問屋の担保責任**）問屋は、委託者のためにした販売又は買入れにつき相手方がその債務を履行しないときに、自らその履行をする責任を負う。ただし、当事者の別段の意思表示又は別段の慣習があるときは、この限りでない。

参【相手方に対する関係】→五五二②、民五〇〇

第五五四条（**問屋が委託者の指定した金額との差額を負担する場合の販売又は買入れの効力**）問屋が委託者の指定した金額より低い価格で販売をし、又は高い価格で買入れをした場合において、自らその差額を負担するときは、その販売又は買入れは、委託者に対してその効力を生ずる。

参【指定価額に従う義務】→民六四四、五〇五【委託者に対する効力】→五五二②、五五七、二七【逆指値注文の禁止】→金商一六二①(二)②

第五五五条（**介入権**）① 問屋は、取引所の相場がある物品の販売又は買入れの委託を受けたときは、自ら買主又は売主となることができる。この場合において、売買の代価は、問屋が買主又は売主となったことの通知を発した時における取引所の相場によって定める。

② 前項の場合においても、問屋は、委託者に対して報酬を請求することができる。

参【一般の場合】→民六四四、一〇八

第五五六条（**問屋が買い入れた物品の供託及び競売**）問屋が買入れの委託を受けた場合において、委託者が買い入れた物品の受領を拒み、又はこれを受領することができないときは、第五百二十四条〈売主による目的物の供託及び競売〉の規定を準用する。

第五五七条（**代理商に関する規定の準用**）第二十七条〈代理商の通知義務〉及び第三十一条〈代理商の留置権〉の規定は、問屋について準用する。

参【通知義務】→民六四五

第五五八条（**準問屋**）この章の規定は、自己の名をもって他人のために販売又は買入れ以外の行為をすることを業とする者について準用する。

参【準問屋】→五〇二(十一)、五五九

第七章 運送取扱営業 (平成三〇法二九本章全部改正)

(定義等)

第五五九条① この章において「運送取扱人」とは、自己の名をもって物品運送の取次ぎをすることを業とする者をいう。

② 運送取扱人については、この章に別段の定めがある場合を除き、第五百五十一条〈問屋営業〉に規定する問屋に関する規定を準用する。

参❶【物品運送→五七〇―五八八、七三七―七七〇、国際海運【取次ぎに関する行為→五〇二⑪【運送取扱人→四 ❷【問屋→五五一―五五七

(運送取扱人の責任)

第五六〇条 運送取扱人は、運送品の受取から荷受人への引渡しまでの間にその運送品が滅失し若しくは損傷し、若しくはその滅失若しくは損傷の原因が生じ、又は運送品が延着したときは、これによって生じた損害を賠償する責任を負う。ただし、運送取扱人がその運送品の受取、保管及び引渡し、運送人の選択その他の運送の取次ぎについて注意を怠らなかったことを証明したときは、この限りでない。

参【損害賠償に関する原則→民四一五―四二二の二、七一五【運送取扱人の責任→五六四、五七七、五八五、五八七【運送人の責任→五七六、五九〇、国際海運三、四

(運送取扱人の報酬)

第五六一条① 運送取扱人は、運送品を運送人に引き渡したときは、直ちにその報酬を請求することができる。

② 運送取扱契約で運送賃の額を定めたときは、運送取扱人は、特約がなければ、別に報酬を請求することができない。

参【報酬→五一二、五六二、五六四、五八六【受任者の報酬請求の原則→五五九②、五五二②、民六四八②③

(運送取扱人の留置権)

第五六二条 運送取扱人は、運送品に関して受け取るべき報酬、付随の費用及び運送賃その他の立替金についてのみ、その弁済を受けるまで、その運送品を留置することができる。

参【留置権→民二九五【運送品の留置→五七四、五八〇【競売→民執一九五【他の留置権と対比→五二一、三一、五五七【留置権の効力→破六六、会更二⑩、二九、一〇四【立替え→五五九②、五五二②、民六五〇、五一三②

(介入権)

第五六三条① 運送取扱人は、自ら運送をすることができる。この場合において、運送取扱人は、運送人と同一の権利義務を有する。

② 運送取扱人が委託者の請求によって船荷証券又は複合運送証券を作成したときは、自ら運送をするものとみなす。

参【運送人の権利・義務→五七三―五八八、七三七―七四六、七四八―七五六ETC【船荷証券・複合運送証券→七五七―七六九【介入と報酬請求権→五五九②、五五五②

(物品運送に関する規定の準用)

第五六四条 第五百七十二条〈危険物に関する通知義務〉、第五百七十七条〈高価品の特則〉、第五百七十九条〈相次運送人の権利義務〉(第三項を除く。)、第五百八十一条〈荷受人の権利義務等〉、第五百八十五条〈運送人の責任の消滅〉、第五百八十六条〈運送人の債権の消滅時効〉、第五百八十七条〈運送人の不法行為責任〉(第五百七十七条及び第五百八十五条の規定の準用に係る部分に限る。)及び第五百八十八条〈運送人の被用者の不法行為責任〉の規定は、運送取扱営業について準用する。この場合において、第五百七十九条第二項中「前の運送人」とあるのは「前の運送取扱人又は運送人」と、第五百八十五条第一項中「運送品の引渡し」とあるのは「荷受人に対する運送品の引渡し」と読み替えるものとする。

第五六五条から第五六八条まで 削除(平成三〇法二九)

第八章 運送営業 (平成三〇法二九本章全部改正)

第一節 総則

第五六九条 この法律において、次の各号に掲げる用語の意義は、当該各号に定めるところによる。

一 運送人 陸上運送、海上運送又は航空運送の引受けをすることを業とする者をいう。

二 陸上運送 陸上における物品又は旅客の運送をいう。

三 海上運送 第六百八十四条に規定する船舶(第七百四十七条に規定する非航海船を含む。)による物品又は旅客の運送をいう。

四 航空運送 航空法(昭和二十七年法律第二百三十一号)第二条第一項に規定する航空機による物品又は旅客の運送をいう。

参【運送→五〇二㈣、民六三二―六四二、七三七―七八七、国際海運【運送人→四【物品運送→五七〇―五八八【海上物品運送→七三七―七五六【旅客運送→五八九―五九三

第二節 物品運送

(物品運送契約)

第五七〇条 物品運送契約は、運送人が荷送人からある物品を受け取りこれを運送して荷受人に引き渡すことを約し、荷送人がその結果に対してその運送賃を支払うことを約することによって、その効力を生ずる。

参【運送人→五六九㈠、国際海運二②【荷送人→国際海運二③【運送賃→五七三

(送り状の交付義務等)

第五七一条① 荷送人は、運送人の請求により、次に掲げる事項を記載した書面(次項において「送り状」という。)を交付しなければならない。

一 運送品の種類

二 運送品の容積若しくは重量又は包若しくは個品の数及び運送品の記号

三 荷造りの種類

四 荷送人及び荷受人の氏名又は名称

五 発送地及び到達地

② 前項の荷送人は、送り状の交付に代えて、法務省令

で定めるところにより、運送人の承諾を得て、送り状に記載すべき事項を電磁的方法（電子情報処理組織を使用する方法その他の情報通信の技術を利用する方法であって法務省令で定めるものをいう。以下同じ。）により提供することができる。この場合において、当該荷送人は、送り状を交付したものとみなす。

（危険物に関する通知義務）
第五七二条　荷送人は、運送品が引火性、爆発性その他の危険性を有するものであるときは、その引渡しの前に、運送人に対し、その旨及び当該運送品の品名、性質その他の当該運送品の安全な運送に必要な情報を通知しなければならない。

⊛【国際海上物品運送→国際海運六

（運送賃）
第五七三条①　運送賃は、到達地における運送品の引渡しと同時に、支払わなければならない。
②　運送品がその性質又は瑕疵によって滅失し、又は損傷したときは、荷送人は、運送賃の支払を拒むことができない。
（平成二九法四五（平成三〇法二九）本条改正）

⊛【運送賃→五一二・七五八①㈤・五八一③・五七四、民三一八・六三三、五八〇【危険負担に関する原則→民五三六【返還→民七〇三―七〇八

（運送人の留置権）
第五七四条　運送人は、運送品に関して受け取るべき運送賃、付随の費用及び立替金（以下この節において「運送賃等」という。）についてのみ、その弁済を受けるまで、その運送品を留置することができる。

⊛【留置権→民二九五【運送品の留置→五六二、五八〇、五二一、五五七【留置権の効力→会更二⑩、二九、一〇四―一一一、破六六【立替え→五五九②、五五二②、民六五〇、五一三②【競売→民執一九五

（運送人の責任）
第五七五条　運送人は、運送品の受取から引渡しまでの間にその運送品が滅失し若しくは損傷し、若しくはその滅失若しくは損傷の原因が生じ、又は運送品が延着したときは、これによって生じた損害を賠償する責任を負う。ただし、運送人がその運送品の受取、運送、保管及び引渡しについて注意を怠らなかったことを証明したときは、この限りでない。

⊛【損害賠償に関する原則→民四一五―四二二の二、七〇九、七一五【運送人の責任→五七七、五七九、五八四、五八五【場屋営業者の責任と対比→五九六【旅客運送の場合→五九一【海上運送の場合→七三九、国際海運三、四、九、一一

（損害賠償の額）
第五七六条①　運送品の滅失又は損傷の場合における損害賠償の額は、その引渡しがされるべき地及び時における運送品の市場価格（取引所の相場がある物品については、その相場）によって定める。ただし、市場価格がないときは、その地及び時における同種類で同一の品質の物品の正常な価格によって定める。
②　運送品の滅失又は損傷のために支払うことを要しなくなった運送賃その他の費用は、前項の損害賠償の額から控除する。
③　前二項の規定は、運送人の故意又は重大な過失によって運送品の滅失又は損傷が生じたときは、適用しない。

⊛【一般原則→民四一六【責任限度法定の例→国際海運一〇【不法行為に基づく請求→五八七、五八八、国際海運一六　❷【滅失・毀損がない延着→民四一五、四一六　❸【本項の準用→国際海運八②

（高価品の特則）
第五七七条①　貨幣、有価証券その他の高価品については、荷送人が運送を委託するに当たりその種類及び価額を通知した場合を除き、運送人は、その滅失、損傷又は延着について損害賠償の責任を負わない。
②　前項の規定は、次に掲げる場合には、適用しない。
一　物品運送契約の締結の当時、運送品が高価品であることを運送人が知っていたとき。
二　運送人の故意又は重大な過失によって高価品の滅失、損傷又は延着が生じたとき。

⊛【類似の規定→五九七【不実通告→国際海運九⑥―⑧【不法行為に基づく請求→五八七、五八八、国際海運一六【本条の準用→五六四、八〇九③㈢ハ、国際海運一五

（複合運送人の責任）
第五七八条①　陸上運送、海上運送又は航空運送のうち二以上の運送を一の契約で引き受けた場合における運送品の滅失等（運送品の滅失、損傷又は延着をいう。以下この節において同じ。）についての運送人の損害賠償の責任は、それぞれの運送においてその運送品の滅失等の原因が生じた場合に当該運送ごとに適用されることとなる我が国の法令又は我が国が締結した条約の規定に従う。
②　前項の規定は、陸上運送であってその区間ごとに異なる二以上の法令が適用されるものを一の契約で引き受けた場合について準用する。

⊛❶【陸上運送→五六九㈡【海上運送→五六九㈢【航空運送→五六九㈣【我が国の法令→国際海運

（相次運送人の権利義務）
第五七九条①　数人の運送人が相次いで陸上運送をするときは、後の運送人は、前の運送人に代わってその権利を行使する義務を負う。
②　前項の場合において、後の運送人が前の運送人に弁済をしたときは、後の運送人は、前の運送人の権利を取得する。
③　ある運送人が引き受けた陸上運送についてその荷送人のために他の運送人が相次いで当該陸上運送の一部を引き受けたときは、各運送人は、運送品の滅失等につき連帯して損害賠償の責任を負う。
④　前三項の規定は、海上運送及び航空運送について準用する。

⊛【連帯→民四三六―四四五【本条の準用→五六四、国際海運一五

（荷送人による運送の中止等の請求）
第五八〇条　荷送人は、運送人に対し、運送の中止、荷受人の変更その他の処分を請求することができる。こ

の場合において、運送人は、既にした運送の割合に応じた運送賃、付随の費用、立替金及びその処分によって生じた費用の弁済を請求することができる。

【処分権→民六四一【売主の取戻権→破六三、民再五二【運送品の到達と荷受人の権利→五八一【本条の準用→国際海運一五

（荷受人の権利義務等）

第五八一条① 荷受人は、運送品が到達地に到着し、又は運送品の全部が滅失したときは、物品運送契約によって生じた荷送人の権利と同一の権利を取得する。

② 前項の場合において、荷受人が運送品の引渡し又はその損害賠償の請求をしたときは、荷送人は、その権利を行使することができない。

③ 荷受人は、運送品を受け取ったときは、運送人に対し、運送賃等を支払う義務を負う。

❶【荷受人の地位→七六一・七四一【到達地→五七一①⑤・七五八①⑨　❸【運送品の受取→五八四、五八五、五七四 【本条の準用→国際海運一五

（運送品の供託及び競売）

第五八二条① 運送人は、荷受人を確知することができないときは、運送品を供託することができる。

② 前項に規定する場合において、運送人が荷送人に対し相当の期間を定めて運送品の処分につき指図をすべき旨を催告したにもかかわらず、荷送人がその指図をしないときは、運送人は、その運送品を競売に付することができる。

③ 損傷その他の事由による価格の低落のおそれがある運送品は、前項の催告をしないで競売に付することができる。

④ 前二項の規定により運送品を競売に付したときは、運送人は、その代価を供託しなければならない。ただし、その代価の全部又は一部を運送賃等に充当することを妨げない。

⑤ 運送人は、第一項から第三項までの規定により運送品を供託し、又は競売に付したときは、遅滞なく、荷送人に対してその旨の通知を発しなければならない。

❶【供託→供　❷【荷送人の指図→五八〇【競売→民執一九五、五二四③

第五八三条　前条の規定は、荷受人が運送品の受取を拒み、又はこれを受け取ることができない場合について準用する。この場合において、同条第二項中「運送人が」とあるのは「運送人が、荷受人に対し相当の期間を定めて運送品の受取を催告し、かつ、その期間の経過後に」と、同条第五項中「荷送人」とあるのは「荷送人及び荷受人」と読み替えるものとする。

【競売→五八二②【荷送人の指図→五八〇【催告不要の場合→五八二③

（運送人の責任の消滅）

第五八四条① 運送品の損傷又は一部滅失についての運送人の責任は、荷受人が異議をとどめないで運送品を受け取ったときは、消滅する。ただし、運送品に直ちに発見することができない損傷又は一部滅失があった場合において、荷受人が引渡しの日から二週間以内に運送人に対してその旨の通知を発したときは、この限りでない。

② 前項の規定は、運送品の引渡しの当時、運送人がその運送品に損傷又は一部滅失があることを知っていたときは、適用しない。

③ 運送人が更に第三者に対して運送を委託した場合において、荷受人が第一項ただし書の期間内に運送人に対して同項ただし書の通知を発したときは、運送人に対する第三者の責任に係る同項ただし書の期間は、運送人が当該通知を受けた日から二週間を経過する日まで延長されたものとみなす。

【運送人の責任→五七五―五七九、五八五【国際海上運送の場合→国際海運七【不法行為に基づく請求→国際海運一六【本条と同趣旨の規定→六一六

第五八五条① 運送品の滅失等についての運送人の責任は、運送品の引渡しがされた日（運送品の全部滅失の場合にあっては、その引渡しがされるべき日）から一年以内に裁判上の請求がされないときは、消滅する。

② 前項の期間は、運送品の滅失等による損害が発生した後に限り、合意により、延長することができる。

③ 運送人が更に第三者に対して運送を委託した場合において、運送人が第一項の期間内に損害を賠償し又は裁判上の請求をされたときは、運送人に対する第三者の責任に係る同項の期間は、運送人が損害を賠償し又は裁判上の請求をされた日から三箇月を経過する日まで延長されたものとみなす。

【本条の準用→五八七、国際海運一六　❶【運送人の責任→五七五【引渡しの日→五八四①・五八二①・五八三　❶❸【裁判上の請求→民訴一三四・三八二、仲裁一三、民調二　❷【時効の場合→民一四六　❸【下請運送の場合→五七五

（運送人の債権の消滅時効）

第五八六条　運送人の荷送人又は荷受人に対する債権は、これを行使することができる時から一年間行使しないときは、時効によって消滅する。

（運送人の不法行為責任）

第五八七条　第五百七十六条〈損害賠償の額〉、第五百七十七条〈高価品の特則〉及び第五百八十四条〈運送人の責任の消滅〉及び第五百八十五条〈同前〉の規定は、運送品の滅失等についての運送人の荷送人又は荷受人に対する不法行為による損害賠償の責任について準用する。ただし、荷受人があらかじめ荷送人の委託による運送を拒んでいたにもかかわらず荷送人から運送を引き受けた運送人の荷受人に対する責任については、この限りでない。

国際海運一六①②【不法行為責任→民七〇九・七一五

（運送人の被用者の不法行為責任）

第五八八条① 前条の規定により運送品の滅失等についての運送人の損害賠償の責任が免除され、又は軽減される場合には、その責任が免除され、又は軽減される限度において、その運送品の滅失等についての運送人の被用者の荷送人又は荷受人に対する不法行為による損害賠償の責任も、免除され、又は軽減される。

② 前項の規定は、運送人の被用者の故意又は重大な過

商法

失によって運送品の滅失等が生じたときは、適用しない。

参❶国際海運一六③④【運送人の責任↓五七六、五七七、五八四、五八五　❷国際海運一六⑤、五七六②、五七七②

第三節　旅客運送

（旅客運送契約）

第五八九条　旅客運送契約は、運送人が旅客を運送することを約し、相手方がその結果に対してその運送賃を支払うことを約することによって、その効力を生ずる。

参【運送人↓五六九㈠【旅客に対する責任↓五九〇

（運送人の責任）

第五九〇条　運送人は、旅客が運送のために受けた損害を賠償する責任を負う。ただし、運送人が運送に関し注意を怠らなかったことを証明したときは、この限りでない。

参【損害賠償↓民四一五—四二二の二、七〇九、七一五、七二二

（特約禁止）

第五九一条①　旅客の生命又は身体の侵害による運送人の損害賠償の責任（運送の遅延を主たる原因とするものを除く。）を免除し、又は軽減する特約は、無効とする。

②　前項の規定は、次に掲げる場合には、適用しない。

一　大規模な火災、震災その他の災害が発生し、又は発生するおそれがある場合において運送を行うとき。

二　運送に伴い通常生ずる振動その他の事情により生命又は身体に重大な危険が及ぶおそれがある者の運送を行うとき。

参【海上物品運送↓七三九②、国際海運一一【消費者契約↓消費契約八

（引渡しを受けた手荷物に関する運送人の責任等）

第五九二条①　運送人は、旅客から引渡しを受けた手荷物については、運送賃を請求しないときであっても、物品運送契約における運送人と同一の責任を負う。

②　運送人の被用者は、前項に規定する手荷物について、物品運送契約における運送人の被用者と同一の責任を負う。

③　第一項に規定する手荷物が到達地に到着した日から一週間以内に旅客がその引渡しを請求しないときは、運送人は、その手荷物を供託し、又は相当の期間を定めて催告をした後に競売に付することができる。この場合において、運送人がその手荷物を供託し、又は競売に付したときは、遅滞なく、旅客に対してその旨の通知を発しなければならない。

④　損傷その他の事由による価格の低落のおそれがある手荷物は、前項の催告をしないで競売に付することができる。

⑤　前二項の規定により手荷物を競売に付したときは、運送人は、その代価を供託しなければならない。ただし、その代価の全部又は一部を運送賃に充当することを妨げない。

⑥　旅客の住所又は居所が知れないときは、第三項の催告及び通知は、することを要しない。

参【引渡しを受けない場合の責任↓五九三【物品運送人の責任↓五七五—五七九【場屋営業者の責任↓五九六①

（引渡しを受けていない手荷物に関する運送人の責任等）

第五九三条①　運送人は、旅客から引渡しを受けていない手荷物（身の回り品を含む。）の滅失又は損傷については、故意又は過失がある場合を除き、損害賠償の責任を負わない。

②　第五百七十六条第一項及び第三項（損害賠償の額）、第五百八十四条第一項（運送人の責任の消滅）、第五百八十五条第一項及び第二項（同前）、第五百八十七条（運送人の不法行為責任）（第五百七十六条第一項及び第三項、第五百八十四条第一項並びに第五百八十五条第一項及び第二項の規定の準用に係る部分に限る。）並びに第五百八十八条（運送人の被用者の不法行為責任）の規定は、運送人が前項に規定する手荷物の滅失又は損傷に係る損害賠償の責任を負う場合について準用する。この場合において、第五百七十六条第一項中「その引渡しがされるべき」とあるのは「その運送が終了すべき」と、第五百八十四条第一項中「荷受人が異議をとどめないで運送品を受け取った」とあるのは「旅客が運送の終了の時までに異議をとどめなかった」と、「荷受人が引渡しの日」とあるのは「旅客が運送の終了の日」と、第五百八十五条第一項中「運送品の引渡しがされた日（運送品の全部滅失の場合にあっては、その引渡しがされるべき日）」とあるのは「運送の終了の日」と読み替えるものとする。

参【引渡しを受けた場合の責任↓五九二【場屋営業者の責任↓五九六②

（運送人の債権の消滅時効）

第五九四条　第五百八十六条（運送人の債権の消滅時効）の規定は、旅客運送について準用する。

第九章　寄託（平成三〇法二九本章全部改正）

第一節　総則

（受寄者の注意義務）

第五九五条　商人がその営業の範囲内において寄託を受けた場合には、報酬を受けないときであっても、善良な管理者の注意をもって、寄託物を保管しなければならない。

参【商人↓四【寄託↓民六五七—六六六【報酬↓五一二【受寄者の注意義務の原則↓民四〇〇、六五九

（場屋営業者の責任）

第五九六条①　旅館、飲食店、浴場その他の客の来集を目的とする場屋における取引をすることを業とする者（以下この節において「場屋営業者」という。）は、客から寄託を受けた物品の滅失又は損傷については、不可抗力によるものであったことを証明しなければ、損害賠償の責任を免れることができない。

② 客が寄託していない物品であっても、場屋の中に携帯した物品が、場屋営業者が注意を怠ったことによって滅失し、又は損傷したときは、場屋営業者は、損害賠償の責任を負う。

③ 客が場屋の中に携帯した物品につき責任を負わない旨を表示したときであっても、場屋営業者は、前二項の責任を免れることができない。

参照【客の来集を目的とする場屋の取引→五〇二⑦ ❶【場屋営業者→四【他の場合の責任と対比→五六〇、五七五、五九〇、国際海運三、四、六一〇 ❷【類似の規定→五九三

（高価品の特則）

第五九七条 貨幣、有価証券その他の高価品については、客がその種類及び価額を通知してこれを場屋営業者に寄託した場合を除き、場屋営業者は、その滅失又は損傷によって生じた損害を賠償する責任を負わない。

参照【類似の規定→五六四、五七七、国際海運一五

（場屋営業者の責任に係る債権の消滅時効）

第五九八条① 前二条の場屋営業者の責任に係る債権は、場屋営業者が寄託を受けた物品を返還し、又は客が場屋の中に携帯した物品を持ち去った時（物品の全部滅失の場合にあっては、客が場屋を去った時）から一年間行使しないときは、時効によって消滅する。

② 前項の規定は、場屋営業者が同項に規定する物品の滅失又は損傷につき悪意であった場合には、適用しない。

第二節　倉庫営業

（定義）

第五九九条 この節において「倉庫営業者」とは、他人のために物品を倉庫に保管することを業とする者をいう。

参照【倉庫営業→五〇二⑩、民六五七―六六五【倉庫業者→四

（倉荷証券の交付義務）

第六〇〇条 倉庫営業者は、寄託者の請求により、寄託物の倉荷証券を交付しなければならない。

（倉荷証券の記載事項）

第六〇一条 倉荷証券には、次に掲げる事項及びその番号を記載し、倉庫営業者がこれに署名し、又は記名押印しなければならない。

一 寄託物の種類、品質及び数量並びにその荷造りの種類、個数及び記号
二 寄託者の氏名又は名称
三 保管場所
四 保管料
五 保管期間を定めたときは、その期間
六 寄託物を保険に付したときは、保険金額、保険期間及び保険者の氏名又は名称
七 作成地及び作成の年月日

参照【五】【保管期間→六一二 【要式証券性に関し対比→手二①、小二①

（帳簿記載義務）

第六〇二条 倉庫営業者は、倉荷証券を寄託者に交付したときは、その帳簿に次に掲げる事項を記載しなければならない。

一 前条第一号、第二号及び第四号から第六号までに掲げる事項
二 倉荷証券の番号及び作成の年月日

参照【本条以外の記載事項→六〇八、六一四【保存義務→一九③

（寄託物の分割請求）

第六〇三条① 倉荷証券の所持人は、倉庫営業者に対し、寄託物の分割及びその各部分に対する倉荷証券の交付を請求することができる。この場合において、所持人は、その所持する倉荷証券を倉庫営業者に返還しなければならない。

② 前項の規定による寄託物の分割及び倉荷証券の交付に関する費用は、所持人が負担する。

（倉荷証券の不実記載）

第六〇四条 倉庫営業者は、倉荷証券の記載が事実と異なることをもって善意の所持人に対抗することができない。

参照【他の証券の場合→七六〇

（寄託物に関する処分）

第六〇五条 倉荷証券が作成されたときは、寄託物に関する処分は、倉荷証券によってしなければならない。

参照【所持人→六〇六、小二一【他の証券の場合→七六一

（倉荷証券の譲渡又は質入れ）

第六〇六条 倉荷証券は、記名式であるときであっても、裏書によって、譲渡し、又は質権の目的とすることができる。ただし、倉荷証券に裏書を禁止する旨を記載したときは、この限りでない。

参照【他の証券の場合→七六二

（倉荷証券の引渡しの効力）

第六〇七条 倉荷証券により寄託物を受け取ることができる者に倉荷証券を引き渡したときは、その引渡しは、寄託物について行使する権利の取得に関しては、寄託物の引渡しと同一の効力を有する。

参照【他の証券の場合→七六三

（倉荷証券の再交付）

第六〇八条 倉荷証券の所持人は、その倉荷証券を喪失したときは、相当の担保を供して、その再交付を請求することができる。この場合において、倉庫営業者は、その旨を帳簿に記載しなければならない。

参照【帳簿→六〇二

（寄託物の点検等）

第六〇九条 寄託者又は倉荷証券の所持人は、倉庫営業者の営業時間内は、いつでも、寄託物の点検若しくはその見本の提供を求め、又はその保存に必要な処分をすることができる。

（倉庫営業者の責任）

第六一〇条 倉庫営業者は、寄託物の保管に関し注意を怠らなかったことを証明しなければ、その滅失又は損傷につき損害賠償の責任を免れることができない。

参【保管義務↓五九五、民六五八【場屋営業者の責任と対比↓五九六【損害賠償↓六一六、六一七

（保管料等の支払時期）
第六一一条　倉庫営業者は、寄託物の出庫の時以後でなければ、保管料及び立替金その他寄託物に関する費用（第六百十六条第一項において「保管料等」という。）の支払を請求することができない。ただし、寄託物の一部を出庫するときは、出庫の割合に応じて、その支払を請求することができる。

参【保管料の支払↓五一二、民六六五、六四八【費用の支払↓民六六五、六四九、六五〇【一部出庫↓六一四

（寄託物の返還の制限）
第六一二条　当事者が寄託物の保管期間を定めなかったときは、倉庫営業者は、寄託物の入庫の日から六箇月を経過した後でなければ、その返還をすることができない。ただし、やむを得ない事由があるときは、この限りでない。

参【保管の期間↓六〇一㈤、六〇〇、六一五【寄託物返還時期に関する原則↓民六六三①

（倉荷証券が作成された場合における寄託物の返還請求）
第六一三条　倉荷証券が作成されたときは、これと引換えでなければ、寄託物の返還を請求することができない。

参【証券喪失の場合↓六〇八【他の証券の場合↓七六四

（倉荷証券を質入れした場合における寄託物の一部の返還請求）
第六一四条　倉荷証券を質権の目的とした場合において、質権者の承諾があるときは、寄託者は、当該質権の被担保債権の弁済期前であっても、寄託物の一部の返還を請求することができる。この場合において、倉庫営業者は、返還した寄託物の種類、品質及び数量を倉荷証券に記載し、かつ、その旨を帳簿に記載しなければならない。

参【質権の成立要件↓民三四四、六〇七、七六三【全部の返還の場合↓六一三【帳簿↓六〇二

（寄託物の供託及び競売）
第六一五条　第五百二十四条第一項及び第二項（売主による目的物の供託及び競売）の規定は、寄託者又は倉荷証券の所持人が寄託物の受領を拒み、又はこれを受領することができない場合について準用する。

参【寄託物の返還↓六〇一㈤、六一二【買入証券所持人の権利↓民三五〇、三〇四

（倉庫営業者の責任の消滅）
第六一六条①　寄託物の損傷又は一部滅失についての倉庫営業者の責任は、寄託者又は倉荷証券の所持人が異議をとどめないで寄託物を受け取り、かつ、保管料等を支払ったときは、消滅する。ただし、寄託物に直ちに発見することができない損傷又は一部滅失があった場合において、寄託者又は倉荷証券の所持人が引渡しの日から二週間以内に倉庫営業者に対してその旨の通知を発したときは、この限りでない。

②　前項の規定は、倉庫営業者が寄託物の損傷又は一部滅失につき悪意であった場合には、適用しない。

参六一〇　❶【類似の規定↓五八四

（倉庫営業者の責任に係る債権の消滅時効）
第六一七条①　寄託物の滅失又は損傷についての倉庫営業者の責任に係る債権は、寄託物の出庫の日から一年間行使しないときは、時効によって消滅する。

②　前項の期間は、寄託物の全部滅失の場合においては、倉庫営業者が倉荷証券の所持人（倉荷証券を作成していないとき又は倉荷証券の所持人が知れないときは、寄託者）に対してその旨の通知を発した日から起算する。

③　前二項の規定は、倉庫営業者が寄託物の滅失又は損傷につき悪意であった場合には、適用しない。

参【倉庫営業者の責任↓六一〇【類似の規定↓五八五

第六一八条から第六八三条まで　削除（平成三〇法二九）

第三編　海商（平成三〇法二九本編全部改正）

第一章　船舶

第一節　総則

（定義）
第六八四条　この編（第七百四十七条を除く。）において「船舶」とは、商行為をする目的で航海の用に供する船舶（端舟その他ろかいのみをもって運転し、又は主としてろかいをもって運転する舟を除く。）をいう。

参【船舶↓八五〇、国際海運二①、船主責任制限二①㈠【商行為↓五〇二㈣㈤【航海↓五六九㈢【ろかい舟↓国際海運二①【ろかい舟への不適用↓民執一二一、船主責任制限二①㈠

（従物の推定等）
第六八五条①　船舶の属具目録に記載した物は、その従物と推定する。

②　属具目録の書式は、国土交通省令で定める。

参【属具目録↓七一〇　❶【従物↓民八七、八四七②、八四二

第二節　船舶の所有

第一款　総則

（船舶の登記等）
第六八六条①　船舶所有者は、船舶法（明治三十二年法律第四十六号）の定めるところに従い、登記をし、かつ、船舶国籍証書の交付を受けなければならない。

②　前項の規定は、総トン数二十トン未満の船舶については、適用しない。

参❶【船舶所有者↓船主責任制限二①㈡・三―八【登記↓六八七・七〇一・八四七

（船舶所有権の移転の対抗要件）
第六八七条　船舶所有権の移転は、その登記をし、かつ、船舶国籍証書に記載しなければ、第三者に対抗することができない。

参【移転↓六八八【第三者対抗要件↓民一七七、一七八

（航海中の船舶を譲渡した場合の損益の帰属）

第六八八条　航海中の船舶を譲渡したときは、その航海によって生ずる損益は、譲受人に帰属する。

（航海中の船舶に対する差押え等の制限）

第六八九条　差押え及び仮差押えの執行（仮差押えの登記をする方法によるものを除く。）は、航海中の船舶（停泊中のものを除く。）に対してはすることができない。

【差押え→民執四五①、一二一―一二二【仮差押えの執行→民保四三、四八

（船舶所有者の責任）

第六九〇条　船舶所有者は、船長その他の船員がその職務を行うについて故意又は過失によって他人に加えた損害を賠償する責任を負う。

【一般原則→民七一五【船舶所有者の責任→五七五―五七九、国際海運三―五、船主責任制限三①③、四、五、六①②④、七、八

（社員の持分の売渡しの請求）

第六九一条　持分会社の業務を執行する社員の持分の移転により当該持分会社の所有する船舶が日本の国籍を喪失することとなるときは、他の業務を執行する社員は、相当の対価でその持分を売り渡すことを請求することができる。

【持分の移転→六九六【国籍喪失→国籍一一―一三【競売→民執一九五【会社の社員の持分の譲渡→会社五八五

第二款　船舶の共有

（共有に係る船舶の利用）

第六九二条　船舶共有者の間においては、船舶の利用に関する事項は、各船舶共有者の持分の価格に従い、その過半数で決する。

【船舶共有者→民六六七、六九六【民法の共有と対比→民二四九―二六四【持分の価格主義→六九三、六九五【決定方法につき対比→民二五二、六七〇【過半数の決議→六九四、六九七②

第六九三条　船舶共有者は、その持分の価格に応じ、船舶の利用に関する費用を負担しなければならない。

【費用の分担→六九五【共有の場合→民二五三

（船舶共有者の持分買取請求）

第六九四条①　船舶共有者が次に掲げる事項を決定したときは、その決定について異議のある船舶共有者は、他の船舶共有者に対し、相当の対価で自己の持分を買い取ることを請求することができる。

一　新たな航海（船舶共有者の間で予定されていなかったものに限る。）をすること。

二　船舶の大修繕をすること。

②　前項の規定による請求をしようとする者は、同項の決定の日（当該決定に加わらなかった場合にあっては、当該決定の通知を受けた日の翌日）から三日以内に、他の船舶共有者又は船舶管理人に対してその旨の通知を発しなければならない。

【決議→六九二　❶【持分買取請求権→七一五③　❷【船舶管理人→六九七

（船舶共有者の第三者に対する責任）

第六九五条　船舶共有者は、その持分の価格に応じ、船舶の利用について生じた債務を弁済する責任を負う。

【持分の価格に応ずる弁済責任→五一一、六九三【債務→六九〇、船主責任制限三

（持分の譲渡）

第六九六条①　船舶共有者の間に組合契約があるときであっても、各船舶共有者（船舶管理人であるものを除く。）は、他の船舶共有者の承諾を得ないで、その持分の全部又は一部を他人に譲渡することができる。

②　船舶管理人である船舶共有者は、他の船舶共有者の全員の承諾を得なければ、その持分の全部又は一部を他人に譲渡することができない。

【持分の譲渡→七〇〇、民六七六【船舶管理人→六九七

（船舶管理人）

第六九七条①　船舶共有者は、船舶管理人を選任しなければならない。

②　船舶共有者でない者を船舶管理人とするには、船舶共有者の全員の同意がなければならない。

③　船舶共有者が船舶管理人を選任したときは、その登記をしなければならない。船舶管理人の代理権の消滅についても、同様とする。

④　第九条〔商業登記の効力〕の規定は、前項の規定による登記について準用する。

【船舶管理人→船主責任制限九八①　❷【選任→六九二

（船舶管理人の代理権）

第六九八条①　船舶管理人は、次に掲げる行為を除き、船舶共有者に代わって船舶の利用に関する一切の裁判上又は裁判外の行為をする権限を有する。

一　船舶を賃貸し、又はこれについて抵当権を設定すること。

二　船舶を保険に付すること。

三　新たな航海（船舶共有者の間で予定されていなかったものに限る。）をすること。

四　船舶の大修繕をすること。

五　借財をすること。

②　船舶管理人の代理権に加えた制限は、善意の第三者に対抗することができない。

【権限→二一　❶[一]【賃貸→七〇一【抵当→八四七　[二]【保険→八一五　[三][四]【新航海・大修繕→六九四

（船舶管理人の義務）

第六九九条①　船舶管理人は、その職務に関する帳簿を備え、船舶の利用に関する一切の事項を記載しなければならない。

②　船舶管理人は、一定の期間ごとに、船舶の利用に関する計算を行い、各船舶共有者の承認を求めなければならない。

【一般原則→民六四五

（船舶共有者の持分の売渡しの請求等）

第七〇〇条　船舶共有者の持分の移転又はその国籍の喪失により船舶が日本の国籍を喪失することとなるときは、他の船舶共有者は、相当の対価でその持分を売り渡す

ことを請求し、又は競売に付することができる。

※【持分の移転→六九六【国籍喪失→国籍一一―一三【競売→民執一九五

第三節　船舶賃貸借

（船舶賃貸借の対抗力）

第七〇一条　船舶の賃貸借は、これを登記したときは、その後その船舶について物権を取得した者に対しても、その効力を生ずる。

※【船舶の賃貸借→民六〇一―六二二の二【登記の効力→民六〇五

（船舶の賃借人による修繕）

第七〇二条　船舶の賃借人であって商行為をする目的でその船舶を航海の用に供しているものは、その船舶を受け取った後にこれに生じた損傷があるときは、その利用に必要な修繕をする義務を負う。ただし、その損傷が賃貸人の責めに帰すべき事由によるものであるときは、この限りでない。

※【一般の賃貸借の場合→民六〇六

（船舶の賃借人の権利義務等）

第七〇三条①　前条に規定する船舶の賃借人は、その船舶の利用に関する事項については、第三者に対して、船舶所有者と同一の権利義務を有する。

②　前項の場合において、その船舶の利用について生じた先取特権は、船舶所有者に対しても、その効力を生ずる。ただし、船舶の賃借人によるその利用の態様が船舶所有者との契約に反することを先取特権者が知っていたときは、この限りでない。

※❶【船舶賃借人→船主責任制限二①㈢、三―八【船舶所有者の権利義務→船主責任制限三―八、七三七―七七〇　❷【先取特権→八四二―八四六、八四八、八五〇、民三〇三―三四一

第四節　定期傭船

（定期傭船契約）

第七〇四条　定期傭船契約は、当事者の一方が艤装した船舶に船員を乗り組ませて当該船舶を一定の期間相手方の利用に供することを約し、相手方がこれに対してその傭船料を支払うことを約することによって、その効力を生ずる。

※【傭船→船主責任制限二①㈢【艤装→七三九、国際海運五【船員の乗組み→七三九、国際海運五

（定期傭船者による指示）

第七〇五条　定期傭船者は、船長に対し、航路の決定その他の船舶の利用に関し必要な事項を指示することができる。ただし、発航前の検査その他の航海の安全に関する事項については、この限りでない。

（費用の負担）

第七〇六条　船舶の燃料、水先料、入港料その他船舶の利用に関する通常の費用は、定期傭船者の負担とする。

※【水先料→八四二㈢

（運送及び船舶賃貸借に関する規定の準用）

第七〇七条　第五百七十二条〈危険物に関する通知義務〉、第七百三十九条第一項〈航海に堪える能力に関する注意義務〉並びに第七百四十条第一項及び第三項〈違法な船積品の陸揚げ等〉の規定は定期傭船契約に係る船舶により物品を運送する場合について、第七百三条第二項〈船舶の賃借人の権利義務等〉の規定は定期傭船者の船舶の利用について生ずる先取特権について、それぞれ準用する。この場合において、第七百三十九条第一項中「発航の当時」とあるのは、「各航海に係る発航の当時」と読み替えるものとする。

※【先取特権→八四二―八四六、八四八、八五〇、民三〇三―三四一

第二章　船長

（船長の代理権）

第七〇八条①　船長は、船籍港外においては、次に掲げる行為を除き、船舶所有者に代わって航海のために必要な一切の裁判上又は裁判外の行為をする権限を有する。

一　船舶について抵当権を設定すること。

二　借財をすること。

②　船長の代理権に加えた制限は、善意の第三者に対抗することができない。

※❶【代理権→七五七、民訴五四、五五④、二二【航海を継続するために必要な費用→八四二㈣【利害関係人のための積荷処分→七一一【航海継続のための積荷使用→七一二　【一】【船舶抵当→八四八　❷【代理権の制限の効力→一二③

（船長による職務代行者の選任）

第七〇九条　船長は、やむを得ない事由により自ら船舶を指揮することができない場合には、法令に別段の定めがあるときを除き、自己に代わって船長の職務を行うべき者を選任することができる。この場合において、船長は、船舶所有者に対してその選任についての責任を負う。

※【代船長の選任→民一〇四、六二五②

（属具目録の備置き）

第七一〇条　船長は、属具目録を船内に備え置かなければならない。

※【属具目録→六八五

（船長による積荷の処分）

第七一一条①　船長は、航海中に積荷の利害関係人の利益のため必要があるときは、利害関係人に代わり、最もその利益に適合する方法によって、その積荷の処分をしなければならない。

②　積荷の利害関係人は、前項の処分によりその積荷について債務を負担したときは、当該債務に係る債権者にその積荷について有する権利を移転して、その責任を免れることができる。ただし、利害関係人に過失があったときは、この限りでない。

※【積荷の処分→七一二、八〇八

（航海継続のための積荷の使用）

第七一二条①　船長は、航海を継続するため必要がある

ときは、積荷を航海の用に供することができる。

② 第五百七十六条第一項及び第二項（損害賠償の額）の規定は、前項の場合において船舶所有者が支払うべき償金の額について準用する。この場合において、同条第一項中「引渡し」とあるのは、「陸揚げ」と読み替えるものとする。

参 七四六

（船長の責任）

第七一三条 船長は、海員がその職務を行うについて故意又は過失によって他人に加えた損害を賠償する責任を負う。ただし、船長が海員の監督について注意を怠らなかったことを証明したときは、この限りでない。

参【一般の場合と対比↓民七一五【船舶所有者の責任↓船主責任制限三―八

（船長の報告義務）

第七一四条 船長は、遅滞なく、航海に関する重要な事項を船舶所有者に報告しなければならない。

参【一般の場合の報告義務↓民六四五【航海に関する重要な事項の例↓七〇八①・八〇八・七八八

（船長の解任）

第七一五条① 船舶所有者は、いつでも、船長を解任することができる。

② 前項の規定により解任された船長は、その解任について正当な理由がある場合を除き、船舶所有者に対し、解任によって生じた損害の賠償を請求することができる。

③ 船長が船舶共有者である場合において、その意に反して解任されたときは、船長は、他の船舶共有者に対し、相当の対価で自己の持分を買い取ることを請求することができる。

④ 船長は、前項の規定による請求をしようとするときは、遅滞なく、他の船舶共有者又は船舶管理人に対してその旨の通知を発しなければならない。

参❶❷【解任↓民六二七・六二八・六五一、会社三三九 ❸【船舶共有↓六九二・六九四① ❹【船舶管理人↓六九七・六九八①

第七一六条から第七三六条まで 削除（平成三〇法二九）

第三章 海上物品運送に関する特則

第一節 個品運送

（運送品の船積み等）

第七三七条① 運送人は、個品運送契約（個々の運送品を目的とする運送契約をいう。以下この節において同じ。）に基づいて荷送人から運送品を受け取ったときは、その船積み及び積付けをしなければならない。

② 荷送人が運送品の引渡しを怠ったときは、船長は、直ちに発航することができる。この場合において、荷送人は、運送賃の全額（運送人がその運送品に代わる他の運送品について運送賃を得た場合にあっては、当該運送賃の額を控除した額）を支払わなければならない。

参❶【船積み↓七四八・七四九 ❷【発航↓七五〇・七五三【運送人↓五六九[一]、国際海運二②・一五

（船長に対する必要書類の交付）

第七三八条 荷送人は、船積期間内に、運送に必要な書類を船長に交付しなければならない。

（航海に堪える能力に関する注意義務）

第七三九条① 運送人は、発航の当時次に掲げる事項を欠いたことにより生じた運送品の滅失、損傷又は延着について、損害賠償の責任を負う。ただし、運送人がその当時当該事項について注意を怠らなかったことを証明したときは、この限りでない。

一 船舶を航海に堪える状態に置くこと。

二 船員の乗組み、船舶の艤装及び需品の補給を適切に行うこと。

三 船倉、冷蔵室その他運送品を積み込む場所を運送品の受入れ、運送及び保存に適する状態に置くこと。

② 前項の規定による運送人の損害賠償の責任を免除し、又は軽減する特約は、無効とする。

参【堪航能力↓八二六[四]、国際海運五

（違法な船積品の陸揚げ等）

第七四〇条① 法令に違反して又は個品運送契約によらないで船積みがされた運送品については、運送人は、いつでも、これを陸揚げすることができ、船舶又は積荷に危害を及ぼすおそれがあるときは、これを放棄することができる。

② 運送人は、前項に規定する運送品を運送したときは、船積みがされた地及び時における同種の運送品に係る運送賃の最高額を請求することができる。

③ 前二項の規定は、運送人その他の利害関係人の荷送人に対する損害賠償の請求を妨げない。

参❶【危害予防措置↓国際海運六

（荷受人の運送賃支払義務等）

第七四一条① 荷受人は、運送品を受け取ったときは、個品運送契約又は船荷証券の趣旨に従い、運送人に対し、次に掲げる金額の合計額（以下この節において「運送賃等」という。）を支払う義務を負う。

一 運送賃、付随の費用及び立替金の額

二 運送品の価格に応じて支払うべき救助料の額及び共同海損の分担額

② 運送人は、運送賃等の支払を受けるまで、運送品を留置することができる。

参❶【荷受人の義務↓七四二・五八一③【船荷証券↓七六〇【運送賃↓七五八[五]・七四六・五七三【共同海損分担金↓八〇八―八一二【救助料↓七九二―七九五・八〇四 ❷【運送品の引渡し↓七六四【競売↓民執一九五【船舶所有者の留置権につき対比↓五二一、民二九五

（運送品の競売）

第七四二条 運送人は、荷受人に運送品を引き渡した後においても、運送賃等の支払を受けるため、その運送品を競売に付することができる。ただし、第三者がその占有を取得したときは、この限りでない。

参【競売権↓民執一九五【運送品引渡し前の運送人の保護↓民三一八・二九五、七四一②【船舶所有者↓国際海運二②・一五

（荷送人による発航前の解除）

第七四三条① 発航前においては、荷送人は、運送賃の全額を支払って個品運送契約の解除をすることができる。ただし、個品運送契約の解除によって運送人に生ずる損害の額が運送賃の全額を下回るときは、その損害を賠償すれば足りる。

② 前項の規定は、運送品の全部又は一部の船積みがされた場合には、他の荷送人及び傭船者の全員の同意を得たときに限り、適用する。この場合において、荷送人は、運送品の船積み及び陸揚げに要する費用を負担しなければならない。

参【発航前の解除→七五三】【運送人→五六九㈡、国際海運二②、一五】

第七四四条 荷送人は、前条の規定により個品運送契約の解除をしたときであっても、運送人に対する付随の費用及び立替金の支払義務を免れることができない。

参【共同海損分担金→八〇八―八一二】【救助料→七九二―七九五、八〇四】【本条の準用→七五六】

（荷送人による発航後の解除）

第七四五条 発航後においては、荷送人は、他の荷送人及び傭船者の全員の同意を得、かつ、運送賃等及び運送品の陸揚げによって生ずべき損害の額の合計額を支払い、又は相当の担保を供しなければ、個品運送契約の解除をすることができない。

参 七四三【本条の準用→七五五】

（積荷を航海の用に供した場合の運送賃）

第七四六条 運送人は、船長が第七百十二条第一項の規定により積荷を航海の用に供したときにおいても、運送賃の全額を請求することができる。

（非航海船による物品運送への準用）

第七四七条 この節の規定は、商行為をする目的で専ら湖川、港湾その他の海以外の水域において航行の用に供する船舶（端舟その他ろかいのみをもって運転し、又は主としてろかいをもって運転する舟を除く。以下この編において「非航海船」という。）によって物品を運送する場合について準用する。

参【海上運送→五六九㈢】【船舶→六八四】

第二節　航海傭船

（運送品の船積み）

第七四八条① 航海傭船契約（船舶の全部又は一部を目的とする運送契約をいう。以下この節において同じ。）に基づいて運送品の船積みのために必要な準備を完了したときは、船長は、遅滞なく、傭船者に対してその旨の通知を発しなければならない。

② 船積期間の定めがある航海傭船契約において始期を定めなかったときは、その期間は、前項の通知があった時から起算する。この場合において、不可抗力によって船積みをすることができない期間は、船積期間に算入しない。

③ 傭船者が船積期間の経過後に運送品の船積みをした場合には、運送人は、特約がないときであっても、相当な滞船料を請求することができる。

参❶【船積準備の通知→七四九、七三七、七五二①】❷❸【船積期間→七五一、七五三③、七三七②、七五六、七三八】【停泊料請求権→七五六、七四一】

（第三者による船積み）

第七四九条① 船長は、第三者から運送品を受け取るべき場合において、その第三者を確知することができないとき、又はその第三者が運送品の船積みをしないときは、直ちに傭船者に対してその旨の通知を発しなければならない。

② 前項の場合において、傭船者は、船積期間内に限り、運送品の船積みをすることができる。

参【船積準備の通知→七四八①】【船積期間→七五一、七五三③】

（傭船者による発航の請求）

第七五〇条① 傭船者は、運送品の全部の船積みをしていないときであっても、船長に対し、発航の請求をすることができる。

② 傭船者は、前項の請求をしたときは、運送人に対し、運送賃の全額のほか、運送品の全部の船積みをしないことによって生じた費用を支払う義務を負い、かつ、その請求により、当該費用の支払について相当の担保を供しなければならない。

参【船長の発航権→七五一】❷【運送人→五六九㈡、国際海運二②、一五】【相当の担保→七四二、七五四】

（船長の発航権）

第七五一条 船長は、船積期間が経過した後は、傭船者が運送品の全部の船積みをしていないときであっても、直ちに発航することができる。この場合においては、前条第二項の規定を準用する。

参【船積期間→七四八②③】【発航権→七三七②】

（運送品の陸揚げ）

第七五二条① 運送品の陸揚げのために必要な準備を完了したときは、船長は、遅滞なく、荷受人に対してその旨の通知を発しなければならない。

② 陸揚期間の定めがある航海傭船契約において始期を定めなかったときは、その期間は、前項の通知があった時から起算する。この場合において、不可抗力によって陸揚げをすることができない期間は、陸揚期間に算入しない。

③ 荷受人が陸揚期間の経過後に運送品の陸揚げをした場合には、運送人は、特約がないときであっても、相当な滞船料を請求することができる。

参❶❷【陸揚準備通知・陸揚期間→七四八、七四九】❸【停泊料請求権→七五六、七四一、五八六、七四八③】【運送人→五六九㈡、国際海運二②、一五】

（全部航海傭船契約の傭船者による発航前の解除）

第七五三条① 発航前においては、全部航海傭船契約（船舶の全部を目的とする航海傭船契約をいう。以下この節において同じ。）の傭船者は、運送賃の全額及び滞船料を支払って全部航海傭船契約の解除をすることができる。ただし、全部航海傭船契約の解除によって運送人に生ずる損害の額が運送賃の全額及び滞船料を下回るときは、その損害を賠償すれば足りる。

② 傭船者は、運送品の全部又は一部の船積みをした後に前項の規定により全部航海傭船契約の解除をしたときは、その船積み及び陸揚げに要する費用を負担しなければならない。

③ 全部航海傭船契約の傭船者が船積期間内に運送品の船積みをしなかったときは、運送人は、その傭船者が全部航海傭船契約の解除をしたものとみなすことができる。

§+【契約の解除↓民五四〇―五四八、七五四、七五五、七四三【付随費用・立替金等の支払義務↓七五六、七四一 ❸【船積期間の徒過↓七四八②③、七五一 +【本条の準用↓七五五

第七五四条（**全部航海傭船契約の傭船者による発航後の解除**） 発航後においては、全部航海傭船契約の傭船者は、第七百四十五条に規定する合計額及び滞船料を支払い、又は相当の担保を供しなければ、全部航海傭船契約の解除をすることができない。

§+【解除↓七五三【本条の準用↓七五五

第七五五条（**一部航海傭船契約の解除への準用**） 第七百四十三条〈荷送人による発航前の解除〉、第七百四十五条〈荷送人による発航後の解除〉及び第七百五十三条第三項〈全部航海傭船契約の傭船者による発航前の解除〉の規定は、船舶の一部を目的とする航海傭船契約の解除について準用する。この場合において、第七百四十三条第一項中「全額」とあるのは「全額及び滞船料」と、第七百四十五条中「合計額」とあるのは「合計額並びに滞船料」と読み替えるものとする。

第七五六条（**個品運送契約に関する規定の準用等**）① 第七百三十八条から第七百四十二条まで〈船長に対する必要書類の交付、航海に堪える能力に関する注意義務、違法な船積品の陸揚げ等、荷受人の運送賃支払義務等、運送品の競売〉（第七百三十九条第二項を除く。）、第七百四十四条〈荷送人による発航前の解除〉、第七百四十六条〈積荷を航海の用に供した場合の運送賃〉及び第七百四十七条〈非航海船による物品運送への準用〉の規定は、航海傭船契約について準用する。この場合において、第七百四十一条第一項中「金額」とあるのは「金額及び滞船料」と、第七百四十四条中「前条」とあるのは「第七百五十三条第一項又は第七百五十五条において準用する前条」と、第七百四十七条中「この節」とあるのは「次節」と読み替えるものとする。

② 運送人は、前項において準用する第七百三十九条第一項の規定による運送人の損害賠償の責任を免除し、又は軽減する特約をもって船荷証券の所持人に対抗することができない。

§❷【特約の禁止↓七三九②、国際海運一一、一二

第三節　船荷証券等

第七五七条（**船荷証券の交付義務**）① 運送人又は船長は、荷送人又は傭船者の請求により、運送品の船積み後遅滞なく、船積みがあった旨を記載した船荷証券（以下この節において「船積船荷証券」という。）の一通又は数通を交付しなければならない。運送品の船積み前においても、その受取後は、荷送人又は傭船者の請求により、受取があった旨を記載した船荷証券（以下この節において「受取船荷証券」という。）の一通又は数通を交付しなければならない。

② 受取船荷証券が交付された場合には、受取船荷証券の全部と引換えでなければ、船積船荷証券の交付を請求することができない。

③ 前二項の規定は、運送品について現に海上運送状が交付されているときは、適用しない。

§+【運送人↓五六九㈠、国際海運二②【荷送人↓五七〇、国際海運二③【船荷証券↓七五八―七六五【船積船荷証券↓七五八①㈣②【受取船荷証券↓七五八② ❸【海上運送状↓七七〇

第七五八条（**船荷証券の記載事項**）① 船荷証券には、次に掲げる事項（受取船荷証券にあっては、第七号及び第八号に掲げる事項を除く。）を記載し、運送人又は船長がこれに署名し、又は記名押印しなければならない。

一 運送品の種類
二 運送品の容積若しくは重量又は包若しくは個品の数及び運送品の記号
三 外部から認められる運送品の状態
四 荷送人又は傭船者の氏名又は名称
五 荷受人の氏名又は名称
六 運送人の氏名又は名称
七 船舶の名称
八 船積港及び船積みの年月日
九 陸揚港
十 運送賃
十一 数通の船荷証券を作成したときは、その数
十二 作成地及び作成の年月日

② 受取船荷証券と引換えに船積船荷証券の交付の請求があったときは、その受取船荷証券に船積みがあった旨を記載し、かつ、署名し、又は記名押印して、船積船荷証券の作成に代えることができる。この場合においては、前項第七号及び第八号に掲げる事項をも記載しなければならない。

§❶【記載事項↓七六〇、国際海運九⑤、一一②④、一四②【四】【二】―【三】【運送品の表示↓七五九、国際海運四②㈤③【五】【荷受人↓国際海運七【荷送人↓五七〇、国際海運二③【六】【運送人↓五六九㈠、国際海運二②【八】【船積港↓国際海運一、七五七【九】【陸揚港↓国際海運一、七六五【十】【運送賃↓五七〇§【十一】【数通発行↓七六五―七六七 ❷【代用船積船荷証券↓七五七①②

第七五九条（**荷送人又は傭船者の通知**）① 前条第一項第一号及び第二号に掲げる事項は、その事項につき荷送人又は傭船者の書面又は電磁的方法による通知があったときは、その通知に従って記載しなければならない。

② 前項の規定は、同項の通知が正確でないと信ずべき正当な理由がある場合及び当該通知が正確であることを確認する適当な方法がない場合には、適用しない。運送品の記号について、運送品又はその容器若しくは包装に航海の終了の時まで判読に堪える表示がされて

いない場合も、同様とする。

③　荷送人又は傭船者は、運送人に対し、第一項の通知が正確でないことによって生じた損害を賠償する責任を負う。

⊛❶❷【荷送人の通告↓国際海運二③、七五八①㈡㈢【記載の効力↓七六〇【記号↓七五八①㈡、国際海運四②㈲③

（船荷証券の不実記載）

第七六〇条　運送人は、船荷証券の記載が事実と異なることをもって善意の所持人に対抗することができない。

⊛【記載事項↓七五八①⊛、国際海運四②㈲③【船荷証券所持人↓七五六②、国際海運一一④・一二・一四②・七、七六二、民五二〇の六・五二〇の一六・五二〇の二〇

（運送品に関する処分）

第七六一条　船荷証券が作成されたときは、運送品に関する処分は、船荷証券によってしなければならない。

⊛【運送品の引渡し・処分との関係↓七六三・五八〇【同趣旨の条文↓六〇五

（船荷証券の譲渡又は質入れ）

第七六二条　船荷証券は、記名式であるときであっても、裏書によって、譲渡し、又は質権の目的とすることができる。ただし、船荷証券に裏書を禁止する旨を記載したときは、この限りでない。

⊛【裏書↓手一一・一三・一四②、小一九【裏書禁止の場合の譲渡方法↓民四六七・四六八【他の証券の場合↓六〇六

（船荷証券の引渡しの効力）

第七六三条　船荷証券により運送品を受け取ることができる者に船荷証券を引き渡したときは、その引渡しは、運送品について行使する権利の取得に関しては、運送品の引渡しと同一の効力を有する。

⊛【運送品を受け取ることができる者↓七六二・小五②【運送品引渡しの効力↓民一七八・三四四・一八四【本条と同趣旨の条文↓六〇七

（運送品の引渡請求）

第七六四条　船荷証券が作成されたときは、これと引換えでなければ、運送品の引渡しを請求することができない。

⊛【他の証券の場合↓七六四、手三九①・七七①㈢、小三四①

（数通の船荷証券を作成した場合における運送品の引渡し）

第七六五条①　陸揚港においては、運送人は、数通の船荷証券のうち一通の所持人が運送品の引渡しを請求したときであっても、その引渡しを拒むことができない。

②　陸揚港外においては、運送人は、船荷証券の全部の返還を受けなければ、運送品の引渡しをすることができない。

⊛【陸揚港↓七五八①㈣【数通の船荷証券の発行↓七五七・七五八①㈩㈡【引渡し↓七六四

第七六六条　二人以上の船荷証券の所持人がある場合において、その一人が他の所持人より先に運送人から運送品の引渡しを受けたときは、当該他の所持人の船荷証券は、その効力を失う。

⊛【二通の所持人への引渡し↓七六四・七六五・七六七【船荷証券の失効と対比↓手六五

（二人以上の船荷証券の所持人から請求を受けた場合の供託）

第七六七条①　二人以上の船荷証券の所持人が運送品の引渡しを請求したときは、運送人は、その運送品を供託することができる。運送人が第七百六十五条第一項の規定により運送品の一部を引き渡した後に他の所持人が運送品の引渡しを請求したときにおけるその運送品の残部についても、同様とする。

②　運送人は、前項の規定により運送品を供託したときは、遅滞なく、請求をした各所持人に対してその旨の通知を発しなければならない。

③　第一項に規定する場合においては、最も先に発送され、又は引き渡された船荷証券の所持人が他の所持人に優先する。

⊛❶❷【引渡し↓七六四【供託↓供　❸【優先する所持人↓七六一・七六三【先後不明のとき↓民二四九―二五六・二五八―二六三

（船荷証券が作成された場合の特則）

第七六八条　船荷証券が作成された場合における前編第八章第二節の規定の適用については、第五百八十条中「荷送人」とあるのは、「船荷証券の所持人」とし、第五百八十一条、第五百八十二条第二項及び第五百八十七条ただし書の規定は、適用しない。

（複合運送証券）

第七六九条①　運送人又は船長は、陸上運送及び海上運送を一の契約で引き受けたときは、荷送人の請求により、運送品の船積み後遅滞なく、船積みがあった旨を記載した複合運送証券の一通又は数通を交付しなければならない。運送品の船積み前においても、その受取後は、荷送人の請求により、受取があった旨を記載した複合運送証券の一通又は数通を交付しなければならない。

②　第七百五十七条第二項〈船荷証券の交付義務〉及び第七百五十八条から前条まで〈船荷証券等〉の規定は、複合運送証券について準用する。この場合において、第七百五十八条第一項中「除く。」」とあるのは、「除く。）並びに発送地及び到達地」と読み替えるものとする。

⊛【運送人↓五六九㈡、国際海運二②【荷送人↓五七〇、国際海運二③【陸上運送↓五六九㈢【海上運送↓五六九㈢【複合運送↓五七八【船積船荷証券↓七五八①㈣②【受取船荷証券↓七五八②

第四節　海上運送状

第七七〇条①　運送人又は船長は、荷送人又は傭船者の請求により、運送品の船積み後遅滞なく、船積みがあった旨を記載した海上運送状を交付しなければならない。運送品の船積み前においても、その受取後は、荷送人又は傭船者の請求により、受取があった旨を記

載した海上運送状を交付しなければならない。
② 海上運送状には、次に掲げる事項を記載しなければならない。
一 第七百五十八条第一項各号（第十一号を除く。）に掲げる事項（運送品の受取があった旨を記載した海上運送状にあっては、同項第七号及び第八号に掲げる事項を除く。）
二 数通の海上運送状を作成したときは、その数
③ 第一項の運送人又は船長は、海上運送状の交付に代えて、法務省令で定めるところにより、荷送人又は傭船者の承諾を得て、海上運送状に記載すべき事項を電磁的方法により提供することができる。この場合において、当該運送人又は船長は、海上運送状を交付したものとみなす。
④ 前三項の規定は、運送品について現に船荷証券が交付されているときは、適用しない。

参❶【運送人→五六九㈢、国際海運二②【荷送人→五七〇、国際海運二③【七五七 ❷七五八 参 ❸【電磁的方法→五七一② ❹【船荷証券の交付との関係→七五七③

第七七一条から第七八七条まで 削除（平成三〇法二九）

第四章 船舶の衝突

（船舶所有者間の責任の分担）

第七八八条 船舶と他の船舶との衝突（次条において「船舶の衝突」という。）に係る事故が生じた場合において、衝突したいずれの船舶についてもその船舶所有者又は船員に過失があったときは、裁判所は、これらの過失の軽重を考慮して、各船舶所有者について、その衝突による損害賠償の責任及びその額を定める。この場合において、過失の軽重を定めることができないときは、損害賠償の責任及びその額は、各船舶所有者が等しい割合で負担する。

参+【船舶→六八四【船舶の衝突→民七〇九、船主責任制限三―八、七八九【日本の裁判所の管轄権→民訴三の三㈨【裁判籍→民訴五㈩

（船舶の衝突による損害賠償請求権の消滅時効）

第七八九条 船舶の衝突を原因とする不法行為による損害賠償請求権（財産権が侵害されたことによるものに限る。）は、不法行為の時から二年間行使しないときは、時効によって消滅する。

参+【船舶衝突による債権→七八八【時効→民七二四、七二四の二【時効の起算点の原則→民一六六、一六七

（準衝突）

第七九〇条 前二条の規定は、船舶がその航行若しくは船舶の取扱いに関する行為又は船舶に関する法令に違反する行為により他の船舶に著しく接近し、当該他の船舶又は当該他の船舶内にある人若しくは物に損害を加えた事故について準用する。

参+【航行・船舶の取扱いに関する行為→国際海運三②

（非航海船との衝突等への準用）

第七九一条 前三条の規定は、船舶と非航海船との事故について準用する。

第五章 海難救助

（救助料の支払の請求等）

第七九二条① 船舶又は積荷その他の船舶内にある物（以下この編において「積荷等」という。）の全部又は一部が海難に遭遇した場合において、これを救助した者があるときは、その者（以下この章において「救助者」という。）は、契約に基づかないで救助したときであっても、その結果に対して救助料の支払を請求することができる。
② 船舶所有者及び船長は、積荷等の所有者に代わってその救助に係る契約を締結する権限を有する。

参+【海難救助→国際海運四②㈣【救助者→船主責任制限二①[二の二]【責任制限→船主責任制限三②③、四、五、六②—④、七、八【救助活動→船主責任制限二②【船舶→六八四【救助料につき対比→民七〇二、七九四

（救助料の額）

第七九三条 救助料につき特約がない場合において、その額につき争いがあるときは、裁判所は、危険の程度、救助の結果、救助のために要した労力及び費用（海洋の汚染の防止又は軽減のためのものを含む。）その他一切の事情を考慮して、これを定める。

参+【裁判所→民訴三の三㈩、五[十一]、八〇三【救助料の増減の請求→七九四【本条の準用→七九六①

（救助料の増減の請求）

第七九四条 海難に際し契約で救助料を定めた場合において、その額が著しく不相当であるときは、当事者は、その増減を請求することができる。この場合においては、前条の規定を準用する。

参+【救助料につき特約がない場合→七九三、七九五、七九六①

（救助料の上限額）

第七九五条 救助料の額は、特約がないときは、救助された物の価額（救助された積荷の運送賃の額を含む。）の合計額を超えることができない。

参+【物的有限責任→八〇四

（救助料の割合等）

第七九六条① 数人が共同して救助した場合において、各救助者に支払うべき救助料の割合については、第七百九十三条〈救助料の額〉の規定を準用する。
② 第七百九十二条第一項に規定する場合において、人命の救助に従事した者があるときは、その者も、前項の規定に従って救助料の支払を受けることができる。

参❷【人命のみの救助→七九二 +【本条の準用→七九七④

第七九七条① 救助に従事した船舶に係る救助料については、その三分の二を船舶所有者に支払い、その三分の一を船員に支払わなければならない。
② 前項の規定に反する特約で船員に不利なものは、無効とする。
③ 前二項の規定にかかわらず、救助料の割合が著しく不相当であるときは、船舶所有者又は船員の一方は、他の一方に対し、その増減を請求することができる。この場合においては、第七百九十三条〈救助料の額〉の規定を準用する。

④ 各船員に支払うべき救助料の割合は、救助に従事した船舶の船舶所有者が決定する。この場合においては、前条の規定を準用する。

⑤ 救助者が救助することを業とする者であるときは、前各項の規定にかかわらず、救助料の全額をその救助者に支払わなければならない。

参 ❶【救助料の支払↓八〇三　❸【救助料の増減↓七九三　❹【分配↓七九八―八〇〇

（救助料の割合の案）

第七九八条 船舶所有者が前条第四項の規定により救助料の割合を決定するには、航海を終了するまでにその案を作成し、これを船員に示さなければならない。

参【懈怠の場合↓八〇〇

第七九九条① 船員は、前条の案に対し、異議の申立てをすることができる。この場合において、当該異議の申立ては、その案が示された後、当該異議の申立てをすることができる最初の港の管海官庁にしなければならない。

② 管海官庁は、前項の規定による異議の申立てを理由があると認めるときは、前条の案を更正することができる。

③ 船舶所有者は、第一項の規定による異議の申立てについての管海官庁の決定があるまでは、船員に対し、救助料の支払をすることができない。

第八〇〇条① 船舶所有者が第七百九十八条の案の作成を怠ったときは、管海官庁は、船員の請求により、船舶所有者に対し、その案の作成を命ずることができる。

② 船舶所有者が前項の規定による命令に従わないときは、管海官庁は、自ら第七百九十七条第四項の規定による決定をすることができる。

参【船員に支払うべき救助料の割合↓七九七④

（救助料を請求することができない場合）

第八〇一条 次に掲げる場合には、救助者は、救助料を請求することができない。

一 故意に海難を発生させたとき。

二 正当な事由により救助を拒まれたにもかかわらず、救助したとき。

参【救助料請求権の発生↓七九二

（積荷等についての先取特権）

第八〇二条① 救助料に係る債権を有する者は、救助された積荷等について先取特権を有する。

② 前項の先取特権については、第八百四十三条第二項〈船舶先取特権の順位〉、第八百四十四条〈船舶先取特権と他の先取特権との競合〉及び第八百四十六条〈船舶先取特権の消滅〉の規定を準用する。

参 ❶【救助料の先取特権↓八四二㊂【第三取得者に対する積荷の引渡し↓民三三三、三〇四　❷【船舶債権者の先取特権に関する規定↓八四二―八四六

（救助料の支払等に係る船長の権限）

第八〇三条① 救助された船舶の船長は、救助料の債務者に代わってその支払に関する一切の裁判上又は裁判外の行為をする権限を有する。

② 救助された船舶の船長は、救助料に関し、救助料の債務者のために、原告又は被告となることができる。

③ 前二項の規定は、救助に従事した船舶の船長について準用する。この場合において、これらの規定中「債務者」とあるのは、「債権者（当該船舶の船舶所有者及び海員に限る。）」と読み替えるものとする。

④ 前三項の規定は、契約に基づく救助については、適用しない。

参【救助料に関する訴え↓民訴一一五①㊂、五四、五五

（積荷等の所有者の責任）

第八〇四条 積荷等の全部又は一部が救助されたときは、当該積荷等の所有者は、当該積荷等をもって救助料に係る債務を弁済する責任を負う。

参【物的有限責任につき対比↓七九五、船主責任制限四㊀【積荷の上に存する先取特権↓八〇二【第三取得者に対する積荷の引渡し↓民三三三、三〇四

（特別補償料）

第八〇五条① 海難に遭遇した船舶から排出された油その他の物により海洋が汚染され、当該汚染が広範囲の沿岸海域において海洋環境の保全に著しい障害を及ぼし、若しくは人の健康を害し、又はこれらの障害を及ぼすおそれがある場合において、当該船舶の救助に従事した者が当該障害の防止又は軽減のための措置をとったときは、その者（以下この条において「汚染対処船舶救助従事者」という。）は、特約があるときを除き、船舶所有者に対し、特別補償料の支払を請求することができる。

② 特別補償料の額は、前項に規定する措置として必要又は有益であった費用に相当する額とする。

③ 汚染対処船舶救助従事者がその措置により第一項に規定する障害を防止し、又は軽減したときは、特別補償料は、当事者の請求により、前項に規定する費用に相当する額以上当該額に百分の三十（当該額が当該障害の防止又は軽減の結果に比して著しく少ないことその他の特別の事情がある場合にあっては、百分の百）を乗じて得た額を加算した額以下の範囲内において、裁判所がこれを定める。この場合においては、第七百九十三条〈救助料の額〉の規定を準用する。

④ 汚染対処船舶救助従事者が同一の海難につき救助料に係る債権を有するときは、特別補償料の額は、当該救助料の額を控除した額とする。

⑤ 汚染対処船舶救助従事者の過失によって第一項に規定する障害を防止し、又は軽減することができなかったときは、裁判所は、これを考慮して、特別補償料の額を定めることができる。

参【特別補償料債権の消滅↓八〇六　❸❺【裁判所による額の決定↓七九三

（救助料に係る債権等の消滅時効）

第八〇六条 救助料又は特別補償料に係る債権は、救助の作業が終了した時から二年間行使しないときは、時効によって消滅する。

※【救助料に係る債権↓七九二【特別補償料に係る債権↓八〇五①

第八〇七条（非航海船の救助への準用） この章の規定は、非航海船又は非航海船内にある積荷その他の物を救助する場合について準用する。

第六章　共同海損

第八〇八条（共同海損の成立）① 船舶及び積荷等に対する共同の危険を避けるために船舶又は積荷等について処分がされたときは、当該処分（以下この章において「共同危険回避処分」という。）によって生じた損害及び費用は、共同海損とする。

② 前項の規定は、同項の危険が過失によって生じた場合における利害関係人から当該過失のある者に対する求償権の行使を妨げない。

※【船長の積荷処分の義務↓七一二【単独海損↓七八八、七九二【共同海損分担請求権↓八四二㈢、八一二

第八〇九条（共同海損となる損害又は費用）① 共同海損となる損害の額は、次の各号に掲げる区分に応じ、当該各号に定める額によって算定する。ただし、第二号及び第四号に定める額については、積荷の滅失又は損傷のために支払うことを要しなくなった一切の費用の額を控除するものとする。

一 船舶　到達の地及び時における当該船舶の価格

二 積荷　陸揚げの地及び時における当該積荷の価格

三 積荷以外の船舶内にある物　到達の地及び時における当該物の価格

四 運送賃　陸揚げの地及び時において請求することができる運送賃の額

② 船荷証券その他積荷の価格を評定するに足りる書類（以下この章において「価格評定書類」という。）に積荷の実価より低い価額を記載したときは、その積荷に加えた損害の額は、当該価格評定書類に記載された価額によって定める。積荷の価格に影響を及ぼす事項につき価格評定書類に虚偽の記載をした場合において、当該記載によることとすれば積荷の実価より低い価格が評定されることとなるときも、同様とする。

③ 次に掲げる損害又は費用は、利害関係人が分担することを要しない。

一 次に掲げる物に加えた損害。ただし、次のハに掲げる物にあっては第五百七十七条第二項第一号に掲げる場合を、次のニに掲げる物にあっては甲板積みをする商慣習がある場合を除く。

イ 船舶所有者に無断で船積みがされた積荷

ロ 船積みに際して故意に虚偽の申告がされた積荷

ハ 高価品である積荷であって、荷送人又は傭船者が運送を委託するに当たりその種類及び価額を通知していないもの

ニ 甲板上の積荷

ホ 属具目録に記載がない属具

二 特別補償料

※❶【陸揚げの地及び時における積荷の価格↓五七六、国際海運八【運送賃↓五七三③、七四六　❷【船荷証券↓七五八㈡㈢【不実記載↓国際海運九⑦　❸【属具目録↓七一〇【高価品↓五七七【甲板上の積荷↓国際海運一四【特別補償料↓八〇五

第八一〇条（共同海損の分担額）① 共同海損は、次の各号に掲げる者（船員及び旅客を除く。）が当該各号に定める額の割合に応じて分担する。

一 船舶の利害関係人　到達の地及び時における当該船舶の価格

二 積荷の利害関係人　次のイに掲げる額から次のロに掲げる額を控除した額

イ 陸揚げの地及び時における当該積荷の価格

ロ 共同危険回避処分の時においてイに規定する積荷の全部が滅失したとした場合に当該積荷の利害関係人が支払うことを要しないこととなる運送賃その他の費用の額

三 積荷以外の船舶内にある物（船舶に備え付けた武器を除く。）の利害関係人　到達の地及び時における当該物の価格

四 運送人　次のイに掲げる額から次のロに掲げる額を控除した額

イ 第二号ロに規定する運送賃のうち、陸揚げの地及び時において現に存する債権の額

ロ 船員の給料その他の航海に必要な費用（共同海損となる費用を除く。）のうち、共同危険回避処分の時に船舶及び第二号イに規定する積荷の全部が滅失したとした場合に運送人が支払うことを要しないこととなる額

② 共同危険回避処分の後、到達又は陸揚げ前に船舶又は積荷等について必要費又は有益費を支出したときは、当該船舶又は積荷等については、前項第一号から第三号までに定める額は、その費用（共同海損となる費用を除く。）の額を控除した額とする。

③ 第一項に規定する者が共同危険回避処分によりその財産につき損害を受けたときは、その者については、同項各号に定める額は、その損害の額（当該財産について前項に規定する必要費又は有益費を支出した場合にあっては、その費用（共同海損となる費用に限る。）の額を超える部分の額に限る。）を加算した額とする。

④ 価格評定書類に積荷の実価を超える価額を記載したときは、その積荷の利害関係人は、当該価格評定書類に記載された価額に応じて共同海損を分担する。積荷の価格に影響を及ぼす事項につき価格評定書類に虚偽の記載をした場合において、当該記載によることとすれば積荷の実価を超える価格が評定されることとなるときも、同様とする。

※❶【共同海損である損害↓八〇九【運送賃↓五七三㈢、七四六【分担者の有限責任↓八一一【分担額と保険↓八一七

第八一一条（共同海損を分担すべき者の責任） 前条の規定により共同海損を分担すべき者は、船舶の到達（同条第一項第二号又は第四号に掲げる者にあっては、積荷の陸揚げ）の時に現存する価額

の限度においてのみ、その責任を負う。

参【有限責任につき対比↓七一二②、船主責任制限四[三]

（共同海損の分担に基づく債権の消滅時効）

第八一二条　共同海損の分担に基づく債権は、その計算が終了した時から一年間行使しないときは、時効によって消滅する。

参【共同海損分担金請求権↓八一〇

第八一三条及び第八一四条　削除（平成三〇法二九）

第七章　海上保険

（定義等）

第八一五条①　この章において「海上保険契約」とは、損害保険契約のうち、保険者（営業として保険の引受けを行うものに限る。以下この章において同じ。）が航海に関する事故によって生ずることのある損害を塡補することを約するものをいう。

② 海上保険契約については、この章に別段の定めがある場合を除き、保険法（平成二十年法律第五十六号）第二章第一節から第四節まで及び第六節並びに第五章の規定を適用する。

参❶【保険事故〈航海に関する事故〉↓八二一・八二六、保険六①[四]【損害塡補↓八一六、八一七

（保険者の塡補責任）

第八一六条　保険者は、この章又は海上保険契約に別段の定めがある場合を除き、保険期間内に発生した航海に関する事故によって生じた一切の損害を塡補する責任を負う。

参【本章の別段の定め↓八二六【保険期間↓八二一、保険六①[五]【保険金請求権譲渡の禁止↓国際海運一一①

第八一七条①　保険者は、海難の救助又は共同海損の分担のため被保険者が支払うべき金額を塡補する責任を負う。

② 保険法第十九条（一部保険）の規定は、前項に規定する金額について準用する。この場合において、同条中「てん補損害額」とあるのは、「商法（明治三十二年法律第四十八号）第八百十七条第一項に規定する金額」と読み替えるものとする。

参【共同海損の分担額↓八一〇【一部保険↓保険一九

（船舶保険の保険価額）

第八一八条　船舶を保険の目的物とする海上保険契約（以下この章において「船舶保険契約」という。）については、保険期間の始期における当該船舶の価額を保険価額とする。

参【船舶保険↓八二一[一]【保険価額↓保険九

（貨物保険の保険価額）

第八一九条　貨物を保険の目的物とする海上保険契約（以下この章において「貨物保険契約」という。）については、その船積みがされた地及び時における当該貨物の価額、運送賃並びに保険に関する費用の合計額を保険価額とする。

参【貨物保険↓八二一[二]・八二四・八二七・八二八【保険価額↓保険九

（告知義務）

第八二〇条　保険契約者又は被保険者になる者は、海上保険契約の締結に際し、海上保険契約により塡補することとされる損害の発生の可能性（以下この章において「危険」という。）に関する重要な事項について、事実の告知をしなければならない。

参【一般の保険契約の告知義務↓保険四

（契約締結時に交付すべき書面の記載事項）

第八二一条　保険者が海上保険契約を締結した場合においては、保険法第六条第一項に規定する書面には、同項各号に掲げる事項のほか、次の各号に掲げる場合の区分に応じ、当該各号に定める事項を記載しなければならない。

一 船舶保険契約を締結した場合　船舶の名称、国籍、種類、船質、総トン数、建造の年及び航行区域（一の航海について船舶保険契約を締結した場合にあっては、発航港及び到達港（寄航港の定めがあるときは、その港を含む。）並びに船舶所有者の氏名又は名称

二 貨物保険契約を締結した場合　船舶の名称並びに貨物の発送地、船積港、陸揚港及び到達地

参【契約締結時交付書面↓八一五②、保険六①【船舶の名称↓八二四【発航港又は到達港↓八二二・八二三[一]

（航海の変更）

第八二二条①　保険期間の始期の到来前に航海の変更をしたときは、海上保険契約は、その効力を失う。

② 保険期間内に航海の変更をしたときは、保険者は、その変更以後に発生した事故によって生じた損害を塡補する責任を負わない。ただし、その変更が保険契約者又は被保険者の責めに帰することができない事由によるものであるときは、この限りでない。

③ 到達港を変更し、その実行に着手した場合においては、海上保険契約で定める航路を離れないときであっても、航海の変更をしたものとみなす。

参【航海の特定↓八二一・八二三[一][二]

（著しい危険の増加）

第八二三条　次に掲げる場合には、保険者は、その事実が生じた時以後に発生した事故によって生じた損害を塡補する責任を負わない。ただし、当該事実が当該事故の発生に影響を及ぼさなかったとき、又は保険契約者若しくは被保険者の責めに帰することができない事由によるものであるときは、この限りでない。

一 被保険者が発航又は航海の継続を怠ったとき。

二 被保険者が航路を変更したとき。

三 前二号に掲げるもののほか、保険契約者又は被保険者が危険を著しく増加させたとき。

参【危険の変更増加↓保険二九・三一②[一]、八二二

（船舶の変更）

第八二四条　貨物保険契約で定める船舶を変更したときは、保険者は、その変更以後に発生した事故によって

生じた損害を塡補する責任を負わない。ただし、その変更が保険契約者又は被保険者の責めに帰することができない事由によるものであるときは、この限りでない。

参【貨物保険→八一九【船舶の変更→八二一〔一〕

第八二五条①（**予定保険**）貨物保険契約において、保険期間、保険金額、保険の目的物、約定保険価額、保険料若しくはその支払の方法、船舶の名称又は貨物の発送地、船積港、陸揚港若しくは到達地（以下この条において「保険期間等」という。）につきその決定の方法を定めたときは、保険法第六条第一項に規定する書面には、保険期間等を記載することを要しない。

② 保険契約者又は被保険者は、前項に規定する場合において、保険期間等が確定したことを知ったときは、遅滞なく、保険者に対し、その旨の通知を発しなければならない。

③ 保険契約者又は被保険者が故意又は重大な過失により遅滞なく前項の通知をしなかったときは、貨物保険契約は、その効力を失う。

参【契約締結時交付書面記載事項→八二一〔二〕

第八二六条（**保険者の免責**）保険者は、次に掲げる損害を塡補する責任を負わない。ただし、第四号に掲げる損害にあっては、保険契約者又は被保険者が発航の当時同号に規定する事項について注意を怠らなかったことを証明したときは、この限りでない。

一 保険の目的物の性質若しくは瑕疵又はその通常の損耗によって生じた損害

二 保険契約者又は被保険者の故意又は重大な過失（責任保険契約にあっては、故意）によって生じた損害

三 戦争その他の変乱によって生じた損害

四 船舶保険契約にあっては、発航の当時第七百三十九条第一項各号（第七百七条及び第七百五十六条第一項において準用する場合を含む。）に掲げる事項を欠いたことにより生じた損害

五 貨物保険契約にあっては、貨物の荷造りの不完全によって生じた損害

参[二]【保険契約者被保険者の故意・重過失→保険一七① [三]【戦争危険の不除外→保険一七① [四]【堪航能力→七三八、七五六、国際海運五

第八二七条（**貨物の損傷等の場合の塡補責任**）保険の目的物である貨物が損傷し、又はその一部が滅失して到達地に到着したときは、保険者は、第一号に掲げる額の第二号に掲げる額に対する割合を保険価額（約定保険価額があるときは、当該約定保険価額）に乗じて得た額を塡補する責任を負う。

一 当該貨物に損傷又は一部滅失がなかったとした場合の当該貨物の価額から損傷又は一部滅失後の当該貨物の価額を控除した額

二 当該貨物に損傷又は一部滅失がなかったとした場合の当該貨物の価額

参【保険価額の一部塡補→八一九、八一五②、保険一八①

第八二八条（**不可抗力による貨物の売却の場合の塡補責任**）航海の途中において不可抗力により保険の目的物である貨物が売却されたときは、保険者は、第一号に掲げる額から第二号に掲げる額を控除した額を塡補する責任を負う。

一 保険価額（約定保険価額があるときは、当該約定保険価額）

二 当該貨物の売却によって得た代価から運送賃その他の費用を控除した額

参【積荷の売却→五八〇【積荷の保険価額→八一九【一部保険→保険一九

第八二九条（**告知義務違反による解除**）保険者は、保険契約者又は被保険者が、危険に関する重要な事項について、故意又は重大な過失により事実の告知をせず、又は不実の告知をしたときは、海上保険契約を解除することができる。この場合においては、保険法第二十八条第二項（第一号に係る部分に限る。）及び第四項〈告知義務違反による解除〉並びに第三十一条第二項〈解除の効力〉（第一号に係る部分に限る。）の規定を準用する。

参【一般の保険契約の場合→保険二八

第八三〇条（**相互保険への準用**）この章の規定は、相互保険について準用する。ただし、その性質がこれを許さないときは、この限りでない。

第八三一条から第八四一条まで　削除（平成三〇法二九）

第八章　船舶先取特権及び船舶抵当権

第八四二条（**船舶先取特権**）次に掲げる債権を有する者は、船舶及びその属具について先取特権を有する。

一 船舶の運航に直接関連して生じた人の生命又は身体の侵害による損害賠償請求権

二 救助料に係る債権又は船舶の負担に属する共同海損の分担に基づく債権

三 国税徴収法（昭和三十四年法律第百四十七号）若しくは国税徴収の例によって徴収することのできる請求権であって船舶の入港、港湾の利用その他船舶の航海に関して生じたもの又は水先料若しくは引き船料に係る債権

四 航海を継続するために必要な費用に係る債権

五 雇用契約によって生じた船長その他の船員の債権

参【船舶先取特権→民三〇三—三〇五、三三三、三三七【船舶→八五〇、国際海運二①【属具→六八五、七一〇 [二]【救助料→七九二—七九五、八〇六【共同海損分担額→八〇八—八一二 [四]【航海継続の必要費→七一二 [五]【雇用契約による船員の債権→船主責任制限四〔三〕

第八四三条①（**船舶先取特権の順位**）前条各号に掲げる債権に係る先取特権（以下この章において「船舶先取特権」という。）が互いに競合する場合には、その優先権の順位は、同条各号に掲げる順序に従う。ただし、同条第二号に掲げる

債権（救助料に係るものに限る。）に係る船舶先取特権は、その発生の時において既に生じている他の船舶先取特権に優先する。

② 同一順位の船舶先取特権を有する者が数人あるときは、これらの者は、その債権額の割合に応じて弁済を受ける。ただし、前条第二号から第四号までに掲げる債権にあっては、同一順位の船舶先取特権が同時に生じたものでないときは、後に生じた船舶先取特権が前に生じた船舶先取特権に優先する。

参【他の担保物権に優先→八四四、民三三四、八四八

（船舶先取特権と他の先取特権との競合）

第八四四条 船舶先取特権と他の先取特権とが競合する場合には、船舶先取特権は、他の先取特権に優先する。

参【他の先取特権→民三〇六、三一一、三三四

（船舶先取特権と船舶の譲受人）

第八四五条① 船舶所有者がその船舶を譲渡したときは、譲受人は、その登記をした後、船舶先取特権を有する者に対し、一定の期間内にその債権の申出をすべき旨を公告しなければならない。この場合において、その期間は、一箇月を下ることができない。

② 船舶先取特権を有する者が前項の期間内に同項の申出をしなかったときは、その船舶先取特権は、消滅する。

参❶【先取特権と第三取得者との関係→民三三三、三三七、三三八、三四〇【譲渡の登記→六八七【船舶先取特権の追及性につき対比→民三三七、三三八、三四〇

（船舶先取特権の消滅）

第八四六条 船舶先取特権は、その発生後一年を経過したときは、消滅する。

（船舶抵当権）

第八四七条① 登記した船舶は、抵当権の目的とすることができる。

② 船舶の抵当権は、その属具に及ぶ。

③ 船舶の抵当権には、不動産の抵当権に関する規定を準用する。この場合において、民法第三百八十四条第一号中「抵当権を実行して競売の申立てをしないとき」とあるのは、「抵当権の実行としての競売の申立て若しくはその提供を承諾しない旨の第三取得者に対する通知をせず、又はその通知をした債権者が抵当権の実行としての競売の申立てをすることができるに至った後一週間以内にこれをしないとき」と読み替えるものとする。

参❶【登記した船舶→六八六、八四九、八五〇【抵当権の目的に関する原則→民三六九【船舶の抵当→民執一八九、六九八①㈠、七〇八①㈠、六九六 ❷【属具→六八五、民八七②、三七〇 ❸【不動産の抵当権に関する規定→民三六九―三九七

（船舶抵当権と船舶先取特権等との競合）

第八四八条① 船舶の抵当権と船舶先取特権とが競合する場合には、船舶先取特権は、船舶の抵当権に優先する。

② 船舶の抵当権と先取特権（船舶先取特権を除く。）とが競合する場合には、船舶の抵当権は、民法第三百三十条第一項に規定する第一順位の先取特権と同順位とする。

参【船舶先取特権→八四二【抵当権と先取特権との競合→民三三六―三四一

（質権設定の禁止）

第八四九条 登記した船舶は、質権の目的とすることができない。

参【登記した船舶→六八六、八四七【質権の目的→民三四三

（製造中の船舶への準用）

第八五〇条 この章の規定は、製造中の船舶について準用する。

附 則（平成一二・五・三一法九〇）（抄）

（施行期日）

第一条 この法律は、公布の日から起算して一年を超えない範囲内において政令で定める日（平成一三・四・一―平成一二政五四六）から施行する。

（労働契約の取扱いに関する措置）

第五条① 会社法（平成十七年法律第八十六号）の規定に基づく会社分割に伴う労働契約の承継に関しては、会社分割をする会社は、会社分割に伴う労働契約の承継等に関する法律（平成十二年法律第百三号）第二条第一項の規定による通知をすべき日までに、労働者と協議をするものとする。

② 前項に規定するもののほか、同項の労働契約の承継に関連して必要となる労働者の保護に関しては、別に法律で定める。

附 則（平成三〇・五・二五法二九）（抄）

（施行期日）

第一条 この法律は、公布の日から起算して一年を超えない範囲内において政令で定める日（平成三一・四・一―平成三〇政三三八）から施行する。ただし、附則第五十条（民法の一部を改正する法律の施行に伴う関係法律の整備等に関する法律（平成二九法四五）の一部改正）及び第五十二条の規定は、公布の日から施行する。

（商法の一部改正に伴う経過措置の原則）

第二条 第一条の規定による改正後の商法（以下「新商法」という。）の規定は、この附則に特別の定めがある場合を除き、この法律の施行の日（以下「施行日」という。）前に生じた事項にも適用する。ただし、同条の規定による改正前の商法（以下「旧商法」という。）の規定によって生じた効力を妨げない。

（運送取扱営業に関する経過措置）

第三条 施行日前に締結された運送取扱契約（以下「旧運送取扱契約」という。）並びに旧運送取扱契約に係る運送品に関する運送取扱人及びその被用者の不法行為による損害賠償の責任については、なお従前の例による。

（物品運送に関する経過措置）

第四条 施行日前に締結された物品運送契約（以下「旧物品運送契約」という。）並びに旧物品運送契約に係る運送品に関する運送人及びその被用者の不法行為による損害賠償の責任については、なお従前の例による。

（旅客運送に関する経過措置）

第五条 施行日前に締結された旅客運送契約（以下この条において「旧旅客運送契約」という。）並びに旧旅客運送契約に係る手荷物（旅客から引渡しを受けていないものにあっては、身の回り品を含む。）に関する運送人及びその被用者の不法行為による損害賠償の責任については、なお従前の例による。ただし、施行日以後に旧旅客運送契約に基づいて発生した旅客の生命又は身体の侵害に係る運送人の損害賠償の責任については、この限りでない。

（寄託に関する経過措置）

第六条　施行日前に締結された寄託契約（以下「旧寄託契約」という。）については、なお従前の例による。

（船舶に対する差押え等に関する経過措置）

第七条　施行日前に申し立てられた船舶の差押え又は仮差押えの執行の申立てに係る事件については、新商法第六百八十九条の規定にかかわらず、なお従前の例による。

（共有に係る船舶についての損益の分配等に関する経過措置）

第八条①　共有に係る船舶であって施行日前に発航をしたものについての旧商法第六百九十七条に規定する損益の分配については、その航海に限り、なお従前の例による。

②　前項に規定する船舶の利用に関する計算については、新商法第六百九十九条第二項の規定にかかわらず、その航海に限り、なお従前の例による。

（船舶賃貸借に関する経過措置）

第九条　新商法第七百二条の規定は、施行日前に締結された船舶の賃貸借契約については、適用しない。

（定期傭船に関する経過措置）

第一〇条　新商法第七百四条から第七百七条までの規定は、施行日前に締結された定期傭船契約については、適用しない。

（船長に関する経過措置）

第一一条①　船長の施行日前の行為に基づく旧商法第七百五条に規定する損害賠償の責任については、なお従前の例による。

②　施行日前に発航をした船舶（以下「既発航船舶」という。）に係る船長による代理については、その航海に限り、なお従前の例による。

③　既発航船舶に係る旧商法第七百二十条第二項に規定する航海に関する計算については、その航海に限り、なお従前の例による。

（船舶の衝突に関する経過措置）

第一二条①　施行日前に生じた船舶と他の船舶との衝突に係る事故については、新商法第七百八十八条及び第七百八十九条の規定にかかわらず、なお従前の例による。

②　新商法第七百九十条及び第七百九十一条の規定は、施行日前に生じた事故については、適用しない。

（海難救助に関する経過措置）

第一三条①　既発航船舶又は既発航船舶内にある積荷その他の物が海難に遭遇した場合におけるその救助については、その航海に限り、なお従前の例による。

②　新商法第八百七条の規定は、施行日前に発航をした非航海船については、その航行を終了するまでの間は、適用しない。

（共同海損に関する経過措置）

第一四条①　既発航船舶に係る共同海損については、その航海に限り、なお従前の例による。

②　既発航船舶に係る旧商法第七百九十九条に規定する費用については、その航海に限り、なお従前の例による。

（海上保険に関する経過措置）

第一五条　施行日前に締結された海上保険契約については、なお従前の例による。

（船舶先取特権に関する経過措置）

第一六条　施行日前に船舶（製造中の船舶を含む。）、その属具及び受領していない運送賃に関し国税徴収法（昭和三十四年法律第百四十七号）第二条第十二号に規定する強制換価手続、再生手続、更生手続又は特別清算手続が開始された場合における旧商法第八百四十二条の先取特権（中略）の効力及び順位については、なお従前の例による。

（政令への委任）

第五二条　この附則に規定するもののほか、この法律の施行に関し必要な経過措置は、政令で定める。

◉会社法

（平成一七・七・二六 法 八 六）

施行 平成一八・五・一（平成一八政七七）

改正 平成一八法五〇・法六六・法一〇九、平成一九法四七・法九九、平成二〇法六五、平成二一法二九・法五八・法七四、平成二三法五三、平成二四法一六、平成二五法四五、平成二六法四二・**法九〇**、平成二七法六三、平成二八法六二、平成二九法四五、平成三〇法九五、令和一法二・**法七〇**、令和二法三三・法七八、令和四法四八・法六一・法六八、令和五法五三、令和六法三二

目次

第一編　総則

第一章　通則

（趣旨）

第一条　会社の設立、組織、運営及び管理については、他の法律に特別の定めがある場合を除くほか、この法律の定めるところによる。

⊗†【会社→二㈠㈢【他の法律→会社法整備法二―四六

（定義）

第二条　この法律において、次の各号に掲げる用語の意義は、当該各号に定めるところによる。

一　会社　株式会社、合名会社、合資会社又は合同会社をいう。

二　外国会社　外国の法令に準拠して設立された法人その他の外国の団体であって、会社と同種のもの又は会社に類似するものをいう。

三　子会社　会社がその総株主の議決権の過半数を有する株式会社その他の当該会社がその経営を支配している法人として法務省令で定めるものをいう。

三の二　子会社等　次のいずれかに該当する者をいう。

イ　子会社

ロ　会社以外の者がその経営を支配している法人として法務省令で定めるもの

（平成二六法九〇本号追加）

四　親会社　株式会社を子会社とする会社その他の当該株式会社の経営を支配している法人として法務省令で定めるものをいう。

四の二　親会社等　次のいずれかに該当する者をいう。

イ　親会社

ロ　株式会社の経営を支配している者（法人であるものを除く。）として法務省令で定めるもの

（平成二六法九〇本号追加）

五　公開会社　その発行する全部又は一部の株式の内容として譲渡による当該株式の取得について株式会社の承認を要する旨の定款の定めを設けていない株式会社をいう。

六　大会社　次に掲げる要件のいずれかに該当する株式会社をいう。

イ　最終事業年度に係る貸借対照表（第四百三十九条前段に規定する場合にあっては、同条の規定により定時株主総会に報告された貸借対照表をいい、株式会社の成立後最初の定時株主総会までの間においては、第四百三十五条第一項の貸借対照表をいう。ロにおいて同じ。）に資本金として計上した額が五億円以上であること。

ロ　最終事業年度に係る貸借対照表の負債の部に計上した額の合計額が二百億円以上であること。

七　取締役会設置会社　取締役会を置く株式会社又はこの法律の規定により取締役会を置かなければならない株式会社をいう。

八　会計参与設置会社　会計参与を置く株式会社をいう。

九　監査役設置会社　監査役を置く株式会社（その監査役の監査の範囲を会計に関するものに限定する旨の定款の定めがあるものを除く。）又はこの法律の規定により監査役を置かなければならない株式会社をいう。

十　監査役会設置会社　監査役会を置く株式会社又はこの法律の規定により監査役会を置かなければならない株式会社をいう。

十一　会計監査人設置会社　会計監査人を置く株式会社又はこの法律の規定により会計監査人を置かなければならない株式会社をいう。

十一の二　監査等委員会設置会社　監査等委員会を置く株式会社をいう。（平成二六法九〇本号追加）

十二　指名委員会等設置会社　指名委員会、監査委員会及び報酬委員会（以下「指名委員会等」という。）を置く株式会社をいう。（平成二六法九〇本号改正）

十三　種類株式発行会社　剰余金の配当その他の第百八条第一項各号に掲げる事項について内容の異なる二以上の種類の株式を発行する株式会社をいう。

十四　種類株主総会　種類株主（種類株式発行会社におけるある種類の株式の株主をいう。以下同じ。）の総会をいう。

十五　社外取締役　株式会社の取締役であって、次に掲げる要件のいずれにも該当するものをいう。

イ　当該株式会社又はその子会社の業務執行取締役（株式会社の第三百六十三条第一項各号に掲げる取締役及び当該株式会社の業務を執行したその他の取締役をいう。以下同じ。）若しくは執行役又は支配人その他の使用人（以下「業務執行取締役等」という。）でなく、かつ、その就任の前十年間当該株式会社又はその子会社の業務執行取締役等であったことがないこと。

ロ　その就任の前十年内のいずれかの時において当該株式会社又はその子会社の取締役、会計参与（会計参与が法人であるときは、その職務を行うべき社員）又は監査役であったことがある者（業務執行取締役等であったことがあるものを除く。）にあっては、当該取締役、会計参与又は監査役への就任の前十年間当該株式会社又はその子会社の業務執行取締役等であったことがないこと。

ハ　当該株式会社の親会社等（自然人であるものに限る。）又は親会社等の取締役若しくは執行役若しくは支配人その他の使用人でないこと。

ニ　当該株式会社の親会社等の子会社等（当該株式会社及びその子会社を除く。）の業務執行取締役等でないこと。

ホ　当該株式会社の取締役若しくは執行役若しくは支配人その他の重要な使用人又は親会社等（自然人であるものに限る。）の配偶者又は二親等内の親族でないこと。

（平成二六法九〇本号改正）

十六　社外監査役　株式会社の監査役であって、次に

掲げる要件のいずれにも該当するものをいう。

イ その就任の前十年間当該株式会社又はその子会社の取締役、会計参与（会計参与が法人であるときは、その職務を行うべき社員。ロにおいて同じ。）若しくは執行役又は支配人その他の使用人であったことがないこと。

ロ その就任の前十年内のいずれかの時において当該株式会社又はその子会社の監査役であったことがある者にあっては、当該監査役への就任の前十年間当該株式会社又はその子会社の取締役、会計参与若しくは執行役又は支配人その他の使用人であったことがないこと。

ハ 当該株式会社の親会社等（自然人であるものに限る。）又は親会社等の取締役、監査役若しくは執行役若しくは支配人その他の使用人でないこと。

ニ 当該株式会社の親会社等の子会社等（当該株式会社及びその子会社を除く。）の業務執行取締役等でないこと。

ホ 当該株式会社の取締役若しくは支配人その他の重要な使用人又は親会社等（自然人であるものに限る。）の配偶者又は二親等内の親族でないこと。

（平成二六法九〇本号改正）

十七 譲渡制限株式　株式会社がその発行する全部又は一部の株式の内容として譲渡による当該株式の取得について当該株式会社の承認を要する旨の定めを設けている場合における当該株式をいう。

十八 取得請求権付株式　株式会社がその発行する全部又は一部の株式の内容として株主が当該株式会社に対して当該株式の取得を請求することができる旨の定めを設けている場合における当該株式をいう。

十九 取得条項付株式　株式会社がその発行する全部又は一部の株式の内容として当該株式会社が一定の事由が生じたことを条件として当該株式を取得することができる旨の定めを設けている場合における当該株式をいう。

二十 単元株式数　株式会社がその発行する株式について、一定の数の株式をもって株主が株主総会又は種類株主総会において一個の議決権を行使することができる一単元の株式とする旨の定款の定めを設けている場合における当該一定の数をいう。

二十一 新株予約権　株式会社に対して行使することにより当該株式会社の株式の交付を受けることができる権利をいう。

二十二 新株予約権付社債　新株予約権を付した社債をいう。

二十三 社債　この法律の規定により会社が行う割当てにより発生する当該会社を債務者とする金銭債権であって、第六百七十六条各号に掲げる事項についての定めに従い償還されるものをいう。

二十四 最終事業年度　各事業年度に係る第四百三十五条第二項に規定する計算書類につき第四百三十八条第二項の承認（第四百三十九条前段に規定する場合にあっては、第四百三十六条第三項の承認）を受けた場合における当該各事業年度のうち最も遅いものをいう。

二十五 配当財産　株式会社が剰余金の配当をする場合における配当する財産をいう。

二十六 組織変更　次のイ又はロに掲げる会社がその組織を変更することにより当該イ又はロに定める会社となることをいう。

イ 株式会社　合名会社、合資会社又は合同会社

ロ 合名会社、合資会社又は合同会社　株式会社

二十七 吸収合併　会社が他の会社とする合併であって、合併により消滅する会社の権利義務の全部を合併後存続する会社に承継させるものをいう。

二十八 新設合併　二以上の会社がする合併であって、合併により消滅する会社の権利義務の全部を合併により設立する会社に承継させるものをいう。

二十九 吸収分割　株式会社又は合同会社がその事業に関して有する権利義務の全部又は一部を分割後他の会社に承継させることをいう。

三十 新設分割　一又は二以上の株式会社又は合同会社がその事業に関して有する権利義務の全部又は一部を分割により設立する会社に承継させることをいう。

三十一 株式交換　株式会社がその発行済株式（株式会社が発行している株式をいう。以下同じ。）の全部を他の株式会社又は合同会社に取得させることをいう。

三十二 株式移転　一又は二以上の株式会社がその発行済株式の全部を新たに設立する株式会社に取得させることをいう。

三十二の二 株式交付　株式会社が他の株式会社をその子会社（法務省令で定めるものに限る。第七百七十四条の三第二項において同じ。）とするために当該他の株式会社の株式を譲り受け、当該株式の譲渡人に対して当該株式の対価として当該株式会社の株式を交付することをいう。（令和一法七〇本号追加）

三十三 公告方法　会社（外国会社を含む。）が公告（この法律又は他の法律の規定により官報に掲載する方法によりしなければならないものとされているものを除く。）をする方法をいう。

三十四 電子公告　公告方法のうち、電磁的方法（電子情報処理組織を使用する方法その他の情報通信の技術を利用する方法であって法務省令で定めるものをいう。以下同じ。）により不特定多数の者が公告すべき内容である情報の提供を受けることができる状態に置く措置であって法務省令で定めるものをとる方法をいう。

参【一】【株式会社↓二五―五七四【合名会社↓五七五―六二四・六三七―六七五【合資会社↓五七五―六二四・六三七―六七五【合同会社↓五七五―六七五　【二】【外国会社↓八一七―八二三・九三三―九三六【外国法人↓民三五、民訴三の三四・四⑤　【三】【子会社↓独禁九⑤・一〇⑥【省令で定めるもの↓会社則三①③・四　【三の二】【省令で定めるもの↓会社則三の二①　【四】【省令で定めるもの↓会社則三②③・四　【四の二】【省令で定めるもの↓会社則三の二②　【七】【取締役会↓三六二―三七三【取締役会の設置義務↓三二七①　【八】【会計参与↓三七四―三八〇　【九】【監査役↓三八一―三八九【監査役の設置義務↓三二七②③　【十】【監査役会↓三九〇―三九五【監査役会の設置義務↓三二八

①〔十一〕【会計監査人↓三九六―三九九【会計監査人の設置義務↓三二七⑤・三二八 〔十二〕【指名委員会等・執行役↓四〇〇―四二二 〔十五〕【社外取締役↓四〇〇③・四二七【業務執行取締役↓四六二 〔十六〕【社外監査役↓三三五③・四二七 〔十七〕【譲渡制限株式↓一〇七①〔一〕②〔一〕・一〇八①〔四〕②〔四〕・一三四 〔十八〕【取得請求権付株式↓一〇七①〔二〕②〔二〕・一〇八①〔五〕②〔五〕・一五五〔四〕 〔十九〕【取得条項付株式↓一〇七①〔三〕②〔三〕・一〇八①〔六〕②〔六〕・一五五〔一〕 〔二十〕【単元株式数↓一八八―一九五 〔二十一〕【新株予約権↓二三六―二九四 〔二十二〕【新株予約権付社債↓二三六―二九四、六八一―七四二 〔二十三〕【社債↓六七六―七四二 〔二十六〕【組織変更↓七四三―七四七、七七五―七八一 〔二十七〕【吸収合併↓七四八―七五二・七八二―八〇二 〔二十八〕【新設合併↓七四八、七五三―七五六、八〇三―八一六 〔二十九〕【吸収分割↓七五七―七六一・七八二―八〇二 〔三十〕【新設分割↓七六二―七六六、八〇三―八一六 〔三十一〕【株式交換↓七六七―七七一・七八二―八〇二 〔三十二〕【株式移転↓七七二―七七四、八〇三―八一六 〔三十二の二〕【株式交付↓七七四の二―七七四の一一・八一六の二―八一六の一〇【省令で定めるもの↓会社則四の二 〔三十三〕【公告方法↓九三九①②・二九・五七七 〔三十四〕【電子公告↓九三九①〔三〕③・九四〇―九五九【省令で定める方法↓会社則二二二【省令で定める措置↓会社則二二三

（法人格）

第三条 会社は、法人とする。

§†【法人性↓民三三

（住所）

第四条 会社の住所は、その本店の所在地にあるものとする。

§†【住所↓民二二、一般法人四【本店の所在地↓二七〔三〕・五七六①〔三〕・一九六②・八三五①・八四八・八五六・八六二・八六七・八六八・九一一③〔三〕・九一二〔三〕・九一三〔三〕・九一四〔三〕、民訴三の二③・四④

（商行為）

第五条 会社（外国会社を含む。次条第一項、第八条及び第九条において同じ。）がその事業としてする行為及びその事業のためにする行為は、商行為とする。

§†【外国会社↓二〔二〕・八一七―八二三【事業としてする行為↓二七〔一〕・五七六①〔一〕・九一一③〔一〕・九一二〔一〕・九一三〔一〕・九一四〔一〕【事業のためにする行為↓商五〇三【商行為↓商三・五〇四―五二一

第二章 会社の商号

（商号）

第六条① 会社は、その名称を商号とする。

② 会社は、株式会社、合名会社、合資会社又は合同会社の種類に従い、それぞれその商号中に株式会社、合名会社、合資会社又は合同会社という文字を用いなければならない。

③ 会社は、その商号中に、他の種類の会社であると誤認されるおそれのある文字を用いてはならない。

§❶【会社の商号↓八・九・二二・二七〔二〕・五七六①〔二〕・九一一③〔二〕・九一二〔二〕・九一三〔二〕・九一四〔二〕【会社以外の商人の商号↓商一一① ❸【過料の制裁↓九七八〔一〕

（会社と誤認させる名称等の使用の禁止）

第七条 会社でない者は、その名称又は商号中に、会社であると誤認されるおそれのある文字を用いてはならない。

§†【過料の制裁↓九七八〔二〕

第八条① 何人も、不正の目的をもって、他の会社であると誤認されるおそれのある名称又は商号を使用してはならない。

② 前項の規定に違反する名称又は商号の使用によって営業上の利益を侵害され、又は侵害されるおそれがある会社は、その営業上の利益を侵害する者又は侵害するおそれがある者に対し、その侵害の停止又は予防を請求することができる。

§❶【過料の制裁↓九七八〔三〕 ❷【差止請求↓不正競争三①【損害賠償の請求↓民七〇九、不正競争四

（自己の商号の使用を他人に許諾した会社の責任）

第九条 自己の商号を使用して事業又は営業を行うことを他人に許諾した会社は、当該会社が当該事業を行うものと誤認して当該他人と取引をした者に対し、当該他人と連帯して、当該取引によって生じた債務を弁済する責任を負う。

§†【連帯責任↓民四三六【名板貸しの禁止↓金商三六の三

第三章 会社の使用人等

第一節 会社の使用人

（支配人）

第一〇条 会社（外国会社を含む。以下この編において同じ。）は、支配人を選任し、その本店又は支店において、その事業を行わせることができる。

§†【外国会社↓二〔二〕・八一七―八二三【支配人↓一一・一二、民六二三―六三一・六四三―六五五、三四八③〔一〕・三六二④〔三〕・五九一②・二〔十五〕〔十六〕・三三一④・三三三③〔一〕・三三五②・九一八、商登四四・四五【会社以外の商人↓商二〇

（支配人の代理権）

第一一条① 支配人は、会社に代わってその事業に関する一切の裁判上又は裁判外の行為をする権限を有する。

② 支配人は、他の使用人を選任し、又は解任することができる。

③ 支配人の代理権に加えた制限は、善意の第三者に対抗することができない。

§❶【代理権↓商五〇四―五〇六、民九九―一一八、民訴五四・五五【類似の代理権↓商七〇八 ❷【他の使用人↓一四・一五

（支配人の競業の禁止）

第一二条① 支配人は、会社の許可を受けなければ、次に掲げる行為をしてはならない。

一 自ら営業を行うこと。

二 自己又は第三者のために会社の事業の部類に属する取引をすること。

三 他の会社又は商人（会社を除く。第二十四条において同じ。）の使用人となること。

四 他の会社の取締役、執行役又は業務を執行する社員となること。

② 支配人が前項の規定に違反して同項第二号に掲げる行為をしたときは、当該行為によって支配人又は第三者が得た利益の額は、会社に生じた損害の額と推定する。

⊛❶〔三〕【競業禁止↓一七①、三五六①㈡、四一九②、五九四①
❷【損害額の推定↓一七②、四二三②、五九四②

（表見支配人）
第一三条　会社の本店又は支店の事業の主任者であることを示す名称を付した使用人は、当該本店又は支店の事業に関し、一切の裁判外の行為をする権限を有するものとみなす。ただし、相手方が悪意であったときは、この限りでない。

⊛+【支配人の権限↓一一【登記の効力と対比↓九〇八①【裁判上の行為↓民訴五四、五五④【表見代理↓民一〇九、一一〇

（ある種類又は特定の事項の委任を受けた使用人）
第一四条①　事業に関するある種類又は特定の事項の委任を受けた使用人は、当該事項に関する一切の裁判外の行為をする権限を有する。
②　前項に規定する使用人の代理権に加えた制限は、善意の第三者に対抗することができない。

⊛❶【使用人↓一一②【使用人に対する罰則の適用↓九六〇①㈦、九六三⑤、九六四①㈡、九六五、九七〇【会社以外の商人↓商二五【委任↓民六四三―六五六

（物品の販売等を目的とする店舗の使用人）
第一五条　物品の販売等（販売、賃貸その他これらに類する行為をいう。以下この条において同じ。）を目的とする店舗の使用人は、その店舗に在る物品の販売等をする権限を有するものとみなす。ただし、相手方が悪意であったときは、この限りでない。

⊛+【店舗の使用人↓商二六、民一〇九、一一〇

第二節　会社の代理商

（通知義務）
第一六条　代理商（会社のためにその平常の事業の部類に属する取引の代理又は媒介をする者で、その会社の使用人でないものをいう。以下この節において同じ。）は、取引の代理又は媒介をしたときは、遅滞なく、会社に対して、その旨の通知を発しなければならない。

⊛+【代理商↓商四、二七【取引の代理・媒介↓商五〇二(十二)、五〇四―五〇六【代理商と本人との関係↓商五一二、民六四三―六五六【受任者の報告義務↓民六四五、六五六

（代理商の競業の禁止）
第一七条①　代理商は、会社の許可を受けなければ、次に掲げる行為をしてはならない。
一　自己又は第三者のために会社の事業の部類に属する取引をすること。
二　会社の事業と同種の事業を行う他の会社の取締役、執行役又は業務を執行する社員となること。
②　代理商が前項の規定に違反して同項第一号に掲げる行為をしたときは、当該行為によって代理商又は第三者が得た利益の額は、会社に生じた損害の額と推定する。

⊛❶【競業禁止↓民六四四、一二⊛　❷【損害額の推定↓一二⊛

（通知を受ける権限）
第一八条　物品の販売又はその媒介の委託を受けた代理商は、商法（明治三十二年法律第四十八号）第五百二十六条第二項の通知その他の売買に関する通知を受ける権限を有する。

⊛+【買主の通知義務↓商五二六、民五六一―五七〇【受動代理の原則↓民九九②

（契約の解除）
第一九条①　会社及び代理商は、契約の期間を定めなかったときは、二箇月前までに予告し、その契約を解除することができる。
②　前項の規定にかかわらず、やむを得ない事由があるときは、会社及び代理商は、いつでもその契約を解除することができる。

⊛+【委任契約解除の原則↓民六五一

（代理商の留置権）
第二〇条　代理商は、取引の代理又は媒介をしたことによって生じた債権の弁済期が到来しているときは、その弁済を受けるまでは、会社のために当該代理商が占有する物又は有価証券を留置することができる。ただし、当事者が別段の意思表示をしたときは、この限りでない。

⊛+【留置権↓民二九五、商五二一⊛【効力↓民二九六―三〇二、破六六、一八六、一九二、民再一四八、会更二⑩、二九、一〇四、民執一九五

第四章　事業の譲渡をした場合の競業の禁止等

（譲渡会社の競業の禁止）
第二一条①　事業を譲渡した会社（以下この章において「譲渡会社」という。）は、当事者の別段の意思表示がない限り、同一の市町村（特別区を含むものとし、地方自治法（昭和二十二年法律第六十七号）第二百五十二条の十九第一項の指定都市にあっては、区又は総合区。以下この項において同じ。）の区域内及びこれに隣接する市町村の区域内においては、その事業を譲渡した日から二十年間は、同一の事業を行ってはならない。（平成二六法四二本項改正）
②　譲渡会社が同一の事業を行わない旨の特約をした場合には、その特約は、その事業を譲渡した日から三十年の期間内に限り、その効力を有する。
③　前二項の規定にかかわらず、譲渡会社は、不正の競争の目的をもって同一の事業を行ってはならない。

⊛❶【事業の譲渡↓四六七①㈡【譲渡の制限↓独禁一六、一七

（譲渡会社の商号を使用した譲受会社の責任等）
第二二条①　事業を譲り受けた会社（以下この章において「譲受会社」という。）が譲渡会社の商号を引き続き使用する場合には、その譲受会社も、譲渡会社の事業によって生じた債務を弁済する責任を負う。
②　前項の規定は、事業を譲り受けた後、遅滞なく、譲受会社がその本店の所在地において譲渡会社の債務を弁済する責任を負わない旨を登記した場合には、適用しない。事業を譲り受けた後、遅滞なく、譲受会社及び譲渡会社から第三者に対しその旨の通知をした場合において、その通知を受けた第三者についても、同様

とする。

③　譲受会社が第一項の規定により譲渡会社の債務を弁済する責任を負う場合には、譲渡会社の責任は、事業を譲渡した日後二年以内に請求又は請求の予告をしない債権者に対しては、その期間を経過した時に消滅する。

④　第一項に規定する場合において、譲渡会社の事業によって生じた債権について、譲受会社にした弁済は、弁済者が善意でかつ重大な過失がないときは、その効力を有する。

❶【会社が営業を譲り受けた場合→二四②】【会社の商号→六①】❷【責めに任じない旨の登記→商登三一】❹【善意の弁済→民四七八】

（譲受会社による債務の引受け）

第二三条①　譲受会社が譲渡会社の商号を引き続き使用しない場合においても、譲渡会社の事業によって生じた債務を引き受ける旨の広告をしたときは、譲渡会社の債権者は、その譲受会社に対して弁済の請求をすることができる。

②　譲受会社が前項の規定により譲渡会社の債務を弁済する責任を負う場合には、譲渡会社の責任は、同項の広告があった日後二年以内に請求又は請求の予告をしない債権者に対しては、その期間を経過した時に消滅する。

❶【譲受会社の責任→二二①、二四②】

（詐害事業譲渡に係る譲受会社に対する債務の履行の請求）

第二三条の二①　譲渡会社が譲受会社に承継されない債務の債権者（以下この条において「残存債権者」という。）を害することを知って事業を譲渡した場合には、残存債権者は、その譲受会社に対して、承継した財産の価額を限度として、当該債務の履行を請求することができる。ただし、その譲受会社が事業の譲渡の効力が生じた時において残存債権者を害することを知らなかったときは、この限りでない。（平成二九法四五本項改正）

②　譲受会社が前項の規定により同項の債務を履行する責任を負う場合には、当該責任は、譲渡会社が残存債権者を害することを知って事業を譲渡したことを知った時から二年以内に請求又は請求の予告をしない残存債権者に対しては、その期間を経過した時に消滅する。事業の譲渡の効力が生じた日から十年を経過したときも、同様とする。（平成二九法四五本項改正）

③　譲渡会社について破産手続開始の決定、再生手続開始の決定又は更生手続開始の決定があったときは、残存債権者は、譲受会社に対して第一項の規定による請求をする権利を行使することができない。

（平成二六法九〇本条追加）

❶【会社が営業を譲り受けた場合→二四②】【譲受会社の責任→二二①、二三①】

（商人との間での事業の譲渡又は譲受け）

第二四条①　会社が商人に対してその事業を譲渡した場合には、当該会社を商法第十六条第一項に規定する譲渡人とみなして、同法第十七条から第十八条の二までの規定を適用する。この場合において、同条第三項中「又は再生手続開始の決定」とあるのは、「、再生手続開始の決定又は更生手続開始の決定」とする。

②　会社が商人の営業を譲り受けた場合には、当該商人を譲渡会社とみなして、前三条の規定を適用する。この場合において、前条第三項中「、再生手続開始の決定又は更生手続開始の決定」とあるのは、「又は再生手続開始の決定」とする。

（平成二六法九〇本条改正）

❶【事業の譲渡→四六七①㈠】【譲渡の制限→独禁一六、一七】❷【営業の譲渡→商一五①、一六】

第二編　株式会社

第一章　設立

第一節　総則

第二五条①　株式会社は、次に掲げるいずれかの方法により設立することができる。

一　次節から第八節までに規定するところにより、発起人が設立時発行株式（株式会社の設立に際して発行する株式をいう。以下同じ。）の全部を引き受ける方法

二　次節、第三節、第三十九条及び第六節から第九節までに規定するところにより、発起人が設立時発行株式を引き受けるほか、設立時発行株式を引き受ける者の募集をする方法

②　各発起人は、株式会社の設立に際し、設立時発行株式を一株以上引き受けなければならない。

【発起人→二七㈤、二八㈢、三二、五二—五六、一〇三】❶【設立の手続→二六—一〇三】【特殊の場合→二(二十八)(三十)(三十二)、会更一六七②、一八三、二二五①、八一四①】❷【発起人の株式引受け→三二①㈠、五九①㈢】【引受けの取消し→三二⑧】【失権手続→三六】

第二節　定款の作成

（定款の作成）

第二六条①　株式会社を設立するには、発起人が定款を作成し、その全員がこれに署名し、又は記名押印しなければならない。

②　前項の定款は、電磁的記録（電子的方式、磁気的方式その他人の知覚によっては認識することができない方式で作られる記録であって、電子計算機による情報処理の用に供されるものとして法務省令で定めるものをいう。以下同じ。）をもって作成することができる。この場合において、当該電磁的記録に記録された情報については、法務省令で定める署名又は記名押印に代わる措置をとらなければならない。

＊令和五法五三（令和一〇・六・一三までに施行）による改正

第二項中「いう。」の下に「第八百八十六条の二第三項、第八百八十六条の三及び第九百六条の二第三項を除き、」を加える。（本文未織込み）

❶【定款→二七—三一、三三⑦⑨、三七①②、九五—一〇一、

四六六、商登四七②㈠【備置義務違反の制裁↓九七六㈣【不実記載・記録の制裁↓九七六㈦【定款違反行為↓二一〇㈠・三六〇・三八四・三八五・三九七・四〇六・四二二・八三一①㈠㈡・八五四　❷【省令で定めるもの↓会社則二二四【省令で定める措置↓会社則二二五

（定款の記載又は記録事項）

第二七条　株式会社の定款には、次に掲げる事項を記載し、又は記録しなければならない。

一　目的

二　商号

三　本店の所在地

四　設立に際して出資される財産の価額又はその最低額

五　発起人の氏名又は名称及び住所

⊛〔一〕【目的↓五、九一一③㈠【目的違反の場合↓三六〇①・三八五①・四二二①・八二四①㈠　〔二〕【商号↓六①・九一一③㈡　〔三〕【本店↓四・九一一③㈢　〔四〕【設立時の出資額↓三二①㈢・二八㈠・五八①㈢　〔五〕【発起人の住所↓六八⑤　⁺【その他の絶対的記載事項↓三七①【募集設立における通知↓五九①㈢

第二八条　株式会社を設立する場合には、次に掲げる事項は、第二十六条第一項の定款に記載し、又は記録しなければ、その効力を生じない。

一　金銭以外の財産を出資する者の氏名又は名称、当該財産及びその価額並びにその者に対して割り当てる設立時発行株式の数（設立しようとする株式会社が種類株式発行会社である場合にあっては、設立時発行株式の種類及び種類ごとの数。第三十二条第一項第一号において同じ。）

二　株式会社の成立後に譲り受けることを約した財産及びその価額並びにその譲渡人の氏名又は名称

三　株式会社の成立により発起人が受ける報酬その他の特別の利益及びその発起人の氏名又は名称

四　株式会社の負担する設立に関する費用（定款の認証の手数料その他株式会社に損害を与えるおそれがないものとして法務省令で定めるものを除く。）

⊛⁺【変態設立事項↓三三、五九①㈢、八七②㈢、九七　〔一〕【現物出資↓三四①、五二①、一九九①㈢　〔二〕【財産引受け↓四六七①㈤【譲渡人↓三三⑪㈢　〔三〕【発起人↓二五⊛　〔四〕【定款の認証↓三〇【省令で定めるもの↓会社則五

第二九条　第二十七条各号及び前条各号に掲げる事項のほか、株式会社の定款には、この法律の規定により定款の定めがなければその効力を生じない事項及びその他の事項でこの法律の規定に違反しないものを記載し、又は記録することができる。

⊛⁺【相対的記載・記録事項↓四四②⑤・六八①・八九①・九二②④・一〇七②・一〇八②・一一三・一三九①・一四〇⑤・一四五・一六四・一六五②・一七四・一八六③・一八八①・一八九②③・一九四①・二〇二③㈢・二〇四②・二一四・二四一③㈢・二九七①④㈢・二九九①・三〇三②・三〇四・三〇五①⑥・三〇六①・三〇九・三二二②・三二四・三二六②・三三二①②・三三六②③・三四一・三四二①・三四八①②・三六〇①②・三六八①・三六九①・三七〇・三七六②・三八九・三九二①・四〇一②・四〇二⑦・四二二①②・四二六①⑦・四二七①・四三三①・四五九①・四六〇①・四六七①㈢㈤・四六八①・四七一㈢・四七七②・四七九②・四八二②・五二二①・五三六①㈢・七八四②・七九六②・八〇五・八三三①・八五四①・九三九①④【任意的記載事項↓二九①・三八④・三四九③・三六一①・三六六①・三七九①・四七八①㈢・四八三③【無益的記載事項↓一〇五②・二九五③・三三二②・四〇二⑤

（定款の認証）

第三〇条①　第二十六条第一項の定款は、公証人の認証を受けなければ、その効力を生じない。

②　前項の公証人の認証を受けた定款は、株式会社の成立前は、第三十三条第七項若しくは第九項又は第三十七条第一項若しくは第二項の規定による場合を除き、これを変更することができない。

⊛❶【公証人の認証↓五九①㈠【定款認証手数料↓二八㈣　❷【定款の変更↓九六

（定款の備置き及び閲覧等）

第三一条①　発起人（株式会社の成立後にあっては、当該株式会社）は、定款を発起人が定めた場所（株式会社の成立後にあっては、その本店及び支店）に備え置かなければならない。

②　発起人（株式会社の成立後にあっては、その株主及び債権者）は、発起人が定めた時間（株式会社の成立後にあっては、その営業時間）内は、いつでも、次に掲げる請求をすることができる。ただし、第二号又は第四号に掲げる請求をするには、発起人（株式会社の成立後にあっては、当該株式会社）の定めた費用を支払わなければならない。

一　定款が書面をもって作成されているときは、当該書面の閲覧の請求

二　前号の書面の謄本又は抄本の交付の請求

三　定款が電磁的記録をもって作成されているときは、当該電磁的記録に記録された事項を法務省令で定める方法により表示したものの閲覧の請求

四　前号の電磁的記録に記録された事項を電磁的方法であって発起人（株式会社の成立後にあっては、当該株式会社）の定めたものにより提供することの請求又はその事項を記載した書面の交付の請求

③　株式会社の成立後において、当該株式会社の親会社社員（親会社の株主その他の社員をいう。以下同じ。）がその権利を行使するため必要があるときは、当該親会社社員は、裁判所の許可を得て、当該株式会社の定款について前項各号に掲げる請求をすることができる。ただし、同項第二号又は第四号に掲げる請求をするには、当該株式会社の定めた費用を支払わなければならない。

④　定款が電磁的記録をもって作成されている場合であって、支店における第二項第三号及び第四号に掲げる請求に応じることを可能とするための措置として法務省令で定めるものをとっている株式会社についての第一項の規定の適用については、同項中「本店及び支店」とあるのは、「本店」とする。

⊛❶【本店↓二七㈢・九一一③㈢【支店↓三四八③㈢・三六二④㈣・九一一③㈢・九三〇【備置義務↓五〇八①、商一九③、七四⑥・七五③・七六④・八一②・八二②【備置義務違反の制裁↓九七六㈣　❷【発起人・株主・債権者の閲覧権等↓一〇二①【違反の制裁↓九七六㈣　〔三〕【省令で定める方法↓会社則二二六　〔三〕〔四〕【電磁的記録↓二六②　❸【裁判所の管轄↓八六八②【違反の制裁↓九七六㈣　❹【省令で定めるもの↓会社則二

二七

第三節　出資

第三二条（**設立時発行株式に関する事項の決定**）① 発起人は、株式会社の設立に際して次に掲げる事項（定款に定めがある事項を除く。）を定めようとするときは、その全員の同意を得なければならない。

一　発起人が割当てを受ける設立時発行株式の数

二　前号の設立時発行株式と引換えに払い込む金銭の額

三　成立後の株式会社の資本金及び資本準備金の額に関する事項

② 設立しようとする株式会社が種類株式発行会社である場合において、前項第一号の設立時発行株式が第百八条第三項前段の規定による定款の定めがあるものであるときは、発起人は、その全員の同意を得て、当該設立時発行株式の内容を定めなければならない。

❶【定款に定めがある事項↓二八㈡・二九【発起人全員の同意↓二六①、商登四七③【違反の効果↓八二八①㈠【募集設立における通知↓五九①㈢　【二】【発起人への株式割当て↓二五②・三七③　【三】【資本金・資本準備金↓四四五②、一九九①㈤

第三三条（**定款の記載又は記録事項に関する検査役の選任**）① 発起人は、定款に第二十八条各号に掲げる事項についての記載又は記録があるときは、第三十条第一項の公証人の認証の後遅滞なく、当該事項を調査させるため、裁判所に対し、検査役の選任の申立てをしなければならない。

② 前項の申立てがあった場合には、裁判所は、これを不適法として却下する場合を除き、検査役を選任しなければならない。

③ 裁判所は、前項の検査役を選任した場合には、成立後の株式会社が当該検査役に対して支払う報酬の額を定めることができる。

④ 第二項の検査役は、必要な調査を行い、当該調査の結果を記載し、又は記録した書面又は電磁的記録（法務省令で定めるものに限る。）を裁判所に提供して報告をしなければならない。

⑤ 裁判所は、前項の報告について、その内容を明瞭にし、又はその根拠を確認するため必要があると認めるときは、第二項の検査役に対し、更に前項の報告を求めることができる。

⑥ 第二項の検査役は、第四項の報告をしたときは、発起人に対し、同項の書面の写しを交付し、又は同項の電磁的記録に記録された事項を法務省令で定める方法により提供しなければならない。

⑦ 裁判所は、第四項の報告を受けた場合において、第二十八条各号に掲げる事項（第二項の検査役の調査を経ていないものを除く。）を不当と認めたときは、これを変更する決定をしなければならない。

⑧ 発起人は、前項の決定により第二十八条各号に掲げる事項の全部又は一部が変更された場合には、当該決定の確定後一週間以内に限り、その設立時発行株式の引受けに係る意思表示を取り消すことができる。

⑨ 前項に規定する場合には、発起人は、その全員の同意によって、第七項の決定の確定後一週間以内に限り、当該決定により変更された事項についての定めを廃止する定款の変更をすることができる。

⑩ 前各項の規定は、次の各号に掲げる場合には、当該各号に定める事項については、適用しない。

一　第二十八条第一号及び第二号の財産（以下この章において「現物出資財産等」という。）について定款に記載され、又は記録された価額の総額が五百万円を超えない場合　同条第一号及び第二号に掲げる事項

二　現物出資財産等のうち、市場価格のある有価証券（金融商品取引法（昭和二十三年法律第二十五号）第二条第一項に規定する有価証券をいい、同条第二項の規定により有価証券とみなされる権利を含む。以下同じ。）について定款に記載され、又は記録された価額が当該有価証券の市場価格として法務省令で定める方法により算定されるものを超えない場合　当該有価証券についての第二十八条第一号又は第二号に掲げる事項（平成一八法六六本号改正）

三　現物出資財産等について定款に記載され、又は記録された価額が相当であることについて弁護士、弁護士法人、弁護士・外国法事務弁護士共同法人、公認会計士（外国公認会計士（公認会計士法（昭和二十三年法律第百三号）第十六条の二第五項に規定する外国公認会計士をいう。）を含む。以下同じ。）、監査法人、税理士又は税理士法人の証明（現物出資財産等が不動産である場合にあっては、当該証明及び不動産鑑定士の鑑定評価。以下この号において同じ。）を受けた場合　第二十八条第一号又は第二号に掲げる事項（当該証明を受けた現物出資財産等に係るものに限る。）（令和二法三三本号改正）

⑪ 次に掲げる者は、前項第三号に規定する証明をすることができない。

一　発起人

二　第二十八条第二号の財産の譲渡人

三　設立時取締役（第三十八条第一項に規定する設立時取締役をいう。）又は設立時監査役（同条第三項第二号に規定する設立時監査役をいう。）

四　業務の停止の処分を受け、その停止の期間を経過しない者

五　弁護士法人、弁護士・外国法事務弁護士共同法人、監査法人又は税理士法人であって、その社員の半数以上が第一号から第三号までに掲げる者のいずれかに該当するもの（令和二法三三本号改正）

❶【検査役の選任↓八六八①・八七六【調査妨害に対する制裁↓九七六㈤【検査役の調査の効果↓五二②㈠　❸【検査役の報酬↓二八㈣　❹【検査役の報告↓商登四七②㈢イ、八七②㈠【不実報告に対する制裁↓九六三③・九七六㈥【省令で定めるもの↓会社則二二八　❹❻【電磁的記録↓二六②　❻【省令で定める方法↓会社則二二九　❼【変更決定の手続↓八七〇①㈠、商登四七②㈣、三〇②　❽【引受けの取消し↓二七㈣㈤　❾【定款変更↓三〇②・三七①②・九五―一〇一・四六六　❿【二】㈠㈡【価額の相当性↓四六①㈠・五二―五五　【三】【市場価格を証す

る書面→商登四七②㈢【省令で定める方法→会社則六】㈢【証明・鑑定評価を記載した書面→商登四七②㈢、四六①㈢・八七②㈢【証明者等の財産価格塡補責任→五二】⓫㈣【業務停止→弁護五七①㈡②㈡、ETC

（出資の履行）
第三四条① 発起人は、設立時発行株式の引受け後遅滞なく、その引き受けた設立時発行株式につき、その出資に係る金銭の全額を払い込み、又はその出資に係る金銭以外の財産の全部を給付しなければならない。ただし、発起人全員の同意があるときは、登記、登録その他権利の設定又は移転を第三者に対抗するために必要な行為は、株式会社の成立後にすることを妨げない。

② 前項の規定による払込みは、発起人が定めた銀行等（銀行（銀行法（昭和五十六年法律第五十九号）第二条第一項に規定する銀行をいう。第七百三条第一号において同じ。）、信託会社（信託業法（平成十六年法律第百五十四号）第二条第二項に規定する信託会社をいう。以下同じ。）その他これに準ずるものとして法務省令で定めるものをいう。以下同じ。）の払込みの取扱いの場所においてしなければならない。

参❶【株式の引受けの無効・取消しの制限→五一】【出資に係る金銭→三二①㈡【出資に係る金銭以外の財産→二八㈠・三三】【出資の履行→四六①㈢・三六・三五・五〇②【払込完了を証する書面→商登四七②㈤【登記→民一七七【登録→特許九八・九九、ETC七　❷【払込取扱機関→六三・六四【省令で定めるもの→会社則七

（設立時発行株式の株主となる権利の譲渡）
第三五条　前条第一項の規定による払込み又は給付（以下この章において「出資の履行」という。）をすることにより設立時発行株式の株主となる権利の譲渡は、成立後の株式会社に対抗することができない。

参+【株主となる権利の譲渡→五〇②・六三②・二〇八④

（設立時発行株式の株主となる権利の喪失）
第三六条① 発起人のうち出資の履行をしていないものがある場合には、発起人は、当該出資の履行をしていない発起人に対して、期日を定め、その期日までに当該出資の履行をしなければならない旨を通知しなければならない。

② 前項の規定による通知は、同項に規定する期日の二週間前までにしなければならない。

③ 第一項の規定による通知を受けた発起人は、同項に規定する期日までに出資の履行をしないときは、当該出資の履行をすることにより設立時発行株式の株主となる権利を失う。

参❶【期日→五九②【通知→二七㈤【到達主義→民九七①【罰則→九七六㈡　❸【発起人の失権→二五②・二七㈤・六三③・二〇八⑤

（発行可能株式総数の定め等）
第三七条① 発起人は、株式会社が発行することができる株式の総数（以下「発行可能株式総数」という。）を定款で定めていない場合には、株式会社の成立の時までに、その全員の同意によって、定款を変更して発行可能株式総数の定めを設けなければならない。

② 発起人は、発行可能株式総数を定款で定めている場合には、株式会社の成立の時までに、その全員の同意によって、発行可能株式総数についての定款の変更をすることができる。

③ 設立時発行株式の総数は、発行可能株式総数の四分の一を下ることができない。ただし、設立しようとする株式会社が公開会社でない場合は、この限りでない。

参❶❷【発行可能株式総数→一一三①・一八四②・二一〇㈢・八二八①㈡・四二三①・四二九①・九一一③㈥【超過発行の罰則→九六六【会社の成立→四九【定款変更→三〇②・九五・九八　❸【発行済株式総数・発行可能株式総数の関係→一一三③【公開会社→二㈤

第四節　設立時役員等の選任及び解任

（設立時役員等の選任）
第三八条① 発起人は、出資の履行が完了した後、遅滞なく、設立時取締役（株式会社の設立に際して取締役となる者をいう。以下同じ。）を選任しなければならない。

② 設立しようとする株式会社が監査等委員会設置会社である場合には、前項の規定による設立時取締役の選任は、設立時監査等委員（株式会社の設立に際して監査等委員（監査等委員会の委員をいう。以下同じ。）となる者をいう。以下同じ。）である設立時取締役とそれ以外の設立時取締役とを区別してしなければならない。（平成二六法九〇本項追加）

③ 次の各号に掲げる場合には、発起人は、出資の履行が完了した後、遅滞なく、当該各号に定める者を選任しなければならない。

一　設立しようとする株式会社が会計参与設置会社である場合　設立時会計参与（株式会社の設立に際して会計参与となる者をいう。以下同じ。）

二　設立しようとする株式会社が監査役設置会社（監査役の監査の範囲を会計に関するものに限定する旨の定款の定めがある株式会社を含む。）である場合　設立時監査役（株式会社の設立に際して監査役となる者をいう。以下同じ。）

三　設立しようとする株式会社が会計監査人設置会社である場合　設立時会計監査人（株式会社の設立に際して会計監査人となる者をいう。以下同じ。）

④ 定款で設立時取締役（設立しようとする株式会社が監査等委員会設置会社である場合にあっては、設立時監査等委員である設立時取締役又はそれ以外の設立時取締役。以下この項において同じ。）、設立時会計参与、設立時監査役又は設立時会計監査人として定められた者は、出資の履行が完了した時に、それぞれ設立時取締役、設立時会計参与、設立時監査役又は設立時会計監査人に選任されたものとみなす。（平成二六法九〇本項改正）

参+【出資の履行→三四　❶【取締役の選任→三九④・四〇・四一・九一一③㈩㈢・八八①、商登四七②㈦③【役員兼任の制限→独禁一三・一七【設立時取締役の任務・責任→四六―四八・五二―五五・九三　❷【監査等委員会設置会社→二〔十一の二〕【募

集設立の場合→八八②【取締役の場合→三二九②　❸【一】【会計参与の選任→九一一③〔十六〕・八八①、商登四七②〔十二〕【二】【監査役の選任→九一一③〔十七〕・八八①、商登四七②〔十四〕【設立時監査役の任務・責任→四六①・五三―五五　【三】【会計監査人の選任→九一一③〔十九〕・八八①、商登四七②〔十一〕

第三九条① 設立しようとする株式会社が取締役会設置会社である場合には、設立時取締役は、三人以上でなければならない。

② 設立しようとする株式会社が監査役会設置会社である場合には、設立時監査役は、三人以上でなければならない。

③ 設立しようとする株式会社が監査等委員会設置会社である場合には、設立時監査等委員である設立時取締役は、三人以上でなければならない。（平成二六法九〇本項追加）

④ 第三百三十一条第一項（第三百三十五条第一項において準用する場合を含む。）、第三百三十三条第一項若しくは第三項又は第三百三十七条第一項若しくは第三項の規定により成立後の株式会社の取締役（監査等委員会設置会社にあっては、監査等委員である取締役又はそれ以外の取締役）、会計参与、監査役又は会計監査人となることができない者は、それぞれ設立時取締役（成立後の株式会社が監査等委員会設置会社である場合にあっては、設立時監査等委員である設立時取締役又はそれ以外の設立時取締役）、設立時会計参与、設立時監査役又は設立時会計監査人（以下この節において「設立時役員等」という。）となることができない。（平成二六法九〇本項改正）

⑤ 第三百三十一条の二〈取締役の資格等〉の規定は、設立時取締役及び設立時監査役について準用する。（令和一法七〇本項追加）

❶【取締役会設置会社→二〔七〕　❷【監査役会設置会社→二〔十〕　❸【取締役の場合→三三一⑥　❹【設立時取締役→三八①【設立時会計参与→三八②〔一〕【設立時監査役→三八②〔二〕【設立時会計監査人→三八②〔三〕

（設立時役員等の選任の方法）

第四〇条① 設立時役員等の選任は、発起人の議決権の過半数をもって決定する。

② 前項の場合には、発起人は、出資の履行をした設立時発行株式一株につき一個の議決権を有する。ただし、単元株式数を定款で定めている場合には、一単元の設立時発行株式につき一個の議決権を有する。

③ 前項の規定にかかわらず、設立しようとする株式会社が種類株式発行会社である場合において、取締役の全部又は一部の選任について議決権を行使することができないものと定められた種類の設立時発行株式を発行するときは、発起人は、当該種類の設立時発行株式については、当該取締役となる設立時取締役の選任についての議決権を行使することができない。

④ 設立しようとする株式会社が監査等委員会設置会社である場合における前項の規定の適用については、同項中「、取締役」とあるのは、「、監査等委員である取締役又はそれ以外の取締役」と、「当該取締役」とあるのは「これらの取締役」とする。（平成二六法九〇本項追加）

⑤ 第三項の規定は、設立時会計参与、設立時監査役及び設立時会計監査人の選任について準用する。

❶【設立時役員等→三九④【議決権の過半数→商登四七③【本項による選任の効力に関する特則→四五①〔一〕　❷【出資の履行→三四【一株一議決権→三〇八①【単元株式数→二〔二十〕・一八八―一九五・三〇八①・九一一③〔四〕　❸【議決権制限株式→一〇八①〔三〕②〔三〕・一一五・九一一③〔七〕　❹【監査等委員会設置会社→二〔十一の二〕【監査等委員→三八②

（設立時役員等の選任の方法の特則）

第四一条① 前条第一項の規定にかかわらず、株式会社の設立に際して第百八条第一項第九号に掲げる事項（取締役（監査等委員会設置会社にあっては、監査等委員である取締役又はそれ以外の取締役）に関するものに限る。）についての定めがある種類の株式を発行する場合には、設立時取締役（設立しようとする株式会社が監査等委員会設置会社である場合にあっては、設立時監査等委員である設立時取締役又はそれ以外の設立時取締役）の選任は、同条第二項第九号に定める事項についての定款の定めの例に従い、当該種類の設立時発行株式を引き受けた発起人の議決権（当該種類の設立時発行株式についての議決権に限る。）の過半数をもって決定する。（平成二六法九〇本項改正）

② 前項の場合には、発起人は、出資の履行をした種類の設立時発行株式一株につき一個の議決権を有する。ただし、単元株式数を定款で定めている場合には、一単元の種類の設立時発行株式につき一個の議決権を有する。

③ 前二項の規定は、株式会社の設立に際して第百八条第一項第九号に掲げる事項（監査役に関するものに限る。）についての定めがある種類の株式を発行する場合について準用する。

❶【議決権の過半数→商登四七③【本項により選任された取締役の解任→四四①②　❷【出資の履行→三四【一株一議決権→三〇八①【単元株式数→二〔二十〕・一八八―一九五・三〇八①・九一一③〔四〕　❸【本項により選任された監査役の解任→四四⑤

（設立時役員等の解任）

第四二条 発起人は、株式会社の成立の時までの間、その選任した設立時役員等（第三十八条第四項の規定により設立時役員等に選任されたものとみなされたものを含む。）を解任することができる。（平成二六法九〇本条改正）

＋【会社の成立→四九【設立時役員等→三九④

（設立時役員等の解任の方法）

第四三条① 設立時役員等の解任は、発起人の議決権の過半数（設立時監査等委員である設立時取締役又は設立時監査役を解任する場合にあっては、三分の二以上に当たる多数）をもって決定する。（平成二六法九〇本項改正）

② 前項の場合には、発起人は、出資の履行をした設立時発行株式一株につき一個の議決権を有する。ただし、単元株式数を定款で定めている場合には、一単元の設立時発行株式につき一個の議決権を有する。

③　前項の規定にかかわらず、設立しようとする株式会社が種類株式発行会社である場合において、取締役の全部又は一部の解任について議決権を行使することができないものと定められた種類の設立時発行株式を発行するときは、当該種類の設立時発行株式については、発起人は、当該取締役となる設立時取締役の解任についての議決権を行使することができない。

④　設立しようとする株式会社が監査等委員会設置会社である場合における前項の規定の適用については、同項中「、取締役」とあるのは「、監査等委員である取締役又はそれ以外の取締役」と、「当該取締役」とあるのは「これらの取締役」とする。（平成二六法九〇本項追加）

⑤　第三項の規定は、設立時会計参与、設立時監査役及び設立時会計監査人の解任について準用する。

参 ❶【設立時役員等→三九④【本項による解任の効力に関する特則→四五①[一]　❶❹【設立時監査役→三八②[二]　❷【出資の履行→三四【一株一議決権→三〇八①【単元株式数→二[二十]・一八八―一九五、三〇八①・九一一③[四]　❸【議決権制限株式→一〇八①[三]②[三]・一一五、九一一③[七]　❹【監査等委員会設置会社→二[十一の二]【監査等委員→三八②　❺【設立時会計参与→三八②[一]【設立時会計監査人→三八②[三]

（設立時取締役等の解任の方法の特則）

第四四条①　前条第一項の規定にかかわらず、第四十一条第一項の規定により選任された設立時取締役（設立時監査等委員である設立時取締役を除く。次項及び第四項において同じ。）の解任は、その選任に係る発起人の議決権の過半数をもって決定する。（平成二六法九〇本項改正）

②　前項の規定にかかわらず、第四十一条第一項の規定により又は種類創立総会（第八十四条に規定する種類創立総会をいう。）若しくは種類株主総会において選任された取締役（監査等委員である取締役を除く。第四項において同じ。）を株主総会の決議によって解任することができる旨の定款の定めがある場合には、第四十一条第一項の規定により選任された設立時取締役の解任は、発起人の議決権の過半数をもって決定する。（平成二六法九〇本項改正）

③　前二項の場合には、発起人は、出資の履行をした種類の設立時発行株式一株につき一個の議決権を有する。ただし、単元株式数を定款で定めている場合には、一単元の種類の設立時発行株式につき一個の議決権を有する。

④　前項の規定にかかわらず、第二項の規定により設立時取締役を解任する場合において、取締役の全部又は一部の解任について議決権を行使することができないものと定められた種類の設立時発行株式を発行するときは、当該種類の設立時発行株式については、発起人は、当該取締役となる設立時取締役の解任についての議決権を行使することができない。

⑤　前各項の規定は、第四十一条第一項の規定により選任された設立時監査等委員である設立時取締役及び同条第三項において準用する同条第一項の規定により選任された設立時監査役の解任について準用する。この場合において、第一項及び第二項中「過半数」とあるのは、「三分の二以上に当たる多数」と読み替えるものとする。（平成二六法九〇本項改正）

参 ❶【設立時取締役→三八①　❷【種類株主総会による取締役の選任→一〇八①[九]　❸【出資の履行→三四【一株一議決権→三〇八①【単元株式数→二[二十]・一八八―一九五、三〇八①・九一一③[四]　❹【議決権制限株式→一〇八①[三]②[三]・一一五、九一一③[七]　❺【設立時監査役→三八②[二]

（設立時役員等の選任又は解任の効力についての特則）

第四五条①　株式会社の設立に際して第百八条第一項第八号に掲げる事項についての定めがある種類の株式を発行する場合において、当該種類の株式の内容として次の各号に掲げる事項について種類株主総会の決議があることを必要とする旨の定款の定めがあるときは、当該各号に定める事項は、定款の定めに従い、第四十条第一項又は第四十三条第一項の規定による決定のほか、当該種類の設立時発行株式を引き受けた発起人の議決権（当該種類の設立時発行株式についての議決権に限る。）の過半数をもってする決定がなければ、その効力を生じない。

一　取締役（監査等委員会設置会社の取締役を除く。）の全部又は一部の選任又は解任　当該取締役となる設立時取締役の選任又は解任（平成二六法九〇本号改正）

二　監査等委員である取締役又はそれ以外の取締役の全部又は一部の選任又は解任　これらの取締役となる設立時取締役の選任又は解任（平成二六法九〇本号追加）

三　会計参与の全部又は一部の選任又は解任　当該会計参与となる設立時会計参与の選任又は解任

四　監査役の全部又は一部の選任又は解任　当該監査役となる設立時監査役の選任又は解任

五　会計監査人の全部又は一部の選任又は解任　当該会計監査人となる設立時会計監査人の選任又は解任

②　前項の場合には、発起人は、出資の履行をした種類の設立時発行株式一株につき一個の議決権を有する。ただし、単元株式数を定款で定めている場合には、一単元の種類の設立時発行株式につき一個の議決権を有する。

参 ❶【議決権の過半数→商登四七③　[一]【設立時取締役→三八①　[三]【設立時会計参与→三八②[一]　[四]【設立時監査役→三八②[二]　[五]【設立時会計監査人→三八②[三]　❷【出資の履行→三四【一株一議決権→三〇八①【単元株式数→二[二十]・一八八―一九五、三〇八①・九一一③[四]

第五節　設立時取締役等による調査

第四六条①　設立時取締役（設立しようとする株式会社が監査役設置会社である場合にあっては、設立時取締役及び設立時監査役。以下この条において同じ。）は、その選任後遅滞なく、次に掲げる事項を調査しなければならない。

一　第三十三条第十項第一号又は第二号に掲げる場合における現物出資財産等（同号に掲げる場合にあっ

会社

ては、同号の有価証券に限る。）について定款に記載され、又は記録された価額が相当であること。
二　第三十三条第十項第三号に規定する証明が相当であること。
三　出資の履行が完了していること。
四　前三号に掲げる事項のほか、株式会社の設立の手続が法令又は定款に違反していないこと。

② 設立時取締役は、前項の規定による調査により、同項各号に掲げる事項について法令若しくは定款に違反し、又は不当な事項があると認めるときは、発起人にその旨を通知しなければならない。

③ 設立しようとする株式会社が指名委員会等設置会社である場合には、設立時取締役は、第一項の規定による調査を終了したときはその旨を、前項の規定による通知をしたときはその旨及びその内容を、設立時代表執行役（第四十八条第一項第三号に規定する設立時代表執行役をいう。）に通知しなければならない。（平成二六法九〇本項改正）

⊗❶【設立時取締役↓三八①・五二―五五【監査役設置会社↓二〔九〕【設立時監査役↓三八②〔三〕・五三―五五【調査報告↓商登四七②〔三〕イ【調査の終了↓九一一①〔一〕　〔二〕【変態設立事項につき検査役の調査を要しない場合↓三三⑩〔一〕〔二〕　〔三〕【変態設立事項に関する弁護士等の証明↓三三⑩〔三〕　〔三〕【出資の履行↓三四　❷【法令・定款違反等↓五二―五五【通知懈怠に対する制裁↓九七六〔一〕　❸【代表執行役への通知↓九一一①〔一〕

第六節　設立時代表取締役等の選定等

（設立時代表取締役の選定等）

第四七条① 設立時取締役は、設立しようとする株式会社が取締役会設置会社（指名委員会等設置会社を除く。）である場合には、設立時取締役（設立しようとする株式会社が監査等委員会設置会社である場合にあっては、設立時監査等委員である設立時取締役を除く。）の中から株式会社の設立に際して代表取締役（株式会社を代表する取締役をいう。以下同じ。）となる者（以下「設立時代表取締役」という。）を選定しなければならない。（平成二六法九〇本項改正）

② 設立時取締役は、株式会社の成立の時までの間、設立時代表取締役を解職することができる。

③ 前二項の規定による設立時代表取締役の選定及び解職は、設立時取締役の過半数をもって決定する。

⊗+【設立時取締役↓三八①　❶【設立時代表取締役↓九一一③〔十四〕、商登四七①②〔七〕　❷【会社の成立↓四九

（設立時委員の選定等）

第四八条① 設立しようとする株式会社が指名委員会等設置会社である場合には、設立時取締役は、次に掲げる措置をとらなければならない。
一　設立時取締役の中から次に掲げる者（次項において「設立時委員」という。）を選定すること。
イ　株式会社の設立に際して指名委員会の委員となる者
ロ　株式会社の設立に際して監査委員会の委員となる者
ハ　株式会社の設立に際して報酬委員会の委員となる者
二　株式会社の設立に際して執行役となる者（以下「設立時執行役」という。）を選任すること。
三　設立時執行役の中から株式会社の設立に際して代表執行役となる者（以下「設立時代表執行役」という。）を選定すること。ただし、設立時執行役が一人であるときは、その者が設立時代表執行役に選定されたものとする。

（平成二六法九〇本項改正）

② 設立時取締役は、株式会社の成立の時までの間、設立時委員若しくは設立時代表執行役を解職し、又は設立時執行役を解任することができる。

③ 前二項の規定による措置は、設立時取締役の過半数をもって決定する。

⊗+【設立時取締役↓三八①　❶〔一〕【指名委員会↓四〇四①【監査委員会↓四〇四②【報酬委員会↓四〇四③【委員の登記↓九一一③〔二十三〕ロ、商登四七②〔四〕　〔二〕【設立時執行役↓九一一③〔二十三〕ロ、商登四七②〔四〕　〔三〕【設立時代表執行役↓九一一③〔二十三〕ハ、商登四七①②〔四〕【変態設立事項に関する通知↓四六

③ ❷【会社の成立↓四九

第七節　株式会社の成立

（株式会社の成立）

第四九条　株式会社は、その本店の所在地において設立の登記をすることによって成立する。

⊗+【本店の所在地↓四⊗【設立の登記↓九一一、商登四七【成立の効果↓五一②・八二四①〔三〕・九七九①【成立の日における貸借対照表の作成↓四三五①【設立無効の訴えの提訴期間・提訴権者↓八二八①〔一〕②〔一〕

（株式の引受人の権利）

第五〇条① 発起人は、株式会社の成立の時に、出資の履行をした設立時発行株式の株主となる。

② 前項の規定により株主となる権利の譲渡は、成立後の株式会社に対抗することができない。

⊗❶【会社の成立↓四九・一〇二②【出資の履行↓三四【会社成立前の発起人の地位↓二六①・三二―四五・五七―六〇・六五　❷【株主となる権利の譲渡↓三五

（引受けの無効又は取消しの制限）

第五一条① 民法（明治二十九年法律第八十九号）第九十三条第一項ただし書及び第九十四条第一項の規定は、設立時発行株式の引受けに係る意思表示については、適用しない。

② 発起人は、株式会社の成立後は、錯誤、詐欺又は強迫を理由として設立時発行株式の引受けの取消しをすることができない。

（平成二九法四五本条改正）

⊗❶【設立時発行株式の引受け↓三二①〔一〕・三四①　❷【会社の成立↓四九【錯誤↓民九五、消費契約四①②【詐欺・強迫↓民九六、消費契約四①―④・七②　+【同旨の規定↓一〇二⑤⑥・二一一

第八節　発起人等の責任等

（平成二六法九〇節名改正）

（出資された財産等の価額が不足する場合の責任）

第五二条① 株式会社の成立の時における現物出資財産

等の価額が当該現物出資財産等について定款に記載され、又は記録された価額（定款の変更があった場合にあっては、変更後の価額）に著しく不足するときは、発起人及び設立時取締役は、当該株式会社に対し、連帯して、当該不足額を支払う義務を負う。

② 前項の規定にかかわらず、次に掲げる場合には、発起人（第二十八条第一号の財産を給付した者又は同条第二号の財産の譲渡人を除く。第二号において同じ。）及び設立時取締役は、現物出資財産等について同項の義務を負わない。

一　第二十八条第一号又は第二号に掲げる事項について第三十三条第二項の検査役の調査を経た場合

二　当該発起人又は設立時取締役がその職務を行うについて注意を怠らなかったことを証明した場合

③ 第一項に規定する場合には、第三十三条第十項第三号に規定する証明をした者（以下この項において「証明者」という。）は、第一項の義務を負う者と連帯して、同項の不足額を支払う義務を負う。ただし、当該証明者が当該証明をするについて注意を怠らなかったことを証明した場合は、この限りでない。

⊛+【財産価格塡補責任↓五三、五五、二一三　❶【会社の成立↓四九【現物出資財産等↓三三⑩㊀・二八㊂㊂　❶❷【発起人↓二七四㊄【設立時取締役↓三八①、四六　❷㊂【適用除外↓一〇三①

（出資の履行を仮装した場合の責任等）

第五二条の二① 発起人は、次の各号に掲げる場合には、株式会社に対し、当該各号に定める行為をする義務を負う。

一　第三十四条第一項の規定による払込みを仮装した場合　払込みを仮装した出資に係る金銭の全額の支払

二　第三十四条第一項の規定による給付を仮装した場合　給付を仮装した出資に係る金銭以外の財産の全部の給付（株式会社が当該給付に代えて当該財産の価額に相当する金銭の支払を請求した場合にあっては、当該金銭の全額の支払）

② 前項各号に掲げる場合には、発起人がその出資の履行を仮装することに関与した発起人又は設立時取締役として法務省令で定める者は、株式会社に対し、当該各号に規定する支払をする義務を負う。ただし、その者（当該出資の履行を仮装したものを除く。）がその職務を行うについて注意を怠らなかったことを証明した場合は、この限りでない。

③ 発起人が第一項各号に規定する支払をする義務を負う場合において、前項に規定する者が同項の義務を負うときは、これらの者は、連帯債務者とする。

④ 発起人は、第一項各号に掲げる場合には、当該各号に定める支払若しくは給付又は第二項の規定による支払がされた後でなければ、出資の履行を仮装した設立時発行株式について、設立時株主（第六十五条第一項に規定する設立時株主をいう。次項において同じ。）及び株主の権利を行使することができない。

⑤ 前項の設立時発行株式又はその株主となる権利を譲り受けた者は、当該設立時発行株式についての設立時株主及び株主の権利を行使することができる。ただし、その者に悪意又は重大な過失があるときは、この限りでない。

（平成二六法九〇本条追加）

⊛❶【払込みの仮装↓六四②、九六五、一〇二の二、二一三の二、二八六の二　❷【仮装払込関与者の責任↓一〇三②、二一三の三①、二八六の三①【省令で定める者↓会社則七の二　❹【株主となる時期↓五〇①　❺【株主となる権利の譲渡↓三五、五〇②

（発起人等の損害賠償責任）

第五三条① 発起人、設立時取締役又は設立時監査役は、株式会社の設立についてその任務を怠ったときは、当該株式会社に対し、これによって生じた損害を賠償する責任を負う。

② 発起人、設立時取締役又は設立時監査役がその職務を行うについて悪意又は重大な過失があったときは、当該発起人、設立時取締役又は設立時監査役は、これによって第三者に生じた損害を賠償する責任を負う。

⊛❶【会社に対する責任↓五四、五五、八四七、五四二、五四五　❶❷【発起人↓二七四㊄【設立時取締役↓三八①【設立時監査役↓三八②㊁　❷【第三者に対する責任↓五四、一〇三④【不法行為と対比↓民七〇九、七一九【不実目論見書等使用の責任↓金商一七、二一、二二

（発起人等の連帯責任）

第五四条　発起人、設立時取締役又は設立時監査役が株式会社又は第三者に生じた損害を賠償する責任を負う場合において、他の発起人、設立時取締役又は設立時監査役も当該損害を賠償する責任を負うときは、これらの者は、連帯債務者とする。

⊛+【責任の内容↓民四三六―四四五、五四五

（責任の免除）

第五五条　第五十二条第一項の規定により発起人又は設立時取締役の負う義務、第五十二条の二第一項の規定により発起人の負う義務、同条第二項の規定により発起人又は設立時取締役の負う義務及び第五十三条第一項の規定により発起人、設立時取締役又は設立時監査役の負う責任は、総株主の同意がなければ、免除することができない。（平成二六法九〇本条改正）

⊛+【総株主↓八四七【責任の免除↓四二四―四二八、五四三、五四四【適用除外↓八五〇④

（株式会社不成立の場合の責任）

第五六条　株式会社が成立しなかったときは、発起人は、連帯して、株式会社の設立に関してした行為についてその責任を負い、株式会社の設立に関して支出した費用を負担する。

⊛+【会社不成立となる場合↓三三⑧、九七、一〇〇②、六六、七三④、四九、九一一【連帯責任↓民四三六―四四五【組合員の分割責任と対比↓民六七四、六七五【擬似発起人の責任↓一〇三④

第九節　募集による設立

第一款　設立時発行株式を引き受ける者の募集

第五七条（設立時発行株式を引き受ける者の募集）① 発起人は、この款の定めるところにより、設立時発行株式を引き受ける者の募集をする旨を定めることができる。

② 発起人は、前項の募集をする旨を定めようとするときは、その全員の同意を得なければならない。

❶【設立時発行株式の引受人の募集→金商二①九・三―二六【株式取得の制限→独禁九②・一〇・一一・一四・一七 ❷【発起人全員の同意→商登四七③

第五八条（設立時募集株式に関する事項の決定）① 発起人は、前条第一項の募集をしようとするときは、その都度、設立時募集株式（同項の募集に応じて設立時発行株式の引受けの申込みをした者に対して割り当てる設立時発行株式をいう。以下この節において同じ。）について次に掲げる事項を定めなければならない。

一 設立時募集株式の数（設立しようとする株式会社が種類株式発行会社である場合にあっては、その種類及び種類ごとの数。以下この款において同じ。）

二 設立時募集株式の払込金額（設立時募集株式一株と引換えに払い込む金銭の額をいう。以下この款において同じ。）

三 設立時募集株式と引換えにする金銭の払込みの期日又はその期間

四 一定の日までに設立の登記がされない場合において、設立時募集株式の引受けの取消しをすることができることとするときは、その旨及びその一定の日

② 発起人は、前項各号に掲げる事項を定めようとするときは、その全員の同意を得なければならない。

③ 設立時募集株式の払込金額その他の前条第一項の募集の条件は、当該募集（設立しようとする株式会社が種類株式発行会社である場合にあっては、種類及び当該募集）ごとに、均等に定めなければならない。

❶【募集設立における通知→五九①㈢ 〔一〕【設立時募集株式の数→三七③ 〔三〕【払込期日・期間→六三③・六〇②・六五①・九五 〔四〕【設立の登記→四九・九一一③【引受けの取消し→九七・一〇〇② ❷【発起人全員の同意→商登四七③ ❸【募集条件の均等→一九九⑤

第五九条（設立時募集株式の申込み）① 発起人は、第五十七条第一項の募集に応じて設立時募集株式の引受けの申込みをしようとする者に対し、次に掲げる事項を通知しなければならない。

一 定款の認証の年月日及びその認証をした公証人の氏名

二 第二十七条各号、第二十八条各号、第三十二条第一項各号及び前条第一項各号に掲げる事項

三 発起人が出資した財産の価額

四 第六十三条第一項の規定による払込みの取扱いの場所

五 前各号に掲げるもののほか、法務省令で定める事項

② 発起人のうち出資の履行をしていないものがある場合には、発起人は、第三十六条第一項に規定する期日後でなければ、前項の規定による通知をすることができない。

③ 第五十七条第一項の募集に応じて設立時募集株式の引受けの申込みをする者は、次に掲げる事項を記載した書面を発起人に交付しなければならない。

一 申込みをする者の氏名又は名称及び住所

二 引き受けようとする設立時募集株式の数

④ 前項の申込みをする者は、同項の書面の交付に代えて、政令で定めるところにより、発起人の承諾を得て、同項の書面に記載すべき事項を電磁的方法により提供することができる。この場合において、当該申込みをした者は、同項の書面を交付したものとみなす。

⑤ 発起人は、第一項各号に掲げる事項について変更があったときは、直ちに、その旨及び当該変更があった事項を第三項の申込みをした者（以下この款において「申込者」という。）に通知しなければならない。

⑥ 発起人が申込者に対してする通知又は催告は、第三項第一号の住所（当該申込者が別に通知又は催告を受ける場所又は連絡先を発起人に通知した場合にあっては、その場所又は連絡先）にあてて発すれば足りる。

⑦ 前項の通知又は催告は、その通知又は催告が通常到達すべきであった時に、到達したものとみなす。

❶〔一〕【定款の認証→三〇 〔二〕【発起人が出資した財産の価額→二八㈠・三二①㈢・三三⑦・三四・三六 〔四〕【払込取扱機関→三四②・六四 〔五〕【省令で定める事項→会社則八 ❷【発起人の失権期日→三六① ❸【設立時募集株式→五八①【申込み→一〇二⑤、商登四七②㈡ 〔一〕【申込者の住所→六八⑤ 〔二〕【引受株式数→六〇①・六二㈠ ❼【到達→民九七 ＋【虚偽文書行使等の罪→九六四①【適用除外→六一

第六〇条（設立時募集株式の割当て）① 発起人は、申込者の中から設立時募集株式の割当てを受ける者を定め、かつ、その者に割り当てる設立時募集株式の数を定めなければならない。この場合において、発起人は、当該申込者に割り当てる設立時募集株式の数を、前条第三項第二号の数よりも減少することができる。

② 発起人は、第五十八条第一項第三号の期日（同号の期間を定めた場合にあっては、その期間の初日）の前日までに、申込者に対し、当該申込者に割り当てる設立時募集株式の数を通知しなければならない。

❶【申込者→五九⑤【設立時募集株式→五八①【割当て→一〇二⑤ ＋【適用除外→六一

第六一条（設立時募集株式の申込み及び割当てに関する特則） 前二条の規定は、設立時募集株式を引き受けようとする者がその総数の引受けを行う契約を締結する場合には、適用しない。

＋【設立時募集株式→五八①【総数引受契約→六二㈡・一〇二⑤

第六二条（設立時募集株式の引受け） 次の各号に掲げる者は、当該各号に定める設立時募集株式の数について設立時募集株式の引受人となる。

一 申込者 発起人の割り当てた設立時募集株式の数

二 前条の契約により設立時募集株式の総数を引き受けた者 その者が引き受けた設立時募集株式の数

+【設立時募集株式→五八①【設立時募集株式の引受人→一〇二②⑥【引受けに係る意思表示の取消し→九七、一〇〇②〔二〕【申込者→五九⑤

（設立時募集株式の払込金額の払込み）

第六三条① 設立時募集株式の引受人は、第五十八条第一項第三号の期日又は同号の期間内に、発起人が定めた銀行等の払込みの取扱いの場所において、それぞれの設立時募集株式の払込金額の全額の払込みを行わなければならない。

② 前項の規定による払込みをすることにより設立時発行株式の株主となる権利の譲渡は、成立後の株式会社に対抗することができない。

③ 設立時募集株式の引受人は、第一項の規定による払込みをしないときは、当該払込みをすることにより設立時募集株式の株主となる権利を失う。

❶【設立時募集株式の引受人→六二、一〇二②【払込取扱機関→五九①㈣、六四【株式の払込み→五八①㈢、六二【払込みの調査→九三①㈢　❷【株主となる権利の譲渡→三五、二〇八④　❸【引受人の失権→三六、二〇八⑤

（払込金の保管証明）

第六四条① 発起人は、第五十七条第一項の募集をした場合には、第三十四条第一項及び前条第一項の規定による払込みの取扱いをした銀行等に対し、これらの規定により払い込まれた金額に相当する金銭の保管に関する証明書の交付を請求することができる。

② 前項の証明書を交付した銀行等は、当該証明書の記載が事実と異なること又は第三十四条第一項若しくは前条第一項の規定により払い込まれた金銭の返還に関する制限があることをもって成立後の株式会社に対抗することができない。

❶【払込金保管証明書→商登四七②㈤　❷【預合いの罰則→九六五

第二款　創立総会等

（創立総会の招集）

第六五条① 第五十七条第一項の募集をする場合には、発起人は、第五十八条第一項第三号の期日又は同号の期間の末日のうち最も遅い日以後、遅滞なく、設立時株主（第五十条第一項又は第百二条第二項の規定により株式会社の株主となる者をいう。以下同じ。）の総会（以下「創立総会」という。）を招集しなければならない。

② 発起人は、前項に規定する場合において、必要があると認めるときは、いつでも、創立総会を招集することができる。

❶【創立総会→六六―一〇一、商登四七②㈨

（創立総会の権限）

第六六条 創立総会は、この節に規定する事項及び株式会社の設立の廃止、創立総会の終結その他株式会社の設立に関する事項に限り、決議をすることができる。

+【設立の廃止→七三③、五六【創立総会の終結→八〇【創立総会の権限→七三④、八八①、九四①【株主総会と対比→二九五

（創立総会の招集の決定）

第六七条① 発起人は、創立総会を招集する場合には、次に掲げる事項を定めなければならない。

一 創立総会の日時及び場所

二 創立総会の目的である事項

三 創立総会に出席しない設立時株主が書面によって議決権を行使することができることとするときは、その旨

四 創立総会に出席しない設立時株主が電磁的方法によって議決権を行使することができることとするときは、その旨

五 前各号に掲げるもののほか、法務省令で定める事項

② 発起人は、設立時株主（創立総会において決議をすることができる事項の全部につき議決権を行使することができない設立時株主を除く。次条から第七十一条までにおいて同じ。）の数が千人以上である場合には、前項第三号に掲げる事項を定めなければならない。

❶【決定事項の通知→六八④〔二〕【日時→九一一②㈠〔三〕【目的事項→七三④〔三〕【書面による議決権行使→七五、六八①②㈠、六九、七〇〔四〕【電磁的方法による議決権行使→七六、六八①②㈠、六九、七一〔五〕【省令で定める事項→会社則九　❷【議決権制限設立時株主→七二②　+【適用除外→八〇

（創立総会の招集の通知）

第六八条① 創立総会を招集するには、発起人は、創立総会の日の二週間（前条第一項第三号又は第四号に掲げる事項を定めたときを除き、設立しようとする株式会社が公開会社でない場合にあっては、一週間（当該設立しようとする株式会社が取締役会設置会社以外の株式会社である場合において、これを下回る期間を定款で定めた場合にあっては、その期間））前までに、設立時株主に対してその通知を発しなければならない。

② 次に掲げる場合には、前項の通知は、書面でしなければならない。

一 前条第一項第三号又は第四号に掲げる事項を定めた場合

二 設立しようとする株式会社が取締役会設置会社である場合

③ 発起人は、前項の書面による通知の発出に代えて、政令で定めるところにより、設立時株主の承諾を得て、電磁的方法により通知を発することができる。この場合において、当該発起人は、同項の書面による通知を発したものとみなす。

④ 前二項の通知には、前条第一項各号に掲げる事項を記載し、又は記録しなければならない。

⑤ 発起人が設立時株主に対してする通知又は催告は、第二十七条第五号又は第五十九条第三項第一号の住所（当該設立時株主が別に通知又は催告を受ける場所又は連絡先を発起人に通知した場合にあっては、その場所又は連絡先）にあてて発すれば足りる。

⑥ 前項の通知又は催告は、その通知又は催告が通常到達すべきであった時に、到達したものとみなす。

⑦ 前二項の規定は、第一項の通知に際して設立時株主に書面を交付し、又は当該書面に記載すべき事項を電

磁的方法により提供する場合について準用する。この場合において、前項中「到達したもの」とあるのは、「当該書面の交付又は当該事項の電磁的方法による提供があったもの」と読み替えるものとする。

参照 ❶【公開会社→二㈤】【設立時株主→六五①】【創立総会参考書類→七〇①・七一①】❸【承諾した設立時株主→七四④・七六②】【電磁的方法による通知→七〇②・七一②】❻【到達→民九七①】
＊【適用除外→八〇】

（招集手続の省略）

第六九条 前条の規定にかかわらず、創立総会は、設立時株主の全員の同意があるときは、招集の手続を経ることなく開催することができる。ただし、第六十七条第一項第三号又は第四号に掲げる事項を定めた場合は、この限りでない。

参照＊【設立時株主全員の同意を証する書面→商登四六①】

（創立総会参考書類及び議決権行使書面の交付等）

第七〇条① 発起人は、第六十七条第一項第三号に掲げる事項を定めた場合には、第六十八条第一項の通知に際して、法務省令で定めるところにより、設立時株主に対し、議決権の行使について参考となるべき事項を記載した書類（以下この款において「創立総会参考書類」という。）及び設立時株主が議決権を行使するための書面（以下この款において「議決権行使書面」という。）を交付しなければならない。

② 発起人は、第六十八条第三項の承諾をした設立時株主に対し同項の電磁的方法による通知を発するときは、前項の規定による創立総会参考書類及び議決権行使書面の交付に代えて、これらの書類に記載すべき事項を電磁的方法により提供することができる。ただし、設立時株主の請求があったときは、これらの書類を当該設立時株主に交付しなければならない。

参照＊【設立時株主→六五①】❶【省令の定め→会社則一〇・一一】

第七一条① 発起人は、第六十七条第一項第四号に掲げる事項を定めた場合には、第六十八条第一項の通知に際して、法務省令で定めるところにより、設立時株主に対し、創立総会参考書類を交付しなければならない。

② 発起人は、第六十八条第三項の承諾をした設立時株主に対し同項の電磁的方法による通知を発するときは、前項の規定による創立総会参考書類の交付に代えて、当該創立総会参考書類に記載すべき事項を電磁的方法により提供することができる。ただし、設立時株主の請求があったときは、創立総会参考書類を当該設立時株主に交付しなければならない。

③ 発起人は、第一項に規定する場合には、第六十八条第三項の承諾をした設立時株主に対する同項の電磁的方法による通知に際して、法務省令で定めるところにより、設立時株主に対し、議決権行使書面に記載すべき事項を当該電磁的方法により提供しなければならない。

④ 発起人は、第一項に規定する場合において、第六十八条第三項の承諾をしていない設立時株主から創立総会の日の一週間前までに議決権行使書面に記載すべき事項の電磁的方法による提供の請求があったときは、法務省令で定めるところにより、直ちに、当該設立時株主に対し、当該事項を電磁的方法により提供しなければならない。

参照＊【設立時株主→六五①】❶【省令の定め→会社則一〇】❸❹【省令の定め→会社則一一】

（議決権の数）

第七二条① 設立時株主（成立後の株式会社がその総株主の議決権の四分の一以上を有することその他の事由を通じて成立後の株式会社がその経営を実質的に支配することが可能となる関係にあるものとして法務省令で定める設立時株主を除く。）は、創立総会において、その引き受けた設立時発行株式一株につき一個の議決権を有する。ただし、単元株式数を定款で定めている場合には、一単元の設立時発行株式につき一個の議決権を有する。

② 設立しようとする株式会社が種類株式発行会社である場合において、株主総会において議決権を行使することができる事項について制限がある種類の設立時発行株式を発行するときは、創立総会において、設立時株主は、株主総会において議決権を行使することができる事項に相当する事項に限り、当該設立時発行株式について議決権を行使することができる。

③ 前項の規定にかかわらず、株式会社の設立の廃止については、設立時株主は、その引き受けた設立時発行株式について議決権を行使することができる。

参照❶【相互保有株式の議決権→三〇八①】【省令で定める設立時株主→会社則一二】【一株一議決権→三〇八①】【単元株式数→二㈩】【議決権数の例外→八九③・一八八―一九五・三〇八①・九一一③㈣】❷【議決権制限株式→一〇八①㈢②㈢・一一五・九一一③㈦】❸【設立廃止決議→六六】

（創立総会の決議）

第七三条① 創立総会の決議は、当該創立総会において議決権を行使することができる設立時株主の議決権の過半数であって、出席した当該設立時株主の議決権の三分の二以上に当たる多数をもって行う。

② 前項の規定にかかわらず、その発行する全部の株式の内容として譲渡による当該株式の取得について当該株式会社の承認を要する旨の定款の定めを設ける定款の変更を行う場合（設立しようとする株式会社が種類株式発行会社である場合を除く。）には、当該創立総会の決議は、当該創立総会において議決権を行使することができる設立時株主の半数以上であって、当該設立時株主の議決権の三分の二以上に当たる多数をもって行わなければならない。

③ 定款を変更してその発行する全部の株式の内容として第百七条第一項第三号に掲げる事項についての定款の定めを設け、又は当該事項についての定款の変更（当該事項についての定款の定めを廃止するものを除く。）をしようとする場合（設立しようとする株式会社が種類株式発行会社である場合を除く。）には、設立時株主全員の同意を得なければならない。

④ 創立総会は、第六十七条第一項第二号に掲げる事項

以外の事項については、決議をすることができない。ただし、定款の変更又は株式会社の設立の廃止については、この限りでない。

参+【創立総会の決議に対する訴え→八三〇・八三一】❶❷【決議方法→七二①・七四—七七【特別決議との対比→三〇九②【設立登記申請書への議事録の添付→商登四七②九 ❷【全部の株式を譲渡制限株式とすること→三〇九③三【種類株式発行会社→一〇〇① ❸【全部の株式を取得条項付株式とすること→二十九 参【種類株式発行会社である場合→九九三【設立時株主全員の同意→商登四六①、一一〇 ❹【創立総会の権限→六六・八八・九四①【定款の変更→九六—一〇一【設立の廃止→六六

参【延期・続行の決議→八〇

（議決権の代理行使）

第七四条① 設立時株主は、代理人によってその議決権を行使することができる。この場合においては、当該設立時株主又は代理人は、代理権を証明する書面を発起人に提出しなければならない。

② 前項の代理権の授与は、創立総会ごとにしなければならない。

③ 第一項の設立時株主又は代理人は、代理権を証明する書面の提出に代えて、政令で定めるところにより、発起人の承諾を得て、当該書面に記載すべき事項を電磁的方法により提供することができる。この場合において、当該設立時株主又は代理人は、当該書面を提出したものとみなす。

④ 設立時株主が第六十八条第三項の承諾をした者である場合には、発起人は、正当な理由がなければ、前項の承諾をすることを拒んではならない。

⑤ 発起人は、創立総会に出席することができる代理人の数を制限することができる。

⑥ 発起人（株式会社の成立後にあっては、当該株式会社。次条第三項及び第七十六条第四項において同じ。）は、創立総会の日から三箇月間、代理権を証明する書面及び第三項の電磁的方法により提供された事項が記録された電磁的記録を発起人が定めた場所（株式会社の成立後にあっては、その本店。次条第三項及び第七十六条第四項において同じ。）に備え置かなければならない。

⑦ 設立時株主（株式会社の成立後にあっては、その株主。次条第四項及び第七十六条第五項において同じ。）は、発起人が定めた時間（株式会社の成立後にあっては、その営業時間。次条第四項及び第七十六条第五項において同じ。）内は、いつでも、次に掲げる請求をすることができる。

一 代理権を証明する書面の閲覧又は謄写の請求

二 前項の電磁的記録に記録された事項を法務省令で定める方法により表示したものの閲覧又は謄写の請求

参❶【議決権の代理行使→三一〇 ❶❼【設立時株主→六五① ❷【創立総会ごと→八〇 ❺【代理人の数の制限→七七 ❻【本店→二七三【その他の書類の公示→三一①・七五③・七六④・八一②・八二②【懈怠に対する制裁→九七六四 ❼【違反に対する制裁→九七六四 【二】【省令で定める方法→会社則二二六

（書面による議決権の行使）

第七五条① 書面による議決権の行使は、議決権行使書面に必要な事項を記載し、法務省令で定める時までに当該議決権行使書面を発起人に提出して行う。

② 前項の規定により書面によって行使した議決権の数は、出席した設立時株主の議決権の数に算入する。

③ 発起人は、創立総会の日から三箇月間、第一項の規定により提出された議決権行使書面を発起人が定めた場所に備え置かなければならない。

④ 設立時株主は、発起人が定めた時間内は、いつでも、第一項の規定により提出された議決権行使書面の閲覧又は謄写の請求をすることができる。

参❶【書面投票→三一一【省令で定める時→会社則一三 ❷❹【設立時株主→六五① ❸【備置場所→七四⑥【懈怠に対する制裁→九七六四【その他の書類の公示→三一①・七四⑥・七六④・八一②・八二② ❹【違反に対する制裁→九七六四

（電磁的方法による議決権の行使）

第七六条① 電磁的方法による議決権の行使は、政令で定めるところにより、発起人の承諾を得て、法務省令で定める時までに議決権行使書面に記載すべき事項を、電磁的方法により当該発起人に提供して行う。

② 設立時株主が第六十八条第三項の承諾をした者である場合には、発起人は、正当な理由がなければ、前項の承諾をすることを拒んではならない。

③ 第一項の規定により電磁的方法によって行使した議決権の数は、出席した設立時株主の議決権の数に算入する。

④ 発起人は、創立総会の日から三箇月間、第一項の規定により提供された事項を記録した電磁的記録を発起人が定めた場所に備え置かなければならない。

⑤ 設立時株主は、発起人が定めた時間内は、いつでも、前項の電磁的記録に記録された事項を法務省令で定める方法により表示したものの閲覧又は謄写の請求をすることができる。

参❶【電磁的方法による議決権行使→三一二【省令で定める時→会社則一四 ❷❸❺【設立時株主→六五① ❹【備置場所→七四⑥【懈怠に対する制裁→九七六四【その他の書類の公示→三一①・七四⑥・七五③・八一②・八二② ❺【省令で定める方法→会社則二二六【違反に対する制裁→九七六四

（議決権の不統一行使）

第七七条① 設立時株主は、その有する議決権を統一しないで行使することができる。この場合においては、創立総会の日の三日前までに、発起人に対してその旨及びその理由を通知しなければならない。

② 発起人は、前項の設立時株主が他人のために設立時発行株式を引き受けた者でないときは、当該設立時株主が同項の規定によりその有する議決権を統一しないで行使することを拒むことができる。

参❶【議決権の不統一行使→三一三・七四⑤【会日より三日前通知→民九七① +【設立時株主→六五①

（発起人の説明義務）

第七八条 発起人は、創立総会において、設立時株主から特定の事項について説明を求められた場合には、当該事項について必要な説明をしなければならない。ただし、当該事項が創立総会の目的である事項に関しないものである場合、その説明をすることにより設立時

株主の共同の利益を著しく害する場合その他正当な理由がある場合として法務省令で定める場合は、この限りでない。

参【説明義務→三一四【設立時株主→六五①【説明をしなかった場合→八三一①[三]、九七六[九]【総会の目的である事項→六七①[三]・七三④【設立時株主の共同の利益→四三三②[三]【省令で定める場合→会社則一五【株主の権利の行使に関する贈収賄罪→九六八①[三]

（議長の権限）

第七九条① 創立総会の議長は、当該創立総会の秩序を維持し、議事を整理する。

② 創立総会の議長は、その命令に従わない者その他当該創立総会の秩序を乱す者を退場させることができる。

参【総会の議長→三一五

（延期又は続行の決議）

第八〇条 創立総会においてその延期又は続行について決議があった場合には、第六十七条及び第六十八条の規定は、適用しない。

参【延期・続行→三一七、会更一九八①

（議事録）

第八一条① 創立総会の議事については、法務省令で定めるところにより、議事録を作成しなければならない。

② 発起人（株式会社の成立後にあっては、当該株式会社。次条第二項において同じ。）は、創立総会の日から十年間、前項の議事録を発起人が定めた場所（株式会社の成立後にあっては、その本店。同条第二項において同じ。）に備え置かなければならない。

③ 設立時株主（株式会社の成立後にあっては、その株主及び債権者。次条第三項において同じ。）は、発起人が定めた時間（株式会社の成立後にあっては、その営業時間。同項において同じ。）内は、いつでも、次に掲げる請求をすることができる。

一 第一項の議事録が書面をもって作成されているときは、当該書面の閲覧又は謄写の請求

二 第一項の議事録が電磁的記録をもって作成されているときは、当該電磁的記録に記録された事項を法務省令で定める方法により表示したものの閲覧又は謄写の請求

④ 株式会社の成立後において、当該株式会社の親会社社員は、その権利を行使するため必要があるときは、裁判所の許可を得て、第一項の議事録について前項各号に掲げる請求をすることができる。

参❶【議事録→商登四七②[九]【不実記載等に対する制裁→九七六[七]【省令の定め→会社則一六 ❷【本店→二七[三]【その他の書類の公示→三一①・七四⑥・七五③・七六④・八二②【懈怠に対する制裁→九七六[四] ❸【設立時株主→六五① [二]【省令で定める方法→会社則二二六 ❸❹【違反に対する制裁→九七六[四] ❹【裁判所の許可→八六八②

（創立総会の決議の省略）

第八二条① 発起人が創立総会の目的である事項について提案をした場合において、当該提案につき設立時株主（当該事項について議決権を行使することができるものに限る。）の全員が書面又は電磁的記録により同意の意思表示をしたときは、当該提案を可決する旨の創立総会の決議があったものとみなす。

② 発起人は、前項の規定により創立総会の決議があったものとみなされた日から十年間、同項の書面又は電磁的記録を発起人が定めた場所に備え置かなければならない。

③ 設立時株主は、発起人が定めた時間内は、いつでも、次に掲げる請求をすることができる。

一 前項の書面の閲覧又は謄写の請求

二 前項の電磁的記録に記録された事項を法務省令で定める方法により表示したものの閲覧又は謄写の請求

④ 株式会社の成立後において、当該株式会社の親会社社員は、その権利を行使するため必要があるときは、裁判所の許可を得て、第二項の書面又は電磁的記録について前項各号に掲げる請求をすることができる。

参【電磁的記録→二六② ❶【創立総会の目的である事項→六七①[二]・七三④【書面の設立登記申請書への添付→商登四七④ ❶❸【設立時株主→六五① ❷【懈怠に対する制裁→九七六[四]【その他の書類の公示→三一①・七四⑥・七五③・七六④・八一② ❸[二]【省令で定める方法→会社則二二六 ❸❹【違反に対する制裁→九七六[四] ❹【裁判所の許可→八六八②

（創立総会への報告の省略）

第八三条 発起人が設立時株主の全員に対して創立総会に報告すべき事項を通知した場合において、当該事項を創立総会に報告することを要しないことにつき設立時株主の全員が書面又は電磁的記録により同意の意思表示をしたときは、当該事項の創立総会への報告があったものとみなす。

参【設立時株主→六五①【創立総会に報告すべき事項→八七【電磁的記録→二六②

（種類株主総会の決議を必要とする旨の定めがある場合）

第八四条 設立しようとする株式会社が種類株式発行会社である場合において、その設立に際して発行するある種類の株式の内容として、株主総会において決議すべき事項について、当該決議のほか、当該種類の株式の種類株主を構成員とする種類株主総会の決議があることを必要とする旨の定めがあるときは、当該事項は、その定款の定めの例に従い、創立総会の決議のほか、当該種類の設立時発行株式の設立時株主を構成員とする種類創立総会（ある種類の設立時発行株式の設立時種類株主（ある種類の設立時発行株式の設立時株主をいう。以下この節において同じ。）を構成員とする種類創立総会をいう。以下同じ。）の決議がなければ、その効力を生じない。ただし、当該種類創立総会において議決権を行使することができる設立時種類株主が存しない場合は、この限りでない。

参【種類株主の拒否権→一〇八①[四]【種類創立総会→八五・八六、商登四七②[九]

（種類創立総会の招集及び決議）

第八五条① 前条、第九十条第一項（同条第二項におい

て準用する場合を含む。）、第九十二条第一項（同条第四項において準用する場合を含む。）、第百条第一項又は第百一条第一項の規定により種類創立総会の決議をする場合には、発起人は、種類創立総会を招集しなければならない。

② 種類創立総会の決議は、当該種類創立総会において議決権を行使することができる設立時種類株主の議決権の過半数であって、出席した当該設立時種類株主の議決権の三分の二以上に当たる多数をもって行う。

③ 前項の規定にかかわらず、第百条第一項の決議は、同項に規定する種類創立総会において議決権を行使することができる設立時種類株主の半数以上であって、当該設立時種類株主の議決権の三分の二以上に当たる多数をもって行わなければならない。

㊟【種類創立総会↓八四、九一②㊂　❶【招集手続↓八六、六七―七一　❷【議決権↓八六、七二①、七四―七七【決議に対する訴え↓八三〇、八三一

（創立総会に関する規定の準用）

第八六条　第六十七条から第七十一条まで〈創立総会の招集等〉、第七十二条第一項〈議決権の数〉及び第七十四条から第八十二条まで〈議決権の行使、決議等〉の規定は、種類創立総会について準用する。この場合において、第六十七条第一項第三号及び第四号並びに第二項、第六十八条第一項及び第三項、第六十九条から第七十一条まで、第七十二条第一項、第七十四条第一項、第三項及び第四項、第七十五条第二項、第七十六条第二項及び第三項、第七十七条、第七十八条本文並びに第八十二条第一項中「設立時株主」とあるのは、「設立時種類株主（ある種類の設立時発行株式の設立時株主をいう。）」と読み替えるものとする。

㊟【種類創立総会↓八四、商登四七④

第三款　設立に関する事項の報告

第八七条①　発起人は、株式会社の設立に関する事項を創立総会に報告しなければならない。

② 発起人は、次の各号に掲げる場合には、当該各号に定める事項を記載し、又は記録した書面又は電磁的記録を創立総会に提出し、又は提供しなければならない。

一　定款に第二十八条各号に掲げる事項（第三十三条第十項各号に掲げる場合における当該各号に定める事項を除く。）の定めがある場合　第三十三条第二項の検査役の同条第四項の報告の内容

二　第三十三条第十項第三号に掲げる場合　同号に規定する証明の内容

㊟❶【報告の懈怠↓五三【罰則↓九六三①、九七六㊃【設立時取締役による報告↓九三②　❷【電磁的記録↓二六②

第四款　設立時取締役等の選任及び解任

（設立時取締役等の選任）

第八八条①　第五十七条第一項の募集をする場合には、設立時取締役、設立時会計参与、設立時監査役又は設立時会計監査人の選任は、創立総会の決議によって行わなければならない。

② 設立しようとする株式会社が監査等委員会設置会社である場合には、前項の規定による設立時取締役の選任は、設立時監査等委員である設立時取締役とそれ以外の設立時取締役とを区別してしなければならない。

（平成二六法九〇本項追加）

㊟【設立時取締役↓三八①、九〇①【設立時会計参与↓三八②㊀【設立時監査役↓三八②㊁、九〇②　❶【設立時会計監査人↓三八②㊂【創立総会の決議↓七三、八四、商登四七②㊈【発起設立における選任方法↓四〇、四一、四五　❷【監査等委員会設置会社↓二㊊の㊁【発起設立の場合↓三八②【取締役の場合↓三二九②

（累積投票による設立時取締役の選任）

第八九条①　創立総会の目的である事項が二人以上の設立時取締役（設立しようとする株式会社が監査等委員会設置会社である場合にあっては、設立時監査等委員である設立時取締役又はそれ以外の設立時取締役。以下この条において同じ。）の選任である場合には、設立時株主（設立時取締役の選任について議決権を行使することができる設立時株主に限る。以下この条において同じ。）は、定款に別段の定めがあるときを除き、発起人に対し、第三項から第五項までに規定するところにより設立時取締役を選任すべきことを請求することができる。（平成二六法九〇本項改正）

② 前項の規定による請求は、同項の創立総会の日の五日前までにしなければならない。

③ 第七十二条第一項の規定にかかわらず、第一項の規定による請求があった場合には、設立時株主は、その引き受けた設立時発行株式一株（単元株式数を定款で定めている場合にあっては、一単元の設立時発行株式）につき、当該創立総会において選任する設立時取締役の数と同数の議決権を有する。この場合においては、設立時株主は、一人のみに投票し、又は二人以上に投票して、その議決権を行使することができる。

④ 前項の場合には、投票の最多数を得た者から順次設立時取締役に選任されたものとする。

⑤ 前二項に定めるもののほか、第一項の規定による請求があった場合における設立時取締役の選任に関し必要な事項は、法務省令で定める。

㊟❶【創立総会の目的↓六七①㊁【設立時取締役↓三九①【設立時株主↓六五①　❹【最多数者の選任↓公選九五　❺【省令の定め↓会社則一八

（種類創立総会の決議による設立時取締役等の選任）

第九〇条①　第八十八条の規定にかかわらず、株式会社の設立に際して第百八条第一項第九号に掲げる事項（取締役（設立しようとする株式会社が監査等委員会設置会社である場合にあっては、監査等委員である取締役又はそれ以外の取締役）に関するものに限る。）についての定めがある種類の株式を発行する場合には、設立時取締役（設立しようとする株式会社が監査等委員会設置会社である場合にあっては、設立時監査等委員である設立時取締役又はそれ以外の設立時取締役）

は、同条第二項第九号に定める事項についての定款の定めの例に従い、当該種類の設立時発行株式の設立時種類株主を構成員とする種類創立総会の決議によって選任しなければならない。（平成二六法九〇本項改正）

② 前項の規定は、株式会社の設立に際して第百八条第一項第九号に掲げる事項（監査役に関するものに限る。）についての定めがある種類の株式を発行する場合について準用する。

参【種類創立総会の決議→八五②、商登四七②[九]　❶【取締役選任に関する種類株式→四一①　❷【監査役選任に関する種類株式→四一③

（設立時取締役等の解任）

第九一条　第八十八条の規定により選任された設立時取締役、設立時会計参与、設立時監査役又は設立時会計監査人は、株式会社の成立の時までの間、創立総会の決議によって解任することができる。

参【会社の成立→四九【創立総会の決議→七三①・八四・四三①

第九二条① 第九十条第一項の規定により選任された設立時取締役は、株式会社の成立の時までの間、その選任に係る種類の設立時発行株式の設立時種類株主を構成員とする種類創立総会の決議によって解任することができる。

② 前項の規定にかかわらず、第四十一条第一項の規定により又は種類創立総会若しくは種類株主総会において選任された取締役を株主総会の決議によって解任することができる旨の定款の定めがある場合には、第九十条第一項の規定により選任された設立時取締役は、株式会社の成立の時までの間、創立総会の決議によって解任することができる。

③ 設立しようとする株式会社が監査等委員会設置会社である場合における前項の規定の適用については、同項中「取締役を」とあるのは「監査等委員である取締役又はそれ以外の取締役を」と、「設立時取締役」とあるのは「設立時監査等委員である設立時取締役又はそれ以外の設立時取締役」とする。（平成二六法九〇本項追加）

④ 第一項及び第二項の規定は、第九十条第二項において準用する同条第一項の規定により選任された設立時監査役について準用する。

参❶【会社の成立→四九【種類創立総会の決議→八五②・四四①　❷【創立総会の決議→七三①・八四・四四②　❸【監査等委員会設置会社→二[十一の二]【設立時監査等委員→三八②

第五款　設立時取締役等による調査

（設立時取締役等による調査）

第九三条① 設立時取締役（設立しようとする株式会社が監査役設置会社である場合にあっては、設立時取締役及び設立時監査役。以下この条において同じ。）は、その選任後遅滞なく、次に掲げる事項を調査しなければならない。

一 第三十三条第十項第一号又は第二号に掲げる場合における現物出資財産等（同号に掲げる場合にあっては、同号の有価証券に限る。）について定款に記載され、又は記録された価額が相当であること。

二 第三十三条第十項第三号に規定する証明が相当であること。

三 発起人による出資の履行及び第六十三条第一項の規定による払込みが完了していること。

四 前三号に掲げる事項のほか、株式会社の設立の手続が法令又は定款に違反していないこと。

② 設立時取締役は、前項の規定による調査の結果を創立総会に報告しなければならない。

③ 設立時取締役は、創立総会において、設立時株主から第一項の規定による調査に関する事項について説明を求められた場合には、当該事項について必要な説明をしなければならない。

参❶【設立時取締役→三八①・五二・五三・一〇三【監査役設置会社→二[九]【設立時監査役→三八②[三]・五三―五五【調査報告→商登四七②[三]イ【創立総会による調査者の選任→九四①【[一]【変態設立事項につき検査役の調査を要しない場合→三三⑩[一][二]【[二]【変態設立事項に関する弁護士等の証明→三三⑩[三]【[三]【発起人による出資の履行→三四　❷【報告の懈怠→五三【罰則→九六三①・九七六[四]　❸【説明の懈怠に対する制裁→九七六[九]

（設立時取締役等が発起人である場合の特則）

第九四条① 設立時取締役（設立しようとする株式会社が監査役設置会社である場合にあっては、設立時取締役及び設立時監査役）の全部又は一部が発起人である場合には、創立総会においては、その決議によって、前条第一項各号に掲げる事項を調査する者を選任することができる。

② 前項の規定により選任された者は、必要な調査を行い、当該調査の結果を創立総会に報告しなければならない。

参【検査役の選任→三一六・三五八【会社財産を危うくする罪→九六三④　❶【設立時取締役→三八①【監査役設置会社→二[九]【設立時監査役→三八②[三]【創立総会の決議→七三・八四

第六款　定款の変更

（発起人による定款の変更の禁止）

第九五条　発起人は、第五十七条第一項の募集をする場合には、第五十八条第一項第三号の期日又は同号の期間の初日のうち最も早い日以後は、第三十三条第九項並びに第三十七条第一項及び第二項の規定にかかわらず、定款の変更をすることができない。

参【変態設立事項に関する定款変更→三三⑨・九七【発行可能株式総数に関する定款変更→三七①②・九八

（創立総会における定款の変更）

第九六条　第三十条第二項の規定にかかわらず、創立総会においては、その決議によって、定款の変更をすることができる。

参【創立総会の決議→七三、商登四七②[九]

（設立時発行株式の引受けの取消し）

第九七条　創立総会において、第二十八条各号に掲げる事項を変更する定款の変更の決議をした場合には、当該創立総会においてその変更に反対した設立時株主は、当該決議後二週間以内に限り、その設立時発行株式の引受けに係る意思表示を取り消すことができる。

参【設立時株主↓六五①【設立時発行株式の引受けに係る意思表示↓五九③④・六〇・六二【決議の日↓九一②[三]

（創立総会の決議による発行可能株式総数の定め）

第九八条　第五十七条第一項の募集をする場合において、発行可能株式総数を定款で定めていないときは、株式会社の成立の時までに、創立総会の決議によって、定款を変更して発行可能株式総数の定めを設けなければならない。

参【発行可能株式総数↓三七【会社の成立↓四九【創立総会の決議↓七三①、商登四七②[九]

（定款の変更の手続の特則）

第九九条　設立しようとする会社が種類株式発行会社である場合において、次の各号に掲げるときは、当該各号の種類の設立時発行株式の設立時種類株主全員の同意を得なければならない。

一　ある種類の株式の内容として第百八条第一項第六号に掲げる事項についての定款の定めを設け、又は当該事項についての定款の変更（当該事項についての定款の定めを廃止するものを除く。）をしようとするとき。

二　ある種類の株式について第三百二十二条第二項の規定による定款の定めを設けようとするとき。

参【種類株式発行会社↓二[十三]【設立時種類株主↓八四【同意があったことを証する書面↓商登四六①　【一】【取得条項付株式↓二[十九]　【二】【種類株主総会の排除↓三二二②

第一〇〇条①　設立しようとする株式会社が種類株式発行会社である場合において、定款を変更してある種類の株式の内容として第百八条第一項第四号又は第七号に掲げる事項についての定款の定めを設けるときは、当該定款の変更は、次に掲げる設立時種類株主を構成員とする種類創立総会（当該設立時種類株主に係る設立時発行株式の種類が二以上ある場合にあっては、当該二以上の設立時発行株式の種類別に区分された設立時種類株主を構成員とする各種類創立総会。以下この条において同じ。）の決議がなければ、その効力を生じない。ただし、当該種類創立総会において議決権を行使することができる設立時種類株主が存しない場合は、この限りでない。

一　当該種類の設立時発行株式の設立時種類株主

二　第百八条第二項第五号ロの他の株式を当該種類の株式とする定めがある取得請求権付株式の設立時種類株主

三　第百八条第二項第六号ロの他の株式を当該種類の株式とする定めがある取得条項付株式の設立時種類株主

②　前項に規定する種類創立総会において当該定款の変更に反対した設立時種類株主は、当該種類創立総会の決議後二週間以内に限り、その設立時発行株式の引受けに係る意思表示を取り消すことができる。

参❶【種類株式発行会社↓二[十三]【設立時種類株主↓八四【種類創立総会の決議↓八五③、商登四七②[九]、九一②[四]　❷【設立時発行株式の引受けに係る意思表示↓五九③④・六〇・六二

第一〇一条①　設立しようとする株式会社が種類株式発行会社である場合において、次に掲げる事項についての定款の変更をすることにより、ある種類の設立時発行株式の設立時種類株主に損害を及ぼすおそれがあるときは、当該定款の変更は、当該種類の設立時発行株式の設立時種類株主を構成員とする種類創立総会（当該設立時種類株主に係る設立時発行株式の種類が二以上ある場合にあっては、当該二以上の設立時発行株式の種類別に区分された設立時種類株主を構成員とする各種類創立総会）の決議がなければ、その効力を生じない。ただし、当該種類創立総会において議決権を行使することができる設立時種類株主が存しない場合は、この限りでない。

一　株式の種類の追加

二　株式の内容の変更

三　発行可能株式総数又は発行可能種類株式総数（株式会社が発行することができる一の種類の株式の総数をいう。以下同じ。）の増加

②　前項の規定は、単元株式数についての定款の変更であって、当該定款の変更について第三百二十二条第二項の規定による定款の定めがある場合における当該種類の設立時発行株式の設立時種類株主を構成員とする種類創立総会については、適用しない。

参❶【設立時種類株主↓八四【種類創立総会の決議↓八五②・九一②[五]、商登四七②[九]　❷【単元株式数↓二[二十]・一八八

第七款　設立手続等の特則等

（設立手続等の特則）

第一〇二条①　設立時募集株式の引受人は、発起人が定めた時間内は、いつでも、第三十一条第二項各号に掲げる請求をすることができる。ただし、同項第二号又は第四号に掲げる請求をするには、発起人の定めた費用を支払わなければならない。

②　設立時募集株式の引受人は、株式会社の成立の時に、第六十三条第一項の規定による払込みを行った設立時発行株式の株主となる。

③　設立時募集株式の引受人は、第六十三条第一項の規定による払込みを仮装した場合には、次条第一項又は第百三条第二項の規定による支払がされた後でなければ、払込みを仮装した設立時発行株式について、設立時株主及び株主の権利を行使することができない。（平成二六法九〇本項追加）

④　前項の設立時発行株式又はその株主となる権利を譲り受けた者は、当該設立時発行株式についての設立時株主及び株主の権利を行使することができる。ただし、その者に悪意又は重大な過失があるときは、この限りでない。（平成二六法九〇本項追加）

⑤　民法第九十三条第一項ただし書及び第九十四条第一項の規定は、設立時募集株式の引受けの申込み及び割当て並びに第六十一条の契約に係る意思表示については、適用しない。（平成二九法四五本項改正）

⑥　設立時募集株式の引受人は、株式会社の成立後又は創立総会若しくは種類創立総会においてその議決権を

行使した後は、錯誤、詐欺又は強迫を理由として設立時発行株式の引受けの取消しをすることができない。

（平成二九法四五本項改正）

❶❸❻【設立時募集株式の引受人↓六二　❷❻【会社の成立↓四九　❸【仮装払込人の権利の制限↓二〇九②・二八二②　❹【株主となる権利の譲渡↓六三②【仮装払込みに係る株式の譲渡↓二〇九③・二八二③　❺【設立時募集株式の引受けの申込み↓五九③④【設立時募集株式の割当て↓六〇①　❺❻【同旨の規定↓五一・二一一　❻【錯誤↓民九五、消費契約四①②【詐欺・強迫↓民九六、消費契約四①―④・七②、特定商取引九―九の三・一五の三・二四―二四の三・二六②

（払込みを仮装した設立時募集株式の引受人の責任）

第一〇二条の二①　設立時募集株式の引受人は、前条第三項に規定する場合には、株式会社に対し、払込みを仮装した払込金額の全額の支払をする義務を負う。

②　前項の規定により設立時募集株式の引受人の負う義務は、総株主の同意がなければ、免除することができない。

（平成二六法九〇本条追加）

❶【仮装払込みをした者の責任↓五二の二①・二一三の二・二八六の二

（発起人の責任等）

第一〇三条①　第五十七条第一項の募集をした場合における第五十二条第二項の規定の適用については、同項中「次に」とあるのは、「第一号に」とする。

②　第百二条第三項に規定する場合には、払込みを仮装することに関与した発起人又は設立時取締役として法務省令で定める者は、株式会社に対し、前条第一項の引受人と連帯して、同項に規定する支払をする義務を負う。ただし、その者（当該払込みを仮装したものを除く。）がその職務を行うについて注意を怠らなかったことを証明した場合は、この限りでない。（平成二六法九〇本項追加）

③　前項の規定により発起人又は設立時取締役の負う義務は、総株主の同意がなければ、免除することができない。（平成二六法九〇本項追加）

④　第五十七条第一項の募集をした場合において、当該募集の広告その他当該募集に関する書面又は電磁的記録に自己の氏名又は名称及び株式会社の設立を賛助する旨を記載し、又は記録することを承諾した者（発起人を除く。）は、発起人とみなして、前節及び前三項の規定を適用する。（平成二六法九〇本項改正）

❶【財産価格塡補責任↓五二の二②・二一三の三①・二八六の三①　❷【仮装払込関与者の責任↓五二の二②㈡【省令で定める者↓会社則一八の二　❹【募集に関する書面・電磁的記録↓五九①、金商二⑩【発起人の責任↓五二―五六【虚偽文書行使等の制裁↓九六四①

第二章　株式

第一節　総則

（株主の責任）

第一〇四条　株主の責任は、その有する株式の引受価額を限度とする。

+【株主の有限責任↓二二二【持分会社の有限責任社員と対比↓五八〇②【引受価額↓二八㈢・三二①㈢・五八①㈢・六二・一九九①㈢・二〇六【払込みの時期↓三四・六三・二〇八

（株主の権利）

第一〇五条①　株主は、その有する株式につき次に掲げる権利その他この法律の規定により認められた権利を有する。

一　剰余金の配当を受ける権利

二　残余財産の分配を受ける権利

三　株主総会における議決権

②　株主に前項第一号及び第二号に掲げる権利の全部を与えない旨の定款の定めは、その効力を有しない。

❶【属人的な権利の定め↓一〇九②　【㈠】【剰余金の額↓四四六【剰余金の配当↓四五三　【㈡】【残余財産の分配↓五〇四・五〇五　【㈢】【株主総会における議決権↓三〇八　❷【剰余金の配当に関する種類株式↓一〇八①㈠②㈠③【残余財産の分配に関する種類株式↓一〇八①㈡②㈡【議決権制限株式↓一〇八①㈢②㈢

（共有者による権利の行使）

第一〇六条　株式が二以上の者の共有に属するときは、共有者は、当該株式についての権利を行使する者一人を定め、株式会社に対し、その者の氏名又は名称を通知しなければ、当該株式についての権利を行使することができない。ただし、株式会社が当該権利を行使することに同意した場合は、この限りでない。

+【共有↓民二六四・二四九―二六二【株式についての権利↓一〇五・一二六③④【通知↓民九七①

（株式の内容についての特別の定め）

第一〇七条①　株式会社は、その発行する全部の株式の内容として次に掲げる事項を定めることができる。

一　譲渡による当該株式の取得について当該株式会社の承認を要すること。

二　当該株式について、株主が当該株式会社に対してその取得を請求することができること。

三　当該株式について、当該株式会社が一定の事由が生じたことを条件としてこれを取得することができること。

②　株式会社は、全部の株式の内容として次の各号に掲げる事項を定めるときは、当該各号に定める事項を定款で定めなければならない。

一　譲渡による当該株式の取得について当該株式会社の承認を要すること　次に掲げる事項

イ　当該株式を譲渡により取得することについて当該株式会社の承認を要する旨

ロ　一定の場合においては株式会社が第百三十六条又は第百三十七条第一項の承認をしたものとみなすときは、その旨及び当該一定の場合

二　当該株式について、株主が当該株式会社に対してその取得を請求することができること　次に掲げる事項

イ　株主が当該株式会社に対して当該株主の有する株式を取得することを請求することができる旨

ロ　イの株式一株を取得するのと引換えに当該株主に対して当該株式会社の社債（新株予約権付社債

についてのものを除く。）を交付するときは、当該社債の種類（第六百八十一条第一号に規定する種類をいう。以下この編において同じ。）及び種類ごとの各社債の金額の合計額又はその算定方法
ハ　イの株式一株を取得するのと引換えに当該株主に対して当該株式会社の新株予約権（新株予約権付社債に付されたものを除く。）を交付するときは、当該新株予約権の内容及び数又はその算定方法
ニ　イの株式一株を取得するのと引換えに当該株主に対して当該株式会社の新株予約権付社債を交付するときは、当該新株予約権付社債についてのロに規定する事項及び当該新株予約権付社債に付された新株予約権についてのハに規定する事項
ホ　イの株式一株を取得するのと引換えに当該株主に対して当該株式会社の株式等（株式、社債及び新株予約権をいう。以下同じ。）以外の財産を交付するときは、当該財産の内容及び数若しくは額又はこれらの算定方法
ヘ　株主が当該株式会社に対して当該株式を取得することを請求することができる期間
三　当該株式について、当該株式会社が一定の事由が生じたことを条件としてこれを取得することができること　次に掲げる事項
イ　一定の事由が生じた日に当該株式会社がその株式を取得する旨及びその事由
ロ　当該株式会社が別に定める日が到来することをもってイの事由とするときは、その旨
ハ　イの事由が生じた日にイの株式の一部を取得することとするときは、その旨及び取得する株式の一部の決定の方法
ニ　イの株式一株を取得するのと引換えに当該株主に対して当該株式会社の社債（新株予約権付社債についてのものを除く。）を交付するときは、当該社債の種類及び種類ごとの各社債の金額の合計額又はその算定方法
ホ　イの株式一株を取得するのと引換えに当該株主に対して当該株式会社の新株予約権（新株予約権付社債に付されたものを除く。）を交付するときは、当該新株予約権の内容及び数又はその算定方法
ヘ　イの株式一株を取得するのと引換えに当該株主に対して当該株式会社の新株予約権付社債を交付するときは、当該新株予約権付社債についてのニに規定する事項及び当該新株予約権付社債に付された新株予約権についてのホに規定する事項
ト　イの株式一株を取得するのと引換えに当該株主に対して当該株式会社の株式等以外の財産を交付するときは、当該財産の内容及び数若しくは額又はこれらの算定方法

⊛+【株式の内容↓九一一③〔七〕　❶【一】【譲渡制限株式↓二〔十七〕・一三四・一三六―一四五・二〔五〕　【二】【取得請求権付株式↓二〔十八〕・一六六・一六七　【三】【取得条項付株式↓二〔十九〕・一六八―一七〇　❷【一】【定款変更の方法↓七三②・三〇九③〔三〕【定款変更の際の株券の提出↓二一九①〔一〕【定款変更と役員の任期↓三三二⑦〔三〕・三三六④〔四〕【反対株主の株式買取請求権↓一一六①〔二〕【新株予約権買取請求↓一一八①〔二〕【登記↓商登六二【会社の承認↓一三六―一四五　【二】【効力の発生↓一六七【二】〔ロ〕【社債↓六七六―七四二【新株予約権・新株予約権付社債↓二三六―二九四　【三】【定款の定め↓一六八①・一六九②【定款変更の方法↓七三③・一一〇【別に定める日↓一六八①【一部の決定↓一六九②【効力の発生↓一七〇

（異なる種類の株式）
第一〇八条①　株式会社は、次に掲げる事項について異なる定めをした内容の異なる二以上の種類の株式を発行することができる。ただし、指名委員会等設置会社及び公開会社は、第九号に掲げる事項についての定めがある種類の株式を発行することができない。
一　剰余金の配当
二　残余財産の分配
三　株主総会において議決権を行使することができる事項
四　譲渡による当該種類の株式の取得について当該株式会社の承認を要すること。
五　当該種類の株式について、株主が当該株式会社に対してその取得を請求することができること。
六　当該種類の株式について、当該株式会社が一定の事由が生じたことを条件としてこれを取得することができること。
七　当該種類の株式について、当該株式会社が株主総会の決議によってその全部を取得すること。
八　株主総会（取締役会設置会社にあっては株主総会又は取締役会、清算人会設置会社（第四百七十八条第八項に規定する清算人会設置会社をいう。以下この条において同じ。）にあっては株主総会又は清算人会）において決議すべき事項のうち、当該決議のほか、当該種類の株式の種類株主を構成員とする種類株主総会の決議があることを必要とするもの
九　当該種類の株式の種類株主を構成員とする種類株主総会において取締役（監査等委員会設置会社にあっては、監査等委員である取締役又はそれ以外の取締役。次項第九号及び第百十二条第一項において同じ。）又は監査役を選任すること。
（平成二六法九〇本項改正）
②　株式会社は、次の各号に掲げる事項について内容の異なる二以上の種類の株式を発行する場合には、当該各号に定める事項及び発行可能種類株式総数を定款で定めなければならない。
一　剰余金の配当　当該種類の株主に交付する配当財産の価額の決定の方法、剰余金の配当をする条件その他剰余金の配当に関する取扱いの内容
二　残余財産の分配　当該種類の株主に交付する残余財産の価額の決定の方法、当該残余財産の種類その他残余財産の分配に関する取扱いの内容
三　株主総会において議決権を行使することができる事項　次に掲げる事項
イ　株主総会において議決権を行使することができる事項
ロ　当該種類の株式につき議決権の行使の条件を定

めるときは、その条件

四　譲渡による当該種類の株式の取得について当該株式会社の承認を要すること　当該種類の株式についての前条第二項第一号に定める事項

五　当該種類の株式について、株主が当該株式会社に対してその取得を請求することができること　次に掲げる事項

イ　当該種類の株式についての前条第二項第二号に定める事項

ロ　当該種類の株式一株を取得するのと引換えに当該株主に対して当該株式会社の他の株式を交付するときは、当該他の株式の種類及び種類ごとの数又はその算定方法

六　当該種類の株式について、当該株式会社が一定の事由が生じたことを条件としてこれを取得することができること　次に掲げる事項

イ　当該種類の株式についての前条第二項第三号に定める事項

ロ　当該種類の株式一株を取得するのと引換えに当該株主に対して当該株式会社の他の株式を交付するときは、当該他の株式の種類及び種類ごとの数又はその算定方法

七　当該種類の株式について、当該株式会社が株主総会の決議によってその全部を取得すること　次に掲げる事項

イ　第百七十一条第一項第一号に規定する取得対価の価額の決定の方法

ロ　当該株主総会の決議をすることができるか否かについての条件を定めるときは、その条件

八　株主総会（取締役会設置会社にあっては株主総会又は取締役会、清算人会設置会社にあっては株主総会又は清算人会）において決議すべき事項のうち、当該決議のほか、当該種類の株式の種類株主を構成員とする種類株主総会の決議があることを必要とするもの　次に掲げる事項

イ　当該種類株主総会の決議があることを必要とする事項

ロ　当該種類株主総会の決議を必要とする条件を定めるときは、その条件

九　当該種類の株式の種類株主を構成員とする種類株主総会において取締役又は監査役を選任すること　次に掲げる事項

イ　当該種類株主を構成員とする種類株主総会において取締役又は監査役を選任すること及び選任する取締役又は監査役の数

ロ　イの定めにより選任することができる取締役又は監査役の全部又は一部を他の種類株主と共同して選任することとするときは、当該他の種類株主の有する株式の種類及び共同して選任する取締役又は監査役の数

ハ　イ又はロに掲げる事項を変更する条件があるときは、その条件及びその条件が成就した場合における変更後のイ又はロに掲げる事項

ニ　イからハまでに掲げるもののほか、法務省令で定める事項

③　前項の規定にかかわらず、同項各号に定める事項（剰余金の配当について内容の異なる種類の種類株主が配当を受けることができる額その他法務省令で定める事項に限る。）の全部又は一部については、当該種類の株式を初めて発行する時までに、株主総会（取締役会設置会社にあっては株主総会又は取締役会、清算人会設置会社にあっては株主総会又は清算人会）の決議によって定める旨を定款で定めることができる。この場合においては、その内容の要綱を定款で定めなければならない。

参＋【株式の内容↓九一一③〔七〕・一〇九①③　❶〔一〕【剰余金の配当↓四五三—四六五〔二〕【残余財産の分配↓五〇四・五〇五⑤・七二②・一一五〔三〕【株主総会における議決権の行使↓三〇八—三一三・四〇三⑤〔四〕【譲渡制限種類株式↓二〔十七〕・一三四・一三六—一四五・二一九①〔一〕、商登六二〔五〕【取得請求権付種類株式↓二〔十八〕・一六六・一六七・一一一②〔一〕〔六〕【取得条項付種類株式↓二〔十九〕・一六八—一七〇・一一一②〔二〕〔七〕【全部取得条項付種類株式↓一七一—一七三の二・三〇九②〔三〕〔八〕【拒否権付種類株式↓四五・八四・三二三〔九〕【種類株主総会による取締役・監査役の選任↓四一・九〇・三四七・一一二　❷【発行可能種類株式総数↓九一一③〔七〕・三二二①〔一〕ハ【定款の定め↓三二二①〔一〕ロ〔一〕【剰余金の配当に関する取扱いの内容↓四五四②〔二〕【残余財産の分配に関する取扱いの内容↓五〇四②〔四〕【会社の承認↓一三六—一四五・一一一②【定款変更に反対する株主の株式買取請求権↓一一六①〔二〕【新株予約権買取請求↓一一八①〔二〕〔五〕【会社に対する取得請求↓一六六①【効力の発生↓一六七【定款の別段の定め↓一六七③〔六〕【会社による取得↓一六八①・一六九①・一一一①〔七〕【総会決議による全部取得↓一七一①・一一一②【定款変更に反対する株主の株式買取請求権↓一一六①〔二〕【新株予約権買取請求↓一一八①〔二〕〔九〕【種類株主総会による選任↓三四七【省令で定める事項↓会社則一九　❸【省令で定める事項↓会社則二〇【要綱を定めた場合の具体的内容の決定↓三二二②

（株主の平等）

第一〇九条①　株式会社は、株主を、その有する株式の内容及び数に応じて、平等に取り扱わなければならない。

②　前項の規定にかかわらず、公開会社でない株式会社は、第百五条第一項各号に掲げる権利に関する事項について、株主ごとに異なる取扱いを行う旨を定款で定めることができる。

③　前項の規定による定款の定めがある場合には、同項の株主が有する株式を同項の権利に関する事項について内容の異なる種類の株式とみなして、この編及び第五編の規定を適用する。

参❶【株式の内容↓一〇八①【株式の数による権利の制限↓一八九①②　❷【定款変更の要件↓三〇九④

（定款の変更の手続の特則）

第一一〇条　定款を変更してその発行する全部の株式の内容として第百七条第一項第三号に掲げる事項についての定款の定めを設け、又は当該事項についての定款の変更（当該事項についての定款の定めを廃止するものを除く。）をしようとする場合（株式会社が種類株式発行会社である場合を除く。）には、株主全員の同意を得なければならない。

参＋【株主全員の同意↓商登四六①

第一一一条① 種類株式発行会社がある種類の株式の発行後に定款を変更して当該種類の株式の内容として第百八条第一項第六号に掲げる事項についての定款の定めを設け、又は当該事項についての定款の変更（当該事項についての定款の定めを廃止するものを除く。）をしようとするときは、当該種類の株式を有する株主全員の同意を得なければならない。

② 種類株式発行会社がある種類の株式の内容として第百八条第一項第四号又は第七号に掲げる事項についての定款の定めを設ける場合には、当該定款の変更は、次に掲げる種類株主を構成員とする種類株主総会（当該種類株主に係る株式の種類が二以上ある場合にあっては、当該二以上の株式の種類別に区分された種類株主を構成員とする各種類株主総会。以下この条において同じ。）の決議がなければ、その効力を生じない。ただし、当該種類株主総会において議決権を行使することができる種類株主が存しない場合は、この限りでない。

一 当該種類の株式の種類株主

二 第百八条第二項第五号ロの他の株式を当該種類の株式とする定めがある取得請求権付株式の種類株主

三 第百八条第二項第六号ロの他の株式を当該種類の株式とする定めがある取得条項付株式の種類株主

参❶【株主全員の同意→商登四六① ❷【種類株主総会の決議→三二四②[一]③[一]、商登四六②【議決権を行使できる種類株主→三二二①参

（取締役の選任等に関する種類株式の定款の定めの廃止の特則）

第一一二条① 第百八条第二項第九号に掲げる事項（取締役に関するものに限る。）についての定款の定めは、この法律又は定款で定めた取締役の員数を欠いた場合において、そのために当該員数に足りる数の取締役を選任することができないときは、廃止されたものとみなす。

② 前項の規定は、第百八条第二項第九号に掲げる事項（監査役に関するものに限る。）についての定款の定めについて準用する。

参+【その定款の定めのため取締役等を選任できない場合→一〇八①[五]—[七]

（発行可能株式総数）

第一一三条① 株式会社は、定款を変更して発行可能株式総数についての定めを廃止することができない。

② 定款を変更して発行可能株式総数を減少するときは、変更後の発行可能株式総数は、当該定款の変更が効力を生じた時における発行済株式の総数を下ることができない。

③ 次に掲げる場合には、当該定款の変更後の発行可能株式総数は、当該定款の変更が効力を生じた時における発行済株式の総数の四倍を超えることができない。

一 公開会社が定款を変更して発行可能株式総数を増加する場合（平成二六法九〇本号追加）

二 公開会社でない株式会社が定款を変更して公開会社となる場合（平成二六法九〇本号追加）

（平成二六法九〇本項改正）

④ 新株予約権（第二百三十六条第一項第四号の期間の初日が到来していないものを除く。）の新株予約権者が第二百八十二条第一項の規定により取得することとなる株式の数は、発行可能株式総数から発行済株式（自己株式（株式会社が有する自己の株式をいう。以下同じ。）を除く。）の総数を控除して得た数を超えてはならない。

参+【発行可能株式総数の定め→三七①、九一一③[六]、二一〇[一]、八二八①[一]、四二三①、四二九①【超過発行の罰則→九六六 ❷❸【発行済株式の総数→九一一③[九]、一一五 ❸【発行可能株式総数の増加の定款変更→三三二①[一]ハ、一八四②

（発行可能種類株式総数）

第一一四条① 定款を変更してある種類の株式の発行可能種類株式総数を減少するときは、変更後の当該種類の株式の発行可能種類株式総数は、当該定款の変更が効力を生じた時における当該種類の発行済株式の総数を下ることができない。

② ある種類の株式についての次に掲げる数の合計数は、当該種類の株式の発行可能種類株式総数から当該種類の発行済株式（自己株式を除く。）の総数を控除して得た数を超えてはならない。

一 取得請求権付株式（第百七条第二項第二号ヘの期間の初日が到来していないものを除く。）の株主（当該株式会社を除く。）が第百六十七条第二項の規定により取得することとなる同項第四号に規定する他の株式の数

二 取得条項付株式の株主（当該株式会社を除く。）が第百七十条第二項の規定により取得することとなる同項第四号に規定する他の株式の数

三 新株予約権（第二百三十六条第一項第四号の期間の初日が到来していないものを除く。）の新株予約権者が第二百八十二条第一項の規定により取得することとなる株式の数

参+【発行可能種類株式総数の定め→九一一③[七]、二一〇[一]、八二八①[一]、四二三①、四二九① ❶❷【発行済株式の種類ごとの数→九一一③[九] ❷【取得請求権付株式→二[十八]、一〇八①[五]【取得条項付株式→二[十九]、一〇八①[六]

（議決権制限株式の発行数）

第一一五条 種類株式発行会社が公開会社である場合において、株主総会において議決権を行使することができる事項について制限のある種類の株式（以下この条において「議決権制限株式」という。）の数が発行済株式の総数の二分の一を超えるに至ったときは、株式会社は、直ちに、議決権制限株式の数を発行済株式の総数の二分の一以下にするための必要な措置をとらなければならない。

参+【必要な措置の例→一五六、一八〇、一八三、一八五、一九九

（反対株主の株式買取請求）

第一一六条① 次の各号に掲げる場合には、反対株主は、株式会社に対し、自己の有する当該各号に定める株式を公正な価格で買い取ることを請求することがで

きる。
一　その発行する全部の株式の内容として第百七条第一項第一号に掲げる事項についての定めを設ける定款の変更をする場合　全部の株式
二　ある種類の株式の内容として第百八条第一項第四号又は第七号に掲げる事項についての定めを設ける定款の変更をする場合　第百十一条第二項各号に規定する株式
三　次に掲げる行為をする場合において、ある種類の株式（第三百二十二条第二項の規定による定款の定めがあるものに限る。）を有する種類株主に損害を及ぼすおそれがあるとき　当該種類の株式
イ　株式の併合又は株式の分割
ロ　第百八十五条に規定する株式無償割当て
ハ　単元株式数についての定款の変更
ニ　当該株式会社の株式を引き受ける者の募集（第二百二条第一項各号に掲げる事項を定めるものに限る。）
ホ　当該株式会社の新株予約権を引き受ける者の募集（第二百四十一条第一項各号に掲げる事項を定めるものに限る。）
ヘ　第二百七十七条に規定する新株予約権無償割当て

② 前項に規定する「反対株主」とは、次の各号に掲げる場合における当該各号に定める株主をいう。
一　前項各号の行為をするために株主総会（種類株主総会を含む。）の決議を要する場合　次に掲げる株主
イ　当該株主総会に先立って当該行為に反対する旨を当該株式会社に対し通知し、かつ、当該株主総会において当該行為に反対した株主（当該株主総会において議決権を行使することができるものに限る。）
ロ　当該株主総会において議決権を行使することができない株主
二　前号に規定する場合以外の場合　すべての株主

③ 第一項各号の行為をしようとする株式会社は、当該行為が効力を生ずる日（以下この条及び次条において「効力発生日」という。）の二十日前までに、同項各号に定める株式の株主に対し、当該行為をする旨を通知しなければならない。

④ 前項の規定による通知は、公告をもってこれに代えることができる。

⑤ 第一項の規定による請求（以下この節において「株式買取請求」という。）は、効力発生日の二十日前の日から効力発生日の前日までの間に、その株式買取請求に係る株式の数（種類株式発行会社にあっては、株式の種類及び種類ごとの数）を明らかにしてしなければならない。

⑥ 株券が発行されている株式について株式買取請求をしようとするときは、当該株式の株主は、株式会社に対し、当該株式に係る株券を提出しなければならない。ただし、当該株券について第二百二十三条の規定による請求をした者については、この限りでない。（平成二六法九〇本項追加）

⑦ 株式買取請求をした株主は、株式会社の承諾を得た場合に限り、その株式買取請求を撤回することができる。

⑧ 株式会社が第一項各号の行為を中止したときは、株式買取請求は、その効力を失う。

⑨ 第百三十三条の規定は、株式買取請求に係る株式については、適用しない。（平成二六法九〇本項追加）

【類似の手続→一七二・一七九の八・一八二の四・四六九・七八五・七九七・八〇六】【振替株式の場合→社債株式振替一五五⑧】【業務執行者の責任→四六四】❶[三]【株式の併合→一八〇―一八二の六】【株式の分割→一八三・一八四】【単元株式数→一八八―一九五・九一一③[四]】❷[二]【株主総会・種類株主総会決議を要する場合→一八〇②・一八三②・一八六③・一八八・四六六・一九九②・二三八②・二七八③】❸【株主への通知→一二六】❹【公告→九三九】❸❹【懈怠の制裁→九七六[二]】❺【種類株式発行会社→二[十三]】❻【株式買取請求時の株券提出義務→一八二の四⑤・四六九⑥・七八五⑥・七九七⑥・八〇六⑥】❼【請求の撤回→一九二③・一九四④】【適用除外→一一七③】

（株式の価格の決定等）
第一一七条① 株式買取請求があった場合において、株式の価格の決定について、株主と株式会社との間に協議が調ったときは、株式会社は、効力発生日から六十日以内にその支払をしなければならない。

② 株式の価格の決定について、効力発生日から三十日以内に協議が調わないときは、株主又は株式会社は、その期間の満了の日後三十日以内に、裁判所に対し、価格の決定の申立てをすることができる。

③ 前条第七項の規定にかかわらず、前項に規定する場合において、効力発生日から六十日以内に同項の申立てがないときは、その期間の満了後は、株主は、いつでも、株式買取請求を撤回することができる。

④ 株式会社は、裁判所の決定した価格に対する第一項の期間の満了の日後の法定利率による利息をも支払わなければならない。（平成二九法四五本項改正）

⑤ 株式会社は、株式の価格の決定があるまでは、株主に対し、当該株式会社が公正な価格と認める額を支払うことができる。（平成二六法九〇本項追加）

⑥ 株式買取請求に係る株式の買取りは、効力発生日に、その効力を生ずる。（平成二六法九〇本項改正）

⑦ 株券発行会社（その株式（種類株式発行会社にあっては、全部の種類の株式）に係る株券を発行する旨の定款の定めがある株式会社をいう。以下同じ。）は、株券が発行されている株式について株式買取請求があったときは、株券と引換えに、その株式買取請求に係る株式の代金を支払わなければならない。

❶【株式買取請求→一一六⑤】❶―❸【効力発生日→一一六③】❷【裁判所→八六八①・八七〇②[二]】❹【裁判所による価格の決定→八七一―八七四】❺【株式買取価格等の前払→一七二⑤・一八二の五・四七〇⑤・七八六⑤・七九八⑤・八〇七⑤】❼【株券発行会社→二一四】

（新株予約権買取請求）
第一一八条① 次の各号に掲げる定款の変更をする場合には、当該各号に定める新株予約権の新株予約権者は、株式会社に対し、自己の有する新株予約権を公正な価格で買い取ることを請求することができる。

一　その発行する全部の株式の内容として第百七条第一項第一号に掲げる事項についての定めを設ける定款の変更　全部の新株予約権

二　ある種類の株式の内容として第百八条第一項第四号又は第七号に掲げる事項についての定款の定めを設ける定款の変更　当該種類の株式を目的とする新株予約権

② 新株予約権付社債に付された新株予約権の新株予約権者は、前項の規定による請求（以下この節において「新株予約権買取請求」という。）をするときは、併せて、新株予約権付社債についての社債を買い取ることを請求しなければならない。ただし、当該新株予約権付社債に付された新株予約権について別段の定めがある場合は、この限りでない。

③ 第一項各号に掲げる定款の変更をしようとする株式会社は、当該定款の変更が効力を生ずる日（以下この条及び次条において「定款変更日」という。）の二十日前までに、同項各号に定める新株予約権の新株予約権者に対し、当該定款の変更を行う旨を通知しなければならない。

④ 前項の規定による通知は、公告をもってこれに代えることができる。

⑤ 新株予約権買取請求は、定款変更日の二十日前の日から定款変更日の前日までの間に、その新株予約権買取請求に係る新株予約権の内容及び数を明らかにしてしなければならない。

⑥ 新株予約権証券が発行されている新株予約権について新株予約権買取請求をしようとするときは、当該新株予約権の新株予約権者は、株式会社に対し、その新株予約権証券を提出しなければならない。ただし、当該新株予約権証券について非訟事件手続法（平成二十三年法律第五十一号）第百十四条に規定する公示催告の申立てをした者については、この限りでない。（平成二六法九〇本項追加）

⑦ 新株予約権付社債券（第二百四十九条第二号に規定する新株予約権付社債券をいう。以下この項及び次条第八項において同じ。）が発行されている新株予約権付社債に付された新株予約権について新株予約権買取請求をしようとするときは、当該新株予約権の新株予約権者は、株式会社に対し、その新株予約権付社債券を提出しなければならない。ただし、当該新株予約権付社債券について非訟事件手続法第百十四条に規定する公示催告の申立てをした者については、この限りでない。（平成二六法九〇本項追加）

⑧ 新株予約権買取請求をした新株予約権者は、株式会社の承諾を得た場合に限り、その新株予約権買取請求を撤回することができる。

⑨ 株式会社が第一項各号に掲げる定款の変更を中止したときは、新株予約権買取請求は、その効力を失う。

⑩ 第二百六十条の規定は、新株予約権買取請求に係る新株予約権については、適用しない。（平成二六法九〇本項追加）

参+【新株予約権買取請求→一一九、二三八①㈦、七八七、七八八　❶【新株予約権→二〔二十一〕　❷【新株予約権付社債→二〔二十二〕　❸【新株予約権者への通知→二五三　❹【公告→九三九　❸❹【懈怠の制裁→九七六㈡　❻【新株予約権買取請求と新株予約権証券提出義務→七七七⑥、七八七⑥、八〇八⑥　❼【新株予約権買取請求と新株予約権付社債券提出義務→七七七⑦、七八七⑦、八〇八⑦　❽【適用除外→一一九③

（新株予約権の価格の決定等）

第一一九条① 新株予約権買取請求があった場合において、新株予約権（当該新株予約権が新株予約権付社債に付されたものである場合において、当該新株予約権付社債についての社債の買取りの請求があったときは、当該社債を含む。以下この条において同じ。）の価格の決定について、新株予約権者と株式会社との間に協議が調ったときは、株式会社は、定款変更日から六十日以内にその支払をしなければならない。

② 新株予約権の価格の決定について、定款変更日から三十日以内に協議が調わないときは、新株予約権者又は株式会社は、その期間の満了の日後三十日以内に、裁判所に対し、価格の決定の申立てをすることができる。

③ 前条第八項の規定にかかわらず、前項に規定する場合において、定款変更日から六十日以内に同項の申立てがないときは、その期間の満了後は、新株予約権者は、いつでも、新株予約権買取請求を撤回することができる。

④ 株式会社は、裁判所の決定した価格に対する第一項の期間の満了の日後の法定利率による利息をも支払わなければならない。（平成二九法四五本項改正）

⑤ 株式会社は、新株予約権者に対し、新株予約権の価格の決定があるまでは、株式会社が公正な価格と認める額を支払うことができる。（平成二六法九〇本項追加）

⑥ 新株予約権買取請求に係る新株予約権の買取りは、定款変更日に、その効力を生ずる。（平成二六法九〇本項改正）

⑦ 株式会社は、新株予約権証券が発行されている新株予約権について新株予約権買取請求があったときは、新株予約権証券と引換えに、その新株予約権買取請求に係る新株予約権の代金を支払わなければならない。

⑧ 株式会社は、新株予約権付社債券が発行されている新株予約権付社債に付された新株予約権について新株予約権買取請求があったときは、その新株予約権付社債券と引換えに、その新株予約権買取請求に係る新株予約権の代金を支払わなければならない。（平成二六法九〇本項改正）

参❶【新株予約権買取請求→一一八②　❶—❸【定款変更日→一一八③　❷【裁判所→八六八①、八七〇②㈢　❹【裁判所による価格の決定→八七一—八七四　❺【新株予約権の買取価格の前払→七七八⑤、七八八⑤、八〇九⑤　❼【新株予約権証券→二八八—二九一

（株主等の権利の行使に関する利益の供与）

第一二〇条① 株式会社は、何人に対しても、株主の権利、当該株式会社に係る適格旧株主（第八百四十七条の二第九項に規定する適格旧株主をいう。）の権利又は当該株式会社の最終完全親会社等（第八百四十七条の

三第一項に規定する最終完全親会社等をいう。）の株主の権利の行使に関し、財産上の利益の供与（当該株式会社又はその子会社の計算においてするものに限る。以下この条において同じ。）をしてはならない。（平成二六法九〇本項改正）

② 株式会社が特定の株主に対して無償で財産上の利益の供与をしたときは、当該株式会社は、株主の権利の行使に関し、財産上の利益の供与をしたものと推定する。株式会社が特定の株主に対して有償で財産上の利益の供与をした場合において、当該株式会社又はその子会社の受けた利益が当該財産上の利益に比して著しく少ないときも、同様とする。

③ 株式会社が第一項の規定に違反して財産上の利益の供与をしたときは、当該利益の供与を受けた者は、これを当該株式会社又はその子会社に返還しなければならない。この場合において、当該利益の供与を受けた者は、当該株式会社又はその子会社に対して当該利益と引換えに給付をしたものがあるときは、その返還を受けることができる。

④ 株式会社が第一項の規定に違反して財産上の利益の供与をすることに関与した取締役（指名委員会等設置会社にあっては、執行役を含む。以下この項において同じ。）として法務省令で定める者は、当該株式会社に対して、連帯して、供与した利益の価額に相当する額を支払う義務を負う。ただし、その者（当該利益の供与をした取締役を除く。）がその職務を行うについて注意を怠らなかったことを証明した場合は、この限りでない。（平成二六法九〇本項改正）

⑤ 前項の義務は、総株主の同意がなければ、免除することができない。

参❶【違反行為→九七〇①【株主の権利の行使の例→三〇八、三〇九、三一四、三六〇、四三三、八二八―八三一、八三三、八四七【財産上の利益→九六七、九六八【賄賂と対比→刑一九七、一九七の二【子会社→二[三] ❸【利益の供与を受けた者→九七〇②―④、八四七① ❹【取締役等の責任→八四七①【省令で定める者→会社則二一 ❺【総株主の同意による免責→四二四【本項の適用除外→八五〇④ ＋【類似の制度→九六八

第二節　株主名簿

（株主名簿）

第一二一条　株式会社は、株主名簿を作成し、これに次に掲げる事項（以下「株主名簿記載事項」という。）を記載し、又は記録しなければならない。

一　株主の氏名又は名称及び住所

二　前号の株主の有する株式の数（種類株式発行会社にあっては、株式の種類及び種類ごとの数）

三　第一号の株主が株式を取得した日

四　株式会社が株券発行会社である場合には、第二号の株式（株券が発行されているものに限る。）に係る株券の番号

参＋【株主名簿→一二四、一二五、一三二、一三三、一四七①、二一七③【不実記載・備置義務違反に対する制裁→九七六[七][四] [一]【株主の氏名等・住所→二七[五]、五九③[一]、一二六、一三〇①、二〇三②[一]、四五七 [二]【株式の種類→一〇八① [三]【取得の日→五〇①、一〇二②、一三三①、一六七②[四]、一七〇②[四]、一八二①、一八四①、一八七、二〇九①、二八二① [四]【株券発行会社→一一七⑦【株券の番号→二一六、二二一[二]、二二五③

（株主名簿記載事項を記載した書面の交付等）

第一二二条①　前条第一号の株主は、株式会社に対し、当該株主についての株主名簿に記載され、若しくは記録された株主名簿記載事項を記載した書面の交付又は当該株主名簿記載事項を記録した電磁的記録の提供を請求することができる。

② 前項の書面には、株式会社の代表取締役（指名委員会等設置会社にあっては、代表執行役。次項において同じ。）が署名し、又は記名押印しなければならない。（平成二六法九〇本項改正）

③ 第一項の電磁的記録には、株式会社の代表取締役が法務省令で定める署名又は記名押印に代わる措置をとらなければならない。

④ 前三項の規定は、株券発行会社については、適用しない。

参❶【書面等の交付に関する制裁→九七六[四][七] ❶❸【電磁的記録→二六② ❸【省令で定める措置→会社則二二五 ❹【株券発行会社→一一七⑦ ＋【登録質権者の権利→一四九

（株主名簿管理人）

第一二三条　株式会社は、株主名簿管理人（株式会社に代わって株主名簿の作成及び備置きその他の株主名簿に関する事務を行う者をいう。以下同じ。）を置く旨を定款で定め、当該事務を行うことを委託することができる。

参＋【株主名簿管理人→九一一③[十一]、一二五①、二二二、二五一、商登四七②[六]、六四

（基準日）

第一二四条①　株式会社は、一定の日（以下この章において「基準日」という。）を定めて、基準日において株主名簿に記載され、又は記録されている株主（以下この条において「基準日株主」という。）をその権利を行使することができる者と定めることができる。

② 基準日を定める場合には、株式会社は、基準日株主が行使することができる権利（基準日から三箇月以内に行使するものに限る。）の内容を定めなければならない。

③ 株式会社は、基準日を定めたときは、当該基準日の二週間前までに、当該基準日及び前項の規定により定めた事項を公告しなければならない。ただし、定款に当該基準日及び当該事項について定めがあるときは、この限りでない。

④ 基準日株主が行使することができる権利が株主総会又は種類株主総会における議決権である場合には、株式会社は、当該基準日後に株式を取得した者の全部又は一部を当該権利を行使することができる者と定めることができる。ただし、当該株式の基準日株主の権利を害することができない。

⑤ 第一項から第三項までの規定は、第百四十九条第一項に規定する登録株式質権者について準用する。

⊛+【株主としての権利の行使↓一八一、一八四、一八五、二〇二、二四一、三〇八、四五三、五〇四、五〇五【基準日の株主↓社債株式振替一五一　❸【公告↓九三九【罰則↓九七六㊁

（株主名簿の備置き及び閲覧等）

第一二五条①　株式会社は、株主名簿をその本店（株主名簿管理人がある場合にあっては、その営業所）に備え置かなければならない。

②　株主及び債権者は、株式会社の営業時間内は、いつでも、次に掲げる請求をすることができる。この場合においては、当該請求の理由を明らかにしてしなければならない。

一　株主名簿が書面をもって作成されているときは、当該書面の閲覧又は謄写の請求

二　株主名簿が電磁的記録をもって作成されているときは、当該電磁的記録に記録された事項を法務省令で定める方法により表示したものの閲覧又は謄写の請求

③　株式会社は、前項の請求があったときは、次のいずれかに該当する場合を除き、これを拒むことができない。

一　当該請求を行う株主又は債権者（以下この項において「請求者」という。）がその権利の確保又は行使に関する調査以外の目的で請求を行ったとき。

二　請求者が当該株式会社の業務の遂行を妨げ、又は株主の共同の利益を害する目的で請求を行ったとき。

三　請求者が株主名簿の閲覧又は謄写によって知り得た事実を利益を得て第三者に通報するため請求を行ったとき。

四　請求者が、過去二年以内において、株主名簿の閲覧又は謄写によって知り得た事実を利益を得て第三者に通報したことがあるものであるとき。

（平成二六法九〇本項改正）

④　株式会社の親会社社員は、その権利を行使するため必要があるときは、裁判所の許可を得て、当該株式会社の株主名簿について第二項各号に掲げる請求をすることができる。この場合においては、当該請求の理由を明らかにしてしなければならない。

⑤　前項の親会社社員について第三項各号のいずれかに規定する事由があるときは、裁判所は、前項の許可をすることができない。

⊛❶【本店↓四【懈怠に対する制裁↓九七六㊃　❷〔二〕【電磁的記録↓二六②【省令で定める方法↓会社則二二六　❷—❺【株主・債権者・親会社社員の閲覧等請求不当拒否に対する制裁↓九七六㊃　❹【裁判所の許可↓八六八②

（株主に対する通知等）

第一二六条①　株式会社が株主に対してする通知又は催告は、株主名簿に記載し、又は記録した当該株主の住所（当該株主が別に通知又は催告を受ける場所又は連絡先を当該株式会社に通知した場合にあっては、その場所又は連絡先）にあてて発すれば足りる。

②　前項の通知又は催告は、その通知又は催告が通常到達すべきであった時に、到達したものとみなす。

③　株式が二以上の者の共有に属するときは、共有者は、株式会社が株主に対してする通知又は催告を受領する者一人を定め、当該株式会社に対し、その者の氏名又は名称を通知しなければならない。この場合においては、その者を株主とみなして、前二項の規定を適用する。

④　前項の規定による共有者の通知がない場合には、株式会社が株式の共有者に対してする通知又は催告は、そのうちの一人に対してすれば足りる。

⑤　前各項の規定は、第二百九十九条第一項（第三百二十五条において準用する場合を含む。）の通知に際して株主に書面を交付し、又は当該書面に記載すべき事項を電磁的方法により提供する場合について準用する。この場合において、第二項中「到達したもの」とあるのは、「当該書面の交付又は当該事項の電磁的方法による提供があったもの」と読み替えるものとする。

⊛+【株主への通知・催告↓六八⑤、八六①、一一六③、一四一①、一五八①、一六八②、一六九③、一七〇③、一八一①、一八七②、一九五②、一九八、二〇一③、二〇二④、二一八①③、二一九①、二二四①、二四〇②、二四一④、二七九②、二九九①、三〇七①㊁、三五九①㊁、四二六③、四五五①、四六九③、五〇五②、七八五③、七九七③、八〇六③、八四九⑤【通知・催告を要しない場合↓一九六①【通知の懈怠に対する制裁↓九七六㊁【株主名簿の他の効果↓一三〇①、一四七、四五七①、会更一六五②—⑤　❶【株主名簿上の住所↓一二一㊀、一九八②　❷【到達↓民九七①　❸❹【株式の共有↓一〇六

⊛【本項の適用除外↓一九八③

第三節　株式の譲渡等

第一款　株式の譲渡

（株式の譲渡）

第一二七条　株主は、その有する株式を譲渡することができる。

⊛+【譲渡方法↓一二八①、一二九、社債株式振替一四〇【株式譲渡の対抗要件↓一三〇【株式の質入れ↓一四六、一四七

（株券発行会社の株式の譲渡）

第一二八条①　株券発行会社の株式の譲渡は、当該株式に係る株券を交付しなければ、その効力を生じない。ただし、自己株式の処分による株式の譲渡については、この限りでない。

②　株券の発行前にした譲渡は、株券発行会社に対し、その効力を生じない。

⊛+【株券発行会社↓一一七⑦　❶【株券↓二一四—二一六【株券の交付↓一三〇②、一三一、一四六②【自己株式の処分↓一九九①、一二九【振替株式の譲渡の効力発生↓社債株式振替一四〇　❷【株券の発行↓二一五、二一七

（自己株式の処分に関する特則）

第一二九条①　株券発行会社は、自己株式を処分した日以後遅滞なく、当該自己株式を取得した者に対し、株券を交付しなければならない。

②　前項の規定にかかわらず、公開会社でない株券発行会社は、同項の者から請求がある時までは、同項の株券を交付しないことができる。

⊛+【株券発行会社↓一一七⑦【株券↓二一四—二一六　❶【自己株式の処分↓一九九①　❷【公開会社↓二㊄

（株式の譲渡の対抗要件）

第一三〇条① 株式の譲渡は、その株式を取得した者の氏名又は名称及び住所を株主名簿に記載し、又は記録しなければ、株式会社その他の第三者に対抗することができない。

② 株券発行会社における前項の規定の適用については、同項中「株式会社その他の第三者」とあるのは、「株式会社」とする。

※❶【取得者の氏名等・住所の記載↓一二一[三]【株主名簿↓一二一—一二六、一三二、一三三、社債株式振替一五二①【本項の適用除外↓社債株式振替一五四 ❷【株券発行会社↓一一七⑦・一二八・一二九

（権利の推定等）

第一三一条① 株券の占有者は、当該株券に係る株式についての権利を適法に有するものと推定する。

② 株券の交付を受けた者は、当該株券に係る株式についての権利を取得する。ただし、その者に悪意又は重大な過失があるときは、この限りでない。

※❶【占有者の資格↓二五八【対比↓手一六①、小一九【名義書換えにおける会社の免責↓手四〇③、小三五【振替株式の権利の推定↓社債株式振替一四三 ❷【株券の交付↓一二八・一二九、一四六②【即時取得↓社債株式振替一四四、手一六②、小二一、民一九二—一九四

（株主の請求によらない株主名簿記載事項の記載又は記録）

第一三二条① 株式会社は、次の各号に掲げる場合には、当該各号の株式の株主に係る株主名簿記載事項を株主名簿に記載し、又は記録しなければならない。

一 株式を発行した場合

二 当該株式会社の株式を取得した場合

三 自己株式を処分した場合

② 株式会社は、株式の併合をした場合には、併合した株式について、その株式の株主に係る株主名簿記載事項を株主名簿に記載し、又は記録しなければならない。（平成一八法一〇九本項追加）

③ 株式会社は、株式の分割をした場合には、分割した株式について、その株式の株主に係る株主名簿記載事項を株主名簿に記載し、又は記録しなければならない。（平成一八法一〇九本項追加）

※†【株主名簿記載事項↓一二一 ❶[二]【株式の発行↓五〇①・一〇二②・一六七②[四]・一七〇②[四]・一八二①・一八四①・一八七・二〇九①・二八二①【適用除外↓二九四①[三]【株式の取得↓一五五 [三]【自己株式の処分↓一九九① ❷【株式の併合↓一八〇—一八二の六 ❸【株式の分割↓一八三 †【その他の場合の株主名簿への記載・記録↓社債株式振替一五二①

（株主の請求による株主名簿記載事項の記載又は記録）

第一三三条① 株式を当該株式を発行した株式会社以外の者から取得した者（当該株式会社を除く。以下この節において「株式取得者」という。）は、当該株式会社に対し、当該株式に係る株主名簿記載事項を株主名簿に記載し、又は記録することを請求することができる。

② 前項の規定による請求は、利害関係人の利益を害するおそれがないものとして法務省令で定める場合を除き、その取得した株式の株主として株主名簿に記載され、若しくは記録された者又はその相続人その他の一般承継人と共同してしなければならない。

※❶【発行会社からの取得↓一三二①[二][三]※【株主名簿記載事項↓一二一・五四一 ❷【省令で定める場合↓会社則二二【その他の一般承継人↓七五〇①・七五二①・七五四①・七五六①・七五九①・七六一①・七六四①・七六六①

第一三四条 前条の規定は、株式取得者が取得した株式が譲渡制限株式である場合には、適用しない。ただし、次のいずれかに該当する場合は、この限りでない。

一 当該株式取得者が当該譲渡制限株式を取得することについて第百三十六条の承認を受けていること。

二 当該株式取得者が当該譲渡制限株式を取得したことについて第百三十七条第一項の承認を受けていること。

三 当該株式取得者が第百四十条第四項に規定する指定買取人であること。

四 当該株式取得者が相続その他の一般承継により譲渡制限株式を取得した者であること。

※†【譲渡制限株式↓二[十七]・一三六—一四五 [四]【その他の一般承継による取得↓七五〇①・七五二①・七五四①・七五六①・七五九①・七六一①・七六四①・七六六①

（親会社株式の取得の禁止）

第一三五条① 子会社は、その親会社である株式会社の株式（以下この条において「親会社株式」という。）を取得してはならない。

② 前項の規定は、次に掲げる場合には、適用しない。

一 他の会社（外国会社を含む。）の事業の全部を譲り受ける場合において当該他の会社の有する親会社株式を譲り受ける場合

二 合併後消滅する会社から親会社株式を承継する場合

三 吸収分割により他の会社から親会社株式を承継する場合

四 新設分割により他の会社から親会社株式を承継する場合

五 前各号に掲げるもののほか、法務省令で定める場合

③ 子会社は、相当の時期にその有する親会社株式を処分しなければならない。

※†【子会社が有する親会社株式↓三〇八① ❶❸【違反に対する制裁↓九七六[十] ❷[一]【事業全部の譲受け↓四六七①[三][二]【合併による承継↓七五〇①・七五四①[三]【吸収分割による承継↓七五九① [四]【新設分割による承継↓七六四①[五]【省令で定める場合↓会社則二三

第二款　株式の譲渡に係る承認手続

（株主からの承認の請求）

第一三六条 譲渡制限株式の株主は、その有する譲渡制限株式を他人（当該譲渡制限株式を発行した株式会社を除く。）に譲り渡そうとするときは、当該株式会社に対し、当該他人が当該譲渡制限株式を取得することに

ついて承認をするか否かの決定をすることを請求することができる。

参⁺【譲渡制限株式→二〔十七〕、一三四〔二〕【譲渡等承認請求→一三八〔一〕、一三九―一四五

（株式取得者からの承認の請求）

第一三七条① 譲渡制限株式を取得した株式取得者は、株式会社に対し、当該譲渡制限株式を取得したことについて承認をするか否かの決定をすることを請求することができる。

② 前項の規定による請求は、利害関係人の利益を害するおそれがないものとして法務省令で定める場合を除き、その取得した株式の株主として株主名簿に記載され、若しくは記録された者又はその相続人その他の一般承継人と共同してしなければならない。

参❶【株式取得者→一三三①【譲渡等承認請求→一三八〔二〕、一三九―一四五　❷【省令で定める場合→会社則二四【その他の一般承継人→一三三②参

（譲渡等承認請求の方法）

第一三八条 次の各号に掲げる請求（以下この款において「譲渡等承認請求」という。）は、当該各号に定める事項を明らかにしてしなければならない。

一　第百三十六条の規定による請求　次に掲げる事項

イ　当該請求をする株主が譲り渡そうとする譲渡制限株式の数（種類株式発行会社にあっては、譲渡制限株式の種類及び種類ごとの数）

ロ　イの譲渡制限株式を譲り受ける者の氏名又は名称

ハ　株式会社が第百三十六条の承認をしない旨の決定をする場合において、当該株式会社又は第百四十条第四項に規定する指定買取人がイの譲渡制限株式を買い取ることを請求するときは、その旨

二　前条第一項の規定による請求　次に掲げる事項

イ　当該請求をする株式取得者の取得した譲渡制限株式の数（種類株式発行会社にあっては、譲渡制限株式の種類及び種類ごとの数）

ロ　イの株式取得者の氏名又は名称

ハ　株式会社が前条第一項の承認をしない旨の決定をする場合において、当該株式会社又は第百四十条第四項に規定する指定買取人がイの譲渡制限株式を買い取ることを請求するときは、その旨

参〔一〕〔二〕【不承認の場合→一四二、一五五〔二〕【請求の撤回→一四三　〔二〕【株式取得者→一三三①

（譲渡等の承認の決定等）

第一三九条① 株式会社が第百三十六条又は第百三十七条第一項の承認をするか否かの決定をするには、株主総会（取締役会設置会社にあっては、取締役会）の決議によらなければならない。ただし、定款に別段の定めがある場合は、この限りでない。

② 株式会社は、前項の決定をしたときは、譲渡等承認請求をした者（以下この款において「譲渡等承認請求者」という。）に対し、当該決定の内容を通知しなければならない。

参❶【承認の決定→一三四〔一〕〔二〕【不承認の決定→一四〇―一四四、一四五〔一〕【株主総会決議→三〇九①【取締役会決議→四一六④〔一〕　❷【通知→一二六①②、一四五〔一〕【罰則→九七六〔二〕

（株式会社又は指定買取人による買取り）

第一四〇条① 株式会社は、第百三十八条第一号ハ又は第二号ハの請求を受けた場合において、第百三十六条又は第百三十七条第一項の承認をしない旨の決定をしたときは、当該譲渡等承認請求に係る譲渡制限株式（以下この款において「対象株式」という。）を買い取らなければならない。この場合においては、次に掲げる事項を定めなければならない。

一　対象株式を買い取る旨

二　株式会社が買い取る対象株式の数（種類株式発行会社にあっては、対象株式の種類及び種類ごとの数）

② 前項各号に掲げる事項の決定は、株主総会の決議によらなければならない。

③ 譲渡等承認請求者は、前項の株主総会において議決権を行使することができない。ただし、当該譲渡等承認請求者以外の株主の全部が同項の株主総会において議決権を行使することができない場合は、この限りでない。

④ 第一項の規定にかかわらず、同項に規定する場合には、株式会社は、対象株式の全部又は一部を買い取る者（以下この款において「指定買取人」という。）を指定することができる。

⑤ 前項の規定による指定は、株主総会（取締役会設置会社にあっては、取締役会）の決議によらなければならない。ただし、定款に別段の定めがある場合は、この限りでない。

参❶【会社による対象株式の買取り→一五五〔二〕、一四一・一四四①―⑥、四六一①〔二〕、四六二①、四六五①〔二〕　❷❺【総会決議→三〇九②〔一〕　❸【特別利害関係株主の議決権の排除→一六〇④、一七五②　❹❺【指定買取人による買取り→一四二、一四四⑦【取締役会決議→四一六④〔一〕

（株式会社による買取りの通知）

第一四一条① 株式会社は、前条第一項各号に掲げる事項を決定したときは、譲渡等承認請求者に対し、これらの事項を通知しなければならない。

② 株式会社は、前項の規定による通知をしようとするときは、一株当たり純資産額（一株当たりの純資産額として法務省令で定める方法により算定される額をいう。以下同じ。）に前条第一項第二号の対象株式の数を乗じて得た額をその本店の所在地の供託所に供託し、かつ、当該供託を証する書面を譲渡等承認請求者に交付しなければならない。

③ 対象株式が株券発行会社の株式である場合には、前項の書面の交付を受けた譲渡等承認請求者は、当該交付を受けた日から一週間以内に、前条第一項第二号の対象株式に係る株券を当該株券発行会社の本店の所在地の供託所に供託しなければならない。この場合においては、当該譲渡等承認請求者は、当該株券発行会社に対し、遅滞なく、当該供託をした旨を通知しなければならない。

④ 前項の譲渡等承認請求者が同項の期間内に同項の規定による供託をしなかったときは、株券発行会社は、前条第一項第二号の対象株式の売買契約を解除することができる。

参❶【通知→一二六①②・一四三①・一四五㊂】【罰則→九七六㊂】❷【供託額と売買価格の関係→一四四⑤⑥】【省令で定める方法→会社則二五】❷❸【本店の所在地→四参】【供託→民四九五参・四九六①】❸【株券発行会社→一一七⑦】【通知→民九七①】❹【売買の解除→民五四一】

（指定買取人による買取りの通知）

第一四二条① 指定買取人は、第百四十条第四項の規定による指定を受けたときは、譲渡等承認請求者に対し、次に掲げる事項を通知しなければならない。

一 指定買取人として指定を受けた旨

二 指定買取人が買い取る対象株式の数（種類株式発行会社にあっては、対象株式の種類及び種類ごとの数）

② 指定買取人は、前項の規定による通知をしようとするときは、一株当たり純資産額に同項第二号の対象株式の数を乗じて得た額を株式会社の本店の所在地の供託所に供託し、かつ、当該供託を証する書面を譲渡等承認請求者に交付しなければならない。

③ 対象株式が株券発行会社の株式である場合には、前項の書面の交付を受けた譲渡等承認請求者は、当該交付を受けた日から一週間以内に、第一項第二号の対象株式に係る株券を当該株券発行会社の本店の所在地の供託所に供託しなければならない。この場合においては、当該譲渡等承認請求者は、指定買取人に対し、遅滞なく、当該供託をした旨を通知しなければならない。

④ 前項の譲渡等承認請求者が同項の期間内に同項の規定による供託をしなかったときは、指定買取人は、第一項第二号の対象株式の売買契約を解除することができる。

参❶❸【通知→民九七①、一四三②・一四五㊂】❷【供託額と売買価格の関係→一四四⑤—⑦】❷❸【本店の所在地→四参】【供託→民四九五参・四九六①】❸【株券発行会社→一一七⑦】❹【売買の解除→民五四一】

（譲渡等承認請求の撤回）

第一四三条① 第百三十八条第一号ハ又は第二号ハの請求をした譲渡等承認請求者は、第百四十一条第一項の規定による通知を受けた後は、株式会社の承諾を得た場合に限り、その請求を撤回することができる。

② 第百三十八条第一号ハ又は第二号ハの請求をした譲渡等承認請求者は、前条第一項の規定による通知を受けた後は、指定買取人の承諾を得た場合に限り、その請求を撤回することができる。

参+【請求の撤回→民五二三①・五二五】

（売買価格の決定）

第一四四条① 第百四十一条第一項の規定による通知があった場合には、第百四十条第一項第二号の対象株式の売買価格は、株式会社と譲渡等承認請求者との協議によって定める。

② 株式会社又は譲渡等承認請求者は、第百四十一条第一項の規定による通知があった日から二十日以内に、裁判所に対し、売買価格の決定の申立てをすることができる。

③ 裁判所は、前項の決定をするには、譲渡等承認請求の時における株式会社の資産状態その他一切の事情を考慮しなければならない。

④ 第一項の規定にかかわらず、第二項の期間内に同項の申立てがあったときは、当該申立てにより裁判所が定めた額をもって第百四十条第一項第二号の対象株式の売買価格とする。

⑤ 第一項の規定にかかわらず、第二項の期間内に同項の申立てがないとき（当該期間内に第一項の協議が調った場合を除く。）は、一株当たり純資産額に第百四十条第一項第二号の対象株式の数を乗じて得た額をもって当該対象株式の売買価格とする。

⑥ 第百四十一条第二項の規定による供託をした場合において、第百四十条第一項第二号の対象株式の売買価格が確定したときは、株式会社は、供託した金銭に相当する額を限度として、売買代金の全部又は一部を支払ったものとみなす。

⑦ 前各項の規定は、第百四十二条第一項の規定による通知があった場合について準用する。この場合において、第一項中「第百四十条第一項第二号」とあるのは「第百四十二条第一項第二号」と、「株式会社」とあるのは「指定買取人」と、第二項中「株式会社」とあるのは「指定買取人」と、第四項及び第五項中「第百四十条第一項第二号」とあるのは「第百四十二条第一項第二号」と、前項中「第百四十一条第二項」とあるのは「第百四十二条第二項」と、「第百四十条第一項第二号」とあるのは「同条第一項第二号」と、「株式会社」とあるのは「指定買取人」と読み替えるものとする。

参+【売買価格→四六一①㊀】❷—❹❼【裁判所の決定→八六八①・八七〇②㊂】❺【一株当たり純資産額→一四一②】

（株式会社が承認をしたとみなされる場合）

第一四五条 次に掲げる場合には、株式会社は、第百三十六条又は第百三十七条第一項の承認をする旨の決定をしたものとみなす。ただし、株式会社と譲渡等承認請求者との合意により別段の定めをしたときは、この限りでない。

一 株式会社が第百三十六条又は第百三十七条第一項の規定による請求の日から二週間（これを下回る期間を定款で定めた場合にあっては、その期間）以内に第百三十九条第二項の規定による通知をしなかった場合

二 株式会社が第百三十九条第二項の規定による通知の日から四十日（これを下回る期間を定款で定めた場合にあっては、その期間）以内に第百四十一条第一項の規定による通知をしなかった場合（指定買取人が第百三十九条第二項の規定による通知の日から十日（これを下回る期間を定款で定めた場合にあっては、その期間）以内に第百四十二条第一項の規定

による通知をした場合を除く。）

三 前二号に掲げる場合のほか、法務省令で定める場合

※〔二〕【指定買取人↓一四〇④ 〔三〕【省令で定める場合↓会社則二六

第三款 株式の質入れ

（株式の質入れ）

第一四六条① 株主は、その有する株式に質権を設定することができる。

② 株券発行会社の株式の質入れは、当該株式に係る株券を交付しなければ、その効力を生じない。

※❶【質権の効力↓民三六二・三四二―三五五、一五一①・一五三・一五四 ❷【株券発行会社↓一一七⑦【株券の交付↓一四七②・一二八①・一三一②【振替口座簿の記載・記録↓社債株式振替一四一

（株式の質入れの対抗要件）

第一四七条① 株式の質入れは、その質権者の氏名又は名称及び住所を株主名簿に記載し、又は記録しなければ、株式会社その他の第三者に対抗することができない。

② 前項の規定にかかわらず、株券発行会社の株式の質権者は、継続して当該株式に係る株券を占有しなければ、その質権をもって株券発行会社その他の第三者に対抗することができない。

③ 民法第三百六十四条の規定は、株式については、適用しない。

※+【対抗要件↓民三六四、社債株式振替一三二③〔五〕・一五一②〔二〕 ❶【株主名簿↓一二一―一二六・一四八・一五二①、社債株式振替一五一③④【株主名簿に記載された質権者↓一四九―一五四

（株主名簿の記載等）

第一四八条 株式に質権を設定した者は、株式会社に対し、次に掲げる事項を株主名簿に記載し、又は記録することを請求することができる。

一 質権者の氏名又は名称及び住所

二 質権の目的である株式

※+【株主名簿↓一二一―一二六【質権設定者による請求↓一三三②・二一八⑤【物上代位による記載・記録↓一五二①・八四四③④【総株主通知による質権者の記載・記録↓社債株式振替一五一③④【記載の禁止↓五四一

（株主名簿の記載事項を記載した書面の交付等）

第一四九条① 前条各号に掲げる事項が株主名簿に記載され、又は記録された質権者（以下「登録株式質権者」という。）は、株式会社に対し、当該登録株式質権者についての株主名簿に記載され、若しくは記録された同条各号に掲げる事項を記載した書面の交付又は当該事項を記録した電磁的記録の提供を請求することができる。

② 前項の書面には、株式会社の代表取締役（指名委員会等設置会社にあっては、代表執行役。次項において同じ。）が署名し、又は記名押印しなければならない。

（平成二六法九〇本項改正）

③ 第一項の電磁的記録には、株式会社の代表取締役が法務省令で定める署名又は記名押印に代わる措置をとらなければならない。

④ 前三項の規定は、株券発行会社については、適用しない。

※❶【書面等の交付に関する制裁↓九七六〔四〕〔七〕 ❶❸【電磁的記録↓二六② ❸【省令で定める措置↓会社則二二五 ❹【株券発行会社↓一一七⑦ +【株主の権利↓一二二

（登録株式質権者に対する通知等）

第一五〇条① 株式会社が登録株式質権者に対してする通知又は催告は、株主名簿に記載し、又は記録した当該登録株式質権者の住所（当該登録株式質権者が別に通知又は催告を受ける場所又は連絡先を当該株式会社に通知した場合にあっては、その場所又は連絡先）にあてて発すれば足りる。

② 前項の通知又は催告は、その通知又は催告が通常到達すべきであった時に、到達したものとみなす。

※+【登録株式質権者への通知・催告↓一六八②・一六九③・一七〇③・一八一①・一八七②・一九八・二一八①③・二一九①・二二四①・二七九②・七七六②・七八三⑤【通知・催告を要しない場合↓一九六③【通知の懈怠に対する制裁↓九七六〔二〕【株主名簿の他の効果↓一二六※ ❶【株主名簿上の住所↓一四八〔一〕・一九八② ❷【到達↓民九七①

（株式の質入れの効果）

第一五一条① 株式会社が次に掲げる行為をした場合には、株式を目的とする質権は、当該行為によって当該株式の株主が受けることのできる金銭等（金銭その他の財産をいう。以下同じ。）について存在する。

一 第百六十七条第一項の規定による取得請求権付株式の取得

二 第百七十条第一項の規定による取得条項付株式の取得

三 第百七十三条第一項の規定による第百七十一条第一項に規定する全部取得条項付種類株式の取得

四 株式の併合

五 株式の分割

六 第百八十五条に規定する株式無償割当て

七 第二百七十七条に規定する新株予約権無償割当て

八 剰余金の配当

九 残余財産の分配

十 組織変更

十一 合併（合併により当該株式会社が消滅する場合に限る。）

十二 株式交換

十三 株式移転

十四 株式の取得（第一号から第三号までに掲げる行為を除く。）

② 特別支配株主（第百七十九条第一項に規定する特別支配株主をいう。第百五十四条第三項において同じ。）が株式売渡請求（第百七十九条第二項に規定する株式売渡請求をいう。）により売渡株式（第百七十九条の二第一項第二号に規定する売渡株式をいう。以下この項において同じ。）の取得をした場合には、売渡株式を目的とする質権は、当該取得によって当該売渡株式の株主が受けることのできる金銭について存在する。（平成

二六法九〇本項追加）

❶【物上代位↓一五四①・八四〇④・八四一②・八四二②【権利質の一般原則↓民三六二②・三五〇・三〇四　〔二〕―〔三〕〔六〕【株主名簿への記載↓一五二①【登録株式質権者への株券交付↓一五三①　〔四〕【株式の併合↓一八〇―一八二の六・一五二②【登録株式質権者への株券交付↓一五三②　〔五〕【株式の分割↓一八三・一八四・一五二③【登録株式質権者への株券交付↓一五三③　〔八〕【剰余金の配当↓四五三―四六五　〔九〕【残余財産の分配↓五〇四・五〇五　〔十〕【組織変更↓七四四・七四五　〔十一〕【合併↓七四九―七五六　〔十二〕【株式交換↓七六七―七七一　〔十三〕【株式移転↓七七二―七七四　〔十四〕【株式の取得↓一五五―一六五　❷【株式売渡請求↓一七九―一七九の一〇

第一五二条① 株式会社（株券発行会社を除く。以下この条において同じ。）は、前条第一項第一号から第三号までに掲げる行為をした場合（これらの行為に際して当該株式会社が株式を交付する場合に限る。）又は同項第六号に掲げる行為をした場合において、同項の質権の質権者が登録株式質権者（第二百十八条第五項の規定による請求により第百四十八条各号に掲げる事項が株主名簿に記載され、又は記録されたものを除く。以下この款において同じ。）であるときは、前条第一項の株主が受けることができる株式について、その質権者の氏名又は名称及び住所を株主名簿に記載し、又は記録しなければならない。

② 株式会社は、株式の併合をした場合において、前条第一項の質権の質権者が登録株式質権者であるときは、併合した株式について、その質権者の氏名又は名称及び住所を株主名簿に記載し、又は記録しなければならない。

③ 株式会社は、株式の分割をした場合において、前条第一項の質権の質権者が登録株式質権者であるときは、分割した株式について、その質権者の氏名又は名称及び住所を株主名簿に記載し、又は記録しなければならない。

【登録株式質権者↓一四九①【株券発行会社↓一一七⑦・一五三

第一五三条① 株券発行会社は、前条第一項に規定する場合には、第百五十一条第一項の株主が受ける株式に係る株券を登録株式質権者に引き渡さなければならない。

② 株券発行会社は、前条第二項に規定する場合には、併合した株式に係る株券を登録株式質権者に引き渡さなければならない。

③ 株券発行会社は、前条第三項に規定する場合には、分割した株式について新たに発行する株券を登録株式質権者に引き渡さなければならない。

【株券発行会社↓一一七⑦【登録株式質権者↓一四九①

第一五四条① 登録株式質権者は、第百五十一条第一項の金銭等（金銭に限る。）又は同条第二項の金銭を受領し、他の債権者に先立って自己の債権の弁済に充てることができる。

② 株式会社が次の各号に掲げる行為をした場合において、前項の債権の弁済期が到来していないときは、登録株式質権者は、当該各号に定める者に同項に規定する金銭等に相当する金額を供託させることができる。この場合において、質権は、その供託金について存在する。

一　第百五十一条第一項第一号から第六号まで、第八号、第九号又は第十四号に掲げる行為　当該株式会社（平成二六法九〇本号追加）

二　組織変更　第七百四十四条第一項第一号に規定する組織変更後持分会社（平成二六法九〇本号追加）

三　合併（合併により当該株式会社が消滅する場合に限る。）　第七百四十九条第一項に規定する吸収合併存続会社又は第七百五十三条第一項に規定する新設合併設立会社（平成二六法九〇本号追加）

四　株式交換　第七百六十七条に規定する株式交換完全親会社（平成二六法九〇本号追加）

五　株式移転　第七百七十三条第一項第一号に規定する株式移転設立完全親会社（平成二六法九〇本号追加）

③ 第百五十一条第二項に規定する場合において、第一項の債権の弁済期が到来していないときは、登録株式質権者は、当該特別支配株主に同条第二項の金銭に相当する金額を供託させることができる。この場合において、質権は、その供託金について存在する。（平成二六法九〇本項追加）

（平成二六法九〇本条改正）

【登録株式質権者↓一四九①　❶【金銭の受領↓民三六二②・三五〇・二九七、八四〇⑤・八四一②・八四二②　❷❸【質権者のための供託↓民三六六③・四九五、供、八四〇⑥・八四一②・八四二②

第四款　信託財産に属する株式についての対抗要件等（平成一八法一〇九本款追加）

第一五四条の二① 株式については、当該株式が信託財産に属する旨を株主名簿に記載し、又は記録しなければ、当該株式が信託財産に属することを株式会社その他の第三者に対抗することができない。

② 第百二十一条第一号の株主は、その有する株式が信託財産に属するときは、株式会社に対し、その旨を株主名簿に記載し、又は記録することを請求することができる。

③ 株主名簿に前項の規定による記載又は記録がされた場合における第百二十二条第一項及び第百三十二条の規定の適用については、第百二十二条第一項中「記録された株主名簿記載事項」とあるのは「記録された株主名簿記載事項（当該株主の有する株式が信託財産に属する旨を含む。）」と、第百三十二条中「株主名簿記載事項」とあるのは「株主名簿記載事項（当該株主の有する株式が信託財産に属する旨を含む。）」とする。

④ 前三項の規定は、株券発行会社については、適用しない。

【信託財産↓信託二③　❶【株主名簿↓一二一―一二六【振替口座簿の記載・記録↓社債株式振替一四二　❷【株主名簿記載事項↓一二一・五四一　❹【株券発行会社↓一一七⑦

第四節　株式会社による自己の株式の取得

第一款　総則

第一五五条　株式会社は、次に掲げる場合に限り、当該株式会社の株式を取得することができる。
一　第百七条第二項第三号イの事由が生じた場合
二　第百三十八条第一号ハ又は第二号ハの請求があった場合
三　次条第一項の決議があった場合
四　第百六十六条第一項の規定による請求があった場合
五　第百七十一条第一項の決議があった場合
六　第百七十六条第一項の規定による請求をした場合
七　第百九十二条第一項の規定による請求があった場合
八　第百九十七条第三項各号に掲げる事項を定めた場合
九　第二百三十四条第四項各号（第二百三十五条第二項において準用する場合を含む。）に掲げる事項を定めた場合（平成一八法一〇九本号改正）
十　他の会社（外国会社を含む。）の事業の全部を譲り受ける場合において当該他の会社が有する当該株式会社の株式を取得する場合
十一　合併後消滅する会社から当該株式会社の株式を承継する場合
十二　吸収分割をする会社から当該株式会社の株式を承継する場合
十三　前各号に掲げる場合のほか、法務省令で定める場合

参+【自己株式→一九四、一九九①、三〇八②、四五三、七四九①㊂、七五八㊃、七六八①㊂】【金融商品取引法の規制→金商二四の六、二五①㊈、一六二の二、一六六①②㊁二⑥㊃の㊁】【㊁】【㊂】【㊃】―【㊉㊂】【取得方法→一五六②】【㊉】【事業全部の譲受け→四六七①㊂②】【㊉㊀】【合併による承継→七五〇①、七五四①】【㊉㊁】【吸収分割による承継→七五九①】+【不正な取得→九六三⑤㊀】【適用除外→五〇九①㊀③】

第二款　株主との合意による取得

第一目　総則

（株式の取得に関する事項の決定）
第一五六条①　株式会社が株主との合意により当該株式会社の株式を有償で取得するには、あらかじめ、株主総会の決議によって、次に掲げる事項を定めなければならない。ただし、第三号の期間は、一年を超えることができない。
一　取得する株式の数（種類株式発行会社にあっては、株式の種類及び種類ごとの数）
二　株式を取得するのと引換えに交付する金銭等（当該株式会社の株式等を除く。以下この款において同じ。）の内容及びその総額
三　株式を取得することができる期間
② 前項の規定は、前条第一号及び第二号並びに第四号から第十三号までに掲げる場合には、適用しない。

参❶【総会決議→一六〇①、三〇九①②㊀、四六〇①】【取締役会決議で足りる場合→一六三、一六五③、四五九①㊀】

（取得価格等の決定）
第一五七条①　株式会社は、前条第一項の規定による決定に従い株式を取得しようとするときは、その都度、次に掲げる事項を定めなければならない。
一　取得する株式の数（種類株式発行会社にあっては、株式の種類及び数）
二　株式一株を取得するのと引換えに交付する金銭等の内容及び数若しくは額又はこれらの算定方法
三　株式を取得するのと引換えに交付する金銭等の総額
四　株式の譲渡しの申込みの期日
② 取締役会設置会社においては、前項各号に掲げる事項の決定は、取締役会の決議によらなければならない。
③ 第一項の株式の取得の条件は、同項の規定による決定ごとに、均等に定めなければならない。

参❶【株主への通知・公告→一五八】【㊀】【取得総数→一五九②】【㊂】【金銭等の総額→四六一①㊂、四六二①㊁、四六五①㊂】【㊃】【申込みの期日→一五九②】+【本条の適用除外→一六三、一六五①】

（株主に対する通知等）
第一五八条①　株式会社は、株主（種類株式発行会社にあっては、取得する株式の種類の種類株主）に対し、前条第一項各号に掲げる事項を通知しなければならない。
② 公開会社においては、前項の規定による通知は、公告をもってこれに代えることができる。

参❶【通知→一二六、一五九、一六〇⑤】❷【公告→九三九、九四〇】+【懈怠への制裁→九七六㊁】【本条の適用除外→一六三、一六五①】

（譲渡しの申込み）
第一五九条①　前条第一項の規定による通知を受けた株主は、その有する株式の譲渡しの申込みをしようとするときは、株式会社に対し、その申込みに係る株式の数（種類株式発行会社にあっては、株式の種類及び数）を明らかにしなければならない。
② 株式会社は、第百五十七条第一項第四号の期日において、前項の株主が申込みをした株式の譲受けを承諾したものとみなす。ただし、同項の株主が申込みをした株式の総数（以下この項において「申込総数」という。）が同条第一項第一号の数（以下この項において「取得総数」という。）を超えるときは、取得総数を申込総数で除して得た数に前項の株主が申込みをした株式の数を乗じて得た数（その数に一に満たない端数がある場合にあっては、これを切り捨てるものとする。）の株式の譲受けを承諾したものとみなす。

参+【本条の適用除外→一六三、一六五①】

第二目　特定の株主からの取得

（特定の株主からの取得）
第一六〇条①　株式会社は、第百五十六条第一項各号に掲げる事項の決定に併せて、同項の株主総会の決議によって、第百五十八条第一項の規定による通知を特定の株主に対して行う旨を定めることができる。
② 株式会社は、前項の規定による決定をしようとする

ときは、法務省令で定める時までに、株主（種類株式発行会社にあっては、取得する株式の種類の種類株主）に対し、次項の規定による請求をすることができる旨を通知しなければならない。

③ 前項の株主は、第一項の特定の株主に自己をも加えたものを同項の株主総会の議案とすることを、法務省令で定める時までに、請求することができる。

④ 第一項の特定の株主は、第百五十六条第一項の株主総会において議決権を行使することができない。ただし、第一項の特定の株主以外の株主の全部が当該株主総会において議決権を行使することができない場合は、この限りでない。

⑤ 第一項の特定の株主を定めた場合における第百五十八条第一項の規定の適用については、同項中「株主（種類株式発行会社にあっては、取得する株式の種類の種類株主）」とあるのは、「第百六十条第一項の特定の株主」とする。

§❶【総会決議→三〇九②㈡　❷【省令で定める時→会社則二八　❷❸【適用除外→一六一、一六二【定款による適用排除→一六四　❸【省令で定める時→会社則二九　❹【特別利害関係株主の議決権排除→一四〇③、一七五②　+【本条の適用除外→一六三、一六五①

（市場価格のある株式の取得の特則）

第一六一条　前条第二項及び第三項の規定は、取得する株式が市場価格のある株式である場合において、当該株式一株を取得するのと引換えに交付する金銭等の額が当該株式一株の市場価格として法務省令で定める方法により算定されるものを超えないときは、適用しない。

§+【市場価格のある株式→一三三⑩㈡、一六七③㈡、一九三①㈡、一九七②、二〇一②、二八三㈡【省令で定める方法→会社則三〇

（相続人等からの取得の特則）

第一六二条　第百六十条第二項及び第三項の規定は、株式会社が株主の相続人その他の一般承継人からその相続その他の一般承継により取得した当該株式会社の株式を取得する場合には、適用しない。ただし、次のいずれかに該当する場合は、この限りでない。

一　株式会社が公開会社である場合

二　当該相続人その他の一般承継人が株主総会又は種類株主総会において当該株式について議決権を行使した場合

§+【その他の一般承継人→一三三②　§【一】【公開会社→二㈤

（子会社からの株式の取得）

第一六三条　株式会社がその子会社の有する当該株式会社の株式を取得する場合における第百五十六条第一項の規定の適用については、同項中「株主総会」とあるのは、「株主総会（取締役会設置会社にあっては、取締役会）」とする。この場合においては、第百五十七条から第百六十条までの規定は、適用しない。

§+【子会社→二㈢【取得対価に関する制約→四六一①㈡、四六二①㈡【欠損が生じた場合の責任→四六五①㈡

（特定の株主からの取得に関する定款の定め）

第一六四条①　株式会社は、株式（種類株式発行会社にあっては、ある種類の株式。次項において同じ。）の取得について第百六十条第一項の規定による決定をするときは同条第二項及び第三項の規定を適用しない旨を定款で定めることができる。

② 株式の発行後に定款を変更して当該株式について前項の規定による定款の定めを設け、又は当該定めについての定款の変更（同項の定款の定めを廃止するものを除く。）をしようとするときは、当該株式を有する株主全員の同意を得なければならない。

§❷【株主全員の同意→商登四六①

第三目　市場取引等による株式の取得

第一六五条①　第百五十七条から第百六十条までの規定は、株式会社が市場において行う取引又は金融商品取引法第二十七条の二第六項に規定する公開買付けの方法（以下この条において「市場取引等」という。）により当該株式会社の株式を取得する場合には、適用しない。（平成一八法六六本項改正）

② 取締役会設置会社は、市場取引等により当該株式会社の株式を取得することを取締役会の決議によって定めることができる旨を定款で定めることができる。

③ 前項の規定による定款の定めを設けた場合における第百五十六条第一項の規定の適用については、同項中「株主総会」とあるのは、「株主総会（第百六十五条第一項に規定する場合にあっては、株主総会又は取締役会）」とする。

§+【取得対価に関する制約→四六一①㈡、四六二①㈡【欠損が生じた場合の責任→四六五①㈡

第三款　取得請求権付株式及び取得条項付株式の取得

第一目　取得請求権付株式の取得の請求

（取得の請求）

第一六六条①　取得請求権付株式の株主は、株式会社に対して、当該株主の有する取得請求権付株式を取得することを請求することができる。ただし、当該取得請求権付株式を取得するのと引換えに第百七条第二項第二号ロからホまでに規定する財産を交付する場合において、これらの財産の帳簿価額が当該請求の日における第四百六十一条第二項の分配可能額を超えているときは、この限りでない。

② 前項の規定による請求は、その請求に係る取得請求権付株式の数（種類株式発行会社にあっては、取得請求権付株式の種類及び種類ごとの数）を明らかにしてしなければならない。

③ 株券発行会社の株主がその有する取得請求権付株式について第一項の規定による請求をしようとするときは、当該取得請求権付株式に係る株券を株券発行会社に提出しなければならない。ただし、当該取得請求権付株式に係る株券が発行されていない場合は、この限りでない。

参❶【取得請求権付株式↓二〔十八〕、一〇七①㈡②㈡、一〇八①㈤②㈤【取得等の効力の発生↓一六七①②【取得の制約↓四六五①㈣ ❸【株券発行会社↓一一七⑦

（効力の発生）

第一六七条①　株式会社は、前条第一項の規定による請求の日に、その請求に係る取得請求権付株式を取得する。

②　次の各号に掲げる場合には、前条第一項の規定による請求をした株主は、その請求の日に、第百七条第二項第二号（種類株式発行会社にあっては、第百八条第二項第五号）に定める事項についての定めに従い、当該各号に定める者となる。

一　第百七条第二項第二号ロに掲げる事項についての定めがある場合　同号ロの社債の社債権者

二　第百七条第二項第二号ハに掲げる事項についての定めがある場合　同号ハの新株予約権の新株予約権者

三　第百七条第二項第二号ニに掲げる事項についての定めがある場合　同号ニの新株予約権付社債についての社債の社債権者及び当該新株予約権付社債に付された新株予約権の新株予約権者

四　第百八条第二項第五号ロに掲げる事項についての定めがある場合　同号ロの他の株式の株主

③　前項第四号に掲げる場合において、同号に規定する他の株式の数に一株に満たない端数があるときは、これを切り捨てるものとする。この場合においては、株式会社は、定款に別段の定めがある場合を除き、次の各号に掲げる場合の区分に応じ、当該各号に定める額にその端数を乗じて得た額に相当する金銭を前条第一項の規定による請求をした株主に対して交付しなければならない。

一　当該株式が市場価格のある株式である場合　当該株式一株の市場価格として法務省令で定める方法により算定される額

二　前号に掲げる場合以外の場合　一株当たり純資産額

④　前項の規定は、当該株式会社の社債及び新株予約権について端数がある場合について準用する。この場合において、同項第二号中「一株当たり純資産額」とあるのは、「法務省令で定める額」と読み替えるものとする。

参❶【自己株式の取得↓一五五㈣ ❷【株主が受ける金銭等↓一五一①㈡ 【四】【発行可能種類株式総数の留保↓一一四②㈡【振替株式の場合↓社債株式振替一五六② ❶❷【変更登記↓九一一③㈨・九一五①③㈢、商登五八・六六 ❸【市場価格のある株式↓三三⑩㈢・一六一・一九三①㈡・一九七②・二〇一②・二八三㈡ 【二】【省令で定める方法↓会社則三一

第二目　取得条項付株式の取得

（取得する日の決定）

第一六八条①　第百七条第二項第三号ロに掲げる事項についての定めがある場合には、株式会社は、同号ロの日を株主総会（取締役会設置会社にあっては、取締役会）の決議によって定めなければならない。ただし、定款に別段の定めがある場合は、この限りでない。

②　第百七条第二項第三号ロの日を定めたときは、株式会社は、取得条項付株式の株主（同号ハに掲げる事項についての定めがある場合にあっては、次条第一項の規定により決定した取得条項付株式の株主）及びその登録株式質権者に対し、当該日の二週間前までに、当該日を通知しなければならない。

③　前項の規定による通知は、公告をもってこれに代えることができる。

参❶【取得条項付株式↓二〔十九〕・一〇七①㈢②㈢・一〇八①㈥②㈥【総会決議↓三〇九① ❷【株主等への通知↓一二六・一五〇 ❸【公告↓九三九・九四〇 ❷❸【懈怠への制裁↓九七六㈡

（取得する株式の決定等）

第一六九条①　株式会社は、第百七条第二項第三号ハに掲げる事項についての定めがある場合において、取得条項付株式を取得しようとするときは、その取得する取得条項付株式を決定しなければならない。

②　前項の取得条項付株式は、株主総会（取締役会設置会社にあっては、取締役会）の決議によって定めなければならない。ただし、定款に別段の定めがある場合は、この限りでない。

③　第一項の規定による決定をしたときは、株式会社は、同項の規定により決定した取得条項付株式の株主及びその登録株式質権者に対し、直ちに、当該取得条項付株式を取得する旨を通知しなければならない。

④　前項の規定による通知は、公告をもってこれに代えることができる。

参❶【取得条項付株式↓二〔十九〕・一〇七①㈢②㈢・一〇八①㈥②㈥ ❷【総会決議↓三〇九① ❸【株主等への通知↓一二六・一五〇 ❹【公告↓九三九・九四〇 ❸❹【通知・公告の効果↓一七〇①㈡【懈怠への制裁↓九七六㈡

（効力の発生等）

第一七〇条①　株式会社は、第百七条第二項第三号イの事由が生じた日（同号ハに掲げる事項についての定めがある場合にあっては、第一号に掲げる日又は第二号に掲げる日のいずれか遅い日。次項及び第五項において同じ。）に、取得条項付株式（同条第二項第三号ハに掲げる事項についての定めがある場合にあっては、前条第一項の規定により決定したもの。次項において同じ。）を取得する。

一　第百七条第二項第三号イの事由が生じた日

二　前条第三項の規定による通知の日又は同条第四項の公告の日から二週間を経過した日

②　次の各号に掲げる場合には、取得条項付株式の株主（当該株式会社を除く。）は、第百七条第二項第三号イの事由が生じた日に、同号（種類株式発行会社にあっては、第百八条第二項第六号）に定める事項についての定めに従い、当該各号に定める者となる。

一　第百七条第二項第三号ニに掲げる事項についての定めがある場合　同号ニの社債の社債権者

二　第百七条第二項第三号ホに掲げる事項についての定めがある場合　同号ホの新株予約権の新株予約権者

三　第百七条第二項第三号ヘに掲げる事項についての

定めがある場合　同号への新株予約権付社債についての社債の社債権者及び当該新株予約権付社債に付された新株予約権の新株予約権者

四　第百八条第二項第六号ロに掲げる事項についての定めがある場合　同号ロの他の株式の株主

③　株式会社は、第百七条第二項第三号イの事由が生じた後、遅滞なく、取得条項付株式の株主及びその登録株式質権者（同号ハに掲げる事項についての定めがある場合にあっては、前条第一項の規定により決定した取得条項付株式の株主及びその登録株式質権者）に対し、当該事由が生じた旨を通知しなければならない。ただし、第百六十八条第二項の規定による通知又は同条第三項の公告をしたときは、この限りでない。

④　前項本文の規定による通知は、公告をもってこれに代えることができる。

⑤　前各項の規定は、取得条項付株式を取得するのと引換えに第百七条第二項第三号ニからトまでに規定する財産を交付する場合において、これらの財産の帳簿価額が同号イの事由が生じた日における第四百六十一条第二項の分配可能額を超えているときは、適用しない。

参❶【取得条項付株式→二〔十九〕・一〇七①〔三〕②〔三〕・一〇八①〔六〕②〔六〕【自己株式の取得→一五五〔一〕、社債株式振替一五七【株券の提出→二一九①〔四〕　❶❷【変更登記→九一一③〔九〕・九一五①、商登五九・六七　❷【株主が受ける金銭等→一五一①〔一〕・一八九②〔一〕・二三四①〔一〕　〔四〕【発行可能種類株式総数の留保→一一四②〔一〕　❸【株主等への通知→一二六、一五〇　❹【公告→九三九・九四〇　❸❹【懈怠への制裁→九七六〔二〕　❺【取得の制約→四六五①〔五〕

第四款　全部取得条項付種類株式の取得

（全部取得条項付種類株式の取得に関する決定）

第一七一条①　全部取得条項付種類株式（第百八条第一項第七号に掲げる事項についての定めがある種類の株式をいう。以下この款において同じ。）を発行した種類株式発行会社は、株主総会の決議によって、全部取得条項付種類株式の全部を取得することができる。この場合においては、当該株主総会の決議によって、次に掲げる事項を定めなければならない。

一　全部取得条項付種類株式を取得するのと引換えに金銭等を交付するときは、当該金銭等（以下この条において「取得対価」という。）についての次に掲げる事項

イ　当該取得対価が当該株式会社の株式であるときは、当該株式の種類及び種類ごとの数又はその数の算定方法

ロ　当該取得対価が当該株式会社の社債（新株予約権付社債についてのものを除く。）であるときは、当該社債の種類及び種類ごとの各社債の金額の合計額又はその算定方法

ハ　当該取得対価が当該株式会社の新株予約権（新株予約権付社債に付されたものを除く。）であるときは、当該新株予約権の内容及び数又はその算定方法

ニ　当該取得対価が当該株式会社の新株予約権付社債であるときは、当該新株予約権付社債についてのロに規定する事項及び当該新株予約権付社債に付された新株予約権についてのハに規定する事項

ホ　当該取得対価が当該株式会社の株式等以外の財産であるときは、当該財産の内容及び数若しくは額又はこれらの算定方法

二　前号に規定する場合には、全部取得条項付種類株式の株主に対する取得対価の割当てに関する事項

三　株式会社が全部取得条項付種類株式を取得する日（以下この款において「取得日」という。）

②　前項第二号に掲げる事項についての定めは、株主（当該株式会社を除く。）の有する全部取得条項付種類株式の数に応じて取得対価を割り当てることを内容とするものでなければならない。

③　取締役は、第一項の株主総会において、全部取得条項付種類株式の全部を取得することを必要とする理由を説明しなければならない。

参❶【自己株式の取得→一五五〔五〕・一七三①【株主総会決議→三〇九②〔三〕【反対株主の権利→一七二①【取得対価→一七三②・一八九②〔一〕・二三六―二九四・四六一①〔四〕・六七六―七四二　❸【理由の説明→一八〇④・一九〇・一九九③・二〇〇②・二三八③・二三九②・三六一④

（全部取得条項付種類株式の取得対価等に関する書面等の備置き及び閲覧等）

第一七一条の二①　全部取得条項付種類株式を取得する株式会社は、次に掲げる日のいずれか早い日から取得日後六箇月を経過する日までの間、前条第一項各号に掲げる事項その他法務省令で定める事項を記載し、又は記録した書面又は電磁的記録をその本店に備え置かなければならない。

一　前条第一項の株主総会の日の二週間前の日（第三百十九条第一項の場合にあっては、同項の提案があった日）

二　第百七十二条第二項の規定による通知の日又は同条第三項の公告の日のいずれか早い日

②　全部取得条項付種類株式を取得する株式会社の株主は、当該株式会社に対して、その営業時間内は、いつでも、次に掲げる請求をすることができる。ただし、第二号又は第四号に掲げる請求をするには、当該株式会社の定めた費用を支払わなければならない。

一　前項の書面の閲覧の請求

二　前項の書面の謄本又は抄本の交付の請求

三　前項の電磁的記録に記録された事項を法務省令で定める方法により表示したものの閲覧の請求

四　前項の電磁的記録に記録された事項を電磁的方法であって株式会社の定めたものにより提供することの請求又はその事項を記載した書面の交付の請求

（平成二六法九〇本条追加）

参❶【違反に対する制裁→九七六〔七〕〔四〕【省令で定める事項→会社則三三の二　❷【違反に対する制裁→九七六〔四〕　〔三〕【省令で定める方法→会社則二二六　〔四〕【電磁的記録→二六②

（全部取得条項付種類株式の取得をやめることの請求）

第一七一条の三　第百七十一条第一項の規定による全部

会社

取得条項付種類株式の取得が法令又は定款に違反する場合において、株主が不利益を受けるおそれがあるときは、株主は、株式会社に対し、当該全部取得条項付種類株式の取得をやめることを請求することができる。（平成二六法九〇本条追加）

㊎✝【差止請求→民保二三②、一七九の七、一八二の三、二一〇、三六〇、七八四の二、七九六の二、八〇五の二【濫用株主等に対する制裁→九六八①㊁②

（裁判所に対する価格の決定の申立て）

第一七二条①　第百七十一条第一項各号に掲げる事項を定めた場合には、次に掲げる株主は、取得日の二十日前の日から取得日の前日までの間に、裁判所に対し、株式会社による全部取得条項付種類株式の取得の価格の決定の申立てをすることができる。

一　当該株主総会に先立って当該株式会社による全部取得条項付種類株式の取得に反対する旨を当該株式会社に対し通知し、かつ、当該株主総会において当該取得に反対した株主（当該株主総会において議決権を行使することができるものに限る。）

二　当該株主総会において議決権を行使することができない株主

（平成二六法九〇本項改正）

②　株式会社は、取得日の二十日前までに、全部取得条項付種類株式の株主に対し、当該全部取得条項付種類株式の全部を取得する旨を通知しなければならない。（平成二六法九〇本項追加）

③　前項の規定による通知は、公告をもってこれに代えることができる。（平成二六法九〇本項追加）

④　株式会社は、裁判所の決定した価格に対する取得日後の法定利率による利息をも支払わなければならない。（平成二九法四五本項改正）

⑤　株式会社は、全部取得条項付種類株式の取得の価格の決定があるまでは、株主に対し、当該株式会社がその公正な価格と認める額を支払うことができる。（平成二六法九〇本項追加）

㊎❶【裁判所→八六八①、八七〇②㊃【類似の手続→一一六、一七九の八、一八二の四、四六九、七八五、七九七、八〇六　❷❸【株主への通知→一二六①【懈怠に対する制裁→九七六㊁　❸【公告→九三九　❺【株式買取価格等の前払→一一七⑤、一八二の五、四七〇⑤、七八六⑤、七九八⑤、八〇七⑤

（効力の発生）

第一七三条①　株式会社は、取得日に、全部取得条項付種類株式の全部を取得する。

②　次の各号に掲げる場合には、当該株式会社以外の全部取得条項付種類株式の株主（前条第一項の申立てをした株主を除く。）は、取得日に、第百七十一条第一項の株主総会の決議による定めに従い、当該各号に定める者となる。

一　第百七十一条第一項第一号イに掲げる事項についての定めがある場合　同号イの株式の株主

二　第百七十一条第一項第一号ロに掲げる事項についての定めがある場合　同号ロの社債の社債権者

三　第百七十一条第一項第一号ハに掲げる事項についての定めがある場合　同号ハの新株予約権の新株予約権者

四　第百七十一条第一項第一号ニに掲げる事項についての定めがある場合　同号ニの新株予約権付社債についての社債の社債権者及び当該新株予約権付社債に付された新株予約権の新株予約権者

（平成二六法九〇本項改正）

㊎✝【全部取得条項付種類株式→一七一①　❶【取得日→一七一①㊂、二一九①㊂、社債株式振替一五七③④【取得に対する制約→四六一①㊃、四六二①㊂、四六五①㊅　❶❷【変更登記→九一一③㊈、九一五①、商登六〇、六八　❷【株主が受ける金銭等→一五一①㊂、二三四①㊁

（全部取得条項付種類株式の取得に関する書面等の備置き及び閲覧等）

第一七三条の二①　株式会社は、取得日後遅滞なく、株式会社が取得した全部取得条項付種類株式の数その他の全部取得条項付種類株式の取得に関する事項として法務省令で定める事項を記載し、又は記録した書面又は電磁的記録を作成しなければならない。

②　株式会社は、取得日から六箇月間、前項の書面又は電磁的記録をその本店に備え置かなければならない。

③　全部取得条項付種類株式を取得した株式会社の株主又は取得日に全部取得条項付種類株式の株主であった者は、当該株式会社に対して、その営業時間内は、いつでも、次に掲げる請求をすることができる。ただし、第二号又は第四号に掲げる請求をするには、当該株式会社の定めた費用を支払わなければならない。

一　前項の書面の閲覧の請求

二　前項の書面の謄本又は抄本の交付の請求

三　前項の電磁的記録に記録された事項を法務省令で定める方法により表示したものの閲覧の請求

四　前項の電磁的記録に記録された事項を電磁的方法であって株式会社の定めたものにより提供することの請求又はその事項を記載した書面の交付の請求

（平成二六法九〇本条追加）

㊎❶【違反に対する制裁→九七六㊆【省令で定める事項→会社則三三の三　❷【違反に対する制裁→九七六㊃　❸【違反に対する制裁→九七六㊃　㊂【省令で定める方法→会社則二二六　✝【電磁的記録→二六②

第五款　相続人等に対する売渡しの請求

（相続人等に対する売渡しの請求に関する定款の定め）

第一七四条　株式会社は、相続その他の一般承継により当該株式会社の株式（譲渡制限株式に限る。）を取得した者に対し、当該株式を当該株式会社に売り渡すことを請求することができる旨を定款で定めることができる。

㊎✝【自己株式の取得→一五五㊅【その他の一般承継人→一三三②、
㊎【譲渡制限株式→二⑰、一〇七①㊀、一〇八①㊃、一三四、一三六—一四五

（売渡しの請求の決定）

第一七五条①　株式会社は、前条の規定による定款の定めがある場合において、次条第一項の規定による請求

をしようとするときは、その都度、株主総会の決議によって、次に掲げる事項を定めなければならない。

一　次条第一項の規定による請求をする株式の数（種類株式発行会社にあっては、株式の種類及び種類ごとの数）

二　前号の株式を有する者の氏名又は名称

②　前項第二号の者は、同項の株主総会において議決権を行使することができない。ただし、同号の者以外の株主の全部が当該株主総会において議決権を行使することができない場合は、この限りでない。

§❶【株主総会決議→三〇九②〔三〕　❷【特別利害関係株主の議決権排除→一四〇③、一六〇④

（売渡しの請求）

第一七六条①　株式会社は、前条第一項各号に掲げる事項を定めたときは、同項第二号の者に対し、同項第一号の株式を当該株式会社に売り渡すことを請求することができる。ただし、当該株式会社が相続その他の一般承継があったことを知った日から一年を経過したときは、この限りでない。

②　前項の規定による請求は、その請求に係る株式の数（種類株式発行会社にあっては、株式の種類及び種類ごとの数）を明らかにしてしなければならない。

③　株式会社は、いつでも、第一項の規定による請求を撤回することができる。

§❶【売渡しの請求→一五五〔六〕、一七七⑤【売買価格の決定→一七七　❸【請求の撤回→四六一①〔五〕、四六五①〔七〕

（売買価格の決定）

第一七七条①　前条第一項の規定による請求があった場合には、第百七十五条第一項第一号の株式の売買価格は、株式会社と同項第二号の者との協議によって定める。

②　株式会社又は第百七十五条第一項第二号の者は、前条第一項の規定による請求があった日から二十日以内に、裁判所に対し、売買価格の決定の申立てをすることができる。

③　裁判所は、前項の決定をするには、前条第一項の規定による請求の時における株式会社の資産状態その他一切の事情を考慮しなければならない。

④　第一項の規定にかかわらず、第二項の期間内に同項の申立てがあったときは、当該申立てにより裁判所が定めた額をもって第百七十五条第一項第一号の株式の売買価格とする。

⑤　第二項の期間内に同項の申立てがないとき（当該期間内に第一項の協議が調った場合を除く。）は、前条第一項の規定による請求は、その効力を失う。

§+【売買価格→四六一①〔五〕　❷【裁判所→八六八①、八七〇②〔三〕

第六款　株式の消却

第一七八条①　株式会社は、自己株式を消却することができる。この場合においては、消却する自己株式の数（種類株式発行会社にあっては、自己株式の種類及び種類ごとの数）を定めなければならない。

②　取締役会設置会社においては、前項後段の規定による決定は、取締役会の決議によらなければならない。

§❶【自己株式→一五五§【株式の消却→九一一③〔四〕、九一五①【剰余金の算出の際の取扱い→四四六〔五〕　❷【取締役会の決議→商登四六②　+【違反に対する制裁→九七六〔十二〕

第四節の二　特別支配株主の株式等売渡請求

（平成二六法九〇節名追加）

（株式等売渡請求）

第一七九条①　株式会社の特別支配株主（株式会社の総株主の議決権の十分の九（これを上回る割合を当該株式会社の定款で定めた場合にあっては、その割合）以上を当該株式会社以外の者及び当該者が発行済株式の全部を有する株式会社その他これに準ずるものとして法務省令で定める法人（以下この条及び次条第一項において「特別支配株主完全子法人」という。）が有している場合における当該者をいう。以下同じ。）は、当該株式会社の株主（当該株式会社及び当該特別支配株主を除く。）の全員に対し、その有する当該株式会社の株式の全部を当該特別支配株主に売り渡すことを請求することができる。ただし、特別支配株主完全子法人に対しては、その請求をしないことができる。

②　特別支配株主は、前項の規定による請求（以下この章及び第八百四十六条の二第二項第一号において「株式売渡請求」という。）をするときは、併せて、その株式売渡請求に係る株式を発行している株式会社（以下「対象会社」という。）の新株予約権の新株予約権者（対象会社及び当該特別支配株主を除く。）の全員に対し、その有する対象会社の新株予約権の全部を当該特別支配株主に売り渡すことを請求することができる。ただし、特別支配株主完全子法人に対しては、その請求をしないことができる。

③　特別支配株主は、新株予約権付社債に付された新株予約権について前項の規定による請求（以下「新株予約権売渡請求」という。）をするときは、併せて、新株予約権付社債についての社債の全部を当該特別支配株主に売り渡すことを請求しなければならない。ただし、当該新株予約権付社債に付された新株予約権について別段の定めがある場合は、この限りでない。

（平成二六法九〇本条全部改正）

§❶【省令で定める法人→会社則三三の四

（株式等売渡請求の方法）

第一七九条の二①　株式売渡請求は、次に掲げる事項を定めてしなければならない。

一　特別支配株主完全子法人に対して株式売渡請求をしないこととするときは、その旨及び当該特別支配株主完全子法人の名称

二　株式売渡請求によりその有する対象会社の株式を売り渡す株主（以下この章において「売渡株主」という。）に対して当該株式（以下この章において「売渡株式」という。）の対価として交付する金銭の額又はその算定方法

三　売渡株主に対する前号の金銭の割当てに関する事

四　株式売渡請求に併せて新株予約権売渡請求（その新株予約権売渡請求に係る新株予約権が新株予約権付社債に付されたものである場合における前条第三項の規定による請求を含む。以下同じ。）をするときは、その旨及び次に掲げる事項

イ　特別支配株主完全子法人に対して新株予約権売渡請求をしないこととするときは、その旨及び当該特別支配株主完全子法人の名称

ロ　新株予約権売渡請求によりその有する対象会社の新株予約権を売り渡す新株予約権者（以下「売渡新株予約権者」という。）に対して当該新株予約権（当該新株予約権が新株予約権付社債に付されたものである場合において、前条第三項の規定による請求をするときは、当該新株予約権付社債についての社債を含む。以下この編において「売渡新株予約権」という。）の対価として交付する金銭の額又はその算定方法

ハ　売渡新株予約権者に対するロの金銭の割当てに関する事項

五　特別支配株主が売渡株式（株式売渡請求に併せて新株予約権売渡請求をする場合にあっては、売渡株式及び売渡新株予約権。以下「売渡株式等」という。）を取得する日（以下この節において「取得日」という。）

六　前各号に掲げるもののほか、法務省令で定める事項

②　対象会社が種類株式発行会社である場合には、特別支配株主は、対象会社の発行する種類の株式の内容に応じ、前項第三号に掲げる事項として、同項第二号の金銭の割当てについて売渡株式の種類ごとに異なる取扱いを行う旨及び当該異なる取扱いの内容を定めることができる。

③　第一項第三号に掲げる事項についての定めは、売渡株主の有する売渡株式の数（前項に規定する定めがある場合にあっては、各種類の売渡株式の数）に応じて金銭を交付することを内容とするものでなければならない。

（平成二六法九〇本条追加）

§❶【特別支配株主完全子法人↓一七九①　［六］【省令で定める事項↓会社則三三の五　❶❷【特別支配株主↓一七九①

（対象会社の承認）

第一七九条の三①　特別支配株主は、株式売渡請求（株式売渡請求に併せて新株予約権売渡請求をする場合にあっては、株式売渡請求及び新株予約権売渡請求。以下「株式等売渡請求」という。）をしようとするときは、対象会社に対し、その旨及び前条第一項各号に掲げる事項を通知し、その承認を受けなければならない。

②　対象会社は、特別支配株主が株式売渡請求に併せて新株予約権売渡請求をしようとするときは、新株予約権売渡請求のみを承認することはできない。

③　取締役会設置会社が第一項の承認をするか否かの決定をするには、取締役会の決議によらなければならない。

④　対象会社は、第一項の承認をするか否かの決定をしたときは、特別支配株主に対し、当該決定の内容を通知しなければならない。

（平成二六法九〇本条追加）

§❶❷❹【特別支配株主↓一七九①　❹【懈怠に対する制裁↓九七六［二］

（売渡株主等に対する通知等）

第一七九条の四①　対象会社は、前条第一項の承認をしたときは、取得日の二十日前までに、次の各号に掲げる者に対し、当該各号に定める事項を通知しなければならない。

一　売渡株主（特別支配株主が株式売渡請求に併せて新株予約権売渡請求をする場合にあっては、売渡株主及び売渡新株予約権者。以下この節において「売渡株主等」という。）　当該承認をした旨、特別支配株主の氏名又は名称及び住所、第百七十九条の二第一項第一号から第五号までに掲げる事項その他法務省令で定める事項

二　売渡株式の登録株式質権者（特別支配株主が株式売渡請求に併せて新株予約権売渡請求をする場合にあっては、売渡株式の登録株式質権者及び売渡新株予約権の登録新株予約権質権者（第二百七十条第一項に規定する登録新株予約権質権者をいう。））　当該承認をした旨

②　前項の規定による通知（売渡株主に対してするものを除く。）は、公告をもってこれに代えることができる。

③　対象会社が第一項の規定による通知又は前項の公告をしたときは、特別支配株主から売渡株主等に対し、株式等売渡請求がされたものとみなす。

④　第一項の規定による通知又は第二項の公告の費用は、特別支配株主の負担とする。

（平成二六法九〇本条追加）

§❶［一］【株主への通知↓一二六①【省令で定める事項↓会社則三三の六　［二］【登録株式質権者↓一四九①【登録株式質権者への通知↓一五〇①、社債株式振替一六一②　❶❷【全部取得条項付種類株主への通知↓一七二②③【懈怠に対する制裁↓九七六［二］　❶❸【対象会社↓一七九②　❶❹【特別支配株主↓一七九①　❷【公告↓九三九

（株式等売渡請求に関する書面等の備置き及び閲覧等）

第一七九条の五①　対象会社は、前条第一項第一号の規定による通知の日又は同条第二項の公告の日のいずれか早い日から取得日後六箇月（対象会社が公開会社でない場合にあっては、取得日後一年）を経過する日までの間、次に掲げる事項を記載し、又は記録した書面又は電磁的記録をその本店に備え置かなければならない。

一　特別支配株主の氏名又は名称及び住所

二　第百七十九条の二第一項各号に掲げる事項

三　第百七十九条の三第一項の承認をした旨

四　前三号に掲げるもののほか、法務省令で定める事

項

② 売渡株主等は、対象会社に対して、その営業時間内は、いつでも、次に掲げる請求をすることができる。ただし、第二号又は第四号に掲げる請求をするには、当該対象会社の定めた費用を支払わなければならない。

一　前項の書面の閲覧の請求
二　前項の書面の謄本又は抄本の交付の請求
三　前項の電磁的記録に記録された事項を法務省令で定める方法により表示したものの閲覧の請求
四　前項の電磁的記録に記録された事項を電磁的方法であって対象会社の定めたものにより提供することの請求又はその事項を記載した書面の交付の請求

（平成二六法九〇本条追加）

❶【違反に対する制裁】→九七六㊆㊃　【四】【省令で定める事項】→会社則三三の七　❷【違反に対する制裁】→九七六㊃　【三】【省令で定める方法】→会社則二二六、＊【電磁的記録】→二六②

（株式等売渡請求の撤回）

第一七九条の六①　特別支配株主は、第百七十九条の三第一項の承認を受けた後は、取得日の前日までに対象会社の承諾を得た場合に限り、売渡株式等の全部について株式等売渡請求を撤回することができる。

② 取締役会設置会社が前項の承諾をするか否かの決定をするには、取締役会の決議によらなければならない。

③ 対象会社は、第一項の承諾をするか否かの決定をしたときは、特別支配株主に対し、当該決定の内容を通知しなければならない。

④ 対象会社は、第一項の承諾をしたときは、遅滞なく、売渡株主等に対し、当該承諾をした旨を通知しなければならない。

⑤ 前項の規定による通知は、公告をもってこれに代えることができる。

⑥ 対象会社が第四項の規定による通知又は前項の公告をしたときは、株式等売渡請求は、売渡株式等の全部について撤回されたものとみなす。

⑦ 第四項の規定による通知又は第五項の公告の費用は、特別支配株主の負担とする。

⑧ 前各項の規定は、新株予約権売渡請求のみを撤回する場合について準用する。この場合において、第四項中「売渡株主等」とあるのは、「売渡新株予約権者」と読み替えるものとする。

（平成二六法九〇本条追加）

❶❷【社債株式振替一六一②【特別支配株主による売渡請求の承認】→一七九の三①③　❸❹【株主への通知】→一二六①　❸―❺【解怠に対する制裁】→九七六㊁

（売渡株式等の取得をやめることの請求）

第一七九条の七①　次に掲げる場合において、売渡株主が不利益を受けるおそれがあるときは、売渡株主は、特別支配株主に対し、株式等売渡請求に係る売渡株式等の全部の取得をやめることを請求することができる。

一　株式売渡請求が法令に違反する場合
二　対象会社が第百七十九条の四第一項第一号（売渡株主に対する通知に係る部分に限る。）又は第百七十九条の五の規定に違反した場合
三　第百七十九条の二第一項第二号又は第三号に掲げる事項が対象会社の財産の状況その他の事情に照らして著しく不当である場合

② 次に掲げる場合において、売渡新株予約権者が不利益を受けるおそれがあるときは、売渡新株予約権者は、特別支配株主に対し、株式等売渡請求に係る売渡株式等の全部の取得をやめることを請求することができる。

一　新株予約権売渡請求が法令に違反する場合
二　対象会社が第百七十九条の四第一項第一号（売渡新株予約権者に対する通知に係る部分に限る。）又は第百七十九条の五の規定に違反した場合
三　第百七十九条の二第一項第四号ロ又はハに掲げる事項が対象会社の財産の状況その他の事情に照らして著しく不当である場合

（平成二六法九〇本条追加）

＊民保二三②、一七一の三、一八二の三、二一〇、三六〇、七八四の二、七九六の二、八〇五の二【濫用株主等に対する制裁】→九六八①㊁②

（売買価格の決定の申立て）

第一七九条の八①　株式等売渡請求があった場合には、売渡株主等は、取得日の二十日前の日から取得日の前日までの間に、裁判所に対し、その有する売渡株式等の売買価格の決定の申立てをすることができる。

② 特別支配株主は、裁判所の決定した売買価格に対する取得日後の法定利率による利息をも支払わなければならない。（平成二九法四五本項改正）

③ 特別支配株主は、売渡株式等の売買価格の決定があるまでは、売渡株主等に対し、当該特別支配株主が公正な売買価格と認める額を支払うことができる。

（平成二六法九〇本条追加）

❶❷【裁判所】→八六八③、八七〇②㊄　❷【利息の支払（全部取得条項付種類株式の場合）】→一七二④　❸【売買価格の前払（全部取得条項付種類株式の場合）】→一七二⑤　＊【類似の手続】→一一六、一七二、一八二の四、四六九、七八五、七九七、八〇六

（売渡株式等の取得）

第一七九条の九①　株式等売渡請求をした特別支配株主は、取得日に、売渡株式等の全部を取得する。

② 前項の規定により特別支配株主が取得した売渡株式等が譲渡制限株式又は譲渡制限新株予約権（第二百四十三条第二項第二号に規定する譲渡制限新株予約権をいう。）であるときは、対象会社は、当該特別支配株主が当該売渡株式等を取得したことについて、第百三十七条第一項又は第二百六十三条第一項の承認をする旨の決定をしたものとみなす。

（平成二六法九〇本条追加）

❶【取得日】→一七九の二①㊄　❷【譲渡制限株式】→二㊄【譲渡を承認したとみなされる場合】→一四五、二六六

（売渡株式等の取得に関する書面等の備置き及び閲覧）

等）

第一七九条の一〇① 対象会社は、取得日後遅滞なく、株式等売渡請求により特別支配株主が取得した売渡株式等の数その他の株式等売渡請求に係る売渡株式等の取得に関する事項として法務省令で定める事項を記載し、又は記録した書面又は電磁的記録を作成しなければならない。

② 対象会社は、取得日から六箇月間（対象会社が公開会社でない場合にあっては、取得日から一年間）、前項の書面又は電磁的記録をその本店に備え置かなければならない。

③ 取得日に売渡株主等であった者は、対象会社に対して、その営業時間内は、いつでも、次に掲げる請求をすることができる。ただし、第二号又は第四号に掲げる請求をするには、当該対象会社の定めた費用を支払わなければならない。

一 前項の書面の閲覧の請求

二 前項の書面の謄本又は抄本の交付の請求

三 前項の電磁的記録に記録された事項を法務省令で定める方法により表示したものの閲覧の請求

四 前項の電磁的記録に記録された事項を電磁的方法であって対象会社の定めたものにより提供することの請求又はその事項を記載した書面の交付の請求

（平成二六法九〇本条追加）

⊛❶【違反に対する制裁↓九七六[七]【省令で定める事項↓会社則三三の八　❷【違反に対する制裁↓九七六[四]　❸【違反に対する制裁↓九七六[四]　[三]【省令で定める方法↓会社則二二六†【電磁的記録↓二六②

第五節　株式の併合等

第一款　株式の併合

（株式の併合）

第一八〇条① 株式会社は、株式の併合をすることができる。

② 株式会社は、株式の併合をしようとするときは、その都度、株主総会の決議によって、次に掲げる事項を定めなければならない。

一 併合の割合

二 株式の併合がその効力を生ずる日（以下この款において「効力発生日」という。）（平成二六法九〇本号改正）

三 株式会社が種類株式発行会社である場合には、併合する株式の種類

四 効力発生日における発行可能株式総数（平成二六法九〇本号追加）

③ 前項第四号の発行可能株式総数は、効力発生日における発行済株式の総数の四倍を超えることができない。ただし、株式会社が公開会社でない場合は、この限りでない。（平成二六法九〇本項追加）

④ 取締役は、第二項の株主総会において、株式の併合をすることを必要とする理由を説明しなければならない。（平成二六法九〇本項改正）

⊛❶【株式の併合↓一五一①[四]・九一一③[九]・九一五①、商登六一　❷【株主総会決議↓三〇九②[四]、商登四六②　[二]【効力発生日↓一八二・一八二①・一八二五②　[三]【種類株式発行会社↓二③[十三]　❸【発行可能株式総数↓三七①【発行済株式↓二二二①[二]　❹【理由の説明↓一七一③・一九〇・一九九③・二〇〇②・二三八③・二三九②・三六一④

（株主に対する通知等）

第一八一条① 株式会社は、効力発生日の二週間前までに、株主（種類株式発行会社にあっては、前条第二項第三号の種類の種類株主。以下この款において同じ。）及びその登録株式質権者に対し、同項各号に掲げる事項を通知しなければならない。（平成二六法九〇本項改正）

② 前項の規定による通知は、公告をもってこれに代えることができる。

⊛❶【株主等に対する通知↓一二六・一五〇　❷【公告↓九三九†【懈怠への制裁↓九七六[二]

（効力の発生）

第一八二条① 株主は、効力発生日に、その日の前日に有する株式（種類株式発行会社にあっては、第百八十条第二項第三号の種類の株式。以下この項において同じ。）の数に同条第二項第一号の割合を乗じて得た数の株式の株主となる。

② 株式の併合をした株式会社は、効力発生日に、第百八十条第二項第四号に掲げる事項についての定めに従い、当該事項に係る定款の変更をしたものとみなす。（平成二六法九〇本項追加）

（平成二六法九〇本条改正）

⊛†【効力の発生↓一五一①[四]・二一九①[二]・二三五・九一一③[九]・九一五①、商登六一、社債株式振替一三六【効力発生日↓一八〇②[二]　❷【発行可能株式総数↓三七①【発行済株式↓二[三十二]【定款変更の株主総会決議↓三〇九②[十一]

（株式の併合に関する事項に関する書面等の備置き及び閲覧等）

第一八二条の二① 株式の併合（単元株式数（種類株式発行会社にあっては、第百八十条第二項第三号の種類の株式の単元株式数。以下この項において同じ。）を定款で定めている場合にあっては、当該単元株式数に同条第二項第一号の割合を乗じて得た数に一に満たない端数が生ずるものに限る。以下この款において同じ。）をする株式会社は、次に掲げる日のいずれか早い日から効力発生日後六箇月を経過する日までの間、同項各号に掲げる事項その他法務省令で定める事項を記載し、又は記録した書面又は電磁的記録をその本店に備え置かなければならない。

一 第百八十条第二項の株主総会（株式の併合をするために種類株主総会の決議を要する場合にあっては、当該種類株主総会を含む。第百八十二条の四第二項において同じ。）の日の二週間前の日（第三百十九条第一項の場合にあっては、同項の提案があった日）

二 第百八十二条の四第三項の規定により読み替えて適用する第百八十一条第一項の規定による株主に対する通知の日又は第百八十一条第二項の公告の日のいずれか早い日

② 株式の併合をする株式会社の株主は、当該株式会社に対して、その営業時間内は、いつでも、次に掲げる請求をすることができる。ただし、第二号又は第四号に掲げる請求をするには、当該株式会社の定めた費用を支払わなければならない。
一 前項の書面の閲覧の請求
二 前項の書面の謄本又は抄本の交付の請求
三 前項の電磁的記録に記録された事項を法務省令で定める方法により表示したものの閲覧の請求
四 前項の電磁的記録に記録された事項を電磁的方法であって株式会社の定めたものにより提供することの請求又はその事項を記載した書面の交付の請求
（平成二六法九〇本条追加）
参❶【違反に対する制裁→九七六[四]【省令で定める事項→会社則三三の九 ❷【違反に対する制裁→九七六[四] [三]【省令で定める方法→会社則二二六 ＋【電磁的記録→二六②

（株式の併合をやめることの請求）
第一八二条の三 株式の併合が法令又は定款に違反する場合において、株主が不利益を受けるおそれがあるときは、株主は、株式会社に対し、当該株式の併合をやめることを請求することができる。（平成二六法九〇本条追加）
参＋民保二三②、一七一の三・一七九の七・二一〇・三六〇・七八四の二・七九六の二・八〇五の二【濫用株主等に対する制裁→九六八①[二]②

（反対株主の株式買取請求）
第一八二条の四① 株式会社が株式の併合をすることにより株式の数に一株に満たない端数が生ずる場合には、反対株主は、当該株式会社に対し、自己の有する株式のうち一株に満たない端数となるものの全部を公正な価格で買い取ることを請求することができる。
② 前項に規定する「反対株主」とは、次に掲げる株主をいう。
一 第百八十条第二項の株主総会に先立って当該株式の併合に反対する旨を当該株式会社に対し通知し、かつ、当該株主総会において当該株式の併合に反対した株主（当該株主総会において議決権を行使することができるものに限る。）
二 当該株主総会において議決権を行使することができない株主
③ 株式会社が株式の併合をする場合における株主に対する通知についての第百八十一条第一項の規定の適用については、同項中「二週間」とあるのは、「二十日」とする。
④ 第一項の規定による請求（以下この款において「株式買取請求」という。）は、効力発生日の二十日前の日から効力発生日の前日までの間に、その株式買取請求に係る株式の数（種類株式発行会社にあっては、株式の種類及び種類ごとの数）を明らかにしてしなければならない。
⑤ 株券が発行されている株式について株式買取請求をしようとするときは、当該株式の株主は、株式会社に対し、当該株式に係る株券を提出しなければならない。ただし、当該株券について第二百二十三条の規定による請求をした者については、この限りでない。
⑥ 株式買取請求をした株主は、株式会社の承諾を得た場合に限り、その株式買取請求を撤回することができる。
⑦ 第百三十三条の規定は、株式買取請求に係る株式については、適用しない。
（平成二六法九〇本条追加）
参＋【類似の手続→一一六・一七二・一七九の八・四六九・七八五・七九七・八〇六 ❷【株式併合の株主総会決議→三〇九②[四] ❹【種類株式発行会社→二[十三] ❺【株式買取請求時の株券提出義務→一一六⑥・四六九⑥・七八五⑥・七九七⑥・八〇六⑥

（株式の価格の決定等）
第一八二条の五① 株式買取請求があった場合において、株式の価格の決定について、株主と株式会社との間に協議が調ったときは、株式会社は、効力発生日から六十日以内にその支払をしなければならない。
② 株式の価格の決定について、効力発生日から三十日以内に協議が調わないときは、株主又は株式会社は、その期間の満了の日後三十日以内に、裁判所に対し、価格の決定の申立てをすることができる。
③ 前条第六項の規定にかかわらず、前項に規定する場合において、効力発生日から六十日以内に同項の申立てがないときは、その期間の満了後は、株主は、いつでも、株式買取請求を撤回することができる。
④ 株式会社は、裁判所の決定した価格に対する第一項の期間の満了の日後の法定利率による利息をも支払わなければならない。（平成二九法四五本項改正）
⑤ 株式会社は、株式の価格の決定があるまでは、株主に対し、当該株式会社が公正な価格と認める額を支払うことができる。
⑥ 株式買取請求に係る株式の買取りは、効力発生日に、その効力を生ずる。
⑦ 株券発行会社は、株券が発行されている株式について株式買取請求があったときは、株券と引換えに、その株式買取請求に係る株式の代金を支払わなければならない。
（平成二六法九〇本条追加）
参❶【株式買取請求→一八二の四 ❶―❸❻【効力発生日→一八〇②[二] ❷【裁判所→八六八①・八七〇②[二] ❹【裁判所による価格の決定→八七一―八七四 ❺【株式買取価格等の前払→一一七⑤・一七二⑤・四七〇⑤・七八六⑤・七九八⑤・八〇七⑤ ❼【株券発行会社→二一四

（株式の併合に関する書面等の備置き及び閲覧等）
第一八二条の六① 株式の併合をした株式会社は、効力発生日後遅滞なく、株式の併合が効力を生じた時における発行済株式（種類株式発行会社にあっては、第百八十条第二項第三号の種類の発行済株式）の総数その他の株式の併合に関する事項として法務省令で定める事項を記載し、又は記録した書面又は電磁的記録を作成しなければならない。
② 株式会社は、効力発生日から六箇月間、前項の書面又は電磁的記録をその本店に備え置かなければならな

い。

③ 株式の併合をした株式会社の株主又は効力発生日に当該株式会社の株主であった者は、当該株式会社に対して、その営業時間内は、いつでも、次に掲げる請求をすることができる。ただし、第二号又は第四号に掲げる請求をするには、当該株式会社の定めた費用を支払わなければならない。

一 前項の書面の閲覧の請求

二 前項の書面の謄本又は抄本の交付の請求

三 前項の電磁的記録に記録された事項を法務省令で定める方法により表示したものの閲覧の請求

四 前項の電磁的記録に記録された事項を電磁的方法であって株式会社の定めたものにより提供することの請求又はその事項を記載した書面の交付の請求

（平成二六法九〇本条追加）

参照 ❶【違反に対する制裁→九七六㈦【省令で定める事項→会社則三三の一〇　❷【違反に対する制裁→九七六㈣　❸【違反に対する制裁→九七六㈣　【三】【省令で定める方法→会社則二二六　+【電磁的記録→二六②

第二款　株式の分割

（株式の分割）

第一八三条① 株式会社は、株式の分割をすることができる。

② 株式会社は、株式の分割をしようとするときは、その都度、株主総会（取締役会設置会社にあっては、取締役会）の決議によって、次に掲げる事項を定めなければならない。

一 株式の分割により増加する株式の総数の株式の分割前の発行済株式（種類株式発行会社にあっては、第三号の種類の発行済株式）の総数に対する割合及び当該株式の分割に係る基準日

二 株式の分割がその効力を生ずる日

三 株式会社が種類株式発行会社である場合には、分割する株式の種類

参照 ❶【株式の分割→一五一①㈤・一八四②・九一一③㈥㈨・九一五①　❷【株主総会決議→三〇九①　【一】【基準日→一二四③・一八四①　【二】【効力発生日→一八四、二二五③　【三】【種類株式発行会社→二①㈢

（効力の発生等）

第一八四条① 基準日において株主名簿に記載され、又は記録されている株主（種類株式発行会社にあっては、基準日において株主名簿に記載され、又は記録されている前条第二項第三号の種類の種類株主）は、同項第二号の日に、基準日に有する株式（種類株式発行会社にあっては、同項第三号の種類の株式。以下この項において同じ。）の数に同条第二項第一号の割合を乗じて得た数の株式を取得する。

② 株式会社（現に二以上の種類の株式を発行しているものを除く。）は、第四百六十六条の規定にかかわらず、株主総会の決議によらないで、前条第二項第二号の日における発行可能株式総数をその日の前日の発行可能株式総数に同項第一号の割合を乗じて得た数の範囲内で増加する定款の変更をすることができる。

参照 ❶【基準日→一八三②㈠・一二四【株式の分割の効果→一五一①㈤・二三五・九一一③㈥㈨・九一五①、社債株式振替一三七　❷【定款変更の株主総会決議→三〇九②(十一)・一九一【発行可能株式総数→一一三

第三款　株式無償割当て

（株式無償割当て）

第一八五条 株式会社は、株主（種類株式発行会社にあっては、ある種類の種類株主）に対して新たに払込みをさせないで当該株式会社の株式の割当て（以下この款において「株式無償割当て」という。）をすることができる。

参照 +【各株主への割当数→一八六②・一八九②㈢・二三四①㈢【種類株式発行会社→二①㈢【発行済株式総数の増加→九一一③㈨・九一五①

（株式無償割当てに関する事項の決定）

第一八六条① 株式会社は、株式無償割当てをしようとするときは、その都度、次に掲げる事項を定めなければならない。

一 株主に割り当てる株式の数（種類株式発行会社にあっては、株式の種類及び種類ごとの数）又はその数の算定方法

二 当該株式無償割当てがその効力を生ずる日

三 株式会社が種類株式発行会社である場合には、当該株式無償割当てを受ける株主の有する株式の種類

② 前項第一号に掲げる事項についての定めは、当該株式会社以外の株主（種類株式発行会社にあっては、同項第三号の種類の種類株主）の有する株式（種類株式発行会社にあっては、同項第三号の種類の株式）の数に応じて同項第一号の株式を割り当てることを内容とするものでなければならない。

③ 第一項各号に掲げる事項の決定は、株主総会（取締役会設置会社にあっては、取締役会）の決議によらなければならない。ただし、定款に別段の定めがある場合は、この限りでない。

参照 ❶【一】【三】【種類株式発行会社→二①㈢　【二】【効力発生日→一八七・一二四③　❸【株主総会決議→三〇九①

（株式無償割当ての効力の発生等）

第一八七条① 前条第一項第一号の株式の割当てを受けた株主は、同項第二号の日に、同項第一号の株式の株主となる。

② 株式会社は、前条第一項第二号の日後遅滞なく、株主（種類株式発行会社にあっては、同項第三号の種類の種類株主）及びその登録株式質権者に対し、当該株主が割当てを受けた株式の数（種類株式発行会社にあっては、株式の種類及び種類ごとの数）を通知しなければならない。

参照 ❶【効力の発生→一五一①㈥・九一一③㈨・九一五①　❷【株主等に対する通知→一二六、一五〇【懈怠に対する制裁→九七六㈡

第六節　単元株式数

第一款　総則

第一八八条（**単元株式数**）① 株式会社は、その発行する株式について、一定の数の株式をもって株主が株主総会又は種類株主総会において一個の議決権を行使することができる一単元の株式とする旨を定款で定めることができる。

② 前項の一定の数は、法務省令で定める数を超えることはできない。

③ 種類株式発行会社においては、単元株式数は、株式の種類ごとに定めなければならない。

参【単元未満株主の議決権の排除→一八九①、三〇八①但、三〇三④】❶【定款変更により単元株制度を採用する決議→一九〇】【株主総会決議によらず定款変更できる場合→一九一、一九五】【登記→九一一③四】【省令で定める数→会社則三四】❸【種類株式発行会社→二一③】

第一八九条（**単元未満株式についての権利の制限等**）① 単元株式数に満たない数の株式（以下「単元未満株式」という。）を有する株主（以下「単元未満株主」という。）は、その有する単元未満株式について、株主総会及び種類株主総会において議決権を行使することができない。

② 株式会社は、単元未満株主が当該単元未満株式について次に掲げる権利以外の権利の全部又は一部を行使することができない旨を定款で定めることができる。

一　第百七十一条第一項第一号に規定する取得対価の交付を受ける権利

二　株式会社による取得条項付株式の取得と引換えに金銭等の交付を受ける権利

三　第百八十五条に規定する株式無償割当てを受ける権利

四　第百九十二条第一項の規定により単元未満株式を買い取ることを請求する権利

五　残余財産の分配を受ける権利

六　前各号に掲げるもののほか、法務省令で定める権利

③ 株券発行会社は、単元未満株式に係る株券を発行しないことができる旨を定款で定めることができる。

参❷[三]【取得条項付株式の取得→一七〇】[五]【残余財産の分配→五〇四、五〇五】[六]【省令で定める権利→会社則三五】

第一九〇条（**理由の開示**）単元株式数を定める場合には、取締役は、当該単元株式数を定める定款の変更を目的とする株主総会において、当該単元株式数を定めることを必要とする理由を説明しなければならない。

参【理由の説明→一七一③、一八〇④、一九九③、二〇〇②、二三八③、二三九②、三六一④】

第一九一条（**定款変更手続の特則**）株式会社は、次のいずれにも該当する場合には、第四百六十六条の規定にかかわらず、株主総会の決議によらないで、単元株式数（種類株式発行会社にあっては、各種類の株式の単元株式数。以下この条において同じ。）を増加し、又は単元株式数についての定款の定めを設ける定款の変更をすることができる。

一　株式の分割と同時に単元株式数を増加し、又は単元株式数についての定款の定めを設けるものであること。

二　イに掲げる数がロに掲げる数を下回るものでないこと。

イ　当該定款の変更後において各株主がそれぞれ有する株式の数を単元株式数で除して得た数

ロ　当該定款の変更前において各株主がそれぞれ有する株式の数（単元株式数を定めている場合にあっては、当該株式の数を単元株式数で除して得た数）

参【株主総会決議によらない単元株式数の変更→一九五】[二]【株式の分割→一八三、一八四】

第二款　単元未満株主の買取請求

第一九二条（**単元未満株式の買取りの請求**）① 単元未満株主は、株式会社に対し、自己の有する単元未満株式を買い取ることを請求することができる。

② 前項の規定による請求は、その請求に係る単元未満株式の数（種類株式発行会社にあっては、単元未満株式の種類及び種類ごとの数）を明らかにしてしなければならない。

③ 第一項の規定による請求をした単元未満株主は、株式会社の承諾を得た場合に限り、当該請求を撤回することができる。

参❶【会社による単元未満株式の買取り→一五五⑦、一九三、社債株式振替一五五⑧】❸【買取請求の撤回→一一六⑦、一九四④】

第一九三条（**単元未満株式の価格の決定**）① 前条第一項の規定による請求があった場合には、次の各号に掲げる場合の区分に応じ、当該各号に定める額をもって当該請求に係る単元未満株式の価格とする。

一　当該単元未満株式が市場価格のある株式である場合　当該単元未満株式の市場価格として法務省令で定める方法により算定される額

二　前号に掲げる場合以外の場合　株式会社と前条第一項の規定による請求をした単元未満株主との協議によって定める額

② 前項第二号に掲げる場合には、単元未満株主又は株式会社は、当該請求をした日から二十日以内に、裁判所に対し、価格の決定の申立てをすることができる。

③ 裁判所は、前項の決定をするには、前条第一項の規定による請求の時における株式会社の資産状態その他一切の事情を考慮しなければならない。

④ 第一項の規定にかかわらず、第二項の期間内に同項の申立てがあったときは、当該申立てにより裁判所が定めた額をもって当該単元未満株式の価格とする。

⑤ 第一項の規定にかかわらず、同項第二号に掲げる場合において、第二項の期間内に同項の申立てがないとき（当該期間内に第一項第二号の協議が調った場合を

除く。）は、一株当たり純資産額に前条第一項の規定による請求に係る単元未満株式の数を乗じて得た額をもって当該単元未満株式の価格とする。

⑥ 前条第一項の規定による請求に係る株式の買取りは、当該株式の代金の支払の時に、その効力を生ずる。

⑦ 株券発行会社は、株券が発行されている株式につき前条第一項の規定による請求があったときは、株券と引換えに、その請求に係る株式の代金を支払わなければならない。

❶[二]【市場価格のある株式→三三⑩㈢・一六一・一六七③㈢・一九七②・二〇一②・二八三㈢】【省令で定める方法→会社則三六】 ❷【裁判所→八六八①・八七〇②㈢】 ❺【一株当たり純資産額→一四一②】

第三款　単元未満株主の売渡請求

第一九四条① 株式会社は、単元未満株主が当該株式会社に対して単元未満株式売渡請求（単元未満株主が有する単元未満株式の数と併せて単元株式数となる数の株式を当該単元未満株主に売り渡すことを請求することをいう。以下この条において同じ。）をすることができる旨を定款で定めることができる。

② 単元未満株式売渡請求は、当該単元未満株主に売り渡す単元未満株式の数（種類株式発行会社にあっては、単元未満株式の種類及び種類ごとの数）を明らかにしてしなければならない。

③ 単元未満株式売渡請求を受けた株式会社は、当該単元未満株式売渡請求を受けた時に前項の単元未満株式の数に相当する数の株式を有しない場合を除き、自己株式を当該単元未満株主に売り渡さなければならない。

④ 第百九十二条第三項（請求の撤回）及び前条第一項から第六項までの規定は、単元未満株式売渡請求について準用する。

第四款　単元株式数の変更等

第一九五条① 株式会社は、第四百六十六条の規定にかかわらず、取締役の決定（取締役会設置会社にあっては、取締役会の決議）によって、定款を変更して単元株式数を減少し、又は単元株式数についての定款の定めを廃止することができる。

② 前項の規定により定款の変更をした場合には、株式会社は、当該定款の変更の効力が生じた日以後遅滞なく、その株主（種類株式発行会社にあっては、同項の規定により単元株式数を変更した種類の種類株主）に対し、当該定款の変更をした旨を通知しなければならない。

③ 前項の規定による通知は、公告をもってこれに代えることができる。

❶【株主総会決議によらない単元株式数の変更→一九一】 ❷【株主への通知→一二六】 ❸【公告→九三九】 ❷❸【懈怠に対する制裁→九七六㈢】

第七節　株主に対する通知の省略等

（株主に対する通知の省略）

第一九六条① 株式会社が株主に対してする通知又は催告が五年以上継続して到達しない場合には、株式会社は、当該株主に対する通知又は催告をすることを要しない。

② 前項の場合には、同項の株主に対する株式会社の義務の履行を行う場所は、株式会社の住所地とする。

③ 前二項の規定は、登録株式質権者について準用する。

❶【株主への通知・催告→一二六】【不到達の効果→一九七①㈠】【本項の適用除外→一九八④】 ❷【会社の義務履行地→民四八四、四五七①】【本店→四】 ❸【登録株式質権者→一四九・一五〇】【不到達の効果→一九七⑤㈠】【本項の適用除外→一九八④】

（株式の競売）

第一九七条① 株式会社は、次のいずれにも該当する株式を競売し、かつ、その代金をその株式の株主に交付することができる。

一 その株式の株主に対して前条第一項又は第二百九十四条第二項の規定により通知及び催告をすることを要しないもの

二 その株式の株主が継続して五年間剰余金の配当を受領しなかったもの

② 株式会社は、前項の規定による競売に代えて、市場価格のある同項の株式については市場価格として法務省令で定める方法により算定される額をもって、市場価格のない同項の株式については裁判所の許可を得て競売以外の方法により、これを売却することができる。この場合において、当該許可の申立ては、取締役が二人以上あるときは、その全員の同意によってしなければならない。

③ 株式会社は、前項の規定により売却する株式の全部又は一部を買い取ることができる。この場合においては、次に掲げる事項を定めなければならない。

一 買い取る株式の数（種類株式発行会社にあっては、株式の種類及び種類ごとの数）

二 前号の株式の買取りをするのと引換えに交付する金銭の総額

④ 取締役会設置会社においては、前項各号に掲げる事項の決定は、取締役会の決議によらなければならない。

⑤ 第一項及び第二項の規定にかかわらず、登録株式質権者がある場合には、当該登録株式質権者が次のいずれにも該当する者であるときに限り、株式会社は、第一項の規定による競売又は第二項の規定による売却をすることができる。

一 前条第三項において準用する同条第一項の規定により通知又は催告をすることを要しない者

二 継続して五年間第百五十四条第一項の規定により受領することができる剰余金の配当を受領しなかった者

❶【競売→民執一九五】[二]【剰余金の配当の受領→四五七】 ❶❷【競売等の際の公告・催告→一九八①】【違反に対する制裁→九七六[十二]】【適用除外→二三〇④】 ❷【市場価格のある株式→三三⑩㈢・一六一・一六七③㈢・一九三①㈡・二〇一②・二八三

㊁【省令で定める方法→会社則三八【裁判所の許可→八六八①・八七四㊃ ❸【会社の買受け→一五五㊃・四六一①㊅・四六二①㊃・四六五①㊃ ❺【登録株式質権者→一四九① 【三】【剰余金の配当の受領→四五七

（利害関係人の異議）

第一九八条① 前条第一項の規定による競売又は同条第二項の規定による売却をする場合には、株式会社は、同条第一項の株式の株主その他の利害関係人が一定の期間内に異議を述べることができる旨その他法務省令で定める事項を公告し、かつ、当該株式の株主及びその登録株式質権者には、各別にこれを催告しなければならない。ただし、当該期間は、三箇月を下ることができない。

② 第百二十六条第一項及び第百五十条第一項の規定にかかわらず、前項の規定による催告は、株主名簿に記載し、又は記録した当該株主及び登録株式質権者の住所（当該株主又は登録株式質権者が別に通知又は催告を受ける場所又は連絡先を当該株式会社に通知した場合にあっては、その場所又は連絡先を含む。）にあてて発しなければならない。

③ 第百二十六条第三項及び第四項の規定にかかわらず、株式が二以上の者の共有に属するときは、第一項の規定による催告は、共有者に対し、株主名簿に記載し、又は記録した住所（当該共有者が別に通知又は催告を受ける場所又は連絡先を当該株式会社に通知した場合にあっては、その場所又は連絡先を含む。）にあてて発しなければならない。

④ 第百九十六条第一項（同条第三項において準用する場合を含む。）の規定は、第一項の規定による催告については、適用しない。

⑤ 第一項の規定による公告をした場合（前条第一項の株式に係る株券が発行されている場合に限る。）において、第一項の期間内に利害関係人が異議を述べなかったときは、当該株式に係る株券は、当該期間の末日に無効となる。

❋❶【省令で定める事項→会社則三九【公告→九三九【公告・催告の懈怠→九七六㊁ ❷【株主名簿→一二一 ❺【株券の無効→二二八❋

第八節 募集株式の発行等

第一款 募集事項の決定等

（募集事項の決定）

第一九九条① 株式会社は、その発行する株式又はその処分する自己株式を引き受ける者の募集をしようとするときは、その都度、募集株式（当該募集に応じてこれらの株式の引受けの申込みをした者に対して割り当てる株式をいう。以下この節において同じ。）について次に掲げる事項を定めなければならない。

一 募集株式の数（種類株式発行会社にあっては、募集株式の種類及び数。以下この節において同じ。）

二 募集株式の払込金額（募集株式一株と引換えに払い込む金銭又は給付する金銭以外の財産の額をいう。以下この節において同じ。）又はその算定方法

三 金銭以外の財産を出資の目的とするときは、その旨並びに当該財産の内容及び価額

四 募集株式と引換えにする金銭の払込み又は前号の財産の給付の期日又はその期間

五 株式を発行するときは、増加する資本金及び資本準備金に関する事項

② 前項各号に掲げる事項（以下この節において「募集事項」という。）の決定は、株主総会の決議によらなければならない。

③ 第一項第二号の払込金額が募集株式を引き受ける者に特に有利な金額である場合には、取締役は、前項の株主総会において、当該払込金額でその者の募集をすることを必要とする理由を説明しなければならない。

④ 種類株式発行会社において、第一項第一号の募集株式の種類が譲渡制限株式であるときは、当該種類の株式に関する募集事項の決定は、当該種類の株式を引き受ける者の募集について当該種類の株式の種類株主を構成員とする種類株主総会の決議を要しない旨の定款の定めがある場合を除き、当該種類株主総会の決議がなければ、その効力を生じない。ただし、当該種類株主総会において議決権を行使することができる種類株主が存しない場合は、この限りでない。

⑤ 募集事項は、第一項の募集ごとに、均等に定めなければならない。

❋❶【株式の発行→二五①㊀・四四五①②・四四七③【発行可能株式総数→三七・一一三・一一四【更生手続における特則→会更四五①・一六七②・一七五・二一五【自己株式→一五五❋【募集株式→五八①【株主割当ての場合に定めるべき事項→二〇二① 【一】【種類株式発行会社→二〔十三〕 【二】【払込金額→二〇一②・二一二①㊀ 【三】【金銭以外の財産の出資→二〇七・二一二①㊁・二一三・九六三② 【四】【払込期日・期間→二〇九①・九一五② 【五】【株式の発行による資本金・資本準備金の変動→四四五①―③ ❷【株主総会の決議→三〇九②㊄・二〇〇①・二〇一・二〇二③㊁㊂ ❷―❹【適用除外→二〇二⑤ ❸【理由の説明→一七一③・一八〇④・一九〇・二〇〇②・二三八③・二三九②・三六一④ ❹【譲渡制限株式→二〔十七〕・一〇八①㊃・一三四・一三六―一四五【種類株主総会→三二四②㊂・二〇〇①【議決権を行使できる種類株主→三二二①❋ ❺【募集事項の均等性→五八③

（募集事項の決定の委任）

第二〇〇条① 前条第二項及び第四項の規定にかかわらず、株主総会においては、その決議によって、募集事項の決定を取締役（取締役会設置会社にあっては、取締役会）に委任することができる。この場合においては、その委任に基づいて募集事項の決定をすることができる募集株式の数の上限及び払込金額の下限を定めなければならない。

② 前項の払込金額の下限が募集株式を引き受ける者に特に有利な金額である場合には、取締役は、同項の株主総会において、当該払込金額でその者の募集をすることを必要とする理由を説明しなければならない。

③ 第一項の決議は、前条第一項第四号の期日（同号の期間を定めた場合にあっては、その期間の末日）が当該決議の日から一年以内の日である同項の募集についてのみその効力を有する。

④ 種類株式発行会社において、第一項の募集株式の種

類が譲渡制限株式であるときは、当該種類の株式に関する募集事項の決定の委任は、当該種類の株式について前条第四項の定款の定めがある場合を除き、当該種類の株式の種類株主を構成員とする種類株主総会の決議がなければ、その効力を生じない。ただし、当該種類株主総会において議決権を行使することができる種類株主が存しない場合は、この限りでない。

参❶【募集株式の数】→一九九①㈠【募集株式の払込金額】→一九九①㈡【株主総会決議】→三〇九②㈤ ❷【理由の説明】→一七一③・一八〇④・一九〇・一九九③・二三八③・二三九③・三六一④ ❹【譲渡制限株式】→二(十七)・一〇八①㈣・一三四・一三六―一四五【種類株主総会】→三二四②㈡【議決権を行使できる種類株主】→三二一①参+【適用除外】→二〇一①・二〇二⑤

第二〇一条（公開会社における募集事項の決定の特則）① 第百九十九条第三項に規定する場合を除き、公開会社における同条第二項の規定の適用については、同項中「株主総会」とあるのは、「取締役会」とする。この場合においては、前条の規定は、適用しない。

② 前項の規定により読み替えて適用する第百九十九条第二項の取締役会の決議によって募集事項を定める場合において、市場価格のある株式を引き受ける者の募集をするときは、同条第一項第二号に掲げる事項に代えて、公正な価額による払込みを実現するために適当な払込金額の決定の方法を定めることができる。

③ 公開会社は、第一項の規定により読み替えて適用する第百九十九条第二項の取締役会の決議によって募集事項を定めたときは、同条第一項第四号の期日（同号の期間を定めた場合にあっては、その期間の初日）の二週間前までに、株主に対し、当該募集事項（前項の規定により払込金額の決定の方法を定めた場合にあっては、その方法を含む。以下この節において同じ。）を通知しなければならない。

④ 前項の規定による通知は、公告をもってこれに代えることができる。

⑤ 第三項の規定は、株式会社が募集事項について同項に規定する期日の二週間前までに金融商品取引法第四条第一項から第三項までの届出をしている場合その他の株主の保護に欠けるおそれがないものとして法務省令で定める場合には、適用しない。（平成一八法六六、平成二〇法六五本項改正）

参+【公開会社】→二㈤ ❷【市場価格のある株式】→三三⑩㈡・一六一・一六七③㈡・一九三①㈡・一九七②・二八三㈡ ❸【株主への通知】→一二六① ❹【公告】→九三九 ❸❹【懈怠に対する制裁】→九七六㈡ ❺【省令で定める場合】→会社則四〇 +【適用除外】→二〇二⑤

第二〇二条（株主に株式の割当てを受ける権利を与える場合）① 株式会社は、第百九十九条第一項の募集において、株主に株式の割当てを受ける権利を与えることができる。この場合においては、募集事項のほか、次に掲げる事項を定めなければならない。

一 株主に対し、次条第二項の申込みをすることにより当該株式会社の募集株式（種類株式発行会社にあっては、当該株主の有する種類の株式と同一の種類のもの）の割当てを受ける権利を与える旨

二 前号の募集株式の引受けの申込みの期日

② 前項の場合には、同項第一号の株主（当該株式会社を除く。）は、その有する株式の数に応じて募集株式の割当てを受ける権利を有する。ただし、当該株主が割当てを受ける募集株式の数に一株に満たない端数があるときは、これを切り捨てるものとする。

③ 第一項各号に掲げる事項を定める場合には、募集事項及び同項各号に掲げる事項は、次の各号に掲げる場合の区分に応じ、当該各号に定める方法によって定めなければならない。

一 当該募集事項及び第一項各号に掲げる事項を取締役の決定によって定めることができる旨の定款の定めがある場合（株式会社が取締役会設置会社である場合を除く。） 取締役の決定

二 当該募集事項及び第一項各号に掲げる事項を取締役会の決議によって定めることができる旨の定款の定めがある場合（次号に掲げる場合を除く。） 取締役会の決議

三 株式会社が公開会社である場合 取締役会の決議

四 前三号に掲げる場合以外の場合 株主総会の決議

④ 株式会社は、第一項各号に掲げる事項を定めた場合には、同項第二号の期日の二週間前までに、同項第一号の株主（当該株式会社を除く。）に対し、次に掲げる事項を通知しなければならない。

一 募集事項

二 当該株主が割当てを受ける募集株式の数

三 第一項第二号の期日

⑤ 第百九十九条第二項から第四項まで及び前二条の規定は、第一項から第三項までの規定により株主に株式の割当てを受ける権利を与える場合には、適用しない。

参❶〔一〕【種類株式発行会社】→三二二①㈣【株主が募集株式の割当てを受ける権利】→二〇四①④ 〔二〕【募集株式の引受けの申込みの期日】→二〇三 ❷【一株に満たない端数の処理】→二三四・二三五 ❸〔四〕【株主総会の決議】→三〇九②㈤ ❹【株主への通知】→一二六【懈怠に対する制裁】→九七六㈡

第二〇二条の二（取締役の報酬等に係る募集事項の決定の特則）① 金融商品取引法第二条第十六項に規定する金融商品取引所に上場されている株式を発行している株式会社は、定款又は株主総会の決議による第三百六十一条第一項第三号に掲げる事項についての定めに従いその発行する株式又はその処分する自己株式を引き受ける者の募集をするときは、第百九十九条第一項第二号及び第四号に掲げる事項を定めることを要しない。この場合において、当該株式会社は、募集株式について次に掲げる事項を定めなければならない。

一 取締役の報酬等（第三百六十一条第一項に規定する報酬等をいう。第二百三十六条第三項第一号において同じ。）として当該募集に係る株式の発行又は自己株式の処分をするものであり、募集株式と引換えにする金銭の払込み又は第百九十九条第一項第三号の財産の給付を要しない旨

二 募集株式を割り当てる日（以下この節において

「割当日」という。）

② 前項各号に掲げる事項を定めた場合における第百九十九条第二項の規定の適用については、同項中「前項各号」とあるのは、「前項各号（第二号及び第四号を除く。）及び第二百二条の二第一項各号」とする。この場合においては、第二百条及び前条の規定は、適用しない。

③ 指名委員会等設置会社における第一項の規定の適用については、同項中「定款又は株主総会の決議による定め」とあるのは「報酬委員会による第三百六十一条第一項第三号に掲げる事項についての決定」と、「取締役」とあるのは「執行役又は取締役」とする。

（令和一法七〇本条追加）

参+【取締役の報酬等→三六一【報酬等→三三〇、四二五①㊀、民六四八、六五六、会更六六【募集→二〇五③　❶【株式の発行→一九九①㊀、四四五⑥、三七、一一三、一一四、会社計算四二の二、四二の三【自己株式→一五五参　〔二〕【金銭の払込み→一九九①㊂㊃【財産の給付→一九九①㊂㊃　〔三〕【割当日→二〇四、二〇五④　❸【報酬委員会→四〇四③、四〇九

第二款　募集株式の割当て

第二〇三条（募集株式の申込み）① 株式会社は、第百九十九条第一項の募集に応じて募集株式の引受けの申込みをしようとする者に対し、次に掲げる事項を通知しなければならない。

一 株式会社の商号

二 募集事項

三 金銭の払込みをすべきときは、払込みの取扱いの場所

四 前三号に掲げるもののほか、法務省令で定める事項

② 第百九十九条第一項の募集に応じて募集株式の引受けの申込みをする者は、次に掲げる事項を記載した書面を株式会社に交付しなければならない。

一 申込みをする者の氏名又は名称及び住所

二 引き受けようとする募集株式の数

③ 前項の申込みをする者は、同項の書面の交付に代えて、政令で定めるところにより、株式会社の承諾を得て、同項の書面に記載すべき事項を電磁的方法により提供することができる。この場合において、当該申込みをした者は、同項の書面を交付したものとみなす。

④ 第一項の規定は、株式会社が同項各号に掲げる事項を記載した金融商品取引法第二条第十項に規定する目論見書を第一項の申込みをしようとする者に対して交付している場合その他募集株式の引受けの申込みをしようとする者の保護に欠けるおそれがないものとして法務省令で定める場合には、適用しない。（平成一八法六六本項改正）

⑤ 株式会社は、第一項各号に掲げる事項について変更があったときは、直ちに、その旨及び当該変更があった事項を第二項の申込みをした者（以下この款において「申込者」という。）に通知しなければならない。

⑥ 株式会社が申込者に対してする通知又は催告は、第二項第一号の住所（当該申込者が別に通知又は催告を受ける場所又は連絡先を当該株式会社に通知した場合にあっては、その場所又は連絡先）にあてて発すれば足りる。

⑦ 前項の通知又は催告は、その通知又は催告が通常到達すべきであった時に、到達したものとみなす。

参❶【虚偽記載等についての責任→四二九②㊀【虚偽記載等に関する罰則→九六四①　〔一〕【会社の商号→六①　〔二〕【募集事項→一九九②　〔三〕【払込取扱機関→二〇八①　〔四〕【省令で定める事項→会社則四一　❷【申込み→商登五六㊀、二一一①・二〇四④　〔二〕【引受株式数→二〇四①　❹【省令で定める場合→会社則四二　❻【申込者への通知・催告→二〇四③　❼【到達→民九七①　+【適用除外→二〇五①

第二〇四条（募集株式の割当て）① 株式会社は、申込者の中から募集株式の割当てを受ける者を定め、かつ、その者に割り当てる募集株式の数を定めなければならない。この場合において、株式会社は、当該申込者に割り当てる募集株式の数を、前条第二項第二号の数よりも減少することができる。

② 募集株式が譲渡制限株式である場合には、前項の規定による決定は、株主総会（取締役会設置会社にあっては、取締役会）の決議によらなければならない。ただし、定款に別段の定めがある場合は、この限りでない。

③ 株式会社は、第百九十九条第一項第四号の期日（同号の期間を定めた場合にあっては、その期間の初日）の前日までに、申込者に対し、当該申込者に割り当てる募集株式の数を通知しなければならない。

④ 第二百二条の規定により株主に株式の割当てを受ける権利を与えた場合において、株主が同条第一項第二号の期日までに前条第二項の申込みをしないときは、当該株主は、募集株式の割当てを受ける権利を失う。

参❶【割当て→二一一①　❶❸【申込者→二〇三⑤　❷【譲渡制限株式→二⑰、一〇七①㊀、一〇八①㊃、一三四、一三六―一四五【株主総会決議→三〇九②㊄　+【適用除外→二〇五①

第二〇五条（募集株式の申込み及び割当てに関する特則）① 前二条の規定は、募集株式を引き受けようとする者がその総数の引受けを行う契約を締結する場合には、適用しない。

② 前項に規定する場合において、募集株式が譲渡制限株式であるときは、株式会社は、株主総会（取締役会設置会社にあっては、取締役会）の決議によって、同項の契約の承認を受けなければならない。ただし、定款に別段の定めがある場合は、この限りでない。（平成二六法九〇本項追加）

③ 第二百二条の二第一項後段の規定による同項各号に掲げる事項についての定めがある場合には、定款又は株主総会の決議による第三百六十一条第一項第三号に掲げる事項についての定めに係る取締役（取締役であった者を含む。）以外の者は、第二百三条第二項の申込みをし、又は第一項の契約を締結することができない。（令和一法七〇本項追加）

④　前項に規定する場合における前条第三項並びに第二百六条の二第一項、第三項及び第四項の規定の適用については、前条第三項及び第二百六条の二第一項中「第百九十九条第一項第四号の期日（同号の期間を定めた場合にあっては、その期間の初日）」とあり、同条第三項中「同項に規定する期日」とあり、並びに同条第四項中「第一項に規定する期日」とあるのは、「割当日」とする。（令和一法七〇本項追加）

⑤　指名委員会等設置会社における第三項の規定の適用については、同項中「定款又は株主総会の決議による第三百六十一条第一項第三号に掲げる事項についての定め」とあるのは「報酬委員会による第四百九条第三項第三号に定める事項についての決定」と、「取締役」とあるのは「執行役又は取締役」とする。（令和一法七〇本項追加）

参❶【総数引受契約→二〇六[三]・二一一①、商登五六[三]　❷【募集株式→一九九①【譲渡制限株式→二[十七]【定款の定め→二九　❹【割当日→二〇二の二①[三]　❺【指名委員会等設置会社→二〇二の二③

（募集株式の引受け）

第二〇六条　次の各号に掲げる者は、当該各号に定める募集株式の数について募集株式の引受人となる。

一　申込者　株式会社の割り当てた募集株式の数

二　前条第一項の契約により募集株式の総数を引き受けた者　その者が引き受けた募集株式の数

参+【募集株式の引受人→二〇八・二〇九①【引受けの取消し→二〇七⑧・二一一②【引受けの無効・取消しの制限→二一一②【[二]【申込者→二〇三⑤

（公開会社における募集株式の割当て等の特則）

第二〇六条の二①　公開会社は、募集株式の引受人について、第一号に掲げる数の第二号に掲げる数に対する割合が二分の一を超える場合には、第百九十九条第一項第四号の期日（同号の期間を定めた場合にあっては、その期間の初日）の二週間前までに、株主に対し、当該引受人（以下この項及び第四項において「特定引受人」という。）の氏名又は名称及び住所、当該特定引受人についての第一号に掲げる数その他の法務省令で定める事項を通知しなければならない。ただし、当該特定引受人が当該公開会社の親会社等である場合又は第二百二条の規定により株主に株式の割当てを受ける権利を与えた場合は、この限りでない。

一　当該引受人（その子会社等を含む。）がその引き受けた募集株式の株主となった場合に有することとなる議決権の数

二　当該募集株式の引受人の全員がその引き受けた募集株式の株主となった場合における総株主の議決権の数

②　前項の規定による通知は、公告をもってこれに代えることができる。

③　第一項の規定にかかわらず、株式会社が同項の事項について同項に規定する期日の二週間前までに金融商品取引法第四条第一項から第三項までの届出をしている場合その他の株主の保護に欠けるおそれがないものとして法務省令で定める場合には、第一項の規定による通知は、することを要しない。

④　総株主（この項の株主総会において議決権を行使することができない株主を除く。）の議決権の十分の一（これを下回る割合を定款で定めた場合にあっては、その割合）以上の議決権を有する株主が第一項の規定による通知又は第二項の公告の日（前項の場合にあっては、法務省令で定める日）から二週間以内に特定引受人（その子会社等を含む。以下この項において同じ。）による募集株式の引受けに反対する旨を公開会社に対し通知したときは、当該公開会社は、第一項に規定する期日の前日までに、株主総会の決議によって、当該特定引受人に対する募集株式の割当て又は当該特定引受人との間の第二百五条第一項の契約の承認を受けなければならない。ただし、当該公開会社の財産の状況が著しく悪化している場合において、当該公開会社の事業の継続のため緊急の必要があるときは、この限りでない。

⑤　第三百九条第一項の規定にかかわらず、前項の株主総会の決議は、議決権を行使することができる株主の議決権の過半数（三分の一以上の割合を定款で定めた場合にあっては、その割合以上）を有する株主が出席し、出席した当該株主の議決権の過半数（これを上回る割合を定款で定めた場合にあっては、その割合以上）をもって行わなければならない。

（平成二六法九〇本条追加）

参+【公開会社→二[五]　❶【親会社等→二[四の二]【子会社等→二[三の二]【株主への通知→一二六①【省令で定める事項→会社則四二の二　❶❷【懈怠に対する制裁→九七六[二]　❷【公告→九三九　❸【省令で定める場合→会社則四二の三　❹【省令で定める日→会社則四二の四

第三款　金銭以外の財産の出資

第二〇七条①　株式会社は、第百九十九条第一項第三号に掲げる事項を定めたときは、募集事項の決定の後遅滞なく、同号の財産（以下この節において「現物出資財産」という。）の価額を調査させるため、裁判所に対し、検査役の選任の申立てをしなければならない。

②　前項の申立てがあった場合には、裁判所は、これを不適法として却下する場合を除き、検査役を選任しなければならない。

③　裁判所は、前項の検査役を選任した場合には、株式会社が当該検査役に対して支払う報酬の額を定めることができる。

④　第二項の検査役は、必要な調査を行い、当該調査の結果を記載し、又は記録した書面又は電磁的記録（法務省令で定めるものに限る。）を裁判所に提供して報告をしなければならない。

⑤　裁判所は、前項の報告について、その内容を明瞭にし、又はその根拠を確認するため必要があると認めるときは、第二項の検査役に対し、更に前項の報告を求めることができる。

⑥　第二項の検査役は、第四項の報告をしたときは、株式会社に対し、同項の書面の写しを交付し、又は同項の電磁的記録に記録された事項を法務省令で定める方

法により提供しなければならない。

⑦ 裁判所は、第四項の報告を受けた場合において、現物出資財産について定められた第百九十九条第一項第三号の価額（第二項の検査役の調査を経ていないものを除く。）を不当と認めたときは、これを変更する決定をしなければならない。

⑧ 募集株式の引受人（現物出資財産を給付する者に限る。以下この条において同じ。）は、前項の決定により現物出資財産の価額の全部又は一部が変更された場合には、当該決定の確定後一週間以内に限り、その募集株式の引受けの申込み又は第二百五条第一項の契約に係る意思表示を取り消すことができる。

⑨ 前各項の規定は、次の各号に掲げる場合には、当該各号に定める事項については、適用しない。

一　募集株式の引受人に割り当てる株式の総数が発行済株式の総数の十分の一を超えない場合　当該募集株式の引受人が給付する現物出資財産の価額

二　現物出資財産について定められた第百九十九条第一項第三号の価額の総額が五百万円を超えない場合　当該現物出資財産の価額

三　現物出資財産のうち、市場価格のある有価証券について定められた第百九十九条第一項第三号の価額が当該有価証券の市場価格として法務省令で定める方法により算定されるものを超えない場合　当該有価証券についての現物出資財産の価額

四　現物出資財産について定められた第百九十九条第一項第三号の価額が相当であることについて弁護士、弁護士法人、弁護士・外国法事務弁護士共同法人、公認会計士、監査法人、税理士又は税理士法人の証明（現物出資財産が不動産である場合にあっては、当該証明及び不動産鑑定士の鑑定評価。以下この号において同じ。）を受けた場合　当該証明を受けた現物出資財産の価額（令和二法三三本号改正）

五　現物出資財産が株式会社に対する金銭債権（弁済期が到来しているものに限る。）であって、当該金銭債権について定められた第百九十九条第一項第三号の価額が当該金銭債権に係る負債の帳簿価額を超えない場合　当該金銭債権についての現物出資財産の価額

⑩ 次に掲げる者は、前項第四号に規定する証明をすることができない。

一　取締役、会計参与、監査役若しくは執行役又は支配人その他の使用人

二　募集株式の引受人

三　業務の停止の処分を受け、その停止の期間を経過しない者

四　弁護士法人、弁護士・外国法事務弁護士共同法人、監査法人又は税理士法人であって、その社員の半数以上が第一号又は第二号に掲げる者のいずれかに該当するもの（令和二法三三本号改正）

❶【募集事項↓一九九②【検査役の選任↓八六八①・八七六【調査妨害に対する制裁↓九七六㊄【検査役の調査の効果↓二一三②㈠　❹【検査役の報告↓商登五六㊂イ【不実報告に対する制裁↓九六三③【省令で定めるもの↓会社則二二八　❹❻【電磁的記録↓二六②　❻【省令で定める方法↓会社則二二九　❼【裁判所の変更決定↓八七〇①㊃・八七六、商登五六㊃　❽【募集株式の引受人の意思表示等の取消し↓二一二②　❾［三］【市場価格を証する書面↓商登五六㊂ロ【省令で定める方法↓会社則四三［四］【証明・鑑定評価を記載した書面↓商登五六㊂ハ【証明者の財産価格塡補責任↓二一三③　［五］【帳簿価額を示す会計帳簿↓商登五六㊂ニ　❿［三］【業務停止↓弁護五七①㈡②㈡、ETC

第四款　出資の履行等

（出資の履行）

第二百八条① 募集株式の引受人（現物出資財産を給付する者を除く。）は、第百九十九条第一項第四号の期日又は同号の期間内に、株式会社が定めた銀行等の払込みの取扱いの場所において、それぞれの募集株式の払込金額の全額を払い込まなければならない。

② 募集株式の引受人（現物出資財産を給付する者に限る。）は、第百九十九条第一項第四号の期日又は同号の期間内に、それぞれの募集株式の払込金額の全額に相当する現物出資財産を給付しなければならない。

③ 募集株式の引受人は、第一項の規定による払込み又は前項の規定による給付（以下この款において「出資の履行」という。）をする債務と株式会社に対する債権とを相殺することができない。

④ 出資の履行をすることにより募集株式の株主となる権利の譲渡は、株式会社に対抗することができない。

⑤ 募集株式の引受人は、出資の履行をしないときは、当該出資の履行をすることにより募集株式の株主となる権利を失う。

【募集株式の引受人↓二〇六　❶【払込取扱機関↓二〇三①㊂、商登五六㊀【株式の払込み↓一九九①㊃・二〇〇①　❷【現物出資財産↓二〇七　❸【相殺↓民五〇五—五〇八・五一一・五一二【相殺禁止↓二八一③　❹【株主となる権利の譲渡↓三五・六三②　❺【失権↓六三③

（株主となる時期等）

第二百九条① 募集株式の引受人は、次の各号に掲げる場合には、当該各号に定める日に、出資の履行をした募集株式の株主となる。

一　第百九十九条第一項第四号の期日を定めた場合　当該期日

二　第百九十九条第一項第四号の期間を定めた場合　出資の履行をした日

② 募集株式の引受人は、第二百十三条の二第一項各号に掲げる場合には、当該各号に定める支払若しくは給付又は第二百十三条の三第一項の規定による支払がされた後でなければ、出資の履行を仮装した募集株式について、株主の権利を行使することができない。（平成二六法九〇本項追加）

③ 前項の募集株式を譲り受けた者は、当該募集株式についての株主の権利を行使することができる。ただし、その者に悪意又は重大な過失があるときは、この限りでない。（平成二六法九〇本項追加）

④ 第一項の規定にかかわらず、第二百二条の二第一項後段の規定による同項各号に掲げる事項についての定めがある場合には、募集株式の引受人は、割当日に、その引き受けた募集株式の株主となる。（令和一法七〇

本項追加）

⊛【募集株式の引受人↓二〇六【出資の履行↓二〇八【登記↓九一五②、商登五六【振替株式の場合↓社債株式振替一三〇【株式発行等の無効の訴え↓八二八①㈡㈢②㈡㈢【株式発行等の不存在確認の訴え↓八二九㈠㈡　❷【出資の仮装↓三四②・六四②・九六五【仮装払込人の権利の制約↓一〇二③・二八二②　❸【仮装払込みに係る株式の譲渡↓一〇二④・二八二③　❹【割当日↓二〇二の二①㈢

第五款　募集株式の発行等をやめることの請求

第二一〇条　次に掲げる場合において、株主が不利益を受けるおそれがあるときは、株主は、株式会社に対し、第百九十九条第一項の募集に係る株式の発行又は自己株式の処分をやめることを請求することができる。

一　当該株式の発行又は自己株式の処分が法令又は定款に違反する場合

二　当該株式の発行又は自己株式の処分が著しく不公正な方法により行われる場合

⊛【差止請求↓民保二三②、一七一の三・一七九の七・三六〇【濫用株主等に対する制裁↓九六八①㈢②　【二】【法令・定款違反の例↓一九九―二〇四・二〇七・二〇八ETC　【三】【著しく不公正な方法↓二〇四　⁺【違法な発行等に関する民事責任↓二一二・二一三・四二三①・四二九①【違法な発行等に関する無効の訴え↓八二八①㈡㈢

第六款　募集に係る責任等

（引受けの無効又は取消しの制限）

第二一一条①　民法第九十三条第一項ただし書及び第九十四条第一項の規定は、募集株式の引受けの申込み及び割当て並びに第二百五条第一項の契約に係る意思表示については、適用しない。

②　募集株式の引受人は、第二百九条第一項の規定により株主となった日から一年を経過した後又はその株式について権利を行使した後は、錯誤、詐欺又は強迫を理由として募集株式の引受けの取消しをすることができない。

（平成二九法四五本条改正）

⊛【同旨の規定↓五一・一〇二⑤⑥　❷【錯誤↓民九五、消費契約四①②【詐欺・強迫↓民九六、消費契約四①―④・七②、特定商取引九―九の三・一五の三・二四―二四の三・二六②

（不公正な払込金額で株式を引き受けた者等の責任）

第二一二条①　募集株式の引受人は、次の各号に掲げる場合には、株式会社に対し、当該各号に定める額を支払う義務を負う。

一　取締役（指名委員会等設置会社にあっては、取締役又は執行役）と通じて著しく不公正な払込金額で募集株式を引き受けた場合　当該払込金額と当該募集株式の公正な価額との差額に相当する金額（平成二六法九〇本号改正）

二　第二百九条第一項の規定により募集株式の株主となった時におけるその給付した現物出資財産の価額がこれについて定められた第百九十九条第一項第三号の価額に著しく不足する場合　当該不足額

②　前項第二号に掲げる場合において、現物出資財産を給付した募集株式の引受人が当該現物出資財産の価額がこれについて定められた第百九十九条第一項第三号の価額に著しく不足することにつき善意でかつ重大な過失がないときは、募集株式の引受けの申込み又は第二百五条第一項の契約に係る意思表示を取り消すことができる。

⊛【募集株式の引受人↓二〇六　❶【二】【指名委員会等設置会社↓二㈩㈡【不公正な払込金額↓一九九①㈡・二〇一③④・二一〇・四二三①・四二九①【差額の支払↓二〇八③・八四七【三】【現物出資財産の価額の不足↓二一三　❷【募集株式の引受人の意思表示等の取消し↓二〇七⑧

（出資された財産等の価額が不足する場合の取締役等の責任）

第二一三条①　前条第一項第二号に掲げる場合には、次に掲げる者（以下この条において「取締役等」という。）は、株式会社に対し、同号に定める額を支払う義務を負う。

一　当該募集株式の引受人の募集に関する職務を行った業務執行取締役（指名委員会等設置会社にあっては、執行役。以下この号において同じ。）その他当該業務執行取締役の行う業務の執行に職務上関与した者として法務省令で定めるもの（平成二六法九〇本号改正）

二　現物出資財産の価額の決定に関する株主総会の決議があったときは、当該株主総会に議案を提案した取締役として法務省令で定めるもの

三　現物出資財産の価額の決定に関する取締役会の決議があったときは、当該取締役会に議案を提案した取締役（指名委員会等設置会社にあっては、取締役又は執行役）として法務省令で定めるもの（平成二六法九〇本号改正）

②　前項の規定にかかわらず、次に掲げる場合には、取締役等は、現物出資財産について同項の義務を負わない。

一　現物出資財産の価額について第二百七条第二項の検査役の調査を経た場合

二　当該取締役等がその職務を行うについて注意を怠らなかったことを証明した場合

③　第一項に規定する場合には、第二百七条第九項第四号に規定する証明をした者（以下この条において「証明者」という。）は、株式会社に対し前条第一項第二号に定める額を支払う義務を負う。ただし、当該証明者が当該証明をするについて注意を怠らなかったことを証明したときは、この限りでない。

④　募集株式の引受人がその給付した現物出資財産についての前条第一項第二号に定める額を支払う義務を負う場合において、次の各号に掲げる者が当該現物出資財産について当該各号に定める義務を負うときは、これらの者は、連帯債務者とする。

一　取締役等　第一項の義務

二　証明者　前項本文の義務

⊛【財産価格塡補責任↓五二・五五・一〇三①・二八六　❶【二】【省令で定めるもの↓会社則四四　【三】【省令で定めるもの↓会

社則四五　[三]【省令で定めるもの→会社則四六

（出資の履行を仮装した募集株式の引受人の責任）

第二一三条の二①　募集株式の引受人は、次の各号に掲げる場合には、株式会社に対し、当該各号に定める行為をする義務を負う。

一　第二百八条第一項の規定による払込みを仮装した場合　払込みを仮装した払込金額の全額の支払

二　第二百八条第二項の規定による給付を仮装した場合　給付を仮装した現物出資財産の給付（株式会社が当該給付に代えて当該現物出資財産の価額に相当する金銭の支払を請求した場合にあっては、当該金銭の全額の支払）

②　前項の規定により募集株式の引受人の負う義務は、総株主の同意がなければ、免除することができない。

（平成二六法九〇本条追加）

⊛+【仮装払込みをした者の責任→五二の二①、一〇二の二、二八六の二

（出資の履行を仮装した場合の取締役等の責任）

第二一三条の三①　前条第一項各号に掲げる場合には、募集株式の引受人が出資の履行を仮装することに関与した取締役（指名委員会等設置会社にあっては、執行役を含む。）として法務省令で定める者は、株式会社に対し、当該各号に規定する支払をする義務を負う。ただし、その者（当該出資の履行を仮装したものを除く。）がその職務を行うについて注意を怠らなかったことを証明した場合は、この限りでない。

②　募集株式の引受人が前条第一項各号に規定する支払をする義務を負う場合において、前項に規定する者が同項の義務を負うときは、これらの者は、連帯債務者とする。

（平成二六法九〇本条追加）

⊛❶【省令で定める者→会社則四六の二　❷【仮装払込関与者の責任→五二の二②、一〇三②、二八六の三①

第九節　株券

第一款　総則

（株券を発行する旨の定款の定め）

第二一四条　株式会社は、その株式（種類株式発行会社にあっては、全部の種類の株式）に係る株券を発行する旨を定款で定めることができる。

⊛+【株券発行会社→一一七⑦、一二八―一三二、一四六②、一四七②、八四〇①、八四一①、八四四①、九一一③[十]

（株券の発行）

第二一五条①　株券発行会社は、株式を発行した日以後遅滞なく、当該株式に係る株券を発行しなければならない。

②　株券発行会社は、株式の併合をしたときは、第百八十条第二項第二号の日以後遅滞なく、併合した株式に係る株券を発行しなければならない。

③　株券発行会社は、株式の分割をしたときは、第百八十三条第二項第二号の日以後遅滞なく、分割した株式に係る株券（既に発行されているものを除く。）を発行しなければならない。

④　前三項の規定にかかわらず、公開会社でない株券発行会社は、株主から請求がある時までは、これらの規定の株券を発行しないことができる。

⊛❶【株券発行会社→一一七⑦【株式を発行した日→四九、五〇①、一〇二②、二〇九①【株式発行日前の発行に対する制裁→九七六[十三]【不発行に対する制裁→九七六[十四]　❷【株式の併合→一八〇―一八二の六　❸【株式の分割→一八三、一八四　❹【公開会社→二[五]

（株券の記載事項）

第二一六条　株券には、次に掲げる事項及びその番号を記載し、株券発行会社の代表取締役（指名委員会等設置会社にあっては、代表執行役）がこれに署名し、又は記名押印しなければならない。

一　株券発行会社の商号

二　当該株券に係る株式の数

三　譲渡による当該株券に係る株式の取得について株式会社の承認を要することを定めたときは、その旨

四　種類株式発行会社にあっては、当該株券に係る株式の種類及びその内容

（平成二六法九〇本条改正）

⊛+【株券虚偽記載の責任→九七六[十五]【株券の番号→一二一[四]、一二二①、一二五③　[一]【会社の商号→六⊛　[三]【譲渡制限株式→二[十七]、一三四、一〇七①[一]、一〇八①[四]、一三六―一四五　[四]【株式の種類・内容→一〇八

（株券不所持の申出）

第二一七条①　株券発行会社の株主は、当該株券発行会社に対し、当該株主の有する株式に係る株券の所持を希望しない旨を申し出ることができる。

②　前項の規定による申出は、その申出に係る株式の数（種類株式発行会社にあっては、株式の種類及び種類ごとの数）を明らかにしてしなければならない。この場合において、当該株式に係る株券が発行されているときは、当該株主は、当該株券を株券発行会社に提出しなければならない。

③　第一項の規定による申出を受けた株券発行会社は、遅滞なく、前項前段の株式に係る株券を発行しない旨を株主名簿に記載し、又は記録しなければならない。

④　株券発行会社は、前項の規定による記載又は記録をしたときは、第二項前段の株式に係る株券を発行することができない。

⑤　第二項後段の規定により提出された株券は、第三項の規定による記載又は記録をした時において、無効となる。

⑥　第一項の規定による申出をした株主は、いつでも、株券発行会社に対し、第二項前段の株式に係る株券を発行することを請求することができる。この場合において、第二項後段の規定により提出された株券があるときは、株券の発行に要する費用は、当該株主の負担とする。

⊛❶❷【株券の不所持→一二八①、一三〇、一三一②【会社に対する申出→一二三　❸【株主名簿→一二一　❻【株券の発行請求→一二八①、一四六②　+【株券不発行と強制執行→民執一六三、

第二一八条（株券を発行する旨の定款の定めの廃止）① 株券発行会社は、その株式（種類株式発行会社にあっては、全部の種類の株式）に係る株券を発行する旨の定款の定めを廃止する定款の変更をしようとするときは、当該定款の変更の効力が生ずる日の二週間前までに、次に掲げる事項を公告し、かつ、株主及び登録株式質権者には、各別にこれを通知しなければならない。

一　その株式（種類株式発行会社にあっては、全部の種類の株式）に係る株券を発行する旨の定款の定めを廃止する旨

二　定款の変更がその効力を生ずる日

三　前号の日において当該株式会社の株券は無効となる旨

② 株券発行会社の株式に係る株券は、前項第二号の日に無効となる。

③ 第一項の規定にかかわらず、株式の全部について株券を発行していない株券発行会社がその株式（種類株式発行会社にあっては、全部の種類の株式）に係る株券を発行する旨の定款の定めを廃止する定款の変更をしようとする場合には、同項第二号の日の二週間前までに、株主及び登録株式質権者に対し、同項第一号及び第二号に掲げる事項を通知すれば足りる。

④ 前項の規定による通知は、公告をもってこれに代えることができる。

⑤ 第一項に規定する場合には、株式の質権者（登録株式質権者を除く。）は、同項第二号の日の前日までに、株券発行会社に対し、第百四十八条各号に掲げる事項を株主名簿に記載し、又は記録することを請求することができる。

❶【株券の提出手続不要↓二一九】❶❸【株主・登録株式質権者への通知↓一二六、一五〇【懈怠への制裁↓九七六[二]】❶❹【公告↓九三九、商登六三【懈怠への制裁↓九七六[二]】❷【株券の無効↓二二一[二]・二二七】❸【株券を発行していない株券発行会社↓二一五④・二一七、商登六三】❺【質権者の請求による登録↓一四八】

第二款　株券の提出等

第二一九条（株券の提出に関する公告等）① 株券発行会社は、次の各号に掲げる行為をする場合には、当該行為の効力が生ずる日（第四号の二に掲げる行為をする場合にあっては、第百七十九条の二第一項第五号に規定する取得日。以下この条において「株券提出日」という。）までに当該株券発行会社に対し当該各号に定める株式に係る株券を提出しなければならない旨を株券提出日の一箇月前までに、公告し、かつ、当該株式の株主及びその登録株式質権者には、各別にこれを通知しなければならない。ただし、当該株式の全部について株券を発行していない場合は、この限りでない。

一　第百七条第一項第一号に掲げる事項についての定款の定めを設ける定款の変更　全部の株式（種類株式発行会社にあっては、当該事項についての定めを設ける種類の株式）

二　株式の併合　全部の株式（種類株式発行会社にあっては、第百八十条第二項第三号の種類の株式）

三　第百七十一条第一項に規定する全部取得条項付種類株式の取得　当該全部取得条項付種類株式

四　取得条項付株式の取得　当該取得条項付株式

四の二　第百七十九条の三第一項の承認　売渡株式（平成二六法九〇本号追加）

五　組織変更　全部の株式

六　合併（合併により当該株式会社が消滅する場合に限る。）　全部の株式

七　株式交換　全部の株式

八　株式移転　全部の株式

② 株券発行会社が次の各号に掲げる行為をする場合において、株券提出日までに当該株券発行会社に対して株券を提出しない者があるときは、当該各号に定める者は、当該株券の提出があるまでの間、当該行為（第二号に掲げる行為をする場合にあっては、株式売渡請求に係る売渡株式の取得）によって当該株券に係る株式の株主が受けることのできる金銭等の交付を拒むことができる。

一　前項第一号から第四号までに掲げる行為　当該株券発行会社（平成二六法九〇本号追加）

二　第百七十九条の三第一項の承認　特別支配株主（平成二六法九〇本号追加）

三　組織変更　第七百四十四条第一項第一号に規定する組織変更後持分会社（平成二六法九〇本号追加）

四　合併（合併により当該株式会社が消滅する場合に限る。）　第七百四十九条第一項に規定する吸収合併存続会社又は第七百五十三条第一項に規定する新設合併設立会社（平成二六法九〇本号追加）

五　株式交換　第七百六十七条に規定する株式交換完全親会社（平成二六法九〇本号追加）

六　株式移転　第七百七十三条第一項第一号に規定する株式移転設立完全親会社（平成二六法九〇本号追加）

③ 第一項各号に定める株式に係る株券は、株券提出日に無効となる。

④ 第一項第四号の二の規定による公告及び通知の費用は、特別支配株主の負担とする。（平成二六法九〇本項追加）

（平成二六法九〇本条改正）

❶【株券の提出↓二二〇【公告↓九三九【公告懈怠への制裁↓九七六[二]【株主・登録株式質権者への通知↓一二六・一五〇【通知懈怠への制裁↓九七六[二]【株券を発行していない株券発行会社↓二一五④・二一七、商登五九①[二]・六〇―六二・七七[四]・八〇[九]・八一[九]・八九[四]・九〇[四]　[一]【譲渡制限株式への定款変更↓商登六二・五九①[二]　[二]【株式の併合↓一八〇―一八二の六、商登六一・五九①[二]　[三]【全部取得条項付種類株式の取得↓一七一―一七三の二、商登六〇・五九①[二]　[四]【取得条項付株式の取得↓一六八―一七〇、商登五九①[二]　[五]【組織変更↓七四三・七四四・七七五―七八〇・九二〇、商登七七[四]・五九①[二]　[六]【合併↓七四八・七四九・七五一・七五三・七五五・七八二―七九二・八〇三―八一二・九二二、商登八〇[四]・五九①[二]　[七]【株式交換↓七六七・七六八・七八二―七九二・九一一③[四]・九一五、商登八九[四]・七五九①[二]　[八]【株式移転↓七七二・七七三・八〇三―八一一

二、九二五、商登九〇四、五九①㈢　❷【金銭等の交付→二二〇②　❸【株券の無効→二二一㈢

（株券の提出をすることができない場合）

第二二〇条① 前条第一項各号に掲げる行為をした場合において、株券を提出することができない者があるときは、株券発行会社は、その者の請求により、利害関係人に対し異議があれば一定の期間内にこれを述べることができる旨を公告することができる。ただし、当該期間は、三箇月を下ることができない。

② 株券発行会社が前項の規定による公告をした場合において、同項の期間内に利害関係人が異議を述べなかったときは、前条第二項各号に定める者は、前項の請求をした者に対し、同条第二項の金銭等を交付することができる。（平成二六法九〇本項改正）

③ 第一項の規定による公告の費用は、同項の請求をした者の負担とする。

❶【株券の提出不能の場合→二二一―二三三【株券喪失登録者による請求→二二九【公告→九三九、二二九②【公告懈怠への制裁→九七六㈡

第三款　株券喪失登録

（株券喪失登録簿）

第二二一条 株券発行会社（株式会社がその株式（種類株式発行会社にあっては、全部の種類の株式）に係る株券を発行する旨の定款の定めを廃止する定款の変更をした日の翌日から起算して一年を経過していない場合における当該株式会社を含む。以下この款（第二百二十三条、第二百二十七条及び第二百二十八条第二項を除く。）において同じ。）は、株券喪失登録簿を作成し、これに次に掲げる事項（以下この款において「株券喪失登録簿記載事項」という。）を記載し、又は記録しなければならない。

一 第二百二十三条の規定による請求に係る株券（第二百十八条第二項又は第二百十九条第三項の規定により無効となった株券及び株式の発行又は自己株式の処分の無効の訴えに係る請求を認容する判決が確定した場合における当該株式に係る株券を含む。以下この款（第二百二十八条を除く。）において同じ。）の番号

二 前号の株券を喪失した者の氏名又は名称及び住所

三 第一号の株券に係る株式の株主又は登録株式質権者として株主名簿に記載され、又は記録されている者（以下この款において「名義人」という。）の氏名又は名称及び住所

四 第一号の株券につき前三号に掲げる事項を記載し、又は記録した日（以下この款において「株券喪失登録日」という。）

【株券喪失登録簿→二三一、二三二【虚偽記載等に対する制裁→九七六㈦【株券発行会社→一一七⑦【株券を発行する旨の定款の定めの廃止→二一八【一】【株券の番号→二一六㈣、二一六、二二五③【株式の発行・自己株式の処分の無効判決→八二八①㈡㈢【二】【三】【四】【各事項の名義人への通知→二二四①【二】【株券喪失者→二三一①、二二四①【三】【登録株式質権者→一四九①【株主名簿→一二一

（株券喪失登録簿に関する事務の委託）

第二二二条 株券発行会社における第百二十三条の規定の適用については、同条中「株主名簿の」とあるのは「株主名簿及び株券喪失登録簿の」と、「株主名簿に」とあるのは「株主名簿及び株券喪失登録簿に」とする。

【株券発行会社→一一七⑦

（株券喪失登録の請求）

第二二三条 株券を喪失した者は、法務省令で定めるところにより、株券発行会社に対し、当該株券について株券喪失登録簿記載事項を株券喪失登録簿に記載し、又は記録すること（以下「株券喪失登録」という。）を請求することができる。

【株券喪失者→二三一①、二二四①【省令の定め→会社則四七【株券喪失登録簿記載事項→二二一

（名義人等に対する通知）

第二二四条① 株券発行会社が前条の規定による請求に応じて株券喪失登録をした場合において、当該請求に係る株券を喪失した者として株券喪失登録簿に記載され、又は記録された者（以下この款において「株券喪失登録者」という。）が当該株券に係る株式の名義人でないときは、株券発行会社は、遅滞なく、当該名義人に対し、当該株券について株券喪失登録をした旨並びに第二百二十一条第一号、第二号及び第四号に掲げる事項を通知しなければならない。

② 株式についての権利を行使するために株券が株券発行会社に提出された場合において、当該株券について株券喪失登録がされているときは、株券発行会社は、遅滞なく、当該株券を提出した者に対し、当該株券について株券喪失登録がされている旨を通知しなければならない。

❶【名義人→二二一㈢【通知→一二六、一五〇【名義人でない者が株券喪失登録をした場合の効果→二三〇①㈡③　❷【権利を行使するための株券提出→一三〇②、一六六③、一九二②、一九四②、二一九

（株券を所持する者による抹消の申請）

第二二五条① 株券喪失登録がされた株券を所持する者（その株券についての株券喪失登録者を除く。）は、法務省令で定めるところにより、株券発行会社に対し、当該株券喪失登録の抹消を申請することができる。ただし、株券喪失登録日の翌日から起算して一年を経過したときは、この限りでない。

② 前項の規定による申請をしようとする者は、株券発行会社に対し、同項の株券を提出しなければならない。

③ 第一項の規定による申請を受けた株券発行会社は、遅滞なく、同項の株券喪失登録者に対し、同項の規定による申請をした者の氏名又は名称及び住所並びに同項の株券の番号を通知しなければならない。

④ 株券発行会社は、前項の規定による通知の日から二週間を経過した日に、第二項の規定により提出された株券に係る株券喪失登録を抹消しなければならない。この場合においては、株券発行会社は、当該株券を第一項の規定による申請をした者に返還しなければなら

ない。

⊛❶【株券を所持する者↓一三一①【省令の定め↓会社則四八【株券喪失登録日↓二二一[四]、二二八①　❸【株券の番号↓二二一[四]、二二六、二二一[一]【通知↓二二二　❹【株券喪失登録の抹消↓二二六、二二七、二二九②【懈怠に対する制裁↓九七六[十六]【二週間の期間↓民保二三①【株券喪失登録の抹消の効果↓二三〇①

（株券喪失登録者による抹消の申請）

第二二六条①　株券喪失登録者は、法務省令で定めるところにより、株券発行会社に対し、株券喪失登録（その株式（種類株式発行会社にあっては、全部の種類の株式）に係る株券を発行する旨の定款の定めを廃止する定款の変更をした場合にあっては、前条第二項の規定により提出された株券についての株券喪失登録を除く。）の抹消を申請することができる。

②　前項の規定による申請を受けた株券発行会社は、当該申請を受けた日に、当該申請に係る株券喪失登録を抹消しなければならない。

⊛+【株券喪失登録の抹消↓二二五、二二七、二二九②【懈怠に対する制裁↓九七六[十六]　❶【株券喪失登録者↓二二四①【省令の定め↓会社則四九【株券を発行する旨の定款の定めの廃止↓二一八　❷【株券喪失登録の抹消の効果↓二三〇①

（株券を発行する旨の定款の定めを廃止した場合における株券喪失登録の抹消）

第二二七条　その株式（種類株式発行会社にあっては、全部の種類の株式）に係る株券を発行する旨の定款の定めを廃止する定款の変更をする場合には、株券発行会社は、当該定款の変更の効力が生ずる日に、株券喪失登録（当該株券喪失登録がされた株券に係る株式の名義人が株券喪失登録者であるものに限り、第二百二十五条第二項の規定により提出された株券についてのものを除く。）を抹消しなければならない。

⊛+【株券を発行する旨の定款の定めの廃止↓二一八②【名義人↓二二一[三]【株券喪失登録の抹消↓二二五、二二六、二二九②【懈怠に対する制裁↓九七六[十六]【株券喪失登録の抹消の効果↓二三〇①

（株券の無効）

第二二八条①　株券喪失登録（抹消されたものを除く。）がされた株券は、株券喪失登録日の翌日から起算して一年を経過した日に無効となる。

②　前項の規定により株券が無効となった場合には、株券発行会社は、当該株券についての株券喪失登録者に対し、株券を再発行しなければならない。

⊛+【株券の失効↓一九八⑤、二一七⑤、二一八②、二一九③　❶【株券喪失登録の抹消↓二二五、二二六　❷【株券喪失登録者↓二二四①【株券の再発行禁止↓二三〇②

（異議催告手続との関係）

第二二九条①　株券喪失登録者が第二百二十条第一項の請求をした場合には、株券発行会社は、同項の期間の末日が株券喪失登録日の翌日から起算して一年を経過する日前に到来するときに限り、同項の規定による公告をすることができる。

②　株券発行会社が第二百二十条第一項の規定による公告をするときは、当該株券発行会社は、当該公告をした日に、当該公告に係る株券についての株券喪失登録を抹消しなければならない。

⊛❶【株券喪失登録者↓二二四①【株券喪失登録日↓二二一[四]、二二八①　❷【株券喪失登録の抹消↓二二五―二二七【懈怠に対する制裁↓九七六[十六]

（株券喪失登録の効力）

第二三〇条①　株券発行会社は、次に掲げる日のいずれか早い日（以下この条において「登録抹消日」という。）までの間は、株券喪失登録がされた株券に係る株式を取得した者の氏名又は名称及び住所を株主名簿に記載し、又は記録することができない。

一　当該株券喪失登録が抹消された日

二　株券喪失登録日の翌日から起算して一年を経過した日

②　株券発行会社は、登録抹消日後でなければ、株券喪失登録がされた株券を再発行することができない。

③　株券喪失登録者が株券喪失登録をした株券に係る株式の名義人でないときは、当該株式の株主は、登録抹消日までの間は、株主総会又は種類株主総会において議決権を行使することができない。

④　株券喪失登録がされた株券に係る株式については、第百九十七条第一項の規定による競売又は同条第二項の規定による売却をすることができない。

⊛❶【株券喪失登録がされた株券に係る株式を取得した者↓一三三①【違反に対する制裁↓九七六[十七]【株主名簿の名義書換え↓一三三①【違反に対する制裁↓九七六[十七]　[二]【株券喪失登録の抹消日↓二二五④、二二六②、二二七、二二九②　[三]【一年経過の効果↓二二八①　❷【株券の再発行↓二二八②　❸【株主↓一三〇

（株券喪失登録簿の備置き及び閲覧等）

第二三一条①　株券発行会社は、株券喪失登録簿をその本店（株主名簿管理人がある場合にあっては、その営業所）に備え置かなければならない。

②　何人も、株券発行会社の営業時間内は、いつでも、株券喪失登録簿（利害関係がある部分に限る。）について、次に掲げる請求をすることができる。この場合においては、当該請求の理由を明らかにしてしなければならない。

一　株券喪失登録簿が書面をもって作成されているときは、当該書面の閲覧又は謄写の請求

二　株券喪失登録簿が電磁的記録をもって作成されているときは、当該電磁的記録に記録された事項を法務省令で定める方法により表示したものの閲覧又は謄写の請求

⊛+【株券喪失登録簿↓二二一　❶【本店↓四⊛【株主名簿管理人↓一二三、二二二【本項の違反に対する制裁↓九七六[四]　❷【不当拒絶に対する制裁↓九七六[四]　[三]【電磁的記録↓二六②【省令で定める方法↓会社則二二六

（株券喪失登録者に対する通知等）

第二三二条①　株券発行会社が株券喪失登録者に対してする通知又は催告は、株券喪失登録簿に記載し、又は記録した当該株券喪失登録者の住所（当該株券喪失登録者が別に通知又は催告を受ける場所又は連絡先を株券発行会社に通知した場合にあっては、その場所又は

連絡先）にあてて発すれば足りる。

② 前項の通知又は催告は、その通知又は催告が通常到達すべきであった時に、到達したものとみなす。

⊛+【株券喪失登録者に対する通知・催告↓二二五③

（適用除外）

第二三三条 非訟事件手続法第四編の規定は、株券については、適用しない。（平成二三法五三本条改正）

⊛+【公示催告手続↓二九一①、六九九①

第十節 雑則

（一に満たない端数の処理）

第二三四条① 次の各号に掲げる行為に際して当該各号に定める者に当該株式会社の株式を交付する場合において、その者に対し交付しなければならない当該株式会社の株式の数に一株に満たない端数があるときは、その端数の合計数（その合計数に一に満たない端数がある場合にあっては、これを切り捨てるものとする。）に相当する数の株式を競売し、かつ、その端数に応じてその競売により得られた代金を当該者に交付しなければならない。

一 第百七十条第一項の規定による株式の取得 当該株式会社の株主

二 第百七十三条第一項の規定による株式の取得 当該株式会社の株主

三 第百八十五条に規定する株式無償割当て 当該株式会社の株主

四 第二百七十五条第一項の規定による新株予約権の取得 第二百三十六条第一項第七号イの新株予約権の新株予約権者

五 合併（合併により当該株式会社が存続する場合に限る。） 合併後消滅する会社の株主又は社員

六 合併契約に基づく設立時発行株式の発行 合併後消滅する会社の株主又は社員

七 株式交換による他の株式会社の発行済株式全部の取得 株式交換をする株式会社の株主

八 株式移転計画に基づく設立時発行株式の発行 株式移転をする株式会社の株主

九 株式交付 株式交付親会社（第七百七十四条の三第一項第一号に規定する株式交付親会社をいう。）に株式交付に際して株式交付子会社（同号に規定する株式交付子会社をいう。）の株式又は新株予約権等（同項第七号に規定する新株予約権等をいう。）を譲り渡した者（令和一法七〇本号追加）

② 株式会社は、前項の規定による競売に代えて、市場価格のある同項の株式については市場価格として法務省令で定める方法により算定される額をもって、市場価格のない同項の株式については裁判所の許可を得て競売以外の方法により、これを売却することができる。この場合において、当該許可の申立ては、取締役が二人以上あるときは、その全員の同意によってしなければならない。

③ 前項の規定により第一項の株式を売却した場合における同項の規定の適用については、同項中「競売により」とあるのは、「売却により」とする。

④ 株式会社は、第二項の規定により売却する株式の全部又は一部を買い取ることができる。この場合においては、次に掲げる事項を定めなければならない。

一 買い取る株式の数（種類株式発行会社にあっては、株式の種類及び種類ごとの数）

二 前号の株式の買取りをするのと引換えに交付する金銭の総額

⑤ 取締役会設置会社においては、前項各号に掲げる事項の決定は、取締役会の決議によらなければならない。

⑥ 第一項から第四項までの規定は、第一項各号に掲げる行為に際して当該各号に定める者に当該株式会社の社債又は新株予約権を交付するときについて準用する。

⊛❶【競売↓民執一九五 〔五〕【吸収合併による株式の交付↓七五〇③[一] 〔六〕【新設合併による株式の交付↓七五四② 〔七〕【株式交換による株式の交付↓七六九③[一] 〔八〕【株式移転による株式の交付↓七七四② 〔九〕【株式交付による株式の交付↓七七四の一一③ ❷【市場価格のある株式↓三三⑩[三]、一六一、一六七③[一]、一九三①[一]、一九七②、二〇一②【省令で定める方法↓会社則五〇【裁判所の許可↓八六八①、八七四[四] ❹【自己株式の取得↓一五五[九]、四六一①[七]、四六二①[五]、四六五①[九] ❻【社債・新株予約権の交付↓一七〇②[一]―[三]、一七三②[二]―[四]、二七五③[二]―[四]、七五〇③[二]―[四]、七五四③、七六九③[二]―[四]、七七四③

第二三五条① 株式会社が株式の分割又は株式の併合をすることにより株式の数に一株に満たない端数が生ずるときは、その端数の合計数（その合計数に一に満たない端数が生ずる場合にあっては、これを切り捨てるものとする。）に相当する数の株式を競売し、かつ、その端数に応じてその競売により得られた代金を株主に交付しなければならない。

② 前条第二項から第五項までの規定は、前項の場合について準用する。

⊛❶【株式の分割↓一八三、一八四【株式の併合↓一八〇―一八二の六【競売↓民執一九五

第三章 新株予約権

第一節 総則

（新株予約権の内容）

第二三六条① 株式会社が新株予約権を発行するときは、次に掲げる事項を当該新株予約権の内容としなければならない。

一 当該新株予約権の目的である株式の数（種類株式発行会社にあっては、株式の種類及び種類ごとの数）又はその数の算定方法

二 当該新株予約権の行使に際して出資される財産の価額又はその算定方法

三 金銭以外の財産を当該新株予約権の行使に際してする出資の目的とするときは、その旨並びに当該財産の内容及び価額

四 当該新株予約権を行使することができる期間

五 当該新株予約権の行使により株式を発行する場合

における増加する資本金及び資本準備金に関する事項

六　譲渡による当該新株予約権の取得について当該株式会社の承認を要することとするときは、その旨

七　当該新株予約権について、当該株式会社が一定の事由が生じたことを条件としてこれを取得することができることとするときは、次に掲げる事項

イ　一定の事由が生じた日に当該株式会社がその新株予約権を取得する旨及びその事由

ロ　当該株式会社が別に定める日が到来することをもってイの事由とするときは、その旨

ハ　イの事由が生じた日にイの新株予約権の一部を取得することとするときは、その旨及び取得する新株予約権の一部の決定の方法

ニ　イの新株予約権を取得するのと引換えに当該新株予約権の新株予約権者に対して当該株式会社の株式を交付するときは、当該株式の数（種類株式発行会社にあっては、株式の種類及び種類ごとの数）又はその算定方法

ホ　イの新株予約権を取得するのと引換えに当該新株予約権の新株予約権者に対して当該株式会社の社債（新株予約権付社債についてのものを除く。）を交付するときは、当該社債の種類及び種類ごとの各社債の金額の合計額又はその算定方法

ヘ　イの新株予約権を取得するのと引換えに当該新株予約権の新株予約権者に対して当該株式会社の他の新株予約権（新株予約権付社債に付されたものを除く。）を交付するときは、当該他の新株予約権の内容及び数又はその算定方法

ト　イの新株予約権を取得するのと引換えに当該新株予約権の新株予約権者に対して当該株式会社の新株予約権付社債を交付するときは、当該新株予約権付社債についてのホに規定する事項及び当該新株予約権付社債に付された新株予約権についてのへに規定する事項

チ　イの新株予約権を取得するのと引換えに当該新株予約権の新株予約権者に対して当該株式会社の株式等以外の財産を交付するときは、当該財産の内容及び数若しくは額又はこれらの算定方法

八　当該株式会社が次のイからホまでに掲げる行為をする場合において、当該新株予約権の新株予約権者に当該イからホまでに定める株式会社の新株予約権を交付することとするときは、その旨及びその条件

イ　合併（合併により当該株式会社が消滅する場合に限る。）　合併後存続する株式会社又は合併により設立する株式会社

ロ　吸収分割　吸収分割をする株式会社がその事業に関して有する権利義務の全部又は一部を承継する株式会社

ハ　新設分割　新設分割により設立する株式会社

ニ　株式交換　株式交換をする株式会社の発行済株式の全部を取得する株式会社

ホ　株式移転　株式移転により設立する株式会社

九　新株予約権を行使した新株予約権者に交付する株式の数に一株に満たない端数がある場合において、これを切り捨てるものとするときは、その旨

十　当該新株予約権（新株予約権付社債に付されたものを除く。）に係る新株予約権証券を発行することとするときは、その旨

十一　前号に規定する場合において、新株予約権者が第二百九十条の規定による請求の全部又は一部をすることができないこととするときは、その旨

② 新株予約権付社債に付された新株予約権の数は、当該新株予約権付社債についての社債の金額ごとに、均等に定めなければならない。

③ 金融商品取引所に上場されている株式を発行している株式会社は、定款又は株主総会の決議による第三百六十一条第一項第四号又は第五号ロに掲げる事項についての定めに従い新株予約権を発行するときは、第一項第二号に掲げる事項を当該新株予約権の内容とすることを要しない。この場合において、当該株式会社は、次に掲げる事項を当該新株予約権の内容としなければならない。

一　取締役の報酬等として又は取締役の報酬等をもってする払込みと引換えに当該新株予約権を発行するものであり、当該新株予約権の行使に際してする金銭の払込み又は第一項第三号の財産の給付を要しない旨

二　定款又は株主総会の決議による第三百六十一条第一項第四号又は第五号ロに掲げる事項についての定めに係る取締役（取締役であった者を含む。）以外の者は、当該新株予約権を行使することができない旨

（令和一法七〇本項追加）

④ 指名委員会等設置会社における前項の規定の適用については、同項中「定款又は株主総会の決議による第三百六十一条第一項第四号又は第五号ロに掲げる事項についての定め」とあるのは「報酬委員会による第四百九条第三項第四号又は第五号ロに定める事項についての決定」と、同項第一号中「取締役」とあるのは「執行役若しくは取締役」と、同項第二号中「取締役」とあるのは「執行役又は取締役」とする。（令和一法七〇本項追加）

参+【新株予約権↓二[二十一]　❶【新株予約権の内容↓二三八①[一]・二七八①[一]　[一]【発行可能株式総数等による制約↓一一三④・一一四②[三]　[一]－[四][七]【登記事項↓九一一③[十二]　[二]【行使価額↓二八一①　[三]【現物出資による行使↓二七二⑤・二八〇④・二八一②・二八四・二八六【会社財産を危うくする罪↓九六三②　[四]【行使期間↓二四六①　[五]【資本金・資本準備金の額↓四四五　[六]【譲渡制限新株予約権↓二四三②[二]・二六一－二六六　[七]【取得条項付新株予約権↓二七三－二七五、商登五九②[一]　[八]【合併による新株予約権の承継↓七四九①[四]・七五三①[十]【吸収分割による新株予約権の承継↓七五八[五]【新設分割による新株予約権の承継↓七六三①[十]【株式交換による新株予約権の承継↓七六八①[四]【株式移転による新株予約権の承継↓七七三①[九]【新株予約権買取請求↓七七七・七八七・八〇八　[九]【一に満たない端数の処理↓二八三　[十]【新株予約権証券↓二五五①・二五六①②・二五七②・二五八①②・二六七④・二六八②・二八〇②・二八八－二九一・二九三・二九四　❷【新株予約権付社債↓二[二十二]【均等性↓二三八⑤　❸【取締役の報酬等↓三六一【報酬等↓三三〇・四二五①

一、民六四八・六五六、会更六六【新株予約権の発行↓二三八①一・四四五⑥【発行可能株式総数等による制約↓一一三④・一一四②三 【二】【金銭の払込み↓二三六①二四【財産の給付↓二三六①三四 ❹【報酬委員会↓四〇四③・四〇九

（共有者による権利の行使）

第二三七条 新株予約権が二以上の者の共有に属するときは、共有者は、当該新株予約権についての権利を行使する者一人を定め、株式会社に対し、その者の氏名又は名称を通知しなければ、当該新株予約権についての権利を行使することができない。ただし、株式会社が当該権利を行使することに同意した場合は、この限りでない。

参【共有↓民二六四・二四九―二六二【新株予約権の権利行使↓二八〇―二八三・二五三③【通知↓民九七①

第二節　新株予約権の発行

第一款　募集事項の決定等

（募集事項の決定）

第二三八条① 株式会社は、その発行する新株予約権を引き受ける者の募集をしようとするときは、その都度、募集新株予約権（当該募集に応じて当該新株予約権の引受けの申込みをした者に対して割り当てる新株予約権をいう。以下この章において同じ。）について次に掲げる事項（以下この節において「募集事項」という。）を定めなければならない。

一　募集新株予約権の内容及び数

二　募集新株予約権と引換えに金銭の払込みを要しないこととする場合には、その旨

三　前号に規定する場合以外の場合には、募集新株予約権の払込金額（募集新株予約権一個と引換えに払い込む金銭の額をいう。以下この章において同じ。）又はその算定方法

四　募集新株予約権を割り当てる日（以下この節において「割当日」という。）

五　募集新株予約権と引換えにする金銭の払込みの期日を定めるときは、その期日

六　募集新株予約権が新株予約権付社債に付されたものである場合には、第六百七十六条各号に掲げる事項

七　前号に規定する場合において、同号の新株予約権付社債に付された募集新株予約権についての第百十八条第一項、第百七十九条第二項、第七百七十七条第一項、第七百八十七条第一項又は第八百八条第一項の規定による請求の方法につき別段の定めをするときは、その定め（平成二六法九〇本号改正）

② 募集事項の決定は、株主総会の決議によらなければならない。

③ 次に掲げる場合には、取締役は、前項の株主総会において、第一号の条件又は第二号の金額で募集新株予約権を引き受ける者の募集をすることを必要とする理由を説明しなければならない。

一　第一項第二号に規定する場合において、金銭の払込みを要しないこととすることが当該者に特に有利な条件であるとき。

二　第一項第三号に規定する場合において、同号の払込金額が当該者に特に有利な金額であるとき。

④ 種類株式発行会社において、募集新株予約権の目的である株式の種類の全部又は一部が譲渡制限株式であるときは、当該募集新株予約権に関する募集事項の決定は、当該種類の株式を目的とする募集新株予約権を引き受ける者の募集について当該種類の株式の種類株主を構成員とする種類株主総会の決議を要しない旨の定款の定めがある場合を除き、当該種類株主総会の決議がなければ、その効力を生じない。ただし、当該種類株主総会において議決権を行使することができる種類株主が存しない場合は、この限りでない。

⑤ 募集事項は、第一項の募集ごとに、均等に定めなければならない。

参❶【新株予約権の発行↓商登六五【無効の訴えの提訴期間・提訴権者↓八二八①四②四【不存在確認の訴え↓八二九三【株主割当ての場合に定めるべき事項↓二四一 【二】【新株予約権の内容↓二三六①【新株予約権の数↓九一一③十二イ 【二】【無償の発行↓二八五①一 【三】【三】【登記事項↓九一一③十二 【三】【払込金額↓二四六①② 【四】【割当日↓二三九③・二四〇②④・二四三③ 【五】【払込期日↓二四六①③ 【六】【新株予約権付社債の場合↓二四八、六七六 ❷【株主総会の決議↓三〇九②六・二三九①・二四〇①・二四一③一三 ❷―❹【適用除外↓二四一⑤ ❸【理由の説明↓一七一③・一八〇④・一九〇・一九九③・二〇〇②・二三九②・三六一④【特に有利な条件・金額↓四二五①一 ❹【譲渡制限株式↓二十七・一〇八①四・一三四・一三六―一四五【種類株主総会↓三二四②三・二三九①【議決権を行使できる種類株主↓三二二①参 ❺【均等性↓二三六②・一九九⑤

（募集事項の決定の委任）

第二三九条① 前条第二項及び第四項の規定にかかわらず、株主総会においては、その決議によって、募集事項の決定を取締役（取締役会設置会社にあっては、取締役会）に委任することができる。この場合においては、次に掲げる事項を定めなければならない。

一　その委任に基づいて募集事項の決定をすることができる募集新株予約権の内容及び数の上限

二　前号の募集新株予約権につき金銭の払込みを要しないこととする場合には、その旨

三　前号に規定する場合以外の場合には、募集新株予約権の払込金額の下限

② 次に掲げる場合には、取締役は、前項の株主総会において、第一号の条件又は第二号の金額で募集新株予約権を引き受ける者の募集をすることを必要とする理由を説明しなければならない。

一　前項第二号に規定する場合において、金銭の払込みを要しないこととすることが当該者に特に有利な条件であるとき。

二　前項第三号に規定する場合において、同号の払込金額の下限が当該者に特に有利な金額であるとき。

③ 第一項の決議は、割当日が当該決議の日から一年以内の日である前条第一項の募集についてのみその効力を有する。

④ 種類株式発行会社において、募集新株予約権の目的

である株式の種類の全部又は一部が譲渡制限株式であるときは、当該募集新株予約権に関する募集事項の決定の委任は、前条第四項の定款の定めがある場合を除き、当該種類株主総会の決議がなければ、その効力を生じない。ただし、当該種類株主総会において議決権を行使することができる種類株主が存しない場合は、この限りでない。

❶【株主総会決議→三〇九②[六]　【一】【募集新株予約権の内容・数→二三八①[一]　【二】【払込みを要しない旨→二三八①[二]　【三】【払込金額→二三八①[三]　❷【理由の説明→一七一③・一八〇④・一九〇・一九九③・二〇〇②・二三八③・三六一④　❸【割当日→二三八①[四]　❹【譲渡制限株式→二[十七]・一〇八①[四]・一三四・一三六―一四五【種類株主総会→三二四②[三]【議決権を行使できる種類株主→三二二①　+【適用除外→二四〇①・二四一⑤

第二四〇条（公開会社における募集事項の決定の特則）① 第二百三十八条第三項各号に掲げる場合を除き、公開会社における同条第二項の規定の適用については、同項中「株主総会」とあるのは、「取締役会」とする。この場合においては、前条の規定は、適用しない。

② 公開会社は、前項の規定により読み替えて適用する第二百三十八条第二項の取締役会の決議によって募集事項を定めた場合には、割当日の二週間前までに、株主に対し、当該募集事項を通知しなければならない。

③ 前項の規定による通知は、公告をもってこれに代えることができる。

④ 第二項の規定は、株式会社が募集事項について割当日の二週間前までに金融商品取引法第四条第一項から第三項までの届出をしている場合その他の株主の保護に欠けるおそれがないものとして法務省令で定める場合には、適用しない。（平成一八法六六、平成二〇法六五本項改正）

+【公開会社→二[五]　❷【株主への通知→一二六①　❸【公告→九三九　❷❸【懈怠に対する制裁→九七六[二]　❷❹【割当日→二三八①[四]　❹【省令で定める場合→会社則五三　+【適用除外→二四一⑤

第二四一条（株主に新株予約権の割当てを受ける権利を与える場合）① 株式会社は、第二百三十八条第一項の募集において、株主に新株予約権の割当てを受ける権利を与えることができる。この場合においては、募集事項のほか、次に掲げる事項を定めなければならない。

一 株主に対し、次条第二項の申込みをすることにより当該株式会社の募集新株予約権（種類株式発行会社にあっては、その目的である株式の種類が当該株主の有する種類の株式と同一の種類のもの）の割当てを受ける権利を与える旨

二 前号の募集新株予約権の引受けの申込みの期日

② 前項の場合には、同項第一号の株主（当該株式会社を除く。）は、その有する株式の数に応じて募集新株予約権の割当てを受ける権利を有する。ただし、当該株主が割当てを受ける募集新株予約権の数に一に満たない端数があるときは、これを切り捨てるものとする。

③ 第一項各号に掲げる事項を定める場合には、募集事項及び同項各号に掲げる事項は、次の各号に掲げる場合の区分に応じ、当該各号に定める方法によって定めなければならない。

一 当該募集事項及び第一項各号に掲げる事項を取締役の決定によって定めることができる旨の定款の定めがある場合（株式会社が取締役会設置会社である場合を除く。）　取締役の決定

二 当該募集事項及び第一項各号に掲げる事項を取締役会の決議によって定めることができる旨の定款の定めがある場合（次号に掲げる場合を除く。）　取締役会の決議

三 株式会社が公開会社である場合　取締役会の決議

四 前三号に掲げる場合以外の場合　株主総会の決議

④ 株式会社は、第一項各号に掲げる事項を定めた場合には、同項第二号の期日の二週間前までに、同項第一号の株主（当該株式会社を除く。）に対し、次に掲げる事項を通知しなければならない。

一 募集事項

二 当該株主が割当てを受ける募集新株予約権の内容及び数

三 第一項第二号の期日

⑤ 第二百三十八条第二項から第四項まで及び前二条の規定は、第一項から第三項までの規定により株主に新株予約権の割当てを受ける権利を与える場合には、適用しない。

❶【一】【種類株式発行会社→三二二①[五]【株主が募集新株予約権の割当てを受ける権利→二四三①④　【二】【募集新株予約権の引受けの申込期日→二四二　❸【四】【株主総会の決議→三〇九②[六]　❹【株主への通知→一二六【懈怠に対する制裁→九七六[二]

第二款　募集新株予約権の割当て

第二四二条（募集新株予約権の申込み）① 株式会社は、第二百三十八条第一項の募集に応じて募集新株予約権の引受けの申込みをしようとする者に対し、次に掲げる事項を通知しなければならない。

一 株式会社の商号

二 募集事項

三 新株予約権の行使に際して金銭の払込みをすべきときは、払込みの取扱いの場所

四 前三号に掲げるもののほか、法務省令で定める事項

② 第二百三十八条第一項の募集に応じて募集新株予約権の引受けの申込みをする者は、次に掲げる事項を記載した書面を株式会社に交付しなければならない。

一 申込みをする者の氏名又は名称及び住所

二 引き受けようとする募集新株予約権の数

③ 前項の申込みをする者は、同項の書面の交付に代えて、政令で定めるところにより、株式会社の承諾を得て、同項の書面に記載すべき事項を電磁的方法により提供することができる。この場合において、当該申込みをした者は、同項の書面を交付したものとみなす。

④ 第一項の規定は、株式会社が同項各号に掲げる事項を記載した金融商品取引法第二条第十項に規定する目

論見書を第一項の申込みをしようとする者に対して交付している場合その他募集新株予約権の引受けの申込みをしようとする者の保護に欠けるおそれがないものとして法務省令で定める場合には、適用しない。（平成一八法六六本項改正）

⑤　株式会社は、第一項各号に掲げる事項について変更があったときは、直ちに、その旨及び当該変更があった事項を第二項の申込みをした者（以下この款において「申込者」という。）に通知しなければならない。

⑥　募集新株予約権が新株予約権付社債に付されたものである場合には、申込者（募集新株予約権のみの申込みをした者に限る。）は、その申込みに係る募集新株予約権を付した新株予約権付社債の引受けの申込みをしたものとみなす。

⑦　株式会社が申込者に対してする通知又は催告は、第二項第一号の住所（当該申込者が別に通知又は催告を受ける場所又は連絡先を当該株式会社に通知した場合にあっては、その場所又は連絡先）にあてて発すれば足りる。

⑧　前項の通知又は催告は、その通知又は催告が通常到達すべきであった時に、到達したものとみなす。

参❶【通知虚偽記載等に対する責任↓四二九②三【通知虚偽記載等に対する罰則↓九六四①　〔一〕【会社の商号↓六①　〔二〕【募集事項↓二三八①　〔三〕【払込取扱機関↓二八一①　〔四〕【省令で定める事項↓会社則五四　❷【申込み↓商登六五三【株主割当てにおける株主の失権↓二四三④【新株予約権者となる時期↓二四五　〔三〕【引受新株予約権数↓二四三①　❹【省令で定める場合↓会社則五五　❻【新株予約権付社債の場合↓二四八・六七七　❼【申込者への通知・催告↓二四三③　❽【到達↓民九七①　†【適用除外↓二四四①

（募集新株予約権の割当て）

第二四三条①　株式会社は、申込者の中から募集新株予約権の割当てを受ける者を定め、かつ、その者に割り当てる募集新株予約権の数を定めなければならない。この場合において、株式会社は、当該申込者に割り当てる募集新株予約権の数を、前条第二項第二号の数よりも減少することができる。

②　次に掲げる場合には、前項の規定による決定は、株主総会（取締役会設置会社にあっては、取締役会）の決議によらなければならない。ただし、定款に別段の定めがある場合は、この限りでない。

一　募集新株予約権の目的である株式の全部又は一部が譲渡制限株式である場合

二　募集新株予約権が譲渡制限新株予約権（新株予約権であって、譲渡による当該新株予約権の取得について株式会社の承認を要する旨の定めがあるものをいう。以下この章において同じ。）である場合

③　株式会社は、割当日の前日までに、申込者に対し、当該申込者に割り当てる募集新株予約権の数（当該募集新株予約権が新株予約権付社債に付されたものである場合にあっては、当該新株予約権付社債についての社債の種類及び各社債の金額の合計額を含む。）を通知しなければならない。

④　第二百四十一条の規定により株主に新株予約権の割当てを受ける権利を与えた場合において、株主が同条第一項第二号の期日までに前条第二項の申込みをしないときは、当該株主は、募集新株予約権の割当てを受ける権利を失う。

参❷【株主総会決議↓三〇九②六　〔一〕【譲渡制限株式↓二十七・一〇七①一・一〇八①四・一三四・一三六―一四五　〔二〕【譲渡制限新株予約権↓二三六①六・二六二―二六六　❸【割当日↓二三八①四【新株予約権付社債の場合↓二四八・六七八　†【適用除外↓二四四①

（募集新株予約権の申込み及び割当てに関する特則）

第二四四条①　前二条の規定は、募集新株予約権を引き受けようとする者がその総数の引受けを行う契約を締結する場合には、適用しない。

②　募集新株予約権が新株予約権付社債に付されたものである場合における前項の規定の適用については、同項中「の引受け」とあるのは、「及び当該募集新株予約権を付した社債の総額の引受け」とする。

③　第一項に規定する場合において、次に掲げるときは、株式会社は、株主総会（取締役会設置会社にあっては、取締役会）の決議によって、同項の契約の承認を受けなければならない。ただし、定款に別段の定めがある場合は、この限りでない。

一　募集新株予約権の目的である株式の全部又は一部が譲渡制限株式であるとき。

二　募集新株予約権が譲渡制限新株予約権であるとき。

（平成二六法九〇本項追加）

参❶【総数引受契約↓二四五①二、商登六五三　❷【新株予約権付社債の場合↓二四八・六七九　❸【募集新株予約権↓二三八①【譲渡制限株式↓二十七【譲渡制限新株予約権↓二四三②二【定款の定め↓二九

（公開会社における募集新株予約権の割当て等の特則）

第二四四条の二①　公開会社は、募集新株予約権の割当てを受けた申込者又は前条第一項の契約により募集新株予約権の総数を引き受けた者（以下この項において「引受人」と総称する。）について、第一号に掲げる数の第二号に掲げる数に対する割合が二分の一を超える場合には、割当日の二週間前までに、株主に対し、当該引受人（以下この項及び第五項において「特定引受人」という。）の氏名又は名称及び住所、当該特定引受人についての第一号に掲げる数その他の法務省令で定める事項を通知しなければならない。ただし、当該特定引受人が当該公開会社の親会社等である場合又は第二百四十一条の規定により株主に新株予約権の割当てを受ける権利を与えた場合は、この限りでない。

一　当該引受人（その子会社等を含む。）がその引き受けた募集新株予約権に係る交付株式の株主となった場合に有することとなる最も多い議決権の数

二　前号に規定する場合における最も多い総株主の議決権の数

②　前項第一号に規定する「交付株式」とは、募集新株予約権の目的である株式、募集新株予約権の内容として第二百三十六条第一項第七号ニに掲げる事項についての定めがある場合における同号ニの株式その他募集

新株予約権の新株予約権者が交付を受ける株式として法務省令で定める株式をいう。

③　第一項の規定による通知は、公告をもってこれに代えることができる。

④　第一項の規定にかかわらず、株式会社が同項の事項について割当日の二週間前までに金融商品取引法第四条第一項から第三項までの届出をしている場合その他の株主の保護に欠けるおそれがないものとして法務省令で定める場合には、第一項の規定による通知は、することを要しない。

⑤　総株主（この項の株主総会において議決権を行使することができない株主を除く。）の議決権の十分の一（これを下回る割合を定款で定めた場合にあっては、その割合）以上の議決権を有する株主が第一項の規定による通知又は第三項の公告の日（前項の場合にあっては、法務省令で定める日）から二週間以内に特定引受人（その子会社等を含む。以下この項において同じ。）による募集新株予約権の引受けに反対する旨を公開会社に対し通知したときは、当該公開会社は、割当日の前日までに、株主総会の決議によって、当該特定引受人に対する募集新株予約権の割当て又は当該特定引受人との間の前条第一項の契約の承認を受けなければならない。ただし、当該公開会社の財産の状況が著しく悪化している場合において、当該公開会社の事業の継続のため緊急の必要があるときは、この限りでない。

⑥　第三百九条第一項の規定にかかわらず、前項の株主総会の決議は、議決権を行使することができる株主の議決権の過半数（三分の一以上の割合を定款で定めた場合にあっては、その割合以上）を有する株主が出席し、出席した当該株主の議決権の過半数（これを上回る割合を定款で定めた場合にあっては、その割合以上）をもって行わなければならない。

（平成二六法九〇本条追加）

❶【株主への通知→二二六①【省令で定める事項→会社則五五の二　❷【省令で定める株式→会社則五五の三　❸【公告→九三九　❹【省令で定める株式→会社則五五の四　❺【省令で定める日→会社則五五の五

（新株予約権者となる日）

第二百四十五条①　次の各号に掲げる者は、割当日に、当該各号に定める募集新株予約権の新株予約権者となる。

一　申込者　株式会社の割り当てた募集新株予約権

二　第二百四十四条第一項の契約により募集新株予約権の総数を引き受けた者　その者が引き受けた募集新株予約権

②　募集新株予約権が新株予約権付社債に付されたものである場合には、前項の規定により募集新株予約権の新株予約権者となる者は、当該募集新株予約権を付した新株予約権付社債についての社債の社債権者となる。

❶【新株予約権者→二四六　[一]【申込者→二四二⑤　❷【新株予約権付社債の場合→二四八、六八〇　+【新株予約権の発行による変更の登記→商登六五【振替新株予約権の発行→社債株式振替一六六

第三款　募集新株予約権に係る払込み

第二百四十六条①　第二百三十八条第一項第三号に規定する場合には、新株予約権者は、募集新株予約権についての第二百三十六条第一項第四号の期間の初日の前日（第二百三十八条第一項第五号に規定する場合にあっては、同号の期日。第三項において「払込期日」という。）までに、株式会社が定めた銀行等の払込みの取扱いの場所において、それぞれの募集新株予約権の払込金額の全額を払い込まなければならない。

②　前項の規定にかかわらず、新株予約権者は、株式会社の承諾を得て、同項の規定による払込みに代えて、払込金額に相当する金銭以外の財産を給付し、又は当該株式会社に対する債権をもって相殺することができる。

③　第二百三十八条第一項第三号に規定する場合には、新株予約権者は、募集新株予約権についての払込期日までに、それぞれの募集新株予約権の払込金額の全額の払込み（当該払込みに代えてする金銭以外の財産の給付又は当該株式会社に対する債権をもってする相殺を含む。）をしないときは、当該募集新株予約権を行使することができない。

❶【払込金額→二三八①[三]　❷【金銭以外の財産の給付→二八四【相殺→民五〇五—五〇八、五一一、五一二

第四款　募集新株予約権の発行をやめることの請求

第二百四十七条　次に掲げる場合において、株主が不利益を受けるおそれがあるときは、株主は、株式会社に対し、第二百三十八条第一項の募集に係る新株予約権の発行をやめることを請求することができる。

一　当該新株予約権の発行が法令又は定款に違反する場合

二　当該新株予約権の発行が著しく不公正な方法により行われる場合

+【差止請求→民保二三②、三六〇【濫用株主等に対する制裁→九六八①[三]②　[一]【法令・定款違反の例→二三八—二四三、二四六、二八五①[二][三]ETC　[二]【著しく不公正な方法→二四三①、四二九①【違法な発行等に関する民事責任→二八五、二八六、四二三
+【違法な発行等に関する無効の訴え→八二八①[四]

第五款　雑則

第二百四十八条　第六百七十六条から第六百八十条までの規定は、新株予約権付社債についての社債を引き受ける者の募集については、適用しない。

+【新株予約権付社債を引き受ける者の募集→二三八①[六]、二四二⑥、二四三③、二四四②、二四五②

第三節　新株予約権原簿

（新株予約権原簿）

第二百四十九条　株式会社は、新株予約権を発行した日以後遅滞なく、新株予約権原簿を作成し、次の各号に掲げる新株予約権の区分に応じ、当該各号に定める事項（以下「新株予約権原簿記載事項」という。）を記載

し、又は記録しなければならない。

一　無記名式の新株予約権証券が発行されている新株予約権（以下この章において「無記名新株予約権」という。）　当該新株予約権証券の番号並びに当該無記名新株予約権の内容及び数

二　無記名式の新株予約権付社債券（証券発行新株予約権付社債（新株予約権付社債であって、当該新株予約権付社債についての社債につき社債券を発行する旨の定めがあるものをいう。以下この章において同じ。）に係る社債券をいう。以下同じ。）が発行されている新株予約権付社債（以下この章において「無記名新株予約権付社債」という。）に付された新株予約権　当該新株予約権付社債券の番号並びに当該新株予約権の内容及び数

三　前二号に掲げる新株予約権以外の新株予約権　次に掲げる事項

イ　新株予約権者の氏名又は名称及び住所

ロ　イの新株予約権者の有する新株予約権の内容及び数

ハ　イの新株予約権者が新株予約権を取得した日

ニ　ロの新株予約権が証券発行新株予約権（新株予約権であって、当該新株予約権に係る新株予約権証券を発行する旨の定めがあるものをいう。以下この章において同じ。）であるときは、当該新株予約権（新株予約権証券が発行されているものに限る。）に係る新株予約権証券の番号

ホ　ロの新株予約権が証券発行新株予約権付社債に付されたものであるときは、当該新株予約権を付した新株予約権付社債（新株予約権付社債券が発行されているものに限る。）に係る新株予約権付社債券の番号

§†【新株予約権原簿→二五二・二五九・二六〇・二六八①【不実記載・備置義務違反に対する制裁→九七六[七][四]【新株予約権の内容→二三六①【一】【無記名新株予約権→二五七③・二五九②・二六〇③・二六九②・二九〇・二九四①【二】【無記名新株予約権付社債→二五七③・二五九②・二六〇③・二六九②【二】【三】【証券発行新株予約権付社債→二五〇④・二五五②・二五七②・二五八③④・二六七⑤・二六八③・二七〇④・二八〇③④【三】【新株予約権者→二四二②[二]・二四五①【証券発行新株予約権→二五〇④・二五五①・二五七②・二五八①②・二六七④・二六八②・二七〇④・二八〇②・二八八―二九一

（新株予約権原簿記載事項を記載した書面の交付等）

第二五〇条①　前条第三号イの新株予約権者は、株式会社に対し、当該新株予約権者についての新株予約権原簿に記載され、若しくは記録された新株予約権原簿記載事項を記載した書面の交付又は当該新株予約権原簿記載事項を記録した電磁的記録の提供を請求することができる。

②　前項の書面には、株式会社の代表取締役（指名委員会等設置会社にあっては、代表執行役。次項において同じ。）が署名し、又は記名押印しなければならない。

（平成二六法九〇本項改正）

③　第一項の電磁的記録には、株式会社の代表取締役が法務省令で定める署名又は記名押印に代わる措置をとらなければならない。

④　前三項の規定は、証券発行新株予約権及び証券発行新株予約権付社債に付された新株予約権については、適用しない。

§❶【書面等の交付に関する制裁→九七六[四][七]　❶❸【電磁的記録→二六②　❸【省令で定める措置→会社則二二五　❹【証券発行新株予約権→二四九[三]ニ【証券発行新株予約権付社債→二四九[三]　†【登録新株予約権質権者の権利→二七〇

（新株予約権原簿の管理）

第二五一条　株式会社が新株予約権を発行している場合における第百二十三条の規定の適用については、同条中「株主名簿の」とあるのは「株主名簿及び新株予約権原簿の」と、「株主名簿に」とあるのは「株主名簿及び新株予約権原簿に」とする。

§†【新株予約権を発行している場合→二三八―二四六・九一一③[十二]

（新株予約権原簿の備置き及び閲覧等）

第二五二条①　株式会社は、新株予約権原簿をその本店（株主名簿管理人がある場合にあっては、その営業所）に備え置かなければならない。

②　株主及び債権者は、株式会社の営業時間内は、いつでも、次に掲げる請求をすることができる。この場合においては、当該請求の理由を明らかにしてしなければならない。

一　新株予約権原簿が書面をもって作成されているときは、当該書面の閲覧又は謄写の請求

二　新株予約権原簿が電磁的記録をもって作成されているときは、当該電磁的記録に記録された事項を法務省令で定める方法により表示したものの閲覧又は謄写の請求

③　株式会社は、前項の請求があったときは、次のいずれかに該当する場合を除き、これを拒むことができない。

一　当該請求を行う株主又は債権者（以下この項において「請求者」という。）がその権利の確保又は行使に関する調査以外の目的で請求を行ったとき。

二　請求者が当該株式会社の業務の遂行を妨げ、又は株主の共同の利益を害する目的で請求を行ったとき。

三　請求者が新株予約権原簿の閲覧又は謄写によって知り得た事実を利益を得て第三者に通報するため請求を行ったとき。

四　請求者が、過去二年以内において、新株予約権原簿の閲覧又は謄写によって知り得た事実を利益を得て第三者に通報したことがあるものであるとき。

（平成二六法九〇本項改正）

④　株式会社の親会社社員は、その権利を行使するため必要があるときは、裁判所の許可を得て、当該株式会社の新株予約権原簿について第二項各号に掲げる請求をすることができる。この場合においては、当該請求の理由を明らかにしてしなければならない。

⑤　前項の親会社社員について第三項各号のいずれかに規定する事由があるときは、裁判所は、前項の許可を

することができない。

❶【本店↓四【株主名簿管理人↓一二三【懈怠に対する制裁↓九七六四 ❷【二】【電磁的記録↓二六②【省令で定める方法↓会社則二二六 ❷―❺【株主・債権者・親会社社員の閲覧請求不当拒否に対する制裁↓九七六四 ❸【三】【競争関係↓独禁二④ ❹【親会社↓二四【裁判所の許可↓八六八②

（新株予約権者に対する通知等）

第二五三条① 株式会社が新株予約権者に対してする通知又は催告は、新株予約権原簿に記載し、又は記録した当該新株予約権者の住所（当該新株予約権者が別に通知又は催告を受ける場所又は連絡先を当該株式会社に通知した場合にあっては、その場所又は連絡先）にあてて発すれば足りる。

② 前項の通知又は催告は、その通知又は催告が通常到達すべきであった時に、到達したものとみなす。

③ 新株予約権が二以上の者の共有に属するときは、共有者は、株式会社が新株予約権者に対してする通知又は催告を受領する者一人を定め、当該株式会社に対し、その者の氏名又は名称を通知しなければならない。この場合においては、その者を新株予約権者とみなして、前二項の規定を適用する。

④ 前項の規定による共有者の通知がない場合には、株式会社が新株予約権の共有者に対してする通知又は催告は、そのうちの一人に対してすれば足りる。

＋【新株予約権者への通知・催告↓二七三②・二七四③・二七五④・二九三①・七七七③・七八七③・八〇八③【通知・催告を要しない場合↓二九四④⑥【新株予約権原簿の他の効果↓二五七①②・二六八①②・二七一 ❶【新株予約権原簿上の住所↓二四九三イ ❷【到達↓民九七① ❸❹【新株予約権の共有↓二三七

第四節 新株予約権の譲渡等

第一款 新株予約権の譲渡

（新株予約権の譲渡）

第二五四条① 新株予約権者は、その有する新株予約権を譲渡することができる。

② 前項の規定にかかわらず、新株予約権付社債に付された新株予約権のみを譲渡することはできない。ただし、当該新株予約権付社債についての社債が消滅したときは、この限りでない。

③ 新株予約権付社債についての社債のみを譲渡することはできない。ただし、当該新株予約権付社債に付された新株予約権が消滅したときは、この限りでない。

❶【譲渡方法↓二五五【譲渡の対抗要件↓二五七【譲渡の制限↓二六二―二六六・四二五④【新株予約権の質入れ↓二六七―二七二 ❷❸【質入れの場合↓二六七②③

（証券発行新株予約権の譲渡）

第二五五条① 証券発行新株予約権の譲渡は、当該証券発行新株予約権に係る新株予約権証券を交付しなければ、その効力を生じない。ただし、自己新株予約権（株式会社が有する自己の新株予約権をいう。以下この章において同じ。）の処分による証券発行新株予約権の譲渡については、この限りでない。

② 証券発行新株予約権付社債に付された新株予約権の譲渡は、当該証券発行新株予約権付社債に係る新株予約権付社債券を交付しなければ、その効力を生じない。ただし、自己新株予約権付社債（株式会社が有する自己の新株予約権付社債をいう。以下この条及び次条において同じ。）の処分による当該自己新株予約権付社債に付された新株予約権の譲渡については、この限りでない。

❶【証券発行新株予約権↓二四九三ニ【新株予約権証券↓二五七②③・二五八②・二六七④【自己新株予約権の処分↓二五六①② ❷【証券発行新株予約権付社債↓二四九三【新株予約権付社債券↓二五七②③・二五八④・二六七⑤【自己新株予約権付社債の処分↓二五六③④

（自己新株予約権の処分に関する特則）

第二五六条① 株式会社は、自己新株予約権（証券発行新株予約権に限る。）を処分した日以後遅滞なく、当該自己新株予約権を取得した者に対し、新株予約権証券を交付しなければならない。

② 前項の規定にかかわらず、株式会社は、同項の者から請求がある時までは、同項の新株予約権証券を交付しないことができる。

③ 株式会社は、自己新株予約権付社債（証券発行新株予約権付社債に限る。）を処分した日以後遅滞なく、当該自己新株予約権付社債を取得した者に対し、新株予約権付社債券を交付しなければならない。

④ 第六百八十七条の規定は、自己新株予約権付社債の処分による当該自己新株予約権付社債についての社債の譲渡については、適用しない。

❶【証券発行新株予約権↓二四九三ニ【新株予約権証券↓二八八―二九一 ❷【請求による新株予約権証券の交付↓二八八② ❸【証券発行新株予約権付社債↓二四九三【新株予約権付社債券↓二九二

（新株予約権の譲渡の対抗要件）

第二五七条① 新株予約権の譲渡は、その新株予約権を取得した者の氏名又は名称及び住所を新株予約権原簿に記載し、又は記録しなければ、株式会社その他の第三者に対抗することができない。

② 記名式の新株予約権証券が発行されている証券発行新株予約権及び記名式の新株予約権付社債券が発行されている証券発行新株予約権付社債に付された新株予約権についての前項の規定の適用については、同項中「株式会社その他の第三者」とあるのは、「株式会社」とする。

③ 第一項の規定は、無記名新株予約権及び無記名新株予約権付社債に付された新株予約権については、適用しない。

❶【取得者の氏名等・住所の記載↓二四九三イ【新株予約権原簿↓二四九―二五三・二六〇・二六一 ❷【記名式新株予約権証券↓二四九三ニ ❸【無記名新株予約権↓二四九三【無記名新株予約権付社債↓二四九三

（権利の推定等）

第二五八条① 新株予約権証券の占有者は、当該新株予約権証券に係る証券発行新株予約権についての権利を適法に有するものと推定する。

② 新株予約権証券の交付を受けた者は、当該新株予約

権証券に係る証券発行新株予約権についての権利を取得する。ただし、その者に悪意又は重大な過失があるときは、この限りでない。

③　新株予約権付社債券の占有者は、当該新株予約権付社債券に係る証券発行新株予約権付社債に付された新株予約権についての権利を適法に有するものと推定する。

④　新株予約権付社債券の交付を受けた者は、当該新株予約権付社債券に係る証券発行新株予約権付社債に付された新株予約権についての権利を取得する。ただし、その者に悪意又は重大な過失があるときは、この限りでない。

§❶【新株予約権証券の占有者の資格↓一三一①【名義書換えにおける会社の免責↓手四〇③、小三五　❷【新株予約権証券の交付↓二五五①、二五六①、二六七④【即時取得↓手一六②、小二一、民一九二―一九四　❸【新株予約権付社債券の占有者の資格↓一三一①【名義書換えにおける会社の免責↓手四〇③、小三五　❹【新株予約権付社債券の交付↓二五五②、二五六③、二六七⑤【即時取得↓手一六②、小二一、民一九二―一九四

（新株予約権者の請求によらない新株予約権原簿記載事項の記載又は記録）

第二五九条①　株式会社は、次の各号に掲げる場合には、当該各号の新株予約権の新株予約権者に係る新株予約権原簿記載事項を新株予約権原簿に記載し、又は記録しなければならない。

一　当該株式会社の新株予約権を取得した場合

二　自己新株予約権を処分した場合

②　前項の規定は、無記名新株予約権及び無記名新株予約権付社債に付された新株予約権については、適用しない。

§❶【新株予約権原簿記載事項↓二四九　【一】【自己新株予約権の取得↓二七三―二七五、二九四③⑤　【二】【自己新株予約権の処分↓二五六　❷【無記名新株予約権↓二四九㈠【無記名新株予約権付社債↓二四九㈡

（新株予約権者の請求による新株予約権原簿記載事項の記載又は記録）

第二六〇条①　新株予約権を当該新株予約権を発行した株式会社以外の者から取得した者（当該株式会社を除く。以下この節において「新株予約権取得者」という。）は、当該株式会社に対し、当該新株予約権に係る新株予約権原簿記載事項を新株予約権原簿に記載し、又は記録することを請求することができる。

②　前項の規定による請求は、利害関係人の利益を害するおそれがないものとして法務省令で定める場合を除き、その取得した新株予約権の新株予約権者として新株予約権原簿に記載され、若しくは記録された者又はその相続人その他の一般承継人と共同してしなければならない。

③　前二項の規定は、無記名新株予約権及び無記名新株予約権付社債に付された新株予約権については、適用しない。

§❶【発行会社からの取得↓二四九【新株予約権原簿記載事項↓二四九　❷【省令で定める場合↓会社則五六【その他の一般承継人↓一三三②§　❸【無記名新株予約権↓二四九㈠【無記名新株予約権付社債↓二四九㈡

第二六一条　前条の規定は、新株予約権取得者が取得した新株予約権が譲渡制限新株予約権である場合には、適用しない。ただし、次のいずれかに該当する場合は、この限りでない。

一　当該新株予約権取得者が当該譲渡制限新株予約権を取得することについて次条の承認を受けていること。

二　当該新株予約権取得者が当該譲渡制限新株予約権を取得したことについて第二百六十三条第一項の承認を受けていること。

三　当該新株予約権取得者が相続その他の一般承継により譲渡制限新株予約権を取得した者であること。

§†【譲渡制限新株予約権↓二三六①㈥、二六二―二六六　【三】【その他の一般承継による取得↓七五〇①、七五二①、七五四①、七五六①、七五九①、七六一①、七六四①、七六六①

第二款　新株予約権の譲渡の制限

（新株予約権者からの承認の請求）

第二六二条　譲渡制限新株予約権の新株予約権者は、その有する譲渡制限新株予約権を他人（当該譲渡制限新株予約権を発行した株式会社を除く。）に譲り渡そうとするときは、当該株式会社に対し、当該他人が当該譲渡制限新株予約権を取得することについて承認をするか否かの決定をすることを請求することができる。

§†【譲渡制限新株予約権↓二三六①㈥【新株予約権者からの承認請求↓二六四㈠【承認・不承認の決定↓二六五、二六六

（新株予約権取得者からの承認の請求）

第二六三条①　譲渡制限新株予約権を取得した新株予約権取得者は、株式会社に対し、当該譲渡制限新株予約権を取得したことについて承認をするか否かの決定をすることを請求することができる。

②　前項の規定による請求は、利害関係人の利益を害するおそれがないものとして法務省令で定める場合を除き、その取得した新株予約権の新株予約権者として新株予約権原簿に記載され、若しくは記録された者又はその相続人その他の一般承継人と共同してしなければならない。

§❶【譲渡制限新株予約権↓二三六①㈥【取得者からの承認請求↓二六四㈡【承認・不承認の決定↓二六五、二六六　❷【省令で定める場合↓会社則五七【その他の一般承継人↓一三三②§

（譲渡等承認請求の方法）

第二六四条　次の各号に掲げる請求（以下この款において「譲渡等承認請求」という。）は、当該各号に定める事項を明らかにしてしなければならない。

一　第二百六十二条の規定による請求　次に掲げる事項

イ　当該請求をする新株予約権者が譲り渡そうとする譲渡制限新株予約権の内容及び数

ロ　イの譲渡制限新株予約権を譲り受ける者の氏名又は名称

二　前条第一項の規定による請求　次に掲げる事項

イ　当該請求をする新株予約権者取得者の取得した譲

会社

渡制限新株予約権の内容及び数
ロ　イの新株予約権取得者の氏名又は名称

参+【新株予約権の内容→二三六①】

（譲渡等の承認の決定等）
第二六五条① 株式会社が第二百六十二条又は第二百六十三条第一項の承認をするか否かの決定をするには、株主総会（取締役会設置会社にあっては、取締役会）の決議によらなければならない。ただし、新株予約権の内容として別段の定めがある場合は、この限りでない。

② 株式会社は、前項の決定をしたときは、譲渡等承認請求をした者に対し、当該決定の内容を通知しなければならない。

参❶【株主総会の決議→三〇九①】【取締役会の決議→四一六④③】【不承認の場合→一四〇―一四四】❷【通知→二五三、二六六】【罰則→九七六③】

（株式会社が承認をしたとみなされる場合）
第二六六条 株式会社が譲渡等承認請求の日から二週間（これを下回る期間を定款で定めた場合にあっては、その期間）以内に前条第二項の規定による通知をしなかった場合には、第二百六十二条又は第二百六十三条第一項の承認をしたものとみなす。ただし、当該株式会社と当該譲渡等承認請求をした者との合意により別段の定めをしたときは、この限りでない。

参+【譲渡承認請求→二六四】

第三款　新株予約権の質入れ

（新株予約権の質入れ）
第二六七条① 新株予約権者は、その有する新株予約権に質権を設定することができる。

② 前項の規定にかかわらず、新株予約権付社債に付された新株予約権のみに質権を設定することはできない。ただし、当該新株予約権付社債についての社債が消滅したときは、この限りでない。

③ 新株予約権付社債についての社債のみに質権を設定することはできない。ただし、当該新株予約権付社債に付された新株予約権が消滅したときは、この限りでない。

④ 証券発行新株予約権の質入れは、当該証券発行新株予約権に係る新株予約権証券を交付しなければ、その効力を生じない。

⑤ 証券発行新株予約権付社債に付された新株予約権の質入れは、当該証券発行新株予約権付社債に係る新株予約権付社債券を交付しなければ、その効力を生じない。

参❶【質権の効力→民三六二、三四二―三五五、二七二】❷❸【譲渡の場合→二五四②③】❹【証券発行新株予約権→二四九③ニ】【新株予約権証券の交付→二六八②、二五五①、二五八②】❺【証券発行新株予約権付社債→二四九②】【新株予約権付社債券の交付→二六八③、二五五②、二五八④】

（新株予約権の質入れの対抗要件）
第二六八条① 新株予約権の質入れは、その質権者の氏名又は名称及び住所を新株予約権原簿に記載し、又は記録しなければ、株式会社その他の第三者に対抗することができない。

② 前項の規定にかかわらず、証券発行新株予約権の質権者は、継続して当該証券発行新株予約権に係る新株予約権証券を占有しなければ、その質権をもって株式会社その他の第三者に対抗することができない。

③ 第一項の規定にかかわらず、証券発行新株予約権付社債に付された新株予約権の質権者は、継続して当該証券発行新株予約権付社債に係る新株予約権付社債券を占有しなければ、その質権をもって株式会社その他の第三者に対抗することができない。

参+【対抗要件→民三六四】❶【新株予約権原簿→二四九―二五三、二六九】【新株予約権原簿に記載された質権者→二七〇―二七二】❷【証券発行新株予約権→二四九③ニ】❸【証券発行新株予約権付社債→二四九③】

（新株予約権原簿の記載等）
第二六九条① 新株予約権に質権を設定した者は、株式会社に対し、次に掲げる事項を新株予約権原簿に記載し、又は記録することを請求することができる。

一　質権者の氏名又は名称及び住所
二　質権の目的である新株予約権

② 前項の規定は、無記名新株予約権及び無記名新株予約権付社債に付された新株予約権については、適用しない。

参❶【新株予約権原簿→二四九―二五三】【質権設定者による請求→一四八】【登録新株予約権質権者の権利→二七二②】❷【無記名新株予約権→二四九①】【無記名新株予約権付社債→二四九②】

（新株予約権原簿の記載事項を記載した書面の交付等）
第二七〇条① 前条第一項各号に掲げる事項が新株予約権原簿に記載され、又は記録された質権者（以下「登録新株予約権質権者」という。）は、株式会社に対し、当該登録新株予約権質権者についての新株予約権原簿に記載され、若しくは記録された同項各号に掲げる事項を記載した書面の交付又は当該事項を記録した電磁的記録の提供を請求することができる。

② 前項の書面には、株式会社の代表取締役（指名委員会等設置会社にあっては、代表執行役。次項において同じ。）が署名し、又は記名押印しなければならない。
（平成二六法九〇本項改正）

③ 第一項の電磁的記録には、株式会社の代表取締役が法務省令で定める署名又は記名押印に代わる措置をとらなければならない。

④ 前三項の規定は、証券発行新株予約権及び証券発行新株予約権付社債に付された新株予約権については、適用しない。

参❶【虚偽記載に対する制裁→九七六⑦】❶❸【電磁的記録→二六②】❸【省令で定める措置→会社則二二五】❹【証券発行新株予約権→二四九③ニ】【証券発行新株予約権付社債→二四九③】

（登録新株予約権質権者に対する通知等）
第二七一条① 株式会社が登録新株予約権質権者に対してする通知又は催告は、新株予約権原簿に記載し、又は記録した当該登録新株予約権質権者の住所（当該登録新株予約権質権者が別に通知又は催告を受ける場所又は連絡先を当該株式会社に通知した場合にあっては、その場所又は連絡先）にあてて発すれば足りる。

② 前項の通知又は催告は、その通知又は催告が通常到達すべきであった時に、到達したものとみなす。

参↑【登録新株予約権質権者に対する通知・催告↓二七三②・二七四③・二七五④・二九三①・七七六②・七八三⑤【新株予約権原簿の他の効果↓二五三参 ❶【新株予約権原簿上の住所↓二六九①㈠ ❷【到達↓民九七①

（新株予約権の質入れの効果）

第二七二条① 株式会社が次に掲げる行為をした場合には、新株予約権を目的とする質権は、当該行為によって当該新株予約権の新株予約権者が受けることのできる金銭等について存在する。

一 新株予約権の取得
二 組織変更
三 合併（合併により当該株式会社が消滅する場合に限る。）
四 吸収分割
五 新設分割
六 株式交換
七 株式移転

② 登録新株予約権質権者は、前項の金銭等（金銭に限る。）を受領し、他の債権者に先立って自己の債権の弁済に充てることができる。

③ 株式会社が次の各号に掲げる行為をした場合において、前項の債権の弁済期が到来していないときは、登録新株予約権質権者は、当該各号に定める者に同項に規定する金銭等に相当する金額を供託させることができる。この場合において、質権は、その供託金について存在する。

一 新株予約権の取得 当該株式会社（平成二六法九〇本号追加）
二 組織変更 第七百四十四条第一項第一号に規定する組織変更後持分会社（平成二六法九〇本号追加）
三 合併（合併により当該株式会社が消滅する場合に限る。） 第七百四十九条第一項に規定する吸収合併存続会社又は第七百五十三条第一項に規定する新設合併設立会社（平成二六法九〇本号追加）

（平成二六法九〇本項改正）

④ 前三項の規定は、特別支配株主が新株予約権売渡請求により売渡新株予約権の取得をした場合について準用する。この場合において、前項中「当該各号に定める者」とあるのは、「当該特別支配株主」と読み替えるものとする。（平成二六法九〇本項追加）

⑤ 新株予約権付社債に付された新株予約権（第二百三十六条第一項第三号の財産が当該新株予約権付社債についての社債であるものであって、当該社債の償還額が当該新株予約権についての同項第二号の価額以上であるものに限る。）を目的とする質権は、当該新株予約権の行使をすることにより当該新株予約権の新株予約権者が交付を受ける株式について存在する。

参❶【物上代位↓民三六二②・三五〇・三〇四【一】【新株予約権の取得↓二三六①㈦・二七三―二七五【二】【組織変更↓七四四・七四五【三】【合併↓七四九―七五六【四】【吸収分割↓七五八―七六一【五】【新設分割↓七六二―七六六【六】【株式交換↓七六七―七七一【七】【株式移転↓七七二―七七四 ❷【金銭の受領↓民三六二②・三五〇・二九七 ❸【質権者のための供託↓民三六六③・四九五、供 ❹【特別支配株主による新株予約権売渡請求↓一七九―一七九の一〇

第四款 信託財産に属する新株予約権についての対抗要件等

（平成一八法一〇九本款追加）

第二七二条の二① 新株予約権については、当該新株予約権が信託財産に属する旨を新株予約権原簿に記載し、又は記録しなければ、当該新株予約権が信託財産に属することを株式会社その他の第三者に対抗することができない。

② 第二百四十九条第三号イの新株予約権者は、その有する新株予約権が信託財産に属するときは、株式会社に対し、その旨を新株予約権原簿に記載し、又は記録することを請求することができる。

③ 新株予約権原簿に前項の規定による記載又は記録がされた場合における第二百五十条第一項及び第二百五十九条第一項の規定の適用については、第二百五十条第一項中「記録された新株予約権原簿記載事項」とあるのは「記録された新株予約権原簿記載事項（当該新株予約権者の有する新株予約権が信託財産に属する旨を含む。）」と、第二百五十九条第一項中「新株予約権原簿記載事項」とあるのは「新株予約権原簿記載事項（当該新株予約権者の有する新株予約権が信託財産に属する旨を含む。）」とする。

④ 前三項の規定は、証券発行新株予約権及び証券発行新株予約権付社債に付された新株予約権については、適用しない。

参↑【信託財産↓信託二③ ❶【新株予約権原簿↓二四九―二五三 ❷【新株予約権原簿の記載事項↓二四九 ❹【証券発行新株予約権↓二四九㈢ニ【証券発行新株予約権付社債↓二四九㈡

第五節 株式会社による自己の新株予約権の取得

第一款 募集事項の定めに基づく新株予約権の取得

（取得する日の決定）

第二七三条① 取得条項付新株予約権（第二百三十六条第一項第七号イに掲げる事項についての定めがある新株予約権をいう。以下この章において同じ。）の内容として同号ロに掲げる事項についての定めがある場合には、株式会社は、同号ロの日を株主総会（取締役会設置会社にあっては、取締役会）の決議によって定めなければならない。ただし、当該取得条項付新株予約権の内容として別段の定めがある場合は、この限りでない。

② 第二百三十六条第一項第七号ロの日を定めたときは、株式会社は、取得条項付新株予約権の新株予約権者（同号ハに掲げる事項についての定めがある場合に

あっては、次条第一項の規定により決定した取得条項付新株予約権の新株予約権者）及びその登録新株予約権質権者に対し、当該日の二週間前までに、当該日を通知しなければならない。

③　前項の規定による通知は、公告をもってこれに代えることができる。

参❶【株主総会決議↓三〇九①】❷【新株予約権者等への通知↓二五三、二七一】❸【公告↓九三九、九四〇】❷❸【懈怠への制裁↓九七六㈡】【通知・公告の効果↓二七五④】

（取得する新株予約権の決定等）

第二七四条①　株式会社は、新株予約権の内容として第二百三十六条第一項第七号ハに掲げる事項についての定めがある場合において、取得条項付新株予約権を取得しようとするときは、その取得する取得条項付新株予約権を決定しなければならない。

②　前項の取得条項付新株予約権は、株主総会（取締役会設置会社にあっては、取締役会）の決議によって定めなければならない。ただし、当該取得条項付新株予約権の内容として別段の定めがある場合は、この限りでない。

③　第一項の規定による決定をしたときは、株式会社は、同項の規定により決定した取得条項付新株予約権の新株予約権者及びその登録新株予約権質権者に対し、直ちに、当該取得条項付新株予約権を取得する旨を通知しなければならない。

④　前項の規定による通知は、公告をもってこれに代えることができる。

参❶【取得条項付新株予約権↓二七三①】❷【株主総会決議↓三〇九①】❸【新株予約権者等への通知↓二五三、二七一】❹【公告↓九三九、九四〇】❸❹【懈怠への制裁↓九七六㈡】【通知・公告の効果↓二七五①㈡】

（効力の発生等）

第二七五条①　株式会社は、第二百三十六条第一項第七号イの事由が生じた日（同号ハに掲げる事項についての定めがある場合にあっては、第一号に掲げる日又は第二号に掲げる日のいずれか遅い日。次項及び第三項において同じ。）に、取得条項付新株予約権（同条第一項第七号ハに掲げる事項についての定めがある場合にあっては、前条第一項の規定により決定したもの。次項及び第三項において同じ。）を取得する。

一　第二百三十六条第一項第七号イの事由が生じた日

二　前条第三項の規定による通知の日又は同条第四項の公告の日から二週間を経過した日

②　前項の規定により株式会社が取得する取得条項付新株予約権が新株予約権付社債に付されたものである場合には、株式会社は、第二百三十六条第一項第七号イの事由が生じた日に、当該新株予約権付社債についての社債を取得する。

③　次の各号に掲げる場合には、取得条項付新株予約権の新株予約権者（当該株式会社を除く。）は、第二百三十六条第一項第七号イの事由が生じた日に、同号に定める事項についての定めに従い、当該各号に定める者となる。

一　第二百三十六条第一項第七号ニに掲げる事項についての定めがある場合　同号ニの株式の株主

二　第二百三十六条第一項第七号ホに掲げる事項についての定めがある場合　同号ホの社債の社債権者

三　第二百三十六条第一項第七号ヘに掲げる事項についての定めがある場合　同号ヘの他の新株予約権の新株予約権者

四　第二百三十六条第一項第七号トに掲げる事項についての定めがある場合　同号トの新株予約権付社債についての社債の社債権者及び当該新株予約権付社債に付された新株予約権の新株予約権者

④　株式会社は、第二百三十六条第一項第七号イの事由が生じた後、遅滞なく、取得条項付新株予約権の新株予約権者及びその登録新株予約権質権者（同号ハに掲げる事項についての定めがある場合にあっては、前条第一項の規定により決定した取得条項付新株予約権の新株予約権者及びその登録新株予約権質権者）に対し、当該事由が生じた旨を通知しなければならない。ただし、第二百七十三条第二項の規定による通知又は同条第三項の公告をしたときは、この限りでない。

⑤　前項本文の規定による通知は、公告をもってこれに代えることができる。

参+【取得条項付新株予約権↓二七三①】❶❷【新株予約権証券・新株予約権付社債券がある場合↓二九三】❸【一株未満の端数等の処理↓二三四①㈣⑥】【㈡【登記↓商登五九②】❹【新株予約権者等への通知↓二五三、二七一】❺【公告↓九三九、九四〇】❹❺【懈怠への制裁↓九七六㈡】

第二款　新株予約権の消却

第二七六条①　株式会社は、自己新株予約権を消却することができる。この場合においては、消却する自己新株予約権の内容及び数を定めなければならない。

②　取締役会設置会社においては、前項後段の規定による決定は、取締役会の決議によらなければならない。

参+【自己新株予約権↓一五五、二八〇⑥】【新株予約権の消滅↓二八七】❶【自己新株予約権の消却↓九一一③㈩、九一五①】❷【取締役会の決議↓商登四六②】

第六節　新株予約権無償割当て

（新株予約権無償割当て）

第二七七条　株式会社は、株主（種類株式発行会社にあっては、ある種類の種類株主）に対して新たに払込みをさせないで当該株式会社の新株予約権の割当て（以下この節において「新株予約権無償割当て」という。）をすることができる。

参+【各株主への割当数↓二七八②】【種類株式発行会社↓三二二①㈥】【新株予約権の数の増加↓九一一③㈩、九一五①】

（新株予約権無償割当てに関する事項の決定）

第二七八条①　株式会社は、新株予約権無償割当てをしようとするときは、その都度、次に掲げる事項を定めなければならない。

一　株主に割り当てる新株予約権の内容及び数又はその算定方法

二　前号の新株予約権が新株予約権付社債に付されたものであるときは、当該新株予約権付社債についての

の社債の種類及び各社債の金額の合計額又はその算定方法
三　当該新株予約権無償割当てがその効力を生ずる日
四　株式会社が種類株式発行会社である場合には、当該新株予約権無償割当てを受ける株主の有する株式の種類
② 前項第一号及び第二号に掲げる事項についての定めは、当該株式会社以外の株主（種類株式発行会社にあっては、同項第四号の種類の種類株主）の有する株式（種類株式発行会社にあっては、同項第四号の種類の株式）の数に応じて同項第一号の新株予約権及び同項第二号の社債を割り当てることを内容とするものでなければならない。
③ 第一項各号に掲げる事項の決定は、株主総会（取締役会設置会社にあっては、取締役会）の決議によらなければならない。ただし、定款に別段の定めがある場合は、この限りでない。

❶〔一〕【新株予約権の内容→二三六①【新株予約権の数→九一一③〔十二〕イ　〔三〕【効力発生日→二七九①、一二四③　〔四〕【種類株式発行会社→二〔十三〕　❸【株主総会決議→三〇九①

第二七九条（新株予約権無償割当ての効力の発生等）① 前条第一項第一号の新株予約権の割当てを受けた株主は、同項第三号の日に、同項第一号の新株予約権の新株予約権者（同項第二号に規定する場合にあっては、同項第一号の新株予約権の新株予約権者及び同項第二号の社債の社債権者）となる。
② 株式会社は、前条第一項第三号の日後遅滞なく、株主（種類株式発行会社にあっては、同項第四号の種類の種類株主）及びその登録株式質権者に対し、当該株主が割当てを受けた新株予約権の内容及び数（同項第二号に規定する場合にあっては、当該株主が割当てを受けた社債の種類及び各社債の金額の合計額を含む。）を通知しなければならない。（平成二六法九〇本項改正）
③ 前項の規定による通知がされた場合において、前条第一項第一号の新株予約権についての第二百三十六条第一項第四号の期間の末日が当該通知の日から二週間を経過する日前に到来するときは、同号の期間は、当該通知の日から二週間を経過する日まで延長されたものとみなす。（平成二六法九〇本項追加）

❶【効力の発生→二五二①〔七〕、九一一③〔十二〕、九一五①　❷【株主等に対する通知→一二六、一五〇【懈怠に対する制裁→九七六〔二〕

第七節　新株予約権の行使

第一款　総則

第二八〇条（新株予約権の行使）① 新株予約権の行使は、次に掲げる事項を明らかにしてしなければならない。
一　その行使に係る新株予約権の内容及び数
二　新株予約権を行使する日
② 証券発行新株予約権を行使しようとするときは、当該証券発行新株予約権の新株予約権者は、当該証券発行新株予約権に係る新株予約権証券を株式会社に提出しなければならない。ただし、当該新株予約権証券が発行されていないときは、この限りでない。
③ 証券発行新株予約権付社債に付された新株予約権を行使しようとする場合には、当該新株予約権の新株予約権者は、当該新株予約権を付した新株予約権付社債に係る新株予約権付社債券を株式会社に提示しなければならない。この場合において、当該株式会社は、当該新株予約権付社債券に当該証券発行新株予約権付社債に付された新株予約権が消滅した旨を記載しなければならない。
④ 前項の規定にかかわらず、証券発行新株予約権付社債に付された新株予約権を行使しようとする場合において、当該新株予約権の行使により当該証券発行新株予約権付社債についての社債が消滅するときは、当該新株予約権の新株予約権者は、当該新株予約権を付した新株予約権付社債に係る新株予約権付社債券を株式会社に提出しなければならない。
⑤ 第三項の規定にかかわらず、証券発行新株予約権付社債についての社債の償還後に当該証券発行新株予約権付社債に付された新株予約権を行使しようとする場合には、当該新株予約権の新株予約権者は、当該新株予約権を付した新株予約権付社債に係る新株予約権付社債券を株式会社に提出しなければならない。
⑥ 株式会社は、自己新株予約権を行使することができない。

†【新株予約権の行使→二三六①〔四〕、四二五④、四二六⑧、四二七⑤、商登五七〔三〕　❶〔一〕【新株予約権の内容→二三六①〔二〕【行使日→二八二　❷【証券発行新株予約権→二四九〔三〕ニ　❸【社債が償還される場合→二九二②　❸―❺【証券発行新株予約権付社債→二四九〔二〕　❹【社債の消滅→二三六①〔三〕　❻【自己新株予約権→二七六

第二八一条（新株予約権の行使に際しての払込み）① 金銭を新株予約権の行使に際してする出資の目的とするときは、新株予約権者は、前条第一項第二号の日に、株式会社が定めた銀行等の払込みの取扱いの場所において、その行使に係る新株予約権についての第二百三十六条第一項第二号の価額の全額を払い込まなければならない。
② 金銭以外の財産を新株予約権の行使に際してする出資の目的とするときは、新株予約権者は、前条第一項第二号の日に、その行使に係る新株予約権についての第二百三十六条第一項第三号の財産を給付しなければならない。この場合において、当該財産の価額が同項第二号の価額に足りないときは、前項の払込みの取扱いの場所においてその差額に相当する金銭を払い込まなければならない。
③ 新株予約権者は、第一項の規定による払込み又は前項の規定による給付をする債務と株式会社に対する債権とを相殺することができない。

❶【払込取扱機関→二四二①〔三〕、商登五七〔二〕　❷【出資の目的の給付→二八四、商登五七〔三〕　❸【相殺→民五〇五―五〇八、五一一、五一二【相殺禁止→二〇八③

（株主となる時期等）

第二八二条① 当該新株予約権を行使した新株予約権者は、当該新株予約権を行使した日に、当該新株予約権の目的である株式の株主となる。

② 新株予約権を行使した新株予約権者であって第二百八十六条の二第一項各号に掲げる者に該当するものは、当該各号に定める支払若しくは給付又は第二百八十六条の三第一項の規定による支払がされた後でなければ、第二百八十六条の二第一項各号の払込み又は給付が仮装された新株予約権の目的である株式について、株主の権利を行使することができない。（平成二六法九〇本項追加）

③ 前項の株式を譲り受けた者は、当該株式についての株主の権利を行使することができる。ただし、その者に悪意又は重大な過失があるときは、この限りでない。（平成二六法九〇本項追加）

参❶【行使による発行済株式総数の増加↓一一三④、一一四②[三]、九一一③[四]、九一五③、商登五七 ❷【仮装払込人の権利の制約↓一〇二③、二〇九② ❸【仮装払込みに係る株式の譲渡↓一〇二④、二〇九③

（一に満たない端数の処理）

第二八三条 新株予約権を行使した場合において、当該新株予約権の新株予約権者に交付する株式の数に一株に満たない端数があるときは、株式会社は、当該新株予約権者に対し、次の各号に掲げる場合の区分に応じ、当該各号に定める額にその端数を乗じて得た額に相当する金銭を交付しなければならない。ただし、第二百三十六条第一項第九号に掲げる事項についての定めがある場合は、この限りでない。

一 当該株式が市場価格のある株式である場合　当該株式一株の市場価格として法務省令で定める方法により算定される額

二 前号に掲げる場合以外の場合　一株当たり純資産額

参†【市場価格のある株式↓三三⑩[二]、一六一、一六七③[二]、一九三①[二]、一九七②、二〇一②　【二】【省令で定める方法↓会社則五八

第二款　金銭以外の財産の出資

第二八四条① 株式会社は、第二百三十六条第一項第三号に掲げる事項についての定めがある新株予約権が行使された場合には、第二百八十一条第二項の規定による給付があった後、遅滞なく、同号の財産（以下この節において「現物出資財産」という。）の価額を調査させるため、裁判所に対し、検査役の選任の申立てをしなければならない。

② 前項の申立てがあった場合には、裁判所は、これを不適法として却下する場合を除き、検査役を選任しなければならない。

③ 裁判所は、前項の検査役を選任した場合には、株式会社が当該検査役に対して支払う報酬の額を定めることができる。

④ 第二項の検査役は、必要な調査を行い、当該調査の結果を記載し、又は記録した書面又は電磁的記録（法務省令で定めるものに限る。）を裁判所に提供して報告をしなければならない。

⑤ 裁判所は、前項の報告について、その内容を明瞭にし、又はその根拠を確認するため必要があると認めるときは、第二項の検査役に対し、更に前項の報告を求めることができる。

⑥ 第二項の検査役は、第四項の報告をしたときは、株式会社に対し、同項の書面の写しを交付し、又は同項の電磁的記録に記録された事項を法務省令で定める方法により提供しなければならない。

⑦ 裁判所は、第四項の報告を受けた場合において、現物出資財産について定められた第二百三十六条第一項第三号の価額（第二項の検査役の調査を経ていないものを除く。）を不当と認めたときは、これを変更する決定をしなければならない。

⑧ 第一項の新株予約権の新株予約権者は、前項の決定により現物出資財産の価額の全部又は一部が変更された場合には、当該決定の確定後一週間以内に限り、その新株予約権の行使に係る意思表示を取り消すことができる。

⑨ 前各項の規定は、次の各号に掲げる場合には、当該各号に定める事項については、適用しない。

一 行使される新株予約権の新株予約権者が交付を受ける株式の総数が発行済株式の総数の十分の一を超えない場合　当該新株予約権者が給付する現物出資財産の価額

二 現物出資財産について定められた第二百三十六条第一項第三号の価額の総額が五百万円を超えない場合　当該現物出資財産の価額

三 現物出資財産のうち、市場価格のある有価証券について定められた第二百三十六条第一項第三号の価額が当該有価証券の市場価格として法務省令で定める方法により算定されるものを超えない場合　当該有価証券についての現物出資財産の価額

四 現物出資財産について定められた第二百三十六条第一項第三号の価額が相当であることについて弁護士、弁護士法人、弁護士・外国法事務弁護士共同法人、公認会計士、監査法人、税理士又は税理士法人の証明（現物出資財産が不動産である場合にあっては、当該証明及び不動産鑑定士の鑑定評価。以下この号において同じ。）を受けた場合　当該証明を受けた現物出資財産の価額（令和二法三三本号改正）

五 現物出資財産が株式会社に対する金銭債権（弁済期が到来しているものに限る。）であって、当該金銭債権について定められた第二百三十六条第一項第三号の価額が当該金銭債権に係る負債の帳簿価額を超えない場合　当該金銭債権についての現物出資財産の価額

⑩ 次に掲げる者は、前項第四号に規定する証明をすることができない。

一 取締役、会計参与、監査役若しくは執行役又は支配人その他の使用人

二 新株予約権者

三 業務の停止の処分を受け、その停止の期間を経過しない者

四　弁護士法人、弁護士・外国法事務弁護士共同法人、監査法人又は税理士法人であって、その社員の半数以上が第一号又は第二号に掲げる者のいずれかに該当するもの（令和二法三三本号改正）

❶【検査役の選任↓八六八①・八七六【調査妨害に対する制裁↓九七六〔五〕【検査役の調査の効果↓二八六②〔一〕　❹【検査役の報告↓商登五七〔三〕イ【不実報告に対する制裁↓九六三③【省令で定めるもの↓会社則二二八　❹❻【電磁的記録↓二二六②　❻【省令で定める方法↓会社則二二九　❼【裁判所の変更決定↓八七〇①〔四〕・八七六、商登五七〔四〕　❽【新株予約権の行使に係る意思表示の取消し↓二八五②　❾【三】【市場価格を証する書面↓商登五七〔三〕ロ【省令で定める方法↓会社則五九　【四】【証明・鑑定評価を記載した書面↓商登五七〔三〕ハ【証明者の財産価格塡補責任↓二八六③　【五】【帳簿価額を示す会計帳簿↓商登五七〔三〕ニ　❿【三】【業務停止↓弁護五七①〔三〕②〔三〕、ETC

第三款　責任

（不公正な払込金額で新株予約権を引き受けた者等の責任）

第二八五条①　新株予約権を行使した新株予約権者は、次の各号に掲げる場合には、株式会社に対し、当該各号に定める額を支払う義務を負う。

一　第二百三十八条第一項第二号に規定する場合において、募集新株予約権につき金銭の払込みを要しないこととすることが著しく不公正な条件であるとき（取締役（指名委員会等設置会社にあっては、取締役又は執行役。次号において同じ。）と通じて新株予約権を引き受けた場合に限る。）　当該新株予約権の公正な価額（平成二六法九〇本号改正）

二　第二百三十八条第一項第三号に規定する場合において、取締役と通じて著しく不公正な払込金額で新株予約権を引き受けたとき　当該払込金額と当該新株予約権の公正な価額との差額に相当する金額

三　第二百八十二条第一項の規定により株主となった時におけるその給付した現物出資財産の価額がこれについて定められた第二百三十六条第一項第三号の価額に著しく不足する場合　当該不足額

②　前項第三号に掲げる場合において、現物出資財産を給付した新株予約権者が当該現物出資財産の価額がこれについて定められた第二百三十六条第一項第三号の価額に著しく不足することにつき善意でかつ重大な過失がないときは、新株予約権の行使に係る意思表示を取り消すことができる。

❶【一】【指名委員会等設置会社↓二〔十二〕【不公正な条件↓二三八①〔二〕②・二三九①〔二〕・二四〇【公正な価額の支払↓二八一③・八四七　【二】【三】【不公正な条件・払込金額↓二四〇②③・二四七、四二三①・四二九①　【二】【不公正な払込金額↓二三八①〔三〕②・二三九①〔三〕・二四〇【差額の支払↓二八一③　【三】【現物出資財産の価額の不足↓二八六　❷【新株予約権の行使に係る意思表示の取消し↓二八四⑧

（出資された財産等の価額が不足する場合の取締役等の責任）

第二八六条①　前条第一項第三号に掲げる場合には、次に掲げる者（以下この条において「取締役等」という。）は、株式会社に対し、同号に定める額を支払う義務を負う。

一　当該新株予約権者の募集に関する職務を行った業務執行取締役（指名委員会等設置会社にあっては、執行役。以下この号において同じ。）その他当該業務執行取締役の行う業務の執行に職務上関与した者として法務省令で定めるもの（平成二六法九〇本号改正）

二　現物出資財産の価額の決定に関する株主総会の決議があったときは、当該株主総会に議案を提案した取締役として法務省令で定めるもの

三　現物出資財産の価額の決定に関する取締役会の決議があったときは、当該取締役会に議案を提案した取締役（指名委員会等設置会社にあっては、取締役又は執行役）として法務省令で定めるもの（平成二六法九〇本号改正）

②　前項の規定にかかわらず、次に掲げる場合には、取締役等は、現物出資財産について同項の義務を負わない。

一　現物出資財産の価額について第二百八十四条第二項の検査役の調査を経た場合

二　当該取締役等がその職務を行うについて注意を怠らなかったことを証明した場合

③　第一項に規定する場合には、第二百八十四条第九項第四号に規定する証明をした者（以下この条において「証明者」という。）は、株式会社に対し前条第一項第三号に定める額を支払う義務を負う。ただし、当該証明者が当該証明をするについて注意を怠らなかったことを証明したときは、この限りでない。

④　新株予約権者がその給付した現物出資財産についての前条第一項第三号に定める額を支払う義務を負う場合において、次に掲げる者が当該現物出資財産について当該各号に定める義務を負うときは、これらの者は、連帯債務者とする。

一　取締役等　第一項の義務

二　証明者　前項本文の義務

+【財産価格塡補責任↓五二・五五・一〇三①・二一三　❶【二】【省令で定めるもの↓会社則六〇　【三】【省令で定めるもの↓会社則六一　【三】【省令で定めるもの↓会社則六二

（新株予約権に係る払込み等を仮装した新株予約権者等の責任）

第二八六条の二①　新株予約権を行使した新株予約権者であって次の各号に掲げる者に該当するものは、株式会社に対し、当該各号に定める行為をする義務を負う。

一　第二百四十六条第一項の規定による払込み（同条第二項の規定により当該払込みに代えてする金銭以外の財産の給付を含む。）を仮装した者又は当該払込みが仮装されたことを知って、若しくは重大な過失により知らないで募集新株予約権を譲り受けた者　払込みが仮装された払込金額の全額の支払（当該払込みに代えてする金銭以外の財産の給付が仮装された場合にあっては、当該財産の給付（株式会社が当該給付に代えて当該財産の価額に相当する金銭の支払を請求した場合にあっては、当該金銭の全額の支

払）

二 第二百八十一条第一項又は第二項後段の規定による払込みを仮装した者 払込みを仮装した金銭の全額の支払

三 第二百八十一条第二項前段の規定による給付を仮装した者 給付を仮装した金銭以外の財産の給付（株式会社が当該給付に代えて当該財産の価額に相当する金銭の支払を請求した場合にあっては、当該金銭の全額の支払）

② 前項の規定により同項に規定する新株予約権者の負う義務は、総株主の同意がなければ、免除することができない。

（平成二六法九〇本条追加）

◎【仮装払込みをした者の責任→五二の二①、一〇二の二、二一三の二

（新株予約権に係る払込み等を仮装した場合の取締役等の責任）

第二八六条の三① 新株予約権を行使した新株予約権者であって前条第一項各号に掲げる者に該当するものが当該各号に定める行為をする義務を負う場合には、当該払込み又は当該給付を仮装することに関与した取締役（指名委員会等設置会社にあっては、執行役を含む。）として法務省令で定める者は、株式会社に対し、当該各号に規定する支払をする義務を負う。ただし、その者（当該払込み又は当該給付を仮装したものを除く。）がその職務を行うについて注意を怠らなかったことを証明した場合は、この限りでない。

② 新株予約権を行使した新株予約権者であって前条第一項各号に掲げる者に該当するものが当該各号に規定する支払をする義務を負う場合において、前項に規定する者が同項の義務を負うときは、これらの者は、連帯債務者とする。

（平成二六法九〇本条追加）

◎【仮装払込関与者の責任→五二の二②、一〇三②、二一三の三① ❶【省令で定める者→会社則六二の二

第四款 雑則

第二八七条 第二百七十六条第一項の場合のほか、新株予約権者がその有する新株予約権を行使することができなくなったときは、当該新株予約権は、消滅する。

◎【行使できない場合→二三六①〔四〕

第八節 新株予約権に係る証券

第一款 新株予約権証券

（新株予約権証券の発行）

第二八八条① 株式会社は、証券発行新株予約権を発行した日以後遅滞なく、当該証券発行新株予約権に係る新株予約権証券を発行しなければならない。

② 前項の規定にかかわらず、株式会社は、新株予約権者から請求がある時までは、同項の新株予約権証券を発行しないことができる。

◎【新株予約権証券→二三六①〔十〕、二三八①〔三〕、二八九、二四九、二五五①、二五六①、二五七②③、二五八、二六七④、二六八②、二八〇②、二九一、二九三、四二五⑤、四二六⑧、四二七⑤ ❶【新株予約権の発行日→二四五【新株予約権の発行日前の発行に対する制裁→九七六〔十三〕【不発行に対する制裁→九七六〔十四〕

（新株予約権証券の記載事項）

第二八九条 新株予約権証券には、次に掲げる事項及びその番号を記載し、株式会社の代表取締役（指名委員会等設置会社にあっては、代表執行役）がこれに署名し、又は記名押印しなければならない。

一 株式会社の商号

二 当該新株予約権証券に係る証券発行新株予約権の内容及び数

（平成二六法九〇本条改正）

◎【新株予約権証券の番号→二四九【虚偽記載に対する制裁→九七六〔十五〕 〔一〕【会社の商号→六① 〔二〕【新株予約権の内容→二三六①

（記名式と無記名式との間の転換）

第二九〇条 証券発行新株予約権の新株予約権者は、第二百三十六条第一項第十一号に掲げる事項についての定めによりすることができないこととされている場合を除き、いつでも、その記名式の新株予約権証券を無記名式とし、又はその無記名式の新株予約権証券を記名式とすることを請求することができる。

◎【記名式・無記名式の新株予約権証券→二四九◎

（新株予約権証券の喪失）

第二九一条① 新株予約権証券は、非訟事件手続法第百条に規定する公示催告手続によって無効とすることができる。

② 新株予約権証券を喪失した者は、非訟事件手続法第百六条第一項に規定する除権決定を得た後でなければ、その再発行を請求することができない。

（平成二三法五三本条改正）

◎❶【新株予約権証券の失効→二九三③、二二八◎ ❷【証券の再発行→二二八②、二三〇②

第二款 新株予約権付社債券

第二九二条① 証券発行新株予約権付社債に係る新株予約権付社債券には、第六百九十七条第一項の規定により記載すべき事項のほか、当該証券発行新株予約権付社債に付された新株予約権の内容及び数を記載しなければならない。

② 証券発行新株予約権付社債についての社債の償還をする場合において、当該証券発行新株予約権付社債に付された新株予約権が消滅していないときは、株式会社は、当該証券発行新株予約権付社債券と引換えに社債の償還をすることを請求することができない。この場合においては、株式会社は、社債の償還をするのと引換えに、当該新株予約権付社債券の提示を求め、当該新株予約権付社債券に社債の償還をした旨を記載することができる。

◎【新株予約権付社債券→六七六〔六〕、二四九〔二〕〔三〕、二五五②、二五六③、二五七②③、二五八③④、二六七⑤、二六八③、二八〇③―⑤、二九三、六九九 ❶【新株予約権の内容→二三六① ❷【新株予約権が消滅した場合→二八〇③

会社

第三款　新株予約権証券等の提出

（新株予約権証券の提出に関する公告等）

第二九三条①　株式会社が次の各号に掲げる行為をする場合において、当該各号に定める新株予約権に係る新株予約権証券（当該新株予約権が新株予約権付社債に付されたものである場合にあっては、当該新株予約権付社債に係る新株予約権付社債券。以下この款において同じ。）を発行しているときは、当該株式会社は、当該行為の効力が生ずる日（第一号に掲げる行為をする場合にあっては、第百七十九条の二第一項第五号に規定する取得日。以下この条において「新株予約権証券提出日」という。）までに当該株式会社に対し当該新株予約権証券を提出しなければならない旨を新株予約権証券提出日の一箇月前までに、公告し、かつ、当該新株予約権の新株予約権者及びその登録新株予約権質権者には、各別にこれを通知しなければならない。

一　第百七十九条の三第一項の承認　売渡新株予約権（平成二六法九〇本号追加）

一の二　取得条項付新株予約権の取得　当該取得条項付新株予約権

二　組織変更　全部の新株予約権

三　合併（合併により当該株式会社が消滅する場合に限る。）　全部の新株予約権

四　吸収分割　第七百五十八条第五号イに規定する吸収分割契約新株予約権

五　新設分割　第七百六十三条第一項第十号イに規定する新設分割計画新株予約権

六　株式交換　第七百六十八条第一項第四号イに規定する株式交換契約新株予約権

七　株式移転　第七百七十三条第一項第九号イに規定する株式移転計画新株予約権

②　株式会社が次の各号に掲げる行為をする場合において、新株予約権証券提出日までに当該株式会社に対して新株予約権証券を提出しない者があるときは、当該各号に定める者は、当該新株予約権証券の提出があるまでの間、当該行為（第一号に掲げる行為をする場合にあっては、新株予約権売渡請求に係る売渡新株予約権の取得）によって当該新株予約権証券に係る新株予約権の新株予約権者が交付を受けることができる金銭等の交付を拒むことができる。

一　第百七十九条の三第一項の承認　特別支配株主（平成二六法九〇本号追加）

二　取得条項付新株予約権の取得　当該株式会社（平成二六法九〇本号追加）

三　組織変更　第七百四十四条第一項第一号に規定する組織変更後持分会社（平成二六法九〇本号追加）

四　合併（合併により当該株式会社が消滅する場合に限る。）　第七百四十九条第一項に規定する吸収合併存続会社又は第七百五十三条第一項に規定する新設合併設立会社（平成二六法九〇本号追加）

五　吸収分割　第七百五十八条第一号に規定する吸収分割承継株式会社（平成二六法九〇本号追加）

六　新設分割　第七百六十三条第一項第一号に規定する新設分割設立株式会社（平成二六法九〇本号追加）

七　株式交換　第七百六十八条第一項第一号に規定する株式交換完全親株式会社（平成二六法九〇本号追加）

八　株式移転　第七百七十三条第一項第一号に規定する株式移転設立完全親会社（平成二六法九〇本号追加）

③　第一項各号に定める新株予約権に係る新株予約権証券は、新株予約権証券提出日に無効となる。

④　第一項第一号の規定による公告及び通知の費用は、特別支配株主の負担とする。（平成二六法九〇本項追加）

⑤　第二百二十条〈異議催告手続〉の規定は、第一項各号に掲げる行為をした場合において、新株予約権証券を提出することができない者があるときについて準用する。この場合において、同条第二項中「前条第二項各号」とあるのは、「第二百九十三条第二項各号」と読み替えるものとする。

（平成二六法九〇本条改正）

㊟❶【公告→九三九【公告懈怠への制裁→九七六[二]【新株予約権者・登録新株予約権質権者への通知→二五三・二七一【通知懈怠への制裁→九七六[二]　【一の二】【取得条項付新株予約権の取得→二三六①[七]・二七三―二七五、商登五九②[三]　【二】【組織変更→七四三・七四四・七七五―七八〇・九二〇、商登七七[五]　【三】【合併→七四八・七四九・七五一・七五三・七五五・七八二―七九二・八〇三―八一二・九二一・九二二、商登八〇[十]・八一[十]　【四】【吸収分割→七五七・七五八・七六〇・七八二―七九二・九二三、商登八五[九]　【五】【新設分割→七六二・七六三①・七六五・八〇三―八一二・九二四、商登八六[九]　【六】【株式交換→七六七・七六八・七八二―七九二・九一一③[九]・九一五、商登八九[九]　【七】【株式移転→七七二・七七三・八〇三―八一二・九二五、商登九〇[九]　❷【金銭等の交付→二七五③・七四四①[七]・七四九①[四]・七五一①[五]・七五三①[十]・七五五①[四]・七五八[五]・七六三①[十]・七六八①[四]・七七三①[九]　❸【新株予約権証券の失効→二九一①

（無記名式の新株予約権証券等が提出されない場合）

第二九四条①　第百三十二条の規定にかかわらず、前条第一項第一号の二に掲げる行為をする場合（株式会社が新株予約権を取得するのと引換えに当該新株予約権の新株予約権者に対して当該株式会社の株式を交付する場合に限る。）において、同項の規定により新株予約権証券（無記名式のものに限る。以下この条において同じ。）が提出されないときは、株式会社は、当該新株予約権証券を有する者が交付を受けることができる株式に係る第百二十一条第一号に掲げる事項を株主名簿に記載し、又は記録することを要しない。

②　前項に規定する場合には、株式会社は、前条第一項の規定により提出しなければならない新株予約権証券を有する者が交付を受けることができる株式の株主に対する通知又は催告をすることを要しない。

③　第二百四十九条及び第二百五十九条第一項の規定にかかわらず、前条第一項第一号の二に掲げる行為をする場合（株式会社が新株予約権を取得するのと引換えに当該新株予約権の新株予約権者に対して当該株式会社の他の新株予約権（新株予約権付社債に付されたものを除く。）を交付する場合に限る。）において、同項の規定により新株予約権証券が提出されないときは、株式会社は、当該新株予約権証券を有する者が交付を受けることができる当該他の新株予約権（無記名新株予

約権を除く。）に係る第二百四十九条第三号イに掲げる事項を新株予約権原簿に記載し、又は記録することを要しない。

④　前項に規定する場合には、株式会社は、前条第一項の規定により提出しなければならない新株予約権証券を有する者が交付を受けることができる新株予約権の新株予約権者に対する通知又は催告をすることを要しない。

⑤　第二百四十九条及び第二百五十九条第一項の規定にかかわらず、前条第一項第一号の二に掲げる行為をする場合（株式会社が新株予約権を取得するのと引換えに当該新株予約権の新株予約権者に対して当該株式会社の新株予約権付社債を交付する場合に限る。）において、同項の規定により新株予約権証券が提出されないときは、株式会社は、当該新株予約権証券を有する者が交付を受けることができる新株予約権付社債（無記名新株予約権付社債を除く。）に付された新株予約権に係る第二百四十九条第三号イに掲げる事項を新株予約権原簿に記載し、又は記録することを要しない。

⑥　前項に規定する場合には、株式会社は、前条第一項の規定により提出しなければならない新株予約権証券を有する者が交付を受けることができる新株予約権付社債に付された新株予約権の新株予約権者に対する通知又は催告をすることを要しない。

参❷【株主への通知・催告を要しないことの効果→一九七①〔一〕　❹❻【新株予約権者に対する通知・催告→二五三

第四章　機関

第一節　株主総会及び種類株主総会等

（令和一法七〇節名改正）

第一款　株主総会

（株主総会の権限）

第二九五条①　株主総会は、この法律に規定する事項及び株式会社の組織、運営、管理その他株式会社に関する一切の事項について決議をすることができる。

②　前項の規定にかかわらず、取締役会設置会社においては、株主総会は、この法律に規定する事項及び定款で定めた事項に限り、決議をすることができる。

③　この法律の規定により株主総会の決議を必要とする事項について、取締役、執行役、取締役会その他の株主総会以外の機関が決定することができることを内容とする定款の定めは、その効力を有しない。

参+【株主総会→二九六①②　❶【法律に規定する事項→一三九①、一四〇②、一五六①、一六〇①、一六八①、一六九②、一七一①、一七五①、一八〇②、一八三②、一八六③、一九九②、二三八②、二四一③〔四〕、二四三②、二六五①、二七三①、二七四②、二七八③、三二九①、三三九①、三五三、三五六、三六一、三七九①、三八七①、四二五①④、四三八②、四四一④、四四七①、四四八①、四五〇②、四五二、四五四①、四六六、四七八①〔三〕、四七九①、四八三③、四九二③、四九七②、五〇七③、七八三①、七九五①、八〇四①　❷【法律に規定する事項→一四〇②、一五六①、一六〇①、一七一①、一七五①、一八〇②、一九九②、二三八②、二四一③〔四〕、三二九①、三三九①、三五三、三六一、三七九①、三八七①、四〇八①〔三〕、四二五①④、四三八②、四四一④、四四七①、四四八①、四五〇②、四五二、四五四①、四六六、四七八①〔三〕、四七九①、四八三③、四九二③、四九七②、五〇七③、七八三①、七九五①、八〇四①【取締役会設置会社の総会決議事項→三〇九⑤

（株主総会の招集）

第二九六条①　定時株主総会は、毎事業年度の終了後一定の時期に招集しなければならない。

②　株主総会は、必要がある場合には、いつでも、招集することができる。

③　株主総会は、次条第四項の規定により招集する場合を除き、取締役が招集する。

参❶【定時株主総会→三〇九②〔四〕、四三七、四三八②、四三九、四四四⑥⑦、四四九①【不開催に対する制裁→九七六〔十八〕【決議の省略→三一九⑤【役員等の任期との関係→三三二①②、三三六①②、三三八①②　❷【招集を要する場合の例→一三九①、一七五①、三〇七①、三三九①、三五九、四九二③、五〇七③　❸【取締役による招集→二九八、二九九

（株主による招集の請求）

第二九七条①　総株主の議決権の百分の三（これを下回る割合を定款で定めた場合にあっては、その割合）以上の議決権を六箇月（これを下回る期間を定款で定めた場合にあっては、その期間）前から引き続き有する株主は、取締役に対し、株主総会の目的である事項（当該株主が議決権を行使することができる事項に限る。）及び招集の理由を示して、株主総会の招集を請求することができる。

②　公開会社でない株式会社における前項の規定の適用については、同項中「六箇月（これを下回る期間を定款で定めた場合にあっては、その期間）前から引き続き有する」とあるのは、「有する」とする。

③　第一項の株主総会の目的である事項について議決権を行使することができない株主が有する議決権の数は、同項の総株主の議決権の数に算入しない。

④　次に掲げる場合には、第一項の規定による請求をした株主は、裁判所の許可を得て、株主総会を招集することができる。

一　第一項の規定による請求の後遅滞なく招集の手続が行われない場合

二　第一項の規定による請求があった日から八週間（これを下回る期間を定款で定めた場合にあっては、その期間）以内の日を株主総会の日とする株主総会の招集の通知が発せられない場合

参❶【百分の三以上の議決権を有する株主→三〇三①②【贈収賄に対する制裁→九六八①〔二〕　❸【議決権を行使できない株主→一〇八①〔三〕、一四〇③、一六〇④、一七五②、一八九①、三〇八　❹【裁判所の許可→八六八①、八七四〔四〕【株主による招集→二九八、二九九　+【検査役の選任→三一六②

（株主総会の招集の決定）

第二九八条①　取締役（前条第四項の規定により株主が株主総会を招集する場合にあっては、当該株主。次項本文及び次条から第三百二条までにおいて同じ。）は、株主総会を招集する場合には、次に掲げる事項を定めなければならない。

一　株主総会の日時及び場所

二　株主総会の目的である事項があるときは、当該事

項

三　株主総会に出席しない株主が書面によって議決権を行使することができることとするときは、その旨

四　株主総会に出席しない株主が電磁的方法によって議決権を行使することができることとするときは、その旨

五　前各号に掲げるもののほか、法務省令で定める事項

② 取締役は、株主（株主総会において決議をすることができる事項の全部につき議決権を行使することができない株主を除く。次条から第三百二条までにおいて同じ。）の数が千人以上である場合には、前項第三号に掲げる事項を定めなければならない。ただし、当該株式会社が金融商品取引法第二条第十六項に規定する金融商品取引所に上場されている株式を発行している株式会社であって法務省令で定めるものである場合は、この限りでない。（平成一八法六六本項改正）

③ 取締役会設置会社における前項の規定の適用については、同項中「株主総会において決議をすることができる事項」とあるのは、「前項第二号に掲げる事項」とする。

④ 取締役会設置会社においては、前条第四項の規定により株主が株主総会を招集するときを除き、第一項各号に掲げる事項の決定は、取締役会の決議によらなければならない。

⊛❶【取締役の決定→三四八③㈢【招集通知への記載→二九九④【二】【日時・場所→三四五③【三】【株主総会の目的事項→三〇三、三〇九⑤【三】【書面による議決権行使→三一一【参考書類等の交付→三〇一【招集に関する特則→二九九①②㈠、三〇〇【四】【電磁的方法による議決権行使→三一二【参考書類等の交付→三〇二【招集に関する特則→二九九①②㈠、三〇〇【五】【省令で定める事項→会社則六三　❷【議決権を行使できない株主→二九七③⊛【省令で定めるもの→会社則六四　❹【取締役会の決議→三六九、四一六④㈣　＋【適用除外→三一七

（株主総会の招集の通知）

第二九九条① 株主総会を招集するには、取締役は、株主総会の日の二週間（前条第一項第三号又は第四号に掲げる事項を定めたときを除き、公開会社でない株式会社にあっては、一週間（当該株式会社が取締役会設置会社以外の株式会社である場合において、これを下回る期間を定款で定めた場合にあっては、その期間））前までに、株主に対してその通知を発しなければならない。

② 次に掲げる場合には、前項の通知は、書面でしなければならない。

一　前条第一項第三号又は第四号に掲げる事項を定めた場合

二　株式会社が取締役会設置会社である場合

③ 取締役は、前項の書面による通知の発出に代えて、政令で定めるところにより、株主の承諾を得て、電磁的方法により通知を発することができる。この場合において、当該取締役は、同項の書面による通知を発したものとみなす。

④ 前二項の通知には、前条第一項各号に掲げる事項を記載し、又は記録しなければならない。

⊛❶【招集の通知→一二六⑤、四三七、四四四⑥【公開会社→二㈤【招集期間の短縮→一三九、一四五㈠　❷❸【通知の記載事項→三〇五①【電子提供措置による代替→三二五の四②　❸【電磁的方法による通知→三〇一②、三〇二②③【本項による承諾をしていない株主による請求→三〇二④【本項による承諾をした株主との関係→三一〇④、三一二②　＋【招集手続の省略→三〇〇【適用除外→三一七

（招集手続の省略）

第三〇〇条　前条の規定にかかわらず、株主総会は、株主の全員の同意があるときは、招集の手続を経ることなく開催することができる。ただし、第二百九十八条第一項第三号又は第四号に掲げる事項を定めた場合は、この限りでない。

⊛＋【株主総会決議の省略→三一九

（株主総会参考書類及び議決権行使書面の交付等）

第三〇一条① 取締役は、第二百九十八条第一項第三号に掲げる事項を定めた場合には、第二百九十九条第一項の通知に際して、法務省令で定めるところにより、株主に対し、議決権の行使について参考となるべき事項を記載した書類（以下この節において「株主総会参考書類」という。）及び株主が議決権を行使するための書面（以下この節において「議決権行使書面」という。）を交付しなければならない。（令和一法七〇本項改正）

② 取締役は、第二百九十九条第三項の承諾をした株主に対し同項の電磁的方法による通知を発するときは、前項の規定による株主総会参考書類及び議決権行使書面の交付に代えて、これらの書類に記載すべき事項を電磁的方法により提供することができる。ただし、株主の請求があったときは、これらの書類を当該株主に交付しなければならない。

⊛❶【株主総会参考書類→三〇二①②【議決権行使書面→三〇二③④【省令の定め→会社則六五、六六、七三―九四

第三〇二条① 取締役は、第二百九十八条第一項第四号に掲げる事項を定めた場合には、第二百九十九条第一項の通知に際して、法務省令で定めるところにより、株主に対し、株主総会参考書類を交付しなければならない。

② 取締役は、第二百九十九条第三項の承諾をした株主に対し同項の電磁的方法による通知を発するときは、前項の規定による株主総会参考書類の交付に代えて、当該株主総会参考書類に記載すべき事項を電磁的方法により提供することができる。ただし、株主の請求があったときは、株主総会参考書類を当該株主に交付しなければならない。

③ 取締役は、第一項に規定する場合には、第二百九十九条第三項の承諾をした株主に対する同項の電磁的方法による通知に際して、法務省令で定めるところにより、株主に対し、議決権行使書面に記載すべき事項を当該電磁的方法により提供しなければならない。

④ 取締役は、第一項に規定する場合において、第二百九十九条第三項の承諾をしていない株主から株主総会の日の一週間前までに議決権行使書面に記載すべき事

項の電磁的方法による提供の請求があったときは、法務省令で定めるところにより、直ちに、当該株主に対し、当該事項を電磁的方法により提供しなければならない。

参❶❷【株主総会参考書類→三〇一①【省令の定め→会社則六五・七三―九四　❸❹【議決権行使書面→三〇一①【省令の定め→会社則六六

（株主提案権）

第三〇三条①　株主は、取締役に対し、一定の事項（当該株主が議決権を行使することができる事項に限る。次項において同じ。）を株主総会の目的とすることを請求することができる。

②　前項の規定にかかわらず、取締役会設置会社においては、総株主の議決権の百分の一（これを下回る割合を定款で定めた場合にあっては、その割合）以上の議決権又は三百個（これを下回る数を定款で定めた場合にあっては、その個数）以上の議決権を六箇月（これを下回る期間を定款で定めた場合にあっては、その期間）前から引き続き有する株主に限り、取締役に対し、一定の事項を株主総会の目的とすることを請求することができる。この場合において、その請求は、株主総会の日の八週間（これを下回る期間を定款で定めた場合にあっては、その期間）前までにしなければならない。

③　公開会社でない取締役会設置会社における前項の規定の適用については、同項中「六箇月（これを下回る期間を定款で定めた場合にあっては、その期間）前から引き続き有する」とあるのは、「有する」とする。

④　第二項の一定の事項について議決権を行使することができない株主が有する議決権の数は、同項の総株主の議決権の数に算入しない。

参❶【議決権を行使できる事項→一〇八①㊂　❶❷【請求に応じない場合の制裁→九七六〔十九〕【濫用株主等に対する制裁→九六八①㊂　❹【議決権を行使することができない株主→二九七③参

第三〇四条　株主は、株主総会において、株主総会の目的である事項（当該株主が議決権を行使することができる事項に限る。次条第一項において同じ。）につき議案を提出することができる。ただし、当該議案が法令若しくは定款に違反する場合又は実質的に同一の議案につき株主総会において総株主（当該議案について議決権を行使することができない株主を除く。）の議決権の十分の一（これを下回る割合を定款で定めた場合にあっては、その割合）以上の賛成を得られなかった日から三年を経過していない場合は、この限りでない。

参＋【株主総会の目的事項→二九八①㊁④・三〇三【議決権を行使できる事項→一〇八①㊂【濫用株主等に対する制裁→九六八①㊂

第三〇五条①　株主は、取締役に対し、株主総会の日の八週間（これを下回る期間を定款で定めた場合にあっては、その期間）前までに、株主総会の目的である事項につき当該株主が提出しようとする議案の要領を株主に通知すること（第二百九十九条第二項又は第三項の通知をする場合にあっては、その通知に記載し、又は記録すること）を請求することができる。ただし、取締役会設置会社においては、総株主の議決権の百分の一（これを下回る割合を定款で定めた場合にあっては、その割合）以上の議決権又は三百個（これを下回る数を定款で定めた場合にあっては、その個数）以上の議決権を六箇月（これを下回る期間を定款で定めた場合にあっては、その期間）前から引き続き有する株主に限り、当該請求をすることができる。

②　公開会社でない取締役会設置会社における前項ただし書の規定の適用については、同項ただし書中「六箇月（これを下回る期間を定款で定めた場合にあっては、その期間）前から引き続き有する」とあるのは、「有する」とする。

③　第一項の株主総会の目的である事項について議決権を行使することができない株主が有する議決権の数は、同項ただし書の総株主の議決権の数に算入しない。

④　取締役会設置会社の株主が第一項の規定による請求をする場合において、当該株主が提出しようとする議案の数が十を超えるときは、前三項の規定は、十を超える数に相当することとなる数の議案については、適用しない。この場合において、当該株主が提出しようとする次の各号に掲げる議案の数については、当該各号に定めるところによる。

一　取締役、会計参与、監査役又は会計監査人（次号において「役員等」という。）の選任に関する議案　当該議案の数にかかわらず、これを一の議案とみなす。

二　役員等の解任に関する議案　当該議案の数にかかわらず、これを一の議案とみなす。

三　会計監査人を再任しないことに関する議案　当該議案の数にかかわらず、これを一の議案とみなす。

四　定款の変更に関する二以上の議案　当該二以上の議案について異なる議決がされたとすれば当該議決の内容が相互に矛盾する可能性がある場合には、これらを一の議案とみなす。

（令和一法七〇本項追加）

⑤　前項前段の十を超える数に相当することとなる数の議案は、取締役がこれを定める。ただし、第一項の規定による請求をした株主が当該請求と併せて当該株主が提出しようとする二以上の議案の全部又は一部につき議案相互間の優先順位を定めている場合には、取締役は、当該優先順位に従い、これを定めるものとする。（令和一法七〇本項追加）

⑥　第一項から第三項までの規定は、第一項の議案が法令若しくは定款に違反する場合又は実質的に同一の議案につき株主総会において総株主（当該議案について議決権を行使することができない株主を除く。）の議決権の十分の一（これを下回る割合を定款で定めた場合にあっては、その割合）以上の賛成を得られなかった日から三年を経過していない場合には、適用しない。

参❶【濫用株主等に対する制裁→九六八①㊂　❸【議決権を行使することができない株主→二九七③参　❹【議案→三〇四　【二】

【役員等の選任→三二九【三】【役員等の解任→三三九【三】【会計監査人の不再任→三三八②・三四四【四】【定款変更→四六六 ❻【議決権を行使することができない株主→二九七③

第三〇六条（株主総会の招集手続等に関する検査役の選任）① 株式会社又は総株主（株主総会において決議をすることができる事項の全部につき議決権を行使することができない株主を除く。）の議決権の百分の一（これを下回る割合を定款で定めた場合にあっては、その割合）以上の議決権を有する株主は、株主総会に係る招集の手続及び決議の方法を調査させるため、当該株主総会に先立ち、裁判所に対し、検査役の選任の申立てをすることができる。

② 公開会社である取締役会設置会社における前項の規定の適用については、同項中「株主総会において決議をすることができる事項」とあるのは「第二百九十八条第一項第二号に掲げる事項」と、「有する」とあるのは「六箇月（これを下回る期間を定款で定めた場合にあっては、その期間）前から引き続き有する」とし、公開会社でない取締役会設置会社における同項の規定の適用については、同項中「株主総会において決議をすることができる事項」とあるのは、「第二百九十八条第一項第二号に掲げる事項」とする。

③ 前二項の規定による検査役の選任の申立てがあった場合には、裁判所は、これを不適法として却下する場合を除き、検査役を選任しなければならない。

④ 裁判所は、前項の検査役を選任した場合には、株式会社が当該検査役に対して支払う報酬の額を定めることができる。

⑤ 第三項の検査役は、必要な調査を行い、当該調査の結果を記載し、又は記録した書面又は電磁的記録（法務省令で定めるものに限る。）を裁判所に提供して報告をしなければならない。

⑥ 裁判所は、前項の報告について、その内容を明瞭にし、又はその根拠を確認するため必要があると認めるときは、第三項の検査役に対し、更に前項の報告を求めることができる。

⑦ 第三項の検査役は、第五項の報告をしたときは、株式会社（検査役の選任の申立てをした者が当該株式会社でない場合にあっては、当該株式会社及びその者）に対し、同項の書面の写しを交付し、又は同項の電磁的記録に記録された事項を法務省令で定める方法により提供しなければならない。

†【検査役の選任→三一六・三五八 ❶【議決権を行使することができない株主→二九七③【総会の招集手続→二九八―三〇五【決議の方法→三〇八―三一七【法令・定款違反又は著しい不公正→八三一①[一]【裁判所→八六八① ❶❷【濫用株主等に対する制裁→九六八①[二] ❹【報酬の決定→八七〇①[一] ❺【検査役の報告→三〇七【虚偽の申述等に対する制裁→九六三③【省令で定めるもの→会社則二二八 ❼【電磁的記録→二六②【省令で定める方法→会社則二二九

第三〇七条（裁判所による株主総会招集等の決定）① 裁判所は、前条第五項の報告があった場合において、必要があると認めるときは、取締役に対し、次に掲げる措置の全部又は一部を命じなければならない。

一 一定の期間内に株主総会を招集すること。

二 前条第五項の調査の結果を株主に通知すること。

② 裁判所が前項第一号に掲げる措置を命じた場合には、取締役は、前条第五項の報告の内容を同号の株主総会において開示しなければならない。

③ 前項に規定する場合には、取締役（監査役設置会社にあっては、取締役及び監査役）は、前条第五項の報告の内容を調査し、その結果を第一項第一号の株主総会に報告しなければならない。

❶[一]【総会招集命令違反に対する制裁→九七六[十八] [二]【株主への通知→一二六【懈怠に対する制裁→九七六[二] ❷【開示懈怠に対する制裁→九七六[三]

第三〇八条（議決権の数）① 株主（株式会社がその総株主の議決権の四分の一以上を有することその他の事由を通じて株式会社がその経営を実質的に支配することが可能な関係にあるものとして法務省令で定める株主を除く。）は、株主総会において、その有する株式一株につき一個の議決権を有する。ただし、単元株式数を定款で定めている場合には、一単元の株式につき一個の議決権を有する。

② 前項の規定にかかわらず、株式会社は、自己株式については、議決権を有しない。

❶【議決権→独禁七〇の四①、一〇八①[三]・一〇九②・一〇五①[三]【更生手続における議決権→会更一六六・一九一②③【一株一議決権の例外→三四二③、社債株式振替一五三【単元株式数→一八八―一九五【省令で定める株主→会社則六七 ❷【自己株式→一五五

第三〇九条（株主総会の決議）① 株主総会の決議は、定款に別段の定めがある場合を除き、議決権を行使することができる株主の議決権の過半数を有する株主が出席し、出席した当該株主の議決権の過半数をもって行う。

② 前項の規定にかかわらず、次に掲げる株主総会の決議は、当該株主総会において議決権を行使することができる株主の議決権の過半数（三分の一以上の割合を定款で定めた場合にあっては、その割合以上）を有する株主が出席し、出席した当該株主の議決権の三分の二（これを上回る割合を定款で定めた場合にあっては、その割合）以上に当たる多数をもって行わなければならない。この場合においては、当該決議の要件に加えて、一定の数以上の株主の賛成を要する旨その他の要件を定款で定めることを妨げない。

一 第百四十条第二項及び第五項の株主総会

二 第百五十六条第一項の株主総会（第百六十条第一項の特定の株主を定める場合に限る。）

三 第百七十一条第一項及び第百七十五条第一項の株主総会

四 第百八十条第二項の株主総会

五 第百九十九条第二項、第二百条第一項、第二百二条第三項第四号、第二百四条第二項及び第二百五条第二項の株主総会（平成二六法九〇本号改正）

六 第二百三十八条第二項、第二百三十九条第一項、

第二百四十一条第三項第四号、第二百四十三条第二項及び第二百四十四条第三項の株主総会（平成二六法九〇本号改正）

七　第三百三十九条第一項の株主総会（第三百四十二条第三項から第五項までの規定により選任された取締役（監査等委員である取締役若しくは監査役を除く。）を解任する場合又は監査等委員である取締役若しくは監査役を解任する場合に限る。）（平成二六法九〇本号改正）

八　第四百二十五条第一項の株主総会

九　第四百四十七条第一項の株主総会（次のいずれにも該当する場合を除く。）

イ　定時株主総会において第四百四十七条第一項各号に掲げる事項を定めること。

ロ　第四百四十七条第一項第一号の額がイの定時株主総会の日（第四百三十九条前段に規定する場合にあっては、第四百三十六条第三項の承認があった日）における欠損の額として法務省令で定める方法により算定される額を超えないこと。

十　第四百五十四条第四項の株主総会（配当財産が金銭以外の財産であり、かつ、株主に対して同項第一号に規定する金銭分配請求権を与えないこととする場合に限る。）

十一　第六章から第八章までの規定により株主総会の決議を要する場合における当該株主総会

十二　第五編の規定により株主総会の決議を要する場合における当該株主総会

③　前二項の規定にかかわらず、次に掲げる株主総会（種類株式発行会社の株主総会を除く。）の決議は、当該株主総会において議決権を行使することができる株主の半数以上（これを上回る割合を定款で定めた場合にあっては、その割合以上）であって、当該株主の議決権の三分の二（これを上回る割合を定款で定めた場合にあっては、その割合）以上に当たる多数をもって行わなければならない。

一　その発行する全部の株式の内容として譲渡による当該株式の取得について当該株式会社の承認を要する旨の定款の定めを設ける定款の変更を行う株主総会

二　第七百八十三条第一項の株主総会（合併により消滅する株式会社又は株式交換をする株式会社が公開会社であり、かつ、当該株式会社の株主に対して交付する金銭等の全部又は一部が譲渡制限株式等（同条第三項に規定する譲渡制限株式等をいう。次号において同じ。）である場合における当該株主総会に限る。）

三　第八百四条第一項の株主総会（合併又は株式移転をする株式会社が公開会社であり、かつ、当該株式会社の株主に対して交付する金銭等の全部又は一部が譲渡制限株式等である場合における当該株主総会に限る。）

④　前三項の規定にかかわらず、第百九条第二項の規定による定款の定めについての定款の変更（当該定款の定めを廃止するものを除く。）を行う株主総会の決議は、総株主の半数以上（これを上回る割合を定款で定めた場合にあっては、その割合以上）であって、総株主の議決権の四分の三（これを上回る割合を定款で定めた場合にあっては、その割合）以上に当たる多数をもって行わなければならない。

⑤　取締役会設置会社においては、株主総会は、第二百九十八条第一項第二号に掲げる事項以外の事項については、決議をすることができない。ただし、第三百十六条第一項若しくは第二項に規定する者の選任又は第三百九十八条第二項の会計監査人の出席を求めることについては、この限りでない。

【株主総会の決議に関する訴え↓八三〇・八三一】【贈収賄罪↓九六八①㈠】【関係人集会の決議要件↓会更一九六⑤】❶❷【出席株主の議決権数の算定↓三一〇・三一一②・三一二③】❶―①【九】【省令で定める方法↓会社則六八】❸【議決権を行使できる株主↓二九七③】【議決権の数↓三〇八】❸【二】【全部の株式の譲渡制限↓一〇七①㈠・一三四・一三六―一四五】❹【定款変更↓一〇九③・三二一①㈡ロ】❺【取締役会設置会社の総会決議事項↓二九五②・三一七】

（議決権の代理行使）

第三一〇条①　株主は、代理人によってその議決権を行使することができる。この場合においては、当該株主又は代理人は、代理権を証明する書面を株式会社に提出しなければならない。

②　前項の代理権の授与は、株主総会ごとにしなければならない。

③　第一項の株主又は代理人は、代理権を証明する書面の提出に代えて、政令で定めるところにより、株式会社の承諾を得て、当該書面に記載すべき事項を電磁的方法により提供することができる。この場合において、当該株主又は代理人は、当該書面を提出したものとみなす。

④　株主が第二百九十九条第三項の承諾をした者である場合には、株式会社は、正当な理由がなければ、前項の承諾をすることを拒んではならない。

⑤　株式会社は、株主総会に出席することができる代理人の数を制限することができる。

⑥　株式会社は、株主総会の日から三箇月間、代理権を証明する書面及び第三項の電磁的方法により提供された事項が記録された電磁的記録をその本店に備え置かなければならない。

⑦　株主（前項の株主総会において決議をした事項の全部につき議決権を行使することができない株主を除く。次条第四項及び第三百十二条第五項において同じ。）は、株式会社の営業時間内は、いつでも、次に掲げる請求をすることができる。この場合においては、当該請求の理由を明らかにしてしなければならない。

一　代理権を証明する書面の閲覧又は謄写の請求

二　前項の電磁的記録に記録された事項を法務省令で定める方法により表示したものの閲覧又は謄写の請求

（令和一法七〇本項改正）

⑧　株式会社は、前項の請求があったときは、次のいずれかに該当する場合を除き、これを拒むことができない。

一　当該請求を行う株主（以下この項において「請求

者」という。）がその権利の確保又は行使に関する調査以外の目的で請求を行ったとき。

二　請求者が当該株式会社の業務の遂行を妨げ、又は株主の共同の利益を害する目的で請求を行ったとき。

三　請求者が代理権を証明する書面の閲覧若しくは謄写又は前項第二号の電磁的記録に記録された事項を法務省令で定める方法により表示したものの閲覧若しくは謄写によって知り得た事実を利益を得て第三者に通報するため請求を行ったとき。

四　請求者が、過去二年以内において、代理権を証明する書面の閲覧若しくは謄写又は前項第二号の電磁的記録に記録された事項を法務省令で定める方法により表示したものの閲覧若しくは謄写によって知り得た事実を利益を得て第三者に通報したことがあるものであるとき。

（令和一法七〇本項追加）

参❶【議決権の代理行使】→金商一九四、会更一二二・一九三①　❷【株主総会】→三一七　❺【代理人の数の制限】→三一三　❻【本店】→四参【懈怠に対する制裁】→九七六[四]　❼【議決権を行使できない株主】→二九七③参【株主の閲覧等請求不当拒否に対する制裁】→九七六[四]　【[三]】【省令で定める方法】→会社則二二六　❼【電磁的記録】→二六②　❽【[一]】【株主の権利の確保】→三六〇・八四七

第三一一条（書面による議決権の行使）①　書面による議決権の行使は、議決権行使書面に必要な事項を記載し、法務省令で定める時までに当該記載をした議決権行使書面を株式会社に提出して行う。

②　前項の規定により書面によって行使した議決権の数は、出席した株主の議決権の数に算入する。

③　株式会社は、株主総会の日から三箇月間、第一項の規定により提出された議決権行使書面をその本店に備え置かなければならない。

④　株主は、株式会社の営業時間内は、いつでも、第一項の規定により提出された議決権行使書面の閲覧又は謄写の請求をすることができる。この場合においては、当該請求の理由を明らかにしてしなければならない。

⑤　株式会社は、前項の請求があったときは、次のいずれかに該当する場合を除き、これを拒むことができない。（令和一法七〇本項改正）

一　当該請求を行う株主（以下この項において「請求者」という。）がその権利の確保又は行使に関する調査以外の目的で請求を行ったとき。

二　請求者が当該株式会社の業務の遂行を妨げ、又は株主の共同の利益を害する目的で請求を行ったとき。

三　請求者が第一項の規定により提出された議決権行使書面の閲覧又は謄写によって知り得た事実を利益を得て第三者に通報するため請求を行ったとき。

四　請求者が、過去二年以内において、第一項の規定により提出された議決権行使書面の閲覧又は謄写によって知り得た事実を利益を得て第三者に通報したことがあるものであるとき。

（令和一法七〇本項追加）

参❶【書面による議決権行使】→二九八②・三〇一①【省令で定める時】→会社則六九　❷【出席株主の議決権数】→三〇九①②　❸【本店】→四参【備置義務懈怠に対する制裁】→九七六[四]　❹【株主の閲覧等請求不当拒否に対する制裁】→九七六[四]　❺【[二]】【株主の権利の確保】→三六〇・八四七

第三一二条（電磁的方法による議決権の行使）①　電磁的方法による議決権の行使は、政令で定めるところにより、株式会社の承諾を得て、法務省令で定める時までに議決権行使書面に記載すべき事項を、電磁的方法により当該株式会社に提供して行う。

②　株主が第二百九十九条第三項の承諾をした者である場合には、株式会社は、正当な理由がなければ、前項の承諾をすることを拒んではならない。

③　第一項の規定により電磁的方法によって行使した議決権の数は、出席した株主の議決権の数に算入する。

④　株式会社は、株主総会の日から三箇月間、第一項の規定により提供された事項を記録した電磁的記録をその本店に備え置かなければならない。

⑤　株主は、株式会社の営業時間内は、いつでも、前項の電磁的記録に記録された事項を法務省令で定める方法により表示したものの閲覧又は謄写の請求をすることができる。この場合においては、当該請求の理由を明らかにしてしなければならない。（令和一法七〇本項改正）

⑥　株式会社は、前項の請求があったときは、次のいずれかに該当する場合を除き、これを拒むことができない。

一　当該請求を行う株主（以下この項において「請求者」という。）がその権利の確保又は行使に関する調査以外の目的で請求を行ったとき。

二　請求者が当該株式会社の業務の遂行を妨げ、又は株主の共同の利益を害する目的で請求を行ったとき。

三　請求者が前項の電磁的記録に記録された事項を法務省令で定める方法により表示したものの閲覧又は謄写によって知り得た事実を利益を得て第三者に通報するため請求を行ったとき。

四　請求者が、過去二年以内において、前項の電磁的記録に記録された事項を法務省令で定める方法により表示したものの閲覧又は謄写によって知り得た事実を利益を得て第三者に通報したことがあるものであるとき。

（令和一法七〇本項追加）

参❶【電磁的方法による議決権行使】→二九八①[四]・三〇二①③④【省令で定める時】→会社則七〇　❸【出席株主の議決権数】→三〇九①②　❹【本店】→四参【備置義務懈怠に対する制裁】→九七六[四]　❺【株主の閲覧等請求不当拒否に対する制裁】→九七六[四]【省令で定める方法】→会社則二二六　❻【[二]】【株主の権利の確保】→三六〇・八四七

第三一三条（議決権の不統一行使）①　株主は、その有する議決権を統一しない

で行使することができる。

② 取締役会設置会社においては、前項の株主は、株主総会の日の三日前までに、取締役会設置会社に対してその有する議決権を統一しないで行使する旨及びその理由を通知しなければならない。

③ 株式会社は、第一項の株主が他人のために株式を有する者でないときは、当該株主が同項の規定によりその有する議決権を統一しないで行使することを拒むことができる。

参❶【議決権の不統一行使→三一〇⑤　❷【会日より三日前の通知→民九七①　❸【他人のために株式を有する例→民六五七、六五八

（取締役等の説明義務）

第三一四条　取締役、会計参与、監査役及び執行役は、株主総会において、株主から特定の事項について説明を求められた場合には、当該事項について必要な説明をしなければならない。ただし、当該事項が株主総会の目的である事項に関しないものである場合、その説明をすることにより株主の共同の利益を著しく害する場合その他正当な理由がある場合として法務省令で定める場合は、この限りでない。

参+【説明しなかった場合→八三一①〔一〕・九七六〔九〕【株主総会の目的事項→二九八①〔二〕・三〇三①②・四三八③・四三九【株主の共同の利益→四三三②〔三〕【省令で定める場合→会社則七一【株主の権利の行使に関する贈収賄罪→九六八①〔一〕

（議長の権限）

第三一五条① 株主総会の議長は、当該株主総会の秩序を維持し、議事を整理する。

② 株主総会の議長は、その命令に従わない者その他当該株主総会の秩序を乱す者を退場させることができる。

参+【総会の議長→七九

（株主総会に提出された資料等の調査）

第三一六条① 株主総会においては、その決議によって、取締役、会計参与、監査役、監査役会及び会計監査人が当該株主総会に提出し、又は提供した資料を調査する者を選任することができる。

② 第二百九十七条の規定により招集された株主総会においては、その決議によって、株式会社の業務及び財産の状況を調査する者を選任することができる。

参+【検査役の選任→九四・三五八・三〇九⑤

（延期又は続行の決議）

第三一七条　株主総会においてその延期又は続行について決議があった場合には、第二百九十八条及び第二百九十九条の規定は、適用しない。

参+【延期・続行→八〇・五六〇・七三〇、会更一九八①【総会の目的事項以外の決議→三〇九⑤

（議事録）

第三一八条① 株主総会の議事については、法務省令で定めるところにより、議事録を作成しなければならない。

② 株式会社は、株主総会の日から十年間、前項の議事録をその本店に備え置かなければならない。

③ 株式会社は、株主総会の日から五年間、第一項の議事録の写しをその支店に備え置かなければならない。ただし、当該議事録が電磁的記録をもって作成されている場合であって、支店における次項第二号に掲げる請求に応じることを可能とするための措置として法務省令で定めるものをとっているときは、この限りでない。

④ 株主及び債権者は、株式会社の営業時間内は、いつでも、次に掲げる請求をすることができる。

一　第一項の議事録が書面をもって作成されているときは、当該書面又は当該書面の写しの閲覧又は謄写の請求

二　第一項の議事録が電磁的記録をもって作成されているときは、当該電磁的記録に記録された事項を法務省令で定める方法により表示したものの閲覧又は謄写の請求

⑤ 株式会社の親会社社員は、その権利を行使するため必要があるときは、裁判所の許可を得て、第一項の議事録について前項各号に掲げる請求をすることができる。

参+【議事録→商登四六②【虚偽記載等への制裁→九七六〔七〕【省令の定め→会社則七二　❷【本店→四参　❷❸【備置義務懈怠に対する制裁→九七六〔八〕　❸【支店→九一一③〔三〕【省令で定めるもの→会社則二二七　❸❹【電磁的記録→二六②　❹【株主・債権者の閲覧等請求不当拒否に対する制裁→九七六〔四〕　〔二〕【省令で定める方法→会社則二二六　❺【親会社→二〔四〕【裁判所の許可→八六八②

（株主総会の決議の省略）

第三一九条① 取締役又は株主が株主総会の目的である事項について提案をした場合において、当該提案につき株主（当該事項について議決権を行使することができるものに限る。）の全員が書面又は電磁的記録により同意の意思表示をしたときは、当該提案を可決する旨の株主総会の決議があったものとみなす。

② 株式会社は、前項の規定により株主総会の決議があったものとみなされた日から十年間、同項の書面又は電磁的記録をその本店に備え置かなければならない。

③ 株主及び債権者は、株式会社の営業時間内は、いつでも、次に掲げる請求をすることができる。

一　前項の書面の閲覧又は謄写の請求

二　前項の電磁的記録に記録された事項を法務省令で定める方法により表示したものの閲覧又は謄写の請求

④ 株式会社の親会社社員は、その権利を行使するため必要があるときは、裁判所の許可を得て、第二項の書面又は電磁的記録について前項各号に掲げる請求をすることができる。

（平成二八法一〇九本項改正）

⑤ 第一項の規定により定時株主総会の目的である事項のすべてについての提案を可決する旨の株主総会の決議があったものとみなされた場合には、その時に当該定時株主総会が終結したものとみなす。

参❶【株主総会の目的である事項→二九八①㊁・三〇三①②【議決権を行使できる株主→二九七③参【書面の登記申請書への添付→商登四六③ ❶―❹【電磁的記録→二六② ❷【本店→四参【備置義務違反に対する制裁→九七六㊃ ❸【㊁】【省令で定める方法→会社則二二六 ❸❹【閲覧等の請求不当拒否に対する制裁→九七六㊃ ❹【裁判所の許可→八六八② ❺【定時株主総会→二九六①

（株主総会への報告の省略）

第三二〇条 取締役が株主の全員に対して株主総会に報告すべき事項を通知した場合において、当該事項を株主総会に報告することを要しないことにつき株主の全員が書面又は電磁的記録により同意の意思表示をしたときは、当該事項の株主総会への報告があったものとみなす。

参+【株主総会に報告すべき事項→四三八③・四三九【電磁的記録→二六②

第二款 種類株主総会

（種類株主総会の権限）

第三二一条 種類株主総会は、この法律に規定する事項及び定款で定めた事項に限り、決議をすることができる。

参+【種類株主総会の決議に関する訴え→八三〇・八三一【法律に規定する事項→一一一②・一九九④・二〇〇④・二三八④・二三九④・三二二①・三四七・七八三③・七九五④・八〇四③

（ある種類の種類株主に損害を及ぼすおそれがある場合の種類株主総会）

第三二二条① 種類株式発行会社が次に掲げる行為をする場合において、ある種類の株式の種類株主に損害を及ぼすおそれがあるときは、当該行為は、当該種類の株式の種類株主を構成員とする種類株主総会（当該種類株主に係る株式の種類が二以上ある場合にあっては、当該二以上の株式の種類別に区分された種類株主を構成員とする各種類株主総会。以下この条において同じ。）の決議がなければ、その効力を生じない。ただし、当該種類株主総会において議決権を行使することができる種類株主が存しない場合は、この限りでない。

一 次に掲げる事項についての定款の変更（第百十一条第一項又は第二項に規定するものを除く。）

イ 株式の種類の追加

ロ 株式の内容の変更

ハ 発行可能株式総数又は発行可能種類株式総数の増加

一の二 第百七十九条の三第一項の承認（平成二六法九〇本号追加）

二 株式の併合又は株式の分割

三 第百八十五条に規定する株式無償割当て

四 当該株式会社の株式を引き受ける者の募集（第二百二条第一項各号に掲げる事項を定めるものに限る。）

五 当該株式会社の新株予約権を引き受ける者の募集（第二百四十一条第一項各号に掲げる事項を定めるものに限る。）

六 第二百七十七条に規定する新株予約権無償割当て

七 合併

八 吸収分割

九 吸収分割による他の会社がその事業に関して有する権利義務の全部又は一部の承継

十 新設分割

十一 株式交換

十二 株式交換による他の株式会社の発行済株式全部の取得

十三 株式移転

十四 株式交付（令和一法七〇本号追加）

② 種類株式発行会社は、ある種類の株式の内容として、前項の規定による種類株主総会の決議を要しない旨を定款で定めることができる。

③ 第一項の規定は、前項の規定による定款の定めがある種類の株式の種類株主を構成員とする種類株主総会については、適用しない。ただし、第一項第一号に規定する定款の変更（単元株式数についてのものを除く。）を行う場合は、この限りでない。

④ ある種類の株式の発行後に定款を変更して当該種類の株式について第二項の規定による定款の定めを設けようとするときは、当該種類の種類株主全員の同意を得なければならない。

参❶【種類株主総会の決議→三二四②㊃【議決権を行使することができる種類株主→一八九①・三〇八・三二五 【㊀】【定款の記載事項→三七・一〇八②・一一三 【㊂】【株式の併合→一八〇―一八二の六【株式の分割→一八三・一八四 【㊆】【合併→七四九・七五一・七五三・七五五 【㊇】【吸収分割→七五八・七六〇 【㊈】【吸収分割承継会社による権利義務の承継→七五九 【㊉】【新設分割→七六三①・七六五 【㊉㊀】【株式交換→七六八・七七〇 【㊉㊁】【株式交換完全親会社による発行済株式全部の取得→七六八 【㊉㊂】【株式移転→七七三 【㊉㊃】【株式交付→七七四の三 ❷【種類株主総会の決議を要しない旨の定款の定め→一一六①㊂・七八五②㊁・七九七②㊁【反対株主の株式買取請求→八〇六②㊁ ❸【単元株式数に関する定款の定め→一八八③ ❹【種類株主全員の同意→商登四六①

（種類株主総会の決議を必要とする旨の定めがある場合）

第三二三条 種類株式発行会社において、ある種類の株式の内容として、株主総会（取締役会設置会社にあっては株主総会又は取締役会、第四百七十八条第八項に規定する清算人会設置会社にあっては株主総会又は清算人会）において決議すべき事項について、当該決議のほか、当該種類の株式の種類株主を構成員とする種類株主総会の決議があることを必要とする旨の定めがあるときは、当該事項は、その定款の定めに従い、株主総会、取締役会又は清算人会の決議のほか、当該種類の株式の種類株主を構成員とする種類株主総会の決議がなければ、その効力を生じない。ただし、当該種類株主総会において議決権を行使することができる種類株主が存しない場合は、この限りでない。

参+【種類株主総会の拒否権に関する定款の定め→一〇八①㊃②㊃【議決権を行使することができる種類株主→三二二①参

（種類株主総会の決議）

第三二四条① 種類株主総会の決議は、定款に別段の定

会社

めがある場合を除き、その種類の株式の総株主の議決権の過半数を有する株主が出席し、出席した当該株主の議決権の過半数をもって行う。

② 前項の規定にかかわらず、次に掲げる種類株主総会の決議は、当該種類株主総会において議決権を行使することができる株主の議決権の過半数（三分の一以上の割合を定款で定めた場合にあっては、その割合以上）を有する株主が出席し、出席した当該株主の議決権の三分の二（これを上回る割合を定款で定めた場合にあっては、その割合）以上に当たる多数をもって行わなければならない。この場合においては、当該決議の要件に加えて、一定の数以上の株主の賛成を要する旨その他の要件を定款で定めることを妨げない。

一 第百十一条第二項の種類株主総会（ある種類の株式の内容として第百八条第一項第七号に掲げる事項についての定款の定めを設ける場合に限る。）
二 第百九十九条第四項及び第二百条第四項の種類株主総会
三 第二百三十八条第四項及び第二百三十九条第四項の種類株主総会
四 第三百二十二条第一項の種類株主総会
五 第三百四十七条第二項の規定により読み替えて適用する第三百三十九条第一項の種類株主総会
六 第七百九十五条第四項の種類株主総会
七 第八百十六条の三第三項の種類株主総会（令和一法七〇本号追加）

③ 前二項の規定にかかわらず、次に掲げる種類株主総会の決議は、当該種類株主総会において議決権を行使することができる株主の半数以上（これを上回る割合を定款で定めた場合にあっては、その割合以上）であって、当該株主の議決権の三分の二（これを上回る割合を定款で定めた場合にあっては、その割合）以上に当たる多数をもって行わなければならない。

一 第百十一条第二項の種類株主総会（ある種類の株式の内容として第百八条第一項第四号に掲げる事項についての定款の定めを設ける場合に限る。）
二 第七百八十三条第三項及び第八百四条第三項の種類株主総会

【贈収賄罪→九六八①㈡　❶❷【出席種類株主の議決権の算定→三二五、三一〇、三一一②、三一二③　❶―❸【議決権の数→三二五、三〇八①　❷❸【議決権を行使することができる種類株主→三二二①

（株主総会に関する規定の準用）
第三二五条 前款（第二百九十五条第一項及び第二項、第二百九十六条第一項及び第二項並びに第三百九条を除く。）〈株主総会〉の規定は、種類株主総会について準用する。この場合において、第二百九十七条第一項中「総株主」とあるのは「総株主（ある種類の株式の株主に限る。以下この款（第三百八条第一項を除く。）において同じ。）」と、「株主は」とあるのは「株主（ある種類の株式の株主に限る。以下この款（第三百十八条第四項及び第三百十九条第三項を除く。）において同じ。）は」と読み替えるものとする。

【三一九条一項の準用→商登四六③

第三款　電子提供措置 （令和一法七〇本款追加）

（電子提供措置をとる旨の定款の定め）
第三二五条の二 株式会社は、取締役が株主総会（種類株主総会を含む。）の招集の手続を行うときは、次に掲げる資料（以下この款において「株主総会参考書類等」という。）の内容である情報について、電子提供措置（電磁的方法により株主（種類株主総会を招集する場合にあっては、ある種類の株主に限る。）が情報の提供を受けることができる状態に置く措置であって、法務省令で定めるものをいう。以下この款、第九百十一条第三項第十二号の二及び第九百七十六条第十九号において同じ。）をとる旨を定款で定めることができる。この場合において、その定款には、電子提供措置をとる旨を定めれば足りる。

一 株主総会参考書類
二 議決権行使書面
三 第四百三十七条の計算書類及び事業報告
四 第四百四十四条第六項の連結計算書類

【株主総会の招集→二九八、二九九【種類株主総会→二[十四]【省令の定め→会社則九五の二　[一]【株主総会参考書類→三〇一①　[二]【議決権行使書面→三〇一①　[三]【計算書類→四三五②【事業報告→四三五②　[四]【連結計算書類→四四四①

注　振替株式発行会社に関する規定

会社法の一部を改正する法律の施行に伴う関係法律の整備等に関する法律（令和一・一二・一一法七一）（抜粋）

（社債、株式等の振替に関する法律の一部改正に伴う経過措置）
第一〇条① （略）
② 附則第三号に定める日（令和四・九・一）（以下「第三号施行日」という。）において振替株式（社債、株式等の振替に関する法律第百二十八条第一項に規定する振替株式をいう。）を発行している会社は、第三号施行日をその定款の変更が効力を生ずる日とする電子提供措置（新会社法第三百二十五条の二に規定する電子提供措置をいう。）をとる旨の定款の定めを設ける定款の変更の決議をしたものとみなす。
③―㉓ （略）

（電子提供措置）
第三二五条の三① 電子提供措置をとる旨の定款の定めがある株式会社の取締役は、第二百九十九条第二項各号に掲げる場合には、株主総会の日の三週間前の日又は同条第一項の通知を発した日のいずれか早い日（以下この款において「電子提供措置開始日」という。）から株主総会の日後三箇月を経過する日までの間（以下この款において「電子提供措置期間」という。）、次に掲げる事項に係る情報について継続して電子提供措置をとらなければならない。

一 第二百九十八条第一項各号に掲げる事項
二 第三百一条第一項に規定する場合には、株主総会参考書類及び議決権行使書面に記載すべき事項
三 第三百二条第一項に規定する場合には、株主総会参考書類に記載すべき事項

四　第三百五条第一項の規定による請求があった場合には、同項の議案の要領

五　株式会社が取締役会設置会社である場合において、取締役が定時株主総会を招集するときは、第四百三十七条の計算書類及び事業報告に記載され、又は記録された事項

六　株式会社が会計監査人設置会社（取締役会設置会社に限る。）である場合において、取締役が定時株主総会を招集するときは、第四百四十四条第六項の連結計算書類に記載され、又は記録された事項

七　前各号に掲げる事項を修正したときは、その旨及び修正前の事項

②　前項の規定にかかわらず、取締役が第二百九十九条第一項の通知に際して株主に対し議決権行使書面を交付するときは、議決権行使書面に記載すべき事項に係る情報については、前項の規定により電子提供措置をとることを要しない。

③　第一項の規定にかかわらず、金融商品取引法第二十四条第一項の規定によりその発行する株式について有価証券報告書を内閣総理大臣に提出しなければならない株式会社が、電子提供措置開始日までに第一項各号に掲げる事項（定時株主総会に係るものに限り、議決権行使書面に記載すべき事項を除く。）を記載した有価証券報告書（添付書類及びこれらの訂正報告書を含む。）の提出の手続を同法第二十七条の三十の二に規定する開示用電子情報処理組織（以下この款において単に「開示用電子情報処理組織」という。）を使用して行う場合には、当該事項に係る情報については、同項の規定により電子提供措置をとることを要しない。

参+【電子提供措置→三二五の二　❶[二][三]【株主総会参考書類→三〇一①　[三]【議決権行使書面→三〇一①　[五]【計算書類→四三五②【事業報告→四三五②　[六]【会計監査人設置会社→二[十一]【連結計算書類→四四四①　❷【議決権行使書面→三〇一①

（株主総会の招集の通知等の特則）

第三二五条の四①　前条第一項の規定により電子提供措置をとる場合における第二百九十九条第一項の規定の適用については、同項中「二週間（前条第一項第三号又は第四号に掲げる事項を定めたときを除き、公開会社でない株式会社にあっては、一週間（当該株式会社が取締役会設置会社以外の株式会社である場合において、これを下回る期間を定款で定めた場合にあっては、その期間））」とあるのは、「二週間」とする。

②　第二百九十九条第四項の規定にかかわらず、前条第一項の規定により電子提供措置をとる場合には、第二百九十九条第二項又は第三項の通知には、第二百九十八条第一項第五号に掲げる事項を記載し、又は記録することを要しない。この場合において、当該通知には、同項第一号から第四号までに掲げる事項のほか、次に掲げる事項を記載し、又は記録しなければならない。

一　電子提供措置をとっているときは、その旨

二　前条第三項の手続を開示用電子情報処理組織を使用して行ったときは、その旨

三　前二号に掲げるもののほか、法務省令で定める事項

③　第三百一条第一項、第三百二条第一項、第四百三十七条及び第四百四十四条第六項の規定にかかわらず、電子提供措置をとる旨の定款の定めがある株式会社においては、取締役は、第二百九十九条第一項の通知に際して、株主に対し、株主総会参考書類等を交付し、又は提供することを要しない。

④　電子提供措置をとる旨の定款の定めがある株式会社における第三百五条第一項の規定の適用については、同項中「その通知に記載し、又は記録する」とあるのは、「当該議案の要領について第三百二十五条の二に規定する電子提供措置をとる」とする。

参+【電子提供措置→三二五の二　❷[二]【開示用電子情報処理組織→三二五の三③　[三]【省令の定め→会社則九五の三　❸【株主総会参考書類等→三二五の二

（書面交付請求）

第三二五条の五①　電子提供措置をとる旨の定款の定めがある株式会社の株主（第二百九十九条第三項（第三百二十五条において準用する場合を含む。）の承諾をした株主を除く。）は、株式会社に対し、第三百二十五条の三第一項各号（第三百二十五条の七において準用する場合を含む。）に掲げる事項（以下この条において「電子提供措置事項」という。）を記載した書面の交付を請求することができる。

②　取締役は、第三百二十五条の三第一項の規定により電子提供措置をとる場合には、第二百九十九条第一項の通知に際して、前項の規定による請求（以下この条において「書面交付請求」という。）をした株主（当該株主総会において議決権を行使することができる者を定めるための基準日（第百二十四条第一項に規定する基準日をいう。）を定めた場合にあっては、当該基準日までに書面交付請求をした者に限る。）に対し、当該株主総会に係る電子提供措置事項を記載した書面を交付しなければならない。

③　株式会社は、電子提供措置事項のうち法務省令で定めるものの全部又は一部については、前項の規定により交付する書面に記載することを要しない旨を定款で定めることができる。

④　書面交付請求をした株主がある場合において、その書面交付請求の日（当該株主が次項ただし書の規定により異議を述べた場合にあっては、当該異議を述べた日）から一年を経過したときは、株式会社は、当該株主に対し、第二項の規定による書面の交付を終了する旨を通知し、かつ、これに異議のある場合には一定の期間（以下この条において「催告期間」という。）内に異議を述べるべき旨を催告することができる。ただし、催告期間は、一箇月を下ることができない。

⑤　前項の規定による通知及び催告を受けた株主がした書面交付請求は、催告期間を経過した時にその効力を失う。ただし、当該株主が催告期間内に異議を述べたときは、この限りでない。

参❶―❸【電子提供措置→三二五の二　❸【省令の定め→会社則九五の四

（電子提供措置の中断）

第三二五条の六　第三百二十五条の三第一項の規定にかかわらず、電子提供措置期間中に電子提供措置の中断（株主が提供を受けることができる状態に置かれた情報がその状態に置かれないこととなったこと又は当該情報がその状態に置かれた後改変されたこと（同項第七号の規定により修正されたことを除く。）をいう。以下この条において同じ。）が生じた場合において、次の各号のいずれにも該当するときは、その電子提供措置の中断は、当該電子提供措置の効力に影響を及ぼさない。

一　電子提供措置の中断が生ずることにつき株式会社が善意でかつ重大な過失がないこと又は株式会社に正当な事由があること。

二　電子提供措置の中断が生じた時間の合計が電子提供措置期間の十分の一を超えないこと。

三　電子提供措置開始日から株主総会の日までの期間中に電子提供措置の中断が生じたときは、当該期間中に電子提供措置の中断が生じた時間の合計が当該期間の十分の一を超えないこと。

四　株式会社が電子提供措置の中断が生じたことを知った後速やかにその旨、電子提供措置の中断が生じた時間及び電子提供措置の中断の内容について当該電子提供措置に付して電子提供措置をとったこと。

【電子提供措置→三二五の二】【電子提供措置期間→三二五の三①】

（株主総会に関する規定の準用）

第三二五条の七　第三百二十五条の三から前条まで〈電子提供措置〉（第三百二十五条の三第一項（第五号及び第六号に係る部分に限る。）及び第三項から第五項までを除く。）の規定は、種類株主総会について準用する。この場合において、第三百二十五条の三第一項中「第二百九十九条第二項各号」とあるのは「第三百二十五条において準用する第二百九十九条第二項各号」と、「同条第一項」とあるのは「同条第一項（第三百二十五条において準用する場合に限る。次項、次条及び第三百二十五条の五において同じ。）」と、「第二百九十八条第一項各号」とあるのは「第二百九十八条第一項各号（第三百二十五条において準用する場合に限る。）」と、「第三百一条第一項」とあるのは「第三百二十五条において準用する第三百一条第一項」と、「第三百二条第一項」とあるのは「第三百二十五条において準用する第三百二条第一項」と、「第三百五条第一項」とあるのは「第三百五条第一項（第三百二十五条において準用する場合に限る。次条第四項において同じ。）」と、同条第二項中「株主」とあるのは「株主（ある種類の株式の株主に限る。次条から第三百二十五条の六までにおいて同じ。）」と、第三百二十五条の四第二項中「第二百九十九条第四項」とあるのは「第三百二十五条において準用する第二百九十九条第四項」と、「第二百九十九条第二項」とあるのは「第三百二十五条において準用する第二百九十九条第二項」と、「第二百九十八条第一項第五号」とあるのは「第三百二十五条において準用する第二百九十八条第一項第五号」と、「同項第一号から第四号まで」とあるのは「第三百二十五条において準用する同項第一号から第四号まで」と、同条第三項中「第三百一条第一項、第三百二条第一項、第四百三十七条及び第四百四十四条第六項」とあるのは「第三百二十五条において準用する第三百一条第一項及び第三百二条第一項」と読み替えるものとする。

【種類株主総会→二〔十四〕・三二一―三二五】

第二節　株主総会以外の機関の設置

（株主総会以外の機関の設置）

第三二六条①　株式会社には、一人又は二人以上の取締役を置かなければならない。

②　株式会社は、定款の定めによって、取締役会、会計参与、監査役、監査役会、会計監査人、監査等委員会又は指名委員会等を置くことができる。（平成二六法九〇本項改正）

❶【取締役→三〇九②〔七〕・三二九①・三三一・三三一の二・三三二・三三九・三四一・三四二・三四八―三六一・三六三・四二三―四三〇・四六二・八二八②】❷【取締役会→二〔七〕・三二七①・三六二―三七三】【会計参与→三二九①・三三三・三三五・三三六・三三九・三四一・三七四―三八〇・四二三―四二七・四二九・四三〇】【監査役→三〇九②〔七〕・三二七②③・三二九①・三三五・三三六・三三九・三四一・四二三―四二七・四二九・四三〇】【監査役会→三二八①】【会計監査人→三二七⑤・三二八・三二九①・三三七―三四〇・四二三―四二七・四二九・四三〇】【指名委員会等→四〇〇・四〇四】【適用除外→四七七⑦】

（取締役会等の設置義務等）

第三二七条①　次に掲げる株式会社は、取締役会を置かなければならない。

一　公開会社

二　監査役会設置会社

三　監査等委員会設置会社

四　指名委員会等設置会社（平成二六法九〇本号追加）

②　取締役会設置会社（監査等委員会設置会社及び指名委員会等設置会社を除く。）は、監査役を置かなければならない。ただし、公開会社でない会計参与設置会社については、この限りでない。

③　会計監査人設置会社（監査等委員会設置会社及び指名委員会等設置会社を除く。）は、監査役を置かなければならない。

④　監査等委員会設置会社及び指名委員会等設置会社は、監査役を置いてはならない。

⑤　監査等委員会設置会社及び指名委員会等設置会社は、会計監査人を置かなければならない。

⑥　指名委員会等設置会社は、監査等委員会を置いてはならない。（平成二六法九〇本項追加）

（平成二六法九〇本条改正）

❶【取締役会→三二六②】〔一〕【公開会社→二〔五〕】〔二〕【監査役会設置会社→二〔十〕】〔三〕【監査等委員会設置会社→二〔十一の二〕】〔四〕【指名委員会等設置会社→二〔十二〕】❷【監査役→三二六②】❸【会計参与設置会社→二〔四〕】【会計監査人設置会社→二〔十一〕】

†【適用除外↓四七七⑦

（社外取締役の設置義務）

第三二七条の二　監査役会設置会社（公開会社であり、かつ、大会社であるものに限る。）であって金融商品取引法第二十四条第一項の規定によりその発行する株式について有価証券報告書を内閣総理大臣に提出しなければならないものは、社外取締役を置かなければならない。（平成二六法九〇本条追加、令和一法七〇本条改正）

§†【監査役会設置会社↓二[十]【公開会社↓二[五]【大会社↓二[六]【社外取締役↓二[十五]

（大会社における監査役会等の設置義務）

第三二八条①　大会社（公開会社でないもの、監査等委員会設置会社及び指名委員会等設置会社を除く。）は、監査役会及び会計監査人を置かなければならない。

②　公開会社でない大会社は、会計監査人を置かなければならない。（平成二六法九〇本項改正）

§❶【大会社↓二[六]【公開会社↓二[五]【指名委員会等設置会社↓二[十二]【監査役会↓三二六②§【会計監査人↓三二六②§†【適用除外↓四七七⑦

第三節　役員及び会計監査人の選任及び解任

第一款　選任

（選任）

第三二九条①　役員（取締役、会計参与及び監査役をいう。以下この節、第三百七十一条第四項及び第三百九十四条第三項において同じ。）及び会計監査人は、株主総会の決議によって選任する。

②　監査等委員会設置会社においては、前項の規定による取締役の選任は、監査等委員である取締役とそれ以外の取締役とを区別してしなければならない。（平成二六法九〇本項追加）

③　第一項の決議をする場合には、法務省令で定めるところにより、役員（監査等委員会設置会社にあっては、監査等委員である取締役若しくはそれ以外の取締役又は会計参与。以下この項において同じ。）が欠けた場合又はこの法律若しくは定款で定めた役員の員数を欠くこととなるときに備えて補欠の役員を選任することができる。（平成二六法九〇本項改正）

§❶【株主総会決議↓三〇九①・三四一―三四三、三四四①・三四七、四〇四①【役員の選任↓九一一③[十三][十四][十七]・九一五、商登四六②・五四【会計監査人の選任↓九一一③[十九]・九一五、商登四六②・五四②③　❷【監査等委員会設置会社↓二[十一の二]【監査等委員↓三八②【設立時取締役の場合↓三八②・八八②❸【役員の員数↓三三一⑤・三三五③・三四六【補欠の役員↓三三六③【省令の定め↓会社則九六

（株式会社と役員等との関係）

第三三〇条　株式会社と役員及び会計監査人との関係は、委任に関する規定に従う。

§†【委任の関係↓民六四三―六五六、三五五―三五七、三六一・八四七―八五三

（取締役の資格等）

第三三一条①　次に掲げる者は、取締役となることができない。

一　法人

二　削除〔令和一法七〇〕

三　この法律若しくは一般社団法人及び一般財団法人に関する法律（平成十八年法律第四十八号）の規定に違反し、又は金融商品取引法第百九十七条、第百九十七条の二第一項第一号から第十号の三まで若しくは第十三号から第十五号まで、第百九十八条第八号、第百九十九条、第二百条第一号から第十二号の二まで、第二十号若しくは第二十一号、第二百三条第三項若しくは第二百五条第一号から第六号まで、第十九号若しくは第二十号の罪、民事再生法（平成十一年法律第二百二十五号）第二百五十五条、第二百五十六条、第二百五十八条から第二百六十条まで若しくは第二百六十二条の罪、外国倒産処理手続の承認援助に関する法律（平成十二年法律第百二十九号）第六十五条、第六十六条、第六十八条若しくは第六十九条の罪、会社更生法（平成十四年法律第百五十四号）第二百六十六条、第二百六十七条、第二百六十九条から第二百七十一条まで若しくは第二百七十三条の罪若しくは破産法（平成十六年法律第七十五号）第二百六十五条、第二百六十六条、第二百六十八条から第二百七十二条まで若しくは第二百七十四条の罪を犯し、刑に処せられ、その執行を終わり、又はその執行を受けることがなくなった日から二年を経過しない者（平成一八法五〇・法六六、平成二〇法六五、平成二五法四五、令和六法三二本号改正）

＊**令和六法三二（令和八・五・二一までに施行）による改正**
第三号中「第百九十七条の二第一号」は「第百九十七条の二第一項第一号」に改められた。（本文織込み済み）

四　前号に規定する法律の規定以外の法令の規定に違反し、拘禁刑以上の刑に処せられ、その執行を終わるまで又はその執行を受けることがなくなるまでの者（刑の執行猶予中の者を除く。）（令和四法六八本号改正）

②　株式会社は、取締役が株主でなければならない旨を定款で定めることができない。ただし、公開会社でない株式会社においては、この限りでない。

③　監査等委員である取締役は、監査等委員会設置会社若しくはその子会社の業務執行取締役若しくは支配人その他の使用人又は当該子会社の会計参与（会計参与が法人であるときは、その職務を行うべき社員）若しくは執行役を兼ねることができない。（平成二六法九〇本項追加）

④　指名委員会等設置会社の取締役は、当該指名委員会等設置会社の支配人その他の使用人を兼ねることができない。（平成二六法九〇本項改正）

⑤　取締役会設置会社においては、取締役は、三人以上でなければならない。

⑥　監査等委員会設置会社においては、監査等委員である取締役は、三人以上で、その過半数は、社外取締役でなければならない。（平成二六法九〇本項追加）

⊛❶[二]【法人↓民三三⊛ [三]【この法律に定める罪↓九六〇－九七四 [三][四]【刑の執行の免除↓刑三一【刑の時効↓刑三一－三四【執行猶予↓刑二七、二七の七 [四]【拘禁刑以上の刑↓刑一二、一〇、九【刑の執行猶予↓刑二五－二七の七 ❸【監査等委員会設置会社↓二[十一の二]【監査等委員↓三八② ❸❹【支配人その他の使用人↓一〇－一五 ❻【監査等委員会設置会社↓二[十一の二]【監査等委員↓三八②【社外取締役↓二[十五]

第三三一条の二① 成年被後見人が取締役に就任するには、その成年後見人が、成年被後見人の同意（後見監督人がある場合にあっては、成年被後見人及び後見監督人の同意）を得た上で、成年被後見人に代わって就任の承諾をしなければならない。

② 被保佐人が取締役に就任するには、その保佐人の同意を得なければならない。

③ 第一項の規定は、保佐人が民法第八百七十六条の四第一項の代理権を付与する旨の審判に基づき被保佐人に代わって就任の承諾をする場合について準用する。この場合において、第一項中「成年被後見人の同意（後見監督人がある場合にあっては、成年被後見人及び後見監督人の同意）」とあるのは、「被保佐人の同意」と読み替えるものとする。

④ 成年被後見人又は被保佐人がした取締役の資格に基づく行為は、行為能力の制限によっては取り消すことができない。

（令和一法七〇本条追加）

⊛+【成年被後見人↓民七【被保佐人↓民一一・一三②・一四【取締役の資格↓三三一

（取締役の任期）

第三三二条① 取締役の任期は、選任後二年以内に終了する事業年度のうち最終のものに関する定時株主総会の終結の時までとする。ただし、定款又は株主総会の決議によって、その任期を短縮することを妨げない。

② 前項の規定は、公開会社でない株式会社（監査等委員会設置会社及び指名委員会等設置会社を除く。）において、定款によって、同項の任期を選任後十年以内に終了する事業年度のうち最終のものに関する定時株主総会の終結の時まで伸長することを妨げない。（平成二六法九〇本項改正）

③ 監査等委員会設置会社の取締役（監査等委員であるものを除く。）についての第一項の規定の適用については、同項中「二年」とあるのは、「一年」とする。（平成二六法九〇本項追加）

④ 監査等委員である取締役の任期については、第一項ただし書の規定は、適用しない。（平成二六法九〇本項追加）

⑤ 第一項本文の規定は、定款によって、任期の満了前に退任した監査等委員である取締役の補欠として選任された監査等委員である取締役の任期を退任した監査等委員である取締役の任期の満了する時までとすることを妨げない。（平成二六法九〇本項追加）

⑥ 指名委員会等設置会社の取締役についての第一項の規定の適用については、同項中「二年」とあるのは、「一年」とする。（平成二六法九〇本項改正）

⑦ 前各項の規定にかかわらず、次に掲げる定款の変更をした場合には、取締役の任期は、当該定款の変更の効力が生じた時に満了する。

一 監査等委員会又は指名委員会等を置く旨の定款の変更

二 監査等委員会又は指名委員会等を置く旨の定款の定めを廃止する定款の変更

三 その発行する株式の全部の内容として譲渡による当該株式の取得について当該株式会社の承認を要する旨の定款の定めを廃止する定款の変更（監査等委員会設置会社及び指名委員会等設置会社がするものを除く。）

（平成二六法九〇本項改正）

⊛+【取締役の任期↓四五九 ❶❷【定時総会↓二九六① ❸【監査等委員会設置会社↓二[十一の二] ❸－❺【監査等委員↓三八② ❺【補欠役員の選任↓三二九②【補欠監査役の任期↓三三六③

（会計参与の資格等）

第三三三条① 会計参与は、公認会計士若しくは監査法人又は税理士若しくは税理士法人でなければならない。

② 会計参与に選任された監査法人又は税理士法人は、その社員の中から会計参与の職務を行うべき者を選定し、これを株式会社に通知しなければならない。この場合においては、次項各号に掲げる者を選定することはできない。

③ 次に掲げる者は、会計参与となることができない。

一 株式会社又はその子会社の取締役、監査役若しくは執行役又は支配人その他の使用人

二 業務の停止の処分を受け、その停止の期間を経過しない者

三 税理士法（昭和二十六年法律第二百三十七号）第四十三条の規定により同法第二条第二項に規定する税理士業務を行うことができない者

⊛+【会計参与↓三七四－三八〇・三三五②・四〇〇④・四二七①・九一一③[十六] ❸[二]【支配人その他の使用人↓一〇－一五 [二][三]【その者の使用禁止↓三七四⑤

（会計参与の任期）

第三三四条① 第三百三十二条（第四項及び第五項を除く。次項において同じ。）（取締役の任期）の規定は、会計参与の任期について準用する。（平成二六法九〇本項改正）

② 前項において準用する第三百三十二条の規定にかかわらず、会計参与設置会社が会計参与を置く旨の定款の定めを廃止する定款の変更をした場合には、会計参与の任期は、当該定款の変更の効力が生じた時に満了する。

（監査役の資格等）

第三三五条① 第三百三十一条第一項及び第二項（取締役の資格等）並びに第三百三十一条の二（同前）の規定は、監査役について準用する。（令和一法七〇本項改正）

② 監査役は、株式会社若しくはその子会社の取締役若しくは支配人その他の使用人又は当該子会社の会計参与（会計参与が法人であるときは、その職務を行うべ

き社員）若しくは執行役を兼ねることができない。

③　監査役会設置会社においては、監査役は、三人以上で、そのうち半数以上は、社外監査役でなければならない。

❷【支配人その他の使用人→一〇―一五　❸【社外監査役→二⑯　【選任義務違反に対する制裁→九七六㉑

第三三六条（監査役の任期）①　監査役の任期は、選任後四年以内に終了する事業年度のうち最終のものに関する定時株主総会の終結の時までとする。

②　前項の規定は、公開会社でない株式会社において、定款によって、同項の任期を選任後十年以内に終了する事業年度のうち最終のものに関する定時株主総会の終結の時まで伸長することを妨げない。

③　第一項の規定は、定款によって、任期の満了前に退任した監査役の補欠として選任された監査役の任期を退任した監査役の任期の満了する時までとすることを妨げない。

④　前三項の規定にかかわらず、次に掲げる定款の変更をした場合には、監査役の任期は、当該定款の変更の効力が生じた時に満了する。

一　監査役を置く旨の定款の定めを廃止する定款の変更

二　監査等委員会又は指名委員会等を置く旨の定款の変更（平成二六法九〇本号改正）

三　監査役の監査の範囲を会計に関するものに限定する旨の定款の定めを廃止する定款の変更

四　その発行する全部の株式の内容として譲渡による当該株式の取得について当該株式会社の承認を要する旨の定款の定めを廃止する定款の変更

❶❷【定時株主総会→二九六①　❸【補欠の役員→三二九③　＊【適用除外→四八〇②

第三三七条（会計監査人の資格等）①　会計監査人は、公認会計士又は監査法人でなければならない。

②　会計監査人に選任された監査法人は、その社員の中から会計監査人の職務を行うべき者を選定し、これを株式会社に通知しなければならない。この場合においては、次項第二号に掲げる者を選定することはできない。

③　次に掲げる者は、会計監査人となることができない。

一　公認会計士法の規定により、第四百三十五条第二項に規定する計算書類について監査をすることができない者

二　株式会社の子会社若しくはその取締役、会計参与、監査役若しくは執行役から公認会計士若しくは監査法人の業務以外の業務により継続的な報酬を受けている者又はその配偶者

三　監査法人でその社員の半数以上が前号に掲げる者であるもの

＊【会計監査人→三九六―三九九・四二七①　❸【二】【三】【その者の使用禁止→三九六⑤㊀

第三三八条（会計監査人の任期）①　会計監査人の任期は、選任後一年以内に終了する事業年度のうち最終のものに関する定時株主総会の終結の時までとする。

②　会計監査人は、前項の定時株主総会において別段の決議がされなかったときは、当該定時株主総会において再任されたものとみなす。

③　前二項の規定にかかわらず、会計監査人設置会社が会計監査人を置く旨の定款の定めを廃止する定款の変更をした場合には、会計監査人の任期は、当該定款の変更の効力が生じた時に満了する。

❶❷【定時株主総会→二九六①　❷【不再任決議→三〇九①・三四四

第二款　解任

第三三九条（解任）①　役員及び会計監査人は、いつでも、株主総会の決議によって解任することができる。

②　前項の規定により解任された者は、その解任について正当な理由がある場合を除き、株式会社に対し、解任によって生じた損害の賠償を請求することができる。

❶【役員→三二九①【会計監査人→三二六②・三四〇【株主総会決議→三〇九①②㊆・三四一・三四七・四〇四①【解任→三三〇、民六五一、九一一③⑬⑯⑰⑲・九一五、商登五四④、金商一五六の三一③

第三四〇条（監査役等による会計監査人の解任）①　監査役は、会計監査人が次のいずれかに該当するときは、その会計監査人を解任することができる。

一　職務上の義務に違反し、又は職務を怠ったとき。

二　会計監査人としてふさわしくない非行があったとき。

三　心身の故障のため、職務の執行に支障があり、又はこれに堪えないとき。

②　前項の規定による解任は、監査役が二人以上ある場合には、監査役の全員の同意によって行わなければならない。

③　第一項の規定により会計監査人を解任したときは、監査役（監査役が二人以上ある場合にあっては、監査役の互選によって定めた監査役）は、その旨及び解任の理由を解任後最初に招集される株主総会に報告しなければならない。

④　監査役会設置会社における前三項の規定の適用については、第一項中「監査役」とあるのは「監査役会」と、第二項中「監査役が二人以上ある場合には、監査役」とあるのは「監査役」と、前項中「監査役（監査役が二人以上ある場合にあっては、監査役の互選によって定めた監査役）」とあるのは「監査役会が選定した監査役」とする。

⑤　監査等委員会設置会社における第一項から第三項までの規定の適用については、第一項中「監査役」とあるのは「監査等委員会」と、第二項中「監査役が二人

以上ある場合には、監査役」とあるのは「監査等委員」と、第三項中「監査役（監査役が二人以上ある場合にあっては、監査役の互選によって定めた監査役）」とあるのは「監査等委員会が選定した監査等委員」とする。（平成二六法九〇本項追加）

⑥　指名委員会等設置会社における第一項から第三項までの規定の適用については、第一項中「監査役」とあるのは「監査委員会」と、第二項中「監査役が二人以上ある場合には、監査役」とあるのは「監査委員会の委員」と、第三項中「監査役（監査役が二人以上ある場合にあっては、監査役の互選によって定めた監査役）」とあるのは「監査委員会が選定した監査委員会の委員」とする。（平成二六法九〇本項改正）

⊛❶【監査役の権限↓三八一、三八一、三八八【二】【職務上の義務↓三九六―三九八　❷【登記↓商登五四④　❸【株主総会への虚偽の報告等に対する制裁↓九七六因　❺【監査等委員会設置会社↓二〔十一の二〕【監査等委員↓三八②【監査等委員会↓三九九の二―三九九の一二

第三款　選任及び解任の手続に関する特則

（役員の選任及び解任の株主総会の決議）

第三四一条　第三百九条第一項の規定にかかわらず、役員を選任し、又は解任する株主総会の決議は、議決権を行使することができる株主の議決権の過半数（三分の一以上の割合を定款で定めた場合にあっては、その割合以上）を有する株主が出席し、出席した当該株主の議決権の過半数（これを上回る割合を定款で定めた場合にあっては、その割合以上）をもって行わなければならない。

⊛+【役員の選任・解任の決議↓三二九①、三三九①、三四七【本条の適用除外↓三四二⑥、三四三④

（累積投票による取締役の選任）

第三四二条①　株主総会の目的である事項が二人以上の取締役（監査等委員会設置会社にあっては、監査等委員である取締役又はそれ以外の取締役。以下この条において同じ。）の選任である場合には、株主（取締役の選任について議決権を行使することができる株主に限る。以下この条において同じ。）は、定款に別段の定めがあるときを除き、株式会社に対し、第三項から第五項までに規定するところにより取締役を選任すべきことを請求することができる。（平成二六法九〇本項改正）

②　前項の規定による請求は、同項の株主総会の日の五日前までにしなければならない。

③　第三百八条第一項の規定にかかわらず、第一項の規定による請求があった場合には、取締役の選任の決議については、株主は、その有する株式一株（単元株式数を定款で定めている場合にあっては、一単元の株式）につき、当該株主総会において選任する取締役の数と同数の議決権を有する。この場合においては、株主は、一人のみに投票し、又は二人以上に投票して、その議決権を行使することができる。

④　前項の場合には、投票の最多数を得た者から順次取締役に選任されたものとする。

⑤　前二項に定めるもののほか、第一項の規定による請求があった場合における取締役の選任に関し必要な事項は、法務省令で定める。

⑥　前条の規定は、前三項に規定するところにより選任された取締役の解任の決議については、適用しない。

⊛❶【取締役の選任↓三二九①【議決権を行使することができる株主↓二九七③⊛【省令の定め↓会社則九七　❻【累積投票により選任された取締役の解任↓三〇九②〔七〕

（監査等委員である取締役等の選任等についての意見の陳述）

第三四二条の二①　監査等委員である取締役は、株主総会において、監査等委員である取締役の選任若しくは解任又は辞任について意見を述べることができる。

②　監査等委員である取締役を辞任した者は、辞任後最初に招集される株主総会に出席して、辞任した旨及びその理由を述べることができる。

③　取締役は、前項の者に対し、同項の株主総会を招集する旨及び第二百九十八条第一項第一号に掲げる事項を通知しなければならない。

④　監査等委員会が選定する監査等委員は、株主総会において、監査等委員である取締役以外の取締役の選任若しくは解任又は辞任について監査等委員会の意見を述べることができる。

（平成二六法九〇本条追加）

⊛❶❹【選任↓三二九①【辞任↓三三〇、民六五一　❸【通知↓民九七①、九七六〔二〕

（監査役の選任に関する監査役の同意等）

第三四三条①　取締役は、監査役がある場合において、監査役の選任に関する議案を株主総会に提出するには、監査役（監査役が二人以上ある場合にあっては、その過半数）の同意を得なければならない。

②　監査役は、取締役に対し、監査役の選任を株主総会の目的とすること又は監査役の選任に関する議案を株主総会に提出することを請求することができる。

③　監査役会設置会社における前二項の規定の適用については、第一項中「監査役（監査役が二人以上ある場合にあっては、その過半数）」とあるのは「監査役会」と、前項中「監査役は」とあるのは「監査役会は」とする。

④　第三百四十一条の規定は、監査役の解任の決議については、適用しない。

⊛+【監査等委員である取締役の場合の選任に関する監査等委員会の同意権等↓三四四の二　❶【監査役の選任↓三二九①、三四一　❶❷【種類株主総会の場合↓三四七②　❷【監査役選任の議題・議案の提案権↓三〇三、三〇四【総会に付議しない場合の制裁↓九七六〔二十一〕　❹【監査役の解任↓三〇九②〔七〕

（会計監査人の選任等に関する議案の内容の決定）

第三四四条①　監査役設置会社においては、株主総会に提出する会計監査人の選任及び解任並びに会計監査人を再任しないことに関する議案の内容は、監査役が決定する。

②　監査役が二人以上ある場合における前項の規定の適用については、同項中「監査役が」とあるのは、「監査役の過半数をもって」とする。

会社

③　監査役会設置会社における第一項の規定の適用については、同項中「監査役」とあるのは、「監査役会」とする。
（平成二六法九〇本条全部改正）
参❶【指名委員会等設置会社の場合↓四〇四②㈢】【会計監査人の選任↓三二九①】【会計監査人の解任↓三三九①】【会計監査人の不再任↓三三八②】

（監査等委員である取締役の選任に関する監査等委員会の同意等）
第三四四条の二①　取締役は、監査等委員会がある場合において、監査等委員である取締役の選任に関する議案を株主総会に提出するには、監査等委員会の同意を得なければならない。
②　監査等委員会は、取締役に対し、監査等委員である取締役の選任を株主総会の目的とすること又は監査等委員である取締役の選任に関する議案を株主総会に提出することを請求することができる。
③　第三百四十一条の規定は、監査等委員である取締役の解任の決議については、適用しない。
（平成二六法九〇本条追加）
参＊【監査役の場合の選任に関する監査役の同意権等↓三四三】❶【監査等委員の選任↓三二九①②・三四一】❶❷【種類株主総会の場合↓三四七②】❷【監査役選任の議題・議案の提案権↓三〇三・三〇四・九七六[二十二]】❹【監査等委員の解任↓三〇九②㈦】

（会計参与等の選任等についての意見の陳述）
第三四五条①　会計参与は、株主総会において、会計参与の選任若しくは解任又は辞任について意見を述べることができる。
②　会計参与を辞任した者は、辞任後最初に招集される株主総会に出席して、辞任した旨及びその理由を述べることができる。
③　取締役は、前項の者に対し、同項の株主総会を招集する旨及び第二百九十八条第一項第一号に掲げる事項を通知しなければならない。
④　第一項の規定は監査役について、前二項の規定は監査役を辞任した者について、それぞれ準用する。この場合において、第一項中「会計参与の」とあるのは、「監査役の」と読み替えるものとする。
⑤　第一項の規定は会計監査人について、第二項及び第三項の規定は会計監査人を辞任した者及び第三百四十条第一項の規定により会計監査人を解任された者について、それぞれ準用する。この場合において、第一項中「株主総会において、会計参与の選任若しくは解任又は辞任について」とあるのは「会計監査人の選任、解任若しくは不再任又は辞任について、株主総会に出席して」と、第二項中「辞任後」とあるのは「解任後又は辞任後」と、「辞任した旨及びその理由」とあるのは「辞任した旨及びその理由又は解任についての意見」と読み替えるものとする。
参❶❹❺【選任↓三二九①】【解任↓三三九①】【辞任↓三三〇、民六五一】❸【通知の到達↓民九七①】【懈怠に対する制裁↓九七六㈢】

（役員等に欠員を生じた場合の措置）
第三四六条①　役員（監査等委員会設置会社にあっては、監査等委員である取締役若しくはそれ以外の取締役又は会計参与。以下この条において同じ。）が欠けた場合又はこの法律若しくは定款で定めた役員の員数が欠けた場合には、任期の満了又は辞任により退任した役員は、新たに選任された役員（次項の一時役員の職務を行うべき者を含む。）が就任するまで、なお役員としての権利義務を有する。（平成二六法九〇本項改正）
②　前項に規定する場合において、裁判所は、必要があると認めるときは、利害関係人の申立てにより、一時役員の職務を行うべき者を選任することができる。
③　裁判所は、前項の一時役員の職務を行うべき者を選任した場合には、株式会社がその者に対して支払う報酬の額を定めることができる。
④　会計監査人が欠けた場合又は定款で定めた会計監査人の員数が欠けた場合において、遅滞なく会計監査人が選任されないときは、監査役は、一時会計監査人の職務を行うべき者を選任しなければならない。
⑤　第三百三十七条〈監査役等による会計監査人の資格等〉及び第三百四十条〈監査役等による会計監査人の解任〉の規定は、前項の一時会計監査人の職務を行うべき者について準用する。
⑥　監査役会設置会社における第四項の規定の適用については、同項中「監査役」とあるのは、「監査役会」とする。
⑦　監査等委員会設置会社における第四項の規定の適用については、同項中「監査役」とあるのは、「監査等委員会」とする。（平成二六法九〇本項追加）
⑧　指名委員会等設置会社における第四項の規定の適用については、同項中「監査役」とあるのは、「監査委員会」とする。（平成二六法九〇本項改正）
参❶【役員の員数↓三二九③】参【役員の任期↓三三二・三三四・三三六】【役員の辞任↓三三〇、民六五一・六五四】【新役員の選任懈怠に対する制裁↓九七六[二十二]】【役員としての権利義務を有する者↓八三一】❷【一時役員の選任↓八六八①・九三七①㈡・八七四㈠】【報酬の決定↓八七〇①㈠】❹【会計監査人の選任等に関する監査役の権限↓三四〇・三四四】【一時会計監査人↓九一一③[二十]、商登五五】＊【代表取締役に欠員が生じた場合↓三五一】

（種類株主総会における取締役又は監査役の選任等）
第三四七条①　第百八条第一項第九号に掲げる事項（取締役（監査等委員会設置会社にあっては、監査等委員である取締役又はそれ以外の取締役）に関するものに限る。）についての定めがある種類の株式を発行している場合における第三百二十九条第一項、第三百三十二条第一項、第三百三十九条第一項、第三百四十一条並びに第三百四十四条の二第一項及び第二項の規定の適用については、第三百二十九条第一項中「株主総会」とあるのは、「株主総会（取締役（監査等委員会設置会社にあっては、監査等委員である取締役又はそれ以外の取締役）については、第百八条第二項第九号に定める事項についての定款の定めに従い、各種類の株式の種類株主を構成員とする種類株主総会）」と、第三百三十二条第一項及び第三百三十九条第一項中「株主総会の決議」とあるのは「株主総会（第四十一条第一項の規定により又は第九十条第一項の種類創立総会若しくは第三百四十七条第一項の規定により読み替えて適用する第三百二十九条第一項の種類株主総会において選任された取締役（監査等委員会設置会社にあっては、監査等委員である取締役又はそれ以外の取締役。以下この項において同じ。）について、当該取締役の選任に係る種類の株式の種類株主を構成員とする種類株主総会（定款に別段の定めがある場合又は当該取締役の任期満了前に当該種類株主総会において議決権を行使することができる株主が存在しなくなった場合にあっては、株主総会）の決議」と、第三百四十一条中「第三百九条第一項」とあるのは「第三百九条第一項及び第三百二十四条」と、「株主総会」とあるのは「株主総会（第三百四十七条第一項の規定により読み替えて適用する第三百二十九条第一項及び第三百三十九条第一項の種類株主総会を含む。）」と、第三百四十四条の二第一項及び第二項中「株主総会」とあるのは「第三百四十七条第一項の規定により読み替えて適用する第三百二十九条第一項の種類株主総会」とする。（平成二六法九〇本項改正）

② 第百八条第一項第九号に掲げる事項（監査役に関するものに限る。）についての定めがある種類の株式を発行している場合における第三百二十九条第一項、第三百三十九条第一項、第三百四十一条並びに第三百四十三条第一項及び第二項の規定の適用については、第三百二十九条第一項中「株主総会」とあるのは、「株主総会（監査役については、第百八条第二項第九号に定める事項についての定款の定めに従い、各種類の株式の種類株主を構成員とする種類株主総会）」と、第三百三十九条第一項中「株主総会」とあるのは「株主総会（第四十一条第三項において準用する同条第一項の規定により又は第九十条第二項において準用する同条第一項の種類創立総会若しくは第三百四十七条第二項の規定により読み替えて適用する第三百二十九条第一項の種類株主総会において選任された監査役については、当該監査役の選任に係る種類の株式の種類株主を構成員とする種類株主総会（定款に別段の定めがある場合又は当該監査役の任期満了前に当該種類株主総会において議決権を行使することができる株主が存在しなくなった場合にあっては、株主総会）」と、第三百四十一条中「第三百九条第一項」とあるのは「第三百九条第一項及び第三百二十四条」と、「株主総会」とあるのは「株主総会（第三百四十七条第二項の規定により読み替えて適用する第三百二十九条第一項の種類株主総会を含む。）」と、第三百四十三条第一項及び第二項中「株主総会」とあるのは「第三百四十七条第二項の規定により読み替えて適用する第三百二十九条第一項の種類株主総会」とする。（平成一八法一〇九本項改正）

【種類株主総会による取締役・監査役の選任・解任→四一・四四・九〇・九二】❶【監査等委員会設置会社→二〔十一の二〕】【監査等委員→三八②】❷【監査役の解任→三二四②〔五〕】

第四節　取締役

（業務の執行）

第三四八条① 取締役は、定款に別段の定めがある場合を除き、株式会社（取締役会設置会社を除く。以下この条において同じ。）の業務を執行する。

② 取締役が二人以上ある場合には、株式会社の業務は、定款に別段の定めがある場合を除き、取締役の過半数をもって決定する。

③ 前項の場合には、取締役は、次に掲げる事項についての決定を各取締役に委任することができない。

一 支配人の選任及び解任

二 支店の設置、移転及び廃止

三 第二百九十八条第一項各号（第三百二十五条において準用する場合を含む。）に掲げる事項

四 取締役の職務の執行が法令及び定款に適合することを確保するための体制その他株式会社の業務並びに当該株式会社及びその子会社から成る企業集団の業務の適正を確保するために必要なものとして法務省令で定める体制の整備（平成二六法九〇本号改正）

五 第四百二十六条第一項の規定による定款の定めに基づく第四百二十三条第一項の責任の免除

④ 大会社においては、取締役は、前項第四号に掲げる事項を決定しなければならない。

【取締役→九一一③〔十三〕】❶【取締役の業務執行→三五〇・三六三①・四一三、四一九】❷【業務執行の決定→三六二②〔一〕】❸【一】【支配人→一〇―一三】【二】【支店→九一一③〔三〕】【四】【省令で定める体制→会社則九八】

（業務の執行の社外取締役への委託）

第三四八条の二① 株式会社（指名委員会等設置会社を除く。）が社外取締役を置いている場合において、当該株式会社と取締役との利益が相反する状況にあるとき、その他取締役が当該株式会社の業務を執行することにより株主の利益を損なうおそれがあるときは、当該株式会社は、その都度、取締役の決定（取締役会設置会社にあっては、取締役会の決議）によって、当該株式会社の業務を執行することを社外取締役に委託することができる。

② 指名委員会等設置会社と執行役との利益が相反する状況にあるとき、その他執行役が指名委員会等設置会社の業務を執行することにより株主の利益を損なうおそれがあるときは、当該指名委員会等設置会社は、その都度、取締役会の決議によって、当該指名委員会等設置会社の業務を執行することを社外取締役に委託することができる。

③ 前二項の規定により委託された業務の執行は、第二条第十五号イに規定する株式会社の業務の執行に該当しないものとする。ただし、社外取締役が業務執行取締役（指名委員会等設置会社にあっては、執行役）の指揮命令により当該委託された業務を執行したときは、この限りでない。

（令和一法七〇本条追加）

【社外取締役→二〔十五〕】❶【取締役の業務執行→三四八、三六三①、三五〇、四一三、四一九】【業務執行の決定→三四八②、三六二②〔一〕】【取締役会の決議→三六九、三九九の一三⑤〔四〕】

❷【執行役の業務の執行↓四一五、四一八【取締役会の決議↓三六九、四一六④〔六〕 ❸【業務執行取締役↓二〔十五〕イ

（株式会社の代表）

第三四九条① 取締役は、株式会社を代表する。ただし、他に代表取締役その他株式会社を代表する者を定めた場合は、この限りでない。

② 前項本文の取締役が二人以上ある場合には、取締役は、各自、株式会社を代表する。

③ 株式会社（取締役会設置会社を除く。）は、定款、定款の定めに基づく取締役の互選又は株主総会の決議によって、取締役の中から代表取締役を定めることができる。

④ 代表取締役は、株式会社の業務に関する一切の裁判上又は裁判外の行為をする権限を有する。

⑤ 前項の権限に加えた制限は、善意の第三者に対抗することができない。

参照❶❸❹【代表取締役↓三五〇、三五四、九一一③〔十四〕 ❶❹【会社の代表↓三五三 ❸【株主総会の決議↓三〇九①【取締役会設置会社の場合↓三六二③

（代表者の行為についての損害賠償責任）

第三五〇条 株式会社は、代表取締役その他の代表者がその職務を行うについて第三者に加えた損害を賠償する責任を負う。

参照+【代表取締役その他の代表者↓三四九①

（代表取締役に欠員を生じた場合の措置）

第三五一条① 代表取締役が欠けた場合又は定款で定めた代表取締役の員数が欠けた場合には、任期の満了又は辞任により退任した代表取締役は、新たに選定された代表取締役（次項の一時代表取締役の職務を行うべき者を含む。）が就任するまで、なお代表取締役としての権利義務を有する。

② 前項に規定する場合において、裁判所は、必要があると認めるときは、利害関係人の申立てにより、一時代表取締役の職務を行うべき者を選任することができる。

③ 裁判所は、前項の一時代表取締役の職務を行うべき者を選任した場合には、株式会社がその者に対して支払う報酬の額を定めることができる。

参照❶【代表取締役の辞任↓民六五一、六五四 ❷【一時代表取締役の選任↓八六八①、九三七①〔二〕、八七四〔一〕 ❸【報酬の決定↓八七〇①〔一〕

（取締役の職務を代行する者の権限）

第三五二条① 民事保全法（平成元年法律第九十一号）第五十六条に規定する仮処分命令により選任された取締役又は代表取締役の職務を代行する者は、仮処分命令に別段の定めがある場合を除き、株式会社の常務に属しない行為をするには、裁判所の許可を得なければならない。

② 前項の規定に違反して行った取締役又は代表取締役の職務を代行する者の行為は、無効とする。ただし、株式会社は、これをもって善意の第三者に対抗することができない。

参照❶【取締役・代表取締役の職務代行者↓九一七〔一〕、民保二三②、二四【職務代行者に対する罰則↓九六〇①〔四〕、九六三②、九六四①〔一〕、九六六〔四〕、九六七①〔一〕、九七〇①、九七六【裁判所の許可↓八六八①、八七四〔四〕

（株式会社と取締役との間の訴えにおける会社の代表）

第三五三条 第三百四十九条第四項の規定にかかわらず、株式会社が取締役（取締役であった者を含む。以下この条において同じ。）に対し、又は取締役が株式会社に対して訴えを提起する場合には、株主総会は、当該訴えについて株式会社を代表する者を定めることができる。

参照+【取締役に対する訴えの例↓八四七①【取締役の会社に対する訴えの例↓八二八②、八三一【株主総会決議↓三〇九①【取締役会設置会社の場合↓三六四【監査役設置会社の場合↓三八六【指名委員会等設置会社の場合↓四〇八①

（表見代表取締役）

第三五四条 株式会社は、代表取締役以外の取締役に社長、副社長その他株式会社を代表する権限を有するものと認められる名称を付した場合には、当該取締役がした行為について、善意の第三者に対してその責任を負う。

参照+【対比↓九〇八①、九一一③〔十四〕、民一〇九、一一二、四二一

（忠実義務）

第三五五条 取締役は、法令及び定款並びに株主総会の決議を遵守し、株式会社のため忠実にその職務を行わなければならない。

参照+【忠実義務↓三三〇、民六四四、三五六、三六五、四二三、四六二、四六四、四六五、金商一六三―一六六、独禁二⑨〔六〕【特別背任罪↓九六〇

（競業及び利益相反取引の制限）

第三五六条① 取締役は、次に掲げる場合には、株主総会において、当該取引につき重要な事実を開示し、その承認を受けなければならない。

一 取締役が自己又は第三者のために株式会社の事業の部類に属する取引をしようとするとき。

二 取締役が自己又は第三者のために株式会社と取引をしようとするとき。

三 株式会社が取締役の債務を保証することその他取締役以外の者との間において株式会社と当該取締役との利益が相反する取引をしようとするとき。

② 民法第百八条の規定は、前項の承認を受けた同項第二号又は第三号の取引については、適用しない。（平成二九法四五本項改正）

参照❶【株主総会の承認↓三〇九①、三六五【重要事実の開示に関する罰則↓九七六〔三〕〔六〕 [一]【競業避止義務↓一二、四二三②、会更六五【役員兼任の制限↓独禁一三、一七 [二][三]【自己のための取引↓四二八① [二][三]【利益相反取引↓四二三③

（取締役の報告義務）

第三五七条① 取締役は、株式会社に著しい損害を及ぼすおそれのある事実があることを発見したときは、直ちに、当該事実を株主（監査役設置会社にあっては、監査役）に報告しなければならない。

② 監査役会設置会社における前項の規定の適用につい

ては、同項中「株主（監査役設置会社にあっては、監査役）」とあるのは、「監査役会」とする。

③　監査等委員会設置会社における第一項の規定の適用については、同項中「株主（監査役設置会社にあっては、監査役）」とあるのは、「監査等委員会」とする。

（平成二六法九〇本項追加）

参❶【株主・監査役の権限→三六〇、三八五、三八六、八四七①
+【適用除外→四二九③

（業務の執行に関する検査役の選任）

第三五八条①　株式会社の業務の執行に関し、不正の行為又は法令若しくは定款に違反する重大な事実があることを疑うに足りる事由があるときは、次に掲げる株主は、当該株式会社の業務及び財産の状況を調査させるため、裁判所に対し、検査役の選任の申立てをすることができる。

一　総株主（株主総会において決議をすることができる事項の全部につき議決権を行使することができない株主を除く。）の議決権の百分の三（これを下回る割合を定款で定めた場合にあっては、その割合）以上の議決権を有する株主

二　発行済株式（自己株式を除く。）の百分の三（これを下回る割合を定款で定めた場合にあっては、その割合）以上の数の株式を有する株主

②　前項の申立てがあった場合には、裁判所は、これを不適法として却下する場合を除き、検査役を選任しなければならない。

③　裁判所は、前項の検査役を選任した場合には、株式会社が当該検査役に対して支払う報酬の額を定めることができる。

④　第二項の検査役は、その職務を行うため必要があるときは、株式会社の子会社の業務及び財産の状況を調査することができる。

⑤　第二項の検査役は、必要な調査を行い、当該調査の結果を記載し、又は記録した書面又は電磁的記録（法務省令で定めるものに限る。）を裁判所に提供して報告をしなければならない。

⑥　裁判所は、前項の報告について、その内容を明瞭にし、又はその根拠を確認するため必要があると認めるときは、第二項の検査役に対し、更に前項の報告を求めることができる。

⑦　第二項の検査役は、第五項の報告をしたときは、株式会社及び検査役の選任の申立てをした株主に対し、同項の書面の写しを交付し、又は同項の電磁的記録に記録された事項を法務省令で定める方法により提供しなければならない。

参+【検査役の選任→三〇六、三一六【少数株主権の行使に関する罰則→九六八①[二]　❶【不正の行為又は法令・定款違反の行為→三七五①、三八二、三九七①、四〇六、八五四①【会社の業務・財産→四三三①【調査妨害に対する制裁→九七六[五]【裁判所→八六八①　[一]【議決権を行使することができない株主→二九七③参　❷【検査役の選任→八七四[一]　❸【報酬の決定→八七〇①[一]　❺【検査役の報告→三五九【虚偽の申述等に対する制裁→九六三③【省令で定めるもの→会社則二二八　❼【電磁的記録→二六②【省令で定める方法→会社則二二九

（裁判所による株主総会招集等の決定）

第三五九条①　裁判所は、前条第五項の報告があった場合において、必要があると認めるときは、取締役に対し、次に掲げる措置の全部又は一部を命じなければならない。

一　一定の期間内に株主総会を招集すること。

二　前条第五項の調査の結果を株主に通知すること。

②　裁判所が前項第一号に掲げる措置を命じた場合には、取締役は、前条第五項の報告の内容を同号の株主総会において開示しなければならない。

③　前項に規定する場合には、取締役（監査役設置会社にあっては、取締役及び監査役）は、前条第五項の報告の内容を調査し、その結果を第一項第一号の株主総会に報告しなければならない。

参❶[一]【株主総会招集命令違反に対する制裁→九七六[十八]　[二]【株主への通知→一二六【懈怠に対する制裁→九七六[二]　❷【懈怠に対する制裁→九七六[二]

（株主による取締役の行為の差止め）

第三六〇条①　六箇月（これを下回る期間を定款で定めた場合にあっては、その期間）前から引き続き株式を有する株主は、取締役が株式会社の目的の範囲外の行為その他法令若しくは定款に違反する行為をし、又はこれらの行為をするおそれがある場合において、当該行為によって当該株式会社に著しい損害が生ずるおそれがあるときは、当該取締役に対し、当該行為をやめることを請求することができる。

②　公開会社でない株式会社における前項の規定の適用については、同項中「六箇月（これを下回る期間を定款で定めた場合にあっては、その期間）前から引き続き株式を有する株主」とあるのは、「株主」とする。

③　監査役設置会社、監査等委員会設置会社又は指名委員会等設置会社における第一項の規定の適用については、同項中「著しい損害」とあるのは、「回復することができない損害」とする。（平成二六法九〇本項改正）

参+【株主の差止請求権→民保二三②、一七一の三、一七九の七、二四七、四二二【濫用株主等に対する制裁→九六八①[二]【監査役・監査委員の差止請求権→三八五、四〇七　❶【会社の目的→二七[一]、九一一③[一]【目的の範囲外の行為その他法令・定款違反の行為→三六七①、三八五①、四〇七①

（取締役の報酬等）

第三六一条①　取締役の報酬、賞与その他の職務執行の対価として株式会社から受ける財産上の利益（以下この章において「報酬等」という。）についての次に掲げる事項は、定款に当該事項を定めていないときは、株主総会の決議によって定める。

一　報酬等のうち額が確定しているものについては、その額

二　報酬等のうち額が確定していないものについては、その具体的な算定方法

三　報酬等のうち当該株式会社の募集株式（第百九十九条第一項に規定する募集株式をいう。以下この項及び第四百九条第三項において同じ。）については、当該募集株式の数（種類株式発行会社にあっては、募集株式の種類及び種類ごとの数）の上限その他法

務省令で定める事項（令和一法七〇本号追加）

四　報酬等のうち当該株式会社の募集新株予約権（第二百三十八条第一項に規定する募集新株予約権をいう。以下この項及び第四百九条第三項において同じ。）については、当該募集新株予約権の数の上限その他法務省令で定める事項（令和一法七〇本号追加）

五　報酬等のうち次のイ又はロに掲げるものと引換えにする払込みに充てるための金銭については、当該イ又はロに定める事項

イ　当該株式会社の募集株式　取締役が引き受ける当該募集株式の数（種類株式発行会社にあっては、募集株式の種類及び種類ごとの数）の上限その他法務省令で定める事項

ロ　当該株式会社の募集新株予約権　取締役が引き受ける当該募集新株予約権の数の上限その他法務省令で定める事項

（令和一法七〇本号追加）

六　報酬等のうち金銭でないもの（当該株式会社の募集株式及び募集新株予約権を除く。）については、その具体的な内容（令和一法七〇本号改正）

② 監査等委員会設置会社においては、前項各号に掲げる事項は、監査等委員である取締役とそれ以外の取締役とを区別して定めなければならない。（平成二六法九〇本項追加）

③ 監査等委員である各取締役の報酬等について定款の定め又は株主総会の決議がないときは、当該報酬等は、第一項の報酬等の範囲内において、監査等委員である取締役の協議によって定める。（平成二六法九〇本項追加）

④ 第一項各号に掲げる事項を定め、又はこれを改定する議案を株主総会に提出した取締役は、当該株主総会において、当該事項を相当とする理由を説明しなければならない。（令和一法七〇本項改正）

⑤ 監査等委員である取締役は、株主総会において、監査等委員である取締役の報酬等について意見を述べることができる。（平成二六法九〇本項追加）

⑥ 監査等委員会が選定する監査等委員は、株主総会において、監査等委員である取締役以外の取締役の報酬等について監査等委員会の意見を述べることができる。（平成二六法九〇本項追加）

⑦ 次に掲げる株式会社の取締役会は、取締役（監査等委員である取締役を除く。以下この項において同じ。）の報酬等の内容として定款又は株主総会の決議による第一項各号に掲げる事項についての定めがある場合には、当該定めに基づく取締役の個人別の報酬等の内容についての決定に関する方針として法務省令で定める事項を決定しなければならない。ただし、取締役の個人別の報酬等の内容が定款又は株主総会の決議により定められているときは、この限りでない。

一　監査役会設置会社（公開会社であり、かつ、大会社であるものに限る。）であって、金融商品取引法第二十四条第一項の規定によりその発行する株式について有価証券報告書を内閣総理大臣に提出しなければならないもの

二　監査等委員会設置会社

（令和一法七〇本項追加）

参【報酬・賞与↓三三〇、民六四八・六五六、四二五①[三]、会更六六【募集株式↓二〇二の二・二〇五③―⑤【新株予約権↓二三六③―⑥　❶【株主総会の決議↓三〇九①【指名委員会等設置会社の場合↓四〇四③　[三]【省令で定める事項↓会社則九八の二　[四]【省令で定める事項↓会社則九八の三　[五]【省令で定める事項↓会社則九八の四　❸【報酬の分配に関する協議↓三七九②・三八七②　❹【理由の説明↓一七一③・一八〇④・一九〇・一九九③・二〇〇②・二三八③・二三九②　❺❻【意見陳述権↓三七九③・三八七③　❼【取締役会の決議↓三六九・三九九の一三⑤[六]【省令で定める事項↓会社則九八の五

第五節　取締役会

第一款　権限等

（取締役会の権限等）

第三六二条① 取締役会は、すべての取締役で組織する。

② 取締役会は、次に掲げる職務を行う。

一　取締役会設置会社の業務執行の決定

二　取締役の職務の執行の監督

三　代表取締役の選定及び解職

③ 取締役会は、取締役の中から代表取締役を選定しなければならない。

④ 取締役会は、次に掲げる事項その他の重要な業務執行の決定を取締役に委任することができない。

一　重要な財産の処分及び譲受け

二　多額の借財

三　支配人その他の重要な使用人の選任及び解任

四　支店その他の重要な組織の設置、変更及び廃止

五　第六百七十六条第一号に掲げる事項その他の社債を引き受ける者の募集に関する重要な事項として法務省令で定める事項

六　取締役の職務の執行が法令及び定款に適合することを確保するための体制その他株式会社の業務並びに当該株式会社及びその子会社から成る企業集団の業務の適正を確保するために必要なものとして法務省令で定める体制の整備（平成二六法九〇本号改正）

七　第四百二十六条第一項の規定による定款の定めに基づく第四百二十三条第一項の責任の免除

⑤ 大会社である取締役会設置会社においては、取締役会は、前項第六号に掲げる事項を決定しなければならない。

参【取締役の権限↓三九九の一三・四一六　❶【取締役会設置会社の取締役の員数↓三三一⑤【各取締役の権限↓三六六①・三七〇　❷[二]【取締役会による業務執行の決定↓三四八②・四一六①④　[三]【取締役の職務執行の監督↓三六三②・三六五②　❷[三]❸【代表取締役↓三四九―三五一　❸【取締役会設置会社以外における選任↓三四九③　❹[二]【重要な財産の処分等↓四六七―四七〇、独禁一六　[二][三]【特別取締役への委任↓三七三①　[三]【支配人↓一〇―一二　[四]【支店↓九一一③[三]　[五]【省令で定める事項↓会社則九九　[六]【省令で定める体制↓会社則一〇〇

（取締役会設置会社の取締役の権限）

第三六三条① 次に掲げる取締役は、取締役会設置会社の業務を執行する。

一　代表取締役

二　代表取締役以外の取締役であって、取締役会の決議によって取締役会設置会社の業務を執行する取締役として選定されたもの

② 前項各号に掲げる取締役は、三箇月に一回以上、自己の職務の執行の状況を取締役会に報告しなければならない。

❶【業務執行→三四八①　[二]【代表取締役→三四九―三五一・三六二③　❷【取締役会への報告→三六二②[三]・三七二②・四一七④

（取締役会設置会社と取締役との間の訴えにおける会社の代表）

第三六四条　第三百五十三条に規定する場合には、取締役会は、同条の規定による株主総会の定めがある場合を除き、同条の訴えについて取締役会設置会社を代表する者を定めることができる。

+【取締役・会社間の訴訟→三五三】

（競業及び取締役会設置会社との取引等の制限）

第三六五条① 取締役会設置会社における第三百五十六条の規定の適用については、同条第一項中「株主総会」とあるのは、「取締役会」とする。

② 取締役会設置会社においては、第三百五十六条第一項各号の取引をした取締役は、当該取引後、遅滞なく、当該取引についての重要な事実を取締役会に報告しなければならない。

❶【取締役会の承認→四一六④[七]　❷【重要な事実の報告→三六二②[二]【違反に対する制裁→九七六[二十三]

第二款　運営

（招集権者）

第三六六条① 取締役会は、各取締役が招集する。ただし、取締役会を招集する取締役を定款又は取締役会で定めたときは、その取締役が招集する。

② 前項ただし書に規定する場合には、同項ただし書の規定により定められた取締役（以下この章において「招集権者」という。）以外の取締役は、招集権者に対し、取締役会の目的である事項を示して、取締役会の招集を請求することができる。

③ 前項の規定による請求があった日から五日以内に、その請求があった日から二週間以内の日を取締役会の日とする取締役会の招集の通知が発せられない場合には、その請求をした取締役は、取締役会を招集することができる。

❶【取締役会の招集→三六八、三七三②、四一七①②【取締役会による招集権者の決定→四一六④[四]　❷【会議の目的である事項の例→二〇一①、三六二②④、三六四、三六五【監査役による招集請求→三八三②　❸【監査役による招集→三八三③

+【適用除外→三七三④

（株主による招集の請求）

第三六七条① 取締役会設置会社（監査役設置会社、監査等委員会設置会社及び指名委員会等設置会社を除く。）の株主は、取締役が取締役会設置会社の目的の範囲外の行為その他法令若しくは定款に違反する行為をし、又はこれらの行為をするおそれがあると認めるときは、取締役会の招集を請求することができる。（平成二六法九〇本項改正）

② 前項の規定による請求は、取締役（前条第一項ただし書に規定する場合にあっては、招集権者）に対し、取締役会の目的である事項を示して行わなければならない。

③ 前条第三項の規定は、第一項の規定による請求があった場合について準用する。

④ 第一項の規定による請求を行った株主は、当該請求に基づき招集され、又は前項において準用する前条第三項の規定により招集した取締役会に出席し、意見を述べることができる。

❶【目的の範囲外の行為その他法令・定款違反の行為→三六〇①、三八五①、四〇七①　❷【会議の目的である事項の例→三六二②[三]、三六四　+【適用除外→三七三④【清算株式会社の場合→四九〇④

（招集手続）

第三六八条① 取締役会を招集する者は、取締役会の日の一週間（これを下回る期間を定款で定めた場合にあっては、その期間）前までに、各取締役（監査役設置会社にあっては、各取締役及び各監査役）に対してその通知を発しなければならない。

② 前項の規定にかかわらず、取締役会設置会社にあっては、取締役会は、取締役（監査役設置会社にあっては、取締役及び監査役）の全員の同意があるときは、招集の手続を経ることなく開催することができる。

❶【各取締役への通知→三七三②　❷【招集手続の省略→三七六③、三九九の九②【取締役会の決議の省略→三七〇

+【監査役の出席義務→三八三①

（取締役会の決議）

第三六九条① 取締役会の決議は、議決に加わることができる取締役の過半数（これを上回る割合を定款で定めた場合にあっては、その割合以上）が出席し、その過半数（これを上回る割合を定款で定めた場合にあっては、その割合以上）をもって行う。

② 前項の決議について特別の利害関係を有する取締役は、議決に加わることができない。

③ 取締役会の議事については、法務省令で定めるところにより、議事録を作成し、議事録が書面をもって作成されているときは、出席した取締役及び監査役は、これに署名し、又は記名押印しなければならない。

④ 前項の議事録が電磁的記録をもって作成されている場合における当該電磁的記録に記録された事項については、法務省令で定める署名又は記名押印に代わる措置をとらなければならない。

⑤ 取締役会の決議に参加した取締役であって第三項の議事録に異議をとどめないものは、その決議に賛成したものと推定する。

❶【決議の特則→三七三①　❷【特別利害関係取締役の議決権の排除→四二六①【特別利害関係株主に関する原則→八三一①[三]【特別利害関係株主の議決権の排除→一四〇③、一六〇④、一七五②【特別利害関係委員の議決権排除→四一二②　❸【議事録→三七一、商登四六②【省令の定め→会社則一〇一　❹【電磁的記録→二六②【省令で定める措置→会社則二二五　❺【決議への

賛成→四二三③[三]

（取締役会の決議の省略）

第三七〇条　取締役会設置会社は、取締役が取締役会の決議の目的である事項について提案をした場合において、当該提案につき取締役（当該事項について議決に加わることができるものに限る。）の全員が書面又は電磁的記録により同意の意思表示をしたとき（監査役設置会社にあっては、監査役が当該提案について異議を述べたときを除く。）は、当該提案を可決する旨の取締役会の決議があったものとみなす旨を定款で定めることができる。

参↑【決議の省略→商登四六③【決議の目的である事項の例→一三九①、二〇一①、三六二②[一][三]④、三六四、三六五①【議決に加わることができる取締役→三六九②【電磁的記録→二六②【適用除外→三七三④

（議事録等）

第三七一条①　取締役会設置会社は、取締役会の日（前条の規定により取締役会の決議があったものとみなされた日を含む。）から十年間、第三百六十九条第三項の議事録又は前条の意思表示を記載し、若しくは記録した書面若しくは電磁的記録（以下この条において「議事録等」という。）をその本店に備え置かなければならない。

②　株主は、その権利を行使するため必要があるときは、株式会社の営業時間内は、いつでも、次に掲げる請求をすることができる。

一　前項の議事録等が書面をもって作成されているときは、当該書面の閲覧又は謄写の請求

二　前項の議事録等が電磁的記録をもって作成されているときは、当該電磁的記録に記録された事項を法務省令で定める方法により表示したものの閲覧又は謄写の請求

③　監査役設置会社、監査等委員会設置会社又は指名委員会等設置会社における前項の規定の適用については、同項中「株式会社の営業時間内は、いつでも」とあるのは、「裁判所の許可を得て」とする。（平成二六法九〇本項改正）

④　取締役会設置会社の債権者は、役員又は執行役の責任を追及するため必要があるときは、裁判所の許可を得て、当該取締役会設置会社の議事録等について第二項各号に掲げる請求をすることができる。

⑤　前項の規定は、取締役会設置会社の親会社社員がその権利を行使するため必要があるときについて準用する。

⑥　裁判所は、第三項において読み替えて適用する第二項各号に掲げる請求又は第四項（前項において準用する場合を含む。以下この項において同じ。）の請求に係る閲覧又は謄写をすることにより、当該取締役会設置会社又はその親会社若しくは子会社に著しい損害を及ぼすおそれがあると認めるときは、第三項において読み替えて適用する第二項の許可又は第四項の許可をすることができない。

参↑【議事録→商登四六②【虚偽記載等への制裁→九七六[七]　❶【本店→四参【備置義務懈怠に対する制裁→九七六[八]　❷[二]【省令で定める方法→会社則二二六　❷❹❺【株主等の閲覧等請求不当拒否に対する制裁→九七六[四]　❸❹【裁判所の許可→八六八①　❹【債権者による役員等の責任追及の例→四二九　❺【親会社社員の権利行使に関する裁判所の許可→八六八②

（取締役会への報告の省略）

第三七二条①　取締役、会計参与、監査役又は会計監査人が取締役（監査役設置会社にあっては、取締役及び監査役）の全員に対して取締役会に報告すべき事項を通知したときは、当該事項を取締役会へ報告することを要しない。

②　前項の規定は、第三百六十三条第二項の規定による報告については、適用しない。

③　指名委員会等設置会社についての前二項の規定の適用については、第一項中「監査役又は会計監査人」とあるのは「会計監査人又は執行役」と、「取締役（監査役設置会社にあっては、取締役及び監査役）」とあるのは「取締役」と、前項中「第三百六十三条第二項」とあるのは「第四百十七条第四項」とする。（平成二六法九〇本項改正）

参❶【報告すべき事項→三六五②、三八二　❸【報告すべき事項→四一七③④、四一九②、三六五②

（特別取締役による取締役会の決議）

第三七三条①　第三百六十九条第一項の規定にかかわらず、取締役会設置会社（指名委員会等設置会社を除く。）が次に掲げる要件のいずれにも該当する場合（監査等委員会設置会社にあっては、第三百九十九条の十三第五項に規定する場合又は同条第六項の規定による定款の定めがある場合を除く。）には、取締役会は、第三百六十二条第四項第一号及び第二号又は第三百九十九条の十三第四項第一号及び第二号に掲げる事項についての取締役会の決議については、あらかじめ選定した三人以上の取締役（以下この章において「特別取締役」という。）のうち、議決に加わることができるものの過半数（これを上回る割合を取締役会で定めた場合にあっては、その割合以上）が出席し、その過半数（これを上回る割合を取締役会で定めた場合にあっては、その割合以上）をもって行うことができる旨を定めることができる。

一　取締役の数が六人以上であること。

二　取締役のうち一人以上が社外取締役であること。

（平成二六法九〇本項改正）

②　前項の規定による特別取締役による議決の定めがある場合には、特別取締役以外の取締役は、第三百六十二条第四項第一号及び第二号又は第三百九十九条の十三第四項第一号及び第二号に掲げる事項の決定をする取締役会に出席することを要しない。この場合における第三百六十六条第一項本文及び第三百六十八条の規定の適用については、第三百六十六条第一項本文中「各取締役」とあるのは「各特別取締役（第三百七十三条第一項に規定する特別取締役をいう。第三百六十八条において同じ。）」と、第三百六十八条第一項中「定款」とあるのは「取締役会」と、「各取締役」とあ

るのは「各特別取締役」と、同条第二項中「取締役（」とあるのは「特別取締役（」と、「取締役及び」とあるのは「特別取締役及び」とする。（平成二六法九〇本項改正）

③　特別取締役の互選によって定められた者は、前項の取締役会の決議後、遅滞なく、当該決議の内容を特別取締役以外の取締役に報告しなければならない。

④　第三百六十六条（第一項本文を除く。）、第三百六十七条、第三百六十九条第一項、第三百七十条及び第三百九十九条の十四の規定は、第二項の取締役会については、適用しない。（平成二六法九〇本項改正）

❶【特別取締役による議決の定め→九一一③二十一、商登四七②十二】【議決に加わることができる取締役→三六九②】【三】【社外取締役→二十五・九一一③二十一】❷【監査役の出席→三八三①】【監査役の取締役会招集請求権等の排除→三八三④】

第六節　会計参与

（会計参与の権限）

第三七四条①　会計参与は、取締役と共同して、計算書類（第四百三十五条第二項に規定する計算書類をいう。以下この章において同じ。）及びその附属明細書、臨時計算書類（第四百四十一条第一項に規定する臨時計算書類をいう。以下この章において同じ。）並びに連結計算書類（第四百四十四条第一項に規定する連結計算書類をいう。第三百九十六条第一項において同じ。）を作成する。この場合において、会計参与は、法務省令で定めるところにより、会計参与報告を作成しなければならない。

②　会計参与は、いつでも、次に掲げるものの閲覧及び謄写をし、又は取締役及び支配人その他の使用人に対して会計に関する報告を求めることができる。

一　会計帳簿又はこれに関する資料が書面をもって作成されているときは、当該書面

二　会計帳簿又はこれに関する資料が電磁的記録をもって作成されているときは、当該電磁的記録に記録された事項を法務省令で定める方法により表示したもの

③　会計参与は、その職務を行うため必要があるときは、会計参与設置会社の子会社に対して会計に関する報告を求め、又は会計参与設置会社若しくはその子会社の業務及び財産の状況の調査をすることができる。

④　前項の子会社は、正当な理由があるときは、同項の報告又は調査を拒むことができる。

⑤　会計参与は、その職務を行うに当たっては、第三百三十三条第三項第二号又は第三号に掲げる者を使用してはならない。

⑥　指名委員会等設置会社における第一項及び第二項の規定の適用については、第一項中「取締役」とあるのは「執行役」と、第二項中「取締役及び」とあるのは「執行役及び取締役並びに」とする。（平成二六法九〇本項改正）

†【会計参与→三三三】【会計参与の職務執行→三八〇】❶【計算書類・臨時計算書類・連結計算書類→三七七①・三七八】【会計参与報告→三七八・四二九②二】【虚偽記載等に対する制裁→九七六七】【省令の定め→会社則一〇二】❷【会計帳簿→四三二】【二】【電磁的記録→二六②】【省令で定める方法→会社則二二六】❸【調査の妨害に対する制裁→九七六五】

（会計参与の報告義務）

第三七五条①　会計参与は、その職務を行うに際して取締役の職務の執行に関し不正の行為又は法令若しくは定款に違反する重大な事実があることを発見したときは、遅滞なく、これを株主（監査役設置会社にあっては、監査役）に報告しなければならない。

②　監査役会設置会社における前項の規定の適用については、同項中「株主（監査役設置会社にあっては、監査役）」とあるのは、「監査役会」とする。

③　監査等委員会設置会社における第一項の規定の適用については、同項中「株主（監査役設置会社にあっては、監査役）」とあるのは、「監査等委員会」とする。（平成二六法九〇本項追加）

④　指名委員会等設置会社における第一項の規定の適用については、同項中「取締役」とあるのは「執行役又は取締役」と、「株主（監査役設置会社にあっては、監査役）」とあるのは「監査委員会」とする。（平成二六法九〇本項改正）

†【不正の行為又は法令・定款違反の行為→三五八①・三八二・三九七①・四〇六・八五四①】

（取締役会への出席）

第三七六条①　取締役会設置会社の会計参与（会計参与が監査法人又は税理士法人である場合にあっては、その職務を行うべき社員。以下この条において同じ。）は、第四百三十六条第三項、第四百四十一条第三項又は第四百四十四条第五項の承認をする取締役会に出席しなければならない。この場合において、会計参与は、必要があると認めるときは、意見を述べなければならない。

②　会計参与設置会社において、前項の取締役会を招集する者は、当該取締役会の日の一週間（これを下回る期間を定款で定めた場合にあっては、その期間）前までに、各会計参与に対してその通知を発しなければならない。

③　会計参与設置会社において、第三百六十八条第二項の規定により第一項の取締役会を招集の手続を経ることなく開催するときは、会計参与の全員の同意を得なければならない。

❶【会計参与→三七四②③】❷【取締役会の招集権者→三六六①】

（株主総会における意見の陳述）

第三七七条①　第三百七十四条第一項に規定する書類の作成に関する事項について会計参与が取締役と意見を異にするときは、会計参与（会計参与が監査法人又は税理士法人である場合にあっては、その職務を行うべき社員）は、株主総会において意見を述べることができる。

②　指名委員会等設置会社における前項の規定の適用については、同項中「取締役」とあるのは、「執行役」とする。（平成二六法九〇本項改正）

†【株主総会→二九五①・三二九①・三三九①】

会社

第三七八条（会計参与による計算書類等の備置き等）① 会計参与は、次の各号に掲げるものを、当該各号に定める期間、法務省令で定めるところにより、当該会計参与が定めた場所に備え置かなければならない。

一 各事業年度に係る計算書類及びその附属明細書並びに会計参与報告　定時株主総会の日の一週間（取締役会設置会社にあっては、二週間）前の日（第三百十九条第一項の場合にあっては、同項の提案があった日）から五年間

二 臨時計算書類及び会計参与報告　臨時計算書類を作成した日から五年間

② 会計参与設置会社の株主及び債権者は、会計参与設置会社の営業時間内（会計参与が請求に応ずることが困難な場合として法務省令で定める場合を除く。）は、いつでも、会計参与に対し、次に掲げる請求をすることができる。ただし、第二号又は第四号に掲げる請求をするには、当該会計参与の定めた費用を支払わなければならない。

一 前項各号に掲げるものが書面をもって作成されているときは、当該書面の閲覧の請求

二 前号の書面の謄本又は抄本の交付の請求

三 前項各号に掲げるものが電磁的記録をもって作成されているときは、当該電磁的記録に記録された事項を法務省令で定める方法により表示したものの閲覧の請求

四 前号の電磁的記録に記録された事項を電磁的方法であって会計参与の定めたものにより提供することの請求又はその事項を記載した書面の交付の請求

③ 会計参与設置会社の親会社社員は、その権利を行使するため必要があるときは、裁判所の許可を得て、当該会計参与設置会社の第一項各号に掲げるものについて前項各号に掲げる請求をすることができる。ただし、同項第二号又は第四号に掲げる請求をするには、当該会計参与の定めた費用を支払わなければならない。

⊗❶【備置義務違反に対する制裁↓九七六[四]【備置場所↓九一一③[十四]【会計参与報告↓三七四①【省令の定め↓会社則一〇三①　[一]【計算書類・附属明細書↓三七四①【定時株主総会↓二九六　[二]【臨時計算書類↓三七四①　❷【株主・債権者の閲覧等請求不当拒絶に対する制裁↓九七六[四]【省令で定める場合↓会社則一〇四　[三]【省令で定める方法↓会社則二二六　[三][四]【電磁的記録↓二六②　❸【裁判所の許可↓八六八②

第三七九条（会計参与の報酬等）① 会計参与の報酬等は、定款にその額を定めていないときは、株主総会の決議によって定める。

② 会計参与が二人以上ある場合において、各会計参与の報酬等について定款の定め又は株主総会の決議がないときは、当該報酬等は、前項の報酬等の範囲内において、会計参与の協議によって定める。

③ 会計参与（会計参与が監査法人又は税理士法人である場合にあっては、その職務を行うべき社員）は、株主総会において、会計参与の報酬等について意見を述べることができる。

⊗❶【報酬等↓三六一⊗【株主総会の決議↓三〇九①　❶❷【指名委員会等設置会社の場合↓四〇四③、四〇九　❷【報酬等の分配に関する協議↓三六一③、三八七②　❸【意見陳述権↓三六一⑤⑥、三八七③

第三八〇条（費用等の請求） 会計参与がその職務の執行について会計参与設置会社に対して次に掲げる請求をしたときは、当該会計参与設置会社は、当該請求に係る費用又は債務が当該会計参与の職務の執行に必要でないことを証明した場合を除き、これを拒むことができない。

一 費用の前払の請求

二 支出した費用及び支出の日以後におけるその利息の償還の請求

三 負担した債務の債権者に対する弁済（当該債務が弁済期にない場合にあっては、相当の担保の提供）の請求

⊗+【会計参与の職務執行↓三七四【会計参与と会社との関係↓三三〇⊗、民六五〇

第七節　監査役

第三八一条（監査役の権限）① 監査役は、取締役（会計参与設置会社にあっては、取締役及び会計参与）の職務の執行を監査する。この場合において、監査役は、法務省令で定めるところにより、監査報告を作成しなければならない。

② 監査役は、いつでも、取締役及び会計参与並びに支配人その他の使用人に対して事業の報告を求め、又は監査役設置会社の業務及び財産の状況の調査をすることができる。

③ 監査役は、その職務を行うため必要があるときは、監査役設置会社の子会社に対して事業の報告を求め、又はその子会社の業務及び財産の状況の調査をすることができる。

④ 前項の子会社は、正当な理由があるときは、同項の報告又は調査を拒むことができる。

⊗❶【監査役の職務権限↓三四三、三四四、三八三―三八六、三八九、三九〇②、三九七②、三九九、四三五③、四三六①②、四四一②、四四四④、八二八②、八四九③[一]【取締役の職務執行↓三四八―三五七、三六二―三七三【会計参与の職務執行↓三七四―三七八【監査報告↓三八九②、三九〇②、四〇四②[一]、四三六①②[一]、四四二【虚偽記載等に対する制裁↓九七六[七]【省令の定め↓会社則一〇五　❷【事業の報告の請求↓三五七①、三七五①【支配人その他の使用人↓一〇―一二、一四、一五　❷❸【調査の妨害に対する制裁↓九七六[五]　+【適用除外↓三八九⑦

第三八二条（取締役への報告義務） 監査役は、取締役が不正の行為をし、若しくは当該行為をするおそれがあると認めるとき、又は法令若しくは定款に違反する事実若しくは著しく不当な事実があると認めるときは、遅滞なく、その旨を取締役（取締役会設置会社にあっては、取締役会）に報告しなければならない。

⊗+【不正の行為又は法令・定款違反の行為↓三五八①、三七五、三九七①、四〇六、八五四①【取締役会への報告↓三八三②③【取締役会への報告の省略↓三七二【適用除外↓三八九⑦

（取締役会への出席義務等）

第三八三条① 監査役は、取締役会に出席し、必要があると認めるときは、意見を述べなければならない。ただし、監査役が二人以上ある場合において、第三百七十三条第一項の規定による特別取締役による議決の定めがあるときは、監査役の互選によって、監査役の中から特に同条第二項の取締役会に出席する監査役を定めることができる。

② 監査役は、前条に規定する場合において、必要があると認めるときは、取締役（第三百六十六条第一項ただし書に規定する場合にあっては、招集権者）に対し、取締役会の招集を請求することができる。

③ 前項の規定による請求があった日から五日以内に、その請求があった日から二週間以内の日を取締役会の日とする取締役会の招集の通知が発せられない場合は、その請求をした監査役は、取締役会を招集することができる。

④ 前二項の規定は、第三百七十三条第二項の取締役会については、適用しない。

参❶【取締役会への出席義務→三六八①　❷❸【取締役会の招集請求等→三六六②③　⁺【適用除外→三八九⑦

（株主総会に対する報告義務）

第三八四条 監査役は、取締役が株主総会に提出しようとする議案、書類その他法務省令で定めるものを調査しなければならない。この場合において、法令若しくは定款に違反し、又は著しく不当な事項があると認めるときは、その調査の結果を株主総会に報告しなければならない。

参⁺【株主総会に提出しようとする議案→二九五参【株主総会に提出しようとする書類→四三八、四四四④【省令で定めるもの→会社則一〇六【調査妨害・虚偽の報告等の制裁→九七六㊄㊅【適用除外→三八九⑦

（監査役による取締役の行為の差止め）

第三八五条① 監査役は、取締役が監査役設置会社の目的の範囲外の行為その他法令若しくは定款に違反する行為をし、又はこれらの行為をするおそれがある場合において、当該行為によって当該監査役設置会社に著しい損害が生ずるおそれがあるときは、当該取締役に対し、当該行為をやめることを請求することができる。

② 前項の場合において、裁判所が仮処分をもって同項の取締役に対し、その行為をやめることを命ずるときは、担保を立てさせないものとする。

参⁺【監査役の差止請求権→民保二三①、三六〇・四二二・三九九の六・四〇七　❶【会社の目的→二七㊂・九一一③㊂【目的の範囲外の行為その他法令・定款違反の行為→三六〇①・三六七①・四〇七①　❷【担保→民保一四　⁺【適用除外→三八九⑦

（監査役設置会社と取締役との間の訴えにおける会社の代表等）

第三八六条① 第三百四十九条第四項、第三百五十三条及び第三百六十四条の規定にかかわらず、次の各号に掲げる場合には、当該各号の訴えについては、監査役が監査役設置会社を代表する。

一 監査役設置会社が取締役（取締役であった者を含む。以下この条において同じ。）に対し、又は取締役が監査役設置会社に対して訴えを提起する場合（平成二六法九〇本号追加）

二 株式交換等完全親会社（第八百四十九条第二項第一号に規定する株式交換等完全親会社をいう。次項第三号において同じ。）である監査役設置会社がその株式交換等完全子会社（第八百四十七条の二第一項に規定する株式交換等完全子会社をいう。次項第三号において同じ。）の取締役、執行役（執行役であった者を含む。以下この条において同じ。）又は清算人（清算人であった者を含む。以下この条において同じ。）の責任（第八百四十七条の二第一項各号に掲げる行為の効力が生じた時までにその原因となった事実が生じたものに限る。）を追及する訴えを提起する場合（平成二六法九〇本号追加）

三 最終完全親会社等（第八百四十七条の三第一項に規定する最終完全親会社等をいう。次項第四号において同じ。）である監査役設置会社がその完全子会社等（同条第二項第二号に規定する完全子会社等をいい、同条第三項の規定により当該完全子会社等とみなされるものを含む。次項第四号において同じ。）である株式会社の取締役、執行役又は清算人に対して特定責任追及の訴え（同条第一項に規定する特定責任追及の訴えをいう。）を提起する場合（平成二六法九〇本号追加）

（平成二六法九〇本項改正）

② 第三百四十九条第四項の規定にかかわらず、次に掲げる場合には、監査役が監査役設置会社を代表する。

一 監査役設置会社が第八百四十七条第一項、第八百四十七条の二第一項若しくは第三項（同条第四項及び第五項において準用する場合を含む。）又は第八百四十七条の三第一項の規定による請求（取締役の責任を追及する訴えの提起の請求に限る。）を受ける場合（平成二六法九〇本号改正）

二 監査役設置会社が第八百四十九条第四項の訴訟告知（取締役の責任を追及する訴えに係るものに限る。）並びに第八百五十条第二項の規定による通知及び催告（取締役の責任を追及する訴えに係る訴訟における和解に関するものに限る。）を受ける場合（平成二六法九〇本号改正）

三 株式交換等完全親会社である監査役設置会社が第八百四十七条第一項の規定による請求（前項第二号に規定する訴えの提起の請求に限る。）をする場合又は第八百四十九条第六項の規定による通知（その株式交換等完全子会社の取締役、執行役又は清算人の責任を追及する訴えに係るものに限る。）を受ける場合（平成二六法九〇本号追加）

四 最終完全親会社等である監査役設置会社が第八百四十七条第一項の規定による請求（前項第三号に規定する特定責任追及の訴えの提起の請求に限る。）をする場合又は第八百四十九条第七項の規定による通知（その完全子会社等である株式会社の取締役、執行役又は清算人の責任を追及する訴えに係るものに

限る。）を受ける場合（平成二六法九〇本号追加）

⊛❶【取締役・会社間の訴訟↓三五三⊛+【適用除外↓三八九⑦

（監査役の報酬等）

第三八七条① 監査役の報酬等は、定款にその額を定めていないときは、株主総会の決議によって定める。

② 監査役が二人以上ある場合において、各監査役の報酬等について定款の定め又は株主総会の決議がないときは、当該報酬等は、前項の報酬等の範囲内において、監査役の協議によって定める。

③ 監査役は、株主総会において、監査役の報酬等について意見を述べることができる。

⊛❶【報酬等↓三六一⊛【株主総会の決議↓三〇九① ❷【報酬等の分配に関する協議↓三六一③・三七九② ❸【意見陳述権↓三六一⑤⑥・三七九③

（費用等の請求）

第三八八条 監査役がその職務の執行について監査役設置会社（監査役の監査の範囲を会計に関するものに限定する旨の定款の定めがある株式会社を含む。）に対して次に掲げる請求をしたときは、当該監査役設置会社は、当該請求に係る費用又は債務が当該監査役の職務の執行に必要でないことを証明した場合を除き、これを拒むことができない。

一 費用の前払の請求

二 支出した費用及び支出の日以後におけるその利息の償還の請求

三 負担した債務の債権者に対する弁済（当該債務が弁済期にない場合にあっては、相当の担保の提供）の請求

⊛+【監査役の職務執行↓三八一⊛【監査役と会社との関係↓三三〇⊛、民六五〇

（定款の定めによる監査範囲の限定）

第三八九条① 公開会社でない株式会社（監査役会設置会社及び会計監査人設置会社を除く。）は、第三百八十一条第一項の規定にかかわらず、その監査役の監査の範囲を会計に関するものに限定する旨を定款で定めることができる。

② 前項の規定による定款の定めがある株式会社の監査役は、法務省令で定めるところにより、監査報告を作成しなければならない。

③ 前項の監査役は、取締役が株主総会に提出しようとする会計に関する議案、書類その他の法務省令で定めるものを調査し、その調査の結果を株主総会に報告しなければならない。

④ 第二項の監査役は、いつでも、次に掲げるものの閲覧及び謄写をし、又は取締役及び会計参与並びに支配人その他の使用人に対して会計に関する報告を求めることができる。

一 会計帳簿又はこれに関する資料が書面をもって作成されているときは、当該書面

二 会計帳簿又はこれに関する資料が電磁的記録をもって作成されているときは、当該電磁的記録に記録された事項を法務省令で定める方法により表示したもの

⑤ 第二項の監査役は、その職務を行うため必要があるときは、株式会社の子会社に対して会計に関する報告を求め、又は株式会社若しくはその子会社の業務及び財産の状況の調査をすることができる。

⑥ 前項の子会社は、正当な理由があるときは、同項の規定による報告又は調査を拒むことができる。

⑦ 第三百八十一条から第三百八十六条までの規定は、第一項の規定による定款の定めがある株式会社については、適用しない。

⊛❶【公開会社↓二五【監査役の会計監査↓四三六① ❷【監査報告↓三八一①【省令の定め↓会社則一〇七 ❸【会計に関する議案↓四三八②・四四七①・四四八①・四五四①【会計に関する書類↓四四四⑦【省令で定めるもの↓会社則一〇八【調査妨害・虚偽の報告等の制裁↓九七六五六 ❹【支配人その他の使用人↓一〇―一二・一四・一五【会計帳簿↓四三二―四三四【二】【電磁的記録↓二六②【省令で定める方法↓会社則二二六 ❺【調査の妨害に対する制裁↓九七六五

第八節　監査役会

第一款　権限等

第三九〇条① 監査役会は、すべての監査役で組織する。

② 監査役会は、次に掲げる職務を行う。ただし、第三号の決定は、監査役の権限の行使を妨げることはできない。

一 監査報告の作成

二 常勤の監査役の選定及び解職

三 監査の方針、監査役会設置会社の業務及び財産の状況の調査の方法その他の監査役の職務の執行に関する事項の決定

③ 監査役会は、監査役の中から常勤の監査役を選定しなければならない。

④ 監査役は、監査役会の求めがあるときは、いつでもその職務の執行の状況を監査役会に報告しなければならない。

⊛❶【監査役会設置会社の監査役の員数・資格↓三三五③ ❷【監査役会の権限↓三四三③・三四四③・三四六⑥・三五七②・三七五②・三九七③・三九九② 【一】【監査報告↓三八一① 【三】【業務財産の調査↓三八一②③ ❸【選任の懈怠に対する制裁↓九七六二十四 ❹【監査役会への報告の省略↓三九五

第二款　運営

（招集権者）

第三九一条 監査役会は、各監査役が招集する。

⊛+【監査役会の招集↓三九二【招集権者↓三九九の八・三六六①・四一〇

（招集手続）

第三九二条① 監査役会を招集するには、監査役は、監査役会の日の一週間（これを下回る期間を定款で定めた場合にあっては、その期間）前までに、各監査役に対してその通知を発しなければならない。

② 前項の規定にかかわらず、監査役会は、監査役の全員の同意があるときは、招集の手続を経ることなく開

催することができる。

参❷【招集手続の省略↓三六八②・三九九の九②・四一一②】

（監査役会の決議）

第三九三条① 監査役会の決議は、監査役の過半数をもって行う。

② 監査役会の議事については、法務省令で定めるところにより、議事録を作成し、議事録が書面をもって作成されているときは、出席した監査役は、これに署名し、又は記名押印しなければならない。

③ 前項の議事録が電磁的記録をもって作成されている場合における当該電磁的記録に記録された事項については、法務省令で定める署名又は記名押印に代わる措置をとらなければならない。

④ 監査役会の決議に参加した監査役であって第二項の議事録に異議をとどめないものは、その決議に賛成したものと推定する。

参❷【議事録↓三九四】【省令の定め↓会社則一〇九】❸【電磁的記録↓二六②】【省令で定める措置↓会社則二二五】

（議事録）

第三九四条① 監査役会設置会社は、監査役会の日から十年間、前条第二項の議事録をその本店に備え置かなければならない。

② 監査役会設置会社の株主は、その権利を行使するため必要があるときは、裁判所の許可を得て、次に掲げる請求をすることができる。

一 前項の議事録が書面をもって作成されているときは、当該書面の閲覧又は謄写の請求

二 前項の議事録が電磁的記録をもって作成されているときは、当該電磁的記録に記録された事項を法務省令で定める方法により表示したものの閲覧又は謄写の請求

③ 前項の規定は、監査役会設置会社の債権者が役員の責任を追及するため必要があるとき及び親会社社員がその権利を行使するため必要があるときについて準用する。

④ 裁判所は、第二項（前項において準用する場合を含む。以下この項において同じ。）の請求に係る閲覧又は謄写をすることにより、当該監査役会設置会社又はその親会社若しくは子会社に著しい損害を及ぼすおそれがあると認めるときは、第二項の許可をすることができない。

参+【議事録虚偽記載等への制裁↓九七六[七]】❶【本店↓四参【備置義務懈怠に対する制裁↓九七六[八]】❷[三]【省令で定める方法↓会社則二二六】❷❸【株主等の閲覧等請求不当拒絶に対する制裁↓九七六[四]】【裁判所の許可↓八六八①②】

（監査役会への報告の省略）

第三九五条 取締役、会計参与、監査役又は会計監査人が監査役の全員に対して監査役会に報告すべき事項を通知したときは、当該事項を監査役会へ報告することを要しない。

参+【報告すべき事項↓三五七②・三七五②・三九〇④・三九七③】

第九節　会計監査人

（会計監査人の権限等）

第三九六条① 会計監査人は、次章の定めるところにより、株式会社の計算書類及びその附属明細書、臨時計算書類並びに連結計算書類を監査する。この場合において、会計監査人は、法務省令で定めるところにより、会計監査報告を作成しなければならない。

② 会計監査人は、いつでも、次に掲げるものの閲覧及び謄写をし、又は取締役及び会計参与並びに支配人その他の使用人に対し、会計に関する報告を求めることができる。

一 会計帳簿又はこれに関する資料が書面をもって作成されているときは、当該書面

二 会計帳簿又はこれに関する資料が電磁的記録をもって作成されているときは、当該電磁的記録に記録された事項を法務省令で定める方法により表示したもの

③ 会計監査人は、その職務を行うため必要があるときは、会計監査人設置会社の子会社に対して会計に関する報告を求め、又は会計監査人設置会社若しくはその子会社の業務及び財産の状況の調査をすることができる。

④ 前項の子会社は、正当な理由があるときは、同項の報告又は調査を拒むことができる。

⑤ 会計監査人は、その職務を行うに当たっては、次のいずれかに該当する者を使用してはならない。

一 第三百三十七条第三項第一号又は第二号に掲げる者

二 会計監査人設置会社又はその子会社の取締役、会計参与、監査役若しくは執行役又は支配人その他の使用人である者

三 会計監査人設置会社又はその子会社から公認会計士又は監査法人の業務以外の業務により継続的な報酬を受けている者

⑥ 指名委員会等設置会社における第二項の規定の適用については、同項中「取締役」とあるのは、「執行役、取締役」とする。（平成二六法九〇本項改正）

参❶【会計監査人の職務権限↓四三六②・四四一②・四四四④】【計算書類・臨時計算書類・連結計算書類↓三九八①】【監査報告↓四三六②】【虚偽記載等に対する制裁↓九七六[七]】【省令の定め↓会社則一一〇】❷【会計帳簿↓四三二】[二]【電磁的記録↓二六②】【省令で定める方法↓会社則二二六】❸【調査の妨害に対する制裁↓九七六[五]】

（監査役に対する報告）

第三九七条① 会計監査人は、その職務を行うに際して取締役の職務の執行に関し不正の行為又は法令若しくは定款に違反する重大な事実があることを発見したときは、遅滞なく、これを監査役に報告しなければならない。

② 監査役は、その職務を行うため必要があるときは、会計監査人に対し、その監査に関する報告を求めることができる。

③ 監査役会設置会社における第一項の規定の適用については、同項中「監査役」とあるのは、「監査役会」

とする。

④　監査等委員会設置会社における第一項及び第二項の規定の適用については、第一項中「監査役」とあるのは「監査等委員会」と、第二項中「監査役」とあるのは「監査等委員会が選定した監査等委員」とする。（平成二六法九〇本項追加）

⑤　指名委員会等設置会社における第一項及び第二項の規定の適用については、第一項中「取締役」とあるのは「執行役又は取締役」と、「監査役」とあるのは「監査委員会」と、第二項中「監査役」とあるのは「監査委員会が選定した監査委員会の委員」とする。（平成二六法九〇本項改正）

参❶【不正の行為又は法令・定款違反の行為→三五八①、三七五①、三八二、四〇六、八五四①　❷【監査役の会計監査人に対する報告徴求権→三九六②③

（定時株主総会における会計監査人の意見の陳述）

第三九八条①　第三百九十六条第一項に規定する書類が法令又は定款に適合するかどうかについて会計監査人が監査役と意見を異にするときは、会計監査人（会計監査人が監査法人である場合にあっては、その職務を行うべき社員。次項において同じ。）は、定時株主総会に出席して意見を述べることができる。

②　定時株主総会において会計監査人の出席を求める決議があったときは、会計監査人は、定時株主総会に出席して意見を述べなければならない。

③　監査役会設置会社における第一項の規定の適用については、同項中「監査役」とあるのは、「監査役会又は監査役」とする。

④　監査等委員会設置会社における第一項の規定の適用については、同項中「監査役」とあるのは、「監査等委員会又は監査等委員」とする。（平成二六法九〇本項追加）

⑤　指名委員会等設置会社における第一項の規定の適用については、同項中「監査役」とあるのは、「監査委員会又はその委員」とする。（平成二六法九〇本項改正）

参❶【定時株主総会→二九六①、四三八②、四三九　❷【会計監査人の出席を求める決議→三〇九⑤

（会計監査人の報酬等の決定に関する監査役の関与）

第三九九条①　取締役は、会計監査人又は一時会計監査人の職務を行うべき者の報酬等を定める場合には、監査役（監査役が二人以上ある場合にあっては、その過半数）の同意を得なければならない。

②　監査役会設置会社における前項の規定の適用については、同項中「監査役（監査役が二人以上ある場合にあっては、その過半数）」とあるのは、「監査役会」とする。

③　監査等委員会設置会社における第一項の規定の適用については、同項中「監査役（監査役が二人以上ある場合にあっては、その過半数）」とあるのは、「監査等委員会」とする。（平成二六法九〇本項追加）

④　指名委員会等設置会社における第一項の規定の適用については、同項中「監査役（監査役が二人以上ある場合にあっては、その過半数）」とあるのは、「監査委員会」とする。（平成二六法九〇本項改正）

参+【一時会計監査人の職務を行うべき者→三四六④―⑧【報酬等→三六一】参

第九節の二　監査等委員会（平成二六法九〇本節追加）

第一款　権限等

（監査等委員会の権限等）

第三九九条の二①　監査等委員会は、全ての監査等委員で組織する。

②　監査等委員は、取締役でなければならない。

③　監査等委員会は、次に掲げる職務を行う。

一　取締役（会計参与設置会社にあっては、取締役及び会計参与）の職務の執行の監査及び監査報告の作成

二　株主総会に提出する会計監査人の選任及び解任並びに会計監査人を再任しないことに関する議案の内容の決定

三　第三百四十二条の二第四項及び第三百六十一条第六項に規定する監査等委員会の意見の決定

④　監査等委員がその職務の執行（監査等委員会の職務の執行に関するものに限る。以下この項において同じ。）について監査等委員会設置会社に対して次に掲げる請求をしたときは、当該監査等委員会設置会社は、当該請求に係る費用又は債務が当該監査等委員の職務の執行に必要でないことを証明した場合を除き、これを拒むことができない。

一　費用の前払の請求

二　支出をした費用及び支出の日以後におけるその利息の償還の請求

三　負担した債務の債権者に対する弁済（当該債務が弁済期にない場合にあっては、相当の担保の提供）の請求

参❶【監査等委員会設置会社の監査等委員の員数・資格→三三一⑥　❸【監査等委員会の権限→三四四、三四四の二、三五七③、三七五③、三九七④、三九九③　【一】【監査報告→三八一①、三九〇②㈠、四〇四②㈠【業務財産の調査→三八一②③、三九〇②㈢、四〇五②③　❹【監査委員と会社取締役の関係→三三〇、民六五〇

（監査等委員会による調査）

第三九九条の三①　監査等委員会が選定する監査等委員は、いつでも、取締役（会計参与設置会社にあっては、取締役及び会計参与）及び支配人その他の使用人に対し、その職務の執行に関する事項の報告を求め、又は監査等委員会設置会社の業務及び財産の状況の調査をすることができる。

②　監査等委員会が選定する監査等委員は、監査等委員会の職務を執行するため必要があるときは、監査等委員会設置会社の子会社に対して事業の報告を求め、又はその子会社の業務及び財産の状況の調査をすることができる。

③　前項の子会社は、正当な理由があるときは、同項の報告又は調査を拒むことができる。

④　第一項及び第二項の監査等委員は、当該各項の報告の徴収又は調査に関する事項についての監査等委員会の決議があるときは、これに従わなければならない。

㊟❶【監査等委員会→三九九の二【監査等委員→三三一③【取締役→三九九の二③□【職務執行の報告の請求→三七五③【支配人その他の使用人→一〇一二、一四、一五　❶❷【調査の妨害に対する制裁→九七六国　❹【監査等委員会の決議→三九九の一〇

（取締役会への報告義務）

第三九九条の四　監査等委員は、取締役が不正の行為をし、若しくは当該行為をするおそれがあると認めるとき、又は法令若しくは定款に違反する事実若しくは著しく不当な事実があると認めるときは、遅滞なく、その旨を取締役会に報告しなければならない。

㊟【不正の行為又は法令・定款違反の行為→三五八①、三七五、三九七①、四〇六、八五四①【取締役会への報告の省略→三七二

（株主総会に対する報告義務）

第三九九条の五　監査等委員は、取締役が株主総会に提出しようとする議案、書類その他法務省令で定めるものについて法令若しくは定款に違反し、又は著しく不当な事項があると認めるときは、その旨を株主総会に報告しなければならない。

㊟【株主総会へ提出しようとする議案→二九五【株主総会へ提出しようとする書類→四三八、四四四④【調査結果の報告→九七六国因【省令で定めるもの→会社則一一〇の二

（監査等委員による取締役の行為の差止め）

第三九九条の六①　監査等委員は、取締役が監査等委員会設置会社の目的の範囲外の行為その他法令若しくは定款に違反する行為をし、又はこれらの行為をするおそれがある場合において、当該行為によって当該監査等委員会設置会社に著しい損害が生ずるおそれがあるときは、当該取締役に対し、当該行為をやめることを請求することができる。

②　前項の場合において、裁判所が仮処分をもって同項の取締役に対し、その行為をやめることを命ずるときは、担保を立てさせないものとする。

㊟【監査等委員の差止請求権→民保二三①、三六〇、四二二・三八五、四〇七　❶【会社の目的→二七□、九一一③□【目的の範囲外の行為その他法令・定款違反の行為→三六〇①、三六七①、四〇七①　❷【担保→民保一四

（監査等委員会設置会社と取締役との間の訴えにおける会社の代表等）

第三九九条の七①　第三百四十九条第四項、第三百五十三条及び第三百六十四条の規定にかかわらず、監査等委員会設置会社が取締役（取締役であった者を含む。以下この条において同じ。）に対し、又は取締役が監査等委員会設置会社に対して訴えを提起する場合には、当該訴えについては、次の各号に掲げる場合の区分に応じ、当該各号に定める者が監査等委員会設置会社を代表する。

一　監査等委員が当該訴えに係る訴訟の当事者である場合　取締役会が定める者（株主総会が当該訴えについて監査等委員会設置会社を代表する者を定めた場合にあっては、その者）

二　前号に掲げる場合以外の場合　監査等委員会が選定する監査等委員

②　前項の規定にかかわらず、取締役が監査等委員会設置会社に対して訴えを提起する場合には、監査等委員（当該訴えを提起する者であるものを除く。）に対してされた訴状の送達は、当該監査等委員会設置会社に対して効力を有する。

③　第三百四十九条第四項、第三百五十三条及び第三百六十四条の規定にかかわらず、次の各号に掲げる株式会社が監査等委員会設置会社である場合において、当該各号に定める訴えを提起するときは、当該訴えについては、監査等委員会が選定する監査等委員が当該監査等委員会設置会社を代表する。

一　株式交換等完全親会社（第八百四十九条第二項第一号に規定する株式交換等完全親会社をいう。次項第一号及び第五項第三号において同じ。）　その株式交換等完全子会社（第八百四十七条の二第一項に規定する株式交換等完全子会社をいう。第五項第三号において同じ。）の取締役、執行役（執行役であった者を含む。以下この条において同じ。）又は清算人（清算人であった者を含む。以下この条において同じ。）の責任（第八百四十七条の二第一項各号に掲げる行為の効力が生じた時までにその原因となった事実が生じたものに限る。）を追及する訴え

二　最終完全親会社等（第八百四十七条の三第一項に規定する最終完全親会社等をいう。次項第二号及び第五項第四号において同じ。）　その完全子会社等（同条第二項第二号に規定する完全子会社等をいい、同条第三項の規定により当該完全子会社等とみなされるものを含む。第五項第四号において同じ。）である株式会社の取締役、執行役又は清算人に対する特定責任追及の訴え（同条第一項に規定する特定責任追及の訴えをいう。）

④　第三百四十九条第四項の規定にかかわらず、次の各号に掲げる株式会社が監査等委員会設置会社である場合において、当該各号に定める請求をするときは、監査等委員会が選定する監査等委員が当該監査等委員会設置会社を代表する。

一　株式交換等完全親会社　第八百四十七条第一項の規定による請求（前項第一号に規定する訴えの提起の請求に限る。）

二　最終完全親会社等　第八百四十七条第一項の規定による請求（前項第二号に規定する特定責任追及の訴えの提起の請求に限る。）

⑤　第三百四十九条第四項の規定にかかわらず、次に掲げる場合には、監査等委員が監査等委員会設置会社を代表する。

一　監査等委員会設置会社が第八百四十七条第一項、第八百四十七条の二第一項若しくは第三項（同条第四項及び第五項において準用する場合を含む。）又は第八百四十七条の三第一項の規定による請求（取締役の責任を追及する訴えの提起の請求に限る。）を受ける場合（当該監査等委員が当該訴えに係る訴訟の

相手方となる場合を除く。）

二　監査等委員会設置会社が第八百四十九条第四項の訴訟告知（取締役の責任を追及する訴えに係るものに限る。）並びに第八百五十条第二項の規定による通知及び催告（取締役の責任を追及する訴えに係る訴訟における和解に関するものに限る。）を受ける場合（当該監査等委員がこれらの訴えに係る訴訟の当事者である場合を除く。）

三　株式交換等完全親会社である監査等委員会設置会社が第八百四十九条第六項の規定による通知（その株式交換等完全子会社の取締役、執行役又は清算人の責任を追及する訴えに係るものに限る。）を受ける場合

四　最終完全親会社等である監査等委員会設置会社が第八百四十九条第七項の規定による通知（その完全子会社等である株式会社の取締役、執行役又は清算人の責任を追及する訴えに係るものに限る。）を受ける場合

参❶【取締役・会社間の訴訟↓三五三　【二】【取締役会の決定↓三九九の一三⑤田【株主総会の決定↓三〇九①

第二款　運営

第三九九条の八（**招集権者**）　監査等委員会は、各監査等委員が招集する。

参【招集手続↓三九九の九【招集権者↓三九一・三六六①・四一〇

第三九九条の九（**招集手続等**）①　監査等委員会を招集するには、監査等委員は、監査等委員会の日の一週間（これを下回る期間を定款で定めた場合にあっては、その期間）前までに、各監査等委員に対してその通知を発しなければならない。

②　前項の規定にかかわらず、監査等委員会は、監査等委員の全員の同意があるときは、招集の手続を経ることなく開催することができる。

③　取締役（会計参与設置会社にあっては、取締役及び会計参与）は、監査等委員会の要求があったときは、監査等委員会に出席し、監査等委員会が求めた事項について説明をしなければならない。

参❷【招集手続の省略↓三六八②・三九二②・四一一②　❸【執行役の説明義務↓四一一③・三二四・四一七⑤

第三九九条の一〇（**監査等委員会の決議**）①　監査等委員会の決議は、議決に加わることができる監査等委員の過半数が出席し、その過半数をもって行う。

②　前項の決議について特別の利害関係を有する監査等委員は、議決に加わることができない。

③　監査等委員会の議事については、法務省令で定めるところにより、議事録を作成し、議事録が書面をもって作成されているときは、出席した監査等委員は、これに署名し、又は記名押印しなければならない。

④　前項の議事録が電磁的記録をもって作成されている場合における当該電磁的記録に記録された事項については、法務省令で定める署名又は記名押印に代わる措置をとらなければならない。

⑤　監査等委員会の決議に参加した監査等委員であって第三項の議事録に異議をとどめないものは、その決議に賛成したものと推定する。

参❷【特別利害関係委員の議決権排除↓三六九②　❸【議事録の備置・閲覧等↓三九九の一一【省令の定め↓会社則一一〇の三　❹【電磁的記録↓二六②

第三九九条の一一（**議事録**）①　監査等委員会設置会社は、監査等委員会の日から十年間、前条第三項の議事録をその本店に備え置かなければならない。

②　監査等委員会設置会社の株主は、その権利を行使するため必要があるときは、裁判所の許可を得て、次に掲げる請求をすることができる。

一　前項の議事録が書面をもって作成されているときは、当該書面の閲覧又は謄写の請求

二　前項の議事録が電磁的記録をもって作成されているときは、当該電磁的記録に記録された事項を法務省令で定める方法により表示したものの閲覧又は謄写の請求

③　前項の規定は、監査等委員会設置会社の債権者が取締役又は会計参与の責任を追及するため必要があるとき及び親会社社員がその権利を行使するため必要があるときについて準用する。

④　裁判所は、第二項（前項において準用する場合を含む。以下この項において同じ。）の請求に係る閲覧又は謄写をすることにより、当該監査等委員会設置会社又はその親会社若しくは子会社に著しい損害を及ぼすおそれがあると認めるときは、第二項の許可をすることができない。

参【指名委員会等の議事録↓四一三【議事録虚偽記載等に対する制裁↓九七六[七]　❶【本店↓四参【備置義務懈怠に対する制裁↓九七六[四]　❷【二】【省令で定める方法↓会社則二二六【電磁的記録↓二六②　❷❸【株主等の閲覧等請求不当拒否に対する制裁↓九七六[四]【裁判所の許可↓八六八①②

第三款　監査等委員会設置会社の取締役会の権限等

第三九九条の一二（**監査等委員会への報告の省略**）　取締役、会計参与又は会計監査人が監査等委員の全員に対して監査等委員会に報告すべき事項を通知したときは、当該事項を監査等委員会へ報告することを要しない。

参【報告すべき事項↓三五七③・三七五③・三九七④

第三九九条の一三（**監査等委員会設置会社の取締役会の権限**）①　監査等委員会設置会社の取締役会は、第三百六十二条の規定にかかわらず、次に掲げる職務を行う。

一　次に掲げる事項その他監査等委員会設置会社の業務執行の決定

イ　経営の基本方針
ロ　監査等委員会の職務の執行のため必要なものとして法務省令で定める事項
ハ　取締役の職務の執行が法令及び定款に適合することを確保するための体制その他株式会社の業務並びに当該株式会社及びその子会社から成る企業集団の業務の適正を確保するために必要なものとして法務省令で定める体制の整備
二　取締役の職務の執行の監督
三　代表取締役の選定及び解職

② 監査等委員会設置会社の取締役会は、前項第一号イからハまでに掲げる事項を決定しなければならない。

③ 監査等委員会設置会社の取締役会は、取締役（監査等委員である取締役を除く。）の中から代表取締役を選定しなければならない。

④ 監査等委員会設置会社の取締役会は、次に掲げる事項その他の重要な業務執行の決定を取締役に委任することができない。
一　重要な財産の処分及び譲受け
二　多額の借財
三　支配人その他の重要な使用人の選任及び解任
四　支店その他の重要な組織の設置、変更及び廃止
五　第六百七十六条第一号に掲げる事項その他の社債を引き受ける者の募集に関する重要な事項として法務省令で定める事項
六　第四百二十六条第一項の規定による定款の定めに基づく第四百二十三条第一項の責任の免除

⑤ 前項の規定にかかわらず、監査等委員会設置会社の取締役の過半数が社外取締役である場合には、当該監査等委員会設置会社の取締役会は、その決議によって、重要な業務執行の決定を取締役に委任することができる。ただし、次に掲げる事項については、この限りでない。
一　第百三十六条又は第百三十七条第一項の決定及び第百四十条第四項の規定による指定
二　第百六十五条第三項において読み替えて適用する第百五十六条第一項各号に掲げる事項の決定
三　第二百六十二条又は第二百六十三条第一項の決定
四　第二百九十八条第一項各号に掲げる事項の決定
五　株主総会に提出する議案（会計監査人の選任及び解任並びに会計監査人を再任しないことに関するものを除く。）の内容の決定
六　第三百四十八条の二第一項の規定による委託（令和一法七〇本号追加）
七　第三百六十一条第七項の規定による同項の事項の決定（令和一法七〇本号追加）
八　第三百六十五条第一項において読み替えて適用する第三百五十六条第一項の承認
九　第三百六十六条第一項ただし書の規定による取締役会を招集する取締役の決定
十　第三百九十九条の七第一項第一号の規定による監査等委員会設置会社を代表する者の決定
十一　前項第六号に掲げる事項
十二　補償契約（第四百三十条の二第一項に規定する補償契約をいう。第四百十六条第四項第十四号において同じ。）の内容の決定（令和一法七〇本号追加）
十三　役員等賠償責任保険契約（第四百三十条の三第一項に規定する役員等賠償責任保険契約をいう。第四百十六条第四項第十五号において同じ。）の内容の決定（令和一法七〇本号追加）
十四　第四百三十六条第三項、第四百四十一条第三項及び第四百四十四条第五項の承認
十五　第四百五十四条第五項において読み替えて適用する同条第一項の規定により定めなければならないとされる事項の決定
十六　第四百六十七条第一項各号に掲げる行為に係る契約（当該監査等委員会設置会社の株主総会の決議による承認を要しないものを除く。）の内容の決定
十七　合併契約（当該監査等委員会設置会社の株主総会の決議による承認を要しないものを除く。）の内容の決定
十八　吸収分割契約（当該監査等委員会設置会社の株主総会の決議による承認を要しないものを除く。）の内容の決定
十九　新設分割計画（当該監査等委員会設置会社の株主総会の決議による承認を要しないものを除く。）の内容の決定
二十　株式交換契約（当該監査等委員会設置会社の株主総会の決議による承認を要しないものを除く。）の内容の決定
二十一　株式移転計画の内容の決定
二十二　株式交付計画（当該監査等委員会設置会社の株主総会の決議による承認を要しないものを除く。）の内容の決定（令和一法七〇本号追加）

⑥ 前二項の規定にかかわらず、監査等委員会設置会社は、取締役会の決議によって重要な業務執行（前項各号に掲げる事項を除く。）の決定の全部又は一部を取締役に委任することができる旨を定款で定めることができる。

参＋【取締役の権限→三六二、四一六　❶【二】【省令で定める事項→会社則一一〇の四①【省令で定める体制→会社則一一〇の四②【三】【職務の執行の監督→三九九の四　❸【特別取締役制度の適用除外→三七三①　❹【五】【省令で定める事項→会社則一一〇の五　❺❻【業務執行の決定の委任→四一六④

（監査等委員会による取締役会の招集）

第三百九十九条の一四　監査等委員会設置会社においては、招集権者の定めがある場合であっても、監査等委員会が選定する監査等委員は、取締役会を招集することができる。

参❶【招集権者の定め→三六六①【招集権者の定めがある場合の取締役会の招集権→四一七①

第十節　指名委員会等及び執行役

（平成二六法九〇節名改正）

第一款　委員の選定、執行役の選任等

（委員の選定等）

第四〇〇条① 指名委員会、監査委員会又は報酬委員会の各委員会（以下この条、次条及び第九百十一条第三

項第二十三号ロにおいて単に「各委員会」という。）は、委員三人以上で組織する。（平成二六法九〇本項改正）

② 各委員会の委員は、取締役の中から、取締役会の決議によって選定する。

③ 各委員会の委員の過半数は、社外取締役でなければならない。

④ 監査委員会の委員（以下「監査委員」という。）は、指名委員会等設置会社若しくはその子会社の執行役若しくは業務執行取締役又は指名委員会等設置会社の子会社の会計参与（会計参与が法人であるときは、その職務を行うべき社員）若しくは支配人その他の使用人を兼ねることができない。（平成二六法九〇本項改正）

❶❷【取締役の員数↓三三一⑤　❷【委員↓四〇一・九一一③㈡十三、商登五四①【取締役会の決議↓四一六④㈨　❸【社外取締役↓二㈩五　❹【監査委員↓四〇五—四〇八・四二五③・八四九③㈢・四七七⑥【業務執行取締役↓三四八①・三六三①【支配人その他の使用人↓一〇—一二・一四・一五

第四〇一条（委員の解職等）① 各委員会の委員は、いつでも、取締役会の決議によって解職することができる。

② 前条第一項に規定する各委員会の委員の員数（定款で四人以上の員数を定めたときは、その員数）が欠けた場合には、任期の満了又は辞任により退任した委員は、新たに選定された委員（次項の一時委員の職務を行うべき者を含む。）が就任するまで、なお委員としての権利義務を有する。

③ 前項に規定する場合において、裁判所は、必要があると認めるときは、利害関係人の申立てにより、一時委員の職務を行うべき者を選任することができる。

④ 裁判所は、前項の一時委員の職務を行うべき者を選任した場合には、指名委員会等設置会社がその者に対して支払う報酬の額を定めることができる。（平成二六法九〇本項改正）

❶【取締役会の決議↓四一六④㈨　❷【辞任↓民六五一・六五四　❸【一時委員の選任↓八六八①・九三七①㈡・八七四㈠　❹【報酬の決定↓八七〇①㈠

第四〇二条（執行役の選任等）① 指名委員会等設置会社には、一人又は二人以上の執行役を置かなければならない。（平成二六法九〇本項改正）

② 執行役は、取締役会の決議によって選任する。

③ 指名委員会等設置会社と執行役との関係は、委任に関する規定に従う。（平成二六法九〇本項改正）

④ 第三百三十一条第一項〈取締役の資格等〉及び第三百三十一条の二〈同前〉の規定は、執行役について準用する。（令和一法七〇本項改正）

⑤ 株式会社は、執行役が株主でなければならない旨を定款で定めることができない。ただし、公開会社でない指名委員会等設置会社については、この限りでない。（平成二六法九〇本項改正）

⑥ 執行役は、取締役を兼ねることができる。

⑦ 執行役の任期は、選任後一年以内に終了する事業年度のうち最終のものに関する定時株主総会の終結後最初に招集される取締役会の終結の時までとする。ただし、定款によって、その任期を短縮することを妨げない。

⑧ 前項の規定にかかわらず、指名委員会等設置会社が指名委員会等を置く旨の定款の定めを廃止する定款の変更をした場合には、執行役の任期は、当該定款の変更の効力が生じた時に満了する。（平成二六法九〇本項改正）

❶【執行役↓三一四・四〇三・四〇四③・四〇九・四一一③・四一七②④⑤・四一八—四二六・四二八—四三〇・四六二・九一一③㈡十三、商登五四①　❷【取締役会の決議↓三六九・四一六④㈦　❸【委任の関係↓民六四三—六五六、三五五・三五六・四〇九・四一九②・八四七—八五三　❻【取締役との兼任↓四〇〇③④　❼【任期↓三三二⑥

第四〇三条（執行役の解任等）① 執行役は、いつでも、取締役会の決議によって解任することができる。

② 前項の規定により解任された執行役は、その解任について正当な理由がある場合を除き、指名委員会等設置会社に対し、解任によって生じた損害の賠償を請求することができる。（平成二六法九〇本項改正）

③ 第四百一条第二項から第四項まで〈委員が欠けた場合〉の規定は、執行役が欠けた場合又は定款で定めた執行役の員数が欠けた場合について準用する。

❶【取締役会の決議↓三六九・四一六④㈦　❸【四〇一条の準用↓八七〇①㈠・八七四㈠

第二款　指名委員会等の権限等

（平成二六法九〇款名改正）

第四〇四条（指名委員会等の権限等）① 指名委員会は、株主総会に提出する取締役（会計参与設置会社にあっては、取締役及び会計参与）の選任及び解任に関する議案の内容を決定する。

② 監査委員会は、次に掲げる職務を行う。

一　執行役等（執行役及び取締役をいい、会計参与設置会社にあっては、執行役、取締役及び会計参与をいう。以下この節において同じ。）の職務の執行の監査及び監査報告の作成

二　株主総会に提出する会計監査人の選任及び解任並びに会計監査人を再任しないことに関する議案の内容の決定

③ 報酬委員会は、第三百六十一条第一項並びに第三百七十九条第一項及び第二項の規定にかかわらず、執行役等の個人別の報酬等の内容を決定する。執行役が指名委員会等設置会社の支配人その他の使用人を兼ねているときは、当該支配人その他の使用人の報酬等の内容についても、同様とする。（平成二六法九〇本項改正）

④ 委員がその職務の執行（当該委員が所属する指名委員会等の職務の執行に関するものに限る。以下この項において同じ。）について指名委員会等設置会社に対して次に掲げる請求をしたときは、当該指名委員会等設置会社は、当該請求に係る費用又は債務が当該委員の職務の執行に必要でないことを証明した場合を除き、

これを拒むことができない。
一　費用の前払の請求
二　支出をした費用及び支出の日以後におけるその利息の償還の請求
三　負担した債務の債権者に対する弁済（当該債務が弁済期にない場合にあっては、相当の担保の提供）の請求

（平成二六法九〇本項改正）

※❶【指名委員会→四〇〇①―③【株主総会による選任→三二九①　❶―❸【指名委員会等の運営→四一〇―四一四【指名委員会等の取締役会への報告義務→四一七③　❷【監査委員会→三四〇⑤・三四六⑧・三七五④・三九九④・四〇〇・四〇五・四〇八①・四三六②・四四一②・四四四④【二】【監査・監査報告→三八一①※　【三】【会計監査人の選任等の議案の決定→三四四　❸【報酬委員会→四〇〇①―③・四〇九【報酬等→三六一①【支配人その他の使用人→一〇―一二・一四・一五　❹【委員の職務執行→四〇五―四一四【委員と会社との関係→四〇〇②・三三〇、民六五〇

（監査委員会による調査）

第四〇五条①　監査委員会が選定する監査委員は、いつでも、執行役等及び支配人その他の使用人に対し、その職務の執行に関する事項の報告を求め、又は指名委員会等設置会社の業務及び財産の状況の調査をすることができる。（平成二六法九〇本項改正）

②　監査委員会が選定する監査委員は、監査委員会の職務を執行するため必要があるときは、指名委員会等設置会社の子会社に対して事業の報告を求め、又はその子会社の業務及び財産の状況の調査をすることができる。（平成二六法九〇本項改正）

③　前項の子会社は、正当な理由があるときは、同項の報告又は調査を拒むことができる。

④　第一項及び第二項の監査委員は、当該各項の報告の徴収又は調査に関する事項についての監査委員会の決議があるときは、これに従わなければならない。

※❶【監査委員会→四〇四②【監査委員→四〇〇④【執行役等→四〇四②㈠【職務執行の報告の請求→三七五④・四一九①【支配人その他の使用人→一〇―一二・一四・一五　❶❷【調査の妨害に対する制裁→九七六㈤　❹【監査委員会の決議→四一二

（取締役会への報告義務）

第四〇六条　監査委員は、執行役又は取締役が不正の行為をし、若しくは当該行為をするおそれがあると認めるとき、又は法令若しくは定款に違反する事実若しくは著しく不当な事実があると認めるときは、遅滞なく、その旨を取締役会に報告しなければならない。

※＋【不正の行為又は法令・定款違反の行為→三五八①・三七五①①・三八二・三九七①・八五四①【取締役会への報告→四一七①【取締役会への報告の省略→三七二③

（監査委員による執行役等の行為の差止め）

第四〇七条①　監査委員は、執行役又は取締役が指名委員会等設置会社の目的の範囲外の行為その他法令若しくは定款に違反する行為をし、又はこれらの行為をするおそれがある場合において、当該行為によって当該指名委員会等設置会社に著しい損害が生ずるおそれがあるときは、当該執行役又は取締役に対し、当該行為をやめることを請求することができる。（平成二六法九〇本項改正）

②　前項の場合において、裁判所が仮処分をもって同項の執行役又は取締役に対し、その行為をやめることを命ずるときは、担保を立てさせないものとする。

※＋【監査委員の差止請求権→民保二三①、三六〇・三八五・三九九の六　❶【会社の目的→二七㈠・九一一③㈠【目的の範囲外の行為その他法令・定款違反の行為→三六〇①・三六七①・三八五①　❷【担保→民保一四

（指名委員会等設置会社と執行役又は取締役との間の訴えにおける会社の代表等）

第四〇八条①　第四百二十条第三項において準用する第三百四十九条第四項の規定並びに第三百五十三条及び第三百六十四条の規定にかかわらず、指名委員会等設置会社が執行役（執行役であった者を含む。以下この条において同じ。）若しくは取締役（取締役であった者を含む。以下この条において同じ。）に対し、又は執行役若しくは取締役が指名委員会等設置会社に対して訴えを提起する場合には、当該訴えについては、次の各号に掲げる場合の区分に応じ、当該各号に定める者が指名委員会等設置会社を代表する。

一　監査委員が当該訴えに係る訴訟の当事者である場合　取締役会が定める者（株主総会が当該訴えについて指名委員会等設置会社を代表する者を定めた場合にあっては、その者）

二　前号に掲げる場合以外の場合　監査委員会が選定する監査委員

②　前項の規定にかかわらず、執行役又は取締役が指名委員会等設置会社に対して訴えを提起する場合には、監査委員（当該訴えを提起する者であるものを除く。）に対してされた訴状の送達は、当該指名委員会等設置会社に対して効力を有する。

③　第四百二十条第三項において準用する第三百四十九条第四項の規定並びに第三百五十三条及び第三百六十四条の規定にかかわらず、次の各号に掲げる株式会社が指名委員会等設置会社である場合において、当該各号に定める訴えを提起するときは、当該訴えについては、監査委員会が選定する監査委員が当該指名委員会等設置会社を代表する。

一　株式交換等完全親会社（第八百四十九条第二項第一号に規定する株式交換等完全親会社をいう。次項第一号及び第五項第三号において同じ。）　その株式交換等完全子会社（第八百四十七条の二第一項に規定する株式交換等完全子会社をいう。第五項第三号において同じ。）の取締役、執行役又は清算人（清算人であった者を含む。以下この条において同じ。）の責任（第八百四十七条の二第一項各号に掲げる行為の効力が生じた時までにその原因となった事実が生じたものに限る。）を追及する訴え

二　最終完全親会社等（第八百四十七条の三第一項に規定する最終完全親会社等をいう。次項第二号及び第五項第四号において同じ。）　その完全子会社等（同条第二項第二号に規定する完全子会社等をいい、同条第三項の規定により当該完全子会社等とみなされるものを含む。第五項第四号において同じ。）である株式会社の取締役、執行役又は清算人に対す

る特定責任追及の訴え（同条第一項に規定する特定責任追及の訴えをいう。）

（平成二六法九〇本項追加）

④ 第四百二十条第三項において準用する第三百四十九条第四項の規定にかかわらず、次の各号に掲げる株式会社が指名委員会等設置会社である場合において、当該各号に定める請求をするときは、監査委員会が選定する監査委員が当該指名委員会等設置会社を代表する。

一 株式交換等完全親会社 第八百四十七条第一項の規定による請求（前項第一号に規定する訴えの提起の請求に限る。）

二 最終完全親会社等 第八百四十七条第一項の規定による請求（前項第二号に規定する特定責任追及の訴えの提起の請求に限る。）

（平成二六法九〇本項追加）

⑤ 第四百二十条第三項において準用する第三百四十九条第四項の規定にかかわらず、次に掲げる場合には、監査委員が指名委員会等設置会社を代表する。

一 指名委員会等設置会社が第八百四十七条第一項、第八百四十七条の二第一項若しくは第三項（同条第四項及び第五項において準用する場合を含む。）又は第八百四十七条の三第一項の規定による請求（執行役又は取締役の責任を追及する訴えの提起の請求に限る。）を受ける場合（当該監査委員が当該訴えに係る訴訟の相手方となる場合を除く。）

二 指名委員会等設置会社が第八百四十九条第四項の訴訟告知（執行役又は取締役の責任を追及する訴えに係るものに限る。）並びに第八百五十条第二項の規定による通知及び催告（執行役又は取締役の責任を追及する訴えに係る訴訟における和解に関するものに限る。）を受ける場合（当該監査委員がこれらの訴えに係る訴訟の当事者である場合を除く。）

三 株式交換等完全親会社である指名委員会等設置会社が第八百四十九条第六項の規定による通知（その株式交換等完全子会社の取締役、執行役又は清算人の責任を追及する訴えに係るものに限る。）を受ける場合（平成二六法九〇本号追加）

四 最終完全親会社等である指名委員会等設置会社が第八百四十九条第七項の規定による通知（その完全子会社等である株式会社の取締役、執行役又は清算人の責任を追及する訴えに係るものに限る。）を受ける場合（平成二六法九〇本号追加）

（平成二六法九〇本条改正）

∞❶【取締役・会社間の訴訟↓三五三∞ 【二】【取締役会の決定↓四一六④十二】【株主総会の決定↓三〇九①

第四〇九条①（報酬委員会による報酬の決定の方法等） 報酬委員会は、執行役等の個人別の報酬等の内容に係る決定に関する方針を定めなければならない。

② 報酬委員会は、第四百四条第三項の規定による決定をするには、前項の方針に従わなければならない。

③ 報酬委員会は、次の各号に掲げるものを執行役等の個人別の報酬等とする場合には、その内容として、当該各号に定める事項について決定しなければならない。ただし、会計参与の個人別の報酬等は、第一号に掲げるものでなければならない。

一 額が確定しているもの 個人別の額

二 額が確定していないもの 個人別の具体的な算定方法

三 当該株式会社の募集株式 当該募集株式の数（種類株式発行会社にあっては、募集株式の種類及び種類ごとの数）その他法務省令で定める事項（令和一法七〇本号追加）

四 当該株式会社の募集新株予約権 当該募集新株予約権の数その他法務省令で定める事項（令和一法七〇本号追加）

五 次のイ又はロに掲げるものと引換えにする払込みに充てるための金銭 当該イ又はロに定める事項

イ 当該株式会社の募集株式 執行役等が引き受ける当該募集株式の数（種類株式発行会社にあっては、募集株式の種類及び種類ごとの数）その他法務省令で定める事項

ロ 当該株式会社の募集新株予約権 執行役等が引き受ける当該募集新株予約権の数その他法務省令で定める事項

六 金銭でないもの（当該株式会社の募集株式及び募集新株予約権を除く。） 個人別の具体的な内容

（令和一法七〇本項改正）

∞+【報酬委員会↓四〇四③∞ ❶【執行役等↓四〇四②【報酬等↓三六一① ❸【募集株式↓一九九① 【新株予約権↓二三六③—⑥ 【三】【省令で定める事項↓会社則一一一の二 【四】【省令で定める事項↓会社則一一一の二 【五】【省令で定める事項↓会社則一一一の三

第三款 指名委員会等の運営

（平成二六法九〇款名改正）

第四一〇条（招集権者） 指名委員会等は、当該指名委員会等の各委員が招集する。（平成二六法九〇本条改正）

∞+【指名委員会等↓二六②∞【指名委員会等の招集権者↓三六六①・三九一

第四一一条①（招集手続等） 指名委員会等を招集するには、その委員は、指名委員会等の日の一週間（これを下回る期間を取締役会で定めた場合にあっては、その期間）前までに、当該指名委員会等の各委員に対してその通知を発しなければならない。

② 前項の規定にかかわらず、指名委員会等は、当該指名委員会等の委員の全員の同意があるときは、招集の手続を経ることなく開催することができる。

③ 執行役等は、指名委員会等の要求があったときは、当該指名委員会等に出席し、当該指名委員会等が求めた事項について説明をしなければならない。

（平成二六法九〇本条改正）

∞❷【招集手続の省略↓三六八②・三九二②・三九九の九② ❸

【執行役の説明義務→三一四、三九九の九③、四一七⑤】

（指名委員会等の決議）

第四一二条① 指名委員会等の決議は、議決に加わることができるその委員の過半数（これを上回る割合を取締役会で定めた場合にあっては、その割合以上）が出席し、その過半数（これを上回る割合を取締役会で定めた場合にあっては、その割合以上）をもって行う。（平成二六法九〇本項改正）

② 前項の決議について特別の利害関係を有する委員は、議決に加わることができない。

③ 指名委員会等の議事については、法務省令で定めるところにより、議事録を作成し、議事録が書面をもって作成されているときは、出席した委員は、これに署名し、又は記名押印しなければならない。（平成二六法九〇本項改正）

④ 前項の議事録が電磁的記録をもって作成されている場合における当該電磁的記録に記録された事項については、法務省令で定める署名又は記名押印に代わる措置をとらなければならない。

⑤ 指名委員会等の決議に参加した委員であって第三項の議事録に異議をとどめないものは、その決議に賛成したものと推定する。（平成二六法九〇本項改正）

❷【特別利害関係委員の議決権排除→三六九②】 ❸【議事録→四一三】【省令の定め→会社則一一一の四】 ❹【電磁的記録→二六②】【省令で定める措置→会社則二二五】

（議事録）

第四一三条① 指名委員会等設置会社は、指名委員会等の日から十年間、前条第三項の議事録をその本店に備え置かなければならない。

② 指名委員会等設置会社の取締役は、次に掲げるものの閲覧及び謄写をすることができる。

一 前項の議事録が書面をもって作成されているときは、当該書面

二 前項の議事録が電磁的記録をもって作成されているときは、当該電磁的記録に記録された事項を法務省令で定める方法により表示したもの

③ 指名委員会等設置会社の株主は、その権利を行使するため必要があるときは、裁判所の許可を得て、第一項の議事録について前項各号に掲げるものの閲覧又は謄写の請求をすることができる。

④ 前項の規定は、指名委員会等設置会社の債権者が委員の責任を追及するため必要があるとき及び親会社社員がその権利を行使するため必要があるときについて準用する。

⑤ 裁判所は、第三項（前項において準用する場合を含む。以下この項において同じ。）の請求に係る閲覧又は謄写をすることにより、当該指名委員会等設置会社又はその親会社若しくは子会社に著しい損害を及ぼすおそれがあると認めるときは、第三項の許可をすることができない。

（平成二六法九〇本条改正）

+【監査等委員会の議事録→三九九の一一】【議事録虚偽記載等に対する制裁→九七六㈦】 ❶【本店→四】【備置義務懈怠に対する制裁→九七六㈣】 ❷【二】【省令で定める方法→会社則二二六】 ❷—❹【取締役等の閲覧等請求不当拒否に対する制裁→九七六㈣】 ❸❹【裁判所の許可→八六八①②】

（指名委員会等への報告の省略）

第四一四条 執行役、取締役、会計参与又は会計監査人が委員の全員に対して指名委員会等に報告すべき事項を通知したときは、当該事項を指名委員会等へ報告することを要しない。（平成二六法九〇本条改正）

+【報告すべき事項→三七五④、三九七⑤、四一九①】

第四款　指名委員会等設置会社の取締役の権限等（平成二六法九〇款名改正）

（指名委員会等設置会社の取締役の権限）

第四一五条 指名委員会等設置会社の取締役は、この法律又はこの法律に基づく命令に別段の定めがある場合を除き、指名委員会等設置会社の業務を執行することができない。（平成二六法九〇本条改正）

+【取締役による業務の執行→四〇四④、四〇五—四〇八】【取締役会の職務執行の委任の禁止→四一六③】【取締役による執行役の兼任→四〇二⑥】

（指名委員会等設置会社の取締役会の権限）

第四一六条① 指名委員会等設置会社の取締役会は、第三百六十二条の規定にかかわらず、次に掲げる職務を行う。

一 次に掲げる事項その他指名委員会等設置会社の業務執行の決定

イ 経営の基本方針

ロ 監査委員会の職務の執行のため必要なものとして法務省令で定める事項

ハ 執行役が二人以上ある場合における執行役の職務の分掌及び指揮命令の関係その他の執行役相互の関係に関する事項

ニ 次条第二項の規定による取締役会の招集の請求を受ける取締役

ホ 執行役の職務の執行が法令及び定款に適合することを確保するための体制その他株式会社の業務並びに当該株式会社及びその子会社から成る企業集団の業務の適正を確保するために必要なものとして法務省令で定める体制の整備

二 執行役等の職務の執行の監督

② 指名委員会等設置会社の取締役会は、前項第一号イからホまでに掲げる事項を決定しなければならない。

③ 指名委員会等設置会社の取締役会は、第一項各号に掲げる職務の執行を取締役に委任することができない。

④ 指名委員会等設置会社の取締役会は、その決議によって、指名委員会等設置会社の業務執行の決定を執行役に委任することができる。ただし、次に掲げる事項については、この限りでない。

一 第百三十六条又は第百三十七条第一項の決定及び第百四十条第四項の規定による指定

二 第百六十五条第三項において読み替えて適用する第百五十六条第一項各号に掲げる事項の決定

三 第二百六十二条又は第二百六十三条第一項の決定
四 第二百九十八条第一項各号に掲げる事項の決定
五 株主総会に提出する議案（取締役、会計参与及び会計監査人の選任及び解任並びに会計監査人を再任しないことに関するものを除く。）の内容の決定
六 第三百四十八条の二第二項の規定による委託（令和一法七〇本号追加）
七 第三百六十五条第一項において読み替えて適用する第三百五十六条第一項（第四百十九条第二項において読み替えて準用する場合を含む。）の承認
八 第三百六十六条第一項ただし書の規定による取締役会を招集する取締役の決定
九 第四百条第二項の規定による委員の選定及び第四百一条第一項の規定による委員の解職
十 第四百二条第二項の規定による執行役の選任及び第四百三条第一項の規定による執行役の解任
十一 第四百八条第一項第一号の規定による指名委員会等設置会社を代表する者の決定
十二 第四百二十条第一項前段の規定による代表執行役の選定及び同条第二項の規定による代表執行役の解職
十三 第四百二十六条第一項の規定による定款の定めに基づく第四百二十三条第一項の責任の免除
十四 補償契約の内容の決定（令和一法七〇本号追加）
十五 役員等賠償責任保険契約の内容の決定（令和一法七〇本号追加）
十六 第四百三十六条第三項、第四百四十一条第三項及び第四百四十四条第五項の承認
十七 第四百五十四条第五項において読み替えて適用する同条第一項の規定により定めなければならないとされる事項の決定
十八 第四百六十七条第一項各号に掲げる行為に係る契約（当該指名委員会等設置会社の株主総会の決議による承認を要しないものを除く。）の内容の決定
十九 合併契約（当該指名委員会等設置会社の株主総会の決議による承認を要しないものを除く。）の内容の決定
二十 吸収分割契約（当該指名委員会等設置会社の株主総会の決議による承認を要しないものを除く。）の内容の決定
二十一 新設分割計画（当該指名委員会等設置会社の株主総会の決議による承認を要しないものを除く。）の内容の決定
二十二 株式交換契約（当該指名委員会等設置会社の株主総会の決議による承認を要しないものを除く。）の内容の決定
二十三 株式移転計画の内容の決定
二十四 株式交付計画（当該指名委員会等設置会社の株主総会の決議による承認を要しないものを除く。）の内容の決定（令和一法七〇本号追加）

（平成二六法九〇本条改正）

§+【取締役の権限↓三六二、三九九の一三 ❶[二]【執行役の職務分掌等の決定↓四二〇①【省令で定める事項↓会社則一一二① 【省令で定める体制↓会社則一一二② [三]【執行役等↓四〇四②[三]【職務の執行の監督↓四〇〇②、四〇一①、四〇二②、四〇三①、四〇六、四一七③、四一九②、三五六、三六五② ❸【特別取締役制度の適用除外↓三七三① ❹【執行役への委任↓商登四六⑤

（指名委員会等設置会社の取締役会の運営）

第四一七条① 指名委員会等設置会社においては、招集権者の定めがある場合であっても、指名委員会等がその委員の中から選定する者は、取締役会を招集することができる。（平成二六法九〇本項改正）

② 執行役は、前条第一項第一号ニの取締役に対し、取締役会の目的である事項を示して、取締役会の招集を請求することができる。この場合において、当該請求があった日から五日以内に、当該請求があった日から二週間以内の日を取締役会の日とする取締役会の招集の通知が発せられないときは、当該執行役は、取締役会を招集することができる。

③ 指名委員会等がその委員の中から選定する者は、遅滞なく、当該指名委員会等の職務の執行の状況を取締役会に報告しなければならない。（平成二六法九〇本項改正）

④ 執行役は、三箇月に一回以上、自己の職務の執行の状況を取締役会に報告しなければならない。この場合において、執行役は、代理人（他の執行役に限る。）により当該報告をすることができる。

⑤ 執行役は、取締役会の要求があったときは、取締役会に出席し、取締役会が求めた事項について説明をしなければならない。

§❶【招集権者の定め↓三六六① ❷【会議の目的である事項↓三六六②§ ❹【取締役会への報告↓三六三②

第五款 執行役の権限等

（執行役の権限）

第四一八条 執行役は、次に掲げる職務を行う。
一 第四百十六条第四項の規定による取締役会の決議によって委任を受けた指名委員会等設置会社の業務の執行の決定（平成二六法九〇本号改正）
二 指名委員会等設置会社の業務の執行（平成二六法九〇本号改正）

§[二]【業務執行の決定↓商登四六⑤ [三]【業務の執行↓四一五

（執行役の監査委員に対する報告義務等）

第四一九条① 執行役は、指名委員会等設置会社に著しい損害を及ぼすおそれのある事実を発見したときは、直ちに、当該事実を監査委員に報告しなければならない。（平成二六法九〇本項改正）

② 第三百五十五条〈忠実義務〉、第三百五十六条〈競業及び利益相反取引の制限〉及び第三百六十五条第二項〈競業等に関する報告〉の規定は、執行役について準用する。この場合において、第三百五十六条第一項中「株主総会」とあるのは「取締役会」と、第三百六十五条第二項中「取締役会設置会社においては、第三百五十六条第一項各号」とあるのは「第三百五十六条第一項各号」と読み替えるものとする。

③ 第三百五十七条の規定は、指名委員会等設置会社に

ついては、適用しない。（平成二六法九〇本項改正）

参❶【監査委員の権限→四〇七、四〇八①[二]、八四七①　❷【忠実義務→三五五参【競業・利益相反取引の制限→三五六、三六五②【自己のための取引→四二八①

（代表執行役）

第四二〇条① 取締役会は、執行役の中から代表執行役を選定しなければならない。この場合において、執行役が一人のときは、その者が代表執行役に選定されたものとする。

② 代表執行役は、いつでも、取締役会の決議によって解職することができる。

③ 第三百四十九条第四項及び第五項〈代表取締役の権限〉の規定は代表執行役について、第三百五十二条〈取締役の職務を代行する者の権限〉の規定は民事保全法第五十六条に規定する仮処分命令により選任された執行役又は代表執行役の職務を代行する者について、第四百一条第二項から第四項まで〈委員が欠けた場合〉の規定は代表執行役が欠けた場合又は定款で定めた代表執行役の員数が欠けた場合について、それぞれ準用する。

参❶【代表執行役→九一一③[二十三]、商登五四①　❶❷【取締役会の決議→四一六④[十二]　❸【代表執行役の権限→四〇八①⑤【四〇一条の準用→八七〇①[一]、八七四[一]

（表見代表執行役）

第四二一条 指名委員会等設置会社は、代表執行役以外の執行役に社長、副社長その他指名委員会等設置会社を代表する権限を有するものと認められる名称を付した場合には、当該執行役がした行為について、善意の第三者に対してその責任を負う。（平成二六法九〇本条改正）

参+【表見代表執行役→三五四

（株主による執行役の行為の差止め）

第四二二条① 六箇月（これを下回る期間を定款で定めた場合にあっては、その期間）前から引き続き株式を有する株主は、執行役が指名委員会等設置会社の目的の範囲外の行為その他法令若しくは定款に違反する行為をし、又はこれらの行為をするおそれがある場合において、当該行為によって当該指名委員会等設置会社に回復することができない損害が生ずるおそれがあるときは、当該執行役に対し、当該行為をやめることを請求することができる。

② 公開会社でない指名委員会等設置会社における前項の規定の適用については、同項中「六箇月（これを下回る期間を定款で定めた場合にあっては、その期間）前から引き続き株式を有する株主」とあるのは、「株主」とする。

（平成二六法九〇本条改正）

参+【株主の差止請求権→三六〇参【濫用株主等に対する制裁→九六八①[三]

第十一節　役員等の損害賠償責任

（役員等の株式会社に対する損害賠償責任）

第四二三条① 取締役、会計参与、監査役、執行役又は会計監査人（以下この章において「役員等」という。）は、その任務を怠ったときは、株式会社に対し、これによって生じた損害を賠償する責任を負う。（令和一法七〇本項改正）

② 取締役又は執行役が第三百五十六条第一項（第四百十九条第二項において準用する場合を含む。以下この項において同じ。）の規定に違反して第三百五十六条第一項第一号の取引をしたときは、当該取引によって取締役、執行役又は第三者が得た利益の額は、前項の損害の額と推定する。

③ 第三百五十六条第一項第二号又は第三号（これらの規定を第四百十九条第二項において準用する場合を含む。）の取引によって株式会社に損害が生じたときは、次に掲げる取締役又は執行役は、その任務を怠ったものと推定する。

一 第三百五十六条第一項（第四百十九条第二項において準用する場合を含む。）の取締役又は執行役

二 株式会社が当該取引をすることを決定した取締役又は執行役

三 当該取引に関する取締役会の承認の決議に賛成した取締役（指名委員会等設置会社においては、当該取引が指名委員会等設置会社と取締役との間の取引又は指名委員会等設置会社と取締役との利益が相反する取引である場合に限る。）（平成二六法九〇本号改正）

④ 前項の規定は、第三百五十六条第一項第三号に掲げる場合において、同項の取締役（監査等委員であるものを除く。）が当該取引につき監査等委員会の承認を受けたときは、適用しない。（平成二六法九〇本項追加）

参+【役員等の会社に対する責任→三五三、三六四、三八六、四〇八、四六二、五四五、八四七―八五二、八九九、破一七八―一八一、会更一〇〇―一〇三　❶【役員等の任務懈怠→民六四四、三三〇、三五五、四一九②、四二四―四二七、四二八①、四三〇　❷【損害額の推定→特許一〇二②　❸[二]【自己のため直接取引をした取締役・執行役→四二八①　[三]【承認決議に賛成した取締役→三六九⑤　❹【監査等委員会の決議→三九九の一〇

（株式会社に対する損害賠償責任の免除）

第四二四条 前条第一項の責任は、総株主の同意がなければ、免除することができない。

参+【総株主の同意→八四七【責任の免除→四六二③、四六四②、四六五②、五四三、五四四①、八五〇④【責任の一部免除→四二五―四二七【適用除外→八五〇④

（責任の一部免除）

第四二五条① 前条の規定にかかわらず、第四百二十三条第一項の責任は、当該役員等が職務を行うにつき善意でかつ重大な過失がないときは、賠償の責任を負う額から次に掲げる額の合計額（第四百二十七条第一項において「最低責任限度額」という。）を控除して得た額を限度として、株主総会（株式会社に最終完全親会社等（第八百四十七条の三第一項に規定する最終完全親会社等をいう。以下この節において同じ。）がある場合において、当該責任が特定責任（第八百四十七条の三第四項に規定する特定責任をいう。以下この節にお

いて同じ。）であるときにあっては、当該株式会社及び当該最終完全親会社等の株主総会。以下この条において同じ。）の決議によって免除することができる。

一 当該役員等がその在職中に株式会社から職務執行の対価として受け、又は受けるべき財産上の利益の一年間当たりの額に相当する額として法務省令で定める方法により算定される額に、次のイからハまでに掲げる役員等の区分に応じ、当該イからハまでに定める数を乗じて得た額

イ 代表取締役又は代表執行役 六

ロ 代表取締役以外の取締役（業務執行取締役等であるものに限る。）又は代表執行役以外の執行役 四

ハ 取締役（イ及びロに掲げるものを除く。）、会計参与、監査役又は会計監査人 二

二 当該役員等が当該株式会社の新株予約権を引き受けた場合（第二百三十八条第三項各号に掲げる場合に限る。）における当該新株予約権に関する財産上の利益に相当する額として法務省令で定める方法により算定される額

（平成二六法九〇本項改正）

② 前項の場合には、取締役（株式会社に最終完全親会社等がある場合において、同項の規定により免除しようとする責任が特定責任であるときにあっては、当該株式会社及び当該最終完全親会社等の取締役）は、同項の株主総会において次に掲げる事項を開示しなければならない。

一 責任の原因となった事実及び賠償の責任を負う額

二 前項の規定により免除することができる額の限度及びその算定の根拠

三 責任を免除すべき理由及び免除額

（平成二六法九〇本項改正）

③ 監査役設置会社、監査等委員会設置会社又は指名委員会等設置会社においては、取締役（これらの会社に最終完全親会社等がある場合において、第一項の規定により免除しようとする責任が特定責任であるときにあっては、当該会社及び当該最終完全親会社等の取締役）は、第四百二十三条第一項の責任の免除（取締役（監査等委員又は監査委員であるものを除く。）及び執行役の責任の免除に限る。）に関する議案を株主総会に提出するには、次の各号に掲げる株式会社の区分に応じ、当該各号に定める者の同意を得なければならない。

一 監査役設置会社 監査役（監査役が二人以上ある場合にあっては、各監査役）

二 監査等委員会設置会社 各監査等委員（平成二六法九〇本号追加）

三 指名委員会等設置会社 各監査委員

（平成二六法九〇本項改正）

④ 第一項の決議があった場合において、株式会社が当該決議後に同項の役員等に対し退職慰労金その他の法務省令で定める財産上の利益を与えるときは、株主総会の承認を受けなければならない。当該役員等が同項第二号の新株予約権を当該決議後に行使し、又は譲渡するときも同様とする。

⑤ 第一項の決議があった場合において、当該役員等が前項の新株予約権を表示する新株予約権証券を所持するときは、当該役員等は、遅滞なく、当該新株予約権証券を株式会社に対し預託しなければならない。この場合において、当該役員等は、同項の譲渡について同項の承認を受けた後でなければ、当該新株予約権証券の返還を求めることができない。

参❶【賠償の責任を負う額→四二三①【株主総会決議→三〇九②四 【一】【省令で定める方法→会社則一一三 【二】【省令で定める方法→会社則一一四 ❷【開示の懈怠に対する制裁→九七六三 【二】【賠償の責任を負う額→四二三① 【三】【責任を免除すべき理由→四二六① ❹【省令で定める財産上の利益→会社則一一五【株主総会の承認→三〇九①、会社則八四の二 ❺【新株予約権証券→二八八 ＋【適用除外→四二八②

（取締役等による免除に関する定款の定め）

第四二六条① 第四百二十四条の規定にかかわらず、監査役設置会社（取締役が二人以上ある場合に限る。）、監査等委員会設置会社又は指名委員会等設置会社は、第四百二十三条第一項の責任について、当該役員等が職務を行うにつき善意でかつ重大な過失がない場合において、責任の原因となった事実の内容、当該役員等の職務の執行の状況その他の事情を勘案して特に必要と認めるときは、前条第一項の規定により免除することができる額を限度として取締役（当該責任を負う取締役を除く。）の過半数の同意（取締役会設置会社にあっては、取締役会の決議）によって免除することができる旨を定款で定めることができる。（平成二六法九〇本項改正）

② 前条第三項の規定は、定款を変更して前項の規定による定款の定め（取締役（監査等委員又は監査委員であるものを除く。）及び執行役の責任を免除することができる旨の定めに限る。）を設ける議案を株主総会に提出する場合、同項の規定による定款の定めに基づく責任の免除（取締役（監査等委員又は監査委員であるものを除く。）及び執行役の責任の免除に限る。）についての取締役の同意を得る場合及び当該責任の免除に関する議案を取締役会に提出する場合について準用する。この場合において、同条第三項中「取締役（これらの会社に最終完全親会社等がある場合において、第一項の規定により免除しようとする責任が特定責任であるときにあっては、当該会社及び当該最終完全親会社等の取締役）」とあるのは、「取締役」と読み替えるものとする。（平成二六法九〇本項改正）

③ 第一項の規定による定款の定めに基づいて役員等の責任を免除する旨の同意（取締役会設置会社にあっては、取締役会の決議）を行ったときは、取締役は、遅滞なく、前条第二項各号に掲げる事項及び責任を免除することに異議がある場合には一定の期間内に当該異議を述べるべき旨を公告し、又は株主に通知しなければならない。ただし、当該期間は、一箇月を下ることができない。

④ 公開会社でない株式会社における前項の規定の適用については、同項中「公告し、又は株主に通知し」と

あるのは、「株主に通知し」とする。

⑤ 株式会社に最終完全親会社等がある場合において、第三項の規定による公告又は通知（特定責任の免除に係るものに限る。）がされたときは、当該最終完全親会社等の取締役は、遅滞なく、前条第二項各号に掲げる事項及び責任を免除することに異議がある場合には一定の期間内に当該異議を述べるべき旨を公告し、又は株主に通知しなければならない。ただし、当該期間は、一箇月を下ることができない。（平成二六法九〇本項追加）

⑥ 公開会社でない最終完全親会社等における前項の規定の適用については、同項中「公告し、又は株主に通知し」とあるのは、「株主に通知し」とする。（平成二六法九〇本項追加）

⑦ 総株主（第三項の責任を負う役員等であるものを除く。）の議決権の百分の三（これを下回る割合を定款で定めた場合にあっては、その割合）以上の議決権を有する株主が同項の期間内に同項の異議を述べたとき（株式会社に最終完全親会社等がある場合において、第一項の規定による定款の定めに基づき免除しようとする責任が特定責任であるときにあっては、当該株式会社の総株主（第三項の責任を負う役員等であるものを除く。）の議決権の百分の三（これを下回る割合を定款で定めた場合にあっては、その割合）以上の議決権を有する株主又は当該最終完全親会社等の総株主（第三項の責任を負う役員等であるものを除く。）の議決権の百分の三（これを下回る割合を定款で定めた場合にあっては、その割合）以上の議決権を有する株主が第三項又は第五項の期間内に当該各項の異議を述べたとき）は、株式会社は、第一項の規定による定款の定めに基づく免除をしてはならない。（平成二六法九〇本項改正）

⑧ 前条第四項及び第五項の規定は、第一項の規定による定款の定めに基づき責任を免除した場合について準用する。

❶【責任の一部免除に関する定款の定め→九一一③二十四【取締役の過半数の同意→三四八③五【取締役会の決議→三六九②・三六二④七・四一六④十三 ❸【公告→九三九 ❸❹【株主への通知→一二六①【懈怠に対する制裁→九七六二 ❺❻【株主への通知→一二六①【公告→九三九 ❼【濫用株主等に対する制裁→九六八①三 ❽【四二五条四項の準用→会社則八四の二 ＋【適用除外→四二八②

（責任限定契約）

第四二七条① 第四百二十四条の規定にかかわらず、株式会社は、取締役（業務執行取締役等であるものを除く。）、会計参与、監査役又は会計監査人（以下この条及び第九百十一条第三項第二十五号において「非業務執行取締役等」という。）の第四百二十三条第一項の責任について、当該非業務執行取締役等が職務を行うにつき善意でかつ重大な過失がないときは、定款で定めた額の範囲内であらかじめ株式会社が定めた額と最低責任限度額とのいずれか高い額を限度とする旨の契約を非業務執行取締役等と締結することができる旨を定款で定めることができる。

② 前項の契約を締結した非業務執行取締役等が当該株式会社の業務執行取締役等に就任したときは、当該契約は、将来に向かってその効力を失う。

③ 第四百二十五条第三項〈責任の一部免除に関する同意〉の規定は、定款を変更して第一項の規定による定款の定め（同項に規定する取締役（監査等委員又は監査委員であるものを除く。）と契約を締結することができる旨の定めに限る。）を設ける議案を株主総会に提出する場合について準用する。この場合において、同条第三項中「取締役（これらの会社に最終完全親会社等がある場合において、第一項の規定により免除しようとする責任が特定責任であるときにあっては、当該会社及び当該最終完全親会社等の取締役）」とあるのは、「取締役」と読み替えるものとする。

④ 第一項の契約を締結した株式会社が、当該契約の相手方である非業務執行取締役等が任務を怠ったことにより損害を受けたことを知ったときは、その後最初に招集される株主総会（当該株式会社に最終完全親会社等がある場合において、当該損害が特定責任に係るものであるときにあっては、当該株式会社及び当該最終完全親会社等の株主総会）において次に掲げる事項を開示しなければならない。

一 第四百二十五条第二項第一号及び第二号に掲げる事項

二 当該契約の内容及び当該契約を締結した理由

三 第四百二十三条第一項の損害のうち、当該非業務執行取締役等が賠償する責任を負わないとされた額

⑤ 第四百二十五条第四項及び第五項〈新株予約権の取扱い〉の規定は、非業務執行取締役等が第一項の契約によって同項に規定する限度を超える部分について損害を賠償する責任を負わないとされた場合について準用する。

（平成二六法九〇本条改正）

❶【責任の一部免除に関する定款の定め→九一一③二十五【最低責任限度額→四二五① ❷【業務執行取締役→二十五イ【支配人その他の使用人→一〇―一二・一四・一五 ❹【開示の懈怠に対する制裁→九七六三 ❺【四二五条四項の準用→会社則八四の二 ＋【適用除外→四二八②

（取締役が自己のためにした取引に関する特則）

第四二八条① 第三百五十六条第一項第二号（第四百十九条第二項において準用する場合を含む。）の取引（自己のためにした取引に限る。）をした取締役又は執行役の第四百二十三条第一項の責任は、任務を怠ったことが当該取締役又は執行役の責めに帰することができない事由によるものであることをもって免れることができない。

② 前三条の規定は、前項の責任については、適用しない。

❶【無過失責任→四二三③

（役員等の第三者に対する損害賠償責任）

第四二九条① 役員等がその職務を行うについて悪意又は重大な過失があったときは、当該役員等は、これによって第三者に生じた損害を賠償する責任を負う。

② 次の各号に定める行為をしたときも、前項と同様とする。ただし、その者が当該行為をすることについて注意を怠らなかったことを証明したときは、この限りでない。

一 取締役及び執行役 次に掲げる行為

イ 株式、新株予約権、社債若しくは新株予約権付社債を引き受ける者の募集をする際に通知しなければならない重要な事項についての虚偽の通知又は当該募集のための当該株式会社の事業その他の事項に関する説明に用いた資料についての虚偽の記載若しくは記録

ロ 計算書類及び事業報告並びにこれらの附属明細書並びに臨時計算書類に記載し、又は記録すべき重要な事項についての虚偽の記載又は記録

ハ 虚偽の登記

ニ 虚偽の公告（第四百四十条第三項に規定する措置を含む。）

二 会計参与 計算書類及びその附属明細書、臨時計算書類並びに会計参与報告に記載し、又は記録すべき重要な事項についての虚偽の記載又は記録

三 監査役、監査等委員及び監査委員 監査報告に記載し、又は記録すべき重要な事項についての虚偽の記載又は記録（平成二六法九〇本号改正）

四 会計監査人 会計監査報告に記載し、又は記録すべき重要な事項についての虚偽の記載又は記録

参❶【第三者に対する責任】→五三②、四八七 ❷【二】【募集の際の通知】→二〇三①、二四二①、六七七①【虚偽文書行使等の罪】→九六四①【計算書類等の虚偽記載の罰則】→九七六㈦【虚偽の登記の罰則】→刑一五七①【虚偽の公告の罰則】→九七六㈢【二】【会計参与報告】→三七四①【三】【監査報告】→三八一①、四〇四②㈠【四】【会計監査報告】→三九六①

（役員等の連帯責任）

第四三〇条 役員等が株式会社又は第三者に生じた損害を賠償する責任を負う場合において、他の役員等も当該損害を賠償する責任を負うときは、これらの者は、連帯債務者とする。

参+【役員等の責任】→四二三、四二九【適用除外】→四八八②

第十二節 補償契約及び役員等のために締結される保険契約（令和一法七〇本節追加）

（補償契約）

第四三〇条の二 ① 株式会社が、役員等に対して次に掲げる費用等の全部又は一部を当該株式会社が補償することを約する契約（以下この条において「補償契約」という。）の内容の決定をするには、株主総会（取締役会設置会社にあっては、取締役会）の決議によらなければならない。

一 当該役員等が、その職務の執行に関し、法令の規定に違反したことが疑われ、又は責任の追及に係る請求を受けたことに対処するために支出する費用

二 当該役員等が、その職務の執行に関し、第三者に生じた損害を賠償する責任を負う場合における次に掲げる損失

イ 当該損害を当該役員等が賠償することにより生ずる損失

ロ 当該損害の賠償に関する紛争について当事者間に和解が成立したときは、当該役員等が当該和解に基づく金銭を支払うことにより生ずる損失

② 株式会社は、補償契約を締結している場合であっても、当該補償契約に基づき、次に掲げる費用等を補償することができない。

一 前項第一号に掲げる費用のうち通常要する費用の額を超える部分

二 当該株式会社が前項第二号の損害を賠償するとすれば当該役員等が当該株式会社に対して第四百二十三条第一項の責任を負う場合には、同号に掲げる損失のうち当該責任に係る部分

三 役員等がその職務を行うにつき悪意又は重大な過失があったことにより前項第二号の責任を負う場合には、同号に掲げる損失の全部

③ 補償契約に基づき第一項第一号に掲げる費用を補償した株式会社が、当該役員等が自己若しくは第三者の不正な利益を図り、又は当該株式会社に損害を加える目的で同号の職務を執行したことを知ったときは、当該役員等に対し、補償した金額に相当する金銭を返還することを請求することができる。

④ 取締役会設置会社においては、補償契約に基づく補償をした取締役及び当該補償を受けた取締役は、遅滞なく、当該補償についての重要な事実を取締役会に報告しなければならない。

⑤ 前項の規定は、執行役について準用する。この場合において、同項中「取締役会設置会社においては、補償契約」とあるのは、「補償契約」と読み替えるものとする。

⑥ 第三百五十六条第一項及び第三百六十五条第二項（これらの規定を第四百十九条第二項において準用する場合を含む。）、第四百二十三条第三項並びに第四百二十八条第一項の規定は、株式会社と取締役又は執行役との間の補償契約については、適用しない。

⑦ 民法第百八条の規定は、第一項の決議によってその内容が定められた前項の補償契約の締結については、適用しない。

参+【役員等と会社との関係】→三三〇、民六五〇【取締役の業務執行】→三四八、三六三①、四二三、四二九、八四七 ❶【株主総会の決議】→三〇九①【取締役会の決議】→三六九、三九九の一三⑤⑿、四一六④⒁ ❹【重要な事実の報告】→三六二②㈢、九七六㈢㈣

（役員等のために締結される保険契約）

第四三〇条の三 ① 株式会社が、保険者との間で締結する保険契約のうち役員等がその職務の執行に関し責任を負うこと又は当該責任の追及に係る請求を受けることによって生ずることのある損害を保険者が塡補することを約するものであって、役員等を被保険者とするもの（当該保険契約を締結することにより被保険者である役員等の職務の執行の適正性が著しく損なわれるおそれがないものとして法務省令で定めるものを除く。第三項ただし書において「役員等賠償責任保険契

約」という。）の内容の決定をするには、株主総会（取締役会設置会社にあっては、取締役会）の決議によらなければならない。

② 第三百五十六条第一項及び第三百六十五条第二項（これらの規定を第四百十九条第二項において準用する場合を含む。）並びに第四百二十三条第三項の規定は、株式会社が保険者との間で締結する保険契約のうち役員等がその職務の執行に関し責任を負うこと又は当該責任の追及に係る請求を受けることによって生ずることのある損害を保険者が塡補することを約するものであって、取締役又は執行役を被保険者とするものの締結については、適用しない。

③ 民法第百八条の規定は、前項の保険契約の締結については、適用しない。ただし、当該契約が役員等賠償責任保険契約である場合には、第一項の決議によってその内容が定められたときに限る。

参+【役員等と会社との関係→三三〇、民六五〇】【取締役の業務執行→三四八、三六三①、四二三、四二九、八四七】❶【株主総会の決議→三〇九①】【取締役会の決議→三六九、三九九の一三⑤[十三]、四一六④[十五]】【省令で定めるもの→会社則一一五の二】

第五章　計算等

第一節　会計の原則

第四三一条　株式会社の会計は、一般に公正妥当と認められる企業会計の慣行に従うものとする。

第二節　会計帳簿等

第一款　会計帳簿

（会計帳簿の作成及び保存）

第四三二条① 株式会社は、法務省令で定めるところにより、適時に、正確な会計帳簿を作成しなければならない。

② 株式会社は、会計帳簿の閉鎖の時から十年間、その会計帳簿及びその事業に関する重要な資料を保存しなければならない。

参❶【省令の定め→会社則一一六、会社計算四—五六】❷【会計帳簿・資料の保存→四三三、四三四、四三五④】

（会計帳簿の閲覧等の請求）

第四三三条① 総株主（株主総会において決議をすることができる事項の全部につき議決権を行使することができない株主を除く。）の議決権の百分の三（これを下回る割合を定款で定めた場合にあっては、その割合）以上の議決権を有する株主又は発行済株式（自己株式を除く。）の百分の三（これを下回る割合を定款で定めた場合にあっては、その割合）以上の数の株式を有する株主は、株式会社の営業時間内は、いつでも、次に掲げる請求をすることができる。この場合においては、当該請求の理由を明らかにしてしなければならない。

一 会計帳簿又はこれに関する資料が書面をもって作成されているときは、当該書面の閲覧又は謄写の請求

二 会計帳簿又はこれに関する資料が電磁的記録をもって作成されているときは、当該電磁的記録に記録された事項を法務省令で定める方法により表示したものの閲覧又は謄写の請求

② 前項の請求があったときは、株式会社は、次のいずれかに該当すると認められる場合を除き、これを拒むことができない。

一 当該請求を行う株主（以下この項において「請求者」という。）がその権利の確保又は行使に関する調査以外の目的で請求を行ったとき。

二 請求者が当該株式会社の業務の遂行を妨げ、株主の共同の利益を害する目的で請求を行ったとき。

三 請求者が当該株式会社の業務と実質的に競争関係にある事業を営み、又はこれに従事するものであるとき。

四 請求者が会計帳簿又はこれに関する資料の閲覧又は謄写によって知り得た事実を利益を得て第三者に通報するため請求したとき。

五 請求者が、過去二年以内において、会計帳簿又はこれに関する資料の閲覧又は謄写によって知り得た事実を利益を得て第三者に通報したことがあるものであるとき。

③ 株式会社の親会社社員は、その権利を行使するため必要があるときは、裁判所の許可を得て、会計帳簿又はこれに関する資料について第一項各号に掲げる請求をすることができる。この場合においては、当該請求の理由を明らかにしてしなければならない。

④ 前項の親会社社員について第二項各号のいずれかに規定する事由があるときは、裁判所は、前項の許可をすることができない。

参+【株主の会計帳簿閲覧等請求権→三五八】❶【議決権→三〇八①】【濫用株主等に対する制裁→九六八①[三]】[一][二]【会計帳簿・資料→四三二】[二]【電磁的記録→二六②】【省令で定める方法→会社則二二六】❷【不当拒絶に対する制裁→九七六[四]】[一]【株主の権利の確保→三六〇、八四七】[三]【競争関係→独禁二④】❸【裁判所の許可→八六八②】

（会計帳簿の提出命令）

第四三四条　裁判所は、申立てにより又は職権で、訴訟の当事者に対し、会計帳簿の全部又は一部の提出を命ずることができる。

参+【一般原則→民訴二一九、二二〇】【不提出の効果→民訴二二四】【計算書類等の提出命令→四四三】

第二款　計算書類等

（計算書類等の作成及び保存）

第四三五条① 株式会社は、法務省令で定めるところにより、その成立の日における貸借対照表を作成しなければならない。

② 株式会社は、法務省令で定めるところにより、各事業年度に係る計算書類（貸借対照表、損益計算書その他株式会社の財産及び損益の状況を示すために必要かつ適当なものとして法務省令で定めるものをいう。以下この章において同じ。）及び事業報告並びにこれらの附属明細書を作成しなければならない。

③ 計算書類及び事業報告並びにこれらの附属明細書

は、電磁的記録をもって作成することができる。

④ 株式会社は、計算書類を作成した時から十年間、当該計算書類及びその附属明細書を保存しなければならない。

参❶【成立の日↓四九【省令の定め↓会社則一一六、会社計算五七・五八・七二―八六・九七―一一六 ❶―❸【適用除外↓五〇九①[二] ❷【計算書類・事業報告↓三七四①・四三六・四三八・四四〇・四四二①[一]②[一]③・四四三【虚偽記載等に対する制裁↓九七六[七]【省令の定め↓会社則一一六―一二八、会社計算五七・五九・七二―一一七 ❸【電磁的記録↓二六② ❹【計算書類等の保存↓四三二②

（計算書類等の監査等）

第四三六条① 監査役設置会社（監査役の監査の範囲を会計に関するものに限定する旨の定款の定めがある株式会社を含み、会計監査人設置会社を除く。）においては、前条第二項の計算書類及び事業報告並びにこれらの附属明細書は、法務省令で定めるところにより、監査役の監査を受けなければならない。

② 会計監査人設置会社においては、次の各号に掲げるものは、法務省令で定めるところにより、当該各号に定める者の監査を受けなければならない。

一 前条第二項の計算書類及びその附属明細書 監査役（監査等委員会設置会社にあっては監査等委員会、指名委員会等設置会社にあっては監査委員会）及び会計監査人（平成二六法九〇本号改正）

二 前条第二項の事業報告及びその附属明細書 監査役（監査等委員会設置会社にあっては監査等委員会、指名委員会等設置会社にあっては監査委員会）

（平成二六法九〇本号改正）

③ 取締役会設置会社においては、前条第二項の計算書類及び事業報告並びにこれらの附属明細書（第一項又は前項の規定の適用がある場合にあっては、第一項又は前項の監査を受けたもの）は、取締役会の承認を受けなければならない。

参❶【監査役の監査範囲の限定↓三八九① ❶❷【監査役・監査委員会・会計監査人の監査↓四四一②【監査報告・会計監査報告↓四三七・四四二①[一]②[一]③【省令の定め↓会社則一一六・一一七、一二九―一三二、会社計算一二一―一三二 ❸【取締役会の承認↓三七六①・四一六④[十六]・四三九・四四一③・四五九① †【適用除外↓五〇九①[二]

（計算書類等の株主への提供）

第四三七条 取締役会設置会社においては、取締役は、定時株主総会の招集の通知に際して、法務省令で定めるところにより、株主に対し、前条第三項の承認を受けた計算書類及び事業報告（同条第一項又は第二項の規定の適用がある場合にあっては、監査報告又は会計監査報告を含む。）を提供しなければならない。

参†【定時株主総会↓二九六①【株主総会の招集通知↓二九九【省令の定め↓会社則一一六・一三三、会社計算一三三【適用除外↓五〇九①[二]

（計算書類等の定時株主総会への提出等）

第四三八条① 次の各号に掲げる株式会社においては、取締役は、当該各号に定める計算書類及び事業報告を定時株主総会に提出し、又は提供しなければならない。

一 第四百三十六条第一項に規定する監査役設置会社（取締役会設置会社を除く。） 第四百三十六条第一項の監査を受けた計算書類及び事業報告

二 会計監査人設置会社（取締役会設置会社を除く。） 第四百三十六条第二項の監査を受けた計算書類及び事業報告

三 取締役会設置会社 第四百三十六条第三項の承認を受けた計算書類及び事業報告

四 前三号に掲げるもの以外の株式会社 第四百三十五条第二項の計算書類及び事業報告

② 前項の規定により提出され、又は提供された計算書類は、定時株主総会の承認を受けなければならない。

③ 取締役は、第一項の規定により提出され、又は提供された事業報告の内容を定時株主総会に報告しなければならない。

参❶【定時株主総会↓二九六① ❷【株主総会の承認↓三〇九①・四三九 ❸【虚偽申述等に対する制裁↓九七六[六] †【適用除外↓五〇九①[二]

（会計監査人設置会社の特則）

第四三九条 会計監査人設置会社については、第四百三十六条第三項の承認を受けた計算書類が法令及び定款に従い株式会社の財産及び損益の状況を正しく表示しているものとして法務省令で定める要件に該当する場合には、前条第二項の規定は、適用しない。この場合においては、取締役は、当該計算書類の内容を定時株主総会に報告しなければならない。

参†【会計監査人設置会社の特則↓四五九【虚偽申述等に対する制裁↓九七六[六]【省令で定める要件↓会社則一一六、会社計算一三五【適用除外↓五〇九①[二]

（計算書類の公告）

第四四〇条① 株式会社は、法務省令で定めるところにより、定時株主総会の終結後遅滞なく、貸借対照表（大会社にあっては、貸借対照表及び損益計算書）を公告しなければならない。

② 前項の規定にかかわらず、その公告方法が第九百三十九条第一項第一号又は第二号に掲げる方法である株式会社は、前項に規定する貸借対照表の要旨を公告することで足りる。

③ 前項の株式会社は、法務省令で定めるところにより、定時株主総会の終結後遅滞なく、第一項に規定する貸借対照表の内容である情報を、定時株主総会の終結の日後五年を経過する日までの間、継続して電磁的方法により不特定多数の者が提供を受けることができる状態に置く措置をとることができる。この場合においては、前二項の規定は、適用しない。

④ 金融商品取引法第二十四条第一項の規定により有価証券報告書を内閣総理大臣に提出しなければならない株式会社については、前三項の規定は、適用しない。

（平成一八法六六本項改正）

参❶【定時株主総会↓二九六①【公告↓九三九・八一九【公告懈怠に対する制裁↓九七六[二]【省令の定め↓会社則一一六、会社計算一三六―一四三・一四八 ❶❷❹【適用除外↓五〇九①[二] ❸【登記↓九一一③[二十六]【省令の定め↓会社則一一六、会社計算一四七

（臨時計算書類）

第四四一条① 株式会社は、最終事業年度の直後の事業年度に属する一定の日（以下この項において「臨時決算日」という。）における当該株式会社の財産の状況を把握するため、法務省令で定めるところにより、次に掲げるもの（以下「臨時計算書類」という。）を作成することができる。

一 臨時決算日における貸借対照表

二 臨時決算日の属する事業年度の初日から臨時決算日までの期間に係る損益計算書

② 第四百三十六条第一項に規定する監査役設置会社又は会計監査人設置会社においては、臨時計算書類は、法務省令で定めるところにより、監査役又は会計監査人（監査等委員会設置会社にあっては監査等委員会及び会計監査人、指名委員会等設置会社にあっては監査委員会及び会計監査人）の監査を受けなければならない。（平成二六法九〇本項改正）

③ 取締役会設置会社においては、臨時計算書類（前項の規定の適用がある場合にあっては、同項の監査を受けたもの）は、取締役会の承認を受けなければならない。

④ 次の各号に掲げる株式会社においては、当該各号に定める臨時計算書類は、株主総会の承認を受けなければならない。ただし、臨時計算書類が法令及び定款に従い株式会社の財産及び損益の状況を正しく表示しているものとして法務省令で定める要件に該当する場合は、この限りでない。

一 第四百三十六条第一項に規定する監査役設置会社又は会計監査人設置会社（いずれも取締役会設置会社を除く。） 第二項の監査を受けた臨時計算書類

二 取締役会設置会社 前項の承認を受けた臨時計算書類

三 前二号に掲げるもの以外の株式会社 第一項の臨時計算書類

参❶【臨時計算書類→三七四①・四四二①〔二〕②〔二〕③【省令の定め→会社則一一六、会社計算五七・六〇・七二―一一七 ❷【監査報告・会計監査報告→四四二①〔二〕②〔二〕③【省令の定め→会社則一一六、会社計算一二一―一三二 ❸【取締役会の承認→三七六①・四一六④〔十六〕 ❹【株主総会の承認→三〇九①・四六一②〔二〕【省令で定める要件→会社則一一六、会社計算一三五 ＋【適用除外→五〇九①〔三〕

（計算書類等の備置き及び閲覧等）

第四四二条① 株式会社は、次の各号に掲げるもの（以下この条において「計算書類等」という。）を、当該各号に定める期間、その本店に備え置かなければならない。

一 各事業年度に係る計算書類及び事業報告並びにこれらの附属明細書（第四百三十六条第一項又は第二項の規定の適用がある場合にあっては、監査報告又は会計監査報告を含む。） 定時株主総会の日の一週間（取締役会設置会社にあっては、二週間）前の日（第三百十九条第一項の場合にあっては、同項の提案があった日）から五年間

二 臨時計算書類（前条第二項の規定の適用がある場合にあっては、監査報告又は会計監査報告を含む。） 臨時計算書類を作成した日から五年間

② 株式会社は、次の各号に掲げる計算書類等の写しを、当該各号に定める期間、その支店に備え置かなければならない。ただし、計算書類等が電磁的記録で作成されている場合であって、支店における次項第三号及び第四号に掲げる請求に応じることを可能とするための措置として法務省令で定めるものをとっているときは、この限りでない。

一 前項第一号に掲げる計算書類等 定時株主総会の日の一週間（取締役会設置会社にあっては、二週間）前の日（第三百十九条第一項の場合にあっては、同項の提案があった日）から三年間

二 前項第二号に掲げる計算書類等 同号の臨時計算書類を作成した日から三年間

③ 株主及び債権者は、株式会社の営業時間内は、いつでも、次に掲げる請求をすることができる。ただし、第二号又は第四号に掲げる請求をするには、当該株式会社の定めた費用を支払わなければならない。

一 計算書類等が書面をもって作成されているときは、当該書面又は当該書面の写しの閲覧の請求

二 前号の書面の謄本又は抄本の交付の請求

三 計算書類等が電磁的記録をもって作成されているときは、当該電磁的記録に記録された事項を法務省令で定める方法により表示したものの閲覧の請求

四 前号の電磁的記録に記録された事項を電磁的方法であって株式会社の定めたものにより提供することの請求又はその事項を記載した書面の交付の請求

④ 株式会社の親会社社員は、その権利を行使するため必要があるときは、裁判所の許可を得て、当該株式会社の計算書類等について前項各号に掲げる請求をすることができる。ただし、同項第二号又は第四号に掲げる請求をするには、当該株式会社の定めた費用を支払わなければならない。

参❶【計算書類等の備置義務懈怠に対する制裁→九七六〔四〕【本店→四参 ❷【支店→九一一③〔三〕【省令で定めるもの→会社則二二七 ❷❸【電磁的記録→二六② ❸〔三〕【省令で定める方法→会社則二二六 ❸❹【株主等の閲覧等請求不当拒否に対する制裁→九七六〔四〕 ❹【裁判所の許可→八六八②

（計算書類等の提出命令）

第四四三条 裁判所は、申立てにより又は職権で、訴訟の当事者に対し、計算書類及びその附属明細書の全部又は一部の提出を命ずることができる。

参＋【一般原則→民訴二一九・二二〇【不提出の効果→民訴二二四【会計帳簿の提出命令→四三四

第三款 連結計算書類

第四四四条① 会計監査人設置会社は、法務省令で定めるところにより、各事業年度に係る連結計算書類（当該会計監査人設置会社及びその子会社から成る企業集団の財産及び損益の状況を示すために必要かつ適当なものとして法務省令で定めるものをいう。以下同じ。）を作成することができる。

② 連結計算書類は、電磁的記録をもって作成すること

ができる。

③ 事業年度の末日において大会社であって金融商品取引法第二十四条第一項の規定により有価証券報告書を内閣総理大臣に提出しなければならないものは、当該事業年度に係る連結計算書類を作成しなければならない。（平成一八法六六本項改正）

④ 連結計算書類は、法務省令で定めるところにより、監査役（監査等委員会設置会社にあっては監査等委員会、指名委員会等設置会社にあっては監査委員会）及び会計監査人の監査を受けなければならない。（平成二六法九〇本項改正）

⑤ 会計監査人設置会社が取締役会設置会社である場合には、前項の監査を受けた連結計算書類は、取締役会の承認を受けなければならない。

⑥ 会計監査人設置会社が取締役会設置会社である場合には、取締役は、定時株主総会の招集の通知に際して、法務省令で定めるところにより、株主に対し、前項の承認を受けた連結計算書類を提供しなければならない。

⑦ 次の各号に掲げる会計監査人設置会社においては、取締役は、当該各号に定める連結計算書類を定時株主総会に提出し、又は提供しなければならない。この場合においては、当該各号に定める連結計算書類の内容及び第四項の監査の結果を定時株主総会に報告しなければならない。

一 取締役会設置会社である会計監査人設置会社 第五項の承認を受けた連結計算書類

二 前号に掲げるもの以外の会計監査人設置会社 第四項の監査を受けた連結計算書類

参❶【連結計算書類→三七四①、会社計算六一】【省令の定め→会社則一一六、会社計算六二―六九 ❷【電磁的記録→二六② ❹【省令の定め→会社則一一六、会社計算一二一―一三一 ❺【取締役会の承認→三七六①・四一六④〔十六〕 ❻【定時株主総会→二九六①】【株主総会の招集通知→二九九】【省令の定め→会社則一一六、会社計算一三四 ❼【虚偽申述等に対する制裁→九七六〔六〕 +【適用除外→五〇九①〔三〕】【特別清算事件の管轄に関する取扱い→八七九④

第三節 資本金の額等

第一款 総則

第四四五条（資本金の額及び準備金の額） ① 株式会社の資本金の額は、この法律に別段の定めがある場合を除き、設立又は株式の発行に際して株主となる者が当該株式会社に対して払込み又は給付をした財産の額とする。

② 前項の払込み又は給付に係る額の二分の一を超えない額は、資本金として計上しないことができる。

③ 前項の規定により資本金として計上しないこととした額は、資本準備金として計上しなければならない。

④ 剰余金の配当をする場合には、株式会社は、法務省令で定めるところにより、当該剰余金の配当により減少する剰余金の額に十分の一を乗じて得た額を資本準備金又は利益準備金（以下「準備金」と総称する。）として計上しなければならない。

⑤ 合併、吸収分割、新設分割、株式交換、株式移転又は株式交付に際して資本金又は準備金として計上すべき額については、法務省令で定める。（令和一法七〇本項改正）

⑥ 定款又は株主総会の決議による第三百六十一条第一項第三号、第四号若しくは第五号ロに掲げる事項についての定め又は報酬委員会による第四百九条第三項第三号、第四号若しくは第五号ロに定める事項についての決定に基づく株式の発行により資本金又は準備金として計上すべき額については、法務省令で定める。（令和一法七〇本項追加）

参❶【資本金→九一一③〔五〕・四四六〔一〕ニ】【法律の別段の定め→四四七・四四八①〔三〕・四四九・四五〇 ❷❸【資本金・資本準備金の額の決定→三二①〔三〕・五九①〔三〕・一九九①〔五〕・二三六①〔五〕 ❸【資本準備金→四四八・四四九・四五一】【違反に対する制裁→九七六〔二十五〕 ❹【利益準備金→四四八・四四九・四五一・八一二】【違反に対する制裁→九七六〔二十五〕】【省令の定め→会社則一一六、会社計算二二 ❺【省令の定め→会社則一一六、会社計算三五―五二 ❻【省令の定め→会社則一一六、会社計算四二の二・四二の三 +【適用除外→五〇九①〔三〕

第四四六条（剰余金の額） 株式会社の剰余金の額は、第一号から第四号までに掲げる額の合計額から第五号から第七号までに掲げる額の合計額を減じて得た額とする。

一 最終事業年度の末日におけるイ及びロに掲げる額の合計額からハからホまでに掲げる額の合計額を減じて得た額

イ 資産の額

ロ 自己株式の帳簿価額の合計額

ハ 負債の額

ニ 資本金及び準備金の額の合計額

ホ ハ及びニに掲げるもののほか、法務省令で定める各勘定科目に計上した額の合計額

二 最終事業年度の末日後に自己株式の処分をした場合における当該自己株式の対価の額から当該自己株式の帳簿価額を控除して得た額

三 最終事業年度の末日後に資本金の額の減少をした場合における当該減少額（次条第一項第二号の額を除く。）

四 最終事業年度の末日後に準備金の額の減少をした場合における当該減少額（第四百四十八条第一項第二号の額を除く。）

五 最終事業年度の末日後に第百七十八条第一項の規定により自己株式の消却をした場合における当該自己株式の帳簿価額

六 最終事業年度の末日後に剰余金の配当をした場合における次に掲げる額の合計額

イ 第四百五十四条第一項第一号の配当財産の帳簿価額の総額（同条第四項第一号に規定する金銭分配請求権を行使した株主に割り当てた当該配当財産の帳簿価額を除く。）

ロ 第四百五十四条第四項第一号に規定する金銭分配請求権を行使した株主に交付した金銭の額の合計額

ハ 第四百五十六条に規定する基準未満株式の株主に支払った金銭の額の合計額

七　前二号に掲げるもののほか、法務省令で定める各勘定科目に計上した額の合計額

⊛+【剰余金↓四五三・四五〇―四五二・四六一②[三]　【一】【自己株式↓一五五【準備金↓四四五④【省令で定める額↓会社則一一六、会社計算一四九　【二】【自己株式の処分↓一九四・一九九①・七四九①[三]イ・七五八[四]イ・七六八①[三]イ　【三】【資本金の減少↓四四七・四四九　【四】【準備金の減少↓四四八・四四九　【七】【省令で定める額↓会社則一一六、会社計算一五〇　+【適用除外↓五〇九①[三]

第二款　資本金の額の減少等

第一目　資本金の額の減少等

（資本金の額の減少）

第四四七条①　株式会社は、資本金の額を減少することができる。この場合においては、株主総会の決議によって、次に掲げる事項を定めなければならない。

一　減少する資本金の額

二　減少する資本金の額の全部又は一部を準備金とするときは、その旨及び準備金とする額

三　資本金の額の減少がその効力を生ずる日

②　前項第一号の額は、同項第三号の日における資本金の額を超えてはならない。

③　株式会社が株式の発行と同時に資本金の額を減少する場合において、当該資本金の額の減少の効力が生ずる日後の資本金の額が当該日前の資本金の額を下回らないときにおける第一項の規定の適用については、同項中「株主総会の決議」とあるのは、「取締役の決定（取締役会設置会社にあっては、取締役会の決議）」とする。

⊛+【資本金の減少↓四四五①⊛・四四九・八二八①[五]②[五]・九一一③[五]・九一五①、商登四六②・七〇、会更四五①[三]・一六七②　❶【株主総会決議↓三〇九②[九]、商登四六②、四六五①[十]ロ　【三】【効力の発生↓四四九⑥⑦　+【適用除外↓五〇九①[三]

（準備金の額の減少）

第四四八条①　株式会社は、準備金の額を減少することができる。この場合においては、株主総会の決議によって、次に掲げる事項を定めなければならない。

一　減少する準備金の額

二　減少する準備金の額の全部又は一部を資本金とするときは、その旨及び資本金とする額

三　準備金の額の減少がその効力を生ずる日

②　前項第一号の額は、同項第三号の日における準備金の額を超えてはならない。

③　株式会社が株式の発行と同時に準備金の額を減少する場合において、当該準備金の額の減少の効力が生ずる日後の準備金の額が当該日前の準備金の額を下回らないときにおける第一項の規定の適用については、同項中「株主総会の決議」とあるのは、「取締役の決定（取締役会設置会社にあっては、取締役会の決議）」とする。

⊛+【準備金の減少↓四四五④・四四九【違反に対する制裁↓九七六[二十五]　❶【株主総会決議↓三〇九①・四五九①[二]・四六〇①・四六五①[十]ハ　【二】【資本金の増加↓九一一③[五]・九一五①、商登四六②・六九　【三】【効力の発生↓四四九⑥⑦　+【適用除外↓五〇九①[二]

（債権者の異議）

第四四九条①　株式会社が資本金又は準備金（以下この条において「資本金等」という。）の額を減少する場合（減少する準備金の額の全部を資本金とする場合を除く。）には、当該株式会社の債権者は、当該株式会社に対し、資本金等の額の減少について異議を述べることができる。ただし、準備金の額のみを減少する場合であって、次のいずれにも該当するときは、この限りでない。

一　定時株主総会において前条第一項各号に掲げる事項を定めること。

二　前条第一項第一号の額が前号の定時株主総会の日（第四百三十九条前段に規定する場合にあっては、第四百三十六条第三項の承認があった日）における欠損の額として法務省令で定める方法により算定される額を超えないこと。

②　前項の規定により株式会社の債権者が異議を述べることができる場合には、当該株式会社は、次に掲げる事項を官報に公告し、かつ、知れている債権者には、各別にこれを催告しなければならない。ただし、第三号の期間は、一箇月を下ることができない。

一　当該資本金等の額の減少の内容

二　当該株式会社の計算書類に関する事項として法務省令で定めるもの

三　債権者が一定の期間内に異議を述べることができる旨

③　前項の規定にかかわらず、株式会社が同項の規定による公告を、官報のほか、第九百三十九条第一項の規定による定款の定めに従い、同項第二号又は第三号に掲げる公告方法によりするときは、前項の規定による各別の催告は、することを要しない。

④　債権者が第二項第三号の期間内に異議を述べなかったときは、当該債権者は、当該資本金等の額の減少について承認をしたものとみなす。

⑤　債権者が第二項第三号の期間内に異議を述べたときは、株式会社は、当該債権者に対し、弁済し、若しくは相当の担保を提供し、又は当該債権者に弁済を受けさせることを目的として信託会社等（信託会社及び信託業務を営む金融機関（金融機関の信託業務の兼営等に関する法律（昭和十八年法律第四十三号）第一条第一項の認可を受けた金融機関をいう。）をいう。以下同じ。）に相当の財産を信託しなければならない。ただし、当該資本金等の額の減少をしても当該債権者を害するおそれがないときは、この限りでない。

⑥　次の各号に掲げるものは、当該各号に定める日にその効力を生ずる。ただし、第二項から前項までの規定による手続が終了していないときは、この限りでない。

一　資本金の額の減少　第四百四十七条第一項第三号の日

二　準備金の額の減少　前条第一項第三号の日

⑦　株式会社は、前項各号に定める日前は、いつでも当該日を変更することができる。

参❶【資本金・準備金の減少↓四四七、四四八【債権者の異議↓八二八②[五]　[一]【定時株主総会↓四五九①[三]③、四四八①[二]【省令で定める方法↓会社計算一五一　❷[二]【省令で定めるもの↓会社計算一五二　❷❺【登記申請書への添付書類↓商登七〇【本項違反に対する制裁↓九七六[二十六]　†【適用除外↓五〇九①[三]、民再一八三④

第二目　資本金の額の増加等

（資本金の額の増加）

第四五〇条① 株式会社は、剰余金の額を減少して、資本金の額を増加することができる。この場合においては、次に掲げる事項を定めなければならない。
一　減少する剰余金の額
二　資本金の額の増加がその効力を生ずる日

② 前項各号に掲げる事項の決定は、株主総会の決議によらなければならない。

③ 第一項第一号の額は、同項第二号の日における剰余金の額を超えてはならない。

参❶【剰余金↓四四六参【資本金↓四四五参【変更登記↓九一一③[五]、九一五①、商登六九　❷【株主総会決議↓三〇九①、商登四六②　†【適用除外↓五〇九①[三]

（準備金の額の増加）

第四五一条① 株式会社は、剰余金の額を減少して、準備金の額を増加することができる。この場合においては、次に掲げる事項を定めなければならない。
一　減少する剰余金の額
二　準備金の額の増加がその効力を生ずる日

② 前項各号に掲げる事項の決定は、株主総会の決議によらなければならない。

③ 第一項第一号の額は、同項第二号の日における剰余金の額を超えてはならない。

参❶【剰余金↓四四六参【準備金↓四四五④　❷【株主総会決議↓三〇九①　†【適用除外↓五〇九①[三]

第三目　剰余金についてのその他の処分

第四五二条　株式会社は、株主総会の決議によって、損失の処理、任意積立金の積立てその他の剰余金の処分（前目に定めるもの及び剰余金の配当その他株式会社の財産を処分するものを除く。）をすることができる。この場合においては、当該剰余金の処分の額その他の法務省令で定める事項を定めなければならない。

参†【損失の処理↓三〇九②[四]ロ・四四七①、四四九①[二]【株主総会決議↓三〇九①、四五九①[三]、四六〇①【省令で定める事項↓会社則一一六、会社計算一五三【適用除外↓五〇九①[三]

第四節　剰余金の配当

（株主に対する剰余金の配当）

第四五三条　株式会社は、その株主（当該株式会社を除く。）に対し、剰余金の配当をすることができる。

参†【剰余金の配当↓一〇五①[一]②、一〇八①[一]、一〇九①②、四五七、四六一①[四]、四六二①[六]、四六五①[十]【剰余金の配当の決定↓四五四①④⑤、三〇九②[十]【適用除外↓四五八、五〇九①[三]

（剰余金の配当に関する事項の決定）

第四五四条① 株式会社は、前条の規定による剰余金の配当をしようとするときは、その都度、株主総会の決議によって、次に掲げる事項を定めなければならない。
一　配当財産の種類（当該株式会社の株式等を除く。）及び帳簿価額の総額
二　株主に対する配当財産の割当てに関する事項
三　当該剰余金の配当がその効力を生ずる日

② 前項に規定する場合において、剰余金の配当について内容の異なる二以上の種類の株式を発行しているときは、株式会社は、当該種類の株式の内容に応じ、同項第二号に掲げる事項として、次に掲げる事項を定めることができる。
一　ある種類の株式の株主に対して配当財産の割当てをしないこととするときは、その旨及び当該株式の種類
二　前号に掲げる事項のほか、配当財産の割当てについて株式の種類ごとに異なる取扱いを行うこととするときは、その旨及び当該異なる取扱いの内容

③ 第一項第二号に掲げる事項についての定めは、株主（当該株式会社及び前項第一号の種類の株式の株主を除く。）の有する株式の数（前項第二号に掲げる事項についての定めがある場合にあっては、各種類の株式の数）に応じて配当財産を割り当てることを内容とするものでなければならない。

④ 配当財産が金銭以外の財産であるときは、株式会社は、株主総会の決議によって、次に掲げる事項を定めることができる。ただし、第一号の期間の末日は、第一項第三号の日以前の日でなければならない。
一　株主に対して金銭分配請求権（当該配当財産に代えて金銭を交付することを株式会社に対して請求する権利をいう。以下この章において同じ。）を与えるときは、その旨及び金銭分配請求権を行使することができる期間
二　一定の数未満の数の株式を有する株主に対して配当財産の割当てをしないこととするときは、その旨及びその数

⑤ 取締役会設置会社は、一事業年度の途中において一回に限り取締役会の決議によって剰余金の配当（配当財産が金銭であるものに限る。以下この項において「中間配当」という。）をすることができる旨を定款で定めることができる。この場合における中間配当についての第一項の規定の適用については、同項中「株主総会」とあるのは、「取締役会」とする。

参❶【株主総会決議↓三〇九①、四五九①[四]、四六〇①　[一]【当該株式会社の株式等↓一〇七②[二]ホ、一八三―一八七【配当財産の帳簿価額↓四四六[六]イ　[二]【株主に対する配当財産の割当て↓一〇八①[二]②[二]、一〇九①②　❸【株主平等の原則↓一〇九①　❷【剰余金の配当に関する種類株式↓一〇八①[二]②[二]　❹【株主総会決議↓三〇九②[十]、四五九①[四]、四六〇①　[一]【金銭分配請求権↓四五五①②、四四六[六]ロ、五〇五①　[二]【基準未満株式↓四五六　❺【中間配当↓四一六④[十七]　†【適用除外↓四五八、五〇九①[三]

（金銭分配請求権の行使）

第四五五条① 前条第四項第一号に規定する場合には、

株式会社は、同号の期間の末日の二十日前までに、株主に対し、同号に掲げる事項を通知しなければならない。

② 株式会社は、金銭分配請求権を行使した株主に対し、当該株主が割当てを受けた配当財産に代えて、当該配当財産の価額に相当する金銭を支払わなければならない。この場合においては、次の各号に掲げる場合の区分に応じ、当該各号に定める額をもって当該配当財産の価額とする。

一 当該配当財産が市場価格のある財産である場合　当該配当財産の市場価格として法務省令で定める方法により算定される額

二 前号に掲げる場合以外の場合　株式会社の申立てにより裁判所が定める額

❶【株主への通知→一二六①　❷【配当財産の価額→四五六　［二］【省令で定める方法→会社計算一五四　［三］【裁判所→八六八①、八七〇①五　＋【適用除外→四五八、五〇九①三

（基準株式数を定めた場合の処理）

第四五六条　第四百五十四条第四項第二号の数（以下この条において「基準株式数」という。）を定めた場合には、株式会社は、基準株式数に満たない数の株式（以下この条において「基準未満株式」という。）を有する株主に対し、前条第二項後段の規定の例により基準株式数の株式を有する株主が割当てを受けた配当財産の価額として定めた額に当該基準未満株式の数の基準株式数に対する割合を乗じて得た額に相当する金銭を支払わなければならない。

＋【基準未満株式への金銭の支払→四四六六八【株主の陳述の聴取→八七〇①六【適用除外→四五八、五〇九①三

（配当財産の交付の方法等）

第四五七条①　配当財産（第四百五十五条第二項の規定により支払う金銭及び前条の規定により支払う金銭を含む。以下この条において同じ。）は、株主名簿に記載し、又は記録した株主（登録株式質権者を含む。以下この条において同じ。）の住所又は株主が株式会社に通知した場所（第三項において「住所等」という。）において、これを交付しなければならない。

② 前項の規定による配当財産の交付に要する費用は、株式会社の負担とする。ただし、株主の責めに帰すべき事由によってその費用が増加したときは、その増加額は、株主の負担とする。

③ 前二項の規定は、日本に住所等を有しない株主に対する配当財産の交付については、適用しない。

❶【株主名簿上の住所→一二一三、一四八三、民四八四　❷【費用負担→民四八五　＋【適用除外→四五八、五〇九①三

（適用除外）

第四五八条　第四百五十三条から前条までの規定は、株式会社の純資産額が三百万円を下回る場合には、適用しない。

＋【剰余金の配当に関する特則→八一二

第五節　剰余金の配当等を決定する機関の特則

（剰余金の配当等を取締役会が決定する旨の定款の定め）

第四五九条①　会計監査人設置会社（取締役（監査等委員会設置会社にあっては、監査等委員である取締役以外の取締役）の任期の末日が選任後一年以内に終了する事業年度のうち最終のものに関する定時株主総会の終結の日後の日であるもの及び監査役設置会社であって監査役会設置会社でないものを除く。）は、次に掲げる事項を取締役会（第二号に掲げる事項については第四百三十六条第三項の取締役会に限る。）が定めることができる旨を定款で定めることができる。

一 第百六十条第一項の規定による決定をする場合以外の場合における第百五十六条第一項各号に掲げる事項

二 第四百四十九条第一項第二号に該当する場合における第四百四十八条第一項第一号及び第三号に掲げる事項

三 第四百五十二条後段の事項

四 第四百五十四条第一項各号及び同条第四項各号に掲げる事項。ただし、配当財産が金銭以外の財産であり、かつ、株主に対して金銭分配請求権を与えないこととする場合を除く。

（平成二六法九〇本項改正）

② 前項の規定による定款の定めは、最終事業年度に係る計算書類が法令及び定款に従い株式会社の財産及び損益の状況を正しく表示しているものとして法務省令で定める要件に該当する場合に限り、その効力を有する。

③ 第一項の規定による定款の定めがある場合における第四百四十九条第一項第一号の規定の適用については、同号中「定時株主総会」とあるのは、「定時株主総会又は第四百三十六条第三項の取締役会」とする。

❶【会計監査人設置会社の特則→四三六③、四三九、四六〇①【取締役の任期→三三二　❷【省令で定める要件→会社則一一六、会社計算一五五　＋【適用除外→五〇九①三

（株主の権利の制限）

第四六〇条①　前条第一項の規定による定款の定めがある場合には、株式会社は、同項各号に掲げる事項を株主総会の決議によっては定めない旨を定款で定めることができる。

② 前項の規定による定款の定めは、最終事業年度に係る計算書類が法令及び定款に従い株式会社の財産及び損益の状況を正しく表示しているものとして法務省令で定める要件に該当する場合に限り、その効力を有する。

＋【株主総会の権限→二九五　❷【省令で定める要件→会社則一一六、会社計算一五五　＋【適用除外→五〇九①三

第六節　剰余金の配当等に関する責任

（配当等の制限）

第四六一条①　次に掲げる行為により株主に対して交付する金銭等（当該株式会社の株式を除く。以下この節

において同じ。）の帳簿価額の総額は、当該行為がその効力を生ずる日における分配可能額を超えてはならない。

一　第百三十八条第一号ハ又は第二号ハの請求に応じて行う当該株式会社の株式の買取り

二　第百五十六条第一項の規定による決定に基づく当該株式会社の株式の取得（第百六十三条に規定する場合又は第百六十五条第一項に規定する場合における当該株式会社による株式の取得に限る。）

三　第百五十七条第一項の規定による決定に基づく当該株式会社の株式の取得

四　第百七十三条第一項の規定による当該株式会社の株式の取得

五　第百七十六条第一項の規定による請求に基づく当該株式会社の株式の買取り

六　第百九十七条第三項の規定による当該株式会社の株式の買取り

七　第二百三十四条第四項（第二百三十五条第二項において準用する場合を含む。）の規定による当該株式会社の株式の買取り（平成一八法一〇九本号改正）

八　剰余金の配当

②　前項に規定する「分配可能額」とは、第一号及び第二号に掲げる額の合計額から第三号から第六号までに掲げる額の合計額を減じて得た額をいう（以下この節において同じ。）。

一　剰余金の額

二　臨時計算書類につき第四百四十一条第四項の承認（同項ただし書に規定する場合にあっては、同条第三項の承認）を受けた場合における次に掲げる額

イ　第四百四十一条第一項第二号の期間の利益の額として法務省令で定める各勘定科目に計上した額の合計額

ロ　第四百四十一条第一項第二号の期間内に自己株式を処分した場合における当該自己株式の対価の額

三　自己株式の帳簿価額

四　最終事業年度の末日後に自己株式を処分した場合における当該自己株式の対価の額

五　第二号に規定する場合における第四百四十一条第一項第二号の期間の損失の額として法務省令で定める各勘定科目に計上した額の合計額

六　前三号に掲げるもののほか、法務省令で定める各勘定科目に計上した額の合計額

参照　❶【金銭等→一五一①【分配可能額→一六六①・一七〇⑤【分配可能額超過の責任→四六二　［三］【省令で定める額→会社則一一六、会社計算一五六　［二］―［四］［六］―［八］【分配可能額超過の責任を負う者→四六二①　［八］【剰余金の配当→四五三　❷［二］【剰余金の額→四四六、四六五①　［三］―［四］【自己株式→一五五　［三］［四］［六］【剰余金を超過する場合の責任→四六五①　［四］【自己株式の処分→一九四・一九九①・七四九①㈢イ・七五八㈣イ・七六八①㈢イ　［五］【省令で定める額→会社則一一六、会社計算一五七　［六］【省令で定める額→会社則一一六、会社計算一五八

（剰余金の配当等に関する責任）

第四六二条①　前条第一項の規定に違反して株式会社が同項各号に掲げる行為をした場合には、当該行為により金銭等の交付を受けた者並びに当該行為に関する職務を行った業務執行者（業務執行取締役（指名委員会等設置会社にあっては、執行役。以下この項において同じ。）その他当該業務執行取締役の行う業務の執行に職務上関与した者として法務省令で定めるものをいう。以下この節において同じ。）及び当該行為が次の各号に掲げるものである場合における当該各号に定める者は、当該株式会社に対し、連帯して、当該金銭等の交付を受けた者が交付を受けた金銭等の帳簿価額に相当する金銭を支払う義務を負う。

一　前条第一項第二号に掲げる行為　次に掲げる者

イ　第百五十六条第一項の規定による決定に係る株主総会の決議があった場合（当該決議によって定められた同項第二号の金銭等の総額が当該決議の日における分配可能額を超える場合に限る。）における当該株主総会に係る総会議案提案取締役（当該株主総会に議案を提案した取締役として法務省令で定めるものをいう。以下この項において同じ。）

ロ　第百五十六条第一項の規定による決定に係る取締役会の決議があった場合（当該決議によって定められた同項第二号の金銭等の総額が当該決議の日における分配可能額を超える場合に限る。）における当該取締役会に係る取締役会議案提案取締役（当該取締役会に議案を提案した取締役（指名委員会等設置会社にあっては、取締役又は執行役）として法務省令で定めるものをいう。以下この項において同じ。）

二　前条第一項第三号に掲げる行為　次に掲げる者

イ　第百五十七条第一項の規定による決定に係る株主総会の決議があった場合（当該決議によって定められた同項第三号の総額が当該決議の日における分配可能額を超える場合に限る。）における当該株主総会に係る総会議案提案取締役

ロ　第百五十七条第一項の規定による決定に係る取締役会の決議があった場合（当該決議によって定められた同項第三号の総額が当該決議の日における分配可能額を超える場合に限る。）における当該取締役会に係る取締役会議案提案取締役

三　前条第一項第四号に掲げる行為　第百七十一条第一項の株主総会（当該株主総会の決議によって定められた同項第一号に規定する取得対価の総額が当該決議の日における分配可能額を超える場合における当該株主総会に限る。）に係る総会議案提案取締役

四　前条第一項第六号に掲げる行為　次に掲げる者

イ　第百九十七条第三項後段の規定による決定に係る株主総会の決議があった場合（当該決議によって定められた同項第二号の総額が当該決議の日における分配可能額を超える場合に限る。）における当該株主総会に係る総会議案提案取締役

ロ　第百九十七条第三項後段の規定による決定に係る取締役会の決議があった場合（当該決議によって定められた同項第二号の総額が当該決議の日に

おける分配可能額を超える場合に限る。）における当該取締役会に係る取締役会議案提案取締役

五　前条第一項第七号に掲げる行為　次に掲げる者

イ　第二百三十四条第四項後段（第二百三十五条第二項において準用する場合を含む。）の規定による決定に係る株主総会の決議があった場合（当該決議によって定められた第二百三十四条第四項第二号（第二百三十五条第二項において準用する場合を含む。）の総額が当該決議の日における分配可能額を超える場合に限る。）における当該株主総会に係る総会議案提案取締役

ロ　第二百三十四条第四項後段（第二百三十五条第二項において準用する場合を含む。）の規定による決定に係る取締役会の決議があった場合（当該決議によって定められた第二百三十四条第四項第二号（第二百三十五条第二項において準用する場合を含む。）の総額が当該決議の日における分配可能額を超える場合に限る。）における当該取締役会に係る取締役会議案提案取締役

（平成一八法一〇九本号改正）

六　前条第一項第八号に掲げる行為　次に掲げる者

イ　第四百五十四条第一項の規定による決定に係る株主総会の決議があった場合（当該決議によって定められた配当財産の帳簿価額が当該決議の日における分配可能額を超える場合に限る。）における当該株主総会に係る総会議案提案取締役

ロ　第四百五十四条第一項の規定による決定に係る取締役会の決議があった場合（当該決議によって定められた配当財産の帳簿価額が当該決議の日における分配可能額を超える場合に限る。）における当該取締役会に係る取締役会議案提案取締役

（平成二六法九〇本項改正）

② 前項の規定にかかわらず、業務執行者及び同項各号に定める者は、その職務を行うについて注意を怠らなかったことを証明したときは、同項の義務を負わない。

③ 第一項の規定により業務執行者及び同項各号に定める者の負う義務は、免除することができない。ただし、前条第一項各号に掲げる行為の時における分配可能額を限度として当該義務を免除することについて総株主の同意がある場合は、この限りでない。

❶【金銭等→一五一①【金銭の交付を受けた者→四六三【業務執行者→四六二①、四六四、四六五①【業務執行取締役→二⑮ イ【省令で定めるもの→会社則一一六、会社計算一五九【二】【省令で定めるもの→会社則一一六、会社計算一六〇、一六一 ❸【責任の免除→四二四、四六四、四六五②【適用除外→八五〇④ †【刑事責任→九六三⑤[二]

（株主に対する求償権の制限等）

第四六三条① 前条第一項に規定する場合において、株式会社が第四百六十一条第一項各号に掲げる行為により株主に対して交付した金銭等の帳簿価額の総額が当該行為がその効力を生じた日における分配可能額を超えることにつき善意の株主は、当該株主が交付を受けた金銭等について、前条第一項の金銭を支払った業務執行者及び同項各号に定める者からの求償の請求に応ずる義務を負わない。

② 前条第一項に規定する場合には、株式会社の債権者は、同項の規定により義務を負う株主に対し、その交付を受けた金銭等の帳簿価額（当該額が当該債権者の株式会社に対して有する債権額を超える場合にあっては、当該債権額）に相当する金銭を支払わせることができる。

❶【金銭等→一五一① ❷【債権者の請求→民四二三―四二三の五

（買取請求に応じて株式を取得した場合の責任）

第四六四条① 株式会社が第百十六条第一項又は第百八十二条の四第一項の規定による請求に応じて株式を取得する場合において、当該請求をした株主に対して支払った金銭の額が当該支払の日における分配可能額を超えるときは、当該株式の取得に関する職務を行った業務執行者は、株式会社に対し、連帯して、その超過額を支払う義務を負う。ただし、その者がその職務を行うについて注意を怠らなかったことを証明した場合は、この限りでない。（平成二六法九〇本項改正）

② 前項の義務は、総株主の同意がなければ、免除することができない。

❶【分配可能額→四六一②【業務執行者→四六二① ❷【責任の免除→四二四、四六二③、四六五②【適用除外→八五〇④

（欠損が生じた場合の責任）

第四六五条① 株式会社が次の各号に掲げる行為をした場合において、当該行為をした日の属する事業年度（その事業年度の直前の事業年度が最終事業年度でないときは、その事業年度の直前の事業年度）に係る計算書類につき第四百三十八条第二項の承認（第四百三十九条前段に規定する場合にあっては、第四百三十六条第三項の承認）を受けた時における第四百六十一条第二項第三号、第四号及び第六号に掲げる額の合計額が同項第一号に掲げる額を超えるときは、当該各号に掲げる行為に関する職務を行った業務執行者は、当該株式会社に対し、連帯して、その超過額（当該超過額が当該各号に定める額を超える場合にあっては、当該各号に定める額）を支払う義務を負う。ただし、当該業務執行者がその職務を行うについて注意を怠らなかったことを証明した場合は、この限りでない。

一　第百三十八条第一号ハ又は第二号ハの請求に応じて行う当該株式会社の株式の買取り　当該株式の買取りにより株主に対して交付した金銭等の帳簿価額の総額

二　第百五十六条第一項の規定による決定に基づく当該株式会社の株式の取得（第百六十三条に規定する場合又は第百六十五条第一項に規定する場合における当該株式会社による株式の取得に限る。）　当該株式の取得により株主に対して交付した金銭等の帳簿価額の総額

三　第百五十七条第一項の規定による決定に基づく当該株式会社の株式の取得　当該株式の取得により株主に対して交付した金銭等の帳簿価額の総額

四　第百六十七条第一項の規定による当該株式会社の株式の取得により株主に対して交付した金銭等の帳簿価額の総額
五　第百七十条第一項の規定による当該株式会社の株式の取得　当該株式の取得により株主に対して交付した金銭等の帳簿価額の総額
六　第百七十三条第一項の規定による当該株式会社の株式の取得　当該株式の取得により株主に対して交付した金銭等の帳簿価額の総額
七　第百七十六条第一項の規定による請求に基づく当該株式会社の株式の買取り　当該株式の買取りにより株主に対して交付した金銭等の帳簿価額の総額
八　第百九十七条第三項の規定による当該株式会社の株式の買取り　当該株式の買取りにより株主に対して交付した金銭等の帳簿価額の総額
九　次のイ又はロに掲げる規定による当該株式会社の株式の買取り　当該株式の買取りにより当該イ又はロに定める者に対して交付した金銭等の帳簿価額の総額
イ　第二百三十四条第四項　同条第一項各号に定める者
ロ　第二百三十五条第二項において準用する第二百三十四条第四項　株主
（平成一八法一〇九本号改正）
十　剰余金の配当（次のイからハまでに掲げるものを除く。）　当該剰余金の配当についての第四百四十六条第六号イからハまでに掲げる額の合計額
イ　定時株主総会（第四百三十九条前段に規定する場合にあっては、定時株主総会又は第四百三十六条第三項の取締役会）において第四百五十四条第一項各号に掲げる事項を定める場合における剰余金の配当
ロ　第四百四十七条第一項各号に掲げる事項を定めるための株主総会において第四百五十四条第一項各号に掲げる事項を定める場合（同項第一号の額（第四百五十六条の規定により基準未満株式の株主に支払う金銭があるときは、その額を合算した額）が第四百四十七条第一項第一号の額を超えない場合であって、同項第二号に掲げる事項についての定めがない場合に限る。）における剰余金の配当
ハ　第四百四十八条第一項各号に掲げる事項を定めるための株主総会において第四百五十四条第一項各号に掲げる事項を定める場合（同項第一号の額（第四百五十六条の規定により基準未満株式の株主に支払う金銭があるときは、その額を合算した額）が第四百四十八条第一項第一号の額を超えない場合であって、同項第二号に掲げる事項についての定めがない場合に限る。）における剰余金の配当
②　前項の義務は、総株主の同意がなければ、免除することができない。

参❶【業務執行者→四六二①　❷【責任の免除→四二四、四六二③・四六四②【適用除外→八五〇④

第六章　定款の変更

第四六六条　株式会社は、その成立後、株主総会の決議によって、定款を変更することができる。

参＊【株主総会決議→三〇九②十一【定款変更手続の特則→一八四②、一九一、一九五

第七章　事業の譲渡等

（事業譲渡等の承認等）

第四六七条①　株式会社は、次に掲げる行為をする場合には、当該行為がその効力を生ずる日（以下この章において「効力発生日」という。）の前日までに、株主総会の決議によって、当該行為に係る契約の承認を受けなければならない。
一　事業の全部の譲渡
二　事業の重要な一部の譲渡（当該譲渡により譲り渡す資産の帳簿価額が当該株式会社の総資産額として法務省令で定める方法により算定される額の五分の一（これを下回る割合を定款で定めた場合にあっては、その割合）を超えないものを除く。）
二の二　その子会社の株式又は持分の全部又は一部の譲渡（次のいずれにも該当する場合における譲渡に限る。）
イ　当該譲渡により譲り渡す株式又は持分の帳簿価額が当該株式会社の総資産額として法務省令で定める方法により算定される額の五分の一（これを下回る割合を定款で定めた場合にあっては、その割合）を超えるとき。
ロ　当該株式会社が、効力発生日において当該子会社の議決権の総数の過半数の議決権を有しないとき。
（平成二六法九〇本号追加）
三　他の会社（外国会社その他の法人を含む。次条において同じ。）の事業の全部の譲受け
四　事業の全部の賃貸、事業の全部の経営の委任、他人と事業上の損益の全部を共通にする契約その他これらに準ずる契約の締結、変更又は解約
五　当該株式会社（第二十五条第一項各号に掲げる方法により設立したものに限る。以下この号において同じ。）の成立後二年以内におけるその成立前から存在する財産であってその事業のために継続して使用するものの取得。ただし、イに掲げる額のロに掲げる額に対する割合が五分の一（これを下回る割合を定款で定めた場合にあっては、その割合）を超えない場合を除く。
イ　当該財産の対価として交付する財産の帳簿価額の合計額
ロ　当該株式会社の純資産額として法務省令で定める方法により算定される額
②　前項第三号に掲げる行為をする場合において、当該行為をする株式会社が譲り受ける資産に当該株式会社の株式が含まれるときは、取締役は、同項の株主総会において、当該株式に関する事項を説明しなければな

らない。

参+【事業譲渡等の契約→四一六④[十八] ❶【株主総会決議→三〇九②[十一]【反対株主の株式買取請求→四六九・四七〇 [一][二]【事業譲渡→二一、独禁七・八の四・一七の二、民再四二①・四三① [二]—[四]【適用除外→四六八① [二][二の二]【省令で定める方法→会社則一三四 [三]【事業全部の譲受け→独禁一六・一七【適用除外→四六八② [四]【事業の賃貸等→独禁一六・一七 [五]【事後設立→二八[三]・三三⑦・九六【会社の成立→四九【省令で定める方法→会社則一三五 ❷【自己株式の取得→一五五[十] +【適用除外→五三六③

（事業譲渡等の承認を要しない場合）

第四六八条① 前条の規定は、同条第一項第一号から第四号までに掲げる行為（以下この章において「事業譲渡等」という。）に係る契約の相手方が当該事業譲渡等をする株式会社の特別支配会社（ある株式会社の総株主の議決権の十分の九（これを上回る割合を当該株式会社の定款で定めた場合にあっては、その割合）以上を他の会社及び当該他の会社が発行済株式の全部を有する株式会社その他これに準ずるものとして法務省令で定める法人が有している場合における当該他の会社をいう。以下同じ。）である場合には、適用しない。

② 前条の規定は、同条第一項第三号に掲げる行為をする場合において、第一号に掲げる額の第二号に掲げる額に対する割合が五分の一（これを下回る割合を定款で定めた場合にあっては、その割合）を超えないときは、適用しない。

一 当該他の会社の事業の全部の対価として交付する財産の帳簿価額の合計額

二 当該株式会社の純資産額として法務省令で定める方法により算定される額

③ 前項に規定する場合において、法務省令で定める数の株式（前条第一項の株主総会において議決権を行使することができるものに限る。）を有する株主が次条第三項の規定による通知又は同条第四項の公告の日から二週間以内に前条第一項第三号に掲げる行為に反対する旨を当該行為をする株式会社に対し通知したときは、当該株式会社は、効力発生日の前日までに、株主総会の決議によって、当該行為に係る契約の承認を受けなければならない。

参❶【特別支配会社→七八四・七九六①【省令で定める法人→会社則一三六 ❷[二]【省令で定める方法→会社則一三七 ❸【議決権を行使することができる株式→二九七③参【省令で定める数→会社則一三八【株主総会決議→三〇九②[十一] +【適用除外→五三六③

（反対株主の株式買取請求）

第四六九条① 事業譲渡等をする場合（次に掲げる場合を除く。）には、反対株主は、事業譲渡等をする株式会社に対し、自己の有する株式を公正な価格で買い取ることを請求することができる。

一 第四百六十七条第一項第一号に掲げる行為をする場合において、同項の株主総会の決議と同時に第四百七十一条第三号の株主総会の決議がされたとき。

二 前条第二項に規定する場合（同条第三項に規定する場合を除く。）（平成二六法九〇本号追加）

（平成二六法九〇本号追加）

② 前項に規定する「反対株主」とは、次の各号に掲げる場合における当該各号に定める株主をいう。（平成二六法九〇本項改正）

一 事業譲渡等をするために株主総会（種類株主総会を含む。）の決議を要する場合　次に掲げる株主

イ 当該株主総会に先立って当該事業譲渡等に反対する旨を当該株式会社に対し通知し、かつ、当該株主総会において当該事業譲渡等に反対した株主（当該株主総会において議決権を行使することができるものに限る。）

ロ 当該株主総会において議決権を行使することができない株主

二 前号に規定する場合以外の場合　全ての株主（前条第一項に規定する場合における当該特別支配会社を除く。）（平成二六法九〇本号改正）

③ 事業譲渡等をしようとする株式会社は、効力発生日の二十日前までに、その株主（前条第一項に規定する場合における当該特別支配会社を除く。）に対し、事業譲渡等をする旨（第四百六十七条第二項に規定する場合にあっては、同条第一項第三号に掲げる行為をする旨及び同条第二項の株式に関する事項）を通知しなければならない。（平成二六法九〇本項改正）

④ 次に掲げる場合には、前項の規定による通知は、公告をもってこれに代えることができる。

一 事業譲渡等をする株式会社が公開会社である場合

二 事業譲渡等をする株式会社が第四百六十七条第一項の株主総会の決議によって事業譲渡等に係る契約の承認を受けた場合

⑤ 第一項の規定による請求（以下この章において「株式買取請求」という。）は、効力発生日の二十日前の日から効力発生日の前日までの間に、その株式買取請求に係る株式の数（種類株式発行会社にあっては、株式の種類及び種類ごとの数）を明らかにしてしなければならない。

⑥ 株券が発行されている株式について株式買取請求をしようとするときは、当該株式の株主は、事業譲渡等をする株式会社に対し、当該株式に係る株券を提出しなければならない。ただし、当該株券について第二百二十三条の規定による請求をした者については、この限りでない。（平成二六法九〇本項追加）

⑦ 株式買取請求をした株主は、事業譲渡等をする株式会社の承諾を得た場合に限り、その株式買取請求を撤回することができる。

⑧ 事業譲渡等を中止したときは、株式買取請求は、その効力を失う。

⑨ 第百三十三条の規定は、株式買取請求に係る株式については、適用しない。（平成二六法九〇本項追加）

参+【類似の手続→一一六・一七二・一七九の八・一八二の四・七八五・七九七・八〇六【振替株式の場合→社債株式振替一五五 ⑧【事業譲渡等→四六八① ❷[二]【議決権を行使することができない株主→二九七③参 ❸【株主への通知→二二六 ❹【公告→九三九 ❸❹【懈怠の制裁→九七六[三] ❺【種類株式発行会社→二[十三] ❻【株式買取請求時の株券提出義務→一一六⑥・一八二の四⑤・七八五⑥・七九七⑥・八〇六⑥ +【適用除外→五三六③

（株式の価格の決定等）

第四七〇条① 株式買取請求があった場合において、株式の価格の決定について、株主と事業譲渡等をする株式会社との間に協議が調ったときは、当該株式会社は、効力発生日から六十日以内にその支払をしなければならない。

② 株式の価格の決定について、効力発生日から三十日以内に協議が調わないときは、株主又は前項の株式会社は、その期間の満了の日後三十日以内に、裁判所に対し、価格の決定の申立てをすることができる。

③ 前条第七項の規定にかかわらず、前項に規定する場合において、効力発生日から六十日以内に同項の申立てがないときは、その期間の満了後は、株主は、いつでも、株式買取請求を撤回することができる。

④ 第一項の株式会社は、裁判所の決定した価格に対する同項の期間の満了の日後の法定利率による利息をも支払わなければならない。（平成二九法四五本項改正）

⑤ 第一項の株式会社は、株式の価格の決定があるまでは、株主に対し、当該株式会社が公正な価格と認める額を支払うことができる。（平成二六法九〇本項追加）

⑥ 株式買取請求に係る株式の買取りは、効力発生日に、その効力を生ずる。（平成二六法九〇本項改正）

⑦ 株券発行会社は、株券が発行されている株式について株式買取請求があったときは、株券と引換えに、その株式買取請求に係る株式の代金を支払わなければならない。

⊛❶【株式買取請求↓四六九⑤　❶―❸【効力発生日↓四六七①　❷【裁判所↓八六八①・八七〇②㊂　❹【裁判所による価格の決定↓八七一―八七四　❺【株式買取価格等の前払↓一一七⑤・一七二⑤・一八二の五・七八六⑤・七九八⑤・八〇七⑤　❼【株券発行会社↓二一四⊛　†【適用除外↓五三六③

第八章　解散

（解散の事由）

第四七一条　株式会社は、次に掲げる事由によって解散する。

一　定款で定めた存続期間の満了

二　定款で定めた解散の事由の発生

三　株主総会の決議

四　合併（合併により当該株式会社が消滅する場合に限る。）

五　破産手続開始の決定

六　第八百二十四条第一項又は第八百三十三条第一項の規定による解散を命ずる裁判

⊛†【解散↓四七五㊂・九二六、商登七一【解散による禁止事項↓四七四【特殊の解散事由↓四七二、ETC　[一]―[三]【会社の継続の可能性↓四七三　[三]【株主総会決議↓三〇九②[十一]【株式買取請求の排除↓四六九①　[四]【合併↓七四九①㊁・七五三①㊁　[五]【破産手続開始の決定↓破三〇・三五、四七五㊂　[六]【解散判決等↓四七八③　†【更生会社における特則↓会更四五①㊄・一六七②

（休眠会社のみなし解散）

第四七二条① 休眠会社（株式会社であって、当該株式会社に関する登記が最後にあった日から十二年を経過したものをいう。以下この条において同じ。）は、法務大臣が休眠会社に対し二箇月以内に法務省令で定めるところによりその本店の所在地を管轄する登記所に事業を廃止していない旨の届出をすべき旨を官報に公告した場合において、その届出をしないときは、その二箇月の期間の満了の時に、解散したものとみなす。ただし、当該期間内に当該休眠会社に関する登記がされたときは、この限りでない。

② 登記所は、前項の規定による公告があったときは、休眠会社に対し、その旨の通知を発しなければならない。

⊛❶【最後の登記↓九一一・九一五【本店↓四⊛【解散↓四七一、商登七二【清算の必要↓四七五㊀【会社の継続↓四七三【省令の定め↓会社則一三九　❷【通知↓民九七⊛

（株式会社の継続）

第四七三条　株式会社は、第四百七十一条第一号から第三号までに掲げる事由によって解散した場合（前条第一項の規定により解散したものとみなされた場合を含む。）には、次章の規定による清算が結了するまで（同項の規定により解散したものとみなされた場合にあっては、解散したものとみなされた後三年以内に限る。）、株主総会の決議によって、株式会社を継続することができる。

⊛†【会社の継続↓九二七、商登四六②【更生手続と継続↓会更四五①㊄・一六七②【破産手続廃止と継続↓破二一八・二一九【清算の結了↓五〇七、商登七五【株主総会決議↓三〇九②[十一]

（解散した株式会社の合併等の制限）

第四七四条　株式会社が解散した場合には、当該株式会社は、次に掲げる行為をすることができない。

一　合併（合併により当該株式会社が存続する場合に限る。）

二　吸収分割による他の会社がその事業に関して有する権利義務の全部又は一部の承継

⊛†【解散↓四七一・四七二　[一]【吸収合併存続会社↓七四九・七五〇・七九四―八〇一　[二]【吸収分割承継会社↓七五七―七五九・七九四―八〇一

第九章　清算

第一節　総則

第一款　清算の開始

（清算の開始原因）

第四七五条　株式会社は、次に掲げる場合には、この章の定めるところにより、清算をしなければならない。

一　解散した場合（第四百七十一条第四号に掲げる事由によって解散した場合及び破産手続開始の決定により解散した場合であって当該破産手続が終了していない場合を除く。）

二　設立の無効の訴えに係る請求を認容する判決が確定した場合

三　株式移転の無効の訴えに係る請求を認容する判決が確定した場合

⊛†【清算↓四七六―四九一・五〇七　[一]【解散↓四七一・四七二【破産手続開始の決定↓破三〇　[二]【設立無効の訴え↓八二八

①㈠・八三九【清算人の選任↓四七八④　【三】【株式移転の無効の訴え↓八二八①㈩㈡・八三九【清算人の選任↓四七八④

（清算株式会社の能力）

第四七六条　前条の規定により清算をする株式会社（以下「清算株式会社」という。）は、清算の目的の範囲内において、清算が結了するまではなお存続するものとみなす。

㊜+【清算の目的↓四八一【清算の結了↓五〇七、商登七五

第二款　清算株式会社の機関

第一目　株主総会以外の機関の設置

第四七七条①　清算株式会社には、一人又は二人以上の清算人を置かなければならない。

②　清算株式会社は、定款の定めによって、清算人会、監査役又は監査役会を置くことができる。

③　監査役会を置く旨の定款の定めがある清算株式会社は、清算人会を置かなければならない。

④　第四百七十五条各号に掲げる場合に該当することとなった時において公開会社又は大会社であった清算株式会社は、監査役を置かなければならない。

⑤　第四百七十五条各号に掲げる場合に該当することとなった時において監査等委員会設置会社であった清算株式会社であって、前項の規定の適用があるものにおいては、監査等委員である取締役が監査役となる。（平成二六法九〇本項追加）

⑥　第四百七十五条各号に掲げる場合に該当することとなった時において指名委員会等設置会社であった清算株式会社であって、第四項の規定の適用があるものにおいては、監査委員が監査役となる。（平成二六法九〇本項改正）

⑦　第四章第二節の規定は、清算株式会社については、適用しない。

㊜❶【清算人↓三三〇・四七八・四七九・四八一―四八四・四八六・四八七・五二三―五二六・九二八、商登七三・七四　❷【定款の定め↓四八〇①㈡【清算人会↓三三一⑤・四七八⑧・四八九―四九一・四九二②・四九五②・五〇七②・九二八①㈢【監査役↓三三六・四八〇・四八八・四九五①　❻【監査委員↓四〇〇④㊜

第二目　清算人の就任及び解任並びに監査役の退任

（清算人の就任）

第四七八条①　次に掲げる者は、清算株式会社の清算人となる。

一　取締役（次号又は第三号に掲げる者がある場合を除く。）

二　定款で定める者

三　株主総会の決議によって選任された者

②　前項の規定により清算人となる者がないときは、裁判所は、利害関係人の申立てにより、清算人を選任する。

③　前二項の規定にかかわらず、第四百七十一条第六号に掲げる事由によって解散した清算株式会社については、裁判所は、利害関係人若しくは法務大臣の申立てにより又は職権で、清算人を選任する。

④　第一項及び第二項の規定にかかわらず、第四百七十五条第二号又は第三号に掲げる場合に該当することとなった清算株式会社については、裁判所は、利害関係人の申立てにより、清算人を選任する。

⑤　第四百七十五条各号に掲げる場合に該当することとなった時において監査等委員会設置会社であった清算株式会社における第一項第一号の規定の適用については、同号中「取締役」とあるのは、「監査等委員である取締役以外の取締役」とする。（平成二六法九〇本項追加）

⑥　第四百七十五条各号に掲げる場合に該当することとなった時において指名委員会等設置会社であった清算株式会社における第一項第一号の規定の適用については、同号中「取締役」とあるのは、「監査委員以外の取締役」とする。（平成二六法九〇本項改正）

⑦　第三百三十五条第三項の規定にかかわらず、第四百七十五条各号に掲げる場合に該当することとなった時において監査等委員会設置会社又は指名委員会等設置会社であった清算株式会社である監査役会設置会社においては、監査役は、三人以上で、そのうち半数以上は、次に掲げる要件のいずれにも該当するものでなければならない。

一　その就任の前十年間当該監査等委員会設置会社若しくは指名委員会等設置会社又はその子会社の取締役（社外取締役を除く。）、会計参与（会計参与が法人であるときは、その職務を行うべき社員。次号において同じ。）若しくは執行役又は支配人その他の使用人であったことがないこと。

二　その就任の前十年内のいずれかの時において当該監査等委員会設置会社若しくは指名委員会等設置会社又はその子会社の社外取締役又は監査役であったことがある者にあっては、当該社外取締役又は監査役への就任の前十年間当該監査等委員会設置会社若しくは指名委員会等設置会社又はその子会社の取締役（社外取締役を除く。）、会計参与若しくは執行役又は支配人その他の使用人であったことがないこと。

三　第二条第十六号ハからホまでに掲げる要件

（平成二六法九〇本項追加）

⑧　第三百三十条〈株式会社と役員等との関係〉、第三百三十一条第一項〈取締役の資格等〉及び第三百三十一条の二〈同前〉の規定は清算人について、第三百三十一条第五項〈同前〉の規定は清算人会設置会社（清算人会を置く清算株式会社又はこの法律の規定により清算人会を置かなければならない清算株式会社をいう。以下同じ。）について、それぞれ準用する。この場合において、同項中「取締役は」とあるのは、「清算人は」と読み替えるものとする。（令和一法七〇本項改正）

㊜❶【清算人↓四七七①㊜　【一】【取締役↓四八三④・九二八①、商登七三①　【二】【三】【登記↓九二八③、商登七三②　【三】【株主総会決議↓三〇九①　❷―❹【裁判所による選任↓四八三⑤・八六八①・八七四㈠・九二八③、商登七三③【報酬↓四八

五

（清算人の解任）

第四七九条① 清算人（前条第二項から第四項までの規定により裁判所が選任したものを除く。）は、いつでも、株主総会の決議によって解任することができる。

② 重要な事由があるときは、裁判所は、次に掲げる株主の申立てにより、清算人を解任することができる。

一 総株主（次に掲げる株主を除く。）の議決権の百分の三（これを下回る割合を定款で定めた場合にあっては、その割合）以上の議決権を六箇月（これを下回る期間を定款で定めた場合にあっては、その期間）前から引き続き有する株主（次に掲げる株主を除く。）

イ 清算人を解任する旨の議案について議決権を行使することができない株主

ロ 当該申立てに係る清算人である株主

二 発行済株式（次に掲げる株主の有する株式を除く。）の百分の三（これを下回る割合を定款で定めた場合にあっては、その割合）以上の数の株式を六箇月（これを下回る期間を定款で定めた場合にあっては、その期間）前から引き続き有する株主（次に掲げる株主を除く。）

イ 当該清算株式会社である株主

ロ 当該申立てに係る清算人である株主

③ 公開会社でない清算株式会社における前項各号の規定の適用については、これらの規定中「六箇月（これを下回る期間を定款で定めた場合にあっては、その期間）前から引き続き有する」とあるのは、「有する」とする。

④ 第三百四十六条第一項から第三項まで〈役員等に欠員を生じた場合の措置〉の規定は、清算人について準用する。

参†【清算人の解任→商登七四②】 ❶【株主総会決議→三〇九①】 ❷【裁判所→八六八①、八七〇①[二]、九三七①[二]】【株主の権限濫用に対する制裁→九六八①[二]】 [二]【議決権を行使することができない株主→二九七③】 ❹【清算人の権利義務を有する者→八三二】【三四六条の準用→八七〇①[一]、八七四[一]、九三七①[二]】

（監査役の退任）

第四八〇条① 清算株式会社の監査役は、当該清算株式会社が次に掲げる定款の変更をした場合には、当該定款の変更の効力が生じた時に退任する。

一 監査役を置く旨の定款の定めを廃止する定款の変更

二 監査役の監査の範囲を会計に関するものに限定する旨の定款の定めを廃止する定款の変更

② 第三百三十六条の規定は、清算株式会社の監査役については、適用しない。

参❶【定款の変更→四六六、三〇九②[十一]】 [一]【監査役を置く旨の定款の定め→四七七②】 [二]【監査の範囲の限定→三八九①】

第三目 清算人の職務等

（清算人の職務）

第四八一条 清算人は、次に掲げる職務を行う。

一 現務の結了

二 債権の取立て及び債務の弁済

三 残余財産の分配

参[二]【債務の弁済→四九九―五〇三】 [三]【残余財産の分配→五〇四―五〇六】

（業務の執行）

第四八二条① 清算人は、清算株式会社（清算人会設置会社を除く。以下この条において同じ。）の業務を執行する。

② 清算人が二人以上ある場合には、清算株式会社の業務は、定款に別段の定めがある場合を除き、清算人の過半数をもって決定する。

③ 前項の場合には、清算人は、次に掲げる事項についての決定を各清算人に委任することができない。

一 支配人の選任及び解任

二 支店の設置、移転及び廃止

三 第二百九十八条第一項各号（第三百二十五条において準用する場合を含む。）に掲げる事項

四 清算人の職務の執行が法令及び定款に適合することを確保するための体制その他清算株式会社の業務の適正を確保するために必要なものとして法務省令で定める体制の整備

④ 第三百五十三条から第三百五十七条（第三項を除く。）まで〈取締役の権限・義務等〉、第三百六十条〈株主による取締役の行為の差止め〉並びに第三百六十一条第一項及び第四項〈取締役の報酬等〉の規定は、清算人（同条の規定により裁判所が選任したものを除く。）について準用する。この場合において、第三百五十三条中「第三百四十九条第四項」とあるのは「第四百八十三条第六項において準用する第三百四十九条第四項」と、第三百五十四条中「代表取締役」とあるのは「代表清算人（第四百八十三条第一項に規定する代表清算人をいう。）」と、第三百六十条第三項中「監査役設置会社、監査等委員会設置会社又は指名委員会等設置会社」とあるのは「監査役設置会社」と読み替えるものとする。（平成二六法九〇本項改正）

参❶【清算人の業務執行→四九二①、四八九⑦、四八六、四八七】 ❸[一]【支配人→一〇―一三】 [二]【支店→九一一③[三]】 [四]【省令で定める体制→会社則一四〇】 ❹【競業・利益相反取引の制限違反→四八六②】【任務懈怠の推定→四八六③】

（清算株式会社の代表）

第四八三条① 清算人は、清算株式会社を代表する。ただし、他に代表清算人（清算株式会社を代表する清算人をいう。以下同じ。）その他清算株式会社を代表する者を定めた場合は、この限りでない。

② 前項本文の清算人が二人以上ある場合には、清算人は、各自、清算株式会社を代表する。

③ 清算株式会社（清算人会設置会社を除く。）は、定款、定款の定めに基づく清算人（第四百七十八条第二項から第四項までの規定により裁判所が選任したものを除く。以下この項において同じ。）の互選又は株主総会の決議によって、清算人の中から代表清算人を定め

ることができる。

④　第四百七十八条第一項第一号の規定により取締役が清算人となる場合において、代表取締役を定めていたときは、当該代表取締役が代表清算人となる。

⑤　裁判所は、第四百七十八条第二項から第四項までの規定により清算人を選任する場合には、その清算人の中から代表清算人を定めることができる。

⑥　第三百四十九条第四項及び第五項〈代表取締役の権限〉並びに第三百五十一条〈代表取締役に欠員を生じた場合の措置〉の規定は代表清算人について、第三百五十二条〈取締役の職務を代行する者の権限〉の規定は民事保全法第五十六条に規定する仮処分命令により選任された清算人又は代表清算人の職務を代行する者について、それぞれ準用する。

❶【代表清算人→九二八①㈡　❸【株主総会決議→三〇九①　❹【その代表清算人の解任→四八九④　❺【裁判所が選任した代表清算人→四八九⑤、商登七四①　❻【三五一条の準用→八七〇①㈡・八七四㈡・九三七①㈡

（清算株式会社についての破産手続の開始）

第四八四条①　清算株式会社の財産がその債務を完済するのに足りないことが明らかになったときは、清算人は、直ちに破産手続開始の申立てをしなければならない。

②　清算人は、清算株式会社が破産手続開始の決定を受けた場合において、破産管財人にその事務を引き継いだときは、その任務を終了したものとする。

③　前項に規定する場合において、清算株式会社が既に債権者に支払い、又は株主に分配したものがあるときは、破産管財人は、これを取り戻すことができる。

❶【破産手続開始の申立て→破一九②【違反に対する制裁→九七六㉗　❷【破産手続開始の決定→破三〇　❸【破産管財人→破七四―九〇

（裁判所の選任する清算人の報酬）

第四八五条　裁判所は、第四百七十八条第二項から第四項までの規定により清算人を選任した場合には、清算株式会社が当該清算人に対して支払う報酬の額を定めることができる。

✠【裁判所→八六八①、八七〇①㈠

（清算人の清算株式会社に対する損害賠償責任）

第四八六条①　清算人は、その任務を怠ったときは、清算株式会社に対し、これによって生じた損害を賠償する責任を負う。

②　清算人が第四百八十二条第四項において準用する第三百五十六条第一項の規定に違反して同項第一号の取引をしたときは、当該取引により清算人又は第三者が得た利益の額は、前項の損害の額と推定する。

③　第四百八十二条第四項において準用する第三百五十六条第一項第二号又は第三号の取引によって清算株式会社に損害が生じたときは、次に掲げる清算人は、その任務を怠ったものと推定する。

一　第四百八十二条第四項において準用する第三百五十六条第一項の清算人

二　清算株式会社が当該取引をすることを決定した清算人

三　当該取引に関する清算人会の承認の決議に賛成した清算人

④　第四百二十四条〈株式会社に対する損害賠償責任の免除〉及び第四百二十八条第一項〈取締役が自己のためにした取引に関する特則〉の規定は、清算人の第一項の責任について準用する。この場合において、同条第一項中「第三百五十六条第一項第二号（第四百十九条第二項において準用する場合を含む。）」とあるのは、「第四百八十二条第四項において準用する第三百五十六条第一項第二号」と読み替えるものとする。

✠【清算人の会社に対する責任→四八八①・五〇七④・四八二④・三五三・四八九⑧・三六四・四九一・八四七―八五二・五四五・八九九　❶【清算人の任務懈怠→四七八⑧・三三〇、民六四四、四八二④・三五五　❹【四二四条の準用→八五〇④

（清算人の第三者に対する損害賠償責任）

第四八七条①　清算人がその職務を行うについて悪意又は重大な過失があったときは、当該清算人は、これによって第三者に生じた損害を賠償する責任を負う。

②　清算人が、次に掲げる行為をしたときも、前項と同様とする。ただし、当該清算人が当該行為をすることについて注意を怠らなかったことを証明したときは、この限りでない。

一　株式、新株予約権、社債若しくは新株予約権付社債を引き受ける者の募集をする際に通知しなければならない重要な事項についての虚偽の通知又は当該募集のための当該清算株式会社の事業その他の事項に関する説明に用いた資料についての虚偽の記載若しくは記録

二　第四百九十二条第一項に規定する財産目録等並びに第四百九十四条第一項の貸借対照表及び事務報告並びにこれらの附属明細書に記載し、又は記録すべき重要な事項についての虚偽の記載又は記録

三　虚偽の登記

四　虚偽の公告

❶【第三者に対する責任→五三②・四二九　❷[二]【財産目録等の虚偽記載の罰則→九七六㈦　[三]【虚偽の登記の罰則→刑一五七①　[四]【虚偽の公告の罰則→九七六㈡

（清算人及び監査役の連帯責任）

第四八八条①　清算人又は監査役が清算株式会社又は第三者に生じた損害を賠償する責任を負う場合において、他の清算人又は監査役も当該損害を賠償する責任を負うときは、これらの者は、連帯債務者とする。

②　前項の場合には、第四百三十条の規定は、適用しない。

❶【会社に対する責任→四二三・四八六【第三者に対する責任→四二九・四八七

第四目　清算人会

（清算人会の権限等）

第四八九条①　清算人会は、すべての清算人で組織する。

②　清算人会は、次に掲げる職務を行う。

一　清算人会設置会社の業務執行の決定
二　清算人の職務の執行の監督
三　代表清算人の選定及び解職

③　清算人会は、清算人の中から代表清算人を選定しなければならない。ただし、他に代表清算人があるときは、この限りでない。

④　清算人会は、その選定した代表清算人及び第四百八十三条第四項の規定により代表清算人となった者を解職することができる。

⑤　第四百八十三条第五項の規定により裁判所が代表清算人を定めたときは、清算人会は、代表清算人を選定し、又は解職することができない。

⑥　清算人会は、次に掲げる事項その他の重要な業務執行の決定を清算人に委任することができない。
一　重要な財産の処分及び譲受け
二　多額の借財
三　支配人その他の重要な使用人の選任及び解任
四　支店その他の重要な組織の設置、変更及び廃止
五　第六百七十六条第一号に掲げる事項その他の社債を引き受ける者の募集に関する重要な事項として法務省令で定める事項
六　清算人の職務の執行が法令及び定款に適合することを確保するための体制その他清算株式会社の業務の適正を確保するために必要なものとして法務省令で定める体制の整備

⑦　次に掲げる清算人は、清算人会設置会社の業務を執行する。
一　代表清算人
二　代表清算人以外の清算人であって、清算人会の決議によって清算人会設置会社の業務を執行する清算人として選定されたもの

⑧　第三百六十三条第二項〈取締役会への報告〉、第三百六十四条〈取締役会設置会社と取締役との間の訴えにおける会社の代表〉及び第三百六十五条〈競業及び取締役会設置会社との取引等の制限〉の規定は、清算人会設置会社について準用する。この場合において、第三百六十三条第二項中「前項各号」とあるのは「第四百八十九条第七項各号」と、「取締役は」とあるのは「清算人は」と、「取締役会」とあるのは「清算人会」と、第三百六十四条中「第三百五十三条」とあるのは「第四百八十二条第四項において準用する第三百五十三条」と、第三百六十五条第一項中「第三百五十六条」とあるのは「第四百八十二条第四項において準用する第三百五十六条」と、「取締役会」とあるのは「清算人会」と、同条第二項中「第三百五十六条第一項各号」とあるのは「第四百八十二条第四項において準用する第三百五十六条第一項各号」と、「取締役は」とあるのは「清算人は」と、「取締役会に」とあるのは「清算人会に」と読み替えるものとする。

㊜❶【清算人会設置会社の清算人の員数→四七八⑧、三三一⑤　❷[一]【業務執行の決定→四八二②　[二]【清算人の職務執行の監督→三六三②、四八九⑧、四九二②、四九五②　[三]【代表清算人→九二八①㈢　❸【他に代表清算人があるとき→四八三④⑤　❻[一]【重要な財産の処分等→四六七－四七〇、独禁一六　[三]【支配人→一〇－一三　[四]【支店→九一一③㈢　[五]【省令で定める事項→会社則一四一　[六]【省令で定める体制→会社則一四二　❼【業務執行→四八二①、四九二①【帳簿資料の保存者→五〇八①

（清算人会の運営）
第四九〇条①　清算人会は、各清算人が招集する。ただし、清算人会を招集する清算人を定款又は清算人会で定めたときは、その清算人が招集する。

②　前項ただし書に規定する場合には、同項ただし書の規定により定められた清算人（以下この項において「招集権者」という。）以外の清算人は、招集権者に対し、清算人会の目的である事項を示して、清算人会の招集を請求することができる。

③　前項の規定による請求があった日から五日以内に、その請求があった日から二週間以内の日を清算人会の日とする清算人会の招集の通知が発せられない場合には、その請求をした清算人は、清算人会を招集することができる。

④　第三百六十七条〈株主による招集の請求〉及び第三百六十八条〈招集手続〉の規定は、清算人会設置会社における清算人会の招集について準用する。この場合において、第三百六十七条第一項中「監査役設置会社、監査等委員会設置会社及び指名委員会等設置会社」とあるのは「監査役設置会社」と、「取締役が」とあるのは「清算人が」と、同条第二項中「取締役（前条第一項ただし書に規定する場合にあっては、招集権者）」とあるのは「清算人（第四百九十条第一項ただし書に規定する場合にあっては、同条第二項に規定する招集権者）」と、同条第三項及び第四項中「前条第三項」とあるのは「第四百九十条第三項」と、第三百六十八条第一項中「各取締役」とあるのは「各清算人」と、同条第二項中「取締役（」とあるのは「清算人（」と、「取締役及び」とあるのは「清算人及び」と読み替えるものとする。（平成二六法九〇本項改正）

⑤　第三百六十九条から第三百七十一条まで〈取締役会の決議、議事録等〉の規定は、清算人会設置会社における清算人会の決議について準用する。この場合において、第三百六十九条第一項中「取締役の」とあるのは「清算人の」と、同条第二項中「取締役」とあるのは「清算人」と、同条第三項中「取締役及び」とあるのは「清算人及び」と、同条第五項中「取締役であって」とあるのは「清算人であって」と、第三百七十条中「取締役が」とあるのは「清算人が」と、「取締役（」とあるのは「清算人（」と、第三百七十一条第三項中「監査役設置会社、監査等委員会設置会社又は指名委員会等設置会社」とあるのは「監査役設置会社」と、同条第四項中「役員又は執行役」とあるのは「清算人又は監査役」と読み替えるものとする。（平成二六法九〇本項改正）

⑥　第三百七十二条第一項及び第二項〈取締役会への報告の省略〉の規定は、清算人会設置会社における清算人会への報告について準用する。この場合において、同条第一項中「取締役、会計参与、監査役又は会計監査人」とあるのは「清算人又は監査役」と、「取締役

（」とあるのは「清算人（」と、「取締役及び」とあるのは「清算人及び」と、同条第二項中「第三百六十三条第二項」とあるのは「第四百八十九条第八項において準用する第三百六十三条第二項」と読み替えるものとする。

参❷【会議の目的である事項の例↓四八九②㈢⑥　❺【三七〇条の準用↓商登四六③

第五目　取締役等に関する規定の適用

第四九一条　清算株式会社については、第二章（第百五十五条を除く。）、第三章、第四章第一節、第三百三十五条第二項、第三百四十三条第一項及び第二項、第三百四十五条第四項において準用する同条第三項、第三百五十九条、同章第七節及び第八節並びに第七章の規定中取締役、代表取締役、取締役会又は取締役会設置会社に関する規定は、それぞれ清算人、代表清算人、清算人会又は清算人会設置会社に関する規定として清算人、代表清算人、清算人会又は清算人会設置会社に適用があるものとする。

第三款　財産目録等

（財産目録等の作成等）

第四九二条①　清算人（清算人会設置会社にあっては、第四百八十九条第七項各号に掲げる清算人）は、その就任後遅滞なく、清算株式会社の財産の現況を調査し、法務省令で定めるところにより、第四百七十五条各号に掲げる場合に該当することとなった日における財産目録及び貸借対照表（以下この条及び次条において「財産目録等」という。）を作成しなければならない。

② 清算人会設置会社においては、財産目録等は、清算人会の承認を受けなければならない。

③ 清算人は、財産目録等（前項の規定の適用がある場合にあっては、同項の承認を受けたもの）を株主総会に提出し、又は提供し、その承認を受けなければならない。

④ 清算株式会社は、財産目録等を作成した時からその本店の所在地における清算結了の登記の時までの間、当該財産目録等を保存しなければならない。

参❶【財産の現況の調査妨害に対する制裁↓九七六㈤【財産目録等↓四九三、四八七②㈢・五二一・五六二【虚偽記載に対する罰則↓九七六㈦【省令の定め↓会社則一四四・一四五　❸【株主総会の承認↓三〇九①　❹【清算結了の登記↓九二九、商登七五

（財産目録等の提出命令）

第四九三条　裁判所は、申立てにより又は職権で、訴訟の当事者に対し、財産目録等の全部又は一部の提出を命ずることができる。

参＊【一般原則↓民訴二一九・二二〇【不提出の効果↓民訴二二四

（貸借対照表等の作成及び保存）

第四九四条①　清算株式会社は、法務省令で定めるところにより、各清算事務年度（第四百七十五条各号に掲げる場合に該当することとなった日の翌日又はその後毎年その日に応当する日（応当する日がない場合にあっては、その前日）から始まる各一年の期間をいう。）に係る貸借対照表及び事務報告並びにこれらの附属明細書を作成しなければならない。

② 前項の貸借対照表及び事務報告並びにこれらの附属明細書は、電磁的記録をもって作成することができる。

③ 清算株式会社は、第一項の貸借対照表を作成した時からその本店の所在地における清算結了の登記の時までの間、当該貸借対照表及びその附属明細書を保存しなければならない。

参❶【貸借対照表・事務報告・附属明細書↓四九五①・四九七・四九八・四八七②㈢【虚偽記載に対する罰則↓九七六㈦【省令の定め↓会社則一四六・一四七　❷【電磁的記録↓二六②　❸【清算結了の登記↓九二九、商登七五【貸借対照表等の保存↓四九六

（貸借対照表等の監査等）

第四九五条①　監査役設置会社（監査役の監査の範囲を会計に関するものに限定する旨の定款の定めがある株式会社を含む。）においては、前条第一項の貸借対照表及び事務報告並びにこれらの附属明細書は、法務省令で定めるところにより、監査役の監査を受けなければならない。

② 清算人会設置会社においては、前条第一項の貸借対照表及び事務報告並びにこれらの附属明細書（前項の規定の適用がある場合にあっては、同項の監査を受けたもの）は、清算人会の承認を受けなければならない。

参❶【監査の範囲の限定↓三八九①【省令の定め↓会社則一四八

（貸借対照表等の備置き及び閲覧等）

第四九六条①　清算株式会社は、第四百九十四条第一項に規定する各清算事務年度に係る貸借対照表及び事務報告並びにこれらの附属明細書（前条第一項の規定の適用がある場合にあっては、監査報告を含む。以下この条において「貸借対照表等」という。）を、定時株主総会の日の一週間前の日（第三百十九条第一項の場合にあっては、同項の提案があった日）からその本店の所在地における清算結了の登記の時までの間、その本店に備え置かなければならない。

② 株主及び債権者は、清算株式会社の営業時間内は、いつでも、次に掲げる請求をすることができる。ただし、第二号又は第四号に掲げる請求をするには、当該清算株式会社の定めた費用を支払わなければならない。

一　貸借対照表等が書面をもって作成されているときは、当該書面の閲覧の請求

二　前号の書面の謄本又は抄本の交付の請求

三　貸借対照表等が電磁的記録をもって作成されているときは、当該電磁的記録に記録された事項を法務省令で定める方法により表示したものの閲覧の請求

四　前号の電磁的記録に記録された事項を電磁的方法であって清算株式会社の定めたものにより提供することの請求又はその事項を記載した書面の交付の請求

③ 清算株式会社の親会社社員は、その権利を行使するため必要があるときは、裁判所の許可を得て、当該清算株式会社の貸借対照表等について前項各号に掲げる請求をすることができる。ただし、同項第二号又は第四号に掲げる請求をするには、当該清算株式会社の定めた費用を支払わなければならない。

❶【貸借対照表等の備置義務懈怠に対する制裁→九七六[四]【清算結了の登記→九二九、商登七五【本店→四 ❷【株主・債権者の閲覧等請求不当拒否に対する制裁→九七六[四]【[三]】電磁的記録→二六②【省令で定める方法→会社則二二六 ❸【裁判所の許可→八六八②

（貸借対照表等の定時株主総会への提出等）

第四九七条① 次の各号に掲げる清算株式会社においては、清算人は、当該各号に定める貸借対照表及び事務報告を定時株主総会に提出し、又は提供しなければならない。

一 第四百九十五条第一項に規定する監査役設置会社（清算人会設置会社を除く。） 同項の監査を受けた貸借対照表及び事務報告

二 清算人会設置会社 第四百九十五条第二項の承認を受けた貸借対照表及び事務報告

三 前二号に掲げるもの以外の清算株式会社 第四百九十四条第一項の貸借対照表及び事務報告

② 前項の規定により提出され、又は提供された貸借対照表は、定時株主総会の承認を受けなければならない。

③ 清算人は、第一項の規定により提出され、又は提供された事務報告の内容を定時株主総会に報告しなければならない。

❶【定時株主総会→二九六① ❷【株主総会の承認→三〇九①

（貸借対照表等の提出命令）

第四九八条 裁判所は、申立てにより又は職権で、訴訟の当事者に対し、第四百九十四条第一項の貸借対照表及びその附属明細書の全部又は一部の提出を命ずることができる。

【一般原則→民訴二一九、二二〇【不提出の効果→民訴二二四

第四款 債務の弁済等

（債権者に対する公告等）

第四九九条① 清算株式会社は、第四百七十五条各号に掲げる場合に該当することとなった後、遅滞なく、当該清算株式会社の債権者に対し、一定の期間内にその債権を申し出るべき旨を官報に公告し、かつ、知れている債権者には、各別にこれを催告しなければならない。ただし、当該期間は、二箇月を下ることができない。

② 前項の規定による公告には、当該債権者が当該期間内に申出をしないときは清算から除斥される旨を付記しなければならない。

【公告懈怠に対する制裁→九七六[二] ❶【債権申立期間→五〇〇①【不当な期間に対する制裁→九七六[二十八]【知れている債権者→五〇三①【債権申出催告→五〇〇 ❷【除斥→五〇三

（債務の弁済の制限）

第五〇〇条① 清算株式会社は、前条第一項の期間内は、債務の弁済をすることができない。この場合において、清算株式会社は、その債務の不履行によって生じた責任を免れることができない。

② 前項の規定にかかわらず、清算株式会社は、前条第一項の期間内であっても、裁判所の許可を得て、少額の債権、清算株式会社の財産につき存する担保権によって担保される債権その他これを弁済しても他の債権者を害するおそれがない債権に係る債務について、その弁済をすることができる。この場合において、当該許可の申立ては、清算人が二人以上あるときは、その全員の同意によってしなければならない。

【債務の弁済→四八一[三]・五〇一 ❶【遅延による損害賠償責任→民四一二・四一九【本項違反の弁済に対する制裁→九七六[二十九] ❷【裁判所の許可→八六八①・八七四[四]

（条件付債権等に係る債務の弁済）

第五〇一条① 清算株式会社は、条件付債権、存続期間が不確定な債権その他その額が不確定な債権に係る債務を弁済することができる。この場合においては、これらの債権を評価させるため、裁判所に対し、鑑定人の選任の申立てをしなければならない。

② 前項の場合には、清算株式会社は、同項の鑑定人の評価に従い同項の債権に係る債務を弁済しなければならない。

③ 第一項の鑑定人の選任の手続に関する費用は、清算株式会社の負担とする。当該鑑定人による鑑定のための呼出し及び質問に関する費用についても、同様とする。

❶【条件→民一二七―一二九【債権の価額の鑑定→八六八①・八七四[一] ❶❷【類似の規定→民九三〇②、会更一三六①、破一〇三

（債務の弁済前における残余財産の分配の制限）

第五〇二条 清算株式会社は、当該清算株式会社の債務を弁済した後でなければ、その財産を株主に分配することができない。ただし、その存否又は額について争いのある債権に係る債務についてその弁済をするために必要と認められる財産を留保した場合は、この限りでない。

【債務の弁済→五〇〇・五〇一【本条違反の分配に対する制裁→九七六[三十]

（清算からの除斥）

第五〇三条① 清算株式会社の債権者（知れている債権者を除く。）であって第四百九十九条第一項の期間内にその債権の申出をしなかったものは、清算から除斥される。

② 前項の規定により清算から除斥された債権者は、分配がされていない残余財産に対してのみ、弁済を請求することができる。

③ 清算株式会社の残余財産を株主の一部に分配した場合には、当該株主の受けた分配と同一の割合の分配を当該株主以外の株主に対してするために必要な財産は、前項の残余財産から控除する。

➊【除斥の旨の公告→四九九②【知れている債権者→四九九① ❷【同旨の規定→一般法人二三八②

第五款 残余財産の分配

（残余財産の分配に関する事項の決定）

第五〇四条① 清算株式会社は、残余財産の分配をしようとするときは、清算人の決定（清算人会設置会社にあっては、清算人会の決議）によって、次に掲げる事項を定めなければならない。

一 残余財産の種類

二 株主に対する残余財産の割当てに関する事項

② 前項に規定する場合において、残余財産の分配について内容の異なる二以上の種類の株式を発行しているときは、清算株式会社は、当該種類の株式の内容に応じ、同項第二号に掲げる事項として、次に掲げる事項を定めることができる。

一 ある種類の株式の株主に対して残余財産の割当てをしないこととするときは、その旨及び当該株式の種類

二 前号に掲げる事項のほか、残余財産の割当てについて株式の種類ごとに異なる取扱いを行うこととするときは、その旨及び当該異なる取扱いの内容

③ 第一項第二号に掲げる事項についての定めは、株主（当該清算株式会社及び前項第一号の種類の株式の株主を除く。）の有する株式の数（前項第二号に掲げる事項についての定めがある場合にあっては、各種類の株式の数）に応じて残余財産を割り当てることを内容とするものでなければならない。

【残余財産の分配→四八一㊂ ➊【一】【残余財産の種類→五〇五 【二】【株主に対する残余財産の割当て→一〇八①㊁②㊁・一〇九①② ❷【残余財産分配に関する種類株式→一〇八①㊁②㊁ ❸【株主平等の原則→一〇九①

（残余財産が金銭以外の財産である場合）

第五〇五条① 株主は、残余財産が金銭以外の財産であるときは、金銭分配請求権（当該残余財産に代えて金銭を交付することを清算株式会社に対して請求する権利をいう。以下この条において同じ。）を有する。この場合において、清算株式会社は、清算人の決定（清算人会設置会社にあっては、清算人会の決議）によって、次に掲げる事項を定めなければならない。

一 金銭分配請求権を行使することができる期間

二 一定の数未満の数の株式を有する株主に対して残余財産の割当てをしないこととするときは、その旨及びその数

② 前項に規定する場合には、清算株式会社は、同項第一号の期間の末日の二十日前までに、株主に対し、同号に掲げる事項を通知しなければならない。

③ 清算株式会社は、金銭分配請求権を行使した株主に対し、当該株主が割当てを受けた残余財産に代えて、当該残余財産の価額に相当する金銭を支払わなければならない。この場合においては、次の各号に掲げる場合の区分に応じ、当該各号に定める額をもって当該残余財産の価額とする。

一 当該残余財産が市場価格のある財産である場合 当該残余財産の市場価格として法務省令で定める方法により算定される額

二 前号に掲げる場合以外の場合 清算株式会社の申立てにより裁判所が定める額

➊【金銭分配請求権→四五四④㊀ 【二】【基準未満株式→五〇六 ❷【株主への通知→一二六① ❸【残余財産の価額→五〇六 【一】【省令で定める方法→会社則一四九 【二】【裁判所→八六八①・八七〇①㊄

（基準株式数を定めた場合の処理）

第五〇六条 前条第一項第二号の数（以下この条において「基準株式数」という。）を定めた場合には、清算株式会社は、基準株式数に満たない数の株式（以下この条において「基準未満株式」という。）を有する株主に対し、前条第三項後段の規定の例により基準株式数の株式を有する株主が割当てを受けた残余財産の価額として定めた額に当該基準未満株式の数の基準株式数に対する割合を乗じて得た額に相当する金銭を支払わなければならない。

【株主の陳述の聴取→八七〇①㊅

第六款 清算事務の終了等

第五〇七条① 清算株式会社は、清算事務が終了したときは、遅滞なく、法務省令で定めるところにより、決算報告を作成しなければならない。

② 清算人会設置会社においては、決算報告は、清算人会の承認を受けなければならない。

③ 清算人は、決算報告（前項の規定の適用がある場合にあっては、同項の承認を受けたもの）を株主総会に提出し、又は提供し、その承認を受けなければならない。

④ 前項の承認があったときは、任務を怠ったことによる清算人の損害賠償の責任は、免除されたものとみなす。ただし、清算人の職務の執行に関し不正の行為があったときは、この限りでない。

➊【清算事務→四八一【清算事務の終了→四九二④【決算報告虚偽記載等に対する制裁→九七六㊆【省令の定め→会社則一五〇 ❸【株主総会の承認→三〇九①・九二九㊀、商登七五 ❹【清算人の責任解除→四八六

第七款 帳簿資料の保存

第五〇八条① 清算人（清算人会設置会社にあっては、第四百八十九条第七項各号に掲げる清算人）は、清算株式会社の本店の所在地における清算結了の登記の時から十年間、清算株式会社の帳簿並びにその事業及び清算に関する重要な資料（以下この条において「帳簿資料」という。）を保存しなければならない。

② 裁判所は、利害関係人の申立てにより、前項の清算人に代わって帳簿資料を保存する者を選任することができる。この場合においては、同項の規定は、適用しない。

③ 前項の規定により選任された者は、清算株式会社の本店の所在地における清算結了の登記の時から十年間、帳簿資料を保存しなければならない。

④ 第二項の規定による選任の手続に関する費用は、清

会社

算株式会社の負担とする。

⊛❶❸【本店↓四⊛【清算結了の登記↓九二九㊂【帳簿資料の保存↓四三二② ❷【裁判所↓八六八①

第八款　適用除外等

第五〇九条① 次に掲げる規定は、清算株式会社については、適用しない。

一　第百五十五条

二　第五章第二節第二款（第四百三十五条第四項、第四百四十条第三項、第四百四十二条及び第四百四十三条を除く。）及び第三款並びに第三節から第五節まで

三　第五編第四章及び第四章の二並びに同編第五章中株式交換、株式移転及び株式交付の手続に係る部分

（令和一法七〇本号改正）

② 第二章第四節の二の規定は、対象会社が清算株式会社である場合には、適用しない。（平成二六法九〇本項追加）

③ 清算株式会社は、無償で取得する場合その他法務省令で定める場合に限り、当該清算株式会社の株式を取得することができる。

⊛❸【自己株式の取得↓一五五【省令で定める場合↓会社則一五一

第二節　特別清算

第一款　特別清算の開始

（特別清算開始の原因）

第五一〇条　裁判所は、清算株式会社に次に掲げる事由があると認めるときは、第五百十四条の規定に基づき、申立てにより、当該清算株式会社に対し特別清算の開始を命ずる。

一　清算の遂行に著しい支障を来すべき事情があること。

二　債務超過（清算株式会社の財産がその債務を完済するのに足りない状態をいう。次条第二項において同じ。）の疑いがあること。

⊛+【特別清算開始命令↓五一四―五一六、五一七①㊂、五一八①㊂、五四〇①、五六二、八六八①、八七九、八八〇、八九〇、九三八①㊂【申立て↓五一一⊛【三】【債務超過↓破一六、民再二一、会更一七①

（特別清算開始の申立て）

第五一一条① 債権者、清算人、監査役又は株主は、特別清算開始の申立てをすることができる。

② 清算株式会社に債務超過の疑いがあるときは、清算人は、特別清算開始の申立てをしなければならない。

⊛❶【特別清算開始の申立て↓五一二、五一七①[四]、五一八①[四]、五四〇②、八六八①、八七九、八八八【申立ての取下げ↓五一三【株主等の権利の行使に関する贈収賄罪↓九六八①㊀【破産手続との関係↓五七四③㊀ ❷【清算人の特別清算申立義務違反に対する制裁↓九七六[二十七]

（他の手続の中止命令等）

第五一二条① 裁判所は、特別清算開始の申立てがあった場合において、必要があると認めるときは、債権者、清算人、監査役若しくは株主の申立てにより又は職権で、特別清算開始の申立てにつき決定があるまでの間、次に掲げる手続又は処分の中止を命ずることができる。ただし、第一号に掲げる破産手続については破産手続開始の決定がされていない場合に限り、第二号に掲げる手続又は第三号に掲げる処分についてはその手続の申立人である債権者又はその処分を行う者に不当な損害を及ぼすおそれがない場合に限る。

一　清算株式会社についての破産手続

二　清算株式会社の財産に対して既にされている強制執行、仮差押え又は仮処分の手続（一般の先取特権その他一般の優先権がある債権に基づくものを除く。）

三　清算株式会社の財産に対して既にされている共助対象外国租税（租税条約等の実施に伴う所得税法、法人税法及び地方税法の特例等に関する法律（昭和四十四年法律第四十六号。第五百十八条の二及び第五百七十一条第四項において「租税条約等実施特例法」という。）第十一条第一項に規定する共助対象外国租税をいう。以下同じ。）の請求権に基づき国税滞納処分の例によってする処分（第五百十五条第一項において「外国租税滞納処分」という。）（平成二四法一六本号追加）

② 特別清算開始の申立てを却下する決定に対して第八百九十条第五項の即時抗告がされたときも、前項と同様とする。

（平成二四法一六本項改正）

⊛❶【特別清算開始の申立て↓五一一⊛【他の手続の中止命令↓八八九、五一三【破産手続開始の決定↓破三〇 【三】【一般の先取特権↓民三〇六⊛

（特別清算開始の申立ての取下げの制限）

第五一三条　特別清算開始の申立てをした者は、特別清算開始の命令前に限り、当該申立てを取り下げることができる。この場合において、前条の規定による中止の命令、第五百四十条第二項の規定による保全処分又は第五百四十一条第二項の規定による処分がされた後は、裁判所の許可を得なければならない。

⊛+【申立権者↓五一一①【裁判所の許可↓八八一、八七四[四]

（特別清算開始の命令）

第五一四条　裁判所は、特別清算開始の申立てがあった場合において、特別清算開始の原因となる事由があると認めるときは、次のいずれかに該当する場合を除き、特別清算開始の命令をする。

一　特別清算の手続の費用の予納がないとき。

二　特別清算によっても清算を結了する見込みがないことが明らかであるとき。

三　特別清算によることが債権者の一般の利益に反することが明らかであるとき。

四　不当な目的で特別清算開始の申立てがされたとき、その他申立てが誠実にされたものでないとき。

⊛+【特別清算開始の原因となる事由↓五一〇【特別清算開始命令↓五一〇⊛ 【二】【手続の費用↓八八八③、八九〇③ 【三】【特別清算の結了↓五七三㊁

（他の手続の中止等）

第五一五条① 特別清算開始の命令があったときは、破産手続開始の申立て、清算株式会社の財産に対する強制執行、仮差押え、仮処分若しくは外国租税滞納処分又は財産開示手続（民事執行法（昭和五十四年法律第四号）第百九十七条第一項の申立てによるものに限る。以下この項において同じ。）若しくは第三者からの情報取得手続（同法第二百五条第一項第一号、第二百六条第一項又は第二百七条第一項の申立てによるものに限る。以下この項において同じ。）の申立てはすることができず、破産手続（破産手続開始の決定がされていないものに限る。）、清算株式会社の財産に対して既にされている強制執行、仮差押え及び仮処分の手続並びに外国租税滞納処分並びに財産開示手続及び第三者からの情報取得手続は中止する。ただし、一般の先取特権その他一般の優先権がある債権に基づく強制執行、仮差押え、仮処分又は財産開示手続若しくは第三者からの情報取得手続については、この限りでない。

（平成二四法二六、令和一法二本項改正）

② 特別清算開始の命令が確定したときは、前項の規定により中止した手続又は処分は、特別清算の手続の関係においては、その効力を失う。（平成二四法二六本項改正）

③ 特別清算開始の命令があったときは、清算株式会社の債権者の債権（一般の先取特権その他一般の優先権がある債権、特別清算の手続のために清算株式会社に対して生じた債権及び特別清算の手続に関する清算株式会社に対する費用請求権を除く。以下この節において「協定債権」という。）については、第九百三十八条第一項第二号又は第三号に規定する特別清算開始の取消しの登記又は特別清算終結の登記の日から二箇月を経過する日までの間は、時効は、完成しない。

⊛❶【特別清算開始命令↓五一〇⊛【破産手続開始の申立て↓破一九 ❶❸【一般の先取特権↓民三〇六⊛ ❸【協定債権↓五三七①、五六三―五七二【一般の優先権がある債権等の取扱い↓五四九④、五五九㈢、五六六㈢

（担保権の実行の手続等の中止命令）

第五一六条 裁判所は、特別清算開始の命令があった場合において、債権者の一般の利益に適合し、かつ、担保権の実行の手続等（清算株式会社の財産につき存する担保権の実行の手続、企業担保権の実行の手続又は清算株式会社の財産に対して既にされている一般の先取特権その他一般の優先権がある債権に基づく強制執行の手続をいう。以下この条において同じ。）の申立人に不当な損害を及ぼすおそれがないものと認めるときは、清算人、監査役、債権者若しくは株主の申立てにより又は職権で、相当の期間を定めて、担保権の実行の手続等の中止を命ずることができる。

⊛【特別清算開始命令↓五一〇⊛【一般の先取特権↓民三〇六⊛【担保権の実行の手続等の中止命令↓八九一

（相殺の禁止）

第五一七条① 協定債権を有する債権者（以下この節において「協定債権者」という。）は、次に掲げる場合には、相殺をすることができない。

一 特別清算開始後に清算株式会社に対して債務を負担したとき。

二 支払不能（清算株式会社が、支払能力を欠くために、その債務のうち弁済期にあるものにつき、一般的かつ継続的に弁済することができない状態をいう。以下この款において同じ。）になった後に契約によって負担する債務を専ら協定債権をもってする相殺に供する目的で清算株式会社の財産の処分を内容とする契約を清算株式会社との間で締結し、又は清算株式会社に対して債務を負担する者の債務を引き受けることを内容とする契約を締結することにより清算株式会社に対して債務を負担した場合であって、当該契約の締結の当時、支払不能であったことを知っていたとき。

三 支払の停止があった後に清算株式会社に対して債務を負担した場合であって、その負担の当時、支払の停止があったことを知っていたとき。ただし、当該支払の停止があった時において支払不能でなかったときは、この限りでない。

四 特別清算開始の申立てがあった後に清算株式会社に対して債務を負担した場合であって、その負担の当時、特別清算開始の申立てがあったことを知っていたとき。

② 前項第二号から第四号までの規定は、これらの規定に規定する債務の負担が次に掲げる原因のいずれかに基づく場合には、適用しない。

一 法定の原因

二 支払不能であったこと又は支払の停止若しくは特別清算開始の申立てがあったことを協定債権者が知った時より前に生じた原因

三 特別清算開始の申立てがあった時より一年以上前に生じた原因

⊛❶【協定債権↓五一五③【協定債権者↓五三七①、五六三―五七二 【二】【特別清算の開始↓八九〇②

第五一八条① 清算株式会社に対して債務を負担する者は、次に掲げる場合には、相殺をすることができない。

一 特別清算開始後に他人の協定債権を取得したとき。

二 支払不能になった後に協定債権を取得した場合であって、その取得の当時、支払不能であったことを知っていたとき。

三 支払の停止があった後に協定債権を取得した場合であって、その取得の当時、支払の停止があったことを知っていたとき。ただし、当該支払の停止があった時において支払不能でなかったときは、この限りでない。

四 特別清算開始の申立てがあった後に協定債権を取得した場合であって、その取得の当時、特別清算開始の申立てがあったことを知っていたとき。

② 前項第二号から第四号までの規定は、これらの規定に規定する協定債権の取得が次に掲げる原因のいずれかに基づく場合には、適用しない。

一　法定の原因
二　支払不能であったこと又は支払の停止若しくは特別清算開始の申立てがあったことを清算株式会社に対して債務を負担する者が知った時より前に生じた原因
三　特別清算開始の申立てがあった時より一年以上前に生じた原因
四　清算株式会社に対して債務を負担する者と清算株式会社との間の契約

§【協定債権→五一五③　❶【二】【特別清算の開始→八九〇②】【三】【支払不能→五一七①三】

（共助対象外国租税債権者の手続参加）
第五一八条の二　協定債権者は、共助対象外国租税の請求権をもって特別清算の手続に参加するには、租税条約等実施特例法第十一条第一項に規定する共助実施決定を得なければならない。（平成二四法一六本条追加）

第二款　裁判所による監督及び調査

（裁判所による監督）
第五一九条①　特別清算開始の命令があったときは、清算株式会社の清算は、裁判所の監督に属する。
②　裁判所は、必要があると認めるときは、清算株式会社の業務を監督する官庁に対し、当該清算株式会社の特別清算の手続について意見の陳述を求め、又は調査を嘱託することができる。
③　前項の官庁は、裁判所に対し、当該清算株式会社の特別清算の手続について意見を述べることができる。

§【裁判所→八六八①、八七九、五二〇、五二二、五二四、五二七、五二八、五三五―五四五、五五二①、五六八、五七三　❶【特別清算開始命令→五一〇§】

（裁判所による調査）
第五二〇条　裁判所は、いつでも、清算株式会社に対し、清算事務及び財産の状況の報告を命じ、その他清算の監督上必要な調査をすることができる。

§【清算事務→四八一【調査→五一九②、五二二】

（裁判所への財産目録等の提出）
第五二一条　特別清算開始の命令があった場合には、清算株式会社は、第四百九十二条第三項の承認があった後遅滞なく、財産目録等（同項に規定する財産目録等をいう。以下この条において同じ。）を裁判所に提出しなければならない。ただし、財産目録等が電磁的記録をもって作成されているときは、当該電磁的記録に記録された事項を記載した書面を裁判所に提出しなければならない。

＊令和五法五三（令和一〇・六・一三までに施行）による改正
第五二一条ただし書中「記載した書面」を「記載し、又は記録した書面又は電磁的記録」に改める。（本文未織込み）

§【財産目録等→八八六、八八七【電磁的記録→二六②】

（調査命令）
第五二二条①　裁判所は、特別清算開始後において、清算株式会社の財産の状況を考慮して必要があると認めるときは、清算人、監査役、債権の申出をした債権者その他清算株式会社に知れている債権者の債権の総額の十分の一以上に当たる債権を有する債権者若しくは総株主（株主総会において決議をすることができる事項の全部につき議決権を行使することができない株主を除く。）の議決権の百分の三（これを下回る割合を定款で定めた場合にあっては、その割合）以上の議決権を六箇月（これを下回る期間を定款で定めた場合にあっては、その期間）前から引き続き有する株主若しくは発行済株式（自己株式を除く。）の百分の三（これを下回る割合を定款で定めた場合にあっては、その割合）以上の数の株式を六箇月（これを下回る期間を定款で定めた場合にあっては、その期間）前から引き続き有する株主の申立てにより又は職権で、次に掲げる事項について、調査委員による調査を命ずる処分（第五百三十三条において「調査命令」という。）をすることができる。
一　特別清算開始に至った事情
二　清算株式会社の業務及び財産の状況
三　第五百四十条第一項の規定による保全処分をする必要があるかどうか。
四　第五百四十二条第一項の規定による保全処分をする必要があるかどうか。
五　第五百四十五条第一項に規定する役員等責任査定決定をする必要があるかどうか。
六　その他特別清算に必要な事項で裁判所の指定するもの
②　清算株式会社の財産につき担保権（特別の先取特権、質権、抵当権又はこの法律若しくは商法の規定による留置権に限る。）を有する債権者がその担保権の行使によって弁済を受けることができる債権の額は、前項の債権の額に算入しない。
③　公開会社でない清算株式会社における第一項の規定の適用については、同項中「六箇月（これを下回る期間を定款で定めた場合にあっては、その期間）前から引き続き有する」とあるのは、「有する」とする。

§❶【議決権を行使することができない株主→二九七③§【調査委員→五三三【調査命令→八九二　❷【本項の担保権→五三八②、五四七②、五四八④、五五九三、五六四①、五六六三【特別の先取特権→民三一一§、三二五§【商法の規定による留置権→商五二一§

第三款　清算人

（清算人の公平誠実義務）
第五二三条　特別清算が開始された場合には、清算人は、債権者、清算株式会社及び株主に対し、公平かつ誠実に清算事務を行う義務を負う。

§【清算人→四七七§、五二四―五二六、八九三④

（清算人の解任等）
第五二四条①　裁判所は、清算人が清算事務を適切に行っていないとき、その他重要な事由があるときは、債権者若しくは株主の申立てにより又は職権で、清算人を解任することができる。

会社

② 清算人が欠けたときは、裁判所は、清算人を選任することができる。

③ 清算人がある場合においても、裁判所は、必要があると認めるときは、更に清算人を選任することができる。

§❶【解任↓八八二①、八九三①―③、九三八②四　❷❸【裁判所による選任↓九二八③、商登七三③

（清算人代理）

第五二五条① 清算人は、必要があるときは、その職務を行わせるため、自己の責任で一人又は二人以上の清算人代理を選任することができる。

② 前項の清算人代理の選任については、裁判所の許可を得なければならない。

§❶【清算人代理↓五二六②　❷【裁判所の許可↓八八一、八七四四

（清算人の報酬等）

第五二六条① 清算人は、費用の前払及び裁判所が定める報酬を受けることができる。

② 前項の規定は、清算人代理について準用する。

§†【費用の前払・報酬の決定↓八九三④、八八二①

第四款　監督委員

（監督委員の選任等）

第五二七条① 裁判所は、一人又は二人以上の監督委員を選任し、当該監督委員に対し、第五百三十五条第一項の許可に代わる同意をする権限を付与することができる。

② 法人は、監督委員となることができる。

§❶【監督委員↓五二八―五三二【監督委員の同意↓五三五③

（監督委員に対する監督等）

第五二八条① 監督委員は、裁判所が監督する。

② 裁判所は、監督委員が清算株式会社の業務及び財産の管理の監督を適切に行っていないとき、その他重要な事由があるときは、利害関係人の申立てにより又は職権で、監督委員を解任することができる。

§❷【解任↓八九四①

（二人以上の監督委員の職務執行）

第五二九条 監督委員が二人以上あるときは、共同してその職務を行う。ただし、裁判所の許可を得て、それぞれ単独にその職務を行い、又は職務を分掌することができる。

§†【裁判所の許可↓八八一、八七四四

（監督委員による調査等）

第五三〇条① 監督委員は、いつでも、清算株式会社の清算人及び監査役並びに支配人その他の使用人に対し、事業の報告を求め、又は清算株式会社の業務及び財産の状況を調査することができる。

② 監督委員は、その職務を行うため必要があるときは、清算株式会社の子会社に対し、事業の報告を求め、又はその子会社の業務及び財産の状況を調査することができる。

§❶【支配人その他の使用人↓一〇―一二、一四、一五

（監督委員の注意義務）

第五三一条① 監督委員は、善良な管理者の注意をもって、その職務を行わなければならない。

② 監督委員が前項の注意を怠ったときは、その監督委員は、利害関係人に対し、連帯して損害を賠償する責任を負う。

§❶【善管注意義務↓民六四四

（監督委員の報酬等）

第五三二条① 監督委員は、費用の前払及び裁判所が定める報酬を受けることができる。

② 監督委員は、その選任後、清算株式会社に対する債権又は清算株式会社の株式を譲り受け、又は譲り渡すには、裁判所の許可を得なければならない。

③ 監督委員は、前項の許可を得ないで同項に規定する行為をしたときは、費用及び報酬の支払を受けることができない。

§❶【費用の前払・報酬の決定↓八九四②、八八二①　❷【裁判所の許可↓八八一、八七四四

第五款　調査委員

（調査委員の選任等）

第五三三条 裁判所は、調査命令をする場合には、当該調査命令において、一人又は二人以上の調査委員を選任し、調査委員が調査すべき事項及び裁判所に対して調査の結果の報告をすべき期間を定めなければならない。

§†【調査命令↓五二二①

（監督委員に関する規定の準用）

第五三四条 前款（第五百二十七条第一項及び第五百二十九条ただし書を除く。）〈監督委員〉の規定は、調査委員について準用する。

§†【調査委員↓八九四、八九五

第六款　清算株式会社の行為の制限等

（清算株式会社の行為の制限）

第五三五条① 特別清算開始の命令があった場合には、清算株式会社が次に掲げる行為をするには、裁判所の許可を得なければならない。ただし、第五百二十七条第一項の規定により監督委員が選任されているときは、これに代わる監督委員の同意を得なければならない。

一 財産の処分（次条第一項各号に掲げる行為を除く。）
二 借財
三 訴えの提起
四 和解又は仲裁合意（仲裁法（平成十五年法律第百三十八号）第二条第一項に規定する仲裁合意をいう。）
五 権利の放棄
六 その他裁判所の指定する行為

② 前項の規定にかかわらず、同項第一号から第五号ま

でに掲げる行為については、次に掲げる場合には、同項の許可を要しない。
一 最高裁判所規則で定める額以下の価額を有するものに関するとき。
二 前号に掲げるもののほか、裁判所が前項の許可を要しないものとしたものに関するとき。
③ 第一項の許可又はこれに代わる監督委員の同意を得ないでした行為は、無効とする。ただし、これをもって善意の第三者に対抗することができない。
⊗❶【裁判所の許可→八八一・八七四[四]】【違反に対する制裁→九七六[三十一]】[二]【適用除外→五三八①】 ❷[一]【最高裁判所規則→八七六】

（事業の譲渡の制限等）
第五三六条① 特別清算開始の命令があった場合には、清算株式会社が次に掲げる行為をするには、裁判所の許可を得なければならない。
一 事業の全部の譲渡
二 事業の重要な一部の譲渡（当該譲渡により譲り渡す資産の帳簿価額が当該清算株式会社の総資産額として法務省令で定める方法により算定される額の五分の一（これを下回る割合を定款で定めた場合にあっては、その割合）を超えないものを除く。）
三 その子会社の株式又は持分の全部又は一部の譲渡（次のいずれにも該当する場合における譲渡に限る。）
イ 当該譲渡により譲り渡す株式又は持分の帳簿価額が当該清算株式会社の総資産額として法務省令で定める方法により算定される額の五分の一（これを下回る割合を定款で定めた場合にあっては、その割合）を超えるとき。
ロ 当該清算株式会社が、当該譲渡がその効力を生ずる日において当該子会社の議決権の総数の過半数の議決権を有しないとき。
（平成二六法九〇本号追加）
② 前条第三項の規定は、前項の許可を得ないでした行為について準用する。
③ 第七章（第四百六十七条第一項第五号を除く。）の規定は、特別清算の場合には、適用しない。
⊗❶【裁判所の許可→八八一・八九六、八七四[四]】【違反に対する制裁→九七六[三十一]】[二][三]【特別清算以外の場合→四六七①】【省令で定める方法→会社則一五二】

（債務の弁済の制限）
第五三七条① 特別清算開始の命令があった場合には、清算株式会社は、協定債権者に対して、その債権額の割合に応じて弁済をしなければならない。
② 前項の規定にかかわらず、清算株式会社は、裁判所の許可を得て、少額の協定債権、清算株式会社の財産につき存する担保権によって担保される協定債権その他これを弁済しても他の債権者を害するおそれがない協定債権に係る債務について、債権額の割合を超えて弁済をすることができる。
⊗❶【協定債権者→五一七①】【違反に対する制裁→九七六[二十九]】 ❷【裁判所の許可→八八一・八七四[四]】【協定債権→五一五③】【少額の協定債権の取扱い→五六五】

（換価の方法）
第五三八条① 清算株式会社は、民事執行法その他強制執行の手続に関する法令の規定により、その財産の換価をすることができる。この場合においては、第五百三十五条第一項第一号の規定は、適用しない。
② 清算株式会社は、民事執行法その他強制執行の手続に関する法令の規定により、第五百二十二条第二項に規定する担保権（以下この条及び次条において単に「担保権」という。）の目的である財産の換価をすることができる。この場合においては、当該担保権を有する者（以下この条及び次条において「担保権者」という。）は、その換価を拒むことができない。
③ 前二項の場合には、民事執行法第六十三条及び第百二十九条（これらの規定を同法その他強制執行の手続に関する法令において準用する場合を含む。）の規定は、適用しない。
④ 第二項の場合において、担保権者が受けるべき金額がまだ確定していないときは、清算株式会社は、代金を別に寄託しなければならない。この場合においては、担保権は、寄託された代金につき存する。
⊗❶―❸【民事執行法その他強制執行の手続→民執一九五】 ❹【寄託→民四九五】

（担保権者が処分をすべき期間の指定）
第五三九条① 担保権者が法律に定められた方法によらないで担保権の目的である財産の処分をする権利を有するときは、裁判所は、清算株式会社の申立てにより、担保権者がその処分をすべき期間を定めることができる。
② 担保権者は、前項の期間内に処分をしないときは、同項の権利を失う。
⊗❶【法律に定められた方法→民執一八〇―一九五】【法定でない方法→商五一五】【即時抗告→八九七、八八四】

第七款 清算の監督上必要な処分等

（清算株式会社の財産に関する保全処分）
第五四〇条① 裁判所は、特別清算開始の命令があった場合において、清算の監督上必要があると認めるときは、債権者、清算人、監査役若しくは株主の申立てにより又は職権で、清算株式会社の財産に関し、その財産の処分禁止の仮処分その他の必要な保全処分を命ずることができる。
② 裁判所は、特別清算開始の申立てがあった時から当該申立てについての決定があるまでの間においても、必要があると認めるときは、債権者、清算人、監査役若しくは株主の申立てにより又は職権で、前項の規定による保全処分をすることができる。特別清算開始の申立てを却下する決定に対して第八百九十条第五項の即時抗告がされたときも、同様とする。
③ 裁判所が前二項の規定により清算株式会社が債権者に対して弁済その他の債務を消滅させる行為をすることを禁止する旨の保全処分を命じた場合には、債権者

は、特別清算の関係においては、当該保全処分に反してされた弁済その他の債務を消滅させる行為の効力を主張することができない。ただし、債権者が、その行為の当時、当該保全処分がされたことを知っていたときに限る。

参❶【財産の保全処分→五二二①〔三〕 ❶❷【保全処分命令→八九八①〔二〕②―④、九三八③〔二〕④⑤【命令違反に対する制裁→九七六〔三十二〕 ❷【特別清算開始命令前の保全処分→五一三

（株主名簿の記載等の禁止）

第五四一条① 裁判所は、特別清算開始の命令があった場合において、清算の監督上必要があると認めるときは、債権者、清算人、監査役若しくは株主の申立てにより又は職権で、清算株式会社が株主名簿記載事項を株主名簿に記載し、又は記録することを禁止することができる。

② 裁判所は、特別清算開始の申立てがあった時から当該申立てについての決定があるまでの間においても、必要があると認めるときは、債権者、清算人、監査役若しくは株主の申立てにより又は職権で、前項の規定による処分をすることができる。特別清算開始の申立てを却下する決定に対して第八百九十条第五項の即時抗告がされたときも、同様とする。

参【株主名簿記載事項→一二一、一三〇、一四七【本条の処分→八九八①〔三〕②―⑤、八八五 ❷【特別清算開始命令前の処分→五一三

（役員等の財産に対する保全処分）

第五四二条① 裁判所は、特別清算開始の命令があった場合において、清算の監督上必要があると認めるときは、清算株式会社の申立てにより又は職権で、発起人、設立時取締役、設立時監査役、第四百二十三条第一項に規定する役員等又は清算人（以下この款において「対象役員等」という。）の責任に基づく損害賠償請求権につき、当該対象役員等の財産に対する保全処分をすることができる。

② 裁判所は、特別清算開始の申立てがあった時から当該申立てについての決定があるまでの間においても、緊急の必要があると認めるときは、清算株式会社の申立てにより又は職権で、前項の規定による保全処分をすることができる。特別清算開始の申立てを却下する決定に対して第八百九十条第五項の即時抗告がされたときも、同様とする。

参❶【対象役員等の財産の保全処分→五二二①〔四〕【本条の保全処分→八九八①〔三〕②―④、九三八③〔二〕④⑤【違反に対する制裁→九七六〔三十二〕

（役員等の責任の免除の禁止）

第五四三条 裁判所は、特別清算開始の命令があった場合において、清算の監督上必要があると認めるときは、債権者、清算人、監査役若しくは株主の申立てにより又は職権で、対象役員等の責任の免除の禁止の処分をすることができる。

参【対象役員等の責任の免除→五五、四二四―四二六【本条の処分→八九八

（役員等の責任の免除の取消し）

第五四四条① 特別清算開始の命令があったときは、清算株式会社は、特別清算開始の申立てがあった後又はその前一年以内にした対象役員等の責任の免除を取り消すことができる。不正の目的によってした対象役員等の責任の免除についても、同様とする。

② 前項の規定による取消権は、訴え又は抗弁によって、行使する。

③ 第一項の規定による取消権は、特別清算開始の命令があった日から二年を経過したときは、行使することができない。当該対象役員等の責任の免除の日から二十年を経過したときも、同様とする。

参❶【対象役員等の責任の免除→五五、四二四―四二六 ❷【訴え→八五七

（役員等責任査定決定）

第五四五条① 裁判所は、特別清算開始の命令があった場合において、必要があると認めるときは、清算株式会社の申立てにより又は職権で、対象役員等の責任に基づく損害賠償請求権の査定の裁判（以下この条において「役員等責任査定決定」という。）をすることができる。

② 裁判所は、職権で役員等責任査定決定の手続を開始する場合には、その旨の決定をしなければならない。

③ 第一項の申立て又は前項の決定があったときは、時効の完成猶予及び更新に関しては、裁判上の請求があったものとみなす。（平成二九法四五本項改正）

④ 役員等責任査定決定の手続（役員等責任査定決定があった後のものを除く。）は、特別清算が終了したときは、終了する。

参❶【役員等責任査定決定→八九九【決定に対する異議の訴え→八五八【類似の制度→破一七八―一八一 ❸【時効の完成猶予→民一四七〔一〕 ❹【特別清算の終了→五七三

第八款　債権者集会

（債権者集会の招集）

第五四六条① 債権者集会は、特別清算の実行上必要がある場合には、いつでも、招集することができる。

② 債権者集会は、次条第三項の規定により招集する場合を除き、清算株式会社が招集する。

参【債権者集会→五四七―五五二、五五三―五五八、五六二、五六三、五六七【権利の行使に関する贈収賄罪→九六八①〔一〕

（債権者による招集の請求）

第五四七条① 債権の申出をした協定債権者その他清算株式会社に知れている協定債権者の協定債権の総額の十分の一以上に当たる協定債権を有する協定債権者は、清算株式会社に対し、債権者集会の目的である事項及び招集の理由を示して、債権者集会の招集を請求することができる。

② 清算株式会社の財産につき第五百二十二条第二項に規定する担保権を有する協定債権者がその担保権の行使によって弁済を受けることができる協定債権の額は、前項の協定債権の額に算入しない。

③ 次に掲げる場合には、第一項の規定による請求をし

た協定債権者は、裁判所の許可を得て、債権者集会を招集することができる。

一　第一項の規定による請求の後遅滞なく招集の手続が行われない場合

二　第一項の規定による請求があった日から六週間以内の日を債権者集会の日とする債権者集会の招集の通知が発せられない場合

❶【債権の申出→四九九【協定債権者→五一七①　❸【裁判所の許可→九〇〇・八八四・八七四[四]

第五四八条（**債権者集会の招集等の決定**）① 債権者集会を招集する者（以下この款において「招集者」という。）は、債権者集会を招集する場合には、次に掲げる事項を定めなければならない。

一　債権者集会の日時及び場所

二　債権者集会の目的である事項

三　債権者集会に出席しない協定債権者が電磁的方法によって議決権を行使することができることとするときは、その旨

四　前三号に掲げるもののほか、法務省令で定める事項

② 清算株式会社が債権者集会を招集する場合には、当該清算株式会社は、各協定債権について債権者集会における議決権の行使の許否及びその額を定めなければならない。

③ 清算株式会社以外の者が債権者集会を招集する場合には、その招集者は、清算株式会社に対し、前項に規定する事項を定めることを請求しなければならない。この場合において、その請求があったときは、清算株式会社は、同項に規定する事項を定めなければならない。

④ 清算株式会社の財産につき第五百二十二条第二項に規定する担保権を有する協定債権者は、その担保権の行使によって弁済を受けることができる協定債権の額については、議決権を有しない。

⑤ 協定債権者は、共助対象外国租税の請求権については、議決権を有しない。（平成二四法一六本項追加）

❶【招集通知への記載→五四九③【裁判所への届出→五五二②[二]【目的事項→五五四③　[三]【電磁的方法による議決権行使→五五一①・五五七【省令で定める事項→会社則一五三　❷❸【議決権→五五四①[二]・五五〇①・五五二②・五五三　✝【適用除外→五六〇

第五四九条（**債権者集会の招集の通知**）① 債権者集会を招集するには、招集者は、債権者集会の日の二週間前までに、債権の申出をした協定債権者その他清算株式会社に知れている協定債権者及び清算株式会社に対して、書面をもってその通知を発しなければならない。

② 招集者は、前項の書面による通知の発出に代えて、政令で定めるところにより、同項の通知を受けるべき者の承諾を得て、電磁的方法により通知を発することができる。この場合において、当該招集者は、同項の書面による通知を発したものとみなす。

③ 前二項の通知には、前条第一項各号に掲げる事項を記載し、又は記録しなければならない。

④ 前三項の規定は、債権の申出をした債権者その他清算株式会社に知れている債権者であって一般の先取特権その他一般の優先権がある債権、特別清算の手続のために清算株式会社に対して生じた債権又は特別清算の手続に関する清算株式会社に対する費用請求権を有するものについて準用する。

❶【通知→五五〇①　❷【電磁的方法による通知→五五〇②・五五一①【本項による承諾をしていない協定債権者による請求→五五一②【本項による承諾をした協定債権者との関係→五五五④・五五七②　✝【適用除外→五六〇

第五五〇条（**債権者集会参考書類及び議決権行使書面の交付等**）① 招集者は、前条第一項の通知に際しては、法務省令で定めるところにより、債権の申出をした協定債権者その他清算株式会社に知れている協定債権者に対し、当該協定債権者が有する協定債権について第五百四十八条第二項又は第三項の規定により定められた事項及び議決権の行使について参考となるべき事項を記載した書類（次項において「債権者集会参考書類」という。）並びに協定債権者が議決権を行使するための書面（以下この款において「議決権行使書面」という。）を交付しなければならない。

② 招集者は、前条第二項の承諾をした協定債権者に対し同項の電磁的方法による通知を発するときは、前項の規定による債権者集会参考書類及び議決権行使書面の交付に代えて、これらの書類に記載すべき事項を電磁的方法により提供することができる。ただし、協定債権者の請求があったときは、これらの書類を当該協定債権者に交付しなければならない。

✝【債権者集会参考書類→五五六①【議決権行使書面→五五六・五五一　❶【省令の定め→会社則一五四・一五五

第五五一条① 招集者は、第五百四十八条第一項第三号に掲げる事項を定めた場合には、第五百四十九条第二項の承諾をした協定債権者に対する電磁的方法による通知に際して、法務省令で定めるところにより、協定債権者に対し、議決権行使書面に記載すべき事項を当該電磁的方法により提供しなければならない。

② 招集者は、第五百四十八条第一項第三号に掲げる事項を定めた場合において、第五百四十九条第二項の承諾をしていない協定債権者から債権者集会の日の一週間前までに議決権行使書面に記載すべき事項の電磁的方法による提供の請求があったときは、法務省令で定めるところにより、直ちに、当該協定債権者に対し、当該事項を電磁的方法により提供しなければならない。

✝【議決権行使書面に記載すべき事項→五五七①【省令の定め→会社則一五五

第五五二条（**債権者集会の指揮等**）① 債権者集会は、裁判所が指揮する。

② 債権者集会を招集しようとするときは、招集者は、あらかじめ、第五百四十八条第一項各号に掲げる事項及び同条第二項又は第三項の規定により定められた事項を裁判所に届け出なければならない。

❶【裁判所の指揮↓五一九①・五五三

（異議を述べられた議決権の取扱い）

第五五三条　債権者集会において、第五百四十八条第二項又は第三項の規定により各協定債権について定められた事項について、当該協定債権を有する者又は他の協定債権者が異議を述べたときは、裁判所がこれを定める。

＋【裁判所の決定↓五五二①

（債権者集会の決議）

第五五四条①　債権者集会において決議をする事項を可決するには、次に掲げる同意のいずれもがなければならない。

一　出席した議決権者（議決権を行使することができる協定債権者をいう。以下この款及び次款において同じ。）の過半数の同意

二　出席した議決権者の議決権の総額の二分の一を超える議決権を有する者の同意

②　第五百五十八条第一項の規定によりその有する議決権の一部のみを前項の事項に同意するものとして行使した議決権者（その余の議決権を行使しなかったものを除く。）があるときの同項第一号の規定の適用については、当該議決権者一人につき、出席した議決権者の数に一を、同意をした議決権者の数に二分の一を、それぞれ加算するものとする。

③　債権者集会は、第五百四十八条第一項第二号に掲げる事項以外の事項については、決議をすることができない。

❶【決議要件の例外↓五六七【二】【議決権を行使することができる協定債権者↓五四八④　❸【目的事項以外の決議↓五五九・五六〇

（議決権の代理行使）

第五五五条①　協定債権者は、代理人によってその議決権を行使することができる。この場合においては、当該協定債権者又は代理人は、代理権を証明する書面を招集者に提出しなければならない。

②　前項の代理権の授与は、債権者集会ごとにしなければならない。

③　第一項の協定債権者又は代理人は、代理権を証明する書面の提出に代えて、政令で定めるところにより、招集者の承諾を得て、当該書面に記載すべき事項を電磁的方法により提供することができる。この場合において、当該協定債権者又は代理人は、当該書面を提出したものとみなす。

④　協定債権者が第五百四十九条第二項の承諾をした者である場合には、招集者は、正当な理由がなければ、前項の承諾をすることを拒んではならない。

❷【債権者集会↓五六〇

（書面による議決権の行使）

第五五六条①　債権者集会に出席しない協定債権者は、書面によって議決権を行使することができる。

②　書面による議決権の行使は、議決権行使書面に必要な事項を記載し、法務省令で定める時までに当該記載をした議決権行使書面を招集者に提出して行う。

③　前項の規定により書面によって議決権を行使した議決権者は、第五百五十四条第一項及び第五百六十七条第一項の規定の適用については、債権者集会に出席したものとみなす。

❶【書面による議決権行使↓五五〇　❷【議決権行使書面↓五五〇①【省令で定める時↓会社則一五六

（電磁的方法による議決権の行使）

第五五七条①　電磁的方法による議決権の行使は、政令で定めるところにより、招集者の承諾を得て、法務省令で定める時までに議決権行使書面に記載すべき事項を、電磁的方法により当該招集者に提供して行う。

②　協定債権者が第五百四十九条第二項の承諾をした者である場合には、招集者は、正当な理由がなければ、前項の承諾をすることを拒んではならない。

③　第一項の規定により電磁的方法によって議決権を行使した議決権者は、第五百五十四条第一項及び第五百六十七条第一項の規定の適用については、債権者集会に出席したものとみなす。

❶【電磁的方法による議決権行使↓五五〇②・五五一【省令で定める時↓会社則一五七

（議決権の不統一行使）

第五五八条①　協定債権者は、その有する議決権を統一しないで行使することができる。この場合においては、債権者集会の日の三日前までに、招集者に対してその旨及びその理由を通知しなければならない。

②　招集者は、前項の協定債権者が他人のために協定債権を有する者でないときは、当該協定債権者が同項の規定によりその有する議決権を統一しないで行使することを拒むことができる。

❶【議決権の不統一行使↓五五四②・五六七②【集会の三日前の通知↓民九七①　❷【他人のために協定債権を有する例↓民六五七・六五八

（担保権を有する債権者等の出席等）

第五五九条　債権者集会又は招集者は、次に掲げる債権者の出席を求め、その意見を聴くことができる。この場合において、債権者集会にあっては、これをする旨の決議を経なければならない。

一　第五百二十二条第二項に規定する担保権を有する債権者

二　一般の先取特権その他一般の優先権がある債権、特別清算の手続のために清算株式会社に対して生じた債権又は特別清算の手続に関する清算株式会社に対する費用請求権を有する債権者

＋【目的事項以外の決議↓五五四③　【三】【一般の優先権がある債権等の債権者↓五四九④

（延期又は続行の決議）

第五六〇条　債権者集会においてその延期又は続行について決議があった場合には、第五百四十八条（第四項を除く。）及び第五百四十九条の規定は、適用しない。

＋【延期・続行↓八〇・三一七・七三〇、会更一九八①【目的事項以外の決議↓五五四③

（議事録）

第五六一条　債権者集会の議事については、招集者は、法務省令で定めるところにより、議事録を作成しなければならない。

参【議事録虚偽記載等に対する制裁→九七六㈦【省令の定め→会社則一五八

（清算人の調査結果等の債権者集会に対する報告）

第五六二条　特別清算開始の命令があった場合において、第四百九十二条第一項に規定する清算人が清算株式会社の財産の現況についての調査を終了して財産目録等（同項に規定する財産目録等をいう。以下この条において同じ。）を作成したときは、清算株式会社は、遅滞なく、債権者集会を招集し、当該債権者集会に対して、清算株式会社の業務及び財産の状況の調査の結果並びに財産目録等の要旨を報告するとともに、清算の実行の方針及び見込みに関して意見を述べなければならない。ただし、債権者集会に対する報告及び意見の陳述以外の方法によりその報告すべき事項及び当該意見の内容を債権者に周知させることが適当であると認めるときは、この限りでない。

参【債権者集会の招集→五四八・五四九【虚偽の報告等に対する制裁→九七六㈥

第九款　協定

（協定の申出）

第五六三条　清算株式会社は、債権者集会に対し、協定の申出をすることができる。

参【協定→五六四、五六五、五六七―五七〇【破産手続との関係→五七四①㈠㈡

（協定の条項）

第五六四条①　協定においては、協定債権者の権利（第五百二十二条第二項に規定する担保権を除く。）の全部又は一部の変更に関する条項を定めなければならない。

②　協定債権者の権利の全部又は一部を変更する条項においては、債務の減免、期限の猶予その他の権利の変更の一般的基準を定めなければならない。

参【協定債権者→五一七①【協定の効力範囲→五七一

（協定による権利の変更）

第五六五条　協定による権利の変更の内容は、協定債権者の間では平等でなければならない。ただし、不利益を受ける協定債権者の同意がある場合又は少額の協定債権について別段の定めをしても衡平を害しない場合その他協定債権者の間に差を設けても衡平を害しない場合は、この限りでない。

参【権利変更の内容→五六九②㈢・五七一【少額の協定債権の取扱い→五三七②

（担保権を有する債権者等の参加）

第五六六条　清算株式会社は、協定案の作成に当たり必要があると認めるときは、次に掲げる債権者の参加を求めることができる。

一　第五百二十二条第二項に規定する担保権を有する債権者

二　一般の先取特権その他一般の優先権がある債権を有する債権者

参【協定の効力範囲→五七一　【一】担保権を有する協定債権者→五六四①　【二】一般の優先権がある債権の債権者→五一五③・五一七①

（協定の可決の要件）

第五六七条①　第五百五十四条第一項の規定にかかわらず、債権者集会において協定を可決するには、次に掲げる同意のいずれもがなければならない。

一　出席した議決権者の過半数の同意

二　議決権者の議決権の総額の三分の二以上の議決権を有する者の同意

②　第五百五十四条第二項（議決権不統一行使の取扱い）の規定は、前項第一号の規定の適用について準用する。

参【協定の可決→五七〇【協定の否決→五七四②㈠

（協定の認可の申立て）

第五六八条　協定が可決されたときは、清算株式会社は、遅滞なく、裁判所に対し、協定の認可の申立てをしなければならない。

参【可決の要件→五六七【認可の要件→五六九【認可の手続→九〇一①

（協定の認可又は不認可の決定）

第五六九条①　前条の申立てがあった場合には、裁判所は、次項の場合を除き、協定の認可の決定をする。

②　裁判所は、次のいずれかに該当する場合には、協定の不認可の決定をする。

一　特別清算の手続又は協定が法律の規定に違反し、かつ、その不備を補正することができないものであるとき。ただし、特別清算の手続が法律の規定に違反する場合において、当該違反の程度が軽微であるときは、この限りでない。

二　協定が遂行される見込みがないとき。

三　協定が不正の方法によって成立するに至ったとき。

四　協定が債権者の一般の利益に反するとき。

参❶【協定の認可→九〇一③④【不認可の決定→五七四②㈡・九〇一④　❷【一】協定の法令違反の例→五六五　【三】不正の方法による成立の例→九七六㈥

（協定の効力発生の時期）

第五七〇条　協定は、認可の決定の確定により、その効力を生ずる。

参【認可の決定の確定→九〇一④

（協定の効力範囲）

第五七一条①　協定は、清算株式会社及びすべての協定債権者のために、かつ、それらの者に対して効力を有する。

②　協定は、第五百二十二条第二項に規定する債権者が有する同項に規定する担保権、協定債権者が清算株式会社の保証人その他清算株式会社と共に債務を負担する者に対して有する権利及び清算株式会社以外の者が協定債権者のために提供した担保に影響を及ぼさない。

③ 協定の認可の決定が確定したときは、協定債権者の権利は、協定の定めに従い、変更される。（平成二四法一六本項追加）

④ 前項の規定にかかわらず、共助対象外国租税の請求権についての協定による権利の変更の効力は、租税条約等実施特例法第十一条第一項の規定による共助との関係においてのみ主張することができる。（平成二四法一六本項追加）

参❶【協定債権者に対する効力↓五六四①【担保権を有する債権者等が協定に参加した場合↓五六六

（協定の内容の変更）

第五百七十二条 協定の実行上必要があるときは、協定の内容を変更することができる。この場合においては、第五百六十三条から前条まで〈協定の成立〉の規定を準用する。

参+【協定の内容の変更↓九〇一⑤

第十款 特別清算の終了

（特別清算終結の決定）

第五百七十三条 裁判所は、特別清算開始後、次に掲げる場合には、清算人、監査役、債権者、株主又は調査委員の申立てにより、特別清算終結の決定をする。

一 特別清算が結了したとき。

二 特別清算の必要がなくなったとき。

参+【特別清算終結の決定↓九〇二・九三八①㊂ 【二】【特別清算の結了↓五七四①㊂ 【三】【特別清算の必要なし↓五一〇

（破産手続開始の決定）

第五百七十四条① 裁判所は、特別清算開始後、次に掲げる場合において、清算株式会社に破産手続開始の原因となる事実があると認めるときは、職権で、破産法に従い、破産手続開始の決定をしなければならない。

一 協定の見込みがないとき。

二 協定の実行の見込みがないとき。

三 特別清算によることが債権者の一般の利益に反するとき。

② 裁判所は、特別清算開始後、次に掲げる場合において、清算株式会社に破産手続開始の原因となる事実があると認めるときは、職権で、破産法に従い、破産手続開始の決定をすることができる。

一 協定が否決されたとき。

二 協定の不認可の決定が確定したとき。

③ 前二項の規定により破産手続開始の決定があった場合における破産法第七十一条第一項第四号並びに第二項第二号及び第三号、第七十二条第一項第四号並びに第二項第二号及び第三号、第百六十条（第一項第一号を除く。）、第百六十二条（第一項第二号を除く。）、第百六十三条第二項、第百六十四条第一項（同条第二項において準用する場合を含む。）、第百六十六条並びに第百六十七条第二項（同法第百七十条第二項において準用する場合を含む。）の規定の適用については、次の各号に掲げる区分に応じ、当該各号に定める申立てがあった時に破産手続開始の申立てがあったものとみなす。

一 特別清算開始の申立ての前に特別清算開始の命令の確定によって効力を失った破産手続における破産手続開始の申立てがある場合 当該破産手続開始の申立て

二 前号に掲げる場合以外の場合 特別清算開始の申立て

④ 第一項又は第二項の規定により破産手続開始の決定があったときは、特別清算の手続のために清算株式会社に対して生じた債権及び特別清算の手続に関する清算株式会社に対する費用請求権は、財団債権とする。

参❶【破産手続開始の原因↓破一五―一七 【二】【三】【協定↓五六三参❷【二】【協定の否決↓五六七 【三】【協定の不認可↓五六九② ❹【財団債権↓破一五一・一五二

第三編 持分会社

第一章 設立

（定款の作成）

第五百七十五条① 合名会社、合資会社又は合同会社（以下「持分会社」と総称する。）を設立するには、その社員になろうとする者が定款を作成し、その全員がこれに署名し、又は記名押印しなければならない。

② 前項の定款は、電磁的記録をもって作成することができる。この場合において、当該電磁的記録に記録された情報については、法務省令で定める署名又は記名押印に代わる措置をとらなければならない。

参❶【合名会社↓五七六②【合資会社↓五七六③【合同会社↓五七六④【定款↓五七六①・五七七、六三七―六四〇、商登九四㊂・一一一・一一八【定款不実記載・記録の制裁↓九七六㊆【定款遵守義務↓五九三② ❷【電磁的記録↓二六②【省令で定める措置↓会社則二二五

（定款の記載又は記録事項）

第五百七十六条① 持分会社の定款には、次に掲げる事項を記載し、又は記録しなければならない。

一 目的

二 商号

三 本店の所在地

四 社員の氏名又は名称及び住所

五 社員が無限責任社員又は有限責任社員のいずれであるかの別

六 社員の出資の目的（有限責任社員にあっては、金銭等に限る。）及びその価額又は評価の標準

② 設立しようとする持分会社が合名会社である場合には、前項第五号に掲げる事項として、その社員の全部を無限責任社員とする旨を記載し、又は記録しなければならない。

③ 設立しようとする持分会社が合資会社である場合には、第一項第五号に掲げる事項として、その社員の一部を無限責任社員とし、その他の社員を有限責任社員とする旨を記載し、又は記録しなければならない。

④ 設立しようとする持分会社が合同会社である場合には、第一項第五号に掲げる事項として、その社員の全部を有限責任社員とする旨を記載し、又は記録しなければならない。

【持分会社の種類の変更↓六三八 ❶〔一〕【目的】↓五・九一二〔一〕・九一三〔一〕・九一四〔一〕 〔二〕【商号】↓六①・九一二〔二〕・九一三〔二〕・九一四〔二〕 〔三〕【本店】↓四・九一二〔三〕・九一三〔三〕・九一四〔三〕 〔四〕【社員の登記】↓九一二〔五〕・九一三〔五〕 〔五〕【無限責任社員】↓五八〇①【有限責任社員】↓五八〇②【社員の責任の登記】↓九一三〔六〕 〔六〕【出資】↓九一三〔七〕・五七八・五八〇②・六〇四③・六一一・六二二・六二四・六二六・六三二―六三四・六四〇・六六三・六六六【金銭等】↓一五一①【出資の不履行】↓五八二・六〇八④・八五九

第五七七条 前条に規定するもののほか、持分会社の定款には、この法律の規定により定款の定めがなければその効力を生じない事項及びその他の事項でこの法律の規定に違反しないものを記載し、又は記録することができる。

【定款の定め↓五八五④・五九〇―五九二・五九三⑤・五九四①・五九五①・五九九③・六〇六・六〇七①〔一〕・六〇八・六一八②・六二一②・六二二・六二四②・六二七③・六三五③・六四一〔一〕〔二〕・六四七①〔二〕〔三〕・六四八②・六五〇②・六五五③・六六六・六六八・六七〇③・六七二②・九一二〔四〕・九一三〔十〕・九一四〔九〕

（**合同会社の設立時の出資の履行**）

第五七八条 設立しようとする持分会社が合同会社である場合には、当該合同会社の社員になろうとする者は、定款の作成後、合同会社の設立の登記をする時までに、その出資に係る金銭の全額を払い込み、又はその出資に係る金銭以外の財産の全部を給付しなければならない。ただし、合同会社の社員になろうとする者全員の同意があるときは、登記、登録その他権利の設定又は移転を第三者に対抗するために必要な行為は、合同会社の成立後にすることを妨げない。

【設立の登記↓九一四、商登一一七・一一八【合同会社の成立↓五七九

（**持分会社の成立**）

第五七九条 持分会社は、その本店の所在地において設立の登記をすることによって成立する。

【本店の所在地↓五七六①〔三〕【設立の登記↓九一二―九一四、商登九三―九五・一一〇・一一一・一一七・一一八【変更登記↓九一五【設立無効の訴え↓八二八①〔一〕【設立取消しの訴え↓

八三二

第二章 社員

第一節 社員の責任等

（**社員の責任**）

第五八〇条① 社員は、次に掲げる場合には、連帯して、持分会社の債務を弁済する責任を負う。

一 当該持分会社の財産をもってその債務を完済することができない場合

二 当該持分会社の財産に対する強制執行がその効を奏しなかった場合（社員が、当該持分会社に弁済をする資力があり、かつ、強制執行が容易であることを証明した場合を除く。）

② 有限責任社員は、その出資の価額（既に持分会社に対し履行した出資の価額を除く。）を限度として、持分会社の債務を弁済する責任を負う。

【社員・有限責任社員↓五七六①〔五〕【連帯↓民四三六―四四五【責任の消滅時効↓六七三 ❷【出資の価額↓五七六①〔六〕・九一三〔七〕【既に履行した出資の価額↓九一三〔七〕、商登一一〇、五七八・六〇四③【超過配当の場合↓六二三②

（**社員の抗弁**）

第五八一条① 社員が持分会社の債務を弁済する責任を負う場合には、社員は、持分会社が主張することができる抗弁をもって当該持分会社の債権者に対抗することができる。

② 前項に規定する場合において、持分会社がその債権者に対して相殺権、取消権又は解除権を有するときは、これらの権利の行使によって持分会社がその債務を免れるべき限度において、社員は、当該債権者に対して債務の履行を拒むことができる。（平成二九法四五本項改正）

【持分会社の債務を弁済する責任を負う場合↓五八〇

（**社員の出資に係る責任**）

第五八二条① 社員が金銭を出資の目的とした場合において、その出資をすることを怠ったときは、当該社員は、その利息を支払うほか、損害の賠償をしなければならない。

② 社員が債権を出資の目的とした場合において、当該債権の債務者が弁済期に弁済をしなかったときは、当該社員は、その弁済をする責任を負う。この場合においては、当該社員は、その利息を支払うほか、損害の賠償をしなければならない。

【出資の目的↓五七六①〔六〕【利息↓民四一九【損害賠償↓民四一六【不履行の効果↓八五九〔一〕 ❷【債権の出資者の担保責任↓民五六九

（**社員の責任を変更した場合の特則**）

第五八三条① 有限責任社員が無限責任社員となった場合には、当該無限責任社員となる前に生じた持分会社の債務についても、無限責任社員としてこれを弁済する責任を負う。

② 有限責任社員（合同会社の社員を除く。）が出資の価額を減少した場合であっても、当該有限責任社員は、その旨の登記をする前に生じた持分会社の債務については、従前の責任の範囲内でこれを弁済する責任を負う。

③ 無限責任社員が有限責任社員となった場合であっても、当該有限責任社員となった者は、その旨の登記をする前に生じた持分会社の債務については、無限責任社員として当該債務を弁済する責任を負う。

④ 前二項の責任は、前二項の登記後二年以内に請求又は請求の予告をしない持分会社の債権者に対しては、当該登記後二年を経過した時に消滅する。

【有限責任社員・無限責任社員↓五七六①〔五〕【社員の責任の変更↓六三七【社員の責任の変更の登記↓九一三〔六〕・九一五【持分会社の種類の変更とその登記↓六三八・九一九 ❷【出資の価額の減少↓五七六①〔六〕・六二四【登記↓九一三〔七〕・九一五

（**無限責任社員となることを許された未成年者の行為能力**）

第五八四条 持分会社の無限責任社員となることを許された未成年者は、社員の資格に基づく行為に関しては、行為能力者とみなす。

会社

参【無限責任社員→五七六①[五]【未成年者→民四【許可→民五

第二節　持分の譲渡等

（持分の譲渡）

第五八五条①　社員は、他の社員の全員の承諾がなければ、その持分の全部又は一部を他人に譲渡することができない。

② 前項の規定にかかわらず、業務を執行しない有限責任社員は、業務を執行する社員の全員の承諾があるときは、その持分の全部又は一部を他人に譲渡することができる。

③ 第六百三十七条の規定にかかわらず、業務を執行しない有限責任社員の持分の譲渡に伴い定款の変更を生ずるときは、その持分の譲渡による定款の変更は、業務を執行する社員の全員の同意によってすることができる。

④ 前三項の規定は、定款で別段の定めをすることを妨げない。

参【持分譲渡の効果→五七六①[四]・六〇四・六〇六　❷【業務執行社員→五九〇・五九一

（持分の全部の譲渡をした社員の責任）

第五八六条①　持分の全部を他人に譲渡した社員は、その旨の登記をする前に生じた持分会社の債務について、従前の責任の範囲内でこれを弁済する責任を負う。

② 前項の責任は、同項の登記後二年以内に請求又は請求の予告をしない持分会社の債権者に対しては、当該登記後二年を経過した時に消滅する。

参【持分の譲渡→五八五【登記→九一二[五]・九一三[五]・九一四[六][七]・九一五①【従前の責任→五八〇

第五八七条①　持分会社は、その持分の全部又は一部を譲り受けることができない。

② 持分会社が当該持分会社の持分を取得した場合には、当該持分は、当該持分会社がこれを取得した時に、消滅する。

参【株式会社の場合→一五五―一七八

第三節　誤認行為の責任

（無限責任社員であると誤認させる行為等をした有限責任社員の責任）

第五八八条①　合資会社の有限責任社員が自己を無限責任社員であると誤認させる行為をしたときは、当該有限責任社員は、その誤認に基づいて合資会社と取引をした者に対し、無限責任社員と同一の責任を負う。

② 合資会社又は合同会社の有限責任社員がその責任の限度を誤認させる行為（前項の行為を除く。）をしたときは、当該有限責任社員は、その誤認に基づいて合資会社又は合同会社と取引をした者に対し、その誤認させた責任の範囲内で当該合資会社又は合同会社の債務を弁済する責任を負う。

参【合資会社→五七六③【有限責任社員・無限責任社員→五七六①[五]　❶【無限責任社員の責任→五八〇①　❷【合同会社→五七六④【有限責任社員の責任→五八〇②

（社員であると誤認させる行為をした者の責任）

第五八九条①　合名会社又は合資会社の社員でない者が自己を無限責任社員であると誤認させる行為をしたときは、当該社員でない者は、その誤認に基づいて合名会社又は合資会社と取引をした者に対し、無限責任社員と同一の責任を負う。

② 合資会社又は合同会社の社員でない者が自己を有限責任社員であると誤認させる行為をしたときは、当該社員でない者は、その誤認に基づいて合資会社又は合同会社と取引をした者に対し、その誤認させた責任の範囲内で当該合資会社又は合同会社の債務を弁済する責任を負う。

参【合資会社→五七六③【責任発生の防止→六一三　❶【合名会社→五七六②【無限責任社員→五七六①[五]【無限責任社員の責任→五八〇①　❷【合同会社→五七六④【有限責任社員→五七六①[五]【有限責任社員の責任→五八〇②

第三章　管理

第一節　総則

（業務の執行）

第五九〇条①　社員は、定款に別段の定めがある場合を除き、持分会社の業務を執行する。

② 社員が二人以上ある場合には、持分会社の業務は、定款に別段の定めがある場合を除き、社員の過半数をもって決定する。

③ 前項の規定にかかわらず、持分会社の常務は、各社員が単独で行うことができる。ただし、その完了前に他の社員が異議を述べた場合は、この限りでない。

参【業務執行社員→五九一・五九三【業務執行権のない社員→五九二【任務懈怠の責任→五九六【不当な業務執行の効果→八五九[三]・八六〇【職務執行停止の仮処分→民保二三②、九一七[二]―[四]【職務代行者→六〇三【合同会社の業務執行者の登記→九一四[六]

（業務を執行する社員を定款で定めた場合）

第五九一条①　業務を執行する社員を定款で定めた場合において、業務を執行する社員が二人以上あるときは、持分会社の業務は、定款に別段の定めがある場合を除き、業務を執行する社員の過半数をもって決定する。この場合における前条第三項の規定の適用については、同項中「社員」とあるのは、「業務を執行する社員」とする。

② 前項の規定にかかわらず、同項に規定する場合には、支配人の選任及び解任は、社員の過半数をもって決定する。ただし、定款で別段の定めをすることを妨げない。

③ 業務を執行する社員を定款で定めた場合において、その業務を執行する社員の全員が退社したときは、当該定款の定めは、その効力を失う。

④ 業務を執行する社員を定款で定めた場合には、その業務を執行する社員は、正当な事由がなければ、辞任することができない。

⑤ 前項の業務を執行する社員は、正当な事由がある場

合に限り、他の社員の一致によって解任することができる。

⑥　前二項の規定は、定款で別段の定めをすることを妨げない。

関+【定款の定めのない場合→五九〇　❷【支配人→一〇【支配人の選任・解任→九一八　❸【退社→六〇六、六〇七

（社員の持分会社の業務及び財産状況に関する調査）

第五九二条①　業務を執行する社員を定款で定めた場合には、各社員は、持分会社の業務を執行する権利を有しないときであっても、その業務及び財産の状況を調査することができる。

②　前項の規定は、定款で別段の定めをすることを妨げない。ただし、定款によっても、社員が事業年度の終了時又は重要な事由があるときに同項の規定による調査をすることを制限する旨を定めることができない。

関+【業務執行社員に関する定款の定め→五九一

第二節　業務を執行する社員

（業務を執行する社員と持分会社との関係）

第五九三条①　業務を執行する社員は、善良な管理者の注意をもって、その職務を行う義務を負う。

②　業務を執行する社員は、法令及び定款を遵守し、持分会社のため忠実にその職務を行わなければならない。

③　業務を執行する社員は、持分会社又は他の社員の請求があるときは、いつでもその職務の執行の状況を報告し、その職務が終了した後は、遅滞なくその経過及び結果を報告しなければならない。

④　民法第六百四十六条から第六百五十条まで〈委任〉の規定は、業務を執行する社員と持分会社との関係について準用する。この場合において、同法第六百四十六条第一項、第六百四十八条第二項、第六百四十八条の二、第六百四十九条及び第六百五十条中「委任事務」とあるのは「その職務」と、同法第六百四十八条第三項第一号中「委任事務」とあり、及び同項第二号中「委任」とあるのは「前項の職務」と読み替えるものとする。（平成二九法四五本項改正）

⑤　前二項の規定は、定款で別段の定めをすることを妨げない。

関+【業務執行社員→五九〇、五九一【義務違反の効果→五九六、八五九㈢、八六〇　❶【善良な管理者の注意→民六四四、三三〇　❷【忠実義務→三五五

（競業の禁止）

第五九四条①　業務を執行する社員は、当該社員以外の社員の全員の承認を受けなければ、次に掲げる行為をしてはならない。ただし、定款に別段の定めがある場合は、この限りでない。

一　自己又は第三者のために持分会社の事業の部類に属する取引をすること。

二　持分会社の事業と同種の事業を目的とする会社の取締役、執行役又は業務を執行する社員となること。

②　業務を執行する社員が前項の規定に違反して同項第一号に掲げる行為をしたときは、当該行為によって当該業務を執行する社員又は第三者が得た利益の額は、持分会社に生じた損害の額と推定する。

関+【業務執行社員→五九三関【違反の効果→五九六、八五九㈢、八六〇【株式会社の場合→三五六、三六五　❶㈡【株式会社の取締役→三二九、三四一、三四八、三六二【株式会社の執行役→四〇二、四一八―四二二

（利益相反取引の制限）

第五九五条①　業務を執行する社員は、次に掲げる場合には、当該取引について当該社員以外の社員の過半数の承認を受けなければならない。ただし、定款に別段の定めがある場合は、この限りでない。

一　業務を執行する社員が自己又は第三者のために持分会社と取引をしようとするとき。

二　持分会社が業務を執行する社員の債務を保証することその他社員でない者との間において持分会社と当該社員との利益が相反する取引をしようとするとき。

②　民法第百八条の規定は、前項の承認を受けた同項各号の取引については、適用しない。（平成二九法四五本項改正）

関+【業務執行社員→五九三関【違反の効果→五九六、八五九㈢、八六〇【株式会社の場合→三五六、三六五

（業務を執行する社員の持分会社に対する損害賠償責任）

第五九六条　業務を執行する社員は、その任務を怠ったときは、持分会社に対し、連帯して、これによって生じた損害を賠償する責任を負う。

関+【業務執行社員→五九三関【任務→五九三①②【連帯→民四三六―四四五【株式会社の場合→四二三

（業務を執行する有限責任社員の第三者に対する損害賠償責任）

第五九七条　業務を執行する有限責任社員がその職務を行うについて悪意又は重大な過失があったときは、当該有限責任社員は、連帯して、これによって第三者に生じた損害を賠償する責任を負う。

関+【業務執行社員→五九三関【有限責任社員→五七六①㈤【連帯→民四三六―四四五【株式会社の場合→四二九

（法人が業務を執行する社員である場合の特則）

第五九八条①　法人が業務を執行する社員である場合には、当該法人は、当該業務を執行する社員の職務を行うべき者を選任し、その者の氏名及び住所を他の社員に通知しなければならない。

②　第五百九十三条から前条まで〈業務執行社員〉の規定は、前項の規定により選任された社員の職務を行うべき者について準用する。

関+【業務執行社員→五九三関【代表権のある場合→九一二㈦、九一三㈧、九一四㈣、商登九四、九七、一一一、一一八【株式会社の場合→三三一①㈡

（持分会社の代表）

第五九九条①　業務を執行する社員は、持分会社を代表する。ただし、他に持分会社を代表する社員その他持分会社を代表する者を定めた場合は、この限りでな

い。

② 前項本文の業務を執行する社員が二人以上ある場合には、業務を執行する社員は、各自、持分会社を代表する。

③ 持分会社は、定款又は定款の定めに基づく社員の互選によって、業務を執行する社員の中から持分会社を代表する社員を定めることができる。

④ 持分会社を代表する社員は、持分会社の業務に関する一切の裁判上又は裁判外の行為をする権限を有する。

⑤ 前項の権限に加えた制限は、善意の第三者に対抗することができない。

【業務執行社員↓五九三【代表者の登記↓九一二六七・九一三四・九一四七四【不当な代表行為の効果↓八五九四・八六〇【職務執行停止の仮処分↓民保二三②、九一七二―四【職務代行者↓六〇三　❶【例外↓六〇二　❹【例外↓六〇一

（持分会社を代表する社員等の行為についての損害賠償責任）

第六〇〇条　持分会社は、持分会社を代表する社員その他の代表者がその職務を行うについて第三者に加えた損害を賠償する責任を負う。

【持分会社の代表者↓五九九

（持分会社と社員との間の訴えにおける会社の代表）

第六〇一条　第五百九十九条第四項の規定にかかわらず、持分会社が社員に対し、又は社員が持分会社に対して訴えを提起する場合において、当該訴えについて持分会社を代表する者（当該社員を除く。）が存しないときは、当該社員以外の社員の過半数をもって、当該訴えについて持分会社を代表する者を定めることができる。

【持分会社の代表者↓五九九【株式会社の場合↓三五三・三六四・三八六

第六〇二条　第五百九十九条第一項の規定にかかわらず、社員が持分会社に対して社員の責任を追及する訴えの提起を請求した場合において、持分会社が当該請求の日から六十日以内に当該訴えを提起しないときは、当該請求をした社員は、当該訴えについて持分会社を代表することができる。ただし、当該訴えが当該社員若しくは第三者の不正な利益を図り又は当該持分会社に損害を加えることを目的とする場合は、この限りでない。

【社員の対会社責任↓五八二・五九六・六二三【株式会社の場合↓八四七―八五三

第三節　業務を執行する社員の職務を代行する者

第六〇三条① 民事保全法第五十六条に規定する仮処分命令により選任された業務を執行する社員又は持分会社を代表する社員の職務を代行する者は、仮処分命令に別段の定めがある場合を除き、持分会社の常務に属しない行為をするには、裁判所の許可を得なければならない。

② 前項の規定に違反して行った業務を執行する社員又は持分会社を代表する社員の職務を代行する者の行為は、無効とする。ただし、持分会社は、これをもって善意の第三者に対抗することができない。

【業務執行社員↓五九三【代表者↓五九九【職務執行停止の仮処分↓民保二三②、九一七二―四　❶【裁判所の許可↓八六八①

第四章　社員の加入及び退社

第一節　社員の加入

（社員の加入）

第六〇四条① 持分会社は、新たに社員を加入させることができる。

② 持分会社の社員の加入は、当該社員に係る定款の変更をした時に、その効力を生ずる。

③ 前項の規定にかかわらず、合同会社が新たに社員を加入させる場合において、新たに社員となろうとする者が同項の定款の変更をした時にその出資に係る払込み又は給付の全部又は一部を履行していないときは、その者は、当該払込み又は給付を完了した時に、合同会社の社員となる。

【定款記載事項↓五七六①四【登記事項↓九一二五・九一三五、商登九六・一一一【持分会社の種類の変更↓六三八①三③【清算会社への不適用↓六七四　❷【定款の変更↓六三七【例外↓六〇八②　❸【払込み・給付の証明↓商登一一九【設立の場合↓五七八

（加入した社員の責任）

第六〇五条　持分会社の成立後に加入した社員は、その加入前に生じた持分会社の債務についても、これを弁済する責任を負う。

【持分会社の成立↓五七九【社員の加入↓六〇四【社員の責任↓五八〇

第二節　社員の退社

（任意退社）

第六〇六条① 持分会社の存続期間を定款で定めなかった場合又はある社員の終身の間持分会社が存続することを定款で定めた場合には、各社員は、事業年度の終了の時において退社をすることができる。この場合においては、各社員は、六箇月前までに持分会社に退社の予告をしなければならない。

② 前項の規定は、定款で別段の定めをすることを妨げない。

③ 前二項の規定にかかわらず、各社員は、やむを得ない事由があるときは、いつでも退社することができる。

【登記事項↓九一二五・九一三五、商登九六・一一一【適用除外↓六七四三【退社による持分会社の種類の変更↓六三九　❶【存続期間の定め↓九一二四・九一三四・九一四四【事業年度↓六一七②【退社の効果↓六一〇・六一一・九一二五―七・九一三五―九・九一四六―四・九一五①

（法定退社）

第六〇七条① 社員は、前条、第六百九条第一項、第六百四十二条第二項及び第八百四十五条の場合のほか、

次に掲げる事由によって退社する。
一　定款で定めた事由の発生
二　総社員の同意
三　死亡
四　合併（合併により当該法人である社員が消滅する場合に限る。）
五　破産手続開始の決定
六　解散（前二号に掲げる事由によるものを除く。）
七　後見開始の審判を受けたこと。
八　除名

②　持分会社は、その社員が前項第五号から第七号までに掲げる事由の全部又は一部によっては退社しない旨を定めることができる。

◇❶【退社の効果↓六〇六①◇　[三][四]【例外↓六〇八・六七五　[五]【破産手続開始の決定↓破三〇【無限責任社員の破産の効果↓破一〇六　[七]【後見開始の審判↓民七　[八]【除名↓八五九

（相続及び合併の場合の特則）

第六〇八条①　持分会社は、その社員が死亡した場合又は合併により消滅した場合における当該社員の相続人その他の一般承継人が当該社員の持分を承継する旨を定款で定めることができる。

②　第六百四条第二項の規定にかかわらず、前項の規定による定款の定めがある場合には、同項の一般承継人（社員以外のものに限る。）は、同項の持分を承継した時に、当該持分を有する社員となる。

③　第一項の定款の定めがある場合には、持分会社は、同項の一般承継人が持分を承継した時に、当該一般承継人に係る定款の変更をしたものとみなす。

④　第一項の一般承継人（相続により持分を承継したものであって、出資に係る払込み又は給付の全部又は一部を履行していないものに限る。）が二人以上ある場合には、各一般承継人は、連帯して当該出資に係る払込み又は給付の履行をする責任を負う。

⑤　第一項の一般承継人（相続により持分を承継したものに限る。）が二人以上ある場合には、各一般承継人は、承継した持分についての権利を行使する者一人を定めなければ、当該持分についての権利を行使することができない。ただし、持分会社が当該権利を行使することに同意した場合は、この限りでない。

◇【相続人↓民八八六―八九一【その他の一般承継人の例↓七四九①・七五一①・七五三①・七五五①【持分の承継↓五八五―五八七　❶【社員の死亡・合併による消滅↓六〇七①[三][四]　❸【定款のみなし変更↓九一二[五]―[七]・九一三[五]―[九]・九一四[六]―[四]・九一五①　❹【出資↓五七六①[六]・五八二【連帯↓民四三六―四四五

（持分の差押債権者による退社）

第六〇九条①　社員の持分を差し押さえた債権者は、事業年度の終了時において当該社員を退社させることができる。この場合においては、当該債権者は、六箇月前までに持分会社及び当該社員にその予告をしなければならない。

②　前項後段の予告は、同項の社員が、同項の債権者に対し、弁済し、又は相当の担保を提供したときは、その効力を失う。

③　第一項後段の予告をした同項の債権者は、裁判所に対し、持分の払戻しの請求権の保全に関し必要な処分をすることを申し立てることができる。

◇【持分の差押え↓民執一六七【退社の効果↓六一〇・六一一・九一二[五]―[七]・九一三[五]―[九]・九一四[六]―[四]・九一五①【持分差押えの効果↓六二一③・六二四③　❸【保全命令の申立て↓八六八①・八七二[一]

（退社に伴う定款のみなし変更）

第六一〇条　第六百六条、第六百七条第一項、前条第一項又は第六百四十二条第二項の規定により社員が退社した場合（第八百四十五条の規定により社員が退社したものとみなされる場合を含む。）には、持分会社は、当該社員が退社した時に、当該社員に係る定款の定めを廃止する定款の変更をしたものとみなす。

◇【社員に関する定款の定め↓五七六①[四]―[六]【定款の変更↓六三七

（退社に伴う持分の払戻し）

第六一一条①　退社した社員は、その出資の種類を問わず、その持分の払戻しを受けることができる。ただし、第六百八条第一項及び第二項の規定により当該社員の一般承継人が社員となった場合は、この限りでない。

②　退社した社員と持分会社との間の計算は、退社の時における持分会社の財産の状況に従ってしなければならない。

③　退社した社員の持分は、その出資の種類を問わず、金銭で払い戻すことができる。

④　退社の時にまだ完了していない事項については、その完了後に計算をすることができる。

⑤　社員が除名により退社した場合における第二項及び前項の規定の適用については、これらの規定中「退社の時」とあるのは、「除名の訴えを提起した時」とする。

⑥　前項に規定する場合には、持分会社は、除名の訴えを提起した日後の法定利率による利息をも支払わなければならない。（平成二九法四五本項改正）

⑦　社員の持分の差押えは、持分の払戻しを請求する権利に対しても、その効力を有する。

◇【社員の退社↓六〇六・六〇七①・六〇九①・六四二②・八四五【合同会社の場合↓六三五・六三六　❶❸【出資の種類↓五七六①[五]　❷【持分会社の財産の状況↓六一七②【財産の状況を知る方法↓六一八　❺❻【除名↓六〇七①[八]【除名の訴え↓八五九　❼【持分の差押え↓六〇九①

（退社した社員の責任）

第六一二条①　退社した社員は、その登記をする前に生じた持分会社の債務について、従前の責任の範囲内でこれを弁済する責任を負う。

②　前項の責任は、同項の登記後二年以内に請求又は請求の予告をしない持分会社の債権者に対しては、当該登記後二年を経過した時に消滅する。

◇【退社↓六一一◇【退社の登記↓九一二[五]―[七]・九一三[五]―[九]・九一四[六]―[四]・九一五①　❶【従前の責任の範囲↓五八〇

（商号変更の請求）

第六一三条　持分会社がその商号中に退社した社員の氏若しくは氏名又は名称を用いているときは、当該退社した社員は、当該持分会社に対し、その氏若しくは氏名又は名称の使用をやめることを請求することができる。

⊜【商号→五七六①㈡、九一二㈡、九一三㈡、九一四㈡【退社→六一一　⊜【差止めの請求→民保二三【氏名続用→五八九

第五章　計算等

第一節　会計の原則

第六一四条　持分会社の会計は、一般に公正妥当と認められる企業会計の慣行に従うものとする。

⊜【株式会社の場合→四三一

第二節　会計帳簿

（会計帳簿の作成及び保存）

第六一五条①　持分会社は、法務省令で定めるところにより、適時に、正確な会計帳簿を作成しなければならない。

②　持分会社は、会計帳簿の閉鎖の時から十年間、その会計帳簿及びその事業に関する重要な資料を保存しなければならない。

⊜❶【省令の定め→会社則一五九、会社計算四―五六　❷【期間→民一三八―一四三【清算時の帳簿資料の保存→六七二

（会計帳簿の提出命令）

第六一六条　裁判所は、申立てにより又は職権で、訴訟の当事者に対し、会計帳簿の全部又は一部の提出を命ずることができる。

⊜【他の書類の提出義務→六一九、民訴二二九―二二七

第三節　計算書類

（計算書類の作成及び保存）

第六一七条①　持分会社は、法務省令で定めるところにより、その成立の日における貸借対照表を作成しなければならない。

②　持分会社は、法務省令で定めるところにより、各事業年度に係る計算書類（貸借対照表その他持分会社の財産の状況を示すために必要かつ適切なものとして法務省令で定めるものをいう。以下この章において同じ。）を作成しなければならない。

③　計算書類は、電磁的記録をもって作成することができる。

④　持分会社は、計算書類を作成した時から十年間、これを保存しなければならない。

⊜❶【会社成立の日→五七九【省令の定め→会社則一五九、会社計算五七、七二―八六、九七―一一六　❷【省令の定め→会社則一五九、会社計算七一―一一七　❸【電磁的記録→二六②　❹【期間→民一三八―一四三

（計算書類の閲覧等）

第六一八条①　持分会社の社員は、当該持分会社の営業時間内は、いつでも、次に掲げる請求をすることができる。

一　計算書類が書面をもって作成されているときは、当該書面の閲覧又は謄写の請求

二　計算書類が電磁的記録をもって作成されているときは、当該電磁的記録に記録された事項を法務省令で定める方法により表示したものの閲覧又は謄写の請求

②　前項の規定は、定款で別段の定めをすることを妨げない。ただし、定款によっても、社員が事業年度の終了時に同項各号に掲げる請求をすることを制限する旨を定めることができない。

⊜【計算書類→六一七②【合同会社の特則→六二五　❶㈡【電磁的記録→二六②【省令で定める方法→会社則二二六

（計算書類の提出命令）

第六一九条　裁判所は、申立てにより又は職権で、訴訟の当事者に対し、計算書類の全部又は一部の提出を命ずることができる。

⊜【他の書類の提出義務→六一六、民訴二二九―二二七

第四節　資本金の額の減少

第六二〇条①　持分会社は、損失のてん補のために、その資本金の額を減少することができる。

②　前項の規定により減少する資本金の額は、損失の額として法務省令で定める方法により算定される額を超えることができない。

⊜【資本金→九一四㈤【合同会社の特則→六二六、六二七

第五節　利益の配当

（利益の配当）

第六二一条①　社員は、持分会社に対し、利益の配当を請求することができる。

②　持分会社は、利益の配当を請求する方法その他の利益の配当に関する事項を定款で定めることができる。

③　社員の持分の差押えは、利益の配当を請求する権利に対しても、その効力を有する。

⊜【利益→六二三①【合同会社の特則→六二八―六三二　❶【配当請求を拒める場合→六二八　❸【持分の差押え→六〇九

（社員の損益分配の割合）

第六二二条①　損益分配の割合について定款の定めがないときは、その割合は、各社員の出資の価額に応じて定める。

②　利益又は損失の一方についてのみ分配の割合についての定めを定款で定めたときは、その割合は、利益及び損失の分配に共通であるものと推定する。

⊜❶【社員の出資の価額→五七六①㈥

（有限責任社員の利益の配当に関する責任）

第六二三条①　持分会社が利益の配当により有限責任社員に対して交付した金銭等の帳簿価額（以下この項において「配当額」という。）が当該利益の配当をする日における利益額（持分会社の利益の額として法務省令で定める方法により算定される額をいう。以下この章において同じ。）を超える場合には、当該有限責任社員は、当該持分会社に対し、連帯し

て、当該配当額に相当する金銭を支払う義務を負う。

② 前項に規定する場合における同項の利益の配当を受けた有限責任社員についての第五百八十条第二項の規定の適用については、同項中「を限度として」とあるのは、「及び第六百二十三条第一項の配当額が同項の利益額を超過する額（同項の義務を履行した額を除く。）の合計額を限度として」とする。

参【利益の配当→六二一【有限責任社員→五七六①五【金銭等→一五一①【合同会社の特則→六二九―六三一 ❶【連帯→民四三六―四四五 ❷【合資会社にのみ適用→六三〇③

第六節　出資の払戻し

第六二四条① 社員は、持分会社に対し、既に出資として払込み又は給付をした金銭等の払戻し（以下この編において「出資の払戻し」という。）を請求することができる。この場合において、当該金銭等が金銭以外の財産であるときは、当該財産の価額に相当する金銭の払戻しを請求することを妨げない。

② 持分会社は、出資の払戻しを請求する方法その他の出資の払戻しに関する事項を定款で定めることができる。

③ 社員の持分の差押えは、出資の払戻しを請求する権利に対しても、その効力を有する。

参【合同会社の特則→六二六、六二七、六三二―六三四 ❶【出資→五七六①六【金銭等→一五一①【払戻請求を拒める場合→六三二 ❸【持分の差押え→六〇九

第七節　合同会社の計算等に関する特則

第一款　計算書類の閲覧に関する特則

第六二五条　合同会社の債権者は、当該合同会社の営業時間内は、いつでも、その計算書類（作成した日から五年以内のものに限る。）について第六百十八条第一項各号に掲げる請求をすることができる。

参【合同会社→五七六④【計算書類→六一七②―④

第二款　資本金の額の減少に関する特則

（出資の払戻し又は持分の払戻しを行う場合の資本金の額の減少）

第六二六条① 合同会社は、第六百二十条第一項の場合のほか、出資の払戻し又は持分の払戻しのために、その資本金の額を減少することができる。

② 前項の規定により出資の払戻しのために減少する資本金の額は、第六百三十二条第二項に規定する出資払戻額から出資の払戻しをする日における剰余金額を控除して得た額を超えてはならない。

③ 第一項の規定により持分の払戻しのために減少する資本金の額は、第六百三十五条第一項に規定する持分払戻額から持分の払戻しをする日における剰余金額を控除して得た額を超えてはならない。（平成一八法一〇九本項追加）

④ 前二項に規定する「剰余金額」とは、第一号に掲げる額から第二号から第四号までに掲げる額の合計額を減じて得た額をいう（第四款及び第五款において同じ。）。

一 資産の額
二 負債の額
三 資本金の額
四 前二号に掲げるもののほか、法務省令で定める各勘定科目に計上した額の合計額

（平成一八法一〇九本条改正）

参【出資の払戻し→六二四①、六三二①

（債権者の異議）

第六二七条① 合同会社が資本金の額を減少する場合には、当該合同会社の債権者は、当該合同会社に対し、資本金の額の減少について異議を述べることができる。

② 前項に規定する場合には、合同会社は、次に掲げる事項を官報に公告し、かつ、知れている債権者には、各別にこれを催告しなければならない。ただし、第二号の期間は、一箇月を下ることができない。

一 当該資本金の額の減少の内容
二 債権者が一定の期間内に異議を述べることができる旨

③ 前項の規定にかかわらず、合同会社が同項の規定による公告を、官報のほか、第九百三十九条第一項の規定による定款の定めに従い、同項第二号又は第三号に掲げる公告方法によりするときは、前項の規定による各別の催告は、することを要しない。

④ 債権者が第二項第二号の期間内に異議を述べなかったときは、当該債権者は、当該資本金の額の減少について承認をしたものとみなす。

⑤ 債権者が第二項第二号の期間内に異議を述べたときは、合同会社は、当該債権者に対し、弁済し、若しくは相当の担保を提供し、又は当該債権者に弁済を受けさせることを目的として信託会社等に相当の財産を信託しなければならない。ただし、当該資本金の額の減少をしても当該債権者を害するおそれがないときは、この限りでない。

⑥ 資本金の額の減少は、前各項の手続が終了した日に、その効力を生ずる。

参【資本金の額の減少→六二六【社債権者の異議の場合→七四〇 ❷【官報による公告→九三九①三④【変更登記→商登一二〇 ❺【信託会社→三四② ❷❺【罰則→九七六二十六

第三款　利益の配当に関する特則

（利益の配当の制限）

第六二八条　合同会社は、利益の配当により社員に対して交付する金銭等の帳簿価額（以下この款において「配当額」という。）が当該利益の配当をする日における利益額を超える場合には、当該利益の配当をすることができない。この場合においては、合同会社は、第六百二十一条第一項の規定による請求を拒むことができる。

参【利益配当→六二一【利益額→六二三①

（利益の配当に関する責任）

第六二九条① 合同会社が前条の規定に違反して利益の

配当をした場合には、当該利益の配当に関する業務を執行した社員は、当該合同会社に対し、当該利益の配当を受けた社員と連帯して、当該配当額に相当する金銭を支払う義務を負う。ただし、当該業務を執行した社員がその職務を行うについて注意を怠らなかったことを証明した場合は、この限りでない。

② 前項の義務は、免除することができない。ただし、利益の配当をした日における利益額を限度として当該義務を免除することについて総社員の同意がある場合は、この限りでない。

参❶【業務執行社員】→五九〇・五九一【業務執行社員の責任の原則】→五九六 ❷【利益額】→六二三①

（社員に対する求償権の制限等）

第六三〇条① 前条第一項に規定する場合において、利益の配当を受けた社員は、配当額が利益の配当をした日における利益額を超えることにつき善意であるときは、当該配当額について、当該利益の配当に関する業務を執行した社員からの求償の請求に応ずる義務を負わない。

② 前条第一項に規定する場合には、合同会社の債権者は、利益の配当を受けた社員に対し、配当額（当該配当額が当該債権者の合同会社に対して有する債権額を超える場合にあっては、当該債権額）に相当する金銭を支払わせることができる。

③ 第六百二十三条第二項の規定は、合同会社の社員については、適用しない。

参+【配当額】→六二八 ❶【利益額】→六二三①

（欠損が生じた場合の責任）

第六三一条① 合同会社が利益の配当をした場合において、当該利益の配当をした日の属する事業年度の末日に欠損額（合同会社の欠損の額として法務省令で定める方法により算定される額をいう。以下この項において同じ。）が生じたときは、当該利益の配当に関する業務を執行した社員は、当該合同会社に対し、当該利益の配当を受けた社員と連帯して、その欠損額（当該欠損額が配当額を超えるときは、当該配当額）を支払う義務を負う。ただし、当該業務を執行した社員がその職務を行うについて注意を怠らなかったことを証明した場合は、この限りでない。

② 前項の義務は、総社員の同意がなければ、免除することができない。

参❶【業務執行社員】→五九〇・五九一【業務執行社員の責任の原則】→五九六

第四款 出資の払戻しに関する特則

（出資の払戻しの制限）

第六三二条① 第六百二十四条第一項の規定にかかわらず、合同会社の社員は、定款を変更してその出資の価額を減少する場合を除き、同項前段の規定による請求をすることができない。

② 合同会社が出資の払戻しにより社員に対して交付する金銭等の帳簿価額（以下この款において「出資払戻額」という。）が、第六百二十四条第一項前段の規定による請求をした日における剰余金額（第六百二十六条第一項の資本金の額の減少をした場合にあっては、その減少をした後の剰余金額。以下この款において同じ。）又は前項の出資の価額を減少した額のいずれか少ない額を超える場合には、当該出資の払戻しをすることができない。この場合においては、合同会社は、第六百二十四条第一項前段の規定による請求を拒むことができる。

参+【出資の払戻し】→六二四 ❶【定款変更】→六三七【出資の価額】→五七六①六

（出資の払戻しに関する社員の責任）

第六三三条① 合同会社が前条の規定に違反して出資の払戻しをした場合には、当該出資の払戻しに関する業務を執行した社員は、当該合同会社に対し、当該出資の払戻しを受けた社員と連帯して、当該出資払戻額に相当する金銭を支払う義務を負う。ただし、当該業務を執行した社員がその職務を行うについて注意を怠らなかったことを証明した場合は、この限りでない。

② 前項の義務は、免除することができない。ただし、出資の払戻しをした日における剰余金額を限度として当該義務を免除することについて総社員の同意がある場合は、この限りでない。

参+【出資の払戻し】→六二四 ❶【業務執行社員】→五九〇・五九一【業務執行社員の責任の原則】→五九六【出資払戻額】→六三二②

（社員に対する求償権の制限等）

第六三四条① 前条第一項に規定する場合において、出資の払戻しを受けた社員は、出資払戻額が出資の払戻しをした日における剰余金額を超えることにつき善意であるときは、当該出資払戻額について、当該出資の払戻しに関する業務を執行した社員からの求償の請求に応ずる義務を負わない。

② 前条第一項に規定する場合には、合同会社の債権者は、出資の払戻しを受けた社員に対し、出資払戻額（当該出資払戻額が当該債権者の合同会社に対して有する債権額を超える場合にあっては、当該債権額）に相当する金銭を支払わせることができる。

参+【出資の払戻し】→六二四【出資払戻額】→六三二② ❶【剰余金額】→六三二②

第五款 退社に伴う持分の払戻しに関する特則

（債権者の異議）

第六三五条① 合同会社が持分の払戻しにより社員に対して交付する金銭等の帳簿価額（以下この款において「持分払戻額」という。）が当該持分の払戻しをする日における剰余金額を超える場合には、当該合同会社の債権者は、当該合同会社に対し、持分の払戻しについて異議を述べることができる。

② 前項に規定する場合には、合同会社は、次に掲げる事項を官報に公告し、かつ、知れている債権者には、各別にこれを催告しなければならない。ただし、第二号の期間は、一箇月（持分払戻額が当該合同会社の純

資産額として法務省令で定める方法により算定される額を超える場合にあっては、二箇月）を下ることができない。

一　当該剰余金額を超える持分の払戻しの内容

二　債権者が一定の期間内に異議を述べることができる旨

③　前項の規定にかかわらず、合同会社が同項の規定による公告を、官報のほか、第九百三十九条第一項の規定による定款の定めに従い、同項第二号又は第三号に掲げる公告方法によりするときは、前項の規定による各別の催告は、することを要しない。ただし、持分払戻額が当該合同会社の純資産額として法務省令で定める方法により算定される額を超える場合は、この限りでない。

④　債権者が第二項第二号の期間内に異議を述べなかったときは、当該債権者は、当該持分の払戻しについて承認をしたものとみなす。

⑤　債権者が第二項第二号の期間内に異議を述べたときは、合同会社は、当該債権者に対し、弁済し、若しくは相当の担保を提供し、又は当該債権者に弁済を受けさせることを目的として信託会社等に相当の財産を信託しなければならない。ただし、持分払戻額が当該合同会社の純資産額として法務省令で定める方法により算定される額を超えない場合において、当該持分の払戻しをしても当該債権者を害するおそれがないときは、この限りでない。

【持分の払戻し→六一一【異議→六三五④⑤【社債権者の異議の場合→七四〇　❶【剰余金額→六三二②　❷【官報による公告→九三九①㈢④　❸❺【持分払戻額→六三五①　❺【信託会社→三四②　❷❺【罰則→九七六〔二十六〕

（業務を執行する社員の責任）

第六三六条①　合同会社が前条の規定に違反して持分の払戻しをした場合には、当該持分の払戻しに関する業務を執行した社員は、当該合同会社に対し、当該持分の払戻しを受けた社員と連帯して、当該持分払戻額に相当する金銭を支払う義務を負う。ただし、持分の払戻しに関する業務を執行した社員がその職務を行うについて注意を怠らなかったことを証明した場合は、この限りでない。

②　前項の義務は、免除することができない。ただし、持分の払戻しをした時における剰余金額を限度として当該義務を免除することについて総社員の同意がある場合は、この限りでない。

【持分の払戻し→六一一【業務執行社員→五九〇・五九一　❶【持分払戻額→六三五①【業務執行社員の責任の原則→五九六　❷【剰余金額→六三二②

第六章　定款の変更

（定款の変更）

第六三七条　持分会社は、定款に別段の定めがある場合を除き、総社員の同意によって、定款の変更をすることができる。

【定款→五七六【例外→五八五③

（定款の変更による持分会社の種類の変更）

第六三八条①　合名会社は、次の各号に掲げる定款の変更をすることにより、当該各号に定める種類の持分会社となる。

一　有限責任社員を加入させる定款の変更　合資会社

二　その社員の一部を有限責任社員とする定款の変更　合資会社

三　その社員の全部を有限責任社員とする定款の変更　合同会社

②　合資会社は、次の各号に掲げる定款の変更をすることにより、当該各号に定める種類の持分会社となる。

一　その社員の全部を無限責任社員とする定款の変更　合名会社

二　その社員の全部を有限責任社員とする定款の変更　合同会社

③　合同会社は、次の各号に掲げる定款の変更をすることにより、当該各号に定める種類の持分会社となる。

一　その社員の全部を無限責任社員とする定款の変更　合名会社

二　無限責任社員を加入させる定款の変更　合資会社

三　その社員の一部を無限責任社員とする定款の変更　合資会社

【定款の変更→六三七【合名会社→五七六②【合資会社→五七六③【合同会社→五七六④【社員の加入→六〇四【無限責任社員・有限責任社員→五七六①㈤【社員の責任の変更の特則→五八三①③【社員の責任→五八〇【社員の責任の変更の特則→五八三①③【登記→九一九　❶【登記→九一二、商登一〇四—一〇六　❷【登記→九一三、商登一一三　❸【登記→九一四、商登一二二　❶[三]❷[二]【合同会社への変更→六四〇【適用除外→六七四

（合資会社の社員の退社による定款のみなし変更）

第六三九条①　合資会社の有限責任社員が退社したことにより当該合資会社の社員が無限責任社員のみとなった場合には、当該合資会社は、合名会社となる定款の変更をしたものとみなす。

②　合資会社の無限責任社員が退社したことにより当該合資会社の社員が有限責任社員のみとなった場合には、当該合資会社は、合同会社となる定款の変更をしたものとみなす。

【合資会社→五七六③【無限責任社員・有限責任社員→五七六①㈤【退社→六〇六・六〇七【定款の変更の原則→六三七【登記→商登一一三　❶【合名会社→五七六②　❷【合同会社→五七六④

（定款の変更時の出資の履行）

第六四〇条①　第六百三十八条第一項第三号又は第二項第二号に掲げる定款の変更をする持分会社の社員が当該定款の変更後の合同会社に対する出資に係る払込み又は給付の全部又は一部を履行していないときは、当該定款の変更は、当該払込み及び給付が完了した日に、その効力を生ずる。

②　前条第二項の規定により合同会社となる定款の変更をしたものとみなされた場合において、社員がその出資に係る払込み又は給付の全部又は一部を履行していないときは、当該定款の変更をしたものとみなされた

日から一箇月以内に、当該払込み又は給付を完了しなければならない。ただし、当該期間内に、合名会社又は合資会社となる定款の変更をした場合は、この限りでない。

【定款の変更↓六三七【出資の払込み・給付↓五七八 ❷【合名会社↓五七六②【合資会社↓五七六③

第七章 解散

（解散の事由）

第六四一条 持分会社は、次に掲げる事由によって解散する。

一 定款で定めた存続期間の満了
二 定款で定めた解散の事由の発生
三 総社員の同意
四 社員が欠けたこと。
五 合併（合併により当該持分会社が消滅する場合に限る。）
六 破産手続開始の決定
七 第八百二十四条第一項又は第八百三十三条第二項の規定による解散を命ずる裁判

【株式会社の場合↓四七一 [一][二]【定款↓五七六【存続期間・定款上の解散事由↓九一二㈣・九一三㈣・九一四㈣ [一]―[四]【解散の登記↓九二六、商登九八・一一一・一一八 [五]【合併↓七四八・七九三①㈠ [六]【破産手続開始の決定↓破三〇

（持分会社の継続）

第六四二条① 持分会社は、前条第一号から第三号までに掲げる事由によって解散した場合には、次章の規定による清算が結了するまで、社員の全部又は一部の同意によって、持分会社を継続することができる。

② 前項の場合には、持分会社を継続することについて同意しなかった社員は、持分会社が継続することとなった日に、退社する。

❶【清算の結了↓六六七【継続の登記↓九二七、商登一〇三・一一一・一一八 ❷【退社↓六一〇・六一一

（解散した持分会社の合併等の制限）

第六四三条 持分会社が解散した場合には、当該持分会社は、次に掲げる行為をすることができない。

一 合併（合併により当該持分会社が存続する場合に限る。）
二 吸収分割による他の会社がその事業に関して有する権利義務の全部又は一部の承継

【解散↓六四一 [一]【合併↓七四八・七五一 [二]【持分会社に権利義務を承継させる吸収分割↓七六〇

第八章 清算

第一節 清算の開始

（清算の開始原因）

第六四四条 持分会社は、次に掲げる場合には、この章の定めるところにより、清算をしなければならない。

一 解散した場合（第六百四十一条第五号に掲げる事由によって解散した場合及び破産手続開始の決定により解散した場合であって当該破産手続が終了していない場合を除く。）
二 設立の無効の訴えに係る請求を認容する判決が確定した場合
三 設立の取消しの訴えに係る請求を認容する判決が確定した場合

【株式会社の場合↓四七五 [一]【解散↓六四一 [二]【設立無効の訴え↓八二八①㈠ [二][三]【判決の確定↓民訴一一六 [三]【設立の取消しの訴え↓八三二

（清算持分会社の能力）

第六四五条 前条の規定により清算をする持分会社（以下「清算持分会社」という。）は、清算の目的の範囲内において、清算が結了するまではなお存続するものとみなす。

【清算の目的↓六四九【清算の結了↓六六七

第二節 清算人

（清算人の設置）

第六四六条 清算持分会社には、一人又は二人以上の清算人を置かなければならない。

【清算持分会社↓六四五【清算人↓六四七ETC【合名会社・合資会社の特則↓六六八②

（清算人の就任）

第六四七条① 次に掲げる者は、清算持分会社の清算人となる。

一 業務を執行する社員（次号又は第三号に掲げる者がある場合を除く。）
二 定款で定める者
三 社員（業務を執行する社員を定款で定めた場合にあっては、その社員）の過半数の同意によって定める者

② 前項の規定により清算人となる者がないときは、裁判所は、利害関係人の申立てにより、清算人を選任する。

③ 前二項の規定にかかわらず、第六百四十一条第四号又は第七号に掲げる事由によって解散した清算持分会社については、裁判所は、利害関係人若しくは法務大臣の申立てにより又は職権で、清算人を選任する。

④ 第一項及び第二項の規定にかかわらず、第六百四十四条第二号又は第三号に掲げる場合に該当することとなった清算持分会社については、裁判所は、利害関係人の申立てにより、清算人を選任する。

【清算持分会社↓六四五【清算人の登記↓九二八②―④、商登九九・一〇〇・一一一・一一八【職務執行停止の仮処分等の登記↓九二八④・九一七【合名会社・合資会社の特則↓六六八② ❶[二][三]【業務執行社員↓五九〇・五九一 [三]【定款↓五七六 ❷―❹【裁判所による選任↓八六八①・八七四㈠【裁判所の選任する清算人の報酬↓六五七

（清算人の解任）

第六四八条① 清算人（前条第二項から第四項までの規定により裁判所が選任したものを除く。）は、いつでも、解任することができる。

② 前項の規定による解任は、定款に別段の定めがある場合を除き、社員の過半数をもって決定する。

③ 重要な事由があるときは、裁判所は、社員その他利

害関係人の申立てにより、清算人を解任することができる。

参❷【定款→五七六 ❸【清算人解任の裁判→八六八①、八七〇①〔一〕【退任の登記→商登一〇〇③

第六四九条（**清算人の職務**）清算人は、次に掲げる職務を行う。

一 現務の結了

二 債権の取立て及び債務の弁済

三 残余財産の分配

参【清算人→六四七【合名会社・合資会社の特則→六六八②【二】債務の弁済→六六〇—六六二、六六四【三】残余財産の分配→六六四、六六六

第六五〇条（**業務の執行**）① 清算人は、清算持分会社の業務を執行する。

② 清算人が二人以上ある場合には、清算持分会社の業務は、定款に別段の定めがある場合を除き、清算人の過半数をもって決定する。

③ 前項の規定にかかわらず、社員が二人以上ある場合には、清算持分会社の事業の全部又は一部の譲渡は、社員の過半数をもって決定する。

参【清算人→六四七【清算持分会社→六四五【合名会社・合資会社の特則→六六八② ❶【業務→六四五、六四九 ❷【定款→五七六 ❸【事業の譲渡→二一—二四

第六五一条（**清算人と清算持分会社との関係**）① 清算持分会社と清算人との関係は、委任に関する規定に従う。

② 第五百九十三条第二項〈忠実義務〉、第五百九十四条〈競業の禁止〉及び第五百九十五条〈利益相反取引の制限〉の規定は、清算人について準用する。この場合において、第五百九十四条第一項及び第五百九十五条第一項中「当該社員以外の社員」とあるのは、「社員（当該清算人が社員である場合にあっては、当該清算人以外の社員）」と読み替えるものとする。

参【清算人→六四七【清算持分会社→六四五 ❶【委任に関する規定→民六四三—六五六

第六五二条（**清算人の清算持分会社に対する損害賠償責任**）清算人は、その任務を怠ったときは、清算持分会社に対し、連帯して、これによって生じた損害を賠償する責任を負う。

参【清算人→六四七【清算人の任務→六四九、六五一②【清算持分会社→六四五【連帯→民四三六—四四五

第六五三条（**清算人の第三者に対する損害賠償責任**）清算人がその職務を行うについて悪意又は重大な過失があったときは、当該清算人は、連帯して、これによって第三者に生じた損害を賠償する責任を負う。

参【清算人→六四七【清算人の職務→六四九【連帯→民四三六—四四五

第六五四条（**法人が清算人である場合の特則**）① 法人が清算人である場合には、当該法人は、当該清算人の職務を行うべき者を選任し、その者の氏名及び住所を社員に通知しなければならない。

② 前三条の規定は、前項の規定により選任された清算人の職務を行うべき者について準用する。

参【清算人→六四七【法人清算人の登記→商登九九、一〇一・一一一・一一八【清算人の職務→六四九

第六五五条（**清算持分会社の代表**）① 清算人は、清算持分会社を代表する。ただし、他に清算持分会社を代表する清算人その他清算持分会社を代表する者を定めた場合は、この限りでない。

② 前項本文の清算人が二人以上ある場合には、清算人は、各自、清算持分会社を代表する。

③ 清算持分会社は、定款又は定款の定めに基づく清算人（第六百四十七条第二項から第四項までの規定により裁判所が選任したものを除く。以下この項において同じ。）の互選によって、清算人の中から清算持分会社を代表する清算人を定めることができる。

④ 第六百四十七条第一項第一号の規定により業務を執行する社員が清算人となる場合において、持分会社を代表する社員を定めていたときは、当該持分会社を代表する社員が清算持分会社を代表する清算人となる。

⑤ 裁判所は、第六百四十七条第二項から第四項までの規定により清算人を選任する場合には、その清算人の中から清算持分会社を代表する清算人を定めることができる。

⑥ 第五百九十九条第四項及び第五項〈代表社員の権限〉の規定は清算持分会社を代表する清算人について、第六百三条〈業務執行社員の職務を代行する者〉の規定は民事保全法第五十六条に規定する仮処分命令により選任された清算人又は清算持分会社を代表する清算人の職務を代行する者について、それぞれ準用する。

参【清算人→六四七【清算持分会社→六四五 ❶❸【代表清算人の登記→九二八②〔三〕 ❹【裁判所による選任→八六八①、八七四〔一〕 ❺【職務執行停止の仮処分→九一七

第六五六条（**清算持分会社についての破産手続の開始**）① 清算持分会社の財産がその債務を完済するのに足りないことが明らかになったときは、清算人は、直ちに破産手続開始の申立てをしなければならない。

② 清算人は、清算持分会社が破産手続開始の決定を受けた場合において、破産管財人にその事務を引き継いだときは、その任務を終了したものとする。

③ 前項に規定する場合において、清算持分会社が既に債権者に支払い、又は社員に分配したものがあるときは、破産管財人は、これを取り戻すことができる。

参【清算持分会社→六四五【清算人→六四七 ❶【破産手続開始の申立て→破一八—二三【罰則→九七六〔二十七〕 ❷❸【破産手続開始の決定→破三〇【破産管財人→破二⑫、七四—九〇

第六五七条（**裁判所の選任する清算人の報酬**）裁判所は、第六百四十七条第二項から第四項までの規定により清算人を選任した場合には、清算持分会社が当該清算人に対して支払う報酬の額を定め

ることができる。

参【清算人】→六四七【裁判所による報酬額の決定】→八六八①・八七〇①㈡

第三節　財産目録等

（財産目録等の作成等）

第六五八条①　清算人は、その就任後遅滞なく、清算持分会社の財産の現況を調査し、法務省令で定めるところにより、第六百四十四条各号に掲げる場合に該当することとなった日における財産目録及び貸借対照表（以下この節において「財産目録等」という。）を作成し、各社員にその内容を通知しなければならない。

② 清算持分会社は、財産目録等を作成した時からその本店の所在地における清算結了の登記の時までの間、当該財産目録等を保存しなければならない。

③ 清算持分会社は、社員の請求により、毎月清算の状況を報告しなければならない。

参【清算人】→六四七【清算持分会社】→六四五【合名会社・合資会社の特則】→六六八②、六六九 ❶【省令の定め】→会社則一六〇・一六一 ❷【清算結了の登記】→九二九㈢

（財産目録等の提出命令）

第六五九条　裁判所は、申立てにより又は職権で、訴訟の当事者に対し、財産目録等の全部又は一部の提出を命ずることができる。

参【財産目録等】→六五八①

第四節　債務の弁済等

（債権者に対する公告等）

第六六〇条①　清算持分会社（合同会社に限る。以下この項及び次条において同じ。）は、第六百四十四条各号に掲げる場合に該当することとなった後、遅滞なく、当該清算持分会社の債権者に対し、一定の期間内にその債権を申し出るべき旨を官報に公告し、かつ、知れている債権者には、各別にこれを催告しなければならない。ただし、当該期間は、二箇月を下ることができない。

② 前項の規定による公告には、当該債権者が当該期間内に申出をしないときは清算から除斥される旨を付記しなければならない。

参【合同会社】→五七六④【官報による公告】→九三九①㈡④【合名会社・合資会社における清算手続】→六六二―六六四、六六八―六七一 ❶【罰則】→九七六〔二十八〕 ❷【清算からの除斥】→六六五

（債務の弁済の制限）

第六六一条①　清算持分会社は、前条第一項の期間内は、債務の弁済をすることができない。この場合において、清算持分会社は、その債務の不履行によって生じた責任を免れることができない。

② 前項の規定にかかわらず、清算持分会社は、前条第一項の期間内であっても、裁判所の許可を得て、少額の債権、清算持分会社の財産につき存する担保権によって担保される債権その他これを弁済しても他の債権者を害するおそれがない債権に係る債務について、その弁済をすることができる。この場合において、当該許可の申立ては、清算人が二人以上あるときは、その全員の同意によってしなければならない。

参【清算持分会社】→六六〇①【合名会社・合資会社の特則】→六六八② ❶【債務不履行責任】→民四一五【罰則】→九七六〔二十九〕 ❷【裁判所の許可】→八六八①、八七四㈣

（条件付債権等に係る債務の弁済）

第六六二条①　清算持分会社は、条件付債権、存続期間が不確定な債権その他その額が不確定な債権に係る債務を弁済することができる。この場合においては、これらの債権を評価させるため、裁判所に対し、鑑定人の選任の申立てをしなければならない。

② 前項の場合には、清算持分会社は、同項の鑑定人の評価に従い同項の債権に係る債務を弁済しなければならない。

③ 第一項の鑑定人の選任の手続に関する費用は、清算持分会社の負担とする。当該鑑定人による鑑定のための呼出し及び質問に関する費用についても、同様とする。

参【清算持分会社】→六四五【鑑定人選任の申立て】→八六八①、八七四㈠【合名会社・合資会社の特則】→六六八②

（出資の履行の請求）

第六六三条　清算持分会社に現存する財産がその債務を完済するのに足りない場合において、その出資の全部又は一部を履行していない社員があるときは、当該出資に係る定款の定めにかかわらず、当該清算持分会社は、当該社員に出資させることができる。

参【清算持分会社】→六四五【定款の定め】→五七六①㈥

（債務の弁済前における残余財産の分配の制限）

第六六四条　清算持分会社は、当該清算持分会社の債務を弁済した後でなければ、その財産を社員に分配することができない。ただし、その存否又は額について争いのある債権に係る債務についてその弁済をするために必要と認められる財産を留保した場合は、この限りでない。

参【清算持分会社】→六四五【債務の弁済】→六六二【社員への分配】→六六六【罰則】→九七六〔三十〕【合名会社・合資会社の特則】→六六八②

（清算からの除斥）

第六六五条①　清算持分会社（合同会社に限る。以下この条において同じ。）の債権者（知れている債権者を除く。）であって第六百六十条第一項の期間内にその債権の申出をしなかったものは、清算から除斥される。

② 前項の規定により清算から除斥された債権者は、分配がされていない残余財産に対してのみ、弁済を請求することができる。

③ 清算持分会社の残余財産を社員の一部に分配した場合には、当該社員の受けた分配と同一の割合の分配を当該社員以外の社員に対してするために必要な財産は、前項の残余財産から控除する。

参【合同会社の清算】→六六〇、六六一【合名会社・合資会社の特則】→六六八②、六七〇 ❸【残余財産の分配】→六六六

第五節　残余財産の分配

（残余財産の分配の割合）

第六六六条　残余財産の分配の割合について定款の定めがないときは、その割合は、各社員の出資の価額に応じて定める。

➡【債務弁済前の残余財産の分配の制限↓六六四【定款↓五七六【出資の価額↓五七六①㈥【分配前の残余財産からの弁済の請求↓六六五②③【破産手続における取戻し↓六五六③

第六節　清算事務の終了等

第六六七条①　清算持分会社は、清算事務が終了したときは、遅滞なく、清算に係る計算をして、社員の承認を受けなければならない。

②　社員が一箇月以内に前項の計算について異議を述べなかったときは、社員は、当該計算の承認をしたものとみなす。ただし、清算人の職務の執行に不正の行為があったときは、この限りでない。

➡【清算持分会社↓六四五【清算事務・清算人の職務↓六四九【清算結了の登記↓九二九㈢㈢、商登一〇二・一一一・一一八【合名会社・合資会社の特則↓六六八②

第七節　任意清算

（財産の処分の方法）

第六六八条①　持分会社（合名会社及び合資会社に限る。以下この節において同じ。）は、定款又は総社員の同意によって、当該持分会社が第六百四十一条第一号から第三号までに掲げる事由によって解散した場合における当該持分会社の財産の処分の方法を定めることができる。

②　第二節から前節までの規定は、前項の財産の処分の方法を定めた持分会社については、適用しない。

➡❶【合名会社↓五七六②【合資会社↓五七六③【定款↓五七六

（財産目録等の作成）

第六六九条①　前条第一項の財産の処分の方法を定めた持分会社が第六百四十一条第一号から第三号までに掲げる事由によって解散した場合には、清算持分会社（合名会社及び合資会社に限る。以下この節において同じ。）は、解散の日から二週間以内に、法務省令で定めるところにより、解散の日における財産目録及び貸借対照表を作成しなければならない。

②　前条第一項の財産の処分の方法を定めていない持分会社が第六百四十一条第一号から第三号までに掲げる事由によって解散した場合において、解散後に同項の財産の処分の方法を定めたときは、清算持分会社は、当該財産の処分の方法を定めた日から二週間以内に、法務省令で定めるところにより、解散の日における財産目録及び貸借対照表を作成しなければならない。

➡①【省令の定め↓会社則一六〇・一六一❷【持分会社↓六六八

（債権者の異議）

第六七〇条①　持分会社が第六百六十八条第一項の財産の処分の方法を定めた場合には、その解散後の清算持分会社の債権者は、当該清算持分会社に対し、当該財産の処分の方法について異議を述べることができる。

②　前項に規定する場合には、清算持分会社は、解散の日（前条第二項に規定する場合にあっては、当該財産の処分の方法を定めた日）から二週間以内に、次に掲げる事項を官報に公告し、かつ、知れている債権者には、各別にこれを催告しなければならない。ただし、第二号の期間は、一箇月を下ることができない。

一　第六百六十八条第一項の財産の処分の方法に従い清算をする旨

二　債権者が一定の期間内に異議を述べることができる旨

③　前項の規定にかかわらず、清算持分会社が同項の規定による公告を、官報のほか、第九百三十九条第一項の規定による定款の定めに従い、同項第二号又は第三号に掲げる公告方法によりするときは、前項の規定による各別の催告は、することを要しない。

④　債権者が第二項第二号の期間内に異議を述べなかったときは、当該債権者は、当該財産の処分の方法について承認をしたものとみなす。

⑤　債権者が第二項第二号の期間内に異議を述べたときは、清算持分会社は、当該債権者に対し、弁済し、若しくは相当の担保を提供し、又は当該債権者に弁済を受けさせることを目的として信託会社等に相当の財産を信託しなければならない。

➡【持分会社↓六六八①【清算持分会社↓六六九①【社債権者の異議の場合↓七四〇【本条に違反して行った財産の処分↓八六三①㈡❷【罰則↓九七六[二十六][二十八]❷❸【官報による公告↓九三九①㈠④❺【信託会社↓三四②【罰則↓九七六[二十六]

（持分の差押債権者の同意等）

第六七一条①　持分会社が第六百六十八条第一項の財産の処分の方法を定めた場合において、社員の持分を差し押さえた債権者があるときは、その解散後の清算持分会社がその財産の処分をするには、その債権者の同意を得なければならない。

②　前項の清算持分会社が同項の規定に違反してその財産の処分をしたときは、社員の持分を差し押さえた債権者は、当該清算持分会社に対し、その持分に相当する金額の支払を請求することができる。

➡【持分会社↓六六八①【清算持分会社↓六六九①【持分の差押え↓民執一六七【持分の差押債権者↓六〇九【本条に違反して行った財産の処分↓八六三①㈡

第八節　帳簿資料の保存

第六七二条①　清算人（第六百六十八条第一項の財産の処分の方法を定めた場合にあっては、清算持分会社を代表する社員）は、清算持分会社の本店の所在地における清算結了の登記の時から十年間、清算持分会社の帳簿並びにその事業及び清算に関する重要な資料（以下この条において「帳簿資料」という。）を保存しなければならない。

②　前項の規定にかかわらず、定款で又は社員の過半数をもって帳簿資料を保存する者を定めた場合には、その者は、清算持分会社の本店の所在地における清算結

了の登記の時から十年間、帳簿資料を保存しなければならない。

③ 裁判所は、利害関係人の申立てにより、第一項の清算人又は前項の規定により帳簿資料を保存する者に代わって帳簿資料を保存する者を選任することができる。この場合においては、前二項の規定は、適用しない。

④ 前項の規定により選任された者は、清算持分会社の本店の所在地における清算結了の登記の時から十年間、帳簿資料を保存しなければならない。

⑤ 第三項の規定による選任の手続に関する費用は、清算持分会社の負担とする。

参+【清算人↓六四七【清算持分会社↓六四五【本店の所在地↓九一二[三]・九一三[三]・九一四[三]【清算結了の登記↓九二九[三] ❸【帳簿資料を保存する者の選任↓八七四[一]

第九節 社員の責任の消滅時効

第六七三条① 第五百八十条に規定する社員の責任は、清算持分会社の本店の所在地における解散の登記をした後五年以内に請求又は請求の予告をしない清算持分会社の債権者に対しては、その登記後五年を経過した時に消滅する。

② 前項の期間の経過後であっても、社員に分配していない残余財産があるときは、清算持分会社の債権者は、清算持分会社に対して弁済を請求することができる。

参+【清算持分会社↓六四五【本店の所在地↓九一二[三]・九一三[三]・九一四[三]【解散の登記↓九二六 ❷【残余財産の分配↓六六六

第十節 適用除外等

（適用除外）

第六七四条 次に掲げる規定は、清算持分会社については、適用しない。

一 第四章第一節

二 第六百六条、第六百七条第一項（第三号及び第四号を除く。）及び第六百九条

三 第五章第三節（第六百十七条第四項、第六百十八条及び第六百十九条を除く。）から第六節まで及び第七節第二款

四 第六百三十八条第一項第三号及び第二項第二号

参+【清算持分会社↓六四五

（相続及び合併による退社の特則）

第六七五条 清算持分会社の社員が死亡した場合又は合併により消滅した場合には、第六百八条第一項の定款の定めがないときであっても、当該社員の相続人その他の一般承継人は、当該社員の持分を承継する。この場合においては、同条第四項及び第五項（一般承継人の権限・責任）の規定を準用する。

参+【清算持分会社↓六四五【社債権者の異議の場合↓七四〇

第四編 社債

第一章 総則

（募集社債に関する事項の決定）

第六七六条 会社は、その発行する社債を引き受ける者の募集をしようとするときは、その都度、募集社債（当該募集に応じて当該社債の引受けの申込みをした者に対して割り当てる社債をいう。以下この編において同じ。）について次に掲げる事項を定めなければならない。

一 募集社債の総額

二 各募集社債の金額

三 募集社債の利率

四 募集社債の償還の方法及び期限

五 利息支払の方法及び期限

六 社債券を発行するときは、その旨

七 社債権者が第六百九十八条の規定による請求の全部又は一部をすることができないこととするときは、その旨

七の二 社債管理者を定めないこととするときは、その旨（令和一法七〇本号追加）

八 社債管理者が社債権者集会の決議によらずに第七百六条第一項第二号に掲げる行為をすることができることとするときは、その旨

八の二 社債管理補助者を定めることとするときは、その旨（令和一法七〇本号追加）

九 各募集社債の払込金額（各募集社債と引換えに払い込む金銭の額をいう。以下この章において同じ。）若しくはその最低金額又はこれらの算定方法

十 募集社債と引換えにする金銭の払込みの期日

十一 一定の日までに募集社債の総額について割当てを受ける者を定めていない場合において、募集社債の全部を発行しないこととするときは、その旨及びその一定の日

十二 前各号に掲げるもののほか、法務省令で定める事項

参+【社債↓二[二十三]【取締役会の権限↓三六二④[五]【株主総会の権限↓二九五①②【清算人会の権限↓四八九⑥[五]【適用除外↓二四八【金融商品取引法の規制↓金商二①[五]、三―二六【会社更生法の特則↓会更四五①、一六七② 【六】【社債券↓六九六参 【七の二】【八】【社債管理者↓七〇二参 【八】【社債権者集会↓七一六参 【八の二】【社債管理補助者↓七一四の二参 【十二】【省令で定める事項↓会社則一六二

（募集社債の申込み）

第六七七条① 会社は、前条の募集に応じて募集社債の引受けの申込みをしようとする者に対し、次に掲げる事項を通知しなければならない。

一 会社の商号

二 当該募集に係る前条各号に掲げる事項

三 前二号に掲げるもののほか、法務省令で定める事項

② 前条の募集に応じて募集社債の引受けの申込みをする者は、次に掲げる事項を記載した書面を会社に交付しなければならない。

一 申込みをする者の氏名又は名称及び住所

二 引き受けようとする募集社債の金額及び金額ごとの数

三　会社が前条第九号の最低金額を定めたときは、希望する払込金額

③　前項の申込みをする者は、同項の書面の交付に代えて、政令で定めるところにより、会社の承諾を得て、同項の書面に記載すべき事項を電磁的方法により提供することができる。この場合において、当該申込みをした者は、同項の書面を交付したものとみなす。

④　第一項の規定は、会社が同項各号に掲げる事項を記載した金融商品取引法第二条第十項に規定する目論見書を第一項の申込みをしようとする者に対して交付している場合その他募集社債の引受けの申込みをしようとする者の保護に欠けるおそれがないものとして法務省令で定める場合には、適用しない。（平成一八法六六本項改正）

⑤　会社は、第一項各号に掲げる事項について変更があったときは、直ちに、その旨及び当該変更があった事項を第二項の申込みをした者（以下この章において「申込者」という。）に通知しなければならない。

⑥　会社が申込者に対してする通知又は催告は、第二項第一号の住所（当該申込者が別に通知又は催告を受ける場所又は連絡先を当該会社に通知した場合にあっては、その場所又は連絡先）にあてて発すれば足りる。

⑦　前項の通知又は催告は、その通知又は催告が通常到達すべきであった時に、到達したものとみなす。

⊗+【募集社債→六七六　❶【通知事項→社債株式振替八四①　【二】【会社の商号→六　【三】【省令で定める事項→会社則一六三　❷【記載事項→社債株式振替八四③　❸【電磁的方法→二【三十四】　❹【省令で定める場合→会社則一六四　＋【虚偽の通知等→四二九②㈡【通知懈怠・不正通知の過料→九七六㈡【適用除外→二四八【担保付社債の場合→担信二四・二五

第六七八条（募集社債の割当て）①　会社は、申込者の中から募集社債の割当てを受ける者を定め、かつ、その者に割り当てる募集社債の金額及び金額ごとの数を定めなければならない。この場合において、会社は、当該申込者に割り当てる募集社債の金額ごとの数を、前条第二項第二号の数よりも減少することができる。

②　会社は、第六百七十六条第十号の期日の前日までに、申込者に対し、当該申込者に割り当てる募集社債の金額及び金額ごとの数を通知しなければならない。

⊗+【募集社債→六七六　❷【申込者に対してする通知→六七七⑥⑦　＋【通知懈怠・不正通知の過料→九七六㈡【適用除外→二四八

第六七九条（募集社債の申込み及び割当てに関する特則）　前二条の規定は、募集社債を引き受けようとする者がその総額の引受けを行う契約を締結する場合には、適用しない。

⊗+【募集社債→六七六【売出しのための総額引受けをすることができる者→金商二⑥⑧㈥⑨【適用除外→二四八

第六八〇条（募集社債の社債権者）　次の各号に掲げる者は、当該各号に定める募集社債の社債権者となる。

一　申込者　会社の割り当てた募集社債

二　前条の契約により募集社債の総額を引き受けた者　その者が引き受けた募集社債

⊗+【募集社債→六七六【社債権者→六八一・六八四・六九一・六九八・七〇五②・七〇九②・七一〇・七一八・七二一・七二三・七二五―七二八・七三一③【社債権者に対する通知等→六八五【適用除外→二四八

第六八一条（社債原簿）　会社は、社債を発行した日以後遅滞なく、社債原簿を作成し、これに次に掲げる事項（以下この章において「社債原簿記載事項」という。）を記載し、又は記録しなければならない。

一　第六百七十六条第三号から第八号の二までに掲げる事項その他の社債の内容を特定するものとして法務省令で定める事項（以下この編において「種類」という。）（令和一法七〇本号改正）

二　種類ごとの社債の総額及び各社債の金額

三　各社債と引換えに払い込まれた金銭の額及び払込みの日

四　社債権者（無記名社債（無記名式の社債券が発行されている社債をいう。以下この編において同じ。）の社債権者を除く。）の氏名又は名称及び住所

五　前号の社債権者が各社債を取得した日

六　社債券を発行したときは、社債券の番号、発行の日、社債券が記名式か、又は無記名式かの別及び無記名式の社債券の数

七　前各号に掲げるもののほか、法務省令で定める事項

⊗+【社債原簿→六八二―六八五・六八八・六九〇・六九一・六九三―六九五の二、社債株式振替八四②【不記載・虚偽記載の過料→九七六㈦　【二】【省令で定める事項→会社則一六五　【四】【五】【社債権者→六八〇⊗　【七】【省令で定める事項→会社則一六六　＋【担保付社債の場合→担信二八―三〇【株主名簿→一二一―一二六【新株予約権原簿→二四九―二五三

第六八二条（社債原簿記載事項を記載した書面の交付等）①　社債権者（無記名社債の社債権者を除く。）は、社債を発行した会社（以下この編において「社債発行会社」という。）に対し、当該社債権者についての社債原簿に記載され、若しくは記録された社債原簿記載事項を記載した書面の交付又は当該社債原簿記載事項を記録した電磁的記録の提供を請求することができる。

②　前項の書面には、社債発行会社の代表者が署名し、又は記名押印しなければならない。

③　第一項の電磁的記録には、社債発行会社の代表者が法務省令で定める署名又は記名押印に代わる措置をとらなければならない。

④　前三項の規定は、当該社債について社債券を発行する旨の定めがある場合には、適用しない。

⊗❶【社債権者→六八〇⊗【無記名社債→六九八⊗【社債原簿→六八一【不記載・虚偽記載の過料→九七六㈦　❷❸【株式会社の代表→三四九【持分会社の代表→五九九　❶❸【電磁的記録→二六②　❸【省令で定める措置→会社則二二五

第六八三条（社債原簿管理人）　会社は、社債原簿管理人（会社に代わって

社債原簿の作成及び備置きその他の社債原簿に関する事務を行う者をいう。以下同じ。）を定め、当該事務を行うことを委託することができる。

参＋【社債原簿の備置及び閲覧等↓六八四【過料制裁の対象者↓九七六【株主名簿管理人↓一二三【担保付社債の場合↓担信二九・三〇

（社債原簿の備置き及び閲覧等）

第六八四条① 社債発行会社は、社債原簿をその本店（社債原簿管理人がある場合にあっては、その営業所）に備え置かなければならない。

② 社債権者その他の法務省令で定める者は、社債発行会社の営業時間内は、いつでも、次に掲げる請求をすることができる。この場合においては、当該請求の理由を明らかにしてしなければならない。

一 社債原簿が書面をもって作成されているときは、当該書面の閲覧又は謄写の請求

二 社債原簿が電磁的記録をもって作成されているときは、当該電磁的記録に記録された事項を法務省令で定める方法により表示したものの閲覧又は謄写の請求

③ 社債発行会社は、前項の請求があったときは、次のいずれかに該当する場合を除き、これを拒むことができない。

一 当該請求を行う者がその権利の確保又は行使に関する調査以外の目的で請求を行ったとき。

二 当該請求を行う者が社債原簿の閲覧又は謄写によって知り得た事実を利益を得て第三者に通報するため請求を行ったとき。

三 当該請求を行う者が、過去二年以内において、社債原簿の閲覧又は謄写によって知り得た事実を利益を得て第三者に通報したことがあるものであるとき。

④ 社債発行会社が株式会社である場合には、当該社債発行会社の親会社社員は、その権利を行使するため必要があるときは、裁判所の許可を得て、当該社債発行会社の社債原簿について第二項各号に掲げる請求をすることができる。この場合においては、当該請求の理由を明らかにしてしなければならない。

⑤ 前項の親会社社員について第三項各号のいずれかに規定する事由があるときは、裁判所は、前項の許可をすることができない。

参❶【本店↓四参【社債原簿管理人↓六八三【不備置の過料↓九七六[四] ❷【省令で定める者↓会社則一六七 [三]【電磁的記録↓二六②【省令で定める方法↓会社則二二六 ❷❹【不当拒否に対する制裁↓九七六[四] ❹【親会社↓二[四]【親会社社員↓三一③【裁判所許可の管轄↓八六八② ＋【担保付社債の場合↓担信三〇【株主名簿の備置及び閲覧等↓一二五【株券喪失登録簿の備置及び閲覧等↓二三一【新株予約権原簿の備置及び閲覧等↓二五二

（社債権者に対する通知等）

第六八五条① 社債発行会社が社債権者に対してする通知又は催告は、社債原簿に記載し、又は記録した当該社債権者の住所（当該社債権者が別に通知又は催告を受ける場所又は連絡先を当該社債発行会社に通知した場合にあっては、その場所又は連絡先）にあてて発すれば足りる。

② 前項の通知又は催告は、その通知又は催告が通常到達すべきであった時に、到達したものとみなす。

③ 社債が二以上の者の共有に属するときは、共有者は、社債発行会社が社債権者に対してする通知又は催告を受領する者一人を定め、当該社債発行会社に対し、その者の氏名又は名称を通知しなければならない。この場合においては、その者を社債権者とみなして、前二項の規定を適用する。

④ 前項の規定による共有者の通知がない場合には、社債発行会社が社債の共有者に対してする通知又は催告は、そのうちの一人に対してすれば足りる。

⑤ 前各項の規定は、第七百二十条第一項の通知に際して社債権者に書面を交付し、又は当該書面に記載すべき事項を電磁的方法により提供する場合について準用する。この場合において、第二項中「到達したもの」とあるのは、「当該書面の交付又は当該事項の電磁的方法による提供があったもの」と読み替えるものとする。

参＋【社債原簿↓六八一【社債権者への通知の例↓七〇六②・七一四④・七一八③[三]・七二〇―七二二【通知懈怠・不正通知の過料↓九七六[三] ❸【共有↓民二六四・二四九―二六二 ❺【招集通知に際して交付する書面等↓七二一・七二二 ＋【募集社債の申込者等に対してする通知↓六七七①⑤―⑦・六七八②【株主に対する通知等↓一二六参

（共有者による権利の行使）

第六八六条 社債が二以上の者の共有に属するときは、共有者は、当該社債についての権利を行使する者一人を定め、会社に対し、その者の氏名又は名称を通知しなければ、当該社債についての権利を行使することができない。ただし、会社が当該権利を行使することに同意した場合は、この限りでない。

参＋【共有↓民二六四・二四九―二六二【社債権者の権利↓六八〇参【社債権共有者への通知↓六八五③―⑤【株式の共有↓一〇六

（社債券を発行する場合の社債の譲渡）

第六八七条 社債券を発行する旨の定めがある社債の譲渡は、当該社債に係る社債券を交付しなければ、その効力を生じない。

参＋【社債券を発行する旨の定め↓六七六[六]【株券の場合↓一二八【適用除外↓二五六④

（社債の譲渡の対抗要件）

第六八八条① 社債の譲渡は、その社債を取得した者の氏名又は名称及び住所を社債原簿に記載し、又は記録しなければ、社債発行会社その他の第三者に対抗することができない。

② 当該社債について社債券を発行する旨の定めがある場合における前項の規定の適用については、同項中「社債発行会社その他の第三者」とあるのは、「社債発行会社」とする。

③ 前二項の規定は、無記名社債については、適用しない。

参❶【社債原簿↓六八一【社債原簿管理人↓六八三【株式譲渡の対

抗要件→一三〇　❷【社債券を発行する旨の定め→六七六〔六〕　❸【無記名社債→六九八§

（権利の推定等）

第六八九条① 社債券の占有者は、当該社債券に係る社債についての権利を適法に有するものと推定する。

② 社債券の交付を受けた者は、当該社債券に係る社債についての権利を取得する。ただし、その者に悪意又は重大な過失があるときは、この限りでない。

§❶【占有者→民一八八　†【株券の場合→一三一【無記名債権との対比→民五二〇の四、五二〇の五、五二〇の一四、五二〇の一五、五二〇の二〇、一七八、小二一

（社債権者の請求によらない社債原簿記載事項の記載又は記録）

第六九〇条① 社債発行会社は、次の各号に掲げる場合には、当該各号の社債の社債権者に係る社債原簿記載事項を社債原簿に記載し、又は記録しなければならない。

一 当該社債発行会社の社債を取得した場合

二 当該社債発行会社が有する自己の社債を処分した場合

② 前項の規定は、無記名社債については、適用しない。

§†【株式の場合→一三二　❷【無記名社債→六九八§

（社債権者の請求による社債原簿記載事項の記載又は記録）

第六九一条① 社債を社債発行会社以外の者から取得した者（当該社債発行会社を除く。）は、当該社債発行会社に対し、当該社債に係る社債原簿記載事項を社債原簿に記載し、又は記録することを請求することができる。

② 前項の規定による請求は、利害関係人の利益を害するおそれがないものとして法務省令で定める場合を除き、その取得した社債の社債権者として社債原簿に記載され、若しくは記録された者又はその相続人その他の一般承継人と共同してしなければならない。

③ 前二項の規定は、無記名社債については、適用しない。

§❶【社債原簿→六八一【社債原簿管理人→六八三【株式の場合→一三三　❷【省令で定める場合→会社則一六八　❸【無記名社債→六九八§

（社債券を発行する場合の社債の質入れ）

第六九二条 社債券を発行する旨の定めがある社債の質入れは、当該社債に係る社債券を交付しなければ、その効力を生じない。

§†【社債券を発行する旨の定め→六七六〔六〕【質入→民三四四、三六二、五二〇の一七、五二〇の二〇【株式の場合→一四六

（社債の質入れの対抗要件）

第六九三条① 社債の質入れは、その質権者の氏名又は名称及び住所を社債原簿に記載し、又は記録しなければ、社債発行会社その他の第三者に対抗することができない。

② 前項の規定にかかわらず、社債券を発行する旨の定めがある社債の質権者は、継続して当該社債に係る社債券を占有しなければ、その質権をもって社債発行会社その他の第三者に対抗することができない。

§❶【社債原簿→六八一【社債原簿管理人→六八三【記名社債質の対抗要件→民五二〇の一七、五二〇の二〇　❷【社債券を発行する旨の定め→六七六〔六〕　†【株式の場合→一四七

（質権に関する社債原簿の記載等）

第六九四条① 社債に質権を設定した者は、社債発行会社に対し、次に掲げる事項を社債原簿に記載し、又は記録することを請求することができる。

一 質権者の氏名又は名称及び住所

二 質権の目的である社債

② 前項の規定は、社債券を発行する旨の定めがある場合には、適用しない。

§❶【社債原簿→六八一【社債原簿管理人→六八三　❷【社債券を発行する旨の定め→六七六〔六〕　†【株式の場合→一四八

（質権に関する社債原簿の記載事項を記載した書面の交付等）

第六九五条① 前条第一項各号に掲げる事項が社債原簿に記載され、又は記録された質権者は、社債発行会社に対し、当該質権者についての社債原簿に記載され、若しくは記録された同項各号に掲げる事項を記載した書面の交付又は当該事項を記録した電磁的記録の提供を請求することができる。

② 前項の書面には、社債発行会社の代表者が署名し、又は記名押印しなければならない。

③ 第一項の電磁的記録には、社債発行会社の代表者が法務省令で定める署名又は記名押印に代わる措置をとらなければならない。

§❶【社債原簿→六八一【社債原簿管理人→六八三【不記載・虚偽記載の過料→九七六〔七〕　❶❸【電磁的記録→二六②　❷❸【株式会社の代表→三四九【持分会社の代表→五九九　❸【省令で定める措置→会社則二二五　†【株式の場合→一四九

（信託財産に属する社債についての対抗要件等）

第六九五条の二① 社債については、当該社債が信託財産に属する旨を社債原簿に記載し、又は記録しなければ、当該社債が信託財産に属することを社債発行会社その他の第三者に対抗することができない。（平成二六法九〇本項改正）

② 第六百八十一条第四号の社債権者は、その有する社債が信託財産に属するときは、社債発行会社に対し、その旨を社債原簿に記載し、又は記録することを請求することができる。（平成二六法九〇本項改正）

③ 社債原簿に前項の規定による記載又は記録がされた場合における第六百八十二条第一項及び第六百九十条第一項の規定の適用については、第六百八十二条第一項中「記録された社債原簿記載事項」とあるのは「記録された社債原簿記載事項（当該社債権者の有する社債が信託財産に属する旨を含む。）」と、第六百九十条第一項中「社債原簿記載事項」とあるのは「社債原簿記載事項（当該社債権者の有する社債が信託財産に属する旨を含む。）」とする。

④ 前三項の規定は、社債券を発行する旨の定めがある社債については、適用しない。

（平成一八法一〇九本条追加）

§§+❶【社債原簿→六八一　❷【社債原簿の記載事項→六八一　❹【社債券を発行する旨の定め→六七六[六]

（社債券の発行）

第六九六条　社債発行会社は、社債券を発行する旨の定めがある社債を発行した日以後遅滞なく、当該社債に係る社債券を発行しなければならない。

§§+【社債券を発行する旨の定め→六七六[六]【記載事項→六九七【不発行の過料→九七六[十四]【記名式と無記名式との間の転換→六九八【社債券の喪失→六九九【株式の場合→二一五①

（社債券の記載事項）

第六九七条①　社債券には、次に掲げる事項及びその番号を記載し、社債発行会社の代表者がこれに署名し、又は記名押印しなければならない。

一　社債発行会社の商号

二　当該社債券に係る社債の金額

三　当該社債券に係る社債の種類

②　社債券には、利札を付することができる。

§§❶【社債券の発行→六九六【株式会社の代表→三四九【持分会社の代表→五九九　[二]【会社の商号→六　[三]【社債の種類→六八一[一]　❷【利札→七〇〇・七〇五②　+【担保付社債券の場合→担信二六・二七【新株予約権付社債券の記載事項→二九二①

（記名式と無記名式との間の転換）

第六九八条　社債券が発行されている社債の社債権者は、第六百七十六条第七号に掲げる事項についての定めによりすることができないこととされている場合を除き、いつでも、その記名式の社債券を無記名式とし、又はその無記名式の社債券を記名式とすることを請求することができる。

§§+【社債券を発行する旨の定め→六七六[六]【募集社債に関する事項の決定→六七六[七]【無記名社債→六八一[四][六]・七一八④・七二三③・七二〇④⑤・七二一③④【無記名社債に関する適用除外→六八一[四]・六八二①・六八八③・六九〇②・六九一③

（社債券の喪失）

第六九九条①　社債券は、非訟事件手続法第百条に規定する公示催告手続によって無効とすることができる。

②　社債券を喪失した者は、非訟事件手続法第百六条第一項に規定する除権決定を得た後でなければ、その再発行を請求することができない。

（平成二三法五三本条改正）

§§+【社債券→六九六§§　❶【公示催告手続→非訟九九―一一八【有価証券喪失の場合の特則→民五二〇の一一・五二〇の一八・五二〇の二〇　❷【除権決定→非訟一〇六―一〇八・一一八　+【株券喪失の場合→二二一―二三三【新株予約権証券の場合→二九一

（利札が欠けている場合における社債の償還）

第七〇〇条①　社債発行会社は、社債券が発行されている社債をその償還の期限前に償還する場合において、これに付された利札が欠けているときは、当該利札に表示される社債の利息の請求権の額を償還額から控除しなければならない。ただし、当該請求権が弁済期にある場合は、この限りでない。

②　前項の利札の所持人は、いつでも、社債発行会社に対し、これと引換えに同項の規定により控除しなければならない額の支払を請求することができる。

§§+【社債券→六九六§§【利札→六九七②【社債管理者に対する償還や利息の支払請求→七〇五②【償還や利息の支払を怠った場合→七三九・七一〇②・七一一　❶【社債の償還期限→六七六[四]　❷【時効→七〇一②

（社債の償還請求権等の消滅時効）

第七〇一条①　社債の償還請求権は、これを行使することができる時から十年間行使しないときは、時効によって消滅する。

②　社債の利息の請求権及び前条第二項の規定による請求権は、これらを行使することができる時から五年間行使しないときは、時効によって消滅する。

（平成二九法四五本条改正）

§§❶【元金請求権の時効→民一六六①

第二章　社債管理者

（社債管理者の設置）

第七〇二条　会社は、社債を発行する場合には、社債管理者を定め、社債権者のために、弁済の受領、債権の保全その他の社債の管理を行うことを委託しなければならない。ただし、各社債の金額が一億円以上である場合その他社債権者の保護に欠けるおそれがないものとして法務省令で定める場合は、この限りでない。

§§+【社債管理者→七〇三―七一四【社債権者→六八〇§§【弁済の受領・債権の保全→七〇五①、民一四七―一五四、民保一【各社債の金額→六七六[三]【過料→九七六[三十三]【社債管理委任契約→民六四三―六五六、五三七【社債管理者の辞任→七一一②【省令で定める場合→会社則一六九【担保付社債の場合→担信二

（社債管理者の資格）

第七〇三条　社債管理者は、次に掲げる者でなければならない。

一　銀行

二　信託会社

三　前二号に掲げるもののほか、これらに準ずるものとして法務省令で定める者

§§+【社債管理者→七〇二§§【銀行・信託会社→三四②【資格喪失の場合→七一四①[二]【担保付社債の場合→担信三―一七　❸【省令で定める者→会社則一七〇

（社債管理者の義務）

第七〇四条①　社債管理者は、社債権者のために、公平かつ誠実に社債の管理を行わなければならない。

②　社債管理者は、社債権者に対し、善良な管理者の注意をもって社債の管理を行わなければならない。

§§+【社債管理者→七〇二§§【担保付社債の受託会社の場合→担信三六【善管注意義務→民六四四【社債管理者の責任→七一〇

（社債管理者の権限等）

第七〇五条①　社債管理者は、社債権者のために社債に係る債権の弁済を受け、又は社債に係る債権の実現を保全するために必要な一切の裁判上又は裁判外の行為をする権限を有する。

②　社債管理者が前項の弁済を受けた場合には、社債権者は、その社債管理者に対し、社債の償還額及び利息

の支払を請求することができる。この場合において、社債券を発行する旨の定めがあるときは、社債権者は、社債券と引換えに当該償還額の支払を、利札と引換えに当該利息の支払を請求しなければならない。

③ 前項前段の規定による請求権は、これを行使することができる時から十年間行使しないときは、時効によって消滅する。（平成二九法四五本項改正）

④ 社債管理者は、その管理の委託を受けた社債につき第一項の行為をするために必要があるときは、裁判所の許可を得て、社債発行会社の業務及び財産の状況を調査することができる。

†【社債管理者↓七〇二 ❶【債権実現の保全↓民一四七―一五四、民保一【社債の償還請求権等の消滅時効↓七〇一【二以上の社債管理者がある場合の特則↓七〇九② ❷【社債券を発行する旨の定め↓六七六因【社債券↓六九六【利札↓六九七②【社債管理者等の報酬等↓七四一③ ❹【業務・財産調査権↓七〇六④【裁判所の許可↓八六八④、八七四四【調査妨害の過料↓九七六五 †【担保付社債の受託会社の場合↓担信三五、四三、四四

第七〇六条 ① 社債管理者は、社債権者集会の決議によらなければ、次に掲げる行為をしてはならない。ただし、第二号に掲げる行為については、第六百七十六条第八号に掲げる事項についての定めがあるときは、この限りでない。

一 当該社債の全部についてするその支払の猶予、その債務若しくはその債務の不履行によって生じた責任の免除又は和解（次号に掲げる行為を除く。）（令和一法七〇本号改正）

二 当該社債の全部についてする訴訟行為又は破産手続、再生手続、更生手続若しくは特別清算に関する手続に属する行為（前条第一項の行為を除く。）

② 社債管理者は、前項ただし書の規定により社債権者集会の決議によらずに同項第二号に掲げる行為をしたときは、遅滞なく、その旨を公告し、かつ、知れている社債権者には、各別にこれを通知しなければならない。

③ 前項の規定による公告は、社債発行会社における公告の方法によりしなければならない。ただし、その方法が電子公告であるときは、その公告は、官報に掲載する方法でしなければならない。

④ 社債管理者は、その管理の委託を受けた社債につき第一項各号に掲げる行為をするために必要があるときは、裁判所の許可を得て、社債発行会社の業務及び財産の状況を調査することができる。

†【社債管理者↓七〇二【社債権者集会の決議↓七二四②【代表社債権者による決定↓七三六 ❶【一】【免除↓民五一九【和解↓民六九五、民訴八九、二六四、二六五、二六七、二七五①、民執二二七【三】【募集社債に関する事項の決定↓六七六四【訴訟行為↓民訴八七―三三七【破産手続↓破一八―二二一【再生手続↓民再二一―一九五【更生手続↓会更一七―二四一【特別清算↓五一〇―五七四 ❷【通知↓六八五【通知・公告の懈怠・不正の制裁↓九七六二 ❸【公告方法↓二三十三、九三九【電子公告↓二三十四、九四〇 ❹【業務・財産調査権↓七〇五④【裁判所の許可↓八六八④【調査妨害の過料↓九七六五 †【担保付社債の受託会社の場合↓担信三五

（特別代理人の選任）

第七〇七条 社債権者と社債管理者との利益が相反する場合において、社債権者のために裁判上又は裁判外の行為をする必要があるときは、裁判所は、社債権者集会の申立てにより、特別代理人を選任しなければならない。

†【社債管理者↓七〇二【利益が相反する場合↓七一〇②【裁判上又は裁判外の行為↓七〇二、七〇五①、七〇六①【社債権者集会の申立て↓七一六、七二四①、七二三【代表社債権者による決定↓七三六【裁判所の選任↓八六八④、八七四一【特別代理人↓七〇八、七二九【担保付社債の受託会社の場合↓担信四五

（社債管理者等の行為の方式）

第七〇八条 社債管理者又は前条の特別代理人が社債権者のために裁判上又は裁判外の行為をするときは、個別の社債権者を表示することを要しない。

†【社債管理者↓七〇二【裁判上又は裁判外の行為↓七〇二、七〇五①、七〇六①【特別代理人↓七〇七【一般原則↓民九九①【担保付社債の受託会社の場合↓担信四六【本条の準用↓七一四の七

（二以上の社債管理者がある場合の特則）

第七〇九条 ① 二以上の社債管理者があるときは、これらの者が共同してその権限に属する行為をしなければならない。

② 前項に規定する場合において、社債管理者が第七百五条第一項の弁済を受けたときは、社債管理者は、社債権者に対し、連帯して、当該弁済の額を支払う義務を負う。

❶【社債管理者の権限↓七〇二、七〇五①、七〇六① ❷七〇五①【連帯債務↓民四三六―四四五

（社債管理者の責任）

第七一〇条 ① 社債管理者は、この法律又は社債権者集会の決議に違反する行為をしたときは、社債権者に対し、連帯して、これによって生じた損害を賠償する責任を負う。

② 社債管理者は、社債発行会社が社債の償還若しくは利息の支払を怠り、若しくは社債発行会社について支払の停止があった後又はその前三箇月以内に、次に掲げる行為をしたときは、社債権者に対し、損害を賠償する責任を負う。ただし、当該社債管理者が誠実にすべき社債の管理を怠らなかったこと又は当該損害が当該行為によって生じたものでないことを証明したときは、この限りでない。

一 当該社債管理者の債権に係る債務について社債発行会社から担保の供与又は債務の消滅に関する行為を受けること。

二 当該社債管理者と法務省令で定める特別の関係がある者に対して当該社債管理者の債権を譲り渡すこと（当該特別の関係がある者が当該債権に係る債務について社債発行会社から担保の供与又は債務の消滅に関する行為を受けた場合に限る。）。

三 当該社債管理者が社債発行会社に対する債権を有する場合において、契約によって負担する債務を専ら当該債権をもってする相殺に供する目的で社債発行会社の財産の処分を内容とする契約を社債発行会社

社との間で締結し、又は社債発行会社に対して債務を負担する者の債務を引き受けることを内容とする契約を締結し、かつ、これにより社債発行会社に対し負担した債務と当該債権とを相殺すること。

四　当該社債管理者が社債発行会社に対して債務を負担する場合において、社債発行会社に対する債権を譲り受け、かつ、当該債務と当該債権とを相殺すること。

【社債管理者↓七〇二】 ❶【本法違反↓七〇四【社債権者集会決議違反↓七一六】 ❷【社債の償還↓七〇一①【利息の支払↓七〇一②【支払の停止↓破一五②【誠実義務↓七〇四　[二]【担保の供与又は債務の消滅に関する行為↓破一六二、民再一二七の三、会更八六の三、民四七三―五一八【省令で定める特別の関係↓会社則一七一　[三][四]【債権譲渡↓民四六六―四六九・五二〇の二―五二〇の二〇　[三][四]【相殺↓民五〇五―五一二の二

（社債管理者の辞任）

第七一一条①　社債管理者は、社債発行会社及び社債権者集会の同意を得て辞任することができる。この場合において、他に社債管理者がないときは、当該社債管理者は、あらかじめ、事務を承継する社債管理者を定めなければならない。

②　前項の規定にかかわらず、社債管理者は、第七百二条の規定による委託に係る契約に定めた事由があるときは、辞任することができる。ただし、当該契約に事務を承継する社債管理者に関する定めがないときは、この限りでない。

③　第一項の規定にかかわらず、社債管理者は、やむを得ない事由があるときは、裁判所の許可を得て、辞任することができる。

【社債管理者↓七〇二】【辞任↓民六五一　❶【社債権者集会の同意↓七二四①【代表社債権者による決定↓七三六　❸【社債管理者の事務の承継↓七一四①[三]【裁判所の許可↓八六八④・八七四[四]　【担保付社債の場合↓担信五〇・五二―五四

（社債管理者が辞任した場合の責任）

第七一二条　第七百十条第二項〈社債管理者の責任〉の規定は、社債発行会社が社債の償還若しくは利息の支払を怠り、若しくは社債発行会社について支払の停止があった後又はその前三箇月以内に前条第二項の規定により辞任した社債管理者について準用する。

【社債管理者↓七〇二】【辞任↓民六五一

（社債管理者の解任）

第七一三条　裁判所は、社債管理者がその義務に違反したとき、その事務処理に不適任であるときその他正当な理由があるときは、社債発行会社又は社債権者集会の申立てにより、当該社債管理者を解任することができる。

【社債管理者の義務↓七〇四【社債権者集会の申立て↓七二四①、七三六、七三七【解任↓民六五一、七一四①[三]【解任の裁判↓八六八④、八七〇①[三]【社債管理者の事務の承継↓七一四①[三]②④【担保付社債の場合↓担信四一・五一・五二

（社債管理者の事務の承継）

第七一四条①　社債管理者が次のいずれかに該当することとなった場合において、他に社債管理者がないときは、社債発行会社は、事務を承継する社債管理者を定め、社債権者のために、社債の管理を行うことを委託しなければならない。この場合においては、社債発行会社は、社債権者集会の同意を得るため、遅滞なく、これを招集し、かつ、その同意を得ることができなかったときは、その同意に代わる裁判所の許可の申立てをしなければならない。

一　第七百三条各号に掲げる者でなくなったとき。

二　第七百十一条第三項の規定により辞任したとき。

三　前条の規定により解任されたとき。

四　解散したとき。

②　社債発行会社は、前項前段に規定する場合において、同項各号のいずれかに該当することとなった日後二箇月以内に、同項後段の規定による招集をせず、又は同項後段の申立てをしなかったときは、当該社債の総額について期限の利益を喪失する。

③　第一項前段に規定する場合において、やむを得ない事由があるときは、利害関係人は、裁判所に対し、事務を承継する社債管理者の選任の申立てをすることができる。

④　社債発行会社は、第一項前段の規定により事務を承継する社債管理者を定めた場合（社債権者集会の同意を得た場合を除く。）又は前項の規定による事務を承継する社債管理者の選任があった場合には、遅滞なく、その旨を公告し、かつ、知れている社債権者には、各別にこれを通知しなければならない。

【社債管理者↓七〇二】 ❶【事務承継者の資格↓七〇三【社債管理の委託↓七〇二【社債権者集会の招集↓七一七―七二二【社債権者集会の同意↓七二四①、七三六、七三七【裁判所の許可↓八六八④・八七四[四]【過料↓九七六[三十三]　❷【期限の利益の喪失↓民一三六・一三七　❸【裁判所の選任↓八六八④・八七四[一]　❹【通知・公告の懈怠・不正の制裁↓九七六[二]　【担保付社債の場合↓担信五二―五五

第二章の二　社債管理補助者

（令和一法七〇本章追加）

（社債管理補助者の設置）

第七一四条の二　会社は、第七百二条ただし書に規定する場合には、社債管理補助者を定め、社債権者のために、社債の管理の補助を行うことを委託することができる。ただし、当該社債が担保付社債である場合は、この限りでない。

【社債管理補助者↓七一四の二―七一四の七【社債権者↓六八〇【社債の管理↓七〇二・七一四の四【社債管理補助委託契約↓民六四三―六五六【社債管理補助委託契約の終了↓七一四の六【担保付社債の場合↓担信二

（社債管理補助者の資格）

第七一四条の三　社債管理補助者は、第七百三条各号に掲げる者その他法務省令で定める者でなければならない。

【省令で定める者↓会社則一七一の二

（社債管理補助者の権限等）

第七一四条の四①　社債管理補助者は、社債権者のために次に掲げる行為をする権限を有する。

一　破産手続参加、再生手続参加又は更生手続参加
二　強制執行又は担保権の実行の手続における配当要求
三　第四百九十九条第一項の期間内に債権の申出をすること。

② 社債管理補助者は、第七百十四条の二の規定による委託に係る契約に定める範囲内において、社債権者のために次に掲げる行為をする権限を有する。
一　社債に係る債権の弁済を受けること。
二　第七百五条第一項の行為（前項各号及び前号に掲げる行為を除く。）
三　第七百六条第一項各号に掲げる行為
四　社債発行会社が社債の総額について期限の利益を喪失することとなる行為

③ 前項の場合において、社債管理補助者は、社債権者集会の決議によらなければ、次に掲げる行為をしてはならない。
一　前項第二号に掲げる行為であって、次に掲げるもの
イ　当該社債の全部についてするその支払の請求
ロ　当該社債の全部に係る債権に基づく強制執行、仮差押え又は仮処分
ハ　当該社債の全部についてする訴訟行為又は破産手続、再生手続、更生手続若しくは特別清算に関する手続に属する行為（イ及びロに掲げる行為を除く。）
二　前項第三号及び第四号に掲げる行為

④ 社債管理補助者は、第七百十四条の二の規定による委託に係る契約に従い、社債の管理に関する事項を社債権者に報告し、又は社債権者がこれを知ることができるようにする措置をとらなければならない。

⑤ 第七百五条第二項及び第三項〈社債管理者の権限等〉の規定は、第二項第一号に掲げる行為をする権限を有する社債管理補助者について準用する。

参【社債管理補助者→七一四の二参 ❶[二]【破産手続→破一八―二二一【再生手続→民再二一―一九五【更生手続→会更一七―二四一 ❷[四]【社債の総額→六七六[三]【期限の利益の喪失→民一三六・一三七 ❸【社債権者集会の決議→七二四①②[二]

第七一四条の五（**二以上の社債管理補助者がある場合の特則**）① 二以上の社債管理補助者があるときは、社債管理補助者は、各自、その権限に属する行為をしなければならない。

② 社債管理補助者が社債権者に生じた損害を賠償する責任を負う場合において、他の社債管理補助者も当該損害を賠償する責任を負うときは、これらの者は、連帯債務者とする。

参❶【社債管理補助者の権限→七一四の四 ❷【連帯債務→民四三六―四四五

第七一四条の六（**社債管理者等との関係**） 第七百二条の規定による委託に係る契約又は担保付社債信託法（明治三十八年法律第五十二号）第二条第一項に規定する信託契約の効力が生じた場合には、第七百十四条の二の規定による委託に係る契約は、終了する。

参【社債管理補助委託契約→民六四三―六五六

第七一四条の七（**社債管理者に関する規定の準用**） 第七百四条〈社債管理者の義務〉、第七百七条〈特別代理人の選任〉、第七百八条〈社債管理者等の行為の方式〉、第七百十条第一項〈社債管理者の責任〉、第七百十一条〈社債管理者の辞任〉、第七百十三条〈社債管理者の解任〉及び第七百十四条〈社債管理者の事務の承継〉の規定は、社債管理補助者について準用する。この場合において、第七百四条中「社債の管理」とあるのは「社債の管理の補助」と、同項中「社債権者に対し、連帯して」とあるのは「社債権者に対して」と、第七百十一条第一項中「において、他に社債管理者がないとき」とあるのは「において」と、同条第二項中「第七百二条」とあるのは「第七百十四条の二」と、第七百十四条第一項中「において、他に社債管理者がないときは」とあるのは「には」と、「社債の管理」とあるのは「社債の管理の補助」と、「第七百三条各号に掲げる」とあるのは「第七百十四条の三に規定する」と、「解散した」とあるのは「死亡し、又は解散した」と読み替えるものとする。

第三章　社債権者集会

第七一五条（**社債権者集会の構成**） 社債権者は、社債の種類ごとに社債権者集会を組織する。

参【社債の種類→六八一[一]【社債権者集会→七一六参【種類株主総会との対比→二[十三][十四]・三二一

第七一六条（**社債権者集会の権限**） 社債権者集会は、この法律に規定する事項及び社債権者の利害に関する事項について決議をすることができる。

参【本法に規定がある決議事項→七〇六・七〇七・七一一・七一三・七一四・七二九②・七三〇・七三六―七四〇・八六五③【決議の方法→七二二―七二八【決議の効力→七三二―七三五【決議事項決定の委任→七三六・七三八【決議の執行→七三七【株主等の権利の行使に関する贈収賄罪→九六八①[一]【虚偽申述・事実隠蔽の制裁→九七六[六]【担保付社債の場合→担信三一―三四

第七一七条（**社債権者集会の招集**）① 社債権者集会は、必要がある場合には、いつでも、招集することができる。

② 社債権者集会は、次項又は次条第三項の規定により招集する場合を除き、社債発行会社又は社債管理者が招集する。（令和一法七〇本項改正）

③ 次に掲げる場合には、社債管理補助者は、社債権者集会を招集することができる。
一　次条第一項の規定による請求があった場合
二　第七百十四条の七において準用する第七百十一条第一項の社債権者集会の同意を得るため必要がある場合

（令和一法七〇本項追加）

参【招集の決定→七一九【招集の通知→七二〇【参考書類・議決権行使書面の交付等→七二一・七二二【社債権者による招集の請求→七一八【社債権者集会の権限→七一六

決議↓七二四　❷【社債管理者↓七〇二∞【担保付社債の場合↓担信三一　❸【社債管理補助者↓七一四の二∞ †【手続違反↓七三三［一］

（社債権者による招集の請求）

第七一八条①　ある種類の社債の総額（償還済みの額を除く。）の十分の一以上に当たる社債を有する社債権者は、社債発行会社、社債管理者又は社債管理補助者に対し、社債権者集会の目的である事項及び招集の理由を示して、社債権者集会の招集を請求することができる。（令和一法七〇本項改正）

②　社債発行会社が有する自己の当該種類の社債の金額の合計額は、前項に規定する社債の総額に算入しない。

③　次に掲げる場合には、第一項の規定による請求をした社債権者は、裁判所の許可を得て、社債権者集会を招集することができる。

一　第一項の規定による請求の後遅滞なく招集の手続が行われない場合

二　第一項の規定による請求があった日から八週間以内の日を社債権者集会の日とする社債権者集会の招集の通知が発せられない場合

④　第一項の規定による請求又は前項の規定による招集をしようとする無記名社債の社債権者は、その社債券を社債発行会社、社債管理者又は社債管理補助者に提示しなければならない。（令和一法七〇本項改正）

∞❶【社債の種類↓六八一［一］【社債管理者↓七〇二∞【社債管理補助者↓七一四の二∞【社債権者集会の目的である事項↓七一六、七一九［三］、七二四③　❷【株式の場合↓三〇八②　❸【裁判所の許可↓八六八④、八七四［四］【社債権者集会の招集↓七一七【招集の手続↓七一九—七二二【社債権者集会の日↓七一九［一］【招集の通知↓七二〇　❹【無記名社債↓六八一［四］　❶❹【担保付社債の場合↓担信三一　†【株主等の権利の行使に関する贈収賄罪↓九六八①［二］②【手続違反↓七三三［一］

（社債権者集会の招集の決定）

第七一九条　社債権者集会を招集する者（以下この章において「招集者」という。）は、社債権者集会を招集する場合には、次に掲げる事項を定めなければならない。

一　社債権者集会の日時及び場所

二　社債権者集会の目的である事項

三　社債権者集会に出席しない社債権者が電磁的方法によって議決権を行使することができることとするときは、その旨

四　前三号に掲げるもののほか、法務省令で定める事項

∞†【社債権者集会を招集する者↓七一七②、七一八③　［三］【社債権者集会の目的である事項↓七一六、七二四③　［三］【電磁的方法による議決権の行使↓七二七　［四］【省令で定める事項↓会社則一七二　†【適用除外↓七三〇【手続違反↓七三三［一］

（社債権者集会の招集の通知）

第七二〇条①　社債権者集会を招集するには、招集者は、社債権者集会の日の二週間前までに、知れている社債権者及び社債発行会社並びに社債管理者又は社債管理補助者がある場合にあっては社債管理者又は社債管理補助者に対して、書面をもってその通知を発しなければならない。（令和一法七〇本項改正）

②　招集者は、前項の書面による通知の発出に代えて、政令で定めるところにより、同項の通知を受けるべき者の承諾を得て、電磁的方法により通知を発することができる。この場合において、当該招集者は、同項の書面による通知を発したものとみなす。

③　前二項の通知には、前条各号に掲げる事項を記載し、又は記録しなければならない。

④　社債発行会社が無記名式の社債券を発行している場合において、社債権者集会を招集するには、招集者は、社債権者集会の日の三週間前までに、社債権者集会を招集する旨及び前条各号に掲げる事項を公告しなければならない。

⑤　前項の規定による公告は、社債発行会社における公告の方法によりしなければならない。ただし、招集者が社債発行会社以外の者である場合において、その方法が電子公告であるときは、その公告は、官報に掲載する方法でしなければならない。

∞†【社債権者集会↓七一六∞【招集者↓七一九、七一七②、七一八③【社債権者集会の日↓七一九［一］【社債管理者↓七〇二∞【社債管理補助者↓七一四の二∞【社債権者に対する通知等↓六八五【通知・公告の懈怠・不正の制裁↓九七六［二］　❶【担保付社債の場合↓担信三一　❷【電磁的方法↓二［三十四］、七二一②④、七二二　❹【公告↓二［三十三］　❺【電子公告↓二［三十四］【社債発行会社における公告の方法↓九三九、九一一③［二十七］—［二十九］、九一二［四］—［十］、九一三［十］—［十二］、九一四［九］—［十一］　†【適用除外↓七三〇【手続違反↓七三三［一］

（社債権者集会参考書類及び議決権行使書面の交付等）

第七二一条①　招集者は、前条第一項の通知に際しては、法務省令で定めるところにより、知れている社債権者に対し、議決権の行使について参考となるべき事項を記載した書類（以下この条において「社債権者集会参考書類」という。）及び社債権者が議決権を行使するための書面（以下この章において「議決権行使書面」という。）を交付しなければならない。

②　招集者は、前条第二項の承諾をした社債権者に対し同項の電磁的方法による通知を発するときは、前項の規定による社債権者集会参考書類及び議決権行使書面の交付に代えて、これらの書類に記載すべき事項を電磁的方法により提供することができる。ただし、社債権者の請求があったときは、これらの書類を当該社債権者に交付しなければならない。

③　招集者は、前条第四項の規定による公告をした場合において、社債権者集会の日の一週間前までに無記名社債の社債権者の請求があったときは、直ちに、社債権者集会参考書類及び議決権行使書面を当該社債権者に交付しなければならない。

④　招集者は、前項の規定による社債権者集会参考書類及び議決権行使書面の交付に代えて、政令で定めるところにより、社債権者の承諾を得て、これらの書類に記載すべき事項を電磁的方法により提供することができる。この場合において、当該招集者は、同項の規定によるこれらの書類の交付をしたものとみなす。

∞†【社債権者集会↓七一六∞【招集者↓七一九、七一七②、七一

八③　❶【省令の定め↓会社則一七三、一七四　❷【電磁的方法↓二[三十四]・七二二　❸【無記名社債↓六八一㊃　⁺【手続違反↓七三三㊀

第七二二条①　招集者は、第七百十九条第三号に掲げる事項を定めた場合には、第七百二十条第二項の承諾をした社債権者に対する電磁的方法による通知に際して、法務省令で定めるところにより、社債権者に対し、議決権行使書面に記載すべき事項を当該電磁的方法により提供しなければならない。

②　招集者は、第七百十九条第三号に掲げる事項を定めた場合において、第七百二十条第二項の承諾をしていない社債権者から社債権者集会の日の一週間前までに議決権行使書面に記載すべき事項の電磁的方法による提供の請求があったときは、法務省令で定めるところにより、直ちに、当該社債権者に対し、当該事項を電磁的方法により提供しなければならない。

⊛⁺【社債権者集会の招集通知↓七二〇【社債権者集会参考書類・議決権行使書面の交付等↓七二一【招集者↓七一九、七一七②、七一八③【電磁的方法による議決権の行使↓七一九㊂、七二七【電磁的方法による招集通知↓七二〇②【省令の定め↓会社則一七四【手続違反↓七三三㊀

（議決権の額等）

第七二三条①　社債権者は、社債権者集会において、その有する当該種類の社債の金額の合計額（償還済みの額を除く。）に応じて、議決権を有する。

②　前項の規定にかかわらず、社債発行会社は、その有する自己の社債については、議決権を有しない。

③　議決権を行使しようとする無記名社債の社債権者は、社債権者集会の日の一週間前までに、その社債券を招集者に提示しなければならない。

⊛❶【社債権者集会↓七一六⊛【社債の種類↓六八一㊀【議決権↓社債株式振替八五、七二四―七二八　❷【株式との対比↓三〇八②　❸【無記名社債↓六八一㊃【振替社債の場合↓社債株式振替八六　⁺【決議方法違反↓七三三㊀

（社債権者集会の決議）

第七二四条①　社債権者集会において決議をする事項を可決するには、出席した議決権者（議決権を行使することができる社債権者をいう。以下この章において同じ。）の議決権の総額の二分の一を超える議決権を有する者の同意がなければならない。

②　前項の規定にかかわらず、社債権者集会において次に掲げる事項を可決するには、議決権者の議決権の総額の五分の一以上で、かつ、出席した議決権者の議決権の総額の三分の二以上の議決権を有する者の同意がなければならない。

一　第七百六条第一項各号に掲げる行為に関する事項

二　第七百六条第一項、第七百十四条の四第三項（同条第二項第三号に掲げる行為に係る部分に限る。）、第七百三十六条第一項、第七百三十七条第一項ただし書及び第七百三十八条の規定により社債権者集会の決議を必要とする事項（令和一法七〇本号改正）

③　社債権者集会は、第七百十九条第二号に掲げる事項以外の事項については、決議をすることができない。

⊛⁺【社債権者集会の決議事項↓七一六⊛【議決権↓七二三【無記名社債の議決権行使↓七二三③【議決権の行使↓七二五―七二八【支払の猶予・責任の免除・和解↓七〇六①㊀【社債についてする訴訟行為等↓七〇六①㊁【決議事項決定の委任↓七三六、七三八【社債権者集会の決議の執行↓七三七【株主総会の決議↓三〇九

（議決権の代理行使）

第七二五条①　社債権者は、代理人によってその議決権を行使することができる。この場合においては、当該社債権者又は代理人は、代理権を証明する書面を招集者に提出しなければならない。

②　前項の代理権の授与は、社債権者集会ごとにしなければならない。

③　第一項の社債権者又は代理人は、代理権を証明する書面の提出に代えて、政令で定めるところにより、招集者の承諾を得て、当該書面に記載すべき事項を電磁的方法により提供することができる。この場合において、当該社債権者又は代理人は、当該書面を提出したものとみなす。

④　社債権者が第七百二十条第二項の承諾をした者である場合には、招集者は、正当な理由がなければ、前項の承諾をすることを拒んではならない。

⊛⁺【招集者↓七一九、七一七②、七一八③【社債権者集会↓七一六⊛　❸【電磁的方法↓二[三十四]　⁺【株主総会の場合↓三一〇

（書面による議決権の行使）

第七二六条①　社債権者集会に出席しない社債権者は、書面によって議決権を行使することができる。

②　書面による議決権の行使は、議決権行使書面に必要な事項を記載し、法務省令で定める時までに当該記載をした議決権行使書面を招集者に提出して行う。

③　前項の規定により書面によって行使した議決権の額は、出席した議決権者の議決権の額に算入する。

⊛⁺【社債権者集会↓七一六⊛【招集者↓七一九、七一七②、七一八③【議決権者↓七二四①【議決権↓七二三【株主総会の場合↓三一一　❷【省令で定める時↓会社則一七五

（電磁的方法による議決権の行使）

第七二七条①　電磁的方法による議決権の行使は、政令で定めるところにより、招集者の承諾を得て、法務省令で定める時までに議決権行使書面に記載すべき事項を、電磁的方法により当該招集者に提供して行う。

②　社債権者が第七百二十条第二項の承諾をした者である場合には、招集者は、正当な理由がなければ、前項の承諾をすることを拒んではならない。

③　第一項の規定により電磁的方法によって行使した議決権の額は、出席した議決権者の議決権の額に算入する。

⊛⁺【招集者↓七一九、七一七②、七一八③【社債権者集会↓七一六⊛【電磁的方法↓二[三十四]【議決権者↓七二四①【議決権↓七二三【株主総会の場合↓三一二　❶【省令で定める時↓会社則一七六

（議決権の不統一行使）

第七二八条①　社債権者は、その有する議決権を統一しないで行使することができる。この場合においては、社債権者集会の日の三日前までに、招集者に対してそ

会社

の旨及びその理由を通知しなければならない。

② 招集者は、前項の社債権者が他人のために社債を有する者でないときは、当該社債権者が同項の規定によりその有する議決権を統一しないで行使することを拒むことができる。

⊛+【招集者→七一九、七一七②、七一八③【社債権者集会→七一六⊛【株主総会の場合→三一三

（社債発行会社の代表者の出席等）

第七二九条① 社債発行会社、社債管理者又は社債管理補助者は、その代表者若しくは代理人を社債権者集会に出席させ、又は書面により意見を述べることができる。ただし、社債管理者又は社債管理補助者にあっては、その社債権者集会が第七百七条（第七百十四条の七において準用する場合を含む。）の特別代理人の選任について招集されたものであるときは、この限りでない。（令和一法七〇本項改正）

② 社債権者集会又は招集者は、必要があると認めるときは、社債発行会社に対し、その代表者又は代理人の出席を求めることができる。この場合において、社債権者集会にあっては、これをする旨の決議を経なければならない。

⊛+【社債権者集会→七一六⊛ ❶【社債管理者→七〇二⊛【社債管理補助者→七一四の二⊛【担保付社債の場合→担信三一 ❷【招集者→七一九、七一七②、七一八③【社債権者集会の決議→七二四①、七三六、七三七 +【社債権者集会での虚偽申述・事実隠蔽の制裁→九七六[六]

（延期又は続行の決議）

第七三〇条 社債権者集会においてその延期又は続行について決議があった場合には、第七百十九条及び第七百二十条の規定は、適用しない。

⊛+【社債権者集会→七一六⊛【社債権者集会の決議→七二四①【株主総会の場合→三一七

（議事録）

第七三一条① 社債権者集会の議事については、招集者は、法務省令で定めるところにより、議事録を作成しなければならない。

② 社債発行会社は、社債権者集会の日から十年間、前項の議事録をその本店に備え置かなければならない。

③ 社債管理者、社債管理補助者及び社債権者は、社債発行会社の営業時間内は、いつでも、次に掲げる請求をすることができる。

一 第一項の議事録が書面をもって作成されているときは、当該書面の閲覧又は謄写の請求

二 第一項の議事録が電磁的記録をもって作成されているときは、当該電磁的記録に記録された事項を法務省令で定める方法により表示したものの閲覧又は謄写の請求

（令和一法七〇本項改正）

⊛+【社債権者集会→七一六⊛ ❶【招集者→七一九、七一七②、七一八③【省令の定め→会社則一七七【虚偽記載等の過料→九七六[七] ❷【不備置の過料→九七六[八] ❸【電磁的記録→二六②【閲覧等の拒否の過料→九七六[四]【担保付社債の場合→担信三一【[三]】【省令で定める方法→会社則二二六 +【株主総会の場合→三一八

（社債権者集会の決議の認可の申立て）

第七三二条 社債権者集会の決議があったときは、招集者は、当該決議があった日から一週間以内に、裁判所に対し、当該決議の認可の申立てをしなければならない。

⊛+【社債権者集会→七一六⊛【社債権者集会の決議→七二四【招集者→七一九、七一七②、七一八③【決議認可の申立て→八六八④、七四二②【決議認可の裁判→八七〇①[七]、八七二[四]、八七三【決議の不認可→七三三

（社債権者集会の決議の不認可）

第七三三条 裁判所は、次のいずれかに該当する場合には、社債権者集会の決議の認可をすることができない。

一 社債権者集会の招集の手続又はその決議の方法が法令又は第六百七十六条の募集のための当該社債発行会社の事業その他の事項に関する説明に用いた資料に記載され、若しくは記録された事項に違反するとき。

二 決議が不正の方法によって成立するに至ったとき。

三 決議が著しく不公正であるとき。

四 決議が社債権者の一般の利益に反するとき。

⊛+【決議認可の申立て→七三二、七四二②、八六八④【決議認可の裁判→八七〇①[七]、八七二[四]、八七三【招集の手続→七一七―七二二【決議の方法→七二三―七二八【再生計画不認可の決定→民再一七四②【更生計画認可の要件→会更一九九②③【株主総会決議の瑕疵の是正→八三〇、八三一【募集のための資料→金商二⑩、四二九②[二]イ

（社債権者集会の決議の効力）

第七三四条① 社債権者集会の決議は、裁判所の認可を受けなければ、その効力を生じない。

② 社債権者集会の決議は、当該種類の社債を有するすべての社債権者に対してその効力を有する。

⊛ ❶【社債権者集会の決議→七二四【裁判所の認可→七三二、七三三、七三五【認可の効力発生時期→外法夫婦登五六②【認可の裁判に対する抗告→八七二[四]、八七三 ❷【社債の種類→六八一[一]

（社債権者集会の決議の認可又は不認可の決定の公告）

第七三五条 社債発行会社は、社債権者集会の決議の認可又は不認可の決定があった場合には、遅滞なく、その旨を公告しなければならない。

⊛+【社債権者集会の決議→七二四【決議の認可・不認可→七三二、七三三【公告方法→二[三十三]、九三九【電子公告→二[三十四]、九四〇【公告の懈怠・不正の制裁→九七六[二]

（社債権者集会の決議の省略）

第七三五条の二① 社債発行会社、社債管理者、社債管理補助者又は社債権者が社債権者集会の目的である事項について（社債管理補助者にあっては、第七百十四条の七において準用する第七百十一条第一項の社債権者集会の同意をすることについて）提案をした場合において、当該提案につき議決権者の全員が書面又は電磁的記録により同意の意思表示をしたときは、当該提

案を可決する旨の社債権者集会の決議があったものとみなす。

② 社債発行会社は、前項の規定により社債権者集会の決議があったものとみなされた日から十年間、同項の書面又は電磁的記録をその本店に備え置かなければならない。

③ 社債管理者、社債管理補助者及び社債権者は、社債発行会社の営業時間内は、いつでも、次に掲げる請求をすることができる。

一 前項の書面の閲覧又は謄写の請求

二 前項の電磁的記録に記録された事項を法務省令で定める方法により表示したものの閲覧又は謄写の請求

④ 第一項の規定により社債権者集会の決議があったものとみなされる場合には、第七百三十二条から前条まで（第七百三十四条第二項を除く。）の規定は、適用しない。

（令和一法七〇本条追加）

参+【社債権者集会の決議→七二四【議事録→七三一①、会社則一七七④ ❶【社債権者集会の目的である事項→七一六・七一九㊂・七二四③ ❶—❸【電磁的記録→二六② ❷【本店→四参 ❸㊁【省令で定める方法→会社則二二六

（代表社債権者の選任等）

第七三六条① 社債権者集会においては、その決議によって、当該種類の社債の総額（償還済みの額を除く。）の千分の一以上に当たる社債を有する社債権者の中から、一人又は二人以上の代表社債権者を選任し、これに社債権者集会において決議をする事項についての決定を委任することができる。

② 第七百十八条第二項〈自己社債の取扱い〉の規定は、前項に規定する社債の総額について準用する。

③ 代表社債権者が二人以上ある場合において、社債権者集会において別段の定めを行わなかったときは、第一項に規定する事項についての決定は、その過半数をもって行う。

参+【社債権者集会→七一六参【代表社債権者→七三七・七三八・七四一・八六五③【担保付社債の場合→担信三四②【代表社債権者に対する罰則→九六一・九六二・九六七・九七六 ❶【社債権者集会の決議→七二四②㊂【社債の種類→六八一㊀【代表者のする決定→七一六【決定事項の認可・公告→七三二—七三五【数人の代表者がある場合→七三七②・七〇九

（社債権者集会の決議の執行）

第七三七条① 社債権者集会の決議は、次の各号に掲げる場合の区分に応じ、当該各号に定める者が執行する。ただし、社債権者集会の決議によって別に社債権者集会の決議を執行する者を定めたときは、この限りでない。

一 社債管理者がある場合　社債管理者（令和一法七〇本号追加）

二 社債管理補助者がある場合において、社債管理補助者の権限に属する行為に関する事項を可決する旨の社債権者集会の決議があったとき　社債管理補助者（令和一法七〇本号追加）

三 前二号に掲げる場合以外の場合　代表社債権者（令和一法七〇本号追加）

（令和一法七〇本項改正）

② 第七百五条第一項から第三項まで〈社債管理者の権限等〉、第七百八条〈社債管理者等の行為の方式〉及び第七百九条〈二以上の社債管理者がある場合の特則〉の規定は、代表社債権者又は前項ただし書の規定により定められた社債権者集会の決議を執行する者（以下この章において「決議執行者」という。）が社債権者集会の決議を執行する場合について準用する。

参❶【社債権者集会の決議→七一六参【執行者の地位→七三八・七四一・八六五③【担保付社債の場合→担信三四【執行者に対する罰則→九六一・九六二・九六七・九七六【別に執行者を定める場合→七二四②㊂・七三六【㊁【社債権者集会決議に基づく社債管理補助者の権限に属する行為→七一四の四③

（代表社債権者等の解任等）

第七三八条 社債権者集会においては、その決議によって、いつでも、代表社債権者若しくは決議執行者を解任し、又はこれらの者に委任した事項を変更することができる。

参+【社債権者集会→七一六参【代表社債権者→七三六【決議執行者→七三七①但【決議要件→七二四②㊂・七三六

（社債の利息の支払等を怠ったことによる期限の利益の喪失）

第七三九条① 社債発行会社が社債の利息の支払を怠ったとき、又は定期に社債の一部を償還しなければならない場合においてその償還を怠ったときは、社債権者集会の決議に基づき、当該決議を執行する者は、社債発行会社に対し、一定の期間内にその弁済をしなければならない旨及び当該期間内にその弁済をしないときは当該社債の総額について期限の利益を喪失する旨を書面により通知することができる。ただし、当該期間は、二箇月を下ることができない。

② 前項の決議を執行する者は、同項の規定による書面による通知に代えて、政令で定めるところにより、社債発行会社の承諾を得て、同項の規定により通知する事項を電磁的方法により提供することができる。この場合において、当該決議を執行する者は、当該書面による通知をしたものとみなす。

③ 社債発行会社は、第一項の期間内に同項の弁済をしなかったときは、当該社債の総額について期限の利益を喪失する。

参+【社債の総額→六七六㊂【期限の利益の喪失→民一三六・一三七 ❶【利息の支払→六七六㊄【社債の償還→六七六㊃【社債権者集会の決議→七二四①・七三六【決議を執行する者→七三七 ❷【電磁的方法→二㉞

（債権者の異議手続の特則）

第七四〇条① 第四百四十九条、第六百二十七条、第六百三十五条、第六百七十条、第七百七十九条（第七百八十一条第二項において準用する場合を含む。）、第七百八十九条（第七百九十三条第二項において準用する場合を含む。）、第七百九十九条（第八百二条第二項において準用する場合を含む。）又は第八百十条（第八百十三条第二項において準用する場合を含む。）又は第八百

十六条の八の規定により社債権者が異議を述べるには、社債権者集会の決議によらなければならない。この場合においては、裁判所は、利害関係人の申立てにより、社債権者のために異議を述べることができる期間を伸長することができる。（令和一法七〇本項改正）

② 前項の規定にかかわらず、社債管理者は、社債権者のために、異議を述べることができる。ただし、第七百二条の規定による委託に係る契約に別段の定めがある場合は、この限りでない。

③ 社債発行会社における第四百四十九条第二項、第六百二十七条第二項、第六百三十五条第二項、第六百七十条第二項、第七百七十九条第二項（第七百八十一条第二項において準用する場合を含む。以下この項において同じ。）、第七百八十九条第二項（第七百九十三条第二項において準用する場合を含む。以下この項において同じ。）、第七百九十九条第二項（第八百二条第二項において準用する場合を含む。以下この項において同じ。）、第八百十条第二項（第八百十三条第二項において準用する場合を含む。以下この項において同じ。）及び第八百十六条の八第二項の規定の適用については、第四百四十九条第二項、第六百二十七条第二項、第六百三十五条第二項、第六百七十条第二項、第七百七十九条第二項、第七百九十九条第二項及び第八百十六条の八第二項中「知れている債権者」とあるのは「知れている債権者（社債管理者又は社債管理補助者がある場合にあっては、当該社債管理者又は社債管理補助者を含む。）」と、第七百八十九条第二項及び第八百十条第二項中「知れている債権者（同項の規定により異議を述べることができるものに限る。）」とあるのは「知れている債権者（同項の規定により異議を述べることができるものに限り、社債管理者又は社債管理補助者がある場合にあっては当該社債管理者又は社債管理補助者を含む。）」とする。（令和一法七〇本項改正）

⊛❶【社債権者集会の決議↓七二四①・七三六・七三七【異議期間伸張の裁判↓八六八④・八七〇①四・八七二四【社債管理者↓七〇二⊛

（社債管理者等の報酬等）

第七四一条① 社債管理者、社債管理補助者、代表社債権者又は決議執行者に対して与えるべき報酬、その事務処理のために要する費用及びその支出の日以後における利息並びにその事務処理のために自己の過失なくして受けた損害の賠償額は、社債発行会社との契約に定めがある場合を除き、裁判所の許可を得て、社債発行会社の負担とすることができる。

② 前項の許可の申立ては、社債管理者、社債管理補助者、代表社債権者又は決議執行者がする。

③ 社債管理者、社債管理補助者、代表社債権者又は決議執行者は、第一項の報酬、費用及び利息並びに損害の賠償額に関し、第七百五条第一項（第七百三十七条第二項において準用する場合を含む。）又は第七百十四条の四第二項第一号の弁済を受けた額について、社債権者に先立って弁済を受ける権利を有する。

（令和一法七〇本条改正）

⊛+【社債管理者↓七〇二⊛【社債管理補助者↓七一四の二⊛【代表社債権者↓七三六【決議執行者↓七三七①但【裁判所の許可↓八六八④・八七〇①四・八七二四・八七三【担保付社債の場合↓担信四七・四八

（社債権者集会等の費用の負担）

第七四二条① 社債権者集会に関する費用は、社債発行会社の負担とする。

② 第七百三十二条の申立てに関する費用は、社債発行会社の負担とする。ただし、裁判所は、社債発行会社その他利害関係人の申立てにより又は職権で、当該費用の全部又は一部について、招集者その他利害関係人の中から別に負担者を定めることができる。

⊛❶【集会の招集↓七一七・七一八・七二〇―七二二【担保付社債の場合↓担信四八　❷【社債権者集会決議の認可↓七三二⊛【招集者↓七一九・七一七②・七一八③

第五編　組織変更、合併、会社分割、株式交換、株式移転及び株式交付

（令和一法七〇編名改正）

第一章　組織変更

第一節　通則

（組織変更計画の作成）

第七四三条　会社は、組織変更をすることができる。この場合においては、組織変更計画を作成しなければならない。

⊛+【組織変更↓二〔二十六〕・七四五・七四七・九二〇、商登七六・七七・一〇七【他の制度との比較↓六三八・七四八―七五六【組織変更計画↓七四四・七四六①・七七五・七七六・七八一

第二節　株式会社の組織変更

（株式会社の組織変更計画）

第七四四条① 株式会社が組織変更をする場合には、当該株式会社は、組織変更計画において、次に掲げる事項を定めなければならない。

一　組織変更後の持分会社（以下この編において「組織変更後持分会社」という。）が合名会社、合資会社又は合同会社のいずれであるかの別

二　組織変更後持分会社の目的、商号及び本店の所在地

三　組織変更後持分会社の社員についての次に掲げる事項

イ　当該社員の氏名又は名称及び住所

ロ　当該社員が無限責任社員又は有限責任社員のいずれであるかの別

ハ　当該社員の出資の価額

四　前二号に掲げるもののほか、組織変更後持分会社の定款で定める事項

五　組織変更後持分会社が組織変更に際して組織変更をする株式会社の株主に対してその株式に代わる金銭等（組織変更後持分会社の持分を除く。以下この

号及び次号において同じ。）を交付するときは、当該金銭等についての次に掲げる事項

イ　当該金銭等が組織変更後持分会社の社債であるときは、当該社債の種類（第百七条第二項第二号ロに規定する社債の種類をいう。以下この編において同じ。）及び種類ごとの各社債の金額の合計額又はその算定方法

ロ　当該金銭等が組織変更後持分会社の社債以外の財産であるときは、当該財産の内容及び数若しくは額又はこれらの算定方法

六　前号に規定する場合には、組織変更をする株式会社の株主（組織変更をする株式会社を除く。）に対する同号の金銭等の割当てに関する事項

七　組織変更をする株式会社が新株予約権を発行しているときは、組織変更後持分会社が組織変更に際して当該新株予約権の新株予約権者に対して交付する当該新株予約権に代わる金銭の額又はその算定方法

八　前号に規定する場合には、組織変更をする株式会社の新株予約権の新株予約権者に対する同号の金銭の割当てに関する事項

九　組織変更がその効力を生ずる日（以下この章において「効力発生日」という。）

②　組織変更後持分会社が合名会社であるときは、前項第三号ロに掲げる事項として、その社員の全部を無限責任社員とする旨を定めなければならない。

③　組織変更後持分会社が合資会社であるときは、第一項第三号ロに掲げる事項として、その社員の一部を無限責任社員とし、その他の社員を有限責任社員とする旨を定めなければならない。

④　組織変更後持分会社が合同会社であるときは、第一項第三号ロに掲げる事項として、その社員の全部を有限責任社員とする旨を定めなければならない。

※【会社→二[一]※【持分会社→五七五①【金銭等→一五一①【社債等→七四六①[七]ニ【持分会社の設立登記→九一二―九一四【登記申請書の添付書面→商登九四、一一〇、一一七 ❶[三]―[四]【持分会社の定款記載・記録事項→五七六、五七七[三]【組織変更後の社員の責任→五八三 [五]【株式・持分に代わる対価→七四六①[七]、七四九①[三]、七五一①[三]、七五三①[四]、七五五①[六]、七五八[四]、七六〇[五]、七六三①[四]、七六五①[六]、七六八①[三]、七七〇①[三]、七七三①[七]、七八二①、七九四① [六]【金銭等の割当て→一〇九【持分会社との比較→六二一、六二二 [七][八]【新株予約権の消滅とその対価→二三六、七四五⑤、七七七、七七八【他に新株予約権が消滅する場合→七四九①[四][五]、七五〇④、七五三①[十][十一]、七五四④、七五八[五][六]、七五九⑨、七六三①[十][十二]、七六四⑪、七六八①[四][五]、七六九④、七七三①[九][十]、七七四④ [九]【効力発生日→四六七、七四五、七四六①[九]、七四七、七四九①[六]、七五〇、七五一①[七]、七五二、七五八[七]、七五九、七六〇[六]、七六一、七六八①[六]、七六九、七七〇①[五]、七七一、七八〇、八二八①[六]、九二〇、商登七六【他の制度との比較→七五四、七五六、七六四、七六六、七七四 ❷―❹【持分会社の社員の責任→五七六

（株式会社の組織変更の効力の発生等）

第七四五条①　組織変更をする株式会社は、効力発生日に、持分会社となる。

②　組織変更をする株式会社は、効力発生日に、前条第一項第二号から第四号までに掲げる事項についての定めに従い、当該事項に係る定款の変更をしたものとみなす。

③　組織変更をする株式会社の株主は、効力発生日に、前条第一項第三号に掲げる事項についての定めに従い、組織変更後持分会社の社員となる。

④　前条第一項第五号イに掲げる事項についての定めがある場合には、組織変更をする株式会社の株主は、効力発生日に、同項第六号に掲げる事項についての定めに従い、同項第五号イの社債の社債権者となる。

⑤　組織変更をする株式会社の新株予約権は、効力発生日に、消滅する。

⑥　前各項の規定は、第七百七十九条の規定による手続が終了していない場合又は組織変更を中止した場合には、適用しない。

※【株式会社の組織変更→七四七【効力発生日→七四四①[九]※ ❶【持分会社の成立→五七九、九一二―九一四 ❷【みなし定款変更→七四七②、七五二③、七六一⑧ ❸【持分会社の社員となる時期→五七五―五七九 ❹【社債権者となる時期→二[二十三]、一五一①[十]、六七六[十][十二]、六七八―六八〇【消費貸借契約との対比→民五八七 ❺【新株予約権の消滅→七四四①[七][四]※ ❻【効力発生障害事由→七五〇⑥、七五二⑥、七七九、七八一②、七八九①[三]、七九九、八一〇、八一三

第三節　持分会社の組織変更

（持分会社の組織変更計画）

第七四六条①　持分会社が組織変更をする場合には、当該持分会社は、組織変更計画において、次に掲げる事項を定めなければならない。

一　組織変更後の株式会社（以下この条において「組織変更後株式会社」という。）の目的、商号、本店の所在地及び発行可能株式総数

二　前号に掲げるもののほか、組織変更後株式会社の定款で定める事項

三　組織変更後株式会社の取締役の氏名

四　次のイからハまでに掲げる場合の区分に応じ、当該イからハまでに定める事項

イ　組織変更後株式会社が会計参与設置会社である場合　組織変更後株式会社の会計参与の氏名又は名称

ロ　組織変更後株式会社が監査役設置会社（監査役の監査の範囲を会計に関するものに限定する旨の定款の定めがある株式会社を含む。）である場合　組織変更後株式会社の監査役の氏名

ハ　組織変更後株式会社が会計監査人設置会社である場合　組織変更後株式会社の会計監査人の氏名又は名称

五　組織変更をする持分会社の社員が組織変更に際して取得する組織変更後株式会社の株式の数（種類株式発行会社にあっては、株式の種類及び種類ごとの数）又はその数の算定方法

六　組織変更をする持分会社の社員に対する前号の株式の割当てに関する事項

七　組織変更後株式会社が組織変更に際して組織変更をする持分会社の社員に対してその持分に代わる金

銭等（組織変更後株式会社の株式を除く。以下この号及び次号において同じ。）を交付するときは、当該金銭等についての次に掲げる事項

イ　当該金銭等が組織変更後株式会社の社債（新株予約権付社債についてのものを除く。）であるときは、当該社債の種類及び種類ごとの各社債の金額の合計額又はその算定方法

ロ　当該金銭等が組織変更後株式会社の新株予約権（新株予約権付社債に付されたものを除く。）であるときは、当該新株予約権の内容及び数又はその算定方法

ハ　当該金銭等が組織変更後株式会社の新株予約権付社債であるときは、当該新株予約権付社債についてのイに規定する事項及び当該新株予約権付社債に付された新株予約権についてのロに規定する事項

ニ　当該金銭等が組織変更後株式会社の社債等（社債及び新株予約権をいう。以下この編において同じ。）以外の財産であるときは、当該財産の内容及び数若しくは額又はこれらの算定方法

八　前号に規定する場合には、組織変更をする持分会社の社員に対する同号の金銭等の割当てに関する事項

九　効力発生日

②　組織変更後株式会社が監査等委員会設置会社である場合には、前項第三号に掲げる事項は、監査等委員である取締役とそれ以外の取締役とを区別して定めなければならない。（平成二六法九〇本項追加）

∞❶【会社↓二[一]∞【株式会社の設立登記↓九一一∞　[二]【発行可能株式総数↓三七、一一三　[三]【株式会社の定款記載・記録事項↓二七―二九　[四]【設立時取締役↓三八①、三九、九一一③[四]【設立時役員等の選任↓三八②【会計参与設置会社↓二[八]、九一一③[十六]【会計参与↓三七四―三八〇、九一一③[十六]【監査役設置会社↓二[九]、九一一③[十七]【監査役↓三八一―三八九、九一一③[十七]【会計監査人設置会社↓二[十一]、九一一③[十九]【会計監査人↓三九六―三九九、九一一③[十九]　[五]【種類株式発行会社↓二[十三]、九一一③[七]【株式の種類↓一〇八∞　[六]【新株の割当て↓六〇、二〇三―二〇六、一八三、一八四、一五一①[十一]、二一九①[一][六]、二二〇、二三四　[七][八]【金銭等↓一五一①【金銭等の交付↓七四四①[五][六]∞　[九]【効力発生日↓七四四①[九]∞　❷【監査等委員↓三八②

第七四七条（**持分会社の組織変更の効力の発生等**）①　組織変更をする持分会社は、効力発生日に、株式会社となる。

②　組織変更をする持分会社は、効力発生日に、前条第一項第一号及び第二号に掲げる事項についての定めに従い、当該事項に係る定款の変更をしたものとみなす。

③　組織変更をする持分会社の社員は、効力発生日に、前条第一項第六号に掲げる事項についての定めに従い、同項第五号の株式の株主となる。

④　次の各号に掲げる場合には、組織変更をする持分会社の社員は、効力発生日に、前条第一項第八号に掲げる事項についての定めに従い、当該各号に定める者となる。

一　前条第一項第七号イに掲げる事項についての定めがある場合　同号イの社債の社債権者

二　前条第一項第七号ロに掲げる事項についての定めがある場合　同号ロの新株予約権の新株予約権者

三　前条第一項第七号ハに掲げる事項についての定めがある場合　同号ハの新株予約権付社債についての社債の社債権者及び当該新株予約権付社債に付された新株予約権の新株予約権者

⑤　前各項の規定は、第七百八十一条第二項において準用する第七百七十九条（第二項第二号を除く。）の規定による手続が終了していない場合又は組織変更を中止した場合には、適用しない。

∞+【持分会社の組織変更↓七四五【効力発生日↓七四四①[九]∞　❷【みなし定款変更↓七四五②∞　❸【株主となる時期↓五〇、二〇九①、二八二①　❹【社債権者となる時期↓七四五④∞【質権の効力↓一五一①[十一]【新株予約権者↓二四五①、二三八①[四]　❺【効力発生障害事由↓七四五⑥∞　+【金銭等の交付↓七四四①[五][六]∞

第二章　合併

第一節　通則

第七四八条（**合併契約の締結**）　会社は、他の会社と合併をすることができる。この場合においては、合併をする会社は、合併契約を締結しなければならない。

∞+【会社↓二[一]∞【合併↓二[二十七][二十八]、四七一[四]、六四一[五]、七五〇、七五二、七五四、七五六、七八二―八一六、八四三、九二一、九二二【合併の制限↓四七四、六四三、独禁一五、一七、会社法整備法三七【合併契約↓七四九、七五一、七五三、七五五【合併契約の承認↓七八三、八〇四【合併契約書の登記申請書への添付↓商登八〇、八一、一〇八、一一五、一二四

第二節　吸収合併

第一款　株式会社が存続する吸収合併

第七四九条（**株式会社が存続する吸収合併契約**）①　会社が吸収合併をする場合において、吸収合併後存続する会社（以下この編において「吸収合併存続会社」という。）が株式会社であるときは、吸収合併契約において、次に掲げる事項を定めなければならない。

一　株式会社である吸収合併存続会社（以下この編において「吸収合併存続株式会社」という。）及び吸収合併により消滅する会社（以下この編において「吸収合併消滅会社」という。）の商号及び住所

二　吸収合併存続株式会社が吸収合併に際して株式会社である吸収合併消滅会社（以下この編において「吸収合併消滅株式会社」という。）の株主又は持分会社である吸収合併消滅会社（以下この編において「吸収合併消滅持分会社」という。）の社員に対してその株式又は持分に代わる金銭等を交付するときは、当該金銭等についての次に掲げる事項

イ　当該金銭等が吸収合併存続株式会社の株式であるときは、当該株式の数（種類株式発行会社に

あっては、株式の種類及び種類ごとの数）又はその数の算定方法並びに当該吸収合併存続株式会社の資本金及び準備金の額に関する事項

ロ 当該金銭等が吸収合併存続株式会社の社債（新株予約権付社債についてのものを除く。）であるときは、当該社債の種類及び種類ごとの各社債の金額の合計額又はその算定方法

ハ 当該金銭等が吸収合併存続株式会社の新株予約権（新株予約権付社債に付されたものを除く。）であるときは、当該新株予約権の内容及び数又はその算定方法

ニ 当該金銭等が吸収合併存続株式会社の新株予約権付社債であるときは、当該新株予約権付社債についてのロに規定する事項及び当該新株予約権付社債に付された新株予約権についてのハに規定する事項

ホ 当該金銭等が吸収合併存続株式会社の株式等以外の財産であるときは、当該財産の内容及び数若しくは額又はこれらの算定方法

三 前号に規定する場合には、吸収合併消滅株式会社の株主（吸収合併消滅株式会社及び吸収合併存続株式会社を除く。）又は吸収合併消滅持分会社の社員（吸収合併存続株式会社を除く。）に対する同号の金銭等の割当てに関する事項

四 吸収合併消滅株式会社が新株予約権を発行しているときは、吸収合併存続株式会社が吸収合併に際して当該新株予約権の新株予約権者に対して交付する当該新株予約権に代わる当該吸収合併存続株式会社の新株予約権又は金銭についての次に掲げる事項

イ 当該吸収合併消滅株式会社の新株予約権の新株予約権者に対して吸収合併存続株式会社の新株予約権を交付するときは、当該新株予約権の内容及び数又はその算定方法

ロ イに規定する場合において、イの吸収合併消滅株式会社の新株予約権が新株予約権付社債に付された新株予約権であるときは、吸収合併存続株式会社が当該新株予約権付社債についての社債に係る債務を承継する旨並びにその承継に係る社債の種類及び種類ごとの各社債の金額の合計額又はその算定方法

ハ 当該吸収合併消滅株式会社の新株予約権の新株予約権者に対して金銭を交付するときは、当該金銭の額又はその算定方法

五 前号に規定する場合には、吸収合併消滅株式会社の新株予約権の新株予約権者に対する同号の吸収合併存続株式会社の新株予約権又は金銭の割当てに関する事項

六 吸収合併がその効力を生ずる日（以下この節において「効力発生日」という。）

② 前項に規定する場合において、吸収合併消滅株式会社が種類株式発行会社であるときは、吸収合併存続株式会社及び吸収合併消滅株式会社は、吸収合併消滅株式会社の発行する種類の株式の内容に応じ、同項第三号に掲げる事項として次に掲げる事項を定めることができる。

一 ある種類の株式の株主に対して金銭等の割当てをしないこととするときは、その旨及び当該株式の種類

二 前号に掲げる事項のほか、金銭等の割当てについて株式の種類ごとに異なる取扱いを行うこととするときは、その旨及び当該異なる取扱いの内容

③ 第一項に規定する場合には、同項第三号に掲げる事項についての定めは、吸収合併消滅株式会社の株主（吸収合併消滅株式会社及び吸収合併存続株式会社並びに前項第一号の種類の株式の株主を除く。）の有する株式の数（前項第二号に掲げる事項についての定めがある場合にあっては、各種類の株式の数）に応じて金銭等を交付することを内容とするものでなければならない。

∞❶〔二〕【株式会社の定款記載・記録事項↓二七―二九・四六六【商号↓六―九【住所↓四∞　〔三〕【株式・持分に代わる対価↓七四四①[五]∞【一に満たない端数の処理↓二三四①[五][六]【新株の割当て↓七四六①[六]∞【株式の種類↓一〇八∞【資本金・準備金の額↓四四五⑤【社債の割当て↓六七六[十二]・六七八・六七九【社債の種類↓七四四①[五]イ【新株予約権の内容↓二三六①[四]②[二]ホ【新株予約権付社債↓二四五②・二九二【株式等↓一〇七【略式組織再編に対する差止請求↓七八四の二[二]・七九六の二[二]　〔三〕【金銭等↓一五一①　〔四〕【新株予約権の消滅とその対価↓七四四①[七][四]∞【新株予約権の内容↓二三六①[四]【社債の種類↓七四四①[五]イ【社債に係る債務の承継↓七五三①[十]ロ・七五八[五]八・七六三①[十]八・七六八①[四]八・七七三①[九]八　〔四〕〔五〕【新株予約権買取請求↓七八七①[二]　〔五〕【新株予約権の割当て↓二三八①[四]・二四三―二四五　〔六〕【効力発生日↓七四四①[九]∞・七五〇・七九〇・八二八①[七]・九二一　❷【種類株式発行会社↓二[十三]・九一一③[七]【株式の種類↓一〇八∞　❷❸【株主平等原則↓一〇九

（株式会社が存続する吸収合併の効力の発生等）

第七五〇条① 吸収合併存続株式会社は、効力発生日に、吸収合併消滅会社の権利義務を承継する。

② 吸収合併消滅会社の吸収合併による解散は、吸収合併の登記の後でなければ、これをもって第三者に対抗することができない。

③ 次の各号に掲げる場合には、吸収合併消滅株式会社の株主又は吸収合併消滅持分会社の社員は、効力発生日に、前条第一項第三号に掲げる事項についての定めに従い、当該各号に定める者となる。

一 前条第一項第二号イに掲げる事項についての定めがある場合　同号イの株式の株主

二 前条第一項第二号ロに掲げる事項についての定めがある場合　同号ロの社債の社債権者

三 前条第一項第二号ハに掲げる事項についての定めがある場合　同号ハの新株予約権の新株予約権者

四 前条第一項第二号ニに掲げる事項についての定めがある場合　同号ニの新株予約権付社債についての社債の社債権者及び当該新株予約権付社債に付された新株予約権の新株予約権者

④ 吸収合併消滅株式会社の新株予約権は、効力発生日に、消滅する。

⑤ 前条第一項第四号イに規定する場合には、吸収合併

消滅株式会社の新株予約権の新株予約権者は、効力発生日に、同項第五号に掲げる事項についての定めに従い、同項第四号イの吸収合併存続株式会社の新株予約権の新株予約権者となる。

⑥ 前各項の規定は、第七百八十九条（第一項第三号及び第二項第三号を除き、第七百九十三条第二項において準用する場合を含む。）若しくは第七百九十九条の規定による手続が終了していない場合又は吸収合併を中止した場合には、適用しない。

参ⅰ【効力発生日↓七四四①四参　❶【権利義務の包括的承継↓七五二、七五四、七五六、七五九、七六一、七六四、七六六【他の制度との比較↓四六七、七六九、七七一、七七四　❷【吸収合併の登記↓九二一、商登七九、一〇八①【登記の一般的効力↓商九、七五〇②、七五二②、九〇八　❸[二]【株主となる時期↓五〇、二〇九①、二八二①【一に満たない端数の処理↓二三四①五【振替株式の場合における記載・記録↓社債株式振替一三八　[三]【社債権者となる時期↓七四五④参　[三]【新株予約権者↓二四五①、二三八①四　[四]【新株予約権付社債↓二四五②、二九二　❹【新株予約権の消滅↓七四四①七四参　❹❺【新株予約権の質入れの効果↓二七二①三　❺【新株予約権の内容↓二三六①四【新株予約権者↓二四五①、二三八①四　❻【効力発生障害事由↓七四五⑥参

第二款　持分会社が存続する吸収合併

（**持分会社が存続する吸収合併契約**）

第七五一条① 会社が吸収合併をする場合において、吸収合併存続会社が持分会社であるときは、吸収合併契約において、次に掲げる事項を定めなければならない。

一 持分会社である吸収合併存続会社（以下この節において「吸収合併存続持分会社」という。）及び吸収合併消滅会社の商号及び住所

二 吸収合併消滅株式会社の株主又は吸収合併消滅持分会社の社員が吸収合併に際して吸収合併存続持分会社の社員となるときは、次のイからハまでに掲げる吸収合併存続持分会社の区分に応じ、当該イからハまでに定める事項

イ 合名会社　当該社員の氏名又は名称及び住所並びに出資の価額

ロ 合資会社　当該社員の氏名又は名称及び住所、当該社員が無限責任社員又は有限責任社員のいずれであるかの別並びに当該社員の出資の価額

ハ 合同会社　当該社員の氏名又は名称及び住所並びに出資の価額

三 吸収合併存続持分会社が吸収合併に際して吸収合併消滅株式会社の株主又は吸収合併消滅持分会社の社員に対してその株式又は持分に代わる金銭等（吸収合併存続持分会社の持分を除く。）を交付するときは、当該金銭等についての次に掲げる事項

イ 当該金銭等が吸収合併存続持分会社の社債であるときは、当該社債の種類及び種類ごとの各社債の金額の合計額又はその算定方法

ロ 当該金銭等が吸収合併存続持分会社の社債以外の財産であるときは、当該財産の内容及び数若しくは額又はこれらの算定方法

四 前号に規定する場合には、吸収合併消滅株式会社の株主（吸収合併消滅株式会社及び吸収合併存続持分会社を除く。）又は吸収合併消滅持分会社の社員（吸収合併存続持分会社を除く。）に対する同号の金銭等の割当てに関する事項

五 吸収合併消滅株式会社が新株予約権を発行しているときは、吸収合併存続持分会社が吸収合併に際して当該新株予約権の新株予約権者に対して交付する当該新株予約権に代わる金銭の額又はその算定方法

六 前号に規定する場合には、吸収合併消滅株式会社の新株予約権の新株予約権者に対する同号の金銭の割当てに関する事項

七 効力発生日

② 前項に規定する場合において、吸収合併消滅株式会社が種類株式発行会社であるときは、吸収合併存続持分会社及び吸収合併消滅株式会社は、吸収合併消滅株式会社の発行する種類の株式の内容に応じ、同項第四号に掲げる事項として次に掲げる事項を定めることができる。

一 ある種類の株式の株主に対して金銭等の割当てをしないこととするときは、その旨及び当該株式の種類

二 前号に掲げる事項のほか、金銭等の割当てについて株式の種類ごとに異なる取扱いを行うこととするときは、その旨及び当該異なる取扱いの内容

③ 第一項に規定する場合には、同項第四号に掲げる事項についての定めは、吸収合併消滅株式会社の株主（吸収合併消滅株式会社及び吸収合併存続持分会社並びに前項第一号の種類の株式の株主を除く。）の有する株式の数（前項第二号に掲げる事項についての定めがある場合にあっては、各種類の株式の数）に応じて金銭等を交付することを内容とするものでなければならない。

参❶[二]【持分会社の定款記載・記録事項↓五七六、五七七【商号↓六―九【住所↓四参　[二]【社員の責任の変更の特則↓五八三【定款記載・記録事項↓五七六　[三]【金銭等の交付↓七四四①五六参【一に満たない端数の処理↓二三四①五【社債の割当て↓六七六十二、六七八、六七九【社債の種類↓七四四①五イ　[三][四]【金銭等↓一五一①【略式組織再編に対する差止請求↓七八四の二三　[五][六]【新株予約権の消滅とその対価↓七四四①七四参【新株予約権の内容↓二三六①四　[七]【効力発生日↓七四四①九参　❷【種類株式発行会社↓二十三、九一一③　❷❸【株主平等原則↓一〇九

（**持分会社が存続する吸収合併の効力の発生等**）

第七五二条① 吸収合併存続持分会社は、効力発生日に、吸収合併消滅会社の権利義務を承継する。

② 吸収合併消滅会社の吸収合併による解散は、吸収合併の登記の後でなければ、これをもって第三者に対抗することができない。

③ 前条第一項第二号に規定する場合には、吸収合併消滅株式会社の株主又は吸収合併消滅持分会社の社員は、効力発生日に、同号に掲げる事項についての定めに従い、当該吸収合併存続持分会社の社員となる。この場合においては、吸収合併存続持分会社は、効力発生日に、同号の社員に係る定款の変更をしたものとみなす。

④ 前条第一項第三号イに掲げる事項についての定めがある場合には、吸収合併消滅株式会社の株主又は吸収合併消滅持分会社の社員は、効力発生日に、同項第四号に掲げる事項についての定めに従い、同項第三号イの社債の社債権者となる。

⑤ 吸収合併消滅株式会社の新株予約権は、効力発生日に、消滅する。

⑥ 前各項の規定は、第七百八十九条（第一項第三号及び第二項第三号を除き、第七百九十三条第二項において準用する場合を含む。）若しくは第八百二条第二項において準用する第七百九十九条（第二項第三号を除く。）の規定による手続が終了していない場合又は吸収合併を中止した場合には、適用しない。

⊛†【効力発生日↓七四四①九⊛　❶【権利義務の包括的承継↓七五〇①⊛　❷【吸収合併による解散↓四七一四・六四一五【吸収合併の登記↓九二一【合併契約書の申請書の添付書類↓商登一〇八①②・一一四・一二五　❸【持分会社の社員となる時期↓五七五—五七九【みなし定款変更↓七四五②⊛　❹【社債権者となる時期↓七四五④⊛　❺【新株予約権の消滅↓七四四①七四⊛【新株予約権の質入れの効果↓二七二①三　❻【効力発生障害事由↓七四五⑥⊛

第三節　新設合併

第一款　株式会社を設立する新設合併

（株式会社を設立する新設合併契約）

第七五三条① 二以上の会社が新設合併をする場合において、新設合併により設立する会社（以下この編において「新設合併設立会社」という。）が株式会社であるときは、新設合併契約において、次に掲げる事項を定めなければならない。

一 新設合併により消滅する会社（以下この編において「新設合併消滅会社」という。）の商号及び住所

二 株式会社である新設合併設立会社（以下この編において「新設合併設立株式会社」という。）の目的、商号、本店の所在地及び発行可能株式総数

三 前号に掲げるもののほか、新設合併設立株式会社の定款で定める事項

四 新設合併設立株式会社の設立時取締役の氏名

五 次のイからハまでに掲げる場合の区分に応じ、当該イからハまでに定める事項

イ 新設合併設立株式会社が会計参与設置会社である場合　新設合併設立株式会社の設立時会計参与の氏名又は名称

ロ 新設合併設立株式会社が監査役設置会社（監査役の監査の範囲を会計に関するものに限定する旨の定款の定めがある株式会社を含む。）である場合　新設合併設立株式会社の設立時監査役の氏名

ハ 新設合併設立株式会社が会計監査人設置会社である場合　新設合併設立株式会社の設立時会計監査人の氏名又は名称

六 新設合併設立株式会社が新設合併に際して株式会社である新設合併消滅会社（以下この編において「新設合併消滅株式会社」という。）の株主又は持分会社である新設合併消滅会社（以下この編において「新設合併消滅持分会社」という。）の社員に対して交付するその株式又は持分に代わる当該新設合併設立株式会社の株式の数（種類株式発行会社にあっては、株式の種類及び種類ごとの数）又はその数の算定方法並びに当該新設合併設立株式会社の資本金及び準備金の額に関する事項

七 新設合併消滅株式会社の株主（新設合併消滅株式会社を除く。）又は新設合併消滅持分会社の社員に対する前号の株式の割当てに関する事項

八 新設合併設立株式会社が新設合併に際して新設合併消滅株式会社の株主又は新設合併消滅持分会社の社員に対してその株式又は持分に代わる当該新設合併設立株式会社の社債等を交付するときは、当該社債等についての次に掲げる事項

イ 当該社債等が新設合併設立株式会社の社債（新株予約権付社債についてのものを除く。）であるときは、当該社債の種類及び種類ごとの各社債の金額の合計額又はその算定方法

ロ 当該社債等が新設合併設立株式会社の新株予約権（新株予約権付社債に付されたものを除く。）であるときは、当該新株予約権の内容及び数又はその算定方法

ハ 当該社債等が新設合併設立株式会社の新株予約権付社債であるときは、当該新株予約権付社債についてのイに規定する事項及び当該新株予約権付社債に付された新株予約権についてのロに規定する事項

九 前号に規定する場合には、新設合併消滅株式会社の株主（新設合併消滅株式会社を除く。）又は新設合併消滅持分会社の社員に対する同号の社債等の割当てに関する事項

十 新設合併消滅株式会社が新株予約権を発行しているときは、新設合併設立株式会社が新設合併に際して当該新株予約権の新株予約権者に対して交付する当該新株予約権に代わる当該新設合併設立株式会社の新株予約権又は金銭についての次に掲げる事項

イ 当該新設合併消滅株式会社の新株予約権の新株予約権者に対して新設合併設立株式会社の新株予約権を交付するときは、当該新株予約権の内容及び数又はその算定方法

ロ イに規定する場合において、イの新設合併消滅株式会社の新株予約権が新株予約権付社債に付された新株予約権であるときは、新設合併設立株式会社が当該新株予約権付社債についての社債に係る債務を承継する旨並びにその承継に係る社債の種類及び種類ごとの各社債の金額の合計額又はその算定方法

ハ 当該新設合併消滅株式会社の新株予約権の新株予約権者に対して金銭を交付するときは、当該金銭の額又はその算定方法

十一 前号に規定する場合には、新設合併消滅株式会社の新株予約権の新株予約権者に対する同号の新設合併設立株式会社の新株予約権又は金銭の割当てに関する事項

② 新設合併設立株式会社が監査等委員会設置会社であ

る場合には、前項第四号に掲げる事項は、設立時監査等委員である設立時取締役とそれ以外の設立時取締役とを区別して定めなければならない。（平成二六法九〇本項追加）

③　第一項に規定する場合において、新設合併消滅株式会社の全部又は一部が種類株式発行会社であるときは、新設合併消滅株式会社は、新設合併消滅株式会社の発行する種類の株式の内容に応じ、同項第七号に掲げる事項（新設合併消滅株式会社の株主に係る事項に限る。次項において同じ。）として次に掲げる事項を定めることができる。

一　ある種類の株式の株主に対して新設合併設立株式会社の株式の割当てをしないこととするときは、その旨及び当該株式の種類

二　前号に掲げる事項のほか、新設合併設立株式会社の株式の割当てについて株式の種類ごとに異なる取扱いを行うこととするときは、その旨及び当該異なる取扱いの内容

④　第一項に規定する場合には、同項第七号に掲げる事項についての定めは、新設合併消滅株式会社の株主（新設合併消滅会社及び前項第一号の種類の株式の株主を除く。）の有する株式の数（前項第二号に掲げる事項についての定めがある場合にあっては、各種類の株式の数）に応じて新設合併設立株式会社の株式を交付することを内容とするものでなければならない。

⑤　前二項の規定は、第一項第九号に掲げる事項について準用する。この場合において、前二項中「新設合併設立株式会社の株式」とあるのは、「新設合併設立株式会社の社債等」と読み替えるものとする。

⊛❶【会社の設立→九一一　【一】―【三】【株式会社の定款記載・記録事項→二七―二九　【二】【商号→六―九【住所→四⊛　【三】【発行可能株式総数→三七、一一三、九一一③[六]　【四】【設立時取締役→三八①、三九、九一一③[十三]　【五】【会計参与・監査役・会計監査人設置会社・会計参与設置会社・監査役設置会社・会計監査人設置会社→三八②、七四六①[四]　【六】【資本金・準備金の額→四四五⑤　【六】【七】【新株の割当て→七四六①[六]⊛、一〇九【一に満たない端数の処理→二三四①[五][六]　【八】【株式・持分に代わる社債等の交付→七四四①[五][六]⊛　【八】【九】【社債等→七四六①[七]ニ　【九】【社債等の割当て→一〇九、六七六[十一]、六七八、六七九【新株予約権の割当て→二三八①[四]、二四三―二四五　【十】【新株予約権の内容→二三六①[四]【社債に係る債務の承継→七四九①[四]ロ、七五八[五]ハ、七六三①[十]ハ、七六八①[四]ハ、七七三①[九]ハ　【十】【十一】【新株予約権の消滅とその対価→七四四①[七][四]⊛【新株予約権買取請求→八〇八①[三]　❷【設立時監査等委員→三八②　❸【種類株式発行会社→二[十三]、九一一③[七]【株式の種類→一〇八⊛　❸―❺【株主平等原則→一〇九

（株式会社を設立する新設合併の効力の発生等）

第七五四条①　新設合併設立株式会社は、その成立の日に、新設合併消滅会社の権利義務を承継する。

②　前条第一項に規定する場合には、新設合併消滅株式会社の株主又は新設合併消滅持分会社の社員は、新設合併設立株式会社の成立の日に、同項第七号に掲げる事項についての定めに従い、同項第六号の株式の株主となる。

③　次の各号に掲げる場合には、新設合併消滅株式会社の株主又は新設合併消滅持分会社の社員は、新設合併設立株式会社の成立の日に、前条第一項第九号に掲げる事項についての定めに従い、当該各号に定める者となる。

一　前条第一項第八号イに掲げる事項についての定めがある場合　同号イの社債の社債権者

二　前条第一項第八号ロに掲げる事項についての定めがある場合　同号ロの新株予約権の新株予約権者

三　前条第一項第八号ハに掲げる事項についての定めがある場合　同号ハの新株予約権付社債についての社債の社債権者及び当該新株予約権付社債に付された新株予約権の新株予約権者

④　新設合併消滅株式会社の新株予約権は、新設合併設立株式会社の成立の日に、消滅する。

⑤　前条第一項第十号イに規定する場合には、新設合併消滅株式会社の新株予約権の新株予約権者は、新設合併設立株式会社の成立の日に、同項第十一号に掲げる事項についての定めに従い、同項第十号イの新設合併設立株式会社の新株予約権の新株予約権者となる。

⊛+【株式会社成立の日→四九、七六四、七七四、九一一、商登四七【持分会社の場合→七五六、七六六、九一二―九一四、商登九四、一一〇、一一七　❶【権利義務の包括的承継→七五〇①⊛　❷【株主となる時期→五〇、二〇九①、二八二①【一に満たない端数の処理→二三四①[六]【振替株式の場合における記載・記録→社債株式振替一三八　❸【二】【社債権者となる時期→七四五④⊛　❸【二】【三】❺【新株予約権者→二四五①、二三八①[四]　❹【新株予約権の消滅→七四四①[七][四]⊛【新株予約権の質入れの効果→二七二①[三]

第二款　持分会社を設立する新設合併

（持分会社を設立する新設合併契約）

第七五五条①　二以上の会社が新設合併をする場合において、新設合併設立会社が持分会社であるときは、新設合併契約において、次に掲げる事項を定めなければならない。

一　新設合併消滅会社の商号及び住所

二　持分会社である新設合併設立会社（以下この編において「新設合併設立持分会社」という。）が合名会社、合資会社又は合同会社のいずれであるかの別

三　新設合併設立持分会社の目的、商号及び本店の所在地

四　新設合併設立持分会社の社員についての次に掲げる事項

イ　当該社員の氏名又は名称及び住所

ロ　当該社員が無限責任社員又は有限責任社員のいずれであるかの別

ハ　当該社員の出資の価額

五　前二号に掲げるもののほか、新設合併設立持分会社の定款で定める事項

六　新設合併設立持分会社が新設合併に際して新設合併消滅株式会社の株主又は新設合併消滅持分会社の社員に対してその株式又は持分に代わる当該新設合併設立持分会社の社債を交付するときは、当該社債の種類及び種類ごとの各社債の金額の合計額又はその算定方法

七　前号に規定する場合には、新設合併消滅株式会社の株主（新設合併消滅株式会社を除く。）又は新設合併消滅持分会社の社員に対する同号の社債の割当てに関する事項

八　新設合併消滅株式会社が新株予約権を発行しているときは、新設合併設立持分会社が新設合併に際して当該新株予約権の新株予約権者に対して交付する当該新株予約権に代わる金銭の額又はその算定方法

九　前号に規定する場合には、新設合併消滅株式会社の新株予約権の新株予約権者に対する同号の金銭の割当てに関する事項

② 新設合併設立持分会社が合名会社であるときは、前項第四号ロに掲げる事項として、その社員の全部を無限責任社員とする旨を定めなければならない。

③ 新設合併設立持分会社が合資会社であるときは、第一項第四号ロに掲げる事項として、その社員の一部を無限責任社員とし、その他の社員を有限責任社員とする旨を定めなければならない。

④ 新設合併設立持分会社が合同会社であるときは、第一項第四号ロに掲げる事項として、その社員の全部を有限責任社員とする旨を定めなければならない。

ⓢ❶【持分会社の設立→五七九【持分会社の設立登記→九一二—九一四　〔一〕—〔五〕【持分会社の定款記載・記録事項→五七六・五七七　〔二〕【商号→六—九【住所→四ⓢ　〔三〕【本店所在地→四ⓢ　〔六〕【一に満たない端数の処理→二三四①[五]【社債の交付→七六五①[六]【社債の種類→七四四①[五]　〔七〕【社債の割当て→一〇九・六七六[十二]・六七八・六七九・七五三⑤　〔八〕【金銭の交付→二三六・二三八・七四四①[五][六]ⓢ　〔九〕【金銭の割当て→一〇九　❷—❹【持分会社設立後の社員の責任→五七六

（持分会社を設立する新設合併の効力の発生等）

第七五六条① 新設合併設立持分会社は、その成立の日に、新設合併消滅会社の権利義務を承継する。

② 前条第一項に規定する場合には、新設合併消滅株式会社の株主又は新設合併消滅持分会社の社員は、新設合併設立持分会社の成立の日に、同項第四号に掲げる事項についての定めに従い、当該新設合併設立持分会社の社員となる。

③ 前条第一項第六号に掲げる事項についての定めがある場合には、新設合併消滅株式会社の株主又は新設合併消滅持分会社の社員は、新設合併設立持分会社の成立の日に、同項第七号に掲げる事項についての定めに従い、同項第六号の社債の社債権者となる。

④ 新設合併消滅株式会社の新株予約権は、新設合併設立持分会社の成立の日に、消滅する。

ⓢ+【持分会社成立の日→七六六・五七九・九一二—九一四、商登九四・一一〇・一一七　❶【権利義務の包括的承継→七五〇①ⓢ　❷【持分会社の社員となる時期→五七五—五七九【社員の責任の変更の特則→五八三　❸【社債権者となる時期→七四五④ⓢ　❹【新株予約権の消滅→七四四①[七][四]ⓢ【新株予約権の質入れの効果→二七二①[三]

第三章　会社分割

第一節　吸収分割

第一款　通則

（吸収分割契約の締結）

第七五七条　会社（株式会社又は合同会社に限る。）は、吸収分割をすることができる。この場合においては、当該会社がその事業に関して有する権利義務の全部又は一部を当該会社から承継する会社（以下この編において「吸収分割承継会社」という。）との間で、吸収分割契約を締結しなければならない。

ⓢ+【吸収分割→二[二十九]ⓢ【吸収分割契約→七五八・七六〇・七八二・七八三・七九一・七九四・七九五・八〇一・八〇二【営業に関して有する権利義務の包括的承継→七五〇①ⓢ【吸収分割の効果→七五九【吸収分割の制限→会社法整備法三七、独禁一五の二・一八②【内部者取引に関する重要事実→金商一六六②[一]ヲ[五]ホ

第二款　株式会社に権利義務を承継させる吸収分割

（株式会社に権利義務を承継させる吸収分割契約）

第七五八条　会社が吸収分割をする場合において、吸収分割承継会社が株式会社であるときは、吸収分割契約において、次に掲げる事項を定めなければならない。

一　吸収分割をする会社（以下この編において「吸収分割会社」という。）及び株式会社である吸収分割承継株式会社（以下この編において「吸収分割承継株式会社」という。）の商号及び住所

二　吸収分割承継株式会社が吸収分割により吸収分割会社から承継する資産、債務、雇用契約その他の権利義務（株式会社である吸収分割会社（以下この編において「吸収分割株式会社」という。）及び吸収分割承継株式会社の株式並びに吸収分割株式会社の新株予約権に係る義務を除く。）に関する事項

三　吸収分割により吸収分割株式会社又は吸収分割承継株式会社の株式を吸収分割承継株式会社に承継させるときは、当該株式に関する事項

四　吸収分割承継株式会社が吸収分割に際して吸収分割会社に対してその事業に関する権利義務の全部又は一部に代わる金銭等を交付するときは、当該金銭等についての次に掲げる事項

イ　当該金銭等が吸収分割承継株式会社の株式であるときは、当該株式の数（種類株式発行会社にあっては、株式の種類及び種類ごとの数）又はその数の算定方法並びに当該吸収分割承継株式会社の資本金及び準備金の額に関する事項

ロ　当該金銭等が吸収分割承継株式会社の社債（新株予約権付社債についてのものを除く。）であるときは、当該社債の種類及び種類ごとの各社債の金額の合計額又はその算定方法

ハ　当該金銭等が吸収分割承継株式会社の新株予約権（新株予約権付社債に付されたものを除く。）であるときは、当該新株予約権の内容及び数又はその算定方法

ニ　当該金銭等が吸収分割承継株式会社の新株予約権付社債であるときは、当該新株予約権付社債についてのロに規定する事項及び当該新株予約権付社債に付された新株予約権についてのハに規定する事項

ホ　当該金銭等が吸収分割承継株式会社の株式等以外の財産であるときは、当該財産の内容及び数若しくは額又はこれらの算定方法

五　吸収分割承継株式会社が吸収分割に際して吸収分割株式会社の新株予約権の新株予約権者に対して当該新株予約権に代わる当該吸収分割承継株式会社の新株予約権を交付するときは、当該新株予約権についての次に掲げる事項

イ　当該吸収分割承継株式会社の新株予約権の交付を受ける吸収分割株式会社の新株予約権の新株予約権者の有する新株予約権（以下この編において「吸収分割契約新株予約権」という。）の内容

ロ　吸収分割契約新株予約権の新株予約権者に対して交付する吸収分割承継株式会社の新株予約権の内容及び数又はその算定方法

ハ　吸収分割契約新株予約権が新株予約権付社債に付された新株予約権であるときは、吸収分割承継株式会社が当該新株予約権付社債についての社債に係る債務を承継する旨並びにその承継に係る社債の種類及び種類ごとの各社債の金額の合計額又はその算定方法

六　前号に規定する場合には、吸収分割契約新株予約権の新株予約権者に対する同号の吸収分割承継株式会社の新株予約権の割当てに関する事項

七　吸収分割がその効力を生ずる日（以下この節において「効力発生日」という。）

八　吸収分割株式会社が効力発生日に次に掲げる行為をするときは、その旨

イ　第百七十一条第一項の規定による株式の取得（同項第一号に規定する取得対価が吸収分割承継株式会社の株式（吸収分割株式会社が吸収分割をする前から有するものを除き、吸収分割承継株式会社の株式に準ずるものとして法務省令で定めるものを含む。ロにおいて同じ。）のみであるものに限る。）

ロ　剰余金の配当（配当財産が吸収分割承継株式会社の株式のみであるものに限る。）

参+【吸収分割の制限↓七五七参　【一】【株式会社の定款記載・記録事項↓二七－二九　【二】【雇用契約↓労働承継【その他の権利義務↓民三九八の一〇　【三】【承継会社による自己株式の取得↓一五五[十三]・一五六・一六六・七五七・七九五③【自己株式の処分↓一九九①　【四】【略式組織再編に対する差止請求↓七八四の二[二]・七九六の二[二]【株式・持分に代わる対価↓七四四①[五]参【金銭等↓一五一【金銭等の割当て↓一〇九・六二一・六二二【株式等↓一〇七②[二]ホ　【四】【五】【社債の種類↓七四四①[五]イ　【五】【新株予約権の内容↓二三六①[四]【社債に係る債務の承継↓七四九①[四]ロ・七五三①[十]ロ・七六三①[十]ハ・七六八①[四]ハ・七七三①[九]ハ　【五】【六】【新株予約権の消滅とその対価↓七四四①[七][八]参【新株予約権買取請求↓七八七①[二]　【七】【効力発生日↓七四四①[九]参　【八】【債権者の異議↓七八九①[二]【取得条項付株式↓二[十九]・四五八・四六一①[四]・七九二[二]【省令で定めるもの↓会社則一七八【配当財産↓二[二十五]【現物配当↓一〇九・四五四①③・四五八・四六一①[四]・七九二[二]

第七五九条（**株式会社に権利義務を承継させる吸収分割の効力の発生等**）①　吸収分割承継株式会社は、効力発生日に、吸収分割契約の定めに従い、吸収分割会社の権利義務を承継する。

②　前項の規定にかかわらず、第七百八十九条第一項第二号（第七百九十三条第二項において準用する場合を含む。次項において同じ。）の規定により異議を述べることができる吸収分割会社の債権者であって、第七百八十九条第二項（第三号を除き、第七百九十三条第二項において準用する場合を含む。次項において同じ。）の各別の催告を受けなかったもの（第七百八十九条第三項（第七百九十三条第二項において準用する場合を含む。）に規定する場合にあっては、不法行為によって生じた債務の債権者であるものに限る。次項において同じ。）は、吸収分割契約において吸収分割後に吸収分割会社に対して債務の履行を請求することができないものとされているときであっても、吸収分割会社に対して、吸収分割会社が効力発生日に有していた財産の価額を限度として、当該債務の履行を請求することができる。（平成二六法九〇本項改正）

③　第一項の規定にかかわらず、第七百八十九条第一項第二号の規定により異議を述べることができる吸収分割会社の債権者であって、同条第二項の各別の催告を受けなかったものは、吸収分割契約において吸収分割後に吸収分割承継株式会社に対して債務の履行を請求することができないものとされているときであっても、吸収分割承継株式会社に対して、承継した財産の価額を限度として、当該債務の履行を請求することができる。（平成二六法九〇本項改正）

④　第一項の規定にかかわらず、吸収分割会社が吸収分割承継株式会社に承継されない債務の債権者（以下この条において「残存債権者」という。）を害することを知って吸収分割をした場合には、残存債権者は、吸収分割承継株式会社に対して、承継した財産の価額を限度として、当該債務の履行を請求することができる。ただし、吸収分割承継株式会社が吸収分割の効力が生じた時において残存債権者を害することを知らなかったときは、この限りでない。（平成二六法九〇本項追加、平成二九法四五本項改正）

⑤　前項の規定は、前条第八号に掲げる事項についての定めがある場合には、適用しない。（平成二六法九〇本項追加）

⑥　吸収分割承継株式会社が第四項の規定により同項の債務を履行する責任を負う場合には、当該責任は、吸収分割会社が残存債権者を害することを知って吸収分割をしたことを知った時から二年以内に請求又は請求の予告をしない残存債権者に対しては、その期間を経過した時に消滅する。効力発生日から十年を経過したときも、同様とする。（平成二六法九〇本項追加、平成二九法四五本項改正）

⑦　吸収分割会社について破産手続開始の決定、再生手続開始の決定又は更生手続開始の決定があったときは、残存債権者は、吸収分割承継株式会社に対して第四項の規定による請求をする権利を行使することができない。（平成二六法九〇本項追加）

⑧ 次の各号に掲げる場合には、吸収分割会社は、効力発生日に、吸収分割契約の定めに従い、当該各号に定める者となる。
一 前条第四号イに掲げる事項についての定めがある場合　同号イの株式の株主
二 前条第四号ロに掲げる事項についての定めがある場合　同号ロの社債の社債権者
三 前条第四号ハに掲げる事項についての定めがある場合　同号ハの新株予約権の新株予約権者
四 前条第四号ニに掲げる事項についての定めがある場合　同号ニの新株予約権付社債についての社債の社債権者及び当該新株予約権付社債に付された新株予約権の新株予約権者

⑨ 前条第五号に規定する場合には、効力発生日に、吸収分割契約新株予約権は、消滅し、当該吸収分割契約新株予約権の新株予約権者は、同条第六号に掲げる事項についての定めに従い、同条第五号ロの吸収分割承継株式会社の新株予約権の新株予約権者となる。

⑩ 前各項の規定は、第七百八十九条（第一項第三号及び第二項第三号を除き、第七百九十三条第二項において準用する場合を含む。）若しくは第七百九十九条の規定による手続が終了していない場合又は吸収分割を中止した場合には、適用しない。

⊛+【効力発生日↓七四四①〔九〕⊛　❶【営業に関する権利義務の包括的承継↓七五〇①⊛　❷❸【連帯債務↓民四三六―四四五　❸【分割する会社から承継する財産の価額↓八〇一③④　❹―❼【詐害事業譲渡↓二三の二【詐害的吸収分割↓七六一④―⑦【詐害的新設分割↓七六四④―⑦・七六六④―⑦　❽〔二〕【株主となる時期↓五〇・二〇九①・二八二①　〔三〕【社債権者となる時期↓七四五④⊛　〔三〕【新株予約権者↓二四五①・二三八①　〔四〕❾【新株予約権の消滅↓七四四①〔七〕〔四〕⊛【新株予約権者↓二四五①・二三八①〔四〕【新株予約権の質入れの効果↓二七二①〔四〕❿【効力発生障害事由↓七四五⑥⊛

第三款　持分会社に権利義務を承継させる吸収分割

（持分会社に権利義務を承継させる吸収分割契約）

第七六〇条　会社が吸収分割をする場合において、吸収分割承継会社が持分会社であるときは、吸収分割契約において、次に掲げる事項を定めなければならない。
一 吸収分割会社及び持分会社である吸収分割承継会社（以下この節において「吸収分割承継持分会社」という。）の商号及び住所
二 吸収分割承継持分会社が吸収分割により吸収分割会社から承継する資産、債務、雇用契約その他の権利義務（吸収分割株式会社の株式及び新株予約権に係る義務を除く。）に関する事項
三 吸収分割により吸収分割株式会社の株式を吸収分割承継持分会社に承継させるときは、当該株式に関する事項
四 吸収分割会社が吸収分割に際して吸収分割承継持分会社の社員となるときは、次のイからハまでに掲げる吸収分割承継持分会社の区分に応じ、当該イからハまでに定める事項
イ 合名会社　当該社員の氏名又は名称及び住所並びに出資の価額
ロ 合資会社　当該社員の氏名又は名称及び住所、当該社員が無限責任社員又は有限責任社員のいずれであるかの別並びに当該社員の出資の価額
ハ 合同会社　当該社員の氏名又は名称及び住所並びに出資の価額
五 吸収分割承継持分会社が吸収分割に際して吸収分割会社に対してその事業に関する権利義務の全部又は一部に代わる金銭等（吸収分割承継持分会社の持分を除く。）を交付するときは、当該金銭等についての次に掲げる事項
イ 当該金銭等が吸収分割承継持分会社の社債であるときは、当該社債の種類及び種類ごとの各社債の金額の合計額又はその算定方法
ロ 当該金銭等が吸収分割承継持分会社の社債以外の財産であるときは、当該財産の内容及び数若しくは額又はこれらの算定方法
六 効力発生日
七 吸収分割株式会社が効力発生日に次に掲げる行為をするときは、その旨
イ 第百七十一条第一項の規定による株式の取得（同項第一号に規定する取得対価が吸収分割承継持分会社の持分（吸収分割株式会社が吸収分割をする前から有するものを除き、吸収分割承継持分会社の持分に準ずるものとして法務省令で定めるものを含む。ロにおいて同じ。）のみであるものに限る。）
ロ 剰余金の配当（配当財産が吸収分割承継持分会社の持分のみであるものに限る。）

⊛+【吸収分割の制限↓七五七⊛　〔二〕【持分会社の定款記載・記録事項↓五七六・五七七　〔二〕【雇用契約↓労働承継【その他の権利義務↓七五八〔五〕、民三九八の一〇　〔三〕【自己株式の処分↓一九九①　〔四〕【定款の記載・記録事項↓五七六【社員の責任の変更の特則↓五八三　〔四〕〔五〕【略式組織再編に対する差止請求↓七八四の二〔二〕　〔五〕【金銭等↓一五一①【金銭等の交付↓七四四①〔五〕⊛【社債の種類↓七四四①〔五〕イ　〔六〕【効力発生日↓七四四①〔九〕⊛　〔七〕七五八〔四〕⊛

（持分会社に権利義務を承継させる吸収分割の効力の発生等）

第七六一条① 吸収分割承継持分会社は、効力発生日に、吸収分割契約の定めに従い、吸収分割会社の権利義務を承継する。

② 前項の規定にかかわらず、第七百八十九条第一項第二号（第七百九十三条第二項において準用する場合を含む。次項において同じ。）の規定により異議を述べることができる吸収分割会社の債権者であって、第七百八十九条第二項（第三号を除き、第七百九十三条第二項において準用する場合を含む。次項において同じ。）の各別の催告を受けなかったもの（第七百八十九条第三項（第七百九十三条第二項において準用する場合を含む。）に規定する場合にあっては、不法行為によって生じた債務の債権者であるものに限る。次項において同じ。）は、吸収分割契約において吸収分割後に吸収分割会社に対して債務の履行を請求することができないものとされているときであっても、吸収分割会社に対

して、吸収分割会社が効力発生日に有していた財産の価額を限度として、当該債務の履行を請求することができる。（平成二六法九〇本項改正）

③　第一項の規定にかかわらず、第七百八十九条第一項第二号の規定により異議を述べることができる吸収分割会社の債権者であって、同条第二項の各別の催告を受けなかったものは、吸収分割契約において吸収分割後に吸収分割承継持分会社に対して債務の履行を請求することができないものとされているときであっても、吸収分割承継持分会社に対して、承継した財産の価額を限度として、当該債務の履行を請求することができる。（平成二六法九〇本項改正）

④　第一項の規定にかかわらず、吸収分割会社が吸収分割承継持分会社に承継されない債務の債権者（以下この条において「残存債権者」という。）を害することを知って吸収分割をした場合には、残存債権者は、吸収分割承継持分会社に対して、承継した財産の価額を限度として、当該債務の履行を請求することができる。ただし、吸収分割承継持分会社が吸収分割の効力が生じた時において残存債権者を害することを知らなかったときは、この限りでない。（平成二六法九〇本項追加、平成二九法四五本項改正）

⑤　前項の規定は、前条第七号に掲げる事項についての定めがある場合には、適用しない。（平成二六法九〇本項追加）

⑥　吸収分割承継持分会社が第四項の規定により同項の債務を履行する責任を負う場合には、当該責任は、吸収分割会社が残存債権者を害することを知って吸収分割をしたことを知った時から二年以内に請求又は請求の予告をしない残存債権者に対しては、その期間を経過した時に消滅する。効力発生日から十年を経過したときも、同様とする。（平成二六法九〇本項追加、平成二九法四五本項改正）

⑦　吸収分割会社について破産手続開始の決定、再生手続開始の決定又は更生手続開始の決定があったときは、残存債権者は、吸収分割承継持分会社に対して第四項の規定による請求をする権利を行使することができない。（平成二六法九〇本項追加）

⑧　前条第四号に規定する場合には、吸収分割会社は、効力発生日に、同号に掲げる事項についての定めに従い、吸収分割承継持分会社の社員となる。この場合においては、吸収分割承継持分会社は、効力発生日に、同号の社員に係る定款の変更をしたものとみなす。

⑨　前条第五号イに掲げる事項についての定めがある場合には、吸収分割会社は、効力発生日に、吸収分割契約の定めに従い、同号イの社債の社債権者となる。

⑩　前各項の規定は、第七百八十九条（第一項第三号及び第二項第三号を除き、第七百九十三条第二項において準用する場合を含む。）若しくは第八百二条第二項において準用する第七百九十九条（第二項第三号を除く。）の規定による手続が終了していない場合又は吸収分割を中止した場合には、適用しない。

参+【効力発生日↓七四四①㈤参【新株予約権の質入れの効果↓二七二①㈣　❶【営業に関する権利義務の包括的承継↓七五〇①参❷❸【連帯債務↓民四三六―四四五　❸【分割する会社から承継する財産の価額↓七六〇㈢・八〇二①㈢　❹―❼【詐害事業譲渡↓二三の二【詐害的吸収分割↓七五九④―⑦【詐害的新設分割↓七六四④―⑦・七六六④―⑦　❽【持分会社の社員となる時期↓五七五―五七九【社員の責任の変更の特則↓五八三【みなし定款変更↓七四五②参　❾【社債権者となる時期↓七四五④参　❿【効力発生障害事由↓七四五⑥参

第二節　新設分割

第一款　通則

（新設分割計画の作成）

第七六二条①　一又は二以上の株式会社又は合同会社は、新設分割をすることができる。この場合においては、新設分割計画を作成しなければならない。

②　二以上の株式会社又は合同会社が共同して新設分割をする場合には、当該二以上の株式会社又は合同会社は、共同して新設分割計画を作成しなければならない。

参❶【新設分割↓二㉚・九二四、商登八六・一〇九②・一一六・一二五【新設分割計画↓七六三①・七六五・八〇三・八〇四・八一一・八一三・八一五③④【新設分割の効果↓七六四・七六六【新設分割の制限↓七五七【内部者取引に関する重要事項↓金商一六六②㈠ヲ㈤ホ　❷【共同新設分割の制限↓独禁一五の二・一八②

第二款　株式会社を設立する新設分割

（株式会社を設立する新設分割計画）

第七六三条①　一又は二以上の株式会社又は合同会社が新設分割をする場合において、新設分割により設立する会社（以下この編において「新設分割設立会社」という。）が株式会社であるときは、新設分割計画において、次に掲げる事項を定めなければならない。

一　株式会社である新設分割設立会社（以下この編において「新設分割設立株式会社」という。）の目的、商号、本店の所在地及び発行可能株式総数

二　前号に掲げるもののほか、新設分割設立株式会社の定款で定める事項

三　新設分割設立株式会社の設立時取締役の氏名

四　次のイからハまでに掲げる場合の区分に応じ、当該イからハまでに定める事項

イ　新設分割設立株式会社が会計参与設置会社である場合　新設分割設立株式会社の設立時会計参与の氏名又は名称

ロ　新設分割設立株式会社が監査役設置会社（監査役の監査の範囲を会計に関するものに限定する旨の定款の定めがある株式会社を含む。）である場合　新設分割設立株式会社の設立時監査役の氏名

ハ　新設分割設立株式会社が会計監査人設置会社である場合　新設分割設立株式会社の設立時会計監査人の氏名又は名称

五　新設分割設立株式会社が新設分割により新設分割をする会社（以下この編において「新設分割会社」という。）から承継する資産、債務、雇用契約その他の権利義務（株式会社である新設分割会社（以下この編において「新設分割株式会社」という。）の株式

及び新株予約権に係る義務を除く。）に関する事項

六　新設分割設立株式会社が新設分割に際して新設分割会社に対して交付するその事業に関する権利義務の全部又は一部に代わる当該新設分割設立株式会社の株式の数（種類株式発行会社にあっては、株式の種類及び種類ごとの数）又はその数の算定方法並びに当該新設分割設立株式会社の資本金及び準備金の額に関する事項

七　二以上の株式会社又は合同会社が共同して新設分割をするときは、新設分割会社に対する前号の株式の割当てに関する事項

八　新設分割設立株式会社が新設分割に際して新設分割会社に対してその事業に関する権利義務の全部又は一部に代わる当該新設分割設立株式会社の社債等を交付するときは、当該社債等についての次に掲げる事項

イ　当該社債等が新設分割設立株式会社の社債（新株予約権付社債についてのものを除く。）であるときは、当該社債の種類及び種類ごとの各社債の金額の合計額又はその算定方法

ロ　当該社債等が新設分割設立株式会社の新株予約権（新株予約権付社債に付されたものを除く。）であるときは、当該新株予約権の内容及び数又はその算定方法

ハ　当該社債等が新設分割設立株式会社の新株予約権付社債であるときは、当該新株予約権付社債についてのイに規定する事項及び当該新株予約権付社債に付された新株予約権についてのロに規定する事項

九　前号に規定する場合において、二以上の株式会社又は合同会社が共同して新設分割をするときは、新設分割会社に対する同号の社債等の割当てに関する事項

十　新設分割設立株式会社が新設分割に際して新設分割株式会社の新株予約権の新株予約権者に対して当該新株予約権に代わる当該新設分割設立株式会社の新株予約権を交付するときは、当該新株予約権についての次に掲げる事項

イ　当該新設分割設立株式会社の新株予約権の交付を受ける新設分割株式会社の新株予約権の新株予約権者の有する新株予約権（以下この編において「新設分割計画新株予約権」という。）の内容

ロ　新設分割計画新株予約権の新株予約権者に対して交付する新設分割設立株式会社の新株予約権の内容及び数又はその算定方法

ハ　新設分割計画新株予約権が新株予約権付社債に付された新株予約権であるときは、新設分割設立株式会社が当該新株予約権付社債についての社債に係る債務を承継する旨並びにその承継に係る社債の種類及び種類ごとの各社債の金額の合計額又はその算定方法

十一　前号に規定する場合には、新設分割計画新株予約権の新株予約権者に対する同号の新設分割設立株式会社の新株予約権の割当てに関する事項

十二　新設分割株式会社が新設分割設立株式会社の成立の日に次に掲げる行為をするときは、その旨

イ　第百七十一条第一項の規定による株式の取得（同項第一号に規定する取得対価が新設分割設立株式会社の株式（これに準ずるものとして法務省令で定めるものを含む。ロにおいて同じ。）のみであるものに限る。）

ロ　剰余金の配当（配当財産が新設分割設立株式会社の株式のみであるものに限る。）

②　新設分割設立株式会社が監査等委員会設置会社である場合には、前項第三号に掲げる事項は、設立時監査等委員である設立時取締役とそれ以外の設立時取締役とを区別して定めなければならない。（平成二六法九〇本項追加）

⊛❶[二][三]【株式会社の定款記載・記録事項】→二七－二九　[二]【目的】→八二四①[三]、三六〇【商号】→六－九【本店所在地】→四
⊛【発行可能株式総数】→三七、一一三、九一一③[六]　[三]【設立時取締役】→三八①、三九、九一一③　[四]【設立時役員等の選任】→三八②【会計参与設置会社】→二[四]、九一一③[十六]【会計参与】→三七四－三八〇、九一一③[十六]【監査役設置会社】→二[九]、九一一③[十七]【監査役】→三八一－三八九、九一一③[十七]【会計監査人設置会社】→二[十一]、九一一③[十九]【会計監査人】→三九六－三九九、九一一③[十九]　[五]【雇用契約】→労働承継【その他の権利義務】→民三九八の一〇　[六][七]【新設分割に際し発行する株式の種類】→二二①【新株の割当て】→七四六①[六]⊛　[八][九]【社債等】→七四六①[七]ニ【社債等の交付】→七四四①[五]⊛　[八][十]【社債の種類】→七四四①[五]イ【新株予約権の消滅とその取得対価】→七四四①[七][四]⊛【新株予約権の内容】→二三六①[四]【社債に係る債務の承継】→七四九①[四]ロ、七五三①[十]ロ、七五八[五]ハ、七六八①[四]ハ、七七三①[九]ハ　[十][十一]【新株予約権買取請求】→八〇八①[三]　[十一]【新株予約権の割当て】→二三六①[四]　[十二]【株式会社成立の日】→七五四⊛【持分会社の場合】→七五四⊛【債権者の異議】→八一〇①[三]【取得条項付株式】→二[十九]、四六一①[四]、八一二[三]【省令で定めるもの】→会社則一七九【配当財産】→二[二十五]【現物配当】→一〇九、四五四①③、四六一①[四]、八一二[三]　❷【設立時監査等委員】→三八②

第七六四条（株式会社を設立する新設分割の効力の発生等）①　新設分割設立株式会社は、その成立の日に、新設分割計画の定めに従い、新設分割会社の権利義務を承継する。

②　前項の規定にかかわらず、第八百十条第一項第二号（第八百十三条第二項において準用する場合を含む。次項において同じ。）の規定により異議を述べることができる新設分割会社の債権者であって、第八百十条第二項（第三号を除き、第八百十三条第二項において準用する場合を含む。次項において同じ。）の各別の催告を受けなかったもの（第八百十条第三項（第八百十三条第二項において準用する場合を含む。）に規定する場合にあっては、不法行為によって生じた債務の債権者であるものに限る。次項において同じ。）は、新設分割計画において新設分割後に新設分割会社に対して債務の履行を請求することができないものとされているときであっても、新設分割会社に対して、新設分割会社が新設分割設立株式会社の成立の日に有していた財産の価額を限度として、当該債務の履行を請求することができる。（平成二六法九〇本項改正）

③　第一項の規定にかかわらず、第八百十条第一項第二

号の規定により異議を述べることができる新設分割会社の債権者であって、同条第二項の各別の催告を受けなかったものは、新設分割計画において新設分割後に新設分割設立株式会社に対して債務の履行を請求することができないものとされているときであっても、新設分割設立株式会社に対して、承継した財産の価額を限度として、当該債務の履行を請求することができる。（平成二六法九〇本項改正）

④ 第一項の規定にかかわらず、新設分割会社が新設分割設立株式会社に承継されない債務の債権者（以下この条において「残存債権者」という。）を害することを知って新設分割をした場合には、残存債権者は、新設分割設立株式会社に対して、承継した財産の価額を限度として、当該債務の履行を請求することができる。（平成二六法九〇本項追加）

⑤ 前項の規定は、前条第一項第十二号に掲げる事項についての定めがある場合には、適用しない。（平成二六法九〇本項追加）

⑥ 新設分割設立株式会社が第四項の規定により同項の債務を履行する責任を負う場合には、当該責任は、新設分割会社が残存債権者を害することを知って新設分割をしたことを知った時から二年以内に請求又は請求の予告をしない残存債権者に対しては、その期間を経過した時に消滅する。新設分割設立株式会社の成立の日から十年を経過したときも、同様とする。（平成二六法九〇本項追加、平成二九法四五本項改正）

⑦ 新設分割会社について破産手続開始の決定、再生手続開始の決定又は更生手続開始の決定があったときは、残存債権者は、新設分割設立株式会社に対して第四項の規定による請求をする権利を行使することができない。（平成二六法九〇本項追加）

⑧ 前条第一項に規定する場合には、新設分割会社は、新設分割設立株式会社の成立の日に、新設分割計画の定めに従い、同項第六号の株式の株主となる。

⑨ 次の各号に掲げる場合には、新設分割会社は、新設分割設立株式会社の成立の日に、新設分割計画の定めに従い、当該各号に定める者となる。

一 前条第一項第八号イに掲げる事項についての定めがある場合 同号イの社債の社債権者

二 前条第一項第八号ロに掲げる事項についての定めがある場合 同号ロの新株予約権の新株予約権者

三 前条第一項第八号ハに掲げる事項についての定めがある場合 同号ハの新株予約権付社債についての社債の社債権者及び当該新株予約権付社債に付された新株予約権の新株予約権者

⑩ 二以上の株式会社又は合同会社が共同して新設分割をする場合における前二項の規定の適用については、第八項中「新設分割計画の定め」とあるのは「同項第七号に掲げる事項についての定め」と、前項中「新設分割計画の定め」とあるのは「前条第一項第九号に掲げる事項についての定め」とする。

⑪ 前条第一項第十号に規定する場合には、新設分割設立株式会社の成立の日に、新設分割計画新株予約権は、消滅し、当該新設分割計画新株予約権の新株予約権者は、同項第十一号に掲げる事項についての定めに従い、同項第十号ロの新設分割設立株式会社の新株予約権の新株予約権者となる。

参＋【株式会社成立の日↓七五四参 ❶【新設分割計画↓七六三①【営業に関する権利義務の包括的承継↓七五〇①参 ❷❸【連帯債務↓民四三六－四四五 ❸【分割する会社から承継する財産の価額↓七六三①[五]・八一一②③ ❹－❼【詐害事業譲渡↓二三の二【詐害的吸収分割↓七五九④－⑦・七六一④－⑦【詐害的新設分割↓七六六④－⑦ ❽【株主となる時期↓五〇・二〇九①・二八二① ❾【社債権者となる時期↓七四五④参【新株予約権者↓二四五①・二三八①[四] ❿【共同新設分割↓七六二・七六三①[七] ⓫【新株予約権の消滅↓七四四①[七][四]参【新株予約権者↓二四五①・二三八①[四]【新株予約権の買入れの効果↓二七二①[五]

第三款 持分会社を設立する新設分割

（持分会社を設立する新設分割計画）

第七六五条① 一又は二以上の株式会社又は合同会社が新設分割をする場合において、新設分割設立会社が持分会社であるときは、新設分割計画において、次に掲げる事項を定めなければならない。

一 持分会社である新設分割設立会社（以下この編において「新設分割設立持分会社」という。）が合名会社、合資会社又は合同会社のいずれであるかの別

二 新設分割設立持分会社の目的、商号及び本店の所在地

三 新設分割設立持分会社の社員についての次に掲げる事項

イ 当該社員の名称及び住所

ロ 当該社員が無限責任社員又は有限責任社員のいずれであるかの別

ハ 当該社員の出資の価額

四 前二号に掲げるもののほか、新設分割設立持分会社の定款で定める事項

五 新設分割設立持分会社が新設分割により新設分割会社から承継する資産、債務、雇用契約その他の権利義務（新設分割株式会社の株式及び新株予約権に係る義務を除く。）に関する事項

六 新設分割設立持分会社が新設分割に際して新設分割会社に対してその事業に関する権利義務の全部又は一部に代わる当該新設分割設立持分会社の社債を交付するときは、当該社債の種類及び種類ごとの各社債の金額の合計額又はその算定方法

七 前号に規定する場合において、二以上の株式会社又は合同会社が共同して新設分割をするときは、新設分割会社に対する同号の社債の割当てに関する事項

八 新設分割株式会社が新設分割設立持分会社の成立の日に次に掲げる行為をするときは、その旨

イ 第百七十一条第一項の規定による株式の取得（同項第一号に規定する取得対価が新設分割設立持分会社の持分（これに準ずるものとして法務省令で定めるものを含む。ロにおいて同じ。）のみであるものに限る。）

ロ 剰余金の配当（配当財産が新設分割設立持分会社

社の持分のみであるものに限る。）
② 新設分割設立持分会社が合名会社であるときは、前項第三号ロに掲げる事項として、その社員の全部を無限責任社員とする旨を定めなければならない。
③ 新設分割設立持分会社が合資会社であるときは、第一項第三号ロに掲げる事項として、その社員の一部を無限責任社員とし、その他の社員を有限責任社員とする旨を定めなければならない。
④ 新設分割設立持分会社が合同会社であるときは、第一項第三号ロに掲げる事項として、その社員の全部を有限責任社員とする旨を定めなければならない。

参+【持分会社→五七五【新設分割計画→七六二、七六三①、七六五 ❶[一]—[四]【持分会社の定款記載・記録事項→五七六、五七七 [三]【目的→五七六①[一]【商号→六—九【本店所在地→四参 [五]【雇用契約→労働承継 [六]【社債の交付→七五五①[四] [七]【共同新設分割→七六二①[三]、七六三①[七]【共同新設分割の制限→独禁一五の二・一八② [八]【持分会社成立の日→七六六、五七九、九一二—九一四、商登九四、一一〇、一一七【債権者の異議→八一〇①[三]【取得条項付株式→二[十九]、四六一①[四]、八一二[三]【省令で定めるもの→会社則一七九【現物配当→一〇九、四五四①③、四六六、四六一①[四]、八一二[三] ❷【合名会社の定款記載・記録事項→五七六①② ❸【合資会社の定款記載・記録事項→五七六①③ ❹【合同会社の定款記載・記録事項→五七六①④ ❷—❹【社員の責任の変更の特則→五八三

（持分会社を設立する新設分割の効力の発生等）

第七六六条① 新設分割設立持分会社は、その成立の日に、新設分割計画の定めに従い、新設分割会社の権利義務を承継する。
② 前項の規定にかかわらず、第八百十条第一項第二号（第八百十三条第二項において準用する場合を含む。次項において同じ。）の規定により異議を述べることができる新設分割会社の債権者であって、第八百十条第二項（第三号を除き、第八百十三条第二項において準用する場合を含む。次項において同じ。）の各別の催告を受けなかったもの（第八百十条第三項（第八百十三条第二項において準用する場合を含む。）に規定する場合にあっては、不法行為によって生じた債務の債権者であるものに限る。次項において同じ。）は、新設分割計画において新設分割後に新設分割会社に対して債務の履行を請求することができないものとされているときであっても、新設分割会社に対して、新設分割設立持分会社の成立の日に有していた財産の価額を限度として、当該債務の履行を請求することができる。（平成二六法九〇本項改正）
③ 第一項の規定にかかわらず、第八百十条第一項第二号の規定により異議を述べることができる新設分割会社の債権者であって、同条第二項の各別の催告を受けなかったものは、新設分割計画において新設分割後に新設分割設立持分会社に対して債務の履行を請求することができないものとされているときであっても、新設分割設立持分会社に対して、承継した財産の価額を限度として、当該債務の履行を請求することができる。（平成二六法九〇本項改正）
④ 第一項の規定にかかわらず、新設分割会社が新設分割設立持分会社に承継されない債務の債権者（以下この条において「残存債権者」という。）を害することを知って新設分割をした場合には、残存債権者は、新設分割設立持分会社に対して、承継した財産の価額を限度として、当該債務の履行を請求することができる。（平成二六法九〇本項追加）
⑤ 前項の規定は、前条第一項第八号に掲げる事項についての定めがある場合には、適用しない。（平成二六法九〇本項追加）
⑥ 新設分割設立持分会社が第四項の規定により同項の債務を履行する責任を負う場合には、当該責任は、新設分割会社が残存債権者を害することを知って新設分割をしたことを知った時から二年以内に請求又は請求の予告をしない残存債権者に対しては、その期間を経過した時に消滅する。新設分割設立持分会社の成立の日から十年を経過したときも、同様とする。（平成二六法九〇本項追加、平成二九法四五本項改正）
⑦ 新設分割会社について破産手続開始の決定、再生手続開始の決定又は更生手続開始の決定があったときは、残存債権者は、新設分割設立持分会社に対して第四項の規定による請求をする権利を行使することができない。（平成二六法九〇本項追加）
⑧ 前条第一項に規定する場合には、新設分割会社は、新設分割設立持分会社の成立の日に、同項第三号に掲げる事項についての定めに従い、当該新設分割設立持分会社の社員となる。
⑨ 前条第一項第六号に掲げる事項についての定めがある場合には、新設分割会社は、新設分割設立持分会社の成立の日に、新設分割計画の定めに従い、同号の社債の社債権者となる。
⑩ 二以上の株式会社又は合同会社が共同して新設分割をする場合における前項の規定の適用については、同項中「新設分割計画の定めに従い、同号」とあるのは、「同項第七号に掲げる事項についての定めに従い、同項第六号」とする。

参+【持分会社成立の日→七五四参【新株予約権の質入れの効果→二七二①[五] ❶【営業に関する権利義務の包括的承継→七五〇①参 ❷❸【連帯債務→民四三六—四四五 ❸【分割する会社から承継する財産の価額→七六五①[五] ❹—❼【詐害事業譲渡→二三の二【詐害的吸収分割→七五九④—⑦、七六一④—⑦【詐害的新設分割→七六四④—⑦ ❽【持分会社の社員となる時期→五七五—五七九 ❾【社債権者となる時期→七四五④参 ❿【共同新設分割→七六二、七六三①[七]

第四章　株式交換及び株式移転

第一節　株式交換

第一款　通則

（株式交換契約の締結）

第七六七条　株式会社は、株式交換をすることができる。この場合においては、当該株式会社の発行済株式の全部を取得する会社（株式会社又は合同会社に限る。以下この編において「株式交換完全親会社」という。）との間で、株式交換契約を締結しなければならない。

参+【株式交換→二[三十一]、九一五、商登八九【発行済株式→二

[三十二]【株式交換契約→七六八、七八二①[三]、七八三①、七九四①、七九五【株式交換の効果→七六九、七七一【株式交換の制限→独禁九②、一〇①【内部者取引に関する重要事実→金商一六六②[一]チ[五]イ

第二款　株式会社に発行済株式を取得させる株式交換

（株式会社に発行済株式を取得させる株式交換契約）

第七六八条① 株式会社が株式交換をする場合において、株式交換完全親会社が株式会社であるときは、株式交換契約において、次に掲げる事項を定めなければならない。

一　株式交換をする株式会社（以下この編において「株式交換完全子会社」という。）及び株式会社である株式交換完全親会社（以下この編において「株式交換完全親株式会社」という。）の商号及び住所

二　株式交換完全親株式会社が株式交換に際して株式交換完全子会社の株主に対してその株式に代わる金銭等を交付するときは、当該金銭等についての次に掲げる事項

イ　当該金銭等が株式交換完全親株式会社の株式であるときは、当該株式の数（種類株式発行会社にあっては、株式の種類及び種類ごとの数）又はその数の算定方法並びに当該株式交換完全親株式会社の資本金及び準備金の額に関する事項

ロ　当該金銭等が株式交換完全親株式会社の社債（新株予約権付社債についてのものを除く。）であるときは、当該社債の種類及び種類ごとの各社債の金額の合計額又はその算定方法

ハ　当該金銭等が株式交換完全親株式会社の新株予約権（新株予約権付社債に付されたものを除く。）であるときは、当該新株予約権の内容及び数又はその算定方法

ニ　当該金銭等が株式交換完全親株式会社の新株予約権付社債であるときは、当該新株予約権付社債についてのロに規定する事項及び当該新株予約権付社債に付された新株予約権についてのハに規定する事項

ホ　当該金銭等が株式交換完全親株式会社の株式等以外の財産であるときは、当該財産の内容及び数若しくは額又はこれらの算定方法

三　前号に規定する場合には、株式交換完全子会社の株主（株式交換完全親株式会社を除く。）に対する同号の金銭等の割当てに関する事項

四　株式交換完全親株式会社が株式交換に際して株式交換完全子会社の新株予約権の新株予約権者に対して当該新株予約権に代わる当該株式交換完全親株式会社の新株予約権を交付するときは、当該新株予約権についての次に掲げる事項

イ　当該株式交換完全親株式会社の新株予約権の交付を受ける株式交換完全子会社の新株予約権の新株予約権者の有する新株予約権（以下この編において「株式交換契約新株予約権」という。）の内容

ロ　株式交換契約新株予約権の新株予約権者に対して交付する株式交換完全親株式会社の新株予約権の内容及び数又はその算定方法

ハ　株式交換契約新株予約権が新株予約権付社債に付された新株予約権であるときは、株式交換完全親株式会社が当該新株予約権付社債についての社債に係る債務を承継する旨並びにその承継に係る社債の種類及び種類ごとの各社債の金額の合計額又はその算定方法

五　前号に規定する場合には、株式交換契約新株予約権の新株予約権者に対する同号の株式交換完全親株式会社の新株予約権の割当てに関する事項

六　株式交換がその効力を生ずる日（以下この節において「効力発生日」という。）

② 前項に規定する場合において、株式交換完全子会社が種類株式発行会社であるときは、株式交換完全子会社及び株式交換完全親株式会社は、株式交換完全子会社の発行する種類の株式の内容に応じ、同項第三号に掲げる事項として次に掲げる事項を定めることができる。

一　ある種類の株式の株主に対して金銭等の割当てをしないこととするときは、その旨及び当該株式の種類

二　前号に掲げる事項のほか、金銭等の割当てについて株式の種類ごとに異なる取扱いを行うこととするときは、その旨及び当該異なる取扱いの内容

③ 第一項に規定する場合には、同項第三号に掲げる事項についての定めは、株式交換完全子会社の株主（株式交換完全親株式会社及び前項第一号の種類の株式の株主を除く。）の有する株式の数（前項第二号に掲げる事項についての定めがある場合にあっては、各種類の株式の数）に応じて金銭等を交付することを内容とするものでなければならない。

※【経過措置→会社法整備法三八【適用除外→五〇九①[三]　❶【親会社・子会社→二[三][四]、一三五【株式の移転の原則→一二八①【略式組織再編に対する差止請求→七八四の二[二]　[二]【株式会社の定款記載・記録事項→二七―二九　[二]【株式・持分に代わる対価→七四四①[五]※【資本金・準備金→四四五⑤　[二][三]【一に満たない端数の処理→二三四①[七]【新株の割当て→一〇八、一〇九、一五一①、一八三、一八四、一九九、二一九、二三四【社債の割当て→六七六[十二]、六七八、六七九【新株予約権とその割当て→二三六①【社債権者による閲覧等→七九四③【新株予約権付社債とその割当て→二三六①、二九二【株式等→一〇七②[三]ホ【株式等以外の財産とその割当て→八〇〇　[四][五]【新株予約権の消滅とその対価→七四四①[七][四]※【新株予約権買取請求→七八七①[三]【新株予約権の内容→二三六①[四]【社債に係る債務の承継→七四九①[四]ロ、七五三①[田]ロ、七五八[五]ハ、七六三①[田]ハ、七七三①[九]ハ　[六]【効力発生日→七四四①[九]※　❷【種類株式発行会社→二[十三]、九一一③[七]【株式の種類→一〇八※　❸【金銭等→一五一①【金銭等の交付→一〇九

（株式会社に発行済株式を取得させる株式交換の効力の発生等）

第七六九条① 株式交換完全親株式会社は、効力発生日に、株式交換完全子会社の発行済株式（株式交換完全親株式会社の有する株式交換完全子会社の株式を除く。）の全部を取得する。

② 前項の場合には、株式交換完全親株式会社が株式交

換完全子会社の株式（譲渡制限株式に限り、当該株式交換完全親株式会社が効力発生日前から有するものを除く。）を取得したことについて、当該株式交換完全子会社が第百三十七条第一項の承認をしたものとみなす。

③　次の各号に掲げる場合には、株式交換完全子会社の株主は、効力発生日に、前条第一項第三号に掲げる事項についての定めに従い、当該各号に定める者となる。

一　前条第一項第二号イに掲げる事項についての定めがある場合　同号イの株式の株主

二　前条第一項第二号ロに掲げる事項についての定めがある場合　同号ロの社債の社債権者

三　前条第一項第二号ハに掲げる事項についての定めがある場合　同号ハの新株予約権の新株予約権者

四　前条第一項第二号ニに掲げる事項についての定めがある場合　同号ニの新株予約権付社債についての社債の社債権者及び当該新株予約権付社債に付された新株予約権の新株予約権者

④　前条第一項第四号に規定する場合には、効力発生日に、株式交換契約新株予約権は、消滅し、当該株式交換契約新株予約権の新株予約権者は、同項第五号に掲げる事項についての定めに従い、同項第四号ロの株式交換完全親株式会社の新株予約権の新株予約権者となる。

⑤　前条第一項第四号ハに規定する場合には、株式交換完全親株式会社は、効力発生日に、同号ハの新株予約権付社債についての社債に係る債務を承継する。

⑥　前各項の規定は、第七百八十九条若しくは第七百九十九条の規定による手続が終了していない場合又は株式交換を中止した場合には、適用しない。

∞+【効力発生日→七四四①㊃∞　❶【株式の移転の原則→一二八①　❷【譲渡制限株式→二〔十七〕【譲渡制限株式の譲渡の承認→一三六—一四五【みなし譲渡承認→一四五　❸〔二〕【株主となる時期→五〇、二〇九①、二八二①【一に満たない端数の処理→二三四①㊆【振替株式の場合における記載・記録→社債株式振替一三八　〔三〕〔四〕【新株予約権者→二三八、二四五①、二九二　❹【新株予約権の消滅→七四四①㊆㊃∞【新株予約権の質入れの効果→二七二①㊅【新株予約権の承継→七四九①㊃ロ、七五三①㊉ロ、七五八㊄ハ、七六三①㊉ハ、七六八①㊃ハ、七七三①㊃ハ　❺【社債に係る債務の承継→七四九①㊃ロ、七五三①㊉ロ、七五八㊄ハ、七六三①㊉ハ、七六八①㊃ハ、七七三①㊃ハ　❻【効力発生障害事由→七四五⑥∞

第三款　合同会社に発行済株式を取得させる株式交換

第七七〇条①（合同会社に発行済株式を取得させる株式交換契約）　株式会社が株式交換をする場合において、株式交換完全親会社が合同会社であるときは、株式交換契約において、次に掲げる事項を定めなければならない。

一　株式交換完全子会社及び合同会社である株式交換完全親会社（以下この編において「株式交換完全親合同会社」という。）の商号及び住所

二　株式交換完全子会社の株主が株式交換に際して株式交換完全親合同会社の社員となるときは、当該社員の氏名又は名称及び住所並びに出資の価額

三　株式交換完全親合同会社が株式交換に際して株式交換完全子会社の株主に対してその株式に代わる金銭等（株式交換完全親合同会社の持分を除く。）を交付するときは、当該金銭等についての次に掲げる事項

イ　当該金銭等が当該株式交換完全親合同会社の社債であるときは、当該社債の種類及び種類ごとの各社債の金額の合計額又はその算定方法

ロ　当該金銭等が当該株式交換完全親合同会社の社債以外の財産であるときは、当該財産の内容及び数若しくは額又はこれらの算定方法

四　前号に規定する場合には、株式交換完全子会社の株主（株式交換完全親合同会社を除く。）に対する同号の金銭等の割当てに関する事項

五　効力発生日

②　前項に規定する場合において、株式交換完全子会社が種類株式発行会社であるときは、株式交換完全子会社及び株式交換完全親合同会社は、株式交換完全子会社の発行する種類の株式の内容に応じ、同項第四号に掲げる事項として次に掲げる事項を定めることができる。

一　ある種類の株式の株主に対して金銭等の割当てをしないこととするときは、その旨及び当該株式の種類

二　前号に掲げる事項のほか、金銭等の割当てについて株式の種類ごとに異なる取扱いを行うこととするときは、その旨及び当該異なる取扱いの内容

③　第一項に規定する場合には、同項第四号に掲げる事項についての定めは、株式交換完全子会社の株主（株式交換完全親合同会社及び前項第一号の種類の株式の株主を除く。）の有する株式の数（前項第二号に掲げる事項についての定めがある場合にあっては、各種類の株式の数）に応じて金銭等を交付することを内容とするものでなければならない。

∞+【適用除外→五〇九①㊂　❶【株式交換→二〔三十一〕【親会社・子会社→二㊂㊃、一二三五　〔一〕〔二〕【持分会社の定款記載・記録事項→五七六、五七七　〔二〕【合同会社の定款記載・記録事項→五七六①④　〔三〕【株式・持分に代わる対価→七四四①㊄イ　〔三〕〔四〕【略式組織再編に対する差止請求→七八四の二㊁　〔四〕【金銭等→一五一①　〔五〕【効力発生日→七四四①㊈∞　❶❷【一に満たない端数の処理→二三四①㊆　❷【種類株式発行会社→二〔十三〕、九一一③㊆【株式の種類→一〇八【種類ごとの異なる取扱い→一〇九　❸【金銭等→一五一①【金銭等の交付→一〇九

第七七一条①（合同会社に発行済株式を取得させる株式交換の効力の発生等）　株式交換完全親合同会社は、効力発生日に、株式交換完全子会社の発行済株式（株式交換完全親合同会社の有する株式交換完全子会社の株式を除く。）の全部を取得する。

②　前項の場合には、株式交換完全親合同会社が株式交換完全子会社の株式（譲渡制限株式に限り、当該株式交換完全親合同会社が効力発生日前から有するものを

除く。）を取得したことについて、当該株式交換完全子会社が第百三十七条第一項の承認をしたものとみなす。

③ 前条第一項第二号に規定する場合には、株式交換完全子会社の株主は、効力発生日に、同号に掲げる事項についての定めに従い、株式交換完全親合同会社の社員となる。この場合においては、株式交換完全親合同会社は、効力発生日に、同号の社員に係る定款の変更をしたものとみなす。

④ 前条第一項第三号イに掲げる事項についての定めがある場合には、株式交換完全子会社の株主は、効力発生日に、同項第四号に掲げる事項についての定めに従い、同項第三号イの社債の社債権者となる。

⑤ 前各項の規定は、第八百二条第二項において準用する第七百九十九条（第二項第三号を除く。）の規定による手続が終了していない場合又は株式交換を中止した場合には、適用しない。

【効力発生日↓七四四①[九]】【新株予約権の質入れの効果↓二七二①[六]】❶【株式の移転の原則↓一二八①】❷【譲渡制限株式↓二[十七]】【譲渡制限株式の譲渡の承認↓一三六―一四五】【みなし譲渡承認↓一四五】❸【合同会社の社員となる時期↓五七五―五七九】❹【社債権者となる時期↓七四五④】❺【効力発生障害事由↓七四五⑥】

第二節　株式移転

（株式移転計画の作成）

第七七二条① 一又は二以上の株式会社は、株式移転をすることができる。この場合においては、株式移転計画を作成しなければならない。

② 二以上の株式会社が共同して株式移転をする場合には、当該二以上の株式会社は、共同して株式移転計画を作成しなければならない。

【株式移転↓二[三十二]、九二五、商登九〇】【株式移転計画↓七七三、八〇三、八〇四、八一五】【株式移転の効果↓七七四】【株式移転の制限↓独禁九①、一五の三①】【内部者取引に関する重要事実↓金商一六六②[一]リ[五]ロ】

（株式移転計画）

第七七三条① 一又は二以上の株式会社が株式移転をする場合には、株式移転計画において、次に掲げる事項を定めなければならない。

一 株式移転により設立する株式会社（以下この編において「株式移転設立完全親会社」という。）の目的、商号、本店の所在地及び発行可能株式総数

二 前号に掲げるもののほか、株式移転設立完全親会社の定款で定める事項

三 株式移転設立完全親会社の設立時取締役の氏名

四 次のイからハまでに掲げる場合の区分に応じ、当該イからハまでに定める事項

イ 株式移転設立完全親会社が会計参与設置会社である場合　株式移転設立完全親会社の設立時会計参与の氏名又は名称

ロ 株式移転設立完全親会社が監査役設置会社（監査役の監査の範囲を会計に関するものに限定する旨の定款の定めがある株式会社を含む。）である場合　株式移転設立完全親会社の設立時監査役の氏名

ハ 株式移転設立完全親会社が会計監査人設置会社である場合　株式移転設立完全親会社の設立時会計監査人の氏名又は名称

五 株式移転設立完全親会社が株式移転に際して株式移転をする株式会社（以下この編において「株式移転完全子会社」という。）の株主に対して交付するその株式に代わる当該株式移転設立完全親会社の株式の数（種類株式発行会社にあっては、株式の種類及び種類ごとの数）又はその数の算定方法並びに当該株式移転設立完全親会社の資本金及び準備金の額に関する事項

六 株式移転完全子会社の株主に対する前号の株式の割当てに関する事項

七 株式移転設立完全親会社が株式移転に際して株式移転完全子会社の株主に対してその株式に代わる当該株式移転設立完全親会社の社債等を交付するときは、当該社債等についての次に掲げる事項

イ 当該社債等が株式移転設立完全親会社の社債（新株予約権付社債についてのものを除く。）であるときは、当該社債の種類及び種類ごとの各社債の金額の合計額又はその算定方法

ロ 当該社債等が株式移転設立完全親会社の新株予約権（新株予約権付社債に付されたものを除く。）であるときは、当該新株予約権の内容及び数又はその算定方法

ハ 当該社債等が株式移転設立完全親会社の新株予約権付社債であるときは、当該新株予約権付社債についてのイに規定する事項及び当該新株予約権付社債に付された新株予約権についてのロに規定する事項

八 前号に規定する場合には、株式移転完全子会社の株主に対する同号の社債等の割当てに関する事項

九 株式移転設立完全親会社が株式移転に際して株式移転完全子会社の新株予約権の新株予約権者に対して当該新株予約権に代わる当該株式移転設立完全親会社の新株予約権を交付するときは、当該新株予約権についての次に掲げる事項

イ 当該株式移転設立完全親会社の新株予約権の交付を受ける株式移転完全子会社の新株予約権の新株予約権者の有する新株予約権（以下この編において「株式移転計画新株予約権」という。）の内容

ロ 株式移転計画新株予約権の新株予約権者に対して交付する株式移転設立完全親会社の新株予約権の内容及び数又はその算定方法

ハ 株式移転計画新株予約権が新株予約権付社債に付された新株予約権であるときは、株式移転設立完全親会社が当該新株予約権付社債についての社債に係る債務を承継する旨並びにその承継に係る社債の種類及び種類ごとの各社債の金額の合計額又はその算定方法

十 前号に規定する場合には、株式移転計画新株予約権の新株予約権者に対する同号の株式移転設立完全親会社の新株予約権の割当てに関する事項

② 株式移転設立完全親会社が監査等委員会設置会社である場合には、前項第三号に掲げる事項は、設立時監査等委員である設立時取締役とそれ以外の設立時取締役とを区別して定めなければならない。（平成二六法九〇本項追加）

③ 第一項に規定する場合において、株式移転完全子会社が種類株式発行会社であるときは、株式移転完全子会社は、その発行する種類の株式の内容に応じ、同項第六号に掲げる事項として次に掲げる事項を定めることができる。

一 ある種類の株式の株主に対して株式移転設立完全親会社の株式の割当てをしないこととするときは、その旨及び当該株式の種類

二 前号に掲げる事項のほか、株式移転設立完全親会社の株式の割当てについて株式の種類ごとに異なる取扱いを行うこととするときは、その旨及び当該異なる取扱いの内容

④ 第一項に規定する場合には、同項第六号に掲げる事項についての定めは、株式移転完全子会社の株主（前項第一号の種類の株式の株主を除く。）の有する株式の数（前項第二号に掲げる事項についての定めがある場合にあっては、各種類の株式の数）に応じて株式移転設立完全親会社の株式を交付することを内容とするものでなければならない。

⑤ 前二項の規定は、第一項第八号に掲げる事項について準用する。この場合において、前二項中「株式移転設立完全親会社の株式」とあるのは、「株式移転設立完全親会社の社債等」と読み替えるものとする。

∞+【経過措置↓会社法整備法三八【適用除外↓五〇九①㊂ ❶【一】―【三】【株式会社の定款記載・記録事項↓二七―二九 【二】【目的↓八二四①㊀・三六〇【商号↓六―九【本店所在地↓四∞【発行可能株式総数↓三七・一一三・九一一③㊅ 【三】【親会社↓二㊃ 【三】【設立時取締役↓三八①・三九・九一一③ 【四】【設立時役員等の選任↓三八②【会計参与設置会社↓二㊇・九一一③〔十六〕【会計参与↓三七四―三八〇・九一一③〔十六〕【監査役設置会社↓二㊈・九一一③〔十七〕【監査役↓三八一―三八九・九一一③〔十七〕【会計監査人設置会社↓二〔十一〕・九一一③〔十九〕【会計監査人↓三九六―三九九・九一一③〔十九〕 【五】【資本金・準備金の額↓四四五⑤ 【五】【六】【株式移転に関して発行する株式の種類↓三二①【新株の割当て↓七六八①㊂∞ 【七】【株式・持分に代わる対価↓七四四①㊄∞【社債↓六七六①㊉〔十一〕・六七八―六八〇・六九七①【新株予約権↓二三六①㊃【新株予約権付社債↓二九二・二三六①㊃・六九七① 【七】【九】【社債の種類↓七四四①㊄イ 【八】【社債等↓七四六①㊆ニ 【九】【新株予約権の消滅とその対価↓七四四①㊆㊃∞【新株予約権の内容↓二三六①㊃【社債に係る債務の承継↓七四九①㊃ロ・七五三①㊉ロ・七五八㊄ハ・七六三①㊉ハ・七六八①㊃ハ 【九】【十】【新株予約権買取請求↓八〇八①㊂ 【十】【新株予約権の割当て↓二三六① ❶❸【一に満たない端数の処理↓二三四①㊃ ❷【設立時監査等委員↓三八② ❸【種類株式発行会社↓二〔十三〕・九一一③㊆【株式の種類↓一〇八【種類ごとの異なる取扱い↓一〇九

（株式移転の効力の発生等）

第七七四条① 株式移転設立完全親会社は、その成立の日に、株式移転完全子会社の発行済株式の全部を取得する。

② 株式移転完全子会社の株主は、株式移転設立完全親会社の成立の日に、前条第一項第六号に掲げる事項についての定めに従い、同項第五号の株式の株主となる。

③ 次の各号に掲げる場合には、株式移転完全子会社の株主は、株式移転設立完全親会社の成立の日に、前条第一項第八号に掲げる事項についての定めに従い、当該各号に定める者となる。

一 前条第一項第七号イに掲げる事項についての定めがある場合　同号イの社債の社債権者

二 前条第一項第七号ロに掲げる事項についての定めがある場合　同号ロの新株予約権の新株予約権者

三 前条第一項第七号ハに掲げる事項についての定めがある場合　同号ハの新株予約権付社債についての社債の社債権者及び当該新株予約権付社債に付された新株予約権の新株予約権者

④ 前条第一項第九号に規定する場合には、株式移転設立完全親会社の成立の日に、株式移転計画新株予約権は、消滅し、当該株式移転計画新株予約権の新株予約権者は、同項第十号に掲げる事項についての定めに従い、同項第九号ロの株式移転設立完全親会社の新株予約権の新株予約権者となる。

⑤ 前条第一項第九号ハに規定する場合には、株式移転設立完全親会社は、その成立の日に、同号ハの新株予約権付社債についての社債に係る債務を承継する。

∞+【株式会社成立の日↓七六三①〔十二〕∞【経過措置↓会社法整備法三八 ❶【親会社・子会社↓二㊂㊃・一三五【株式の移転の原則↓一二八① ❷【株主となる時期↓五〇・二〇九①・二八二①【一に満たない端数の処理↓二三四①㊇【振替株式の場合における記載・記録↓社債株式振替一三八 ❸【一】【社債権者となる時期↓七四五④∞ 【二】【三】【新株予約権者↓二四五①・二三八①㊃・二九二 ❹【新株予約権の消滅↓七四四①㊆㊃∞【新株予約権者↓二四五①・二三八①㊃【新株予約権の質入れの効果↓二七二①㊆ ❺【社債に係る債務の承継↓七七三①㊈
∞

第四章の二　株式交付（令和一法七〇本章追加）

（株式交付計画の作成）

第七七四条の二　株式会社は、株式交付をすることができる。この場合においては、株式交付計画を作成しなければならない。

∞+【株式交付↓二〔三十二の二〕・九一五、商登九〇の二【発行済株式↓二〔三十一〕【株式交付計画↓七七四の三・八一六の二・八一六の一〇・八一六の三【株式交付の効果↓七七四の一一【株式交付の制限↓独禁九①・一〇①【内部者取引に関する重要事実↓金商一六六②㊀ヌ㊄ハ〔十二〕ホ

（株式交付計画）

第七七四条の三① 株式会社が株式交付をする場合には、株式交付計画において、次に掲げる事項を定めなければならない。

一 株式交付子会社（株式交付親会社（株式交付をする株式会社をいう。以下同じ。）が株式交付に際して譲り受ける株式を発行する株式会社をいう。以下同じ。）の商号及び住所

二 株式交付親会社が株式交付に際して譲り受ける株式交付子会社の株式の数（株式交付子会社が種類株式発行会社である場合にあっては、株式の種類及び

種類ごとの数）の下限
三 株式交付親会社が株式交付に際して株式交付子会社の株式の譲渡人に対して当該株式の対価として交付する株式交付親会社の株式の数（種類株式発行会社にあっては、株式の種類及び種類ごとの数）又はその数の算定方法並びに当該株式交付親会社の資本金及び準備金の額に関する事項
四 株式交付子会社の株式の譲渡人に対する前号の株式交付親会社の株式の割当てに関する事項
五 株式交付親会社が株式交付に際して株式交付子会社の株式の譲渡人に対して当該株式の対価として金銭等（株式交付親会社の株式を除く。以下この号及び次号において同じ。）を交付するときは、当該金銭等についての次に掲げる事項
イ 当該金銭等が株式交付親会社の社債（新株予約権付社債についてのものを除く。）であるときは、当該社債の種類及び種類ごとの各社債の金額の合計額又はその算定方法
ロ 当該金銭等が株式交付親会社の新株予約権（新株予約権付社債に付されたものを除く。）であるときは、当該新株予約権の内容及び数又はその算定方法
ハ 当該金銭等が株式交付親会社の新株予約権付社債であるときは、当該新株予約権付社債についてのイに規定する事項及び当該新株予約権付社債に付された新株予約権についてのロに規定する事項
ニ 当該金銭等が株式交付親会社の社債及び新株予約権以外の財産であるときは、当該財産の内容及び数若しくは額又はこれらの算定方法
六 前号に規定する場合には、株式交付子会社の株式の譲渡人に対する同号の金銭等の割当てに関する事項
七 株式交付親会社が株式交付に際して株式交付子会社の株式と併せて株式交付子会社の新株予約権（新株予約権付社債に付されたものを除く。）又は新株予約権付社債（以下「新株予約権等」と総称する。）を譲り受けるときは、当該新株予約権等の内容及び数又はその算定方法
八 前号に規定する場合において、株式交付親会社が株式交付に際して株式交付子会社の新株予約権等の譲渡人に対して当該新株予約権等の対価として金銭等を交付するときは、当該金銭等についての次に掲げる事項
イ 当該金銭等が株式交付親会社の株式であるときは、当該株式の数（種類株式発行会社にあっては、株式の種類及び種類ごとの数）又はその数の算定方法並びに当該株式交付親会社の資本金及び準備金の額に関する事項
ロ 当該金銭等が株式交付親会社の社債（新株予約権付社債についてのものを除く。）であるときは、当該社債の種類及び種類ごとの各社債の金額の合計額又はその算定方法
ハ 当該金銭等が株式交付親会社の新株予約権（新株予約権付社債に付されたものを除く。）であるときは、当該新株予約権の内容及び数又はその算定方法
ニ 当該金銭等が株式交付親会社の新株予約権付社債であるときは、当該新株予約権付社債についてのロに規定する事項及び当該新株予約権付社債に付された新株予約権についてのハに規定する事項
ホ 当該金銭等が株式交付親会社の株式等以外の財産であるときは、当該財産の内容及び数若しくは額又はこれらの算定方法
九 前号に規定する場合には、株式交付子会社の新株予約権等の譲渡人に対する同号の金銭等の割当てに関する事項
十 株式交付子会社の株式及び新株予約権等の譲渡しの申込みの期日
十一 株式交付がその効力を生ずる日（以下この章において「効力発生日」という。）

② 前項に規定する場合には、同項第二号に掲げる事項についての定めは、株式交付子会社が効力発生日において株式交付親会社の子会社となる数を内容とするものでなければならない。

③ 第一項に規定する場合において、株式交付子会社が種類株式発行会社であるときは、株式交付親会社は、株式交付子会社の発行する種類の株式の内容に応じ、同項第四号に掲げる事項として次に掲げる事項を定めることができる。
一 ある種類の株式の譲渡人に対して株式交付親会社の株式の割当てをしないこととするときは、その旨及び当該株式の種類
二 前号に掲げる事項のほか、株式交付親会社の株式の割当てについて株式の種類ごとに異なる取扱いを行うこととするときは、その旨及び当該異なる取扱いの内容

④ 第一項に規定する場合には、同項第四号に掲げる事項についての定めは、株式交付子会社の株式の譲渡人（前項第一号の種類の株式の譲渡人を除く。）が株式交付親会社に譲り渡す株式交付子会社の株式の数（前項第二号に掲げる事項についての定めがある場合にあっては、各種類の株式の数）に応じて株式交付親会社の株式を交付することを内容とするものでなければならない。

⑤ 前二項の規定は、第一項第六号に掲げる事項について準用する。この場合において、前二項中「株式交付親会社の株式」とあるのは、「金銭等（株式交付親会社の株式を除く。）」と読み替えるものとする。

∞+【適用除外】↓会社法整備法三八、五〇九①〔三〕 ❶【親会社・子会社】↓二〔三〕〔四〕【株式の移転の原則】↓一二八①【差止請求】↓八一六の五 【二】【株式会社の定款記載・記録事項】↓二七―二九 【三】【株式に代わる対価】↓七四四①〔五〕∞【資本金・準備金】↓四四五⑤ 【三】【四】【一に満たない端数の処理】↓二三四①〔九〕【新株の割当て】↓七七四の四―七七四の六、一〇八 【五】【新株予約権の内容】↓二三六①〔四〕 【五】【六】【社債の割当て】↓六七六〔十二〕・六七八、六七九【新株予約権とその割当て】↓二三六①【新株予約権付社債とその割当て】↓二三六①・二九二 【十】【譲渡しの申込みの期日】↓七七四の四② 【十一】【効力発生日】↓七七四の一一 ❸【種類株式発行会社】↓二〔十三〕・九一一③〔七〕【株式の種類】↓一〇八∞ ❸❹【株主平等原則】↓一〇九 ❺【金銭等】↓一五一①

（株式交付子会社の株式の譲渡しの申込み）

第七七四条の四① 株式交付親会社は、株式交付子会社の株式の譲渡しの申込みをしようとする者に対し、次に掲げる事項を通知しなければならない。

一 株式交付親会社の商号

二 株式交付計画の内容

三 前二号に掲げるもののほか、法務省令で定める事項

② 株式交付子会社の株式の譲渡しの申込みをする者は、前条第一項第十号の期日までに、次に掲げる事項を記載した書面を株式交付親会社に交付しなければならない。

一 申込みをする者の氏名又は名称及び住所

二 譲り渡そうとする株式交付子会社の株式の数（株式交付子会社が種類株式発行会社である場合にあっては、株式の種類及び種類ごとの数）

③ 前項の申込みをする者は、同項の書面の交付に代えて、政令で定めるところにより、株式交付親会社の承諾を得て、同項の書面に記載すべき事項を電磁的方法により提供することができる。この場合において、当該申込みをした者は、同項の書面を交付したものとみなす。

④ 第一項の規定は、株式交付親会社が同項各号に掲げる事項を記載した金融商品取引法第二条第十項に規定する目論見書を第一項の申込みをしようとする者に対して交付している場合その他株式交付子会社の株式の譲渡しの申込みをしようとする者の保護に欠けるおそれがないものとして法務省令で定める場合には、適用しない。

⑤ 株式交付親会社は、第一項各号に掲げる事項について変更があったとき（第八百十六条の九第一項の規定により効力発生日を変更したとき及び同条第五項の規定により前条第一項第十号の期日を変更したときを含む。）は、直ちに、その旨及び当該変更があった事項を第二項の申込みをした者（以下この章において「申込者」という。）に通知しなければならない。

⑥ 株式交付親会社が申込者に対してする通知又は催告は、第二項第一号の住所（当該申込者が別に通知又は催告を受ける場所又は連絡先を当該株式交付親会社に通知した場合にあっては、その場所又は連絡先）に宛てて発すれば足りる。

⑦ 前項の通知又は催告は、その通知又は催告が通常到達すべきであった時に、到達したものとみなす。

⊗❶〔二〕【会社の商号→六①　〔三〕【株式交付計画の内容→七七四の三　〔三〕【省令で定める事項→会社則一七九の二　❷【申込み→商登五六[二]、七七四の八　❹【省令で定める場合→会社則一七九の三　❻【効力発生日→七七四の三①[十一]【譲渡しの申込みの期日→七七四の三①[十]　❼【到達→民九七①　†【適用除外→七七四の六

（株式交付親会社が譲り受ける株式交付子会社の株式の割当て）

第七七四条の五① 株式交付親会社は、申込者の中から当該株式交付親会社が株式交付子会社の株式を譲り受ける者を定め、かつ、その者に割り当てる当該株式交付親会社が譲り受ける株式交付子会社の株式の数（株式交付子会社が種類株式発行会社である場合にあっては、株式の種類ごとの数。以下この条において同じ。）を定めなければならない。この場合において、株式交付親会社は、申込者に割り当てる当該株式の数の合計が第七百七十四条の三第一項第二号の下限の数を下回らない範囲内で、当該株式の数を、前条第二項第二号の数よりも減少することができる。

② 株式交付親会社は、効力発生日の前日までに、申込者に対し、当該申込者から当該株式交付親会社が譲り受ける株式交付子会社の株式の数を通知しなければならない。

⊗†【申込者→七七四の四⑤　❶【割当て→七七四の八　❷【効力発生日→七七四の三①[十一]　†【適用除外→七七四の六、七七四の一〇

（株式交付子会社の株式の譲渡しの申込み及び株式交付親会社が譲り受ける株式交付子会社の株式の割当てに関する特則）

第七七四条の六 前二条の規定は、株式交付子会社の株式を譲り渡そうとする者が、株式交付親会社が株式交付に際して譲り受ける株式交付子会社の株式の総数の譲渡しを行う契約を締結する場合には、適用しない。

⊗†【総数譲渡契約→七七四の七①[二]、商登五六[二]、七七四の八

（株式交付子会社の株式の譲渡し）

第七七四条の七① 次の各号に掲げる者は、当該各号に定める株式交付子会社の株式の数について株式交付における株式交付子会社の株式の譲渡人となる。

一 申込者　第七百七十四条の五第二項の規定により通知を受けた株式交付子会社の株式の数

二 前条の契約により株式交付親会社が株式交付に際して譲り受ける株式交付子会社の株式の総数を譲り渡すことを約した者　その者が譲り渡すことを約した株式交付子会社の株式の数

② 前項各号の規定により株式交付子会社の株式の譲渡人となった者は、効力発生日に、それぞれ当該各号に定める数の株式交付子会社の株式を株式交付親会社に給付しなければならない。

⊗†【譲渡人→二〇八　❶〔一〕【申込者→七七四の四⑤　〔二〕【総数譲渡契約→七七四の六　❷【効力発生日→七七四の三①[十一]・七七四の一一②　†【適用除外→七七四の一〇

（株式交付子会社の株式の譲渡しの無効又は取消しの制限）

第七七四条の八① 民法第九十三条第一項ただし書及び第九十四条第一項の規定は、第七百七十四条の四第二項の申込み、第七百七十四条の五第一項の規定による割当て及び第七百七十四条の六の契約に係る意思表示については、適用しない。

② 株式交付における株式交付子会社の株式の譲渡人は、第七百七十四条の十一第二項の規定により株式交付親会社の株式の株主となった日から一年を経過した後又はその株式について権利を行使した後は、錯誤、詐欺又は強迫を理由として株式交付子会社の株式の譲渡しの取消しをすることができない。

社は、申込者に対し、遅滞なく、株式交付をしない旨を通知しなければならない。

㊫【譲渡しの申込み→七七四の四

（株式交付の効力の発生等）
第七七四条の一一　① 株式交付親会社は、効力発生日に、第七百七十四条の七第二項（第七百七十四条の九において準用する場合を含む。）の規定による給付を受けた株式交付子会社の株式及び新株予約権等を譲り受ける。
② 第七百七十四条の七第二項の規定による給付をした株式交付子会社の株式の譲渡人は、効力発生日に、第七百七十四条の三第一項第四号に掲げる事項についての定めに従い、同項第三号の株式交付親会社の株式の株主となる。
③ 次の各号に掲げる場合には、第七百七十四条の七第二項の規定による給付をした株式交付子会社の株式の譲渡人は、効力発生日に、第七百七十四条の三第一項第六号に掲げる事項についての定めに従い、当該各号に定める者となる。
一　第七百七十四条の三第一項第五号イに掲げる事項についての定めがある場合　同号イの社債の社債権者
二　第七百七十四条の三第一項第五号ロに掲げる事項についての定めがある場合　同号ロの新株予約権の新株予約権者
三　第七百七十四条の三第一項第五号ハに掲げる事項についての定めがある場合　同号ハの新株予約権付社債についての社債の社債権者及び当該新株予約権付社債に付された新株予約権の新株予約権者
④ 次の各号に掲げる場合には、第七百七十四条の七第二項（第七百七十四条の九において準用する場合を含む。）の規定による給付をした株式交付子会社の新株予約権等の譲渡人は、効力発生日に、第七百七十四条の三第一項第九号に掲げる事項についての定めに従い、当該各号に定める者となる。
一　第七百七十四条の三第一項第八号イに掲げる事項についての定めがある場合　同号イの株式の株主
二　第七百七十四条の三第一項第八号ロに掲げる事項についての定めがある場合　同号ロの社債の社債権者
三　第七百七十四条の三第一項第八号ハに掲げる事項についての定めがある場合　同号ハの新株予約権の新株予約権者
四　第七百七十四条の三第一項第八号ニに掲げる事項についての定めがある場合　同号ニの新株予約権付社債についての社債の社債権者及び当該新株予約権付社債に付された新株予約権の新株予約権者
⑤ 前各項の規定は、次に掲げる場合には、適用しない。
一　効力発生日において第八百十六条の八の規定による手続が終了していない場合
二　株式交付を中止した場合
三　効力発生日において株式交付親会社が第七百七十四条の七第二項の規定による給付を受けた株式交付子会社の株式の総数が第七百七十四条の三第一項第二号の下限の数に満たない場合
四　効力発生日において第二項の規定により第七百七十四条の三第一項第三号の株式交付親会社の株式の株主となる者がない場合
⑥ 前項各号に掲げる場合には、株式交付親会社は、第七百七十四条の七第一項各号（第七百七十四条の九において準用する場合を含む。）に掲げる者に対し、遅滞なく、株式交付をしない旨を通知しなければならない。この場合において、第七百七十四条の七第二項（第七百七十四条の九において準用する場合を含む。）の規定による給付を受けた株式交付子会社の株式又は新株予約権等があるときは、株式交付親会社は、遅滞なく、これらをその譲渡人に返還しなければならない。
㊫【効力発生日→七七四の三①[十一]　❶【親会社・子会社→二[三][四]【株式の移転の原則→一二八①　❷【一に満たない端数の処

㊫【同旨の規定→五二・一〇二⑤⑥・二一一　❷【錯誤→民九五、消費契約四①②【詐欺・強迫→民九六、消費契約四①―④・七②、特定商取引九―九の三、一五の三、二四―二四の三、二六②

（株式交付子会社の株式の譲渡しに関する規定の準用）

第七七四条の九　第七百七十四条の四から前条まで〈株式交付子会社の株式の譲渡しの申込み、株式の割当て、株式の譲渡しの申込み及び株式の割当てに関する特則、株式の譲渡し、株式の譲渡しの無効又は取消しの制限〉の規定は、第七百七十四条の三第一項第七号に規定する場合における株式交付子会社の新株予約権等の譲渡しについて準用する。この場合において、第七百七十四条の四第二項第二号中「数（株式交付子会社が種類株式発行会社である場合にあっては、株式の種類及び種類ごとの数）」とあるのは「内容及び数」と、第七百七十四条の五第一項中「数（株式交付子会社が種類株式発行会社である場合にあっては、株式の種類ごとの数。以下この条において同じ。）」とあるのは「数」と、「申込者に割り当てる当該株式の数の合計が第七百七十四条の三第一項第二号の下限の数を下回らない範囲内で、当該株式」とあるのは「当該新株予約権等」と、前条第二項中「第七百七十四条の十一第二項」とあるのは「第七百七十四条の十一第四項第一号」と読み替えるものとする。

㊫【新株予約権等→七七四の三①[七]

（申込みがあった株式交付子会社の株式の数が下限の数に満たない場合）
第七七四条の一〇　第七百七十四条の五及び第七百七十四条の七（第一項第二号に係る部分を除く。）（これらの規定を前条において準用する場合を含む。）の規定は、第七百七十四条の三第一項第十号の期日において、申込者が譲渡しの申込みをした株式交付子会社の株式の総数が同項第二号の下限の数に満たない場合には、適用しない。この場合においては、株式交付親会社は、申込者に対し、遅滞なく、株式交付をしない旨を通知しなければならない。

理↓二三四①[九] ❸〔二〕【社債権者となる時期↓七四五④Ⓢ 〔二〕〔三〕【新株予約権者↓二四五①・二三八①[四]・二九二 ❹【新株予約権の消滅↓七四四①[七][四]Ⓢ【新株予約権者↓二四五①・二三八①[四]【新株予約権の質入れの効果↓二七二①[七] ❺【効力発生日↓七七四の三①[十一]【効力発生障害事由↓七四五⑥Ⓢ ❻【新株予約権等↓七七四の三①[七]

第五章　組織変更、合併、会社分割、株式交換、株式移転及び株式交付の手続

（令和一法七〇章名改正）

第一節　組織変更の手続

第一款　株式会社の手続

（組織変更計画に関する書面等の備置き及び閲覧等）

第七七五条①　組織変更をする株式会社は、組織変更計画備置開始日から組織変更がその効力を生ずる日（以下この節において「効力発生日」という。）までの間、組織変更計画の内容その他法務省令で定める事項を記載し、又は記録した書面又は電磁的記録をその本店に備え置かなければならない。

②　前項に規定する「組織変更計画備置開始日」とは、次に掲げる日のいずれか早い日をいう。

一　組織変更計画について組織変更をする株式会社の総株主の同意を得た日

二　組織変更をする株式会社が新株予約権を発行しているときは、第七百七十七条第三項の規定による通知の日又は同条第四項の公告の日のいずれか早い日

三　第七百七十九条第二項の規定による公告の日又は同項の規定による催告の日のいずれか早い日

③　組織変更をする株式会社の株主及び債権者は、当該株式会社に対して、その営業時間内は、いつでも、次に掲げる請求をすることができる。ただし、第二号又は第四号に掲げる請求をするには、当該株式会社の定めた費用を支払わなければならない。

一　第一項の書面の閲覧の請求

二　第一項の書面の謄本又は抄本の交付の請求

三　第一項の電磁的記録に記録された事項を法務省令で定める方法により表示したものの閲覧の請求

四　第一項の電磁的記録に記録された事項を電磁的方法であって株式会社の定めたものにより提供することの請求又はその事項を記載した書面の交付の請求

Ⓢ+【組織変更↓七四三Ⓢ【組織変更計画↓七四四Ⓢ ❶【効力発生日↓七四四①[九]Ⓢ【電磁的記録↓二六②【本店↓二七[三]【省令で定める事項↓会社則一八〇【その他の書類の公示↓七八二・七九一・七九四・八〇一・八〇三・八一一・八一五【備置義務懈怠の制裁↓九七六[八] ❷〔二〕【組織変更計画の同意↓七七六①〔三〕〔三〕【公告方法↓二[三十三]・九三九① ❸【違反に対する制裁↓九七六[四]【取締役の責任↓四二三①〔三〕【省令で定める方法↓会社則二二六〔三〕〔四〕【電磁的記録↓二六②〔四〕【電磁的方法↓二[三十四]

（株式会社の組織変更計画の承認等）

第七七六条①　組織変更をする株式会社は、効力発生日の前日までに、組織変更計画について当該株式会社の総株主の同意を得なければならない。

②　組織変更をする株式会社は、効力発生日の二十日前までに、その登録株式質権者及び登録新株予約権質権者に対し、組織変更をする旨を通知しなければならない。

③　前項の規定による通知は、公告をもってこれに代えることができる。

Ⓢ+【組織変更↓七四三Ⓢ【効力発生日↓七四四①[九]Ⓢ ❶【総株主の同意↓七八三②・八〇四②【総社員の同意↓七八一①・八〇二①・八一三① ❸【公告方法↓二[三十三]・九三九【通知に代わる公告↓七七七④・七八三⑥・七八五④・七八七④・七九七④・八〇六④・八〇八④【違反に対する制裁↓九七六[三]

（新株予約権買取請求）

第七七七条①　株式会社が組織変更をする場合には、組織変更をする株式会社の新株予約権の新株予約権者は、当該株式会社に対し、自己の有する新株予約権を公正な価格で買い取ることを請求することができる。

②　新株予約権付社債に付された新株予約権の新株予約権者は、前項の規定による請求（以下この款において「新株予約権買取請求」という。）をするときは、併せて、新株予約権付社債についての社債を買い取ることを請求しなければならない。ただし、当該新株予約権付社債に付された新株予約権について別段の定めがある場合は、この限りでない。

③　組織変更をしようとする株式会社は、効力発生日の二十日前までに、その新株予約権の新株予約権者に対し、組織変更をする旨を通知しなければならない。

④　前項の規定による通知は、公告をもってこれに代えることができる。

⑤　新株予約権買取請求は、効力発生日の二十日前の日から効力発生日の前日までの間に、その新株予約権買取請求に係る新株予約権の内容及び数を明らかにしてしなければならない。

⑥　新株予約権証券が発行されている新株予約権について新株予約権買取請求をしようとするときは、当該新株予約権の新株予約権者は、組織変更をする株式会社に対し、その新株予約権の新株予約権証券を提出しなければならない。ただし、当該新株予約権証券について非訟事件手続法第百十四条に規定する公示催告の申立てをした者については、この限りでない。（平成二六法九〇本項追加）

⑦　新株予約権付社債券が発行されている新株予約権付社債に付された新株予約権について新株予約権買取請求をしようとするときは、当該新株予約権の新株予約権者は、組織変更をする株式会社に対し、その新株予約権付社債券を提出しなければならない。ただし、当該新株予約権付社債券について非訟事件手続法第百十四条に規定する公示催告の申立てをした者については、この限りでない。（平成二六法九〇本項追加）

⑧　新株予約権買取請求をした新株予約権者は、組織変更をする株式会社の承諾を得た場合に限り、その新株予約権買取請求を撤回することができる。

⑨　組織変更を中止したときは、新株予約権買取請求は、その効力を失う。

⑩　第二百六十条の規定は、新株予約権買取請求に係る新株予約権については、適用しない。（平成二六法九〇本項追加）

参＋【組織変更→七四三参【新株予約権→二〔二十一〕 ❶【新株予約権買取請求→一一八①・七七八・七八七①・八〇八①【株式買取請求→一一六①・七八五①・七九七①・八〇六① ❷【新株予約権付社債→二〔二十二〕【別段の定め→二三八①〔七〕 ❸【新株予約権者への通知→二五三 ❹【公告→二〔三十三〕・九三九【通知に代わる公告→七七六③参 ❸❹【違反に対する制裁→九七六〔一〕 ❻【新株予約権買取請求と新株予約権証券提出義務→一一八⑥・七八七⑥・八〇八⑥ ❼【新株予約権買取請求と新株予約権付社債券提出義務→一一八⑦・七八七⑦・八〇八⑦ ❽【請求の撤回→七八七⑧・七八五⑦・七九七⑦・八〇六⑧・八〇八⑥【適用除外→七七八③

（新株予約権の価格の決定等）

第七七八条① 新株予約権買取請求があった場合において、新株予約権（当該新株予約権が新株予約権付社債に付されたものである場合において、当該新株予約権付社債についての社債の買取りの請求があったときは、当該社債を含む。以下この条において同じ。）の価格の決定について、新株予約権者と組織変更をする株式会社（効力発生日後にあっては、組織変更後持分会社。以下この条において同じ。）との間に協議が調ったときは、当該株式会社は、効力発生日から六十日以内にその支払をしなければならない。

② 新株予約権の価格の決定について、効力発生日から三十日以内に協議が調わないときは、新株予約権者又は組織変更後持分会社は、その期間の満了の日後三十日以内に、裁判所に対し、価格の決定の申立てをすることができる。

③ 前条第八項の規定にかかわらず、前項に規定する場合において、効力発生日から六十日以内に同項の申立てがないときは、その期間の満了後は、新株予約権者は、いつでも、新株予約権買取請求を撤回することができる。

④ 組織変更後持分会社は、裁判所の決定した価格に対する第一項の期間の満了の日後の法定利率による利息をも支払わなければならない。（平成二九法四五本項改正）

⑤ 組織変更をする株式会社は、新株予約権の価格の決定があるまでは、新株予約権者に対し、当該株式会社が公正な価格と認める額を支払うことができる。（平成二六法九〇本項追加）

⑥ 新株予約権買取請求に係る新株予約権の買取りは、効力発生日に、その効力を生ずる。

⑦ 組織変更をする株式会社は、新株予約権証券が発行されている新株予約権について新株予約権買取請求があったときは、新株予約権証券と引換えに、その新株予約権買取請求に係る新株予約権の代金を支払わなければならない。

⑧ 組織変更をする株式会社は、新株予約権付社債券が発行されている新株予約権付社債に付された新株予約権について新株予約権買取請求があったときは、新株予約権付社債券と引換えに、その新株予約権買取請求に係る新株予約権の代金を支払わなければならない。

参❶【新株予約権買取請求→七七七② ❶―❸❻【効力発生日→七四四①〔五〕参 ❷【裁判所→八六八①・八七〇②〔三〕 ❷❹【裁判所による価格の決定→八七一―八七四 ❺【新株予約権の買取価格の前払→一一九⑤・七八八⑤・八〇九⑤ ❼【新株予約権証券→二八八―二九一 ❽【新株予約権付社債券→二九二

（債権者の異議）

第七七九条① 組織変更をする株式会社の債権者は、当該株式会社に対し、組織変更について異議を述べることができる。

② 組織変更をする株式会社は、次に掲げる事項を官報に公告し、かつ、知れている債権者には、各別にこれを催告しなければならない。ただし、第三号の期間は、一箇月を下ることができない。

一 組織変更をする旨

二 組織変更をする株式会社の計算書類（第四百三十五条第二項に規定する計算書類をいう。以下この章において同じ。）に関する事項として法務省令で定めるもの

三 債権者が一定の期間内に異議を述べることができる旨

③ 前項の規定にかかわらず、組織変更をする株式会社が同項の規定による公告を、官報のほか、第九百三十九条第一項の規定による定款の定めに従い、同項第二号又は第三号に掲げる公告方法によりするときは、前項の規定による各別の催告は、することを要しない。

④ 債権者が第二項第三号の期間内に異議を述べなかったときは、当該債権者は、当該組織変更について承認をしたものとみなす。

⑤ 債権者が第二項第三号の期間内に異議を述べたときは、組織変更をする株式会社は、当該債権者に対し、弁済し、若しくは相当の担保を提供し、又は当該債権者に弁済を受けさせることを目的として信託会社等に相当の財産を信託しなければならない。ただし、当該組織変更をしても当該債権者を害するおそれがないときは、この限りでない。

参＋【登記申請書への添付→商登七七〔三〕【類似の制度→七八九・七九九・八一〇【組織変更に関する特例→会更二一九 ❶【異議債権者の保護→八二八②〔六〕【債権者の異議手続の特則→七四〇①② ❷【公告→九三九【違反に対する制裁→九七六〔二〕〔二十六〕【各別の催告を受けなかった債権者への効果→七四五⑥【省令で定めるもの→会社則一八一 ❸【株式会社の定款記載・記録→九三九①・二九【各別の催告が不要な場合→七八九③・七九九③・八一〇③ ❺【違反に対する制裁→九七六〔二十六〕

（組織変更の効力発生日の変更）

第七八〇条① 組織変更をする株式会社は、効力発生日を変更することができる。

② 前項の場合には、組織変更をする株式会社は、変更前の効力発生日（変更後の効力発生日が変更前の効力発生日前の日である場合にあっては、当該変更後の効力発生日）の前日までに、変更後の効力発生日を公告しなければならない。

③ 第一項の規定により効力発生日を変更したときは、変更後の効力発生日を効力発生日とみなして、この款及び第七百四十五条の規定を適用する。

参＋【効力発生日→七四四①〔五〕参 ❶【効力発生日の変更→七九〇 ❷【公告→九三九【違反に対する制裁→九七六〔三〕

第二款 持分会社の手続

第七八一条① 組織変更をする持分会社は、効力発生日の前日までに、組織変更計画について当該持分会社の総社員の同意を得なければならない。ただし、定款に別段の定めがある場合は、この限りでない。

② 第七百七十九条（第二項第二号を除く。）（債権者の異議）及び前条の規定は、組織変更をする持分会社について準用する。この場合において、第七百七十九条第三項中「組織変更をする株式会社」とあるのは「組織変更をする持分会社（合同会社に限る。）」と、前条第三項中「及び第七百四十五条」とあるのは「並びに第七百四十七条及び次条第一項」と読み替えるものとする。

参†【効力発生日→七四四①[九]参【組織変更計画→七四三参❶【総社員の同意→七七六①参❷【債権者の異議手続の特則→七四〇①②【違反に対する制裁→九七六[二十六]

第二節 吸収合併等の手続

第一款 吸収合併消滅会社、吸収分割会社及び株式交換完全子会社の手続

第一目 株式会社の手続

（吸収合併契約等に関する書面等の備置き及び閲覧等）

第七八二条① 次の各号に掲げる株式会社（以下この目において「消滅株式会社等」という。）は、吸収合併契約等備置開始日から吸収合併、吸収分割又は株式交換（以下この節において「吸収合併等」という。）がその効力を生ずる日（以下この節において「効力発生日」という。）後六箇月を経過する日（吸収合併消滅株式会社にあっては、効力発生日）までの間、当該各号に定めるもの（以下この節において「吸収合併契約等」という。）の内容その他法務省令で定める事項を記載し、又は記録した書面又は電磁的記録をその本店に備え置かなければならない。

一 吸収合併消滅株式会社　吸収合併契約

二 吸収分割株式会社　吸収分割契約

三 株式交換完全子会社　株式交換契約

② 前項に規定する「吸収合併契約等備置開始日」とは、次に掲げる日のいずれか早い日をいう。

一 吸収合併契約等について株主総会（種類株主総会を含む。）の決議によってその承認を受けなければならないときは、当該株主総会の日の二週間前の日（第三百十九条第一項の場合にあっては、同項の提案があった日）

二 第七百八十五条第三項の規定による通知を受けるべき株主があるときは、同項の規定による通知の日又は同条第四項の公告の日のいずれか早い日

三 第七百八十七条第三項の規定による通知を受けるべき新株予約権者があるときは、同項の規定による通知の日又は同条第四項の公告の日のいずれか早い日

四 第七百八十九条の規定による手続をしなければならないときは、同条第二項の規定による公告の日又は同項の規定による催告の日のいずれか早い日

五 前各号に規定する場合以外の場合には、吸収分割契約又は株式交換契約の締結の日から二週間を経過した日

③ 消滅株式会社等の株主及び債権者（株式交換完全子会社にあっては、株主及び新株予約権者）は、消滅株式会社等に対して、その営業時間内は、いつでも、次に掲げる請求をすることができる。ただし、第二号又は第四号に掲げる請求をするには、当該消滅株式会社等の定めた費用を支払わなければならない。

一 第一項の書面の閲覧の請求

二 第一項の書面の謄本又は抄本の交付の請求

三 第一項の電磁的記録に記録された事項を法務省令で定める方法により表示したものの閲覧の請求

四 第一項の電磁的記録に記録された事項を電磁的方法であって消滅株式会社等の定めたものにより提供することの請求又はその事項を記載した書面の交付の請求

参❶【効力発生日→七四四①[九]参【電磁的記録→二六②【省令で定める事項→会社則一八二―一八四【本店→二七[三]【違反に対する制裁→九七六[七][四]　〔一〕【吸収合併→二[二十七]　〔二〕【吸収分割→二[二十九]　〔三〕【株式交換→二[三十一]【子会社→二[三]❷〔一〕【株主総会の決議→七八三①・三〇九②[十二]③　〔二〕―〔四〕【公告→九三九　〔三〕【新株予約権者への通知→二五三❸【違反に対する制裁→九七六[四]【取締役の責任→四二三①【省令で定める方法→会社則二二六　〔三〕〔四〕【電磁的記録→二六②　〔四〕【電磁的方法→二[三十四]

（吸収合併契約等の承認等）

第七八三条① 消滅株式会社等は、効力発生日の前日までに、株主総会の決議によって、吸収合併契約等の承認を受けなければならない。

② 前項の規定にかかわらず、吸収合併消滅株式会社又は株式交換完全子会社が種類株式発行会社でない場合において、吸収合併消滅株式会社又は株式交換完全子会社の株主に対して交付する金銭等（以下この条及び次条第一項において「合併対価等」という。）の全部又は一部が持分等（持分会社の持分その他これに準ずるものとして法務省令で定めるものをいう。以下この条において同じ。）であるときは、吸収合併契約又は株式交換契約について吸収合併消滅株式会社又は株式交換完全子会社の総株主の同意を得なければならない。

③ 吸収合併消滅株式会社又は株式交換完全子会社が種類株式発行会社である場合において、合併対価等の全部又は一部が譲渡制限株式等（譲渡制限株式その他これに準ずるものとして法務省令で定めるものをいう。以下この章において同じ。）であるときは、吸収合併又は株式交換は、当該譲渡制限株式等の割当てを受ける種類の株式（譲渡制限株式を除く。）の種類株主を構成員とする種類株主総会（当該種類株主に係る株式の種類が二以上ある場合にあっては、当該二以上の株式の種類別に区分された種類株主を構成員とする各種類株主総会）の決議がなければ、その効力を生じない。ただし、当該種類株主総会において議決権を行使することができる株主が存しない場合は、この限りでない。

（平成二六法九〇本項改正）

④ 吸収合併消滅株式会社又は株式交換完全子会社が種

類株式発行会社である場合において、合併対価等の全部又は一部が持分等であるときは、吸収合併又は株式交換は、当該持分等の割当てを受ける種類の株主の全員の同意がなければ、その効力を生じない。

⑤ 消滅株式会社等は、効力発生日の二十日前までに、その登録株式質権者（次条第二項に規定する場合における登録株式質権者を除く。）及び第七百八十七条第三項各号に定める新株予約権の登録新株予約権質権者に対し、吸収合併等をする旨を通知しなければならない。（平成二六法九〇本項改正）

⑥ 前項の規定による通知は、公告をもってこれに代えることができる。

⊛❶❺【効力発生日→七四四①〔九〕⊛ ❶【株主総会の決議→三〇九②〔十二〕③【簡易組織再編→七八四②【略式組織再編→七八四① ❷【株式・持分に代わる対価→七四四①〔五〕⊛【省令で定めるもの→会社則一八五【総株主の同意→七七六①⊛【株式買取請求権の否定→七八五①〔一〕 ❸【種類株式発行会社→二〔十三〕【種類株主総会→二〔十四〕・三二四③〔二〕【譲渡制限株式→二〔十七〕【省令で定めるもの→会社則一八六 ❹【株式買取請求権の否定→七八五①②【通知の不要→七八五③ ❺【登録株式質権者に対する通知→一五〇【登録新株予約権者に対する通知→二七一【質権の効力→一五一①〔十〕・二七二①〔三〕【違反に対する制裁→九七六〔二〕 ❻【通知に代わる公告→七七六③⊛

（吸収合併契約等の承認を要しない場合）

第七八四条① 前条第一項の規定は、吸収合併存続会社、吸収分割承継会社又は株式交換完全親会社（以下この目において「存続会社等」という。）が消滅株式会社等の特別支配会社である場合には、適用しない。ただし、吸収合併又は株式交換における合併対価等の全部又は一部が譲渡制限株式等である場合であって、消滅株式会社等が公開会社であり、かつ、種類株式発行会社でないときは、この限りでない。

② 前条の規定は、吸収分割により吸収分割承継会社に承継させる資産の帳簿価額の合計額が吸収分割株式会社の総資産額として法務省令で定める方法により算定される額の五分の一（これを下回る割合を吸収分割株式会社の定款で定めた場合にあっては、その割合）を超えない場合には、適用しない。

（平成二六法九〇本条改正）

⊛+【総会決議の不要な場合→四六八①、七九六① ❶【登記申請書の添付書類→商登八〇〔六〕【特別支配会社→四六八①【譲渡制限株式→二〔十七〕【公開会社→二〔五〕【種類株式発行会社→二〔十三〕【譲渡制限会社における特例→七九六①但 ❷【登録株式質権者への通知の不安→七八三⑤【株式買取請求権の否定→七八五①〔二〕【消滅株式会社等における簡易吸収合併等→七九六②、八〇五、四六八②【省令で定める方法→会社則一八七

（吸収合併等をやめることの請求）

第七八四条の二 次に掲げる場合において、消滅株式会社等の株主が不利益を受けるおそれがあるときは、消滅株式会社等の株主は、消滅株式会社等に対し、吸収合併等をやめることを請求することができる。ただし、前条第二項に規定する場合は、この限りでない。

一 当該吸収合併等が法令又は定款に違反する場合

二 前条第一項本文に規定する場合において、第七百四十九条第一項第二号若しくは第三号、第七百五十一条第一項第三号若しくは第四号、第七百五十八条第四号、第七百六十条第四号若しくは第五号、第七百六十八条第一項第二号若しくは第三号又は第七百七十条第一項第三号若しくは第四号に掲げる事項が消滅株式会社等又は存続会社等の財産の状況その他の事情に照らして著しく不当であるとき。

（平成二六法九〇本条追加）

⊛+民保二三②、一七一の三、一七九の七、一八二の三、二一〇、三六〇、七九六の二、八〇五の二【濫用株主等に対する制裁→九六八①〔二〕②

（反対株主の株式買取請求）

第七八五条① 吸収合併等をする場合（次に掲げる場合を除く。）には、反対株主は、消滅株式会社等に対し、自己の有する株式を公正な価格で買い取ることを請求することができる。

一 第七百八十三条第二項に規定する場合

二 第七百八十四条第二項に規定する場合（平成二六法九〇本号改正）

② 前項に規定する「反対株主」とは、次の各号に掲げる場合における当該各号に定める株主（第七百八十三条第四項に規定する場合における同項に規定する持分等の割当てを受ける株主を除く。）をいう。

一 吸収合併等をするために株主総会（種類株主総会を含む。）の決議を要する場合 次に掲げる株主

イ 当該株主総会に先立って当該吸収合併等に反対する旨を当該消滅株式会社等に対し通知し、かつ、当該株主総会において当該吸収合併等に反対した株主（当該株主総会において議決権を行使することができるものに限る。）

ロ 当該株主総会において議決権を行使することができない株主

二 前号に規定する場合以外の場合 全ての株主（第七百八十四条第一項本文に規定する場合における当該特別支配会社を除く。）（平成二六法九〇本号改正）

③ 消滅株式会社等は、効力発生日の二十日前までに、その株主（第七百八十三条第四項に規定する場合における同項に規定する持分等の割当てを受ける株主及び第七百八十四条第一項本文に規定する場合における当該特別支配会社を除く。）に対し、吸収合併等をする旨並びに存続会社等の商号及び住所を通知しなければならない。ただし、第一項各号に掲げる場合は、この限りでない。（平成二六法九〇本項改正）

④ 次に掲げる場合には、前項の規定による通知は、公告をもってこれに代えることができる。

一 消滅株式会社等が公開会社である場合

二 消滅株式会社等が第七百八十三条第一項の株主総会の決議によって吸収合併契約等の承認を受けた場合

⑤ 第一項の規定による請求（以下この目において「株式買取請求」という。）は、効力発生日の二十日前の日から効力発生日の前日までの間に、その株式買取請求に係る株式の数（種類株式発行会社にあっては、株式の種類及び種類ごとの数）を明らかにしてしなければならない。

⑥　株券が発行されている株式について株式買取請求をしようとするときは、当該株式の株主は、消滅株式会社等に対し、当該株式に係る株券を提出しなければならない。ただし、当該株券について第二百二十三条の規定による請求をした者については、この限りでない。（平成二六法九〇本項追加）

⑦　株式買取請求をした株主は、消滅株式会社等の承諾を得た場合に限り、その株式買取請求を撤回することができる。

⑧　吸収合併等を中止したときは、株式買取請求は、その効力を失う。

⑨　第百三十三条の規定は、株式買取請求に係る株式については、適用しない。（平成二六法九〇本項追加）

【類似の手続↓一一六・一七二・一七九の八・一八二の四・四六九・七九七・八〇六　❷〔二〕【株主総会・種類株主総会を要する場合↓七八三①・一一六　❸【効力発生日↓七四四①五　【株主に対する通知↓一一六　❹【公告↓九三九【通知に代わる公告↓七七六③　〔二〕【公開会社↓二五　❸❹【違反に対する制裁↓九七六三　❺【種類株式発行会社↓二十三　❻【株式買取請求時の株券提出義務↓一一六⑥・一八二の四⑤・四六九⑥・七九七⑥・八〇六⑥　❼【請求の撤回↓七七七⑧・七八七⑧・七九七⑦・八〇六⑧【適用除外↓七八六③

（株式の価格の決定等）

第七八六条①　株式買取請求があった場合において、株式の価格の決定について、株主と消滅株式会社等（吸収合併をする場合における効力発生日後にあっては、吸収合併存続会社。以下この条において同じ。）との間に協議が調ったときは、消滅株式会社等は、効力発生日から六十日以内にその支払をしなければならない。

②　株式の価格の決定について、効力発生日から三十日以内に協議が調わないときは、株主又は消滅株式会社等は、その期間の満了の日後三十日以内に、裁判所に対し、価格の決定の申立てをすることができる。

③　前条第七項の規定にかかわらず、前項に規定する場合において、効力発生日から六十日以内に同項の申立てがないときは、その期間の満了後は、株主は、いつでも、株式買取請求を撤回することができる。

④　消滅株式会社等は、裁判所の決定した価格に対する第一項の期間の満了の日後の法定利率による利息をも支払わなければならない。（平成二九法四五本項改正）

⑤　消滅株式会社等は、株式の価格の決定があるまでは、株主に対し、当該消滅株式会社等が公正な価格と認める額を支払うことができる。（平成二六法九〇本項追加）

⑥　株式買取請求に係る株式の買取りは、効力発生日に、その効力を生ずる。（平成二六法九〇本項改正）

⑦　株券発行会社は、株券が発行されている株式について株式買取請求があったときは、株券と引換えに、その株式買取請求に係る株式の代金を支払わなければならない。

❶【株式買取請求↓七八五⑤　❷【効力発生日↓七四四①五　【裁判所↓八六八①・八七〇②三　❹【裁判所による価格の決定↓八七一―八七四　❺【株式買取価格等の前払↓一一七⑤・一七二⑤・一八二の五・四七〇⑤・七九八⑤・八〇七⑤　❼【株券発行会社↓二一四

（新株予約権買取請求）

第七八七条①　次の各号に掲げる行為をする場合には、当該各号に定める消滅株式会社等の新株予約権の新株予約権者は、消滅株式会社等に対し、自己の有する新株予約権を公正な価格で買い取ることを請求することができる。

一　吸収合併　第七百四十九条第一項第四号又は第五号に掲げる事項についての定めが第二百三十六条第一項第八号の条件（同号イに関するものに限る。）に合致する新株予約権以外の新株予約権

二　吸収分割（吸収分割承継会社が株式会社である場合に限る。）　次に掲げる新株予約権のうち、第七百五十八条第五号又は第六号に掲げる事項についての定めが第二百三十六条第一項第八号の条件（同号ロに関するものに限る。）に合致する新株予約権以外の新株予約権

イ　吸収分割契約新株予約権

ロ　吸収分割契約新株予約権以外の新株予約権であって、吸収分割をする場合において当該新株予約権の新株予約権者に吸収分割承継株式会社の新株予約権を交付することとする旨の定めがあるもの

三　株式交換（株式交換完全親会社が株式会社である場合に限る。）　次に掲げる新株予約権のうち、第七百六十八条第一項第四号又は第五号に掲げる事項についての定めが第二百三十六条第一項第八号の条件（同号ニに関するものに限る。）に合致する新株予約権以外の新株予約権

イ　株式交換契約新株予約権

ロ　株式交換契約新株予約権以外の新株予約権であって、株式交換をする場合において当該新株予約権の新株予約権者に株式交換完全親株式会社の新株予約権を交付することとする旨の定めがあるもの

②　新株予約権付社債に付された新株予約権の新株予約権者は、前項の規定による請求（以下この目において「新株予約権買取請求」という。）をするときは、併せて、新株予約権付社債についての社債を買い取ることを請求しなければならない。ただし、当該新株予約権付社債に付された新株予約権について別段の定めがある場合は、この限りでない。

③　次の各号に掲げる消滅株式会社等は、効力発生日の二十日前までに、当該各号に定める新株予約権の新株予約権者に対し、吸収合併等をする旨並びに存続会社等の商号及び住所を通知しなければならない。

一　吸収合併消滅株式会社　全部の新株予約権

二　吸収分割株式会社　次に掲げる新株予約権

イ　吸収分割契約新株予約権

ロ　吸収分割契約新株予約権以外の新株予約権であって、吸収分割をする場合において当該新株予約権の新株予約権者に吸収分割承継株式会社の新株予約権を交付することとする旨の定めがあるもの

三　株式交換完全親会社が株式会社である場合における株式交換完全子会社　次に掲げる新株予約権

イ　株式交換契約新株予約権

ロ　株式交換契約新株予約権以外の新株予約権であって、株式交換をする場合において当該新株予約権の新株予約権者に株式交換完全親株式会社の新株予約権を交付することとする旨の定めがあるもの

④　前項の規定による通知は、公告をもってこれに代えることができる。

⑤　新株予約権買取請求は、効力発生日の二十日前の日から効力発生日の前日までの間に、その新株予約権買取請求に係る新株予約権の内容及び数を明らかにしてしなければならない。

⑥　新株予約権証券が発行されている新株予約権について新株予約権買取請求をしようとするときは、当該新株予約権の新株予約権者は、消滅株式会社等に対し、その新株予約権証券を提出しなければならない。ただし、当該新株予約権証券について非訟事件手続法第百十四条に規定する公示催告の申立てをした者については、この限りでない。（平成二六法九〇本項追加）

⑦　新株予約権付社債券が発行されている新株予約権付社債に付された新株予約権について新株予約権買取請求をしようとするときは、当該新株予約権の新株予約権付社債権者は、消滅株式会社等に対し、その新株予約権付社債券を提出しなければならない。ただし、当該新株予約権付社債券について非訟事件手続法第百十四条に規定する公示催告の申立てをした者については、この限りでない。（平成二六法九〇本項追加）

⑧　新株予約権買取請求をした新株予約権者は、消滅株式会社等の承諾を得た場合に限り、その新株予約権買取請求を撤回することができる。

⑨　吸収合併等を中止したときは、新株予約権買取請求は、その効力を失う。

⑩　第二百六十条の規定は、新株予約権買取請求に係る新株予約権については、適用しない。（平成二六法九〇本項追加）

⊛+【新株予約権買取請求↓七七七・七七八・八〇八・八〇九　❶【新株予約権↓二[二十一]【効力発生↓七八八⑥【二】【吸収分割契約新株予約権↓七五八㈤イ【三】【株式交換契約新株予約権↓七六八①㈣イ　❷【新株予約権付社債↓二[二十二]【別段の定め↓二三八①㈦　❸【新株予約権者への通知↓二五三【登録新株予約権者への通知↓七八三⑤　❹【公告↓九三九【通知に代わる公告↓七七六③⊛　❸❹【違反に対する制裁↓九七六㈡　❻【新株予約権買取請求と新株予約権証券提出義務↓一一八⑥・七七七⑥・八〇八⑥　❼【新株予約権買取請求と新株予約権付社債券提出義務↓一一八⑦・七七七⑦・八〇八⑦　❽【適用除外↓七八八③

（新株予約権の価格の決定等）

第七八八条①　新株予約権買取請求があった場合において、新株予約権（当該新株予約権が新株予約権付社債に付されたものである場合において、当該新株予約権付社債についての社債の買取りの請求があったときは、当該社債を含む。以下この条において同じ。）の価格の決定について、新株予約権者と消滅株式会社等（吸収合併をする場合における効力発生日後にあっては、吸収合併存続会社。以下この条において同じ。）との間に協議が調ったときは、消滅株式会社等は、効力発生日から六十日以内にその支払をしなければならない。

②　新株予約権の価格の決定について、効力発生日から三十日以内に協議が調わないときは、新株予約権者又は消滅株式会社等は、その期間の満了の日後三十日以内に、裁判所に対し、価格の決定の申立てをすることができる。

③　前条第八項の規定にかかわらず、前項に規定する場合において、効力発生日から六十日以内に同項の申立てがないときは、その期間の満了後は、新株予約権者は、いつでも、新株予約権買取請求を撤回することができる。

④　消滅株式会社等は、裁判所の決定した価格に対する第一項の期間の満了の日後の法定利率による利息をも支払わなければならない。（平成二九法四五本項改正）

⑤　消滅株式会社等は、新株予約権の価格の決定があるまでは、新株予約権者に対し、当該消滅株式会社等が公正な価格と認める額を支払うことができる。（平成二六法九〇本項追加）

⑥　新株予約権買取請求に係る新株予約権の買取りは、効力発生日に、その効力を生ずる。（平成二六法九〇本項改正）

⑦　消滅株式会社等は、新株予約権証券が発行されている新株予約権について新株予約権買取請求があったときは、新株予約権証券と引換えに、その新株予約権買取請求に係る新株予約権の代金を支払わなければならない。

⑧　消滅株式会社等は、新株予約権付社債券が発行されている新株予約権付社債に付された新株予約権について新株予約権買取請求があったときは、新株予約権付社債券と引換えに、その新株予約権買取請求に係る新株予約権の代金を支払わなければならない。

⊛❶【新株予約権買取請求↓七八七②　❷【裁判所↓八六八①・八七〇②㈡　❶―❸【効力発生日↓七四四①㈨⊛　❹【裁判所による価格の決定↓八七一―八七四　❺【新株予約権の買取価格の前払↓一一九⑤・七七八⑤・八〇九⑤　❼【新株予約権証券↓二八八―二九一　❽【新株予約権付社債券↓二九二

（債権者の異議）

第七八九条①　次の各号に掲げる場合には、当該各号に定める債権者は、消滅株式会社等に対し、吸収合併等について異議を述べることができる。

一　吸収合併をする場合　吸収合併消滅株式会社の債権者

二　吸収分割をする場合　吸収分割後吸収分割株式会社に対して債務の履行（当該債務の保証人として吸収分割承継会社と連帯して負担する保証債務の履行を含む。）を請求することができない吸収分割株式会社の債権者（第七百五十八条第八号又は第七百六十条第七号に掲げる事項についての定めがある場合にあっては、吸収分割株式会社の債権者）

三　株式交換契約新株予約権が新株予約権付社債に付

された新株予約権である場合　当該新株予約権付社債についての社債権者

② 前項の規定により消滅株式会社等の債権者の全部又は一部が異議を述べることができる場合には、消滅株式会社等は、次に掲げる事項を官報に公告し、かつ、知れている債権者（同項の規定により異議を述べることができるものに限る。）には、各別にこれを催告しなければならない。ただし、第四号の期間は、一箇月を下ることができない。

一　吸収合併等をする旨

二　存続会社等の商号及び住所

三　消滅株式会社等及び存続会社等（株式会社に限る。）の計算書類に関する事項として法務省令で定めるもの

四　債権者が一定の期間内に異議を述べることができる旨

③ 前項の規定にかかわらず、消滅株式会社等が同項の規定による公告を、官報のほか、第九百三十九条第一項の規定による定款の定めに従い、同項第二号又は第三号に掲げる公告方法によりするときは、前項の規定による各別の催告（吸収分割をする場合における不法行為によって生じた吸収分割株式会社の債務の債権者に対するものを除く。）は、することを要しない。

④ 債権者が第二項第四号の期間内に異議を述べなかったときは、当該債権者は、当該吸収合併等について承認をしたものとみなす。

⑤ 債権者が第二項第四号の期間内に異議を述べたときは、消滅株式会社等は、当該債権者に対し、弁済し、若しくは相当の担保を提供し、又は当該債権者に弁済を受けさせることを目的として信託会社等に相当の財産を信託しなければならない。ただし、当該吸収合併等をしても当該債権者を害するおそれがないときは、この限りでない。

㊜⁺【登記申請書への添付↓商登八〇四・八五四・八九七【類似の制度↓七七九・七九九・八一〇 ❶【異議債権者の保護↓八二八②七四十二【債権者の異議手続の特則↓七四〇①【効力発生条件↓七五〇⑥・七五二⑥・七五九⑩・七六一⑩・七六九⑥【吸収分割における履行請求↓七五九②③・七六一②③ ❷【公告↓九三九【違反に対する制裁↓九七六〔二〕〔二十六〕 〔三〕【省令で定めるもの↓会社則一八八 ❸【株式会社の定款記載・記録↓九三九①・二九【各別の催告が不要な場合↓七七九③・七九九③・八一〇③ ❺【違反に対する制裁↓九七六〔二十六〕

（吸収合併等の効力発生日の変更）

第七九〇条① 消滅株式会社等は、存続会社等との合意により、効力発生日を変更することができる。

② 前項の場合には、消滅株式会社等は、変更前の効力発生日（変更後の効力発生日が変更前の効力発生日前の日である場合にあっては、当該変更後の効力発生日）の前日までに、変更後の効力発生日を公告しなければならない。

③ 第一項の規定により効力発生日を変更したときは、変更後の効力発生日を効力発生日とみなして、この節並びに第七百五十条、第七百五十二条、第七百五十九条、第七百六十一条、第七百六十九条及び第七百七十一条の規定を適用する。

㊜⁺【効力発生日↓七四四①㈥㊜ ❶【効力発生日の変更↓七八〇 ❷【公告↓九三九【違反に対する制裁↓九七六〔二〕

（吸収分割又は株式交換に関する書面等の備置き及び閲覧等）

第七九一条① 吸収分割株式会社又は株式交換完全子会社は、効力発生日後遅滞なく、吸収分割承継会社又は株式交換完全親会社と共同して、次の各号に掲げる区分に応じ、当該各号に定めるものを作成しなければならない。

一　吸収分割株式会社　吸収分割により吸収分割承継会社が承継した吸収分割株式会社の権利義務その他の吸収分割に関する事項として法務省令で定める事項を記載し、又は記録した書面又は電磁的記録

二　株式交換完全子会社　株式交換により株式交換完全親会社が取得した株式交換完全子会社の株式の数その他の株式交換に関する事項として法務省令で定める事項を記載し、又は記録した書面又は電磁的記録

② 吸収分割株式会社又は株式交換完全子会社は、効力発生日から六箇月間、前項各号の書面又は電磁的記録をその本店に備え置かなければならない。

③ 吸収分割株式会社の株主、債権者その他の利害関係人は、吸収分割株式会社に対して、その営業時間内は、いつでも、次に掲げる請求をすることができる。ただし、第二号又は第四号に掲げる請求をするには、当該吸収分割株式会社の定めた費用を支払わなければならない。

一　前項の書面の閲覧の請求

二　前項の書面の謄本又は抄本の交付の請求

三　前項の電磁的記録に記録された事項を法務省令で定める方法により表示したものの閲覧の請求

四　前項の電磁的記録に記録された事項を電磁的方法であって吸収分割株式会社の定めたものにより提供することの請求又はその事項を記載した書面の交付の請求

④ 前項の規定は、株式交換完全子会社について準用する。この場合において、同項中「吸収分割株式会社の株主、債権者その他の利害関係人」とあるのは、「効力発生日に株式交換完全子会社の株主又は新株予約権者であった者」と読み替えるものとする。

㊜❶【効力発生日↓七四四①㈨㊜【書面等の備置↓八〇一③〔三〕〔三〕【違反に対する制裁↓九七六〔七〕 〔二〕【省令で定める事項↓会社則一八九 〔二〕【省令で定める事項↓会社則一九〇 ❷【本店↓二七〔三〕【違反に対する制裁↓九七六〔四〕 ❸【違反に対する制裁↓九七六〔四〕 〔三〕【省令で定める方法↓会社則二二六 ❶―❸【電磁的記録↓二六②

（剰余金の配当等に関する特則）

第七九二条　第四百四十五条第四項、第四百五十八条及び第二編第五章第六節の規定は、次に掲げる行為については、適用しない。

一　第七百五十八条第八号イ又は第七百六十条第七号イの株式の取得

二　第七百五十八条第八号ロ又は第七百六十条第七号

ロの剰余金の配当

（平成二六法九〇本条改正）

第二目　持分会社の手続

第七九三条① 次に掲げる行為をする持分会社は、効力発生日の前日までに、吸収合併契約等について当該持分会社の総社員の同意を得なければならない。ただし、定款に別段の定めがある場合は、この限りでない。

一 吸収合併（吸収合併により当該持分会社が消滅する場合に限る。）

二 吸収分割（当該持分会社（合同会社に限る。）がその事業に関して有する権利義務の全部を他の会社に承継させる場合に限る。）

② 第七百八十九条（第一項第三号及び第二項第三号を除く。）（債権者の異議）及び第七百九十条（吸収合併等の効力発生日の変更）の規定は、吸収合併消滅持分会社又は合同会社である吸収分割会社（以下この節において「吸収分割合同会社」という。）について準用する。この場合において、第七百八十九条第一項第二号中「債権者（第七百五十八条第八号又は第七百六十条第七号に掲げる事項についての定めがある場合にあっては、吸収分割株式会社の債権者）」とあるのは「債権者」と、同条第三項中「消滅株式会社等」とあるのは「吸収合併消滅持分会社（吸収合併存続会社が株式会社又は合同会社である場合にあっては、合同会社に限る。）又は吸収分割合同会社」と読み替えるものとする。

❶【総社員の同意→七七六①】

第二款　吸収合併存続会社、吸収分割承継会社及び株式交換完全親会社の手続

第一目　株式会社の手続

（吸収合併契約等に関する書面等の備置き及び閲覧等）

第七九四条① 吸収合併存続株式会社、吸収分割承継株式会社又は株式交換完全親株式会社（以下この目において「存続株式会社等」という。）は、吸収合併契約等備置開始日から効力発生日後六箇月を経過する日までの間、吸収合併契約等の内容その他法務省令で定める事項を記載し、又は記録した書面又は電磁的記録をその本店に備え置かなければならない。

② 前項に規定する「吸収合併契約等備置開始日」とは、次に掲げる日のいずれか早い日をいう。

一 吸収合併契約等について株主総会（種類株主総会を含む。）の決議によってその承認を受けなければならないときは、当該株主総会の日の二週間前の日（第三百十九条第一項の場合にあっては、同項の提案があった日）

二 第七百九十七条第三項の規定による通知の日又は同条第四項の公告の日のいずれか早い日

三 第七百九十九条の規定による手続をしなければならないときは、同条第二項の規定による公告の日又は同項の規定による催告の日のいずれか早い日

③ 存続株式会社等の株主及び債権者（株式交換完全親株式会社にあっては、株主及び株式交換完全子会社の株主に対して交付する金銭等が株式交換完全親株式会社の株式その他これに準ずるものとして法務省令で定めるもののみである場合（第七百六十八条第一項第四号ハに規定する場合を除く。）にあっては、株主）は、存続株式会社等に対して、その営業時間内は、いつでも、次に掲げる請求をすることができる。ただし、第二号又は第四号に掲げる請求をするには、当該存続株式会社等の定めた費用を支払わなければならない。

一 第一項の書面の閲覧の請求

二 第一項の書面の謄本又は抄本の交付の請求

三 第一項の電磁的記録に記録された事項を法務省令で定める方法により表示したものの閲覧の請求

四 第一項の電磁的記録に記録された事項を電磁的方法であって存続株式会社等の定めたものにより提供することの請求又はその事項を記載した書面の交付の請求

❶【電磁的記録→二六②】【省令で定める事項→会社則一九一―一九三】【本店→二七[三]】【違反に対する制裁→九七六[七][四]】 ❷[一]【株主総会の決議が必要な場合→七九五①・三〇九②[十二]③】[二]【株主に対する通知→一二六】[二][三]【公告→九三九】【違反に対する制裁→九七六[三]】 ❸【省令で定めるもの→会社則一九四】[三]【省令で定める方法→会社則二二六】[三][四]【電磁的記録→二六②】【違反に対する制裁→九七六[四]】

（吸収合併契約等の承認等）

第七九五条① 存続株式会社等は、効力発生日の前日までに、株主総会の決議によって、吸収合併契約等の承認を受けなければならない。

② 次に掲げる場合には、取締役は、前項の株主総会において、その旨を説明しなければならない。

一 吸収合併存続株式会社又は吸収分割承継株式会社が承継する吸収合併消滅会社又は吸収分割会社の債務の額として法務省令で定める額（次号において「承継債務額」という。）が吸収合併存続株式会社又は吸収分割承継株式会社が承継する吸収合併消滅会社又は吸収分割会社の資産の額として法務省令で定める額（同号において「承継資産額」という。）を超える場合

二 吸収合併存続株式会社又は吸収分割承継株式会社が吸収合併消滅株式会社の株主、吸収合併消滅持分会社の社員又は吸収分割会社に対して交付する金銭等（吸収合併存続株式会社又は吸収分割承継株式会社の株式等を除く。）の帳簿価額が承継資産額から承継債務額を控除して得た額を超える場合

三 株式交換完全親株式会社が株式交換完全子会社の株主に対して交付する金銭等（株式交換完全親株式会社の株式等を除く。）の帳簿価額が株式交換完全子会社の株式の額として法務省令で定める額を超える場合（平成一八法一〇九本号改正）

③ 承継する吸収合併消滅会社又は吸収分割会社の資産に吸収合併存続株式会社又は吸収分割承継株式会社の株式が含まれる場合には、取締役は、第一項の株主総

会において、当該株式に関する事項を説明しなければならない。

④ 存続株式会社等が種類株式発行会社である場合において、次の各号に掲げる場合には、吸収合併等は、当該各号に定める種類の株式（譲渡制限株式であって、第百九十九条第四項の定款の定めがないものに限る。）の種類株主を構成員とする種類株主総会（当該種類株主に係る株式の種類が二以上ある場合にあっては、当該二以上の株式の種類別に区分された種類株主を構成員とする各種類株主総会）の決議がなければ、その効力を生じない。ただし、当該種類株主総会において議決権を行使することができる株主が存しない場合は、この限りでない。

一 吸収合併消滅株式会社の株主又は吸収合併消滅持分会社の社員に対して交付する金銭等が吸収合併存続株式会社の株式である場合 第七百四十九条第一項第二号イの種類の株式

二 吸収分割会社に対して交付する金銭等が吸収分割承継株式会社の株式である場合 第七百五十八条第四号イの種類の株式

三 株式交換完全子会社の株主に対して交付する金銭等が株式交換完全親株式会社の株式である場合 第七百六十八条第一項第二号イの種類の株式

※【適用除外→九七六①②　❶【効力発生日→七四四①[九]※【株主総会の決議→三〇九②[十二]③、三二二①[七][九][十二]　❷【[二][三]】【省令で定める額→会社則一九五　❷❸【取締役の説明義務→三一四　❸【吸収分割契約における定め→七五八[三]　❹【種類株式発行会社→二[十三]【譲渡制限株式→二[十七]【種類株主総会→二[十四]、三二四②[六]

第七九六条①（吸収合併契約等の承認を要しない場合等） 前条第一項から第三項までの規定は、吸収合併消滅会社、吸収分割会社又は株式交換完全子会社（以下この目において「消滅会社等」という。）が存続株式会社等の特別支配会社である場合には、適用しない。ただし、吸収合併消滅株式会社若しくは株式交換完全子会社の株主、吸収合併消滅持分会社の社員又は吸収分割会社に対して交付する金銭等の全部又は一部が存続株式会社等の譲渡制限株式である場合であって、存続株式会社等が公開会社でないときは、この限りでない。

② 前条第一項から第三項までの規定は、第一号に掲げる額の第二号に掲げる額に対する割合が五分の一（これを下回る割合を存続株式会社等の定款で定めた場合にあっては、その割合）を超えない場合には、適用しない。ただし、同条第二項各号に掲げる場合又は前項ただし書に規定する場合は、この限りでない。

一 次に掲げる額の合計額

イ 吸収合併消滅株式会社若しくは株式交換完全子会社の株主、吸収合併消滅持分会社の社員又は吸収分割会社（以下この号において「消滅会社等の株主等」という。）に対して交付する存続株式会社等の株式の数に一株当たり純資産額を乗じて得た額

ロ 消滅会社等の株主等に対して交付する存続株式会社等の社債、新株予約権又は新株予約権付社債の帳簿価額の合計額

ハ 消滅会社等の株主等に対して交付する存続株式会社等の株式等以外の財産の帳簿価額の合計額

二 存続株式会社等の純資産額として法務省令で定める方法により算定される額

③ 前項本文に規定する場合において、法務省令で定める数の株式（前条第一項の株主総会において議決権を行使することができるものに限る。）を有する株主が第七百九十七条第三項の規定による通知又は同条第四項の公告の日から二週間以内に吸収合併等に反対する旨を存続株式会社等に対し通知したときは、当該存続株式会社等は、効力発生日の前日までに、株主総会の決議によって、吸収合併契約等の承認を受けなければならない。

（平成二六法九〇本条改正）

※【総会決議の不要な場合→四六八①、七八四①　❶【登記申請書の添付書類→商登八〇[三]【特別支配会社→四六八①【譲渡制限株式→二[十七]【公開会社→二[五]【譲渡制限会社における特例→七八四①但　❷【差損の生じる場合→七九五②【省令で定める方法→会社則一九六　❸【省令で定める数→会社則一九七【株主総会の決議→三〇九②[十二]

第七九六条の二（吸収合併等をやめることの請求） 次に掲げる場合において、存続株式会社等の株主が不利益を受けるおそれがあるときは、存続株式会社等の株主は、存続株式会社等に対し、吸収合併等をやめることを請求することができる。ただし、前条第二項本文に規定する場合（第七百九十五条第二項各号に掲げる場合及び前条第一項ただし書又は第三項に規定する場合を除く。）は、この限りでない。

一 当該吸収合併等が法令又は定款に違反する場合

二 前条第一項本文に規定する場合において、第七百四十九条第一項第二号若しくは第三号、第七百五十八条第四号又は第七百六十八条第一項第二号若しくは第三号に掲げる事項が存続株式会社等又は消滅会社等の財産の状況その他の事情に照らして著しく不当であるとき。

（平成二六法九〇本条追加）

※民保二三②、一七一の三、一七九の七、一八二の三、二一〇、三六〇、七八四の二、八〇五の二【濫用株主等に対する制裁→九六八①[三]②

第七九七条①（反対株主の株式買取請求） 吸収合併等をする場合には、反対株主は、存続株式会社等に対し、自己の有する株式を公正な価格で買い取ることを請求することができる。ただし、第七百九十六条第二項本文に規定する場合（第七百九十五条第二項各号に掲げる場合及び第七百九十六条第一項ただし書又は第三項に規定する場合を除く。）は、この限りでない。（平成二六法九〇本項改正）

② 前項に規定する「反対株主」とは、次の各号に掲げる場合における当該各号に定める株主をいう。

一 吸収合併等をするために株主総会（種類株主総会を含む。）の決議を要する場合 次に掲げる株主

イ 当該株主総会に先立って当該吸収合併等に反対

する旨を当該存続株式会社等に対し通知し、かつ、当該株主総会において当該吸収合併等に反対した株主（当該株主総会において議決権を行使することができるものに限る。）

ロ　当該株主総会において議決権を行使することができない株主

二　前号に規定する場合以外の場合　全ての株主（第七百九十六条第一項本文に規定する場合における当該特別支配会社を除く。）（平成二六法九〇本号改正）

③　存続株式会社等は、効力発生日の二十日前までに、その株主（第七百九十六条第一項本文に規定する場合における当該特別支配会社を除く。）に対し、吸収合併等をする旨並びに消滅会社等の商号及び住所（第七百九十五条第三項に規定する場合にあっては、吸収合併等をする旨、消滅会社等の商号及び住所並びに同項の株式に関する事項）を通知しなければならない。（平成二六法九〇本項改正）

④　次に掲げる場合には、前項の規定による通知は、公告をもってこれに代えることができる。

一　存続株式会社等が公開会社である場合

二　存続株式会社等が第七百九十五条第一項の株主総会の決議によって吸収合併契約等の承認を受けた場合

⑤　第一項の規定による請求（以下この目において「株式買取請求」という。）は、効力発生日の二十日前の日から効力発生日の前日までの間に、その株式買取請求に係る株式の数（種類株式発行会社にあっては、株式の種類及び種類ごとの数）を明らかにしてしなければならない。

⑥　株券が発行されている株式について株式買取請求をしようとするときは、当該株式の株主は、存続株式会社等に対し、当該株式に係る株券を提出しなければならない。ただし、当該株券について第二百二十三条の規定による請求をした者については、この限りでない。（平成二六法九〇本項追加）

⑦　株式買取請求をした株主は、存続株式会社等の承諾を得た場合に限り、その株式買取請求を撤回することができる。

⑧　吸収合併等を中止したときは、株式買取請求は、その効力を失う。

⑨　第百三十三条の規定は、株式買取請求に係る株式については、適用しない。（平成二六法九〇本項追加）

∞+【類似の手続→一一六・一七二・一七九の八・一八二の四・四六九・七八五・八〇六　❷[二]【株主総会・種類株主総会を要する場合→七九五①・一一六∞・八〇四∞　❸【効力発生日→七四四①[九]∞【株主に対する通知→一二六　❹【公告→九三九【通知に代わる公告→七七六③∞　[二]【公開会社→二[五]　❸❹【簡易組織再編に対する株主の反対→七九六③【違反に対する制裁→九七六[三]　❺【種類株式発行会社→二[十三]　❻【株式買取請求時の株券提出義務→一一六⑥・一八二の四⑤・四六九⑥・七八五⑥・八〇六⑥　❼【請求の撤回→七七七⑧・七八五⑦・七八七⑧・八〇六⑦・八〇八⑧【適用除外→七九八③

第七九八条（**株式の価格の決定等**）①　株式買取請求があった場合において、株式の価格の決定について、株主と存続株式会社等との間に協議が調ったときは、存続株式会社等は、効力発生日から六十日以内にその支払をしなければならない。

②　株式の価格の決定について、効力発生日から三十日以内に協議が調わないときは、株主又は存続株式会社等は、その期間の満了の日後三十日以内に、裁判所に対し、価格の決定の申立てをすることができる。

③　前条第七項の規定にかかわらず、前項に規定する場合において、効力発生日から六十日以内に同項の申立てがないときは、その期間の満了後は、株主は、いつでも、株式買取請求を撤回することができる。

④　存続株式会社等は、裁判所の決定した価格に対する第一項の期間の満了の日後の法定利率による利息をも支払わなければならない。（平成二九法四五本項改正）

⑤　存続株式会社等は、株式の価格の決定があるまでは、株主に対し、当該存続株式会社等が公正な価格と認める額を支払うことができる。（平成二六法九〇本項追加）

⑥　株式買取請求に係る株式の買取りは、効力発生日に、その効力を生ずる。（平成二六法九〇本項改正）

⑦　株券発行会社は、株券が発行されている株式について株式買取請求があったときは、株券と引換えに、その株式買取請求に係る株式の代金を支払わなければならない。

∞❶【株式買取請求→七九七⑤　❷【効力発生日→七四四①[四]∞【裁判所→八六八①・八七〇②[二]　❹【裁判所による価格の決定→八七一―八七四　❺【株式買取価格等の前払→一一七⑤・一七二⑤・一八二の五・四七〇⑤・七八六⑤・八〇七⑤　❼【株券発行会社→二一四∞

第七九九条（**債権者の異議**）①　次の各号に掲げる場合には、当該各号に定める債権者は、存続株式会社等に対し、吸収合併等について異議を述べることができる。

一　吸収合併をする場合　吸収合併存続株式会社の債権者

二　吸収分割をする場合　吸収分割承継株式会社の債権者

三　株式交換をする場合において、株式交換完全子会社の株主に対して交付する金銭等が株式交換完全親株式会社の株式その他これに準ずるものとして法務省令で定めるもののみである場合以外の場合又は第七百六十八条第一項第四号ハに規定する場合　株式交換完全親株式会社の債権者

②　前項の規定により存続株式会社等の債権者が異議を述べることができる場合には、存続株式会社等は、次に掲げる事項を官報に公告し、かつ、知れている債権者には、各別にこれを催告しなければならない。ただし、第四号の期間は、一箇月を下ることができない。

一　吸収合併等をする旨

二　消滅会社等の商号及び住所

三　存続株式会社等及び消滅会社等（株式会社に限る。）の計算書類に関する事項として法務省令で定めるもの

四　債権者が一定の期間内に異議を述べることができ

る旨

③ 前項の規定にかかわらず、存続株式会社等が同項の規定による公告を、官報のほか、第九百三十九条第一項の規定による定款の定めに従い、同項第二号又は第三号に掲げる公告方法によりするときは、前項の規定による各別の催告は、することを要しない。

④ 債権者が第二項第四号の期間内に異議を述べなかったときは、当該債権者は、当該吸収合併等について承認をしたものとみなす。

⑤ 債権者が第二項第四号の期間内に異議を述べたときは、存続株式会社等は、当該債権者に対し、弁済し、若しくは相当の担保を提供し、又は当該債権者に弁済を受けさせることを目的として信託会社等に相当の財産を信託しなければならない。ただし、当該吸収合併等をしても当該債権者を害するおそれがないときは、この限りでない。

⚙【登記申請書への添付→商登八〇㊂、八五㊂、八九㊂】【類似の制度→七七九、七八九、八一〇】❶【異議債権者の保護→八二八②㊆㊃[十二]】【三】【省令で定めるもの→会社則一九八】❷【公告→九三九】【違反に対する制裁→九七六㊁[二十六]】【三】【省令で定めるもの→会社則一九九】❸【株式会社の定款記載・記録→九三九①、二九】【各別の催告が不要な場合→七八九③、八一〇③】❺【違反に対する制裁→九七六[二十六]】

（消滅会社等の株主等に対して交付する金銭等が存続株式会社等の親会社株式である場合の特則）

第八〇〇条① 第百三十五条第一項の規定にかかわらず、吸収合併消滅株式会社若しくは株式交換完全子会社の株主、吸収合併消滅持分会社の社員又は吸収分割会社（以下この項において「消滅会社等の株主等」という。）に対して交付する金銭等の全部又は一部が存続株式会社等の親会社株式（同条第一項に規定する親会社株式をいう。以下この条において同じ。）である場合には、当該存続株式会社等は、吸収合併等に際して消滅会社等の株主等に対して交付する当該親会社株式の総数を超えない範囲において当該親会社株式を取得することができる。

② 第百三十五条第三項の規定にかかわらず、前項の存続株式会社等は、効力発生日までの間は、存続株式会社等の親会社株式を保有することができる。ただし、吸収合併等を中止したときは、この限りでない。

⚙【子会社による親会社株式の取得の禁止→一三五①】【親会社株式・持分の取得を要する場合→七四九①㊁ホ、七五一①㊂ロ、七五八㊃ホ、七六八①㊁ホ】

（吸収合併等に関する書面等の備置き及び閲覧等）

第八〇一条① 吸収合併存続株式会社は、効力発生日後遅滞なく、吸収合併により吸収合併存続株式会社が承継した吸収合併消滅会社の権利義務その他の吸収合併に関する事項として法務省令で定める事項を記載し、又は記録した書面又は電磁的記録を作成しなければならない。

② 吸収分割承継株式会社（合同会社が吸収分割をする場合における当該吸収分割承継株式会社に限る。）は、効力発生日後遅滞なく、吸収分割合同会社と共同して、吸収分割により吸収分割承継株式会社が承継した吸収分割合同会社の権利義務その他の吸収分割に関する事項として法務省令で定める事項を記載し、又は記録した書面又は電磁的記録を作成しなければならない。

③ 次の各号に掲げる存続株式会社等は、効力発生日から六箇月間、当該各号に定めるものをその本店に備え置かなければならない。

一 吸収合併存続株式会社 第一項の書面又は電磁的記録

二 吸収分割承継株式会社 前項又は第七百九十一条第一項第一号の書面又は電磁的記録

三 株式交換完全親株式会社 第七百九十一条第一項第二号の書面又は電磁的記録

④ 吸収合併存続株式会社の株主及び債権者は、吸収合併存続株式会社に対して、その営業時間内は、いつでも、次に掲げる請求をすることができる。ただし、第二号又は第四号に掲げる請求をするには、当該吸収合併存続株式会社の定めた費用を支払わなければならない。

一 前項第一号の書面の閲覧の請求

二 前項第一号の書面の謄本又は抄本の交付の請求

三 前項第一号の電磁的記録に記録された事項を法務省令で定める方法により表示したものの閲覧の請求

四 前項第一号の電磁的記録に記録された事項を電磁的方法であって吸収合併存続株式会社の定めたものにより提供することの請求又はその事項を記載した書面の交付の請求

⑤ 前項の規定は、吸収分割承継株式会社について準用する。この場合において、同項中「株主及び債権者」とあるのは「株主、債権者その他の利害関係人」と、同項各号中「前項第一号」とあるのは「前項第二号」と読み替えるものとする。

⑥ 第四項の規定は、株式交換完全親株式会社について準用する。この場合において、同項中「株主及び債権者」とあるのは「株主及び債権者（株式交換完全子会社の株主に対して交付する金銭等が株式交換完全親株式会社の株式その他これに準ずるものとして法務省令で定めるもののみである場合（第七百六十八条第一項第四号ハに規定する場合を除く。）にあっては、株式交換完全親株式会社の株主）」と、同項各号中「前項第一号」とあるのは「前項第三号」と読み替えるものとする。

⚙❶【省令で定める事項→会社則二〇〇】❷【省令で定める事項→会社則二〇一】❶❷【違反に対する制裁→九七六㊆】❸【本店→二七㊂】【違反に対する制裁→九七六㊃】【三】【省令で定める方法→会社則二二六】❹【違反に対する制裁→九七六㊃】【効力発生日→七四四①㊈】⚙❶—❸❶—❹【電磁的記録→二六②】

第二目 持分会社の手続

第八〇二条① 次の各号に掲げる行為をする持分会社（以下この条において「存続持分会社等」という。）は、当該各号に定める場合には、効力発生日の前日までに、吸収合併契約等について存続持分会社等の総社員の同意を得なければならない。ただし、定款に別段の定めがある場合は、この限りでない。

一　吸収合併（吸収合併により当該持分会社が存続する場合に限る。）　第七百五十一条第一項第二号に規定する場合

二　吸収分割による他の会社がその事業に関して有する権利義務の全部又は一部の承継　第七百六十条第四号に規定する場合

三　株式交換による株式会社の発行済株式の全部の取得　第七百七十条第一項第二号に規定する場合

②　第七百九十九条（第二項第三号を除く。）（債権者の異議）及び第八百条（消滅会社等の株主等に対して交付する金銭等が存続株式会社等の親会社株式である場合の特則）の規定は、存続持分会社等について準用する。この場合において、第七百九十九条第一項第三号中「株式交換完全親株式会社の株式」とあるのは「株式交換完全親合同会社の持分」と、「場合又は第七百六十八条第一項第四号ハに規定する場合」とあるのは「場合」と読み替えるものとする。

❶【総社員の同意→七七六①】

第三節　新設合併等の手続

第一款　新設合併消滅会社、新設分割会社及び株式移転完全子会社の手続

第一目　株式会社の手続

（新設合併契約等に関する書面等の備置き及び閲覧等）

第八〇三条①　次の各号に掲げる株式会社（以下この目において「消滅株式会社等」という。）は、新設合併契約等備置開始日から新設合併設立会社、新設分割設立会社又は株式移転設立完全親会社（以下この目において「設立会社」という。）の成立の日後六箇月を経過する日（新設合併消滅株式会社にあっては、新設合併設立会社の成立の日）までの間、当該各号に定めるもの（以下この節において「新設合併契約等」という。）の内容その他法務省令で定める事項を記載し、又は記録した書面又は電磁的記録をその本店に備え置かなければならない。

一　新設合併消滅株式会社　新設合併契約

二　新設分割株式会社　新設分割計画

三　株式移転完全子会社　株式移転計画

②　前項に規定する「新設合併契約等備置開始日」とは、次に掲げる日のいずれか早い日をいう。

一　新設合併契約等について株主総会（種類株主総会を含む。）の決議によってその承認を受けなければならないときは、当該株主総会の日の二週間前の日（第三百十九条第一項の場合にあっては、同項の提案があった日）

二　第八百六条第三項の規定による通知を受けるべき株主があるときは、同項の規定による通知の日又は同条第四項の公告の日のいずれか早い日

三　第八百八条第三項の規定による通知を受けるべき新株予約権者があるときは、同項の規定による通知の日又は同条第四項の公告の日のいずれか早い日

四　第八百十条の規定による手続をしなければならないときは、同条第二項の規定による公告の日又は同項の規定による催告の日のいずれか早い日

五　前各号に規定する場合以外の場合には、新設分割計画の作成の日から二週間を経過した日

③　消滅株式会社等の株主及び債権者（株式移転完全子会社にあっては、株主及び新株予約権者）は、消滅株式会社等に対して、その営業時間内は、いつでも、次に掲げる請求をすることができる。ただし、第二号又は第四号に掲げる請求をするには、当該消滅株式会社等の定めた費用を支払わなければならない。

一　第一項の書面の閲覧の請求

二　第一項の書面の謄本又は抄本の交付の請求

三　第一項の電磁的記録に記録された事項を法務省令で定める方法により表示したものの閲覧の請求

四　第一項の電磁的記録に記録された事項を電磁的方法であって消滅株式会社等の定めたものにより提供することの請求又はその事項を記載した書面の交付の請求

❶【電磁的記録→二六②【省令で定める事項→会社則二〇四―二〇六【本店→二七[三]【違反に対する制裁→九七六[七][四]　❷【二】【株主総会の決議が必要な場合→八〇四①・三〇九②[十二]③【二】【株主への通知→一二六　【三】【新株予約権者への通知→二五三　【二】―【四】【公告→九三九【違反に対する制裁→九七六[三]　❸【三】【省令で定める方法→会社則二二六　【三】【四】【電磁的記録→二六②

（新設合併契約等の承認）

第八〇四条①　消滅株式会社等は、株主総会の決議によって、新設合併契約等の承認を受けなければならない。

②　前項の規定にかかわらず、新設合併設立会社が持分会社である場合には、新設合併契約について新設合併消滅株式会社の総株主の同意を得なければならない。

③　新設合併消滅株式会社又は株式移転完全子会社が種類株式発行会社である場合において、新設合併消滅株式会社又は株式移転完全子会社の株主に対して交付する新設合併設立株式会社又は株式移転設立完全親会社の株式等の全部又は一部が譲渡制限株式等であるときは、当該新設合併又は株式移転は、当該譲渡制限株式等の割当てを受ける種類の株式（譲渡制限株式を除く。）の種類株主を構成員とする種類株主総会（当該種類株主に係る株式の種類が二以上ある場合にあっては、当該二以上の株式の種類別に区分された種類株主を構成員とする各種類株主総会）の決議がなければ、その効力を生じない。ただし、当該種類株主総会において議決権を行使することができる株主が存しない場合は、この限りでない。（平成二六法九〇本項改正）

④　消滅株式会社等は、第一項の株主総会の決議の日（第二項に規定する場合にあっては、同項の総株主の同意を得た日）から二週間以内に、その登録株式質権者（次条に規定する場合における登録株式質権者を除く。）及び第八百八条第三項各号に定める新株予約権の登録新株予約権質権者に対し、新設合併、新設分割又

は株式移転（以下この節において「新設合併等」という。）をする旨を通知しなければならない。

⑤　前項の規定による通知は、公告をもってこれに代えることができる。

参❶【株主総会の決議↓三〇九②[十二]③、三二二①[七][十][十三]【適用除外↓八〇五【反対株主の株式買取請求↓八〇六①②【消滅株式会社等の株主への通知↓八〇六③　❷【総株主の同意↓七七六①参【株式買取請求の否定↓八〇六①[一]　❸【種類株式発行会社↓二[十三]【譲渡制限株式↓二[十七]【種類株主総会↓二[十四]、三二四③[二]　❹【登録株式質権者への通知↓一五〇【登録新株予約権者に対する通知↓二七一【違反に対する制裁↓九七六[二]　❺【通知に代わる公告↓七七六③参

（新設分割計画の承認を要しない場合）

第八〇五条　前条第一項の規定は、新設分割により新設分割設立会社に承継させる資産の帳簿価額の合計額が新設分割株式会社の総資産額として法務省令で定める方法により算定される額の五分の一（これを下回る割合を新設分割株式会社の定款で定めた場合にあっては、その割合）を超えない場合には、適用しない。

参+【株式買取請求の否定↓八〇六①[二]【消滅株式会社の新株予約権者への通知↓八〇八③【消滅株式会社等における簡易吸収合併等↓七八四②、七九六②、四六八②【省令で定める方法↓会社則二〇七

（新設合併等をやめることの請求）

第八〇五条の二　新設合併等が法令又は定款に違反する場合において、消滅株式会社等の株主が不利益を受けるおそれがあるときは、消滅株式会社等の株主は、消滅株式会社等に対し、当該新設合併等をやめることを請求することができる。ただし、前条に規定する場合は、この限りでない。（平成二六法九〇本条追加）

参+民保二三②、一七一の三、一七九の七、一八二の三、二一〇、三六〇、七八四の二、七九六の二【濫用株主等に対する制裁↓九六八①[二]②

（反対株主の株式買取請求）

第八〇六条①　新設合併等をする場合（次に掲げる場合を除く。）には、反対株主は、消滅株式会社等に対し、自己の有する株式を公正な価格で買い取ることを請求することができる。

一　第八百四条第二項に規定する場合

二　第八百五条に規定する場合

②　前項に規定する「反対株主」とは、次に掲げる株主をいう。

一　第八百四条第一項の株主総会（新設合併等をするために種類株主総会を要する場合にあっては、当該種類株主総会を含む。）に先立って当該新設合併等に反対する旨を当該消滅株式会社等に対し通知し、かつ、当該株主総会において当該新設合併等に反対した株主（当該株主総会において議決権を行使することができるものに限る。）

二　当該株主総会において議決権を行使することができない株主

③　消滅株式会社等は、第八百四条第一項の株主総会の決議の日から二週間以内に、その株主に対し、新設合併等をする旨並びに他の新設合併消滅会社、新設分割会社又は株式移転完全子会社（以下この節において「消滅会社等」という。）及び設立会社の商号及び住所を通知しなければならない。ただし、第一項各号に掲げる場合は、この限りでない。

④　前項の規定による通知は、公告をもってこれに代えることができる。

⑤　第一項の規定による請求（以下この目において「株式買取請求」という。）は、第三項の規定による通知又は前項の公告をした日から二十日以内に、その株式買取請求に係る株式の数（種類株式発行会社にあっては、株式の種類及び種類ごとの数）を明らかにしてしなければならない。

⑥　株券が発行されている株式について株式買取請求をしようとするときは、当該株式の株主は、消滅株式会社等に対し、当該株式に係る株券を提出しなければならない。ただし、当該株券について第二百二十三条の規定による請求をした者については、この限りでない。（平成二六法九〇本項追加）

⑦　株式買取請求をした株主は、消滅株式会社等の承諾を得た場合に限り、その株式買取請求を撤回することができる。

⑧　新設合併等を中止したときは、株式買取請求は、その効力を失う。

⑨　第百三十三条の規定は、株式買取請求に係る株式については、適用しない。（平成二六法九〇本項追加）

参+【類似の手続↓一一六、一七二、一七九の八、一八二の四、四六九、七八五、七九七　❷【種類株主総会↓二[十四]　❸【株主への通知↓一二六【違反に対する制裁↓九七六[二]　❹【通知に代わる公告↓七七六③参　❹❺【公告↓九三九　❻【株式買取請求時の株券提出義務↓一一六⑥、一八二の四⑤、四六九⑥、七八五⑥、七九七⑥　❼【請求の撤回↓七七七⑧、七八五⑦、七八七⑧、七九七⑦、八〇八⑧【適用除外↓八〇七③

（株式の価格の決定等）

第八〇七条①　株式買取請求があった場合において、株式の価格の決定について、株主と消滅株式会社等（新設合併をする場合における新設合併設立会社の成立の日後にあっては、新設合併設立会社。以下この条において同じ。）との間に協議が調ったときは、消滅株式会社等は、設立会社の成立の日から六十日以内にその支払をしなければならない。

②　株式の価格の決定について、設立会社の成立の日から三十日以内に協議が調わないときは、株主又は消滅株式会社等は、その期間の満了の日後三十日以内に、裁判所に対し、価格の決定の申立てをすることができる。

③　前条第七項の規定にかかわらず、前項に規定する場合において、設立会社の成立の日から六十日以内に同項の申立てがないときは、その期間の満了後は、株主は、いつでも、株式買取請求を撤回することができる。

④　消滅株式会社等は、裁判所の決定した価格に対する第一項の期間の満了の日後の法定利率による利息をも支払わなければならない。（平成二九法四五本項改正）

⑤　消滅株式会社等は、株式の価格の決定があるまでは、株主に対し、当該消滅株式会社等が公正な価格と

認める額を支払うことができる。（平成二六法九〇本項追加）

⑥ 株式買取請求に係る株式の買取りは、設立会社の成立の日に、その効力を生ずる。（平成二六法九〇本項改正）

⑦ 株券発行会社は、株券が発行されている株式について株式買取請求があったときは、株券と引換えに、その株式買取請求に係る株式の代金を支払わなければならない。

❶【株式買取請求→八〇六⑤ ❷【設立会社成立の日→七六三①十二 【裁判所→八六八①・八七〇②二 ❹【裁判所による価格の決定→八七二―八七四 ❺【株式買取価格等の前払→一一七⑤・一七二⑤・一八二の五・四七〇⑤・七八六⑤・七九八⑤ ❼【株券発行会社→一一四

第八〇八条（新株予約権買取請求）① 次の各号に掲げる行為をする場合には、当該各号に定める消滅株式会社等の新株予約権の新株予約権者は、消滅株式会社等に対し、自己の有する新株予約権を公正な価格で買い取ることを請求することができる。

一 新設合併 第七百五十三条第一項第十号又は第十一号に掲げる事項についての定めが第二百三十六条第一項第八号の条件（同号イに関するものに限る。）に合致する新株予約権以外の新株予約権

二 新設分割（新設分割設立会社が株式会社である場合に限る。） 次に掲げる新株予約権のうち、第七百六十三条第一項第十号又は第十一号に掲げる事項についての定めが第二百三十六条第一項第八号の条件（同号ハに関するものに限る。）に合致する新株予約権以外の新株予約権

イ 新設分割計画新株予約権

ロ 新設分割計画新株予約権以外の新株予約権であって、新設分割をする場合において当該新株予約権の新株予約権者に新設分割設立株式会社の新株予約権を交付することとする旨の定めがあるもの

三 株式移転 次に掲げる新株予約権のうち、第七百七十三条第一項第九号又は第十号に掲げる事項についての定めが第二百三十六条第一項第八号の条件（同号ホに関するものに限る。）に合致する新株予約権以外の新株予約権

イ 株式移転計画新株予約権

ロ 株式移転計画新株予約権以外の新株予約権であって、株式移転をする場合において当該新株予約権の新株予約権者に株式移転設立完全親会社の新株予約権を交付することとする旨の定めがあるもの

② 新株予約権付社債に付された新株予約権の新株予約権者は、前項の規定による請求（以下この目において「新株予約権買取請求」という。）をするときは、併せて、新株予約権付社債についての社債を買い取ることを請求しなければならない。ただし、当該新株予約権付社債に付された新株予約権について別段の定めがある場合は、この限りでない。

③ 次の各号に掲げる消滅株式会社等は、第八百四条第一項の株主総会の決議の日（同条第二項に規定する場合にあっては同項の総株主の同意を得た日、第八百五条に規定する場合にあっては新設分割計画の作成の日）から二週間以内に、当該各号に定める新株予約権の新株予約権者に対し、新設合併等をする旨並びに他の消滅会社等及び設立会社の商号及び住所を通知しなければならない。

一 新設合併消滅株式会社 全部の新株予約権

二 新設分割株式会社 次に掲げる新株予約権

イ 新設分割計画新株予約権

ロ 新設分割計画新株予約権以外の新株予約権であって、新設分割をする場合において当該新株予約権の新株予約権者に新設分割設立株式会社の新株予約権を交付することとする旨の定めがあるもの

三 株式移転完全子会社 次に掲げる新株予約権

イ 株式移転計画新株予約権

ロ 株式移転計画新株予約権以外の新株予約権であって、株式移転をする場合において当該新株予約権の新株予約権者に株式移転設立完全親会社の新株予約権を交付することとする旨の定めがあるもの

④ 前項の規定による通知は、公告をもってこれに代えることができる。

⑤ 新株予約権買取請求は、第三項の規定による通知又は前項の公告をした日から二十日以内に、その新株予約権の内容及び数を明らかにしてしなければならない。

⑥ 新株予約権証券が発行されている新株予約権について新株予約権買取請求をしようとするときは、当該新株予約権の新株予約権者は、消滅株式会社等に対し、その新株予約権に係る新株予約権証券を提出しなければならない。ただし、当該新株予約権証券について非訟事件手続法第百十四条に規定する公示催告の申立てをした者については、この限りでない。（平成二六法九〇本項追加）

⑦ 新株予約権付社債券が発行されている新株予約権付社債に付された新株予約権について新株予約権買取請求をしようとするときは、当該新株予約権の新株予約権者は、消滅株式会社等に対し、その新株予約権付社債券を提出しなければならない。ただし、当該新株予約権付社債券について非訟事件手続法第百十四条に規定する公示催告の申立てをした者については、この限りでない。（平成二六法九〇本項追加）

⑧ 新株予約権買取請求をした新株予約権者は、消滅株式会社等の承諾を得た場合に限り、その新株予約権買取請求を撤回することができる。

⑨ 新設合併等を中止したときは、新株予約権買取請求は、その効力を失う。

⑩ 第二百六十条の規定は、新株予約権買取請求に係る新株予約権については、適用しない。（平成二六法九〇本項追加）

†【新株予約権買取請求→七七七・七七八・七八七・七八八・八

会社

〇九 ❶【新株予約権↓二[二十一] [三]【新設分割計画新株予約権↓七七三①[四]イ [三]【株式移転計画新株予約権↓七七三①[四]イ ❷【新株予約権付社債↓二[二十二]【別段の定め↓二三八①[七] ❸【新株予約権者への通知↓二五三【登録株式質権者への通知↓八〇四④ ❹【公告↓九三九【通知に代わる公告↓七七六③§ ❷―❹【違反に対する制裁↓九七六[二] ❻【新株予約権買取請求と新株予約権証券提出義務↓一一八⑥、七七七⑥、七八七⑥ ❼【新株予約権買取請求と新株予約権付社債券提出義務↓一一八⑦、七七七⑦、七八七⑦ ❽【請求の撤回↓七七七⑧、七八五⑦、七八七⑧、七九七⑦、八〇六⑦【適用除外↓八〇九③

（新株予約権の価格の決定等）

第八〇九条① 新株予約権買取請求があった場合において、新株予約権（当該新株予約権が新株予約権付社債に付されたものである場合において、当該新株予約権付社債についての社債の買取りの請求があったときは、当該社債を含む。以下この条において同じ。）の価格の決定について、新株予約権者と消滅株式会社等（新設合併をする場合における新設合併設立会社の成立の日後にあっては、新設合併設立会社。以下この条において同じ。）との間に協議が調ったときは、消滅株式会社等は、設立会社の成立の日から六十日以内にその支払をしなければならない。

② 新株予約権の価格の決定について、設立会社の成立の日から三十日以内に協議が調わないときは、新株予約権者又は消滅株式会社等は、その期間の満了の日後三十日以内に、裁判所に対し、価格の決定の申立てをすることができる。

③ 前条第八項の規定にかかわらず、前項に規定する場合において、設立会社の成立の日から六十日以内に同項の申立てがないときは、その期間の満了後は、新株予約権者は、いつでも、新株予約権買取請求を撤回することができる。

④ 消滅株式会社等は、裁判所の決定した価格に対する第一項の期間の満了の日後の法定利率による利息をも支払わなければならない。（平成二九法四五本項改正）

⑤ 消滅株式会社等は、新株予約権の価格の決定があるまでは、新株予約権者に対し、当該消滅株式会社等が公正な価格と認める額を支払うことができる。（平成二六法九〇本項追加）

⑥ 新株予約権買取請求に係る新株予約権の買取りは、設立会社の成立の日に、その効力を生ずる。（平成二六法九〇本項改正）

⑦ 消滅株式会社等は、新株予約権証券が発行されている新株予約権について新株予約権買取請求があったときは、新株予約権証券と引換えに、その新株予約権買取請求に係る新株予約権の代金を支払わなければならない。

⑧ 消滅株式会社等は、新株予約権付社債券が発行されている新株予約権付社債に付された新株予約権について新株予約権買取請求があったときは、新株予約権付社債券と引換えに、その新株予約権買取請求に係る新株予約権の代金を支払わなければならない。

§❶【新株予約権買取請求↓八〇八② ❷【裁判所↓八六八①、八七〇②[三] ❹【裁判所による価格の決定↓八七一―八七四 ❶―❹❻【設立会社成立の日↓七六三①[十二]§ ❺【新株予約権の買取価格の前払↓一一九⑤、七七八⑤、七八八⑤ ❼【新株予約権証券↓二八八―二九一 ❽【新株予約権付社債券↓二九二

（債権者の異議）

第八一〇条① 次の各号に掲げる場合には、当該各号に定める債権者は、消滅株式会社等に対し、新設合併等について異議を述べることができる。

一 新設合併をする場合 新設合併消滅株式会社の債権者

二 新設分割をする場合 新設分割後新設分割株式会社に対して債務の履行（当該債務の保証人として新設分割設立会社と連帯して負担する保証債務の履行を含む。）を請求することができない新設分割株式会社の債権者（第七百六十三条第一項第十二号又は第七百六十五条第一項第八号に掲げる事項についての定めがある場合にあっては、新設分割株式会社の債権者）

三 株式移転計画新株予約権が新株予約権付社債に付された新株予約権である場合 当該新株予約権付社債についての社債権者

② 前項の規定により消滅株式会社等の債権者の全部又は一部が異議を述べることができる場合には、消滅株式会社等は、次に掲げる事項を官報に公告し、かつ、知れている債権者（同項の規定により異議を述べることができるものに限る。）には、各別にこれを催告しなければならない。ただし、第四号の期間は、一箇月を下ることができない。

一 新設合併等をする旨

二 他の消滅会社等及び設立会社の商号及び住所

三 消滅株式会社等の計算書類に関する事項として法務省令で定めるもの

四 債権者が一定の期間内に異議を述べることができる旨

③ 前項の規定にかかわらず、消滅株式会社等が同項の規定による公告を、官報のほか、第九百三十九条第一項の規定による定款の定めに従い、同項第二号又は第三号に掲げる公告方法によりするときは、前項の規定による各別の催告（新設分割をする場合における不法行為によって生じた新設分割株式会社の債務の債権者に対するものを除く。）は、することを要しない。

④ 債権者が第二項第四号の期間内に異議を述べなかったときは、当該債権者は、当該新設合併等について承認をしたものとみなす。

⑤ 債権者が第二項第四号の期間内に異議を述べたときは、消滅株式会社等は、当該債権者に対し、弁済し、若しくは相当の担保を提供し、又は当該債権者に弁済を受けさせることを目的として信託会社等に相当の財産を信託しなければならない。ただし、当該新設合併等をしても当該債権者を害するおそれがないときは、この限りでない。

§+【類似の制度↓七七九、七八九、七九九 ❶【異議債権者の保護↓八二八②[四][五]【債権者の異議手続の特則↓七四〇① [三]【株式移転計画新株予約権↓七七三①[四]イ ❶[三]❷【新設分割

会社の債権者の履行請求→七六四②③・七六六②③ ❷【公告→九三九【登記申請書への添付→商登八一〔四〕・八六〔四〕・九〇〔七〕【違反に対する制裁→九七六〔二十六〕 〔三〕【省令で定めるもの→会社則二〇八 ❸【株式会社の定款記載・記録→九三九①・二九【各別の催告が不要な場合→七八九③・七九九③ ❺【違反に対する制裁→九七六〔二十六〕

（新設分割又は株式移転に関する書面等の備置き及び閲覧等）

第八一一条① 新設分割株式会社又は株式移転完全子会社は、新設分割設立会社又は株式移転設立完全親会社の成立の日後遅滞なく、新設分割設立会社又は株式移転設立完全親会社と共同して、次の各号に掲げる区分に応じ、当該各号に定めるものを作成しなければならない。

一 新設分割株式会社 新設分割により新設分割設立会社が承継した新設分割株式会社の権利義務その他の新設分割に関する事項として法務省令で定める事項を記載し、又は記録した書面又は電磁的記録

二 株式移転完全子会社 株式移転により株式移転設立完全親会社が取得した株式移転完全子会社の株式の数その他の株式移転に関する事項として法務省令で定める事項を記載し、又は記録した書面又は電磁的記録

② 新設分割株式会社又は株式移転完全子会社は、新設分割設立会社又は株式移転設立完全親会社の成立の日から六箇月間、前項各号の書面又は電磁的記録をその本店に備え置かなければならない。

③ 新設分割株式会社の株主、債権者その他の利害関係人は、新設分割株式会社に対して、その営業時間内は、いつでも、次に掲げる請求をすることができる。ただし、第二号又は第四号に掲げる請求をするには、当該新設分割株式会社の定めた費用を支払わなければならない。

一 前項の書面の閲覧の請求

二 前項の書面の謄本又は抄本の交付の請求

三 前項の電磁的記録に記録された事項を法務省令で定める方法により表示したものの閲覧の請求

四 前項の電磁的記録に記録された事項を電磁的方法であって新設分割株式会社の定めたものにより提供することの請求又はその事項を記載した書面の交付の請求

④ 前項の規定は、株式移転完全子会社について準用する。この場合において、同項中「新設分割株式会社の株主、債権者その他の利害関係人」とあるのは、「株式移転設立完全親会社の成立の日に株式移転完全子会社の株主又は新株予約権者であった者」と読み替えるものとする。

⊛❶【書面等の備置→八一五③〔二〕〔三〕【違反に対する制裁→九七六〔七〕 〔一〕【省令で定める事項→会社則二〇九 〔二〕【省令で定める事項→会社則二一〇 ❷【本店→二七〔三〕【違反に対する制裁→九七六〔四〕 ❶❷【株式会社成立の日→七六三①〔十二〕⊛ ❸【違反に対する制裁→九七六〔四〕 〔三〕【省令で定める方法→会社則二二六 ❶―❸【電磁的記録→二六②

（剰余金の配当等に関する特則）

第八一二条 第四百四十五条第四項、第四百五十八条及び第二編第五章第六節の規定は、次に掲げる行為については、適用しない。

一 第七百六十三条第一項第十二号イ又は第七百六十五条第一項第八号イの株式の取得

二 第七百六十三条第一項第十二号ロ又は第七百六十五条第一項第八号ロの剰余金の配当

（平成二六法九〇本条改正）

第二目 持分会社の手続

第八一三条① 次に掲げる行為をする持分会社は、新設合併契約等について当該持分会社の総社員の同意を得なければならない。ただし、定款に別段の定めがある場合は、この限りでない。

一 新設合併

二 新設分割（当該持分会社（合同会社に限る。）がその事業に関して有する権利義務の全部を他の会社に承継させる場合に限る。）

② 第八百十条（第一項第三号及び第二項第三号を除く。）〈債権者の異議〉の規定は、新設合併消滅持分会社又は合同会社である新設分割会社（以下この節において「新設分割合同会社」という。）について準用する。この場合において、同条第一項第二号中「債権者（第七百六十三条第一項第十二号又は第七百六十五条第一項第八号に掲げる事項についての定めがある場合にあっては、新設分割株式会社の債権者）」とあるのは「債権者」と、同条第三項中「消滅株式会社等」とあるのは「新設合併消滅持分会社（新設合併設立会社が株式会社又は合同会社である場合にあっては、合同会社に限る。）又は新設分割合同会社」と読み替えるものとする。

⊛❶【総社員の同意→七七六①⊛

第二款 新設合併設立会社、新設分割設立会社及び株式移転設立完全親会社の手続

第一目 株式会社の手続

（株式会社の設立の特則）

第八一四条① 第二編第一章（第二十七条（第四号及び第五号を除く。）、第二十九条、第三十一条、第三十七条第三項、第三十九条、第六節及び第四十九条を除く。）の規定は、新設合併設立株式会社、新設分割設立株式会社又は株式移転設立完全親会社（以下この目において「設立株式会社」という。）の設立については、適用しない。（平成二六法九〇本項改正）

② 設立株式会社の定款は、消滅会社等が作成する。

（新設合併契約等に関する書面等の備置き及び閲覧等）

第八一五条① 新設合併設立株式会社は、その成立の日後遅滞なく、新設合併により新設合併設立株式会社が承継した新設合併消滅会社の権利義務その他の新設合併に関する事項として法務省令で定める事項を記載し、又は記録した書面又は電磁的記録を作成しなけれ

ばならない。

② 新設分割設立株式会社（一又は二以上の合同会社のみが新設分割をする場合における当該新設分割設立株式会社に限る。）は、その成立の日後遅滞なく、新設分割合同会社と共同して、新設分割により新設分割設立株式会社が承継した新設分割合同会社の権利義務その他の新設分割に関する事項として法務省令で定める事項を記載し、又は記録した書面又は電磁的記録を作成しなければならない。

③ 次の各号に掲げる設立株式会社は、その成立の日から六箇月間、当該各号に定めるものをその本店に備え置かなければならない。

一 新設合併設立株式会社 第一項の書面又は電磁的記録及び新設合併契約の内容その他法務省令で定める事項を記載し、又は記録した書面又は電磁的記録

二 新設分割設立株式会社 前項又は第八百十一条第一項第一号の書面又は電磁的記録

三 株式移転設立完全親会社 第八百十一条第一項第二号の書面又は電磁的記録

④ 新設合併設立株式会社の株主及び債権者は、新設合併設立株式会社に対して、その営業時間内は、いつでも、次に掲げる請求をすることができる。ただし、第二号又は第四号に掲げる請求をするには、当該新設合併設立株式会社の定めた費用を支払わなければならない。

一 前項第一号の書面の閲覧の請求

二 前項第一号の書面の謄本又は抄本の交付の請求

三 前項第一号の電磁的記録に記録された事項を法務省令で定める方法により表示したものの閲覧の請求

四 前項第一号の電磁的記録に記録された事項を電磁的方法であって新設合併設立株式会社の定めたものにより提供することの請求又はその事項を記載した書面の交付の請求

⑤ 前項の規定は、新設分割設立株式会社について準用する。この場合において、同項中「株主及び債権者」とあるのは「株主、債権者その他の利害関係人」と、同項各号中「前項第一号」とあるのは「前項第二号」と読み替えるものとする。

⑥ 第四項の規定は、株式移転設立完全親会社について準用する。この場合において、同項中「株主及び債権者」とあるのは「株主及び新株予約権者」と、同項各号中「前項第一号」とあるのは「前項第三号」と読み替えるものとする。

参❶【株式会社成立の日→七六三①[十二] 参【省令で定める事項→会社則二一一 ❶❷【違反に対する制裁→九七六[七] ❷【省令で定める事項→会社則二一二 ❸【本店→二七[三]【違反に対する制裁→九七六[四] [二]【省令で定める事項→会社則二一三 ❹【違反に対する制裁→九七六[四] [三]【省令で定める方法→会社則二二六 ❶―❹【電磁的記録→二六②

第二目 持分会社の手続

（持分会社の設立の特則）

第八一六条① 第五百七十五条及び第五百七十八条の規定は、新設合併設立持分会社又は新設分割設立持分会社（次項において「設立持分会社」という。）の設立については、適用しない。

② 設立持分会社の定款は、消滅会社等が作成する。

第四節 株式交付の手続

（令和一法七〇本節追加）

（株式交付計画に関する書面等の備置き及び閲覧等）

第八一六条の二① 株式交付親会社は、株式交付計画備置開始日から株式交付がその効力を生ずる日（以下この節において「効力発生日」という。）後六箇月を経過する日までの間、株式交付計画の内容その他法務省令で定める事項を記載し、又は記録した書面又は電磁的記録をその本店に備え置かなければならない。

② 前項に規定する「株式交付計画備置開始日」とは、次に掲げる日のいずれか早い日をいう。

一 株式交付計画について株主総会（種類株主総会を含む。）の決議によってその承認を受けなければならないときは、当該株主総会の日の二週間前の日（第三百十九条第一項の場合にあっては、同項の提案があった日）

二 第八百十六条の六第三項の規定による通知の日又は同条第四項の公告の日のいずれか早い日

三 第八百十六条の八の規定による手続をしなければならないときは、同条第二項の規定による公告の日又は同項の規定による催告の日のいずれか早い日

③ 株式交付親会社の株主（株式交付に際して株式交付子会社の株式及び新株予約権等の譲渡人に対して交付する金銭等（株式交付親会社の株式を除く。）が株式交付親会社の株式に準ずるものとして法務省令で定めるもののみである場合以外の場合にあっては、株主及び債権者）は、株式交付親会社に対して、その営業時間内は、いつでも、次に掲げる請求をすることができる。ただし、第二号又は第四号に掲げる請求をするには、当該株式交付親会社の定めた費用を支払わなければならない。

一 第一項の書面の閲覧の請求

二 第一項の書面の謄本又は抄本の交付の請求

三 第一項の電磁的記録に記録された事項を法務省令で定める方法により表示したものの閲覧の請求

四 第一項の電磁的記録に記録された事項を電磁的方法であって株式交付親会社の定めたものにより提供することの請求又はその事項を記載した書面の交付の請求

参❶【電磁的記録→二六②【本店→二七[三]【違反に対する制裁→九七六[七][四]【省令で定める事項→会社則二一三の二 ❷[一]【株主総会の決議が必要な場合→八一六の三①、三〇九②[十二] [二]【株主に対する通知→一二六 [二][三]【公告→九三九 ❸【省令で定めるもの→会社則二一三の三 [三]【省令で定める方法→会社則二二六 [三][四]【電磁的記録→二六②【違反に対する制裁→九七六[四]

（株式交付計画の承認等）

第八一六条の三① 株式交付親会社は、効力発生日の前日までに、株主総会の決議によって、株式交付計画の承認を受けなければならない。

② 株式交付親会社が株式交付子会社の株式及び新株予約権等の譲渡人に対して交付する金銭等（株式交付親会社の株式等を除く。）の帳簿価額が株式交付親会社が譲り受ける株式交付子会社の株式及び新株予約権等の額として法務省令で定める額を超える場合には、取締役は、前項の株主総会において、その旨を説明しなければならない。

③ 株式交付親会社が種類株式発行会社である場合において、次の各号に掲げるときは、株式交付は、当該各号に定める種類の株式（譲渡制限株式であって、第百九十九条第四項の定款の定めがないものに限る。）の種類株主を構成員とする種類株主総会（当該種類株主に係る株式の種類が二以上ある場合にあっては、当該二以上の株式の種類別に区分された種類株主を構成員とする各種類株主総会）の決議がなければ、その効力を生じない。ただし、当該種類株主総会において議決権を行使することができる株主が存しない場合は、この限りでない。

一 株式交付子会社の株式の譲渡人に対して交付する金銭等が株式交付親会社の株式であるとき　第七百七十四条の三第一項第三号の種類の株式

二 株式交付子会社の新株予約権等の譲渡人に対して交付する金銭等が株式交付親会社の株式であるとき　第七百七十四条の三第一項第八号イの種類の株式

参照【適用除外→八一六の四①　❶【効力発生日→七七四の三①[十二]【株主総会の決議→三〇九②[十二]・三二二①[十四]　❷【取締役の説明義務→三一四【省令で定める額→会社則二一三の四　❸【種類株式発行会社→二[十三]【譲渡制限株式→二[十七]【種類株主総会→二[十四]・三二四②[七]

（株式交付計画の承認を要しない場合等）

第八一六条の四① 前条第一項及び第二項の規定は、第一号に掲げる額の第二号に掲げる額に対する割合が五分の一（これを下回る割合を株式交付親会社の定款で定めた場合にあっては、その割合）を超えない場合には、適用しない。ただし、同項に規定する場合又は株式交付親会社が公開会社でない場合は、この限りでない。

一 次に掲げる額の合計額

イ 株式交付子会社の株式及び新株予約権等の譲渡人に対して交付する株式交付親会社の株式の数に一株当たり純資産額を乗じて得た額

ロ 株式交付子会社の株式及び新株予約権等の譲渡人に対して交付する株式交付親会社の社債、新株予約権又は新株予約権付社債の帳簿価額の合計額

ハ 株式交付子会社の株式及び新株予約権等の譲渡人に対して交付する株式交付親会社の株式等以外の財産の帳簿価額の合計額

二 株式交付親会社の純資産額として法務省令で定める方法により算定される額

② 前項本文に規定する場合において、法務省令で定める数の株式（前条第一項の株主総会において議決権を行使することができるものに限る。）を有する株主が第八百十六条の六第三項の規定による通知又は同条第四項の公告の日から二週間以内に株式交付に反対する旨を株式交付親会社に対し通知したときは、当該株式交付親会社は、効力発生日の前日までに、株主総会の決議によって、株式交付計画の承認を受けなければならない。

参照【同旨の規定→四六八②③、七九六②③　❶【登記申請書の添付書類→商登九〇の二[三]【公開会社→二[五]【差損の生じる場合→八一六の三②　[三]【省令で定める方法→会社則二一三の五　❷【効力発生日→七七四の三①[十二]【株主総会の決議→三〇九②[十二]【省令で定める数→会社則二一三の六

（株式交付をやめることの請求）

第八一六条の五 株式交付が法令又は定款に違反する場合において、株式交付親会社の株主が不利益を受けるおそれがあるときは、株式交付親会社の株主は、株式交付親会社に対し、株式交付をやめることを請求することができる。ただし、前条第一項本文に規定する場合（同項ただし書又は同条第二項に規定する場合を除く。）は、この限りでない。

参照【差止請求→民保二三②、一七一の三、一七九の七、一八二の三、二一〇、三六〇、七八四の二、七九六の二、八〇五の二

（反対株主の株式買取請求）

第八一六条の六① 株式交付をする場合には、反対株主は、株式交付親会社に対し、自己の有する株式を公正な価格で買い取ることを請求することができる。ただし、第八百十六条の四第一項本文に規定する場合（同項ただし書又は同条第二項に規定する場合を除く。）は、この限りでない。

② 前項に規定する「反対株主」とは、次の各号に掲げる場合における当該各号に定める株主をいう。

一 株式交付をするために株主総会（種類株主総会を含む。）の決議を要する場合　次に掲げる株主

イ 当該株主総会に先立って当該株式交付に反対する旨を当該株式交付親会社に対し通知し、かつ、当該株主総会において当該株式交付に反対した株主（当該株主総会において議決権を行使することができるものに限る。）

ロ 当該株主総会において議決権を行使することができない株主

二 前号に掲げる場合以外の場合　全ての株主

③ 株式交付親会社は、効力発生日の二十日前までに、その株主に対し、株式交付をする旨並びに株式交付子会社の商号及び住所を通知しなければならない。

④ 次に掲げる場合には、前項の規定による通知は、公告をもってこれに代えることができる。

一 株式交付親会社が公開会社である場合

二 株式交付親会社が第八百十六条の三第一項の株主総会の決議によって株式交付計画の承認を受けた場合

⑤ 第一項の規定による請求（以下この節において「株式買取請求」という。）は、効力発生日の二十日前の日から効力発生日の前日までの間に、その株式買取請求に係る株式の数（種類株式発行会社にあっては、株式の種類及び種類ごとの数）を明らかにしてしなければならない。

⑥ 株券が発行されている株式について株式買取請求をしようとするときは、当該株式の株主は、株式交付親会社に対し、当該株式に係る株券を提出しなければならない。ただし、当該株券について第二百二十三条の規定による請求をした者については、この限りでない。

⑦ 株式買取請求をした株主は、株式交付親会社の承諾を得た場合に限り、その株式買取請求を撤回することができる。

⑧ 株式交付を中止したときは、株式買取請求は、その効力を失う。

⑨ 第百三十三条の規定は、株式買取請求に係る株式については、適用しない。

参+【類似の手続↓一一六、一一七二、一七九の八、一八二の四、四六九、七八五、七九七、八〇六】 ❷【二】【株主総会・種類株主総会を要する場合↓八一六の三①、一一六参、八〇四参】 ❸【効力発生日↓七七四の三①[十一]】【株主に対する通知↓一二六】 ❹【公告↓九三九】【通知に代わる公告↓七七六③参】【二】【公開会社↓二[五]】 ❸❹【簡易株式交付に対する株主の反対↓八一六の四②】【違反に対する制裁↓九七六[二]】 ❺【種類株式発行会社↓二[十三]】 ❼【適用除外↓八一六の七③】 ❽【株式交付の中止↓七七四の一一⑤[二]】

第八一六条の七（株式の価格の決定等）① 株式買取請求があった場合において、株式の価格の決定について、株主と株式交付親会社との間に協議が調ったときは、株式交付親会社は、効力発生日から六十日以内にその支払をしなければならない。

② 株式の価格の決定について、効力発生日から三十日以内に協議が調わないときは、株主又は株式交付親会社は、その期間の満了の日後三十日以内に、裁判所に対し、価格の決定の申立てをすることができる。

③ 前条第七項の規定にかかわらず、前項に規定する場合において、効力発生日から六十日以内に同項の申立てがないときは、その期間の満了後は、株主は、いつでも、株式買取請求を撤回することができる。

④ 株式交付親会社は、裁判所の決定した価格に対する第一項の期間の満了の日後の法定利率による利息をも支払わなければならない。

⑤ 株式交付親会社は、株式の価格の決定があるまでは、株主に対し、当該株式交付親会社が公正な価格と認める額を支払うことができる。

⑥ 株式買取請求に係る株式の買取りは、効力発生日に、その効力を生ずる。

⑦ 株券発行会社は、株券が発行されている株式について株式買取請求があったときは、株券と引換えに、その株式買取請求に係る株式の代金を支払わなければならない。

参❶【株式買取請求↓八一六の六①⑤】 ❷【効力発生日↓七七四の三①[十一]】【裁判所↓八六八①、八七〇②[三]】 ❹【裁判所による価格の決定↓八七一―八七四】 ❺【株式買取価格等の前払↓一一七⑤、一七二⑤、一八二の五、四七〇⑤、七八六⑤、七九八⑤、八〇七⑤】 ❼【株券発行会社↓一一四参】

第八一六条の八（債権者の異議）① 株式交付に際して株式交付子会社の株式及び新株予約権等の譲渡人に対して交付する金銭等（株式交付親会社の株式を除く。）が株式交付親会社の株式に準ずるものとして法務省令で定めるもののみである場合以外の場合には、株式交付親会社の債権者は、株式交付親会社に対し、株式交付について異議を述べることができる。

② 前項の規定により株式交付親会社の債権者が異議を述べることができる場合には、株式交付親会社は、次に掲げる事項を官報に公告し、かつ、知れている債権者には、各別にこれを催告しなければならない。ただし、第四号の期間は、一箇月を下ることができない。

一 株式交付をする旨

二 株式交付子会社の商号及び住所

三 株式交付親会社及び株式交付子会社の計算書類に関する事項として法務省令で定めるもの

四 債権者が一定の期間内に異議を述べることができる旨

③ 前項の規定にかかわらず、株式交付親会社が同項の規定による公告を、官報のほか、第九百三十九条第一項の規定による定款の定めに従い、同項第二号又は第三号に掲げる公告方法によりするときは、前項の規定による各別の催告は、することを要しない。

④ 債権者が第二項第四号の期間内に異議を述べなかったときは、当該債権者は、当該株式交付について承認をしたものとみなす。

⑤ 債権者が第二項第四号の期間内に異議を述べたときは、株式交付親会社は、当該債権者に対し、弁済し、若しくは相当の担保を提供し、又は当該債権者に弁済を受けさせることを目的として信託会社等に相当の財産を信託しなければならない。ただし、当該株式交付をしても当該債権者を害するおそれがないときは、この限りでない。

参+【登記申請書への添付↓商登九〇の二[四]】【類似の制度↓七七九、七八九、七九九、八一〇】 ❶【異議債権者の保護↓八二八②[十三]】【省令で定めるもの↓会社則二一三の七】 ❷【公告↓九三九】【違反に対する制裁↓九七六[二十六]】【三】【省令で定めるもの↓会社則二一三の八】 ❸【株式会社の定款記載・記録↓九三九①、二九】 ❺【違反に対する制裁↓九七六[二十六]】

第八一六条の九（株式交付の効力発生日の変更）① 株式交付親会社は、効力発生日を変更することができる。

② 前項の規定による変更後の効力発生日は、株式交付計画において定めた当初の効力発生日から三箇月以内の日でなければならない。

③ 第一項の場合には、株式交付親会社は、変更前の効力発生日（変更後の効力発生日が変更前の効力発生日前の日である場合にあっては、当該変更後の効力発生日）の前日までに、変更後の効力発生日を公告しなければならない。

④ 第一項の規定により効力発生日を変更したときは、変更後の効力発生日を効力発生日とみなして、この節（第二項を除く。）及び前章（第七百七十四条の三第一項第十一号を除く。）の規定を適用する。

⑤ 株式交付親会社は、第一項の規定による効力発生日

の変更をする場合には、当該変更と同時に第七百七十四条の三第一項第十号の期日を変更することができる。

⑥ 第三項及び第四項の規定は、前項の規定による第七百七十四条の三第一項第十号の期日の変更について準用する。この場合において、第四項中「この節（第二項を除く。）及び前章（第七百七十四条の三第一項第十一号を除く。）」とあるのは、「第七百七十四条の四、第七百七十四条の十及び前項」と読み替えるものとする。

⊕【効力発生日→七七四の三①㈩ ❶【効力発生日の変更→七八〇 ❸【公告→九三九【違反に対する制裁→九七六㈢

第八一六条の一〇（株式交付に関する書面等の備置き及び閲覧等）① 株式交付親会社は、効力発生日後遅滞なく、株式交付に際して株式交付親会社が譲り受けた株式交付子会社の株式の数その他の株式交付に関する事項として法務省令で定める事項を記載し、又は記録した書面又は電磁的記録を作成しなければならない。

② 株式交付親会社は、効力発生日から六箇月間、前項の書面又は電磁的記録をその本店に備え置かなければならない。

③ 株式交付親会社の株主（株式交付に際して株式交付子会社の株式及び新株予約権等の譲渡人に対して交付する金銭等（株式交付親会社の株式を除く。）が株式交付親会社の株式に準ずるものとして法務省令で定めるもののみである場合以外の場合にあっては、株主及び債権者）は、株式交付親会社に対して、その営業時間内は、いつでも、次に掲げる請求をすることができる。ただし、第二号又は第四号に掲げる請求をするには、当該株式交付親会社の定めた費用を支払わなければならない。

一 前項の書面の閲覧の請求
二 前項の書面の謄本又は抄本の交付の請求
三 前項の電磁的記録に記録された事項を法務省令で定める方法により表示したものの閲覧の請求
四 前項の電磁的記録に記録された事項を電磁的方法であって株式交付親会社の定めたものにより提供することの請求又はその事項を記載した書面の交付の請求

⊕【電磁的記録→二六② ❶【効力発生日→七七四の三①㈩【違反に対する制裁→九七六㈦【省令で定める事項→会社則二一三の九 ❷【本店→二七㈢【違反に対する制裁→九七六㈣【省令で定めるもの→会社則二一三の一〇 ❸【違反に対する制裁→九七六㈣【省令で定めるもの→会社則二一三の一〇 ㈢【省令で定める方法→会社則二二六

第六編 外国会社

第八一七条（外国会社の日本における代表者）① 外国会社は、日本において取引を継続してしようとするときは、日本における代表者を定めなければならない。この場合において、その日本における代表者のうち一人以上は、日本に住所を有する者でなければならない。

② 外国会社の日本における代表者は、当該外国会社の日本における業務に関する一切の裁判上又は裁判外の行為をする権限を有する。

③ 前項の権限に加えた制限は、善意の第三者に対抗することができない。

④ 外国会社は、その日本における代表者がその職務を行うについて第三者に加えた損害を賠償する責任を負う。

⊕【外国会社→二㈡、八二三 ❶【代表者→八二〇、八二七①㈣、九三三①②㈡、九三四、九三五、商登一二九①㈡【代表者に対する罰則→九七六 ❷―❹【権限等→三四九④⑤、三五〇

第八一八条（登記前の継続取引の禁止等）① 外国会社は、外国会社の登記をするまでは、日本において取引を継続してすることができない。

② 前項の規定に違反して取引をした者は、相手方に対し、外国会社と連帯して、当該取引によって生じた債務を弁済する責任を負う。

⊕❶【外国会社の登記→九三三、九三六、商登一二九【違反に対する制裁→九七九②【外国法人の否認→民三七⑤

第八一九条（貸借対照表に相当するものの公告）① 外国会社の登記をした外国会社（日本における同種の会社又は最も類似する会社が株式会社であるものに限る。）は、法務省令で定めるところにより、第四百三十八条第二項の承認と同種の手続又はこれに類似する手続の終結後遅滞なく、貸借対照表に相当するものを日本において公告しなければならない。

② 前項の規定にかかわらず、その公告方法が第九百三十九条第一項第一号又は第二号に掲げる方法である外国会社は、前項に規定する貸借対照表に相当するものの要旨を公告することで足りる。

③ 前項の外国会社は、法務省令で定めるところにより、第一項の手続の終結後遅滞なく、同項に規定する貸借対照表に相当するものの内容である情報を、当該手続の終結の日後五年を経過する日までの間、継続して電磁的方法により日本において不特定多数の者が提供を受けることができる状態に置く措置をとることができる。この場合においては、前二項の規定は、適用しない。

④ 金融商品取引法第二十四条第一項の規定により有価証券報告書を内閣総理大臣に提出しなければならない外国会社については、前三項の規定は、適用しない。

（平成一八法六六本項改正）

⊕❶【公告方法→九三九②―④、九四〇②【省令の定め→会社則二一四 ❷―❹【要旨の公告等→四四〇②―④ ❸【省令の定め→会社則二一五

第八二〇条（日本に住所を有する日本における代表者の退任）① 外国会社の登記をした外国会社は、日本における代表者（日本に住所を有するものに限る。）の全員が退任しようとするときは、当該外国会社の債権者に対し異議があれば一定の期間内にこれを述べることができる旨を官報に公告し、かつ、知れている債権

者には、各別にこれを催告しなければならない。ただし、当該期間は、一箇月を下ることができない。

② 債権者が前項の期間内に異議を述べたときは、同項の外国会社は、当該債権者に対し、弁済し、若しくは相当の担保を提供し、又は当該債権者に弁済を受けさせることを目的として信託会社等に相当の財産を信託しなければならない。ただし、同項の退任をしても当該債権者を害するおそれがないときは、この限りでない。

③ 第一項の退任は、前二項の手続が終了した後にその登記をすることによって、その効力を生ずる。

§❶❷【債権者の保護措置懈怠の制裁→九七六㈡十六、商登一三〇② †【適用除外→八二二④

（擬似外国会社）

第八二一条① 日本に本店を置き、又は日本において事業を行うことを主たる目的とする外国会社は、日本において取引を継続してすることができない。

② 前項の規定に違反して取引をした者は、相手方に対し、外国会社と連帯して、当該取引によって生じた債務を弁済する責任を負う。

§❶【違反に対する制裁→九七九②

（日本にある外国会社の財産についての清算）

第八二二条① 裁判所は、次に掲げる場合には、利害関係人の申立てにより又は職権で、日本にある外国会社の財産の全部について清算の開始を命ずることができる。

一 外国会社が第八百二十七条第一項の規定による命令を受けた場合

二 外国会社が日本において取引を継続してすることをやめた場合

② 前項の場合には、裁判所は、清算人を選任する。

③ 第四百七十六条〈清算株式会社の能力〉、第二編第九章第一節第二款〈清算株式会社の機関〉、第四百九十二条〈財産目録等の作成等〉、同節第四款〈債務の弁済等〉及び第五百八条〈帳簿資料の保存〉の規定並びに同章第二節（第五百十条、第五百十一条及び第五百十四条を除く。）〈特別清算〉の規定は、その性質上許されないものを除き、第一項の規定による日本にある外国会社の財産についての清算について準用する。

④ 第八百二十条の規定は、外国会社が第一項の清算の開始を命じられた場合において、当該外国会社の日本における代表者（日本に住所を有するものに限る。）の全員が退任しようとするときは、適用しない。

§†【日本にある外国会社の財産についての清算→八七九―九〇三、九三八 ❶【裁判所→八六八⑤ ❸【五〇八条の準用→八七四㈣

（他の法律の適用関係）

第八二三条 外国会社は、他の法律の適用については、日本における同種の会社又は最も類似する会社とみなす。ただし、他の法律に別段の定めがあるときは、この限りでない。

§†【外国会社の地位→破三、民再三、会更三、民三②・三五②【法律の別段の定めの例→民三五②但

第七編 雑則

第一章 会社の解散命令等

第一節 会社の解散命令

（会社の解散命令）

第八二四条① 裁判所は、次に掲げる場合において、公益を確保するため会社の存立を許すことができないと認めるときは、法務大臣又は株主、社員、債権者その他の利害関係人の申立てにより、会社の解散を命ずることができる。

一 会社の設立が不法な目的に基づいてされたとき。

二 会社が正当な理由がないのにその成立の日から一年以内にその事業を開始せず、又は引き続き一年以上その事業を休止したとき。

三 業務執行取締役、執行役又は業務を執行する社員が、法令若しくは定款で定める会社の権限を逸脱し若しくは濫用する行為又は刑罰法令に触れる行為をした場合において、法務大臣から書面による警告を受けたにもかかわらず、なお継続的に又は反覆して当該行為をしたとき。

② 株主、社員、債権者その他の利害関係人が前項の申立てをしたときは、裁判所は、会社の申立てにより、同項の申立てをした者に対し、相当の担保を立てるべきことを命ずることができる。

③ 会社は、前項の規定による申立てをするには、第一項の申立てが悪意によるものであることを疎明しなければならない。

④ 民事訴訟法（平成八年法律第百九号）第七十五条第五項及び第七項〈担保提供の方法等〉並びに第七十六条から第八十条まで〈担保提供命令〉の規定は、第二項の規定により第一項の申立てについて立てるべき担保について準用する。

§†【解散命令→一般法人二六一、八二七、独禁八の二・九五の四【解散命令の手続→八六八①・八七〇①㈩・九〇四・九三七①㈢【解散命令の効果→四七一㈥・四七八③ ❶【申立て→八二五①・八二六 [三]【権限の逸脱→二七㈡・五七六①㈡ ❷【担保提供命令→八三六・八四七の四②

（会社の財産に関する保全処分）

第八二五条① 裁判所は、前条第一項の申立てがあった場合には、法務大臣若しくは株主、社員、債権者その他の利害関係人の申立てにより又は職権で、同項の申立てにつき決定があるまでの間、会社の財産に関し、管理人による管理を命ずる処分（次項において「管理命令」という。）その他の必要な保全処分を命ずることができる。

② 裁判所は、管理命令をする場合には、当該管理命令において、管理人を選任しなければならない。

③ 裁判所は、法務大臣若しくは株主、社員、債権者その他の利害関係人の申立てにより又は職権で、前項の管理人を解任することができる。

④ 裁判所は、第二項の管理人を選任した場合には、会社が当該管理人に対して支払う報酬の額を定めることができる。

⑤ 第二項の管理人は、裁判所が監督する。
⑥ 裁判所は、第二項の管理人に対し、会社の財産の状況の報告をし、かつ、その管理の計算をすることを命ずることができる。
⑦ 民法第六百四十四条〈受任者の注意義務〉、第六百四十六条〈受任者による受取物の引渡し等〉、第六百四十七条〈受任者の金銭の消費についての責任〉及び第六百五十条〈受任者による費用等の償還請求等〉の規定は、第二項の管理人について準用する。この場合において、同法第六百四十六条、第六百四十七条及び第六百五十条中「委任者」とあるのは、「会社」と読み替えるものとする。

参 ❶【管理命令その他の保全処分↓九〇五、八七二㈠】 ❷【管理人の選任↓八七四㈠】 ❹【管理人の報酬↓八七〇①㈠】 ❻【報告・計算↓九〇六、八七四㈢】

（官庁等の法務大臣に対する通知義務）

第八二六条 裁判所その他の官庁、検察官又は吏員は、その職務上第八百二十四条第一項の申立て又は同項第三号の警告をすべき事由があることを知ったときは、法務大臣にその旨を通知しなければならない。

第二節 外国会社の取引継続禁止又は営業所閉鎖の命令

第八二七条① 裁判所は、次に掲げる場合には、法務大臣又は株主、社員、債権者その他の利害関係人の申立てにより、外国会社が日本において取引を継続してすることの禁止又はその日本に設けられた営業所の閉鎖を命ずることができる。
一 外国会社の事業が不法な目的に基づいて行われたとき。
二 外国会社が正当な理由がないのに外国会社の登記の日から一年以内にその事業を開始せず、又は引き続き一年以上その事業を休止したとき。
三 外国会社が正当な理由がないのに支払を停止したとき。
四 外国会社の日本における代表者その他その業務を執行する者が、法令で定める外国会社の権限を逸脱し若しくは濫用する行為又は刑罰法令に触れる行為をした場合において、法務大臣から書面による警告を受けたにもかかわらず、なお継続的に又は反覆して当該行為をしたとき。
② 第八百二十四条第二項から第四項まで〈会社の解散命令〉及び前二条の規定は、前項の場合について準用する。この場合において、第八百二十四条第二項中「前項」とあり、同条第三項及び第四項中「第一項」とあり、並びに第八百二十五条第一項中「前条第一項」とあるのは「第八百二十七条第一項」と、前条中「第八百二十四条第一項」とあるのは「次条第一項」と、「同項第三号」とあるのは「同項第四号」と読み替えるものとする。

参 ❶【取引継続禁止等の命令の手続↓八六八⑤、八七〇①㈩㈡、九〇四、九三七②】【取引継続禁止等の命令↓八二二①㈠、九七六㈢㈩㈣】 [二]【外国会社の登記↓八一八①】 [三]【支払の停止↓破一五②】 ❷【八二五条の準用↓八六八⑤、八七二㈠】

第二章 訴訟

第一節 会社の組織に関する訴え

（会社の組織に関する行為の無効の訴え）

第八二八条① 次の各号に掲げる行為の無効は、当該各号に定める期間に、訴えをもってのみ主張することができる。
一 会社の設立 会社の成立の日から二年以内
二 株式会社の成立後における株式の発行 株式の発行の効力が生じた日から六箇月以内（公開会社でない株式会社にあっては、株式の発行の効力が生じた日から一年以内）
三 自己株式の処分 自己株式の処分の効力が生じた日から六箇月以内（公開会社でない株式会社にあっては、自己株式の処分の効力が生じた日から一年以内）
四 新株予約権（当該新株予約権が新株予約権付社債に付されたものである場合にあっては、当該新株予約権付社債についての社債を含む。以下この章において同じ。）の発行 新株予約権の発行の効力が生じた日から六箇月以内（公開会社でない株式会社にあっては、新株予約権の発行の効力が生じた日から一年以内）
五 株式会社における資本金の額の減少 資本金の額の減少の効力が生じた日から六箇月以内
六 会社の組織変更 組織変更の効力が生じた日から六箇月以内
七 会社の吸収合併 吸収合併の効力が生じた日から六箇月以内
八 会社の新設合併 新設合併の効力が生じた日から六箇月以内
九 会社の吸収分割 吸収分割の効力が生じた日から六箇月以内
十 会社の新設分割 新設分割の効力が生じた日から六箇月以内
十一 株式会社の株式交換 株式交換の効力が生じた日から六箇月以内
十二 株式会社の株式移転 株式移転の効力が生じた日から六箇月以内
十三 株式会社の株式交付 株式交付の効力が生じた日から六箇月以内（令和一法七〇本号追加）
② 次の各号に掲げる行為の無効の訴えは、当該各号に定める者に限り、提起することができる。
一 前項第一号に掲げる行為 設立する株式会社の株主等（株主、取締役又は清算人（監査役設置会社にあっては株主、取締役、監査役又は清算人、指名委員会等設置会社にあっては株主、取締役、執行役又は清算人）をいう。以下この節において同じ。）又は設立する持分会社の社員等（社員又は清算人をいう。以下この項において同じ。）（平成二六法九〇本号改正）
二 前項第二号に掲げる行為 当該株式会社の株主等
三 前項第三号に掲げる行為 当該株式会社の株主等

四　前項第四号に掲げる行為　当該株式会社の株主等又は新株予約権者

五　前項第五号に掲げる行為　当該株式会社の株主等、破産管財人又は資本金の額の減少について承認をしなかった債権者

六　前項第六号に掲げる行為　当該行為の効力が生じた日において組織変更をする会社の株主等若しくは社員等であった者又は組織変更後の会社の株主等、社員等、破産管財人若しくは組織変更について承認をしなかった債権者

七　前項第七号に掲げる行為　当該行為の効力が生じた日において吸収合併をする会社の株主等若しくは社員等であった者又は吸収合併後存続する会社の株主等、社員等、破産管財人若しくは吸収合併について承認をしなかった債権者

八　前項第八号に掲げる行為　当該行為の効力が生じた日において新設合併をする会社の株主等若しくは社員等であった者又は新設合併により設立する会社の株主等、社員等、破産管財人若しくは新設合併について承認をしなかった債権者

九　前項第九号に掲げる行為　当該行為の効力が生じた日において吸収分割契約をした会社の株主等若しくは社員等であった者又は吸収分割契約をした会社の株主等、社員等、破産管財人若しくは吸収分割について承認をしなかった債権者

十　前項第十号に掲げる行為　当該行為の効力が生じた日において新設分割をする会社の株主等若しくは社員等であった者又は新設分割をする会社若しくは新設分割により設立する会社の株主等、社員等、破産管財人若しくは新設分割について承認をしなかった債権者

十一　前項第十一号に掲げる行為　当該行為の効力が生じた日において株式交換契約をした会社の株主等若しくは社員等であった者又は株式交換契約をした会社の株主等、社員等、破産管財人若しくは株式交換について承認をしなかった債権者

十二　前項第十二号に掲げる行為　当該行為の効力が生じた日において株式移転をする株式会社の株主等であった者又は株式移転により設立する株式会社の株主等、破産管財人若しくは株式移転について承認をしなかった債権者（平成二六法九〇本号改正）

十三　前項第十三号に掲げる行為　当該行為の効力が生じた日において株式交付親会社の株主等であった者、株式交付に際して株式交付親会社に株式交付子会社の株式若しくは新株予約権等を譲り渡した者又は株式交付親会社の株主等、破産管財人若しくは株式交付について承認をしなかった債権者（令和一法七〇本号追加）

❶【無効の訴え→八三四[一]―[十二の二]・八三五―八三七【株主等の権利の行使に関する贈収賄罪→九六八①[四]【無効判決の効力→八三八、八三九、九三七①③④　[一]【設立の無効→四九、五七九、四七五[三]、六四四[三]、八四五　[二][三]【株式発行・自己株式処分の無効→二〇九①、一六七②[四]、一七〇②[四]、一七三②[二]、一八四①、一八七①、八二九[一][二]、八四〇、八四一　[四]【新株予約権発行の無効→二四五、八二九[三]、八四二　[五]【資本金減少の無効→四四九⑥　[六]【組織変更の無効→七四四①[五]、七四六①[五]　[七]【吸収合併の無効→七四九①[六]、七五一①[七]　[八]【新設合併の無効→七五四①、七五六①、八一四①　[九]【吸収分割の無効→七五八[七]、七六〇[六]　[十]【新設分割の無効→四九、八一四①、五七九　[十一]【株式交換の無効→七六八①[六]　[十二]【株式移転の無効→四九、八一四①、五七九　[十三]【株式交付の無効→七七四の三①[十一]　❷[五]【承認しなかった債権者→四四九　[六]【承認しなかった債権者→七七九、七八一②　[七][九][十一]【承認しなかった債権者→七八九、七九三②、七九九、八〇二②　[八][十][十三]【承認しなかった債権者→八一〇、八一三②、八一六の八

（新株発行等の不存在の確認の訴え）

第八二九条　次に掲げる行為については、当該行為が存在しないことの確認を、訴えをもって請求することができる。

一　株式会社の成立後における株式の発行

二　自己株式の処分

三　新株予約権の発行

【新株発行等の不存在確認の訴え→八三四[十三]―[十五]・八三五―八三八、九三七①[一]【株主等の権利の行使に関する贈収賄罪→九六八①[四]

（株主総会等の決議の不存在又は無効の確認の訴え）

第八三〇条①　株主総会若しくは種類株主総会又は創立総会若しくは種類創立総会（以下この節及び第九百三十七条第一項第一号トにおいて「株主総会等」という。）の決議については、決議が存在しないことの確認を、訴えをもって請求することができる。

②　株主総会等の決議については、決議の内容が法令に違反することを理由として、決議が無効であることの確認を、訴えをもって請求することができる。

【株主総会→二九五―三二〇【種類株主総会→三二一―三二五【創立総会→六五―八三【種類創立総会→八四―八六【決議不存在・無効確認の訴え→八三四[十六]・八三五―八三八、九一七[三]・九三七①[一]【株主等の権利の行使に関する贈収賄罪→九六八①[四]

（株主総会等の決議の取消しの訴え）

第八三一条①　次の各号に掲げる場合には、株主等（当該各号の株主総会等が創立総会又は種類創立総会である場合にあっては、株主等、設立時株主、設立時取締役又は設立時監査役）は、株主総会等の決議の日から三箇月以内に、訴えをもって当該決議の取消しを請求することができる。当該決議の取消しにより株主（当該決議が創立総会の決議である場合にあっては、設立時株主）又は取締役（監査等委員会設置会社にあっては、監査等委員である取締役又はそれ以外の取締役。以下この項において同じ。）、監査役若しくは清算人（当該決議が株主総会又は種類株主総会の決議である場合にあっては第三百四十六条第一項（第四百七十九条第四項において準用する場合を含む。）の規定により取締役、監査役又は清算人としての権利義務を有する者を含み、当該決議が創立総会又は種類創立総会の決議である場合にあっては設立時取締役（設立しようとする株式会社が監査等委員会設置会社である場合にあっては、設立時監査等委員である設立時取締役又はそれ以外の設立時取締役）又は設立時監査役を含む。）

会社

となる者も、同様とする。

一　株主総会等の招集の手続又は決議の方法が法令若しくは定款に違反し、又は著しく不公正なとき。

二　株主総会等の決議の内容が定款に違反するとき。

三　株主総会等の決議について特別の利害関係を有する者が議決権を行使したことによって、著しく不当な決議がされたとき。

（平成二六法九〇本項改正）

② 前項の訴えの提起があった場合において、株主総会等の招集の手続又は決議の方法が法令又は定款に違反するときであっても、裁判所は、その違反する事実が重大でなく、かつ、決議に影響を及ぼさないものであると認めるときは、同項の規定による請求を棄却することができる。

⊛【決議取消しの訴え↓八三四[十七]・八三五―八三八、九一七㈠・九三七①㈠【株主等の権利の行使に関する贈収賄罪↓九六八①㈣　❶【株主等↓八二八②㈠【株主総会等↓八三〇【三】【特別利害関係株主↓一四〇③・一六〇④・一七五②・三六九②

（持分会社の設立の取消しの訴え）

第八三二条　次の各号に掲げる場合には、当該各号に定める者は、持分会社の成立の日から二年以内に、訴えをもって持分会社の設立の取消しを請求することができる。

一　社員が民法その他の法律の規定により設立に係る意思表示を取り消すことができるとき　当該社員

二　社員がその債権者を害することを知って持分会社を設立したとき　当該債権者

⊛【設立取消しの訴え↓八三五―八三九・六四四㈢・八四五・九三七①㈠【成立の日↓五七九【一】【被告↓八三四[十八]【取消原因の例↓民五・一三・九六【二】【被告↓八三四[十九]【詐害行為↓民四二四―四二五、破一六〇―一七六

（会社の解散の訴え）

第八三三条①　次に掲げる場合において、やむを得ない事由があるときは、総株主（株主総会において決議をすることができる事項の全部につき議決権を行使することができない株主を除く。）の議決権の十分の一（これを下回る割合を定款で定めた場合にあっては、その割合）以上の議決権を有する株主又は発行済株式（自己株式を除く。）の十分の一（これを下回る割合を定款で定めた場合にあっては、その割合）以上の数の株式を有する株主は、訴えをもって株式会社の解散を請求することができる。

一　株式会社が業務の執行において著しく困難な状況に至り、当該株式会社に回復することができない損害が生じ、又は生ずるおそれがあるとき。

二　株式会社の財産の管理又は処分が著しく失当で、当該株式会社の存立を危うくするとき。

② やむを得ない事由がある場合には、持分会社の社員は、訴えをもって持分会社の解散を請求することができる。

⊛【解散判決↓八三五―八三八・九三七①㈠　❶【被告↓八三四[二十]【議決権を行使することができない株主↓二九七③⊛【株主等の権利の行使に関する贈収賄罪↓九六八①㈣　❷【被告↓八三四[二十一]

（被告）

第八三四条　次の各号に掲げる訴え（以下この節において「会社の組織に関する訴え」と総称する。）については、当該各号に定める者を被告とする。

一　会社の設立の無効の訴え　設立する会社

二　株式会社の成立後における株式の発行の無効の訴え（第八百四十条第一項において「新株発行の無効の訴え」という。）　株式の発行をした株式会社

三　自己株式の処分の無効の訴え　自己株式の処分をした株式会社

四　新株予約権の発行の無効の訴え　新株予約権の発行をした株式会社

五　株式会社における資本金の額の減少の無効の訴え　当該株式会社

六　会社の組織変更の無効の訴え　組織変更後の会社

七　会社の吸収合併の無効の訴え　吸収合併後存続する会社

八　会社の新設合併の無効の訴え　新設合併により設立する会社

九　会社の吸収分割の無効の訴え　吸収分割契約をした会社

十　会社の新設分割の無効の訴え　新設分割をする会社及び新設分割により設立する会社

十一　株式会社の株式交換の無効の訴え　株式交換契約をした会社

十二　株式会社の株式移転の無効の訴え　株式移転をする株式会社及び株式移転により設立する株式会社

十二の二　株式会社の株式交付の無効の訴え　株式交付親会社（令和一法七〇本号追加）

十三　株式会社の成立後における株式の発行が存在しないことの確認の訴え　株式の発行をした株式会社

十四　自己株式の処分が存在しないことの確認の訴え　自己株式の処分をした株式会社

十五　新株予約権の発行が存在しないことの確認の訴え　新株予約権の発行をした株式会社

十六　株主総会等の決議が存在しないこと又は株主総会等の決議の内容が法令に違反することを理由として当該決議が無効であることの確認の訴え　当該株式会社

十七　株主総会等の決議の取消しの訴え　当該株式会社

十八　第八百三十二条第一号の規定による持分会社の設立の取消しの訴え　当該持分会社

十九　第八百三十二条第二号の規定による持分会社の設立の取消しの訴え　当該持分会社及び同号の社員

二十　株式会社の解散の訴え　当該株式会社

二十一　持分会社の解散の訴え　当該持分会社

⊛【被告↓八三五、八三八

（訴えの管轄及び移送）

第八三五条①　会社の組織に関する訴えは、被告となる会社の本店の所在地を管轄する地方裁判所の管轄に専属する。

② 前条第九号から第十二号までの規定により二以上の地方裁判所が管轄権を有するときは、当該各号に掲げる訴えは、先に訴えの提起があった地方裁判所が管轄する。

③ 前項の場合には、裁判所は、当該訴えに係る訴訟がその管轄に属する場合においても、著しい損害又は遅滞を避けるため必要があると認めるときは、申立てにより又は職権で、訴訟を他の管轄裁判所に移送することができる。

参❶【被告→八三四【本店→四参【専属管轄→民訴三の五①、三の一〇、一三　❸【移送→民訴一七

（担保提供命令）

第八三六条① 会社の組織に関する訴えであって、株主又は設立時株主が提起することができるものについては、裁判所は、被告の申立てにより、当該会社の組織に関する訴えを提起した株主又は設立時株主に対し、相当の担保を立てるべきことを命ずることができる。ただし、当該株主が取締役、監査役、執行役若しくは清算人であるとき、又は当該設立時株主が設立時取締役若しくは設立時監査役であるときは、この限りでない。

② 前項の規定は、会社の組織に関する訴えであって、債権者又は株式交付に際して株式交付親会社に株式交付子会社の株式若しくは新株予約権等を譲り渡した者が提起することができるものについて準用する。（令和一法七〇本項改正）

③ 被告は、第一項（前項において準用する場合を含む。）の申立てをするには、原告の訴えの提起が悪意によるものであることを疎明しなければならない。

参【担保提供命令→八四六【株主等の権利の行使に関する贈収賄罪→九六八①四　❷【債権者が提起できる訴え→八二八②五―十一

（弁論等の必要的併合）

第八三七条 同一の請求を目的とする会社の組織に関する訴えに係る訴訟が数個同時に係属するときは、その弁論及び裁判は、併合してしなければならない。

参【弁論の併合→民訴一五二①

（認容判決の効力が及ぶ者の範囲）

第八三八条 会社の組織に関する訴えに係る請求を認容する確定判決は、第三者に対してもその効力を有する。

参【対世効→民訴一一五

（無効又は取消しの判決の効力）

第八三九条 会社の組織に関する訴え（第八百三十四条第一号から第十二号の二まで、第十八号及び第十九号に掲げる訴えに限る。）に係る請求を認容する判決が確定したときは、当該判決において無効とされ、又は取り消された行為（当該行為によって会社が設立された場合にあっては当該設立を含み、当該行為に際して株式又は新株予約権が交付された場合にあっては当該株式又は新株予約権を含む。）は、将来に向かってその効力を失う。（令和一法七〇本条改正）

参【将来に向かい効力を失う→四七五二三・八四〇―八四五

（新株発行の無効判決の効力）

第八四〇条① 新株発行の無効の訴えに係る請求を認容する判決が確定したときは、当該株式会社は、当該判決の確定時における当該株式に係る株主に対し、払込みを受けた金額又は給付を受けた財産の給付の時における価額に相当する金銭を支払わなければならない。この場合において、当該株式会社が株券発行会社であるときは、当該株式会社は、当該株主に対し、当該金銭の支払をするのと引換えに、当該株式に係る旧株券（前条の規定により効力を失った株式に係る株券をいう。以下この節において同じ。）を返還することを請求することができる。

② 前項の金銭の金額が同項の判決が確定した時における会社財産の状況に照らして著しく不相当であるときは、裁判所は、同項前段の株式会社又は株主の申立てにより、当該金額の増減を命ずることができる。

③ 前項の申立ては、同項の判決が確定した日から六箇月以内にしなければならない。

④ 第一項前段に規定する場合には、同項前段の株式を目的とする質権は、同項の金銭について存在する。

⑤ 第一項前段の株式の質権者は、第一項前段の株式会社から同項の金銭を受領し、他の債権者に先立って自己の債権の弁済に充てることができる。

⑥ 前項の債権の弁済期が到来していないときは、同項の登録株式質権者は、第一項前段の株式会社に同項の金銭に相当する金額を供託させることができる。この場合において、質権は、その供託金について存在する。

参【新株発行の無効→八二八①二　❶【払込金額等→二〇八【株券発行会社→二一四参　❷【裁判→八六八①・八七七・八七八①・八七二二　❹【質権の効力→一五一①　❺❻【登録株式質権者の権利→一五四

（自己株式の処分の無効判決の効力）

第八四一条① 自己株式の処分の無効の訴えに係る請求を認容する判決が確定したときは、当該株式会社は、当該判決の確定時における当該自己株式に係る株主に対し、払込みを受けた金額又は給付を受けた財産の給付の時における価額に相当する金銭を支払わなければならない。この場合において、当該株式会社が株券発行会社であるときは、当該株式会社は、当該株主に対し、当該金銭の支払をするのと引換えに、当該自己株式に係る旧株券を返還することを請求することができる。

② 前条第二項から第六項までの規定は、前項の場合について準用する。この場合において、同条第四項中「株式」とあるのは、「自己株式」と読み替えるものとする。

参【自己株式処分の無効→八二八①三　❶【払込金額等→二〇八【株券発行会社→二一四参　❷【八四〇条二項の準用→八七七・八七八・八七二三

（新株予約権発行の無効判決の効力）

第八四二条① 新株予約権の発行の無効の訴えに係る請求を認容する判決が確定したときは、当該株式会社は、当該判決の確定時における当該新株予約権に係る新株予約権者に対し、払込みを受けた金額又は給付を受けた財産の給付の時における価額に相当する金銭を支払わなければならない。この場合において、当該新株予約権に係る新株予約権証券（当該新株予約権が新株予約権付社債に付されたものである場合にあっては、当該新株予約権付社債に係る新株予約権付社債券。以下この項において同じ。）を発行しているときは、当該株式会社は、当該新株予約権者に対し、当該金銭の支払をするのと引換えに、第八百三十九条の規定により効力を失った新株予約権に係る新株予約権証券を返還することを請求することができる。

② 第八百四十条第二項から第六項まで（新株発行の無効判決の効力）の規定は、前項の場合について準用する。この場合において、同条第二項中「株主」とあるのは「新株予約権者」と、同条第四項中「株式」とあるのは「新株予約権」と、同条第五項及び第六項中「登録株式質権者」とあるのは「登録新株予約権質権者」と読み替えるものとする。

参＋【新株予約権発行の無効→八二八①[四]】❶【払込金額等→二三八①[三]・二四六】【新株予約権証券→二八八参】❷【八四〇条二項の準用→八七七・八七二[四]】

（合併又は会社分割の無効判決の効力）

第八四三条① 次の各号に掲げる行為の無効の訴えに係る請求を認容する判決が確定したときは、当該行為をした会社は、当該行為の効力が生じた日後に当該各号に定める会社が負担した債務について、連帯して弁済する責任を負う。

一　会社の吸収合併　吸収合併後存続する会社

二　会社の新設合併　新設合併により設立する会社

三　会社の吸収分割　吸収分割をする会社がその事業に関して有する権利義務の全部又は一部を当該会社から承継する会社

四　会社の新設分割　新設分割により設立する会社

② 前項に規定する場合には、同項各号に掲げる行為の効力が生じた日後に当該各号に定める会社が取得した財産は、当該行為をした会社の共有に属する。ただし、同項第四号に掲げる行為を一の会社がした場合には、同号に定める会社が取得した財産は、当該行為をした一の会社に属する。

③ 第一項及び前項本文に規定する場合には、各会社の第一項の債務の負担部分及び前項本文の財産の共有持分は、各会社の協議によって定める。

④ 各会社の第一項の債務の負担部分又は第二項本文の財産の共有持分について、前項の協議が調わないときは、裁判所は、各会社の申立てにより、第一項各号に掲げる行為の効力が生じた時における各会社の財産の額その他一切の事情を考慮して、これを定める。

参❶[一]【吸収合併→八二八①[七]】[二]【新設合併→八二八①[八]】[三]【吸収分割→八二八①[九]】[四]【新設分割→八二八①[十]】❹【裁判所→八六八⑥・八七〇②[六]】

（株式交換又は株式移転の無効判決の効力）

第八四四条① 株式会社の株式交換又は株式移転の無効の訴えに係る請求を認容する判決が確定した場合において、株式交換又は株式移転をする株式会社（以下この条において「旧完全子会社」という。）の発行済株式の全部を取得する株式会社（以下この条において「旧完全親会社」という。）が当該株式交換又は株式移転に際して当該旧完全親会社の株式（以下この条において「旧完全親会社株式」という。）を交付したときは、当該旧完全親会社は、当該判決の確定時における当該旧完全親会社株式に係る株主に対し、当該株式交換又は株式移転の際に当該旧完全親会社株式の交付を受けた者が有していた旧完全子会社の株式（以下この条において「旧完全子会社株式」という。）を交付しなければならない。この場合において、旧完全親会社が株券発行会社であるときは、当該旧完全親会社は、当該株主に対し、当該旧完全子会社株式を交付するのと引換えに、当該旧完全親会社株式に係る旧株券を返還することを請求することができる。

② 前項前段に規定する場合には、旧完全親会社株式を目的とする質権は、旧完全子会社株式について存在する。

③ 前項の質権の質権者が登録株式質権者であるときは、旧完全親会社は、第一項の判決の確定後遅滞なく、旧完全子会社に対し、当該登録株式質権者についての第百四十八条各号に掲げる事項を通知しなければならない。

④ 前項の規定による通知を受けた旧完全子会社は、その株主名簿に同項の登録株式質権者の質権の目的である株式に係る株主名簿記載事項を記載し、又は記録した場合には、直ちに、当該株主名簿に当該登録株式質権者についての第百四十八条各号に掲げる事項を記載し、又は記録しなければならない。

⑤ 第三項に規定する場合において、同項の旧完全子会社が株券発行会社であるときは、旧完全親会社は、登録株式質権者に対し、第二項の旧完全子会社株式に係る株券を引き渡さなければならない。ただし、第一項前段の株主が旧完全子会社株式の交付を受けるために旧完全親会社株式に係る旧株券を提出しなければならない場合において、旧株券の提出があるまでの間は、この限りでない。

参＋【株式交換→八二八①[十一]】【株式移転→八二八①[十二]・四七五[三]】❶❺【株券発行会社→二一四参】❷【質権の効力→一五一①】

（株式交付の無効判決の効力）

第八四四条の二① 株式会社の株式交付の無効の訴えに係る請求を認容する判決が確定した場合において、株式交付親会社が当該株式交付に際して当該株式交付親会社の株式（以下この条において「旧株式交付親会社株式」という。）を交付したときは、当該株式交付親会社は、当該判決の確定時における当該旧株式交付親会社株式に係る株主に対し、当該株式交付の際に当該旧株式交付親会社株式の交付を受けた者から給付を受け

会社

た株式交付子会社の株式及び新株予約権等（以下この条において「旧株式交付子会社株式等」という。）を返還しなければならない。この場合において、株式交付親会社が株券発行会社であるときは、当該株式交付子会社は、当該株主に対し、当該旧株式交付子会社株式等を返還するのと引換えに、当該旧株式交付親会社株式に係る旧株券を返還することを請求することができる。

② 前項前段に規定する場合には、旧株式交付親会社株式を目的とする質権は、旧株式交付子会社株式等について存在する。

（令和一法七〇本条追加）

参【株式交付→八二八①十三】❶【株券発行会社→二一四】参❷【質権の効力→一五一①】

（持分会社の設立の無効又は取消しの判決の効力）

第八四五条　持分会社の設立の無効又は取消しの訴えに係る請求を認容する判決が確定した場合において、その無効又は取消しの原因が一部の社員のみにあるときは、他の社員の全員の同意によって、当該持分会社を継続することができる。この場合においては、当該原因がある社員は、退社したものとみなす。

参【持分会社の設立無効→八二八①一】【持分会社の設立の取消し→八三二】参【持分会社の継続→六四二】

（原告が敗訴した場合の損害賠償責任）

第八四六条　会社の組織に関する訴えを提起した原告が敗訴した場合において、原告に悪意又は重大な過失があったときは、原告は、被告に対し、連帯して損害を賠償する責任を負う。

参【敗訴原告の損害賠償責任→八三六】【株主等の権利の行使に関する贈収賄罪→九六八①四】

第一節の二　売渡株式等の取得の無効の訴え

（平成二六法九〇本節追加）

（売渡株式等の取得の無効の訴え）

第八四六条の二①　株式等売渡請求に係る売渡株式等の全部の取得の無効は、取得日（第百七十九条の二第一項第五号に規定する取得日をいう。以下この条において同じ。）から六箇月以内（対象会社が公開会社でない場合にあっては、当該取得日から一年以内）に、訴えをもってのみ主張することができる。

② 前項の訴え（以下この節において「売渡株式等の取得の無効の訴え」という。）は、次に掲げる者に限り、提起することができる。

一　取得日において売渡株主（株式売渡請求に併せて新株予約権売渡請求がされた場合にあっては、売渡株主又は売渡新株予約権者。第八百四十六条の五第一項において同じ。）であった者

二　取得日において対象会社の取締役（監査役設置会社にあっては取締役又は監査役、指名委員会等設置会社にあっては取締役又は執行役。以下この号において同じ。）であった者又は対象会社の取締役若しくは清算人

参❶【特別支配株主による株式等売渡請求→一七九―一七九の一〇】

（被告）

第八四六条の三　売渡株式等の取得の無効の訴えについては、特別支配株主を被告とする。

参【売渡株式等の取得の無効の訴え→八四六の二】【特別支配株主→一七九①】

（訴えの管轄）

第八四六条の四　売渡株式等の取得の無効の訴えは、対象会社の本店の所在地を管轄する地方裁判所の管轄に専属する。

参【売渡株式等の取得の無効の訴え→八四六の二】【本店→四】参【専属管轄→民訴三の五①・三の一〇・一三】

（担保提供命令）

第八四六条の五①　売渡株式等の取得の無効の訴えについては、裁判所は、被告の申立てにより、当該売渡株式等の取得の無効の訴えを提起した売渡株主に対し、相当の担保を立てるべきことを命ずることができる。ただし、当該売渡株主が対象会社の取締役、監査役、執行役又は清算人であるときは、この限りでない。

② 被告は、前項の申立てをするには、原告の訴えの提起が悪意によるものであることを疎明しなければならない。

参【担保提供命令→八四六の九・九六八①四】

（弁論等の必要的併合）

第八四六条の六　同一の請求を目的とする売渡株式等の取得の無効の訴えに係る訴訟が数個同時に係属するときは、その弁論及び裁判は、併合してしなければならない。

参【弁論の併合→民訴一五二①】

（認容判決の効力が及ぶ者の範囲）

第八四六条の七　売渡株式等の取得の無効の訴えに係る請求を認容する確定判決は、第三者に対してもその効力を有する。

参【対世効→民訴一一五】

（無効の判決の効力）

第八四六条の八　売渡株式等の取得の無効の訴えに係る請求を認容する判決が確定したときは、当該判決において無効とされた売渡株式等の全部の取得は、将来に向かってその効力を失う。

参【売渡株式等の取得の無効→八四六の二①】

（原告が敗訴した場合の損害賠償責任）

第八四六条の九　売渡株式等の取得の無効の訴えを提起した原告が敗訴した場合において、原告に悪意又は重大な過失があったときは、原告は、被告に対し、連帯して損害を賠償する責任を負う。

参【敗訴原告の損害賠償責任→八四六の五・九六八①四】

第二節　株式会社における責任追及等の訴え

（株主による責任追及等の訴え）

第八四七条①　六箇月（これを下回る期間を定款で定め

た場合にあっては、その期間）前から引き続き株式を有する株主（第百八十九条第二項の定款の定めによりその権利を行使することができない単元未満株主を除く。）は、株式会社に対し、書面その他の法務省令で定める方法により、発起人、設立時取締役、設立時監査役、役員等（第四百二十三条第一項に規定する役員等をいう。）若しくは清算人（以下この節において「発起人等」という。）の責任を追及する訴え、第百二条の二第一項、第二百十二条第一項若しくは第二百八十五条第一項の規定による支払を求める訴え、第百二十条第三項の利益の返還を求める訴え又は第二百十三条の二第一項若しくは第二百八十六条の二第一項の規定による支払若しくは給付を求める訴え（以下この節において「責任追及等の訴え」という。）の提起を請求することができる。ただし、責任追及等の訴えが当該株主若しくは第三者の不正な利益を図り又は当該株式会社に損害を加えることを目的とする場合は、この限りでない。

② 公開会社でない株式会社における前項の規定の適用については、同項中「六箇月（これを下回る期間を定款で定めた場合にあっては、その期間）前から引き続き株式を有する株主」とあるのは、「株主」とする。

③ 株式会社が第一項の規定による請求の日から六十日以内に責任追及等の訴えを提起しないときは、当該請求をした株主は、株式会社のために、責任追及等の訴えを提起することができる。

④ 株式会社は、第一項の規定による請求の日から六十日以内に責任追及等の訴えを提起しない場合において、当該請求をした株主又は同項の発起人等から請求を受けたときは、当該請求をした者に対し、遅滞なく、責任追及等の訴えを提起しない理由を書面その他の法務省令で定める方法により通知しなければならない。

⑤ 第一項及び第三項の規定にかかわらず、同項の期間の経過により株式会社に回復することができない損害が生ずるおそれがある場合には、第一項の株主は、株式会社のために、直ちに責任追及等の訴えを提起することができる。ただし、同項ただし書に規定する場合は、この限りでない。

（平成二六法九〇本条改正）

参❶【発起人・設立時取締役の責任↓五二・五三【設立時監査役の責任↓五三【役員等の責任↓四二三・四二八・四六二、金商一六四①－③【清算人の責任↓四八六【責任追及等の訴え↓三四九④・三五三・三六四・三八六・四〇八・八四八－八五三【省令で定める方法↓会社則二一七【不正な利益・損害を与える目的↓八四七の二①・八四七の三①　❸【会社のため↓民訴一一五①三【原告適格↓八五一　❸❺【株主等の権利の行使に関する贈収賄罪↓九六八①四　❹【省令で定める方法↓会社則二一八

（旧株主による責任追及等の訴え）

第八四七条の二 ① 次の各号に掲げる行為の効力が生じた日の六箇月（これを下回る期間を定款で定めた場合にあっては、その期間）前から当該日まで引き続き株式会社の株主であった者（第百八十九条第二項の定款の定めによりその権利を行使することができない単元未満株主であった者を除く。以下この条において「旧株主」という。）は、当該株式会社の株主でなくなった場合であっても、当該各号に定めるときは、当該株式会社（第二号に定める場合にあっては、同号の吸収合併後存続する株式会社。以下この節において「株式交換等完全子会社」という。）に対し、書面その他の法務省令で定める方法により、責任追及等の訴え（次の各号に掲げる行為の効力が生じた時までにその原因となった事実が生じた責任又は義務に係るものに限る。以下この条において同じ。）の提起を請求することができる。ただし、責任追及等の訴えが当該旧株主若しくは第三者の不正な利益を図り又は当該株式交換等完全子会社若しくは次の各号の完全親会社（特定の株式会社の発行済株式の全部を有する株式会社その他これと同等のものとして法務省令で定める株式会社をいう。以下この節において同じ。）に損害を加えることを目的とする場合は、この限りでない。

一 当該株式会社の株式交換又は株式移転　当該株式交換又は株式移転により当該株式会社の完全親会社の株式を取得し、引き続き当該株式を有するとき。

二 当該株式会社が吸収合併により消滅する会社となる吸収合併　当該吸収合併により、吸収合併後存続する株式会社の完全親会社の株式を取得し、引き続き当該株式を有するとき。

② 公開会社でない株式会社における前項の規定の適用については、同項中「次の各号に掲げる行為の効力が生じた日の六箇月（これを下回る期間を定款で定めた場合にあっては、その期間）前から当該日まで引き続き」とあるのは、「次の各号に掲げる行為の効力が生じた日において」とする。

③ 旧株主は、第一項各号の完全親会社の株主でなくなった場合であっても、次に掲げるときは、株式交換等完全子会社に対し、書面その他の法務省令で定める方法により、責任追及等の訴えの提起を請求することができる。ただし、責任追及等の訴えが当該旧株主若しくは第三者の不正な利益を図り又は当該株式交換等完全子会社若しくは次の各号の株式を発行している株式会社に損害を加えることを目的とする場合は、この限りでない。

一 当該完全親会社の株式交換又は株式移転により当該完全親会社の完全親会社の株式を取得し、引き続き当該株式を有するとき。

二 当該完全親会社が合併により消滅する会社となる合併により、合併により設立する株式会社又は合併後存続する株式会社若しくはその完全親会社の株式を取得し、引き続き当該株式を有するとき。

④ 前項の規定は、同項第一号（この項又は次項において準用する場合を含む。以下この項において同じ。）に掲げる場合において、旧株主が同号の株式の株主でなくなったときについて準用する。

⑤ 第三項の規定は、同項第二号（前項又はこの項において準用する場合を含む。以下この項において同じ。）に掲げる場合において、旧株主が同号の株式の株主でなくなったときについて準用する。この場合におい

て、第三項（前項又はこの項において準用する場合を含む。）中「当該完全親会社」とあるのは、「合併により設立する株式会社又は合併後存続する株式会社若しくはその完全親会社」と読み替えるものとする。

⑥　株式交換等完全子会社が第一項又は第三項（前二項において準用する場合を含む。以下この条において同じ。）の規定による請求（以下この条において「提訴請求」という。）の日から六十日以内に責任追及等の訴えを提起しないときは、当該提訴請求をした旧株主は、株式交換等完全子会社のために、責任追及等の訴えを提起することができる。

⑦　株式交換等完全子会社は、提訴請求の日から六十日以内に責任追及等の訴えを提起しない場合において、当該提訴請求をした旧株主又は当該提訴請求に係る責任追及等の訴えの被告となることとなる発起人等から請求を受けたときは、当該請求をした者に対し、遅滞なく、責任追及等の訴えを提起しない理由を書面その他の法務省令で定める方法により通知しなければならない。

⑧　第一項、第三項及び第六項の規定にかかわらず、同項の期間の経過により株式交換等完全子会社に回復することができない損害が生ずるおそれがある場合には、提訴請求をすることができる旧株主は、株式交換等完全子会社のために、直ちに責任追及等の訴えを提起することができる。

⑨　株式交換等完全子会社に係る適格旧株主（第一項本文又は第三項本文の規定によれば提訴請求をすることができることとなる旧株主をいう。以下この節において同じ。）がある場合において、第一項各号に掲げる行為の効力が生じた時までにその原因となった事実が生じた責任又は義務を免除するときにおける第五十五条、第百二条の二第二項、第百三条第三項、第百二十条第五項、第二百十三条の二第二項、第二百八十六条の二第二項、第四百二十四条（第四百八十六条第四項において準用する場合を含む。）、第四百六十二条第三項ただし書、第四百六十四条第二項及び第四百六十五条第二項の規定の適用については、これらの規定中「総株主」とあるのは、「総株主及び第八百四十七条の二第九項に規定する適格旧株主の全員」とする。

（平成二六法九〇本条追加）

参❶【不正な利益・損害を与える目的→八四七①【発起人・設立時取締役の責任→五二・五三【設立時監査役の責任→五三【役員等の責任→四二三・四二八・四六二、金商一六四①―③【清算人の責任→四八六【責任追及等の訴え→三四九④・三五三・三六四・三八六・四〇八・八四八―八五三【省令で定める株式会社→会社則二一八の三　❶❸―❺【省令で定める方法→会社則二一八の二　❸❹【会社の株主でなくなった者の訴訟追行→八五一　❻【会社のため→民訴一一五①㈢【原告適格→八五一　❻❽【株主の権利に関する贈収賄罪→九六八①㈣　❼【省令で定める方法→会社則二一八の四

（最終完全親会社等の株主による特定責任追及の訴え）

第八四七条の三①　六箇月（これを下回る期間を定款で定めた場合にあっては、その期間）前から引き続き株式会社の最終完全親会社等（当該株式会社の完全親会社等であって、その完全親会社等がないものをいう。以下この節において同じ。）の総株主（株主総会において決議をすることができる事項の全部につき議決権を行使することができない株主を除く。）の議決権の百分の一（これを下回る割合を定款で定めた場合にあっては、その割合）以上の議決権を有する株主又は当該最終完全親会社等の発行済株式（自己株式を除く。）の百分の一（これを下回る割合を定款で定めた場合にあっては、その割合）以上の数の株式を有する株主は、当該株式会社に対し、書面その他の法務省令で定める方法により、特定責任に係る責任追及等の訴え（以下この節において「特定責任追及の訴え」という。）の提起を請求することができる。ただし、次のいずれかに該当する場合は、この限りでない。

一　特定責任追及の訴えが当該株主若しくは第三者の不正な利益を図り又は当該株式会社若しくは当該最終完全親会社等に損害を加えることを目的とする場合

二　当該特定責任の原因となった事実によって当該最終完全親会社等に損害が生じていない場合

②　前項に規定する「完全親会社等」とは、次に掲げる株式会社をいう。

一　完全親会社

二　株式会社の発行済株式の全部を他の株式会社及びその完全子会社等（株式会社がその株式又は持分の全部を有する法人をいう。以下この条及び第八百四十九条第三項において同じ。）又は他の株式会社の完全子会社等が有する場合における当該他の株式会社（完全親会社を除く。）

③　前項第二号の場合において、同号の他の株式会社及びその完全子会社等又は同号の他の株式会社の完全子会社等が他の法人の株式又は持分の全部を有する場合における当該他の法人は、当該他の株式会社の完全子会社等とみなす。

④　第一項に規定する「特定責任」とは、当該株式会社の発起人等の責任の原因となった事実が生じた日において最終完全親会社等及びその完全子会社等（前項の規定により当該完全子会社等とみなされるものを含む。次項及び第八百四十九条第三項において同じ。）における当該株式会社の株式の帳簿価額が当該最終完全親会社等の総資産額として法務省令で定める方法により算定される額の五分の一（これを下回る割合を定款で定めた場合にあっては、その割合）を超える場合における当該発起人等の責任をいう（第十項及び同条第七項において同じ。）。

⑤　最終完全親会社等が、発起人等の責任の原因となった事実が生じた日において最終完全親会社等であった株式会社をその完全子会社等としたものである場合には、前項の規定の適用については、当該最終完全親会社等であった株式会社を同項の最終完全親会社等とみなす。

⑥　公開会社でない最終完全親会社等における第一項の規定の適用については、同項中「六箇月（これを下回る期間を定款で定めた場合にあっては、その期間）前

から引き続き株式会社」とあるのは、「株式会社」とする。

⑦　株式会社が第一項の規定による請求の日から六十日以内に特定責任追及の訴えを提起しないときは、当該請求をした最終完全親会社等の株主は、株式会社のために、特定責任追及の訴えを提起することができる。

⑧　株式会社は、第一項の規定による請求の日から六十日以内に特定責任追及の訴えを提起しない場合において、当該請求をした最終完全親会社等の株主又は当該請求に係る特定責任追及の訴えの被告となることとなる発起人等から請求を受けたときは、当該請求をした者に対し、遅滞なく、特定責任追及の訴えを提起しない理由を書面その他の法務省令で定める方法により通知しなければならない。

⑨　第一項及び第七項の規定にかかわらず、同項の期間の経過により株式会社に回復することができない損害が生ずるおそれがある場合には、第一項に規定する株主は、株式会社のために、直ちに特定責任追及の訴えを提起することができる。ただし、同項ただし書に規定する場合は、この限りでない。

⑩　株式会社に最終完全親会社等がある場合において、特定責任を免除するときにおける第五十五条、第百三条第三項、第百二十条第五項、第四百二十四条（第四百八十六条第四項において準用する場合を含む。）、第四百六十二条第三項ただし書、第四百六十四条第二項及び第四百六十五条第二項の規定の適用については、これらの規定中「総株主」とあるのは、「総株主及び株式会社の第八百四十七条の三第一項に規定する最終完全親会社等の総株主」とする。

（平成二六法九〇本条追加）

参❶【不正な利益・損害を与える目的↓八四七①【発起人・設立時取締役の責任↓五二・五三【設立時監査役の責任↓五三【役員等の責任↓四二三、四二八、四六二、金商一六四①―③【清算人の責任↓四八六【責任追及等の訴え↓三四九④・三五三・三六四・三八六・四〇八・八四八―八五三【省令で定める方法↓会社則二一八の五　❹【省令で定める方法↓会社則二一八の六　❼【会社のため↓民訴一一五①㈡【原告適格↓八五一　❽【省令で定める方法↓会社則二一八の七

（責任追及等の訴えに係る訴訟費用等）

第八四七条の四①　第八百四十七条第三項若しくは第五項、第八百四十七条の二第六項若しくは第八項又は前条第七項若しくは第九項の責任追及等の訴えは、訴訟の目的の価額の算定については、財産権上の請求でない請求に係る訴えとみなす。

②　株主等（株主、適格旧株主又は最終完全親会社等の株主をいう。以下この節において同じ。）が責任追及等の訴えを提起したときは、裁判所は、被告の申立てにより、当該株主等に対し、相当の担保を立てるべきことを命ずることができる。

③　被告が前項の申立てをするには、責任追及等の訴えの提起が悪意によるものであることを疎明しなければならない。

（平成二六法九〇本条追加）

参❶【訴訟の目的の価額↓民訴費四①②【財産上の請求でない請求に係る訴え↓民訴費四②　❷【担保↓民七〇九

（訴えの管轄）

第八四八条　責任追及等の訴えは、株式会社又は株式交換等完全子会社（以下この節において「株式会社等」という。）の本店の所在地を管轄する地方裁判所の管轄に専属する。（平成二六法九〇本条改正）

参+【責任追及等の訴え↓八四七①【本店↓四参【専属管轄↓民訴一三の五①、三の一〇、一三

（訴訟参加）

第八四九条①　株主等又は株式会社等は、共同訴訟人として、又は当事者の一方を補助するため、責任追及等の訴え（適格旧株主にあっては第八百四十七条の二第一項各号に掲げる行為の効力が生じた時までにその原因となった事実が生じた責任又は義務に係るものに限り、最終完全親会社等の株主にあっては特定責任追及の訴えに限る。）に係る訴訟に参加することができる。ただし、不当に訴訟手続を遅延させることとなるとき、又は裁判所に対し過大な事務負担を及ぼすこととなるときは、この限りでない。

②　次の各号に掲げる者は、株式会社等の株主でない場合であっても、当事者の一方を補助するため、当該各号に定める者が提起した責任追及等の訴えに係る訴訟に参加することができる。ただし、前項ただし書に規定するときは、この限りでない。

一　株式交換等完全親会社（第八百四十七条の二第一項各号に定める場合又は同条第三項第一号（同条第四項及び第五項において準用する場合を含む。以下この号において同じ。）若しくは第二号（同条第四項及び第五項において準用する場合を含む。以下この号において同じ。）に掲げる場合における株式交換等完全子会社の完全親会社（同条第一項各号に掲げる行為又は同条第三項第一号の株式交換若しくは株式移転若しくは同項第二号の合併の効力が生じた時においてその完全親会社があるものを除く。）であって、当該完全親会社の株式交換若しくは株式移転又は当該完全親会社が合併により消滅する会社となる合併によりその完全親会社となった株式会社がないものをいう。以下この条において同じ。）　適格旧株主

二　最終完全親会社等　当該最終完全親会社等の株主

（平成二六法九〇本項追加）

③　株式会社等、株式交換等完全親会社又は最終完全親会社等が、当該株式会社等、当該株式交換等完全親会社の株式交換等完全子会社又は当該最終完全親会社等の完全子会社等である株式会社の取締役（監査等委員及び監査委員を除く。）、執行役及び清算人並びにこれらの者であった者を補助するため、責任追及等の訴えに係る訴訟に参加するには、次の各号に掲げる株式会社の区分に応じ、当該各号に定める者の同意を得なければならない。

一　監査役設置会社　監査役（監査役が二人以上ある場合にあっては、各監査役）

二　監査等委員会設置会社　各監査等委員（平成二六法九〇本号追加）

三　指名委員会等設置会社　各監査委員

④ 株主等は、責任追及等の訴えを提起したときは、遅滞なく、当該株式会社等に対し、訴訟告知をしなければならない。

⑤ 株式会社等は、責任追及等の訴えを提起したとき、又は前項の訴訟告知を受けたときは、遅滞なく、その旨を公告し、又は株主に通知しなければならない。

⑥ 株式会社等に株式交換等完全親会社がある場合であって、前項の責任追及等の訴え又は訴訟告知が第八百四十七条の二第一項各号に掲げる行為の効力が生じた時までにその原因となった事実が生じた責任又は義務に係るものであるときは、当該株式会社等は、前項の規定による公告又は通知のほか、当該株式交換等完全親会社に対し、遅滞なく、当該責任追及等の訴えを提起し、又は当該訴訟告知を受けた旨を通知しなければならない。（平成二六法九〇本項追加）

⑦ 株式会社等に最終完全親会社等がある場合であって、第五項の責任追及等の訴え又は訴訟告知が特定責任に係るものであるときは、当該株式会社等は、同項の規定による公告又は通知のほか、当該最終完全親会社等に対し、遅滞なく、当該責任追及等の訴えを提起し、又は当該訴訟告知を受けた旨を通知しなければならない。（平成二六法九〇本項追加）

⑧ 第六項の株式交換等完全親会社が株式交換等完全子会社の発行済株式の全部を有する場合における同項の規定及び前項の最終完全親会社等が株式会社の発行済株式の全部を有する場合における同項の規定の適用については、これらの規定中「のほか」とあるのは、「に代えて」とする。（平成二六法九〇本項追加）

⑨ 公開会社でない株式会社等における第五項から第七項までの規定の適用については、第五項中「公告し、又は株主に通知し」とあるのは「株主に通知し」と、第六項及び第七項中「公告又は通知」とあるのは「通知」とする。

⑩ 次の各号に掲げる場合には、当該各号に規定する株式会社は、遅滞なく、その旨を公告し、又は当該各号に定める者に通知しなければならない。

一 株式交換等完全親会社が第六項の規定による通知を受けた場合　適格旧株主

二 最終完全親会社等が第七項の規定による通知を受けた場合　当該最終完全親会社等の株主

（平成二六法九〇本項追加）

⑪ 前項各号に規定する株式会社が公開会社でない場合における同項の規定の適用については、同項中「公告し、又は当該各号に定める者に通知し」とあるのは、「当該各号に定める者に通知し」とする。（平成二六法九〇本項追加）

（平成二六法九〇本条改正）

【責任追及等の訴え↓八四七① ❶❷【共同訴訟参加↓民訴五二、八五二③【補助参加↓民訴四二－四六【株主等の権利の行使に関する贈収賄罪↓九六八①〔五〕 ❷【株式交換等完全親会社↓八四七の二①【最終完全親会社等↓八四七の三① ❹【訴訟の告知↓民訴五三、三八六②〔二〕・四〇八⑤〔二〕 ❹❻❼【懈怠に対する制裁↓九七六〔二〕 ❺【公告↓九三九【株主への通知↓一二六① ❻【株式交換等完全親会社↓八四九②〔一〕 ❼【最終完全親会社等↓八四七の三①【特定責任↓八四七の三④ ❿【株主への通知↓一二六①【公告↓九三九

（和解）

第八四九条の二 株式会社等が、当該株式会社等の取締役（監査等委員及び監査委員を除く。）、執行役及び清算人並びにこれらの者であった者の責任を追及する訴えに係る訴訟における和解をするには、次の各号に掲げる株式会社の区分に応じ、当該各号に定める者の同意を得なければならない。

一 監査役設置会社　監査役（監査役が二人以上ある場合にあっては、各監査役）

二 監査等委員会設置会社　各監査等委員

三 指名委員会等設置会社　各監査委員

（令和一法七〇本条追加）

【責任追及の訴え↓八四七【取締役・会社間の訴訟↓三五三・三八六【訴訟上の和解↓民訴八九・二六七・二七五、民執二二〔七〕

第八五〇条① 民事訴訟法第二百六十七条の規定は、株式会社等が責任追及等の訴えに係る訴訟における和解の当事者でない場合には、当該訴訟における訴訟の目的については、適用しない。ただし、当該株式会社等の承認がある場合は、この限りでない。

② 前項に規定する場合において、裁判所は、株式会社等に対し、和解の内容を通知し、かつ、当該和解に異議があるときは二週間以内に異議を述べるべき旨を催告しなければならない。

③ 株式会社等が前項の期間内に書面により異議を述べなかったときは、同項の規定による通知の内容で株主等が和解をすることを承認したものとみなす。

④ 第五十五条、第百二条の二第二項、第百三条第三項、第百二十条第五項、第二百十三条の二第二項、第二百八十六条の二第二項、第四百二十四条（第四百八十六条第四項において準用する場合を含む。）、第四百六十二条第三項（同項ただし書に規定する分配可能額を超えない部分について負う義務に係る部分に限る。）、第四百六十四条第二項及び第四百六十五条第二項の規定は、責任追及等の訴えに係る訴訟における和解をする場合には、適用しない。

（平成二六法九〇本条改正）

❶【和解↓民六九五、民訴八九・二六四・二六五・二七五①、民執二二〔七〕 ❷【通知・催告の受領者↓三八六②〔二〕・四〇八⑤〔二〕

（株主でなくなった者の訴訟追行）

第八五一条① 責任追及等の訴えを提起した株主又は第八百四十九条第一項の規定により共同訴訟人として当該責任追及等の訴えに係る訴訟に参加した株主が当該訴訟の係属中に株主でなくなった場合であっても、次に掲げるときは、その者が、訴訟を追行することができる。

一 その者が当該株式会社の株式交換又は株式移転により当該株式会社の完全親会社の株式を取得したとき。（平成二六法九〇本号改正）

二　その者が当該株式会社が合併により消滅する会社となる合併により、合併により設立する株式会社又は合併後存続する株式会社若しくはその完全親会社の株式を取得したとき。

②　前項の規定は、同項第一号（この項又は次項において準用する場合を含む。）に掲げる場合において、前項の株主が同項の訴訟の係属中に当該株式会社の完全親会社の株式の株主でなくなったときについて準用する。この場合において、同項（この項又は次項において準用する場合を含む。）中「当該株式会社」とあるのは、「当該完全親会社」と読み替えるものとする。

③　第一項の規定は、同項第二号（前項又はこの項において準用する場合を含む。）に掲げる場合において、第一項の株主が同項の訴訟の係属中に合併により設立する株式会社又は合併後存続する株式会社若しくはその完全親会社の株式の株主でなくなったときについて準用する。この場合において、同項（前項又はこの項において準用する場合を含む。）中「当該株式会社」とあるのは、「合併により設立する株式会社又は合併後存続する株式会社若しくはその完全親会社」と読み替えるものとする。（平成一八法一〇九本項改正）

参❶【一】【完全親会社の株式の取得→七六八①㈢・七七三①㈤【二】【合併による存続会社等の株式の取得→七四九①㈢・七五三①㈦㈨

（費用等の請求）

第八五二条①　責任追及等の訴えを提起した株主等が勝訴（一部勝訴を含む。）した場合において、当該責任追及等の訴えに係る訴訟に関し、必要な費用（訴訟費用を除く。）を支出したとき又は弁護士、弁護士法人若しくは弁護士・外国法事務弁護士共同法人に報酬を支払うべきときは、当該株式会社等に対し、その費用の額の範囲内又はその報酬額の範囲内で相当と認められる額の支払を請求することができる。（令和二法三三本項改正）

②　責任追及等の訴えを提起した株主等が敗訴した場合であっても、悪意があったときを除き、当該株主等は、当該株式会社等に対し、これによって生じた損害を賠償する義務を負わない。

③　前二項の規定は、第八百四十九条第一項の規定により同項の訴訟に参加した株主等について準用する。

（平成二六法九〇本条改正）

参❶【訴訟費用の負担→民訴六一―七四　❷【損害賠償→民七〇九・七一九

（再審の訴え）

第八五三条①　責任追及等の訴えが提起された場合において、原告及び被告が共謀して責任追及等の訴えに係る訴訟の目的である株式会社等の権利を害する目的をもって判決をさせたときは、次の各号に掲げる者は、当該各号に定める訴えに係る確定した終局判決に対し、再審の訴えをもって、不服を申し立てることができる。

一　株主又は株式会社等　責任追及等の訴え（平成二六法九〇本号追加）

二　適格旧株主　責任追及等の訴え（第八百四十七条の二第一項各号に掲げる行為の効力が生じた時までにその原因となった事実が生じた責任又は義務に係るものに限る。）（平成二六法九〇本号追加）

三　最終完全親会社等の株主　特定責任追及の訴え（平成二六法九〇本号追加）

②　前条の規定は、前項の再審の訴えについて準用する。（平成二六法九〇本項改正）

参＋【再審の訴え→民訴三三八・三四〇・三四二【和解・請求の放棄の場合→民訴二六七【権利の行使に関する贈収賄罪→九六八①㈣

第三節　株式会社の役員の解任の訴え

（株式会社の役員の解任の訴え）

第八五四条①　役員（第三百二十九条第一項に規定する役員をいう。以下この節において同じ。）の職務の執行に関し不正の行為又は法令若しくは定款に違反する重大な事実があったにもかかわらず、当該役員を解任する旨の議案が株主総会において否決されたとき又は当該役員を解任する旨の株主総会の決議が第三百二十三条の規定によりその効力を生じないときは、次に掲げる株主は、当該株主総会の日から三十日以内に、訴えをもって当該役員の解任を請求することができる。

一　総株主（次に掲げる株主を除く。）の議決権の百分の三（これを下回る割合を定款で定めた場合にあっては、その割合）以上の議決権を六箇月（これを下回る期間を定款で定めた場合にあっては、その期間）前から引き続き有する株主（次に掲げる株主を除く。）

イ　当該役員を解任する旨の議案について議決権を行使することができない株主

ロ　当該請求に係る役員である株主

二　発行済株式（次に掲げる株主の有する株式を除く。）の百分の三（これを下回る割合を定款で定めた場合にあっては、その割合）以上の数の株式を六箇月（これを下回る期間を定款で定めた場合にあっては、その期間）前から引き続き有する株主（次に掲げる株主を除く。）

イ　当該株式会社である株主

ロ　当該請求に係る役員である株主

②　公開会社でない株式会社における前項各号の規定の適用については、これらの規定中「六箇月（これを下回る期間を定款で定めた場合にあっては、その期間）前から引き続き有する」とあるのは、「有する」とする。

③　第百八条第一項第九号に掲げる事項（取締役（監査等委員会設置会社にあっては、監査等委員である取締役又はそれ以外の取締役）に関するものに限る。）についての定めがある種類の株式を発行している場合における第一項の規定の適用については、同項中「株主総会」とあるのは、「株主総会（第三百四十七条第一項の規定により読み替えて適用する第三百三十九条第一項

会社

項の種類株主総会を含む。」」とする。（平成二六法九〇本項改正）

④　第百八条第一項第九号に掲げる事項（監査役に関するものに限る。）についての定めがある種類の株式を発行している場合における第一項の規定の適用については、同項中「株主総会」とあるのは、「株主総会（第三百四十七条第二項の規定により読み替えて適用する第三百三十九条第一項の種類株主総会を含む。）」とする。

⊛【役員の解任→三三九⊛【役員の解任の訴え→八五五、八五六、九一七㈢、九三七①㈠【株主等の権利の行使に関する贈収賄罪→九六八①㈣ ❶【不正の行為又は法令・定款違反→三五八①、三七五①、三八二、三九七①、四〇六 ㈡【議決権を行使することができない株主→二九七③⊛

（被告）

第八五五条　前条第一項の訴え（次条及び第九百三十七条第一項第一号ヌにおいて「株式会社の役員の解任の訴え」という。）については、当該株式会社及び前条第一項の役員を被告とする。

⊛【必要的共同訴訟→民訴四〇

（訴えの管轄）

第八五六条　株式会社の役員の解任の訴えは、当該株式会社の本店の所在地を管轄する地方裁判所の管轄に専属する。

⊛【本店→四⊛【専属管轄→民訴三の五①、三の一〇、一三

第四節　特別清算に関する訴え

（役員等の責任の免除の取消しの訴えの管轄）

第八五七条　第五百四十四条第二項の訴えは、特別清算裁判所（第八百八十条第一項に規定する特別清算裁判所をいう。次条第三項において同じ。）の管轄に専属する。

⊛【専属管轄→民訴一三

（役員等責任査定決定に対する異議の訴え）

第八五八条①　役員等責任査定決定（第五百四十五条第一項に規定する役員等責任査定決定をいう。以下この条において同じ。）に不服がある者は、第八百九十九条第四項の規定による送達を受けた日から一箇月の不変期間内に、異議の訴えを提起することができる。

②　前項の訴えは、これを提起する者が、対象役員等（第五百四十二条第一項に規定する対象役員等をいう。以下この項において同じ。）であるときは清算株式会社を、清算株式会社であるときは対象役員等を、それぞれ被告としなければならない。

③　第一項の訴えは、特別清算裁判所の管轄に専属する。

④　第一項の訴えについての判決においては、訴えを不適法として却下する場合を除き、役員等責任査定決定を認可し、変更し、又は取り消す。

⑤　役員等責任査定決定を認可し、又は変更した判決は、強制執行に関しては、給付を命ずる判決と同一の効力を有する。

⑥　役員等責任査定決定を認可し、又は変更した判決については、受訴裁判所は、民事訴訟法第二百五十九条第一項の定めるところにより、仮執行の宣言をすることができる。

⊛【株主等の権利の行使に関する贈収賄罪→九六八①㈣ ❸【特別清算裁判所→八八〇①【専属管轄→民訴一三 ❺【給付判決と同一の効力→民執二二㈠

第五節　持分会社の社員の除名の訴え等

（持分会社の社員の除名の訴え）

第八五九条　持分会社の社員（以下この条及び第八百六十一条第一号において「対象社員」という。）について次に掲げる事由があるときは、当該持分会社は、対象社員以外の社員の過半数の決議に基づき、訴えをもって対象社員の除名を請求することができる。

一　出資の義務を履行しないこと。

二　第五百九十四条第一項（第五百九十八条第二項において準用する場合を含む。）の規定に違反したこと。

三　業務を執行するに当たって不正の行為をし、又は業務を執行する権利がないのに業務の執行に関与したこと。

四　持分会社を代表するに当たって不正の行為をし、又は代表権がないのに持分会社を代表して行為をしたこと。

五　前各号に掲げるもののほか、重要な義務を尽くさないこと。

⊛【社員の除名→六〇七①㈣【除名の訴え→八六一㈠、八六二、九三七①㈠ ㈡【出資義務→五七六①㈥、五七八 ㈢【業務執行→五九〇―五九八 ㈣【代表→五九九

（持分会社の業務を執行する社員の業務執行権又は代表権の消滅の訴え）

第八六〇条　持分会社の業務を執行する社員（以下この条及び次条第二号において「対象業務執行社員」という。）について次に掲げる事由があるときは、当該持分会社は、対象業務執行社員以外の社員の過半数の決議に基づき、訴えをもって対象業務執行社員の業務を執行する権利又は代表権の消滅を請求することができる。

一　前条各号に掲げる事由があるとき。

二　持分会社の業務を執行し、又は持分会社を代表することに著しく不適任なとき。

⊛【業務執行権→五九〇、五九一【代表権→五九九【業務執行権・代表権の消滅の訴え→八六一㈡、八六二、九三七①㈠

（被告）

第八六一条　次の各号に掲げる訴えについては、当該各号に定める者を被告とする。

一　第八百五十九条の訴え（次条及び第九百三十七条第一項第一号ルにおいて「持分会社の社員の除名の訴え」という。）　対象社員

二　前条の訴え（次条及び第九百三十七条第一項第一号ヲにおいて「持分会社の業務を執行する社員の業務執行権又は代表権の消滅の訴え」という。）　対象業務執行社員

参[二]【対象社員↓八五九　[三]【対象業務執行社員↓八六〇

（訴えの管轄）

第八六二条　持分会社の社員の除名の訴え及び持分会社の業務を執行する社員の業務執行権又は代表権の消滅の訴えは、当該持分会社の本店の所在地を管轄する地方裁判所の管轄に専属する。

参+【本店↓四参【専属管轄↓民訴三の五①・三の一〇・一三

第六節　清算持分会社の財産処分の取消しの訴え

（清算持分会社の財産処分の取消しの訴え）

第八六三条①　清算持分会社（合名会社及び合資会社に限る。以下この項において同じ。）が次の各号に掲げる行為をしたときは、当該各号に定める者は、訴えをもって当該行為の取消しを請求することができる。ただし、当該行為がその者を害しないものであるときは、この限りでない。

一　第六百七十条の規定に違反して行った清算持分会社の財産の処分　清算持分会社の債権者

二　第六百七十一条第一項の規定に違反して行った清算持分会社の財産の処分　清算持分会社の社員の持分を差し押さえた債権者

②　民法第四百二十四条第一項ただし書〈詐害行為取消請求〉、第四百二十四条の五〈転得者に対する詐害行為取消請求〉、第四百二十四条の七第二項〈訴訟告知〉及び第四百二十五条から第四百二十六条まで〈詐害行為取消権の行使の効果、詐害行為取消権の期間の制限〉の規定は、前項の場合について準用する。この場合において、同法第四百二十四条第一項ただし書中「その行為によって」とあるのは「会社法（平成十七年法律第八十六号）第八百六十三条第一項各号に掲げる行為によって」と、同法第四百二十四条の五第一号中「債務者」とあるのは「清算持分会社（会社法第六百四十五条に規定する清算持分会社をいい、合名会社及び合資会社に限る。以下同じ。）」と、同条第二号並びに同法第四百二十四条の七第二項及び第四百二十五条から第四百二十六条までの規定中「債務者」とあるのは「清算持分会社」と読み替えるものとする。（平成二九法四五本項改正）

参+【清算持分会社↓六四五【財産処分の取消しの訴え↓八六四

（被告）

第八六四条　前条第一項の訴えについては、同項各号に掲げる行為の相手方又は転得者を被告とする。

第七節　社債発行会社の弁済等の取消しの訴え

（社債発行会社の弁済等の取消しの訴え）

第八六五条①　社債を発行した会社が社債権者に対してした弁済、社債権者との間でした和解その他の社債権者に対してし、又は社債権者との間でした行為が著しく不公正であるときは、社債管理者は、訴えをもって当該行為の取消しを請求することができる。

②　前項の訴えは、社債管理者が同項の行為の取消しの原因となる事実を知った時から六箇月を経過したときは、提起することができない。同項の行為の時から一年を経過したときも、同様とする。

③　第一項に規定する場合において、社債権者集会の決議があるときは、代表社債権者又は決議執行者（第七百三十七条第二項に規定する決議執行者をいう。）も、訴えをもって第一項の行為の取消しを請求することができる。ただし、同項の行為の時から一年を経過したときは、この限りでない。

④　民法第四百二十四条第一項ただし書〈詐害行為取消請求〉、第四百二十四条の五〈転得者に対する詐害行為取消請求〉、第四百二十四条の七第二項〈訴訟告知〉及び第四百二十五条から第四百二十五条の四まで〈詐害行為取消権の行使の効果〉の規定は、第一項及び前項本文の場合について準用する。この場合において、同法第四百二十四条第一項ただし書中「その行為によって」とあるのは「会社法第八百六十五条第一項に規定する行為によって」と、「債権者を害すること」とあるのは「その行為が著しく不公正であること」と、同法第四百二十四条の五各号中「債権者を害すること」とあるのは「著しく不公正であること」と、同法第四百二十五条中「債権者」とあるのは「社債権者」と読み替えるものとする。（平成二九法四五本項改正）

参+【社債発行会社の弁済等の取消しの訴え↓八六六・八六七　❶【社債管理者↓七〇二―七一四　❸【代表社債権者↓七三六①

（被告）

第八六六条　前条第一項又は第三項の訴えについては、同条第一項の行為の相手方又は転得者を被告とする。

（訴えの管轄）

第八六七条　第八百六十五条第一項又は第三項の訴えは、社債を発行した会社の本店の所在地を管轄する地方裁判所の管轄に専属する。

参+【本店↓四参【専属管轄↓民訴三の五①・三の一〇・一三

第三章　非訟

第一節　総則

（非訟事件の管轄）

第八六八条①　この法律の規定による非訟事件（次項から第六項までに規定する事件を除く。）は、会社の本店の所在地を管轄する地方裁判所の管轄に属する。（平成二六法九〇本項改正）

②　親会社社員（会社である親会社の株主又は社員に限る。）によるこの法律の規定により株式会社が作成し、又は備え置いた書面又は電磁的記録についての次に掲げる閲覧等（閲覧、謄写、謄本若しくは抄本の交付、事項の提供又は事項を記載した書面の交付をいう。第八百七十条第二項第一号において同じ。）の許可の申立てに係る事件は、当該株式会社の本店の所在地を管轄する地方裁判所の管轄に属する。

一　当該書面の閲覧若しくは謄写又はその謄本若しくは抄本の交付

二　当該電磁的記録に記録された事項を表示したもの

の閲覧若しくは謄写又は電磁的方法による当該事項の提供若しくは当該事項を記載した書面の交付
（平成一八法一〇九、平成二三法五三本項改正）

③　第百七十九条の八第一項の規定による売渡株式等の売買価格の決定の申立てに係る事件は、対象会社の本店の所在地を管轄する地方裁判所の管轄に属する。（平成二六法九〇本項追加）

④　第七百五条第四項及び第七百六条第四項の規定、第七百七条、第七百十一条第三項、第七百十三条並びに第七百十四条第一項及び第三項（これらの規定を第七百十四条の七において準用する場合を含む。）の規定並びに第七百十八条第三項、第七百三十二条、第七百四十条第一項及び第七百四十一条第一項の規定による裁判の申立てに係る事件は、社債を発行した会社の本店の所在地を管轄する地方裁判所の管轄に属する。（令和一法七〇本項改正）

⑤　第八百二十二条第一項の規定による外国会社の清算に係る事件並びに第八百二十七条第一項の規定による裁判及び同条第二項において準用する第八百二十五条第一項の規定による保全処分に係る事件は、当該外国会社の日本における営業所の所在地（日本に営業所を設けていない場合にあっては、日本における代表者の住所地）を管轄する地方裁判所の管轄に属する。

⑥　第八百四十三条第四項の申立てに係る事件は、同条第一項各号に掲げる行為の無効の訴えの第一審の受訴裁判所の管轄に属する。

【本店↓四】【専属管轄↓民訴一三】　❶【本項の非訟事件↓三三①・一一七②・一一九②・一四四②・一七二①・一七七②・一八二の五②・一九三②・一九七②・二三四②・二八四①・二九七④・三〇六①・三五一②・三五二①・三五八①・三七一③④・三九四②③・三九九の一一②③・四一三③④・四五五②〔三〕・四七〇②・四七八②－④・四七九②・四八五・五〇〇②・五〇五③〔三〕・五〇八②・五一〇・五一三・五二五②・五二九・五三二①②・五三五①・五三六①・五三七②・五四七③・五五三・五六八・六四七②③・六五七・六七二③・七七八②・七八六②・七八八②・七九八②・八〇七②・八〇九②【特別清算事件等の管轄↓八七九【特別清算開始後の通常清算事件の管轄・移送↓八八〇　❷【本項の非訟事件↓三一③・八一④・八二④・一二五④・二五二④・三一八⑤・三一九④・三七一⑤・三七八③・三九四③・三九九の一一③・四一三④・四三三③・四四二④・四九六③・六八四④　〔三〕【電磁的記録↓二六②

（疎明）

第八六九条　この法律の規定による許可の申立てをする場合には、その原因となる事実を疎明しなければならない。

【本法による許可の申立て↓三一③・八一④・八二④・一二五④・一九七②・二三四②・二五二④・二九七④・三一八⑤・三一九④・三五二①・三七一③－⑤・三七八③・三九四②③・四一三③④・四三三③・四四二④・四九六③・五〇〇②・六八四④・七〇五④・七〇六④・七一一③・七一四①・七一八③・七四一①【疎明↓民訴一八八【本条の適用除外↓八八一

（陳述の聴取）

第八七〇条①　裁判所は、この法律の規定（第二編第九章第二節を除く。）による非訟事件についての裁判のうち、次の各号に掲げる裁判をする場合には、当該各号に定める者の陳述を聴かなければならない。ただし、不適法又は理由がないことが明らかであるとして申立てを却下する裁判をするときは、この限りでない。

一　第三百四十六条第二項、第三百五十一条第二項若しくは第四百一条第三項（第四百三条第三項及び第四百二十条第三項において準用する場合を含む。）の規定により選任された一時取締役（監査等委員会設置会社にあっては、監査等委員である取締役又はそれ以外の取締役）、会計参与、監査役、代表取締役、委員（指名委員会、監査委員会又は報酬委員会の委員をいう。第八百七十四条第一号において同じ。）、執行役若しくは代表執行役の職務を行うべき者、清算人、第四百七十九条第四項において準用する第三百四十六条第二項若しくは第四百八十三条第六項において準用する第三百五十一条第二項の規定により選任された一時清算人若しくは代表清算人の職務を行うべき者、検査役又は第八百二十五条第二項（第八百二十七条第二項において準用する場合を含む。）の管理人の報酬の額の決定　当該会社（第八百二十七条第二項において準用する第八百二十五条第二項の管理人の報酬の額の決定にあっては、当該外国会社）及び報酬を受ける者（平成二六法九〇本号改正）

二　清算人、社債管理者又は社債管理補助者の解任についての裁判　当該清算人、社債管理者又は社債管理補助者（令和一法七〇本号改正）

三　第三十三条第七項の規定による裁判　設立時取締役、第二十八条第一号の金銭以外の財産を出資する者及び同条第二号の譲渡人

四　第二百七条第七項又は第二百八十四条第七項の規定による裁判　当該株式会社及び第百九十九条第一項第三号又は第二百三十六条第一項第三号の規定により金銭以外の財産を出資する者

五　第四百五十五条第二項第二号又は第五百五条第三項第二号の規定による裁判　当該株主

六　第四百五十六条又は第五百六条の規定による裁判　当該株主

七　第七百三十二条の規定による裁判　利害関係人

八　第七百四十条第一項の規定による申立てを認容する裁判　社債を発行した会社

九　第七百四十一条第一項の許可の申立てについての裁判　社債を発行した会社

十　第八百二十四条第一項の規定による裁判　当該会社

十一　第八百二十七条第一項の規定による裁判　当該外国会社

②　裁判所は、次の各号に掲げる裁判をする場合には、審問の期日を開いて、申立人及び当該各号に定める者の陳述を聴かなければならない。ただし、不適法又は理由がないことが明らかであるとして申立てを却下する裁判をするときは、この限りでない。

一　この法律の規定により株式会社が作成し、又は備え置いた書面又は電磁的記録についての閲覧等の許可の申立てについての裁判　当該株式会社

二　第百十七条第二項、第百十九条第二項、第百八十二条の五第二項、第百九十三条第二項（第百九十四

条第四項において準用する場合を含む。）、第四百七十条第二項、第七百七十八条第二項、第七百八十六条第二項、第八百七条第二項、第八百九条第二項又は第八百十六条の七第二項の規定による株式又は新株予約権（当該新株予約権が新株予約権付社債に付されたものである場合において、当該新株予約権付社債についての社債の買取りの請求があったときは、当該社債を含む。）の価格の決定　価格の決定の申立てをすることができる者（申立人を除く。）（平成二六法九〇、令和一法七〇本号改正）

三　第百四十四条第二項（同条第七項において準用する場合を含む。）又は第百七十七条第二項の規定による株式の売買価格の決定　売買価格の決定の申立てをすることができる者（申立人を除く。）

四　第百七十二条第一項の規定による株式の価格の決定　当該株式会社

五　第百七十九条の八第一項の規定による売渡株式等の売買価格の決定　特別支配株主（平成二六法九〇本号追加）

六　第八百四十三条第四項の申立てについての裁判　同項に規定する行為をした会社

（平成二三法五三本項追加）

（平成二三法五三本条改正）

【即時抗告の許容↓八七二四五】　❶【二】【理由の付記不要↓八七一㈡】　【三】【解任の裁判↓四七九②、五二四①、七一三】　【二】―【四】【八】【即時抗告の効力↓八七三】　❷【申立書の写しの送付等↓八七〇の二】　【二】【本号の裁判↓三二③、八一④、八二④、一二五④、一二五二④、三一八⑤、三一九④、三七一③―⑤、三九四②③、四一三③④、四三三③、四四二④、四九六③、六八四④】

第八七〇条の二（**申立書の写しの送付等**）① 裁判所は、前条第二項各号に掲げる裁判の申立てがあったときは、当該各号に定める者に対し、申立書の写しを送付しなければならない。

② 前項の規定により申立書の写しを送付することができない場合には、裁判長は、相当の期間を定め、その期間内に不備を補正すべきことを命じなければならない。申立書の写しの送付に必要な費用を予納しない場合も、同様とする。

③ 前項の場合において、申立人が不備を補正しないときは、裁判長は、命令で、申立書を却下しなければならない。

④ 前項の命令に対しては、即時抗告をすることができる。

⑤ 裁判所は、第一項の申立てがあった場合において、当該申立てについての裁判をするときは、相当の猶予期間を置いて、審理を終結する日を定め、申立人及び前条第二項各号に定める者に告知しなければならない。ただし、これらの者が立ち会うことができる期日においては、直ちに審理を終結する旨を宣言することができる。

⑥ 裁判所は、前項の規定により審理を終結したときは、裁判をする日を定め、これを同項の者に告知しなければならない。

⑦ 裁判所は、第一項の申立てが不適法であるとき、又は申立てに理由がないことが明らかなときは、同項及び前二項の規定にかかわらず、直ちに申立てを却下することができる。

⑧ 前項の規定は、前条第二項各号に掲げる裁判の申立てがあった裁判所が民事訴訟費用等に関する法律（昭和四十六年法律第四十号）の規定に従い当該各号に定める者に対する期日の呼出しに必要な費用の予納を相当の期間を定めて申立人に命じた場合において、その予納がないときについて準用する。

（平成二三法五三本条追加）

❹【即時抗告↓非訟六七、八七三】

第八七一条（**理由の付記**）　この法律の規定による非訟事件についての裁判には、理由を付さなければならない。ただし、次に掲げる裁判については、この限りでない。

一　第八百七十条第一項第一号に掲げる裁判（平成二三法五三本号改正）

二　第八百七十四条各号に掲げる裁判

【適用除外↓八八二②】

第八七二条（**即時抗告**）　次の各号に掲げる裁判に対しては、当該各号に定める者に限り、即時抗告をすることができる。

一　第六百九条第三項又は第八百二十五条第一項（第八百二十七条第二項において準用する場合を含む。）の規定による保全処分についての裁判　利害関係人

二　第八百四十条第二項（第八百四十一条第二項において準用する場合を含む。）の規定による申立てについての裁判　申立人、株主及び株式会社

三　第八百四十二条第二項において準用する第八百四十条第二項の規定による申立てについての裁判　申立人、新株予約権者及び株式会社

四　第八百七十条第一項各号に掲げる裁判　申立人及び当該各号に定める者（同項第一号、第三号及び第四号に掲げる裁判にあっては、当該各号に定める者）

五　第八百七十条第二項各号に掲げる裁判　申立人及び当該各号に定める者（平成二三法五三本号追加）

（平成二三法五三本条改正）

【即時抗告↓非訟六七、八七三・八八四　【二】【解散命令等に関する保全処分に対する即時抗告↓九〇五②】

第八七二条の二（**抗告状の写しの送付等**）① 裁判所は、第八百七十条第二項各号に掲げる裁判に対する即時抗告があったときは、申立人及び当該各号に定める者（抗告人を除く。）に対し、抗告状の写しを送付しなければならない。この場合においては、第八百七十条の二第二項及び第三項（申立書の写しの送付ができない場合の処理）の規定を準用する。

② 第八百七十条の二第五項から第八項まで（申立てについての裁判）の規定は、前項の即時抗告があった場合について準用する。

（平成二三法五三本条追加）

参❶【即時抗告→非訟六七、八七三

（原裁判の執行停止）

第八七三条　第八百七十二条の即時抗告は、執行停止の効力を有する。ただし、第八百七十条第一項第一号から第四号まで及び第八号に掲げる裁判に対するものについては、この限りでない。（平成二三法五三本条改正）

参†【執行停止→民訴三三四①

（不服申立ての制限）

第八七四条　次に掲げる裁判に対しては、不服を申し立てることができない。

一　第八百七十条第一項第一号に規定する一時取締役、会計参与、監査役、代表取締役、委員、執行役若しくは代表執行役の職務を行うべき者、清算人、代表清算人、清算持分会社を代表する清算人、同号に規定する一時清算人若しくは代表清算人の職務を行うべき者、検査役、第五百一条第一項（第八百二十二条第三項において準用する場合を含む。）若しくは第六百六十二条第一項の鑑定人、第五百八条第二項（第八百二十二条第三項において準用する場合を含む。）若しくは第六百七十二条第三項の帳簿資料の保存をする者、社債管理者若しくは社債管理補助者の特別代理人又は第七百十四条第三項（第七百十四条の七において準用する場合を含む。）の事務を承継する社債管理者若しくは社債管理補助者の選任又は選定の裁判（平成二三法五三、令和一法七〇本号改正）

二　第八百二十五条第二項（第八百二十七条第二項において準用する場合を含む。）の管理人の選任又は解任についての裁判

三　第八百二十五条第六項（第八百二十七条第二項において準用する場合を含む。）の規定による裁判

四　この法律の規定による許可の申立てを認容する裁判（第八百七十条第一項第九号及び第二項第一号に掲げる裁判を除く。）（平成二三法五三本号改正）

参†【本条の裁判→八七一〔三〕　〔四〕【本法による許可の申立て→一九七②・二三四②・二九七④・三五二①・五〇〇②・五一三・五二五②・五二九・五三二②・五三五①・五三六①・五三七②・五四七③・七〇五④・七〇六④・七一一③・七一四①・七一八③

（非訟事件手続法の規定の適用除外）

第八七五条　この法律の規定による非訟事件については、非訟事件手続法第四十条及び第五十七条第二項第二号の規定は、適用しない。（平成二三法五三本条改正）

（最高裁判所規則）

第八七六条　この法律に定めるもののほか、この法律の規定による非訟事件の手続に関し必要な事項は、最高裁判所規則で定める。

第二節　新株発行の無効判決後の払戻金増減の手続に関する特則

（審問等の必要的併合）

第八七七条　第八百四十条第二項（第八百四十一条第二項及び第八百四十二条第二項において準用する場合を含む。）の申立てに係る事件が数個同時に係属するときは、審問及び裁判は、併合してしなければならない。（平成一八法一〇九本条改正）

（裁判の効力）

第八七八条①　第八百四十条第二項（第八百四十一条第二項において準用する場合を含む。）の申立てについての裁判は、総株主に対してその効力を生ずる。（平成一八法一〇九本項改正）

②　第八百四十二条第二項において準用する第八百四十条第二項の申立てについての裁判は、総新株予約権者に対してその効力を生ずる。

第三節　特別清算の手続に関する特則

第一款　通則

（特別清算事件の管轄）

第八七九条①　第八百六十八条第一項の規定にかかわらず、法人が株式会社の総株主（株主総会において決議をすることができる事項の全部につき議決権を行使することができない株主を除く。次項において同じ。）の議決権の過半数を有する場合には、当該法人（以下この条において「親法人」という。）について特別清算事件、破産事件、再生事件又は更生事件（以下この条において「特別清算事件等」という。）が係属しているときにおける当該株式会社についての特別清算開始の申立ては、親法人の特別清算事件等が係属している地方裁判所にもすることができる。

②　前項に規定する株式会社又は親法人及び同項に規定する株式会社が他の株式会社の総株主の議決権の過半数を有する場合には、当該他の株式会社についての特別清算開始の申立ては、親法人の特別清算事件等が係属している地方裁判所にもすることができる。

③　前二項の規定の適用については、第三百八条第一項の法務省令で定める株主は、その有する株式について、議決権を有するものとみなす。

④　第八百六十八条第一項の規定にかかわらず、株式会社が最終事業年度について第四百四十四条の規定により当該株式会社及び他の株式会社に係る連結計算書類を作成し、かつ、当該株式会社の定時株主総会においてその内容が報告された場合には、当該株式会社について特別清算事件等が係属しているときにおける当該他の株式会社についての特別清算開始の申立ては、当該株式会社の特別清算事件等が係属している地方裁判所にもすることができる。

参❶【議決権を行使することができない株主→二九七③参【特別清算事件→五一〇―五七四

（特別清算開始後の通常清算事件の管轄及び移送）

第八八〇条①　第八百六十八条第一項の規定にかかわらず、清算株式会社について特別清算開始の命令があったときは、当該清算株式会社についての第二編第九章第一節（第五百八条を除く。）の規定による申立てに係る事件（次項において「通常清算事件」という。）は、当該清算株式会社の特別清算事件が係属する地方裁判所（以下この節において「特別清算裁判所」という。）

が管轄する。

② 通常清算事件が係属する地方裁判所以外の地方裁判所に同一の清算株式会社について特別清算事件が係属し、かつ、特別清算開始の命令があった場合において、当該通常清算事件を処理するために相当と認めるときは、裁判所（通常清算事件を取り扱う一人の裁判官又は裁判官の合議体をいう。）は、職権で、当該通常清算事件を特別清算裁判所に移送することができる。

参【特別清算開始命令→五一〇参】

（疎明）

第八八一条 第二編第九章第二節（第五百四十七条第三項を除く。）の規定による許可の申立てについては、第八百六十九条の規定は、適用しない。

参【特別清算における許可の申立て→五二三、五二五②、五二九、五三五②、五三六①、五三七②】

（理由の付記）

第八八二条① 特別清算の手続に関する決定で即時抗告をすることができるものには、理由を付さなければならない。ただし、第五百二十六条第一項（同条第二項において準用する場合を含む。）及び第五百三十二条第一項（第五百三十四条において準用する場合を含む。）の規定による決定については、この限りでない。

② 特別清算の手続に関する決定については、第八百七十一条の規定は、適用しない。

参❶【特別清算に関する決定で即時抗告ができるもの→八八四①】

（裁判書の送達）

第八八三条① この節の規定による裁判書の送達については、民事訴訟法第一編第五章第四節（第百条第二項、第百四条、第三款、第百十一条及び第百十三条を除く。）（送達）の規定を準用する。この場合において、同法第百十二条第一項本文中「前条の規定による措置を開始した」とあるのは「裁判所書記官が送達すべき裁判書を保管し、いつでも送達を受けるべき者に交付すべき旨の裁判所の掲示場への掲示を始めた」と、同項ただし書中「前条の規定による措置を開始した」とあるのは「当該掲示を始めた」と読み替えるものとする。

② 前項において準用する民事訴訟法第百十条第一項の規定による公示送達は、裁判所書記官が送達すべき裁判書を保管し、いつでも送達を受けるべき者に交付すべき旨を裁判所の掲示場に掲示してする。（令和四法四八本項追加）

（令和四法四八本条改正）

＊令和四法四八（令和八・五・二四までに施行）による改正前

（裁判書の送達）

第八八三条 この節の規定による裁判書の送達については、民事訴訟法第一編第五章第四節（第百四条を除く。）の規定を準用する。（改正後の①）

② （改正により追加）

＊令和五法五三（令和一〇・六・一三までに施行）による改正後

（電子裁判書の送達）

第八八三条 この節の規定による電子裁判書（非訟事件手続法第五十七条第一項に規定する電子裁判書であって、同条第三項の規定によりファイルに記録されたものをいう。以下この節において同じ。）の送達については、民事訴訟法第一編第五章第四節（第百四条を除く。）の規定を準用する。この場合において、同法第百九条の四第一項中「第百三十二条の十一第一項各号」とあるのは、「会社法第八百八十七条の二第二項の規定により読み替えて適用する非訟事件手続法第四十二条第一項において読み替えて準用する第百三十二条の十一第一項各号」と読み替えるものとする。

参【裁判書の送達→八八九④、八九〇①、八九一⑤、八九二④、八九七②、八九八④、八九九④】

（不服申立て）

第八八四条① 特別清算の手続に関する裁判につき利害関係を有する者は、この節に特別の定めがある場合に限り、当該裁判に対し即時抗告をすることができる。

② 前項の即時抗告は、この節に特別の定めがある場合を除き、執行停止の効力を有する。

（平成二三法五三本条改正）

参❶【本節の特別の定め→八八八④、八八九②、八九〇④⑤、八九一③、八九二②、八九三②、八九四②、八九五、八九七①、八九八②、九〇〇、九〇一④⑤、九〇二②】❷【本節の特別の定め→八八九③、八九一④、八九二③、八九八③】

（公告）

第八八五条① この節の規定による公告は、官報に掲載してする。

② 前項の公告は、掲載があった日の翌日に、その効力を生ずる。

参【特別清算事件の公告→八九〇①⑥、八九八⑤、九〇一③⑤、九〇二①④】【類似の規定→破一〇、民再一〇、会更一〇】

（事件に関する文書の閲覧等）

第八八六条① 利害関係人は、裁判所書記官に対し、第二編第九章第二節若しくはこの節又は非訟事件手続法第二編（特別清算開始の命令があった場合にあっては、同章第一節若しくは第二節若しくは第一節（同章第一節の規定による申立てに係る事件に係る部分に限る。）若しくはこの節又は非訟事件手続法第二編）の規定（これらの規定において準用するこの法律その他の法律の規定を含む。）に基づき、裁判所に提出され、又は裁判所が作成した文書その他の物件（以下この条及び次条第一項において「文書等」という。）の閲覧を請求することができる。（平成二三法五三本項改正）

② 利害関係人は、裁判所書記官に対し、文書等の謄写、その正本、謄本若しくは抄本の交付又は事件に関する事項の証明書の交付を請求することができる。

③ 前項の規定は、文書等のうち録音テープ又はビデオテープ（これらに準ずる方法により一定の事項を記録した物を含む。）に関しては、適用しない。この場合において、これらの物について利害関係人の請求があるときは、裁判所書記官は、その複製を許さなければならない。

④ 前三項の規定にかかわらず、次の各号に掲げる者は、当該各号に定める命令、保全処分、処分又は裁判

のいずれかがあるまでの間は、前三項の規定による請求をすることができない。ただし、当該者が特別清算開始の申立人である場合は、この限りでない。

一　清算株式会社以外の利害関係人　第五百十二条の規定による中止の命令、第五百四十条第二項の規定による保全処分、第五百四十一条第二項の規定による処分又は特別清算開始の申立てについての裁判

二　清算株式会社　特別清算開始の申立てに関する清算株式会社を呼び出す審問の期日の指定の裁判又は前号に定める命令、保全処分、処分若しくは裁判

⑤　非訟事件手続法第三十二条第一項から第四項までの規定は、特別清算の手続には、適用しない。（平成二三法五三本項全部改正）

＊令和五法五三（令和一〇・六・一三までに施行）**による改正後**

第八八六条（事件に関する文書の閲覧等）①　利害関係人は、裁判所書記官に対し、第二編第九章第二節若しくはこの節又は非訟事件手続法第二編（特別清算開始の命令があった場合にあっては、同章第一節若しくは第二節若しくは第一節（同章第一節の規定による申立てに係る事件に係る部分に限る。）若しくはこの節又は非訟事件手続法第二編。次条第一項において同じ。）の規定（これらの規定において準用するこの法律その他の法律の規定を含む。同項において同じ。）に基づき、裁判所に提出され、又は裁判所が作成した文書その他の物件（以下この条及び第八百八十七条第一項において「文書等」という。）の閲覧を請求することができる。

②　利害関係人は、裁判所書記官に対し、文書等の謄写又はその正本、謄本若しくは抄本の交付を請求することができる。

③　（略）

④　民事訴訟法第九十一条第五項の規定は、前三項の規定による請求について準用する。

⑤　非訟事件手続法第三十二条第一項から第四項までの規定は、特別清算の手続には、適用しない。（改正により削る）

参【類似の規定→九〇六、破一一、民再一六】

＊令和五法五三（令和一〇・六・一三までに施行）**による改正後**

第八八六条の二（ファイル記録事項の閲覧等）①　利害関係人は、裁判所書記官に対し、最高裁判所規則で定めるところにより、第二編第九章第二節若しくはこの節又は非訟事件手続法第二編の規定に基づき裁判所の使用に係る電子計算機（入出力装置を含む。以下同じ。）に備えられたファイル（第九百六条の二第一項において単に「ファイル」という。）に記録された事項（以下この条及び第八百八十七条第六項において「ファイル記録事項」という。）の内容を最高裁判所規則で定める方法により表示したものの閲覧を請求することができる。

②　利害関係人は、裁判所書記官に対し、ファイル記録事項について、最高裁判所規則で定めるところにより、最高裁判所規則で定める電子情報処理組織（裁判所の使用に係る電子計算機と手続の相手方の使用に係る電子計算機とを電気通信回線で接続した電子情報処理組織をいう。以下同じ。）を使用してその者の使用に係る電子計算機に備えられたファイルに記録する方法その他の最高裁判所規則で定める方法による複写を請求することができる。

③　利害関係人は、裁判所書記官に対し、最高裁判所規則で定めるところにより、ファイル記録事項の全部若しくは一部を記載した書面であって裁判所書記官が最高裁判所規則で定める方法により当該書面の内容がファイル記録事項と同一であることを証明したものを交付し、又はファイル記録事項の全部若しくは一部を記録した電磁的記録（電子的方式、磁気的方式その他人の知覚によっては認識することができない方式で作られる記録であって、電子計算機による情報処理の用に供されるものをいう。以下この項、次条及び第九百六条の二第三項において同じ。）であって裁判所書記官が最高裁判所規則で定める方法により当該電磁的記録の内容がファイル記録事項と同一であることを証明したものを最高裁判所規則で定める電子情報処理組織を使用してその者の使用に係る電子計算機に備えられたファイルに記録する方法その他の最高裁判所規則で定める方法により提供することを請求することができる。

④　民事訴訟法第九十一条第五項の規定は、第一項及び第二項の規定による請求について準用する。

（改正により追加）

第八八六条の三（事件に関する事項の証明）　利害関係人は、裁判所書記官に対し、最高裁判所規則で定めるところにより、特別清算事件に関する事項を記載した書面であって裁判所書記官が最高裁判所規則で定める方法により当該事項を証明したものを交付し、又は当該事項を記録した電磁的記録であって裁判所書記官が最高裁判所規則で定める方法により当該事項を証明したものを最高裁判所規則で定める電子情報処理組織を使用してその者の使用に係る電子計算機に備えられたファイルに記録する方法その他の最高裁判所規則で定める方法により提供することを請求することができる。（改正により追加）

第八八六条の四（閲覧等の特則）　前三条の規定にかかわらず、次の各号に掲げる者は、当該各号に定める命令、保全処分、処分又は裁判のいずれかがあるまでの間は、これらの規定による請求をすることができない。ただし、当該者が特別清算開始の申立人である場合は、この限りでない。

一　清算株式会社以外の利害関係人　第五百十二条の規定による中止の命令、第五百四十条第二項の規定による保全処分、第五百四十一条第二項の規定による処分又は特別清算開始の申立てについての裁判

二　清算株式会社　特別清算開始の申立てに関する清算株式会社を呼び出す審問の期日の指定の裁判又は前号に定める命令、保全処分、処分若しくは裁判

（改正により追加）

第八八七条（支障部分の閲覧等の制限）①　次に掲げる文書等について、利害関係人がその閲覧若しくは謄写、その正本、謄本若しくは抄本の交付又はその複製（以下この条において「閲覧等」という。）を行うことにより、清算株式会社の清算の遂行に著しい支障を生ずるおそれがある部分（以下この条において「支障部分」という。）があることにつき疎明があった場合には、裁判所は、当該文書等を提出した清算株式会社又は調査委員の申立てにより、支障部分の閲覧等の請求をすることができる者を、当該申立てをした者及び清算株式会社に限ることができる。

一　第五百二十条の規定による報告又は第五百二十二条第一項に規定する調査の結果の報告に係る文書等

二　第五百三十五条第一項又は第五百三十六条第一項の許可を得るために裁判所に提出された文書等

＊令和五法五三（令和一〇・六・一三までに施行）**による改正**

第一項中「この条」を「この項から第三項まで」に改める。（本文未織込み）

② 前項の申立てがあったときは、その申立てについての裁判が確定するまで、利害関係人（同項の申立てをした者及び清算株式会社を除く。次項において同じ。）は、支障部分の閲覧等の請求をすることができない。

③ 支障部分の閲覧等の請求をしようとする利害関係人は、特別清算裁判所に対し、第一項に規定する要件を欠くこと又はこれを欠くに至ったことを理由として、同項の規定による決定の取消しの申立てをすることができる。

④ 第一項の申立てを却下する決定及び前項の申立てについての裁判に対しては、即時抗告をすることができる。

⑤ 第一項の規定による決定を取り消す決定は、確定しなければその効力を生じない。

＊令和五法五三（令和一〇・六・一三までに施行）による改正後

⑥ 前各項の規定は、ファイル記録事項について準用する。この場合において、第一項中「謄写、その正本、謄本若しくは抄本の交付又はその複製」とあるのは、「複写又はその内容の全部若しくは一部を証明した書面の交付若しくはその内容の全部若しくは一部を証明した電磁的記録の提供」と読み替えるものとする。（改正により追加）

参+【類似の規定↓破一二、民再一七、民訴九二

＊令和五法五三（令和一〇・六・一三までに施行）による改正後

第八八七条の二（非訟事件手続法の適用関係）① 非訟事件手続法第三十二条及び第三十二条の二の規定は、特別清算の手続には、適用しない。

② 特別清算の手続についての非訟事件手続法第三十八条及び第四十二条第一項の規定の適用については、同法第三十八条中「非訟事件手続法」とあるのは「会社法第八百八十七条の二第二項の規定により読み替えて適用する非訟事件手続法」と、同法第四十二条第一項中「」とあるのは「非訟事件手続法第二十二条第一項ただし書」」とあるのは「の許可を得て訴訟代理人となったものを除く。）」とあるのは「非訟事件手続法第二十二条第一項ただし書の許可を得て手続代理人となったものを除く。）又は監督委員若しくは調査委員として選任を受けた者」と、「当該委任」とあるのは「当該委任又は選任」とする。（改正により追加）

第二款　特別清算の開始の手続に関する特則

第八八八条（特別清算開始の申立て）① 債権者又は株主が特別清算開始の申立てをするときは、特別清算開始の原因となる事由を疎明しなければならない。

② 債権者が特別清算開始の申立てをするときは、その有する債権の存在をも疎明しなければならない。

③ 特別清算開始の申立てをするときは、申立人は、第五百十四条第一号に規定する特別清算の手続の費用として裁判所の定める金額を予納しなければならない。

④ 前項の費用の予納に関する決定に対しては、即時抗告をすることができる。

参+【特別清算開始の申立て↓五一一 参 ❸【手続費用の予納↓五一四㈠ ❹【即時抗告↓八八四②

第八八九条（他の手続の中止命令）① 裁判所は、第五百十二条の規定による中止の命令を変更し、又は取り消すことができる。

② 前項の中止の命令及び同項の規定による決定に対しては、即時抗告をすることができる。

③ 前項の即時抗告は、執行停止の効力を有しない。

④ 第二項に規定する裁判及び同項の即時抗告についての裁判があった場合には、その裁判書を当事者に送達しなければならない。

＊令和五法五三（令和一〇・六・一三までに施行）による改正

第四項中「裁判書」を「電子裁判書」に改める。（本文未織込み）

参 ❷❸【即時抗告↓八八四①②

第八九〇条（特別清算開始の命令）① 裁判所は、特別清算開始の命令をしたときは、直ちに、その旨を公告し、かつ、特別清算開始の命令の裁判書を清算株式会社に送達しなければならない。

② 特別清算開始の命令は、特別清算開始の命令の裁判書の送達がされた時から、効力を生ずる。

③ 特別清算開始の命令があったときは、特別清算の手続の費用は、清算株式会社の負担とする。

④ 特別清算開始の命令に対しては、清算株式会社に限り、即時抗告をすることができる。

⑤ 特別清算開始の申立てを却下した裁判に対しては、申立人に限り、即時抗告をすることができる。

⑥ 特別清算開始の命令をした裁判所は、第四項の即時抗告があった場合において、当該命令を取り消す決定が確定したときは、直ちに、その旨を公告しなければならない。

＊令和五法五三（令和一〇・六・一三までに施行）による改正

第一項及び第二項中「裁判書」を「電子裁判書」に改める。（本文未織込み）

参+【特別清算開始命令↓五一〇 参 ❶【公告↓八八五【送達↓八八三 ❹【即時抗告↓八八四② ❺【即時抗告↓五一二②、五四〇②、五四一②、五四二② ❻【特別清算命令の取消し↓九三八①㈡

第八九一条（担保権の実行の手続等の中止命令）① 裁判所は、第五百十六条の規定による中止の命令を発する場合には、同条に規定する担保権の実行の手続等の申立人の陳述を聴かなければならない。

② 裁判所は、前項の中止の命令を変更し、又は取り消すことができる。

③ 第一項の中止の命令及び前項の規定による変更の決定に対しては、第一項の申立人に限り、即時抗告をすることができる。

④ 前項の即時抗告は、執行停止の効力を有しない。
⑤ 第三項に規定する裁判及び同項の即時抗告についての裁判があった場合には、その裁判書を当事者に送達しなければならない。

＊令和五法五三（令和一〇・六・一三までに施行）による改正
第五項中「裁判書」を「電子裁判書」に改める。（本文未織込み）

§❸❹【即時抗告↓八八四①②　❺【送達↓八八三

第三款　特別清算の実行の手続に関する特則

（調査命令）
第八九二条① 裁判所は、調査命令（第五百二十二条第一項に規定する調査命令をいう。次項において同じ。）を変更し、又は取り消すことができる。
② 調査命令及び前項の規定による決定に対しては、即時抗告をすることができる。
③ 前項の即時抗告は、執行停止の効力を有しない。
④ 第二項に規定する裁判及び同項の即時抗告についての裁判があった場合には、その裁判書を当事者に送達しなければならない。

＊令和五法五三（令和一〇・六・一三までに施行）による改正
第四項中「裁判書」を「電子裁判書」に改める。（本文未織込み）

§❷❸【即時抗告↓八八四①②　❹【送達↓八八三

（清算人の解任及び報酬等）
第八九三条① 裁判所は、第五百二十四条第一項の規定により清算人を解任する場合には、当該清算人の陳述を聴かなければならない。
② 第五百二十四条第一項の規定による解任の裁判に対しては、即時抗告をすることができる。
③ 前項の即時抗告は、執行停止の効力を有しない。
④ 第五百二十六条第一項（同条第二項において準用する場合を含む。）の規定による決定に対しては、即時抗告をすることができる。

§❷❸【即時抗告↓八八四①②　❺【即時抗告↓八八四②

（監督委員の解任及び報酬等）
第八九四条① 裁判所は、監督委員を解任する場合には、当該監督委員の陳述を聴かなければならない。
② 第五百三十二条第一項の規定による決定に対しては、即時抗告をすることができる。

§❶【監督委員の解任↓五二八②　❷【即時抗告↓八八四②

（調査委員の解任及び報酬等）
第八九五条 前条の規定は、調査委員について準用する。

§+【調査委員↓五三三、五三四

（事業の譲渡の許可の申立て）
第八九六条① 清算人は、第五百三十六条第一項の許可の申立てをする場合には、知れている債権者の意見を聴き、その内容を裁判所に報告しなければならない。
② 裁判所は、第五百三十六条第一項の許可をする場合には、労働組合等（清算株式会社の使用人その他の従業者の過半数で組織する労働組合があるときはその労働組合、清算株式会社の使用人その他の従業者の過半数で組織する労働組合がないときは清算株式会社の使用人その他の従業者の過半数を代表する者をいう。）の意見を聴かなければならない。

§+【類似の規定↓破七八④⑥

（担保権者が処分をすべき期間の指定）
第八九七条① 第五百三十九条第一項の申立てについての裁判に対しては、即時抗告をすることができる。
② 前項の裁判及び同項の即時抗告についての裁判があった場合には、その裁判書を当事者に送達しなければならない。

＊令和五法五三（令和一〇・六・一三までに施行）による改正
第二項中「裁判書」を「電子裁判書」に改める。（本文未織込み）

§❶【即時抗告↓八八四②　❷【送達↓八八三

（清算株式会社の財産に関する保全処分等）
第八九八条① 裁判所は、次に掲げる裁判を変更し、又は取り消すことができる。
一 第五百四十条第一項又は第二項の規定による保全処分
二 第五百四十一条第一項又は第二項の規定による処分
三 第五百四十二条第一項又は第二項の規定による保全処分
四 第五百四十三条の規定による処分
② 前項各号に掲げる裁判及び同項の規定による決定に対しては、即時抗告をすることができる。
③ 前項の即時抗告は、執行停止の効力を有しない。
④ 第二項に規定する裁判及び同項の即時抗告についての裁判があった場合には、その裁判書を当事者に送達しなければならない。

＊令和五法五三（令和一〇・六・一三までに施行）による改正
第四項中「裁判書」を「電子裁判書」に改める。（本文未織込み）

⑤ 裁判所は、第一項第二号に掲げる裁判をしたときは、直ちに、その旨を公告しなければならない。当該裁判を変更し、又は取り消す決定があったときも、同様とする。

§❷❸【即時抗告↓八八四①②　❹【送達↓八八三　❺【公告↓八八五

（役員等責任査定決定）
第八九九条① 清算株式会社は、第五百四十五条第一項の申立てをするときは、その原因となる事実を疎明しなければならない。

② 役員等責任査定決定（第五百四十五条第一項に規定する役員等責任査定決定をいう。以下この条において同じ。）及び前項の申立てを却下する決定には、理由を付さなければならない。
③ 裁判所は、前項に規定する裁判をする場合には、対象役員等（第五百四十二条第一項に規定する対象役員等をいう。）の陳述を聴かなければならない。
④ 役員等責任査定決定があった場合には、その裁判書を当事者に送達しなければならない。

> **＊令和五法五三（令和一〇・六・一三までに施行）による改正**
> 第四項中「裁判書」を「電子裁判書」に改める。（本文未織込み）

⑤ 第八百五十八条第一項の訴えが、同項の期間内に提起されなかったとき、又は却下されたときは、役員等責任査定決定は、給付を命ずる確定判決と同一の効力を有する。

参照【役員等責任査定決定→八五八　❶【疎明→民訴一八八　❹【送達→八八三　❺【確定判決と同一の効力→民執二二㊂

第九〇〇条（債権者集会の招集の許可の申立てについての裁判）　第五百四十七条第三項の許可の申立てを却下する決定に対しては、即時抗告をすることができる。

参照【即時抗告→八八四

第九〇一条（協定の認可又は不認可の決定）① 利害関係人は、第五百六十八条の申立てに係る協定を認可すべきかどうかについて、意見を述べることができる。
② 共助対象外国租税の請求権について、協定において減免その他権利に影響を及ぼす定めをする場合には、徴収の権限を有する者の意見を聴かなければならない。（平成二四法一六本項追加）
③ 第五百六十九条第一項の協定の認可の決定をしたときは、裁判所は、直ちに、その旨を公告しなければならない。
④ 第五百六十八条の申立てについての裁判に対しては、即時抗告をすることができる。この場合において、前項の協定の認可の決定に対する即時抗告の期間は、同項の規定による公告が効力を生じた日から起算して二週間とする。
⑤ 前各項の規定は、第五百七十二条の規定により協定の内容を変更する場合について準用する。（平成二四法一六本項改正）

参照❸【公告→八八五　❹【即時抗告→八八四②

第四款　特別清算の終了の手続に関する特則

第九〇二条（特別清算終結の申立てについての裁判）① 特別清算終結の決定をしたときは、裁判所は、直ちに、その旨を公告しなければならない。
② 特別清算終結の申立てについての裁判に対しては、即時抗告をすることができる。この場合において、特別清算終結の決定に対する即時抗告の期間は、前項の規定による公告が効力を生じた日から起算して二週間とする。
③ 特別清算終結の決定は、確定しなければその効力を生じない。
④ 特別清算終結の決定をした裁判所は、第二項の即時抗告があった場合において、当該決定を取り消す決定が確定したときは、直ちに、その旨を公告しなければならない。

参照❶【特別清算終結の決定→五七三　❶❹【公告→八八五　❷【即時抗告→八八四②

第四節　外国会社の清算の手続に関する特則

第九〇三条（特別清算の手続に関する規定の準用）　前節の規定は、その性質上許されないものを除き、第八百二十二条第一項の規定による日本にある外国会社の財産についての清算について準用する。

第五節　会社の解散命令等の手続に関する特則

第九〇四条（法務大臣の関与）① 裁判所は、第八百二十四条第一項又は第八百二十七条第一項の申立てについての裁判をする場合には、法務大臣に対し、意見を求めなければならない。
② 法務大臣は、裁判所が前項の申立てに係る事件について審問をするときは、当該審問に立ち会うことができる。
③ 裁判所は、法務大臣に対し、第一項の申立てに係る事件が係属したこと及び前項の審問の期日を通知しなければならない。
④ 第一項の申立てを却下する裁判に対しては、第八百七十二条第四号に定める者のほか、法務大臣も、即時抗告をすることができる。（平成二三法五三本項改正）

第九〇五条（会社の財産に関する保全処分についての特則）① 裁判所が第八百二十五条第一項（第八百二十七条第二項において準用する場合を含む。）の保全処分をした場合には、非訟事件の手続の費用は、会社又は外国会社の負担とする。当該保全処分について必要な費用も、同様とする。（平成二三法五三本項改正）
② 前項の保全処分又は第八百二十五条第一項（第八百二十七条第二項において準用する場合を含む。）の規定による申立てを却下する裁判に対して即時抗告があった場合において、抗告裁判所が当該即時抗告を理由があると認めて原裁判を取り消したときは、その抗告審における手続に要する裁判費用及び抗告人が負担した前審における手続に要する裁判費用は、会社又は外国会社の負担とする。

参照❷【即時抗告→八七二㊀

第九〇六条① 利害関係人は、裁判所書記官に対し、第八百二十五条第六項（第八百二十七条第二項において準用する場合を含む。）の報告又は計算に関する資料の閲覧を請求することができる。

② 利害関係人は、裁判所書記官に対し、前項の資料の謄写又はその正本、謄本若しくは抄本の交付を請求することができる。

③ 前項の規定は、第一項の資料のうち録音テープ又はビデオテープ（これらに準ずる方法により一定の事項を記録した物を含む。）に関しては、適用しない。この場合において、これらの物について利害関係人の請求があるときは、裁判所書記官は、その複製を許さなければならない。

④ 法務大臣は、裁判所書記官に対し、第一項の資料の閲覧を請求することができる。

⑤ 民事訴訟法第九十一条第五項〈非電磁的訴訟記録の閲覧等〉の規定は、第一項の資料について準用する。

参+【類似の規定→八八六、破一一、民再一六

＊令和五法五三（令和一〇・六・一三までに施行）**による改正後**

第九〇六条の二① 利害関係人は、裁判所書記官に対し、最高裁判所規則で定めるところにより、第八百二十五条第六項（第八百二十七条第二項において準用する場合を含む。）の報告又は計算に関しファイルに記録された事項（以下この条において「報告等記録事項」という。）の内容を最高裁判所規則で定める方法により表示したものの閲覧を請求することができる。

② 利害関係人は、裁判所書記官に対し、報告等記録事項について、最高裁判所規則で定める電子情報処理組織を使用してその者の使用に係る電子計算機に備えられたファイルに記録する方法その他の最高裁判所規則で定める方法による複写を請求することができる。

③ 利害関係人は、裁判所書記官に対し、最高裁判所規則で定めるところにより、報告等記録事項の全部若しくは一部を記載した書面であって裁判所書記官が最高裁判所規則で定める方法により当該書面の内容が報告等記録事項と同一であることを証明したものを交付し、又は報告等記録事項の全部若しくは一部を記録した電磁的記録であって裁判所書記官が最高裁判所規則で定める方法により当該電磁的記録の内容が報告等記録事項と同一であることを証明したものを最高裁判所規則で定める電子情報処理組織を使用してその者の使用に係る電子計算機に備えられたファイルに記録する方法その他の最高裁判所規則で定める方法により提供することを請求することができる。

④ 前条第四項及び民事訴訟法第九十一条第五項の規定は、報告等記録事項について準用する。

（改正により追加）

第四章　登記

第一節　総則

（通則）

第九〇七条 この法律の規定により登記すべき事項（第九百三十八条第三項の保全処分の登記に係る事項を除く。）は、当事者の申請又は裁判所書記官の嘱託により、商業登記法（昭和三十八年法律第百二十五号）の定めるところに従い、商業登記簿にこれを登記する。

参+【当事者申請主義→商登一四、一七②㈡、四七①、九五、一一一、一一八、一二八【嘱託による登記→商登一四、九三七、九三八

（登記の効力）

第九〇八条① この法律の規定により登記すべき事項は、登記の後でなければ、これをもって善意の第三者に対抗することができない。登記の後であっても、第三者が正当な事由によってその登記があることを知らなかったときは、同様とする。

② 故意又は過失によって不実の事項を登記した者は、その事項が不実であることをもって善意の第三者に対抗することができない。

参❶【登記すべき事項→九一一―九三八【登記の効力の特則→一三、四九、三五四、四二一、五七九、六一二、七五〇②、七五二②、八一八　+【類似の規定→商九

（変更の登記及び消滅の登記）

第九〇九条 この法律の規定により登記した事項に変更が生じ、又はその事項が消滅したときは、当事者は、遅滞なく、変更の登記又は消滅の登記をしなければならない。

参+【登記した事項→九一一―九一四、九一六、九一八、九一九、九二八、九三三―九三六【変更・消滅の登記→九一五、九一六、九一九、九三三、九三五、九〇八①【懈怠に対する制裁→九七六㈠【類似の規定→商一〇

（登記の期間）

第九一〇条 この法律の規定により登記すべき事項のうち官庁の許可を要するものの登記の期間については、その許可書の到達した日から起算する。

第二節　会社の登記

（株式会社の設立の登記）

第九一一条① 株式会社の設立の登記は、その本店の所在地において、次に掲げる日のいずれか遅い日から二週間以内にしなければならない。

一 第四十六条第一項の規定による調査が終了した日（設立しようとする株式会社が指名委員会等設置会社である場合にあっては、設立時代表執行役が同条第三項の規定による通知を受けた日）（平成二六法九〇本号改正）

二 発起人が定めた日

② 前項の規定にかかわらず、第五十七条第一項の募集をする場合には、前項の登記は、次に掲げる日のいずれか遅い日から二週間以内にしなければならない。

一 創立総会の終結の日

二 第八十四条の種類創立総会の決議をしたときは、当該決議の日

三 第九十七条の創立総会の決議をしたときは、当該決議の日から二週間を経過した日

四 第百条第一項の種類創立総会の決議をしたときは、当該決議の日から二週間を経過した日

五 第百一条第一項の種類創立総会の決議をしたときは、当該決議の日

③ 第一項の登記においては、次に掲げる事項を登記しなければならない。

一 目的

二 商号
三 本店及び支店の所在場所
四 株式会社の存続期間又は解散の事由についての定款の定めがあるときは、その定め
五 資本金の額
六 発行可能株式総数
七 発行する株式の内容（種類株式発行会社にあっては、発行可能種類株式総数及び発行する各種類の株式の内容）
八 単元株式数についての定款の定めがあるときは、その単元株式数
九 発行済株式の総数並びにその種類及び種類ごとの数
十 株券発行会社であるときは、その旨
十一 株主名簿管理人を置いたときは、その氏名又は名称及び住所並びに営業所
十二 新株予約権を発行したときは、次に掲げる事項
イ 新株予約権の数
ロ 第二百三十六条第一項第一号から第四号まで（ハに規定する場合にあっては、第二号を除く。）に掲げる事項
ハ 第二百三十六条第三項各号に掲げる事項を定めたときは、その定め
ニ ロ及びハに掲げる事項のほか、新株予約権の行使の条件を定めたときは、その条件
ホ 第二百三十六条第一項第七号及び第二百三十八条第一項第二号に掲げる事項
ヘ 第二百三十八条第一項第三号に掲げる事項を定めたときは、募集新株予約権（同項に規定する募集新株予約権をいう。以下ヘにおいて同じ。）の払込金額（同号に規定する払込金額をいう。以下ヘにおいて同じ。）（同号に掲げる事項として募集新株予約権の払込金額の算定方法を定めた場合において、登記の申請の時までに募集新株予約権の払込金額が確定していないときは、当該算定方法）
（令和一法七〇本号改正）
十二の二 第三百二十五条の二の規定による電子提供措置をとる旨の定款の定めがあるときは、その定め
（令和一法七〇本号追加）
十三 取締役（監査等委員会設置会社の取締役を除く。）の氏名
十四 代表取締役の氏名及び住所（第二十三号に規定する場合を除く。）
十五 取締役会設置会社であるときは、その旨
十六 会計参与設置会社であるときは、その旨並びに会計参与の氏名又は名称及び第三百七十八条第一項の場所
十七 監査役設置会社（監査役の監査の範囲を会計に関するものに限定する旨の定款の定めがある株式会社を含む。）であるときは、その旨及び次に掲げる事項
イ 監査役の監査の範囲を会計に関するものに限定する旨の定款の定めがある株式会社であるときは、その旨
ロ 監査役の氏名
十八 監査役会設置会社であるときは、その旨及び監査役のうち社外監査役であるものについて社外監査役である旨
十九 会計監査人設置会社であるときは、その旨及び会計監査人の氏名又は名称
二十 第三百四十六条第四項の規定により選任された一時会計監査人の職務を行うべき者を置いたときは、その氏名又は名称
二十一 第三百七十三条第一項の規定による特別取締役による議決の定めがあるときは、次に掲げる事項
イ 第三百七十三条第一項の規定による特別取締役による議決の定めがある旨
ロ 特別取締役の氏名
ハ 取締役のうち社外取締役であるものについて、社外取締役である旨
二十二 監査等委員会設置会社であるときは、その旨及び次に掲げる事項
イ 監査等委員である取締役及びそれ以外の取締役の氏名
ロ 取締役のうち社外取締役であるものについて、社外取締役である旨
ハ 第三百九十九条の十三第六項の規定による重要な業務執行の決定の取締役への委任についての定款の定めがあるときは、その旨
（平成二六法九〇本号追加）
二十三 指名委員会等設置会社であるときは、その旨及び次に掲げる事項
イ 取締役のうち社外取締役であるものについて、社外取締役である旨
ロ 各委員会の委員及び執行役の氏名
ハ 代表執行役の氏名及び住所
二十四 第四百二十六条第一項の規定による取締役、会計参与、監査役、執行役又は会計監査人の責任の免除についての定款の定めがあるときは、その定め
二十五 第四百二十七条第一項の規定による非業務執行取締役等が負う責任の限度に関する契約の締結についての定款の定めがあるときは、その定め
二十六 第四百四十条第三項の規定による措置をとることとするときは、同条第一項に規定する貸借対照表の内容である情報について不特定多数の者がその提供を受けるために必要な事項であって法務省令で定めるもの
二十七 第九百三十九条第一項の規定による公告方法についての定款の定めがあるときは、その定め
二十八 前号の定款の定めが電子公告を公告方法とする旨のものであるときは、次に掲げる事項
イ 電子公告により公告すべき内容である情報について不特定多数の者がその提供を受けるために必要な事項であって法務省令で定めるもの
ロ 第九百三十九条第三項後段の規定による定款の定めがあるときは、その定め
二十九 第二十七号の定款の定めがないときは、第九百三十九条第四項の規定により官報に掲載する方法

を公告方法とする旨

（平成二六法九〇本項改正）

【設立の登記の効力↓四九・五〇・五一②【支店の所在地における登記↓九三〇①[一]　❶❷【登記期間↓九一〇【懈怠に対する制裁↓九七六[一]【登記手続等↓商登六[五]・四六―五〇　❷〔一〕【創立総会↓六五　❸【本店を移転した場合↓九一六[一]　〔一〕〔二〕【目的・商号↓二七[一][二]　〔三〕【本店↓二七[三]【支店↓九三一①　〔四〕【存続期間・解散事由↓四七一[一][二]　〔五〕【資本金↓四四五　〔六〕【発行可能株式総数↓三七①・一一三　〔七〕【発行する株式の内容↓一〇七・一〇八　〔八〕【単元株式数↓一八八―一九五　〔十〕【株券発行会社↓二一四　〔十一〕【株主名簿管理人↓一二三　〔十二〕【新株予約権↓二[二十一]・二三六―二九四　〔十三〕【取締役↓三八①・八八①・三二九①　〔十四〕【代表取締役↓四七①・三四九③・三六二③　〔十五〕【取締役会設置会社↓二[七]・三六二―三七三　〔十六〕【会計参与設置会社↓二[八]【会計参与↓三八②[一]・八八①・三二九①　〔十七〕【監査役設置会社↓二[九]・三八一―三八九【監査範囲の限定↓三八九【監査役↓三八②[二]・八八①・三二九①　〔十八〕【監査役会設置会社↓二[十]・三九〇―三九五　〔十八〕〔二十六〕【社外監査役↓二[十六]・三三五③　〔十九〕【会計監査人設置会社↓二[十一]・三九六―三九九【会計監査人↓三八②[三]・八八①・三二九①　〔二十一〕―〔二十三〕【社外取締役↓二[十五]　〔二十三〕【指名委員会等設置会社↓二[十二]・四〇〇―四二二　〔二十六〕〔二十八〕【省令で定めるもの↓会社則二二〇

（合名会社の設立の登記）

第九一二条　合名会社の設立の登記は、その本店の所在地において、次に掲げる事項を登記してしなければならない。

一　目的

二　商号

三　本店及び支店の所在場所

四　合名会社の存続期間又は解散の事由についての定款の定めがあるときは、その定め

五　社員の氏名又は名称及び住所

六　合名会社を代表する社員の氏名又は名称（合名会社を代表しない社員がある場合に限る。）

七　合名会社を代表する社員が法人であるときは、当該社員の職務を行うべき者の氏名及び住所

八　第九百三十九条第一項の規定による公告方法についての定款の定めがあるときは、その定め

九　前号の定款の定めが電子公告を公告方法とする旨のものであるときは、次に掲げる事項

イ　電子公告により公告すべき内容である情報について不特定多数の者がその提供を受けるために必要な事項であって法務省令で定めるもの

ロ　第九百三十九条第三項後段の規定による定款の定めがあるときは、その定め

十　第八号の定款の定めがないときは、第九百三十九条第四項の規定により官報に掲載する方法を公告方法とする旨

【設立の登記の効力↓五七九【支店の所在地における登記↓九三〇①[一]【登記期間↓九一〇【登記手続等↓商登六[六]・九三―九五【本店を移転した場合↓九一六[一]　〔一〕〔二〕【目的・商号↓五七六①[一][二]　〔三〕【本店↓五七六①[三]　〔四〕【存続期間・解散事由↓六四一[一][二]　〔五〕【社員の氏名等↓五七六①[四]　〔六〕【代表社員↓五九九③　〔七〕【職務執行者↓五九八　〔九〕【省令で定めるもの↓会社則二二〇

（合資会社の設立の登記）

第九一三条　合資会社の設立の登記は、その本店の所在地において、次に掲げる事項を登記してしなければならない。

一　目的

二　商号

三　本店及び支店の所在場所

四　合資会社の存続期間又は解散の事由についての定款の定めがあるときは、その定め

五　社員の氏名又は名称及び住所

六　社員が有限責任社員又は無限責任社員のいずれであるかの別

七　有限責任社員の出資の目的及びその価額並びに既に履行した出資の価額

八　合資会社を代表する社員の氏名又は名称（合資会社を代表しない社員がある場合に限る。）

九　合資会社を代表する社員が法人であるときは、当該社員の職務を行うべき者の氏名及び住所

十　第九百三十九条第一項の規定による公告方法についての定款の定めがあるときは、その定め

十一　前号の定款の定めが電子公告を公告方法とする旨のものであるときは、次に掲げる事項

イ　電子公告により公告すべき内容である情報について不特定多数の者がその提供を受けるために必要な事項であって法務省令で定めるもの

ロ　第九百三十九条第三項後段の規定による定款の定めがあるときは、その定め

十二　第十号の定款の定めがないときは、第九百三十九条第四項の規定により官報に掲載する方法を公告方法とする旨

【設立の登記の効力↓五七九【支店の所在地における登記↓九三〇①[一]【登記期間↓九一〇【登記手続等↓商登六[七]・一一〇・一一一【本店を移転した場合↓九一六[一]　〔一〕〔二〕【目的・商号↓五七六①[一][二]　〔三〕【本店↓五七六①[三]　〔四〕【存続期間・解散事由↓六四一[一][二]　〔五〕【社員の氏名等↓五七六①[四]　〔六〕【有限責任社員・無限責任社員の別↓五七六①[五]　〔七〕【有限責任社員の出資の目的・価額↓五七六①[六]　〔八〕【代表社員↓五九九③　〔九〕【職務執行者↓五九八　〔十二〕【省令で定めるもの↓会社則二二〇

（合同会社の設立の登記）

第九一四条　合同会社の設立の登記は、その本店の所在地において、次に掲げる事項を登記してしなければならない。

一　目的

二　商号

三　本店及び支店の所在場所

四　合同会社の存続期間又は解散の事由についての定款の定めがあるときは、その定め

五　資本金の額

六　合同会社の業務を執行する社員の氏名又は名称

七　合同会社を代表する社員の氏名又は名称及び住所

八　合同会社を代表する社員が法人であるときは、当該社員の職務を行うべき者の氏名及び住所

九　第九百三十九条第一項の規定による公告方法についての定款の定めがあるときは、その定め

十　前号の定款の定めが電子公告を公告方法とする旨

のものであるときは、次に掲げる事項

イ　電子公告により公告すべき内容である情報について不特定多数の者がその提供を受けるために必要な事項であって法務省令で定めるもの

ロ　第九百三十九条第三項後段の規定による定款の定めがあるときは、その定め

十一　第九号の定款の定めがないときは、第九百三十九条第四項の規定により官報に掲載する方法を公告方法とする旨

参【設立の登記の効力↓五七九【支店の所在地における登記↓九三〇①㊁【登記期間↓九一〇【登記手続等↓商登六四・一一七・一一八【本店を移転した場合↓九一六㊃　[二][三]【目的・商号↓五七六①㊀㊁　[三]【本店↓五七六①㊂　[四]【存続期間・解散事由↓六四一㊀㊁　[五]【資本金↓六二〇・六二六　[六]【業務執行社員↓五九〇―五九八　[七]【代表社員↓五九九③　[八]【職務執行者↓五九八　[十]【省令で定めるもの↓会社則二二〇

（変更の登記）

第九一五条①　会社において第九百十一条第三項各号又は前三条各号に掲げる事項に変更が生じたときは、二週間以内に、その本店の所在地において、変更の登記をしなければならない。

②　前項の規定にかかわらず、第百九十九条第一項第四号の期間を定めた場合における株式の発行による変更の登記は、当該期間の末日現在により、当該末日から二週間以内にすれば足りる。

③　第一項の規定にかかわらず、次に掲げる事由による変更の登記は、毎月末日現在により、当該末日から二週間以内にすれば足りる。

一　新株予約権の行使

二　第百六十六条第一項の規定による請求（株式の内容として第百七条第二項第二号ハ若しくはニ又は第百八条第二項第五号ロに掲げる事項についての定めがある場合に限る。）

参【変更の登記↓九〇八①、商登五一―七〇【懈怠に対する制裁↓九七六㊀　❸【新株予約権の行使↓二八〇―二八四

（他の登記所の管轄区域内への本店の移転の登記）

第九一六条　会社がその本店を他の登記所の管轄区域内に移転したときは、二週間以内に、旧所在地においては移転の登記をし、新所在地においては次の各号に掲げる会社の区分に応じ当該各号に定める事項を登記しなければならない。

一　株式会社　第九百十一条第三項各号に掲げる事項

二　合名会社　第九百十二条各号に掲げる事項

三　合資会社　第九百十三条各号に掲げる事項

四　合同会社　第九百十四条各号に掲げる事項

参【本店↓四参【本店移転の登記↓商登五一―五三・九五・一一一・一一八

（職務執行停止の仮処分等の登記）

第九一七条　次の各号に掲げる会社の区分に応じ、当該各号に定める者の職務の執行を停止し、若しくはその職務を代行する者を選任する仮処分命令又はその仮処分命令を変更し、若しくは取り消す決定がされたときは、その本店の所在地において、その登記をしなければならない。

一　株式会社　取締役（監査等委員会設置会社にあっては、監査等委員である取締役又はそれ以外の取締役）、会計参与、監査役、代表取締役、委員（指名委員会、監査委員会又は報酬委員会の委員をいう。）、執行役又は代表執行役（平成二六法九〇本号改正）

二　合名会社　社員

三　合資会社　社員

四　合同会社　業務を執行する社員

参【職務執行停止等の仮処分↓民保二三②④【職務を代行する者↓三五二・四二〇③・六〇三【その登記の嘱託↓民保五六【仮処分の変更・取消し↓民保三二・三七③・三八・三九【本店↓四参

（支配人の登記）

第九一八条　会社が支配人を選任し、又はその代理権が消滅したときは、その本店の所在地において、その登記をしなければならない。

参【支配人↓一〇参・三四八③㊀・三六二④㊂・五九一②、商登四四・四五【本店↓四参【懈怠に対する制裁↓九七六㊀

（持分会社の種類の変更の登記）

第九一九条　持分会社が第六百三十八条の規定により他の種類の持分会社となったときは、同条に規定する定款の変更の効力が生じた日から二週間以内に、その本店の所在地において、種類の変更前の持分会社については解散の登記をし、種類の変更後の持分会社については設立の登記をしなければならない。

参【本店↓四参【設立の登記↓九一二―九一四【持分会社の種類変更の登記↓商登一〇四―一〇六・一一三・一二二【懈怠に対する制裁↓九七六㊀

（組織変更の登記）

第九二〇条　会社が組織変更をしたときは、その効力が生じた日から二週間以内に、その本店の所在地において、組織変更前の会社については解散の登記をし、組織変更後の会社については設立の登記をしなければならない。

参【組織変更↓七四五・七四七【本店↓四参【設立の登記↓九一一―九一四【組織変更の登記↓商登七六―七八・一〇七①②・一一四・一二三【懈怠に対する制裁↓九七六㊀

（吸収合併の登記）

第九二一条　会社が吸収合併をしたときは、その効力が生じた日から二週間以内に、その本店の所在地において、吸収合併により消滅する会社については解散の登記をし、吸収合併後存続する会社については変更の登記をしなければならない。

参【吸収合併↓七五〇・七五二【本店↓四参【解散の登記↓商登八二【変更の登記↓九一五①【吸収合併による変更の登記↓七五〇②・七五二②、商登七九・八〇・八二・八三・一〇八①③・一一五・一二四【懈怠に対する制裁↓九七六㊀

（新設合併の登記）

第九二二条①　二以上の会社が新設合併をする場合において、新設合併により設立する会社が株式会社である

ときは、次の各号に掲げる場合の区分に応じ、当該各号に定める日から二週間以内に、その本店の所在地において、新設合併により消滅する会社については解散の登記をし、新設合併により設立する会社については設立の登記をしなければならない。

一　新設合併により消滅する会社が株式会社のみである場合　次に掲げる日のいずれか遅い日

イ　第八百四条第一項の株主総会の決議の日

ロ　新設合併をするために種類株主総会の決議を要するときは、当該決議の日

ハ　第八百六条第三項の規定による通知又は同条第四項の公告をした日から二十日を経過した日

ニ　新設合併により消滅する会社が新株予約権を発行しているときは、第八百八条第三項の規定による通知又は同条第四項の公告をした日から二十日を経過した日

ホ　第八百十条の規定による手続が終了した日

ヘ　新設合併により消滅する会社が合意により定めた日

二　新設合併により消滅する会社が持分会社のみである場合　次に掲げる日のいずれか遅い日

イ　第八百十三条第一項の総社員の同意を得た日（同項ただし書に規定する場合にあっては、定款の定めによる手続を終了した日）

ロ　第八百十三条第二項において準用する第八百十条の規定による手続が終了した日

ハ　新設合併により消滅する会社が合意により定めた日

三　新設合併により消滅する会社が株式会社及び持分会社である場合　前二号に定める日のいずれか遅い日

② 二以上の会社が新設合併をする場合において、新設合併により設立する会社が持分会社であるときは、次の各号に掲げる場合の区分に応じ、当該各号に定める日から二週間以内に、その本店の所在地において、新設合併により消滅する会社については解散の登記をし、新設合併により設立する会社については設立の登記をしなければならない。

一　新設合併により消滅する会社が株式会社のみである場合　次に掲げる日のいずれか遅い日

イ　第八百四条第二項の総株主の同意を得た日

ロ　新設合併により消滅する会社が新株予約権を発行しているときは、第八百八条第三項の規定による通知又は同条第四項の公告をした日から二十日を経過した日

ハ　第八百十条の規定による手続が終了した日

ニ　新設合併により消滅する会社が合意により定めた日

二　新設合併により消滅する会社が持分会社のみである場合　次に掲げる日のいずれか遅い日

イ　第八百十三条第一項の総社員の同意を得た日（同項ただし書に規定する場合にあっては、定款の定めによる手続を終了した日）

ロ　第八百十三条第二項において準用する第八百十条の規定による手続が終了した日

ハ　新設合併により消滅する会社が合意により定めた日

三　新設合併により消滅する会社が株式会社及び持分会社である場合　前二号に定める日のいずれか遅い日

参【本店→四参　❶【株式会社を設立する新設合併→七五四【解散の登記→商登八二【設立の登記→九一一【新設合併による設立の登記→四九・七五四、商登七九・八一―八三【懈怠に対する制裁→九七六㈠　❷【持分会社を設立する新設合併→七五六【解散の登記→商登一〇八③・一一五・一二四・八二【設立の登記→九一二―九一四【新設合併による設立の登記→七五六、商登七九・八二・八三・一〇八②③・一一五・一二四【懈怠に対する制裁→九七六㈠

（吸収分割の登記）

第九二三条　会社が吸収分割をしたときは、その効力が生じた日から二週間以内に、その本店の所在地において、吸収分割をする会社及び当該会社がその事業に関して有する権利義務の全部又は一部を当該会社から承継する会社についての変更の登記をしなければならない。

参【吸収分割→七五九・七六一【本店→四参【変更の登記→九一五①【吸収分割による変更の登記→商登八四・八五・八七・八八・一〇九①③・一一六・一二五【懈怠に対する制裁→九七六㈠

（新設分割の登記）

第九二四条①　一又は二以上の株式会社又は合同会社が新設分割をする場合において、新設分割により設立する会社が株式会社であるときは、次の各号に掲げる場合の区分に応じ、当該各号に定める日から二週間以内に、その本店の所在地において、新設分割をする会社については変更の登記をし、新設分割により設立する会社については設立の登記をしなければならない。

一　新設分割をする会社が株式会社のみである場合　次に掲げる日のいずれか遅い日

イ　第八百五条に規定する場合以外の場合には、第八百四条第一項の株主総会の決議の日

ロ　新設分割をするために種類株主総会の決議を要するときは、当該決議の日

ハ　第八百五条に規定する場合以外の場合には、第八百六条第三項の規定による通知又は同条第四項の公告をした日から二十日を経過した日

ニ　第八百八条第三項の規定による通知を受けるべき新株予約権者があるときは、同項の規定による通知又は同条第四項の公告をした日から二十日を経過した日

ホ　第八百十条の規定による手続をしなければならないときは、当該手続が終了した日

ヘ　新設分割をする株式会社が定めた日（二以上の株式会社が共同して新設分割をする場合にあっては、当該二以上の新設分割をする株式会社が合意により定めた日）

二　新設分割をする会社が合同会社のみである場合　次に掲げる日のいずれか遅い日

イ　第八百十三条第一項の総社員の同意を得た日

（同項ただし書の場合にあっては、定款の定めによる手続を終了した日）

ロ　第八百十三条第二項において準用する第八百十条の規定による手続をしなければならないときは、当該手続が終了した日

ハ　新設分割をする合同会社が定めた日（二以上の合同会社が共同して新設分割をする場合にあっては、当該二以上の新設分割をする合同会社が合意により定めた日）

三　新設分割をする会社が株式会社及び合同会社である場合　前二号に定める日のいずれか遅い日

②　一又は二以上の株式会社又は合同会社が新設分割をする場合において、新設分割により設立する会社が持分会社であるときは、次の各号に掲げる場合の区分に応じ、当該各号に定める日から二週間以内に、その本店の所在地において、新設分割をする会社については変更の登記をし、新設分割により設立する会社については設立の登記をしなければならない。

一　新設分割をする会社が株式会社のみである場合　次に掲げる日のいずれか遅い日

イ　第八百五条に規定する場合以外の場合には、第八百四条第一項の株主総会の決議の日

ロ　新設分割をするために種類株主総会の決議を要するときは、当該決議の日

ハ　第八百五条に規定する場合以外の場合には、第八百六条第三項の規定による通知又は同条第四項の公告をした日から二十日を経過した日

ニ　第八百十条の規定による手続をしなければならないときは、当該手続が終了した日

ホ　新設分割をする株式会社が定めた日（二以上の株式会社が共同して新設分割をする場合にあっては、当該二以上の新設分割をする株式会社が合意により定めた日）

二　新設分割をする会社が合同会社のみである場合　次に掲げる日のいずれか遅い日

イ　第八百十三条第一項の総社員の同意を得た日

（同項ただし書の場合にあっては、定款の定めによる手続を終了した日）

ロ　第八百十三条第二項において準用する第八百十条の規定による手続をしなければならないときは、当該手続が終了した日

ハ　新設分割をする合同会社が定めた日（二以上の合同会社が共同して新設分割をする場合にあっては、当該二以上の新設分割をする合同会社が合意により定めた日）

三　新設分割をする会社が株式会社及び合同会社である場合　前二号に定める日のいずれか遅い日

参+【本店→四参】❶【株式会社を設立する新設分割→七六四【変更の登記→商登八四②・八七【設立の登記→九一一【新設分割による設立の登記→四九・七五四、商登八四①・八六―八八【懈怠に対する制裁→九七六㈠　❷【持分会社を設立する新設分割→七六六【変更の登記→商登八四②・八七・一〇九③・一一六・一二五【設立の登記→九一二―九一四【新設分割による設立の登記→五七九・七六六、商登八四①・八七・八八・一〇九②③・一一六・一二五【懈怠に対する制裁→九七六㈠

（株式移転の登記）

第九二五条　一又は二以上の株式会社が株式移転をする場合には、次に掲げる日のいずれか遅い日から二週間以内に、株式移転により設立する株式会社について、その本店の所在地において、設立の登記をしなければならない。

一　第八百四条第一項の株主総会の決議の日

二　株式移転をするために種類株主総会の決議を要するときは、当該決議の日

三　第八百六条第三項の規定による通知又は同条第四項の公告をした日から二十日を経過した日

四　第八百八条第三項の規定による通知を受けるべき新株予約権者があるときは、同項の規定による通知をした日又は同条第四項の公告をした日から二十日を経過した日

五　第八百十条の規定による手続をしなければならないときは、当該手続が終了した日

六　株式移転をする株式会社が定めた日（二以上の株式会社が共同して株式移転をする場合にあっては、当該二以上の株式移転をする株式会社が合意により定めた日）

参+【株式移転→七七四【本店→四参】【設立の登記→九一一【株式移転による設立の登記→四九・七七四、商登九〇―九二【懈怠に対する制裁→九七六㈠

（解散の登記）

第九二六条　第四百七十一条第一号から第三号まで又は第六百四十一条第一号から第四号までの規定により会社が解散したときは、二週間以内に、その本店の所在地において、解散の登記をしなければならない。

参+【本店→四参】【解散の登記→商登七一・九八・一〇一・一一八

（継続の登記）

第九二七条　第四百七十三条、第六百四十二条第一項又は第八百四十五条の規定により会社が継続したときは、二週間以内に、その本店の所在地において、継続の登記をしなければならない。

参+【本店→四参】【継続の登記→商登四六②・九三・一〇三・一一一・一一八

（清算人の登記）

第九二八条①　第四百七十八条第一項第一号に掲げる者が清算株式会社の清算人となったときは、解散の日から二週間以内に、その本店の所在地において、次に掲げる事項を登記しなければならない。

一　清算人の氏名

二　代表清算人の氏名及び住所

三　清算株式会社が清算人会設置会社であるときは、その旨

②　第六百四十七条第一項第一号に掲げる者が清算持分会社の清算人となったときは、解散の日から二週間以内に、その本店の所在地において、次に掲げる事項を登記しなければならない。

一　清算人の氏名又は名称及び住所

二　清算持分会社を代表する清算人の氏名又は名称（清算持分会社を代表しない清算人がある場合に限

る。）
三　清算持分会社を代表する清算人が法人であるときは、清算人の職務を行うべき者の氏名及び住所

③　清算人が選任されたときは、二週間以内に、その本店の所在地において、清算株式会社にあっては第一項各号に掲げる事項を、清算持分会社にあっては前項各号に掲げる事項を登記しなければならない。

④　第九百十五条第一項〈変更の登記〉の規定は前三項の規定による登記について、第九百十七条〈職務執行停止の仮処分等の登記〉の規定は清算人、代表清算人又は清算持分会社を代表する清算人について、それぞれ準用する。

⊛+【本店↓四⊛【懈怠に対する制裁↓九七六〔一〕　❶【登記↓商登七三①　〔三〕【清算人会設置会社↓四七八⑧・四八九・四九〇　❷【登記↓商登九九①〔一〕・一一一・一一八　〔三〕【会社を代表する清算人↓六五五①、商登一〇〇②・一〇一・一一一・一一八　〔三〕【清算人の職務を行うべき者↓六五四　❸【清算人の選任↓四七八①〔二〕〔三〕②―④・六四七①〔二〕〔三〕②―④・五二四②③【登記↓商登七三②③・九九①〔二〕―〔四〕・一一一・一一八

（清算結了の登記）
第九二九条　清算が結了したときは、次の各号に掲げる会社の区分に応じ、当該各号に定める日から二週間以内に、その本店の所在地において、清算結了の登記をしなければならない。
一　清算株式会社　第五百七条第三項の承認の日
二　清算持分会社（合名会社及び合資会社に限る。）　第六百六十七条第一項の承認の日（第六百六十八条第一項の財産の処分の方法を定めた場合にあっては、その財産の処分を完了した日）
三　清算持分会社（合同会社に限る。）　第六百六十七条第一項の承認の日

⊛+【本店↓四⊛【懈怠に対する制裁↓九七六〔一〕【清算結了の登記↓商登七五・一〇二・一一一・一二一

第九三〇条から第九三二条まで　【支店の所在地における登記】　削除（令和一法七〇）

第三節　外国会社の登記

（外国会社の登記）
第九三三条①　外国会社が第八百十七条第一項の規定により初めて日本における代表者を定めたときは、三週間以内に、次の各号に掲げる場合の区分に応じ、当該各号に定める地において、外国会社の登記をしなければならない。
一　日本に営業所を設けていない場合　日本における代表者（日本に住所を有するものに限る。以下この節において同じ。）の住所地
二　日本に営業所を設けた場合　当該営業所の所在地

②　外国会社の登記においては、日本における同種の会社又は最も類似する会社の種類に従い、第九百十一条第三項各号又は第九百十二条から第九百十四条までの各号に掲げる事項を登記するほか、次に掲げる事項を登記しなければならない。
一　外国会社の設立の準拠法
二　日本における代表者の氏名及び住所
三　日本における同種の会社又は最も類似する会社が株式会社であるときは、第一号に規定する準拠法の規定による公告をする方法
四　前号に規定する場合において、第八百十九条第三項に規定する措置をとることとするときは、同条第一項に規定する貸借対照表に相当するものの内容である情報について不特定多数の者がその提供を受けるために必要な事項であって法務省令で定めるもの
五　第九百三十九条第二項の規定による公告方法についての定めがあるときは、その定め
六　前号の定めが電子公告を公告方法とする旨のものであるときは、次に掲げる事項
イ　電子公告により公告すべき内容である情報について不特定多数の者がその提供を受けるために必要な事項であって法務省令で定めるもの
ロ　第九百三十九条第三項後段の規定による定めがあるときは、その定め
七　第五号の定めがないときは、第九百三十九条第四項の規定により官報に掲載する方法を公告方法とする旨

③　外国会社が日本に設けた営業所に関する前項の規定の適用については、当該営業所を第九百十一条第三項第三号、第九百十二条第三号、第九百十三条第三号又は第九百十四条第三号に規定する支店とみなす。

④　第九百十五条〈変更の登記〉及び第九百十八条から第九百二十九条まで〈支配人の登記等〉の規定は、外国会社について準用する。この場合において、これらの規定中「二週間」とあるのは「三週間」と、「本店の所在地」とあるのは「日本における代表者（日本に住所を有するものに限る。）の住所地（日本に営業所を設けた外国会社にあっては、当該営業所の所在地）」と読み替えるものとする。

⑤　前各項の規定により登記すべき事項が外国において生じたときは、登記の期間は、その通知が日本における代表者に到達した日から起算する。

⊛+【外国会社↓二〔二〕・八一七―八二三【外国会社の登記↓八一八、商登一二八　❶【日本における代表者↓八一七　〔一〕【日本に営業所を設けていない場合↓商登一二七、九三四①・九三五①・九三六①・九三七②〔一〕　〔二〕【営業所↓九三四②・九三五②・九三六②・九三七②〔二〕　❷〔三〕【日本における同種の会社↓商登一二九①〔三〕　〔四〕〔六〕【省令で定めるもの↓会社則二二〇　〔五〕【公告方法の定め↓商登一二九①〔四〕　❹【変更の登記↓商登一三〇

（日本における代表者の選任の登記等）
第九三四条①　日本に営業所を設けていない外国会社が外国会社の登記後に日本における代表者を新たに定めた場合（その住所地が登記がされた他の日本における代表者の住所地を管轄する登記所の管轄区域内にある場合を除く。）には、三週間以内に、その新たに定めた日本における代表者の住所地においても、外国会社の登記をしなければならない。

②　日本に営業所を設けた外国会社が外国会社の登記後に日本に営業所を新たに設けた場合（その所在地が登記がされた他の営業所の所在地を管轄する登記所の管

轄区域内にある場合を除く。）には、三週間以内に、その新たに設けた日本における営業所の所在地においても、外国会社の登記をしなければならない。

参❶【日本における代表者→八一七、九三三①、九三五① ❷【営業所→九三三①㈢③、九三五②、九三六②

（日本における代表者の住所の移転の登記等）

第九三五条① 日本に営業所を設けていない外国会社の日本における代表者が外国会社の登記後にその住所を他の登記所の管轄区域内に移転したときは、旧住所地においては三週間以内に移転の登記をし、新住所地においては四週間以内に外国会社の登記をしなければならない。ただし、登記がされた他の日本における代表者の住所地を管轄する登記所の管轄区域内に住所を移転したときは、新住所地においては、その住所を移転したことを登記すれば足りる。

② 日本に営業所を設けた外国会社が外国会社の登記後に営業所を他の登記所の管轄区域内に移転したときは、旧所在地においては三週間以内に移転の登記をし、新所在地においては四週間以内に外国会社の登記をしなければならない。ただし、登記がされた他の営業所の所在地を管轄する登記所の管轄区域内に営業所を移転したときは、新所在地においては、その営業所を移転したことを登記すれば足りる。

参❶【日本における代表者→八一七、九三三①、九三四① ❷【営業所→九三三①㈢③、九三四②、九三六②

（日本における営業所の設置の登記等）

第九三六条① 日本に営業所を設けていない外国会社が外国会社の登記後に日本に営業所を設けたときは、日本における代表者の住所地においては三週間以内に営業所を設けたことを登記し、その営業所の所在地においては四週間以内に外国会社の登記をしなければならない。ただし、登記がされた日本における代表者の住所地を管轄する登記所の管轄区域内に営業所を設けたときは、その営業所を設けたことを登記すれば足りる。

② 日本に営業所を設けた外国会社が外国会社の登記後にすべての営業所を閉鎖した場合には、その外国会社の日本における代表者の全員が退任しようとするときを除き、その営業所の所在地においては三週間以内に営業所を閉鎖したことを登記し、日本における代表者の住所地においては四週間以内に外国会社の登記をしなければならない。ただし、登記がされた営業所の所在地を管轄する登記所の管轄区域内に日本における代表者の住所地があるときは、すべての営業所を閉鎖したことを登記すれば足りる。

参＊【営業所→九三三①㈢③、九三四②、九三五② ❶【日本における代表者→八一七、九三三①、九三四①、九三五① ❷【日本における代表者全員の退任→八二〇、商登一三〇②

第四節 登記の嘱託

（裁判による登記の嘱託）

第九三七条① 次に掲げる場合には、裁判所書記官は、職権で、遅滞なく、会社の本店の所在地を管轄する登記所にその登記を嘱託しなければならない。

一 次に掲げる訴えに係る請求を認容する判決が確定したとき。

イ 会社の設立の無効の訴え

ロ 株式会社の成立後における株式の発行の無効の訴え

ハ 新株予約権（当該新株予約権が新株予約権付社債に付されたものである場合にあっては、当該新株予約権付社債についての社債を含む。以下この節において同じ。）の発行の無効の訴え

ニ 株式会社における資本金の額の減少の無効の訴え

ホ 株式会社の成立後における株式の発行が存在しないことの確認の訴え

ヘ 新株予約権の発行が存在しないことの確認の訴え

ト 株主総会等の決議した事項についての登記があった場合における次に掲げる訴え

(1) 株主総会等の決議が存在しないこと又は株主総会等の決議の内容が法令に違反することを理由として当該決議が無効であることの確認の訴え

(2) 株主総会等の決議の取消しの訴え

チ 持分会社の設立の取消しの訴え

リ 会社の解散の訴え

ヌ 株式会社の役員の解任の訴え

ル 持分会社の社員の除名の訴え

ヲ 持分会社の業務を執行する社員の業務執行権又は代表権の消滅の訴え

二 次に掲げる裁判があったとき。

イ 第三百四十六条第二項、第三百五十一条第二項又は第四百一条第三項（第四百三条第三項及び第四百二十条第三項において準用する場合を含む。）の規定による一時取締役（監査等委員会設置会社にあっては、監査等委員である取締役又はそれ以外の取締役）、会計参与、監査役、代表取締役、委員（指名委員会、監査委員会又は報酬委員会の委員をいう。）、執行役又は代表執行役の職務を行うべき者の選任の裁判

ロ 第四百七十九条第四項において準用する第三百四十六条第二項又は第四百八十三条第六項において準用する第三百五十一条第二項の規定による一時清算人又は代表清算人の職務を行うべき者の選任の裁判（次条第二項第一号に規定する裁判を除く。）

ハ イ又はロに掲げる裁判を取り消す裁判（次条第二項第二号に規定する裁判を除く。）

ニ 清算人又は代表清算人の選任又は選定の裁判を取り消す裁判（次条第二項第三号に規定する裁判を除く。）

ホ 清算人の解任の裁判（次条第二項第四号に規定する裁判を除く。）

（平成一八法一〇九、平成二六法九〇本号改正）

三 次に掲げる裁判が確定したとき。

イ　前号ホに掲げる裁判を取り消す裁判
ロ　第八百二十四条第一項の規定による会社の解散を命ずる裁判

② 第八百二十七条第一項の規定による外国会社の日本における取引の継続の禁止又は営業所の閉鎖を命ずる裁判が確定したときは、裁判所書記官は、職権で、遅滞なく、次の各号に掲げる外国会社の区分に応じ、当該各号に定める地を管轄する登記所にその登記を嘱託しなければならない。

一　日本に営業所を設けていない外国会社　日本における代表者（日本に住所を有するものに限る。）の住所地
二　日本に営業所を設けている外国会社　当該営業所の所在地

③ 次の各号に掲げる訴えに係る請求を認容する判決が確定した場合には、裁判所書記官は、職権で、遅滞なく、各会社の本店の所在地を管轄する登記所に当該各号に定める登記を嘱託しなければならない。

一　会社の組織変更の無効の訴え　組織変更後の会社についての解散の登記及び組織変更をする会社についての回復の登記
二　会社の吸収合併の無効の訴え　吸収合併後存続する会社についての変更の登記及び吸収合併により消滅する会社についての回復の登記
三　会社の新設合併の無効の訴え　新設合併により設立する会社についての解散の登記及び新設合併により消滅する会社についての回復の登記
四　会社の吸収分割の無効の訴え　吸収分割をする会社及び当該会社がその事業に関して有する権利義務の全部又は一部を当該会社から承継する会社についての変更の登記
五　会社の新設分割の無効の訴え　新設分割をする会社についての変更の登記及び新設分割により設立する会社についての解散の登記
六　株式会社の株式交換の無効の訴え　株式交換をする株式会社（第七百六十八条第一項第四号に掲げる事項についての定めがある場合に限る。）及び株式交換をする株式会社の発行済株式の全部を取得する会社についての変更の登記
七　株式会社の株式移転の無効の訴え　株式移転をする株式会社（第七百七十三条第一項第九号に掲げる事項についての定めがある場合に限る。）についての変更の登記及び株式移転により設立する株式会社についての解散の登記
八　株式会社の株式交付の無効の訴え　株式交付親会社についての変更の登記（令和一法七〇本号追加）

（令和一法七〇本条改正）

⊜+【本店↓四⊜【登記の嘱託↓商登一五　❶【二】【本号の訴え↓八二八―八四二、八四五、八四六、八五四―八五六、八五九―八六二　【三】【清算人の解任の裁判↓四七九②　❸【本項の訴え↓八二八、八三四―八三九、八四三、八四四、八四六

第九三八条（特別清算に関する裁判による登記の嘱託）① 次の各号に掲げる場合には、裁判所書記官は、職権で、遅滞なく、清算株式会社の本店の所在地を管轄する登記所に当該各号に定める登記を嘱託しなければならない。

一　特別清算開始の命令があったとき　特別清算開始の登記
二　特別清算開始の命令を取り消す決定が確定したとき　特別清算開始の取消しの登記
三　特別清算終結の決定が確定したとき　特別清算終結の登記

（令和一法七〇本項改正）

② 次に掲げる場合には、裁判所書記官は、職権で、遅滞なく、清算株式会社の本店の所在地を管轄する登記所にその登記を嘱託しなければならない。

一　特別清算開始後における第四百七十九条第四項において準用する第三百四十六条第二項又は第四百八十三条第六項において準用する第三百五十一条第二項の規定による一時清算人又は代表清算人の職務を行うべき者の選任の裁判があったとき。
二　前号の裁判を取り消す裁判があったとき。（平成一八法一〇九本号追加）
三　特別清算開始後における清算人又は代表清算人の選任又は選定の裁判を取り消す裁判があったとき。（平成一八法一〇九本号追加）
四　特別清算開始後における清算人の解任の裁判があったとき。
五　前号の裁判を取り消す裁判が確定したとき。

③ 次に掲げる場合には、裁判所書記官は、職権で、遅滞なく、当該保全処分の登記を嘱託しなければならない。

一　清算株式会社の財産に属する権利で登記されたものに関し第五百四十条第一項又は第二項の規定による保全処分があったとき。
二　登記のある権利に関し第五百四十二条第一項又は第二項の規定による保全処分があったとき。

④ 前項の規定は、同項に規定する保全処分の変更若しくは取消しがあった場合又は当該保全処分が効力を失った場合について準用する。

⑤ 前二項の規定は、登録のある権利について準用する。

⑥ 前各項の規定は、その性質上許されないものを除き、第八百二十二条第一項の規定による日本にある外国会社の財産についての清算について準用する。

⊜+【本店↓四⊜【登記の嘱託↓商登一五　❶【二】【特別清算開始命令↓五一〇⊜【三】【特別清算開始命令の取消し↓八九〇⑥【三】【特別清算終結の決定↓五七三　❷【四】【清算人の解任↓五二四

第五章　公告

第一節　総則

第九三九条（会社の公告方法）① 会社は、公告方法として、次に掲げる方法のいずれかを定款で定めることができる。

一　官報に掲載する方法
二　時事に関する事項を掲載する日刊新聞紙に掲載する方法

三　電子公告

② 外国会社は、公告方法として、前項各号に掲げる方法のいずれかを定めることができる。

③ 会社又は外国会社が第一項第三号に掲げる方法を公告方法とする旨を定める場合には、電子公告を公告方法とする旨を定めれば足りる。この場合においては、事故その他やむを得ない事由によって電子公告による公告をすることができない場合の公告方法として、同項第一号又は第二号に掲げる方法のいずれかを定めることができる。

④ 第一項又は第二項の規定による定めがない会社又は外国会社の公告方法は、第一項第一号の方法とする。

【公告方法↓二[三十三]・九一一③[二十七]・九一二[四]・九一三[十]・九一四[九]　❶〔二〕〔三〕【この方法を定める会社↓四四〇②③〔二〕〔三〕【債権者に対する公告をこの方法で行う場合↓四四九③・六二七③・六三五③・六七〇③・七七九③・七八一②・七八九③・七九三②・七九九③・八〇二②・八一〇③・八一三②〔三〕【電子公告↓九一一③[二十八]・九一二[四]・九一三[十二]・九一四[十]・九四〇・九四一　❷【外国会社の公告方法↓八一九・九三三②[五]―[七]　❹【官報による公告↓九一一③[二十九]・九一二[十]・九一三[十二]・九一四[十一]

第九四〇条（電子公告の公告期間等）

第九四〇条① 株式会社又は持分会社が電子公告によりこの法律の規定による公告をする場合には、次の各号に掲げる公告の区分に応じ、当該各号に定める日までの間、継続して電子公告による公告をしなければならない。

一　この法律の規定により特定の日の一定の期間前に公告しなければならない場合における当該公告　当該特定の日

二　第四百四十条第一項の規定による公告　同項の定時株主総会の終結の日後五年を経過する日

三　公告に定める期間内に異議を述べることができる旨の公告　当該期間を経過する日

四　前三号に掲げる公告以外の公告　当該公告の開始後一箇月を経過する日

② 外国会社が電子公告により第八百十九条第一項の規定による公告をする場合には、同項の手続の終結の日後五年を経過する日までの間、継続して電子公告による公告をしなければならない。

③ 前二項の規定にかかわらず、これらの規定により電子公告による公告をしなければならない期間（以下この章において「公告期間」という。）中公告の中断（不特定多数の者が提供を受けることができる状態に置かれた情報がその状態に置かれないこととなったこと又はその情報がその状態に置かれた後改変されたことをいう。以下この項において同じ。）が生じた場合において、次のいずれにも該当するときは、その公告の中断は、当該公告の効力に影響を及ぼさない。

一　公告の中断が生ずることにつき会社が善意でかつ重大な過失がないこと又は会社に正当な事由があること。

二　公告の中断が生じた時間の合計が公告期間の十分の一を超えないこと。

三　会社が公告の中断が生じたことを知った後速やかにその旨、公告の中断が生じた時間及び公告の中断の内容を当該公告に付して公告したこと。

❶〔二〕【基準日等の公告↓一一六④・一一八④・一二四③・一五八②・一六八③・一六九④・一八一②・二〇一④・二一八①④・二一九①・二四〇③・二七三③・二七四④・四六九④・七二〇④・七七六③・七七七④・七八〇②・七八三⑥・七八五④・七八七④・七九〇②・七九七④・八〇四⑤・八〇六④・八〇八④〔三〕【異議↓二二〇①・四二六③・四四九③・七七九③・七八一②・七八九③・七九三②・七九九③・八〇二②・八一〇③・八一三②〔四〕【その他↓一七〇④・一九五③・二七五⑤・七〇六③・七二四④・七三五・八四九⑤　❸【公告の中断↓九四一

第二節　電子公告調査機関

第九四一条（電子公告調査）

第九四一条 この法律又は他の法律の規定による公告（第四百四十条第一項の規定による公告を除く。以下この節において同じ。）を電子公告によりしようとする会社は、公告期間中、当該公告の内容である情報が不特定多数の者が提供を受けることができる状態に置かれているかどうかについて、法務省令で定めるところにより、法務大臣の登録を受けた者（以下この節において「調査機関」という。）に対し、調査を行うことを求めなければならない。

【電子公告↓九三九①[三]・九四〇【調査機関↓九四二―九五九【違反に対する制裁↓九七六[三十五]

第九四二条（登録）

第九四二条① 前条の登録（以下この節において単に「登録」という。）は、同条の規定による調査（以下この節において「電子公告調査」という。）を行おうとする者の申請により行う。

② 登録を受けようとする者は、実費を勘案して政令で定める額の手数料を納付しなければならない。

【登録↓九四三・九四四・九五四・九五九[二]

第九四三条（欠格事由）

第九四三条 次のいずれかに該当する者は、登録を受けることができない。

一　この節の規定若しくは農業協同組合法（昭和二十二年法律第百三十二号）第九十七条の四第五項、金融商品取引法第五十条の二第十項及び第六十六条の四十第六項、公認会計士法第三十四条の二十第六項及び第三十四条の二十三第四項、消費生活協同組合法（昭和二十三年法律第二百号）第二十六条第六項、水産業協同組合法（昭和二十三年法律第二百四十二号）第百二十六条の四第五項、中小企業等協同組合法（昭和二十四年法律第百八十一号）第三十三条第七項（輸出水産業の振興に関する法律（昭和二十九年法律第百五十四号）第二十条並びに中小企業団体の組織に関する法律（昭和三十二年法律第百八十五号）第五条の二十三第三項及び第四十七条第二項において準用する場合を含む。）、弁護士法（昭和二十四年法律第二百五号）第三十条の二十八第六項（同法第四十三条第三項並びに外国弁護士による法律事務の取扱い等に関する法律（昭和六十一年法律第六十六号）第六十七条第二項、第八十条第一項及び第八十二条第三項において準用する場合を含む。）、船主相互保険組合法（昭和二十五年法律第百七十七号）第五十五条第三項、司法書士法（昭和二十五年法律第百九十七号）第四十五条の二第六項、土地家屋調査士法（昭和二十五年法律第二百二十八号）第四十条の二第六項、商品先物取引法（昭和二十五年法律第二百三十九号）第十一条第九項、行政書士法（昭和二十六年法律第四号）第十三条の二十の二第六項、投資信託及び投資法人に関する法律（昭和二十六年法律第百九十八号）第二十五条第二項（同法第五十九条において準用する場合を含む。）及び第百八十六条の二第四項、税理士法第四十八条の十九の二第六項（同法第四十九条の十二第三項において準用する場合を含む。）、信用金庫法（昭和二十六年法律第二百三十八号）第八十七条の四第四項、輸出入取引法（昭和二十七年法律第二百九十九号）第十五条第六項（同法第十九条の六において準用する場合を含む。）、中小漁業融資保証法（昭和二十七年法律第三百四十六号）第五十五条第五項、労働金庫法（昭和二十八年法律第二百二十七号）第九十一条の四第四項、技術研究組合法（昭和三十六年法律第八十一号）第十六条第八項、農業信用保証保険法（昭和三十六年法律第二百四号）第四十八条の三第五項（同法第四十八条の九第七項において準用する場合を含む。）、社会保険労務士法（昭和四十三年法律第八十九号）第二十五条の二十三の二第六項、森林組合法（昭和五十三年法律第三十六号）第八条の二第五項、銀行法第四十九条の二第二項及び第五十二条の六十の三十六第七項（協同組合による金融事業に関する法律（昭和二十四年法律第百八十三号）第六条の五第一項及び信用金庫法第八十九条第七項において準用する場合を含む。）、保険業法（平成七年法律第百五号）第六十七条の二及び第二百十七条第三項、資産の流動化に関する法律（平成十年法律第百五号）第百九十四条第四項、弁理士法（平成十二年法律第四十九号）第五十三条の二第六項、農林中央金庫法（平成十三年法律第九十三号）第九十六条の二第四項、信託業法第五十七条第六項、一般社団法人及び一般財団法人に関する法律第三百三十三条、資金決済に関する法律（平成二十一年法律第五十九号）第二十条第四項、第六十一条第七項、第六十三条の二十五第七項及び第六十三条の二十第七項並びに労働者協同組合法（令和二年法律第七十八号）第二十九条第六項（同法第百十一条第二項において準用する場合を含む。）（以下この節において「電子公告関係規定」と総称する。）において準用する第九百五十五条第一項の規定又はこの節の規定に基づく命令に違反し、罰金以上の刑に処せられ、その執行を終わり、又は執行を受けることがなくなった日から二年を経過しない者（平成一八法五〇・法六六・法一〇九、平成一九法四七・法九九、平成二一法二九・法五八・法七四、平成二七法六三、平成二八法六二、平成三〇法九五、令和二法三三・法七八、令和四法六一本号改正）

二　第九百五十四条の規定により登録を取り消され、その取消しの日から二年を経過しない者

三　法人であって、その業務を行う理事等（理事、取締役、執行役、業務を執行する社員、監事若しくは監査役又はこれらに準ずる者をいう。第九百四十七条において同じ。）のうちに前二号のいずれかに該当する者があるもの

罰［一］【刑の執行の免除→刑三一】【刑の時効→刑三二―三四】【執行猶予→刑二七、二七の七】［二］［三］【登録取消事由→九五四［二］】

第九四四条（**登録基準**）① 法務大臣は、第九百四十二条第一項の規定により登録を申請した者が、次に掲げる要件のすべてに適合しているときは、その登録をしなければならない。この場合において、登録に関して必要な手続は、法務省令で定める。

一　電子公告調査に必要な電子計算機（入出力装置を含む。以下この号において同じ。）及びプログラム（電子計算機に対する指令であって、一の結果を得ることができるように組み合わされたものをいう。以下この号において同じ。）であって次に掲げる要件のすべてに適合するものを用いて電子公告調査を行うものであること。

イ　当該電子計算機及びプログラムが電子公告により公告されている情報をインターネットを利用して閲覧することができるものであること。

ロ　当該電子計算機若しくはその用に供する電磁的記録を損壊し、若しくは当該電子計算機に虚偽の情報若しくは不正な指令を与え、又はその他の方法により、当該電子計算機に使用目的に沿うべき動作をさせず、又は使用目的に反する動作をさせることを防ぐために必要な措置が講じられていること。

ハ　当該電子計算機及びプログラムがその電子公告調査を行う期間を通じて当該電子計算機に入力された情報及び指令並びにインターネットを利用して提供を受けた情報を保存する機能を有していること。

二　電子公告調査を適正に行うために必要な実施方法が定められていること。

＊令和五法五三（令和一〇・六・一三までに施行）**による改正**
第一項中「すべて」を「全て」に改め、第一号中「（入出力装置を含む。以下この号において同じ。）」を削る。（本文未織込み）

② 登録は、調査機関登録簿に次に掲げる事項を記載し、又は記録してするものとする。

一　登録年月日及び登録番号

二　登録を受けた者の氏名又は名称及び住所並びに法人にあっては、その代表者の氏名

三　登録を受けた者が電子公告調査を行う事業所の所在地

㊟❶【本項に適合しなくなった場合の措置↓九五二　[二]【電子公告調査↓九四二【電磁的記録↓二六②　[三]【実施方法↓九四九

（登録の更新）

第九四五条①　登録は、三年を下らない政令で定める期間ごとにその更新を受けなければ、その期間の経過によって、その効力を失う。

②　前三条の規定は、前項の登録の更新について準用する。

㊟❶【登録↓九四二【失効↓九五九[三]

（調査の義務等）

第九四六条①　調査機関は、電子公告調査を行うことを求められたときは、正当な理由がある場合を除き、電子公告調査を行わなければならない。

②　調査機関は、公正に、かつ、法務省令で定める方法により電子公告調査を行わなければならない。

③　調査機関は、電子公告調査を行う場合には、法務省令で定めるところにより、電子公告調査を行うことを求めた者（以下この節において「調査委託者」という。）の商号その他の法務省令で定める事項を法務大臣に報告しなければならない。

④　調査機関は、電子公告調査の後遅滞なく、調査委託者に対して、法務省令で定めるところにより、当該電子公告調査の結果を通知しなければならない。

㊟†【調査機関↓九四一【電子公告調査↓九四二①【本条に違反する場合の措置↓九五三　❶【正当な理由の例↓九四七　❸【本項の違反↓九七七[三]

（電子公告調査を行うことができない場合）

第九四七条　調査機関は、次に掲げる者の電子公告による公告又はその者若しくはその理事等が電子公告による公告に関与した場合として法務省令で定める場合における当該公告については、電子公告調査を行うことができない。

一　当該調査機関

二　当該調査機関が株式会社である場合における親株式会社（当該調査機関を子会社とする株式会社をいう。）

三　理事等又は職員（過去二年間にそのいずれかであった者を含む。次号において同じ。）が当該調査機関の理事等に占める割合が二分の一を超える法人

四　理事等又は職員のうちに当該調査機関（法人であるものを除く。）又は当該調査機関の代表権を有する理事等が含まれている法人

㊟†【調査機関↓九四一【電子公告↓九三九①[三]・九四〇【違反の効果↓九五四[三]

（事業所の変更の届出）

第九四八条　調査機関は、電子公告調査を行う事業所の所在地を変更しようとするときは、変更しようとする日の二週間前までに、法務大臣に届け出なければならない。

㊟†【調査機関↓九四一【電子公告調査↓九四二【届出の公示↓九五九[三]【違反の効果↓九五四[三]

（業務規程）

第九四九条①　調査機関は、電子公告調査の業務に関する規程（次項において「業務規程」という。）を定め、電子公告調査の業務の開始前に、法務大臣に届け出なければならない。これを変更しようとするときも、同様とする。

②　業務規程には、電子公告調査の実施方法、電子公告調査に関する料金その他の法務省令で定める事項を定めておかなければならない。

㊟❶【調査機関↓九四一【電子公告調査↓九四二【業務の状況の検査↓九五八①　❷【実施方法↓九四四①[三]　†【違反の効果↓九五四[三]

（業務の休廃止）

第九五〇条　調査機関は、電子公告調査の業務の全部又は一部を休止し、又は廃止しようとするときは、法務省令で定めるところにより、あらかじめ、その旨を法務大臣に届け出なければならない。

㊟†【調査機関↓九四一【電子公告調査↓九四二【届出の公示↓九五九[三]【違反の効果↓九五四[三]

（財務諸表等の備置き及び閲覧等）

第九五一条①　調査機関は、毎事業年度経過後三箇月以内に、その事業年度の財産目録、貸借対照表及び損益計算書又は収支計算書並びに事業報告書（これらの作成に代えて電磁的記録の作成がされている場合における当該電磁的記録を含む。次項において「財務諸表等」という。）を作成し、五年間事業所に備え置かなければならない。

②　調査委託者その他の利害関係人は、調査機関に対し、その業務時間内は、いつでも、次に掲げる請求をすることができる。ただし、第二号又は第四号に掲げる請求をするには、当該調査機関の定めた費用を支払わなければならない。

一　財務諸表等が書面をもって作成されているときは、当該書面の閲覧又は謄写の請求

二　前号の書面の謄本又は抄本の交付の請求

三　財務諸表等が電磁的記録をもって作成されているときは、当該電磁的記録に記録された事項を法務省令で定める方法により表示したものの閲覧又は謄写の請求

四　前号の電磁的記録に記録された事項を電磁的方法であって調査機関の定めたものにより提供することの請求又は当該事項を記載した書面の交付の請求

㊟❶【調査機関↓九四一【貸借対照表↓四三五①②・六一七①②、商一九②、一般法人一二三②・一九九【損益計算書↓四三五②、一般法人一二三②・一九九【事業報告書↓四三五②、一般法人一二三②・一九九【電磁的記録↓二六②【違反の効果↓九五四[三]・九七七[三]　❷【調査委託者↓九四六③【違法な請求拒絶↓九五四[三]・九七七[三]

（適合命令）

第九五二条　法務大臣は、調査機関が第九百四十四条第一項各号のいずれかに適合しなくなったと認めるときは、その調査機関に対し、これらの規定に適合するため必要な措置をとるべきことを命ずることができる。

㊟†【調査機関↓九四一【命令違反↓九五四[四]

（改善命令）

第九五三条　法務大臣は、調査機関が第九百四十六条の規定に違反していると認めるときは、その調査機関に対し、電子公告調査を行うべきこと又は電子公告調査の方法その他の業務の方法の改善に関し必要な措置をとるべきことを命ずることができる。

参照【調査機関→九四二】【電子公告調査→九四二】【業務の方法→九四九】【命令違反→九五四[四]】

（登録の取消し等）

第九五四条　法務大臣は、調査機関が次のいずれかに該当するときは、その登録を取り消し、又は期間を定めて電子公告調査の業務の全部若しくは一部の停止を命ずることができる。

一　第九百四十三条第一号又は第三号に該当するに至ったとき。

二　第九百四十七条（電子公告関係規定において準用する場合を含む。）から第九百五十条まで、第九百五十一条第一項又は次条第一項（電子公告関係規定において準用する場合を含む。）の規定に違反したとき。

三　正当な理由がないのに第九百五十一条第二項各号又は次条第二項各号（電子公告関係規定において準用する場合を含む。）の規定による請求を拒んだとき。

四　第九百五十二条又は前条（電子公告関係規定において準用する場合を含む。）の命令に違反したとき。

五　不正の手段により第九百四十一条の登録を受けたとき。

参照【調査機関→九四二】【登録→九四二】【電子公告調査→九四二①】【登録取消し・業務停止時の措置→九五六①・九五七①】【登録取消し・業務停止等の公示→九五九[四]】【違反の効果→九七三】

（調査記録簿等の記載等）

第九五五条①　調査機関は、法務省令で定めるところにより、調査記録又はこれに準ずるものとして法務省令で定めるもの（以下この条において「調査記録簿等」という。）を備え、電子公告調査に関し法務省令で定めるものを記載し、又は記録し、及び当該調査記録簿等を保存しなければならない。

②　調査委託者その他の利害関係人は、調査機関に対し、その業務時間内は、いつでも、当該調査機関が前項又は次条第二項の規定により保存している調査記録簿等（利害関係がある部分に限る。）について、次に掲げる請求をすることができる。ただし、当該請求をするには、当該調査機関の定めた費用を支払わなければならない。

一　調査記録簿等が書面をもって作成されているときは、当該書面の写しの交付の請求

二　調査記録簿等が電磁的記録をもって作成されているときは、当該電磁的記録に記録された事項を電磁的方法であって調査機関の定めたものにより提供することの請求又は当該事項を記載した書面の交付の請求

参照❶【調査機関→九四二】【帳簿等の検査→九五八①】【電子公告調査→九四二①】【違反の効果→九五四[二]・九七四[三]】❷【調査委託者→九四六③】【違法な請求拒絶→九五四[三]・九七七[三]】【電磁的記録→二六②】

（調査記録簿等の引継ぎ）

第九五六条①　調査機関は、電子公告調査の業務の全部の廃止をしようとするとき、又は第九百五十四条の規定により登録が取り消されたときは、その保存に係る前条第一項（電子公告関係規定において準用する場合を含む。）の調査記録簿等を他の調査機関に引き継がなければならない。

②　前項の規定により同項の調査記録簿等の引継ぎを受けた調査機関は、法務省令で定めるところにより、その調査記録簿等を保存しなければならない。

参照❶【調査機関→九四二】【電子公告調査→九四二①】❷【違反の効果→九七四[三]】

（法務大臣による電子公告調査の業務の実施）

第九五七条①　法務大臣は、登録を受ける者がないとき、第九百五十条の規定による電子公告調査の業務の全部又は一部の休止又は廃止の届出があったとき、第九百五十四条の規定により登録を取り消し、又は調査機関に対し電子公告調査の業務の全部若しくは一部の停止を命じたとき、調査機関が天災その他の事由によって電子公告調査の業務の全部又は一部を実施することが困難となったとき、その他必要があると認めるときは、当該電子公告調査の業務の全部又は一部を自ら行うことができる。

②　法務大臣が前項の規定により電子公告調査の業務の全部又は一部を自ら行う場合における電子公告調査の業務の引継ぎその他の必要な事項については、法務省令で定める。

③　第一項の規定により法務大臣が行う電子公告調査を求める者は、実費を勘案して政令で定める額の手数料を納付しなければならない。

参照【電子公告調査→九四二①】❶【公示→九五九[五]】

（報告及び検査）

第九五八条①　法務大臣は、この法律の施行に必要な限度において、調査機関に対し、その業務若しくは経理の状況に関し報告をさせ、又はその職員に、調査機関の事務所若しくは事業所に立ち入り、業務の状況若しくは帳簿、書類その他の物件を検査させることができる。

②　前項の規定により職員が立入検査をする場合には、その身分を示す証明書を携帯し、関係人にこれを提示しなければならない。

③　第一項の規定による立入検査の権限は、犯罪捜査のために認められたものと解釈してはならない。

参照❶【調査機関→九四二】【帳簿・書類→九五五①】【検査忌避等の効果→九七四[三]】

（公示）

第九五九条　法務大臣は、次に掲げる場合には、その旨を官報に公示しなければならない。

一　登録をしたとき。

二　第九百四十五条第一項の規定により登録が効力を

失ったことを確認したとき。

三　第九百四十八条又は第九百五十条の届出があったとき。

四　第九百五十四条の規定により登録を取り消し、又は電子公告調査の業務の全部若しくは一部の停止を命じたとき。

五　第九百五十七条第一項の規定により法務大臣が電子公告調査の業務の全部若しくは一部を自ら行うものとするとき、又は自ら行っていた電子公告調査の業務の全部若しくは一部を行わないこととするとき。

参【二】登録→九四二

第八編　罰則

（取締役等の特別背任罪）

第九六〇条① 次に掲げる者が、自己若しくは第三者の利益を図り又は株式会社に損害を加える目的で、その任務に背く行為をし、当該株式会社に財産上の損害を加えたときは、十年以下の拘禁刑若しくは千万円以下の罰金に処し、又はこれを併科する。

一　発起人

二　設立時取締役又は設立時監査役

三　取締役、会計参与、監査役又は執行役

四　民事保全法第五十六条に規定する仮処分命令により選任された取締役、監査役又は執行役の職務を代行する者

五　第三百四十六条第二項、第三百五十一条第二項又は第四百一条第三項（第四百三条第三項及び第四百二十条第三項において準用する場合を含む。）の規定により選任された一時取締役（監査等委員会設置会社にあっては、監査等委員である取締役又はそれ以外の取締役）、会計参与、監査役、代表取締役、委員（指名委員会、監査委員会又は報酬委員会の委員をいう。）、執行役又は代表執行役の職務を行うべき者（平成二六法九〇本号改正）

六　支配人

七　事業に関するある種類又は特定の事項の委任を受けた使用人

八　検査役

（令和四法六八本項改正）

② 次に掲げる者が、自己若しくは第三者の利益を図り又は清算株式会社に損害を加える目的で、その任務に背く行為をし、当該清算株式会社に財産上の損害を加えたときも、前項と同様とする。

一　清算株式会社の清算人

二　民事保全法第五十六条に規定する仮処分命令により選任された清算株式会社の清算人の職務を代行する者

三　第四百七十九条第四項において準用する第三百四十六条第二項又は第四百八十三条第六項において準用する第三百五十一条第二項の規定により選任された一時清算人又は代表清算人の職務を行うべき者

四　清算人代理

五　監督委員

六　調査委員

参【特別背任罪→刑二四七【国外犯→九七一①【法人の場合→九七二　❶【四】【仮処分命令により選任された職務代行者→三五二、四二〇③　【六】【支配人→一〇―一二　【七】【ある種類又は特定の事項の委任を受けた使用人→一四　【八】【検査役→三三①、九四①、二〇七①、二八四①、三〇六①、三一六①、三五八①　❷【二】【仮処分命令により選任された職務代行者→四八三⑥　【四】【清算人代理→五二五　【五】【監督委員→五二七　【六】【調査委員→五三三

（代表社債権者等の特別背任罪）

第九六一条　代表社債権者又は決議執行者（第七百三十七条第二項に規定する決議執行者をいう。以下同じ。）が、自己若しくは第三者の利益を図り又は社債権者に損害を加える目的で、その任務に背く行為をし、社債権者に財産上の損害を加えたときは、五年以下の拘禁刑若しくは五百万円以下の罰金に処し、又はこれを併科する。（令和四法六八本条改正）

参【代表社債権者→七三六【国外犯→九七一①【法人の場合→九七二

（未遂罪）

第九六二条　前二条の罪の未遂は、罰する。

参【未遂罪→刑四四、二五〇【国外犯→九七一①

（会社財産を危うくする罪）

第九六三条① 第九百六十条第一項第一号又は第二号に掲げる者が、第三十四条第一項若しくは第六十三条第一項の規定による払込み若しくは給付について、又は第二十八条各号に掲げる事項について、裁判所又は創立総会若しくは種類創立総会に対し、虚偽の申述を行い、又は事実を隠蔽したときは、五年以下の拘禁刑若しくは五百万円以下の罰金に処し、又はこれを併科する。（令和四法六八本項改正）

② 第九百六十条第一項第三号から第五号までに掲げる者が、第百九十九条第一項第三号又は第二百三十六条第一項第三号に掲げる事項について、裁判所又は株主総会若しくは種類株主総会に対し、虚偽の申述を行い、又は事実を隠蔽したときも、前項と同様とする。

③ 検査役が、第二十八条各号、第百九十九条第一項第三号又は第二百三十六条第一項第三号に掲げる事項について、裁判所に対し、虚偽の申述を行い、又は事実を隠蔽したときも、第一項と同様とする。

④ 第九十四条第一項の規定により選任された者が、第三十四条第一項若しくは第六十三条第一項の規定による払込み若しくは給付について、又は第二十八条各号に掲げる事項について、創立総会に対し、虚偽の申述を行い、又は事実を隠蔽したときも、第一項と同様とする。

⑤ 第九百六十条第一項第三号から第七号までに掲げる者が、次のいずれかに該当する場合にも、第一項と同様とする。

一　何人の名義をもってするかを問わず、株式会社の計算において不正にその株式を取得したとき。

二　法令又は定款の規定に違反して、剰余金の配当をしたとき。

三　株式会社の目的の範囲外において、投機取引のために株式会社の財産を処分したとき。

∞+【国外犯↓九七一①【法人の場合↓九七二　❺[二]【不正な自己株式取得↓一五五∞　[三]【違法な剰余金の配当↓四六一・四六二　[三]【会社の目的の範囲↓二七[一]

（虚偽文書行使等の罪）

第九六四条①　次に掲げる者が、株式、新株予約権、社債又は新株予約権付社債を引き受ける者の募集をするに当たり、会社の事業その他の事項に関する説明を記載した資料若しくは当該募集の広告その他の当該募集に関する文書であって重要な事項について虚偽の記載のあるものを行使し、又はこれらの書類の作成に代えて電磁的記録の作成がされている場合における当該電磁的記録であって重要な事項について虚偽の記録のあるものをその募集の事務の用に供したときは、五年以下の拘禁刑若しくは五百万円以下の罰金に処し、又はこれを併科する。

一　第九百六十条第一項第一号から第七号までに掲げる者

二　持分会社の業務を執行する社員

三　民事保全法第五十六条に規定する仮処分命令により選任された持分会社の業務を執行する社員の職務を代行する者

四　株式、新株予約権、社債又は新株予約権付社債を引き受ける者の募集の委託を受けた者

（令和四法六八本項改正）

②　株式、新株予約権、社債又は新株予約権付社債の売出しを行う者が、その売出しに関する文書であって重要な事項について虚偽の記載のあるものを行使し、又は当該文書の作成に代えて電磁的記録の作成がされている場合における当該電磁的記録であって重要な事項について虚偽の記録のあるものをその売出しの事務の用に供したときも、前項と同様とする。

∞❶【株式の募集↓五九・一九九・二〇三∞【新株予約権・新株予約権付社債の募集↓二三八・二四二∞【社債の募集↓六七六・六七七∞　❷【株式等の売出し↓金商二④⑧[四]⑨　+【特別規定↓金商一六九―一七一・二〇〇[十二]・二〇五[二十]・一五八・一九七①[五]②・一六八・二〇〇[十]・二〇五[十]【法人の場合↓九七二

（預合いの罪）

第九六五条　第九百六十条第一項第一号から第七号までに掲げる者が、株式の発行に係る払込みを仮装するため預合いを行ったときは、五年以下の拘禁刑若しくは五百万円以下の罰金に処し、又はこれを併科する。預合いに応じた者も、同様とする。（令和四法六八本条改正）

∞+【預合い↓六四【国外犯↓九七一①【法人の場合↓九七二

（株式の超過発行の罪）

第九六六条　次に掲げる者が、株式会社が発行することができる株式の総数を超えて株式を発行したときは、五年以下の拘禁刑又は五百万円以下の罰金に処する。

一　発起人

二　設立時取締役又は設立時執行役

三　取締役、執行役又は清算株式会社の清算人

四　民事保全法第五十六条に規定する仮処分命令により選任された取締役、執行役又は清算株式会社の清算人の職務を代行する者

五　第三百四十六条第二項（第四百七十九条第四項において準用する場合を含む。）又は第四百三条第三項において準用する第四百一条第三項の規定により選任された一時取締役（監査等委員会設置会社にあっては、監査等委員である取締役又はそれ以外の取締役）、執行役又は清算株式会社の清算人の職務を行うべき者（平成二六法九〇本号改正）

（令和四法六八本条改正）

∞+【発行可能株式総数↓三七・一一三【国外犯↓九七一①【法人の場合↓九七二　[四]【職務代行者↓三五二・四二〇③・四八三⑥

（取締役等の贈収賄罪）

第九六七条①　次に掲げる者が、その職務に関し、不正の請託を受けて、財産上の利益を収受し、又はその要求若しくは約束をしたときは、五年以下の拘禁刑又は五百万円以下の罰金に処する。

一　第九百六十条第一項各号又は第二項各号に掲げる者

二　第九百六十一条に規定する者

三　会計監査人又は第三百四十六条第四項の規定により選任された一時会計監査人の職務を行うべき者

②　前項の利益を供与し、又はその申込み若しくは約束をした者は、三年以下の拘禁刑又は三百万円以下の罰金に処する。

（令和四法六八本条改正）

∞❶【収賄罪↓九六九・九七一①・九七二、刑一九七―一九七の五　❷【全ての者の国外犯↓九七一②

（株主等の権利の行使に関する贈収賄罪）

第九六八条①　次に掲げる事項に関し、不正の請託を受けて、財産上の利益を収受し、又はその要求若しくは約束をした者は、五年以下の拘禁刑又は五百万円以下の罰金に処する。

一　株主総会若しくは種類株主総会、創立総会若しくは種類創立総会、社債権者集会又は債権者集会における発言又は議決権の行使

二　第二百十条若しくは第二百四十七条、第二百九十七条第一項若しくは第四項、第三百三条第一項若しくは第二項、第三百四条、第三百五条第一項若しくは第三百六条第一項若しくは第二項（これらの規定を第三百二十五条において準用する場合を含む。）、第三百五十八条第一項、第三百六十条第一項若しくは第二項（これらの規定を第四百八十二条第四項において準用する場合を含む。）、第四百二十二条第一項若しくは第二項、第四百二十六条第七項、第四百三十三条第一項若しくは第四百七十九条第二項に規定する株主の権利の行使、第五百十一条第一項若しくは第五百二十二条第一項に規定する株主若しくは債権者の権利の行使又は第五百四十七条第一項若しくは第三項に規定する債権者の権利の行使（平成二六

法九〇本号改正）

三　社債の総額（償還済みの額を除く。）の十分の一以上に当たる社債を有する社債権者の権利の行使

四　第八百二十八条第一項、第八百二十九条から第八百三十一条まで、第八百三十三条第一項、第八百四十七条第三項若しくは第五項、第八百四十七条の二第六項若しくは第八項、第八百四十七条の三第七項若しくは第九項、第八百五十三条、第八百五十四条又は第八百五十八条に規定する訴えの提起（株主等（第八百四十七条の四第二項に規定する株主等をいう。次号において同じ。）、株式会社の債権者又は新株予約権若しくは新株予約権付社債を有する者がするものに限る。）（平成二六法九〇本号改正）

五　第八百四十九条第一項の規定による株主等の訴訟参加（平成二六法九〇本号改正）

（令和四法六八本項改正）

②　前項の利益を供与し、又はその申込み若しくは約束をした者も、同項と同様とする。

参❶【収賄罪→九六九・九七一①、刑一九七―一九七の五　❷【全ての者の国外犯→九七一②

（没収及び追徴）

第九六九条　第九百六十七条第一項又は前条第一項の場合において、犯人の収受した利益は、没収する。その全部又は一部を没収することができないときは、その価額を追徴する。

参【没収・追徴→刑一九七の五

（株主等の権利の行使に関する利益供与の罪）

第九七〇条①　第九百六十条第一項第三号から第六号までに掲げる者又はその他の株式会社の使用人が、株主の権利、当該株式会社に係る適格旧株主（第八百四十七条の二第九項に規定する適格旧株主をいう。第三項において同じ。）の権利又は当該株式会社の最終完全親会社等（第八百四十七条の三第一項に規定する最終完全親会社等をいう。第三項において同じ。）の株主の権利の行使に関し、当該株式会社又はその子会社の計算において財産上の利益を供与したときは、三年以下の拘禁刑又は三百万円以下の罰金に処する。（平成二六法九〇、令和四法六八本項改正）

②　情を知って、前項の利益の供与を受け、又は第三者にこれを供与させた者も、同項と同様とする。

③　株主の権利、株式会社に係る適格旧株主の権利又は株式会社の最終完全親会社等の株主の権利の行使に関し、当該株式会社又はその子会社の計算において第一項の利益を自己又は第三者に供与することを同項に規定する者に要求した者も、同項と同様とする。（平成二六法九〇本項改正）

④　前二項の罪を犯した者が、その実行について第一項に規定する者に対し威迫の行為をしたときは、五年以下の拘禁刑又は五百万円以下の罰金に処する。（令和四法六八本項改正）

⑤　前三項の罪を犯した者には、情状により、拘禁刑及び罰金を併科することができる。（令和四法六八本項改正）

⑥　第一項の罪を犯した者が自首したときは、その刑を減軽し、又は免除することができる。

参【株主等の権利の行使に関する利益供与→一二〇【会社荒し等に関する贈収賄罪→九六八　❶【国外犯→九七一①【法人の場合→九七二　❷―❹【全ての者の国外犯→九七一②

（国外犯）

第九七一条①　第九百六十条から第九百六十三条まで、第九百六十五条、第九百六十六条、第九百六十七条第一項、第九百六十八条第一項及び前条第一項の罪は、日本国外においてこれらの罪を犯した者にも適用する。

②　第九百六十七条第二項、第九百六十八条第二項及び前条第二項から第四項までの罪は、刑法（明治四十年法律第四十五号）第二条の例に従う。

（法人における罰則の適用）

第九七二条　第九百六十条、第九百六十一条、第九百六十三条から第九百六十六条まで、第九百六十七条第一項又は第九百七十条第一項に規定する者が法人であるときは、これらの規定及び第九百六十二条の規定は、その行為をした取締役、執行役その他業務を執行する役員又は支配人に対してそれぞれ適用する。

（業務停止命令違反の罪）

第九七三条　第九百五十四条の規定による電子公告調査（第九百四十二条第一項に規定する電子公告調査をいう。以下同じ。）の業務の全部又は一部の停止の命令に違反した者は、一年以下の拘禁刑若しくは百万円以下の罰金に処し、又はこれを併科する。（令和四法六八本条改正）

参【両罰規定→九七五

（虚偽届出等の罪）

第九七四条　次のいずれかに該当する者は、三十万円以下の罰金に処する。

一　第九百五十条の規定による届出をせず、又は虚偽の届出をした者

二　第九百五十五条第一項の規定に違反して、調査記録簿等（同項に規定する調査記録簿等をいう。以下この号において同じ。）に同項に規定する電子公告調査に関し法務省令で定めるものを記載せず、若しくは記録せず、若しくは虚偽の記載若しくは記録をし、又は同項若しくは第九百五十六条第二項の規定に違反して調査記録簿等を保存しなかった者

三　第九百五十八条第一項の規定による報告をせず、若しくは虚偽の報告をし、又は同項の規定による検査を拒み、妨げ、若しくは忌避した者

参【両罰規定→九七五

（両罰規定）

第九七五条　法人の代表者又は法人若しくは人の代理人、使用人その他の従業者が、その法人又は人の業務に関し、前二条の違反行為をしたときは、行為者を罰するほか、その法人又は人に対しても、各本条の罰金刑を科する。

（過料に処すべき行為）

第九七六条　発起人、設立時取締役、設立時監査役、設立時執行役、取締役、会計参与若しくはその職務を行うべき社員、監査役、執行役、会計監査人若しくはその職務を行うべき社員、清算人、清算人代理、持分会社の業務を執行する社員、民事保全法第五十六条に規定する仮処分命令により選任された取締役、監査役、執行役、清算人若しくは持分会社の業務を執行する社員の職務を代行する者、第九百六十条第一項第五号に規定する一時取締役、会計参与、監査役、代表取締役、委員、執行役若しくは代表執行役の職務を行うべき者、同条第二項第三号に規定する一時清算人若しくは代表清算人の職務を行うべき者、第九百六十七条第一項第三号に規定する一時会計監査人の職務を行うべき者、検査役、監督委員、調査委員、株主名簿管理人、社債原簿管理人、社債管理者、事務を承継する社債管理者、社債管理補助者、事務を承継する社債管理補助者、代表社債権者、決議執行者、外国会社の日本における代表者又は支配人は、次のいずれかに該当する場合には、百万円以下の過料に処する。ただし、その行為について刑を科すべきときは、この限りでない。

一　この法律の規定による登記をすることを怠ったとき。

二　この法律の規定による公告若しくは通知をすることを怠ったとき、又は不正の公告若しくは通知をしたとき。

三　この法律の規定による開示をすることを怠ったとき。

四　この法律の規定に違反して、正当な理由がないのに、書類若しくは電磁的記録に記録された事項を法務省令で定める方法により表示したものの閲覧若しくは謄写又は書類の謄本若しくは抄本の交付、電磁的記録に記録された事項を電磁的方法により提供すること若しくはその事項を記載した書面の交付を拒んだとき。

五　この法律の規定による調査を妨げたとき。

六　官庁、株主総会若しくは種類株主総会、創立総会若しくは種類創立総会、社債権者集会又は債権者集会に対し、虚偽の申述を行い、又は事実を隠蔽したとき。

七　定款、株主名簿、株券喪失登録簿、新株予約権原簿、社債原簿、議事録、財産目録、会計帳簿、貸借対照表、損益計算書、事業報告、事務報告、第四百三十五条第二項若しくは第四百九十四条第一項の附属明細書、会計参与報告、監査報告、会計監査報告、決算報告又は第百二十二条第一項、第百四十九条第一項、第百七十一条の二第一項、第百七十三条の二第一項、第百七十九条の五第一項、第百七十九条の十第一項、第百八十二条の二第一項、第百八十二条の六第一項、第二百五十条第一項、第二百七十条第一項、第六百八十二条第一項、第六百九十五条第一項、第七百八十二条第一項、第七百九十一条第一項、第七百九十四条第一項、第八百一条第一項若しくは第二項、第八百三条第一項、第八百十一条第一項若しくは第二項、第八百十五条第一項若しくは第二項、第八百十六条の二第一項若しくは第八百十六条の十第一項の書面若しくは電磁的記録に記載し、若しくは記録すべき事項を記載せず、若しくは記録せず、又は虚偽の記載若しくは記録をしたとき。（平成二六法九〇本号改正）

八　第三十一条第一項の規定、第七十四条第六項、第七十五条第三項、第七十六条第四項、第八十一条第二項若しくは第八十二条第二項（これらの規定を第八十六条において準用する場合を含む。）、第百二十五条第一項、第百七十一条の二第一項、第百七十三条の二第二項、第百七十九条の五第一項、第百七十九条の十第二項、第百八十二条の二第一項、第百八十二条の六第二項、第二百三十一条第一項若しくは第二百五十二条第一項、第三百十条第六項、第三百十一条第三項、第三百十二条第四項、第三百十八条第二項若しくは第三項若しくは第三百十九条第二項（これらの規定を第三百二十五条において準用する場合を含む。）、第三百七十一条第一項（第四百九十条第五項において準用する場合を含む。）、第三百七十八条第一項、第三百九十四条第一項、第三百九十九条の十一第一項、第四百十三条第一項、第四百四十二条第一項若しくは第二項、第四百九十六条第一項、第六百八十四条第一項、第七百三十一条第二項、第七百八十二条第一項、第七百九十一条第二項、第七百九十四条第一項、第八百一条第三項、第八百三条第一項、第八百十一条第二項、第八百十五条第三項、第八百十六条の二第一項又は第八百十六条の十第二項の規定に違反して、帳簿又は書類若しくは電磁的記録を備え置かなかったとき。（平成二六法九〇本号改正）

九　正当な理由がないのに、株主総会若しくは種類株主総会又は創立総会若しくは種類創立総会において、株主又は設立時株主の求めた事項について説明をしなかったとき。

十　第百三十五条第一項の規定に違反して株式を取得したとき、又は同条第三項の規定に違反して株式の処分をすることを怠ったとき。

十一　第百七十八条第一項又は第二項の規定に違反して、株式の消却をしたとき。

十二　第百九十七条第一項又は第二項の規定に違反して、株式の競売又は売却をしたとき。

十三　株式、新株予約権又は社債の発行の日前に株券、新株予約権証券又は社債券を発行したとき。

十四　第二百十五条第一項、第二百八十八条第一項又は第六百九十六条の規定に違反して、遅滞なく、株券、新株予約権証券又は社債券を発行しなかったとき。

十五　株券、新株予約権証券又は社債券に記載すべき事項を記載せず、又は虚偽の記載をしたとき。

十六　第二百二十五条第四項、第二百二十六条第二項、第二百二十七条又は第二百二十九条第二項の規定に違反して、株券喪失登録を抹消しなかったとき。

十七　第二百三十条第一項の規定に違反して、株主名簿に記載し、又は記録したとき。

十八　第二百九十六条第一項の規定又は第三百七条第一項第一号（第三百二十五条において準用する場合を含む。）若しくは第三百五十九条第一項第一号の規定による裁判所の命令に違反して、株主総会を招集しなかったとき。

十八の二　第三百三条第一項又は第二項（これらの規定を第三百二十五条において準用する場合を含む。）の規定による請求があった場合において、その請求に係る事項を株主総会又は種類株主総会の目的としなかったとき。（平成一八法一〇九本号改正）

十九　第三百二十五条の三第一項（第三百二十五条の七において準用する場合を含む。）の規定に違反して、電子提供措置をとらなかったとき。（令和一法七〇本号追加）

十九の二　第三百二十七条の二の規定に違反して、社外取締役を選任しなかったとき。（令和一法七〇本号追加）

十九の三　第三百三十一条第六項の規定に違反して、社外取締役を監査等委員である取締役の過半数に選任しなかったとき。（平成二六法九〇本号追加）

二十　第三百三十五条第三項の規定に違反して、社外監査役を監査役の半数以上に選任しなかったとき。

二十一　第三百四十三条第二項（第三百四十七条第二項の規定により読み替えて適用する場合を含む。）又は第三百四十四条の二第二項（第三百四十七条第一項の規定により読み替えて適用する場合を含む。）の規定による請求があった場合において、その請求に係る事項を株主総会若しくは種類株主総会の目的とせず、又はその請求に係る議案を株主総会若しくは種類株主総会に提出しなかったとき。（平成一八法一〇九、平成二六法九〇本号改正）

二十二　取締役（監査等委員会設置会社にあっては、監査等委員である取締役又はそれ以外の取締役）、会計参与、監査役、執行役又は会計監査人がこの法律又は定款で定めたその員数を欠くこととなった場合において、その選任（一時会計監査人の職務を行うべき者の選任を含む。）の手続をすることを怠ったとき。（平成二六法九〇本号改正）

二十三　第三百六十五条第二項（第四百十九条第二項及び第四百八十九条第八項において準用する場合を含む。）又は第四百三十条の二第四項（同条第五項において準用する場合を含む。）の規定に違反して、取締役会又は清算人会に報告せず、又は虚偽の報告をしたとき。

二十四　第三百九十条第三項の規定に違反して、常勤の監査役を選定しなかったとき。

二十五　第四百四十五条第三項若しくは第四項の規定に違反して資本準備金若しくは準備金を計上せず、又は第四百四十八条の規定に違反して準備金の額の減少をしたとき。

二十六　第四百四十九条第二項若しくは第五項、第六百二十七条第二項若しくは第五項、第六百三十五条第二項若しくは第五項、第六百七十条第二項若しくは第五項、第七百七十九条第二項若しくは第五項（これらの規定を第七百八十一条第二項において準用する場合を含む。）、第七百八十九条第二項若しくは第五項（これらの規定を第七百九十三条第二項において準用する場合を含む。）、第七百九十九条第二項若しくは第五項（これらの規定を第八百二条第二項において準用する場合を含む。）、第八百十条第二項若しくは第五項（これらの規定を第八百十三条第二項において準用する場合を含む。）、第八百十六条の八第二項若しくは第五項又は第八百二十条第一項若しくは第二項の規定に違反して、資本金若しくは準備金の額の減少、持分の払戻し、持分会社の財産の処分、組織変更、吸収合併、新設合併、吸収分割、新設分割、株式交換、株式移転、株式交付又は外国会社の日本における代表者の全員の退任をしたとき。

二十七　第四百八十四条第一項若しくは第六百五十六条第一項の規定に違反して破産手続開始の申立てを怠ったとき、又は第五百十一条第二項の規定に違反して特別清算開始の申立てをすることを怠ったとき。

二十八　清算の結了を遅延させる目的で、第四百九十九条第一項、第六百六十条第一項又は第六百七十条第二項の期間を不当に定めたとき。

二十九　第五百条第一項、第五百三十七条第一項又は第六百六十一条第一項の規定に違反して、債務の弁済をしたとき。

三十　第五百二条又は第六百六十四条の規定に違反して、清算株式会社又は清算持分会社の財産を分配したとき。

三十一　第五百三十五条第一項又は第五百三十六条第一項の規定に違反したとき。

三十二　第五百四十条第一項若しくは第二項又は第五百四十二条第一項若しくは第二項の規定による保全処分に違反したとき。

三十三　第七百二条の規定に違反して社債を発行し、又は第七百十四条第一項（第七百十四条の七において準用する場合を含む。）の規定に違反して事務を承継する社債管理者若しくは社債管理補助者を定めなかったとき。（平成一八法一〇九本号改正）

三十四　第八百二十七条第一項の規定による裁判所の命令に違反したとき。

三十五　第九百四十一条の規定に違反して、電子公告調査を求めなかったとき。

（令和一法七〇本条改正）

【過料→非訟一一九～一二二【清算人代理→五二五【職務代行者→三五二・四二〇③・四八三⑥【監督委員→五二七【調査委員→五三三

第九七七条　次のいずれかに該当する者は、百万円以下の過料に処する。

一　第九百四十六条第三項の規定に違反して、報告をせず、又は虚偽の報告をした者

二　第九百五十一条第一項の規定に違反して、財務諸表等（同項に規定する財務諸表等をいう。以下同じ。）を備え置かず、又は財務諸表等に記載し、若しくは記録すべき事項を記載せず、若しくは記録せず、若しくは虚偽の記載若しくは記録をした者

三　正当な理由がないのに、第九百五十一条第二項各号又は第九百五十五条第二項各号に掲げる請求を拒んだ者

第九七八条　次のいずれかに該当する者は、百万円以下の過料に処する。

一　第六条第三項の規定に違反して、他の種類の会社であると誤認されるおそれのある文字をその商号中に用いた者

二　第七条の規定に違反して、会社であると誤認されるおそれのある文字をその名称又は商号中に使用した者

三　第八条第一項の規定に違反して、他の会社（外国会社を含む。）であると誤認されるおそれのある名称又は商号を使用した者

第九七九条①　会社の成立前に当該会社の名義を使用して事業をした者は、会社の設立の登録免許税の額に相当する過料に処する。

②　第八百十八条第一項又は第八百二十一条第一項の規定に違反して取引をした者も、前項と同様とする。

参❶【会社の成立→四九、五七九】

附　則（抄）

（施行期日）

①　この法律は、公布の日から起算して一年六月を超えない範囲内において政令で定める日（平成一八・五・一―平成一八政七七）から施行する。

（経過措置の原則）

②　この法律の規定（罰則を除く。）は、他の法律に特別の定めがある場合を除き、この法律の施行前に生じた事項にも適用する。

附　則（令和四・五・二五法四八）（抄）

（施行期日）

第一条　この法律は、公布の日から起算して四年を超えない範囲内において政令で定める日から施行する。ただし、次の各号に掲げる規定は、当該各号に定める日から施行する。

一　（前略）附則第百二十五条の規定　公布の日

二―五　（略）

（政令への委任）

第一二五条　（前略）この法律の施行に関し必要な経過措置は、政令で定める。

刑法等の一部を改正する法律の施行に伴う関係法律整理法中経過規定

（令和四・六・一七法六八）（抄）

第四四一条から第四四三条まで　（刑法の同経過規定参照）

第五〇九条　（刑法の同経過規定参照）

刑法等の一部を改正する法律の施行に伴う関係法律整理法

附　則（令和四・六・一七法六八）（抄）

（施行期日）

①　この法律は、刑法等一部改正法（刑法等の一部を改正する法律（令和四法六七））施行日（令和七・六・一）から施行する。ただし、次の各号に掲げる規定は、当該各号に定める日から施行する。

一　第五百九条の規定　公布の日

二　（略）

民事関係手続等における情報通信技術の活用等の推進を図るための関係法律の整備に関する法律中経過規定

（令和五・六・一四法五三）（抄）

（財産目録等の提出に関する経過措置）

第二八八条　前条の規定による改正後の会社法（以下この節において「改正後会社法」という。）第五百二十一条の規定は、施行日以後に開始される特別清算事件（以下この節において「改正後特別清算事件」という。）における財産目録及び貸借対照表の提出について適用し、施行日前に開始された特別清算事件（以下この節において「改正前特別清算事件」という。）における財産目録及び貸借対照表の提出については、なお従前の例による。

（送達報告書に関する経過措置）

第二八九条　改正後会社法第八百八十三条において準用する民事訴訟法第百条第二項の規定は、改正後特別清算事件における電子裁判書に係る送達報告書の提出について、適用する。

（電子裁判書の公示送達に関する経過措置）

第二九〇条　改正後会社法第八百八十三条において準用する民事訴訟法第百十一条から第百十三条までの規定は、改正後特別清算事件における電子裁判書の公示送達について適用し、改正前特別清算事件における裁判書の公示送達については、なお従前の例による。

（事件に関する事項の証明に関する経過措置）

第二九一条　改正後会社法第八百八十六条の三の規定は、改正後特別清算事件に関する事項の証明について適用し、改正前特別清算事件に関する事項の証明については、なお従前の例による。

（電子裁判書の送達に関する経過措置）

第二九二条　改正後会社法第八百八十九条第四項、第八百九十条第一項及び第二項、第八百九十一条第五項、第八百九十二条第四項、第八百九十七条第二項、第八百九十八条第四項並びに第八百九十九条第四項の規定は、改正後特別清算事件における電子裁判書の送達について適用し、改正前特別清算事件における裁判書の送達については、なお従前の例による。

第三八七条から第三八九条まで　（民事執行法の同経過規定参照）

民事関係手続等における情報通信技術の活用等の推進を図るための関係法律の整備に関する法律

附　則（令和五・六・一四法五三）

この法律は、公布の日から起算して五年を超えない範囲内において政令で定める日から施行する。ただし、次の各号に掲げる規定は、当該各号に定める日から施行する。

一　（前略）第三百八十八条の規定　公布の日

二　（前略）第三百八十七条の規定　公布の日から起算して二年六月を超えない範囲内において政令で定める日

三　（略）

附　則（令和六・五・二二法三二）（抄）

（施行期日）

第一条　この法律は、公布の日から起算して一年を超えない範囲内において政令で定める日から施行する。ただし、次の各号に掲げる規定は、当該各号に定める日から施行する。

一　附則第十八条の規定　公布の日

二　（略）

三　（前略）附則第十一条（第七号は会社法の一部改正）の規定（「第百九十七条の二第一号」を「第百九十七条の二第一項第一号」に改める部分に限る。）　公布の日から起算して二年を超えない範囲内において政令で定める日

（政令への委任）

第一八条（前略）この法律の施行に関し必要な経過措置（中略）は、政令で定める。

会社法の施行に伴う関係法律の整備等に関する法律（抄）

（平成一七・七・二六 法 八七）

施行 平成一八・五・一（附則参照）
最終改正 令和一法七一

目次

第一章 法律の廃止等（抄）

第一節 商法中署名すべき場合に関する法律等の廃止

第一条 次に掲げる法律は、廃止する。
一 商法中署名すべき場合に関する法律（明治三十三年法律第十七号）
二 商法中改正法律施行法（昭和十三年法律第七十三号）
三 有限会社法（昭和十三年法律第七十四号）
四 （略）
五 会社の配当する利益又は利息の支払に関する法律（昭和二十三年法律第六十四号）
六・七 （略）
八 株式会社の監査等に関する商法の特例に関する法律（昭和四十九年法律第二十二号）
九 （略）

第二節 有限会社法の廃止に伴う経過措置（抄）

第一款 旧有限会社の存続

第二条① 前条第三号の規定による廃止前の有限会社法（以下「旧有限会社法」という。）の規定による有限会社であってこの法律の施行の際現に存するもの（以下「旧有限会社」という。）は、この法律の施行の日（以下「施行日」という。）以後は、この節の定めるところにより、会社法（平成十七年法律第八十六号）の規定による株式会社として存続するものとする。
② 前項の場合においては、旧有限会社の定款、社員、持分及び出資一口を、それぞれ同項の規定により存続する株式会社の定款、株主、株式及び一株とみなす。
③ 第一項の規定により存続する株式会社の施行日における発行可能株式総数及び発行済株式の総数は、同項の旧有限会社の資本の総額を当該旧有限会社の出資一口の金額で除して得た数とする。

第二款 経過措置及び特例有限会社に関する会社法の特則（抄）

（商号に関する特則）
第三条① 前条第一項の規定により存続する株式会社は、会社法第六条第二項の規定にかかわらず、その商号中に有限会社という文字を用いなければならない。
② 前項の規定によりその商号中に有限会社という文字を用いる前条第一項の規定により存続する株式会社（以下「特例有限会社」という。）は、その商号中に特例有限会社である株式会社以外の株式会社、合名会社、合資会社又は合同会社であると誤認されるおそれのある文字を用いてはならない。
③ 特例有限会社である株式会社以外の株式会社、合名会社、合資会社又は合同会社は、その商号中に、特例有限会社であると誤認されるおそれのある文字を用いてはならない。
④ 前二項の規定に違反して、他の種類の会社であると誤認されるおそれのある文字をその商号中に用いた者は、百万円以下の過料に処する。

（定款の記載等に関する経過措置）
第五条① 旧有限会社の定款における旧有限会社法第六条第一項第一号、第二号及び第七号に掲げる事項の記載又は記録はそれぞれ第二条第一項の規定により存続する株式会社の定款における会社法第二十七条第一号から第三号までに掲げる事項の記載又は記録とみなし、旧有限会社の定款における旧有限会社法第六条第一項第三号から第六号までに掲げる事項の記載又は記録は第二条第一項の規定により存続する株式会社の定款に記載又は記録がないものとみなす。
② 旧有限会社における旧有限会社法第八十八条第三項第一号又は第二号に掲げる定款の定めは、第二条第一項の規定により存続する株式会社の定款における会社法第九百三十九条第一項の規定による公告方法の定めとみなす。
③ 旧有限会社における旧有限会社法第八十八条第三項第三号に掲げる定款の定めは、第二条第一項の規定により存続する株式会社の定款における会社法第九百三十九条第三項後段の規定による定めとみなす。
④ 前二項の規定にかかわらず、この法律の施行の際現に旧有限会社が旧有限会社法第八十八条第一項に規定する公告について異なる二以上の方法の定款の定めを設けている場合には、施行日に、当該定款の定めはその効力を失う。
⑤ 会社法第二十七条第四号及び第五号の規定は、第二条第一項の規定により存続する株式会社には、適用しない。

（定款の備置き及び閲覧等に関する特則）
第六条 第二条第一項の規定により存続する株式会社は、会社法第三十一条第二項各号に掲げる請求に応じる場合には、当該請求をした者に対し、定款に記載又は記録がないものであっても、この節の規定により定款に定めがあるものとみなされる事項を示さなければならない。

（出資の引受けの意思表示の効力）
第七条 第二条第一項の規定により存続する株式会社の株主は、当該株主がした旧有限会社の出資の引受けの意思表示について、民法（明治二十九年法律第八十九号）第九十三条ただし書、第九十四条第一項若しくは第九十五条の規定によりその無効を主張し、又は詐欺若しくは強迫を理由としてその取消しをすることができない。

（社員名簿に関する経過措置）
第八条① 旧有限会社の社員名簿は、会社法第百二十一条の株主名簿とみなす。
② 前項の社員名簿における次の各号に掲げる事項の記載又は記

録は、同項の株主名簿における当該各号に定める規定に掲げる事項の記載又は記録とみなす。

一　社員の氏名又は名称及び住所　会社法第百二十一条第一号

二　社員の出資の口数　会社法第百二十一条第二号

（株式の譲渡制限の定めに関する特則）

第九条①　特例有限会社の定款には、その発行する全部の株式の内容として当該株式を譲渡により取得することについて当該特例有限会社の承認を要する旨及び当該特例有限会社の株主が当該株式を譲渡により取得する場合においては当該特例有限会社が会社法第百三十六条又は第百三十七条第一項の承認をしたものとみなす旨の定めがあるものとみなす。

②　特例有限会社は、その発行する全部又は一部の株式の内容として前項の定めと異なる内容の定めを設ける定款の変更をすることができない。

（持分に関する定款の定めに関する経過措置）

第一〇条　この法律の施行の際旧有限会社の定款に現に次の各号に掲げる規定に規定する別段の定めがある場合における当該定めに係る持分は、第二条第一項の規定により存続する株式会社における当該各号に定める規定に掲げる事項についての定めがある種類の株式とみなす。

一　旧有限会社法第三十九条第一項ただし書　会社法第百八条第一項第三号

二　旧有限会社法第四十四条　会社法第百八条第一項第一号

三　旧有限会社法第七十三条　会社法第百八条第一項第二号

（株主総会に関する特則）

第一四条①　特例有限会社の総株主の議決権の十分の一以上を有する株主は、取締役に対し、株主総会の目的である事項及び招集の理由を示して、株主総会の招集を請求することができる。ただし、定款に別段の定めがある場合は、この限りでない。

②　次に掲げる場合には、前項本文の規定による請求をした株主は、裁判所の許可を得て、株主総会を招集することができる。

一　前項本文の規定による請求の後遅滞なく招集の手続が行われない場合

二　前項本文の規定による請求があった日から八週間（これを下回る期間を定款で定めた場合にあっては、その期間）以内の日を株主総会の日とする株主総会の招集の通知が発せられない場合

③　特例有限会社の株主総会の決議については、会社法第三百九条第二項中「当該株主総会において議決権を行使することができる株主の議決権の過半数（三分の一以上の割合を定款で定めた場合にあっては、その割合以上）を有する株主が出席し、出席した当該株主の議決権の三分の二」とあるのは、「総株主の半数以上（これを上回る割合を定款で定めた場合にあっては、その割合以上）であって、当該株主の議決権の四分の三」とする。

④　特例有限会社は、会社法第百八条第一項第三号に掲げる事項についての定めがある種類の株式に関し、その株式を有する株主が総株主の議決権の十分の一以上を有する株主の権利の行使についての規定の全部又は一部の適用については議決権を有しないものとする旨を定款で定めることができる。

⑤　特例有限会社については、会社法第二百九十七条及び第三百一条から第三百七条までの規定は、適用しない。

（株主総会以外の機関の設置に関する特則）

第一七条①　特例有限会社の株主総会以外の機関の設置については、会社法第三百二十六条第二項中「取締役会、会計参与、監査役、監査役会、会計監査人、監査等委員会又は指名委員会等」とあるのは、「監査役」とする。

②　特例有限会社については、会社法第三百二十八条第二項の規定は、適用しない。

（取締役の任期等に関する規定の適用除外）

第一八条　特例有限会社については、会社法第三百三十二条、第三百三十六条及び第三百四十三条の規定は、適用しない。

（取締役等の資格に関する経過措置）

第一九条①　会社法第三百三十一条第一項（同法第三百三十五条第一項、第四百二条第四項及び第四百七十八条第八項において準用する場合を含む。）の規定の適用については、旧有限会社法の規定（この節の規定によりなお従前の例によることとされる場合における旧有限会社法の規定を含む。）に違反し、刑に処せられた者は、会社法の規定に違反し、刑に処せられたものとみなす。

②　会社法第三百三十一条第一項第三号（同法第三百三十五条第一項及び第四百七十八条第八項において準用する場合を含む。）の規定は、この法律の施行の際現に旧有限会社の取締役、監査役又は清算人である者が施行日前に犯した証券取引法等の一部を改正する法律（平成十八年法律第六十六号）第二百五条の規定による改正前の会社法（第五十八条第二項、第九十四条第二項（中略）において「旧会社法」という。）第三百三十一条第一項第三号に規定する証券取引法（昭和二十三年法律第二十五号）、民事再生法（平成十一年法律第二百二十五号）、外国倒産処理手続の承認援助に関する法律（平成十二年法律第百二十九号）、会社更生法（平成十四年法律第百五十四号）又は破産法（平成十六年法律第七十五号）の罪により刑に処せられた場合におけるその者の第二条第一項の規定により存続する株式会社の取締役、監査役又は清算人としての継続する在任については、適用しない。

（取締役に関する規定の適用除外）

第二一条　特例有限会社については、会社法第三百四十八条第三項及び第四項並びに第三百五十七条の規定は、適用しない。

（業務の執行に関する検査役の選任に関する特則）

第二三条　特例有限会社の業務の執行に関する検査役の選任については、会社法第三百五十八条第一項中「次に掲げる株主」とあるのは、「総株主の議決権の十分の一以上の議決権を有する株主」とする。

（監査役の監査範囲に関する特則）

第二四条　監査役を置く旨の定款の定めのある特例有限会社の定款には、会社法第三百八十九条第一項の規定による定めがあるものとみなす。

（会計帳簿の閲覧等の請求等に関する特則）

第二六条①　特例有限会社の会計帳簿の閲覧等の請求については、会社法第四百三十三条第一項中「総株主（株主総会において決議をすることができる事項の全部につき議決権を行使することができない株主を除く。）の議決権の百分の三（これを下回る割合を定款で定めた場合にあっては、その割合）以上の議決権を有する株主又は発行済株式（自己株式を除く。）の百分の三（これを下回る割合を定款で定めた場合にあっては、その割合）以上の数の株式を有する株主」とあるのは「総株主の議決権の十分の一以上の議決権を有する株主」と、同条第三項中「親会社社員」とあるのは「親会社社員であって当該親会社の総株主の議決権の十分の一以上を有するもの」とする。

②　この法律の施行の際現に旧有限会社法第四十四条ノ二第二項の規定による定款の定めがある特例有限会社における附属明細書の作成については、なお従前の例による。

（計算書類の公告等に関する規定の適用除外）

第二八条　特例有限会社については、会社法第四百四十条及び第四百四十二条第二項の規定は、適用しない。

（休眠会社のみなし解散に関する規定の適用除外）

第三二条　特例有限会社については、会社法第四百七十二条の規定は、適用しない。

（清算株式会社である特例有限会社に関する特則）

第三三条①　清算株式会社である特例有限会社の株主総会以外の機関の設置については、会社法第四百七十七条第二項中「清算人会、監査役又は監査役会」とあるのは、「監査役」とする。

②　清算株式会社である特例有限会社の清算人の解任については、会社法第四百七十九条第二項各号列記以外の部分中「次に掲げる株主」とあるのは、「株主」とする。

（特別清算に関する規定の適用除外）

第三五条　特例有限会社については、会社法第二編第九章第二節の規定は、適用しない。

（合併等の制限）

第三七条　特例有限会社は、会社法第七百四十九条第一項に規定する吸収合併存続会社又は同法第七百五十七条に規定する吸収分割承継会社となることができない。

（株式交換、株式移転及び株式交付に関する規定の適用除外）

第三八条　特例有限会社については、会社法第五編第四章及び第四章の二並びに同編第五章中株式交換、株式移転及び株式交付の手続に係る部分の規定は、適用しない。

（役員の解任の訴えに関する特則）

第三九条　特例有限会社の役員の解任の訴えについては、会社法第八百五十四条第一項各号列記以外の部分中「次に掲げる株主」とあるのは、「総株主の議決権の十分の一以上の議決権を有する株主」とする。

（登記に関する経過措置）

第四二条①　旧有限会社法の規定による旧有限会社の資本の総額の登記は、会社法の規定による特例有限会社の資本金の額の登記とみなす。

②　前項に規定するもののほか、旧有限会社法の規定による旧有限会社の登記は、会社法の相当規定（次条の規定により読み替えて適用する場合を含む。）による特例有限会社の登記とみなす。

③　特例有限会社については、施行日に、その本店の所在地において、会社法第九百十一条第三項第六号及び第九号に掲げる事項として、第二条第三項の規定による発行可能株式総数及び発行済株式の総数が登記されたものとみなす。

④　特例有限会社については、施行日に、その本店の所在地において、会社法第九百十一条第三項第七号に掲げる事項として、第九条第一項の規定によりあるものとみなされた定款の定めが登記されたものとみなす。

⑤　旧有限会社が旧有限会社法第八十八条第三項第一号又は第二号に掲げる定款の定めの登記をしている場合には、施行日に、特例有限会社について、その本店の所在地において、会社法第九百十一条第三項第二十八号及び第二十九号イに掲げる事項として、第五条第二項の規定によりみなされた公告方法の定めが登記されたものとみなす。

⑥　旧有限会社が旧有限会社法第八十八条第三項第三号に掲げる定款の定めの登記をしている場合には、施行日に、特例有限会社について、その本店の所在地において、会社法第九百十一条第三項第二十九号ロに掲げる事項として、第五条第三項の規定によりみなされた同法第九百三十九条第三項後段の規定による定めが登記されたものとみなす。

⑦　旧有限会社が旧有限会社法第八十八条第三項第一号若しくは第二号に掲げる定款の定めの登記をしていない場合又は第五条第四項の規定に該当する場合には、施行日に、特例有限会社について、その本店の所在地において、会社法第九百十一条第三項第三十号に掲げる事項が登記されたものとみなす。

⑧―⑪　（略）

（登記に関する特則）

第四三条①　特例有限会社の登記については、会社法第九百十一条第三項第十三号中「氏名」とあるのは「氏名及び住所」と、同項第十四号中「氏名及び住所」とあるのは「氏名（特例有限会社を代表しない取締役がある場合に限る。）」と、同項第十七号中「その旨及び次に掲げる事項」とあるのは「監査役の氏名及び住所」とする。

②　特例有限会社の清算人の登記については、会社法第九百二十八条第一項第一号中「氏名」とあるのは「氏名及び住所」と、同項第二号中「氏名及び住所」とあるのは「氏名（特例有限会社を代表しない清算人がある場合に限る。）」とする。

（旧有限会社法の規定の読替え等）

第四四条　この節の規定によりなお従前の例によることとされる場合においては、旧有限会社法中「社員」とあるのは「株主」と、「社員総会」とあるのは「株主総会」と、「社員名簿」とあるのは「株主名簿」とするほか、必要な技術的読替えは、法務省令で定める。

第三款　商号変更による通常の株式会社への移行

（株式会社への商号変更）

第四五条①　特例有限会社は、第三条第一項の規定にかかわらず、定款を変更してその商号中に株式会社という文字を用いる商号の変更をすることができる。

②　前項の規定による定款の変更は、次条の登記（本店の所在地におけるものに限る。）をすることによって、その効力を生ずる。

（特例有限会社の通常の株式会社への移行の登記）

第四六条　特例有限会社が前条第一項の規定による定款の変更をする株主総会の決議をしたときは、二週間以内に、その本店の所在地において、当該特例有限会社については解散の登記をし、同項の商号の変更後の株式会社については設立の登記をしなければならない。この場合においては、会社法第九百十五条第一項の規定は、適用しない。

第三節　会社の配当する利益又は利息の支払に関する法律の廃止に伴う経過措置

（第四七条）（略）

第四節　株式会社の監査等に関する商法の特例に関する法律の廃止に伴う経過措置（抄）

（取締役等の資格等に関する経過措置）

第五八条①　会社法第三百三十一条第一項（同法第三百三十五条第一項、第四百二条第四項及び第四百七十八条第八項において準用する場合を含む。）の規定の適用については、旧商法特例法の規定（この節の規定によりなお従前の例によることとされる場合における旧商法特例法の規定を含む。）に違反し、刑に処せられた者は、会社法の規定に違反し、刑に処せられたものとみなす。

②　会社法第四百二条第四項において準用する同法第三百三十一条第一項第三号の規定は、この法律の施行の際現に旧商法特例法の規定による執行役である者が施行日前に犯した旧会社法第三百三十一条第一項第三号に規定する証券取引法、民事再生法、外国倒産処理手続の承認援助に関する法律、会社更生法又は破産法の罪により刑に処せられた場合におけるその者の第六十六条第一項前段の規定により存続する株式会社の執行役としての継続する在任については、適用しない。

③　旧商法特例法の規定による執行役の施行日前の行為に基づく損害賠償責任については、なお従前の例による。

第五節　銀行持株会社の創設のための銀行等に係る合併手続の特例等に関する法律の廃止に伴う経過措置

（第六三条）（略）

第二章　法務省関係（抄）

第一節　商法の一部改正等（抄）

第一款　商法の一部改正

（第六四条）（略）

第二款　商法の一部改正に伴う経過措置（抄）

（経過措置の原則）

第六五条　前条の規定による改正後の商法（以下「新商法」という。）の規定は、この款に別段の定めがある場合を除き、施行日前に生じた事項にも適用する。ただし、旧商法の規定によって生じた効力を妨げない。

第六六条①（**旧株式会社の存続等**）　旧株式会社は、施行日以後は、会社法の規定による株式会社として存続するものとする。第七十五条の規定により従前の例により施行日以後に設立された株式会社、第三十六条の規定により従前の例による合併により施行日以後に設立された株式会社並びに第百五条本文の規定により従前の例による合併（合併により会社を設立する場合に限る。）、新設分割及び株式移転により施行日以後に設立された株式会社についても、同様とする。

②―④（略）

第七六条①（**株式会社の定款の記載等に関する経過措置**）　旧株式会社及び第六十六条第一項後段に規定する株式会社の定款における旧商法第百六十六条第一項各号（第六号を除く。）及び第百六十八条第一項各号に掲げる事項の記載又は記録は、これに相当する新株式会社の定款における会社法第二十七条各号（第四号を除く。）及び第二十八条各号に掲げる事項並びに同法第二十九条に規定する事項の記載又は記録とみなす。

② 新株式会社（委員会設置会社を除く。）の定款には、取締役会及び監査役を置く旨の定めがあるものとみなす。

③ 旧株式会社若しくは第六十六条第一項後段に規定する株式会社の定款に旧商法第二百四条第一項ただし書の規定による定めがある場合又は施行日以後に第百四条の規定により従前の例により旧商法第三百四十八条の規定による定款の変更をした場合における新株式会社の定款には、その発行する全部の株式の内容として譲渡による当該株式の取得について当該新株式会社の承認を要する旨の定め及び会社法第二百二条第三項第二号に規定する定めがあるものとみなす。

④ 旧株式会社又は第六十六条第一項後段に規定する株式会社の定款に株券を発行しない旨の定めがない場合における新株式会社の定款には、その株式（種類株式発行会社にあっては、全部の種類の株式）に係る株券を発行する旨の定めがあるものとみなす。

第七七条（**定款の備置き及び閲覧等に関する特則**）　新株式会社は、会社法第三十一条第二項各号に掲げる請求に応じる場合には、当該請求をした者に対し、定款に記載又は記録がないものであっても、前章第四節及びこの款の規定により定款に定めがあるものとみなされる事項を示さなければならない。

第八七条①（**種類株式等に関する経過措置**）　旧商法第二百二十二条第一項第三号又は第四号に掲げる事項について内容の異なる種類の株式であって、この法律の施行の際現に発行されているもの又は新株予約権の目的であるものは、次に掲げる区分に応じ、当該各号に定める種類の株式とみなす。

一　株主が旧株式会社に対して当該株式の買受け又は利益をもってする消却を請求することができるもの　取得請求権付株式であって、当該株主が新株式会社に対してその取得を請求した場合に当該新株式会社が当該取得請求権付株式一株を取得するのと引換えに当該株主に対して金銭を交付するもの

二　旧株式会社が一定の事由が生じたことを条件として当該株式の買受け又は利益をもってする消却をすることができるもの　取得条項付株式であって、当該事由が生じた場合に新株式会社が当該取得条項付株式一株を取得するのと引換えに当該取得条項付株式の株主に対して金銭を交付するもの

② 旧商法第二百二十二条第一項第三号又は第四号に掲げる事項について内容の異なる種類の株式であって、次に掲げるものについても、前項と同様とする。

一　第九十八条第二項に規定する新株の引受権の目的であるもの

二　商法等の一部を改正する法律（平成十三年法律第百二十八号。以下この条において「平成十三年改正法」という。）附則第六条第一項に規定する新株の引受権の目的であるもの

三　平成十三年改正法附則第七条第一項の規定によりなお従前の例によるものとされる転換社債の転換によって発行するもの

四　平成十三年改正法附則第七条第一項の規定によりなお従前の例によるものとされる新株引受権付社債に付された新株の引受権の目的であるもの

③ 旧商法第二百二十二条ノ三に規定する転換予約権付株式であって、この法律の施行の際現に発行されているものは、取得請求権付株式であって、当該株主が新株式会社に対してその取得を請求した場合に当該新株式会社が当該取得請求権付株式一株を取得するのと引換えに当該株主に対して当該新株式会社の他の株式を交付するものとみなす。

④ 旧商法第二百二十二条ノ九第一項に規定する強制転換条項付株式であって、この法律の施行の際現に発行されているものは、取得条項付株式であって、当該転換に係る事由が生じた場合に新株式会社が当該取得条項付株式一株を取得するのと引換えに当該取得条項付株式の株主に対して当該新株式会社の他の株式を交付するものとみなす。

⑤ 平成十三年改正法附則第三条第一項の規定によりなお従前の例によるものとされる平成十三年改正法第一条の規定による改正前の商法第二百四十二条第一項の規定により議決権がないものとされた種類の株式であって、この法律の施行の際現に発行されているものは、会社法第百八条第一項第一号及び第三号に掲げる事項についての定めがある種類の株式とみなす。

第九四条①（**取締役等の資格等に関する経過措置**）　会社法第三百三十一条第一項第三号（同法第三百三十五条第一項、第四百二条第四項及び第四百七十八条第八項において準用する場合を含む。）の規定の適用については、旧商法の規定（この款の規定によりなお従前の例によることとされる場合における旧商法の規定を含む。）に違反し、刑に処せられた者は、会社法の規定に違反し、刑に処せられたものとみなす。

② 会社法第三百三十一条第一項第三号（同法第三百三十五条第一項及び第四百七十八条第八項において準用する場合を含む。）の規定は、この法律の施行の際現に旧株式会社の取締役、監査役又は清算人である者が施行日前に犯した旧会社法第三百三十一条第一項第三号に規定する証券取引法、民事再生法、外国倒産処理手続の承認援助に関する法律、会社更生法又は破産法の罪により刑に処せられた場合におけるその者の第六十六条第一項前段の規定により存続する株式会社の取締役、監査役又は清算人としての継続する在任については、適用しない。

第二節　民法等の一部改正（第一一六条から第一六〇条まで）（略）

附　則

この法律は、会社法の施行の日（平成一八・五・一）から施行する。（後略）

○会社法施行規則（抄）（平成一八・二・七 法務一二）

施行 平成一八・五・一（附則参照）
最終改正 令和六法務一一

目次

第一編 総則

第一章 通則

（目的）

第一条 この省令は、会社法（平成十七年法律第八十六号。以下「法」という。）の委任に基づく事項その他法の施行に必要な事項を定めることを目的とする。

（定義）

第二条① この省令において、「会社」、「外国会社」、「子会社」、「子会社等」、「親会社」、「親会社等」、「公開会社」、「取締役会

設置会社」、「会計参与設置会社」、「監査役設置会社」、「監査役会設置会社」、「会計監査人設置会社」、「監査等委員会設置会社」、「指名委員会等設置会社」、「種類株式発行会社」、「種類株主総会」、「社外取締役」、「社外監査役」、「譲渡制限株式」、「取得条項付株式」、「単元株式数」、「新株予約権」、「新株予約権付社債」、「社債」、「配当財産」、「組織変更」、「吸収合併」、「新設合併」、「吸収分割」、「新設分割」、「株式交換」、「株式移転」、「株式交付」又は「電子公告」とは、それぞれ法第二条に規定する会社、外国会社、子会社、子会社等、親会社、親会社等、公開会社、取締役会設置会社、会計参与設置会社、監査役設置会社、監査役会設置会社、会計監査人設置会社、監査等委員会設置会社、指名委員会等設置会社、種類株式発行会社、種類株主総会、社外取締役、社外監査役、譲渡制限株式、取得条項付株式、単元株式数、新株予約権、新株予約権付社債、社債、配当財産、組織変更、吸収合併、新設合併、吸収分割、新設分割、株式交換、株式移転、株式交付又は電子公告をいう。

② この省令において、次の各号に掲げる用語の意義は、当該各号に定めるところによる。

一 指名委員会等　法第二条第十二号に規定する指名委員会等をいう。
二 種類株主　法第二条第十四号に規定する種類株主をいう。
三 業務執行取締役　法第二条第十五号イに規定する業務執行取締役をいう。
四 業務執行取締役等　法第二条第十五号イに規定する業務執行取締役等をいう。
五 発行済株式　法第二条第三十一号に規定する発行済株式をいう。
六 電磁的方法　法第二条第三十四号に規定する電磁的方法をいう。
七 設立時発行株式　法第二十五条第一項第一号に規定する設立時発行株式をいう。
八 有価証券　法第三十三条第十項第二号に規定する有価証券をいう。
九 銀行等　法第三十四条第二項に規定する銀行等をいう。
十 発行可能株式総数　法第三十七条第一項に規定する発行可能株式総数をいう。
十一 設立時取締役　法第三十八条第一項に規定する設立時取締役をいう。
十二 設立時監査等委員　法第三十八条第二項に規定する設立時監査等委員をいう。
十三 監査等委員　法第三十八条第二項に規定する監査等委員をいう。
十四 設立時会計参与　法第三十八条第三項第一号に規定する設立時会計参与をいう。
十五 設立時監査役　法第三十八条第三項第二号に規定する設立時監査役をいう。
十六 設立時会計監査人　法第三十八条第三項第三号に規定する設立時会計監査人をいう。
十七 代表取締役　法第四十七条第一項に規定する代表取締役をいう。
十八 設立時執行役　法第四十八条第一項第二号に規定する設立時執行役をいう。
十九 設立時募集株式　法第五十八条第一項に規定する設立時募集株式をいう。
二十 設立時株主　法第六十五条第一項に規定する設立時株主をいう。
二十一 創立総会　法第六十五条第一項に規定する創立総会をいう。
二十二 創立総会参考書類　法第七十条第一項に規定する創立総会参考書類をいう。
二十三 種類創立総会　法第八十四条に規定する種類創立総会をいう。
二十四 発行可能種類株式総数　法第百一条第一項第三号に規定する発行可能種類株式総数をいう。
二十五 株式等　法第百七条第二項第二号ホに規定する株式等をいう。
二十六 自己株式　法第百十三条第四項に規定する自己株式をいう。
二十七 株券発行会社　法第百十七条第七項に規定する株券発行会社をいう。
二十八 株主名簿記載事項　法第百二十一条に規定する株主名簿記載事項をいう。
二十九 株主名簿管理人　法第百二十三条に規定する株主名簿管理人をいう。
三十 株式取得者　法第百三十三条第一項に規定する株式取得者をいう。
三十一 親会社株式　法第百三十五条第一項に規定する親会社株式をいう。
三十二 譲渡等承認請求者　法第百三十九条第二項に規定する譲渡等承認請求者をいう。
三十三 対象株式　法第百四十条第一項に規定する対象株式をいう。
三十四 指定買取人　法第百四十条第四項に規定する指定買取人をいう。
三十五 一株当たり純資産額　法第百四十一条第二項に規定する一株当たり純資産額をいう。
三十六 登録株式質権者　法第百四十九条第一項に規定する登録株式質権者をいう。
三十七 金銭等　法第百五十一条第一項に規定する金銭等をいう。
三十八 全部取得条項付種類株式　法第百七十一条第一項に規定する全部取得条項付種類株式をいう。
三十九 特別支配株主　法第百七十九条第一項に規定する特別支配株主をいう。
四十 株式売渡請求　法第百七十九条第二項に規定する株式売渡請求をいう。
四十一 対象会社　法第百七十九条第二項に規定する対象会社をいう。
四十二 新株予約権売渡請求　法第百七十九条第三項に規定する新株予約権売渡請求をいう。
四十三 売渡株式　法第百七十九条の二第一項第二号に規定する売渡株式をいう。
四十四 売渡新株予約権　法第百七十九条の二第一項第四号ロに規定する売渡新株予約権をいう。
四十五 売渡株式等　法第百七十九条の二第一項第五号に規定する売渡株式等をいう。
四十六 株式等売渡請求　法第百七十九条の三第一項に規定する株式等売渡請求をいう。
四十七 売渡株主等　法第百七十九条の四第一項第一号に規定する売渡株主等をいう。
四十八 単元未満株式売渡請求　法第百九十四条第一項に規定する単元未満株式売渡請求をいう。
四十九 募集株式　法第百九十九条第一項に規定する募集株式をいう。
五十 株券喪失登録日　法第二百二十一条第四号に規定する株券喪失登録日をいう。
五十一 株券喪失登録　法第二百二十三条に規定する株券喪失登録をいう。
五十二 株券喪失登録者　法第二百二十四条第一項に規定する株券喪失登録者をいう。
五十三 募集新株予約権　法第二百三十八条第一項に規定する募集新株予約権をいう。
五十四 新株予約権付社債券　法第二百四十九条第二号に規定する新株予約権付社債券をいう。
五十五 証券発行新株予約権付社債　法第二百四十九条第二号に規定する証券発行新株予約権付社債をいう。

五十六　証券発行新株予約権　法第二百四十九条第三号ニに規定する証券発行新株予約権をいう。
五十七　自己新株予約権　法第二百五十五条第一項に規定する自己新株予約権をいう。
五十八　新株予約権取得者　法第二百六十条第一項に規定する新株予約権取得者をいう。
五十九　取得条項付新株予約権　法第二百七十三条第一項に規定する取得条項付新株予約権をいう。
六十　新株予約権無償割当て　法第二百七十七条に規定する新株予約権無償割当てをいう。
六十一　株主総会参考書類　法第三百一条第一項に規定する株主総会参考書類をいう。
六十二　電子提供措置　法第三百二十五条の二に規定する電子提供措置をいう。
六十三　報酬等　法第三百六十一条第一項に規定する報酬等をいう。
六十四　議事録等　法第三百七十一条第一項に規定する議事録等をいう。
六十五　執行役等　法第四百四条第二項第一号に規定する執行役等をいう。
六十六　役員等　法第四百二十三条第一項に規定する役員等をいう。
六十七　補償契約　法第四百三十条の二第一項に規定する補償契約をいう。
六十八　役員等賠償責任保険契約　法第四百三十条の三第一項に規定する役員等賠償責任保険契約をいう。
六十九　臨時決算日　法第四百四十一条第一項に規定する臨時決算日をいう。
七十　臨時計算書類　法第四百四十一条第一項に規定する臨時計算書類をいう。
七十一　連結計算書類　法第四百四十四条第一項に規定する連結計算書類をいう。
七十二　分配可能額　法第四百六十一条第二項に規定する分配可能額をいう。
七十三　事業譲渡等　法第四百六十八条第一項に規定する事業譲渡等をいう。
七十四　清算株式会社　法第四百七十六条に規定する清算株式会社をいう。
七十五　清算人会設置会社　法第四百七十八条第八項に規定する清算人会設置会社をいう。
七十六　財産目録等　法第四百九十二条第一項に規定する財産目録等をいう。
七十七　各清算事務年度　法第四百九十四条第一項に規定する各清算事務年度をいう。
七十八　貸借対照表等　法第四百九十六条第一項に規定する貸借対照表等をいう。
七十九　協定債権　法第五百十五条第三項に規定する協定債権をいう。
八十　協定債権者　法第五百十七条第一項に規定する協定債権者をいう。
八十一　債権者集会参考書類　法第五百五十条第一項に規定する債権者集会参考書類をいう。
八十二　持分会社　法第五百七十五条第一項に規定する持分会社をいう。
八十三　清算持分会社　法第六百四十五条に規定する清算持分会社をいう。
八十四　募集社債　法第六百七十六条に規定する募集社債をいう。
八十五　社債発行会社　法第六百八十二条第一項に規定する社債発行会社をいう。
八十六　社債原簿管理人　法第六百八十三条に規定する社債原簿管理人をいう。
八十七　社債権者集会参考書類　法第七百二十一条第一項に規定する社債権者集会参考書類をいう。
八十八　組織変更後持分会社　法第七百四十四条第一項第一号に規定する組織変更後持分会社をいう。
八十九　社債等　法第七百四十六条第一項第七号ニに規定する社債等をいう。
九十　吸収合併消滅会社　法第七百四十九条第一項第一号に規定する吸収合併消滅会社をいう。
九十一　吸収合併存続会社　法第七百四十九条第一項に規定する吸収合併存続会社をいう。
九十二　吸収合併存続株式会社　法第七百四十九条第一項第一号に規定する吸収合併存続株式会社をいう。
九十三　吸収合併消滅株式会社　法第七百四十九条第一項第二号に規定する吸収合併消滅株式会社をいう。
九十四　吸収合併存続持分会社　法第七百五十一条第一項第一号に規定する吸収合併存続持分会社をいう。
九十五　新設合併設立会社　法第七百五十三条第一項に規定する新設合併設立会社をいう。
九十六　新設合併消滅会社　法第七百五十三条第一項第一号に規定する新設合併消滅会社をいう。
九十七　新設合併設立株式会社　法第七百五十三条第一項第二号に規定する新設合併設立株式会社をいう。
九十八　新設合併消滅株式会社　法第七百五十三条第一項第六号に規定する新設合併消滅株式会社をいう。
九十九　吸収分割承継会社　法第七百五十七条に規定する吸収分割承継会社をいう。
百　吸収分割会社　法第七百五十八条第一号に規定する吸収分割会社をいう。
百一　吸収分割承継株式会社　法第七百五十八条第一号に規定する吸収分割承継株式会社をいう。
百二　吸収分割株式会社　法第七百五十八条第二号に規定する吸収分割株式会社をいう。
百三　吸収分割承継持分会社　法第七百六十条第一号に規定する吸収分割承継持分会社をいう。
百四　新設分割会社　法第七百六十三条第一項第五号に規定する新設分割会社をいう。
百五　新設分割株式会社　法第七百六十三条第一項第五号に規定する新設分割株式会社をいう。
百六　新設分割設立会社　法第七百六十三条第一項に規定する新設分割設立会社をいう。
百七　新設分割設立株式会社　法第七百六十三条第一項第一号に規定する新設分割設立株式会社をいう。
百八　新設分割設立持分会社　法第七百六十五条第一項第一号に規定する新設分割設立持分会社をいう。
百九　株式交換完全親会社　法第七百六十七条に規定する株式交換完全親会社をいう。
百十　株式交換完全子会社　法第七百六十八条第一項第一号に規定する株式交換完全子会社をいう。
百十一　株式交換完全親株式会社　法第七百六十八条第一項第一号に規定する株式交換完全親株式会社をいう。
百十二　株式交換完全親合同会社　法第七百七十条第一項第一号に規定する株式交換完全親合同会社をいう。
百十三　株式移転設立完全親会社　法第七百七十三条第一項第一号に規定する株式移転設立完全親会社をいう。
百十四　株式移転完全子会社　法第七百七十三条第一項第五号に規定する株式移転完全子会社をいう。
百十五　株式交付親会社　法第七百七十四条の三第一項第一号に規定する株式交付親会社をいう。
百十六　株式交付子会社　法第七百七十四条の三第一項第一号に規定する株式交付子会社をいう。
百十七　吸収分割合同会社　法第七百九十三条第二項に規定する吸収分割合同会社をいう。
百十八　存続株式会社等　法第七百九十四条第一項に規定する存続株式会社等をいう。

百十九　新設分割合同会社　法第八百十三条第二項に規定する新設分割合同会社をいう。
百二十　責任追及等の訴え　法第八百四十七条第一項に規定する責任追及等の訴えをいう。
百二十一　株式交換等完全子会社　法第八百四十七条の二第一項に規定する株式交換等完全子会社をいう。
百二十二　最終完全親会社等　法第八百四十七条の三第一項に規定する最終完全親会社等をいう。
百二十三　特定責任追及の訴え　法第八百四十七条の三第一項に規定する特定責任追及の訴えをいう。
百二十四　完全親会社等　法第八百四十七条の三第二項に規定する完全親会社等をいう。
百二十五　完全子会社等　法第八百四十七条の三第二項第二号に規定する完全子会社等をいう。
百二十六　特定責任　法第八百四十七条の三第四項に規定する特定責任をいう。
百二十七　株式交換等完全親会社　法第八百四十九条第二項第一号に規定する株式交換等完全親会社をいう。

③　この省令において、次の各号に掲げる用語の意義は、当該各号に定めるところによる。
一　法人等　法人その他の団体をいう。
二　会社等　会社（外国会社を含む。）、組合（外国における組合に相当するものを含む。）その他これらに準ずる事業体をいう。
三　役員　取締役、会計参与、監査役、執行役、理事、監事その他これらに準ずる者をいう。
四　会社役員　当該株式会社の取締役、会計参与、監査役及び執行役をいう。
五　社外役員　会社役員のうち、次のいずれにも該当するものをいう。
イ　当該会社役員が社外取締役又は社外監査役であること。
ロ　当該会社役員が次のいずれかの要件に該当すること。
(1)　当該会社役員が法第三百二十七条の二、第三百三十一条第六項、第三百七十三条第一項第二号、第三百九十九条の十三第五項又は第四百条第三項の社外取締役であること。
(2)　当該会社役員が法第三百三十五条第三項の社外監査役であること。
(3)　当該会社役員を当該株式会社の社外取締役又は社外監査役であるものとして計算関係書類、事業報告、株主総会参考書類その他当該株式会社が法令その他これに準ずるものの規定に基づき作成する資料に表示していること。
六　業務執行者　次に掲げる者をいう。
イ　業務執行取締役、執行役その他の法人等の業務を執行する役員（法第三百四十八条の二第一項及び第二項の規定による委託を受けた社外取締役を除く。）
ロ　業務を執行する社員、法第五百九十八条第一項の職務を行うべき者その他これに相当する者
ハ　使用人
七　社外取締役候補者　次に掲げるいずれにも該当する候補者をいう。
イ　当該候補者が当該株式会社の取締役に就任した場合には、社外取締役となる見込みであること。
ロ　次のいずれかの要件に該当すること。
(1)　当該候補者を法第三百二十七条の二、第三百三十一条第六項、第三百七十三条第一項第二号、第三百九十九条の十三第五項又は第四百条第三項の社外取締役であるものとする予定があること。
(2)　当該候補者を当該株式会社の社外取締役であるものとして計算関係書類、事業報告、株主総会参考書類その他株式会社が法令その他これに準ずるものの規定に基づき作成する資料に表示する予定があること。
八　社外監査役候補者　次に掲げるいずれにも該当する候補者をいう。
イ　当該候補者が当該株式会社の監査役に就任した場合には、社外監査役となる見込みであること。
ロ　次のいずれかの要件に該当すること。
(1)　当該候補者を法第三百三十五条第三項の社外監査役であるものとする予定があること。
(2)　当該候補者を当該株式会社の社外監査役であるものとして計算関係書類、事業報告、株主総会参考書類その他株式会社が法令その他これに準ずるものの規定に基づき作成する資料に表示する予定があること。
九　最終事業年度　次のイ又はロに掲げる会社の区分に応じ、当該イ又はロに定めるものをいう。
イ　株式会社　法第二条第二十四号に規定する最終事業年度
ロ　持分会社　各事業年度に係る法第六百十七条第二項に規定する計算書類を作成した場合における当該各事業年度のうち最も遅いもの
十　計算書類　次のイ又はロに掲げる会社の区分に応じ、当該イ又はロに定めるものをいう。
イ　株式会社　法第四百三十五条第二項に規定する計算書類
ロ　持分会社　法第六百十七条第二項に規定する計算書類
十一　計算関係書類　株式会社についての次に掲げるものをいう。
イ　成立の日における貸借対照表
ロ　各事業年度に係る計算書類及びその附属明細書
ハ　臨時計算書類
ニ　連結計算書類
十二　計算書類等　次のイ又はロに掲げる会社の区分に応じ、当該イ又はロに定めるものをいう。
イ　株式会社　各事業年度に係る計算書類及び事業報告（法第四百三十六条第一項又は第二項の規定の適用がある場合にあっては、監査報告又は会計監査報告を含む。）
ロ　持分会社　法第六百十七条第二項に規定する計算書類
十三　臨時計算書類等　法第四百四十一条第一項に規定する臨時計算書類（同条第二項の規定の適用がある場合にあっては、監査報告又は会計監査報告を含む。）をいう。
十四　新株予約権等　新株予約権その他当該法人等に対して行使することにより当該法人等の株式その他の持分の交付を受けることができる権利（株式引受権（会社計算規則（平成十八年法務省令第十三号）第二条第三項第三十四号に規定する株式引受権をいう。以下同じ。）を除く。）をいう。
十五　公開買付け等　金融商品取引法（昭和二十三年法律第二十五号）第二十七条の二第六項（同法第二十七条の二十二の二第二項において準用する場合を含む。）に規定する公開買付け及びこれに相当する外国の法令に基づく制度をいう。
十六　社債取得者　社債を社債発行会社以外の者から取得した者（当該社債発行会社を除く。）をいう。
十七　信託社債　信託の受託者が発行する社債であって、信託財産（信託法（平成十八年法律第百八号）第二条第三項に規定する信託財産をいう。以下同じ。）のために発行するものをいう。
十八　設立時役員等　設立時取締役、設立時会計参与、設立時監査役及び設立時会計監査人をいう。
十九　特定関係事業者　次に掲げるものをいう。
イ　次の(1)又は(2)に掲げる場合の区分に応じ、当該(1)又は(2)に定めるもの
(1)　当該株式会社に親会社等がある場合　当該親会社等並びに当該親会社等の子会社等（当該株式会社を除く。）及び関連会社（当該親会社等が会社でない場合におけるその関連会社に相当するものを含む。）
(2)　当該株式会社に親会社等がない場合　当該株式会社の子会社及び関連会社
ロ　当該株式会社の主要な取引先である者（法人以外の団体

を含む。）

二十　関連会社　会社計算規則第二条第三項第二十一号に規定する関連会社をいう。

二十一　連結配当規制適用会社　会社計算規則第二条第三項第五十五号に規定する連結配当規制適用会社をいう。

二十二　組織変更株式交換　保険業法（平成七年法律第百五号）第九十六条の五第一項に規定する組織変更株式交換をいう。

二十三　組織変更株式移転　保険業法第九十六条の八第一項に規定する組織変更株式移転をいう。

第二章　子会社等及び親会社等

（子会社及び親会社）

第三条①　法第二条第三号に規定する法務省令で定めるものは、同号に規定する会社が他の会社等の財務及び事業の方針の決定を支配している場合における当該他の会社等とする。

②　法第二条第四号に規定する法務省令で定めるものは、会社等が同号に規定する株式会社の財務及び事業の方針の決定を支配している場合における当該会社等とする。

③　前二項に規定する「財務及び事業の方針の決定を支配している場合」とは、次に掲げる場合（財務上又は事業上の関係からみて他の会社等の財務又は事業の方針の決定を支配していないことが明らかであると認められる場合を除く。）をいう（以下この項において同じ。）。

一　他の会社等（次に掲げる会社等であって、有効な支配従属関係が存在しないと認められるものを除く。以下この項において同じ。）の議決権の総数に対する自己（その子会社及び子法人等（会社以外の会社等が他の会社等の財務及び事業の方針の決定を支配している場合における当該他の会社等をいう。以下この項において同じ。）を含む。以下この項において同じ。）の計算において所有している議決権の数の割合が百分の五十を超えている場合

イ　民事再生法（平成十一年法律第二百二十五号）の規定による再生手続開始の決定を受けた会社等

ロ　会社更生法（平成十四年法律第百五十四号）の規定による更生手続開始の決定を受けた株式会社

ハ　破産法（平成十六年法律第七十五号）の規定による破産手続開始の決定を受けた会社等

ニ　その他イからハまでに掲げる会社等に準ずる会社等

二　他の会社等の議決権の総数に対する自己の計算において所有している議決権の数の割合が百分の四十以上である場合（前号に掲げる場合を除く。）であって、次に掲げるいずれかの要件に該当する場合

イ　他の会社等の議決権の総数に対する自己所有等議決権数（次に掲げる議決権の数の合計数をいう。次号において同じ。）の割合が百分の五十を超えていること。

(1)　自己の計算において所有している議決権

(2)　自己と出資、人事、資金、技術、取引等において緊密な関係があることにより自己の意思と同一の内容の議決権を行使すると認められる者が所有している議決権

(3)　自己の意思と同一の内容の議決権を行使することに同意している者が所有している議決権

ロ　他の会社等の取締役会その他これに準ずる機関の構成員の総数に対する次に掲げる者（当該他の会社等の財務及び事業の方針の決定に関して影響を与えることができるものに限る。）の数の割合が百分の五十を超えていること。

(1)　自己の役員

(2)　自己の業務を執行する社員

(3)　自己の使用人

(4)　(1)から(3)までに掲げる者であった者

ハ　自己が他の会社等の重要な財務及び事業の方針の決定を支配する契約等が存在すること。

ニ　他の会社等の資金調達額（貸借対照表の負債の部に計上されているものに限る。）の総額に対する自己が行う融資（債務の保証及び担保の提供を含む。ニにおいて同じ。）の額（自己と出資、人事、資金、技術、取引等において緊密な関係のある者が行う融資の額を含む。）の割合が百分の五十を超えていること。

ホ　その他自己が他の会社等の財務及び事業の方針の決定を支配していることが推測される事実が存在すること。

三　他の会社等の議決権の総数に対する自己所有等議決権数の割合が百分の五十を超えている場合（自己の計算において議決権を所有していない場合を含み、前二号に掲げる場合を除く。）であって、前号ロからホまでに掲げるいずれかの要件に該当する場合

④　法第百三十五条第一項の親会社についての第二項の規定の適用については、同条第一項の子会社を第二項の法第二条第四号に規定する株式会社とみなす。

（子会社等及び親会社等）

第三条の二①　法第二条第三号の二ロに規定する法務省令で定めるものは、同号ロに規定する者が他の会社等の財務及び事業の方針の決定を支配している場合における当該他の会社等とする。

②　法第二条第四号の二ロに規定する法務省令で定めるものは、ある者（会社等であるものを除く。）が同号ロに規定する株式会社の財務及び事業の方針の決定を支配している場合における当該ある者とする。

③　前二項に規定する「財務及び事業の方針の決定を支配している場合」とは、次に掲げる場合（財務上又は事業上の関係からみて他の会社等の財務又は事業の方針の決定を支配していないことが明らかであると認められる場合を除く。）をいう（以下この項において同じ。）。

一　他の会社等（次に掲げる会社等であって、有効な支配従属関係が存在しないと認められるものを除く。以下この項において同じ。）の議決権の総数に対する自己（その子会社等を含む。以下この項において同じ。）の計算において所有している議決権の数の割合が百分の五十を超えている場合

イ　民事再生法の規定による再生手続開始の決定を受けた会社等

ロ　会社更生法の規定による更生手続開始の決定を受けた株式会社

ハ　破産法の規定による破産手続開始の決定を受けた会社等

ニ　その他イからハまでに掲げる会社等に準ずる会社等

二　他の会社等の議決権の総数に対する自己の計算において所有している議決権の数の割合が百分の四十以上である場合（前号に掲げる場合を除く。）であって、次に掲げるいずれかの要件に該当する場合

イ　他の会社等の議決権の総数に対する自己所有等議決権数（次に掲げる議決権の数の合計数をいう。次号において同じ。）の割合が百分の五十を超えていること。

(1)　自己の計算において所有している議決権

(2)　自己と出資、人事、資金、技術、取引等において緊密な関係があることにより自己の意思と同一の内容の議決権を行使すると認められる者が所有している議決権

(3)　自己の意思と同一の内容の議決権を行使することに同意している者が所有している議決権

(4)　自己（自然人であるものに限る。）の配偶者又は二親等内の親族が所有している議決権

ロ　他の会社等の取締役会その他これに準ずる機関の構成員の総数に対する次に掲げる者（当該他の会社等の財務及び事業の方針の決定に関して影響を与えることができるものに限る。）の数の割合が百分の五十を超えていること。

(1)　自己（自然人であるものに限る。）

(2)　自己の役員

(3)　自己の業務を執行する社員

(4)　自己の使用人

(5)　(2)から(4)までに掲げる者であった者

(6) 自己（自然人であるものに限る。）の配偶者又は二親等内の親族

ハ　自己が他の会社等の重要な財務及び事業の方針の決定を支配する契約等が存在すること。

ニ　他の会社等の資金調達額（貸借対照表の負債の部に計上されているものに限る。）の総額に対する自己が行う融資額（債務の保証及び担保の提供を含む。ニにおいて同じ。）の額（自己と出資、人事、資金、技術、取引等において緊密な関係のある者及び自己（自然人であるものに限る。）の配偶者又は二親等内の親族が行う融資の額を含む。）の割合が百分の五十を超えていること。

ホ　その他自己が他の会社等の財務及び事業の方針の決定を支配していることが推測される事実が存在すること。

三　他の会社等の議決権の総数に対する自己所有等議決権数の割合が百分の五十を超えている場合（自己の計算において議決権を所有していない場合を含み、前二号に掲げる場合を除く。）であって、前号ロからホまでに掲げるいずれかの要件に該当する場合

（特別目的会社の特則）

第四条　第三条の規定にかかわらず、特別目的会社（資産の流動化に関する法律（平成十年法律第百五号）第二条第三項に規定する特定目的会社及び事業の内容の変更が制限されているこれと同様の事業を営む事業体をいう。以下この条において同じ。）については、次に掲げる要件のいずれにも該当する場合には、当該特別目的会社に資産を譲渡した会社の子会社に該当しないものと推定する。

一　当該特別目的会社が適正な価額で譲り受けた資産から生ずる収益をその発行する証券（当該証券に表示されるべき権利を含む。）の所有者（資産の流動化に関する法律第二条第十二項に規定する特定借入れに係る債権者及びこれと同様の借入れに係る債権者を含む。）に享受させることを目的として設立されていること。

二　当該特別目的会社の事業がその目的に従って適切に遂行されていること。

（株式交付子会社）

第四条の二　法第二条第三十二号の二に規定する法務省令で定めるものは、同条第三号に規定する会社が他の会社等の財務及び事業の方針の決定を支配している場合（第三条第三項第一号に掲げる場合に限る。）における当該他の会社等とする。

第二編　株式会社

第一章　設立

第一節　通則

（設立費用）

第五条　法第二十八条第四号に規定する法務省令で定めるものは、次に掲げるものとする。

一　定款に係る印紙税

二　設立時発行株式と引換えにする金銭の払込みの取扱いをした銀行等に支払うべき手数料及び報酬

三　法第三十三条第三項の規定により決定された検査役の報酬

四　株式会社の設立の登記の登録免許税

（検査役の調査を要しない市場価格のある有価証券）

第六条　法第三十三条第十項第二号に規定する法務省令で定める方法は、次に掲げる額のうちいずれか高い額をもって同号に規定する有価証券の価格とする方法とする。

一　法第三十条第一項の認証の日における当該有価証券を取引する市場における最終の価格（当該日に売買取引がない場合又は当該日が当該市場の休業日に当たる場合にあっては、その後最初になされた売買取引の成立価格）

二　法第三十条第一項の認証の日において当該有価証券が公開買付け等の対象であるときは、当該日における当該公開買付け等に係る契約における当該有価証券の価格

（銀行等）

第七条　法第三十四条第二項に規定する法務省令で定めるものは、次に掲げるものとする。

一　株式会社商工組合中央金庫

二　農業協同組合法（昭和二十二年法律第百三十二号）第十条第一項第三号の事業を行う農業協同組合又は農業協同組合連合会

三　水産業協同組合法（昭和二十三年法律第二百四十二号）第十一条第一項第四号、第八十七条第一項第四号、第九十三条第一項第二号又は第九十七条第一項第二号の事業を行う漁業協同組合、漁業協同組合連合会、水産加工業協同組合又は水産加工業協同組合連合会

四　信用協同組合又は中小企業等協同組合法（昭和二十四年法律第百八十一号）第九条の九第一項第一号の事業を行う協同組合連合会

五　信用金庫又は信用金庫連合会

六　労働金庫又は労働金庫連合会

七　農林中央金庫

（出資の履行の仮装に関して責任をとるべき発起人等）

第七条の二　法第五十二条の二第二項に規定する法務省令で定める者は、次に掲げる者とする。

一　出資の履行（法第三十五条に規定する出資の履行をいう。次号において同じ。）の仮装に関する職務を行った発起人及び設立時取締役

二　出資の履行の仮装が創立総会の決議に基づいて行われたときは、次に掲げる者

イ　当該創立総会に当該出資の履行の仮装に関する議案を提案した発起人

ロ　イの議案の提案の決定に同意した発起人

ハ　当該創立総会において当該出資の履行の仮装に関する事項について説明をした発起人及び設立時取締役

第二節　募集設立

（申込みをしようとする者に対して通知すべき事項）

第八条　法第五十九条第一項第五号に規定する法務省令で定める事項は、次に掲げる事項とする。

一　発起人が法第三十二条第一項第一号の規定により割当てを受けた設立時発行株式（出資の履行をしたものに限る。）及び引き受けた設立時募集株式の数（設立しようとする株式会社が種類株式発行会社である場合にあっては、種類及び種類ごとの数）

二　法第三十二条第二項の規定による決定の内容

三　株主名簿管理人を置く旨の定款の定めがあるときは、その氏名又は名称及び住所並びに営業所

四　定款に定められた事項（法第五十九条第一項第一号から第四号まで及び前号に掲げる事項を除く。）であって、発起人に対して設立時募集株式の引受けの申込みをしようとする者が当該者に対して通知することを請求した事項

（招集の決定事項）

第九条　法第六十七条第一項第五号に規定する法務省令で定める事項は、次に掲げる事項とする。

一　法第六十七条第一項第三号又は第四号に掲げる事項を定めたときは、次に掲げる事項

イ　次条第一項の規定により創立総会参考書類に記載すべき事項

ロ　法第六十七条第一項第三号に掲げる事項を定めたときは、書面による議決権の行使の期限（創立総会の日時以前の時であって、法第六十八条第一項の規定による通知を発した日から二週間を経過した日以後の時に限る。）

ハ　法第六十七条第一項第四号に掲げる事項を定めたとき

は、電磁的方法による議決権の行使の期限（創立総会の日時以前の時であって、法第六十八条第一項の規定による通知を発した日から二週間を経過した日以後の時に限る。）

ニ　第十一条第一項第二号の取扱いを定めるときは、その取扱いの内容

ホ　一の設立時株主が同一の議案につき次に掲げる場合の区分に応じ、次に定める規定により重複して議決権を行使した場合において、当該同一の議案に対する議決権の行使の内容が異なるものであるときにおける当該設立時株主の議決権の行使の取扱いに関する事項を定めるとき（次号に規定する場合を除く。）は、その事項

(1)　法第六十七条第一項第三号に掲げる事項を定めた場合　法第七十五条第一項

(2)　法第六十七条第一項第四号に掲げる事項を定めた場合　法第七十六条第一項

二　法第六十七条第一項第三号及び第四号に掲げる事項を定めたときは、次に掲げる事項

イ　法第六十八条第三項の承諾をした設立時株主の請求があった時に当該設立時株主に対して法第七十条第一項の規定による議決権行使書面（同項に規定する議決権行使書面をいう。以下この節において同じ。）の交付（当該交付に代えて行う同条第二項の規定による電磁的方法による提供を含む。）をすることとするときは、その旨

ロ　一の設立時株主が同一の議案につき法第七十五条第一項又は第七十六条第一項の規定により重複して議決権を行使した場合において、当該同一の議案に対する議決権の行使の内容が異なるものであるときにおける当該設立時株主の議決権の行使の取扱いに関する事項を定めるときは、その事項

三　第一号に規定する場合以外の場合において、次に掲げる事項が創立総会の目的である事項であるときは、当該事項に係る議案の概要

イ　設立時役員等の選任

ロ　定款の変更

第一〇条（創立総会参考書類）①　法第七十条第一項又は第七十一条第一項の規定により交付すべき創立総会参考書類に記載すべき事項は、次に掲げる事項とする。

一　議案及び提案の理由

二　議案が設立時取締役（設立しようとする株式会社が監査等委員会設置会社である場合にあっては、設立時監査等委員である設立時取締役を除く。）の選任に関する議案であるときは、当該設立時取締役についての第七十四条に規定する事項

三　議案が設立時監査等委員である設立時取締役の選任に関する議案であるときは、当該設立時監査等委員である設立時取締役についての第七十四条の三に規定する事項

四　議案が設立時会計参与の選任に関する議案であるときは、当該設立時会計参与についての第七十五条に規定する事項

五　議案が設立時監査役の選任に関する議案であるときは、当該設立時監査役についての第七十六条に規定する事項

六　議案が設立時会計監査人の選任に関する議案であるときは、当該設立時会計監査人についての第七十七条に規定する事項

七　議案が設立時役員等の解任に関する議案であるときは、解任の理由

八　前各号に掲げるもののほか、設立時株主の議決権の行使について参考となると認める事項

②　法第六十七条第一項第三号及び第四号に掲げる事項を定めた発起人が行った創立総会参考書類の交付（当該交付に代えて行う電磁的方法による提供を含む。）は、法第七十条第一項及び第七十一条第一項の規定による創立総会参考書類の交付とする。

第一一条（議決権行使書面）①　法第七十条第一項の規定により交付すべき議決権行使書面に記載すべき事項又は法第七十一条第三項若しくは第四項の規定により電磁的方法により提供すべき議決権行使書面に記載すべき事項は、次に掲げる事項とする。

一　各議案（次のイ又はロに掲げる場合にあっては、当該イ又はロに定めるもの）についての賛否（棄権の欄を設ける場合にあっては、棄権を含む。）を記載する欄

イ　二以上の設立時役員等の選任に関する議案である場合　各候補者の選任

ロ　二以上の設立時役員等の解任に関する議案である場合　各設立時役員等の解任

二　第九条第一号ニに掲げる事項を定めたときは、前号の欄に記載がない議決権行使書面が発起人に提出された場合における各議案についての賛成、反対又は棄権のいずれかの意思の表示があったものとする取扱いの内容

三　第九条第一号ホ又は第二号ロに掲げる事項を定めたときは、当該事項

四　議決権の行使の期限

五　議決権を行使すべき設立時株主の氏名又は名称及び行使することができる議決権の数（次のイ又はロに掲げる場合にあっては、当該イ又はロに定める事項を含む。）

イ　議案ごとに行使することができる議決権の数が異なる場合　議案ごとの議決権の数

ロ　一部の議案につき議決権を行使することができない場合　議決権を行使することができる議案又は議決権を行使することができない議案

②　第九条第二号イに掲げる事項を定めた場合には、発起人は、法第六十八条第三項の承諾をした設立時株主の請求があった時に当該設立時株主に対して、法第七十条第一項の規定による議決権行使書面の交付（当該交付に代えて行う同条第二項の規定による電磁的方法による提供を含む。）をしなければならない。

第一二条（実質的に支配することが可能となる関係）　法第七十二条第一項に規定する法務省令で定める設立時株主は、成立後の株式会社（当該株式会社の子会社を含む。）が、当該成立後の株式会社の株主となる設立時株主である会社等の議決権（法第三百八条第一項その他これに準ずる法以外の法令（外国の法令を含む。）の規定により行使することができないとされる議決権を含み、役員等（会計監査人を除く。）の選任及び定款の変更に関する議案（これらの議案に相当するものを含む。）の全部につき株主総会（これに相当するものを含む。）において議決権を行使することができない株式（これに相当するものを含む。）に係る議決権を除く。）の総数の四分の一以上を有することとなる場合における当該成立後の株式会社の株主となる設立時株主である会社等（当該設立時株主であるもの以外の者が当該創立総会の議案につき議決権を行使することができない場合（当該議案を決議する場合に限る。）における当該設立時株主を除く。）とする。

第一三条（書面による議決権行使の期限）　法第七十五条第一項に規定する法務省令で定める時は、第九条第一号ロの行使の期限とする。

第一四条（電磁的方法による議決権行使の期限）　法第七十六条第一項に規定する法務省令で定める時は、第九条第一号ハの行使の期限とする。

第一五条（発起人の説明義務）　法第七十八条に規定する法務省令で定める場合は、次に掲げる場合とする。

一　設立時株主が説明を求めた事項について説明をするために調査をすることが必要である場合（次に掲げる場合を除く。）

イ　当該設立時株主が創立総会の日より相当の期間前に当該事項を発起人に対して通知した場合

ロ　当該事項について説明をするために必要な調査が著しく容易である場合

二　設立時株主が説明を求めた事項について説明をすることに

より成立後の株式会社その他の者（当該設立時株主を除く。）の権利を侵害することとなる場合

三　設立時株主が当該創立総会において実質的に同一の事項について繰り返して説明を求める場合

四　前三号に掲げる場合のほか、設立時株主が説明を求めた事項について説明をしないことにつき正当な事由がある場合

（創立総会の議事録）

第一六条①　法第八十一条第一項の規定による創立総会の議事録の作成については、この条の定めるところによる。

②　創立総会の議事録は、書面又は電磁的記録（法第二十六条第二項に規定する電磁的記録をいう。第七編第四章第二節を除き、以下同じ。）をもって作成しなければならない。

③　創立総会の議事録は、次に掲げる事項を内容とするものでなければならない。

一　創立総会が開催された日時及び場所

二　創立総会の議事の経過の要領及びその結果

三　創立総会に出席した発起人、設立時取締役（設立しようとする株式会社が監査等委員会設置会社である場合にあっては、設立時監査等委員である設立時取締役又はそれ以外の設立時取締役）、設立時執行役、設立時会計参与、設立時監査役又は設立時会計監査人の氏名又は名称

四　創立総会の議長が存するときは、議長の氏名

五　議事録の作成に係る職務を行った発起人の氏名又は名称

④　次の各号に掲げる場合には、創立総会の議事録は、当該各号に定める事項を内容とするものとする。

一　法第八十二条第一項の規定により創立総会の決議があったものとみなされた場合　次に掲げる事項

イ　創立総会の決議があったものとみなされた事項の内容

ロ　イの事項の提案をした者の氏名又は名称

ハ　創立総会の決議があったものとみなされた日

ニ　議事録の作成に係る職務を行った発起人の氏名又は名称

二　法第八十三条の規定により創立総会への報告があったものとみなされた場合　次に掲げる事項

イ　創立総会への報告があったものとみなされた事項の内容

ロ　創立総会への報告があったものとみなされた日

ハ　議事録の作成に係る職務を行った発起人の氏名又は名称

（種類創立総会）

第一七条　次の各号に掲げる規定は、当該各号に定めるものについて準用する。

一　第九条　法第八十六条において準用する法第六十七条第一項第五号に規定する法務省令で定める事項

二　第十条　種類創立総会の創立総会参考書類

三　第十一条　種類創立総会の議決権行使書面

四　第十二条　法第八十六条において準用する法第七十二条第一項に規定する法務省令で定める設立時株主

五　第十三条　法第八十六条において準用する法第七十五条第一項に規定する法務省令で定める時

六　第十四条　法第八十六条において準用する法第七十六条第一項に規定する法務省令で定める時

七　第十五条　法第八十六条において準用する法第七十八条に規定する法務省令で定める場合

八　前条　法第八十六条において準用する法第八十一条第一項の規定による議事録の作成

（累積投票による設立時取締役の選任）

第一八条①　法第八十九条第五項の規定により法務省令で定めるべき事項は、この条の定めるところによる。

②　法第八十九条第一項の規定による請求があった場合には、発起人（創立総会の議長が存する場合にあっては、議長）は、同項の創立総会における設立時取締役（設立しようとする株式会社が監査等委員会設置会社である場合にあっては、設立時監査等委員である設立時取締役又はそれ以外の設立時取締役。以下この条において同じ。）の選任の決議に先立ち、法第八十九条第三項から第五項までに規定するところにより設立時取締役を選任することを明らかにしなければならない。

③　法第八十九条第四項の場合において、投票の同数を得た者が二人以上存することにより同条第一項の創立総会において選任する設立時取締役の数の設立時取締役について投票の最多数を得た者から順次設立時取締役に選任されたものとすることができないときは、当該創立総会において選任する設立時取締役の数以下の数であって投票の最多数を得た者から順次設立時取締役に選任されたものとすることができる数の範囲内で、投票の最多数を得た者から順次設立時取締役に選任されたものとする。

④　前項に規定する場合において、法第八十九条第一項の創立総会において選任する設立時取締役の数から前項の規定により設立時取締役に選任されたものとされた者の数を減じて得た数の設立時取締役は、同条第三項及び第四項に規定するところによらないで、創立総会の決議により選任する。

（払込みの仮装に関して責任をとるべき発起人等）

第一八条の二　法第百三条第二項に規定する法務省令で定める者は、次に掲げる者とする。

一　払込み（法第六十三条第一項の規定による払込みをいう。次号において同じ。）の仮装に関する職務を行った発起人及び設立時取締役

二　払込みの仮装が創立総会の決議に基づいて行われたときは、次に掲げる者

イ　当該創立総会に当該払込みの仮装に関する議案を提案した発起人

ロ　イの議案の提案の決定に同意した発起人

ハ　当該創立総会において当該払込みの仮装に関する事項について説明をした発起人及び設立時取締役

第二章　株式

第一節　総則

（種類株主総会における取締役又は監査役の選任）

第一九条　法第百八条第二項第九号ニに規定する法務省令で定める事項は、次に掲げる事項とする。

一　当該種類の株式の種類株主を構成員とする種類株主総会において取締役（監査等委員会設置会社にあっては、監査等委員である取締役又はそれ以外の取締役）を選任することができる場合にあっては、次に掲げる事項

イ　当該種類株主総会において社外取締役（監査等委員会設置会社にあっては、監査等委員である社外取締役又はそれ以外の社外取締役。イ及びロにおいて同じ。）を選任しなければならないこととするときは、その旨及び選任しなければならない社外取締役の数

ロ　イの定めにより選任しなければならない社外取締役の全部又は一部を他の種類株主と共同して選任することとするときは、当該他の種類株主の有する株式の種類及び共同して選任する社外取締役の数

ハ　イ又はロに掲げる事項を変更する条件があるときは、その条件及びその条件が成就した場合における変更後のイ又はロに掲げる事項

二　当該種類の株式の種類株主を構成員とする種類株主総会において監査役を選任することができる場合にあっては、次に掲げる事項

イ　当該種類株主総会において社外監査役を選任しなければならないこととするときは、その旨及び選任しなければならない社外監査役の数

ロ　イの定めにより選任しなければならない社外監査役の全部又は一部を他の種類株主と共同して選任することとするときは、当該他の種類株主の有する株式の種類及び共同して選任する社外監査役の数

ハ　イ又はロに掲げる事項を変更する条件があるときは、その条件及びその条件が成就した場合における変更後のイ又はロに掲げる事項

（種類株式の内容）

第二〇条① 法第百八条第三項に規定する法務省令で定める事項は、次の各号に掲げる事項について内容の異なる種類の株式の内容のうち、当該各号に定める事項以外の事項とする。

一 剰余金の配当 配当財産の種類

二 残余財産の分配 残余財産の種類

三 株主総会において議決権を行使することができる事項 法第百八条第二項第三号イに掲げる事項

四 譲渡による当該種類の株式の取得について当該株式会社の承認を要すること 法第百七条第二項第一号イに掲げる事項

五 当該種類の株式について、株主が当該株式会社に対してその取得を請求することができること 次に掲げる事項

イ 法第百七条第二項第二号イに掲げる事項

ロ 当該種類の株式一株を取得するのと引換えに当該種類の株主に対して交付する財産の種類

六 当該種類の株式について、当該株式会社が一定の事由が生じたことを条件としてこれを取得することができること 次に掲げる事項

イ 一定の事由が生じた日に当該株式会社がその株式を取得する旨

ロ 法第百七条第二項第三号ロに規定する場合における同号イの事由

ハ 法第百七条第二項第三号ハに掲げる事項（当該種類の株式の株主の有する当該種類の株式の数に応じて定めるものを除く。）

ニ 当該種類の株式一株を取得するのと引換えに当該種類の株主に対して交付する財産の種類

七 当該種類の株式について、当該株式会社が株主総会の決議によってその全部を取得すること 法第百八条第二項第七号イに掲げる事項

八 株主総会（取締役会設置会社にあっては株主総会又は取締役会、清算人会設置会社にあっては株主総会又は清算人会）において決議すべき事項のうち、当該決議のほか、当該種類の株式の種類株主を構成員とする種類株主総会の決議があることを必要とするもの 法第百八条第二項第八号イに掲げる事項

九 当該種類の株式の種類株主を構成員とする種類株主総会において取締役（監査等委員会設置会社にあっては、監査等委員である取締役又はそれ以外の取締役）又は監査役を選任すること 法第百八条第二項第九号イ及びロに掲げる事項

② 次に掲げる事項は、前項の株式の内容に含まれるものと解してはならない。

一 法第百六十四条第一項に規定する定款の定め

二 法第百六十七条第三項に規定する定款の定め

三 法第百六十八条第一項及び第百六十九条第二項に規定する定款の定め

四 法第百七十四条に規定する定款の定め

五 法第百八十九条第二項及び第百九十四条第一項に規定する定款の定め

六 法第百九十九条第四項及び第二百三十八条第四項に規定する定款の定め

（利益の供与に関して責任をとるべき取締役等）

第二一条 法第百二十条第四項に規定する法務省令で定める者は、次に掲げる者とする。

一 利益の供与（法第百二十条第一項に規定する利益の供与をいう。以下この条において同じ。）に関する職務を行った取締役及び執行役

二 利益の供与が取締役会の決議に基づいて行われたときは、次に掲げる者

イ 当該取締役会の決議に賛成した取締役

ロ 当該取締役会に当該利益の供与に関する議案を提案した取締役及び執行役

三 利益の供与が株主総会の決議に基づいて行われたときは、次に掲げる者

イ 当該株主総会に当該利益の供与に関する議案を提案した取締役

ロ イの議案の提案の決定に同意した取締役（取締役会設置会社の取締役を除く。）

ハ イの議案の提案が取締役会の決議に基づいて行われたときは、当該取締役会の決議に賛成した取締役

ニ 当該株主総会において当該利益の供与に関する事項について説明をした取締役及び執行役

第二節 株式の譲渡等

（株主名簿記載事項の記載等の請求）

第二二条① 法第百三十三条第二項に規定する法務省令で定める場合は、次に掲げる場合とする。

一 株式取得者が、株主として株主名簿に記載若しくは記録がされた者又はその一般承継人に対して当該株式取得者の取得した株式に係る法第百三十三条第一項の規定による請求をすべきことを命ずる確定判決を得た場合において、当該確定判決の内容を証する書面その他の資料を提供して請求をしたとき。

二 株式取得者が前号の確定判決と同一の効力を有するものの内容を証する書面その他の資料を提供して請求をしたとき。

三 株式取得者が指定買取人である場合において、譲渡等承認請求者に対して売買代金の全部を支払ったことを証する書面その他の資料を提供して請求をしたとき。

四 株式取得者が一般承継により当該株式会社の株式を取得した者である場合において、当該一般承継を証する書面その他の資料を提供して請求をしたとき。

五 株式取得者が当該株式会社の株式を競売により取得した者である場合において、当該競売により取得したことを証する書面その他の資料を提供して請求をしたとき。

六 株式取得者が株式売渡請求により当該株式会社の発行する売渡株式の全部を取得した者である場合において、当該株式取得者が請求をしたとき。

七 株式取得者が株式交換（組織変更株式交換を含む。）により当該株式会社の発行済株式の全部を取得した会社である場合において、当該株式取得者が請求をしたとき。

八 株式取得者が株式移転（組織変更株式移転を含む。）により当該株式会社の発行済株式の全部を取得した株式会社である場合において、当該株式取得者が請求をしたとき。

九 株式取得者が法第百九十七条第一項の株式を取得した者である場合において、同条第二項の規定による売却に係る代金の全部を支払ったことを証する書面その他の資料を提供して請求をしたとき。

十 株式取得者が株券喪失登録者である場合において、当該株券喪失登録日の翌日から起算して一年を経過した日以降に、請求をしたとき（株券喪失登録が当該日前に抹消された場合を除く。）。

十一 株式取得者が法第二百三十四条第二項（法第二百三十五条第二項において準用する場合を含む。）の規定による売却に係る株式を取得した者である場合において、当該売却に係る代金の全部を支払ったことを証する書面その他の資料を提供して請求をしたとき。

② 前項の規定にかかわらず、株式会社が株券発行会社である場合には、法第百三十三条第二項に規定する法務省令で定める場合は、次に掲げる場合とする。

一 株式取得者が株券を提示して請求をした場合

二 株式取得者が株式売渡請求により当該株式会社の発行する売渡株式の全部を取得した者である場合において、当該株式取得者が請求をしたとき。

三 株式取得者が株式交換（組織変更株式交換を含む。）により当該株式会社の発行済株式の全部を取得した会社である場合において、当該株式取得者が請求をしたとき。

四　株式取得者が株式移転（組織変更株式移転を含む。）により当該株式会社の発行済株式の全部を取得した株式会社である場合において、当該株式取得者が請求をしたとき。
五　株式取得者が法第百九十七条第一項の株式を取得した者である場合において、同項の規定による競売又は同条第二項の規定による売却に係る代金の全部を支払ったことを証する書面その他の資料を提供して請求をしたとき。
六　株式取得者が法第二百三十四条第一項若しくは第二百三十五条第一項の規定による競売又は法第二百三十四条第二項（法第二百三十五条第二項において準用する場合を含む。）の規定による売却に係る株式を取得した者である場合において、当該競売又は当該売却に係る代金の全部を支払ったことを証する書面その他の資料を提供して請求をしたとき。

（子会社による親会社株式の取得）

第二三条　法第百三十五条第二項第五号に規定する法務省令で定める場合は、次に掲げる場合とする。
一　吸収分割（法以外の法令（外国の法令を含む。以下この条において同じ。）に基づく吸収分割に相当する行為を含む。）に際して親会社株式の割当てを受ける場合
二　株式交換（法以外の法令に基づく株式交換に相当する行為を含む。）に際してその有する自己の株式（持分その他これに準ずるものを含む。以下この条において同じ。）と引換えに親会社株式の割当てを受ける場合
三　株式移転（法以外の法令に基づく株式移転に相当する行為を含む。）に際してその有する自己の株式と引換えに親会社株式の割当てを受ける場合
四　他の法人等が行う株式交付（法以外の法令に基づく株式交付に相当する行為を含む。）に際して親会社株式の割当てを受ける場合
五　親会社株式を無償で取得する場合
六　その有する他の法人等の株式につき当該他の法人等が行う剰余金の配当又は残余財産の分配（これらに相当する行為を含む。）により親会社株式の交付を受ける場合
七　その有する他の法人等の株式につき当該他の法人等が行う次に掲げる行為に際して当該株式と引換えに当該親会社株式の交付を受ける場合
イ　組織の変更
ロ　合併
ハ　株式交換（法以外の法令に基づく株式交換に相当する行為を含む。）
ニ　株式移転（法以外の法令に基づく株式移転に相当する行為を含む。）
ホ　取得条項付株式（これに相当する株式を含む。）の取得
ヘ　全部取得条項付種類株式（これに相当する株式を含む。）の取得
八　その有する他の法人等の新株予約権等を当該他の法人等が当該新株予約権等の定めに基づき取得することと引換えに親会社株式の交付をする場合において、当該親会社株式の交付を受けるとき。
九　法第百三十五条第一項の子会社である者（会社を除く。）が行う次に掲げる行為に際して当該者がその対価として親会社株式を交付するために、その対価として交付すべき当該親会社株式の総数を超えない範囲において当該親会社株式を取得する場合
イ　組織の変更
ロ　合併
ハ　法以外の法令に基づく吸収分割に相当する行為による他の法人等がその事業に関して有する権利義務の全部又は一部の承継
ニ　法以外の法令に基づく株式交換に相当する行為による他の法人等が発行している株式の全部の取得
十　他の法人等（会社及び外国会社を除く。）の事業の全部を譲り受ける場合において、当該他の法人等の有する親会社株式を譲り受けるとき。
十一　合併後消滅する法人等（会社を除く。）から親会社株式を承継する場合
十二　吸収分割又は新設分割に相当する行為により他の法人等（会社を除く。）から親会社株式を承継する場合
十三　親会社株式を発行している株式会社（連結配当規制適用会社に限る。）の他の子会社から当該親会社株式を譲り受ける場合
十四　その権利の実行に当たり目的を達成するために親会社株式を取得することが必要かつ不可欠である場合（前各号に掲げる場合を除く。）

（株式取得者からの承認の請求）

第二四条①　法第百三十七条第二項に規定する法務省令で定める場合は、次に掲げる場合とする。
一　株式取得者が、株主として株主名簿に記載若しくは記録がされた者又はその一般承継人に対して当該株式取得者の取得した株式に係る法第百三十七条第一項の規定による請求をすべきことを命ずる確定判決を得た場合において、当該確定判決の内容を証する書面その他の資料を提供して請求をしたとき。
二　株式取得者が前号の確定判決と同一の効力を有するものの内容を証する書面その他の資料を提供して請求をしたとき。
三　株式取得者が当該株式会社の株式を競売により取得した者である場合において、当該競売により取得したことを証する書面その他の資料を提供して請求をしたとき。
四　株式取得者が組織変更株式交換により当該株式会社の株式の全部を取得した会社である場合において、当該株式取得者が請求をしたとき。
五　株式取得者が株式移転（組織変更株式移転を含む。）により当該株式会社の発行済株式の全部を取得した株式会社である場合において、当該株式取得者が請求をしたとき。
六　株式取得者が法第百九十七条第一項の株式を取得した者である場合において、同条第二項の規定による売却に係る代金の全部を支払ったことを証する書面その他の資料を提供して請求をしたとき。
七　株式取得者が株券喪失登録者である場合において、当該株式取得者が株券喪失登録日の翌日から起算して一年を経過した日以降に、請求をしたとき（株券喪失登録が当該日前に抹消された場合を除く。）。
八　株式取得者が法第二百三十四条第二項（法第二百三十五条第二項において準用する場合を含む。）の規定による売却に係る株式を取得した者である場合において、当該売却に係る代金の全部を支払ったことを証する書面その他の資料を提供して請求をしたとき。

②　前項の規定にかかわらず、株式会社が株券発行会社である場合には、法第百三十七条第二項に規定する法務省令で定める場合は、次に掲げる場合とする。
一　株式取得者が株券を提示して請求をした場合
二　株式取得者が組織変更株式交換により当該株式会社の株式の全部を取得した会社である場合において、当該株式取得者が請求をしたとき。
三　株式取得者が株式移転（組織変更株式移転を含む。）により当該株式会社の発行済株式の全部を取得した株式会社である場合において、当該株式取得者が請求をしたとき。
四　株式取得者が法第百九十七条第一項の株式を取得した者である場合において、同項の規定による競売又は同条第二項の規定による売却に係る代金の全部を支払ったことを証する書面その他の資料を提供して請求をしたとき。
五　株式取得者が法第二百三十四条第一項若しくは第二百三十五条第一項の規定による競売又は法第二百三十四条第二項（法第二百三十五条第二項において準用する場合を含む。）の規定による売却に係る株式を取得した者である場合において、当該競売又は当該売却に係る代金の全部を支払ったこと

を証する書面その他の資料を提供して請求をしたとき。

（一株当たり純資産額）

第二五条① 法第百四十一条第二項に規定する法務省令で定める方法は、基準純資産額を基準株式数で除して得た額に一株当たり純資産額を算定すべき株式についての株式係数を乗じて得た額をもって当該株式の一株当たりの純資産額とする方法とする。

② 当該株式会社が算定基準日において清算株式会社である場合における前項の規定の適用については、同項中「基準純資産額」とあるのは、「法第四百九十二条第一項の規定により作成した貸借対照表の資産の部に計上した額から負債の部に計上した額を減じて得た額（零未満である場合にあっては、零）」とする。

③ 第一項に規定する「基準純資産額」とは、算定基準日における第一号から第七号までに掲げる額の合計額から第八号に掲げる額を減じて得た額（零未満である場合にあっては、零）をいう。

一 資本金の額
二 資本準備金の額
三 利益準備金の額
四 法第四百四十六条に規定する剰余金の額
五 最終事業年度（法第四百六十一条第二項第二号に規定する場合にあっては、法第四百四十一条第一項第二号の期間（当該期間が二以上ある場合にあっては、その末日が最も遅いもの））の末日（最終事業年度がない場合にあっては、株式会社の成立の日）における評価・換算差額等に係る額
六 株式引受権の帳簿価額
七 新株予約権の帳簿価額
八 自己株式及び自己新株予約権の帳簿価額の合計額

④ 第一項に規定する「基準株式数」とは、次に掲げる場合の区分に応じ、当該各号に定める数をいう。

一 種類株式発行会社でない場合 発行済株式（自己株式を除く。）の総数
二 種類株式発行会社である場合 株式会社が発行している各種類の株式（自己株式を除く。）の数に当該種類の株式に係る株式係数を乗じて得た数の合計数

⑤ 第一項及び前項第二号に規定する「株式係数」とは、一（種類株式発行会社において、定款である種類の株式についての第一項及び前項の適用に関して当該種類の株式一株を一とは異なる数の株式として取り扱うために一以外の数を定めた場合にあっては、当該数）をいう。

⑥ 第二項及び第三項に規定する「算定基準日」とは、次の各号に掲げる規定に規定する一株当たり純資産額を算定する場合における当該各号に定める日をいう。

一 法第百四十一条第二項 同条第一項の規定による通知の日
二 法第百四十二条第二項 同条第一項の規定による通知の日
三 法第百四十四条第五項 法第百四十一条第一項の規定による通知の日
四 法第百四十四条第七項において準用する同条第五項 法第百四十二条第一項の規定による通知の日
五 法第百六十七条第三項第二号 法第百六十六条第一項本文の規定による請求の日
六 法第百九十三条第五項 法第百九十二条第一項の規定による請求の日
七 法第百九十四条第四項において準用する法第百九十三条第五項 単元未満株式売渡請求の日
八 法第二百八十三条第二号 新株予約権の行使の日
九 法第七百九十六条第二項第一号イ 吸収合併契約、吸収分割契約又は株式交換契約を締結した日（当該契約により当該契約を締結した日と異なる時（当該契約を締結した日後から当該吸収合併、吸収分割又は株式交換の効力が生ずる時の直前までの間の時に限る。）を定めた場合にあっては、当該時）
十 法第八百十六条の四第一項第一号イ 株式交付計画を作成した日（当該株式交付計画により当該株式交付計画を作成した日と異なる時（当該株式交付計画を作成した日後から当該株式交付の効力が生ずる時の直前までの間の時に限る。）を定めた場合にあっては、当該時）
十一 第三十三条第二号 法第百六十六条第一項本文の規定による請求の日

（承認したものとみなされる場合）

第二六条 法第百四十五条第三号に規定する法務省令で定める場合は、次に掲げる場合とする。

一 株式会社が法第百三十九条第二項の規定による通知の日から四十日（これを下回る期間を定款で定めた場合にあっては、その期間）以内に法第百四十一条第一項の規定による通知をした場合において、当該期間内に譲渡等承認請求者に対して同条第二項の書面を交付しなかったとき（指定買取人が法第百三十九条第二項の規定による通知の日から十日（これを下回る期間を定款で定めた場合にあっては、その期間）以内に法第百四十二条第一項の規定による通知をした場合を除く。）。
二 指定買取人が法第百三十九条第二項の規定による通知の日から十日（これを下回る期間を定款で定めた場合にあっては、その期間）以内に法第百四十二条第一項の規定による通知をした場合において、当該期間内に譲渡等承認請求者に対して同条第二項の書面を交付しなかったとき。
三 譲渡等承認請求者が当該株式会社又は指定買取人との間の対象株式に係る売買契約を解除した場合

第三節 株式会社による自己の株式の取得

（自己の株式を取得することができる場合）

第二七条 法第百五十五条第十三号に規定する法務省令で定める場合は、次に掲げる場合とする。

一 当該株式会社の株式を無償で取得する場合
二 当該株式会社が有する他の法人等の株式（持分その他これに準ずるものを含む。以下この条において同じ。）につき当該他の法人等が行う剰余金の配当又は残余財産の分配（これらに相当する行為を含む。）により当該株式会社の株式の交付を受ける場合
三 当該株式会社が有する他の法人等の株式につき当該他の法人等が行う次に掲げる行為に際して当該株式と引換えに当該株式会社の株式の交付を受ける場合
イ 組織の変更
ロ 合併
ハ 株式交換（法以外の法令（外国の法令を含む。）に基づく株式交換に相当する行為を含む。）
ニ 取得条項付株式（これに相当する株式を含む。）の取得
ホ 全部取得条項付種類株式（これに相当する株式を含む。）の取得
四 当該株式会社が有する他の法人等の新株予約権等を当該他の法人等が当該新株予約権等の定めに基づき取得することと引換えに当該株式会社の株式の交付をする場合において、当該株式会社の株式の交付を受けるとき。
五 当該株式会社が法第百十六条第五項、第百八十二条の四第四項、第四百六十九条第五項、第七百八十五条第五項、第七百九十七条第五項、第八百六条第五項又は第八百十六条の六第五項（これらの規定を株式会社について他の法令において準用する場合を含む。）に規定する株式買取請求に応じて当該株式会社の株式を取得する場合
六 合併後消滅する法人等（会社を除く。）から当該株式会社の株式を承継する場合
七 他の法人等（会社及び外国会社を除く。）の事業の全部を譲り受ける場合において、当該他の法人等の有する当該株式会社の株式を譲り受けるとき。
八 その権利の実行に当たり目的を達成するために当該株式会社の株式を取得することが必要かつ不可欠である場合（前各

号に掲げる場合を除く。）

（特定の株主から自己の株式を取得する際の通知時期）

第二八条　法第百六十条第二項に規定する法務省令で定める時は、法第百五十六条第一項の株主総会の日の二週間前とする。ただし、次の各号に掲げる場合には、当該各号に定める時とする。

一　法第二百九十九条第一項の規定による通知を発すべき時が当該株主総会の日の二週間を下回る期間（一週間以上の期間に限る。）前である場合　当該通知を発すべき時

二　法第二百九十九条第一項の規定による通知を発すべき時が当該株主総会の日の一週間を下回る期間前である場合　当該株主総会の日の一週間前

三　法第三百条の規定により招集の手続を経ることなく当該株主総会を開催する場合　当該株主総会の日の一週間前

（議案の追加の請求の時期）

第二九条　法第百六十条第三項に規定する法務省令で定める時は、法第百五十六条第一項の株主総会の日の五日（定款でこれを下回る期間を定めた場合にあっては、その期間）前とする。ただし、前条各号に掲げる場合には、三日（定款でこれを下回る期間を定めた場合にあっては、その期間）前とする。

（市場価格を超えない額の対価による自己の株式の取得）

第三〇条　法第百六十一条に規定する法務省令で定める方法は、次に掲げる額のうちいずれか高い額をもって同条に規定する株式の価格とする方法とする。

一　法第百五十六条第一項の決議の日の前日における当該株式を取引する市場における最終の価格（当該日に売買取引がない場合又は当該日が当該市場の休業日に当たる場合にあっては、その後最初になされた売買取引の成立価格）

二　法第百五十六条第一項の決議の日の前日において当該株式が公開買付け等の対象であるときは、当該日における当該公開買付け等に係る契約における当該株式の価格

（取得請求権付株式の行使により株式の数に端数が生ずる場合）

第三一条　法第百六十七条第三項第一号に規定する法務省令で定める方法は、次に掲げる額のうちいずれか高い額をもって同号に規定する株式の価格とする方法とする。

一　法第百六十六条第一項の規定による請求の日（以下この条において「請求日」という。）における当該株式を取引する市場における最終の価格（当該請求日に売買取引がない場合又は当該請求日が当該市場の休業日に当たる場合にあっては、その後最初になされた売買取引の成立価格）

二　請求日において当該株式が公開買付け等の対象であるときは、当該請求日における当該公開買付け等に係る契約における当該株式の価格

（取得請求権付株式の行使により市場価格のある社債等に端数が生ずる場合）

第三二条　法第百六十七条第四項において準用する同条第三項第一号に規定する法務省令で定める方法は、次の各号に掲げる財産の区分に応じ、当該各号に定める額をもって当該財産の価格とする方法とする。

一　社債（新株予約権付社債についてのものを除く。以下この号において同じ。）　法第百六十六条第一項の規定による請求の日（以下この条において「請求日」という。）における当該社債を取引する市場における最終の価格（当該請求日に売買取引がない場合又は当該請求日が当該市場の休業日に当たる場合にあっては、その後最初になされた売買取引の成立価格）

二　新株予約権（当該新株予約権が新株予約権付社債に付されたものである場合にあっては、当該新株予約権付社債。以下この号において同じ。）　次に掲げる額のうちいずれか高い額

イ　請求日における当該新株予約権を取引する市場における最終の価格（当該請求日に売買取引がない場合又は当該請求日が当該市場の休業日に当たる場合にあっては、その後最初になされた売買取引の成立価格）

ロ　請求日において当該新株予約権が公開買付け等の対象であるときは、当該請求日における当該公開買付け等に係る契約における当該新株予約権の価格

（取得請求権付株式の行使により市場価格のない社債等に端数が生ずる場合）

第三三条　法第百六十七条第四項において準用する同条第三項第二号に規定する法務省令で定める額は、次の各号に掲げる場合の区分に応じ、当該各号に定める額とする。

一　社債について端数がある場合　当該社債の金額

二　新株予約権について端数がある場合　当該新株予約権につき会計帳簿に付すべき価額（当該価額を算定することができないときは、当該新株予約権の目的である各株式についての一株当たり純資産額の合計額から当該新株予約権の行使に際して出資される財産の価額を減じて得た額（零未満である場合にあっては、零））

（全部取得条項付種類株式の取得に関する事前開示事項）

第三三条の二①　法第百七十一条の二第一項に規定する法務省令で定める事項は、次に掲げる事項とする。

一　取得対価（法第百七十一条第一項第一号に規定する取得対価をいう。以下この条において同じ。）の相当性に関する事項

二　取得対価について参考となるべき事項

三　計算書類等に関する事項

四　備置開始日（法第百七十一条の二第一項各号に掲げる日のいずれか早い日をいう。第四項第一号において同じ。）後株式会社が全部取得条項付種類株式の全部を取得する日までの間に、前三号に掲げる事項に変更が生じたときは、変更後の当該事項

②　前項第一号に規定する「取得対価の相当性に関する事項」とは、次に掲げる事項その他の法第百七十一条第一項第一号及び第二号に掲げる事項についての定め（当該定めがない場合にあっては、当該定めがないこと）の相当性に関する事項とする。

一　取得対価の総数又は総額の相当性に関する事項

二　取得対価として当該種類の財産を選択した理由

三　全部取得条項付種類株式を取得する株式会社に親会社等がある場合には、当該株式会社の株主（当該親会社等を除く。）の利益を害さないように留意した事項（当該事項がない場合にあっては、その旨）

四　法第二百三十四条の規定により一に満たない端数の処理をすることが見込まれる場合における次に掲げる事項

イ　次に掲げる事項その他の当該処理の方法に関する事項

(1)　法第二百三十四条第一項又は第二項のいずれの規定による処理を予定しているかの別及びその理由

(2)　法第二百三十四条第一項の規定による処理を予定している場合には、競売の申立てをする時期の見込み（当該見込みに関する取締役（取締役会設置会社にあっては、取締役会。(3)及び(4)において同じ。）の判断及びその理由を含む。）

(3)　法第二百三十四条第二項の規定による処理（市場において行う取引による売却に限る。）を予定している場合には、売却する時期及び売却により得られた代金を株主に交付する時期の見込み（当該見込みに関する取締役の判断及びその理由を含む。）

(4)　法第二百三十四条第二項の規定による処理（市場において行う取引による売却を除く。）を予定している場合には、売却に係る株式を買い取る者となると見込まれる者の氏名又は名称、当該者が売却に係る代金の支払のための資金を確保する方法及び当該方法の相当性並びに売却する時期及び売却により得られた代金を株主に交付する時期の見込み（当該見込みに関する取締役の判断及びその理由を含む。）

ロ　当該処理により株主に交付することが見込まれる金銭の

額及び当該額の相当性に関する事項

③ 第一項第二号に規定する「取得対価について参考となるべき事項」とは、次の各号に掲げる場合の区分に応じ、当該各号に定める事項その他これに準ずる事項（法第百七十一条の二第一項に規定する書面又は電磁的記録にこれらの事項の全部又は一部の記載又は記録をしないことにつき全部取得条項付種類株式を取得する株式会社の総株主の同意がある場合にあっては、当該同意があったものを除く。）とする。

一 取得対価の全部又は一部が当該株式会社の株式である場合 次に掲げる事項

イ 当該株式の内容

ロ 次に掲げる事項その他の取得対価の換価の方法に関する事項

(1) 取得対価を取引する市場

(2) 取得対価の取引の媒介、取次ぎ又は代理を行う者

(3) 取得対価の譲渡その他の処分に制限があるときは、その内容

ハ 取得対価に市場価格があるときは、その価格に関する事項

二 取得対価の全部又は一部が法人等の株式、持分その他これらに準ずるもの（当該株式会社の株式を除く。）である場合 次に掲げる事項（当該事項が日本語以外の言語で表示されている場合にあっては、当該事項（氏名又は名称を除く。）を日本語で表示した事項）

イ 当該法人等の定款その他これに相当するものの定め

ロ 当該法人等が会社でないときは、次に掲げる権利に相当する権利その他の取得対価に係る権利（重要でないものを除く。）の内容

(1) 剰余金の配当を受ける権利

(2) 残余財産の分配を受ける権利

(3) 株主総会における議決権

(4) 合併その他の行為がされる場合において、自己の有する株式を公正な価格で買い取ることを請求する権利

(5) 定款その他の資料（当該資料が電磁的記録をもって作成されている場合にあっては、当該電磁的記録に記録された事項を表示したもの）の閲覧又は謄写を請求する権利

ハ 当該法人等が、その株主、社員その他これらに相当する者（以下この号において「株主等」という。）に対し、日本語以外の言語を使用して情報の提供をすることとされているときは、当該言語

ニ 当該株式会社が全部取得条項付種類株式の全部を取得する日に当該法人等の株主総会その他これに相当するものの開催があるものとした場合における当該法人等の株主等が有すると見込まれる議決権その他これに相当する権利の総数

ホ 当該法人等について登記（当該法人等が外国の法令に準拠して設立されたものである場合にあっては、法第九百三十三条第一項の外国会社の登記又は外国法人の登記及び夫婦財産契約の登記に関する法律（明治三十一年法律第十四号）第二条の外国法人の登記に限る。）がされていないときは、次に掲げる事項

(1) 当該法人等を代表する者の氏名又は名称及び住所

(2) 当該法人等の役員（(1)の者を除く。）の氏名又は名称

ヘ 当該法人等の最終事業年度（当該法人等が会社以外のものである場合にあっては、最終事業年度に相当するもの。以下この号において同じ。）に係る計算書類（最終事業年度がない場合にあっては、当該法人等の成立の日における貸借対照表）その他これに相当するものの内容（当該計算書類その他これに相当するものについて監査役、監査等委員会、監査委員会、会計監査人その他これらに相当するものの監査を受けている場合にあっては、監査報告その他これに相当するものの内容の概要を含む。）

ト 次に掲げる場合の区分に応じ、次に定める事項

(1) 当該法人等が株式会社である場合 当該法人等の最終事業年度に係る事業報告の内容（当該事業報告について監査役、監査等委員会又は監査委員会の監査を受けている場合にあっては、監査報告の内容を含む。）

(2) 当該法人等が株式会社以外のものである場合 当該法人等の最終事業年度に係る第百十八条各号及び第百十九条各号に掲げる事項に相当する事項の内容の概要（当該事項について監査役、監査等委員会、監査委員会その他これらに相当するものの監査を受けている場合にあっては、監査報告その他これに相当するものの内容の概要を含む。）

チ 当該法人等の過去五年間にその末日が到来した各事業年度（次に掲げる事業年度を除く。）に係る貸借対照表その他これに相当するものの内容

(1) 最終事業年度

(2) ある事業年度に係る貸借対照表その他これに相当するものの内容につき、法令の規定に基づく公告（法第四百四十条第三項の措置に相当するものを含む。）をしている場合における当該事業年度

(3) ある事業年度に係る貸借対照表その他これに相当するものの内容につき、金融商品取引法第二十四条第一項の規定により有価証券報告書を内閣総理大臣に提出している場合における当該事業年度

リ 前号ロ及びハに掲げる事項

ヌ 取得対価が自己株式の取得、持分の払戻しその他これらに相当する方法により払戻しを受けることができるものであるときは、その手続に関する事項

三 取得対価の全部又は一部が当該株式会社の社債、新株予約権又は新株予約権付社債である場合 第一号ロ及びハに掲げる事項

四 取得対価の全部又は一部が法人等の社債、新株予約権、新株予約権付社債その他これらに準ずるもの（当該株式会社の社債、新株予約権又は新株予約権付社債を除く。）である場合 次に掲げる事項（当該事項が日本語以外の言語で表示されている場合にあっては、当該事項（氏名又は名称を除く。）を日本語で表示した事項）

イ 第一号ロ及びハに掲げる事項

ロ 第二号イ及びホからチまでに掲げる事項

五 取得対価の全部又は一部が当該株式会社その他の法人等の株式、持分、社債、新株予約権、新株予約権付社債その他これらに準ずるもの及び金銭以外の財産である場合 第一号ロ及びハに掲げる事項

④ 第一項第三号に規定する「計算書類等に関する事項」とは、次に掲げる事項とする。

一 全部取得条項付種類株式を取得する株式会社（清算株式会社を除く。以下この項において同じ。）において最終事業年度の末日（最終事業年度がない場合にあっては、当該株式会社の成立の日）後に重要な財産の処分、重大な債務の負担その他の会社財産の状況に重要な影響を与える事象が生じたときは、その内容（備置開始日後当該株式会社が全部取得条項付種類株式の全部を取得する日までの間に新たな最終事業年度が存することとなる場合にあっては、当該新たな最終事業年度の末日後に生じた事象の内容に限る。）

二 全部取得条項付種類株式を取得する株式会社において最終事業年度がないときは、当該株式会社の成立の日における貸借対照表

第三三条の三（全部取得条項付種類株式の取得に関する事後開示事項） 法第百七十三条の二第一項に規定する法務省令で定める事項は、次に掲げる事項とする。

一 株式会社が全部取得条項付種類株式の全部を取得した日

二 法第百七十一条の三の規定による請求に係る手続の経過

三 法第百七十二条の規定による手続の経過

四　株式会社が取得した全部取得条項付種類株式の数
五　前各号に掲げるもののほか、全部取得条項付種類株式の取得に関する重要な事項

第三節の二　特別支配株主の株式等売渡請求

（特別支配株主完全子法人）
第三三条の四①　法第百七十九条第一項に規定する法務省令で定める法人は、次に掲げるものとする。
一　法第百七十九条第一項に規定する者がその持分の全部を有する法人（株式会社を除く。）
二　法第百七十九条第一項に規定する者及び特定完全子法人（当該者が発行済株式の全部を有する株式会社及び前号に掲げる法人をいう。以下この項において同じ。）又は特定完全子法人がその持分の全部を有する法人
②　前項第二号の規定の適用については、同号に掲げる法人は、同号に規定する特定完全子法人とみなす。

（株式等売渡請求に際して特別支配株主が定めるべき事項）
第三三条の五①　法第百七十九条の二第一項第六号に規定する法務省令で定める事項は、次に掲げる事項とする。
一　株式売渡対価（株式売渡請求に併せて新株予約権売渡請求（その新株予約権売渡請求に係る新株予約権が新株予約権付社債に付されたものである場合における法第百七十九条第三項の規定による請求を含む。以下同じ。）をする場合にあっては、株式売渡対価及び新株予約権売渡対価）の支払のための資金を確保する方法
二　法第百七十九条の二第一項第一号から第五号までに掲げる事項のほか、株式等売渡請求に係る取引条件を定めるときは、その取引条件
②　前項第一号に規定する「株式売渡対価」とは、法第百七十九条の二第一項第二号の金銭をいう（第三十三条の七第一号イ及び第二号において同じ。）。
③　第一項第一号に規定する「新株予約権売渡対価」とは、法第百七十九条の二第一項第四号ロの金銭をいう（第三十三条の七第一号イ及び第二号において同じ。）。

（売渡株主等に対して通知すべき事項）
第三三条の六　法第百七十九条の四第一項第一号に規定する法務省令で定める事項は、前条第一項第二号に掲げる事項とする。

（対象会社の事前開示事項）
第三三条の七　法第百七十九条の五第一項第四号に規定する法務省令で定める事項は、次に掲げる事項とする。
一　次に掲げる事項その他の法第百七十九条の二第一項第二号及び第三号に掲げる事項（株式売渡請求に併せて新株予約権売渡請求をする場合にあっては、同項第二号及び第三号並びに第四号ロ及びハに掲げる事項）についての定めの相当性に関する事項（当該相当性に関する対象会社の取締役（取締役会設置会社にあっては、取締役会。次号及び第三号において同じ。）の判断及びその理由を含む。）
イ　株式売渡対価の総額（株式売渡請求に併せて新株予約権売渡請求をする場合にあっては、株式売渡対価の総額及び新株予約権売渡対価の総額）の相当性に関する事項
ロ　法第百七十九条の三第一項の承認に当たり売渡株主等の利益を害さないように留意した事項（当該事項がない場合にあっては、その旨）
二　第三十三条の五第一項第一号に掲げる事項についての定めの相当性その他の株式売渡対価（株式売渡請求に併せて新株予約権売渡請求をする場合にあっては、株式売渡対価及び新株予約権売渡対価）の交付の見込みに関する事項（当該見込みに関する対象会社の取締役の判断及びその理由を含む。）
三　第三十三条の五第一項第二号に掲げる事項についての定めがあるときは、当該定めの相当性に関する事項（当該相当性に関する対象会社の取締役の判断及びその理由を含む。）
四　対象会社についての次に掲げる事項
イ　対象会社において最終事業年度の末日（最終事業年度がない場合にあっては、対象会社の成立の日）後に重要な財産の処分、重大な債務の負担その他の会社財産の状況に重要な影響を与える事象が生じたときは、その内容（法第百七十九条の四第一項第一号の規定による通知の日又は同条第二項の公告の日のいずれか早い日（次号において「備置開始日」という。）後特別支配株主が売渡株式等の全部を取得する日までの間に新たな最終事業年度が存することとなる場合にあっては、当該新たな最終事業年度の末日後に生じた事象の内容に限る。）
ロ　対象会社において最終事業年度がないときは、対象会社の成立の日における貸借対照表
五　備置開始日後特別支配株主が売渡株式等の全部を取得する日までの間に、前各号に掲げる事項に変更が生じたときは、変更後の当該事項

（対象会社の事後開示事項）
第三三条の八　法第百七十九条の十第一項に規定する法務省令で定める事項は、次に掲げる事項とする。
一　特別支配株主が売渡株式等の全部を取得した日
二　法第百七十九条の七第一項又は第二項の規定による請求に係る手続の経過
三　法第百七十九条の八の規定による手続の経過
四　株式売渡請求により特別支配株主が取得した売渡株式の数（対象会社が種類株式発行会社であるときは、売渡株式の種類及び種類ごとの数）
五　新株予約権売渡請求により特別支配株主が取得した売渡新株予約権の数
六　前号の売渡新株予約権が新株予約権付社債に付されたものである場合には、当該新株予約権付社債についての各社債（特別支配株主が新株予約権売渡請求により取得したものに限る。）の金額の合計額
七　前各号に掲げるもののほか、株式等売渡請求に係る売渡株式等の取得に関する重要な事項

第三節の三　株式の併合

（株式の併合に関する事前開示事項）
第三三条の九　法第百八十二条の二第一項に規定する法務省令で定める事項は、次に掲げる事項とする。
一　次に掲げる事項その他の法第百八十条第二項第一号及び第三号に掲げる事項についての定めの相当性に関する事項
イ　株式の併合をする株式会社に親会社等がある場合には、当該株式会社の株主（当該親会社等を除く。）の利益を害さないように留意した事項（当該事項がない場合にあっては、その旨）
ロ　法第二百三十五条の規定により一株に満たない端数の処理をすることが見込まれる場合における次に掲げる事項
(1)　次に掲げる事項その他の当該処理の方法に関する事項
(i)　法第二百三十五条第一項又は同条第二項において準用する法第二百三十四条第二項のいずれの規定による処理を予定しているかの別及びその理由
(ii)　法第二百三十五条第一項の規定による処理を予定している場合には、競売の申立てをする時期の見込み（当該見込みに関する取締役（取締役会設置会社にあっては、取締役会。(iii)及び(iv)において同じ。）の判断及びその理由を含む。）
(iii)　法第二百三十五条第二項において準用する法第二百三十四条第二項の規定による処理（市場において行う取引による売却に限る。）を予定している場合には、売却する時期及び売却により得られた代金を株主に交付する時期の見込み（当該見込みに関する取締役の判断及びその理由を含む。）
(iv)　法第二百三十五条第二項において準用する法第二百三十四条第二項の規定による処理（市場において行う取引による売却を除く。）を予定している場合には、

売却に係る株式を買い取る者となると見込まれる者の氏名又は名称、当該者が売却に係る代金の支払のための資金を確保する方法及び当該方法の相当性並びに売却する時期及び売却により得られた代金を株主に交付する時期の見込み（当該見込みに関する取締役の判断及びその理由を含む。）

(2) 当該処理により株主に交付することが見込まれる金銭の額及び当該額の相当性に関する事項

二 株式の併合をする株式会社（清算株式会社を除く。以下この号において同じ。）についての次に掲げる事項

イ 当該株式会社において最終事業年度の末日（最終事業年度がない場合にあっては、当該株式会社の成立の日）後に重要な財産の処分、重大な債務の負担その他の会社財産の状況に重要な影響を与える事象が生じたときは、その内容（備置開始日（法第百八十二条の二第一項各号に掲げる日のいずれか早い日をいう。次号において同じ。）後株式の併合がその効力を生ずる日までの間に新たな最終事業年度が存することとなる場合にあっては、当該新たな最終事業年度の末日後に生じた事象の内容に限る。）

ロ 当該株式会社において最終事業年度がないときは、当該株式会社の成立の日における貸借対照表

三 備置開始日後株式の併合がその効力を生ずる日までの間に、前二号に掲げる事項に変更が生じたときは、変更後の当該事項

（株式の併合に関する事後開示事項）

第三三条の一〇 法第百八十二条の六第一項に規定する法務省令で定める事項は、次に掲げる事項とする。

一 株式の併合が効力を生じた日

二 法第百八十二条の三の規定による請求に係る手続の経過

三 法第百八十二条の四の規定による手続の経過

四 株式の併合が効力を生じた時における発行済株式（種類株式発行会社にあっては、法第百八十条第二項第三号の種類の発行済株式）の総数

五 前各号に掲げるもののほか、株式の併合に関する重要な事項

第四節 単元株式数

（単元株式数）

第三四条 法第百八十八条第二項に規定する法務省令で定める数は、千及び発行済株式の総数の二百分の一に当たる数とする。

（単元未満株式についての権利）

第三五条① 法第百八十九条第二項第六号に規定する法務省令で定める権利は、次に掲げるものとする。

一 法第三十一条第二項各号に掲げる請求をする権利

二 法第百二十二条第一項の規定による株主名簿記載事項（法第百五十四条の二第三項に規定する場合にあっては、当該株主の有する株式が信託財産に属する旨を含む。）を記載した書面の交付又は当該株主名簿記載事項を記録した電磁的記録の提供を請求する権利

三 法第百二十五条第二項各号に掲げる請求をする権利

四 法第百三十三条第一項の規定による請求（次に掲げる事由により取得した場合における請求に限る。）をする権利

イ 相続その他の一般承継

ロ 株式売渡請求による売渡株式の全部の取得

ハ 吸収分割又は新設分割による他の会社がその事業に関して有する権利義務の承継

ニ 株式交換又は株式移転による他の株式会社の発行済株式の全部の取得

ホ 法第百九十七条第二項の規定による売却

ヘ 法第二百三十四条第二項（法第二百三十五条第二項において準用する場合を含む。）の規定による売却

ト 競売

五 法第百三十七条第一項の規定による請求（前号イからトまでに掲げる事由により取得した場合における請求に限る。）をする権利

六 株式売渡請求により特別支配株主が売渡株式の取得の対価として交付する金銭の交付を受ける権利

七 株式会社が行う次に掲げる行為により金銭等の交付を受ける権利

イ 株式の併合

ロ 株式の分割

ハ 新株予約権無償割当て

ニ 剰余金の配当

ホ 組織変更

八 株式会社が行う次の各号に掲げる行為により当該各号に定める者が交付する金銭等の交付を受ける権利

イ 吸収合併（会社以外の者と行う合併を含み、合併により当該株式会社が消滅する場合に限る。） 当該吸収合併後存続するもの

ロ 新設合併（会社以外の者と行う合併を含む。） 当該新設合併により設立されるもの

ハ 株式交換 株式交換完全親会社

ニ 株式移転 株式移転設立完全親会社

② 前項の規定にかかわらず、株式会社が株券発行会社である場合には、法第百八十九条第二項第六号に規定する法務省令で定める権利は、次に掲げるものとする。

一 前項第一号、第三号及び第六号から第八号までに掲げる権利

二 法第百三十三条第一項の規定による請求をする権利

三 法第百三十七条第一項の規定による請求をする権利

四 法第百八十九条第三項の定款の定めがある場合以外の場合における法第二百十五条第四項及び第二百十七条第六項の規定による株券の発行を請求する権利

五 法第百八十九条第三項の定款の定めがある場合以外の場合における法第二百十七条第一項の規定による株券の所持を希望しない旨の申出をする権利

（市場価格のある単元未満株式の買取りの価格）

第三六条 法第百九十三条第一項第一号に規定する法務省令で定める方法は、次に掲げる額のうちいずれか高い額をもって同号に規定する株式の価格とする方法とする。

一 法第百九十二条第一項の規定による請求の日（以下この条において「請求日」という。）における当該株式を取引する市場における最終の価格（当該請求日に売買取引がない場合又は当該請求日が当該市場の休業日に当たる場合にあっては、その後最初になされた売買取引の成立価格）

二 請求日において当該株式が公開買付け等の対象であるときは、当該請求日における当該公開買付け等に係る契約における当該株式の価格

（市場価格のある単元未満株式の売渡しの価格）

第三七条 法第百九十四条第四項において準用する法第百九十三条第一項第一号に規定する法務省令で定める方法は、次に掲げる額のうちいずれか高い額をもって単元未満株式売渡請求に係る株式の価格とする方法とする。

一 単元未満株式売渡請求の日（以下この条において「請求日」という。）における当該株式を取引する市場における最終の価格（当該請求日に売買取引がない場合又は当該請求日が当該市場の休業日に当たる場合にあっては、その後最初になされた売買取引の成立価格）

二 請求日において当該株式が公開買付け等の対象であるときは、当該請求日における当該公開買付け等に係る契約における当該株式の価格

第五節 株主に対する通知の省略等

（市場価格のある株式の売却価格）

第三八条 法第百九十七条第二項に規定する法務省令で定める方法は、次の各号に掲げる場合の区分に応じ、当該各号に定める

額をもって同項に規定する株式の価格とする方法とする。
一　当該株式を市場において行う取引によって売却する場合　当該取引によって売却する価格
二　前号に掲げる場合以外の場合　次に掲げる額のうちいずれか高い額
イ　法第百九十七条第二項の規定により売却する日（以下この条において「売却日」という。）における当該株式を取引する市場における最終の価格（当該売却日に売買取引がない場合又は当該売却日が当該市場の休業日に当たる場合にあっては、その後最初になされた売買取引の成立価格）
ロ　売却日において当該株式が公開買付け等の対象であるときは、当該売却日における当該公開買付け等に係る契約における当該株式の価格

（公告事項）
第三九条　法第百九十八条第一項に規定する法務省令で定める事項は、次に掲げるものとする。
一　法第百九十七条第一項の株式（以下この条において「競売対象株式」という。）の競売又は売却をする旨
二　競売対象株式の株主として株主名簿に記載又は記録がされた者の氏名又は名称及び住所
三　競売対象株式の数（種類株式発行会社にあっては、競売対象株式の種類及び種類ごとの数）
四　競売対象株式につき株券が発行されているときは、当該株券の番号

第六節　募集株式の発行等

（募集事項の通知を要しない場合）
第四〇条　法第二百一条第五項に規定する法務省令で定める場合は、株式会社が同条第三項に規定する期日の二週間前までに、金融商品取引法の規定に基づき次に掲げる書類（同項に規定する募集事項に相当する事項をその内容とするものに限る。）の届出又は提出をしている場合（当該書類に記載すべき事項を同法の規定に基づき電磁的方法により提供している場合を含む。）であって、内閣総理大臣が当該期日の二週間前の日から当該期日まで継続して同法の規定に基づき当該書類を公衆の縦覧に供しているときとする。
一　金融商品取引法第四条第一項から第三項までの届出をする場合における同法第五条第一項の届出書（訂正届出書を含む。）
二　金融商品取引法第二十三条の三第一項に規定する発行登録書及び同法第二十三条の八第一項に規定する発行登録追補書類（訂正発行登録書を含む。）
三　金融商品取引法第二十四条第一項に規定する有価証券報告書（訂正報告書を含む。）
四　金融商品取引法第二十四条の五第一項に規定する半期報告書（訂正報告書を含む。）
五　金融商品取引法第二十四条の五第四項に規定する臨時報告書（訂正報告書を含む。）

（申込みをしようとする者に対して通知すべき事項）
第四一条　法第二百三条第一項第四号に規定する法務省令で定める事項は、次に掲げる事項とする。
一　発行可能株式総数（種類株式発行会社にあっては、各種類の株式の発行可能種類株式総数を含む。）
二　株式会社（種類株式発行会社を除く。）が発行する株式の内容として法第百七条第一項各号に掲げる事項を定めているときは、当該株式の内容
三　株式会社（種類株式発行会社に限る。）が法第百八条第一項各号に掲げる事項につき内容の異なる株式を発行することとしているときは、各種類の株式の内容（ある種類の株式につき同条第三項の定款の定めがある場合において、当該定款の定めにより株式会社が当該種類の株式の内容を定めていないときは、当該種類の株式の内容の要綱）
四　単元株式数についての定款の定めがあるときは、その単元株式数（種類株式発行会社にあっては、各種類の株式の単元株式数）
五　次に掲げる定款の定めがあるときは、その規定
イ　法第百三十九条第一項、第百四十条第五項又は第百四十五条第一号若しくは第二号に規定する定款の定め
ロ　法第百六十四条第一項に規定する定款の定め
ハ　法第百六十七条第三項に規定する定款の定め
ニ　法第百六十八条第一項又は第百六十九条第二項に規定する定款の定め
ホ　法第百七十四条に規定する定款の定め
ヘ　法第三百四十七条に規定する定款の定め
ト　第二十六条第一号又は第二号に規定する定款の定め
六　株主名簿管理人を置く旨の定款の定めがあるときは、その氏名又は名称及び住所並びに営業所
七　電子提供措置をとる旨の定款の定めがあるときは、その規定
八　定款に定められた事項（法第二百三条第一項第一号から第三号まで及び前各号に掲げる事項を除く。）であって、当該株式会社に対して募集株式の引受けの申込みをしようとする者が当該者に対して通知することを請求した事項

（申込みをしようとする者に対する通知を要しない場合）
第四二条　法第二百三条第四項に規定する法務省令で定める場合は、次に掲げる場合であって、株式会社が同条第一項の申込みをしようとする者に対して同項各号に掲げる事項を提供している場合とする。
一　当該株式会社が金融商品取引法の規定に基づき目論見書に記載すべき事項を電磁的方法により提供している場合
二　当該株式会社が外国の法令に基づき目論見書その他これに相当する書面その他の資料を提供している場合

（株主に対して通知すべき事項）
第四二条の二　法第二百六条の二第一項に規定する法務省令で定める事項は、次に掲げる事項とする。
一　特定引受人（法第二百六条の二第一項に規定する特定引受人をいう。以下この条において同じ。）の氏名又は名称及び住所
二　特定引受人（その子会社等を含む。第五号及び第七号において同じ。）がその引き受けた募集株式の株主となった場合に有することとなる議決権の数
三　前号の募集株式に係る議決権の数
四　募集株式の引受人の全員がその引き受けた募集株式の株主となった場合における総株主の議決権の数
五　特定引受人に対する募集株式の割当て又は特定引受人との間の法第二百五条第一項の契約の締結に関する取締役会の判断及びその理由
六　社外取締役を置く株式会社において、前号の取締役会の判断が社外取締役の意見と異なる場合には、その意見
七　特定引受人に対する募集株式の割当て又は特定引受人との間の法第二百五条第一項の契約の締結に関する監査役、監査等委員会又は監査委員会の意見

（株主に対する通知を要しない場合）
第四二条の三　法第二百六条の二第三項に規定する法務省令で定める場合は、株式会社が同条第一項に規定する期日の二週間前までに、金融商品取引法の規定に基づき第四十条各号に掲げる書類（前条各号に掲げる事項に相当する事項をその内容とするものに限る。）の届出又は提出をしている場合（当該書類に記載すべき事項を同法の規定に基づき電磁的方法により提供している場合を含む。）であって、内閣総理大臣が当該期日の二週間前の日から当該期日まで継続して同法の規定に基づき当該書類を公衆の縦覧に供しているときとする。

（株主に対する通知を要しない場合における反対通知の期間の初日）
第四二条の四　法第二百六条の二第四項に規定する法務省令で定める日は、株式会社が金融商品取引法の規定に基づき前条の書

類の届出又は提出（当該書類に記載すべき事項を同法の規定に基づき電磁的方法により提供した場合にあっては、その提供）をした日とする。

（検査役の調査を要しない市場価格のある有価証券）

第四三条　法第二百七条第九項第三号に規定する法務省令で定める方法は、次に掲げる額のうちいずれか高い額をもって同号に規定する有価証券の価格とする方法とする。

一　法第百九十九条第一項第三号の価額を定めた日（以下この条において「価額決定日」という。）における当該有価証券を取引する市場における最終の価格（当該価額決定日に売買取引がない場合又は当該価額決定日が当該市場の休業日に当たる場合にあっては、その後最初になされた売買取引の成立価格）

二　価額決定日において当該有価証券が公開買付け等の対象であるときは、当該価額決定日における当該公開買付け等に係る契約における当該有価証券の価格

（出資された財産等の価額が不足する場合に責任をとるべき取締役等）

第四四条　法第二百十三条第一項第一号に規定する法務省令で定めるものは、次に掲げる者とする。

一　現物出資財産（法第二百七条第一項に規定する現物出資財産をいう。以下この条から第四十六条までにおいて同じ。）の価額の決定に関する職務を行った取締役及び執行役

二　現物出資財産の価額の決定に関する株主総会の決議があったときは、当該株主総会において当該現物出資財産の価額に関する事項について説明をした取締役及び執行役

三　現物出資財産の価額の決定に関する取締役会の決議があったときは、当該取締役会の決議に賛成した取締役

第四五条　法第二百十三条第一項第二号に規定する法務省令で定めるものは、次に掲げる者とする。

一　株主総会に現物出資財産の価額の決定に関する議案を提案した取締役

二　前号の議案の提案の決定に同意した取締役（取締役会設置会社の取締役を除く。）

三　第一号の議案の提案が取締役会の決議に基づいて行われたときは、当該取締役会の決議に賛成した取締役

第四六条　法第二百十三条第一項第三号に規定する法務省令で定めるものは、取締役会に現物出資財産の価額の決定に関する議案を提案した取締役及び執行役とする。

（出資の履行の仮装に関して責任をとるべき取締役等）

第四六条の二　法第二百十三条の三第一項に規定する法務省令で定める者は、次に掲げる者とする。

一　出資の履行（法第二百八条第三項に規定する出資の履行をいう。以下この条において同じ。）の仮装に関する職務を行った取締役及び執行役

二　出資の履行の仮装が取締役会の決議に基づいて行われたときは、次に掲げる者

イ　当該取締役会の決議に賛成した取締役

ロ　当該取締役会に当該出資の履行の仮装に関する議案を提案した取締役及び執行役

三　出資の履行の仮装が株主総会の決議に基づいて行われたときは、次に掲げる者

イ　当該株主総会に当該出資の履行の仮装に関する議案を提案した取締役

ロ　イの議案の提案の決定に同意した取締役（取締役会設置会社の取締役を除く。）

ハ　イの議案の提案が取締役会の決議に基づいて行われたときは、当該取締役会の決議に賛成した取締役

ニ　当該株主総会において当該出資の履行の仮装に関する事項について説明をした取締役及び執行役

第七節　株券

（株券喪失登録請求）

第四七条①　法第二百二十三条の規定による請求（以下この条において「株券喪失登録請求」という。）は、この条に定めるところにより、行わなければならない。

②　株券喪失登録請求は、株券喪失登録請求をする者（次項において「株券喪失登録請求者」という。）の氏名又は名称及び住所並びに喪失した株券の番号を明らかにしてしなければならない。

③　株券喪失登録請求者が株券喪失登録請求をしようとするときは、次の各号に掲げる場合の区分に応じ、当該各号に定める資料を株式会社に提供しなければならない。

一　株券喪失登録請求者が当該株券に係る株式の株主又は登録株式質権者として株主名簿に記載又は記録がされている者である場合　株券の喪失の事実を証する資料

二　前号に掲げる場合以外の場合　次に掲げる資料

イ　株券喪失登録請求者が株券喪失登録請求に係る株券を、当該株券に係る株式につき法第百二十一条第三号の取得の日として株主名簿に記載又は記録がされている日以後に所持していたことを証する資料

ロ　株券の喪失の事実を証する資料

④　株券喪失登録に係る株券が会社法の施行に伴う関係法律の整備等に関する法律の施行に伴う経過措置を定める政令（平成十七年政令第三百六十七号）第二条の規定により法第百二十一条第三号の規定が適用されない株式に係るものである場合における前項第二号の規定の適用については、同号中「次に」とあるのは、「ロに」とする。

（株券を所持する者による抹消の申請）

第四八条　法第二百二十五条第一項の規定による申請は、株券を提示し、当該申請をする者の氏名又は名称及び住所を明らかにしてしなければならない。

（株券喪失登録者による抹消の申請）

第四九条　法第二百二十六条第一項の規定による申請は、当該申請をする株券喪失登録者の氏名又は名称及び住所並びに当該申請に係る株券喪失登録がされた株券の番号を明らかにしてしなければならない。

第八節　雑則

（株式の発行等により一に満たない株式の端数を処理する場合における市場価格）

第五〇条　法第二百三十四条第二項に規定する法務省令で定める方法は、次の各号に掲げる場合の区分に応じ、当該各号に定める額をもって同項に規定する株式の価格とする方法とする。

一　当該株式を市場において行う取引によって売却する場合　当該取引によって売却する価格

二　前号に掲げる場合以外の場合　次に掲げる額のうちいずれか高い額

イ　法第二百三十四条第二項の規定により売却する日（以下この条において「売却日」という。）における当該株式を取引する市場における最終の価格（当該売却日に売買取引がない場合又は当該売却日が当該市場の休業日に当たる場合にあっては、その後最初になされた売買取引の成立価格）

ロ　売却日において当該株式が公開買付け等の対象であるときは、当該売却日における当該公開買付け等に係る契約における当該株式の価格

（一に満たない社債等の端数を処理する場合における市場価格）

第五一条　法第二百三十四条第六項において準用する同条第二項に規定する法務省令で定める方法は、次の各号に掲げる場合の区分に応じ、当該各号に定める額をもって同条第六項において準用する同条第二項の規定により売却する財産の価格とする方法とする。

一　法第二百三十四条第六項に規定する社債又は新株予約権を市場において行う取引によって売却する場合　当該取引によって売却する価格

二　前号に掲げる場合以外の場合において、社債（新株予約権付社債についての社債を除く。以下この号において同じ。）を売却するとき　法第二百三十四条第六項において準用する同条第二項の規定により売却する日（以下この条において「売却日」という。）における当該社債を取引する市場における最終の価格（当該売却日に売買取引がない場合又は当該売却日が当該市場の休業日に当たる場合にあっては、その後最初になされた売買取引の成立価格）

三　第一号に掲げる場合以外の場合において、新株予約権（当該新株予約権が新株予約権付社債に付されたものである場合にあっては、当該新株予約権付社債。以下この号において同じ。）を売却するとき　次に掲げる額のうちいずれか高い額

イ　売却日における当該新株予約権を取引する市場における最終の価格（当該売却日に売買取引がない場合又は当該売却日が当該市場の休業日に当たる場合にあっては、その後最初になされた売買取引の成立価格）

ロ　売却日において当該新株予約権が公開買付け等の対象であるときは、当該売却日における当該公開買付け等に係る契約における当該新株予約権の価格

（株式の分割等により一に満たない株式の端数を処理する場合における市場価格）

第五二条　法第二百三十五条第二項において準用する法第二百三十四条第二項に規定する法務省令で定める方法は、次の各号に掲げる場合の区分に応じ、当該各号に定める額をもって法第二百三十五条第二項において準用する法第二百三十四条第二項に規定する株式の価格とする方法とする。

一　当該株式を市場において行う取引によって売却する場合　当該取引によって売却する価格

二　前号に掲げる場合以外の場合　次に掲げる額のうちいずれか高い額

イ　法第二百三十五条第二項において準用する法第二百三十四条第二項の規定により売却する日（以下この条において「売却日」という。）における当該株式を取引する市場における最終の価格（当該売却日に売買取引がない場合又は当該売却日が当該市場の休業日に当たる場合にあっては、その後最初になされた売買取引の成立価格）

ロ　売却日において当該株式が公開買付け等の対象であるときは、当該売却日における当該公開買付け等に係る契約における当該株式の価格

第三章　新株予約権

（募集事項の通知を要しない場合）

第五三条　法第二百四十条第四項に規定する法務省令で定める場合は、株式会社が割当日（法第二百三十八条第一項第四号に規定する割当日をいう。第五十五条の四において同じ。）の二週間前までに、金融商品取引法の規定に基づき次に掲げる書類（法第二百三十八条第一項に規定する募集事項に相当する事項をその内容とするものに限る。）の届出又は提出をしている場合（当該書類に記載すべき事項を同法の規定に基づき電磁的方法により提供している場合を含む。）であって、内閣総理大臣が当該割当日の二週間前の日から当該割当日まで継続して同法の規定に基づき当該書類を公衆の縦覧に供しているときとする。

一　金融商品取引法第四条第一項から第三項までの届出をする場合における同法第五条第一項の届出書（訂正届出書を含む。）

二　金融商品取引法第二十三条の三第一項に規定する発行登録書及び同法第二十三条の八第一項に規定する発行登録追補書類（訂正発行登録書を含む。）

三　金融商品取引法第二十四条第一項に規定する有価証券報告書（訂正報告書を含む。）

四　金融商品取引法第二十四条の五第一項に規定する半期報告書（訂正報告書を含む。）

五　金融商品取引法第二十四条の五第四項に規定する臨時報告書（訂正報告書を含む。）

（申込みをしようとする者に対して通知すべき事項）

第五四条　法第二百四十二条第一項第四号に規定する法務省令で定める事項は、次に掲げる事項とする。

一　発行可能株式総数（種類株式発行会社にあっては、各種類の株式の発行可能種類株式総数を含む。）

二　株式会社（種類株式発行会社を除く。）が発行する株式の内容として法第百七条第一項各号に掲げる事項を定めているときは、当該株式の内容

三　株式会社（種類株式発行会社に限る。）が法第百八条第一項各号に掲げる事項につき内容の異なる株式を発行することとしているときは、各種類の株式の内容（ある種類の株式につき同条第三項の定款の定めがある場合において、当該定款の定めにより株式会社が当該種類の株式の内容を定めていないときは、当該種類の株式の内容の要綱）

四　単元株式数についての定款の定めがあるときは、その単元株式数（種類株式発行会社にあっては、各種類の株式の単元株式数）

五　次に掲げる定款の定めがあるときは、その規定

イ　法第百三十九条第一項、第百四十条第五項又は第百四十五条第一号若しくは第二号に規定する定款の定め

ロ　法第百六十四条第一項に規定する定款の定め

ハ　法第百六十七条第三項に規定する定款の定め

ニ　法第百六十八条第一項又は第百六十九条第二項に規定する定款の定め

ホ　法第百七十四条に規定する定款の定め

ヘ　法第三百四十七条に規定する定款の定め

ト　第二十六条第一号又は第二号に規定する定款の定め

六　株主名簿管理人を置く旨の定款の定めがあるときは、その氏名又は名称及び住所並びに営業所

七　電子提供措置をとる旨の定款の定めがあるときは、その規定

八　定款に定められた事項（法第二百四十二条第一項第一号から第三号まで及び前各号に掲げる事項を除く。）であって、当該株式会社に対して募集新株予約権の引受けの申込みをしようとする者が当該者に対して通知することを請求した事項

（申込みをしようとする者に対する通知を要しない場合）

第五五条　法第二百四十二条第四項に規定する法務省令で定める場合は、次に掲げる場合であって、株式会社が同条第一項の申込みをしようとする者に対して同項各号に掲げる事項を提供している場合とする。

一　当該株式会社が金融商品取引法の規定に基づき目論見書に記載すべき事項を電磁的方法により提供している場合

二　当該株式会社が外国の法令に基づき目論見書その他これに相当する書面その他の資料を提供している場合

（株主に対して通知すべき事項）

第五五条の二　法第二百四十四条の二第一項に規定する法務省令で定める事項は、次に掲げる事項とする。

一　特定引受人（法第二百四十四条の二第一項に規定する特定引受人をいう。以下この条及び次条第三項において同じ。）の氏名又は名称及び住所

二　特定引受人（その子会社等を含む。以下この条及び次条第三項において同じ。）がその引き受けた募集新株予約権に係る交付株式（法第二百四十四条の二第二項に規定する交付株式をいう。次号及び次条第三項において同じ。）の株主となった場合に有することとなる最も多い議決権の数

三　前号の交付株式に係る最も多い議決権の数

四　第二号に規定する場合における最も多い総株主の議決権の数

五　特定引受人に対する募集新株予約権の割当て又は特定引受人との間の法第二百四十四条第一項の契約の締結に関する取締役会の判断及びその理由

六　社外取締役を置く株式会社において、前号の取締役会の判

断が社外取締役の意見と異なる場合には、その意見

七　特定引受人に対する募集新株予約権の割当て又は特定引受人との間の法第二百四十四条第一項の契約の締結に関する監査役、監査等委員会又は監査委員会の意見

（交付株式）

第五五条の三①　法第二百四十四条の二第二項に規定する法務省令で定める株式は、次に掲げる株式とする。

一　募集新株予約権の内容として次のイ又はロに掲げる事項についての定めがある場合における当該イ又はロに定める新株予約権（次号及び次項において「取得対価新株予約権」という。）の目的である株式

イ　法第二百三十六条第一項第七号ニに掲げる事項　同号への他の新株予約権

ロ　法第二百三十六条第一項第七号トに掲げる事項　同号トの新株予約権付社債に付された新株予約権

二　取得対価新株予約権の内容として法第二百三十六条第一項第七号ニに掲げる事項についての定めがある場合における同号ニの株式

②　前項の規定の適用については、取得対価新株予約権の内容として同項第一号イ又はロに掲げる事項についての定めがある場合における当該イ又はロに定める新株予約権は、取得対価新株予約権とみなす。

③　交付株式の数が特定引受人に対する募集新株予約権の割当ての決定又は特定引受人との間の法第二百四十四条第一項の契約の締結の日（以下この項において「割当等決定日」という。）後のいずれか一の日の市場価額その他の指標に基づき決定する方法その他の算定方法により決定される場合における当該交付株式の数は、割当等決定日の前日に当該交付株式が交付されたものとみなして計算した数とする。

（株主に対する通知を要しない場合）

第五五条の四　法第二百四十四条の二第四項に規定する法務省令で定める場合は、株式会社が割当日の二週間前までに、金融商品取引法の規定に基づき第五十三条各号に掲げる書類（第五十五条の二各号に掲げる事項に相当する事項をその内容とするものに限る。）の届出又は提出をしている場合（当該書類に記載すべき事項を同法の規定に基づき電磁的方法により提供している場合を含む。）であって、内閣総理大臣が当該割当日の二週間前の日から当該割当日まで継続して同法の規定に基づき当該書類を公衆の縦覧に供しているときとする。

（株主に対する通知を要しない場合における反対通知の期間の初日）

第五五条の五　法第二百四十四条の二第五項に規定する法務省令で定める日は、株式会社が金融商品取引法の規定に基づき前条の書類の届出又は提出（当該書類に記載すべき事項を同法の規定に基づき電磁的方法により提供した場合にあっては、その提供）をした日とする。

（新株予約権原簿記載事項の記載等の請求）

第五六条①　法第二百六十条第二項に規定する法務省令で定める場合は、次に掲げる場合とする。

一　新株予約権取得者が、新株予約権者として新株予約権原簿に記載若しくは記録がされた者又はその一般承継人に対して当該新株予約権取得者の取得した新株予約権に係る法第二百六十条第一項の規定による請求をすべきことを命ずる確定判決を得た場合において、当該確定判決の内容を証する書面その他の資料を提供して請求をしたとき。

二　新株予約権取得者が前号の確定判決と同一の効力を有するものの内容を証する書面その他の資料を提供して請求をしたとき。

三　新株予約権取得者が一般承継により当該株式会社の新株予約権を取得した者である場合において、当該一般承継を証する書面その他の資料を提供して請求をしたとき。

四　新株予約権取得者が当該株式会社の新株予約権を競売により取得した者である場合において、当該競売により取得したことを証する書面その他の資料を提供して請求をしたとき。

五　新株予約権取得者が新株予約権売渡請求により当該株式会社の発行する売渡新株予約権の全部を取得した者である場合において、当該新株予約権取得者が請求をしたとき。

②　前項の規定にかかわらず、新株予約権取得者が取得した新株予約権が証券発行新株予約権又は証券発行新株予約権付社債に付された新株予約権である場合には、法第二百六十条第二項に規定する法務省令で定める場合は、次に掲げる場合とする。

一　新株予約権取得者が新株予約権証券又は新株予約権付社債券を提示して請求をした場合

二　新株予約権取得者が新株予約権売渡請求により当該株式会社の発行する売渡新株予約権の全部を取得した者である場合において、当該新株予約権取得者が請求をしたとき。

（新株予約権取得者からの承認の請求）

第五七条①　法第二百六十三条第二項に規定する法務省令で定める場合は、次に掲げる場合とする。

一　新株予約権取得者が、新株予約権者として新株予約権原簿に記載若しくは記録がされた者又はその一般承継人に対して当該新株予約権取得者の取得した新株予約権に係る法第二百六十三条第一項の規定による請求をすべきことを命ずる確定判決を得た場合において、当該確定判決の内容を証する書面その他の資料を提供して請求をしたとき。

二　新株予約権取得者が前号の確定判決と同一の効力を有するものの内容を証する書面その他の資料を提供して請求をしたとき。

三　新株予約権取得者が当該株式会社の新株予約権を競売により取得した者である場合において、当該競売により取得したことを証する書面その他の資料を提供して請求をしたとき。

②　前項の規定にかかわらず、新株予約権取得者が取得した新株予約権が証券発行新株予約権又は証券発行新株予約権付社債に付された新株予約権である場合には、法第二百六十三条第二項に規定する法務省令で定める場合は、新株予約権取得者が新株予約権証券又は新株予約権付社債券を提示して請求をした場合とする。

（新株予約権の行使により株式に端数が生じる場合）

第五八条　法第二百八十三条第一号に規定する法務省令で定める方法は、次に掲げる額のうちいずれか高い額をもって同号に規定する株式の価格とする方法とする。

一　新株予約権の行使の日（以下この条において「行使日」という。）における当該株式を取引する市場における最終の価格（当該行使日に売買取引がない場合又は当該行使日が当該市場の休業日に当たる場合にあっては、その後最初になされた売買取引の成立価格）

二　行使日において当該株式が公開買付け等の対象であるときは、当該行使日における当該公開買付け等に係る契約における当該株式の価格

（検査役の調査を要しない市場価格のある有価証券）

第五九条　法第二百八十四条第九項第三号に規定する法務省令で定める方法は、次に掲げる額のうちいずれか高い額をもって同号に規定する有価証券の価格とする方法とする。

一　新株予約権の行使の日（以下この条において「行使日」という。）における当該有価証券を取引する市場における最終の価格（当該行使日に売買取引がない場合又は当該行使日が当該市場の休業日に当たる場合にあっては、その後最初になされた売買取引の成立価格）

二　行使日において当該有価証券が公開買付け等の対象であるときは、当該行使日における当該公開買付け等に係る契約における当該有価証券の価格

（出資された財産等の価額が不足する場合に責任をとるべき取締役等）

第六〇条　法第二百八十六条第一項第一号に規定する法務省令で定めるものは、次に掲げる者とする。

一　現物出資財産（法第二百八十四条第一項に規定する現物出

資財産をいう。以下この条から第六十二条までにおいて同じ。）の価額の決定に関する職務を行った取締役及び執行役
二　現物出資財産の価額の決定に関する株主総会の決議があったときは、当該株主総会において当該現物出資財産の価額に関する事項について説明をした取締役及び執行役
三　現物出資財産の価額の決定に関する取締役会の決議があったときは、当該取締役会の決議に賛成した取締役

第六十一条　法第二百八十六条第一項第二号に規定する法務省令で定めるものは、次に掲げる者とする。
一　株主総会に現物出資財産の価額の決定に関する議案を提案した取締役
二　前号の議案の提案の決定に同意した取締役（取締役会設置会社の取締役を除く。）
三　第一号の議案の提案が取締役会の決議に基づいて行われたときは、当該取締役会の決議に賛成した取締役

第六十二条　法第二百八十六条第一項第三号に規定する法務省令で定めるものは、取締役会に現物出資財産の価額の決定に関する議案を提案した取締役及び執行役とする。

（新株予約権に係る払込み等の仮装に関して責任をとるべき取締役等）

第六十二条の二　法第二百八十六条の三第一項に規定する法務省令で定める者は、次に掲げる者とする。
一　払込み等（法第二百八十六条の二第一項各号の払込み又は給付をいう。以下この条において同じ。）の仮装に関する職務を行った取締役及び執行役
二　払込み等の仮装が取締役会の決議に基づいて行われたときは、次に掲げる者
イ　当該取締役会の決議に賛成した取締役
ロ　当該取締役会に当該払込み等の仮装に関する議案を提案した取締役及び執行役
三　払込み等の仮装が株主総会の決議に基づいて行われたときは、次に掲げる者
イ　当該株主総会に当該払込み等の仮装に関する議案を提案した取締役
ロ　イの議案の提案の決定に同意した取締役（取締役会設置会社の取締役を除く。）
ハ　イの議案の提案が取締役会の決議に基づいて行われたときは、当該取締役会の決議に賛成した取締役
ニ　当該株主総会において当該払込み等の仮装に関する事項について説明をした取締役及び執行役

第四章　機関

第一節　株主総会及び種類株主総会等

第一款　通則

（招集の決定事項）

第六十三条　法第二百九十八条第一項第五号に規定する法務省令で定める事項は、次に掲げる事項とする。
一　法第二百九十八条第一項第一号に規定する株主総会が定時株主総会である場合において、同号の日が次に掲げる要件のいずれかに該当するときは、その日時を決定した理由（ロに該当する場合にあっては、その日時を決定したことにつき特に理由がある場合における当該理由に限る。）
イ　当該日が前事業年度に係る定時株主総会の日に応当する日と著しく離れた日であること。
ロ　株式会社が公開会社である場合において、当該日と同一の日において定時株主総会を開催する他の株式会社（公開会社に限る。）が著しく多いこと。
二　法第二百九十八条第一項第一号に規定する株主総会の場所が過去に開催した株主総会のいずれの場所とも著しく離れた場所であるとき（次に掲げる場合を除く。）は、その場所を決定した理由
イ　当該場所が定款で定められたものである場合
ロ　当該場所で開催することについて株主総会に出席しない株主全員の同意がある場合
三　法第二百九十八条第一項第三号又は第四号に掲げる事項を定めたときは、次に掲げる事項（定款にロからニまで及びヘに掲げる事項についての定めがある場合又はこれらの事項の決定を取締役に委任する旨を決定した場合における当該事項を除く。）
イ　次款の規定により株主総会参考書類に記載すべき事項（第八十五条の二第三号、第八十五条の三第三号、第八十六条第三号及び第四号、第八十七条第三号及び第四号、第八十八条第三号及び第四号、第八十九条第三号、第九十条第三号、第九十一条第三号、第九十一条の二第三号並びに第九十二条第三号に掲げる事項を除く。）
ロ　特定の時（株主総会の日時以前の時であって、法第二百九十九条第一項の規定により通知を発した日から二週間を経過した日以後の時に限る。）をもって書面による議決権の行使の期限とする旨を定めるときは、その特定の時
ハ　特定の時（株主総会の日時以前の時であって、法第二百九十九条第一項の規定により通知を発した日から二週間を経過した日以後の時に限る。）をもって電磁的方法による議決権の行使の期限とする旨を定めるときは、その特定の時
ニ　第六十六条第一項第二号の取扱いを定めるときは、その取扱いの内容
ホ　第九十四条第一項の措置をとることにより株主に対して提供する株主総会参考書類に記載しないものとする事項
ヘ　一の株主が同一の議案につき次に掲げる場合の区分に応じ、次に定める規定により重複して議決権を行使した場合において、当該同一の議案に対する議決権の行使の内容が異なるものであるときにおける当該株主の議決権の行使の取扱いに関する事項を定めるとき（次号に規定する場合を除く。）は、その事項
(1)　法第二百九十八条第一項第三号に掲げる事項を定めた場合　法第三百十一条第一項
(2)　法第二百九十八条第一項第四号に掲げる事項を定めた場合　法第三百十二条第一項
ト　株主総会参考書類に記載すべき事項のうち、法第三百二十五条の五第三項の規定による定款の定めに基づき同条第二項の規定により交付する書面（第九十五条の四において「電子提供措置事項記載書面」という。）に記載しないものとする事項
四　法第二百九十八条第一項第三号及び第四号に掲げる事項を定めたときは、次に掲げる事項（定款にイからハまでに掲げる事項についての定めがある場合における当該事項を除く。）
イ　法第二百九十九条第三項の承諾をした株主の請求があった時に当該株主に対して法第三百一条第一項の規定による議決権行使書面（法第三百一条第一項に規定する議決権行使書面をいう。以下この節において同じ。）の交付（当該交付に代えて行う同条第二項の規定による電磁的方法による提供を含む。）をすることとするときは、その旨
ロ　一の株主が同一の議案につき法第三百十一条第一項又は第三百十二条第一項の規定により重複して議決権を行使した場合において、当該同一の議案に対する議決権の行使の内容が異なるものであるときにおける当該株主の議決権の行使の取扱いに関する事項を定めるときは、その事項
ハ　電子提供措置をとる旨の定款の定めがある場合において、法第二百九十九条第三項の承諾をした株主の請求があった時に議決権行使書面に記載すべき事項（当該株主に係る事項に限る。第六十六条第三項において同じ。）に係る情報について電子提供措置をとることとするときは、その旨
五　法第三百十条第一項の規定による代理人による議決権の行

使について、代理権（代理人の資格を含む。）を証明する方法、代理人の数その他代理人による議決権の行使に関する事項を定めるとき（定款に当該事項についての定めがある場合を除く。）は、その事項

六　法第三百十三条第二項の規定による通知の方法を定めるとき（定款に当該通知の方法についての定めがある場合を除く。）は、その方法

七　第三号に規定する場合以外の場合において、次に掲げる事項が株主総会の目的である事項であるときは、当該事項に係る議案の概要（議案が確定していない場合にあっては、その旨）

イ　役員等の選任

ロ　役員等の報酬等

ハ　全部取得条項付種類株式の取得

ニ　株式の併合

ホ　法第百九十九条第三項又は第二百条第二項に規定する場合における募集株式を引き受ける者の募集

ヘ　法第二百三十八条第三項各号又は第二百三十九条第二項各号に掲げる場合における募集新株予約権を引き受ける者の募集

ト　事業譲渡等

チ　定款の変更

リ　合併

ヌ　吸収分割

ル　吸収分割による他の会社がその事業に関して有する権利義務の全部又は一部の承継

ヲ　新設分割

ワ　株式交換

カ　株式交換による他の株式会社の発行済株式全部の取得

ヨ　株式移転

タ　株式交付

（書面による議決権の行使について定めることを要しない株式会社）

第六四条　法第二百九十八条第二項に規定する法務省令で定めるものは、株式会社の取締役（法第二百九十七条第四項の規定により株主が株主総会を招集する場合にあっては、当該株主）が法第二百九十八条第二項（同条第三項の規定により読み替えて適用する場合を含む。）に規定する株主の全部に対して金融商品取引法の規定に基づき株主総会の通知に際して委任状の用紙を交付することにより議決権の行使を第三者に代理させることを勧誘している場合における当該株式会社とする。

（株主総会参考書類）

第六五条①　法第三百一条第一項又は第三百二条第一項の規定により交付すべき株主総会参考書類に記載すべき事項は、次款の定めるところによる。

②　法第二百九十八条第一項第三号及び第四号に掲げる事項を定めた株式会社が行った株主総会参考書類の交付（当該交付に代えて行う電磁的方法による提供を含む。）は、法第三百一条第一項及び第三百二条第一項の規定による株主総会参考書類の交付とする。

③　取締役は、株主総会参考書類に記載すべき事項について、招集通知（法第二百九十九条第二項又は第三項の規定による通知をいう。以下この節において同じ。）を発出した日から株主総会の前日までの間に修正をすべき事情が生じた場合における修正後の事項を株主に周知させる方法を、当該招集通知と併せて通知することができる。

（議決権行使書面）

第六六条①　法第三百一条第一項の規定により交付すべき議決権行使書面に記載すべき事項又は法第三百二条第三項若しくは第四項の規定により電磁的方法により提供すべき議決権行使書面に記載すべき事項は、次に掲げる事項とする。

一　各議案（次のイからハまでに掲げる場合にあっては、当該イからハまでに定めるもの）についての賛否（棄権の欄を設ける場合にあっては、棄権を含む。）を記載する欄

イ　二以上の役員等の選任に関する議案である場合　各候補者の選任

ロ　二以上の役員等の解任に関する議案である場合　各役員等の解任

ハ　二以上の会計監査人の不再任に関する議案である場合　各会計監査人の不再任

二　第六十三条第三号ニに掲げる事項についての定めがあるときは、第一号の欄に記載がない議決権行使書面が株式会社に提出された場合における各議案についての賛成、反対又は棄権のいずれかの意思の表示があったものとする取扱いの内容

三　第六十三条第三号ヘ又は第四号ロに掲げる事項についての定めがあるときは、当該事項

四　議決権の行使の期限

五　議決権を行使すべき株主の氏名又は名称及び行使することができる議決権の数（次のイ又はロに掲げる場合にあっては、当該イ又はロに定める事項を含む。）

イ　議案ごとに当該株主が行使することができる議決権の数が異なる場合　議案ごとの議決権の数

ロ　一部の議案につき議決権を行使することができない場合　議決権を行使することができる議案又は議決権を行使することができない議案

②　第六十三条第四号イに掲げる事項についての定めがある場合には、株式会社は、法第二百九十九条第三項の承諾をした株主の請求があった時に、当該株主に対して、法第三百一条第一項の規定による議決権行使書面の交付（当該交付に代えて行う同条第二項の規定による電磁的方法による提供を含む。）をしなければならない。

③　第六十三条第四号ハに掲げる事項についての定めがある場合には、株式会社は、法第二百九十九条第三項の承諾をした株主の請求があった時に、議決権行使書面に記載すべき事項に係る情報について電子提供措置をとらなければならない。ただし、当該株主に対して、法第三百二十五条の三第二項の規定による議決権行使書面の交付をする場合は、この限りでない。

④　同一の株主総会に関して株主に対して提供する招集通知の内容とすべき事項のうち、議決権行使書面に記載している事項がある場合には、当該事項は、招集通知の内容とすることを要しない。

⑤　同一の株主総会に関して株主に対して提供する議決権行使書面に記載すべき事項（第一項第二号から第四号までに掲げる事項に限る。）のうち、招集通知の内容としている事項がある場合には、当該事項は、議決権行使書面に記載することを要しない。

（実質的に支配することが可能となる関係）

第六七条①　法第三百八条第一項に規定する法務省令で定める株主は、株式会社（当該株式会社の子会社を含む。）が、当該株式会社の株主である会社等の議決権（同項その他これに準ずる法以外の法令（外国の法令を含む。）の規定により行使することができないとされる議決権を含み、役員等（会計監査人を除く。）の選任及び定款の変更に関する議案（これらの議案に相当するものを含む。）の全部につき株主総会（これに相当するものを含む。）において議決権を行使することができない株式（これに相当するものを含む。）に係る議決権を除く。以下この条において「相互保有対象議決権」という。）の総数の四分の一以上を有する場合における当該株主であるもの（当該株主であるもの以外の者が当該株式会社の株主総会の議案につき議決権を行使することができない場合（当該議案を決議する場合に限る。）における当該株主を除く。）とする。

②　前項の場合には、株式会社及びその子会社の有する相互保有対象議決権の数並びに相互保有対象議決権の総数（以下この条において「対象議決権数」という。）は、当該株式会社の株主総会の日における対象議決権数とする。

③　前項の規定にかかわらず、特定基準日（当該株主総会におい

て議決権を行使することができる者を定めるための法第百二十四条第一項に規定する基準日をいう。以下この条において同じ。）を定めた場合には、対象議決権数は、当該特定基準日における対象議決権数とする。ただし、次の各号に掲げる場合には、当該各号に定める日における対象議決権数とする。

一　特定基準日後に当該株式会社又はその子会社が株式交換、株式移転その他の行為により相互保有対象議決権の全部を取得した場合　当該行為の効力が生じた日

二　対象議決権数の増加又は減少が生じた場合（前号に掲げる場合を除く。）において、当該増加又は減少により第一項の株主であるものが有する当該株式会社の株式につき議決権を行使できることとなること又は議決権を行使できないこととなることを特定基準日から当該株主総会についての法第二百九十八条第一項各号に掲げる事項の全部を決定した日（株式会社が当該日後の日を定めた場合にあっては、その日）までの間に当該株式会社が知ったとき　当該株式会社が知った日

④　前項第二号の規定にかかわらず、当該株式会社は、当該株主総会についての法第二百九十八条第一項各号に掲げる事項の全部を決定した日（株式会社が当該日後の日を定めた場合にあっては、その日）から当該株主総会の日までの間に生じた事項（当該株式会社が前項第二号の増加又は減少の事実を知ったことを含む。）を勘案して、対象議決権数を算定することができる。

（欠損の額）

第六八条　法第三百九条第二項第九号ロに規定する法務省令で定める方法は、次に掲げる額のうちいずれか高い額をもって欠損の額とする方法とする。

一　零

二　零から分配可能額を減じて得た額

（書面による議決権行使の期限）

第六九条　法第三百十一条第一項に規定する法務省令で定める時は、株主総会の日時の直前の営業時間の終了時（第六十三条第三号ロに掲げる事項についての定めがある場合にあっては、同号ロの特定の時）とする。

（電磁的方法による議決権行使の期限）

第七〇条　法第三百十二条第一項に規定する法務省令で定める時は、株主総会の日時の直前の営業時間の終了時（第六十三条第三号ハに掲げる事項についての定めがある場合にあっては、同号ハの特定の時）とする。

（取締役等の説明義務）

第七一条　法第三百十四条に規定する法務省令で定める場合は、次に掲げる場合とする。

一　株主が説明を求めた事項について説明をするために調査をすることが必要である場合（次に掲げる場合を除く。）

イ　当該株主が株主総会の日より相当の期間前に当該事項を株式会社に対して通知した場合

ロ　当該事項について説明をするために必要な調査が著しく容易である場合

二　株主が説明を求めた事項について説明をすることにより株式会社その他の者（当該株主を除く。）の権利を侵害することとなる場合

三　株主が当該株主総会において実質的に同一の事項について繰り返して説明を求める場合

四　前三号に掲げる場合のほか、株主が説明を求めた事項について説明をしないことにつき正当な理由がある場合

（議事録）

第七二条①　法第三百十八条第一項の規定による株主総会の議事録の作成については、この条の定めるところによる。

②　株主総会の議事録は、書面又は電磁的記録をもって作成しなければならない。

③　株主総会の議事録は、次に掲げる事項を内容とするものでなければならない。

一　株主総会が開催された日時及び場所（当該場所に存しない取締役（監査等委員会設置会社にあっては、監査等委員である取締役又はそれ以外の取締役。第四号において同じ。）、執行役、会計参与、監査役、会計監査人又は株主が株主総会に出席をした場合における当該出席の方法を含む。）

二　株主総会の議事の経過の要領及びその結果

三　次に掲げる規定により株主総会において述べられた意見又は発言があるときは、その意見又は発言の内容の概要

イ　法第三百四十二条の二第一項

ロ　法第三百四十二条の二第二項

ハ　法第三百四十二条の二第四項

ニ　法第三百四十五条第一項（同条第四項及び第五項において準用する場合を含む。）

ホ　法第三百四十五条第二項（同条第四項及び第五項において準用する場合を含む。）

ヘ　法第三百六十一条第五項

ト　法第三百六十一条第六項

チ　法第三百七十七条第一項

リ　法第三百七十九条第三項

ヌ　法第三百八十四条

ル　法第三百八十七条第三項

ヲ　法第三百八十九条第三項

ワ　法第三百九十八条第一項

カ　法第三百九十八条第二項

ヨ　法第三百九十九条の五

四　株主総会に出席した取締役、執行役、会計参与、監査役又は会計監査人の氏名又は名称

五　株主総会の議長が存するときは、議長の氏名

六　議事録の作成に係る職務を行った取締役の氏名

④　次の各号に掲げる場合には、株主総会の議事録は、当該各号に定める事項を内容とするものとする。

一　法第三百十九条第一項の規定により株主総会の決議があったものとみなされた場合　次に掲げる事項

イ　株主総会の決議があったものとみなされた事項の内容

ロ　イの事項の提案をした者の氏名又は名称

ハ　株主総会の決議があったものとみなされた日

ニ　議事録の作成に係る職務を行った取締役の氏名

二　法第三百二十条の規定により株主総会への報告があったものとみなされた場合　次に掲げる事項

イ　株主総会への報告があったものとみなされた事項の内容

ロ　株主総会への報告があったものとみなされた日

ハ　議事録の作成に係る職務を行った取締役の氏名

第二款　株主総会参考書類

第一目　通則

第七三条①　株主総会参考書類には、次に掲げる事項を記載しなければならない。

一　議案

二　提案の理由（議案が取締役の提出に係るものに限り、株主総会において一定の事項を説明しなければならない議案の場合における当該説明すべき内容を含む。）

三　議案につき法第三百八十四条、第三百八十九条第三項又は第三百九十九条の五の規定により株主総会に報告をすべきときは、その報告の内容の概要

②　株主総会参考書類には、この節に定めるもののほか、株主の議決権の行使について参考となると認める事項を記載することができる。

③　同一の株主総会に関して株主に対して提供する株主総会参考書類に記載すべき事項のうち、他の書面に記載している事項又は電磁的方法により提供する事項がある場合には、これらの事項は、株主に対して提供する株主総会参考書類に記載することを要しない。この場合においては、他の書面に記載している事項又は電磁的方法により提供する事項があることを明らかにしなければならない。

④同一の株主総会に関して株主に対して提供する招集通知又は法第四百三十七条の規定により株主に対して提供する事業報告の内容とすべき事項のうち、株主総会参考書類に記載している事項がある場合には、当該事項は、株主に対して提供する招集通知又は法第四百三十七条の規定により株主に対して提供する事業報告の内容とすることを要しない。

第二目　役員の選任

（取締役の選任に関する議案）

第七四条①　取締役が取締役（株式会社が監査等委員会設置会社である場合にあっては、監査等委員である取締役を除く。次項第二号において同じ。）の選任に関する議案を提出する場合には、株主総会参考書類には、次に掲げる事項を記載しなければならない。

一　候補者の氏名、生年月日及び略歴

二　就任の承諾を得ていないときは、その旨

三　株式会社が監査等委員会設置会社である場合において、法第三百四十二条の二第四項の規定による監査等委員会の意見があるときは、その意見の内容の概要

四　候補者と当該株式会社との間で法第四百二十七条第一項の契約を締結しているとき又は当該契約を締結する予定があるときは、その契約の内容の概要

五　候補者と当該株式会社との間で補償契約を締結しているとき又は補償契約を締結する予定があるときは、その補償契約の内容の概要

六　候補者を被保険者とする役員等賠償責任保険契約を締結しているとき又は当該役員等賠償責任保険契約を締結する予定があるときは、その役員等賠償責任保険契約の内容の概要

②　前項に規定する場合において、株式会社が公開会社であるときは、株主総会参考書類には、次に掲げる事項を記載しなければならない。

一　候補者の有する当該株式会社の株式の数（種類株式発行会社にあっては、株式の種類及び種類ごとの数）

二　候補者が当該株式会社の取締役に就任した場合において第百二十一条第八号に定める重要な兼職に該当する事実があることとなるときは、その事実

三　候補者と株式会社との間に特別の利害関係があるときは、その事実の概要

四　候補者が現に当該株式会社の取締役であるときは、当該株式会社における地位及び担当

③　第一項に規定する場合において、株式会社が公開会社であって、かつ、他の者の子会社等であるときは、株主総会参考書類には、次に掲げる事項を記載しなければならない。

一　候補者が現に当該他の者（自然人であるものに限る。）であるときは、その旨

二　候補者が現に当該他の者（当該他の者の子会社等（当該株式会社を除く。）を含む。以下この項において同じ。）の業務執行者であるときは、当該他の者における地位及び担当

三　候補者が過去十年間に当該他の者の業務執行者であったことを当該株式会社が知っているときは、当該他の者における地位及び担当

④　第一項に規定する場合において、候補者が社外取締役候補者であるときは、株主総会参考書類には、次に掲げる事項（株式会社が公開会社でない場合にあっては、第四号から第八号までに掲げる事項を除く。）を記載しなければならない。

一　当該候補者が社外取締役候補者である旨

二　当該候補者を社外取締役候補者とした理由

三　当該候補者が社外取締役（社外役員に限る。以下この項において同じ。）に選任された場合に果たすことが期待される役割の概要

四　当該候補者が現に当該株式会社の社外取締役である場合において、当該候補者が最後に選任された後在任中に当該株式会社において法令又は定款に違反する事実その他不当な業務の執行が行われた事実（重要でないものを除く。）があるときは、その事実並びに当該事実の発生の予防のために当該候補者が行った行為及び当該事実の発生後の対応として行った行為の概要

五　当該候補者が過去五年間に他の株式会社の取締役、執行役又は監査役に就任していた場合において、その在任中に当該他の株式会社において法令又は定款に違反する事実その他不当な業務の執行が行われた事実があることを当該株式会社が知っているときは、その事実（重要でないものを除き、当該候補者が当該他の株式会社における社外取締役又は監査役であったときは、当該事実の発生の予防のために当該候補者が行った行為及び当該事実の発生後の対応として行った行為の概要を含む。）

六　当該候補者が過去に社外取締役又は社外監査役（社外役員に限る。）となること以外の方法で会社（外国会社を含む。）の経営に関与していない者であるときは、当該経営に関与したことがない候補者であっても社外取締役としての職務を適切に遂行することができるものと当該株式会社が判断した理由

七　当該候補者が次のいずれかに該当することを当該株式会社が知っているときは、その旨

イ　過去に当該株式会社又はその子会社の業務執行者又は役員（業務執行者であるものを除く。ハ及びホ(2)において同じ。）であったことがあること。

ロ　当該株式会社の親会社等（自然人であるものに限る。ロ及びホ(1)において同じ。）であり、又は過去十年間に当該株式会社の親会社等であったことがあること。

ハ　当該株式会社の特定関係事業者の業務執行者若しくは役員であり、又は過去十年間に当該株式会社の特定関係事業者（当該株式会社の子会社を除く。）の業務執行者若しくは役員であったことがあること。

ニ　当該株式会社又は当該株式会社の特定関係事業者から多額の金銭その他の財産（これらの者の取締役、会計参与、監査役、執行役その他これらに類する者としての報酬等を除く。）を受ける予定があり、又は過去二年間に受けていたこと。

ホ　次に掲げる者の配偶者、三親等以内の親族その他これに準ずる者であること（重要でないものを除く。）。

(1)　当該株式会社の親会社等

(2)　当該株式会社又は当該株式会社の特定関係事業者の業務執行者又は役員

ヘ　過去二年間に合併、吸収分割、新設分割又は事業の譲受け（ヘ、第七十四条の三第四項第七号ヘ及び第七十六条第四項第六号ヘにおいて「合併等」という。）により他の株式会社がその事業に関して有する権利義務を当該株式会社が承継又は譲受けをした場合において、当該合併等の直前に当該株式会社の社外取締役又は監査役でなく、かつ、当該他の株式会社の業務執行者であったこと。

八　当該候補者が現に当該株式会社の社外取締役又は監査役であるときは、これらの役員に就任してからの年数

九　前各号に掲げる事項に関する記載についての当該候補者の意見があるときは、その意見の内容

第七四条の二　削除

（監査等委員である取締役の選任に関する議案）

第七四条の三①　取締役が監査等委員である取締役の選任に関する議案を提出する場合には、株主総会参考書類には、次に掲げる事項を記載しなければならない。

一　候補者の氏名、生年月日及び略歴

二　株式会社との間に特別の利害関係があるときは、その事実の概要

三　就任の承諾を得ていないときは、その旨

四　議案が法第三百四十四条の二第二項の規定による請求により提出されたものであるときは、その旨

五　法第三百四十二条の二第一項の規定による監査等委員であ

る取締役の意見があるときは、その意見の内容の概要

六　候補者と当該株式会社との間で法第四百二十七条第一項の契約を締結しているとき又は当該契約を締結する予定があるときは、その契約の内容の概要

七　候補者と当該株式会社との間で補償契約を締結しているとき又は補償契約を締結する予定があるときは、その補償契約の内容の概要

八　候補者を被保険者とする役員等賠償責任保険契約を締結しているとき又は当該役員等賠償責任保険契約を締結する予定があるときは、その役員等賠償責任保険契約の内容の概要

②　前項に規定する場合において、株式会社が公開会社であるときは、株主総会参考書類には、次に掲げる事項を記載しなければならない。

一　候補者の有する当該株式会社の株式の数（種類株式発行会社にあっては、株式の種類及び種類ごとの数）

二　候補者が当該株式会社の監査等委員である取締役に就任した場合において第百二十一条第八号に定める重要な兼職に該当する事実があることとなるときは、その事実

三　候補者が現に当該株式会社の監査等委員である取締役であるときは、当該株式会社における地位及び担当

③　第一項に規定する場合において、株式会社が公開会社であり、かつ、他の者の子会社等であるときは、株主総会参考書類には、次に掲げる事項を記載しなければならない。

一　候補者が現に当該他の者（自然人であるものに限る。）であるときは、その旨

二　候補者が現に当該他の者（当該他の者の子会社等（当該株式会社を除く。）を含む。以下この項において同じ。）の業務執行者であるときは、当該他の者における地位及び担当

三　候補者が過去十年間に当該他の者の業務執行者であったことを当該株式会社が知っているときは、当該他の者における地位及び担当

④　第一項に規定する場合において、候補者が社外取締役候補者であるときは、株主総会参考書類には、次に掲げる事項（株式会社が公開会社でない場合にあっては、第四号から第八号までに掲げる事項を除く。）を記載しなければならない。

一　当該候補者が社外取締役候補者である旨

二　当該候補者を社外取締役候補者とした理由

三　当該候補者が社外取締役（社外役員に限る。以下この項において同じ。）に選任された場合に果たすことが期待される役割の概要

四　当該候補者が現に当該株式会社の社外取締役である場合において、当該候補者が最後に選任された後在任中に当該株式会社において法令又は定款に違反する事実その他不当な業務の執行が行われた事実（重要でないものを除く。）があるときは、その事実並びに当該事実の発生の予防のために当該候補者が行った行為及び当該事実の発生後の対応として行った行為の概要

五　当該候補者が過去五年間に他の株式会社の取締役、執行役又は監査役に就任していた場合において、その在任中に当該他の株式会社において法令又は定款に違反する事実その他不当な業務の執行が行われた事実があることを当該株式会社が知っているときは、その事実（重要でないものを除き、当該候補者が当該他の株式会社における社外取締役又は監査役であったときは、当該事実の発生の予防のために当該候補者が行った行為及び当該事実の発生後の対応として行った行為の概要を含む。）

六　当該候補者が過去に社外取締役又は社外監査役（社外役員に限る。）となること以外の方法で会社（外国会社を含む。）の経営に関与していない者であるときは、当該経営に関与したことがない候補者であっても監査等委員である社外取締役としての職務を適切に遂行することができるものと当該株式会社が判断した理由

七　当該候補者が次のいずれかに該当することを当該株式会社が知っているときは、その旨

イ　過去に当該株式会社又はその子会社の業務執行者又は役員（業務執行者であるものを除く。ハ及びホ(2)において同じ。）であったことがあること。

ロ　当該株式会社の親会社等（自然人であるものに限る。ロ及びホ(1)において同じ。）であり、又は過去十年間に当該株式会社の親会社等であったことがあること。

ハ　当該株式会社の特定関係事業者の業務執行者若しくは役員であり、又は過去十年間に当該株式会社の特定関係事業者（当該株式会社の子会社を除く。）の業務執行者若しくは役員であったことがあること。

ニ　当該株式会社又は当該株式会社の特定関係事業者から多額の金銭その他の財産（これらの者の取締役、会計参与、監査役、執行役その他これらに類する者としての報酬等を除く。）を受ける予定があり、又は過去二年間に受けていたこと。

ホ　次に掲げる者の配偶者、三親等以内の親族その他これに準ずる者であること（重要でないものを除く。）。

(1)　当該株式会社の親会社等

(2)　当該株式会社又は当該株式会社の特定関係事業者の業務執行者又は役員

ヘ　過去二年間に合併等により他の株式会社がその事業に関して有する権利義務を当該株式会社が承継又は譲受けをした場合において、当該合併等の直前に当該株式会社の社外取締役又は監査役でなく、かつ、当該他の株式会社の業務執行者であったこと。

八　当該候補者が現に当該株式会社の社外取締役又は監査等委員である取締役であるときは、これらの役員に就任してからの年数

九　前各号に掲げる事項に関する記載についての当該候補者の意見があるときは、その意見の内容

第七五条（会計参与の選任に関する議案）　取締役が会計参与の選任に関する議案を提出する場合には、株主総会参考書類には、次に掲げる事項を記載しなければならない。

一　次のイ又はロに掲げる場合の区分に応じ、当該イ又はロに定める事項

イ　候補者が公認会計士（公認会計士法（昭和二十三年法律第百三号）第十六条の二第五項に規定する外国公認会計士を含む。以下同じ。）又は税理士である場合　その氏名、事務所の所在場所、生年月日及び略歴

ロ　候補者が監査法人又は税理士法人である場合　その名称、主たる事務所の所在場所及び沿革

二　就任の承諾を得ていないときは、その旨

三　法第三百四十五条第一項の規定による会計参与の意見があるときは、その意見の内容の概要

四　候補者と当該株式会社との間で法第四百二十七条第一項の契約を締結しているとき又は当該契約を締結する予定があるときは、その契約の内容の概要

五　候補者と当該株式会社との間で補償契約を締結しているとき又は補償契約を締結する予定があるときは、その補償契約の内容の概要

六　候補者を被保険者とする役員等賠償責任保険契約を締結しているとき又は当該役員等賠償責任保険契約を締結する予定があるときは、その役員等賠償責任保険契約の内容の概要

七　当該候補者が過去二年間に業務の停止の処分を受けた者である場合における当該処分に係る事項のうち、当該株式会社が株主総会参考書類に記載することが適切であるものと判断した事項

第七六条（監査役の選任に関する議案）①　取締役が監査役の選任に関する議案を提出する場合には、株主総会参考書類には、次に掲げる事項を記載しなければならない。

一　候補者の氏名、生年月日及び略歴
二　株式会社との間に特別の利害関係があるときは、その事実の概要
三　就任の承諾を得ていないときは、その旨
四　議案が法第三百四十三条第二項の規定による請求により提出されたものであるときは、その旨
五　法第三百四十五条第四項において準用する同条第一項の規定による監査役の意見があるときは、その意見の内容の概要
六　候補者と当該株式会社との間で法第四百二十七条第一項の契約を締結しているとき又は当該契約を締結する予定があるときは、その契約の内容の概要
七　候補者と当該株式会社との間で補償契約を締結しているとき又は補償契約を締結する予定があるときは、その補償契約の内容の概要
八　候補者を被保険者とする役員等賠償責任保険契約を締結しているとき又は当該役員等賠償責任保険契約を締結する予定があるときは、その役員等賠償責任保険契約の内容の概要

②　前項に規定する場合において、株式会社が公開会社であるときは、株主総会参考書類には、次に掲げる事項を記載しなければならない。
一　候補者の有する当該株式会社の株式の数（種類株式発行会社にあっては、株式の種類及び種類ごとの数）
二　候補者が当該株式会社の監査役に就任した場合において第百二十一条第八号に定める重要な兼職に該当する事実があることとなるときは、その事実
三　候補者が現に当該株式会社の監査役であるときは、当該株式会社における地位

③　第一項に規定する場合において、株式会社が公開会社であり、かつ、他の者の子会社等であるときは、株主総会参考書類には、次に掲げる事項を記載しなければならない。
一　候補者が現に当該他の者（自然人であるものに限る。）であるときは、その旨
二　候補者が現に当該他の者（当該他の者の子会社等（当該株式会社を除く。）を含む。以下この項において同じ。）の業務執行者であるときは、当該他の者における地位及び担当
三　候補者が過去十年間に当該他の者の業務執行者であったことを当該株式会社が知っているときは、当該他の者における地位及び担当

④　第一項に規定する場合において、候補者が社外監査役候補者であるときは、株主総会参考書類には、次に掲げる事項（株式会社が公開会社でない場合にあっては、第三号から第七号までに掲げる事項を除く。）を記載しなければならない。
一　当該候補者が社外監査役候補者である旨
二　当該候補者を社外監査役候補者とした理由
三　当該候補者が現に当該株式会社の社外監査役（社外役員に限る。以下この項において同じ。）である場合において、当該候補者が最後に選任された後在任中に当該株式会社において法令又は定款に違反する事実その他不正な業務の執行が行われた事実（重要でないものを除く。）があるときは、その事実並びに当該事実の発生の予防のために当該候補者が行った行為及び当該事実の発生後の対応として行った行為の概要
四　当該候補者が過去五年間に他の株式会社の取締役、執行役又は監査役に就任していた場合において、その在任中に当該他の株式会社において法令又は定款に違反する事実その他不正な業務の執行が行われた事実があることを当該株式会社が知っているときは、その事実（重要でないものを除き、当該候補者が当該他の株式会社における社外取締役（社外役員に限る。次号において同じ。）又は監査役であったときは、当該事実の発生の予防のために当該候補者が行った行為及び当該事実の発生後の対応として行った行為の概要を含む。）
五　当該候補者が過去に社外取締役又は社外監査役となること以外の方法で会社（外国会社を含む。）の経営に関与していない者であるときは、当該経営に関与したことがない候補者であっても社外監査役としての職務を適切に遂行することができるものと当該株式会社が判断した理由
六　当該候補者が次のいずれかに該当することを当該株式会社が知っているときは、その旨
イ　過去に当該株式会社又はその子会社の業務執行者又は役員（業務執行者であるものを除く。ハ及びホ(2)において同じ。）であったことがあること。
ロ　当該株式会社の親会社等（自然人であるものに限る。ロ及びホ(1)において同じ。）であり、又は過去十年間に当該株式会社の親会社等であったことがあること。
ハ　当該株式会社の特定関係事業者の業務執行者若しくは役員であり、又は過去十年間に当該株式会社の特定関係事業者（当該株式会社の子会社を除く。）の業務執行者若しくは役員であったことがあること。
ニ　当該株式会社又は当該株式会社の特定関係事業者から多額の金銭その他の財産（これらの者の監査役としての報酬等を除く。）を受ける予定があり、又は過去二年間に受けていたこと。
ホ　次に掲げる者の配偶者、三親等以内の親族その他これに準ずる者であること（重要でないものを除く。）。
(1)　当該株式会社の親会社等
(2)　当該株式会社又は当該株式会社の特定関係事業者の業務執行者又は役員
ヘ　過去二年間に合併等により他の株式会社がその事業に関して有する権利義務を当該株式会社が承継又は譲受けをした場合において、当該合併等の直前に当該株式会社の社外監査役でなく、かつ、当該他の株式会社の業務執行者であったこと。
七　当該候補者が現に当該株式会社の監査役であるときは、監査役に就任してからの年数
八　前各号に掲げる事項に関する記載についての当該候補者の意見があるときは、その意見の内容

第七七条（会計監査人の選任に関する議案）　取締役が会計監査人の選任に関する議案を提出する場合には、株主総会参考書類には、次に掲げる事項を記載しなければならない。
一　次のイ又はロに掲げる場合の区分に応じ、当該イ又はロに定める事項
イ　候補者が公認会計士である場合　その氏名、事務所の所在場所、生年月日及び略歴
ロ　候補者が監査法人である場合　その名称、主たる事務所の所在場所及び沿革
二　就任の承諾を得ていないときは、その旨
三　監査役（監査役会設置会社にあっては監査役会、監査等委員会設置会社にあっては監査等委員会、指名委員会等設置会社にあっては監査委員会）が当該候補者を会計監査人の候補者とした理由
四　法第三百四十五条第五項において準用する同条第一項の規定による会計監査人の意見があるときは、その意見の内容の概要
五　候補者と当該株式会社との間で法第四百二十七条第一項の契約を締結しているとき又は当該契約を締結する予定があるときは、その契約の内容の概要
六　候補者と当該株式会社との間で補償契約を締結しているとき又は補償契約を締結する予定があるときは、その補償契約の内容の概要
七　候補者を被保険者とする役員等賠償責任保険契約を締結しているとき又は当該役員等賠償責任保険契約を締結する予定があるときは、その役員等賠償責任保険契約の内容の概要
八　当該候補者が現に業務の停止の処分を受け、その停止の期間を経過しない者であるときは、当該処分に係る事項
九　当該候補者が過去二年間に業務の停止の処分を受けた者である場合における当該処分に係る事項のうち、当該株式会社

が株主総会参考書類に記載することが適切であるものと判断した事項

十　株式会社が公開会社である場合において、当該候補者が次のイ又はロに掲げる場合の区分に応じ、当該イ又はロに定めるものから多額の金銭その他の財産上の利益（これらの者から受ける会計監査人（法以外の法令の規定によるこれに相当するものを含む。）としての報酬等及び公認会計士法第二条第一項に規定する業務の対価を除く。）を受ける予定があるとき又は過去二年間に受けていたときは、その内容

イ　当該株式会社に親会社等がある場合　当該株式会社、当該親会社等又は当該親会社等の子会社等（当該株式会社を除く。）若しくは関連会社（当該親会社等が会社でない場合におけるその関連会社に相当するものを含む。）

ロ　当該株式会社に親会社等がない場合　当該株式会社又は当該株式会社の子会社若しくは関連会社

第三目　役員の解任等

（取締役の解任に関する議案）

第七八条　取締役が取締役（株式会社が監査等委員会設置会社である場合にあっては、監査等委員である取締役を除く。第一号において同じ。）の解任に関する議案を提出する場合には、株主総会参考書類には、次に掲げる事項を記載しなければならない。

一　取締役の氏名

二　解任の理由

三　株式会社が監査等委員会設置会社である場合において、法第三百四十二条の二第四項の規定による監査等委員会の意見があるときは、その意見の内容の概要

（監査等委員である取締役の解任に関する議案）

第七八条の二　取締役が監査等委員である取締役の解任に関する議案を提出する場合には、株主総会参考書類には、次に掲げる事項を記載しなければならない。

一　監査等委員である取締役の氏名

二　解任の理由

三　法第三百四十二条の二第一項の規定による監査等委員である取締役の意見があるときは、その意見の内容の概要

（会計参与の解任に関する議案）

第七九条　取締役が会計参与の解任に関する議案を提出する場合には、株主総会参考書類には、次に掲げる事項を記載しなければならない。

一　会計参与の氏名又は名称

二　解任の理由

三　法第三百四十五条第一項の規定による会計参与の意見があるときは、その意見の内容の概要

（監査役の解任に関する議案）

第八〇条　取締役が監査役の解任に関する議案を提出する場合には、株主総会参考書類には、次に掲げる事項を記載しなければならない。

一　監査役の氏名

二　解任の理由

三　法第三百四十五条第四項において準用する同条第一項の規定による監査役の意見があるときは、その意見の内容の概要

（会計監査人の解任又は不再任に関する議案）

第八一条　取締役が会計監査人の解任又は不再任に関する議案を提出する場合には、株主総会参考書類には、次に掲げる事項を記載しなければならない。

一　会計監査人の氏名又は名称

二　監査役（監査役会設置会社にあっては監査役会、監査等委員会設置会社にあっては監査等委員会、指名委員会等設置会社にあっては監査委員会）が議案の内容を決定した理由

三　法第三百四十五条第五項において準用する同条第一項の規定による会計監査人の意見があるときは、その意見の内容の概要

第四目　役員の報酬等

（取締役の報酬等に関する議案）

第八二条①　取締役が取締役（株式会社が監査等委員会設置会社である場合にあっては、監査等委員である取締役を除く。以下この項及び第三項において同じ。）の報酬等に関する議案を提出する場合には、株主総会参考書類には、次に掲げる事項を記載しなければならない。

一　法第三百六十一条第一項各号に掲げる事項の算定の基準

二　議案が既に定められている法第三百六十一条第一項各号に掲げる事項を変更するものであるときは、変更の理由

三　議案が二以上の取締役についての定めであるときは、当該定めに係る取締役の員数

四　議案が退職慰労金に関するものであるときは、退職する各取締役の略歴

五　株式会社が監査等委員会設置会社である場合において、法第三百六十一条第六項の規定による監査等委員会の意見があるときは、その意見の内容の概要

②　前項第四号に規定する場合において、議案が一定の基準に従い退職慰労金の額を決定することを取締役、監査役その他の第三者に一任するものであるときは、株主総会参考書類には、当該一定の基準の内容を記載しなければならない。ただし、各株主が当該基準を知ることができるようにするための適切な措置を講じている場合は、この限りでない。

③　第一項に規定する場合において、株式会社が公開会社であり、かつ、取締役の一部が社外取締役（監査等委員であるものを除き、社外役員に限る。以下この項において同じ。）であるときは、株主総会参考書類には、第一項第一号から第三号までに掲げる事項のうち社外取締役に関するものは、社外取締役以外の取締役と区別して記載しなければならない。

（監査等委員である取締役の報酬等に関する議案）

第八二条の二①　取締役が監査等委員である取締役の報酬等に関する議案を提出する場合には、株主総会参考書類には、次に掲げる事項を記載しなければならない。

一　法第三百六十一条第一項各号に掲げる事項の算定の基準

二　議案が既に定められている法第三百六十一条第一項各号に掲げる事項を変更するものであるときは、変更の理由

三　議案が二以上の監査等委員である取締役についての定めであるときは、当該定めに係る監査等委員である取締役の員数

四　議案が退職慰労金に関するものであるときは、退職する各監査等委員である取締役の略歴

五　法第三百六十一条第五項の規定による監査等委員である取締役の意見があるときは、その意見の内容の概要

②　前項第四号に規定する場合において、議案が一定の基準に従い退職慰労金の額を決定することを取締役その他の第三者に一任するものであるときは、株主総会参考書類には、当該一定の基準の内容を記載しなければならない。ただし、各株主が当該基準を知ることができるようにするための適切な措置を講じている場合は、この限りでない。

（会計参与の報酬等に関する議案）

第八三条①　取締役が会計参与の報酬等に関する議案を提出する場合には、株主総会参考書類には、次に掲げる事項を記載しなければならない。

一　法第三百七十九条第一項に規定する事項の算定の基準

二　議案が既に定められている法第三百七十九条第一項に規定する事項を変更するものであるときは、変更の理由

三　議案が二以上の会計参与についての定めであるときは、当該定めに係る会計参与の員数

四　議案が退職慰労金に関するものであるときは、退職する各会計参与の略歴

五　法第三百七十九条第三項の規定による会計参与の意見があるときは、その意見の内容の概要

②　前項第四号に規定する場合において、議案が一定の基準に従

い退職慰労金の額を決定することを取締役、監査役その他の第三者に一任するものであるときは、株主総会参考書類には、当該一定の基準の内容を記載しなければならない。ただし、各株主が当該基準を知ることができるようにするための適切な措置を講じている場合は、この限りでない。

（監査役の報酬等に関する議案）

第八四条① 取締役が監査役の報酬等に関する議案を提出する場合には、株主総会参考書類には、次に掲げる事項を記載しなければならない。

一 法第三百八十七条第一項に規定する事項の算定の基準

二 議案が既に定められている法第三百八十七条第一項に規定する事項を変更するものであるときは、変更の理由

三 議案が二以上の監査役についての定めであるときは、当該定めに係る監査役の員数

四 議案が退職慰労金に関するものであるときは、退職する各監査役の略歴

五 法第三百八十七条第三項の規定による監査役の意見があるときは、その意見の内容の概要

② 前項第四号に規定する場合において、議案が一定の基準に従い退職慰労金の額を決定することを取締役、監査役その他の第三者に一任するものであるときは、株主総会参考書類には、当該一定の基準の内容を記載しなければならない。ただし、各株主が当該基準を知ることができるようにするための適切な措置を講じている場合は、この限りでない。

（責任免除を受けた役員等に対し退職慰労金等を与える議案等）

第八四条の二 次の各号に掲げる場合において、取締役が法第四百二十五条第四項（法第四百二十六条第八項及び第四百二十七条第五項において準用する場合を含む。）に規定する承認の決議に関する議案を提出するときは、株主総会参考書類には、責任を免除し、又は責任を負わないとされた役員等が得る第百十四条各号に規定する額及び当該役員等に与える第百十五条各号に規定するものの内容を記載しなければならない。

一 法第四百二十五条第一項に規定する決議に基づき役員等の責任を免除した場合

二 法第四百二十六条第一項の規定による定款の定めに基づき役員等の責任を免除した場合

三 法第四百二十七条第一項の契約によって同項に規定する限度を超える部分について同項に規定する非業務執行取締役等が損害を賠償する責任を負わないとされた場合

第五目 計算関係書類の承認

第八五条 取締役が計算関係書類の承認に関する議案を提出する場合において、次の各号に掲げるときは、株主総会参考書類には、当該各号に定める事項を記載しなければならない。

一 法第三百九十八条第一項の規定による会計監査人の意見がある場合 その意見の内容

二 株式会社が取締役会設置会社である場合において、取締役会の意見があるとき その意見の内容の概要

第五目の二 全部取得条項付種類株式の取得

第八五条の二 取締役が全部取得条項付種類株式の取得に関する議案を提出する場合には、株主総会参考書類には、次に掲げる事項を記載しなければならない。

一 当該全部取得条項付種類株式の取得を行う理由

二 法第百七十一条第一項各号に掲げる事項の内容

三 法第二百九十八条第一項の決定をした日における第三十三条の二第一項各号（第四号を除く。）に掲げる事項があるときは、当該事項の内容の概要

第五目の三 株式の併合

第八五条の三 取締役が株式の併合（法第百八十二条の二第一項に規定する株式の併合をいう。第九十三条第一項第五号ロにおいて同じ。）に関する議案を提出する場合には、株主総会参考書類には、次に掲げる事項を記載しなければならない。

一 当該株式の併合を行う理由

二 法第百八十条第二項各号に掲げる事項の内容

三 法第二百九十八条第一項の決定をした日における第三十三条の九第一号及び第二号に掲げる事項があるときは、当該事項の内容の概要

第六目 合併契約等の承認

（吸収合併契約の承認に関する議案）

第八六条 取締役が吸収合併契約の承認に関する議案を提出する場合には、株主総会参考書類には、次に掲げる事項を記載しなければならない。

一 当該吸収合併を行う理由

二 吸収合併契約の内容の概要

三 当該株式会社が吸収合併消滅株式会社である場合において、法第二百九十八条第一項の決定をした日における第百八十二条第一項各号（第五号及び第六号を除く。）に掲げる事項があるときは、当該事項の内容の概要

四 当該株式会社が吸収合併存続株式会社である場合において、法第二百九十八条第一項の決定をした日における第百九十一条各号（第六号及び第七号を除く。）に掲げる事項があるときは、当該事項の内容の概要

（吸収分割契約の承認に関する議案）

第八七条 取締役が吸収分割契約の承認に関する議案を提出する場合には、株主総会参考書類には、次に掲げる事項を記載しなければならない。

一 当該吸収分割を行う理由

二 吸収分割契約の内容の概要

三 当該株式会社が吸収分割株式会社である場合において、法第二百九十八条第一項の決定をした日における第百八十三条各号（第二号、第六号及び第七号を除く。）に掲げる事項があるときは、当該事項の内容の概要

四 当該株式会社が吸収分割承継株式会社である場合において、法第二百九十八条第一項の決定をした日における第百九十二条各号（第二号、第七号及び第八号を除く。）に掲げる事項があるときは、当該事項の内容の概要

（株式交換契約の承認に関する議案）

第八八条 取締役が株式交換契約の承認に関する議案を提出する場合には、株主総会参考書類には、次に掲げる事項を記載しなければならない。

一 当該株式交換を行う理由

二 株式交換契約の内容の概要

三 当該株式会社が株式交換完全子会社である場合において、法第二百九十八条第一項の決定をした日における第百八十四条第一項各号（第五号及び第六号を除く。）に掲げる事項があるときは、当該事項の内容の概要

四 当該株式会社が株式交換完全親株式会社である場合において、法第二百九十八条第一項の決定をした日における第百九十三条各号（第五号及び第六号を除く。）に掲げる事項があるときは、当該事項の内容の概要

（新設合併契約の承認に関する議案）

第八九条 取締役が新設合併契約の承認に関する議案を提出する場合には、株主総会参考書類には、次に掲げる事項を記載しなければならない。

一 当該新設合併を行う理由

二 新設合併契約の内容の概要

三 当該株式会社が新設合併消滅株式会社である場合において、法第二百九十八条第一項の決定をした日における第二百四条各号（第六号及び第七号を除く。）に掲げる事項があるときは、当該事項の内容の概要

四 新設合併設立株式会社の取締役となる者（新設合併設立株式会社が監査等委員会設置会社である場合にあっては、当該

新設合併設立株式会社の監査等委員である取締役となる者を除く。）についての第七十四条に規定する事項

五　新設合併設立株式会社が監査等委員会設置会社であるときは、当該新設合併設立株式会社の監査等委員である取締役となる者についての第七十四条の三に規定する事項

六　新設合併設立株式会社が会計参与設置会社であるときは、当該新設合併設立株式会社の会計参与となる者についての第七十五条に規定する事項

七　新設合併設立株式会社が監査役設置会社（監査役の監査の範囲を会計に関するものに限定する旨の定款の定めがある株式会社を含む。）であるときは、当該新設合併設立株式会社の監査役となる者についての第七十六条に規定する事項

八　新設合併設立株式会社が会計監査人設置会社であるときは、当該新設合併設立株式会社の会計監査人となる者についての第七十七条に規定する事項

（新設分割計画の承認に関する議案）

第九〇条　取締役が新設分割計画の承認に関する議案を提出する場合には、株主総会参考書類には、次に掲げる事項を記載しなければならない。

一　当該新設分割を行う理由

二　新設分割計画の内容の概要

三　当該株式会社が新設分割株式会社である場合において、法第二百九十八条第一項の決定をした日における第二百五条各号（第七号及び第八号を除く。）に掲げる事項があるときは、当該事項の内容の概要

（株式移転計画の承認に関する議案）

第九一条　取締役が株式移転計画の承認に関する議案を提出する場合には、株主総会参考書類には、次に掲げる事項を記載しなければならない。

一　当該株式移転を行う理由

二　株式移転計画の内容の概要

三　当該株式会社が株式移転完全子会社である場合において、法第二百九十八条第一項の決定をした日における第二百六条各号（第五号及び第六号を除く。）に掲げる事項があるときは、当該事項の内容の概要

四　株式移転設立完全親会社の取締役となる者（株式移転設立完全親会社が監査等委員会設置会社である場合にあっては、当該株式移転設立完全親会社の監査等委員である取締役となる者を除く。）についての第七十四条に規定する事項

五　株式移転設立完全親会社が監査等委員会設置会社であるときは、当該株式移転設立完全親会社の監査等委員である取締役となる者についての第七十四条の三に規定する事項

六　株式移転設立完全親会社が会計参与設置会社であるときは、当該株式移転設立完全親会社の会計参与となる者についての第七十五条に規定する事項

七　株式移転設立完全親会社が監査役設置会社（監査役の監査の範囲を会計に関するものに限定する旨の定款の定めがある株式会社を含む。）であるときは、当該株式移転設立完全親会社の監査役となる者についての第七十六条に規定する事項

八　株式移転設立完全親会社が会計監査人設置会社であるときは、当該株式移転設立完全親会社の会計監査人となる者についての第七十七条に規定する事項

（株式交付計画の承認に関する議案）

第九一条の二　取締役が株式交付計画の承認に関する議案を提出する場合には、株主総会参考書類には、次に掲げる事項を記載しなければならない。

一　当該株式交付を行う理由

二　株式交付計画の内容の概要

三　当該株式会社が株式交付親会社である場合において、法第二百九十八条第一項の決定をした日における第二百十三条の二各号（第六号及び第七号を除く。）に掲げる事項があるときは、当該事項の内容の概要

（事業譲渡等に係る契約の承認に関する議案）

第九二条　取締役が事業譲渡等に係る契約の承認に関する議案を提出する場合には、株主総会参考書類には、次に掲げる事項を記載しなければならない。

一　当該事業譲渡等を行う理由

二　当該事業譲渡等に係る契約の内容の概要

三　当該契約に基づき当該株式会社が受け取る対価又は契約の相手方に交付する対価の算定の相当性に関する事項の概要

第七目　株主提案の場合における記載事項

第九三条①　議案が株主の提出に係るものである場合には、株主総会参考書類には、次に掲げる事項（第三号から第五号までに掲げる事項が株主総会参考書類にその全部を記載することが適切でない程度の多数の文字、記号その他のものをもって構成されている場合（株式会社がその全部を記載することが適切であるものとして定めた分量を超える場合を含む。）にあっては、当該事項の概要）を記載しなければならない。

一　議案が株主の提出に係るものである旨

二　議案に対する取締役（取締役会設置会社である場合にあっては、取締役会）の意見があるときは、その意見の内容

三　株主が法第三百五条第一項の規定による請求に際して提案の理由（当該提案の理由が明らかに虚偽である場合又は専ら人の名誉を侵害し、若しくは侮辱する目的によるものと認められる場合における当該提案の理由を除く。）を株式会社に対して通知したときは、その理由

四　議案が次のイからホまでに掲げる者の選任に関するものである場合において、株主が法第三百五条第一項の規定による請求に際して当該イからホまでに定める事項（当該事項が明らかに虚偽である場合における当該事項を除く。）を株式会社に対して通知したときは、その内容

イ　取締役（株式会社が監査等委員会設置会社である場合にあっては、監査等委員である取締役を除く。）　第七十四条に規定する事項

ロ　監査等委員である取締役　第七十四条の三に規定する事項

ハ　会計参与　第七十五条に規定する事項

ニ　監査役　第七十六条に規定する事項

ホ　会計監査人　第七十七条に規定する事項

五　議案が次のイ又はロに掲げる事項に関するものである場合において、株主が法第三百五条第一項の規定による請求に際して当該イ又はロに定める事項（当該事項が明らかに虚偽である場合における当該事項を除く。）を株式会社に対して通知したときは、その内容

イ　全部取得条項付種類株式の取得　第八十五条の二に規定する事項

ロ　株式の併合　第八十五条の三に規定する事項

②　二以上の株主から同一の趣旨の議案が提出されている場合には、株主総会参考書類には、その議案及びこれに対する取締役（取締役会設置会社である場合にあっては、取締役会）の意見の内容は、各別に記載することを要しない。ただし、二以上の株主から同一の趣旨の提案があった旨を記載しなければならない。

③　二以上の株主から同一の趣旨の提案の理由が提出されている場合には、株主総会参考書類には、その提案の理由は、各別に記載することを要しない。

第八目　株主総会参考書類の記載の特則

第九四条①　株主総会参考書類に記載すべき事項（次に掲げるものを除く。）に係る情報を、当該株主総会に係る招集通知を発出する時から当該株主総会の日から三箇月が経過する日までの間、継続して電磁的方法により株主が提供を受けることができる状態に置く措置（第二百二十二条第一項第一号ロに掲げる方法のうち、インターネットに接続された自動公衆送信装置（公衆の用に供する電気通信回線に接続することにより、その記録

媒体のうち自動公衆送信の用に供する部分に記録され、又は当該装置に入力される情報を自動公衆送信する機能を有する装置をいう。以下同じ。）を使用する方法によって行われるものに限る。第三項において同じ。）をとる場合には、当該事項は、当該事項を記載した株主総会参考書類を株主に対して提供したものとみなす。ただし、この項の措置をとる旨の定款の定めがある場合に限る。

一　議案

二　第百三十三条第三項第一号に掲げる事項を株主総会参考書類に記載することとしている場合における当該事項

三　次項の規定により株主総会参考書類に記載すべき事項

四　株主総会参考書類に記載すべき事項（前各号に掲げるものを除く。）につきこの項の措置をとることについて監査役、監査等委員会又は監査委員会が異議を述べている場合における当該事項

②　前項の場合には、株主に対して提供する株主総会参考書類に、同項の措置をとるために使用する自動公衆送信装置のうち当該措置をとるための用に供する部分をインターネットにおいて識別するための文字、記号その他の符号又はこれらの結合であって、情報の提供を受ける者がその使用に係る電子計算機に入力することによって当該情報の内容を閲覧し、当該電子計算機に備えられたファイルに当該情報を記録することができるものを記載しなければならない。

③　第一項の規定は、同項各号に掲げる事項に係る情報についても、電磁的方法により株主が提供を受けることができる状態に置く措置をとることを妨げるものではない。

第三款　種類株主総会

第九五条　次の各号に掲げる規定は、当該各号に定めるものについて準用する。

一　第六十三条（第一号を除く。）　法第三百二十五条において準用する法第二百九十八条第一項第五号に規定する法務省令で定める事項

二　第六十四条　法第三百二十五条において準用する法第二百九十八条第二項に規定する法務省令で定めるもの

三　第六十五条及び前款　種類株主総会の株主総会参考書類

四　第六十六条　種類株主総会の議決権行使書面

五　第六十七条　法第三百二十五条において準用する法第三百八条第一項に規定する法務省令で定める株主

六　第六十九条　法第三百二十五条において準用する法第三百十一条第一項に規定する法務省令で定める時

七　第七十条　法第三百二十五条において準用する法第三百十二条第一項に規定する法務省令で定める時

八　第七十一条　法第三百二十五条において準用する法第三百十四条に規定する法務省令で定める場合

九　第七十二条　法第三百二十五条において準用する法第三百十八条第一項の規定による議事録の作成

第四款　電子提供措置

第九五条の二（電子提供措置）　法第三百二十五条の二に規定する法務省令で定めるものは、第二百二十二条第一項第一号ロに掲げる方法のうち、インターネットに接続された自動公衆送信装置を使用するものによる措置とする。

第九五条の三（電子提供措置をとる場合における招集通知の記載事項）①　法第三百二十五条の四第二項第三号に規定する法務省令で定める事項は、次に掲げる事項とする。

一　電子提供措置をとっているときは、電子提供措置をとるために使用する自動公衆送信装置のうち当該電子提供措置をとるための用に供する部分をインターネットにおいて識別するための文字、記号その他の符号又はこれらの結合であって、情報の提供を受ける者がその使用に係る電子計算機に入力することによって当該情報の内容を閲覧し、当該電子計算機に備えられたファイルに当該情報を記録することができるものその他の当該者が当該情報の内容を閲覧し、当該電子計算機に備えられたファイルに当該情報を記録するために必要な事項

二　法第三百二十五条の三第三項に規定する場合には、同項の手続であって、金融商品取引法施行令（昭和四十年政令第三百二十一号）第十四条の十二の規定によりインターネットを利用して公衆の縦覧に供されるものをインターネットにおいて識別するための文字、記号その他の符号又はこれらの結合であって、情報の提供を受ける者がその使用に係る電子計算機に入力することによって当該情報の内容を閲覧することができるものその他の当該者が当該情報の内容を閲覧するために必要な事項

②　法第三百二十五条の七において読み替えて準用する法第三百二十五条の四第二項第三号に規定する法務省令で定める事項は、前項第一号に掲げる事項とする。

第九五条の四（電子提供措置事項記載書面に記載することを要しない事項）①　法第三百二十五条の五第三項に規定する法務省令で定めるものは、次に掲げるものとする。

一　株主総会参考書類に記載すべき事項（次に掲げるものを除く。）

イ　議案

ロ　株主総会参考書類に記載すべき事項（イに掲げるものを除く。）につき電子提供措置事項記載書面に記載しないことについて監査役、監査等委員会又は監査委員会が異議を述べている場合における当該事項

二　事業報告（法第四百三十七条に規定する事業報告をいう。以下この号において同じ。）に記載され、又は記録された事項（次に掲げるものを除く。）

イ　第百二十条第一項第五号及び第七号並びに第百二十一条第一号、第二号及び第四号から第六号の三までに掲げる事項

ロ　事業報告に記載され、又は記録された事項（イに掲げるものを除く。）につき電子提供措置事項記載書面に記載しないことについて監査役、監査等委員会又は監査委員会が異議を述べている場合における当該事項

三　法第四百三十七条に規定する計算書類に記載され、又は記録された事項

四　法第四百四十四条第六項に規定する連結計算書類に記載され、又は記録された事項

②　次の各号に掲げる事項の全部又は一部を電子提供措置事項記載書面に記載しないときは、取締役は、当該各号に定める事項を株主（電子提供措置事項記載書面の交付を受ける株主に限る。以下この項において同じ。）に対して通知しなければならない。

一　前項第二号に掲げる事項　監査役、監査等委員会又は監査委員会が、電子提供措置事項記載書面に記載された事項（事業報告に記載され、又は記録された事項に限る。）が監査報告を作成するに際して監査をした事業報告に記載され、又は記録された事項の一部である旨を株主に対して通知すべきことを取締役に請求したときは、その旨

二　前項第三号に掲げる事項　監査役、会計監査人、監査等委員会又は監査委員会が、電子提供措置事項記載書面に記載された事項（計算書類に記載され、又は記録された事項に限る。）が監査報告又は会計監査報告を作成するに際して監査をした計算書類に記載され、又は記録された事項の一部である旨を株主に対して通知すべきことを取締役に請求したときは、その旨

三　前項第四号に掲げる事項　監査役、会計監査人、監査等委員会又は監査委員会が、電子提供措置事項記載書面に記載された事項（連結計算書類に記載され、又は記録された事項に限る。）が監査報告又は会計監査報告を作成するに際して監査をした連結計算書類に記載され、又は記録された事項の一部

である旨を株主に対して通知すべきことを取締役に請求したときは、その旨

第二節　会社役員の選任

（補欠の会社役員の選任）

第九六条① 法第三百二十九条第三項の規定による補欠の会社役員（執行役を除き、監査等委員会設置会社にあっては、監査等委員である取締役若しくはそれ以外の取締役又は会計参与。以下この条において同じ。）の選任については、この条の定めるところによる。

② 法第三百二十九条第三項に規定する決議により補欠の会社役員を選任する場合には、次に掲げる事項も併せて決定しなければならない。

一 当該候補者が補欠の会社役員である旨

二 当該候補者を補欠の社外取締役として選任するときは、その旨

三 当該候補者を補欠の社外監査役として選任するときは、その旨

四 当該候補者を一人又は二人以上の特定の会社役員の補欠の会社役員として選任するときは、その旨及び当該特定の会社役員の氏名（会計参与である場合にあっては、氏名又は名称）

五 同一の会社役員（二以上の会社役員の補欠として選任した場合にあっては、当該二以上の会社役員）につき二人以上の補欠の会社役員を選任するときは、当該補欠の会社役員相互間の優先順位

六 補欠の会社役員について、就任前にその選任の取消しを行う場合があるときは、その旨及び取消しを行うための手続

③ 補欠の会社役員の選任に係る決議が効力を有する期間は、定款に別段の定めがある場合を除き、当該決議後最初に開催する定時株主総会の開始の時までとする。ただし、株主総会（当該補欠の会社役員を法第百八条第一項第九号に掲げる事項についての定めに従い種類株主総会の決議によって選任する場合にあっては、当該種類株主総会）の決議によってその期間を短縮することを妨げない。

（累積投票による取締役の選任）

第九七条① 法第三百四十二条第五項の規定により法務省令で定めるべき事項は、この条の定めるところによる。

② 法第三百四十二条第一項の規定による請求があった場合には、取締役（株主総会の議長が存する場合にあっては議長、取締役及び議長が存しない場合にあっては当該請求をした株主）は、同項の株主総会における取締役（監査等委員会設置会社にあっては、監査等委員である取締役又はそれ以外の取締役。以下この条において同じ。）の選任の決議に先立ち、法第三百四十二条第三項から第五項までに規定するところにより取締役を選任することを明らかにしなければならない。

③ 法第三百四十二条第四項の場合において、投票の同数を得た者が二人以上存することにより同条第一項の株主総会において選任する取締役の数の取締役について投票の最多数を得た者から順次取締役に選任されたものとすることができないときは、当該株主総会において選任する取締役の数以下の数であって投票の最多数を得た者から順次取締役に選任されたものとすることができる数の範囲内で、投票の最多数を得た者から順次取締役に選任されたものとする。

④ 前項に規定する場合において、法第三百四十二条第一項の株主総会において選任する取締役の数から前項の規定により取締役に選任されたものとされた者の数を減じて得た数の取締役は、同条第三項及び第四項に規定するところによらないで、株主総会の決議により選任する。

第三節　取締役

（業務の適正を確保するための体制）

第九八条① 法第三百四十八条第三項第四号に規定する法務省令で定める体制は、当該株式会社における次に掲げる体制とする。

一 当該株式会社の取締役の職務の執行に係る情報の保存及び管理に関する体制

二 当該株式会社の損失の危険の管理に関する規程その他の体制

三 当該株式会社の取締役の職務の執行が効率的に行われることを確保するための体制

四 当該株式会社の使用人の職務の執行が法令及び定款に適合することを確保するための体制

五 次に掲げる体制その他の当該株式会社並びにその親会社及び子会社から成る企業集団における業務の適正を確保するための体制

イ 当該株式会社の子会社の取締役、執行役、業務を執行する社員、法第五百九十八条第一項の職務を行うべき者その他これらの者に相当する者（ハ及びニにおいて「取締役等」という。）の職務の執行に係る事項の当該株式会社への報告に関する体制

ロ 当該株式会社の子会社の損失の危険の管理に関する規程その他の体制

ハ 当該株式会社の子会社の取締役等の職務の執行が効率的に行われることを確保するための体制

ニ 当該株式会社の子会社の取締役等及び使用人の職務の執行が法令及び定款に適合することを確保するための体制

② 取締役が二人以上ある株式会社である場合には、前項に規定する体制には、業務の決定が適正に行われることを確保するための体制を含むものとする。

③ 監査役設置会社以外の株式会社である場合には、第一項に規定する体制には、取締役が株主に報告すべき事項の報告をするための体制を含むものとする。

④ 監査役設置会社（監査役の監査の範囲を会計に関するものに限定する旨の定款の定めがある株式会社を含む。）である場合には、第一項に規定する体制には、次に掲げる体制を含むものとする。

一 当該監査役設置会社の監査役がその職務を補助すべき使用人を置くことを求めた場合における当該使用人に関する事項

二 前号の使用人の当該監査役設置会社の取締役からの独立性に関する事項

三 当該監査役設置会社の監査役の第一号の使用人に対する指示の実効性の確保に関する事項

四 次に掲げる体制その他の当該監査役設置会社の監査役への報告に関する体制

イ 当該監査役設置会社の取締役及び会計参与並びに使用人が当該監査役設置会社の監査役に報告をするための体制

ロ 当該監査役設置会社の子会社の取締役、会計参与、監査役、執行役、業務を執行する社員、法第五百九十八条第一項の職務を行うべき者その他これらの者に相当する者及び使用人又はこれらの者から報告を受けた者が当該監査役設置会社の監査役に報告をするための体制

五 前号の報告をした者が当該報告をしたことを理由として不利な取扱いを受けないことを確保するための体制

六 当該監査役設置会社の監査役の職務の執行について生ずる費用の前払又は償還の手続その他の当該職務の執行について生ずる費用又は債務の処理に係る方針に関する事項

七 その他の当該監査役設置会社の監査役の監査が実効的に行われることを確保するための体制

（取締役の報酬等のうち株式会社の募集株式について定めるべき事項）

第九八条の二 法第三百六十一条第一項第三号に規定する法務省令で定める事項は、同号の募集株式に係る次に掲げる事項とする。

一 一定の事由が生ずるまで当該募集株式を他人に譲り渡さないことを取締役に約させることとするときは、その旨及び当

該一定の事由の概要

二　一定の事由が生じたことを条件として当該募集株式を当該株式会社に無償で譲り渡すことを取締役に約させることとするときは、その旨及び当該一定の事由の概要

三　前二号に掲げる事項のほか、取締役に対して当該募集株式を割り当てる条件を定めるときは、その条件の概要

（取締役の報酬等のうち株式会社の募集新株予約権について定めるべき事項）

第九八条の三　法第三百六十一条第一項第四号に規定する法務省令で定める事項は、同号の募集新株予約権に係る次に掲げる事項とする。

一　法第二百三十六条第一項第一号から第四号までに掲げる事項（同条第三項の場合には、同条第一項第一号、第三号及び第四号に掲げる事項並びに同条第三項各号に掲げる事項）

二　一定の資格を有する者が当該募集新株予約権を行使することができることとするときは、その旨及び当該一定の資格の内容の概要

三　前二号に掲げる事項のほか、当該募集新株予約権の行使の条件を定めるときは、その条件の概要

四　法第二百三十六条第一項第六号に掲げる事項

五　法第二百三十六条第一項第七号に掲げる事項の内容の概要

六　取締役に対して当該募集新株予約権を割り当てる条件を定めるときは、その条件の概要

（取締役の報酬等のうち株式等と引換えにする払込みに充てるための金銭について定めるべき事項）

第九八条の四①　法第三百六十一条第一項第五号イに規定する法務省令で定める事項は、同号イの募集株式に係る次に掲げる事項とする。

一　一定の事由が生ずるまで当該募集株式を他人に譲り渡さないことを取締役に約させることとするときは、その旨及び当該一定の事由の概要

二　一定の事由が生じたことを条件として当該募集株式を当該株式会社に無償で譲り渡すことを取締役に約させることとするときは、その旨及び当該一定の事由の概要

三　前二号に掲げる事項のほか、取締役に対して当該募集株式と引換えにする払込みに充てるための金銭を交付する条件又は取締役に対して当該募集株式を割り当てる条件を定めるときは、その条件の概要

②　法第三百六十一条第一項第五号ロに規定する法務省令で定める事項は、同号ロの募集新株予約権に係る次に掲げる事項とする。

一　法第二百三十六条第一項第一号から第四号までに掲げる事項（同条第三項の場合には、同条第一項第一号、第三号及び第四号に掲げる事項並びに同条第三項各号に掲げる事項）

二　一定の資格を有する者が当該募集新株予約権を行使することができることとするときは、その旨及び当該一定の資格の内容の概要

三　前二号に掲げる事項のほか、当該募集新株予約権の行使の条件を定めるときは、その条件の概要

四　法第二百三十六条第一項第六号に掲げる事項

五　法第二百三十六条第一項第七号に掲げる事項の内容の概要

六　取締役に対して当該募集新株予約権と引換えにする払込みに充てるための金銭を交付する条件又は取締役に対して当該募集新株予約権を割り当てる条件を定めるときは、その条件の概要

（取締役の個人別の報酬等の内容についての決定に関する方針）

第九八条の五　法第三百六十一条第七項に規定する法務省令で定める事項は、次に掲げる事項とする。

一　取締役（監査等委員である取締役を除く。以下この条において同じ。）の個人別の報酬等（次号に規定する業績連動報酬等及び第三号に規定する非金銭報酬等のいずれでもないものに限る。）の額又はその算定方法の決定に関する方針

二　取締役の個人別の報酬等のうち、利益の状況を示す指標、株式の市場価格の状況を示す指標その他の当該株式会社又はその関係会社（会社計算規則第二条第三項第二十五号に規定する関係会社をいう。）の業績を示す指標（以下この号及び第百二十一条第五号の二において「業績指標」という。）を基礎としてその額又は数が算定される報酬等（以下この条並びに第百二十一条第四号及び第五号の二において「業績連動報酬等」という。）がある場合には、当該業績連動報酬等に係る業績指標の内容及び当該業績連動報酬等の額又は数の算定方法の決定に関する方針

三　取締役の個人別の報酬等のうち、金銭でないもの（募集株式又は募集新株予約権と引換えにする払込みに充てるための金銭を取締役の報酬等とする場合における当該募集株式又は募集新株予約権を含む。以下この条並びに第百二十一条第四号及び第五号の三において「非金銭報酬等」という。）がある場合には、当該非金銭報酬等の内容及び当該非金銭報酬等の額若しくは数又はその算定方法の決定に関する方針

四　第一号の報酬等の額、業績連動報酬等の額又は非金銭報酬等の額の取締役の個人別の報酬等の額に対する割合の決定に関する方針

五　取締役に対し報酬等を与える時期又は条件の決定に関する方針

六　取締役の個人別の報酬等の内容についての決定の全部又は一部を取締役その他の第三者に委任することとするときは、次に掲げる事項

イ　当該委任を受ける者の氏名又は当該株式会社における地位及び担当

ロ　イの者に委任する権限の内容

ハ　イの者によりロの権限が適切に行使されるようにするための措置を講ずることとするときは、その内容

七　取締役の個人別の報酬等の内容についての決定の方法（前号に掲げる事項を除く。）

八　前各号に掲げる事項のほか、取締役の個人別の報酬等の内容についての決定に関する重要な事項

第四節　取締役会

（社債を引き受ける者の募集に際して取締役会が定めるべき事項）

第九九条①　法第三百六十二条第四項第五号に規定する法務省令で定める事項は、次に掲げる事項とする。

一　二以上の募集（法第六百七十六条の募集をいう。以下この条において同じ。）に係る法第六百七十六条各号に掲げる事項の決定を委任するときは、その旨

二　募集社債の総額の上限（前号に規定する場合にあっては、各募集に係る募集社債の総額の上限の合計額）

三　募集社債の利率の上限その他の利率に関する事項の要綱

四　募集社債の払込金額（法第六百七十六条第九号に規定する払込金額をいう。以下この号において同じ。）の総額の最低金額その他の払込金額に関する事項の要綱

②　前項の規定にかかわらず、信託社債（当該信託社債について信託財産に属する財産のみをもってその履行の責任を負うものに限る。）の募集に係る法第六百七十六条各号に掲げる事項の決定を委任する場合には、法第三百六十二条第四項第五号に規定する法務省令で定める事項は、当該決定を委任する旨とする。

（業務の適正を確保するための体制）

第一〇〇条①　法第三百六十二条第四項第六号に規定する法務省令で定める体制は、当該株式会社における次に掲げる体制とする。

一　当該株式会社の取締役の職務の執行に係る情報の保存及び管理に関する体制

二　当該株式会社の損失の危険の管理に関する規程その他の体制

三　当該株式会社の取締役の職務の執行が効率的に行われるこ

とを確保するための体制
四　当該株式会社の使用人の職務の執行が法令及び定款に適合することを確保するための体制
五　次に掲げる体制その他の当該株式会社並びにその親会社及び子会社から成る企業集団における業務の適正を確保するための体制
イ　当該株式会社の子会社の取締役、執行役、業務を執行する社員、法第五百九十八条第一項の職務を行うべき者その他これらの者に相当する者（ハ及びニにおいて「取締役等」という。）の職務の執行に係る事項の当該株式会社への報告に関する体制
ロ　当該株式会社の子会社の損失の危険の管理に関する規程その他の体制
ハ　当該株式会社の子会社の取締役等の職務の執行が効率的に行われることを確保するための体制
ニ　当該株式会社の子会社の取締役等及び使用人の職務の執行が法令及び定款に適合することを確保するための体制
②　監査役設置会社以外の株式会社である場合には、前項に規定する体制には、取締役が株主に報告すべき事項の報告をするための体制を含むものとする。
③　監査役設置会社（監査役の監査の範囲を会計に関するものに限定する旨の定款の定めがある株式会社を含む。）である場合には、第一項に規定する体制には、次に掲げる体制を含むものとする。
一　当該監査役設置会社の監査役がその職務を補助すべき使用人を置くことを求めた場合における当該使用人に関する事項
二　前号の使用人の当該監査役設置会社の取締役からの独立性に関する事項
三　当該監査役設置会社の監査役の第一号の使用人に対する指示の実効性の確保に関する事項
四　次に掲げる体制その他の当該監査役設置会社の監査役への報告に関する体制
イ　当該監査役設置会社の取締役及び会計参与並びに使用人が当該監査役設置会社の監査役に報告をするための体制
ロ　当該監査役設置会社の子会社の取締役、会計参与、監査役、執行役、業務を執行する社員、法第五百九十八条第一項の職務を行うべき者その他これらの者に相当する者及び使用人又はこれらの者から報告を受けた者が当該監査役設置会社の監査役に報告をするための体制
五　前号の報告をした者が当該報告をしたことを理由として不利な取扱いを受けないことを確保するための体制
六　当該監査役設置会社の監査役の職務の執行について生ずる費用の前払又は償還の手続その他の当該職務の執行について生ずる費用又は債務の処理に係る方針に関する事項
七　その他当該監査役設置会社の監査役の監査が実効的に行われることを確保するための体制

（取締役会の議事録）
第一〇一条①　法第三百六十九条第三項の規定による取締役会の議事録の作成については、この条の定めるところによる。
②　取締役会の議事録は、書面又は電磁的記録をもって作成しなければならない。
③　取締役会の議事録は、次に掲げる事項を内容とするものでなければならない。
一　取締役会が開催された日時及び場所（当該場所に存しない取締役（監査等委員会設置会社にあっては、監査等委員である取締役又はそれ以外の取締役）、執行役、会計参与、監査役、会計監査人又は株主が取締役会に出席をした場合における当該出席の方法を含む。）
二　取締役会が法第三百七十三条第二項の取締役会であるときは、その旨
三　取締役会が次に掲げるいずれかのものに該当するときは、その旨
イ　法第三百六十六条第二項の規定による取締役の請求を受けて招集されたもの
ロ　法第三百六十六条第三項の規定により取締役が招集したもの
ハ　法第三百六十七条第一項の規定による株主の請求を受けて招集されたもの
ニ　法第三百六十七条第三項において準用する法第三百六十六条第三項の規定により株主が招集したもの
ホ　法第三百八十三条第二項の規定による監査役の請求を受けて招集されたもの
ヘ　法第三百八十三条第三項の規定により監査役が招集したもの
ト　法第三百九十九条の十四の規定により監査等委員会が選定した監査等委員が招集したもの
チ　法第四百十七条第一項の規定により指名委員会等の委員の中から選定された者が招集したもの
リ　法第四百十七条第二項前段の規定による執行役の請求を受けて招集されたもの
ヌ　法第四百十七条第二項後段の規定により執行役が招集したもの
四　取締役会の議事の経過の要領及びその結果
五　決議を要する事項について特別の利害関係を有する取締役があるときは、当該取締役の氏名
六　次に掲げる規定により取締役会において述べられた意見又は発言があるときは、その意見又は発言の内容の概要
イ　法第三百六十五条第二項（法第四百十九条第二項において準用する場合を含む。）
ロ　法第三百六十七条第四項
ハ　法第三百七十六条第一項
ニ　法第三百八十二条
ホ　法第三百八十三条第一項
ヘ　法第三百九十九条の四
ト　法第四百六条
チ　法第四百三十条の二第四項
七　取締役会に出席した執行役、会計参与、会計監査人又は株主の氏名又は名称
八　取締役会の議長が存するときは、議長の氏名
④　次の各号に掲げる場合には、取締役会の議事録は、当該各号に定める事項を内容とするものとする。
一　法第三百七十条の規定により取締役会の決議があったものとみなされた場合　次に掲げる事項
イ　取締役会の決議があったものとみなされた事項の内容
ロ　イの事項の提案をした取締役の氏名
ハ　取締役会の決議があったものとみなされた日
ニ　議事録の作成に係る職務を行った取締役の氏名
二　法第三百七十二条第一項（同条第三項の規定により読み替えて適用する場合を含む。）の規定により取締役会への報告を要しないものとされた場合　次に掲げる事項
イ　取締役会への報告を要しないものとされた事項の内容
ロ　取締役会への報告を要しないものとされた日
ハ　議事録の作成に係る職務を行った取締役の氏名

第五節　会計参与

（会計参与報告の内容）
第一〇二条　法第三百七十四条第一項の規定により作成すべき会計参与報告は、次に掲げる事項を内容とするものでなければならない。
一　会計参与が職務を行うにつき会計参与設置会社と合意した事項のうち主なもの
二　計算関係書類のうち、取締役又は執行役と会計参与が共同して作成したものの種類
三　会計方針（会社計算規則第二条第三項第六十二号に規定する会計方針をいう。）に関する次に掲げる事項（重要性の乏しいものを除く。）

イ　資産の評価基準及び評価方法
ロ　固定資産の減価償却の方法
ハ　引当金の計上基準
ニ　収益及び費用の計上基準
ホ　その他計算関係書類の作成のための基本となる重要な事項
四　計算関係書類の作成に用いた資料の種類その他計算関係書類の作成の過程及び方法
五　前号に規定する資料が次に掲げる事由に該当するときは、その旨及びその理由
イ　当該資料が著しく遅滞して作成されたとき。
ロ　当該資料の重要な事項について虚偽の記載がされていたとき。
六　計算関係書類の作成に必要な資料が作成されていなかったとき又は適切に保存されていなかったときは、その旨及びその理由
七　会計参与が計算関係書類の作成のために行った報告の徴収及び調査の結果
八　会計参与が計算関係書類の作成に際して取締役又は執行役と協議した主な事項

（計算書類等の備置き）
第一〇三条①　法第三百七十八条第一項の規定により会計参与が同項各号に掲げるものを備え置く場所（以下この条において「会計参与報告等備置場所」という。）を定める場合には、この条の定めるところによる。
②　会計参与は、当該会計参与である公認会計士若しくは監査法人又は税理士若しくは税理士法人の事務所（会計参与が税理士法（昭和二十六年法律第二百三十七号）第二条第三項の規定により税理士又は税理士法人の補助者として当該税理士の税理士事務所に勤務し、又は当該税理士法人に所属し、同項に規定する業務に従事する者であるときは、その勤務する税理士事務所又は当該税理士法人の事務所）の場所の中から会計参与報告等備置場所を定めなければならない。
③　会計参与は、会計参与報告等備置場所として会計参与設置会社の本店又は支店と異なる場所を定めなければならない。
④　会計参与は、会計参与報告等備置場所を定めた場合には、遅滞なく、会計参与設置会社に対して、会計参与報告等備置場所を通知しなければならない。

（計算書類の閲覧）
第一〇四条　法第三百七十八条第二項に規定する法務省令で定める場合とは、会計参与である公認会計士若しくは監査法人又は税理士若しくは税理士法人の業務時間外である場合とする。

第六節　監査役

（監査報告の作成）
第一〇五条①　法第三百八十一条第一項の規定により法務省令で定める事項については、この条の定めるところによる。
②　監査役は、その職務を適切に遂行するため、次に掲げる者との意思疎通を図り、情報の収集及び監査の環境の整備に努めなければならない。この場合において、取締役又は取締役会は、監査役の職務の執行のための必要な体制の整備に留意しなければならない。
一　当該株式会社の取締役、会計参与及び使用人
二　当該株式会社の子会社の取締役、会計参与、執行役、業務を執行する社員、法第五百九十八条第一項の職務を行うべき者その他これらの者に相当する者及び使用人
三　その他監査役が適切に職務を遂行するに当たり意思疎通を図るべき者
③　前項の規定は、監査役が公正不偏の態度及び独立の立場を保持することができなくなるおそれのある関係の創設及び維持を認めるものと解してはならない。
④　監査役は、その職務の遂行に当たり、必要に応じ、当該株式会社の他の監査役、当該株式会社の親会社及び子会社の監査役その他これらに相当する者との意思疎通及び情報の交換を図るよう努めなければならない。

（監査役の調査の対象）
第一〇六条　法第三百八十四条に規定する法務省令で定めるものは、電磁的記録その他の資料とする。

（監査報告の作成）
第一〇七条①　法第三百八十九条第二項の規定により法務省令で定める事項については、この条の定めるところによる。
②　監査役は、その職務を適切に遂行するため、次に掲げる者との意思疎通を図り、情報の収集及び監査の環境の整備に努めなければならない。この場合において、取締役又は取締役会は、監査役の職務の執行のための必要な体制の整備に留意しなければならない。
一　当該株式会社の取締役、会計参与及び使用人
二　当該株式会社の子会社の取締役、会計参与、執行役、業務を執行する社員、法第五百九十八条第一項の職務を行うべき者その他これらの者に相当する者及び使用人
三　その他監査役が適切に職務を遂行するに当たり意思疎通を図るべき者
③　前項の規定は、監査役が公正不偏の態度及び独立の立場を保持することができなくなるおそれのある関係の創設及び維持を認めるものと解してはならない。
④　監査役は、その職務の遂行に当たり、必要に応じ、当該株式会社の他の監査役、当該株式会社の親会社及び子会社の監査役その他これらに相当する者との意思疎通及び情報の交換を図るよう努めなければならない。

（監査の範囲が限定されている監査役の調査の対象）
第一〇八条　法第三百八十九条第三項に規定する法務省令で定めるものは、次に掲げるものとする。
一　計算関係書類
二　次に掲げる議案が株主総会に提出される場合における当該議案
イ　当該株式会社の株式の取得に関する議案（当該取得に際して交付する金銭等の合計額に係る部分に限る。）
ロ　剰余金の配当に関する議案（剰余金の配当に際して交付する金銭等の合計額に係る部分に限る。）
ハ　法第四百四十七条第一項の資本金の額の減少に関する議案
ニ　法第四百四十八条第一項の準備金の額の減少に関する議案
ホ　法第四百五十条第一項の資本金の額の増加に関する議案
ヘ　法第四百五十一条第一項の準備金の額の増加に関する議案
ト　法第四百五十二条に規定する剰余金の処分に関する議案
三　次に掲げる事項を含む議案が株主総会に提出される場合における当該事項
イ　法第百九十九条第一項第五号の増加する資本金及び資本準備金に関する事項
ロ　法第二百三十六条第一項第五号の増加する資本金及び資本準備金に関する事項
ハ　法第七百四十九条第一項第二号イの資本金及び準備金の額に関する事項
ニ　法第七百五十三条第一項第六号の資本金及び準備金の額に関する事項
ホ　法第七百五十八条第四号イの資本金及び準備金の額に関する事項
ヘ　法第七百六十三条第一項第六号の資本金及び準備金の額に関する事項
ト　法第七百六十八条第一項第二号イの資本金及び準備金の額に関する事項
チ　法第七百七十三条第一項第五号の資本金及び準備金の額に関する事項
リ　法第七百七十四条の三第一項第三号の資本金及び準備金

の額に関する事項

ヌ　法第七百七十四条の三第一項第八号イの資本金及び準備金の額に関する事項

四　前三号に掲げるもののほか、これらに準ずるもの

第七節　監査役会

第一〇九条①　法第三百九十三条第二項の規定による監査役会の議事録の作成については、この条の定めるところによる。

②　監査役会の議事録は、書面又は電磁的記録をもって作成しなければならない。

③　監査役会の議事録は、次に掲げる事項を内容とするものでなければならない。

一　監査役会が開催された日時及び場所（当該場所に存しない監査役、取締役、会計参与又は会計監査人が監査役会に出席をした場合における当該出席の方法を含む。）

二　監査役会の議事の経過の要領及びその結果

三　次に掲げる規定により監査役会において述べられた意見又は発言があるときは、その意見又は発言の内容の概要

イ　法第三百五十七条第二項の規定により読み替えて適用する同条第一項（法第四百八十二条第四項において準用する場合を含む。）

ロ　法第三百七十五条第二項の規定により読み替えて適用する同条第一項

ハ　法第三百九十七条第三項の規定により読み替えて適用する同条第一項

四　監査役会に出席した取締役、会計参与又は会計監査人の氏名又は名称

五　監査役会の議長が存するときは、議長の氏名

④　法第三百九十五条の規定により監査役会への報告を要しないものとされた場合には、監査役会の議事録は、次の各号に掲げる事項を内容とするものとする。

一　監査役会への報告を要しないものとされた事項の内容

二　監査役会への報告を要しないものとされた日

三　議事録の作成に係る職務を行った監査役の氏名

第八節　会計監査人

第一一〇条①　法第三百九十六条第一項後段の規定により法務省令で定める事項については、この条の定めるところによる。

②　会計監査人は、その職務を適切に遂行するため、次に掲げる者との意思疎通を図り、情報の収集及び監査の環境の整備に努めなければならない。ただし、会計監査人が公正不偏の態度及び独立の立場を保持することができなくなるおそれのある関係の創設及び維持を認めるものと解してはならない。

一　当該株式会社の取締役、会計参与及び使用人

二　当該株式会社の子会社の取締役、会計参与、執行役、業務を執行する社員、法第五百九十八条第一項の職務を行うべき者その他これらの者に相当する者及び使用人

三　その他会計監査人が適切に職務を遂行するに当たり意思疎通を図るべき者

第八節の二　監査等委員会

（監査等委員の報告の対象）

第一一〇条の二　法第三百九十九条の五に規定する法務省令で定めるものは、電磁的記録その他の資料とする。

（監査等委員会の議事録）

第一一〇条の三①　法第三百九十九条の十第三項の規定による監査等委員会の議事録の作成については、この条の定めるところによる。

②　監査等委員会の議事録は、書面又は電磁的記録をもって作成しなければならない。

③　監査等委員会の議事録は、次に掲げる事項を内容とするものでなければならない。

一　監査等委員会が開催された日時及び場所（当該場所に存しない監査等委員、取締役（監査等委員であるものを除く。）、会計参与又は会計監査人が監査等委員会に出席をした場合における当該出席の方法を含む。）

二　監査等委員会の議事の経過の要領及びその結果

三　決議を要する事項について特別の利害関係を有する監査等委員があるときは、その氏名

四　次に掲げる規定により監査等委員会において述べられた意見又は発言があるときは、その意見又は発言の内容の概要

イ　法第三百五十七条第三項の規定により読み替えて適用する同条第一項

ロ　法第三百七十五条第三項の規定により読み替えて適用する同条第一項

ハ　法第三百九十七条第四項の規定により読み替えて適用する同条第一項

五　監査等委員会に出席した取締役（監査等委員であるものを除く。）、会計参与又は会計監査人の氏名又は名称

六　監査等委員会の議長が存するときは、議長の氏名

④　法第三百九十九条の十二の規定により監査等委員会への報告を要しないものとされた場合には、監査等委員会の議事録は、次の各号に掲げる事項を内容とするものとする。

一　監査等委員会への報告を要しないものとされた事項の内容

二　監査等委員会への報告を要しないものとされた日

三　議事録の作成に係る職務を行った監査等委員の氏名

（業務の適正を確保するための体制）

第一一〇条の四①　法第三百九十九条の十三第一項第一号ロに規定する法務省令で定めるものは、次に掲げるものとする。

一　当該株式会社の監査等委員会の職務を補助すべき取締役及び使用人に関する事項

二　前号の取締役及び使用人の当該株式会社の他の取締役（監査等委員である取締役を除く。）からの独立性に関する事項

三　当該株式会社の監査等委員会の第一号の取締役及び使用人に対する指示の実効性の確保に関する事項

四　次に掲げる体制その他の当該株式会社の監査等委員会への報告に関する体制

イ　当該株式会社の取締役（監査等委員である取締役を除く。）及び会計参与並びに使用人が当該株式会社の監査等委員会に報告をするための体制

ロ　当該株式会社の子会社の取締役、会計参与、監査役、執行役、業務を執行する社員、法第五百九十八条第一項の職務を行うべき者その他これらの者に相当する者及び使用人又はこれらの者から報告を受けた者が当該株式会社の監査等委員会に報告をするための体制

五　前号の報告をした者が当該報告をしたことを理由として不利な取扱いを受けないことを確保するための体制

六　当該株式会社の監査等委員の職務の執行（監査等委員会の職務の執行に関するものに限る。）について生ずる費用の前払又は償還の手続その他の当該職務の執行について生ずる費用又は債務の処理に係る方針に関する事項

七　その他当該株式会社の監査等委員会の監査が実効的に行われることを確保するための体制

②　法第三百九十九条の十三第一項第一号ハに規定する法務省令で定める体制は、当該株式会社における次に掲げる体制とする。

一　当該株式会社の取締役の職務の執行に係る情報の保存及び管理に関する体制

二　当該株式会社の損失の危険の管理に関する規程その他の体制

三　当該株式会社の取締役の職務の執行が効率的に行われることを確保するための体制

四　当該株式会社の使用人の職務の執行が法令及び定款に適合することを確保するための体制

五　次に掲げる体制その他の当該株式会社並びにその親会社及び子会社から成る企業集団における業務の適正を確保するた

めの体制

イ　当該株式会社の子会社の取締役、執行役、業務を執行する社員、法第五百九十八条第一項の職務を行うべき者その他これらの者に相当する者（ハ及びニにおいて「取締役等」という。）の職務の執行に係る事項の当該株式会社への報告に関する体制

ロ　当該株式会社の子会社の損失の危険の管理に関する規程その他の体制

ハ　当該株式会社の子会社の取締役等の職務の執行が効率的に行われることを確保するための体制

ニ　当該株式会社の子会社の取締役等及び使用人の職務の執行が法令及び定款に適合することを確保するための体制

（社債を引き受ける者の募集に際して取締役会が定めるべき事項）

第一一〇条の五①　法第三百九十九条の十三第四項第五号に規定する法務省令で定める事項は、次に掲げる事項とする。

一　二以上の募集（法第六百七十六条の募集をいう。以下この条において同じ。）に係る法第六百七十六条各号に掲げる事項の決定を委任するときは、その旨

二　募集社債の総額の上限（前号に規定する場合にあっては、各募集に係る募集社債の総額の上限の合計額）

三　募集社債の利率の上限その他の利率に関する事項の要綱

四　募集社債の払込金額（法第六百七十六条第九号に規定する払込金額をいう。以下この号において同じ。）の総額の最低金額その他の払込金額に関する事項の要綱

②　前項の規定にかかわらず、信託社債（当該信託社債について信託財産に属する財産のみをもってその履行の責任を負うものに限る。）の募集に係る法第六百七十六条各号に掲げる事項の決定を委任する場合には、法第三百九十九条の十三第四項第五号に規定する法務省令で定める事項は、当該決定を委任する旨とする。

第九節　指名委員会等及び執行役

（執行役等の報酬等のうち株式会社の募集株式について定めるべき事項）

第一一一条　法第四百九条第三項第三号に規定する法務省令で定める事項は、同号の募集株式に係る次に掲げる事項とする。

一　一定の事由が生ずるまで当該募集株式を他人に譲り渡さないことを執行役等に約させることとするときは、その旨及び当該一定の事由

二　一定の事由が生じたことを条件として当該募集株式を当該株式会社に無償で譲り渡すことを執行役等に約させることとするときは、その旨及び当該一定の事由

三　前二号に掲げる事項のほか、執行役等に対して当該募集株式を割り当てる条件を定めるときは、その条件

（執行役等の報酬等のうち株式会社の募集新株予約権について定めるべき事項）

第一一一条の二　法第四百九条第三項第四号に規定する法務省令で定める事項は、同号の募集新株予約権に係る次に掲げる事項とする。

一　法第二百三十六条第一項第一号から第四号までに掲げる事項（同条第三項（同条第四項の規定により読み替えて適用する場合に限る。以下この号において同じ。）の場合には、同条第一項第一号、第三号及び第四号に掲げる事項並びに同条第三項各号に掲げる事項）

二　一定の資格を有する者が当該募集新株予約権を行使することができることとするときは、その旨及び当該一定の資格の内容

三　前二号に掲げる事項のほか、当該募集新株予約権の行使の条件を定めるときは、その条件

四　法第二百三十六条第一項第六号に掲げる事項

五　法第二百三十六条第一項第七号に掲げる事項の内容

六　執行役等に対して当該募集新株予約権を割り当てる条件を定めるときは、その条件

（執行役等の報酬等のうち株式等と引換えにする払込みに充てるための金銭について定めるべき事項）

第一一一条の三①　法第四百九条第三項第五号イに規定する法務省令で定める事項は、同号イの募集株式に係る次に掲げる事項とする。

一　一定の事由が生ずるまで当該募集株式を他人に譲り渡さないことを執行役等に約させることとするときは、その旨及び当該一定の事由

二　一定の事由が生じたことを条件として当該募集株式を当該株式会社に無償で譲り渡すことを執行役等に約させることとするときは、その旨及び当該一定の事由

三　前二号に掲げる事項のほか、執行役等に対して当該募集株式と引換えにする払込みに充てるための金銭を交付する条件又は執行役等に対して当該募集株式を割り当てる条件を定めるときは、その条件

②　法第四百九条第三項第五号ロに規定する法務省令で定める事項は、同号ロの募集新株予約権に係る次に掲げる事項とする。

一　法第二百三十六条第一項第一号から第四号までに掲げる事項（同条第三項（同条第四項の規定により読み替えて適用する場合に限る。以下この号において同じ。）の場合には、同条第一項第一号、第三号及び第四号に掲げる事項並びに同条第三項各号に掲げる事項）

二　一定の資格を有する者が当該募集新株予約権を行使することができることとするときは、その旨及び当該一定の資格の内容

三　前二号に掲げる事項のほか、当該募集新株予約権の行使の条件を定めるときは、その条件

四　法第二百三十六条第一項第六号に掲げる事項

五　法第二百三十六条第一項第七号に掲げる事項の内容

六　執行役等に対して当該募集新株予約権と引換えにする払込みに充てるための金銭を交付する条件又は執行役等に対して当該募集新株予約権を割り当てる条件を定めるときは、その条件

（指名委員会等の議事録）

第一一一条の四①　法第四百十二条第三項の規定による指名委員会等の議事録の作成については、この条の定めるところによる。

②　指名委員会等の議事録は、書面又は電磁的記録をもって作成しなければならない。

③　指名委員会等の議事録は、次に掲げる事項を内容とするものでなければならない。

一　指名委員会等が開催された日時及び場所（当該場所に存しない取締役、執行役、会計参与又は会計監査人が指名委員会等に出席をした場合における当該出席の方法を含む。）

二　指名委員会等の議事の経過の要領及びその結果

三　決議を要する事項について特別の利害関係を有する委員があるときは、その氏名

四　指名委員会等が監査委員会である場合において、次に掲げる意見又は発言があるときは、その意見又は発言の内容の概要

イ　法第三百七十五条第四項の規定により読み替えて適用する同条第一項の規定により監査委員会において述べられた意見又は発言

ロ　法第三百九十七条第五項の規定により読み替えて適用する同条第一項の規定により監査委員会において述べられた意見又は発言

ハ　法第四百十九条第一項の規定により行うべき監査委員に対する報告が監査委員会において行われた場合における当該報告に係る意見又は発言

五　指名委員会等に出席した取締役（当該指名委員会等の委員であるものを除く。）、執行役、会計参与又は会計監査人の氏名又は名称

六 指名委員会等の議長が存するときは、議長の氏名

④ 法第四百十四条の規定により指名委員会等への報告を要しないものとされた場合には、指名委員会等の議事録は、次の各号に掲げる事項を内容とするものとする。

一 指名委員会等への報告を要しないものとされた事項の内容
二 指名委員会等への報告を要しないものとされた日
三 議事録の作成に係る職務を行った委員の氏名

第一一二条①（業務の適正を確保するための体制） 法第四百十六条第一項第一号ロに規定する法務省令で定めるものは、次に掲げるものとする。

一 当該株式会社の監査委員会の職務を補助すべき取締役及び使用人に関する事項
二 前号の取締役及び使用人の当該株式会社の執行役からの独立性に関する事項
三 当該株式会社の監査委員会の第一号の取締役及び使用人に対する指示の実効性の確保に関する事項
四 次に掲げる体制その他の当該株式会社の監査委員会への報告に関する体制
イ 当該株式会社の取締役（監査委員である取締役を除く。）、執行役及び会計参与並びに使用人が当該株式会社の監査委員会に報告をするための体制
ロ 当該株式会社の子会社の取締役、会計参与、監査役、執行役、業務を執行する社員、法第五百九十八条第一項の職務を行うべき者その他これらの者に相当する者及び使用人又はこれらの者から報告を受けた者が当該株式会社の監査委員会に報告をするための体制
五 前号の報告をした者が当該報告をしたことを理由として不利な取扱いを受けないことを確保するための体制
六 当該株式会社の監査委員の職務の執行（監査委員会の職務の執行に関するものに限る。）について生ずる費用の前払又は償還の手続その他の当該職務の執行について生ずる費用又は債務の処理に係る方針に関する事項
七 その他当該株式会社の監査委員会の監査が実効的に行われることを確保するための体制

② 法第四百十六条第一項第一号ホに規定する法務省令で定める体制は、当該株式会社における次に掲げる体制とする。

一 当該株式会社の執行役の職務の執行に係る情報の保存及び管理に関する体制
二 当該株式会社の損失の危険の管理に関する規程その他の体制
三 当該株式会社の執行役の職務の執行が効率的に行われることを確保するための体制
四 当該株式会社の使用人の職務の執行が法令及び定款に適合することを確保するための体制
五 次に掲げる体制その他の当該株式会社並びにその親会社及び子会社から成る企業集団における業務の適正を確保するための体制
イ 当該株式会社の子会社の取締役、執行役、業務を執行する社員、法第五百九十八条第一項の職務を行うべき者その他これらの者に相当する者（ハ及びニにおいて「取締役等」という。）の職務の執行に係る事項の当該株式会社への報告に関する体制
ロ 当該株式会社の子会社の損失の危険の管理に関する規程その他の体制
ハ 当該株式会社の子会社の取締役等の職務の執行が効率的に行われることを確保するための体制
ニ 当該株式会社の子会社の取締役等及び使用人の職務の執行が法令及び定款に適合することを確保するための体制

第十節 役員等の損害賠償責任

第一一三条（報酬等の額の算定方法） 法第四百二十五条第一項第一号に規定する法務省令で定める方法により算定される額は、次に掲げる額の合計額とする。

一 役員等がその在職中に報酬、賞与その他の職務執行の対価（当該役員等が当該株式会社の取締役、執行役又は支配人その他の使用人を兼ねている場合における当該取締役、執行役又は支配人その他の使用人の報酬、賞与その他の職務執行の対価を含む。）として株式会社から受け、又は受けるべき財産上の利益（次号に定めるものを除く。）の額の事業年度（次のイからハまでに掲げる場合の区分に応じ、当該イからハまでに定める日を含む事業年度及びその前の各事業年度に限る。）ごとの合計額（当該事業年度の期間が一年でない場合にあっては、当該合計額を一年当たりの額に換算した額）のうち最も高い額
イ 法第四百二十五条第一項の株主総会の決議を行った場合　当該株主総会（株式会社に最終完全親会社等がある場合において、同項の規定により免除しようとする責任が特定責任であるときにあっては、当該株式会社の株主総会）の決議の日
ロ 法第四百二十六条第一項の規定による定款の定めに基づいて責任を免除する旨の同意（取締役会設置会社にあっては、取締役会の決議。ロにおいて同じ。）を行った場合　当該同意のあった日
ハ 法第四百二十七条第一項の契約を締結した場合　責任の原因となる事実が生じた日（二以上の日がある場合にあっては、最も遅い日）
二 イに掲げる額をロに掲げる数で除して得た額
イ 次に掲げる額の合計額
(1) 当該役員等が当該株式会社から受けた退職慰労金の額
(2) 当該役員等が当該株式会社の取締役、執行役又は支配人その他の使用人を兼ねていた場合における当該取締役若しくは執行役としての退職慰労金又は支配人その他の使用人としての退職手当のうち当該役員等を兼ねていた期間の職務執行の対価である部分の額
(3) (1)又は(2)に掲げるものの性質を有する財産上の利益の額
ロ 当該役員等がその職に就いていた年数（当該役員等が次に掲げるものに該当する場合における次に定める数が当該年数を超えている場合にあっては、当該数）
(1) 代表取締役又は代表執行役　六
(2) 代表取締役以外の取締役（業務執行取締役等であるものに限る。）又は代表執行役以外の執行役　四
(3) 取締役（(1)及び(2)に掲げるものを除く。）、会計参与、監査役又は会計監査人　二

第一一四条（特に有利な条件で引き受けた職務執行の対価以外の新株予約権） 法第四百二十五条第一項第二号に規定する法務省令で定める方法により算定される額は、次の各号に掲げる場合の区分に応じ、当該各号に定める額とする。

一 当該役員等が就任後に新株予約権（当該役員等が職務執行の対価として株式会社から受けたものを除く。以下この条において同じ。）を行使した場合　イに掲げる額からロに掲げる額を減じて得た額（零未満である場合にあっては、零）に当該新株予約権の行使により当該役員等が交付を受けた当該株式会社の株式の数を乗じて得た額
イ 当該新株予約権の行使時における当該株式の一株当たりの時価
ロ 当該新株予約権についての法第二百三十六条第一項第二号の価額及び法第二百三十八条第一項第三号の払込金額の合計額の当該新株予約権の目的である株式一株当たりの額
二 当該役員等が就任後に新株予約権を譲渡した場合　当該新株予約権の譲渡価額から法第二百三十八条第一項第三号の払込金額を減じて得た額に当該新株予約権の数を乗じた額

第一一五条（責任の免除の決議後に受ける退職慰労金等） 法第四百二十五条第四項（法第四百二十六条第八項

及び第四百二十七条第五項において準用する場合を含む。）に規定する法務省令で定める財産上の利益とは、次に掲げるものとする。

一　退職慰労金
二　当該役員等が当該株式会社の取締役又は執行役を兼ねていたときは、当該取締役又は執行役としての退職慰労金
三　当該役員等が当該株式会社の支配人その他の使用人を兼ねていたときは、当該支配人その他の使用人としての退職手当のうち当該役員等を兼ねていた期間の職務執行の対価である部分
四　前三号に掲げるものの性質を有する財産上の利益

第十一節　役員等のために締結される保険契約

第一一五条の二　法第四百三十条の三第一項に規定する法務省令で定めるものは、次に掲げるものとする。

一　被保険者に保険者との間で保険契約を締結する株式会社を含む保険契約であって、当該株式会社がその業務に関連し第三者に生じた損害を賠償する責任を負うこと又は当該責任の追及に係る請求を受けることによって当該株式会社に生ずることのある損害を保険者が塡補することを主たる目的として締結されるもの
二　役員等が第三者に生じた損害を賠償する責任を負うこと又は当該責任の追及に係る請求を受けることによって当該役員等に生ずることのある損害（役員等がその職務上の義務に違反し若しくは職務を怠ったことによって第三者に生じた損害を賠償する責任を負うこと又は当該責任の追及に係る請求を受けることによって当該役員等に生ずることのある損害を除く。）を保険者が塡補することを目的として締結されるもの

第五章　計算等

第一節　計算関係書類

第一一六条　次に掲げる規定に規定する法務省令で定めるべき事項（事業報告及びその附属明細書に係るものを除く。）は、会社計算規則の定めるところによる。

一　法第四百三十二条第一項
二　法第四百三十五条第一項及び第二項
三　法第四百三十六条第一項及び第二項
四　法第四百三十七条
五　法第四百三十九条
六　法第四百四十条第一項及び第三項
七　法第四百四十一条第一項、第二項及び第四項
八　法第四百四十四条第一項、第四項及び第六項
九　法第四百四十五条第四項から第六項まで
十　法第四百四十六条第一号ホ及び第七号
十一　法第四百五十二条
十二　法第四百五十九条第二項
十三　法第四百六十条第二項
十四　法第四百六十一条第二項第二号イ、第五号及び第六号
十五　法第四百六十二条第一項

第二節　事業報告

第一款　通則

第一一七条　次の各号に掲げる規定に規定する法務省令で定めるべき事項（事業報告及びその附属明細書に係るものに限る。）は、当該各号に定める規定の定めるところによる。ただし、他の法令に別段の定めがある場合は、この限りでない。

一　法第四百三十五条第二項　次款
二　法第四百三十六条第一項及び第二項　第三款
三　法第四百三十七条　第四款

第二款　事業報告等の内容

第一目　通則

第一一八条　事業報告は、次に掲げる事項をその内容としなければならない。

一　当該株式会社の状況に関する重要な事項（計算書類及びその附属明細書並びに連結計算書類の内容となる事項を除く。）
二　法第三百四十八条第三項第四号、第三百六十二条第四項第六号、第三百九十九条の十三第一項第一号ロ及びハ並びに第四百十六条第一項第一号ロ及びホに規定する体制の整備についての決定又は決議があるときは、その決定又は決議の内容の概要及び当該体制の運用状況の概要
三　株式会社が当該株式会社の財務及び事業の方針の決定を支配する者の在り方に関する基本方針（以下この号において「基本方針」という。）を定めているときは、次に掲げる事項
イ　基本方針の内容の概要
ロ　次に掲げる取組みの具体的な内容の概要
(1)　当該株式会社の財産の有効な活用、適切な企業集団の形成その他の基本方針の実現に資する特別な取組み
(2)　基本方針に照らして不適切な者によって当該株式会社の財務及び事業の方針の決定が支配されることを防止するための取組み
ハ　ロの取組みの次に掲げる要件への該当性に関する当該株式会社の取締役（取締役会設置会社にあっては、取締役会）の判断及びその理由（当該理由が社外役員の存否に関する事項のみである場合における当該事項を除く。）
(1)　当該取組みが基本方針に沿うものであること。
(2)　当該取組みが当該株式会社の株主の共同の利益を損なうものではないこと。
(3)　当該取組みが当該株式会社の会社役員の地位の維持を目的とするものではないこと。
四　当該株式会社（当該事業年度の末日において、その完全親会社等があるものを除く。）に特定完全子会社（当該事業年度の末日において、当該株式会社及びその完全子会社等（法第八百四十七条の三第三項の規定により当該完全子会社等とみなされるものを含む。以下この号において同じ。）における当該株式会社のある完全子会社等（株式会社に限る。）の株式の帳簿価額が当該株式会社の当該事業年度に係る貸借対照表の資産の部に計上した額の合計額の五分の一（法第八百四十七条の三第四項の規定により五分の一を下回る割合を定款で定めた場合にあっては、その割合）を超える場合における当該ある完全子会社等をいう。以下この号において同じ。）がある場合には、次に掲げる事項
イ　当該特定完全子会社の名称及び住所
ロ　当該株式会社及びその完全子会社等における当該特定完全子会社の株式の当該事業年度の末日における帳簿価額の合計額
ハ　当該株式会社の当該事業年度に係る貸借対照表の資産の部に計上した額の合計額
五　当該株式会社とその親会社等との間の取引（当該株式会社と第三者との間の取引で当該株式会社とその親会社等との間の利益が相反するものを含む。）であって、当該株式会社の当該事業年度に係る個別注記表において会社計算規則第百十二条第一項に規定する注記を要するもの（同項ただし書の規定により同項第四号から第六号まで及び第八号に掲げる事項を省略するものを除く。）があるときは、当該取引に係る次に掲げる事項
イ　当該取引をするに当たり当該株式会社の利益を害さないように留意した事項（当該事項がない場合にあっては、その旨）
ロ　当該取引が当該株式会社の利益を害さないかどうかについての当該株式会社の取締役（取締役会設置会社にあっては、取締役会。ハにおいて同じ。）の判断及びその理由
ハ　社外取締役を置く株式会社において、ロの取締役の判断が社外取締役の意見と異なる場合には、その意見

第二目　公開会社における事業報告の内容

（公開会社の特則）

第一一九条　株式会社が当該事業年度の末日において公開会社である場合には、次に掲げる事項を事業報告の内容に含めなければならない。

一　株式会社の現況に関する事項
二　株式会社の会社役員に関する事項
二の二　株式会社の役員等賠償責任保険契約に関する事項
三　株式会社の株式に関する事項
四　株式会社の新株予約権等に関する事項

（株式会社の現況に関する事項）

第一二〇条①　前条第一号に規定する「株式会社の現況に関する事項」とは、次に掲げる事項（当該株式会社の事業が二以上の部門に分かれている場合にあっては、部門別に区別することが困難である場合を除き、その部門別に区別された事項）とする。

一　当該事業年度の末日における主要な事業内容
二　当該事業年度の末日における主要な営業所及び工場並びに使用人の状況
三　当該事業年度の末日において主要な借入先があるときは、その借入先及び借入額
四　当該事業年度における事業の経過及びその成果
五　当該事業年度における次に掲げる事項についての状況（重要なものに限る。）
イ　資金調達
ロ　設備投資
ハ　事業の譲渡、吸収分割又は新設分割
ニ　他の会社（外国会社を含む。）の事業の譲受け
ホ　吸収合併（会社以外の者との合併（当該合併後当該株式会社が存続するものに限る。）を含む。）又は吸収分割による他の法人等の事業に関する権利義務の承継
ヘ　他の会社（外国会社を含む。）の株式その他の持分又は新株予約権等の取得又は処分
六　直前三事業年度（当該事業年度の末日において三事業年度が終了していない株式会社にあっては、成立後の各事業年度）の財産及び損益の状況
七　重要な親会社及び子会社の状況（当該親会社と当該株式会社との間に当該株式会社の重要な財務及び事業の方針に関する契約等が存在する場合には、その内容の概要を含む。）
八　対処すべき課題
九　前各号に掲げるもののほか、当該株式会社の現況に関する重要な事項

②　株式会社が当該事業年度に係る連結計算書類を作成している場合には、前項各号に掲げる事項については、当該株式会社及びその子会社から成る企業集団の現況に関する事項とすることができる。この場合において、当該事項に相当する事項が連結計算書類の内容となっているときは、当該事項を事業報告の内容としないことができる。

③　第一項第六号に掲げる事項については、当該事業年度における過年度事項（当該事業年度より前の事業年度に係る貸借対照表、損益計算書又は株主資本等変動計算書に表示すべき事項をいう。）が会計方針の変更その他の正当な理由により当該事業年度より前の事業年度に係る定時株主総会において承認又は報告をしたものと異なっているときは、修正後の過年度事項を反映した事項とすることを妨げない。

（株式会社の会社役員に関する事項）

第一二一条　第百十九条第二号に規定する「株式会社の会社役員に関する事項」とは、次に掲げる事項とする。ただし、当該事業年度の末日において監査役会設置会社（公開会社であり、かつ、大会社であるものに限る。）であって金融商品取引法第二十四条第一項の規定によりその発行する株式について有価証券報告書を内閣総理大臣に提出しなければならないもの、監査等委員会設置会社又は指名委員会等設置会社でない株式会社にあっては、第六号の二に掲げる事項を省略することができる。

一　会社役員（直前の定時株主総会の終結の日の翌日以降に在任していた者に限る。次号から第三号の二まで、第八号及び第九号並びに第百二十八条第二項において同じ。）の氏名（会計参与にあっては、氏名又は名称）
二　会社役員の地位及び担当
三　会社役員（取締役又は監査役に限る。以下この号において同じ。）と当該株式会社との間で法第四百二十七条第一項の契約を締結しているときは、当該契約の内容の概要（当該契約によって当該会社役員の職務の執行の適正性が損なわれないようにするための措置を講じている場合にあっては、その内容を含む。）
三の二　会社役員（取締役、監査役又は執行役に限る。以下この号において同じ。）と当該株式会社との間で補償契約を締結しているときは、次に掲げる事項
イ　当該会社役員の氏名
ロ　当該補償契約の内容の概要（当該補償契約によって当該会社役員の職務の執行の適正性が損なわれないようにするための措置を講じている場合にあっては、その内容を含む。）
三の三　当該株式会社が会社役員（取締役、監査役又は執行役に限り、当該事業年度の前事業年度の末日までに退任した者を含む。以下この号及び次号において同じ。）に対して補償契約に基づき法第四百三十条の二第一項第一号に掲げる費用を補償した場合において、当該株式会社が、当該事業年度において、当該会社役員が同号の職務の執行に関し法令の規定に違反したこと又は責任を負うことを知ったときは、その旨
三の四　当該株式会社が会社役員に対して補償契約に基づき法第四百三十条の二第一項第二号に掲げる損失を補償したときは、その旨及び補償した金額
四　当該事業年度に係る会社役員の報酬等について、次のイからハまでに掲げる場合の区分に応じ、当該イからハまでに定める事項
イ　会社役員の全部につき取締役（監査等委員会設置会社にあっては、監査等委員である取締役又はそれ以外の取締役。イ及びハにおいて同じ。）、会計参与、監査役又は執行役ごとの報酬等の総額（当該報酬等が業績連動報酬等又は非金銭報酬等を含む場合には、業績連動報酬等の総額、非金銭報酬等の総額及びそれら以外の報酬等の総額。イ及びハ並びに第百二十四条第五号イ及びハにおいて同じ。）を掲げることとする場合　取締役、会計参与、監査役又は執行役ごとの報酬等の総額及び員数
ロ　会社役員の全部につき当該会社役員ごとの報酬等の額（当該報酬等が業績連動報酬等又は非金銭報酬等を含む場合には、業績連動報酬等の額、非金銭報酬等の額及びそれら以外の報酬等の額。ロ及びハ並びに第百二十四条第五号ロ及びハにおいて同じ。）を掲げることとする場合　当該会社役員ごとの報酬等の額
ハ　会社役員の一部につき当該会社役員ごとの報酬等の額を掲げることとする場合　当該会社役員ごとの報酬等の額並びにその他の会社役員についての取締役、会計参与、監査役又は執行役ごとの報酬等の総額及び員数
五　当該事業年度において受け、又は受ける見込みの額が明らかとなった会社役員の報酬等（前号の規定により当該事業年度に係る事業報告の内容とする報酬等及び当該事業年度前の事業年度に係る事業報告の内容とした報酬等を除く。）について、同号イからハまでに掲げる場合の区分に応じ、当該イからハまでに定める事項
五の二　前二号の会社役員の報酬等の全部又は一部が業績連動報酬等である場合には、次に掲げる事項
イ　当該業績連動報酬等の額又は数の算定の基礎として選定した業績指標の内容及び当該業績指標を選定した理由
ロ　当該業績連動報酬等の額又は数の算定方法
ハ　当該業績連動報酬等の額又は数の算定に用いたイの業績

指標に関する実績

五の三　第四号及び第五号の会社役員の報酬等の全部又は一部が非金銭報酬等である場合には、当該非金銭報酬等の内容

五の四　会社役員の報酬等についての定款の定め又は株主総会の決議による定めに関する次に掲げる事項

イ　当該定款の定めを設けた日又は当該株主総会の決議の日

ロ　当該定めの内容の概要

ハ　当該定めに係る会社役員の員数

六　法第三百六十一条第七項の方針又は法第四百九条第一項の方針を定めているときは、次に掲げる事項

イ　当該方針の決定の方法

ロ　当該方針の内容の概要

ハ　当該事業年度に係る取締役（監査等委員である取締役を除き、指名委員会等設置会社にあっては、執行役等）の個人別の報酬等の内容が当該方針に沿うものであると取締役会（指名委員会等設置会社にあっては、報酬委員会）が判断した理由

六の二　各会社役員の報酬等の額又はその算定方法に係る決定に関する方針（前号の方針を除く。）を定めているときは、当該方針の決定の方法及びその方針の内容の概要

六の三　株式会社が当該事業年度の末日において取締役会設置会社（指名委員会等設置会社を除く。）である場合において、取締役会から委任を受けた取締役その他の第三者が当該事業年度に係る取締役（監査等委員である取締役を除く。）の個人別の報酬等の内容の全部又は一部を決定したときは、その旨及び次に掲げる事項

イ　当該委任を受けた者の氏名並びに当該内容を決定した日における当該株式会社における地位及び担当

ロ　イの者に委任された権限の内容

ハ　イの者にロの権限を委任した理由

ニ　イの者によりロの権限が適切に行使されるようにするための措置を講じた場合にあっては、その内容

七　辞任した会社役員又は解任された会社役員（株主総会又は種類株主総会の決議によって解任されたものを除く。）があるときは、次に掲げる事項（当該事業年度前の事業年度に係る事業報告の内容としたものを除く。）

イ　当該会社役員の氏名（会計参与にあっては、氏名又は名称）

ロ　法第三百四十二条の二第一項若しくは第四項又は第三百四十五条第一項（同条第四項において読み替えて準用する場合を含む。）の意見があるときは、その意見の内容

ハ　法第三百四十二条の二第二項又は第三百四十五条第二項（同条第四項において読み替えて準用する場合を含む。）の理由があるときは、その理由

八　当該事業年度に係る当該株式会社の会社役員（会計参与を除く。）の重要な兼職の状況

九　会社役員のうち監査役、監査等委員又は監査委員が財務及び会計に関する相当程度の知見を有しているものであるときは、その事実

十　次のイ又はロに掲げる場合の区分に応じ、当該イ又はロに定める事項

イ　株式会社が当該事業年度の末日において監査等委員会設置会社である場合　常勤の監査等委員の選定の有無及びその理由

ロ　株式会社が当該事業年度の末日において指名委員会等設置会社である場合　常勤の監査委員の選定の有無及びその理由

十一　前各号に掲げるもののほか、株式会社の会社役員に関する重要な事項

（株式会社の役員等賠償責任保険契約に関する事項）

第一二一条の二　第百十九条第二号の二に規定する「株式会社の役員等賠償責任保険契約に関する事項」とは、当該株式会社が保険者との間で役員等賠償責任保険契約を締結しているときにおける次に掲げる事項とする。

一　当該役員等賠償責任保険契約の被保険者の範囲

二　当該役員等賠償責任保険契約の内容の概要（被保険者が実質的に保険料を負担している場合にあってはその負担割合、塡補の対象とされる保険事故の概要及び当該役員等賠償責任保険契約によって被保険者である役員等（当該株式会社の役員等に限る。）の職務の執行の適正性が損なわれないようにするための措置を講じている場合にあってはその内容を含む。）

（株式会社の株式に関する事項）

第一二二条①　第百十九条第三号に規定する「株式会社の株式に関する事項」とは、次に掲げる事項とする。

一　当該事業年度の末日において発行済株式（自己株式を除く。次項において同じ。）の総数に対するその有する株式の数の割合が高いことにおいて上位となる十名の株主の氏名又は名称、当該株主の有する株式の数（種類株式発行会社にあっては、株式の種類及び種類ごとの数を含む。）及び当該株主の有する株式に係る当該割合

二　当該事業年度中に当該株式会社の会社役員（会社役員であった者を含む。）に対して当該株式会社が交付した当該株式会社の株式（職務執行の対価として交付したものに限り、当該株式会社が会社役員に対して職務執行の対価として募集株式と引換えにする払込みに充てるための金銭を交付した場合において、当該金銭の払込みと引換えに当該株式会社の株式を交付したときにおける当該株式を含む。以下この号において同じ。）があるときは、次に掲げる者（次に掲げる者であった者を含む。）の区分ごとの株式の数（種類株式発行会社にあっては、株式の種類及び種類ごとの数）及び株式の交付を受けた者の人数

イ　当該株式会社の取締役（監査等委員である取締役及び社外役員を除き、執行役を含む。）

ロ　当該株式会社の社外取締役（監査等委員である取締役を除き、社外役員に限る。）

ハ　当該株式会社の監査等委員である取締役

ニ　当該株式会社の取締役（執行役を含む。）以外の会社役員

三　前二号に掲げるもののほか、株式会社の株式に関する重要な事項

②　当該事業年度に関する定時株主総会において議決権を行使することができる者を定めるための法第百二十四条第一項に規定する基準日を定めた場合において、当該基準日が当該事業年度の末日後の日であるときは、前項第一号に掲げる事項については、当該基準日において発行済株式の総数に対するその有する株式の数の割合が高いことにおいて上位となる十名の株主の氏名又は名称、当該株主の有する株式の数（種類株式発行会社にあっては、株式の種類及び種類ごとの数を含む。）及び当該株主の有する株式に係る当該割合とすることができる。この場合においては、当該基準日を明らかにしなければならない。

（株式会社の新株予約権等に関する事項）

第一二三条　第百十九条第四号に規定する「株式会社の新株予約権等に関する事項」とは、次に掲げる事項とする。

一　当該事業年度の末日において当該株式会社の会社役員（当該事業年度の末日において在任している者に限る。以下この条において同じ。）が当該株式会社の新株予約権等（職務執行の対価として当該株式会社が交付したものに限り、当該株式会社が会社役員に対して職務執行の対価として募集新株予約権と引換えにする払込みに充てるための金銭を交付した場合において、当該金銭の払込みと引換えに当該株式会社の新株予約権を交付したときにおける当該新株予約権を含む。以下この号及び次号において同じ。）を有しているときは、次に掲げる者の区分ごとの当該新株予約権等の内容の概要及び新株予約権等を有する者の人数

イ　当該株式会社の取締役（監査等委員であるもの及び社外役員を除き、執行役を含む。）

ロ　当該株式会社の社外取締役（監査等委員であるものを除

き、社外役員に限る。）
ハ　当該株式会社の監査等委員である取締役
ニ　当該株式会社の取締役（執行役を含む。）以外の会社役員
二　当該事業年度中に次に掲げる者に対して当該株式会社が交付した新株予約権等があるときは、次に掲げる者の区分ごとの当該新株予約権等の内容の概要及び交付した者の人数
イ　当該株式会社の使用人（当該株式会社の会社役員を兼ねている者を除く。）
ロ　当該株式会社の子会社の役員及び使用人（当該株式会社の会社役員又はイに掲げる者を兼ねている者を除く。）
三　前二号に掲げるもののほか、当該株式会社の新株予約権等に関する重要な事項

（社外役員等に関する特則）

第一二四条　会社役員のうち社外役員である者が存する場合には、株式会社の会社役員に関する事項には、第百二十一条に規定する事項のほか、次に掲げる事項を含むものとする。
一　社外役員（直前の定時株主総会の終結の日の翌日以降に在任していた者に限る。次号から第四号までにおいて同じ。）が他の法人等の業務執行者であることが第百二十一条第八号に定める重要な兼職に該当する場合は、当該株式会社と当該他の法人等との関係
二　社外役員が他の法人等の社外役員その他これに類する者を兼任していることが第百二十一条第八号に定める重要な兼職に該当する場合は、当該株式会社と当該他の法人等との関係
三　社外役員が次に掲げる者の配偶者、三親等以内の親族その他これに準ずる者であることを当該株式会社が知っているときは、その事実（重要でないものを除く。）
イ　当該株式会社の親会社等（自然人であるものに限る。）
ロ　当該株式会社又は当該株式会社の特定関係事業者の業務執行者又は役員（業務執行者であるものを除く。）
四　各社外役員の当該事業年度における主な活動状況（次に掲げる事項を含む。）
イ　取締役会（当該社外役員が次に掲げる者である場合にあっては、次に定めるものを含む。ロにおいて同じ。）への出席の状況
(1)　監査役会設置会社の社外監査役　監査役会
(2)　監査等委員会設置会社の監査等委員　監査等委員会
(3)　指名委員会等設置会社の監査委員　監査委員会
ロ　取締役会における発言の状況
ハ　当該社外役員の意見により当該株式会社の事業の方針又は事業その他の事項に係る決定が変更されたときは、その内容（重要でないものを除く。）
ニ　当該事業年度中に当該株式会社において法令又は定款に違反する事実その他不当な業務の執行（当該社外役員が社外監査役である場合にあっては、不正な業務の執行）が行われた事実（重要でないものを除く。）があるときは、各社外役員が当該事実の発生の予防のために行った行為及び当該事実の発生後の対応として行った行為の概要
ホ　当該社外役員が社外取締役であるときは、当該社外役員が果たすことが期待される役割に関して行った職務の概要（イからニまでに掲げる事項を除く。）
五　当該事業年度に係る社外役員の報酬等について、次のイからハまでに掲げる場合の区分に応じ、当該イからハまでに定める事項
イ　社外役員の全部につき報酬等の総額を掲げることとする場合　社外役員の報酬等の総額及び員数
ロ　社外役員の全部につき当該社外役員ごとの報酬等の額を掲げることとする場合　当該社外役員ごとの報酬等の額
ハ　社外役員の一部につき当該社外役員ごとの報酬等の額を掲げることとする場合　当該社外役員ごとの報酬等の額並びにその他の社外役員についての報酬等の総額及び員数
六　当該事業年度において受け、又は受ける見込みの額が明らかとなった社外役員の報酬等（前号の規定により当該事業年度に係る事業報告の内容とする報酬等及び当該事業年度前の事業年度に係る事業報告の内容とした報酬等を除く。）について、同号イからハまでに掲げる場合の区分に応じ、当該イからハまでに定める事項
七　社外役員が次のイ又はロに掲げる場合の区分に応じ、当該イ又はロに定めるものから当該事業年度において役員としての報酬等を受けているときは、当該報酬等の総額（社外役員であった期間に受けたものに限る。）
イ　当該株式会社に親会社等がある場合　当該親会社等又は当該親会社等の子会社等（当該株式会社を除く。）
ロ　当該株式会社に親会社等がない場合　当該株式会社の子会社
八　社外役員についての前各号に掲げる事項の内容に対して当該社外役員の意見があるときは、その意見の内容

第三目　会計参与設置会社における事業報告の内容

第一二五条　株式会社が当該事業年度の末日において会計参与設置会社である場合には、次に掲げる事項を事業報告の内容としなければならない。
一　会計参与と当該株式会社との間で法第四百二十七条第一項の契約を締結しているときは、当該契約の内容の概要（当該契約によって当該会計参与の職務の執行の適正性が損なわれないようにするための措置を講じている場合にあっては、その内容を含む。）
二　会計参与と当該株式会社との間で補償契約を締結しているときは、次に掲げる事項
イ　当該会計参与の氏名又は名称
ロ　当該補償契約の内容の概要（当該補償契約によって当該会計参与の職務の執行の適正性が損なわれないようにするための措置を講じている場合にあっては、その内容を含む。）
三　当該株式会社が会計参与（当該事業年度の前事業年度の末日までに退任した者を含む。以下この号及び次号において同じ。）に対して補償契約に基づき法第四百三十条の二第一項第一号に掲げる費用を補償した場合において、当該株式会社が、当該事業年度において、当該会計参与が同号の職務の執行に関し法令の規定に違反したこと又は責任を負うことを知ったときは、その旨
四　当該株式会社が会計参与に対して補償契約に基づき法第四百三十条の二第一項第二号に掲げる損失を補償したときは、その旨及び補償した金額

第四目　会計監査人設置会社における事業報告の内容

第一二六条　株式会社が当該事業年度の末日において会計監査人設置会社である場合には、次に掲げる事項（株式会社が当該事業年度の末日において公開会社でない場合にあっては、第二号から第四号までに掲げる事項を除く。）を事業報告の内容としなければならない。
一　会計監査人の氏名又は名称
二　当該事業年度に係る各会計監査人の報酬等の額及び当該報酬等について監査役（監査役会設置会社にあっては監査役会、監査等委員会設置会社にあっては監査等委員会、指名委員会等設置会社にあっては監査委員会）が法第三百九十九条第一項の同意をした理由
三　会計監査人に対して公認会計士法第二条第一項の業務以外の業務（以下この号において「非監査業務」という。）の対価を支払っているときは、その非監査業務の内容
四　会計監査人の解任又は不再任の決定の方針
五　会計監査人が現に業務の停止の処分を受け、その停止の期間を経過しない者であるときは、当該処分に係る事項
六　会計監査人が過去二年間に業務の停止の処分を受けた者で

ある場合における当該処分に係る事項のうち、当該株式会社が事業報告の内容とすることが適切であるものと判断した事項

七　会計監査人と当該株式会社との間で法第四百二十七条第一項の契約を締結しているときは、当該契約の内容の概要（当該契約によって当該会計監査人の職務の執行の適正性が損なわれないようにするための措置を講じている場合にあっては、その内容を含む。）

七の二　会計監査人と当該株式会社との間で補償契約を締結しているときは、次に掲げる事項

イ　当該会計監査人の氏名又は名称

ロ　当該補償契約の内容の概要（当該補償契約によって当該会計監査人の職務の執行の適正性が損なわれないようにするための措置を講じている場合にあっては、その内容を含む。）

七の三　当該株式会社が会計監査人（当該事業年度の前事業年度の末日までに退任した者を含む。以下この号及び次号において同じ。）に対して補償契約に基づき法第四百三十条の二第一項第一号に掲げる費用を補償した場合において、当該株式会社が、当該事業年度において、当該会計監査人が同号の職務の執行に関し法令の規定に違反したこと又は責任を負うことを知ったときは、その旨

七の四　当該株式会社が会計監査人に対して補償契約に基づき法第四百三十条の二第一項第二号に掲げる損失を補償したときは、その旨及び補償した金額

八　株式会社が法第四百四十四条第三項に規定する大会社であるときは、次に掲げる事項

イ　当該株式会社の会計監査人である公認会計士（公認会計士法第十六条の二第五項に規定する外国公認会計士を含む。以下この条において同じ。）又は監査法人に当該株式会社及びその子会社が支払うべき金銭その他の財産上の利益の合計額（当該事業年度に係る連結損益計算書に計上すべきものに限る。）

ロ　当該株式会社の会計監査人以外の公認会計士又は監査法人（外国におけるこれらの資格に相当する資格を有する者を含む。）が当該株式会社の子会社（重要なものに限る。）の計算関係書類（これに相当するものを含む。）の監査（法又は金融商品取引法（これらの法律に相当する外国の法令を含む。）の規定によるものに限る。）をしているときは、その事実

九　辞任した会計監査人又は解任された会計監査人（株主総会の決議によって解任されたものを除く。）があるときは、次に掲げる事項（当該事業年度前の事業年度に係る事業報告の内容としたものを除く。）

イ　当該会計監査人の氏名又は名称

ロ　法第三百四十条第三項の理由があるときは、その理由

ハ　法第三百四十五条第五項において読み替えて準用する同条第一項の意見があるときは、その意見の内容

ニ　法第三百四十五条第五項において読み替えて準用する同条第二項の理由又は意見があるときは、その理由又は意見

十　法第四百五十九条第一項の規定による定款の定めがあるときは、当該定款の定めにより取締役会に与えられた権限の行使に関する方針

第百二十七条　削除

第五目　事業報告の附属明細書の内容

第百二十八条①　事業報告の附属明細書は、事業報告の内容を補足する重要な事項をその内容とするものでなければならない。

②　株式会社が当該事業年度の末日において公開会社であるときは、他の法人等の業務執行取締役、執行役、業務を執行する社員又は法第五百九十八条第一項の職務を行うべき者その他これに類する者を兼ねることが第百二十一条第八号の重要な兼職に該当する会社役員（会計参与を除く。）についての当該兼職の状況の明細（重要でないものを除く。）を事業報告の附属明細書の内容としなければならない。この場合において、当該他の法人等の事業が当該株式会社の事業と同一の部類のものであるときは、その旨を付記しなければならない。

③　当該株式会社とその親会社等との間の取引（当該株式会社と第三者との間の取引で当該株式会社とその親会社等との間の利益が相反するものを含む。）であって、当該株式会社の当該事業年度に係る個別注記表において会社計算規則第百十二条第一項に規定する注記を要するもの（同項ただし書の規定により同項第四号から第六号まで及び第八号に掲げる事項を省略するものに限る。）があるときは、当該取引に係る第百十八条第五号イからハまでに掲げる事項を事業報告の附属明細書の内容としなければならない。

第三款　事業報告等の監査

（監査役の監査報告の内容）

第百二十九条①　監査役は、事業報告及びその附属明細書を受領したときは、次に掲げる事項（監査役会設置会社の監査役の監査報告にあっては、第一号から第六号までに掲げる事項）を内容とする監査報告を作成しなければならない。

一　監査役の監査（計算関係書類に係るものを除く。以下この款において同じ。）の方法及びその内容

二　事業報告及びその附属明細書が法令又は定款に従い当該株式会社の状況を正しく示しているかどうかについての意見

三　当該株式会社の取締役（当該事業年度中に当該株式会社が指名委員会等設置会社であった場合にあっては、執行役を含む。）の職務の遂行に関し、不正の行為又は法令若しくは定款に違反する重大な事実があったときは、その事実

四　監査のため必要な調査ができなかったときは、その旨及びその理由

五　第百十八条第二号に掲げる事項（監査の範囲に属さないものを除く。）がある場合において、当該事項の内容が相当でないと認めるときは、その旨及びその理由

六　第百十八条第三号若しくは第五号に規定する事項が事業報告の内容となっているとき又は前条第三項に規定する事項が事業報告の附属明細書の内容となっているときは、当該事項についての意見

七　監査報告を作成した日

②　前項の規定にかかわらず、監査役の監査の範囲を会計に関するものに限定する旨の定款の定めがある株式会社の監査役は、同項各号に掲げる事項に代えて、事業報告を監査する権限がないことを明らかにした監査報告を作成しなければならない。

（監査役会の監査報告の内容等）

第百三十条①　監査役会は、前条第一項の規定により監査役が作成した監査報告（以下この条において「監査役監査報告」という。）に基づき、監査役会の監査報告（以下この条において「監査役会監査報告」という。）を作成しなければならない。

②　監査役会監査報告は、次に掲げる事項を内容とするものでなければならない。この場合において、監査役は、当該事項に係る監査役会監査報告の内容と当該事項に係る当該監査役の監査役監査報告の内容が異なる場合には、当該事項に係る監査役監査報告の内容を監査役会監査報告に付記することができる。

一　監査役及び監査役会の監査の方法及びその内容

二　前条第一項第二号から第六号までに掲げる事項

三　監査役会監査報告を作成した日

③　監査役会が監査役会監査報告を作成する場合には、監査役会は、一回以上、会議を開催する方法又は情報の送受信により同時に意見の交換をすることができる方法により、監査役会監査報告の内容（前項後段の規定による付記の内容を除く。）を審議しなければならない。

（監査等委員会の監査報告の内容等）

第百三十条の二①　監査等委員会は、事業報告及びその附属明細書を受領したときは、次に掲げる事項を内容とする監査報告を

作成しなければならない。この場合において、監査等委員は、当該事項に係る監査報告の内容が当該監査等委員の意見と異なる場合には、その意見を監査報告に付記することができる。

一　監査等委員会の監査の方法及びその内容

二　第百二十九条第一項第二号から第六号までに掲げる事項

三　監査報告を作成した日

②　前項に規定する監査報告の内容（同項後段の規定による付記の内容を除く。）は、監査等委員会の決議をもって定めなければならない。

（監査委員会の監査報告の内容等）

第一三一条①　監査委員会は、事業報告及びその附属明細書を受領したときは、次に掲げる事項を内容とする監査報告を作成しなければならない。この場合において、監査委員は、当該事項に係る監査報告の内容が当該監査委員の意見と異なる場合には、その意見を監査報告に付記することができる。

一　監査委員会の監査の方法及びその内容

二　第百二十九条第一項第二号から第六号までに掲げる事項

三　監査報告を作成した日

②　前項に規定する監査報告の内容（同項後段の規定による付記の内容を除く。）は、監査委員会の決議をもって定めなければならない。

（監査役監査報告等の通知期限）

第一三二条①　特定監査役は、次に掲げる日のいずれか遅い日までに、特定取締役に対して、監査報告（監査役会設置会社にあっては、第百三十条第一項の規定により作成した監査役会の監査報告に限る。以下この条において同じ。）の内容を通知しなければならない。

一　事業報告を受領した日から四週間を経過した日

二　事業報告の附属明細書を受領した日から一週間を経過した日

三　特定取締役及び特定監査役の間で合意した日

②　事業報告及びその附属明細書については、特定取締役が前項の規定による監査報告の内容の通知を受けた日に、監査役（監査等委員会設置会社にあっては監査等委員会、指名委員会等設置会社にあっては監査委員会）の監査を受けたものとする。

③　前項の規定にかかわらず、特定監査役が第一項の規定により通知をすべき日までに同項の規定による監査報告の内容の通知をしない場合には、当該通知をすべき日に、事業報告及びその附属明細書については、監査役（監査等委員会設置会社にあっては監査等委員会、指名委員会等設置会社にあっては監査委員会）の監査を受けたものとみなす。

④　第一項及び第二項に規定する「特定取締役」とは、次の各号に掲げる場合の区分に応じ、当該各号に定める者をいう。

一　第一項の規定による通知を受ける者を定めた場合　当該通知を受ける者と定められた者

二　前号に掲げる場合以外の場合　事業報告及びその附属明細書の作成に関する職務を行った取締役又は執行役

⑤　第一項及び第三項に規定する「特定監査役」とは、次の各号に掲げる株式会社の区分に応じ、当該各号に定める者とする。

一　監査役設置会社（監査役の監査の範囲を会計に関するものに限定する旨の定款の定めがある株式会社を含み、監査役会設置会社を除く。）　次のイからハまでに掲げる場合の区分に応じ、当該イからハまでに定める者

イ　二以上の監査役が存する場合において、第一項の規定による監査報告の内容の通知をすべき監査役を定めたとき　当該通知をすべき監査役として定められた監査役

ロ　二以上の監査役が存する場合において、第一項の規定による監査報告の内容の通知をすべき監査役を定めていないとき　全ての監査役

ハ　イ又はロに掲げる場合以外の場合　監査役

二　監査役会設置会社　次のイ又はロに掲げる場合の区分に応じ、当該イ又はロに定める者

イ　監査役会が第一項の規定による監査報告の内容の通知をすべき監査役を定めた場合　当該通知をすべき監査役として定められた監査役

ロ　イに掲げる場合以外の場合　全ての監査役

三　監査等委員会設置会社　次のイ又はロに掲げる場合の区分に応じ、当該イ又はロに定める者

イ　監査等委員会が第一項の規定による監査報告の内容の通知をすべき監査等委員を定めた場合　当該通知をすべき監査等委員として定められた監査等委員

ロ　イに掲げる場合以外の場合　監査等委員のうちいずれかの者

四　指名委員会等設置会社　次のイ又はロに掲げる場合の区分に応じ、当該イ又はロに定める者

イ　監査委員会が第一項の規定による監査報告の内容の通知をすべき監査委員を定めた場合　当該通知をすべき監査委員として定められた監査委員

ロ　イに掲げる場合以外の場合　監査委員のうちいずれかの者

第四款　事業報告等の株主への提供

第一三三条①　法第四百三十七条の規定により株主に対して行う提供事業報告（次の各号に掲げる株式会社の区分に応じ、当該各号に定めるものをいう。以下この条において同じ。）の提供に関しては、この条に定めるところによる。

一　株式会社（監査役設置会社、監査等委員会設置会社及び指名委員会等設置会社を除く。）　事業報告

二　監査役設置会社、監査等委員会設置会社及び指名委員会等設置会社　次に掲げるもの

イ　事業報告

ロ　事業報告に係る監査役（監査役会設置会社にあっては監査役会、監査等委員会設置会社にあっては監査等委員会、指名委員会等設置会社にあっては監査委員会）の監査報告があるときは、当該監査報告（二以上の監査役が存する株式会社（監査役会設置会社を除く。）の各監査役の監査報告の内容（監査報告を作成した日を除く。）が同一である場合にあっては、一又は二以上の監査役の監査報告）

ハ　前条第三項の規定により監査を受けたものとみなされたときは、その旨を記載又は記録をした書面又は電磁的記録

②　定時株主総会の招集通知（法第二百九十九条第二項又は第三項の規定による通知をいう。以下この条において同じ。）を次の各号に掲げる方法により行う場合には、提供事業報告は、当該各号に定める方法により提供しなければならない。

一　書面の提供　次のイ又はロに掲げる場合の区分に応じ、当該イ又はロに定める方法

イ　提供事業報告が書面をもって作成されている場合　当該書面に記載された事項を記載した書面の提供

ロ　提供事業報告が電磁的記録をもって作成されている場合　当該電磁的記録に記録された事項を記載した書面の提供

二　電磁的方法による提供　次のイ又はロに掲げる場合の区分に応じ、当該イ又はロに定める方法

イ　提供事業報告が書面をもって作成されている場合　当該書面に記載された事項の電磁的方法による提供

ロ　提供事業報告が電磁的記録をもって作成されている場合　当該電磁的記録に記録された事項の電磁的方法による提供

③　提供事業報告に表示すべき事項（次に掲げるものを除く。）に係る情報を、定時株主総会に係る招集通知を発出する時から定時株主総会の日から三箇月が経過する日までの間、継続して電磁的方法により株主が提供を受けることができる状態に置く措置（第二百二十二条第一項第一号ロに掲げる方法のうち、インターネットに接続された自動公衆送信装置を使用する方法によって行われるものに限る。第七項において同じ。）をとる場合における前項の規定の適用については、当該事項につき同項各号に掲げる場合の区分に応じ、当該各号に定める方法により株

主に対して提供したものとみなす。ただし、この項の措置をとる旨の定款の定めがある場合に限る。

一　第百二十条第一項第五号及び第七号並びに第百二十一条第一号、第二号及び第四号から第六号の三までに掲げる事項

二　提供事業報告に表示すべき事項（前号に掲げるものを除く。）につきこの項の措置をとることについて監査役、監査等委員会又は監査委員会が異議を述べている場合における当該事項

④　前項の場合には、取締役は、同項の措置をとるために使用する自動公衆送信装置のうち当該措置をとるための用に供する部分をインターネットにおいて識別するための文字、記号その他の符号又はこれらの結合であって、情報の提供を受ける者がその使用に係る電子計算機に入力することによって当該情報の内容を閲覧し、当該電子計算機に備えられたファイルに当該情報を記録することができるものを株主に対して通知しなければならない。

⑤　第三項の規定により提供事業報告に表示した事項の一部が株主に対して第二項各号に定める方法により提供したものとみなされた場合において、監査役、監査等委員会又は監査委員会が、現に株主に対して提供される事業報告が監査報告を作成するに際して監査をした事業報告の一部であることを株主に対して通知すべき旨を取締役に請求したときは、取締役は、その旨を株主に対して通知しなければならない。

⑥　取締役は、事業報告の内容とすべき事項について、定時株主総会の招集通知を発出した日から定時株主総会の前日までの間に修正をすべき事情が生じた場合における修正後の事項を株主に周知させる方法を、当該招集通知と併せて通知することができる。

⑦　第三項の規定は、同項各号に掲げる事項に係る情報についても、電磁的方法により株主が提供を受けることができる状態に置く措置をとることを妨げるものではない。

第六章　事業の譲渡等

（総資産額）

第百三十四条①　法第四百六十七条第一項第二号及び第二号の二イに規定する法務省令で定める方法は、算定基準日（同項第二号又は第二号の二に規定する譲渡に係る契約を締結した日（当該契約により当該契約を締結した日と異なる時（当該契約を締結した日後から当該譲渡の効力が生ずる時の直前までの間の時に限る。）を定めた場合にあっては、当該時）をいう。以下この条において同じ。）における第一号から第九号までに掲げる額の合計額から第十号に掲げる額を減じて得た額をもって株式会社の総資産額とする方法とする。

一　資本金の額

二　資本準備金の額

三　利益準備金の額

四　法第四百四十六条に規定する剰余金の額

五　最終事業年度（法第四百六十一条第二項第二号に規定する場合にあっては、法第四百四十一条第一項第二号の期間（当該期間が二以上ある場合にあっては、その末日が最も遅いもの）。以下この項において同じ。）の末日（最終事業年度がない場合にあっては、株式会社の成立の日。以下この条において同じ。）における評価・換算差額等に係る額

六　株式引受権の帳簿価額

七　新株予約権の帳簿価額

八　最終事業年度の末日において負債の部に計上した額

九　最終事業年度の末日後に吸収合併、吸収分割による他の会社の事業に係る権利義務の承継又は他の会社（外国会社を含む。）の事業の全部の譲受けをしたときは、これらの行為により承継又は譲受けをした負債の額

十　自己株式及び自己新株予約権の帳簿価額の合計額

②　前項の規定にかかわらず、算定基準日において法第四百六十七条第一項第二号又は第二号の二に規定する譲渡をする株式会社が清算株式会社である場合における同項第二号及び第二号の二イに規定する法務省令で定める方法は、法第四百九十二条第一項の規定により作成した貸借対照表の資産の部に計上した額をもって株式会社の総資産額とする方法とする。

（純資産額）

第百三十五条①　法第四百六十七条第一項第五号ロに規定する法務省令で定める方法は、算定基準日（同号に規定する取得に係る契約を締結した日（当該契約により当該契約を締結した日と異なる時（当該契約を締結した日後から当該取得の効力が生ずる時の直前までの間の時に限る。）を定めた場合にあっては、当該時）をいう。以下この条において同じ。）における第一号から第七号までに掲げる額の合計額から第八号に掲げる額を減じて得た額（当該額が五百万円を下回る場合にあっては、五百万円）をもって株式会社の純資産額とする方法とする。

一　資本金の額

二　資本準備金の額

三　利益準備金の額

四　法第四百四十六条に規定する剰余金の額

五　最終事業年度（法第四百六十一条第二項第二号に規定する場合にあっては、法第四百四十一条第一項第二号の期間（当該期間が二以上ある場合にあっては、その末日が最も遅いもの）。以下この号において同じ。）の末日（最終事業年度がない場合にあっては、株式会社の成立の日）における評価・換算差額等に係る額

六　株式引受権の帳簿価額

七　新株予約権の帳簿価額

八　自己株式及び自己新株予約権の帳簿価額の合計額

②　前項の規定にかかわらず、算定基準日において法第四百六十七条第一項第五号に規定する取得をする株式会社が清算株式会社である場合における同号ロに規定する法務省令で定める方法は、法第四百九十二条第一項の規定により作成した貸借対照表の資産の部に計上した額から負債の部に計上した額を減じて得た額（当該額が五百万円を下回る場合にあっては、五百万円）をもって株式会社の純資産額とする方法とする。

（特別支配会社）

第百三十六条①　法第四百六十八条第一項に規定する法務省令で定める法人は、次に掲げるものとする。

一　法第四百六十八条第一項に規定する他の会社がその持分の全部を有する法人（株式会社を除く。）

二　法第四百六十八条第一項に規定する他の会社及び特定完全子法人（当該他の会社が発行済株式の全部を有する株式会社及び前号に掲げる法人をいう。以下この項において同じ。）又は特定完全子法人がその持分の全部を有する法人

②　前項第二号の規定の適用については、同号に掲げる法人は、同号に規定する特定完全子法人とみなす。

（純資産額）

第百三十七条①　法第四百六十八条第二項第二号に規定する法務省令で定める方法は、算定基準日（法第四百六十七条第一項第三号に規定する譲受けに係る契約を締結した日（当該契約により当該契約を締結した日と異なる時（当該契約を締結した日後から当該譲受けの効力が生ずる時の直前までの間の時に限る。）を定めた場合にあっては、当該時）をいう。以下この条において同じ。）における第一号から第七号までに掲げる額の合計額から第八号に掲げる額を減じて得た額（当該額が五百万円を下回る場合にあっては、五百万円）をもって株式会社の純資産額とする方法とする。

一　資本金の額

二　資本準備金の額

三　利益準備金の額

四　法第四百四十六条に規定する剰余金の額

五　最終事業年度（法第四百六十一条第二項第二号に規定する場合にあっては、法第四百四十一条第一項第二号の期間（当該期間が二以上ある場合にあっては、その末日が最も遅いも

の）。以下この号において同じ。）の末日（最終事業年度がない場合にあっては、株式会社の成立の日）における評価・換算差額等に係る額

六　株式引受権の帳簿価額

七　新株予約権の帳簿価額

八　自己株式及び自己新株予約権の帳簿価額の合計額

②　前項の規定にかかわらず、算定基準日において法第四百六十七条第一項第三号に規定する譲受けをする株式会社が清算株式会社である場合における法第四百六十八条第二項第二号に規定する法務省令で定める方法は、法第四百九十二条第一項の規定により作成した貸借対照表の資産の部に計上した額から負債の部に計上した額を減じて得た額（当該額が五百万円を下回る場合にあっては、五百万円）をもって株式会社の純資産額とする方法とする。

（事業譲渡等につき株主総会の承認を要する場合）

第一三八条　法第四百六十八条第三項に規定する法務省令で定める数は、次に掲げる数のいずれか小さい数とする。

一　特定株式（法第四百六十八条第三項に規定する行為に係る株主総会において議決権を行使することができることを内容とする株式をいう。以下この条において同じ。）の総数に二分の一（当該株主総会の決議が成立するための要件として当該特定株式の議決権の総数の一定の割合以上の議決権を有する株主が出席しなければならない旨の定款の定めがある場合にあっては、当該一定の割合）を乗じて得た数に三分の一（当該株主総会の決議が成立するための要件として当該株主総会に出席した当該特定株主（特定株式の株主をいう。以下この条において同じ。）の有する議決権の総数の一定の割合以上の多数が賛成しなければならない旨の定款の定めがある場合にあっては、一から当該一定の割合を減じて得た割合）を乗じて得た数に一を加えた数

二　法第四百六十八条第三項に規定する行為に係る決議が成立するための要件として一定の数以上の特定株主の賛成を要する旨の定款の定めがある場合において、特定株主の総数から株式会社に対して当該行為に反対する旨の通知をした特定株主の数を減じて得た数が当該一定の数未満となるときにおける当該行為に反対する旨の通知をした特定株主の有する特定株式の数

三　法第四百六十八条第三項に規定する行為に係る決議が成立するための要件として前二号の定款の定め以外の定款の定めがある場合において、当該行為に反対する旨の通知をした特定株主の全部が同項に規定する株主総会において反対したとすれば当該決議が成立しないときは、当該行為に反対する旨の通知をした特定株主の有する特定株式の数

四　定款で定めた数

第七章　解散

第一三九条①　法第四百七十二条第一項の届出（以下この条において単に「届出」という。）は、書面でしなければならない。

②　前項の書面には、次に掲げる事項を記載しなければならない。

一　当該株式会社の商号及び本店並びに代表者の氏名及び住所

二　代理人によって届出をするときは、その氏名及び住所

三　まだ事業を廃止していない旨

四　届出の年月日

五　登記所の表示

③　代理人によって届出をするには、第一項の書面にその権限を証する書面を添付しなければならない。

第八章　清算

第一節　総則

（清算株式会社の業務の適正を確保するための体制）

第一四〇条①　法第四百八十二条第三項第四号に規定する法務省令で定める体制は、次に掲げる体制とする。

一　清算人の職務の執行に係る情報の保存及び管理に関する体制

二　損失の危険の管理に関する規程その他の体制

三　使用人の職務の執行が法令及び定款に適合することを確保するための体制

②　清算人が二人以上ある清算株式会社である場合には、前項に規定する体制には、業務の決定が適正に行われることを確保するための体制を含むものとする。

③　監査役設置会社以外の清算株式会社である場合には、第一項に規定する体制には、清算人が株主に報告すべき事項の報告をするための体制を含むものとする。

④　監査役設置会社（監査役の監査の範囲を会計に関するものに限定する旨の定款の定めがある清算株式会社を含む。）である場合には、第一項に規定する体制には、次に掲げる体制を含むものとする。

一　監査役がその職務を補助すべき使用人を置くことを求めた場合における当該使用人に関する体制

二　前号の使用人の清算人からの独立性に関する事項

三　監査役の第一号の使用人に対する指示の実効性の確保に関する事項

四　清算人及び使用人が監査役に報告をするための体制その他の監査役への報告に関する体制

五　前号の報告をした者が当該報告をしたことを理由として不利な取扱いを受けないことを確保するための体制

六　監査役の職務の執行について生ずる費用の前払又は償還の手続その他の当該職務の執行について生ずる費用又は債務の処理に係る方針に関する事項

七　その他監査役の監査が実効的に行われることを確保するための体制

（社債を引き受ける者の募集に際して清算人会が定めるべき事項）

第一四一条　法第四百八十九条第六項第五号に規定する法務省令で定める事項は、次に掲げる事項とする。

一　二以上の募集（法第六百七十六条の募集をいう。以下この条において同じ。）に係る法第六百七十六条各号に掲げる事項の決定を委任するときは、その旨

二　募集社債の総額の上限（前号に規定する場合にあっては、各募集に係る募集社債の総額の上限の合計額）

三　募集社債の利率の上限その他の利率に関する事項の要綱

四　募集社債の払込金額（法第六百七十六条第九号に規定する払込金額をいう。以下この号において同じ。）の総額の最低金額その他の払込金額に関する事項の要綱

（清算人会設置会社の業務の適正を確保するための体制）

第一四二条①　法第四百八十九条第六項第六号に規定する法務省令で定める体制は、次に掲げる体制とする。

一　清算人の職務の執行に係る情報の保存及び管理に関する体制

二　損失の危険の管理に関する規程その他の体制

三　使用人の職務の執行が法令及び定款に適合することを確保するための体制

②　監査役設置会社以外の清算株式会社である場合には、前項に規定する体制には、清算人が株主に報告すべき事項の報告をするための体制を含むものとする。

③　監査役設置会社（監査役の監査の範囲を会計に関するものに限定する旨の定款の定めがある清算株式会社を含む。）である場合には、第一項に規定する体制には、次に掲げる体制を含むものとする。

一　監査役がその職務を補助すべき使用人を置くことを求めた場合における当該使用人に関する体制

二　前号の使用人の清算人からの独立性に関する事項

三　監査役の第一号の使用人に対する指示の実効性の確保に関する事項

四　清算人及び使用人が監査役に報告をするための体制その他

の監査役への報告に関する体制

五　前号の報告をした者が当該報告をしたことを理由として不利な取扱いを受けないことを確保するための体制

六　監査役の職務の執行について生ずる費用の前払又は償還の手続その他の当該職務の執行について生ずる費用又は債務の処理に係る方針に関する事項

七　その他監査役の監査が実効的に行われることを確保するための体制

（清算人会の議事録）

第一四三条①　法第四百九十条第五項において準用する法第三百六十九条第三項の規定による清算人会の議事録の作成については、この条の定めるところによる。

②　清算人会の議事録は、書面又は電磁的記録をもって作成しなければならない。

③　清算人会の議事録は、次に掲げる事項を内容とするものでなければならない。

一　清算人会が開催された日時及び場所（当該場所に存しない清算人、監査役又は株主が清算人会に出席をした場合における当該出席の方法を含む。）

二　清算人会が次に掲げるいずれかのものに該当するときは、その旨

イ　法第四百九十条第二項の規定による清算人の請求を受けて招集されたもの

ロ　法第四百九十条第三項の規定により清算人が招集したもの

ハ　法第四百九十条第四項において準用する法第三百六十七条第一項の規定による株主の請求を受けて招集されたもの

ニ　法第四百九十条第四項において準用する法第三百六十七条第三項において読み替えて準用する法第四百九十条第三項の規定により株主が招集したもの

ホ　法第三百八十三条第二項の規定による監査役の請求を受けて招集されたもの

ヘ　法第三百八十三条第三項の規定により監査役が招集したもの

三　清算人会の議事の経過の要領及びその結果

四　決議を要する事項について特別の利害関係を有する清算人があるときは、その氏名

五　次に掲げる規定により清算人会において述べられた意見又は発言があるときは、その意見又は発言の内容の概要

イ　法第三百八十二条

ロ　法第三百八十三条第一項

ハ　法第四百八十九条第八項において準用する法第三百六十五条第二項

ニ　法第四百九十条第四項において準用する法第三百六十七条第四項

六　清算人会に出席した監査役又は株主の氏名又は名称

七　清算人会の議長が存するときは、議長の氏名

④　次の各号に掲げる場合には、清算人会の議事録は、当該各号に定める事項を内容とするものとする。

一　法第四百九十条第五項において準用する法第三百七十条の規定により清算人会の決議があったものとみなされた場合　次に掲げる事項

イ　清算人会の決議があったものとみなされた事項の内容

ロ　イの事項の提案をした清算人の氏名

ハ　清算人会の決議があったものとみなされた日

ニ　議事録の作成に係る職務を行った清算人の氏名

二　法第四百九十条第六項において準用する法第三百七十二条第一項の規定により清算人会への報告を要しないものとされた場合　次に掲げる事項

イ　清算人会への報告を要しないものとされた事項の内容

ロ　清算人会への報告を要しないものとされた日

ハ　議事録の作成に係る職務を行った清算人の氏名

（財産目録）

第一四四条①　法第四百九十二条第一項の規定により作成すべき財産目録については、この条の定めるところによる。

②　前項の財産目録に計上すべき財産については、その処分価格を付すことが困難な場合を除き、法第四百七十五条各号に掲げる場合に該当することとなった日における処分価格を付さなければならない。この場合において、清算株式会社の会計帳簿については、財産目録に付された価格を取得価額とみなす。

③　第一項の財産目録は、次に掲げる部に区分して表示しなければならない。この場合において、第一号及び第二号に掲げる部は、その内容を示す適当な名称を付した項目に細分することができる。

一　資産

二　負債

三　正味資産

（清算開始時の貸借対照表）

第一四五条①　法第四百九十二条第一項の規定により作成すべき貸借対照表については、この条の定めるところによる。

②　前項の貸借対照表は、財産目録に基づき作成しなければならない。

③　第一項の貸借対照表は、次に掲げる部に区分して表示しなければならない。この場合において、第一号及び第二号に掲げる部は、その内容を示す適当な名称を付した項目に細分することができる。

一　資産

二　負債

三　純資産

④　処分価格を付すことが困難な資産がある場合には、第一項の貸借対照表には、当該資産に係る財産評価の方針を注記しなければならない。

（各清算事務年度に係る貸借対照表）

第一四六条①　法第四百九十四条第一項の規定により作成すべき貸借対照表は、各清算事務年度に係る会計帳簿に基づき作成しなければならない。

②　前条第三項の規定は、前項の貸借対照表について準用する。

③　法第四百九十四条第一項の規定により作成すべき貸借対照表の附属明細書は、貸借対照表の内容を補足する重要な事項をその内容としなければならない。

（各清算事務年度に係る事務報告）

第一四七条①　法第四百九十四条第一項の規定により作成すべき事務報告は、清算に関する事務の執行の状況に係る重要な事項をその内容としなければならない。

②　法第四百九十四条第一項の規定により作成すべき事務報告の附属明細書は、事務報告の内容を補足する重要な事項をその内容としなければならない。

（清算株式会社の監査報告）

第一四八条①　法第四百九十五条第一項の規定による監査については、この条の定めるところによる。

②　清算株式会社の監査役は、各清算事務年度に係る貸借対照表及び事務報告並びにこれらの附属明細書を受領したときは、次に掲げる事項（監査役会設置会社の監査役の監査報告にあっては、第一号から第五号までに掲げる事項）を内容とする監査報告を作成しなければならない。

一　監査役の監査の方法及びその内容

二　各清算事務年度に係る貸借対照表及びその附属明細書が当該清算株式会社の財産の状況を全ての重要な点において適正に表示しているかどうかについての意見

三　各清算事務年度に係る事務報告及びその附属明細書が法令又は定款に従い当該清算株式会社の状況を正しく示しているかどうかについての意見

四　清算人の職務の遂行に関し、不正の行為又は法令若しくは定款に違反する重大な事実があったときは、その事実

五　監査のため必要な調査ができなかったときは、その旨及びその理由

六　監査報告を作成した日

③　前項の規定にかかわらず、監査役の監査の範囲を会計に関するものに限定する旨の定款の定めがある清算株式会社の監査役は、同項第三号及び第四号に掲げる事項に代えて、これらの事項を監査する権限がないことを明らかにした監査報告を作成しなければならない。

④　清算株式会社の監査役会は、第二項の規定により清算株式会社の監査役が作成した監査報告に基づき、監査役会の監査報告を作成しなければならない。

⑤　清算株式会社の監査役会の監査報告は、次に掲げる事項を内容とするものでなければならない。

一　監査役及び監査役会の監査の方法及びその内容

二　第二項第二号から第五号までに掲げる事項

三　監査報告を作成した日

⑥　特定監査役は、第百四十六条第一項の貸借対照表及び前条第一項の事務報告の全部を受領した日から四週間を経過した日（特定清算人（次の各号に掲げる場合の区分に応じ、当該各号に定める者をいう。以下この条において同じ。）及び特定監査役の間で合意した日がある場合にあっては、当該日）までに、特定清算人に対して、監査報告（監査役会設置会社にあっては、第四項の規定により作成した監査役会の監査報告に限る。）の内容を通知しなければならない。

一　この項の規定による通知を受ける者を定めた場合　当該通知を受ける者として定められた者

二　前号に掲げる場合以外の場合　第百四十六条第一項の貸借対照表及び前条第一項の事務報告並びにこれらの附属明細書の作成に関する職務を行った清算人

⑦　第百四十六条第一項の貸借対照表及び前条第一項の事務報告並びにこれらの附属明細書については、特定清算人が前項の規定による監査報告の内容の通知を受けた日に、監査役の監査を受けたものとする。

⑧　前項の規定にかかわらず、特定監査役が第六項の規定により通知をすべき日までに同項の規定による監査報告の内容の通知をしない場合には、当該通知をすべき日に、第百四十六条第一項の貸借対照表及び前条第一項の事務報告並びにこれらの附属明細書については、監査役の監査を受けたものとみなす。

⑨　第六項及び前項に規定する「特定監査役」とは、次の各号に掲げる清算株式会社の区分に応じ、当該各号に定める者とする。

一　監査役設置会社（監査役の監査の範囲を会計に関するものに限定する旨の定款の定めがある清算株式会社を含み、監査役会設置会社を除く。）　次のイからハまでに掲げる場合の区分に応じ、当該イからハまでに定める者

イ　二以上の監査役が存する場合において、第六項の規定による監査報告の内容の通知をすべき監査役を定めたとき　当該通知をすべき監査役として定められた監査役

ロ　二以上の監査役が存する場合において、第六項の規定による監査報告の内容の通知をすべき監査役を定めていないとき　全ての監査役

ハ　イ又はロに掲げる場合以外の場合　監査役

二　監査役会設置会社　次のイ又はロに掲げる場合の区分に応じ、当該イ又はロに定める者

イ　監査役会が第六項の規定による監査報告の内容の通知をすべき監査役を定めた場合　当該通知をすべき監査役として定められた監査役

ロ　イに掲げる場合以外の場合　全ての監査役

（金銭分配請求権が行使される場合における残余財産の価格）

第一四九条①　法第五百五条第三項第一号に規定する法務省令で定める方法は、次に掲げる額のうちいずれか高い額をもって同号に規定する残余財産の価格とする方法とする。

一　法第五百五条第一項第一号の期間の末日（以下この項において「行使期限日」という。）における当該残余財産を取引する市場における最終の価格（当該行使期限日に売買取引がない場合又は当該行使期限日が当該市場の休業日に当たる場合にあっては、その後最初になされた売買取引の成立価格）

二　行使期限日において当該残余財産が公開買付け等の対象であるときは、当該行使期限日における当該公開買付け等に係る契約における当該残余財産の価格

②　法第五百六条の規定により法第五百五条第三項後段の規定の例によることとされる場合における前項第一号の規定の適用については、同号中「法第五百五条第一項第一号の期間の末日」とあるのは、「残余財産の分配をする日」とする。

（決算報告）

第一五〇条①　法第五百七条第一項の規定により作成すべき決算報告は、次に掲げる事項を内容とするものでなければならない。この場合において、第一号及び第二号に掲げる事項については、適切な項目に細分することができる。

一　債権の取立て、資産の処分その他の行為によって得た収入の額

二　債務の弁済、清算に係る費用の支払その他の行為による費用の額

三　残余財産の額（支払税額がある場合には、その税額及び当該税額を控除した後の財産の額）

四　一株当たりの分配額（種類株式発行会社にあっては、各種類の株式一株当たりの分配額）

②　前項第四号に掲げる事項については、次に掲げる事項を注記しなければならない。

一　残余財産の分配を完了した日

二　残余財産の全部又は一部が金銭以外の財産である場合には、当該財産の種類及び価額

（清算株式会社が自己の株式を取得することができる場合）

第一五一条　法第五百九条第三項に規定する法務省令で定める場合は、次に掲げる場合とする。

一　当該清算株式会社が有する他の法人等の株式（持分その他これに準ずるものを含む。以下この条において同じ。）につき当該他の法人等が行う剰余金の配当又は残余財産の分配（これらに相当する行為を含む。）により当該清算株式会社の株式の交付を受ける場合

二　当該清算株式会社が有する他の法人等の株式につき当該他の法人等が行う次に掲げる行為に際して当該株式と引換えに当該清算株式会社の株式の交付を受ける場合

イ　組織変更

ロ　合併

ハ　株式交換（法以外の法令（外国の法令を含む。）に基づく株式交換に相当する行為を含む。）

ニ　取得条項付株式（これに相当する株式を含む。）の取得

ホ　全部取得条項付種類株式（これに相当する株式を含む。）の取得

三　当該清算株式会社が有する他の法人等の新株予約権等を当該他の法人等が当該新株予約権等の定めに基づき取得することと引換えに当該清算株式会社の株式の交付をする場合

四　当該清算株式会社が法第七百八十五条第五項又は第八百六条第五項（これらの規定を株式会社について他の法令において準用する場合を含む。）に規定する株式買取請求（合併に際して行使されるものに限る。）に応じて当該清算株式会社の株式を取得する場合

五　当該清算株式会社が法第百十六条第五項、第百八十二条の四第四項、第四百六十九条第五項、第七百八十五条第五項、第七百九十七条第五項、第八百六条第五項又は第八百十六条の六第五項（これらの規定を株式会社について他の法令において準用する場合を含む。）に規定する株式買取請求（清算株式会社となる前にした行為に際して行使されたものに限る。）に応じて当該清算株式会社の株式を取得する場合

六　当該清算株式会社が清算株式会社となる前に法第百九十二条第一項の規定による請求があった場合における当該請求に係る同条第二項の株式を取得する場合

第二節　特別清算

（総資産額）

第一五二条　法第五百三十六条第一項第二号及び第三号イに規定する法務省令で定める方法は、法第四百九十二条第一項の規定により作成した貸借対照表の資産の部に計上した額を総資産額とする方法とする。

（債権者集会の招集の決定事項）

第一五三条　法第五百四十八条第一項第四号に規定する法務省令で定める事項は、次に掲げる事項とする。

一　次条第一項の規定により債権者集会参考書類に記載すべき事項（同条第一項第一号に掲げる事項を除く。）

二　書面による議決権の行使の期限（債権者集会（法第二編第九章第二節第八款の規定の適用のある債権者の集会をいう。以下この節において同じ。）の日時以前の時であって、法第五百四十九条第一項の規定による通知を発した日から二週間を経過した日以後の時に限る。）

三　一の協定債権者が同一の議案につき法第五百五十六条第一項（法第五百四十八条第一項第三号に掲げる事項を定めた場合にあっては、法第五百五十六条第一項又は第五百五十七条第一項）の規定により重複して議決権を行使した場合において、当該同一の議案に対する議決権の行使の内容が異なるものであるときにおける当該協定債権者の議決権の行使の取扱いに関する事項を定めるときは、その事項

四　第百五十五条第一項第三号の取扱いを定めるときは、その取扱いの内容

五　法第五百四十八条第一項第三号に掲げる事項を定めたときは、次に掲げる事項

イ　電磁的方法による議決権の行使の期限（債権者集会の日時以前の時であって、法第五百四十九条第一項の規定による通知を発した日から二週間を経過した日以後の時に限る。）

ロ　法第五百四十九条第二項の承諾をした協定債権者の請求があった時に当該協定債権者に対して法第五百五十条第一項の規定による議決権行使書面（同項に規定する議決権行使書面をいう。以下この節において同じ。）の交付（当該交付に代えて行う同条第二項の規定による電磁的方法による提供を含む。）をすることとするときは、その旨

（債権者集会参考書類）

第一五四条①　債権者集会参考書類には、次に掲げる事項を記載しなければならない。

一　当該債権者集会参考書類の交付を受けるべき協定債権者が有する協定債権について法第五百四十八条第二項又は第三項の規定により定められた事項

二　議案

②　債権者集会参考書類には、前項に定めるもののほか、協定債権者の議決権の行使について参考となると認める事項を記載することができる。

③　同一の債権者集会に関して協定債権者に対して提供する債権者集会参考書類に記載すべき事項（第一項第二号に掲げる事項に限る。）のうち、他の書面に記載している事項又は電磁的方法により提供している事項がある場合には、これらの事項は、債権者集会参考書類に記載することを要しない。

④　同一の債権者集会に関して協定債権者に対して提供する招集通知（法第五百四十九条第一項又は第二項の規定による通知をいう。以下この節において同じ。）の内容とすべき事項のうち、債権者集会参考書類に記載している事項がある場合には、当該事項は、招集通知の内容とすることを要しない。

（議決権行使書面）

第一五五条①　法第五百五十条第一項の規定により交付すべき議決権行使書面に記載すべき事項又は法第五百五十一条第一項若しくは第二項の規定により電磁的方法により提供すべき議決権行使書面に記載すべき事項は、次に掲げる事項とする。

一　各議案についての同意の有無（棄権の欄を設ける場合にあっては、棄権を含む。）を記載する欄

二　第百五十三条第三号に掲げる事項を定めたときは、当該事項

三　第百五十三条第四号に掲げる事項を定めたときは、第一号の欄に記載がない議決権行使書面が招集者（法第五百四十八条第一項に規定する招集者をいう。以下この条において同じ。）に提出された場合における各議案についての賛成、反対又は棄権のいずれかの意思の表示があったものとする取扱いの内容

四　議決権の行使の期限

五　議決権を行使すべき協定債権者の氏名又は名称及び当該協定債権者について法第五百四十八条第二項又は第三項の規定により定められた事項

②　第百五十三条第五号ロに掲げる事項を定めた場合には、招集者は、法第五百四十九条第二項の承諾をした協定債権者の請求があった時に、当該協定債権者に対して、法第五百五十条第一項の規定による議決権行使書面の交付（当該交付に代えて行う同条第二項の規定による電磁的方法による提供を含む。）をしなければならない。

③　同一の債権者集会に関して協定債権者に対して提供する招集通知の内容とすべき事項のうち、議決権行使書面に記載している事項がある場合には、当該事項は、招集通知の内容とすることを要しない。

④　同一の債権者集会に関して協定債権者に対して提供する議決権行使書面に記載すべき事項（第一項第二号から第四号までに掲げる事項に限る。）のうち、招集通知の内容としている事項がある場合には、当該事項は、議決権行使書面に記載することを要しない。

（書面による議決権行使の期限）

第一五六条　法第五百五十六条第二項に規定する法務省令で定める時は、第百五十三条第二号の行使の期限とする。

（電磁的方法による議決権行使の期限）

第一五七条　法第五百五十七条第一項に規定する法務省令で定める時は、第百五十三条第五号イの行使の期限とする。

（債権者集会の議事録）

第一五八条①　法第五百六十一条の規定による債権者集会の議事録の作成については、この条の定めるところによる。

②　債権者集会の議事録は、書面又は電磁的記録をもって作成しなければならない。

③　債権者集会の議事録は、次に掲げる事項を内容とするものでなければならない。

一　債権者集会が開催された日時及び場所

二　債権者集会の議事の経過の要領及びその結果

三　法第五百五十九条の規定により債権者集会において述べられた意見があるときは、その意見の内容の概要

四　法第五百六十二条の規定により債権者集会に対する報告及び意見の陳述がされたときは、その報告及び意見の内容の概要

五　債権者集会に出席した清算人の氏名

六　債権者集会の議長が存するときは、議長の氏名

七　議事録の作成に係る職務を行った者の氏名又は名称

第三編　持分会社

第一章　計算等

第一五九条　次に掲げる規定に規定する法務省令で定めるべき事項は、会社計算規則の定めるところによる。

一　法第六百十五条第一項

二　法第六百十七条第一項及び第二項

三　法第六百二十条第一項

四　法第六百二十三条第一項

五　法第六百二十六条第四項第四号

六　法第六百三十一条第一項

七　法第六百三十五条第二項、第三項及び第五項

第二章　清算

（**財産目録**）

第一六〇条① 法第六百五十八条第一項又は第六百六十九条第一項若しくは第二項の規定により作成すべき財産目録については、この条の定めるところによる。

② 前項の財産目録に計上すべき財産については、その処分価格を付すことが困難な場合を除き、法第六百四十四条各号に掲げる場合に該当することとなった日における処分価格を付さなければならない。この場合において、清算持分会社の会計帳簿については、財産目録に付された価格を取得価額とみなす。

③ 第一項の財産目録は、次に掲げる部に区分して表示しなければならない。この場合において、第一号及び第二号に掲げる部は、その内容を示す適当な名称を付した項目に細分することができる。

一　資産
二　負債
三　正味資産

（**清算開始時の貸借対照表**）

第一六一条① 法第六百五十八条第一項又は第六百六十九条第一項若しくは第二項の規定により作成すべき貸借対照表については、この条の定めるところによる。

② 前項の貸借対照表は、財産目録に基づき作成しなければならない。

③ 第一項の貸借対照表は、次に掲げる部に区分して表示しなければならない。この場合において、第一号及び第二号に掲げる部は、その内容を示す適当な名称を付した項目に細分することができる。

一　資産
二　負債
三　純資産

④ 処分価格を付すことが困難な資産がある場合には、第一項の貸借対照表には、当該資産に係る財産評価の方針を注記しなければならない。

第四編　社債

第一章　総則

（**募集事項**）

第一六二条 法第六百七十六条第十二号に規定する法務省令で定める事項は、次に掲げる事項とする。

一　数回に分けて募集社債と引換えに金銭の払込みをさせるときは、その旨及び各払込みの期日における払込金額（法第六百七十六条第九号に規定する払込金額をいう。）
二　他の会社と合同して募集社債を発行するときは、その旨及び各会社の負担部分
三　募集社債と引換えにする金銭の払込みに代えて金銭以外の財産を給付する旨の契約を締結するときは、その契約の内容
四　法第七百二条の規定による委託に係る契約において法に規定する社債管理者の権限以外の権限を定めるときは、その権限の内容
五　法第七百十一条第二項本文（法第七百十四条の七において読み替えて準用する場合を含む。）に規定するときは、同項本文に規定する事由
六　法第七百十四条の二の規定による委託に係る契約において法第七百十四条の四第二項各号に掲げる行為をする権限の全部若しくは一部又は法に規定する社債管理補助者の権限以外の権限を定めるときは、その権限の内容
七　法第七百十四条の二の規定による委託に係る契約における法第七百十四条の四第四項の規定による報告又は同項に規定する措置に係る定めの内容
八　募集社債が信託社債であるときは、その旨及び当該信託社債についての信託を特定するために必要な事項

（**申込みをしようとする者に対して通知すべき事項**）

第一六三条 法第六百七十七条第一項第三号に規定する法務省令で定める事項は、次に掲げる事項とする。

一　社債管理者を定めたときは、その名称及び住所
二　社債管理補助者を定めたときは、その氏名又は名称及び住所
三　社債原簿管理人を定めたときは、その氏名又は名称及び住所

（**申込みをしようとする者に対する通知を要しない場合**）

第一六四条 法第六百七十七条第四項に規定する法務省令で定める場合は、次に掲げる場合であって、会社が同条第一項の申込みをしようとする者に対して同項各号に掲げる事項を提供している場合とする。

一　当該会社が金融商品取引法の規定に基づき目論見書に記載すべき事項を電磁的方法により提供している場合
二　当該会社が外国の法令に基づき目論見書その他これに相当する書面その他の資料を提供している場合
三　長期信用銀行法（昭和二十七年法律第百八十七号）第十一条第四項の規定に基づく公告により同項各号の事項を提供している場合
四　株式会社商工組合中央金庫法（平成十九年法律第七十四号）第三十六条第三項の規定に基づく公告により同項各号の事項を提供している場合

（**社債の種類**）

第一六五条 法第六百八十一条第一号に規定する法務省令で定める事項は、次に掲げる事項とする。

一　社債の利率
二　社債の償還の方法及び期限
三　利息支払の方法及び期限
四　社債券を発行するときは、その旨
五　社債権者が法第六百九十八条の規定による請求の全部又は一部をすることができないこととするときは、その旨
六　社債管理者を定めないこととするときは、その旨
七　社債管理者が社債権者集会の決議によらずに法第七百六条第一項第二号に掲げる行為をすることができることとするときは、その旨
八　社債管理補助者を定めることとするときは、その旨
九　他の会社と合同して募集社債を発行するときは、その旨及び各会社の負担部分
十　社債管理者を定めたときは、その名称及び住所並びに法第七百二条の規定による委託に係る契約の内容
十一　社債管理補助者を定めたときは、その氏名又は名称及び住所並びに法第七百十四条の二の規定による委託に係る契約の内容
十二　社債原簿管理人を定めたときは、その氏名又は名称及び住所
十三　社債が担保付社債であるときは、担保付社債信託法（明治三十八年法律第五十二号）第十九条第一項第一号、第十一号及び第十三号に掲げる事項
十四　社債が信託社債であるときは、当該信託社債についての信託を特定するために必要な事項

（**社債原簿記載事項**）

第一六六条 法第六百八十一条第七号に規定する法務省令で定める事項は、次に掲げる事項とする。

一　募集社債と引換えにする金銭の払込みに代えて金銭以外の財産の給付があったときは、その財産の価額及び給付の日
二　社債権者が募集社債と引換えにする金銭の払込みをする債務と会社に対する債権とを相殺したときは、その債権の額及び相殺をした日

（**閲覧権者**）

第一六七条 法第六百八十四条第二項に規定する法務省令で定める者は、社債権者その他の社債発行会社の債権者及び社債発行会社の株主又は社員とする。

（社債原簿記載等の請求）
第一六八条① 法第六百九十一条第二項に規定する法務省令で定める場合は、次に掲げる場合とする。
一 社債取得者が、社債権者として社債原簿に記載若しくは記録がされた者又はその一般承継人に対して当該社債取得者の取得した社債に係る法第六百九十一条第一項の規定による請求をすべきことを命ずる確定判決を得た場合において、当該確定判決の内容を証する書面その他の資料を提供して請求をしたとき。
二 社債取得者が前号の確定判決と同一の効力を有するものの内容を証する書面その他の資料を提供して請求をしたとき。
三 社債取得者が一般承継により当該会社の社債を取得した者である場合において、当該一般承継を証する書面その他の資料を提供して請求をしたとき。
四 社債取得者が当該会社の社債を競売により取得した者である場合において、当該競売により取得したことを証する書面その他の資料を提供して請求をしたとき。
五 社債取得者が法第百七十九条第三項の規定による請求により当該会社の社債を取得した者である場合において、当該社債取得者が請求をしたとき。
② 前項の規定にかかわらず、社債取得者が取得した社債が社債券を発行する定めがあるものである場合には、法第六百九十一条第二項に規定する法務省令で定める場合は、次に掲げる場合とする。
一 社債取得者が社債券を提示して請求をした場合
二 社債取得者が法第百七十九条第三項の規定による請求により当該会社の社債を取得した者である場合において、当該社債取得者が請求をしたとき。

第二章 社債管理者等

（社債管理者を設置することを要しない場合）
第一六九条 法第七百二条に規定する法務省令で定める場合は、ある種類（法第六百八十一条第一号に規定する種類をいう。以下この条において同じ。）の社債の総額を当該種類の各社債の金額の最低額で除して得た数が五十を下回る場合とする。

（社債管理者の資格）
第一七〇条 法第七百三条第三号に規定する法務省令で定める者は、次に掲げる者とする。
一 担保付社債信託法第三条の免許を受けた者
二 株式会社商工組合中央金庫
三 農業協同組合法第十条第一項第二号及び第三号の事業を併せ行う農業協同組合又は農業協同組合連合会
四 信用協同組合又は中小企業等協同組合法第九条の九第一項第一号の事業を行う協同組合連合会
五 信用金庫又は信用金庫連合会
六 労働金庫連合会
七 長期信用銀行法第二条に規定する長期信用銀行
八 保険業法第二条第二項に規定する保険会社
九 農林中央金庫

（特別の関係）
第一七一条① 法第七百十条第二項第二号（法第七百十二条において準用する場合を含む。）に規定する法務省令で定める特別の関係は、次に掲げる関係とする。
一 法人の総社員又は総株主の議決権の百分の五十を超える議決権を有する者（以下この条において「支配社員」という。）と当該法人（以下この条において「被支配法人」という。）との関係
二 被支配法人とその支配社員の他の被支配法人との関係
② 支配社員とその被支配法人が合わせて他の法人の総社員又は総株主の議決権の百分の五十を超える議決権を有する場合には、当該他の法人も、当該支配社員の被支配法人とみなして前項の規定を適用する。

（社債管理補助者の資格）
第一七一条の二 法第七百十四条の三に規定する法務省令で定める者は、次に掲げる者とする。
一 弁護士
二 弁護士法人
三 弁護士・外国法事務弁護士共同法人

第三章 社債権者集会

（社債権者集会の招集の決定事項）
第一七二条 法第七百十九条第四号に規定する法務省令で定める事項は、次に掲げる事項とする。
一 次条の規定により社債権者集会参考書類に記載すべき事項
二 書面による議決権の行使の期限（社債権者集会の日時以前の時であって、法第七百二十条第一項の規定による通知を発した日から二週間を経過した日以後の時に限る。）
三 一の社債権者が同一の議案につき法第七百二十六条第一項（法第七百十九条第三号に掲げる事項を定めた場合にあっては、法第七百二十六条第一項又は第七百二十七条第一項）の規定により重複して議決権を行使した場合において、当該同一の議案に対する議決権の行使の内容が異なるものであるときにおける当該社債権者の議決権の行使の取扱いに関する事項を定めるときは、その事項
四 第百七十四条第一項第三号の取扱いを定めるときは、その取扱いの内容
五 法第七百十九条第三号に掲げる事項を定めたときは、次に掲げる事項
イ 電磁的方法による議決権の行使の期限（社債権者集会の日時以前の時であって、法第七百二十条第一項の規定による通知を発した日から二週間を経過した日以後の時に限る。）
ロ 法第七百二十条第二項の承諾をした社債権者の請求があった時に当該社債権者に対して法第七百二十一条第一項の規定による議決権行使書面（同項に規定する議決権行使書面をいう。以下この章において同じ。）の交付（当該交付に代えて行う同条第二項の規定による電磁的方法による提供を含む。）をすることとするときは、その旨

（社債権者集会参考書類）
第一七三条① 社債権者集会参考書類には、次に掲げる事項を記載しなければならない。
一 議案及び提案の理由
二 議案が代表社債権者の選任に関する議案であるときは、次に掲げる事項
イ 候補者の氏名又は名称
ロ 候補者の略歴又は沿革
ハ 候補者が社債発行会社、社債管理者又は社債管理補助者と特別の利害関係があるときは、その事実の概要
② 社債権者集会参考書類には、前項に定めるもののほか、社債権者の議決権の行使について参考となると認める事項を記載することができる。
③ 同一の社債権者集会に関して社債権者に対して提供する社債権者集会参考書類に記載すべき事項のうち、他の書面に記載している事項又は電磁的方法により提供している事項がある場合には、これらの事項は、社債権者集会参考書類に記載することを要しない。
④ 同一の社債権者集会に関して社債権者に対して提供する招集通知（法第七百二十条第一項又は第二項の規定による通知をいう。以下この章において同じ。）の内容とすべき事項のうち、社債権者集会参考書類に記載している事項がある場合には、当該事項は、招集通知の内容とすることを要しない。

（議決権行使書面）
第一七四条① 法第七百二十一条第一項の規定により交付すべき議決権行使書面に記載すべき事項又は法第七百二十二条第一項若しくは第二項の規定により電磁的方法により提供すべき議決権行使書面に記載すべき事項は、次に掲げる事項とする。

一　各議案についての賛否（棄権の欄を設ける場合にあっては、棄権を含む。）を記載する欄
二　第百七十二条第三号に掲げる事項を定めたときは、当該事項
三　第百七十二条第四号に掲げる事項を定めたときは、第一号の欄に記載がない議決権行使書面が招集者（法第七百十九条に規定する招集者をいう。以下この条において同じ。）に提出された場合における各議案についての賛成、反対又は棄権のいずれかの意思の表示があったものとする取扱いの内容
四　議決権の行使の期限
五　議決権を行使すべき社債権者の氏名又は名称及び行使することができる議決権の額

②　第百七十二条第五号ロに掲げる事項を定めた場合には、招集者は、法第七百二十条第二項の承諾をした社債権者の請求があった時に、当該社債権者に対して、法第七百二十一条第一項の規定による議決権行使書面の交付（当該交付に代えて行う同条第二項の規定による電磁的方法による提供を含む。）をしなければならない。

③　同一の社債権者集会に関して社債権者に対して提供する議決権行使書面に記載すべき事項（第一項第二号から第四号までに掲げる事項に限る。）のうち、招集通知の内容としている事項がある場合には、当該事項は、社債権者に対して提供する議決権行使書面に記載することを要しない。

④　同一の社債権者集会に関して社債権者に対して提供する招集通知の内容とすべき事項のうち、議決権行使書面に記載している事項がある場合には、当該事項は、社債権者に対して提供する招集通知の内容とすることを要しない。

（書面による議決権行使の期限）

第一七五条　法第七百二十六条第二項に規定する法務省令で定める時は、第百七十二条第二号の行使の期限とする。

（電磁的方法による議決権行使の期限）

第一七六条　法第七百二十七条第一項に規定する法務省令で定める時は、第百七十二条第五号イの行使の期限とする。

（社債権者集会の議事録）

第一七七条①　法第七百三十一条第一項の規定による社債権者集会の議事録の作成については、この条の定めるところによる。

②　社債権者集会の議事録は、書面又は電磁的記録をもって作成しなければならない。

③　社債権者集会の議事録は、次に掲げる事項を内容とするものでなければならない。
一　社債権者集会が開催された日時及び場所
二　社債権者集会の議事の経過の要領及びその結果
三　法第七百二十九条第一項の規定により社債権者集会において述べられた意見があるときは、その意見の内容の概要
四　社債権者集会に出席した社債発行会社の代表者又は代理人の氏名
五　社債権者集会に出席した社債管理者の代表者若しくは代理人の氏名又は社債管理補助者若しくはその代表者若しくは代理人の氏名
六　社債権者集会の議長が存するときは、議長の氏名
七　議事録の作成に係る職務を行った者の氏名又は名称

④　法第七百三十五条の二第一項の規定により社債権者集会の決議があったものとみなされた場合には、社債権者集会の議事録は、次の各号に掲げる事項を内容とするものとする。
一　社債権者集会の決議があったものとみなされた事項の内容
二　前号の事項の提案をした者の氏名又は名称
三　社債権者集会の決議があったものとみなされた日
四　議事録の作成に係る職務を行った者の氏名又は名称

第五編　組織変更、合併、会社分割、株式交換、株式移転及び株式交付

第一章　吸収分割契約及び新設分割計画

第一節　吸収分割契約

第一七八条　法第七百五十八条第八号イ及び第七百六十条第七号イに規定する法務省令で定めるものは、次に掲げるものとする。
一　イに掲げる額からロに掲げる額を減じて得た額がハに掲げる額よりも小さい場合における吸収分割に際して吸収分割株式会社が吸収分割承継会社から取得した金銭等であって、法第七百五十八条第八号又は第七百六十条第七号の定めに従い取得対価（法第百七十一条第一項第一号に規定する取得対価をいう。以下この条において同じ。）又は配当財産として交付する承継会社株式等（吸収分割承継株式会社の株式又は吸収分割承継持分会社の持分をいう。以下この号において同じ。）以外の金銭等
イ　法第七百五十八条第八号イ若しくはロ又は第七百六十条第七号イ若しくはロに掲げる行為により吸収分割株式会社の株主に対して交付する金銭等（法第七百五十八条第八号イ又は第七百六十条第七号イに掲げる行為（次号において「特定株式取得」という。）をする場合にあっては、取得対価として交付する吸収分割株式会社の株式を除く。）の合計額
ロ　イに規定する金銭等のうち承継会社株式等の価額の合計額
ハ　イに規定する金銭等の合計額に二十分の一を乗じて得た額
二　特定株式取得をする場合における取得対価として交付する吸収分割株式会社の株式

第二節　新設分割計画

第一七九条　法第七百六十三条第一項第十二号イ及び第七百六十五条第一項第八号イに規定する法務省令で定めるものは、次に掲げるものとする。
一　イに掲げる額からロに掲げる額を減じて得た額がハに掲げる額よりも小さい場合における新設分割に際して新設分割株式会社が新設分割設立会社から取得した金銭等であって、法第七百六十三条第一項第十二号又は第七百六十五条第一項第八号の定めに従い取得対価（法第百七十一条第一項第一号に規定する取得対価をいう。以下この条において同じ。）又は配当財産として交付する設立会社株式等（新設分割設立株式会社の株式又は新設分割設立持分会社の持分をいう。以下この号において同じ。）以外の金銭等
イ　法第七百六十三条第一項第十二号イ若しくはロ又は第七百六十五条第一項第八号イ若しくはロに掲げる行為により新設分割株式会社の株主に対して交付する金銭等（法第七百六十三条第一項第十二号イ又は第七百六十五条第一項第八号イに掲げる行為（次号において「特定株式取得」という。）をする場合にあっては、取得対価として交付する新設分割株式会社の株式を除く。）の合計額
ロ　イに規定する金銭等のうち設立会社株式等の価額の合計額
ハ　イに規定する金銭等の合計額に二十分の一を乗じて得た額
二　特定株式取得をする場合における取得対価として交付する新設分割株式会社の株式

第一章の二　株式交付子会社の株式の譲渡しの申込み

（申込みをしようとする者に対して通知すべき事項）

第一七九条の二①　法第七百七十四条の四第一項第三号（法第七百七十四条の九において準用する場合を含む。）に規定する法務省令で定める事項は、次に掲げる事項とする。
一　交付対価について参考となるべき事項
二　株式交付親会社の計算書類等に関する事項

②　この条において「交付対価」とは、株式交付親会社が株式交

付に際して株式交付子会社の株式、新株予約権（新株予約権付社債に付されたものを除く。以下この条において同じ。）又は新株予約権付社債の譲渡人に対して当該株式、新株予約権又は新株予約権付社債の対価として交付する金銭等をいう。

③ 第一項第一号に規定する「交付対価について参考となるべき事項」とは、次に掲げる事項その他これに準ずる事項（これらの事項の全部又は一部を通知しないことにつき法第七百七十四条の四第一項（法第七百七十四条の九において準用する場合を含む。）の申込みをしようとする者の同意がある場合にあっては、当該同意があったものを除く。）とする。

一 交付対価として交付する株式交付親会社の株式に関する次に掲げる事項

イ 当該株式交付親会社の定款の定め

ロ 次に掲げる事項その他の交付対価の換価の方法に関する事項

(1) 交付対価を取引する市場

(2) 交付対価の取引の媒介、取次ぎ又は代理を行う者

(3) 交付対価の譲渡その他の処分に制限があるときは、その内容

ハ 交付対価に市場価格があるときは、その価格に関する事項

ニ 株式交付親会社の過去五年間にその末日が到来した各事業年度（次に掲げる事業年度を除く。）に係る貸借対照表の内容

(1) 最終事業年度

(2) ある事業年度に係る貸借対照表の内容につき、法令の規定に基づく公告（法第四百四十条第三項の措置に相当するものを含む。）をしている場合における当該事業年度

(3) ある事業年度に係る貸借対照表の内容につき、金融商品取引法第二十四条第一項の規定により有価証券報告書を内閣総理大臣に提出している場合における当該事業年度

二 交付対価の一部が法人等の株式、持分その他これらに準ずるもの（株式交付親会社の株式を除く。）であるときは、次に掲げる事項（当該事項が日本語以外の言語で表示されている場合にあっては、当該事項（氏名又は名称を除く。）を日本語で表示した事項）

イ 当該法人等の定款その他これに相当するものの定め

ロ 当該法人等が会社でないときは、次に掲げる権利に相当する権利その他の交付対価に係る権利（重要でないものを除く。）の内容

(1) 剰余金の配当を受ける権利

(2) 残余財産の分配を受ける権利

(3) 株主総会における議決権

(4) 合併その他の行為がされる場合において、自己の有する株式を公正な価格で買い取ることを請求する権利

(5) 定款その他の資料（当該資料が電磁的記録をもって作成されている場合にあっては、当該電磁的記録に記録された事項を表示したもの）の閲覧又は謄写を請求する権利

ハ 当該法人等が、その株主、社員その他これらに相当する者（以下この号、第百八十二条第四項第二号及び第百八十四条第四項第二号において「株主等」という。）に対し、日本語以外の言語を使用して情報の提供をすることとされているときは、当該言語

ニ 株式交付が効力を生ずる日に当該法人等の株主総会その他これに相当するものの開催があるものとした場合における当該法人等の株主等が有すると見込まれる議決権その他これに相当する権利の総数

ホ 当該法人等について登記（当該法人等が外国の法令に準拠して設立されたものである場合にあっては、法第九百三十三条第一項の外国会社の登記又は外国法人の登記及び夫婦財産契約の登記に関する法律第二条の外国法人の登記に限る。）がされていないときは、次に掲げる事項

(1) 当該法人等を代表する者の氏名又は名称及び住所

(2) 当該法人等の役員（(1)の者を除く。）の氏名又は名称

ヘ 当該法人等の最終事業年度（当該法人等が会社以外のものである場合にあっては、最終事業年度に相当するもの。以下この号において同じ。）に係る計算書類（最終事業年度がない場合にあっては、当該法人等の成立の日における貸借対照表）その他これに相当するものの内容（当該計算書類その他これに相当するものについて監査役、監査等委員会、監査委員会、会計監査人その他これらに相当するものの監査を受けている場合にあっては、監査報告その他これに相当するものの内容の概要を含む。）

ト 次に掲げる場合の区分に応じ、次に定める事項

(1) 当該法人等が株式会社である場合　当該法人等の最終事業年度に係る事業報告の内容（当該事業報告について監査役、監査等委員会又は監査委員会の監査を受けている場合にあっては、監査報告の内容を含む。）

(2) 当該法人等が株式会社以外のものである場合　当該法人等の最終事業年度に係る第百十八条各号及び第百十九条各号に掲げる事項に相当する事項の内容の概要（当該事項について監査役、監査等委員会、監査委員会その他これらに相当するものの監査を受けている場合にあっては、監査報告その他これに相当するものの内容の概要を含む。）

チ 当該法人等の過去五年間にその末日が到来した各事業年度（次に掲げる事業年度を除く。）に係る貸借対照表その他これに相当するものの内容

(1) 最終事業年度

(2) ある事業年度に係る貸借対照表その他これに相当するものの内容につき、法令の規定に基づく公告（法第四百四十条第三項の措置に相当するものを含む。）をしている場合における当該事業年度

(3) ある事業年度に係る貸借対照表その他これに相当するものの内容につき、金融商品取引法第二十四条第一項の規定により有価証券報告書を内閣総理大臣に提出している場合における当該事業年度

リ 前号ロ及びハに掲げる事項

ヌ 交付対価が自己株式の取得、持分の払戻しその他これらに相当する方法により払戻しを受けることができるものであるときは、その手続に関する事項

三 交付対価の一部が株式交付親会社の社債、新株予約権又は新株予約権付社債であるときは、第一号ロ及びハに掲げる事項

四 交付対価の一部が法人等の社債、新株予約権、新株予約権付社債その他これらに準ずるもの（株式交付親会社の社債、新株予約権又は新株予約権付社債を除く。）であるときは、次に掲げる事項（当該事項が日本語以外の言語で表示されている場合にあっては、当該事項（氏名又は名称を除く。）を日本語で表示した事項）

イ 第一号ロ及びハに掲げる事項

ロ 第二号イ及びホからチまでに掲げる事項

五 交付対価の一部が株式交付親会社その他の法人等の株式、持分、社債、新株予約権、新株予約権付社債その他これらに準ずるもの及び金銭以外の財産であるときは、第一号ロ及びハに掲げる事項

④ 第一項第二号に規定する「株式交付親会社の計算書類等に関する事項」とは、次に掲げる事項とする。

一 最終事業年度に係る計算書類等（最終事業年度がない場合にあっては、株式交付親会社の成立の日における貸借対照表）の内容

二 最終事業年度の末日（最終事業年度がない場合にあっては、株式交付親会社の成立の日。次号において同じ。）後の日を臨時決算日（二以上の臨時決算日がある場合にあっては、

最も遅いもの）とする臨時計算書類等があるときは、当該臨時計算書類等の内容
三　最終事業年度の末日後に重要な財産の処分、重大な債務の負担その他の会社財産の状況に重要な影響を与える事象が生じたときは、その内容

（申込みをしようとする者に対する通知を要しない場合）

第一七九条の三　法第七百七十四条の四（法第七百七十四条の九において準用する場合を含む。以下この条において同じ。）第四項に規定する法務省令で定める場合は、次に掲げる場合であって、株式交付親会社が法第七百七十四条の四第一項の申込みをしようとする者に対して同項各号に掲げる事項を提供している場合とする。
一　当該株式交付親会社が金融商品取引法の規定に基づき目論見書に記載すべき事項を電磁的方法により提供している場合
二　当該株式交付親会社が外国の法令に基づき目論見書その他これに相当する書面その他の資料を提供している場合

第二章　組織変更をする株式会社の手続

（組織変更をする株式会社の事前開示事項）

第一八〇条　法第七百七十五条第一項に規定する法務省令で定める事項は、次に掲げる事項とする。
一　組織変更をする株式会社が新株予約権を発行しているときは、法第七百四十四条第一項第七号及び第八号に掲げる事項についての定めの相当性に関する事項
二　組織変更をする株式会社において最終事業年度がないときは、当該組織変更をする株式会社の成立の日における貸借対照表
三　組織変更後持分会社の債務の履行の見込みに関する事項
四　法第七百七十五条第二項に規定する組織変更計画備置開始日後、前三号に掲げる事項に変更が生じたときは、変更後の当該事項

（計算書類に関する事項）

第一八一条　法第七百七十九条第二項第二号に規定する法務省令で定めるものは、同項の規定による公告の日又は同項の規定による催告の日のいずれか早い日における次の各号に掲げる場合の区分に応じ、当該各号に定めるものとする。
一　最終事業年度に係る貸借対照表又はその要旨につき組織変更をする株式会社が法第四百四十条第一項又は第二項の規定による公告をしている場合　次に掲げるもの
イ　官報で公告をしているときは、当該官報の日付及び当該公告が掲載されている頁
ロ　時事に関する事項を掲載する日刊新聞紙で公告をしているときは、当該日刊新聞紙の名称、日付及び当該公告が掲載されている頁
ハ　電子公告により公告をしているときは、法第九百十一条第三項第二十八号イに掲げる事項
二　最終事業年度に係る貸借対照表につき組織変更をする株式会社が法第四百四十条第三項に規定する措置をとっている場合　法第九百十一条第三項第二十六号に掲げる事項
三　組織変更をする株式会社が法第四百四十条第四項に規定する株式会社である場合において、当該株式会社が金融商品取引法第二十四条第一項の規定により最終事業年度に係る有価証券報告書を提出しているとき　その旨
四　組織変更をする株式会社が会社法の施行に伴う関係法律の整備等に関する法律（平成十七年法律第八十七号）第二十八条の規定により法第四百四十条の規定が適用されないものである場合　その旨
五　組織変更をする株式会社につき最終事業年度がない場合　その旨
六　組織変更をする株式会社が清算株式会社である場合　その旨
七　前各号に掲げる場合以外の場合　会社計算規則第六編第二章の規定による最終事業年度に係る貸借対照表の要旨の内容

第三章　吸収合併消滅株式会社、吸収分割株式会社及び株式交換完全子会社の手続

（吸収合併消滅株式会社の事前開示事項）

第一八二条①　法第七百八十二条第一項に規定する法務省令で定める事項は、同項に規定する消滅株式会社等が吸収合併消滅株式会社である場合には、次に掲げる事項とする。
一　合併対価の相当性に関する事項
二　合併対価について参考となるべき事項
三　吸収合併に係る新株予約権の定めの相当性に関する事項
四　計算書類等に関する事項
五　吸収合併が効力を生ずる日以後における吸収合併存続会社の債務（法第七百八十九条第一項の規定により吸収合併について異議を述べることができる債権者に対して負担する債務に限る。）の履行の見込みに関する事項
六　吸収合併契約等備置開始日（法第七百八十二条第二項に規定する吸収合併契約等備置開始日をいう。以下この章において同じ。）後、前各号に掲げる事項に変更が生じたときは、変更後の当該事項

②　この条において「合併対価」とは、吸収合併存続会社が吸収合併に際して吸収合併消滅株式会社の株主に対してその株式に代えて交付する金銭等をいう。

③　第一項第一号に規定する「合併対価の相当性に関する事項」とは、次に掲げる事項その他の法第七百四十九条第一項第二号及び第三号に掲げる事項又は法第七百五十一条第一項第二号から第四号までに掲げる事項についての定め（当該定めがない場合にあっては、当該定めがないこと）の相当性に関する事項とする。
一　合併対価の総数又は総額の相当性に関する事項
二　合併対価として当該種類の財産を選択した理由
三　吸収合併存続会社と吸収合併消滅株式会社とが共通支配下関係（会社計算規則第二条第三項第三十六号に規定する共通支配下関係をいう。以下この号及び第百八十四条において同じ。）にあるときは、当該吸収合併消滅株式会社の株主（当該吸収合併消滅株式会社と共通支配下関係にある株主を除く。）の利益を害さないように留意した事項（当該事項がない場合にあっては、その旨）

④　第一項第二号に規定する「合併対価について参考となるべき事項」とは、次の各号に掲げる場合の区分に応じ、当該各号に定める事項その他これに準ずる事項（法第七百八十二条第一項に規定する書面又は電磁的記録にこれらの事項の全部又は一部の記載又は記録をしないことにつき吸収合併消滅株式会社の総株主の同意がある場合にあっては、当該同意があったものを除く。）とする。
一　合併対価の全部又は一部が吸収合併存続会社の株式又は持分である場合　次に掲げる事項
イ　当該吸収合併存続会社の定款の定め
ロ　次に掲げる事項その他の合併対価の換価の方法に関する事項
(1)　合併対価を取引する市場
(2)　合併対価の取引の媒介、取次ぎ又は代理を行う者
(3)　合併対価の譲渡その他の処分に制限があるときは、その内容
ハ　合併対価に市場価格があるときは、その価格に関する事項
ニ　吸収合併存続会社の過去五年間にその末日が到来した各事業年度（次に掲げる事業年度を除く。）に係る貸借対照表の内容
(1)　最終事業年度
(2)　ある事業年度に係る貸借対照表の内容につき、法令の規定に基づく公告（法第四百四十条第三項の措置に相当するものを含む。）をしている場合における当該事業年度
(3)　ある事業年度に係る貸借対照表の内容につき、金融商

品取引法第二十四条第一項の規定により有価証券報告書を内閣総理大臣に提出している場合における当該事業年度

二　合併対価の全部又は一部が法人等の株式、持分その他これらに準ずるもの（吸収合併存続会社の株式又は持分を除く。）である場合　次に掲げる事項（当該事項が日本語以外の言語で表示されている場合にあっては、当該事項（氏名又は名称を除く。）を日本語で表示した事項）

イ　当該法人等の定款その他これに相当するものの定め

ロ　当該法人等が会社でないときは、次に掲げる権利に相当する権利その他の合併対価に係る権利（重要でないものを除く。）の内容

(1)　剰余金の配当を受ける権利

(2)　残余財産の分配を受ける権利

(3)　株主総会における議決権

(4)　合併その他の行為がされる場合において、自己の有する株式を公正な価格で買い取ることを請求する権利

(5)　定款その他の資料（当該資料が電磁的記録をもって作成されている場合にあっては、当該電磁的記録に記録された事項を表示したもの）の閲覧又は謄写を請求する権利

ハ　当該法人等がその株主等に対し、日本語以外の言語を使用して情報の提供をすることとされているときは、当該言語

ニ　吸収合併が効力を生ずる日に当該法人等の株主総会その他これに相当するものの開催があるものとした場合における当該法人等の株主等が有すると見込まれる議決権その他これに相当する権利の総数

ホ　当該法人等について登記（当該法人等が外国の法令に準拠して設立されたものである場合にあっては、法第九百三十三条第一項の外国会社の登記又は外国法人の登記及び夫婦財産契約の登記に関する法律第二条の外国法人の登記に限る。）がされていないときは、次に掲げる事項

(1)　当該法人等を代表する者の氏名又は名称及び住所

(2)　当該法人等の役員（(1)の者を除く。）の氏名又は名称

ヘ　当該法人等の最終事業年度（当該法人等が会社以外のものである場合にあっては、最終事業年度に相当するもの。以下この号において同じ。）に係る計算書類（最終事業年度がない場合にあっては、当該法人等の成立の日における貸借対照表）その他これに相当するものの内容（当該計算書類その他これに相当するものについて監査役、監査等委員会、監査委員会、会計監査人その他これらに相当するものの監査を受けている場合にあっては、監査報告その他これに相当するものの内容の概要を含む。）

ト　次に掲げる場合の区分に応じ、次に定める事項

(1)　当該法人等が株式会社である場合　当該法人等の最終事業年度に係る事業報告の内容（当該事業報告について監査役、監査等委員会又は監査委員会の監査を受けている場合にあっては、監査報告の内容を含む。）

(2)　当該法人等が株式会社以外のものである場合　当該法人等の最終事業年度に係る第百十八条各号及び第百十九条各号に掲げる事項に相当する事項の内容の概要（当該事項について監査役、監査等委員会、監査委員会その他これらに相当するものの監査を受けている場合にあっては、監査報告その他これに相当するものの内容の概要を含む。）

チ　当該法人等の過去五年間にその末日が到来した各事業年度（次に掲げる事業年度を除く。）に係る貸借対照表その他これに相当するものの内容

(1)　最終事業年度

(2)　ある事業年度に係る貸借対照表その他これに相当するものの内容につき、法令の規定に基づく公告（法第四百四十条第三項の措置に相当するものを含む。）をしている場合における当該事業年度

(3)　ある事業年度に係る貸借対照表その他これに相当するものの内容につき、金融商品取引法第二十四条第一項の規定により有価証券報告書を内閣総理大臣に提出している場合における当該事業年度

リ　前号ロ及びハに掲げる事項

ヌ　合併対価が自己株式の取得、持分の払戻しその他これらに相当する方法により払戻しを受けることができるものであるときは、その手続に関する事項

三　合併対価の全部又は一部が吸収合併存続会社の社債、新株予約権又は新株予約権付社債である場合　第一号イからニまでに掲げる事項

四　合併対価の全部又は一部が法人等の社債、新株予約権、新株予約権付社債その他これらに準ずるもの（吸収合併存続会社の社債、新株予約権又は新株予約権付社債を除く。）である場合　次に掲げる事項（当該事項が日本語以外の言語で表示されている場合にあっては、当該事項（氏名又は名称を除く。）を日本語で表示した事項）

イ　第一号ロ及びハに掲げる事項

ロ　第二号イ及びホからチまでに掲げる事項

五　合併対価の全部又は一部が吸収合併存続会社その他の法人等の株式、持分、社債、新株予約権、新株予約権付社債その他これらに準ずるもの及び金銭以外の財産である場合　第一号ロ及びハに掲げる事項

⑤　第一項第三号に規定する「吸収合併に係る新株予約権の定めの相当性に関する事項」とは、次の各号に掲げる場合の区分に応じ、当該各号に定める定めの相当性に関する事項とする。

一　吸収合併存続会社が株式会社である場合　法第七百四十九条第一項第四号及び第五号に掲げる事項についての定め

二　吸収合併存続会社が持分会社である場合　法第七百五十一条第一項第五号及び第六号に掲げる事項についての定め

⑥　第一項第四号に規定する「計算書類等に関する事項」とは、次に掲げる事項とする。

一　吸収合併存続会社についての次に掲げる事項

イ　最終事業年度に係る計算書類等（最終事業年度がない場合にあっては、吸収合併存続会社の成立の日における貸借対照表）の内容

ロ　最終事業年度の末日（最終事業年度がない場合にあっては、吸収合併存続会社の成立の日。ハにおいて同じ。）後の日を臨時決算日（二以上の臨時決算日がある場合にあっては、最も遅いもの）とする臨時計算書類等があるときは、当該臨時計算書類等の内容

ハ　最終事業年度の末日後に重要な財産の処分、重大な債務の負担その他の会社財産の状況に重要な影響を与える事象が生じたときは、その内容（吸収合併契約等備置開始日後吸収合併の効力が生ずる日までの間に新たな最終事業年度が存することとなる場合にあっては、当該新たな最終事業年度の末日後に生じた事象の内容に限る。）

二　吸収合併消滅株式会社（清算株式会社を除く。以下この号において同じ。）についての次に掲げる事項

イ　吸収合併消滅株式会社において最終事業年度の末日（最終事業年度がない場合にあっては、吸収合併消滅株式会社の成立の日）後に重要な財産の処分、重大な債務の負担その他の会社財産の状況に重要な影響を与える事象が生じたときは、その内容（吸収合併契約等備置開始日後吸収合併の効力が生ずる日までの間に新たな最終事業年度が存することとなる場合にあっては、当該新たな最終事業年度の末日後に生じた事象の内容に限る。）

ロ　吸収合併消滅株式会社において最終事業年度がないときは、吸収合併消滅株式会社の成立の日における貸借対照表

（吸収分割株式会社の事前開示事項）

第一八三条　法第七百八十二条第一項に規定する法務省令で定める事項は、同項に規定する消滅株式会社等が吸収分割株式会社

である場合には、次に掲げる事項とする。

一　次のイ又はロに掲げる場合の区分に応じ、当該イ又はロに定める定め（当該定めがない場合にあっては、当該定めがないこと）の相当性に関する事項

イ　吸収分割承継会社が株式会社である場合　法第七百五十八条第四号に掲げる事項についての定め

ロ　吸収分割承継会社が持分会社である場合　法第七百六十条第四号及び第五号に掲げる事項についての定め

二　法第七百五十八条第八号又は第七百六十条第七号に掲げる事項を定めたときは、次に掲げる事項

イ　法第七百五十八条第八号イ又は第七百六十条第七号イに掲げる行為をする場合において、法第百七十一条第一項の決議が行われているときは、同項各号に掲げる事項

ロ　法第七百五十八条第八号ロ又は第七百六十条第七号ロに掲げる行為をする場合において、法第四百五十四条第一項の決議が行われているときは、同項第一号及び第二号に掲げる事項

三　吸収分割株式会社が法第七百八十七条第三項第二号に定める新株予約権を発行している場合において、吸収分割承継会社が株式会社であるときは、法第七百五十八条第五号及び第六号に掲げる事項についての定めの相当性に関する事項（当該新株予約権に係る事項に限る。）

四　吸収分割承継会社についての次に掲げる事項

イ　最終事業年度に係る計算書類等（最終事業年度がない場合にあっては、吸収分割承継会社の成立の日における貸借対照表）の内容

ロ　最終事業年度の末日（最終事業年度がない場合にあっては、吸収分割承継会社の成立の日。ハにおいて同じ。）後の日を臨時決算日（二以上の臨時決算日がある場合にあっては、最も遅いもの）とする臨時計算書類等があるときは、当該臨時計算書類等の内容

ハ　最終事業年度の末日後に重要な財産の処分、重大な債務の負担その他の会社財産の状況に重要な影響を与える事象が生じたときは、その内容（吸収合併契約等備置開始日後吸収分割の効力が生ずる日までの間に新たな最終事業年度が存することとなる場合にあっては、当該新たな最終事業年度の末日後に生じた事象の内容に限る。）

五　吸収分割株式会社（清算株式会社を除く。以下この号において同じ。）についての次に掲げる事項

イ　吸収分割株式会社において最終事業年度の末日（最終事業年度がない場合にあっては、吸収分割株式会社の成立の日）後に重要な財産の処分、重大な債務の負担その他の会社財産の状況に重要な影響を与える事象が生じたときは、その内容（吸収合併契約等備置開始日後吸収分割の効力が生ずる日までの間に新たな最終事業年度が存することとなる場合にあっては、当該新たな最終事業年度の末日後に生じた事象の内容に限る。）

ロ　吸収分割株式会社において最終事業年度がないときは、吸収分割株式会社の成立の日における貸借対照表

六　吸収分割が効力を生ずる日以後における吸収分割株式会社の債務及び吸収分割承継会社の債務（吸収分割株式会社が吸収分割により吸収分割承継会社に承継させるものに限る。）の履行の見込みに関する事項

七　吸収合併契約等備置開始日後吸収分割が効力を生ずる日までの間に、前各号に掲げる事項に変更が生じたときは、変更後の当該事項

（株式交換完全子会社の事前開示事項）

第一八四条①　法第七百八十二条第一項に規定する法務省令で定める事項は、同項に規定する消滅株式会社等が株式交換完全子会社である場合には、次に掲げる事項とする。

一　交換対価の相当性に関する事項

二　交換対価について参考となるべき事項

三　株式交換に係る新株予約権の定めの相当性に関する事項

四　計算書類等に関する事項

五　法第七百八十九条第一項の規定により株式交換について異議を述べることができる債権者があるときは、株式交換が効力を生ずる日以後における株式交換完全親会社の債務（当該債権者に対して負担する債務に限る。）の履行の見込みに関する事項

六　吸収合併契約等備置開始日後株式交換が効力を生ずる日までの間に、前各号に掲げる事項に変更が生じたときは、変更後の当該事項

②　この条において「交換対価」とは、株式交換完全親会社が株式交換に際して株式交換完全子会社の株主に対してその株式に代えて交付する金銭等をいう。

③　第一項第一号に規定する「交換対価の相当性に関する事項」とは、次に掲げる事項その他の法第七百六十八条第一項第二号及び第三号に掲げる事項又は法第七百七十条第一項第二号から第四号までに掲げる事項についての定め（当該定めがない場合にあっては、当該定めがないこと）の相当性に関する事項とする。

一　交換対価の総数又は総額の相当性に関する事項

二　交換対価として当該種類の財産を選択した理由

三　株式交換完全親会社と株式交換完全子会社とが共通支配下関係にあるときは、当該株式交換完全子会社の株主（当該株式交換完全子会社と共通支配下関係にある株主を除く。）の利益を害さないように留意した事項（当該事項がない場合にあっては、その旨）

④　第一項第二号に規定する「交換対価について参考となるべき事項」とは、次の各号に掲げる場合の区分に応じ、当該各号に定める事項その他これに準ずる事項（法第七百八十二条第一項に規定する書面又は電磁的記録にこれらの事項の全部又は一部の記載又は記録をしないことにつき株式交換完全子会社の総株主の同意がある場合にあっては、当該同意があったものを除く。）とする。

一　交換対価の全部又は一部が株式交換完全親会社の株式又は持分である場合　次に掲げる事項

イ　当該株式交換完全親会社の定款の定め

ロ　次に掲げる事項その他の交換対価の換価の方法に関する事項

(1)　交換対価を取引する市場

(2)　交換対価の取引の媒介、取次ぎ又は代理を行う者

(3)　交換対価の譲渡その他の処分に制限があるときは、その内容

ハ　交換対価に市場価格があるときは、その価格に関する事項

ニ　株式交換完全親会社の過去五年間にその末日が到来した各事業年度（次に掲げる事業年度を除く。）に係る貸借対照表の内容

(1)　最終事業年度

(2)　ある事業年度に係る貸借対照表の内容につき、法令の規定に基づく公告（法第四百四十条第三項の措置に相当するものを含む。）をしている場合における当該事業年度

(3)　ある事業年度に係る貸借対照表の内容につき、金融商品取引法第二十四条第一項の規定により有価証券報告書を内閣総理大臣に提出している場合における当該事業年度

二　交換対価の全部又は一部が法人等の株式、持分その他これらに準ずるもの（株式交換完全親会社の株式又は持分を除く。）である場合　次に掲げる事項（当該事項が日本語以外の言語で表示されている場合にあっては、当該事項（氏名又は名称を除く。）を日本語で表示した事項）

イ　当該法人等の定款その他これに相当するものの定め

ロ　当該法人等が会社でないときは、次に掲げる権利に相当する権利その他の交換対価に係る権利（重要でないものを除く。）の内容

(1) 剰余金の配当を受ける権利
(2) 残余財産の分配を受ける権利
(3) 株主総会における議決権
(4) 合併その他の行為がされる場合において、自己の有する株式を公正な価格で買い取ることを請求する権利
(5) 定款その他の資料（当該資料が電磁的記録をもって作成されている場合にあっては、当該電磁的記録に記録された事項を表示したもの）の閲覧又は謄写を請求する権利

ハ 当該法人等がその株主等に対し、日本語以外の言語を使用して情報の提供をすることとされているときは、当該言語

ニ 株式交換が効力を生ずる日に当該法人等の株主総会その他これに相当するものの開催があるものとした場合における当該法人等の株主等が有すると見込まれる議決権その他これに相当する権利の総数

ホ 当該法人等について登記（当該法人等が外国の法令に準拠して設立されたものである場合にあっては、法第九百三十三条第一項の外国会社の登記又は外国法人の登記及び夫婦財産契約の登記に関する法律第二条の外国法人の登記に限る。）がされていないときは、次に掲げる事項
(1) 当該法人等を代表する者の氏名又は名称及び住所
(2) 当該法人等の役員（(1)の者を除く。）の氏名又は名称

ヘ 当該法人等の最終事業年度（当該法人等が会社以外のものである場合にあっては、最終事業年度に相当するもの。以下この号において同じ。）に係る計算書類（最終事業年度がない場合にあっては、当該法人等の成立の日における貸借対照表）その他これに相当するものの内容（当該計算書類その他これに相当するものについて監査役、監査等委員会、監査委員会、会計監査人その他これらに相当するものの監査を受けている場合にあっては、監査報告その他これに相当するものの内容の概要を含む。）

ト 次に掲げる場合の区分に応じ、次に定める事項
(1) 当該法人等が株式会社である場合　当該法人等の最終事業年度に係る事業報告の内容（当該事業報告について監査役、監査等委員会又は監査委員会の監査を受けている場合にあっては、監査報告の内容を含む。）
(2) 当該法人等が株式会社以外のものである場合　当該法人等の最終事業年度に係る第百十八条各号及び第百十九条各号に掲げる事項に相当する事項の内容の概要（当該事項について監査役、監査等委員会、監査委員会その他これらに相当するものの監査を受けている場合にあっては、監査報告その他これに相当するものの内容の概要を含む。）

チ 当該法人等の過去五年間にその末日が到来した各事業年度（次に掲げる事業年度を除く。）に係る貸借対照表その他これに相当するものの内容
(1) 最終事業年度
(2) ある事業年度に係る貸借対照表その他これに相当するものの内容につき、法令の規定に基づく公告（法第四百四十条第三項の措置に相当するものを含む。）をしている場合における当該事業年度
(3) ある事業年度に係る貸借対照表その他これに相当するものの内容につき、金融商品取引法第二十四条第一項の規定により有価証券報告書を内閣総理大臣に提出している場合における当該事業年度

リ 前号ロ及びハに掲げる事項

ヌ 交換対価が自己株式の取得、持分の払戻しその他これらに相当する方法により払戻しを受けることができるものであるときは、その手続に関する事項

三 交換対価の全部又は一部が株式交換完全親会社の社債、新株予約権又は新株予約権付社債である場合　第一号イからニまでに掲げる事項

四 交換対価の全部又は一部が法人等の社債、新株予約権、新株予約権付社債その他これらに準ずるもの（株式交換完全親会社の社債、新株予約権又は新株予約権付社債を除く。）である場合　次に掲げる事項（当該事項が日本語以外の言語で表示されている場合にあっては、当該事項（氏名又は名称を除く。）を日本語で表示した事項）
イ 第一号ロ及びハに掲げる事項
ロ 第二号イ及びホからチまでに掲げる事項

五 交換対価の全部又は一部が株式交換完全親会社その他の法人等の株式、持分、社債、新株予約権、新株予約権付社債その他これらに準ずるもの及び金銭以外の財産である場合　第一号ロ及びハに掲げる事項

⑤ 第一項第三号に規定する「株式交換に係る新株予約権の定めの相当性に関する事項」とは、株式交換完全子会社が法第七百八十七条第三項第三号に定める新株予約権を発行している場合（株式交換完全親会社が株式会社であるときに限る。）における法第七百六十八条第一項第四号及び第五号に掲げる事項についての定めの相当性に関する事項（当該新株予約権に係る事項に限る。）とする。

⑥ 第一項第四号に規定する「計算書類等に関する事項」とは、次に掲げる事項とする。

一 株式交換完全親会社についての次に掲げる事項
イ 最終事業年度に係る計算書類等（最終事業年度がない場合にあっては、株式交換完全親会社の成立の日における貸借対照表）の内容
ロ 最終事業年度の末日（最終事業年度がない場合にあっては、株式交換完全親会社の成立の日。ハにおいて同じ。）後の日を臨時決算日（二以上の臨時決算日がある場合にあっては、最も遅いもの）とする臨時計算書類等があるときは、当該臨時計算書類等の内容
ハ 最終事業年度の末日後に重要な財産の処分、重大な債務の負担その他の会社財産の状況に重要な影響を与える事象が生じたときは、その内容（吸収合併契約等備置開始日後株式交換の効力が生ずる日までの間に新たな最終事業年度が存することとなる場合にあっては、当該新たな最終事業年度の末日後に生じた事象の内容に限る。）

二 株式交換完全子会社についての次に掲げる事項
イ 株式交換完全子会社において最終事業年度の末日（最終事業年度がない場合にあっては、株式交換完全子会社の成立の日）後に重要な財産の処分、重大な債務の負担その他の会社財産の状況に重要な影響を与える事象が生じたときは、その内容（吸収合併契約等備置開始日後株式交換の効力が生ずる日までの間に新たな最終事業年度が存することとなる場合にあっては、当該新たな最終事業年度の末日後に生じた事象の内容に限る。）
ロ 株式交換完全子会社において最終事業年度がないときは、株式交換完全子会社の成立の日における貸借対照表

（持分等）

第一八五条 法第七百八十三条第二項に規定する法務省令で定めるものは、権利の移転又は行使に債務者その他第三者の承諾を要するもの（持分会社の持分及び譲渡制限株式を除く。）とする。

（譲渡制限株式等）

第一八六条 法第七百八十三条第三項に規定する法務省令で定めるものは、次の各号に掲げる場合の区分に応じ、当該各号に定める株式会社の取得条項付株式（当該取得条項付株式に係る法第百八条第二項第六号ロの他の株式の種類が当該各号に定める株式会社の譲渡制限株式であるものに限る。）又は取得条項付新株予約権（当該取得条項付新株予約権に係る法第二百三十六条第一項第七号ニの株式が当該各号に定める株式会社の譲渡制限株式であるものに限る。）とする。

一 吸収合併をする場合　吸収合併存続株式会社

二 株式交換をする場合　株式交換完全親株式会社

三　新設合併をする場合　新設合併設立株式会社
四　株式移転をする場合　株式移転設立完全親会社

（**総資産の額**）

第一八七条①　法第七百八十四条第二項に規定する法務省令で定める方法は、算定基準日（吸収分割契約を締結した日（当該吸収分割契約により当該吸収分割契約を締結した日と異なる時（当該吸収分割契約を締結した日後から当該吸収分割の効力が生ずる時の直前までの間の時に限る。）を定めた場合にあっては、当該時）をいう。以下この条において同じ。）における第一号から第九号までに掲げる額の合計額から第十号に掲げる額を減じて得た額をもって吸収分割株式会社の総資産額とする方法とする。

一　資本金の額
二　資本準備金の額
三　利益準備金の額
四　法第四百四十六条に規定する剰余金の額
五　最終事業年度（法第四百六十一条第二項第二号に規定する場合にあっては、法第四百四十一条第一項第二号の期間（当該期間が二以上ある場合にあっては、その末日が最も遅いもの。以下この項において同じ。）の末日（最終事業年度がない場合にあっては、吸収分割株式会社の成立の日。以下この項において同じ。）における評価・換算差額等に係る額
六　株式引受権の帳簿価額
七　新株予約権の帳簿価額
八　最終事業年度の末日において負債の部に計上した額
九　最終事業年度の末日後に吸収合併、吸収分割による他の会社の事業に係る権利義務の承継又は他の会社（外国会社を含む。）の事業の全部の譲受けをしたときは、これらの行為により承継又は譲受けをした負債の額
十　自己株式及び自己新株予約権の帳簿価額の合計額

②　前項の規定にかかわらず、算定基準日において吸収分割株式会社が清算株式会社である場合における法第七百八十四条第二項に規定する法務省令で定める方法は、法第四百九十二条第一項の規定により作成した貸借対照表の資産の部に計上した額をもって吸収分割株式会社の総資産額とする方法とする。

（**計算書類に関する事項**）

第一八八条　法第七百八十九条第二項第三号に規定する法務省令で定めるものは、同項の規定による公告の日又は同項の規定による催告の日のいずれか早い日における次の各号に掲げる場合の区分に応じ、当該各号に定めるものとする。

一　最終事業年度に係る貸借対照表又はその要旨につき公告対象会社（法第七百八十九条第二項第三号の株式会社をいう。以下この条において同じ。）が法第四百四十条第一項又は第二項の規定による公告をしている場合　次に掲げるもの
イ　官報で公告をしているときは、当該官報の日付及び当該公告が掲載されている頁
ロ　時事に関する事項を掲載する日刊新聞紙で公告をしているときは、当該日刊新聞紙の名称、日付及び当該公告が掲載されている頁
ハ　電子公告により公告をしているときは、法第九百十一条第三項第二十八号イに掲げる事項
二　最終事業年度に係る貸借対照表につき公告対象会社が法第四百四十条第三項に規定する措置をとっている場合　法第九百十一条第三項第二十六号に掲げる事項
三　公告対象会社が法第四百四十条第四項に規定する株式会社である場合において、当該株式会社が金融商品取引法第二十四条第一項の規定により最終事業年度に係る有価証券報告書を提出しているとき　その旨
四　公告対象会社が会社法の施行に伴う関係法律の整備等に関する法律第二十八条の規定により法第四百四十条の規定が適用されないものである場合　その旨
五　公告対象会社につき最終事業年度がない場合　その旨
六　公告対象会社が清算株式会社である場合　その旨
七　前各号に掲げる場合以外の場合　会社計算規則第六編第二章の規定による最終事業年度に係る貸借対照表の要旨の内容

（**吸収分割株式会社の事後開示事項**）

第一八九条　法第七百九十一条第一項第一号に規定する法務省令で定める事項は、次に掲げる事項とする。

一　吸収分割が効力を生じた日
二　吸収分割株式会社における次に掲げる事項
イ　法第七百八十四条の二の規定による請求に係る手続の経過
ロ　法第七百八十五条、第七百八十七条及び第七百八十九条の規定による手続の経過
三　吸収分割承継会社における次に掲げる事項
イ　法第七百九十六条の二の規定による請求に係る手続の経過
ロ　法第七百九十七条の規定及び法第七百九十九条（法第八百二条第二項において準用する場合を含む。）の規定による手続の経過
四　吸収分割により吸収分割承継会社が吸収分割株式会社から承継した重要な権利義務に関する事項
五　法第九百二十三条の変更の登記をした日
六　前各号に掲げるもののほか、吸収分割に関する重要な事項

（**株式交換完全子会社の事後開示事項**）

第一九〇条　法第七百九十一条第一項第二号に規定する法務省令で定める事項は、次に掲げる事項とする。

一　株式交換が効力を生じた日
二　株式交換完全子会社における次に掲げる事項
イ　法第七百八十四条の二の規定による請求に係る手続の経過
ロ　法第七百八十五条、第七百八十七条及び第七百八十九条の規定による手続の経過
三　株式交換完全親会社における次に掲げる事項
イ　法第七百九十六条の二の規定による請求に係る手続の経過
ロ　法第七百九十七条の規定及び法第七百九十九条（法第八百二条第二項において準用する場合を含む。）の規定による手続の経過
四　株式交換により株式交換完全親会社に移転した株式交換完全子会社の株式の数（株式交換完全子会社が種類株式発行会社であるときは、株式の種類及び種類ごとの数）
五　前各号に掲げるもののほか、株式交換に関する重要な事項

第四章　吸収合併存続株式会社、吸収分割承継株式会社及び株式交換完全親株式会社の手続

（**吸収合併存続株式会社の事前開示事項**）

第一九一条　法第七百九十四条第一項に規定する法務省令で定める事項は、同項に規定する存続株式会社等が吸収合併存続株式会社である場合には、次に掲げる事項とする。

一　法第七百四十九条第一項第二号及び第三号に掲げる事項についての定め（当該定めがない場合にあっては、当該定めがないこと）の相当性に関する事項
二　法第七百四十九条第一項第四号及び第五号に掲げる事項を定めたときは、当該事項についての定め（全部の新株予約権の新株予約権者に対して交付する吸収合併存続株式会社の新株予約権の数及び金銭の額を零とする旨の定めを除く。）の相当性に関する事項
三　吸収合併消滅会社（清算株式会社及び清算持分会社を除く。）についての次に掲げる事項
イ　最終事業年度に係る計算書類等（最終事業年度がない場合にあっては、吸収合併消滅会社の成立の日における貸借対照表）の内容
ロ　最終事業年度の末日（最終事業年度がない場合にあっては、吸収合併消滅会社の成立の日。ハにおいて同じ。）後の日を臨時決算日（二以上の臨時決算日がある場合にあって

は、最も遅いもの）とする臨時計算書類等があるときは、当該臨時計算書類等の内容

ハ　最終事業年度の末日後に重要な財産の処分、重大な債務の負担その他の会社財産の状況に重要な影響を与える事象が生じたときは、その内容（吸収合併契約等備置開始日（法第七百九十四条第二項に規定する吸収合併契約等備置開始日をいう。以下この章において同じ。）後吸収合併の効力が生ずる日までの間に新たな最終事業年度が存することとなる場合にあっては、当該新たな最終事業年度の末日後に生じた事象の内容に限る。）

四　吸収合併消滅会社（清算株式会社又は清算持分会社に限る。）が法第四百九十二条第一項又は第六百五十八条第一項若しくは第六百六十九条第一項若しくは第二項の規定により作成した貸借対照表

五　吸収合併存続株式会社についての次に掲げる事項

イ　吸収合併存続株式会社において最終事業年度の末日（最終事業年度がない場合にあっては、吸収合併存続株式会社の成立の日）後に重要な財産の処分、重大な債務の負担その他の会社財産の状況に重要な影響を与える事象が生じたときは、その内容（吸収合併契約等備置開始日後吸収合併の効力が生ずる日までの間に新たな最終事業年度が存することとなる場合にあっては、当該新たな最終事業年度の末日後に生じた事象の内容に限る。）

ロ　吸収合併存続株式会社において最終事業年度がないときは、吸収合併存続株式会社の成立の日における貸借対照表

六　吸収合併が効力を生ずる日以後における吸収合併存続株式会社の債務（法第七百九十九条第一項の規定により吸収合併について異議を述べることができる債権者に対して負担する債務に限る。）の履行の見込みに関する事項

七　吸収合併契約等備置開始日後吸収合併が効力を生ずる日までの間に、前各号に掲げる事項に変更が生じたときは、変更後の当該事項

（吸収分割承継株式会社の事前開示事項）

第一九二条　法第七百九十四条第一項に規定する法務省令で定める事項は、同項に規定する存続株式会社等が吸収分割承継株式会社である場合には、次に掲げる事項とする。

一　法第七百五十八条第四号に掲げる事項についての定め（当該定めがない場合にあっては、当該定めがないこと）の相当性に関する事項

二　法第七百五十八条第八号に掲げる事項を定めたときは、次に掲げる事項

イ　法第七百五十八条第八号イに掲げる行為をする場合において、法第百七十一条第一項の決議が行われているときは、同項各号に掲げる事項

ロ　法第七百五十八条第八号ロに掲げる行為をする場合において、法第四百五十四条第一項の決議が行われているときは、同項第一号及び第二号に掲げる事項

三　法第七百五十八条第五号及び第六号に掲げる事項を定めたときは、当該事項についての定めの相当性に関する事項

四　吸収分割会社（清算株式会社及び清算持分会社を除く。）についての次に掲げる事項

イ　最終事業年度に係る計算書類等（最終事業年度がない場合にあっては、吸収分割会社の成立の日における貸借対照表）の内容

ロ　最終事業年度の末日（最終事業年度がない場合にあっては、吸収分割会社の成立の日。ハにおいて同じ。）後の日を臨時決算日（二以上の臨時決算日がある場合にあっては、最も遅いもの）とする臨時計算書類等があるときは、当該臨時計算書類等の内容

ハ　最終事業年度の末日後に重要な財産の処分、重大な債務の負担その他の会社財産の状況に重要な影響を与える事象が生じたときは、その内容（吸収合併契約等備置開始日後吸収分割の効力が生ずる日までの間に新たな最終事業年度が存することとなる場合にあっては、当該新たな最終事業年度の末日後に生じた事象の内容に限る。）

五　吸収分割会社（清算株式会社又は清算持分会社に限る。）が法第四百九十二条第一項又は第六百五十八条第一項若しくは第六百六十九条第一項若しくは第二項の規定により作成した貸借対照表

六　吸収分割承継株式会社についての次に掲げる事項

イ　吸収分割承継株式会社において最終事業年度の末日（最終事業年度がない場合にあっては、吸収分割承継株式会社の成立の日）後に重要な財産の処分、重大な債務の負担その他の会社財産の状況に重要な影響を与える事象が生じたときは、その内容（吸収合併契約等備置開始日後吸収分割の効力が生ずる日までの間に新たな最終事業年度が存することとなる場合にあっては、当該新たな最終事業年度の末日後に生じた事象の内容に限る。）

ロ　吸収分割承継株式会社において最終事業年度がないときは、吸収分割承継株式会社の成立の日における貸借対照表

七　吸収分割が効力を生ずる日以後における吸収分割承継株式会社の債務（法第七百九十九条第一項の規定により吸収分割について異議を述べることができる債権者に対して負担する債務に限る。）の履行の見込みに関する事項

八　吸収合併契約等備置開始日後吸収分割が効力を生ずる日までの間に、前各号に掲げる事項に変更が生じたときは、変更後の当該事項

（株式交換完全親株式会社の事前開示事項）

第一九三条　法第七百九十四条第一項に規定する法務省令で定める事項は、同項に規定する存続株式会社等が株式交換完全親株式会社である場合には、次に掲げる事項とする。

一　法第七百六十八条第一項第二号及び第三号に掲げる事項についての定め（当該定めがない場合にあっては、当該定めがないこと）の相当性に関する事項

二　法第七百六十八条第一項第四号及び第五号に掲げる事項を定めたときは、当該事項についての定めの相当性に関する事項

三　株式交換完全子会社についての次に掲げる事項

イ　最終事業年度に係る計算書類等（最終事業年度がない場合にあっては、株式交換完全子会社の成立の日における貸借対照表）の内容

ロ　最終事業年度の末日（最終事業年度がない場合にあっては、株式交換完全子会社の成立の日。ハにおいて同じ。）後の日を臨時決算日（二以上の臨時決算日がある場合にあっては、最も遅いもの）とする臨時計算書類等があるときは、当該臨時計算書類等の内容

ハ　最終事業年度の末日後に重要な財産の処分、重大な債務の負担その他の会社財産の状況に重要な影響を与える事象が生じたときは、その内容（吸収合併契約等備置開始日後株式交換の効力が生ずる日までの間に新たな最終事業年度が存することとなる場合にあっては、当該新たな最終事業年度の末日後に生じた事象の内容に限る。）

四　株式交換完全親株式会社についての次に掲げる事項

イ　株式交換完全親株式会社において最終事業年度の末日（最終事業年度がない場合にあっては、株式交換完全親株式会社の成立の日）後に重要な財産の処分、重大な債務の負担その他の会社財産の状況に重要な影響を与える事象が生じたときは、その内容（吸収合併契約等備置開始日後株式交換の効力が生ずる日までの間に新たな最終事業年度が存することとなる場合にあっては、当該新たな最終事業年度の末日後に生じた事象の内容に限る。）

ロ　株式交換完全親株式会社において最終事業年度がないときは、株式交換完全親株式会社の成立の日における貸借対照表

五　法第七百九十九条第一項の規定により株式交換について異議を述べることができる債権者があるときは、株式交換が効

力を生ずる日以後における株式交換完全親株式会社の債務（当該債権者に対して負担する債務に限る。）の履行の見込みに関する事項

六　吸収合併契約等備置開始日後株式交換が効力を生ずる日までの間に、前各号に掲げる事項に変更が生じたときは、変更後の当該事項

（株式交換完全親株式会社の株式に準ずるもの）

第一九四条　法第七百九十四条第三項に規定する法務省令で定めるものは、第一号に掲げる額から第二号に掲げる額を減じて得た額が第三号に掲げる額よりも小さい場合における法第七百六十八条第一項第二号及び第三号の定めに従い交付する株式交換完全親株式会社の株式以外の金銭等とする。

一　株式交換完全子会社の株主に対して交付する金銭等の合計額

二　前号に規定する金銭等のうち株式交換完全親株式会社の株式の価額の合計額

三　第一号に規定する金銭等の合計額に二十分の一を乗じて得た額

（資産の額等）

第一九五条①　法第七百九十五条第二項第一号に規定する債務の額として法務省令で定める額は、第一号に掲げる額から第二号に掲げる額を減じて得た額とする。

一　吸収合併又は吸収分割の直後に吸収合併存続株式会社又は吸収分割承継株式会社の貸借対照表の作成があったものとする場合における当該貸借対照表の負債の部に計上すべき額から法第七百九十五条第二項第二号の株式等（社債（吸収合併又は吸収分割の直前に吸収合併存続株式会社又は吸収分割承継株式会社が有していた社債を除く。）に限る。）につき会計帳簿に付すべき額を減じて得た額

二　吸収合併又は吸収分割の直前に吸収合併存続株式会社又は吸収分割承継株式会社の貸借対照表の作成があったものとする場合における当該貸借対照表の負債の部に計上すべき額

②　法第七百九十五条第二項第一号に規定する資産の額として法務省令で定める額は、第一号に掲げる額から第二号に掲げる額を減じて得た額とする。

一　吸収合併又は吸収分割の直後に吸収合併存続株式会社又は吸収分割承継株式会社の貸借対照表の作成があったものとする場合における当該貸借対照表の資産の部に計上すべき額

二　吸収合併又は吸収分割の直前に吸収合併存続株式会社又は吸収分割承継株式会社の貸借対照表の作成があったものとする場合における当該貸借対照表の資産の部に計上すべき額から法第七百九十五条第二項第二号に規定する金銭等（同号の株式等のうち吸収合併又は吸収分割の直前に吸収合併存続株式会社又は吸収分割承継株式会社が有していた社債を含む。）の帳簿価額を減じて得た額

③　前項の規定にかかわらず、吸収合併存続株式会社が連結配当規制適用会社である場合において、吸収合併消滅会社が吸収合併存続株式会社の子会社であるときは、法第七百九十五条第二項第一号に規定する資産の額として法務省令で定める額は、次に掲げる額のうちいずれか高い額とする。

一　第一項第一号に掲げる額から同項第二号に掲げる額を減じて得た額

二　前項第一号に掲げる額から同項第二号に掲げる額を減じて得た額

④　第二項の規定にかかわらず、吸収分割承継株式会社が連結配当規制適用会社である場合において、吸収分割会社が吸収分割承継株式会社の子会社であるときは、法第七百九十五条第二項第一号に規定する資産の額として法務省令で定める額は、次に掲げる額のうちいずれか高い額とする。

一　第一項第一号に掲げる額から同項第二号に掲げる額を減じて得た額

二　第二項第一号に掲げる額から同項第二号に掲げる額を減じて得た額

⑤　法第七百九十五条第二項第三号に規定する法務省令で定める額は、第一号及び第二号に掲げる額の合計額から第三号に掲げる額を減じて得た額とする。

一　株式交換完全親株式会社が株式交換により取得する株式交換完全子会社の株式につき会計帳簿に付すべき額

二　会社計算規則第十一条の規定により計上したのれんの額

三　会社計算規則第十二条の規定により計上する負債の額（株式交換完全子会社が株式交換完全親株式会社（連結配当規制適用会社に限る。）の子会社である場合にあっては、零）

（純資産の額）

第一九六条　法第七百九十六条第二項第二号に規定する法務省令で定める方法は、算定基準日（吸収合併契約、吸収分割契約又は株式交換契約を締結した日（当該契約により当該契約を締結した日と異なる時（当該契約を締結した日後から当該吸収合併、吸収分割又は株式交換の効力が生ずる時の直前までの間の時に限る。）を定めた場合にあっては、当該時）をいう。）における第一号から第七号までに掲げる額の合計額から第八号に掲げる額を減じて得た額（当該額が五百万円を下回る場合にあっては、五百万円）をもって存続株式会社等（法第七百九十四条第一項に規定する存続株式会社等をいう。以下この条において同じ。）の純資産額とする方法とする。

一　資本金の額

二　資本準備金の額

三　利益準備金の額

四　法第四百四十六条に規定する剰余金の額

五　最終事業年度（法第四百六十一条第二項第二号に規定する場合にあっては、法第四百四十一条第一項第二号の期間（当該期間が二以上ある場合にあっては、その末日が最も遅いもの））の末日（最終事業年度がない場合にあっては、存続株式会社等の成立の日）における評価・換算差額等に係る額

六　株式引受権の帳簿価額

七　新株予約権の帳簿価額

八　自己株式及び自己新株予約権の帳簿価額の合計額

（株式の数）

第一九七条　法第七百九十六条第三項に規定する法務省令で定める数は、次に掲げる数のうちいずれか小さい数とする。

一　特定株式（法第七百九十六条第三項に規定する行為に係る株主総会において議決権を行使することができることを内容とする株式をいう。以下この条において同じ。）の総数に二分の一（当該株主総会の決議が成立するための要件として当該特定株式の議決権の総数の一定の割合以上の議決権を有する株主が出席しなければならない旨の定款の定めがある場合にあっては、当該一定の割合）を乗じて得た数に三分の一（当該株主総会の決議が成立するための要件として当該株主総会に出席した当該特定株主（特定株式の株主をいう。以下この条において同じ。）の有する議決権の総数の一定の割合以上の多数が賛成しなければならない旨の定款の定めがある場合にあっては、一から当該一定の割合を減じて得た割合）を乗じて得た数に一を加えた数

二　法第七百九十六条第三項に規定する行為に係る決議が成立するための要件として一定の数以上の特定株主の賛成を要する旨の定款の定めがある場合において、特定株主の総数から株式会社に対して当該行為に反対する旨の通知をした特定株主の数を減じて得た数が当該一定の数未満となるときにおける当該行為に反対する旨の通知をした特定株主の有する特定株式の数

三　法第七百九十六条第三項に規定する行為に係る決議が成立するための要件として前二号の定款の定め以外の定款の定めがある場合において、当該行為に反対する旨の通知をした特定株主の全部が同項に規定する株主総会において反対したとすれば当該決議が成立しないときは、当該行為に反対する旨の通知をした特定株主の有する特定株式の数

四　定款で定めた数

（株式交換完全親株式会社の株式に準ずるもの）

第一九八条　法第七百九十九条第一項第三号に規定する法務省令で定めるものは、第一号に掲げる額から第二号に掲げる額を減じて得た額が第三号に掲げる額よりも小さい場合における法第七百六十八条第一項第二号及び第三号の定めに従い交付する株式交換完全親株式会社の株式以外の金銭等とする。

一　株式交換完全子会社の株主に対して交付する金銭等の合計額

二　前号に規定する金銭等のうち株式交換完全親株式会社の株式の価額の合計額

三　第一号に規定する金銭等の合計額に二十分の一を乗じて得た額

（計算書類に関する事項）

第一九九条　法第七百九十九条第二項第三号に規定する法務省令で定めるものは、同項の規定による公告の日又は同項の規定による催告の日のいずれか早い日における次の各号に掲げる場合の区分に応じ、当該各号に定めるものとする。

一　最終事業年度に係る貸借対照表又はその要旨につき公告対象会社（法第七百九十九条第二項第三号の株式会社をいう。以下この条において同じ。）が法第四百四十条第一項又は第二項の規定による公告をしている場合　次に掲げるもの

イ　官報で公告をしているときは、当該官報の日付及び当該公告が掲載されている頁

ロ　時事に関する事項を掲載する日刊新聞紙で公告をしているときは、当該日刊新聞紙の名称、日付及び当該公告が掲載されている頁

ハ　電子公告により公告をしているときは、法第九百十一条第三項第二十八号イに掲げる事項

二　最終事業年度に係る貸借対照表につき公告対象会社が法第四百四十条第三項に規定する措置をとっている場合　法第九百十一条第三項第二十六号に掲げる事項

三　公告対象会社が法第四百四十条第四項に規定する株式会社である場合において、当該株式会社が金融商品取引法第二十四条第一項の規定により最終事業年度に係る有価証券報告書を提出しているとき　その旨

四　公告対象会社が会社法の施行に伴う関係法律の整備等に関する法律第二十八条の規定により法第四百四十条の規定が適用されないものである場合　その旨

五　公告対象会社につき最終事業年度がない場合　その旨

六　公告対象会社が清算株式会社である場合　その旨

七　前各号に掲げる場合以外の場合　会社計算規則第六編第二章の規定による最終事業年度に係る貸借対照表の要旨の内容

（吸収合併存続株式会社の事後開示事項）

第二〇〇条　法第八百一条第一項に規定する法務省令で定める事項は、次に掲げる事項とする。

一　吸収合併が効力を生じた日

二　吸収合併消滅会社における次に掲げる事項

イ　法第七百八十四条の二の規定による請求に係る手続の経過

ロ　法第七百八十五条及び第七百八十七条の規定並びに法第七百八十九条（法第七百九十三条第二項において準用する場合を含む。）の規定による手続の経過

三　吸収合併存続株式会社における次に掲げる事項

イ　法第七百九十六条の二の規定による請求に係る手続の経過

ロ　法第七百九十七条及び第七百九十九条の規定による手続の経過

四　吸収合併により吸収合併存続株式会社が吸収合併消滅会社から承継した重要な権利義務に関する事項

五　法第七百八十二条第一項の規定により吸収合併消滅株式会社が備え置いた書面又は電磁的記録に記載又は記録がされた事項（吸収合併契約の内容を除く。）

六　法第九百二十一条の変更の登記をした日

七　前各号に掲げるもののほか、吸収合併に関する重要な事項

（吸収分割承継株式会社の事後開示事項）

第二〇一条　法第八百一条第二項に規定する法務省令で定める事項は、次に掲げる事項とする。

一　吸収分割が効力を生じた日

二　吸収分割合同会社における法第七百九十三条第二項において準用する法第七百八十九条の規定による手続の経過

三　吸収分割承継株式会社における次に掲げる事項

イ　法第七百九十六条の二の規定による請求に係る手続の経過

ロ　法第七百九十七条及び第七百九十九条の規定による手続の経過

四　吸収分割により吸収分割承継株式会社が吸収分割合同会社から承継した重要な権利義務に関する事項

五　法第九百二十三条の変更の登記をした日

六　前各号に掲げるもののほか、吸収分割に関する重要な事項

（株式交換完全親株式会社の株式に準ずるもの）

第二〇二条　法第八百一条第六項において準用する同条第四項に規定する法務省令で定めるものは、第一号に掲げる額から第二号に掲げる額を減じて得た額が第三号に掲げる額よりも小さい場合における法第七百六十八条第一項第二号及び第三号の定めに従い交付する株式交換完全親株式会社の株式以外の金銭等とする。

一　株式交換完全子会社の株主に対して交付する金銭等の合計額

二　前号に規定する金銭等のうち株式交換完全親株式会社の株式の価額の合計額

三　第一号に規定する金銭等の合計額に二十分の一を乗じて得た額

（株式交換完全親合同会社の持分に準ずるもの）

第二〇三条　法第八百二条第二項において準用する法第七百九十九条第一項第三号に規定する法務省令で定めるものは、第一号に掲げる額から第二号に掲げる額を減じて得た額が第三号に掲げる額よりも小さい場合における法第七百六十八条第一項第二号及び第三号の定めに従い交付する株式交換完全親合同会社の持分以外の金銭等とする。

一　株式交換完全子会社の株主に対して交付する金銭等の合計額

二　前号に規定する金銭等のうち株式交換完全親合同会社の持分の価額の合計額

三　第一号に規定する金銭等の合計額に二十分の一を乗じて得た額

第五章　新設合併消滅株式会社、新設分割株式会社及び株式移転完全子会社の手続

（新設合併消滅株式会社の事前開示事項）

第二〇四条　法第八百三条第一項に規定する法務省令で定める事項は、同項に規定する消滅株式会社等が新設合併消滅株式会社である場合には、次に掲げる事項とする。

一　次のイ又はロに掲げる場合の区分に応じ、当該イ又はロに定める定めの相当性に関する事項

イ　新設合併設立会社が株式会社である場合　法第七百五十三条第一項第六号から第九号までに掲げる事項についての定め

ロ　新設合併設立会社が持分会社である場合　法第七百五十五条第一項第四号、第六号及び第七号に掲げる事項についての定め

二　新設合併消滅株式会社の全部又は一部が新株予約権を発行しているときは、次のイ又はロに掲げる場合の区分に応じ、当該イ又はロに定める定めの相当性に関する事項

イ　新設合併設立会社が株式会社である場合　法第七百五十三条第一項第十号及び第十一号に掲げる事項についての定め

ロ　新設合併設立会社が持分会社である場合　法第七百五十五条第一項第八号及び第九号に掲げる事項についての定め

三　他の新設合併消滅会社（清算株式会社及び清算持分会社を除く。以下この号において同じ。）についての次に掲げる事項

イ　最終事業年度に係る計算書類等（最終事業年度がない場合にあっては、他の新設合併消滅会社の成立の日における貸借対照表）の内容

ロ　最終事業年度の末日（最終事業年度がない場合にあっては、他の新設合併消滅会社の成立の日）後の日を臨時決算日（二以上の臨時決算日がある場合にあっては、最も遅いもの）とする臨時計算書類等があるときは、当該臨時計算書類等の内容

ハ　他の新設合併消滅会社において最終事業年度の末日（最終事業年度がない場合にあっては、他の新設合併消滅会社の成立の日）後に重要な財産の処分、重大な債務の負担その他の会社財産の状況に重要な影響を与える事象が生じたときは、その内容（新設合併契約等備置開始日（法第八百三条第二項に規定する新設合併契約等備置開始日をいう。以下この章において同じ。）後新設合併の効力が生ずる日までの間に新たな最終事業年度が存することとなる場合にあっては、当該新たな最終事業年度の末日後に生じた事象の内容に限る。）

四　他の新設合併消滅会社（清算株式会社又は清算持分会社に限る。）が法第四百九十二条第一項又は第六百五十八条第一項若しくは第六百六十九条第一項若しくは第二項の規定により作成した貸借対照表

五　当該新設合併消滅株式会社（清算株式会社を除く。以下この号において同じ。）についての次に掲げる事項

イ　当該新設合併消滅株式会社において最終事業年度の末日（最終事業年度がない場合にあっては、当該新設合併消滅株式会社の成立の日）後に重要な財産の処分、重大な債務の負担その他の会社財産の状況に重要な影響を与える事象が生じたときは、その内容（新設合併契約等備置開始日後新設合併の効力が生ずる日までの間に新たな最終事業年度が存することとなる場合にあっては、当該新たな最終事業年度の末日後に生じた事象の内容に限る。）

ロ　当該新設合併消滅株式会社において最終事業年度がないときは、当該新設合併消滅株式会社の成立の日における貸借対照表

六　新設合併が効力を生ずる日以後における新設合併設立会社の債務（他の新設合併消滅会社から承継する債務を除く。）の履行の見込みに関する事項

七　新設合併契約等備置開始日後、前各号に掲げる事項に変更が生じたときは、変更後の当該事項

第二〇五条（**新設分割株式会社の事前開示事項**）　法第八百三条第一項に規定する法務省令で定める事項は、同項に規定する消滅株式会社等が新設分割株式会社である場合には、次に掲げる事項とする。

一　次のイ又はロに掲げる場合の区分に応じ、当該イ又はロに定める定めの相当性に関する事項

イ　新設分割設立会社が株式会社である場合　法第七百六十三条第一項第六号から第九号までに掲げる事項についての定め

ロ　新設分割設立会社が持分会社である場合　法第七百六十五条第一項第三号、第六号及び第七号に掲げる事項についての定め

二　法第七百六十三条第一項第十二号又は第七百六十五条第一項第八号に掲げる事項を定めたときは、次に掲げる事項

イ　法第七百六十三条第一項第十二号イ又は第七百六十五条第一項第八号イに掲げる行為をする場合において、法第百七十一条第一項の決議が行われているときは、同項各号に掲げる事項

ロ　法第七百六十三条第一項第十二号ロ又は第七百六十五条第一項第八号ロに掲げる行為をする場合において、法第四百五十四条第一項の決議が行われているときは、同項第一号及び第二号に掲げる事項

三　新設分割株式会社の全部又は一部が法第八百八条第三項第二号に定める新株予約権を発行している場合において、新設分割設立会社が株式会社であるときは、法第七百六十三条第一項第十号及び第十一号に掲げる事項についての定めの相当性に関する事項（当該新株予約権に係る事項に限る。）

四　他の新設分割会社（清算株式会社及び清算持分会社を除く。以下この号において同じ。）についての次に掲げる事項

イ　最終事業年度に係る計算書類等（最終事業年度がない場合にあっては、他の新設分割会社の成立の日における貸借対照表）の内容

ロ　最終事業年度の末日（最終事業年度がない場合にあっては、他の新設分割会社の成立の日）後の日を臨時決算日（二以上の臨時決算日がある場合にあっては、最も遅いもの）とする臨時計算書類等があるときは、当該臨時計算書類等の内容

ハ　他の新設分割会社において最終事業年度の末日（最終事業年度がない場合にあっては、他の新設分割会社の成立の日）後に重要な財産の処分、重大な債務の負担その他の会社財産の状況に重要な影響を与える事象が生じたときは、その内容（新設合併契約等備置開始日後新設分割の効力が生ずる日までの間に新たな最終事業年度が存することとなる場合にあっては、当該新たな最終事業年度の末日後に生じた事象の内容に限る。）

五　他の新設分割会社（清算株式会社又は清算持分会社に限る。）が法第四百九十二条第一項又は第六百五十八条第一項若しくは第六百六十九条第一項若しくは第二項の規定により作成した貸借対照表

六　当該新設分割株式会社（清算株式会社を除く。以下この号において同じ。）についての次に掲げる事項

イ　当該新設分割株式会社において最終事業年度の末日（最終事業年度がない場合にあっては、当該新設分割株式会社の成立の日）後に重要な財産の処分、重大な債務の負担その他の会社財産の状況に重要な影響を与える事象が生じたときは、その内容（新設合併契約等備置開始日後新設分割の効力が生ずる日までの間に新たな最終事業年度が存することとなる場合にあっては、当該新たな最終事業年度の末日後に生じた事象の内容に限る。）

ロ　当該新設分割株式会社において最終事業年度がないときは、当該新設分割株式会社の成立の日における貸借対照表

七　新設分割が効力を生ずる日以後における当該新設分割株式会社の債務及び新設分割設立会社の債務（当該新設分割株式会社が新設分割により新設分割設立会社に承継させるものに限る。）の履行の見込みに関する事項

八　新設合併契約等備置開始日後新設分割が効力を生ずる日までの間に、前各号に掲げる事項に変更が生じたときは、変更後の当該事項

第二〇六条（**株式移転完全子会社の事前開示事項**）　法第八百三条第一項に規定する法務省令で定める事項は、同項に規定する消滅株式会社等が株式移転完全子会社である場合には、次に掲げる事項とする。

一　法第七百七十三条第一項第五号から第八号までに掲げる事項についての定めの相当性に関する事項

二　株式移転完全子会社の全部又は一部が法第八百八条第三項第三号に定める新株予約権を発行している場合には、法第七百七十三条第一項第九号及び第十号に掲げる事項についての定めの相当性に関する事項（当該新株予約権に係る事項に限る。）

三　他の株式移転完全子会社についての次に掲げる事項

イ　最終事業年度に係る計算書類等（最終事業年度がない場合にあっては、他の株式移転完全子会社の成立の日におけ

る貸借対照表）の内容

ロ　最終事業年度の末日（最終事業年度がない場合にあっては、他の株式移転完全子会社の成立の日）後の日を臨時決算日（二以上の臨時決算日がある場合にあっては、最も遅いもの）とする臨時計算書類等があるときは、当該臨時計算書類等の内容

ハ　他の株式移転完全子会社において最終事業年度の末日（最終事業年度がない場合にあっては、他の株式移転完全子会社の成立の日）後に重要な財産の処分、重大な債務の負担その他の会社財産の状況に重要な影響を与える事象が生じたときは、その内容（新設合併契約等備置開始日後株式移転の効力が生ずる日までの間に新たな最終事業年度が存することとなる場合にあっては、当該新たな最終事業年度の末日後に生じた事象の内容に限る。）

四　当該株式移転完全子会社についての次に掲げる事項

イ　当該株式移転完全子会社において最終事業年度の末日（最終事業年度がない場合にあっては、当該株式移転完全子会社の成立の日）後に重要な財産の処分、重大な債務の負担その他の会社財産の状況に重要な影響を与える事象が生じたときは、その内容（新設合併契約等備置開始日後株式移転の効力が生ずる日までの間に新たな最終事業年度が存することとなる場合にあっては、当該新たな最終事業年度の末日後に生じた事象の内容に限る。）

ロ　当該株式移転完全子会社において最終事業年度がないときは、当該株式移転完全子会社の成立の日における貸借対照表

五　法第八百十条の規定により株式移転について異議を述べることができる債権者があるときは、株式移転が効力を生ずる日以後における株式移転設立完全親会社の債務（他の株式移転完全子会社から承継する債務を除き、当該異議を述べることができる債権者に対して負担する債務に限る。）の履行の見込みに関する事項

六　新設合併契約等備置開始日後株式移転が効力を生ずる日までの間に、前各号に掲げる事項に変更が生じたときは、変更後の当該事項

（**総資産の額**）

第二〇七条①　法第八百五条に規定する法務省令で定める方法は、算定基準日（新設分割計画を作成した日（当該新設分割計画により当該新設分割計画を作成した日と異なる時（当該新設分割計画を作成した日後から当該新設分割の効力が生ずる時の直前までの間の時に限る。）を定めた場合にあっては、当該時）をいう。以下この条において同じ。）における第一号から第九号までに掲げる額の合計額から第十号に掲げる額を減じて得た額をもって新設分割株式会社の総資産額とする方法とする。

一　資本金の額

二　資本準備金の額

三　利益準備金の額

四　法第四百四十六条に規定する剰余金の額

五　最終事業年度（法第四百六十一条第二項第二号に規定する場合にあっては、法第四百四十一条第一項第二号の期間（当該期間が二以上ある場合にあっては、その末日が最も遅いもの。以下この項において同じ。）の末日（最終事業年度がない場合にあっては、新設分割株式会社の成立の日。以下この項において同じ。）における評価・換算差額等に係る額

六　株式引受権の帳簿価額

七　新株予約権の帳簿価額

八　最終事業年度の末日において負債の部に計上した額

九　最終事業年度の末日後に吸収合併、吸収分割による他の会社の事業に係る権利義務の承継又は他の会社（外国会社を含む。）の事業の全部の譲受けをしたときは、これらの行為により承継又は譲受けをした負債の額

十　自己株式及び自己新株予約権の帳簿価額の合計額

②　前項の規定にかかわらず、算定基準日において新設分割株式会社が清算株式会社である場合における法第八百五条に規定する法務省令で定める方法は、法第四百九十二条第一項の規定により作成した貸借対照表の資産の部に計上した額をもって新設分割株式会社の総資産額とする方法とする。

（**計算書類に関する事項**）

第二〇八条　法第八百十条第二項第三号に規定する法務省令で定めるものは、同項の規定による公告の日又は同項の規定による催告の日のいずれか早い日における次の各号に掲げる場合の区分に応じ、当該各号に定めるものとする。

一　最終事業年度に係る貸借対照表又はその要旨につき公告対象会社（法第八百十条第二項第三号の株式会社をいう。以下この条において同じ。）が法第四百四十条第一項又は第二項の規定による公告をしている場合　次に掲げるもの

イ　官報で公告をしているときは、当該官報の日付及び当該公告が掲載されている頁

ロ　時事に関する事項を掲載する日刊新聞紙で公告をしているときは、当該日刊新聞紙の名称、日付及び当該公告が掲載されている頁

ハ　電子公告により公告をしているときは、法第九百十一条第三項第二十八号イに掲げる事項

二　最終事業年度に係る貸借対照表につき公告対象会社が法第四百四十条第三項に規定する措置をとっている場合　法第九百十一条第三項第二十六号に掲げる事項

三　公告対象会社が法第四百四十条第四項に規定する株式会社である場合において、当該株式会社が金融商品取引法第二十四条第一項の規定により最終事業年度に係る有価証券報告書を提出しているとき　その旨

四　公告対象会社が会社法の施行に伴う関係法律の整備等に関する法律第二十八条の規定により法第四百四十条の規定が適用されないものである場合　その旨

五　公告対象会社につき最終事業年度がない場合　その旨

六　公告対象会社が清算株式会社である場合　その旨

七　前各号に掲げる場合以外の場合　会社計算規則第六編第二章の規定による最終事業年度に係る貸借対照表の要旨の内容

（**新設分割株式会社の事後開示事項**）

第二〇九条　法第八百十一条第一項第一号に規定する法務省令で定める事項は、次に掲げる事項とする。

一　新設分割が効力を生じた日

二　法第八百五条の二の規定による請求に係る手続の経過

三　法第八百六条及び第八百八条の規定並びに法第八百十条（法第八百十三条第二項において準用する場合を含む。）の規定による手続の経過

四　新設分割により新設分割設立会社が新設分割会社から承継した重要な権利義務に関する事項

五　前各号に掲げるもののほか、新設分割に関する重要な事項

（**株式移転完全子会社の事後開示事項**）

第二一〇条　法第八百十一条第一項第二号に規定する法務省令で定める事項は、次に掲げる事項とする。

一　株式移転が効力を生じた日

二　法第八百五条の二の規定による請求に係る手続の経過

三　法第八百六条、第八百八条及び第八百十条の規定による手続の経過

四　株式移転により株式移転設立完全親会社に移転した株式移転完全子会社の株式の数（株式移転完全子会社が種類株式発行会社であるときは、株式の種類及び種類ごとの数）

五　前各号に掲げるもののほか、株式移転に関する重要な事項

第六章　新設合併設立株式会社、新設分割設立株式会社及び株式移転設立完全親会社の手続

（**新設合併設立株式会社の事後開示事項**）

第二一一条　法第八百十五条第一項に規定する法務省令で定める事項は、次に掲げる事項とする。

一　新設合併が効力を生じた日

二　法第八百五条の二の規定による請求に係る手続の経過
三　法第八百六条及び第八百八条の規定並びに法第八百十条（法第八百十三条第二項において準用する場合を含む。）の規定による手続の経過
四　新設合併により新設合併設立株式会社が新設合併消滅会社から承継した重要な権利義務に関する事項
五　前各号に掲げるもののほか、新設合併に関する重要な事項

（新設分割設立株式会社の事後開示事項）
第二一二条　法第八百十五条第二項に規定する法務省令で定める事項は、次に掲げる事項とする。
一　新設分割が効力を生じた日
二　法第八百十三条第二項において準用する法第八百十条の規定による手続の経過
三　新設分割により新設分割設立株式会社が新設分割合同会社から承継した重要な権利義務に関する事項
四　前三号に掲げるもののほか、新設分割に関する重要な事項

（新設合併設立株式会社の事後開示事項）
第二一三条　法第八百十五条第三項第一号に規定する法務省令で定める事項は、法第八百三条第一項の規定により新設合併消滅株式会社が備え置いた書面又は電磁的記録に記載又は記録がされた事項（新設合併契約の内容を除く。）とする。

第七章　株式交付親会社の手続

（株式交付親会社の事前開示事項）
第二一三条の二　法第八百十六条の二第一項に規定する法務省令で定める事項は、次に掲げる事項とする。
一　法第七百七十四条の三第一項第二号に掲げる事項についての定めが同条第二項に定める要件を満たすと株式交付親会社が判断した理由
二　法第七百七十四条の三第一項第三号から第六号までに掲げる事項についての定めの相当性に関する事項
三　法第七百七十四条の三第一項第七号に掲げる事項を定めたときは、同項第八号及び第九号に掲げる事項についての定めの相当性に関する事項
四　株式交付子会社についての次に掲げる事項を株式交付親会社が知っているときは、当該事項
イ　最終事業年度に係る計算書類等（最終事業年度がない場合にあっては、株式交付子会社の成立の日における貸借対照表）の内容
ロ　最終事業年度の末日（最終事業年度がない場合にあっては、株式交付子会社の成立の日。ハにおいて同じ。）後の日を臨時決算日（二以上の臨時決算日がある場合にあっては、最も遅いもの）とする臨時計算書類等があるときは、当該臨時計算書類等の内容
ハ　最終事業年度の末日後に重要な財産の処分、重大な債務の負担その他の会社財産の状況に重要な影響を与える事象が生じたときは、その内容（株式交付計画備置開始日（法第八百十六条の二第二項に規定する株式交付計画備置開始日をいう。以下この条において同じ。）後株式交付の効力が生ずる日までの間に新たな最終事業年度が存することとなる場合にあっては、当該新たな最終事業年度の末日後に生じた事象の内容に限る。）
五　株式交付親会社についての次に掲げる事項
イ　株式交付親会社において最終事業年度の末日（最終事業年度がない場合にあっては、株式交付親会社の成立の日）後に重要な財産の処分、重大な債務の負担その他の会社財産の状況に重要な影響を与える事象が生じたときは、その内容（株式交付計画備置開始日後株式交付の効力が生ずる日までの間に新たな最終事業年度が存することとなる場合にあっては、当該新たな最終事業年度の末日後に生じた事象の内容に限る。）
ロ　株式交付親会社において最終事業年度がないときは、株式交付親会社の成立の日における貸借対照表
六　法第八百十六条の八第一項の規定により株式交付について異議を述べることができる債権者があるときは、株式交付が効力を生ずる日以後における株式交付親会社の債務（当該債権者に対して負担する債務に限る。）の履行の見込みに関する事項
七　株式交付計画備置開始日後株式交付が効力を生ずる日までの間に、前各号に掲げる事項に変更が生じたときは、変更後の当該事項

（株式交付親会社の株式に準ずるもの）
第二一三条の三　法第八百十六条の三第三項に規定する法務省令で定めるものは、第一号に掲げる額から第二号に掲げる額を減じて得た額が第三号に掲げる額よりも小さい場合における法第七百七十四条の三第一項第五号、第六号、第八号及び第九号の定めに従い交付する株式交付親会社の株式以外の金銭等とする。
一　株式交付子会社の株式、新株予約権（新株予約権付社債に付されたものを除く。）又は新株予約権付社債の譲渡人に対して交付する金銭等の合計額
二　前号に規定する金銭等のうち株式交付親会社の株式の価額の合計額
三　第一号に規定する金銭等の合計額に二十分の一を乗じて得た額

（株式交付親会社が譲り受ける株式交付子会社の株式等の額）
第二一三条の四　法第八百十六条の三第二項に規定する法務省令で定める額は、第一号及び第二号に掲げる額の合計額から第三号に掲げる額を減じて得た額とする。
一　株式交付親会社が株式交付に際して譲り受ける株式交付子会社の株式、新株予約権（新株予約権付社債に付されたものを除く。）及び新株予約権付社債につき会計帳簿に付すべき額
二　会社計算規則第十一条の規定により計上したのれんの額
三　会社計算規則第十二条の規定により計上する負債の額（株式交付子会社が株式交付親会社（連結配当規制適用会社に限る。）の子会社である場合にあっては、零）

（純資産の額）
第二一三条の五　法第八百十六条の四第一項第二号に規定する法務省令で定める方法は、算定基準日（株式交付計画を作成した日（当該株式交付計画により当該計画を作成した日と異なる時（当該株式交付計画を作成した日後から当該株式交付の効力が生ずる時の直前までの間の時に限る。）を定めた場合にあっては、当該時）をいう。）における第一号から第七号までに掲げる額の合計額から第八号に掲げる額を減じて得た額（当該額が五百万円を下回る場合にあっては、五百万円）をもって株式交付親会社の純資産額とする方法とする。
一　資本金の額
二　資本準備金の額
三　利益準備金の額
四　法第四百四十六条に規定する剰余金の額
五　最終事業年度（法第四百六十一条第二項第二号に規定する場合にあっては、法第四百四十一条第一項第二号の期間（当該期間が二以上ある場合にあっては、その末日が最も遅いもの））の末日（最終事業年度がない場合にあっては、株式交付親会社の成立の日）における評価・換算差額等に係る額
六　株式引受権の帳簿価額
七　新株予約権の帳簿価額
八　自己株式及び自己新株予約権の帳簿価額の合計額

（株式の数）
第二一三条の六　法第八百十六条の四第一項に規定する法務省令で定める数は、次に掲げる数のうちいずれか小さい数とする。
一　特定株式（法第八百十六条の四第二項に規定する行為に係る株主総会において議決権を行使することができることを内容とする株式をいう。以下この条において同じ。）の総数に二分の一（当該株主総会の決議が成立するための要件として当該特定株式の議決権の総数の一定の割合以上の議決権を有する

る株主が出席しなければならない旨の定款の定めがある場合にあっては、当該一定の割合）を乗じて得た数に三分の一（当該株主総会の決議が成立するための要件として当該株主総会に出席した当該特定株主（特定株式の株主をいう。以下この条において同じ。）の有する議決権の総数の一定の割合以上の多数が賛成しなければならない旨の定款の定めがある場合にあっては、一から当該一定の割合を減じて得た割合）を乗じて得た数に一を加えた数

二　法第八百十六条の四第二項に規定する行為に係る決議が成立するための要件として一定の数以上の特定株主の賛成を要する旨の定款の定めがある場合において、特定株主の総数から株式会社に対して当該行為に反対する旨の通知をした特定株主の数を減じて得た数が当該一定の数未満となるときにおける当該行為に反対する旨の通知をした特定株主の有する特定株式の数

三　法第八百十六条の四第二項に規定する行為に係る決議が成立するための要件として前二号の定款の定め以外の定款の定めがある場合において、当該行為に反対する旨の通知をした特定株主の全部が同項に規定する株主総会において反対したとすれば当該決議が成立しないときは、当該行為に反対する旨の通知をした特定株主の有する特定株式の数

四　定款で定めた数

（株式交付親会社の株式に準ずるもの）

第二一三条の七　法第八百十六条の八第一項に規定する法務省令で定めるものは、第一号に掲げる額から第二号に掲げる額を減じて得た額が第三号に掲げる額よりも小さい場合における法第七百七十四条の三第一項第五号、第六号、第八号及び第九号の定めに従い交付する株式交付親会社の株式以外の金銭等とする。

一　株式交付子会社の株式、新株予約権（新株予約権付社債に付されたものを除く。）及び新株予約権付社債の譲渡人に対して交付する金銭等の合計額

二　前号に規定する金銭等のうち株式交付親会社の株式の価額の合計額

三　第一号に規定する金銭等の合計額に二十分の一を乗じて得た額

（計算書類に関する事項）

第二一三条の八　法第八百十六条の八第二項第三号に規定する法務省令で定めるものは、同項の規定による公告の日又は同項の規定による催告の日のいずれか早い日における次の各号に掲げる場合の区分に応じ、当該各号に定めるものとする。

一　最終事業年度に係る貸借対照表又はその要旨につき公告対象会社（法第八百十六条の八第二項第三号の株式交付親会社及び株式交付子会社をいう。以下この条において同じ。）が法第四百四十条第一項又は第二項の規定による公告をしている場合　次に掲げるもの

イ　官報で公告をしているときは、当該官報の日付及び当該公告が掲載されている頁

ロ　時事に関する事項を掲載する日刊新聞紙で公告をしているときは、当該日刊新聞紙の名称、日付及び当該公告が掲載されている頁

ハ　電子公告により公告をしているときは、法第九百十一条第三項第二十八号イに掲げる事項

二　最終事業年度に係る貸借対照表につき公告対象会社が法第四百四十条第三項に規定する措置をとっている場合　法第九百十一条第三項第二十六号に掲げる事項

三　公告対象会社が法第四百四十条第四項に規定する株式会社である場合において、当該株式会社が金融商品取引法第二十四条第一項の規定により最終事業年度に係る有価証券報告書を提出しているとき　その旨

四　公告対象会社が会社法の施行に伴う関係法律の整備等に関する法律第二十八条の規定により法第四百四十条の規定が適用されないものである場合　その旨

五　公告対象会社につき最終事業年度がない場合（株式交付親会社が株式交付子会社の最終事業年度の存否を知らない場合を含む。）　その旨

六　前各号に掲げる場合以外の場合　会社計算規則第六編第二章の規定による最終事業年度に係る貸借対照表の要旨の内容（株式交付子会社の当該貸借対照表の要旨の内容にあっては、株式交付親会社がその内容を知らないときは、その旨）

（株式交付親会社の事後開示事項）

第二一三条の九　法第八百十六条の十第一項に規定する法務省令で定める事項は、次に掲げる事項とする。

一　株式交付が効力を生じた日

二　株式交付親会社における次に掲げる事項

イ　法第八百十六条の五の規定による請求に係る手続の経過

ロ　法第八百十六条の六及び第八百十六条の八の規定による手続の経過

三　株式交付に際して株式交付親会社が譲り受けた株式交付子会社の株式の数（株式交付子会社が種類株式発行会社であるときは、株式の種類及び種類ごとの数）

四　株式交付に際して株式交付親会社が譲り受けた株式交付子会社の新株予約権の数

五　前号の新株予約権が新株予約権付社債に付されたものである場合には、当該新株予約権付社債についての各社債（株式交付親会社が株式交付に際して取得したものに限る。）の金額の合計額

六　前各号に掲げるもののほか、株式交付に関する重要な事項

（株式交付親会社の株式に準ずるもの）

第二一三条の一〇　法第八百十六条の十第三項に規定する法務省令で定めるものは、第一号に掲げる額から第二号に掲げる額を減じて得た額が第三号に掲げる額よりも小さい場合における法第七百七十四条の三第一項第五号、第六号、第八号及び第九号の定めに従い交付する株式交付親会社の株式以外の金銭等とする。

一　株式交付子会社の株式、新株予約権（新株予約権付社債に付されたものを除く。）及び新株予約権付社債の譲渡人に対して交付する金銭等の合計額

二　前号に規定する金銭等のうち株式交付親会社の株式の価額の合計額

三　第一号に規定する金銭等の合計額に二十分の一を乗じて得た額

第六編　外国会社

（計算書類の公告）

第二一四条①　外国会社が法第八百十九条第一項の規定により貸借対照表に相当するもの（以下この条において「外国貸借対照表」という。）の公告をする場合には、外国貸借対照表に関する注記（注記に相当するものを含む。）の部分を省略することができる。

②　法第八百十九条第二項に規定する外国貸借対照表の要旨は、外国貸借対照表を次に掲げる項目（当該項目に相当するものを含む。）に区分したものをいう。

一　資産の部

イ　流動資産

ロ　固定資産

ハ　その他

二　負債の部

イ　流動負債

ロ　固定負債

ハ　その他

三　純資産の部

イ　資本金及び資本剰余金

ロ　利益剰余金

ハ　その他

③　外国会社が法第八百十九条第一項の規定による外国貸借対照

表の公告又は同条第二項の規定による外国貸借対照表の要旨の公告をする場合において、当該外国貸借対照表が日本語以外の言語で作成されているときは、当該外国会社は、当該公告を日本語をもってすることを要しない。

④ 外国貸借対照表が存しない外国会社については、当該外国会社に会社計算規則の規定を適用することとしたならば作成されることとなるものを外国貸借対照表とみなして、前三項の規定を適用する。

（法第八百十九条第三項の規定による措置）

第二一五条 法第八百十九条第三項の規定による措置は、第二百二十二条第一項第一号ロに掲げる方法のうち、インターネットに接続された自動公衆送信装置を使用する方法によって行わなければならない。

（日本にある外国会社の財産についての清算に関する事項）

第二一六条 第百四十条、第百四十二条から第百四十五条まで及び第二編第八章第二節の規定は、その性質上許されないものを除き、法第八百二十二条第三項において準用する法第四百八十二条第三項第四号、第四百八十九条第六項第六号、第四百九十二条第一項、第五百三十六条第一項第二号及び第三号イ、第五百四十八条第一項第四号、第五百五十条第一項、第五百五十一条第一項及び第二項、第五百五十六条第二項、第五百五十七条第一項並びに第五百六十一条の規定により法務省令で定めるべき事項について準用する。

第七編　雑則（抄）

第一章　訴訟

（株主による責任追及等の訴えの提起の請求方法）

第二一七条 法第八百四十七条第一項の法務省令で定める方法は、次に掲げる事項を記載した書面の提出又は当該事項の電磁的方法による提供とする。

一　被告となるべき者
二　請求の趣旨及び請求を特定するのに必要な事実

（株式会社が責任追及等の訴えを提起しない理由の通知方法）

第二一八条 法第八百四十七条第四項の法務省令で定める方法は、次に掲げる事項を記載した書面の提出又は当該事項の電磁的方法による提供とする。

一　株式会社が行った調査の内容（次号の判断の基礎とした資料を含む。）
二　法第八百四十七条第一項の規定による請求に係る訴えについての前条第一号に掲げる者の責任又は義務の有無についての判断及びその理由
三　前号の者に責任又は義務があると判断した場合において、責任追及等の訴えを提起しないときは、その理由

（旧株主による責任追及等の訴えの提起の請求方法）

第二一八条の二 法第八百四十七条の二第一項及び第三項（同条第四項及び第五項において準用する場合を含む。第二百十八条の四第二号において同じ。）の法務省令で定める方法は、次に掲げる事項を記載した書面の提出又は当該事項の電磁的方法による提供とする。

一　被告となるべき者
二　請求の趣旨及び請求を特定するのに必要な事実
三　株式交換等完全親会社の名称及び住所並びに当該株式交換等完全親会社の株主である旨

（完全親会社）

第二一八条の三① 法第八百四十七条の二第一項に規定する法務省令で定める株式会社は、ある株式会社及び当該ある株式会社の完全子会社（当該ある株式会社が発行済株式の全部を有する株式会社をいう。以下この条において同じ。）又は当該ある株式会社の完全子会社が法第八百四十七条の二第一項の特定の株式会社の発行済株式の全部を有する場合における当該ある株式会社とする。

② 前項の規定の適用については、同項のある株式会社及び当該ある株式会社の完全子会社又は当該ある株式会社の完全子会社が他の株式会社の発行済株式の全部を有する場合における当該他の株式会社は、完全子会社とみなす。

（株式交換等完全子会社が責任追及等の訴えを提起しない理由の通知方法）

第二一八条の四 法第八百四十七条の二第七項の法務省令で定める方法は、次に掲げる事項を記載した書面の提出又は当該事項の電磁的方法による提供とする。

一　株式交換等完全子会社が行った調査の内容（次号の判断の基礎とした資料を含む。）
二　法第八百四十七条の二第一項又は第三項の規定による請求に係る訴えについての第二百十八条の二第一号に掲げる者の責任又は義務の有無についての判断及びその理由
三　前号の者に責任又は義務があると判断した場合において、責任追及等の訴えを提起しないときは、その理由

（特定責任追及の訴えの提起の請求方法）

第二一八条の五 法第八百四十七条の三第一項の法務省令で定める方法は、次に掲げる事項を記載した書面の提出又は当該事項の電磁的方法による提供とする。

一　被告となるべき者
二　請求の趣旨及び請求を特定するのに必要な事実
三　最終完全親会社等の名称及び住所並びに当該最終完全親会社等の株主である旨

（総資産額）

第二一八条の六① 法第八百四十七条の三第四項に規定する法務省令で定める方法は、同項の日（以下この条において「算定基準日」という。）における株式会社の最終完全親会社等の第一号から第九号までに掲げる額の合計額から第十号に掲げる額を減じて得た額をもって当該最終完全親会社等の総資産額とする方法とする。

一　資本金の額
二　資本準備金の額
三　利益準備金の額
四　法第四百四十六条に規定する剰余金の額
五　最終事業年度（法第四百六十一条第二項第二号に規定する場合にあっては、法第四百四十一条第一項第二号の期間（当該期間が二以上ある場合にあっては、その末日が最も遅いもの）。以下この項において同じ。）の末日（最終事業年度がない場合にあっては、当該最終完全親会社等の成立の日。以下この条において同じ。）における評価・換算差額等に係る額
六　株式引受権の帳簿価額
七　新株予約権の帳簿価額
八　最終事業年度の末日において負債の部に計上した額
九　最終事業年度の末日後に吸収合併、吸収分割による他の会社の事業に係る権利義務の承継又は他の会社（外国会社を含む。）の事業の全部の譲受けをしたときは、これらの行為により承継又は譲受けをした負債の額
十　自己株式及び自己新株予約権の帳簿価額の合計額

② 前項の規定にかかわらず、算定基準日において当該最終完全親会社等が清算株式会社である場合における法第八百四十七条の三第四項に規定する法務省令で定める方法は、法第四百九十二条第一項の規定により作成した貸借対照表の資産の部に計上した額をもって株式会社の総資産額とする方法とする。

（株式会社が特定責任追及の訴えを提起しない理由の通知方法）

第二一八条の七 法第八百四十七条の三第八項の法務省令で定める方法は、次に掲げる事項を記載した書面の提出又は当該事項の電磁的方法による提供とする。

一　株式会社が行った調査の内容（次号の判断の基礎とした資料を含む。）
二　法第八百四十七条の三第一項の規定による請求に係る訴えについての第二百十八条の五第一号に掲げる者の責任又は義務の有無についての判断及びその理由
三　前号の者に責任又は義務があると判断した場合において、

特定責任追及の訴えを提起しないときは、その理由

第二一九条　削除

第二章　登記

第二二〇条①　次の各号に掲げる規定に規定する法務省令で定めるものは、当該各号に定める行為をするために使用する自動公衆送信装置のうち当該行為をするための用に供する部分をインターネットにおいて識別するための文字、記号その他の符号又はこれらの結合であって、情報の提供を受ける者がその使用に係る電子計算機に入力することによって当該情報の内容を閲覧し、当該電子計算機に備えられたファイルに当該情報を記録することができるものとする。

一　法第九百十一条第三項第二十六号　法第四百四十条第三項の規定による措置

二　法第九百十一条第三項第二十八号イ　株式会社が行う電子公告

三　法第九百十二条第九号イ　合名会社が行う電子公告

四　法第九百十三条第十一号イ　合資会社が行う電子公告

五　法第九百十四条第十号イ　合同会社が行う電子公告

六　法第九百三十三条第二項第四号　法第八百十九条第三項に規定する措置

七　法第九百三十三条第二項第六号イ　外国会社が行う電子公告

②　法第九百十一条第三項第二十八号に規定する場合には、同号イに掲げる事項であって、決算公告（法第四百四十条第一項の規定による公告をいう。以下この項において同じ。）の内容である情報の提供を受けるためのものを、当該事項であって決算公告以外の公告の内容である情報の提供を受けるためのものと別に登記することができる。

第三章　公告

第二二一条　次に掲げる規定に規定する法務省令で定めるべき事項は、電子公告規則（平成十八年法務省令第十四号）の定めるところによる。

一　法第九百四十一条

二　法第九百四十四条第一項（法第九百四十五条第二項において準用する場合を含む。）

三　法第九百四十六条第二項から第四項まで

四　法第九百四十七条

五　法第九百四十九条第二項

六　法第九百五十条

七　法第九百五十一条第二項第三号

八　法第九百五十五条第一項

九　法第九百五十六条第二項

十　法第九百五十七条第二項

第四章　電磁的方法及び電磁的記録等（抄）

第一節　電磁的方法及び電磁的記録等

（電磁的方法）

第二二二条①　法第二条第三十四号に規定する電子情報処理組織を使用する方法その他の情報通信の技術を利用する方法であって法務省令で定めるものは、次に掲げる方法とする。

一　電子情報処理組織を使用する方法のうちイ又はロに掲げるもの

イ　送信者の使用に係る電子計算機と受信者の使用に係る電子計算機とを接続する電気通信回線を通じて送信し、受信者の使用に係る電子計算機に備えられたファイルに記録する方法

ロ　送信者の使用に係る電子計算機に備えられたファイルに記録された情報の内容を電気通信回線を通じて情報の提供を受ける者の閲覧に供し、当該情報の提供を受ける者の使用に係る電子計算機に備えられたファイルに当該情報を記録する方法

二　電磁的記録媒体（第二百二十四条に規定する電磁的記録媒体をいう。）をもって調製するファイルに情報を記録したものを交付する方法

②　前項各号に掲げる方法は、受信者がファイルへの記録を出力することにより書面を作成することができるものでなければならない。

（電子公告を行うための電磁的方法）

第二二三条　法第二条第三十四号に規定する措置であって法務省令で定めるものは、前条第一項第一号ロに掲げる方法のうち、インターネットに接続された自動公衆送信装置を使用するものによる措置とする。

（電磁的記録）

第二二四条　法第二十六条第二項に規定する法務省令で定めるものは、電子計算機に備えられたファイル又は電磁的記録媒体（電子的方式、磁気的方式その他人の知覚によっては認識することができない方式で作られる記録であって電子計算機による情報処理の用に供されるものに係る記録媒体をいう。第二百二十八条を除き、以下この章において同じ。）をもって調製するファイルに情報を記録したものとする。

（電子署名）

第二二五条①　次に掲げる規定に規定する法務省令で定める署名又は記名押印に代わる措置は、電子署名とする。

一　法第二十六条第二項

二　法第百二十二条第三項

三　法第百四十九条第三項

四　法第二百五十条第三項

五　法第二百七十条第三項

六　法第三百六十九条第四項（法第四百九十条第五項において準用する場合を含む。）

七　法第三百九十三条第三項

八　法第三百九十九条の十第四項

九　法第四百十二条第四項

十　法第五百七十五条第二項

十一　法第六百八十二条第三項

十二　法第六百九十五条第三項

②　前項に規定する「電子署名」とは、電磁的記録に記録することができる情報について行われる措置であって、次の要件のいずれにも該当するものをいう。

一　当該情報が当該措置を行った者の作成に係るものであることを示すためのものであること。

二　当該情報について改変が行われていないかどうかを確認することができるものであること。

（電磁的記録に記録された事項を表示する方法）

第二二六条　次に掲げる規定に規定する法務省令で定める方法は、次に掲げる規定の電磁的記録に記録された事項を紙面又は映像面に表示する方法とする。

一　法第三十一条第二項第三号

二　法第七十四条第七項第二号（法第八十六条において準用する場合を含む。）

三　法第七十六条第五項（法第八十六条において準用する場合を含む。）

四　法第八十一条第三項第二号（法第八十六条において準用する場合を含む。）

五　法第八十二条第三項第二号（法第八十六条において準用する場合を含む。）

六　法第百二十五条第二項第二号

七　法第百七十一条の二第二項第三号

八　法第百七十三条の二第三項第三号

九　法第百七十九条の五第二項第三号

十　法第百七十九条の十第三項第三号

十一　法第百八十二条の二第二項第三号

十二　法第百八十二条の六第三項第三号

十三　法第二百三十一条第二項第二号

十四　法第二百五十二条第二項第二号
十五　法第三百十条第七項第二号（法第三百二十五条において準用する場合を含む。）
十六　法第三百十二条第五項（法第三百二十五条において準用する場合を含む。）
十七　法第三百十八条第四項第二号（法第三百二十五条において準用する場合を含む。）
十八　法第三百十九条第三項第二号（法第三百二十五条において準用する場合を含む。）
十九　法第三百七十一条第二項第二号（法第四百九十条第五項において準用する場合を含む。）
二十　法第三百七十四条第二項第二号
二十一　法第三百七十八条第二項第三号
二十二　法第三百八十九条第四項第二号
二十三　法第三百九十四条第二項第二号（同条第三項において準用する場合を含む。）
二十四　法第三百九十六条第二項第二号
二十五　法第三百九十九条の十一第二項第二号（同条第三項において準用する場合を含む。）
二十六　法第四百十三条第二項第二号
二十七　法第四百三十三条第一項第二号
二十八　法第四百四十二条第三項第三号
二十九　法第四百九十六条第二項第三号
三十　法第六百十八条第一項第二号
三十一　法第六百八十四条第二項第二号
三十二　法第七百三十一条第三項第二号
三十三　法第七百三十五条の二第三項第二号
三十四　法第七百七十五条第三項第三号
三十五　法第七百八十二条第三項第三号
三十六　法第七百九十一条第三項第三号（同条第四項において準用する場合を含む。）
三十七　法第七百九十四条第三項第三号
三十八　法第八百一条第四項第三号（同条第五項及び第六項において準用する場合を含む。）
三十九　法第八百三条第三項第三号
四十　法第八百十一条第三項第三号（同条第四項において準用する場合を含む。）
四十一　法第八百十五条第四項第三号（同条第五項及び第六項において準用する場合を含む。）
四十二　法第八百十六条の二第三項第三号
四十三　法第八百十六条の十第三項第三号

（電磁的記録の備置きに関する特則）

第二二七条　次に掲げる規定に規定する法務省令で定めるものは、会社の使用に係る電子計算機を電気通信回線で接続した電子情報処理組織を使用する方法であって、当該電子計算機に備えられたファイルに記録された情報の内容を電気通信回線を通じて会社の支店において使用される電子計算機に備えられたファイルに当該情報を記録するものによる措置とする。
一　法第三十一条第四項
二　法第三百十八条第三項（法第三百二十五条において準用する場合を含む。）
三　法第四百四十二条第二項

（検査役が提供する電磁的記録）

第二二八条　次に掲げる規定に規定する法務省令で定めるものは、商業登記規則（昭和三十九年法務省令第二十三号）第三十六条第一項に規定する電磁的記録媒体（電磁的記録に限る。）及び次に掲げる規定により電磁的記録の提供を受ける者が定める電磁的記録とする。
一　法第三十三条第四項
二　法第二百七条第四項
三　法第二百八十四条第四項
四　法第三百六条第五項（法第三百二十五条において準用する場合を含む。）
五　法第三百五十八条第五項

（検査役による電磁的記録に記録された事項の提供）

第二二九条　次に掲げる規定（以下この条において「検査役提供規定」という。）に規定する法務省令で定める方法は、電磁的方法のうち、検査役提供規定により当該検査役提供規定の電磁的記録に記録された事項の提供を受ける者が定めるものとする。
一　法第三十三条第六項
二　法第二百七条第六項
三　法第二百八十四条第六項
四　法第三百六条第七項（法第三百二十五条において準用する場合を含む。）
五　法第三百五十八条第七項

（会社法施行令に係る電磁的方法）

第二三〇条　会社法施行令（平成十七年政令第三百六十四号）第一条第一項又は第二条第一項の規定により示すべき電磁的方法の種類及び内容は、次に掲げるものとする。
一　次に掲げる方法のうち、送信者が使用するもの
イ　電子情報処理組織を使用する方法のうち次に掲げるもの
(1)　送信者の使用に係る電子計算機と受信者の使用に係る電子計算機とを接続する電気通信回線を通じて送信し、受信者の使用に係る電子計算機に備えられたファイルに記録する方法
(2)　送信者の使用に係る電子計算機に備えられたファイルに記録された情報の内容を電気通信回線を通じて情報の提供を受ける者の閲覧に供し、当該情報の提供を受ける者の使用に係る電子計算機に備えられたファイルに当該情報を記録する方法
ロ　電磁的記録媒体をもって調製するファイルに情報を記録したものを交付する方法
二　ファイルへの記録の方式

第二節　情報通信の技術の利用（抄）

第二三一条から第二三四条まで　（略）

（縦覧等の方法）

第二三五条　民間事業者等が、電子文書法（民間事業者等が行う書面の保存等における情報通信の技術の利用に関する法律（平成一六法一四九））第五条第一項の規定に基づき、前条各号に掲げる縦覧等に代えて当該縦覧等をすべき書面に係る電磁的記録の縦覧等を行う場合は、民間事業者等の事務所に備え置く電子計算機の映像面に当該縦覧等に係る事項を表示する方法又は電磁的記録に記録されている当該事項を記載した書面を縦覧等に供する方法により行わなければならない。

第二三六条　（略）

（交付等の方法）

第二三七条①　民間事業者等が、電子文書法第六条第一項の規定に基づき、前条各号に掲げる交付等に代えて当該交付等をすべき書面に係る電磁的記録の交付等を行う場合は、次に掲げる方法により行わなければならない。
一　電子情報処理組織を使用する方法のうちイ又はロに掲げるもの
イ　民間事業者等の使用に係る電子計算機と交付等の相手方の使用に係る電子計算機とを接続する電気通信回線を通じて送信し、受信者の使用に係る電子計算機に備えられたファイルに記録する方法
ロ　民間事業者等の使用に係る電子計算機に備えられたファイルに記録された当該交付等に係る事項を電気通信回線を通じて交付等の相手方の閲覧に供し、当該相手方の使用に係る電子計算機に備えられたファイルに当該事項を記録する方法（電子文書法第六条第一項に規定する方法による交付等を受ける旨の承諾又は受けない旨の申出をする場合にあっては、民間事業者等の使用に係る電子計算機に備えられたファイルにその旨を記録する方法）
二　電磁的記録媒体をもって調製するファイルに当該交付等に

② 前項に掲げる方法は、交付等の相手方がファイルへの記録を出力することにより書面を作成することができるものでなければならない。

（交付等の承諾）

第二三八条 民間事業者等が行う書面の保存等における情報通信の技術の利用に関する法律施行令（平成十七年政令第八号）第二条第一項の規定により示すべき方法の種類及び内容は、次に掲げる事項とする。

一 前条第一項に規定する方法のうち民間事業者等が使用するもの

二 ファイルへの記録の方式

附　則（抄）

（施行期日）

第一条 この省令は、法の施行の日（平成一八・五・一）から施行する。

（株式等に関する経過措置）

第三条①（略）

② 第三十一条第二号、第三十二条第二号ロ、第三十六条第二号、第三十七条第二号及び第五十八条第二号の規定は、当分の間、適用しない。

附　則（令和六・三・二七法務一一）

（施行期日）

第一条 この省令は、令和六年四月一日から施行する。

（経過措置）

第二条 この省令の施行の日（以下この条において「施行日」という。）前に金融商品取引法等の一部を改正する法律（令和五年法律第七十九号。以下この条において「改正法」という。）第一条の規定による改正前の金融商品取引法（昭和二十三年法律第二十五号）第二十四条の四の七第一項又は第二項の規定により提出された四半期報告書（同条第一項に規定する四半期報告書をいう。以下この条において同じ。）及び施行日以後に改正法附則第二条第一項の規定により提出される四半期報告書に係るこの省令による改正後の会社法施行規則第四十条及び第五十三条の適用については、なお従前の例による。

○会社計算規則（抄）（平成一八・二・七 法務一三）

施行 平成一八・五・一（附則参照）
最終改正 令和六法務一二

目次

第一編 総則

（目的）

第一条 この省令は、会社法（平成十七年法律第八十六号。以下「法」という。）の規定により委任された会社の計算に関する事項その他の事項について、必要な事項を定めることを目的とする。

（定義）

第二条① この省令において「会社」、「外国会社」、「子会社」、「親会社」、「公開会社」、「取締役会設置会社」、「会計参与設置会社」、「監査役設置会社」、「監査役会設置会社」、「会計監査人設置会社」、「監査等委員会設置会社」、「指名委員会等設置会社」、「種類株式発行会社」、「取得請求権付株式」、「取得条項付株式」、「新株予約権」、「新株予約権付社債」、「社債」、「配当財産」、「組織変更」、「吸収分割」、「新設分割」又は「電子公告」とは、それぞれ法第二条に規定する会社、外国会社、子会社、親会社、公開会社、取締役会設置会社、会計参与設置会社、監査役設置会社、監査役会設置会社、会計監査人設置会社、監査等委員会設置会社、指名委員会等設置会社、種類株式発行会社、取得請求権付株式、取得条項付株式、新株予約権、新株予約権付社債、社債、配当財産、組織変更、吸収分割、新設分割又は電子公告をいう。

② この省令において、次の各号に掲げる用語の意義は、当該各号に定めるところによる。

一 発行済株式 法第二条第三十一号に規定する発行済株式をいう。
二 電磁的方法 法第二条第三十四号に規定する電磁的方法をいう。
三 設立時発行株式 法第二十五条第一項第一号に規定する設立時発行株式をいう。
四 電磁的記録 法第二十六条第二項に規定する電磁的記録をいう。
五 自己株式 法第百十三条第四項に規定する自己株式をいう。
六 親会社株式 法第百三十五条第一項に規定する親会社株式をいう。

七　金銭等　法第百五十一条第一項に規定する金銭等をいう。
八　全部取得条項付種類株式　法第百七十一条第一項に規定する全部取得条項付種類株式をいう。
九　株式無償割当て　法第百八十五条に規定する株式無償割当てをいう。
十　単元未満株式売渡請求　法第百九十四条第一項に規定する単元未満株式売渡請求をいう。
十一　募集株式　法第百九十九条第一項に規定する募集株式をいう。
十二　募集新株予約権　法第二百三十八条第一項に規定する募集新株予約権をいう。
十三　自己新株予約権　法第二百五十五条第一項に規定する自己新株予約権をいう。
十四　取得条項付新株予約権　法第二百七十三条第一項に規定する取得条項付新株予約権をいう。
十五　新株予約権無償割当て　法第二百七十七条に規定する新株予約権無償割当てをいう。
十五の二　電子提供措置　法第三百二十五条の二に規定する電子提供措置をいう。
十六　報酬等　法第三百六十一条第一項に規定する報酬等をいう。
十七　臨時計算書類　法第四百四十一条第一項に規定する臨時計算書類をいう。
十八　臨時決算日　法第四百四十一条第一項に規定する臨時決算日をいう。
十九　連結計算書類　法第四百四十四条第一項に規定する連結計算書類をいう。
二十　準備金　法第四百四十五条第四項に規定する準備金をいう。
二十一　分配可能額　法第四百六十一条第二項に規定する分配可能額をいう。
二十二　持分会社　法第五百七十五条第一項に規定する持分会社をいう。
二十三　持分払戻額　法第六百三十五条第一項に規定する持分払戻額をいう。
二十四　組織変更後持分会社　法第七百四十四条第一項第一号に規定する組織変更後持分会社をいう。
二十五　組織変更後株式会社　法第七百四十六条第一項第一号に規定する組織変更後株式会社をいう。
二十六　社債等　法第七百四十六条第一項第七号ニに規定する社債等をいう。
二十七　吸収分割承継会社　法第七百五十七条に規定する吸収分割承継会社をいう。
二十八　吸収分割会社　法第七百五十八条第一号に規定する吸収分割会社をいう。
二十九　新設分割設立会社　法第七百六十三条第一項に規定する新設分割設立会社をいう。
三十　新設分割会社　法第七百六十三条第一項第五号に規定する新設分割会社をいう。
三十一　新株予約権等　法第七百七十四条の三第一項第七号に規定する新株予約権等をいう。

③　この省令において、次の各号に掲げる用語の意義は、当該各号に定めるところによる。
一　最終事業年度　次のイ又はロに掲げる会社の区分に応じ、当該イ又はロに定めるものをいう。
イ　株式会社　法第二条第二十四号に規定する最終事業年度
ロ　持分会社　各事業年度に係る計算書類を作成した場合における当該各事業年度のうち最も遅いもの
二　計算書類　次のイ又はロに掲げる会社の区分に応じ、当該イ又はロに定めるものをいう。
イ　株式会社　法第四百三十五条第二項に規定する計算書類
ロ　持分会社　法第六百十七条第二項に規定する計算書類
三　計算関係書類　次に掲げるものをいう。
イ　成立の日における貸借対照表
ロ　各事業年度に係る計算書類及びその附属明細書
ハ　臨時計算書類
ニ　連結計算書類
四　吸収合併　法第二条第二十七号に規定する吸収合併（会社が会社以外の法人とする合併であって、合併後会社が存続するものを含む。）をいう。
五　新設合併　法第二条第二十八号に規定する新設合併（会社が会社以外の法人とする合併であって、合併後会社が設立されるものを含む。）をいう。
六　株式交換　法第二条第三十一号に規定する株式交換（保険業法（平成七年法律第百五号）第九十六条の五第一項に規定する組織変更株式交換を含む。）をいう。
七　株式移転　法第二条第三十二号に規定する株式移転（保険業法第九十六条の八第一項に規定する組織変更株式移転を含む。）をいう。
八　株式交付　法第二条第三十二号の二に規定する株式交付（保険業法第九十六条の九の二第一項に規定する組織変更株式交付を含む。）をいう。
九　吸収合併存続会社　法第七百四十九条第一項に規定する吸収合併存続会社（会社以外の法人とする吸収合併後存続する会社を含む。）をいう。
十　吸収合併消滅会社　法第七百四十九条第一項第一号に規定する吸収合併消滅会社（会社以外の法人とする吸収合併により消滅する会社以外の法人を含む。）をいう。
十一　新設合併設立会社　法第七百五十三条第一項に規定する新設合併設立会社（会社以外の法人とする新設合併により設立される会社を含む。）をいう。
十二　新設合併消滅会社　法第七百五十三条第一項第一号に規定する新設合併消滅会社（会社以外の法人とする新設合併により消滅する会社以外の法人を含む。）をいう。
十三　株式交換完全親会社　法第七百六十七条に規定する株式交換完全親会社（保険業法第九十六条の五第二項に規定する組織変更株式交換完全親会社を含む。）をいう。
十四　株式交換完全子会社　法第七百六十八条第一項第一号に規定する株式交換完全子会社（保険業法第九十六条の五第二項に規定する組織変更株式交換完全親会社にその株式の全部を取得されることとなる株式会社を含む。）をいう。
十五　株式移転設立完全親会社　法第七百七十三条第一項第一号に規定する株式移転設立完全親会社（保険業法第九十六条の九第一項第一号に規定する組織変更株式移転設立完全親会社を含む。）をいう。
十六　株式移転完全子会社　法第七百七十三条第一項第五号に規定する株式移転完全子会社（保険業法第九十六条の九第一項第一号に規定する組織変更株式移転設立完全親会社にその発行する株式の全部を取得されることとなる株式会社を含む。）をいう。
十七　株式交付親会社　法第七百七十四条の三第一項第一号に規定する株式交付親会社（保険業法第九十六条の九の二第一項に規定する組織変更株式交付をする相互会社を含む。）をいう。
十八　株式交付子会社　法第七百七十四条の三第一項第一号に規定する株式交付子会社（保険業法第九十六条の九の二第二項に規定する組織変更株式交付子会社を含む。）をいう。
十九　会社等　会社（外国会社を含む。）、組合（外国における組合に相当するものを含む。）その他これらに準ずる事業体をいう。
二十　株主等　株主及び持分会社の社員その他これらに相当する者をいう。
二十一　関連会社　会社が他の会社等の財務及び事業の方針の決定に対して重要な影響を与えることができる場合における当該他の会社等（子会社を除く。）をいう。
二十二　連結子会社　連結の範囲に含められる子会社をいう。

二十三　非連結子会社　連結の範囲から除かれる子会社をいう。
二十四　連結会社　当該株式会社及びその連結子会社をいう。
二十五　関係会社　当該株式会社の親会社、子会社及び関連会社並びに当該株式会社が他の会社等の関連会社である場合における当該他の会社等をいう。
二十六　持分法　投資会社が、被投資会社の純資産及び損益のうち当該投資会社に帰属する部分の変動に応じて、その投資の金額を各事業年度ごとに修正する方法をいう。
二十七　税効果会計　貸借対照表又は連結貸借対照表に計上されている資産及び負債の金額と課税所得の計算の結果算定された資産及び負債の金額との間に差異がある場合において、当該差異に係る法人税等（法人税、住民税及び事業税（利益に関連する金額を課税標準として課される事業税をいう。）をいう。以下同じ。）の金額を適切に期間配分することにより、法人税等を控除する前の当期純利益の金額と法人税等の金額を合理的に対応させるための会計処理をいう。
二十八　ヘッジ会計　ヘッジ手段（資産（将来の取引により確実に発生すると見込まれるものを含む。以下この号において同じ。）若しくは負債（将来の取引により確実に発生すると見込まれるものを含む。以下この号において同じ。）又はデリバティブ取引に係る価格変動、金利変動及び為替変動による損失の危険を減殺することを目的とし、かつ、当該損失の危険を減殺することが客観的に認められる取引をいう。以下同じ。）に係る損益とヘッジ対象（ヘッジ手段の対象である資産若しくは負債又はデリバティブ取引をいう。）に係る損益を同一の会計期間に認識するための会計処理をいう。
二十九　売買目的有価証券　時価の変動により利益を得ることを目的として保有する有価証券をいう。
三十　満期保有目的の債券　満期まで所有する意図をもって保有する債券（満期まで所有する意図をもって取得したものに限る。）をいう。
三十一　自己社債　会社が有する自己の社債をいう。
三十二　公開買付け等　金融商品取引法（昭和二十三年法律第二十五号）第二十七条の二第六項（同法第二十七条の二十二の二第二項において準用する場合を含む。）に規定する公開買付け及びこれに相当する外国の法令に基づく制度をいう。
三十三　株主資本等　株式会社及び持分会社の資本金、資本剰余金及び利益剰余金をいう。
三十四　株式引受権　取締役又は執行役がその職務の執行として株式会社に対して提供した役務の対価として当該株式会社の株式の交付を受けることができる権利（新株予約権を除く。）をいう。
三十五　支配取得　会社が他の会社（当該会社と当該他の会社が共通支配下関係にある場合における当該他の会社を除く。以下この号において同じ。）又は当該他の会社の事業に対する支配を得ることをいう。
三十六　共通支配下関係　二以上の者（人格のないものを含む。以下この号において同じ。）が同一の者に支配（一時的な支配を除く。以下この号において同じ。）をされている場合又は二以上の者のうちの一の者が他の全ての者を支配している場合における当該二以上の者に係る関係をいう。
三十七　吸収型再編　次に掲げる行為をいう。
イ　吸収合併
ロ　吸収分割
ハ　株式交換
ニ　株式交付
三十八　吸収型再編受入行為　次に掲げる行為をいう。
イ　吸収合併による吸収合併消滅会社の権利義務の全部の承継
ロ　吸収分割による吸収分割会社がその事業に関して有する権利義務の全部又は一部の承継
ハ　株式交換による株式交換完全子会社の発行済株式全部の取得
ニ　株式交付に際してする株式交付子会社の株式又は新株予約権等の譲受け
三十九　吸収型再編対象財産　次のイ又はロに掲げる吸収型再編の区分に応じ、当該イ又はロに定める財産をいう。
イ　吸収合併　吸収合併により吸収合併存続会社が承継する財産
ロ　吸収分割　吸収分割により吸収分割承継会社が承継する財産
四十　吸収型再編対価　次のイからニまでに掲げる吸収型再編の区分に応じ、当該イからニまでに定める財産をいう。
イ　吸収合併　吸収合併に際して吸収合併存続会社が吸収合併消滅会社の株主等に対して交付する財産
ロ　吸収分割　吸収分割に際して吸収分割承継会社が吸収分割会社に対して交付する財産
ハ　株式交換　株式交換に際して株式交換完全親会社が株式交換完全子会社の株主に対して交付する財産
ニ　株式交付　株式交付に際して株式交付親会社が株式交付子会社の株式又は新株予約権等の譲渡人に対して交付する財産
四十一　吸収型再編対価時価　吸収型再編対価の時価その他適切な方法により算定された吸収型再編対価の価額をいう。
四十二　対価自己株式　吸収型再編対価として処分される自己株式をいう。
四十三　先行取得分株式等　次のイ又はロに掲げる場合の区分に応じ、当該イ又はロに定めるものをいう。
イ　吸収合併の場合　吸収合併の直前に吸収合併存続会社が有する吸収合併消滅会社の株式若しくは持分又は吸収合併の直前に吸収合併消滅会社が有する当該吸収合併消滅会社の株式
ロ　新設合併の場合　各新設合併消滅会社が有する当該新設合併消滅会社の株式及び他の新設合併消滅会社の株式又は持分
四十四　分割型吸収分割　吸収分割のうち、吸収分割契約において法第七百五十八条第八号又は第七百六十条第七号に掲げる事項を定めたものであって、吸収分割会社が当該事項についての定めに従い吸収型再編対価の全部を当該吸収分割会社の株主に対して交付するものをいう。
四十五　新設型再編　次に掲げる行為をいう。
イ　新設合併
ロ　新設分割
ハ　株式移転
四十六　新設型再編対象財産　次のイ又はロに掲げる新設型再編の区分に応じ、当該イ又はロに定める財産をいう。
イ　新設合併　新設合併により新設合併設立会社が承継する財産
ロ　新設分割　新設分割により新設分割設立会社が承継する財産
四十七　新設型再編対価　次のイからハまでに掲げる新設型再編の区分に応じ、当該イからハまでに定める財産をいう。
イ　新設合併　新設合併に際して新設合併設立会社が新設合併消滅会社の株主等に対して交付する財産
ロ　新設分割　新設分割に際して新設分割設立会社が新設分割会社に対して交付する財産
ハ　株式移転　株式移転に際して株式移転設立完全親会社が株式移転完全子会社の株主に対して交付する財産
四十八　新設型再編対価時価　新設型再編対価の時価その他適切な方法により算定された新設型再編対価の価額をいう。
四十九　新設合併取得会社　新設合併消滅会社のうち、新設合併により支配取得をするものをいう。
五十　株主資本承継消滅会社　新設合併消滅会社の株主等に交付する新設型再編対価の全部が新設合併設立会社の株式又は持分である場合において、当該新設合併消滅会社がこの号に定める株主資本承継消滅会社となることを定めたときにおける当該新設合併消滅会社をいう。

五十一 非対価交付消滅会社 新設合併消滅会社の株主等に交付する新設型再編対価が存しない場合における当該新設合併消滅会社をいう。

五十二 非株式交付消滅会社 新設合併消滅会社の株主等に交付する新設型再編対価の全部が新設合併設立会社の社債等である場合における当該新設合併消滅会社及び非対価交付消滅会社をいう。

五十三 非株主資本承継消滅会社 株主資本承継消滅会社及び非株式交付消滅会社以外の新設合併消滅会社をいう。

五十四 分割型新設分割 新設分割のうち、新設分割計画において法第七百六十三条第一項第十二号又は第七百六十五条第一項第八号に掲げる事項を定めたものであって、新設分割会社が当該事項についての定めに従い新設型再編対価の全部を当該新設分割会社の株主に対して交付するものをいう。

五十五 連結配当規制適用会社 ある事業年度の末日が最終事業年度の末日となる時から当該ある事業年度の次の事業年度の末日が最終事業年度の末日となる時までの間における当該株式会社の分配可能額の算定につき第百五十八条第四号の規定を適用する旨を当該ある事業年度に係る計算書類の作成に際して定めた株式会社（ある事業年度に係る連結計算書類を作成しているものに限る。）をいう。

五十六 リース物件 リース契約により使用する物件をいう。

五十七 ファイナンス・リース取引 リース契約に基づく期間の中途において当該リース契約を解除することができないリース取引又はこれに準ずるリース取引で、リース物件の借主が、当該リース物件からもたらされる経済的利益を実質的に享受することができ、かつ、当該リース物件の使用に伴って生じる費用等を実質的に負担することとなるものをいう。

五十八 所有権移転ファイナンス・リース取引 ファイナンス・リース取引のうち、リース契約上の諸条件に照らしてリース物件の所有権が借主に移転すると認められるものをいう。

五十九 所有権移転外ファイナンス・リース取引 ファイナンス・リース取引のうち、所有権移転ファイナンス・リース取引以外のものをいう。

六十 資産除去債務 有形固定資産の取得、建設、開発又は通常の使用によって生じる当該有形固定資産の除去に関する法律上の義務及びこれに準ずるものをいう。

六十一 工事契約 請負契約のうち、土木、建築、造船、機械装置の製造その他の仕事に係る基本的な仕様及び作業内容が注文者の指図に基づいているものをいう。

六十二 会計方針 計算書類又は連結計算書類の作成に当たって採用する会計処理の原則及び手続をいう。

六十三 遡及適用 新たな会計方針を当該事業年度より前の事業年度に係る計算書類又は連結計算書類に遡って適用したと仮定して会計処理をすることをいう。

六十四 表示方法 計算書類又は連結計算書類の作成に当たって採用する表示の方法をいう。

六十五 会計上の見積り 計算書類又は連結計算書類に表示すべき項目の金額に不確実性がある場合において、計算書類又は連結計算書類の作成時に入手可能な情報に基づき、それらの合理的な金額を算定することをいう。

六十六 会計上の見積りの変更 新たに入手可能となった情報に基づき、当該事業年度より前の事業年度に係る計算書類又は連結計算書類の作成に当たってした会計上の見積りを変更することをいう。

六十七 誤謬 意図的であるかどうかにかかわらず、計算書類又は連結計算書類の作成時に入手可能な情報を使用しなかったこと又は誤って使用したことにより生じた誤りをいう。

六十八 誤謬の訂正 当該事業年度より前の事業年度に係る計算書類又は連結計算書類における誤謬を訂正したと仮定して計算書類又は連結計算書類を作成することをいう。

六十九 金融商品 金融資産（金銭債権、有価証券及びデリバティブ取引により生じる債権（これらに準ずるものを含む。）をいう。）及び金融負債（金銭債務及びデリバティブ取引により生じる債務（これらに準ずるものを含む。）をいう。）をいう。

七十 賃貸等不動産 たな卸資産に分類される不動産以外の不動産であって、賃貸又は譲渡による収益又は利益を目的として所有する不動産をいう。

④ 前項第二十一号に規定する「財務及び事業の方針の決定に対して重要な影響を与えることができる場合」とは、次に掲げる場合（財務上又は事業上の関係からみて他の会社等の財務又は事業の方針の決定に対して重要な影響を与えることができないことが明らかであると認められる場合を除く。）をいう。

一 他の会社等（次に掲げる会社等であって、当該会社等の財務又は事業の方針の決定に対して重要な影響を与えることができないと認められるものを除く。以下この項において同じ。）の議決権の総数に対する自己（その子会社を含む。以下この項において同じ。）の計算において所有している議決権の数の割合が百分の二十以上である場合

イ 民事再生法（平成十一年法律第二百二十五号）の規定による再生手続開始の決定を受けた会社等

ロ 会社更生法（平成十四年法律第百五十四号）の規定による更生手続開始の決定を受けた株式会社

ハ 破産法（平成十六年法律第七十五号）の規定による破産手続開始の決定を受けた会社等

ニ その他イからハまでに掲げる会社等に準ずる会社等

二 他の会社等の議決権の総数に対する自己の計算において所有している議決権の数の割合が百分の十五以上である場合（前号に掲げる場合を除く。）であって、次に掲げるいずれかの要件に該当する場合

イ 次に掲げる者（他の会社等の財務及び事業の方針の決定に関して影響を与えることができるものに限る。）が他の会社等の代表取締役、取締役又はこれらに準ずる役職に就任していること。

(1) 自己の役員

(2) 自己の業務を執行する社員

(3) 自己の使用人

(4) (1)から(3)までに掲げる者であった者

ロ 自己が他の会社等に対して重要な融資を行っていること。

ハ 自己が他の会社等に対して重要な技術を提供していること。

ニ 自己と他の会社等との間に重要な販売、仕入れその他の事業上の取引があること。

ホ その他自己が他の会社等の財務及び事業の方針の決定に対して重要な影響を与えることができることが推測される事実が存在すること。

三 他の会社等の議決権の総数に対する自己所有等議決権数（次に掲げる議決権の数の合計数をいう。）の割合が百分の二十以上である場合（自己の計算において議決権を所有していない場合を含み、前二号に掲げる場合を除く。）であって、前号イからホまでに掲げるいずれかの要件に該当する場合

イ 自己の計算において所有している議決権

ロ 自己と出資、人事、資金、技術、取引等において緊密な関係があることにより自己の意思と同一の内容の議決権を行使すると認められる者が所有している議決権

ハ 自己の意思と同一の内容の議決権を行使することに同意している者が所有している議決権

四 自己と自己から独立した者との間の契約その他これに準ずるものに基づきこれらの者が他の会社等を共同で支配している場合

第三条（**会計慣行のしん酌**） この省令の用語の解釈及び規定の適用に関しては、一般に公正妥当と認められる企業会計の基準その他の企業会計の慣行をしん酌しなければならない。

第二編 会計帳簿（抄）

第一章 総則

第四条① 法第四百三十二条第一項及び第六百十五条第一項の規定により会社が作成すべき会計帳簿に付すべき資産、負債及び純資産の価額その他会計帳簿の作成に関する事項（法第四百四十五条第四項から第六項までの規定により法務省令で定めるべき事項を含む。）については、この編の定めるところによる。

② 会計帳簿は、書面又は電磁的記録をもって作成しなければならない。

第二章 資産及び負債（抄）

第一節 資産及び負債の評価

第一款 通則

（**資産の評価**）

第五条① 資産については、この省令又は法以外の法令に別段の定めがある場合を除き、会計帳簿にその取得価額を付さなければならない。

② 償却すべき資産については、事業年度の末日（事業年度の末日以外の日において評価すべき場合にあっては、その日。以下この条、次条第二項及び第五十五条第六項第一号において同じ。）において、相当の償却をしなければならない。

③ 次の各号に掲げる資産については、事業年度の末日において当該各号に定める価格を付すべき場合には、当該各号に定める価格を付さなければならない。

一 事業年度の末日における時価がその時の取得原価より著しく低い資産（当該資産の時価がその時の取得原価まで回復すると認められるものを除く。） 事業年度の末日における時価

二 事業年度の末日において予測することができない減損が生じた資産又は減損損失を認識すべき資産 その時の取得原価から相当の減額をした額

④ 取立不能のおそれのある債権については、事業年度の末日においてその時に取り立てることができないと見込まれる額を控除しなければならない。

⑤ 債権については、その取得価額が債権金額と異なる場合その他相当の理由がある場合には、適正な価格を付すことができる。

⑥ 次に掲げる資産については、事業年度の末日においてその時の時価又は適正な価格を付すことができる。

一 事業年度の末日における時価がその時の取得原価より低い資産

二 市場価格のある資産（子会社及び関連会社の株式並びに満期保有目的の債券を除く。）

三 前二号に掲げる資産のほか、事業年度の末日においてその時の時価又は適正な価格を付すことが適当な資産

（**負債の評価**）

第六条① 負債については、この省令又は法以外の法令に別段の定めがある場合を除き、会計帳簿に債務額を付さなければならない。

② 次に掲げる負債については、事業年度の末日においてその時の時価又は適正な価格を付すことができる。

一 退職給付引当金（使用人が退職した後に当該使用人に退職一時金、退職年金その他これらに類する財産の支給をする場合における事業年度の末日において繰り入れるべき引当金をいう。第七十五条第二項第二号において同じ。）その他の将来の費用又は損失の発生に備えて、その合理的な見積額のうち当該事業年度の負担に属する金額を費用又は損失として繰り入れることにより計上すべき引当金（株主等に対して役務を提供する場合において計上すべき引当金を含む。）

二 払込みを受けた金額が債務額と異なる社債

三 前二号に掲げる負債のほか、事業年度の末日においてその時の時価又は適正な価格を付すことが適当な負債

第二款 組織変更等の際の資産及び負債の評価

（**組織変更の際の資産及び負債の評価替えの禁止**）

第七条 会社が組織変更をする場合には、当該組織変更をすることを理由にその有する資産及び負債の帳簿価額を変更することはできない。

（**組織再編行為の際の資産及び負債の評価**）

第八条① 次の各号に掲げる会社は、吸収合併又は吸収分割が当該会社による支配取得に該当する場合その他の吸収型再編対象財産に時価を付すべき場合を除き、吸収型再編対象財産には、当該各号に定める会社における当該吸収合併又は吸収分割の直前の帳簿価額を付さなければならない。

一 吸収合併存続会社 吸収合併消滅会社

二 吸収分割承継会社 吸収分割会社

② 前項の規定は、新設合併及び新設分割の場合について準用する。

（**持分会社の出資請求権**）

第九条① 持分会社が組織変更をする場合において、当該持分会社が社員に対して出資の履行をすべきことを請求する権利に係る債権を資産として計上しているときは、当該組織変更の直前に、当該持分会社は、当該債権を資産として計上しないものと定めたものとみなす。

② 前項の規定は、社員に対して出資の履行をすべきことを請求する権利に係る債権を資産として計上している持分会社が吸収合併消滅会社又は新設合併消滅会社となる場合について準用する。

（**会社以外の法人が会社となる場合における資産及び負債の評価**）

第一〇条 次に掲げる法律の規定により会社以外の法人が会社となる場合には、当該会社がその有する資産及び負債に付すべき帳簿価額は、他の法令に別段の定めがある場合を除き、当該会社となる直前に当該法人が当該資産及び負債に付していた帳簿価額とする。

一 農業協同組合法（昭和二十二年法律第百三十二号）

二 金融商品取引法

三 商品先物取引法（昭和二十五年法律第二百三十九号）

四 中小企業団体の組織に関する法律（昭和三十二年法律第百八十五号）

五 技術研究組合法（昭和三十六年法律第八十一号）

六 金融機関の合併及び転換に関する法律（昭和四十三年法律第八十六号）

七 保険業法

第二節 のれん

第一一条 会社は、吸収型再編、新設型再編又は事業の譲受けをする場合において、適正な額ののれんを資産又は負債として計上することができる。

第三節 株式及び持分に係る特別勘定

（第一二条）（略）

第三章 純資産（抄）

第一節 株式会社の株主資本

第一款 株式の交付等

（**通則**）

第一三条① 株式会社がその成立後に行う株式の交付（法第四百四十五条第五項に掲げる行為に際しての株式の交付を除く。）による株式会社の資本金等増加限度額（同条第一項に規定する株主となる者が当該株式会社に対して払込み又は給付をした財産

の額をいう。以下この節において同じ。）、その他資本剰余金及びその他利益剰余金の額並びに自己株式対価額（第百五十条第二項第八号及び第百五十八条第八号ハ並びに法第四百四十六条第二号並びに第四百六十一条第二項第二号ロ及び第四号に規定する自己株式の対価の額をいう。以下この章において同じ。）については、この款の定めるところによる。

② 前項に規定する「成立後に行う株式の交付」とは、株式会社がその成立後において行う次に掲げる場合における株式の発行及び自己株式の処分（第八号、第九号、第十二号、第十四号及び第十五号に掲げる場合にあっては、自己株式の処分）をいう。

一 法第二編第二章第八節の定めるところにより募集株式を引き受ける者の募集を行う場合（法第二百二条の二第一項（同条第三項の規定により読み替えて適用する場合を含む。）の規定により募集株式を引き受ける者の募集を行う場合を除く。次条第一項において同じ。）

二 取得請求権付株式（法第百八条第二項第五号ロに掲げる事項についての定めがあるものに限る。以下この章において同じ。）の取得をする場合

三 取得条項付株式（法第百八条第二項第六号ロに掲げる事項についての定めがあるものに限る。以下この章において同じ。）の取得をする場合

四 全部取得条項付種類株式（当該全部取得条項付種類株式を取得するに際して法第百七十一条第一項第一号イに掲げる事項についての定めをした場合における当該全部取得条項付種類株式に限る。以下この章において同じ。）の取得をする場合

五 株式無償割当てをする場合

六 新株予約権の行使があった場合

七 取得条項付新株予約権（法第二百三十六条第一項第七号ニに掲げる事項についての定めがあるものに限る。以下この章において同じ。）の取得をする場合

八 単元未満株式売渡請求を受けた場合

九 株式会社が当該株式会社の株式を取得したことにより生ずる法第四百六十二条第一項に規定する義務を履行する株主（株主と連帯して義務を負う者を含む。）に対して当該株主から取得した株式に相当する株式を交付すべき場合

十 吸収合併後当該株式会社が存続する場合

十一 吸収分割による他の会社がその事業に関して有する権利義務の全部又は一部の承継をする場合

十二 吸収分割により吸収分割会社（株式会社に限る。）が自己株式を吸収分割承継会社に承継させる場合

十三 株式交換による他の株式会社の発行済株式の全部の取得をする場合

十四 株式交換に際して自己株式を株式交換完全親会社に取得される場合

十五 株式移転に際して自己株式を株式移転設立完全親会社に取得される場合

十六 株式交付に際して他の株式会社の株式又は新株予約権等の譲受けをする場合

（募集株式を引き受ける者の募集を行う場合）

第一四条① 法第二編第二章第八節の定めるところにより募集株式を引き受ける者の募集を行う場合には、資本金等増加限度額は、第一号及び第二号に掲げる額の合計額から第三号に掲げる額を減じて得た額に株式発行割合（当該募集に際して発行する株式の数を当該募集に際して発行する株式の数及び処分する自己株式の数の合計数で除して得た割合をいう。以下この条において同じ。）を乗じて得た額から第四号に掲げる額を減じて得た額（零未満である場合にあっては、零）とする。

一 法第二百八条第一項の規定により払込みを受けた金銭の額（次のイ又はロに掲げる場合における金銭にあっては、当該イ又はロに定める額）

イ 外国の通貨をもって金銭の払込みを受けた場合（ロに掲げる場合を除く。） 当該外国の通貨につき法第百九十九条第一項第四号の期日（同号の期間を定めた場合にあっては、法第二百八条第一項の規定により払込みを受けた日）の為替相場に基づき算出された額

ロ 当該払込みを受けた金銭の額（イに定める額を含む。）により資本金等増加限度額を計算することが適切でない場合 当該金銭の当該払込みをした者における当該払込みの直前の帳簿価額

二 法第二百八条第二項の規定により現物出資財産（法第二百七条第一項に規定する現物出資財産をいう。以下この条において同じ。）の給付を受けた場合にあっては、当該現物出資財産の法第百九十九条第一項第四号の期日（同号の期間を定めた場合にあっては、法第二百八条第二項の規定により給付を受けた日）における価額（次のイ又はロに掲げる場合における現物出資財産にあっては、当該イ又はロに定める額）

イ 当該株式会社と当該現物出資財産の給付をした者が共通支配下関係にある場合（当該現物出資財産に時価を付すべき場合を除く。） 当該現物出資財産の当該給付をした者における当該給付の直前の帳簿価額

ロ イに掲げる場合以外の場合であって、当該給付を受けた現物出資財産の価額により資本金等増加限度額を計算することが適切でないとき イに定める帳簿価額

三 法第百九十九条第一項第五号に掲げる事項として募集株式の交付に係る費用の額のうち、株式会社が資本金等増加限度額から減ずるべき額と定めた額

四 イに掲げる額からロに掲げる額を減じて得た額が零以上であるときは、当該額

イ 当該募集に際して処分する自己株式の帳簿価額

ロ 第一号及び第二号に掲げる額の合計額から前号に掲げる額を減じて得た額（零未満である場合にあっては、零）に自己株式処分割合（一から株式発行割合を減じて得た割合をいう。以下この条において同じ。）を乗じて得た額

② 前項に規定する場合には、同項の行為後の次の各号に掲げる額は、同項の行為の直前の当該額に、当該各号に定める額を加えて得た額とする。

一 その他資本剰余金の額 イ及びロに掲げる額の合計額からハに掲げる額を減じて得た額

イ 前項第一号及び第二号に掲げる額の合計額から同項第三号に掲げる額を減じて得た額に自己株式処分割合を乗じて得た額

ロ 次に掲げる額のうちいずれか少ない額

(1) 前項第四号に掲げる額

(2) 前項第一号及び第二号に掲げる額の合計額から同項第三号に掲げる額を減じて得た額に株式発行割合を乗じて得た額（零未満である場合にあっては、零）

ハ 当該募集に際して処分する自己株式の帳簿価額

二 その他利益剰余金の額 前項第一号及び第二号に掲げる額の合計額から同項第三号に掲げる額を減じて得た額が零未満である場合における当該額に株式発行割合を乗じて得た額

③ 第一項に規定する場合には、自己株式対価額は、第一項第一号及び第二号に掲げる額の合計額から同項第三号に掲げる額を減じて得た額に自己株式処分割合を乗じて得た額とする。

④ 第二項第一号ロに掲げる額は、第百五十条第二項第八号及び第百五十八条第八号ハ並びに法第四百四十六条第二号並びに第四百六十一条第二項第二号ロ及び第四号の規定の適用については、当該額も、自己株式対価額に含まれるものとみなす。

⑤ 第一項第二号の規定の適用については、現物出資財産について法第百九十九条第一項第二号に掲げる額及び同項第三号に掲げる価額と、当該現物出資財産の帳簿価額（当該出資に係る資本金及び資本準備金の額を含む。）とが同一の額でなければならないと解してはならない。

（株式の取得に伴う株式の発行等をする場合）

第一五条① 次に掲げる場合には、資本金等増加限度額は、零とする。

一　取得請求権付株式の取得をする場合

二　取得条項付株式の取得をする場合

三　全部取得条項付種類株式の取得をする場合

②　前項各号に掲げる場合には、自己株式対価額は、当該各号に掲げる場合において処分する自己株式の帳簿価額とする。

（株式無償割当てをする場合）

第一六条①　株式無償割当てをする場合には、資本金等増加限度額は、零とする。

②　前項に規定する場合には、株式無償割当て後のその他資本剰余金の額は、株式無償割当ての直前の当該額から当該株式無償割当てに際して処分する自己株式の帳簿価額を減じて得た額とする。

③　第一項に規定する場合には、自己株式対価額は、零とする。

（新株予約権の行使があった場合）

第一七条①　新株予約権の行使があった場合には、資本金等増加限度額は、第一号から第三号までに掲げる額の合計額から第四号に掲げる額を減じて得た額に株式発行割合（当該行使に際して発行する株式の数を当該行使に際して発行する株式の数及び処分する自己株式の数の合計数で除して得た割合をいう。以下この条において同じ。）を乗じて得た額から第五号に掲げる額を減じて得た額（零未満である場合にあっては、零）とする。

一　行使時における当該新株予約権の帳簿価額

二　法第二百八十一条第一項に規定する場合又は同条第二項後段に規定する場合におけるこれらの規定により払込みを受けた金銭の額（次のイ又はロに掲げる場合における金銭にあっては、当該イ又はロに定める額）

イ　外国の通貨をもって金銭の払込みを受けた場合（ロに掲げる場合を除く。）　当該外国の通貨につき行使時の為替相場に基づき算出された額

ロ　当該払込みを受けた金銭の額（イに定める額を含む。）により資本金等増加限度額を計算することが適切でない場合　当該金銭の当該払込みをした者における当該払込みの直前の帳簿価額

三　法第二百八十一条第二項前段の規定により現物出資財産（法第二百八十四条第一項に規定する現物出資財産をいう。以下この条において同じ。）の給付を受けた場合にあっては、当該現物出資財産の行使時における価額（次のイ又はロに掲げる場合における現物出資財産にあっては、当該イ又はロに定める額）

イ　当該株式会社と当該現物出資財産の給付をした者が共通支配下関係にある場合（当該現物出資財産に時価を付すべき場合を除く。）　当該現物出資財産の当該給付をした者における当該給付の直前の帳簿価額

ロ　イに掲げる場合以外の場合であって、当該給付を受けた現物出資財産の価額により資本金等増加限度額を計算することが適切でないとき　イに定める帳簿価額

四　法第二百三十六条第一項第五号に掲げる事項として新株予約権の行使に応じて行う株式の交付に係る費用の額のうち、株式会社が資本金等増加限度額から減ずるべき額と定めた額

五　イに掲げる額からロに掲げる額を減じて得た額が零以上であるときは、当該額

イ　当該行使に際して処分する自己株式の帳簿価額

ロ　第一号から第三号までに掲げる額の合計額から前号に掲げる額を減じて得た額（零未満である場合にあっては、零）に自己株式処分割合（一から株式発行割合を減じて得た割合をいう。以下この条において同じ。）を乗じて得た額

②　前項に規定する場合には、新株予約権の行使後の次の各号に掲げる額は、当該行使の直前の当該額に、当該各号に定める額を加えて得た額とする。

一　その他資本剰余金の額　イ及びロに掲げる額の合計額からハに掲げる額を減じて得た額

イ　前項第一号から第三号までに掲げる額の合計額から同項第四号に掲げる額を減じて得た額に自己株式処分割合を乗じて得た額

ロ　次に掲げる額のうちいずれか少ない額

(1)　前項第五号に掲げる額

(2)　前項第一号から第三号までに掲げる額の合計額から同項第四号に掲げる額を減じて得た額に株式発行割合を乗じて得た額（零未満である場合にあっては、零）

ハ　当該行使に際して処分する自己株式の帳簿価額

二　その他利益剰余金の額　前項第一号から第三号までに掲げる額の合計額から同項第四号に掲げる額を減じて得た額が零未満である場合における当該額に株式発行割合を乗じて得た額

③　第一項に規定する場合には、自己株式対価額は、同項第一号から第三号までに掲げる額の合計額から同項第四号に掲げる額を減じて得た額に自己株式処分割合を乗じて得た額とする。

④　第二項第一号ロに掲げる額は、第百五十条第二項第八号及び第百五十八条第八号ハ並びに法第四百四十六条第二号並びに第四百六十一条第二項第二号ロ及び第四号の規定の適用については、当該額も、自己株式対価額に含まれるものとみなす。

⑤　第一項第一号の規定の適用については、新株予約権が募集新株予約権であった場合における当該募集新株予約権についての法第二百三十八条第一項第二号及び第三号に掲げる事項と、第一項第一号の帳簿価額とが同一のものでなければならないと解してはならない。

⑥　第一項第三号の規定の適用については、現物出資財産について法第二百三十六条第一項第二号及び第三号に掲げる価額と、当該現物出資財産の帳簿価額（当該出資に係る資本金及び資本準備金の額を含む。）とが同一の額でなければならないと解してはならない。

（取得条項付新株予約権の取得をする場合）

第一八条①　取得条項付新株予約権の取得をする場合には、資本金等増加限度額は、第一号に掲げる額から第二号及び第三号に掲げる額の合計額を減じて得た額に株式発行割合（当該取得に際して発行する株式の数を当該取得に際して発行する株式の数及び処分する自己株式の数の合計数で除して得た割合をいう。以下この条において同じ。）を乗じて得た額から第四号に掲げる額を減じて得た額（零未満である場合にあっては、零）とする。

一　当該取得時における当該取得条項付新株予約権（当該取得条項付新株予約権が新株予約権付社債（これに準ずるものを含む。以下この号において同じ。）に付されたものである場合にあっては、当該新株予約権付社債についての社債（これに準ずるものを含む。）を含む。以下この項において同じ。）の価額

二　当該取得条項付新株予約権の取得と引換えに行う株式の交付に係る費用の額のうち、株式会社が資本金等増加限度額から減ずるべき額と定めた額

三　株式会社が当該取得条項付新株予約権を取得するのと引換えに交付する財産（当該株式会社の株式を除く。）の帳簿価額（当該財産が社債（自己社債を除く。）又は新株予約権（自己新株予約権を除く。）である場合にあっては、会計帳簿に付すべき額）の合計額

四　イに掲げる額からロに掲げる額を減じて得た額が零以上であるときは、当該額

イ　当該取得に際して処分する自己株式の帳簿価額

ロ　第一号に掲げる額から第二号及び前号に掲げる額の合計額を減じて得た額（零未満である場合にあっては、零）に自己株式処分割合（一から株式発行割合を減じて得た割合をいう。以下この条において同じ。）を乗じて得た額

②　前項に規定する場合には、取得条項付新株予約権の取得後の次の各号に掲げる額は、取得条項付新株予約権の取得の直前の当該額に、当該各号に定める額を加えて得た額とする。

一　その他資本剰余金の額　イ及びロに掲げる額の合計額からハに掲げる額を減じて得た額

イ　前項第一号に掲げる額から同項第二号及び第三号に掲げる額の合計額を減じて得た額に自己株式処分割合を乗じて得た額

ロ　次に掲げる額のうちいずれか少ない額

(1)　前項第四号に掲げる額

(2)　前項第一号に掲げる額から同項第二号及び第三号に掲げる額の合計額を減じて得た額に株式発行割合を乗じて得た額（零未満である場合にあっては、零）

ハ　当該取得に際して処分する自己株式の帳簿価額

二　その他利益剰余金の額　前項第一号に掲げる額から同項第二号及び第三号に掲げる額の合計額を減じて得た額が零未満である場合における当該額に株式発行割合を乗じて得た額

③　第一項に規定する場合には、自己株式対価額は、同項第一号に掲げる額から同項第二号及び第三号に掲げる額の合計額を減じて得た額に自己株式処分割合を乗じて得た額とする。

④　第二項第一号ロに掲げる額は、第百五十条第二項第八号及び第百五十八条第八号ハ並びに法第四百四十六条第二号並びに第四百六十一条第二項第二号ロ及び第四号の規定の適用については、当該額も、自己株式対価額に含まれるものとみなす。

（単元未満株式売渡請求を受けた場合）

第一九条①　単元未満株式売渡請求を受けた場合には、資本金等増加限度額は、零とする。

②　前項に規定する場合には、単元未満株式売渡請求後のその他資本剰余金の額は、第一号及び第二号に掲げる額の合計額から第三号に掲げる額を減じて得た額とする。

一　単元未満株式売渡請求の直前のその他資本剰余金の額

二　当該単元未満株式売渡請求に係る代金の額

三　当該単元未満株式売渡請求に応じて処分する自己株式の帳簿価額

③　第一項に規定する場合には、自己株式対価額は、単元未満株式売渡請求に係る代金の額とする。

（法第四百六十二条第一項に規定する義務を履行する株主に対して株式を交付すべき場合）

第二〇条①　株式会社が当該株式会社の株式を取得したことにより生ずる法第四百六十二条第一項に規定する義務を履行する株主（株主と連帯して義務を負う者を含む。）に対して当該株主から取得した株式に相当する株式を交付すべき場合には、資本金等増加限度額は、零とする。

②　前項に規定する場合には、同項の行為後のその他資本剰余金の額は、第一号及び第二号に掲げる額の合計額から第三号に掲げる額を減じて得た額とする。

一　前項の行為の直前のその他資本剰余金の額

二　前項の株主（株主と連帯して義務を負う者を含む。）が株式会社に対して支払った金銭の額

三　当該交付に際して処分する自己株式の帳簿価額

③　第一項に規定する場合には、自己株式対価額は、同項の株主（株主と連帯して義務を負う者を含む。）が株式会社に対して支払った金銭の額とする。

（設立時又は成立後の株式の交付に伴う義務が履行された場合）

第二一条　次に掲げる義務が履行された場合には、株式会社のその他資本剰余金の額は、当該義務の履行により株式会社に対して支払われた金銭又は給付された金銭以外の財産の額が増加するものとする。

一　法第五十二条第一項の規定により同項に定める額を支払う義務（当該義務を履行した者が法第二十八条第一号の財産を給付した発起人である場合における当該義務に限る。）

二　法第五十二条の二第一項各号に掲げる場合において同項の規定により当該各号に定める行為をする義務

三　法第百二条の二第一項の規定により同項に規定する支払をする義務

四　法第二百十二条第一項各号に掲げる場合において同項の規定により当該各号に定める額を支払う義務

五　法第二百十三条の二第一項各号に掲げる場合において同項の規定により当該各号に定める行為をする義務

六　法第二百八十五条第一項各号に掲げる場合において同項の規定により当該各号に定める額を支払う義務

七　新株予約権を行使した新株予約権者であって法第二百八十六条の二第一項各号に掲げる者に該当するものが同項の規定により当該各号に定める行為をする義務

第二款　剰余金の配当

（法第四百四十五条第四項の規定による準備金の計上）

第二二条①　株式会社が剰余金の配当をする場合には、剰余金の配当後の資本準備金の額は、当該剰余金の配当の直前の資本準備金の額に、次の各号に掲げる場合の区分に応じ、当該各号に定める額を加えて得た額とする。

一　当該剰余金の配当をする日における準備金の額が当該日における基準資本金額（資本金の額に四分の一を乗じて得た額をいう。以下この条において同じ。）以上である場合　零

二　当該剰余金の配当をする日における準備金の額が当該日における基準資本金額未満である場合　イ又はロに掲げる額のうちいずれか少ない額に資本剰余金配当割合（次条第一号イに掲げる額を法第四百四十六条第六号に掲げる額で除して得た割合をいう。）を乗じて得た額

イ　当該剰余金の配当をする日における準備金計上限度額（基準資本金額から準備金の額を減じて得た額をいう。以下この条において同じ。）

ロ　法第四百四十六条第六号に掲げる額に十分の一を乗じて得た額

②　株式会社が剰余金の配当をする場合には、剰余金の配当後の利益準備金の額は、当該剰余金の配当の直前の利益準備金の額に、次の各号に掲げる場合の区分に応じ、当該各号に定める額を加えて得た額とする。

一　当該剰余金の配当をする日における準備金の額が当該日における基準資本金額以上である場合　零

二　当該剰余金の配当をする日における準備金の額が当該日における基準資本金額未満である場合　イ又はロに掲げる額のうちいずれか少ない額に利益剰余金配当割合（次条第二号イに掲げる額を法第四百四十六条第六号に掲げる額で除して得た割合をいう。）を乗じて得た額

イ　当該剰余金の配当をする日における準備金計上限度額

ロ　法第四百四十六条第六号に掲げる額に十分の一を乗じて得た額

（減少する剰余金の額）

第二三条　株式会社が剰余金の配当をする場合には、剰余金の配当後の次の各号に掲げる額は、当該剰余金の配当の直前の当該額から、当該各号に定める額を減じて得た額とする。

一　その他資本剰余金の額　次に掲げる額の合計額

イ　法第四百四十六条第六号に掲げる額のうち、株式会社がその他資本剰余金から減ずるべき額と定めた額

ロ　前条第一項第二号に掲げるときは、同号に定める額

二　その他利益剰余金の額　次に掲げる額の合計額

イ　法第四百四十六条第六号に掲げる額のうち、株式会社がその他利益剰余金から減ずるべき額と定めた額

ロ　前条第二項第二号に掲げるときは、同号に定める額

第三款　自己株式

第二四条①　株式会社が当該株式会社の株式を取得する場合には、その取得価額を、増加すべき自己株式の額とする。

②　株式会社が自己株式の処分又は消却をする場合には、その帳簿価額を、減少すべき自己株式の額とする。

③　株式会社が自己株式の消却をする場合には、自己株式の消却後のその他資本剰余金の額は、当該自己株式の消却の直前の当該額から当該消却する自己株式の帳簿価額を減じて得た額とする。

第四款　株式会社の資本金等の額の増減

（資本金の額）

第二五条① 株式会社の資本金の額は、第一款並びに第四節及び第五節の二に定めるところのほか、次の各号に掲げる場合に限り、当該各号に定める額が増加するものとする。

一　法第四百四十八条の規定により準備金の額を減少する場合（同条第一項第二号に掲げる事項を定めた場合に限る。）　同号の資本金とする額に相当する額

二　法第四百五十条の規定により剰余金の額を減少する場合　同条第一項第一号の減少する剰余金の額に相当する額

② 株式会社の資本金の額は、法第四百四十七条の規定による場合に限り、同条第一項第一号の額に相当する額が減少するものとする。この場合において、次に掲げる場合には、資本金の額が減少するものと解してはならない。

一　新株の発行の無効の訴えに係る請求を認容する判決が確定した場合

二　自己株式の処分の無効の訴えに係る請求を認容する判決が確定した場合

三　会社の吸収合併、吸収分割、株式交換又は株式交付の無効の訴えに係る請求を認容する判決が確定した場合

四　設立時発行株式又は募集株式の引受けに係る意思表示その他の株式の発行又は自己株式の処分に係る意思表示が無効とされ、又は取り消された場合

五　株式交付子会社の株式又は新株予約権等の譲渡しに係る意思表示その他の株式交付に係る意思表示が無効とされ、又は取り消された場合

（資本準備金の額）

第二六条① 株式会社の資本準備金の額は、第一款及び第二款並びに第四節及び第五節の二に定めるところのほか、次の各号に掲げる場合に限り、当該各号に定める額が増加するものとする。

一　法第四百四十七条の規定により資本金の額を減少する場合（同条第一項第二号に掲げる事項を定めた場合に限る。）　同号の準備金とする額に相当する額

二　法第四百五十一条の規定により剰余金の額を減少する場合　同条第一項第一号の額（その他資本剰余金に係る額に限る。）に相当する額

② 株式会社の資本準備金の額は、法第四百四十八条の規定による場合に限り、同条第一項第一号の額（資本準備金に係る額に限る。）に相当する額が減少するものとする。この場合においては、前条第二項後段の規定を準用する。

（その他資本剰余金の額）

第二七条① 株式会社のその他資本剰余金の額は、第一款並びに第四節及び第五節の二に定めるところのほか、次の各号に掲げる場合に限り、当該各号に定める額が増加するものとする。

一　法第四百四十七条の規定により資本金の額を減少する場合　同条第一項第一号の額（同項第二号に規定する場合にあっては、当該額から同号の額を減じて得た額）に相当する額

二　法第四百四十八条の規定により準備金の額を減少する場合　同条第一項第一号の額（資本準備金に係る額に限り、同項第二号に規定する場合にあっては、当該額から資本準備金についての同号の額を減じて得た額）に相当する額

三　前二号に掲げるもののほか、その他資本剰余金の額を増加すべき場合　その他資本剰余金の額を増加する額として適切な額

② 株式会社のその他資本剰余金の額は、前三款並びに第四節及び第五節の二に定めるところのほか、次の各号に掲げる場合に限り、当該各号に定める額が減少するものとする。

一　法第四百五十条の規定により剰余金の額を減少する場合　同条第一項第一号の額（その他資本剰余金に係る額に限る。）に相当する額

二　法第四百五十一条の規定により剰余金の額を減少する場合　同条第一項第一号の額（その他資本剰余金に係る額に限る。）に相当する額

三　前二号に掲げるもののほか、その他資本剰余金の額を減少すべき場合　その他資本剰余金の額を減少する額として適切な額

③ 前項、前三款並びに第四節及び第五節の二の場合において、これらの規定により減少すべきその他資本剰余金の額の全部又は一部を減少させないこととすることが必要かつ適当であるときは、これらの規定にかかわらず、減少させないことが適当な額については、その他資本剰余金の額を減少させないことができる。

（利益準備金の額）

第二八条① 株式会社の利益準備金の額は、第二款及び第四節に定めるところのほか、法第四百五十一条の規定により剰余金の額を減少する場合に限り、同条第一項第一号の額（その他利益剰余金に係る額に限る。）に相当する額が増加するものとする。

② 株式会社の利益準備金の額は、法第四百四十八条の規定による場合に限り、同条第一項第一号の額（利益準備金に係る額に限る。）に相当する額が減少するものとする。

（その他利益剰余金の額）

第二九条① 株式会社のその他利益剰余金の額は、第四節に定めるところのほか、次の各号に掲げる場合に限り、当該各号に定める額が増加するものとする。

一　法第四百四十八条の規定により準備金の額を減少する場合　同条第一項第一号の額（利益準備金に係る額に限り、同項第二号に規定する場合にあっては、当該額から利益準備金についての同号の額を減じて得た額）に相当する額

二　当期純利益金額が生じた場合　当該当期純利益金額

三　前二号に掲げるもののほか、その他利益剰余金の額を増加すべき場合　その他利益剰余金の額を増加する額として適切な額

② 株式会社のその他利益剰余金の額は、次項、前三款並びに第四節及び第五節の二に定めるところのほか、次の各号に掲げる場合に限り、当該各号に定める額が減少するものとする。

一　法第四百五十条の規定により剰余金の額を減少する場合　同条第一項第一号の額（その他利益剰余金に係る額に限る。）に相当する額

二　法第四百五十一条の規定により剰余金の額を減少する場合　同条第一項第一号の額（その他利益剰余金に係る額に限る。）に相当する額

三　当期純損失金額が生じた場合　当該当期純損失金額

四　前三号に掲げるもののほか、その他利益剰余金の額を減少すべき場合　その他利益剰余金の額を減少する額として適切な額

③ 第二十七条第三項の規定により減少すべきその他資本剰余金の額を減少させない額がある場合には、当該減少させない額に対応する額をその他利益剰余金から減少させるものとする。

第二節　持分会社の社員資本　及び　第三節　組織変更に際しての株主資本及び社員資本

（第三〇条から第三四条まで）（略）

第四節　吸収合併、吸収分割、株式交換及び株式交付に際しての株主資本及び社員資本（抄）

第一款　吸収合併

（吸収型再編対価の全部又は一部が吸収合併存続会社の株式又は持分である場合における吸収合併存続会社の株主資本等の変動額）

第三五条① 吸収型再編対価の全部又は一部が吸収合併存続会社の株式又は持分である場合には、吸収合併存続会社において変動する株主資本等の総額（次項において「株主資本等変動額」という。）は、次の各号に掲げる場合の区分に応じ、当該各号に定める方法に従い定まる額とする。

一　当該吸収合併が支配取得に該当する場合（吸収合併消滅会社による支配取得に該当する場合を除く。）　吸収型再編対価時価又は吸収型再編対象財産の時価を基礎として算定する方法

二　吸収合併存続会社と吸収合併消滅会社が共通支配下関係にある場合　吸収型再編対象財産の吸収合併の直前の帳簿価額を基礎として算定する方法（前号に定める方法によるべき部分にあっては、当該方法）

三　前二号に掲げる場合以外の場合　前号に定める方法

②　前項の場合には、吸収合併存続会社の資本金及び資本剰余金の増加額は、株主資本等変動額の範囲内で、吸収合併存続会社が吸収合併契約の定めに従いそれぞれ定めた額とし、利益剰余金の額は変動しないものとする。ただし、株主資本等変動額が零未満の場合には、当該株主資本等変動額のうち、対価自己株式の処分により生ずる差損の額をその他資本剰余金（当該吸収合併存続会社が持分会社の場合にあっては、資本剰余金。次条において同じ。）の減少額とし、その余の額をその他利益剰余金（当該吸収合併存続会社が持分会社の場合にあっては、利益剰余金。次条において同じ。）の減少額とし、資本金、資本準備金及び利益準備金の額は変動しないものとする。

（株主資本等を引き継ぐ場合における吸収合併存続会社の株主資本等の変動額）

第三六条①　前条の規定にかかわらず、吸収型再編対価の全部が吸収合併存続会社の株式又は持分である場合であって、吸収合併消滅会社における吸収合併の直前の株主資本等を引き継ぐものとして計算することが適切であるときには、吸収合併の直前の吸収合併消滅会社の資本金、資本剰余金及び利益剰余金の額をそれぞれ当該吸収合併存続会社の資本金、資本剰余金及び利益剰余金の変動額とすることができる。ただし、対価自己株式又は先行取得分株式等がある場合にあっては、当該対価自己株式又は当該先行取得分株式等の帳簿価額を吸収合併の直前の吸収合併消滅会社のその他資本剰余金の額から減じて得た額を吸収合併存続会社のその他資本剰余金の変動額とする。

②　吸収型再編対価が存しない場合であって、吸収合併消滅会社における吸収合併の直前の株主資本等を引き継ぐものとして計算することが適切であるときには、吸収合併の直前の吸収合併消滅会社の資本金及び資本剰余金の合計額を当該吸収合併存続会社のその他資本剰余金の変動額とし、吸収合併の直前の利益剰余金の額を当該吸収合併存続会社のその他利益剰余金の変動額とすることができる。ただし、先行取得分株式等がある場合にあっては、当該先行取得分株式等の帳簿価額を吸収合併の直前の吸収合併消滅会社の資本金及び資本剰余金の合計額から減じて得た額を吸収合併存続会社のその他資本剰余金の変動額とする。

第二款　吸収分割

（第三七条及び第三八条）（略）

第三款　株式交換

第三九条①　吸収型再編対価の全部又は一部が株式交換完全親会社の株式又は持分である場合には、株式交換完全親会社において変動する株主資本等の総額（以下この条において「株主資本等変動額」という。）は、次の各号に掲げる場合の区分に応じ、当該各号に定める方法に従い定まる額とする。

一　当該株式交換が支配取得に該当する場合（株式交換完全子会社による支配取得に該当する場合を除く。）　吸収型再編対価時価又は株式交換完全子会社の株式の時価を基礎として算定する方法

二　株式交換完全親会社と株式交換完全子会社が共通支配下関係にある場合　株式交換完全子会社の財産の株式交換の直前の帳簿価額を基礎として算定する方法（前号に定める方法によるべき部分にあっては、当該方法）

三　前二号に掲げる場合以外の場合　前号に定める方法

②　前項の場合には、株式交換完全親会社の資本金及び資本剰余金の増加額は、株主資本等変動額の範囲内で、株式交換完全親会社が株式交換契約の定めに従い定めた額とし、利益剰余金の額は変動しないものとする。ただし、法第七百九十九条（法第八百二条第二項において読み替えて準用する場合を含む。）の規定による手続をとっている場合以外の場合にあっては、株式交換完全親会社の資本金及び資本準備金の増加額は、株主資本等変動額に対価自己株式の帳簿価額を加えて得た額に株式発行割合（当該株式交換に際して発行する株式の数を当該株式の数及び対価自己株式の数の合計数で除して得た割合をいう。）を乗じて得た額から株主資本等変動額まで（株主資本等変動額に対価自己株式の帳簿価額を加えて得た額に株式発行割合を乗じて得た額が株主資本等変動額を上回る場合にあっては、株主資本等変動額）の範囲内で、株式交換完全親会社が株式交換契約の定めに従いそれぞれ定めた額（株式交換完全親会社が持分会社である場合にあっては、株主資本等変動額）とし、当該額の合計額を株主資本等変動額から減じて得た額をその他資本剰余金の変動額とする。

③　前項の規定にかかわらず、株主資本等変動額が零未満の場合には、当該株主資本等変動額のうち、対価自己株式の処分により生ずる差損の額をその他資本剰余金（当該株式交換完全親会社が持分会社の場合にあっては、資本剰余金）の減少額とし、その余の額をその他利益剰余金（当該株式交換完全親会社が持分会社の場合にあっては、利益剰余金）の減少額とし、資本金、資本準備金及び利益準備金の額は変動しないものとする。

第四款　株式交付

第三九条の二①　株式交付に際し、株式交付親会社において変動する株主資本等の総額（以下この条において「株主資本等変動額」という。）は、次の各号に掲げる場合の区分に応じ、当該各号に定める方法に従い定まる額とする。

一　当該株式交付が支配取得に該当する場合（株式交付子会社による支配取得に該当する場合を除く。）　吸収型再編対価時価又は株式交付子会社の株式及び新株予約権等の時価を基礎として算定する方法

二　株式交付親会社と株式交付子会社が共通支配下関係にある場合　株式交付子会社の財産の株式交付の直前の帳簿価額を基礎として算定する方法（前号に定める方法によるべき部分にあっては、当該方法）

三　前二号に掲げる場合以外の場合　前号に定める方法

②　前項の場合には、株式交付親会社の資本金及び資本剰余金の増加額は、株主資本等変動額の範囲内で、株式交付親会社が株式交付計画の定めに従い定めた額とし、利益剰余金の額は変動しないものとする。ただし、法第八百十六条の八の規定による手続をとっている場合以外の場合にあっては、株式交付親会社の資本金及び資本準備金の増加額は、株主資本等変動額に対価自己株式の帳簿価額を加えて得た額に株式発行割合（当該株式交付に際して発行する株式の数を当該株式の数及び対価自己株式の数の合計数で除して得た割合をいう。）を乗じて得た額から株主資本等変動額まで（株主資本等変動額に対価自己株式の帳簿価額を加えて得た額に株式発行割合を乗じて得た額が株主資本等変動額を上回る場合にあっては、株主資本等変動額）の範囲内で、株式交付親会社が株式交付計画の定めに従いそれぞれ定めた額とし、当該額の合計額を株主資本等変動額から減じて得た額をその他資本剰余金の変動額とする。

③　前項の規定にかかわらず、株主資本等変動額が零未満の場合には、当該株主資本等変動額のうち、対価自己株式の処分により生ずる差損の額をその他資本剰余金の減少額とし、その余の額をその他利益剰余金の減少額とし、資本金、資本準備金及び利益準備金の額は変動しないものとする。

第五節　吸収分割会社等の自己株式の処分

（吸収分割会社の自己株式の処分）

第四〇条① 吸収分割により吸収分割会社（株式会社に限る。）が自己株式を吸収分割承継会社に承継させる場合には、当該吸収分割後の吸収分割会社のその他資本剰余金の額は、第一号及び第二号に掲げる額の合計額から第三号に掲げる額を減じて得た額とする。

一 吸収分割の直前の吸収分割会社のその他資本剰余金の額

二 吸収分割会社が交付を受ける吸収型再編対価に付すべき帳簿価額のうち、次号の自己株式の対価となるべき部分に係る額

三 吸収分割承継会社に承継させる自己株式の帳簿価額

② 前項に規定する場合には、自己株式対価額は、同項第二号に掲げる額とする。

（株式交換完全子会社の自己株式の処分）

第四一条① 株式交換完全子会社が株式交換に際して自己株式を株式交換完全親会社に取得される場合には、当該株式交換後の株式交換完全子会社のその他資本剰余金の額は、第一号及び第二号に掲げる額の合計額から第三号に掲げる額を減じて得た額とする。

一 株式交換の直前の株式交換完全子会社のその他資本剰余金の額

二 株式交換完全子会社が交付を受ける吸収型再編対価に付すべき帳簿価額

三 株式交換完全親会社に取得させる自己株式の帳簿価額

② 前項に規定する場合には、自己株式対価額は、同項第二号に掲げる額とする。

（株式移転完全子会社の自己株式の処分）

第四二条① 株式移転完全子会社が株式移転に際して自己株式を株式移転設立完全親会社に取得される場合には、当該株式移転後の株式移転完全子会社のその他資本剰余金の額は、第一号及び第二号に掲げる額の合計額から第三号に掲げる額を減じて得た額とする。

一 株式移転の直前の株式移転完全子会社のその他資本剰余金の額

二 株式移転完全子会社が交付を受ける新設型再編対価に付すべき帳簿価額のうち、次号の自己株式の対価となるべき部分に係る額

三 株式移転設立完全親会社に取得させる自己株式の帳簿価額

② 前項に規定する場合には、自己株式対価額は、同項第二号に掲げる額とする。

第五節の二 取締役等の報酬等として株式を交付する場合の株主資本

（取締役等が株式会社に対し割当日後にその職務の執行として募集株式を対価とする役務を提供する場合における株主資本の変動額）

第四二条の二① 法第二百二条の二第一項（同条第三項の規定により読み替えて適用する場合を含む。）の規定により募集株式を引き受ける者の募集を行う場合において、当該募集株式を引き受ける取締役又は執行役（以下この節及び第五十四条の二において「取締役等」という。）が株式会社に対し当該募集株式に係る割当日（法第二百二条の二第一項第二号に規定する割当日をいう。以下この節及び第五十四条の二において同じ。）後にその職務の執行として当該募集株式を対価とする役務を提供するときは、当該募集に係る株式の発行により各事業年度の末日（臨時計算書類を作成しようとし、又は作成した場合にあっては、臨時決算日。以下この項及び第五項において「株主資本変動日」という。）において増加する資本金の額は、この省令に別段の定めがある場合を除き、第一号に掲げる額から第二号に掲げる額を減じて得た額に株式発行割合（当該募集に際して発行する株式の数を当該募集に際して発行する株式の数及び処分する自己株式の数の合計数で除して得た割合をいう。以下この条において同じ。）を乗じて得た額（零未満である場合にあっては、零。以下この条において「資本金等増加限度額」という。）とする。

一 イに掲げる額からロに掲げる額を減じて得た額（零未満である場合にあっては、零）

イ 取締役等が当該株主資本変動日までにその職務の執行として当該株式会社に提供した役務（当該募集株式を対価とするものに限る。ロにおいて同じ。）の公正な評価額

ロ 取締役等が当該株主資本変動日の直前の株主資本変動日までにその職務の執行として当該株式会社に提供した役務の公正な評価額

二 法第百九十九条第一項第五号に掲げる事項として募集株式の交付に係る費用の額のうち、株式会社が資本金等増加限度額から減ずるべき額と定めた額

② 資本金等増加限度額の二分の一を超えない額は、資本金として計上しないことができる。

③ 前項の規定により資本金として計上しないこととした額は、資本準備金として計上しなければならない。

④ 法第二百二条の二第一項（同条第三項の規定により読み替えて適用する場合を含む。）の規定により募集株式を引き受ける者の募集を行う場合において、取締役等が株式会社に対し当該募集株式に係る割当日後にその職務の執行として当該募集株式を対価とする役務を提供するときは、当該割当日において、当該募集に際して処分する自己株式の帳簿価額をその他資本剰余金の額から減ずるものとする。

⑤ 法第二百二条の二第一項（同条第三項の規定により読み替えて適用する場合を含む。）の規定により募集株式を引き受ける者の募集を行う場合において、取締役等が株式会社に対し当該募集株式に係る割当日後にその職務の執行として当該募集株式を対価とする役務を提供するときは、各株主資本変動日において変動する次の各号に掲げる額は、当該各号に定める額とする。

一 その他資本剰余金の額 第一項第一号に掲げる額から同項第二号に掲げる額を減じて得た額に自己株式処分割合（一から株式発行割合を減じて得た割合をいう。）を乗じて得た額

二 その他利益剰余金の額 第一項第一号に掲げる額から同項第二号に掲げる額を減じて得た額が零未満である場合における当該額に株式発行割合を乗じて得た額

⑥ 法第二百二条の二第一項（同条第三項の規定により読み替えて適用する場合を含む。）の規定により募集株式を引き受ける者の募集を行う場合において、取締役等が株式会社に対し当該募集株式に係る割当日後にその職務の執行として当該募集株式を対価とする役務を提供するときは、自己株式対価額は、零とする。

⑦ 第二十四条第一項の規定にかかわらず、当該株式会社が法第二百二条の二第一項（同条第三項の規定により読み替えて適用する場合を含む。）の規定による募集に際して自己株式の処分により取締役等に対して当該株式会社の株式を交付した場合において、当該取締役等が当該株式の割当てを受けた際に約したところに従って当該株式を当該株式会社に無償で譲り渡し、当該株式会社がこれを取得するときは、当該自己株式の処分に際して減少した自己株式の額を、増加すべき自己株式の額とする。

（取締役等が株式会社に対し割当日前にその職務の執行として募集株式を対価とする役務を提供する場合における株主資本の変動額）

第四二条の三① 法第二百二条の二第一項（同条第三項の規定により読み替えて適用する場合を含む。）の規定により募集株式を引き受ける者の募集を行う場合において、取締役等が株式会社に対し当該募集株式に係る割当日前にその職務の執行として当該募集株式を対価とする役務を提供するときは、当該募集に係る株式の発行により増加する資本金の額は、この省令に別段の定めがある場合を除き、第一号に掲げる額から第二号に掲げる額を減じて得た額に株式発行割合（当該募集に際して発行する株式の数を当該募集に際して発行する株式の数及び処分する自己株式の数の合計数で除して得た割合をいう。以下この条において同じ。）を乗じて得た額（零未満である場合にあっては、

零。以下この条において「資本金等増加限度額」という。）とする。

一　第五十四条の二第二項の規定により減少する株式引受権の額

二　法第百九十九条第一項第五号に掲げる事項として募集株式の交付に係る費用の額のうち、株式会社が資本金等増加限度額から減ずるべき額と定めた額

② 資本金等増加限度額の二分の一を超えない額は、資本金として計上しないことができる。

③ 前項の規定により資本金として計上しないこととした額は、資本準備金として計上しなければならない。

④ 法第二百二条の二第一項（同条第三項の規定により読み替えて適用する場合を含む。）の規定により募集株式を引き受ける者の募集を行う場合において、取締役等が株式会社に対し当該募集株式に係る割当日前にその職務の執行として当該募集株式を対価とする役務を提供するときは、当該行為後の次の各号に掲げる額は、当該行為の直前の当該額に、当該各号に定める額を加えて得た額とする。

一　その他資本剰余金の額　イに掲げる額からロに掲げる額を減じて得た額

イ　第一項第一号に掲げる額から同項第二号に掲げる額を減じて得た額に自己株式処分割合（一から株式発行割合を減じて得た割合をいう。第五項において同じ。）を乗じて得た額

ロ　当該募集に際して処分する自己株式の帳簿価額

二　その他利益剰余金の額　第一項第一号に掲げる額から同項第二号に掲げる額を減じて得た額が零未満である場合における当該額に株式発行割合を乗じて得た額

⑤ 法第二百二条の二第一項（同条第三項の規定により読み替えて適用する場合を含む。）の規定により募集株式を引き受ける者の募集を行う場合において、取締役等が株式会社に対し当該募集株式に係る割当日前にその職務の執行として当該募集株式を対価とする役務を提供するときは、自己株式対価額は、第一項第一号に掲げる額から同項第二号に掲げる額を減じて得た額に自己株式処分割合を乗じて得た額とする。

第六節　設立時の株主資本及び社員資本（抄）

第一款　通常の設立（抄）

（株式会社の設立時の株主資本）

第四三条① 法第二十五条第一項各号に掲げる方法により株式会社を設立する場合における株式会社の設立時に行う株式の発行に係る法第四百四十五条第一項に規定する株主となる者が当該株式会社に対して払込み又は給付をした財産の額とは、第一号及び第二号に掲げる額の合計額から第三号に掲げる額を減じて得た額（零未満である場合にあっては、零）とする。

一　法第三十四条第一項又は第六十三条第一項の規定により払込みを受けた金銭の額（次のイ又はロに掲げる場合における金銭にあっては、当該イ又はロに定める額）

イ　外国の通貨をもって金銭の払込みを受けた場合（ロに掲げる場合を除く。）　当該外国の通貨につき払込みがあった日の為替相場に基づき算出された金額

ロ　当該払込みを受けた金銭の額（イに定める額を含む。）により資本金又は資本準備金の額として計上すべき額を計算することが適切でない場合　当該金銭の当該払込みをした者における当該払込みの直前の帳簿価額

二　法第三十四条第一項の規定により金銭以外の財産（以下この条において「現物出資財産」という。）の給付を受けた場合にあっては、当該現物出資財産の給付があった日における価額（次のイ又はロに掲げる場合における現物出資財産にあっては、当該イ又はロに定める額）

イ　当該株式会社と当該現物出資財産の給付をした者が共通支配下関係となる場合（当該現物出資財産に時価を付すべき場合を除く。）　当該現物出資財産の当該給付をした者における当該給付の直前の帳簿価額

ロ　イに掲げる場合以外の場合であって、当該給付を受けた現物出資財産の価額により資本金又は資本準備金の額として計上すべき額を計算することが適切でないとき　イに定める帳簿価額

三　法第三十二条第一項第三号に掲げる事項として、設立に要した費用の額のうち設立に際して資本金又は資本準備金の額として計上すべき額から減ずるべき額と定めた額

② 設立（法第二十五条第一項各号に掲げる方法によるものに限る。以下この条において同じ。）時の株式会社のその他資本剰余金の額は、零とする。

③ 設立時の株式会社の利益準備金の額は、零とする。

④ 設立時の株式会社のその他利益剰余金の額は、零（第一項第一号及び第二号に掲げる額の合計額から同項第三号に掲げる額を減じて得た額が零未満である場合にあっては、当該額）とする。

⑤ 第一項第二号の規定の適用については、現物出資財産について定款に定めた額と、当該現物出資財産の帳簿価額（当該出資に係る資本金及び資本準備金の額を含む。）とが同一の額でなければならないと解してはならない。

第四四条（略）

第二款　新設合併

（第四五条から第四八条まで）（略）

第三款　新設分割

（単独新設分割の場合における新設分割設立会社の株主資本等）

第四九条① 新設分割設立会社（二以上の会社が新設分割する場合における新設分割設立会社を除く。以下この条及び次条において同じ。）の設立時における株主資本等の総額は、新設型再編対象財産の新設分割会社における新設分割の直前の帳簿価額を基礎として算定する方法（当該新設型再編対象財産に時価を付すべき場合にあっては、新設型再編対価時価又は新設型再編対象財産の時価を基礎として算定する方法）に従い定まる額（次項において「株主資本等変動額」という。）とする。

② 前項の場合には、新設分割設立会社の資本金及び資本剰余金の額は、株主資本等変動額の範囲内で、新設分割会社が新設分割計画の定めに従いそれぞれ定めた額とし、利益剰余金の額は零とする。ただし、株主資本等変動額が零未満の場合には、当該株主資本等変動額をその他利益剰余金（新設分割設立会社が持分会社である場合にあっては、利益剰余金）の額とし、資本金、資本剰余金及び利益準備金の額は零とする。

（株主資本等を引き継ぐ場合における新設分割設立会社の株主資本等）

第五〇条① 前条の規定にかかわらず、分割型新設分割の新設型再編対価の全部が新設分割設立会社の株式又は持分である場合であって、新設分割会社における新設分割の直前の株主資本等の全部又は一部を引き継ぐものとして計算することが適切であるときには、分割型新設分割により変動する新設分割会社の資本金、資本剰余金及び利益剰余金の額をそれぞれ新設分割設立会社の設立時の資本金、資本剰余金及び利益剰余金の額とすることができる。

② 前項の場合の新設分割会社における新設分割に際しての資本金、資本剰余金又は利益剰余金の額の変更に関しては、法第二編第五章第三節第二款の規定その他の法の規定に従うものとする。

（共同新設分割の場合における新設分割設立会社の株主資本等）

第五一条　二以上の会社が新設分割をする場合には、次に掲げるところに従い、新設分割設立会社の株主資本又は社員資本を計算するものとする。

一　仮に各新設分割会社が他の新設分割会社と共同しないで新

設分割を行うことによって会社を設立するものとみなして、当該会社（以下この条において「仮会社」という。）の計算を行う。

二　各仮会社が新設合併をすることにより設立される会社が新設分割設立会社となるものとみなして、当該新設分割設立会社の計算を行う。

第四款　株式移転

第五二条①　株式移転設立完全親会社の設立時における株主資本の総額は、次の各号に掲げる部分の区分に応じ、当該各号に定める額の合計額（次項において「株主資本変動額」という。）とする。

一　当該株式移転が株式移転完全子会社による支配取得に該当する場合における他の株式移転完全子会社に係る部分　当該他の株式移転完全子会社の株主に対して交付する新設型再編対価時価又は当該他の株式移転完全子会社の株式の時価を基礎として算定する方法に従い定まる額

二　株式移転完全子会社の全部が共通支配下関係にある場合における当該株式移転完全子会社に係る部分　当該株式移転完全子会社における財産の帳簿価額を基礎として算定する方法（前号に規定する方法によるべき部分にあっては、当該方法）に従い定まる額

三　前二号に掲げる部分以外の部分　前号に規定する方法に従い定まる額

②　前項の場合には、当該株式移転設立完全親会社の設立時の資本金及び資本剰余金の額は、株主資本変動額の範囲内で、株式移転完全子会社が株式移転計画の定めに従い定めた額とし、利益剰余金の額は零とする。ただし、株主資本変動額が零未満の場合にあっては、当該額を設立時のその他利益剰余金の額とし、資本金、資本剰余金及び利益準備金の額は零とする。

第七節　評価・換算差額等又はその他の包括利益累計額

（評価・換算差額等又はその他の包括利益累計額）

第五三条　次に掲げるものその他資産、負債又は株主資本若しくは社員資本以外のものであっても、純資産の部の項目として計上することが適当であると認められるものは、純資産として計上することができる。

一　資産又は負債（デリバティブ取引により生じる正味の資産又は負債を含む。以下この条において同じ。）につき時価を付すものとする場合における当該資産又は負債の評価差額（利益又は損失に計上するもの並びに次号及び第三号に掲げる評価差額を除く。）

二　ヘッジ会計を適用する場合におけるヘッジ手段に係る損益又は評価差額

三　土地の再評価に関する法律（平成十年法律第三十四号）第七条第一項に規定する再評価差額

（土地再評価差額金を計上している会社を当事者とする組織再編行為等における特則）

第五四条①　吸収合併若しくは吸収分割又は新設合併若しくは新設分割（以下この項において「合併分割」という。）に際して前条第三号に掲げる再評価差額を計上している土地が吸収型再編対象財産又は新設型再編対象財産（以下この項において「対象財産」という。）に含まれる場合において、当該対象財産につき吸収合併存続会社、吸収分割承継会社、新設合併設立会社又は新設分割設立会社が付すべき帳簿価額を当該合併分割の直前の帳簿価額とすべきときは、当該土地に係る土地の再評価に関する法律の規定による再評価前の帳簿価額を当該土地の帳簿価額とみなして、当該合併分割に係る株主資本等の計算に関する規定を適用する。

②　株式交換、株式交付又は株式移転（以下この項において「交換交付移転」という。）に際して前条第三号に掲げる再評価差額を計上している土地が株式交換完全子会社、株式交付子会社又は株式移転完全子会社（以下この項において「交換交付移転子会社」という。）の資産に含まれる場合において、当該交換交付移転子会社の株式につき株式交換完全親会社、株式交付親会社又は株式移転設立完全親会社が付すべき帳簿価額を算定の基礎となる交換交付移転子会社の財産の帳簿価額を評価すべき日における当該交換交付移転子会社の資産（自己新株予約権を含む。）に係る帳簿価額から負債（新株予約権に係る義務を含む。）に係る帳簿価額を減じて得た額をもって算定すべきときは、当該土地に係る土地の再評価に関する法律の規定による再評価前の帳簿価額を当該土地の帳簿価額とみなして、当該交換交付移転に係る株主資本等の計算に関する規定を適用する。

③　事業の譲渡若しくは譲受け又は金銭以外の財産と引換えにする株式又は持分の交付（以下この項において「現物出資等」という。）に際して前条第三号に掲げる再評価差額を計上している土地が現物出資等の対象となる財産（以下この項において「対象財産」という。）に含まれている場合において、当該対象財産につき当該対象財産を取得する者が付すべき帳簿価額を当該現物出資等の直前の帳簿価額とすべきときは、当該土地に係る土地の再評価に関する法律の規定による再評価前の帳簿価額を当該土地の帳簿価額とみなして、当該現物出資等に係る株主資本等の計算に関する規定を適用する。

第七節の二　株式引受権

第五四条の二①　取締役等が株式会社に対し法第二百二条の二第一項（同条第三項の規定により読み替えて適用する場合を含む。）の募集株式に係る割当日前にその職務の執行として当該募集株式を対価とする役務を提供した場合には、当該役務の公正な評価額を、増加すべき株式引受権の額とする。

②　株式会社が前項の取締役等に対して同項の募集株式を割り当てる場合には、当該募集株式に係る割当日における同項の役務に対応する株式引受権の帳簿価額を、減少すべき株式引受権の額とする。

第八節　新株予約権

第五五条①　株式会社が新株予約権を発行する場合には、当該新株予約権と引換えにされた金銭の払込みの金額、金銭以外の財産の給付の額又は当該株式会社に対する債権をもってされた相殺の額その他適切な価格を、増加すべき新株予約権の額とする。

②　前項に規定する「株式会社が新株予約権を発行する場合」とは、次に掲げる場合において新株予約権を発行する場合をいう。

一　法第二編第三章第二節の定めるところにより募集新株予約権を引き受ける者の募集を行う場合

二　取得請求権付株式（法第百七条第二項第二号ハ又はニに掲げる事項についての定めがあるものに限る。）の取得をする場合

三　取得条項付株式（法第百七条第二項第三号ホ又はヘに掲げる事項についての定めがあるものに限る。）の取得をする場合

四　全部取得条項付種類株式（当該全部取得条項付種類株式を取得するに際して法第百七十一条第一項第一号ハ又はニに掲げる事項についての定めをした場合における当該全部取得条項付種類株式に限る。）の取得をする場合

五　新株予約権無償割当てをする場合

六　取得条項付新株予約権（法第二百三十六条第一項第七号ヘ又はトに掲げる事項についての定めがあるものに限る。）の取得をする場合

七　吸収合併後当該株式会社が存続する場合

八　吸収分割による他の会社がその事業に関して有する権利義務の全部又は一部の承継をする場合

九　株式交換による他の株式会社の発行済株式の全部の取得をする場合

十　株式交付に際して他の株式会社の株式又は新株予約権等の

譲受けをする場合

③ 新設合併、新設分割又は株式移転により設立された株式会社が設立に際して新株予約権を発行する場合には、当該新株予約権についての適切な価格を設立時の新株予約権の額とする。

④ 次の各号に掲げる場合には、当該各号に定める額を、減少すべき新株予約権の額とする。

一 株式会社が自己新株予約権の消却をする場合　当該自己新株予約権に対応する新株予約権の帳簿価額

二 新株予約権の行使又は消滅があった場合　当該新株予約権の帳簿価額

⑤ 株式会社が当該株式会社の新株予約権を取得する場合には、その取得価額を、増加すべき自己新株予約権の額とする。

⑥ 次の各号に掲げる自己新株予約権（当該新株予約権の帳簿価額を超える価額で取得するものに限る。）については、当該各号に定める価格を付さなければならない。

一 事業年度の末日における時価がその時の取得原価より著しく低い自己新株予約権（次号に掲げる自己新株予約権を除く。）　イ又はロに掲げる額のうちいずれか高い額

イ 当該事業年度の末日における時価

ロ 当該自己新株予約権に対応する新株予約権の帳簿価額

二 処分しないものと認められる自己新株予約権　当該自己新株予約権に対応する新株予約権の帳簿価額

⑦ 株式会社が自己新株予約権の処分若しくは消却をする場合又は自己新株予約権の消滅があった場合には、その帳簿価額を、減少すべき自己新株予約権の額とする。

⑧ 第一項及び第三項から前項までの規定は、株式等交付請求権（株式引受権及び新株予約権以外の権利であって、当該株式会社に対して行使することにより当該株式会社の株式の交付を受けることができる権利をいう。以下この条において同じ。）について準用する。

⑨ 募集株式を引き受ける者の募集に際して発行する株式又は処分する自己株式が株式等交付請求権の行使によって発行する株式又は処分する自己株式であるときにおける第十四条第一項の規定の適用については、同項中「第一号及び第二号に掲げる額の合計額」とあるのは、「第一号及び第二号に掲げる額の合計額並びに第五十五条第八項に規定する株式等交付請求権の行使時における帳簿価額の合計額」とする。

第四章　更生計画に基づく行為に係る計算に関する特則

（第五六条）（略）

第三編　計算関係書類（抄）

第一章　総則（抄）

第一節　表示の原則

第五七条① 計算関係書類に係る事項の金額は、一円単位、千円単位又は百万円単位をもって表示するものとする。

② 計算関係書類は、日本語をもって表示するものとする。ただし、その他の言語をもって表示することが不当でない場合は、この限りでない。

③ 計算関係書類（各事業年度に係る計算書類の附属明細書を除く。）の作成については、貸借対照表、損益計算書その他計算関係書類を構成するものごとに、一の書面その他の資料として作成をしなければならないものと解してはならない。

第二節　株式会社の計算書類

（成立の日の貸借対照表）

第五八条 法第四百三十五条第一項の規定により作成すべき貸借対照表は、株式会社の成立の日における会計帳簿に基づき作成しなければならない。

（各事業年度に係る計算書類）

第五九条① 法第四百三十五条第二項に規定する法務省令で定めるものは、この編の規定に従い作成される株主資本等変動計算書及び個別注記表とする。

② 各事業年度に係る計算書類及びその附属明細書の作成に係る期間は、当該事業年度の前事業年度の末日の翌日（当該事業年度の前事業年度がない場合にあっては、成立の日）から当該事業年度の末日までの期間とする。この場合において、当該期間は、一年（事業年度の末日を変更する場合における変更後の最初の事業年度については、一年六箇月）を超えることができない。

③ 法第四百三十五条第二項の規定により作成すべき各事業年度に係る計算書類及びその附属明細書は、当該事業年度に係る会計帳簿に基づき作成しなければならない。

（臨時計算書類）

第六〇条① 臨時計算書類の作成に係る期間（次項において「臨時会計年度」という。）は、当該事業年度の前事業年度の末日の翌日（当該事業年度の前事業年度がない場合にあっては、成立の日）から臨時決算日までの期間とする。

② 臨時計算書類は、臨時会計年度に係る会計帳簿に基づき作成しなければならない。

③ 株式会社が臨時計算書類を作成しようとする場合において、当該株式会社についての最終事業年度がないときは、当該株式会社の成立の日から最初の事業年度が終結する日までの間、当該最初の事業年度に属する一定の日を臨時決算日とみなして、法第四百四十一条の規定を適用することができる。

第三節　株式会社の連結計算書類

（連結計算書類）

第六一条 法第四百四十四条第一項に規定する法務省令で定めるものは、次に掲げるいずれかのものとする。

一 この編（第百二十条から第百二十条の三までを除く。）の規定に従い作成される次のイからニまでに掲げるもの

イ 連結貸借対照表

ロ 連結損益計算書

ハ 連結株主資本等変動計算書

ニ 連結注記表

二 第百二十条の規定に従い作成されるもの

三 第百二十条の二の規定に従い作成されるもの

四 第百二十条の三の規定に従い作成されるもの

（連結会計年度）

第六二条 各事業年度に係る連結計算書類の作成に係る期間（以下この編において「連結会計年度」という。）は、当該事業年度の前事業年度の末日の翌日（当該事業年度の前事業年度がない場合にあっては、成立の日）から当該事業年度の末日までの期間とする。

（連結の範囲）

第六三条① 株式会社は、その全ての子会社を連結の範囲に含めなければならない。ただし、次のいずれかに該当する子会社は、連結の範囲に含めないものとする。

一 財務及び事業の方針を決定する機関（株主総会その他これに準ずる機関をいう。）に対する支配が一時的であると認められる子会社

二 連結の範囲に含めることにより当該株式会社の利害関係人の判断を著しく誤らせるおそれがあると認められる子会社

② 前項の規定により連結の範囲に含めるべき子会社のうち、その資産、売上高（役務収益を含む。以下同じ。）等からみて、連結の範囲から除いてもその企業集団の財産及び損益の状況に関する合理的な判断を妨げない程度に重要性の乏しいものは、連結の範囲から除くことができる。

（事業年度に係る期間の異なる子会社）

第六四条① 株式会社の事業年度の末日と異なる日をその事業年度の末日とする連結子会社は、当該株式会社の事業年度の末日において、連結計算書類の作成の基礎となる計算書類を作成するために必要とされる決算を行わなければならない。ただし、

当該連結子会社の事業年度の末日と当該株式会社の事業年度の末日との差異が三箇月を超えない場合において、当該連結子会社の事業年度に係る計算書類を基礎として連結計算書類を作成するときは、この限りでない。

② 前項ただし書の規定により連結計算書類を作成する場合には、連結子会社の事業年度の末日と当該株式会社の事業年度の末日が異なることから生ずる連結会社相互間の取引に係る会計記録の重要な不一致について、調整をしなければならない。

（連結貸借対照表）

第六五条 連結貸借対照表は、株式会社の連結会計年度に対応する期間に係る連結会社の貸借対照表（連結子会社が前条第一項本文の規定による決算を行う場合における当該連結子会社の貸借対照表については、当該決算に係る貸借対照表）の資産、負債及び純資産の金額を基礎として作成しなければならない。この場合においては、連結会社の貸借対照表に計上された資産、負債及び純資産の金額を連結貸借対照表の適切な項目に計上することができる。

（連結損益計算書）

第六六条 連結損益計算書は、株式会社の連結会計年度に対応する期間に係る連結会社の損益計算書（連結子会社が第六十四条第一項本文の規定による決算を行う場合における当該連結子会社の損益計算書については、当該決算に係る損益計算書）の収益若しくは費用又は利益若しくは損失の金額を基礎として作成しなければならない。この場合においては、連結会社の損益計算書に計上された収益若しくは費用又は利益若しくは損失の金額を連結損益計算書の適切な項目に計上することができる。

（連結株主資本等変動計算書）

第六七条 連結株主資本等変動計算書は、株式会社の連結会計年度に対応する期間に係る連結会社の株主資本等変動計算書（連結子会社が第六十四条第一項本文の規定による決算を行う場合における当該連結子会社の株主資本等変動計算書については、当該決算に係る株主資本等変動計算書）の株主資本等（株主資本その他の会社等の純資産をいう。以下この条において同じ。）を基礎として作成しなければならない。この場合においては、連結会社の株主資本等変動計算書に表示された株主資本等に係る額を連結株主資本等変動計算書の適切な項目に計上することができる。

（連結子会社の資産及び負債の評価等）

第六八条 連結計算書類の作成に当たっては、連結子会社の資産及び負債の評価並びに株式会社の連結子会社に対する投資とこれに対応する当該連結子会社の資本との相殺消去その他必要とされる連結会社相互間の項目の相殺消去をしなければならない。

（持分法の適用）

第六九条① 非連結子会社及び関連会社に対する投資については、持分法により計算する価額をもって連結貸借対照表に計上しなければならない。ただし、次のいずれかに該当する非連結子会社及び関連会社に対する投資については、持分法を適用しないものとする。

一 財務及び事業の方針の決定に対する影響が一時的であると認められる関連会社

二 持分法を適用することにより株式会社の利害関係人の判断を著しく誤らせるおそれがあると認められる非連結子会社及び関連会社

② 前項の規定により持分法を適用すべき非連結子会社及び関連会社のうち、その損益等からみて、持分法の適用の対象から除いても連結計算書類に重要な影響を与えないものは、持分法の適用の対象から除くことができる。

第四節 持分会社の計算書類

（第七〇条及び第七一条）（略）

第二章 貸借対照表等

（通則）

第七二条 貸借対照表等（貸借対照表及び連結貸借対照表をいう。以下この編において同じ。）については、この章に定めるところによる。

（貸借対照表等の区分）

第七三条① 貸借対照表等は、次に掲げる部に区分して表示しなければならない。

一 資産

二 負債

三 純資産

② 資産の部又は負債の部の各項目は、当該項目に係る資産又は負債を示す適当な名称を付さなければならない。

③ 連結会社が二以上の異なる種類の事業を営んでいる場合には、連結貸借対照表の資産の部及び負債の部は、その営む事業の種類ごとに区分することができる。

（資産の部の区分）

第七四条① 資産の部は、次に掲げる項目に区分しなければならない。この場合において、各項目（第二号に掲げる項目を除く。）は、適当な項目に細分しなければならない。

一 流動資産

二 固定資産

三 繰延資産

② 固定資産に係る項目は、次に掲げる項目に区分しなければならない。この場合において、各項目は、適当な項目に細分しなければならない。

一 有形固定資産

二 無形固定資産

三 投資その他の資産

③ 次の各号に掲げる資産は、当該各号に定めるものに属するものとする。

一 次に掲げる資産 流動資産

イ 現金及び預金（一年内に期限の到来しない預金を除く。）

ロ 受取手形（通常の取引（当該会社の事業目的のための営業活動において、経常的に又は短期間に循環して発生する取引をいう。以下この章において同じ。）に基づいて発生した手形債権（破産更生債権等（破産債権、再生債権、更生債権その他これらに準ずる債権をいう。以下この号において同じ。）で一年内に弁済を受けることができないことが明らかなものを除く。）をいう。）

ハ 売掛金（通常の取引に基づいて発生した事業上の未収金（当該未収金に係る債権が破産更生債権等で一年内に弁済を受けることができないことが明らかなものである場合における当該未収金を除く。）をいう。）

ニ 所有権移転ファイナンス・リース取引におけるリース債権のうち、通常の取引に基づいて発生したもの（破産更生債権等で一年内に回収されないことが明らかなものを除く。）及び通常の取引以外の取引に基づいて発生したもので一年内に期限が到来するもの

ホ 所有権移転外ファイナンス・リース取引におけるリース投資資産のうち、通常の取引に基づいて発生したもの（破産更生債権等で一年内に回収されないことが明らかなものを除く。）及び通常の取引以外の取引に基づいて発生したもので一年内に期限が到来するもの

ヘ 売買目的有価証券及び一年内に満期の到来する有価証券

ト 商品（販売の目的をもって所有する土地、建物その他の不動産を含む。）

チ 製品、副産物及び作業くず

リ 半製品（自製部分品を含む。）

ヌ 原料及び材料（購入部分品を含む。）

ル 仕掛品及び半成工事

ヲ 消耗品、消耗工具、器具及び備品その他の貯蔵品であって、相当な価額以上のもの

ワ 前渡金（商品及び原材料（これらに準ずるものを含む。）

の購入のための前渡金（当該前渡金に係る債権が破産更生債権等で一年内に弁済を受けることができないことが明らかなものである場合における当該前渡金を除く。）をいう。）
カ　前払費用であって、一年内に費用となるべきもの
ヨ　未収収益
タ　その他の資産であって、一年内に現金化することができると認められるもの
二　次に掲げる資産（ただし、イからチまでに掲げる資産については、事業の用に供するものに限る。）　有形固定資産
イ　建物及び暖房、照明、通風等の付属設備
ロ　構築物（ドック、橋、岸壁、さん橋、軌道、貯水池、坑道、煙突その他土地に定着する土木設備又は工作物をいう。）
ハ　機械及び装置並びにホイスト、コンベヤー、起重機等の搬送設備その他の付属設備
ニ　船舶及び水上運搬具
ホ　鉄道車両、自動車その他の陸上運搬具
ヘ　工具、器具及び備品（耐用年数が一年以上のものに限る。）
ト　土地
チ　リース資産（当該会社がファイナンス・リース取引におけるリース物件の借主である資産であって、当該リース物件がイからトまで及びヌに掲げるものである場合に限る。）
リ　建設仮勘定（イからトまでに掲げる資産で事業の用に供するものを建設した場合における支出及び当該建設の目的のために充当した材料をいう。）
ヌ　その他の有形資産であって、有形固定資産に属する資産とすべきもの
三　次に掲げる資産　無形固定資産
イ　特許権
ロ　借地権（地上権を含む。）
ハ　商標権
ニ　実用新案権
ホ　意匠権
ヘ　鉱業権
ト　漁業権（入漁権を含む。）
チ　ソフトウエア
リ　のれん
ヌ　リース資産（当該会社がファイナンス・リース取引におけるリース物件の借主である資産であって、当該リース物件がイからチまで及びルに掲げるものである場合に限る。）
ル　その他の無形資産であって、無形固定資産に属する資産とすべきもの
四　次に掲げる資産　投資その他の資産
イ　関係会社の株式（売買目的有価証券に該当する株式を除く。以下同じ。）その他流動資産に属しない有価証券
ロ　出資金
ハ　長期貸付金
ニ　前払年金費用（連結貸借対照表にあっては、退職給付に係る資産）
ホ　繰延税金資産
ヘ　所有権移転ファイナンス・リース取引におけるリース債権のうち第一号ニに掲げるもの以外のもの
ト　所有権移転外ファイナンス・リース取引におけるリース投資資産のうち第一号ホに掲げるもの以外のもの
チ　その他の資産であって、投資その他の資産に属する資産とすべきもの
リ　その他の資産であって、流動資産、有形固定資産、無形固定資産又は繰延資産に属しないもの
五　繰延資産として計上することが適当であると認められるもの　繰延資産

④　前項に規定する「一年内」とは、次の各号に掲げる貸借対照表等の区分に応じ、当該各号に定める日から起算して一年以内の日をいう（以下この編において同じ。）。
一　成立の日における貸借対照表　会社の成立の日
二　事業年度に係る貸借対照表　事業年度の末日の翌日
三　臨時計算書類の貸借対照表　臨時決算日の翌日
四　連結貸借対照表　連結会計年度の末日の翌日

（負債の部の区分）

第七五条①　負債の部は、次に掲げる項目に区分しなければならない。この場合において、各項目は、適当な項目に細分しなければならない。
一　流動負債
二　固定負債

②　次の各号に掲げる負債は、当該各号に定めるものに属するものとする。
一　次に掲げる負債　流動負債
イ　支払手形（通常の取引に基づいて発生した手形債務をいう。）
ロ　買掛金（通常の取引に基づいて発生した事業上の未払金をいう。）
ハ　前受金（受注工事、受注品等に対する前受金をいう。）
ニ　引当金（資産に係る引当金及び一年内に使用されないと認められるものを除く。）
ホ　通常の取引に関連して発生する未払金又は預り金で一般の取引慣行として発生後短期間に支払われるもの
ヘ　未払費用
ト　前受収益
チ　ファイナンス・リース取引におけるリース債務のうち、一年内に期限が到来するもの
リ　資産除去債務のうち、一年内に履行されると認められるもの
ヌ　その他の負債であって、一年内に支払われ、又は返済されると認められるもの
二　次に掲げる負債　固定負債
イ　社債
ロ　長期借入金
ハ　引当金（資産に係る引当金、前号ニに掲げる引当金及びニに掲げる退職給付引当金を除く。）
ニ　退職給付引当金（連結貸借対照表にあっては、退職給付に係る負債）
ホ　繰延税金負債
ヘ　のれん
ト　ファイナンス・リース取引におけるリース債務のうち、前号チに掲げるもの以外のもの
チ　資産除去債務のうち、前号リに掲げるもの以外のもの
リ　その他の負債であって、流動負債に属しないもの

（純資産の部の区分）

第七六条①　純資産の部は、次の各号に掲げる貸借対照表等の区分に応じ、当該各号に定める項目に区分しなければならない。
一　株式会社の貸借対照表　次に掲げる項目
イ　株主資本
ロ　評価・換算差額等
ハ　株式引受権
ニ　新株予約権
二　株式会社の連結貸借対照表　次に掲げる項目
イ　株主資本
ロ　次に掲げるいずれかの項目
(1)　評価・換算差額等
(2)　その他の包括利益累計額
ハ　株式引受権
ニ　新株予約権
ホ　非支配株主持分
三　持分会社の貸借対照表　次に掲げる項目
イ　社員資本
ロ　評価・換算差額等

② 株主資本に係る項目は、次に掲げる項目に区分しなければならない。この場合において、第五号に掲げる項目は、控除項目とする。
一 資本金
二 新株式申込証拠金
三 資本剰余金
四 利益剰余金
五 自己株式
六 自己株式申込証拠金
③ 社員資本に係る項目は、次に掲げる項目に区分しなければならない。
一 資本金
二 出資金申込証拠金
三 資本剰余金
四 利益剰余金
④ 株式会社の貸借対照表の資本剰余金に係る項目は、次に掲げる項目に区分しなければならない。
一 資本準備金
二 その他資本剰余金
⑤ 株式会社の貸借対照表の利益剰余金に係る項目は、次に掲げる項目に区分しなければならない。
一 利益準備金
二 その他利益剰余金
⑥ 第四項第二号及び前項第二号に掲げる項目は、適当な名称を付した項目に細分することができる。
⑦ 評価・換算差額等又はその他の包括利益累計額に係る項目は、次に掲げる項目その他適当な名称を付した項目に細分しなければならない。ただし、第四号及び第五号に掲げる項目は、連結貸借対照表に限る。
一 その他有価証券評価差額金
二 繰延ヘッジ損益
三 土地再評価差額金
四 為替換算調整勘定
五 退職給付に係る調整累計額
⑧ 新株予約権に係る項目は、自己新株予約権に係る項目を控除項目として区分することができる。
⑨ 連結貸借対照表についての次の各号に掲げるものに計上すべきものは、当該各号に定めるものとする。
一 第二項第五号の自己株式　次に掲げる額の合計額
イ 当該株式会社が保有する当該株式会社の株式の帳簿価額
ロ 連結子会社並びに持分法を適用する非連結子会社及び関連会社が保有する当該株式会社の株式の帳簿価額のうち、当該株式会社のこれらの会社に対する持分に相当する額
二 第七項第四号の為替換算調整勘定　外国にある子会社又は関連会社の資産及び負債の換算に用いる為替相場と純資産の換算に用いる為替相場とが異なることによって生じる換算差額
三 第七項第五号の退職給付に係る調整累計額　次に掲げる項目の額の合計額
イ 未認識数理計算上の差異
ロ 未認識過去勤務費用
ハ その他退職給付に係る調整累計額に計上することが適当であると認められるもの

（たな卸資産及び工事損失引当金の表示）

第七七条 同一の工事契約に係るたな卸資産及び工事損失引当金がある場合には、両者を相殺した差額をたな卸資産又は工事損失引当金として流動資産又は流動負債に表示することができる。

（貸倒引当金等の表示）

第七八条① 各資産に係る引当金は、次項の規定による場合のほか、当該各資産の項目に対する控除項目として、貸倒引当金その他当該引当金の設定目的を示す名称を付した項目をもって表示しなければならない。ただし、流動資産、有形固定資産、無形固定資産、投資その他の資産又は繰延資産の区分に応じ、これらの資産に対する控除項目として一括して表示することを妨げない。
② 各資産に係る引当金は、当該各資産の金額から直接控除し、その控除残高を当該各資産の金額として表示することができる。

（有形固定資産に対する減価償却累計額の表示）

第七九条① 各有形固定資産に対する減価償却累計額は、次項の規定による場合のほか、当該各有形固定資産の項目に対する控除項目として、減価償却累計額の項目をもって表示しなければならない。ただし、これらの有形固定資産に対する控除項目として一括して表示することを妨げない。
② 各有形固定資産に対する減価償却累計額は、当該各有形固定資産の金額から直接控除し、その控除残高を当該各有形固定資産の金額として表示することができる。

（有形固定資産に対する減損損失累計額の表示）

第八〇条① 各有形固定資産に対する減損損失累計額は、次項及び第三項の規定による場合のほか、当該各有形固定資産の金額（前条第二項の規定により有形固定資産に対する減価償却累計額を当該有形固定資産の金額から直接控除しているときは、その控除後の金額）から直接控除し、その控除残高を当該各有形固定資産の金額として表示しなければならない。
② 減価償却を行う各有形固定資産に対する減損損失累計額は、当該各有形固定資産の項目に対する控除項目として、減損損失累計額の項目をもって表示することができる。ただし、これらの有形固定資産に対する控除項目として一括して表示することを妨げない。
③ 前条第一項及び前項の規定により減価償却累計額及び減損損失累計額を控除項目として表示する場合には、減損損失累計額を減価償却累計額に合算して、減価償却累計額の項目をもって表示することができる。

（無形固定資産の表示）

第八一条 各無形固定資産に対する減価償却累計額及び減損損失累計額は、当該各無形固定資産の金額から直接控除し、その控除残高を当該各無形固定資産の金額として表示しなければならない。

（関係会社株式等の表示）

第八二条① 関係会社の株式又は出資金は、関係会社株式又は関係会社出資金の項目をもって別に表示しなければならない。
② 前項の規定は、連結貸借対照表及び持分会社の貸借対照表については、適用しない。

（繰延税金資産等の表示）

第八三条① 繰延税金資産の金額及び繰延税金負債の金額については、その差額のみを繰延税金資産又は繰延税金負債として投資その他の資産又は固定負債に表示しなければならない。
② 連結貸借対照表に係る前項の規定の適用については、同項中「その差額」とあるのは、「異なる納税主体に係るものを除き、その差額」とする。

（繰延資産の表示）

第八四条 各繰延資産に対する償却累計額は、当該各繰延資産の金額から直接控除し、その控除残高を各繰延資産の金額として表示しなければならない。

（連結貸借対照表ののれん）

第八五条 連結貸借対照表に表示するのれんには、連結子会社に係る投資の金額がこれに対応する連結子会社の資本の金額と異なる場合に生ずるのれんを含むものとする。

（新株予約権の表示）

第八六条 自己新株予約権の額は、新株予約権の金額から直接控除し、その控除残高を新株予約権の金額として表示しなければならない。ただし、自己新株予約権を控除項目として表示することを妨げない。

第三章　損益計算書等

（通則）

第八七条 損益計算書等（損益計算書及び連結損益計算書をいう。以下この編において同じ。）については、この章の定めるところによる。

（損益計算書等の区分）

第八八条① 損益計算書等は、次に掲げる項目に区分して表示しなければならない。この場合において、各項目について細分することが適当な場合には、適当な項目に細分することができる。

一　売上高（売上高以外の名称を付すことが適当な場合には、当該名称を付した項目。以下同じ。）
二　売上原価
三　販売費及び一般管理費
四　営業外収益
五　営業外費用
六　特別利益
七　特別損失

② 特別利益に属する利益は、固定資産売却益、前期損益修正益、負ののれん発生益その他の項目の区分に従い、細分しなければならない。

③ 特別損失に属する損失は、固定資産売却損、減損損失、災害による損失、前期損益修正損その他の項目の区分に従い、細分しなければならない。

④ 前二項の規定にかかわらず、前二項の各利益又は各損失のうち、その金額が重要でないものについては、当該利益又は損失を細分しないこととすることができる。

⑤ 連結会社が二以上の異なる種類の事業を営んでいる場合には、連結損益計算書の第一項第一号から第三号までに掲げる収益又は費用は、その営む事業の種類ごとに区分することができる。

⑥ 次の各号に掲げる場合における連結損益計算書には、当該各号に定める額を相殺した後の額を表示することができる。

一　連結貸借対照表の資産の部に計上されたのれんの償却額及び負債の部に計上されたのれんの償却額が生ずる場合（これらの償却額が重要である場合を除く。）　連結貸借対照表の資産の部に計上されたのれんの償却額及び負債の部に計上されたのれんの償却額
二　持分法による投資利益及び持分法による投資損失が生ずる場合　投資利益及び投資損失

⑦ 損益計算書等の各項目は、当該項目に係る収益若しくは費用又は利益若しくは損失を示す適当な名称を付さなければならない。

（売上総損益金額）

第八九条① 売上高から売上原価を減じて得た額（以下「売上総損益金額」という。）は、売上総利益金額として表示しなければならない。

② 前項の規定にかかわらず、売上総損益金額が零未満である場合には、零から売上総損益金額を減じて得た額を売上総損失金額として表示しなければならない。

（営業損益金額）

第九〇条① 売上総損益金額から販売費及び一般管理費の合計額を減じて得た額（以下「営業損益金額」という。）は、営業利益金額として表示しなければならない。

② 前項の規定にかかわらず、営業損益金額が零未満である場合には、零から営業損益金額を減じて得た額を営業損失金額として表示しなければならない。

（経常損益金額）

第九一条① 営業損益金額に営業外収益を加えて得た額から営業外費用を減じて得た額（以下「経常損益金額」という。）は、経常利益金額として表示しなければならない。

② 前項の規定にかかわらず、経常損益金額が零未満である場合には、零から経常損益金額を減じて得た額を経常損失金額として表示しなければならない。

（税引前当期純損益金額）

第九二条① 経常損益金額に特別利益を加えて得た額から特別損失を減じて得た額（以下「税引前当期純損益金額」という。）は、税引前当期純利益金額（連結損益計算書にあっては、税金等調整前当期純利益金額）として表示しなければならない。

② 前項の規定にかかわらず、税引前当期純損益金額が零未満である場合には、零から税引前当期純損益金額を減じて得た額を税引前当期純損失金額（連結損益計算書にあっては、税金等調整前当期純損失金額）として表示しなければならない。

③ 前二項の規定にかかわらず、臨時計算書類の損益計算書の税引前当期純損益金額の表示については、適当な名称を付すことができる。

（税等）

第九三条① 次に掲げる項目の金額は、その内容を示す名称を付した項目をもって、税引前当期純利益金額又は税引前当期純損失金額（連結損益計算書にあっては、税金等調整前当期純利益金額又は税金等調整前当期純損失金額）の次に表示しなければならない。

一　当該事業年度（連結損益計算書にあっては、連結会計年度）に係る法人税等
二　法人税等調整額（税効果会計の適用により計上される前号に掲げる法人税等の調整額をいう。）

② 法人税等の更正、決定等による納付税額又は還付税額がある場合には、前項第一号に掲げる項目の次に、その内容を示す名称を付した項目をもって表示するものとする。ただし、これらの金額の重要性が乏しい場合は、同号に掲げる項目の金額に含めて表示することができる。

（当期純損益金額）

第九四条① 第一号及び第二号に掲げる額の合計額から第三号及び第四号に掲げる額の合計額を減じて得た額（以下「当期純損益金額」という。）は、当期純利益金額として表示しなければならない。

一　税引前当期純損益金額
二　前条第二項に規定する場合（同項ただし書の場合を除く。）において、還付税額があるときは、当該還付税額
三　前条第一項各号に掲げる項目の金額
四　前条第二項に規定する場合（同項ただし書の場合を除く。）において、納付税額があるときは、当該納付税額

② 前項の規定にかかわらず、当期純損益金額が零未満である場合には、零から当期純損益金額を減じて得た額を当期純損失金額として表示しなければならない。

③ 連結損益計算書には、次に掲げる項目の金額は、その内容を示す名称を付した項目をもって、当期純利益金額又は当期純損失金額の次に表示しなければならない。

一　当期純利益として表示した額があるときは、当該額のうち非支配株主に帰属するもの
二　当期純損失として表示した額があるときは、当該額のうち非支配株主に帰属するもの

④ 連結損益計算書には、当期純利益金額又は当期純損失金額に当期純利益又は当期純損失のうち非支配株主に帰属する額を加減して得た額は、親会社株主に帰属する当期純利益金額又は当期純損失金額として表示しなければならない。

⑤ 第一項及び第二項の規定にかかわらず、臨時計算書類の損益計算書の当期純損益金額の表示については、適当な名称を付すことができる。

第九五条 削除

第四章　株主資本等変動計算書等

第九六条① 株主資本等変動計算書等（株主資本等変動計算書、連結株主資本等変動計算書及び社員資本等変動計算書をいう。以下この編において同じ。）については、この条に定めるところによる。

② 株主資本等変動計算書等は、次の各号に掲げる株主資本等変

動計算書等の区分に応じ、当該各号に定める項目に区分して表示しなければならない。

一　株主資本等変動計算書　次に掲げる項目
イ　株主資本
ロ　評価・換算差額等
ハ　株式引受権
ニ　新株予約権

二　連結株主資本等変動計算書　次に掲げる項目
イ　株主資本
ロ　次に掲げるいずれかの項目
(1)　評価・換算差額等
(2)　その他の包括利益累計額
ハ　株式引受権
ニ　新株予約権
ホ　非支配株主持分

三　社員資本等変動計算書　次に掲げる項目
イ　社員資本
ロ　評価・換算差額等

③　次の各号に掲げる項目は、当該各号に定める項目に区分しなければならない。

一　株主資本等変動計算書の株主資本　次に掲げる項目
イ　資本金
ロ　新株式申込証拠金
ハ　資本剰余金
ニ　利益剰余金
ホ　自己株式
ヘ　自己株式申込証拠金

二　連結株主資本等変動計算書の株主資本　次に掲げる項目
イ　資本金
ロ　新株式申込証拠金
ハ　資本剰余金
ニ　利益剰余金
ホ　自己株式
ヘ　自己株式申込証拠金

三　社員資本等変動計算書の社員資本　次に掲げる項目
イ　資本金
ロ　資本剰余金
ハ　利益剰余金

④　株主資本等変動計算書の次の各号に掲げる項目は、当該各号に定める項目に区分しなければならない。この場合において、第一号ロ及び第二号ロに掲げる項目は、適当な名称を付した項目に細分することができる。

一　資本剰余金　次に掲げる項目
イ　資本準備金
ロ　その他資本剰余金

二　利益剰余金　次に掲げる項目
イ　利益準備金
ロ　その他利益剰余金

⑤　評価・換算差額等又はその他の包括利益累計額に係る項目は、次に掲げる項目その他適当な名称を付した項目に細分することができる。

一　その他有価証券評価差額金
二　繰延ヘッジ損益
三　土地再評価差額金
四　為替換算調整勘定
五　退職給付に係る調整累計額

⑥　新株予約権に係る項目は、自己新株予約権に係る項目を控除項目として区分することができる。

⑦　資本金、資本剰余金、利益剰余金及び自己株式に係る項目は、それぞれ次に掲げるものについて明らかにしなければならない。この場合において、第二号に掲げるものは、各変動事由ごとに当期変動額及び変動事由を明らかにしなければならない。

一　当期首残高（遡及適用、誤謬の訂正又は当該事業年度の前事業年度における企業結合に係る暫定的な会計処理の確定をした場合にあっては、当期首残高及びこれに対する影響額。次項において同じ。）
二　当期変動額
三　当期末残高

⑧　評価・換算差額等又はその他の包括利益累計額、株式引受権、新株予約権及び非支配株主持分に係る項目は、それぞれ次に掲げるものについて明らかにしなければならない。この場合において、第二号に掲げるものについては、その主要なものを変動事由とともに明らかにすることを妨げない。

一　当期首残高
二　当期変動額
三　当期末残高

⑨　連結株主資本等変動計算書についての次の各号に掲げるものに計上すべきものは、当該各号に定めるものとする。

一　第三項第二号ホの自己株式　次に掲げる額の合計額
イ　当該株式会社が保有する当該株式会社の株式の帳簿価額
ロ　連結子会社並びに持分法を適用する非連結子会社及び関連会社が保有する当該株式会社の株式の帳簿価額のうち、当該株式会社のこれらの会社に対する持分に相当する額

二　第五項第四号の為替換算調整勘定　外国にある子会社又は関連会社の資産及び負債の換算に用いる為替相場と純資産の換算に用いる為替相場とが異なることによって生じる換算差額

三　第五項第五号の退職給付に係る調整累計額　次に掲げる項目の額の合計額
イ　未認識数理計算上の差異
ロ　未認識過去勤務費用
ハ　その他退職給付に係る調整累計額に計上することが適当であると認められるもの

第五章　注記表

（通則）

第九七条　注記表（個別注記表及び連結注記表をいう。以下この編において同じ。）については、この章の定めるところによる。

（注記表の区分）

第九八条①　注記表は、次に掲げる項目に区分して表示しなければならない。

一　継続企業の前提に関する注記
二　重要な会計方針に係る事項（連結注記表にあっては、連結計算書類の作成のための基本となる重要な事項及び連結の範囲又は持分法の適用の範囲の変更）に関する注記
三　会計方針の変更に関する注記
四　表示方法の変更に関する注記
四の二　会計上の見積りに関する注記
五　会計上の見積りの変更に関する注記
六　誤謬の訂正に関する注記
七　貸借対照表等に関する注記
八　損益計算書に関する注記
九　株主資本等変動計算書（連結注記表にあっては、連結株主資本等変動計算書）に関する注記
十　税効果会計に関する注記
十一　リースにより使用する固定資産に関する注記
十二　金融商品に関する注記
十三　賃貸等不動産に関する注記
十四　持分法損益等に関する注記
十五　関連当事者との取引に関する注記
十六　一株当たり情報に関する注記
十七　重要な後発事象に関する注記
十八　連結配当規制適用会社に関する注記
十八の二　収益認識に関する注記
十九　その他の注記

② 次の各号に掲げる注記表には、当該各号に定める項目を表示することを要しない。
一 会計監査人設置会社以外の株式会社（公開会社を除く。）の個別注記表　前項第一号、第四号の二、第五号、第七号、第八号及び第十号から第十八号までに掲げる項目
二 会計監査人設置会社以外の公開会社の個別注記表　前項第一号、第四号の二、第五号、第十四号及び第十八号に掲げる項目
三 会計監査人設置会社であって、法第四百四十四条第三項に規定するもの以外の株式会社の個別注記表　前項第十四号に掲げる項目
四 連結注記表　前項第八号、第十号、第十一号、第十四号、第十五号及び第十八号に掲げる項目
五 持分会社の個別注記表　前項第一号、第四号の二、第五号及び第七号から第十八号までに掲げる項目

（注記の方法）

第九九条　貸借対照表等、損益計算書等又は株主資本等変動計算書等の特定の項目に関連する注記については、その関連を明らかにしなければならない。

（継続企業の前提に関する注記）

第一〇〇条　継続企業の前提に関する注記は、事業年度の末日において、当該株式会社が将来にわたって事業を継続するとの前提（以下この条において「継続企業の前提」という。）に重要な疑義を生じさせるような事象又は状況が存在する場合であって、当該事象又は状況を解消し、又は改善するための対応をしてもなお継続企業の前提に関する重要な不確実性が認められるとき（当該事業年度の末日後に当該重要な不確実性が認められなくなった場合を除く。）における次に掲げる事項とする。
一 当該事象又は状況が存在する旨及びその内容
二 当該事象又は状況を解消し、又は改善するための対応策
三 当該重要な不確実性が認められる旨及びその理由
四 当該重要な不確実性の影響を計算書類（連結注記表にあっては、連結計算書類）に反映しているか否かの別

（重要な会計方針に係る事項に関する注記）

第一〇一条①　重要な会計方針に係る事項に関する注記は、会計方針に関する次に掲げる事項（重要性の乏しいものを除く。）とする。
一 資産の評価基準及び評価方法
二 固定資産の減価償却の方法
三 引当金の計上基準
四 収益及び費用の計上基準
五 その他計算書類の作成のための基本となる重要な事項

② 会社が顧客との契約に基づく義務の履行の状況に応じて当該契約から生ずる収益を認識するときは、前項第四号に掲げる事項には、次に掲げる事項を含むものとする。
一 当該会社の主要な事業における顧客との契約に基づく主な義務の内容
二 前号に規定する義務に係る収益を認識する通常の時点
三 前二号に掲げるもののほか、当該会社が重要な会計方針に含まれると判断したもの

（連結計算書類の作成のための基本となる重要な事項に関する注記等）

第一〇二条①　連結計算書類の作成のための基本となる重要な事項に関する注記は、次に掲げる事項とする。この場合において、当該注記は当該各号に掲げる事項に区分しなければならない。
一 連結の範囲に関する次に掲げる事項
イ 連結子会社の数及び主要な連結子会社の名称
ロ 非連結子会社がある場合には、次に掲げる事項
(1) 主要な非連結子会社の名称
(2) 非連結子会社を連結の範囲から除いた理由
ハ 株式会社が議決権の過半数を自己の計算において所有している会社等を子会社としなかったときは、当該会社等の名称及び子会社としなかった理由
ニ 第六十三条第一項ただし書の規定により連結の範囲から除かれた子会社の財産又は損益に関する事項であって、当該企業集団の財産及び損益の状態の判断に影響を与えると認められる重要なものがあるときは、その内容
ホ 開示対象特別目的会社（会社法施行規則（平成十八年法務省令第十二号）第四条に規定する特別目的会社（同条の規定により当該特別目的会社に資産を譲渡した会社の子会社に該当しないものと推定されるものに限る。）をいう。以下この号及び第百十一条において同じ。）がある場合には、次に掲げる事項その他の重要な事項
(1) 開示対象特別目的会社の概要
(2) 開示対象特別目的会社との取引の概要及び取引金額
二 持分法の適用に関する次に掲げる事項
イ 持分法を適用した非連結子会社又は関連会社の数及びこれらのうち主要な会社等の名称
ロ 持分法を適用しない非連結子会社又は関連会社があるときは、次に掲げる事項
(1) 当該非連結子会社又は関連会社のうち主要な会社等の名称
(2) 当該非連結子会社又は関連会社に持分法を適用しない理由
ハ 当該株式会社が議決権の百分の二十以上、百分の五十以下を自己の計算において所有している会社等を関連会社としなかったときは、当該会社等の名称及び関連会社としなかった理由
ニ 持分法の適用の手続について特に示す必要があると認められる事項がある場合には、その内容
三 会計方針に関する次に掲げる事項
イ 重要な資産の評価基準及び評価方法
ロ 重要な減価償却資産の減価償却の方法
ハ 重要な引当金の計上基準
ニ その他連結計算書類の作成のための重要な事項

② 連結の範囲又は持分法の適用の範囲の変更に関する注記は、連結の範囲又は持分法の適用の範囲を変更した場合（当該変更が重要性の乏しいものである場合を除く。）におけるその旨及び当該変更の理由とする。

（会計方針の変更に関する注記）

第一〇二条の二①　会計方針の変更に関する注記は、一般に公正妥当と認められる会計方針を他の一般に公正妥当と認められる会計方針に変更した場合における次に掲げる事項（重要性の乏しいものを除く。）とする。ただし、会計監査人設置会社以外の株式会社及び持分会社にあっては、第四号ロ及びハに掲げる事項を省略することができる。
一 当該会計方針の変更の内容
二 当該会計方針の変更の理由
三 遡及適用をした場合には、当該事業年度の期首における純資産額に対する影響額
四 当該事業年度より前の事業年度の全部又は一部について遡及適用をしなかった場合には、次に掲げる事項（当該会計方針の変更を会計上の見積りの変更と区別することが困難なときは、ロに掲げる事項を除く。）
イ 計算書類又は連結計算書類の主な項目に対する影響額
ロ 当該事業年度より前の事業年度の全部又は一部について遡及適用をしなかった理由並びに当該会計方針の変更の適用方法及び適用開始時期
ハ 当該会計方針の変更が当該事業年度の翌事業年度以降の財産又は損益に影響を及ぼす可能性がある場合であって、当該影響に関する事項を注記することが適切であるときは、当該事項

② 個別注記表に注記すべき事項（前項第三号並びに第四号ロ及びハに掲げる事項に限る。）が連結注記表に注記すべき事項と同一である場合において、個別注記表にその旨を注記するとき

は、個別注記表における当該事項の注記を要しない。

（**表示方法の変更に関する注記**）

第一〇二条の三① 表示方法の変更に関する注記は、一般に公正妥当と認められる表示方法を他の一般に公正妥当と認められる表示方法に変更した場合における次に掲げる事項（重要性の乏しいものを除く。）とする。

一 当該表示方法の変更の内容

二 当該表示方法の変更の理由

② 個別注記表に注記すべき事項（前項第二号に掲げる事項に限る。）が連結注記表に注記すべき事項と同一である場合において、個別注記表にその旨を注記するときは、個別注記表における当該事項の注記を要しない。

（**会計上の見積りに関する注記**）

第一〇二条の三の二① 会計上の見積りに関する注記は、次に掲げる事項とする。

一 会計上の見積りにより当該事業年度に係る計算書類又は連結計算書類にその額を計上した項目であって、翌事業年度に係る計算書類又は連結計算書類に重要な影響を及ぼす可能性があるもの

二 当該事業年度に係る計算書類又は連結計算書類の前号に掲げる項目に計上した額

三 前号に掲げるもののほか、第一号に掲げる項目に係る会計上の見積りの内容に関する理解に資する情報

② 個別注記表に注記すべき事項（前項第三号に掲げる事項に限る。）が連結注記表に注記すべき事項と同一である場合において、個別注記表にその旨を注記するときは、個別注記表における当該事項の注記を要しない。

（**会計上の見積りの変更に関する注記**）

第一〇二条の四 会計上の見積りの変更に関する注記は、会計上の見積りの変更をした場合における次に掲げる事項（重要性の乏しいものを除く。）とする。

一 当該会計上の見積りの変更の内容

二 当該会計上の見積りの変更の計算書類又は連結計算書類の項目に対する影響額

三 当該会計上の見積りの変更が当該事業年度の翌事業年度以降の財産又は損益に影響を及ぼす可能性があるときは、当該影響に関する事項

（**誤謬の訂正に関する注記**）

第一〇二条の五 誤謬の訂正に関する注記は、誤謬の訂正をした場合における次に掲げる事項（重要性の乏しいものを除く。）とする。

一 当該誤謬の内容

二 当該事業年度の期首における純資産額に対する影響額

（**貸借対照表等に関する注記**）

第一〇三条 貸借対照表等に関する注記は、次に掲げる事項（連結注記表にあっては、第六号から第九号までに掲げる事項を除く。）とする。

一 資産が担保に供されている場合における次に掲げる事項

イ 資産が担保に供されていること。

ロ イの資産の内容及びその金額

ハ 担保に係る債務の金額

二 資産に係る引当金を直接控除した場合における各資産の資産項目別の引当金の金額（一括して注記することが適当な場合にあっては、各資産について流動資産、有形固定資産、無形固定資産、投資その他の資産又は繰延資産ごとに一括した引当金の金額）

三 資産に係る減価償却累計額を直接控除した場合における各資産の資産項目別の減価償却累計額（一括して注記することが適当な場合にあっては、各資産について一括した減価償却累計額）

四 資産に係る減損損失累計額を減価償却累計額に合算して減価償却累計額の項目をもって表示した場合にあっては、減価償却累計額に減損損失累計額が含まれている旨

五 保証債務、手形遡求債務、重要な係争事件に係る損害賠償義務その他これらに準ずる債務（負債の部に計上したものを除く。）があるときは、当該債務の内容及び金額

六 関係会社に対する金銭債権又は金銭債務をその金銭債権又は金銭債務が属する項目ごとに、他の金銭債権又は金銭債務と区分して表示していないときは、当該関係会社に対する金銭債権又は金銭債務の当該関係会社に対する金銭債権又は金銭債務が属する項目ごとの金額又は二以上の項目について一括した金額

七 取締役、監査役及び執行役との間の取引による取締役、監査役及び執行役に対する金銭債権があるときは、その総額

八 取締役、監査役及び執行役との間の取引による取締役、監査役及び執行役に対する金銭債務があるときは、その総額

九 当該株式会社の親会社株式の各表示区分別の金額

（**損益計算書に関する注記**）

第一〇四条 損益計算書に関する注記は、関係会社との営業取引による取引高の総額及び営業取引以外の取引による取引高の総額とする。

（**株主資本等変動計算書に関する注記**）

第一〇五条 株主資本等変動計算書に関する注記は、次に掲げる事項とする。この場合において、連結注記表を作成する株式会社は、第二号に掲げる事項以外の事項は、省略することができる。

一 当該事業年度の末日における発行済株式の数（種類株式発行会社にあっては、種類ごとの発行済株式の数）

二 当該事業年度の末日における自己株式の数（種類株式発行会社にあっては、種類ごとの自己株式の数）

三 当該事業年度中に行った剰余金の配当（当該事業年度の末日後に行う剰余金の配当のうち、剰余金の配当を受ける者を定めるための法第百二十四条第一項に規定する基準日が当該事業年度中のものを含む。）に関する次に掲げる事項その他の事項

イ 配当財産が金銭である場合における当該金銭の総額

ロ 配当財産が金銭以外の財産である場合における当該財産の帳簿価額（当該剰余金の配当をした日においてその時の時価を付した場合にあっては、当該時価を付した後の帳簿価額）の総額

四 当該事業年度の末日における株式引受権に係る当該株式会社の株式の数（種類株式発行会社にあっては、種類及び種類ごとの数）

五 当該事業年度の末日における当該株式会社が発行している新株予約権（法第二百三十六条第一項第四号の期間の初日が到来していないものを除く。）の目的となる当該株式会社の株式の数（種類株式発行会社にあっては、種類及び種類ごとの数）

（**連結株主資本等変動計算書に関する注記**）

第一〇六条 連結株主資本等変動計算書に関する注記は、次に掲げる事項とする。

一 当該連結会計年度の末日における当該株式会社の発行済株式の総数（種類株式発行会社にあっては、種類ごとの発行済株式の総数）

二 当該連結会計年度中に行った剰余金の配当（当該連結会計年度の末日後に行う剰余金の配当のうち、剰余金の配当を受ける者を定めるための法第百二十四条第一項に規定する基準日が当該連結会計年度中のものを含む。）に関する次に掲げる事項その他の事項

イ 配当財産が金銭である場合における当該金銭の総額

ロ 配当財産が金銭以外の財産である場合における当該財産の帳簿価額（当該剰余金の配当をした日においてその時の時価を付した場合にあっては、当該時価を付した後の帳簿価額）の総額

三 当該連結会計年度の末日における株式引受権に係る当該株式会社の株式の数（種類株式発行会社にあっては、種類及び

種類ごとの数）

四　当該連結会計年度の末日における当該株式会社が発行している新株予約権（法第二百三十六条第一項第四号の期間の初日が到来していないものを除く。）の目的となる当該株式会社の株式の数（種類株式発行会社にあっては、種類及び種類ごとの数）

（税効果会計に関する注記）

第一〇七条　税効果会計に関する注記は、次に掲げるもの（重要でないものを除く。）の発生の主な原因とする。

一　繰延税金資産（その算定に当たり繰延税金資産から控除された金額がある場合における当該金額を含む。）

二　繰延税金負債

（リースにより使用する固定資産に関する注記）

第一〇八条　リースにより使用する固定資産に関する注記は、ファイナンス・リース取引の借主である株式会社が当該ファイナンス・リース取引について通常の売買取引に係る方法に準じて会計処理を行っていない場合におけるリース物件（固定資産に限る。以下この条において同じ。）に関する事項とする。この場合において、当該リース物件の全部又は一部に係る次に掲げる事項（各リース物件について一括して注記する場合にあっては、一括して注記すべきリース物件に関する事項）を含めることを妨げない。

一　当該事業年度の末日における取得原価相当額

二　当該事業年度の末日における減価償却累計額相当額

三　当該事業年度の末日における未経過リース料相当額

四　前三号に掲げるもののほか、当該リース物件に係る重要な事項

（金融商品に関する注記）

第一〇九条①　金融商品に関する注記は、次に掲げるもの（重要性の乏しいものを除く。）とする。ただし、法第四百四十四条第三項に規定する株式会社以外の株式会社にあっては、第三号に掲げる事項を省略することができる。

一　金融商品の状況に関する事項

二　金融商品の時価等に関する事項

三　金融商品の時価の適切な区分ごとの内訳等に関する事項

②　連結注記表を作成する株式会社は、個別注記表における前項の注記を要しない。

（賃貸等不動産に関する注記）

第一一〇条①　賃貸等不動産に関する注記は、次に掲げるもの（重要性の乏しいものを除く。）とする。

一　賃貸等不動産の状況に関する事項

二　賃貸等不動産の時価に関する事項

②　連結注記表を作成する株式会社は、個別注記表における前項の注記を要しない。

（持分法損益等に関する注記）

第一一一条①　持分法損益等に関する注記は、次の各号に掲げる場合の区分に応じ、当該各号に定めるものとする。ただし、第一号に定める事項については、損益及び利益剰余金からみて重要性の乏しい関連会社を除外することができる。

一　関連会社がある場合　関連会社に対する投資の金額並びに当該投資に対して持分法を適用した場合の投資の金額及び投資利益又は投資損失の金額

二　開示対象特別目的会社がある場合　開示対象特別目的会社の概要、開示対象特別目的会社との取引の概要及び取引金額その他の重要な事項

②　連結計算書類を作成する株式会社は、個別注記表における前項の注記を要しない。

（関連当事者との取引に関する注記）

第一一二条①　関連当事者との取引に関する注記は、株式会社と関連当事者との間に取引（当該株式会社と第三者との間の取引で当該株式会社と当該関連当事者との間の利益が相反するものを含む。）がある場合における次に掲げる事項であって、重要なものとする。ただし、会計監査人設置会社以外の株式会社にあっては、第四号から第六号まで及び第八号に掲げる事項を省略することができる。

一　当該関連当事者が会社等であるときは、次に掲げる事項

イ　その名称

ロ　当該関連当事者の総株主の議決権の総数に占める株式会社が有する議決権の数の割合

ハ　当該株式会社の総株主の議決権の総数に占める当該関連当事者が有する議決権の数の割合

二　当該関連当事者が個人であるときは、次に掲げる事項

イ　その氏名

ロ　当該株式会社の総株主の議決権の総数に占める当該関連当事者が有する議決権の数の割合

三　当該株式会社と当該関連当事者との関係

四　取引の内容

五　取引の種類別の取引金額

六　取引条件及び取引条件の決定方針

七　取引により発生した債権又は債務に係る主な項目別の当該事業年度の末日における残高

八　取引条件の変更があったときは、その旨、変更の内容及び当該変更が計算書類に与えている影響の内容

②　関連当事者との間の取引のうち次に掲げる取引については、前項に規定する注記を要しない。

一　一般競争入札による取引並びに預金利息及び配当金の受取りその他取引の性質からみて取引条件が一般の取引と同様であることが明白な取引

二　取締役、会計参与、監査役又は執行役（以下この条において「役員」という。）に対する報酬等の給付

三　前二号に掲げる取引のほか、当該取引に係る条件につき市場価格その他当該取引に係る公正な価格を勘案して一般の取引の条件と同様のものを決定していることが明白な場合における当該取引

③　関連当事者との取引に関する注記は、第一項各号に掲げる区分に従い、関連当事者ごとに表示しなければならない。

④　前三項に規定する「関連当事者」とは、次に掲げる者をいう。

一　当該株式会社の親会社

二　当該株式会社の子会社

三　当該株式会社の親会社の子会社（当該親会社が会社でない場合にあっては、当該親会社の子会社に相当するものを含む。）

四　当該株式会社のその他の関係会社（当該株式会社が他の会社の関連会社である場合における当該他の会社をいう。以下この号において同じ。）並びに当該その他の関係会社の親会社（当該その他の関係会社が株式会社でない場合にあっては、親会社に相当するもの）及び子会社（当該その他の関係会社が会社でない場合にあっては、子会社に相当するもの）

五　当該株式会社の関連会社及び当該関連会社の子会社（当該関連会社が会社でない場合にあっては、子会社に相当するもの）

六　当該株式会社の主要株主（自己又は他人の名義をもって当該株式会社の総株主の議決権の総数の百分の十以上の議決権（次に掲げる株式に係る議決権を除く。）を保有している株主をいう。）及びその近親者（二親等内の親族をいう。以下この条において同じ。）

イ　信託業（信託業法（平成十六年法律第百五十四号）第二条第一項に規定する信託業をいう。）を営む者が信託財産として所有する株式

ロ　有価証券関連業（金融商品取引法第二十八条第八項に規定する有価証券関連業をいう。）を営む者が引受け又は売出しを行う業務により取得した株式

ハ　金融商品取引法第百五十六条の二十四第一項に規定する業務を営む者がその業務として所有する株式

七　当該株式会社の役員及びその近親者

八　当該株式会社の親会社の役員又はこれらに準ずる者及びその近親者

九　前三号に掲げる者が他の会社等の議決権の過半数を自己の計算において所有している場合における当該会社等及び当該会社等の子会社（当該会社等が会社でない場合にあっては、子会社に相当するもの）

十　従業員のための企業年金（当該株式会社と重要な取引（掛金の拠出を除く。）を行う場合に限る。）

（一株当たり情報に関する注記）

第一一三条　一株当たり情報に関する注記は、次に掲げる事項とする。

一　一株当たりの純資産額

二　一株当たりの当期純利益金額又は当期純損失金額（連結計算書類にあっては、一株当たりの親会社株主に帰属する当期純利益金額又は当期純損失金額）

三　株式会社が当該事業年度（連結計算書類にあっては、当該連結会計年度。以下この号において同じ。）又は当該事業年度の末日後において株式の併合又は株式の分割をした場合において、当該事業年度の期首に株式の併合又は株式の分割をしたと仮定して前二号に掲げる額を算定したときは、その旨

（重要な後発事象に関する注記）

第一一四条①　個別注記表における重要な後発事象に関する注記は、当該株式会社の事業年度の末日後、当該株式会社の翌事業年度以降の財産又は損益に重要な影響を及ぼす事象が発生した場合における当該事象とする。

②　連結注記表における重要な後発事象に関する注記は、当該株式会社の事業年度の末日後、連結会社並びに持分法が適用される非連結子会社及び関連会社の翌事業年度以降の財産又は損益に重要な影響を及ぼす事象が発生した場合における当該事象とする。ただし、当該株式会社の事業年度の末日と異なる日をその事業年度の末日とする子会社及び関連会社については、当該子会社及び関連会社の事業年度の末日後に発生した場合における当該事象とする。

（連結配当規制適用会社に関する注記）

第一一五条　連結配当規制適用会社に関する注記は、当該事業年度の末日が最終事業年度の末日となる時後、連結配当規制適用会社となる旨とする。

（収益認識に関する注記）

第一一五条の二①　収益認識に関する注記は、会社が顧客との契約に基づく義務の履行の状況に応じて当該契約から生ずる収益を認識する場合における次に掲げる事項（重要性の乏しいものを除く。）とする。ただし、法第四百四十四条第三項に規定する株式会社以外の株式会社にあっては、第一号及び第三号に掲げる事項を省略することができる。

一　当該事業年度に認識した収益を、収益及びキャッシュ・フローの性質、金額、時期及び不確実性に影響を及ぼす主要な要因に基づいて区分をした場合における当該区分ごとの収益の額その他の事項

二　収益を理解するための基礎となる情報

三　当該事業年度及び翌事業年度以降の収益の金額を理解するための情報

②　前項に掲げる事項が第百一条の規定により注記すべき事項と同一であるときは、同項の規定による当該事項の注記を要しない。

③　連結計算書類を作成する株式会社は、個別注記表における第一項（第二号を除く。）の注記を要しない。

④　個別注記表に注記すべき事項（第一項第二号に掲げる事項に限る。）が連結注記表に注記すべき事項と同一である場合において、個別注記表にその旨を注記するときは、個別注記表における当該事項の注記を要しない。

（その他の注記）

第一一六条　その他の注記は、第百条から前条までに掲げるもののほか、貸借対照表等、損益計算書等及び株主資本等変動計算書等により会社（連結注記表にあっては、企業集団）の財産又は損益の状態を正確に判断するために必要な事項とする。

第六章　附属明細書

第一一七条　各事業年度に係る株式会社の計算書類に係る附属明細書には、次に掲げる事項（公開会社以外の株式会社にあっては、第一号から第三号に掲げる事項）のほか、株式会社の貸借対照表、損益計算書、株主資本等変動計算書及び個別注記表の内容を補足する重要な事項を表示しなければならない。

一　有形固定資産及び無形固定資産の明細

二　引当金の明細

三　販売費及び一般管理費の明細

四　第百十二条第一項ただし書の規定により省略した事項があるときは、当該事項

第七章　雑則（抄）

第一一八条及び第一一九条　（略）

（国際会計基準で作成する連結計算書類に関する特則）

第一二〇条①　連結財務諸表の用語、様式及び作成方法に関する規則（昭和五十一年大蔵省令第二十八号）第三百十二条の規定により連結財務諸表の用語、様式及び作成方法について指定国際会計基準（同条に規定する指定国際会計基準をいう。以下この条において同じ。）に従うことができるものとされた株式会社の作成すべき連結計算書類は、指定国際会計基準に従って作成することができる。この場合においては、第一章から第五章までの規定により第六十一条第一号に規定する連結計算書類において表示すべき事項に相当するものを除くその他の事項は、省略することができる。

②　前項の規定により作成した連結計算書類には、指定国際会計基準に従って作成した連結計算書類である旨を注記しなければならない。

③　第一項後段の規定により省略した事項がある同項の規定により作成した連結計算書類には、前項の規定にかかわらず、第一項の規定により作成した連結計算書類である旨及び同項後段の規定により省略した事項がある旨を注記しなければならない。

（修正国際基準で作成する連結計算書類に関する特則）

第一二〇条の二①　連結財務諸表の用語、様式及び作成方法に関する規則第三百十四条の規定により連結財務諸表の用語、様式及び作成方法について修正国際基準（同条に規定する修正国際基準をいう。以下この条において同じ。）に従うことができるものとされた株式会社の作成すべき連結計算書類は、修正国際基準に従って作成することができる。

②　前項の規定により作成した連結計算書類には、修正国際基準に従って作成した連結計算書類である旨を注記しなければならない。

③　前条第一項後段及び第三項の規定は、第一項の場合について準用する。

（米国基準で作成する連結計算書類に関する特則）

第一二〇条の三①　連結財務諸表の用語、様式及び作成方法に関する規則第三百十六条又は連結財務諸表の用語、様式及び作成方法に関する規則の一部を改正する内閣府令（平成十四年内閣府令第十一号）附則第三項の規定により、連結財務諸表の用語、様式及び作成方法について米国預託証券の発行等に関して要請されている用語、様式及び作成方法によることができるものとされた株式会社の作成すべき連結計算書類は、米国預託証券の発行等に関して要請されている用語、様式及び作成方法によることができる。

②　前項の規定による連結計算書類には、当該連結計算書類が準拠している用語、様式及び作成方法を注記しなければならない。

③　第百二十条第一項後段の規定は、第一項の場合について準用する。

第四編　計算関係書類の監査

第一章　通則

第百二十一条① 法第四百三十六条第一項及び第二項、第四百四十一条第二項並びに第四百四十四条第四項の規定による監査（計算関係書類（成立の日における貸借対照表を除く。以下この編において同じ。）に係るものに限る。以下この編において同じ。）については、この編の定めるところによる。

② 前項に規定する監査には、公認会計士法（昭和二十三年法律第百三号）第二条第一項に規定する監査のほか、計算関係書類に表示された情報と計算関係書類に表示すべき情報との合致の程度を確かめ、かつ、その結果を利害関係者に伝達するための手続を含むものとする。

第二章　会計監査人設置会社以外の株式会社における監査

（監査役の監査報告の内容）

第百二十二条① 監査役（会計監査人設置会社の監査役を除く。以下この章において同じ。）は、計算関係書類を受領したときは、次に掲げる事項（監査役会設置会社の監査役の監査報告にあっては、第一号から第四号までに掲げる事項）を内容とする監査報告を作成しなければならない。

一　監査役の監査の方法及びその内容
二　計算関係書類が当該株式会社の財産及び損益の状況を全ての重要な点において適正に表示しているかどうかについての意見
三　監査のため必要な調査ができなかったときは、その旨及びその理由
四　追記情報
五　監査報告を作成した日

② 前項第四号に規定する「追記情報」とは、次に掲げる事項その他の事項のうち、監査役の判断に関して説明を付す必要がある事項又は計算関係書類の内容のうち強調する必要がある事項とする。

一　会計方針の変更
二　重要な偶発事象
三　重要な後発事象

（監査役会の監査報告の内容等）

第百二十三条① 監査役会（会計監査人設置会社の監査役会を除く。以下この章において同じ。）は、前条第一項の規定により監査役が作成した監査報告（以下この条において「監査役監査報告」という。）に基づき、監査役会の監査報告（以下この条において「監査役会監査報告」という。）を作成しなければならない。

② 監査役会監査報告は、次に掲げる事項を内容とするものでなければならない。この場合において、監査役は、当該事項に係る監査役会監査報告の内容が当該事項に係る監査役の監査役監査報告の内容と異なる場合には、当該事項に係る各監査役の監査役監査報告の内容を監査役会監査報告に付記することができる。

一　前条第一項第二号から第四号までに掲げる事項
二　監査役及び監査役会の監査の方法及びその内容
三　監査役会監査報告を作成した日

③ 監査役会が監査役会監査報告を作成する場合には、監査役会は、一回以上、会議を開催する方法又は情報の送受信により同時に意見の交換をすることができる方法により、監査役会監査報告の内容（前項後段の規定による付記を除く。）を審議しなければならない。

（監査報告の通知期限等）

第百二十四条① 特定監査役は、次の各号に掲げる監査報告（監査役会設置会社にあっては、前条第一項の規定により作成された監査役会の監査報告に限る。以下この条において同じ。）の区分に応じ、当該各号に定める日までに、特定取締役に対し、当該監査報告の内容を通知しなければならない。

一　各事業年度に係る計算書類及びその附属明細書についての監査報告　次に掲げる日のいずれか遅い日
　イ　当該計算書類の全部を受領した日から四週間を経過した日
　ロ　当該計算書類の附属明細書を受領した日から一週間を経過した日
　ハ　特定取締役及び特定監査役が合意により定めた日があるときは、その日
二　臨時計算書類についての監査報告　次に掲げる日のいずれか遅い日
　イ　当該臨時計算書類の全部を受領した日から四週間を経過した日
　ロ　特定取締役及び特定監査役が合意により定めた日があるときは、その日

② 計算関係書類については、特定取締役が前項の規定による監査報告の内容の通知を受けた日に、監査役の監査を受けたものとする。

③ 前項の規定にかかわらず、特定監査役が第一項の規定により通知をすべき日までに同項の規定による監査報告の内容の通知をしない場合には、当該通知をすべき日に、計算関係書類については、監査役の監査を受けたものとみなす。

④ 第一項及び第二項に規定する「特定取締役」とは、次の各号に掲げる場合の区分に応じ、当該各号に定める者（当該株式会社が会計参与設置会社である場合にあっては、当該各号に定める者及び会計参与）をいう。

一　第一項の規定による通知を受ける者を定めた場合　当該通知を受ける者として定められた者
二　前号に掲げる場合以外の場合　監査を受けるべき計算関係書類の作成に関する職務を行った取締役

⑤ 第一項及び第三項に規定する「特定監査役」とは、次の各号に掲げる株式会社の区分に応じ、当該各号に定める者とする。

一　監査役設置会社（監査役の監査の範囲を会計に関するものに限定する旨の定款の定めがある株式会社を含み、監査役会設置会社及び会計監査人設置会社を除く。）　次のイからハまでに掲げる場合の区分に応じ、当該イからハまでに定める者
　イ　二以上の監査役が存する場合において、第一項の規定による監査報告の内容の通知をすべき監査役を定めたとき　当該通知をすべき監査役として定められた監査役
　ロ　二以上の監査役が存する場合において、第一項の規定による監査報告の内容の通知をすべき監査役を定めていないとき　全ての監査役
　ハ　イ又はロに掲げる場合以外の場合　監査役
二　監査役会設置会社（会計監査人設置会社を除く。）　次のイ又はロに掲げる場合の区分に応じ、当該イ又はロに定める者
　イ　監査役会が第一項の規定による監査報告の内容の通知をすべき監査役を定めた場合　当該通知をすべき監査役として定められた監査役
　ロ　イに掲げる場合以外の場合　全ての監査役

第三章　会計監査人設置会社における監査

（計算関係書類の提供）

第百二十五条 計算関係書類を作成した取締役（指名委員会等設置会社にあっては、執行役）は、会計監査人に対して計算関係書類を提供しようとするときは、監査役（監査等委員会設置会社にあっては監査等委員会の指定した監査等委員、指名委員会等設置会社にあっては監査委員会の指定した監査委員）に対しても計算関係書類を提供しなければならない。

（会計監査報告の内容）

第百二十六条① 会計監査人は、計算関係書類を受領したときは、次に掲げる事項を内容とする会計監査報告を作成しなければならない。

一　会計監査人の監査の方法及びその内容

二　計算関係書類が当該株式会社の財産及び損益の状況を全ての重要な点において適正に表示しているかどうかについての意見があるときは、その意見（当該意見が次のイからハまでに掲げる意見である場合にあっては、それぞれ当該イからハまでに定める事項）

イ　無限定適正意見　監査の対象となった計算関係書類が一般に公正妥当と認められる企業会計の慣行に準拠して、当該計算関係書類に係る期間の財産及び損益の状況を全ての重要な点において適正に表示していると認められる旨

ロ　除外事項を付した限定付適正意見　監査の対象となった計算関係書類が除外事項を除き一般に公正妥当と認められる企業会計の慣行に準拠して、当該計算関係書類に係る期間の財産及び損益の状況を全ての重要な点において適正に表示していると認められる旨、除外事項並びに除外事項を付した限定付適正意見とした理由

ハ　不適正意見　監査の対象となった計算関係書類が不適正である旨及びその理由

三　前号の意見がないときは、その旨及びその理由

四　継続企業の前提に関する注記に係る事項

五　第二号の意見があるときは、事業報告及びその附属明細書の内容と計算関係書類の内容又は会計監査人が監査の過程で得た知識との間の重要な相違等について、報告すべき事項の有無及び報告すべき事項があるときはその内容

六　追記情報

七　会計監査報告を作成した日

②　前項第六号に規定する「追記情報」とは、次に掲げる事項その他の事項のうち、会計監査人の判断に関して説明を付す必要がある事項又は計算関係書類の内容のうち強調する必要がある事項とする。

一　会計方針の変更

二　重要な偶発事象

三　重要な後発事象

（会計監査人設置会社の監査役の監査報告の内容）

第一二七条　会計監査人設置会社の監査役は、計算関係書類及び会計監査報告（第百三十条第三項に規定する場合にあっては、計算関係書類）を受領したときは、次に掲げる事項（監査役会設置会社の監査役の監査報告にあっては、第一号から第五号までに掲げる事項）を内容とする監査報告を作成しなければならない。

一　監査役の監査の方法及びその内容

二　会計監査人の監査の方法又は結果を相当でないと認めたときは、その旨及びその理由（第百三十条第三項に規定する場合にあっては、会計監査報告を受領していない旨）

三　重要な後発事象（会計監査報告の内容となっているものを除く。）

四　会計監査人の職務の遂行が適正に実施されることを確保するための体制に関する事項

五　監査のため必要な調査ができなかったときは、その旨及びその理由

六　監査報告を作成した日

（会計監査人設置会社の監査役会の監査報告の内容等）

第一二八条①　会計監査人設置会社の監査役会は、前条の規定により監査役が作成した監査報告（以下この条において「監査役監査報告」という。）に基づき、監査役会の監査報告（以下この条において「監査役会監査報告」という。）を作成しなければならない。

②　監査役会監査報告は、次に掲げる事項を内容とするものでなければならない。この場合において、監査役は、当該事項に係る監査役会監査報告の内容が当該事項に係る各監査役の監査役監査報告の内容と異なる場合には、当該事項に係る各監査役の監査役監査報告の内容を監査役会監査報告に付記することができる。

一　監査役及び監査役会の監査の方法及びその内容

二　前条第二号から第五号までに掲げる事項

三　監査役会監査報告を作成した日

③　会計監査人設置会社の監査役会が監査役会監査報告を作成する場合には、監査役会は、一回以上、会議を開催する方法又は情報の送受信により同時に意見の交換をすることができる方法により、監査役会監査報告の内容（前項後段の規定による付記を除く。）を審議しなければならない。

（監査等委員会の監査報告の内容）

第一二八条の二①　監査等委員会は、計算関係書類及び会計監査報告（第百三十条第三項に規定する場合にあっては、計算関係書類）を受領したときは、次に掲げる事項を内容とする監査報告を作成しなければならない。この場合において、監査等委員は、当該事項に係る監査報告の内容が当該監査等委員の意見と異なる場合には、その意見を監査報告に付記することができる。

一　監査等委員会の監査の方法及びその内容

二　第百二十七条第二号から第五号までに掲げる事項

三　監査報告を作成した日

②　前項に規定する監査報告の内容（同項後段の規定による付記を除く。）は、監査等委員会の決議をもって定めなければならない。

（監査委員会の監査報告の内容）

第一二九条①　監査委員会は、計算関係書類及び会計監査報告（次条第三項に規定する場合にあっては、計算関係書類）を受領したときは、次に掲げる事項を内容とする監査報告を作成しなければならない。この場合において、監査委員は、当該事項に係る監査報告の内容が当該監査委員の意見と異なる場合には、その意見を監査報告に付記することができる。

一　監査委員会の監査の方法及びその内容

二　第百二十七条第二号から第五号までに掲げる事項

三　監査報告を作成した日

②　前項に規定する監査報告の内容（同項後段の規定による付記を除く。）は、監査委員会の決議をもって定めなければならない。

（会計監査報告の通知期限等）

第一三〇条①　会計監査人は、次の各号に掲げる会計監査報告の区分に応じ、当該各号に定める日までに、特定監査役及び特定取締役に対し、当該会計監査報告の内容を通知しなければならない。

一　各事業年度に係る計算書類及びその附属明細書についての会計監査報告　次に掲げる日のいずれか遅い日

イ　当該計算書類の全部を受領した日から四週間を経過した日

ロ　当該計算書類の附属明細書を受領した日から一週間を経過した日

ハ　特定取締役、特定監査役及び会計監査人の間で合意により定めた日があるときは、その日

二　臨時計算書類についての会計監査報告　次に掲げる日のいずれか遅い日

イ　当該臨時計算書類の全部を受領した日から四週間を経過した日

ロ　特定取締役、特定監査役及び会計監査人の間で合意により定めた日があるときは、その日

三　連結計算書類についての会計監査報告　当該連結計算書類の全部を受領した日から四週間を経過した日（特定取締役、特定監査役及び会計監査人の間で合意により定めた日がある場合にあっては、その日）

②　計算関係書類については、特定監査役及び特定取締役が前項の規定による会計監査報告の内容の通知を受けた日に、会計監査人の監査を受けたものとする。

③　前項の規定にかかわらず、会計監査人が第一項の規定により通知をすべき日までに同項の規定による会計監査報告の内容の通知をしない場合には、当該通知をすべき日に、計算関係書類

については、会計監査人の監査を受けたものとみなす。

④第一項及び第二項に規定する「特定取締役」とは、次の各号に掲げる場合の区分に応じ、当該各号に定める者（当該株式会社が会計参与設置会社である場合にあっては、当該各号に定める者及び会計参与）をいう（第百三十二条において同じ。）。

一　第一項の規定による通知を受ける者を定めた場合　当該通知を受ける者として定められた者

二　前号に掲げる場合以外の場合　監査を受けるべき計算関係書類の作成に関する職務を行った取締役及び執行役

⑤第一項及び第二項に規定する「特定監査役」とは、次の各号に掲げる株式会社の区分に応じ、当該各号に定める者とする（以下この章において同じ。）。

一　監査役設置会社（監査役会設置会社を除く。）　次のイからハまでに掲げる場合の区分に応じ、当該イからハまでに定める者

イ　二以上の監査役が存する場合において、第一項の規定による会計監査報告の内容の通知を受ける監査役を定めたとき　当該通知を受ける監査役として定められた監査役

ロ　二以上の監査役が存する場合において、第一項の規定による会計監査報告の内容の通知を受ける監査役を定めていないとき　全ての監査役

ハ　イ又はロに掲げる場合以外の場合　監査役

二　監査役会設置会社　次のイ又はロに掲げる場合の区分に応じ、当該イ又はロに定める者

イ　監査役会が第一項の規定による会計監査報告の内容の通知を受ける監査役を定めた場合　当該通知を受ける監査役として定められた監査役

ロ　イに掲げる場合以外の場合　全ての監査役

三　監査等委員会設置会社　次のイ又はロに掲げる場合の区分に応じ、当該イ又はロに定める者

イ　監査等委員会が第一項の規定による会計監査報告の内容の通知を受ける監査等委員を定めた場合　当該通知を受ける監査等委員として定められた監査等委員

ロ　イに掲げる場合以外の場合　監査等委員のうちいずれかの者

四　指名委員会等設置会社　次のイ又はロに掲げる場合の区分に応じ、当該イ又はロに定める者

イ　監査委員会が第一項の規定による会計監査報告の内容の通知を受ける監査委員を定めた場合　当該通知を受ける監査委員として定められた監査委員

ロ　イに掲げる場合以外の場合　監査委員のうちいずれかの者

（会計監査人の職務の遂行に関する事項）

第一三一条　会計監査人は、前条第一項の規定による特定監査役に対する会計監査報告の内容の通知に際して、当該会計監査人についての次に掲げる事項（当該事項に係る定めがない場合にあっては、当該事項を定めていない旨）を通知しなければならない。ただし、全ての監査役（監査等委員会設置会社にあっては監査等委員会、指名委員会等設置会社にあっては監査委員会）が既に当該事項を知っている場合は、この限りでない。

一　独立性に関する事項その他監査に関する法令及び規程の遵守に関する事項

二　監査、監査に準ずる業務及びこれらに関する業務の契約の受任及び継続の方針に関する事項

三　会計監査人の職務の遂行が適正に行われることを確保するための体制に関するその他の事項

（会計監査人設置会社の監査役等の監査報告の通知期限）

第一三二条①　会計監査人設置会社の特定監査役は、次の各号に掲げる監査報告の区分に応じ、当該各号に定める日までに、特定取締役及び会計監査人に対し、監査報告（監査役会設置会社にあっては、第百二十八条第一項の規定により作成した監査役会の監査報告に限る。以下この条において同じ。）の内容を通知しなければならない。

一　連結計算書類以外の計算関係書類についての監査報告　次に掲げる日のいずれか遅い日

イ　会計監査報告を受領した日（第百三十条第三項に規定する場合にあっては、同項の規定により監査を受けたものとみなされた日。次号において同じ。）から一週間を経過した日

ロ　特定取締役及び特定監査役の間で合意により定めた日があるときは、その日

二　連結計算書類についての監査報告　会計監査報告を受領した日から一週間を経過した日（特定取締役及び特定監査役の間で合意により定めた日がある場合にあっては、その日）

②計算関係書類については、特定取締役及び会計監査人が前項の規定による監査報告の内容の通知を受けた日に、監査役（監査等委員会設置会社にあっては監査等委員会、指名委員会等設置会社にあっては監査委員会）の監査を受けたものとする。

③前項の規定にかかわらず、特定監査役が第一項の規定により通知をすべき日までに同項の規定による監査報告の内容の通知をしない場合には、当該通知をすべき日に、計算関係書類については、監査役（監査等委員会設置会社にあっては監査等委員会、指名委員会等設置会社にあっては監査委員会）の監査を受けたものとみなす。

第五編　計算書類の株主への提供及び承認の特則に関する要件

第一章　計算書類等の株主への提供

（計算書類等の提供）

第一三三条①　法第四百三十七条の規定により株主に対して行う提供計算書類（次の各号に掲げる株式会社の区分に応じ、当該各号に定めるものをいう。以下この条において同じ。）の提供に関しては、この条に定めるところによる。

一　株式会社（監査役設置会社（監査役の監査の範囲を会計に関するものに限定する旨の定款の定めがある株式会社を含む。次号において同じ。）及び会計監査人設置会社を除く。）　計算書類

二　会計監査人設置会社以外の監査役設置会社　次に掲げるもの

イ　計算書類

ロ　計算書類に係る監査役（監査役会設置会社にあっては、監査役会）の監査報告があるときは、当該監査報告（二以上の監査役が存する株式会社（監査役会設置会社を除く。）の各監査役の監査報告の内容（監査報告を作成した日を除く。）が同一である場合にあっては、一又は二以上の監査役の監査報告）

ハ　第百二十四条第三項の規定により監査を受けたものとみなされたときは、その旨の記載又は記録をした書面又は電磁的記録

三　会計監査人設置会社　次に掲げるもの

イ　計算書類

ロ　計算書類に係る会計監査報告があるときは、当該会計監査報告

ハ　会計監査人が存しないとき（法第三百四十六条第四項の一時会計監査人の職務を行うべき者が存する場合を除く。）は、会計監査人が存しない旨の記載又は記録をした書面又は電磁的記録

ニ　第百三十条第三項の規定により監査を受けたものとみなされたときは、その旨の記載又は記録をした書面又は電磁的記録

ホ　計算書類に係る監査役（監査役会設置会社にあっては監査役会、監査等委員会設置会社にあっては監査等委員会、指名委員会等設置会社にあっては監査委員会）の監査報告があるときは、当該監査報告（二以上の監査役が存する株式会社（監査役会設置会社を除く。）の各監査役の監査報告

の内容（監査報告を作成した日を除く。）が同一である場合にあっては、一又は二以上の監査役の監査報告）

ヘ　前条第三項の規定により監査を受けたものとみなされたときは、その旨の記載又は記録をした書面又は電磁的記録

② 定時株主総会の招集通知（法第二百九十九条第二項又は第三項の規定による通知をいう。以下同じ。）を次の各号に掲げる方法により行う場合にあっては、提供計算書類は、当該各号に定める方法により提供しなければならない。

一　書面の提供　次のイ又はロに掲げる場合の区分に応じ、当該イ又はロに定める方法

イ　提供計算書類が書面をもって作成されている場合　当該書面に記載された事項を記載した書面の提供

ロ　提供計算書類が電磁的記録をもって作成されている場合　当該電磁的記録に記録された事項を記載した書面の提供

二　電磁的方法による提供　次のイ又はロに掲げる場合の区分に応じ、当該イ又はロに定める方法

イ　提供計算書類が書面をもって作成されている場合　当該書面に記載された事項の電磁的方法による提供

ロ　提供計算書類が電磁的記録をもって作成されている場合　当該電磁的記録に記録された事項の電磁的方法による提供

③ 提供計算書類を提供する際には、当該事業年度より前の事業年度に係る貸借対照表、損益計算書又は株主資本等変動計算書に表示すべき事項（以下この項において「過年度事項」という。）を併せて提供することができる。この場合において、提供計算書類の提供をする時における過年度事項が会計方針の変更その他の正当な理由により当該事業年度より前の事業年度に係る定時株主総会において承認又は報告をしたものと異なるものとなっているときは、修正後の過年度事項を提供することを妨げない。

④ 提供計算書類に表示すべき事項に係る情報を、定時株主総会に係る招集通知を発出する時から定時株主総会の日から三箇月が経過する日までの間、継続して電磁的方法により株主が提供を受けることができる状態に置く措置（会社法施行規則第二百二十二条第一項第一号ロに掲げる方法のうち、インターネットに接続された自動公衆送信装置（公衆の用に供する電気通信回線に接続することにより、その記録媒体のうち自動公衆送信の用に供する部分に記録され、又は当該装置に入力される情報を自動公衆送信する機能を有する装置をいう。以下この章において同じ。）を使用する方法によって行われるものに限る。）をとる場合における第二項の規定の適用については、当該事項につき同項各号に掲げる場合の区分に応じ、当該各号に定める方法により株主に対して提供したものとみなす。ただし、この項の措置をとる旨の定款の定めがある場合に限る。

⑤ 前項の場合には、取締役は、同項の措置をとるために使用する自動公衆送信装置のうち当該措置をとるための用に供する部分をインターネットにおいて識別するための文字、記号その他の符号又はこれらの結合であって、情報の提供を受ける者がその使用に係る電子計算機に入力することによって当該情報の内容を閲覧し、当該電子計算機に備えられたファイルに当該情報を記録することができるものを株主に対して通知しなければならない。

⑥ 第四項の規定により提供計算書類に表示した事項の一部が株主に対して第二項各号に定める方法により提供したものとみなされる場合において、監査役、会計監査人、監査等委員会又は監査委員会が、現に株主に対して提供された計算書類が監査報告又は会計監査報告を作成するに際して監査をした計算書類の一部であることを株主に対して通知すべき旨を取締役に請求したときは、取締役は、その旨を株主に対して通知しなければならない。

⑦ 取締役は、計算書類の内容とすべき事項について、定時株主総会の招集通知を発出した日から定時株主総会の前日までの間に修正をすべき事情が生じた場合における修正後の事項を株主に周知させる方法を当該招集通知と併せて通知することができる。

（連結計算書類の提供）

第一三四条① 法第四百四十四条第六項の規定により株主に対して連結計算書類の提供をする場合において、定時株主総会の招集通知を次の各号に掲げる方法により行うときは、連結計算書類は、当該各号に定める方法により提供しなければならない。

一　書面の提供　次のイ又はロに掲げる場合の区分に応じ、当該イ又はロに定める方法

イ　連結計算書類が書面をもって作成されている場合　当該書面に記載された事項を記載した書面の提供

ロ　連結計算書類が電磁的記録をもって作成されている場合　当該電磁的記録に記録された事項を記載した書面の提供

二　電磁的方法による提供　次のイ又はロに掲げる場合の区分に応じ、当該イ又はロに定める方法

イ　連結計算書類が書面をもって作成されている場合　当該書面に記載された事項の電磁的方法による提供

ロ　連結計算書類が電磁的記録をもって作成されている場合　当該電磁的記録に記録された事項の電磁的方法による提供

② 前項の連結計算書類に係る会計監査報告又は監査報告がある場合において、当該会計監査報告又は監査報告の内容をも株主に対して提供することを定めたときにおける同項の規定の適用については、同項第一号イ及びロ中「連結計算書類」とあるのは、「連結計算書類（当該連結計算書類に係る会計監査報告又は監査報告を含む。）」とする。

③ 電子提供措置をとる旨の定款の定めがある場合において、第一項の連結計算書類に係る会計監査報告又は監査報告があり、かつ、その内容をも株主に対して提供することを定めたときは、前二項の規定による提供に代えて当該会計監査報告又は監査報告に記載され、又は記録された事項に係る情報について電子提供措置をとることができる。

④ 連結計算書類を提供する際には、当該連結会計年度より前の連結会計年度に係る連結貸借対照表、連結損益計算書又は連結株主資本等変動計算書に表示すべき事項（以下この項において「過年度事項」という。）を併せて提供することができる。この場合において、連結計算書類の提供をする時における過年度事項が会計方針の変更その他の正当な理由により当該連結会計年度に相当する事業年度に係る定時株主総会において報告をしたものと異なるものとなっているときは、修正後の過年度事項を提供することを妨げない。

⑤ 連結計算書類（第二項に規定する場合にあっては、当該連結計算書類に係る会計監査報告又は監査報告を含む。）に表示すべき事項に係る情報を、定時株主総会に係る招集通知を発出する時から定時株主総会の日から三箇月が経過する日までの間、継続して電磁的方法により株主が提供を受けることができる状態に置く措置（会社法施行規則第二百二十二条第一項第一号ロに掲げる方法のうち、インターネットに接続された自動公衆送信装置を使用する方法によって行われるものに限る。）をとる場合における第一項の規定の適用については、当該事項につき同項各号に掲げる場合の区分に応じ、当該各号に定める方法により株主に対して提供したものとみなす。ただし、この項の措置をとる旨の定款の定めがある場合に限る。

⑥ 前項の場合には、取締役は、同項の措置をとるために使用する自動公衆送信装置のうち当該措置をとるための用に供する部分をインターネットにおいて識別するための文字、記号その他の符号又はこれらの結合であって、情報の提供を受ける者がその使用に係る電子計算機に入力することによって当該情報の内容を閲覧し、当該電子計算機に備えられたファイルに当該情報を記録することができるものを株主に対して通知しなければならない。

⑦ 第五項の規定により連結計算書類に表示した事項の一部が株主に対して第一項各号に定める方法により提供したものとみな

された場合において、監査役、会計監査人、監査等委員会又は監査委員会が、現に株主に対して提供された連結計算書類が監査報告又は会計監査報告を作成するに際して監査をした連結計算書類の一部であることを株主に対して通知すべき旨を取締役に請求したときは、取締役は、その旨を株主に対して通知しなければならない。

⑧ 取締役は、連結計算書類の内容とすべき事項について、定時株主総会の招集通知を発出した日から定時株主総会の前日までの間に修正をすべき事情が生じた場合における修正後の事項を株主に周知させる方法を当該招集通知と併せて通知することができる。

第三章 計算書類等の承認の特則に関する要件

第百三十五条 法第四百三十九条及び第四百四十一条第四項（以下この条において「承認特則規定」という。）に規定する法務省令で定める要件は、次の各号（監査役設置会社であって監査役会設置会社でない株式会社にあっては、第三号を除く。）のいずれにも該当することとする。

一 承認特則規定に規定する計算関係書類についての会計監査報告の内容に第百二十六条第一項第二号イに定める事項（当該計算関係書類が臨時計算書類である場合にあっては、当該事項に相当する事項を含む。）が含まれていること。

二 前号の会計監査報告に係る監査役、監査役会、監査等委員会又は監査委員会の監査報告（監査役会設置会社にあっては、第百二十八条第一項の規定により作成した監査役会の監査報告に限る。）の内容として会計監査人の監査の方法又は結果を相当でないと認める意見がないこと。

三 第百二十八条第二項後段、第百二十八条の二第一項後段又は第百二十九条第一項後段の規定により第一号の会計監査報告に係る監査役会、監査等委員会又は監査委員会の監査報告に付記された内容が前号の意見でないこと。

四 承認特則規定に規定する計算関係書類が第百三十二条第三項の規定により監査を受けたものとみなされたものでないこと。

五 取締役会を設置していること。

第六編 計算書類の公告等（抄）

第一章 計算書類の公告

第百三十六条① 株式会社が法第四百四十条第一項の規定による公告（同条第三項の規定による措置を含む。以下この項において同じ。）をする場合には、次に掲げる事項を当該公告において明らかにしなければならない。この場合において、第一号から第七号までに掲げる事項は、当該事業年度に係る個別注記表に表示した注記に限るものとする。

一 継続企業の前提に関する注記
二 重要な会計方針に係る事項に関する注記
三 貸借対照表に関する注記
四 税効果会計に関する注記
五 関連当事者との取引に関する注記
六 一株当たり情報に関する注記
七 重要な後発事象に関する注記
八 当期純損益金額

② 株式会社が法第四百四十条第一項の規定により損益計算書の公告をする場合における前項の規定の適用については、同項中「次に」とあるのは、「第一号から第七号までに」とする。

③ 前項の規定は、株式会社が損益計算書の内容である情報について法第四百四十条第三項に規定する措置をとる場合について準用する。

第二章 計算書類の要旨の公告（抄）

第一節 総則

第百三十七条 法第四百四十条第二項の規定により貸借対照表の要旨又は損益計算書の要旨を公告する場合における貸借対照表の要旨及び損益計算書の要旨については、この章の定めるところによる。

第二節 貸借対照表の要旨

（貸借対照表の要旨の区分）

第百三十八条 貸借対照表の要旨は、次に掲げる部に区分しなければならない。

一 資産
二 負債
三 純資産

（資産の部）

第百三十九条① 資産の部は、次に掲げる項目に区分しなければならない。

一 流動資産
二 固定資産
三 繰延資産

② 資産の部の各項目は、適当な項目に細分することができる。

③ 公開会社の貸借対照表の要旨における固定資産に係る項目は、次に掲げる項目に区分しなければならない。

一 有形固定資産
二 無形固定資産
三 投資その他の資産

④ 公開会社の貸借対照表の要旨における資産の部の各項目は、公開会社の財産の状態を明らかにするため重要な適宜の項目に細分しなければならない。

⑤ 資産の部の各項目は、当該項目に係る資産を示す適当な名称を付さなければならない。

（負債の部）

第百四十条① 負債の部は、次に掲げる項目に区分しなければならない。

一 流動負債
二 固定負債

② 負債に係る引当金がある場合には、当該引当金については、引当金ごとに、他の負債と区分しなければならない。

③ 負債の部の各項目は、適当な項目に細分することができる。

④ 公開会社の貸借対照表の要旨における負債の部の各項目は、公開会社の財産の状態を明らかにするため重要な適宜の項目に細分しなければならない。

⑤ 負債の部の各項目は、当該項目に係る負債を示す適当な名称を付さなければならない。

（純資産の部）

第百四十一条① 純資産の部は、次に掲げる項目に区分しなければならない。

一 株主資本
二 評価・換算差額等
三 株式引受権
四 新株予約権

② 株主資本に係る項目は、次に掲げる項目に区分しなければならない。この場合において、第五号に掲げる項目は、控除項目とする。

一 資本金
二 新株式申込証拠金
三 資本剰余金
四 利益剰余金
五 自己株式
六 自己株式申込証拠金

③ 資本剰余金に係る項目は、次に掲げる項目に区分しなければならない。

一 資本準備金
二 その他資本剰余金

④ 利益剰余金に係る項目は、次に掲げる項目に区分しなければならない。

一 利益準備金

二　その他利益剰余金

⑤　第三項第二号及び前項第二号に掲げる項目は、適当な名称を付した項目に細分することができる。

⑥　評価・換算差額等に係る項目は、次に掲げる項目その他適当な名称を付した項目に細分しなければならない。

一　その他有価証券評価差額金

二　繰延ヘッジ損益

三　土地再評価差額金

（貸借対照表の要旨への付記事項）

第一四二条　貸借対照表の要旨には、当期純損益金額を付記しなければならない。ただし、法第四百四十条第二項の規定により損益計算書の要旨を公告する場合は、この限りでない。

第三節　損益計算書の要旨

第一四三条①　損益計算書の要旨は、次に掲げる項目に区分しなければならない。

一　売上高

二　売上原価

三　売上総利益金額又は売上総損失金額

四　販売費及び一般管理費

五　営業外収益

六　営業外費用

七　特別利益

八　特別損失

②　前項の規定にかかわらず、同項第五号又は第六号に掲げる項目の額が重要でないときは、これらの項目を区分せず、その差額を営業外損益として区分することができる。

③　第一項の規定にかかわらず、同項第七号又は第八号に掲げる項目の額が重要でないときは、これらの項目を区分せず、その差額を特別損益として区分することができる。

④　損益計算書の要旨の各項目は、適当な項目に細分することができる。

⑤　損益計算書の要旨の各項目は、株式会社の損益の状態を明らかにするため必要があるときは、重要な適宜の項目に細分しなければならない。

⑥　損益計算書の要旨の各項目は、当該項目に係る利益又は損失を示す適当な名称を付さなければならない。

⑦　次の各号に掲げる額が存する場合には、当該額は、当該各号に定めるものとして表示しなければならない。ただし、次の各号に掲げる額（第九号及び第十号に掲げる額を除く。）が零未満である場合は、零から当該額を減じて得た額を当該各号に定めるものとして表示しなければならない。

一　売上総損益金額（零以上の額に限る。）　売上総利益金額

二　売上総損益金額（零未満の額に限る。）　売上総損失金額

三　営業損益金額（零以上の額に限る。）　営業利益金額

四　営業損益金額（零未満の額に限る。）　営業損失金額

五　経常損益金額（零以上の額に限る。）　経常利益金額

六　経常損益金額（零未満の額に限る。）　経常損失金額

七　税引前当期純損益金額（零以上の額に限る。）　税引前当期純利益金額

八　税引前当期純損益金額（零未満の額に限る。）　税引前当期純損失金額

九　当該事業年度に係る法人税等　その内容を示す名称を付した項目

十　法人税等調整額　その内容を示す名称を付した項目

十一　当期純損益金額（零以上の額に限る。）　当期純利益金額

十二　当期純損益金額（零未満の額に限る。）　当期純損失金額

第四節　雑則

（第一四四条から第一四六条まで）（略）

第三章　雑則

（貸借対照表等の電磁的方法による公開の方法）

第一四七条　法第四百四十条第三項の規定による措置は、会社法施行規則第二百二十二条第一項第一号ロに掲げる方法のうち、インターネットに接続された自動公衆送信装置（公衆の用に供する電気通信回線に接続することにより、その記録媒体のうち自動公衆送信の用に供する部分に記録され、又は当該装置に入力される情報を自動公衆送信する機能を有する装置をいう。）を使用する方法によって行わなければならない。

（不適正意見がある場合等における公告事項）

第一四八条　次の各号のいずれかに該当する場合において、会計監査人設置会社が法第四百四十条第一項又は第二項の規定による公告（同条第三項に規定する措置を含む。以下この条において同じ。）をするときは、当該各号に定める事項を当該公告において明らかにしなければならない。

一　会計監査人が存しない場合（法第三百四十六条第四項の一時会計監査人の職務を行うべき者が存する場合を除く。）　会計監査人が存しない旨

二　第百三十条第三項の規定により監査を受けたものとみなされた場合　その旨

三　当該公告に係る計算書類についての会計監査報告に不適正意見がある場合　その旨

四　当該公告に係る計算書類についての会計監査報告が第百二十六条第一項第三号に掲げる事項を内容としているものである場合　その旨

第七編　株式会社の計算に係る計数等に関する事項

第一章　株式会社の剰余金の額

（最終事業年度の末日における控除額）

第一四九条　法第四百四十六条第一号ホに規定する法務省令で定める各勘定科目に計上した額の合計額は、第一号に掲げる額から第二号から第四号までに掲げる額の合計額を減じて得た額とする。

一　法第四百四十六条第一号イ及びロに掲げる額の合計額

二　法第四百四十六条第一号ハ及びニに掲げる額の合計額

三　その他資本剰余金の額

四　その他利益剰余金の額

（最終事業年度の末日後に生ずる控除額）

第一五〇条①　法第四百四十六条第七号に規定する法務省令で定める各勘定科目に計上した額の合計額は、第一号から第四号までに掲げる額の合計額から第五号から第八号までに掲げる額の合計額を減じて得た額とする。

一　最終事業年度の末日後に剰余金の額を減少して資本金の額又は準備金の額を増加した場合における当該減少額

二　最終事業年度の末日後に剰余金の配当をした場合における第二十三条第一号ロ及び第二号ロに掲げる額

三　最終事業年度の末日後に株式会社が吸収型再編受入行為に際して処分する自己株式に係る法第四百四十六条第二号に掲げる額

四　最終事業年度の末日後に株式会社が吸収分割会社又は新設分割会社となる吸収分割又は新設分割に際して剰余金の額を減少した場合における当該減少額

五　最終事業年度の末日後に株式会社が吸収型再編受入行為をした場合における当該吸収型再編受入行為に係る次に掲げる額の合計額

イ　当該吸収型再編後の当該株式会社のその他資本剰余金の額から当該吸収型再編の直前の当該株式会社のその他資本剰余金の額を減じて得た額

ロ　当該吸収型再編後の当該株式会社のその他利益剰余金の額から当該吸収型再編の直前の当該株式会社のその他利益剰余金の額を減じて得た額

六　最終事業年度の末日後に第二十一条の規定により増加したその他資本剰余金の額

七　最終事業年度の末日後に第四十二条の二第五項第一号の規定により変動したその他資本剰余金の額

八　最終事業年度の末日後に第四十二条の二第七項の規定により自己株式の額を増加した場合における当該増加額

② 前項の規定にかかわらず、最終事業年度のない株式会社における法第四百四十六条第七号に規定する法務省令で定める各勘定科目に計上した額の合計額は、第一号から第五号までに掲げる額の合計額から第六号から第十四号までに掲げる額の合計額を減じて得た額とする。

一　成立の日（法以外の法令により株式会社となったものにあっては、当該株式会社が株式会社となった日。以下この項において同じ。）後に法第百七十八条第一項の規定により自己株式の消却をした場合における当該自己株式の帳簿価額

二　成立の日後に剰余金の配当をした場合における当該剰余金の配当に係る法第四百四十六条第六号に掲げる額

三　成立の日後に剰余金の額を減少して資本金の額又は準備金の額を増加した場合における当該減少額

四　成立の日後に剰余金の配当をした場合における第二十三条第一号ロ及び第二号ロに掲げる額

五　成立の日後に株式会社が吸収分割会社又は新設分割会社となる吸収分割又は新設分割に際して剰余金の額を減少した場合における当該減少額

六　成立の日におけるその他資本剰余金の額

七　成立の日におけるその他利益剰余金の額

八　成立の日後に自己株式の処分をした場合（吸収型再編受入行為に際して自己株式の処分をした場合を除く。）における当該自己株式の対価の額から当該自己株式の帳簿価額を減じて得た額

九　成立の日後に資本金の額の減少をした場合における当該減少額（法第四百四十七条第一項第二号の額を除く。）

十　成立の日後に準備金の額の減少をした場合における当該減少額（法第四百四十八条第一項第二号の額を除く。）

十一　成立の日後に株式会社が吸収型再編受入行為をした場合における次に掲げる額の合計額

イ　当該吸収型再編後の当該株式会社のその他資本剰余金の額から当該吸収型再編の直前の当該株式会社のその他資本剰余金の額を減じて得た額

ロ　当該吸収型再編後の当該株式会社のその他利益剰余金の額から当該吸収型再編の直前の当該株式会社のその他利益剰余金の額を減じて得た額

十二　成立の日後に第二十一条の規定により増加したその他資本剰余金の額

十三　成立の日後に第四十二条の二第五項第一号の規定により変動したその他資本剰余金の額

十四　成立の日後に第四十二条の二第七項の規定により自己株式の額を増加した場合における当該増加額

③ 最終事業年度の末日後に持分会社が株式会社となった場合には、株式会社となった日における当該株式会社のその他資本剰余金の額及びその他利益剰余金の額の合計額を最終事業年度の末日における剰余金の額とみなす。

第二章　資本金等の額の減少

（欠損の額）

第一五一条　法第四百四十九条第一項第二号に規定する法務省令で定める方法は、次に掲げる額のうちいずれか高い額をもって欠損の額とする方法とする。

一　零

二　零から分配可能額を減じて得た額

（計算書類に関する事項）

第一五二条　法第四百四十九条第二項第二号に規定する法務省令で定めるものは、同項の規定による公告の日又は同項の規定による催告の日のいずれか早い日における次の各号に掲げる場合の区分に応じ、当該各号に定めるものとする。

一　最終事業年度に係る貸借対照表又はその要旨につき公告対象会社（法第四百四十九条第二項第二号の株式会社をいう。以下この条において同じ。）が法第四百四十条第一項又は第二項の規定による公告をしている場合　次に掲げるもの

イ　官報で公告をしているときは、当該官報の日付及び当該公告が掲載されている頁

ロ　時事に関する事項を掲載する日刊新聞紙で公告をしているときは、当該日刊新聞紙の名称、日付及び当該公告が掲載されている頁

ハ　電子公告により公告をしているときは、法第九百十一条第三項第二十八号イに掲げる事項

二　最終事業年度に係る貸借対照表につき公告対象会社が法第四百四十条第三項に規定する措置をとっている場合　法第九百十一条第三項第二十六号に掲げる事項

三　公告対象会社が法第四百四十条第四項に規定する株式会社である場合において、当該株式会社が金融商品取引法第二十四条第一項の規定により最終事業年度に係る有価証券報告書を提出している場合　その旨

四　公告対象会社が会社法の施行に伴う関係法律の整備等に関する法律（平成十七年法律第八十七号）第二十八条の規定により法第四百四十条の規定が適用されないものである場合　その旨

五　公告対象会社につき最終事業年度がない場合　その旨

六　前各号に掲げる場合以外の場合　前編第二章の規定による最終事業年度に係る貸借対照表の要旨の内容

第三章　剰余金の処分

第一五三条① 法第四百五十二条後段に規定する法務省令で定める事項は、同条前段に規定する剰余金の処分（同条前段の株主総会の決議を経ないで剰余金の項目に係る額の増加又は減少をすべき場合における剰余金の処分を除く。）に係る次に掲げる事項とする。

一　増加する剰余金の項目

二　減少する剰余金の項目

三　処分する各剰余金の項目に係る額

② 前項に規定する「株主総会の決議を経ないで剰余金の項目に係る額の増加又は減少をすべき場合」とは、次に掲げる場合とする。

一　法令又は定款の規定（法第四百五十二条の規定及び同条前段の株主総会（法第四百五十九条の定款の定めがある場合にあっては、取締役会を含む。以下この項において同じ。）の決議によるべき旨を定める規定を除く。）により剰余金の項目に係る額の増加又は減少をすべき場合

二　法第四百五十二条前段の株主総会の決議によりある剰余金の項目に係る額の増加又は減少をさせた場合において、当該決議の定めるところに従い、同条前段の株主総会の決議を経ないで当該剰余金の項目に係る額の減少又は増加をすべきとき。

第四章　剰余金の配当に際しての金銭分配請求権

第一五四条　法第四百五十五条第二項第一号に規定する法務省令で定める方法は、次に掲げる額のうちいずれか高い額をもって配当財産の価格とする方法とする。

一　法第四百五十四条第四項第一号の期間の末日（以下この条において「行使期限日」という。）における当該配当財産を取引する市場における最終の価格（当該行使期限日に売買取引がない場合又は当該行使期限日が当該市場の休業日に当たる場合にあっては、その後最初になされた売買取引の成立価格）

二　行使期限日において当該配当財産が公開買付け等の対象であるときは、当該行使期限日における当該公開買付け等に係る契約における当該配当財産の価格

第五章　剰余金の分配を決定する機関の特則に関する要件

第一五五条　法第四百五十九条第二項及び第四百六十条第二項（以下この条において「分配特則規定」という。）に規定する法務省令で定める要件は、次のいずれにも該当することとする。
一　分配特則規定に規定する計算書類についての会計監査報告の内容に第百二十六条第一項第二号イに定める事項が含まれていること。
二　前号の会計監査報告に係る監査役会、監査等委員会又は監査委員会の監査報告の内容として会計監査人の監査の方法又は結果を相当でないと認める意見がないこと。
三　第百二十八条第二項後段、第百二十八条の二第一項後段又は第百二十九条第一項後段の規定により第一号の会計監査報告に係る監査役会、監査等委員会又は監査委員会の監査報告に付記された内容が前号の意見でないこと。
四　分配特則規定に規定する計算関係書類が第百三十二条第三項の規定により監査を受けたものとみなされたものでないこと。

第六章　分配可能額

（臨時計算書類の利益の額）
第一五六条　法第四百六十一条第二項第二号イに規定する法務省令で定める各勘定科目に計上した額の合計額は、臨時計算書類の損益計算書に計上された当期純損益金額（零以上の額に限る。）とする。

（臨時計算書類の損失の額）
第一五七条　法第四百六十一条第二項第五号に規定する法務省令で定める各勘定科目に計上した額の合計額は、零から臨時計算書類の損益計算書に計上された当期純損益金額（零未満の額に限る。）を減じて得た額とする。

（その他減ずるべき額）
第一五八条　法第四百六十一条第二項第六号に規定する法務省令で定める各勘定科目に計上した額の合計額は、第一号から第八号までに掲げる額の合計額から第九号及び第十号に掲げる額の合計額を減じて得た額とする。
一　最終事業年度（法第四百六十一条第二項第二号に規定する場合にあっては、法第四百四十一条第一項第二号の期間（当該期間が二以上ある場合にあっては、その末日が最も遅いもの）。以下この号から第三号まで、第六号ハ、第八号イ及びロ並びに第九号において同じ。）の末日（最終事業年度がない場合（法第四百六十一条第二項第二号に規定する場合を除く。）にあっては、成立の日。以下この号から第三号まで、第六号ハ、第八号イ及びロ並びに第九号において同じ。）におけるのれん等調整額（資産の部に計上したのれんの額を二で除して得た額及び繰延資産の部に計上した額の合計額をいう。以下この号及び第四号において同じ。）が次のイからハまでに掲げる場合に該当する場合における当該イからハまでに定める額
イ　当該のれん等調整額が資本等金額（最終事業年度の末日における資本金の額及び準備金の額の合計額をいう。以下この号において同じ。）以下である場合　零
ロ　当該のれん等調整額が資本等金額及び最終事業年度の末日におけるその他資本剰余金の額の合計額以下である場合（イに掲げる場合を除く。）　当該のれん等調整額から資本等金額を減じて得た額
ハ　当該のれん等調整額が資本等金額及び最終事業年度の末日におけるその他資本剰余金の額の合計額を超えている場合　次に掲げる場合の区分に応じ、次に定める額
(1)　最終事業年度の末日におけるのれんの額を二で除して得た額が資本等金額及び最終事業年度の末日におけるその他資本剰余金の額の合計額以下の場合　当該のれん等調整額から資本等金額を減じて得た額
(2)　最終事業年度の末日におけるのれんの額を二で除して得た額が資本等金額及び最終事業年度の末日におけるその他資本剰余金の額の合計額を超えている場合　最終事業年度の末日におけるその他資本剰余金の額及び繰延資産の部に計上した額の合計額
二　最終事業年度の末日における貸借対照表のその他有価証券評価差額金の項目に計上した額（当該額が零以上である場合にあっては、零）を零から減じて得た額
三　最終事業年度の末日における貸借対照表の土地再評価差額金の項目に計上した額（当該額が零以上である場合にあっては、零）を零から減じて得た額
四　株式会社が連結配当規制適用会社であるとき（第二条第三項第五十五号のある事業年度が最終事業年度である場合に限る。）は、イに掲げる額からロ及びハに掲げる額の合計額を減じて得た額（当該額が零未満である場合にあっては、零）
イ　最終事業年度の末日における貸借対照表の(1)から(3)までに掲げる額の合計額から(4)に掲げる額を減じて得た額
(1)　株主資本の額
(2)　その他有価証券評価差額金の項目に計上した額（当該額が零以上である場合にあっては、零）
(3)　土地再評価差額金の項目に計上した額（当該額が零以上である場合にあっては、零）
(4)　のれん等調整額（当該のれん等調整額が資本金の額、資本剰余金の額及び利益準備金の額の合計額を超えている場合にあっては、資本金の額、資本剰余金の額及び利益準備金の額の合計額）
ロ　最終事業年度の末日後に子会社から当該株式会社の株式を取得した場合における当該株式の取得直前の当該子会社における帳簿価額のうち、当該株式会社の当該子会社に対する持分に相当する額
ハ　最終事業年度の末日における連結貸借対照表の(1)から(3)までに掲げる額の合計額から(4)に掲げる額を減じて得た額
(1)　株主資本の額
(2)　その他有価証券評価差額金の項目に計上した額（当該額が零以上である場合にあっては、零）
(3)　土地再評価差額金の項目に計上した額（当該額が零以上である場合にあっては、零）
(4)　のれん等調整額（当該のれん等調整額が資本金の額及び資本剰余金の額の合計額を超えている場合にあっては、資本金の額及び資本剰余金の額の合計額）
五　最終事業年度の末日（最終事業年度がない場合にあっては、成立の日。第七号及び第十号において同じ。）後に二以上の臨時計算書類を作成した場合における最終の臨時計算書類以外の臨時計算書類に係る法第四百六十一条第二項第二号に掲げる額（同号ロに掲げる額のうち、吸収型再編受入行為及び特定募集（次の要件のいずれにも該当する場合におけるロの募集をいう。以下この条において同じ。）に際して処分する自己株式に係るものを除く。）から同項第五号に掲げる額を減じて得た額
イ　最終事業年度の末日後に法第百七十三条第一項の規定により当該株式会社の株式の取得（株式の取得に際して当該株式の株主に対してロの募集により当該株式会社が払込み又は給付を受けた財産のみを交付する場合における当該株式の取得に限る。）をすること。
ロ　法第二編第二章第八節の規定によりイの株式（当該株式の取得と同時に当該取得した株式の内容を変更する場合にあっては、当該変更後の内容の株式）の全部又は一部を引き受ける者の募集をすること。
ハ　イの株式の取得に係る法第百七十一条第一項第三号の日とロの募集に係る法第百九十九条第一項第四号の期日が同一の日であること。
六　三百万円に相当する額から次に掲げる額の合計額を減じて得た額（当該額が零未満である場合にあっては、零）
イ　資本金の額及び準備金の額の合計額
ロ　株式引受権の額
ハ　新株予約権の額

ニ　最終事業年度の末日の貸借対照表の評価・換算差額等の各項目に計上した額（当該項目に計上した額が零未満である場合にあっては、零）の合計額

七　最終事業年度の末日後株式会社が吸収型再編受入行為又は特定募集に際して処分する自己株式に係る法第四百六十一条第二項第二号ロに掲げる額

八　次に掲げる額の合計額

イ　最終事業年度の末日後に第二十一条の規定により増加したその他資本剰余金の額

ロ　最終事業年度の末日後に第四十二条の二第五項第一号の規定により変動したその他資本剰余金の額

ハ　最終事業年度がない株式会社が成立の日後に自己株式を処分した場合における当該自己株式の対価の額

九　最終事業年度の末日後に株式会社が当該株式会社の株式を取得した場合（法第百五十五条第十二号に掲げる場合以外の場合において、当該株式の取得と引換えに当該株式の株主に対して当該株式会社の株式を交付するときに限る。）における当該取得した株式の帳簿価額から次に掲げる額の合計額を減じて得た額

イ　当該取得に際して当該取得した株式の株主に交付する当該株式会社の株式以外の財産（社債等（自己社債及び自己新株予約権を除く。ロにおいて同じ。）を除く。）の帳簿価額

ロ　当該取得に際して当該取得した株式の株主に交付する当該株式会社の社債等に付すべき帳簿価額

十　最終事業年度の末日後に株式会社が吸収型再編受入行為又は特定募集に際して処分する自己株式に係る法第四百六十一条第二項第四号（最終事業年度がない場合にあっては、第八号）に掲げる額

（剰余金の配当等に関して責任をとるべき取締役等）

第一五九条　法第四百六十二条第一項各号列記以外の部分に規定する法務省令で定めるものは、次の各号に掲げる行為の区分に応じ、当該各号に定める者とする。

一　法第四百六十一条第一項第一号に掲げる行為　次に掲げる者

イ　株式の買取りによる金銭等の交付に関する職務を行った取締役及び執行役

ロ　法第百四十条第二項の株主総会において株式の買取りに関する事項について説明をした取締役及び執行役

ハ　分配可能額の計算に関する報告を監査役（監査等委員会及び監査委員会を含む。以下この条において同じ。）又は会計監査人が請求したときは、当該請求に応じて報告をした取締役及び執行役

二　法第四百六十一条第一項第二号に掲げる行為　次に掲げる者

イ　株式の取得による金銭等の交付に関する職務を行った取締役及び執行役

ロ　法第百五十六条第一項の規定による決定に係る株主総会において株式の取得に関する事項について説明をした取締役及び執行役

ハ　法第百五十六条第一項の規定による決定に係る取締役会において株式の取得に賛成した取締役

ニ　分配可能額の計算に関する報告を監査役又は会計監査人が請求したときは、当該請求に応じて報告をした取締役及び執行役

三　法第四百六十一条第一項第三号に掲げる行為　次に掲げる者

イ　株式の取得による金銭等の交付に関する職務を行った取締役及び執行役

ロ　法第百五十七条第一項の規定による決定に係る株主総会において株式の取得に関する事項について説明をした取締役及び執行役

ハ　法第百五十七条第一項の規定による決定に係る取締役会において株式の取得に賛成した取締役

ニ　分配可能額の計算に関する報告を監査役又は会計監査人が請求したときは、当該請求に応じて報告をした取締役及び執行役

四　法第四百六十一条第一項第四号に掲げる行為　次に掲げる者

イ　株式の取得による金銭等の交付に関する職務を行った取締役及び執行役

ロ　法第百七十一条第一項の株主総会において株式の取得に関する事項について説明をした取締役及び執行役

ハ　分配可能額の計算に関する報告を監査役又は会計監査人が請求したときは、当該請求に応じて報告をした取締役及び執行役

五　法第四百六十一条第一項第五号に掲げる行為　次に掲げる者

イ　株式の買取りによる金銭等の交付に関する職務を行った取締役及び執行役

ロ　法第百七十五条第一項の株主総会において株式の買取りに関する事項について説明をした取締役及び執行役

ハ　分配可能額の計算に関する報告を監査役又は会計監査人が請求したときは、当該請求に応じて報告をした取締役及び執行役

六　法第四百六十一条第一項第六号に掲げる行為　次に掲げる者

イ　株式の買取りによる金銭等の交付に関する職務を行った取締役及び執行役

ロ　法第百九十七条第三項後段の規定による決定に係る株主総会において株式の買取りに関する事項について説明をした取締役及び執行役

ハ　法第百九十七条第三項後段の規定による決定に係る取締役会において株式の買取りに賛成した取締役

ニ　分配可能額の計算に関する報告を監査役又は会計監査人が請求したときは、当該請求に応じて報告をした取締役及び執行役

七　法第四百六十一条第一項第七号に掲げる行為　次に掲げる者

イ　株式の買取りによる金銭等の交付に関する職務を行った取締役及び執行役

ロ　法第二百三十四条第四項後段（法第二百三十五条第二項において準用する場合を含む。）の規定による決定に係る株主総会において株式の買取りに関する事項について説明をした取締役及び執行役

ハ　法第二百三十四条第四項後段（法第二百三十五条第二項において準用する場合を含む。）の規定による決定に係る取締役会において株式の買取りに賛成した取締役

ニ　分配可能額の計算に関する報告を監査役又は会計監査人が請求したときは、当該請求に応じて報告をした取締役及び執行役

八　法第四百六十一条第一項第八号に掲げる行為　次に掲げる者

イ　剰余金の配当による金銭等の交付に関する職務を行った取締役及び執行役

ロ　法第四百五十四条第一項の規定による決定に係る株主総会において剰余金の配当に関する事項について説明をした取締役及び執行役

ハ　法第四百五十四条第一項の規定による決定に係る取締役会において剰余金の配当に賛成した取締役

ニ　分配可能額の計算に関する報告を監査役又は会計監査人が請求したときは、当該請求に応じて報告をした取締役及び執行役

九　法第百十六条第一項各号の行為に係る同項の規定による請求に応じてする株式の取得　株式の取得による金銭等の交付に関する職務を行った取締役及び次のイからニまでに掲げる行為の区分に応じ、当該イからニまでに定める者

イ　その発行する全部の株式の内容として法第百七条第一項第一号に掲げる事項についての定めを設ける定款の変更　次に掲げる者
(1)　株主総会に当該定款の変更に関する議案を提案した取締役
(2)　(1)の議案の提案の決定に同意した取締役（取締役会設置会社の取締役を除く。）
(3)　(1)の議案の提案が取締役会の決議に基づいて行われたときは、当該取締役会の決議に賛成した取締役
ロ　ある種類の株式の内容として法第百八条第一項第四号又は第七号に掲げる事項についての定めを設ける定款の変更　次に掲げる者
(1)　株主総会に当該定款の変更に関する議案を提案した取締役
(2)　(1)の議案の提案の決定に同意した取締役（取締役会設置会社の取締役を除く。）
(3)　(1)の議案の提案が取締役会の決議に基づいて行われたときは、当該取締役会の決議に賛成した取締役
ハ　法第百十六条第一項第三号に規定する場合における同号イからハまで及びへに掲げる行為　次に掲げる者
(1)　当該行為が株主総会の決議に基づいて行われたときは、当該株主総会に当該行為に関する議案を提案した取締役
(2)　(1)の議案の提案の決定に同意した取締役（取締役会設置会社の取締役を除く。）
(3)　(1)の議案の提案が取締役会の決議に基づいて行われたときは、当該取締役会の決議に賛成した取締役
(4)　当該行為が取締役会の決議に基づいて行われたときは、当該取締役会において当該行為に賛成した取締役
ニ　法第百十六条第一項第三号に規定する場合における同号ニ及びホに掲げる行為　次に掲げる者
(1)　当該行為に関する職務を行った取締役及び執行役
(2)　当該行為が株主総会の決議に基づいて行われたときは、当該株主総会に当該行為に関する議案を提案した取締役
(3)　(2)の議案の提案の決定に同意した取締役（取締役会設置会社の取締役を除く。）
(4)　(2)の議案の提案が取締役会の決議に基づいて行われたときは、当該取締役会の決議に賛成した取締役
(5)　当該行為が取締役会の決議に基づいて行われたときは、当該取締役会の決議に賛成した取締役
十　法第百八十二条の四第一項の規定による請求に応じてする株式の取得　次に掲げる者
イ　株式の取得による金銭等の交付に関する職務を行った取締役
ロ　法第百八十条第二項の株主総会に株式の併合に関する議案を提案した取締役
ハ　ロの議案の提案の決定に同意した取締役（取締役会設置会社の取締役を除く。）
ニ　ロの議案の提案が取締役会の決議に基づいて行われたときは、当該取締役会の決議に賛成した取締役
十一　法第四百六十五条第一項第四号に掲げる行為　株式の取得による金銭等の交付に関する職務を行った取締役及び執行役
十二　法第四百六十五条第一項第五号に掲げる行為　次に掲げる者
イ　株式の取得による金銭等の交付に関する職務を行った取締役及び執行役
ロ　法第百七条第二項第三号イの事由が株主総会の決議に基づいて生じたときは、当該株主総会に当該行為に関する議案を提案した取締役
ハ　ロの議案の提案の決定に同意した取締役（取締役会設置会社の取締役を除く。）
ニ　ロの議案の提案が取締役会の決議に基づいて行われたときは、当該取締役会の決議に賛成した取締役
ホ　法第百七条第二項第三号イの事由が取締役会の決議に基づいて生じたときは、当該取締役会の決議に賛成した取締役

第一六〇条　法第四百六十二条第一項第一号イに規定する法務省令で定めるものは、次に掲げる者とする。
一　株主総会に議案を提案した取締役
二　前号の議案の提案の決定に同意した取締役（取締役会設置会社の取締役を除く。）
三　第一号の議案の提案が取締役会の決議に基づいて行われたときは、当該取締役会において当該取締役会の決議に賛成した取締役

第一六一条　法第四百六十二条第一項第一号ロに規定する法務省令で定めるものは、取締役会に議案を提案した取締役及び執行役とする。

第八編　持分会社の計算に係る計数等に関する事項

（第一六二条から第一六六条まで）（略）

附　則（抄）

（施行期日）
第一条　この省令は、法の施行の日（平成一八・五・一）から施行する。

（募集株式の交付に係る費用等に関する特則）
第一一条　次に掲げる規定に掲げる額は、当分の間、零とする。
一　第十四条第一項第三号
二　第十七条第一項第四号
三　第十八条第一項第二号
四　（略）
五　第四十二条の二第一項第二号
六　第四十二条の三第一項第二号
七　第四十三条第一項第三号
八　（略）

○社債、株式等の振替に関する法律（抄）（平成一三・六・二七 法七五）

施行 平成一四・四・一（附則参照）
題名改正 平成一四法六五（旧・短期社債等の振替に関する法律）、平成一六法八八（旧・社債等の振替に関する法律）
最終改正 令和六法三三

目次

第一章 総則

（目的）
第一条 この法律は、社債、株式その他の有価証券に表示されるべき権利の振替に関し、振替を行う振替機関及び口座管理機関、振替に関する手続並びに権利を有する者の保護を図るための加入者保護信託その他の必要な事項を定めることにより、社債、株式その他の有価証券に表示されるべき権利の流通の円滑化を図ることを目的とする。

（定義）
第二条① この法律において「社債等」とは、次に掲げるものをいう。
一 社債（第十四号に掲げるものを除く。以下同じ。）
二 国債
三 地方債

四　投資信託及び投資法人に関する法律（昭和二十六年法律第百九十八号）に規定する投資法人債
五　保険業法（平成七年法律第百五号）に規定する相互会社の社債
六　資産の流動化に関する法律（平成十年法律第百五号）に規定する特定社債（第十九号及び第二十号に掲げるものを除く。以下同じ。）
七　特別の法律により法人の発行する債券に表示されるべき権利（第一号及び第四号から前号までに掲げるものを除く。以下同じ。）
八　投資信託及び投資法人に関する法律に規定する投資信託又は外国投資信託の受益権
九　貸付信託法（昭和二十七年法律第百九十五号）に規定する貸付信託の受益権
十　資産の流動化に関する法律に規定する特定目的信託の受益権
十の二　信託法（平成十八年法律第百八号）に規定する受益証券発行信託の受益権
十一　外国又は外国法人の発行する債券（新株予約権付社債券の性質を有するものを除く。以下同じ。）に表示されるべき権利
十二　株式
十三　新株予約権
十四　新株予約権付社債
十五　投資信託及び投資法人に関する法律に規定する投資口
十六　協同組織金融機関の優先出資に関する法律（平成五年法律第四十四号）に規定する優先出資
十七　資産の流動化に関する法律に規定する優先出資
十七の二　特別の法律により設立された法人の発行する出資証券に表示されるべき権利（前三号に掲げるものを除く。）
十七の三　投資信託及び投資法人に関する法律に規定する新投資口予約権
十八　資産の流動化に関する法律に規定する新優先出資の引受権
十九　資産の流動化に関する法律に規定する転換特定社債
二十　資産の流動化に関する法律に規定する新優先出資引受権付特定社債
二十一　金融商品取引法（昭和二十三年法律第二十五号）第二条第一項第二十一号に掲げる政令で定める証券又は証書に表示されるべき権利のうち、その権利の帰属が振替口座簿の記載又は記録により定まるものとすることが適当であるものとして政令で定めるもの

②　この法律において「振替機関」とは、次条第一項の規定により主務大臣の指定を受けた株式会社をいう。
③　この法律において「加入者」とは、振替機関等が第十二条第一項又は第四十四条第一項若しくは第二項の規定により社債等の振替を行うための口座を開設した者をいう。
④　この法律において「口座管理機関」とは、第四十四条第一項の規定による口座の開設を行った者及び同条第二項に規定する場合における振替機関をいう。
⑤　この法律において「振替機関等」とは、振替機関及び口座管理機関をいう。
⑥　この法律において「直近上位機関」とは、加入者にとってその口座が開設されている振替機関等をいう。
⑦　この法律において「上位機関」とは、次のいずれかに該当するものをいう。
一　直近上位機関
二　直近上位機関の直近上位機関
三　前号又はこの号の規定により上位機関に該当するものの直近上位機関
⑧　この法律において「直近下位機関」とは、振替機関等が第十二条第一項又は第四十四条第一項若しくは第二項の規定により口座を開設した口座管理機関をいう。
⑨　この法律において「下位機関」とは、次のいずれかに該当するものをいう。
一　直近下位機関
二　直近下位機関の直近下位機関
三　前号又はこの号の規定により下位機関に該当するものの直近下位機関
⑩　この法律において「共通直近上位機関」とは、複数の加入者に共通する上位機関であって、その下位機関のうちに当該各加入者に共通する上位機関がないものをいう。
⑪　この法律において「加入者保護信託」とは、この法律の定めるところにより設定された信託であって、第六十条の規定による支払を行うことにより加入者の保護を図り、社債等の振替に対する信頼を維持することを目的とするものをいう。

第二章　振替機関等（抄）

第一節　通則（抄）

（振替業を営む者の指定）
第三条①　主務大臣は、次に掲げる要件を備える者を、その申請により、この法律の定めるところにより第八条に規定する業務（以下「振替業」という。）を営む者として、指定することができる。
一　次に掲げる機関を置く株式会社であること。
イ　取締役会
ロ　監査役会、監査等委員会又は指名委員会等（会社法（平成十七年法律第八十六号）第二条第十二号に規定する指名委員会等をいう。）
ハ　会計監査人
二　第二十二条第一項の規定によりこの項の指定を取り消された日から五年を経過しない者でないこと。
三　この法律又はこれに相当する外国の法令の規定に違反し、罰金の刑（これに相当する外国の法令による刑を含む。）に処せられ、その刑の執行を終わり、又はその刑の執行を受けることがなくなった日から五年を経過しない者でないこと。
四　取締役、会計参与、監査役又は執行役のうちに次のいずれかに該当する者がないこと。
イ　心身の故障のため職務を適正に執行することができない者として主務省令で定めるもの
ロ　破産手続開始の決定を受けて復権を得ない者又は外国の法令上これと同様に取り扱われている者
ハ　拘禁刑以上の刑（これに相当する外国の法令による刑を含む。）に処せられ、その刑の執行を終わり、又はその刑の執行を受けることがなくなった日から五年を経過しない者
ニ　第二十二条第一項の規定によりこの項の指定を取り消された場合又はこの法律に相当する外国の法令の規定により当該外国において受けているこの項の指定に類する行政処分を取り消された場合において、その取消しの日前三十日以内にその会社の取締役、会計参与、監査役又は執行役（外国の法令上これらと同様に取り扱われている者を含む。ホにおいて同じ。）であった者でその取消しの日から五年を経過しない者
ホ　第二十二条第一項の規定又はこの法律に相当する外国の法令の規定により解任を命ぜられた取締役、会計参与、監査役又は執行役でその処分を受けた日から五年を経過しない者
ヘ　この法律、会社法若しくはこれらに相当する外国の法令の規定に違反し、又は刑法（明治四十年法律第四十五号）第二百四条、第二百六条、第二百八条、第二百八条の二、第二百二十二条若しくは第二百四十七条の罪、暴力行為等処罰に関する法律（大正十五年法律第六十号）の罪若しくは暴力団員による不当な行為の防止等に関する法律（平成三年法律第七十七号）第四十六条から第四十九条まで、第五十条（第一号に係る部分に限る。）若しくは第五十一条の罪を犯し、罰金の刑（これに相当する外国の法令による刑

を含む。）に処せられ、その刑の執行を終わり、又はその刑の執行を受けることがなくなった日から五年を経過しない者

五　定款及び振替業（第四十四条第一項に規定する場合を除く。）の実施に関する規程（以下「業務規程」という。）が、法令に適合し、かつ、この法律の定めるところにより振替業を適正かつ確実に遂行するために十分であると認められること。

六　振替業を健全に遂行するに足りる財産的基礎を有し、かつ、振替業に係る収支の見込みが良好であると認められること。

七　その人的構成に照らして、振替業を適正かつ確実に遂行することができる知識及び経験を有し、かつ、十分な社会的信用を有すると認められること。

② 主務大臣は、前項の指定をしたときは、その指定した振替機関の商号及び本店の所在地を官報で公示しなければならない。

第四条から第七条まで（略）

第二節　業務（抄）

（振替機関の業務）

第八条　振替機関は、この法律及び業務規程の定めるところにより、社債等の振替に関する業務を行うものとする。

第九条及び第一〇条（略）

（業務規程）

第一一条①　振替機関は、業務規程において、次に掲げる事項を定めなければならない。

一　取り扱う社債等に関する事項

二　加入者の口座に関する事項

三　振替口座簿の記載又は記録に関する事項

四　取り扱う社債等に応じた（中略）第百四十五条第一項（中略）に規定する場合の振替機関の義務の履行に関する事項

五　加入者が口座管理機関である場合における次に掲げる事項

イ　口座管理機関とその加入者との契約に関する事項

ロ　取り扱う社債等に応じた（中略）第百四十六条第一項（中略）に規定する場合の口座管理機関の義務の履行に関する事項

ハ　口座管理機関が法令、法令に基づく行政官庁の処分又は業務規程に違反した場合の措置に関する事項

ニ　口座管理機関において第十九条に規定する事故が生じた場合の報告に関する事項

六　第三十三条に規定する加入者集会に関する事項

七　前各号に掲げるもののほか、振替業の実施に必要な事項として主務省令で定める事項

② 前項第五号イに掲げる事項には、各口座管理機関（第四十四条第一項第十三号に掲げる者を除く。）が、その加入者（同条第一項第十三号に掲げる者、金融商品取引法第二条第三項第一号に規定する適格機関投資家及び国、地方公共団体その他の政令で定める者を除く。以下この項及び次章において同じ。）に対して、当該加入者の上位機関（保証が行われない場合においても加入者の保護に支障がない者として主務省令で定めるものを除く。）が取り扱う社債等に応じて当該加入者に対して負う（中略）第百四十七条第二項（中略）、第百四十八条第二項（中略）に規定する義務の全部の履行を連帯して保証する旨を含むものでなければならない。

（口座の開設及び振替口座簿の備付け）

第一二条①　振替機関は、業務規程の定めるところにより、他の者のために、その申出により社債等の振替を行うための口座を開設しなければならない。

② 振替機関は（中略）、第百四十五条第一項及び第三項（中略）の義務を履行する目的のため、自己のために社債等の振替を行うための口座（以下「機関口座」という。）を開設することができる。

③ 振替機関は、振替口座簿を備えなければならない。

（発行者の同意）

第一三条①　振替機関は、あらかじめ発行者から当該振替機関において取り扱うことについて同意を得た社債等でなければ、取り扱うことができない。

② 前項の場合において、発行者は、特定の種類の社債等について一の振替機関に同意をしたときは、当該社債等について他の振替機関に同意をしてはならない。

③ 発行者は、第一項の同意を撤回することができない。

第一四条（略）

第三節　監督　から　第六節　解散等　まで

（第一五条から第四三条まで）（略）

第七節　口座管理機関（抄）

（口座管理機関の口座の開設）

第四四条①　次に掲げる者は、この法律及び振替機関の業務規程の定めるところにより、他の者のために、その申出により社債等の振替を行うための口座を開設することができる。この場合において、あらかじめ当該振替機関又は当該振替機関に係る他の口座管理機関（主務省令で定める者を除く。）から社債等の振替を行うための口座の開設を受けなければならない。

一　金融商品取引法第二条第九項に規定する金融商品取引業者（同法第二十八条第一項に規定する第一種金融商品取引業を行う者（同法第二十九条の四の二第八項に規定する第一種少額電子募集取扱業者及び同法第二十九条の四の四第七項に規定する非上場有価証券特例仲介等業者を除く。）に限る。）

二　銀行法（昭和五十六年法律第五十九号）第二条第一項に規定する銀行（同法第四十七条第一項の規定により同法第四条第一項の内閣総理大臣の免許を受けた支店を含む。）

三　長期信用銀行法（昭和二十七年法律第百八十七号）第二条に規定する長期信用銀行

四　信託会社

五　株式会社商工組合中央金庫

六　農林中央金庫

七　農業協同組合法（昭和二十二年法律第百三十二号）第十条第一項第三号の事業を行う農業協同組合及び農業協同組合連合会

八　水産業協同組合法（昭和二十三年法律第二百四十二号）第十一条第一項第四号の事業を行う漁業協同組合及び同法第八十七条第一項第四号の事業を行う漁業協同組合連合会並びに同法第九十三条第一項第二号の事業を行う水産加工業協同組合及び同法第九十七条第一項第二号の事業を行う水産加工業協同組合連合会

九　信用協同組合及び中小企業等協同組合法（昭和二十四年法律第百八十一号）第九条の九第一項第一号の事業を行う協同組合連合会

十　信用金庫及び信用金庫連合会

十一　労働金庫及び労働金庫連合会

十二　前各号に掲げる者以外の者であって我が国の法令により、業として他人の社債等の管理を行うことが認められるもののうち、主務省令で定める者

十三　外国において他人の社債等又は社債等に類する権利の管理を行うことにつき、当該外国の法令の規定により当該外国において免許又は登録その他これに類する処分を受けている者であって、主務大臣が指定する者

② 振替機関が、他の振替機関の業務規程の定めるところにより、他の者のために、その申出により社債等の振替を行うための口座を開設する場合には、あらかじめ当該他の振替機関又は当該他の振替機関に係る口座管理機関（主務省令で定める者を除く。）から社債等の振替を行うための口座の開設を受けなければならない。

（口座管理機関の業務）

第四五条①　口座管理機関は、この法律及び上位機関である振替

機関の業務規程の定めるところにより、口座管理機関として振替業を行うものとする。
② 口座管理機関は、振替口座簿を備えなければならない。

第四六条（略）

第八節　日本銀行が振替業を営む場合の特例

（第四七条から第五〇条まで）（略）

第三章　加入者保護信託

（第五一条から第六五条の二まで）（略）

第四章　社債の振替（抄）

第一節　通則

（権利の帰属）

第六六条　次に掲げる社債で振替機関が取り扱うもの（以下この章において「振替社債」という。）についての権利（第七十三条に規定する利息の請求権を除く。）の帰属は、この章の規定による振替口座簿の記載又は記録により定まるものとする。
一　次に掲げる要件の全てに該当する社債（以下この章において「短期社債」という。）
イ　各社債の金額が一億円を下回らないこと。
ロ　元本の償還について、社債の総額の払込みのあった日から一年未満の日とする確定期限の定めがあり、かつ、分割払の定めがないこと。
ハ　利息の支払期限を、ロの元本の償還期限と同じ日とする旨の定めがあること。
ニ　担保付社債信託法（明治三十八年法律第五十二号）の規定により担保が付されるものでないこと。
二　当該社債の発行の決定において、当該決定に基づき発行する社債の全部についてこの法律の規定の適用を受けることとする旨を定めた社債

（社債券の不発行）

第六七条①　振替社債については、社債券を発行することができない。
②　振替社債の社債権者は、当該振替社債を取り扱う振替機関が第二十二条第一項の規定により第三条第一項の指定を取り消された場合若しくは第四十一条第一項の規定により当該指定が効力を失った場合であって当該振替機関の振替業を承継する者が存しないとき、又は当該振替社債が振替機関によって取り扱われなくなったときは、前項の規定にかかわらず、発行者に対し、社債券の発行を請求することができる。
③　前項の社債券の発行は、無記名式とする。

第二節　振替口座簿　及び　第三節　振替の効果等

（第六八条から第八二条まで）（略）

第四節　会社法の特例（抄）

（短期社債の発行等に関する会社法の特例）

第八三条①　短期社債には、新株予約権を付することができない。
②　短期社債については、社債原簿を作成することを要しない。
③　短期社債については会社法第四編第三章の規定は、適用しない。

（社債の発行に関する会社法の特例）

第八四条①　振替社債の発行者は、当該振替社債についての会社法第六百七十七条第一項の規定による通知において、当該振替社債についてこの法律の規定の適用がある旨を示さなければならない。ただし、短期社債については、この限りでない。
②　振替社債についての社債原簿には、当該振替社債についてこの法律の規定の適用がある旨を記載し、又は記録しなければならない。
③　振替社債の引受けの申込みをする者は、自己のために開設された当該振替社債の振替を行うための口座を会社法第六百七十七条第二項の書面に記載し、又は同法第六百七十九条の契約を締結する際に当該口座を当該振替社債の発行者に示さなければならない。
④　会社法第百六十六条第一項本文の規定による請求により振替社債の交付を受けようとする者は、自己のために開設された当該振替社債の振替を行うための口座（特別口座を除く。）を当該振替社債を交付する会社に示さなければならない。

（超過記載又は記録に係る義務の不履行の場合における社債権者の議決権等）

第八五条①　第八十条第一項又は第八十一条第一項の場合においては、各社債権者は、会社法第七百二十三条第一項の規定にかかわらず、その有する社債の金額（振替機関分制限額及び口座管理機関分制限額の合計額を除く。）に応じて、社債権者集会における議決権を有する。
②　会社法第七百十八条第一項及び第七百三十六条第一項並びに担保付社債信託法第四十九条第一項の規定の適用については、第八十条第一項又は第八十一条第一項の社債権者は、振替機関分制限額及び口座管理機関分制限額については、社債を有しないものとみなす。

（証明書の提示）

第八六条①　振替社債の社債権者が、会社法第七百十八条第一項の規定による社債権者集会の招集の請求、同条第三項の規定による社債権者集会の招集、社債権者集会における議決権の行使又は担保付社債信託法第四十九条第一項の規定による担保物の保管の状況の検査をするには、第三項本文の規定により書面の交付を受けた上、次の各号に掲げる場合の区分に応じ、それぞれ当該各号に定める者に当該書面を提示しなければならない。
一　社債管理者がある場合　当該社債管理者
二　社債管理補助者がある場合　当該社債管理補助者
三　担保付社債信託法第二条第一項に規定する信託契約の受託会社がある場合　当該受託会社
四　前三号に掲げる場合以外の場合　発行者
②　振替社債の社債権者が社債権者集会において議決権を行使するには、社債権者集会の日の一週間前までに前項の規定による提示をし、かつ、社債権者集会の日に当該提示をしなければならない。
③　振替社債の社債権者は、その直近上位機関に対し、当該直近上位機関が備える振替口座簿の自己の口座に記載され、又は記録されている当該振替社債についての第六十八条第三項各号に掲げる事項を証明した書面の交付を請求することができる。ただし、当該振替社債について、既にこの項の規定による書面の交付を受けた者であって、当該書面を当該直近上位機関に返還していないものについては、この限りでない。
④　前項本文の規定により書面の交付を受けた社債権者は、当該書面を同項の直近上位機関に返還するまでの間は、当該書面における証明の対象となった振替社債について、振替の申請又は抹消の申請をすることができない。

第八六条の二から第八六条の四まで　（略）

第五節　雑則

（第八七条）（略）

第五章　国債の振替

（第八八条から第一一二条まで）（略）

第六章　地方債等の振替

（第一一三条から第一二七条まで）（略）

第六章の二　受益証券発行信託の受益権の振替

（第一二七条の二から第一二七条の三二まで）（略）

第七章　株式の振替

第一節　通則

第一二八条①　株券を発行する旨の定款の定めがない会社の株式

（譲渡制限株式を除く。）で振替機関が取り扱うもの（以下「振替株式」という。）についての権利の帰属は、この章の規定による振替口座簿の記載又は記録により定まるものとする。

② 発行者が、その株式について第十三条第一項の同意を与えるには、発起人全員の同意又は取締役会の決議によらなければならない。

第二節　振替口座簿

（振替口座簿の記載又は記録事項）

第一二九条① 振替口座簿は、各加入者の口座ごとに区分する。

② 振替口座簿中の口座管理機関の口座は、次に掲げるものに区分する。

一 当該口座管理機関が振替株式についての権利を有するものを記載し、又は記録する口座（以下この章において「自己口座」という。）

二 当該口座管理機関又はその下位機関の加入者が振替株式についての権利を有するものを記載し、又は記録する口座（以下この章において「顧客口座」という。）

③ 振替口座簿中の各口座（顧客口座を除く。）には、次に掲げる事項を記載し、又は記録する。

一 加入者の氏名又は名称及び住所

二 発行者の商号及び発行者が種類株式発行会社であるときは、振替株式の種類（以下この章において「銘柄」という。）

三 銘柄ごとの数（次号に掲げるものを除く。）

四 加入者が質権者であるときは、その旨、質権の目的である振替株式の銘柄ごとの数、当該数のうち株主ごとの数並びに当該株主の氏名又は名称及び住所

五 加入者が信託の受託者であるときは、その旨及び前二号の数のうち信託財産であるものの数

六 第三号又は第四号の数の増加又は減少の記載又は記録がされたときは、増加又は減少の別、その数及び当該記載又は記録がされた日

七 その他政令で定める事項

④ 振替口座簿中の顧客口座には、次に掲げる事項を記載し、又は記録する。

一 前項第一号及び第二号に掲げる事項

二 銘柄ごとの数

三 その他政令で定める事項

⑤ 振替機関が機関口座を開設する場合には、振替口座簿に機関口座の区分を設け、次に掲げる事項を記載し、又は記録する。

一 銘柄

二 銘柄ごとの数

三 その他政令で定める事項

⑥ 振替口座簿は、電磁的記録（主務省令で定めるものに限る。）で作成することができる。

（振替株式の発行時等の新規記載又は記録手続）

第一三〇条① 特定の銘柄の振替株式の発行者は、当該振替株式を発行した日以後（当該発行者が会社の成立後にその株式について第十三条第一項の同意を与える場合にあっては、当該同意（以下この項において「成立後同意」という。）をした日以後）遅滞なく、当該発行者が同条第一項の同意を与えた振替機関に対し、次に掲げる事項の通知をしなければならない。

一 当該発行又は成立後同意に係る振替株式の銘柄

二 前号の振替株式の株主又は登録株式質権者（会社法第百五十二条第一項に規定する登録株式質権者をいう。以下同じ。）である加入者の氏名又は名称

三 前号の加入者のために開設された第一号の振替株式の振替を行うための口座

四 加入者ごとの第一号の振替株式の数（次号に掲げるものを除く。）

五 加入者が登録株式質権者であるときは、その旨、加入者ごとの質権の目的である第一号の振替株式の数及び当該数のうち株主ごとの数

六 前号の株主の氏名又は名称及び住所

七 加入者が信託の受託者であるときは、その旨並びに第四号及び第五号の数のうち信託財産であるものの数

八 前条第三項第七号に掲げる事項のうち、発行者が知り得る事項として政令で定める事項

九 第一号の振替株式の総数その他主務省令で定める事項

② 前項の通知があった場合には、当該通知を受けた振替機関は、直ちに、当該通知に係る振替株式の銘柄について、次に掲げる措置を執らなければならない。

一 当該振替機関が前項第三号の口座を開設したものである場合には、次に掲げる記載又は記録

イ 当該口座の前条第三項第三号に掲げる事項を記載し、又は記録する欄（以下この章において「保有欄」という。）における前項第二号の加入者（同号の株主であるものに限る。）に係る同項第四号の数の増加の記載又は記録

ロ 当該口座の前条第三項第四号に掲げる事項を記載し、又は記録する欄（以下この章において「質権欄」という。）における前項第二号の加入者（同号の登録株式質権者であるものに限る。）に係る同項第五号の振替株式の数及び当該数のうち株主ごとの数の増加の記載又は記録

ハ 当該口座の質権欄における前項第六号に掲げる事項の記載又は記録

ニ 当該口座における前項第七号の信託財産であるものの数の増加の記載又は記録

ホ 当該口座における前項第八号に掲げる事項の記載又は記録

二 当該振替機関が前項第三号の口座を開設したものでない場合には、その直近下位機関であって同項第二号の加入者の上位機関であるものの口座の顧客口座における当該加入者に係る同項第四号の数と同項第五号の振替株式の数を合計した数の増加の記載又は記録及び当該直近下位機関に対する同項第一号から第八号までに掲げる事項の通知

③ 前項の規定は、同項第二号（この項において準用する場合を含む。）の通知があった場合における当該通知を受けた口座管理機関について準用する。

（会社が株主等の口座を知ることができない場合に関する手続）

第一三一条① 会社が特定の銘柄の振替株式を交付しようとする場合において、当該振替株式の株主又は登録株式質権者のために開設された振替株式の振替を行うための口座を知ることができないときは、当該会社（新設合併に際して振替株式を交付する場合その他の主務省令で定める場合にあっては、当該会社に準ずる者として主務省令で定めるもの。以下この条において「通知者」という。）は、次に掲げる事項を当該振替株式の株主又は登録株式質権者となるべき者として主務省令で定めるものに通知しなければならない。

一 会社が一定の日における当該振替株式の株主（登録株式質権者があるときは、その質権の目的である株式の株主を除く。）及び当該登録株式質権者について前条第一項の通知又は振替の申請をする旨

二 前号の株主又は登録株式質権者のために開設された当該振替株式の振替を行うための口座（第三項本文の申出により振替機関等が開設した口座を除く。）を、通知者がこの項の通知を発した日から起算して、株主及び登録株式質権者の保護のため必要かつ適当なものとして主務省令で定める期間内に通知者に通知すべき旨

三 第三項本文の申出により口座を開設する振替機関等の氏名又は名称及び住所

四 その他主務省令で定める事項

② 前項の通知者が同項の会社以外の者である場合には、当該通知者は、同項第一号の一定の日において、当該会社に対し、同号の株主又は登録株式質権者が通知した同項第二号の口座を通知しなければならない。

③ 第一項第一号の株主又は登録株式質権者が同項第二号の期間内に同号の口座を通知者に通知しなかった場合には、会社は、同項第三号の振替機関等に対して当該株主又は当該登録株式質権者のために振替株式の振替を行うための口座（以下この章において「特別口座」という。）の開設の申出をしなければならない。ただし、当該会社が当該株主又は当該登録株式質権者のために開設の申出をした特別口座があるときは、この限りでない。

④ 会社が第一項の振替株式に係る株式の発行者である場合において、同項第一号の一定の日までに第十三条第一項の同意を与えていないときは、速やかに、当該株式について振替機関に同項の同意を与えなければならない。

⑤ 第一項に規定する場合において、会社が前条第二項の通知をするときは、第一項第一号の株主又は登録株式質権者から通知を受けた同項第二号の口座（当該通知がないときは、当該会社が開設の申出をした特別口座）を同条第一項第三号の口座として同項の通知をしなければならない。

第一三二条（**振替手続**）① 特定の銘柄の振替株式について、振替の申請があった場合には、振替機関等は、第四項から第八項までの規定により示されたところに従い、その備える振替口座簿における減少若しくは増加の記載若しくは記録又は通知をしなければならない。

② 前項の申請は、この法律に別段の定めがある場合を除き、振替によりその口座（顧客口座を除く。）において減少の記載又は記録がされる加入者が、その直近上位機関に対して行うものとする。

③ 第一項の申請をする者は、当該申請において、次に掲げる事項を示さなければならない。

一 当該振替において減少及び増加の記載又は記録がされるべき振替株式の銘柄及び数

二 前項の加入者の口座において減少の記載又は記録がされるのが保有欄であるか、又は質権欄であるかの別

三 前号の口座において減少の記載又は記録がされるのが質権欄である場合には、当該記載又は記録がされるべき振替株式についての株主の氏名又は名称及び住所並びに第一号の数（以下この条において「振替数」という。）のうち当該株主ごとの数

四 増加の記載又は記録がされるべき口座（顧客口座を除く。以下この章において「振替先口座」という。）

五 振替先口座（機関口座を除く。）において増加の記載又は記録がされるのが保有欄であるか、又は質権欄であるかの別

六 振替先口座（機関口座を除く。）において増加の記載又は記録がされるのが質権欄である場合には、振替数のうち株主ごとの数並びに当該株主の氏名又は名称及び住所

④ 第一項の申請があった場合には、当該申請を受けた振替機関等は、遅滞なく、次に掲げる措置を執らなければならない。

一 第二項の加入者の口座の前項第二号の規定により示された保有欄又は質権欄における次に掲げる記載又は記録

イ 振替数についての減少の記載又は記録

ロ イの減少の記載又は記録がされるのが質権欄である場合には、前項第三号の株主ごとの数の減少の記載又は記録

二 当該振替機関等が当該振替に係る共通直近上位機関でない場合には、直近上位機関に対する前項第一号及び第四号から第六号までの規定により示された事項の通知

三 当該振替機関等が当該振替に係る共通直近上位機関であり、かつ、振替先口座を開設したものである場合には、当該振替先口座の前項第五号の規定により示された保有欄又は質権欄（機関口座にあっては、第百二十九条第五項第二号に掲げる事項を記載し、又は記録する欄。以下この条において「振替先欄」という。）における振替数についての増加の記載又は記録

四 前号の場合において、当該振替先欄が質権欄であるときは、当該質権欄における次に掲げる記載又は記録

イ 前項第六号の株主ごとの数についての増加の記載又は記録

ロ 当該株主の氏名又は名称及び住所の記載又は記録

五 当該振替機関等が当該振替に係る共通直近上位機関であり、かつ、振替先口座を開設したものでない場合には、その直近下位機関であって当該振替先口座の加入者の上位機関であるものの口座の顧客口座における振替数についての増加の記載又は記録並びに当該直近下位機関に対する前項第一号及び第四号から第六号までの規定により示された事項の通知

⑤ 前項第二号の通知があった場合には、当該通知を受けた振替機関等は、直ちに、次に掲げる措置を執らなければならない。

一 当該通知をした口座管理機関の口座の顧客口座における振替数についての減少の記載又は記録

二 当該振替機関等が当該振替に係る共通直近上位機関でない場合には、直近上位機関に対する前項第二号の規定により通知を受けた事項の通知

三 当該振替機関等が当該振替に係る共通直近上位機関であり、かつ、振替先口座を開設したものである場合には、当該振替先口座の振替先欄における振替数についての増加の記載又は記録

四 前号の場合において、当該振替先欄が質権欄であるときは、当該質権欄における前項第四号イ及びロに掲げる記載又は記録

五 当該振替機関等が当該振替に係る共通直近上位機関であり、かつ、振替先口座を開設したものでない場合には、その直近下位機関であって当該振替先口座の加入者の上位機関であるものの口座の顧客口座における振替数についての増加の記載又は記録及び当該直近下位機関に対する前項第二号の規定により通知を受けた事項の通知

⑥ 前項の規定は、同項第二号（この項において準用する場合を含む。）の通知があった場合における当該通知を受けた振替機関等について準用する。

⑦ 第四項第五号又は第五項第五号（前項において準用する場合を含む。以下この項において同じ。）の通知があった場合には、当該通知を受けた口座管理機関は、直ちに、次に掲げる措置を執らなければならない。

一 当該口座管理機関が振替先口座を開設したものである場合には、当該振替先口座の振替先欄における振替数についての増加の記載又は記録

二 前号の場合において、当該振替先欄が質権欄であるときは、当該質権欄における第四項第四号イ及びロに掲げる記載又は記録

三 当該口座管理機関が振替先口座を開設したものでない場合には、その直近下位機関であって当該振替先口座の加入者の上位機関であるものの口座の顧客口座における振替数についての増加の記載又は記録及び当該直近下位機関に対する第四項第五号又は第五項第五号の規定により通知を受けた事項の通知

⑧ 前項の規定は、同項第三号（この項において準用する場合を含む。）の通知があった場合における当該通知を受けた口座管理機関について準用する。

第一三三条（**特別口座に記載又は記録がされた振替株式についての振替手続等に関する特例**）① 加入者は、特別口座に記載され、又は記録された振替株式については、当該加入者又は当該振替株式の発行者の口座以外の口座を振替先口座とする振替の申請をすることができない。

② 特定の銘柄の振替株式に係る第百三十条第一項の通知又は振替の申請の前に当該振替株式となる前の株式を取得した者であって株主名簿に記載又は記録がされていないものその他の主務省令で定める者（以下この条において「取得者等」という。）が、当該通知又は当該振替の申請の後に、当該振替株式につい

ての記載又は記録がされた特別口座の加入者と共同して請求をした場合には、発行者は、次に掲げる行為をしなければならない。当該請求をすべきことを当該加入者に命ずる判決であって執行力を有するものの正本若しくは謄本若しくは当該判決であって執行力を有するものの内容を記載した書面であって裁判所書記官が当該書面の内容が当該判決の内容と同一であることを証明したもの若しくはこれに準ずる書類として主務省令で定めるものを当該取得者等が添付して請求をした場合又は当該取得者等の請求により次に掲げる行為をしても当該加入者その他の利害関係人の利益を害するおそれがない場合として主務省令で定める場合も、同様とする。

一　当該取得者等のための第百三十一条第三項本文の申出

二　前号の申出により開設された口座を振替先口座とする当該振替株式についての振替の申請

＊令和四法四八（令和八・五・二四までに施行）による改正

第二項柱書中「謄本」の下に「若しくは当該判決であって執行力を有するものの内容を記載した書面であって裁判所書記官が当該書面の内容が当該判決の内容と同一であることを証明したもの」が加えられた。（本文織込み済み）

③　特別口座の開設の申出をした発行者以外の加入者は、当該特別口座を振替先口座とする振替の申請をすることができない。

第一三三条の二（特別口座の移管）①　特別口座に記載され、又は記録された振替株式の発行者は、当該特別口座を開設した振替機関等（次項及び第三項において「移管元振替機関等」という。）以外の振替機関等に対し、当該特別口座の加入者のために当該振替株式の振替を行うための特別口座の開設の申出をすることができる。

②　前項の申出は、移管元振替機関等が開設した当該振替株式の振替を行うための特別口座（次項及び第四項において「移管元特別口座」という。）の全ての加入者のために、一括してしなければならない。ただし、前項の発行者が加入者のために開設の申出をした特別口座が同項の申出に係る振替機関等にある場合における当該加入者については、この限りでない。

③　第一項の発行者は、移管元振替機関等に対し、移管元特別口座に記載され、又は記録された振替株式の全てについて、移管先特別口座（同項の申出により開設された特別口座又は前項ただし書の特別口座をいう。次項において同じ。）を振替先口座とする振替の申請をすることができる。

④　第一項の発行者は、前項の申請をした場合には、遅滞なく、移管元特別口座の加入者に対し、移管先特別口座を開設した振替機関等の氏名又は名称及び住所を通知しなければならない。

第一三四条（抹消手続）①　特定の銘柄の振替株式について、抹消の申請があった場合には、振替機関等は、第四項から第六項までの規定により、当該申請において第三項の規定により示されたところに従い、その備える振替口座簿における減少の記載若しくは記録又は通知をしなければならない。

②　前項の申請は、発行者が、抹消によりその口座（顧客口座を除く。）において減少の記載又は記録がされる口座を開設した直近上位機関に対して行うものとする。

③　発行者は、第一項の申請において、抹消により減少の記載又は記録がされるべき振替株式の銘柄及び数を示さなければならない。

④　第一項の申請があった場合には、当該申請を受けた振替機関等は、遅滞なく、次に掲げる措置を執らなければならない。

一　発行者の口座の保有欄における前項の数についての減少の記載又は記録

二　当該振替機関等が口座管理機関である場合には、直近上位機関に対する前項の規定により示された事項の通知

⑤　前項第二号の通知があった場合には、当該通知を受けた振替機関等は、直ちに、次に掲げる措置を執らなければならない。

一　当該通知をした口座管理機関の口座の顧客口座における第三項の数についての減少の記載又は記録

二　当該振替機関等が口座管理機関である場合には、直近上位機関に対する前項第二号の規定により通知を受けた事項の通知

⑥　前項の規定は、同項第二号（この項において準用する場合を含む。）の通知があった場合における当該通知を受けた振替機関等について準用する。

第一三五条（全部抹消手続）①　特定の銘柄の振替株式の発行者は、当該振替株式についての記載又は記録の全部を抹消しようとする場合には、第十三条第一項第二号の日の二週間前までに、当該発行者が第十三条第一項の同意を与えた振替機関に対し、次に掲げる事項の通知をしなければならない。

一　当該振替株式の銘柄

二　当該振替株式についての記載又は記録の全部を抹消する日

②　前項の通知があった場合には、当該通知を受けた振替機関は、直ちに、当該通知に係る振替株式の銘柄について、その直近下位機関に対し、同項各号に掲げる事項の通知をしなければならない。

③　第一項の通知があった場合には、当該通知を受けた振替機関は、同項第二号の日において、その備える振替口座簿中の同項第一号の振替株式についての記載又は記録がされている口座（機関口座及び顧客口座以外の口座にあっては、当該口座の保有欄又は質権欄。以下この章において「保有欄等」という。）において、当該振替株式の全部についての記載又は記録の抹消をしなければならない。

④　前二項の規定は、第二項（この項において準用する場合を含む。）の通知があった場合における当該通知を受けた口座管理機関について準用する。

第一三六条（振替株式の併合に関する記載又は記録手続）①　特定の銘柄の振替株式について株式の併合をしようとする場合には、当該振替株式の発行者は、第三号の日の二週間前までに、当該発行者が第十三条第一項の同意を与えた振替機関に対し、次に掲げる事項の通知をしなければならない。

一　当該株式の併合に係る振替株式の銘柄

二　一から次のイの発行総数のロの発行総数に対する割合を控除した割合（以下この条において「減少比率」という。）

イ　株式の併合後の当該振替株式の発行総数

ロ　株式の併合前の当該振替株式の発行総数

三　株式の併合がその効力を生ずる日

四　当該発行者の口座（二以上あるときは、そのうちの一）

②　前項の通知があった場合には、当該通知を受けた振替機関は、直ちに、当該通知に係る振替株式の銘柄について、その直近下位機関に対し、同項各号に掲げる事項の通知をしなければならない。

③　第一項の通知があった場合には、当該通知を受けた振替機関は、同項第三号の日において、その備える振替口座簿中の同項第一号の振替株式についての記載又は記録がされている保有欄等において、当該保有欄等に記載又は記録がされている数に減少比率をそれぞれ乗じた数についての減少の記載又は記録をしなければならない。

④　前二項の規定は、第二項（この項において準用する場合を含む。）の通知があった場合における当該通知を受けた口座管理機関について準用する。

⑤　振替機関等が第三項（前項において準用する場合を含む。以下この項において同じ。）の規定によって減少の記載又は記録をすることにより第三項に規定する保有欄等に一に満たない端数が記載され、又は記録されることとなる場合には、当該振替機関等は、同項の規定にかかわらず、当該保有欄等についてすべき記載又は記録に代えて、当該保有欄等の加入者の保有欄等又は第一項第四号の口座の保有欄に政令で定める記載又は記録をしなければならず、振替機関は、政令で定めるところにより、その下位機関に対し、当該記載又は記録をするための必要な指

示をしなければならない。この場合において、当該下位機関は、当該指示に従った措置を執らなければならない。

（**振替株式の分割に関する記載又は記録手続**）

第一三七条① 特定の銘柄の振替株式について、株式の分割をしようとする場合には、当該振替株式の発行者は、株式の分割がその効力を生ずる日の二週間前までに、当該発行者が第十三条第一項の同意を与えた振替機関に対し、次に掲げる事項の通知をしなければならない。

一 当該株式の分割に係る振替株式の銘柄

二 次のイの総数のロの発行総数に対する割合（以下この条において「増加比率」という。）

イ 株式の分割により株主が受ける当該振替株式の総数

ロ 株式の分割前の当該振替株式の発行総数

三 株式の分割に係る基準日（会社法第百二十四条第一項に規定する基準日をいう。以下この章において同じ。）及び株式の分割がその効力を生ずる日

四 当該発行者の口座（二以上あるときは、そのうちの一）

② 前項の通知があった場合には、当該通知を受けた振替機関は、直ちに、当該通知に係る振替株式の銘柄について、その直近下位機関に対し、同項各号に掲げる事項の通知をしなければならない。

③ 第一項の通知があった場合には、当該通知を受けた振替機関は、株式の分割がその効力を生ずる日において、その備える振替口座簿中の同項第三号の基準日における同項第一号の振替株式についての記載又は記録がされている保有欄等において、当該保有欄等に記載又は記録がされている数に増加比率をそれぞれ乗じた数についての増加の記載又は記録をしなければならない。

④ 前二項の規定は、第二項（この項において準用する場合を含む。）の通知があった場合における当該通知を受けた口座管理機関について準用する。

⑤ 振替機関等が第三項（前項において準用する場合を含む。以下この項において同じ。）の規定によって増加の記載又は記録をすることにより第三項に規定する保有欄等に一に満たない端数が記載され、又は記録されることとなる場合には、当該振替機関等は、同項の規定にかかわらず、当該保有欄等についてすべき記載又は記録に代えて、当該保有欄等の加入者の保有欄等又は第一項第四号の口座の保有欄に政令で定める記載又は記録をしなければならず、振替機関は、政令で定めるところにより、その下位機関に対し、当該記載又は記録をするための必要な指示をしなければならない。この場合において、当該下位機関は、当該指示に従った措置を執らなければならない。

（**合併等により他の銘柄の振替株式が交付される場合に関する記載又は記録手続**）

第一三八条① 合併により消滅する会社又は株式交換若しくは株式移転をする会社（以下この章から第九章までにおいて「消滅会社等」と総称する。）の株式が振替株式である場合において、存続会社等又は新設会社等が吸収合併等又は新設合併等に際して振替株式を交付しようとするときは、消滅会社等は、合併等効力発生日の二週間前までに、当該消滅会社等が第十三条第一項の同意を与えた振替機関に対し、次に掲げる事項の通知をしなければならない。この場合において、第百三十条及び第百三十一条の規定は、適用しない。

一 当該消滅会社等の振替株式の株主に対して当該吸収合併等又は新設合併等に際して交付する振替株式の銘柄

二 当該消滅会社等の振替株式の銘柄

三 次のイの総数のロの発行総数に対する割合（以下この条において「割当比率」という。）

イ 第一号の振替株式の総数

ロ 前号の振替株式の発行総数

四 合併等効力発生日

五 第一号の振替株式の発行者の口座（二以上あるときは、そのうちの一）

六 第百二十九条第三項第七号に掲げる事項のうち、発行者が知り得る事項として政令で定める事項

七 第一号の振替株式のうち発行に係るものの総数その他主務省令で定める事項

② 前項前段の通知があった場合には、当該通知を受けた振替機関は、直ちに、当該通知に係る振替株式の銘柄について、その直近下位機関に対し、同項第一号から第六号までに掲げる事項の通知をしなければならない。

③ 第一項前段の通知があった場合には、当該通知を受けた振替機関は、合併等効力発生日において、その備える振替口座簿中の同項第二号の振替株式についての記載又は記録がされている保有欄等において、次に掲げる措置を執らなければならない。

一 当該保有欄等に記載又は記録がされている第一項第二号の振替株式の数に割当比率をそれぞれ乗じた数の同項第一号の振替株式についての増加及び同項第六号に規定する事項の記載又は記録

二 第一項第二号の振替株式の全部についての記載又は記録の抹消

④ 前二項の規定は、第二項（この項において準用する場合を含む。）の通知があった場合における当該通知を受けた口座管理機関について準用する。

⑤ 振替機関等が第三項（前項において準用する場合を含む。以下この項において同じ。）の規定によって増加の記載又は記録をすることにより第三項に規定する保有欄等に一に満たない端数が記載され、又は記録されることとなる場合には、当該振替機関等は、同項の規定にかかわらず、当該保有欄等についてすべき記載又は記録に代えて、当該保有欄等の加入者の保有欄等又は第一項第五号の口座の保有欄に政令で定める記載又は記録をしなければならず、振替機関は、政令で定めるところにより、その下位機関に対し、当該記載又は記録をするための必要な指示をしなければならない。この場合において、当該下位機関は、当該指示に従った措置を執らなければならない。

⑥ 第一項前段の存続会社等が、吸収合併等に際して自己の振替株式を移転しようとする場合には、当該存続会社等は、合併等効力発生日において、当該振替株式について抹消の申請をしなければならない。この場合において、第百四十条の規定にかかわらず、当該振替株式は、当該申請により第百三十四条第四項第一号の減少の記載又は記録がされた時において第一項前段の消滅会社等の株主に移転したものとみなす。

（**記載又は記録の変更手続**）

第一三九条 振替機関等は、その備える振替口座簿について、第百二十九条第三項各号、第四項各号又は第五項各号に掲げる事項につき変更が生じたことを知ったときは、直ちに、当該振替口座簿にその記載又は記録をしなければならない。

第三節 振替の効果等

（**振替株式の譲渡**）

第一四〇条 振替株式の譲渡は、振替の申請により、譲受人がその口座における保有欄（機関口座にあっては、第百二十九条第五項第二号に掲げる事項を記載し、又は記録する欄）に当該譲渡に係る数の増加の記載又は記録を受けなければ、その効力を生じない。

（**振替株式の質入れ**）

第一四一条 振替株式の質入れは、振替の申請により、質権者がその口座における質権欄に当該質入れに係る数の増加の記載又は記録を受けなければ、その効力を生じない。

（**信託財産に属する振替株式についての対抗要件**）

第一四二条① 振替株式については、第百二十九条第三項第五号の規定により当該振替株式が信託財産に属する旨を振替口座簿に記載し、又は記録しなければ、当該株式が信託財産に属することを第三者に対抗することができない。

② 前項に規定する振替口座簿への記載又は記録は、政令で定めるところにより行う。

（加入者の権利推定）
第一四三条　加入者は、その口座（第百五十五条第一項に規定する買取口座を除き、口座管理機関の口座にあっては自己口座に限る。）における記載又は記録がされた振替株式についての権利を適法に有するものと推定する。

（善意取得）
第一四四条　振替の申請によりその口座（口座管理機関の口座にあっては、自己口座に限る。）において特定の銘柄の振替株式についての増加の記載又は記録を受けた加入者（機関口座を有する振替機関を含む。）は、当該銘柄の振替株式についての当該増加の記載又は記録に係る権利を取得する。ただし、当該加入者に悪意又は重大な過失があるときは、この限りでない。

（超過記載又は記録がある場合の振替機関の義務）
第一四五条①　前条の規定による振替株式の取得によりすべての株主の有する同条に規定する銘柄の振替株式の総数が当該銘柄の振替株式の発行総数（消却された振替株式の数を除く。）を超えることとなる場合において、第一号の合計数が第二号の発行総数を超えるときは、振替機関は、その超過数（第一号の合計数から第二号の発行総数を控除した数をいう。）に達するまで、当該銘柄の振替株式を取得する義務を負う。
一　振替機関の備える振替口座簿における振替機関の加入者の口座に記載され、又は記録された当該銘柄の振替株式の数の合計数
二　当該銘柄の振替株式の発行総数（消却された振替株式の数及び発行者が第百五十九条第一項の規定により同項の通知をすることができない振替株式の数を除く。）
②　前項第一号に規定する数は、同号に規定する口座における増加又は減少の記載又は記録であって当該記載又は記録に係る権利の発生、移転又は消滅が生じなかったものがある場合において、前条の規定により当該記載又は記録に係る数の振替株式を取得した者のないことが証明されたときは、当該記載又は記録がなかったとした場合の数とする。
③　振替機関は、第一項の規定により振替株式を取得したときは、直ちに、発行者に対し、当該振替株式についての権利の全部を放棄する旨の意思表示をする義務を負う。
④　前項に規定する振替株式についての権利は、同項の規定により放棄の意思表示がされたときは、消滅する。
⑤　振替機関は、振替株式について第三項の規定により放棄の意思表示を行ったときは、直ちに、当該振替株式について振替口座簿の抹消を行わなければならない。
⑥　第一項の銘柄の振替株式の発行者が、振替機関に対し、同項の規定による当該振替株式の取得をさせるため、自己の株式を処分する場合には、会社法第二編第二章第八節の規定は、適用しない。この場合において、当該処分は、公正な価額で行わなければならない。

（超過記載又は記録がある場合の口座管理機関の義務）
第一四六条①　前条第一項に規定する場合において、第一号の合計数が第二号の数を超えることとなる口座管理機関があるときは、当該口座管理機関は、発行者に対し、その超過数（第一号の合計数から第二号の数を控除した数をいう。）に相当する数の当該銘柄の振替株式について権利の全部を放棄する旨の意思表示をする義務を負う。
一　当該口座管理機関の備える振替口座簿における当該口座管理機関の加入者の口座に記載され、又は記録された当該銘柄の振替株式の数の合計数
二　当該口座管理機関の直近上位機関の備える振替口座簿における当該口座管理機関の口座の顧客口座に記載され、又は記録された当該銘柄の振替株式の数
②　前条第二項の規定は、次に掲げる事項について準用する。
一　前項第一号に規定する数
二　前項第二号に規定する顧客口座における増加又は減少の記載又は記録であって当該記載又は記録に係る権利の発生、移転又は消滅が生じなかったものがある場合における同号に掲げる数
③　第一項の場合において、口座管理機関は、同項に規定する超過数に相当する数の同項に規定する銘柄の振替株式を有していないときは、同項の規定による放棄の意思表示をする前に、当該超過数に達するまで、当該銘柄の振替株式を取得する義務を負う。
④　口座管理機関は、第一項の規定により放棄の意思表示をしたときは、直ちに、その直近上位機関に対し、次に掲げる事項を通知しなければならない。
一　当該放棄の意思表示をした旨
二　当該放棄の意思表示に係る振替株式の銘柄及び数
⑤　前項の直近上位機関は、同項の通知を受けたときは、直ちに、同項第二号に掲げる銘柄の振替株式について、その備える振替口座簿における次に掲げる記載又は記録をしなければならない。
一　前項の口座管理機関の口座の自己口座における同項第二号に掲げる数の減少の記載又は記録
二　前号の口座の顧客口座における前項第二号に掲げる数の増加の記載又は記録
⑥　第一項の銘柄の振替株式の発行者が、第三項の口座管理機関に対し、同項の規定による当該振替株式の取得をさせるため、自己の株式を処分する場合には、会社法第二編第二章第八節の規定は、適用しない。この場合において、当該処分は、公正な価額で行わなければならない。

（振替機関の超過記載又は記録に係る義務の不履行の場合における取扱い）
第一四七条①　第百四十五条第一項に規定する場合において、同項に規定する振替機関が同項及び同条第三項の義務の全部を履行するまでの間は、各株主は、当該株主の有する当該銘柄の振替株式のうち第一号の数が第二号の総数に占める割合を同条第一項に規定する超過数（同条第三項の義務の一部が履行されたときは、当該履行に係る数を控除した数）に乗じた数に関する部分について、発行者に対抗することができない。
一　当該株主の有する当該銘柄の振替株式の数（当該振替機関の下位機関であって前条第一項の規定により当該銘柄の振替株式についての権利の放棄の意思表示をすべきものがあるときは、当該下位機関についての同項に規定する超過数に関する当該株主（当該下位機関又はその下位機関が開設した口座に記載又は記録がされた振替株式についての株主に限る。）の次条第一項に規定する口座管理機関分制限数を控除した数）
二　すべての株主の有する当該銘柄の振替株式の総数（当該振替機関の下位機関であって前条第一項の規定により当該銘柄の振替株式についての権利の放棄の意思表示をすべきものがあるときは、当該下位機関についての同項に規定する超過数に関する当該下位機関又はその下位機関が開設した口座に記載又は記録がされた振替株式についてのすべての株主の次条第一項に規定する口座管理機関分制限数の合計数を控除した数）
②　第百四十五条第一項に規定する場合において、同項に規定する振替機関は、各株主に対して同項又は同条第三項の義務の不履行によって生じた損害の賠償をする義務を負う。
③　第百四十五条第一項に規定する場合において、同項に規定する振替機関が第百五十一条第一項第一号又は第四号の通知の後二週間以内に第百四十五条第三項の規定により同項の振替株式についての権利の全部を放棄する旨の意思表示をしたときは、当該振替機関が当該通知において当該振替株式の株主として通知をした者（以下この項において「特定被通知株主」という。）以外の株主に係る会社法第百二十四条第一項に規定する権利の行使については、第一項の規定は、適用しない。ただし、当該振替株式が次の各号のいずれかに該当するものである場合に限る。
一　特定被通知株主が当該通知の後二週間以内に、発行者に対し、会社法第百二十四条第一項に規定する権利の全部を放棄

する旨の意思表示をした振替株式
二　発行者が有する自己の株式
三　発行者が議決権を行使する者のみを定めるために基準日を定めた場合における単元未満株式（会社法第百八十九条第一項に規定する単元未満株式をいう。第百五十三条において同じ。）
四　前号に規定する場合における会社法第三百八条第一項に規定する法務省令で定める株主の株式
④　振替機関が第百四十五条第三項の義務の全部を履行したときは、株主の権利（会社法第百二十四条第一項に規定する権利を除く。次条第四項及び第百五十四条において「少数株主権等」という。）の行使については、第一項の規定は、適用しない。

第一四八条（口座管理機関の超過記載又は記録に係る義務の不履行の場合における取扱い）①　第百四十六条第一項に規定する場合において、同項に規定する口座管理機関が同項及び同条第三項の義務の全部を履行するまでの間は、株主（当該口座管理機関又はその下位機関が開設した口座に記載又は記録がされた振替株式についての株主に限る。）は、その有する当該銘柄の振替株式のうち第一号の数が第二号の総数に占める割合を同条第一項に規定する超過数（同項の義務の一部が履行されたときは、当該履行に係る数を控除した数）に乗じた数（以下この条において「口座管理機関分制限数」という。）に関する部分について、発行者に対抗することができない。
一　当該株主の有する当該銘柄の振替株式の数（当該口座管理機関の下位機関であって第百四十六条第一項の規定により当該銘柄の振替株式についての権利の放棄の意思表示をすべきものがあるときは、当該下位機関についての同項に規定する超過数に関する当該株主（当該下位機関又はその下位機関が開設した口座に記載又は記録がされた振替株式についての株主に限る。）の口座管理機関分制限数を控除した数）
二　当該口座管理機関又はその下位機関が開設した口座に記載又は記録がされた振替株式についてのすべての株主の有する当該銘柄の振替株式の総数（当該口座管理機関の下位機関であって第百四十六条第一項の規定により当該銘柄の振替株式についての権利の放棄の意思表示をすべきものがあるときは、当該下位機関についての同項に規定する超過数に関する当該下位機関又はその下位機関が開設した口座に記載又は記録がされた振替株式についてのすべての株主の口座管理機関分制限数の合計数を控除した数）
②　第百四十六条第一項に規定する場合において、同項に規定する口座管理機関は、前項に規定する株主に対して同条第一項又は第三項の義務の不履行によって生じた損害の賠償をする義務を負う。
③　前条第三項の規定は、第百四十六条第一項に規定する場合において、同項に規定する口座管理機関が、第百五十一条第一項第一号又は第四号の通知の後二週間以内に、第百四十六条第一項の規定により同項の振替株式についての権利の全部を放棄する旨の意思表示をしたときについて準用する。この場合において、次の表の上欄に掲げる字句は、それぞれ同表下欄に掲げる字句と読み替えるものとする。

当該振替機関	振替機関
会社法第百二十四条第一項に規定する権利	会社法第百二十四条第一項に規定する権利（当該口座管理機関又はその下位機関が開設した口座に記載又は記録がされた振替株式に係るものに限る。）
第一項の規定は	次条第一項の規定は

④　口座管理機関が第百四十六条第一項の義務の全部を履行したときは、当該口座管理機関又はその下位機関が開設した口座に記載又は記録がされた振替株式についての少数株主権等の行使については、第一項の規定は、適用しない。

第一四九条（発行者が誤って振替株式について剰余金の配当をした場合における取扱い）①　発行者が第百四十七条第一項又は前条第一項の規定により当該発行者に対抗することができないものとされた振替株式についてした剰余金の配当は、当該発行者が善意の場合であっても、当該銘柄の他の振替株式に係る当該発行者の債務を消滅させる効力を有しない。
②　前項の場合において、株主は、発行者に対し、同項の剰余金の配当に係る金額の返還をする義務を負わない。
③　発行者は、第一項の剰余金の配当をしたときは、前項に規定する金額の限度において、第百四十七条第二項又は前条第二項の規定による株主の振替機関等に対する権利を取得する。

第四節　会社法等の特例

第一五〇条（株式の発行に関する会社法の特例）①　会社が設立に際して発行する株式について第十三条第一項の同意を与える場合には、発起人は、会社法第三十二条第一項の規定により同項各号に掲げる事項を定める際に、自己のために開設された当該振替株式の振替を行うための口座（特別口座を除く。）を示さなければならない。
②　振替株式の発行者は、当該振替株式についての会社法第五十九条第一項又は第二百三条第一項の通知において、当該振替株式についてこの法律の規定の適用がある旨を示さなければならない。
③　振替株式を発行する会社の株主名簿には、当該振替株式についてこの法律の規定の適用がある旨を記載し、又は記録しなければならない。
④　振替株式の引受けの申込みをする者は、自己のために開設された当該振替株式の振替を行うための口座（特別口座を除く。）を会社法第二百三条第二項の書面に記載し、又は同法第二百五条第一項の契約を締結する際に当該口座を当該振替株式の発行者に示さなければならない。
⑤　新株予約権（その目的である株式が振替株式であるものに限る。）の発行者は、当該新株予約権についての会社法第二百四十二条第一項の通知において、当該新株予約権の目的である振替株式についてこの法律の規定の適用がある旨を示さなければならない。
⑥　新株予約権を行使する者は、当該新株予約権の目的である株式が振替株式であるときは、自己のために開設された当該振替株式の振替を行うための口座（特別口座を除く。）を当該振替株式の発行者に示さなければならない。

第一五一条（総株主通知）①　振替機関は、次の各号に掲げる場合のいずれかに該当するときは、発行者に対し、当該各号に定める株主につき、氏名又は名称及び住所並びに当該株主の有する当該発行者が発行する振替株式の銘柄及び数その他主務省令で定める事項（以下この条及び次条において「通知事項」という。）を速やかに通知しなければならない。
一　発行者が基準日を定めたとき。　その日の株主
二　株式の併合がその効力を生ずる日が到来したとき。　その日の株主
三　振替機関等が第百三十五条第三項（同条第四項において準用する場合を含む。）の規定による抹消をしたとき。　当該抹消に係る振替株式の株主
四　事業年度を一年とする発行者について、事業年度ごとに、当該事業年度の開始の日から起算して六月を経過したとき（発行者が会社法第四百五十四条第五項に規定する中間配当に係る基準日を定めたときを除く。）。　当該事業年度の開始の日から起算して六月を経過した日の株主
五　特定の銘柄の振替株式を取り扱う振替機関が第二十二条第一項の規定により第三条第一項の指定を取り消された場合又は第四十一条第一項の規定により当該指定が効力を失った場合であって、当該振替機関の振替業を承継する者が存しない

とき。当該指定が取り消された日又は当該指定が効力を失った日の株主

六 特定の銘柄の振替株式が振替機関によって取り扱われなくなったとき。当該振替機関が当該振替株式の取扱いをやめた日の株主

七 その他政令で定めるとき。政令で定める日における株主

② 前項の場合において、振替機関は、次の各号に掲げる場合の区分に応じ、それぞれ当該各号に定める者を株主として通知しなければならない。

一 振替機関又はその下位機関の備える振替口座簿中の加入者の口座（顧客口座及び第百五十五条第一項に規定する買取口座を除く。）の保有欄に振替株式についての記載又は記録がされている場合 当該口座の加入者（主務省令で定めるところにより、当該加入者が、その直近上位機関に対し、当該振替株式につき他の加入者を株主として前項の通知をすることを求める旨の申出をしたときは、当該振替株式に係る他の加入者（第百五十四条第三項第二号及び第百五十九条の二第二項第二号において「特別株主」という。））

二 前号に規定する加入者の口座の質権欄に振替株式についての記載又は記録がされている場合 当該質権欄に株主としてその氏名又は名称の記載又は記録がされている者

三 第百五十五条第一項に規定する買取口座に振替株式についての記載又は記録がされている場合 当該振替株式の買取りの効力が生じた後にあっては、当該買取口座の加入者（同条第三項の申請をした振替株式の株主）

③ 振替機関は、第一項の場合において、振替株式が質権欄に記載され、又は記録されている口座の加入者からの申出があったときは、同項の通知において、当該振替株式の質権者の氏名又は名称及び住所並びに当該振替株式の銘柄及び当該振替株式についての第百二十九条第三項第四号に掲げる事項その他主務省令で定める事項を示さなければならない。

④ 加入者は、前項の申出をするには、その直近上位機関を経由してしなければならない。

⑤ 第百四十七条第一項又は第百四十八条第一項の場合において、振替機関が第一項の通知をするときは、当該振替機関は、当該振替機関又はその下位機関の加入者の口座に記載又は記録がされた振替株式のうち第百四十七条第一項又は第百四十八条第一項の規定により発行者に対抗することができないものの数を示さなければならない。

⑥ 口座管理機関は、その直近上位機関から、当該口座管理機関又はその下位機関の加入者の口座に記載又は記録がされた振替株式につき、第一項の通知のために必要な事項（第三項及び前項に規定する事項を含む。）の報告を求められたときは、速やかに、当該事項を報告しなければならない。

⑦ 第一項第一号、第二号、第四号及び第七号に掲げる場合（政令で定める場合を除く。）には、発行者は、主務省令で定めるところにより、当該各号に定める日（同項第四号にあっては、同号の事業年度の開始の日）その他主務省令で定める事項を当該発行者が第十三条第一項の同意を与えた振替機関に通知しなければならない。

⑧ 発行者は、正当な理由があるときは、振替機関に対し、当該振替機関が定めた費用を支払って、当該発行者が定める一定の日の株主についての通知事項を通知することを請求することができる。この場合においては、第一項から第六項までの規定を準用する。

（株主名簿の名義書換に関する会社法の特例）

第一五二条① 発行者は、前条第一項（同条第八項において準用する場合を含む。以下この条において同じ。）の通知を受けた場合には、株主名簿に通知事項及び同条第三項（同条第八項において準用する場合を含む。）の規定により示された事項のうち主務省令で定めるもの並びに同条第五項（同条第八項において準用する場合を含む。以下この条において同じ。）の規定により示された事項を記載し、又は記録しなければならない。この場合においては、同条第一項各号に定める日に会社法第百三十条第一項の規定による記載又は記録がされたものとみなす。

② 第百四十七条第三項（第百四十八条第三項において準用する場合を含む。）に規定する意思表示をした場合には、発行者は、第百四十五条第三項又は第百四十六条第一項の義務の全部を履行した振替機関等又はその下位機関が開設した口座に記載又は記録がされた振替株式については、前項の規定にかかわらず、前条第五項の規定により示された事項を株主名簿に記載し、又は記録してはならない。

③ 前項の場合には、発行者は、特定被通知株主（第百四十七条第三項（第百四十八条第三項において準用する場合を含む。）に規定する特定被通知株主をいう。以下この項において同じ。）については、第一号に掲げる数から第二号に掲げる数を控除した数を特定被通知株主の有する振替株式の数として株主名簿に記載し、又は記録しなければならない。

一 前条第一項の規定により通知された特定被通知株主の有する振替株式の数

二 第百四十五条第三項又は第百四十六条第一項の義務の全部の履行に係る振替株式のうち特定被通知株主に係るものの数

（超過記載又は記録に係る義務の不履行の場合における株主の議決権）

第一五三条 第百四十七条第一項又は第百四十八条第一項の規定により発行者に対抗することができない株式以外の株式について一株に満たない端数が生じたとき、又は単元未満株式が生じたときは、各株主は、会社法第三百八条第一項の規定にかかわらず、当該端数又は当該単元未満株式については、当該端数又は当該単元未満株式の数を単元株式数で除した数（これらの数に百分の一に満たない数があるときは、これを切り捨てた数）の議決権を有する。

（少数株主権等の行使に関する会社法の特例）

第一五四条① 振替株式についての少数株主権等の行使については、会社法第百三十条第一項の規定は、適用しない。

② 前項の振替株式についての少数株主権等は、次項の通知がされた後政令で定める期間が経過する日までの間でなければ、行使することができない。

③ 振替機関は、特定の銘柄の振替株式について自己又は下位機関の加入者からの申出があった場合には、遅滞なく、当該振替株式の発行者に対し、当該加入者の氏名又は名称及び住所並びに次に掲げる事項その他主務省令で定める事項の通知をしなければならない。

一 当該加入者の口座の保有欄に記載又は記録がされた当該振替株式（当該加入者が第百五十一条第二項第一号の申出をしたものを除く。）の数及びその数に係る第百二十九条第三項第六号に掲げる事項

二 当該加入者が他の加入者の口座における特別株主である場合には、当該口座の保有欄に記載又は記録がされた当該振替株式のうち当該特別株主についてのものの数及びその数に係る第百二十九条第三項第六号に掲げる事項

三 当該加入者が他の加入者の口座の質権欄に株主として記載又は記録がされた者である場合には、当該質権欄に記載又は記録がされた当該振替株式のうち当該株主についてのものの数及びその数に係る第百二十九条第三項第六号に掲げる事項

四 当該加入者が次条第三項の申請をした振替株式の株主である場合には、同条第一項に規定する買取口座に記載又は記録がされた当該振替株式のうち当該株主についてのものの数及びその数に係る第百二十九条第三項第六号に掲げる事項

④ 加入者は、前項の申出をするには、その直近上位機関を経由してしなければならない。

⑤ 第百五十一条第五項及び第六項の規定は、第三項の通知について準用する。この場合において、同条第六項中「第三項及び前項」とあるのは、「前項」と読み替えるものとする。

（株式買取請求に関する会社法の特例）

第一五五条① 振替株式の発行者が会社法第百十六条第一項各号

の行為、同法第百八十二条の二第一項に規定する株式の併合、事業譲渡等（同法第四百六十八条第一項に規定する事業譲渡等をいう。第四項において同じ。）、合併、吸収分割契約、新設分割、株式交換契約、株式移転又は株式交付をしようとする場合には、当該発行者は、振替機関等に対し、株式買取請求（同法第百十六条第一項、第百八十二条の四第一項、第四百六十九条第一項、第七百八十五条第一項、第七百九十七条第一項、第八百六条第一項又は第八百十六条の六第一項の規定による請求をいう。以下この条において同じ。）に係る振替株式の振替を行うための口座（以下この条及び第百五十九条の二第二項第四号において「買取口座」という。）の開設の申出をしなければならない。ただし、当該発行者が開設の申出をした買取口座があるとき、又はこれらの行為に係る株式買取請求をすることができる振替株式の株主が存しないときは、この限りでない。

② 前項の発行者は、第百六十一条第二項の規定により、会社法第百十六条第三項、第百八十二条の四第三項（同法第百八十二条の四第三項の規定により読み替えて適用する場合に限る。）、第四百六十九条第三項、第七百八十五条第三項、第七百九十七条第三項、第八百六条第三項又は第八百十六条の六第三項の規定による通知に代えて当該通知をすべき事項を公告する場合には、併せて、買取口座を公告しなければならない。

③ 振替株式の株主は、その有する振替株式について株式買取請求をしようとするときは、当該振替株式について買取口座を振替先口座とする振替の申請をしなければならない。

④ 第一項の発行者は、会社法第百十六条第一項各号の行為、同法第百八十二条の二第一項に規定する株式の併合、事業譲渡等、吸収合併、吸収分割、株式交換若しくは株式交付がその効力を生ずる日又は新設合併、新設分割若しくは株式移転により設立する会社の成立の日までは、買取口座に記載され、又は記録された振替株式（当該行為に係る株式買取請求に係るものに限る。）について当該発行者の口座を振替先口座とする振替の申請をすることができない。

⑤ 第一項の発行者は、第三項の申請をした振替株式の株主による株式買取請求の撤回を承諾したときは、遅滞なく、買取口座に記載され、又は記録された振替株式（当該撤回に係る株式買取請求に係るものに限る。）について当該株主の口座を振替先口座とする振替の申請をしなければならない。

⑥ 第一項の発行者は、買取口座に記載され、又は記録された振替株式については、当該発行者又は第三項の申請をした振替株式の株主の口座以外の口座を振替先口座とする振替の申請をすることができない。

⑦ 第三項の申請をする振替株式の株主以外の加入者は、買取口座を振替先口座とする振替の申請をすることができない。

⑧ 振替株式の株主が会社法第百九十二条第一項の規定により当該振替株式を買い取ることを請求した場合には、発行者は、当該株主に対し、当該振替株式の代金の支払をするのと引換えに当該振替株式について当該発行者の口座を振替先口座とする振替を当該株主の直近上位機関に対して申請することを請求することができる。

（取得請求権付株式に関する会社法の特例）

第一五六条① 取得請求権付株式である特定の銘柄の振替株式について会社法第百六十六条第一項本文の規定による請求をする加入者は、当該振替株式について振替の申請をしなければならない。

② 会社法第百六十七条第一項の規定にかかわらず、同法第百六十六条第一項本文の規定による請求に係る取得請求権付株式が振替株式である場合には、発行者は、前項の振替の申請により発行者の口座における保有欄に当該取得請求権付株式に係る数の増加の記載又は記録を受けた時に当該振替株式を取得する。

③ 会社法第百六十六条第一項本文の規定による請求により振替株式の交付を受けようとする者は、自己のために開設された当該振替株式の振替を行うための口座（特別口座を除く。）を当該振替株式を交付する会社に示さなければならない。

（取得条項付株式等に関する会社法の特例）

第一五七条① 取得条項付株式である振替株式の発行者が当該振替株式の一部を取得しようとする場合には、当該発行者は、会社法第百七条第二項第三号イの事由が生じた日以後遅滞なく、当該振替株式について当該発行者の口座を振替先口座とする振替の申請をしなければならない。この場合において、当該申請は、当該振替によりその口座（顧客口座を除く。）において減少の記載又は記録がされる加入者の直近上位機関に対して行うものとする。

② 会社法第百七十条第一項の規定にかかわらず、前項前段の場合には、発行者は、同項前段の振替の申請によりその口座における保有欄に同項前段の振替株式に係る数の増加の記載又は記録を受けた時に当該振替株式を取得する。

③ 取得条項付株式又は全部取得条項付種類株式（会社法第百七十一条第一項に規定する全部取得条項付種類株式をいう。）である振替株式の発行者が当該振替株式の全部を取得しようとする場合には、当該発行者は、同法第百七条第二項第三号イの事由が生じた日又は同法第百七十一条第一項第三号に規定する取得日（以下この項において「効力発生日」という。）以後遅滞なく、効力発生日を第百三十五条第一項第二号の日として同項の通知（以下この章において「全部抹消の通知」という。）をしなければならない。

④ 会社法第百七十条第一項及び第百七十三条第一項の規定にかかわらず、前項の場合には、発行者は、全部抹消の通知により同項の振替株式についての記載又は記録の抹消がされた時に当該振替株式を取得する。

（株式の消却に関する会社法の特例）

第一五八条① 発行者が自己の振替株式を消却しようとするときは、当該振替株式について抹消の申請をしなければならない。

② 振替株式の消却は、第百三十四条第四項第一号の減少の記載又は記録がされた日にその効力を生ずる。

（株券喪失登録がされた株券に係る会社法等の特例）

第一五九条① 第百三十条第一項の規定にかかわらず、株券喪失登録がされた株券の株式については、登録抹消日（会社法第二百三十条第一項に規定する登録抹消日をいう。以下この条において同じ。）まで第百三十条第一項の通知をすることができない。

② 前項の株式の発行者は、登録抹消日において、振替機関等に対して、当該株式についての登録抹消日における株券喪失登録者（会社法第二百二十四条第一項に規定する株券喪失登録者をいう。）である名義人（同法第二百二十一条第三号に規定する名義人をいう。）その他の主務省令で定める者（以下この条において「名義人等」という。）のために第百三十一条第三項本文の申出をしなければならない。ただし、当該名義人等が登録抹消日までに当該発行者に対し自己のために開設された当該振替株式の振替を行うための口座（特別口座を除く。）を通知したとき、又は当該発行者が当該名義人等のために開設の申出をした特別口座があるときは、この限りでない。

③ 前項本文の発行者が第一項の株式について第百三十条第一項の通知をする場合には、次の各号に掲げる事項を当該各号に定める事項として同項の通知をしなければならない。

一 前項本文の名義人等である加入者の氏名又は名称　第百三十条第一項第二号に掲げる事項

二 前号の加入者から通知を受けた前項ただし書の口座（当該通知がないときは、当該発行者が開設の申出をした特別口座）　第百三十条第一項第三号に掲げる事項

（電子提供措置に関する会社法の特例）

第一五九条の二① 振替株式を発行する会社は、電子提供措置（会社法第三百二十五条の二に規定する電子提供措置をいう。）をとる旨を定款で定めなければならない。

② 加入者は、次に掲げる振替株式の発行者に対する書面交付請求（会社法第三百二十五条の五第二項に規定する書面交付請求をいう。以下この項において同じ。）を、その直近上位機関を経

由してすることができる。この場合においては、同法第百三十条第一項の規定にかかわらず、書面交付請求をする権利は、当該発行者に対抗することができる。

一　当該加入者の口座の保有欄に記載又は記録がされた当該振替株式（当該加入者が第百五十一条第二項第一号の申出をしたものを除く。）

二　当該加入者が他の加入者の口座における特別株主である場合には、当該口座の保有欄に記載又は記録がされた当該振替株式のうち当該特別株主についてのもの

三　当該加入者が他の加入者の口座の質権欄に株主として記載又は記録がされた者である場合には、当該質権欄に記載又は記録がされた当該振替株式のうち当該株主についてのもの

四　当該加入者が第百五十五条第三項の申請をした振替株式の株主である場合には、買取口座に記載又は記録がされた当該振替株式のうち当該株主についてのもの

（合併等に関する会社法の特例）

第一六〇条①　消滅会社等の株式が振替株式でない場合又は合併により消滅する会社が持分会社である場合において、存続会社等又は新設会社等が吸収合併等又は新設合併等に際して振替株式を交付しようとするときは、合併等効力発生日を第百三十一条第一項第一号の一定の日として同項の通知をしなければならない。

②　存続会社等が吸収合併等に際して振替株式を移転しようとする場合には、当該存続会社等は、合併等効力発生日以後遅滞なく、当該振替株式について振替の申請をしなければならない。

③　消滅会社等の株式が振替株式である場合において、存続会社等又は新設会社等が吸収合併等又は新設合併等に際して振替株式でない株式を交付しようとするとき、又は存続会社等若しくは新設会社等が株式会社でないときは、当該消滅会社等は、合併等効力発生日を第百三十五条第一項第二号の日として全部抹消の通知をしなければならない。

④　持分会社が合併をする場合において、吸収合併存続会社又は新設合併設立会社が合併に際して振替株式を交付しようとする場合には、合併契約において、持分会社の社員のために開設された当該振替株式の振替を行うための口座（特別口座を除く。）を定めなければならない。

⑤　吸収分割承継会社又は新設分割設立会社が会社分割に際して振替株式を交付しようとする場合には、吸収分割契約又は新設分割計画において、会社分割をする会社のために開設された当該振替株式の振替を行うための口座（特別口座を除く。）を定めなければならない。

（株式交付に関する会社法の特例）

第一六〇条の二①　会社法第七百七十四条の三第一項第三号又は第八号イの株式交付親会社の株式が振替株式である場合には、株式交付親会社は、同法第七百七十四条の四第一項（同法第七百七十四条の九において準用する場合を含む。）の規定による通知において、当該振替株式についてこの法律の規定の適用がある旨を示さなければならない。

②　前項に規定する場合には、会社法第七百七十四条の四第二項（同法第七百七十四条の九において準用する場合を含む。以下この項において同じ。）の申込みをする者（同法第七百七十四条の三第一項第四号又は第九号に掲げる事項についての定めに従い株式交付親会社が発行する振替株式の株主にならないものを除く。）は、自己のために開設された当該振替株式の振替を行うための口座（特別口座を除く。）を同法第七百七十四条の四第二項の書面に記載し、又は同法第七百七十四条の六（同法第七百七十四条の九において準用する場合を含む。）の契約を締結する際に当該口座を当該振替株式の発行者に示さなければならない。

③　会社法第七百七十四条の三第一項第五号ロ又は第八号ハの新株予約権の目的である株式が振替株式である場合には、株式交付親会社は、同法第七百七十四条の四第一項（同法第七百七十四条の九において準用する場合を含む。）の規定による通知において、当該新株予約権の目的である振替株式についてこの法律の規定の適用がある旨を示さなければならない。

④　株式交付親会社が株式交付に際して振替株式を移転しようとする場合には、当該株式交付親会社は、当該株式交付がその効力を生ずる日以後遅滞なく、当該振替株式について振替の申請をしなければならない。

（適用除外等）

第一六一条①　振替株式については、会社法第百二十二条第一項から第三項まで、第百三十二条第一項第二号及び第三号、第二項並びに第三項、第百三十三条、第百四十七条第一項、第百四十八条、第百五十二条並びに第百五十四条の二第一項から第三項までの規定は、適用しない。

②　会社法第百十六条第三項、第百五十八条第一項、第百六十八条第二項、第百六十九条第三項、第百七十条第三項、第百七十二条第二項、第百七十九条の四第一項、第百八十一条第一項、第百九十五条第二項、第二百一条第三項、第二百六条の二第一項、第二百四十条第二項、第二百四十四条の二第一項、第四百六十九条第三項、第七百七十六条第二項、第七百八十三条第五項、第七百八十五条第三項、第七百九十七条第三項、第八百四条第四項、第八百六条第三項及び第八百十六条の六第三項の規定にかかわらず、振替株式を発行している会社は、これらの規定による通知（当該振替株式の株主又はその登録株式質権者に対してするものに限る。）に代えて、当該通知をすべき事項を公告しなければならない。

③　振替株式の譲渡における会社法第百三十条第一項の規定の適用については、同項中「株式会社その他の第三者」とあるのは、「株式会社」とする。

第五節　雑則

第一六二条①　次の各号に掲げる通知があった場合には、当該通知を受けた振替機関は、直ちに、当該通知に係る振替株式の銘柄について、政令で定める方法により、加入者が当該各号に定める事項を知ることができるようにする措置を執らなければならない。

一　第百三十条第一項の通知　同項第九号に掲げる事項

二　第百三十八条第一項前段の通知　同項第七号に掲げる事項

②　前項の措置に関する費用は、同項の振替株式の発行者の負担とする。

第八章　新株予約権の振替

（第一六三条から第一九一条まで）（略）

第九章　新株予約権付社債の振替

（第一九二条から第二二五条まで）（略）

第十章　投資口等の振替

（第二二六条から第二五五条まで）（略）

第十一章　組織変更等に係る振替

（第二五六条から第二七五条まで）（略）

第十二章　その他の有価証券に表示されるべき権利の振替

（第二七六条）（略）

第十三章　雑則（抄）

（加入者等による振替口座簿に記載され、又は記録されている事項についての請求）

第二七七条　加入者は、その直近上位機関に対し、当該直近上位機関が定めた費用を支払って、当該直近上位機関が備える振替口座簿の自己の口座に記載され、若しくは記録されている事項を証明した書面の交付又は当該事項に係る情報を電磁的方法であって主務省令で定めるものにより提供することを請求することができる。当該口座につき利害関係を有する者として政令で定めるものについても、正当な理由があるときは、同様とす

る。

第二七八条から第二八七条まで　（略）

第十四章　罰則

附　則（第二八八条から第二九七条まで）（略）

附　則（抄）

（施行期日等）

第一条　この法律は、平成十四年四月一日（以下「施行日」という。）から施行し、施行日以後に発行される短期社債等について適用する。

附　則（令和四・五・二五法四八）（抄）

（施行期日）

第一条　この法律は、公布の日から起算して四年を超えない範囲内において政令で定める日から施行する。ただし、次の各号に掲げる規定は、当該各号に定める日から施行する。

一　（前略）附則第百二十五条の規定　公布の日

二―五　（略）

（政令への委任）

第一二五条　（前略）この法律の施行に関し必要な経過措置は、政令で定める。

刑法等の一部を改正する法律の施行に伴う関係法律整理法中経過規定　（令和四・六・一七法六八）（抄）

第四四一条から第四四三条まで　（刑法の同経過規定参照）

第五〇九条　（刑法の同経過規定参照）

刑法等の一部を改正する法律の施行に伴う関係法律整理法

附　則（令和四・六・一七法六八）（抄）

（施行期日）

①　この法律は、刑法等一部改正法（刑法等の一部を改正する法律（令和四法六七））施行日（令和七・六・一）から施行する。ただし、次の各号に掲げる規定は、当該各号に定める日から施行する。

一　第五百九条の規定　公布の日

二　（略）

附　則（令和五・一一・二九法七九）（抄）

（施行期日）

第一条　この法律は、公布の日から起算して一年を超えない範囲内において政令で定める日から施行する。ただし、次の各号に掲げる規定は、当該各号に定める日から施行する。

一　附則第六十八条の規定　公布の日

二―五　（略）

（政令への委任）

第六八条　（前略）この法律の施行に関し必要な経過措置（中略）は、政令で定める。

附　則（令和五・一一・二九法八〇）（抄）

（施行期日）

第一条　この法律は、公布の日から起算して一年を超えない範囲内において政令で定める日から施行する。ただし、次の各号に掲げる規定は、当該各号に定める日から施行する。

一　附則第六条の規定　公布の日

二・三　（略）

（政令への委任）

第六条　この附則に規定するもののほか、この法律の施行に関し必要な経過措置は、政令で定める。

（検討）

第七条　政府は、この法律の施行後五年を目途として、この法律による改正後のそれぞれの法律（以下この条において「改正後の各法律」という。）の施行の状況等を勘案し、必要があると認めるときは、改正後の各法律の規定について検討を加え、その結果に基づいて所要の措置を講ずるものとする。

附　則（令和六・五・二二法三二）（抄）

（施行期日）

第一条　この法律は、公布の日から起算して一年を超えない範囲内において政令で定める日から施行する。ただし、次の各号に掲げる規定は、当該各号に定める日から施行する。

一　附則第十八条の規定　公布の日

二・三　（略）

（政令への委任）

第一八条　（前略）この法律の施行に関し必要な経過措置（中略）は、政令で定める。

○担保付社債信託法（抄）（明治三八・三・一三法五二）

施行　明治三八・七・一（明治三八勅一八五）
題名改正　平成一七法八七（旧・担保附社債信託法）
最終改正　令和五法七九

目次

第一章　総則（抄）

（**定義**）

第一条　この法律において「信託会社」とは、第三条の内閣総理大臣の免許を受けた会社をいう。

（**信託契約**）

第二条①　社債に担保を付そうとする場合には、担保の目的である財産を有する者と信託会社との間の信託契約（以下単に「信託契約」という。）に従わなければならない。この場合において、担保の目的である財産を有する者が社債を発行しようとする会社又は発行した会社（以下「発行会社」と総称する。）以外の者であるときは、信託契約は、発行会社の同意がなければ、その効力を生じない。

②　前項の場合において、信託会社は、社債権者のために社債の管理をしなければならない。

③　第一項の場合には、会社法（平成十七年法律第八十六号）第七百二条の規定は、適用しない。

（**免許**）

第三条　担保付社債に関する信託事業は、内閣総理大臣の免許を受けた会社でなければ、営むことができない。

第四条　金融機関の信託業務の兼営等に関する法律（昭和十八年法律第四十三号。以下「兼営法」という。）第一条第一項の認可を受けた金融機関（社債の管理の受託業務及び担保権に関する信託業務を営むものに限る。）又は信託業法（平成十六年法律第百五十四号）第三条若しくは第五十三条第一項の免許を受けた者は、前条の免許を受けたものとみなす。

（**業務の範囲**）

第五条　信託会社は、担保付社債に関する信託事業のほか、次に掲げる業務を行うことができる。

一　銀行法（昭和五十六年法律第五十九号）第十条及び第十一条に規定する銀行の業務並びに同法第十二条に規定する銀行の業務（同条に規定するその他の法律により銀行の営む業務に限る。）

二　長期信用銀行法（昭和二十七年法律第百八十七号）第六条に規定する長期信用銀行の業務及び同法第六条の二に規定する長期信用銀行の業務（同条に規定するその他の法律により長期信用銀行の営む業務に限る。）

三　株式会社商工組合中央金庫法（平成十九年法律第七十四号）第二十一条（第二項及び第四項第十号を除く。）に規定する株式会社商工組合中央金庫の業務

四　農林中央金庫法（平成十三年法律第九十三号）第五十四条（第四項第九号を除く。）に規定する農林中央金庫の業務

五　中小企業等協同組合法（昭和二十四年法律第百八十一号）第九条の八（第七項第六号を除く。）に規定する信用協同組合の業務又は同法第九条の九に規定する協同組合連合会の業務（同条第六項第十一号に掲げる事業（同法第九条の八第七項第六号に掲げる事業に限る。）を除く。）

六　信用金庫法（昭和二十六年法律第二百三十八号）第五十三条（第六項第六号を除く。）に規定する信用金庫の業務又は同法第五十四条（第五項第六号を除く。）に規定する信用金庫連合会の業務

七　労働金庫法（昭和二十八年法律第二百二十七号）第五十八条の二（第三項第六号を除く。）に規定する労働金庫連合会の業務

八　農業協同組合法（昭和二十二年法律第百三十二号）第十条（第七項第六号を除く。）に規定する農業協同組合又は農業協同組合連合会の業務

九　保険業法（平成七年法律第百五号）第九十七条、第九十八条、第九十九条（第二項第二号を除く。）及び第百条に規定する保険会社の業務又は同法第百九十九条において準用する同法第九十七条、第九十八条、第九十九条第一項、第二項（第二号を除く。）及び第四項から第六項まで並びに第百条に規定する外国保険会社等の業務

十　兼営法第一条第一項に規定する信託業務を営む金融機関の業務

十一　信託業法第二十一条第一項に規定する信託会社の業務

十二　前各号に掲げるもののほか、政令で定める業務

（**資本金等の額**）

第六条　信託会社の資本金の額又は出資の総額は、千万円を下回ってはならない。

（**出資の払込金額**）

第七条　信託会社が合名会社又は合資会社であるときは、出資の払込金額が五百万円に達するまで、担保付社債に関する信託事業に着手してはならない。

（**信託業法の準用**）

第八条　信託業法第十五条、第二十二条から第二十四条まで、第二十八条第三項及び第二十九条の規定は、信託会社（第四条の規定により第三条の免許を受けたものとみなされる者及び同法第七条第一項又は第五十四条第一項の登録を受けた者を除く。）が担保付社債に関する信託事業を営む場合について準用する。

（**信託会社の監督**）

第九条　信託会社が営む担保付社債に関する信託業務は、内閣総理大臣の監督に属する。

（**立入検査等**）

第一〇条①　内閣総理大臣は、信託会社の信託事業の健全かつ適切な運営を確保するため必要があると認めるときは、当該信託会社に対し当該信託会社の業務若しくは財産に関し参考となるべき報告若しくは資料の提出を命じ、又は当該職員に当該信託会社の営業所その他の施設に立ち入らせ、その業務若しくは財産の状況に関し質問させ、若しくは帳簿書類その他の物件を検査させることができる。

②　前項の規定により立入検査をする職員は、その身分を示す証明書を携帯し、関係者に提示しなければならない。

③　第一項の規定による立入検査の権限は、犯罪捜査のために認められたものと解してはならない。

（**業務の停止等**）

第一一条　内閣総理大臣は、信託会社の業務又は財産の状況に照らして、当該信託会社の信託事業の健全かつ適切な運営を確保するため必要があると認めるときは、当該信託会社に対し、その必要の限度において、期限を付して当該信託会社の業務の全部若しくは一部の停止を命じ、又は業務執行の方法の変更その他監督上必要な措置を命ずることができる。

（**免許の取消し等**）

第一三条 内閣総理大臣は、信託会社が法令、定款若しくは法令に基づく内閣総理大臣の処分に違反したとき、又は公益を害する行為をしたときは、当該信託会社に対し、その業務の全部若しくは一部の停止若しくは取締役、執行役若しくは監査役の解任を命じ、又は第三条の免許を取り消すことができる。

第一四条から第一六条まで（略）

（外国会社）

第一七条① 会社が外国において担保付社債を発行しようとするときは、担保の目的である財産を有する者は、内閣総理大臣の許可を受けて、外国会社と信託契約を締結することができる。

② 前項の規定により信託を引き受けた外国会社が日本に支店を有しないときは、当該外国会社は、日本における代表者を定めなければならない。

③ 法人は、前項の日本における代表者となることができる。

④ 第二項の規定により同項の外国会社が日本における代表者を定めたときは、遅滞なく、その氏名又は名称及び住所を内閣総理大臣に届け出なければならない。

⑤ 外国会社の日本における代表者は、信託事務に関しては、信託会社の取締役若しくは執行役又は信託会社を代表する社員と同一の権限を有する。

第二章　信託証書

（信託契約の方式）

第一八条① 信託契約は、信託証書でしなければ、その効力を生じない。

② 信託証書は、電磁的記録（電子的方式、磁気的方式その他人の知覚によっては認識することができない方式で作られる記録であって、電子計算機による情報処理の用に供されるものとして内閣府令・法務省令で定めるものをいう。以下同じ。）をもって作成することができる。

（信託証書の記載又は記録事項等）

第一九条① 信託証書には、次に掲げる事項を記載し、又は記録しなければならない。

一　委託者、受託会社及び発行会社の氏名又は名称
二　担保付社債の総額
三　各担保付社債の金額
四　担保付社債の利率
五　担保付社債の償還の方法及び期限
六　利息支払の方法及び期限
七　担保付社債券（担保付社債に係る社債券をいう。以下同じ。）を発行するときは、その旨
八　前号に規定する場合には、担保付社債券に記載すべき事項
九　第七号に規定する場合において、担保付社債券に利札を付するときは、その旨
十　社債権者が会社法第六百九十八条の規定による請求の全部又は一部をすることができないこととするときは、その旨
十一　受託会社が社債権者集会の決議によらずに会社法第七百六条第一項第二号に掲げる行為をすることができることとするときは、その旨
十二　発行会社が担保付社債を引き受ける者の募集をするときは、各担保付社債の払込金額（各担保付社債と引換えに払い込む金銭の額をいう。）若しくはその最低金額又はこれらの算定方法
十三　担保の種類、担保の目的である財産、担保権の順位、先順位の担保権者の有する担保権によって担保される債権の額及び担保の目的である財産に関し担保権者に対抗することができる権利
十四　信託証書の作成の日
十五　前各号に掲げるもののほか、内閣府令・法務省令で定める事項

② 信託証書を書面をもって作成する場合には、当該書面には、委託者（委託者が法人である場合にあっては、その代表者）及び受託会社の代表者が署名し、又は記名押印しなければならない。

③ 信託証書を電磁的記録をもって作成する場合には、当該電磁的記録には、委託者（委託者が法人である場合にあっては、その代表者）及び受託会社の代表者が内閣府令・法務省令で定める署名又は記名押印に代わる措置をとらなければならない。

（信託証書の備置き及び閲覧等）

第二〇条① 委託者及び受託会社は、信託証書の作成の日から信託事務の終了の日までの間、信託証書をそれぞれ委託者の住所地（委託者が法人である場合にあっては、その本店又は主たる事務所）及び受託会社の本店に備え置かなければならない。

② 社債権者若しくは担保付社債を引き受けようとする者又は委託者の債権者若しくは委託者が法人である場合にあってはその株主若しくは社員は、委託者の定めた時間（委託者が法人である場合にあっては、その営業時間又は事業時間）内又は受託会社の営業時間内は、いつでも、次に掲げる請求をすることができる。ただし、第二号又は第四号に掲げる請求をするには、委託者又は受託会社の定めた費用を支払わなければならない。

一　信託証書が書面をもって作成されているときは、当該書面の閲覧の請求
二　前号の書面の謄本又は抄本の交付の請求
三　信託証書が電磁的記録をもって作成されているときは、当該電磁的記録に記録された事項を内閣府令・法務省令で定める方法により表示したものの閲覧の請求
四　前号の電磁的記録に記録された事項を電磁的方法（電子情報処理組織を使用する方法その他の情報通信の技術を利用する方法であって内閣府令・法務省令で定めるものをいう。第五十九条を除き、以下同じ。）であって委託者若しくは受託会社の定めたものにより提供することの請求又はその事項を記載した書面の交付の請求

（分割発行の場合における信託証書の記載又は記録事項）

第二一条① 担保付社債の総額を数回に分けて発行する場合における信託証書には、第十九条第一項第三号から第十二号までに掲げる事項に代えて、次に掲げる事項を記載し、又は記録しなければならない。

一　担保付社債の総額を数回に分けて発行する旨
二　担保付社債の利率の最高限度

② 前項に規定する場合には、委託者及び受託会社は、各回の担保付社債の発行までに、当該発行に係る担保付社債について次に掲げる事項を同項の信託証書に付記しなければならない。

一　その回の担保付社債の金額の合計額
二　前号の担保付社債に係る第十九条第一項第三号から第十二号までに掲げる事項
三　信託証書の作成の日後に前二号に掲げる事項を付記したときは、その日

（分割発行の場合における発行の期限）

第二二条 担保付社債の総額を数回に分けて発行する場合には、最終の回の担保付社債の発行は、信託証書の作成の日から五年以内にしなければならない。

（分割発行の場合における担保付社債の総額の減額）

第二三条① 担保付社債の総額を数回に分けて発行する場合において、正当な理由があるときは、委託者は、受託会社に対し、担保付社債の総額の減額を請求することができる。ただし、当該減額後の担保付社債の総額は、発行済みの担保付社債の金額の合計額を下回ることができない。

② 前項の減額があったときは、委託者及び受託会社は、次に掲げる事項を第二十一条第一項の信託証書に付記しなければならない。

一　前項の減額があった旨及び当該減額後の担保付社債の総額
二　前号に掲げる事項を付記した日

③ 委託者は、受託会社に対し、第一項の減額によって生じた損害を賠償する責任を負う。

第三章　担保付社債を引き受ける者の募集

（担保付社債の申込み）

第二四条① 発行会社は、担保付社債を引き受ける者の募集をしようとする場合には、当該募集に応じて担保付社債の引受けの申込みをしようとする者に対し、会社法第六百七十七条第一項各号に掲げる事項のほか、次に掲げる事項を通知しなければならない。

一 委託者及び受託会社の氏名又は名称及び住所
二 社債が担保付社債である旨
三 信託証書を特定するに足りる事項
四 第十九条第一項第十一号に掲げる事項
五 第十九条第一項第十三号に掲げる事項の概要（当該申込みをしようとする者に対して担保の価額を知らせるために必要なものに限る。）
六 受託会社が担保の価額について調査をした結果
七 第二十条第二項各号に掲げる請求をすることができる時間及び同項第二号又は第四号に掲げる請求の方法

② 発行会社が新株予約権付社債である担保付社債を引き受ける者の募集をしようとする場合における前項の規定の適用については、同項中「第六百七十七条第一項各号」とあるのは、「第二百四十二条第一項各号」とする。

（分割発行の場合における担保付社債の申込み）

第二五条 発行会社は、担保付社債の総額を数回に分けて発行する場合には、前条第一項の募集に応じて担保付社債の引受けの申込みをしようとする者に対し、同項各号に掲げる事項のほか、次に掲げる事項を通知しなければならない。

一 担保付社債の総額を数回に分けて発行する旨
二 各回ごとの発行済みの担保付社債の金額の合計額、その未償還の額並びにその利率及び償還の期限

第四章 担保付社債券

（担保付社債券の記載事項）

第二六条 担保付社債券には、会社法第六百九十七条第一項の規定により記載すべき事項（新株予約権付社債に係る担保付社債券にあっては、同法第二百九十二条第一項の規定により記載すべき事項）のほか、次に掲げる事項を記載しなければならない。

一 第二十四条第一項第一号から第四号までに掲げる事項
二 担保付社債の総額を数回に分けて発行するときは、その旨

（担保付社債券に係る証明）

第二七条① 受託会社の代表者は、担保付社債券が信託契約の条項に適合するものであるときは、その旨を当該担保付社債券に記載し、かつ、これに署名し、又は記名押印しなければならない。

② 担保付社債券は、前項の規定による記載及び署名又は記名押印がなければ、その効力を生じない。

第五章 社債原簿

（担保付社債に係る社債原簿の記載又は記録事項）

第二八条 発行会社は、担保付社債を発行した日以後遅滞なく、社債原簿に、会社法第六百八十一条各号に掲げる事項のほか、次に掲げる事項を記載し、又は記録しなければならない。

一 第十九条第一項第十三号に掲げる事項
二 第二十四条第一項第一号から第四号までに掲げる事項
三 担保付社債の総額を数回に分けて発行するときは、その旨

（社債原簿の写しの受託会社への提出等）

第二九条 発行会社は、内閣府令・法務省令で定めるところにより、受託会社に対し、社債原簿の写しを提出し、又は提供しなければならない。

（社債原簿の写しの備置き及び閲覧等）

第三〇条① 受託会社は、前条の規定による提出又は提供があった日から信託事務の終了の日までの間、同条の社債原簿の写しをその本店に備え置かなければならない。

② 社債権者は、受託会社の営業時間内は、いつでも、次に掲げる請求をすることができる。この場合においては、当該請求の理由を明らかにしてしなければならない。

一 前条の社債原簿の写しが書面をもって作成されているときは、当該書面の閲覧又は謄写の請求
二 前条の社債原簿の写しが電磁的記録をもって作成されているときは、当該電磁的記録に記録された事項を内閣府令・法務省令で定める方法により表示したものの閲覧又は謄写の請求

③ 受託会社は、前項の請求があったときは、次のいずれかに該当する場合を除き、これを拒むことができない。

一 当該請求を行う社債権者がその権利の確保又は行使に関する調査以外の目的で請求を行ったとき。
二 当該請求を行う社債権者が社債原簿の写しの閲覧又は謄写によって知り得た事実を利益を得て第三者に通報するため請求を行ったとき。
三 当該請求を行う社債権者が、過去二年以内において、社債原簿の写しの閲覧又は謄写によって知り得た事実を利益を得て第三者に通報したことがあるものであるとき。

第六章 社債権者集会

（社債権者集会の招集等）

第三一条 社債権者集会についての会社法第七百十七条第二項、第七百十八条第一項及び第四項、第七百二十条第一項、第七百二十九条第一項、第七百三十一条第三項並びに第七百三十五条の二第一項及び第三項の規定の適用については、同法第七百十七条第二項中「社債管理者」とあるのは「担保付社債信託法（明治三十八年法律第五十二号）第二条第一項に規定する信託契約（以下単に「信託契約」という。）の受託会社」と、同法第七百十八条第一項及び第四項並びに第七百二十九条第一項本文中「社債管理者又は社債管理補助者」とあるのは「又は信託契約の受託会社」と、同法第七百二十条第一項及び第七百二十九条第一項ただし書中「社債管理者又は社債管理補助者」とあり、並びに同法第七百三十一条第三項並びに第七百三十五条の二第一項及び第三項中「社債管理者、社債管理補助者」とあるのは「信託契約の受託会社」と、同条第一項中「について（社債管理補助者にあっては、第七百十四条の七において準用する第七百十一条第一項の社債権者集会の同意をすることについて）」とあるのは「について」とする。

（社債権者集会の決議）

第三二条 会社法第七百二十四条第一項の規定にかかわらず、社債権者集会において次に掲げる事項を可決するには、議決権者（議決権を行使することができる社債権者をいう。）の議決権の総額の五分の一以上で、かつ、出席した当該議決権者の議決権の総額の三分の二以上の議決権を有する者の同意がなければならない。

一 第四十一条の規定による担保の変更
二 第四十二条において準用する第四十一条の規定による担保権の順位の変更又は担保権若しくはその順位の譲渡若しくは放棄

（社債権者集会の議事録）

第三三条① 受託会社は、社債権者集会の日から十年間、会社法第七百三十一条第一項の議事録又は同法第七百三十五条の二第一項の書面若しくは電磁的記録（次項各号において「議事録等」という。）の写しをその本店に備え置かなければならない。

② 社債権者は、受託会社の営業時間内は、いつでも、次に掲げる請求をすることができる。

一 議事録等の写しが書面をもって作成されているときは、当該書面の閲覧又は謄写の請求
二 議事録等の写しが電磁的記録をもって作成されているときは、当該電磁的記録に記録された事項を内閣府令・法務省令で定める方法により表示したものの閲覧又は謄写の請求

（社債権者集会の決議の執行）

第三四条① 会社法第七百三十七条第一項の規定にかかわらず、

社債権者集会の決議は、受託会社が執行する。ただし、社債権者と受託会社との利益が相反するときは、次の各号に掲げる場合の区分に応じ、当該各号に定める者が執行する。

一　決議執行者（会社法第七百三十七条第二項に規定する決議執行者をいう。）がある場合　当該決議執行者

二　前号に掲げる場合以外の場合において、代表社債権者があるとき　当該代表社債権者

②　前項第二号の代表社債権者は、会社法第七百三十六条第一項の規定により委任された事項を、自ら執行し、又は他人に執行させることができる。

第七章　信託契約の効力等

（受託会社の担保付社債の管理に関する権限等）

第三五条　受託会社は、担保付社債の管理に関しては、この法律に特別の定めがある場合を除き、社債管理者と同一の権限を有し、義務を負う。

（受託会社の担保権の管理又は処分に関する義務）

第三六条　受託会社は、総社債権者のために、信託契約による担保権を保存し、かつ、実行する義務を負う。

（社債権者の権利等）

第三七条①　社債権者は、その債権額に応じて、平等に担保の利益を享受する。

②　信託契約による担保権は、総社債権者のためにのみ行使することができる。

（信託契約による担保権の効力）

第三八条　信託契約による担保権は、社債の成立前においても、その効力を生ずる。

（信託契約による担保権に関する民法等の規定の適用除外）

第三九条①　民法（明治二十九年法律第八十九号）第三百四十八条及び第三百七十六条（抵当権又はその順位の譲渡及び放棄に関する部分を除く。）並びに商法（明治三十二年法律第四十八号）第五百十五条の規定は、信託契約による担保権については、適用しない。

②　民法第三百五十条において準用する同法第二百九十八条第三項の規定は、信託契約による質権については、適用しない。

③　民法第三百五十四条の規定は、信託契約による動産質権については、適用しない。

④　前三項の規定にかかわらず、信託契約に別段の定めがあるときは、その定めるところによる。

（担保の追加）

第四〇条　担保付社債に係る担保の追加は、受託会社及び委託者の合意による信託の変更により、することができる。

（担保の変更）

第四一条①　担保付社債に係る担保の変更は、受託会社、委託者及び受益者である社債権者の合意による信託の変更により、することができる。

②　前項の合意に係る受益者の意思決定は、社債権者集会の決議による。

③　前二項の規定にかかわらず、担保の変更後における担保の価額が未償還の担保付社債の元利金を担保するのに足りるときは、担保付社債に係る担保の変更は、受託会社及び委託者の合意により、することができる。

④　受託会社は、前項の規定により担保付社債に係る担保の変更をしたときは、遅滞なく、その旨を公告し、かつ、知れている社債権者には、各別にその旨を通知しなければならない。

（担保権の順位の変更等）

第四二条　前条の規定は、担保付社債に係る担保権の順位の変更又は担保権若しくはその順位の譲渡若しくは放棄について準用する。

（担保権の実行の義務等）

第四三条①　担保付社債が期限が到来しても弁済されず、又は発行会社が担保付社債の弁済を完了せずに解散したときは、受託会社は、遅滞なく、担保付社債に係る担保権の実行その他の必要な措置をとらなければならない。

②　受託会社は、総社債権者のために、当該受託会社に付与された執行力のある債務名義の正本（債務名義に係る電磁的記録が裁判所の使用に係る電子計算機（入出力装置を含む。）に備えられたファイルに記録されたものである場合にあっては民事執行法（昭和五十四年法律第四号）第十八条の二に規定する記録事項証明書（債務名義が電磁的記録をもって作成された執行証書である場合にあっては公証人法（明治四十一年法律第五十三号）第四十四条第一項第二号の書面又は同項第三号の電磁的記録））に基づき担保物について強制執行をし、担保権の実行の申立てをし、又は企業担保権の実行の申立てをすることができる。

③　前項の場合において、債権者に対する異議は、受託会社に対して主張することができる。

（弁済を受けた受託会社の義務）

第四四条①　受託会社は、社債権者のために弁済を受けた場合には、遅滞なく、その受領した財産（当該財産の換価をした場合におけるその換価代金を含む。）を、債権額に応じて各社債権者に交付しなければならない。

②　民法第六百四十七条の規定は、受託会社が前項の財産を自己のために消費した場合について準用する。

③　社債権者を確知することができないとき、又は社債権者が受領を拒み、若しくは受領することができないときは、受託会社は、その社債権者のために第一項の財産を供託しなければならない。

（特別代理人の選任）

第四五条①　次に掲げる場合には、裁判所は、社債権者集会の申立てにより、特別代理人を選任することができる。

一　受託会社が総社債権者のためにすべき信託事務の処理及び担保付社債の管理を怠っているとき。

二　社債権者と受託会社との利益が相反する場合において、受託会社が総社債権者のために信託事務の処理及び担保付社債の管理に関する裁判上又は裁判外の行為をする必要があるとき。

②　前項の申立てを却下する裁判には、理由を付さなければならない。

③　第一項の規定による特別代理人の選任の裁判に対しては、不服を申し立てることができない。

④　第一項の申立てに係る非訟事件は、発行会社の本店の所在地を管轄する地方裁判所の管轄に属する。

⑤　第一項の規定による非訟事件については、非訟事件手続法（平成二十三年法律第五十一号）第四十条及び第五十七条第二項第二号の規定は、適用しない。

（受託会社等の行為の方式）

第四六条　受託会社又は前条第一項の特別代理人がこの法律の規定により総社債権者のために裁判上又は裁判外の行為をする場合には、個別の社債権者を表示することを要しない。

（受託会社の報酬）

第四七条①　受託会社は、信託法（平成十八年法律第百八号）第五十四条及び会社法第七百四十一条第一項の規定にかかわらず、委託者又は発行会社に対し、信託事務の処理及び担保付社債の管理について相当の報酬を請求することができる。ただし、信託契約に別段の定めがあるときは、その定めるところによる。

②　民法第六百四十八条第二項及び第三項の規定は、前項の規定により委託者又は発行会社から受ける受託会社の報酬について準用する。ただし、信託契約に別段の定めがあるときは、その定めるところによる。

③　会社法第七百四十一条第三項の規定は、第一項の規定により委託者又は発行会社から受ける受託会社の報酬については、適用しない。

（受託会社の費用等）

第四八条①　委託者又は発行会社は、信託法第四十八条第一項本

文及び第五十三条第一項本文並びに会社法第七百四十一条第一項の規定にかかわらず、受託会社が信託事務の処理及び担保付社債の管理をするのに必要と認められる費用として正当に支出した一切の費用及び支出の日以後におけるその利息を償還し、並びに受託会社が自己の過失なく受けた一切の損害を賠償する義務を負う。ただし、信託契約に別段の定めがあるときは、その定めるところによる。

② 受託会社は、信託法第四十八条第二項本文の規定にかかわらず、信託事務の処理及び担保付社債の管理をするについて要する費用の前払を委託者又は発行会社に請求することができる。ただし、信託契約に別段の定めがあるときは、その定めるところによる。

③ 会社法第七百四十一条第三項の規定は、第一項の費用及びその利息の償還並びに損害の賠償については、適用しない。

④ 信託契約による担保権は、第一項の規定により受託会社に生ずる債権のためにも、その効力を有する。

⑤ 受託会社は、前項の債権について、社債権者に優先して担保物から弁済を受ける権利を有する。

（担保物の保管の状況の検査）

第四九条① 委託者、代表社債権者又は担保付社債の総額（償還済みの額を除く。）の十分の一以上に当たる担保付社債を有する社債権者は、いつでも、受託会社による担保物の保管の状況を検査することができる。

② 無記名式の担保付社債券を有する者は、これを受託会社に提示しなければ、前項の検査をすることができない。

第八章　信託事務の承継及び終了

（受託会社の辞任）

第五〇条① 受託会社についての信託法第五十七条の規定の適用については、同条第一項中「及び受益者」とあるのは、「、発行会社及び社債権者集会」とする。

② 受託会社は、前項の規定により読み替えて適用する信託法第五十七条第一項の規定により辞任するときは、信託事務を承継する会社を定めなければならない。

③ 第十七条第一項の規定は、信託事務を承継する会社が外国会社である場合について準用する。

（受託会社の解任）

第五一条 受託会社についての信託法第五十八条の規定の適用については、同条第一項中「及び受益者」とあるのは「、発行会社及び社債権者集会」と、同条第二項中「及び受益者が」とあるのは「、発行会社及び社債権者集会が」と、「及び受益者は」とあるのは「及び発行会社は」と、同条第四項中「違反して信託財産に著しい損害を与えたこと」とあるのは「違反したとき、信託事務の処理若しくは担保付社債の管理に不適任であるとき」と、同項及び同条第七項中「又は受益者」とあるのは「、発行会社又は社債権者集会」とする。

（内閣総理大臣の権限）

第五二条 内閣総理大臣は、受託会社に係る第三条の免許が第十二条の規定による取消しその他の事由によりその効力を失ったときは、信託法第五十八条第四項、第六十二条第四項又は第六十三条第一項の規定による申立てをすることができる。

（信託事務の承継）

第五三条① 第五十条第二項の規定による信託事務の承継は、委託者、受託会社であった者（以下「前受託会社」という。）及び信託事務を承継する会社（以下「新受託会社」という。）がその契約書を作成することによって、その効力を生ずる。

② 前項の契約書は、電磁的記録をもって作成することができる。

③ 第一項の契約書を書面をもって作成する場合には、当該書面には、委託者（委託者が法人である場合にあっては、その代表者）並びに前受託会社及び新受託会社の代表者が署名し、又は記名押印しなければならない。

④ 第一項の契約書を電磁的記録をもって作成する場合には、当該電磁的記録には、委託者（委託者が法人である場合にあっては、その代表者）並びに前受託会社及び新受託会社の代表者が内閣府令・法務省令で定める署名又は記名押印に代わる措置をとらなければならない。

（承継の公告等）

第五四条 信託事務の承継がされたときは、発行会社及び新受託会社は、遅滞なく、各自、その旨を公告し、かつ、知れている社債権者には、各別にこれを通知しなければならない。

（新受託会社の権利義務等）

第五五条 社債権者、委託者又は発行会社のために前受託会社に帰属していた権利義務は、前受託会社の辞任、解任、免許の取消し又は解散の時にさかのぼって、新受託会社に移転する。ただし、前受託会社の契約違反又は不法行為によって生じた責任は、この限りでない。

（書類の移管等）

第五六条 前受託会社の取締役（指名委員会等設置会社にあっては、執行役）、これを代表する社員、清算人又は破産管財人は、遅滞なく、その委託者、発行会社又は社債権者のために保管する物及び信託事務に関する書類を新受託会社に移管し、その他信託事務を新受託会社に引き継ぐために必要な一切の行為をしなければならない。

（承継に関する事務の監督）

第五七条① 信託事務の承継に関する事務は、内閣総理大臣の監督に属する。

② 内閣総理大臣は、前項の監督上必要があると認めるときは、当該職員に当該前受託会社若しくは新受託会社の営業所その他の施設に立ち入らせ、その業務若しくは財産の状況に関し質問させ、又は帳簿書類その他の物件を検査させることができる。

③ 第十条第二項及び第三項の規定は、前項の規定による立入検査について準用する。

（信託事務の終了）

第五八条① 受託会社が信託事務を終了したときは、総計算書を作成し、これを公告しなければならない。

② 前項の総計算書は、電磁的記録をもって作成することができる。

第九章　雑則

（第五九条から第六七条まで）（略）

第十章　罰則

（第六八条から第七〇条まで）（略）

附　則

本法施行ノ期日ハ勅令ヲ以テ之ヲ定ム（明治三八・七・一施行―明治三八勅一八五）

民事関係手続等における情報通信技術の活用等の推進を図るための関係法律の整備に関する法律中経過規定

（令和五・六・一四法五三）（抄）

（担保付社債信託法の一部改正に伴う経過措置）

第三四条① 第二号施行日（附則第二号に掲げる規定の施行の日）から施行日の前日までの間における前条の規定による改正後の担保付社債信託法第四十三条第二項の規定の適用については、同項中「書面又は同項第三号の電磁的記録」とあるのは、「書面」とする。

② 第二号施行日から第三号施行日（附則第三号に掲げる規定の施行の日）の前日までの間における前条の規定による改正後の担保付社債信託法第四十三条第二項の規定の適用については、同項中「正本（債務名義に係る電磁的記録が裁判所の使用に係る電子計算機（入出力装置を含む。）に備えられたファイルに記録されたものである場合にあっては民事執行法（昭和五十四年法律第四号）第十八条の二に規定する記録事項証明書）」とあるのは、「正本」とする。

第三八七条から**第三八九条**まで　（民事執行法の同経過規定参照）

民事関係手続等における情報通信技術の活用等の推進を図るための関係法律の整備に関する法律

附　則（令和五・六・一四法五三）

この法律は、公布の日から起算して五年を超えない範囲内において政令で定める日から施行する。ただし、次の各号に掲げる規定は、当該各号に定める日から施行する。

一　第三十二章（民事訴訟法等の一部を改正する法律（令和四法四八）の一部改正）の規定及び第三百八十八条の規定　公布の日

二　（前略）第三十三条（担保付社債信託法の一部改正）、第三十四条（中略）の規定（中略）並びに第三百八十七条の規定　公布の日から起算して二年六月を超えない範囲内において政令で定める日

三　（略）

○商業登記法（昭和三八・七・九 法一二五）

施行 昭和三九・四・一（附則）
最終改正 令和五法五三

目次

第一章 総則

（目的）
第一条 この法律は、商法（明治三十二年法律第四十八号）、会社法（平成十七年法律第八十六号）その他の法律の規定により登記すべき事項を公示するための登記に関する制度について定めることにより、商号、会社等に係る信用の維持を図り、かつ、取引の安全と円滑に資することを目的とする。

（定義）
第一条の二 この法律において、次の各号に掲げる用語の意義は、それぞれ当該各号に定めるところによる。
一 登記簿 商法、会社法その他の法律の規定により登記すべき事項が記録される帳簿であつて、磁気ディスク（これに準ずる方法により一定の事項を確実に記録することができる物を含む。）をもつて調製するものをいう。
二 変更の登記 登記した事項に変更を生じた場合に、商法、会社法その他の法律の規定によりすべき登記をいう。
三 消滅の登記 登記した事項が消滅した場合に、商法、会社法その他の法律の規定によりすべき登記をいう。
四 商号 商法第十一条第一項又は会社法第六条第一項に規定する商号をいう。

第一章の二 登記所及び登記官

（登記所）
第一条の三 登記の事務は、当事者の営業所の所在地を管轄する法務局若しくは地方法務局若しくはこれらの支局又はこれらの出張所（以下単に「登記所」という。）がつかさどる。

（事務の委任）
第二条 法務大臣は、一の登記所の管轄に属する事務を他の登記所に委任することができる。

（事務の停止）
第三条 法務大臣は、登記所においてその事務を停止しなければならない事由が生じたときは、期間を定めて、その停止を命ずることができる。

（登記官）
第四条 登記所における事務は、登記官（登記所に勤務する法務事務官のうちから、法務局又は地方法務局の長が指定する者をいう。以下同じ。）が取り扱う。

（登記官の除斥）
第五条 登記官又はその配偶者若しくは四親等内の親族（配偶者又は四親等内の親族であつた者を含む。以下この条において同じ。）が登記の申請人であるときは、当該登記官は、当該登記をすることができない。登記官又はその配偶者若しくは四親等内の親族が申請人を代表して申請するときも、同様とする。

第二章 登記簿等

（商業登記簿）
第六条 登記所に次の商業登記簿を備える。
一 商号登記簿
二 未成年者登記簿
三 後見人登記簿
四 支配人登記簿
五 株式会社登記簿
六 合名会社登記簿
七 合資会社登記簿
八 合同会社登記簿
九 外国会社登記簿

（会社法人等番号）
第七条 登記簿には、法務省令で定めるところにより、会社法人等番号（特定の会社、外国会社その他の商人を識別するための番号をいう。第十九条の三において同じ。）を記録する。

（登記簿等の持出禁止）
第七条の二 登記簿及びその附属書類（第十七条第三項に規定する電磁的記録（電子的方式、磁気的方式その他人の知覚によつては認識することができない方式で作られる記録であつて、電子計算機による情報処理の用に供されるものをいう。以下同じ。）及び第十九条の二に規定する登記の申請書に添付すべき電磁的記録（以下「第十九条の二に規定する電磁的記録」という。）を含む。以下この条、第九条、第十一条の二、第百四十条及び第百四十一条において同じ。）は、事変を避けるためにする場合を除き、登記所外に持ち出してはならない。ただし、登記簿の附属書類については、裁判所の命令又は嘱託があつたときは、この限りでない。

（登記簿の滅失と回復）
第八条 登記簿の全部又は一部が滅失したときは、法務大臣は、一定の期間を定めて、登記の回復に必要な処分を命ずることができる。

（登記簿等の滅失防止）
第九条 登記簿又はその附属書類が滅失するおそれがあるときは、法務大臣は、必要な処分を命ずることができる。

（登記事項証明書の交付等）
第一〇条① 何人も、手数料を納付して、登記簿に記録されている事項を証明した書面（以下「登記事項証明書」という。）の交付を請求することができる。
② 前項の交付の請求は、法務省令で定める場合を除き、他の登記所の登記官に対してもすることができる。
③ 登記事項証明書の記載事項は、法務省令で定める。

（登記事項の概要を記載した書面の交付）
第一一条 何人も、手数料を納付して、登記簿に記録されている事項の概要を記載した書面の交付を請求することができる。

（附属書類の閲覧）
第一一条の二 登記簿の附属書類の閲覧について利害関係を有する者は、手数料を納付して、その閲覧を請求することができる。この場合において、第十七条第三項に規定する電磁的記録又は第十九条の二に規定する電磁的記録に記録された情報の閲覧は、その情報の内容を法務省令で定める方法により表示したものを閲覧する方法により行う。

（印鑑証明）
第一二条① 次に掲げる者でその印鑑を登記所に提出した者は、手数料を納付して、その印鑑の証明書の交付を請求することができる。
一 第十七条第二項の規定により登記の申請書に押印すべき者

（委任による代理人によつて登記の申請をする場合には、委任をした者又はその代表者）
二 支配人
三 破産法（平成十六年法律第七十五号）の規定により会社につき選任された破産管財人又は保全管理人
四 民事再生法（平成十一年法律第二百二十五号）の規定により会社につき選任された管財人又は保全管理人
五 会社更生法（平成十四年法律第百五十四号）の規定により選任された管財人又は保全管理人
六 外国倒産処理手続の承認援助に関する法律（平成十二年法律第百二十九号）の規定により会社につき選任された承認管財人又は保全管理人
② 第十条第二項の規定は、前項の証明書に準用する。

（電磁的記録の作成者を示す措置の確認に必要な事項等の証明）

第一二条の二① 前条第一項各号に掲げる者（以下この条において「被証明者」という。）は、この条に規定するところにより次の事項（第二号の期間については、デジタル庁令・法務省令で定めるものに限る。）の証明を請求することができる。ただし、代表権の制限その他の事項でこの項の規定による証明に適しないものとしてデジタル庁令・法務省令で定めるものがあるときは、この限りでない。
一 電磁的記録に記録することができる情報が被証明者の作成に係るものであることを示すために講ずる措置であつて、当該情報が他の情報に改変されているかどうかを確認することができる等被証明者の作成に係るものであることを確実に示すことができるものとしてデジタル庁令・法務省令で定めるものについて、当該被証明者が当該措置を講じたものであることを確認するために必要な事項
二 この項及び第三項の規定により証明した事項について、第八項の規定による証明の請求をすることができる期間
② 前項の規定による証明の請求は、同項各号の事項を明らかにしてしなければならない。
③ 第一項の規定により証明を請求した被証明者は、併せて、自己に係る登記事項であつてデジタル庁令・法務省令で定めるものの証明を請求することができる。
④ 第一項の規定により証明を請求する被証明者は、政令で定める場合を除くほか、手数料を納付しなければならない。
⑤ 第一項及び第三項の規定による証明は、法務大臣の指定する登記所の登記官がする。ただし、これらの規定による証明の請求は、当事者の営業所（会社にあつては、本店）の所在地を管轄する登記所を経由してしなければならない。
⑥ 前項の指定は、告示してしなければならない。
⑦ 第一項の規定により証明を請求した被証明者は、同項第二号の期間中において同項第一号の事項が当該被証明者が同号の措置を講じたものであることを確認するために必要な事項でなくなつたときは、第五項本文の登記所に対し、同項ただし書の登記所を経由して、その旨を届け出ることができる。
⑧ 何人でも、第五項本文の登記所に対し、次の事項の証明を請求することができる。
一 第一項及び第三項の規定により証明した事項の変更（デジタル庁令・法務省令で定める軽微な変更を除く。）の有無
二 第一項第二号の期間の経過の有無
三 前項の届出の有無及び届出があつたときはその年月日
四 前三号に準ずる事項としてデジタル庁令・法務省令で定めるもの
⑨ 第一項及び第三項の規定による証明並びに前項の規定による証明及び証明の請求は、デジタル庁令・法務省令で定めるところにより、登記官が使用する電子計算機と請求をする者が使用する電子計算機とを接続する電気通信回線を通じて送信する方法その他の方法によつて行うものとする。

（手数料）

第一三条① 第十条から前条までの手数料の額は、物価の状況、登記事項証明書の交付等に要する実費その他一切の事情を考慮して、政令で定める。
② 第十条から前条までの手数料の納付は、収入印紙をもつてしなければならない。

第三章 登記手続

第一節 通則

（当事者申請主義）

第一四条 登記は、法令に別段の定めがある場合を除くほか、当事者の申請又は官庁の嘱託がなければ、することができない。

（嘱託による登記）

第一五条 第五条、第十七条から第十九条の二まで、第二十一条、第二十二条、第二十三条の二、第二十四条、第五十一条第一項及び第二項、第五十二条、第七十八条第一項及び第三項、第八十二条第二項及び第三項、第八十三条、第八十七条第一項及び第二項、第八十八条、第九十一条第一項及び第二項、第九十二条、第百三十二条並びに第百三十四条の規定は、官庁の嘱託による登記の手続について準用する。

第一六条 削除

（登記申請の方式）

第一七条① 登記の申請は、書面でしなければならない。
② 申請書には、次の事項を記載し、申請人又はその代表者（当該代表者が法人である場合にあつては、その職務を行うべき者）若しくは代理人が記名押印しなければならない。
一 申請人の氏名及び住所、申請人が会社であるときは、その商号及び本店並びに代表者の氏名又は名称及び住所（当該代表者が法人である場合にあつては、その職務を行うべき者の氏名及び住所を含む。）
二 代理人によつて申請するときは、その氏名及び住所
三 登記の事由
四 登記すべき事項
五 登記すべき事項につき官庁の許可を要するときは、許可書の到達した年月日
六 登録免許税の額及びこれにつき課税標準の金額があるときは、その金額
七 年月日
八 登記所の表示
③ 前項第四号に掲げる事項を記録した電磁的記録が法務省令で定める方法により提供されたときは、同項の規定にかかわらず、申請書には、当該電磁的記録に記録された事項を記載することを要しない。

（申請書の添付書面）

第一八条 代理人によつて登記を申請するには、申請書（前条第三項に規定する電磁的記録を含む。以下同じ。）にその権限を証する書面を添付しなければならない。

第一九条 官庁の許可を要する事項の登記を申請するには、申請書に官庁の許可書又はその認証がある謄本を添附しなければならない。

（申請書に添付すべき電磁的記録）

第一九条の二 登記の申請書に添付すべき定款、議事録若しくは最終の貸借対照表が電磁的記録で作られているとき、又は登記の申請書に添付すべき書面につきその作成に代えて電磁的記録の作成がされているときは、当該電磁的記録に記録された情報の内容を記録した電磁的記録（法務省令で定めるものに限る。）を当該申請書に添付しなければならない。

（添付書面の特例）

第一九条の三 この法律の規定により登記の申請書に添付しなければならないとされている登記事項証明書は、申請書に会社法人等番号を記載した場合その他の法務省令で定める場合には、添付することを要しない。

第二〇条 削除

（受付）

第二一条① 登記官は、登記の申請書を受け取つたときは、受付

帳に登記の種類、申請人の氏名、会社が申請人であるときはその商号、受付の年月日及び受付番号を記載し、申請書に受付の年月日及び受付番号を記載しなければならない。

② 情報通信技術を活用した行政の推進等に関する法律（平成十四年法律第百五十一号）第六条第一項の規定により同項に規定する電子情報処理組織を使用してする登記の申請については、前項の規定中申請書への記載に関する部分は、適用しない。

③ 登記官は、二以上の登記の申請書を同時に受け取つた場合又は二以上の登記の申請書についてこれを受け取つた時の前後が明らかでない場合には、受付帳にその旨を記載しなければならない。

（受領証）

第二二条 登記官は、登記の申請書その他の書面（第十九条の二に規定する電磁的記録を含む。）を受け取つた場合において、申請人の請求があつたときは、受領証を交付しなければならない。

（登記の順序）

第二三条 登記官は、受附番号の順序に従つて登記をしなければならない。

（登記官による本人確認）

第二三条の二① 登記官は、登記の申請があつた場合において、申請人となるべき者以外の者が申請していると疑うに足りる相当な理由があると認めるときは、次条の規定により当該申請を却下すべき場合を除き、申請人又はその代表者若しくは代理人に対し、出頭を求め、質問をし、又は文書の提示その他必要な情報の提供を求める方法により、当該申請人の申請の権限の有無を調査しなければならない。

② 登記官は、前項に規定する申請人又はその代表者若しくは代理人が遠隔の地に居住しているとき、その他相当と認めるときは、他の登記所の登記官に同項の調査を嘱託することができる。

（申請の却下）

第二四条 登記官は、次の各号のいずれかに掲げる事由がある場合には、理由を付した決定で、登記の申請を却下しなければならない。ただし、当該申請の不備が補正することができるものである場合において、登記官が定めた相当の期間内に、申請人がこれを補正したときは、この限りでない。

一 申請に係る当事者の営業所の所在地が当該申請を受けた登記所の管轄に属しないとき。

二 申請が登記すべき事項以外の事項の登記を目的とするとき。

三 申請に係る登記がその登記所において既に登記されているとき。

四 申請の権限を有しない者の申請によるとき、又は申請の権限を有する者であることの証明がないとき。

五 第二十一条第三項に規定する場合において、当該申請に係る登記をすることにより同項の登記の申請書のうち他の申請書に係る登記をすることができなくなるとき。

六 申請書がこの法律に基づく命令又はその他の法令の規定により定められた方式に適合しないとき。

七 申請書に必要な書面（第十九条の二に規定する電磁的記録を含む。）を添付しないとき。

八 申請書又はその添付書面（第十九条の二に規定する電磁的記録を含む。以下同じ。）の記載又は記録が申請書の添付書面又は登記簿の記載又は記録と合致しないとき。

九 登記すべき事項につき無効又は取消しの原因があるとき。

十 申請につき経由すべき登記所を経由しないとき。

十一 同時にすべき他の登記の申請を同時にしないとき。

十二 申請が第二十七条の規定により登記することができない商号の登記を目的とするとき。

十三 申請が法令の規定により使用を禁止された商号の登記を目的とするとき。

十四 商号の登記を抹消されている会社が商号の登記をしないで他の登記を申請したとき。

十五 登録免許税を納付しないとき。

（提訴期間経過後の登記）

第二五条① 登記すべき事項につき訴えをもつてのみ主張することができる無効又は取消しの原因がある場合において、その訴えがその提起期間内に提起されなかつたときは、前条第九号の規定は、適用しない。

② 前項の場合の登記の申請書には、同項の訴えがその提起期間内に提起されなかつたことを証する書面及び登記すべき事項の存在を証する書面を添附しなければならない。この場合には、第十八条の書面を除き、他の書面の添附を要しない。

③ 会社は、その本店の所在地を管轄する地方裁判所に、第一項の訴えがその提起期間内に提起されなかつたことを証する書面の交付を請求することができる。

＊令和五法五三（令和一〇・六・一三までに施行）による改正後

（提訴期間経過後の登記）

第二五条① （略）

② 前項の場合の登記の申請書には、同項の訴えがその提起期間内に提起されなかつたことを証する書面及び登記すべき事項の存在を証する書面を添付しなければならない。この場合には、第十八条の書面を除き、他の書面の添付を要しない。

③ 会社は、その本店の所在地を管轄する地方裁判所に、第一項の訴えがその提起期間内に提起されなかつたことを証する書面の交付又は電磁的記録の提供を請求することができる。

第二節 商号の登記

（行政区画等の変更）

第二六条 行政区画、郡、区、市町村内の町若しくは字又はそれらの名称の変更があつたときは、その変更による登記があつたものとみなす。

（同一の所在場所における同一の商号の登記の禁止）

第二七条 商号の登記は、その商号が他人の既に登記した商号と同一であり、かつ、その営業所（会社にあつては、本店。以下この条において同じ。）の所在場所が当該他人の商号の登記に係る営業所の所在場所と同一であるときは、することができない。

（登記事項等）

第二八条① 商号の登記は、営業所ごとにしなければならない。

② 商号の登記において登記すべき事項は、次のとおりとする。

一 商号

二 営業の種類

三 営業所

四 商号使用者の氏名及び住所

（変更等の登記）

第二九条① 商号の登記をした者は、その営業所を他の登記所の管轄区域内に移転したときは、旧所在地においては営業所移転の登記を、新所在地においては前条第二項各号に掲げる事項の登記を申請しなければならない。

② 商号の登記をした者は、前条第二項各号に掲げる事項に変更を生じたとき、又は商号を廃止したときは、その登記を申請しなければならない。

（商号の譲渡又は相続の登記）

第三〇条① 商号の譲渡による変更の登記は、譲受人の申請によつてする。

② 前項の登記の申請書には、譲渡人の承諾書及び商法第十五条第一項の規定に該当することを証する書面を添付しなければならない。

③ 商号の相続による変更の登記を申請するには、申請書に相続を証する書面を添付しなければならない。

（営業又は事業の譲渡の際の免責の登記）

第三一条① 商法第十七条第二項前段及び会社法第二十二条第二

項前段の登記は、譲受人の申請によつてする。

② 前項の登記の申請書には、譲渡人の承諾書を添付しなければならない。

（相続人による登記）

第三二条 相続人が前三条の登記を申請するには、申請書にその資格を証する書面を添付しなければならない。

（商号の登記の抹消）

第三三条① 次の各号に掲げる場合において、当該商号の登記をした者が当該各号に定める登記をしないときは、当該商号の登記に係る営業所（会社にあつては、本店。以下この条において同じ。）の所在場所において同一の商号を使用しようとする者は、登記所に対し、当該商号の登記の抹消を申請することができる。

一 登記した商号を廃止したとき 当該商号の廃止の登記

二 商号の登記をした者が正当な事由なく二年間当該商号を使用しないとき 当該商号の廃止の登記

三 登記した商号を変更したとき 当該商号の変更の登記

四 商号の登記に係る営業所を移転したとき 当該営業所の移転の登記

② 前項の規定によつて商号の登記の抹消を申請する者は、申請書に当該商号の登記に係る営業所の所在場所において同一の商号を使用しようとする者であることを証する書面を添付しなければならない。

③ 第百三十五条から第百三十七条までの規定は、第一項の申請があつた場合に準用する。

④ 登記官は、前項において準用する第百三十六条の規定により異議が理由があるとする決定をしたときは、第一項の申請を却下しなければならない。

（会社の商号の登記）

第三四条① 会社の商号の登記は、会社の登記簿にする。

② 第二十八条、第二十九条並びに第三十条第一項及び第二項の規定は、会社については、適用しない。

第三節 未成年者及び後見人の登記

（未成年者登記の登記事項等）

第三五条① 商法第五条の規定による登記において登記すべき事項は、次のとおりとする。

一 未成年者の氏名、出生の年月日及び住所

二 営業の種類

三 営業所

② 第二十九条の規定は、未成年者の登記に準用する。

（申請人）

第三六条① 未成年者の登記は、未成年者の申請によつてする。

② 営業の許可の取消しによる消滅の登記又は営業の許可の制限による変更の登記は、法定代理人も申請することができる。

③ 未成年者の死亡による消滅の登記は、法定代理人の申請によつてする。

④ 未成年者が成年に達したことによる消滅の登記は、登記官が、職権ですることができる。

（添付書面）

第三七条① 商法第五条の規定による登記の申請書には、法定代理人の許可を得たことを証する書面を添付しなければならない。ただし、申請書に法定代理人の記名押印があるときは、この限りでない。

② 未成年後見人が未成年被後見人の営業を許可した場合において、未成年後見監督人がないときはその旨を証する書面を、未成年後見監督人があるときはその同意を得たことを証する書面を、前項の申請書に添付しなければならない。

③ 前二項の規定は、営業の種類の増加による変更の登記の申請に準用する。

第三八条 未成年者がその営業所を他の登記所の管轄区域内に移転した場合の新所在地における登記の申請書には、旧所在地においてした登記を証する書面を添付しなければならない。

第三九条 未成年者の死亡による消滅の登記の申請書には、未成年者が死亡したことを証する書面を添付しなければならない。

（後見人登記の登記事項等）

第四〇条① 商法第六条第一項の規定による登記において登記すべき事項は、次のとおりとする。

一 後見人の氏名又は名称及び住所並びに当該後見人が未成年後見人又は成年後見人のいずれであるかの別

二 被後見人の氏名及び住所

三 営業の種類

四 営業所

五 数人の未成年後見人が共同してその権限を行使するとき、又は数人の成年後見人が共同してその権限を行使すべきことが定められたときは、その旨

六 数人の未成年後見人が単独でその権限を行使すべきことが定められたときは、その旨

七 数人の後見人が事務を分掌してその権限を行使すべきことが定められたときは、その旨及び各後見人が分掌する事務の内容

② 第二十九条の規定は、前項の登記について準用する。

（申請人）

第四一条① 後見人の登記は、後見人の申請によつてする。

② 未成年被後見人が成年に達したことによる消滅の登記は、その者も申請することができる。成年被後見人について後見開始の審判が取り消されたことによる消滅の登記の申請についても、同様とする。

③ 後見人の退任による消滅の登記は、新後見人も申請することができる。

（添付書面）

第四二条① 商法第六条第一項の規定による登記の申請書には、次の書面を添付しなければならない。

一 後見監督人がないときは、その旨を証する書面

二 後見監督人があるときは、その同意を得たことを証する書面

三 後見人が法人であるときは、当該法人の登記事項証明書。ただし、当該登記所の管轄区域内に当該法人の本店又は主たる事務所がある場合を除く。

② 後見人が法人であるときは、第四十条第一項第一号に掲げる事項の変更の登記の申請書には、前項第三号に掲げる書面を添付しなければならない。ただし、同号ただし書に規定する場合は、この限りでない。

③ 第一項（第一号又は第二号に係る部分に限る。）の規定は、営業の種類の増加による変更の登記について準用する。

④ 第三十八条の規定は、後見人がその営業所を他の登記所の管轄区域内に移転した場合の新所在地における登記について準用する。

⑤ 前条第二項又は第三項の登記の申請書には、未成年被後見人が成年に達したこと、成年被後見人について後見開始の審判が取り消されたこと又は後見人が退任したことを証する書面を添付しなければならない。

第四節 支配人の登記

（会社以外の商人の支配人の登記）

第四三条① 商人（会社を除く。以下この項において同じ。）の支配人の登記において登記すべき事項は、次のとおりとする。

一 支配人の氏名及び住所

二 商人の氏名及び住所

三 商人が数個の商号を使用して数種の営業をするときは、支配人が代理すべき営業及びその使用すべき商号

四 支配人を置いた営業所

② 第二十九条の規定は、前項の登記について準用する。

（会社の支配人の登記）

第四四条① 会社の支配人の登記は、会社の登記簿にする。

② 前項の登記において登記すべき事項は、次のとおりとする。

一 支配人の氏名及び住所
二 支配人を置いた営業所
③ 第二十九条第二項の規定は、第一項の登記について準用する。

第四五条① 会社の支配人の選任の登記の申請書には、支配人の選任を証する書面を添付しなければならない。
② 会社の支配人の代理権の消滅の登記の申請書には、これを証する書面を添付しなければならない。

第五節 株式会社の登記

（添付書面の通則）
第四六条① 登記すべき事項につき株主全員若しくは種類株主全員の同意又はある取締役若しくは清算人の一致を要するときは、申請書にその同意又は一致があつたことを証する書面を添付しなければならない。
② 登記すべき事項につき株主総会若しくは種類株主総会、取締役会又は清算人会の決議を要するときは、申請書にその議事録を添付しなければならない。
③ 登記すべき事項につき会社法第三百十九条第一項（同法第三百二十五条において準用する場合を含む。）又は第三百七十条（同法第四百九十条第五項において準用する場合を含む。）の規定により株主総会若しくは種類株主総会、取締役会又は清算人会の決議があつたものとみなされる場合には、申請書に、前項の議事録に代えて、当該場合に該当することを証する書面を添付しなければならない。
④ 監査等委員会設置会社における登記すべき事項につき、会社法第三百九十九条の十三第五項又は第六項の取締役会の決議による委任に基づく取締役の決定があつたときは、申請書に、当該取締役会の議事録のほか、当該決定があつたことを証する書面を添付しなければならない。
⑤ 指名委員会等設置会社における登記すべき事項につき、会社法第四百十六条第四項の取締役会の決議による委任に基づく執行役の決定があつたときは、申請書に、当該取締役会の議事録のほか、当該決定があつたことを証する書面を添付しなければならない。

（設立の登記）
第四七条① 設立の登記は、会社を代表すべき者の申請によつてする。
② 設立の登記の申請書には、法令に別段の定めがある場合を除き、次の書面を添付しなければならない。
一 定款
二 会社法第五十七条第一項の募集をしたときは、同法第五十八条第一項に規定する設立時募集株式の引受けの申込み又は同法第六十一条の契約を証する書面
三 定款に会社法第二十八条各号に掲げる事項についての記載又は記録があるときは、次に掲げる書面
イ 検査役又は設立時取締役（設立しようとする株式会社が監査役設置会社である場合にあつては、設立時取締役及び設立時監査役）の調査報告を記載した書面及びその附属書類
ロ 会社法第三十三条第十項第二号に掲げる場合には、有価証券（同号に規定する有価証券をいう。以下同じ。）の市場価格を証する書面
ハ 会社法第三十三条第十項第三号に掲げる場合には、同号に規定する証明を記載した書面及びその附属書類
四 検査役の報告に関する裁判があつたときは、その謄本

*令和五法五三（令和一〇・六・一三までに施行）による改正後
四 検査役の報告に関する裁判があつたときは、その謄本又は裁判の内容を記載した書面であつて裁判所書記官が当該書面の内容が当該裁判の内容と同一であることを証明したもの

五 会社法第三十四条第一項の規定による払込みがあつたことを証する書面（同法第五十七条第一項の募集をした場合にあつては、同法第六十四条第一項の金銭の保管に関する証明書）
六 株主名簿管理人を置いたときは、その者との契約を証する書面
七 設立時取締役が設立時代表取締役を選定したときは、これに関する書面
八 設立しようとする株式会社が指名委員会等設置会社であるときは、設立時執行役の選任並びに設立時委員及び設立時代表執行役の選定に関する書面
九 創立総会及び種類創立総会の議事録
十 会社法の規定により選任され又は選定された設立時取締役、設立時監査役及び設立時代表取締役（設立しようとする株式会社が監査等委員会設置会社である場合にあつては設立時監査等委員である設立時取締役及びそれ以外の設立時取締役並びに設立時代表取締役、設立しようとする株式会社が指名委員会等設置会社である場合にあつては設立時取締役、設立時委員、設立時執行役及び設立時代表執行役）が就任を承諾したことを証する書面
十一 設立時会計参与又は設立時会計監査人を選任したときは、次に掲げる書面
イ 就任を承諾したことを証する書面
ロ これらの者が法人であるときは、当該法人の登記事項証明書。ただし、当該登記所の管轄区域内に当該法人の主たる事務所がある場合を除く。
ハ これらの者が法人でないときは、設立時会計参与にあつては会社法第三百三十三条第一項に規定する者であること、設立時会計監査人にあつては同法第三百三十七条第一項に規定する者であることを証する書面
十二 会社法第三百七十三条第一項の規定による特別取締役（同項に規定する特別取締役をいう。以下同じ。）による議決の定めがあるときは、特別取締役の選定及びその選定された者が就任を承諾したことを証する書面
③ 登記すべき事項につき発起人全員の同意又はある発起人の一致を要するときは、前項の登記の申請書にその同意又は一致があつたことを証する書面を添付しなければならない。
④ 会社法第八十二条第一項（同法第八十六条において準用する場合を含む。）の規定により創立総会又は種類創立総会の決議があつたものとみなされる場合には、第二項の登記の申請書に、同項第九号の議事録に代えて、当該場合に該当することを証する書面を添付しなければならない。

第四八条から第五〇条まで 削除

（本店移転の登記）
第五一条① 本店を他の登記所の管轄区域内に移転した場合の新所在地における登記の申請は、旧所在地を管轄する登記所を経由してしなければならない。
② 前項の登記の申請と旧所在地における登記の申請とは、同時にしなければならない。
③ 第一項の登記の申請書には、第十八条の書面を除き、他の書面の添付を要しない。

第五二条① 旧所在地を管轄する登記所においては、前条第二項の登記の申請のいずれかにつき第二十四条各号のいずれかに掲げる事由があるときは、これらの申請を共に却下しなければならない。
② 旧所在地を管轄する登記所においては、前項の場合を除き、遅滞なく、前条第一項の登記の申請書及びその添付書面を新所在地を管轄する登記所に送付しなければならない。
③ 新所在地を管轄する登記所においては、前項の申請書の送付を受けた場合において、前条第一項の登記の申請書及びその登記の申請を却下したときは、遅滞なく、その旨を旧所在地を管轄する登記所に通知しなければならない。
④ 旧所在地を管轄する登記所においては、前項の規定により登記をした旨の通知を受けるまでは、登記をすることができな

い。

⑤ 新所在地を管轄する登記所において前条第一項の登記の申請を却下したときは、旧所在地における登記の申請は、却下されたものとみなす。

第五三条 新所在地における登記においては、会社成立の年月日並びに本店を移転した旨及びその年月日をも登記しなければならない。

（取締役等の変更の登記）

第五四条① 取締役、監査役、代表取締役又は特別取締役（監査等委員会設置会社にあつては監査等委員である取締役若しくはそれ以外の取締役、代表取締役又は特別取締役、指名委員会等設置会社にあつては取締役、委員（指名委員会、監査委員会又は報酬委員会の委員をいう。）、執行役又は代表執行役）の就任による変更の登記の申請書には、就任を承諾したことを証する書面を添付しなければならない。

② 会計参与又は会計監査人の就任による変更の登記の申請書には、次の書面を添付しなければならない。

一 就任を承諾したことを証する書面

二 これらの者が法人であるときは、当該法人の登記事項証明書。ただし、当該登記所の管轄区域内に当該法人の主たる事務所がある場合を除く。

三 これらの者が法人でないときは、会計参与にあつては会社法第三百三十三条第一項に規定する者であること、会計監査人にあつては同法第三百三十七条第一項に規定する者であることを証する書面

③ 会計参与又は会計監査人が法人であるときは、その名称の変更の登記の申請書には、前項第二号に掲げる書面を添付しなければならない。ただし、同号ただし書に規定する場合は、この限りでない。

④ 第一項又は第二項に規定する者の退任による変更の登記の申請書には、これを証する書面を添付しなければならない。

（一時会計監査人の職務を行うべき者の変更の登記）

第五五条① 会社法第三百四十六条第四項の一時会計監査人の職務を行うべき者の就任による変更の登記の申請書には、次の書面を添付しなければならない。

一 その選任に関する書面

二 就任を承諾したことを証する書面

三 その者が法人であるときは、前条第二項第二号に掲げる書面。ただし、同号ただし書に規定する場合を除く。

四 その者が法人でないときは、その者が公認会計士であることを証する書面

② 前条第三項及び第四項の規定は、一時会計監査人の職務を行うべき者の登記について準用する。

（募集株式の発行による変更の登記）

第五六条 募集株式（会社法第百九十九条第一項に規定する募集株式をいう。第一号及び第五号において同じ。）の発行による変更の登記の申請書には、次の書面を添付しなければならない。

一 募集株式の引受けの申込み又は会社法第二百五条第一項の契約を証する書面

二 金銭を出資の目的とするときは、会社法第二百八条第一項の規定による払込みがあつたことを証する書面

三 金銭以外の財産を出資の目的とするときは、次に掲げる書面

イ 検査役が選任されたときは、検査役の調査報告を記載した書面及びその附属書類

ロ 会社法第二百七条第九項第三号に掲げる場合には、有価証券の市場価格を証する書面

ハ 会社法第二百七条第九項第四号に掲げる場合には、同号に規定する証明を記載した書面及びその附属書類

ニ 会社法第二百七条第九項第五号に掲げる場合には、同号の金銭債権について記載された会計帳簿

四 検査役の報告に関する裁判があつたときは、その謄本

＊令和五法五三（令和一〇・六・一三までに施行）による改正後

四 検査役の報告に関する裁判があつたときは、その謄本又は裁判の内容を記載した書面であつて裁判所書記官が当該書面の内容が当該裁判の内容と同一であることを証明したもの

五 会社法第二百六条の二第四項の規定による募集株式の引受けに反対する旨の通知があつた場合において、同項の規定により株主総会の決議による承認を受けなければならない場合に該当しないときは、当該場合に該当しないことを証する書面

（新株予約権の行使による変更の登記）

第五七条 新株予約権の行使による変更の登記の申請書には、次の書面を添付しなければならない。

一 新株予約権の行使があつたことを証する書面

二 金銭を新株予約権の行使に際してする出資の目的とするときは、会社法第二百八十一条第一項の規定による払込みがあつたことを証する書面

三 金銭以外の財産を新株予約権の行使に際してする出資の目的とするときは、次に掲げる書面

イ 検査役が選任されたときは、検査役の調査報告を記載した書面及びその附属書類

ロ 会社法第二百八十四条第九項第三号に掲げる場合には、有価証券の市場価格を証する書面

ハ 会社法第二百八十四条第九項第四号に掲げる場合には、同号に規定する証明を記載した書面及びその附属書類

ニ 会社法第二百八十四条第九項第五号に掲げる場合には、同号の金銭債権について記載された会計帳簿

ホ 会社法第二百八十一条第二項後段に規定する場合には、同項後段に規定する差額に相当する金銭の払込みがあつたことを証する書面

四 検査役の報告に関する裁判があつたときは、その謄本

＊令和五法五三（令和一〇・六・一三までに施行）による改正後

四 検査役の報告に関する裁判があつたときは、その謄本又は裁判の内容を記載した書面であつて裁判所書記官が当該書面の内容が当該裁判の内容と同一であることを証明したもの

（取得請求権付株式の取得と引換えにする株式の交付による変更の登記）

第五八条 取得請求権付株式（株式の内容として会社法第百八条第二項第五号ロに掲げる事項についての定めがあるものに限る。）の取得と引換えにする株式の交付による変更の登記の申請書には、当該取得請求権付株式の取得の請求があつたことを証する書面を添付しなければならない。

（取得条項付株式等の取得と引換えにする株式の交付による変更の登記）

第五九条① 取得条項付株式（株式の内容として会社法第百八条第二項第六号ロに掲げる事項についての定めがあるものに限る。）の取得と引換えにする株式の交付による変更の登記の申請書には、次の書面を添付しなければならない。

一 会社法第百七条第二項第三号イの事由の発生を証する書面

二 株券発行会社にあつては、会社法第二百十九条第一項本文の規定による公告をしたことを証する書面又は当該株式の全部について株券を発行していないことを証する書面

② 取得条項付新株予約権（新株予約権の内容として会社法第二百三十六条第一項第七号ニに掲げる事項についての定めがあるものに限る。）の取得と引換えにする株式の交付による変更の登記の申請書には、次の書面を添付しなければならない。

一 会社法第二百三十六条第一項第七号イの事由の発生を証する書面

二 会社法第二百九十三条第一項の規定による公告をしたことを証する書面又は同項に規定する新株予約権証券を発行していないことを証する書面

（全部取得条項付種類株式の取得と引換えにする株式の交付による変更の登記）

第六〇条 株券発行会社が全部取得条項付種類株式（会社法第百七十一条第一項に規定する全部取得条項付種類株式をいう。第六十八条において同じ。）の取得と引換えにする株式の交付による変更の登記の申請書には、前条第一項第二号に掲げる書面を添付しなければならない。

（株式の併合による変更の登記）

第六一条 株券発行会社がする株式の併合による変更の登記の申請書には、第五十九条第一項第二号に掲げる書面を添付しなければならない。

（株式譲渡制限の定款の定めの設定による変更の登記）

第六二条 譲渡による株式の取得について会社の承認を要する旨の定款の定めの設定による変更の登記（株券発行会社がするものに限る。）の申請書には、第五十九条第一項第二号に掲げる書面を添付しなければならない。

（株券を発行する旨の定款の定めの廃止による変更の登記）

第六三条 株券を発行する旨の定款の定めの廃止による変更の登記の申請書には、会社法第二百十八条第一項の規定による公告をしたことを証する書面又は株式の全部について株券を発行していないことを証する書面を添付しなければならない。

（株主名簿管理人の設置による変更の登記）

第六四条 株主名簿管理人を置いたことによる変更の登記の申請書には、定款及びその者との契約を証する書面を添付しなければならない。

（新株予約権の発行による変更の登記）

第六五条 新株予約権の発行による変更の登記の申請書には、法令に別段の定めがある場合を除き、次の書面を添付しなければならない。

一 募集新株予約権（会社法第二百三十八条第一項に規定する募集新株予約権をいう。以下この条において同じ。）の引受けの申込み又は同法第二百四十四条第一項の契約を証する書面

二 募集新株予約権と引換えにする金銭の払込みの期日を定めたとき（当該期日が会社法第二百三十八条第一項第四号に規定する割当日より前の日であるときに限る。）は、同法第二百四十六条第一項の規定による払込み（同条第二項の規定による金銭以外の財産の給付又は会社に対する債権をもつてする相殺を含む。）があつたことを証する書面

三 会社法第二百四十四条の二第五項の規定による募集新株予約権の引受けに反対する旨の通知があつた場合において、同項の規定により株主総会の決議による承認を受けなければならない場合に該当しないときは、当該場合に該当しないことを証する書面

（取得請求権付株式の取得と引換えにする新株予約権の交付による変更の登記）

第六六条 取得請求権付株式（株式の内容として会社法第百七条第二項第二号ハ又はニに掲げる事項についての定めがあるものに限る。）の取得と引換えにする新株予約権の交付による変更の登記の申請書には、当該取得請求権付株式の取得の請求があつたことを証する書面を添付しなければならない。

（取得条項付株式等の取得と引換えにする新株予約権の交付による変更の登記）

第六七条① 取得条項付株式（株式の内容として会社法第百七条第二項第三号ホ又はヘに掲げる事項についての定めがあるものに限る。）の取得と引換えにする新株予約権の交付による変更の登記の申請書には、第五十九条第一項各号に掲げる書面を添付しなければならない。

② 取得条項付新株予約権（新株予約権の内容として会社法第二百三十六条第一項第七号ヘ又はトに掲げる事項についての定めがあるものに限る。）の取得と引換えにする新株予約権の交付による変更の登記の申請書には、第五十九条第二項各号に掲げる書面を添付しなければならない。

（全部取得条項付種類株式の取得と引換えにする新株予約権の交付による変更の登記）

第六八条 株券発行会社が全部取得条項付種類株式の取得と引換えにする新株予約権の交付による変更の登記の申請書には、第五十九条第一項第二号に掲げる書面を添付しなければならない。

（資本金の額の増加による変更の登記）

第六九条 資本準備金若しくは利益準備金又は剰余金の額の減少によつてする資本金の額の増加による変更の登記の申請書には、その減少に係る資本準備金若しくは利益準備金又は剰余金の額が計上されていたことを証する書面を添付しなければならない。

（資本金の額の減少による変更の登記）

第七〇条 資本金の額の減少による変更の登記の申請書には、会社法第四百四十九条第二項の規定による公告及び催告（同条第三項の規定により公告を官報のほか時事に関する事項を掲載する日刊新聞紙又は電子公告によつてした場合にあつては、これらの方法による公告）をしたこと並びに異議を述べた債権者があるときは、当該債権者に対し弁済し若しくは相当の担保を提供し若しくは当該債権者に弁済を受けさせることを目的として相当の財産を信託したこと又は当該資本金の額の減少をしても当該債権者を害するおそれがないことを証する書面を添付しなければならない。

（解散の登記）

第七一条① 解散の登記において登記すべき事項は、解散の旨並びにその事由及び年月日とする。

② 定款で定めた解散の事由の発生による解散の登記の申請書には、その事由の発生を証する書面を添付しなければならない。

③ 代表清算人の申請に係る解散の登記の申請書には、その資格を証する書面を添付しなければならない。ただし、当該代表清算人が会社法第四百七十八条第一項第一号の規定により清算株式会社の清算人となつたもの（同法第四百八十三条第四項に規定する場合にあつては、同項の規定により清算株式会社の代表清算人となつたもの）であるときは、この限りでない。

（職権による解散の登記）

第七二条 会社法第四百七十二条第一項本文の規定による解散の登記は、登記官が、職権でしなければならない。

（清算人の登記）

第七三条① 清算人の登記の申請書には、定款を添付しなければならない。

② 会社法第四百七十八条第一項第二号又は第三号に掲げる者が清算人となつた場合の清算人の登記の申請書には、就任を承諾したことを証する書面を添付しなければならない。

③ 裁判所が選任した者が清算人となつた場合の清算人の登記の申請書には、その選任及び会社法第九百二十八条第一項第二号に掲げる事項を証する書面を添付しなければならない。

（清算人に関する変更の登記）

第七四条① 裁判所が選任した清算人に関する会社法第九百二十八条第一項第二号に掲げる事項の変更の登記の申請書には、変更の事由を証する書面を添付しなければならない。

② 清算人の退任による変更の登記の申請書には、退任を証する書面を添付しなければならない。

（清算結了の登記）

第七五条 清算結了の登記の申請書には、会社法第五百七条第三項の規定による決算報告の承認があつたことを証する書面を添付しなければならない。

（組織変更の登記）

第七六条 株式会社が組織変更をした場合の組織変更後の持分会社についてする登記においては、会社成立の年月日、株式会社の商号並びに組織変更をした旨及びその年月日をも登記しなければならない。

第七七条 前条の登記の申請書には、次の書面を添付しなければならない。

一 組織変更計画書

二　定款
三　会社法第七百七十九条第二項の規定による公告及び催告（同条第三項の規定により公告を官報のほか時事に関する事項を掲載する日刊新聞紙又は電子公告によつてした場合にあつては、これらの方法による公告）をしたこと並びに異議を述べた債権者があるときは、当該債権者に対し弁済し若しくは相当の担保を提供し若しくは当該債権者に弁済を受けさせることを目的として相当の財産を信託したこと又は当該組織変更をしても当該債権者を害するおそれがないことを証する書面
四　組織変更をする株式会社が株券発行会社であるときは、第五十九条第一項第二号に掲げる書面
五　組織変更をする株式会社が新株予約権を発行しているときは、第五十九条第二項第二号に掲げる書面
六　法人が組織変更後の持分会社を代表する社員となるときは、次に掲げる書面
イ　当該法人の登記事項証明書。ただし、当該登記所の管轄区域内に当該法人の本店又は主たる事務所がある場合を除く。
ロ　当該社員の職務を行うべき者の選任に関する書面
ハ　当該社員の職務を行うべき者が就任を承諾したことを証する書面
七　法人が組織変更後の持分会社の社員（前号に規定する社員を除き、合同会社にあつては、業務を執行する社員に限る。）となるときは、同号イに掲げる書面。ただし、同号イただし書に規定する場合を除く。
八　株式会社が組織変更をして合資会社となるときは、有限責任社員が既に履行した出資の価額を証する書面

第七八条①　株式会社が組織変更をした場合の株式会社についての登記の申請と組織変更後の持分会社についての登記の申請とは、同時にしなければならない。
②　申請書の添付書面に関する規定は、株式会社についての前項の登記の申請については、適用しない。
③　登記官は、第一項の登記の申請のいずれかにつき第二十四条各号のいずれかに掲げる事由があるときは、これらの申請を共に却下しなければならない。

（合併の登記）
第七九条　吸収合併による変更の登記又は新設合併による設立の登記においては、合併をした旨並びに吸収合併により消滅する会社（以下「吸収合併消滅会社」という。）又は新設合併により消滅する会社（以下「新設合併消滅会社」という。）の商号及び本店をも登記しなければならない。

第八〇条　吸収合併による変更の登記の申請書には、次の書面を添付しなければならない。
一　吸収合併契約書
二　会社法第七百九十六条第一項本文又は第二項本文に規定する場合には、当該場合に該当することを証する書面（同条第三項の規定により吸収合併に反対する旨を通知した株主がある場合にあつては、同項の規定により株主総会の決議による承認を受けなければならない場合に該当しないことを証する書面を含む。）
三　会社法第七百九十九条第二項の規定による公告及び催告（同条第三項の規定により公告を官報のほか時事に関する事項を掲載する日刊新聞紙又は電子公告によつてした場合にあつては、これらの方法による公告）をしたこと並びに異議を述べた債権者があるときは、当該債権者に対し弁済し若しくは相当の担保を提供し若しくは当該債権者に弁済を受けさせることを目的として相当の財産を信託したこと又は当該吸収合併をしても当該債権者を害するおそれがないことを証する書面
四　資本金の額が会社法第四百四十五条第五項の規定に従つて計上されたことを証する書面
五　吸収合併消滅会社の登記事項証明書。ただし、当該登記所の管轄区域内に吸収合併消滅会社の本店がある場合を除く。
六　吸収合併消滅会社が株式会社であるときは、会社法第七百八十三条第一項から第四項までの規定による吸収合併契約の承認その他の手続があつたことを証する書面（同法第七百八十四条第一項本文に規定する場合にあつては、当該場合に該当することを証する書面及び取締役の過半数の一致があつたことを証する書面又は取締役会の議事録）
七　吸収合併消滅会社が持分会社であるときは、総社員の同意（定款に別段の定めがある場合にあつては、その定めによる手続）があつたことを証する書面
八　吸収合併消滅会社において会社法第七百八十九条第二項（第三号を除き、同法第七百九十三条第二項において準用する場合を含む。）の規定による公告及び催告（同法第七百八十九条第三項（同法第七百九十三条第二項において準用する場合を含む。）の規定により公告を官報のほか時事に関する事項を掲載する日刊新聞紙又は電子公告によつてした株式会社又は合同会社にあつては、これらの方法による公告）をしたこと並びに異議を述べた債権者があるときは、当該債権者に対し弁済し若しくは相当の担保を提供し若しくは当該債権者に弁済を受けさせることを目的として相当の財産を信託したこと又は当該吸収合併をしても当該債権者を害するおそれがないことを証する書面
九　吸収合併消滅会社が株券発行会社であるときは、第五十九条第一項第二号に掲げる書面
十　吸収合併消滅会社が新株予約権を発行しているときは、第五十九条第二項第二号に掲げる書面

第八一条　新設合併による設立の登記の申請書には、次の書面を添付しなければならない。
一　新設合併契約書
二　定款
三　第四十七条第二項第六号から第八号まで及び第十号から第十二号までに掲げる書面
四　前条第四号に掲げる書面
五　新設合併消滅会社の登記事項証明書。ただし、当該登記所の管轄区域内に新設合併消滅会社の本店がある場合を除く。
六　新設合併消滅会社が株式会社であるときは、会社法第八百四条第一項及び第三項の規定による新設合併契約の承認その他の手続があつたことを証する書面
七　新設合併消滅会社が持分会社であるときは、総社員の同意（定款に別段の定めがある場合にあつては、その定めによる手続）があつたことを証する書面
八　新設合併消滅会社において会社法第八百十条第二項（第三号を除き、同法第八百十三条第二項において準用する場合を含む。）の規定による公告及び催告（同法第八百十条第三項（同法第八百十三条第二項において準用する場合を含む。）の規定により公告を官報のほか時事に関する事項を掲載する日刊新聞紙又は電子公告によつてした株式会社又は合同会社にあつては、これらの方法による公告）をしたこと並びに異議を述べた債権者があるときは、当該債権者に対し弁済し若しくは相当の担保を提供し若しくは当該債権者に弁済を受けさせることを目的として相当の財産を信託したこと又は当該新設合併をしても当該債権者を害するおそれがないことを証する書面
九　新設合併消滅会社が株券発行会社であるときは、第五十九条第一項第二号に掲げる書面
十　新設合併消滅会社が新株予約権を発行しているときは、第五十九条第二項第二号に掲げる書面

第八二条①　合併による解散の登記の申請については、吸収合併後存続する会社（以下「吸収合併存続会社」という。）又は新設合併により設立する会社（以下「新設合併設立会社」という。）を代表すべき者が吸収合併消滅会社又は新設合併消滅会社を代表する。
②　前項の登記の申請は、当該登記所の管轄区域内に吸収合併存

続会社又は新設合併設立会社の本店がないときは、その本店の所在地を管轄する登記所を経由してしなければならない。

③ 第一項の登記の申請と第八十条又は前条の登記の申請とは、同時にしなければならない。

④ 申請書の添付書面に関する規定は、第一項の登記の申請については、適用しない。

第八三条① 吸収合併存続会社又は新設合併設立会社の本店の所在地を管轄する登記所においては、前条第三項の登記の申請のいずれかにつき第二十四条各号のいずれかに掲げる事由があるときは、これらの申請を共に却下しなければならない。

② 吸収合併存続会社又は新設合併設立会社の本店の所在地を管轄する登記所においては、前条第二項の場合において、吸収合併による変更の登記又は新設合併による設立の登記をしたときは、遅滞なく、その登記の日を同項の登記の申請書に記載し、これを吸収合併消滅会社又は新設合併消滅会社の本店の所在地を管轄する登記所に送付しなければならない。

（会社分割の登記）

第八四条① 吸収分割をする会社がその事業に関して有する権利義務の全部又は一部を当該会社から承継する会社（以下「吸収分割承継会社」という。）がする吸収分割による変更の登記又は新設分割による設立の登記においては、分割をした旨並びに吸収分割をする会社（以下「吸収分割会社」という。）又は新設分割をする会社（以下「新設分割会社」という。）の商号及び本店をも登記しなければならない。

② 吸収分割会社又は新設分割会社がする吸収分割又は新設分割による変更の登記においては、分割をした旨並びに吸収分割承継会社又は新設分割により設立する会社（以下「新設分割設立会社」という。）の商号及び本店をも登記しなければならない。

第八五条 吸収分割承継会社がする吸収分割による変更の登記の申請書には、次の書面を添付しなければならない。

一 吸収分割契約書

二 会社法第七百九十六条第一項本文又は第二項本文に規定する場合には、当該場合に該当することを証する書面（同条第三項の規定により吸収分割に反対する旨を通知した株主がある場合にあつては、同項の規定により株主総会の決議による承認を受けなければならない場合に該当しないことを証する書面を含む。）

三 会社法第七百九十九条第二項の規定による公告及び催告（同条第三項の規定により公告を官報のほか時事に関する事項を掲載する日刊新聞紙又は電子公告によつてした場合にあつては、これらの方法による公告）をしたこと並びに異議を述べた債権者があるときは、当該債権者に対し弁済し若しくは相当の担保を提供し若しくは当該債権者に弁済を受けさせることを目的として相当の財産を信託したこと又は当該吸収分割をしても当該債権者を害するおそれがないことを証する書面

四 資本金の額が会社法第四百四十五条第五項の規定に従つて計上されたことを証する書面

五 吸収分割会社の登記事項証明書。ただし、当該登記所の管轄区域内に吸収分割会社の本店がある場合を除く。

六 吸収分割会社が株式会社であるときは、会社法第七百八十三条第一項の規定による吸収分割契約の承認があつたことを証する書面（同法第七百八十四条第一項本文又は第二項に規定する場合にあつては、当該場合に該当することを証する書面及び取締役の過半数の一致があつたことを証する書面又は取締役会の議事録）

七 吸収分割会社が合同会社であるときは、総社員の同意（定款に別段の定めがある場合にあつては、その定めによる手続）があつたことを証する書面（当該合同会社がその事業に関して有する権利義務の一部を他の会社に承継させる場合にあつては、社員の過半数の一致があつたことを証する書面）

八 吸収分割会社において会社法第七百八十九条第二項（第三号を除き、同法第七百九十三条第二項において準用する場合を含む。）の規定による公告及び催告（同法第七百八十九条第三項（同法第七百九十三条第二項において準用する場合を含む。以下この号において同じ。）の規定により公告を官報のほか時事に関する事項を掲載する日刊新聞紙又は電子公告によつてした場合にあつては、これらの方法による公告（同法第七百八十九条第三項の規定により各別の催告をすることを要しない場合以外の場合にあつては、当該公告及び催告））をしたこと並びに異議を述べた債権者があるときは、当該債権者に対し弁済し若しくは相当の担保を提供し若しくは当該債権者に弁済を受けさせることを目的として相当の財産を信託したこと又は当該吸収分割をしても当該債権者を害するおそれがないことを証する書面

九 吸収分割会社が新株予約権を発行している場合であつて、会社法第七百五十八条第五号に規定する場合には、第五十九条第二項第二号に掲げる書面

第八六条 新設分割による設立の登記の申請書には、次の書面を添付しなければならない。

一 新設分割計画書

二 定款

三 第四十七条第二項第六号から第八号まで及び第十号から第十二号までに掲げる書面

四 前条第四号に掲げる書面

五 新設分割会社の登記事項証明書。ただし、当該登記所の管轄区域内に新設分割会社の本店がある場合を除く。

六 新設分割会社が株式会社であるときは、会社法第八百四条第一項の規定による新設分割計画の承認があつたことを証する書面（同法第八百五条に規定する場合にあつては、当該場合に該当することを証する書面及び取締役の過半数の一致があつたことを証する書面又は取締役会の議事録）

七 新設分割会社が合同会社であるときは、総社員の同意（定款に別段の定めがある場合にあつては、その定めによる手続）があつたことを証する書面（当該合同会社がその事業に関して有する権利義務の一部を他の会社に承継させる場合にあつては、社員の過半数の一致があつたことを証する書面）

八 新設分割会社において会社法第八百十条第二項（第三号を除き、同法第八百十三条第二項において準用する場合を含む。）の規定による公告及び催告（同法第八百十条第三項（同法第八百十三条第二項において準用する場合を含む。以下この号において同じ。）の規定により公告を官報のほか時事に関する事項を掲載する日刊新聞紙又は電子公告によつてした場合にあつては、これらの方法による公告（同法第八百十条第三項の規定により各別の催告をすることを要しない場合以外の場合にあつては、当該公告及び催告））をしたこと並びに異議を述べた債権者があるときは、当該債権者に対し弁済し若しくは相当の担保を提供し若しくは当該債権者に弁済を受けさせることを目的として相当の財産を信託したこと又は当該新設分割をしても当該債権者を害するおそれがないことを証する書面

九 新設分割会社が新株予約権を発行している場合であつて、会社法第七百六十三条第一項第十号に規定する場合には、第五十九条第二項第二号に掲げる書面

第八七条① 吸収分割会社又は新設分割会社がする吸収分割又は新設分割による変更の登記の申請は、当該登記所の管轄区域内に吸収分割承継会社又は新設分割設立会社の本店がないときは、その本店の所在地を管轄する登記所を経由してしなければならない。

② 前項の登記の申請と第八十五条又は前条の登記の申請とは、同時にしなければならない。

③ 第一項の登記の申請書には、第十八条の書面を除き、他の書面の添付を要しない。

第八八条① 吸収分割承継会社又は新設分割設立会社の本店の所在地を管轄する登記所においては、前条第二項の登記の申請のいずれかにつき第二十四条各号のいずれかに掲げる事由がある

ときは、これらの申請を共に却下しなければならない。

② 吸収分割承継会社又は新設分割設立会社の本店の所在地を管轄する登記所においては、前条第一項の場合において、吸収分割による変更の登記又は新設分割による設立の登記をしたときは、遅滞なく、その登記の日を同項の登記の申請書に記載し、これを吸収分割会社又は新設分割会社の本店の所在地を管轄する登記所に送付しなければならない。

（株式交換の登記）

第八九条 株式交換をする株式会社の発行済株式の全部を取得する会社（以下「株式交換完全親会社」という。）がする株式交換による変更の登記の申請書には、次の書面を添付しなければならない。

一 株式交換契約書

二 会社法第七百九十六条第一項本文又は第二項本文に規定する場合には、当該場合に該当することを証する書面（同条第三項の規定により株式交換に反対する旨を通知した株主がある場合にあつては、同項の規定により株主総会の決議による承認を受けなければならない場合に該当しないことを証する書面を含む。）

三 会社法第七百九十九条第二項の規定による公告及び催告（同条第三項の規定により公告を官報のほか時事に関する事項を掲載する日刊新聞紙又は電子公告によつてした場合にあつては、これらの方法による公告）をしたこと並びに異議を述べた債権者があるときは、当該債権者に対し弁済し若しくは相当の担保を提供し若しくは当該債権者に弁済を受けさせることを目的として相当の財産を信託したこと又は当該株式交換をしても当該債権者を害するおそれがないことを証する書面

四 資本金の額が会社法第四百四十五条第五項の規定に従つて計上されたことを証する書面

五 株式交換をする株式会社（以下「株式交換完全子会社」という。）の登記事項証明書。ただし、当該登記所の管轄区域内に株式交換完全子会社の本店がある場合を除く。

六 株式交換完全子会社において会社法第七百八十三条第一項から第四項までの規定による株式交換契約の承認その他の手続があつたことを証する書面（同法第七百八十四条第一項本文に規定する場合にあつては、当該場合に該当することを証する書面及び取締役の過半数の一致があつたことを証する書面又は取締役会の議事録）

七 株式交換完全子会社において会社法第七百八十九条第二項の規定による公告及び催告（同条第三項の規定により公告を官報のほか時事に関する事項を掲載する日刊新聞紙又は電子公告によつてした場合にあつては、これらの方法による公告）をしたこと並びに異議を述べた債権者があるときは、当該債権者に対し弁済し若しくは相当の担保を提供し若しくは当該債権者に弁済を受けさせることを目的として相当の財産を信託したこと又は当該株式交換をしても当該債権者を害するおそれがないことを証する書面

八 株式交換完全子会社が株券発行会社であるときは、第五十九条第一項第二号に掲げる書面

九 株式交換完全子会社が新株予約権を発行している場合であつて、会社法第七百六十八条第一項第四号に規定する場合には、第五十九条第二項第二号に掲げる書面

（株式移転の登記）

第九〇条 株式移転による設立の登記の申請書には、次の書面を添付しなければならない。

一 株式移転計画書

二 定款

三 第四十七条第二項第六号から第八号まで及び第十号から第十二号までに掲げる書面

四 前条第四号に掲げる書面

五 株式移転をする株式会社（以下「株式移転完全子会社」という。）の登記事項証明書。ただし、当該登記所の管轄区域内に株式移転完全子会社の本店がある場合を除く。

六 株式移転完全子会社において会社法第八百四条第一項及び第三項の規定による株式移転計画の承認その他の手続があつたことを証する書面

七 株式移転完全子会社において会社法第八百十条第二項の規定による公告及び催告（同条第三項の規定により公告を官報のほか時事に関する事項を掲載する日刊新聞紙又は電子公告によつてした場合にあつては、これらの方法による公告）をしたこと並びに異議を述べた債権者があるときは、当該債権者に対し弁済し若しくは相当の担保を提供し若しくは当該債権者に弁済を受けさせることを目的として相当の財産を信託したこと又は当該株式移転をしても当該債権者を害するおそれがないことを証する書面

八 株式移転完全子会社が株券発行会社であるときは、第五十九条第一項第二号に掲げる書面

九 株式移転完全子会社が新株予約権を発行している場合であつて、会社法第七百七十三条第一項第九号に規定する場合には、第五十九条第二項第二号に掲げる書面

（株式交付の登記）

第九〇条の二 株式交付による変更の登記の申請書には、次の書面を添付しなければならない。

一 株式交付計画書

二 株式の譲渡しの申込み又は会社法第七百七十四条の六の契約を証する書面

三 会社法第八百十六条の四第一項本文に規定する場合には、当該場合に該当することを証する書面（同条第二項の規定により株式交付に反対する旨を通知した株主がある場合にあつては、同項の規定により株主総会の決議による承認を受けなければならない場合に該当しないことを証する書面を含む。）

四 会社法第八百十六条の八第二項の規定による公告及び催告（同条第三項の規定により公告を官報のほか時事に関する事項を掲載する日刊新聞紙又は電子公告によつてした場合にあつては、これらの方法による公告）をしたこと並びに異議を述べた債権者があるときは、当該債権者に対し弁済し若しくは相当の担保を提供し若しくは当該債権者に弁済を受けさせることを目的として相当の財産を信託したこと又は当該株式交付をしても当該債権者を害するおそれがないことを証する書面

五 資本金の額が会社法第四百四十五条第五項の規定に従つて計上されたことを証する書面

（同時申請）

第九一条① 会社法第七百六十八条第一項第四号又は第七百七十三条第一項第九号に規定する場合において、株式交換完全子会社又は株式移転完全子会社がする株式交換又は株式移転による新株予約権の変更の登記の申請は、当該登記所の管轄区域内に株式交換完全親会社又は株式移転により設立する株式会社（以下「株式移転設立完全親会社」という。）の本店がないときは、その本店の所在地を管轄する登記所を経由してしなければならない。

② 会社法第七百六十八条第一項第四号又は第七百七十三条第一項第九号に規定する場合には、前項の登記の申請と第八十九条又は第九十条の登記の申請とは、同時にしなければならない。

③ 第一項の登記の申請書には、第十八条の書面を除き、他の書面の添付を要しない。

第九二条① 株式交換完全親会社又は株式移転設立完全親会社の本店の所在地を管轄する登記所においては、前条第二項の登記の申請のいずれかにつき第二十四条各号のいずれかに掲げる事由があるときは、これらの申請を共に却下しなければならない。

② 株式交換完全親会社又は株式移転設立完全親会社の本店の所在地を管轄する登記所においては、前条第一項の場合において、株式交換による変更の登記又は株式移転による設立の登記をしたときは、遅滞なく、その登記の日を同項の登記の申請書

に記載し、これを株式交換完全子会社又は株式移転完全子会社の本店の所在地を管轄する登記所に送付しなければならない。

第六節　合名会社の登記

（添付書面の通則）

第九三条　登記すべき事項につき総社員の同意又はある社員若しくは清算人の一致を要するときは、申請書にその同意又は一致があつたことを証する書面を添付しなければならない。

（設立の登記）

第九四条　設立の登記の申請書には、次の書面を添付しなければならない。

一　定款

二　合名会社を代表する社員が法人であるときは、次に掲げる書面

イ　当該法人の登記事項証明書。ただし、当該登記所の管轄区域内に当該法人の本店又は主たる事務所がある場合を除く。

ロ　当該社員の職務を行うべき者の選任に関する書面

ハ　当該社員の職務を行うべき者が就任を承諾したことを証する書面

三　合名会社の社員（前号に規定する社員を除く。）が法人であるときは、同号イに掲げる書面。ただし、同号イただし書に規定する場合を除く。

（準用規定）

第九五条　第四十七条第一項及び第五十一条から第五十三条までの規定は、合名会社の登記について準用する。

（社員の加入又は退社等による変更の登記）

第九六条①　合名会社の社員の加入又は退社による変更の登記の申請書には、その事実を証する書面（法人である社員の加入の場合にあつては、第九十四条第二号又は第三号に掲げる書面を含む。）を添付しなければならない。

②　合名会社の社員が法人であるときは、その商号若しくは名称又は本店若しくは主たる事務所の変更の登記の申請書には、第九十四条第二号イに掲げる書面を添付しなければならない。ただし、同号イただし書に規定する場合は、この限りでない。

（合名会社を代表する社員の職務を行うべき者の変更の登記）

第九七条①　合名会社を代表する社員が法人である場合の当該社員の職務を行うべき者の就任による変更の登記の申請書には、第九十四条第二号に掲げる書面を添付しなければならない。ただし、同号イただし書に規定する場合は、同号イに掲げる書面については、この限りでない。

②　前項に規定する社員の職務を行うべき者の退任による変更の登記の申請書には、これを証する書面を添付しなければならない。

（解散の登記）

第九八条①　解散の登記において登記すべき事項は、解散の旨並びにその事由及び年月日とする。

②　定款で定めた解散の事由の発生による解散の登記の申請書には、その事由の発生を証する書面を添付しなければならない。

③　清算持分会社を代表する清算人の申請に係る解散の登記の申請書には、その資格を証する書面を添付しなければならない。ただし、当該清算持分会社を代表する清算人が会社法第六百四十七条第一項第一号の規定により清算持分会社の清算人となつたもの（同法第六百五十五条第四項に規定する場合にあつては、同項の規定により清算持分会社を代表する清算人となつたもの）であるときは、この限りでない。

（清算人の登記）

第九九条①　次の各号に掲げる者が清算持分会社の清算人となつた場合の清算人の登記の申請書には、当該各号に定める書面を添付しなければならない。

一　会社法第六百四十七条第一項第一号に掲げる者　定款

二　会社法第六百四十七条第一項第二号に掲げる者　定款及び就任を承諾したことを証する書面

三　会社法第六百四十七条第一項第三号に掲げる者　就任を承諾したことを証する書面

四　裁判所が選任した者　その選任及び会社法第九百二十八条第二項第二号に掲げる事項を証する書面

②　第九十四条（第二号に係る部分に限る。）の規定は、清算持分会社を代表する清算人（前項第一号又は第四号に掲げる者に限る。）が法人である場合の同項の登記について準用する。

③　第九十四条（第二号又は第三号に係る部分に限る。）の規定は、清算持分会社の清算人（第一項第二号又は第三号に掲げる者に限る。）が法人である場合の同項の登記について準用する。

（清算人に関する変更の登記）

第一〇〇条①　清算持分会社の清算人が法人であるときは、その商号若しくは名称又は本店若しくは主たる事務所の変更の登記の申請書には、第九十四条第二号イに掲げる書面を添付しなければならない。ただし、同号イただし書に規定する場合は、この限りでない。

②　裁判所が選任した清算人に関する会社法第九百二十八条第二項第二号に掲げる事項の変更の登記の申請書には、変更の事由を証する書面を添付しなければならない。

③　清算人の退任による変更の登記の申請書には、退任を証する書面を添付しなければならない。

（清算持分会社を代表する清算人の職務を行うべき者の変更の登記）

第一〇一条　第九十七条の規定は、清算持分会社を代表する清算人が法人である場合の当該清算人の職務を行うべき者の就任又は退任による変更の登記について準用する。

（清算結了の登記）

第一〇二条　清算結了の登記の申請書には、会社法第六百六十七条の規定による清算に係る計算の承認があつたことを証する書面（同法第六百六十八条第一項の財産の処分の方法を定めた場合にあつては、その財産の処分が完了したことを証する総社員が作成した書面）を添付しなければならない。

（継続の登記）

第一〇三条　合名会社の設立の無効又は取消しの訴えに係る請求を認容する判決が確定した場合において、会社法第八百四十五条の規定により合名会社を継続したときは、継続の登記の申請書には、その判決の謄本又はその判決の内容を記載した書面であつて裁判所書記官が当該書面の内容が当該判決の内容と同一であることを証明したものを添付しなければならない。

> **＊令和四法四八（令和八・五・二四までに施行）による改正**
> 第一〇三条中「謄本」の下に「又はその判決の内容を記載した書面であつて裁判所書記官が当該書面の内容が当該判決の内容と同一であることを証明したもの」が加えられた。（本文織込み済み）

（持分会社の種類の変更の登記）

第一〇四条　合名会社が会社法第六百三十八条第一項の規定により合資会社又は合同会社となつた場合の合資会社又は合同会社についてする登記においては、会社成立の年月日、合名会社の商号並びに持分会社の種類を変更した旨及びその年月日をも登記しなければならない。

第一〇五条①　合名会社が会社法第六百三十八条第一項第一号又は第二号の規定により合資会社となつた場合の合資会社についてする登記の申請書には、次の書面を添付しなければならない。

一　定款

二　有限責任社員が既に履行した出資の価額を証する書面

三　有限責任社員を加入させたときは、その加入を証する書面（法人である社員の加入の場合にあつては、第九十四条第二号又は第三号に掲げる書面を含む。）

②　合名会社が会社法第六百三十八条第一項第三号の規定により合同会社となつた場合の合同会社についてする登記の申請書には、次の書面を添付しなければならない。

一　定款
二　会社法第六百四十条第一項の規定による出資に係る払込み及び給付が完了したことを証する書面

第一〇六条①　合名会社が会社法第六百三十八条第一項の規定により合資会社又は合同会社となつた場合の合名会社についての登記の申請と前条第一項又は第二項の登記の申請とは、同時にしなければならない。
②　申請書の添付書面に関する規定は、合名会社についての前項の登記の申請については、適用しない。
③　登記官は、第一項の登記の申請のいずれかにつき第二十四条各号のいずれかに掲げる事由があるときは、これらの申請を共に却下しなければならない。

（組織変更の登記）
第一〇七条①　合名会社が組織変更をした場合の組織変更後の株式会社についてする登記の申請書には、次の書面を添付しなければならない。
一　組織変更計画書
二　定款
三　組織変更後の株式会社の取締役（組織変更後の株式会社が監査役設置会社（監査役の監査の範囲を会計に関するものに限定する旨の定款の定めがある株式会社を含む。）である場合にあつては取締役及び監査役、組織変更後の株式会社が監査等委員会設置会社である場合にあつては監査等委員である取締役及びそれ以外の取締役）が就任を承諾したことを証する書面
四　組織変更後の株式会社の会計参与又は会計監査人を定めたときは、第五十四条第二項各号に掲げる書面
五　第四十七条第二項第六号に掲げる書面
六　会社法第七百八十一条第二項において準用する同法第七百七十九条第二項（第二号を除く。）の規定による公告及び催告をしたこと並びに異議を述べた債権者があるときは、当該債権者に対し弁済し若しくは相当の担保を提供し若しくは当該債権者に弁済を受けさせることを目的として相当の財産を信託したこと又は当該組織変更をしても当該債権者を害するおそれがないことを証する書面
②　第七十六条及び第七十八条の規定は、前項に規定する場合について準用する。

（合併の登記）
第一〇八条①　吸収合併による変更の登記の申請書には、次の書面を添付しなければならない。
一　吸収合併契約書
二　第八十条第五号から第十号までに掲げる書面
三　会社法第八百二条第二項において準用する同法第七百九十九条第二項（第三号を除く。）の規定による公告及び催告（同法第八百二条第二項において準用する同法第七百九十九条第三項の規定により公告を官報のほか時事に関する事項を掲載する日刊新聞紙又は電子公告によつてした場合にあつては、これらの方法による公告）をしたこと並びに異議を述べた債権者があるときは、当該債権者に対し弁済し若しくは相当の担保を提供し若しくは当該債権者に弁済を受けさせることを目的として相当の財産を信託したこと又は当該吸収合併をしても当該債権者を害するおそれがないことを証する書面
四　法人が吸収合併存続会社の社員となるときは、第九十四条第二号又は第三号に掲げる書面
②　新設合併による設立の登記の申請書には、次の書面を添付しなければならない。
一　新設合併契約書
二　定款
三　第八十一条第五号及び第七号から第十号までに掲げる書面
四　新設合併消滅会社が株式会社であるときは、総株主の同意があつたことを証する書面
五　法人が新設合併設立会社の社員となるときは、第九十四条第二号又は第三号に掲げる書面
③　第七十九条、第八十二条及び第八十三条の規定は、合名会社の登記について準用する。

（会社分割の登記）
第一〇九条①　吸収分割承継会社がする吸収分割による変更の登記の申請書には、次の書面を添付しなければならない。
一　吸収分割契約書
二　第八十五条第五号から第八号までに掲げる書面
三　会社法第八百二条第二項において準用する同法第七百九十九条第二項（第三号を除く。）の規定による公告及び催告（同法第八百二条第二項において準用する同法第七百九十九条第三項の規定により公告を官報のほか時事に関する事項を掲載する日刊新聞紙又は電子公告によつてした場合にあつては、これらの方法による公告）をしたこと並びに異議を述べた債権者があるときは、当該債権者に対し弁済し若しくは相当の担保を提供し若しくは当該債権者に弁済を受けさせることを目的として相当の財産を信託したこと又は当該吸収分割をしても当該債権者を害するおそれがないことを証する書面
四　法人が吸収分割承継会社の社員となるときは、第九十四条第二号又は第三号に掲げる書面
②　新設分割による設立の登記の申請書には、次の書面を添付しなければならない。
一　新設分割計画書
二　定款
三　第八十六条第五号から第八号までに掲げる書面
四　法人が新設分割設立会社の社員となるときは、第九十四条第二号又は第三号に掲げる書面
③　第八十四条、第八十七条及び第八十八条の規定は、合名会社の登記について準用する。

第七節　合資会社の登記

（設立の登記）
第一一〇条　設立の登記の申請書には、有限責任社員が既に履行した出資の価額を証する書面を添付しなければならない。

（準用規定）
第一一一条　第四十七条第一項、第五十一条から第五十三条まで、第九十三条、第九十四条及び第九十六条から第百三条までの規定は、合資会社の登記について準用する。

（出資履行の登記）
第一一二条　有限責任社員の出資の履行による変更の登記の申請書には、その履行があつたことを証する書面を添付しなければならない。

（持分会社の種類の変更の登記）
第一一三条①　合資会社が会社法第六百三十八条第二項第一号又は第六百三十九条第一項の規定により合名会社となつた場合の合名会社についてする登記の申請書には、定款を添付しなければならない。
②　合資会社が会社法第六百三十八条第二項第二号又は第六百三十九条第二項の規定により合同会社となつた場合の合同会社についてする登記の申請書には、次の書面を添付しなければならない。
一　定款
二　会社法第六百三十八条第二項第二号の規定により合同会社となつた場合には、同法第六百四十条第一項の規定による出資に係る払込み及び給付が完了したことを証する書面
③　第百四条及び第百六条の規定は、前二項の場合について準用する。

（組織変更の登記）
第一一四条　第百七条の規定は、合資会社が組織変更をした場合について準用する。

（合併の登記）
第一一五条①　第百八条の規定は、吸収合併による変更の登記及び新設合併

による設立の登記について準用する。

（会社分割の登記）

第一一六条① 第百九条の規定は、合資会社の登記について準用する。

② 第百十条の規定は、吸収分割承継会社がする吸収分割による変更の登記及び新設分割による設立の登記について準用する。

第八節 合同会社の登記

（設立の登記）

第一一七条 設立の登記の申請書には、法令に別段の定めがある場合を除き、会社法第五百七十八条に規定する出資に係る払込み及び給付があつたことを証する書面を添付しなければならない。

（準用規定）

第一一八条 第四十七条第一項、第五十一条から第五十三条まで、第九十三条、第九十四条、第九十六条から第百一条まで及び第百三条の規定は、合同会社の登記について準用する。

（社員の加入による変更の登記）

第一一九条 社員の加入による変更の登記の申請書には、会社法第六百四条第三項に規定する出資に係る払込み又は給付があつたことを証する書面を添付しなければならない。

（資本金の額の減少による変更の登記）

第一二〇条 資本金の額の減少による変更の登記の申請書には、会社法第六百二十七条第二項の規定による公告及び催告（同条第三項の規定により公告を官報のほか時事に関する事項を掲載する日刊新聞紙又は電子公告によつてした場合にあつては、これらの方法による公告）をしたこと並びに異議を述べた債権者があるときは、当該債権者に対し弁済し若しくは相当の担保を提供し若しくは当該債権者に弁済を受けさせることを目的として相当の財産を信託したこと又は当該資本金の額の減少をしても当該債権者を害するおそれがないことを証する書面を添付しなければならない。

（清算結了の登記）

第一二一条 清算結了の登記の申請書には、会社法第六百六十七条の規定による清算に係る計算の承認があつたことを証する書面を添付しなければならない。

（持分会社の種類の変更の登記）

第一二二条① 合同会社が会社法第六百三十八条第三項第一号の規定により合名会社となつた場合の合名会社についてする登記の申請書には、定款を添付しなければならない。

② 合同会社が会社法第六百三十八条第三項第二号又は第三号の規定により合資会社となつた場合の合資会社についてする登記の申請書には、次の書面を添付しなければならない。

一 定款

二 有限責任社員が既に履行した出資の価額を証する書面

三 無限責任社員を加入させたときは、その加入を証する書面（法人である社員の加入の場合にあつては、第九十四条第二号又は第三号に掲げる書面を含む。）

③ 第百四条及び第百六条の規定は、前二項の場合について準用する。

（組織変更の登記）

第一二三条 第百七条の規定は、合同会社が組織変更をした場合について準用する。この場合において、同条第一項第六号中「公告及び催告」とあるのは、「公告及び催告（同法第七百八十一条第二項において準用する同法第七百七十九条第三項の規定により公告を官報のほか時事に関する事項を掲載する日刊新聞紙又は電子公告によつてした場合にあつては、これらの方法による公告）」と読み替えるものとする。

（合併の登記）

第一二四条 第百八条の規定は、合同会社の登記について準用する。この場合において、同条第一項第四号及び第二項第五号中「社員」とあるのは、「業務を執行する社員」と読み替えるものとする。

（会社分割の登記）

第一二五条 第百九条の規定は、合同会社の登記について準用する。この場合において、同条第一項第四号及び第二項第四号中「社員」とあるのは、「業務を執行する社員」と読み替えるものとする。

（株式交換の登記）

第一二六条① 株式交換完全親会社がする株式交換による変更の登記の申請書には、次の書面を添付しなければならない。

一 株式交換契約書

二 第八十九条第五号から第八号までに掲げる書面

三 会社法第八百二条第二項において準用する同法第七百九十九条第二項（第三号を除く。）の規定による公告及び催告（同法第八百二条第二項において準用する同法第七百九十九条第三項の規定により公告を官報のほか時事に関する事項を掲載する日刊新聞紙又は電子公告によつてした場合にあつては、これらの方法による公告）をしたこと並びに異議を述べた債権者があるときは、当該債権者に対し弁済し若しくは相当の担保を提供し若しくは当該債権者に弁済を受けさせることを目的として相当の財産を信託したこと又は当該株式交換をしても当該債権者を害するおそれがないことを証する書面

四 法人が株式交換完全親会社の業務を執行する社員となるときは、第九十四条第二号又は第三号に掲げる書面

② 第九十一条及び第九十二条の規定は、合同会社の登記について準用する。

第九節 外国会社の登記

（管轄の特例）

第一二七条 日本に営業所を設けていない外国会社の日本における代表者（日本に住所を有するものに限る。以下この節において同じ。）の住所地は、第一条の三及び第二十四条第一号の規定の適用については、営業所の所在地とみなす。

（申請人）

第一二八条 外国会社の登記の申請については、日本における代表者が外国会社を代表する。

（外国会社の登記）

第一二九条① 会社法第九百三十三条第一項の規定による外国会社の登記の申請書には、次の書面を添付しなければならない。

一 本店の存在を認めるに足りる書面

二 日本における代表者の資格を証する書面

三 外国会社の定款その他外国会社の性質を識別するに足りる書面

四 会社法第九百三十九条第二項の規定による公告方法についての定めがあるときは、これを証する書面

② 前項の書類は、外国会社の本国の管轄官庁又は日本における領事その他権限がある官憲の認証を受けたものでなければならない。

③ 第一項の登記の申請書に他の登記所の登記事項証明書で日本における代表者を定めた旨又は日本に営業所を設けた旨の記載があるものを添付したときは、同項の書面の添付を要しない。

（変更の登記）

第一三〇条① 日本における代表者の変更又は外国において生じた登記事項の変更についての登記の申請書には、その変更の事実を証する外国会社の本国の管轄官庁又は日本における領事その他権限がある官憲の認証を受けた書面を添付しなければならない。

② 日本における代表者の全員が退任しようとする場合には、その登記の申請書には、前項の書面のほか、会社法第八百二十条第一項の規定による公告及び催告をしたこと並びに異議を述べた債権者があるときは、当該債権者に対し弁済し若しくは相当の担保を提供し若しくは当該債権者に弁済を受けさせることを目的として相当の財産を信託したこと又は退任をしても当該債権者を害するおそれがないことを証する書面を添付しなければ

ならない。ただし、当該外国会社が同法第八百二十二条第一項の規定により清算の開始を命じられたときは、この限りでない。

③　前二項の登記の申請書に他の登記所において既に前二項の登記をしたことを証する書面を添付したときは、前二項の書面の添付を要しない。

（準用規定）

第一三一条①　第五十一条及び第五十二条の規定は、外国会社がすべての営業所を他の登記所の管轄区域内に移転した場合について準用する。

②　第五十一条及び第五十二条の規定は、外国会社がすべての営業所を閉鎖した場合（日本における代表者の全員が退任しようとするときを除く。）について準用する。この場合においては、これらの規定中「新所在地」とあるのは「日本における代表者（日本に住所を有するものに限る。）の住所地」と、「旧所在地」とあるのは「最後に閉鎖した営業所（営業所が複数あるときは、そのいずれか）の所在地」と読み替えるものとする。

③　第五十一条及び第五十二条の規定は、日本に営業所を設けていない外国会社の日本における代表者の全員がその住所を他の登記所の管轄区域内に移転した場合について準用する。

④　第五十一条及び第五十二条の規定は、日本に営業所を設けていない外国会社が他の登記所の管轄区域内に営業所を設けた場合について準用する。この場合においては、これらの規定中「新所在地」とあるのは「営業所の所在地」と、「旧所在地」とあるのは「日本における代表者（日本に住所を有するものに限る。）の住所地」と読み替えるものとする。

第十節　登記の更正及び抹消

（更正）

第一三二条①　登記に錯誤又は遺漏があるときは、当事者は、その登記の更正を申請することができる。

②　更正の申請書には、錯誤又は遺漏があることを証する書面を添付しなければならない。ただし、氏、名又は住所の更正については、この限りでない。

第一三三条①　登記官は、登記に錯誤又は遺漏があることを発見したときは、遅滞なく、登記をした者にその旨を通知しなければならない。ただし、その錯誤又は遺漏が登記官の過誤によるものであるときは、この限りでない。

②　前項ただし書の場合においては、登記官は、遅滞なく、監督法務局又は地方法務局の長の許可を得て、登記の更正をしなければならない。

（抹消の申請）

第一三四条①　登記が次の各号のいずれかに該当するときは、当事者は、その登記の抹消を申請することができる。

一　第二十四条第一号から第三号まで又は第五号に掲げる事由があること。

二　登記された事項につき無効の原因があること。ただし、訴えをもつてのみその無効を主張することができる場合を除く。

②　第百三十二条第二項の規定は、前項第二号の場合に準用する。

（職権抹消）

第一三五条①　登記官は、登記が前条第一項各号のいずれかに該当することを発見したときは、登記をした者に、一月をこえない一定の期間内に書面で異議を述べないときは登記を抹消すべき旨を通知しなければならない。

②　登記官は、登記をした者の住所又は居所が知れないときは、前項の通知に代え官報で公告しなければならない。

③　登記官は、官報のほか相当と認める新聞紙に同一の公告を掲載することができる。

第一三六条　登記官は、異議を述べた者があるときは、その異議につき決定をしなければならない。

第一三七条　登記官は、異議を述べた者がないとき、又は異議を却下したときは、登記を抹消しなければならない。

第一三八条　削除

第四章　雑則

（行政手続法の適用除外）

第一三九条　登記官の処分については、行政手続法（平成五年法律第八十八号）第二章及び第三章の規定は、適用しない。

（行政機関の保有する情報の公開に関する法律の適用除外）

第一四〇条　登記簿及びその附属書類については、行政機関の保有する情報の公開に関する法律（平成十一年法律第四十二号）の規定は、適用しない。

（個人情報の保護に関する法律の適用除外）

第一四一条　登記簿及びその附属書類に記録されている保有個人情報（個人情報の保護に関する法律（平成十五年法律第五十七号）第六十条第一項に規定する保有個人情報をいう。）については、同法第五章第四節の規定は、適用しない。

（審査請求）

第一四二条　登記官の処分に不服がある者又は登記官の不作為に係る処分を申請した者は、当該登記官を監督する法務局又は地方法務局の長に審査請求をすることができる。

第一四三条　審査請求は、登記官を経由してしなければならない。

（審査請求事件の処理）

第一四四条　登記官は、処分についての審査請求を理由があると認め、又は審査請求に係る不作為に係る処分をすべきものと認めるときは、相当の処分をしなければならない。

第一四五条　登記官は、前条に規定する場合を除き、審査請求の日から三日内に、意見を付して事件を第百四十二条の法務局又は地方法務局の長に送付しなければならない。この場合において、当該法務局又は地方法務局の長は、当該意見を行政不服審査法（平成二十六年法律第六十八号）第十一条第二項に規定する審理員に送付するものとする。

第一四六条①　第百四十二条の法務局又は地方法務局の長は、処分についての審査請求を理由があると認め、又は審査請求に係る不作為に係る処分をすべきものと認めるときは、登記官に相当の処分を命じ、その旨を審査請求人のほか登記上の利害関係人に通知しなければならない。

②　第百四十二条の法務局又は地方法務局の長は、審査請求に係る不作為に係る処分についての申請を却下すべきものと認めるときは、登記官に当該申請を却下する処分を命じなければならない。

第一四六条の二　第百四十二条の審査請求に関する行政不服審査法の規定の適用については、同法第二十九条第五項中「処分庁等」とあるのは「審査庁」と、「弁明書の提出」とあるのは「商業登記法（昭和三十八年法律第百二十五号）第百四十五条に規定する意見の送付」と、同法第三十条第一項中「弁明書」とあるのは「商業登記法第百四十五条の意見」とする。

（行政不服審査法の適用除外）

第一四七条　行政不服審査法第十三条、第十五条第六項、第十八条、第二十一条、第二十五条第二項から第七項まで、第二十九条第一項から第四項まで、第三十一条、第三十七条、第四十五条第三項、第四十六条、第四十七条、第四十九条第三項（審査請求に係る不作為が違法又は不当である旨の宣言に係る部分を除く。）から第五項まで及び第五十二条の規定は、第百四十二条の審査請求については、適用しない。

（省令への委任）

第一四八条　この法律に定めるもののほか、登記簿の調製、登記申請書の様式及び添付書面その他この法律の施行に関し必要な事項は、法務省令で定める。

附　則（令和四・五・二五法四八）（抄）

（施行期日）

第一条　この法律は、公布の日から起算して四年を超えない範囲内において政令で定める日から施行する。ただし、次の各号に掲げる規定は、当該各号に定める日から施行する。

一（前略）附則第六十条中商業登記法（昭和三十八年法律第百二十五号）第五十二条第二項の改正規定及び附則第百二十五条の規定　公布の日

二—五（略）

（政令への委任）

第一二五条（前略）この法律の施行に関し必要な経過措置は、政令で定める。

民事関係手続等における情報通信技術の活用等の推進を図るための関係法律の整備に関する法律中経過規定（令和五・六・一四法五三）（抄）

第三八七条から第三八九条まで（民事執行法の同経過規定参照）

民事関係手続等における情報通信技術の活用等の推進を図るための関係法律の整備に関する法律

附　則（令和五・六・一四法五三）

この法律は、公布の日から起算して五年を超えない範囲内において政令で定める日から施行する。ただし、次の各号に掲げる規定は、当該各号に定める日から施行する。

一（前略）第三百八十八条の規定　公布の日

二（前略）第三百八十七条の規定　公布の日から起算して二年六月を超えない範囲内において政令で定める日

三（略）

●保険法（平成二〇・六・六法五六）

施行　平成二二・四・一（平成二一政一七六）

改正　平成二九法四五

目次

第一章　総則

（趣旨）

第一条　保険に係る契約の成立、効力、履行及び終了については、他の法令に定めるもののほか、この法律の定めるところによる。

（定義）

第二条　この法律において、次の各号に掲げる用語の意義は、当該各号に定めるところによる。

一　保険契約　保険契約、共済契約その他いかなる名称であるかを問わず、当事者の一方が一定の事由が生じたことを条件として財産上の給付（生命保険契約及び傷害疾病定額保険契約にあっては、金銭の支払に限る。以下「保険給付」という。）を行うことを約し、相手方がこれに対して当該一定の事由の発生の可能性に応じたものとして保険料（共済掛金を含む。以下同じ。）を支払うことを約する契約をいう。

二　保険者　保険契約の当事者のうち、保険給付を行う義務を負う者をいう。

三　保険契約者　保険契約の当事者のうち、保険料を支払う義務を負う者をいう。

四　被保険者　次のイからハまでに掲げる保険契約の区分に応じ、当該イからハまでに定める者をいう。

イ　損害保険契約　損害保険契約によりてん補することとされる損害を受ける者

ロ　生命保険契約　その者の生存又は死亡に関し保険者が保険給付を行うこととなる者

ハ　傷害疾病定額保険契約　その者の傷害又は疾病（以下「傷害疾病」という。）に基づき保険者が保険給付を行うこととなる者

五　保険金受取人　保険給付を受ける者として生命保険契約又は傷害疾病定額保険契約で定めるものをいう。

六　損害保険契約　保険契約のうち、保険者が一定の偶然の事故によって生ずることのある損害をてん補することを約するものをいう。

七　傷害疾病損害保険契約　損害保険契約のうち、保険者が人の傷害疾病によって生ずることのある損害（当該傷害疾病が生じた者が受けるものに限る。）をてん補することを約するものをいう。

八　生命保険契約　保険契約のうち、保険者が人の生存又は死亡に関し一定の保険給付を行うことを約するもの（傷害疾病定額保険契約に該当するものを除く。）をいう。

九　傷害疾病定額保険契約　保険契約のうち、保険者が人の傷害疾病に基づき一定の保険給付を行うことを約するものをいう。

第二章　損害保険

第一節　成立

（損害保険契約の目的）

第三条　損害保険契約は、金銭に見積もることができる利益に限り、その目的とすることができる。

（告知義務）

第四条　保険契約者又は被保険者になる者は、損害保険契約の締結に際し、損害保険契約によりてん補することとされる損害の発生の可能性（以下この章において「危険」という。）に関する重要な事項のうち保険者になる者が告知を求めたもの（第二十八条第一項及び第二十九条第一項において「告知事項」とい

う。）について、事実の告知をしなければならない。

（遡及保険）

第五条① 損害保険契約を締結する前に発生した保険事故（損害保険契約によりてん補することとされる損害を生ずることのある偶然の事故として当該損害保険契約で定めるものをいう。以下この章において同じ。）による損害をてん補する旨の定めは、保険契約者が当該損害保険契約の申込み又はその承諾をした時において、当該保険契約者又は被保険者が既に保険事故が発生していることを知っていたときは、無効とする。

② 損害保険契約の申込みの時より前に発生した保険事故による損害をてん補する旨の定めは、保険者又は保険契約者が当該損害保険契約の申込みをした時において、当該保険者が保険事故が発生していないことを知っていたときは、無効とする。

（損害保険契約の締結時の書面交付）

第六条① 保険者は、損害保険契約を締結したときは、遅滞なく、保険契約者に対し、次に掲げる事項を記載した書面を交付しなければならない。

一 保険者の氏名又は名称
二 保険契約者の氏名又は名称
三 被保険者の氏名又は名称その他の被保険者を特定するために必要な事項
四 保険事故
五 その期間内に発生した保険事故による損害をてん補するものとして損害保険契約で定める期間
六 保険金額（保険給付の限度額として損害保険契約で定めるものをいう。以下この章において同じ。）又は保険金額の定めがないときはその旨
七 保険の目的物（保険事故によって損害が生ずることのある物として損害保険契約で定めるものをいう。以下この章において同じ。）があるときは、これを特定するために必要な事項
八 第九条ただし書に規定する約定保険価額があるときは、その約定保険価額
九 保険料及びその支払の方法
十 第二十九条第一項第一号の通知をすべき旨が定められているときは、その旨
十一 損害保険契約を締結した年月日
十二 書面を作成した年月日

② 前項の書面には、保険者（法人その他の団体にあっては、その代表者）が署名し、又は記名押印しなければならない。

（強行規定）

第七条 第四条の規定に反する特約で保険契約者又は被保険者に不利なもの及び第五条第二項の規定に反する特約で保険契約者に不利なものは、無効とする。

第二節 効力

（第三者のためにする損害保険契約）

第八条 被保険者が損害保険契約の当事者以外の者であるときは、当該被保険者は、当然に当該損害保険契約の利益を享受する。

（超過保険）

第九条 損害保険契約の締結の時において保険金額が保険の目的物の価額（以下この章において「保険価額」という。）を超えていたことにつき保険契約者及び被保険者が善意でかつ重大な過失がなかったときは、保険契約者は、その超過部分について、当該損害保険契約を取り消すことができる。ただし、保険価額について約定した一定の価額（以下この章において「約定保険価額」という。）があるときは、この限りでない。

（保険価額の減少）

第一〇条 損害保険契約の締結後に保険価額が著しく減少したときは、保険契約者は、保険者に対し、将来に向かって、保険金額又は約定保険価額については減少後の保険価額に至るまでの減額を、保険料についてはその減額後の保険金額に対応する保険料に至るまでの減額をそれぞれ請求することができる。

（危険の減少）

第一一条 損害保険契約の締結後に危険が著しく減少したときは、保険契約者は、保険者に対し、将来に向かって、保険料について、減少後の当該危険に対応する保険料に至るまでの減額を請求することができる。

（強行規定）

第一二条 第八条の規定に反する特約で被保険者に不利なもの及び第九条本文又は前二条の規定に反する特約で保険契約者に不利なものは、無効とする。

第三節 保険給付

（損害の発生及び拡大の防止）

第一三条 保険契約者及び被保険者は、保険事故が発生したことを知ったときは、これによる損害の発生及び拡大の防止に努めなければならない。

（損害発生の通知）

第一四条 保険契約者又は被保険者は、保険事故による損害が生じたことを知ったときは、遅滞なく、保険者に対し、その旨の通知を発しなければならない。

（損害発生後の保険の目的物の滅失）

第一五条 保険者は、保険事故による損害が生じた場合には、当該損害に係る保険の目的物が当該損害の発生後に保険事故によらずに滅失したときであっても、当該損害をてん補しなければならない。

（火災保険契約による損害てん補の特則）

第一六条 火災を保険事故とする損害保険契約の保険者は、保険事故が発生していないときであっても、消火、避難その他の消防の活動のために必要な処置によって保険の目的物に生じた損害をてん補しなければならない。

（保険者の免責）

第一七条① 保険者は、保険契約者又は被保険者の故意又は重大な過失によって生じた損害をてん補する責任を負わない。戦争その他の変乱によって生じた損害についても、同様とする。

② 責任保険契約（損害保険契約のうち、被保険者が損害賠償の責任を負うことによって生ずることのある損害をてん補するものをいう。以下同じ。）に関する前項の規定の適用については、同項中「故意又は重大な過失」とあるのは、「故意」とする。

（損害額の算定）

第一八条① 損害保険契約によりてん補すべき損害の額（以下この章において「てん補損害額」という。）は、その損害が生じた地及び時における価額によって算定する。

② 約定保険価額があるときは、てん補損害額は、当該約定保険価額によって算定する。ただし、当該約定保険価額が保険価額を著しく超えるときは、てん補損害額は、当該保険価額によって算定する。

（一部保険）

第一九条 保険金額が保険価額（約定保険価額があるときは、当該約定保険価額）に満たないときは、保険者が行うべき保険給付の額は、当該保険金額の当該保険価額に対する割合をてん補損害額に乗じて得た額とする。

（重複保険）

第二〇条① 損害保険契約によりてん補すべき損害について他の損害保険契約がこれをてん補することとなっている場合においても、保険者は、てん補損害額の全額（前条に規定する場合にあっては、同条の規定により行うべき保険給付の額の全額）について、保険給付を行う義務を負う。

② 二以上の損害保険契約の各保険者が行うべき保険給付の額の合計額がてん補損害額（各損害保険契約に基づいて算定したてん補損害額が異なるときは、そのうち最も高い額。以下この項において同じ。）を超える場合において、保険者の一人が自己の負担部分（他の損害保険契約がないとする場合における各保険者が行うべき保険給付の額のその合計額に対する割合をてん補損害額に乗じて得た額をいう。以下この項において同じ。）を超

えて保険給付を行い、これにより共同の免責を得たときは、当該保険者は、自己の負担部分を超える部分に限り、他の保険者に対し、各自の負担部分について求償権を有する。

（保険給付の履行期）

第二一条① 保険給付を行う期限を定めた場合であっても、当該期限が、保険事故、てん補損害額、保険者が免責される事由その他の保険給付を行うために確認をすることが損害保険契約上必要とされる事項の確認をするための相当の期間を経過する日後の日であるときは、当該期間を経過する日をもって保険給付を行う期限とする。

② 保険給付を行う期限を定めなかったときは、保険者は、保険給付の請求があった後、当該請求に係る保険事故及びてん補損害額の確認をするために必要な期間を経過するまでは、遅滞の責任を負わない。

③ 保険者が前二項に規定する確認をするために必要な調査を行うに当たり、保険契約者又は被保険者が正当な理由なく当該調査を妨げ、又はこれに応じなかった場合には、保険者は、これにより保険給付を遅延した期間について、遅滞の責任を負わない。

（責任保険契約についての先取特権）

第二二条① 責任保険契約の被保険者に対して当該責任保険契約の保険事故に係る損害賠償請求権を有する者は、保険給付を請求する権利について先取特権を有する。

② 被保険者は、前項の損害賠償請求権に係る債務について弁済をした金額又は当該損害賠償請求権を有する者の承諾があった金額の限度においてのみ、保険者に対して保険給付を請求する権利を行使することができる。

③ 責任保険契約に基づき保険給付を請求する権利は、譲り渡し、質権の目的とし、又は差し押さえることができない。ただし、次に掲げる場合は、この限りでない。

一 第一項の損害賠償請求権を有する者に譲り渡し、又は当該損害賠償請求権に関して差し押さえる場合

二 前項の規定により被保険者が保険給付を請求する権利を行使することができる場合

（費用の負担）

第二三条① 次に掲げる費用は、保険者の負担とする。

一 てん補損害額の算定に必要な費用

二 第十三条の場合において、損害の発生又は拡大の防止のために必要又は有益であった費用

② 第十九条の規定は、前項第二号に掲げる費用の額について準用する。この場合において、同条中「てん補損害額」とあるのは、「第二十三条第一項第二号に掲げる費用の額」と読み替えるものとする。

（残存物代位）

第二四条 保険者は、保険の目的物の全部が滅失した場合において、保険給付を行ったときは、当該保険給付の額の保険価額（約定保険価額があるときは、当該約定保険価額）に対する割合に応じて、当該保険の目的物に関して被保険者が有する所有権その他の物権について当然に被保険者に代位する。

（請求権代位）

第二五条① 保険者は、保険給付を行ったときは、次に掲げる額のうちいずれか少ない額を限度として、保険事故による損害が生じたことにより被保険者が取得する債権（債務の不履行その他の理由により債権について生ずることのある損害をてん補する損害保険契約においては、当該債権を含む。以下この条において「被保険者債権」という。）について当然に被保険者に代位する。

一 当該保険者が行った保険給付の額

二 被保険者債権の額（前号に掲げる額がてん補損害額に不足するときは、被保険者債権の額から当該不足額を控除した残額）

② 前項の場合において、同項第一号に掲げる額がてん補損害額に不足するときは、被保険者は、被保険者債権のうち保険者が同項の規定により代位した部分を除いた部分について、当該代位に係る保険者の債権に先立って弁済を受ける権利を有する。

（強行規定）

第二六条 第十五条、第二十一条第一項若しくは第三項又は前二条の規定に反する特約で被保険者に不利なものは、無効とする。

第四節　終了

（保険契約者による解除）

第二七条 保険契約者は、いつでも損害保険契約を解除することができる。

（告知義務違反による解除）

第二八条① 保険者は、保険契約者又は被保険者が、告知事項について、故意又は重大な過失により事実の告知をせず、又は不実の告知をしたときは、損害保険契約を解除することができる。

② 保険者は、前項の規定にかかわらず、次に掲げる場合には、損害保険契約を解除することができない。

一 損害保険契約の締結の時において、保険者が前項の事実を知り、又は過失によって知らなかったとき。

二 保険者のために保険契約の締結の媒介を行うことができる者（保険者のために保険契約の締結の代理を行うことができる者を除く。以下「保険媒介者」という。）が、保険契約者又は被保険者が前項の事実の告知をすることを妨げたとき。

三 保険媒介者が、保険契約者又は被保険者に対し、前項の事実の告知をせず、又は不実の告知をすることを勧めたとき。

③ 前項第二号及び第三号の規定は、当該各号に規定する保険媒介者の行為がなかったとしても保険契約者又は被保険者が第一項の事実の告知をせず、又は不実の告知をしたと認められる場合には、適用しない。

④ 第一項の規定による解除権は、保険者が同項の規定による解除の原因があることを知った時から一箇月間行使しないときは、消滅する。損害保険契約の締結の時から五年を経過したときも、同様とする。

（危険増加による解除）

第二九条① 損害保険契約の締結後に危険増加（告知事項についての危険が高くなり、損害保険契約で定められている保険料が当該危険を計算の基礎として算出される保険料に不足する状態になることをいう。以下この条及び第三十一条第二項第二号において同じ。）が生じた場合において、保険料を当該危険増加に対応した額に変更するとしたならば当該損害保険契約を継続することができるときであっても、保険者は、次に掲げる要件のいずれにも該当する場合には、当該損害保険契約を解除することができる。

一 当該危険増加に係る告知事項について、その内容に変更が生じたときは保険契約者又は被保険者が保険者に遅滞なくその旨の通知をすべき旨が当該損害保険契約で定められていること。

二 保険契約者又は被保険者が故意又は重大な過失により遅滞なく前号の通知をしなかったこと。

② 前条第四項の規定は、前項の規定による解除権について準用する。この場合において、同条第四項中「損害保険契約の締結の時」とあるのは、「次条第一項に規定する危険増加が生じた時」と読み替えるものとする。

（重大事由による解除）

第三〇条 保険者は、次に掲げる事由がある場合には、損害保険契約を解除することができる。

一 保険契約者又は被保険者が、保険者に当該損害保険契約に基づく保険給付を行わせることを目的として損害を生じさせ、又は生じさせようとしたこと。

二 被保険者が、当該損害保険契約に基づく保険給付の請求について詐欺を行い、又は行おうとしたこと。

三 前二号に掲げるもののほか、保険者の保険契約者又は被保

険者に対する信頼を損ない、当該損害保険契約の存続を困難とする重大な事由

（解除の効力）
第三一条① 損害保険契約の解除は、将来に向かってのみその効力を生ずる。
② 保険者は、次の各号に掲げる規定により損害保険契約の解除をした場合には、当該各号に定める損害をてん補する責任を負わない。
一 第二十八条第一項 解除がされた時までに発生した保険事故による損害。ただし、同項の事実に基づかずに発生した保険事故による損害については、この限りでない。
二 第二十九条第一項 解除に係る危険増加が生じた時から解除がされた時までに発生した保険事故による損害。ただし、当該危険増加をもたらした事由に基づかずに発生した保険事故による損害については、この限りでない。
三 前条 同条各号に掲げる事由が生じた時から解除がされた時までに発生した保険事故による損害

（保険料の返還の制限）
第三二条 保険者は、次に掲げる場合には、保険料を返還する義務を負わない。
一 保険契約者又は被保険者の詐欺又は強迫を理由として損害保険契約に係る意思表示を取り消した場合
二 損害保険契約が第五条第一項の規定により無効とされる場合。ただし、保険者が保険事故の発生を知って当該損害保険契約の申込み又はその承諾をしたときは、この限りでない。

（強行規定）
第三三条① 第二十八条第一項から第三項まで、第二十九条第一項、第三十条又は第三十一条の規定に反する特約で保険契約者又は被保険者に不利なものは、無効とする。
② 前条の規定に反する特約で保険契約者に不利なものは、無効とする。

第五節 傷害疾病損害保険の特則

（被保険者による解除請求）
第三四条① 被保険者が傷害疾病損害保険契約の当事者以外の者であるときは、当該被保険者は、保険契約者に対し、当該保険契約者との間に別段の合意がある場合を除き、当該傷害疾病損害保険契約を解除することを請求することができる。
② 保険契約者は、前項の規定により傷害疾病損害保険契約を解除することの請求を受けたときは、当該傷害疾病損害保険契約を解除することができる。

（傷害疾病損害保険契約に関する読替え）
第三五条 傷害疾病損害保険契約における第一節から前節までの規定の適用については、第五条第一項、第十四条、第二十一条第三項及び第二十六条中「被保険者」とあるのは「被保険者（被保険者の死亡によって生ずる損害をてん補する傷害疾病損害保険契約にあっては、その相続人）」と、第五条第一項中「保険事故が発生している」とあるのは「保険事故による損害が生じている」と、同条第二項中「保険事故が発生していない」とあるのは「保険事故による損害が生じていない」と、第十七条第一項、第三十条及び第三十二条第一号中「被保険者」とあるのは「被保険者（被保険者の死亡によって生ずる損害をてん補する傷害疾病損害保険契約にあっては、被保険者又はその相続人）」と、第二十五条第一項中「被保険者が」とあるのは「被保険者（被保険者の死亡によって生ずる損害をてん補する傷害疾病損害保険契約にあっては、その相続人。以下この条において同じ。）が」と、第三十二条第二号中「保険事故の発生」とあるのは「保険事故による損害が生じていること」と、第三十三条第一項中「、第三十条又は第三十一条」とあるのは「又は第三十一条」と、「不利なものは」とあるのは「不利なもの及び第三十条の規定に反する特約で保険契約者又は被保険者（被保険者の死亡によって生ずる損害をてん補する傷害疾病損害保険契約にあっては、被保険者又はその相続人）に不利なものは」とする。

第六節 適用除外

第三六条 第七条、第十二条、第二十六条及び第三十三条の規定は、次に掲げる損害保険契約については、適用しない。
一 商法（明治三十二年法律第四十八号）第八百十五条第一項に規定する海上保険契約
二 航空機若しくは航空機により運送される貨物を保険の目的物とする損害保険契約又は航空機の事故により生じた損害を賠償する責任に係る責任保険契約
三 原子力施設を保険の目的物とする損害保険契約又は原子力施設の事故により生じた損害を賠償する責任に係る責任保険契約
四 前三号に掲げるもののほか、法人その他の団体又は事業を行う個人の事業活動に伴って生ずることのある損害をてん補する損害保険契約（傷害疾病損害保険契約に該当するものを除く。）

第三章 生命保険

第一節 成立

（告知義務）
第三七条 保険契約者又は被保険者になる者は、生命保険契約の締結に際し、保険事故（被保険者の死亡又は一定の時点における生存をいう。以下この章において同じ。）の発生の可能性（以下この章において「危険」という。）に関する重要な事項のうち保険者になる者が告知を求めたもの（第五十五条第一項及び第五十六条第一項において「告知事項」という。）について、事実の告知をしなければならない。

（被保険者の同意）
第三八条 生命保険契約の当事者以外の者を被保険者とする死亡保険契約（保険者が被保険者の死亡に関し保険給付を行うことを約する生命保険契約をいう。以下この章において同じ。）は、当該被保険者の同意がなければ、その効力を生じない。

（遡及保険）
第三九条① 死亡保険契約を締結する前に発生した保険事故に関し保険給付を行う旨の定めは、保険契約者が当該死亡保険契約の申込み又はその承諾をした時において、当該保険契約者又は保険金受取人が既に保険事故が発生していることを知っていたときは、無効とする。
② 死亡保険契約の申込みの時より前に発生した保険事故に関し保険給付を行う旨の定めは、保険者又は保険契約者が当該死亡保険契約の申込みをした時において、当該保険者が保険事故が発生していないことを知っていたときは、無効とする。

（生命保険契約の締結時の書面交付）
第四〇条① 保険者は、生命保険契約を締結したときは、遅滞なく、保険契約者に対し、次に掲げる事項を記載した書面を交付しなければならない。
一 保険者の氏名又は名称
二 保険契約者の氏名又は名称
三 被保険者の氏名その他の被保険者を特定するために必要な事項
四 保険金受取人の氏名又は名称その他の保険金受取人を特定するために必要な事項
五 保険事故
六 その期間内に保険事故が発生した場合に保険給付を行うものとして生命保険契約で定める期間
七 保険給付の額及びその支払の方法
八 保険料及びその支払の方法
九 第五十六条第一項第一号の通知をすべき旨が定められているときは、その旨
十 生命保険契約を締結した年月日
十一 書面を作成した年月日
② 前項の書面には、保険者（法人その他の団体にあっては、そ

の代表者）が署名し、又は記名押印しなければならない。

（強行規定）

第四一条　第三十七条の規定に反する特約で保険契約者又は被保険者に不利なもの及び第三十九条第二項の規定に反する特約で保険契約者に不利なものは、無効とする。

第二節　効力

（第三者のためにする生命保険契約）

第四二条　保険金受取人が生命保険契約の当事者以外の者であるときは、当該保険金受取人は、当然に当該生命保険契約の利益を享受する。

（保険金受取人の変更）

第四三条①　保険契約者は、保険事故が発生するまでは、保険金受取人の変更をすることができる。

②　保険金受取人の変更は、保険者に対する意思表示によってする。

③　前項の意思表示は、その通知が保険者に到達したときは、当該通知を発した時にさかのぼってその効力を生ずる。ただし、その到達前に行われた保険給付の効力を妨げない。

（遺言による保険金受取人の変更）

第四四条①　保険金受取人の変更は、遺言によっても、することができる。

②　遺言による保険金受取人の変更は、その遺言が効力を生じた後、保険契約者の相続人がその旨を保険者に通知しなければ、これをもって保険者に対抗することができない。

（保険金受取人の変更についての被保険者の同意）

第四五条　死亡保険契約の保険金受取人の変更は、被保険者の同意がなければ、その効力を生じない。

（保険金受取人の死亡）

第四六条　保険金受取人が保険事故の発生前に死亡したときは、その相続人の全員が保険金受取人となる。

（保険給付請求権の譲渡等についての被保険者の同意）

第四七条　死亡保険契約に基づき保険給付を請求する権利の譲渡又は当該権利を目的とする質権の設定（保険事故が発生した後にされたものを除く。）は、被保険者の同意がなければ、その効力を生じない。

（危険の減少）

第四八条　生命保険契約の締結後に危険が著しく減少したときは、保険契約者は、保険者に対し、将来に向かって、保険料について、減少後の当該危険に対応する保険料に至るまでの減額を請求することができる。

（強行規定）

第四九条　第四十二条の規定に反する特約で保険金受取人に不利なもの及び前条の規定に反する特約で保険契約者に不利なものは、無効とする。

第三節　保険給付

（被保険者の死亡の通知）

第五〇条　死亡保険契約の保険契約者又は保険金受取人は、被保険者が死亡したことを知ったときは、遅滞なく、保険者に対し、その旨の通知を発しなければならない。

（保険者の免責）

第五一条　死亡保険契約の保険者は、次に掲げる場合には、保険給付を行う責任を負わない。ただし、第三号に掲げる場合には、被保険者を故意に死亡させた保険金受取人以外の保険金受取人に対する責任については、この限りでない。

一　被保険者が自殺をしたとき。

二　保険契約者が被保険者を故意に死亡させたとき（前号に掲げる場合を除く。）。

三　保険金受取人が被保険者を故意に死亡させたとき（前二号に掲げる場合を除く。）。

四　戦争その他の変乱によって被保険者が死亡したとき。

（保険給付の履行期）

第五二条①　保険給付を行う期限を定めた場合であっても、当該期限が、保険事故、保険者が免責される事由その他の保険給付を行うために確認をすることが生命保険契約上必要とされる事項の確認をするための相当の期間を経過する日後の日であるときは、当該期間を経過する日をもって保険給付を行う期限とする。

②　保険給付を行う期限を定めなかったときは、保険者は、保険給付の請求があった後、当該請求に係る保険事故の確認をするために必要な期間を経過するまでは、遅滞の責任を負わない。

③　保険者が前二項に規定する確認をするために必要な調査を行うに当たり、保険契約者、被保険者又は保険金受取人が正当な理由なく当該調査を妨げ、又はこれに応じなかった場合には、保険者は、これにより保険給付を遅延した期間について、遅滞の責任を負わない。

（強行規定）

第五三条　前条第一項又は第三項の規定に反する特約で保険金受取人に不利なものは、無効とする。

第四節　終了

（保険契約者による解除）

第五四条　保険契約者は、いつでも生命保険契約を解除することができる。

（告知義務違反による解除）

第五五条①　保険者は、保険契約者又は被保険者が、告知事項について、故意又は重大な過失により事実の告知をせず、又は不実の告知をしたときは、生命保険契約を解除することができる。

②　保険者は、前項の規定にかかわらず、次に掲げる場合には、生命保険契約を解除することができない。

一　生命保険契約の締結の時において、保険者が前項の事実を知り、又は過失によって知らなかったとき。

二　保険媒介者が、保険契約者又は被保険者が前項の事実の告知をすることを妨げたとき。

三　保険媒介者が、保険契約者又は被保険者に対し、前項の事実の告知をせず、又は不実の告知をすることを勧めたとき。

③　前項第二号及び第三号の規定は、当該各号に規定する保険媒介者の行為がなかったとしても保険契約者又は被保険者が第一項の事実の告知をせず、又は不実の告知をしたと認められる場合には、適用しない。

④　第一項の規定による解除権は、保険者が同項の規定による解除の原因があることを知った時から一箇月間行使しないときは、消滅する。生命保険契約の締結の時から五年を経過したときも、同様とする。

（危険増加による解除）

第五六条①　生命保険契約の締結後に危険増加（告知事項についての危険が高くなり、生命保険契約で定められている保険料が当該危険を計算の基礎として算出される保険料に不足する状態になることをいう。以下この条及び第五十九条第二項第二号において同じ。）が生じた場合において、保険料を当該危険増加に対応した額に変更するとしたならば当該生命保険契約を継続することができるときであっても、保険者は、次に掲げる要件のいずれにも該当する場合には、当該生命保険契約を解除することができる。

一　当該危険増加に係る告知事項について、その内容に変更が生じたときは保険契約者又は被保険者が保険者に遅滞なくその旨の通知をすべき旨が当該生命保険契約で定められていること。

二　保険契約者又は被保険者が故意又は重大な過失により遅滞なく前号の通知をしなかったこと。

②　前条第四項の規定は、前項の規定による解除権について準用する。この場合において、同条第四項中「生命保険契約の締結の時」とあるのは、「次条第一項に規定する危険増加が生じた時」と読み替えるものとする。

第五七条（重大事由による解除） 保険者は、次に掲げる事由がある場合には、生命保険契約（第一号の場合にあっては、死亡保険契約に限る。）を解除することができる。
一 保険契約者又は保険金受取人が、保険者に保険給付を行わせることを目的として故意に被保険者を死亡させ、又は死亡させようとしたこと。
二 保険金受取人が、当該生命保険契約に基づく保険給付の請求について詐欺を行い、又は行おうとしたこと。
三 前二号に掲げるもののほか、保険者の保険契約者、被保険者又は保険金受取人に対する信頼を損ない、当該生命保険契約の存続を困難とする重大な事由

第五八条（被保険者による解除請求） ① 死亡保険契約の被保険者が当該死亡保険契約の当事者以外の者である場合において、次に掲げるときは、当該被保険者は、保険契約者に対し、当該死亡保険契約を解除することを請求することができる。
一 前条第一号又は第二号に掲げる事由がある場合
二 前号に掲げるもののほか、被保険者の保険契約者又は保険金受取人に対する信頼を損ない、当該死亡保険契約の存続を困難とする重大な事由がある場合
三 保険契約者と被保険者との間の親族関係の終了その他の事情により、被保険者が第三十八条の同意をするに当たって基礎とした事情が著しく変更した場合
② 保険契約者は、前項の規定により死亡保険契約を解除することの請求を受けたときは、当該死亡保険契約を解除することができる。

第五九条（解除の効力） ① 生命保険契約の解除は、将来に向かってのみその効力を生ずる。
② 保険者は、次の各号に掲げる規定により生命保険契約の解除をした場合には、当該各号に定める保険事故に関し保険給付を行う責任を負わない。
一 第五十五条第一項 解除がされた時までに発生した保険事故。ただし、同項の事実に基づかずに発生した保険事故については、この限りでない。
二 第五十六条第一項 解除に係る危険増加が生じた時から解除がされた時までに発生した保険事故。ただし、当該危険増加をもたらした事由に基づかずに発生した保険事故については、この限りでない。
三 第五十七条 同条各号に掲げる事由が生じた時から解除がされた時までに発生した保険事故

第六〇条（契約当事者以外の者による解除の効力等） ① 差押債権者、破産管財人その他の死亡保険契約（第六十三条に規定する保険料積立金があるものに限る。次項及び次条第一項において同じ。）の当事者以外の者で当該死亡保険契約の解除をすることができるもの（次項及び第六十二条において「解除権者」という。）がする当該解除は、保険者がその通知を受けた時から一箇月を経過した日に、その効力を生ずる。
② 保険金受取人（前項に規定する通知の時において、保険契約者である者を除き、保険契約者若しくは被保険者の親族又は被保険者である者に限る。次項及び次条において「介入権者」という。）が、保険契約者の同意を得て、前項の期間が経過するまでの間に、当該通知の日に当該死亡保険契約の解除の効力が生じたとすれば保険者が解除権者に対して支払うべき金額を解除権者に対して支払い、かつ、保険者に対してその旨の通知をしたときは、同項に規定する解除は、その効力を生じない。
③ 第一項に規定する解除の意思表示が差押えの手続又は保険契約者の破産手続、再生手続若しくは更生手続においてされたものである場合において、介入権者が前項の規定による支払及びその旨の通知をしたときは、当該差押えの手続、破産手続、再生手続又は更生手続との関係においては、保険者が当該解除により支払うべき金銭の支払をしたものとみなす。

第六一条 ① 死亡保険契約の解除により保険契約者が保険者に対して有することとなる金銭債権を差し押さえた債権者が前条第一項に規定する通知をした場合において、同条第二項の規定による支払の時に保険者が当該差押えに係る金銭債権の支払をするとすれば民事執行法（昭和五十四年法律第四号）その他の法令の規定による供託をすることができるときは、介入権者は、当該供託の方法により同項の規定による支払をすることができる。
② 前項の通知があった場合において、前条第二項の規定による支払の時に保険者が当該差押えに係る金銭債権の支払をするとすれば民事執行法その他の法令の規定による供託の義務を負うときは、介入権者は、当該供託の方法により同項の規定による支払をしなければならない。
③ 介入権者が前二項の規定により供託の方法による支払をしたときは、当該供託に係る差押えの手続との関係においては、保険者が当該差押えに係る金銭債権につき当該供託の方法による支払をしたものとみなす。
④ 介入権者は、第一項又は第二項の規定による供託をしたときは、民事執行法その他の法令の規定により第三債務者が執行裁判所その他の官庁又は公署に対してすべき届出をしなければならない。

第六二条 ① 第六十条第一項に規定する通知の時から同項に規定する解除の効力が生じ、又は同条第二項の規定により当該解除の効力が生じないこととなるまでの間に保険事故が発生したことにより保険者が保険給付を行うべきときは、当該保険者は、当該保険給付を行うべき額の限度で、解除権者に対し、同項に規定する金額を支払わなければならない。この場合において、保険金受取人に対しては、当該保険給付を行うべき額から当該解除権者に支払った金額を控除した残額について保険給付を行えば足りる。
② 前条の規定は、前項の規定による保険者の解除権者に対する支払について準用する。

第六三条（保険料積立金の払戻し） 保険者は、次に掲げる事由により生命保険契約が終了した場合には、保険契約者に対し、当該終了の時における保険料積立金（受領した保険料の総額のうち、当該生命保険契約に係る保険給付に充てるべきものとして、保険料又は保険給付の額を定めるための予定死亡率、予定利率その他の計算の基礎を用いて算出される金額に相当する部分をいう。）を払い戻さなければならない。ただし、保険者が保険給付を行う責任を負うときは、この限りでない。
一 第五十一条各号（第二号を除く。）に規定する事由
二 保険者の責任が開始する前における第五十四条又は第五十八条第二項の規定による解除
三 第五十六条第一項の規定による解除
四 第九十六条第一項の規定による解除又は同条第二項の規定による当該生命保険契約の失効

第六四条（保険料の返還の制限） 保険者は、次に掲げる場合には、保険料を返還する義務を負わない。
一 保険契約者、被保険者又は保険金受取人の詐欺又は強迫を理由として生命保険契約に係る意思表示を取り消した場合
二 死亡保険契約が第三十九条第一項の規定により無効とされる場合。ただし、保険者が保険事故の発生を知って当該死亡保険契約の申込み又はその承諾をしたときは、この限りでない。

第六五条（強行規定） 次の各号に掲げる規定に反する特約で当該各号に定める者に不利なものは、無効とする。
一 第五十五条第一項から第三項まで又は第五十六条第一項 保険契約者又は被保険者
二 第五十七条又は第五十九条 保険契約者、被保険者又は保険金受取人

三　前二条　保険契約者

第四章　傷害疾病定額保険

第一節　成立

（告知義務）

第六六条　保険契約者又は被保険者になる者は、傷害疾病定額保険契約の締結に際し、給付事由（傷害疾病による治療、死亡その他の保険給付を行う要件として傷害疾病定額保険契約で定める事由をいう。以下この章において同じ。）の発生の可能性（以下この章において「危険」という。）に関する重要な事項のうち保険者になる者が告知を求めたもの（第八十四条第一項及び第八十五条第一項において「告知事項」という。）について、事実の告知をしなければならない。

（被保険者の同意）

第六七条①　傷害疾病定額保険契約の当事者以外の者を被保険者とする傷害疾病定額保険契約は、当該被保険者の同意がなければ、その効力を生じない。ただし、被保険者（被保険者の死亡に関する保険給付にあっては、被保険者又はその相続人）が保険金受取人である場合は、この限りでない。

②　前項ただし書の規定は、給付事由が傷害疾病による死亡のみである傷害疾病定額保険契約については、適用しない。

（遡及保険）

第六八条①　傷害疾病定額保険契約を締結する前に発生した給付事由に基づき保険給付を行う旨の定めは、保険契約者が当該傷害疾病定額保険契約の申込み又はその承諾をした時において、当該保険契約者、被保険者又は保険金受取人が既に給付事由が発生していることを知っていたときは、無効とする。

②　傷害疾病定額保険契約の申込みの時より前に発生した給付事由に基づき保険給付を行う旨の定めは、保険者又は保険契約者が当該傷害疾病定額保険契約の申込みをした時において、当該保険者が給付事由が発生していないことを知っていたときは、無効とする。

（傷害疾病定額保険契約の締結時の書面交付）

第六九条①　保険者は、傷害疾病定額保険契約を締結したときは、遅滞なく、保険契約者に対し、次に掲げる事項を記載した書面を交付しなければならない。

一　保険者の氏名又は名称
二　保険契約者の氏名又は名称
三　被保険者の氏名その他の被保険者を特定するために必要な事項
四　保険金受取人の氏名又は名称その他の保険金受取人を特定するために必要な事項
五　給付事由
六　その期間内に傷害疾病又は給付事由が発生した場合に保険給付を行うものとして傷害疾病定額保険契約で定める期間
七　保険給付の額及びその支払の方法
八　保険料及びその支払の方法
九　第八十五条第一項第一号の通知をすべき旨が定められているときは、その旨
十　傷害疾病定額保険契約を締結した年月日
十一　書面を作成した年月日

②　前項の書面には、保険者（法人その他の団体にあっては、その代表者）が署名し、又は記名押印しなければならない。

（強行規定）

第七〇条　第六十六条の規定に反する特約で保険契約者又は被保険者に不利なもの及び第六十八条第二項の規定に反する特約で保険契約者に不利なものは、無効とする。

第二節　効力

（第三者のためにする傷害疾病定額保険契約）

第七一条　保険金受取人が傷害疾病定額保険契約の当事者以外の者であるときは、当該保険金受取人は、当然に当該傷害疾病定額保険契約の利益を享受する。

（保険金受取人の変更）

第七二条①　保険契約者は、給付事由が発生するまでは、保険金受取人の変更をすることができる。

②　保険金受取人の変更は、保険者に対する意思表示によってする。

③　前項の意思表示は、その通知が保険者に到達したときは、当該通知を発した時にさかのぼってその効力を生ずる。ただし、その到達前に行われた保険給付の効力を妨げない。

（遺言による保険金受取人の変更）

第七三条①　保険金受取人の変更は、遺言によっても、することができる。

②　遺言による保険金受取人の変更は、その遺言が効力を生じた後、保険契約者の相続人がその旨を保険者に通知しなければ、これをもって保険者に対抗することができない。

（保険金受取人の変更についての被保険者の同意）

第七四条①　保険金受取人の変更は、被保険者の同意がなければ、その効力を生じない。ただし、変更後の保険金受取人が被保険者（被保険者の死亡に関する保険給付にあっては、被保険者又はその相続人）である場合は、この限りでない。

②　前項ただし書の規定は、給付事由が傷害疾病による死亡のみである傷害疾病定額保険契約については、適用しない。

（保険金受取人の死亡）

第七五条　保険金受取人が給付事由の発生前に死亡したときは、その相続人の全員が保険金受取人となる。

（保険給付請求権の譲渡等についての被保険者の同意）

第七六条　保険給付を請求する権利の譲渡又は当該権利を目的とする質権の設定（給付事由が発生した後にされたものを除く。）は、被保険者の同意がなければ、その効力を生じない。

（危険の減少）

第七七条　傷害疾病定額保険契約の締結後に危険が著しく減少したときは、保険契約者は、保険者に対し、将来に向かって、保険料について、減少後の当該危険に対応する保険料に至るまでの減額を請求することができる。

（強行規定）

第七八条　第七十一条の規定に反する特約で保険金受取人に不利なもの及び前条の規定に反する特約で保険契約者に不利なものは、無効とする。

第三節　保険給付

（給付事由発生の通知）

第七九条　保険契約者、被保険者又は保険金受取人は、給付事由が発生したことを知ったときは、遅滞なく、保険者に対し、その旨の通知を発しなければならない。

（保険者の免責）

第八〇条　保険者は、次に掲げる場合には、保険給付を行う責任を負わない。ただし、第三号に掲げる場合には、給付事由を発生させた保険金受取人以外の保険金受取人に対する責任については、この限りでない。

一　被保険者が故意又は重大な過失により給付事由を発生させたとき。
二　保険契約者が故意又は重大な過失により給付事由を発生させたとき（前号に掲げる場合を除く。）。
三　保険金受取人が故意又は重大な過失により給付事由を発生させたとき（前二号に掲げる場合を除く。）。
四　戦争その他の変乱によって給付事由が発生したとき。

（保険給付の履行期）

第八一条①　保険給付を行う期限を定めた場合であっても、当該期限が、給付事由、保険者が免責される事由その他の保険給付を行うために確認をすることが傷害疾病定額保険契約上必要とされる事項の確認をするための相当の期間を経過する日後の日であるときは、当該期間を経過する日をもって保険給付を行う期限とする。

②　保険給付を行う期限を定めなかったときは、保険者は、保険

給付の請求があった後、当該請求に係る給付事由の確認をするために必要な期間を経過するまでは、遅滞の責任を負わない。

③ 保険者が前二項に規定する確認をするために必要な調査を行うに当たり、保険契約者、被保険者又は保険金受取人が正当な理由なく当該調査を妨げ、又はこれに応じなかった場合には、保険者は、これにより保険給付を遅延した期間について、遅滞の責任を負わない。

（強行規定）

第八二条 前条第一項又は第三項の規定に反する特約で保険金受取人に不利なものは、無効とする。

第四節 終了

（保険契約者による解除）

第八三条 保険契約者は、いつでも傷害疾病定額保険契約を解除することができる。

（告知義務違反による解除）

第八四条① 保険者は、保険契約者又は被保険者が、告知事項について、故意又は重大な過失により事実の告知をせず、又は不実の告知をしたときは、傷害疾病定額保険契約を解除することができる。

② 保険者は、前項の規定にかかわらず、次に掲げる場合には、傷害疾病定額保険契約を解除することができない。

一 傷害疾病定額保険契約の締結の時において、保険者が前項の事実を知り、又は過失によって知らなかったとき。

二 保険媒介者が、保険契約者又は被保険者が前項の事実の告知をすることを妨げたとき。

三 保険媒介者が、保険契約者又は被保険者に対し、前項の事実の告知をせず、又は不実の告知をすることを勧めたとき。

③ 前項第二号及び第三号の規定は、当該各号に規定する保険媒介者の行為がなかったとしても保険契約者又は被保険者が第一項の事実の告知をせず、又は不実の告知をしたと認められる場合には、適用しない。

④ 第一項の規定による解除権は、保険者が同項の規定による解除の原因があることを知った時から一箇月間行使しないときは、消滅する。傷害疾病定額保険契約の締結の時から五年を経過したときも、同様とする。

（危険増加による解除）

第八五条① 傷害疾病定額保険契約の締結後に危険増加（告知事項についての危険が高くなり、傷害疾病定額保険契約で定められている保険料が当該危険を計算の基礎として算出される保険料に不足する状態になることをいう。以下この条及び第八十八条第二項第二号において同じ。）が生じた場合において、保険料を当該危険増加に対応した額に変更するとしたならば当該傷害疾病定額保険契約を継続することができるときであっても、保険者は、次に掲げる要件のいずれにも該当する場合には、当該傷害疾病定額保険契約を解除することができる。

一 当該危険増加に係る告知事項について、その内容に変更が生じたときは保険契約者又は被保険者が保険者に遅滞なくその旨の通知をすべき旨が当該傷害疾病定額保険契約で定められていること。

二 保険契約者又は被保険者が故意又は重大な過失により遅滞なく前号の通知をしなかったこと。

② 前条第四項の規定は、前項の規定による解除権について準用する。この場合において、同条第四項中「傷害疾病定額保険契約の締結の時」とあるのは、「次条第一項に規定する危険増加が生じた時」と読み替えるものとする。

（重大事由による解除）

第八六条 保険者は、次に掲げる事由がある場合には、傷害疾病定額保険契約を解除することができる。

一 保険契約者又は被保険者が、保険者に当該傷害疾病定額保険契約に基づく保険給付を行わせることを目的として給付事由を発生させ、又は発生させようとしたこと。

二 保険金受取人が、当該傷害疾病定額保険契約に基づく保険給付の請求について詐欺を行い、又は行おうとしたこと。

三 前二号に掲げるもののほか、保険者の保険契約者、被保険者又は保険金受取人に対する信頼を損ない、当該傷害疾病定額保険契約の存続を困難とする重大な事由

（被保険者による解除請求）

第八七条① 被保険者が傷害疾病定額保険契約の当事者以外の者である場合において、次に掲げるときは、当該被保険者は、保険契約者に対し、当該傷害疾病定額保険契約を解除することを請求することができる。

一 第六十七条第一項ただし書に規定する場合（同項の同意がある場合を除く。）

二 前条第一号又は第二号に掲げる事由がある場合

三 前号に掲げるもののほか、被保険者の保険契約者又は保険金受取人に対する信頼を損ない、当該傷害疾病定額保険契約の存続を困難とする重大な事由がある場合

四 保険契約者と被保険者との間の親族関係の終了その他の事情により、被保険者が第六十七条第一項の同意をするに当たって基礎とした事情が著しく変更した場合

② 保険契約者は、前項の規定により傷害疾病定額保険契約を解除することの請求を受けたときは、当該傷害疾病定額保険契約を解除することができる。

（解除の効力）

第八八条① 傷害疾病定額保険契約の解除は、将来に向かってのみその効力を生ずる。

② 保険者は、次の各号に掲げる規定により傷害疾病定額保険契約の解除をした場合には、当該各号に定める事由に基づき保険給付を行う責任を負わない。

一 第八十四条第一項 解除がされた時までに発生した傷害疾病。ただし、同項の事実に基づかずに発生した傷害疾病については、この限りでない。

二 第八十五条第一項 解除に係る危険増加が生じた時から解除がされた時までに発生した傷害疾病。ただし、当該危険増加をもたらした事由に基づかずに発生した傷害疾病については、この限りでない。

三 第八十六条 同条各号に掲げる事由が生じた時から解除がされた時までに発生した給付事由

（契約当事者以外の者による解除の効力等）

第八九条① 差押債権者、破産管財人その他の傷害疾病定額保険契約（第九十二条に規定する保険料積立金があるものに限る。以下この条から第九十一条までにおいて同じ。）の当事者以外の者で当該傷害疾病定額保険契約の解除をすることができるもの（次項及び同条において「解除権者」という。）がする当該解除は、保険者がその通知を受けた時から一箇月を経過した日に、その効力を生ずる。

② 保険金受取人（前項に規定する通知の時において、保険契約者である者を除き、保険契約者若しくは被保険者の親族又は被保険者である者に限る。次項及び次条において「介入権者」という。）が、保険契約者の同意を得て、前項の期間が経過するまでの間に、当該通知の日に当該傷害疾病定額保険契約の解除の効力が生じたとすれば保険者が解除権者に対して支払うべき金額を解除権者に対して支払い、かつ、保険者に対してその旨の通知をしたときは、同項に規定する解除は、その効力を生じない。

③ 第一項に規定する解除の意思表示が差押えの手続又は保険契約者の破産手続、再生手続若しくは更生手続においてされたものである場合において、介入権者が前項の規定による支払及びその旨の通知をしたときは、当該差押えの手続、破産手続、再生手続又は更生手続との関係においては、保険者が当該解除により支払うべき金銭の支払をしたものとみなす。

第九〇条① 傷害疾病定額保険契約の解除により保険契約者が保険者に対して有することとなる金銭債権を差し押さえた債権者が前条第一項に規定する通知をした場合において、同条第二項

の規定による支払の時に保険者が当該差押えに係る金銭債権の支払をするとすれば民事執行法その他の法令の規定による供託をすることができるときは、介入権者は、当該供託の方法により同項の規定による支払をすることができる。

② 前項の通知があった場合において、前条第二項の規定による支払の時に保険者が当該差押えに係る金銭債権の支払をするとすれば民事執行法その他の法令の規定による供託の義務を負うときは、介入権者は、当該供託の方法により同項の規定による支払をしなければならない。

③ 介入権者が前二項の規定により供託の方法による支払をしたときは、当該供託に係る差押えの手続との関係においては、保険者が当該差押えに係る金銭債権につき当該供託の方法による支払をしたものとみなす。

④ 介入権者は、第一項又は第二項の規定による供託をしたときは、民事執行法その他の法令の規定により第三債務者が執行裁判所その他の官庁又は公署に対してすべき届出をしなければならない。

第九一条① 第八十九条第一項に規定する通知の時から同項に規定する解除の効力が生じ、又は同条第二項の規定により当該解除の効力が生じないこととなるまでの間に給付事由が発生したことにより保険者が保険給付を行うべき場合において、当該保険給付を行うことにより傷害疾病定額保険契約が終了することとなるときは、当該保険者は、当該保険給付を行うべき額の限度で、解除権者に対し、同項に規定する金額を支払わなければならない。この場合において、保険金受取人に対しては、当該保険給付を行うべき額から当該解除権者に支払った金額を控除した残額について保険給付を行えば足りる。

② 前条の規定は、前項の規定による保険者の解除権者に対する支払について準用する。

（保険料積立金の払戻し）

第九二条 保険者は、次に掲げる事由により傷害疾病定額保険契約が終了した場合には、保険契約者に対し、当該終了の時における保険料積立金（受領した保険料の総額のうち、当該傷害疾病定額保険契約に係る保険給付に充てるべきものとして、保険料又は保険給付の額を定めるための給付事由の発生率、予定利率その他の計算の基礎を用いて算出される金額に相当する部分をいう。）を払い戻さなければならない。ただし、保険者が保険給付を行う責任を負うときは、この限りでない。

一 第八十条各号（第二号を除く。）に規定する事由

二 保険者の責任が開始する前における第八十三条又は第八十七条第二項の規定による解除

三 第八十五条第一項の規定による解除

四 第九十六条第一項の規定による解除又は同条第二項の規定による当該傷害疾病定額保険契約の失効

（保険料の返還の制限）

第九三条 保険者は、次に掲げる場合には、保険料を返還する義務を負わない。

一 保険契約者、被保険者又は保険金受取人の詐欺又は強迫を理由として傷害疾病定額保険契約に係る意思表示を取り消した場合

二 傷害疾病定額保険契約が第六十八条第一項の規定により無効とされる場合。ただし、保険者が給付事由の発生を知って当該傷害疾病定額保険契約の申込み又はその承諾をしたときは、この限りでない。

（強行規定）

第九四条 次の各号に掲げる規定に反する特約で当該各号に定める者に不利なものは、無効とする。

一 第八十四条第一項から第三項まで又は第八十五条第一項 保険契約者又は被保険者

二 第八十六条又は第八十八条 保険契約者、被保険者又は保険金受取人

三 前二条 保険契約者

第五章 雑則

（消滅時効）

第九五条① 保険給付を請求する権利、保険料の返還を請求する権利及び第六十三条又は第九十二条に規定する保険料積立金の払戻しを請求する権利は、これらを行使することができる時から三年間行使しないときは、時効によって消滅する。

② 保険料を請求する権利は、これを行使することができる時から一年間行使しないときは、時効によって消滅する。

（保険者の破産）

第九六条① 保険者が破産手続開始の決定を受けたときは、保険契約者は、保険契約を解除することができる。

② 保険契約者が前項の規定による保険契約の解除をしなかったときは、当該保険契約は、破産手続開始の決定の日から三箇月を経過した日にその効力を失う。

附 則（抄）

（施行期日）

第一条 この法律は、公布の日から起算して二年を超えない範囲内において政令で定める日（平成二二・四・一—平成二二政一七六）から施行する。

○国際海上物品運送法（昭和三二・六・一三 法 一 七 二）

施行 昭和三三・一・一（附則参照）
最終改正 平成三〇法二九

（適用範囲）
第一条 この法律（第十六条を除く。）の規定は船舶による物品運送で船積港又は陸揚港が本邦外にあるものに、同条の規定は運送人及びその被用者の不法行為による損害賠償の責任に適用する。

（定義）
第二条① この法律において「船舶」とは、商法（明治三十二年法律第四十八号）第六百八十四条に規定する船舶をいう。
② この法律において「運送人」とは、前条の運送を引き受ける者をいう。
③ この法律において「荷送人」とは、前条の運送を委託する者をいう。
④ この法律において「一計算単位」とは、国際通貨基金協定第三条第一項に規定する特別引出権による一特別引出権に相当する金額をいう。

（運送品に関する注意義務）
第三条① 運送人は、自己又はその使用する者が運送品の受取、船積、積付、運送、保管、荷揚及び引渡につき注意を怠つたことにより生じた運送品の滅失、損傷又は延着について、損害賠償の責を負う。
② 前項の規定は、船長、海員、水先人その他運送人の使用する者の航行若しくは船舶の取扱に関する行為又は船舶における火災（運送人の故意又は過失に基くものを除く。）により生じた損害には、適用しない。

第四条① 運送人は、前条の注意が尽されたことを証明しなければ、同条の責を免かれることができない。
② 運送人は、次の事実があつたこと及び運送品に関する損害がその事実により通常生ずべきものであることを証明したときは、前項の規定にかかわらず、前条の責を免かれる。ただし、同条の注意が尽されたならばその損害を避けることができたにかかわらず、その注意が尽されなかつたことの証明があつたときは、この限りでない。
一 海上その他可航水域に特有の危険
二 天災
三 戦争、暴動又は内乱
四 海賊行為その他これに準ずる行為
五 裁判上の差押、検疫上の制限その他公権力による処分
六 荷送人若しくは運送品の所有者又はその使用する者の行為
七 同盟罷業、怠業、作業所閉鎖その他の争議行為
八 海上における人命若しくは財産の救助行為又はそのためにする離路若しくはその他の正当な理由に基く離路
九 運送品の特殊な性質又は隠れた欠陥
十 運送品の荷造又は記号の表示の不完全
十一 起重機その他これに準ずる施設の隠れた欠陥
③ 前項の規定は、商法第七百六十条の規定の適用を妨げない。

（航海に堪える能力に関する注意義務）
第五条 運送人は、発航の当時次に掲げる事項を欠いたことにより生じた運送品の滅失、損傷又は延着について、損害賠償の責任を負う。ただし、運送人が自己及びその使用する者がその当時当該事項について注意を怠らなかつたことを証明したときは、この限りでない。
一 船舶を航海に堪える状態に置くこと。
二 船員の乗組み、船舶の艤装及び需品の補給を適切に行うこと。
三 船倉、冷蔵室その他運送品を積み込む場所を運送品の受入れ、運送及び保存に適する状態に置くこと。

（危険物の処分）
第六条① 引火性、爆発性その他の危険性を有する運送品で、船積みの際運送人、船長及び運送人の代理人がその性質を知らなかつたものは、いつでも、陸揚げし、破壊し、又は無害にすることができる。
② 前項の規定は、運送人の荷送人に対する損害賠償の請求を妨げない。
③ 引火性、爆発性その他の危険性を有する運送品で、船積みの際運送人、船長又は運送人の代理人がその性質を知つていたものは、船舶又は積荷に危害を及ぼすおそれが生じたときは、陸揚げし、破壊し、又は無害にすることができる。
④ 運送人は、第一項又は前項の処分により当該運送品につき生じた損害については、賠償の責任を負わない。

（荷受人等の通知義務）
第七条① 荷受人又は船荷証券所持人は、運送品の一部滅失又は損傷があつたときは、受取の際運送人に対しその滅失又は損傷の概況につき書面による通知を発しなければならない。ただし、その滅失又は損傷が直ちに発見することができないものであるときは、受取の日から三日以内にその通知を発すれば足りる。
② 前項の通知がなかつたときは、運送品は、滅失及び損傷がなく引き渡されたものと推定する。
③ 前二項の規定は、運送品の状態が引渡しの際当事者の立会いによつて確認された場合には、適用しない。
④ 運送品につき滅失又は損傷が生じている疑いがあるときは、運送人と荷受人又は船荷証券所持人とは、相互に、運送品の点検のため必要な便宜を与えなければならない。

（損害賠償の額）
第八条① 運送品に関する損害賠償の額は、荷揚げされるべき地及び時における運送品の市場価格（取引所の相場がある物品については、その相場）によつて定める。ただし、市場価格がないときは、その地及び時における同種類で同一の品質の物品の正常な価格によつて定める。
② 商法第五百七十六条第二項の規定は、前項の場合に準用する。

（責任の限度）
第九条① 運送品に関する運送人の責任は、次に掲げる金額のうちいずれか多い金額を限度とする。
一 滅失、損傷又は延着に係る運送品の包又は単位の数に一計算単位の六百六十六・六七倍を乗じて得た金額
二 前号の運送品の総重量について一キログラムにつき一計算単位の二倍を乗じて得た金額
② 前項各号の一計算単位は、運送人が運送品に関する損害を賠償する日において公表されている最終のものとする。
③ 運送品がコンテナー、パレットその他これらに類する輸送用器具（以下この項において「コンテナー等」という。）を用いて運送される場合における第一項の規定の適用については、その運送品の包若しくは個品の数又は容積若しくは重量が船荷証券又は海上運送状に記載されているときを除き、コンテナー等の数を包又は単位の数とみなす。
④ 運送品に関する運送人の被用者の責任が、第十六条第三項の規定により同条第一項において準用する前三項の規定により運送人の責任が軽減される限度で軽減される場合において、運送人の被用者が損害を賠償したときは、前三項の規定による運送品に関する運送人の責任は、運送人の被用者が賠償した金額の限度において、更に軽減される。
⑤ 前各項の規定は、運送品の種類及び価額が、運送の委託の際荷送人により通告され、かつ、船荷証券が交付されるときは、船荷証券に記載されている場合には、適用しない。
⑥ 前項の場合において、荷送人が実価を著しく超える価額を故意に通告したときは、運送人は、運送品に関する損害については、賠償の責任を負わない。
⑦ 第五項の場合において、荷送人が実価より著しく低い価額を

故意に通告したときは、その価額は、運送品に関する損害については、運送品の価額とみなす。

⑧　前二項の規定は、運送人に悪意があつた場合には、適用しない。

（損害賠償の額及び責任の限度の特例）

第一〇条　運送人は、運送品に関する損害が、自己の故意により、又は損害の発生のおそれがあることを認識しながらした自己の無謀な行為により生じたものであるときは、第八条及び前条第一項から第四項までの規定にかかわらず、一切の損害を賠償する責任を負う。

（特約禁止）

第一一条①　第三条から第五条まで若しくは第七条から前条まで又は商法第五百八十五条、第七百五十九条若しくは第七百六十条の規定に反する特約で、荷送人、荷受人又は船荷証券所持人に不利益なものは、無効とする。運送品の保険契約によつて生ずる権利を運送人に譲渡する契約その他これに類似する契約も、同様とする。

②　前項の規定は、運送人に不利益な特約をすることを妨げない。この場合には、荷送人は、船荷証券にその特約を記載すべきことを請求することができる。

③　第一項の規定は、運送品の船積み前又は荷揚げ後の事実により生じた損害には、適用しない。

④　前項の損害につき第一項の特約がされた場合において、その特約が船荷証券に記載されていないときは、運送人は、その特約をもつて船荷証券所持人に対抗することができない。

（特約禁止の特例）

第一二条　前条第一項の規定は、船舶の全部又は一部を運送契約の目的とする場合には、適用しない。ただし、運送人と船荷証券所持人との関係については、この限りでない。

第一三条　前条の規定は、運送品の特殊な性質若しくは状態又は運送が行われる特殊な事情により、運送品に関する運送人の責任を免除し、又は軽減することが相当と認められる運送に準用する。

第一四条①　第十一条第一項の規定は、生動物の運送及び甲板積みの運送には、適用しない。

②　前項の運送につき第十一条第一項の特約がされた場合において、その特約が船荷証券に記載されていないときは、運送人は、その特約をもつて船荷証券所持人に対抗することができない。甲板積みの運送につきその旨が船荷証券に記載されていないときも、同様とする。

（商法の適用）

第一五条　第一条の運送には、商法第五百七十五条、第五百七十六条、第五百八十四条、第五百八十七条、第五百八十八条、第七百三十九条第一項（同法第七百五十六条第一項において準用する場合を含む。）及び第二項、第七百五十六条第二項並びに第七百六十九条の規定を除き、同法第二編第八章第二節及び第三編第三章の規定を適用する。

（運送人等の不法行為責任）

第一六条①　第三条第二項、第六条第四項及び第八条から第十条まで並びに商法第五百七十七条及び第五百八十五条の規定は、運送品に関する運送人の荷送人、荷受人又は船荷証券所持人に対する不法行為による損害賠償の責任に準用する。この場合において、第三条第二項中「前項」とあるのは、「民法（明治二十九年法律第八十九号）第七百十五条第一項本文及び商法第六百九十条（同法第七百三条第一項の規定により船舶賃借人が船舶所有者と同一の権利義務を有することとされる場合を含む。）」と読み替えるものとする。

②　前項の規定は、荷受人があらかじめ荷送人の委託による運送を拒んでいたにもかかわらず荷送人から運送を引き受けた運送人の荷受人に対する責任には、適用しない。

③　第一項の規定により運送品に関する運送人の責任が免除され、又は軽減される場合には、その責任が免除され、又は軽減される限度において、当該運送品に関する運送人の被用者の荷送人、荷受人又は船荷証券所持人に対する不法行為による損害賠償の責任も、免除され、又は軽減される。

④　第九条第四項の規定は、運送品に関する運送人の責任が同条第一項から第三項までの規定（第一項において準用する場合を含む。）により軽減される場合において、運送人が損害を賠償したときの、運送品に関する運送人の被用者の責任に準用する。

⑤　前二項の規定は、運送品に関する損害が、運送人の被用者の故意により、又は損害の発生のおそれがあることを認識しながらしたその者の無謀な行為により生じたものであるときには、適用しない。

（郵便物の運送）

第一七条　この法律は、郵便物の運送には、適用しない。

附　則（抄）

①　この法律は、千九百二十四年八月二十五日にブラッセルで署名された船荷証券に関するある規則の統一のための国際条約が日本国について効力を生ずる日（昭和三二・一・一—昭和三二外告一五八）から施行する。

○船舶の所有者等の責任の制限に関する法律（抄）

（昭和五〇・一二・二七法九四）

施行　昭和五一・九・一（附則参照）
最終改正　令和五法五三

目次

第一章　総則

（趣旨）
第一条　この法律は、船舶の所有者等の責任の制限に関し必要な事項を定めるものとする。

（定義）
第二条①　この法律において、次の各号に掲げる用語の意義は、それぞれ当該各号に定めるところによる。
一　船舶　航海の用に供する船舶で、ろかい又は主としてろかいをもつて運転する舟及び公用に供する船舶以外のものをいう。
二　船舶所有者等　船舶所有者、船舶賃借人及び傭船者並びに法人であるこれらの者の無限責任社員をいう。
二の二　救助者　救助活動に直接関連する役務を提供する者をいう。
三　被用者等　船舶所有者等又は救助者の被用者その他の者で、その者の行為につき船舶所有者等又は救助者が責めに任ずべきものをいう。
三の二　救助船舶　救助活動（船舶に対する、又は船舶に関連する救助活動でその船舶上でのみ行うものを除く。）を船舶から行う場合の当該船舶をいう。
四　制限債権　船舶所有者等若しくは救助者又は被用者等が、この法律で定めるところによりその責任を制限することができる債権をいう。
五　人の損害に関する債権　制限債権のうち人の生命又は身体が害されることによる損害に基づく債権をいう。
六　物の損害に関する債権　制限債権のうち人の損害に関する債権以外の債権をいう。
六の二　旅客の損害に関する債権　海上旅客運送契約により船舶で運送される旅客又は海上物品運送契約により船舶で運送される車両若しくは生動物とともに乗船することを認められた者の生命又は身体が害されることによる損害に基づく当該船舶の船舶所有者等又はその被用者等に対する債権をいう。
七　一単位　国際通貨基金協定第三条第一項に規定する特別引出権による一特別引出権に相当する金額をいう。
八　受益債務者　当該責任制限手続における制限債権に係る債務者で、責任制限手続開始の申立てをした者以外のものをいう。

②　この法律において、「救助活動」には、次に掲げる措置を含み、公務として行う救助活動を除くものとする。
一　沈没し、難破し、乗り揚げ、若しくは放棄された船舶又はその船舶上の物の引揚げ、除去、破壊又は無害化のための措置
二　積荷の除去、破壊又は無害化のための措置
三　前二号に掲げる措置のほか、制限債権を生ずべき損害の防止又は軽減のために執られる措置

第二章　船舶の所有者等の責任の制限（抄）

（船舶の所有者等の責任の制限）
第三条①　船舶所有者等又はその被用者等は、次に掲げる債権について、この法律で定めるところにより、その責任を制限することができる。
一　船舶上で又は船舶の運航に直接関連して生ずる人の生命若しくは身体が害されることによる損害又は当該船舶以外の物の滅失若しくは損傷による損害に基づく債権
二　運送品、旅客又は手荷物の運送の遅延による損害に基づく債権
三　前二号に掲げる債権のほか、船舶の運航に直接関連して生ずる権利侵害による損害に基づく債権（当該船舶の滅失又は損傷による損害に基づく債権及び契約による債務の不履行による損害に基づく債権を除く。）
四　前条第二項第三号に掲げる措置により生ずる損害に基づく債権（当該船舶所有者等及びその被用者等が有する債権を除く。）
五　前条第二項第三号に掲げる措置に関する債権（当該船舶所有者等及びその被用者等が有する債権並びにこれらの者との契約に基づく報酬及び費用に関する債権を除く。）

②　救助者又はその被用者等は、次に掲げる債権について、この法律で定めるところにより、その責任を制限することができる。
一　救助活動に直接関連して生ずる人の生命若しくは身体が害されることによる損害又は当該救助者に係る救助船舶以外の物の滅失若しくは損傷による損害に基づく債権
二　前号に掲げる債権のほか、救助活動に直接関連して生ずる権利侵害による損害に基づく債権（当該救助者に係る救助船舶の滅失又は損傷による損害に基づく債権及び契約による債務の不履行による損害に基づく債権を除く。）
三　前条第二項第三号に掲げる措置により生ずる損害に基づく債権（当該救助者及びその被用者等が有する債権を除く。）
四　前条第二項第三号に掲げる措置に関する債権（当該救助者及びその被用者等が有する債権並びにこれらの者との契約に基づく報酬及び費用に関する債権を除く。）

③　船舶所有者等若しくは救助者又は被用者等は、前二項の債権が、自己の故意により、又は損害の発生のおそれがあることを認識しながらした自己の無謀な行為によつて生じた損害に関するものであるときは、前二項の規定にかかわらず、その責任を制限することができない。

④　船舶所有者等又はその被用者等は、旅客の損害に関する債権については、第一項の規定にかかわらず、その責任を制限することができない。

第四条　次に掲げる債権については、船舶所有者等及び救助者は、その責任を制限することができない。
一　海難の救助又は共同海損の分担に基づく債権
二　船舶所有者等の被用者でその職務が船舶の業務に関するもの又は救助者の被用者でその職務が救助活動に関するものの使用者に対して有する債権及びこれらの者の生命又は身体が害されることによつて生じた第三者の有する債権

（同一の事故から生じた損害に基づく債権の差引き）
第五条　船舶所有者等若しくは救助者又は被用者等が制限債権者

に対して同一の事故から生じた債権を有する場合においては、この法律の規定は、その債権額を差し引いた残余の制限債権について、適用する。

（**責任の制限の及ぶ範囲**）

第六条① 船舶所有者等又はその被用者等がする責任の制限は、船舶ごとに、同一の事故から生じたこれらの者に対するすべての人の損害に関する債権及び物の損害に関する債権に及ぶ。

② 救助船に係る救助者若しくは当該救助船の船舶所有者等又はこれらの被用者等がする責任の制限は、救助船舶ごとに、同一の事故から生じたこれらの者に対するすべての人の損害に関する債権及び物の損害に関する債権に及ぶ。

③ 前項の救助者以外の救助者又はその被用者等がする責任の制限は、救助者ごとに、同一の事故から生じたこれらの者に対するすべての人の損害に関する債権及び物の損害に関する債権に及ぶ。

④ 前三項の責任の制限が物の損害に関する債権のみについてするものであるときは、その責任の制限は、前三項の規定にかかわらず、人の損害に関する債権に及ばない。

（**責任の限度額等**）

第七条① 前条第一項又は第二項に規定する責任の制限の場合における責任の限度額は、次のとおりとする。

一 責任を制限しようとする債権が物の損害に関する債権のみである場合においては、船舶のトン数に応じて、次に定めるところにより算出した金額。ただし、百トンに満たない木船については、一単位の五十万七千三百六十倍の金額とする。

イ 二千トン以下の船舶にあつては、一単位の百五十一万倍の金額

ロ 二千トンを超える船舶にあつては、イの金額に、二千トンを超え三万トンまでの部分については一トンにつき一単位の六百四倍を、三万トンを超え七万トンまでの部分については一トンにつき一単位の四百五十三倍を、七万トンを超える部分については一トンにつき一単位の三百二倍を乗じて得た金額を加えた金額

二 その他の場合においては、船舶のトン数に応じて、次に定めるところにより算出した金額

イ 二千トン以下の船舶にあつては、一単位の四百五十三万倍の金額

ロ 二千トンを超える船舶にあつては、イの金額に、二千トンを超え三万トンまでの部分については一トンにつき一単位の千八百十二倍を、三万トンを超え七万トンまでの部分については一トンにつき一単位の千三百五十九倍を、七万トンを超える部分については一トンにつき一単位の九百六倍を乗じて得た金額を加えた金額

② 前項第二号に規定する場合においては、制限債権の弁済に充てられる金額のうち、その金額に同項第一号に掲げる金額（百トンに満たない木船については、同号イの金額）の同項第二号に掲げる金額に対する割合を乗じて得た金額に相当する部分は物の損害に関する債権の弁済に、その余の部分は人の損害に関する債権の弁済に、それぞれ充てられるものとする。ただし、後者の部分が人の損害に関する債権を弁済するに足りないときは、前者の部分は、その弁済されない残額と物の損害に関する債権の額との割合に応じてこれらの債権の弁済に充てられるものとする。

③ 前条第三項に規定する責任の制限の場合における責任の限度額は、次のとおりとする。

一 責任を制限しようとする債権が物の損害に関する債権のみである場合においては、一単位の百五十一万倍の金額

二 その他の場合においては、一単位の四百五十三万倍の金額

④ 第二項の規定は、前項第二号に規定する場合について準用する。

⑤ 制限債権者は、その制限債権の額の割合に応じて弁済を受ける。

第八条（略）

第三章 責任制限手続（抄）

第一節 通則 及び 第二節 責任制限手続開始の申立て（第九条から第二五条まで）（略）

第三節 責任制限手続開始の決定（抄）

第二六条から第三二条まで（略）

（**手続開始の効果**）

第三三条 責任制限手続が開始されたときは、制限債権者は、この法律で定めるところにより、第十九条第一項又は第三十条第一項の規定による決定に基づき供託された金銭、第二十一条第一項又は第二十二条第五項（第三十条第二項においてこれらの規定を準用する場合を含む。）の規定により供託される金銭及び第九十四条第一項の規定により供託される金銭並びに供託されたこれらの金銭に付される利息（以下「基金」という。）から支払を受けることができる。この場合においては、制限債権者は、基金以外の申立人の財産又は受益債務者の財産に対してその権利を行使することができない。

第三四条 責任制限手続が開始されたときは、制限債権者は、制限債権をもつて申立人又は受益債務者の債権と相殺することができない。

第三五条及び第三六条（略）

第四節 責任制限手続の拡張 から 第十節 費用 まで（第三七条から第九四条まで）（略）

第四章 補則（抄）

（**船舶先取特権**）

第九五条① 制限債権者は、その制限債権（物の損害に関する債権に限る。）に関し、事故に係る船舶及びその属具について先取特権を有する。

② 前項の先取特権は、商法（明治三十二年法律第四十八号）第八百四十二条第五号の先取特権に次ぐ。

③ 商法第八百四十三条第二項本文、第八百四十四条から第八百四十六条まで及び第八百四十八条第一項の規定は、第一項の先取特権について準用する。

④ 第一項の先取特権が消滅する前に責任制限手続開始の決定があつた場合において、その決定を取り消す決定又は責任制限手続廃止の決定が確定したときは、前項において準用する商法第八百四十六条の規定にかかわらず、第一項の先取特権は、その確定後一年を経過した時に消滅する。

第九六条から第九八条まで（略）

第五章 罰則（第九九条から第一〇一条まで）（略）

附 則（抄）

（**施行期日等**）

① この法律は、海上航行船舶の所有者の責任の制限に関する国際条約が日本国について効力を生ずる日（昭和五一・九・一　昭和五一外告六五）から施行する。

別表（略）

＊令和四法四八（令和八・五・二四までに施行）**により別表追加**
＊令和五法五三（令和一〇・六・一三までに施行）**により別表削る**（未織込み）

●手形法（昭和七・七・一五法二〇）

施行　昭和九・一・一（昭和八勅三一五）
改正　昭和二二法一九五、昭和二七法二六八、昭和五六法六一、平成一一法一五一、平成一四法一〇〇、平成一六法七六・法一四七、平成一八法七八、平成二九法四五、令和五法五三

目次

第一編　為替手形

第一章　為替手形ノ振出及方式

第一条【手形要件】 為替手形ニハ左ノ事項ヲ記載スベシ
一　証券ノ文言中ニ其ノ証券ノ作成ニ用フル語ヲ以テ記載スル為替手形ナルコトヲ示ス文字
二　一定ノ金額ヲ支払フベキ旨ノ単純ナル委託
三　支払ヲ為スベキ者（支払人）ノ名称
四　満期ノ表示
五　支払ヲ為スベキ地ノ表示
六　支払ヲ受ケ又ハ之ヲ受クル者ヲ指図スル者ノ名称
七　手形ヲ振出ス日及地ノ表示
八　手形ヲ振出ス者（振出人）ノ署名

第二条【手形要件の記載の欠缺】 ①前条ニ掲グル事項ノ何レカヲ欠ク証券ハ為替手形タル効力ヲ有セズ但シ次ノ数項ニ規定スル場合ハ此ノ限ニ在ラズ
②満期ノ記載ナキ為替手形ハ之ヲ一覧払ノモノト看做ス
③支払人ノ名称ニ附記シタル地ハ特別ノ表示ナキ限リ之ヲ支払地ニシテ且支払人ノ住所地タルモノト看做ス
④振出地ノ記載ナキ為替手形ハ振出人ノ名称ニ附記シタル地ニ於テ之ヲ振出シタルモノト看做ス

第三条【自己指図、自己宛て、委託手形】 ①為替手形ハ振出人ノ自己指図ニテ之ヲ振出スコトヲ得
②為替手形ハ振出人ノ自己宛ニテ之ヲ振出スコトヲ得
③為替手形ハ第三者ノ計算ニ於テ之ヲ振出スコトヲ得

第四条【第三者方払の記載】 為替手形ハ支払人ノ住所地ニ在ルト又ハ其ノ他ノ地ニ在ルトヲ問ハズ第三者ノ住所ニ於テ支払フベキモノト為スコトヲ得

第五条【利息の約定】 ①一覧払又ハ一覧後定期払ノ為替手形ニ於テハ振出人ハ手形金額ニ付利息ヲ生ズベキ旨ノ約定ヲ記載スルコトヲ得其ノ他ノ為替手形ニ於テハ此ノ約定ノ記載ハ之ヲ為サザルモノト看做ス
②利率ハ之ヲ手形ニ表示スルコトヲ要ス其ノ表示ナキトキハ利息ノ約定ノ記載ハ之ヲ為サザルモノト看做ス
③利息ハ別段ノ日附ノ表示ナキトキハ手形振出ノ日ヨリ発生ス

第六条【手形金額に関する記載の差異】 ①為替手形ノ金額ヲ文字及数字ヲ以テ記載シタル場合ニ於テ其ノ金額ニ差異アルトキハ文字ヲ以テ記載シタル金額ヲ手形金額トス
②為替手形ノ金額ヲ文字ヲ以テ又ハ数字ヲ以テ重複シテ記載シタル場合ニ於テ其ノ金額ニ差異アルトキハ最小金額ヲ手形金額トス

第七条【手形行為独立の原則】 為替手形ニ手形債務ノ負担ニ付キ行為能力ナキ者ノ署名、偽造ノ署名、仮設人ノ署名又ハ其ノ他ノ事由ニ因リ為替手形ノ署名者若ハ其ノ本人ニ義務ヲ負ハシムルコト能ハザル署名アル場合ト雖モ他ノ署名者ノ債務ハ之ガ為其ノ効力ヲ妨ゲラルルコトナシ

第八条【手形行為の代理】 代理権ヲ有セザル者ガ代理人トシテ為替手形ニ署名シタルトキハ自ラ其ノ手形ニ因リ義務ヲ負フ其ノ者ガ支払ヲ為シタルトキハ本人ト同一ノ権利ヲ有ス権限ヲ超エタル代理人ニ付亦同ジ

第九条【振出しの効力】 ①振出人ハ引受及支払ヲ担保ス
②振出人ハ引受ヲ担保セザル旨ヲ記載スルコトヲ得支払ヲ担保セザル旨ノ一切ノ文言ハ之ヲ記載セザルモノト看做ス

第一〇条【白地手形】 未完成ニテ振出シタル為替手形ニ予メ為シタル合意ト異ル補充ヲ為シタル場合ニ於テハ其ノ違反ハ之ヲ以テ所持人ニ対抗スルコトヲ得ズ但シ所持人ガ悪意又ハ重大ナル過失ニ因リ為替手形ヲ取得シタルトキハ此ノ限ニ在ラズ

第二章　裏書

第一一条【法律上当然の指図証券性】 ①為替手形ハ指図式ニテ振出サザルトキト雖モ裏書ニ依リテ之ヲ譲渡スコトヲ得
②振出人ガ為替手形ニ「指図禁止」ノ文字又ハ之ト同一ノ意義ヲ有スル文言ヲ記載シタルトキハ其ノ証券ハ民法（明治二十九年法律第八十九号）第三編第一章第四節ノ規定ニ依ル債権ノ譲渡ニ関スル方式ニ従ヒ且其ノ効力ヲ以テノミ之ヲ譲渡スコトヲ得
③裏書ハ引受ヲ為シタル又ハ為サザル支払人、振出人其ノ他ノ債務者ニ対シテモ之ヲ為スコトヲ得此等ノ者ハ更ニ手形ヲ裏書スルコトヲ得

第一二条【裏書の要件】 ①裏書ハ単純ナルコトヲ要ス裏書ニ附シタル条件ハ之ヲ記載セザルモノト看做ス
②一部ノ裏書ハ之ヲ無効トス
③持参人払ノ裏書ハ白地式裏書ト同一ノ効力ヲ有ス

第一三条【裏書の方式】 ①裏書ハ為替手形又ハ之ト結合シタル紙片（補箋）ニ之ヲ記載シ裏書人署名スルコトヲ要ス
②裏書ハ被裏書人ヲ指定セズシテ之ヲ為シ又ハ単ニ裏書人ノ署名ノミヲ以テ之ヲ為スコトヲ得（白地式裏書）此ノ後ノ場合ニ於テハ裏書ハ為替手形ノ裏面又ハ補箋ニ之ヲ為スニ非ザレバ其ノ効力ヲ有セズ

第一四条【裏書の権利移転的効力】 ①裏書ハ為替手形ヨリ生ズル一切ノ権利ヲ移転ス
②裏書ガ白地式ナルトキハ所持人ハ
一　自己ノ名称又ハ他人ノ名称ヲ以テ白地ヲ補充スルコトヲ得
二　白地式ニ依リ又ハ他人ヲ表示シテ更ニ手形ヲ裏書スルコトヲ得
三　白地ヲ補充セズ且裏書ヲ為サズシテ手形ヲ第三者ニ譲渡スコトヲ得

第一五条【裏書の担保的効力】 ①裏書人ハ反対ノ文言ナキ限リ引受及支払ヲ担保ス
②裏書人ハ新ナル裏書ヲ禁ズルコトヲ得此ノ場合ニ於テハ其ノ裏書人ハ手形ノ爾後ノ被裏書人ニ対シ担保ノ責ヲ負フコトナシ

第一六条【裏書の資格授与的効力】 ①為替手形ノ占有者ガ裏書ノ連続ニ依リ其ノ権利ヲ証明スルトキハ之ヲ適法ノ所持人ト看做ス最後ノ裏書ガ白地式ナル場合ト雖モ亦同ジ抹消シタル裏書ハ此ノ関係ニ於テハ之ヲ記載セザルモノト看做ス白地式裏書ニ次

デ他ノ裏書アルトキハ其ノ裏書ヲ為シタル者ハ白地式裏書ニ因リテ手形ヲ取得シタルモノト看做ス

②事由ノ何タルヲ問ハズ為替手形ノ占有ヲ失ヒタル者アル場合ニ於テ所持人ガ前項ノ規定ニ依リ其ノ権利ヲ証明スルトキハ手形ヲ返還スル義務ヲ負フコトナシ但シ所持人ガ悪意又ハ重大ナル過失ニ因リ之ヲ取得シタルトキハ此ノ限ニ在ラズ

第一七条【人的抗弁の制限】為替手形ニ依リ請求ヲ受ケタル者ハ振出人其ノ他所持人ノ前者ニ対スル人的関係ニ基ク抗弁ヲ以テ所持人ニ対抗スルコトヲ得ズ但シ所持人ガ其ノ債務者ヲ害スルコトヲ知リテ手形ヲ取得シタルトキハ此ノ限ニ在ラズ

第一八条【取立委任裏書】①裏書ニ「回収ノ為」、「取立ノ為」、「代理ノ為」其ノ他単ナル委任ヲ示ス文言アルトキハ所持人ハ為替手形ヨリ生ズル一切ノ権利ヲ行使スルコトヲ得但シ所持人ハ代理ノ為ノ裏書ノミヲ為スコトヲ得

②前項ノ場合ニ於テハ債務者ガ所持人ニ対抗スルコトヲ得ル抗弁ハ裏書人ニ対抗スルコトヲ得ベカリシモノニ限ル

③代理ノ為ノ裏書ニ依ル委任ハ委任者ノ死亡又ハ其ノ者ガ行為能力ノ制限ヲ受ケタルコトニ因リ終了セズ

第一九条【質入裏書】①裏書ニ「担保ノ為」、「質入ノ為」其ノ他質権ノ設定ヲ示ス文言アルトキハ所持人ハ為替手形ヨリ生ズル一切ノ権利ヲ行使スルコトヲ得但シ所持人ノ為シタル裏書ハ代理ノ為ノ裏書トシテノ効力ノミヲ有ス

②債務者ハ裏書人ニ対スル人的関係ニ基ク抗弁ヲ以テ所持人ニ対抗スルコトヲ得ズ但シ所持人ガ其ノ債務者ヲ害スルコトヲ知リテ手形ヲ取得シタルトキハ此ノ限ニ在ラズ

第二〇条【期限後裏書】①満期後ノ裏書ハ満期前ノ裏書ト同一ノ効力ヲ有ス但シ支払拒絶証書作成後ノ裏書又ハ支払拒絶証書作成期間経過後ノ裏書ハ民法第三編第一章第四節ノ規定ニ依ル債権ノ譲渡ノ効力ノミヲ有ス

②日附ノ記載ナキ裏書ハ支払拒絶証書作成期間経過前ニ之ヲ為シタルモノト推定ス

第三章　引受

第二一条【引受呈示の自由】為替手形ノ所持人又ハ単ナル占有者ハ満期ニ至ル迄引受ノ為支払人ニ其ノ住所ニ於テ之ヲ呈示スルコトヲ得

第二二条【引受呈示の命令又は禁止】①振出人ハ為替手形ニ期間ヲ定メ又ハ定メズシテ引受ノ為之ヲ呈示スベキ旨ヲ記載スルコトヲ得

②振出人ハ手形ニ引受ノ為ノ呈示ヲ禁ズル旨ヲ記載スルコトヲ得但シ手形ガ第三者方ニテ若ハ支払人ノ住所地ニ非ザル地ニ於テ支払フベキモノナルトキ又ハ一覧後定期払ナルトキハ此ノ限ニ在ラズ

③振出人ハ一定ノ期日前ニハ引受ノ為ノ呈示ヲ為スベカラザル旨ヲ記載スルコトヲ得

④各裏書人ハ期間ヲ定メ又ハ定メズシテ引受ノ為手形ヲ呈示スベキ旨ヲ記載スルコトヲ得但シ振出人ガ引受ノ為ノ呈示ヲ禁ジタルトキハ此ノ限ニ在ラズ

第二三条【一覧後定期払手形の呈示義務】①一覧後定期払ノ為替手形ハ其ノ日附ヨリ一年内ニ引受ノ為之ヲ呈示スルコトヲ要ス

②振出人ハ前項ノ期間ヲ短縮シ又ハ伸長スルコトヲ得

③裏書人ハ前二項ノ期間ヲ短縮スルコトヲ得

第二四条【猶予期間】①支払人ハ第一ノ呈示ノ翌日ニ第二ノ呈示ヲ為スベキコトヲ請求スルコトヲ得利害関係人ハ此ノ請求ガ拒絶証書ニ記載セラレタルトキニ限リ之ニ応ズル呈示ナカリシコトヲ主張スルコトヲ得

②所持人ハ引受ノ為ニ呈示シタル手形ヲ支払人ニ交付スルコトヲ要セズ

第二五条【引受けの方式】①引受ハ為替手形ニ之ヲ記載スベシ引受ハ「引受」其ノ他之ト同一ノ意義ヲ有スル文字ヲ以テ表示シ支払人署名スベシ手形ノ表面ニ為シタル支払人ノ単ナル署名ハ之ヲ引受ト看做ス

②一覧後定期払ノ手形又ハ特別ノ記載ニ従ヒ一定ノ期間内ニ引受ノ為ノ呈示ヲ為スベキ手形ニ於テハ所持人ガ呈示ノ日ノ日附ヲ記載スベキコトヲ請求シタル場合ヲ除クノ外引受ニハ之ヲ為シタル日ノ日附ヲ記載スルコトヲ要ス日附ノ記載ナキトキハ所持人ハ裏書人及振出人ニ対スル遡求権ヲ保全スル為ニハ適法ノ時期ニ作ラシメタル拒絶証書ニ依リ其ノ記載ナカリシコトヲ証スルコトヲ要ス

第二六条【不単純引受け】①引受ハ単純ナルベシ但シ支払人ハ之ヲ手形金額ノ一部ニ制限スルコトヲ得

②引受ニ依リ為替手形ノ記載事項ニ加ヘタル他ノ変更ハ引受ノ拒絶タル効力ヲ有ス但シ引受人ハ其ノ引受ノ文言ニ従ヒテ責任ヲ負フ

第二七条【引受人の第三者方払の記載】①振出人ガ支払人ノ住所地ト異ル支払地ヲ為替手形ニ記載シタル場合ニ於テ第三者方ニテ支払ヲ為スベキ旨ヲ定メザリシトキハ支払人ハ引受ヲ為スニ当リ其ノ第三者ヲ定ムルコトヲ得之ヲ定メザリシトキハ引受人ハ支払地ニ於テ自ラ支払ヲ為ス義務ヲ負ヒタルモノト看做ス

②手形ガ支払人ノ住所ニ於テ支払フベキモノナルトキハ支払人ハ引受ニ於テ支払地ニ於ケル支払ノ場所ヲ定ムルコトヲ得

第二八条【引受けの効力】①支払人ハ引受ニ因リ満期ニ於テ為替手形ノ支払ヲ為ス義務ヲ負フ

②支払ナキ場合ニ於テハ所持人ハ第四十八条及第四十九条ノ規定ニ依リテ請求スルコトヲ得ベキ一切ノ金額ニ付引受人ニ対シ為替手形ヨリ生ズル直接ノ請求権ヲ有ス所持人ガ振出人ナルトキト雖モ亦同ジ

第二九条【引受けの抹消】①為替手形ニ引受ヲ記載シタル支払人ガ其ノ手形ノ返還前ニ之ヲ抹消シタルトキハ引受ヲ拒ミタルモノト看做ス抹消ハ証券ノ返還前ニ之ヲ為シタルモノト推定ス

②前項ノ規定ニ拘ラズ支払人ガ書面ヲ以テ所持人又ハ手形ニ署名シタル者ニ引受ノ通知ヲ為シタルトキハ此等ノ者ニ対シ引受ノ文言ニ従ヒテ責任ヲ負フ

第四章　保証

第三〇条【要件】①為替手形ノ支払ハ其ノ金額ノ全部又ハ一部ニ付保証ニ依リ之ヲ担保スルコトヲ得

②第三者ハ前項ノ保証ヲ為スコトヲ得手形ニ署名シタル者ト雖モ亦同ジ

第三一条【方式】①保証ハ為替手形又ハ補箋ニ之ヲ為スベシ

②保証ハ「保証」其ノ他之ト同一ノ意義ヲ有スル文字ヲ以テ表示シ保証人署名スベシ

③為替手形ノ表面ニ為シタル単ナル署名ハ之ヲ保証ト看做ス但シ支払人又ハ振出人ノ署名ハ此ノ限ニ在ラズ

④保証ニハ何人ノ為ニ之ヲ為スカヲ表示スルコトヲ要ス其ノ表示ナキトキハ振出人ノ為ニ之ヲ為シタルモノト看做ス

第三二条【効力】①保証人ハ保証セラレタル者ト同一ノ責任ヲ負フ

②保証ハ其ノ担保シタル債務ガ方式ノ瑕疵ヲ除キ他ノ如何ナル事由ニ因リテ無効ナルトキト雖モ之ヲ有効トス

③保証人ガ為替手形ノ支払ヲ為シタルトキハ保証セラレタル者及其ノ者ノ為替手形上ノ債務者ニ対シ為替手形ヨリ生ズル権利ヲ取得ス

第五章　満期

第三三条【満期の種類】①為替手形ハ左ノ何レカトシテ之ヲ振出スコトヲ得

一　一覧払

二　一覧後定期払

三　日附後定期払

四　確定日払

②前項ト異ル満期又ハ分割払ノ為替手形ハ之ヲ無効トス

第三四条【一覧払手形の満期】①一覧払ノ為替手形ハ呈示アリタルトキ之ヲ支払フベキモノトス此ノ手形ハ其ノ日附ヨリ一年内ニ支払ノ為之ヲ呈示スルコトヲ要ス振出人ハ此ノ期間ヲ短縮シ又ハ伸長スルコトヲ得裏書人ハ此等ノ期間ヲ短縮スルコトヲ得

②振出人ハ一定ノ期日前ニハ一覧払ノ為替手形ヲ支払ノ為呈示スルコトヲ得ザル旨ヲ定ムルコトヲ得此ノ場合ニ於テ呈示ノ期間ハ其ノ期日ヨリ始マル

第三五条【一覧後定期払手形の満期】①一覧後定期払ノ為替手形ノ満期ハ引受ノ日附又ハ拒絶証書ノ日附ニ依リテ之ヲ定ム

②拒絶証書アラザル場合ニ於テハ日附ナキ引受ハ引受人ニ関スル限リ引受ノ為ノ呈示期間ノ末日ニ之ヲ為シタルモノト看做ス

第三六条【満期の決定及び期間の計算方法】①日附後又ハ一覧後一月又ハ数月ノ為替手形ハ支払ヲ為スベキ月ニ於ケル応当日ヲ以テ満期トス応当日ナキトキハ其ノ月ノ末日ヲ以テ満期トス

②日附後又ハ一覧後一月半又ハ数月半払ノ為替手形ニ付テハ先ヅ全月ヲ計算ス

③月ノ始、月ノ央（一月ノ央、二月ノ央等）又ハ月ノ終ヲ以テ満期ヲ定メタルトキハ其ノ月ノ一日、十五日又ハ末日ヲ謂フ

④「八日」又ハ「十五日」トハ一週又ハ二週ニ非ズシテ満八日又ハ満十五日ヲ謂フ

⑤「半月」トハ十五日ノ期間ヲ謂フ

第三七条【暦を異にする地における満期の決定方法】①振出地ト暦ヲ異ニスル地ニ於テ確定日ニ支払フベキ為替手形ニ付テハ満期ノ日ハ支払地ノ暦ニ依リ之ヲ定メタルモノト看做ス

②暦ヲ異ニスル二地ノ間ニ振出シタル為替手形ガ日附後定期払ナルトキハ振出ノ日ヲ支払地ノ暦ノ応当日ニ換ヘ之ニ依リテ満期ヲ定ム

③為替手形ノ呈示期間ハ前項ノ規定ニ従ヒ之ヲ計算ス

④前三項ノ規定ハ為替手形ノ文言又ハ証券ノ単ナル記載ニ依リ別段ノ意思ヲ知リ得ベキトキハ之ヲ適用セズ

第六章　支払

第三八条【支払のための呈示】①確定日払、日附後定期払又ハ一覧後定期払ノ為替手形ノ所持人ハ支払ヲ為スベキ日又ハ之ニ次グ二取引日内ニ支払ノ為手形ヲ呈示スルコトヲ要ス

②手形交換所ニ於ケル為替手形ノ呈示ハ支払ノ為ノ呈示タル効力ヲ有ス

第三九条【受戻証券性、一部支払】①為替手形ノ支払人ハ支払ヲ為スニ当リ所持人ニ対シ手形ニ受取ヲ証スル記載ヲ為シテ之ヲ交付スベキコトヲ請求スルコトヲ得

②所持人ハ一部支払ヲ拒ムコトヲ得ズ

③一部支払ノ場合ニ於テハ支払人ハ其ノ支払アリタル旨ノ手形上ノ記載及受取証書ノ交付ヲ請求スルコトヲ得

第四〇条【満期前の支払、支払人の調査義務】①為替手形ノ所持人ハ満期前ニハ其ノ支払ヲ受クルコトヲ要セズ

②満期前ニ支払ヲ為ス支払人ハ自己ノ危険ニ於テ之ヲ為スモノトス

③満期ニ於テ支払ヲ為ス者ハ悪意又ハ重大ナル過失ナキ限リ其ノ責ヲ免ル此ノ者ハ裏書ノ連続ノ整否ヲ調査スル義務アルモ裏書人ノ署名ヲ調査スル義務ナシ

第四一条【外国通貨表示の手形の支払】①支払地ノ通貨ニ非ザル通貨ヲ以テ支払フベキ旨ヲ記載シタル為替手形ニ付テハ満期ノ日ニ於ケル価格ニ依リ其ノ国ノ通貨ヲ以テ支払ヲ為スコトヲ得債務者ガ支払ヲ遅滞シタルトキハ所持人ハ其ノ選択ニ依リ満期ノ日又ハ支払ノ日ノ相場ニ従ヒ其ノ国ノ通貨ヲ以テ為替手形ノ金額ヲ支払フベキコトヲ請求スルコトヲ得

②外国通貨ノ価格ハ支払地ノ慣習ニ依リ之ヲ定ム但シ振出人ハ手形ニ定メタル換算率ニ依リ支払金額ヲ計算スベキ旨ヲ記載スルコトヲ得

③前二項ノ規定ハ振出人ガ特種ノ通貨ヲ以テ支払フベキ旨（外国通貨現実支払文句）ヲ記載シタル場合ニハ之ヲ適用セズ

④振出国ト支払国トニ於テ同名異価ヲ有スル通貨ニ依リ為替手形ノ金額ヲ定メタルトキハ支払地ノ通貨ニ依リテ之ヲ定メタルモノト推定ス

第四二条【手形金額の供託】第三十八条ニ規定スル期間内ニ為替手形ノ支払ノ為ノ呈示ナキトキハ各債務者ハ所持人ノ費用及危険ニ於テ手形金額ヲ所轄官署ニ供託スルコトヲ得

第七章　引受拒絶又ハ支払拒絶ニ因ル遡求

第四三条【遡求の実質的条件】満期ニ於テ支払ナキトキハ所持人ハ裏書人、振出人其ノ他ノ債務者ニ対シ其ノ遡求権ヲ行フコトヲ得左ノ場合ニ於テハ満期前ト雖モ亦同ジ

一　引受ノ全部又ハ一部ノ拒絶アリタルトキ

二　引受ヲ為シタル若ハ為サザル支払人ガ破産手続開始ノ決定ヲ受ケタル場合、其ノ支払停止ノ場合又ハ其ノ財産ニ対スル強制執行ガ効ヲ奏セザル場合

三　引受ノ為ノ呈示ヲ禁ジタル手形ノ振出人ガ破産手続開始ノ決定ヲ受ケタル場合

第四四条【遡求の形式的条件】①引受又ハ支払ノ拒絶ハ公正証書（引受拒絶証書又ハ支払拒絶証書）ニ依リ之ヲ証明スルコトヲ要ス

②引受拒絶証書ハ引受ノ為ノ呈示期間内ニ之ヲ作ラシムルコトヲ要ス第二十四条第一項ニ規定スル場合ニ於テ期間ノ末日ニ第一ノ呈示アリタルトキハ拒絶証書ハ其ノ翌日之ヲ作ラシムルコトヲ得

③確定日払、日附後定期払又ハ一覧後定期払ノ為替手形ノ支払拒絶証書ハ支払ヲ為スベキ日又ハ之ニ次グ二取引日内ニ之ヲ作ラシムルコトヲ要ス一覧払ノ手形ノ支払拒絶証書ハ引受拒絶証書ノ作成ニ関シテ前項ニ規定スル条件ニ従ヒ之ヲ作ラシムルコトヲ要ス

④引受拒絶証書アルトキハ支払ノ為ノ呈示及支払拒絶証書ヲ要セズ

⑤引受ヲ為シタル若ハ為サザル支払人ガ支払ヲ停止シタル場合又ハ其ノ財産ニ対スル強制執行ガ効ヲ奏セザル場合ニ於テハ所持人ハ支払人ニ対シ手形ノ支払ノ為ノ呈示ヲ為シ且拒絶証書ヲ作ラシメタル後ニ非ザレバ其ノ遡求権ヲ行フコトヲ得ズ

⑥引受ヲ為シタル若ハ為サザル支払人ガ破産手続開始ノ決定ヲ受ケタル場合又ハ引受ノ為ノ呈示ヲ禁ジタル手形ノ振出人ガ破産手続開始ノ決定ヲ受ケタル場合ニ於テハ所持人ガ其ノ遡求権ヲ行フニハ破産手続開始ノ決定ノ裁判書ヲ提出スルヲ以テ足ル

＊令和五法五三（令和一〇・六・一三までに施行）による改正
第六項中「裁判書」の下に「又ハ記録事項証明書（裁判ノ内容ヲ記載シタル書面ニシテ裁判所書記官ガ当該書面ノ内容ト当該裁判ノ内容トガ同一ナルコトヲ証明シタルモノ）」を加える。
（本文未織込み）

第四五条【遡求の通知】①所持人ハ拒絶証書作成ノ日ニ次グ又ハ無費用償還文句アル場合ニ於テハ呈示ノ日ニ次グ四取引日内ニ自己ノ裏書人及振出人ニ対シ引受拒絶又ハ支払拒絶アリタルコトヲ通知スルコトヲ要ス各裏書人ハ通知ヲ受ケタル日ニ次グ二取引日内ニ前ノ通知者全員ノ名称及宛所ヲ示シテ自己ノ受ケタル通知ヲ自己ノ裏書人ニ通知シ順次振出人ニ及ブモノトス此ノ期間ハ各其ノ通知ヲ受ケタル時ヨリ進行ス

②前項ノ規定ニ従ヒ為替手形ノ署名者ニ通知ヲ為ストキハ同一期間内ニ其ノ保証人ニ同一ノ通知ヲ為スコトヲ要ス

③裏書人ガ其ノ宛所ヲ記載セズ又ハ其ノ記載ガ読ミ難キ場合ニ於テハ其ノ裏書人ノ直接ノ前者ニ通知スルヲ以テ足ル

④通知ヲ為スベキ者ハ如何ナル方法ニ依リテモ之ヲ為スコトヲ得単ニ為替手形ヲ返付スルニ依リテモ亦之ヲ為スコトヲ得

⑤通知ヲ為スベキ者ハ適法ノ期間内ニ通知ヲ為シタルコトヲ証明スルコトヲ要ス此ノ期間内ニ通知ヲ為ス書面ヲ郵便ニ付シ又ハ民間事業者による信書の送達に関する法律（平成十四年法律第九十九号）第二条第六項ニ規定スル一般信書便事業者若ハ同条第九項ニ規定スル特定信書便事業者ノ提供スル同条第二項ニ規定スル信書便ノ役務ヲ利用シテ発送シタル場合ニ於テハ其ノ期間ヲ遵守シタルモノト看做ス

⑥前項ノ期間内ニ通知ヲ為サザル者ハ其ノ権利ヲ失フコトナシ但シ過失ニ因リテ生ジタル損害アルトキハ為替手形ノ金額ヲ超エザル範囲内ニ於テ其ノ賠償ノ責ニ任ズ

第四六条【拒絶証書作成の免除】①振出人、裏書人又ハ保証人ハ

証券ニ記載シ且署名シタル「無費用償還」、「拒絶証書不要」ノ文句其ノ他之ト同一ノ意義ヲ有スル文言ニ依リ所持人ニ対シ其ノ遡求権ヲ行フ為ノ引受拒絶証書又ハ支払拒絶証書ノ作成ヲ免除スルコトヲ得

②前項ノ文言ハ所持人ニ対シ法定期間内ニ於ケル為替手形ノ呈示及通知ノ義務ヲ免除スルコトナシ期間ノ不遵守ハ所持人ニ対シ之ヲ援用スル者ニ於テ其ノ証明ヲ為スコトヲ要ス

③振出人ガ第一項ノ文言ヲ記載シタルトキハ一切ノ署名者ニ対シ其ノ効力ヲ生ズ裏書人又ハ保証人ガ之ヲ記載シタルトキハ其ノ裏書人又ハ保証人ニ対シテノミ其ノ効力ヲ生ズ振出人ガ此ノ文言ヲ記載シタルニ拘ラズ所持人ガ拒絶証書ヲ作ラシメタルトキハ其ノ費用ハ所持人之ヲ負担ス裏書人又ハ保証人ガ此ノ文言ヲ記載シタル場合ニ於テ拒絶証書ノ作成アリタルトキハ一切ノ署名者ヲシテ其ノ費用ヲ償還セシムルコトヲ得

第四七条【所持人に対する合同責任】①為替手形ノ振出、引受、裏書又ハ保証ヲ為シタル者ハ所持人ニ対シ合同シテ其ノ責ニ任ズ

②所持人ハ前項ノ債務者ニ対シ其ノ債務ヲ負ヒタル順序ニ拘ラズ各別又ハ共同ニ請求ヲ為スコトヲ得

③為替手形ノ署名者ニシテ之ヲ受戻シタルモノモ同一ノ権利ヲ有ス

④債務者ノ一人ニ対スル請求ハ他ノ債務者ニ対スル請求ヲ妨ゲズ既ニ請求ヲ受ケタル者ノ後者ニ対シテモ亦同ジ

第四八条【遡求金額】①所持人ハ遡求ヲ受クル者ニ対シ左ノ金額ヲ請求スルコトヲ得

一　引受又ハ支払アラザリシ為替手形ノ金額及利息ノ記載アルトキハ其ノ利息

二　法定利率（国内ニ於テ振出シ且支払フベキ為替手形以外ノ為替手形ニ在リテハ年六分ノ率次条第二号ニ於テ同ジ）ニ依ル満期以後ノ利息

三　拒絶証書ノ費用、通知ノ費用及其ノ他ノ費用

②満期前ニ遡求権ヲ行フトキハ割引ニ依リ手形金額ヲ減ズ其ノ割引ハ所持人ノ住所地ニ於ケル遡求ノ日ノ公定割引率（銀行率）ニ依リ之ヲ計算ス

第四九条【再遡求金額】為替手形ヲ受戻シタル者ハ其ノ前者ニ対シ左ノ金額ヲ請求スルコトヲ得

一　其ノ支払ヒタル総金額

二　前号ノ金額ニ対シ法定利率ニ依リ計算シタル支払ノ日以後ノ利息

三　其ノ支出シタル費用

第五〇条【遡求義務者の権利】①遡求ヲ受ケタル又ハ受クベキ債務者ハ支払ト引換ニ拒絶証書、受取ヲ証スル記載ヲ為シタル計算書及為替手形ノ交付ヲ請求スルコトヲ得

②為替手形ヲ受戻シタル裏書人ハ自己及後者ノ裏書ヲ抹消スルコトヲ得

第五一条【一部引受けの場合の遡求】一部引受ノ後ニ遡求権ヲ行フ場合ニ於テ引受アラザリシ手形金額ノ支払ヲ為ス者ハ其ノ支払ノ旨ヲ手形ニ記載スルコト及受取証書ヲ交付スルコトヲ請求スルコトヲ得又所持人ハ爾後ノ遡求ヲ為スコトヲ得シムル為手形ノ証明謄本及拒絶証書ヲ交付スルコトヲ要ス

第五二条【戻手形による遡求】①遡求権ヲ有スル者ハ反対ノ記載ナキ限リ其ノ前者ノ一人ニ宛テ一覧払トシテ振出シ且其ノ者ノ住所ニ於テ支払フベキ新手形（戻手形）ニ依リ遡求ヲ為スコトヲ得

②戻手形ハ第四十八条及第四十九条ニ規定スル金額ノ外其ノ戻手形ノ仲立料及印紙税ヲ含ム

③所持人ガ戻手形ヲ振出ス場合ニ於テハ其ノ金額ハ本手形ノ支払地ヨリ前者ノ住所地ニ宛テ振出ス一覧払ノ為替手形ノ相場ニ依リ之ヲ定ム裏書人ガ戻手形ヲ振出ス場合ニ於テハ其ノ金額ハ戻手形ノ振出人ガ其ノ住所地ヨリ前者ノ住所地ニ宛テ振出ス一覧払手形ノ相場ニ依リ之ヲ定ム

第五三条【遡求権の喪失】①左ノ期間ガ経過シタルトキハ所持人ハ裏書人、振出人其ノ他ノ債務者ニ対シ其ノ権利ヲ失フ但シ引受人ニ対シテハ此ノ限ニ在ラズ

一　一覧払又ハ一覧後定期払ノ為替手形ノ呈示期間

二　引受拒絶証書又ハ支払拒絶証書ノ作成期間

三　無費用償還文句アル場合ニ於ケル支払ノ為ノ呈示期間

②振出人ノ記載シタル期間内ニ引受ノ為ノ呈示ヲ為サザルトキハ所持人ハ支払拒絶及引受拒絶ニ因ル遡求権ヲ失フ但シ其ノ記載ノ文言ニ依リ振出人ガ引受ノ担保義務ノミヲ免レントスル意思ヲ有シタルコトヲ知リ得ベキトキハ此ノ限ニ在ラズ

③裏書ニ呈示期間ノ記載アルトキハ其ノ裏書人ニ限リ之ヲ援用スルコトヲ得

第五四条【不可抗力による期間の伸長】①法定ノ期間内ニ於ケル為替手形ノ呈示又ハ拒絶証書ノ作成ガ避クベカラザル障碍（国ノ法令ニ依ル禁制其ノ他ノ不可抗力）ニ因リテ妨ゲラレタルトキハ其ノ期間ヲ伸長ス

②所持人ハ自己ノ裏書人ニ対シ遅滞ナク其ノ不可抗力ヲ通知シ且為替手形又ハ補箋ニ其ノ通知ヲ記載シ日附ヲ附シテ之ニ署名スルコトヲ要ス其ノ他ニ付テハ第四十五条ノ規定ヲ準用ス

③不可抗力ガ止ミタルトキハ所持人ハ遅滞ナク引受又ハ支払ノ為手形ヲ呈示シ且必要アルトキハ拒絶証書ヲ作ラシムルコトヲ要ス

④不可抗力ガ満期ヨリ三十日ヲ超エテ継続スルトキハ呈示又ハ拒絶証書ノ作成ヲ要セズシテ遡求権ヲ行フコトヲ得

⑤一覧払又ハ一覧後定期払ノ為替手形ニ付テハ三十日ノ期間ハ呈示期間ノ経過前ト雖モ所持人ガ其ノ裏書人ニ不可抗力ノ通知ヲ為シタル日ヨリ進行ス一覧後定期払ノ為替手形ニ付テハ三十日ノ期間ニ為替手形ニ記載シタル一覧後ノ期間ヲ加フ

⑥所持人又ハ所持人ガ手形ノ呈示若ハ拒絶証書ノ作成ヲ委任シタル者ニ付テノ単純ナル人的事由ハ不可抗力ヲ構成スルモノト認メズ

第八章　参加

第一節　通則

第五五条【当事者、通知】①振出人、裏書人又ハ保証人ハ予備支払人ヲ記載スルコトヲ得

②為替手形ハ遡求ヲ受クベキ何レノ債務者ノ為ニ参加ヲ為ス者ニ於テモ本章ニ規定スル条件ニ従ヒ其ノ引受又ハ支払ヲ為スコトヲ得

③参加人ハ第三者、支払人又ハ既ニ為替手形上ノ債務ヲ負フ者タルコトヲ得但シ引受人ハ此ノ限ニ在ラズ

④参加人ハ其ノ被参加人ニ対シ二取引日内ニ其ノ参加ノ通知ヲ為スコトヲ要ス此ノ期間ノ不遵守ノ場合ニ於テ過失ニ因リテ生ジタル損害アルトキハ参加人ハ為替手形ノ金額ヲ超エザル範囲内ニ於テ其ノ賠償ノ責ニ任ズ

第二節　参加引受

第五六条【要件】①参加引受ハ引受ノ為ノ呈示ヲ禁ゼザル為替手形ノ所持人ガ満期前ニ遡求権ヲ有スル一切ノ場合ニ於テ之ヲ為スコトヲ得

②為替手形ニ支払地ニ於ケル予備支払人ヲ記載シタルトキハ手形ノ所持人ハ其ノ者ニ為替手形ヲ呈示シ且拒絶証書ニ依リ其ノ者ガ引受ヲ拒ミタルコトヲ証スルニ非ザレバ其ノ記載ヲ為シタル者及其ノ後者ニ対シ満期前ニ遡求権ヲ行フコトヲ得ズ

③参加ノ他ノ場合ニ於テハ所持人ハ参加引受ヲ拒ムコトヲ得若所持人ガ之ヲ受諾スルトキハ被参加人及其ノ後者ニ対シ満期前ニ有スル遡求権ヲ失フ

第五七条【方式】参加引受ハ為替手形ニ之ヲ記載シ参加人署名スベシ参加引受ニハ被参加人ヲ表示スベシ其ノ表示ナキトキハ振出人ノ為ニ之ヲ為シタルモノト看做ス

第五八条【効力】①参加引受人ハ所持人及被参加人ヨリ後ノ裏書人ニ対シ被参加人ト同一ノ義務ヲ負フ

②被参加人及其ノ前者ハ参加引受ニ拘ラズ所持人ニ対シ第四十八条ニ規定スル金額ノ支払ト引換ニ為替手形ノ交付ヲ請求スルコトヲ得拒絶証書及受取ヲ証スル記載ヲ為シタル計算書アルトキ

ハ其ノ交付ヲモ請求スルコトヲ得

第三節　参加支払

第五九条【要件】①参加支払ハ所持人ガ満期又ハ満期前ニ遡求権ヲ有スル一切ノ場合ニ於テ之ヲ為スコトヲ得
②支払ハ被参加人ガ支払ヲ為スベキ全額ニ付之ヲ為スコトヲ要ス
③支払ハ支払拒絶証書ヲ作ラシムルコトヲ得ベキ最後ノ日ノ翌日迄ニ之ヲ為スコトヲ要ス

第六〇条【同前】①為替手形ガ支払地ニ住所ヲ有スル参加人ニ依リテ引受ケラレタルトキ又ハ支払地ニ住所ヲ有スル者ガ予備支払人トシテ記載セラレタルトキハ所持人ハ此等ノ者ノ全員ニ手形ヲ呈示シ且必要アルトキハ拒絶証書ヲ作ラシムルコトヲ得ベキ最後ノ日ノ翌日迄ニ支払拒絶証書ヲ作ラシムルコトヲ要ス
②前項ノ期間内ニ拒絶証書ノ作成ナキトキハ予備支払人ヲ記載シタル者又ハ被参加人及其ノ後ノ裏書人ハ義務ヲ免ル

第六一条【参加支払拒絶の効果】参加支払ヲ拒ミタル所持人ハ其ノ支払ニ因リテ義務ヲ免ルベカリシ者ニ対スル遡求権ヲ失フ

第六二条【方式】①参加支払ハ被参加人ヲ表示シテ為替手形ニ為シタル受取ノ記載ニ依リ之ヲ証スルコトヲ要ス其ノ表示ナキトキハ支払ハ振出人ノ為ニ之ヲ為シタルモノト看做ス
②為替手形ハ参加支払人ニ之ヲ交付スルコトヲ要ス拒絶証書ヲ作ラシメタルトキハ之ヲモ交付スルコトヲ要ス

第六三条【効力】①参加支払人ハ被参加人及其ノ者ノ為替手形上ノ債務者ニ対シ為替手形ヨリ生ズル権利ヲ取得ス但シ更ニ為替手形ヲ裏書スルコトヲ得ズ
②被参加人ヨリ後ノ裏書人ハ義務ヲ免ル
③参加支払ノ競合ノ場合ニ於テハ最モ多数ノ義務ヲ免レシムルモノ優先ス事情ヲ知リ此ノ規定ニ反シテ参加シタル者ハ義務ヲ免ルベカリシ者ニ対スル遡求権ヲ失フ

第九章　複本及謄本

第一節　複本

第六四条【発行、方式】①為替手形ハ同一内容ノ数通ヲ以テ之ヲ振出スコトヲ得
②此ノ複本ニハ其ノ証券ノ文言中ニ番号ヲ附スルコトヲ要ス之ヲ欠クトキハ各通ハ之ヲ各別ノ為替手形ト看做ス
③一通限ニテ振出ス旨ノ記載ナキ手形ノ所持人ハ自己ノ費用ヲ以テ複本ノ交付ヲ請求スルコトヲ得此ノ場合ニ於テハ所持人ハ自己ノ直接ノ裏書人ニ対シテ其ノ請求ヲ為シ其ノ裏書人ハ自己ノ裏書人ニ対シテ手続ヲ為スコトニ依リテ之ニ協力シ順次振出人ニ及ブベキモノトス各裏書人ハ新ナル複本ニ裏書ヲ再記スルコトヲ要ス

第六五条【効力】①複本ノ一通ノ支払ハ其ノ支払ガ他ノ複本ヲ無効ナラシムル旨ノ記載ナキトキト雖モ義務ヲ免レシム但シ支払人ハ引受ヲ為シタル各通ニシテ返還ヲ受ケザルモノニ付責任ヲ負フ
②数人ニ各別ニ複本ヲ譲渡シタル裏書人及其ノ後ノ裏書人ハ其ノ署名アル各通ニシテ返還ヲ受ケザルモノニ付責任ヲ負フ

第六六条【引受けのためにする複本の送付】①引受ノ為複本ノ一通ヲ送付シタル者ハ他ノ各通ニ此ノ一通ヲ保持スル者ノ名称ヲ記載スベシ其ノ者ハ他ノ一通ノ正当ナル所持人ニ対シ之ヲ引渡スコトヲ要ス
②保持者ガ引渡ヲ拒ミタルトキハ所持人ハ拒絶証書ニ依リ左ノ事実ヲ証スルニ非ザレバ遡求権ヲ行フコトヲ得ズ
一　引受ノ為送付シタル一通ガ請求ヲ為スモ引渡サレザリシコト
二　他ノ一通ヲ以テ引受又ハ支払ヲ受クルコト能ハザリシコト

第二節　謄本

第六七条【作成者、方式、効力】①為替手形ノ所持人ハ其ノ謄本ヲ作ル権利ヲ有ス
②謄本ニハ裏書其ノ他原本ニ掲ゲタル一切ノ事項ヲ正確ニ再記シ且其ノ末尾ヲ示スコトヲ要ス
③謄本ニハ原本ト同一ノ方法ニ従ヒ且同一ノ効力ヲ以テ裏書又ハ保証ヲ為スコトヲ得

第六八条【謄本所持人の権利】①謄本ニハ原本ノ保持者ヲ表示スベシ保持者ハ謄本ノ正当ナル所持人ニ対シ其ノ原本ヲ引渡スコトヲ要ス
②保持者ガ引渡ヲ拒ミタルトキハ所持人ハ拒絶証書ニ依リ原本ガ請求ヲ為スモ引渡サレザリシコトヲ証スルニ非ザレバ謄本ニ裏書又ハ保証ヲ為シタル者ニ対シ遡求権ヲ行フコトヲ得ズ
③謄本作成前ニ為シタル最後ノ裏書ノ後ニ「爾後裏書ハ謄本ニ為シタルモノノミ効力ヲ有ス」ノ文句其ノ他之ト同一ノ意義ヲ有スル文言ガ原本ニ存スルトキハ原本ニ為シタル其ノ後ノ裏書ハ之ヲ無効トス

第十章　変造

第六九条【変造の効果】為替手形ノ文言ノ変造ノ場合ニ於テハ其ノ変造後ノ署名者ハ変造シタル文言ニ従ヒテ責任ヲ負ヒ変造前ノ署名者ハ原文言ニ従ヒテ責任ヲ負フ

第十一章　時効

第七〇条【時効期間】①引受人ニ対スル為替手形上ノ請求権ハ満期ノ日ヨリ三年ヲ以テ時効ニ罹ル
②所持人ノ裏書人及振出人ニ対スル請求権ハ適法ノ時期ニ作ラシメタル拒絶証書ノ日附ヨリ、無費用償還文句アル場合ニ於テハ満期ノ日ヨリ一年ヲ以テ時効ニ罹ル
③裏書人ノ他ノ裏書人及振出人ニ対スル請求権ハ其ノ裏書人ガ手形ノ受戻ヲ為シタル日又ハ其ノ者ガ訴ヲ受ケタル日ヨリ六月ヲ以テ時効ニ罹ル

第七一条【時効の完成猶予及び更新】時効ノ完成猶予又ハ更新ハ其ノ事由ガ生ジタル者ニ対シテノミ其ノ効力ヲ生ズ

第十二章　通則

第七二条【休日】①満期ガ法定ノ休日ニ当ル為替手形ハ之ニ次グ第一ノ取引日ニ至ル迄其ノ支払ヲ請求スルコトヲ得ズ又為替手形ニ関スル他ノ行為殊ニ引受ノ為ノ呈示及拒絶証書ノ作成ハ取引日ニ於テノミ之ヲ為スコトヲ得
②末日ヲ法定ノ休日トスル一定ノ期間内ニ前項ノ行為ヲ為スベキ場合ニ於テハ期間ハ其ノ満了ニ次グ第一ノ取引日迄之ヲ伸長ス期間中ノ休日ハ之ヲ期間ニ算入ス

第七三条【期間の初日】法定又ハ約定ノ期間ニハ其ノ初日ヲ算入セズ

第七四条【恩恵日】恩恵日ハ法律上ノモノタルト裁判上ノモノタルトヲ問ハズ之ヲ認メズ

第二編　約束手形

第七五条【手形要件】約束手形ニハ左ノ事項ヲ記載スベシ
一　証券ノ文言中ニ其ノ証券ノ作成ニ用フル語ヲ以テ記載スル約束手形ナルコトヲ示ス文字
二　一定ノ金額ヲ支払フベキ旨ノ単純ナル約束
三　満期ノ表示
四　支払ヲ為スベキ地ノ表示
五　支払ヲ受ケ又ハ之ヲ受クル者ヲ指図スル者ノ名称
六　手形ヲ振出ス日及地ノ表示
七　手形ヲ振出ス者（振出人）ノ署名

第七六条【手形要件の記載の欠缺】①前条ニ掲グル事項ノ何レカヲ欠ク証券ハ約束手形タル効力ヲ有セズ但シ次ノ数項ニ規定スル場合ハ此ノ限ニ在ラズ
②満期ノ記載ナキ約束手形ハ之ヲ一覧払ノモノト看做ス
③振出地ハ特別ノ表示ナキ限リ之ヲ支払地ニシテ且振出人ノ住所地タルモノト看做ス
④振出地ノ記載ナキ約束手形ハ振出人ノ名称ニ附記シタル地ニ於テ之ヲ振出シタルモノト看做ス

第七七条【為替手形に関する規定の準用】①左ノ事項ニ関スル為替手形ニ付テノ規定ハ約束手形ノ性質ニ反セザル限リ之ヲ約束

手形ニ準用ス

一　裏書（第十一条乃至第二十条）
二　満期（第三十三条乃至第三十七条）
三　支払（第三十八条乃至第四十二条）
四　支払拒絶ニ因ル遡求（第四十三条乃至第五十条、第五十二条乃至第五十四条）
五　参加支払（第五十五条、第五十九条乃至第六十三条）
六　謄本（第六十七条及第六十八条）
七　変造（第六十九条）
八　時効（第七十条及第七十一条）
九　休日、期間ノ計算及恩恵日ノ禁止（第七十二条乃至第七十四条）

②第三者方ニテ又ハ支払人ノ住所地ニ非ザル地ニ於テ支払ヲ為スベキ為替手形（第四条及第二十七条）、利息ノ約定（第五条）、支払金額ニ関スル記載ノ差異（第六条）、第七条ニ規定スル条件ノ下ニ為サレタル署名ノ効果、権限ナクシテ又ハ之ヲ超エテ為シタル者ノ署名ノ効果（第八条）及白地為替手形（第十条）ニ関スル規定モ亦之ヲ約束手形ニ準用ス

③保証ニ関スル規定（第三十条乃至第三十二条）モ亦之ヲ約束手形ニ準用ス第三十一条末項ノ場合ニ於テ何人ノ為ニ保証ヲ為シタルカヲ表示セザルトキハ約束手形ノ振出人ノ為ニ之ヲ為シタルモノト看做ス

第七八条【振出しの効力、一覧後定期払手形の特則】①約束手形ノ振出人ハ為替手形ノ引受人ト同一ノ義務ヲ負フ

②一覧後定期払ノ約束手形ハ第二十三条ニ規定スル期間内ニ振出人ノ一覧ノ為之ヲ呈示スルコトヲ要ス一覧後ノ期間ハ振出人ガ手形ニ一覧ノ旨ヲ記載シテ署名シタル日ヨリ進行ス振出人ガ日附アル一覧ノ旨ノ記載ヲ拒ミタルトキハ拒絶証書ニ依リテ之ヲ証スルコトヲ要ス（第二十五条）其ノ日附ハ一覧後ノ期間ノ初日トス

附　則

第七九条【施行期日】本法施行ノ期日ハ勅令ヲ以テ之ヲ定ム（昭和九・一・一施行—昭和八勅三一五）

第八〇条【旧規定の削除】商法第四編第一章乃至第三章及商法施行法第百二十四条乃至第百二十六条ハ之ヲ削除ス但シ商法其ノ他ノ法令ノ規定ノ適用上之ニ依ルベキ場合ニ於テハ仍其ノ効力ヲ有ス

第八一条【経過規定】本法施行前ニ振出シタル為替手形及約束手形ニ付テハ仍従前ノ規定ニ依ル

第八二条【署名】本法ニ於テ署名トアルハ記名捺印ヲ含ム

第八三条【手形交換所】第三十八条第二項（第七十七条第一項ニ於テ準用スル場合ヲ含ム）ノ手形交換所ハ法務大臣之ヲ指定ス

第八四条【拒絶証書の作成】拒絶証書ノ作成ニ関スル事項ハ勅令ヲ以テ之ヲ定ム

第八五条【利得償還請求権】為替手形又ハ約束手形ヨリ生ジタル権利ガ手続ノ欠缺又ハ時効ニ因リテ消滅シタルトキト雖モ所持人ハ振出人、引受人又ハ裏書人ニ対シ其ノ受ケタル利益ノ限度ニ於テ償還ノ請求ヲ為スコトヲ得

第八六条【消滅時効の完成猶予及び更新】①裏書人ノ他ノ裏書人及振出人ニ対スル為替手形上及約束手形上ノ請求権ノ消滅時効ハ其ノ者ガ訴ヲ受ケタル場合ニ於テ前者ニ対シ訴訟告知ヲ為シタルトキハ訴訟ガ終了スル（確定判決又ハ確定判決ト同一ノ効力ヲ有スルモノニ依リテ其ノ訴ニ係ル権利ガ確定セズシテ訴訟ガ終了シタル場合ニ在リテハ其ノ終了ノ時ヨリ六月ガ経過スル）迄ノ間ハ完成セズ

②前項ノ場合ニ於テ確定判決又ハ確定判決ト同一ノ効力ヲ有スルモノニ依リテ其ノ訴ニ係ル権利ガ確定シタルトキハ時効ハ訴訟ノ終了ノ時ヨリ更ニ其ノ進行ヲ始ム

第八七条【休日の定義】本法ニ於テ休日トハ祭日、祝日、日曜日其ノ他ノ一般ノ休日及政令ヲ以テ定ムル日ヲ謂フ

第八八条【行為能力】①為替手形及約束手形ニ依リ義務ヲ負フ者ノ行為能力ハ其ノ本国法ニ依リ之ヲ定ム其ノ国ノ法ガ他国ノ法ニ依ルコトヲ定ムルトキハ其ノ他国ノ法ヲ適用ス

②前項ニ掲グル法ニ依リ行為能力ヲ有セザル者ト雖モ他ノ国ノ領域ニ於テ署名ヲ為シ其ノ国ノ法ニ依レバ行為能力ヲ有スベキトキハ責任ヲ負フ

第八九条【行為の方式】①為替手形上及約束手形上ノ行為ノ方式ハ署名ヲ為シタル地ノ属スル国ノ法ニ依リ之ヲ定ム

②為替手形上及約束手形上ノ行為ガ前項ノ規定ニ依リ有効ナラザル場合ト雖モ後ノ行為ヲ為シタル地ノ属スル国ノ法ニ依レバ適式ナルトキハ後ノ行為ハ前ノ行為ガ不適式ナルコトニ因リ其ノ効力ヲ妨ゲラルルコトナシ

③日本人ガ外国ニ於テ為シタル為替手形上及約束手形上ノ行為ハ其ノ行為ガ日本法ニ規定スル方式ニ適合スル限リ他ノ日本人ニ対シ其ノ効力ヲ有ス

第九〇条【行為の効力】①為替手形ノ引受人及約束手形ノ振出人ノ義務ノ効力ハ其ノ証券ノ支払地ノ属スル国ノ法ニ依リ之ヲ定ム

②前項ニ掲グル者ヲ除キ為替手形又ハ約束手形ニ依リ債務ヲ負フ者ノ署名ヨリ生ズル効力ハ其ノ署名ヲ為シタル地ノ属スル国ノ法ニ依リ之ヲ定ム但シ遡求権ヲ行使スル期間ハ一切ノ署名者ニ付証券ノ振出地ノ属スル国ノ法ニ依リ之ヲ定ム

第九一条【原因債権の取得】為替手形ノ所持人ガ証券ノ振出ノ原因タル債権ヲ取得スルヤ否ヤハ証券ノ振出地ノ属スル国ノ法ニ依リ之ヲ定ム

第九二条【一部引受け・一部支払】①為替手形ノ引受ヲ手形金額ノ一部ニ制限シ得ルヤ否ヤ及所持人ニ一部支払ヲ受諾スル義務アリヤ否ヤハ支払地ノ属スル国ノ法ニ依リ之ヲ定ム

②前項ノ規定ハ約束手形ノ支払ニ之ヲ準用ス

第九三条【権利の行使・保全のための行為の方式】拒絶証書ノ方式及作成期間其ノ他為替手形上及約束手形上ノ権利ノ行使又ハ保存ニ必要ナル行為ノ方式ハ拒絶証書ヲ作ルベキ地又ハ其ノ行為ヲ為スベキ地ノ属スル国ノ法ニ依リ之ヲ定ム

第九四条【手形の喪失・盗難の場合の手続】為替手形又ハ約束手形ノ喪失又ハ盗難ノ場合ニ為スベキ手続ハ支払地ノ属スル国ノ法ニ依リ之ヲ定ム

民事関係手続等における情報通信技術の活用等の推進を図るための関係法律の整備に関する法律中経過規定（令和五・六・一四法五三）（抄）

第三八七条から第三八九条まで（民事執行法の同経過規定参照）

民事関係手続等における情報通信技術の活用等の推進を図るための関係法律の整備に関する法律

附　則（令和五・六・一四法五三）

この法律は、公布の日から起算して五年を超えない範囲内において政令で定める日から施行する。ただし、次の各号に掲げる規定は、当該各号に定める日から施行する。

一　（前略）第三百八十八条の規定　公布の日
二　（前略）第三百八十七条の規定　公布の日から起算して二年六月を超えない範囲内において政令で定める日
三　（略）

●小切手法（昭和八・七・二九 法 五 七）

施行 昭和九・一・一（昭和八勅三一五）
改正 昭和二二法一九五、昭和二七法二六八、昭和五六法六一、平成一一法一五一、平成一四法一〇〇、平成一六法一四七、平成一八法七八、平成二九法四五

目次

第一章 小切手ノ振出及方式

第一条【小切手要件】 小切手ニハ左ノ事項ヲ記載スベシ
一 証券ノ文言中ニ其ノ証券ノ作成ニ用フル語ヲ以テ記載スル小切手ナルコトヲ示ス文字
二 一定ノ金額ヲ支払フベキ旨ノ単純ナル委託
三 支払ヲ為スベキ者（支払人）ノ名称
四 支払ヲ為スベキ地ノ表示
五 小切手ヲ振出ス日及地ノ表示
六 小切手ヲ振出ス者（振出人）ノ署名

第二条【要件の記載の欠缺】 ①前条ニ掲グル事項ノ何レカヲ欠ク証券ハ小切手タル効力ヲ有セズ但シ次ノ数項ニ規定スル場合ハ此ノ限ニ在ラズ
②支払人ノ名称ニ附記シタル地ハ特別ノ表示ナキ限リ之ヲ支払地ト看做ス支払人ノ名称ニ数箇ノ地ノ附記アルトキハ小切手ハ初頭ニ記載シアル地ニ於テ之ヲ支払フベキモノトス
③前項ノ記載其ノ他何等ノ表示ナキ小切手ハ振出地ニ於テ之ヲ支払フベキモノトス
④振出地ノ記載ナキ小切手ハ振出人ノ名称ニ附記シタル地ニ於テ之ヲ振出シタルモノト看做ス

第三条【振出しの制限】 小切手ハ其ノ呈示ノ時ニ於テ振出人ノ処分シ得ル資金アル銀行ニ宛テ且振出人ヲシテ資金ヲ小切手ニ依リ処分スルコトヲ得シムル明示又ハ黙示ノ契約ニ従ヒ之ヲ振出スベキモノトス但シ此ノ規定ニ従ハザルトキト雖モ証券ノ小切手タル効力ヲ妨ゲズ

第四条【引受けの禁止】 小切手ハ引受ヲ為スコトヲ得ズ小切手ニ為シタル引受ノ記載ハ之ヲ為サザルモノト看做ス

第五条【受取人の記載】 ①小切手ハ左ノ何レカトシテ之ヲ振出スコトヲ得
一 記名式又ハ指図式
二 記名式ニシテ「指図禁止」ノ文字又ハ之ト同一ノ意義ヲ有スル文言ヲ記載スルモノ
三 持参人払式
②記名ノ小切手ニシテ「又ハ持参人ニ」ノ文字又ハ之ト同一ノ意義ヲ有スル文言ヲ記載シタルモノハ之ヲ持参人払式小切手ト看做ス
③受取人ノ記載ナキ小切手ハ之ヲ持参人払式小切手ト看做ス

第六条【自己指図、委託、自己宛て小切手】 ①小切手ハ振出人ノ自己指図ニテ之ヲ振出スコトヲ得
②小切手ハ第三者ノ計算ニ於テ之ヲ振出スコトヲ得
③小切手ハ振出人ノ自己宛ニテ之ヲ振出スコトヲ得

第七条【利息の約定】 小切手ニ記載シタル利息ノ約定ハ之ヲ為サザルモノト看做ス

第八条【第三者方払の記載】 小切手ハ支払人ノ住所地ニ在ルト又ハ其ノ他ノ地ニ在ルトヲ問ハズ第三者ノ住所ニ於テ支払フベキモノト為スコトヲ得但シ其ノ第三者ハ銀行タルコトヲ要ス

第九条【小切手金額に関する記載の差異】 ①小切手ノ金額ヲ文字及数字ヲ以テ記載シタル場合ニ於テ其ノ金額ニ差異アルトキハ文字ヲ以テ記載シタル金額ヲ小切手金額トス
②小切手ノ金額ヲ文字ヲ以テ又ハ数字ヲ以テ重複シテ記載シタル場合ニ於テ其ノ金額ニ差異アルトキハ最小金額ヲ小切手金額トス

第一〇条【小切手行為独立の原則】 小切手ニ小切手債務ノ負担ニ付キ行為能力ナキ者ノ署名、偽造ノ署名、仮設人ノ署名又ハ其ノ他ノ事由ニ因リ小切手ノ署名者若ハ其ノ本人ニ義務ヲ負ハシムルコト能ハザル署名アル場合ト雖モ他ノ署名者ノ債務ハ之ガ為其ノ効力ヲ妨ゲラルルコトナシ

第一一条【小切手行為の代理】 代理権ヲ有セザル者ガ代理人トシテ小切手ニ署名シタルトキハ自ラ其ノ小切手ニ因リ義務ヲ負フ其ノ者ガ支払ヲ為シタルトキハ本人ト同一ノ権利ヲ有ス権限ヲ超エタル代理人ニ付亦同ジ

第一二条【振出しの効力】 振出人ハ支払ヲ担保ス振出人ガ之ヲ担保セザル旨ノ一切ノ文言ハ之ヲ記載セザルモノト看做ス

第一三条【白地小切手】 未完成ニテ振出シタル小切手ニ予メ為シタル合意ト異ル補充ヲ為シタル場合ニ於テハ其ノ違反ハ之ヲ以テ所持人ニ対抗スルコトヲ得ズ但シ所持人ガ悪意又ハ重大ナル過失ニ因リ小切手ヲ取得シタルトキハ此ノ限ニ在ラズ

第二章 譲渡

第一四条【法律上当然の指図証券性】 ①記名式又ハ指図式ノ小切手ハ裏書ニ依リテ之ヲ譲渡スコトヲ得
②記名式小切手ニシテ「指図禁止」ノ文字又ハ之ト同一ノ意義ヲ有スル文言ヲ記載シタルモノハ民法（明治二十九年法律第八十九号）第三編第一章第四節ノ規定ニ依ル債権ノ譲渡ニ関スル方式ニ従ヒ且其ノ効力ヲ以テノミ之ヲ譲渡スコトヲ得
③裏書ハ振出人其ノ他ノ債務者ニ対シテモ之ヲ為スコトヲ得此等ノ者ハ更ニ小切手ヲ裏書スルコトヲ得

第一五条【裏書の要件】 ①裏書ハ単純ナルコトヲ要ス裏書ニ附シタル条件ハ之ヲ記載セザルモノト看做ス
②一部ノ裏書ハ之ヲ無効トス
③支払人ノ裏書モ亦之ヲ無効トス
④持参人払ノ裏書ハ白地式裏書ト同一ノ効力ヲ有ス
⑤支払人ニ対シテ為シタル裏書ハ受取証書タル効力ノミヲ有ス但シ支払人ガ数箇ノ営業所ヲ有スル場合ニ於テ小切手ノ振宛テラレタル営業所以外ノ営業所ニ対シテ為シタル裏書ハ此ノ限ニ在ラズ

第一六条【裏書の方式】 ①裏書ハ小切手又ハ之ト結合シタル紙片（補箋）ニ之ヲ記載シ裏書人署名スルコトヲ要ス
②裏書ハ被裏書人ヲ指定セズシテ之ヲ為シ又ハ単ニ裏書人ノ署名ノミヲ以テ之ヲ為スコトヲ得（白地式裏書）此ノ後ノ場合ニ於テハ裏書ハ小切手ノ裏面又ハ補箋ニ之ヲ為スニ非ザレバ其ノ効力ヲ有セズ

第一七条【裏書の権利移転的効力】 ①裏書ハ小切手ヨリ生ズル一切ノ権利ヲ移転ス
②裏書ガ白地式ナルトキハ所持人ハ
一 自己ノ名称又ハ他人ノ名称ヲ以テ白地ヲ補充スルコトヲ得
二 白地式ニ依リ又ハ他人ヲ表示シテ更ニ小切手ヲ裏書スルコトヲ得
三 白地ヲ補充セズ且裏書ヲ為サズシテ小切手ヲ第三者ニ譲渡スコトヲ得

第一八条【裏書の担保的効力】 ①裏書人ハ反対ノ文言ナキ限リ支払ヲ担保ス
②裏書人ハ新ナル裏書ヲ禁ズルコトヲ得此ノ場合ニ於テハ其ノ裏書人ハ小切手ノ爾後ノ被裏書人ニ対シ担保ノ責ヲ負フコトナシ

第一九条【裏書の資格授与的効力】 裏書シ得ベキ小切手ノ占有者ガ裏書ノ連続ニ依リ其ノ権利ヲ証明スルトキハ之ヲ適法ノ所持人ト看做ス最後ノ裏書ガ白地式ナル場合ト雖モ亦同ジ抹消シタル裏書ハ此ノ関係ニ於テハ之ヲ記載セザルモノト看做ス白地式裏書ニ次デ他ノ裏書アルトキハ其ノ裏書ヲ為シタル者ハ白地式裏書ニ因リテ小切手ヲ取得シタルモノト看做ス

第二〇条【無記名小切手の裏書】 持参人払式小切手ニ裏書ヲ為シタルトキハ裏書人ハ遡求ニ関スル規定ニ従ヒ責任ヲ負フ但シ之ガ為証券ハ指図式小切手ニ変ズルコトナシ

第二一条【小切手の善意取得】 事由ノ何タルヲ問ハズ小切手ノ占有ヲ失ヒタル者アル場合ニ於テ其ノ小切手ヲ取得シタル所持人ハ小切手ガ持参人払式ノモノナルトキ又ハ裏書シ得ベキモノニシテ其ノ所持人ガ第十九条ノ規定ニ依リ権利ヲ証明スルトキハ之ヲ返還スル義務ヲ負フコトナシ但シ悪意又ハ重大ナル過失ニ因リ之ヲ取得シタルトキハ此ノ限ニ在ラズ

第二二条【人的抗弁の制限】 小切手ニ依リ請求ヲ受ケタル者ハ振出人其ノ他所持人ノ前者ニ対スル人的関係ニ基ク抗弁ヲ以テ所持人ニ対抗スルコトヲ得ズ但シ所持人ガ其ノ債務者ヲ害スルコトヲ知リテ小切手ヲ取得シタルトキハ此ノ限ニ在ラズ

第二三条【取立委任裏書】 ①裏書ニ「回収ノ為」、「取立ノ為」、「代理ノ為」其ノ他単ナル委任ヲ示ス文言アルトキハ所持人ハ小切手ヨリ生ズル一切ノ権利ヲ行使スルコトヲ得但シ所持人ハ代理ノ為ノ裏書ノミヲ為スコトヲ得

②前項ノ場合ニ於テハ債務者ガ所持人ニ対抗スルコトヲ得ル抗弁ハ裏書人ニ対抗スルコトヲ得ベカリシモノニ限ル

③代理ノ為ノ裏書ニ依ル委任ハ委任者ノ死亡又ハ其ノ者ガ行為能力ノ制限ヲ受ケタルコトニ因リ終了セズ

第二四条【期限後裏書】 ①拒絶証書若ハ之ト同一ノ効力ヲ有スル宣言ノ作成後ノ裏書又ハ呈示期間経過後ノ裏書ハ民法第三編第一章第四節ノ規定ニ依ル債権ノ譲渡ノ効力ノミヲ有ス

②日附ノ記載ナキ裏書ハ拒絶証書若ハ之ト同一ノ効力ヲ有スル宣言ノ作成前又ハ呈示期間経過前ニ之ヲ為シタルモノト推定ス

第三章　保証

第二五条【要件】 ①小切手ノ支払ハ其ノ金額ノ全部又ハ一部ニ付保証ニ依リ之ヲ担保スルコトヲ得

②支払人ヲ除クノ外第三者ハ前項ノ保証ヲ為スコトヲ得小切手ニ署名シタル者ト雖モ亦同ジ

第二六条【方式】 ①保証ハ小切手又ハ補箋ニ之ヲ為スベシ

②保証ハ「保証」其ノ他之ト同一ノ意義ヲ有スル文字ヲ以テ表示シ保証人署名スベシ

③小切手ノ表面ニ為シタル単ナル署名ハ之ヲ保証ト看做ス但シ振出人ノ署名ハ此ノ限ニ在ラズ

④保証ニハ何人ノ為ニ之ヲ為スカヲ表示スルコトヲ要ス其ノ表示ナキトキハ振出人ノ為ニ之ヲ為シタルモノト看做ス

第二七条【効力】 ①保証人ハ保証セラレタル者ト同一ノ責任ヲ負フ

②保証ハ其ノ担保シタル債務ガ方式ノ瑕疵ヲ除キ他ノ如何ナル事由ニ因リテ無効ナルトキト雖モ之ヲ有効トス

③保証人ガ小切手ノ支払ヲ為シタルトキハ保証セラレタル者及其ノ者ノ小切手上ノ債務者ニ対シ小切手ヨリ生ズル権利ヲ取得ス

第四章　呈示及支払

第二八条【一覧払性、先日付小切手の呈示】 ①小切手ハ一覧払ノモノトス之ニ反スル一切ノ記載ハ之ヲ為サザルモノト看做ス

②振出ノ日附トシテ記載シタル日ヨリ前ニ支払ノ為呈示シタル小切手ハ呈示ノ日ニ於テ之ヲ支払フベキモノトス

第二九条【支払呈示期間】 ①国内ニ於テ振出シ且支払フベキ小切手ハ十日内ニ支払ノ為之ヲ呈示スルコトヲ要ス

②支払ヲ為スベキ国ト異ル国ニ於テ振出シタル小切手ハ振出地及支払地ガ同一洲ニ存スルトキハ二十日内又異ル洲ニ存スルトキハ七十日内ニ之ヲ呈示スルコトヲ要ス

③前項ニ関シテハ欧羅巴洲ノ一国ニ於テ振出シ地中海沿岸ノ一国ニ於テ支払フベキ小切手又ハ地中海沿岸ノ一国ニ於テ振出シ欧羅巴洲ノ一国ニ於テ支払フベキ小切手ハ同一洲内ニ於テ振出シ且支払フベキモノト看做ス

④本条ニ掲グル期間ノ起算日ハ小切手ニ振出ノ日附トシテ記載シタル日トス

第三〇条【暦を異にする地における振出日の決定】 小切手ガ暦ヲ異ニスル二地ノ間ニ振出シタルモノナルトキハ振出ノ日ヲ支払地ノ暦ノ応当日ニ換フ

第三一条【手形交換所における呈示】 手形交換所ニ於ケル小切手ノ呈示ハ支払ノ為ノ呈示タル効力ヲ有ス

第三二条【支払委託の取消し】 ①小切手ノ支払委託ノ取消ハ呈示期間経過後ニ於テノミ其ノ効力ヲ生ズ

②支払委託ノ取消ナキトキハ支払人ハ期間経過後ト雖モ支払ヲ為スコトヲ得

第三三条【振出人の死亡又は能力の制限】 振出ノ後振出人ガ死亡シ意思能力ヲ喪失シ又ハ行為能力ノ制限ヲ受クルモ小切手ノ効力ニ影響ヲ及ボスコトナシ

第三四条【受戻証券性、一部支払】 ①小切手ノ支払人ハ支払ヲ為スニ当リ所持人ニ対シ小切手ニ受取ヲ証スル記載ヲ為シテ之ヲ交付スベキコトヲ請求スルコトヲ得

②所持人ハ一部支払ヲ拒ムコトヲ得ズ

③一部支払ノ場合ニ於テハ支払人ハ其ノ支払アリタル旨ノ小切手上ノ記載及受取証書ノ交付ヲ請求スルコトヲ得

第三五条【支払人の調査義務】 裏書シ得ベキ小切手ノ支払ヲ為ス支払人ハ裏書ノ連続ノ整否ヲ調査スル義務アルモ裏書人ノ署名ヲ調査スル義務ナシ

第三六条【外国通貨表示の小切手の支払】 ①支払地ノ通貨ニ非ザル通貨ヲ以テ支払フベキ旨ヲ記載シタル小切手ニ付テハ其ノ呈示期間内ハ支払ノ日ニ於ケル価格ニ依リ其ノ国ノ通貨ヲ以テ支払ヲ為スコトヲ得呈示ヲ為スモ支払ナカリシトキハ所持人ハ其ノ選択ニ依リ呈示ノ日又ハ支払ノ日ノ相場ニ従ヒ其ノ国ノ通貨ヲ以テ小切手ノ金額ヲ支払フベキコトヲ請求スルコトヲ得

②外国通貨ノ価格ハ支払地ノ慣習ニ依リ之ヲ定ム但シ振出人ハ小切手ニ定メタル換算率ニ依リ支払金額ヲ計算スベキ旨ヲ記載スルコトヲ得

③前二項ノ規定ハ振出人ガ特種ノ通貨ヲ以テ支払フベキ旨（外国通貨現実支払文句）ヲ記載シタル場合ニハ之ヲ適用セズ

④振出国ト支払国トニ於テ同名異価ヲ有スル通貨ニ依リ小切手ノ金額ヲ定メタルトキハ支払地ノ通貨ニ依リテ之ヲ定メタルモノト推定ス

第五章　線引小切手

第三七条【線引きの種類及び方式】 ①小切手ノ振出人又ハ所持人ハ小切手ニ線引ヲ為スコトヲ得線引ハ次条ニ定ムル効力ヲ有ス

②線引ハ小切手ノ表面ニ二条ノ平行線ヲ引キテ之ヲ為スベシ線引ハ一般又ハ特定タルコトヲ得

③二条ノ線内ニ何等ノ指定ヲ為サザルカ又ハ「銀行」若ハ之ト同一ノ意義ヲ有スル文字ヲ記載シタルトキハ線引ハ之ヲ一般トス二条ノ線内ニ銀行ノ名称ヲ記載シタルトキハ線引ハ之ヲ特定トス

④一般線引ハ之ヲ特定線引ニ変更スルコトヲ得ルモ特定線引ハ之ヲ一般線引ニ変更スルコトヲ得ズ

⑤線引又ハ被指定銀行ノ名称ノ抹消ハ之ヲ為サザルモノト看做ス

第三八条【線引きの効力】 ①一般線引小切手ハ支払人ニ於テ銀行ニ対シ又ハ支払人ノ取引先ニ対シテノミ之ヲ支払フコトヲ得

②特定線引小切手ハ支払人ニ於テ被指定銀行ニ対シテノミ又被指定銀行ガ支払人ナルトキハ自己ノ取引先ニ対シテノミ之ヲ支払フコトヲ得但シ被指定銀行ハ他ノ銀行ヲシテ小切手ノ取立ヲ為サシムルコトヲ得

③銀行ハ自己ノ取引先又ハ他ノ銀行ヨリノミ線引小切手ヲ取得スルコトヲ得銀行ハ此等ノ者以外ノ者ノ為ニ線引小切手ノ取立ヲ為スコトヲ得ズ

④数箇ノ特定線引アル小切手ハ支払人ニ於テ之ヲ支払フコトヲ得

ズ但シ二箇ノ線引アル場合ニ於ケル取立ノ為ニ為サレタルモノナルトキハ此ノ限ニ在ラズ

⑤前四項ノ規定ヲ遵守セザル支払人又ハ銀行ハ之ガ為ニ生ジタル損害ニ付小切手ノ金額ニ達スル迄賠償ノ責ニ任ズ

第六章　支払拒絶ニ因ル遡求

第三九条【遡求の要件】 適法ノ時期ニ呈示シタル小切手ノ支払ナキ場合ニ於テ左ノ何レカニ依リ支払拒絶ヲ証明スルトキハ所持人ハ裏書人、振出人其ノ他ノ債務者ニ対シ其ノ遡求権ヲ行フコトヲ得

一　公正証書（拒絶証書）

二　小切手ニ呈示ノ日ヲ表示シテ記載シ且日附ヲ附シタル支払人ノ宣言

三　適法ノ時期ニ小切手ヲ呈示シタルモ其ノ支払ナカリシ旨ヲ証明シ且日附ヲ附シタル手形交換所ノ宣言

第四〇条【拒絶証書等の作成期間】 ①拒絶証書又ハ之ト同一ノ効力ヲ有スル宣言ハ呈示期間経過前ニ之ヲ作ラシムルコトヲ要ス

②期間ノ末日ニ呈示アリタルトキハ拒絶証書又ハ之ト同一ノ効力ヲ有スル宣言ハ之ニ次グ第一ノ取引日ニ之ヲ作ラシムルコトヲ得

第四一条【遡求の通知】 ①所持人ハ拒絶証書又ハ之ト同一ノ効力ヲ有スル宣言ノ作成ノ日ニ次グ又ハ無費用償還文句アル場合ニ於テハ呈示ノ日ニ次グ四取引日内ニ自己ノ裏書人及振出人ニ対シ支払拒絶アリタルコトヲ通知スルコトヲ要ス各裏書人ハ通知ヲ受ケタル日ニ次グ二取引日内ニ前ノ通知者全員ノ名称及宛所ヲ示シテ自己ノ受ケタル通知ヲ自己ノ裏書人ニ通知シ順次振出人ニ及ブモノトス此ノ期間ハ各其ノ通知ヲ受ケタル時ヨリ進行ス

②前項ノ規定ニ従ヒ小切手ノ署名者ニ通知ヲ為ストキハ同一期間内ニ其ノ保証人ニ同一ノ通知ヲ為スコトヲ要ス

③裏書人ガ其ノ宛所ヲ記載セズ又ハ其ノ記載ガ読ミ難キ場合ニ於テハ其ノ裏書人ノ直接ノ前者ニ通知スルヲ以テ足ル

④通知ヲ為スベキ者ハ如何ナル方法ニ依リテモ之ヲ為スコトヲ得単ニ小切手ヲ返付スルニ依リテモ亦之ヲ為スコトヲ得

⑤通知ヲ為スベキ者ハ適法ノ期間内ニ通知ヲ為シタルコトヲ証明スルコトヲ要ス此ノ期間内ニ通知ヲ為ス書面ヲ郵便ニ付シ又ハ民間事業者による信書の送達に関する法律（平成十四年法律第九十九号）第二条第六項ニ規定スル一般信書便事業者若ハ同条第九項ニ規定スル特定信書便事業者ノ提供スル同条第二項ニ規定スル信書便ノ役務ヲ利用シテ発送シタル場合ニ於テハ其ノ期間ヲ遵守シタルモノト看做ス

⑥前項ノ期間内ニ通知ヲ為サザル者ハ其ノ権利ヲ失フコトナシ但シ過失ニ因リテ生ジタル損害アルトキハ小切手ノ金額ヲ超エザル範囲内ニ於テ其ノ賠償ノ責ニ任ズ

第四二条【拒絶証書等の作成免除】 ①振出人、裏書人又ハ保証人ハ証券ニ記載シ且署名シタル「無費用償還」、「拒絶証書不要」ノ文句其ノ他之ト同一ノ意義ヲ有スル文言ニ依リ所持人ニ対シ其ノ遡求権ヲ行フ為ノ拒絶証書又ハ之ト同一ノ効力ヲ有スル宣言ノ作成ヲ免除スルコトヲ得

②前項ノ文言ハ所持人ニ対シ法定期間内ニ於ケル小切手ノ呈示及通知ノ義務ヲ免除スルコトナシ期間ノ不遵守ハ所持人ニ対シ之ヲ援用スル者ニ於テ其ノ証明ヲ為スコトヲ要ス

③振出人ガ第一項ノ文言ヲ記載シタルトキハ一切ノ署名者ニ対シ其ノ効力ヲ生ズ裏書人又ハ保証人ガ之ヲ記載シタルトキハ其ノ裏書人又ハ保証人ニ対シテノミ其ノ効力ヲ生ズ振出人ガ此ノ文言ヲ記載シタルニ拘ラズ所持人ガ拒絶証書又ハ之ト同一ノ効力ヲ有スル宣言ヲ作ラシメタルトキハ其ノ費用ハ所持人之ヲ負担ス裏書人又ハ保証人ガ此ノ文言ヲ記載シタル場合ニ於テ拒絶証書又ハ之ト同一ノ効力ヲ有スル宣言ノ作成アリタルトキハ一切ノ署名者ヲシテ其ノ費用ヲ償還セシムルコトヲ得

第四三条【遡求義務者の合同責任】 ①小切手上ノ各債務者ハ所持人ニ対シ合同シテ其ノ責ニ任ズ

②所持人ハ前項ノ債務者ニ対シ其ノ債務ヲ負ヒタル順序ニ拘ラズ各別又ハ共同ニ請求ヲ為スコトヲ得

③小切手ノ署名者ニシテ之ヲ受戻シタルモノモ同一ノ権利ヲ有ス

④債務者ノ一人ニ対スル請求ハ他ノ債務者ニ対スル請求ヲ妨ゲズ既ニ請求ヲ受ケタル者ノ後者ニ対シテモ亦同ジ

第四四条【遡求金額】 所持人ハ遡求ヲ受クル者ニ対シ左ノ金額ヲ請求スルコトヲ得

一　支払アラザリシ小切手ノ金額

二　法定利率（国内ニ於テ振出シ且支払フベキ小切手以外ノ小切手ニ在リテハ年六分ノ率次条第二号ニ於テ同ジ）ニ依ル呈示ノ日以後ノ利息

三　拒絶証書又ハ之ト同一ノ効力ヲ有スル宣言ノ費用、通知ノ費用及其ノ他ノ費用

第四五条【再遡求金額】 小切手ヲ受戻シタル者ハ其ノ前者ニ対シ左ノ金額ヲ請求スルコトヲ得

一　其ノ支払ヒタル総金額

二　前号ノ金額ニ対シ法定利率ニ依リ計算シタル支払ノ日以後ノ利息

三　其ノ支出シタル費用

第四六条【遡求義務者の権利】 ①遡求ヲ受ケタル又ハ受クベキ債務者ハ支払ト引換ニ拒絶証書又ハ之ト同一ノ効力ヲ有スル宣言、受取ヲ証スル記載ヲ為シタル計算書及小切手ノ交付ヲ請求スルコトヲ得

②小切手ヲ受戻シタル裏書人ハ自己及後者ノ裏書ヲ抹消スルコトヲ得

第四七条【不可抗力による期間の伸長】 ①法定ノ期間内ニ於ケル小切手ノ呈示又ハ拒絶証書若ハ之ト同一ノ効力ヲ有スル宣言ノ作成ガ避ク可カラザル障碍（国ノ法令ニ依ル禁制其ノ他ノ不可抗力）ニ因リテ妨ゲラレタルトキハ其ノ期間ヲ伸長ス

②所持人ハ自己ノ裏書人ニ対シ遅滞ナク其ノ不可抗力ヲ通知シ且小切手又ハ補箋ニ其ノ通知ヲ記載シ日附ヲ附シテ之ニ署名スルコトヲ要ス其ノ他ニ付テハ第四十一条ノ規定ヲ準用ス

③不可抗力ガ止ミタルトキハ所持人ハ遅滞ナク支払ノ為小切手ヲ呈示シ且必要アルトキハ拒絶証書又ハ之ト同一ノ効力ヲ有スル宣言ヲ作ラシムルコトヲ要ス

④不可抗力ガ所持人ニ於テ其ノ裏書人ニ不可抗力ノ通知ヲ為シタル日ヨリ十五日ヲ超エテ継続スルトキハ呈示期間経過前ニ其ノ通知ヲ為シタル場合ト雖モ呈示又ハ拒絶証書若ハ之ト同一ノ効力ヲ有スル宣言ヲ要セズシテ遡求権ヲ行フコトヲ得

⑤所持人又ハ所持人ガ小切手ノ呈示又ハ拒絶証書若ハ之ト同一ノ効力ヲ有スル宣言ノ作成ヲ委任シタル者ニ付テノ単純ナル人的事由ハ不可抗力ヲ構成スルモノト認メズ

第七章　複本

第四八条【条件・方式】 一国ニ於テ振出シ他ノ国ニ於テ若ハ振出国ノ海外領土ニ於テ支払フベキ小切手、一国ノ海外領土ニ於テ振出シ其ノ国ニ於テ支払フベキ小切手、一国ノ同一海外領土ニ於テ振出シ且支払フベキ小切手又ハ一国ノ一海外領土ニ於テ振出シ其ノ国ノ他ノ海外領土ニ於テ支払フベキ小切手ハ持参人払ノモノヲ除クノ外同一内容ノ数通ヲ以テ之ヲ振出スコトヲ得数通ヲ以テ小切手ヲ振出シタルトキハ其ノ証券ノ文言中ニ番号ヲ附スルコトヲ要ス之ヲ欠クトキハ各通ハ之ヲ各別ノ小切手ト看做ス

第四九条【効力】 ①複本ノ一通ノ支払ハ其ノ支払ガ他ノ複本ヲ無効ナラシムル旨ノ記載ナキトキト雖モ義務ヲ免レシム

②数人ニ各別ニ複本ヲ譲渡シタル裏書人及其ノ後ノ裏書人ハ其ノ署名アル各通ニシテ返還ヲ受ケザルモノニ付責任ヲ負フ

第八章　変造

第五〇条【変造の効果】 小切手ノ文言ノ変造ノ場合ニ於テハ其ノ変造後ノ署名者ハ変造シタル文言ニ従ヒ責任ヲ負ヒ変造前ノ署名者ハ原文言ニ従ヒテ責任ヲ負フ

第九章　時効

第五一条【時効期間】①所持人ノ裏書人、振出人其ノ他ノ債務者ニ対スル遡求権ハ呈示期間経過後六月ヲ以テ時効ニ罹ル
②小切手ノ支払ヲ為スベキ債務者ノ他ノ債務者ニ対スル遡求権ハ其ノ債務者ガ小切手ノ受戻ヲ為シタル日又ハ其ノ者ガ訴ヲ受ケタル日ヨリ六月ヲ以テ時効ニ罹ル

第五二条【時効の完成猶予及び更新】時効ノ完成猶予又ハ更新ハ其ノ事由ガ生ジタル者ニ対シテノミ其ノ効力ヲ生ズ

第十章　支払保証

第五三条【方式】①支払人ハ小切手ニ支払保証ヲ為スコトヲ得
②支払保証ハ小切手ノ表面ニ「支払保証」其ノ他支払ヲ為ス旨ノ文字ヲ以テ表示シ日附ヲ附シテ支払人署名スベシ

第五四条【要件】①支払保証ハ単純ナルコトヲ要ス
②支払保証ニ依リ小切手ノ記載事項ニ加ヘタル変更ハ之ヲ記載セザルモノト看做ス

第五五条【効力】①支払保証ヲ為シタル支払人ハ呈示期間ノ経過前ニ小切手ノ呈示アリタル場合ニ於テノミ其ノ支払ヲ為ス義務ヲ負フ
②支払ナキ場合ニ於テ前項ノ呈示アリタルコトハ第三十九条ノ規定ニ依リ之ヲ証明スルコトヲ要ス
③第四十四条及第四十五条ノ規定ハ前項ノ場合ニ之ヲ準用ス

第五六条【同前】支払保証ニ因リ振出人其ノ他ノ小切手上ノ債務者ハ其ノ責ヲ免ルルコトナシ

第五七条【不可抗力による期間の伸長】第四十七条ノ規定ハ支払保証ヲ為シタル支払人ニ対スル権利ノ行使ニ付之ヲ準用ス

第五八条【時効】支払保証ヲ為シタル支払人ニ対スル小切手上ノ請求権ハ呈示期間経過後一年ヲ以テ時効ニ罹ル

第十一章　通則

第五九条【銀行】本法ニ於テ「銀行」ナル文字ハ法令ニ依リテ銀行ト同視セラルル人又ハ施設ヲ含ム

第六〇条【休日】①小切手ノ呈示及拒絶証書ノ作成ハ取引日ニ於テノミ之ヲ為スコトヲ得
②小切手ニ関スル行為ヲ為スニ殊ニ呈示又ハ拒絶証書若ハ之ト同一ノ効力ヲ有スル宣言ノ作成ノ為法令ニ規定シタル期間ノ末日ガ法定ノ休日ニ当ル場合ニ於テハ期間ハ其ノ満了ニ次グ第一ノ取引日迄之ヲ伸長ス期間中ノ休日ハ之ヲ期間ニ算入ス

第六一条【期間の初日】本法ニ規定スル期間ニハ其ノ初日ヲ算入セズ

第六二条【恩恵日】恩恵日ハ法律上ノモノタルト裁判上ノモノタルトヲ問ハズ之ヲ認メズ

附　則

第六三条【施行期日】本法施行ノ期日ハ勅令ヲ以テ之ヲ定ム（昭和九・一・一施行―昭和八勅三一五）

第六四条【旧規定の削除】商法第四編第四章ハ之ヲ削除ス

第六五条【旧規定の適用】本法施行前ニ振出シタル小切手ニ付テハ仍従前ノ規定ニ依ル

第六六条【経過規定】本法施行後六月内ニ日本ニ於テ振出ス小切手ハ振出地ノ記載ヲ欠クトキト雖モ小切手タル効力ヲ有ス

第六七条【署名】本法ニ於テ署名トアルハ記名捺印ヲ含ム

第六八条【小切手の呈示期間の伸長】朝鮮、台湾、樺太、関東州、南洋群島又ハ勅令ヲ以テ指定スル亜細亜洲ノ地域ニ於テ振出シ日本内地ニ於テ支払フベキ小切手ノ呈示期間ハ勅令ヲ以テ之ヲ伸長スルコトヲ得

第六九条【手形交換所】第三十一条ノ手形交換所ハ法務大臣之ヲ指定ス

第七〇条【拒絶証書の作成】拒絶証書ノ作成ニ関スル事項ハ勅令ヲ以テ之ヲ定ム

第七一条【罰則】小切手ノ振出人ガ第三条ノ規定ニ違反シタルトキハ五千円以下ノ過料ニ処ス

第七二条【利得償還請求権】小切手ヨリ生ジタル権利ガ手続ノ欠缺又ハ時効ニ因リテ消滅シタルトキト雖モ所持人ハ振出人、裏書人又ハ支払保証ヲ為シタル支払人ニ対シ其ノ受ケタル利益ノ限度ニ於テ償還ノ請求ヲ為スコトヲ得

第七三条【消滅時効の完成猶予及び更新】①裏書人ノ他ノ裏書人及振出人ニ対スル小切手上ノ請求権ノ消滅時効ハ其ノ者ガ訴ヲ受ケタル場合ニ於テ前者ニ対シ訴訟告知ヲ為シタルトキハ訴訟ガ終了スル（確定判決又ハ確定判決ト同一ノ効力ヲ有スルモノニ依リテ其ノ訴ニ係ル権利ガ確定セズシテ訴訟ガ終了シタル場合ニ在リテハ其ノ終了ノ時ヨリ六月ガ経過スル）迄ノ間ハ完成セズ
②前項ノ場合ニ於テ確定判決又ハ確定判決ト同一ノ効力ヲ有スルモノニ依リテ其ノ訴ニ係ル権利ガ確定シタルトキハ時効ハ訴訟ノ終了ノ時ヨリ更ニ其ノ進行ヲ始ム

第七四条【計算小切手】振出人又ハ所持人ガ証券ノ表面ニ「計算ノ為」ノ文字又ハ之ト同一ノ意義ヲ有スル文言ヲ記載シテ現金ノ支払ヲ禁ジタル小切手ニシテ外国ニ於テ振出シ日本ニ於テ支払フベキモノハ一般線引小切手タル効力ヲ有ス

第七五条【休日の定義】本法ニ於テ休日トハ祭日、祝日、日曜日其ノ他ノ一般ノ休日及政令ヲ以テ定ムル日ヲ謂フ

第七六条【行為能力】①小切手ニ依リ義務ヲ負フ者ノ行為能力ハ其ノ本国法ニ依リ之ヲ定ム其ノ国ノ法ガ他国ノ法ニ依ルコトヲ定ムルトキハ其ノ他国ノ法ヲ適用ス
②前項ニ掲グル法ニ依リ行為能力ヲ有セザル者ト雖モ他ノ国ノ領域ニ於テ署名ヲ為シ其ノ国ノ法ニ依レバ行為能力ヲ有スベキトキハ責任ヲ負フ

第七七条【支払人の資格】①小切手ノ支払人タルコトヲ得ル者ハ支払地ノ属スル国ノ法ニ依リ之ヲ定ム
②支払地ノ属スル国ノ法ニ依リ支払人タルコトヲ得ザル者ヲ支払人トシタル為小切手ガ無効ナルトキト雖モ之ト同一ノ規定ナキ他ノ国ニ於テ其ノ小切手ニ為シタル署名ヨリ生ズル債務ハ之ガ為其ノ効力ヲ妨ゲラルルコトナシ

第七八条【行為の方式】①小切手上ノ行為ノ方式ハ署名ヲ為シタル地ノ属スル国ノ法ニ依リ之ヲ定ム但シ支払地ノ属スル国ノ法ノ規定スル方式ニ依ルヲ以テ足ル
②小切手上ノ行為ガ前項ノ規定ニ依リ有効ナラザル場合ト雖モ後ノ行為ヲ為シタル地ノ属スル国ノ法ニ依レバ適式ナルトキハ後ノ行為ハ前ノ行為ガ不適式ナルコトニ因リ其ノ効力ヲ妨ゲラルルコトナシ
③日本人ガ外国ニ於テ為シタル小切手上ノ行為ハ其ノ行為ガ日本法ニ規定スル方式ニ適合スル限リ他ノ日本人ニ対シ其ノ効力ヲ有ス

第七九条【行為の効力】小切手ヨリ生ズル義務ノ効力ハ署名ヲ為シタル地ノ属スル国ノ法ニ依リ之ヲ定ム但シ遡求権ヲ行使スル期間ハ一切ノ署名者ニ付証券ノ振出地ノ属スル国ノ法ニ依リ之ヲ定ム

第八〇条【支払地法による特則】左ノ事項ハ小切手ノ支払地ノ属スル国ノ法ニ依リ之ヲ定ム
一　小切手ハ一覧払タルコトヲ要スルヤ否ヤ、一覧後定期払トシテ振出シ得ルヤ否ヤ及先日附小切手ノ効力
二　呈示期間
三　小切手ニ引受、支払保証、確認又ハ査証ヲ為シ得ルヤ否ヤ及此等ノ記載ノ効力
四　所持人ハ一部支払ヲ請求シ得ルヤ否ヤ及一部支払ヲ受諾スル義務アリヤ否ヤ
五　小切手ニ線引ヲ為シ得ルヤ否ヤ、小切手ニ「計算ノ為」ノ文字又ハ之ト同一ノ意義ヲ有スル文言ヲ記載シ得ルヤ否ヤ及線引又ハ「計算ノ為」ノ文字若ハ之ト同一ノ意義ヲ有スル文言ノ記載ノ効力
六　所持人ハ資金ニ対シ特別ノ権利ヲ有スルヤ否ヤ及此ノ権利ノ性質
七　振出人ハ小切手ノ支払ノ委託ヲ取消シ又ハ支払差止ノ手続ヲ為シ得ルヤ否ヤ
八　小切手ノ喪失又ハ盗難ノ場合ニ為スベキ手続
九　裏書人、振出人其ノ他ノ債務者ニ対スル遡求権保全ノ為拒絶証書又ハ之ト同一ノ効力ヲ有スル宣言ヲ必要トスルヤ否ヤ

第八一条【権利の行使・保全のための行為の方式】 拒絶証書ノ方式及作成期間其ノ他小切手上ノ権利ノ行使又ハ保存ニ必要ナル行為ノ方式ハ拒絶証書ヲ作ルベキ地又ハ其ノ行為ヲ為スベキ地ノ属スル国ノ法ニ依リ之ヲ定ム

●民事訴訟法（平成八・六・二六 法一〇九）

施行　平成一〇・一・一（附則参照）
改正　平成一一法一五一、平成一三法九六・法一三九・法一五三、平成一四法六五・法一〇〇、平成一五法一〇八・法一二八、平成一六法七六・法八八（平成一七法八七）・法一二〇・法一四七・法一五二、平成一七法五〇・法七五・法一〇二、平成一八法七八・法一〇九、平成一九法九五、平成二三法三六、平成二四法三〇、平成二九法四五、令和二法二二、令和三法二四、令和四法四八、令和五法二八

注　令和四法四八第二条による本法の改正規定のうち一部の規定は、令和八・五・二四までに施行される。改正前の規定を、改正のない条文を除き、本法末尾に掲げた。

目次

第一編　総則

第一章　通則

（趣旨）

第一条　民事訴訟に関する手続については、他の法令に定めるもののほか、この法律の定めるところによる。

【他の法令の例↓人訴、会社八二八―八六七、民執三三―三五・三八・九〇・一五七、特許一七八―一八四、行訴、自治二四二の二・二四二の三、公選二〇三―二〇九の二・二一九、ETC

（裁判所及び当事者の責務）

第二条　裁判所は、民事訴訟が公正かつ迅速に行われるように努め、当事者は、信義に従い誠実に民事訴訟を追行しなければならない。

【裁判の公正↓憲三二・七六③・七八・八二、二三―二七・一七九―二三三・二八一―三四九【手続の迅速↓九八―一一〇・一四七の二・一四七の三・一五六―一五七の二・一六一―一七八、民訴規九五―九八、一八二・二五一、民訴規二二二【信義誠実↓民一②、一六七・一七四・二九八②・一五八・一五九・二四四・二六三・二〇八・二〇九・二二四・二二九④・二三〇・二〇三の二―二〇四【類似の規定↓非訟四、家事二

（最高裁判所規則）

第三条　この法律に定めるもののほか、民事訴訟に関する手続に関し必要な事項は、最高裁判所規則で定める。

【最高裁の規則制定権↓憲七七【規則による一般的な定め↓民訴規【一般的な申立ての方式↓民訴規一【個別的な規則委任の

例↓四③、七一③、七六、一七〇③、一七六②、二〇四、二七九④⑤、三一五、三二四、三六八①、三七二③、三九七―三九九

第二章 裁判所

第一節 日本の裁判所の管轄権

（平成二三法三六本節追加）

（被告の住所等による管轄権）

第三条の二① 裁判所は、人に対する訴えについて、その住所が日本国内にあるとき、住所がない場合又は住所が知れない場合にはその居所が日本国内にあるとき、居所がない場合又は居所が知れない場合には訴えの提起前に日本国内に住所を有していたとき（日本国内に最後に住所を有していた後に外国に住所を有していたときを除く。）は、管轄権を有する。

② 裁判所は、大使、公使その他外国に在ってその国の裁判権からの免除を享有する日本人に対する訴えについて、前項の規定にかかわらず、管轄権を有する。

③ 裁判所は、法人その他の社団又は財団に対する訴えについて、その主たる事務所又は営業所が日本国内にあるとき、事務所若しくは営業所がない場合又はその所在地が知れない場合には代表者その他の主たる業務担当者の住所が日本国内にあるときは、管轄権を有する。

参【住所】↓民二二【居所】↓民二三【外国】↓外国裁判権八【事務所・営業所管轄】↓三の三四【併合管轄】↓三の六【合意管轄】↓三の七【応訴管轄】↓三の八【特別事情による却下】↓三の九【専属管轄の除外】↓三の一〇【職権証拠調べ】↓三の一一【管轄標準時】↓三の一二【反訴の国際裁判管轄】↓一四六③【民事保全の国際裁判管轄】↓民保一一【労働審判からの訴訟】↓労審二二①【執行事件の管轄】↓民執二四【倒産事件の管轄】↓破四、五、民再四、五、会更四、五【非訟事件の管轄】↓非訟五、六【家事事件の管轄】↓家事四、六六ETC【民事調停の管轄】↓民調三【国内裁判籍の場合】↓四

（契約上の債務に関する訴え等の管轄権）

第三条の三 次の各号に掲げる訴えは、それぞれ当該各号に定めるときは、日本の裁判所に提起することができる。

一 契約上の債務の履行の請求を目的とする訴え又は契約上の債務に関して行われた事務管理若しくは生じた不当利得に係る請求、契約上の債務の不履行による損害賠償の請求その他契約上の債務に関する請求を目的とする訴え　契約において定められた当該債務の履行地が日本国内にあるとき、又は契約において選択された地の法によれば当該債務の履行地が日本国内にあるとき。

二 手形又は小切手による金銭の支払の請求を目的とする訴え　手形又は小切手の支払地が日本国内にあるとき。

三 財産権上の訴え　請求の目的が日本国内にあるとき、又は当該訴えが金銭の支払を請求するものである場合には差し押さえることができる被告の財産が日本国内にあるとき（その財産の価額が著しく低いときを除く。）。

四 事務所又は営業所を有する者に対する訴えでその事務所又は営業所における業務に関するもの　当該事務所又は営業所が日本国内にあるとき。

五 日本において事業を行う者（日本において取引を継続してする外国会社（会社法（平成十七年法律第八十六号）第二条第二号に規定する外国会社をいう。）を含む。）に対する訴え　当該訴えがその者の日本における業務に関するものであるとき。

六 船舶債権その他船舶を担保とする債権に基づく訴え　船舶が日本国内にあるとき。

七 会社その他の社団又は財団に関する訴えで次に掲げるもの　社団又は財団が法人である場合にはそれが日本の法令により設立されたものであるとき、法人でない場合にはその主たる事務所又は営業所が日本国内にあるとき。

イ 会社その他の社団からの社員若しくは社員であった者に対する訴え、社員からの社員若しくは社員であった者に対する訴え又は社員であった者からの社員に対する訴えで、社員としての資格に基づくもの

ロ 社団又は財団からの役員又は役員であった者に対する訴えで役員としての資格に基づくもの

ハ 会社からの発起人若しくは発起人であった者又は検査役若しくは検査役であった者に対する訴えで発起人又は検査役としての資格に基づくもの

ニ 会社その他の社団の債権者からの社員又は社員であった者に対する訴えで社員としての資格に基づくもの

八 不法行為に関する訴え　不法行為があった地が日本国内にあるとき（外国で行われた加害行為の結果が日本国内で発生した場合において、日本国内におけるその結果の発生が通常予見することのできないものであったとき

を除く。）。

九　船舶の衝突その他海上の事故に基づく損害賠償の訴え　損害を受けた船舶が最初に到達した地が日本国内にあるとき。

十　海難救助に関する訴え　海難救助があった地又は救助された船舶が最初に到達した地が日本国内にあるとき。

十一　不動産に関する訴え　不動産が日本国内にあるとき。

十二　相続権若しくは遺留分に関する訴え又は遺贈その他死亡によって効力を生ずべき行為に関する訴え　相続開始の時における被相続人の住所が日本国内にあるとき、住所がない場合又は住所が知れない場合には相続開始の時における被相続人の居所が日本国内にあるとき、居所がない場合又は居所が知れない場合には被相続人が相続開始の前に日本国内に住所を有していたとき（日本国内に最後に住所を有していた後に外国に住所を有していたときを除く。）。

十三　相続債権その他相続財産の負担に関する訴えで前号に掲げる訴えに該当しないもの　同号に定めるとき。

🔗【消費者契約・労働関係管轄↓三の四【会社法上の訴え専属管轄↓三の五①【登記・登録専属管轄↓三の五②【知的財産権専属管轄↓三の五③【併合管轄↓三の六【合意管轄↓三の七【応訴管轄↓三の八【特別事情による却下↓三の九【専属管轄の除外↓三の一〇【職権証拠調べ↓三の一一【管轄標準時↓三の一二【反訴の国際裁判管轄↓一四六③【民事保全の国際裁判管轄↓民保一一【労働審判からの訴訟↓労審二二①【執行事件の管轄↓民執二四【倒産事件の管轄↓破四・五、民再四・五、会更四・五【非訟事件の管轄↓非訟五・六【家事事件の管轄↓家事四・六六ETC【国内裁判籍の場合↓五[二][四][五][七]－[十二][十四][十五]【契約において選択された法↓法適用七・九　[二]【支払地↓手一[五]・二③・七五[四]・七六③、小一[四]・二②③　[三]【差押禁止財産↓民執一三一・一五二、信託二三、労基八三②　[四]【事務所↓一般法人三〇一②[三]・三〇二②[三]【営業所↓商八、会社九〇七・九一一－九一四　[五]【外国会社↓会社八一七－八二三　[六]【船舶担保債権↓商八四二－八五〇　[七]【会社法上の訴え専属管轄↓三の五①　[八]【不法行為↓民七〇九－七二四の二、一般法人七八、製造物三【外国↓外国裁判権一〇【不法行為の準拠法決定における結果発生地の通常予見可能性↓法適用一七【生産物責任の準拠法決定における被害者が生産物の引渡しを受けた地の通常予見可能性↓法適用一八　[九]【外国↓外国裁判権一五　[十]【海難救助↓商七九二－八〇七【外国↓外国裁判権一五　[十一]【外国↓外国裁判権一一　[十二][十三]【相続開始の時・所↓民八八二・八八三【相続の準拠法↓法適用三六【家事事件の管轄↓家事四・六六ETC

（**消費者契約及び労働関係に関する訴えの管轄権**）

第三条の四① 消費者（個人（事業として又は事業のために契約の当事者となる場合におけるものを除く。）をいう。以下同じ。）と事業者（法人その他の社団又は財団及び事業として又は事業のために契約の当事者となる場合における個人をいう。以下同じ。）との間で締結される契約（労働契約を除く。以下「消費者契約」という。）に関する消費者からの事業者に対する訴えは、訴えの提起の時又は消費者契約の締結の時における消費者の住所が日本国内にあるときは、日本の裁判所に提起することができる。

② 労働契約の存否その他の労働関係に関する事項について個々の労働者と事業主との間に生じた民事に関する紛争（以下「個別労働関係民事紛争」という。）に関する労働者からの事業主に対する訴えは、個別労働関係民事紛争に係る労働契約における労務の提供の地（その地が定まっていない場合にあっては、労働者を雇い入れた事業所の所在地）が日本国内にあるときは、日本の裁判所に提起することができる。

③ 消費者契約に関する事業者からの消費者に対する訴え及び個別労働関係民事紛争に関する事業主からの労働者に対する訴えについては、前条の規定は、適用しない。

🔗【併合管轄↓三の六【消費者契約の合意管轄↓三の七⑤【個別労働紛争の合意管轄↓三の七⑥【応訴管轄↓三の八【特別事情による却下↓三の九【専属管轄の除外↓三の一〇【職権証拠調べ↓三の一一【管轄標準時↓三の一二【反訴の国際裁判管轄↓一四六③【民事保全の国際裁判管轄↓民保一一【労働審判からの訴訟↓労審二二①【仲裁における特例↓仲裁三・四【消費者・事業者↓消費契約二【消費者契約↓消費契約四－一一【消費者契約の準拠法↓法適用一一【労働契約↓労契、労基二②・一一－一二三、外国裁判権九【労働契約の準拠法↓法適用一二【労働審判↓労審

（**管轄権の専属**）

第三条の五① 会社法第七編第二章に規定する訴え（同章第四節及び第六節に規定するものを除く。）、一般社団法人及び一般財団法人に関する法律（平成十八年法律第四十八号）第六章第二節に規定する訴えその他これらの法令以外の日本の法令により設立された社団又は財団に関する訴えでこれらに準ずるものの管轄権は、日本の裁判所に専属する。

② 登記又は登録に関する訴えの管轄権は、登記又は登録をすべき地が日本国内にあるときは、日本の裁判所に専属する。

③ 知的財産権（知的財産基本法（平成十四年法律第百二十二号）第二条第二項に規定する知的財産権をいう。）のうち設定の登録により発生するものの存否又は効力に関する訴えの管轄権は、その登録が日本においてされたものであるときは、日本の裁判所に専属する。

🔗【専属管轄の除外↓三の一〇【知的財産権の国内管轄↓六・六の二【外国の知的財産権↓外国裁判権一三【反訴の国際裁判管

轄→一四六③【絶対的上告理由→三一二②【国内管轄の場合→一三

（併合請求における管轄権）

第三条の六　一の訴えで数個の請求をする場合において、日本の裁判所が一の請求について管轄権を有し、他の請求について管轄権を有しないときは、当該一の請求と他の請求との間に密接な関連があるときに限り、日本の裁判所にその訴えを提起することができる。ただし、数人からの又は数人に対する訴えについては、第三十八条前段に定める場合に限る。

参【国際裁判管轄→三の二―三の五、三の七―三の一二【併合請求の訴額→九【専属管轄の除外→三の一〇【反訴の国際裁判管轄→一四六③【民事保全の国際裁判管轄→民保一一【労働審判からの訴訟→労審二二①【国内管轄の場合→七

（管轄権に関する合意）

第三条の七①　当事者は、合意により、いずれの国の裁判所に訴えを提起することができるかについて定めることができる。

②　前項の合意は、一定の法律関係に基づく訴えに関し、かつ、書面でしなければ、その効力を生じない。

③　第一項の合意がその内容を記録した電磁的記録（電子的方式、磁気的方式その他人の知覚によっては認識することができない方式で作られる記録であって、電子計算機による情報処理の用に供されるものをいう。以下同じ。）によってされたときは、その合意は、書面によってされたものとみなして、前項の規定を適用する。

④　外国の裁判所にのみ訴えを提起することができる旨の合意は、その裁判所が法律上又は事実上裁判権を行うことができないときは、これを援用することができない。

⑤　将来において生ずる消費者契約に関する紛争を対象とする第一項の合意は、次に掲げる場合に限り、その効力を有する。

一　消費者契約の締結の時において消費者が住所を有していた国の裁判所に訴えを提起することができる旨の合意（その国の裁判所にのみ訴えを提起することができる旨の合意については、次号に掲げる場合を除き、その国以外の国の裁判所にも訴えを提起することを妨げない旨の合意とみなす。）であるとき。

二　消費者が当該合意に基づき合意された国の裁判所に訴えを提起したとき、又は事業者が日本若しくは外国の裁判所に訴えを提起した場合において、消費者が当該合意を援用したとき。

⑥　将来において生ずる個別労働関係民事紛争を対象とする第一項の合意は、次に掲げる場合に限り、その効力を有する。

一　労働契約の終了の時にされた合意であって、その時における労務の提供の地がある国の裁判所に訴えを提起することができる旨を定めたもの（その国の裁判所にのみ訴えを提起することができる旨の合意については、次号に掲げる場合を除き、その国以外の国の裁判所にも訴えを提起することを妨げない旨の合意とみなす。）であるとき。

二　労働者が当該合意に基づき合意された国の裁判所に訴えを提起したとき、又は事業主が日本若しくは外国の裁判所に訴えを提起した場合において、労働者が当該合意を援用したとき。

参【国内管轄の場合→一一【反訴の国際裁判管轄→一四六③【民事保全の国際裁判管轄→民保一一【労働審判からの訴訟→労審二二①【専属管轄の除外→三の一〇【家事事件の管轄→家事六六　❸【電磁的記録→仲裁一三④　❹【特別事情による却下の例外→三の九　❺【消費者契約管轄→三の四①③【準拠法決定における消費者保護→法適用一一【仲裁合意における消費者保護→仲裁附三　❻【個別労働紛争の管轄→三の四②③【準拠法決定における労働者保護→法適用一二【仲裁合意における労働者保護→仲裁附四

（応訴による管轄権）

第三条の八　被告が日本の裁判所が管轄権を有しない旨の抗弁を提出しないで本案について弁論をし、又は弁論準備手続において申述をしたときは、裁判所は、管轄権を有する。

参【弁論準備手続→一六八―一七四【専属管轄の除外→三の一〇【民事保全の国際裁判管轄→民保一一【労働審判からの訴訟→労審二二①【国内管轄の場合→一二【家事事件の管轄→家事四、六六ETC

（特別の事情による訴えの却下）

第三条の九　裁判所は、訴えについて日本の裁判所が管轄権を有することとなる場合（日本の裁判所にのみ訴えを提起することができる旨の合意に基づき訴えが提起された場合を除く。）においても、事案の性質、応訴による被告の負担の程度、証拠の所在地その他の事情を考慮して、日本の裁判所が審理及び裁判をすることが当事者間の衡平を害し、又は適正かつ迅速な審理の実現を妨げることとなる特別の事情があると認めるときは、その訴えの全部又は一部を却下することができる。

参【国際裁判管轄→三の二―三の六、三の八【合意管轄→三の七【専属管轄の除外→三の一〇【国内管轄における移送→一七

（管轄権が専属する場合の適用除外）

第三条の一〇　第三条の二から第三条の四まで及び第三条の六から前条までの規定は、訴えについて法令に日本の裁判所の管轄権の専属に関する定めがある場合には、適用しない。

参【中間確認の訴え→一四五③【絶対的上告理由→三一二②【国内管轄の場合→一三

（職権証拠調べ）

第三条の一一　裁判所は、日本の裁判所の管轄権に関する事項について、職権で証拠調べをすることができる。

参【国内管轄の場合→一四

（管轄権の標準時）

第三条の一二　日本の裁判所の管轄権は、訴えの提起の時を標準として定める。

参【国内管轄の場合→一五

第二節　管轄

（普通裁判籍による管轄）

第四条① 訴えは、被告の普通裁判籍の所在地を管轄する裁判所の管轄に属する。

② 人の普通裁判籍は、住所により、日本国内に住所がないとき又は住所が知れないときは居所により、日本国内に居所がないとき又は居所が知れないときは最後の住所により定まる。

③ 大使、公使その他外国に在ってその国の裁判権からの免除を享有する日本人が前項の規定により普通裁判籍を有しないときは、その者の普通裁判籍は、最高裁判所規則で定める地にあるものとする。

④ 法人その他の社団又は財団の普通裁判籍は、その主たる事務所又は営業所により、事務所又は営業所がないときは代表者その他の主たる業務担当者の住所により定まる。

⑤ 外国の社団又は財団の普通裁判籍は、前項の規定にかかわらず、日本における主たる事務所又は営業所により、日本国内に事務所又は営業所がないときは日本における代表者その他の主たる業務担当者の住所により定まる。

⑥ 国の普通裁判籍は、訴訟について国を代表する官庁の所在地により定まる。

参⁺【普通裁判籍による管轄の決定の他の例→五四[十四][十五]、人訴四、破五【特許権等に関する訴えでの移送→二〇の二①【国際裁判管轄の場合→三の二【家事事件の管轄→家事四、六六ETC
❶【所在地を管轄する裁判所→裁二②【本項の不適用→一三①・二〇①【本項適用の特則→一三②・二〇② ❷【住所・居所→民二二、二三 ❸【最高裁の定める地→民訴規六 ❹【主たる事務所・営業所→一般法人四、会社四【法人でない社団・財団の当事者能力→二九 ❺【外国の社団・財団→民三五、会社八一七

（**財産権上の訴え等についての管轄**）

第五条 次の各号に掲げる訴えは、それぞれ当該各号に定める地を管轄する裁判所に提起することができる。

一 財産権上の訴え　義務履行地

二 手形又は小切手による金銭の支払の請求を目的とする訴え　手形又は小切手の支払地

三 船員に対する財産権上の訴え　船舶の船籍の所在地

四 日本国内に住所（法人にあっては、事務所又は営業所。以下この号において同じ。）がない者又は住所が知れない者に対する財産権上の訴え　請求若しくはその担保の目的又は差し押さえることができる被告の財産の所在地

五 事務所又は営業所を有する者に対する訴えでその事務所又は営業所における業務に関するもの　当該事務所又は営業所の所在地

六 船舶所有者その他船舶を利用する者に対する船舶又は航海に関する訴え　船舶の船籍の所在地

七 船舶債権その他船舶を担保とする債権に基づく訴え　船舶の所在地

八 会社その他の社団又は財団に関する訴えで次に掲げるもの　社団又は財団の普通裁判籍の所在地

イ 会社その他の社団からの社員若しくは社員であった者に対する訴え、社員からの社員若しくは社員であった者に対する訴え又は社員であった者からの社員に対する訴えで、社員としての資格に基づくもの

ロ 社団又は財団からの役員又は役員であった者に対する訴えで役員としての資格に基づくもの

ハ 会社からの発起人若しくは発起人であった者又は検査役若しくは検査役であった者に対する訴えで発起人又は検査役としての資格に基づくもの

ニ 会社その他の社団の債権者からの社員又は社員であった者に対する訴えで社員としての資格に基づくもの

九 不法行為に関する訴え　不法行為があった地

十 船舶の衝突その他海上の事故に基づく損害賠償の訴え　損害を受けた船舶が最初に到達した地

十一 海難救助に関する訴え　海難救助があった地又は救助された船舶が最初に到達した地

十二 不動産に関する訴え　不動産の所在地

十三 登記又は登録に関する訴え　登記又は登録をすべき地

十四 相続権若しくは遺留分に関する訴え又は遺贈その他死亡によって効力を生ずべき行為に関する訴え　相続開始の時における被相続人の普通裁判籍の所在地

十五 相続債権その他相続財産の負担に関する訴えで前号に掲げる訴えに該当しないもの　同号に定める地

（平成二三法三六本号改正）

参⁺【特別裁判籍→五―七【特許権等に関する訴えでの移送→二〇の二①【国際裁判管轄の場合→三の三、三の四【家事事件の管轄→家事四、六六ETC【適用除外→消費契約四三①　[一]【法定の義務履行地→民四八四、商五一六　[二]【手形による金銭の支払の請求→手九、一五、三二、四三―五四、五八、六三、七七①[四][五]・七八①【小切手による金銭の支払の請求→小一二、一八、二七、三九―四七、五五【手形の支払地→手一[五]・二③・七五[四]・七六③【小切手の支払地→小一[四]・二②③【手形・小切手訴訟→三五〇―三六七、民訴規二一三―二二一【手形・小切手についての支払督促の管轄→三八三②[二]　[三]【船員→商七〇八―七一五　[四]【住所のない者・知れない者の普通裁判籍→四②【差押えできない財産の例→民執一三一・一五二【債権の所在地→民執一四四②、破五②【工業所有権の所在地→特許一五　[五]【事務所→一般法人三〇一②[三]・三〇二②[三]【営業所→商八、会社九〇七・九一一―九一四　[六]【船舶→商六八四・六八六【船舶所有者→商六九〇―七〇三【船舶利用者→商六九二・七〇三、国際海運五　[七]【船舶担保債権→商八四二―

民訴

八五〇【船舶に対する強制執行・担保権実行の場所↓民執一一三・一一九・一八九　【八】【社団↓一般法人、会社三【財団↓一般法人一一①五・一二七—一三〇、会社一〇四・五七六【社団・財団の社員↓一般法人六〇・七六—八九・九九—一〇六・一九七・二〇八—二一四【会社の役員↓会社三二九・三四九・三六四・四八二・五九九・六〇一・六〇二・六五〇【発起人↓会社二五以下【検査役↓会社三三・二〇七・三五八【イの訴えの例↓会社四二三・八四七、一般法人二七八・二七九【ロの訴えの例↓一般法人二二三・一一一【ハの訴えの例↓会社五三【ニの訴えの例↓会社四六三②・五八〇・五八六・五八九・六〇九・六一二　【九】【不法行為↓民七〇九—七二四の二、一般法人七八【製造物責任↓製造物三【国家の賠償責任↓憲一七、国賠一　【十】【船舶↓商六八四⊛【船舶の衝突↓商七八八【共同海損↓商八〇八—八一二　【十一】【海難救助↓商七九二—八〇七【船舶↓商六八四⊛　【十二】【不動産↓民八六①【十三】【登記・登録をすべき地の例↓不登六、商登一の三、特許二七、著作七八　【十四】【相続権者↓民八八六—八九五【相続回復請求↓民八八四【遺留分↓民一〇四二—一〇四九【遺贈↓民九八五—一〇〇三【その他の死因行為↓一般法人一五八、民五五四【相続開始の時及び所↓民八八二・八八三【自然人の普通裁判籍↓四②　【十五】【相続財産の負担の例↓民八八五・一〇二一　⁺【本条の不適用↓一三①・二〇①【本条適用の特則↓一三②・二〇②

（特許権等に関する訴え等の管轄）

第六条①　特許権、実用新案権、回路配置利用権又はプログラムの著作物についての著作者の権利に関する訴え（以下「特許権等に関する訴え」という。）について、前二条の規定によれば次の各号に掲げる裁判所が管轄権を有すべき場合には、その訴えは、それぞれ当該各号に定める裁判所の管轄に専属する。

一　東京高等裁判所、名古屋高等裁判所、仙台高等裁判所又は札幌高等裁判所の管轄区域内に所在する地方裁判所　東京地方裁判所

二　大阪高等裁判所、広島高等裁判所、福岡高等裁判所又は高松高等裁判所の管轄区域内に所在する地方裁判所　大阪地方裁判所

②　特許権等に関する訴えについて、前二条の規定により前項各号に掲げる裁判所の管轄区域内に所在する簡易裁判所が管轄権を有する場合には、それぞれ当該各号に定める裁判所にも、その訴えを提起することができる。（平成一五法一〇八本項追加）

③　第一項第二号に定める裁判所が第一審としてした特許権等に関する訴えについての終局判決に対する控訴は、東京高等裁判所の管轄に専属する。ただし、第二十条の二第一項の規定により移送された訴訟に係る訴えについての終局判決に対する控訴については、この限りでない。（平成一五法一〇八本項追加）

（平成一五法一〇八本条改正）

⊛❶【特許権に関する訴訟↓特許一〇〇—一〇六【裁判所の管轄区域↓裁二②【併合管轄・合意管轄・応訴管轄の特則↓一三②【移送の特則↓二〇②・二〇の二【中間確認の訴えにおける特則↓一四五②【反訴における特則↓一四六②【合議体の特則↓二六九の二【控訴審における主張制限の特則↓二九九②【絶対的上告理由における特則↓三一二②三　❷【簡易裁判所↓裁三二—三八　⁺【専属的国際裁判管轄↓三の五③

（意匠権等に関する訴えの管轄）

第六条の二　意匠権、商標権、著作者の権利（プログラムの著作物についての著作者の権利を除く。）、出版権、著作隣接権若しくは育成者権に関する訴え又は不正競争（不正競争防止法（平成五年法律第四十七号）第二条第一項に規定する不正競争又は家畜遺伝資源に係る不正競争の防止に関する法律（令和二年法律第二十二号）第二条第三項に規定する不正競争をいう。）による営業上の利益の侵害に係る訴えについて、第四条又は第五条の規定により次の各号に掲げる裁判所が管轄権を有する場合には、それぞれ当該各号に定める裁判所にも、その訴えを提起することができる。

一　前条第一項第一号に掲げる裁判所　東京地方裁判所（東京地方裁判所を除く。）

二　前条第一項第二号に掲げる裁判所　大阪地方裁判所（大阪地方裁判所を除く。）

（平成一五法一〇八本条追加、令和二法二二本条改正）

⊛⁺【著作者の権利↓著作一〇—七八の二【プログラムの著作物についての著作者の権利↓著作二①十の二・一〇①九③【出版権↓著作七九—八八【著作隣接権↓著作八九—一〇四【著作権等に関する訴訟↓著作一一二—一一八【専属的国際裁判管轄↓三の五③

（併合請求における管轄）

第七条　一の訴えで数個の請求をする場合には、第四条から前条まで（第六条第三項を除く。）の規定により一の請求について管轄権を有する裁判所にその訴えを提起することができる。ただし、数人からの又は数人に対する訴えについては、第三十八条前段に定める場合に限る。（平成一五法一〇八本条改正）

⊛⁺【訴えの客観的併合↓一三六【訴えの主観的併合↓三八【請求併合の際の訴額↓九【本条の不適用↓一三①・二〇①【本条適用の特則↓一三②・二〇②【人事訴訟の場合↓人訴五【国際裁判管轄の場合↓三の六

（訴訟の目的の価額の算定）

第八条①　裁判所法（昭和二十二年法律第五十九号）の規定により管轄が訴訟の目的の価額により定まるときは、その価額は、訴えで主張する利益によって算定する。

②　前項の価額を算定することができないとき、又は極めて困難であるときは、その価額は百四十万円を超えるものとみなす。（平成一五法一二八本項改正）

⊛❶【訴額による事物管轄↓裁二四一・三三①一【算定の基準時↓一五【手数料額の基礎算出でも同一の算定↓民訴費四①　❷【非財産権上の訴訟の手数料↓民訴費四②【非財産権上の請求とみなす場合↓一般法人二七八⑤、会社八四七⑥、消費契約四二【財産権上の請求で訴訟算定が極めて困難な訴えの手数料↓民訴費四②

（併合請求の場合の価額の算定）

第九条①　一の訴えで数個の請求をする場合には、その価額を合算したものを訴訟の目的の価額とする。ただし、その訴えで主張する利益が各請求について共通である場合におけるその各請求については、この限りでない。

②　果実、損害賠償、違約金又は費用の請求が訴訟の附帯の目的であるときは、その価額は、訴訟の目的の価額に算入しない。

⊛❶【一の訴えで数個の請求をする場合↓一三六・三八【財産権上

の訴えと非財産権上の訴えの併合の際の手数料の算定↓民訴費四③【利益共通の例↓四〇・四一　❷【果実↓民八八【損害賠償↓民四一五【違約金↓民四二〇③【費用の例↓民四二二・五四一、手四八①㊁・四九㊁【手形・小切手による請求と附帯請求↓三五〇・三六七・三八三②㊁

（管轄裁判所の指定）

第一〇条① 管轄裁判所が法律上又は事実上裁判権を行うことができないときは、その裁判所の直近上級の裁判所は、申立てにより、決定で、管轄裁判所を定める。

② 裁判所の管轄区域が明確でないため管轄裁判所が定まらないときは、関係のある裁判所に共通する直近上級の裁判所は、申立てにより、決定で、管轄裁判所を定める。

③ 前二項の決定に対しては、不服を申し立てることができない。

§+【債権者による指定↓三九八③【国際裁判管轄の場合↓一〇の二【非訟事件の管轄↓非訟五・六【家事事件の管轄↓家事四・六六ETC　❶【法律上の行使不能の例↓二三・二四、民訴規一二【事実上の職務執行不能による訴訟の中止↓一三〇　❸【申立却下に対する不服↓三二八①

（管轄裁判所の特例）

第一〇条の二　前節の規定により日本の裁判所が管轄権を有する訴えについて、この法律の他の規定又は他の法令の規定により管轄裁判所が定まらないときは、その訴えは、最高裁判所規則で定める地を管轄する裁判所の管轄に属する。（平成二三法三六本条追加）

§+【管轄裁判所の指定↓一〇【国内管轄↓四―七・一〇―一六【非訟事件の管轄↓非訟五・六【家事事件の管轄↓家事四・六六ETC【最高裁の定める地↓民訴規六の二

（管轄の合意）

第一一条① 当事者は、第一審に限り、合意により管轄裁判所を定めることができる。

② 前項の合意は、一定の法律関係に基づく訴えに関し、かつ、書面でしなければ、その効力を生じない。

③ 第一項の合意がその内容を記録した電磁的記録によってされたときは、その合意は、書面によってされたものとみなして、前項の規定を適用する。（平成一六法一五二本項追加、平成二三法三六本項改正）

§+【特許権等に関する訴えでの移送↓二〇の二①【本条の不適用↓一三①・二〇①【本条適用の特則↓一三②・二〇②【国際裁判管轄の場合↓三の七【家事事件の場合↓家事六六　❶【第一審の土地管轄の例↓四―七【第一審の事物管轄↓裁二四㊀・三三①㊀【法定専属管轄との差異↓一六②・二〇・一四五①・一四六①・二九九【特許権等に関する訴えの特則↓一三②・二〇②・二〇の二・一四五②・一四六②・二九九②・三一二②㊂　❷❸【飛越上告の合意への準用↓二八一②　❸【電磁的記録↓三の七③

（応訴管轄）

第一二条　被告が第一審裁判所において管轄違いの抗弁を提出しないで本案について弁論をし、又は弁論準備手続において申述をしたときは、その裁判所は、管轄権を有する。

§+【管轄違いによる移送の申立て↓一六【本案の弁論↓八七・一四八―一六〇の二【弁論準備手続の申述↓一六八―一七四【本案の弁論、弁論準備手続の申述をしたことの他の効果↓二四四②・七五③・二六一②【本条の不適用↓一三①・二〇①【本条適用の特則↓一三②・二〇②【国際裁判管轄の場合↓三の八

（専属管轄の場合の適用除外等）

第一三条① 第四条第一項、第五条、第六条第二項、第六条の二、第七条及び前二条の規定は、訴えについて法令に専属管轄の定めがある場合には、適用しない。

② 特許権等に関する訴えについて、第七条又は前二条の規定によれば第六条第一項各号に定める裁判所が管轄権を有すべき場合には、前項の規定にかかわらず、第七条又は前二条の規定により、その裁判所は、管轄権を有する。（平成一五法一〇八本項追加）

（平成一五法一〇八本条改正）

§❶【法定専属管轄の訴訟法上の効果↓一六・二〇・一四五①・一四六①・二九九・三〇九・三一二②㊂【専属管轄の定めがある場合の例―(イ)上級裁判所の職分管轄↓裁一六・七【同前―(ロ)土地及び職分管轄↓一一七・三四〇、民執一九、民保一二、人訴四、会社八三五・八四八・八五六・八五七・八五八③・八六二・八六七、破五・六・一二六②、民再五・一〇六②・一三五②・一四五②、会更四―六・九七②・一五二②【法定専属管轄と専属的合意管轄との差異↓一一　§❷【特許権等に関する訴え↓六①【特許権等に関する訴えの他の特則↓二〇②・二〇の二・一四五②・一四六②・二九九②・三一二②㊂　+【国際裁判管轄の場合↓三の一〇

（職権証拠調べ）

第一四条　裁判所は、管轄に関する事項について、職権で証拠調べをすることができる。

§+【申立てによる証拠調べの原則↓一八〇【証拠調べの手続↓一九〇―二三三【国際裁判管轄の場合↓三の一一

（管轄の標準時）

第一五条　裁判所の管轄は、訴えの提起の時を標準として定める。

§+【裁判所の管轄↓裁二四㊀・三三①㊀、四―六【訴えの提起の方式↓一三四・二七一【国際裁判管轄の場合↓三の一二

（管轄違いの場合の取扱い）

第一六条① 裁判所は、訴訟の全部又は一部がその管轄に属しないと認めるときは、申立てにより又は職権で、これを管轄裁判所に移送する。

② 地方裁判所は、訴訟がその管轄区域内の簡易裁判所の管轄に属する場合においても、相当と認めるときは、前項の規定にかかわらず、申立てにより又は職権で、訴訟の全部又は一部について自ら審理及び裁判をすることができる。ただし、訴訟がその簡易裁判所の専属管轄（当事者が第十一条の規定により合意で定めたものを除く。）に属する場合は、この限りでない。

§+【裁判所の管轄↓裁二四㊀・三三①㊀、四―七・一一【国際裁判管轄の特別事情却下↓三の九　❶【反訴提起に基づく地裁への移送↓二七四【管轄違いの主張の制限↓二九九【申立ての方式↓民訴規七【移送の裁判↓二一・二二　❷【地裁の自庁処理↓一八【家裁の自庁処理↓人訴六【簡裁の専属管轄↓三四〇①、民執三三②㊀―㊃・三四③・二五③【簡裁の裁量移送↓一八

（遅滞を避ける等のための移送）

第一七条　第一審裁判所は、訴訟がその管轄に属する場合においても、当事者及び尋問を受けるべき証人の住

所、使用すべき検証物の所在地その他の事情を考慮して、訴訟の著しい遅滞を避け、又は当事者間の衡平を図るため必要があると認めるときは、申立てにより又は職権で、訴訟の全部又は一部を他の管轄裁判所に移送することができる。

参【裁判所の管轄→裁二四㊀、三三①㊀、四―七、一一【受命裁判官等による証人尋問→一九五【検証→二三二、二三二の二【移送の裁判→二一・二二【裁量移送における取扱い→民訴規八【類似の規定→人訴七【本条の不適用→一三①、二〇①【本条適用の特則→一三②、二〇②【国際裁判管轄の特別事情却下→三の九

（簡易裁判所の裁量移送）

第一八条　簡易裁判所は、訴訟がその管轄に属する場合においても、相当と認めるときは、申立てにより又は職権で、訴訟の全部又は一部をその所在地を管轄する地方裁判所に移送することができる。

参【地裁の自庁処理→一六②【簡裁の管轄→裁三三①㊀【移送の裁判→二一・二二【裁量移送における取扱い→民訴規八【本条の不適用→二〇

（必要的移送）

第一九条①　第一審裁判所は、訴訟がその管轄に属する場合においても、当事者の申立て及び相手方の同意があるときは、訴訟の全部又は一部を申立てに係る地方裁判所又は簡易裁判所に移送しなければならない。ただし、移送により著しく訴訟手続を遅滞させることとなるとき、又はその申立てが、簡易裁判所からその所在地を管轄する地方裁判所への移送の申立て以外のものであって、被告が本案について弁論をし、若しくは弁論準備手続において申述をした後にされたものであるときは、この限りでない。

②　簡易裁判所は、その管轄に属する不動産に関する訴訟につき被告の申立てがあるときは、訴訟の全部又は一部をその所在地を管轄する地方裁判所に移送しなければならない。ただし、その申立ての前に被告が本案について弁論をした場合は、この限りでない。

参【裁判所の管轄→裁二四㊀、三三①㊀、四―七【移送の裁判→二一・二二　❶【事前の書面による合意→一一【手続遅滞による自庁処理→一七【簡裁から地裁への移送→一八【本案の弁論、弁論準備手続の申述をしたことによる管轄の発生→一二【特許権等に関する訴えでの移送→二〇の二①　❷【不動産訴訟の事物管轄→裁二四㊀、三三①㊀【本案の弁論をしたことによる移送申立ての制限→一二　+【本条の不適用→二〇

（専属管轄の場合の移送の制限）

第二〇条①　前三条の規定は、訴訟がその係属する裁判所の専属管轄（当事者が第十一条の規定により合意で定めたものを除く。）に属する場合には、適用しない。

②　特許権等に関する訴えに係る訴訟について、第十七条又は前条第一項の規定によれば第六条第一項各号に定める裁判所に移送すべき場合には、前項の規定にかかわらず、第十七条又は前条第一項の規定を適用する。（平成一五法一〇八本項追加）

参❶【法定専属管轄→一三参【専属的合意管轄→一一　❷【特許権等に関する訴え→六①【特許権等に関する訴えの他の特則→一三②、二〇の二、一四五②、一四六②、二九九②、三一二②㊂

（特許権等に関する訴え等に係る訴訟の移送）

第二〇条の二①　第六条第一項各号に定める裁判所は、特許権等に関する訴えに係る訴訟が同項の規定によりその管轄に専属する場合においても、当該訴訟において審理すべき専門技術的事項を欠くことその他の事情により著しい損害又は遅滞を避けるため必要があると認めるときは、申立てにより又は職権で、訴訟の全部又は一部を第四条、第五条若しくは第十一条の規定によれば管轄権を有すべき地方裁判所又は第十九条第一項の規定によれば移送を受けるべき地方裁判所に移送することができる。

②　東京高等裁判所は、第六条第三項の控訴が提起された場合において、その控訴審において審理すべき専門技術的事項を欠くことその他の事情により著しい損害又は遅滞を避けるため必要があると認めるときは、申立てにより又は職権で、訴訟の全部又は一部を大阪高等裁判所に移送することができる。

（平成一五法一〇八本条追加）

参❶【特許権等に関する訴え→六①【専門技術的事項→裁五七②【遅滞を避ける等のための移送→一七【移送された事件の控訴→六③【特許権等に関する訴えの他の特則→一三②、二〇②、一四五②、一四六②、二九九②、三一二②㊂　+【裁量移送における取扱い→民訴規八

（即時抗告）

第二一条　移送の決定及び移送の申立てを却下した決定に対しては、即時抗告をすることができる。

参【移送→一六―一九【即時抗告→三三二【不服申立て禁止→二七四②【上訴審における移送→三〇九、三二五【人事訴訟における移送→人訴七、八

（移送の裁判の拘束力等）

第二二条①　確定した移送の裁判は、移送を受けた裁判所を拘束する。

②　移送を受けた裁判所は、更に事件を他の裁判所に移送することができない。

③　移送の裁判が確定したときは、訴訟は、初めから移送を受けた裁判所に係属していたものとみなす。

参【移送→一六―一九【上告審における移送→三〇九、三二五【移送による記録の送付→民訴規九　❸【移送の裁判の確定→二一、三三二、三三七【起訴に基づく時効の完成猶予→一四七

第三節　裁判所職員の除斥及び忌避

参【裁判官・裁判所書記官の回避→民訴規一二、一三

（裁判官の除斥）

第二三条①　裁判官は、次に掲げる場合には、その職務の執行から除斥される。ただし、第六号に掲げる場合にあっては、他の裁判所の嘱託により受託裁判官としてその職務を行うことを妨げない。

一　裁判官又はその配偶者若しくは配偶者であった者が、事件の当事者であるとき、又は事件について当事者と共同権利者、共同義務者若しくは償還義務者の関係にあるとき。

二　裁判官が当事者の四親等内の血族、三親等内の姻族若しくは同居の親族であるとき、又はあったとき。

三　裁判官が当事者の後見人、後見監督人、保佐人、保佐監督人、補助人又は補助監督人であるとき。
四　裁判官が事件について証人又は鑑定人となったとき。
（平成一一法一五一本号改正）
五　裁判官が事件について当事者の代理人又は補佐人であるとき、又はあったとき。
六　裁判官が事件について仲裁判断に関与し、又は不服を申し立てられた前審の裁判に関与したとき。

② 前項に規定する除斥の原因があるときは、裁判所は、申立てにより又は職権で、除斥の裁判をする。

§❶【裁判官】↓裁五【受託裁判官】↓八九§[一]【共同権利者の例】↓民二四九。四二七。四二八。八九八。八九九【共同義務者の例】↓民四二七。四三〇。四三六。四四六。七一九【償還義務者の例】↓民三五一。四四二。四五九、手四七、小四三[二]【親族の範囲】↓民七二五【親等の計算】↓民七二六[三]【後見人】↓民八三九―八四七【後見監督人】↓民八四八―八五二【保佐人】↓民八七六の二【保佐監督人】↓民八七六の三【補助人】↓民八七六の七【補助監督人】↓民八七六の八[四]【証人】↓一九〇―二〇六【鑑定人】↓二一二―二一八。[五]【訴訟上の法定代理人】↓二八。三五。三七【訴訟代理人】↓五四―五九【補佐人】↓六〇[六]【仲裁判断】↓仲裁三九 ❷【申立ての方式】↓民訴規一〇【除斥の裁判】↓二五。二六 +【本条違反の効果】↓三一二②[二]。三三八①[二]【専門委員の除斥】↓九二の六【調査官の除斥】↓九二の九①【参与員の除斥】↓人訴一〇

（裁判官の忌避）
第二四条① 裁判官について裁判の公正を妨げるべき事情があるときは、当事者は、その裁判官を忌避することができる。

② 当事者は、裁判官の面前において弁論をし、又は弁論準備手続において申述をしたときは、その裁判官を忌避することができない。ただし、忌避の原因があることを知らなかったとき、又は忌避の原因がその後に生じたときは、この限りでない。

§❶【公正な裁判をすべき責務】↓二【申立ての方式】↓民訴規一〇 ❷【弁論】↓八七。一四八―一六〇の二【弁論準備手続】↓一六八―一七四【忌避の裁判】↓二五。二六 +【専門委員の忌避】↓九二の六【鑑定人の忌避】↓二一四【調査官の忌避】↓九二の九①【参与員の忌避】↓人訴一〇【仲裁人の忌避】↓仲裁一八

（除斥又は忌避の裁判）
第二五条① 合議体の構成員である裁判官及び地方裁判所の一人の裁判官の除斥又は忌避についてはその裁判官の所属する裁判所が、簡易裁判所の裁判官の除斥又は忌避についてはその裁判所の所在地を管轄する地方裁判所が、決定で、裁判をする。

② 地方裁判所における前項の裁判は、合議体でする。

③ 裁判官は、その除斥又は忌避についての裁判に関与することができない。

④ 除斥又は忌避を理由があるとする決定に対しては、不服を申し立てることができない。

⑤ 除斥又は忌避を理由がないとする決定に対しては、即時抗告をすることができる。

§+【除斥・忌避についての裁判官の意見陳述】↓民訴規一一 ❶【合議制の裁判所】↓裁九。一八。二六②③。三一の四②③【一人制の裁判所】↓裁二六①。三一の四①。三五 ❷【地裁の一人制の例外】↓裁二六②[四] ❸【その裁判官が却下できる場合】↓刑訴二四② ❺【即時抗告】↓三三二

（訴訟手続の停止）
第二六条 除斥又は忌避の申立てがあったときは、その申立てについての決定が確定するまで訴訟手続を停止しなければならない。ただし、急速を要する行為については、この限りでない。

§+【除斥・忌避の申立ての方式】↓民訴規一〇【決定の確定時期】↓二五④⑤。三三二。三三七【急速を要する行為の例】↓二三四。四〇三、民保二〇。二三【専門委員の場合】↓九二の六②【調査官の場合】↓九二の九②【参与員の場合】↓人訴一〇②【仲裁人の場合】↓仲裁一九⑤

（裁判所書記官への準用）
第二七条 この節の規定は、裁判所書記官について準用する。この場合においては、裁判は、裁判所書記官の所属する裁判所がする。

§+【裁判所書記官】↓裁六〇【本法における裁判所書記官の権限】↓七一―七四。九一。九一の二。九八②。一〇二。一〇七。一一一。一六〇。二五四②。三八二―四〇二【裁判所書記官の処分に対する異議】↓一二一

第三章　当事者

第一節　当事者能力及び訴訟能力

（原則）
第二八条 当事者能力、訴訟能力及び訴訟無能力者の法定代理は、この法律に特別の定めがある場合を除き、民法（明治二十九年法律第八十九号）その他の法令に従う。訴訟行為をするのに必要な授権についても、同様とする。

§+【当事者能力】↓民三。三四。三五。七二一。八八六。九六五【清算法人の権利能力】↓一般法人二〇七、会社六四五、破三五【国の当事者能力】↓四⑥【行政庁の当事者能力】↓行訴一一②。三八【訴訟能力】↓民五①③。六①、会社五八四、民九。一三①[四]。一七①、人訴一三。一四【手続行為能力】↓非訟一六、家事一七【法定代理】↓民八一八。八二四。八三八。八五九【特別の定め】↓二九。三一。三三

（法人でない社団等の当事者能力）
第二九条 法人でない社団又は財団で代表者又は管理人の定めがあるものは、その名において訴え、又は訴えられることができる。

§+【法人である社団・財団】↓一般法人【当事者能力判断資料の提出】↓民訴規一四【代表者・管理人の訴訟法上の地位】↓三七

（選定当事者）
第三〇条① 共同の利益を有する多数の者で前条の規定に該当しないものは、その中から、全員のために原告又は被告となるべき一人又は数人を選定することができる。

② 訴訟の係属の後、前項の規定により原告又は被告となるべき者を選定したときは、他の当事者は、当然に訴訟から脱退する。

③ 係属中の訴訟の原告又は被告と共同の利益を有する者で当事者でないものは、その原告又は被告を自己のためにも原告又は被告となるべき者として選定することができる。

④ 第一項又は前項の規定により原告又は被告となるべき者を選定した者（以下「選定者」という。）は、その

選定を取り消し、又は選定された当事者（以下「選定当事者」という。）を変更することができる。

⑤　選定当事者のうち死亡その他の事由によりその資格を喪失した者があるときは、他の選定当事者において全員のために訴訟行為をすることができる。

⊛❶❸❹【共同の利益の例↓三八【選定、その取消し・変更↓民訴規一五　❷【訴訟係属↓一三四、一三八　❸【第三者による追加選定↓一四四　❺【選定当事者の資格喪失原因の例↓民七【選定の取消し・変更による資格喪失と通知↓三六②、民訴規一七【資格喪失の効果↓五八③【全員の資格の喪失と中断・受継↓一二四①因②　⁺【選定者に対する既判力・執行力の拡張↓一一五①□、民執二三①□

（未成年者及び成年被後見人の訴訟能力）

第三一条　未成年者及び成年被後見人は、法定代理人によらなければ、訴訟行為をすることができない。ただし、未成年者が独立して法律行為をすることができる場合は、この限りでない。（平成一一法一五一本条改正）

⊛⁺【未成年者の行為能力↓民五・六【未成年者の法定代理人↓民八二四・八三八・八五九【未成年者が独立して法律行為をすることができる場合↓民五・六、会社五八四、労基五八・五九【成年被後見人の無能力↓民九【成年被後見人の法定代理人↓民八三八・八五九【人事訴訟における訴訟能力↓人訴一三【成年被後見人に関する訴え↓人訴一四【法定代理人↓二八⊛【法定代理人の訴訟法上の地位↓九九①・一二四①□・一三四②□・一五一①□、民訴規三二①、二二一【代理権欠缺の効果↓三一二②四・三三八①□

（被保佐人、被補助人及び法定代理人の訴訟行為の特則）

第三二条①　被保佐人、被補助人（訴訟行為をすることにつきその補助人の同意を得ることを要するものに限る。次項及び第四十条第四項において同じ。）又は後見人その他の法定代理人が相手方の提起した訴え又は上訴について訴訟行為をするには、保佐人若しくは保佐監督人、補助人若しくは補助監督人又は後見監督人の同意その他の授権を要しない。

②　被保佐人、被補助人又は後見人その他の法定代理人が次に掲げる訴訟行為をするには、特別の授権がなければならない。

一　訴えの取下げ、和解、請求の放棄若しくは認諾又は第四十八条（第五十条第三項及び第五十一条において準用する場合を含む。）の規定による脱退

二　控訴、上告又は第三百十八条第一項の申立ての取下げ

三　第三百六十条（第三百六十七条第二項、第三百七十八条第二項及び第三百八十一条の七第二項において準用する場合を含む。）の規定による異議の取下げ又はその取下げについての同意（令和四法四八本号改正）

（平成一一法一五一本条改正）

⊛❶【被保佐人の訴訟行為↓民一三①四【被補助人の訴訟行為↓民一七①【後見人↓民八三九・八四〇・八四三【本項の準用↓四〇④【保佐人↓民八七六の二【保佐監督人↓民八七六の三【補助人↓民八七六の七【補助監督人↓民八七六の八【後見監督人↓民八四八―八五二・八六四　❷【授権の証明↓民訴規一五【授権欠缺の場合の補正命令↓三四①【授権の追認↓三四②・三一二②四・三三八①□　【一】【訴えの取下げ↓二六一【和解↓八九・二六四・二六五・二六七、民執二二七【請求の放棄・認諾↓二六六・二六七、民執二二七　【二】【控訴・上告の取下げ↓二九二・三一三【上告受理の申立て↓三一八　【三】【手形判決に対する異議↓三五七―三六四　⁺【人事訴訟における特則↓人訴一三

（外国人の訴訟能力の特則）

第三三条　外国人は、その本国法によれば訴訟能力を有しない場合であっても、日本法によれば訴訟能力を有すべきときは、訴訟能力者とみなす。

⊛⁺【原則↓二八【外国人の権利能力↓民三②【外国人の能力の準拠法↓法適用四

（訴訟能力等を欠く場合の措置等）

第三四条①　訴訟能力、法定代理権又は訴訟行為をするのに必要な授権を欠くときは、裁判所は、期間を定めて、その補正を命じなければならない。この場合において、遅滞のため損害を生ずるおそれがあるときは、裁判所は、一時訴訟行為をさせることができる。

②　訴訟能力、法定代理権又は訴訟行為をするのに必要な授権を欠く者がした訴訟行為は、これらを有するに至った当事者又は法定代理人の追認により、行為の時にさかのぼってその効力を生ずる。

③　前二項の規定は、選定当事者が訴訟行為をする場合について準用する。

⊛⁺【訴訟能力↓二八・三一⊛【必要な授権↓三二②【法定代理権↓三二【法定代理権等の証明↓民訴規一五　❶【裁定期間↓九六①【急速を要する行為の例↓二六⊛　❷【追認と上告理由↓三一二②【追認のなかったときの訴訟費用の負担↓六九②　❸【選定当事者の資格の喪失↓三〇④⑤　❶❷【準用規定↓五九

（特別代理人）

第三五条①　法定代理人がない場合又は法定代理人が代理権を行うことができない場合において、未成年者又は成年被後見人に対し訴訟行為をしようとする者は、遅滞のため損害を受けるおそれがあることを疎明して、受訴裁判所の裁判長に特別代理人の選任を申し立てることができる。（平成一一法一五一本項改正）

②　裁判所は、いつでも特別代理人を改任することができる。

③　特別代理人が訴訟行為をするには、後見人と同一の授権がなければならない。

⊛❶【法定代理人↓二八・三一・三七【法定代理権を行えない場合の例↓民八二六・八六〇【未成年者↓民五【成年被後見人↓民八【疎明の方法↓一八八【裁判長↓一四八⊛　❶❷【特別代理人の選任・改任裁判の告知↓民訴規一六　❸【後見人に対する授権が必要な場合↓三二②、民八六四　⁺【民事執行法上の特別代理人↓民執四一②③

（法定代理権の消滅の通知）

第三六条①　法定代理権の消滅は、本人又は代理人から相手方に通知しなければ、その効力を生じない。

②　前項の規定は、選定当事者の選定の取消し及び変更について準用する。

⊛⁺【法定代理権の消滅等の届出↓民訴規一七　❶【法定代理権の消滅事由↓民八三四・八三四の二・八三五・八三七・八四四・八四六【代理権消滅と中断事由↓一二四①□【本項の準用↓五九　❷【選定当事者の選定の取消し・変更↓三〇④

（法人の代表者等への準用）

民訴

第三七条　この法律中法定代理及び法定代理人に関する規定は、法人の代表者及び法人でない社団又は財団でその名において訴え、又は訴えられることができるものの代表者又は管理人について準用する。

民訴規一八【非法人の社団・財団の当事者能力↓二九【法定代理及び法定代理人に関する規定↓二八、三一、三二、三四―三六、四〇④、五八①㊃、六九、九九①、一〇三①、一〇四①、一〇六②、一二四①㊀、一三四②㊀、一五一①㊀、二一一、二五二①㊄、二五四②、二八六②㊀、三一二②㊃、三三八①㊂㊆、三四三㊀、三八七①㊂

第二節　共同訴訟

（**共同訴訟の要件**）

第三八条　訴訟の目的である権利又は義務が数人について共通であるとき、又は同一の事実上及び法律上の原因に基づくときは、その数人は、共同訴訟人として訴え、又は訴えられることができる。訴訟の目的である権利又は義務が同種であって事実上及び法律上同種の原因に基づくときも、同様とする。

【権利義務が共通な場合の例↓民二四九、四二八、四三〇、四三六、信託七九【同一の原因に基づく場合の例↓民七一九【人事訴訟と必要的共同訴訟↓人訴一二②、四五②㊀【行政事件訴訟における共同訴訟↓行訴一七

（**共同訴訟人の地位**）

第三九条　共同訴訟人の一人の訴訟行為、共同訴訟人の一人に対する相手方の訴訟行為及び共同訴訟人の一人について生じた事項は、他の共同訴訟人に影響を及ぼさない。

【共同訴訟の要件↓三八【必要的共同訴訟の特則↓四〇

（**必要的共同訴訟**）

第四〇条①　訴訟の目的が共同訴訟人の全員について合一にのみ確定すべき場合には、その一人の訴訟行為は、全員の利益においてのみその効力を生ずる。

②　前項に規定する場合には、共同訴訟人の一人に対する相手方の訴訟行為は、全員に対してその効力を生ずる。

③　第一項に規定する場合において、共同訴訟人の一人について訴訟手続の中断又は中止の原因があるときは、その中断又は中止は、全員についてその効力を生ずる。

④　第三十二条第一項〈保佐人等の同意不要〉の規定は、第一項に規定する場合において、共同訴訟人の一人が提起した上訴について他の共同訴訟人である被保佐人若しくは被補助人又は他の共同訴訟人の後見人その他の法定代理人のすべき訴訟行為について準用する。

（平成一一法一五一本項改正）

❶【合一にのみ確定すべき場合の例↓民執一五七③、民六六八、八九八、信託七九、人訴一二②、四五②㊀、会社八二八―八三三、八三八、八四七、八五三、八五四、破一二六④、一二七、一二九、一三一ETC【共同訴訟参加↓五二【行政事件訴訟における参加人の地位↓行訴二二④　❸【訴訟手続の中断・中止の生ずる場合↓一二四、一二五、一三一　❹【上訴↓二八一、三一一、三二七①、三二八①、三三六、三三七　❶―❸【準用規定↓四七④　【人事訴訟における参加↓人訴一五

（**同時審判の申出がある共同訴訟**）

第四一条①　共同被告の一方に対する訴訟の目的である権利と共同被告の他方に対する訴訟の目的である権利とが法律上併存し得ない関係にある場合において、原告の申出があったときは、弁論及び裁判は、分離しないでしなければならない。

②　前項の申出は、控訴審の口頭弁論の終結の時までにしなければならない。

③　第一項の場合において、各共同被告に係る控訴事件が同一の控訴裁判所に各別に係属するときは、弁論及び裁判は、併合してしなければならない。

❶【各共同被告に対する請求が法律上併存し得ない場合の例↓民一一七、七一七【分離可能の原則と対比↓一五二①、二四三②【同時審判申出の撤回等↓民訴規一九　❷【口頭弁論の終結の時↓二五二①㊃　❸【弁論の併合↓一五二　❶❸【準用規定↓五〇③

第三節　訴訟参加

（**補助参加**）

第四二条　訴訟の結果について利害関係を有する第三者は、当事者の一方を補助するため、その訴訟に参加することができる。

【訴訟の結果について利害関係を有する第三者の例↓民九九、四四六【補助参加の許否↓四四【補助参加人がすることができる訴訟行為↓四五【補助参加人に対する判決の効力↓四六【他の訴訟参加↓四七、四九―五二【訴訟告知↓五三【行政事件訴訟における参加↓行訴二二、二三【人事訴訟における参加↓人訴一五、一六②【非訟事件における参加↓非訟二〇、二一【家事事件における参加↓家事四一、四二

（**補助参加の申出**）

第四三条①　補助参加の申出は、参加の趣旨及び理由を明らかにして、補助参加により訴訟行為をすべき裁判所にしなければならない。

②　補助参加の申出は、補助参加人としてすることができる訴訟行為とともにすることができる。

❶【補助参加申出書の送達等↓民訴規二〇【参加の取下げのあったときの費用の負担↓七三①【補助参加の場合の訴訟費用の負担↓六六　❷【参加人としてすることができる行為↓四五　【本条の準用↓四七④、五二②

（**補助参加についての異議等**）

第四四条①　当事者が補助参加について異議を述べたときは、裁判所は、補助参加の許否について、決定で、裁判をする。この場合においては、補助参加人は、参加の理由を疎明しなければならない。

②　前項の異議は、当事者がこれを述べないで弁論をし、又は弁論準備手続において申述をした後は、述べることができない。

③　第一項の裁判に対しては、即時抗告をすることができる。

❶【疎明の方法↓一八八【異議により生じた訴訟費用の負担↓六六【異議の取下げのあったときのその費用の負担↓七三①　❷【弁論↓八七、一四八―一六〇の二【弁論準備手続↓一六八―一七四　❸【即時抗告↓三三二

（**補助参加人の訴訟行為等**）

第四五条①　補助参加人は、訴訟について、攻撃又は防御の方法の提出、異議の申立て、上訴の提起、再審の

訴えの提起その他一切の訴訟行為をすることができる。ただし、補助参加の時における訴訟の程度に従いすることができないものは、この限りでない。

② 補助参加人の訴訟行為は、被参加人の訴訟行為と抵触するときは、その効力を有しない。

③ 補助参加人は、補助参加について異議があった場合においても、補助参加を許さない裁判が確定するまでの間は、訴訟行為をすることができる。

④ 補助参加人の訴訟行為は、補助参加を許さない裁判が確定した場合においても、当事者が援用したときは、その効力を有する。

⑤ 次に掲げる請求に関する規定の適用については、補助参加人（当事者が前条第一項の異議を述べた場合において補助参加を許す裁判が確定したもの及び当事者が同条第二項の規定により異議を述べることができなくなったものに限る。）を当事者とみなす。

一 非電磁的訴訟記録（第九十一条第一項に規定する非電磁的訴訟記録をいう。）の閲覧若しくは謄写、その正本、謄本若しくは抄本の交付又はその複製（第九十二条第一項において「非電磁的訴訟記録の閲覧等」という。）の請求

二 電磁的訴訟記録（第九十一条の二第一項に規定する電磁的訴訟記録をいう。）の閲覧若しくは複写又はその内容の全部若しくは一部を証明した書面の交付若しくはその内容の全部若しくは一部を証明した電磁的記録の提供（第九十二条第一項において「電磁的訴訟記録の閲覧等」という。）の請求

三 第九十一条の三に規定する訴訟に関する事項を証明した書面の交付又は当該事項を証明した電磁的記録の提供の請求

（令和四法四八本項追加）

§❶❷【攻撃防御方法の提出↓一五六【異議↓三二九、三五七、三八六【上訴↓二八一、三一一、三一八、三二七、三二八、三三〇、三三六、三三七【再審の訴え↓三三八、三四九【訴訟の程度に従いすることができないもの↓一五七、一五七の二、二四五、二九九、三一二、三二一【準用規定↓行訴二三③、四五② ❸❹【補助参加についての異議と許否の裁判↓四四【補助参加を許さない裁判の確定↓四四③、三三二、三三〇、三三七【準用規定↓行訴二二⑤ ❺[二][三]【電磁的記録↓三の七③

（補助参加人に対する裁判の効力）

第四六条 補助参加に係る訴訟の裁判は、次に掲げる場合を除き、補助参加人に対してもその効力を有する。

一 前条第一項ただし書の規定により補助参加人が訴訟行為をすることができなかったとき。

二 前条第二項の規定により補助参加人の訴訟行為が効力を有しなかったとき。

三 被参加人が補助参加人の訴訟行為を妨げたとき。

四 被参加人が補助参加人のすることができない訴訟行為を故意又は過失によってしなかったとき。

§+【訴訟告知と本条の効果↓五三④

（独立当事者参加）

第四七条① 訴訟の結果によって権利が害されることを主張する第三者又は訴訟の目的の全部若しくは一部が自己の権利であることを主張する第三者は、その訴訟の当事者の双方又は一方を相手方として、当事者としてその訴訟に参加することができる。

② 前項の規定による参加の申出は、書面でしなければならない。

③ 前項の書面は、当事者双方に送達しなければならない。

④ 第四十条第一項から第三項まで〈必要的共同訴訟〉の規定は第一項の訴訟の当事者及び同項の規定によりその訴訟に参加した者について、第四十三条〈補助参加の申出〉の規定は同項の規定による参加の申出について準用する。

§❶【訴訟の結果によって権利が害されることを主張する例↓会社八五三【訴訟の目的が自己の権利であることを主張する例↓民五六一【参加による脱退↓四八【他の訴訟参加↓四二、五二【人事訴訟における検察官の関与↓人訴二三 ❷【手数料の額↓民訴費別表第一〈七の項〉 ❸【送達↓九八§ ❷❸【準用規定↓五二②

（訴訟脱退）

第四八条 前条第一項の規定により自己の権利を主張するため訴訟に参加した者がある場合には、参加前の原告又は被告は、相手方の承諾を得て訴訟から脱退することができる。この場合において、判決は、脱退した当事者に対してもその効力を有する。

§+【特別授権の必要↓三二②、五五②[二]【既判力の主観的範囲↓一一五【本条の準用↓五〇③、五一

（権利承継人の訴訟参加の場合における時効の完成猶予等）

第四九条① 訴訟の係属中その訴訟の目的である権利の全部又は一部を譲り受けたことを主張する者が第四十七条第一項の規定により訴訟参加をしたときは、時効の完成猶予に関しては、当該訴訟の係属の初めに、裁判上の請求があったものとみなす。

② 前項に規定する場合には、その参加は、訴訟の係属の初めに遡って法律上の期間の遵守の効力を生ずる。

（平成二九法四五本項追加）

（平成二九法四五本条改正）

§+【時効の完成猶予・期間遵守の効力発生時の原則↓一四七、民一四七①[一]【法律上の期間の例↓一四七§【義務承継人の訴訟参加↓五一【当事者の申立てによる承継人の訴訟引受け↓五〇、五一【一般承継の場合の中断・受継↓一二四【本条の準用↓五〇③、五一

（義務承継人の訴訟引受け）

第五〇条① 訴訟の係属中第三者がその訴訟の目的である義務の全部又は一部を承継したときは、裁判所は、当事者の申立てにより、決定で、その第三者に訴訟を引き受けさせることができる。

② 裁判所は、前項の決定をする場合には、当事者及び第三者を審尋しなければならない。

③ 第四十一条第一項及び第三項〈同時審判の申出がある共同訴訟〉並びに前二条の規定は、第一項の規定により訴訟を引き受けさせる決定があった場合について準用する。

§+【一般承継の場合の中断・受継↓一二四 ❶【申立ての方式↓民訴規二一 ❷【決定手続と当事者の審尋↓八七②③

（義務承継人の訴訟参加及び権利承継人の訴訟引受け）

第五一条　第四十七条から第四十九条まで〈独立当事者参加、訴訟脱退、権利承継人の訴訟参加による時効の完成猶予等〉の規定は訴訟の係属中その訴訟の目的である義務の全部又は一部を承継したことを主張する第三者の訴訟参加について、前条の規定は訴訟の係属中第三者がその訴訟の目的である権利の全部又は一部を譲り受けた場合について準用する。

⊛+【義務承継人の訴訟引受け↓五〇【権利承継人の訴訟参加↓四九

（共同訴訟参加）

第五二条①　訴訟の目的が当事者の一方及び第三者について合一にのみ確定すべき場合には、その第三者は、共同訴訟人としてその訴訟に参加することができる。

②　第四十三条〈補助参加の申出〉並びに第四十七条第二項及び第三項〈参加申出の方式、書面の送達〉の規定は、前項の規定による参加の申出について準用する。

⊛❶【一方と第三者につき合一にのみ確定すべき場合の例↓会社八三〇・八三一・八四〇・八四九、民執一五七①【共同訴訟人間で合一にのみ確定すべき場合の規制↓四〇【手数料の額↓民訴費別表第一（七の項）【他の訴訟参加↓四二・四七【人事訴訟における検察官の関与↓人訴二三

（訴訟告知）

第五三条①　当事者は、訴訟の係属中、参加することができる第三者にその訴訟の告知をすることができる。

②　訴訟告知を受けた者は、更に訴訟告知をすることができる。

③　訴訟告知は、その理由及び訴訟の程度を記載した書面を裁判所に提出してしなければならない。

④　訴訟告知を受けた者が参加しなかった場合においても、第四十六条の規定の適用については、参加することができた時に参加したものとみなす。

⊛❶【参加のできる第三者↓四二・四七・四九—五二【訴訟告知の義務↓民四二三の六、四二四の七②、会社八四九④　❸【書面の送達・送付↓民訴規二二　❹【告知による時効の完成猶予↓手七〇③、八六【被告知者の不参加↓四六　+【訴訟係属の通知・公示↓人訴二八

第四節　訴訟代理人及び補佐人

（訴訟代理人の資格）

第五四条①　法令により裁判上の行為をすることができる代理人のほか、弁護士でなければ訴訟代理人となることができない。ただし、簡易裁判所においては、その許可を得て、弁護士でない者を訴訟代理人とすることができる。

②　前項の許可は、いつでも取り消すことができる。

⊛❶【訴訟代理権の証明等↓民訴規二三【法令により裁判上の行為ができる代理人の例↓会社一一①、商二一①・六九八①・七〇八①【弁護士↓弁護【法律事務の取扱いに関する取締り↓弁護七二—七四【簡裁事件↓裁三三①㈠【弁護士の付添命令↓一五五②、民訴規六五【弁護士の選任↓人訴一三②③【当事者本人の出頭命令↓一五一①㈠、民訴規三二、人訴二一

（訴訟代理権の範囲）

第五五条①　訴訟代理人は、委任を受けた事件について、反訴、参加、強制執行、仮差押え及び仮処分に関する訴訟行為をし、かつ、弁済を受領することができる。

②　訴訟代理人は、次に掲げる事項については、特別の委任を受けなければならない。

一　反訴の提起

二　訴えの取下げ、和解、請求の放棄若しくは認諾又は第四十八条（第五十条第三項及び第五十一条において準用する場合を含む。）の規定による脱退

三　控訴、上告若しくは第三百十八条第一項の申立て又はこれらの取下げ

四　第三百六十条（第三百六十七条第二項、第三百七十八条第二項及び第三百八十一条の七第二項において準用する場合を含む。）の規定による異議の取下げ又はその取下げについての同意（令和四法四八本号改正）

五　代理人の選任

③　訴訟代理権は、制限することができない。ただし、弁護士でない訴訟代理人については、この限りでない。

④　前三項の規定は、法令により裁判上の行為をすることができる代理人の権限を妨げない。

⊛❶【訴訟代理人になり得る者↓五四⊛【反訴↓一四六、三〇〇【参加↓四二—五二【強制執行↓民執二二—一七七【仮差押え↓民保二〇—二二、四七—五一【仮処分↓民保二三—二五の二、五二—六五　❷㈠【反訴の提起↓一四六、三〇〇　㈡【訴えの取下げ↓二六一・二六二【和解↓八九、二六四、二六五、二六六・二六七、二七五、民執二二㈦、三三②㈥、三九①㈢㈣【放棄・認諾↓二六六、二六七、民執二二㈦、三九①㈢　㈢【控訴及びその取下げ↓二八一・二九二【上告・上告受理の申立て及びその取下げ↓三一一・三一八、三一三　㈣【手形訴訟の終局判決に対する異議とその取下げ↓三五七・三六〇　㈤【代理人の資格↓五四、民訴規二三　❸【弁護士でない訴訟代理人↓五四①但　❹【法令により裁判上の行為ができる代理人↓五四①⊛

（個別代理）

第五六条①　訴訟代理人が数人あるときは、各自当事者を代理する。

②　当事者が前項の規定と異なる定めをしても、その効力を生じない。

⊛+【共同代理の場合の送達↓九九②【共同代理の場合の期日変更の制限↓民訴規三七㈢【連絡担当訴訟代理人↓民訴規二三の二

（当事者による更正）

第五七条　訴訟代理人の事実に関する陳述は、当事者が直ちに取り消し、又は更正したときは、その効力を生じない。

⊛+【補佐人の陳述に対する更正権との対比↓六〇③

（訴訟代理権の不消滅）

第五八条①　訴訟代理権は、次に掲げる事由によっては、消滅しない。

一　当事者の死亡又は訴訟能力の喪失

二　当事者である法人の合併による消滅

三　当事者である受託者の信託に関する任務の終了

四　法定代理人の死亡、訴訟能力の喪失又は代理権の消滅若しくは変更

② 一定の資格を有する者で自己の名で他人のために訴訟の当事者となるものの訴訟代理人の代理権は、当事者の死亡その他の事由による資格の喪失によっては、消滅しない。

③ 前項の規定は、選定当事者が死亡その他の事由により資格を喪失した場合について準用する。

❶【訴訟代理権の範囲↓五五【民法の委任代理の消滅原因↓民一一一・六五三【中断事由と訴訟代理人がある間の不中断↓一二四①②　[一]【訴訟能力↓二八　[二]【法人の合併による消滅↓会社六四一・七五一―七五六　[三]【信託に関する任務の終了↓信託五六―五八　[四]【法定代理権とその消滅↓二八、三六　❷【自己の名で他人のため訴訟の当事者となる者の例↓破八〇、会更七四、商八〇三②③、信託一二五【既判力の主観的範囲↓一一五①㈡　❸【選定当事者の資格喪失↓三〇⑤、三六②、一二四①㈥

（法定代理の規定の準用）

第五九条　第三十四条第一項及び第二項〈訴訟能力等を欠く場合の措置〉並びに第三十六条第一項〈法定代理権の消滅の通知〉の規定は、訴訟代理について準用する。

（補佐人）

第六〇条①　当事者又は訴訟代理人は、裁判所の許可を得て、補佐人とともに出頭することができる。

② 前項の許可は、いつでも取り消すことができる。

③ 補佐人の陳述は、当事者又は訴訟代理人が直ちに取り消し、又は更正しないときは、当事者又は訴訟代理人が自らしたものとみなす。

❶【補佐人との関係における裁判官の除斥原因↓二三①㈤【補佐人の陳述禁止↓一五五①【調書の記載事項↓民訴規六六①㈣　❷【訴訟代理人の陳述に対する当事者の更正権との対比↓五七

第四章　訴訟費用

第一節　訴訟費用の負担

（訴訟費用の負担の原則）

第六一条　訴訟費用は、敗訴の当事者の負担とする。

†【訴訟費用に算入されるもの↓二四一・二七五②、三九五【訴訟費用の担保↓七五―八一【訴訟上の救助↓八二―八六【検察官を当事者とする人事訴訟↓人訴一六

（不必要な行為があった場合等の負担）

第六二条　裁判所は、事情により、勝訴の当事者に、その権利の伸張若しくは防御に必要でない行為によって生じた訴訟費用又は行為の時における訴訟の程度において相手方の権利の伸張若しくは防御に必要であった行為によって生じた訴訟費用の全部又は一部を負担させることができる。

†【敗訴者負担の原則↓六一【費用負担の裁判↓六七

（訴訟を遅滞させた場合の負担）

第六三条　当事者が適切な時期に攻撃若しくは防御の方法を提出しないことにより、又は期日若しくは期間の不遵守その他当事者の責めに帰すべき事由により訴訟を遅滞させたときは、裁判所は、その当事者に、その勝訴の場合においても、遅滞によって生じた訴訟費用の全部又は一部を負担させることができる。

†【敗訴者負担の原則↓六一【攻撃防御方法の提出時期↓一五六―一五七の二、一七四、三〇一【期日及び期間↓九三―九七【期日の不遵守↓一五八、一五九③、一六〇【費用負担の裁判↓六七

（一部敗訴の場合の負担）

第六四条　一部敗訴の場合における各当事者の訴訟費用の負担は、裁判所が、その裁量で定める。ただし、事情により、当事者の一方に訴訟費用の全部を負担させることができる。

†【敗訴者負担の原則↓六一

（共同訴訟の場合の負担）

第六五条①　共同訴訟人は、等しい割合で訴訟費用を負担する。ただし、裁判所は、事情により、共同訴訟人に連帯して訴訟費用を負担させ、又は他の方法により負担させることができる。

② 裁判所は、前項の規定にかかわらず、権利の伸張又は防御に必要でない行為をした当事者に、その行為によって生じた訴訟費用を負担させることができる。

†【共同訴訟人↓三八―四一・五二【連帯↓民四三六―四四一【費用負担の裁判↓六七

（補助参加の場合の負担）

第六六条　第六十一条から前条まで〈訴訟費用の敗訴者負担の原則と特則〉の規定は、補助参加についての異議によって生じた訴訟費用の補助参加人とその異議を述べた当事者との間における負担の関係及び補助参加によって生じた訴訟費用の補助参加人と相手方との間における負担の関係について準用する。

†【補助参加に対する異議↓四四【費用負担の裁判↓六七

（訴訟費用の負担の裁判）

第六七条①　裁判所は、事件を完結する裁判において、職権で、その審級における訴訟費用の全部について、その負担の裁判をしなければならない。ただし、事情により、事件の一部又は中間の争いに関する裁判において、その費用についての負担の裁判をすることができる。

② 上級の裁判所が本案の裁判を変更する場合には、訴訟の総費用について、その負担の裁判をしなければならない。事件の差戻し又は移送を受けた裁判所がその事件を完結する裁判をする場合も、同様とする。

❶【終局判決↓二四三【訴訟費用負担の裁判の脱漏↓二五八②―④【一部判決↓二四三②③【中間判決↓二四五【本条の特則↓三六三【行政事件訴訟における訴訟費用の裁判↓行訴三五、四五　❷【上級審における本案の裁判の変更↓三〇五―三〇八、三二五、三二六【差戻し↓三〇七、三〇八、三二五【移送↓一六―二二、二七四、三〇九、三二四　†【費用負担の裁判に対する独立上訴の禁止↓二八二【費用額の確定↓七一―七四

（和解の場合の負担）

第六八条　当事者が裁判所において和解をした場合において、和解の費用又は訴訟費用の負担について特別の定めをしなかったときは、その費用は、各自が負担する。

†【和解↓八九、二六四、二六五、二六七、二七五【和解で負担を決めた場合の費用額の確定↓七二

（法定代理人等の費用償還）

第六九条① 法定代理人、訴訟代理人、裁判所書記官又は執行官が故意又は重大な過失によって無益な訴訟費用を生じさせたときは、受訴裁判所は、申立てにより又は職権で、これらの者に対し、その費用額の償還を命ずることができる。

② 前項の規定は、法定代理人又は訴訟代理人として訴訟行為をした者が、その代理権又は訴訟行為をするのに必要な授権があることを証明することができず、かつ、追認を得ることができなかった場合において、その訴訟行為によって生じた訴訟費用について準用する。

③ 第一項（前項において準用する場合を含む。）の規定による決定に対しては、即時抗告をすることができる。

参照 ❶【法定代理人→二八【訴訟代理人→五四【裁判所書記官→裁六〇【執行官→裁六二 ❷【代理権・必要な授権の証明→民訴規一五、二三【追認→三四②、五九 ❸【即時抗告→三三二【証人に対する費用負担命令→一九二、二〇〇、二〇一⑤

（無権代理人の費用負担）

第七〇条 前条第二項に規定する場合において、裁判所が訴えを却下したときは、訴訟費用は、代理人として訴訟行為をした者の負担とする。

参照+【敗訴者負担の原則→六一【不適法な訴えの却下→一四〇

（訴訟費用額の確定手続）

第七一条① 訴訟費用の負担の額は、その負担の裁判が執行力を生じた後に、申立てにより、第一審裁判所の裁判所書記官が定める。

② 前項の申立ては、訴訟費用の負担の裁判が確定した日から十年以内にしなければならない。（令和四法四八本項追加）

③ 第一項の場合において、当事者双方が訴訟費用を負担するときは、最高裁判所規則で定める場合を除き、各当事者の負担すべき費用は、その対当額について相殺があったものとみなす。

④ 第一項の申立てに関する処分は、相当と認める方法で告知することによって、その効力を生ずる。

⑤ 前項の処分に対する異議の申立ては、その告知を受けた日から一週間の不変期間内にしなければならない。

⑥ 前項の異議の申立ては、執行停止の効力を有する。

⑦ 裁判所は、第一項の規定による額を定める処分に対する異議の申立てを理由があると認める場合において、訴訟費用の負担の額を定めるべきときは、自らその額を定めなければならない。

⑧ 第五項の異議の申立てについての決定に対しては、即時抗告をすることができる。

参照 ❶【訴訟費用の負担の裁判→六一―六七【裁判の執行力の発生時期→一一六、二五九、一一九、三三二【申立ての方式→民訴規二四【裁判所書記官→裁六〇【弁護士又は執行官が申し立てる場合→八五【費用額確定処分の仕方・方式→民訴規二五、二六【費用額確定処分は債務名義→民執二二[四の二] ❸【双方が訴訟費用を負担する場合の例→六一―六四【規則で定める場合→民訴規二七【相殺→民五〇五① ❹【裁判所書記官の処分の告知→一一九 ❺❻【裁判所書記官の処分に対する異議の申立て→一二一 ❽【即時抗告→三三二 ❹―❻❽【準用規定→七四②

（和解の場合の費用額の確定手続）

第七二条 当事者が裁判所において和解をした場合において、和解の費用又は訴訟費用の負担を定め、その額を定めなかったときは、その額は、申立てにより、第一審裁判所（第二百七十五条の和解にあっては、和解が成立した裁判所）の裁判所書記官が定める。この場合においては、前条第二項から第八項までの規定を準用する。（令和四法四八本条改正）

参照+【和解の場合の各自負担の原則→六八【申立ての方式→民訴規二四【和解の費用額確定処分は債務名義→民執二二[四の二]【裁判所書記官→裁六〇【弁護士・執行官が当事者に代わり申し立てる場合→八五

（訴訟が裁判及び和解によらないで完結した場合等の取扱い）

第七三条① 訴訟が裁判及び和解によらないで完結したときは、申立てにより、第一審裁判所は決定で訴訟費用の負担を命じ、その裁判所の裁判所書記官はその決定が執行力を生じた後にその負担の額を定めなければならない。補助参加の申出の取下げ又は補助参加についての異議の取下げがあった場合も、同様とする。

② 第六十一条から第六十六条まで〈訴訟費用の負担の原則と特則〉及び第七十一条第八項〈即時抗告〉の規定は前項の申立てについての決定について、同条第二項〈申立期限〉の規定は前項の申立てについて、同条第三項及び第四項〈対当額の相殺、処分の告知〉の規定は前項の申立てに関する裁判所書記官の処分について、同条第五項から第八項まで〈異議申立期間、執行停止、裁判所による負担額の決定、即時抗告〉の規定はその処分に対する異議の申立てについて、それぞれ準用する。この場合において、同条第二項中「訴訟費用の負担の裁判が確定した」とあるのは、「訴訟が完結した」と読み替えるものとする。（令和四法四八本項改正）

参照 ❶【裁判・和解によらない訴訟完結→二六一、二六二、二六六、二六七、二八四、二九二、三一三、三一八⑤【補助参加の異議→四四【申立ての方式→民訴規二四【弁護士又は執行官が当事者に代わり申し立てる場合→八五

（費用額の確定処分の更正）

第七四条① 第七十一条第一項、第七十二条又は前条第一項の規定による額を定める処分に計算違い、誤記その他これらに類する明白な誤りがあるときは、裁判所書記官は、申立てにより又は職権で、いつでもその処分を更正することができる。

② 第七十一条第四項から第六項まで〈処分の告知、異議申立期間、執行停止〉及び第八項〈即時抗告〉の規定は、前項の規定による更正の処分及びこれに対する異議の申立てについて準用する。

③ 第一項に規定する額を定める処分に対し適法な異議の申立てがあったときは、前項の異議の申立ては、することができない。

参照 ❶【判決における計算違い等の場合→二五七【申立ての方式→民訴規二八 ❸【費用額確定処分に対する異議→七一⑤―⑦ ❶❷【準用規定→三八九①

第二節　訴訟費用の担保

（担保提供命令）

第七五条① 原告が日本国内に住所、事務所及び営業所を有しないときは、裁判所は、被告の申立てにより、決定で、訴訟費用の担保を立てるべきことを原告に命じなければならない。その担保に不足を生じたときも、同様とする。

② 前項の規定は、金銭の支払の請求の一部について争いがない場合において、その額が担保として十分であるときは、適用しない。

③ 被告は、担保を立てるべき事由があることを知った後に本案について弁論をし、又は弁論準備手続において申述をしたときは、第一項の申立てをすることができない。

④ 第一項の申立てをした被告は、原告が担保を立てるまで応訴を拒むことができる。

⑤ 裁判所は、第一項の決定において、担保の額及び担保を立てるべき期間を定めなければならない。

⑥ 担保の額は、被告が全審級において支出すべき訴訟費用の総額を標準として定める。

⑦ 第一項の申立てについての決定に対しては、即時抗告をすることができる。

参❶【住所・事務所・営業所→民二二―二四、一般法人四、会社四・八一七【訴訟費用→六一 参【担保提供の方法→七六【担保の提供・不提供の効果→七七・七八【担保の取消し→七九 ❷【請求の認諾→二六六・二六七 ❸【弁論→八七・一四八―一六〇の二【弁論準備手続→一六八―一七四 ❹【応訴→一六二 ❺【期間の算定→九五【裁定期間→九六①【期間内に担保を提供しないときの効果→七八 ❻【訴訟費用の範囲→六一 参 ❼【即時抗告→三三二 +【原告が担保を立てるべき他の場合→八一 参

（担保提供の方法）

第七六条 担保を立てるには、担保を立てるべきことを命じた裁判所の所在地を管轄する地方裁判所の管轄区域内の供託所に金銭又は裁判所が相当と認める有価証券（社債、株式等の振替に関する法律（平成十三年法律第七十五号）第二百七十八条第一項に規定する振替債を含む。次条において同じ。）を供託する方法その他最高裁判所規則で定める方法によらなければならない。ただし、当事者が特別の契約をしたときは、その契約による。（平成一四法六五、平成一六法八八本条改正）

参+【供託所→供一【供託の手続→供二【規則で定める方法→民訴規二九【担保変換の契約→八〇

（担保物に対する被告の権利）

第七七条 被告は、訴訟費用に関し、前条の規定により供託した金銭又は有価証券について、他の債権者に先立ち弁済を受ける権利を有する。

参+【優先弁済請求権→民三〇三・三四二・三六九

（担保不提供の効果）

第七八条 原告が担保を立てるべき期間内にこれを立てないときは、裁判所は、口頭弁論を経ないで、判決で、訴えを却下することができる。ただし、判決前に担保を立てたときは、この限りでない。

参+【担保を供すべき期間→七五⑤【必要的口頭弁論の原則→八七【口頭弁論を経ない訴え却下の例→一四〇・一四一

（担保の取消し）

第七九条① 担保を立てた者が担保の事由が消滅したことを証明したときは、裁判所は、申立てにより、担保の取消しの決定をしなければならない。

② 担保を立てた者が担保の取消しについて担保権利者の同意を得たことを証明したときも、前項と同様とする。

③ 訴訟の完結後、裁判所書記官が、担保を立てた者の申立てにより、担保権利者に対し、一定の期間内にその権利を行使すべき旨を催告し、担保権利者がその行使をしないときは、担保の取消しについて担保権利者の同意があったものとみなす。（令和四法四八本項改正）

④ 第一項及び第二項の規定による決定に対しては、即時抗告をすることができる。

参❶【担保を立てるべき事由→七五①【期間の計算→九五【裁定期間→九六① ❸【訴訟の完結→二四三・二六一―二六七 ❹【即時抗告→三三二

（担保の変換）

第八〇条 裁判所は、担保を立てた者の申立てにより、決定で、その担保の変換を命ずることができる。ただし、その担保を契約によって他の担保に変換することを妨げない。

参+【担保提供に関する契約→七六

（他の法令による担保への準用）

第八一条 第七十五条第四項、第五項及び第七項（応訴拒絶、立担保の額・期間、即時抗告）並びに第七十六条から前条まで（担保提供の方法、担保物に対する権利、不提供の効果、担保の取消し・変換）の規定は、他の法令により訴えの提起について立てるべき担保について準用する。

参+【他の法令により起訴につき担保を立てるべき場合→会社八二
④四・八二七・八三六・八四七の四②・四九一、一般法人二六一

第三節　訴訟上の救助

（救助の付与）

第八二条① 訴訟の準備及び追行に必要な費用を支払う資力がない者又はその支払により生活に著しい支障を生ずる者に対しては、裁判所は、申立てにより、訴訟上の救助の決定をすることができる。ただし、勝訴の見込みがないとはいえないときに限る。

② 訴訟上の救助の決定は、審級ごとにする。

参❶【救助の申立ての方式及び事由の疎明→民訴規三〇【決定に対する即時抗告→八六・三三二 ❷【審級→裁七・一六・二四・三三

（救助の効力等）

第八三条① 訴訟上の救助の決定は、その定めるところに従い、訴訟及び強制執行について、次に掲げる効力を有する。

一　裁判費用並びに執行官の手数料及びその職務の執行に要する費用の支払の猶予

二　裁判所において付添いを命じた弁護士の報酬及び

二　費用の支払の猶予
三　訴訟費用の担保の免除
② 訴訟上の救助の決定は、これを受けた者のためにのみその効力を有する。
③ 裁判所は、訴訟の承継人に対し、決定で、猶予した費用の支払を命ずる。

参❶〔二〕【裁判所が付添いを命じた弁護士↓一五五②、人訴一三② ③〔三〕【訴訟費用の担保↓七五 ❸【訴訟の承継人↓一二四① 〔二〕〔三〕【不服申立て↓八六・三三二

（救助の決定の取消し）
第八四条　訴訟上の救助の決定を受けた者が第八十二条第一項本文に規定する要件を欠くことが判明し、又はこれを欠くに至ったときは、訴訟記録の存する裁判所は、利害関係人の申立てにより又は職権で、決定により、いつでも訴訟上の救助の決定を取り消し、猶予した費用の支払を命ずることができる。

参+【訴訟救助の要件↓八二①【訴訟記録の存する裁判所↓一六〇・四〇四①、民訴規一七四・一八五・一九七【不服申立て↓八六・三三二

（猶予された費用等の取立方法）
第八五条　訴訟上の救助の決定を受けた者に支払を猶予した費用は、これを負担することとされた相手方から直接に取り立てることができる。この場合において、弁護士又は執行官は、報酬又は手数料及び費用について、訴訟上の救助の決定を受けた者に代わり、第七十一条第一項、第七十二条又は第七十三条第一項の申立て及び強制執行をすることができる。

参+【支払を猶予した費用↓八三①〔一〕〔二〕【負担することとされた相手方↓六一―六八【強制執行↓民執二二

（即時抗告）
第八六条　この節に規定する決定に対しては、即時抗告をすることができる。

参+【本節に規定する決定↓八二①・八三③・八四【即時抗告期間↓三三二

第五章　訴訟手続

第一節　訴訟の審理等

（口頭弁論の必要性）
第八七条① 当事者は、訴訟について、裁判所において口頭弁論をしなければならない。ただし、決定で完結すべき事件については、裁判所が、口頭弁論をすべきか否かを定める。
② 前項ただし書の規定により口頭弁論をしない場合には、裁判所は、当事者を審尋することができる。
③ 前二項の規定は、特別の定めがある場合には、適用しない。

参❶【開廷の場所↓裁六九【口頭弁論の公開↓憲八二、裁七〇【非公開審理↓人訴二二、特許一〇五の七、不正競争一三【口頭弁論期日の指定↓九三・一三九、民訴規六〇【決定↓一一九 参❷【決定で完結すべき事件における参考人等の審尋↓一八七 ❸【口頭弁論に代わる審尋↓三三五【審尋調書↓民訴規七八【特別の定めの例―(イ)訴訟につき口頭弁論を経ずに判決できる場合↓七八・一四〇・二五六②・二九〇・三一三・三一九・三五五・三五九【同前―(ロ)訴訟につき決定できる場合↓一四一・二八七・二九一・三一六・三一七・三四五【同前―(ハ)決定につき審尋が必要的な場合↓五〇②・一九九①・二二三②・三四六②、民執八三③・一〇二・一一六④・一六一②・一七一③・一七二③・一七四③、破七五②、会更二二・九六③、行訴二一③・二二②・二三②・二五⑤【同前―(ニ)決定につき審尋無用の場合↓民執一四五②・一七〇②【同前―(ホ)決定につき審問・審尋の期日を開く場合↓一八七②、借地借家五一、民保二三④・二九・四〇①・四一④【同前―(ヘ)裁判所書記官処分につき審尋無用の場合↓三八六①

（映像と音声の送受信による通話の方法による口頭弁論等）
第八七条の二① 裁判所は、相当と認めるときは、当事者の意見を聴いて、最高裁判所規則で定めるところにより、裁判所及び当事者双方が映像と音声の送受信により相手の状態を相互に認識しながら通話をすることができる方法によって、口頭弁論の期日における手続を行うことができる。
② 裁判所は、相当と認めるときは、当事者の意見を聴いて、最高裁判所規則で定めるところにより、裁判所及び当事者双方が音声の送受信により同時に通話をすることができる方法によって、審尋の期日における手続を行うことができる。
③ 前二項の期日に出頭しないでその手続に関与した当事者は、その期日に出頭したものとみなす。
（令和四法四八本条追加）

参❶【映像と音声の送受信↓一五四②・一八五③・一八七③・二〇四・二一五の三・二三三の二・二七七の二【確認すべき事項・調書への記載↓民訴規三〇の二 ❷【審尋↓八七②参【確認すべき事項・調書への記載↓民訴規三〇の三【音声の送受信↓八九②・九二の三・一七〇③・一七六②・三七二③

（受命裁判官による審尋）
第八八条　裁判所は、審尋をする場合には、受命裁判官にこれを行わせることができる。

参+【審尋↓八七②参【受命裁判官の指定↓民訴規三一①【受命裁判官の他の権限↓八九・一七一・一七六①・一八五①・一九五・二〇六・二一三・二一四②・二三三・二三九・二六四・二六五①・二六六②・二六八、人訴三三②

（和解の試み等）
第八九条① 裁判所は、訴訟がいかなる程度にあるかを問わず、和解を試み、又は受命裁判官若しくは受託裁判官に和解を試みさせることができる。
② 裁判所は、相当と認めるときは、当事者の意見を聴いて、最高裁判所規則で定めるところにより、裁判所及び当事者双方が音声の送受信により同時に通話をすることができる方法によって、和解の期日における手続を行うことができる。（令和四法四八本項追加）
③ 前項の期日に出頭しないで同項の手続に関与した当事者は、その期日に出頭したものとみなす。（令和四法四八本項追加）
④ 第百四十八条〈裁判長の訴訟指揮権〉、第百五十条〈訴訟指揮等に対する異議〉、第百五十四条〈通訳人の立会い等〉及び第百五十五条〈弁論能力を欠く者に対する措置〉の規定は、和解の手続について準用する。（令和四法四八本項追加）

⑤ 受命裁判官又は受託裁判官が和解の試みを行う場合には、第二項の規定並びに前項において準用する第百四十八条、第百五十四条及び第百五十五条の規定による裁判所及び裁判長の職務は、その裁判官が行う。

（令和四法四八本項追加）

⊗+【和解の方法→民訴規三二【和解の代理権→三二②㊂・五五②㊂【起訴前の和解→二七五【裁判所による和解条項の決定→二六五【書面による和解条項案の受諾→二六四【和解に代わる決定→二七五の二【和解調書の効力→二六七【和解の場合の訴訟費用→六八・七二【仲裁における和解→仲裁三八【受命裁判官→八八⊗【受託裁判官→裁七九、民訴規三一②【受託裁判官による和解→二六四・二六五①【受託裁判官の他の権限→一八五・一九五・二〇六・二一三・二一四②・二三三、人訴三三②【請求の放棄・認諾の陳述とみなす権限→二六六②【訴訟係属中の調停→民調二〇①・二〇の三、家事二七四・二七五【人事訴訟における和解→人訴一九②・三七【専門委員の関与→九二の二④ ❷【音声の送受信→八七の二②⊗

（訴訟手続に関する異議権の喪失）

第九〇条 当事者が訴訟手続に関する規定の違反を知り、又は知ることができた場合において、遅滞なく異議を述べないときは、これを述べる権利を失う。ただし、放棄することができないものについては、この限りでない。

⊗+【弁論・申述により申立権を喪失する例→一二・一九・二四②・四四②・七五③・二六一②・三〇〇・三七三①【異議権を放棄し得ない手続規定違反の例→一三・二〇・三一二②㊂・二八―三七・三一二②㊃、憲八二、裁七〇、三一二②㊄・三二二

（非電磁的訴訟記録の閲覧等）

第九一条① 何人も、裁判所書記官に対し、非電磁的訴訟記録（訴訟記録中次条第一項に規定する電磁的訴訟記録を除いた部分をいう。以下この条において同じ。）の閲覧を請求することができる。

② 公開を禁止した口頭弁論に係る非電磁的訴訟記録については、当事者及び利害関係を疎明した第三者に限り、前項の規定による請求をすることができる。非電磁的訴訟記録中第二百六十四条の和解条項案に係る部分、第二百六十五条第一項の規定による和解条項の定めに係る部分及び第二百六十七条第一項に規定する和解（口頭弁論の期日において成立したものを除く。）に係る部分についても、同様とする。

③ 当事者及び利害関係を疎明した第三者は、裁判所書記官に対し、非電磁的訴訟記録の謄写又はその正本、謄本若しくは抄本の交付を請求することができる。

④ 前項の規定は、非電磁的訴訟記録中の録音テープ又はビデオテープ（これらに準ずる方法により一定の事項を記録した物を含む。）に関しては、適用しない。この場合において、これらの物について当事者又は利害関係を疎明した第三者の請求があるときは、裁判所書記官は、その複製を許さなければならない。

⑤ 非電磁的訴訟記録の閲覧、謄写及び複製の請求は、非電磁的訴訟記録の保存又は裁判所の執務に支障があるときは、することができない。

（令和四法四八本条改正）

⊗+【訴訟記録の閲覧等の請求の方式→民訴規三三【訴訟記録の正本等の様式→民訴規三三の二 ❶【裁判所書記官の記録保管→裁六〇【裁判所書記官による執行文付与→民執二六①【電磁的記録→三の七③【電磁的訴訟記録→九一の二① ❶❸【電子情報処理組織による申立て→一三二の一〇⑥ ❷【公開を禁止した口頭弁論→憲八二②、裁七〇、人訴二二 ❷―❹【疎明の方法→一八八 +【裁判所書記官の処分に対する異議→一二一

（電磁的訴訟記録の閲覧等）

第九一条の二① 何人も、裁判所書記官に対し、最高裁判所規則で定めるところにより、電磁的訴訟記録（訴訟記録中この法律その他の法令の規定により裁判所の使用に係る電子計算機（入出力装置を含む。以下同じ。）に備えられたファイル（次項及び第三項、次条並びに第百九条の三第一項第二号を除き、以下単に「ファイル」という。）に記録された事項（第百三十二条の七及び第百三十三条の二第五項において「ファイル記録事項」という。）に係る部分をいう。以下同じ。）の内容を最高裁判所規則で定める方法により表示したものの閲覧を請求することができる。

② 当事者及び利害関係を疎明した第三者は、裁判所書記官に対し、電磁的訴訟記録に記録されている事項について、最高裁判所規則で定めるところにより、最高裁判所規則で定める電子情報処理組織（裁判所の使用に係る電子計算機と手続の相手方の使用に係る電子計算機とを電気通信回線で接続した電子情報処理組織をいう。以下同じ。）を使用してその者の使用に係る電子計算機に備えられたファイルに記録する方法その他の最高裁判所規則で定める方法による複写を請求することができる。

③ 当事者及び利害関係を疎明した第三者は、裁判所書記官に対し、最高裁判所規則で定めるところにより、電磁的訴訟記録に記録されている事項の全部若しくは一部を記載した書面であって裁判所書記官が最高裁判所規則で定める方法により当該書面の内容が電磁的訴訟記録に記録されている事項と同一であることを証明したものを交付し、又は当該事項の全部若しくは一部を記録した電磁的記録であって裁判所書記官が最高裁判所規則で定める方法により当該電磁的記録の内容が電磁的訴訟記録に記録されている事項と同一であることを証明したものを最高裁判所規則で定める電子情報処理組織を使用してその者の使用に係る電子計算機に備えられたファイルに記録する方法その他の最高裁判所規則で定める方法により提供することを請求することができる。

④ 前条第二項及び第五項の規定は、第一項及び第二項の規定による電磁的訴訟記録に係る閲覧及び複写の請求について準用する。

（令和四法四八本条追加）

⊗❷❸【疎明の方法→一八八

（訴訟に関する事項の証明）

第九一条の三 当事者及び利害関係を疎明した第三者は、裁判所書記官に対し、最高裁判所規則で定めるところにより、訴訟に関する事項を記載した書面であって裁判所書記官が最高裁判所規則で定める方法により当該事項を証明したものを交付し、又は当該事項を記

民訴

録した電磁的記録であって裁判所書記官が最高裁判所規則で定める方法により当該事項を証明したものを最高裁判所規則で定める電子情報処理組織を使用してその者の使用に係る電子計算機に備えられたファイルに記録する方法その他の最高裁判所規則で定める方法により提供することを請求することができる。（令和四法四八本条追加）

⊛†【電磁的記録】→三の七③【電子情報処理組織】→九一の二②

第九二条（**秘密保護のための閲覧等の制限**）① 次に掲げる事由につき疎明があった場合には、裁判所は、当該当事者の申立てにより、決定で、当該訴訟記録中当該秘密が記載され、又は記録された部分に係る訴訟記録の閲覧等（非電磁的訴訟記録の閲覧等又は電磁的訴訟記録の閲覧等をいう。第百三十三条第三項において同じ。）（以下この条において「秘密記載部分の閲覧等」という。）の請求をすることができる者を当事者に限ることができる。

一 訴訟記録中に当事者の私生活についての重大な秘密が記載され、又は記録されており、かつ、第三者が秘密記載部分の閲覧等を行うことにより、その当事者が社会生活を営むのに著しい支障を生ずるおそれがあること。

二 訴訟記録中に当事者が保有する営業秘密（不正競争防止法第二条第六項に規定する営業秘密をいう。以下同じ。）が記載され、又は記録されていること。（平成一五法一〇八本号改正）

（令和四法四八本項改正）

② 前項の申立てがあったときは、その申立てについての裁判が確定するまで、第三者は、秘密記載部分の閲覧等の請求をすることができない。

③ 秘密記載部分の閲覧等の請求をしようとする第三者は、訴訟記録の存する裁判所に対し、第一項に規定する要件を欠くこと又はこれを欠くに至ったことを理由として、同項の決定の取消しの申立てをすることができる。

④ 第一項の申立てを却下した裁判及び前項の申立てについての裁判に対しては、即時抗告をすることができる。

⑤ 第一項の決定を取り消す裁判は、確定しなければその効力を生じない。

⑥ 第一項の申立て（同項第一号に掲げる事由があることを理由とするものに限る。次項及び第八項において同じ。）があった場合において、当該申立て後に第三者がその訴訟への参加をしたときは、裁判所書記官は、当該申立てをした当事者に対し、その参加後直ちに、その参加があった旨を通知しなければならない。ただし、当該申立てを却下する裁判が確定したときは、この限りでない。（令和四法四八本項追加）

⑦ 前項本文の場合において、裁判所書記官は、同項の規定による通知があった日から二週間を経過する日までの間、その参加をした者に第一項の申立てに係る秘密記載部分の閲覧等をさせてはならない。ただし、第百三十三条の二第二項の申立てがされたときは、この限りでない。（令和四法四八本項追加）

⑧ 前二項の規定は、第六項の参加をした者に第一項の申立てに係る秘密記載部分の閲覧等をさせることについて同項の申立てをした当事者の全ての同意があるときは、適用しない。（令和四法四八本項追加）

⑨ 裁判所は、第一項の申立て（同項第二号に掲げる事由があることを理由とするものに限る。次項において同じ。）があった場合において、当該申立てに係る営業秘密がその訴訟の追行の目的以外の目的で使用され、又は当該営業秘密が開示されることにより、当該営業秘密に基づく当事者の事業活動に支障を生ずるおそれがあり、これを防止するため特に必要があると認めるときは、電磁的訴訟記録中当該営業秘密が記録された部分につき、その内容を書面に出力し、又はこれを他の記録媒体に記録するとともに、当該部分を電磁的訴訟記録から消去する措置その他の当該営業秘密の安全管理のために必要かつ適切なものとして最高裁判所規則で定める措置を講ずることができる。（令和四法四八本項追加）

⑩ 前項の規定による電磁的訴訟記録から消去する措置が講じられた場合において、その後に第一項の申立てを却下する裁判が確定したとき、又は当該申立てに係る決定を取り消す裁判が確定したときは、裁判所書記官は、当該営業秘密が記載され、又は記録された部分をファイルに記録しなければならない。（令和四法四八本項追加）

⊛❶【秘密保持命令との関係】→特許一〇五の六、不正競争一二、著作一一四の八【記録の閲覧】→九一①、憲八二【非電磁的訴訟記録の閲覧等】→九一【電磁的訴訟記録の閲覧等】→九一の二【記録の謄写・交付・複製】→九一③④【人事訴訟における制限】→人訴三五【秘密記載部分の閲覧限定の申立ての方式】→民訴規三四【一】【私生活の重大な秘密】→憲一一・一三、三五、刑二三〇、一三三の二①【社会生活を営むのに著しい支障を生ずるおそれ】→一三三①、一三三の三 【二】【営業秘密】→不正競争二⑥、一三二の二①、一九七①㈡㈢ ❹【即時抗告】→三三二 ❾❿【電磁的訴訟記録】→九一の二① †【本条の例による】→犯罪被害保護二〇②

第二節 専門委員等

（平成一五法一〇八本節追加、平成一六法一二〇節名改正）

第一款 専門委員

（平成一六法一二〇款名追加）

第九二条の二（**専門委員の関与**）① 裁判所は、争点若しくは証拠の整理又は訴訟手続の進行に関し必要な事項の協議をするに当たり、訴訟関係を明瞭にし、又は訴訟手続の円滑な進行を図るため必要があると認めるときは、当事者の意見を聴いて、決定で、専門的な知見に基づく説明を聴くために専門委員を手続に関与させることができる。この場合において、専門委員の説明は、裁判長が書面により又は口頭弁論若しくは弁論準備手続の期日において口頭でさせなければならない。

② 専門委員は、前項の規定による書面による説明に代えて、最高裁判所規則で定めるところにより、当該書

面に記載すべき事項を最高裁判所規則で定める電子情報処理組織を使用してファイルに記録する方法又は当該書面に記載すべき事項に係る電磁的記録を記録した記録媒体を提出する方法により説明を行うことができる。（令和四法四八本項追加）

③ 裁判所は、証拠調べをするに当たり、訴訟関係又は証拠調べの結果の趣旨を明瞭にするため必要があると認めるときは、当事者の意見を聴いて、決定で、証拠調べの期日において専門的な知見に基づく説明を聴くために専門委員を手続に関与させることができる。この場合において、証人若しくは当事者本人の尋問又は鑑定人質問の期日において専門委員に説明をさせるときは、裁判長は、当事者の同意を得て、訴訟関係又は証拠調べの結果の趣旨を明瞭にするために必要な事項について専門委員が証人、当事者本人又は鑑定人に対し直接に問いを発することを許すことができる。

④ 裁判所は、和解を試みるに当たり、必要があると認めるときは、当事者の同意を得て、決定で、当事者双方が立ち会うことができる和解を試みる期日において専門的な知見に基づく説明を聴くために専門委員を手続に関与させることができる。

【専門委員の関与↓民訴規三四の二―三四の七【非訟事件の専門委員↓非訟三三　❶【争点・証拠整理↓一六四―一七八【進行協議期日↓民訴規九五―九八【訴訟関係の明瞭化↓一四九・一五〇・一五五【訴訟の公正迅速進行↓二【集中証拠調べ↓一八二【適時提出主義↓一五六【当事者の意見聴取の例↓九二の五・一六八・一七五・二〇二・三〇一【司法委員↓二七九【人事訴訟の参与員↓人訴九①【口頭弁論↓八七・一四八―一六〇の二【弁論準備手続↓一六八―一七四【専門委員関与の取消し↓九二の四　❷【電子情報処理組織↓九一の二②【電磁的記録↓三の七③　❸【証拠調べ↓一七九―二三三【証人尋問↓一九〇―二〇六【当事者尋問↓二〇七―二一一【鑑定人質問↓二一五．二一五の二【発問の許可↓一四八②、民訴規一三三【発問の告知↓一四九②【当事者の同意↓民訴規七三　❹【和解↓八九【当事者双方立会期日↓民保二九

第九二条の三（音声の送受信による通話の方法による専門委員の関与）　裁判所は、前条第一項、第三項及び第四項の規定により専門委員を手続に関与させる場合において、相当と認めるときは、当事者の意見を聴いて、同条第一項、第三項及び第四項の期日において、最高裁判所規則で定めるところにより、裁判所及び当事者双方が専門委員との間で音声の送受信により同時に通話をすることができる方法によって、専門委員に同条第一項、第三項及び第四項の説明又は発問をさせることができる。（令和四法四八本条改正）

【手続↓民訴規三四の七【音声の送受信↓八七の二②

第九二条の四（専門委員の関与の決定の取消し）　裁判所は、相当と認めるときは、申立てにより又は職権で、専門委員を手続に関与させる決定を取り消すことができる。ただし、当事者双方の申立てがあるときは、これを取り消さなければならない。

【方式↓民訴規三四の八【訴訟指揮に関する裁判の取消し↓一二〇【処分の取消し↓一三二の四④【当事者双方の申立てによる取消し↓一七二但

第九二条の五（専門委員の指定及び任免等）①　専門委員の員数は、各事件について一人以上とする。

② 第九十二条の二の規定により手続に関与させる専門委員は、当事者の意見を聴いて、裁判所が各事件について指定する。

③ 専門委員は、非常勤とし、その任免に関し必要な事項は、最高裁判所規則で定める。

④ 専門委員には、別に法律で定めるところにより手当を支給し、並びに最高裁判所規則で定める額の旅費、日当及び宿泊料を支給する。

【司法委員↓二七九【人事訴訟の参与員↓人訴九【家事事件の参与員↓家事四〇【本条の準用↓非訟三三⑤

第九二条の六（専門委員の除斥及び忌避）①　第二十三条から第二十五条まで（同条第二項を除く。）〈裁判官の除斥・忌避、除斥又は忌避の裁判〉の規定は、専門委員について準用する。

② 専門委員について除斥又は忌避の申立てがあったときは、その専門委員は、その申立てについての決定が確定するまでその申立てがあった事件の手続に関与することができない。

【方式等↓民訴規三四の九　❶【人事訴訟の参与員↓人訴一〇①　❷【裁判官の除斥、忌避↓二六

第九二条の七（受命裁判官等の権限）　受命裁判官又は受託裁判官が第九十二条の二第一項、第三項及び第四項の手続を行う場合には、同条から第九十二条の四まで及び第九十二条の五第二項の規定による裁判所及び裁判長の職務は、その裁判官が行う。ただし、第九十二条の二第三項の手続を行う場合には、専門委員を手続に関与させる決定、その決定の取消し及び専門委員の指定は、受訴裁判所がする。（令和四法四八本条改正）

【受命裁判官等の権限↓民訴規三四の一〇【類似の規定↓一七一②・二〇六・二一〇・二一五の四

第二款　知的財産に関する事件における裁判所調査官の事務等

（平成一六法一二〇本款追加）

第九二条の八（知的財産に関する事件における裁判所調査官の事務）　裁判所は、必要があると認めるときは、高等裁判所又は地方裁判所において知的財産に関する事件の審理及び裁判に関して調査を行う裁判所調査官に、当該事件において次に掲げる事務を行わせることができる。この場合において、当該裁判所調査官は、裁判長の命を受けて、当該事務を行うものとする。

一　次に掲げる期日又は手続において、訴訟関係を明瞭にするため、事実上及び法律上の事項に関し、当事者に対して問いを発し、又は立証を促すこと。

イ　口頭弁論又は審尋の期日

ロ　争点又は証拠の整理を行うための手続

ハ　文書若しくは電磁的記録の提出義務又は検証の目的の提示義務の有無を判断するための手続

二　争点又は証拠の整理に係る事項その他訴訟手続の進行に関し必要な事項についての協議を行うための手続
（令和四法四八本号改正）
二　証拠調べの期日において、証人、当事者本人又は鑑定人に対し直接に問いを発すること。
三　和解を試みる期日において、専門的な知見に基づく説明をすること。
四　裁判官に対し、事件につき意見を述べること。

参†【高等裁判所↓裁一五―二二【地方裁判所↓裁二三―三一【裁判所調査官↓裁五七【知的財産に関する訴訟↓六、六の二、二六九の二【裁判長↓一四八参【釈明↓一四九、一五一【争点・証拠整理↓一六四―一七八【文書提出義務↓二二〇【検証目的提示義務↓二三二【進行協議期日↓民訴規九五―九八【証人尋問↓一九〇―二〇六【当事者尋問↓二〇七―二一一【鑑定人質問↓二一五、二一五の二【和解期日↓八九【意見陳述↓二七九、人訴九【二】【電磁的記録↓三の七③

（知的財産に関する事件における裁判所調査官の除斥及び忌避）
第九二条の九①　第二十三条から第二十五条まで〈裁判官の除斥・忌避、除斥又は忌避の裁判〉の規定は、前条の事務を行う裁判所調査官について準用する。
②　前条の事務を行う裁判所調査官について除斥又は忌避の申立てがあったときは、その裁判所調査官は、その申立てについての決定が確定するまでその申立てがあった事件に関与することができない。

参❷【手続の停止↓二六

第三節　期日及び期間

（期日の指定及び変更）
第九三条①　期日の指定及び変更は、申立てにより又は職権で、裁判長が行う。（令和四法四八本項改正）
②　期日は、やむを得ない場合に限り、日曜日その他の一般の休日に指定することができる。
③　口頭弁論及び弁論準備手続の期日の変更は、顕著な事由がある場合に限り許す。ただし、最初の期日の変更は、当事者の合意がある場合にも許す。
④　前項の規定にかかわらず、弁論準備手続を経た口頭弁論の期日の変更は、やむを得ない事由がある場合でなければ、許すことができない。

参❶【裁判長↓一四八参【最初の口頭弁論期日の指定↓一三九【期日指定申立ての例↓二六三【受命裁判官等の期日指定↓民訴規三五　❷【一般の休日の訴訟法上の効果↓民執八　❸【口頭弁論の期日↓一三九、一四九、一五一①㈡㈢、一五八、一五九③、二七〇ETC【弁論準備手続の期日↓一六九、一七〇②―⑤【最初の期日↓一三九、一五八、二七〇　❸❹【期日変更の申立ての方式↓民訴規三六【期日変更の制限・制約↓民訴規三七、六四、二一五　❹【弁論準備手続↓一六八―一七四

（期日の呼出し）
第九四条①　期日の呼出しは、次の各号のいずれかに掲げる方法その他相当と認める方法によってする。
一　ファイルに記録された電子呼出状（裁判所書記官が、最高裁判所規則で定めるところにより、裁判長が指定した期日に出頭すべき旨を告知するために出頭すべき者において出頭すべき日時及び場所を記録して作成した電磁的記録をいう。次項及び第二百五十六条第三項において同じ。）を出頭すべき者に対して送達する方法（令和四法四八本号追加）
二　当該事件について出頭した者に対して期日の告知をする方法（令和四法四八本号追加）
②　裁判所書記官は、電子呼出状を作成したときは、最高裁判所規則で定めるところにより、これをファイルに記録しなければならない。（令和四法四八本項追加）
③　第一項各号に規定する方法以外の方法による期日の呼出しをしたときは、期日に出頭しない当事者、証人又は鑑定人に対し、法律上の制裁その他期日の不遵守による不利益を帰することができない。ただし、これらの者が期日の呼出しを受けた旨を記載した書面を提出したときは、この限りでない。
（令和四法四八本条改正）

参❶【期日の指定↓九三【電磁的記録↓三の七③【送達↓九八―一一二【呼出状の公示送達↓一一一【期日の呼出しの特例↓二五六③、民保規三【呼出状の記載事項↓民訴規一〇八【手形訴訟の呼出状の記載事項↓民訴規二一三②③　❸【不出頭の制裁・不利益↓一五八、一五九、一七〇⑤、一九二―一九四、二〇八、二二六、二六三

（期間の計算）
第九五条①　期間の計算については、民法の期間に関する規定に従う。
②　期間を定める裁判において始期を定めなかったときは、期間は、その裁判が効力を生じた時から進行を始める。
③　期間の末日が日曜日、土曜日、国民の祝日に関する法律（昭和二十三年法律第百七十八号）に規定する休日、一月二日、一月三日又は十二月二十九日から十二月三十一日までの日に当たるときは、期間は、その翌日に満了する。

参❶【期間に関する民法の規定↓民一三九―一四三　❷【裁定期間の例↓三四①、五九、七五⑤、七九③、一三七①、一五六の二、二八八、民保三七①【裁判の効力発生時期↓一一九、二五〇【裁定期間の伸縮↓九六①

（期間の伸縮及び付加期間）
第九六条①　裁判所は、法定の期間又はその定めた期間を伸長し、又は短縮することができる。ただし、不変期間については、この限りでない。
②　不変期間については、裁判所は、遠隔の地に住所又は居所を有する者のために付加期間を定めることができる。

参❶【法定期間の例↓九七①、二六三、三八七、三九二【伸縮・付加期間の定められない法定期間↓九七②【短縮できない法定期間↓一一二③【裁定期間↓九五参【裁定期間の伸縮↓民訴規三八【不変期間の例↓一三二の四②、二八五、三一三、三三二、三四二①、三五七、三九三、非訟一〇六⑦、仲裁四四②、民執一〇②、会更九七①【不変期間不遵守と訴訟行為の追完↓九七①　❷【住所↓民二二、一般法人四、会社四　†【本条の不適用↓九七②

（訴訟行為の追完）
第九七条①　当事者が裁判所の使用に係る電子計算機の故障その他その責めに帰することができない事由により不変期間を遵守することができなかった場合には、

その事由が消滅した後一週間以内に限り、不変期間内にすべき訴訟行為の追完をすることができる。ただし、外国に在る当事者については、この期間は、二月とする。（令和四法四八本項改正）

② 前項の期間については、前条第一項本文の規定は、適用しない。

ⓢ+【不変期間↓九六ⓢ【期間の計算↓九五

第四節　送達

第一款　総則（令和四法四八款名追加）

（職権送達の原則等）

第九八条① 送達は、特別の定めがある場合を除き、職権でする。

② 送達に関する事務は、裁判所書記官が取り扱う。

ⓢ❶【送達を要する場合↓四七③・一三八①・一四三③・二五五①・二六一④・二八九①・三八八①・三九一②、民執二九・四五②・九三③・一四五③・一五四②・一五九②、ETC【特別の定め↓一一〇① ❷【裁判所書記官↓裁六〇 +【送達事務の嘱託↓民訴規三九

（訴訟無能力者等に対する送達）

第九九条① 訴訟無能力者に対する送達は、その法定代理人にする。

② 数人が共同して代理権を行うべき場合には、送達は、その一人にすれば足りる。

③ 刑事施設に収容されている者に対する送達は、刑事施設の長にする。

（令和四法四八本条全部改正）

ⓢ❶【訴訟無能力者↓二八・三一、人訴一三・一四【法定代理人↓二八・三五・三七【法定代理人に対する送達の場所↓一〇三 ❶❷【送達受取人の届出↓一〇四① ❷【共同代理人の例↓民八一八②、商二〇、会社一一【訴訟代理における個別代理の原則↓五六 ❸【刑事施設↓刑事収容

（送達報告書）

第一〇〇条① 送達をした者は、書面を作成し、送達に関する事項を記載して、これを裁判所に提出しなければならない。

② 前項の場合において、送達をした者は、同項の規定による書面の提出に代えて、最高裁判所規則で定めるところにより、当該書面に記載すべき事項を最高裁判所規則で定める電子情報処理組織を使用してファイルに記録し、又は当該書面に記載すべき事項に係る電磁的記録を記録した記録媒体を提出することができる。この場合において、当該送達をした者は、同項の書面を提出したものとみなす。

（令和四法四八本条全部改正）

ⓢ+【送達実施機関↓一〇一・一〇二

第二款　書類の送達（令和四法四八款名追加）

（送達実施機関）

第一〇一条① 書類の送達は、特別の定めがある場合を除き、郵便又は執行官によってする。

② 郵便による送達にあっては、郵便の業務に従事する者を送達をする者とする。

（令和四法四八本条全部改正）

ⓢ❶【執行官による送達↓裁六二③【特別の定め↓裁六三③、一〇二・一〇七 ❷【送達をした者の調書の作成↓一〇〇

（裁判所書記官による送達）

第一〇二条　裁判所書記官は、その所属する裁判所の事件について出頭した者に対しては、自ら書類の送達をすることができる。（令和四法四八本条全部改正）

ⓢ+【郵便又は執行官による送達の原則↓一〇一【裁判所書記官↓裁六〇【送達報告書の作成↓一〇〇

（交付送達の原則）

第一〇二条の二　書類の送達は、特別の定めがある場合を除き、送達を受けるべき者に送達すべき書類を交付してする。（令和四法四八本条追加）

ⓢ+【送達を受けるべき者↓二八・四五・四七・四九—五二・五五・九九①・一〇四①【本人に交付しない場合↓九九③・一〇四③・一〇六・一〇七・一一一【送達すべき書類↓民訴規四〇

（送達場所）

第一〇三条① 書類の送達は、送達を受けるべき者の住所、居所、営業所又は事務所（以下この款において「住所等」という。）においてする。ただし、法定代理人に対する書類の送達は、本人の営業所又は事務所においてもすることができる。

② 前項に定める場所が知れないとき、又はその場所において送達をするのに支障があるときは、書類の送達は、送達を受けるべき者が雇用、委任その他の法律上の行為に基づき就業する他人の住所等（以下「就業場所」という。）においてすることができる。送達を受けるべき者（次条第一項に規定する者を除く。）が就業場所において書類の送達を受ける旨の申述をしたときも、同様とする。

（令和四法四八本条改正）

ⓢ❶【送達を受けるべき者↓一〇二の二ⓢ【住所↓民二二【居所↓民二三【営業所↓会社九〇七【事務所↓一般法人四、会社四【法定代理人に対する送達↓九九①【郵便等に付する送達のあて先↓一〇七① ❷【雇用↓民六二三—六三一・三編二章八節ⓢ【委任↓民六四三—六五六【補充送達の特例↓一〇六②【就業場所における差置送達は不可↓一〇六③ +【送達場所の届出と本条の不適用↓一〇四①②【出会送達の特例↓一〇五【送達すべき場所不明の場合↓一一〇

（送達場所等の届出）

第一〇四条① 当事者、法定代理人又は訴訟代理人は、書類の送達を受けるべき場所（日本国内に限る。）を受訴裁判所に届け出なければならない。この場合においては、送達受取人をも届け出ることができる。

② 前項前段の規定による届出があった場合には、書類の送達は、前条の規定にかかわらず、その届出に係る場所においてする。

③ 第一項前段の規定による届出をしない者で次の各号に掲げる送達を受けたものに対するその後の書類の送達は、前条の規定にかかわらず、それぞれ当該各号に定める場所においてする。

一　前条の規定による送達　その送達をした場所

二　次条後段の規定による送達のうち郵便の業務に従事する者が　その送達において送達をすべき場所

日本郵便株式会社の営業所（郵便の業務を行うものに限る。第百六条第一項後段において同じ。）においてするもの及び同項後段の規定による送達　　とされていた場所

（平成一七法一〇二、平成二四法三〇本号改正）

三　第百七条第一項第一号の規定による送達　　その送達において宛先とした場所

（令和四法四八本条改正）

⊛❶【法定代理人↓二八、三五、三七【訴訟代理人↓五四—五九、人訴一三【届出の方式↓民訴規四二【変更の届出↓民訴規四二【送達受取人は就業場所送達の申述不可↓一〇三②　+【出会送達の特例↓一〇五

（出会送達）

第一〇五条　前二条の規定にかかわらず、送達を受けるべき者で日本国内に住所等を有することが明らかでないもの（前条第一項前段の規定による届出をした者を除く。）に対する書類の送達は、その者に出会った場所においてすることができる。日本国内に住所等を有することが明らかな者又は同項前段の規定による届出をした者が書類の送達を受けることを拒まないときも、同様とする。（令和四法四八本条改正）

⊛+【送達を受けるべき者↓一〇二の二⊛【住所等↓一〇三①【送達すべき場所不明の場合↓一一〇

（補充送達及び差置送達）

第一〇六条①　就業場所以外の書類の送達をすべき場所において送達を受けるべき者に出会わないときは、使用人その他の従業者又は同居者であって、書類の受領について相当のわきまえのあるものに書類を交付することができる。郵便の業務に従事する者が日本郵便株式会社の営業所において書類を交付すべきときも、同様とする。（平成一七法一〇二、平成二四法三〇、令和四法四八本項改正）

②　就業場所（第百四条第一項前段の規定による届出に係る場所が就業場所である場合を含む。）において送達を受けるべき者に出会わない場合において、第百三条第二項の他人又はその法定代理人若しくは使用人その他の従業者であって、書類の受領について相当のわきまえのあるものが書類の交付を受けることを拒まないときは、これらの者に書類を交付することができる。

③　送達を受けるべき者又は第一項前段の規定により書類の交付を受けるべき者が正当な理由なくこれを受けることを拒んだときは、書類の送達をすべき場所に書類を差し置くことができる。（令和四法四八本項改正）

⊛+【就業場所↓一〇三②【送達場所↓一〇三①、一〇四【送達を受けるべき者↓一〇二の二⊛　❷【補充送達の通知↓民訴規四三

（書留郵便等に付する送達）

第一〇七条①　前条の規定により送達をすることができない場合（第百九条の二の規定により送達をすることができる場合を除く。）には、裁判所書記官は、次の各号に掲げる区分に応じ、それぞれ当該各号に定める場所に宛てて、書類を書留郵便又は民間事業者による信書の送達に関する法律（平成十四年法律第九十九号）第二条第六項に規定する一般信書便事業者若しくは同条第九項に規定する特定信書便事業者の提供する同条第二項に規定する信書便の役務のうち書留郵便に準ずるものとして最高裁判所規則で定めるもの（次項及び第三項において「書留郵便等」という。）に付して発送することができる。

一　第百三条の規定による送達をすべき場合　　同条第一項に定める場所

二　第百四条第二項の規定による送達をすべき場合　　同項の場所

三　第百四条第三項の規定による送達をすべき場合　　同項の場所（その場所が就業場所である場合にあっては、訴訟記録に表れたその者の住所等）

（令和四法四八本項改正）

②　前項第二号又は第三号の規定により書類を書留郵便等に付して発送した場合には、その後に送達すべき書類は、同項第二号又は第三号に定める場所に宛てて、書留郵便等に付して発送することができる。

③　前二項の規定により書類を書留郵便等に付して発送した場合には、その発送の時に、送達があったものとみなす。

（平成一四法一〇〇本条改正）

⊛❶【送達事務管掌者↓九八②　❶❷【送達の通知↓民訴規四四　❸【到達主義の原則↓民九七　+【本条による送達不能の場合↓一一〇①三

（外国における送達）

第一〇八条　外国においてすべき書類の送達は、裁判長がその国の管轄官庁又はその国に駐在する日本の大使、公使若しくは領事に嘱託してする。（令和四法四八本条改正）

⊛+【受命裁判官による嘱託↓民訴規四五【本条によれない場合↓一一〇①三四・一一二②【外国における証拠調べ↓一八四

第三款　電磁的記録の送達

（令和四法四八款名追加）

（電磁的記録に記録された事項を出力した書面による送達）

第一〇九条　電磁的記録の送達は、特別の定めがある場合を除き、前款の定めるところにより、この法律その他の法令の規定によりファイルに記録された送達すべき電磁的記録（以下この節において単に「送達すべき電磁的記録」という。）に記録されている事項を出力することにより作成した書面によってする。（令和四法四八本条全部改正）

（電子情報処理組織による送達）

第一〇九条の二①　電磁的記録の送達は、前条の規定にかかわらず、最高裁判所規則で定めるところにより、送達すべき電磁的記録に記録されている事項につき次条第一項第一号の閲覧又は同項第二号の記録をするこ

とができる措置をとるとともに、送達を受けるべき者に対し、最高裁判所規則で定める電子情報処理組織を使用して当該措置がとられた旨の通知を発する方法によりすることができる。ただし、当該送達を受けるべき者が当該方法により送達を受ける旨の最高裁判所規則で定める方式による届出をしている場合に限る。

② 前項ただし書の届出をする場合には、最高裁判所規則で定めるところにより、同項本文の通知を受ける連絡先を受訴裁判所に届け出なければならない。この場合においては、送達受取人をも届け出ることができる。

③ 第一項本文の通知は、前項の規定により届け出られた連絡先に宛てて発するものとする。

（令和四法四八本条追加）

参+【電磁的記録→三の七③【電子情報処理組織→九一の二②

（電子情報処理組織による送達の効力発生の時期）

第一〇九条の三① 前条第一項の規定による送達は、次に掲げる時のいずれか早い時に、その効力を生ずる。

一 送達を受けるべき者が送達すべき電磁的記録に記録されている事項を最高裁判所規則で定める方法により表示をしたものの閲覧をした時

二 送達を受けるべき者が送達すべき電磁的記録に記録されている事項についてその使用に係る電子計算機に備えられたファイルへの記録をした時

三 前条第一項本文の通知が発せられた日から一週間を経過した時

② 送達を受けるべき者がその責めに帰することができない事由によって前項第一号の閲覧又は同項第二号の記録をすることができない期間は、同項第三号の期間に算入しない。

（令和四法四八本条追加）

参+【電子情報処理組織→九一の二②　❶【送達を受けるべき者→一〇二の二参【電磁的記録→三の七③

（電子情報処理組織による送達を受ける旨の届出をしなければならない者に関する特例）

第一〇九条の四① 第百九条の二第一項ただし書の規定にかかわらず、第百三十二条の十一第一項各号に掲げる者に対する第百九条の二第一項の規定による送達は、その者が同項ただし書の届出をしていない場合であってもすることができる。この場合においては、同項本文の通知を発することを要しない。

② 前項の規定により送達をする場合における前条の規定の適用については、同条第一項第三号中「通知が発せられた」とあるのは、「措置がとられた」とする。

（令和四法四八本条追加）

参+【電子情報処理組織→九一の二②

第四款　公示送達（令和四法四八款名追加）

（公示送達の要件）

第一一〇条① 次に掲げる場合には、裁判所書記官は、申立てにより、公示送達をすることができる。

一 当事者の住所、居所その他送達をすべき場所が知れない場合（第百九条の二の規定により送達をすることができる場合を除く。）（令和四法四八本号改正）

二 第百七条第一項の規定により送達をすることができない場合

三 外国においてすべき書類の送達について、第百八条の規定によることができず、又はこれによっても送達をすることができないと認めるべき場合（令和四法四八本号改正）

四 第百八条の規定により外国の管轄官庁に嘱託を発した後六月を経過してもその送達を証する書面の送付がない場合

② 前項の場合において、裁判所は、訴訟の遅滞を避けるため必要があると認めるときは、申立てがないときであっても、裁判所書記官に公示送達をすべきことを命ずることができる。

③ 同一の当事者に対する二回目以降の公示送達は、職権でする。ただし、第一項第四号に掲げる場合は、この限りでない。

参❶【職権送達主義の原則→九八①【送達場所→一〇三、一〇四　❶❷【公示送達の発効時→一一二①本文②　❸【本項の公示送達の発効時→一一二①但　+【公示送達により得ない場合→三八二【公示送達による呼出しの効果→一一八㈢、一五九③但

（公示送達の方法）

第一一一条 公示送達は、次の各号に掲げる区分に応じ、それぞれ当該各号に定める事項を最高裁判所規則で定める方法により不特定多数の者が閲覧することができる状態に置く措置をとるとともに、当該事項が記載された書面を裁判所の掲示場に掲示し、又は当該事項を裁判所に設置した電子計算機の映像面に表示したものの閲覧をすることができる状態に置く措置をとることによってする。

一 書類の公示送達　裁判所書記官が送達すべき書類を保管し、いつでも送達を受けるべき者に交付すべきこと。

二 電磁的記録の公示送達　裁判所書記官が、送達すべき電磁的記録に記録された事項につき、いつでも送達を受けるべき者に第百九条の書面を交付し、又は第百九条の二第一項本文の規定による措置をとるとともに、同項本文の通知を発すべきこと。

（令和四法四八本条全部改正）

参+【呼出状の公示送達→民訴規四六【送達管掌者としての裁判所書記官→九八②【公示送達の効力発生時→一一二　㈡【電磁的記録→三の七③

（公示送達の効力発生の時期）

第一一二条① 公示送達は、前条の規定による措置を開始した日から二週間を経過することによって、その効力を生ずる。ただし、第百十条第三項の公示送達は、前条の規定による措置を開始した日の翌日にその効力を生ずる。（令和四法四八本項改正）

② 外国においてすべき送達についてした公示送達にあっては、前項の期間は、六週間とする。

③ 前二項の期間は、短縮することができない。

参❶❷【期間の算定→九五　❷【外国においてすべき送達→一〇八　❸【法定期間の短縮→九六①

（公示送達による意思表示の到達）

第一一三条　訴訟の当事者が相手方の所在を知ることができない場合において、相手方に対する公示送達がされた書類又は電磁的記録に、その相手方に対しその訴訟の目的である請求又は防御の方法に関する意思表示をする旨の記載又は記録があるときは、その意思表示は、第百十一条の規定による措置を開始した日から二週間を経過した時に、相手方に到達したものとみなす。この場合においては、民法第九十八条第三項ただし書〈過失あるときの効力不発生〉の規定を準用する。（令和四法四八本条改正）

【公示による意思表示の原則→民九八【公示送達の方法→一一一【電磁的記録→三の七③【請求又は防御に関する意思表示の例→民一二三、五〇六、五四〇ETC

第五節　裁判

（既判力の範囲）

第一一四条①　確定判決は、主文に包含するものに限り、既判力を有する。

② 相殺のために主張した請求の成立又は不成立の判断は、相殺をもって対抗した額について既判力を有する。

❶【判決の確定時期→一一六【確定判決を経た権利の消滅時効→民一六九【主文→二五三①㈠　❷【相殺→民五〇五─五一二の二【既判力の主観的範囲→一一五【確定判決の抵触と再審理由→三三八①㈩【確定判決と同一の効力を持つもの→二六七【再訴の禁止→二六二②【関連請求の禁止→人訴二五

（確定判決等の効力が及ぶ者の範囲）

第一一五条①　確定判決は、次に掲げる者に対してその効力を有する。

一 当事者

二 当事者が他人のために原告又は被告となった場合のその他人

三 前二号に掲げる者の口頭弁論終結後の承継人

四 前三号に掲げる者のために請求の目的物を所持する者

② 前項の規定は、仮執行の宣言について準用する。

【確定判決の執行力の主観的範囲→民執二三①③　❶【判決確定の時期→一一六【補助参加人に対する裁判の効力→四六、五三④【他の法令による既判力の主観的範囲の拡張→人訴二四、破一三一、会社四九一・八三八、行訴三二・三三【㈠【当事者→二八、三八、四七、四九─五二【訴訟脱退者に対する判決の効力→四八、五〇③【㈡【他人のため原告・被告となる者の例→三〇、破八〇、会更七四、商八〇三②③、建物区分五七③【㈢【口頭弁論終結→二五三①㈣、民執三五②　❷【仮執行の宣言→二五九

（判決の確定時期）

第一一六条①　判決は、控訴若しくは上告（第三百二十七条第一項（第三百八十条第二項において準用する場合を含む。）の上告を除く。）の提起、第三百十八条第一項の申立て又は第三百五十七条（第三百六十七条第二項において準用する場合を含む。）、第三百七十八条第一項若しくは第三百八十一条の七第一項の規定による異議の申立てについて定めた期間の満了前には、確定しないものとする。（令和四法四八本項改正）

② 判決の確定は、前項の期間内にした控訴の提起、同項の上告の提起又は同項の申立てにより、遮断される。

【上訴期間→二八五、三一三、三一八⑤【期間の計算→九五【不変期間の徒過と追完→九七【上訴権の放棄→二八四、三一三、三一八⑤、三五八【確定判決証明書→民訴規四八

（定期金による賠償を命じた確定判決の変更を求める訴え）

第一一七条①　口頭弁論終結前に生じた損害につき定期金による賠償を命じた確定判決について、口頭弁論終結後に、後遺障害の程度、賃金水準その他の損害額の算定の基礎となった事情に著しい変更が生じた場合には、その判決の変更を求める訴えを提起することができる。ただし、その訴えの提起の日以後に支払期限が到来する定期金に係る部分に限る。

② 前項の訴えは、第一審裁判所の管轄に専属する。

❶【定期金の例→民六八九─六九四【損害賠償の例→民七〇九─七二一【口頭弁論終結→一一五①㈢、二五三①㈣、民執三五②【他の訴えとの対比→一三五、三三八　❷【第一審裁判所→裁二四㈠、三三①㈠、四─六【専属管轄→一三

（外国裁判所の確定判決の効力）

第一一八条　外国裁判所の確定判決は、次に掲げる要件のすべてを具備する場合に限り、その効力を有する。

一 法令又は条約により外国裁判所の裁判権が認められること。

二 敗訴の被告が訴訟の開始に必要な呼出し若しくは命令の送達（公示送達その他これに類する送達を除く。）を受けたこと又はこれを受けなかったが応訴したこと。

三 判決の内容及び訴訟手続が日本における公の秩序又は善良の風俗に反しないこと。

四 相互の保証があること。

【㈡【呼出し→九四【公示送達→一一〇─一一三【㈢【公序良俗→民九〇　【㈣【相互の保証を要する例→国賠六　【外国判決の執行→民執二二㈥、二四【外国裁判所の家事事件についての確定した裁判の効力→家事七九の二【仲裁判断の承認→仲裁四五、四六

（決定及び命令の告知）

第一一九条　決定及び命令は、相当と認める方法で告知することによって、その効力を生ずる。

【決定・命令の方式→民訴規五〇、五〇の二【本法における決定の例→一〇、一六─一九、二一、二二、二五、三四、三五、一四四、五〇、七五、七九、八〇、八二、八四、九二、九六、一二八、一二九、一三二、一四一、一四三④、一四四③、一五二、一六八、一七二、一九二、一九九、二〇〇、二〇一⑤、二〇九、二一四③④、二二三、二二五、二三七、二五七、二五九⑤、二九一、二九四、三一六─三一八、三三三、三三四、三四五①②、三四六、三七三③、三八一、三九四、四〇三、四〇四【本法以外の法令における決定の例→非訟五六、民執四五、六九、九三、一一四、一四五、一五九、民保一六、三二、破二五二⑦、民再三三、会更四一、一九九【言渡しを要する決定→民執六九、ETC【送達を要する決定→破一七四④、一七九③【本法における命令の例→九三、一三七②、一三九、一四八、一六二、一八九、二〇二②、二八八、二八九②、三〇一、三一四②【決定・命令事件の審理→八七①但②、一二二、一二三、一八七【訴訟指揮に関する決定・命令の取消し→一二〇【本条の例外→民保三四

（訴訟指揮に関する裁判の取消し）

第一二〇条　訴訟の指揮に関する決定及び命令は、いつでも取り消すことができる。

【訴訟指揮に関する決定・命令の例↓三五、五四①但②、六〇①②、一五二①、九三①、九六①

（裁判所書記官の処分に対する異議）

第一二一条　裁判所書記官の処分に対する異議の申立てについては、その裁判所書記官の所属する裁判所が、決定で、裁判をする。

【裁判所書記官の処分の例↓七一―七四、九八②、一〇二、一〇七、一一〇、一三七の二、三八二―三八七、三九一、九一、九一の二、犯罪被害保護二〇②、民訴規四八、民執二六①【同旨の規定↓民執三二

（判決に関する規定の準用）

第一二二条　決定及び命令には、その性質に反しない限り、判決に関する規定を準用する。

【決定・命令↓一一九

（判事補の権限）

第一二三条　判決以外の裁判は、判事補が単独ですることができる。

【判決以外の裁判↓一一九、一二〇、一二二【判事補の職権の制限↓裁二七【例外↓民保三六【大規模訴訟における判事補↓二六九②

第六節　訴訟手続の中断及び中止

（訴訟手続の中断及び受継）

第一二四条①　次の各号に掲げる事由があるときは、訴訟手続は、中断する。この場合においては、それぞれ当該各号に定める者は、訴訟手続を受け継がなければならない。

一　当事者の死亡	相続人、相続財産の管理人、相続財産の清算人その他法令により訴訟を続行すべき者

（令和三法二四本号改正）

二　当事者である法人の合併による消滅	合併によって設立された法人又は合併後存続する法人
三　当事者の訴訟能力の喪失又は法定代理人の死亡若しくは代理権の消滅	法定代理人又は訴訟能力を有するに至った当事者
四　次のイからハまでに掲げる者の信託に関する任務の終了	当該イからハまでに定める者
イ　当事者である受託者	新たな受託者又は信託財産管理者若しくは信託財産法人管理人
ロ　当事者である信託財産管理者又は信託財産法人管理人	新たな受託者又は新たな信託財産管理者若しくは新たな信託財産法人管理人
ハ　当事者である信託管理人	受益者又は新たな信託管理人

（平成一八法一〇九本号全部改正）

五　一定の資格を有する者で自己の名で他人のために訴訟の当事者となるものの死亡その他の事由による資格の喪失	同一の資格を有する者
六　選定当事者の全員の死亡その他の事由による資格の喪失	選定者の全員又は新たな選定当事者

② 前項の規定は、訴訟代理人がある間は、適用しない。

③ 第一項第一号に掲げる事由がある場合においても、相続人は、相続の放棄をすることができる間は、訴訟手続を受け継ぐことができない。

④ 第一項第二号の規定は、合併をもって相手方に対抗することができない場合には、適用しない。

⑤ 第一項第三号の法定代理人が保佐人又は補助人である場合にあっては、同号の規定は、次に掲げるときには、適用しない。

一　被保佐人又は被補助人が訴訟行為をすることについて保佐人又は補助人の同意を得ることを要しないとき。

二　被保佐人又は被補助人が前号に規定する同意を得ることを要する場合において、その同意を得ているとき。

（平成一一法一五一本項追加）

❶【破産財団に関する訴えの中断↓破四四【必要的共同訴訟人一人の中断事由と訴訟手続全体の中断↓四〇①―③【訴訟代理人による中断事由の届出↓民訴規五二　[一]【相続人↓民八八六―八九〇【受遺者↓民九八六―九九二【相続財産清算人↓民九五二―九五九【人事訴訟の特則↓人訴二六、二七、四一、四四、四五　[二]【合併による消滅↓会社六四一、七五一―七五六　[三]【訴訟能力↓二八【法定代理人↓二八、三五、三七【法定代理権消滅の通知↓三六①　[四]【信託に関する任務の終了↓信託五六―五八　[五]【一定の資格に基づく当事者の例↓破八〇、会更七四、商八〇三②③　[六]【選定当事者の資格喪失の通知↓三六②【選定当事者の一部の資格喪失↓三〇⑤　❷【訴訟代理権の不消滅↓五八【上訴の特別授権↓五五②㊂　❸【相続放棄ができる期間↓民九一五―九一七　❹【合併の登記↓会社七五〇②、七五二②、九〇八、九二六　❺【保佐人・被保佐人↓民一二、一三【補助人・被補助人↓民一六、一七　【中断の効果↓一三二【受継の申立ての方式↓民訴規五一

第一二五条①　所有者不明土地管理命令（民法第二百六十四条の二第一項に規定する所有者不明土地管理命令をいう。以下この項及び次項において同じ。）が発せられたときは、当該所有者不明土地管理命令の対象とされた土地又は共有持分及び当該所有者不明土地管理命令の効力が及ぶ動産並びにその管理、処分その他の事由により所有者不明土地管理人（同条第四項に規定する所有者不明土地管理人をいう。以下この項及び次項において同じ。）が得た財産（以下この項及び次項において「所有者不明土地等」という。）に関する訴訟手続で当該所有者不明土地等の所有者（その共有持分を有する者を含む。同項において同じ。）を当事者とするものは、中断する。この場合においては、所有者不明土地管理人は、訴訟手続を受け継ぐことができる。

② 所有者不明土地管理命令が取り消されたときは、所

有者不明土地管理人を当事者とする所有者不明土地等に関する訴訟手続は、中断する。この場合においては、所有者不明土地等の所有者は、訴訟手続を受け継がなければならない。

③ 第一項の規定は所有者不明建物管理命令（民法第二百六十四条の八第一項に規定する所有者不明建物管理命令をいう。以下この項において同じ。）が発せられた場合について、前項の規定は所有者不明建物管理命令が取り消された場合について準用する。

（令和三法二四本条全部改正）

❶【所有者不明土地管理命令→民二六四の二①【所有者不明土地管理人→民二六四の二④、二六四の四【所有者不明土地等→民二六四の三① ❷【所有者不明土地管理命令の取消し→民二六四の二③ ❸【所有者不明建物管理命令→民二六四の八①【所有者不明建物管理命令の取消し→民二六四の八③ +【中断の効果→一三二【受継の申立ての方式→民訴規五一

（相手方による受継の申立て）

第一二六条 訴訟手続の受継の申立ては、相手方もすることができる。

+【受継すべき場合→一二四、一二五、破四四、四五【受継の手続→一二七、一二八

（受継の通知）

第一二七条 訴訟手続の受継の申立てがあった場合には、裁判所は、相手方に通知しなければならない。

+【受継の申立ての方式→民訴規五一【受継の申立てについての裁判→一二八

（受継についての裁判）

第一二八条① 訴訟手続の受継の申立てがあった場合には、裁判所は、職権で調査し、理由がないと認めるときは、決定で、その申立てを却下しなければならない。

② 第二百五十五条（第三百七十四条第二項において準用する場合を含む。以下この項において同じ。）の規定による第二百五十五条第一項に規定する電子判決書又は電子調書の送達後に中断した訴訟手続の受継の申立てがあった場合には、その判決をした裁判所は、その申立てについて裁判をしなければならない。（令和四法四八本項改正）

❶【受継の申立て→一二六【不服申立方法→三二八① ❷【中断中の判決言渡し→一三二①【電子判決書又は判決に代わる電子調書の送達→二五五【受継を認める裁判の通知→一三二②

（職権による続行命令）

第一二九条 当事者が訴訟手続の受継の申立てをしない場合においても、裁判所は、職権で、訴訟手続の続行を命ずることができる。

+【当事者の受継申立て→一二六―一二八【続行命令の効果→一三二②

（裁判所の職務執行不能による中止）

第一三〇条 天災その他の事由によって裁判所が職務を行うことができないときは、訴訟手続は、その事由が消滅するまで中止する。

+【中止の効果→一三二②

（当事者の故障による中止）

第一三一条① 当事者が不定期間の故障により訴訟手続を続行することができないときは、裁判所は、決定で、その中止を命ずることができる。

② 裁判所は、前項の決定を取り消すことができる。

❶【裁判による中止の例→非訟一〇六③、民調二〇の三、民再二六、会更二四、特許一六八【審査請求があるときの行政事件訴訟の中止→行訴八③ +【中止の効果→一三二②

（中断及び中止の効果）

第一三二条① 判決の言渡しは、訴訟手続の中断中であっても、することができる。

② 訴訟手続の中断又は中止があったときは、期間は、進行を停止する。この場合においては、訴訟手続の受継の通知又はその続行の時から、新たに全期間の進行を始める。

❶【判決の言渡し→二五三【中断原因→一二四、一二五、破四四、四五 ❷【中止→一三〇、一三一【通知→一二七【続行命令→一二九【期間の計算→九五

第六章 訴えの提起前における証拠収集の処分等（平成一五法一〇八本章追加）

（訴えの提起前における照会）

第一三二条の二① 訴えを提起しようとする者が訴えの被告となるべき者に対し訴えの提起を予告する通知（以下この章において「予告通知」という。）を書面でした場合には、その予告通知をした者（以下この章において「予告通知者」という。）は、その予告通知を受けた者（以下この章において「被予告通知者」という。）に対し、その予告通知をした日から四月以内に限り、訴えの提起前に、訴えを提起した場合の主張又は立証を準備するために必要であることが明らかな事項について、相当の期間を定めて、書面により、又は被予告通知者の選択により書面若しくは電磁的方法（電子情報処理組織を使用する方法その他の情報通信の技術を利用する方法であって最高裁判所規則で定めるものをいう。以下同じ。）のいずれかにより回答するよう、書面により照会をすることができる。ただし、その照会が次の各号のいずれかに該当するときは、この限りでない。

一 第百六十三条第一項各号のいずれかに該当する照会

二 相手方又は第三者の私生活についての秘密に関する事項についての照会であって、これに回答することにより、その相手方又は第三者が社会生活を営むのに支障を生ずるおそれがあるもの

三 相手方又は第三者の営業秘密に関する事項についての照会

（令和四法四八本項改正）

② 前項第二号に規定する第三者の私生活についての秘密又は同項第三号に規定する第三者の営業秘密に関する事項についての照会については、相手方がこれに回答することをその第三者が承諾した場合には、これらの規定は、適用しない。

③ 予告通知の書面には、提起しようとする訴えに係る

請求の要旨及び紛争の要点を記載しなければならない。

④ 予告通知をする者は、第一項の規定による書面による予告通知に代えて、当該予告通知を受ける者の承諾を得て、電磁的方法により予告通知をすることができる。この場合において、当該予告通知をする者は、同項の規定による書面による予告通知をしたものとみなす。（令和四法四八本項追加）

⑤ 予告通知者は、第一項の規定による書面による照会に代えて、被予告通知者の承諾を得て、電磁的方法により照会をすることができる。（令和四法四八本項追加）

⑥ 被予告通知者（第一項の規定により書面又は電磁的方法のいずれかにより回答するよう照会を受けたものを除く。）は、同項の規定による書面による回答に代えて、予告通知者の承諾を得て、電磁的方法により回答をすることができる。この場合において、被予告通知者は、同項の規定による書面による回答をしたものとみなす。（令和四法四八本項追加）

⑦ 第一項の照会は、既にした予告通知と重複する予告通知に基づいては、することができない。

参 ❶【照会書等の記載事項】→民訴規五二の四【被告】→一三四②【提訴後の当事者照会】→一六三【弁護士会照会】→弁護二三の二【電子情報処理組織】→九一の二②【私生活の秘密等】→九二①㊀、人訴二二①、三五②㊁㊂【営業秘密】→九二①㊁【訴え提起予定の有無等の告知】→民訴規五二の八 ❷【第三者の承諾】→一九七②・二二三⑤ ❸【紛争の要点】→二七二【記載事項】→民訴規五二の二 ❼【重複通知】→一三二の三②・一三二の四③・一六三①㊂・一四二

第一三二条の三 ① 被予告通知者は、予告通知者に対し、当該予告通知者がした予告通知の書面に記載された前条第三項の請求の要旨及び紛争の要点に対する答弁の要旨を記載した書面でその予告通知に対する返答をしたときは、予告通知者に対し、その予告通知がされた日から四月以内に限り、訴えの提起前に、訴えを提起された場合の主張又は立証を準備するために必要であることが明らかな事項について、相当の期間を定めて、書面により、又は予告通知者の選択により書面若しくは電磁的方法のいずれかにより回答するよう、書面により照会をすることができる。

② 前条第一項ただし書、第二項及び第四項から第六項までの規定は、前項の場合について準用する。この場合において、同条第四項中「書面による予告通知」とあるのは「書面による返答」と、「電磁的方法により予告通知」とあるのは「電磁的方法により返答」と読み替えるものとする。（令和四法四八本項追加）

③ 第一項の照会は、既にされた予告通知と重複する予告通知に対する返答に基づいては、することができない。

（令和四法四八本条改正）

参 ❶【返答書の記載事項】→民訴規五二の三【答弁書】→民訴規八〇【反訴】→一四六【電磁的方法】→一三二の二① ❸【重複】→一三二の二⑦・一三二の四②・一六三①㊂・一四二

（訴えの提起前における証拠収集の処分）

第一三二条の四 ① 裁判所は、予告通知者又は前条第一項の返答をした被予告通知者の申立てにより、当該予告通知に係る訴えが提起された場合の立証に必要であることが明らかな証拠となるべきものについて、申立人がこれを自ら収集することが困難であると認められるときは、その予告通知又は返答の相手方（以下この章において単に「相手方」という。）の意見を聴いて、訴えの提起前に、その収集に係る次に掲げる処分をすることができる。ただし、その収集に要すべき時間又は嘱託を受けるべき者の負担が不相当なものとなることその他の事情により、相当でないと認めるときは、この限りでない。

一 文書（第二百三十一条に規定する物件を含む。以下この章において同じ。）の所持者にその文書の送付を嘱託し、又は電磁的記録を利用する権限を有する者にその電磁的記録の送付を嘱託すること。（令和四法四八本号改正）

二 必要な調査を官庁若しくは公署、外国の官庁若しくは公署又は学校、商工会議所、取引所その他の団体（次条第一項第二号において「官公署等」という。）に嘱託すること。

三 専門的な知識経験を有する者にその専門的な知識経験に基づく意見の陳述を嘱託すること。

四 執行官に対し、物の形状、占有関係その他の現況について調査を命ずること。

② 前項の処分の申立ては、予告通知がされた日から四月の不変期間内にしなければならない。ただし、その期間の経過後にその申立てをすることについて相手方の同意があるときは、この限りでない。

③ 第一項の処分の申立ては、既にした予告通知と重複する予告通知又はこれに対する返答に基づいては、することができない。

④ 裁判所は、第一項の処分をした後において、同項ただし書に規定する事情により相当でないと認められるに至ったときは、その処分を取り消すことができる。

参 ❶【立証の必要】→一八一【申立人の困難】→二二一②・二二六但【負担の過重】→一六三①㊄【申立書】→民訴規五二の五【添付書類】→民訴規五二の六［一］【文書の嘱託送付】→二二六【電磁的記録】→三の七③［二］【調査の嘱託】→一八六［三］【専門家の意見】→二一二―二一八［四］【物の形状等の現況調査】→二三二、民執五七 ❷【不変期間】→九六②・九七 ❸【重複】→一三二の二⑦・一三二の三③・一六三①㊂・一四二 ❹【処分の取消し】→九二の四

（証拠収集の処分の管轄裁判所等）

第一三二条の五 ① 次の各号に掲げる処分の申立ては、それぞれ当該各号に定める地を管轄する地方裁判所にしなければならない。

一 前条第一項第一号の処分の申立て　申立人若しくは相手方の普通裁判籍の所在地又は文書を所持する者若しくは電磁的記録を利用する権限を有する者の居所（令和四法四八本号改正）

二 前条第一項第二号の処分の申立て　申立人若しくは相手方の普通裁判籍の所在地又は調査の嘱託を受けるべき官公署等の所在地

三 前条第一項第三号の処分の申立て　申立人若しくは相手方の普通裁判籍の所在地又は特定の物につき意

民訴

立て	見の陳述の嘱託がされるべき場合における当該特定の物の所在地
四　前条第一項第四号の処分の申立て	調査に係る物の所在地

② 第十六条第一項〈管轄違いの場合の移送〉、第二十一条〈即時抗告〉及び第二十二条〈移送の裁判の拘束力等〉の規定は、前条第一項の処分の申立てに係る事件について準用する。

参【管轄↓二三五、民保一二】【普通裁判籍↓四】【電磁的記録↓三の七③】

第一三二条の六（**証拠収集の処分の手続等**）①　裁判所は、第百三十二条の四第一項第一号から第三号までの処分をする場合には、嘱託を受けた者が文書若しくは電磁的記録の送付、調査結果の報告又は意見の陳述をすべき期間を定めなければならない。（令和四法四八本項改正）

② 第百三十二条の四第一項第二号の嘱託若しくは同項第四号の命令に係る調査結果の報告又は同項第三号の嘱託に係る意見の陳述は、書面でしなければならない。

③　第百三十二条の四第一項第二号若しくは第三号の嘱託を受けた者又は同項第四号の命令を受けた者（以下この項において「嘱託等を受けた者」という。）は、前項の規定による書面による調査結果の報告又は意見の陳述に代えて、最高裁判所規則で定めるところにより、当該書面に記載すべき事項を最高裁判所規則で定める電子情報処理組織を使用してファイルに記録する方法又は当該事項に係る電磁的記録を記録した記録媒体を提出する方法による調査結果の報告又は意見の陳述を行うことができる。この場合において、当該嘱託等を受けた者は、同項の規定による書面による調査結果の報告又は意見の陳述をしたものとみなす。（令和四法四八本項追加）

④　裁判所は、第百三十二条の四第一項の処分に基づいて文書若しくは電磁的記録の送付、調査結果の報告又は意見の陳述がされたときは、申立人及び相手方にその旨を通知しなければならない。この場合において、送付に係る文書若しくは電磁的記録を記録した記録媒体又は調査結果の報告若しくは意見の陳述に係る書面若しくは電磁的記録を記録した記録媒体については、第百三十二条の十三の規定は、適用しない。（令和四法四八本項改正）

⑤　裁判所は、次条の定める手続による申立人及び相手方の利用に供するため、前項に規定する通知を発した日から一月間、送付に係る文書若しくは電磁的記録又は調査結果の報告若しくは意見の陳述に係る書面若しくは電磁的記録を保管しなければならない。（令和四法四八本項改正）

⑥　第百八十条第一項〈証拠の申出〉の規定は第百三十二条の四第一項の処分について、第百八十四条第一項〈外国における証拠調べ〉の規定は第百三十二条の四第一項第一号から第三号までの処分について、第二百十三条〈鑑定人の指定〉の規定は同号の処分について、第二百三十一条の三第二項〈書証の規定の準用等〉の規定は第百三十二条の四第一項第一号の処分について、それぞれ準用する。（令和四法四八本項改正）

参【電磁的記録↓三の七③】❶【手続等↓民訴規五二の七】【期間設定↓九六、一五六、一六二、三〇一】❷【書面性↓二一五】❸【電子情報処理組織↓九一の二②】❺【保管↓二二七】

第一三二条の七（**事件の記録の閲覧等**）　第九十一条〈非電磁的訴訟記録の閲覧等〉（第二項を除く。）の規定は非電磁的証拠収集処分記録の閲覧等（第百三十二条の四第一項の処分の申立てに係る事件の記録（ファイル記録事項に係る部分を除く。）の閲覧若しくは謄写、その正本、謄本若しくは抄本の交付又はその複製をいう。第百三十三条第三項において同じ。）の請求について、第九十一条の二〈電磁的訴訟記録の閲覧等〉の規定は電磁的証拠収集処分記録の閲覧等（第百三十二条の四第一項の処分の申立てに係る事件の記録中ファイル記録事項に係る部分の閲覧若しくは複写又はファイル記録事項の全部若しくは一部を証明した書面の交付若しくはファイル記録事項の全部若しくは一部を証明した電磁的記録の提供をいう。第百三十三条第三項において同じ。）の請求について、第九十一条の三〈訴訟に関する事項の証明〉の規定は第百三十二条の四第一項の処分の申立てに係る事件に関する事項を証明した書面の交付又は当該事項を証明した電磁的記録の提供の請求について、それぞれ準用する。この場合において、第九十一条第一項及び第九十一条の二第一項中「何人も」とあるのは「申立人及び相手方は」と、第九十一条第三項、第九十一条の二第二項及び第三項並びに第九十一条の三中「当事者及び利害関係を疎明した第三者」とあるのは「申立人及び相手方」と、第九十一条第四項中「当事者又は利害関係を疎明した第三者」とあるのは「申立人又は相手方」と読み替えるものとする。（令和四法四八本条全部改正）

参【書記官の職務↓裁六〇②】【電磁的記録↓三の七③】

第一三二条の八（**不服申立ての不許**）　第百三十二条の四第一項の処分の申立てについての裁判に対しては、不服を申し立てることができない。

参【不服申立て不許↓二三八】

第一三二条の九（**証拠収集の処分に係る裁判に関する費用の負担**）　第百三十二条の四第一項の処分の申立てについての裁判に関する費用は、申立人の負担とする。

参【訴訟費用の原則↓六一】【証拠保全の費用↓二四一】

第七章　電子情報処理組織による申立て等

（平成一六法一五二本章追加）

第一三二条の一〇（**電子情報処理組織による申立て等**）①　民事訴訟に関する手続における申

立てその他の申述（以下「申立て等」という。）のうち、当該申立て等に関するこの法律その他の法令の規定により書面等（書面、書類、文書、謄本、抄本、正本、副本、複本その他文字、図形等人の知覚によって認識することができる情報が記載された紙その他の有体物をいう。以下この章において同じ。）をもってするものとされているものであって、裁判所に対してするもの（当該裁判所の裁判長、受命裁判官、受託裁判官又は裁判所書記官に対してするものを含む。）については、当該法令の規定にかかわらず、最高裁判所規則で定めるところにより、最高裁判所規則で定める電子情報処理組織を使用して当該書面等に記載すべき事項をファイルに記録する方法により行うことができる。

②　前項の方法によりされた申立て等（以下この条において「電子情報処理組織を使用する申立て等」という。）については、当該申立て等を書面等をもってするものとして規定した申立て等に関する法令の規定に規定する書面等をもってされたものとみなして、当該法令その他の当該申立て等に関する法令の規定を適用する。

③　電子情報処理組織を使用する申立て等は、当該電子情報処理組織を使用する申立て等に係る事項がファイルに記録された時に、当該裁判所に到達したものとみなす。

④　第一項の場合において、当該申立て等に関する他の法令の規定により署名等（署名、記名、押印その他氏名又は名称を書面等に記載することをいう。以下この項において同じ。）をすることとされているものについては、当該申立て等をする者は、当該法令の規定にかかわらず、当該署名等に代えて、最高裁判所規則で定めるところにより、氏名又は名称を明らかにする措置を講じなければならない。

⑤　電子情報処理組織を使用する申立て等がされたときは、当該電子情報処理組織を使用する申立て等に係る送達は、当該電子情報処理組織を使用する申立て等に係る法令の規定にかかわらず、当該電子情報処理組織を使用する申立て等によりファイルに記録された事項に係る電磁的記録の送達によってする。（令和四法四八本項全部改正）

⑥　前項の方法により行われた電子情報処理組織を使用する申立て等に係る送達については、当該電子情報処理組織を使用する申立て等に関する法令の規定に規定する送達の方法により行われたものとみなして、当該送達に関する法令その他の当該電子情報処理組織を使用する申立て等に関する法令の規定を適用する。（令和四法四八本項全部改正）

（令和四法四八本条改正）

参【電子情報処理組織→九一の二②【申立て等→民執規一　❺【電磁的記録の送達→一〇九、一〇九の二

（電子情報処理組織による申立て等の特例）

第一三二条の一一　①　次の各号に掲げる者は、それぞれ当該各号に定める事件の申立て等をするときは、前条第一項の方法により、これを行わなければならない。ただし、口頭ですることができる申立て等について、口頭でするときは、この限りでない。

一　訴訟代理人のうち委任を受けたもの（第五十四条第一項ただし書の許可を得て訴訟代理人となったものを除く。）　当該委任を受けた事件

二　国の利害に関係のある訴訟についての法務大臣の権限等に関する法律（昭和二十二年法律第百九十四号）第二条、第五条第一項、第六条第二項、第六条の二第四項若しくは第五項、第六条の三第四項若しくは第五項又は第七条第三項の規定による指定を受けた者　当該指定の対象となった事件

三　地方自治法（昭和二十二年法律第六十七号）第百五十三条第一項の規定による委任を受けた職員　当該委任を受けた事件

②　前項各号に掲げる者は、第百九条の二第一項ただし書の届出をしなければならない。

③　第一項の規定は、同項各号に掲げる者が裁判所の使用に係る電子計算機の故障その他その責めに帰することができない事由により、電子情報処理組織を使用する方法により申立て等を行うことができない場合には、適用しない。

（令和四法四八本条追加）

参【電子情報処理組織→九一の二②　❶【二】【訴訟代理人の資格→五四①

（書面等による申立て等）

第一三二条の一二　①　申立て等が書面等により行われたとき（前条第一項の規定に違反して行われたときを除く。）は、裁判所書記官は、当該書面等に記載された事項（次の各号に掲げる場合における当該各号に定める事項を除く。）をファイルに記録しなければならない。ただし、当該事項をファイルに記録することにつき困難な事情があるときは、この限りでない。

一　当該申立て等に係る書面等について、当該申立て等とともに第九十二条第一項の申立て（同項第二号に掲げる事由があることを理由とするものに限る。）がされた場合において、当該書面等に記載された営業秘密がその訴訟の追行の目的以外の目的で使用され、又は当該営業秘密が開示されることにより、当該営業秘密に基づく当事者の事業活動に支障を生ずるおそれがあり、これを防止するため裁判所が特に必要があると認めるとき（当該同項の申立てが却下されたとき又は当該同項の申立てに係る決定を取り消す裁判が確定したときを除く。）　当該書面等に記載された営業秘密

二　書面等により第百三十三条第二項の規定による届出があった場合　当該書面等に記載された事項

三　当該申立て等に係る書面等について、当該申立て等とともに第百三十三条の二第二項の申立てがされた場合において、裁判所が必要があると認めるとき（当該同項の申立てが却下されたとき又は当該同項の申立てに係る決定を取り消す裁判が確定したときを除く。）　当該書面等に記載された同項に規定する秘匿事項記載部分

② 前項の規定によりその記載された事項がファイルに記録された書面等による申立て等に係る送達は、当該申立て等に係る法令の規定にかかわらず、同項の規定によりファイルに記録された事項に係る電磁的記録の送達をもって代えることができる。

③ 前項の方法により行われた申立て等に係る送達については、当該申立て等に関する法令の規定に規定する送達の方法により行われたものとみなして、当該送達に関する法令その他の当該申立て等に関する法令の規定を適用する。

（令和四法四八本条追加）

参❶［二］〔営業秘密↓九二①㈡〕 ❷〔電磁的記録の送達↓一〇九・一〇九の二〕

（書面等に記録された事項のファイルへの記録等）

第一三二条の一三 裁判所書記官は、前条第一項に規定する申立て等に係る書面等のほか、民事訴訟に関する手続においてこの法律その他の法令の規定に基づき裁判所に提出された書面等又は電磁的記録を記録した記録媒体に記載され、又は記録されている事項（次の各号に掲げる場合における当該各号に定める事項を除く。）をファイルに記録しなければならない。ただし、当該事項をファイルに記録することにつき困難な事情があるときは、この限りでない。

一 当該書面等又は当該記録媒体について、これらの提出とともに第九十二条第一項の申立て（同項第二号に掲げる事由があることを理由とするものに限る。）がされた場合において、当該書面等若しくは当該記録媒体に記載され、若しくは記録された営業秘密がその訴訟の追行の目的以外の目的で使用され、又は当該営業秘密が開示されることにより、当該営業秘密に基づく当事者の事業活動に支障を生ずるおそれがあり、これを防止するため裁判所が特に必要があると認めるとき（当該申立てが却下されたとき又は当該申立てに係る決定を取り消す裁判が確定したときを除く。） 当該書面等又は当該記録媒体に記載され、又は記録された営業秘密

二 当該記録媒体を提出する方法により次条第二項の規定による届出があった場合 当該記録媒体に記録された事項

三 当該書面等又は当該記録媒体について、これらの提出とともに第百三十三条の二第二項の申立てがされた場合において、裁判所が必要があると認めるとき（当該申立てが却下されたとき又は当該申立てに係る決定を取り消す裁判が確定したときを除く。） 当該書面等又は当該記録媒体に記載され、又は記録された同項に規定する秘匿事項記載部分

四 第百三十三条の三第一項の規定による決定があった場合において、裁判所が必要があると認めるとき（当該決定を取り消す裁判が確定したときを除く。） 当該決定に係る書面等及び電磁的記録を記録した記録媒体に記載され、又は記録された事項

（令和四法四八本条追加）

参＊〔電磁的記録↓三の七③〕 ❶［二］〔営業秘密↓九二①㈡〕

第八章 当事者に対する住所、氏名等の秘匿（令和四法四八本章追加）

（申立人の住所、氏名等の秘匿）

第一三三条 ① 申立て等をする者又はその法定代理人の住所、居所その他その通常所在する場所（以下この項及び次項において「住所等」という。）の全部又は一部が当事者に知られることによって当該申立て等をする者又は当該法定代理人が社会生活を営むのに著しい支障を生ずるおそれがあることにつき疎明があった場合には、裁判所は、申立てにより、決定で、住所等の全部又は一部を秘匿する旨の裁判をすることができる。申立て等をする者又はその法定代理人の氏名その他当該者を特定するに足りる事項（次項において「氏名等」という。）についても、同様とする。

② 前項の申立てをするときは、同項の申立て等をする者又はその法定代理人（以下この章において「秘匿対象者」という。）の住所等又は氏名等（次条第二項において「秘匿事項」という。）その他最高裁判所規則で定める事項を書面その他最高裁判所規則で定める方法により届け出なければならない。（令和四法四八本項改正）

③ 第一項の申立てがあったときは、その申立てについての裁判が確定するまで、当該申立てに係る秘匿対象者以外の者は、訴訟記録等（訴訟記録又は第百三十二条の四第一項の処分の申立てに係る事件の記録をいう。以下この章において同じ。）中前項の規定による届出に係る部分（次条において「秘匿事項届出部分」という。）について訴訟記録等の閲覧等（訴訟記録の閲覧等、非電磁的証拠収集処分記録の閲覧等又は電磁的証拠収集処分記録の閲覧等をいう。以下この章において同じ。）の請求をすることができない。（令和四法四八本項改正）

④ 第一項の申立てを却下した裁判に対しては、即時抗告をすることができる。

⑤ 裁判所は、秘匿対象者の住所又は氏名について第一項の決定（以下この章において「秘匿決定」という。）をする場合には、当該秘匿決定において、当該秘匿対象者の住所又は氏名に代わる事項を定めなければならない。この場合において、その事項を当該事件並びにその事件についての反訴、参加、強制執行、仮差押え及び仮処分に関する手続において記載し、又は記録したときは、この法律その他の法令の規定の適用については、当該秘匿対象者の住所又は氏名を記載し、又は記録したものとみなす。（令和四法四八本項改正）

参❶〔申立て等↓一三二の一〇①〕〔申立ての方式↓民訴規五二の九㈠〕〔社会生活を営むのに著しい支障↓九二①㈢・一三三の三〕〔疎明の方法↓一八八〕 ❹〔即時抗告↓三三二〕

（秘匿決定があった場合における閲覧等の制限の特則）

第一三三条の二 ① 秘匿決定があった場合には、秘匿事項届出部分に係る訴訟記録等の閲覧等の請求をすることができる者を当該秘匿決定に係る秘匿対象者に限

る。（令和四法四八本項改正）

② 前項の場合において、裁判所は、申立てにより、決定で、訴訟記録等中秘匿事項届出部分以外のものであって秘匿事項又は秘匿事項を推知することができる事項が記載され、又は記録された部分（以下この条において「秘匿事項記載部分」という。）に係る訴訟記録等の閲覧等の請求をすることができる者を当該秘匿決定に係る秘匿対象者に限ることができる。（令和四法四八本項改正）

③ 前項の申立てがあったときは、その申立てについての裁判が確定するまで、当該秘匿決定に係る秘匿対象者以外の者は、当該秘匿事項記載部分に係る訴訟記録等の閲覧等の請求をすることができない。（令和四法四八本項改正）

④ 第二項の申立てを却下した裁判に対しては、即時抗告をすることができる。

⑤ 裁判所は、第二項の申立てがあった場合において、必要があると認めるときは、電磁的訴訟記録等（電磁的訴訟記録又は第百三十二条の四第一項の処分の申立てに係る事件の記録中ファイル記録事項に係る部分をいう。以下この項及び次項において同じ。）中当該秘匿事項記載部分につき、その内容を書面に出力し、又はこれを他の記録媒体に記録するとともに、当該部分を電磁的訴訟記録等から消去する措置その他の当該秘匿事項記載部分の安全管理のために必要かつ適切なものとして最高裁判所規則で定める措置を講ずることができる。（令和四法四八本項追加）

⑥ 前項の規定による電磁的訴訟記録等から消去する措置が講じられた場合において、その後に第二項の申立てを却下する裁判が確定したとき、又は当該申立てに係る決定を取り消す裁判が確定したときは、裁判所書記官は、当該秘匿事項記載部分をファイルに記録しなければならない。（令和四法四八本項追加）

【秘匿決定↓一三三⑤【秘匿事項届出部分↓一三三③【訴訟記録等↓一三三③【訴訟記録等の閲覧等↓一三三③【秘匿対象者↓一三三②【秘匿事項↓一三三② ❷【申立ての方式↓民訴規五二の九㈢、五二の一一 ❹【即時抗告↓三三二

第一三三条の三（送達をすべき場所等の調査嘱託があった場合における閲覧等の制限の特則）① 裁判所は、当事者又はその法定代理人に対して送達をするため、その者の住所、居所その他送達をすべき場所についての調査を嘱託した場合において、当該嘱託に係る調査結果の報告が記載され、又は記録された書面又は電磁的記録が閲覧されることにより、当事者又はその法定代理人が社会生活を営むのに著しい支障を生ずるおそれがあることが明らかであると認めるときは、決定で、当該書面又は電磁的記録及びこれに基づいてされた送達に関する第百条の書面又は電磁的記録その他これに類する書面又は電磁的記録に係る訴訟記録等の閲覧等の請求をすることができる者を当該当事者又は当該法定代理人に限ることができる。当事者又はその法定代理人を特定するため、その者の氏名その他当該者を特定するに足りる事項についての調査を嘱託した場合についても、同様とする。

② 前条第五項及び第六項の規定は、前項の規定による決定があった場合について準用する。（令和四法四八本項追加）

（令和四法四八本条改正）

【送達場所↓一〇三、一〇四【調査嘱託↓一八六【電磁的記録↓三の七③【訴訟記録の閲覧等↓一三三③【社会生活を営むのに著しい支障↓九二①㈠、一三三①

第一三三条の四（秘匿決定の取消し等）① 秘匿決定、第百三十三条の二第二項の決定又は前条第一項の決定（次項及び第七項において「秘匿決定等」という。）に係る者以外の者は、訴訟記録等の存する裁判所に対し、その要件を欠くこと又はこれを欠くに至ったことを理由として、その決定の取消しの申立てをすることができる。（令和四法四八本項改正）

② 秘匿決定等に係る者以外の当事者は、秘匿決定等がある場合であっても、自己の攻撃又は防御に実質的な不利益を生ずるおそれがあるときは、訴訟記録等の存する裁判所の許可を得て、第百三十三条の二第一項若しくは第二項又は前条第一項の規定により訴訟記録等の閲覧等の請求が制限される部分につきその請求をすることができる。（令和四法四八本項改正）

③ 裁判所は、前項の規定による許可の申立てがあった場合において、その原因となる事実につき疎明があったときは、これを許可しなければならない。

④ 裁判所は、第一項の取消し又は第二項の許可の裁判をするときは、次の各号に掲げる区分に従い、それぞれ当該各号に定める者の意見を聴かなければならない。

一 秘匿決定又は第百三十三条の二第二項の決定に係る裁判をするとき　当該決定に係る秘匿対象者

二 前条の決定に係る裁判をするとき　当該決定に係る当事者又は法定代理人

⑤ 第一項の取消しの申立てについての裁判及び第二項の許可の申立てについての裁判に対しては、即時抗告をすることができる。

⑥ 第一項の取消し及び第二項の許可の裁判は、確定しなければその効力を生じない。

⑦ 第二項の許可の裁判があったときは、その許可の申立てに係る当事者又はその法定代理人、訴訟代理人若しくは補佐人は、正当な理由なく、その許可により得られた情報を、当該手続の追行の目的以外の目的のために利用し、又は秘匿決定等に係る者以外の者に開示してはならない。

【秘匿決定↓一三三⑤【訴訟記録等↓一三三③ ❶【申立ての方式↓民訴規五二の九㈢ ❷【訴訟記録等の閲覧等↓一三三③【申立ての方式↓民訴規五二の九㈣ ❸【疎明の方法↓一八八 ❹【二】【秘匿対象者↓一三三② ❺【秘匿決定の一部取消し等の場合の取扱い↓民訴規五二の一三【即時抗告↓三三二

第二編　第一審の訴訟手続

第一章　訴え

（訴え提起の方式）

第一三四条① 訴えの提起は、訴状を裁判所に提出してしなければならない。

② 訴状には、次に掲げる事項を記載しなければならない。

一 当事者及び法定代理人

二 請求の趣旨及び原因

❶【電子情報処理組織による申立て→一三二の一〇【簡易裁判所の起訴の特則→二七一・二七三【訴訟中の訴え等の提起→一四三②・一四四・一四五④・一四六④、犯罪被害保護二四【訴えの提起とみなされる場合→二七五②・三九五、犯罪被害保護三八【訴状の送達→一三八【起訴に基づく時効の完成猶予→四九・一四七、三五五②、民一四七・一五三 ❷【訴状の記載事項・添付書類→民訴規五三―五五【手形・小切手訴訟による審理判決を求める申述の記載→三五〇・三六七【手形訴訟における手形の写しの添付→民訴規五五①㈢【再審の訴状の記載事項→三四三 【㈠】【法定代理人→二八・三五・三七【法定代理人による訴訟行為→三一・三二【請求の趣旨・原因の変更→一四三【請求の原因の別な用例→二四五 ＋【手数料の額→民訴費別表第一〈一の項〉【訴状審査権→一三七【行政事件訴訟における被告の変更→行訴一五

（証書真否確認の訴え）

第一三四条の二 確認の訴えは、法律関係を証する書面の成立の真否を確定するためにも提起することができる。

＋【文書の真否の証明責任→二二八

（将来の給付の訴え）

第一三五条 将来の給付を求める訴えは、あらかじめその請求をする必要がある場合に限り、提起することができる。

＋【将来の給付判決の執行→民執二七①・三〇①【口頭弁論終結前の損害に対する定期金賠償の確定判決変更の訴えと対比→一一七

（請求の併合）

第一三六条 数個の請求は、同種の訴訟手続による場合に限り、一の訴えですることができる。

＋【併合請求の訴えの管轄→七・一三【併合請求における訴額の合算→九【特別の併合禁止と特別の併合許容→人訴一七、行訴一六・一九・二〇・三八【弁論の制限・分離・併合→一五二①【一部判決→二四三【国際裁判管轄→三の六

（裁判長の訴状審査権）

第一三七条① 訴状が第百三十四条第二項の規定に違反する場合には、裁判長は、相当の期間を定め、その期間内に不備を補正すべきことを命じなければならない。（令和四法四八本項改正）

② 前項の場合において、原告が不備を補正しないときは、裁判長は、命令で、訴状を却下しなければならない。

③ 前項の命令に対しては、即時抗告をすることができる。

❶【裁判長→裁二六①【裁定期間→九六【補正命令→民訴規五六 ❷【命令による却下の他の場合→二八八・二八九②・三一四② ❸【即時抗告→三三二、民訴規五七 ＋【本条の準用→一三八②

（訴えの提起の手数料の納付がない場合の訴状却下）

第一三七条の二① 民事訴訟費用等に関する法律（昭和四十六年法律第四十号）の規定に従い訴えの提起の手数料を納付しない場合には、裁判所書記官は、相当の期間を定め、その期間内に当該手数料を納付すべきことを命ずる処分をしなければならない。

② 前項の処分は、相当と認める方法で告知することによって、その効力を生ずる。

③ 第一項の処分に対する異議の申立ては、その告知を受けた日から一週間の不変期間内にしなければならない。

④ 前項の異議の申立ては、執行停止の効力を有する。

⑤ 裁判所は、第三項の異議の申立てがあった場合において、第一項の処分において納付を命じた額を超える額の訴えの提起の手数料を納付すべきと認めるときは、相当の期間を定め、その期間内に当該額を納付すべきことを命じなければならない。

⑥ 第一項又は前項の場合において、原告が納付を命じられた手数料を納付しないときは、裁判長は、命令で、訴状を却下しなければならない。

⑦ 前項の命令に対しては、即時抗告をすることができる。ただし、即時抗告をした者が、その者において相当と認める訴訟の目的の価額に応じて算出される民事訴訟費用等に関する法律の規定による訴えの提起の手数料を納付しないときは、この限りでない。

⑧ 前項ただし書の場合には、原裁判所は、その即時抗告を却下しなければならない。

⑨ 前項の規定による決定に対しては、不服を申し立てることができない。

（令和四法四八本条追加）

❶【裁判所書記官→裁六〇 ❸【裁判所書記官の処分に対する異議の申立て→一二一 ❼【即時抗告→三三二

（訴状の送達）

第一三八条① 訴状は、被告に送達しなければならない。

② 第百三十七条の規定は、訴状の送達をすることができない場合（訴状の送達に必要な費用を予納しない場合を含む。）について準用する。（令和四法四八本項改正）

❶民訴規五八【送達→九八―一一二【住所・居所の知れない者等に対する公示送達→一一〇

（口頭弁論期日の指定）

第一三九条 訴えの提起があったときは、裁判長は、口頭弁論の期日を指定し、当事者を呼び出さなければならない。

＋【訴えの提起→一三四①・二七一・二七五・三九五【口頭弁論→八七①【期日の指定権者→九三【最初の口頭弁論期日の指定→民訴規六〇・一一三【本条の例外→民訴規六〇①但・六一【呼出しの方式→九四【手形訴訟の呼出状の記載事項→民訴規二一三②③【期日の開始→民訴規六二【最初の口頭弁論期日の変更→九三④

（口頭弁論を経ない訴えの却下）

第一四〇条 訴えが不適法でその不備を補正することができないときは、裁判所は、口頭弁論を経ないで、判決で、訴えを却下することができる。

＋【必要的口頭弁論の原則→八七【口頭弁論を経ない判決による

却下の例→七八、二九〇、三五五、三五九、三七八②【裁判長による訴状・控訴状・上告状の却下命令→一三七、二八八、二八九②、三一四②

（呼出費用の予納がない場合の訴えの却下）

第一四一条① 裁判所は、民事訴訟費用等に関する法律の規定に従い当事者に対する期日の呼出しに必要な費用の予納を相当の期間を定めて原告に命じた場合において、その予納がないときは、被告に異議がない場合に限り、決定で、訴えを却下することができる。

② 前項の決定に対しては、即時抗告をすることができる。

参❶【決定で本案の申立てを却下できる例→二九一、三一六、三一七、三一八⑤、三四五①　❷【即時抗告→三三二

（重複する訴えの提起の禁止）

第一四二条 裁判所に係属する事件については、当事者は、更に訴えを提起することができない。

参+【訴訟係属→一三四、一三八【調停と訴訟の調整→民調二〇の三、家事二七五【不適法な訴えの却下→一四〇

（訴えの変更）

第一四三条① 原告は、請求の基礎に変更がない限り、口頭弁論の終結に至るまで、請求又は請求の原因を変更することができる。ただし、これにより著しく訴訟手続を遅滞させることとなるときは、この限りでない。

② 請求の変更は、書面でしなければならない。

③ 前項の書面は、相手方に送達しなければならない。

④ 裁判所は、請求又は請求の原因の変更を不当であると認めるときは、申立てにより又は職権で、その変更を許さない旨の決定をしなければならない。

参❶【請求の趣旨・原因→一三四【口頭弁論の終結→二五三①四【人事訴訟における特則→人訴一八【訴え変更による時効の完成猶予→一四七【手数料の額→民訴費別表第一〈五の項〉　❸【送達→九八―一一三　+【本条の準用→一四四③、一四五④【行政事件訴訟における請求の追加的併合→行訴一八―二〇【取消訴訟の国等への請求への変更→行訴二一

（選定者に係る請求の追加）

第一四四条① 第三十条第三項の規定による原告となるべき者の選定があった場合には、その者は、口頭弁論の終結に至るまで、その選定者のために請求の追加をすることができる。

② 第三十条第三項の規定による被告となるべき者の選定があった場合には、原告は、口頭弁論の終結に至るまで、その選定者に係る請求の追加をすることができる。

③ 前条第一項ただし書及び第二項から第四項までの規定は、前二項の請求の追加について準用する。

参+【起訴前の選定にかかる選定当事者→三〇①【口頭弁論の終結→二五三①四【対比規定→一四三①、一四五①【時効の完成猶予→一四七【選定者に対する既判力・執行力の拡張→一一五①二、民執二三①二

（中間確認の訴え）

第一四五条① 裁判が訴訟の進行中に争いとなっている法律関係の成立又は不成立に係るときは、当事者は、請求を拡張して、その法律関係の確認の判決を求めることができる。ただし、その確認の請求が他の裁判所の専属管轄（当事者が第十一条の規定により合意で定めたものを除く。）に属するときは、この限りでない。

② 前項の訴訟が係属する裁判所が第六条第一項各号に定める裁判所である場合において、前項の確認の請求が同条第一項の規定により他の裁判所の専属管轄に属するときは、前項ただし書の規定は、適用しない。（平成一五法一〇八本項追加）

③ 日本の裁判所が管轄権の専属に関する規定により第一項の確認の請求について管轄権を有しないときは、当事者は、同項の確認の判決を求めることができない。（平成二三法三六本項追加）

④ 第百四十三条第二項及び第三項〈書面による方式、書面の送達〉の規定は、第一項の規定による請求の拡張について準用する。

参+【専属管轄→一三　参【時効の完成猶予→一四七　❷【特許権等に関する訴えの他の特則→一三②、二〇②、二〇の二、一四六②、二九九②、三一二②三　❸【国際裁判管轄→三の二―三の九【専属管轄の除外→三の一〇【人事訴訟の除外→人訴二九①

（反訴）

第一四六条① 被告は、本訴の目的である請求又は防御の方法と関連する請求を目的とする場合に限り、口頭弁論の終結に至るまで、本訴の係属する裁判所に反訴を提起することができる。ただし、次に掲げる場合は、この限りでない。

一 反訴の目的である請求が他の裁判所の専属管轄（当事者が第十一条の規定により合意で定めたものを除く。）に属するとき。（平成一五法一〇八本号追加）

二 反訴の提起により著しく訴訟手続を遅滞させることとなるとき。（平成一五法一〇八本項改正）

② 本訴の係属する裁判所が第六条第一項各号に定める裁判所である場合において、反訴の目的である請求が同項の規定により他の裁判所の専属管轄に属するときは、前項第一号の規定は、適用しない。（平成一五法一〇八本項追加）

③ 日本の裁判所が反訴の目的である請求について管轄権を有しない場合には、被告は、本訴の目的である請求又は防御の方法と密接に関連する請求を目的とする場合に限り、第一項の規定による反訴を提起することができる。ただし、日本の裁判所が管轄権の専属に関する規定により反訴の目的である請求について管轄権を有しないときは、この限りでない。（平成二三法三六本項追加）

④ 反訴については、訴えに関する規定による。

参❶【口頭弁論の終結→二五三①四【専属管轄→一三　参　❷【特許権等に関する訴えの他の特則→一三②、二〇②、二〇の二、一四五②、二九九②、三一二②三　❸【国際裁判管轄→三の二―三の九①【専属管轄の除外→三の一〇【人事訴訟の除外→人訴二九①　❹【提起の方式→一三四【手数料の額→民訴費別表第一〈六の項〉【反訴に関する訴訟代理権→五五①②　+【上訴審における反訴→三〇〇、三一三【簡裁における反訴と移送→二七四【反訴禁止の例→三五一、三六七、三六九【人事訴訟における反訴の特則→人訴一八【本訴又は反訴についての一部判決→二四三③

（裁判上の請求による時効の完成猶予等）

第一四七条　訴えが提起されたとき、又は第百四十三条第二項（第百四十四条第三項及び第百四十五条第四項において準用する場合を含む。）の書面が裁判所に提出されたときは、その時に時効の完成猶予又は法律上の期間の遵守のために必要な裁判上の請求があったものとする。（平成二九法四五本条全部改正）

§+【時効の完成猶予↓民一四七①㈠【法律上の期間の例↓民二〇一、二三四、七四七②、七七七、七八七、八〇四、八〇六―八〇八、会社八二八①、八三一、八三二、行訴一四、破一二六、一七五、一八〇【手形訴訟の要件を欠いているため却下された後の通常訴訟の場合の特則↓三五五②【当事者の交替と時期の遡及↓四九、五〇③、五一、行訴一五③【移送の効力↓二二③【仲裁と時効の完成猶予及び更新↓仲裁二九②

第二章　計画審理（平成一五法一〇八本章追加）

（訴訟手続の計画的進行）

第一四七条の二　裁判所及び当事者は、適正かつ迅速な審理の実現のため、訴訟手続の計画的な進行を図らなければならない。

§+【訴訟の公正迅速進行↓二【争点・証拠整理手続↓一六四―一七八【集中証拠調べ↓一八二

（審理の計画）

第一四七条の三①　裁判所は、審理すべき事項が多数であり又は錯そうしているなど事件が複雑であることその他の事情によりその適正かつ迅速な審理を行うため必要があると認められるときは、当事者双方と協議をし、その結果を踏まえて審理の計画を定めなければならない。

②　前項の審理の計画においては、次に掲げる事項を定めなければならない。

一　争点及び証拠の整理を行う期間

二　証人及び当事者本人の尋問を行う期間

三　口頭弁論の終結及び判決の言渡しの予定時期

③　第一項の審理の計画においては、前項各号に掲げる事項のほか、特定の事項についての攻撃又は防御の方法を提出すべき期間その他の訴訟手続の計画的な進行上必要な事項を定めることができる。

④　裁判所は、審理の現状及び当事者の訴訟追行の状況その他の事情を考慮して必要があると認めるときは、当事者双方と協議をし、その結果を踏まえて第一項の審理の計画を変更することができる。

§❶【大規模訴訟の特則↓二六八、二六九　❶❹【調書に記載↓民訴規六七①㈢　❷【争点・証拠整理↓一六四―一七八【証人尋問↓一九〇―二〇六【当事者尋問↓二〇七―二一一【口頭弁論の終結↓二四三①【判決言渡期日↓二五一　❸【攻撃防御方法の提出時期↓一五六【準備書面の提出期間↓一六二【控訴審の期間制限↓三〇一　❹【訴訟指揮に関する裁判↓一二〇

第三章　口頭弁論及びその準備

第一節　口頭弁論

§+【進行協議期日↓民訴規九五―九八

（裁判長の訴訟指揮権）

第一四八条①　裁判長は、口頭弁論を指揮する。

②　裁判長は、発言を許し、又はその命令に従わない者の発言を禁ずることができる。

§❶【裁判長↓裁九③、一八②、二六③、二七②【合議体による監督↓一五〇【裁判長による訴状・控訴状・上告状の却下↓一三七②、二八八、二八九②、三一四②　❷【命令↓一一九、一二〇、一二二【裁判長の秩序維持権↓裁七一【裁判長の期日指定権↓九三①

（釈明権等）

第一四九条①　裁判長は、口頭弁論の期日又は期日外において、訴訟関係を明瞭にするため、事実上及び法律上の事項に関し、当事者に対して問いを発し、又は立証を促すことができる。

②　陪席裁判官は、裁判長に告げて、前項に規定する処置をすることができる。

③　当事者は、口頭弁論の期日又は期日外において、裁判長に対して必要な発問を求めることができる。

④　裁判長又は陪席裁判官が、口頭弁論の期日外において、攻撃又は防御の方法に重要な変更を生じ得る事項について第一項又は第二項の規定による処置をしたときは、その内容を相手方に通知しなければならない。

§❶【裁判長↓一四八§【口頭弁論期日↓九三、一六〇【公正迅速な審理↓二、一四七の二、一四七の三【訴訟指揮に関する命令の取消し↓一二〇【合議体による監督↓一五〇【釈明しない場合の処置↓一五七②　❷【陪席裁判官↓裁九、一八、二六、三一の四　❶❷【期日外の釈明のための措置↓民訴規六三　❹【重要な釈明権行使の相手方への通知↓民訴規四　+【裁判所の釈明処分↓一五一【専門委員の関与↓九二の二―九二の七【調査官の関与↓九二の八

（訴訟指揮等に対する異議）

第一五〇条　当事者が、口頭弁論の指揮に関する裁判長の命令又は前条第一項若しくは第二項の規定による裁判長若しくは陪席裁判官の処置に対し、異議を述べたときは、裁判所は、決定で、その異議について裁判をする。

§+【訴訟指揮に関する命令↓一四八

（釈明処分）

第一五一条①　裁判所は、訴訟関係を明瞭にするため、次に掲げる処分をすることができる。

一　当事者本人又はその法定代理人に対し、口頭弁論の期日に出頭することを命ずること。

二　口頭弁論の期日において、当事者のため事務を処理し、又は補助する者で裁判所が相当と認めるものに陳述をさせること。

三　訴訟書類若しくは訴訟において引用した文書その他の物件で当事者の所持するもの又は訴訟においてその記録された情報の内容を引用した電磁的記録で当事者が利用する権限を有するものを提出させること。（令和四法四八本号改正）

四　当事者又は第三者の提出した文書その他の物件を裁判所に留め置くこと。

五　検証をし、又は鑑定を命ずること。

六　調査を嘱託すること。

②　前項の規定による電磁的記録の提出は、最高裁判所規則で定めるところにより、電磁的記録を記録した記

録媒体を提出する方法又は最高裁判所規則で定める電子情報処理組織を使用する方法により行う。（令和四法四八本項追加）

③　第一項の規定により提出された文書及び前項の規定により提出された電磁的記録については、第百三十二条の十三の規定は、適用しない。（令和四法四八本項追加）

④　第一項に規定する検証、鑑定及び調査の嘱託については、証拠調べに関する規定を準用する。（令和四法四八本項改正）

⊛❶〔一〕【法定代理人→二八、三一、三七】〔二〕【同旨の規定→民保九】〔三〕【引用所持文書の提出→二二〇〔一〕】〔五〕【証拠調べとしての検証→二三二―二三三】【証拠調べとしての鑑定→二一二―二一八】〔六〕【証拠調べとしての調査の嘱託→一八六】❷【電子情報処理組織→九一の二②】⁺【釈明しないときの処置→一五七②】【裁判長の釈明処分→一四九】【電磁的記録→三の七③】

（口頭弁論の併合等）

第一五二条①　裁判所は、口頭弁論の制限、分離若しくは併合を命じ、又はその命令を取り消すことができる。

②　裁判所は、当事者を異にする事件について口頭弁論の併合を命じた場合において、その前に尋問をした証人について、尋問の機会がなかった当事者が尋問の申出をしたときは、その尋問をしなければならない。

⊛❶【弁論の分離禁止の例→四〇、四一①、四七、五二】【弁論の併合を必要とする場合→四一③、会社八三七、破一二六②、民再一〇六⑥、会更一五二⑥】【弁論の併合と一部判決→二四三③】【訴訟指揮の裁判の取消し→一二〇】【人事訴訟における併合→人訴一七】❷【証人尋問→一九〇―二〇六】【同旨の規定→二四二、二四九③】

（口頭弁論の再開）

第一五三条　裁判所は、終結した口頭弁論の再開を命ずることができる。

⊛⁺【口頭弁論の終結→二四三①、二五二①〔四〕】【口頭弁論終結前の状態への復帰→三六一】

（通訳人の立会い等）

第一五四条①　口頭弁論に関与する者が日本語に通じないとき、又は耳が聞こえない者若しくは口がきけない者であるときは、通訳人を立ち会わせる。ただし、耳が聞こえない者又は口がきけない者には、文字で問い、又は陳述をさせることができる。

②　裁判所は、相当と認めるときは、当事者の意見を聴いて、最高裁判所規則で定めるところにより、裁判所及び当事者双方が通訳人との間で映像と音声の送受信により相手の状態を相互に認識しながら通話をすることができる方法によって、通訳人に通訳をさせることができる。この場合において、当該方法によることにつき困難な事情があるときは、裁判所及び当事者双方が通訳人との間で音声の送受信により同時に通話をすることができる方法によってすることができる。（令和四法四八本項追加）

③　鑑定人に関する規定は、通訳人について準用する。

⊛❶【裁判所の用語→裁七四】【調書に記載→民訴規六六①〔四〕】【虚偽通訳の罪→刑一七一】【虚偽通訳と再審事由→三三八①〔七〕】❷【映像と音声の送受信→八七の二①⊛】【音声の送受信→八七の二②⊛】❸【鑑定人に関する規定→二一二―二一八】

（弁論能力を欠く者に対する措置）

第一五五条①　裁判所は、訴訟関係を明瞭にするために必要な陳述をすることができない当事者、代理人又は補佐人の陳述を禁じ、口頭弁論の続行のため新たな期日を定めることができる。

②　前項の規定により陳述を禁じた場合において、必要があると認めるときは、裁判所は、弁護士の付添いを命ずることができる。

⊛⁺【陳述禁止・弁護士付添命令の通知→民訴規六五】❶【法定代理人→二八、三五】【訴訟代理人→五四―五九】【補佐人→六〇】❷【付添いを命じた弁護士の報酬→八三①〔三〕】【人事訴訟における制限能力者のための弁護士の選任→人訴一三】

（攻撃防御方法の提出時期）

第一五六条　攻撃又は防御の方法は、訴訟の進行状況に応じ適切な時期に提出しなければならない。

⊛⁺【審理の計画→一四七の三】【攻撃防御方法の準備書面への記載→一六一②】【攻撃防御方法の提出期間の裁定→一六二】【時機に後れた攻撃防御方法の却下→一五七、一五七の二】【時機に後れた提出の説明義務→一六七、一七四】【補助参加人の攻撃防御方法提出→四五①】【中間判決で決定される事項→二四五】【攻撃防御方法の提出妨害と再審事由→三三八①〔五〕】

（審理の計画が定められている場合の攻撃防御方法の提出期間）

第一五六条の二　第百四十七条の三第一項の審理の計画に従った訴訟手続の進行上必要があると認めるときは、裁判長は、当事者の意見を聴いて、特定の事項についての攻撃又は防御の方法を提出すべき期間を定めることができる。（平成一五法一〇八本条追加）

⊛⁺【期間設定→九六、一五六、一六二、三〇一】【違反の効果→一五七の二】【本条の不適用→人訴一九】

（時機に後れた攻撃防御方法の却下等）

第一五七条①　当事者が故意又は重大な過失により時機に後れて提出した攻撃又は防御の方法については、これにより訴訟の完結を遅延させることとなると認めたときは、裁判所は、申立てにより又は職権で、却下の決定をすることができる。

②　攻撃又は防御の方法でその趣旨が明瞭でないものについて当事者が必要な釈明をせず、又は釈明をすべき期日に出頭しないときも、前項と同様とする。

⊛❶【提出時期の原則→一五六】【提出期間の裁定→一六二】【時機に後れた提出の説明義務→一六七、一七四】【訴訟費用の負担→六三】❷【裁判長・陪席裁判官の釈明処分→一四九】【裁判所の釈明処分→一五一】【釈明をすべき期日→一五一①〔一〕】⁺【本条の不適用→人訴一九】

（審理の計画が定められている場合の攻撃防御方法の却下）

第一五七条の二　第百四十七条の三第三項又は第百五十六条の二（第百七十条第五項において準用する場合を含む。）の規定により特定の事項についての攻撃又は防御の方法を提出すべき期間が定められている場合において、当事者がその期間の経過後に提出した攻撃又は防御の方法については、これにより審理の計画に従った訴訟手続の進行に著しい支障を生ずるおそれがあると認めたときは、裁判所は、申立てにより又は職権で、却下の決定をすることができる。ただし、その当事者がその期間内に当該攻撃又は防御の方法を提出することができなかったことについて相当の理由があることを疎明したときは、この限りでない。（平成一五法一〇八本条追加）

⊗+【時機に後れた攻撃防御方法の却下↓一五七【遅延理由説明義務↓一六七、三〇一②【本条の不適用↓人訴一九

（訴状等の陳述の擬制）

第一五八条　原告又は被告が最初にすべき口頭弁論の期日に出頭せず、又は出頭したが本案の弁論をしないときは、裁判所は、その者が提出した訴状又は答弁書その他の準備書面に記載した事項を陳述したものとみなし、出頭した相手方に弁論をさせることができる。

⊗+【最初の期日の指定・変更↓九三⊗【訴状↓一三四②【答弁書の提出期間の裁定↓一六二【準備書面↓一六一②③【期日の懈怠と擬制自白↓一五九③【簡裁手続における続行期日への準用↓二七七【配当異議訴訟における却下事由↓民執九〇③【当事者不在廷と判決言渡し↓二五一②

（自白の擬制）

第一五九条①　当事者が口頭弁論において相手方の主張した事実を争うことを明らかにしない場合には、その事実を自白したものとみなす。ただし、弁論の全趣旨により、その事実を争ったものと認めるべきときは、この限りでない。

②　相手方の主張した事実を知らない旨の陳述をした者は、その事実を争ったものと推定する。

③　第一項の規定は、当事者が口頭弁論の期日に出頭しない場合について準用する。ただし、その当事者が公示送達による呼出しを受けたものであるときは、この限りでない。

⊗❶【口頭弁論で主張できない場合↓一六一③、二七六③【自白の効果↓一七九【弁論の全趣旨↓二四七【本項の不適用↓人訴一九　❷【単純否認の禁止↓民訴規七九③【具体的態様の明示↓特許一〇四の二、著作一一四の二　❸【当事者の不出頭↓一五八、二七七【公示送達↓一一〇—一一二

（口頭弁論に係る電子調書の作成等）

第一六〇条①　裁判所書記官は、口頭弁論について、期日ごとに、最高裁判所規則で定めるところにより、電子調書（期日又は期日外における手続の方式、内容及び経過等の記録及び公証をするためにこの法律その他の法令の規定により裁判所書記官が作成する電磁的記録をいう。以下同じ。）を作成しなければならない。

②　裁判所書記官は、前項の規定により電子調書を作成したときは、最高裁判所規則で定めるところにより、これをファイルに記録しなければならない。（令和四法四八本項追加）

③　前項の規定によりファイルに記録された電子調書の内容に当事者その他の関係人が異議を述べたときは、最高裁判所規則で定めるところにより、その異議があった旨を明らかにする措置を講じなければならない。

④　口頭弁論の方式に関する規定の遵守は、第二項の規定によりファイルに記録された電子調書によってのみ証明することができる。ただし、当該電子調書が滅失したときは、この限りでない。

（令和四法四八本条改正）

⊗❶【裁判所書記官↓裁六〇【期日↓九三、九四【電磁的記録↓三の七③【調書の記載事項↓民訴規六六、六七【調書への記載に代わる録音↓民訴規六八　❹【口頭弁論の方式↓民訴規六六①

（口頭弁論に係る電子調書の更正）

第一六〇条の二①　前条第二項の規定によりファイルに記録された電子調書の内容に計算違い、誤記その他これらに類する明白な誤りがあるときは、裁判所書記官は、申立てにより又は職権で、いつでも更正することができる。

②　前項の規定による更正の処分は、最高裁判所規則で定めるところにより、その旨をファイルに記録してしなければならない。

③　第七十一条第四項、第五項及び第八項〈訴訟費用額の確定手続〉の規定は、第一項の規定による更正の処分又は同項の申立てを却下する処分及びこれらに対する異議の申立てについて準用する。

（令和四法四八本条追加）

⊗❸【裁判所書記官の処分に対する異議の申立て↓一二一

第二節　準備書面等

（準備書面）

第一六一条①　口頭弁論は、書面で準備しなければならない。

②　準備書面には、次に掲げる事項を記載する。

一　攻撃又は防御の方法

二　相手方の請求及び攻撃又は防御の方法に対する陳述

③　相手方が在廷していない口頭弁論においては、次の各号のいずれかに該当する準備書面に記載した事実でなければ、主張することができない。

一　相手方に送達された準備書面（令和四法四八本号追加）

二　相手方からその準備書面を受領した旨を記載した書面が提出された場合における当該準備書面（令和四法四八本号追加）

三　相手方が第九十一条の二第一項の規定により準備書面の閲覧をし、又は同条第二項の規定により準備書面の複写をした場合における当該準備書面（令和四法四八本号追加）

（令和四法四八本項改正）

⊗❶【口頭弁論↓八七【電子情報処理組織↓九一の二①【簡裁における準備書面の不要↓二七六①【準備書面の提出時期↓民訴規七九①【弁論準備手続における準備書面↓一七〇【手形訴訟における弁論準備の対策↓民訴規二一三②　❷【記載の仕方↓民訴規五、七九—八一【攻撃防御方法の適時提出主義↓一五六【準備書面の直送↓民訴規四七、八三　❸【準備書面提出の他の効果↓一五八、二六一②【準備書面不提出の効果↓六三、一五九①

（準備書面等の提出期間）

第一六二条① 裁判長は、答弁書若しくは特定の事項に関する主張を記載した準備書面の提出又は特定の事項に関する証拠の申出をすべき期間を定めることができる。

② 前項の規定により定めた期間の経過後に準備書面の提出又は証拠の申出をする当事者は、裁判所に対し、その期間を遵守することができなかった理由を説明しなければならない。（令和四法四八本項追加）

参照【攻撃防御方法の適時提出主義→一五六【証拠の申出の方法・時期→一八〇【裁定期間徒過の効果→一六三、一五七、一五七の二、一六六、一七〇⑤ ❷【類似の説明義務→一六七、一七四、一七八

（当事者照会）

第一六三条① 当事者は、訴訟の係属中、相手方に対し、主張又は立証を準備するために必要な事項について、相当の期間を定めて、書面により、又は相手方の選択により書面若しくは電磁的方法のいずれかにより回答するよう、書面により照会をすることができる。ただし、その照会が次の各号のいずれかに該当するときは、この限りでない。

一 具体的又は個別的でない照会

二 相手方を侮辱し、又は困惑させる照会

三 既にした照会と重複する照会

四 意見を求める照会

五 相手方が回答するために不相当な費用又は時間を要する照会

六 第百九十六条又は第百九十七条の規定により証言を拒絶することができる事項と同様の事項についての照会

② 当事者は、前項の規定による書面による照会に代えて、相手方の承諾を得て、電磁的方法により照会をすることができる。（令和四法四八本項追加）

③ 相手方（第一項の規定により書面又は電磁的方法のいずれかにより回答するよう照会を受けたものを除く。）は、同項の規定による書面による回答に代えて、当事者の承諾を得て、電磁的方法により回答をすることができる。（令和四法四八本条改正）

参照【信義誠実追行義務→二【照会書・回答書→民訴規八四【当事者の調査義務→民訴規八五【提訴前の照会→一三二の二【弁護士会照会との対比→弁護二三の二【電磁的方法→一三二の二①

第三節　争点及び証拠の整理手続

第一款　準備的口頭弁論

（準備的口頭弁論の開始）

第一六四条 裁判所は、争点及び証拠の整理を行うため必要があると認めるときは、この款に定めるところにより、準備的口頭弁論を行うことができる。

参照【計画審理→一四七の二、一四七の三【準備的口頭弁論以外の争点整理手続→一六八―一七八【口頭弁論の規定の適用→一四八―一五一、一五四、一五五【専門委員の関与→九二の二①【鑑定のための協議→民訴規一二九の二【準備的口頭弁論の打切り→一六六【準備的口頭弁論終了の効果→一六七、一八二、民訴規一〇一【準備的口頭弁論の調書→民訴規八六

（証明すべき事実の確認等）

第一六五条① 裁判所は、準備的口頭弁論を終了するに当たり、その後の証拠調べにより証明すべき事実を当事者との間で確認するものとする。

② 裁判長は、相当と認めるときは、準備的口頭弁論を終了するに当たり、当事者に準備的口頭弁論における争点及び証拠の整理の結果を要約した書面を提出させることができる。

参照❶【証明すべき事実の調書記載→民訴規八六① ❷【要約書面の提出期間→民訴規八六②

（当事者の不出頭等による終了）

第一六六条 当事者が期日に出頭せず、又は第百六十二条第一項の規定により定められた期間内に準備書面の提出若しくは証拠の申出をしないときは、裁判所は、準備的口頭弁論を終了することができる。

参照【準備的口頭弁論打切りの効果→九三、六三

（準備的口頭弁論終了後の攻撃防御方法の提出）

第一六七条 準備的口頭弁論の終了後に攻撃又は防御の方法を提出した当事者は、相手方の求めがあるときは、相手方に対し、準備的口頭弁論の終了前にこれを提出することができなかった理由を説明しなければならない。

参照【攻撃防御方法の適時提出主義の原則→一五六【信義誠実義務→二【説明の方式→民訴規八七【審理計画違反による却下→一五七の二【本条の準用→一七四、二九八②

第二款　弁論準備手続

（弁論準備手続の開始）

第一六八条 裁判所は、争点及び証拠の整理を行うため必要があると認めるときは、当事者の意見を聴いて、事件を弁論準備手続に付することができる。

参照【弁論準備手続以外の争点整理手続→一六四―一六七、一七五―一七八【弁論準備手続に付す裁判の取消し→一七二【弁論準備手続の期日→一六九【弁論準備手続でできる訴訟行為→一七〇【弁論準備手続の打切り→一七〇⑤、一六六【弁論準備手続終了の効果→一七四、一八二、民訴規一〇一【弁論準備手続の調書→民訴規八八

（弁論準備手続の期日）

第一六九条① 弁論準備手続は、当事者双方が立ち会うことができる期日において行う。

② 裁判所は、相当と認める者の傍聴を許すことができる。ただし、当事者が申し出た者については、手続を行うのに支障を生ずるおそれがあると認める場合を除き、その傍聴を許さなければならない。

参照❶【双方が立ち会うことができる期日→九二の二④、一八七②、民保二九、借地借家五一② ❷【非公開手続における傍聴の許可→非訟三〇

（弁論準備手続における訴訟行為等）

第一七〇条① 裁判所は、当事者に準備書面を提出させることができる。

② 裁判所は、弁論準備手続の期日において、証拠の申出に関する裁判その他の口頭弁論の期日外においてすることができる裁判、文書（第二百三十一条に規定す

る物件を含む。）の証拠調べ、第二百三十一条の二第一項に規定する電磁的記録に記録された情報の内容に係る証拠調べ並びに第百八十六条第二項、第二百五条第三項（第二百七十八条第二項において準用する場合を含む。）、第二百十五条第四項（第二百七十八条第二項において準用する場合を含む。）及び第二百十八条第三項の提示をすることができる。（令和四法四八本項改正）

③ 裁判所は、相当と認めるときは、当事者の意見を聴いて、最高裁判所規則で定めるところにより、裁判所及び当事者双方が音声の送受信により同時に通話をすることができる方法によって、弁論準備手続の期日における手続を行うことができる。（令和四法四八本項改正）

④ 前項の期日に出頭しないで同項の手続に関与した当事者は、その期日に出頭したものとみなす。

⑤ 第百四十八条から第百五十一条まで〈裁判長の訴訟指揮権・釈明権、これらに対する異議、釈明処分〉、第百五十二条第一項〈口頭弁論の分離・併合〉、第百五十三条から第百五十九条まで〈口頭弁論の再開、通訳、弁論能力を欠く者に対する措置、攻撃防御方法の提出時期・提出期間とその却下、陳述の擬制、自白の擬制〉、第百六十二条〈準備書面等の提出期間〉、第百六十五条〈証明すべき事実の確認等〉及び第百六十六条〈当事者の不出頭等による終了〉の規定は、弁論準備手続について準用する。

（平成一五法一〇八本条改正）

§❶【準備書面↓一六一・一六二 ❷【証拠の申出に関する裁判↓一八一①・一九〇・二〇七・二一三・二一九・二二三・二二六・二三二【期日外でできる裁判の例↓四四・一二八・一二九・一三二・一八六・二一八【文書の証拠調べ↓二一九―二三一【電磁的記録↓三の七③【鑑定のための協議↓民訴規一二九の二【受命裁判官の権限の制限↓一七一②③ ❸【相当な場合↓一七五・二〇四・二一〇・二六四【音声の送受信↓八七の二② §【音声の送受信による弁論準備手続↓民訴規八八②③ ❹【期日不出頭の効果↓一五八・一五九 ❺【訴えの取下げ↓二六一・二六二【和解↓八九【請求の放棄・認諾↓二六六

（受命裁判官による弁論準備手続）

第一七一条① 裁判所は、受命裁判官に弁論準備手続を行わせることができる。

② 弁論準備手続を受命裁判官が行う場合には、前二条の規定による裁判所及び裁判長の職務（前条第二項に規定する裁判を除く。）は、その裁判官が行う。ただし、同条第五項において準用する第百五十条の規定による異議についての裁判及び同項において準用する第百五十七条の二の規定による却下についての裁判は、受訴裁判所がする。（平成一五法一〇八本項改正）

③ 弁論準備手続を行う受命裁判官は、第百八十六条第一項の規定による調査の嘱託、鑑定の嘱託、文書（第二百三十一条に規定する物件を含む。）を提出してする書証の申出並びに文書（第二百二十九条第二項及び第二百三十一条に規定する物件を含む。）及び電磁的記録の送付の嘱託についての裁判をすることができる。（平成一五法一〇八、令和四法四八本項改正）

§❶【受命裁判官↓八八 § ❸【調査の嘱託↓一八六【鑑定の嘱託↓二一八【電磁的記録↓三の七③【文書送付の嘱託↓二二六

（弁論準備手続に付する裁判の取消し）

第一七二条 裁判所は、相当と認めるときは、申立てにより又は職権で、弁論準備手続に付する裁判を取り消すことができる。ただし、当事者双方の申立てがあるときは、これを取り消さなければならない。

§+【弁論準備手続に付する裁判↓一六八【訴訟指揮の裁判の取消し↓一二〇【双方申立てによる取消し↓九二の四

（弁論準備手続の結果の陳述）

第一七三条 当事者は、口頭弁論において、弁論準備手続の結果を陳述しなければならない。

§+【結果陳述の方法↓民訴規八九

（弁論準備手続終結後の攻撃防御方法の提出）

第一七四条 第百六十七条〈準備的口頭弁論終了後の攻撃防御方法の提出〉の規定は、弁論準備手続の終結後に攻撃又は防御の方法を提出した当事者について準用する。

§+【時機に後れた理由の説明義務↓一六七、二【説明の方式↓民訴規九〇・八七

第三款　書面による準備手続

（書面による準備手続の開始）

第一七五条 裁判所は、相当と認めるときは、当事者の意見を聴いて、事件を書面による準備手続（当事者の出頭なしに準備書面の提出等により争点及び証拠の整理をする手続をいう。以下同じ。）に付することができる。（令和四法四八本条改正）

§+【書面準備手続以外の争点整理手続↓一六四―一七四【相当な場合と他の方法↓一七〇③・二〇四・二一〇・二六四【準備書面↓一六一・一六二【書面準備手続の方法↓一七六【書面準備手続の効果↓一七八、一八二、民訴規一〇一

（書面による準備手続の方法等）

第一七六条① 裁判長は、書面による準備手続を行う場合には、第百六十二条第一項に規定する期間を定めなければならない。

② 裁判所は、書面による準備手続を行う場合において、必要があると認めるときは、最高裁判所規則で定めるところにより、裁判所及び当事者双方が音声の送受信により同時に通話をすることができる方法によって、争点及び証拠の整理に関する事項その他口頭弁論の準備のため必要な事項について、当事者双方と協議をすることができる。この場合においては、協議の結果を裁判所書記官に記録させることができる。

③ 第百四十九条〈釈明権〉、第百五十条〈訴訟指揮等に対する異議〉及び第百六十五条第二項〈要約書面の提出〉の規定は、書面による準備手続について準用する。

（令和四法四八本条改正）

§❶❷【裁判長↓一四八 §【受命裁判官↓八八 § ❷【音声の送受信↓八七の二② §【音声の送受信による協議↓民訴規九一

（受命裁判官による書面による準備手続）

第一七六条の二① 裁判所は、受命裁判官に書面による準備手続を行わせることができる。

② 書面による準備手続を受命裁判官が行う場合には、前条の規定による裁判所及び裁判長の職務は、その裁判官が行う。ただし、同条第三項において準用する第

百五十条の規定による異議についての裁判は、受訴裁判所がする。
（令和四法四八本条追加）
∞❶【受命裁判官↓八八∞】

（証明すべき事実の確認）

第一七七条　裁判所は、書面による準備手続の終結後の口頭弁論の期日において、その後の証拠調べによって証明すべき事実を当事者との間で確認するものとする。

∞⁺【証明すべき事実の調書記載↓民訴規九三【同旨の規定↓一六五①、一七〇⑤

（書面による準備手続終結後の攻撃防御方法の提出）

第一七八条　書面による準備手続を終結した事件について、口頭弁論の期日において、第百七十六条第三項において準用する第百六十五条第二項の書面に記載した事項の陳述がされ、又は前条の規定による確認がされた後に攻撃又は防御の方法を提出した当事者は、相手方の求めがあるときは、相手方に対し、その陳述又は確認前にこれを提出することができなかった理由を説明しなければならない。（令和四法四八本条改正）

∞⁺【要約書面の提出↓一六五②【証明すべき事実の確認↓一七七【信義誠実義務↓二、一六七【説明の方式↓民訴規九四、八七

第四章　証拠

第一節　総則

（証明することを要しない事実）

第一七九条　裁判所において当事者が自白した事実及び顕著な事実は、証明することを要しない。

∞⁺【自白の不適用↓人訴一九【擬制自白↓一五九【調書に記載↓民訴規六七①㊀【可罰行為による自白と再審事由↓三三八①㊄【特許訴訟における推定↓特許一〇二―一〇四

（証拠の申出）

第一八〇条①　証拠の申出は、証明すべき事実を特定してしなければならない。

② 証拠の申出は、期日前においてもすることができる。

∞❶【申出の方式↓二三二の二〇、民訴規一、九九、一〇〇【証人尋問の申出↓民訴規一〇六【当事者尋問の申立て↓二〇七【鑑定の申出↓民訴規一二九【書証の申出↓二一九、民訴規一三七、一四〇【検証の申出↓民訴規一五〇【職権証拠調べ↓一四、行訴二四、人訴二〇、非訟四九、家事五六【人事訴訟における検察官申出↓人訴二三　❷【弁論準備手続における証拠の申出に関する裁判↓一七〇②、一七一②【証拠調べの準備義務↓民訴規一〇一

（証拠調べを要しない場合）

第一八一条①　裁判所は、当事者が申し出た証拠で必要でないと認めるものは、取り調べることを要しない。

② 証拠調べについて不定期間の障害があるときは、裁判所は、証拠調べをしないことができる。

∞⁺【証拠の申出↓一八〇∞【自由心証主義↓二四七

（集中証拠調べ）

第一八二条　証人及び当事者本人の尋問は、できる限り、争点及び証拠の整理が終了した後に集中して行わなければならない。

∞⁺【一括申出↓民訴規一〇〇【争点整理手続↓一六四―一七八【証人尋問↓一九〇―二〇六【当事者尋問↓二〇七―二一一【専門委員↓九二の二③【計画審理↓一四七の二、一四七の三

（当事者の不出頭の場合の取扱い）

第一八三条　証拠調べは、当事者が期日に出頭しない場合においても、することができる。

∞⁺【口頭弁論における当事者の欠席↓一五八、二六三、二七七

（外国における証拠調べ）

第一八四条①　外国においてすべき証拠調べは、その国の管轄官庁又はその国に駐在する日本の大使、公使若しくは領事に嘱託してしなければならない。

② 外国においてした証拠調べは、その国の法律に違反する場合であっても、この法律に違反しないときは、その効力を有する。

∞❶【嘱託の主体↓民訴規一〇三　⁺【外国における送達↓一〇八

（裁判所外における証拠調べ）

第一八五条①　裁判所は、相当と認めるときは、裁判所外において証拠調べをすることができる。この場合においては、合議体の構成員に命じ、又は地方裁判所若しくは簡易裁判所に嘱託して証拠調べをさせることができる。

② 前項に規定する嘱託により職務を行う受託裁判官は、他の地方裁判所又は簡易裁判所において証拠調べをすることを相当と認めるときは、更に証拠調べの嘱託をすることができる。

③ 裁判所（第一項の規定により職務を行う受命裁判官及び前二項に規定する嘱託により職務を行う受託裁判官を含む。）は、相当と認めるときは、当事者の意見を聴いて、最高裁判所規則で定めるところにより、映像と音声の送受信により相手の状態を相互に認識しながら通話をすることができる方法によって、第一項の規定による証拠調べの手続を行うことができる。（令和四法四八本項追加）

∞❶【開廷の場所↓裁六九【裁判所の共助↓裁七九【地裁が合議体で裁判する場合↓裁二六②【受命裁判官の指定↓民訴規三一①【受命・受託裁判官の証拠調べ↓一九五、二一三、民訴規一四二、人訴三三②【手形・小切手訴訟における証拠調べの嘱託の禁止↓三五二④、三六七②【嘱託に基づく証拠調べの報告↓民訴規一〇五　❷【受託裁判官↓八九∞【再嘱託の通知↓民訴規一〇四　❸【映像と音声の送受信↓八七の二①∞

（調査の嘱託）

第一八六条①　裁判所は、必要な調査を官庁若しくは公署、外国の官庁若しくは公署又は学校、商工会議所、取引所その他の団体に嘱託することができる。

② 裁判所は、当事者に対し、前項の嘱託に係る調査の結果の提示をしなければならない。（令和四法四八本項追加）

∞⁺【嘱託の手続↓民訴規三一②【取引所↓金商二⑯【手形・小切手訴訟における調査の嘱託の禁止↓三五二④、三六七②【釈明処分としての調査の嘱託↓一五一①㊅④【提訴前の処分↓一三二の四

（参考人等の審尋）

第一八七条① 裁判所は、決定で完結すべき事件について、参考人又は当事者本人を審尋することができる。ただし、参考人については、当事者が申し出た者に限る。

② 前項の規定による審尋は、相手方がある事件については、当事者双方が立ち会うことができる審尋の期日においてしなければならない。

③ 裁判所は、相当と認めるときは、最高裁判所規則で定めるところにより、映像と音声の送受信により相手の状態を相互に認識しながら通話をすることができる方法によって、参考人を審尋することができる。この場合において、当事者双方に異議がないときは、裁判所及び当事者双方と参考人とが音声の送受信により同時に通話をすることができる方法によって、参考人を審尋することができる。（令和四法四八本項追加）

④ 前項の規定は、当事者本人を審尋する場合について準用する。（令和四法四八本項追加）

❶【決定→一一九】【参考人の審尋→民執五】【決定で完結すべき事件における当事者の審尋→八七②】【釈明権行使としての当事者に対する発問→一四九①・一五一①㈠】 ❷【双方が立ち会うことができる期日→一六九】 ❸【映像と音声の送受信→八七の二①】【音声の送受信→八七の二②】 +【正式な証拠調べ→一九〇―二一一】

（疎明）

第一八八条 疎明は、即時に取り調べることができる証拠によってしなければならない。

+【疎明を要する場合→三五①・四四①・九一②―④・九二①・一九八・四〇三①、民訴規一〇③・三〇②・一三〇②・一五三③、民執一一五③、民保一三②・二七①・三八②・三九②、破一八②・二二四②、会更二〇 ETC】【即時に取り調べることができる証拠→三七一】

（過料の裁判の執行）

第一八九条① この章の規定による過料の裁判は、検察官の命令で執行する。この命令は、執行力のある債務名義と同一の効力を有する。

② 過料の裁判の執行は、民事執行法（昭和五十四年法律第四号）その他強制執行の手続に関する法令の規定に従ってする。ただし、執行をする前に裁判の送達をすることを要しない。

③ 刑事訴訟法（昭和二十三年法律第百三十一号）第七編第二章〈裁判の執行に関する調査〉（第五百十一条及び第五百十三条第六項から第八項までを除く。）の規定は、過料の裁判の執行について準用する。この場合において、同条第一項中「者若しくは裁判の執行の対象となるもの」とあるのは「者」と、「裁判の執行の対象となるもの若しくは裁判」とあるのは「裁判」と読み替えるものとする。（平成一三法一三九本項追加、令和五法二八本項改正）

④ 過料の裁判の執行があった後に当該裁判（以下この項において「原裁判」という。）に対して即時抗告があった場合において、抗告裁判所が当該即時抗告を理由があると認めて原裁判を取り消して更に過料の裁判をしたときは、その金額の限度において当該過料の裁判の執行があったものとみなす。この場合において、原裁判の執行によって得た金額が当該過料の金額を超えるときは、その超過額は、これを還付しなければならない。（平成一六法一五二本項追加）

❶【本章の規定による過料の裁判→一九二①・二〇九①・二二五①・二二九⑤・二三〇①・二三二②】【執行力のある債務名義→民執二二・二五・五一①】 ❷【強制執行の手続に関する法令→民執一、民執規】【債務名義の同時又は事前の送達の必要→民執二九】 +【同旨の規定→刑訴四九〇】

第二節　証人尋問

（証人義務）

第一九〇条 裁判所は、特別の定めがある場合を除き、何人でも証人として尋問することができる。

+【証人尋問→民訴規一〇六―一〇八】【特別の定め→一九一】【証人尋問不許→三五二・三六七】【証人の保護→二〇三の二―二〇四】【鑑定証人→二一七】【証人尋問を受けたことによる除斥→二三①㈣】【虚偽証言と再審事由→三三八①㈦】【人事訴訟における非公開→人訴二二】【特許訴訟等における非公開→特許一〇五の七、不正競争一三】

（公務員の尋問）

第一九一条① 公務員又は公務員であった者を証人として職務上の秘密について尋問する場合には、裁判所は、当該監督官庁（衆議院若しくは参議院の議員又はその職にあった者についてはその院、内閣総理大臣その他の国務大臣又はその職にあった者については内閣）の承認を得なければならない。

② 前項の承認は、公共の利益を害し、又は公務の遂行に著しい支障を生ずるおそれがある場合を除き、拒むことができない。

❶【公務員・公務員であった者の証言拒絶権→一九七①㈠】【証言拒絶についての裁判不要→一九九①】【公務員の職務上の守秘義務→国公一〇〇、地公三四、裁七五②、独禁三九、ETC】 ❷【承認の基準→国公九六】 +【類似の規定→刑訴一四四・一四五、議院証言五】

（不出頭に対する過料等）

第一九二条① 証人が正当な理由なく出頭しないときは、裁判所は、決定で、これによって生じた訴訟費用の負担を命じ、かつ、十万円以下の過料に処する。

② 前項の決定に対しては、即時抗告をすることができる。

❶【証人の出頭の確保→民訴規一〇九】【不出頭の届出→民訴規一一〇】【第三者からの訴訟費用の償還→六九】【過料の裁判の執行→一八九】 ❷【即時抗告→三三二】 +【不出頭に対する他の制裁・強制→一九三・一九四】

（不出頭に対する罰金等）

第一九三条① 証人が正当な理由なく出頭しないときは、十万円以下の罰金又は拘留に処する。

② 前項の罪を犯した者には、情状により、罰金及び拘留を併科することができる。

❶【罰金・拘留→刑一五・一六・一八】【罰金刑の執行→刑訴四九〇】 ❷【併科→刑五三】

（勾引）

第一九四条① 裁判所は、正当な理由なく出頭しない証

民訴

人の勾引を命ずることができる。

② 刑事訴訟法中勾引に関する規定は、前項の勾引について準用する。

【勾引に関する規定↓刑訴一五二―一五三の二、刑訴規一〇二―一一二

（受命裁判官等による証人尋問）

第一九五条 裁判所は、次に掲げる場合に限り、受命裁判官又は受託裁判官に裁判所外で証人の尋問をさせることができる。

一 証人が受訴裁判所に出頭する義務がないとき、又は正当な理由により出頭することができないとき。

二 証人が受訴裁判所に出頭するについて不相当な費用又は時間を要するとき。

三 現場において証人を尋問することが事実を発見するために必要であるとき。

四 当事者に異議がないとき。

【裁判所外における証拠調べ↓一八五【受命裁判官↓八八【受託裁判官↓八九【本条の準用↓二一〇

（証言拒絶権）

第一九六条 証言が証人又は証人と次に掲げる関係を有する者が刑事訴追を受け、又は有罪判決を受けるおそれがある事項に関するときは、証人は、証言を拒むことができる。証言がこれらの者の名誉を害すべき事項に関するときも、同様とする。

一 配偶者、四親等内の血族若しくは三親等内の姻族の関係にあり、又はあったこと。

二 後見人と被後見人の関係にあること。

【拒絶理由の疎明↓一九八【拒絶についての裁判↓一九九【本条に掲げる者の宣誓の免除↓二〇一③【宣誓拒絶権↓二〇一④【本条に掲げる者の鑑定人不適格↓二一二【同旨の規定↓議院証言四①、刑訴一四七【一】【親族の範囲↓民七二五【親等の計算法↓民七二六【二】【後見人↓民八三九―八四七【被後見人↓民五・八三九・八・八四三

第一九七条① 次に掲げる場合には、証人は、証言を拒むことができる。

一 第百九十一条第一項の場合

二 医師、歯科医師、薬剤師、医薬品販売業者、助産師、弁護士（外国法事務弁護士を含む。）、弁理士、弁護人、公証人、宗教、祈禱若しくは祭祀の職にある者又はこれらの職にあった者が職務上知り得た事実で黙秘すべきものについて尋問を受ける場合（平成一三法一五三本号改正）

三 技術又は職業の秘密に関する事項について尋問を受ける場合

② 前項の規定は、証人が黙秘の義務を免除された場合には、適用しない。

【拒絶理由の疎明↓一九八【拒絶についての裁判↓一九九【秘密漏示罪↓刑一三四【同旨の規定↓議院証言四②、刑訴一四九【営業秘密↓一三二の二①【秘密保持命令↓特許一〇五の四、不正競争一〇、著作一一四の六

（証言拒絶の理由の疎明）

第一九八条 証言拒絶の理由は、疎明しなければならない。

【証言拒絶権がある場合↓一九六、一九七【疎明の方法↓一八八【拒絶についての裁判↓一九九【不当拒絶に対する制裁↓二〇〇

（証言拒絶についての裁判）

第一九九条① 第百九十七条第一項第一号の場合を除き、証言拒絶の当否については、受訴裁判所が、当事者を審尋して、決定で、裁判をする。

② 前項の裁判に対しては、当事者及び証人は、即時抗告をすることができる。

❶【証言拒絶権がある場合↓一九六、一九七【証言拒絶の当否の裁判をしない場合↓一九七①㊀【審尋↓八七③ ❷【即時抗告↓三三二

（証言拒絶に対する制裁）

第二〇〇条 第百九十二条〈不出頭に対する過料〉及び第百九十三条〈不出頭に対する罰金〉の規定は、証言拒絶を理由がないとする裁判が確定した後に証人が正当な理由なく証言を拒む場合について準用する。

【証言拒絶についての裁判↓一九九【証人不出頭に対する制裁↓一九二、一九三

（宣誓）

第二〇一条① 証人には、特別の定めがある場合を除き、宣誓をさせなければならない。

② 十六歳未満の者又は宣誓の趣旨を理解することができない者を証人として尋問する場合には、宣誓をさせることができない。

③ 第百九十六条の規定に該当する証人で証言拒絶の権利を行使しないものを尋問する場合には、宣誓をさせないことができる。

④ 証人は、自己又は自己と第百九十六条各号に掲げる関係を有する者に著しい利害関係のある事項について尋問を受けるときは、宣誓を拒むことができる。

⑤ 第百九十八条〈証言拒絶の理由の疎明〉及び第百九十九条〈証言拒絶についての裁判〉の規定は証人が宣誓を拒む場合について、第百九十二条〈不出頭に対する過料〉及び第百九十三条〈不出頭に対する罰金〉の規定は宣誓拒絶を理由がないとする裁判が確定した後に証人が正当な理由なく宣誓を拒む場合について準用する。

❶【宣誓の方式↓民訴規一一二【調書に記載↓民訴規六七①㊃【偽証の罪↓刑一六九・一七〇【特別の定めの例↓三七二① ❷【宣誓の趣旨の教示↓民訴規一一二⑥【同旨の規定↓刑訴一五五【本項の準用↓二一〇 ❺【宣誓拒絶の疎明・裁判↓一九八・一九九【宣誓拒絶に対する制裁↓一九二・一九三

（尋問の順序）

第二〇二条① 証人の尋問は、その尋問の申出をした当事者、他の当事者、裁判長の順序でする。

② 裁判長は、適当と認めるときは、当事者の意見を聴いて、前項の順序を変更することができる。

③ 当事者が前項の規定による変更について異議を述べたときは、裁判所は、決定で、その異議について裁判をする。

❶❷【尋問の順序↓民訴規一一三【尋問における質問の制限↓民訴規一一四・一一五【証人相互の対質↓民訴規一一八 ❸【当事者の異議↓民訴規一一七 ＊【本条の準用↓二一〇【鑑定人質問の順序↓二一五の二

（書類等に基づく陳述の禁止）

第二〇三条　証人は、書類その他の物に基づいて陳述することができない。ただし、裁判長の許可を受けたときは、この限りでない。（令和四法四八本条改正）

参【証人の陳述↓民訴規六七①㈢【当事者に異議がない場合の書面尋問↓二〇五【本条の準用↓二一〇

（付添い）

第二〇三条の二①　裁判長は、証人の年齢又は心身の状態その他の事情を考慮し、証人が尋問を受ける場合に著しく不安又は緊張を覚えるおそれがあると認めるときは、その不安又は緊張を緩和するのに適当であり、かつ、裁判長若しくは当事者の尋問若しくは証人の陳述を妨げ、又はその陳述の内容に不当な影響を与えるおそれがないと認める者を、その証人の陳述中、証人に付き添わせることができる。

② 前項の規定により証人に付き添うこととされた者は、その証人の陳述中、裁判長若しくは当事者の尋問若しくは証人の陳述を妨げ、又はその陳述の内容に不当な影響を与えるような言動をしてはならない。

③ 当事者が、第一項の規定による裁判長の処置に対し、異議を述べたときは、裁判所は、決定で、その異議について裁判をする。

（平成一九法九五本条追加）

参【類似の規定↓刑訴一五七の四、三一六の三九【裁判長の訴訟指揮権↓一四八　❶【付添い↓民訴規一二二の二　❸【訴訟指揮への異議↓一五〇、民訴規一一七

（遮へいの措置）

第二〇三条の三①　裁判長は、事案の性質、証人の年齢又は心身の状態、証人と当事者本人又はその法定代理人との関係（証人がこれらの者が行った犯罪により害を被った者であることを含む。次条第二号において同じ。）その他の事情により、証人が当事者本人又はその法定代理人の面前（同条に規定する方法による場合を含む。）において陳述するときは圧迫を受け精神の平穏を著しく害されるおそれがあると認める場合であって、相当と認めるときは、その当事者本人又は法定代理人とその証人との間で、一方から又は相互に相手の状態を認識することができないようにするための措置をとることができる。

② 裁判長は、事案の性質、証人が犯罪により害を被った者であること、証人の年齢、心身の状態又は名誉に対する影響その他の事情を考慮し、相当と認めるときは、傍聴人とその証人との間で、相互に相手の状態を認識することができないようにするための措置をとることができる。

③ 前条第三項の規定は、前二項の規定による裁判長の処置について準用する。

（平成一九法九五本条追加）

参【類似の規定↓二〇四、刑訴一五七の五、三一六の三九【裁判長の訴訟指揮権↓一四八　❶❷【遮蔽の措置↓民訴規一二二の三　❷【傍聴人の退廷↓民訴規一二一

（映像等の送受信による通話の方法による尋問）

第二〇四条　裁判所は、次に掲げる場合であって、相当と認めるときは、最高裁判所規則で定めるところにより、映像と音声の送受信により相手の状態を相互に認識しながら通話をすることができる方法によって、証人の尋問をすることができる。

一　証人の住所、年齢又は心身の状態その他の事情により、証人が受訴裁判所に出頭することが困難であると認める場合（平成一九法九五本号追加）

二　事案の性質、証人の年齢又は心身の状態、証人と当事者本人又はその法定代理人との関係その他の事情により、証人が裁判長及び当事者が証人を尋問するために在席する場所において陳述するときは圧迫を受け精神の平穏を著しく害されるおそれがあると認める場合（平成一九法九五本号追加）

三　当事者に異議がない場合（令和四法四八本号追加）

（平成一九法九五、令和四法四八本条改正）

参【テレビ通話方式による証人尋問↓民訴規一二三【映像と音声の送受信↓八七の二①参【鑑定人の意見陳述↓二一五の三【電話方式による弁論準備手続・書面準備手続との対比↓一七〇③、一七六②、民訴規八八②、九一【遮蔽の措置↓二〇三の三【本条の準用↓二一〇

（尋問に代わる書面の提出）

第二〇五条①　裁判所は、当事者に異議がない場合であって、相当と認めるときは、証人の尋問に代え、書面の提出をさせることができる。

② 証人は、前項の規定による書面の提出に代えて、最高裁判所規則で定めるところにより、当該書面に記載すべき事項を最高裁判所規則で定める電子情報処理組織を使用してファイルに記録し、又は当該書面に記載すべき事項に係る電磁的記録を記録した記録媒体を提出することができる。この場合において、当該証人は、同項の書面を提出したものとみなす。（令和四法四八本項追加）

③ 裁判所は、当事者に対し、第一項の書面に記載された事項又は前項の規定によりファイルに記録された事項若しくは同項の記録媒体に記録された事項の提示をしなければならない。（令和四法四八本項追加）

（令和四法四八本条改正）

参【書面尋問↓民訴規一二四【簡裁手続における一般的許容↓二七八　❷【電子情報処理組織↓九一の二②【電磁的記録↓三の七③

（受命裁判官等の権限）

第二〇六条　受命裁判官又は受託裁判官が証人尋問をする場合には、裁判所及び裁判長の職務は、その裁判官が行う。ただし、第二百二条第三項の規定による異議についての裁判は、受訴裁判所がする。

参【受命裁判官↓八八参【受託裁判官↓八九参【受命・受託裁判官による証拠調べ↓一八五①【裁判所の職務↓一九〇―一九四、一九九、二〇〇、二〇一、二〇二、二〇三、民訴規一一二、一一六、一一八―一二二の三【同旨の規定↓民訴規一二五【本条の準用↓二一〇

第三節　当事者尋問

（当事者本人の尋問）

第二〇七条①　裁判所は、申立てにより又は職権で、当事者本人を尋問することができる。この場合において

は、その当事者に宣誓をさせることができる。

② 証人及び当事者本人の尋問を行うときは、まず証人の尋問をする。ただし、適当と認めるときは、当事者の意見を聴いて、まず当事者本人の尋問をすることができる。

参❶【手形訴訟において当事者尋問の許される限度→三五二③】【当事者の宣誓→二一〇・二〇一①】【人事訴訟における職権尋問→人訴二〇】【人事訴訟における非公開→人訴二二】【特許訴訟等における非公開→特許一〇五の七、不正競争一三】【釈明処分としての本人の出頭命令→一五一①㈠】❷【少額訴訟の場合→三七二②】【当事者と証人・他の当事者との対質→民訴規一二六】【本項の不適用→人訴一九

（不出頭等の効果）

第二〇八条　当事者本人を尋問する場合において、その当事者が、正当な理由なく、出頭せず、又は宣誓若しくは陳述を拒んだときは、裁判所は、尋問事項に関する相手方の主張を真実と認めることができる。

参+【証人の不出頭の場合→一九二―一九四】【証人の宣誓拒絶の場合→二〇一⑤・一九二・一九三】【証人の証言拒絶の場合→二〇〇・一九二・一九三】【人事訴訟手続による本人尋問における不出頭→人訴一九、二一②】【当事者の虚偽陳述→二〇九】【尋問事項に関する主張の真実擬制→二二四③】

（虚偽の陳述に対する過料）

第二〇九条① 宣誓した当事者が虚偽の陳述をしたときは、裁判所は、決定で、十万円以下の過料に処する。

② 前項の決定に対しては、即時抗告をすることができる。

③ 第一項の場合において、虚偽の陳述をした当事者が訴訟の係属中その陳述が虚偽であることを認めたときは、裁判所は、事情により、同項の決定を取り消すことができる。

参❶【当事者の宣誓→二〇七①】【過料の裁判の執行→一八九】【再審事由→三三八①㈦②】【証人・鑑定人の虚偽陳述に対する制裁→刑一六九、一七一】❷【即時抗告→三三二】

（証人尋問の規定の準用）

第二一〇条　第百九十五条〈受命裁判官等による証人尋問〉、第二百一条第二項〈宣誓させることができない者〉、第二百二条から第二百四条まで〈尋問の順序、書類等に基づく陳述の禁止、付添い、遮へいの措置、映像等の送受信による尋問〉及び第二百六条〈受命裁判官等の権限〉の規定は、当事者本人の尋問について準用する。

参+【証人尋問に関する規則の準用→民訴規一二七】

（法定代理人の尋問）

第二一一条　この法律中当事者本人の尋問に関する規定は、訴訟において当事者を代表する法定代理人について準用する。ただし、当事者本人を尋問することを妨げない。

参+【当事者を代表する法定代理人→二八、三五、三七】【宣誓の趣旨を理解できない者の尋問の取扱い→二〇一②】【手形・小切手訴訟における法定代理人尋問→三五二③、三六七②】

第四節　鑑定

参+【本節の準用→一五一④】

（鑑定義務）

第二一二条① 鑑定に必要な学識経験を有する者は、鑑定をする義務を負う。

② 第百九十六条又は第二百一条第四項の規定により証言又は宣誓を拒むことができる者と同一の地位にある者及び同条第二項に規定する者は、鑑定人となることができない。

参+【鑑定の申出→民訴規一二九】【手形・小切手訴訟における鑑定不許→三五二、三六七②】【鑑定人となったことによる除斥→二三①㈣】【虚偽の鑑定と再審事由→三三八①㈦】【専門委員→九二の二】【提訴前の処分→一三二の四】

（鑑定人の指定）

第二一三条　鑑定人は、受訴裁判所、受命裁判官又は受託裁判官が指定する。

参+【受命裁判官→八八参】【受託裁判官→八九参】【仲裁手続における鑑定人→仲裁三四、三五】

（忌避）

第二一四条① 鑑定人について誠実に鑑定をすることを妨げるべき事情があるときは、当事者は、その鑑定人が鑑定事項について陳述をする前に、これを忌避することができる。鑑定人が陳述をした場合であっても、その後に、忌避の原因が生じ、又は当事者がその原因があることを知ったときは、同様とする。

② 忌避の申立ては、受訴裁判所、受命裁判官又は受託裁判官にしなければならない。

③ 忌避を理由があるとする決定に対しては、不服を申し立てることができない。

④ 忌避を理由がないとする決定に対しては、即時抗告をすることができる。

参❶【裁判官・書記官の忌避→二四―二七】【鑑定人の宣誓→二一六、二〇一、民訴規一三三】❷【申立ての方式→民訴規一三〇】【鑑定人の陳述→二一五、民訴規一三二】【受命・受託裁判官→八八参・八九参】❹【即時抗告→三三二】

（鑑定人の陳述の方式等）

第二一五条① 裁判長は、鑑定人に、書面又は口頭で、意見を述べさせることができる。

② 前項の鑑定人は、同項の規定により書面で意見を述べることに代えて、最高裁判所規則で定めるところにより、当該書面に記載すべき事項を最高裁判所規則で定める電子情報処理組織を使用してファイルに記録する方法又は当該書面に記載すべき事項に係る電磁的記録を記録した記録媒体を提出する方法により意見を述べることができる。この場合において、鑑定人は、同項の規定により書面で意見を述べたものとみなす。（令和四法四八本項追加）

③ 裁判所は、鑑定人に意見を述べさせた場合において、当該意見の内容を明瞭にし、又はその根拠を確認するため必要があると認めるときは、申立てにより又は職権で、鑑定人に更に意見を述べさせることができる。（平成一五法一〇八本項追加）

④ 裁判所は、当事者に対し、第一項の書面に記載された事項又は第二項の規定によりファイルに記録された事項若しくは同項の記録媒体に記録された事項の提示をしなければならない。（令和四法四八本項追加）

参+民訴規一三二　❶【鑑定のための協議→民訴規一二九の二】【証

人尋問の場合→二〇三、二〇五【調書に記載→民訴規六七①三　四【電子情報処理組織→九一の二②【電磁的記録→三の七③　❸【更に意見を述べる事項→民訴規一三二の二【証人尋問の場合→民訴規一一三②―④

（鑑定人質問）
第二一五条の二① 裁判所は、鑑定人に口頭で意見を述べさせる場合には、鑑定人が意見の陳述をした後に、鑑定人に対し質問をすることができる。
② 前項の質問は、裁判長、その鑑定の申出をした当事者、他の当事者の順序でする。
③ 裁判長は、適当と認めるときは、当事者の意見を聴いて、前項の順序を変更することができる。
④ 当事者が前項の規定による変更について異議を述べたときは、裁判所は、決定で、その異議について裁判をする。
（平成一五法一〇八本条追加）
❶【口頭での意見陳述→二一五①【質問の制限→民訴規一三二の四　❷【質問の順序→民訴規一三二の三【証人尋問の場合→二〇二①、民訴規一一三①　❸【順序の変更→二〇二②　❹【異議→民訴規一三二の二【異議の裁判→二〇二③

（映像等の送受信による通話の方法による陳述）
第二一五条の三　裁判所は、鑑定人に口頭で意見を述べさせる場合において、相当と認めるときは、最高裁判所規則で定めるところにより、映像と音声の送受信により相手の状態を相互に認識しながら通話をすることができる方法によって、意見を述べさせることができる。（平成一五法一〇八本条追加、令和四法四八本条改正）
+【映像と音声の送受信→八七の二①

（受命裁判官等の権限）
第二一五条の四　受命裁判官又は受託裁判官が鑑定人に意見を述べさせる場合には、裁判所及び裁判長の職務は、その裁判官が行う。ただし、第二百十五条の二第四項の規定による異議についての裁判は、受訴裁判所がする。（平成一五法一〇八本条追加）
+【類似の規定→九二の七、一七一②、二〇六、二一〇

（証人尋問の規定の準用）
第二一六条　第百九十一条〈公務員の尋問〉の規定は公務員又は公務員であった者に鑑定人として職務上の秘密について意見を述べさせる場合について、第百九十七条から第百九十九条まで〈証言拒絶権、証言拒絶の理由の疎明、証言拒絶についての裁判〉の規定は鑑定人が鑑定を拒む場合について、第二百一条第一項〈宣誓〉の規定は鑑定人に宣誓をさせる場合について、第百九十二条〈不出頭に対する過料等〉及び第百九十三条〈不出頭に対する罰金等〉の規定は鑑定人が正当な理由なく出頭しない場合、鑑定人が宣誓を拒む場合及び鑑定拒絶を理由がないとする裁判が確定した後に鑑定人が正当な理由なく鑑定を拒む場合について準用する。（平成一五法一〇八本条全部改正）
+【証人との違い→一九四、二〇五、二一五【鑑定証人の取扱い→二一七

（鑑定証人）

第二一七条　特別の学識経験により知り得た事実に関する尋問については、証人尋問に関する規定による。

+【証人尋問の規定→一九〇―二〇六

（鑑定の嘱託）
第二一八条① 裁判所は、必要があると認めるときは、官庁若しくは公署、外国の官庁若しくは公署又は相当の設備を有する法人に鑑定を嘱託することができる。この場合においては、宣誓に関する規定を除き、この節の規定を準用する。
② 前項の場合において、裁判所は、必要があると認めるときは、官庁、公署又は法人の指定した者に鑑定の結果を記載し、又は記録した書面又は電磁的記録の説明をさせることができる。（令和四法四八本項改正）
③ 第一項の場合において、裁判所は、当事者に対し、同項の嘱託に係る鑑定の結果の提示をしなければならない。（令和四法四八本項追加）
❶【嘱託の手続→民訴規三一②　❷【電磁的記録→三の七③
+【釈明処分としての鑑定→一五一①五④

第五節　書証

（書証の申出）

第二一九条　書証の申出は、文書を提出し、又は文書の所持者にその提出を命ずることを申し立ててしなければならない。

+【文書提出による書証の申出→民訴規一三七―一三九【文書提出の方法→民訴規一四三【文書提出命令申立てによる書証の申出→二二一【文書送付嘱託申立てによる書証の申出→二二六

（文書提出義務）
第二二〇条　次に掲げる場合には、文書の所持者は、その提出を拒むことができない。
一　当事者が訴訟において引用した文書を自ら所持するとき。
二　挙証者が文書の所持者に対しその引渡し又は閲覧を求めることができるとき。
三　文書が挙証者の利益のために作成され、又は挙証者と文書の所持者との間の法律関係について作成されたとき。
四　前三号に掲げる場合のほか、文書が次に掲げるもののいずれにも該当しないとき。
イ　文書の所持者又は文書の所持者と第百九十六条各号に掲げる関係を有する者についての同条に規定する事項が記載されている文書
ロ　公務員の職務上の秘密に関する文書でその提出により公共の利益を害し、又は公務の遂行に著しい支障を生ずるおそれがあるもの
ハ　第百九十七条第一項第二号に規定する事実又は同項第三号に規定する事項で、黙秘の義務が免除されていないものが記載されている文書
ニ　専ら文書の所持者の利用に供するための文書（国又は地方公共団体が所持する文書にあっては、公務員が組織的に用いるものを除く。）
ホ　刑事事件に係る訴訟に関する書類若しくは少年の保護事件の記録又はこれらの事件において押収されている文書

（平成一三法九六本号改正）

参+【商業帳簿の提出義務→会社四三四・四九三・六五九、一般法人一二二・一三〇・二二六・二三二【当事者の不提出・使用妨害の効果→二二四【第三者の不提出の制裁→二二五　[一]【訴訟における文書の引用→民訴規八二　[三]【閲覧を求めることができる場合の例→民二六二④、商五三九、会社三一・一二五・二三一・二五二・四三三・六八四　[四]【訴追を受け名誉を害すべき事項→一九六【公務員の職務上の秘密→一九一参【公共の利益・公務遂行の支障の具体的基準→二二三④【職務上知り得た事実、技術職業の秘密→一九七【刑事訴訟記録→刑訴五三・五三の二

（文書提出命令の申立て）

第二二一条①　文書提出命令の申立ては、次に掲げる事項を明らかにしてしなければならない。

一　文書の表示

二　文書の趣旨

三　文書の所持者

四　証明すべき事実

五　文書の提出義務の原因

②　前条第四号に掲げる場合であることを文書の提出義務の原因とする文書提出命令の申立ては、書証の申出を文書提出命令の申立てによってする必要がある場合でなければ、することができない。

参❶【文書提出命令の申立て→民訴規一四〇【手形・小切手訴訟における文書提出命令の禁止→三五二②・三六七②【文書の表示・趣旨を明らかにすることが困難な場合→二二二【証明すべき事実→一八〇、民訴規九九【提出義務の原因→二二〇　❷【文書提出命令以外の書証の申出→二一九・二二六

（文書の特定のための手続）

第二二二条①　文書提出命令の申立てをする場合において、前条第一項第一号又は第二号に掲げる事項を明らかにすることが著しく困難であるときは、その申立ての時においては、これらの事項に代えて、文書の所持者がその申立てに係る文書を識別することができる事項を明らかにすれば足りる。この場合においては、裁判所に対し、文書の所持者に当該文書についての同項第一号又は第二号に掲げる事項を明らかにすることを求めるよう申し出なければならない。

②　前項の規定による申出があったときは、裁判所は、文書提出命令の申立てに理由がないことが明らかな場合を除き、文書の所持者に対し、同項後段の事項を明らかにすることを求めることができる。

参+【文書提出命令の申立て→二二一【文書の表示・趣旨→二二一①[一][二]

（文書提出命令等）

第二二三条①　裁判所は、文書提出命令の申立てを理由があると認めるときは、決定で、文書の所持者に対し、その提出を命ずる。この場合において、文書に取り調べる必要がないと認める部分又は提出の義務があると認めることができない部分があるときは、その部分を除いて、提出を命ずることができる。

②　裁判所は、第三者に対して文書の提出を命じようとする場合には、その第三者を審尋しなければならない。

③　裁判所は、公務員の職務上の秘密に関する文書について第二百二十条第四号に掲げる場合であることを文書の提出義務の原因とする文書提出命令の申立てがあった場合には、その申立てに理由がないことが明らかなときを除き、当該文書が同号ロに掲げる文書に該当するかどうかについて、当該監督官庁（衆議院又は参議院の議員の職務上の秘密に関する文書についてはその院、内閣総理大臣その他の国務大臣の職務上の秘密に関する文書については内閣。以下この条において同じ。）の意見を聴かなければならない。この場合において、当該監督官庁は、当該文書が同号ロに掲げる文書に該当する旨の意見を述べるときは、その理由を示さなければならない。（平成一三法九六本項追加）

④　前項の場合において、当該監督官庁が当該文書の提出により次に掲げるおそれがあることを理由として当該文書が第二百二十条第四号ロに掲げる文書に該当する旨の意見を述べたときは、裁判所は、その意見について相当の理由があると認めるに足りない場合に限り、文書の所持者に対し、その提出を命ずることができる。

一　国の安全が害されるおそれ、他国若しくは国際機関との信頼関係が損なわれるおそれ又は他国若しくは国際機関との交渉上不利益を被るおそれ

二　犯罪の予防、鎮圧又は捜査、公訴の維持、刑の執行その他の公共の安全と秩序の維持に支障を及ぼすおそれ

（平成一三法九六本項追加）

⑤　第三項前段の場合において、当該監督官庁は、当該文書の所持者以外の第三者の技術又は職業の秘密に関する事項に係る記載がされている文書について意見を述べようとするときは、第二百二十条第四号ロに掲げる文書に該当する旨の意見を述べようとするときを除き、あらかじめ、当該第三者の意見を聴くものとする。（平成一三法九六本項追加）

⑥　裁判所は、文書提出命令の申立てに係る文書が第二百二十条第四号イからニまでに掲げる文書のいずれかに該当するかどうかの判断をするため必要があると認めるときは、文書の所持者にその提示をさせることができる。この場合においては、何人も、その提示された文書の開示を求めることができない。（平成一三法九六本項改正）

⑦　文書提出命令の申立てについての決定に対しては、即時抗告をすることができる。

参❶【文書提出命令の申立て→二二一【文書提出の方法→民訴規一四三【取調べの必要→一八一【文書提出義務→二二〇、特許一〇五、不正競争七、著作一一四の三　❷【審尋→八七参　❸【公務員の職務上の秘密→一九一参　❹【公共の利益を害し、公務の遂行に著しい支障を生ずる文書の除外→二二〇[四]ロ　❻【インカメラ手続→民訴規一四一　❼【即時抗告→三三二　+【不提出の効果→二二四・二二五

（当事者が文書提出命令に従わない場合等の効果）

第二二四条①　当事者が文書提出命令に従わないときは、裁判所は、当該文書の記載に関する相手方の主張を真実と認めることができる。

② 当事者が相手方の使用を妨げる目的で提出の義務がある文書を滅失させ、その他これを使用することができないようにしたときも、前項と同様とする。

③ 前二項に規定する場合において、相手方が、当該文書の記載に関して具体的な主張をすること及び当該文書により証明すべき事実を他の証拠により証明することが著しく困難であるときは、裁判所は、その事実に関する相手方の主張を真実と認めることができる。

参❶【文書提出命令→二二三【類似の規定→二二九④　❷【文書提出義務→二二〇【可罰的行為による提出妨害と再審→三三八①五　❸【類似の規定→二〇八　+【本条の適用除外→人訴一九①【第三者が提出命令に従わない場合→二二五

（第三者が文書提出命令に従わない場合の過料）

第二二五条① 第三者が文書提出命令に従わないときは、裁判所は、決定で、二十万円以下の過料に処する。

② 前項の決定に対しては、即時抗告をすることができる。

参❶【文書提出義務→二二〇【文書提出命令→二二三①【提出命令前の第三者の審尋→二二三②【過料の裁判の執行→一八九　❷【即時抗告→三三二　+【当事者が提出命令に従わない場合→二二四

（文書送付の嘱託）

第二二六条　書証の申出は、第二百十九条の規定にかかわらず、文書の所持者にその文書の送付を嘱託することを申し立ててすることができる。ただし、当事者が法令により文書の正本又は謄本の交付を求めることができる場合は、この限りでない。

参+【文書送付の方法→民訴規一四三【法令により正本・謄本等を求めることができる場合→九一③、不登一一九・一一九の二、戸一〇①、商登一〇・一一、特許一八六【手形・小切手訴訟における禁止→三五二②・三六七②【提訴前の処分→一三二の四

（文書の留置等）

第二二七条① 裁判所は、必要があると認めるときは、提出又は送付に係る文書を留め置くことができる。

② 提出又は送付に係る文書については、第百三十二条の十三の規定は、適用しない。（令和四法四八本項追加）

参+【提出→二一九【送付→二二六【釈明処分としての留置→一五一①四

（文書の成立）

第二二八条① 文書は、その成立が真正であることを証明しなければならない。

② 文書は、その方式及び趣旨により公務員が職務上作成したものと認めるべきときは、真正に成立した公文書と推定する。

③ 公文書の成立の真否について疑いがあるときは、裁判所は、職権で、当該官庁又は公署に照会をすることができる。

④ 私文書は、本人又はその代理人の署名又は押印があるときは、真正に成立したものと推定する。

⑤ 第二項及び第三項の規定は、外国の官庁又は公署の作成に係るものと認めるべき文書について準用する。

参+【証書真否確認の訴え→一三四の二【文書の成立を否認する場合→民訴規一四五

（筆跡等の対照による証明）

第二二九条① 文書の成立の真否は、筆跡又は印影の対照によっても、証明することができる。

② 第二百十九条〈書証の申出〉、第二百二十三条〈文書提出命令〉、第二百二十四条第一項及び第二項〈当事者が文書提出命令に従わない場合等の効果〉、第二百二十六条〈文書送付の嘱託〉並びに第二百二十七条第一項〈文書の留置〉の規定は、対照の用に供すべき筆跡又は印影を備える文書その他の物件の提出又は送付について準用する。

③ 対照をするのに適当な相手方の筆跡がないときは、裁判所は、対照の用に供すべき文字の筆記を相手方に命ずることができる。

④ 相手方が正当な理由なく前項の規定による決定に従わないときは、裁判所は、文書の成立の真否に関する挙証者の主張を真実と認めることができる。書体を変えて筆記したときも、同様とする。

⑤ 第三者が正当な理由なく第二項において準用する第二百二十三条第一項の規定による提出の命令に従わないときは、裁判所は、決定で、十万円以下の過料に処する。

⑥ 前項の決定に対しては、即時抗告をすることができる。

参+【証書真否確認の訴え→一三四の二　❷【対照の用に供した書類の調書添付→民訴規一四六①【印鑑証明→商登一二・一二の二　❸【証人の手記義務→民訴規一一九　❹【類似の規定→二二四①②　❺【過料の裁判の執行→一八九　❻【即時抗告→三三二【本項の適用除外→人訴一九

（文書の成立の真正を争った者に対する過料）

第二三〇条① 当事者又はその代理人が故意又は重大な過失により真実に反して文書の成立の真正を争ったときは、裁判所は、決定で、十万円以下の過料に処する。

② 前項の決定に対しては、即時抗告をすることができる。

③ 第一項の場合において、文書の成立の真正を争った当事者又は代理人が訴訟の係属中その文書の成立が真正であることを認めたときは、裁判所は、事情により、同項の決定を取り消すことができる。

参+【信義誠実追行義務→二　❶【文書の成立の真正→二二八・二二九【過料の裁判の執行→一八九　❷【即時抗告→三三二　+【不当に文書の真正を争ったことによる訴訟費用の負担→六二

（文書に準ずる物件への準用）

第二三一条　この節の規定は、図面、写真、録音テープ、ビデオテープその他の情報を表すために作成された物件で文書でないものについて準用する。

参+【証拠説明書の提出義務→民訴規一四八・一四九

第五節の二　電磁的記録に記録された情報の内容に係る証拠調べ

（令和四法四八本節追加）

（電磁的記録に記録された情報の内容に係る証拠調べ

の申出）

第二三一条の二① 電磁的記録に記録された情報の内容に係る証拠調べの申出は、当該電磁的記録を提出し、又は当該電磁的記録を利用する権限を有する者にその提出を命ずることを申し立ててしなければならない。

② 前項の規定による電磁的記録の提出は、最高裁判所規則で定めるところにより、電磁的記録を記録した記録媒体を提出する方法又は最高裁判所規則で定める電子情報処理組織を使用する方法により行う。

参+【電磁的記録→三の七③】

（書証の規定の準用等）

第二三一条の三① 第二百二十条から第二百二十八条まで〈文書提出義務、文書提出命令の申立て、文書の特定のための手続、文書提出命令等、当事者が文書提出命令に従わない場合等の効果、第三者が文書提出命令に従わない場合の過料、文書送付の嘱託、文書の留置等、文書の成立〉（同条第四項を除く。）及び第二百三十条〈文書の成立の真正を争った者に対する過料〉の規定は、前条第一項の証拠調べについて準用する。この場合において、第二百二十条、第二百二十一条第一項第三号、第二百二十二条、第二百二十三条第一項及び第四項から第六項まで並びに第二百二十六条中「文書の所持者」とあるのは「電磁的記録を利用する権限を有する者」と、第二百二十条第一号中「文書を自ら所持する」とあるのは「電磁的記録を利用する権限を自ら有する」と、同条第二号中「引渡し」とあるのは「提供」と、同条第四号ニ中「所持する文書」とあるのは「利用する権限を有する電磁的記録」と、同号ホ中「書類」とあるのは「電磁的記録」と、「文書」とあるのは「記録媒体に記録された電磁的記録」と、第二百二十一条（見出しを含む。）、第二百二十二条、第二百二十三条の見出し、同条第一項、第三項、第六項及び第七項、第二百二十四条の見出し及び同条第一項並びに第二百二十五条の見出し及び同条第一項中「文書提出命令」とあるのは「電磁的記録提出命令」と、第二百二十四条第一項及び第三項中「文書の記載」とあるのは「電磁的記録に記録された情報の内容」と、第二百二十六条中「第二百十九条」とあるのは「第二百三十一条の二第一項」と、同条ただし書中「文書の正本又は謄本の交付」とあるのは「電磁的記録に記録された情報の内容の全部を証明した書面の交付又は当該情報の内容の全部を証明した電磁的記録の提供」と、第二百二十七条中「文書」とあるのは「電磁的記録を記録した記録媒体」と、第二百二十八条第二項中「公文書」とあるのは「もの」と、同条第三項中「公文書」とあるのは「公務所又は公務員が作成すべき電磁的記録」と読み替えるものとする。

② 前項において準用する第二百二十三条第一項の命令に係る電磁的記録の提出及び前項において準用する第二百二十六条の嘱託に係る電磁的記録の送付は、最高裁判所規則で定めるところにより、当該電磁的記録を記録した記録媒体を提出し、若しくは送付し、又は最高裁判所規則で定める電子情報処理組織を使用する方法により行う。

参+【電磁的記録→三の七③】　❷【電子情報処理組織→九一の二②】

第六節　検証

参+【本節の準用→二五一④】

（検証の目的の提示等）

第二三二条① 第二百十九条〈書証の申出〉、第二百二十三条〈文書提出命令等〉、第二百二十四条〈当事者が文書提出命令に従わない場合等の効果〉、第二百二十六条〈文書送付の嘱託〉及び第二百二十七条第一項〈文書の留置〉の規定は、検証の目的の提示又は送付について準用する。

② 第三者が正当な理由なく前項において準用する第二百二十三条第一項の規定による提示の命令に従わないときは、裁判所は、決定で、二十万円以下の過料に処する。

③ 前項の決定に対しては、即時抗告をすることができる。

参❶【検証の申出の方式→民訴規一五〇】　❷【本項と同旨の規定→一九二・二二五【過料の裁判の執行→一八九】　❸【即時抗告→三三二【提訴前の処分→一三二の四】

（映像等の送受信による方法による検証）

第二三二条の二 裁判所は、当事者に異議がない場合であって、相当と認めるときは、最高裁判所規則で定めるところにより、映像と音声の送受信により検証の目的の状態を認識することができる方法によって、検証をすることができる。（令和四法四八本条追加）

参+【映像と音声の送受信→八七の二①】

（検証の際の鑑定）

第二三三条 裁判所又は受命裁判官若しくは受託裁判官は、検証をするに当たり、必要があると認めるときは、鑑定を命ずることができる。

参+【受命裁判官→八八】【受託裁判官→八九】【鑑定→二一二—二一八】

第七節　証拠保全

（証拠保全）

第二三四条 裁判所は、あらかじめ証拠調べをしておかなければその証拠を使用することが困難となる事情があると認めるときは、申立てにより、この章の規定に従い、証拠調べをすることができる。

参+【申立ての方式→民訴規一五三】【証拠調べの手続→一八〇—二三三】【職権でする場合→二三七】

（管轄裁判所等）

第二三五条① 訴えの提起後における証拠保全の申立ては、その証拠を使用すべき審級の裁判所にしなければならない。ただし、最初の口頭弁論の期日が指定され、又は事件が弁論準備手続若しくは書面による準備手続に付された後口頭弁論の終結に至るまでの間は、受訴裁判所にしなければならない。

② 訴えの提起前における証拠保全の申立ては、尋問を受けるべき者、文書を所持する者若しくは電磁的記録を利用する権限を有する者の居所又は検証物の所在地

を管轄する地方裁判所又は簡易裁判所にしなければならない。（令和四法四八本項改正）

③　急迫の事情がある場合には、訴えの提起後であっても、前項の地方裁判所又は簡易裁判所に証拠保全の申立てをすることができる。

❶【訴えの提起↓一三四【最初の口頭弁論期日↓一三九、民訴規六〇【弁論準備手続↓一六八—一七四【書面準備手続↓一七五—一七八【口頭弁論終結↓二四三、二五二①㊃　❷【居所↓民二三【電磁的記録↓三の七③【検証物↓二三二【地裁の特別権限↓裁二五【簡裁の特別権限↓裁三四【提訴前の証拠収集処分↓一三二の五

（相手方の指定ができない場合の取扱い）

第二百三十六条　証拠保全の申立ては、相手方を指定することができない場合においても、することができる。この場合においては、裁判所は、相手方となるべき者のために特別代理人を選任することができる。

+【相手方の表示の必要↓民訴規一五三②㊂【相手方の呼出し↓二四〇【特別代理人↓三五

（職権による証拠保全）

第二百三十七条　裁判所は、必要があると認めるときは、訴訟の係属中、職権で、証拠保全の決定をすることができる。

+【不服申立て禁止↓二三八

（不服申立ての不許）

第二百三十八条　証拠保全の決定に対しては、不服を申し立てることができない。

+【提訴前の証拠収集処分↓一三二の八

（受命裁判官による証拠調べ）

第二百三十九条　第二百三十五条第一項ただし書の場合には、裁判所は、受命裁判官に証拠調べをさせることができる。

+【訴え提起後の証拠保全↓二三五①但【受命裁判官↓八八

（期日の呼出し）

第二百四十条　証拠調べの期日には、申立人及び相手方を呼び出さなければならない。ただし、急速を要する場合は、この限りでない。

+【相手方↓民訴規一五三②㊂、二三六【呼出しの方式↓九四【当事者不出頭の場合の証拠調べ↓一八三

（証拠保全の費用）

第二百四十一条　証拠保全に関する費用は、訴訟費用の一部とする。

+【訴訟費用↓六一—七四

（口頭弁論における再尋問）

第二百四十二条　証拠保全の手続において尋問をした証人について、当事者が口頭弁論における尋問の申出をしたときは、裁判所は、その尋問をしなければならない。

+【証拠保全の記録の送付↓民訴規一五四【証人尋問の申出↓民訴規一〇六【同旨の規定↓一五二②、二四九③

第五章　判決

（終局判決）

第二百四十三条①　裁判所は、訴訟が裁判をするのに熟したときは、終局判決をする。

②　裁判所は、訴訟の一部が裁判をするのに熟したときは、その一部について終局判決をすることができる。

③　前項の規定は、口頭弁論の併合を命じた数個の訴訟中その一が裁判をするのに熟した場合及び本訴又は反訴が裁判をするのに熟した場合について準用する。

+【裁判に熟したとき↓一一五①㊂・一一七・一五三・二五二①㊃【終局判決↓二八一・三一一・三一七①・三三八・三五七・三七八【審理計画↓一四七の三【終局判決における仮執行宣言↓二五九　❷【一部についての訴訟費用の負担の裁判↓六七①但　❸【請求の併合↓一三六【弁論の併合↓一五二【本訴・反訴↓一四六　+【本条の特則↓二四四

第二百四十四条　裁判所は、当事者の双方又は一方が口頭弁論の期日に出頭せず、又は弁論をしないで退廷をした場合において、審理の現状及び当事者の訴訟追行の状況を考慮して相当と認めるときは、終局判決をすることができる。ただし、当事者の一方が口頭弁論の期日に出頭せず、又は弁論をしないで退廷をした場合には、出頭した相手方の申出があるときに限る。

+【終局判決をすべき原則的場合↓二四三【当事者双方の不出頭↓二六三【当事者一方の不出頭↓一五八、一五九③、二七七【本条の適用除外↓人訴一九【仲裁の場合↓仲裁三三③

（中間判決）

第二百四十五条　裁判所は、独立した攻撃又は防御の方法その他中間の争いについて、裁判をするのに熟したときは、中間判決をすることができる。請求の原因及び数額について争いがある場合におけるその原因についても、同様とする。

+【攻撃防御の方法↓一五六【中間の争いの例↓二八—三七、一四二、二六一—二六六【中間の争いを決定で裁判する場合↓五〇①②、一二八、一四三④、二二三【請求の原因の別の用例↓一三四②【中間の争いに関する訴訟費用の裁判↓六七①但

（判決事項）

第二百四十六条　裁判所は、当事者が申し立てていない事項について、判決をすることができない。

+【本条の例外↓六七、二五九、三〇三、三七五【同旨の規定↓二九六①、三二〇、三四八①【仲裁の場合↓仲裁四四①㊄

（自由心証主義）

第二百四十七条　裁判所は、判決をするに当たり、口頭弁論の全趣旨及び証拠調べの結果をしん酌して、自由な心証により、事実についての主張を真実と認めるべきか否かを判断する。

+【証明を要しない事項↓一七九【口頭弁論↓一四八—一六〇の二【証拠調べ↓一八〇—二三三【当事者の態度から相手方の主張を真実と認定できる場合↓二〇八、二二四

（損害額の認定）

第二百四十八条　損害が生じたことが認められる場合において、損害の性質上その額を立証することが極めて困難であるときは、裁判所は、口頭弁論の全趣旨及び証拠調べの結果に基づき、相当な損害額を認定することができる。

+【同旨の規定↓特許一〇五の三、不正競争九、著作一一四の五

【損害額↓民四一七・七二二、特許一〇二、不正競争五、著作一一四【口頭弁論の全趣旨及び証拠調べの結果↓二四七【相当な額の認定↓二四七【口頭弁論終結後の損害額の変動↓一一七

（直接主義）
第二四九条① 判決は、その基本となる口頭弁論に関与した裁判官がする。
② 裁判官が代わった場合には、当事者は、従前の口頭弁論の結果を陳述しなければならない。
③ 単独の裁判官が代わった場合又は合議体の裁判官の過半数が代わった場合において、その前に尋問をした証人について、当事者が更に尋問の申出をしたときは、裁判所は、その尋問をしなければならない。

⊛❶【裁判官の職務犯罪と再審事由↓三三八①四【口頭弁論を経ないでする判決↓八七③⊛　❷【結果陳述の例↓一七三、二九六②　❸【単独の裁判官↓裁二六①、二七①、三一の四、三五【合議体の裁判官↓裁九、一八、二六②、二七②、三一の四②【証人尋問の申出↓民訴規一〇六【弁論の併合の場合↓一五二②　⁺【裁判官の更迭と速記原本の反訳の必要↓民訴規七四①三

（判決の発効）
第二五〇条 判決は、言渡しによってその効力を生ずる。

⊛⁺【言渡しの方式↓民訴規一五五【言渡期日↓二五一【決定命令の発効↓一一九

（言渡期日）
第二五一条① 判決の言渡しは、口頭弁論の終結の日から二月以内にしなければならない。ただし、事件が複雑であるときその他特別の事情があるときは、この限りでない。
② 判決の言渡しは、当事者が在廷しない場合においても、することができる。

⊛❶【口頭弁論の終結の日↓二四三①、二五二①四【口頭弁論の再開↓一五三【期間の計算↓九五【法定期間の伸縮↓九六①【言渡期日の指定↓九三【審理計画↓一四七の三　❷【言渡期日の通知↓民訴規一五六【少額訴訟における本項の特則↓三七四①【変更判決の言渡期日↓二五六③　⁺【訴訟手続中断と判決の言渡し↓一三二①

（電子判決書）
第二五二条① 裁判所は、判決の言渡しをするときは、最高裁判所規則で定めるところにより、次に掲げる事項を記録した電磁的記録（以下「電子判決書」という。）を作成しなければならない。
一 主文
二 事実
三 理由
四 口頭弁論の終結の日
五 当事者及び法定代理人
六 裁判所
② 前項の規定による事実の記録においては、請求を明らかにし、かつ、主文が正当であることを示すのに必要な主張を摘示しなければならない。

（令和四法四八本条全部改正）

⊛❶【損害賠償命令の記載事項↓犯罪被害保護三七【当事者の電磁的記録の利用↓民訴規三の二　[一]【主文↓一一四①【主文に掲げる裁判↓二五九④、三〇三②、六七　[三]【理由の朗読・告知↓民訴規一五五②【理由不備↓三一二②六　[四]【口頭弁論終結↓二四三、二五一①、一一五①三、民執三五②　[五]【法定代理人↓二八、三二、三五、三七【仲裁判断書↓仲裁三九【人事訴訟における附帯処分↓人訴三二　三・一六一②　⁺【簡裁判決書の特則↓二八〇【判決の種類の表示↓民訴規二一六、二二九、二三一【上訴審判決書における判決の引用↓民訴規一八四、二一九、二三一②

（言渡しの方式）
第二五三条① 判決の言渡しは、前条第一項の規定により作成された電子判決書に基づいてする。
② 裁判所は、前項の規定により判決の言渡しをした場合には、最高裁判所規則で定めるところにより、言渡しに係る電子判決書をファイルに記録しなければならない。

（令和四法四八本条全部改正）

⊛⁺【言渡しの方式↓民訴規一五五①②【裁判所書記官への交付↓民訴規一五八【言渡しの調書記載↓民訴規六七①四【本条の特則↓二五四、三七四②

（言渡しの方式の特則）
第二五四条① 次に掲げる場合において、原告の請求を認容するときは、判決の言渡しは、前条の規定にかかわらず、電子判決書に基づかないですることができる。
一 被告が口頭弁論において原告の主張した事実を争わず、その他何らの防御の方法をも提出しない場合
二 被告が公示送達による呼出しを受けたにもかかわらず口頭弁論の期日に出頭しない場合（被告の提出した準備書面が口頭弁論において陳述されたものとみなされた場合を除く。）
② 裁判所は、前項の規定により判決の言渡しをしたときは、電子判決書の作成に代えて、裁判所書記官に、当事者及び法定代理人、主文、請求並びに理由の要旨を、判決の言渡しをした口頭弁論期日の電子調書に記録させなければならない。

（令和四法四八本条改正）

⊛❶【言渡しの方式↓民訴規一五五③【不熱心訴訟における弁論の終結↓二四四　[一]【請求の認諾↓二六六、二六七【自白の擬制↓一五九　[二]【公示送達による呼出し↓九四、一一〇―一一二【準備書面の陳述擬制↓一五九、二七七　❷【電子調書↓一六〇①【調書判決↓二五二、民訴規六七①七

（電子判決書等の送達）
第二五五条① 電子判決書（第二百五十三条第二項の規定によりファイルに記録されたものに限る。次項、第二百八十五条、第三百五十五条第二項、第三百五十七条、第三百七十八条第一項及び第三百八十一条の七第一項において同じ。）又は前条第二項の規定により当事者及び法定代理人、主文、請求並びに理由の要旨が記録された電子調書（第百六十条第二項の規定によりファイルに記録されたものに限る。次項、第二百六十一条第五項、第二百八十五条、第三百五十七条及び第三百七十八条第一項において同じ。）は、当事者に送達しなければならない。
② 前項に規定する送達は、次に掲げる方法のいずれかによってする。
一 電子判決書又は電子調書に記録されている事項を

記載した書面であって裁判所書記官が最高裁判所規則で定める方法により当該書面の内容が当該電子判決書又は当該電子調書に記録されている事項と同一であることを証明したものの送達

二　第百九条の二の規定による送達

（令和四法四八本条全部改正）

❶【送達管掌者としての裁判所書記官↓九八②【送達↓九八―一一二【送達の時期↓民訴規一五九①　❷【正本による送達↓民訴規一五九②【更正決定の送達↓民訴規一六〇【判決の送達と上訴期間の起算↓二八五・三一三【判決の送達と異議申立期間の起算↓三五七・三七八①【強制執行の要件としての判決の送達↓民執二九

（変更の判決）

第二五六条①　裁判所は、判決に法令の違反があることを発見したときは、その言渡し後一週間以内に限り、変更の判決をすることができる。ただし、判決が確定したとき、又は判決を変更するため事件につき更に弁論をする必要があるときは、この限りでない。

②　変更の判決は、口頭弁論を経ないでする。

③　電子呼出状（第九十四条第二項の規定によりファイルに記録されたものに限る。）により前項の判決の言渡期日の呼出しを行う場合においては、次の各号に掲げる送達の区分に応じ、それぞれ当該各号に定める時に、その送達があったものとみなす。

一　第百九条の規定による送達　同条の規定により作成した書面を送達すべき場所に宛てて発した時

二　第百九条の二の規定による送達　同条第一項本文の通知が発せられた時

（令和四法四八本項全部改正）

❶【判決言渡しの日↓二五一、民訴規一五六【判決の確定↓一一六　❷【必要的口頭弁論の原則↓八七　❸【呼出しの原則的方式↓九四、民訴規一五六【電子呼出状↓九四①㈠【公示送達による呼出し↓一一〇―一一二【送達すべき場所↓一〇三【郵便等に付する送達における同様の効果↓一〇七③

（判決の更正決定）

第二五七条①　判決に計算違い、誤記その他これらに類する明白な誤りがあるときは、裁判所は、申立てにより又は職権で、いつでも更正決定をすることができる。

②　前項の更正決定に対しては、即時抗告をすることができる。ただし、判決に対し適法な控訴があったときは、この限りでない。

③　第一項の申立てを不適法として却下した決定に対しては、即時抗告をすることができる。ただし、判決に対し適法な控訴があったときは、この限りでない。

（令和四法四八本項追加）

❶【費用額確定処分の更正の場合↓七四①【更正決定の方式↓民訴規一六〇　❷❸【即時抗告↓三三二【控訴↓二八一 +【変更判決↓二五六

（裁判の脱漏）

第二五八条①　裁判所が請求の一部について裁判を脱漏したときは、訴訟は、その請求の部分については、なおその裁判所に係属する。

②　訴訟費用の負担の裁判を脱漏したときは、裁判所は、申立てにより又は職権で、その訴訟費用の負担について、決定で、裁判をする。この場合においては、第六十一条から第六十六条まで〈訴訟費用の敗訴者負担の原則と特則〉の規定を準用する。

③　前項の決定に対しては、即時抗告をすることができる。

④　第二項の規定による訴訟費用の負担の裁判は、本案判決に対し適法な控訴があったときは、その効力を失う。この場合においては、控訴裁判所は、訴訟の総費用について、その負担の裁判をする。

❶【一部判決↓二四三②③　❷【申立ての方式↓民訴規一六一【訴訟費用の負担の裁判↓六七①　❸【即時抗告↓三三二　❹【上級裁判所における総費用の裁判↓六七②【手形判決に対する異議の場合の総費用の裁判↓三六三②

（仮執行の宣言）

第二五九条①　財産権上の請求に関する判決については、裁判所は、必要があると認めるときは、申立てにより又は職権で、担保を立てて、又は立てないで仮執行をすることができることを宣言することができる。

②　手形又は小切手による金銭の支払の請求及びこれに附帯する法定利率による損害賠償の請求に関する判決については、裁判所は、職権で、担保を立てないで仮執行をすることができることを宣言しなければならない。ただし、裁判所が相当と認めるときは、仮執行を担保を立てることに係らしめることができる。

③　裁判所は、申立てにより又は職権で、担保を立てて仮執行を免れることができることを宣言することができる。

④　仮執行の宣言は、判決の主文に掲げなければならない。前項の規定による宣言についても、同様とする。

⑤　仮執行の宣言の申立てについて裁判をしなかったとき、又は職権で仮執行の宣言をすべき場合においてこれをしなかったときは、裁判所は、申立てにより又は職権で、補充の決定をする。第三項の申立てについて裁判をしなかったときも、同様とする。

⑥　第七十六条〈担保提供の方法〉、第七十七条〈担保物に対する被告の権利〉、第七十九条〈担保の取消し〉及び第八十条〈担保の変換〉の規定は、第一項から第三項までの担保について準用する。

❶【財産権上の請求↓民訴費四②③【担保↓七六・七七【本項の特則↓三一〇・三七六①・三九一、民執三七【上訴審判決前の決定による仮執行宣言↓二九四・三二三【認可判決への仮執行宣言↓破一七五⑤・一八〇⑥【仮執行宣言の主観的範囲↓一一五②【仮執行宣言付判決・支払督促↓民執二二㈡㈣、四〇三①㈡―㈤　❷【手形・小切手による金銭の支払請求↓五㈢・三五〇―三六七【法定利率↓三五〇 【附帯請求↓九②　❸【仮執行免脱宣言と強制執行の停止↓民執三九①㈤・四〇①　❹【主文↓二五三①㈠、民訴規一五五①　❺【仮執行宣言の補充決定↓二五八【補充決定の方式↓民訴規一六〇

（仮執行の宣言の失効及び原状回復等）

第二六〇条①　仮執行の宣言は、その宣言又は本案判決を変更する判決の言渡しにより、変更の限度においてその効力を失う。

②　本案判決を変更する場合には、裁判所は、被告の申立てにより、その判決において、仮執行の宣言に基づ

き被告が給付したものの返還及び仮執行により又はこれを免れるために被告が受けた損害の賠償を原告に命じなければならない。

③　仮執行の宣言のみを変更したときは、後に本案判決を変更する判決について、前項の規定を適用する。

⊛❶【本案判決を変更する判決↓三〇五―三〇九、三二五、三二六【変更判決言渡しによる失効↓二六〇①…】…一四―一一六【仮執行宣言の取消しと強制執行の停止・取消し↓民執三九①㊀、四〇① ❷【過失責任の原則↓民七〇九【給付の返還・損害賠償↓一三四、一四六【民事保全における原状回復↓民保三三 ❸【仮執行宣言のみの変更↓二四三②

第六章　裁判によらない訴訟の完結

第二六一条（訴えの取下げ）① 訴えは、判決が確定するまで、その全部又は一部を取り下げることができる。

② 訴えの取下げは、相手方が本案について準備書面を提出し、弁論準備手続において申述をし、又は口頭弁論をした後にあっては、相手方の同意を得なければ、その効力を生じない。ただし、本訴の取下げがあった場合における反訴の取下げについては、この限りでない。

③ 訴えの取下げは、書面でしなければならない。（令和四法四八本項改正）

④ 前項の規定にかかわらず、口頭弁論、弁論準備手続又は和解の期日（以下この章において「口頭弁論等の期日」という。）において訴えの取下げをするときは、口頭ですることを妨げない。この場合において、裁判所書記官は、その期日の電子調書に訴えの取下げがされた旨を記録しなければならない。（令和四法四八本項追加）

⑤ 第二項本文の場合において、訴えの取下げが書面でされたときはその書面を、訴えの取下げが口頭弁論等の期日において口頭でされたとき（相手方がその期日に出頭したときを除く。）は前項の規定により訴えの取下げがされた旨が記録された電子調書を相手方に送達しなければならない。（令和四法四八本項改正）

⑥ 訴えの取下げの書面の送達を受けた日から二週間以内に相手方が異議を述べないときは、訴えの取下げに同意したものとみなす。訴えの取下げが口頭弁論等の期日において口頭でされた場合において、相手方がその期日に出頭したときは訴えの取下げがあった日から、相手方がその期日に出頭しなかったときは前項の規定による送達があった日から二週間以内に相手方が異議を述べないときも、同様とする。（令和四法四八本項改正）

⊛❶【判決の確定時期↓一一六【訴えの取下げの代理権↓三二②㊂、五五②㊂【訴えの取下げの調書記載↓民訴規六七①㊂ ❷【準備書面↓一六一、一六二【弁論準備手続↓一六六―一七四【口頭弁論↓八七、一三九、一四八―一六〇の二【反訴↓一四六 ❸【口頭で取り下げた場合の調書記載↓民訴規一②　❹【電子調書↓一六〇①、一一二　❺【取下げ書面の送達↓民訴規一六二【送達の方法↓九八―一一二　❻【期間の計算↓九五　✝【訴えの取下げの擬制↓二六三、行訴一五④【訴えの取下げの効果↓二六二

第二六二条（訴えの取下げの効果）① 訴訟は、訴えの取下げがあった部分については、初めから係属していなかったものとみなす。

② 本案について終局判決があった後に訴えを取り下げた者は、同一の訴えを提起することができない。

⊛❶【訴えの取下げ↓二六一【時効完成猶予効の不発生↓一四七 ❷【終局判決↓二四三【仮執行宣言付判決が訴えの取下げにより失効したときの処置↓民執三九①㊂、四〇【終局決定後の取下げ↓非訟六三、家事八二

第二六三条（訴えの取下げの擬制）　当事者双方が、口頭弁論若しくは弁論準備手続の期日に出頭せず、又は弁論若しくは弁論準備手続における申述をしないで退廷若しくは退席をした場合において、一月以内に期日指定の申立てをしないときは、訴えの取下げがあったものとみなす。当事者双方が、連続して二回、口頭弁論若しくは弁論準備手続の期日に出頭せず、又は弁論若しくは弁論準備手続における申述をしないで退廷若しくは退席をしたときも、同様とする。

⊛✝【口頭弁論期日↓一三九【弁論準備手続の期日↓一六九【当事者の出欠の調書記載↓民訴規六六①㊃【期日指定の申立て↓九三【期間の計算↓九五【訴えの取下げの効果↓二六二【不熱心訴訟追行に対する対策↓二四四【類似の規定↓非訟六四、家事八三

第二六四条（和解条項案の書面による受諾）① 当事者の一方が出頭することが困難であると認められる場合において、その当事者があらかじめ裁判所又は受命裁判官若しくは受託裁判官から提示された和解条項案を受諾する旨の書面を提出し、他の当事者が口頭弁論等の期日に出頭してその和解条項案を受諾したときは、当事者間に和解が調ったものとみなす。

② 当事者双方が出頭することが困難であると認められる場合において、当事者双方があらかじめ裁判所又は受命裁判官若しくは受託裁判官から和解が成立すべき日時を定めて提示された和解条項案を受諾する旨の書面を提出し、その日時が経過したときは、その日時に、当事者間に和解が調ったものとみなす。（令和四法四八本項追加）

（令和四法四八本条改正）

⊛✝【受命・受託裁判官↓八八⊛・八九⊛【和解条項案↓民訴規一六三①【受諾書面の真意確認↓民訴規一六三②【口頭弁論等の期日↓二六一③【和解成立擬制の調書記載↓民訴規一六三③【和解調書↓二六七、民執二二㊆【本条の不適用↓二七五④【和解に代わる決定↓二七五の二【本条の準用↓非訟六五

第二六五条（裁判所等が定める和解条項）① 裁判所又は受命裁判官若しくは受託裁判官は、当事者の共同の申立てがあるときは、事件の解決のために適当な和解条項を定めることができる。

② 前項の申立ては、書面でしなければならない。この場合においては、その書面に同項の和解条項に服する旨を記載しなければならない。

③ 第一項の規定による和解条項の定めは、口頭弁論等の期日における告知その他相当と認める方法による告知によってする。

④ 当事者は、前項の告知前に限り、第一項の申立てを取り下げることができる。この場合においては、相手方の同意を得ることを要しない。

⑤ 第三項の告知が当事者双方にされたときは、当事者間に和解が調ったものとみなす。

⊗❶【受命・受託裁判官↓八八⊗・八九⊗【和解に代わる決定↓二七五の二 ❷【仲裁契約と対比↓仲裁一三 ❸【和解条項の定め↓民訴規一六四①【口頭弁論等の期日↓二六一③ ❹【申立ての取下げ↓二六一② ❺【和解成立擬制の調書記載↓民訴規一六四②【和解調書↓二六七、民執二二㈦ ⁺【本条の不適用↓二七五④

第二六六条（**請求の放棄又は認諾**）① 請求の放棄又は認諾は、口頭弁論等の期日においてする。

② 請求の放棄又は認諾をする旨の書面を提出した当事者が口頭弁論等の期日に出頭しないときは、裁判所又は受命裁判官若しくは受託裁判官は、その旨の陳述をしたものとみなすことができる。

⊗❶【請求の放棄・認諾↓三二②㈠・五五②㈡【口頭弁論等の期日↓二六一③【請求の放棄・認諾の調書記載↓民訴規六七①㈠【放棄調書・認諾調書の効力↓二六七 ❷【受命・受託裁判官↓八八⊗・八九⊗【欠席者提出の書面の陳述擬制の例↓一五八・二七七 ⁺【人事訴訟における放棄・認諾↓人訴一九②・三七

第二六七条（**和解等に係る電子調書の効力**）① 裁判所書記官が、和解又は請求の放棄若しくは認諾について電子調書を作成し、これをファイルに記録したときは、その記録は、確定判決と同一の効力を有する。

② 前項の規定によりファイルに記録された電子調書は、当事者に送達しなければならない。この場合においては、第二百五十五条第二項〈電子判決書等の送達〉の規定を準用する。（令和四法四八本項追加）

（令和四法四八本条改正）

⊗⁺【和解↓八九・二六四・二六五・二七五【訴訟上の和解と同一の効力を有するもの↓二七五の二⑤、民調一六・二四の三②、犯罪被害保護一九④【和解と訴訟費用↓六八・七二【請求の放棄・認諾↓二六六【放棄・認諾と訴訟費用の裁判↓七三【電子調書↓一六〇①【和解・放棄認諾の調書記載↓民訴規六七①㈠・一六三③・一六四②【確定判決の効力↓一一四・一一五、民執二二㈠、民一六九【調書による強制執行↓民執二二㈦・三九①㈢【同旨の規定↓仲裁四五①、家事七五・二六八・二八一・二八七、会社八九九⑤、破一二四③、会更九七④【人事訴訟における特則↓人訴一九②・三七

第二六七条の二（**和解等に係る電子調書の更正決定**）① 前条第一項の規定によりファイルに記録された電子調書につきその内容に計算違い、誤記その他これらに類する明白な誤りがあるときは、裁判所は、申立てにより又は職権で、いつでも更正決定をすることができる。

② 前項の更正決定に対しては、即時抗告をすることができる。

③ 第一項の申立てを不適法として却下した決定に対しては、即時抗告をすることができる。

（令和四法四八本条追加）

⊗❶【電子調書の更正↓一六〇の二【判決の更正の場合↓二五七①

第七章　大規模訴訟等に関する特則

（平成一五法一〇八本章名改正）

⊗⁺【審理計画等↓一四七の二・一四七の三

第二六八条（**大規模訴訟に係る事件における受命裁判官による証人等の尋問**）　裁判所は、大規模訴訟（当事者が著しく多数で、かつ、尋問すべき証人又は当事者本人が著しく多数である訴訟をいう。）に係る事件について、当事者に異議がないときは、受命裁判官に裁判所内で証人又は当事者本人の尋問をさせることができる。

⊗⁺【受命裁判官↓八八⊗【受命裁判官による証拠調べ↓一八五①・一九五【証人尋問↓一九〇－二〇六【当事者尋問↓二〇七－二一一

第二六九条（**大規模訴訟に係る事件における合議体の構成**）① 地方裁判所においては、前条に規定する事件について、五人の裁判官の合議体で審理及び裁判をする旨の決定をその合議体ですることができる。

② 前項の場合には、判事補は、同時に三人以上合議体に加わり、又は裁判長となることができない。

⊗⁺【地裁における合議制と裁判官の人数↓裁二六②㈣③【判事補の職権の制限↓一二三、裁二七【裁判長↓一四八⊗

第二六九条の二（**特許権等に関する訴えに係る事件における合議体の構成**）① 第六条第一項各号に定める裁判所においては、特許権等に関する訴えに係る事件について、五人の裁判官の合議体で審理及び裁判をする旨の決定をその合議体ですることができる。ただし、第二十条の二第一項の規定により移送された訴訟に係る事件については、この限りでない。

② 前条第二項の規定は、前項の場合について準用する。

（平成一五法一〇八本条追加）

⊗⁺【合議体の構成員↓二六九、裁二六③【控訴審で同旨↓三一〇の二

第八章　簡易裁判所の訴訟手続に関する特則

第二七〇条（**手続の特色**）　簡易裁判所においては、簡易な手続により迅速に紛争を解決するものとする。

⊗⁺【簡裁の管轄↓裁三三・三四

第二七一条（**口頭による訴えの提起**）　訴えは、口頭で提起することができる。

⊗⁺【訴状提出の原則↓一三四①

第二七二条（**訴えの提起において明らかにすべき事項**）　訴えの提起においては、請求の原因に代えて、紛争の要点を明らかにすれば足りる。

⊗⁺【訴状の記載事項の原則↓一三四②

（**任意の出頭による訴えの提起等**）

第二七三条 当事者双方は、任意に裁判所に出頭し、訴訟について口頭弁論をすることができる。この場合においては、訴えの提起は、口頭の陳述によってする。

参＋【通常の場合の訴状の提出送達と口頭弁論期日の指定↓一三四、一三八、一三九

（反訴の提起に基づく移送）

第二七四条① 被告が反訴で地方裁判所の管轄に属する請求をした場合において、相手方の申立てがあるときは、簡易裁判所は、決定で、本訴及び反訴を地方裁判所に移送しなければならない。この場合においては、第二十二条〈移送の裁判の拘束力等〉の規定を準用する。

② 前項の決定に対しては、不服を申し立てることができない。

参❶【反訴↓一四六【地裁の管轄↓裁二四、二五【簡裁から地裁への裁量移送↓一八【移送に伴う記録送付↓民訴規一六八 ❷【通常の移送における不服申立ての許容↓二一

（訴え提起前の和解）

第二七五条① 民事上の争いについては、当事者は、請求の趣旨及び原因並びに争いの実情を表示して、相手方の普通裁判籍の所在地を管轄する簡易裁判所に和解の申立てをすることができる。

② 前項の和解が調わない場合において、和解の期日に出頭した当事者双方の申立てがあるときは、裁判所は、直ちに訴訟の弁論を命ずる。この場合においては、和解の申立てをした者は、その申立てをした時に、訴えを提起したものとみなし、和解の費用は、訴訟費用の一部とする。

③ 申立人又は相手方が第一項の和解の期日に出頭しないときは、裁判所は、和解が調わないものとみなすことができる。

④ 第一項の和解については、第二百六十四条及び第二百六十五条の規定は、適用しない。

参❶【請求の趣旨・原因↓一三四②【訴訟上の和解↓八九、二六四、二六五、二六七、民執二二㈦、三三②㈥、三九①㈢㈣【普通裁判籍↓四【和解成立の場合の調書記載↓民訴規一六九【和解調書の効力↓二六七、民執二二㈦、三三②㈥、三九①㈢㈣ ❷【起訴の原則的方式↓一三四①【手形・小切手訴訟により審理裁判を求める旨の申述↓三六五、三六七②【訴訟費用↓六一―七四 ＋【簡裁での和解についての執行法上の訴訟の管轄↓民執三三②㈥

（和解に代わる決定）

第二七五条の二① 金銭の支払の請求を目的とする訴えについては、裁判所は、被告が口頭弁論において原告の主張した事実を争わず、その他何らの防御の方法をも提出しない場合において、被告の資力その他の事情を考慮して相当であると認めるときは、原告の意見を聴いて、第三項の期間の経過時から五年を超えない範囲内において、当該請求に係る金銭の支払について、その時期の定め若しくは分割払の定めをし、又はこれと併せて、その時期の定めに従い支払をしたとき、若しくはその分割払の定めによる期限の利益を次項の規定による定めにより失うことなく支払をしたときは訴え提起後の遅延損害金の支払義務を免除する旨の定めをして、当該請求に係る金銭の支払を命ずる決定をすることができる。

② 前項の分割払の定めをするときは、被告が支払を怠った場合における期限の利益の喪失についての定めをしなければならない。

③ 第一項の決定に対しては、当事者は、その決定の告知を受けた日から二週間の不変期間内に、その決定をした裁判所に異議を申し立てることができる。

④ 前項の期間内に異議の申立てがあったときは、第一項の決定は、その効力を失う。

⑤ 第三項の期間内に異議の申立てがないときは、第一項の決定は、裁判上の和解と同一の効力を有する。

（平成一五法一〇八本条追加）

参❶【調停に代わる決定↓民調一七【少額訴訟↓三六八①、三七五①【擬制自白↓一五九【欠席↓二四四【和解の勧試↓八九【和解条項の書面受諾↓二六四【裁判所が定める和解↓二六五 ❷❸【少額訴訟↓三七五②③ ❸―❺【異議申立て↓民調一八 ❺【和解の効力↓二六七

（準備書面の省略等）

第二七六条① 口頭弁論は、書面で準備することを要しない。

② 相手方が準備をしなければ陳述をすることができないと認めるべき事項は、前項の規定にかかわらず、書面で準備し、又は口頭弁論前直接に相手方に通知しなければならない。

③ 前項に規定する事項は、相手方が在廷していない口頭弁論においては、次の各号のいずれかに該当する準備書面に記載し、又は同項の規定による通知をしたものでなければ、主張することができない。

一 相手方に送達された準備書面（令和四法四八本号追加）

二 相手方からその準備書面を受領した旨を記載した書面が提出された場合における当該準備書面（令和四法四八本号追加）

三 相手方が第九十一条の二第一項の規定により準備書面の閲覧をし、又は同条第二項の規定により準備書面の複写をした場合における当該準備書面（令和四法四八本号追加）

（令和四法四八本項改正）

参❶【地裁事件における準備書面の必要↓一六一① ❸【準備書面不記載の事実の陳述禁止↓一六一③

（続行期日における陳述の擬制）

第二七七条 第百五十八条〈訴状等の陳述の擬制〉の規定は、原告又は被告が口頭弁論の続行の期日に出頭せず、又は出頭したが本案の弁論をしない場合について準用する。

参＋【最初の期日における欠席者の陳述擬制の原則↓一五八

（映像等の送受信による通話の方法による尋問）

第二七七条の二 裁判所は、相当と認めるときは、最高裁判所規則で定めるところにより、映像と音声の送受信により相手の状態を相互に認識しながら通話をすることができる方法によって、証人又は当事者本人の尋問をすることができる。（令和四法四八本条追加）

参＋【映像と音声の送受信↓八七の二①参

（尋問等に代わる書面の提出）

第二七八条① 裁判所は、相当と認めるときは、証人若しくは当事者本人の尋問又は鑑定人の意見の陳述に代え、書面の提出をさせることができる。

② 第二百五条第二項及び第三項〈尋問に代わる書面の提出〉の規定は前項の規定による証人又は当事者本人の尋問に代わる書面の提出について、第二百十五条第二項及び第四項〈鑑定人の陳述の方式等〉の規定は前項の規定による鑑定人の意見の陳述に代わる書面の提出について、それぞれ準用する。（令和四法四八本項追加）

（平成一六法一五二本条改正）

【証人の口頭尋問の原則↓二〇三【鑑定人↓二一五、二一五の二【地裁における書面尋問↓二〇五

（司法委員）

第二七九条① 裁判所は、必要があると認めるときは、和解を試みるについて司法委員に補助をさせ、又は司法委員を審理に立ち会わせて事件につきその意見を聴くことができる。

② 司法委員の員数は、各事件について一人以上とする。

③ 司法委員は、毎年あらかじめ地方裁判所の選任した者の中から、事件ごとに裁判所が指定する。

④ 前項の規定により選任される者の資格、員数その他同項の選任に関し必要な事項は、最高裁判所規則で定める。

⑤ 司法委員には、最高裁判所規則で定める額の旅費、日当及び宿泊料を支給する。

❶【和解の試み↓八九 【専門委員↓九二の二―九二の七【人事訴訟の参与員↓人訴九

（電子判決書の記録事項）

第二八〇条 第二百五十二条第一項の規定により同項第二号の事実及び同項第三号の理由を記録する場合には、請求の趣旨及び原因の要旨、その原因の有無並びに請求を排斥する理由である抗弁の要旨を記録すれば足りる。（令和四法四八本条改正）

【電子判決書の記載事項の原則↓二五二

第三編 上訴

第一章 控訴

（控訴をすることができる判決等）

第二八一条① 控訴は、地方裁判所が第一審としてした終局判決又は簡易裁判所の終局判決に対してすることができる。ただし、終局判決後、当事者双方が共に上告をする権利を留保して控訴をしない旨の合意をしたときは、この限りでない。

② 第十一条第二項及び第三項〈管轄の合意の要件〉の規定は、前項の合意について準用する。（平成一六法一五二本項改正）

❶【終局判決↓二四三【地裁が第一審として行う事件↓裁二四㈠、三三①㈠【その控訴の管轄↓裁一六㈠【簡裁の事件↓裁三三①㈠【その控訴の管轄↓裁二四㈢【手形判決に対する控訴禁止↓三五六【少額訴訟判決に対する控訴禁止↓三七七【飛越上告の管轄↓三一一② ❷【飛越上告の合意の方式↓一一②

（訴訟費用の負担の裁判に対する控訴の制限）

第二八二条 訴訟費用の負担の裁判に対しては、独立して控訴をすることができない。

【訴訟費用負担の裁判↓六七【訴訟費用負担の裁判の脱漏↓二五八②―④

（控訴裁判所の判断を受ける裁判）

第二八三条 終局判決前の裁判は、控訴裁判所の判断を受ける。ただし、不服を申し立てることができない裁判及び抗告により不服を申し立てることができる裁判は、この限りでない。

【終局判決↓二四三【終局判決前の裁判の例↓二四五、一一九【不服を申し立てることのできない裁判↓三二八①【抗告をもって不服を申し立てることのできる裁判↓三二八①

（控訴権の放棄）

第二八四条 控訴をする権利は、放棄することができる。

【控訴権放棄の方式↓民訴規一七三①【控訴提起後の控訴権放棄↓民訴規一七三②【控訴権の放棄と附帯控訴↓二九三①

（控訴期間）

第二八五条 控訴は、電子判決書又は第二百五十四条第二項の規定により当事者及び法定代理人、主文、請求並びに理由の要旨が記録された電子調書の送達を受けた日から二週間の不変期間内に提起しなければならない。ただし、その期間前に提起した控訴の効力を妨げない。（令和四法四八本条改正）

【電子判決書↓二五二【電子判決書に代わる電子調書↓二五四②【電子判決書又はこれに代わる電子調書の送達↓二五五、民訴規一五九【送達の方法↓九九―一一二【期間の計算↓九五【不変期間↓九六、九七①

（控訴提起の方式）

第二八六条① 控訴の提起は、控訴状を第一審裁判所に提出してしなければならない。

② 控訴状には、次に掲げる事項を記載しなければならない。

一 当事者及び法定代理人

二 第一審判決の表示及びその判決に対して控訴をする旨

❶【控訴提起の能力・代理権↓三二、四〇④、五五②㈢【電子情報処理組織による申立て↓一三二の一〇【補助参加人と控訴↓四五①、四三② ❷【控訴状の記載事項↓一三四②【手数料の額↓民訴費別表第一〈二の項〉〈四の項〉【記載事項欠缺・手数料不納付の処置↓二八八【費用の予納↓二八九②【事件の送付↓民訴規一七四

（第一審裁判所による控訴の却下）

第二八七条① 控訴が不適法でその不備を補正することができないことが明らかであるときは、第一審裁判所は、決定で、控訴を却下しなければならない。

② 前項の決定に対しては、即時抗告をすることができる。

❶【不備を補正できない不適法等に対する対処の例↓一三七、二八八、三一四②、一四一、三一六、三一七、一四〇、二九〇、三一九 ❷【即時抗告↓三三二

（裁判長の控訴状審査権等）

第二八八条　第百三十七条〈裁判長の訴状審査権〉の規定は控訴状が第二百八十六条第二項の規定に違反する場合について、第百三十七条の二〈訴えの提起の手数料の納付がない場合の訴状却下〉の規定は民事訴訟費用等に関する法律の規定に従い控訴の提起の手数料を納付しない場合について、それぞれ準用する。（令和四法四八本条改正）

＋【第一審裁判長の訴状審査権↓一三七【控訴状審査権の対象↓二八六②．二八九②．一三七．一三八②、民訴費別表第一〈二の項〉〈四の項〉

（控訴状の送達）

第二八九条①　控訴状は、被控訴人に送達しなければならない。

②　第百三十七条〈裁判長の訴状審査権〉の規定は、控訴状の送達をすることができない場合（控訴状の送達に必要な費用を予納しない場合を含む。）について準用する。

❶【送達↓九八―一一三　❷【同様の規定↓一三八②

（口頭弁論を経ない控訴の却下）

第二九〇条　控訴が不適法でその不備を補正することができないときは、控訴裁判所は、口頭弁論を経ないで、判決で、控訴を却下することができる。

＋【必要的口頭弁論の原則↓八七【口頭弁論を経ない判決による却下の例↓一四〇【決定による上告却下の例↓三一六．三一七

（呼出費用の予納がない場合の控訴の却下）

第二九一条①　控訴裁判所は、民事訴訟費用等に関する法律の規定に従い当事者に対する期日の呼出しに必要な費用の予納を相当の期間を定めて控訴人に命じた場合において、その予納がないときは、決定で、控訴を却下することができる。

②　前項の決定に対しては、即時抗告をすることができる。

❶【決定による本案の申立ての却下の例↓一四一．三一六．三一七．三一八⑤．三四五①　❷【即時抗告↓三三二　＋【同旨の規定↓一四一

（控訴の取下げ）

第二九二条①　控訴は、控訴審の終局判決があるまで、取り下げることができる。

②　第二百六十一条第三項及び第四項〈訴えの取下げの方式〉、第二百六十二条第一項〈訴えの取下げの効果〉並びに第二百六十三条〈訴えの取下げの擬制〉の規定は、控訴の取下げについて準用する。（令和四法四八本項改正）

❶【取下げの能力・代理権↓三二②．五五②㊂【終局判決↓二四三【取下げの申述をする裁判所↓民訴規一七七①【控訴権の放棄と取下げ↓民訴規一七三②【控訴の取下げと附帯控訴↓二九三　❷【控訴の取下げの方式↓二六一③【控訴取下げの効果↓二六二②【訴えの取下げとの差異↓二六一①②【控訴取下げの擬制↓二六三

（附帯控訴）

第二九三条①　被控訴人は、控訴権が消滅した後であっても、口頭弁論の終結に至るまで、附帯控訴をすることができる。

②　附帯控訴は、控訴の取下げがあったとき、又は不適法として控訴の却下があったときは、その効力を失う。ただし、控訴の要件を備えるものは、独立した控訴とみなす。

③　附帯控訴については、控訴に関する規定による。ただし、附帯控訴の提起は、附帯控訴状を控訴裁判所に提出してすることができる。

❶【控訴権消滅↓二八四．二八五【口頭弁論終結↓二四三①．二五二①㊃　❷【控訴の取下げ↓二九二①【控訴の不適法却下↓二八六②．二八八．二九〇．二九一【控訴の要件↓二八一―二八三．二八五　❸【控訴の方式に関する規定↓二八六―二八九

（第一審判決についての仮執行の宣言）

第二九四条　控訴裁判所は、第一審判決について不服の申立てがない部分に限り、申立てにより、決定で、仮執行の宣言をすることができる。

＋【第一審裁判所による仮執行宣言↓二五九【不服申立て↓二九五【同旨の規定↓三二三【控訴審判決においてする仮執行宣言の特則↓三一〇

（仮執行に関する裁判に対する不服申立て）

第二九五条　仮執行に関する控訴審の裁判に対しては、不服を申し立てることができない。ただし、前条の申立てを却下する決定に対しては、即時抗告をすることができる。

＋【仮執行に関する控訴審の裁判↓二九四．二六〇①③【即時抗告↓三三二

（口頭弁論の範囲等）

第二九六条①　口頭弁論は、当事者が第一審判決の変更を求める限度においてのみ、これをする。

②　当事者は、第一審における口頭弁論の結果を陳述しなければならない。

❶【控訴審における変更の限度↓三〇四【口頭弁論の手続↓二九七　❷【口頭弁論の結果の陳述の他の例↓二四九②

（第一審の訴訟手続の規定の準用）

第二九七条　前編第一章から第七章まで〈第一審の訴訟手続〉の規定は、特別の定めがある場合を除き、控訴審の訴訟手続について準用する。ただし、第二百六十九条の規定は、この限りでない。（平成一五法一〇八本条改正）

（第一審の訴訟行為の効力等）

第二九八条①　第一審においてした訴訟行為は、控訴審においてもその効力を有する。

②　第百六十七条〈準備的口頭弁論終了後の攻撃防御方法の提出〉の規定は、第一審において準備的口頭弁論を終了し、又は弁論準備手続を終結した事件につき控訴審で攻撃又は防御の方法を提出した当事者について、第百七十八条〈書面による準備手続終結後の攻撃防御方法の提出〉の規定は、第一審において書面による準備手続を終結した事件につき同条の陳述又は確認がされた場合において控訴審で攻撃又は防御の方法を提出した当事者について準用する。

❶【第一審でした訴訟行為↓一六〇、民訴規六七【第一審の口頭弁論の結果の陳述↓二九六②　❷【説明義務↓一六七．一七八

（第一審の管轄違いの主張の制限）

第二九九条①　控訴審においては、当事者は、第一審裁

判所が管轄権を有しないことを主張することができない。ただし、専属管轄（当事者が第十一条の規定により合意で定めたものを除く。）については、この限りでない。

② 前項の第一審裁判所が第六条第一項各号に定める裁判所である場合において、当該訴訟が同項の規定により他の裁判所の専属管轄に属するときは、前項ただし書の規定は、適用しない。（平成一五法一〇八本項追加）

⊛❶【第一審裁判所の管轄権↓裁二四〔一〕・三三①〔一〕、八・九・四―七【管轄の標準時期↓一五【法定専属管轄↓一三【専属的合意管轄↓一一【専属管轄違反による第一審判決の取消しと移送↓三〇九【上告理由としての専属管轄違反↓三一二②〔三〕【特許権等に関する訴えの特則↓一三②・二〇②・二〇の二・一四五②・一四六②・三一二②〔三〕 ❷⁺【国際裁判管轄は例外↓三の二―三の一二

（反訴の提起等）

第三〇〇条① 控訴審においては、反訴の提起は、相手方の同意がある場合に限り、することができる。

② 相手方が異議を述べないで反訴の本案について弁論をしたときは、反訴の提起に同意したものとみなす。

③ 前二項の規定は、選定者に係る請求の追加について準用する。

⊛❶【反訴提起の要件↓一四六 ❷【本案につき弁論したことの効果の例↓九〇⊛ ❸【選定者に係る請求の追加↓一四四

（攻撃防御方法の提出等の期間）

第三〇一条① 裁判長は、当事者の意見を聴いて、攻撃若しくは防御の方法の提出、請求若しくは請求の原因の変更、反訴の提起又は選定者に係る請求の追加をすべき期間を定めることができる。

② 前項の規定により定められた期間の経過後に同項に規定する訴訟行為をする当事者は、裁判所に対し、その期間内にこれをすることができなかった理由を説明しなければならない。

⊛❶【攻撃防御方法の提出時期↓一五六・一六二【口頭弁論の終結に至るまでできる原則↓一四三・一四四・一四六 ❷【時機に後れた理由の説明義務↓二【同旨の規定↓一六七・一七四・一七八

（控訴棄却）

第三〇二条① 控訴裁判所は、第一審判決を相当とするときは、控訴を棄却しなければならない。

② 第一審判決がその理由によれば不当である場合においても、他の理由により正当であるときは、控訴を棄却しなければならない。

⊛⁺【控訴棄却の際の金銭納付命令↓三〇三

（控訴権の濫用に対する制裁）

第三〇三条① 控訴裁判所は、前条第一項の規定により控訴を棄却する場合において、控訴人が訴訟の完結を遅延させることのみを目的として控訴を提起したものと認めるときは、控訴人に対し、控訴の提起の手数料として納付すべき金額の十倍以下の金銭の納付を命ずることができる。

② 前項の規定による裁判は、判決の主文に掲げなければならない。

③ 第一項の規定による裁判は、本案判決を変更する判決の言渡しにより、その効力を失う。

④ 上告裁判所は、上告を棄却する場合においても、第一項の規定による裁判を変更することができる。

⑤ 第百八十九条〈過料の裁判の執行〉の規定は、第一項の規定による裁判について準用する。

⊛❶【信義誠実追行義務↓二【控訴の手数料↓民訴費別表第一〈二の項〉 ❷【判決主文↓二五三①〔一〕 ❸【変更判決言渡しによる失効↓一一四―一一六【同旨の規定↓二六〇① ❹【上告裁判所↓三一一 ❺【金銭納付命令の執行↓一八九

（第一審判決の取消し及び変更の範囲）

第三〇四条 第一審判決の取消し及び変更は、不服申立ての限度においてのみ、これをすることができる。

⊛⁺【判決の限度↓二四六【控訴審の口頭弁論の限度↓二九六①【附帯控訴↓二九三【判決変更の際の総訴訟費用の負担の裁判↓六七②

（第一審判決が不当な場合の取消し）

第三〇五条 控訴裁判所は、第一審判決を不当とするときは、これを取り消さなければならない。

⊛⁺【取消し後の取扱い↓三〇七―三〇九【総訴訟費用の負担の裁判↓六七②

（第一審の判決の手続が違法な場合の取消し）

第三〇六条 第一審の判決の手続が法律に違反したときは、控訴裁判所は、第一審判決を取り消さなければならない。

⊛⁺【判決の手続↓二四六―二五四【事件の差戻し↓三〇七・三〇八【総訴訟費用の負担の裁判↓六七②

（事件の差戻し）

第三〇七条 控訴裁判所は、訴えを不適法として却下した第一審判決を取り消す場合には、事件を第一審裁判所に差し戻さなければならない。ただし、事件につき更に弁論をする必要がないときは、この限りでない。

⊛⁺【訴えの不適法却下↓一四〇【手形訴訟における異議却下判決を取り消すときの必要的差戻し↓三六四【総訴訟費用の負担の裁判↓六七②【下級審の拘束↓裁四

第三〇八条① 前条本文に規定する場合のほか、控訴裁判所が第一審判決を取り消す場合において、事件につき更に弁論をする必要があるときは、これを第一審裁判所に差し戻すことができる。

② 第一審裁判所における訴訟手続が法律に違反したことを理由として事件を差し戻したときは、その訴訟手続は、これによって取り消されたものとみなす。

⊛❶【第一審判決の取消し↓三〇五・三〇六【総訴訟費用の負担の裁判↓六七②【下級審の拘束↓裁四 ❷【第一審裁判所の訴訟手続↓一三四―二八〇

（第一審の管轄違いを理由とする移送）

第三〇九条 控訴裁判所は、事件が管轄違いであることを理由として第一審判決を取り消すときは、判決で、事件を管轄裁判所に移送しなければならない。

⊛⁺【第一審の管轄違いと控訴↓二九九【原判決の取消し↓三〇五【移送の効果↓二二【下級審の拘束↓裁四【総訴訟費用の負担の裁判↓六七②

（控訴審の判決における仮執行の宣言）

第三一〇条 控訴裁判所は、金銭の支払の請求（第二百

五十九条第二項の請求を除く。）に関する判決については、申立てがあるときは、不必要と認める場合を除き、担保を立てないで仮執行をすることができることを宣言しなければならない。ただし、控訴裁判所が相当と認めるときは、仮執行を担保を立てることに係らしめることができる。

⊛⁺【金銭請求判決↓二五九①【本条の無担保・必要的仮執行宣言との対比↓二五九①②、三七六①【上訴審終局判決前の仮執行宣言↓二九四、三二三

（特許権等に関する訴えに係る控訴事件における合議体の構成）

第三一〇条の二 第六条第一項各号に定める裁判所が第一審としてした特許権等に関する訴えについての終局判決に対する控訴が提起された東京高等裁判所においては、当該控訴に係る事件について、五人の裁判官の合議体で審理及び裁判をする旨の決定をその合議体ですることができる。ただし、第二十条の二第一項の規定により移送された訴訟に係る訴えについての終局判決に対する控訴に係る事件については、この限りでない。（平成一五法一〇八本条追加）

⊛⁺【合議体の構成員↓二六九、裁一八②【第一審で同旨↓二六九の二

第二章 上告

（上告裁判所）

第三一一条① 上告は、高等裁判所が第二審又は第一審としてした終局判決に対しては最高裁判所に、地方裁判所が第二審としてした終局判決に対しては高等裁判所にすることができる。

② 第二百八十一条第一項ただし書の場合には、地方裁判所の判決に対しては最高裁判所に、簡易裁判所の判決に対しては高等裁判所に、直ちに上告をすることができる。

⊛❶【終局判決↓二四三【高裁の第二審管轄権↓裁一六【高裁の第一審管轄権↓公選二〇三、二〇四、二〇七、二〇八、自治八五、ETC【最高裁の上告管轄権↓裁七㊀【地裁の第二審管轄権↓裁二四㊂【高裁の上告管轄権↓裁一六㊂ ❷【飛越上告の特則↓三二一② ⁺【特別上告の管轄↓三二七①【上告と区別すべきもの↓三一八

（上告の理由）

第三一二条① 上告は、判決に憲法の解釈の誤りがあることその他憲法の違反があることを理由とするときに、することができる。

② 上告は、次に掲げる事由があることを理由とするときも、することができる。ただし、第四号に掲げる事由については、第三十四条第二項（第五十九条において準用する場合を含む。）の規定による追認があったときは、この限りでない。

一 法律に従って判決裁判所を構成しなかったこと。

二 法律により判決に関与することができない裁判官が判決に関与したこと。

二の二 日本の裁判所の管轄権の専属に関する規定に違反したこと。（平成二三法三六本号追加）

三 専属管轄に関する規定に違反したこと（第六条第一項各号に定める裁判所が第一審の終局判決をした場合において当該訴訟が同項の規定により他の裁判所の専属管轄に属するときを除く。）。（平成一五法一〇八本号改正）

四 法定代理権、訴訟代理権又は代理人が訴訟行為をするのに必要な授権を欠いたこと。

五 口頭弁論の公開の規定に違反したこと。

六 判決に理由を付せず、又は理由に食違いがあること。

③ 高等裁判所にする上告は、判決に影響を及ぼすことが明らかな法令の違反があることを理由とするときも、することができる。

⊛❶【憲法違反↓憲八一【本項の上告理由の記載方式↓民訴規一九〇①、一九二、一九三【憲法違反を理由とする他の不服申立て↓三二七①、三三〇、三三六① ❷【本項の上告理由の記載方式↓民訴規一九〇②、一九二、一九三 〔一〕【判決裁判所の構成↓裁九、一〇、一八、二六、二七、三一の四、三五、二四九①【本号と再審事由↓三三八①㊀ 〔二〕【判決に関与できない裁判官↓二三―二五、三二五④【本号と再審事由↓三三八①㊁ 〔二の二〕【専属的国際裁判管轄↓三の五、三の一〇【国際裁判管轄↓三の二―三の四、三の六―三の一二 〔三〕【専属管轄↓一三 ⊛【専属管轄違反と控訴↓二九九、三〇九【特許権等に関する訴えの特則↓一三②、二九九② 〔四〕【法定代理権↓二八、三一、三五、三七【訴訟代理権↓五四―五九【訴訟行為をするのに必要な授権↓三二、五五【本号と再審事由↓三三八①㊂ 〔五〕【裁判の公開↓憲八二、裁七〇、人訴二二、特許一〇五の七、不正競争一三 〔六〕【電子判決書における理由の記載↓二五二①㊂ ❸【高裁に対する上告↓三一一 ⊛【法令違反の記載方式↓民訴規一九一―一九三 ⁺【上告状に上告理由を記載しない場合↓三一五【上告理由の記載方式違反↓三一六①㊁

（控訴の規定の準用）

第三一三条 前章〈控訴〉の規定は、特別の定めがある場合を除き、上告及び上告審の訴訟手続について準用する。

（上告提起の方式等）

第三一四条① 上告の提起は、上告状を原裁判所に提出してしなければならない。

② 前条において準用する第二百八十八条及び第二百八十九条第二項の規定による裁判長の職権は、原裁判所の裁判長が行う。

⊛❶【上告状↓三一三、二八六、二八五、民訴規一九〇―一九三【上告提起の能力・代理権↓三二、四〇④、五五②㊂【電子情報処理組織による申立て↓一三二の一〇【補助参加人と上告↓四五①、四三②【手数料の額↓民訴費別表第一〈三の項〉〈四の項〉【上告提起の場合における費用の予納↓民訴規一八七【上告提起通知書の送達↓民訴規一八九【上告裁判所への事件送付↓民訴規一九七 ⁺【上告状と上告受理申立書を一通の書面でする場合↓民訴規一八八

（上告の理由の記載）

第三一五条① 上告状に上告の理由の記載がないときは、上告人は、最高裁判所規則で定める期間内に、上告理由書を原裁判所に提出しなければならない。

② 上告の理由は、最高裁判所規則で定める方式により記載しなければならない。

⊛❶【上告状↓三一四⊛【上告理由↓三一二【上告理由書提出期間↓民訴規一九四【添付すべき副本の数↓民訴規一九五【不提出の効果↓三一六①㊁【上告理由書副本の送達↓民訴規一九八

❷【上告理由記載の方式↓民訴規一九〇―一九三【記載方式違反の効果↓三一六①㊁、民訴規一九六　+【答弁書の提出↓民訴規二〇一

（原裁判所による上告の却下）

第三一六条①　次の各号に該当することが明らかであるときは、原裁判所は、決定で、上告を却下しなければならない。

一　上告が不適法でその不備を補正することができないとき。

二　前条第一項の規定に違反して上告理由書を提出せず、又は上告の理由の記載が同条第二項の規定に違反しているとき。

②　前項の決定に対しては、即時抗告をすることができる。

⚭❶【該当することが明らかとはいえない場合↓三一七①【決定↓八七①②・一二二　【㊁【補正できない不適法に基づく却下の例↓二八七【上告提起通知書の送付不要↓民訴規一八九①　【㊂【本号の却下決定↓民訴規一九六②　❷【即時抗告↓三三二

（上告裁判所による上告の却下等）

第三一七条①　前条第一項各号に掲げる場合には、上告裁判所は、決定で、上告を却下することができる。

②　上告裁判所である最高裁判所は、上告の理由が明らかに第三百十二条第一項及び第二項に規定する事由に該当しない場合には、決定で、上告を棄却することができる。

⚭+【必要的口頭弁論の例外↓八七③【決定↓八七⚭・一一九⚭　❶【明らかに不適法事由に該当する場合↓三一六①　❷【上告の理由がない場合↓三一九　+【本条の場合の上告理由書副本送達不要↓民訴規一九八

（上告受理の申立て）

第三一八条①　上告をすべき裁判所が最高裁判所である場合には、最高裁判所は、原判決に最高裁判所の判例（これがない場合にあっては、大審院又は上告裁判所若しくは控訴裁判所である高等裁判所の判例）と相反する判断がある事件その他の法令の解釈に関する重要な事項を含むものと認められる事件について、申立てにより、決定で、上告審として事件を受理することができる。

②　前項の申立て（以下「上告受理の申立て」という。）においては、第三百十二条第一項及び第二項に規定する事由を理由とすることができない。

③　第一項の場合において、最高裁判所は、上告受理の申立ての理由中に重要でないと認めるものがあるときは、これを排除することができる。

④　第一項の決定があった場合には、上告があったものとみなす。この場合においては、第三百二十条の規定の適用については、上告受理の申立ての理由中前項の規定により排除されたもの以外のものを上告の理由とみなす。

⑤　第三百十三条から第三百十五条まで〈控訴の規定の準用、上告提起の方式、上告の理由の記載〉及び第三百十六条第一項〈原裁判所による上告の却下〉の規定は、上告受理の申立てについて準用する。

⚭❶【最高裁の上告管轄権↓裁七㊀【最高裁に対する上告理由↓三一二①②【上告受理申立ての方式↓民訴規一九九①【手数料の額↓民訴費別表第一〈三の項〉【費用の予納↓民訴規一九九②・一八七【上告受理申立て通知書の送達↓民訴規一九九②・一八九　❷【上告受理申立ての理由の記載↓民訴規一九九・一九一②③・一九二・一九三【上告受理申立書に申立ての理由を記載しなかった場合↓三一五、民訴規一九九②・一九四　❸【重要でない理由の排除↓民訴規二〇〇、三二〇　❹【上告があったものとみなされる効果↓三一九―三二六　❺【上告受理申立ての手続↓三一四・三一五・三一六①

（口頭弁論を経ない上告の棄却）

第三一九条　上告裁判所は、上告状、上告理由書、答弁書その他の書類により、上告を理由がないと認めるときは、口頭弁論を経ないで、判決で、上告を棄却することができる。

⚭+【必要的口頭弁論の例外↓八七③【上告理由がないことが明らかな場合↓三一七②【上告状↓三一四⚭【上告受理申立書↓三一八⑤・三一四【上告理由書↓三一五【答弁書↓民訴規二〇一【上告受理申立て理由書↓三一八⑤・三一五【上告理由↓三一二・三一八①④

（調査の範囲）

第三二〇条　上告裁判所は、上告の理由に基づき、不服の申立てがあった限度においてのみ調査をする。

⚭+【上告裁判所↓三一一【上告理由↓三一二・三一八①④【本条の適用除外↓三二二

（原判決の確定した事実の拘束）

第三二一条①　原判決において適法に確定した事実は、上告裁判所を拘束する。

②　第三百十一条第二項の規定による上告があった場合には、上告裁判所は、原判決における事実の確定が法律に違反したことを理由として、その判決を破棄することができない。

⚭❶【原判決の確定した事実の拘束↓三二二・三一八①【本項の変更適用↓三二七②　❷【飛越上告の管轄↓三一一②　+【本条の適用除外↓三二二

（職権調査事項についての適用除外）

第三二二条　前二条の規定は、裁判所が職権で調査すべき事項には、適用しない。

⚭+【職権調査事項の例↓一三・一四・二八・三一・三二・三七・五四・五五、民訴規二三、九六・九七・二三①・二五・一四二・一三六・一四・一五・二六二②、憲八二、裁七〇

（仮執行の宣言）

第三二三条　上告裁判所は、原判決について不服の申立てがない部分に限り、申立てにより、決定で、仮執行の宣言をすることができる。

⚭+【本案判決とともにする仮執行宣言↓二五九①―④【判決裁判所による仮執行宣言の補充↓二五九⑤【控訴裁判所による判決前の仮執行宣言↓二九四【控訴審における不服申立て不可↓二九五

（最高裁判所への移送）

第三二四条　上告裁判所である高等裁判所は、最高裁判所規則で定める事由があるときは、決定で、事件を最高裁判所に移送しなければならない。

⚭+【高裁が上告審である場合↓三一一、裁一六㊂【移送事由↓民訴規二〇三【移送↓二二

（破棄差戻し等）

第三二五条① 第三百十二条第一項又は第二項に規定する事由があるときは、上告裁判所は、原判決を破棄し、次条の場合を除き、事件を原裁判所に差し戻し、又はこれと同等の他の裁判所に移送しなければならない。高等裁判所が上告裁判所である場合において、判決に影響を及ぼすことが明らかな法令の違反があるときも、同様とする。

② 上告裁判所である最高裁判所は、第三百十二条第一項又は第二項に規定する事由がない場合であっても、判決に影響を及ぼすことが明らかな法令の違反があるときは、原判決を破棄し、次条の場合を除き、事件を原裁判所に差し戻し、又はこれと同等の他の裁判所に移送することができる。

③ 前二項の規定により差戻し又は移送を受けた裁判所は、新たな口頭弁論に基づき裁判をしなければならない。この場合において、上告裁判所が破棄の理由とした事実上及び法律上の判断は、差戻し又は移送を受けた裁判所を拘束する。

④ 原判決に関与した裁判官は、前項の裁判に関与することができない。

∞❶【上告理由→三一二【移送すべき場合→三一二②㈢ ❶❷【訴訟記録の送付→民訴規二〇二 ❷【最高裁が上告審であるとき→三一一∞【判決に影響を及ぼすことが明らかな法令違反→三一二③ ❸【口頭弁論→一四八―一六〇の二【下級審に対する拘束力→裁四 ❹【関与禁止→三一二②㈡、三三八①㈡ †【総訴訟費用の負担の裁判→六七②

（破棄自判）

第三二六条 次に掲げる場合には、上告裁判所は、事件について裁判をしなければならない。

一 確定した事実について憲法その他の法令の適用を誤ったことを理由として判決を破棄する場合において、事件がその事実に基づき裁判をするのに熟するとき。

二 事件が裁判所の権限に属しないことを理由として判決を破棄するとき。

∞†【上告裁判所→三一一∞【一】【裁判をするのに熟するとき→二四三 【二】【裁判所の権限→裁三

（特別上告）

第三二七条① 高等裁判所が上告審としてした終局判決に対しては、その判決に憲法の解釈の誤りがあることその他憲法の違反があることを理由とするときに限り、最高裁判所に更に上告をすることができる。

② 前項の上告及びその上告審の訴訟手続には、その性質に反しない限り、第二審又は第一審の終局判決に対する上告及びその上告審の訴訟手続に関する規定を準用する。この場合において、第三百二十一条第一項中「原判決」とあるのは、「地方裁判所が第二審としてした終局判決（第三百十一条第二項の規定による上告があった場合にあっては、簡易裁判所の終局判決）」と読み替えるものとする。

∞❶【高裁が上告審であるとき→三一一∞【上告審判決→一一六【憲法違反→憲八一 ❷【特別上告の手続→三一三―三一七、三一九―三二二、三二五、三二六、民訴規二〇四【特別上告の提起と執行停止→四〇三①㈠、四〇四①

第三章 抗告

（抗告をすることができる裁判）

第三二八条① 口頭弁論を経ないで訴訟手続に関する申立てを却下した決定又は命令に対しては、抗告をすることができる。

② 決定又は命令により裁判をすることができない事項について決定又は命令がされたときは、これに対して抗告をすることができる。

∞❶【訴訟手続に関する申立ての例→一〇、一七―一九、三五①、五〇、七五、八二、九三①、一一〇①、一二八①、一七二、二三四、二五七、二五九、二七五【不服申立て禁止の例→一〇③、二五④、二一四③、二三八、二七四②、二五九、三七五③、三八五④、四〇三②【執行法上の裁判の不服申立て禁止の例→民執一〇⑨、一一②、三二④⑤、三六⑤、三七②、三八④【抗告以外の不服申立ての認められる場合の例→三五七、三七八①、三八六②、民執一一、民保二六【特に抗告の認められる場合の例→三二九①②【即時抗告の認められる場合→三三二∞【他の手続で抗告の認められる場合の例→非訟六六―八二

【抗告の管轄裁判所→裁七㈡、一六㈡、二四㈣【抗告の手続→三三一、民訴規二〇五【執行抗告→民執一〇【抗告状・抗告理由書→民訴規二〇七【抗告状の写しの送付→民訴規二〇七の二 ❷【判決で裁判すべき場合の例→七八、一四〇、二九〇

（受命裁判官等の裁判に対する不服申立て）

第三二九条① 受命裁判官又は受託裁判官の裁判に対して不服がある当事者は、受訴裁判所に異議の申立てをすることができる。ただし、その裁判が受訴裁判所の裁判であるとした場合に抗告をすることができるものであるときに限る。

② 抗告は、前項の申立てについての裁判に対してすることができる。

③ 最高裁判所又は高等裁判所が受訴裁判所である場合における第一項の規定の適用については、同項ただし書中「受訴裁判所」とあるのは、「地方裁判所」とする。

∞†【受命裁判官→八八∞【受託裁判官→八九∞【受命・受託裁判官の権限→一七一・一七六①、一八五、一九五、二一三、二三三、二三九、二六八ETC【抗告のできる場合→三二八①∞

（再抗告）

第三三〇条 抗告裁判所の決定に対しては、その決定に憲法の解釈の誤りがあることその他憲法の違反があること、又は決定に影響を及ぼすことが明らかな法令の違反があることを理由とするときに限り、更に抗告をすることができる。

∞†【再抗告裁判所→裁七㈡、一六㈡【上告理由との対比→三一二①③【再抗告の手続→三三一、民訴規二一〇

（控訴又は上告の規定の準用）

第三三一条 抗告及び抗告裁判所の訴訟手続には、その性質に反しない限り、第一章〈控訴〉の規定を準用する。ただし、前条の抗告及びこれに関する訴訟手続には、前章〈上告〉の規定中第二審又は第一審の終局判決に対する上告及びその上告審の訴訟手続に関する規定を準用する。

（即時抗告期間）

第三三二条 即時抗告は、裁判の告知を受けた日から一週間の不変期間内にしなければならない。

【即時抗告のできる場合↓二一・二五⑤・四四③・六九③・七一⑧・七二・七三②・七五⑦・七九④・八六・九二④・一三七③・一三八②・一四一②・一九二②・一九九②・二〇〇・二〇一⑤・二〇九②・二一四④・二一六・二二三⑦・二二五②・二二九⑥・二三〇②・二三二③・二五七②・二五九⑥・二八七②・二九一②・二九五・三二六②・三四七・三八一②・三九一④・三九四②、非訟六六―七四、家事八五―九三【即時抗告と執行停止↓三三四①、会更二〇二④【決定・命令の告知↓一一九【期間の計算↓九五【不変期間↓九六・九七【即時抗告に服する決定・命令の確定時期↓三二八、三三〇、裁一六〔二〕・二四〔四〕、三三七、裁七〔二〕【判決の確定時期と対比↓二一六

（原裁判所等による更正）

第三三三条 原裁判をした裁判所又は裁判長は、抗告を理由があると認めるときは、その裁判を更正しなければならない。

【抗告を待たないで自ら取り消せる決定↓一二〇・五四②・六〇②・一五二①【判決の変更↓二五六【判決の更正↓二五七【裁判所書記官処分の更正↓七四①・三八九【抗告を理由がないと認めるときの抗告裁判所への事件送付↓民訴規二〇六

（原裁判の執行停止）

第三三四条① 抗告は、即時抗告に限り、執行停止の効力を有する。

② 抗告裁判所又は原裁判をした裁判所若しくは裁判官は、抗告について決定があるまで、原裁判の執行の停止その他必要な処分を命ずることができる。

❶【即時抗告のできる場合↓三三二参【即時抗告で執行停止の効力がないと規定する場合の例↓民執一一五⑥、行訴二五⑧、破二八④、民再三〇④、会更二八④・三〇⑤・三五⑥ ❷【強制執行の停止・取消し↓民執三九①〔六〕〔七〕・四〇①

（口頭弁論に代わる審尋）

第三三五条 抗告裁判所は、抗告について口頭弁論をしない場合には、抗告人その他の利害関係人を審尋することができる。

【決定・命令手続と任意的口頭弁論↓八七①但【口頭弁論を命じない場合の審尋↓八七②【抗告裁判所による抗告人の相手方の指定↓民執七四④

（特別抗告）

第三三六条① 地方裁判所及び簡易裁判所の決定及び命令で不服を申し立てることができないもの並びに高等裁判所の決定及び命令に対しては、その裁判に憲法の解釈の誤りがあることその他憲法の違反があることを理由とするときに、最高裁判所に特に抗告をすることができる。

② 前項の抗告は、裁判の告知を受けた日から五日の不変期間内にしなければならない。

③ 第一項の抗告及びこれに関する訴訟手続には、その性質に反しない限り、第三百二十七条第一項〈特別上告〉の上告及びその上告審の訴訟手続に関する規定並びに第三百三十四条第二項〈原裁判の執行停止〉の規定を準用する。

❶【憲法違反↓憲八一【不服を申し立てることのできない決定・命令↓一〇③・二五④・二一四③・二三八・二七四②・二九五・三七五③・三八五④・四〇三②、裁一六〔二〕【不服申立てを禁止される執行法上の裁判↓三二八①参【最高裁の特別抗告管轄権↓裁七〔二〕【本条の抗告の手続↓民訴規二〇八 ❷【通常の即時抗告期間↓三三二【期間の算定↓九五【不変期間↓九六・九七

（許可抗告）

第三三七条① 高等裁判所の決定及び命令（第三百三十条の抗告及び次項の申立てについての決定及び命令を除く。）に対しては、前条第一項の規定による場合のほか、その高等裁判所が次項の規定により許可したときに限り、最高裁判所に特に抗告をすることができる。ただし、その裁判が地方裁判所の裁判であるとした場合に抗告をすることができるものであるときに限る。

② 前項の高等裁判所は、同項の裁判について、最高裁判所の判例（これがない場合にあっては、大審院又は上告裁判所若しくは抗告裁判所である高等裁判所の判例）と相反する判断がある場合その他の法令の解釈に関する重要な事項を含むと認められる場合には、申立てにより、決定で、抗告を許可しなければならない。

③ 前項の申立てにおいては、前条第一項に規定する事由を理由とすることはできない。

④ 第二項の規定による許可があった場合には、第一項の抗告があったものとみなす。

⑤ 最高裁判所は、裁判に影響を及ぼすことが明らかな法令の違反があるときは、原裁判を破棄することができる。

⑥ 第三百十三条〈控訴の規定の準用〉、第三百十五条〈上告の理由の記載〉及び前条第二項の規定は第二項の申立てについて、第三百十八条第三項〈上告受理の申立て中重要でないものの排除〉の規定は第二項の規定による許可をする場合について、同条第四項後段〈上告理由とみなされるもの〉及び前条第三項の規定は第二項の規定による許可があった場合について準用する。

❶【最高裁の許可抗告管轄権↓裁七〔二〕 ❷【許可抗告事由↓憲八一、三一八①【許可抗告の申立て↓民訴規二〇九

第四編　再審

（再審の事由）

第三三八条① 次に掲げる事由がある場合には、確定した終局判決に対し、再審の訴えをもって、不服を申し立てることができる。ただし、当事者が控訴若しくは上告によりその事由を主張したとき、又はこれを知りながら主張しなかったときは、この限りでない。

一 法律に従って判決裁判所を構成しなかったこと。

二 法律により判決に関与することができない裁判官が判決に関与したこと。

三 法定代理権、訴訟代理権又は代理人が訴訟行為をするのに必要な授権を欠いたこと。

四 判決に関与した裁判官が事件について職務に関する罪を犯したこと。

五 刑事上罰すべき他人の行為により、自白をするに至ったこと又は判決に影響を及ぼすべき攻撃若しくは防御の方法を提出することを妨げられたこと。

六 判決の証拠となった文書その他の物件が偽造され若しくは変造されたものであったこと又は判決の証拠となった電磁的記録が不正に作られたものであっ

たこと。（令和四法四八本号改正）

七　証人、鑑定人、通訳人又は宣誓した当事者若しくは法定代理人の虚偽の陳述が判決の証拠となったこと。

八　判決の基礎となった民事若しくは刑事の判決その他の裁判又は行政処分が後の裁判又は行政処分により変更されたこと。

九　判決に影響を及ぼすべき重要な事項について判断の遺脱があったこと。

十　不服の申立てに係る判決が前に確定した判決と抵触すること。

②　前項第四号から第七号までに掲げる事由がある場合においては、罰すべき行為について、有罪の判決若しくは過料の裁判が確定したとき、又は証拠がないという理由以外の理由により有罪の確定判決若しくは過料の確定裁判を得ることができないときに限り、再審の訴えを提起することができる。

③　控訴審において事件につき本案判決をしたときは、第一審の判決に対し再審の訴えを提起することができない。

⊛❶【終局判決↓二四三【上訴↓二八一・三一一【判決の確定時期↓一一六【準再審↓三四九【再審申立てと強制執行停止命令↓四〇三　【一】三一二②[一]⊛　【二】三一二②[二]⊛　【三】三一二②[四]⊛【本号の代理権を欠く場合の出訴期間の特例↓三四二③　【四】【職務に関する犯罪↓刑一九四・一九五・一九七—一九七の三　【五】【自白↓一七九【攻撃防御方法↓一五六—一五七の二　【六】【文書の偽造・変造↓刑一五四—一六一の二【電磁的記録↓三の七③　【七】【証人↓一九〇・一九一・二一七、刑一六九【鑑定人↓二一二・二一三・二一八、刑一七一【通訳人↓一五四、刑一七一【当事者尋問↓二〇七【法定代理人尋問↓二一一【宣誓した当事者・法定代理人の虚偽の陳述に対する過料の制裁↓二〇九・二一一　【十】【確定判決の既判力↓一一四・一一五【本号の場合の出訴期間の特例↓三四二③　+【代表訴訟の再審事由↓会社八五三【行政事件訴訟における第三者の再審↓行訴三四【仲裁判断の取消し↓仲裁四四

第三三九条　判決の基本となる裁判について前条第一項に規定する事由がある場合（同項第四号から第七号までに掲げる事由がある場合にあっては、同条第二項に規定する場合に限る。）には、その裁判に対し独立した不服申立ての方法を定めているときにおいても、その事由を判決に対する再審の理由とすることができる。

⊛+【判決の基本となる裁判の例↓二四五・二八三本文

（管轄裁判所）

第三四〇条①　再審の訴えは、不服の申立てに係る判決をした裁判所の管轄に専属する。

②　審級を異にする裁判所が同一の事件についてした判決に対する再審の訴えは、上級の裁判所が併せて管轄する。

⊛❶【専属管轄↓一三⊛【再審の訴状↓民訴規二一一①【手数料の額↓民訴費別表第一〈八の項〉　❷【再審事由が二つの審級に付着し得る場合↓三三八③①[五]—[四]

（再審の訴訟手続）

第三四一条　再審の訴訟手続には、その性質に反しない限り、各審級における訴訟手続に関する規定を準用する。

⊛+【再審の手続↓民訴規二一一

（再審期間）

第三四二条①　再審の訴えは、当事者が判決の確定した後再審の事由を知った日から三十日の不変期間内に提起しなければならない。

②　判決が確定した日（再審の事由が判決の確定した後に生じた場合にあっては、その事由が発生した日）から五年を経過したときは、再審の訴えを提起することができない。

③　前二項の規定は、第三百三十八条第一項第三号に掲げる事由のうち代理権を欠いたこと及び同項第十号に掲げる事由を理由とする再審の訴えには、適用しない。

⊛❶【判決の確定時期↓一一六【再審事由↓三三八①②【不変期間↓九六【期間の計算↓九五　❷【再審事由が判決確定後に生じ得る例↓三三八①[四]—[四]②

（再審の訴状の記載事項）

第三四三条　再審の訴状には、次に掲げる事項を記載しなければならない。

一　当事者及び法定代理人

二　不服の申立てに係る判決の表示及びその判決に対して再審を求める旨

三　不服の理由

⊛+【通常の訴状の記載事項↓一三四②【不服の申立てに係る判決の添付↓民訴規二一一①【不服の理由↓三三八【再審の訴えの期間↓三四二【手数料の額↓民訴費別表第一〈八の項〉

（不服の理由の変更）

第三四四条　再審の訴えを提起した当事者は、不服の理由を変更することができる。

⊛+【不服の理由↓三四三[三]・三三八①②【一般の請求原因の変更↓一四三

（再審の訴えの却下等）

第三四五条①　裁判所は、再審の訴えが不適法である場合には、決定で、これを却下しなければならない。

②　裁判所は、再審の事由がない場合には、決定で、再審の請求を棄却しなければならない。

③　前項の決定が確定したときは、同一の事由を不服の理由として、更に再審の訴えを提起することができない。

⊛+【必要的口頭弁論の原則↓八七①【決定↓一一九⊛【再審事由↓三三八【却下・棄却決定に対する即時抗告↓三四七【決定の確定時期↓三三二⊛【本条二項三項と同旨の規定↓刑訴四四七

（再審開始の決定）

第三四六条①　裁判所は、再審の事由がある場合には、再審開始の決定をしなければならない。

②　裁判所は、前項の決定をする場合には、相手方を審尋しなければならない。

⊛+【再審事由↓三三八【同旨の規定↓刑訴四四八①【即時抗告↓三四七【審尋↓八七⊛

（即時抗告）

第三四七条　第三百四十五条第一項及び第二項並びに前条第一項の決定に対しては、即時抗告をすることがで

きる。

参+【即時抗告→三三二】

（本案の審理及び裁判）

第三四八条①　裁判所は、再審開始の決定が確定した場合には、不服申立ての限度で、本案の審理及び裁判をする。

②　裁判所は、前項の場合において、判決を正当とするときは、再審の請求を棄却しなければならない。

③　裁判所は、前項の場合を除き、判決を取り消した上、更に裁判をしなければならない。

参❶【再審開始決定→三四六】【決定の確定時期→三三二】参　❷【決定で再審請求を棄却する場合→三四五②】　❸【原判決取消し後の手続→一四八―二六〇】

（決定又は命令に対する再審）

第三四九条①　即時抗告をもって不服を申し立てることができる決定又は命令で確定したものに対しては、再審の申立てをすることができる。

②　第三百三十八条から前条まで〈判決に対する再審〉の規定は、前項の申立てについて準用する。

参+【即時抗告に服する決定・命令→三三二】参【その確定時期→三三二】【再審の申立て→民訴規二一一】

第五編　手形訴訟及び小切手訴訟に関する特則

（手形訴訟の要件）

第三五〇条①　手形による金銭の支払の請求及びこれに附帯する法定利率による損害賠償の請求を目的とする訴えについては、手形訴訟による審理及び裁判を求めることができる。

②　手形訴訟による審理及び裁判を求める旨の申述は、訴状に記載してしなければならない。

参❶【手形による金銭の支払の請求→三の三㊂、五㊂、手二八・九・一五、四三―五四、三二、五八、六三、七七①、七八①】【法定利率→商五〇一㊃、手四八①㊂、四九㊂、七七①㊃】【附帯請求→九②】【手形訴訟から通常訴訟への移行→三五三、三六一】【手形・小切手事件についての仮執行宣言の特則→二五九②】　❷【訴状の記載事項→一三四②】【起訴前の和解から移行する場合→三六五】【督促手続から移行する場合→三六六】【手形の写しの添付→民訴規五五①㊂】【手形訴訟の促進→民訴規二一三―二一五】

（反訴の禁止）

第三五一条　手形訴訟においては、反訴を提起することができない。

参+【反訴→一四六】【同旨の規定→三六九】

（証拠調べの制限）

第三五二条①　手形訴訟においては、証拠調べは、書証及び電磁的記録に記録された情報の内容に係る証拠調べに限りすることができる。（令和四法四八本項改正）

②　文書の提出の命令若しくは送付の嘱託又は第二百三十一条の三第一項において準用する第二百二十三条に規定する命令若しくは同項において準用する第二百二十六条に規定する嘱託は、することができない。対照の用に供すべき筆跡又は印影を備える物件の提出の命令又は送付の嘱託についても、同様とする。（令和四法四八本項改正）

③　文書若しくは電磁的記録の成立の真否又は手形の提示に関する事実については、申立てにより、当事者本人を尋問することができる。（令和四法四八本項改正）

④　証拠調べの嘱託は、することができない。第百八十六条第一項の規定による調査の嘱託についても、同様とする。

⑤　前各項の規定は、裁判所が職権で調査すべき事項には、適用しない。

参+【手形訴訟における証拠調べ完了の目標→民訴規二一四】　❶【書証→二一九―二三一】【電磁的記録→三の七③】　❷【文書提出命令→二二一―二二五】【文書送付の嘱託→二二六】【対照の用に供する筆跡印影を備える物件の提出命令・送付嘱託→二二九②】　❸【私文書の検真→二二八①】【偽造手形→手七・八・七七②、一〇・一一】【手形の提示→手三四・三八・七七①、小二八―三一、手二一―二四・四六②、小四二②】【当事者尋問→二〇七―二一〇】【法定代理人尋問→二一一・三七】　❹【証拠調べの嘱託→一八五】【電磁的記録→三の七③】　❺【職権調査事項→三二二】参+【少額訴訟における証拠調べの制限→三七一】

（通常の手続への移行）

第三五三条①　原告は、口頭弁論の終結に至るまで、被告の承諾を要しないで、訴訟を通常の手続に移行させる旨の申述をすることができる。

②　訴訟は、前項の申述があった時に、通常の手続に移行する。

③　前項の場合には、裁判所は、直ちに、被告に対し、訴訟が通常の手続に移行した旨の通知をしなければならない。ただし、第一項の申述が被告の出頭した期日において口頭でされたものであるときは、その通知をすることを要しない。（令和四法四八本項改正）

④　第二項の場合には、手形訴訟のため既に指定した期日は、通常の手続のために指定したものとみなす。

参❶【口頭弁論の終結→二四三①、二五二①㊃】　❸【送付→民訴規四七】【移行通知書送付前の終結→三五四】　❹【期日の指定→九三、民訴規二一三】【移行の効果―判決に対する不服申立方法→三五七、二八一】　+【通常手続への移行の例→三六一、三七三、三七九】

（口頭弁論の終結）

第三五四条　裁判所は、被告が口頭弁論において原告が主張した事実を争わず、その他何らの防御の方法をも提出しない場合には、前条第三項の規定による通知をする前であっても、口頭弁論を終結することができる。（令和四法四八本条改正）

参+【相手方の主張した事実を争わず、攻撃方法を提出しない効果→一五九】【移行通知書の送付→三五三③、民訴規四七】【口頭弁論の終結→二四三①、二五二①㊃】【口頭弁論終結の効果→二五一・二八一】【本条の趣旨の教示→民訴規二一三③】

（口頭弁論を経ない訴えの却下）

第三五五条①　請求の全部又は一部が手形訴訟による審理及び裁判をすることができないものであるときは、裁判所は、口頭弁論を経ないで、判決で、訴えの全部又は一部を却下することができる。

②　前項の場合において、原告が電子判決書の送達を受けた日から二週間以内に同項の請求について通常の手続により訴えを提起したときは、第百四十七条の規定

の適用については、その訴えの提起は、前の訴えの提起の時にしたものとみなす。（令和四法四八本項改正）

参❶【手形訴訟の要件→三五〇①【必要的口頭弁論の原則→八七【手形訴訟の口頭弁論→民訴規二一三―二一五【控訴禁止→三五六但 ❷【判決の送達→二五五【期間の計算→九五

（控訴の禁止）

第三五六条　手形訴訟の終局判決に対しては、控訴をすることができない。ただし、前条第一項の判決を除き、訴えを却下した判決に対しては、この限りでない。

参+【終局判決→二四三①【控訴→二八一―三一〇の二【訴えを却下する判決→一四〇【手形判決と表示→民訴規二一六

（異議の申立て）

第三五七条　手形訴訟の終局判決に対しては、訴えを却下した判決を除き、電子判決書又は第二百五十四条第二項の規定により当事者及び法定代理人、主文、請求並びに理由の要旨が記録された電子調書の送達を受けた日から二週間の不変期間内に、その判決をした裁判所に異議を申し立てることができる。ただし、その期間前に申し立てた異議の効力を妨げない。（令和四法四八本条改正）

参+【手形訴訟の終局判決に対する控訴禁止→三五六【手形判決と表示→民訴規二一六【訴えを却下する判決→一四〇、三五五【電子判決書又はこれに代わる電子調書の送達→二五二―二五五【期間の計算→九五【不変期間→九六、九七【異議の確定遮断の効力→一一六【異議による通常訴訟への移行→三六一【異議に基づく裁判→三六二―三六四【異議申立ての方式→民訴規二一七

（異議申立権の放棄）

第三五八条　異議を申し立てる権利は、その申立て前に限り、放棄することができる。

参+【異議申立期間→三五七【異議権放棄の方式→民訴規二一八【本条等の準用→三七八②

（口頭弁論を経ない異議の却下）

第三五九条　異議が不適法でその不備を補正することができないときは、裁判所は、口頭弁論を経ないで、判決で、異議を却下することができる。

参+【異議申立期間→三五七【必要的口頭弁論の原則→八七【同旨の規定→一四〇、二九〇、三五五

（異議の取下げ）

第三六〇条①　異議は、通常の手続による第一審の終局判決があるまで、取り下げることができる。

②　異議の取下げは、相手方の同意を得なければ、その効力を生じない。

③　第二百六十一条第三項から第六項まで〈訴えの取下げの書面による方式、書面の送達、被告の同意〉、第二百六十二条第一項〈訴えの取下げの効果〉及び第二百六十三条〈訴えの取下げの擬制〉の規定は、異議の取下げについて準用する。（令和四法四八本項改正）

参❶【異議取下げの方式→二六一③―⑥、民訴規二一八③・一六二【通常手続による第一審の終局判決→三六二【異議取下げの能力・代理権→三二②・五五②四 ❷【異議取下げの同意と能力・代理権→三二②・五五②四

（異議後の手続）

第三六一条　適法な異議があったときは、訴訟は、口頭弁論の終結前の程度に復する。この場合においては、通常の手続によりその審理及び裁判をする。

参+【口頭弁論の終結→二四三①・一五三【通常手続→三五一・三五二、民訴規二一三―二一五【異議と執行停止→四〇三①五【手形訴訟中の通常手続への移行→三五三【復帰した手続における判決→三六二―三六四【異議後の訴訟費用の負担の裁判→三六三

（異議後の判決）

第三六二条①　前条の規定によってすべき判決が手形訴訟の判決と符合するときは、裁判所は、手形訴訟の判決を認可しなければならない。ただし、手形訴訟の判決の手続が法律に違反したものであるときは、この限りでない。

②　前項の規定により手形訴訟の判決を認可する場合を除き、前条の規定によってすべき判決においては、手形訴訟の判決を取り消さなければならない。

参❶【手形訴訟の判決→三五六・三五七【判決の手続→二四六―二五四【訴訟費用の裁判の認可→三六三① ❷【判決の取消しと執行との関係→民執三九①一・四〇① +【本条の認可・取消判決に対する不服申立て→二八一・三六四【本条等の準用→三七九②

（異議後の判決における訴訟費用）

第三六三条①　異議を却下し、又は手形訴訟においてした訴訟費用の負担の裁判を認可する場合には、裁判所は、異議の申立てがあった後の訴訟費用の負担について裁判をしなければならない。

②　第二百五十八条第四項〈控訴提起による訴訟費用負担の裁判の失効〉の規定は、手形訴訟の判決に対し適法な異議の申立てがあった場合について準用する。

参+【異議を却下する判決→三五九【訴訟費用負担の裁判→六七①

（事件の差戻し）

第三六四条　控訴裁判所は、異議を不適法として却下した第一審判決を取り消す場合には、事件を第一審裁判所に差し戻さなければならない。ただし、事件につき更に弁論をする必要がないときは、この限りでない。

参+【異議を不適法として却下する場合→三五九【同旨の規定→三〇七

（訴え提起前の和解の手続から手形訴訟への移行）

第三六五条　第二百七十五条第二項後段の規定により提起があったものとみなされる訴えについては、手形訴訟による審理及び裁判を求める旨の申述は、同項前段の申立ての際にしなければならない。

参+【通常の場合の手形訴訟による旨の申述→三五〇②

（督促手続から手形訴訟への移行）

第三六六条①　第三百九十五条又は第三百九十八条第一項の規定により提起があったものとみなされる訴えについては、手形訴訟による審理及び裁判を求める旨の申述は、支払督促の申立ての際にしなければならない。（平成一六法一五二、令和四法四八本項改正）

②　第三百九十一条第一項の規定による仮執行の宣言があったときは、前項の申述は、なかったものとみな

す。

⊛❶【支払督促の申立て↓三八三【手形の写しの添付・送付↓民訴規二二〇　❷【仮執行宣言前の支払督促に対する督促異議↓三九一【仮執行宣言後の支払督促に対する督促異議↓三九三

（小切手訴訟）

第三百六十七条①　小切手による金銭の支払の請求及びこれに附帯する法定利率による損害賠償の請求を目的とする訴えについては、小切手訴訟による審理及び裁判を求めることができる。

②　第三百五十条第二項〈手形訴訟による旨の申述〉及び第三百五十一条から前条まで〈手形訴訟〉の規定は、小切手訴訟に関して準用する。

⊛+【小切手による金銭の支払の請求↓三の三㊂・五㊂、小一一・一八・三九―四七・二七・五五【附帯請求↓九【法定利率↓商五〇一四、小四四㊂・四五㊂【小切手訴訟に関する規則の定め↓民訴規二二一

第六編　少額訴訟に関する特則

（少額訴訟の要件等）

第三百六十八条①　簡易裁判所においては、訴訟の目的の価額が六十万円以下の金銭の支払の請求を目的とする訴えについて、少額訴訟による審理及び裁判を求めることができる。ただし、同一の簡易裁判所において同一の年に最高裁判所規則で定める回数を超えてこれを求めることができない。（平成一五法一〇八本項改正）

②　少額訴訟による審理及び裁判を求める旨の申述は、訴えの提起の際にしなければならない。

③　前項の申述をするには、当該訴えを提起する簡易裁判所においてその年に少額訴訟による審理及び裁判を求めた回数を届け出なければならない。

⊛❶【簡裁における訴え提起↓二七一【督促手続と対比↓三八二【訴訟の目的の価額の算定↓八・九【規則で定める回数↓民訴規二二三　❸【回数の届出↓三七三③㊂・三八一　+【手続の教示↓民訴規二二二

（反訴の禁止）

第三百六十九条　少額訴訟においては、反訴を提起することができない。

⊛+【反訴↓一四六【反訴提起が禁止される例↓三五一・三六七

（一期日審理の原則）

第三百七十条①　少額訴訟においては、特別の事情がある場合を除き、最初にすべき口頭弁論の期日において、審理を完了しなければならない。

②　当事者は、前項の期日前又はその期日において、すべての攻撃又は防御の方法を提出しなければならない。ただし、口頭弁論が続行されたときは、この限りでない。

⊛❶【一期日審理の原則↓民訴規二二二②㊂・二二四　❷【攻撃防御方法の提出時期↓一五六【手形訴訟における同様の処置↓民訴規二一三②③

（証拠調べの制限）

第三百七十一条　証拠調べは、即時に取り調べることができる証拠に限りすることができる。

⊛+【疎明の場合と同旨↓一八八【証拠制限の例↓三五二

（証人等の尋問）

第三百七十二条①　証人の尋問は、宣誓をさせないですることができる。

②　証人又は当事者本人の尋問は、裁判官が相当と認める順序でする。

③　裁判所は、相当と認めるときは、最高裁判所規則で定めるところにより、裁判所及び当事者双方と証人とが音声の送受信により同時に通話をすることができる方法によって、証人を尋問することができる。

⊛❶【証人の宣誓↓二〇一①【証人尋問の申出の際の尋問事項書の不要↓民訴規二二五・一〇七【調書の記載不要・録音テープの利用↓民訴規二二七　❷【証人尋問と当事者尋問の順序↓二〇七②【当事者本人の出頭命令↓民訴規二二四　❸【音声の送受信↓八七の二②⊛

（通常の手続への移行）

第三百七十三条①　被告は、訴訟を通常の手続に移行させる旨の申述をすることができる。ただし、被告が最初にすべき口頭弁論の期日において弁論をし、又はその期日が終了した後は、この限りでない。

②　訴訟は、前項の申述があった時に、通常の手続に移行する。

③　次に掲げる場合には、裁判所は、訴訟を通常の手続により審理及び裁判をする旨の決定をしなければならない。

一　第三百六十八条第一項の規定に違反して少額訴訟による審理及び裁判を求めたとき。

二　第三百六十八条第三項の規定によってすべき届出を相当の期間を定めて命じた場合において、その届出がないとき。

三　公示送達によらなければ被告に対する最初にすべき口頭弁論の期日の呼出しをすることができないとき。

四　少額訴訟により審理及び裁判をするのを相当でないと認めるとき。

④　前項の決定に対しては、不服を申し立てることができない。

⑤　訴訟が通常の手続に移行したときは、少額訴訟のため既に指定した期日は、通常の手続のために指定したものとみなす。

⊛❶【通常手続への移行申述↓民訴規二二八①②・二二二②㊂　❸【裁判所の移行決定↓民訴規二二八③　〔二〕【少額訴訟により得る適格↓三六八①　〔二〕【利用回数の届出↓三六八③　〔三〕【公示送達↓一一〇―一一二　❺【同旨の規定↓三五三④

（判決の言渡し）

第三百七十四条①　判決の言渡しは、相当でないと認める場合を除き、口頭弁論の終結後直ちにする。

②　前項の場合には、判決の言渡しは、電子判決書に基づかないですることができる。この場合においては、第二百五十四条第二項〈電子判決書に代わる電子調書〉及び第二百五十五条〈電子判決書等の送達〉の規定を準用する。（令和四法四八本項改正）

⊛❶【判決言渡しの時期の原則↓二五一①　❷【言渡しの方式↓二五四①、民訴規二二九②・一五五③【電子判決書に代わる電子調書の作成・送達↓二五四②・二五五　+【少額訴訟判決と表示

→民訴規二二九

（判決による支払の猶予）

第三七五条① 裁判所は、請求を認容する判決をする場合において、被告の資力その他の事情を考慮して特に必要があると認めるときは、判決の言渡しの日から三年を超えない範囲内において、認容する請求に係る金銭の支払について、その時期の定め若しくは分割払の定めをし、又はこれと併せて、その時期の定めに従い支払をしたとき、若しくはその分割払の定めによる期限の利益を次項の規定による定めにより失うことなく支払をしたときは訴え提起後の遅延損害金の支払義務を免除する旨の定めをすることができる。

② 前項の分割払の定めをするときは、被告が支払を怠った場合における期限の利益の喪失についての定めをしなければならない。

③ 前二項の規定による定めに関する裁判に対しては、不服を申し立てることができない。

❶【免除→民五一九 ❷【期限の利益の喪失→民一三七・+【類似の規定→二七五の二

（仮執行の宣言）

第三七六条① 請求を認容する判決については、裁判所は、職権で、担保を立てて、又は立てないで仮執行をすることができることを宣言しなければならない。

② 第七十六条〈担保提供の方法〉、第七十七条〈担保物に対する被告の権利〉、第七十九条〈担保の取消し〉及び第八十条〈担保の変換〉の規定は、前項の担保について準用する。

+【仮執行宣言の原則→二五九①【手形金請求判決の仮執行宣言→二五九②【控訴審における金銭請求判決→三一〇

（控訴の禁止）

第三七七条 少額訴訟の終局判決に対しては、控訴をすることができない。

+【終局判決→二四三①【控訴→二八一―三一〇の二【控訴に代え異議→三七八【同旨の規定→三五六

（異議）

第三七八条① 少額訴訟の終局判決に対しては、電子判決書又は第二百五十四条第二項（第三百七十四条第二項において準用する場合を含む。）の規定により当事者及び法定代理人、主文、請求並びに理由の要旨が記録された電子調書の送達を受けた日から二週間の不変期間内に、その判決をした裁判所に異議を申し立てることができる。ただし、その期間前に申し立てた異議の効力を妨げない。（令和四法四八本項改正）

② 第三百五十八条から第三百六十条まで〈手形判決に対する異議申立権の放棄、異議の却下、異議の取下げ〉の規定は、前項の異議について準用する。

❶【少額訴訟の終局判決→二四三①、民訴規二二九①【電子判決書→二五二【電子判決書に代わる電子調書→三七四②、二五四②【電子判決書又はこれに代わる電子調書の送達→二五五、九八―一一二【不変期間→九六、九七【期間の計算→九五【異議申立ての方式→民訴規二三〇【終局判決に対する異議申立ての例→三五七

（異議後の審理及び裁判）

第三七九条① 適法な異議があったときは、訴訟は、口頭弁論の終結前の程度に復する。この場合においては、通常の手続によりその審理及び裁判をする。

② 第三百六十二条〈手形判決に対する異議後の判決〉、第三百六十三条〈異議後の判決における訴訟費用〉、第三百六十九条〈反訴の禁止〉、第三百七十二条第二項〈証人と当事者との尋問の順序〉及び第三百七十五条〈判決による支払の猶予〉の規定は、前項の審理及び裁判について準用する。

❶【口頭弁論の終結→二四三①、一五三【通常手続→三六九―三七二、民訴規二二四―二二七【異議と執行停止→四〇三①㈤【本項と同旨の規定→三六一 ❷【異議後の判決→民訴規二三一①

（異議後の判決に対する不服申立て）

第三八〇条① 第三百七十八条第二項において準用する第三百五十九条又は前条第一項の規定によってした終局判決に対しては、控訴をすることができない。

② 第三百二十七条〈特別上告〉の規定は、前項の終局判決について準用する。

❷【特別上告のみ可能→三二七

（過料）

第三八一条① 少額訴訟による審理及び裁判を求めた者が第三百六十八条第三項の回数について虚偽の届出をしたときは、裁判所は、決定で、十万円以下の過料に処する。

② 前項の決定に対しては、即時抗告をすることができる。

③ 第百八十九条〈過料の裁判の執行〉の規定は、第一項の規定による過料の裁判について準用する。

❷【即時抗告→三三二 ❸【過料の裁判→一八九

第七編 法定審理期間訴訟手続に関する特則

（令和四法四八本編追加）

（法定審理期間訴訟手続の要件）

第三八一条の二① 当事者は、裁判所に対し、法定審理期間訴訟手続による審理及び裁判を求める旨の申出をすることができる。ただし、次に掲げる訴えに関しては、この限りでない。

一 消費者契約に関する訴え

二 個別労働関係民事紛争に関する訴え

② 当事者の双方が前項の申出をした場合には、裁判所は、事案の性質、訴訟追行による当事者の負担の程度その他の事情に鑑み、法定審理期間訴訟手続により審理及び裁判をすることが当事者間の衡平を害し、又は適正な審理の実現を妨げると認めるときを除き、訴訟を法定審理期間訴訟手続により審理及び裁判をする旨の決定をしなければならない。当事者の一方が同項の申出をした場合において、相手方がその法定審理期間訴訟手続による審理及び裁判をすることに同意したときも、同様とする。

③ 第一項の申出及び前項後段の同意は、書面でしなければならない。ただし、口頭弁論又は弁論準備手続の

期日においては、口頭ですることを妨げない。
④ 訴訟が法定審理期間訴訟手続に移行したときは、通常の手続のために既に指定した期日は、法定審理期間訴訟手続のために指定したものとみなす。
⚭❶〔二〕【消費者契約→三の四①】〔三〕【個別労働関係民事紛争→三の四②】❷【当事者間の衡平→三の九、一七】

（法定審理期間訴訟手続の審理）
第三八一条の三① 前条第二項の決定があったときは、裁判長は、当該決定の日から二週間以内の間において口頭弁論又は弁論準備手続の期日を指定しなければならない。
② 裁判長は、前項の期日において、当該期日から六月以内の間において当該事件に係る口頭弁論を終結する期日を指定するとともに、口頭弁論を終結する日から一月以内の間において判決言渡しをする期日を指定しなければならない。
③ 前条第二項の決定があったときは、当事者は、第一項の期日から五月（裁判所が当事者双方の意見を聴いて、これより短い期間を定めた場合には、その期間）以内に、攻撃又は防御の方法を提出しなければならない。
④ 裁判所は、前項の期間が満了するまでに、当事者双方との間で、争点及び証拠の整理の結果に基づいて、法定審理期間訴訟手続の判決において判断すべき事項を確認するものとする。
⑤ 法定審理期間訴訟手続における証拠調べは、第一項の期日から六月（裁判所が当事者双方の意見を聴いて、これより短い期間を定めた場合には、その期間）以内にしなければならない。
⑥ 法定審理期間訴訟手続における期日の変更は、第九十三条第三項の規定にかかわらず、やむを得ない事由がある場合でなければ、許すことができない。
⚭❷【判決言渡期日→二五一①】【審理の計画との対比→一四七の三②〔三〕】

（通常の手続への移行）
第三八一条の四① 次に掲げる場合には、裁判所は、訴訟を通常の手続により審理及び裁判をする旨の決定をしなければならない。
一 当事者の双方又は一方が訴訟を通常の手続に移行させる旨の申出をしたとき。
二 提出された攻撃又は防御の方法及び審理の現状に照らして法定審理期間訴訟手続により審理及び裁判をするのが困難であると認めるとき。
② 前項の決定に対しては、不服を申し立てることができない。
③ 訴訟が通常の手続に移行したときは、法定審理期間訴訟手続のため既に指定した期日は、通常の手続のために指定したものとみなす。
⚭＋【少額訴訟の場合の通常の手続への移行→三七三①】

（法定審理期間訴訟手続の電子判決書）

第三八一条の五 法定審理期間訴訟手続の電子判決書には、事実として、請求の趣旨及び原因並びにその他の攻撃又は防御の方法の要旨を記録するものとし、理由として、第三百八十一条の三第四項の規定により当事者双方との間で確認した事項に係る判断の内容を記録するものとする。

⚭＋【一般の場合→二五二】

（控訴の禁止）

第三八一条の六 法定審理期間訴訟手続の終局判決に対しては、控訴をすることができない。ただし、訴えを却下した判決に対しては、この限りでない。

⚭＋【終局判決→二四三①】【控訴→二八一―三一〇の二】【訴えを却下する判決→一四〇】

（異議）
第三八一条の七① 法定審理期間訴訟手続の終局判決に対しては、訴えを却下した判決を除き、電子判決書の送達を受けた日から二週間の不変期間内に、その判決をした裁判所に異議を申し立てることができる。ただし、その期間前に申し立てた異議の効力を妨げない。
② 第三百五十八条から第三百六十条まで〈手形判決に対する異議申立権の放棄、異議の却下、異議の取下げ〉及び第三百六十四条〈事件の差戻し〉の規定は、前項の異議について準用する。
⚭❶【終局判決→二四三①】【電子判決書→二五二】【電子判決書の送達→二五五、九八―一一二】【不変期間→九六、九七】【期間の計算→九五】

（異議後の審理及び裁判）
第三八一条の八① 適法な異議があったときは、訴訟は、口頭弁論の終結前の程度に復する。この場合においては、通常の手続によりその審理及び裁判をする。
② 前項の異議の申立ては、執行停止の効力を有する。
③ 裁判所は、異議後の判決があるまで、法定審理期間訴訟手続の終局判決の執行の停止その他必要な処分を命ずることができる。
④ 第三百六十二条〈手形判決に対する異議後の判決〉及び第三百六十三条〈異議後の判決における訴訟費用〉の規定は、第一項の審理及び裁判について準用する。
⚭❶【口頭弁論の終結→二四三①、一五三】【法定審理期間訴訟中の通常手続への移行→三八一の四】

第八編　督促手続

第一章　総則（平成一六法一五二章名追加）

（支払督促の要件）

第三八二条 金銭その他の代替物又は有価証券の一定の数量の給付を目的とする請求については、裁判所書記官は、債権者の申立てにより、支払督促を発することができる。ただし、日本において公示送達によらないでこれを送達することができる場合に限る。

⚭＋【支払督促の対象となる請求→民執二二④】【裁判所書記官→裁六〇】【公示送達→一一〇―一一二】【本条違反の申立ての却下→三八五】

（支払督促の申立て）
第三八三条① 支払督促の申立ては、債務者の普通裁判籍の所在地を管轄する簡易裁判所の裁判所書記官に対してする。

② 次の各号に掲げる請求についての支払督促の申立ては、それぞれ当該各号に定める地を管轄する簡易裁判所の裁判所書記官に対してもすることができる。

一 事務所又は営業所を有する者に対する請求でその事務所又は営業所における業務に関するもの　当該事務所又は営業所の所在地

二 手形又は小切手による金銭の支払の請求及びこれに附帯する請求　手形又は小切手の支払地

参❶【普通裁判籍→三の二・四【裁判所書記官→裁六〇【申立ての方式→民訴規二三二・一【督促異議による訴訟移行と手形訴訟の利用→三六六①、民訴規二二〇　❷【事務所→一般法人三〇一②[三]・三〇二②[三]【営業所→会社九〇七【手形・小切手による金銭の支払請求→五[三]参【附帯請求→九②【手形・小切手の支払地→手一[五]・二③・七五[四]・七六③、小一[四]・二②③

＊【本条違反の申立ての却下→三八五【電子情報処理組織による督促手続の特則→三九七―三九九

（訴えに関する規定の準用）

第三八四条　支払督促の申立てには、その性質に反しない限り、訴えに関する規定を準用する。

参＊【規則も準用→民訴規二三二【準用される主な規定→一三四①、一三六、一四七、二六一・二七一・三八四、民一四七①[一]

（申立ての却下）

第三八五条① 支払督促の申立てが第三百八十二条若しくは第三百八十三条の規定に違反するとき、又は申立ての趣旨から請求に理由がないことが明らかなときは、その申立てを却下しなければならない。請求の一部につき支払督促を発することができない場合におけるその一部についても、同様とする。

② 前項の規定による処分は、相当と認める方法で告知することによって、その効力を生ずる。

③ 前項の処分に対する異議の申立ては、その告知を受けた日から一週間の不変期間内にしなければならない。

④ 前項の異議の申立てについての裁判に対しては、不服を申し立てることができない。

参❷【申立て却下処分の発効→一一九　❸【書記官所属裁判所への申立て→一二一【不変期間→九六、九七【期間の計算→九五

（支払督促の発付等）

第三八六条① 支払督促は、債務者を審尋しないで発する。

② 債務者は、支払督促に対し、これを発した裁判所書記官の所属する簡易裁判所に督促異議の申立てをすることができる。

参❶【支払督促の記載事項→三八七【支払督促の送達→三八八【支払督促に対する仮執行宣言→三九一【支払督促の効力→三九六【審尋→八七参　❷【同旨の規定→一二一【適法な督促異議の効力→三九〇・三九五【不適法な督促異議の却下→三九四

（電子支払督促の記録事項）

第三八七条① 裁判所書記官は、支払督促を発するときは、最高裁判所規則で定めるところにより、電子支払督促（次に掲げる事項を記録し、かつ、債務者がその送達を受けた日から二週間以内に督促異議の申立てをしないときは債権者の申立てにより仮執行の宣言をする旨を併せて記録した電磁的記録をいう。以下この章において同じ。）を作成しなければならない。

一 第三百八十二条の給付を命ずる旨

二 請求の趣旨及び原因

三 当事者及び法定代理人

② 裁判所書記官は、前項の規定により電子支払督促を作成したときは、最高裁判所規則で定めるところにより、これをファイルに記録しなければならない。（令和四法四八本条改正）

（令和四法四八本項追加）

参❶【訴状の記載事項と対比→一三四②【電子支払督促の送達→三八八【期間の計算→九五【督促異議→三八六②【仮執行宣言の教示→三九一【電磁的記録→三の七③[二][三]・一三四②参

（電子支払督促の送達）

第三八八条① 電子支払督促（前条第二項の規定によりファイルに記録されたものに限る。以下この章において同じ。）は、債務者に送達しなければならない。（令和四法四八本項改正）

② 支払督促の効力は、債務者に送達された時に生ずる。

③ 債権者が申し出た場所に債務者の住所、居所、営業所若しくは事務所又は就業場所がないため、電子支払督促を送達することができないときは、裁判所書記官は、その旨を債権者に通知しなければならない。この場合において、債権者が通知を受けた日から二月の不変期間内にその申出に係る場所以外の送達をすべき場所の申出をしないときは、支払督促の申立てを取り下げたものとみなす。（令和四法四八本項改正）

参❶【支払督促の送達→九八―一一二【債権者への通知→民訴規二三四②・四　❸【送達場所→一〇三

（支払督促の更正）

第三八九条① 第七十四条第一項及び第二項〈費用額の確定処分の更正〉の規定は、支払督促について準用する。

② 仮執行の宣言後に適法な督促異議の申立てがあったときは、前項において準用する第七十四条第一項の規定による更正の処分に対する異議の申立ては、することができない。

参❷【仮執行宣言後の督促異議→三九三、三九五【同旨の規定→七四③

（仮執行の宣言前の督促異議）

第三九〇条　仮執行の宣言前に適法な督促異議の申立てがあったときは、支払督促は、その督促異議の限度で効力を失う。

参＊【仮執行宣言→三九一【督促異議の管轄→三八六②【訴訟移行→三九五【不適法な督促異議の却下→三九四

（仮執行の宣言）

第三九一条① 債務者が電子支払督促の送達を受けた日から二週間以内に督促異議の申立てをしないときは、裁判所書記官は、債権者の申立てにより、電子支払督促に手続の費用額を併せて記録して仮執行の宣言をし

なければならない。ただし、その宣言前に督促異議の申立てがあったときは、この限りでない。（令和四法四八本項改正）

② 仮執行の宣言は、最高裁判所規則で定めるところにより、電子支払督促に記録し、これを当事者に送達しなければならない。ただし、債権者の同意があるときは、当該債権者に対しては、当該記録をした電子支払督促に記録された事項を出力することにより作成した書面を送付することをもって、送達に代えることができる。（平成一六法一五二、令和四法四八本項改正）

③ 第三百八十五条第二項及び第三項（処分の告知、異議申立期間）の規定は、第一項の申立てを却下する処分及びこれに対する異議の申立てについて準用する。

④ 前項の異議の申立てについての裁判に対しては、即時抗告をすることができる。

⑤ 第二百六十条（仮執行の宣言の失効及び原状回復等）及び第三百八十八条第二項（送達による効力の発生時）の規定は、第一項の仮執行の宣言について準用する。

参❶【電子支払督促の送達→三八八【期間の計算→九五【督促異議→三八六②【仮執行宣言の申立て→民訴規二三五【電子支払督促における教示→三八七 ❷【判決についての仮執行宣言→民訴規二三六、二五九【仮執行宣言後の通常訴訟への移行→三六六② ❹【即時抗告→三三二

（期間の徒過による支払督促の失効）

第三九二条 債権者が仮執行の宣言の申立てをすることができる時から三十日以内にその申立てをしないときは、支払督促は、その効力を失う。

参【仮執行宣言の申立て→三九一①【期間の計算→九五

（仮執行の宣言後の督促異議）

第三九三条 仮執行の宣言を付した電子支払督促の送達を受けた日から二週間の不変期間を経過したときは、債務者は、その支払督促に対し、督促異議の申立てをすることができない。（令和四法四八本条改正）

参【仮執行宣言付電子支払督促の送達→三九一②⑤、三八八②【期間の計算→九五【不変期間→九六、九七【二週間内の督促異議の効果→三九五、四〇三①㊂㊃【期間の徒過→三九六【期間経過後の督促異議→三九四、三九六

（督促異議の却下）

第三九四条① 簡易裁判所は、督促異議を不適法であると認めるときは、督促異議に係る請求が地方裁判所の管轄に属する場合においても、決定で、その督促異議を却下しなければならない。

② 前項の決定に対しては、即時抗告をすることができる。

参❶【簡裁と督促手続→三八三【督促異議→三八六②、三九〇、三九三【請求が地裁の管轄に属する場合→裁二四㊀、三三①㊀ ❷【即時抗告→三三二

（督促異議の申立てによる訴訟への移行）

第三九五条 適法な督促異議の申立てがあったときは、督促異議に係る請求については、その目的の価額に従い、支払督促の申立ての時に、支払督促を発した裁判所書記官の所属する簡易裁判所又はその所在地を管轄する地方裁判所に訴えの提起があったものとみなす。この場合においては、督促手続の費用は、訴訟費用の一部とする。

参【督促異議→三八六②、三九〇、三九三【不適法な督促異議の却下→三九四【訴額による事物管轄→裁三三①㊀、二四㊀【手形訴訟による旨の申述をすべき時期→三六六【督促手続費用→三九一【訴訟費用の負担の裁判→六七【地裁に訴えが提起されたとみなされる場合の記録の送付→民訴規二三七

（支払督促の効力）

第三九六条 仮執行の宣言を付した支払督促に対し督促異議の申立てがないとき、又は督促異議の申立てを却下する決定が確定したときは、支払督促は、確定判決と同一の効力を有する。

参【仮執行宣言付支払督促に対する督促異議→三九三【督促異議の却下→三九四【確定判決の効果→民一六九【仮執行宣言付支払督促による強制執行→民執二二㊃、二五、三三②㊁㊂、三四③、三五③

第二章　電子情報処理組織による督促手続の特則（平成一六法一五二本章追加）

（電子情報処理組織による支払督促の申立て）

第三九七条 この章の規定による督促手続を取り扱う裁判所として最高裁判所規則で定める簡易裁判所（次条第一項及び第三百九十九条において「指定簡易裁判所」という。）の裁判所書記官に対しては、第三百八十三条の規定による場合のほか、同条に規定する簡易裁判所が別に最高裁判所規則で定める簡易裁判所である場合にも、最高裁判所規則で定めるところにより、最高裁判所規則で定める電子情報処理組織を使用する方法により支払督促の申立てをすることができる。（令和四法四八本条改正）

参【督促手続→三八二—四〇二【支払督促→三八二—四〇二【電子情報処理組織→九一の二②【簡易裁判所→裁三二—三八

第三九八条① 指定簡易裁判所の裁判所書記官に対してされた支払督促の申立てに係る督促手続における支払督促に対し適法な督促異議の申立てがあったときは、督促異議に係る請求については、その目的の価額に従い、当該支払督促の申立ての時に、第三百八十三条に規定する簡易裁判所で支払督促を発した裁判所書記官の所属するもの若しくは前条の別に最高裁判所規則で定める簡易裁判所又はその所在地を管轄する地方裁判所に訴えの提起があったものとみなす。（令和四法四八本項改正）

② 前項の場合において、同項に規定する簡易裁判所又は地方裁判所が二以上あるときは、督促異議に係る請求については、これらの裁判所中に第三百八十三条第一項に規定する簡易裁判所又はその所在地を管轄する地方裁判所がある場合にはその裁判所に、その裁判所がない場合には同条第二項第一号に定める地を管轄する簡易裁判所又はその所在地を管轄する地方裁判所に訴えの提起があったものとみなす。

③ 前項の規定にかかわらず、債権者が、最高裁判所規則で定めるところにより、第一項に規定する簡易裁判所又は地方裁判所のうち、一の簡易裁判所又は地方裁判所を指定したときは、その裁判所に訴えの提起が

あったものとみなす。

参+【督促異議→三九〇、三九三【地方裁判所→裁二三—三一【訴えへの移行→三九五【裁判所の指定→一〇

（電子情報処理組織による送達の効力発生の時期）

第三九九条 第百九条の三の規定にかかわらず、送達を受けるべき債権者の同意があるときは、指定簡易裁判所の裁判所書記官に対してされた支払督促の申立てに係る督促手続に関する第百九条の二第一項の規定による送達は、同項の通知が当該債権者に対して発せられた時に、その効力を生ずる。（令和四法四八本条全部改正）

参+【指定簡易裁判所→三九七

第四〇〇条から第四〇二条まで 削除（令和四法四八）

第九編 執行停止

（執行停止の裁判）

第四〇三条① 次に掲げる場合には、裁判所は、申立てにより、決定で、担保を立てさせて、若しくは立てさせないで強制執行の一時の停止を命じ、又はこれとともに、担保を立てて強制執行の開始若しくは続行をすべき旨を命じ、若しくは担保を立てさせて既にした執行処分の取消しを命ずることができる。ただし、強制執行の開始又は続行をすべき旨の命令は、第三号から第六号までに掲げる場合に限り、することができる。

一 第三百二十七条第一項（第三百八十条第二項において準用する場合を含む。次条において同じ。）の上告又は再審の訴えの提起があった場合において、不服の理由として主張した事情が法律上理由があるとみえ、事実上の点につき疎明があり、かつ、執行により償うことができない損害が生ずるおそれがあることにつき疎明があったとき。

二 仮執行の宣言を付した判決に対する上告の提起又は上告受理の申立てがあった場合において、原判決の破棄の原因となるべき事情及び執行により償うことができない損害を生ずるおそれがあることにつき疎明があったとき。

三 仮執行の宣言を付した判決に対する控訴の提起又は仮執行の宣言を付した支払督促に対する督促異議の申立て（次号の控訴の提起及び督促異議の申立てを除く。）があった場合において、原判決若しくは支払督促の取消し若しくは変更の原因となるべき事情がないとはいえないこと又は執行により著しい損害を生ずるおそれがあることにつき疎明があったとき。

四 手形又は小切手による金銭の支払の請求及びこれに附帯する法定利率による損害賠償の請求について、仮執行の宣言を付した判決に対する控訴の提起又は仮執行の宣言を付した支払督促に対する督促異議の申立てがあった場合において、原判決又は支払督促の取消し又は変更の原因となるべき事情につき疎明があったとき。

五 仮執行の宣言を付した手形訴訟若しくは小切手訴訟の判決に対する異議の申立て又は仮執行の宣言を付した少額訴訟の判決に対する異議の申立てがあった場合において、原判決の取消し又は変更の原因となるべき事情につき疎明があったとき。

六 第百十七条第一項の訴えの提起があった場合において、変更のため主張した事情が法律上理由があるとみえ、かつ、事実上の点につき疎明があったとき。

② 前項に規定する申立てについての裁判に対しては、不服を申し立てることができない。

参❶【申立ての方式→民訴規二三九【担保→四〇五、七六、七七【強制執行の一時停止→民執三九①七【担保を立てることを条件とする強制執行の開始・続行→民執三〇②【担保を立てることを条件とする執行処分の取消し→民執三九①六【疎明→一八八【一】【特別上告→三二七①【少額異議判決に対する特別上告→三八〇②、三二七①【再審の訴え→三三八—三四〇【不服の理由→三二七②、三三八①【二】【仮執行宣言付控訴審判決→二五九、三一〇、三一三【上告→三一一【上告受理の申立て→三一八【原判決の破棄の原因→三一二、三一八①【三】【仮執行宣言付第一審判決→二五九、二九四【仮執行宣言付支払督促→三九一【控訴→二八一【督促異議→三九三【四】【仮執行宣言付手形金・小切手金請求第一審判決→二五九②【仮執行宣言付手形金・小切手金支払督促→三八三②三、三九一【五】【仮執行宣言付手形判決・小切手判決→二五九②、三五七、三六七【仮執行宣言付少額訴訟判決→三七四—三七六【手形判決・小切手判決に対する異議→三五七、三六七【少額訴訟判決に対する異議→三七八【六】【確定判決の変更を求める訴え→一一七【変更のために主張した事情→一一七 ❷【不服申立て禁止→三二八

（原裁判所による裁判）

第四〇四条① 第三百二十七条第一項の上告の提起、仮執行の宣言を付した判決に対する上告の提起若しくは上告受理の申立て又は仮執行の宣言を付した判決に対する控訴の提起があった場合において、訴訟記録が原裁判所に存するときは、その裁判所が、前条第一項に規定する申立てについての裁判をする。

② 前項の規定は、仮執行の宣言を付した支払督促に対する督促異議の申立てがあった場合について準用する。

参❶【特別上告→三二七①、四〇三①一【仮執行宣言付判決に対する上告及び上告受理申立て→二五九、三一一、三一八、四〇三①二【仮執行宣言付判決に対する控訴→二五九、二八一、四〇三①三四【上訴提起に伴う事件の送付→民訴規一七四、一八六、一九七、一九九② ❷【仮執行宣言付支払督促に対する督促異議→三九三、四〇三①三四

（担保の提供）

第四〇五条① この編の規定により担保を立てる場合において、供託をするには、担保を立てるべきことを命じた裁判所又は執行裁判所の所在地を管轄する地方裁判所の管轄区域内の供託所にしなければならない。

② 第七十六条（担保提供の方法）、第七十七条（担保物に対する被告の権利）、第七十九条（担保の取消し）及び第八十条（担保の変換）の規定は、前項の担保について準用する。

参❶【本編の規定により担保を立てる場合→四〇三、四〇四【供託→供【執行裁判所→民執三【供託所→供一

附　則（抄）

（施行期日）

第一条　この法律（以下「新法」という。）は、公布の日から起算して二年を超えない範囲内において政令で定める日（平成一〇・一・一―平成九政三三二）から施行する。（後略）

（経過措置の原則）

第三条　新法の規定（罰則を除く。）は、この附則に特別の定めがある場合を除き、新法の施行前に生じた事項にも適用する。ただし、前条の規定による改正前の民事訴訟法（中略）の規定により生じた効力を妨げない。

（最高裁判所規則への委任）

第二六条　附則第三条（中略）に規定するもののほか、新法の施行の際現に裁判所に係属している事件の処理に関し必要な事項は、最高裁判所規則で定める。

附　則（令和四・五・二五法四八）（抄）

（施行期日）

第一条　この法律は、公布の日から起算して四年を超えない範囲内において政令で定める日から施行する。ただし、次の各号に掲げる規定は、当該各号に定める日から施行する。

一　（前略）附則第百二十五条の規定　公布の日

二　第一条（民事訴訟法の一部改正）の規定（中略）　公布の日から起算して九月を超えない範囲内において政令で定める日（令和五・二・二〇―令和四政三八四）

三　第二条中民事訴訟法第八十九条の見出しの改正規定、同条に四項を加える改正規定（同条第二項及び第三項に係る部分に限る。）及び同法第百七十条第三項の改正規定（中略）　公布の日から起算して一年を超えない範囲内において政令で定める日（令和五・三・一―令和四政三八四）

四　第二条中民事訴訟法第八十七条の次に一条を加える改正規定（中略）並びに附則第四条（中略）の規定（中略）　公布の日から起算して二年を超えない範囲内において政令で定める日（令和六・三・一―令和五政三五六）

五　（略）

（訴訟費用額の確定手続に関する経過措置）

第二条　第二条の規定（前条第三号及び第四号に掲げる改正規定を除く。次条において同じ。）による改正後の民事訴訟法（以下「第二条改正後民事訴訟法」という。）第七十一条第二項（第二条改正後民事訴訟法第七十二条及び第七十三条第二項において準用する場合を含む。）の規定は、訴えに係る事件（人事訴訟（人事訴訟法第二条に規定する人事訴訟をいう。附則第四条においで同じ。）及び家庭裁判所における執行関係訴訟（民事執行法第二十四条又は第三十三条から第三十五条まで（第二十四条及び第三十五条を除き、これらの規定を民事保全法第四十六条において準用する場合を含む。）に規定する訴えに係る訴訟であって家庭裁判所の管轄に属するものをいう。附則第四条において同じ。）に係る事件を除く。附則第五条、第十七条、第十八条、第二十条、第二十三条、第二十五条、第二十六条及び第百十一条において同じ。）であってこの法律の施行の日（以下「施行日」という。）以後に提起されるもの（施行日前にされた訴え以外の申立てについて、施行日以後に当該申立てに係る法令の規定により当該申立て時に訴えの提起があったものとみなされるものを除く。以下同じ。）及び施行日以後に開始される民事訴訟に関する事件（訴えに係る事件を除く。）（以下「第二条改正後事件」と総称する。）における訴訟費用の負担の額を定める申立てについて、適用する。

（担保権利者に対する権利を行使すべき旨の催告に関する経過措置）

第三条　施行日前に第二条の規定による改正前の民事訴訟法（以下「第二条改正前民事訴訟法」という。）第七十九条第三項（民事訴訟法第二百五十九条第六項、第三百七十六条第二項若しくは第四百五条第二項又は他の法律において準用する場合を含む。）の規定によりされた裁判所による催告は、施行日以後は、第二条改正後民事訴訟法第七十九条第三項（民事訴訟法第二百五十九条第六項、第三百七十六条第二項若しくは第四百五条第二項又は他の法律において準用する場合を含む。）の規定によりされた裁判所書記官による催告とみなす。

（人事訴訟等に関する手続における映像と音声の送受信による通話の方法による口頭弁論等に関する経過措置）

第四条　第二条の規定（附則第一条第四号に掲げる改正規定に限る。）による改正後の民事訴訟法第八十七条の二の規定は、同号に掲げる規定の施行の日から起算して一年六月を超えない範囲内において政令で定める日までの間は、人事訴訟及び家庭裁判所における執行関係訴訟に関する手続には、適用しない。

（訴訟に関する事項の証明に関する経過措置）

第五条　第二条改正後民事訴訟法第九十一条の三（第二条改正後民事訴訟法第百三十二条の七において準用する場合を含む。）の規定は、第二条改正後事件に関する事項の証明について適用し、訴えに係る事件であって施行日前に提起されたもの（施行日前にされた訴え以外の申立てについて、施行日以後に当該申立てに係る法令の規定により当該申立て時に訴えの提起があったものとみなされるものを含む。以下同じ。）及び施行日前に開始された民事訴訟に関する事件（訴えに係る事件を除く。）（以下「第二条改正前事件」と総称する。）に関する事項の証明については、なお従前の例による。

（期日の呼出しに関する経過措置）

第六条　第二条改正後民事訴訟法第九十四条の規定は、第二条改正後事件における期日の呼出しについて適用し、第二条改正前事件における期日の呼出しについては、なお従前の例による。

（送達報告書に関する経過措置）

第七条　第二条改正後民事訴訟法第百条第二項の規定は、第二条改正後事件における送達報告書の提出について、適用する。

（公示送達の方法に関する経過措置）

第八条　第二条改正後民事訴訟法第一編第五章第四節第四款の規定は、第二条改正後事件における公示送達について適用し、第二条改正前事件における公示送達については、なお従前の例による。

（受継についての裁判に関する経過措置）

第九条　第二条改正後民事訴訟法第百二十八条第二項の規定は、第二条改正後事件における訴訟手続の受継についての裁判について適用し、第二条改正前事件における訴訟手続の受継についての裁判については、なお従前の例による。

（訴えの提起前における証拠収集の処分の手続に関する経過措置）

第一〇条　第二条改正後民事訴訟法第百三十二条の六第三項の規定は、施行日以後に申し立てられる訴えの提起前における証拠収集の処分の手続について、適用する。

（電子情報処理組織による申立て等に関する経過措置）

第一一条　第二条改正後民事訴訟法第一編第七章の規定は、第二条改正後事件における第二条改正後民事訴訟法第百三十二条の十第一項に規定する申立て等について適用し、第二条改正前事件における第二条改正前民事訴訟法第百三十二条の十第一項に規定する申立て等については、同条の規定は、施行日以後も、なおその効力を有する。

（訴えの提起の手数料の納付等がない場合に関する経過措置）

第一二条　第二条改正後民事訴訟法第百三十七条の二（第二条改正後民事訴訟法第二百八十八条（第二条改正後民事訴訟法第三百十三条（第二条改正後民事訴訟法第三百三十一条において準用する場合を含む。）及び第三百三十一条において準用する場合を含む。）及び他の法律において準用する場合を含む。）の規定は、訴えに係る事件であって施行日以後に提起されるもの及び施行日以後に開始される裁判手続に関する事件（訴えに係る事件を除く。）における民事訴訟費用等に関する法律に規定する手数料に係る納付命令並びに当該納付命令に違反したことを理由とする訴状、控訴状、上告状、抗告状その他申立書の却下について適用し、訴えに係る事件であって施行日前に提起されたもの及び施行日前に開始された裁判手続に関する事件（訴えに係る事件を除く。）における民事訴訟費用等に関する法律に規定する手数料に係る納付命令並びに当該納付命令に違反したことを理由とする訴状、控訴状、上告状、抗告状その他申立書の却下については、なお従前の例による。

（釈明処分による電磁的記録の提出に関する経過措置）

第一三条　第二条改正前事件における釈明処分による電磁的記録の提出については、第二条改正後民事訴訟法第百五十一条第二項中「方法又は最高裁判所規則で定める電子情報処理組織を使用する方法」とあるのは「方法」として、同項の規定を適用する。

（口頭弁論調書に関する経過措置）

第一四条①　第二条改正後民事訴訟法第百六十条の規定は、第二条改正後事件における口頭弁論調書の作成、記録及び口頭弁論の方式に関する規定の遵守に係る証明について適用し、第二条改正前事件における口頭弁論調書の作成、記載及び口頭弁論の方式に関する規定の遵守に係る証明については、なお従前の例による。

②　第二条改正前事件における口頭弁論調書の更正については、第二条改正後民事訴訟法第百六十条の二第一項中「前条第二項の規定によりファイルに記録された電子調書の内容」とあるのは「調書の記載」と、同条第二項中「その旨をファイルに記録して」とあるのは「調書を作成して」として、同条の規定を適用する。

（尋問に代わる書面の提出等に関する経過措置）

第一五条　第二条改正後民事訴訟法第二百五条第二項（第二条改正後民事訴訟法第二百七十八条第二項において準用する場合を含む。）及び第二百十五条第二項（第二条改正後民事訴訟法第二百十八条第一項及び第二百七十八条第二項において準用する場合を含む。）の規定は、第二条改正後事件における証人若しくは当事者本人の尋問に代わる書面及び鑑定人の意見の陳述に代わる書面の提出又は鑑定人の書面による意見の陳述若しくは鑑定の嘱託を受けた者による鑑定書の提出について、適用する。

（電磁的記録に記録された情報の内容に係る証拠調べに関する経過措置）

第一六条　第二条改正前事件における電磁的記録に記録された情報の内容に係る証拠調べについては、第二条改正後民事訴訟法第二百三十一条の二第二項中「方法又は最高裁判所規則で定める電子情報処理組織を使用する方法」とあるのは「方法」と、第二百三十一条の三第二項中「若しくは送付し、又は最高裁判所規則で定める電子情報処理組織を使用する」とあるのは「又は送付する」として、第二条改正後民事訴訟法第二百三十一条の二及び第二百三十一条の三の規定を適用する。

（判決の言渡しの方式等に関する経過措置）

第一七条①　第二条改正後民事訴訟法第二百五十二条から第二百五十五条まで、第二百五十六条第三項及び第二百八十条の規定は、訴えに係る事件であって施行日以後に提起されるものにおける判決の言渡しの方式、電子判決書への記録事項、電子判決書に基づかない判決の言渡し、電子判決書及び電子判決書の作成に代わる電子調書の送達、変更の判決に係る言渡期日の呼出し並びに簡易裁判所の事件に係る電子判決書への記録事項について適用し、訴えに係る事件であって施行日前に提起されたものにおける判決の言渡しの方式、判決書の記載事項、判決書の原本に基づかない判決の言渡し、判決書及び判決書の作成に代えて記載される調書の送達、変更の判決に係る言渡期日の呼出し並びに簡易裁判所の事件に係る判決書の記載事項については、なお従前の例による。

②　第二条改正後民事訴訟法第百二十二条において準用する第二条改正後民事訴訟法第二百五十二条及び第二百五十三条の規定は、第二条改正後事件における電子決定書（第二条改正後民事訴訟法第百二十二条において準用する第二条改正後民事訴訟法第二百五十二条第一項の規定により作成される電磁的記録をいう。）の作成について適用し、第二条改正前事件における決定書の作成については、なお従前の例による。

（訴え又は控訴の取下げが口頭でされたときに関する経過措置）

第一八条　第二条改正後民事訴訟法第二百六十一条第四項（第二条改正後民事訴訟法第二百九十二条第二項において準用する場合を含む。）及び第五項の規定は、訴えに係る事件であって施行日以後に提起されるものにおける訴えの取下げ又は控訴の取下げが口頭でされた場合における期日の電子調書の記録及びその送達について適用し、訴えに係る事件であって施行日前に提起されたものにおける訴えの取下げ又は控訴の取下げが口頭でされた場合における期日の調書の記載及びその送達については、なお従前の例による。

（和解調書等の効力に関する経過措置）

第一九条①　第二条改正後民事訴訟法第二百六十七条第一項の規定は、第二条改正後事件における和解又は請求の放棄若しくは認諾に係る電子調書の効力について適用し、第二条改正前事件における和解又は請求の放棄若しくは認諾に係る調書の効力については、なお従前の例による。

②　第二条改正後民事訴訟法第二百六十七条第二項の規定は、第二条改正後事件における和解又は請求の放棄若しくは認諾を記録した電子調書の送達について、適用する。

③　第二条改正前事件における和解又は請求の放棄若しくは認諾に係る調書の更正については、第二条改正後民事訴訟法第二百六十七条の二第一項中「前条第一項の規定によりファイルに記録された電子調書」とあるのは、「和解又は請求の放棄若しくは認諾を記載した調書」として、同項の規定を適用する。

（控訴期間等に関する経過措置）

第二〇条　第二条改正後民事訴訟法第二百八十五条（第二条改正後民事訴訟法第三百十三条において準用する場合を含む。）の規定は、訴えに係る事件であって施行日以後に提起されるものにおける判決に対する控訴期間又は上告期間について適用し、訴えに係る事件であって施行日前に提起されたものにおける判決に対する控訴期間又は上告期間については、なお従前の例による。

（手形訴訟及び小切手訴訟における口頭弁論を経ない却下又は異議の申立てに関する経過措置）

第二一条　第二条改正後民事訴訟法第三百五十五条第二項及び第三百五十七条（これらの規定を第二条改正後民事訴訟法第三百六十七条第二項において準用する場合を含む。）の規定は、施行日以後に提起される手形訴訟及び小切手訴訟における口頭弁論を経ない訴えの却下及び終局判決に対する異議申立てについて適用し、施行日前に提起された手形訴訟及び小切手訴訟における口頭弁論を経ない訴えの却下及び終局判決に対する異議申立てについては、なお従前の例による。

（少額訴訟の判決の言渡し等に関する経過措置）

第二二条　第二条改正後民事訴訟法第三百七十四条第二項及び第三百七十八条第一項の規定は、施行日以後に提起される少額訴訟の判決の言渡し及び終局判決に対する異議申立てについて適用し、施行日前に提起された少額訴訟の判決の言渡し及び終局判決に対する異議申立てについては、なお従前の例による。

（法定審理期間訴訟手続に関する経過措置）

第二三条　第二条改正後民事訴訟法第七編の規定は、訴えに係る事件であって施行日以後に提起されるものについて、適用する。

（督促手続に関する経過措置）

第二四条① 第二条改正後民事訴訟法第三百八十七条、第三百八十八条、第三百九十一条及び第三百九十三条の規定は、施行日以後に申し立てられる支払督促に係る記録事項、送達、仮執行の宣言及び仮執行の宣言後の督促異議について適用し、施行日前に申し立てられた支払督促に係る記載事項、送達、仮執行の宣言及び仮執行の宣言後の督促異議については、なお従前の例による。

② 施行日前に第二条改正前民事訴訟法第百三十二条の十第一項本文の規定により電子情報処理組織を用いてされた支払督促の申立てに係る督促手続については、第二条改正前民事訴訟法第三百九十七条から第四百一条までの規定は、施行日以後も、なおその効力を有する。

（政令への委任）

第一二五条 この附則に定めるもののほか、この法律の施行に関し必要な経過措置は、政令で定める。

（検討）

第一二六条 政府は、この法律の施行後五年を経過した場合において、この法律による改正後の民事訴訟法その他の法律の規定の施行の状況について検討を加え、必要があると認めるときは、その結果に基づいて所要の措置を講ずるものとする。

民事訴訟法（令和四法四八による改正前の条文）

注 民事訴訟法等の一部を改正する法律（令和四法四八）第二条による本法の改正規定のうち一部の規定は、令和八・五・二四までに施行される。前日まで効力のある規定を次に掲げる。ただし、改正のない条文は除いた。

第一編 総則

第三章 当事者

第一節 当事者能力及び訴訟能力

（被保佐人、被補助人及び法定代理人の訴訟行為の特則）

第三二条①（略）

②（柱書略）

一・二（略）

三 第三百六十条（第三百六十七条第二項及び第三百七十八条第二項において準用する場合を含む。）の規定による異議の取下げ又はその取下げについての同意

第三節 訴訟参加

（補助参加人の訴訟行為）

第四五条①―④（略）

⑤（改正により追加）

第四節 訴訟代理人及び補佐人

（訴訟代理権の範囲）

第五五条①（略）

②（柱書略）

一―三（略）

四 第三百六十条（第三百六十七条第二項及び第三百七十八条第二項において準用する場合を含む。）の規定による異議の取下げ又はその取下げについての同意

五（略）

③④（略）

第四章 訴訟費用

第一節 訴訟費用の負担

（訴訟費用額の確定手続）

第七一条①（略）

新②（改正により追加）

② 前項の場合において、当事者双方が訴訟費用を負担するときは、最高裁判所規則で定める場合を除き、各当事者の負担すべき費用は、その対当額について相殺があったものとみなす。（改正後の③）

③―⑥（略、改正後の④―⑦）

⑦ 第四項の異議の申立てについての決定に対しては、即時抗告をすることができる。（改正後の⑧）

（和解の場合の費用額の確定手続）

第七二条 当事者が裁判所において和解をした場合において、和解の費用又は訴訟費用の負担を定め、その額を定めなかったときは、その額は、申立てにより、第一審裁判所（第二百七十五条の和解にあっては、和解が成立した裁判所）の裁判所書記官が定める。この場合においては、前条第二項から第七項までの規定を準用する。

（訴訟が裁判及び和解によらないで完結した場合等の取扱い）

第七三条①（略）

② 第六十一条から第六十六条まで及び第七十一条第七項の規定は前項の申立てについての決定について、同条第二項及び第三項の規定は前項の申立てに関する裁判所書記官の処分について、同条第四項から第七項までの規定はその処分に対する異議の申立てについて準用する。

（費用額の確定処分の更正）

第七四条①（略）

② 第七十一条第三項から第五項まで及び第七項の規定は、前項の規定による更正の処分及びこれに対する異議の申立てについて準用する。

③（略）

第二節 訴訟費用の担保

（担保の取消し）

第七九条①②（略）

③ 訴訟の完結後、裁判所が、担保を立てた者の申立てにより、担保権利者に対し、一定の期間内にその権利を行使すべき旨を催告し、担保権利者がその行使をしないときは、担保の取消しについて担保権利者の同意があったものとみなす。

④（略）

第五章 訴訟手続

第一節 訴訟の審理等

（和解の試み等）

第八九条①—③（略）
④⑤（改正により追加）

（訴訟記録の閲覧等）
第九一条① 何人も、裁判所書記官に対し、訴訟記録の閲覧を請求することができる。
② 公開を禁止した口頭弁論に係る訴訟記録については、当事者及び利害関係を疎明した第三者に限り、前項の規定による請求をすることができる。
③ 当事者及び利害関係を疎明した第三者は、裁判所書記官に対し、訴訟記録の謄写、その正本、謄本若しくは抄本の交付又は訴訟に関する事項の証明書の交付を請求することができる。
④ 前項の規定は、訴訟記録中の録音テープ又はビデオテープ（これらに準ずる方法により一定の事項を記録した物を含む。）に関しては、適用しない。この場合において、これらの物について当事者又は利害関係を疎明した第三者の請求があるときは、裁判所書記官は、その複製を許さなければならない。
⑤ 訴訟記録の閲覧、謄写及び複製の請求は、訴訟記録の保存又は裁判所の執務に支障があるときは、することができない。
第九一条の二・第九一条の三（改正により追加）

（秘密保護のための閲覧等の制限）
第九二条① 次に掲げる事由につき疎明があった場合には、裁判所は、当該当事者の申立てにより、決定で、当該訴訟記録中当該秘密が記載され、又は記録された部分の閲覧若しくは謄写、その正本、謄本若しくは抄本の交付又はその複製（以下「秘密記載部分の閲覧等」という。）の請求をすることができる者を当事者に限ることができる。
一（略）
二 訴訟記録中に当事者が保有する営業秘密（不正競争防止法第二条第六項に規定する営業秘密をいう。第百三十二条の二第一項第三号及び第二項において同じ。）が記載され、又は記録されていること。
②—⑧（略）
⑨⑩（改正により追加）

第二節 専門委員等

第一款 専門委員

（専門委員の関与）
第九二条の二①（略）
新②（改正により追加）
②③（略、改正後の③④）

（音声の送受信による通話の方法による専門委員の関与）
第九二条の三 裁判所は、前条各項の規定により専門委員を手続に関与させる場合において、専門委員が遠隔の地に居住しているときその他相当と認めるときは、当事者の意見を聴いて、同条各項の期日において、最高裁判所規則で定めるところにより、裁判所及び当事者双方が専門委員との間で音声の送受信により同時に通話をすることができる方法によって、専門委員に同条各項の説明又は発問をさせることができる。

（受命裁判官等の権限）
第九二条の七 受命裁判官又は受託裁判官が第九十二条の二各項の手続を行う場合には、同条から第九十二条の四まで及び第九十二条の五第二項の規定による裁判所及び裁判長の職務は、その裁判官が行う。ただし、第九十二条の二第二項の手続を行う場合には、専門委員を手続に関与させる決定、その決定の取消し及び専門委員の指定は、受訴裁判所がする。

第二款 知的財産に関する事件における裁判所調査官の事務等

（知的財産に関する事件における裁判所調査官の事務）
第九二条の八（柱書略）
一（柱書略）
イ・ロ（略）
ハ 文書の提出義務又は検証の目的の提示義務の有無を判断するための手続
ニ（略）
二—四（略）

第三節 期日及び期間

（期日の指定及び変更）
第九三条① 期日は、申立てにより又は職権で、裁判長が指定する。
②—④（略）

（期日の呼出し）
第九四条① 期日の呼出しは、呼出状の送達、当該事件について出頭した者に対する期日の告知その他相当と認める方法によってする。
一・二（改正により追加）
新②（改正により追加）
② 呼出状の送達及び当該事件について出頭した者に対する期日の告知以外の方法による期日の呼出しをしたときは、期日に出頭しない当事者、証人又は鑑定人に対し、法律上の制裁その他期日の不遵守による不利益を帰することができない。ただし、これらの者が期日の呼出しを受けた旨を記載した書面を提出したときは、この限りでない。（改正後の③）

（訴訟行為の追完）
第九七条① 当事者がその責めに帰することができない事由により不変期間を遵守することができなかった場合には、その事由が消滅した後一週間以内に限り、不変期間内にすべき訴訟行為の追完をすることができる。ただし、外国に在る当事者については、この期間は、二月とする。
②（略）

第四節 送達

第一款名（改正により追加）

（送達実施機関）
第九九条① 送達は、特別の定めがある場合を除き、郵便又は執行官によってする。
② 郵便による送達にあっては、郵便の業務に従事する者を送達をする者とする。

（裁判所書記官による送達）
第一〇〇条 裁判所書記官は、その所属する裁判所の事件について出頭した者に対しては、自ら送達をすることができる。

第二款名（改正により追加）

（交付送達の原則）
第一〇一条 送達は、特別の定めがある場合を除き、送達を受けるべき者に送達すべき書類を交付してする。

（訴訟無能力者等に対する送達）
第一〇二条① 訴訟無能力者に対する送達は、その法定代理人にする。
② 数人が共同して代理権を行うべき場合には、送達は、その一人にすれば足りる。
③ 刑事施設に収容されている者に対する送達は、刑事施設の長にする。
第一〇二条の二（改正により追加）

（送達場所）
第一〇三条① 送達は、送達を受けるべき者の住所、居所、営業所又は事務所（以下この節において「住所等」という。）においてする。ただし、法定代理人に対する送達は、本人の営業所又は事務所においてもすることができる。
② 前項に定める場所が知れないとき、又はその場所において送達をするのに支障があるときは、送達は、送達を受けるべき者が雇用、委任その他の法律上の行為に基づき就業する他人の住所等（以下「就業場所」という。）においてすることができる。送達を受けるべき者（次条第一項に規定する者を除く。）が就業場所において送達を受ける旨の申述をしたときも、同様とする。

（送達場所等の届出）

第一〇四条① 当事者、法定代理人又は訴訟代理人は、送達を受けるべき場所（日本国内に限る。）を受訴裁判所に届け出なければならない。この場合においては、送達受取人をも届け出ることができる。

② 前項前段の規定による届出があった場合には、送達は、前条の規定にかかわらず、その届出に係る場所においてする。

③ 第一項前段の規定による届出をしない者で次の各号に掲げる送達を受けたものに対するその後の送達は、前条の規定にかかわらず、それぞれ当該各号に定める場所においてする。

一・二 （略）

三 第百七条第一項第一号の規定による送達　その送達においてあて先とした場所

（出会送達）

第一〇五条 前二条の規定にかかわらず、送達を受けるべき者で日本国内に住所等を有することが明らかでないもの（前条第一項前段の規定による届出をした者を除く。）に対する送達は、その者に出会った場所においてすることができる。日本国内に住所等を有することが明らかな者又は同項前段の規定による届出をした者が送達を受けることを拒まないときも、同様とする。

（補充送達及び差置送達）

第一〇六条① 就業場所以外の送達をすべき場所において送達を受けるべき者に出会わないときは、使用人その他の従業者又は同居者であって、書類の受領について相当のわきまえのあるものに書類を交付することができる。郵便の業務に従事する者が日本郵便株式会社の営業所において書類を交付すべきときも、同様とする。

② （略）

③ 送達を受けるべき者又は第一項前段の規定により書類の交付を受けるべき者が正当な理由なくこれを受けることを拒んだときは、送達をすべき場所に書類を差し置くことができる。

（書留郵便等に付する送達）

第一〇七条① 前条の規定により送達をすることができない場合には、裁判所書記官は、次の各号に掲げる区分に応じ、それぞれ当該各号に定める場所にあてて、書類を書留郵便又は民間事業者による信書の送達に関する法律（平成十四年法律第九十九号）第二条第六項に規定する一般信書便事業者若しくは同条第九項に規定する特定信書便事業者の提供する同条第二項に規定する信書便の役務のうち書留郵便に準ずるものとして最高裁判所規則で定めるもの（次項及び第三項において「書留郵便等」という。）に付して発送することができる。

一―三 （略）

② 前項第二号又は第三号の規定により書類を書留郵便等に付して発送した場合には、その後に送達すべき書類は、同項第二号又は第三号に定める場所にあてて、書留郵便等に付して発送することができる。

③ （略）

（外国における送達）

第一〇八条 外国においてすべき送達は、裁判長がその国の管轄官庁又はその国に駐在する日本の大使、公使若しくは領事に嘱託してする。

第三款名（改正により追加）

（送達報告書）

第一〇九条 送達をした者は、書面を作成し、送達に関する事項を記載して、これを裁判所に提出しなければならない。

第一〇九条の二―第一〇九条の四（改正により追加）

第四款名（改正により追加）

（公示送達の要件）

第一一〇条① （柱書略）

一 当事者の住所、居所その他送達をすべき場所が知れない場合

二 （略）

三 外国においてすべき送達について、第百八条の規定によることができず、又はこれによっても送達をすることができないと認めるべき場合

四 （略）

②③ （略）

（公示送達の方法）

第一一一条 公示送達は、裁判所書記官が送達すべき書類を保管し、いつでも送達を受けるべき者に交付すべき旨を裁判所の掲示場に掲示してする。

（公示送達の効力発生の時期）

第一一二条① 公示送達は、前条の規定による掲示を始めた日から二週間を経過することによって、その効力を生ずる。ただし、第百十条第三項の公示送達は、掲示を始めた日の翌日にその効力を生ずる。

②③ （略）

（公示送達による意思表示の到達）

第一一三条 訴訟の当事者が相手方の所在を知ることができない場合において、相手方に対する公示送達がされた書類に、その相手方に対しその訴訟の目的である請求又は防御の方法に関する意思表示をする旨の記載があるときは、その意思表示は、第百十一条の規定による掲示を始めた日から二週間を経過した時に、相手方に到達したものとみなす。この場合においては、民法第九十八条第三項ただし書の規定を準用する。

第五節　裁判

（判決の確定時期）

第一一六条① 判決は、控訴若しくは上告（第三百二十七条第一項（第三百八十条第二項において準用する場合を含む。）の上告を除く。）の提起、第三百十八条第一項の申立て又は第三百五十七条（第三百六十七条第二項において準用する場合を含む。）若しくは第三百七十八条第一項の規定による異議の申立てについて定めた期間の満了前には、確定しないものとする。

② （略）

第六節　訴訟手続の中断及び中止

（受継についての裁判）

第一二八条① （略）

② 判決書又は第二百五十四条第二項（第三百七十四条第二項において準用する場合を含む。）の調書の送達後に中断した訴訟手続の受継の申立てがあった場合には、その判決をした裁判所は、その申立てについて裁判をしなければならない。

第六章　訴えの提起前における証拠収集の処分等

（訴えの提起前における照会）

第一三二条の二① 訴えを提起しようとする者が訴えの被告となるべき者に対し訴えの提起を予告する通知を書面でした場合（以下この章において当該通知を「予告通知」という。）には、その予告通知をした者（以下この章において「予告通知者」という。）は、その予告通知を受けた者に対し、その予告通知をした日から四月以内に限り、訴えの提起前に、訴えを提起した場合の主張又は立証を準備するために必要であることが明らかな事項について、相当の期間を定めて、書面で回答するよう、書面で照会をすることができる。ただし、その照会が次の各号のいずれかに該当するときは、この限りでない。

一 第百六十三条各号のいずれかに該当する照会

二・三 （略）

②③ （略）

新④―⑥ （改正により追加）

④ （略、改正後の⑦）

第一三二条の三① 予告通知を受けた者（以下この章において「被予告通知者」という。）は、予告通知者に対し、その予告通知の書面に記載された前条第三項の請求の要旨及び紛争の要点に対する答弁の要旨を記載した書面でその予告通知に対する返答をしたときは、予告通知者に対し、その予告通知がされた日

から四月以内に限り、訴えの提起前に、訴えを提起された場合の主張又は立証を準備するために必要であることが明らかな事項について、相当の期間を定めて、書面で回答するよう、書面で照会をすることができる。この場合においては、同条第一項ただし書及び同条第二項の規定を準用する。

新②（改正により追加）

② 前項の照会は、既にされた予告通知と重複する予告通知に対する返答に基づいては、することができない。（改正後の③）

（訴えの提起前における証拠収集の処分）

第一三二条の四① （柱書略）

一 文書（第二百三十一条に規定する物件を含む。以下この章において同じ。）の所持者にその文書の送付を嘱託すること。

二―四 （略）

②―④ （略）

（証拠収集の処分の管轄裁判所等）

第一三二条の五① （柱書略）

一 前条第一項第一号の処分の申立て 申立人若しくは相手方の普通裁判籍の所在地又は文書を所持する者の居所

二―四 （略）

② （略）

（証拠収集の処分の手続等）

第一三二条の六① 裁判所は、第百三十二条の四第一項第一号から第三号までの処分をする場合には、嘱託を受けた者が文書の送付、調査結果の報告又は意見の陳述をすべき期間を定めなければならない。

② （略）

新③（改正により追加）

③ 裁判所は、第百三十二条の四第一項の処分に基づいて文書の送付、調査結果の報告又は意見の陳述がされたときは、申立人及び相手方にその旨を通知しなければならない。（改正後の④）

④ 裁判所は、次条の定める手続による申立人及び相手方の利用に供するため、前項に規定する通知を発した日から一月間、送付に係る文書又は調査結果の報告若しくは意見の陳述に係る書面を保管しなければならない。（改正後の⑤）

⑤ 第百八十条第一項の規定は第百三十二条の四第一項の処分について、第百八十四条第一項の規定は第百三十二条の四第一項第一号から第三号までの処分について、第二百十三条の規定は同号の処分について準用する。（改正後の⑥）

（事件の記録の閲覧等）

第一三二条の七① 申立人及び相手方は、裁判所書記官に対し、第百三十二条の四第一項の処分の申立てに係る事件の記録の閲覧若しくは謄写、その正本、謄本若しくは抄本の交付又は当該事件に関する事項の証明書の交付を請求することができる。

② 第九十一条第四項及び第五項の規定は、前項の記録について準用する。この場合において、同条第四項中「前項」とあるのは「第百三十二条の七第一項」と、「当事者又は利害関係を疎明した第三者」とあるのは「申立人又は相手方」と読み替えるものとする。

第七章　電子情報処理組織による申立て等

第一三二条の一〇① 民事訴訟に関する手続における申立てその他の申述（以下「申立て等」という。）のうち、当該申立て等に関するこの法律その他の法令の規定により書面等（書面、書類、文書、謄本、抄本、正本、副本、複本その他文字、図形等人の知覚によって認識することができる情報が記載された紙その他の有体物をいう。以下同じ。）をもってするものとされているものであって、最高裁判所の定める裁判所に対してするもの（当該裁判所の裁判長、受命裁判官、受託裁判官又は裁判所書記官に対してするものを含む。）については、当該法令の規定にかかわらず、最高裁判所規則で定めるところにより、電子情報処理組織（裁判所の使用に係る電子計算機（入出力装置を含む。以下同じ。）と申立て等をする者又は第三百九十九条第一項の規定による処分の告知を受ける者の使用に係る電子計算機とを電気通信回線で接続した電子情報処理組織をいう。第三百九十七条から第四百一条までにおいて同じ。）を用いてすることができる。ただし、督促手続に関する申立て等であって、支払督促の申立てが書面をもってされたものについては、この限りでない。

② 前項本文の規定によりされた申立て等については、当該申立て等を書面等をもってするものとして規定した申立て等に関する法令の規定に規定する書面等をもってされたものとみなして、当該申立て等に関する法令の規定を適用する。

③ 第一項本文の規定によりされた申立て等は、同項の裁判所の使用に係る電子計算機に備えられたファイルへの記録がされた時に、当該裁判所に到達したものとみなす。

④ 第一項本文の場合において、当該申立て等に関する他の法令の規定により署名等（署名、記名、押印その他氏名又は名称を書面等に記載することをいう。以下この項において同じ。）をすることとされているものについては、当該申立て等をする者は、当該法令の規定にかかわらず、当該署名等に代えて、最高裁判所規則で定めるところにより、氏名又は名称を明らかにする措置を講じなければならない。

⑤ 第一項本文の規定によりされた申立て等（督促手続における申立て等を除く。次項において同じ。）が第三項に規定するファイルに記録されたときは、第一項の裁判所は、当該ファイルに記録された情報の内容を書面に出力しなければならない。

⑥ 第一項本文の規定によりされた申立て等に係る第九十一条第一項又は第三項の規定による訴訟記録の閲覧若しくは謄写又はその正本、謄本若しくは抄本の交付（第四百一条において「訴訟記録の閲覧等」という。）は、前項の書面をもってするものとする。当該申立て等に係る書類の送達又は送付も、同様とする。

第一三二条の一一―第一三二条の一三（改正により追加）

第八章　当事者に対する住所、氏名等の秘匿

（申立人の住所、氏名等の秘匿）

第一三三条① （略）

② 前項の申立てをするときは、同項の申立て等をする者又はその法定代理人（以下この章において「秘匿対象者」という。）の住所等又は氏名等（次条第二項において「秘匿事項」という。）その他最高裁判所規則で定める事項を書面により届け出なければならない。

③ 第一項の申立てがあったときは、その申立てについての裁判が確定するまで、当該申立てに係る秘匿対象者以外の者は、前項の規定による届出に係る書面（次条において「秘匿事項届出書面」という。）の閲覧若しくは謄写又はその謄本若しくは抄本の交付の請求をすることができない。

④ （略）

⑤ 裁判所は、秘匿対象者の住所又は氏名について第一項の決定（以下この章において「秘匿決定」という。）をする場合には、当該秘匿決定において、当該秘匿対象者の住所又は氏名に代わる事項を定めなければならない。この場合において、その事項を当該事件並びにその事件についての反訴、参加、強制執行、仮差押え及び仮処分に関する手続において記載したときは、この法律その他の法令の規定の適用については、当該秘匿対象者の住所又は氏名を記載したものとみなす。

（秘匿決定があった場合における閲覧等の制限の特則）

第一三三条の二① 秘匿決定があった場合には、秘匿事項届出書面の閲覧若しくは謄写又はその謄本若しくは抄本の交付の請求をすることができる者を当該秘匿決定に係る秘匿対象者に限る。

② 前項の場合において、裁判所は、申立てにより、決定で、訴訟記録等（訴訟記録又は第百三十二条の四第一項の処分の申立てに係る事件の記録をいう。第百三十三条の四第一項及び第二項において同じ。）中秘匿事項届出書面以外のものであって秘匿事項又は秘匿事項を推知することができる事項が記載され、又

は記録された部分（次項において「秘匿事項記載部分」という。）の閲覧若しくは謄写、その正本、謄本若しくは抄本の交付又はその複製の請求をすることができる者を当該秘匿決定に係る秘匿対象者に限ることができる。

③　前項の申立てがあったときは、その申立てについての裁判が確定するまで、当該秘匿決定に係る秘匿対象者以外の者は、当該秘匿事項記載部分の閲覧若しくは謄写、その正本、謄本若しくは抄本の交付又はその複製の請求をすることができない。

④（略）

⑤⑥（改正により追加）

第一三三条の三（送達をすべき場所等の調査嘱託があった場合における閲覧等の制限の特則）　裁判所は、当事者又はその法定代理人に対して送達をするため、その者の住所、居所その他送達をすべき場所についての調査を嘱託した場合において、当該嘱託に係る調査結果の報告が記載された書面が閲覧されることにより、当事者又はその法定代理人が社会生活を営むのに著しい支障を生ずるおそれがあることが明らかであると認めるときは、決定で、当該書面及びこれに基づいてされた送達に関する第百九条の書面その他これに類する書面の閲覧若しくは謄写又はその謄本若しくは抄本の交付の請求をすることができる者を当該当事者又は当該法定代理人に限ることができる。当事者又はその法定代理人を特定するため、その者の氏名その他当該者を特定するに足りる事項についての調査を嘱託した場合についても、同様とする。（改正後の①）

②（改正により追加）

第一三三条の四（秘匿決定の取消し等）①　秘匿決定、第百三十三条の二第二項の決定又は前条の決定（次項及び第七項において「秘匿決定等」という。）に係る者以外の者は、訴訟記録等の存する裁判所に対し、その要件を欠くこと又はこれを欠くに至ったことを理由として、その決定の取消しの申立てをすることができる。

②　秘匿決定等に係る者以外の当事者は、秘匿決定等がある場合であっても、自己の攻撃又は防御に実質的な不利益を生ずるおそれがあるときは、訴訟記録等の存する裁判所の許可を得て、第百三十三条の二第一項若しくは第二項又は前条の規定により閲覧若しくは謄写、その正本、謄本若しくは抄本の交付又はその複製の請求が制限される部分につきその請求をすることができる。

③―⑦（略）

第二編　第一審の訴訟手続

第一章　訴え

第一三七条（裁判長の訴状審査権）①　訴状が第百三十四条第二項の規定に違反する場合には、裁判長は、相当の期間を定め、その期間内に不備を補正すべきことを命じなければならない。民事訴訟費用等に関する法律（昭和四十六年法律第四十号）の規定に従い訴えの提起の手数料を納付しない場合も、同様とする。

②③（略）

第一三七条の二（改正により追加）

第一三八条（訴状の送達）①（略）

②　前条の規定は、訴状の送達をすることができない場合（訴状の送達に必要な費用を予納しない場合を含む。）について準用する。

第三章　口頭弁論及びその準備

第一節　口頭弁論

第一五一条（釈明処分）①（柱書略）

一・二（略）

三　訴訟書類又は訴訟において引用した文書その他の物件で当事者の所持するものを提出させること。

四―六（略）

新②③（改正により追加）

②　前項に規定する検証、鑑定及び調査の嘱託については、証拠調べに関する規定を準用する。（改正後の④）

第一五四条（通訳人の立会い等）①（略）

新②（改正により追加）

②（略。改正後の③）

第一六〇条（口頭弁論調書）①　裁判所書記官は、口頭弁論について、期日ごとに調書を作成しなければならない。

新②（改正により追加）

②　調書の記載について当事者その他の関係人が異議を述べたときは、調書にその旨を記載しなければならない。（改正後の③）

③　口頭弁論の方式に関する規定の遵守は、調書によってのみ証明することができる。ただし、調書が滅失したときは、この限りでない。（改正後の④）

第一六〇条の二（改正により追加）

第二節　準備書面等

第一六一条（準備書面）①②（略）

③　相手方が在廷していない口頭弁論においては、準備書面（相手方に送達されたもの又は相手方からその準備書面を受領した旨を記載した書面が提出されたものに限る。）に記載した事実でなければ、主張することができない。

第一六二条（準備書面等の提出期間）（略。改正後の①）

②（改正により追加）

第一六三条（当事者照会）　当事者は、訴訟の係属中、相手方に対し、主張又は立証を準備するために必要な事項について、相当の期間を定めて、書面で回答するよう、書面で照会をすることができる。ただし、その照会が次の各号のいずれかに該当するときは、この限りでない。

一―六（略）

（改正後の①）

②③（改正により追加）

第三節　争点及び証拠の整理手続

第一款　準備的口頭弁論

第一六六条（当事者の不出頭等による終了）　当事者が期日に出頭せず、又は第百六十二条の規定により定められた期間内に準備書面の提出若しくは証拠の申出をしないときは、裁判所は、準備的口頭弁論を終了することができる。

第二款　弁論準備手続

第一七〇条（弁論準備手続における訴訟行為等）①（略）

②　裁判所は、弁論準備手続の期日において、証拠の申出に関する裁判その他の口頭弁論の期日外においてすることができる裁判及び文書（第二百三十一条に規定する物件を含む。）の証拠調べをすることができる。

③―⑤（略）

第一七一条（受命裁判官による弁論準備手続）①②（略）

③　弁論準備手続を行う受命裁判官は、第百八十六条の規定による調査の嘱託、鑑定の嘱託、文書（第二百三十一条に規定する

物件を含む。）を提出してする書証の申出及び文書（第二百二十九条第二項及び第二百三十一条に規定する物件を含む。）の送付の嘱託についての裁判をすることができる。

第三款　書面による準備手続

（書面による準備手続の開始）

第一七五条　裁判所は、当事者が遠隔の地に居住しているときその他相当と認めるときは、当事者の意見を聴いて、事件を書面による準備手続（当事者の出頭なしに準備書面の提出等により争点及び証拠の整理をする手続をいう。以下同じ。）に付することができる。

（書面による準備手続の方法等）

第一七六条①　書面による準備手続は、裁判長が行う。ただし、高等裁判所においては、受命裁判官にこれを行わせることができる。（改正により削られた）

②　裁判長又は高等裁判所における受命裁判官（次項において「裁判長等」という。）は、第百六十二条に規定する期間を定めなければならない。（改正後の①）

③　裁判長等は、必要があると認めるときは、最高裁判所規則で定めるところにより、裁判所及び当事者双方が音声の送受信により同時に通話をすることができる方法によって、争点及び証拠の整理に関する事項その他口頭弁論の準備のため必要な事項について、当事者双方と協議をすることができる。この場合においては、協議の結果を裁判所書記官に記録させることができる。（改正後の②）

④　第百四十九条（第二項を除く。）、第百五十条及び第百六十五条第二項の規定は、書面による準備手続について準用する。（改正後の③）

第一七六条の二　（改正により追加）

（書面による準備手続終結後の攻撃防御方法の提出）

第一七八条　書面による準備手続を終結した事件について、口頭弁論の期日において、第百七十六条第四項において準用する第百六十五条第二項の書面に記載した事項の陳述がされ、又は前条の規定による確認がされた後に攻撃又は防御の方法を提出した当事者は、相手方の求めがあるときは、相手方に対し、その陳述又は確認前にこれを提出することができなかった理由を説明しなければならない。

第四章　証拠

第一節　総則

（裁判所外における証拠調べ）

第一八五条①②　（略）

③　（改正により追加）

（調査の嘱託）

第一八六条　（略、改正後の①）

②　（改正により追加）

（参考人等の審尋）

第一八七条①②　（略）

③④　（改正により追加）

第二節　証人尋問

（書類に基づく陳述の禁止）

第二〇三条　証人は、書類に基づいて陳述することができない。ただし、裁判長の許可を受けたときは、この限りでない。

（映像等の送受信による通話の方法による尋問）

第二〇四条　裁判所は、次に掲げる場合には、最高裁判所規則で定めるところにより、映像と音声の送受信により相手の状態を相互に認識しながら通話をすることができる方法によって、証人の尋問をすることができる。

一　証人が遠隔の地に居住するとき。

二　事案の性質、証人の年齢又は心身の状態、証人と当事者本人又はその法定代理人との関係その他の事情により、証人が裁判長及び当事者が証人を尋問するために在席する場所において陳述するときは圧迫を受け精神の平穏を著しく害されるおそれがあると認める場合であって、相当と認めるとき。

三　（改正により追加）

（尋問に代わる書面の提出）

第二〇五条　裁判所は、相当と認める場合において、当事者に異議がないときは、証人の尋問に代え、書面の提出をさせることができる。（改正後の①）

②③　（改正により追加）

第四節　鑑定

（鑑定人の陳述の方式等）

第二一五条①　（略）

新②　（改正により追加）

②　（略、改正後の③）

④　（改正により追加）

（映像等の送受信による通話の方法による陳述）

第二一五条の三　裁判所は、鑑定人に口頭で意見を述べさせる場合において、鑑定人が遠隔の地に居住しているときその他相当と認めるときは、最高裁判所規則で定めるところにより、隔地者が映像と音声の送受信により相手の状態を相互に認識しながら通話をすることができる方法によって、意見を述べさせることができる。

（鑑定の嘱託）

第二一八条①　（略）

②　前項の場合において、裁判所は、必要があると認めるときは、官庁、公署又は法人の指定した者に鑑定書の説明をさせることができる。

③　（改正により追加）

第五節　書証

（文書の留置）

第二二七条　（略、改正後の①）

②　（改正により追加）

（筆跡等の対照による証明）

第二二九条①　（略）

②　第二百十九条、第二百二十三条、第二百二十四条第一項及び第二項、第二百二十六条並びに第二百二十七条の規定は、対照の用に供すべき筆跡又は印影を備える文書その他の物件の提出又は送付について準用する。

③―⑥　（略）

第五節の二（第二三一条の二・第二三一条の三）（改正により追加）

第六節　検証

（検証の目的の提示等）

第二三二条①　第二百十九条、第二百二十三条、第二百二十六条及び第二百二十七条の規定は、検証の目的の提示又は送付について準用する。

②③　（略）

第二三二条の二　（改正により追加）

第七節　証拠保全

（管轄裁判所等）

第二三五条①　（略）

②　訴えの提起前における証拠保全の申立ては、尋問を受けるべき者若しくは文書を所持する者の居所又は検証物の所在地を管轄する地方裁判所又は簡易裁判所にしなければならない。

③　（略）

第五章　判決

（言渡しの方式）

第二五二条　判決の言渡しは、判決書の原本に基づいてする。

第二五三条① 判決書には、次に掲げる事項を記載しなければならない。
一 主文
二 事実
三 理由
四 口頭弁論の終結の日
五 当事者及び法定代理人
六 裁判所
② 事実の記載においては、請求を明らかにし、かつ、主文が正当であることを示すのに必要な主張を摘示しなければならない。

（言渡しの方式の特則）
第二五四条① 次に掲げる場合において、原告の請求を認容するときは、判決の言渡しは、第二百五十二条の規定にかかわらず、判決書の原本に基づかないですることができる。
一・二 （略）
② 前項の規定により判決の言渡しをしたときは、裁判所は、判決書の作成に代えて、裁判所書記官に、当事者及び法定代理人、主文、請求並びに理由の要旨を、判決の言渡しをした口頭弁論期日の調書に記載させなければならない。

（判決書等の送達）
第二五五条① 判決書又は前条第二項の調書は、当事者に送達しなければならない。
② 前項に規定する送達は、判決書の正本又は前条第二項の調書の謄本によってする。

（変更の判決）
第二五六条①② （略）
③ 前項の判決の言渡期日の呼出しにおいては、公示送達による場合を除き、送達をすべき場所にあてて呼出状を発した時に、送達があったものとみなす。

（更正決定）
第二五七条① （略）
② 更正決定に対しては、即時抗告をすることができる。ただし、判決に対し適法な控訴があったときは、この限りでない。
③ （改正により追加）

第六章 裁判によらない訴訟の完結

（訴えの取下げ）
第二六一条①② （略）
③ 訴えの取下げは、書面でしなければならない。ただし、口頭弁論、弁論準備手続又は和解の期日（以下この章において「口頭弁論等の期日」という。）においては、口頭ですることを妨げない。
新④ （改正により追加）
④ 第二項本文の場合において、訴えの取下げが書面でされたときはその書面を、訴えの取下げが口頭弁論等の期日において口頭でされたとき（相手方がその期日に出頭したときを除く。）は、その期日の調書の謄本を相手方に送達しなければならない。（改正後の⑤）
⑤ 訴えの取下げの書面の送達を受けた日から二週間以内に相手方が異議を述べないときは、訴えの取下げに同意したものとみなす。訴えの取下げが口頭弁論等の期日において口頭でされた場合において、相手方がその期日に出頭したときは訴えの取下げがあった日から、相手方がその期日に出頭しなかったときは前項の謄本の送達があった日から二週間以内に相手方が異議を述べないときも、同様とする。（改正後の⑥）

（和解条項案の書面による受諾）
第二六四条 当事者が遠隔の地に居住していることその他の事由により出頭することが困難であると認められる場合において、その当事者があらかじめ裁判所又は受命裁判官若しくは受託裁判官から提示された和解条項案を受諾する旨の書面を提出し、他の当事者が口頭弁論等の期日に出頭してその和解条項案を受諾したときは、当事者間に和解が調ったものとみなす。（改正後の①）
② （改正により追加）

（和解調書等の効力）
第二六七条 和解又は請求の放棄若しくは認諾を調書に記載したときは、その記載は、確定判決と同一の効力を有する。（改正後の①）
② （改正により追加）
第二六七条の二 （改正により追加）

第八章 簡易裁判所の訴訟手続に関する特則

（準備書面の省略等）
第二七六条①② （略）
③ 前項に規定する事項は、相手方が在廷していない口頭弁論においては、準備書面（相手方に送達されたもの又は相手方からその準備書面を受領した旨を記載した書面が提出されたものに限る。）に記載し、又は同項の規定による通知をしたものでなければ、主張することができない。
一―三 （改正により追加）
第二七七条の二 （改正により追加）

（尋問等に代わる書面の提出）
第二七八条 （略、改正後の①）
② （改正により追加）

（判決書の記載事項）
第二八〇条 判決書に事実及び理由を記載するには、請求の趣旨及び原因の要旨、その原因の有無並びに請求を排斥する理由である抗弁の要旨を表示すれば足りる。

第三編 上訴

第一章 控訴

（控訴期間）
第二八五条 控訴は、判決書又は第二百五十四条第二項の調書の送達を受けた日から二週間の不変期間内に提起しなければならない。ただし、その期間前に提起した控訴の効力を妨げない。

（裁判長の控訴状審査権）
第二八八条 第百三十七条の規定は、控訴状が第二百八十六条第二項の規定に違反する場合及び民事訴訟費用等に関する法律の規定に従い控訴の提起の手数料を納付しない場合について準用する。

（控訴の取下げ）
第二九二条① （略）
② 第二百六十一条第三項、第二百六十二条第一項及び第二百六十三条の規定は、控訴の取下げについて準用する。

第四編 再審

（再審の事由）
第三三八条① （柱書略）
一―五 （略）
六 判決の証拠となった文書その他の物件が偽造又は変造されたものであったこと。
七―十 （略）
②③ （略）

第五編 手形訴訟及び小切手訴訟に関する特則

（証拠調べの制限）
第三五二条① 手形訴訟においては、証拠調べは、書証に限りすることができる。
② 文書の提出の命令又は送付の嘱託は、することができない。対照の用に供すべき筆跡又は印影を備える物件の提出の命令又は送付の嘱託についても、同様とする。
③ 文書の成立の真否又は手形の提示に関する事実については、申立てにより、当事者本人を尋問することができる。
④ 証拠調べの嘱託は、することができない。第百八十六条の規定による調査の嘱託についても、同様とする。

⑤ （略）

（通常の手続への移行）

第三五三条①② （略）

③ 前項の場合には、裁判所は、直ちに、訴訟が通常の手続に移行した旨を記載した書面を被告に送付しなければならない。ただし、第一項の申述が被告の出頭した期日において口頭でされたものであるときは、その送付をすることを要しない。

④ （略）

（口頭弁論の終結）

第三五四条 裁判所は、被告が口頭弁論において原告が主張した事実を争わず、その他何らの防御の方法をも提出しない場合には、前条第三項の規定による書面の送付前であっても、口頭弁論を終結することができる。

（口頭弁論を経ない訴えの却下）

第三五五条① （略）

② 前項の場合において、原告が判決書の送達を受けた日から二週間以内に同項の請求について通常の手続により訴えを提起したときは、第百四十七条の規定の適用については、その訴えの提起は、前の訴えの提起の時にしたものとみなす。

（異議の申立て）

第三五七条 手形訴訟の終局判決に対しては、訴えを却下した判決を除き、判決書又は第二百五十四条第二項の調書の送達を受けた日から二週間の不変期間内に、その判決をした裁判所に異議を申し立てることができる。ただし、その期間前に申し立てた異議の効力を妨げない。

（異議の取下げ）

第三六〇条①② （略）

③ 第二百六十一条第三項から第五項まで、第二百六十二条第一項及び第二百六十三条の規定は、異議の取下げについて準用する。

（督促手続から手形訴訟への移行）

第三六六条① 第三百九十五条又は第三百九十八条第一項（第四百二条第二項において準用する場合を含む。）の規定により提起があったものとみなされる訴えについては、手形訴訟による審理及び裁判を求める旨の申述は、支払督促の申立ての際にしなければならない。

② （略）

第六編　少額訴訟に関する特則

（判決の言渡し）

第三七四条① （略）

② 前項の場合には、判決の言渡しは、判決書の原本に基づかないですることができる。この場合においては、第二百五十四条第二項及び第二百五十五条の規定を準用する。

（異議）

第三七八条① 少額訴訟の終局判決に対しては、判決書又は第二百五十四条第二項（第三百七十四条第二項において準用する場合を含む。）の調書の送達を受けた日から二週間の不変期間内に、その判決をした裁判所に異議を申し立てることができる。ただし、その期間前に申し立てた異議の効力を妨げない。

② （略）

新**第七編**（第三八一条の二―第三八一条の八）（改正により追加）

第七編　督促手続（改正後の第八編）

第一章　総則

（支払督促の記載事項）

第三八七条 支払督促には、次に掲げる事項を記載し、かつ、債務者が支払督促の送達を受けた日から二週間以内に督促異議の申立てをしないときは債権者の申立てにより仮執行の宣言をする旨を付記しなければならない。

一―三 （略）

② （改正により追加）

（改正後の①）

（支払督促の送達）

第三八八条① 支払督促は、債務者に送達しなければならない。

② （略）

③ 債権者が申し出た場所に債務者の住所、居所、営業所若しくは事務所又は就業場所がないため、支払督促を送達することができないときは、裁判所書記官は、その旨を債権者に通知しなければならない。この場合において、債権者が通知を受けた日から二月の不変期間内にその申出に係る場所以外の送達をすべき場所の申出をしないときは、支払督促の申立てを取り下げたものとみなす。

（仮執行の宣言）

第三九一条① 債務者が支払督促の送達を受けた日から二週間以内に督促異議の申立てをしないときは、裁判所書記官は、債権者の申立てにより、支払督促に手続の費用額を付記して仮執行の宣言をしなければならない。ただし、その宣言前に督促異議の申立てがあったときは、この限りでない。

② 仮執行の宣言は、支払督促に記載し、これを当事者に送達しなければならない。ただし、債権者の同意があるときは、当該債権者に対しては、当該記載をした支払督促を送付することをもって、送達に代えることができる。

③―⑤ （略）

（仮執行の宣言後の督促異議）

第三九三条 仮執行の宣言を付した支払督促の送達を受けた日から二週間の不変期間を経過したときは、債務者は、その支払督促に対し、督促異議の申立てをすることができない。

第二章　電子情報処理組織による督促手続の特則

（電子情報処理組織による支払督促の申立て）

第三九七条 電子情報処理組織を用いて督促手続を取り扱う裁判所として最高裁判所規則で定める簡易裁判所（以下この章において「指定簡易裁判所」という。）の裁判所書記官に対しては、第三百八十三条の規定による場合のほか、同条に規定する簡易裁判所が別に最高裁判所規則で定める簡易裁判所である場合にも、最高裁判所規則で定めるところにより、電子情報処理組織を用いて支払督促の申立てをすることができる。

第三九八条① 第百三十二条の十第一項本文の規定により電子情報処理組織を用いてされた支払督促の申立てに係る督促手続における支払督促に対し適法な督促異議の申立てがあったときは、督促異議に係る請求については、その目的の価額に従い、当該支払督促の申立ての時に、第三百八十三条に規定する簡易裁判所で支払督促を発した裁判所書記官の所属するもの若しくは前条の別に最高裁判所規則で定める簡易裁判所又はその所在地を管轄する地方裁判所に訴えの提起があったものとみなす。

②③ （略）

（電子情報処理組織による処分の告知）

第三九九条① 第百三十二条の十第一項本文の規定により電子情報処理組織を用いてされた支払督促の申立てに係る督促手続に関する指定簡易裁判所の裁判所書記官の処分の告知のうち、当該処分の告知に関するこの法律その他の法令の規定により書面等をもってするものとされているものについては、当該法令の規定にかかわらず、最高裁判所規則で定めるところにより、電子情報処理組織を用いてすることができる。

② 第百三十二条の十第二項から第四項までの規定は、前項の規定により指定簡易裁判所の裁判所書記官がする処分の告知について準用する。

③ 前項において準用する第百三十二条の十第三項の規定にかかわらず、第一項の規定による処分の告知は、裁判所の使用に係る電子計算機に備えられたファイルに当該処分に係る情報が最高裁判所規則で定めるところにより記録され、かつ、その記録に関する通知が当該債権者に対して発せられた時に、当該債権者に到達したものとみなす。

（電磁的記録による作成等）

第四〇〇条① 指定簡易裁判所の裁判所書記官は、第百三十二条の十第一項本文の規定により電子情報処理組織を用いてされた支払督促の申立てに係る督促手続に関し、この法律その他の法令の規定により裁判所書記官が書面等の作成等（作成又は保管をいう。以下この条及び次条第一項において同じ。）をすることとされているものについては、当該法令の規定にかかわらず、書面等の作成等に代えて、最高裁判所規則で定めるところにより、当該書面等に係る電磁的記録の作成等をすることができる。

② 第百三十二条の十第二項及び第四項の規定は、前項の規定により指定簡易裁判所の裁判所書記官がする電磁的記録の作成等について準用する。

（電磁的記録に係る訴訟記録の取扱い）

第四〇一条① 督促手続に係る訴訟記録のうち、第百三十二条の十第一項本文の規定により電子情報処理組織を用いてされた申立て等に係る部分又は前条第一項の規定により電磁的記録の作成等がされた部分（以下この条において「電磁的記録部分」と総称する。）について、第九十一条第一項又は第三項の規定による訴訟記録の閲覧等の請求があったときは、指定簡易裁判所の裁判所書記官は、当該指定簡易裁判所の使用に係る電子計算機に備えられたファイルに記録された電磁的記録部分の内容を書面に出力した上、当該訴訟記録の閲覧等を当該書面をもってするものとする。電磁的記録の作成等に係る書類の送達又は送付も、同様とする。

② 第百三十二条の十第一項本文の規定により電子情報処理組織を用いてされた支払督促の申立てに係る督促手続における支払督促に対し適法な督促異議の申立てがあったときは、第三百九十八条の規定により訴えの提起があったものとみなされる裁判所は、電磁的記録部分の内容を書面に出力した上、当該訴訟記録の閲覧等を当該書面をもってするものとする。

（電子情報処理組織による督促手続における所定の方式の書面による支払督促の申立て）

第四〇二条① 電子情報処理組織（裁判所の使用に係る複数の電子計算機を相互に電気通信回線で接続した電子情報処理組織をいう。）を用いて督促手続を取り扱う裁判所として最高裁判所規則で定める簡易裁判所の裁判所書記官に対しては、第三百八十三条の規定による場合のほか、同条に規定する簡易裁判所が別に最高裁判所規則で定める簡易裁判所である場合にも、最高裁判所規則で定める方式に適合する方式により記載された書面をもって支払督促の申立てをすることができる。

② 第三百九十八条の規定は、前項に規定する方式により記載された書面をもってされた支払督促の申立てに係る督促手続における支払督促に対し適法な督促異議の申立てがあったときについて準用する。

第八編　執行停止（略、改正後の第九編）

○民事訴訟規則（平成八・一二・一七 最高裁規五）

施行 平成一〇・一・一（附則参照）
最終改正 令和五最高裁規四

目次

第一編 総則

第一章 通則

第一条（**申立て等の方式**）① 申立てその他の申述は、特別の定めがある場合を除き、書面又は口頭ですることができる。

② 口頭で申述をするには、裁判所書記官の面前で陳述をしなければならない。この場合においては、裁判所書記官は、調書を作成し、記名押印しなければならない。

第二条（**当事者が裁判所に提出すべき書面の記載事項**）① 訴状、準備書面その他の当事者又は代理人が裁判所に提出すべき書面には、次に掲げる事項を記載し、当事者又は代理人が記名押印するものとする。

一 当事者の氏名又は名称及び住所並びに代理人の氏名及び住所
二 事件の表示
三 附属書類の表示
四 年月日
五 裁判所の表示

② 前項の規定にかかわらず、当事者又は代理人からその住所を記載した同項の書面が提出されているときは、以後裁判所に提出する同項の書面については、これを記載することを要しない。

第三条（**裁判所に提出すべき書面のファクシミリによる提出**）① 裁判所に提出すべき書面は、次に掲げるものを除き、ファクシミリを利用して送信することにより提出することができる。

一 民事訴訟費用等に関する法律（昭和四十六年法律第四十号）の規定により手数料を納付しなければならない申立てに係る書面
二 秘匿事項届出書面
三 その提出により訴訟手続の開始、続行、停止又は完結をさせる書面（第一号に該当する書面を除く。）
四 法定代理権、訴訟行為をするのに必要な授権又は訴訟代理人の権限を証明する書面その他の訴訟手続上重要な事項を証明する書面
五 上告理由書、上告受理申立て理由書その他これらに準ずる理由書

② ファクシミリを利用して書面が提出されたときは、裁判所が受信した時に、当該書面が裁判所に提出されたものとみなす。

③ 裁判所は、前項に規定する場合において、必要があると認めるときは、提出者に対し、送信に使用した書面を提出させることができる。

第三条の二（**裁判所に提出する書面に記載した情報の電磁的方法による提供等**）① 裁判所は、判決書の作成に用いる場合その他必要があると認める場合において、書面を裁判所に提出した者又は提出しようとする者が当該書面に記載した情報の内容を記録した電磁的記録（電子的方式、磁気的方式その他人の知覚によっては認識することができない方式で作られる記録であって、電子計算機による情報処理の用に供されるものをいう。以下この項において同じ。）を有しているときは、その者に対し、当該電磁的記録に記録された情報を電磁的方法（電子情報処理組織を使用する方法その他の情報通信の技術を利用する方法をいう。）

であって裁判所の定めるものにより裁判所に提供することを求めることができる。

② 裁判所は、書面を送付しようとするときその他必要があると認めるときは、当該書面を裁判所に提出した者又は提出しようとする者に対し、その写しを提出することを求めることができる。

第四条（催告及び通知）① 民事訴訟に関する手続における催告及び通知は、相当と認める方法によることができる。

② 裁判所書記官は、催告又は通知をしたときは、その旨及び催告又は通知の方法を訴訟記録上明らかにしなければならない。

③ 催告は、これを受けるべき者の所在が明らかでないとき、又はその者が外国に在るときは、催告すべき事項を公告してすれば足りる。この場合には、その公告は、催告すべき事項を記載した書面を裁判所の掲示場その他裁判所内の公衆の見やすい場所に掲示して行う。

④ 前項の規定による催告は、公告をした日から一週間を経過した時にその効力を生ずる。

⑤ この規則の規定による通知（第四十六条（公示送達の方法）第二項の規定による通知を除く。）は、これを受けるべき者の所在が明らかでないとき、又はその者が外国に在るときは、することを要しない。この場合においては、裁判所書記官は、その事由を訴訟記録上明らかにしなければならない。

⑥ 当事者その他の関係人に対する通知は、裁判所書記官にさせることができる。

第五条（訴訟書類の記載の仕方） 訴訟書類は、簡潔な文章で整然かつ明瞭に記載しなければならない。

第二章　裁判所

第一節　管轄

第六条（普通裁判籍所在地の指定・法第四条） 民事訴訟法（平成八年法律第百九号。以下「法」という。）第四条（普通裁判籍による管轄）第三項の最高裁判所規則で定める地は、東京都千代田区とする。

第六条の二（管轄裁判所が定まらない場合の裁判籍所在地の指定・法第十条の二） 法第十条の二（管轄裁判所の特例）の最高裁判所規則で定める地は、東京都千代田区とする。

第七条（移送の申立ての方式・法第十六条等）① 移送の申立ては、期日においてする場合を除き、書面でしなければならない。

② 前項の申立てをするときは、申立ての理由を明らかにしなければならない。

第八条（裁量移送における取扱い・法第十七条等）① 法第十七条（遅滞を避ける等のための移送）、第十八条（簡易裁判所の裁量移送）又は第二十条の二（特許権等に関する訴え等に係る訴訟の移送）の申立てがあったときは、裁判所は、相手方の意見を聴いて決定をするものとする。

② 裁判所は、職権により法第十七条、第十八条又は第二十条の二の規定による移送の決定をするときは、当事者の意見を聴くことができる。

第九条（移送による記録の送付・法第二十二条） 移送の裁判が確定したときは、移送の裁判をした裁判所の裁判所書記官は、移送を受けた裁判所の裁判所書記官に対し、訴訟記録を送付しなければならない。

第二節　裁判所職員の除斥、忌避及び回避

第一〇条（除斥又は忌避の申立ての方式等・法第二十三条等）① 裁判官に対する除斥又は忌避の申立ては、その原因を明示して、裁判官の所属する裁判所にしなければならない。

② 前項の申立ては、期日においてする場合を除き、書面でしなければならない。

③ 除斥又は忌避の原因は、申立てをした日から三日以内に疎明しなければならない。法第二十四条（裁判官の忌避）第二項ただし書に規定する事実についても、同様とする。

第一一条（除斥又は忌避についての裁判官の意見陳述・法第二十五条） 裁判官は、その除斥又は忌避の申立てについて意見を述べることができる。

第一二条（裁判官の回避） 裁判官は、法第二十三条（裁判官の除斥）第一項又は第二十四条（裁判官の忌避）第一項に規定する場合には、監督権を有する裁判所の許可を得て、回避することができる。

第一三条（裁判所書記官への準用等・法第二十七条） この節の規定は、裁判所書記官について準用する。この場合において、簡易裁判所の裁判所書記官の回避の許可は、その裁判所書記官の所属する裁判所の裁判所法（昭和二十二年法律第五十九号）第三十七条（司法行政事務）に規定する裁判官がする。

第三章　当事者

第一節　当事者能力及び訴訟能力

第一四条（法人でない社団等の当事者能力の判断資料の提出・法第二十九条） 裁判所は、法人でない社団又は財団で代表者又は管理人の定めがあるものとして訴え、又は訴えられた当事者に対し、定款その他の当該当事者の当事者能力を判断するために必要な資料を提出させることができる。

第一五条（法定代理権等の証明・法第三十四条） 法定代理権又は訴訟行為をするのに必要な授権は、書面で証明しなければならない。選定当事者の選定及び変更についても、同様とする。

第一六条（特別代理人の選任及び改任の裁判の告知・法第三十五条） 特別代理人の選任及び改任の裁判は、特別代理人にも告知しなければならない。

第一七条（法定代理権の消滅等の届出・法第三十六条） 法定代理権の消滅の通知をした者は、その旨を裁判所に書面で届け出なければならない。選定当事者の選定の取消し及び変更の通知をした者についても、同様とする。

第一八条（法人の代表者等への準用・法第三十七条） この規則中法定代理及び法定代理人に関する規定は、法人の代表者及び法人でない社団又は財団でその名において訴え、又は訴えられることができるものの代表者又は管理人について準用する。

第二節　共同訴訟

第一九条（同時審判の申出の撤回等・法第四十一条）① 法第四十一条（同時審判の申出がある共同訴訟）第一項の申出は、控訴審の口頭弁論の終結の時までは、いつでも撤回することができる。

② 前項の申出及びその撤回は、期日においてする場合を除き、書面でしなければならない。

第三節　訴訟参加

第二〇条（補助参加の申出書の送達等・法第四十三条等）① 補助参加の申出書は、当事者双方に送達しなければならない。

② 前項に規定する送達は、補助参加の申出をした者から提出された副本によってする。

③ 前項の規定は、法第四十七条（独立当事者参加）第一項及び第五十二条（共同訴訟参加）第一項の規定による参加の申出書の送達について準用する。

第二一条（訴訟引受けの申立ての方式・法第五十条等） 訴訟引受けの申立ては、期日においてする場合を除き、書面でしなければならない。

（訴訟告知書の送達等・法第五十三条）

第二二条① 訴訟告知の書面は、訴訟告知を受けるべき者に送達しなければならない。

② 前項に規定する送達は、訴訟告知をした当事者から提出された副本によってする。

③ 裁判所は、第一項の書面を相手方に送付しなければならない。

第四節　訴訟代理人

（訴訟代理権の証明等・法第五十四条等）

第二三条① 訴訟代理人の権限は、書面で証明しなければならない。

② 前項の書面が私文書であるときは、裁判所は、公証人その他の認証の権限を有する公務員の認証を受けるべきことを訴訟代理人に命ずることができる。

③ 訴訟代理人の権限の消滅の通知をした者は、その旨を裁判所に書面で届け出なければならない。

（連絡担当訴訟代理人の選任等）

第二三条の二① 当事者の一方につき訴訟代理人が数人あるとき（共同訴訟人間で訴訟代理人を異にするときを含む。）は、訴訟代理人は、その中から、連絡を担当する訴訟代理人（以下この条において「連絡担当訴訟代理人」という。）を選任することができる。

② 連絡担当訴訟代理人は、これを選任した訴訟代理人のために、裁判所及び相手方との間の連絡、争点及び証拠の整理の準備、和解条項案の作成その他審理が円滑に行われるために必要な行為をすることができる。ただし、訴訟行為については、この限りでない。

③ 連絡担当訴訟代理人を選任した訴訟代理人は、その旨を裁判所に書面で届け出るとともに、相手方に通知しなければならない。

第四章　訴訟費用

第一節　訴訟費用の負担

（訴訟費用額の確定等を求める申立ての方式等・法第七十一条等）

第二四条① 法第七十一条（訴訟費用額の確定手続）第一項、第七十二条（和解の場合の費用額の確定手続）又は第七十三条（訴訟が裁判及び和解によらないで完結した場合等の取扱い）第一項の申立ては、書面でしなければならない。

② 前項の申立てにより訴訟費用又は和解の費用（以下この節において「訴訟費用等」という。）の負担の額を定める処分を求めるときは、当事者は、費用計算書及び費用額の疎明に必要な書面を裁判所書記官に提出するとともに、同項の書面及び費用計算書について第四十七条（書類の送付）第一項の直送をしなければならない。

（相手方への催告等・法第七十一条等）

第二五条① 裁判所書記官は、訴訟費用等の負担の額を定める処分をする前に、相手方に対し、費用計算書及び費用額の疎明に必要な書面並びに申立人の費用計算書の記載内容についての陳述を記載した書面を、一定の期間内に提出すべき旨を催告しなければならない。ただし、相手方のみが訴訟費用等を負担する場合において記録上申立人の訴訟費用等についての負担の額が明らかなときは、この限りでない。

② 相手方が前項の期間内に費用計算書又は費用額の疎明に必要な書面を提出しないときは、裁判所書記官は、申立人の費用のみについて、訴訟費用等の負担の額を定める処分をすることができる。ただし、相手方が訴訟費用等の負担の額を定める処分を求める申立てをすることを妨げない。

（費用額の確定処分の方式・法第七十一条等）

第二六条 訴訟費用等の負担の額を定める処分は、これを記載した書面を作成し、その書面に処分をした裁判所書記官が記名押印してしなければならない。

（法第七十一条第二項の最高裁判所規則で定める場合）

第二七条 法第七十一条（訴訟費用額の確定手続）第二項の最高裁判所規則で定める場合は、相手方が第二十五条（相手方への催告等）第一項の期間内に同項の費用計算書又は費用額の疎明に必要な書面を提出しない場合とする。

（費用額の確定処分の更正の申立ての方式・法第七十四条）

第二八条 訴訟費用等の負担の額を定める処分の更正の申立ては、書面でしなければならない。

第二節　訴訟費用の担保

（法第七十六条の最高裁判所規則で定める担保提供の方法）

第二九条① 法第七十六条（担保提供の方法）の規定による担保は、裁判所の許可を得て、担保を立てるべきことを命じられた者が銀行、保険会社、株式会社商工組合中央金庫、農林中央金庫、全国を地区とする信用金庫連合会、信用金庫又は労働金庫（以下この条において「銀行等」という。）との間において次に掲げる要件を満たす支払保証委託契約を締結する方法によって立てることができる。

一　銀行等は、担保を立てるべきことを命じられた者のために、裁判所が定めた金額を限度として、担保に係る訴訟費用償還請求権についての債務名義又はその訴訟費用償還請求権の存在を確認するもので、確定判決と同一の効力を有するものに表示された額の金銭を担保権利者に支払うものであること。

二　担保取消しの決定が確定した時に契約の効力が消滅するものであること。

三　契約の変更又は解除をすることができないものであること。

四　担保権利者の申出があったときは、銀行等は、契約が締結されたことを証する文書を担保権利者に交付するものであること。

② 前項の規定は、法第八十一条（他の法令による担保への準用）、第二百五十九条（仮執行の宣言）第六項（法において準用する場合を含む。）、第三百七十六条（仮執行の宣言）第二項及び第四百五条（担保の提供）第二項（他の法令において準用する場合を含む。）並びに他の法令において準用する法第七十六条（担保提供の方法）の最高裁判所規則で定める担保提供の方法について準用する。この場合において、前項第一号中「訴訟費用償還請求権」とあるのは「請求権」と、「確認するもので、確定判決」とあるのは「確認する確定判決若しくはこれ」と読み替えるものとする。

第三節　訴訟上の救助

（救助の申立ての方式等・法第八十二条）

第三〇条① 訴訟上の救助の申立ては、書面でしなければならない。

② 訴訟上の救助の事由は、疎明しなければならない。

第五章　訴訟手続

第一節　訴訟の審理等

（映像と音声の送受信による通話の方法による口頭弁論の期日・法第八十七条の二第一項）

第三〇条の二① 法第八十七条の二（映像と音声の送受信による通話の方法による口頭弁論等）第一項に規定する方法によって口頭弁論の期日における手続を行うときは、裁判所は、次に掲げる事項を確認しなければならない。

一　通話者

二　通話者の所在する場所の状況が当該方法によって手続を実施するために適切なものであること。

② 前項の手続を行ったときは、その旨及び同項第二号に掲げる事項を口頭弁論の調書に記載しなければならない。

（音声の送受信による通話の方法による審尋の期日・法第八十七条の二第二項）

第三〇条の三 前条の規定は、法第八十七条の二（映像と音声の送受信による通話の方法による口頭弁論等）第二項に規定する方法によって審尋の期日における手続を行う場合について準用する。

（受命裁判官の指定及び裁判所の嘱託の手続）

第三一条① 受命裁判官にその職務を行わせる場合には、裁判長がその裁判官を指定する。

② 裁判所がする嘱託の手続は、特別の定めがある場合を除き、裁判所書記官がする。

（和解のための処置・法第八十九条）

第三二条① 裁判所又は受命裁判官若しくは受託裁判官（以下「裁判所等」という。）は、和解のため、当事者本人又はその法定代理人の出頭を命ずることができる。

② 裁判所等は、相当と認めるときは、裁判所外において和解をすることができる。

③ 裁判所等及び当事者双方が音声の送受信により同時に通話をすることができる方法によって和解の期日における手続を行うときは、裁判所等は、次に掲げる事項を確認しなければならない。

一 通話者

二 通話者の所在する場所の状況が当該方法によって手続を実施するために適切なものであること。

④ 前項の手続を行い、かつ、裁判所等がその結果について裁判所書記官に調書を作成させるときは、同項の手続を行った旨及び同項第二号に掲げる事項を調書に記載させなければならない。

（訴訟記録の正本等の様式・法第九十一条等）

第三三条 訴訟記録の正本、謄本又は抄本には、正本、謄本又は抄本であることを記載し、裁判所書記官が記名押印しなければならない。

（訴訟記録の閲覧等の請求の方式等・法第九十一条）

第三三条の二① 訴訟記録の閲覧若しくは謄写、その正本、謄本若しくは抄本の交付、その複製又は訴訟に関する事項の証明書の交付の請求は、書面でしなければならない。

② 前項の請求（訴訟に関する事項の証明書の交付の請求を除く。）は、訴訟記録中の当該請求に係る部分を特定するに足りる事項を明らかにしてしなければならない。

③ 訴訟記録の閲覧又は謄写は、その対象となる書面を提出した者からその写しが提出された場合には、提出された写しによってさせることができる。

（閲覧等の制限の申立ての方式等・法第九十二条）

第三四条① 法第九十二条（秘密保護のための閲覧等の制限）第一項の申立ては、書面で、かつ、秘密記載部分を特定してしなければならない。

② 当事者は、自らが提出する文書その他の物件（以下この条及び第五十二条の十一（法第百三十三条の二第二項の申立ての方式等）において「文書等」という。）について前項の申立てをするときは、当該文書等の提出の際にこれをしなければならない。

③ 第一項の申立てをするときは、当該申立てに係る文書等から秘密記載部分を除いたものをも作成し、裁判所に提出しなければならない。ただし、同項の申立てに係る秘密記載部分が当該申立てに係る文書等の全部であるときは、この限りでない。

④ 第一項の申立てを認容する決定においては、秘密記載部分を特定しなければならない。

⑤ 前項の決定があったときは、第一項の申立てをした者は、遅滞なく、当該申立てに係る文書等から当該決定において特定された秘密記載部分を除いたものを作成し、裁判所に提出しなければならない。ただし、当該申立てにおいて特定された秘密記載部分と当該決定において特定された秘密記載部分とが同一である場合は、この限りでない。

⑥ 法第九十二条第三項の申立ては、書面でしなければならない。

⑦ 法第九十二条第一項の決定の一部を取り消す裁判が確定したときは、第一項の申立てをした者は、遅滞なく、当該申立てに係る文書等から当該決定において特定された秘密記載部分のうち当該決定の一部を取り消す裁判に係る部分以外の部分を除いたものを作成し、裁判所に提出しなければならない。

⑧ 第三項本文、第五項本文又は前項の規定により文書等から秘密記載部分を除いたものが提出された場合には、当該文書等の閲覧、謄写又は複製は、その提出されたものによってさせることができる。

第二節 専門委員等

第一款 専門委員

（進行協議期日における専門委員の関与・法第九十二条の二）

第三四条の二① 法第九十二条の二（専門委員の関与）第一項の決定があった場合には、専門委員の説明は、裁判長が進行協議期日において口頭でさせることができる。

② 法第九十二条の三（音声の送受信による通話の方法による専門委員の関与）の規定は、前項の規定による進行協議期日における専門委員の説明について準用する。

（専門委員の説明に関する期日外における取扱い・法第九十二条の二）

第三四条の三① 裁判長が期日外において専門委員に説明を求めた場合において、その説明を求めた事項が訴訟関係を明瞭にする上で重要な事項であるときは、裁判所書記官は、当事者双方に対し、当該事項を通知しなければならない。

② 専門委員が期日外において説明を記載した書面を提出したときは、裁判所書記官は、当事者双方に対し、その写しを送付しなければならない。

（証拠調べ期日における裁判長の措置等・法第九十二条の二）

第三四条の四① 裁判長は、法第九十二条の二（専門委員の関与）第二項の規定により専門委員が手続に関与する場合において、証人尋問の期日において専門委員に説明をさせるに当たり、必要があると認めるときは、当事者の意見を聴いて、専門委員の説明が証人の証言に影響を及ぼさないための証人の退廷その他適当な措置を採ることができる。

② 当事者は、裁判長に対し、前項の措置を採ることを求めることができる。

（当事者の意見陳述の機会の付与・法第九十二条の二）

第三四条の五 裁判所は、当事者に対し、専門委員がした説明について意見を述べる機会を与えなければならない。

（専門委員に対する準備の指示等・法第九十二条の二）

第三四条の六① 裁判長は、法第九十二条の二（専門委員の関与）又は第三十四条の二（進行協議期日における専門委員の関与）の規定により専門委員に説明をさせるに当たり、必要があると認めるときは、専門委員に対し、係争物の現況の確認その他の準備を指示することができる。

② 裁判長が前項に規定する指示をしたときは、裁判所書記官は、当事者双方に対し、その旨及びその内容を通知するものとする。

（音声の送受信による通話の方法による専門委員の関与・法第九十二条の三）

第三四条の七① 法第九十二条の二（専門委員の関与）第一項又は第二項の期日において、法第九十二条の三（音声の送受信による通話の方法による専門委員の関与）に規定する方法によって専門委員に説明又は発問をさせるときは、裁判所は、通話者及び通話先の場所の確認をしなければならない。

② 専門委員に前項の説明又は発問をさせたときは、その旨及び通話先の電話番号を調書に記載しなければならない。この場合においては、通話先の電話番号に加えてその場所を記載することができる。

③ 第一項の規定は、法第九十二条の二第三項の期日又は進行協議期日において第一項の方法によって専門委員に説明をさせる場合について準用する。

（専門委員の関与の決定の取消しの申立ての方式等・法第九十

二条の四）

第三四条の八① 専門委員を手続に関与させる決定の取消しの申立ては、期日においてする場合を除き、書面でしなければならない。

② 前項の申立てをするときは、申立ての理由を明らかにしなければならない。ただし、当事者双方が同時に申立てをするときは、この限りでない。

第三四条の九（専門委員の除斥、忌避及び回避・法第九十二条の六） 第十条から第十二条まで（除斥又は忌避の申立ての方式等、除斥又は忌避についての裁判官の意見陳述及び裁判官の回避）の規定は、専門委員について準用する。

第三四条の一〇（受命裁判官等の権限・法第九十二条の七） 受命裁判官又は受託裁判官が法第九十二条の二（専門委員の関与）各項の手続を行う場合には、第三十四条の二（進行協議期日における専門委員の関与）、第三十四条の四（証拠調べ期日における裁判長の措置等）、第三十四条の五（当事者の意見陳述の機会の付与）、第三十四条の六（専門委員に対する準備の指示等）第一項並びに第三十四条の七（音声の送受信による通話の方法による専門委員の関与）第一項及び第三項の規定による裁判所及び裁判長の職務は、その裁判官が行う。

第二款　知的財産に関する事件における裁判所調査官の除斥、忌避及び回避

第三四条の一一（除斥、忌避及び回避に関する規定の準用・法第九十二条の九） 第十条から第十二条まで（除斥又は忌避の申立ての方式等、除斥又は忌避についての裁判官の意見陳述及び裁判官の回避）の規定は、法第九十二条の八（知的財産に関する事件における裁判所調査官の事務）の事務を行う裁判所調査官について準用する。

第三節　期日及び期間

第三五条（受命裁判官等の期日指定・法第九十三条） 受命裁判官又は受託裁判官が行う手続の期日は、その裁判官が指定する。

第三六条（期日変更の申立て・法第九十三条） 期日の変更の申立ては、期日の変更を必要とする事由を明らかにしてしなければならない。

第三七条（期日変更の制限・法第九十三条） 期日の変更は、次に掲げる事由に基づいては許してはならない。ただし、やむを得ない事由があるときは、この限りでない。

一　当事者の一方につき訴訟代理人が数人ある場合において、その一部の代理人について変更の事由が生じたこと。

二　期日指定後にその期日と同じ日時が他の事件の期日に指定されたこと。

第三八条（裁判長等が定めた期間の伸縮・法第九十六条） 裁判長、受命裁判官又は受託裁判官は、その定めた期間を伸長し、又は短縮することができる。

第四節　送達等

第三九条（送達に関する事務の取扱いの嘱託・法第九十八条） 送達に関する事務の取扱いは、送達地を管轄する地方裁判所の裁判所書記官に嘱託することができる。

第四〇条（送達すべき書類等・法第百一条）① 送達すべき書類は、特別の定めがある場合を除き、当該書類の謄本又は副本とする。

② 送達すべき書類の提出に代えて調書を作成したときは、その調書の謄本又は抄本を交付して送達をする。

第四一条（送達場所等の届出の方式・法第百四条）① 送達を受けるべき場所の届出及び送達受取人の届出は、書面でしなければならない。

② 前項の届出は、できる限り、訴状、答弁書又は支払督促に対する督促異議の申立書に記載してしなければならない。

③ 送達を受けるべき場所を届け出る書面には、届出場所が就業場所であることその他の当事者、法定代理人又は訴訟代理人と届出場所との関係を明らかにする事項を記載しなければならない。

第四二条（送達場所等の変更の届出・法第百四条）① 当事者、法定代理人又は訴訟代理人は、送達を受けるべき場所として届け出た場所又は送達受取人として届け出た者を変更する届出をすることができる。

② 前条（送達場所等の届出の方式）第一項及び第三項の規定は、前項に規定する変更の届出について準用する。

第四三条（就業場所における補充送達の通知・法第百六条） 法第百六条（補充送達及び差置送達）第二項の規定による補充送達がされたときは、裁判所書記官は、その旨を送達を受けた者に通知しなければならない。

第四四条（書留郵便に付する送達の通知・法第百七条） 法第百七条（書留郵便に付する送達）第一項又は第二項の規定による書留郵便に付する送達をしたときは、裁判所書記官はその旨及び当該書類について書留郵便に付して発送した時に送達があったものとみなされることを送達を受けた者に通知しなければならない。

第四五条（受命裁判官等の外国における送達の権限・法第百八条） 受命裁判官又は受託裁判官が行う手続において外国における送達をすべきときは、その裁判官も法第百八条（外国における送達）に規定する嘱託をすることができる。

第四六条（公示送達の方法・法第百十一条）① 呼出状の公示送達は、呼出状を掲示場に掲示してする。

② 裁判所書記官は、公示送達があったことを官報又は新聞紙に掲載することができる。外国においてすべき送達については、裁判所書記官は、官報又は新聞紙への掲載に代えて、公示送達があったことを通知することができる。

第四七条（書類の送付）① 直送（当事者の相手方に対する直接の送付をいう。以下同じ。）その他の送付は、送付すべき書類の写しの交付又はその書類のファクシミリを利用しての送信によってする。

② 裁判所が当事者その他の関係人に対し送付すべき書類の送付に関する事務は、裁判所書記官が取り扱う。

③ 裁判所が当事者の提出に係る書類の相手方への送付をしなければならない場合（送達をしなければならない場合を除く。）において、当事者がその書類について直送をしたときは、その送付は、することを要しない。

④ 当事者が直送をしなければならない書類について、直送を困難とする事由その他相当とする事由があるときは、当該当事者は、裁判所に対し、当該書類の相手方への送付（準備書面については、送達又は送付）を裁判所書記官に行わせるよう申し出ることができる。

⑤ 当事者から前項の書類又は裁判所が当事者に対し送付すべき書類の直送を受けた相手方は、当該書類を受領した旨を記載した書面について直送をするとともに、当該書面を裁判所に提出しなければならない。ただし、同項の書類又は裁判所が当事者に対し送付すべき書類の直送をした当事者が、受領した旨を相手方が記載した当該書類を裁判所に提出したときは、この限りでない。

第五節　裁判

第四八条（判決確定証明書・法第百十六条）① 第一審裁判所の裁判所書記官は、当事者又は利害関係を疎明した第三者の請求により、訴訟記録に基づいて判決の確定についての証明書を交付する。

② 訴訟がなお上訴審に係属中であるときは、前項の規定にかかわらず、上訴裁判所の裁判所書記官が、判決の確定した部分の

みについて同項の証明書を交付する。

（法第百十七条第一項の訴えの訴状の添付書類）

第四九条　法第百十七条（定期金による賠償を命じた確定判決の変更を求める訴え）第一項の訴えの訴状には、変更を求める確定判決の写しを添付しなければならない。

（決定及び命令の方式等・法第百十九条等）

第五〇条①　決定書及び命令書には、決定又は命令をした裁判官が記名押印しなければならない。

②　決定又は命令の告知がされたときは、裁判所書記官は、その旨及び告知の方法を訴訟記録上明らかにしなければならない。

③　決定及び命令には、前二項に規定するほか、その性質に反しない限り、判決に関する規定を準用する。

（調書決定）

第五〇条の二　最高裁判所が決定をする場合において、相当と認めるときは、決定書の作成に代えて、決定の内容を調書に記載させることができる。

第六節　訴訟手続の中断

（訴訟手続の受継の申立ての方式・法第百二十四条等）

第五一条①　訴訟手続の受継の申立ては、書面でしなければならない。

②　前項の書面には、訴訟手続を受け継ぐ者が法第百二十四条（訴訟手続の中断及び受継）第一項各号に定める者であることを明らかにする資料を添付しなければならない。

（訴訟代理人による中断事由の届出・法第百二十四条）

第五二条　法第百二十四条（訴訟手続の中断及び受継）第一項各号に掲げる事由が生じたときは、訴訟代理人は、その旨を裁判所に書面で届け出なければならない。

第六章　訴えの提起前における証拠収集の処分等

（予告通知の書面の記載事項等・法第百三十二条の二）

第五二条の二①　予告通知の書面には、法第百三十二条の二（訴えの提起前における照会）第三項に規定する請求の要旨及び紛争の要点を記載するほか、次に掲げる事項を記載し、予告通知をする者又はその代理人が記名押印するものとする。

一　予告通知をする者及び予告通知の相手方の氏名又は名称及び住所並びにそれらの代理人の氏名及び住所

二　予告通知の年月日

三　法第百三十二条の二第一項の規定による予告通知である旨

②　前項の請求の要旨及び紛争の要点は、具体的に記載しなければならない。

③　予告通知においては、できる限り、訴えの提起の予定時期を明らかにしなければならない。

（予告通知に対する返答の書面の記載事項等・法第百三十二条の三）

第五二条の三①　予告通知に対する返答の書面には、法第百三十二条の三（訴えの提起前における照会）第一項に規定する答弁の要旨を記載するほか、前条（予告通知の書面の記載事項等）第一項第一号に規定する事項、返答の年月日及び法第百三十二条の三第一項の規定による返答である旨を記載し、その返答をする者又はその代理人が記名押印するものとする。

②　前項の答弁の要旨は、具体的に記載しなければならない。

（訴えの提起前における照会及び回答の書面の記載事項等・法第百三十二条の二等）

第五二条の四①　法第百三十二条の二（訴えの提起前における照会）第一項の規定による照会及びこれに対する回答は、照会の書面及び回答の書面を相手方に送付してする。この場合において、相手方に代理人があるときは、照会の書面は、当該代理人に対し送付するものとする。

②　前項の照会の書面には、次に掲げる事項を記載し、照会をする者又はその代理人が記名押印するものとする。

一　照会をする者及び照会を受ける者並びにそれらの代理人の氏名

二　照会の根拠となる予告通知の表示

三　照会の年月日

四　照会をする事項（以下この条において「照会事項」という。）及びその必要性

五　法第百三十二条の二第一項の規定により照会をする旨

六　回答すべき期間

七　照会をする者の住所、郵便番号及びファクシミリの番号

③　第一項の回答の書面には、前項第一号及び第二号に掲げる事項、回答の年月日並びに照会事項に対する回答を記載し、照会を受けた者又はその代理人が記名押印するものとする。この場合において、照会事項中に法第百三十二条の二第一項第一号に掲げる照会に該当することを理由としてその回答を拒絶するものがあるときは、法第百六十三条（当事者照会）各号のいずれに該当するかをも、法第百三十二条の二第一項第二号又は第三号に掲げる照会に該当することを理由としてその回答を拒絶するものがあるときは、そのいずれに該当するかをも記載するものとする。

④　照会事項は、項目を分けて記載するものとし、照会事項に対する回答は、できる限り、照会事項の項目に対応させて、かつ、具体的に記載するものとする。

⑤　前各項の規定は、法第百三十二条の三（訴えの提起前における照会）第一項の規定による照会及びこれに対する回答について準用する。

（証拠収集の処分の申立ての方式・法第百三十二条の四）

第五二条の五①　法第百三十二条の四（訴えの提起前における証拠収集の処分）第一項各号の処分の申立ては、書面でしなければならない。

②　前項の書面には、次に掲げる事項を記載しなければならない。

一　申立ての根拠となる申立人がした予告通知又は返答の相手方（以下この章において単に「相手方」という。）の氏名又は名称及び住所

二　申立てに係る処分の内容

三　申立ての根拠となる申立人又は相手方がした予告通知（以下この項並びに次条（証拠収集の処分の申立書の添付書類）第一項各号及び第二項において単に「予告通知」という。）に係る請求の要旨及び紛争の要点

四　予告通知に係る訴えが提起された場合に立証されるべき事実及びこれと申立てに係る処分により得られる証拠となるべきものとの関係

五　申立人が前号の証拠となるべきものを自ら収集することが困難である事由

六　予告通知がされた日から四月の不変期間内にされた申立てであること又はその期間の経過後に申立てをすることについて相手方の同意があること。

③　第一項の書面には、前項各号に掲げる事項のほか、次の各号に掲げる場合の区分に応じ、それぞれ当該各号に定める事項を記載しなければならない。

一　法第百三十二条の四第一項第一号の処分の申立てをする場合　当該文書の所持者の居所

二　法第百三十二条の四第一項第二号の処分の申立てをする場合　当該嘱託を受けるべき同号に規定する官公署等の所在地

三　法第百三十二条の四第一項第三号の処分の申立てをする場合であって、その申立てが特定の物についての意見の陳述の嘱託に係る場合　当該特定の物の所在地

四　法第百三十二条の四第一項第四号の処分の申立てをする場合　当該調査に係る物の所在地

④　法第百三十二条の四第一項第一号の処分の申立てにおける第二項第二号に掲げる事項の記載は、送付を求める文書（法第二百三十一条（文書に準ずる物件への準用）に規定する物件を含む。）を特定するに足りる事項を明らかにしてしなければならな

い。法第百三十二条の四第一項第三号又は第四号の処分の申立てにおける前項第三号又は第四号に定める物についても、同様とする。

⑤ 法第百三十二条の四第一項第二号又は第四号の処分の申立てにおける第二項第二号に掲げる事項の記載は、調査を求める事項を明らかにしてしなければならない。同条第一項第三号の処分の申立てにおける意見の陳述を求める事項についても、同様とする。

⑥ 第二項第五号の事由は、疎明しなければならない。

第五二条の六（**証拠収集の処分の申立書の添付書類・法第百三十二条の四**）① 前条（証拠収集の処分の申立ての方式）第一項の書面（以下この条において「申立書」という。）には、次に掲げる書類を添付しなければならない。

一 予告通知の書面の写し

二 予告通知がされた日から四月の不変期間が経過しているときは、前条第二項第六号の相手方の同意を証する書面

② 予告通知に対する返答をした被予告通知者が法第百三十二条の四（訴えの提起前における証拠収集の処分）第一項の処分の申立てをするときは、当該申立書には、前項各号に掲げる書類のほか、当該返答の書面の写しを添付しなければならない。

③ 法第百三十二条の四第一項第三号の処分の申立てをする場合において、当該処分が特定の物についての意見の陳述を嘱託するものであり、かつ、当該特定の物に関する権利が登記又は登録をすることができるものであるときは、当該申立書には、当該特定の物の登記事項証明書又は登録原簿に記載されている事項を証明した書面を添付しなければならない。同項第四号の処分の申立てをする場合において、調査に係る物に関する権利が登記又は登録をすることができるものであるときも、同様とする。

第五二条の七（**証拠収集の処分の手続等・法第百三十二条の六**）① 裁判所は、必要があると認めるときは、嘱託を受けるべき者その他参考人の意見を聴くことができる。

② 法第百三十二条の四（訴えの提起前における証拠収集の処分）第一項第一号に規定する文書の送付は、原本、正本又は認証のある謄本のほか、裁判所が嘱託を受けるべき者の負担その他の事情を考慮して相当と認めるときは、写しですることができる。

③ 第百三条（外国における証拠調べの嘱託の手続）の規定は、法第百三十二条の六（証拠収集の処分の手続等）第五項において準用する法第百八十四条（外国における証拠調べ）第一項の規定により外国においてすべき法第百三十二条の四第一項第一号から第三号までの処分に係る嘱託の手続について準用する。

④ 執行官は、法第百三十二条の四第一項第四号の調査をするに当たっては、当該調査を実施する日時及び場所を定め、申立人及び相手方に対し、その日時及び場所を通知しなければならない。

⑤ 第四条（催告及び通知）第一項、第二項及び第五項の規定は、前項に規定する通知について準用する。この場合において、同条第二項及び第五項中「裁判所書記官」とあるのは「執行官」と、「訴訟記録上」とあるのは「報告書において」と読み替えるものとする。

⑥ 法第百三十二条の四第一項第四号の調査の結果に関する報告書には、調査をした執行官の氏名、調査に係る物の表示、調査に着手した日時及びこれを終了した日時、調査をした場所、調査に立ち会った者があるときはその氏名、調査を命じられた事項並びに調査の結果を記載しなければならない。

第五二条の八（**訴えの提起の予定の有無等の告知**） 予告通知者は、予告通知をした日から四月が経過したとき、又はその経過前であっても被予告通知者の求めがあるときは、被予告通知者に対し、その予告通知に係る訴えの提起の予定の有無及びその予定時期を明らかにしなければならない。

第七章　当事者に対する住所、氏名等の秘匿

第五二条の九（**申立ての方式**） 次に掲げる申立ては、書面でしなければならない。

一 法第百三十三条（申立人の住所、氏名等の秘匿）第一項の申立て

二 法第百三十三条の二（秘匿決定があった場合における閲覧等の制限の特則）第二項の申立て

三 法第百三十三条の四（秘匿決定の取消し等）第一項の取消しの申立て

四 法第百三十三条の四第二項の許可の申立て

第五二条の一〇（**秘匿事項届出書面の記載事項等**）① 秘匿事項届出書面には、秘匿事項のほか、次に掲げる事項を記載し、秘匿対象者が記名押印しなければならない。

一 秘匿事項届出書面である旨の表示

二 秘匿対象者の郵便番号及び電話番号（ファクシミリの番号を含む。以下「電話番号等」という。）

② 前項（第二号に係る部分に限る。）の規定は、秘匿対象者の郵便番号及び電話番号等を記載した訴状又は答弁書が提出されている場合には、適用しない。

第五二条の一一（**法第百三十三条の二第二項の申立ての方式等**）① 法第百三十三条の二（秘匿決定があった場合における閲覧等の制限の特則）第二項の申立ては、秘匿事項記載部分を特定してしなければならない。

② 秘匿対象者は、自らが提出する文書等について前項の申立てをするときは、当該文書等の提出の際にこれをしなければならない。

③ 第一項の申立てをするときは、当該申立てに係る文書等から秘匿事項記載部分を除いたものをも作成し、裁判所に提出しなければならない。

④ 第一項の申立てを認容する決定においては、秘匿事項記載部分を特定しなければならない。

⑤ 前項の決定があったときは、第一項の申立てをした者は、遅滞なく、当該申立てに係る文書等から当該決定において特定された秘匿事項記載部分を除いたものを作成し、裁判所に提出しなければならない。ただし、当該申立てにおいて特定された秘匿事項記載部分と当該決定において特定された秘匿事項記載部分とが同一である場合は、この限りでない。

⑥ 法第百三十三条の二第二項の決定の一部について法第百三十三条の四（秘匿決定の取消し等）第一項の取消しの裁判が確定したとき又は同条第二項の許可の裁判が確定したときは、第一項の申立てをした者は、遅滞なく、当該申立てに係る文書等から当該法第百三十三条の二第二項の決定において特定された秘匿事項記載部分のうち法第百三十三条の四第一項の取消しの裁判又は同条第二項の許可の裁判に係る部分以外の部分を除いたものを作成し、裁判所に提出しなければならない。

⑦ 第三項、第五項本文又は前項の規定により文書等から秘匿事項記載部分を除いたものが提出された場合には、当該文書等の閲覧、謄写又は複製は、その提出されたものによってさせることができる。

第五二条の一二（**押印を必要とする書面の特例等**）① 氏名について秘匿決定があった場合には、この規則の規定（第五十二条の十（秘匿事項届出書面の記載事項等）第一項を除く。次項において同じ。）による押印（当該秘匿決定に係る秘匿対象者がするものに限る。）は、することを要しない。

② 住所等について秘匿決定があった場合には、この規則の規定による郵便番号及び電話番号等（当該秘匿決定に係る秘匿対象者に係るものに限る。）の記載は、することを要しない。

第五二条の一三（**秘匿決定の一部が取り消された場合等の取扱い**）① 秘匿決定の一部について法第百三十三条の四（秘匿決定の取消し等）第一項の取消しの裁判が確定したとき

又は秘匿事項届出書面の一部について同条第二項の許可の裁判が確定したときは、法第百三十三条（申立人の住所、氏名等の秘匿）第一項の申立てをした者は、遅滞なく、既に提出した秘匿事項届出書面から当該取消しの裁判又は当該許可の裁判に係る部分以外の部分（秘匿事項又は秘匿事項を推知することができる事項が記載された部分に限る。）を除いたもの（次項において「閲覧等用秘匿事項届出書面」という。）を作成し、裁判所に提出しなければならない。

② 前項の規定により閲覧等用秘匿事項届出書面が提出された場合には、秘匿事項届出書面の閲覧又は謄写は、当該閲覧等用秘匿事項届出書面によってさせることができる。

第二編　第一審の訴訟手続

第一章　訴え

第五三条（訴状の記載事項・法第百三十四条）① 訴状には、請求の趣旨及び請求の原因（請求を特定するのに必要な事実をいう。）を記載するほか、請求を理由づける事実を具体的に記載し、かつ、立証を要する事由ごとに、当該事実に関連する事実で重要なもの及び証拠を記載しなければならない。

② 訴状に事実についての主張を記載するには、できる限り、請求を理由づける事実についての主張と当該事実に関連する事実についての主張とを区別して記載しなければならない。

③ 攻撃又は防御の方法を記載した訴状は、準備書面を兼ねるものとする。

④ 訴状には、第一項に規定する事項のほか、原告又はその代理人の郵便番号及び電話番号等を記載しなければならない。

第五四条（訴えの提起前に証拠保全が行われた場合の訴状の記載事項） 訴えの提起前に証拠保全のための証拠調べが行われたときは、訴状には、前条（訴状の記載事項）第一項及び第四項に規定する事項のほか、その証拠調べを行った裁判所及び証拠保全事件の表示を記載しなければならない。

第五五条（訴状の添付書類）① 次の各号に掲げる事件の訴状には、それぞれ当該各号に定める書類を添付しなければならない。

一　不動産に関する事件　登記事項証明書

二　手形又は小切手に関する事件　手形又は小切手の写し

② 前項に規定するほか、訴状には、立証を要する事由につき、証拠となるべき文書の写し（以下「書証の写し」という。）で重要なものを添付しなければならない。

第五六条（訴状の補正の促し・法第百三十七条） 裁判長は、訴状の記載について必要な補正を促す場合には、裁判所書記官に命じて行わせることができる。

第五七条（訴状却下命令に対する即時抗告・法第百三十七条等） 訴状却下の命令に対し即時抗告をするときは、抗告状には、却下された訴状を添付しなければならない。

第五八条（訴状の送達等・法第百三十八条等）① 訴状の送達は、原告から提出された副本によってする。

② 前項の規定は、法第百四十三条（訴えの変更）第二項（法第百四十四条（選定者に係る請求の追加）第三項及び第百四十五条（中間確認の訴え）第四項において準用する場合を含む。）の書面の送達について準用する。

第五九条（反訴・法第百四十六条） 反訴については、訴えに関する規定を適用する。

第二章　口頭弁論及びその準備

第一節　口頭弁論

第六〇条（最初の口頭弁論期日の指定・法第百三十九条）① 訴えが提起されたときは、裁判長は、速やかに、口頭弁論の期日を指定しなければならない。ただし、事件を弁論準備手続に付する場合（付することについて当事者に異議がないときに限る。）又は書面による準備手続に付する場合は、この限りでない。

② 前項の期日は、特別の事由がある場合を除き、訴えが提起された日から三十日以内の日に指定しなければならない。

第六一条（最初の口頭弁論期日前における参考事項の聴取）① 裁判長は、最初にすべき口頭弁論の期日前に、当事者から、訴訟の進行に関する意見その他訴訟の進行について参考とすべき事項の聴取をすることができる。

② 裁判長は、前項の聴取をする場合には、裁判所書記官に命じて行わせることができる。

第六二条（口頭弁論期日の開始） 口頭弁論の期日は、事件の呼上げによって開始する。

第六三条（期日外釈明の方法・法第百四十九条）① 裁判長又は陪席裁判官は、口頭弁論の期日外において、法第百四十九条（釈明権等）第一項又は第二項の規定による釈明のための処置をする場合には、裁判所書記官に命じて行わせることができる。

② 裁判長又は陪席裁判官が、口頭弁論の期日外において、攻撃又は防御の方法に重要な変更を生じ得る事項について前項の処置をしたときは、裁判所書記官は、その内容を訴訟記録上明らかにしなければならない。

（口頭弁論期日の変更の制限）

第六四条 争点及び証拠の整理手続を経た事件についての口頭弁論の期日の変更は、事実及び証拠についての調査が十分に行われていないことを理由としては許してはならない。

第六五条（訴訟代理人の陳述禁止等の通知・法第百五十五条） 裁判所が訴訟代理人の陳述を禁じ、又は弁護士の付添いを命じたときは、裁判所書記官は、その旨を本人に通知しなければならない。

第六六条（口頭弁論調書の形式的記載事項・法第百六十条）① 口頭弁論の調書には、次に掲げる事項を記載しなければならない。

一　事件の表示

二　裁判官及び裁判所書記官の氏名

三　立ち会った検察官の氏名

四　出頭した当事者、代理人、補佐人及び通訳人の氏名

五　弁論の日時及び場所

六　弁論を公開したこと又は公開しなかったときはその旨及びその理由

② 前項の調書には、裁判所書記官が記名押印し、裁判長が認印しなければならない。

③ 前項の場合において、裁判長に支障があるときは、陪席裁判官がその事由を付記して認印しなければならない。裁判官に支障があるときは、裁判所書記官がその旨を記載すれば足りる。

第六七条（口頭弁論調書の実質的記載事項・法第百六十条）① 口頭弁論の調書には、弁論の要領を記載し、特に、次に掲げる事項を明確にしなければならない。

一　訴えの取下げ、和解、請求の放棄及び認諾並びに自白

二　法第百四十七条の三（審理の計画）第一項の審理の計画が同項の規定により定められ、又は同条第四項の規定により変更されたときは、その定められ、又は変更された内容

三　証人、当事者本人及び鑑定人の陳述

四　証人、当事者本人及び鑑定人の宣誓の有無並びに証人及び鑑定人に宣誓をさせなかった理由

五　検証の結果

六　裁判長が記載を命じた事項及び当事者の請求により記載を許した事項

七　書面を作成しないでした裁判

八　裁判の言渡し

② 前項の規定にかかわらず、訴訟が裁判によらないで完結した場合には、裁判長の許可を得て、証人、当事者本人及び鑑定人の陳述並びに検証の結果の記載を省略することができる。ただし、当事者が訴訟の完結を知った日から一週間以内にその記載をすべき旨の申出をしたときは、この限りでない。

③口頭弁論の調書には、弁論の要領のほか、当事者による攻撃又は防御の方法の提出の予定その他訴訟手続の進行に関する事項を記載することができる。

（調書の記載に代わる録音テープ等への記録）

第六八条① 裁判所書記官は、前条（口頭弁論調書の実質的記載事項）第一項の規定にかかわらず、裁判長の許可があったときは、証人、当事者本人又は鑑定人（以下「証人等」という。）の陳述を録音テープ又はビデオテープ（これらに準ずる方法により一定の事項を記録することができる物を含む。以下「録音テープ等」という。）に記録し、これをもって調書の記載に代えることができる。この場合において、当事者は、裁判長が許可をする際に、意見を述べることができる。

② 前項の場合において、訴訟が完結するまでに当事者の申出があったときは、証人等の陳述を記載した書面を作成しなければならない。訴訟が上訴審に係属中である場合において、上訴裁判所が必要があると認めたときも、同様とする。

（書面等の引用添付）

第六九条 口頭弁論の調書には、書面、写真、録音テープ、ビデオテープその他裁判所において適当と認めるものを引用し、訴訟記録に添付して調書の一部とすることができる。

（陳述の速記）

第七〇条 裁判所は、必要があると認めるときは、申立てにより又は職権で、裁判所速記官その他の速記者に口頭弁論における陳述の全部又は一部を速記させることができる。

（速記録の作成）

第七一条 裁判所速記官は、前条（陳述の速記）の規定により速記した場合には、速やかに、速記原本を反訳して速記録を作成しなければならない。ただし、第七十三条（速記原本の引用添付）の規定により速記原本が調書の一部とされるときその他裁判所が速記録を作成する必要がないと認めるときは、この限りでない。

（速記録の引用添付）

第七二条 裁判所速記官が作成した速記録は、調書に引用し、訴訟記録に添付して調書の一部とするものとする。ただし、裁判所が速記録の引用を適当でないと認めるときは、この限りでない。

（速記原本の引用添付）

第七三条 証人及び当事者本人の尋問並びに鑑定人の口頭による意見の陳述については、裁判所が相当と認め、かつ、当事者が同意したときは、裁判所速記官が作成した速記原本を引用し、訴訟記録に添付して調書の一部とすることができる。

（速記原本の反訳等）

第七四条① 裁判所は、次に掲げる場合には、裁判所速記官に前条（速記原本の引用添付）の規定により調書の一部とされた速記原本を反訳して速記録を作成させなければならない。

一　訴訟記録の閲覧、謄写又はその正本、謄本若しくは抄本の交付を請求する者が反訳を請求したとき。
二　裁判官が代わったとき。
三　上訴の提起又は上告受理の申立てがあったとき。
四　その他必要があると認めるとき。

② 裁判所書記官は、前項の規定により作成された速記録を訴訟記録に添付し、その旨を当事者その他の関係人に通知しなければならない。

③ 前項の規定により訴訟記録に添付された速記録は、前条の規定により調書の一部とされた速記原本に代わるものとする。

（速記原本の訳読）

第七五条 裁判所速記官は、訴訟記録の閲覧を請求する者が調書の一部とされた速記原本の訳読を請求した場合において裁判所書記官の求めがあったときは、その訳読をしなければならない。

（口頭弁論における陳述の録音）

第七六条 裁判所は、必要があると認めるときは、申立てにより又は職権で、録音装置を使用して口頭弁論における陳述の全部又は一部を録取させることができる。この場合において、裁判所が相当と認めるときは、録音テープを反訳した調書を作成しなければならない。

（写真の撮影等の制限）

第七七条 民事訴訟に関する手続の期日における写真の撮影、速記、録音、録画又は放送は、裁判長、受命裁判官又は受託裁判官の許可を得なければすることができない。期日外における審尋及び法第百七十六条（書面による準備手続の方法等）第三項に基づく協議についても、同様とする。

（裁判所の審尋等への準用）

第七八条 法第百六十条（口頭弁論調書）及び第六十六条から第七十六条まで（口頭弁論調書の形式的記載事項、口頭弁論調書の実質的記載事項、調書の記載に代わる録音テープ等への記録、書面等の引用添付、陳述の速記、速記録の作成、速記録の引用添付、速記原本の引用添付、速記原本の反訳等、速記原本の訳読及び口頭弁論における陳述の録音）の規定は、裁判所の審尋及び口頭弁論の期日外に行う証拠調べ並びに受命裁判官又は受託裁判官が行う手続について準用する。

第二節　準備書面等

（準備書面・法第百六十一条）

第七九条① 答弁書その他の準備書面は、これに記載した事項について相手方が準備をするのに必要な期間をおいて、裁判所に提出しなければならない。

② 準備書面に事実についての主張を記載する場合には、できる限り、請求を理由づける事実、抗弁事実又は再抗弁事実についての主張とこれらに関連する事実についての主張とを区別して記載しなければならない。

③ 準備書面において相手方の主張する事実を否認する場合には、その理由を記載しなければならない。

④ 第二項に規定する場合には、立証を要する事由ごとに、証拠を記載しなければならない。

（答弁書）

第八〇条① 答弁書には、請求の趣旨に対する答弁を記載するほか、訴状に記載された事実に対する認否及び抗弁事実を具体的に記載し、かつ、立証を要する事由ごとに、当該事実に関連する事実で重要なもの及び証拠を記載しなければならない。やむを得ない事由によりこれらを記載することができない場合には、答弁書の提出後速やかに、これらを記載した準備書面を提出しなければならない。

② 答弁書には、立証を要する事由につき、重要な書証の写しを添付しなければならない。やむを得ない事由により添付することができない場合には、答弁書の提出後速やかに、これを提出しなければならない。

③ 第五十三条（訴状の記載事項）第四項の規定は、答弁書について準用する。

（答弁に対する反論）

第八一条 被告の答弁により反論を要することとなった場合には、原告は、速やかに、答弁書に記載された事実に対する認否及び再抗弁事実を具体的に記載し、かつ、立証を要することとなった事由ごとに、当該事実に関連する事実で重要なもの及び証拠を記載した準備書面を提出しなければならない。当該準備書面には、立証を要することとなった事由につき、重要な書証の写しを添付しなければならない。

（準備書面に引用した文書の取扱い）

第八二条① 文書を準備書面に引用した当事者は、裁判所又は相手方の求めがあるときは、その写しを提出しなければならない。

② 前項の当事者は、同項の写しについて直送をしなければならない。

（準備書面の直送）

第八三条 当事者は、準備書面について、第七十九条（準備書面）第一項の期間をおいて、直送をしなければならない。

（当事者照会・法第百六十三条）

第八四条① 法第百六十三条（当事者照会）の規定による照会及びこれに対する回答は、照会書及び回答書を相手方に送付してする。この場合において、相手方に代理人があるときは、照会書は、当該代理人に対し送付するものとする。

② 前項の照会書には、次に掲げる事項を記載し、当事者又は代理人が記名押印するものとする。

一 当事者及び代理人の氏名
二 事件の表示
三 訴訟の係属する裁判所の表示
四 年月日
五 照会をする事項（以下この条において「照会事項」という。）及びその必要性
六 法第百六十三条の規定により照会をする旨
七 回答すべき期間
八 照会をする者の住所、郵便番号及びファクシミリの番号

③ 第一項の回答書には、前項第一号及び第二号に掲げる事項及び照会事項に対する回答を記載し、当事者又は代理人が記名押印するものとする。この場合において、照会事項中に法第百六十三条各号に掲げる照会に該当することを理由としてその回答を拒絶するものがあるときは、その条項をも記載するものとする。

④ 照会事項は、項目を分けて記載するものとし、照会事項に対する回答は、できる限り、照会事項の項目に対応させて、かつ、具体的に記載するものとする。

（調査の義務）

第八五条 当事者は、主張及び立証を尽くすため、あらかじめ、証人その他の証拠について事実関係を詳細に調査しなければならない。

第三節 争点及び証拠の整理手続

第一款 準備的口頭弁論

（証明すべき事実の調書記載等・法第百六十五条）

第八六条① 裁判所は、準備的口頭弁論を終了するに当たり、その後の証拠調べによって証明すべき事実が確認された場合において、相当と認めるときは、裁判所書記官に当該事実を準備的口頭弁論の調書に記載させなければならない。

② 裁判長は、準備的口頭弁論を終了するに当たり、当事者に準備的口頭弁論における争点及び証拠の整理の結果を要約した書面を提出させる場合には、その書面の提出をすべき期間を定めることができる。

（法第百六十七条の規定による当事者の説明の方式）

第八七条① 法第百六十七条（準備的口頭弁論終了後の攻撃防御方法の提出）の規定による当事者の説明は、期日において口頭でする場合を除き、書面でしなければならない。

② 前項の説明が期日において口頭でされた場合には、相手方は、説明をした当事者に対し、当該説明の内容を記載した書面を交付するよう求めることができる。

第二款 弁論準備手続

（弁論準備手続調書等・法第百七十条等）

第八八条① 弁論準備手続の調書には、当事者の陳述に基づき、法第百六十一条（準備書面）第二項に掲げる事項を記載し、特に、証拠については、その申出を明確にしなければならない。

② 裁判所及び当事者双方が音声の送受信により同時に通話をすることができる方法によって弁論準備手続の期日における手続を行うときは、裁判所又は受命裁判官は、次に掲げる事項を確認しなければならない。

一 通話者
二 通話者の所在する場所の状況が当該方法によって手続を実施するために適切なものであること。

③ 前項の手続を行ったときは、その旨及び同項第二号に掲げる事項を弁論準備手続の調書に記載しなければならない。

④ 第一項及び前項に規定するほか、弁論準備手続の調書については、法第百六十条（口頭弁論調書）及びこの規則中口頭弁論の調書に関する規定を準用する。

（弁論準備手続の結果の陳述・法第百七十三条）

第八九条 弁論準備手続の終結後に、口頭弁論において弁論準備手続の結果を陳述するときは、その後の証拠調べによって証明すべき事実を明らかにしてしなければならない。

（準備的口頭弁論の規定等の準用・法第百七十条等）

第九〇条 第六十三条（期日外釈明の方法）及び第六十五条（訴訟代理人の陳述禁止等の通知）並びに前款（準備的口頭弁論）の規定は、弁論準備手続について準用する。

第三款 書面による準備手続

（音声の送受信による通話の方法による協議・法第百七十六条）

第九一条① 裁判長又は高等裁判所における受命裁判官（以下この条において「裁判長等」という。）は、裁判所及び当事者双方が音声の送受信により同時に通話をすることができる方法によって書面による準備手続における協議をする場合には、その協議の日時を指定することができる。

② 前項の方法による協議をしたときは、裁判長等は、裁判所書記官に当該手続についての調書を作成させ、これに協議の結果を記載させることができる。

③ 第一項の方法による協議をし、かつ、裁判長等がその結果について裁判所書記官に記録をさせたときは、その記録に同項の方法による協議をした旨及び次項において準用する第八十八条（弁論準備手続調書等）第二項第二号に掲げる事項を記載させなければならない。

④ 第八十八条第二項の規定は、第一項の方法による協議をする場合について準用する。

（口頭弁論の規定等の準用・法第百七十六条）

第九二条 第六十三条（期日外釈明の方法）及び第八十六条（証明すべき事実の調書記載等）第二項の規定は、書面による準備手続について準用する。

（証明すべき事実の調書記載・法第百七十七条）

第九三条 書面による準備手続を終結した事件について、口頭弁論の期日において、その後の証拠調べによって証明すべき事実の確認がされたときは、当該事実を口頭弁論の調書に記載しなければならない。

（法第百七十八条の規定による当事者の説明の方式）

第九四条① 法第百七十八条（書面による準備手続終結後の攻撃防御方法の提出）の規定による当事者の説明は、期日において口頭でする場合を除き、書面でしなければならない。

② 第八十七条（法第百六十七条の規定による当事者の説明の方式）第二項の規定は、前項の説明が期日において口頭でされた場合について準用する。

第四節 進行協議期日

（進行協議期日）

第九五条① 裁判所は、口頭弁論の期日外において、その審理を充実させることを目的として、当事者双方が立ち会うことができる進行協議期日を指定することができる。この期日においては、裁判所及び当事者は、口頭弁論における証拠調べと争点との関係の確認その他訴訟の進行に関し必要な事項についての協議を行うものとする。

② 訴えの取下げ並びに請求の放棄及び認諾は、進行協議期日においてもすることができる。

③ 法第二百六十一条（訴えの取下げ）第四項及び第五項の規定は、前項の訴えの取下げについて準用する。

（音声の送受信による通話の方法による進行協議期日）

第九六条① 裁判所は、相当と認めるときは、当事者の意見を聴いて、裁判所及び当事者双方が音声の送受信により同時に通話をすることができる方法によって、進行協議期日における手続

を行うことができる。

② 進行協議期日に出頭しないで前項の手続に関与した当事者は、その期日に出頭したものとみなす。

③ 第一項の方法による手続を行い、かつ、裁判所又は受命裁判官がその結果について裁判所書記官に調書を作成させるときは、同項の方法による手続を行った旨及び次項において準用する第八十八条（弁論準備手続調書等）第二項第二号に掲げる事項を調書に記載させなければならない。

④ 第八十八条第二項の規定は、第一項の手続を行う場合について準用する。

（裁判所外における進行協議期日）

第九七条 裁判所は、相当と認めるときは、裁判所外において進行協議期日における手続を行うことができる。

（受命裁判官による進行協議期日）

第九八条 裁判所は、受命裁判官に進行協議期日における手続を行わせることができる。

第三章 証拠

第一節 総則

（証拠の申出・法第百八十条）

第九九条① 証拠の申出は、証明すべき事実及びこれと証拠との関係を具体的に明示してしなければならない。

② 第八十三条（準備書面の直送）の規定は、証拠の申出を記載した書面についても適用する。

（証人及び当事者本人の一括申出・法第百八十二条）

第一〇〇条 証人及び当事者本人の尋問の申出は、できる限り、一括してしなければならない。

（証拠調べの準備）

第一〇一条 争点及び証拠の整理手続を経た事件については、裁判所は、争点及び証拠の整理手続の終了又は終結後における最初の口頭弁論の期日において、直ちに証拠調べをすることができるようにしなければならない。

（文書等の提出時期）

第一〇二条 証人若しくは当事者本人の尋問又は鑑定人の口頭による意見の陳述において使用する予定の文書は、証人等の陳述の信用性を争うための証拠として使用するものを除き、当該尋問又は意見の陳述を開始する時の相当期間前までに、提出しなければならない。ただし、当該文書を提出することができないときは、その写しを提出すれば足りる。

（外国における証拠調べの嘱託の手続・法第百八十四条）

第一〇三条 外国においてすべき証拠調べの嘱託の手続は、裁判長がする。

（証拠調べの再嘱託の通知・法第百八十五条）

第一〇四条 受託裁判官が他の地方裁判所又は簡易裁判所に更に証拠調べの嘱託をしたときは、受託裁判官の所属する裁判所の裁判所書記官は、その旨を受訴裁判所及び当事者に通知しなければならない。

（嘱託に基づく証拠調べの記録の送付・法第百八十五条）

第一〇五条 受託裁判官の所属する裁判所の裁判所書記官は、受訴裁判所の裁判所書記官に対し、証拠調べに関する記録を送付しなければならない。

（過料の裁判の執行に関する調査・法第百八十九条）

第一〇五条の二 刑事訴訟規則（昭和二十三年最高裁判所規則第三十二号）第百五十八条（処罰等の請求）、第二百九十五条の六から第二百九十五条の十まで（差押え等の令状請求書の記載要件、資料の提供等、身体検査令状の記載要件、令状の返還に関する記載及び鑑定処分許可請求書の記載要件）、第二百九十五条の十一（準用規定等）第一項、第二百九十九条（裁判官に対する取調等の請求）第一項及び第三百条（令状の有効期間）の規定は、法第百八十九条（過料の裁判の執行）第三項（法及び他の法令において準用する場合を含む。）において読み替えて準用する刑事訴訟法（昭和二十三年法律第百三十一号）第七編第二章（第五百十一条及び第五百十三条第六項から第八項までを除く。）の規定による過料の裁判の執行に関する調査について準用する。

第二節 証人尋問

（証人尋問の申出）

第一〇六条 証人尋問の申出は、証人を指定し、かつ、尋問に要する見込みの時間を明らかにしてしなければならない。

（尋問事項書）

第一〇七条① 証人尋問の申出をするときは、同時に、尋問事項書（尋問事項を記載した書面をいう。以下同じ。）二通を提出しなければならない。ただし、やむを得ない事由があるときは、裁判長の定める期間内に提出すれば足りる。

② 尋問事項書は、できる限り、個別的かつ具体的に記載しなければならない。

③ 第一項の申出をする当事者は、尋問事項書について直送をしなければならない。

（呼出状の記載事項等）

第一〇八条 証人の呼出状には、次に掲げる事項を記載し、尋問事項書を添付しなければならない。

一 当事者の表示
二 出頭すべき日時及び場所
三 出頭しない場合における法律上の制裁

（証人の出頭の確保）

第一〇九条 証人を尋問する旨の決定があったときは、尋問の申出をした当事者は、証人を期日に出頭させるように努めなければならない。

（不出頭の届出）

第一一〇条 証人は、期日に出頭することができない事由が生じたときは、直ちに、その事由を明らかにして届け出なければならない。

（勾引・法第百九十四条）

第一一一条 刑事訴訟規則中勾引に関する規定は、正当な理由なく出頭しない証人の勾引について準用する。

（宣誓・法第二百一条）

第一一二条① 証人の宣誓は、尋問の前にさせなければならない。ただし、特別の事由があるときは、尋問の後にさせることができる。

② 宣誓は、起立して厳粛に行わなければならない。

③ 裁判長は、証人に宣誓書を朗読させ、かつ、これに署名押印させなければならない。証人が宣誓書を朗読することができないときは、裁判長は、裁判所書記官にこれを朗読させなければならない。

④ 裁判長は、相当と認めるときは、前項前段の規定にかかわらず、同項前段に規定する署名押印に代えて、宣誓書に宣誓の趣旨を理解した旨の記載をさせることができる。

⑤ 前二項の宣誓書には、良心に従って真実を述べ、何事も隠さず、また、何事も付け加えないことを誓う旨を記載しなければならない。

⑥ 裁判長は、宣誓の前に、宣誓の趣旨を説明し、かつ、偽証の罰を告げなければならない。

（尋問の順序・法第二百二条）

第一一三条① 当事者による証人の尋問は、次の順序による。

一 尋問の申出をした当事者の尋問（主尋問）
二 相手方の尋問（反対尋問）
三 尋問の申出をした当事者の再度の尋問（再主尋問）

② 当事者は、裁判長の許可を得て、更に尋問をすることができる。

③ 裁判長は、法第二百二条（尋問の順序）第一項及び第二項の規定によるほか、必要があると認めるときは、いつでも、自ら証人を尋問し、又は当事者の尋問を許すことができる。

④ 陪席裁判官は、裁判長に告げて、証人を尋問することができる。

（質問の制限）

第一一四条① 次の各号に掲げる尋問は、それぞれ当該各号に定める事項について行うものとする。
一 主尋問 立証すべき事項及びこれに関連する事項
二 反対尋問 主尋問に現れた事項及びこれに関連する事項並びに証言の信用性に関する事項
三 再主尋問 反対尋問に現れた事項及びこれに関連する事項
② 裁判長は、前項各号に掲げる尋問における質問が同項各号に定める事項以外の事項に関するものであって相当でないと認めるときは、申立てにより又は職権で、これを制限することができる。

第一一五条① 質問は、できる限り、個別的かつ具体的にしなければならない。
② 当事者は、次に掲げる質問をしてはならない。ただし、第二号から第六号までに掲げる質問については、正当な理由がある場合は、この限りでない。
一 証人を侮辱し、又は困惑させる質問
二 誘導質問
三 既にした質問と重複する質問
四 争点に関係のない質問
五 意見の陳述を求める質問
六 証人が直接経験しなかった事実についての陳述を求める質問
③ 裁判長は、質問が前項の規定に違反するものであると認めるときは、申立てにより又は職権で、これを制限することができる。

（文書等の質問への利用）
第一一六条① 当事者は、裁判長の許可を得て、文書、図面、写真、模型、装置その他の適当な物件（以下この条において「文書等」という。）を利用して証人に質問することができる。
② 前項の場合において、文書等が証拠調べをしていないものであるときは、当該質問の前に、相手方にこれを閲覧する機会を与えなければならない。ただし、相手方に異議がないときは、この限りでない。
③ 裁判長は、調書への添付その他必要があると認めるときは、当事者に対し、文書等の写しの提出を求めることができる。

（異議・法第二百二条）
第一一七条① 当事者は、第百十三条（尋問の順序）第二項及び第三項、第百十四条（質問の制限）第二項、第百十五条（質問の制限）第三項並びに前条（文書等の質問への利用）第一項の規定による裁判長の裁判に対し、異議を述べることができる。
② 前項の異議に対しては、裁判所は、決定で、直ちに裁判をしなければならない。

（対質）
第一一八条① 裁判長は、必要があると認めるときは、証人と他の証人との対質を命ずることができる。
② 前項の規定により対質を命じたときは、その旨を調書に記載させなければならない。
③ 対質を行うときは、裁判長がまず証人を尋問することができる。

（文字の筆記等）
第一一九条 裁判長は、必要があると認めるときは、証人に文字の筆記その他の必要な行為をさせることができる。

（後に尋問すべき証人の取扱い）
第一二〇条 裁判長は、必要があると認めるときは、後に尋問すべき証人に在廷を許すことができる。

（傍聴人の退廷）
第一二一条 裁判長は、証人が特定の傍聴人の面前（法第二百三条の三（遮へいの措置）第二項に規定する措置をとる場合及び法第二百四条（映像等の送受信による通話の方法による尋問）に規定する方法による場合を含む。）においては威圧され十分な陳述をすることができないと認めるときは、当事者の意見を聴いて、その証人が陳述する間、その傍聴人を退廷させることができる。

（書面による質問又は回答の朗読・法第百五十四条）
第一二二条 耳が聞こえない証人に書面で質問したとき、又は口がきけない証人に書面で答えさせたときは、裁判長は、裁判所書記官に質問又は回答を記載した書面を朗読させることができる。

（付添い・法第二百三条の二）
第一二二条の二① 裁判長は、法第二百三条の二（付添い）第一項に規定する措置をとるに当たっては、当事者及び証人の意見を聴かなければならない。
② 前項の措置をとったときは、その旨並びに証人に付き添った者の氏名及びその者と証人との関係を調書に記載しなければならない。

（遮へいの措置・法第二百三条の三）
第一二二条の三① 裁判長は、法第二百三条の三（遮へいの措置）第一項又は第二項に規定する措置をとるに当たっては、当事者及び証人の意見を聴かなければならない。
② 前項の措置をとったときは、その旨を調書に記載しなければならない。

（映像等の送受信による通話の方法による尋問・法第二百四条）
第一二三条① 法第二百四条（映像等の送受信による通話の方法による尋問）第一号に掲げる場合における同条に規定する方法による尋問は、当事者の意見を聴いて、当事者を受訴裁判所に出頭させ、証人を当該尋問に必要な装置の設置された他の裁判所に出頭させてする。
② 法第二百四条第二号に掲げる場合における同条に規定する方法による尋問は、当事者及び証人の意見を聴いて、当事者を受訴裁判所に出頭させ、証人を受訴裁判所又は当該尋問に必要な装置の設置された他の裁判所に出頭させてする。この場合において、証人を受訴裁判所に出頭させるときは、裁判長及び当事者が証人を尋問するために在席する場所以外の場所にその証人を在席させるものとする。
③ 前二項の尋問をする場合には、文書の写しを送信してこれを提示することその他の尋問の実施に必要な処置を行うため、ファクシミリを利用することができる。
④ 第一項又は第二項の尋問をしたときは、その旨及び証人が出頭した裁判所（当該裁判所が受訴裁判所である場合を除く。）を調書に記載しなければならない。

（書面尋問・法第二百五条）
第一二四条① 法第二百五条（尋問に代わる書面の提出）の規定により証人の尋問に代えて書面の提出をさせる場合には、裁判所は、尋問の申出をした当事者の相手方に対し、当該書面において回答を希望する事項を記載した書面を提出させることができる。
② 裁判長は、証人が尋問に代わる書面の提出をすべき期間を定めることができる。
③ 証人は、前項の書面に署名押印しなければならない。

（受命裁判官等の権限・法第二百六条）
第一二五条 受命裁判官又は受託裁判官が証人尋問をする場合には、裁判所及び裁判長の職務は、その裁判官が行う。

第三節 当事者尋問

（対質）
第一二六条 裁判長は、必要があると認めるときは、当事者本人と、他の当事者本人又は証人との対質を命ずることができる。

（証人尋問の規定の準用・法第二百十条）
第一二七条 前節（証人尋問）の規定は、特別の定めがある場合を除き、当事者本人の尋問について準用する。ただし、第百十一条（勾引）、第百二十条（後に尋問すべき証人の取扱い）及び第百二十四条（書面尋問）の規定は、この限りでない。

（法定代理人の尋問・法第二百十一条）
第一二八条 この規則中当事者本人の尋問に関する規定は、訴訟において当事者を代表する法定代理人について準用する。

第四節　鑑定

第一二九条（鑑定事項）① 鑑定の申出をするときは、同時に、鑑定を求める事項を記載した書面を提出しなければならない。ただし、やむを得ない事由があるときは、裁判長の定める期間内に提出すれば足りる。

② 前項の申出をする当事者は、同項の書面について直送をしなければならない。

③ 相手方は、第一項の書面について意見があるときは、意見を記載した書面を裁判所に提出しなければならない。

④ 裁判所は、第一項の書面に基づき、前項の意見も考慮して、鑑定事項を定める。この場合においては、鑑定事項を記載した書面を鑑定人に送付しなければならない。

第一二九条の二（鑑定のために必要な事項についての協議） 裁判所は、口頭弁論若しくは弁論準備手続の期日又は進行協議期日において、鑑定事項の内容、鑑定に必要な資料その他鑑定のために必要な事項について、当事者及び鑑定人と協議をすることができる。書面による準備手続においても、同様とする。

第一三〇条（忌避の申立ての方式・法第二百十四条）① 鑑定人に対する忌避の申立ては、期日においてする場合を除き、書面でしなければならない。

② 忌避の原因は、疎明しなければならない。

第一三一条（宣誓の方式）① 宣誓書には、良心に従って誠実に鑑定をすることを誓う旨を記載しなければならない。

② 鑑定人の宣誓は、宣誓書を裁判所に提出する方式によってもさせることができる。この場合における裁判長による宣誓の趣旨の説明及び虚偽鑑定の罰の告知は、これらの事項を記載した書面を鑑定人に送付する方法によって行う。

第一三二条（鑑定人の陳述の方式・法第二百十五条）① 裁判長は、鑑定人に、共同して又は各別に、意見を述べさせることができる。

② 裁判長は、鑑定人に書面で意見を述べさせる場合には、鑑定人の意見を聴いて、当該書面を提出すべき期間を定めることができる。

第一三二条の二（鑑定人に更に意見を求める事項・法第二百十五条）① 法第二百十五条（鑑定人の陳述の方式等）第二項の申立てをするときは、同時に、鑑定人に更に意見を求める事項を記載した書面を提出しなければならない。ただし、やむを得ない事由があるときは、裁判長の定める期間内に提出すれば足りる。

② 裁判所は、職権で鑑定人に更に意見を述べさせるときは、当事者に対し、あらかじめ、鑑定人に更に意見を求める事項を記載した書面を提出させることができる。

③ 前二項の書面を提出する当事者は、これらの書面について直送をしなければならない。

④ 相手方は、第一項又は第二項の書面について意見があるときは、意見を記載した書面を裁判所に提出しなければならない。

⑤ 裁判所は、第一項又は第二項の書面の内容及び前項の意見を考慮して、鑑定人に更に意見を求める事項を定める。この場合においては、当該事項を記載した書面を鑑定人に送付しなければならない。

第一三二条の三（質問の順序・法第二百十五条の二）① 裁判長は、法第二百十五条の二（鑑定人質問）第二項及び第三項の規定によるほか、必要があると認めるときは、いつでも、自ら鑑定人に対し質問をし、又は当事者の質問を許すことができる。

② 陪席裁判官は、裁判長に告げて、鑑定人に対し質問をすることができる。

③ 当事者の鑑定人に対する質問は、次の順序による。ただし、当事者双方が鑑定の申出をした場合における当事者の質問の順序は、裁判長が定める。

一　鑑定の申出をした当事者の質問
二　相手方の質問
三　鑑定の申出をした当事者の再度の質問

④ 当事者は、裁判長の許可を得て、更に質問をすることができる。

第一三二条の四（質問の制限・法第二百十五条の二）① 鑑定人に対する質問は、鑑定人の意見の内容を明瞭にし、又はその根拠を確認するために必要な事項について行うものとする。

② 質問は、できる限り、具体的にしなければならない。

③ 当事者は、次に掲げる質問をしてはならない。ただし、第二号及び第三号に掲げる質問については、正当な理由がある場合は、この限りでない。

一　鑑定人を侮辱し、又は困惑させる質問
二　誘導質問
三　既にした質問と重複する質問
四　第一項に規定する事項に関係のない質問

④ 裁判長は、質問が前項の規定に違反するものであると認めるときは、申立てにより又は職権で、これを制限することができる。

第一三二条の五（映像等の送受信による通話の方法による陳述・法第二百十五条の三）① 法第二百十五条の三（映像等の送受信による通話の方法による陳述）に規定する方法によって鑑定人に意見を述べさせるときは、当事者の意見を聴いて、当事者を受訴裁判所に出頭させ、鑑定人を当該手続に必要な装置の設置された場所であって裁判所が相当と認める場所に出頭させてこれをする。

② 前項の場合には、文書の写しを送信してこれを提示することその他の手続の実施に必要な処置を行うため、ファクシミリを利用することができる。

③ 第一項の方法によって鑑定人に意見を述べさせたときは、その旨及び鑑定人が出頭した場所を調書に記載しなければならない。

第一三三条（鑑定人の発問等） 鑑定人は、鑑定のため必要があるときは、審理に立ち会い、裁判長に証人若しくは当事者本人に対する尋問を求め、又は裁判長の許可を得て、これらの者に対し直接に問いを発することができる。

第一三三条の二（異議・法第二百十五条の二）① 当事者は、第百三十二条の三（質問の順序）第一項、第三項ただし書及び第四項、第百三十二条の四（質問の制限）第四項、前条（鑑定人の発問等）並びに第百三十四条（証人尋問の規定の準用）において準用する第百十六条（文書等の質問への利用）第一項の規定による裁判長の裁判に対し、異議を述べることができる。

② 前項の異議に対しては、裁判所は、決定で、直ちに裁判をしなければならない。

第一三四条（証人尋問の規定の準用・法第二百十六条） 第百八条（呼出状の記載事項等）の規定は鑑定人の呼出状について、第百十条（不出頭の届出）の規定は鑑定人が期日に出頭することができない事由が生じた場合について、第百十二条（宣誓）第二項から第四項まで及び第六項の規定は鑑定人に宣誓をさせる場合について、第百十六条（文書等の質問への利用）、第百十八条（対質）、第百十九条（文字の筆記等）、第百二十一条（傍聴人の退廷）及び第百二十二条（書面による質問又は回答の朗読）の規定は鑑定人に口頭で意見を述べさせる場合について、第百二十五条（受命裁判官等の権限）の規定は受命裁判官又は受託裁判官が鑑定人に意見を述べさせる場合について準用する。

第一三五条（鑑定証人・法第二百十七条） 鑑定証人の尋問については、証人尋問に関する規定を適用する。

（鑑定の嘱託への準用・法第二百十八条）

第一三六条　この節の規定は、宣誓に関する規定を除き、鑑定の嘱託について準用する。

第五節　書証

（書証の申出等・法第二百十九条）

第一三七条①　文書を提出して書証の申出をするときは、当該申出をする時までに、その写し二通（当該文書を送付すべき相手方の数が二以上であるときは、その数に一を加えた通数）を提出するとともに、文書の記載から明らかな場合を除き、文書の標目、作成者及び立証趣旨を明らかにした証拠説明書二通（当該書面を送付すべき相手方の数が二以上であるときは、その数に一を加えた通数）を提出しなければならない。ただし、やむを得ない事由があるときは、裁判長の定める期間内に提出すれば足りる。

②　前項の申出をする当事者は、相手方に送付すべき文書の写し及びその文書に係る証拠説明書について直送をすることができる。

（訳文の添付等）

第一三八条①　外国語で作成された文書を提出して書証の申出をするときは、取調べを求める部分についてその文書の訳文を添付しなければならない。この場合において、前条（書証の申出等）第二項の規定による直送をするときは、同時に、その訳文についても直送をしなければならない。

②　相手方は、前項の訳文の正確性について意見があるときは、意見を記載した書面を裁判所に提出しなければならない。

（書証の写しの提出期間・法第百六十二条）

第一三九条　法第百六十二条（準備書面等の提出期間）の規定により、裁判長が特定の事項に関する書証の申出（文書を提出してするものに限る。）をすべき期間を定めたときは、当事者は、その期間が満了する前に、書証の写しを提出しなければならない。

（文書提出命令の申立ての方式等・法第二百二十一条等）

第一四〇条①　文書提出命令の申立ては、書面でしなければならない。

②　相手方は、前項の申立てについて意見があるときは、意見を記載した書面を裁判所に提出しなければならない。

③　第九十九条（証拠の申出）第二項及び前二項の規定は、法第二百二十二条（文書の特定のための手続）第一項の規定による申出について準用する。

（提示文書の保管・法第二百二十三条）

第一四一条　裁判所は、必要があると認めるときは、法第二百二十三条（文書提出命令等）第六項前段の規定により提示された文書を一時保管することができる。

（受命裁判官等の証拠調べの調書）

第一四二条①　受命裁判官又は受託裁判官に文書の証拠調べをさせる場合には、裁判所は、当該証拠調べについての調書に記載すべき事項を定めることができる。

②　受命裁判官又は受託裁判官の所属する裁判所の裁判所書記官は、前項の調書に同項の文書の写しを添付することができる。

（文書の提出等の方法）

第一四三条①　文書の提出又は送付は、原本、正本又は認証のある謄本でしなければならない。

②　裁判所は、前項の規定にかかわらず、原本の提出を命じ、又は送付をさせることができる。

（録音テープ等の反訳文書の書証の申出があった場合の取扱い）

第一四四条　録音テープ等を反訳した文書を提出して書証の申出をした当事者は、相手方がその録音テープ等の複製物の交付を求めたときは、相手方にこれを交付しなければならない。

（文書の成立を否認する場合における理由の明示）

第一四五条　文書の成立を否認するときは、その理由を明らかにしなければならない。

（筆跡等の対照の用に供すべき文書等に係る調書等・法第二百二十九条）

第一四六条①　法第二百二十九条（筆跡等の対照による証明）第一項に規定する筆跡又は印影の対照の用に供した書類の原本、謄本又は抄本は、調書に添付しなければならない。

②　第百四十一条（提示文書の保管）の規定は、法第二百二十九条第二項において準用する法第二百二十三条（文書提出命令等）第一項の規定による文書その他の物件の提出について、第百四十二条（受命裁判官等の証拠調べの調書）の規定は、法第二百二十九条第二項において準用する法第二百十九条（書証の申出）、第二百二十三条第一項及び第二百二十六条（文書送付の嘱託）の規定により提出され、又は送付された文書その他の物件の取調べを受命裁判官又は受託裁判官にさせる場合における調書について準用する。

（文書に準ずる物件への準用・法第二百三十一条）

第一四七条　第百三十七条から前条まで（書証の申出等、訳文の添付等、書証の写しの提出期間、文書提出命令の申立ての方式等、提示文書の保管、受命裁判官等の証拠調べの調書、文書の提出等の方法、録音テープ等の反訳文書の書証の申出があった場合の取扱い、文書の成立を否認する場合における理由の明示及び筆跡等の対照の用に供すべき文書等に係る調書等）の規定は、特別の定めがある場合を除き、法第二百三十一条（文書に準ずる物件への準用）に規定する物件について準用する。

（写真等の証拠説明書の記載事項）

第一四八条　写真又は録音テープ等の証拠調べの申出をするときは、その証拠説明書において、撮影、録音、録画等の対象並びにその日時及び場所をも明らかにしなければならない。

（録音テープ等の内容を説明した書面の提出等）

第一四九条①　録音テープ等の証拠調べの申出をした当事者は、裁判所又は相手方の求めがあるときは、当該録音テープ等の内容を説明した書面（当該録音テープ等を反訳した書面を含む。）を提出しなければならない。

②　前項の当事者は、同項の書面について直送をしなければならない。

③　相手方は、第一項の書面における説明の内容について意見があるときは、意見を記載した書面を裁判所に提出しなければならない。

第六節　検証

（検証の申出の方式）

第一五〇条　検証の申出は、検証の目的を表示してしなければならない。

（検証の目的の提示等・法第二百三十二条）

第一五一条　第百四十一条（提示文書の保管）及び第百四十二条（受命裁判官等の証拠調べの調書）の規定は、提示又は送付に係る検証の目的の検証を受命裁判官又は受託裁判官にさせる場合における調書について準用する。

第七節　証拠保全

（証拠保全の手続における証拠調べ・法第二百三十四条）

第一五二条　証拠保全の手続における証拠調べについては、この章の規定を適用する。

（証拠保全の申立ての方式・法第二百三十五条）

第一五三条①　証拠保全の申立ては、書面でしなければならない。

②　前項の書面には、次に掲げる事項を記載しなければならない。

一　相手方の表示

二　証明すべき事実

三　証拠

四　証拠保全の事由

③ 証拠保全の事由は、疎明しなければならない。

（証拠保全の記録の送付）

第一五四条 証拠保全のための証拠調べが行われた場合には、その証拠調べを行った裁判所の裁判所書記官は、本案の訴訟記録の存する裁判所の裁判所書記官に対し、証拠調べに関する記録を送付しなければならない。

第四章 判決

（言渡しの方式・法第二百五十二条等）

第一五五条① 判決の言渡しは、裁判長が主文を朗読してする。

② 裁判長は、相当と認めるときは、判決の理由を朗読し、又は口頭でその要領を告げることができる。

③ 前二項の規定にかかわらず、法第二百五十四条（言渡しの方式の特則）第一項の規定による判決の言渡しは、裁判長が主文及び理由の要旨を告げてする。

（言渡期日の通知・法第二百五十一条）

第一五六条 判決の言渡期日の日時は、あらかじめ、裁判所書記官が当事者に通知するものとする。ただし、その日時を期日において告知した場合又はその不備を補正することができない不適法な訴えを口頭弁論を経ないで却下する場合は、この限りでない。

（判決書・法第二百五十三条）

第一五七条① 判決書には、判決をした裁判官が署名押印しなければならない。

② 合議体の裁判官が判決書に署名押印することに支障があるときは、他の裁判官が判決書にその事由を付記して署名押印しなければならない。

（裁判所書記官への交付等）

第一五八条 判決書は、言渡し後遅滞なく、裁判所書記官に交付し、裁判所書記官は、これに言渡し及び交付の日を付記して押印しなければならない。

（判決書等の送達・法第二百五十五条）

第一五九条① 判決書又は法第二百五十四条（言渡しの方式の特則）第二項（法第三百七十四条（判決の言渡し）第二項において準用する場合を含む。）の調書（以下「判決書に代わる調書」という。）の送達は、裁判所書記官が判決書の交付を受けた日又は判決言渡しの日から二週間以内にしなければならない。

② 判決書に代わる調書の送達は、その正本によってすることができる。

（更正決定等の方式・法第二百五十七条等）

第一六〇条① 更正決定は、判決書の原本及び正本に付記しなければならない。ただし、裁判所は、相当と認めるときは、判決書の原本及び正本への付記に代えて、決定書を作成し、その正本を当事者に送達することができる。

② 前項の規定は、法第二百五十九条（仮執行の宣言）第五項の規定による補充の決定について準用する。

（法第二百五十八条第二項の申立ての方式）

第一六一条 訴訟費用の負担の裁判を脱漏した場合における訴訟費用の負担の裁判を求める申立ては、書面でしなければならない。

第五章 裁判によらない訴訟の完結

（訴えの取下げがあった場合の取扱い・法第二百六十一条）

第一六二条① 訴えの取下げの書面の送達は、取下げをした者から提出された副本によってする。

② 訴えの取下げがあった場合において、相手方の同意を要しないときは、裁判所書記官は、訴えの取下げがあった旨を相手方に通知しなければならない。

（和解条項案の書面による受諾・法第二百六十四条）

第一六三条① 法第二百六十四条（和解条項案の書面による受諾）の規定に基づき裁判所等が和解条項案を提示するときは、書面に記載してしなければならない。この書面には、同条に規定する効果を付記するものとする。

② 前項の場合において、和解条項案を受諾する旨の書面の提出があったときは、裁判所等は、その書面を提出した当事者の真意を確認しなければならない。

③ 法第二百六十四条の規定により当事者間に和解が調ったものとみなされたときは、裁判所書記官は、当該和解を調書に記載しなければならない。この場合において、裁判所書記官は、和解条項案を受諾する旨の書面を提出した当事者に対し、遅滞なく、和解が調ったものとみなされた旨を通知しなければならない。

（裁判所等が定める和解条項・法第二百六十五条）

第一六四条① 裁判所等は、法第二百六十五条（裁判所等が定める和解条項）第一項の規定により和解条項を定めようとするときは、当事者の意見を聴かなければならない。

② 法第二百六十五条第五項の規定により当事者間に和解が調ったものとみなされたときは、裁判所書記官は、当該和解を調書に記載しなければならない。

③ 前項に規定する場合において、和解条項の定めを期日における告知以外の方法による告知によってしたときは、裁判所等は、裁判所書記官に調書を作成させるものとする。この場合においては、告知がされた旨及び告知の方法をも調書に記載しなければならない。

第六章 削除

第一六五条から第一六七条まで 削除

第七章 簡易裁判所の訴訟手続に関する特則

（反訴の提起に基づく移送による記録の送付・法第二百七十四条）

第一六八条 第九条（移送による記録の送付）の規定は、法第二百七十四条（反訴の提起に基づく移送）第一項の規定による移送の裁判が確定した場合について準用する。

（訴え提起前の和解の調書・法第二百七十五条）

第一六九条 訴え提起前の和解が調ったときは、裁判所書記官は、これを調書に記載しなければならない。

（証人等の陳述の調書記載の省略等）

第一七〇条① 簡易裁判所における口頭弁論の調書については、裁判官の許可を得て、証人等の陳述又は検証の結果の記載を省略することができる。この場合において、当事者は、裁判官が許可をする際に、意見を述べることができる。

② 前項の規定により調書の記載を省略する場合において、裁判官の命令又は当事者の申出があるときは、裁判所書記官は、当事者の裁判上の利用に供するため、録音テープ等に証人等の陳述又は検証の結果を記録しなければならない。この場合において、当事者の申出があるときは、裁判所書記官は、当該録音テープ等の複製を許さなければならない。

（書面尋問・法第二百七十八条）

第一七一条 第百二十四条（書面尋問）の規定は、法第二百七十八条（尋問等に代わる書面の提出）の規定により証人若しくは当事者本人の尋問又は鑑定人の意見の陳述に代えて書面の提出をさせる場合について準用する。

（司法委員の発問）

第一七二条 裁判官は、必要があると認めるときは、司法委員が証人等に対し直接に問いを発することを許すことができる。

第三編 上訴

第一章 控訴

（控訴権の放棄・法第二百八十四条）

第一七三条① 控訴をする権利の放棄は、控訴の提起前にあっては第一審裁判所、控訴の提起後にあっては訴訟記録の存する裁判所に対する申述によってしなければならない。

② 控訴の提起後における前項の申述は、控訴の取下げとともにしなければならない。

③ 第一項の申述があったときは、裁判所書記官は、その旨を相

手方に通知しなければならない。

（控訴提起による事件送付）
第一七四条①　控訴の提起があった場合には、第一審裁判所は、控訴却下の決定をしたときを除き、遅滞なく、事件を控訴裁判所に送付しなければならない。

②　前項の規定による事件の送付は、第一審裁判所の裁判所書記官が、控訴裁判所の裁判所書記官に対し、訴訟記録を送付してしなければならない。

（攻撃防御方法を記載した控訴状）
第一七五条　攻撃又は防御の方法を記載した控訴状は、準備書面を兼ねるものとする。

（控訴状却下命令に対する即時抗告・法第二百八十八条等）
第一七六条　第五十七条（訴状却下命令に対する即時抗告）の規定は、控訴状却下の命令に対し即時抗告をする場合について準用する。

（控訴の取下げ・法第二百九十二条）
第一七七条①　控訴の取下げは、訴訟記録の存する裁判所にしなければならない。

②　控訴の取下げがあったときは、裁判所書記官は、その旨を相手方に通知しなければならない。

（附帯控訴・法第二百九十三条）
第一七八条　附帯控訴については、控訴に関する規定を準用する。

（第一審の訴訟手続の規定の準用・法第二百九十七条）
第一七九条　前編（第一審の訴訟手続）第一章から第五章まで（訴え、口頭弁論及びその準備、証拠、判決並びに裁判によらない訴訟の完結）の規定は、特別の定めがある場合を除き、控訴審の訴訟手続について準用する。

（法第百六十七条の規定による説明等の規定の準用・法第二百九十八条）
第一八〇条　第八十七条（法第百六十七条の規定による当事者の説明の方式）の規定は、法第二百九十八条（第一審の訴訟行為の効力等）第二項において準用する法第百六十七条（準備的口頭弁論終了後の攻撃防御方法の提出）の規定による当事者の説明について、第九十四条（法第百七十八条の規定による当事者の説明の方式）の規定は、法第二百九十八条第二項において準用する法第百七十八条（書面による準備手続終結後の攻撃防御方法の提出）の規定による当事者の説明について準用する。

（攻撃防御方法の提出等の期間・法第三百一条）
第一八一条　第百三十九条（書証の写しの提出期間）の規定は、法第三百一条（攻撃防御方法の提出等の期間）第一項の規定により裁判長が書証の申出（文書を提出してするものに限る。）をすべき期間を定めたときについて、第八十七条（法第百六十七条の規定による当事者の説明の方式）第一項の規定は、法第三百一条第二項の規定による当事者の説明について準用する。

（第一審判決の取消し事由等を記載した書面）
第一八二条　控訴状に第一審判決の取消し又は変更を求める事由の具体的な記載がないときは、控訴人は、控訴の提起後五十日以内に、これらを記載した書面を控訴裁判所に提出しなければならない。

（反論書）
第一八三条　裁判長は、被控訴人に対し、相当の期間を定めて、控訴人が主張する第一審判決の取消し又は変更を求める事由に対する被控訴人の主張を記載した書面の提出を命ずることができる。

（第一審の判決書等の引用）
第一八四条　控訴審の判決書又は判決書に代わる調書における事実及び理由の記載は、第一審の判決書又は判決書に代わる調書を引用してすることができる。

（第一審裁判所への記録の送付）
第一八五条　控訴審において訴訟が完結したときは、控訴裁判所の裁判所書記官は、第一審裁判所の裁判所書記官に対し、訴訟記録を送付しなければならない。

第二章　上告

（控訴の規定の準用・法第三百十三条）
第一八六条　前章（控訴）の規定は、特別の定めがある場合を除き、上告及び上告審の訴訟手続について準用する。

（上告提起の場合における費用の予納）
第一八七条　上告を提起するときは、上告状の送達に必要な費用のほか、上告提起通知書、上告理由書及び裁判書の送達並びに上告裁判所が訴訟記録の送付を受けた旨の通知に必要な費用の概算額を予納しなければならない。

（上告提起と上告受理申立てを一通の書面でする場合の取扱い）
第一八八条　上告の提起と上告受理の申立てを一通の書面でするときは、その書面が上告状と上告受理申立書を兼ねるものであることを明らかにしなければならない。この場合において、上告の理由及び上告受理の申立ての理由をその書面に記載するときは、これらを区別して記載しなければならない。

（上告提起通知書の送達等）
第一八九条①　上告の提起があった場合においては、上告状却下の命令又は法第三百十六条（原裁判所による上告の却下）第一項第一号の規定による上告却下の決定があったときを除き、当事者に上告提起通知書を送達しなければならない。

②　前項の規定により被上告人に上告提起通知書を送達するときは、同時に、上告状を送達しなければならない。

③　原裁判所の判決書又は判決書に代わる調書の送達前に上告の提起があったときは、第一項の規定による上告提起通知書の送達は、判決書又は判決書に代わる調書とともにしなければならない。

（法第三百十二条第一項及び第二項の上告理由の記載の方式・法第三百十五条）
第一九〇条①　判決に憲法の解釈の誤りがあることその他憲法の違反があることを理由とする上告の場合における上告の理由の記載は、憲法の条項を掲記し、憲法に違反する事由を示してしなければならない。この場合において、その事由が訴訟手続に関するものであるときは、憲法に違反する事実を掲記しなければならない。

②　法第三百十二条（上告の理由）第二項各号に掲げる事由があることを理由とする上告の場合における上告の理由の記載は、その条項及びこれに該当する事実を示してしなければならない。

（法第三百十二条第三項の上告理由の記載の方式・法第三百十五条）
第一九一条①　判決に影響を及ぼすことが明らかな法令の違反があることを理由とする上告の場合における上告の理由の記載は、法令及びこれに違反する事由を示してしなければならない。

②　前項の規定により法令を示すには、その法令の条項又は内容（成文法以外の法令については、その趣旨）を掲記しなければならない。

③　第一項の規定により法令に違反する事由を示す場合において、その法令が訴訟手続に関するものであるときは、これに違反する事実を掲記しなければならない。

（判例の摘示）
第一九二条　前二条（法第三百十二条第一項及び第二項の上告理由の記載の方式並びに法第三百十二条第三項の上告理由の記載の方式）に規定する上告において、判決が最高裁判所の判例（これがない場合にあっては、大審院又は上告裁判所若しくは控訴裁判所である高等裁判所の判例）と相反する判断をしたことを主張するときは、その判例を具体的に示さなければならない。

（上告理由の記載の仕方）
第一九三条　上告の理由は、具体的に記載しなければならない。

（上告理由書の提出期間・法第三百十五条）

第一九四条　上告理由書の提出の期間は、上告人が第百八十九条（上告提起通知書の送達等）第一項の規定による上告提起通知書の送達を受けた日から五十日とする。

（上告理由を記載した書面の通数）

第一九五条　上告の理由を記載した書面には、上告裁判所が最高裁判所であるときは被上告人の数に六を加えた数の副本、上告裁判所が高等裁判所であるときは被上告人の数に四を加えた数の副本を添付しなければならない。

（補正命令・法第三百十六条）

第一九六条①　上告状又は第百九十四条（上告理由書の提出期間）の期間内に提出した上告理由書における上告のすべての理由の記載が第百九十条（法第三百十二条第一項及び第二項の上告理由の記載）又は第百九十一条（法第三百十二条第三項の上告理由の記載の方式）の規定に違反することが明らかなときは、原裁判所は、決定で、相当の期間を定め、その期間内に不備を補正すべきことを命じなければならない。

②　法第三百十六条（原裁判所による上告の却下）第一項第二号の規定による上告却下の決定（上告の理由の記載が法第三百十二条（上告の理由の記載）第二項の規定に違反していることが明らかであることを理由とするものに限る。）は、前項の規定により定めた期間内に上告人が不備の補正をしないときにするものとする。

（上告裁判所への事件送付）

第一九七条①　原裁判所は、上告状却下の命令又は上告却下の決定があった場合を除き、事件を上告裁判所に送付しなければならない。この場合において、原裁判所は、上告人が上告の理由中に示した訴訟手続に関する事実の有無について意見を付することができる。

②　前項の規定による事件の送付は、原裁判所の裁判所書記官が、上告裁判所の裁判所書記官に対し、訴訟記録を送付してしなければならない。

③　上告裁判所の裁判所書記官は、前項の規定による訴訟記録の送付を受けたときは、速やかに、その旨を当事者に通知しなければならない。

（上告理由書の送達）

第一九八条　上告裁判所が原裁判所から事件の送付を受けた場合において、法第三百十七条（上告裁判所による上告の却下等）第一項の規定による上告却下の決定又は同条第二項の規定による上告棄却の決定をしないときは、被上告人に上告理由書の副本を送達しなければならない。ただし、上告裁判所が口頭弁論を経ないで審理及び裁判をする場合において、その必要がないと認めるときは、この限りでない。

（上告受理の申立て・法第三百十八条）

第一九九条①　上告受理の申立ての理由の記載は、原判決に最高裁判所の判例（これがない場合にあっては、大審院又は上告裁判所若しくは控訴裁判所である高等裁判所の判例）と相反する判断があることその他の法令の解釈に関する重要な事項を含むことを示してしなければならない。この場合においては、第百九十一条（法第三百十二条第三項の上告理由の記載の方式）第二項及び第三項の規定を準用する。

②　第百八十六条（控訴の規定の準用）、第百八十七条（上告提起の場合における費用の予納）、第百八十九条（上告提起通知書の送達等）及び第百九十二条から前条まで（判例の摘示、上告理由の記載の仕方、上告理由書の提出期間、上告理由を記載した書面の通数、補正命令、上告裁判所への事件送付及び上告理由書の送達）の規定は、上告受理の申立てについて準用する。この場合において、第百八十七条、第百八十九条及び第百九十四条中「上告提起通知書」とあるのは「上告受理申立て通知書」と、第百八十九条第二項、第百九十五条及び前条中「被上告人」とあるのは「相手方」と、第百九十六条第一項中「第百九十条（法第三百十二条第一項及び第二項の上告理由の記載）又は第百九十一条（法第三百十二条第三項の上告理由の記載の方式）」とあるのは「第百九十九条（上告受理の申立て）第一項」と読み替えるものとする。

（上告受理の決定・法第三百十八条）

第二〇〇条　最高裁判所は、上告審として事件を受理する決定をするときは、当該決定において、上告受理の申立ての理由中法第三百十八条（上告受理の申立て）第三項の規定により排除するものを明らかにしなければならない。

（答弁書提出命令）

第二〇一条　上告裁判所又は上告受理の申立てがあった場合における最高裁判所の裁判長は、相当の期間を定めて、答弁書を提出すべきことを被上告人又は相手方に命ずることができる。

（差戻し等の判決があった場合の記録の送付・法第三百二十五条）

第二〇二条　差戻し又は移送の判決があったときは、上告裁判所の裁判所書記官は、差戻し又は移送を受けた裁判所の裁判所書記官に対し、訴訟記録を送付しなければならない。

（最高裁判所への移送・法第三百二十四条）

第二〇三条　法第三百二十四条（最高裁判所への移送）の規定により、上告裁判所である高等裁判所が事件を最高裁判所に移送する場合は、憲法その他の法令の解釈について、その高等裁判所の意見が最高裁判所の判例（これがない場合にあっては、大審院又は上告裁判所若しくは控訴裁判所である高等裁判所の判例）と相反するときとする。

（特別上告・法第三百二十七条等）

第二〇四条　法第三百二十七条（特別上告）第一項（法第三百八十条（異議後の判決に対する不服申立て）第二項において準用する場合を含む。）の上告及びその上告審の訴訟手続には、その性質に反しない限り、第二審又は第一審の終局判決に対する上告及びその上告審の訴訟手続に関する規定を準用する。

第三章　抗告

（控訴又は上告の規定の準用・法第三百三十一条）

第二〇五条　抗告及び抗告裁判所の訴訟手続には、その性質に反しない限り、第一章（控訴）の規定を準用する。ただし、法第三百三十条（再抗告）の抗告及びこれに関する訴訟手続には、前章（上告）の規定中第二審又は第一審の終局判決に対する上告及びその上告審の訴訟手続に関する規定を準用する。

（抗告裁判所への事件送付）

第二〇六条　抗告を理由がないと認めるときは、原裁判所は、意見を付して事件を抗告裁判所に送付しなければならない。

（原裁判の取消し事由等を記載した書面）

第二〇七条　法第三百三十条（再抗告）の抗告以外の抗告をする場合において、抗告状に原裁判の取消し又は変更を求める事由の具体的な記載がないときは、抗告人は、抗告の提起後十四日以内に、これらを記載した書面を原裁判所に提出しなければならない。

（抗告状の写しの送付等）

第二〇七条の二①　法第三百三十条（再抗告）の抗告以外の抗告があったときは、抗告裁判所は、相手方に対し、抗告状の写しを送付するものとする。ただし、その抗告が不適法であるとき、抗告に理由がないと認めるとき、又は抗告状の写しを送付することが相当でないと認めるときは、この限りでない。

②　前項の規定により相手方に抗告状の写しを送付するときは、同時に、前条の書面（抗告の提起後十四日以内に提出されたものに限る。）の写しを送付するものとする。

（特別抗告・法第三百三十六条）

第二〇八条　法第三百三十六条（特別抗告）第一項の抗告及びこれに関する訴訟手続には、その性質に反しない限り、法第三百二十七条（特別上告）第一項の上告及びその上告審の訴訟手続に関する規定を準用する。

（許可抗告・法第三百三十七条）

第二〇九条　第百八十六条（控訴の規定の準用）、第百八十七条（上告提起の場合における費用の予納）、第百八十九条（上告提起通知書の送達等）、第百九十二条（判例の摘示）、第百九十三条（上告理由の記載の仕方）、第百九十五条（上告理由を記載した書面の通数）、第百九十六条（補正命令）及び第百九十九条（上告受理の申立て）第一項の規定は、法第三百三十七条（許可抗告）第二項の申立てについて、第二百条（上告受理の決定）の規定は、法第三百三十七条第二項の規定による許可をする場合について、前条（特別抗告）の規定は、法第三百三十七条第二項の規定による許可があった場合について準用する。この場合において、第百八十七条及び第百八十九条中「上告提起通知書」とあるのは、「抗告許可申立て通知書」と読み替えるものとする。

（再抗告等の抗告理由書の提出期間）

第二一〇条① 法第三百三十条（再抗告）の抗告及び法第三百三十六条（特別抗告）第一項の抗告においては、抗告理由書の提出の期間は、抗告人が第二百五条（控訴又は上告の規定の準用）ただし書及び第二百八条（特別抗告）において準用する第百八十九条（上告提起通知書の送達等）第一項の規定による抗告提起通知書の送達を受けた日から十四日とする。

② 前項の規定は、法第三百三十七条（許可抗告）第二項の申立てに係る理由書の提出の期間について準用する。この場合において、前項中「抗告提起通知書」とあるのは、「抗告許可申立て通知書」と読み替えるものとする。

第四編　再審

（再審の訴訟手続・法第三百四十一条）

第二一一条① 再審の訴状には、不服の申立てに係る判決の写しを添付しなければならない。

② 前項に規定するほか、再審の訴訟手続には、その性質に反しない限り、各審級における訴訟手続に関する規定を準用する。

（決定又は命令に対する再審・法第三百四十九条）

第二一二条 前条（再審の訴訟手続）の規定は、法第三百四十九条（決定又は命令に対する再審）第一項の再審の申立てについて準用する。

第五編　手形訴訟及び小切手訴訟に関する特則

（最初の口頭弁論期日の指定等）

第二一三条① 手形訴訟による訴えが提起されたときは、裁判長は、直ちに、口頭弁論の期日を指定し、当事者を呼び出さなければならない。

② 当事者に対する前項の期日の呼出状には、期日前にあらかじめ主張、証拠の申出及び証拠調べに必要な準備をすべき旨を記載しなければならない。

③ 被告に対する呼出状には、前項に規定する事項のほか、裁判長の定める期間内に答弁書を提出すべき旨及び法第三百五十四条（口頭弁論の終結）の規定の趣旨を記載しなければならない。

（一期日審理の原則）

第二一四条 手形訴訟においては、やむを得ない事由がある場合を除き、最初にすべき口頭弁論の期日において、審理を完了しなければならない。

（期日の変更又は弁論の続行）

第二一五条 口頭弁論の期日を変更し、又は弁論を続行するときは、次の期日は、やむを得ない事由がある場合を除き、前の期日から十五日以内の日に指定しなければならない。

（手形判決の表示）

第二一六条 手形訴訟の判決書又は判決書に代わる調書には、手形判決と表示しなければならない。

（異議申立ての方式等・法第三百五十七条）

第二一七条① 異議の申立ては、書面でしなければならない。

② 裁判所は、前項の書面を相手方に送付しなければならない。

③ 法第百六十一条（準備書面）第二項に掲げる事項を記載した第一項の書面は、準備書面を兼ねるものとする。

（異議申立権の放棄及び異議の取下げ・法第三百五十八条等）

第二一八条① 異議を申し立てる権利の放棄は、裁判所に対する申述によってしなければならない。

② 前項の申述があったときは、裁判所書記官は、その旨を相手方に通知しなければならない。

③ 第百六十二条（訴えの取下げがあった場合の取扱い）第一項の規定は、異議の取下げの書面の送達について準用する。

（手形訴訟の判決書等の引用）

第二一九条 異議後の訴訟の判決書又は判決書に代わる調書における事実及び理由の記載は、手形訴訟の判決書又は判決書に代わる調書を引用してすることができる。

（督促手続から手形訴訟への移行・法第三百六十六条）

第二二〇条① 手形訴訟による審理及び裁判を求める旨の申述をして支払督促の申立てをするときは、同時に、手形の写し二通（債務者の数が二以上であるときは、その数に一を加えた通数）を提出しなければならない。

② 前項の規定により提出された手形の写しは、債務者に送達すべき支払督促に添付しなければならない。

③ 第一項に規定する場合には、支払督促に同項の申述があった旨を付記しなければならない。

（小切手訴訟・法第三百六十七条）

第二二一条 この編の規定は、小切手訴訟に関して準用する。

第六編　少額訴訟に関する特則

（手続の教示）

第二二二条① 裁判所書記官は、当事者に対し、少額訴訟における最初にすべき口頭弁論の期日の呼出しの際に、少額訴訟による審理及び裁判の手続の内容を説明した書面を交付しなければならない。

② 裁判官は、前項の期日の冒頭において、当事者に対し、次に掲げる事項を説明しなければならない。

一 証拠調べは、即時に取り調べることができる証拠に限りすることができること。

二 被告は、訴訟を通常の手続に移行させる旨の申述をすることができるが、被告が最初にすべき口頭弁論の期日において弁論をし、又はその期日が終了した後は、この限りでないこと。

三 少額訴訟の終局判決に対しては、判決書又は判決書に代わる調書の送達を受けた日から二週間の不変期間内に、その判決をした裁判所に異議を申し立てることができること。

（少額訴訟を求め得る回数・法第三百六十八条）

第二二三条 法第三百六十八条（少額訴訟の要件等）第一項ただし書の最高裁判所規則で定める回数は、十回とする。

（当事者本人の出頭命令）

第二二四条 裁判所は、訴訟代理人が選任されている場合であっても、当事者本人又はその法定代理人の出頭を命ずることができる。

（証人尋問の申出）

第二二五条 証人尋問の申出をするときは、尋問事項書を提出することを要しない。

（音声の送受信による通話の方法による証人尋問・法第三百七十二条）

第二二六条① 裁判所及び当事者双方と証人とが音声の送受信により同時に通話をすることができる方法による証人尋問は、当事者の申出があるときにすることができる。

② 前項の申出は、通話先の電話番号及びその場所を明らかにしてしなければならない。

③ 裁判所は、前項の場所が相当でないと認めるときは、第一項の申出をした当事者に対し、その変更を命ずることができる。

④ 第一項の尋問をする場合には、文書の写しを送信してこれを提示することその他の尋問の実施に必要な処置を行うため、ファクシミリを利用することができる。

⑤ 第一項の尋問をしたときは、その旨、通話先の電話番号及びその場所を調書に記載しなければならない。

⑥ 第八十八条（弁論準備手続調書等）第二項の規定は、第一項の尋問をする場合について準用する。

（証人等の陳述の調書記載等）

第二二七条① 調書には、証人等の陳述を記載することを要しない。

② 証人の尋問前又は鑑定人の口頭による意見の陳述前に裁判官の命令又は当事者の申出があるときは、裁判所書記官は、当事者の裁判上の利用に供するため、録音テープ等に証人又は鑑定人の陳述を記録しなければならない。この場合において、当事者の申出があるときは、裁判所書記官は、当該録音テープ等の複製を許さなければならない。

（通常の手続への移行・法第三百七十三条）

第二二八条① 被告の通常の手続に移行させる旨の申述は、期日においてする場合を除き、書面でしなければならない。

② 前項の申述があったときは、裁判所書記官は、速やかに、その申述により訴訟が通常の手続に移行した旨を原告に通知しなければならない。ただし、その申述が原告の出頭した期日においてされたときは、この限りでない。

③ 裁判所が訴訟を通常の手続により審理及び裁判をする旨の決定をしたときは、裁判所書記官は、速やかに、その旨を当事者に通知しなければならない。

（判決・法第三百七十四条）

第二二九条① 少額訴訟の判決書又は判決書に代わる調書には、少額訴訟判決と表示しなければならない。

② 第百五十五条（言渡しの方式）第三項の規定は、少額訴訟における原本に基づかないでする判決の言渡しをする場合について準用する。

（異議申立ての方式等・法第三百七十八条）

第二三〇条 第二百十七条（異議申立ての方式等）及び第二百十八条（異議申立権の放棄及び異議の取下げ）の規定は、少額訴訟の終局判決に対する異議について準用する。

（異議後の訴訟の判決書等）

第二三一条① 異議後の訴訟の判決書又は判決書に代わる調書には、少額異議判決と表示しなければならない。

② 第二百十九条（手形訴訟の判決書等の引用）の規定は、異議後の訴訟の判決書又は判決書に代わる調書における事実及び理由の記載について準用する。

第七編　督促手続

（訴えに関する規定の準用・法第三百八十四条）

第二三二条 支払督促の申立てには、その性質に反しない限り、訴えに関する規定を準用する。

（支払督促の原本・法第三百八十七条）

第二三三条 支払督促の原本には、これを発した裁判所書記官が記名押印しなければならない。

（支払督促の送達等・法第三百八十八条）

第二三四条① 支払督促の債務者に対する送達は、その正本によってする。

② 裁判所書記官は、支払督促を発したときは、その旨を債権者に通知しなければならない。

（仮執行の宣言の申立て等・法第三百九十一条）

第二三五条① 仮執行の宣言の申立ては、手続の費用額を明らかにしてしなければならない。

② 法第三百九十一条（仮執行の宣言）第二項ただし書に規定する債権者の同意は、仮執行の宣言の申立ての時にするものとする。

（仮執行の宣言の方式等・法第三百九十一条）

第二三六条① 仮執行の宣言は、支払督促の原本に記載しなければならない。

② 第二百三十四条（支払督促の送達等）第一項の規定は、仮執行の宣言が記載された支払督促の当事者に対する送達及び債権者に対する送達に代わる送付について準用する。

（訴訟への移行による記録の送付・法第三百九十五条）

第二三七条 法第三百九十五条（督促異議の申立てによる訴訟への移行）の規定により地方裁判所に訴えの提起があったものとみなされたときは、裁判所書記官は、遅滞なく、地方裁判所の裁判所書記官に対し、訴訟記録を送付しなければならない。

第八編　執行停止

（執行停止の申立ての方式・法第四百三条）

第二三八条 法第四百三条（執行停止の裁判）第一項に規定する申立ては、書面でしなければならない。

第九編　雑則

（特許法第百五十条第六項の規定による嘱託に基づく証拠調べ又は証拠保全）

第二三九条 特許法（昭和三十四年法律第百二十一号）第百五十条（証拠調べ及び証拠保全）第六項（同法及び他の法律において準用する場合を含む。）の規定による嘱託に基づいて地方裁判所又は簡易裁判所の裁判官が行う証拠調べ又は証拠保全については、この規則中証拠調べ又は証拠保全に関する規定を準用する。ただし、証拠の申出又は証拠保全の申立てに関する規定及び証人の勾引に関する規定については、この限りでない。

附　則（抄）

（施行期日）

第一条 この規則（中略）は、法の施行の日（平成一〇・一・一）から施行する。

（旧規則の廃止）

第二条 民事訴訟規則（昭和三十一年最高裁判所規則第二号（中略））は、廃止する。

＊民事訴訟費用等に関する法律（抜粋）（昭和四六・四・六法四〇）

最終改正　令和六法五八

（申立ての手数料）

第三条① 別表第一の上欄に掲げる申立てをするには、申立ての区分に応じ、それぞれ同表の下欄に掲げる額の手数料を納めなければならない。

②―⑤（略）

＊令和四法四八（令和八・五・二四までに施行）による改正前

（申立ての手数料）

第三条①（略）

新②（改正により追加）

②―④（略、改正後の③―⑤）

＊令和五法五三（令和一〇・六・一三までに施行）による改正後

（申立ての手数料）

第三条①（略）

現②（改正により削る）

②―④（略、改正前の③―⑤）

（訴訟の目的の価額等）

第四条① 別表第一及び別表第二において手数料の額の算出の基礎とされている訴訟の目的の価額は、民事訴訟法第八条第一項及び第九条の規定により算定する。

＊令和四法四八（令和八・五・二四までに施行）による改正

第一項中「別表第一」の下に「及び別表第二」が加えられた。（本文織込み済み）

＊令和五法五三（令和一〇・六・一三までに施行）による改正

第一項中「及び別表第二」を削る。（本文未織込み）

② 財産権上の請求でない請求に係る訴えについては、訴訟の目的の価額は、百六十万円とみなす。財産権上の請求に係る訴えで訴訟の目的の価額を算定することが極めて困難なものについても、同様とする。

③ 一の訴えにより財産権上の請求でない請求とその原因である事実から生ずる財産権上の請求とをあわせてするときは、多額である訴訟の目的の価額による。

④―⑦（略）

別表第一（第三条、第四条関係）

項	上欄	下欄
一	訴え（反訴を除く。）の提起	訴訟の目的の価額に応じて、次に定めるところにより算出して得た額 ㈠ 訴訟の目的の価額が百万円までの部分 その価額十万円までごとに　千円 ㈡ 訴訟の目的の価額が百万円を超え五百万円までの部分 その価額二十万円までごとに　千円 ㈢ 訴訟の目的の価額が五百万円を超え千万円までの部分 その価額五十万円までごとに　二千円 ㈣ 訴訟の目的の価額が千万円を超え十億円までの部分 その価額百万円までごとに　三千円 ㈤ 訴訟の目的の価額が十億円を超え五十億円までの部分 その価額五百万円までごとに　一万円 ㈥ 訴訟の目的の価額が五十億円を超える部分 その価額千万円までごとに　一万円
二	控訴の提起（四の項に掲げるものを除く。）	一の項により算出して得た額の一・五倍の額
三	上告の提起又は上告受理の申立て（四の項に掲げるものを除く。）	一の項により算出して得た額の二倍の額
四	請求について判断をしなかつた判決に対する控訴の提起又は上告の提起若しくは上告受理の申立て	二の項又は三の項により算出して得た額の二分の一の額
五	請求の変更	変更後の請求につき一の項（請求について判断した判決に係る控訴審における請求の変更にあつては、二の項）により算出して得た額から変更前の請求に係る手数料の額を控除した額
六	反訴の提起	一の項（請求について判断した判決に係る控訴審における反訴の提起にあつては、二の項）により算出して得た額。ただし、本訴とその目的を同じくする反訴については、この額から本訴に係る訴訟の目的の価額について一の項（請求について判断した判決に係る控訴審における反訴の提起にあつては、二の項）により算出して得た額を控除した額
七	民事訴訟法第四十七条第一項又は第五十二条第一項の規定による参加の申出	一の項（請求について判断した判決に係る控訴審又は上告審における参加にあつては二の項又は三の項、第一審において請求について判断し、第二審において請求について判断しなかつた判決に係る上告審における参加にあつては二の項）により算出して得た額
八	再審の訴えの提起（簡易裁判所及び地方裁判所に提起するものを除く。）	四千円
八の二	仲裁法（平成十五年法律第百三十八号）第四十四条第一項、第四十六条第一項、	四千円

第四十七条第一項若しくは第四十九条第一項の規定による申立て、調停による国際的な和解合意に関する国際連合条約の実施に関する法律（令和五年法律第十六号）第五条第一項の規定による申立て又は裁判外紛争解決手続の利用の促進に関する法律（平成十六年法律第百五十一号）第二十七条の二第一項の規定による申立て	
以下略	

＊令和四法四八（令和八・五・二四までに施行）、**令和六法三三**（令和八・五・二三までに施行）**による改正前**

別表第一（第三条、第四条関係）

項	上欄		下欄
一―六（略）			
七	民事訴訟法第四十七条第一項若しくは第五十二条第一項又は民事再生法（平成十一年法律第二百二十五号）第百三十八条第一項若しくは第二項の規定による参加の申出		（略）
八	再審の訴えの提起	(1) 簡易裁判所に提起するもの	二千円
		(2) 簡易裁判所以外の裁判所に提起するもの	四千円

八の二（略）		
九	和解の申立て	二千円
（改正により削られた）		
一〇	支払督促の申立て	請求の目的の価額に応じ、一の項により算出して得た額の二分の一の額
（改正により削られた）		
以下略		

＊令和五法五三（令和一〇・六・一三までに施行）**による改正**

別表第一を次のように改める。

別表第一（略）

別表第二・第三（略）

附　則（令和四・五・二五法四八）（抄）

（施行期日）

第一条　この法律は、公布の日から起算して四年を超えない範囲内において政令で定める日から施行する。ただし、次の各号に掲げる規定は、当該各号に定める日から施行する。

一　（前略）附則第百二十五条の規定　公布の日

二―五　（略）

（申立ての手数料の額及び郵便物の料金等に充てるための費用に関する経過措置）

第二五条　第四条の規定による改正後の民事訴訟費用等に関する法律（以下「第四条改正後費用法」という。）第三条第二項及び第十一条第一項ただし書並びに別表第二の一の項から四の項まで、八の項、九の項及び一四の項から一六の項までの規定は、施行日以後に提起されるものにおける訴えに係る事件であって施行日以後に提起されるものにおける申立ての手数料の額及び郵便物の料金又は民間事業者による信書の送達に関する法律（平成十四年法律第九十九号）第二条第六項に規定する一般信書便事業者若しくは同条第九項に規定する特定信書便事業者の提供する同条第二項に規定する信書便の役務に関する料金に充てるための費用（以下この条において「郵便物の料金等に充てるための費用」という。）について適用し、訴えに係る事件であって施行日前に提起されたものにおける申立ての手数料の額及び郵便物の料金等に充てるための費用については、なお従前の例による。

（政令への委任）

第一二五条　この附則に定めるもののほか、この法律の施行に関し必要な経過措置は、政令で定める。

（検討）

第一二六条　政府は、この法律の施行後五年を経過した場合において、この法律による改正後の民事訴訟法その他の法律の規定の施行の状況について検討を加え、必要があると認めるときは、その結果に基づいて所要の措置を講ずるものとする。

民事関係手続等における情報通信技術の活用等の推進を図るための関係法律の整備に関する法律中経過規定（令和五・六・一四法五三）（抄）

（手数料の額及び郵便物の料金等に充てるための費用に関する経過措置）

第八九条　前条の規定による改正後の民事訴訟費用等に関する法律（以下この節において「改正後費用法」という。）第三条第一項、第七条及び第十一条第一項第一号並びに別表第一及び別表第二の四の項の規定は、施行日以後に開始される民事事件、行政事件及び家事事件に関する手続の申立てに係る事件（施行日前にされた訴え以外の申立て（家事事件手続法（平成二十三年法律第五十二号）第二百四十四条に規定する事件についての調停の申立てを除く。）について、施行日以後に当該申立てに係る法令の規定により当該申立て時に訴えの提起があったものとみなされるもの（以下この条において「改正後みなし訴訟事件」という。）、施行日前にされた家事調停の申立てについて施行日以後に当該申立て時に申立てがあったものとみなされる家事審判事件（以下この条において「改正後みなし申立事件」という。）及び施行日前にされた家事審判の申立て又は第三百四十一条の規定による改正前の国際的な子の奪取の民事上の側面に関する条約の実施に関する法律（平成二十五年法律第四十八号）第二十九条に規定する子の返還に関する事件の申立てについて施行日以後にこれらの申立てに係る事件が家事調停に付されたもの（以下この条において「改正後付調停事件」という。）を除く。）（次条において「施行日以後の申立事件」と総称する。）における手数料の額及び郵便物の料金又は民間事業者による信書の送達に関する法律（平成十四年法律第九十九号）第二条第六項に規定する一般信書便事業者若しくは同条第九項に規定する特定信書便事業者の提供する同条第二項に規定する信書便の役務に関する料金に充てるための費用（以下この条において「郵便物の料金等に充てるための費用」という。）について適用し、施行日前に開始された民事事件、行政事件及び家事事件に関する手続の申立てに係る事件（改正後みなし訴訟事件、改正後みなし申立事件及び改正後付調停事件を含む。）（次条において「施行日前の申立事件」と総称する。）における手数料の額及び郵便物の料金等に充てるための費用については、なお従前の例による。

第三八七条から第三八九条まで　（民事執行法の同経過規定参

照）

民事関係手続等における情報通信技術の活用等の推進を図るための関係法律の整備に関する法律

附　則（令和五・六・一四法五三）

この法律は、公布の日から起算して五年を超えない範囲内において政令で定める日から施行する。ただし、次の各号に掲げる規定は、当該各号に定める日から施行する。

一　（前略）第三百八十八条の規定　公布の日

二　（前略）第三百八十七条の規定　公布の日から起算して二年六月を超えない範囲内において政令で定める日

三　（略）

○外国等に対する我が国の民事裁判権に関する法律（抄）（平成二一・四・二四法二四）

施行　平成二二・四・一（平成二二政二）
最終改正　令和四法四八

目次

第一章　総則

（趣旨）

第一条　この法律は、外国等に対して我が国の民事裁判権（裁判権のうち刑事に係るもの以外のものをいう。第四条において同じ。）が及ぶ範囲及び外国等に係る民事の裁判手続についての特例を定めるものとする。

（定義）

第二条　この法律において「外国等」とは、次に掲げるもの（以下「国等」という。）のうち、日本国及び日本国に係るものを除くものをいう。

一　国及びその政府の機関

二　連邦国家の州その他これに準ずる国の行政区画であって、主権的な権能を行使する権限を有するもの

三　前二号に掲げるもののほか、主権的な権能を行使する権限を付与された団体（当該権能の行使としての行為をする場合に限る。）

四　前三号に掲げるものの代表者であって、その資格に基づき行動するもの

（条約等に基づく特権又は免除との関係）

第三条　この法律の規定は、条約又は確立された国際法規に基づき外国等が享有する特権又は免除に影響を及ぼすものではない。

第二章　外国等に対して裁判権が及ぶ範囲（抄）

第一節　免除の原則

第四条　外国等は、この法律に別段の定めがある場合を除き、裁判権（我が国の民事裁判権をいう。以下同じ。）から免除されるものとする。

第二節　裁判手続について免除されない場合（抄）

（外国等の同意）

第五条①　外国等は、次に掲げるいずれかの方法により、特定の事項又は事件に関して裁判権に服することについての同意を明示的にした場合には、訴訟手続その他の裁判所における手続（外国等の有する財産に対する保全処分及び民事執行の手続を除く。以下この節において「裁判手続」という。）のうち、当該特定の事項又は事件に関するものについて、裁判権から免除されない。

一　条約その他の国際約束

二　書面による契約

三　当該裁判手続における陳述又は裁判所若しくは相手方に対する書面による通知

②　外国等が特定の事項又は事件に関して日本国の法令を適用することについて同意したことは、前項の同意と解してはならない。

（同意の擬制）

第六条①　外国等が次に掲げる行為をした場合には、前条第一項の同意があったものとみなす。

一　訴えの提起その他の裁判手続の開始の申立て

二　裁判手続への参加（裁判権からの免除を主張することを目的とするものを除く。）

三　裁判手続において異議を述べないで本案についてした弁論又は申述

②　前項第二号及び第三号の規定は、当該外国等がこれらの行為をする前に裁判権から免除される根拠となる事実があることを知ることができなかったやむを得ない事情がある場合であって、当該事実を知った後当該事情を速やかに証明したときには、適用しない。

③　口頭弁論期日その他の裁判手続の期日において外国等が出頭しないこと及び外国等の代表者が証人として出頭したことは、前条第一項の同意と解してはならない。

第七条①　外国等が訴えを提起した場合又は当事者として訴訟に

参加した場合において、反訴が提起されたときは、当該反訴について、第五条第一項の同意があったものとみなす。
② 外国等が当該外国等を被告とする訴訟において反訴を提起したときは、本訴について、第五条第一項の同意があったものとみなす。

（商業的取引）
第八条① 外国等は、商業的取引（民事又は商事に係る物品の売買、役務の調達、金銭の貸借その他の事項についての契約又は取引（労働契約を除く。）をいう。次項及び第十六条において同じ。）のうち、当該外国等と当該外国等（国以外のものにあっては、それらが所属する国。以下この項において同じ。）以外の国の国民又は当該外国等以外の国若しくはこれに所属する国等の法令に基づいて設立された法人その他の団体との間のものに関する裁判手続について、裁判権から免除されない。
② 前項の規定は、次に掲げる場合には、適用しない。
一 当該外国等と当該外国等以外の国等との間の商業的取引である場合
二 当該商業的取引の当事者が明示的に別段の合意をした場合

（労働契約）
第九条① 外国等は、当該外国等と個人との間の労働契約であって、日本国内において労務の全部又は一部が提供され、又は提供されるべきものに関する裁判手続について、裁判権から免除されない。
② 前項の規定は、次に掲げる場合には、適用しない。
一・二 （略）
三 当該個人の採用又は再雇用の契約の成否に関する訴え又は申立て（いずれも損害の賠償を求めるものを除く。）である場合
四―六 （略）

（人の死傷又は有体物の滅失等）
第一〇条 外国等は、人の死亡若しくは傷害又は有体物の滅失若しくは毀損が、当該外国等が責任を負うべきものと主張される行為によって生じた場合において、当該行為の全部又は一部が日本国内で行われ、かつ、当該行為をした者が当該行為の時に日本国内に所在していたときは、これによって生じた損害又は損失の金銭によるてん補に関する裁判手続について、裁判権から免除されない。

（不動産に係る権利利益等）
第一一条① 外国等は、日本国内にある不動産に係る次に掲げる事項に関する裁判手続について、裁判権から免除されない。
一 当該外国等の不動産に係る権利若しくは利益又は当該外国等による占有若しくは使用
二 当該外国等の権利若しくは利益又は当該外国等による占有若しくは使用から生ずる当該外国等の義務
② 外国等は、動産又は不動産について相続その他の一般承継、贈与又は無主物の取得によって生ずる当該外国等の権利又は利益に関する裁判手続について、裁判権から免除されない。

（裁判所が関与を行う財産の管理又は処分に係る権利利益）
第一二条 外国等は、信託財産、破産財団に属する財産、清算中の会社の財産その他の日本国の裁判所が監督その他の関与を行う財産の管理又は処分に係る当該外国等の権利又は利益に関する裁判手続について、裁判権から免除されない。

（知的財産権）
第一三条 外国等は、次に掲げる事項に関する裁判手続について、裁判権から免除されない。
一 当該外国等が有すると主張している知的財産権（知的財産基本法（平成十四年法律第百二十二号）第二条第二項に規定する知的財産に関して日本国の法令により定められた権利又は日本国の法律上保護される利益に係る権利をいう。次号において同じ。）の存否、効力、帰属又は内容
二 当該外国等が日本国内においてしたものと主張される知的財産権の侵害

第一四条 （略）

（船舶の運航等）
第一五条① 船舶を所有し又は運航する外国等は、当該船舶の運航に関する紛争の原因となる事実が生じた時において当該船舶が政府の非商業的目的以外に使用されていた場合には、当該紛争に関する裁判手続について、裁判権から免除されない。
② 前項の規定は、当該船舶が軍艦又は軍の支援船である場合には、適用しない。
③④ （略）

第一六条 （略）

第三節 外国等の有する財産に対する保全処分及び民事執行の手続について免除されない場合

（外国等の同意等）
第一七条① 外国等は、次に掲げるいずれかの方法により、その有する財産に対して保全処分又は民事執行をすることについての同意を明示的にした場合には、当該保全処分又は民事執行の手続について、裁判権から免除されない。
一 条約その他の国際約束
二 仲裁に関する合意
三 書面による契約
四 当該保全処分又は民事執行の手続における陳述又は裁判所若しくは相手方に対する書面による通知（相手方に対する通知にあっては、当該保全処分又は民事執行が申し立てられる原因となった権利関係に係る紛争が生じた後に発出されたものに限る。）
② 外国等は、保全処分又は民事執行の目的を達することができるように指定し又は担保として提供した特定の財産がある場合には、当該財産に対する当該保全処分又は民事執行の手続について、裁判権から免除されない。
③ 第五条第一項の同意は、第一項の同意と解してはならない。

（特定の目的に使用される財産）
第一八条① 外国等は、当該外国等により政府の非商業的目的以外にのみ使用され、又は使用されることが予定されている当該外国等の有する財産に対する民事執行の手続について、裁判権から免除されない。
②③ （略）

（外国中央銀行等の取扱い）
第一九条① 日本国以外の国の中央銀行又はこれに準ずる金融当局（次項において「外国中央銀行等」という。）は、その有する財産に対する保全処分及び民事執行の手続については、第二条第一号から第三号までに該当しない場合においても、これを外国等とみなし、第四条並びに第十七条第一項及び第二項の規定を適用する。
② 外国中央銀行等については、前条第一項の規定は適用しない。

第三章 民事の裁判手続についての特例（抄）

（訴状等の送達）
第二〇条① 外国等に対する訴状その他これに類する書類及び電磁的記録（電子的方式、磁気的方式その他人の知覚によっては認識することができない方式で作られる記録であって、電子計算機による情報処理の用に供されるものをいう。）に記録されている事項を出力することにより作成した書面及び訴訟手続その他の裁判所における手続の最初の期日の呼出状又は電子呼出状（民事訴訟法（平成八年法律第百九号）第九十四条第一項第一号に規定する電子呼出状をいう。）について同法第百九条の規定により作成した書面（以下この条及び次条第一項において「訴状等」という。）の送達は、次に掲げる方法によりするものとする。
一 条約その他の国際約束で定める方法
二 前号に掲げる方法がない場合には、次のイ又はロに掲げる方法
イ 外交上の経路を通じてする方法

ロ 当該外国等が送達の方法として受け入れるその他の方法（民事訴訟法に規定する方法であるものに限る。）

＊令和四法四八（令和八・五・二四までに施行）**による改正前**

① 外国等に対する訴状その他これに類する書類及び訴訟手続その他の裁判所における手続の最初の期日の呼出状（以下この条及び次条第一項において「訴状等」という。）の送達は、次に掲げる方法によりするものとする。

一 （略）

二 （柱書略）

イ （略）

ロ 当該外国等が送達の方法として受け入れるその他の方法（民事訴訟法（平成八年法律第百九号）に規定する方法であるものに限る。）

② 前項第二号イに掲げる方法により送達をした場合においては、外務省に相当する当該外国等（国以外のものにあっては、それらが所属する国）の機関が訴状等を受領した時に、送達があったものとみなす。

③ 外国等は、異議を述べないで本案について弁論又は申述をしたときは、訴状等の送達の方法について異議を述べる権利を失う。

④ 第一項及び第二項に規定するもののほか、外国等に対する訴状等の送達に関し必要な事項は、最高裁判所規則で定める。

（外国等の不出頭の場合の民事訴訟法の特例等）

第二一条① 外国等が口頭弁論の期日に出頭せず、答弁書その他の準備書面を提出しない場合における当該外国等に対する請求を認容する判決の言渡しは、訴状等の送達があった日又は前条第二項の規定により送達があったものとみなされる日から四月を経過しなければすることができない。

②―④ （略）

第二二条 （略）

附 則

（施行期日）

① この法律は、公布の日から起算して一年を超えない範囲内において政令で定める日（平成二二・四・一―平成二二政二）から施行する。

（経過措置）

② この法律の規定は、次に掲げる事件については、適用しない。

一 この法律の施行前に申立てがあり、又は裁判所が職権で開始した第五条第一項に規定する裁判手続に係る事件

二 この法律の施行前に申立てがあり、又は裁判所が職権で開始した外国等の有する財産に対する保全処分及び民事執行に係る事件

附 則（令和四・五・二五法四八）（抄）

（施行期日）

第一条 この法律は、公布の日から起算して四年を超えない範囲内において政令で定める日から施行する。ただし、次の各号に掲げる規定は、当該各号に定める日から施行する。

一 （前略）附則第百二十五条の規定 公布の日

二―五 （略）

（政令への委任）

第一二五条 この附則に定めるもののほか、この法律の施行に関し必要な経過措置は、政令で定める。

●人事訴訟法（平成一五・七・一六 法一〇九）

施行 平成一六・四・一（平成一五政五一二）
改正 平成一六法一〇四・法一二〇・法一二三・法一三二・法一四七、平成二三法三六・法五三・法六一、平成二四法六三、平成三〇法二〇、令和四法四八（令和五法五三）・法六八・法一〇二、令和五法五三、令和六法三三

目次

第一章 総則

第一節 通則

（趣旨）
第一条 この法律は、人事訴訟に関する手続について、民事訴訟法（平成八年法律第百九号）の特例等を定めるものとする。

（定義）
第二条 この法律において「人事訴訟」とは、次に掲げる訴えその他の身分関係の形成又は存否の確認を目的とする訴え（以下「人事に関する訴え」という。）に係る訴訟をいう。
一 婚姻の無効及び取消しの訴え、離婚の訴え、協議上の離婚の無効及び取消しの訴え並びに婚姻関係の存否の確認の訴え
二 嫡出否認の訴え、認知の訴え、認知の無効及び取消しの訴え、民法（明治二十九年法律第八十九号）第七百七十三条の規定により父を定めることを目的とする訴え並びに実親子関係の存否の確認の訴え
三 養子縁組の無効及び取消しの訴え、離縁の訴え、協議上の離縁の無効及び取消しの訴え並びに養親子関係の存否の確認の訴え

（最高裁判所規則）
第三条 この法律に定めるもののほか、人事訴訟に関する手続に関し必要な事項は、最高裁判所規則で定める。

第二節 裁判所

第一款 日本の裁判所の管轄権

（人事に関する訴えの管轄権）
第三条の二 人事に関する訴えは、次の各号のいずれかに該当するときは、日本の裁判所に提起することができる。
一 身分関係の当事者の一方に対する訴えであって、当該当事者の住所（住所がない場合又は住所が知れない場合には、居所）が日本国内にあるとき。
二 身分関係の当事者の双方に対する訴えであって、その一方又は双方の住所（住所がない場合又は住所が知れない場合には、居所）が日本国内にあるとき。
三 身分関係の当事者の一方からの訴えであって、他の一方がその死亡の時に日本国内に住所を有していたとき。
四 身分関係の当事者の双方が死亡し、その一方又は双方がその死亡の時に日本国内に住所を有していたとき。
五 身分関係の当事者の双方が日本の国籍を有するとき（その一方又は双方がその死亡の時に日本の国籍を有していたときを含む。）。
六 日本国内に住所がある身分関係の当事者の一方からの訴えであって、当該身分関係の当事者が最後の共通の住所を日本国内に有していたとき。
七 日本国内に住所がある身分関係の当事者の一方からの訴えであって、他の一方が行方不明であるとき、他の一方の住所がある国においてされた当該訴えに係る身分関係と同一の身分関係についての訴えに係る確定した判決が日本国で効力を有しないときその他の日本の裁判所が審理及び裁判をすることが当事者間の衡平を図り、又は適正かつ迅速な審理の実現を確保することとなる特別の事情があると認められるとき。

（関連請求の併合による管轄権）
第三条の三 一の訴えで人事訴訟に係る請求と当該請求の原因である事実によって生じた損害の賠償に関する請求（当該人事訴訟における当事者の一方から他の一方に対するものに限る。）とをする場合においては、日本の裁判所が当該人事訴訟に係る請求について管轄権を有するときに限り、日本の裁判所にその訴えを提起することができる。

（子の監護に関する処分についての裁判に係る事件等の管轄権）
第三条の四① 裁判所は、日本の裁判所が婚姻の取消し又は離婚の訴えについて管轄権を有するときは、第三十二条第一項の子の監護者の指定その他の子の監護に関する処分についての裁判、同項の親権行使者の指定についての裁判及び同条第三項の親権者の指定についての裁判に係る事件について、管轄権を有する。

＊令和六法三三（令和八・五・二三までに施行）による改正
第一項中「及び」は「、同項の親権行使者の指定についての裁判及び」に改められた。（本文織込み済み）

② 裁判所は、日本の裁判所が婚姻の取消し又は離婚の訴えについて管轄権を有する場合において、家事事件手続法（平成二十三年法律第五十二号）第三条の十二各号のいずれかに該当するときは、第三十二条第一項の財産の分与に関する処分についての裁判に係る事件について、管轄権を有する。

（特別の事情による訴えの却下）
第三条の五 裁判所は、訴えについて日本の裁判所が管轄権を有することとなる場合においても、事案の性質、応訴による被告の負担の程度、証拠の所在地、当該訴えに係る身分関係の当事者間の成年に達しない子の利益その他の事情を考慮して、日本の裁判所が審理及び裁判をすることが当事者間の衡平を害し、又は適正かつ迅速な審理の実現を妨げることとなる特別の事情があると認めるときは、その訴えの全部又は一部を却下することができる。

第二款 管轄

（人事に関する訴えの管轄）
第四条① 人事に関する訴えは、当該訴えに係る身分関係の当事者が普通裁判籍を有する地又はその死亡の時にこれを有した地を管轄する家庭裁判所の管轄に専属する。
② 前項の規定による管轄裁判所が定まらないときは、人事に関する訴えは、最高裁判所規則で定める地を管轄する家庭裁判所の管轄に専属する。

（併合請求における管轄）
第五条 数人からの又は数人に対する一の人事に関する訴えで数

個の身分関係の形成又は存否の確認を目的とする数個の請求をする場合には、前条の規定にかかわらず、同条の規定により一の請求について管轄権を有する家庭裁判所にその訴えを提起することができる。ただし、民事訴訟法第三十八条前段に定める場合に限る。

（調停事件が係属していた家庭裁判所の自庁処理）

第六条　家庭裁判所は、人事訴訟の全部又は一部がその管轄に属しないと認める場合においても、当該人事訴訟に係る事件について家事事件手続法第二百五十七条第一項の規定により申し立てられた調停に係る事件がその家庭裁判所に係属していたときであって、調停の経過、当事者の意見その他の事情を考慮して特に必要があると認めるときは、民事訴訟法第十六条第一項の規定にかかわらず、申立てにより又は職権で、当該人事訴訟の全部又は一部について自ら審理及び裁判をすることができる。

（遅滞を避ける等のための移送）

第七条　家庭裁判所は、人事訴訟がその管轄に属する場合においても、当事者及び尋問を受けるべき証人の住所その他の事情を考慮して、訴訟の著しい遅滞を避け、又は当事者間の衡平を図るため必要があると認めるときは、申立てにより又は職権で、当該人事訴訟の全部又は一部を他の管轄裁判所に移送することができる。

（関連請求に係る訴訟の移送）

第八条①　家庭裁判所に係属する人事訴訟に係る請求の原因である事実によって生じた損害の賠償に関する請求に係る訴訟の係属する第一審裁判所は、相当と認めるときは、申立てにより、当該訴訟をその家庭裁判所に移送することができる。この場合においては、その移送を受けた家庭裁判所は、当該損害の賠償に関する請求に係る訴訟について自ら審理及び裁判をすることができる。

②　前項の規定により移送を受けた家庭裁判所は、同項の人事訴訟に係る事件及びその移送に係る損害の賠償に関する請求に係る事件について口頭弁論の併合を命じなければならない。

第三款　参与員

（参与員）

第九条①　家庭裁判所は、必要があると認めるときは、参与員を審理又は和解の試みに立ち会わせて事件につきその意見を聴くことができる。

②　参与員の員数は、各事件について一人以上とする。

③　参与員は、毎年あらかじめ家庭裁判所の選任した者の中から、事件ごとに家庭裁判所が指定する。

④　前項の規定により選任される者の資格、員数その他同項の選任に関し必要な事項は、最高裁判所規則で定める。

⑤　参与員には、最高裁判所規則で定める額の旅費、日当及び宿泊料を支給する。

⑥　家庭裁判所は、第一項の規定により参与員を審理又は和解の試みに立ち会わせる場合において、相当と認めるときは、当事者の意見を聴いて、最高裁判所規則で定めるところにより、家庭裁判所及び当事者双方が参与員との間で音声の送受信により同時に通話をすることができる方法によって、参与員に審理又は和解の試みに立ち会わせ、当該期日における行為をさせることができる。

＊令和五法五三（令和八・五・二四までに施行）により第六項追加

（参与員の除斥及び忌避）

第一〇条①　民事訴訟法第二十三条から第二十五条までの規定は、参与員について準用する。

②　参与員について除斥又は忌避の申立てがあったときは、参与員は、その申立てについての決定が確定するまでその申立てがあった事件に関与することができない。

（秘密漏示に対する制裁）

第一一条　参与員又は参与員であった者が正当な理由なくその職務上取り扱ったことについて知り得た人の秘密を漏らしたときは、一年以下の拘禁刑又は五十万円以下の罰金に処する。

第三節　当事者

（被告適格）

第一二条①　人事に関する訴えであって当該訴えに係る身分関係の当事者の一方が提起するものにおいては、特別の定めがある場合を除き、他の一方を被告とする。

②　人事に関する訴えであって当該訴えに係る身分関係の当事者以外の者が提起するものにおいては、特別の定めがある場合を除き、当該身分関係の当事者の双方を被告とし、その一方が死亡した後は、他の一方を被告とする。

③　前二項の規定により当該訴えの被告とすべき者が死亡し、被告とすべき者がないときは、検察官を被告とする。

（人事訴訟における訴訟能力等）

第一三条①　人事訴訟の訴訟手続における訴訟行為については、民法第五条第一項及び第二項、第九条、第十三条並びに第十七条並びに民事訴訟法第三十一条並びに第三十二条第一項（同法第四十条第四項において準用する場合を含む。）及び第二項の規定は、適用しない。

②　訴訟行為につき行為能力の制限を受けた者が前項の訴訟行為をしようとする場合において、必要があると認めるときは、裁判長は、申立てにより、弁護士を訴訟代理人に選任することができる。

③　訴訟行為につき行為能力の制限を受けた者が前項の申立てをしない場合においても、裁判長は、弁護士を訴訟代理人に選任すべき旨を命じ、又は職権で弁護士を訴訟代理人に選任することができる。

④　前二項の規定により裁判長が訴訟代理人に選任した弁護士に対し当該訴訟行為につき行為能力の制限を受けた者が支払うべき報酬の額は、裁判所が相当と認める額とする。

第一四条①　人事に関する訴えの原告又は被告となるべき者が成年被後見人であるときは、その成年後見人は、成年被後見人のために訴え、又は訴えられることができる。ただし、その成年後見人が当該訴えに係る訴訟の相手方となるときは、この限りでない。

②　前項ただし書の場合には、成年後見監督人が、成年被後見人のために訴え、又は訴えられることができる。

（利害関係人の訴訟参加）

第一五条①　検察官を被告とする人事訴訟において、訴訟の結果により相続権を害される第三者（以下「利害関係人」という。）を当該人事訴訟に参加させることが必要であると認めるときは、裁判所は、被告を補助させるため、決定で、その利害関係人を当該人事訴訟に参加させることができる。

②　裁判所は、前項の決定をするに当たっては、あらかじめ、当事者及び利害関係人の意見を聴かなければならない。

③　民事訴訟法第四十三条第一項の申出又は第一項の決定により検察官を被告とする人事訴訟に参加した利害関係人については、同法第四十五条第二項の規定は、適用しない。

④　前項の利害関係人については、民事訴訟法第四十条第一項から第三項まで（同項については、訴訟手続の中止に関する部分に限る。）の規定を準用する。

⑤　裁判所は、第一項の決定を取り消すことができる。

第四節　訴訟費用

第一六条①　検察官を当事者とする人事訴訟において、民事訴訟法第六十一条から第六十六条までの規定によれば検察官が負担すべき訴訟費用は、国庫の負担とする。

②　利害関係人が民事訴訟法第四十三条第一項の申出又は前条第一項の決定により検察官を被告とする人事訴訟に参加した場合における訴訟費用の負担については、同法第六十一条から第六十六条までの規定を準用する。

第五節　訴訟手続

（期日の呼出し）
第一六条の二① 人事訴訟に関する手続における期日の呼出しは、呼出状の送達、当該事件について出頭した者に対する期日の告知その他相当と認める方法によってする。
② 呼出状の送達及び当該事件について出頭した者に対する期日の告知以外の方法による期日の呼出しをしたときは、期日に出頭しない者に対し、法律上の制裁その他期日の不遵守による不利益を帰することができない。ただし、その者が期日の呼出しを受けた旨を記載した書面を提出したときは、この限りでない。

＊令和四法四八（令和八・五・二四までに施行）により第一六条の二追加
＊令和五法五三（令和一〇・六・一三までに施行）により第一六条の二削る（本文未織込み）

（公示送達の方法）
第一六条の三 人事訴訟に関する手続における公示送達は、裁判所書記官が送達すべき書類を保管し、いつでも送達を受けるべき者に交付すべき旨を裁判所の掲示場に掲示してする。

＊令和四法四八（令和八・五・二四までに施行）により第一六条の三追加
＊令和五法五三（令和一〇・六・一三までに施行）により第一六条の三削る（本文未織込み）

（電子情報処理組織による申立て等）
第一六条の四① 人事訴訟に関する手続における申立てその他の申述（以下この条において「申立て等」という。）のうち、当該申立て等に関するこの法律その他の法令の規定により書面等（書面、書類、文書、謄本、抄本、正本、副本、複本その他文字、図形等人の知覚によって認識することができる情報が記載された紙その他の有体物をいう。次項及び第四項において同じ。）をもってするものとされているものであって、最高裁判所の定める裁判所に対してするもの（当該裁判所の裁判長、受命裁判官、受託裁判官又は裁判所書記官に対してするものを含む。）については、当該法令の規定にかかわらず、最高裁判所規則で定めるところにより、電子情報処理組織（裁判所の使用に係る電子計算機（入出力装置を含む。以下この項及び第三項において同じ。）と申立て等をする者の使用に係る電子計算機とを電気通信回線で接続した電子情報処理組織をいう。）を用いてすることができる。
② 前項の規定によりされた申立て等については、当該申立て等を書面等をもってするものとして規定した申立て等に関する法令の規定に規定する書面等をもってされたものとみなして、当該申立て等に関する法令の規定を適用する。
③ 第一項の規定によりされた申立て等は、同項の裁判所の使用に係る電子計算機に備えられたファイルへの記録がされた時に、当該裁判所に到達したものとみなす。
④ 第一項の場合において、当該申立て等に関する他の法令の規定により署名等（署名、記名、押印その他氏名又は名称を書面等に記載することをいう。以下この項において同じ。）をすることとされているものについては、当該申立て等をする者は、当該法令の規定にかかわらず、当該署名等に代えて、最高裁判所規則で定めるところにより、氏名又は名称を明らかにする措置を講じなければならない。
⑤ 第一項の規定によりされた申立て等が第三項に規定するファイルに記録されたときは、第一項の裁判所は、当該ファイルに記録された情報の内容を書面に出力しなければならない。
⑥ 第一項の規定によりされた申立て等に係る民事訴訟法第九十一条第一項又は第三項の規定による事件の記録の閲覧若しくは謄写又はその正本、謄本若しくは抄本の交付は、前項の書面をもってするものとする。当該申立て等に係る書類の送達又は送付も、同様とする。

＊令和四法四八（令和八・五・二四までに施行）により第一六条の四追加
＊令和五法五三（令和一〇・六・一三までに施行）により第一六条の四削る（本文未織込み）

（関連請求の併合等）
第一七条① 人事訴訟に係る請求と当該請求の原因である事実によって生じた損害の賠償に関する請求とは、民事訴訟法第百三十六条の規定にかかわらず、一の訴えですることができる。この場合においては、当該人事訴訟に係る請求について管轄権を有する家庭裁判所は、当該損害の賠償に関する請求に係る訴訟について自ら審理及び裁判をすることができる。
② 人事訴訟に係る請求の原因である事実によって生じた損害の賠償に関する請求を目的とする訴えは、前項に規定する場合のほか、既に当該人事訴訟の係属する家庭裁判所にも提起することができる。この場合においては、同項後段の規定を準用する。
③ 第八条第二項の規定は、前項の場合における同項の人事訴訟に係る事件及び同項の損害の賠償に関する請求に係る事件について準用する。

（訴えの変更及び反訴）
第一八条① 人事訴訟に関する手続においては、民事訴訟法第百四十三条第一項及び第四項、第百四十六条第一項並びに第三百条の規定にかかわらず、第一審又は控訴審の口頭弁論の終結に至るまで、原告は、請求又は請求の原因を変更することができ、被告は、反訴を提起することができる。
② 日本の裁判所が請求の変更による変更後の人事訴訟に係る請求について管轄権を有しない場合には、原告は、変更後の人事訴訟に係る請求が変更前の人事訴訟に係る請求と同一の身分関係についての形成又は存否の確認を目的とするときに限り、前項の規定により、請求を変更することができる。
③ 日本の裁判所が反訴の目的である次の各号に掲げる請求について管轄権を有しない場合には、被告は、それぞれ当該各号に定める場合に限り、第一項の規定による反訴を提起することができる。
一 人事訴訟に係る請求　本訴の目的である人事訴訟に係る請求と同一の身分関係についての形成又は存否の確認を目的とする請求を目的とする場合
二 人事訴訟に係る請求の原因である事実によって生じた損害の賠償に関する請求　既に日本の裁判所に当該人事訴訟が係属する場合

（民事訴訟法の規定の適用除外）
第一九条① 人事訴訟の訴訟手続においては、民事訴訟法第百五十七条、第百五十七条の二、第百五十九条第一項、第二百七条第二項、第二百八条、第二百二十四条、第二百二十九条第四項及び第二百四十四条の規定並びに同法第百七十九条の規定中裁判所において当事者が自白した事実に関する部分は、適用しない。
② 人事訴訟における訴訟の目的については、民事訴訟法第二百六十六条から第二百六十七条の二までの規定は、適用しない。

＊令和四法四八（令和八・五・二四までに施行）**による改正**
第二項中「及び第二百六十七条」は「から第二百六十七条の二まで」に改められた。（本文織込み済み）

（職権探知）
第二〇条 人事訴訟においては、裁判所は、当事者が主張しない事実をしん酌し、かつ、職権で証拠調べをすることができる。この場合においては、裁判所は、その事実及び証拠調べの結果について当事者の意見を聴かなければならない。

（当事者本人の出頭命令等）

第二一条① 人事訴訟においては、裁判所は、当事者本人を尋問する場合には、その当事者に対し、期日に出頭することを命ずることができる。

② 民事訴訟法第百九十二条から第百九十四条までの規定は、前項の規定により出頭を命じられた当事者が正当な理由なく出頭しない場合について準用する。

（当事者尋問等の公開停止）

第二二条① 人事訴訟における当事者本人若しくは法定代理人（以下この項及び次項において「当事者等」という。）又は証人が当該人事訴訟の目的である身分関係の形成又は存否の確認の基礎となる事項であって自己の私生活上の重大な秘密に係るものについて尋問を受ける場合においては、裁判所は、裁判官の全員一致により、その当事者等又は証人が公開の法廷で当該事項について陳述をすることにより社会生活を営むのに著しい支障を生ずることが明らかであることから当該事項について十分な陳述をすることができず、かつ、当該陳述を欠くことにより他の証拠のみによっては当該身分関係の形成又は存否の確認のための適正な裁判をすることができないと認めるときは、決定で、当該事項の尋問を公開しないで行うことができる。

② 裁判所は、前項の決定をするに当たっては、あらかじめ、当事者等及び証人の意見を聴かなければならない。

③ 裁判所は、第一項の規定により当該事項の尋問を公開しないで行うときは、公衆を退廷させる前に、その旨を理由とともに言い渡さなければならない。当該事項の尋問が終了したときは、再び公衆を入廷させなければならない。

（検察官の関与）

第二三条① 人事訴訟においては、裁判所又は受命裁判官若しくは受託裁判官は、必要があると認めるときは、検察官を期日に立ち会わせて事件につき意見を述べさせることができる。

② 検察官は、前項の規定により期日に立ち会う場合には、事実を主張し、又は証拠の申出をすることができる。

（確定判決の効力が及ぶ者の範囲）

第二四条① 人事訴訟の確定判決は、民事訴訟法第百十五条第一項の規定にかかわらず、第三者に対してもその効力を有する。

② 民法第七百三十二条の規定に違反したことを理由として婚姻の取消しの請求がされた場合におけるその請求を棄却した確定判決は、前婚の配偶者に対しては、前項の規定にかかわらず、その前婚の配偶者がその請求に係る訴訟に参加したときに限り、その効力を有する。

（判決確定後の人事に関する訴えの提起の禁止）

第二五条① 人事訴訟の判決（訴えを不適法として却下した判決を除く。次項において同じ。）が確定した後は、原告は、当該人事訴訟において請求又は請求の原因を変更することにより主張することができた事実に基づいて同一の身分関係についての人事に関する訴えを提起することができない。

② 人事訴訟の判決が確定した後は、被告は、当該人事訴訟において反訴を提起することにより主張することができた事実に基づいて同一の身分関係についての人事に関する訴えを提起することができない。

（訴訟手続の中断及び受継）

第二六条① 第十二条第二項の規定により人事に関する訴えに係る身分関係の当事者の双方を被告とする場合において、その一方が死亡したときは、他の一方を被告として訴訟を追行する。この場合においては、民事訴訟法第百二十四条第一項第一号の規定は、適用しない。

② 第十二条第一項又は第二項の場合において、被告がいずれも死亡したときは、検察官を被告として訴訟を追行する。

（当事者の死亡による人事訴訟の終了）

第二七条① 人事訴訟の係属中に原告が死亡した場合には、特別の定めがある場合を除き、当該人事訴訟は、当然に終了する。

② 離婚、嫡出否認（父を被告とする場合を除く。）又は離縁を目的とする人事訴訟の係属中に被告が死亡した場合には、当該人事訴訟は、前条第二項の規定にかかわらず、当然に終了する。

第六節　補則

（利害関係人に対する訴訟係属の通知）

第二八条 裁判所は、人事に関する訴えが提起された場合における利害関係人であって、父が死亡した後に認知の訴えが提起された場合におけるその子その他の相当と認められるものとして最高裁判所規則で定めるものに対し、訴訟が係属したことを通知するものとする。ただし、訴訟記録上その利害関係人の氏名及び住所又は居所が判明している場合に限る。

（民事訴訟法の適用関係）

第二九条① 人事に関する訴えについては、民事訴訟法第三条の二から第三条の十まで、第百四十五条第三項及び第百四十六条第三項の規定は、適用しない。

② 人事訴訟に関する手続においては、民事訴訟法第七十一条第二項、第九十一条の二、第九十二条第九項及び第十項、第九十二条の二第二項、第九十四条、第百条第二項、第一編第五章第四節第三款、第百十一条、第百三十二条の六第三項、第一編第七章、第百三十三条の二第五項及び第六項、第百三十三条の三第二項、第百五十一条第三項、第百六十条第二項、第百六十一条第三項第三号、第百八十五条第三項、第二百五条第二項、第二百十五条第二項、第二百二十七条第二項、第二百三十二条の二、第二百五十三条第二項並びに第七編の規定は、適用しない。

③ 人事訴訟に関する手続についての民事訴訟法の規定の適用については、別表の上欄に掲げる同法の規定中同表の中欄に掲げる字句は、それぞれ同表の下欄に掲げる字句とする。

＊令和四法四八（令和八・五・二四までに施行）による改正前

（民事訴訟法の適用関係）

第二九条①（略）

② 人事訴訟に関する手続についての民事訴訟法の規定の適用については、同法第二十五条第一項中「地方裁判所の一人の裁判官の除斥又は忌避についてはその裁判官の所属する裁判所が、簡易裁判所の裁判官の除斥又は忌避についてはその裁判所の所在地を管轄する地方裁判所が」とあるのは「家庭裁判所の一人の裁判官の除斥又は忌避については、その裁判官の所属する裁判所」と、同条第二項並びに同法第三十二条の五第一項、第百八十五条、第二百三十五条第二項及び第三項、第二百六十九条第一項、第三百二十九条第三項並びに第三百三十七条第一項中「地方裁判所」とあるのは「家庭裁判所」と、同法第二百八十一条第一項中「地方裁判所が第一審としてした終局判決又は簡易裁判所」とあるのは「家庭裁判所」と、同法第三百十一条第二項中「地方裁判所の判決に対しては高等裁判所」とあるのは「家庭裁判所の判決に対しては最高裁判所に、簡易裁判所の判決に対しては最高裁判所」と、同法第三百三十六条第一項中「地方裁判所及び簡易裁判所」とあるのは「家庭裁判所」とする。

③（改正により追加）

＊令和五法五三（令和一〇・六・一三までに施行）による改正後

（民事訴訟法の適用関係）

第二九条①（略）

② 人事訴訟に関する手続においては、民事訴訟法第七編の規定は、適用しない。

③ 人事訴訟に関する手続についての民事訴訟法の規定の適用については、次の表の上欄に掲げる同法の規定中同表の中欄に掲げる字句は、それぞれ同表の下欄に掲げる字句とする。

第二十五条第一項	地方裁判所の一人の裁判官の除斥又は忌避についてはその裁判官の所属する裁判所が、簡易裁判所の裁判官の除斥又は忌避についてはその裁判所の所在地を管轄する地方裁判所	家庭裁判所の一人の裁判官の除斥又は忌避については、その裁判官の所属する裁判所

第二十五条第二項、第百三十二条の五第一項、第百八十五条第一項及び第二項、第二百三十五条第二項及び第三項、第二百六十九条第一項、第三百二十九条第三項並びに第三百三十七条第一項	地方裁判所	家庭裁判所
第二百八十一条第一項	地方裁判所が第一審としてした終局判決又は簡易裁判所	家庭裁判所
第三百十一条第二項	地方裁判所の判決に対しては最高裁判所に、簡易裁判所の判決に対しては高等裁判所	家庭裁判所の判決に対しては最高裁判所
第三百三十六条第一項	地方裁判所及び簡易裁判所	家庭裁判所

（保全命令事件の管轄の特例）

第三〇条① 人事訴訟を本案とする保全命令事件は、民事保全法（平成元年法律第九十一号）第十二条第一項の規定にかかわらず、本案の管轄裁判所又は仮に差し押さえるべき物若しくは係争物の所在地を管轄する家庭裁判所が管轄する。

② 人事訴訟に係る請求と当該請求の原因である事実によって生じた損害の賠償に関する請求とを一の訴えですることができる場合には、当該損害の賠償に関する請求に係る保全命令の申立ては、仮に差し押さえるべき物又は係争物の所在地を管轄する家庭裁判所にもすることができる。

第二章 婚姻関係訴訟の特例

第一節 管轄

第三一条 家庭裁判所は、婚姻の取消し又は離婚の訴えに係る婚姻の当事者間に成年に達しない子がある場合には、当該訴えに係る訴訟についての第六条及び第七条の規定の適用に当たっては、その子の住所又は居所を考慮しなければならない。

第二節 附帯処分等

（附帯処分についての裁判等）

第三二条① 裁判所は、申立てにより、夫婦の一方が他の一方に対して提起した婚姻の取消し又は離婚の訴えに係る請求を認容する判決において、子の監護者の指定その他の子の監護に関する処分、財産の分与に関する処分、親権行使者（民法第八百二十四条の二第三項の規定により単独で親権を行使する者をいう。第四項において同じ。）の指定（婚姻の取消し又は離婚に伴って親権を行う必要がある事項に係るものに限る。同項において同じ。）又は厚生年金保険法（昭和二十九年法律第百十五号）第七十八条の二第二項の規定による処分（以下「附帯処分」と総称する。）についての裁判をしなければならない。

> **＊令和六法三三（令和八・五・二三までに施行）による改正前**
> ① 裁判所は、申立てにより、夫婦の一方が他の一方に対して提起した婚姻の取消し又は離婚の訴えに係る請求を認容する判決において、子の監護者の指定その他の子の監護に関する処分、財産の分与に関する処分又は厚生年金保険法（昭和二十九年法律第百十五号）第七十八条の二第二項の規定による処分（以下「附帯処分」と総称する。）についての裁判をしなければならない。

② 前項の場合においては、裁判所は、同項の判決において、当事者に対し、子の引渡し又は金銭の支払その他の財産上の給付その他の給付を命ずることができる。

③ 前項の規定は、裁判所が婚姻の取消し又は離婚の訴えに係る請求を認容する判決において親権者の指定についての裁判をする場合について準用する。

④ 裁判所は、第一項の子の監護者の指定その他の子の監護に関する処分についての裁判若しくは親権行使者の指定についての裁判又は前項の親権者の指定についての裁判をするに当たっては、子が十五歳以上であるときは、その子の陳述を聴かなければならない。

> **＊令和六法三三（令和八・五・二三までに施行）による改正**
> 第四項中「処分についての裁判」の下に「若しくは親権行使者の指定についての裁判」が加えられた。（本文織込み済み）

（事実の調査）

第三三条① 裁判所は、前条第一項の附帯処分についての裁判又は同条第三項の親権者の指定についての裁判をするに当たっては、事実の調査をすることができる。

② 裁判所は、相当と認めるときは、合議体の構成員に命じ、又は家庭裁判所若しくは簡易裁判所に嘱託して前項の事実の調査（以下単に「事実の調査」という。）をさせることができる。

③ 前項の規定により受命裁判官又は受託裁判官が事実の調査をする場合には、裁判所及び裁判長の職務は、その裁判官が行う。

④ 裁判所が審問期日を開いて当事者の陳述を聴くことにより事実の調査をするときは、他の当事者は、当該期日に立ち会うことができる。ただし、当該他の当事者が当該期日に立ち会うことにより事実の調査に支障を生ずるおそれがあると認められるときは、この限りでない。

⑤ 事実の調査の手続は、公開しない。ただし、裁判所は、相当と認める者の傍聴を許すことができる。

⑥ 裁判所は、相当と認めるときは、当事者の意見を聴いて、最高裁判所規則で定めるところにより、裁判所及び当事者双方が音声の送受信により同時に通話をすることができる方法によって、第四項の審問期日における手続を行うことができる。

⑦ 前項の審問期日に出頭しないでその手続に関与した当事者は、その審問期日に出頭したものとみなす。

> **＊令和五法五三（令和八・五・二四までに施行）による改正前**
> （事実の調査）
> **第三三条**①―⑤（略）
> ⑥⑦（改正により追加）

（家庭裁判所調査官による事実の調査）

第三四条① 裁判所は、家庭裁判所調査官に事実の調査をさせることができる。

② 急迫の事情があるときは、裁判長が、家庭裁判所調査官に事実の調査をさせることができる。

③ 家庭裁判所調査官は、事実の調査の結果を書面又は口頭で裁判所に報告するものとする。

④ 家庭裁判所調査官は、前項の規定による報告に意見を付することができる。

> **＊令和五法五三（令和一〇・六・一三までに施行）による改正後**
> ⑤ 家庭裁判所調査官は、第三項の規定による書面による報告に代えて、最高裁判所規則で定めるところにより、当該書面に記載すべき事項を最高裁判所規則で定める電子情報処理組織（裁判所の使用に係る電子計算機（入出力装置を含む。以下この項において同じ。）と手続の相手方の使用に係る電子計算機とを電気通信回線で接続した電子情報処理組織をいう。第三十五条第

二項第二号において同じ。）を使用して裁判所の使用に係る電子計算機に備えられたファイル（第三十五条第二項及び第三十五条の二第二項において単に「ファイル」という。）に記録する方法又は当該書面に記載すべき事項に係る電磁的記録（電子的方式、磁気的方式その他人の知覚によっては認識することができない方式で作られる記録であって、電子計算機による情報処理の用に供されるものをいう。同条第三項において同じ。）を記録した記録媒体を提出する方法により報告を行うことができる。
（改正により追加）

（家庭裁判所調査官の除斥）

第三四条の二① 民事訴訟法第二十三条及び第二十五条（忌避に関する部分を除く。）の規定は、家庭裁判所調査官について準用する。

② 家庭裁判所調査官について除斥の申立てがあったときは、その家庭裁判所調査官は、その申立てについての裁判が確定するまでその申立てがあった事件に関与することができない。

（情報開示命令）

第三四条の三① 裁判所は、第三十二条第一項の子の監護に関する処分（子の監護に要する費用の分担に関する処分に限る。）の申立てがされている場合において、必要があると認めるときは、申立てにより又は職権で、当事者に対し、その収入及び資産の状況に関する情報を開示することを命ずることができる。

② 裁判所は、第三十二条第一項の財産の分与に関する処分の申立てがされている場合において、必要があると認めるときは、申立てにより又は職権で、当事者に対し、その財産の状況に関する情報を開示することを命ずることができる。

③ 前二項の規定により情報の開示を命じられた当事者が、正当な理由なくその情報を開示せず、又は虚偽の情報を開示したときは、裁判所は、決定で、十万円以下の過料に処する。

＊令和六法三三（令和八・五・二三までに施行）により第三四条の三追加

（判決前の親子交流の試行的実施）

第三四条の四① 裁判所は、第三十二条第一項の子の監護者の指定その他の子の監護に関する処分（子の監護に要する費用の分担に関する処分を除く。）の申立てがされている場合において、子の心身の状態に照らして相当でないと認める事情がなく、かつ、事実の調査のため必要があると認めるときは、当事者に対し、子との交流の試行的実施を促すことができる。

② 裁判所は、前項の試行的実施を促すに当たっては、交流の方法、交流をする日時及び場所並びに家庭裁判所調査官その他の者の立会いその他の関与の有無を定めるとともに、当事者に対して子の心身に有害な影響を及ぼす言動を禁止することその他適当と認める条件を付することができる。

③ 裁判所は、第一項の試行的実施を促したときは、当事者に対してその結果の報告（当該試行的実施をしなかったときは、その理由の説明）を求めることができる。

＊令和六法三三（令和八・五・二三までに施行）により第三四条の四追加

（事実調査部分の閲覧等）

第三五条① 訴訟記録中事実の調査に係る部分（以下この条において「事実調査部分」という。）についての民事訴訟法第九十一条第一項、第三項又は第四項の規定による閲覧若しくは謄写、その正本、謄本若しくは抄本の交付又はその複製（以下この条において「閲覧等」という。）の請求は、裁判所が次項又は第三項の規定により許可したときに限り、することができる。

② 裁判所は、当事者から事実調査部分の閲覧等の許可の申立てがあった場合においては、その閲覧等を許可しなければならない。ただし、当該事実調査部分中閲覧等を行うことにより次に掲げるおそれがあると認められる部分については、相当と認めるときに限り、その閲覧等を許可することができる。

一 当事者間に成年に達しない子がある場合におけるその子の利益を害するおそれ

二 当事者又は第三者の私生活又は業務の平穏を害するおそれ

三 当事者又は第三者の私生活についての重大な秘密が明らかにされることにより、その者が社会生活を営むのに著しい支障を生じ、又はその者の名誉を著しく害するおそれ

③ 裁判所は、利害関係を疎明した第三者から事実調査部分の閲覧等の許可の申立てがあった場合においては、相当と認めるときは、その閲覧等を許可することができる。

④ 第二項の申立てを却下した裁判に対しては、即時抗告をすることができる。

⑤ 前項の規定による即時抗告が人事訴訟に関する手続を不当に遅延させることを目的としてされたものであると認められるときは、原裁判所は、その即時抗告を却下しなければならない。

⑥ 前項の規定による決定に対しては、即時抗告をすることができる。

⑦ 第三項の申立てを却下した裁判に対しては、不服を申し立てることができない。

⑧ 事実調査部分については、民事訴訟法第百三十三条の二及び第百三十三条の三の規定は、適用しない。

＊令和五法五三（令和一〇・六・一三までに施行）による改正後

（事実調査部分の閲覧等）

第三五条① 訴訟記録中事実の調査に係る部分（以下この条及び次条第一項において「事実調査部分」という。）についての訴訟記録の閲覧等（民事訴訟法第九十一条第一項に規定する訴訟記録の閲覧等をいう。以下この条において同じ。）の請求は、裁判所が第三項又は第四項の規定により許可したときに限り、することができる。

② 当事者は、事実調査部分のうち、次に掲げるものについては、前項の規定にかかわらず、裁判所の許可を得ないで、裁判所書記官に対し、訴訟記録の閲覧等の請求をすることができる。

一 当該当事者が提出した書面等（書面、書類、文書、謄本、抄本、正本、副本、複本その他文字、図形等人の知覚によって認識することができる情報が記載された紙その他の有体物をいう。以下同じ。）又は録音テープ若しくはビデオテープ（これらに準ずる方法により一定の事項を記録した物を含む。）

二 当該当事者がこの法律その他の法令の規定により最高裁判所規則で定める電子情報処理組織を使用してファイルに記録した事項

三 当該当事者が提出した書面等又は記録媒体に記載され、又は記録された事項を次条第三項の規定により読み替えて適用する民事訴訟法第百三十二条の十三の規定により裁判所書記官がファイルに記録した場合における当該事項

四 前二号に掲げる事項について次条第一項又は民事訴訟法第九十二条第九項の規定によりその内容を書面に出力し、又はこれを他の記録媒体に記録する措置を講じた場合の当該書面又は当該記録媒体

（改正により追加）

③ 裁判所は、当事者から事実調査部分についての訴訟記録の閲覧等の許可の申立てがあった場合においては、これを許可しなければならない。ただし、当該事実調査部分中訴訟記録の閲覧等を行うことにより次に掲げるおそれがあると認められる部分については、相当と認めるときに限り、これを許可することができる。

一―三 （略）

（改正前の②）

④ 裁判所は、利害関係を疎明した第三者から事実調査部分についての訴訟記録の閲覧等の許可の申立てがあった場合においては、相当と認めるときは、これを許可することができる。（改正前の③）

⑤ 第三項の申立てを却下した裁判に対しては、即時抗告をすることができる。（改正前の④）

⑥⑦（略、改正前の⑤⑥）

⑧　第四項の申立てを却下した裁判に対しては、不服を申し立てることができない。（改正前の⑦）

⑨（略、改正前の⑧）

＊令和五法五三（令和一〇・六・一三までに施行）による改正後

第三五条の二（**事実調査部分の安全管理措置等**）①　裁判所は、民事訴訟法第百三十三条第一項の決定があった場合において、必要があると認めるときは、電磁的訴訟記録（同法第九十一条の二第一項に規定する電磁的訴訟記録をいう。以下この条において同じ。）のうち、事実調査部分中秘匿事項（同法第百三十三条第二項に規定する秘匿事項をいう。以下この項において同じ。）又は秘匿事項を推知することができる事項が記録された部分につき、その内容を書面に出力し、又はこれを他の記録媒体に記録するとともに、当該部分を電磁的訴訟記録から消去する措置その他の当該部分の安全管理のために必要かつ適切なものとして最高裁判所規則で定める措置を講ずることができる。

②　前項の規定による電磁的訴訟記録から消去する措置が講じられた場合において、その後に同項の決定を取り消す裁判が確定したときその他裁判所が当該措置を講ずる必要がなくなったと認めたときは、裁判所書記官は、当該部分をファイルに記録しなければならない。

③　事実の調査においてこの法律その他の法令の規定に基づき裁判所に提出された書面等又は電磁的記録を記録した記録媒体に記載され、又は記録されている事項についての民事訴訟法第百三十二条の十三の規定の適用については、同条第四号中「第百三十三条の三第一項の規定による」とあるのは「第百三十三条第一項の」と、「当該決定に係る」とあるのは「当該」と、「及び電磁的記録を記録した」とあるのは「又は当該」と、「事項」とあるのは「秘匿事項（同条第二項に規定する秘匿事項をいう。以下この号において同じ。）又は秘匿事項を推知することができる事項」とする。

（改正により追加）

第三六条（**判決によらない婚姻の終了の場合の附帯処分についての裁判**）　婚姻の取消し又は離婚の訴えに係る訴訟において判決によらないで当該訴えに係る婚姻が終了した場合において、既に附帯処分の申立てがされているときであって、その附帯処分に係る事項がその婚姻の終了に際し定められていないときは、受訴裁判所は、その附帯処分についての審理及び裁判をしなければならない。

第三節　和解並びに請求の放棄及び認諾

第三七条①　離婚の訴えに係る訴訟における和解（これにより離婚がされるものに限る。以下この条において同じ。）並びに請求の放棄及び認諾については、第十九条第二項の規定にかかわらず、民事訴訟法第二百六十六条（第二項中請求の認諾に関する部分を除く。）、第二百六十七条第一項及び第二百六十七条の二の規定を適用する。ただし、請求の認諾については、第三十二条第一項の附帯処分についての裁判又は同条第三項の親権者の指定についての裁判をすることを要しない場合に限る。

②　前項の場合における民事訴訟法第二百六十七条第一項及び第二百六十七条の二第一項の規定の適用については、同法第二百六十七条第一項中「について電子調書を作成し、これをファイルに記録した」とあるのは「を調書に記載した」と、「その記録」とあるのは「その記載」と、同法第二百六十七条の二第一項中「規定によりファイルに記録された電子調書」とあるのは「調書」とする。

③　離婚の訴えに係る訴訟においては、民事訴訟法第二百六十四条及び第二百六十五条の規定による和解をすることができない。

④　離婚の訴えに係る訴訟における民事訴訟法第八十九条第二項及び第百七十条第三項の期日においては、同法第八十九条第三項及び第百七十条第四項の当事者は、和解及び請求の認諾をすることができない。ただし、当該期日における手続が裁判所及び当事者双方が映像と音声の送受信により相手の状態を相互に認識しながら通話をすることができる方法によって行われた場合には、この限りでない。

＊令和四法四八（令和八・五・二四までに施行）による改正前

第三七条①　離婚の訴えに係る訴訟における和解（これにより離婚がされるものに限る。以下この条において同じ。）並びに請求の放棄及び認諾については、第十九条第二項の規定にかかわらず、民事訴訟法第二百六十六条（第二項中請求の認諾に関する部分を除く。）及び第二百六十七条の規定を適用する。ただし、請求の認諾については、第三十二条第一項の附帯処分についての裁判又は同条第三項の親権者の指定についての裁判をすることを要しない場合に限る。

新②（改正により追加）

②③（略、改正後の③④）

＊令和五法五三（令和一〇・六・一三までに施行）による改正

第一項中「第二百六十七条第一項」を「第二百六十七条」に改め、第二項を削り、第三項を第二項とし、第四項を第三項とする。（本文未織込み）

第四節　履行の確保

第三八条（**履行の勧告**）①　第三十二条第一項又は第二項（同条第三項において準用する場合を含む。以下同じ。）の規定による裁判で定められた義務については、当該裁判をした家庭裁判所（上訴裁判所が当該裁判をした場合にあっては、第一審裁判所である家庭裁判所）は、権利者の申出があるときは、その義務の履行状況を調査し、義務者に対し、その義務の履行を勧告することができる。

②　前項の家庭裁判所は、他の家庭裁判所に同項の規定による調査及び勧告を嘱託することができる。

③　第一項の家庭裁判所及び前項の嘱託を受けた家庭裁判所は、家庭裁判所調査官に第一項の規定による調査及び勧告をさせることができる。

④　前三項の規定は、第三十二条第一項又は第二項の規定による裁判で定めることができる義務であって、婚姻の取消し又は離婚の訴えに係る訴訟における和解で定められたものの履行について準用する。

第三九条（**履行命令**）①　第三十二条第二項の規定による裁判で定められた金銭の支払その他の財産上の給付を目的とする義務の履行を怠った者がある場合において、相当と認めるときは、当該裁判をした家庭裁判所（上訴裁判所が当該裁判をした場合にあっては、第一審裁判所である家庭裁判所）は、権利者の申立てにより、義務者に対し、相当の期限を定めてその義務の履行をすべきことを命ずることができる。この場合において、その命令は、その命令をする時までに義務者が履行を怠った義務の全部又は一部についてするものとする。

②　前項の家庭裁判所は、同項の規定により義務の履行を命ずるには、義務者の陳述を聴かなければならない。

③　前二項の規定は、第三十二条第二項の規定による裁判で定めることができる金銭の支払その他の財産上の給付を目的とする義務であって、婚姻の取消し又は離婚の訴えに係る訴訟における和解で定められたものの履行について準用する。

④　第一項（前項において準用する場合を含む。）の規定により義務の履行を命じられた者が正当な理由なくその命令に従わないときは、その義務の履行を命じた家庭裁判所は、決定で、十万円以下の過料に処する。

⑤　前項の決定に対しては、即時抗告をすることができる。

⑥　民事訴訟法第百八十九条の規定は、第四項の決定について準用する。

第四〇条　削除

第三章　実親子関係訴訟の特例

（嫡出否認の訴えの当事者等）

第四一条① 父が子の出生前に死亡したとき又は民法第七百七十七条（第一号に係る部分に限る。）若しくは第七百七十八条（第一号に係る部分に限る。）に定める期間内に嫡出否認の訴えを提起しないで死亡したときは、その子のために相続権を害される者その他父の三親等内の血族は、父の死亡の日から一年以内に限り、嫡出否認の訴えを提起することができる。この場合においては、民事訴訟法第百二十四条第一項後段の規定は、適用しない。

② 父が嫡出否認の訴えを提起した後に死亡した場合には、前項の規定により嫡出否認の訴えを提起することができる者は、父の死亡の日から六月以内に訴訟手続を受け継ぐことができる。この場合においては、民事訴訟法第百二十四条第一項後段の規定は、適用しない。

③ 民法第七百七十四条第四項に規定する前夫は、同法第七百七十五条第一項（第四号に係る部分に限る。）の規定により嫡出否認の訴えを提起する場合において、子の懐胎の時から出生の時までの間に、当該前夫との婚姻の解消又は取消しの後に母と婚姻していた者（父を除く。）がいるときは、その嫡出否認の訴えに併合してそれらの者を被告とする嫡出否認の訴えを提起しなければならない。

④ 前項の規定により併合して提起された嫡出否認の訴えの弁論及び裁判は、それぞれ分離しないでしなければならない。

（嫡出否認の判決の通知）

第四二条 裁判所は、民法第七百七十二条第三項の規定により父が定められる子について嫡出否認の判決が確定したときは、同法第七百七十四条第四項に規定する前夫（訴訟記録上その氏名及び住所又は居所が判明しているものに限る。）に対し、当該判決の内容を通知するものとする。

（認知の無効の訴えの当事者等）

第四三条① 第四十一条第一項及び第二項の規定は、民法第七百八十六条に規定する認知の無効の訴えについて準用する。この場合において、第四十一条第一項及び第二項中「父」とあるのは「認知をした者」と、同条第一項中「第七百七十七条（第一号に係る部分に限る。）若しくは第七百七十八条（第一号」とあるのは「第七百八十六条第一項（第二号」と読み替えるものとする。

② 子が民法第七百八十六条第一項（第一号に係る部分に限る。）に定める期間内に認知の無効の訴えを提起しないで死亡したときは、子の直系卑属又はその法定代理人は、認知の無効の訴えを提起することができる。この場合においては、子の死亡の日から一年以内にその訴えを提起しなければならない。

③ 子が民法第七百八十六条第一項（第一号に係る部分に限る。）に定める期間内に認知の無効の訴えを提起した後に死亡した場合には、前項の規定により認知の無効の訴えを提起することができる者は、子の死亡の日から六月以内に訴訟手続を受け継ぐことができる。この場合においては、民事訴訟法第百二十四条第一項後段の規定は、適用しない。

（認知の訴えの当事者等）

第四四条① 認知の訴えにおいては、父又は母を被告とし、その者が死亡した後は、検察官を被告とする。

② 第二十六条第二項の規定は、前項の規定により父又は母を当該訴えの被告とする場合においてその者が死亡したときについて準用する。

③ 子が認知の訴えを提起した後に死亡した場合には、その直系卑属又はその法定代理人は、民法第七百八十七条ただし書に定める期間が経過した後、子の死亡の日から六月以内に訴訟手続を受け継ぐことができる。この場合においては、民事訴訟法第百二十四条第一項後段の規定は、適用しない。

（父を定めることを目的とする訴えの当事者等）

第四五条① 子、母、母の前婚の配偶者又はその後婚の配偶者は、民法第七百七十三条の規定により父を定めることを目的とする訴えを提起することができる。

② 次の各号に掲げる者が提起する前項の訴えにおいては、それぞれ当該各号に定める者を被告とし、これらの者が死亡した後は検察官を被告とする。

一　子又は母　母の前婚の配偶者及びその後婚の配偶者（その一方が死亡した後は、他の一方）

二　母の前婚の配偶者　母の後婚の配偶者

三　母の後婚の配偶者　母の前婚の配偶者

③ 第二十六条の規定は、前項の規定により同項各号に定める者を当該訴えの被告とする場合においてこれらの者が死亡したときについて準用する。

第四章　養子縁組関係訴訟の特例

第四六条 第三十七条（第一項ただし書を除く。）の規定は、離縁の訴えに係る訴訟における和解（これにより離縁がされるものに限る。）並びに請求の放棄及び認諾について準用する。

附　則（抄）

（施行期日）

第一条 この法律は、公布の日から起算して一年を超えない範囲内において政令で定める日（平成一六・四・一―平成一五政五一二）から施行する。

（人事訴訟手続法の廃止）

第二条 人事訴訟手続法（明治三十一年法律第十三号）は、廃止する。

別表（略）

＊令和四法四八（令和八・五・二四までに施行）により別表追加
＊令和五法五三（令和一〇・六・一三までに施行）により別表削る（未織込み）

附　則（令和四・五・二五法四八）（抄）

（施行期日）

第一条 この法律は、公布の日から起算して四年を超えない範囲内において政令で定める日から施行する。ただし、次の各号に掲げる規定は、当該各号に定める日から施行する。

一　（前略）附則第百二十五条の規定　公布の日

二　（前略）第五条中人事訴訟法第三十五条の改正規定（中略）　公布の日から起算して九月を超えない範囲内において政令で定める日（令和五・二・二〇―令和四政三八四）

三　（前略）第五条中人事訴訟法第三十七条第三項の改正規定（「民事訴訟法」の下に「第八十九条第二項及び」を加え、「同条第四項」を「同法第八十九条第三項及び第百七十条第四項」に改める部分に限る。）　公布の日から起算して一年を超えない範囲内において政令で定める日（令和五・三・一―令和四政三八四）

四　（略）

五　第五条中人事訴訟法第三十七条第三項の改正規定（同項ただし書を加える部分に限る。）（中略）　公布の日から起算して三年を超えない範囲内において政令で定める日

（政令への委任）

第一二五条 （前略）この法律の施行に関し必要な経過措置は、政令で定める。

（検討）

第一二六条 政府は、この法律の施行後五年を経過した場合において、この法律による改正後の民事訴訟法その他の法律の規定の施行の状況について検討を加え、必要があると認めるときは、その結果に基づいて所要の措置を講ずるものとする。

刑法等の一部を改正する法律の施行に伴う関係法律整理法中経過規定　（令和四・六・一七法六八）（抄）

第四四一条から第四四三条まで　（刑法の同経過規定参照）

第五〇九条　（刑法の同経過規定参照）

刑法等の一部を改正する法律の施行に伴う関係法律整理法

附　則（令和四・六・一七法六八）（抄）

（施行期日）

① この法律は、刑法等一部改正法（刑法等の一部を改正する法律（令和四法六七））施行日（令和七・六・一）から施行する。ただし、次の各号に掲げる規定は、当該各号に定める日から施行する。

一　第五百九条の規定　公布の日

二　（略）

民事関係手続等における情報通信技術の活用等の推進を図るための関係法律の整備に関する法律中経過規定（令和五・六・一四法五三）（抄）

（期日の呼出しに関する経過措置）

第二二〇条　人事に関する訴えに係る事件であって施行日前に提起されたもの及び施行日前に開始された人事訴訟に関する事件（訴えに係る事件を除く。以下この節において「改正前人事訴訟事件」という。）における期日の呼出しについては、なお従前の例による。

（公示送達の方法に関する経過措置）

第二二一条　改正前人事訴訟事件における公示送達の方法については、なお従前の例による。

（電子情報処理組織による申立て等に関する経過措置）

第二二二条　改正前人事訴訟事件における第二百十九条の規定による改正前の人事訴訟法（次条において「改正前人事訴訟法」という。）第十六条の四第一項に規定する申立て等については、同条の規定は、施行日以後も、なおその効力を有する。

（民事訴訟法の適用関係に関する経過措置）

第二二三条　改正前人事訴訟事件については、改正前人事訴訟法第二十九条第二項及び第三項（別表を含む。）の規定は、施行日以後も、なおその効力を有する。

（家庭裁判所調査官の報告に関する経過措置）

第二二四条　第二百十九条の規定による改正後の人事訴訟法（次条において「改正後人事訴訟法」という。）第三十四条第五項の規定は、人事に関する訴えに係る事件であって施行日以後に提起されるもの及び施行日以後に開始される人事訴訟に関する事件（訴えに係る事件を除く。）における家庭裁判所調査官の報告について、適用する。

（離婚の訴えに係る訴訟における和解等に関する経過措置）

第二二五条　改正後人事訴訟法第三十七条の規定は、施行日以後に提起される離婚の訴えに係る訴訟における和解並びに請求の放棄及び認諾について適用し、施行日前に提起された離婚の訴えに係る訴訟における和解並びに請求の放棄及び認諾については、なお従前の例による。

第三八七条から第三八九条まで　（民事執行法の同経過規定参照）

民事関係手続等における情報通信技術の活用等の推進を図るための関係法律の整備に関する法律

附　則（令和五・六・一四法五三）

この法律は、公布の日から起算して五年を超えない範囲内において政令で定める日から施行する。ただし、次の各号に掲げる規定は、当該各号に定める日から施行する。

一　第三十二章（民事訴訟法等の一部を改正する法律（令和四法四八）の一部改正）の規定及び第三百八十八条の規定　公布の日

二　（前略）第三百八十七条の規定　公布の日から起算して二年六月を超えない範囲内において政令で定める日

三　（前略）第二百十九条中人事訴訟法第九条に一項を加える改正規定及び同法第三十三条に二項を加える改正規定（中略）民事訴訟法等の一部を改正する法律の施行の日

附　則（令和六・五・二四法三三）（抄）

（施行期日）

第一条　この法律は、公布の日から起算して二年を超えない範囲内において政令で定める日から施行する。ただし、附則第十六条から第十八条まで及び第十九条第一項の規定は、公布の日から施行する。

（政令への委任）

第一六条　（前略）この法律の施行に関し必要な経過措置は、政令で定める。

第一七条から第一九条まで　（民法の同改正附則参照）

○非訟事件手続法（抄）（平成二三・五・二五法五一）

施行 平成二五・一・一（平成二四政一九六）
最終改正 令和五法五三

目次

第一編 総則（抄）

（趣旨）

第一条 この法律は、非訟事件の手続についての通則を定めるとともに、民事非訟事件、公示催告事件及び過料事件の手続を定めるものとする。

第二条 （略）

第二編 非訟事件の手続の通則（抄）

第一章 総則（抄）

第三条 （略）

（裁判所及び当事者の責務）

第四条 裁判所は、非訟事件の手続が公正かつ迅速に行われるように努め、当事者は、信義に従い誠実に非訟事件の手続を追行しなければならない。

第二章 非訟事件に共通する手続（抄）

第一節 管轄（抄）

（管轄が住所地により定まる場合の管轄裁判所）

第五条① 非訟事件は、管轄が人の住所地により定まる場合において、日本国内に住所がないとき又は住所が知れないときはその居所地を管轄する裁判所の管轄に属し、日本国内に居所がないとき又は居所が知れないときはその最後の住所地を管轄する裁判所の管轄に属する。

② 非訟事件は、管轄が法人その他の社団又は財団（外国の社団又は財団を除く。）の住所地により定まる場合において、日本国内に住所がないとき、又は住所が知れないときは、代表者その他の主たる業務担当者の住所地を管轄する裁判所の管轄に属する。

③ 非訟事件は、管轄が外国の社団又は財団の住所地により定まる場合においては、日本における主たる事務所又は営業所の所在地を管轄する裁判所の管轄に属し、日本国内に事務所又は営業所がないときは日本における代表者その他の主たる業務担当者の住所地を管轄する裁判所の管轄に属する。

（優先管轄等）

第六条 この法律の他の規定又は他の法令の規定により二以上の裁判所が管轄権を有するときは、非訟事件は、先に申立てを受け、又は職権で手続を開始した裁判所が管轄する。ただし、その裁判所は、非訟事件の手続が遅滞することを避けるため必要があると認めるときその他相当と認めるときは、申立てにより又は職権で、非訟事件の全部又は一部を他の管轄裁判所に移送することができる。

第七条から第一〇条まで （略）

第二節 裁判所職員の除斥及び忌避（抄）

第一一条及び第一二条 （略）

（除斥又は忌避の裁判及び手続の停止）

第一三条①② （略）

③ 裁判官は、その除斥又は忌避についての裁判に関与することができない。

④ （略）

⑤ 次に掲げる事由があるとして忌避の申立てを却下する裁判をするときは、第三項の規定は、適用しない。

一 非訟事件の手続を遅滞させる目的のみでされたことが明らかなとき。

二 前条第二項（編注・当事者が裁判官の面前において事件について陳述をした場合の忌避不許）の規定に違反するとき。

三 最高裁判所規則で定める手続に違反するとき。

⑥ 前項の裁判は、第一項及び第二項の規定にかかわらず、忌避された受命裁判官等（受命裁判官、受託裁判官又は非訟事件を取り扱う地方裁判所の一人の裁判官若しくは簡易裁判所の裁判官をいう。次条第三項ただし書において同じ。）がすることができる。

⑦—⑨ （略）

第一四条及び第一五条 （略）

第三節 当事者能力及び手続行為能力（抄）

（当事者能力及び手続行為能力の原則等）

第一六条① 当事者能力、非訟事件の手続における手続上の行為（以下「手続行為」という。）をすることができる能力（以下この項及び第七十四条第一項において「手続行為能力」という。）、手続行為能力を欠く者の法定代理及び手続行為をするのに必要な授権については、民事訴訟法第二十八条、第二十九条、第三十一条、第三十三条並びに第三十四条第一項及び第二項の規定を準用する。

② 被保佐人、被補助人（手続行為をすることにつきその補助人の同意を得ることを要するものに限る。次項において同じ。）又は後見人その他の法定代理人が他の者がした非訟事件の申立て又は抗告について手続行為をするには、保佐人若しくは保佐監督人、補助人若しくは補助監督人又は後見監督人の同意その他の授権を要しない。職権により手続が開始された場合についても、同様とする。

③ 被保佐人、被補助人又は後見人その他の法定代理人が次に掲げる手続行為をするには、特別の授権がなければならない。

一 非訟事件の申立ての取下げ又は和解

二 終局決定に対する抗告若しくは異議又は第七十七条第二項の申立ての取下げ

第一七条から第一九条まで（略）

第四節 参加

（当事者参加）

第二〇条① 当事者となる資格を有する者は、当事者として非訟事件の手続に参加することができる。

② 前項の規定による参加（次項において「当事者参加」という。）の申出は、参加の趣旨及び理由を記載した書面でしなければならない。

③ 当事者参加の申出を却下する裁判に対しては、即時抗告をすることができる。

（利害関係参加）

第二一条① 裁判を受ける者となるべき者（編注・終局決定（申立てを却下する終局決定を除く。）がされた場合において、その裁判を受ける者となる者をいう。以下同じ。）は、非訟事件の手続に参加することができる。

② 裁判を受ける者となるべき者以外の者であって、裁判の結果により直接の影響を受けるもの又は当事者となる資格を有するものは、裁判所の許可を得て、非訟事件の手続に参加することができる。

③ 前条第二項の規定は、第一項の規定による参加の申出及び前項の規定による参加の許可の申立てについて準用する。

④ 第一項の規定による参加の申出を却下する裁判に対しては、即時抗告をすることができる。

⑤ 第一項又は第二項の規定により非訟事件の手続に参加した者（以下「利害関係参加人」という。）は、当事者がすることができる手続行為（非訟事件の申立ての取下げ及び変更並びに裁判に対する不服申立て及び裁判所書記官の処分に対する異議の取下げを除く。）をすることができる。ただし、裁判に対する不服申立て及び裁判所書記官の処分に対する異議の申立てについては、利害関係参加人が不服申立て又は異議の申立てに関するこの法律の他の規定又は他の法令の規定によりすることができる場合に限る。

第五節 手続代理人及び補佐人（抄）

（手続代理人の資格）

第二二条① 法令により裁判上の行為をすることができる代理人のほか、弁護士でなければ手続代理人となることができない。ただし、第一審裁判所においては、その許可を得て、弁護士でない者を手続代理人とすることができる。

② 前項ただし書の許可は、いつでも取り消すことができる。

（手続代理人の代理権の範囲）

第二三条① 手続代理人は、委任を受けた事件について、参加、強制執行及び保全処分に関する行為をし、かつ、弁済を受領することができる。

② 手続代理人は、次に掲げる事項については、特別の委任を受けなければならない。

一 非訟事件の申立ての取下げ又は和解

二 終局決定に対する抗告若しくは異議又は第七十七条第二項の申立て

三 前号の抗告、異議又は申立ての取下げ

四 代理人の選任

③ 手続代理人の代理権は、制限することができない。ただし、弁護士でない手続代理人については、この限りでない。

④ 前三項の規定は、法令により裁判上の行為をすることができる代理人の権限を妨げない。

第二四条及び第二五条（略）

第六節 手続費用（抄）

第一款 手続費用の負担（抄）

（手続費用の負担）

第二六条① 非訟事件の手続の費用（以下「手続費用」という。）は、特別の定めがある場合を除き、各自の負担とする。

② 裁判所は、事情により、この法律の他の規定（次項を除く。）又は他の法令の規定によれば当事者、利害関係参加人その他の関係人がそれぞれ負担すべき手続費用の全部又は一部を、その負担すべき者以外の者であって次に掲げるものに負担させることができる。

一 当事者又は利害関係参加人

二 前号に掲げる者以外の裁判を受ける者となるべき者

三 前号に掲げる者に準ずる者であって、その裁判により直接に利益を受けるもの

③ 前二項又は他の法令の規定によれば法務大臣又は検察官が負担すべき手続費用は、国庫の負担とする。

（手続費用の立替え）

第二七条 事実の調査、証拠調べ、呼出し、告知その他の非訟事件の手続に必要な行為に要する費用は、国庫において立て替えることができる。

第二八条（略）

第二款 手続上の救助

（第二九条）（略）

第七節 非訟事件の審理等（抄）

（手続の非公開）

第三〇条 非訟事件の手続は、公開しない。ただし、裁判所は、相当と認める者の傍聴を許すことができる。

（調書の作成等）

第三一条 裁判所書記官は、非訟事件の手続の期日について、調書を作成しなければならない。ただし、証拠調べの期日以外の期日については、裁判長においてその必要がないと認めるときは、その経過の要領を記録上明らかにすることをもって、これに代えることができる。

＊令和五法五三（令和一〇・六・一三までに施行）による改正後

（電子調書の作成等）

第三一条① 裁判所書記官は、非訟事件の手続の期日について、最高裁判所規則で定めるところにより、電子調書（期日又は期日外における手続の方式、内容及び経過等の記録及び公証をするためにこの法律その他の法令の規定により裁判所書記官が作成する電磁的記録（電子的方式、磁気的方式その他人の知覚によっては認識することができない方式で作られる記録であって、電子計算機による情報処理の用に供されるものをいう。以下同じ。）をいう。以下同じ。）を作成しなければならない。ただし、証拠調べの期日以外の期日については、裁判長においてその必要がないと認めるときは、その経過の要領を裁判所の使用に係る電子計算機（入出力装置を含む。以下同じ。）に備えられたファイル（第三十二条の二第二項及び第三項並びに第三十二条の三第一項を除き、以下単に「ファイル」という。）に記録することをもって、これに代えることができる。（改正前の本条）

② 裁判所書記官は、前項の規定により電子調書を作成したときは、最高裁判所規則で定めるところにより、これをファイルに記録しなければならない。（改正により追加）

＊令和五法五三（令和一〇・六・一三までに施行）による改正後
第三二条の二　（略）（改正により追加）

（記録の閲覧等）
第三二条①　当事者又は利害関係を疎明した第三者は、裁判所の許可を得て、裁判所書記官に対し、非訟事件の記録の閲覧若しくは謄写、その正本、謄本若しくは抄本の交付又は非訟事件に関する事項の証明書の交付（第百十二条において「記録の閲覧等」という。）を請求することができる。

②　前項の規定は、非訟事件の記録中の録音テープ又はビデオテープ（これらに準ずる方法により一定の事項を記録した物を含む。）に関しては、適用しない。この場合において、当事者又は利害関係を疎明した第三者は、裁判所の許可を得て、裁判所書記官に対し、これらの物の複製を請求することができる。

③　裁判所は、当事者から前二項の規定による許可の申立てがあった場合においては、当事者又は第三者に著しい損害を及ぼすおそれがあると認めるときを除き、これを許可しなければならない。

④　裁判所は、利害関係を疎明した第三者から第一項又は第二項の規定による許可の申立てがあった場合において、相当と認めるときは、これを許可することができる。

⑤　（略）

⑥　非訟事件の記録の閲覧、謄写及び複製の請求は、非訟事件の記録の保存又は裁判所の執務に支障があるときは、することができない。

⑦―⑨　（略）

＊令和五法五三（令和一〇・六・一三までに施行）による改正後
（非電磁的事件記録の閲覧等）
第三二条①　当事者又は利害関係を疎明した第三者は、裁判所の許可を得て、裁判所書記官に対し、非電磁的事件記録（非訟事件の記録中次条第一項に規定する電磁的事件記録を除いた部分をいう。以下この条及び第百十二条第一項において同じ。）の閲覧若しくは謄写又はその正本、謄本若しくは抄本の交付を請求することができる。

②　前項の規定は、非電磁的事件記録中の録音テープ又はビデオテープ（これらに準ずる方法により一定の事項を記録した物を含む。第五項において「録音テープ等」という。）に関しては、適用しない。この場合において、当事者又は利害関係を疎明した第三者は、裁判所の許可を得て、裁判所書記官に対し、これらの物の複製を請求することができる。

③―⑤　（略）

⑥　非電磁的事件記録の閲覧、謄写及び複製の請求は、非電磁的事件記録の保存又は裁判所の執務に支障があるときは、することができない。

⑦―⑨　（略）

＊令和五法五三（令和一〇・六・一三までに施行）による改正後
第三二条の二及び第三二条の三　（略）（改正により追加）

（専門委員）
第三三条①　裁判所は、的確かつ円滑な審理の実現のため、又は和解を試みるに当たり、必要があると認めるときは、当事者の意見を聴いて、専門的な知見に基づく意見を聴くために専門委員を非訟事件の手続に関与させることができる。この場合において、専門委員の意見は、裁判長が書面により又は当事者が立ち会うことができる非訟事件の手続の期日において口頭で述べさせなければならない。

②　裁判所は、当事者の意見を聴いて、前項の規定による専門委員を関与させる裁判を取り消すことができる。

③　裁判所は、必要があると認めるときは、専門委員を非訟事件の手続の期日に立ち会わせることができる。この場合において、裁判長は、専門委員が当事者、証人、鑑定人その他非訟事件の手続の期日に出頭した者に対し直接に問いを発することを許すことができる。

④　裁判所は、相当と認めるときは、当事者の意見を聴いて、最高裁判所規則で定めるところにより、裁判所及び当事者双方が専門委員との間で音声の送受信により同時に通話をすることができる方法によって、専門委員に第一項の意見を述べさせることができる。この場合において、裁判長は、専門委員が当事者、証人、鑑定人その他非訟事件の手続の期日に出頭した者に対し直接に問いを発することを許すことができる。

＊令和五法五三（令和八・五・二四までに施行）による改正
第四項中「裁判所は、」の下の「専門委員が遠隔の地に居住しているときその他」は削られた。（本文織込み済み）

⑤　民事訴訟法第九十二条の五の規定は、第一項の規定により非訟事件の手続に関与させる専門委員の指定及び任免等について準用する。この場合において、同条第二項中「第九十二条の二」とあるのは、「非訟事件手続法第三十三条第一項」と読み替えるものとする。

＊令和五法五三（令和一〇・六・一三までに施行）による改正後
⑤　民事訴訟法第九十二条の二第二項の規定は第一項の規定による書面による意見の陳述について、同法第九十二条の五の規定は第一項の規定により非訟事件の手続に関与させる専門委員の指定及び任免等について、それぞれ準用する。この場合において、同法第九十二条の二第二項中「前項」とあり、及び同法第九十二条の五第二項中「第九十二条の二」とあるのは、「非訟事件手続法第三十三条第一項」と読み替えるものとする。

⑥　受命裁判官又は受託裁判官が第一項の手続を行う場合には、同項から第四項までの規定及び前項において準用する民事訴訟法第九十二条の五第二項の規定による裁判所及び裁判長の職務は、その裁判官が行う。ただし、証拠調べの期日における手続を行う場合には、専門委員を手続に関与させる裁判、その裁判の取消し及び専門委員の指定は、非訟事件が係属している裁判所がする。

第三四条から第三六条まで　（略）

（他の申立権者による受継）
第三七条①　非訟事件の申立人が死亡、資格の喪失その他の事由によってその手続を続行することができない場合において、法令により手続を続行する資格のある者がないときは、当該非訟事件の申立てをすることができる者は、その手続を受け継ぐことができる。

②　前項の規定による受継の申立ては、同項の事由が生じた日から一月以内にしなければならない。

第三八条及び第三九条　（略）

（検察官の関与）
第四〇条①　検察官は、非訟事件について意見を述べ、その手続の期日に立ち会うことができる。

②　裁判所は、検察官に対し、非訟事件が係属したこと及びその手続の期日を通知するものとする。

第八節　検察官に対する通知

第四一条　裁判所その他の官庁、検察官又は吏員は、その職務上検察官の申立てにより非訟事件の裁判をすべき場合が生じたことを知ったときは、管轄裁判所に対応する検察庁の検察官にその旨を通知しなければならない。

第九節　電子情報処理組織による申立て等　及び　第十節　当事者に対する住所、氏名等の秘匿
（第四二条及び第四二条の二）（略）

第三章　第一審裁判所における非訟事件の手続
（抄）

第一節　非訟事件の申立て

（申立ての方式等）

第四三条① 非訟事件の申立ては、申立書（以下この条及び第五十七条第一項において「非訟事件の申立書」という。）を裁判所に提出してしなければならない。

② 非訟事件の申立書には、次に掲げる事項を記載しなければならない。

一 当事者及び法定代理人

二 申立ての趣旨及び原因

③ 申立人は、二以上の事項について裁判を求める場合において、これらの事項についての非訟事件の手続が同種であり、これらの事項が同一の事実上及び法律上の原因に基づくときは、一の申立てにより求めることができる。

④—⑥ （略）

⑦ 民事訴訟法第百三十七条の二の規定は、申立人が民事訴訟費用等に関する法律（昭和四十六年法律第四十号）の規定に従い非訟事件の申立ての手数料を納付しない場合について準用する。

＊令和五法五三（令和八・五・二四までに施行）**により第七項追加**

第四四条（**申立ての変更**）**①** 申立人は、申立ての基礎に変更がない限り、申立ての趣旨又は原因を変更することができる。

②③ （略）

④ 申立ての趣旨又は原因の変更により非訟事件の手続が著しく遅滞することとなるときは、裁判所は、その変更を許さない旨の裁判をすることができる。

第二節 非訟事件の手続の期日（抄）

第四五条（**裁判長の手続指揮権**）**①** 非訟事件の手続の期日においては、裁判長が手続を指揮する。

② 裁判長は、発言を許し、又はその命令に従わない者の発言を禁止することができる。

③ 当事者が非訟事件の手続の期日における裁判長の指揮に関する命令に対し異議を述べたときは、裁判所は、その異議について裁判をする。

第四六条 （略）

第四七条（**音声の送受信による通話の方法による手続**）**①** 裁判所は、相当と認めるときは、当事者の意見を聴いて、最高裁判所規則で定めるところにより、裁判所及び当事者双方が音声の送受信により同時に通話をすることができる方法によって、非訟事件の手続の期日における手続（証拠調べを除く。）を行うことができる。

＊令和五法五三（令和八・五・二四までに施行）**による改正**
第一項中「裁判所は、」の下の「当事者が遠隔の地に居住しているときその他」は削られた。（本文織込み済み）

② 非訟事件の手続の期日に出頭しないで前項の手続に関与した者は、その期日に出頭したものとみなす。

第四八条 （略）

第三節 事実の調査及び証拠調べ（抄）

第四九条（**事実の調査及び証拠調べ等**）**①** 裁判所は、職権で事実の調査をし、かつ、申立てにより又は職権で、必要と認める証拠調べをしなければならない。

② 当事者は、適切かつ迅速な審理及び裁判の実現のため、事実の調査及び証拠調べに協力するものとする。

第五〇条 （略）

第五一条（**事実の調査の嘱託等**）**①** 裁判所は、他の地方裁判所又は簡易裁判所に事実の調査を嘱託することができる。

② 前項の規定による嘱託により職務を行う受託裁判官は、他の地方裁判所又は簡易裁判所において事実の調査をすることを相当と認めるときは、更に事実の調査の嘱託をすることができる。

③ 裁判所は、相当と認めるときは、受命裁判官に事実の調査をさせることができる。

④ 前三項の規定により受託裁判官又は受命裁判官が事実の調査をする場合には、裁判所及び裁判長の職務は、その裁判官が行う。

第五二条（**事実の調査の通知**） 裁判所は、事実の調査をした場合において、その結果が当事者による非訟事件の手続の追行に重要な変更を生じ得るものと認めるときは、これを当事者及び利害関係参加人に通知しなければならない。

第五三条（**証拠調べ**）**①** 非訟事件の手続における証拠調べについては、民事訴訟法第二編第四章第一節から第六節までの規定（同法第百七十九条、第百八十二条、第百八十五条第三項、第百八十七条から第百八十九条まで、第二百五条第二項、第二百七条第二項、第二百八条、第二百十五条第二項、第二百二十四条（同法第二百二十九条第二項、第二百三十一条の三第一項及び第二百三十二条第一項において準用する場合を含む。）、第二百二十七条第二項（同法第二百三十一条の三第一項において準用する場合を含む。）、第二百二十九条第四項及び第二百三十二条の二の規定を除く。）を準用する。この場合において、同法第二百五条第三項中「事項又は前項の規定によりファイルに記録された事項若しくは同項の記録媒体に記録された事項」とあり、及び同法第二百十五条第四項中「事項又は第二項の規定によりファイルに記録された事項若しくは同項の記録媒体に記録された事項」とあるのは「事項」と、同法第二百三十一条の二第二項中「方法又は最高裁判所規則で定める電子情報処理組織を使用する方法」とあるのは「方法」と、同法第二百三十一条の三第二項中「若しくは送付し、又は最高裁判所規則で定める電子情報処理組織を使用する」とあるのは「又は送付する」と読み替えるものとする。

＊令和四法四八（令和八・五・二四までに施行）**による改正前**
① 非訟事件の手続における証拠調べについては、民事訴訟法第二編第四章第一節から第六節までの規定（同法第百七十九条、第百八十二条、第百八十七条から第百八十九条まで、第二百七条第二項、第二百八条、第二百二十四条（同法第二百二十九条第二項及び第二百三十二条第一項において準用する場合を含む。）及び第二百二十九条第四項の規定を除く。）を準用する。

＊令和五法五三（令和一〇・六・一三までに施行）**による改正後**
① 非訟事件の手続における証拠調べについては、民事訴訟法第二編第四章第一節から第六節までの規定（同法第百七十九条、第百八十二条、第百八十七条から第百八十九条まで、第二百七条第二項、第二百八条、第二百二十四条（同法第二百二十九条第二項、第二百三十一条の三第一項及び第二百三十二条第一項において準用する場合を含む。）及び第二百二十九条第四項の規定を除く。）を準用する。

②—⑦ （略）

第四節 裁判（抄）

第五四条（**裁判の方式**） 裁判所は、非訟事件の手続においては、決定で、裁判をする。

第五五条（**終局決定**）**①** 裁判所は、非訟事件が裁判をするのに熟したときは、終局決定をする。

② 裁判所は、非訟事件の一部が裁判をするのに熟したときは、その一部について終局決定をすることができる。手続の併合を

命じた数個の非訟事件中その一が裁判をするのに熟したときも、同様とする。

第五六条（終局決定の告知及び効力の発生等） ① 終局決定は、当事者及び利害関係参加人並びにこれらの者以外の裁判を受ける者に対し、相当と認める方法で告知しなければならない。

② 終局決定（申立てを却下する決定を除く。）は、裁判を受ける者（裁判を受ける者が数人あるときは、そのうちの一人）に告知することによってその効力を生ずる。

③ 申立てを却下する終局決定は、申立人に告知することによってその効力を生ずる。

④ 終局決定は、即時抗告の期間の満了前には確定しないものとする。

⑤ 終局決定の確定は、前項の期間内にした即時抗告の提起により、遮断される。

第五七条（終局決定の方式及び裁判書） ① 終局決定は、裁判書を作成してしなければならない。ただし、即時抗告をすることができない決定については、非訟事件の申立書又は調書に主文を記載することをもって、裁判書の作成に代えることができる。

② 終局決定の裁判書には、次に掲げる事項を記載しなければならない。

一 主文
二 理由の要旨
三 当事者及び法定代理人
四 裁判所

＊令和五法五三（令和一〇・六・一三までに施行）による改正後

第五七条（終局決定の方式及び電子裁判書） ① 終局決定は、電子裁判書（最高裁判所規則で定めるところにより、非訟事件における裁判の内容を裁判所が記録した電磁的記録をいう。以下同じ。）を作成してしなければならない。ただし、即時抗告をすることができない決定については、最高裁判所規則で定めるところにより、主文、当事者及び法定代理人並びに裁判所を記録した電磁的記録（第三項において「電子裁判書に代わる電磁的記録」という。）を作成し、又は電子調書に主文を記録することをもって、電子裁判書の作成に代えることができる。

② 終局決定の電子裁判書には、次に掲げる事項を記録しなければならない。

一―四（略）

③ 裁判所は、第一項の規定により電子裁判書又は電子裁判書に代わる電磁的記録を作成したときは、最高裁判所規則で定めるところにより、これらをファイルに記録しなければならない。（改正により追加）

第五八条（略）

第五九条（終局決定の取消し又は変更） ① 裁判所は、終局決定をした後、その決定を不当と認めるときは、次に掲げる決定を除き、職権で、これを取り消し、又は変更することができる。

一 申立てによってのみ裁判をすべき場合において申立てを却下した決定
二 即時抗告をすることができる決定

② 終局決定が確定した日から五年を経過したときは、裁判所は、前項の規定による取消し又は変更をすることができない。ただし、事情の変更によりその決定を不当と認めるに至ったときは、この限りでない。

③ 裁判所は、第一項の規定により終局決定の取消し又は変更をする場合には、その決定における当事者及びその他の裁判を受ける者の陳述を聴かなければならない。

④ 第一項の規定による取消し又は変更の終局決定に対しては、取消し後又は変更後の決定が原決定であるとした場合に即時抗告をすることができる者に限り、即時抗告をすることができる。

第六〇条から第六二条まで（略）

第五節 裁判によらない非訟事件の終了

第六三条（非訟事件の申立ての取下げ） ① 非訟事件の申立人は、終局決定が確定するまで、申立ての全部又は一部を取り下げることができる。この場合において、終局決定がされた後は、裁判所の許可を得なければならない。

②（略）

第六四条（非訟事件の申立ての取下げの擬制） 非訟事件の申立人が、連続して二回、呼出しを受けた非訟事件の手続の期日に出頭せず、又は呼出しを受けた非訟事件の手続の期日において陳述をしないで退席をしたときは、裁判所は、申立ての取下げがあったものとみなすことができる。

第六五条（和解） ① 非訟事件における和解については、民事訴訟法第八十九条第一項、第二百六十四条及び第二百六十五条の規定を準用する。この場合において、同法第二百六十四条第一項及び第二百六十五条第三項中「口頭弁論等」とあるのは、「非訟事件の手続」と読み替えるものとする。

＊令和四法四八（令和八・五・二四までに施行）による改正
第一項中「第八十九条」は「第八十九条第一項」に、「同法第二百六十四条」は「同法第二百六十四条第一項」に改められた。（本文織込み済み）

② 和解を調書に記載したときは、その記載は、確定した終局決定と同一の効力を有する。

＊令和五法五三（令和一〇・六・一三までに施行）による改正後

第六五条（和解） ①（略）

② 裁判所書記官が、和解について電子調書を作成し、これをファイルに記録したときは、その記録は、確定した終局決定と同一の効力を有する。

③ 前項の規定によりファイルに記録された電子調書は、当事者に送付しなければならない。（改正により追加）

＊令和五法五三（令和一〇・六・一三までに施行）による改正後

第六五条の二（略）（改正により追加）

第四章 不服申立て（抄）

第一節 終局決定に対する不服申立て（抄）

第一款 即時抗告（抄）

第六六条（即時抗告をすることができる裁判） ① 終局決定により権利又は法律上保護される利益を害された者は、その決定に対し、即時抗告をすることができる。

② 申立てを却下した終局決定に対しては、申立人に限り、即時抗告をすることができる。

③ 手続費用の負担の裁判に対しては、独立して即時抗告をすることができない。

第六七条（即時抗告期間） ① 終局決定に対する即時抗告は、二週間の不変期間内にしなければならない。ただし、その期間前に提起した即時抗告の効力を妨げない。

② 即時抗告の期間は、即時抗告をする者が裁判の告知を受ける者である場合にあっては、裁判の告知を受けた日から進行する。

③ 前項の期間は、即時抗告をする者が裁判の告知を受ける者でない場合にあっては、申立人（職権で開始した事件においては、裁判を受ける者）が裁判の告知を受けた日（二以上あるときは、当該日のうち最も遅い日）から進行する。

（即時抗告の提起の方式等）
第六八条① 即時抗告は、抗告状を原裁判所に提出してしなければならない。
② 抗告状には、次に掲げる事項を記載しなければならない。
一 当事者及び法定代理人
二 原決定の表示及びその決定に対して即時抗告をする旨
③―⑥ （略）

（抗告状の写しの送付等）
第六九条① 終局決定に対する即時抗告があったときは、抗告裁判所は、原審における当事者及び利害関係参加人（抗告人を除く。）に対し、抗告状の写しを送付しなければならない。ただし、その即時抗告が不適法であるとき、又は即時抗告に理由がないことが明らかなときは、この限りでない。
②③ （略）

（陳述の聴取）
第七〇条 抗告裁判所は、原審における当事者及びその他の裁判を受ける者（抗告人を除く。）の陳述を聴かなければ、原裁判所の終局決定を取り消すことができない。

（原裁判所による更正）
第七一条 原裁判所は、終局決定に対する即時抗告を理由があると認めるときは、その決定を更正しなければならない。

（原裁判の執行停止）
第七二条① 終局決定に対する即時抗告は、特別の定めがある場合を除き、執行停止の効力を有しない。ただし、抗告裁判所又は原裁判所は、申立てにより、担保を立てさせて、又は立てさせないで、即時抗告について裁判があるまで、原裁判の執行の停止その他必要な処分を命ずることができる。
②③ （略）

第七三条 （略）

（再抗告）
第七四条① 抗告裁判所の終局決定（その決定が第一審裁判所の決定であるとした場合に即時抗告をすることができるものに限る。）に対しては、次に掲げる事由を理由とするときに限り、更に即時抗告をすることができる。ただし、第五号に掲げる事由については、手続行為能力、法定代理権又は手続行為をするのに必要な権限を有するに至った本人、法定代理人又は手続代理人による追認があったときは、この限りでない。
一 終局決定に憲法の解釈の誤りがあることその他憲法の違反があること。
二 法律に従って裁判所を構成しなかったこと。
三 法律により終局決定に関与することができない裁判官が終局決定に関与したこと。
四 専属管轄に関する規定に違反したこと。
五 法定代理権、手続代理人の代理権又は代理人が手続行為をするのに必要な授権を欠いたこと。
六 終局決定にこの法律又は他の法令で記載すべきものと定められた理由若しくはその要旨を付せず、又は理由若しくはその要旨に食い違いがあること。
七 終局決定に影響を及ぼすことが明らかな法令の違反があること。

＊令和五法五三（令和一〇・六・一三までに施行）による改正
第六号中「記載すべき」を「記録すべき」に改める。（本文未織込み）

② 前項の即時抗告（以下この条及び第七十七条第一項において「再抗告」という。）が係属する抗告裁判所は、抗告状又は抗告理由書に記載された再抗告の理由についてのみ調査をする。
③ （略）

第二款 特別抗告（抄）

（特別抗告をすることができる裁判等）
第七五条① 地方裁判所及び簡易裁判所の終局決定で不服を申し立てることができないもの並びに高等裁判所の終局決定に対しては、その決定に憲法の解釈の誤りがあることその他憲法の違反があることを理由とするときに、最高裁判所に特に抗告をすることができる。
② 前項の抗告（以下この項及び次条において「特別抗告」という。）が係属する抗告裁判所は、抗告状又は抗告理由書に記載された特別抗告の理由についてのみ調査をする。

第七六条 （略）

第三款 許可抗告（抄）

（許可抗告をすることができる裁判等）
第七七条① 高等裁判所の終局決定（再抗告及び次項の申立てについての決定を除く。）に対しては、第七十五条第一項の規定による場合のほか、その高等裁判所が次項の規定により許可したときに限り、最高裁判所に特に抗告をすることができる。ただし、その決定が地方裁判所の決定であるとした場合に即時抗告をすることができるものであるときに限る。
② 前項の高等裁判所は、同項の終局決定について、最高裁判所の判例（これがない場合にあっては、大審院又は上告裁判所若しくは抗告裁判所である高等裁判所の判例）と相反する判断がある場合その他の法令の解釈に関する重要な事項を含むと認められる場合には、申立てにより、抗告を許可しなければならない。
③―⑥ （略）

第七八条 （略）

第二節 終局決定以外の裁判に対する不服申立て（抄）

（不服申立ての対象）
第七九条 終局決定以外の裁判に対しては、特別の定めがある場合に限り、即時抗告をすることができる。

（受命裁判官又は受託裁判官の裁判に対する異議）
第八〇条① 受命裁判官又は受託裁判官の裁判に対して不服がある当事者は、非訟事件が係属している裁判所に異議の申立てをすることができる。ただし、その裁判が非訟事件が係属している裁判所の裁判であるとした場合に即時抗告をすることができるものであるときに限る。
② 前項の異議の申立てについての裁判に対しては、即時抗告をすることができる。
③ （略）

（即時抗告期間）
第八一条 終局決定以外の裁判に対する即時抗告は、一週間の不変期間内にしなければならない。ただし、その期間前に提起した即時抗告の効力を妨げない。

第八二条 （略）

第五章 再審（抄）

（再審）
第八三条① 確定した終局決定その他の裁判（事件を完結するものに限る。第五項において同じ。）に対しては、再審の申立てをすることができる。
② 再審の手続には、その性質に反しない限り、各審級における非訟事件の手続に関する規定を準用する。
③―⑤ （略）

第八四条 （略）

第三編 民事非訟事件（抄）

第一章 共有に関する事件（抄）

（共有物の管理に係る決定）
第八五条① 次に掲げる裁判に係る事件は、当該裁判に係る共有物又は民法（明治二十九年法律第八十九号）第二百六十四条に規定する数人で所有権以外の財産権を有する場合における当該財産権（以下この条において単に「共有物」という。）の所在地を管轄する地方裁判所の管轄に属する。

一　民法第二百五十一条第二項、第二百五十二条第二項第一号及び第二百五十二条の二第二項（これらの規定を同法第二百六十四条において準用する場合を含む。）の規定による裁判

二　民法第二百五十二条第二項第二号（同法第二百六十四条において準用する場合を含む。第三項において同じ。）の規定による裁判

② 前項第一号の裁判については、裁判所が次に掲げる事項を公告し、かつ、第二号の期間が経過した後でなければ、することができない。この場合において、同号の期間は、一箇月を下ってはならない。

一　当該共有物について前項第一号の裁判の申立てがあったこと。

二　裁判所が前項第一号の裁判をすることについて異議があるときは、当該他の共有者等（民法第二百五十一条第二項（同法第二百六十四条において準用する場合を含む。）に規定する当該他の共有者、同法第二百五十二条第二項第一号（同法第二百六十四条において準用する場合を含む。）に規定する他の共有者又は同法第二百五十二条の二第二項（同法第二百六十四条において準用する場合を含む。）に規定する当該共有者をいう。第六項において同じ。）は一定の期間内にその旨の届出をすべきこと。

三　前号の届出がないときは、前項第一号の裁判がされること。

③ 第一項第二号の裁判については、裁判所が次に掲げる事項を当該他の共有者（民法第二百五十二条第二項第二号に規定する当該他の共有者をいう。以下この項及び次項において同じ。）に通知し、かつ、第二号の期間が経過した後でなければ、することができない。この場合において、同号の期間は、一箇月を下ってはならない。

一　当該共有物について第一項第二号の裁判の申立てがあったこと。

二　当該他の共有者は裁判所に対し一定の期間内に共有物の管理に関する事項を決することについて賛否を明らかにすべきこと。

三　前号の期間内に当該他の共有者が裁判所に対し共有物の管理に関する事項を決することについて賛否を明らかにしないときは、第一項第二号の裁判がされること。

④ 前項第二号の期間内に裁判所に対し共有物の管理に関する事項を決することについて賛否を明らかにした当該他の共有者があるときは、裁判所は、その者に係る第一項第二号の裁判をすることができない。

⑤⑥（略）

第八六条（共有物分割の証書の保存者の指定）① 民法第二百六十二条第三項の規定による証書の保存者の指定の事件は、共有物の分割がされた地を管轄する地方裁判所の管轄に属する。

② 裁判所は、前項の指定の裁判をするには、分割者（申立人を除く。）の陳述を聴かなければならない。

③ 裁判所が前項の裁判をする場合における手続費用は、分割者の全員が等しい割合で負担する。

④（略）

第八七条（所在等不明共有者の持分の取得）① 所在等不明共有者の持分の取得の裁判（民法第二百六十二条の二第一項（同条第五項において準用する場合を含む。次項第一号において同じ。）の規定による所在等不明共有者の持分の取得の裁判をいう。以下この条において同じ。）に係る事件は、当該裁判に係る不動産の所在地を管轄する地方裁判所の管轄に属する。

② 裁判所は、次に掲げる事項を公告し、かつ、第二号、第三号及び第五号の期間が経過した後でなければ、所在等不明共有者の持分の取得の裁判をすることができない。この場合において、第二号、第三号及び第五号の期間は、いずれも三箇月を下ってはならない。

一　所在等不明共有者（民法第二百六十二条の二第一項に規定する所在等不明共有者をいう。以下この条において同じ。）の持分について所在等不明共有者の持分の取得の裁判の申立てがあったこと。

二　裁判所が所在等不明共有者の持分の取得の裁判をすることについて異議があるときは、所在等不明共有者は一定の期間内にその旨の届出をすべきこと。

三　民法第二百六十二条の二第二項（同条第五項において準用する場合を含む。）の異議の届出は、一定の期間内にすべきこと。

四　前二号の届出がないときは、所在等不明共有者の持分の取得の裁判がされること。

五　所在等不明共有者の持分の取得の裁判の申立てがあった所在等不明共有者の持分について申立人以外の共有者が所在等不明共有者の持分の取得の裁判の申立てをするときは一定の期間内にその申立てをすべきこと。

③ 裁判所は、前項の規定による公告をしたときは、遅滞なく、登記簿上その氏名又は名称が判明している共有者に対し、同項各号（第二号を除く。）の規定により公告した事項を通知しなければならない。この通知は、通知を受ける者の登記簿上の住所又は事務所に宛てて発すれば足りる。

④ 裁判所は、第二項第三号の異議の届出が同号の期間を経過した後にされたときは、当該届出を却下しなければならない。

⑤ 裁判所は、所在等不明共有者の持分の取得の裁判をするには、申立人に対して、一定の期間内に、所在等不明共有者のために、裁判所が定める額の金銭を裁判所の指定する供託所に供託し、かつ、その旨を届け出るべきことを命じなければならない。

⑥—⑪（略）

第八八条（所在等不明共有者の持分を譲渡する権限の付与）① 所在等不明共有者の持分を譲渡する権限の付与の裁判（民法第二百六十二条の三第一項（同条第四項において準用する場合を含む。第三項において同じ。）の規定による所在等不明共有者の持分を譲渡する権限の付与の裁判をいう。第三項において同じ。）に係る事件は、当該裁判に係る不動産の所在地を管轄する地方裁判所の管轄に属する。

② 前条第二項第一号、第二号及び第四号並びに第五項から第十項までの規定は、前項の事件について準用する。

③ 所在等不明共有者の持分を譲渡する権限の付与の裁判の効力が生じた後二箇月以内にその裁判により付与された権限に基づく所在等不明共有者（民法第二百六十二条の三第一項に規定する所在等不明共有者をいう。）の持分の譲渡の効力が生じないときは、その裁判は、その効力を失う。ただし、この期間は、裁判所において伸長することができる。

第八九条（略）

第二章　土地等の管理に関する事件（抄）

第九〇条（所有者不明土地管理命令及び所有者不明建物管理命令）① 民法第二編第三章第四節の規定による非訟事件は、裁判を求める事項に係る不動産の所在地を管轄する地方裁判所の管轄に属する。

② 裁判所は、次に掲げる事項を公告し、かつ、第二号の期間が経過した後でなければ、所有者不明土地管理命令（民法第二百六十四条の二第一項に規定する所有者不明土地管理命令をいう。以下この条において同じ。）をすることができない。この場合において、同号の期間は、一箇月を下ってはならない。

一　所有者不明土地管理命令の申立てがその対象となるべき土地又は共有持分についてあったこと。

二　所有者不明土地管理命令をすることについて異議があるときは、所有者不明土地管理命令の対象となるべき土地又は共有持分を有する者は一定の期間内にその旨の届出をすべきこと。

三　前号の届出がないときは、所有者不明土地管理命令がされること。

③　民法第二百六十四条の三第二項又は第二百六十四条の六第二項の許可の申立てをする場合には、その許可を求める理由を疎明しなければならない。

④　裁判所は、民法第二百六十四条の六第一項の規定による解任の裁判又は同法第二百六十四条の七第一項の規定による費用若しくは報酬の額を定める裁判をする場合には、所有者不明土地管理人（同法第二百六十四条の二第四項に規定する所有者不明土地管理人をいう。以下この条において同じ。）の陳述を聴かなければならない。

⑤　次に掲げる裁判には、理由を付さなければならない。

一　所有者不明土地管理命令の申立てを却下する裁判
二　民法第二百六十四条の三第二項又は第二百六十四条の六第二項の許可の申立てを却下する裁判
三　民法第二百六十四条の六第一項の規定による解任の申立てについての裁判

⑥　所有者不明土地管理命令があった場合には、裁判所書記官は、職権で、遅滞なく、所有者不明土地管理命令の対象とされた土地又は共有持分について、所有者不明土地管理命令の登記を嘱託しなければならない。

⑦　所有者不明土地管理命令を取り消す裁判があったときは、裁判所書記官は、職権で、遅滞なく、所有者不明土地管理命令の登記の抹消を嘱託しなければならない。

⑧　所有者不明土地管理人は、所有者不明土地管理命令の対象とされた土地又は共有持分及び所有者不明土地管理命令の効力が及ぶ動産の管理、処分その他の事由により金銭が生じたときは、その土地の所有者又はその共有持分を有する者のために、当該金銭を所有者不明土地管理命令の対象とされた土地（共有持分を対象として所有者不明土地管理命令が発せられた場合にあっては、共有物である土地）の所在地の供託所に供託することができる。この場合において、供託をしたときは、法務省令で定めるところにより、その旨その他法務省令で定める事項を公告しなければならない。

⑨―⑮　（略）

⑯　第二項から前項までの規定は、民法第二百六十四条の八第一項に規定する所有者不明建物管理命令及び同条第四項に規定する所有者不明建物管理人について準用する。

（管理不全土地管理命令及び管理不全建物管理命令）

第九一条①　民法第二編第三章第五節の規定による非訟事件は、裁判を求める事項に係る不動産の所在地を管轄する地方裁判所の管轄に属する。

②　民法第二百六十四条の十第二項又は第二百六十四条の十二第二項の許可の申立てをする場合には、その許可を求める理由を疎明しなければならない。

③　裁判所は、次の各号に掲げる裁判をする場合には、当該各号に定める者の陳述を聴かなければならない。ただし、第一号に掲げる裁判をする場合において、その陳述を聴く手続を経ることにより当該裁判の申立ての目的を達することができない事情があるときは、この限りでない。

一　管理不全土地管理命令（民法第二百六十四条の九第一項に規定する管理不全土地管理命令をいう。以下この条において同じ。）　管理不全土地管理命令の対象となるべき土地の所有者
二　民法第二百六十四条の十第二項の許可の裁判　管理不全土地管理命令の対象とされた土地の所有者
三　民法第二百六十四条の十二第一項の規定による解任の裁判　管理不全土地管理人（同法第二百六十四条の九第三項に規定する管理不全土地管理人をいう。以下この条において同じ。）
四　民法第二百六十四条の十三第一項の規定による費用の額を定める裁判　管理不全土地管理人
五　民法第二百六十四条の十三第一項の規定による報酬の額を定める裁判　管理不全土地管理人及び管理不全土地管理命令の対象とされた土地の所有者

④　次に掲げる裁判には、理由を付さなければならない。

一　管理不全土地管理命令の申立てについての裁判
二　民法第二百六十四条の十第二項の許可の申立てについての裁判
三　民法第二百六十四条の十二第一項の規定による解任の申立てについての裁判
四　民法第二百六十四条の十二第二項の許可の申立てを却下する裁判

⑤　管理不全土地管理人は、管理不全土地管理命令の対象とされた土地及び管理不全土地管理命令の効力が及ぶ動産の管理、処分その他の事由により金銭が生じたときは、その土地の所有者（その共有持分を有する者を含む。）のために、当該金銭を管理不全土地管理命令の対象とされた土地の所在地の供託所に供託することができる。この場合において、供託をしたときは、法務省令で定めるところにより、その旨その他法務省令で定める事項を公告しなければならない。

⑥―⑨　（略）

⑩　第二項から前項までの規定は、民法第二百六十四条の十四第一項に規定する管理不全建物管理命令及び同条第三項に規定する管理不全建物管理人について準用する。

第九二条　（略）

第三章　供託等に関する事件（抄）

（動産質権の実行の許可）

第九三条①　民法第三百五十四条の規定による質物をもって直ちに弁済に充てることの許可の申立てに係る事件は、債務の履行地を管轄する地方裁判所の管轄に属する。

②　裁判所は、前項の許可の裁判をするには、債務者の陳述を聴かなければならない。

③　裁判所が前項の裁判をする場合における手続費用は、債務者の負担とする。

第九四条から第九八条まで　（略）

第四編　公示催告事件（抄）

第一章　通則（抄）

（公示催告の申立て）

第九九条　裁判上の公示催告で権利の届出を催告するためのもの（以下この編において「公示催告」という。）の申立ては、法令にその届出をしないときは当該権利につき失権の効力を生ずる旨の定めがある場合に限り、することができる。

（管轄裁判所）

第一〇〇条　公示催告手続（公示催告によって当該公示催告に係る権利につき失権の効力を生じさせるための一連の手続をいう。以下この章において同じ。）に係る事件（第百十二条において「公示催告事件」という。）は、公示催告に係る権利を有する者の普通裁判籍の所在地又は当該公示催告に係る権利の目的物の所在地を管轄する簡易裁判所の管轄に属する。ただし、当該権利が登記又は登録に係るものであるときは、登記又は登録をすべき地を管轄する簡易裁判所もこれを管轄する。

＊令和五法五三（令和一〇・六・一三までに施行）による改正　第一〇〇条中「第百十二条」を「第百十二条第一項」に改める。（本文未織込み）

（公示催告手続開始の決定等）

第一〇一条　裁判所は、公示催告の申立てが適法であり、かつ、理由があると認めるときは、公示催告手続開始の決定をするとともに、次に掲げる事項を内容とする公示催告をする旨の決定（第百十三条第二項において「公示催告決定」という。）をしなければならない。

一　申立人の表示

二　権利の届出の終期の指定

三　前号に規定する権利の届出の終期までに当該権利を届け出るべき旨の催告

四　前号に掲げる催告に応じて権利の届出をしないことにより生ずべき失権の効力の表示

第一〇二条（公示催告についての公告）①　公示催告についての公告は、前条に規定する公示催告の内容を、裁判所の掲示場に掲示し、かつ、官報に掲載する方法によってする。

＊令和五法五三（令和一〇・六・一三までに施行）による改正後

①　公示催告についての公告は、前条に規定する公示催告の内容について、次の各号に掲げるいずれかの措置をとり、かつ、官報に掲載する方法によってする。

一　裁判所の掲示場に掲示すること。（改正により追加）

二　裁判所に設置した電子計算機の映像面に表示したものの閲覧をすることができる状態に置くこと。（改正により追加）

②　裁判所は、相当と認めるときは、申立人に対し、前項に規定する方法に加えて、前条に規定する公示催告の内容を、時事に関する事項を掲載する日刊新聞紙に掲載して公告すべき旨を命ずることができる。

第一〇三条（公示催告の期間）　前条第一項の規定により公示催告を官報に掲載した日から権利の届出の終期までの期間は、他の法律に別段の定めがある場合を除き、二月を下ってはならない。

第一〇四条（公示催告手続終了の決定）①　公示催告手続開始の決定後第百六条第一項から第四項までの規定による除権決定がされるまでの間において、公示催告の申立てが不適法であること又は理由のないことが明らかになったときは、裁判所は、公示催告手続終了の決定をしなければならない。

②　前項の決定に対しては、申立人に限り、即時抗告をすることができる。

第一〇五条（審理終結日）①　裁判所は、権利の届出の終期の経過後においても、必要があると認めるときは、公示催告の申立てについての審理をすることができる。この場合において、裁判所は、審理を終結する日（以下この章において「審理終結日」という。）を定めなければならない。

②　権利の届出の終期までに申立人が申立ての理由として主張した権利を争う旨の申述（以下この編において「権利を争う旨の申述」という。）があったときは、裁判所は、申立人及びその権利を争う旨の申述をした者の双方が立ち会うことができる審問期日を指定するとともに、審理終結日を定めなければならない。

③　前二項の規定により審理終結日が定められたときは、権利の届出の終期の経過後においても、権利の届出又は権利を争う旨の申述は、その審理終結日まですることができる。

④　権利を争う旨の申述をするには、自らが権利者であることその他の申立人が申立ての理由として主張した権利を争う理由を明らかにしなければならない。

第一〇六条（除権決定等）①　権利の届出の終期（前条第一項又は第二項の規定により審理終結日が定められた場合にあっては、審理終結日。以下この条において同じ。）までに適法な権利の届出又は権利を争う旨の申述がないときは、裁判所は、第百四条第一項の場合を除き、当該公示催告の申立てに係る権利につき失権の効力を生ずる旨の裁判（以下この編において「除権決定」という。）をしなければならない。

②　裁判所は、権利の届出の終期までに適法な権利の届出があった場合であって、適法な権利を争う旨の申述がないときは、第百四条第一項の場合を除き、当該公示催告の申立てに係る権利のうち適法な権利の届出があったものについては失権の効力を生じない旨の定め（以下この章において「制限決定」という。）をして、除権決定をしなければならない。

③　裁判所は、権利の届出の終期までに適法な権利を争う旨の申述があった場合であって、適法な権利の届出がないときは、第百四条第一項の場合を除き、申立人とその適法な権利を争う旨の申述をした者との間の当該権利についての訴訟の判決が確定するまで公示催告手続を中止し、又は除権決定は、その適法な権利を争う旨の申述をした者に対してはその効力を有せず、かつ、申立人が当該訴訟において敗訴したときはその効力を失う旨の定め（以下この章において「留保決定」という。）をして、除権決定をしなければならない。ただし、その権利を争う旨の申述に理由がないことが明らかであると認めるときは、留保決定をしないで、除権決定をしなければならない。

④　裁判所は、権利の届出の終期までに適法な権利の届出及び権利を争う旨の申述があったときは、第百四条第一項の場合を除き、制限決定及び留保決定をして、除権決定をしなければならない。

⑤　除権決定に対しては、第百八条の規定による場合のほか、不服を申し立てることができない。

⑥　制限決定又は留保決定に対しては、即時抗告をすることができる。

⑦　前項の即時抗告は、裁判の告知を受けた日から一週間の不変期間内にしなければならない。ただし、その期間前に提起した即時抗告の効力を妨げない。

第一〇七条（除権決定等の公告）　除権決定、制限決定及び留保決定は、官報に掲載して公告しなければならない。

第一〇八条（除権決定の取消しの申立て）　次に掲げる事由がある場合には、除権決定の取消しの申立てをすることができる。

一　法令において公示催告の申立てをすることができる場合に該当しないこと。

二　第百二条第一項の規定による公示催告についての公告をせず、又は法律に定める方法によって公告をしなかったこと。

三　第百三条に規定する公示催告の期間を遵守しなかったこと。

四　除斥又は忌避の裁判により除権決定に関与することができない裁判官が除権決定に関与したこと。

五　適法な権利の届出又は権利を争う旨の申述があったにもかかわらず、第百六条第二項から第四項までの規定に違反して除権決定がされたこと。

六　第八十三条第三項において準用する民事訴訟法第三百三十八条第一項第四号から第八号までの規定により再審の申立てをすることができる場合であること。

第一〇九条から第一一三条まで　（略）

第二章　有価証券無効宣言公示催告事件（抄）

第一一四条（申立権者）　盗取され、紛失し、又は滅失した有価証券のうち、法令の規定により無効とすることができるものであって、次の各号に掲げるものを無効とする旨の宣言をするためにする公示催告の申立ては、それぞれ当該各号に定める者がすることができる。

一　無記名式の有価証券又は裏書によって譲り渡すことができる有価証券であって白地式裏書（被裏書人を指定しないで、又は裏書人の署名若しくは記名押印のみをもってした裏書をいう。）がされたもの　その最終の所持人

二　前号に規定する有価証券以外の有価証券　その有価証券により権利を主張することができる者

第一一五条及び第一一六条　（略）

第一一七条（公示催告の内容等）①　有価証券無効宣言公示催告においては、第百一条の規定にかかわらず、次に掲げる事項を公示催告の内容とす

る。
一　申立人の表示
二　権利を争う旨の申述の終期の指定
三　前号に規定する権利を争う旨の申述の終期までに権利を争う旨の申述をし、かつ、有価証券を提出すべき旨の有価証券の所持人に対する催告
四　前号に掲げる催告に応じて権利を争う旨の申述をしないことにより有価証券を無効とする旨を宣言する旨の表示
②　（略）

第一一八条（除権決定による有価証券の無効の宣言等）①　裁判所は、有価証券無効宣言公示催告の申立てについての除権決定において、その申立てに係る有価証券を無効とする旨を宣言しなければならない。
②　前項の除権決定がされたときは、有価証券無効宣言公示催告の申立人は、その申立てに係る有価証券により義務を負担する者に対し、当該有価証券による権利を主張することができる。

第五編　過料事件

第一一九条（管轄裁判所）　過料事件（過料についての裁判の手続に係る非訟事件をいう。）は、他の法令に特別の定めがある場合を除き、当事者（過料の裁判がされた場合において、その裁判を受ける者となる者をいう。以下この編において同じ。）の普通裁判籍の所在地を管轄する地方裁判所の管轄に属する。

第一二〇条（過料についての裁判等）①　過料についての裁判には、理由を付さなければならない。
②　裁判所は、過料についての裁判をするに当たっては、あらかじめ、検察官の意見を聴くとともに、当事者の陳述を聴かなければならない。
③　過料についての裁判に対しては、当事者及び検察官に限り、即時抗告をすることができる。この場合において、当該即時抗告が過料の裁判に対するものであるときは、執行停止の効力を有する。
④　過料についての裁判の手続（その抗告審における手続を含む。次項において同じ。）に要する手続費用は、過料の裁判をした場合にあっては当該裁判を受けた者の負担とし、その他の場合にあっては国庫の負担とする。
⑤　過料の裁判に対して当事者から第三項の即時抗告があった場合において、抗告裁判所が当該即時抗告を理由があると認めて原裁判を取り消して更に過料についての裁判をしたときは、前項の規定にかかわらず、過料についての裁判の手続に要する手続費用は、国庫の負担とする。

第一二一条（過料の裁判の執行）①　過料の裁判は、検察官の命令で執行する。この命令は、執行力のある債務名義と同一の効力を有する。
②　過料の裁判の執行は、民事執行法（昭和五十四年法律第四号）その他強制執行の手続に関する法令の規定に従ってする。ただし、執行をする前に裁判の送達をすることを要しない。
③　刑事訴訟法（昭和二十三年法律第百三十一号）第七編第二章（第五百十一条及び第五百十三条第六項から第八項までを除く。）の規定は、過料の裁判の執行について準用する。この場合において、同条第一項中「者若しくは裁判の執行の対象となるもの」とあるのは「者」と、「裁判の執行の対象となるもの若しくは裁判」とあるのは「裁判」と読み替えるものとする。
④　過料の裁判の執行があった後に当該裁判（以下この項において「原裁判」という。）に対して前条第三項の即時抗告があった場合において、抗告裁判所が当該即時抗告を理由があると認めて原裁判を取り消して更に過料の裁判をしたときは、その金額の限度において当該過料の裁判の執行があったものとみなす。この場合において、原裁判の執行によって得た金額が当該過料の金額を超えるときは、その超過額は、これを還付しなければならない。

第一二二条（略式手続）①　裁判所は、第百二十条第二項の規定にかかわらず、相当と認めるときは、当事者の陳述を聴かないで過料についての裁判をすることができる。
②　前項の裁判に対しては、当事者及び検察官は、当該裁判の告知を受けた日から一週間の不変期間内に、当該裁判をした裁判所に異議の申立てをすることができる。この場合において、当該異議の申立てが過料の裁判に対するものであるときは、執行停止の効力を有する。
③　前項の異議の申立ては、次項の裁判があるまで、取り下げることができる。この場合において、当該異議の申立ては、遡ってその効力を失う。
④　適法な異議の申立てがあったときは、裁判所は、当事者の陳述を聴いて、更に過料についての裁判をしなければならない。
⑤　前項の規定によってすべき裁判が第一項の裁判と符合するときは、裁判所は、同項の裁判を認可しなければならない。ただし、同項の裁判の手続が法律に違反したものであるときは、この限りでない。
⑥　前項の規定により第一項の裁判を認可する場合を除き、第四項の規定によってすべき裁判においては、第一項の裁判を取り消さなければならない。
⑦　第百二十条第五項の規定は、第一項の規定による過料の裁判に対して当事者から第二項の異議の申立てがあった場合において、前項の規定により当該裁判を取り消して第四項の規定により更に過料についての裁判をしたときについて準用する。
⑧　前条第四項の規定は、第一項の規定による過料の裁判の執行があった後に当該裁判に対して第二項の異議の申立てがあった場合において、第六項の規定により当該裁判を取り消して第四項の規定により更に過料の裁判をしたときについて準用する。

附　則

（施行期日）
①　この法律は、公布の日から起算して二年を超えない範囲内において政令で定める日（平成二五・一・一―平成二四政一九六）から施行する。

（経過措置）
②　この法律の規定は、この法律の施行後に申し立てられた非訟事件及び職権で手続が開始された非訟事件の手続について適用する。

附　則（令和四・五・二五法四八）（抄）

（施行期日）
第一条　この法律は、公布の日から起算して四年を超えない範囲内において政令で定める日から施行する。ただし、次の各号に掲げる規定は、当該各号に定める日から施行する。
一　（前略）附則第百二十五条の規定　公布の日
二―三　（略）

（政令への委任）
第一二五条　（前略）この法律の施行に関し必要な経過措置は、政令で定める。

民事関係手続等における情報通信技術の活用等の推進を図るための関係法律の整備に関する法律中経過規定　（令和五・六・一四法五三）（抄）

（調書に関する経過措置）
第三〇六条①　改正後非訟事件手続法第三十一条の規定は、改正後非訟事件（施行日以後に開始される非訟事件）における電子調書の作成について適用し、施行日前に開始された非訟事件（以下この節において「改正前非訟事件」という。）における調書の作成については、なお従前の例による。
②　（略）
③　改正後非訟事件手続法第六十五条第二項の規定は、改正後非訟事件における和解についての電子調書の作成について適用し、改正前非訟事件における和解の調書への記載については、なお従前の例による。

④　改正前非訟事件における和解に係る調書の更正については、改正後非訟事件手続法第六十五条の二第一項中「前条第二項の規定によりファイルに記録された電子調書」とあるのは、「和解を記載した調書」として、同項の規定を適用する。

（裁判所の許可を得ないでする裁判書の正本等の交付の請求に関する経過措置）

第三〇七条　改正前非訟事件における裁判所の許可を得ないでする裁判書の正本、謄本又は抄本の交付の請求については、なお従前の例による。

（尋問に代わる書面の提出等に関する経過措置）

第三一三条　改正後非訟事件手続法第五十三条（改正後民事調停法第二十二条において準用する場合を含む。次条において同じ。）において準用する民事訴訟法第二百五条第二項及び第二百十五条第二項（同法第二百十八条第一項において準用する場合を含む。）の規定は、改正後非訟事件における証人の尋問に代わる書面の提出又は鑑定人の書面による意見の陳述に代わる意見の陳述の方式若しくは鑑定の嘱託を受けた者による鑑定書の提出について、適用する。

（電磁的記録に記録された情報の内容に係る証拠調べに関する経過措置）

第三一四条　改正後非訟事件手続法第五十三条において準用する民事訴訟法第二百三十一条の二第二項及び第二百三十一条の三第二項の規定は、改正後非訟事件における電磁的記録に記録された情報の内容に係る証拠調べについて適用し、改正前非訟事件における電磁的記録に記録された情報の内容に係る証拠調べについては、なお従前の例による。

（終局決定の方式等に関する経過措置）

第三一五条　改正後非訟事件手続法第五十七条及び第五十八条第二項（これらの規定（改正後非訟事件手続法第五十七条第一項を除く。）を改正後非訟事件手続法第六十二条第一項において準用する場合を含む。）並びに第六十一条第二項の規定（これらの規定を改正後民事調停法第二十二条及び改正後労働審判法第二十九条第一項において準用する場合を含む。）は、改正後非訟事件における終局決定の方式、電子裁判書の作成、更正決定及び中間決定について適用し、改正前非訟事件における終局決定の方式、裁判書の作成、更正決定及び中間決定については、なお従前の例による。

（公示催告事件に関する経過措置）

第三一七条　改正後非訟事件手続法第百二条第一項の規定は、施行日以後に開始される公示催告事件について適用し、施行日前に開始された公示催告事件については、なお従前の例による。

第三八七条から**第三八九条**まで（民事執行法の同経過規定参照）

民事関係手続等における情報通信技術の活用等の推進を図るための関係法律の整備に関する法律

附　則（令和五・六・一四法五三）

この法律は、公布の日から起算して五年を超えない範囲内において政令で定める日から施行する。ただし、次の各号に掲げる規定は、当該各号に定める日から施行する。

一　（前略）第三百八十八条の規定　公布の日

二　（前略）第三百八十七条の規定　公布の日から起算して二年六月を超えない範囲内において政令で定める日

三　（前略）第三百四条中非訟事件手続法第三十三条第四項の改正規定、同法第四十三条の改正規定及び同法第四十七条第一項の改正規定（中略）　民事訴訟法等の一部を改正する法律（令和四法四八）の施行の日

○家事事件手続法（抄）（平成二三・五・二五 法 五二）

施行 平成二五・一・一（附則参照）
最終改正 令和六法三三

目次

第一編　総則（抄）

第一章　通則（抄）

第一条（略）

（裁判所及び当事者の責務）
第二条　裁判所は、家事事件（編注・家事審判及び家事調停に関する事件をいう。以下同じ。）の手続が公正かつ迅速に行われるように努め、当事者は、信義に従い誠実に家事事件の手続を追行しなければならない。

第三条（略）

第一章の二　日本の裁判所の管轄権

（不在者の財産の管理に関する処分の審判事件の管轄権）
第三条の二　裁判所は、不在者の財産の管理に関する処分の審判事件（別表第一の五十五の項の事項についての審判事件をいう。第百四十五条において同じ。）について、不在者の財産が日本国内にあるときは、管轄権を有する。

（失踪の宣告の取消しの審判事件の管轄権）
第三条の三　裁判所は、失踪の宣告の取消しの審判事件（別表第一の五十七の項の事項についての審判事件をいう。第百四十九条第一項及び第二項において同じ。）について、次の各号のいずれかに該当するときは、管轄権を有する。
一　日本において失踪の宣告の審判があったとき。
二　失踪者の住所が日本国内にあるとき又は失踪者が日本の国籍を有するとき。
三　失踪者が生存していたと認められる最後の時点において、失踪者が日本国内に住所を有していたとき又は日本の国籍を有していたとき。

（嫡出否認の訴えの特別代理人の選任の審判事件の管轄権）
第三条の四　裁判所は、嫡出否認の訴えについて日本の裁判所が管轄権を有するときは、嫡出否認の訴えの特別代理人の選任の審判事件（別表第一の五十九の項の事項についての審判事件をいう。第百五十九条第一項及び第二項において同じ。）について、管轄権を有する。

（養子縁組をするについての許可の審判事件等の管轄権）
第三条の五　裁判所は、養子縁組をするについての許可の審判事件（別表第一の六十一の項の事項についての審判事件をいう。第百六十一条第一項及び第二項において同じ。）、養子縁組の承諾をするについての同意に代わる許可の審判事件（同表の六十一の二の項の事項についての審判事件をいう。第百六十一条の二において同じ。）及び特別養子縁組の成立の審判事件（同表の六十三の項の事項についての審判事件をいう。第百六十四条において同じ。）（特別養子適格の確認の審判事件（同条第二項に規定する特別養子適格の確認についての審判事件をいう。第百六十四条の二第二項及び第四項において同じ。）を含む。）について、養親となるべき者又は養子となるべき者の住所（住所がない場合又は住所が知れない場合には、居所）が日本国内にあるときは、管轄権を有する。

＊令和六法三三（令和八・五・二三までに施行）による改正
第三条の五中「第二項において同じ。）」の下に「、養子縁組の承諾をするについての同意に代わる許可の審判事件（同表の六十一の二の項の事項についての審判事件をいう。第百六十一条の二において同じ。）」が加えられた。（本文織込み済み）

（死後離縁をするについての許可の審判事件の管轄権）
第三条の六　裁判所は、死後離縁をするについての許可の審判事件（別表第一の六十二の項の事項についての審判事件をいう。第百六十二条第一項及び第二項において同じ。）について、次の各号のいずれかに該当するときは、管轄権を有する。
一　養親又は養子の住所（住所がない場合又は住所が知れない場合には、居所）が日本国内にあるとき。
二　養親又は養子がその死亡の時に日本国内に住所を有していたとき。
三　養親又は養子の一方が日本の国籍を有する場合であって、他の一方がその死亡の時に日本の国籍を有していたとき。

（特別養子縁組の離縁の審判事件の管轄権）
第三条の七　裁判所は、特別養子縁組の離縁の審判事件（別表第一の六十四の項の事項についての審判事件をいう。以下同じ。）について、次の各号のいずれかに該当するときは、管轄権を有する。
一　養親の住所（住所がない場合又は住所が知れない場合には、居所）が日本国内にあるとき。
二　養子の実父母又は検察官からの申立てであって、養子の住所（住所がない場合又は住所が知れない場合には、居所）が日本国内にあるとき。
三　養親及び養子が日本の国籍を有するとき。
四　日本国内に住所がある養子からの申立てであって、養親及び養子が最後の共通の住所を日本国内に有していたとき。
五　日本国内に住所がある養子からの申立てであって、養親が行方不明であるとき、養親の住所がある国においてされた離縁に係る確定した裁判が日本国で効力を有しないときその他の日本の裁判所が審理及び裁判をすることが養親と養子との間の衡平を図り、又は適正かつ迅速な審理の実現を確保することとなる特別の事情があると認められるとき。

（親権に関する審判事件等の管轄権）
第三条の八　裁判所は、親権に関する審判事件（別表第一の六十五の項から六十九の項まで及び別表第二の七の項から八の二の項までの事項についての審判事件をいう。第百六十七条において同じ。）、子の監護に関する処分の審判事件（同表の三の項の事項についての審判事件をいう。以下同じ。）（子の監護に要する費用の分担に関する処分の審判事件を除く。）及び親権を行う者につき破産手続が開始された場合における管理権喪失の審判事件（別表第一の百三十二の項の事項についての審判事件をいう。第二百四十二条第一項第二号及び第三項において同じ。）について、子の住所（住所がない場合又は住所が知れない場合には、居所）が日本国内にあるときは、管轄権を有する。

＊令和六法三三（令和八・五・二三までに施行）による改正
第三条の八中「六十九の項まで並びに」は「六十九の項まで及び」に、「八の項まで」は「八の二の項まで」に、「第百五十条第四号及び第百五十一条第二号において」は「以下」に改められた。（本文織込み済み）

（養子の離縁後に未成年後見人となるべき者の選任の審判事件等の管轄権）
第三条の九　裁判所は、養子の離縁後に未成年後見人となるべき者の選任の審判事件（別表第一の七十の項の事項についての審判事件をいう。第百七十六条及び第百七十七条第一号において同じ。）又は未成年後見人の選任の審判事件（同表の七十一の項の事項についての審判事件をいう。同条第二号において同じ。）について、未成年被後見人となるべき者若しくは未成年被後見人（以下この条において「未成年被後見人となるべき者等」という。）の住所若しくは居所が日本国内にあるとき又は未成年被後見人となるべき者等が日本の国籍を有するときは、管轄権を有する。

（夫婦、親子その他の親族関係から生ずる扶養の義務に関する審判事件の管轄権）

第三条の一〇　裁判所は、夫婦、親子その他の親族関係から生ずる扶養の義務に関する審判事件（別表第一の八十四の項及び八十五の項並びに別表第二の一の項から三の項まで、九の項及び十の項の事項についての審判事件（同表の三の項の事項についての審判事件にあっては、子の監護に要する費用の分担に関する処分の審判事件に限る。）をいう。）について、扶養義務者（別表第一の八十四の項の事項についての審判事件にあっては、扶養権利者（子の監護に要する費用の分担に関する処分の審判事件にあっては、子の監護者又は子）の住所（住所がない場合又は住所が知れない場合には、居所）が日本国内にあるときは、管轄権を有する。

（相続に関する審判事件の管轄権）

第三条の一一　①　裁判所は、相続に関する審判事件（別表第一の八十六の項から百十の項まで及び百三十三の項並びに別表第二の十一の項から十五の項までの事項についての審判事件をいう。）について、相続開始の時における被相続人の住所が日本国内にあるとき、住所がない場合又は住所が知れない場合には相続開始の時における被相続人の居所が日本国内にあるとき、居所がない場合又は居所が知れない場合には被相続人が相続開始の前に日本国内に住所を有していたとき（日本国内に最後に住所を有していた後に外国に住所を有していたときを除く。）は、管轄権を有する。

②　相続開始の前に推定相続人の廃除の審判事件（別表第一の八十六の項の事項についての審判事件をいう。以下同じ。）、推定相続人の廃除の審判の取消しの審判事件（同表の八十七の項の事項についての審判事件をいう。第百八十八条第一項及び第百八十九条第一項において同じ。）、遺言の確認の審判事件（同表の百二の項の事項についての審判事件をいう。第二百九条第二項において同じ。）又は遺留分の放棄についての許可の審判事件（同表の百十の項の事項についての審判事件をいう。第二百十六条第一項第二号において同じ。）の申立てがあった場合における前項の規定の適用については、同項中「相続開始の時における被相続人」とあるのは「被相続人」と、「相続開始の前」とあるのは「申立て前」とする。

③　裁判所は、第一項に規定する場合のほか、推定相続人の廃除の審判又はその取消しの審判の確定前の遺産の管理に関する処分の審判事件（別表第一の八十八の項の事項についての審判事件をいう。第百八十九条第一項及び第二項において同じ。）、相続財産の保存に関する処分の審判事件（同表の八十九の項の事項についての審判事件をいう。第百九十条の二において同じ。）、限定承認を受理した場合における相続財産の清算人の選任の審判事件（同表の九十四の項の事項についての審判事件をいう。）、財産分離の請求後の相続財産の管理に関する処分の審判事件（同表の九十七の項の事項についての審判事件をいう。第二百二条第一項第二号及び第三項において同じ。）及び相続人の不存在の場合における相続財産の清算に関する処分の審判事件（同表の九十九の項の事項についての審判事件をいう。以下同じ。）について、相続財産に属する財産が日本国内にあるときは、管轄権を有する。

④　当事者は、合意により、いずれの国の裁判所に遺産の分割に関する審判事件（別表第二の十二の項から十四の項までの事項についての審判事件をいう。第三条の十四及び第百九十一条第一項において同じ。）及び特別の寄与に関する処分の審判事件（同表の十五の項の事項についての審判事件をいう。第三条の十四及び第二百十六条の二において同じ。）の申立てをすることができるかについて定めることができる。

⑤　民事訴訟法（平成八年法律第百九号）第三条の七第二項から第四項までの規定は、前項の合意について準用する。

（財産の分与に関する処分の審判事件の管轄権）

第三条の一二　裁判所は、財産の分与に関する処分の審判事件（別表第二の四の項の事項についての審判事件をいう。第百五十条第五号及び第百五十二条の二第二項において同じ。）について、次の各号のいずれかに該当するときは、管轄権を有する。

一　夫又は妻であった者の一方からの申立てであって、他の一方の住所（住所がない場合又は住所が知れない場合には、居所）が日本国内にあるとき。

二　夫であった者及び妻であった者の双方が日本の国籍を有するとき。

三　日本国内に住所がある夫又は妻であった者の一方からの申立てであって、夫であった者及び妻であった者が最後の共通の住所を日本国内に有していたとき。

四　日本国内に住所がある夫又は妻であった者の一方からの申立てであって、他の一方が行方不明であるとき、他の一方の住所がある国においてされた財産の分与に関する処分に係る確定した裁判が日本国で効力を有しないときその他の日本の裁判所が審理及び裁判をすることが当事者間の衡平を図り、又は適正かつ迅速な審理の実現を確保することとなる特別の事情があると認められるとき。

＊令和六法三三（令和八・五・二三までに施行）による改正

第三条の一二柱書中「第百五十条第五号」の下に「及び第百五十二条の二第二項」が加えられた。（本文織込み済み）

（家事調停事件の管轄権）

第三条の一三　①　裁判所は、家事調停事件について、次の各号のいずれかに該当するときは、管轄権を有する。

一　当該調停を求める事項についての訴訟事件又は家事審判事件について日本の裁判所が管轄権を有するとき。

二　相手方の住所（住所がない場合又は住所が知れない場合には、居所）が日本国内にあるとき。

三　当事者が日本の裁判所に家事調停の申立てをすることができる旨の合意をしたとき。

②　民事訴訟法第三条の七第二項及び第三項の規定は、前項第三号の合意について準用する。

③　人事訴訟法（平成十五年法律第百九号）第二条に規定する人事に関する訴え（離婚及び離縁の訴えを除く。）を提起することができる事項についての調停事件については、第一項（第二号及び第三号に係る部分に限る。）の規定は、適用しない。

（特別の事情による申立ての却下）

第三条の一四　裁判所は、第三条の二から前条までに規定する事件について日本の裁判所が管轄権を有することとなる場合（遺産の分割に関する審判事件又は特別の寄与に関する処分の審判事件について、日本の裁判所にのみ申立てをすることができる旨の合意に基づき申立てがされた場合を除く。）においても、事案の性質、申立人以外の事件の関係人の負担の程度、証拠の所在地、未成年者である子の利益その他の事情を考慮して、日本の裁判所が審理及び裁判をすることが適正かつ迅速な審理の実現を妨げ、又は相手方がある事件について申立人と相手方との間の衡平を害することとなる特別の事情があると認めるときは、その申立ての全部又は一部を却下することができる。

（管轄権の標準時）

第三条の一五　日本の裁判所の管轄権は、家事審判若しくは家事調停の申立てがあった時又は裁判所が職権で家事事件の手続を開始した時を標準として定める。

第二章　管轄（抄）

（管轄が住所地により定まる場合の管轄権を有する家庭裁判所）

第四条　家事事件は、管轄が人の住所地により定まる場合において、日本国内に住所がないとき又は住所が知れないときはその居所地を管轄する家庭裁判所の管轄に属し、日本国内に居所がないとき又は居所が知れないときはその最後の住所地を管轄する家庭裁判所の管轄に属する。

（優先管轄）

第五条　この法律の他の規定により二以上の家庭裁判所が管轄権を有するときは、家事事件は、先に申立てを受け、又は職権で手続を開始した家庭裁判所が管轄する。

第六条から第八条まで　（略）

（移送等）

第九条①　裁判所は、家事事件の全部又は一部がその管轄に属しないと認めるときは、申立てにより又は職権で、これを管轄裁判所に移送する。ただし、家庭裁判所は、事件を処理するために特に必要があると認めるときは、職権で、家事事件の全部又は一部を管轄権を有する家庭裁判所以外の家庭裁判所に移送し、又は自ら処理することができる。

②　家庭裁判所は、家事事件がその管轄に属する場合においても、次の各号に掲げる事由があるときは、職権で、家事事件の全部又は一部を当該各号に定める家庭裁判所に移送することができる。

一　家事事件の手続が遅滞することを避けるため必要があると認めるときその他相当と認めるとき　第五条の規定により管轄権を有しないこととされた家庭裁判所

二　事件を処理するために特に必要があると認めるとき　前号の家庭裁判所以外の家庭裁判所

③　前二項の規定による移送の裁判及び第一項の申立てを却下する裁判に対しては、即時抗告をすることができる。

④　前項の規定による移送の裁判に対する即時抗告は、執行停止の効力を有する。

⑤　民事訴訟法第二十二条の規定は、家事事件の移送の裁判について準用する。

第三章　裁判所職員の除斥及び忌避

（第一〇条から第一六条まで）（略）

第四章　当事者能力及び手続行為能力（抄）

（当事者能力及び手続行為能力の原則等）

第一七条①　当事者能力、家事事件の手続における手続上の行為（以下「手続行為」という。）をすることができる能力（以下この項において「手続行為能力」という。）、手続行為能力を欠く者の法定代理及び手続行為をするのに必要な授権については、民事訴訟法第二十八条、第二十九条、第三十一条、第三十三条並びに第三十四条第一項及び第二項の規定を準用する。

②　被保佐人、被補助人（手続行為をすることにつきその補助人の同意を得ることを要するものに限る。次項において同じ。）又は後見人その他の法定代理人が他の者がした家事審判又は家事調停の申立て又は抗告について手続行為をするには、保佐人若しくは保佐監督人、補助人若しくは補助監督人又は後見監督人の同意その他の授権を要しない。職権により手続が開始された場合についても、同様とする。

③　被保佐人、被補助人又は後見人その他の法定代理人が次に掲げる手続行為をするには、特別の授権がなければならない。ただし、家事調停の申立てその他家事調停の手続の追行について同意その他の授権を得ている場合において、第二号に掲げる手続行為をするときは、この限りでない。

一　家事審判又は家事調停の申立ての取下げ

二　第二百六十八条第一項若しくは第二百七十七条第一項第一号の合意、第二百七十条第一項に規定する調停条項案の受諾又は第二百八十六条第八項の共同の申出

＊令和五法五三（令和一〇・六・一三までに施行）による改正
第二号中「第二百七十条第一項」の下に「若しくは第二項」を加える。（本文未織込み）

三　審判に対する即時抗告、第九十四条第一項（編注・特別抗告）（第二百八十八条において準用する場合を含む。）の抗告若しくは第九十七条第二項（編注・許可抗告）（第二百八十八条において準用する場合を含む。）の申立ての取下げ又は第二百七十九条第一項若しくは第二百八十六条第一項の異議の取下げ

（未成年者及び成年被後見人の法定代理人）

第一八条　親権を行う者又は後見人は、第百十八条（編注・成年後見に関する審判事件における手続行為能力）（この法律の他の規定において準用する場合を含む。）又は第二百五十二条第一項の規定により未成年者又は成年被後見人が法定代理人によらずに自ら手続行為をすることができる場合であっても、未成年者又は成年被後見人を代理して手続行為をすることができる。ただし、家事審判及び家事調停の申立ては、民法（明治二十九年法律第八十九号）その他の法令の規定により親権を行う者又は後見人が申立てをすることができる場合（人事訴訟法第二条に規定する人事に関する訴え（離婚及び離縁の訴えを除く。）を提起することができる事項についての家事調停の申立てにあっては、同法その他の法令の規定によりその訴えを提起することができる場合を含む。）に限る。

第一九条から第二一条まで　（略）

第五章　手続代理人及び補佐人（抄）

（手続代理人の資格）

第二二条①　法令により裁判上の行為をすることができる代理人のほか、弁護士でなければ手続代理人となることができない。ただし、家庭裁判所においては、その許可を得て、弁護士でない者を手続代理人とすることができる。

②　前項ただし書の許可は、いつでも取り消すことができる。

（裁判長による手続代理人の選任等）

第二三条①　手続行為につき行為能力の制限を受けた者が第百十八条（この法律の他の規定において準用する場合を含む。）又は第二百五十二条第一項の規定により手続行為をしようとする場合において、必要があると認めるときは、裁判長は、申立てにより、弁護士を手続代理人に選任することができる。

②　手続行為につき行為能力の制限を受けた者が前項の申立てをしない場合においても、裁判長は、弁護士を手続代理人に選任すべき旨を命じ、又は職権で弁護士を手続代理人に選任することができる。

③　前二項の規定により裁判長が手続代理人に選任した弁護士に対し手続行為につき行為能力の制限を受けた者が支払うべき報酬の額は、裁判所が相当と認める額とする。

（手続代理人の代理権の範囲）

第二四条①　手続代理人は、委任を受けた事件について、参加、強制執行及び保全処分に関する行為をし、かつ、弁済を受領することができる。

②　手続代理人は、次に掲げる事項については、特別の委任を受けなければならない。ただし、家事調停の手続の追行について委任を受けている場合において、第二号に掲げる手続行為をするときは、この限りでない。

一　家事審判又は家事調停の申立ての取下げ

二　第二百六十八条第一項若しくは第二百七十七条第一項第一号の合意、第二百七十条第一項に規定する調停条項案の受諾又は第二百八十六条第八項の共同の申出

＊令和五法五三（令和一〇・六・一三までに施行）による改正
第二号中「第二百七十条第一項」の下に「若しくは第二項」を加える。（本文未織込み）

三　審判に対する即時抗告、第九十四条第一項（第二百八十八条において準用する場合を含む。）の抗告、第九十七条第二項（第二百八十八条において準用する場合を含む。）の申立て又は第二百七十九条第一項若しくは第二百八十六条第一項の異議の取下げ

四　前号の抗告（即時抗告を含む。）、申立て又は異議の取下げ

五　代理人の選任

③ 手続代理人の代理権は、制限することができない。ただし、弁護士でない手続代理人については、この限りでない。
④ 前三項の規定は、法令により裁判上の行為をすることができる代理人の権限を妨げない。

第二五条から第二七条まで　（略）

第六章　手続費用（抄）

第一節　手続費用の負担（抄）

（手続費用の負担）
第二八条① 手続費用（家事審判に関する手続の費用（以下「審判費用」という。）及び家事調停に関する手続の費用（以下「調停費用」という。）をいう。以下同じ。）は、各自の負担とする。
② 裁判所は、事情により、前項の規定によれば当事者及び利害関係参加人（第四十二条第七項に規定する利害関係参加人をいう。第一号において同じ。）がそれぞれ負担すべき手続費用の全部又は一部を、その負担すべき者以外の者であって次に掲げるものに負担させることができる。
一 当事者又は利害関係参加人
二 前号に掲げる者以外の審判を受ける者となるべき者（編注・審判（申立てを却下する審判を除く。）がされた場合においては、その審判を受ける者となる者をいう。以下同じ。）
三 前号に掲げる者に準ずる者であって、その裁判により直接に利益を受けるもの
③ 前二項の規定によれば検察官が負担すべき手続費用は、国庫の負担とする。

第二九条から第三一条まで　（略）

第二節　手続上の救助

（第三二条）（略）

第七章　家事事件の審理等（抄）

（手続の非公開）
第三三条　家事事件の手続は、公開しない。ただし、裁判所は、相当と認める者の傍聴を許すことができる。

第三四条から第三七条まで　（略）

第八章　電子情報処理組織による申立て等

（第三八条）（略）

第九章　当事者に対する住所、氏名等の秘匿

（第三八条の二）（略）

第二編　家事審判に関する手続（抄）

第一章　総則（抄）

第一節　家事審判の手続（抄）

第一款　通則（抄）

（審判事項）
第三九条　家庭裁判所は、この編に定めるところにより、別表第一及び別表第二に掲げる事項並びに同編に定める事項について、審判をする。

（参与員）
第四〇条① 家庭裁判所は、参与員の意見を聴いて、審判をする。ただし、家庭裁判所が相当と認めるときは、その意見を聴かないで、審判をすることができる。
② 家庭裁判所は、参与員を家事審判の手続の期日に立ち会わせることができる。
③ 家庭裁判所は、相当と認めるときは、当事者の意見を聴いて、最高裁判所規則で定めるところにより、家庭裁判所及び当事者双方が参与員との間で音声の送受信により同時に通話をすることができる方法によって、参与員に家事審判の手続の期日に立ち会わせ、当該期日における行為を行わせることができる。
④ 参与員は、家庭裁判所の許可を得て、第一項の意見を述べるために、申立人が提出した資料の内容について、申立人から説明を聴くことができる。ただし、別表第二に掲げる事項についての審判事件においては、この限りでない。
⑤ 参与員の員数は、各事件について一人以上とする。
⑥―⑧　（略）

＊令和五法五三（令和八・五・二四までに施行）による改正前
（参与員）
第四〇条①②　（略）
新③　（改正により追加）
③―⑦　（略、改正後の④―⑧）

（当事者参加）
第四一条① 当事者となる資格を有する者は、当事者として家事審判の手続に参加することができる。
② 家庭裁判所は、相当と認めるときは、当事者の申立てにより又は職権で、他の当事者となる資格を有する者（審判を受ける者となるべき者に限る。）を、当事者として家事審判の手続に参加させることができる。
③ 第一項の規定による参加の申出及び前項の申立ては、参加の趣旨及び理由を記載した書面でしなければならない。
④ 第一項の規定による参加の申出を却下する裁判に対しては、即時抗告をすることができる。

（利害関係参加）
第四二条① 審判を受ける者となるべき者は、家事審判の手続に参加することができる。
② 審判を受ける者となるべき者以外の者であって、審判の結果により直接の影響を受けるもの又は当事者となる資格を有するものは、家庭裁判所の許可を得て、家事審判の手続に参加することができる。
③ 家庭裁判所は、相当と認めるときは、職権で、審判を受ける者となるべき者及び前項に規定する者を、家事審判の手続に参加させることができる。
④ 前条第三項の規定は、第一項の規定による参加の申出及び第二項の規定による参加の許可の申立てについて準用する。
⑤ 家庭裁判所は、第一項又は第二項の規定により家事審判の手続に参加しようとする者が未成年者である場合において、その者の年齢及び発達の程度その他一切の事情を考慮してその者が当該家事審判の手続に参加することがその者の利益を害すると認めるときは、第一項の規定による参加の申出又は第二項の規定による参加の許可の申立てを却下しなければならない。
⑥ 第一項の規定による参加の申出を却下する裁判（前項の規定により第一項の規定による参加の申出を却下する裁判を含む。）に対しては、即時抗告をすることができる。
⑦ 第一項から第三項までの規定により家事審判の手続に参加した者（以下「利害関係参加人」という。）は、当事者がすることができる手続行為（家事審判の申立ての取下げ及び変更並びに裁判に対する不服申立て及び裁判所書記官の処分に対する異議の取下げを除く。）をすることができる。ただし、裁判に対する不服申立て及び裁判所書記官の処分に対する異議の申立てについては、利害関係参加人が不服申立て又は異議の申立てに関するこの法律の他の規定によりすることができる場合に限る。

第四三条及び第四四条　（略）

（他の申立権者による受継）
第四五条① 家事審判の申立人が死亡、資格の喪失その他の事由によってその手続を続行することができない場合において、法令により手続を続行する資格のある者がないときは、当該家事審判の申立てをすることができる者は、その手続を受け継ぐことができる。
② 家庭裁判所は、前項の場合において、必要があると認めるときは、職権で、当該家事審判の申立てをすることができる者に、その手続を受け継がせることができる。
③ 第一項の規定による受継の申立て及び前項の規定による受継

の裁判は、第一項の事由が生じた日から一月以内にしなければならない。

第四六条から第四八条まで（略）

第二款　家事審判の申立て（抄）

（申立ての方式等）
第四九条① 家事審判の申立ては、申立書（以下「家事審判の申立書」という。）を家庭裁判所に提出してしなければならない。
② 家事審判の申立書には、次に掲げる事項を記載しなければならない。
一　当事者及び法定代理人
二　申立ての趣旨及び理由
③—⑦（略）

> **＊令和五法五三（令和八・五・二四までに施行）による改正前**
> **（申立ての方式等）**
> **第四九条①—⑥**（略）
> ⑦（改正により追加）

第五〇条（略）

第三款　家事審判の手続の期日（抄）

（事件の関係人の呼出し）
第五一条① 家庭裁判所は、家事審判の手続の期日に事件の関係人を呼び出すことができる。
② 呼出しを受けた事件の関係人は、家事審判の手続の期日に出頭しなければならない。ただし、やむを得ない事由があるときは、代理人を出頭させることができる。
③ 前項の事件の関係人が正当な理由なく出頭しないときは、家庭裁判所は、五万円以下の過料に処する。

（裁判長の手続指揮権）
第五二条① 家事審判の手続の期日においては、裁判長が手続を指揮する。
② 裁判長は、発言を許し、又はその命令に従わない者の発言を禁止することができる。
③ 当事者が家事審判の手続の期日における裁判長の指揮に関する命令に対し異議を述べたときは、家庭裁判所は、その異議について裁判をする。

第五三条（略）

（音声の送受信による通話の方法による手続）
第五四条① 家庭裁判所は、相当と認めるときは、当事者の意見を聴いて、最高裁判所規則で定めるところにより、家庭裁判所及び当事者双方が音声の送受信により同時に通話をすることができる方法によって、家事審判の手続の期日における手続（証拠調べを除く。）を行うことができる。

> **＊令和五法五三（令和八・五・二四までに施行）による改正**
> 第一項中「家庭裁判所は、」の下の「当事者が遠隔の地に居住しているときその他」は削られた。（本文織込み済み）

② 家事審判の手続の期日に出頭しないで前項の手続に関与した者は、その期日に出頭したものとみなす。

第五五条（略）

第四款　事実の調査及び証拠調べ（抄）

（事実の調査及び証拠調べ等）
第五六条① 家庭裁判所は、職権で事実の調査をし、かつ、申立てにより又は職権で、必要と認める証拠調べをしなければならない。
② 当事者は、適切かつ迅速な審理及び審判の実現のため、事実の調査及び証拠調べに協力するものとする。

第五七条（略）

（家庭裁判所調査官による事実の調査）
第五八条① 家庭裁判所は、家庭裁判所調査官に事実の調査をさせることができる。
② 急迫の事情があるときは、裁判長が、家庭裁判所調査官に事実の調査をさせることができる。
③ 家庭裁判所調査官は、事実の調査の結果を書面又は口頭で家庭裁判所に報告するものとする。
④ 家庭裁判所調査官は、前項の規定による報告に意見を付することができる。

> **＊令和五法五三（令和一〇・六・一三までに施行）による改正後**
> ⑤ 家庭裁判所調査官は、第三項の規定による書面による報告に代えて、最高裁判所規則で定めるところにより、当該書面に記載すべき事項を最高裁判所規則で定める電子情報処理組織を使用してファイルに記録する方法又は当該書面に記載すべき事項に係る電磁的記録を記録した記録媒体を提出する方法により報告を行うことができる。（改正により追加）

（家庭裁判所調査官の期日への立会い等）
第五九条① 家庭裁判所は、必要があると認めるときは、家事審判の手続の期日に家庭裁判所調査官を立ち会わせることができる。
② 家庭裁判所は、必要があると認めるときは、前項の規定により立ち会わせた家庭裁判所調査官に意見を述べさせることができる。
③ 家庭裁判所は、相当と認めるときは、当事者の意見を聴いて、最高裁判所規則で定めるところにより、家庭裁判所及び当事者双方が家庭裁判所調査官との間で音声の送受信により同時に通話をすることができる方法によって、家庭裁判所調査官に家事審判の手続の期日に立ち会わせ、当該期日において前項の意見を述べさせることができる。
④ 家庭裁判所は、家事審判事件の処理に関し、事件の関係人の家庭環境その他の環境の調整を行うために必要があると認めるときは、家庭裁判所調査官に社会福祉機関との連絡その他の措置をとらせることができる。
⑤ 急迫の事情があるときは、裁判長が、前項の措置をとらせることができる。

> **＊令和五法五三（令和八・五・二四までに施行）による改正前**
> **（家庭裁判所調査官の期日への立会い等）**
> **第五九条①②**（略）
> 新③（改正により追加）
> ③④（略、改正後の④⑤）

（裁判所技官による診断等）
第六〇条① 家庭裁判所は、必要があると認めるときは、医師である裁判所技官に事件の関係人の心身の状況について診断をさせることができる。
② 第五十八条第二項から第四項までの規定は前項の診断について、前条第一項から第三項までの規定は裁判所技官の期日への立会い及び意見の陳述について準用する。

> **＊令和五法五三（令和八・五・二四までに施行）による改正**
> 第二項中「及び第三項」は「から第三項まで」に改められた。（本文織込み済み）
> **＊令和五法五三（令和一〇・六・一三までに施行）による改正**
> 第二項中「第四項」を「第五項」に改める。（本文未織込み）

（事実の調査の嘱託等）
第六一条① 家庭裁判所は、他の家庭裁判所又は簡易裁判所に事実の調査を嘱託することができる。
② 前項の規定による嘱託により職務を行う受託裁判官は、他の家庭裁判所又は簡易裁判所において事実の調査をすることを相当と認めるときは、更に事実の調査の嘱託をすることができる。
③ 家庭裁判所は、相当と認めるときは、受命裁判官に事実の調

査をさせることができる。

④ 前三項の規定により受託裁判官又は受命裁判官が事実の調査をする場合には、家庭裁判所及び裁判長の職務は、その裁判官が行う。

（調査の嘱託等）

第六二条 家庭裁判所は、必要な調査を官庁、公署その他適当と認める者に嘱託し、又は銀行、信託会社、関係人の使用者その他の者に対し関係人の預金、信託財産、収入その他の事項に関して必要な報告を求めることができる。

（事実の調査の通知）

第六三条 家庭裁判所は、事実の調査をした場合において、その結果が当事者による家事審判の手続の追行に重要な変更を生じ得るものと認めるときは、これを当事者及び利害関係参加人に通知しなければならない。

（証拠調べ）

第六四条① 家事審判の手続における証拠調べについては、民事訴訟法第二編第四章第一節から第六節までの規定（同法第百七十九条、第百八十二条、第百八十五条第三項、第百八十七条から第百八十九条まで、第二百五条第二項、第二百七条第二項、第二百八条、第二百十五条第二項、第二百二十四条（同法第二百二十九条第二項及び第二百三十二条第一項において準用する場合を含む。）、第二百二十七条第二項、第二百二十九条第四項及び第二百三十二条の二の規定を除く。）を準用する。この場合において、同法第二百五条第三項中「事項又は前項の規定によりファイルに記録された事項若しくは同項の記録媒体に記録された事項」とあり、及び同法第二百十五条第四項中「事項又は第二項の規定によりファイルに記録された事項若しくは同項の記録媒体に記録された事項」とあるのは「事項」と、同法第二百三十一条の二第二項中「方法又は最高裁判所規則で定める電子情報処理組織を使用する方法」とあるのは「方法」と、同法第二百三十一条の三第二項中「若しくは送付し、又は最高裁判所規則で定める電子情報処理組織を使用する」とあるのは「又は送付する」と読み替えるものとする。

＊令和四法四八（令和八・五・二四までに施行）**による改正前**

① 家事審判の手続における証拠調べについては、民事訴訟法第二編第四章第一節から第六節までの規定（同法第百七十九条、第百八十二条、第百八十七条から第百八十九条まで、第二百七条第二項、第二百八条、第二百二十四条（同法第二百二十九条第二項及び第二百三十二条第一項において準用する場合を含む。）及び第二百二十九条第四項の規定を除く。）を準用する。

＊令和五法五三（令和一〇・六・一三までに施行）**による改正後**

① 家事審判の手続における証拠調べについては、民事訴訟法第二編第四章第一節から第六節までの規定（同法第百七十九条、第百八十二条、第百八十七条から第百八十九条まで、第二百七条第二項、第二百八条、第二百二十四条（同法第二百二十九条第二項及び第二百三十二条第一項において準用する場合を含む。）及び第二百二十九条第四項の規定を除く。）を準用する。

②―⑥ （略）

第五款 家事審判の手続における子の意思の把握等

第六五条 家庭裁判所は、親子、親権又は未成年後見に関する家事審判その他未成年者である子（未成年被後見人を含む。以下この条において同じ。）がその結果により影響を受ける家事審判の手続においては、子の陳述の聴取、家庭裁判所調査官による調査その他の適切な方法により、子の意思を把握するように努め、審判をするに当たり、子の年齢及び発達の程度に応じて、その意思を考慮しなければならない。

第六款 家事調停をすることができる事項についての家事審判の手続の特則（抄）

（合意管轄）

第六六条① 別表第二に掲げる事項についての審判事件は、この法律の他の規定により定める家庭裁判所のほか、当事者が合意で定める家庭裁判所の管轄に属する。

② 民事訴訟法第十一条第二項及び第三項の規定は、前項の合意について準用する。

（家事審判の申立書の写しの送付等）

第六七条① 別表第二に掲げる事項についての家事審判の申立てがあった場合には、家庭裁判所は、申立てが不適法であるとき又は申立てに理由がないことが明らかなときを除き、家事審判の申立書の写しを相手方に送付しなければならない。ただし、家事審判の手続の円滑な進行を妨げるおそれがあると認められるときは、家事審判の申立てがあったことを通知することをもって、家事審判の申立書の写しの送付に代えることができる。

② 第四十九条第四項から第六項までの規定は、前項の規定による家事審判の申立書の写しの送付又はこれに代わる通知をすることができない場合について準用する。

③④ （略）

第六八条 （略）

（審問の期日）

第六九条 別表第二に掲げる事項についての家事審判の手続においては、家庭裁判所が審問の期日を開いて当事者の陳述を聴くことにより事実の調査をするときは、他の当事者は、当該期日に立ち会うことができる。ただし、当該他の当事者が当該期日に立ち会うことにより事実の調査に支障を生ずるおそれがあると認められるときは、この限りでない。

（事実の調査の通知）

第七〇条 家庭裁判所は、別表第二に掲げる事項についての家事審判の手続において、事実の調査をしたときは、特に必要がないと認める場合を除き、その旨を当事者及び利害関係参加人に通知しなければならない。

（審理の終結）

第七一条 家庭裁判所は、別表第二に掲げる事項についての家事審判の手続においては、申立てが不適法であるとき又は申立てに理由がないことが明らかなときを除き、相当の猶予期間を置いて、審理を終結する日を定めなければならない。ただし、当事者双方が立ち会うことができる家事審判の手続の期日においては、直ちに審理を終結する旨を宣言することができる。

第七二条 （略）

第七款 審判等（抄）

（審判）

第七三条① 家庭裁判所は、家事審判事件が裁判をするのに熟したときは、審判をする。

② 家庭裁判所は、家事審判事件の一部が裁判をするのに熟したときは、その一部について審判をすることができる。手続の併合を命じた数個の家事審判事件中その一が裁判をするのに熟したときも、同様とする。

（審判の告知及び効力の発生等）

第七四条① 審判は、特別の定めがある場合を除き、当事者及び利害関係参加人並びにこれらの者以外の審判を受ける者に対し、相当と認める方法で告知しなければならない。

② 審判（申立てを却下する審判を除く。）は、特別の定めがある場合を除き、審判を受ける者（審判を受ける者が数人あるときは、そのうちの一人）に告知することによってその効力を生ずる。ただし、即時抗告をすることができる審判は、確定しなければその効力を生じない。

③ 申立てを却下する審判は、申立人に告知することによってその効力を生ずる。

④ 審判は、即時抗告の期間の満了前には確定しないものとする。

⑤ 審判の確定は、前項の期間内にした即時抗告の提起により、遮断される。

（審判の執行力）
第七五条 金銭の支払、物の引渡し、登記義務の履行その他の給付を命ずる審判は、執行力のある債務名義と同一の効力を有する。

第七六条及び第七七条 （略）

（審判の取消し又は変更）
第七八条① 家庭裁判所は、審判をした後、その審判を不当と認めるときは、次に掲げる審判を除き、職権で、これを取り消し、又は変更することができる。
一 申立てによってのみ審判をすべき場合において申立てを却下した審判
二 即時抗告をすることができる審判
② 審判が確定した日から五年を経過したときは、家庭裁判所は、前項の規定による取消し又は変更をすることができない。ただし、事情の変更によりその審判を不当と認めるに至ったときは、この限りでない。
③ 家庭裁判所は、第一項の規定により審判の取消し又は変更をする場合には、その審判における当事者及びその他の審判を受ける者の陳述を聴かなければならない。
④ 第一項の規定による取消し又は変更の審判に対しては、取消し後又は変更後の審判が原審判であるとした場合に即時抗告をすることができる者に限り、即時抗告をすることができる。

第七九条 （略）

（外国裁判所の家事事件についての確定した裁判の効力）
第七九条の二 外国裁判所の家事事件についての確定した裁判（これに準ずる公的機関の判断を含む。）については、その性質に反しない限り、民事訴訟法第百十八条の規定を準用する。

第八〇条及び第八一条 （略）

第八款 取下げによる事件の終了 （抄）

（家事審判の申立ての取下げ）
第八二条① 家事審判の申立ては、特別の定めがある場合を除き、審判があるまで、その全部又は一部を取り下げることができる。
② 別表第二に掲げる事項についての家事審判の申立ては、審判が確定するまで、その全部又は一部を取り下げることができる。ただし、申立ての取下げは、審判がされた後にあっては、相手方の同意を得なければ、その効力を生じない。
③—⑤ （略）

第八三条 （略）

第九款 高等裁判所が第一審として行う手続（第八四条）（略）

第二節 不服申立て （抄）

第一款 審判に対する不服申立て （抄）

第一目 即時抗告 （抄）

（即時抗告をすることができる審判）
第八五条① 審判に対しては、特別の定めがある場合に限り、即時抗告をすることができる。
② 手続費用の負担の裁判に対しては、独立して即時抗告をすることができない。

（即時抗告期間）
第八六条① 審判に対する即時抗告は、特別の定めがある場合を除き、二週間の不変期間内にしなければならない。ただし、その期間前に提起した即時抗告の効力を妨げない。
② 即時抗告の期間は、特別の定めがある場合を除き、即時抗告をする者が、審判の告知を受ける者である場合にあってはその者が審判の告知を受けた日から、審判の告知を受ける者でない場合にあっては申立人が審判の告知を受けた日（二以上あるときは、当該日のうち最も遅い日）から、それぞれ進行する。

（即時抗告の提起の方式等）
第八七条① 即時抗告は、抗告状を原裁判所に提出してしなければならない。
② 抗告状には、次に掲げる事項を記載しなければならない。
一 当事者及び法定代理人
二 原審判の表示及びその審判に対して即時抗告をする旨
③—⑥ （略）

（抗告状の写しの送付等）
第八八条① 審判に対する即時抗告があった場合には、抗告裁判所は、即時抗告が不適法であるとき又は即時抗告に理由がないことが明らかなときを除き、原審における当事者及び利害関係参加人（抗告人を除く。）に対し、抗告状の写しを送付しなければならない。ただし、抗告審における手続の円滑な進行を妨げるおそれがあると認められる場合には、即時抗告があったことを通知することをもって、抗告状の写しの送付に代えることができる。
② （略）

（陳述の聴取）
第八九条① 抗告裁判所は、原審における当事者及びその他の審判を受ける者（抗告人を除く。）の陳述を聴かなければ、原審判を取り消すことができない。
② 別表第二に掲げる事項についての審判事件においては、抗告裁判所は、即時抗告が不適法であるとき又は即時抗告に理由がないことが明らかなときを除き、原審における当事者（抗告人を除く。）の陳述を聴かなければならない。

（原裁判所による更正）
第九〇条 原裁判所は、審判に対する即時抗告を理由があると認めるときは、その審判を更正しなければならない。ただし、別表第二に掲げる事項についての審判については、更正することができない。

第九一条 （略）

（原審の管轄違いの場合の取扱い）
第九二条① 抗告裁判所は、家事審判事件（別表第二に掲げる事項についての審判事件を除く。）の全部又は一部が原裁判所の管轄に属しないと認める場合には、原審判を取り消さなければならない。ただし、原審における審理の経過、事件の性質、抗告の理由等に照らして原審判を取り消さないことを相当とする特別の事情があると認めるときは、この限りでない。
② 抗告裁判所は、家事審判事件が管轄違いであることを理由として原審判を取り消すときは、その事件を管轄権を有する家庭裁判所に移送しなければならない。

第九三条 （略）

第二目 特別抗告 及び 第三目 許可抗告（第九四条から第九八条まで）（略）

第二款 審判以外の裁判に対する不服申立て（第九九条から第一〇二条まで）（略）

第三節 再審（第一〇三条及び第一〇四条）（略）

第四節 審判前の保全処分 （抄）

（審判前の保全処分）
第一〇五条① 本案の家事審判事件（家事審判事件に係る事項について家事調停の申立てがあった場合にあっては、その家事調停事件）が係属する家庭裁判所は、この法律の定めるところにより、仮差押え、仮処分、財産の管理者の選任その他の必要な保全処分を命ずる審判をすることができる。
② 本案の家事審判事件が高等裁判所に係属する場合には、その高等裁判所が、前項の審判に代わる裁判をする。

第一〇六条から第一一五条まで （略）

第五節　戸籍の記載等の嘱託

（第二一六条）（略）

第二章　家事審判事件

（第二一七条から第二四三条まで）（略）

第三編　家事調停に関する手続（抄）

第一章　総則（抄）

第一節　通則（抄）

（調停事項等）

第二四四条　家庭裁判所は、人事に関する訴訟事件その他家庭に関する事件（別表第一に掲げる事項についての事件を除く。）について調停を行うほか、この編の定めるところにより審判をする。

第二四五条及び第二四六条　（略）

（調停機関）

第二四七条①　家庭裁判所は、調停委員会で調停を行う。ただし、家庭裁判所が相当と認めるときは、裁判官のみで行うことができる。

②　家庭裁判所は、当事者の申立てがあるときは、前項ただし書の規定にかかわらず、調停委員会で調停を行わなければならない。

（調停委員会）

第二四八条①　調停委員会は、裁判官一人及び家事調停委員二人以上で組織する。

②　調停委員会を組織する家事調停委員は、家庭裁判所が各事件について指定する。

③　調停委員会の決議は、過半数の意見による。可否同数の場合には、裁判官の決するところによる。

④　調停委員会の評議は、秘密とする。

第二四九条から第二五一条まで　（略）

（手続行為能力）

第二五二条①　次の各号に掲げる調停事件（第一号及び第二号にあっては、財産上の給付を求めるものを除く。）において、当該各号に定める者は、第十七条第一項において準用する民事訴訟法第三十一条の規定にかかわらず、法定代理人によらずに、自ら手続行為をすることができる。その者が被保佐人又は被補助人（手続行為をすることにつきその補助人の同意を得ることを要するものに限る。）であって、保佐人若しくは保佐監督人又は補助人若しくは補助監督人の同意がない場合も、同様とする。

一　夫婦間の協力扶助に関する処分の調停事件（別表第二の一の項の事項についての調停事件をいう。第二百五十八条第三項において同じ。）　夫及び妻

二　子の監護に関する処分の調停事件（別表第二の三の項の事項についての調停事件をいう。第二百五十八条第三項において同じ。）　子

三　養子の離縁後に親権者となるべき者の指定の調停事件（別表第二の七の項の事項についての調停事件をいう。）　養子、その父母及び養親

四　親権者の指定又は変更の調停事件（別表第二の八の項の事項についての調停事件をいう。）　子及びその父母

五　親権行使者の指定の調停事件（別表第二の八の二の項の事項についての調停事件をいう。）　子及びその父母

六　人事訴訟法第二条に規定する人事に関する訴え（第二百七十七条第一項において単に「人事に関する訴え」という。）を提起することができる事項についての調停事件　同法第十三条第一項の規定が適用されることにより訴訟行為をすることができることとなる者

> **＊令和六法三三（令和八・五・二三までに施行）による改正前**
> ①（柱書略）
> 一　夫婦間の協力扶助に関する処分の調停事件（別表第二の一の項の事項についての調停事件をいう。）　夫及び妻
> 二　子の監護に関する処分の調停事件（別表第二の三の項の事項についての調停事件をいう。）　子
> 三・四　（略）
> 新五　（改正により追加）
> 五　（略、改正後の六）

②　親権を行う者又は後見人は、第十八条の規定にかかわらず、前項第一号、第三号及び第四号に掲げる調停事件（同項第一号の調停事件にあっては、財産上の給付を求めるものを除く。）においては、当該各号に定める者に代理して第二百六十八条第一項の合意、第二百七十条第一項に規定する調停条項案の受諾及び第二百八十六条第八項の共同の申出をすることができない。離婚についての調停事件における夫及び妻の後見人並びに離縁についての調停事件における養親の後見人、養子（十五歳以上のものに限る。以下この項において同じ。）に対し親権を行う者及び養子の後見人についても、同様とする。

第二五三条及び第二五四条　（略）

> **＊令和五法五三（令和一〇・六・一三までに施行）による改正後**
> **第二五四条の二及び第二五四条の三**　（略）（改正により追加）

第二節　家事調停の申立て等

（家事調停の申立て）

第二五五条①　家事調停の申立ては、申立書（次項及び次条において「家事調停の申立書」という。）を家庭裁判所に提出してしなければならない。

②　家事調停の申立書には、次に掲げる事項を記載しなければならない。

一　当事者及び法定代理人

二　申立ての趣旨及び理由

③　家事調停の申立てを不適法として却下する審判に対しては、即時抗告をすることができる。

④　（略）

（家事調停の申立書の写しの送付等）

第二五六条①　家事調停の申立てがあった場合には、家庭裁判所は、申立てが不適法であるとき又は家事調停の手続の期日を経ないで第二百七十一条の規定により家事調停事件を終了させるときを除き、家事調停の申立書の写しを相手方に送付しなければならない。ただし、家事調停の手続の円滑な進行を妨げるおそれがあると認められるときは、家事調停の申立てがあったことを通知することをもって、家事調停の申立書の写しの送付に代えることができる。

②　（略）

（調停前置主義）

第二五七条①　第二百四十四条の規定により調停を行うことができる事件について訴えを提起しようとする者は、まず家庭裁判所に家事調停の申立てをしなければならない。

②　前項の事件について家事調停の申立てをすることなく訴えを提起した場合には、裁判所は、職権で、事件を家事調停に付さなければならない。ただし、裁判所が事件を調停に付することが相当でないと認めるときは、この限りでない。

③　裁判所は、前項の規定により事件を調停に付する場合においては、事件を管轄権を有する家庭裁判所に処理させなければならない。ただし、家事調停事件を処理するために特に必要があると認めるときは、事件を管轄権を有する家庭裁判所以外の家庭裁判所に処理させることができる。

第三節　家事調停の手続（抄）

第二五八条から第二六〇条まで　（略）

（調停委員会を組織する裁判官による事実の調査及び証拠調べ等）

第二六一条①　調停委員会を組織する裁判官は、当該調停委員会

の決議により、事実の調査及び証拠調べをすることができる。

② 前項の場合には、裁判官は、家庭裁判所調査官に事実の調査をさせ、又は医師である裁判所技官に事件の関係人の心身の状況について診断をさせることができる。

③ 第五十八条第三項及び第四項の規定は、前項の規定による事実の調査及び心身の状況についての診断について準用する。

＊令和五法五三（令和一〇・六・一三までに施行）による改正
第三項中「及び第四項」を「から第五項まで」に改める。（本文未織込み）

④ 第一項の場合には、裁判官は、相当と認めるときは、裁判所書記官に事実の調査をさせることができる。ただし、家庭裁判所調査官に事実の調査をさせることを相当と認めるときは、この限りでない。

⑤ 調停委員会を組織する裁判官は、当該調停委員会の決議により、家庭裁判所調査官に第五十九条第四項の規定による措置をとらせることができる。

＊令和五法五三（令和八・五・二四までに施行）による改正
第五項中「第五十九条第三項」は「第五十九条第四項」に改められた。（本文織込み済み）

（家事調停委員による事実の調査）

第二六二条 調停委員会は、相当と認めるときは、当該調停委員会を組織する家事調停委員に事実の調査をさせることができる。ただし、家庭裁判所調査官に事実の調査をさせることを相当と認めるときは、この限りでない。

（意見の聴取の嘱託）

第二六三条① 調停委員会は、他の家庭裁判所又は簡易裁判所に事件の関係人から紛争の解決に関する意見を聴取することを嘱託することができる。

② 前項の規定により意見の聴取の嘱託を受けた家庭裁判所は、相当と認めるときは、家事調停委員に当該嘱託に係る意見を聴取させることができる。

（家事調停委員の専門的意見の聴取）

第二六四条① 調停委員会は、必要があると認めるときは、当該調停委員会を組織していない家事調停委員の専門的な知識経験に基づく意見を聴取することができる。

② 前項の規定により意見を聴取する家事調停委員は、家庭裁判所が指定する。

③ 前項の規定による指定を受けた家事調停委員は、調停委員会に出席して意見を述べるものとする。

（調停の場所）

第二六五条 調停委員会は、事件の実情を考慮して、裁判所外の適当な場所で調停を行うことができる。

（調停前の処分）

第二六六条① 調停委員会は、家事調停事件が係属している間、調停のために必要であると認める処分を命ずることができる。

② 急迫の事情があるときは、調停委員会を組織する裁判官が前項の処分（以下「調停前の処分」という。）を命ずることができる。

③ 調停前の処分は、執行力を有しない。

④ 調停前の処分として必要な事項を命じられた当事者又は利害関係参加人が正当な理由なくこれに従わないときは、家庭裁判所は、十万円以下の過料に処する。

（裁判官のみで行う家事調停の手続）

第二六七条① 裁判官のみで家事調停の手続を行う場合においては、家庭裁判所は、相当と認めるときは、裁判所書記官に事実の調査をさせることができる。ただし、家庭裁判所調査官に事実の調査をさせることを相当と認めるときは、この限りでない。

② 第二百六十三条から前条までの規定は、裁判官のみで家事調停の手続を行う場合について準用する。

第四節 調停の成立（抄）

（調停の成立及び効力）

第二六八条① 調停において当事者間に合意が成立し、これを調書に記載したときは、調停が成立したものとし、その記載は、確定判決（別表第二に掲げる事項にあっては、確定した第三十九条の規定による審判）と同一の効力を有する。

＊令和五法五三（令和一〇・六・一三までに施行）による改正
第一項中「これを調書に記載した」を「裁判所書記官が、その合意について電子調書を作成し、これをファイルに記録した」に、「記載は」を「記録は」に改める。（本文未織込み）

② 家事調停事件の一部について当事者間に合意が成立したときは、その一部について調停を成立させることができる。手続の併合を命じた数個の家事調停事件中その一について合意が成立したときも、同様とする。

③ 離婚又は離縁についての調停事件においては、第二百五十八条第一項において準用する第五十四条第一項に規定する方法によっては、調停を成立させることができない。ただし、家庭裁判所及び当事者双方が映像と音声の送受信により相手の状態を相互に認識しながら通話をすることができる方法による場合は、この限りでない。

④ 第一項及び第二項の規定は、第二百七十七条第一項に規定する事項についての調停事件については、適用しない。

＊令和五法五三（令和一〇・六・一三までに施行）による改正後
⑤ 第一項の規定によりファイルに記録された電子調書は、当事者に送付しなければならない。（改正により追加）

第二六九条（略）

（調停条項案の書面による受諾）

第二七〇条① 当事者が遠隔の地に居住していることその他の事由により出頭することが困難であると認められる場合において、その当事者があらかじめ調停委員会（裁判官のみで家事調停の手続を行う場合にあっては、その裁判官。次条及び第二百七十二条第一項において同じ。）から提示された調停条項案を受諾する旨の書面を提出し、他の当事者が家事調停の手続の期日に出頭して当該調停条項案を受諾したときは、当事者間に合意が成立したものとみなす。

② 前項の規定は、離婚又は離縁についての調停事件については、適用しない。

＊令和五法五三（令和一〇・六・一三までに施行）による改正後

（調停条項案の書面による受諾）

第二七〇条① 当事者の一方が出頭することが困難であると認められる場合において、その当事者があらかじめ調停委員会（裁判官のみで家事調停の手続を行う場合にあっては、その裁判官。次項、次条及び第二百七十二条第一項において同じ。）から提示された調停条項案を受諾する旨の書面を提出し、他の当事者が家事調停の手続の期日に出頭して当該調停条項案を受諾したときは、当事者間に合意が成立したものとみなす。

② 当事者双方が出頭することが困難であると認められる場合において、当事者双方があらかじめ調停委員会から調停が成立すべき日時を定めて提示された調停条項案を受諾する旨の書面を提出し、その日時が経過したときは、その日時に、当事者間に合意が成立したものとみなす。（改正により追加）

③ 前二項の規定は、離婚又は離縁についての調停事件については、適用しない。（改正前の②）

第五節 調停の成立によらない事件の終了（抄）

（調停をしない場合の事件の終了）

第二七一条 調停委員会は、事件が性質上調停を行うのに適当でないと認めるとき、又は当事者が不当な目的でみだりに調停の申立てをしたと認めるときは、調停をしないものとして、家事調停事件を終了させることができる。

（調停の不成立の場合の事件の終了）

第二七二条① 調停委員会は、当事者間に合意（第二百七十七条第一項第一号の合意を含む。）が成立する見込みがない場合又は成立した合意が相当でないと認める場合には、調停が成立しないものとして、家事調停事件を終了させることができる。ただし、家庭裁判所が第二百八十四条第一項の規定による調停に代わる審判をしたときは、この限りでない。

② 前項の規定により家事調停事件が終了したときは、家庭裁判所は、当事者に対し、その旨を通知しなければならない。

③ 当事者が前項の規定による通知を受けた日から二週間以内に家事調停の申立てがあった事件について訴えを提起したときは、家事調停の申立ての時に、その訴えの提起があったものとみなす。

④ 第一項の規定により別表第二に掲げる事項についての調停事件が終了した場合には、家事調停の申立ての時に、当該事項についての家事審判の申立てがあったものとみなす。

第二七三条 （略）

第六節 付調停等

（付調停）

第二七四条① 第二百四十四条の規定により調停を行うことができる事件についての訴訟又は家事審判事件が係属している場合には、裁判所は、当事者（本案について被告又は相手方の陳述がされる前にあっては、原告又は申立人に限る。）の意見を聴いて、いつでも、職権で、事件を家事調停に付することができる。

② 裁判所は、前項の規定により事件を調停に付する場合においては、事件を管轄権を有する家庭裁判所に処理させなければならない。ただし、家事調停事件を処理するために特に必要があると認めるときは、事件を管轄権を有する家庭裁判所以外の家庭裁判所に処理させることができる。

③ 家庭裁判所及び高等裁判所は、第一項の規定により事件を調停に付する場合には、前項の規定にかかわらず、その家事調停事件を自ら処理することができる。

④⑤ （略）

（訴訟手続及び家事審判の手続の中止）

第二七五条① 家事調停の申立てがあった事件について訴訟が係属しているとき、又は訴訟が係属している裁判所が第二百五十七条第二項若しくは前条第一項の規定により事件を調停に付したときは、訴訟が係属している裁判所は、家事調停事件が終了するまで訴訟手続を中止することができる。

② 家事調停の申立てがあった事件について家事審判事件が係属しているとき、又は家事審判事件が係属している裁判所が前条第一項の規定により事件を調停に付したときは、家事審判事件が係属している裁判所は、家事調停事件が終了するまで、家事審判の手続を中止することができる。

（訴えの取下げの擬制等）

第二七六条① 訴訟が係属している裁判所が第二百五十七条第二項又は第二百七十四条第一項の規定により事件を調停に付した場合において、調停が成立し、又は次条第一項若しくは第二百八十四条第一項の規定による審判が確定したときは、当該訴訟について訴えの取下げがあったものとみなす。

② 家事審判事件が係属している裁判所が第二百七十四条第一項の規定により事件を調停に付した場合において、調停が成立し、又は第二百八十四条第一項の審判が確定したときは、当該家事審判事件は、終了する。

第二章 合意に相当する審判

（合意に相当する審判の対象及び要件）

第二七七条① 人事に関する訴え（離婚及び離縁の訴えを除く。）を提起することができる事項についての家事調停の手続において、次の各号に掲げる要件のいずれにも該当する場合には、家庭裁判所は、必要な事実を調査した上、第一号の合意を正当と認めるときは、当該合意に相当する審判（以下「合意に相当する審判」という。）をすることができる。ただし、当該事項に係る身分関係の当事者の一方が死亡した後は、この限りでない。

一 当事者間に申立ての趣旨のとおりの審判を受けることについて合意が成立していること。

二 当事者の双方が申立てに係る無効若しくは取消しの原因又は身分関係の形成若しくは存否の原因について争わないこと。

② 前項第一号の合意は、第二百五十八条第一項において準用する第五十四条第一項及び第二百七十条第一項に規定する方法によっては、成立させることができない。ただし、家庭裁判所及び当事者双方が映像と音声の送受信により相手の状態を相互に認識しながら通話をすることができる方法による場合は、この限りでない。

＊**令和五法五三（令和一〇・六・一三までに施行）による改正**
第二項中「及び第二百七十条第一項」を「並びに第二百七十条第一項及び第二項」に改める。（本文未織込み）

③ 第一項の家事調停の手続が調停委員会で行われている場合において、合意に相当する審判をするときは、家庭裁判所は、その調停委員会を組織する家事調停委員の意見を聴かなければならない。

④ 第二百七十二条第一項から第三項までの規定は、家庭裁判所が第一項第一号の規定による合意を正当と認めない場合について準用する。

（申立ての取下げの制限）

第二七八条 家事調停の申立ての取下げは、合意に相当する審判がされた後は、相手方の同意を得なければ、その効力を生じない。

（異議の申立て）

第二七九条① 当事者及び利害関係人は、合意に相当する審判に対し、家庭裁判所に異議を申し立てることができる。ただし、当事者にあっては、第二百七十七条第一項各号に掲げる要件に該当しないことを理由とする場合に限る。

② 前項の規定による異議の申立ては、二週間の不変期間内にしなければならない。

③ 前項の期間は、異議の申立てをすることができる者が、審判の告知を受ける者である場合にあってはその者が審判の告知を受けた日から、審判の告知を受ける者でない場合にあっては当事者が審判の告知を受けた日（二以上あるときは、当該日のうち最も遅い日）から、それぞれ進行する。

④ 第一項の規定による異議の申立てをする権利は、放棄することができる。

（異議の申立てに対する審判等）

第二八〇条① 家庭裁判所は、当事者がした前条第一項の規定による異議の申立てが不適法であるとき、又は異議の申立てに理由がないと認めるときは、これを却下しなければならない。利害関係人がした同項の規定による異議の申立てが不適法であるときも、同様とする。

② 異議の申立人は、前項の規定により異議の申立てを却下する審判に対し、即時抗告をすることができる。

③ 家庭裁判所は、当事者から適法な異議の申立てがあった場合において、異議の申立てを理由があると認めるときは、合意に相当する審判を取り消さなければならない。

④ 利害関係人から適法な異議の申立てがあったときは、合意に相当する審判は、その効力を失う。この場合においては、家庭裁判所は、当事者に対し、その旨を通知しなければならない。

⑤ 当事者が前項の規定による通知を受けた日から二週間以内に家事調停の申立てがあった事件について訴えを提起したときは、家事調停の申立ての時に、その訴えの提起があったものと

みなす。

第二八一条（**合意に相当する審判の効力**）　第二百七十九条第一項の規定による異議の申立てがないとき、又は異議の申立てを却下する審判が確定したときは、合意に相当する審判は、確定判決と同一の効力を有する。

第二八二条（**婚姻の取消しについての合意に相当する審判の特則**）① 婚姻の取消しについての家事調停の手続において、婚姻の取消しについての合意に相当する審判をするときは、この合意に相当する審判において、当事者間の合意に基づき、子の親権者を指定しなければならない。

② 前項の合意に相当する審判は、子の親権者の指定につき当事者間で合意が成立しないとき、又は成立した合意が相当でないと認めるときは、することができない。

第二八三条（**申立人の死亡により事件が終了した場合の特則**）　父が嫡出否認についての調停の申立てをした後に死亡した場合において、当該申立てに係る子のために相続権を害される者その他父の三親等内の血族が父の死亡の日から一年以内に嫡出否認の訴えを提起したときは、父がした調停の申立ての時に、その訴えの提起があったものとみなす。

第二八三条の二（**嫡出否認の審判の通知**）　家庭裁判所は、民法第七百七十二条第三項の規定により父が定められる子の嫡出否認についての合意に相当する審判が確定したときは、同法第七百七十四条第四項に規定する前夫（事件の記録上その氏名及び住所又は居所が判明しているものに限る。）に対し、当該合意に相当する審判の内容を通知するものとする。

第二八三条の三（**認知の無効についての調停の申立ての特則**）① 認知をした者が認知について反対の事実があることを理由とする認知の無効についての調停の申立てをした後に死亡した場合において、当該申立てに係る子のために相続権を害される者その他認知をした者の三親等内の血族が認知をした者の死亡の日から一年以内に認知について反対の事実があることを理由とする認知の無効の訴えを提起したときは、認知をした者がした調停の申立ての時に、その訴えの提起があったものとみなす。

② 子が認知について反対の事実があることを理由とする認知の無効についての調停の申立てをした後に死亡した場合において、子の直系卑属又はその法定代理人が子の死亡の日から一年以内に認知について反対の事実があることを理由とする認知の無効の訴えを提起したときは、子がした調停の申立ての時に、その訴えの提起があったものとみなす。

第三章　調停に代わる審判

第二八四条（**調停に代わる審判の対象及び要件**）① 家庭裁判所は、調停が成立しない場合において相当と認めるときは、当事者双方のために衡平に考慮し、一切の事情を考慮して、職権で、事件の解決のため必要な審判（以下「調停に代わる審判」という。）をすることができる。ただし、第二百七十七条第一項に規定する事項についての家事調停の手続においては、この限りでない。

② 家事調停の手続が調停委員会で行われている場合において、調停に代わる審判をするときは、家庭裁判所は、その調停委員会を組織する家事調停委員の意見を聴かなければならない。

③ 家庭裁判所は、調停に代わる審判において、当事者に対し、子の引渡し又は金銭の支払その他の財産上の給付その他の給付を命ずることができる。

第二八五条（**調停に代わる審判の特則**）① 家事調停の申立ての取下げは、第二百七十三条第一項（編注・家事調停の申立ての取下げの自由）の規定にかかわらず、調停に代わる審判がされた後は、することができない。

② 調停に代わる審判の告知は、公示送達の方法によっては、することができない。

③ 調停に代わる審判を告知することができないときは、家庭裁判所は、これを取り消さなければならない。

第二八六条（**異議の申立て等**）① 当事者は、調停に代わる審判に対し、家庭裁判所に異議を申し立てることができる。

② 第二百七十九条第二項から第四項までの規定は、前項の規定による異議の申立てについて準用する。

③ 家庭裁判所は、第一項の規定による異議の申立てが不適法であるときは、これを却下しなければならない。

④ 異議の申立人は、前項の規定により異議の申立てを却下する審判に対し、即時抗告をすることができる。

⑤ 適法な異議の申立てがあったときは、調停に代わる審判は、その効力を失う。この場合においては、家庭裁判所は、当事者に対し、その旨を通知しなければならない。

⑥ 当事者が前項の規定による通知を受けた日から二週間以内に家事調停の申立てがあった事件について訴えを提起したときは、家事調停の申立ての時に、その訴えの提起があったものとみなす。

⑦ 第五項の規定により別表第二に掲げる事項についての調停に代わる審判が効力を失った場合には、家事調停の申立ての時に、当該事項についての家事審判の申立てがあったものとみなす。

⑧ 当事者が、申立てに係る家事調停（離婚又は離縁についての家事調停を除く。）の手続において、調停に代わる審判に服する旨の共同の申出をしたときは、第一項の規定は、適用しない。

⑨ 前項の共同の申出は、書面でしなければならない。

⑩ 当事者は、調停に代わる審判の告知前に限り、第八項の共同の申出を撤回することができる。この場合においては、相手方の同意を得ることを要しない。

第二八七条（**調停に代わる審判の効力**）　前条第一項の規定による異議の申立てがないとき、又は異議の申立てを却下する審判が確定したときは、別表第二に掲げる事項についての調停に代わる審判は確定した第三十九条の規定による審判と同一の効力を、その余の調停に代わる審判は確定判決と同一の効力を有する。

第四章　不服申立て等

（第二八八条）（略）

第四編　履行の確保

第二八九条（**義務の履行状況の調査及び履行の勧告**）① 義務を定める第三十九条の規定による審判をした家庭裁判所（第九十一条第一項（編注・即時抗告について抗告裁判所による裁判）（第九十六条第一項及び第九十八条第一項において準用する場合を含む。）の規定により抗告裁判所が義務を定める裁判をした場合にあっては第一審裁判所である家庭裁判所、第百五条第二項の規定により高等裁判所が義務を定める裁判をした場合にあっては本案の家事審判事件の第一審裁判所である家庭裁判所。以下同じ。）は、権利者の申出があるときは、その審判（抗告裁判所又は高等裁判所が義務を定める裁判をした場合にあっては、その裁判。次条第一項において同じ。）で定められた義務の履行状況を調査し、義務者に対し、その義務の履行を勧告することができる。

② 義務を定める第三十九条の規定による審判をした家庭裁判所は、前項の規定による調査及び勧告を他の家庭裁判所に嘱託することができる。

③ 義務を定める第三十九条の規定による審判をした家庭裁判所並びに前項の規定により調査及び勧告の嘱託を受けた家庭裁判所（次項から第六項までにおいてこれらの家庭裁判所を「調査及び勧告をする家庭裁判所」という。）は、家庭裁判所調査官に第一項の規定による調査及び勧告をさせることができる。

④ 調査及び勧告をする家庭裁判所は、第一項の規定による調査及び勧告に関し、事件の関係人の家庭環境その他の環境の調整

を行うために必要があると認めるときは、家庭裁判所調査官に社会福祉機関との連絡その他の措置をとらせることができる。

⑤ 調査及び勧告をする家庭裁判所は、第一項の規定による調査及び勧告に必要な調査を官庁、公署その他適当と認める者に嘱託し、又は銀行、信託会社、関係人の使用者その他の者に対し関係人の預金、信託財産、収入その他の事項に関して必要な報告を求めることができる。

⑥ 調査及び勧告をする家庭裁判所は、第一項の規定による調査及び勧告の事件の関係人から当該事件の記録の閲覧等（編注・家事審判事件の記録の閲覧若しくは謄写、その正本、謄本若しくは抄本の交付又は家事審判事件に関する事項の証明書の交付）又はその複製の請求があった場合において、相当と認めるときは、これを許可することができる。

⑦ 前各項の規定は、調停又は調停に代わる審判において定められた義務（高等裁判所において定められたものを含む。次条第三項において同じ。）の履行及び調停前の処分として命じられた事項の履行について準用する。

＊令和五法五三（令和一〇・六・一三までに施行）**による改正**
第二八九条の見出し中「義務」を「家庭裁判所による義務」に改め、第一項中「次条第一項」を「第二百九十条第一項」に改め、第三項中「次項から第六項」を「以下この条から第二百八十九条の四」に改め、「これらの家庭裁判所を」を削り、第六項及び第七項を削る。（本文未織込み）

＊令和五法五三（令和一〇・六・一三までに施行）**による改正後第二八九条の二から第二八九条の五まで**（略）（改正により追加）

（**義務履行の命令**）
第二九〇条① 義務を定める第三十九条の規定による審判をした家庭裁判所は、その審判で定められた金銭の支払その他の財産上の給付を目的とする義務の履行を怠った者がある場合において、相当と認めるときは、権利者の申立てにより、義務者に対し、相当の期限を定めてその義務の履行をすべきことを命ずる審判をすることができる。この場合において、その命令は、その命令をする時までに義務者が履行を怠った義務の全部又は一部についてするものとする。

② 義務を定める第三十九条の規定による審判をした家庭裁判所は、前項の規定により義務の履行を命ずるには、義務者の陳述を聴かなければならない。

③ 前二項の規定は、調停又は調停に代わる審判において定められた義務の履行について準用する。

④ 前三項に規定するもののほか、第一項（前項において準用する場合を含む。）の規定による義務の履行を命ずる審判の手続については、第二編第一章に定めるところによる。

⑤ 第一項（第三項において準用する場合を含む。）の規定により義務の履行を命じられた者が正当な理由なくその命令に従わないときは、家庭裁判所は、十万円以下の過料に処する。

第五編 罰則

（第二九一条から第二九三条まで）（略）

附 則（抄）

（**施行期日**）
第一条 この法律（以下「新法」という。）は、非訟事件手続法（平成二三法五一）の施行の日（平成二五・一・一）から施行する。

別表第一（第三条の二―第三条の十一、第三十九条、第百十六条―第百十八条、第百二十八条、第百二十九条、第百三十六条、第百三十七条、第百四十八条、第百五十条、第百六十条、第百六十八条、第百七十六条、第百七十七条、第百八十二条、第二百一条―第二百三条、第二百九条、第二百十六条、第二百十七条、第二百二十五条―第二百二十七条、第二百三十二条、第二百三十四条、第二百四十条―第二百四十四条関係）

＊令和五法五三（令和一〇・六・一三までに施行）**による改正**
別表第一中「第三条の十一」の下に「、第三十八条」を加える。（未織込み）

項	事項	根拠となる法律の規定
	成年後見	
一	後見開始	民法第七条
二	後見開始の審判の取消し	民法第十条及び同法第十九条第二項において準用する同条第一項
三	成年後見人の選任	民法第八百四十三条第一項から第三項まで
四	成年後見人の辞任についての許可	民法第八百四十四条
五	成年後見人の解任	民法第八百四十六条
六	成年後見監督人の選任	民法第八百四十九条
七	成年後見監督人の辞任についての許可	民法第八百五十二条において準用する同法第八百四十四条
八	成年後見監督人の解任	民法第八百五十二条において準用する同法第八百四十六条
九	成年後見に関する財産の目録の作成の期間の伸長	民法第八百五十三条第一項ただし書（同法第八百五十六条において準用する場合を含む。）
十	成年後見人又は成年後見監督人の権限の行使についての定め及びその取消し	民法第八百五十九条の二第一項及び第二項（これらの規定を同法第八百五十二条において準用する場合を含む。）
十一	成年被後見人の居住用不動産の処分についての許可	民法第八百五十九条の三（同法第八百五十二条において準用する場合を含む。）
十二	成年被後見人に関する特別代理人の選任	民法第八百六十条において準用する同法第八百二十六条
十二の二	成年被後見人に宛てた郵便物等の配達の嘱託及びその嘱託の取消し又は変更	民法第八百六十条の二第一項、第三項及び第四項
十三	成年後見人又は成年後見監督人に対する報酬の付与	民法第八百六十二条（同法第八百五十二条において準用する場合を含む。）
十四	成年後見の事務の監督	民法第八百六十三条
十五	第三者が成年被後見人に与えた財産の管理に関する処分	民法第八百六十九条において準用する同法第八百三十条第二項から第四項まで
十六	成年後見に関する管理の計算の期間の伸長	民法第八百七十条ただし書
十六の二	成年被後見人の死	民法第八百七十三条の二た

項	事項	根拠となる法律の規定
	亡後の死体の火葬又は埋葬に関する契約の締結その他相続財産の保存に必要な行為についての許可	だし書
保佐		
十七	保佐開始	民法第十一条
十八	保佐人の同意を得なければならない行為の定め	民法第十三条第二項
十九	保佐人の同意に代わる許可	民法第十三条第三項
二十	保佐開始の審判の取消し	民法第十四条第一項及び第十九条第一項（同条第二項において準用する場合を含む。）
二十一	保佐人の同意を得なければならない行為の定めの審判の取消し	民法第十四条第二項
二十二	保佐人の選任	民法第八百七十六条の二第一項並びに同条第二項において準用する同法第八百四十三条第二項及び第三項
二十三	保佐人の辞任についての許可	民法第八百七十六条の二第二項において準用する同法第八百四十四条
二十四	保佐人の解任	民法第八百七十六条の二第二項において準用する同法第八百四十六条
二十五	臨時保佐人の選任	民法第八百七十六条の二第三項
二十六	保佐監督人の選任	民法第八百七十六条の三第一項
二十七	保佐監督人の辞任についての許可	民法第八百七十六条の三第二項において準用する同法第八百四十四条
二十八	保佐監督人の解任	民法第八百七十六条の三第二項において準用する同法第八百四十六条
二十九	保佐人又は保佐監督人の権限の行使についての定め及びその取消し	民法第八百七十六条の三第二項及び第八百七十六条の五第二項において準用する同法第八百五十九条の二第一項及び第二項
三十	被保佐人の居住用不動産の処分についての許可	民法第八百七十六条の三第二項及び第八百七十六条の五第二項において準用する同法第八百五十九条の三
三十一	保佐人又は保佐監督人に対する報酬の付与	民法第八百七十六条の三第二項及び第八百七十六条の五第二項において準用する同法第八百六十二条
三十二	保佐人に対する代理権の付与	民法第八百七十六条の四第一項
三十三	保佐人に対する代理権の付与の審判の取消し	民法第八百七十六条の四第三項
三十四	保佐の事務の監督	民法第八百七十六条の五第二項において準用する同法第八百六十三条
三十五	保佐に関する管理の計算の期間の伸長	民法第八百七十六条の五第三項において準用する同法第八百七十条ただし書
補助		
三十六	補助開始	民法第十五条第一項
三十七	補助人の同意を得なければならない行為の定め	民法第十七条第一項
三十八	補助人の同意に代わる許可	民法第十七条第三項
三十九	補助開始の審判の取消し	民法第十八条第一項及び第三項並びに第十九条第一項（同条第二項において準用する場合を含む。）
四十	補助人の同意を得なければならない行為の定めの審判の取消し	民法第十八条第二項
四十一	補助人の選任	民法第八百七十六条の七第一項並びに同条第二項において準用する同法第八百四十三条第二項及び第三項
四十二	補助人の辞任についての許可	民法第八百七十六条の七第二項において準用する同法第八百四十四条
四十三	補助人の解任	民法第八百七十六条の七第二項において準用する同法第八百四十六条
四十四	臨時補助人の選任	民法第八百七十六条の七第三項
四十五	補助監督人の選任	民法第八百七十六条の八第一項
四十六	補助監督人の辞任についての許可	民法第八百七十六条の八第二項において準用する同法第八百四十四条
四十七	補助監督人の解任	民法第八百七十六条の八第二項において準用する同法第八百四十六条
四十八	補助人又は補助監督人の権限の行使についての定め及びその取消し	民法第八百七十六条の八第二項及び第八百七十六条の十第一項において準用する同法第八百五十九条の二第一項及び第二項
四十九	被補助人の居住用不動産の処分についての許可	民法第八百七十六条の八第二項及び第八百七十六条の十第一項において準用する同法第八百五十九条の三
五十	補助人又は補助監督人に対する報酬の付与	民法第八百七十六条の八第二項及び第八百七十六条の十第一項において準用する同法第八百六十二条
五十一	補助人に対する代理権の付与	民法第八百七十六条の九第一項
五十二	補助人に対する代理権の付与の審判の取消し	民法第八百七十六条の九第二項において準用する同法

項	事項	根拠となる法律の規定
	の取消し	第八百七十六条の四第三項
五十三	補助の事務の監督	民法第八百七十六条の十第一項において準用する同法第八百六十三条
五十四	補助に関する管理の計算の期間の伸長	民法第八百七十六条の十第二項において準用する同法第八百七十条ただし書
不在者の財産の管理		
五十五	不在者の財産の管理に関する処分	民法第二十五条から第二十九条まで
失踪の宣告		
五十六	失踪の宣告	民法第三十条
五十七	失踪の宣告の取消し	民法第三十二条第一項
婚姻等		
五十八	夫婦財産契約による財産の管理者の変更等	民法第七百五十八条第二項及び第三項
親子		
五十九	嫡出否認の訴えの特別代理人の選任	民法第七百七十五条第二項
六十	子の氏の変更についての許可	民法第七百九十一条第一項及び第三項
六十一	養子縁組をするについての許可	民法第七百九十四条及び第七百九十八条
六十一の二	養子縁組の承諾をするについての同意に代わる許可	民法第七百九十七条第三項
＊令和六法三三（令和八・五・二三までに施行）により六十一の二の項追加		
六十二	死後離縁をするについての許可	民法第八百十一条第六項
六十三	特別養子縁組の成立	民法第八百十七条の二
六十四	特別養子縁組の離縁	民法第八百十七条の十第一項
親権		
六十五	子に関する特別代理人の選任	民法第八百二十六条
六十六	第三者が子に与えた財産の管理に関する処分	民法第八百三十条第二項から第四項まで
六十七	親権喪失、親権停止又は管理権喪失	民法第八百三十四条から第八百三十五条まで
六十八	親権喪失、親権停止又は管理権喪失の審判の取消し	民法第八百三十六条
六十九	親権又は管理権を辞し、又は回復するについての許可	民法第八百三十七条
未成年後見		
七十	養子の離縁後に未成年後見人となるべき者の選任	民法第八百十一条第五項
七十一	未成年後見人の選任	民法第八百四十条第一項及び第二項
七十二	未成年後見人の辞任についての許可	民法第八百四十四条
七十三	未成年後見人の解任	民法第八百四十六条
七十四	未成年後見監督人の選任	民法第八百四十九条
七十五	未成年後見監督人の辞任についての許可	民法第八百五十二条において準用する同法第八百四十四条
七十六	未成年後見監督人の解任	民法第八百五十二条において準用する同法第八百四十六条
七十七	未成年後見に関する財産目録の作成の期間の伸長	民法第八百五十三条第一項ただし書（同法第八百五十六条及び第八百六十七条第二項において準用する場合を含む。）
七十八	未成年後見人又は未成年後見監督人の権限の行使についての定め及びその取消し	民法第八百五十七条の二第二項から第四項まで（これらの規定を同法第八百五十二条において準用する場合を含む。）
七十九	未成年被後見人に関する特別代理人の選任	民法第八百六十条において準用する同法第八百二十六条
八十	未成年後見人又は未成年後見監督人に対する報酬の付与	民法第八百六十二条（同法第八百五十二条及び第八百六十七条第二項において準用する場合を含む。）
八十一	未成年後見の事務の監督	民法第八百六十三条（同法第八百六十七条第二項において準用する場合を含む。）
八十二	第三者が未成年被後見人に与えた財産の管理に関する処分	民法第八百六十九条において準用する同法第八百三十条第二項から第四項まで
八十三	未成年後見に関する管理の計算の期間の伸長	民法第八百七十条ただし書
扶養		
八十四	扶養義務の設定	民法第八百七十七条第二項
八十五	扶養義務の設定の取消し	民法第八百七十七条第三項
推定相続人の廃除		
八十六	推定相続人の廃除	民法第八百九十二条及び第八百九十三条
八十七	推定相続人の廃除の審判の取消し	民法第八百九十四条
八十八	推定相続人の廃除の審判又はその取消しの審判の確定前の遺産の管理に関する処分	民法第八百九十五条
相続財産の保存		
八十九	相続財産の保存に関する処分	民法第八百九十七条の二第一項及び第二項
相続の承認及び放棄		
九十	相続の承認又は放棄をすべき期間の	民法第九百十五条第一項ただし書

	伸長	
九十一	限定承認又は相続の放棄の取消しの申述の受理	民法第九百十九条第四項
九十二	限定承認の申述の受理	民法第九百二十四条
九十三	限定承認の場合における鑑定人の選任	民法第九百三十条第二項及び第九百三十二条ただし書
九十四	限定承認を受理した場合における相続財産の清算人の選任	民法第九百三十六条第一項
九十五	相続の放棄の申述の受理	民法第九百三十八条
財産分離		
九十六	財産分離	民法第九百四十一条第一項及び第九百五十条第一項
九十七	財産分離の請求後の相続財産の管理に関する処分	民法第九百四十三条（同法第九百五十条第二項において準用する場合を含む。）
九十八	財産分離の場合における鑑定人の選任	民法第九百四十七条第三項及び第九百五十条第二項において準用する同法第九百三十条第二項及び第九百三十二条ただし書
相続人の不存在		
九十九	相続人の不存在の場合における相続財産の清算に関する処分	民法第九百五十二条及び第九百五十三条
百	相続人の不存在の場合における鑑定人の選任	民法第九百五十七条第二項において準用する同法第九百三十条第二項
百一	特別縁故者に対する相続財産の分与	民法第九百五十八条の二第一項
遺言		
百二	遺言の確認	民法第九百七十六条第四項及び第九百七十九条第三項
百三	遺言書の検認	民法第千四条第一項
百四	遺言執行者の選任	民法第千十条
百五	遺言執行者に対する報酬の付与	民法第千十八条第一項
百六	遺言執行者の解任	民法第千十九条第一項
百七	遺言執行者の辞任についての許可	民法第千十九条第二項
百八	負担付遺贈に係る遺言の取消し	民法第千二十七条
遺留分		
百九	遺留分を算定するための財産の価額を定める場合における鑑定人の選任	民法第千四十三条第二項
百十	遺留分の放棄についての許可	民法第千四十九条第一項
任意後見契約法		
百十一	任意後見契約の効力を発生させるための任意後見監督人の選任	任意後見契約法第四条第一項
百十二	任意後見監督人が欠けた場合における任意後見監督人の選任	任意後見契約法第四条第四項
百十三	任意後見監督人を更に選任する場合における任意後見監督人の選任	任意後見契約法第四条第五項
百十四	後見開始の審判等の取消し	任意後見契約法第四条第二項
百十五	任意後見監督人の職務に関する処分	任意後見契約法第七条第三項
百十六	任意後見監督人の辞任についての許可	任意後見契約法第七条第四項において準用する民法第八百四十四条
百十七	任意後見監督人の解任	任意後見契約法第七条第四項において準用する民法第八百四十六条
百十八	任意後見監督人の権限の行使についての定め及びその取消し	任意後見契約法第七条第四項において準用する民法第八百五十九条の二第一項及び第二項
百十九	任意後見監督人に対する報酬の付与	任意後見契約法第七条第四項において準用する民法第八百六十二条
百二十	任意後見人の解任	任意後見契約法第八条
百二十一	任意後見契約の解除についての許可	任意後見契約法第九条第二項
戸籍法		
百二十二	氏若しくは名の変更又は氏の振り仮名若しくは名の振り仮名の変更についての許可	戸籍法第百七条第一項（同条第四項において準用する場合を含む。）及び第百七条の二から第百七条の四まで
百二十三	就籍許可	戸籍法第百十条第一項
百二十四	戸籍の訂正についての許可	戸籍法第百十三条及び第百十四条
百二十五	戸籍事件についての市町村長の処分に対する不服	戸籍法第百二十二条（同法第四条において準用する場合を含む。）
性同一性障害者の性別の取扱いの特例に関する法律		
百二十六	性別の取扱いの変更	性同一性障害者の性別の取扱いの特例に関する法律（平成十五年法律第百十一号）第三条第一項
児童福祉法		
百二十七	都道府県の措置についての承認	児童福祉法（昭和二十二年法律第百六十四号）第二十八条第一項第一号及び第二号ただし書
百二十八	都道府県の措置の期間の更新についての承認	児童福祉法第二十八条第二項ただし書
百二十八の二	児童相談所長又は都道府県知事の引き続いての一時保	児童福祉法第三十三条第十四項

項	事項	根拠となる法律の規定
	護についての承認	
百二十八の三	児童相談所長の申立てによる特別養子適格の確認	児童福祉法第三十三条の六の四第一項
生活保護法等		
百二十九	施設への入所等についての許可	生活保護法（昭和二十五年法律第百四十四号）第三十条第三項
心神喪失等の状態で重大な他害行為を行った者の医療及び観察等に関する法律		
百三十	保護者の順位の変更及び保護者の選任	心神喪失等の状態で重大な他害行為を行った者の医療及び観察等に関する法律第二十三条の二第二項ただし書及び同項第四号
破産法		
百三十一	破産手続が開始された場合における夫婦財産契約による財産の管理者の変更等	破産法（平成十六年法律第七十五号）第六十一条第一項において準用する民法第七百五十八条第二項及び第三項
百三十二	親権を行う者につき破産手続が開始された場合における管理権喪失	破産法第六十一条第一項において準用する民法第八百三十五条
百三十三	破産手続における相続の放棄の承認についての申述の受理	破産法第二百三十八条第二項（同法第二百四十三条において準用する場合を含む。）
中小企業における経営の承継の円滑化に関する法律		
百三十四	遺留分の算定に係る合意についての許可	中小企業における経営の承継の円滑化に関する法律第八条第一項

別表第二（第三条の八、第三条の十―第三条の十二、第二十条、第二十五条、第三十九条、第四十条、第六十六条―第七十一条、第八十二条、第八十九条、第九十条、第九十二条、第百五十条、第百六十三条、第百六十八条、第百八十二条、第百九十条、第百九十一条、第百九十七条、第二百三十三条、第二百四十五条、第二百五十二条、第二百五十八条、第二百六十八条、第二百七十二条、第二百八十六条、第二百八十七条、附則第五条関係）

＊令和六法三三（令和八・五・二三までに施行）**による改正**
別表第二中「第二百五十二条」の下に「、第二百五十八条」が加えられた。（織込み済み）

項	事項	根拠となる法律の規定
婚姻等		
一	夫婦間の協力扶助に関する処分	民法第七百五十二条
二	婚姻費用の分担に関する処分	民法第七百六十条
三	子の監護に関する処分	民法第七百六十六条第二項及び第三項並びに第七百六十六条の三第三項（これらの規定を同法第七百四十九条、第七百七十一条及び第七百八十八条において準用する場合を含む。）並びに第八百十七条の十三第二項及び第三項

＊令和六法三三（令和八・五・二三までに施行）**による改正**
三の項中「第七百六十六条第二項及び第三項」の下に「並びに第七百六十六条の三第三項」が、「含む。）」の下に「並びに第八百十七条の十三第二項及び第三項」が加えられた。（織込み済み）

項	事項	根拠となる法律の規定
四	財産の分与に関する処分	民法第七百六十八条第二項（同法第七百四十九条及び第七百七十一条において準用する場合を含む。）
五	離婚等の場合における祭具等の所有権の承継者の指定	民法第七百六十九条第二項（同法第七百四十九条、第七百五十一条第二項及び第七百七十一条において準用する場合を含む。）
親子		
六	離縁等の場合における祭具等の所有権の承継者の指定	民法第八百八条第二項及び第八百十七条において準用する同法第七百六十九条第二項
親権		
七	養子の離縁後に親権者となるべき者の指定	民法第八百十一条第四項
八	親権者の指定又は変更	民法第八百十九条第五項及び第六項（これらの規定を同法第七百四十九条において準用する場合を含む。）
八の二	親権行使者の指定	民法第八百二十四条の二第三項

＊令和六法三三（令和八・五・二三までに施行）**により八の二の項追加**

項	事項	根拠となる法律の規定
扶養		
九	扶養の順位の決定及びその決定の変更又は取消し	民法第八百七十八条及び第八百八十条
十	扶養の程度又は方法についての決定及びその決定の変更又は取消し	民法第八百七十九条及び第八百八十条
相続		
十一	相続の場合における祭具等の所有権の承継者の指定	民法第八百九十七条第二項
遺産の分割		
十二	遺産の分割	民法第九百七条第二項
十三	遺産の分割の禁止	民法第九百八条第四項及び第五項
十四	寄与分を定める処分	民法第九百四条の二第二項
特別の寄与		
十五	特別の寄与に関する処分	民法第千五十条第二項
厚生年金保険法		
十六	請求すべき按分割合に関する処分	厚生年金保険法（昭和二十九年法律第百十五号）第七

生活保護法等		十八条の二第二項
十七	扶養義務者の負担すべき費用額の確定	生活保護法第七十七条第二項（ハンセン病問題の解決の促進に関する法律（平成二十年法律第八十二号）第二十一条第二項において準用する場合を含む。）

非訟事件手続法及び家事事件手続法の施行に伴う関係法律整備法中経過規定

（家事審判法の廃止）

第三条　家事審判法（昭和二十二年法律第百五十二号）は、廃止する。

非訟事件手続法及び家事事件手続法の施行に伴う関係法律整備法

附　則（平成二三・五・二五法五三）（抄）

この法律は、新非訟事件手続法（平成二三法五一）の施行の日（平成二五・一・一）から施行する。

附　則（令和四・五・二五法四八）（抄）

（施行期日）

第一条　この法律は、公布の日から起算して四年を超えない範囲内において政令で定める日から施行する。ただし、次の各号に掲げる規定は、当該各号に定める日から施行する。

一　（前略）附則第百二十五条の規定　公布の日

二―四　（略）

五　（前略）第七条中家事事件手続法第二百六十八条第三項にただし書を加える改正規定（中略）及び同法第二百七十七条第二項にただし書を加える改正規定　公布の日から起算して三年を超えない範囲内において政令で定める日

（政令への委任）

第一二五条　（前略）この法律の施行に関し必要な経過措置は、政令で定める。

（検討）

第一二六条　政府は、この法律の施行後五年を経過した場合において、この法律による改正後の民事訴訟法その他の法律の規定の施行の状況について検討を加え、必要があると認めるときは、その結果に基づいて所要の措置を講ずるものとする。

附　則（令和四・六・一五法六八）（抄）

（施行期日）

第一条　この法律は、令和七年六月一日から施行する。ただし、次の各号に掲げる規定は、当該各号に定める日から施行する。

一―四　（略）

五　（前略）附則第二十二条中家事事件手続法（平成二十三年法律第五十二号）別表第一の改正規定（百二十八の二の項に係る部分に限る。）　公布の日から起算して三年を超えない範囲内において政令で定める日（令和七・六・一―令和五政三七二）

附　則（令和五・六・九法四八）（抄）

（施行期日）

第一条　（前略）次の各号に掲げる規定は、当該各号に定める日から施行する。

一・二　（略）

三　（前略）附則（中略）第二十八条（家事事件手続法の一部改正）の規定　公布の日から起算して二年を超えない範囲内において政令で定める日

四　（略）

民事関係手続等における情報通信技術の活用等の推進を図るための関係法律の整備に関する法律中経過規定　（令和五・六・一四法五三）（抄）

（家庭裁判所調査官又は裁判所技官の書面による報告に代わる報告の方式に関する経過措置）

第三三五条　改正後家事事件手続法第五十八条第五項及び第六十条第二項（これらの規定を改正後家事事件手続法第二百五十八条第一項において準用する場合を含む。）の規定は、改正後家事事件における家庭裁判所調査官又は裁判所技官の書面による報告に代わる報告の方式について、適用する。

（尋問に代わる書面の提出等に関する経過措置）

第三三六条　改正後家事事件手続法第六十四条第一項（改正後家事事件手続法第二百五十八条第一項において準用する場合を含む。）において準用する民事訴訟法第二百五条第二項及び第二百十五条第二項（同法第二百十八条第一項において準用する場合を含む。）の規定は、改正後家事事件における証人の尋問に代わる書面の提出又は鑑定人の書面による意見の陳述に代わる意見の陳述の方式若しくは鑑定の嘱託を受けた者による鑑定書の提出について、適用する。

（電磁的記録に記録された情報の内容に係る証拠調べに関する経過措置）

第三三七条　改正後家事事件手続法第六十四条第一項（改正後家事事件手続法第二百五十八条第一項において準用する場合を含む。）において準用する民事訴訟法第二百三十一条の二第二項及び第二百三十一条の三第二項の規定は、改正後家事事件における電磁的記録に記録された情報の内容に係る証拠調べについて適用し、改正前家事事件における電磁的記録に記録された情報の内容に係る証拠調べについては、なお従前の例による。

（調停の成立及び効力等に関する経過措置）

第三四〇条①　改正後家事事件手続法第二百六十八条第一項の規定は、改正後家事事件における調停の成立及び効力について適用し、改正前家事事件における調停の成立及び効力については、なお従前の例による。

②　（略）

第三八七条から第三八九条まで　（民事執行法の同経過規定参照）

民事関係手続等における情報通信技術の活用等の推進を図るための関係法律の整備に関する法律

附　則（令和五・六・一四法五三）

この法律は、公布の日から起算して五年を超えない範囲内において政令で定める日から施行する。ただし、次の各号に掲げる規定は、当該各号に定める日から施行する。

一　（前略）第三百八十八条の規定　公布の日

二　（前略）第三百八十七条の規定　公布の日から起算して二年六月を超えない範囲内において政令で定める日

三　（前略）第三百二十六条中家事事件手続法第四十条の改正規定、同法第四十九条の改正規定、同法第五十四条第一項の改正規定、同法第五十九条の改正規定、同法第六十条第二項の改正規定（「及び第二項」を「から第三項まで」に改める部分に限る。）（中略）及び同法第二百六十一条第五項の改正規定（中略）民事訴訟法等の一部を改正する法律（令和四法四八）の施行の日

附　則（令和六・五・二四法三三）（抄）

（施行期日）

第一条　この法律は、公布の日から起算して二年を超えない範囲内において政令で定める日から施行する。ただし、附則第十六条から第十八条まで及び第十九条第一項の規定は、公布の日から施行する。

（政令への委任）

第一六条　この附則に定めるもののほか、この法律の施行に関し必要な経過措置は、政令で定める。

第一七条から第一九条まで　（民法の同改正附則参照）

*国際的な子の奪取の民事上の側面に関する条約の実施に関する法律（抜粋）

（平成二五・六・一九 法 四八）

最終改正 令和六法三三

第一章 総則

（目的）

第一条 この法律は、不法な連れ去り又は不法な留置がされた場合において子をその常居所を有していた国に返還すること等を定めた国際的な子の奪取の民事上の側面に関する条約（以下「条約」という。）の的確な実施を確保するため、我が国における中央当局を指定し、その権限等を定めるとともに、子をその常居所を有していた国に迅速に返還するために必要な裁判手続等を定め、もって子の利益に資することを目的とする。

（定義）

第二条 この法律において、次の各号に掲げる用語の意義は、当該各号に定めるところによる。

一 条約締約国 日本国及び日本国との間で条約が効力を有している条約の締約国（当該締約国が条約第三十九条第一項又は第四十条第一項の規定による宣言をしている場合にあっては、当該宣言により条約が適用される当該締約国の領域の一部又は領域内の地域）をいう。

二 子 父母その他の者に監護される者をいう。

三 連れ去り 子をその常居所を有する国から離脱させることを目的として当該子を当該国から出国させることをいう。

四 留置 子が常居所を有する国からの当該子の出国の後において、当該子の当該国への渡航が妨げられていることをいう。

五 常居所地国 連れ去りの時又は留置の開始の直前に子が常居所を有していた国（当該国が条約の締約国であり、かつ、条約第三十九条第一項又は第四十条第一項の規定による宣言をしている場合にあっては、当該宣言により条約が適用される当該国の領域の一部又は領域内の地域）をいう。

六 不法な連れ去り 常居所地国の法令によれば監護の権利を有する者の当該権利を侵害する連れ去りであって、当該連れ去りの時に当該権利が現実に行使されていたもの又は当該連れ去りがなければ当該権利が現実に行使されていたと認められるものをいう。

七 不法な留置 常居所地国の法令によれば監護の権利を有する者の当該権利を侵害する留置であって、当該留置の開始の時に当該権利が現実に行使されていたもの又は当該留置がなければ当該権利が現実に行使されていたと認められるものをいう。

八 子の返還 子の常居所地国である条約締約国への返還をいう。

第二章 子の返還及び子との交流に関する援助

> **＊令和六法三三（令和八・五・二三までに施行）による改正前**
> 第二章 子の返還及び子との面会その他の交流に関する援助

第一節 子の返還に関する援助

第一款 外国返還援助

（外国返還援助申請）

第四条① 日本国への連れ去りをされ、又は日本国において留置をされている子であって、その常居所地国が条約締約国であるものについて、当該常居所地国の法令に基づき監護の権利を有する者は、当該連れ去り又は留置によって当該監護の権利が侵害されていると思料する場合には、日本国からの子の返還を実現するための援助（以下「外国返還援助」という。）を外務大臣に申請することができる。

② 外国返還援助の申請（以下「外国返還援助申請」という。）を行おうとする者は、外務省令で定めるところにより、次に掲げる事項を記載した申請書（日本語又は英語により記載したものに限る。）を外務大臣に提出しなければならない。

一 外国返還援助申請をする者（以下この款において「申請者」という。）の氏名又は名称及び住所若しくは居所又は事務所（外国返還援助申請において返還を求められている子（以下この款において「申請に係る子」という。）の常居所地国におけるものに限る。第七条第一項第四号において同じ。）の所在地

二 申請に係る子の氏名、生年月日及び住所又は居所（これらの事項が明らかでないときは、その旨）その他申請に係る子を特定するために必要な事項

三 申請に係る子の連れ去りをし、又は留置をしていると思料される者の氏名その他当該者を特定するために必要な事項

四 申請に係る子の常居所地国が条約締約国であることを明らかにするために必要な事項

五 申請に係る子の常居所地国の法令に基づき申請者が申請に係る子についての監護の権利を有し、かつ、申請に係る子の連れ去り又は留置により当該監護の権利が侵害されていることを明らかにするために必要な事項

六 申請に係る子と同居していると思料される者の氏名、住所又は居所その他当該者を特定するために必要な事項（これらの事項が明らかでないときは、その旨）

③ 前項の申請書には、同項第五号に掲げる事項を証明する書類その他外務省令で定める書類を添付しなければならない。

④ 外国返還援助申請は、日本国以外の条約締約国の中央当局（条約第六条に規定する中央当局をいう。以下同じ。）を経由してすることができる。この場合において、申請者は、第二項各号に掲げる事項を記載した書面（日本語若しくは英語により記載したもの又は日本語若しくは英語による翻訳文を添付したものに限る。）及び前項に規定する書類を外務大臣に提出しなければならない。

第三章 子の返還に関する事件の手続等

第一節 返還事由等

（条約に基づく子の返還）

第二六条 日本国への連れ去り又は日本国における留置により子についての監護の権利を侵害された者は、子を監護している者に対し、この法律の定めるところにより、常居所地国に子を返還することを命ずるよう家庭裁判所に申し立てることができる。

（子の返還事由）

第二七条 裁判所は、子の返還の申立てが次の各号に掲げる事由のいずれにも該当すると認めるときは、子の返還を命じなければならない。

一 子が十六歳に達していないこと。

二 子が日本国内に所在していること。

三 常居所地国の法令によれば、当該連れ去り又は留置が申立人の有する子についての監護の権利を侵害するものであること。

四 当該連れ去りの時又は当該留置の開始の時に、常居所地国が条約締約国であったこと。

（子の返還拒否事由等）

第二八条① 裁判所は、前条の規定にかかわらず、次の各号に掲げる事由のいずれかがあると認めるときは、子の返還を命じてはならない。ただし、第一号から第三号まで又は第五号に掲げる事由がある場合であっても、一切の事情を考慮して常居所地国に子を返還することが子の利益に資すると認めるときは、子

の返還を命ずることができる。

一　子の返還の申立てが当該連れ去りの時又は当該留置の開始の時から一年を経過した後にされたものであり、かつ、子が新たな環境に適応していること。

二　申立人が当該連れ去りの時又は当該留置の開始の時に子に対して現実に監護の権利を行使していなかったこと（当該連れ去り又は留置がなければ申立人が子に対して現実に監護の権利を行使していたと認められる場合を除く。）。

三　申立人が当該連れ去りの前若しくは当該留置の開始の前にこれに同意し、又は当該連れ去りの後若しくは当該留置の開始の後にこれを承諾したこと。

四　常居所地国に子を返還することによって、子の心身に害悪を及ぼすことその他子を耐え難い状況に置くこととなる重大な危険があること。

五　子の年齢及び発達の程度に照らして子の意見を考慮することが適当である場合において、子が常居所地国に返還されることを拒んでいること。

六　常居所地国に子を返還することが日本国における人権及び基本的自由の保護に関する基本原則により認められないものであること。

②　裁判所は、前項第四号に掲げる事由の有無を判断するに当たっては、次に掲げる事情その他の一切の事情を考慮するものとする。

一　常居所地国において子が申立人から身体に対する暴力その他の心身に有害な影響を及ぼす言動（次号において「暴力等」という。）を受けるおそれの有無

二　相手方及び子が常居所地国に入国した場合に相手方が申立人から子に心理的外傷を与えることとなる暴力等を受けるおそれの有無

三　申立人又は相手方が常居所地国において子を監護することが困難な事情の有無

③　裁判所は、日本国において子の監護に関する裁判があったこと又は外国においてされた子の監護に関する裁判が日本国で効力を有する可能性があることのみを理由として、子の返還の申立てを却下する裁判をしてはならない。ただし、これらの子の監護に関する裁判の理由を子の返還の申立てについての裁判において考慮することを妨げない。

第四章　子の返還の執行手続に関する民事執行法の特則

（子の返還の強制執行）

第一三四条①　子の返還の強制執行は、民事執行法（昭和五十四年法律第四号）第百七十一条第一項の規定により執行裁判所が第三者に子の返還を実施させる決定をする方法により行うほか、同法第百七十二条第一項に規定する方法により行う。

②　前項の強制執行は、確定した子の返還を命ずる終局決定（確定した子の返還を命ずる終局決定と同一の効力を有するものを含む。）の正本に基づいて実施する。

＊令和五法五三（令和一〇・六・一三までに施行）による改正後

（子の返還の強制執行）

第一三四条①（略）

②　前項の強制執行は、確定した子の返還を命ずる終局決定（確定した子の返還を命ずる終局決定と同一の効力を有するものを含む。）の正本又は記録事項証明書（民事執行法第十八条の二に規定する記録事項証明書をいう。次項及び第百四十九条第二項において同じ。）に基づいて実施する。

③　民事執行法第十八条の二の規定は、前項の終局決定の記録事項証明書の執行裁判所への提出について準用する。（改正により追加）

（子の年齢による子の返還の強制執行の制限）

第一三五条①　子が十六歳に達した場合には、民事執行法第百七十一条第一項の規定による子の返還の強制執行（同項の規定による決定に基づく子の返還の実施を含む。以下「子の返還の代替執行」という。）は、することができない。

②　民事執行法第百七十二条第一項に規定する方法による子の返還の強制執行の手続において、執行裁判所は、子が十六歳に達した日の翌日以降に子を返還しないことを理由として、同項の規定による金銭の支払を命じてはならない。

（子の返還の代替執行と間接強制との関係）

第一三六条　子の返還の代替執行の申立ては、次の各号のいずれかに該当するときでなければすることができない。

一　民事執行法第百七十二条第一項の規定による決定が確定した日から二週間を経過したとき（当該決定において定められた債務を履行すべき一定の期間の経過がこれより後である場合にあっては、その期間を経過したとき）。

二　民事執行法第百七十二条第一項に規定する方法による強制執行を実施しても、債務者が常居所地国に子を返還する見込みがあるとは認められないとき。

三　子の急迫の危険を防止するため直ちに子の返還の代替執行をする必要があるとき。

（子の返還の代替執行の申立て）

第一三七条　子の返還の代替執行の申立ては、債務者に代わって常居所地国に子を返還する者（以下「返還実施者」という。）となるべき者を特定してしなければならない。

（子の返還を実施させる決定）

第一三八条①　第百三十四条第一項の決定は、債務者による子の監護を解くために必要な行為をする者として執行官を指定し、かつ、返還実施者を指定してしなければならない。

②　執行裁判所は、民事執行法第百七十一条第三項の規定にかかわらず、子に急迫した危険があるときその他の審尋をすることにより強制執行の目的を達することができない事情があるときは、債務者を審尋しないで第百三十四条第一項の決定をすることができる。

（子の返還の代替執行の申立ての却下）

第一三九条　執行裁判所は、第百三十七条の返還実施者となるべき者を前条の規定により返還実施者として指定することが子の利益に照らして相当でないと認めるときは、第百三十七条の申立てを却下しなければならない。

（執行官の権限等）

第一四〇条①　民事執行法第百七十五条（第八項を除く。）の規定は子の返還の代替執行における執行官の権限及び当該権限の行使に係る執行裁判所の裁判について、同法第百七十六条の規定は子の返還の代替執行の手続について、それぞれ準用する。この場合において、同法第百七十五条第一項第二号中「債権者若しくはその代理人と子」とあるのは「返還実施者（国際的な子の奪取の民事上の側面に関する条約の実施に関する法律（平成二十五年法律第四十八号）第百三十七条に規定する返還実施者をいう。以下同じ。）、債権者若しくは同法第百四十条第一項において準用する第六項に規定する代理人と子」と、「又は債権者若しくはその代理人」とあるのは「又は返還実施者、債権者若しくは同項に規定する代理人」と、同項第三号及び同条第九項中「債権者又はその代理人」とあるのは「返還実施者、債権者又は国際的な子の奪取の民事上の側面に関する条約の実施に関する法律第百四十条第一項において準用する第六項に規定する代理人」と読み替えるものとする。

②　執行官は、前項において準用する民事執行法第百七十五条第一項又は第二項の規定による子の監護を解くために必要な行為をするに際し抵抗を受けるときは、その抵抗を排除するために、威力を用い、又は警察上の援助を求めることができる。

③　執行官は、前項の規定にかかわらず、子に対して威力を用いることはできない。子以外の者に対して威力を用いることが子の心身に有害な影響を及ぼすおそれがある場合においては、当該子以外の者についても、同様とする。

（返還実施者の権限等）

第一四一条①　返還実施者は、常居所地国に子を返還するため

に、子の監護その他の必要な行為をすることができる。

② 子の返還の代替執行の手続については、民事執行法第百七十一条第六項の規定は、適用しない。

③ 前条第一項において準用する民事執行法第百七十六条の規定は、返還実施者について準用する。

民事関係手続等における情報通信技術の活用等の推進を図るための関係法律の整備に関する法律中経過規定（令和五・六・一四法五三）（抄）

第三八七条から第三八九条まで　（民事執行法の同経過規定参照）

附　則（令和五・六・一四法五三）

この法律は、公布の日から起算して五年を超えない範囲内において政令で定める日から施行する。ただし、次の各号に掲げる規定は、当該各号に定める日から施行する。

一 （前略）第三百八十八条の規定　公布の日

二 （前略）第三百八十七条の規定　公布の日から起算して二年六月を超えない範囲内において政令で定める日

三 （略）

附　則（令和六・五・二四法三三）（抄）

（施行期日）

第一条　この法律は、公布の日から起算して二年を超えない範囲内において政令で定める日から施行する。ただし、附則第十六条（中略）の規定は、公布の日から施行する。

（政令への委任）

第一六条（前略）この法律の施行に関し必要な経過措置は、政令で定める。

○配偶者からの暴力の防止及び被害者の保護等に関する法律（抄）

（平成一三・四・一三法三一）

施行　平成一三・一〇・一三（附則参照）

題名改正　平成二五法七二（旧・配偶者からの暴力の防止及び被害者の保護に関する法律）

最終改正　令和五法五三

目次

（前文略）

第一章　総則（抄）

（定義）

第一条① この法律において「配偶者からの暴力」とは、配偶者からの身体に対する暴力（身体に対する不法な攻撃であって生命又は身体に危害を及ぼすものをいう。以下同じ。）又はこれに準ずる心身に有害な影響を及ぼす言動（以下この項及び第二十八条の二において「身体に対する暴力等」と総称する。）をいい、配偶者からの身体に対する暴力等を受けた後に、その者が離婚をし、又はその婚姻が取り消された場合にあっては、当該配偶者であった者から引き続き受ける身体に対する暴力等を含むものとする。

② この法律において「被害者」とは、配偶者からの暴力を受けた者をいう。

③ この法律にいう「配偶者」には、婚姻の届出をしていないが事実上婚姻関係と同様の事情にある者を含み、「離婚」には、婚姻の届出をしていないが事実上婚姻関係と同様の事情にあった者が、事実上離婚したと同様の事情に入ることを含むものとする。

第二条　（略）

第一章の二　基本方針及び都道府県基本計画等

（第二条の二及び第二条の三）（略）

第二章　配偶者暴力相談支援センター等

（第三条から第五条の四まで）（略）

第三章　被害者の保護

（配偶者からの暴力の発見者による通報等）

第六条① 配偶者からの暴力（配偶者又は配偶者であった者からの身体に対する暴力に限る。以下この章において同じ。）を受けている者を発見した者は、その旨を配偶者暴力相談支援センター又は警察官に通報するよう努めなければならない。

② 医師その他の医療関係者は、その業務を行うに当たり、配偶者からの暴力によって負傷し又は疾病にかかったと認められる者を発見したときは、その旨を配偶者暴力相談支援センター又は警察官に通報することができる。この場合において、その者の意思を尊重するよう努めるものとする。

③ 刑法（明治四十年法律第四十五号）の秘密漏示罪の規定その他の守秘義務に関する法律の規定は、前二項の規定により通報することを妨げるものと解釈してはならない。

④ 医師その他の医療関係者は、その業務を行うに当たり、配偶者からの暴力によって負傷し又は疾病にかかったと認められる者を発見したときは、その者に対し、配偶者暴力相談支援センター等の利用について、その有する情報を提供するよう努めなければならない。

（配偶者暴力相談支援センターによる保護についての説明等）

第七条　配偶者暴力相談支援センターは、被害者に関する通報又は相談を受けた場合には、必要に応じ、被害者に対し、第三条第三項の規定により配偶者暴力相談支援センターが行う業務の内容について説明及び助言を行うとともに、必要な保護を受けることを勧奨するものとする。

（警察官による被害の防止）

第八条　警察官は、通報等により配偶者からの暴力が行われていると認めるときは、警察法（昭和二十九年法律第百六十二号）、警察官職務執行法（昭和二十三年法律第百三十六号）その他の法令の定めるところにより、暴力の制止、被害者の保護その他の配偶者からの暴力による被害の発生を防止するために必要な措置を講ずるよう努めなければならない。

（警察本部長等の援助）

第八条の二　警視総監若しくは道府県警察本部長（道警察本部の所在地を包括する方面を除く方面については、方面本部長。第十五条第三項において同じ。）又は警察署長は、配偶者からの暴力を受けている者から、配偶者からの暴力による被害を自ら防止するための援助を受けたい旨の申出があり、その申出を相当と認めるときは、当該配偶者からの暴力を受けている者に対し、国家公安委員会規則で定めるところにより、当該被害を自ら防止するための措置の教示その他配偶者からの暴力による被害の発生を防止するために必要な援助を行うものとする。

（福祉事務所による自立支援）

第八条の三　社会福祉法（昭和二十六年法律第四十五号）に定める福祉に関する事務所（次条において「福祉事務所」という。）は、生活保護法（昭和二十五年法律第百四十四号）、児童福祉法（昭和二十二年法律第百六十四号）、母子及び父子並びに寡婦福祉法（昭和三十九年法律第百二十九号）その他の法令の定めるところにより、被害者の自立を支援するために必要な措置を講ずるよう努めなければならない。

（被害者の保護のための関係機関の連携協力）

第九条　配偶者暴力相談支援センター、都道府県警察、福祉事務所、児童相談所その他の都道府県又は市町村の関係機関その他の関係機関は、被害者の保護を行うに当たっては、その適切な保護が行われるよう、相互に連携を図りながら協力するよう努めるものとする。

（苦情の適切かつ迅速な処理）

第九条の二　前条の関係機関は、被害者の保護に係る職員の職務の執行に関して被害者から苦情の申出を受けたときは、適切かつ迅速にこれを処理するよう努めるものとする。

第四章　保護命令（抄）

（接近禁止命令等）

第一〇条①　被害者（配偶者からの身体に対する暴力又は生命、身体、自由、名誉若しくは財産に対し害を加える旨を告知してする脅迫（以下この章において「身体に対する暴力等」という。）を受けた者に限る。以下この条並びに第十二条第一項第三号及び第四号において同じ。）が、配偶者（配偶者からの身体に対する暴力等を受けた後に、被害者が離婚をし、又はその婚姻が取り消された場合にあっては、当該配偶者であった者。以下この条及び第十二条第一項第二号から第四号までにおいて同じ。）からの更なる身体に対する暴力等により、その生命又は心身に重大な危害を受けるおそれが大きいときは、裁判所は、被害者の申立てにより、当該配偶者に対し、命令の効力が生じた日から起算して一年間、被害者の住居（当該配偶者と共に生活の本拠としている住居を除く。以下この項において同じ。）その他の場所において被害者の身辺につきまとい、又は被害者の住居、勤務先その他その通常所在する場所の付近をはいかいしてはならないことを命ずるものとする。

②　前項の場合において、同項の規定による命令（以下「接近禁止命令」という。）を発する裁判所又は発した裁判所は、被害者の申立てにより、当該配偶者に対し、命令の効力が生じた日以後、接近禁止命令の効力が生じた日から起算して一年を経過する日までの間、被害者に対して次に掲げる行為をしてはならないことを命ずるものとする。

一　面会を要求すること。

二　その行動を監視していると思わせるような事項を告げ、又はその知り得る状態に置くこと。

三　著しく粗野又は乱暴な言動をすること。

四　電話をかけて何も告げず、又は緊急やむを得ない場合を除き、連続して、電話をかけ、文書を送付し、通信文その他の情報（電気通信（電気通信事業法（昭和五十九年法律第八十六号）第二条第一号に規定する電気通信をいう。以下この号及び第六項第一号において同じ。）の送信元、送信先、通信日時その他の電気通信を行うために必要な情報を含む。以下この条において「通信文等」という。）をファクシミリ装置を用いて送信し、若しくは電子メールの送信等をすること。

五　緊急やむを得ない場合を除き、午後十時から午前六時までの間に、電話をかけ、通信文等をファクシミリ装置を用いて送信し、又は電子メールの送信等をすること。

六　汚物、動物の死体その他の著しく不快又は嫌悪の情を催させるような物を送付し、又はその知り得る状態に置くこと。

七　その名誉を害する事項を告げ、又はその知り得る状態に置くこと。

八　その性的羞恥心を害する事項を告げ、若しくはその知り得る状態に置き、その性的羞恥心を害する文書、図画、電磁的記録（電子的方式、磁気的方式その他人の知覚によっては認識することができない方式で作られる記録であって、電子計算機による情報処理の用に供されるものをいう。以下この号において同じ。）に係る記録媒体その他の物を送付し、若しくはその知り得る状態に置き、又はその性的羞恥心を害する電磁的記録その他の記録を送信し、若しくはその知り得る状態に置くこと。

＊令和五法五三（令和一〇・六・一三までに施行）による改正

第八号中「この号において」を削る。（本文未織込み）

九　その承諾を得ないで、その所持する位置情報記録・送信装置（当該装置の位置に係る位置情報（地理空間情報活用推進基本法（平成十九年法律第六十三号）第二条第一項第一号に規定する位置情報をいう。以下この号において同じ。）を記録し、又は送信する機能を有する装置で政令で定めるものをいう。以下この号及び次号において同じ。）（同号に規定する行為がされた位置情報記録・送信装置を含む。）により記録され、又は送信される当該位置情報記録・送信装置の位置に係る位置情報を政令で定める方法により取得すること。

十　その承諾を得ないで、その所持する物に位置情報記録・送信装置を取り付けること、位置情報記録・送信装置を取り付けた物を交付することその他その移動に伴い位置情報記録・送信装置を移動し得る状態にする行為として政令で定める行為をすること。

③　第一項の場合において、被害者がその成年に達しない子（以下この項及び次項並びに第十二条第一項第三号において単に「子」という。）と同居しているときであって、配偶者が幼年の子を連れ戻すと疑うに足りる言動を行っていることその他の事情があることから被害者がその同居している子に関して配偶者と面会することを余儀なくされることを防止するため必要があると認めるときは、接近禁止命令を発する裁判所又は発した裁判所は、被害者の申立てにより、当該配偶者に対し、命令の効力が生じた日以後、接近禁止命令の効力が生じた日から起算して一年を経過する日までの間、当該子の住居（当該配偶者と共に生活の本拠としている住居を除く。以下この項において同じ。）、就学する学校その他の場所において当該子の身辺につきまとい、又は当該子の住居、就学する学校その他その通常所在する場所の付近をはいかいしてはならないこと及び当該子に対して前項第二号から第十号までに掲げる行為（同項第五号に掲げる行為にあっては、電話をかけること及び通信文等をファクシミリ装置を用いて送信することに限る。）をしてはならないことを命ずるものとする。ただし、当該子が十五歳以上であるときは、その同意がある場合に限る。

④　第一項の場合において、配偶者が被害者の親族その他被害者と社会生活において密接な関係を有する者（被害者と同居している子及び配偶者と同居している者を除く。以下この項及び次項並びに第十二条第一項第四号において「親族等」という。）の住居に押し掛けて著しく粗野又は乱暴な言動を行っていることその他の事情があることから被害者がその親族等に関して配偶者と面会することを余儀なくされることを防止するため必要が

あると認めるときは、接近禁止命令を発する裁判所又は発した裁判所は、被害者の申立てにより、当該配偶者に対し、命令の効力が生じた日以後、接近禁止命令の効力が生じた日から起算して一年を経過する日までの間、当該親族等の住居（当該配偶者と共に生活の本拠としている住居を除く。以下この項において同じ。）その他の場所において当該親族等の身辺につきまとい、又は当該親族等の住居、勤務先その他その通常所在する場所の付近をはいかいしてはならないことを命ずるものとする。

⑤ 前項の申立ては、当該親族等（被害者の十五歳未満の子を除く。以下この項において同じ。）の同意（当該親族等が十五歳未満の者又は成年被後見人である場合にあっては、その法定代理人の同意）がある場合に限り、することができる。

⑥ 第二項第四号及び第五号の「電子メールの送信等」とは、次の各号のいずれかに掲げる行為（電話をかけること及び通信文等をファクシミリ装置を用いて送信することを除く。）をいう。

一 電子メール（特定電子メールの送信の適正化等に関する法律（平成十四年法律第二十六号）第二条第一号に規定する電子メールをいう。）その他のその受信をする者を特定して情報を伝達するために用いられる電気通信の送信を行うこと。

二 前号に掲げるもののほか、電子情報処理組織を使用する方法その他の情報通信の技術を利用する方法であって、内閣府令で定めるものを用いて通信文等の送信を行うこと。

（退去等命令）

第一〇条の二 被害者（配偶者からの身体に対する暴力又は生命等に対する脅迫（被害者の生命又は身体に対し害を加える旨を告知してする脅迫をいう。以下この章において同じ。）を受けた者に限る。以下この条及び第十八条第一項において同じ。）が、配偶者（配偶者からの身体に対する暴力又は生命等に対する脅迫を受けた後に、被害者が離婚をし、又はその婚姻が取り消された場合にあっては、当該配偶者であった者。以下この条、第十二条第二項第二号及び第十八条第一項において同じ。）から更に身体に対する暴力を受けることにより、その生命又は身体に重大な危害を受けるおそれが大きいときは、裁判所は、被害者の申立てにより、当該配偶者に対し、命令の効力が生じた日から起算して二月間（被害者及び当該配偶者が生活の本拠として使用する建物又は区分建物（不動産登記法（平成十六年法律第百二十三号）第二条第二十二号に規定する区分建物をいう。）の所有者又は賃借人が被害者のみである場合において、被害者の申立てがあったときは、六月間）、被害者と共に生活の本拠としている住居から退去すること及び当該住居の付近をはいかいしてはならないことを命ずるものとする。ただし、申立ての時において被害者及び当該配偶者が生活の本拠を共にする場合に限る。

（管轄裁判所）

第一一条① 接近禁止命令及び前条の規定による命令（以下「退去等命令」という。）の申立てに係る事件は、相手方の住所（日本国内に住所がないとき又は住所が知れないときは居所）の所在地を管轄する地方裁判所の管轄に属する。

② 接近禁止命令の申立ては、次の各号に掲げる地を管轄する地方裁判所にもすることができる。

一 申立人の住所又は居所の所在地

二 当該申立てに係る配偶者からの身体に対する暴力等が行われた地

③ 退去等命令の申立ては、次の各号に掲げる地を管轄する地方裁判所にもすることができる。

一 申立人の住所又は居所の所在地

二 当該申立てに係る配偶者からの身体に対する暴力又は生命等に対する脅迫が行われた地

（接近禁止命令等の申立て等）

第一二条① 接近禁止命令及び第十条第二項から第四項までの規定による命令の申立ては、次に掲げる事項を記載した書面でしなければならない。

一 配偶者からの身体に対する暴力等を受けた状況（当該身体に対する暴力等を受けた後に、被害者が離婚をし、又はその婚姻が取り消された場合であって、当該配偶者であった者からの身体に対する暴力等を受けたときにあっては、当該配偶者であった者からの身体に対する暴力等を受けた状況を含む。）

二 前号に掲げるもののほか、配偶者からの更なる身体に対する暴力等により、生命又は心身に重大な危害を受けるおそれが大きいと認めるに足りる申立ての時における事情

三 第十条第三項の規定による命令（以下この号並びに第十七条第三項及び第四項において「三項命令」という。）の申立てをする場合にあっては、被害者が当該同居している子に関して配偶者と面会することを余儀なくされることを防止するため当該三項命令を発する必要があると認めるに足りる申立ての時における事情

四 第十条第四項の規定による命令の申立てをする場合にあっては、被害者が当該親族等に関して配偶者と面会することを余儀なくされることを防止するため当該命令を発する必要があると認めるに足りる申立ての時における事情

五 配偶者暴力相談支援センターの職員又は警察職員に対し、前各号に掲げる事項について相談し、又は援助若しくは保護を求めた事実の有無及びその事実があるときは、次に掲げる事項

イ 当該配偶者暴力相談支援センター又は当該警察職員の所属官署の名称

ロ 相談し、又は援助若しくは保護を求めた日時及び場所

ハ 相談又は求めた援助若しくは保護の内容

ニ 相談又は申立人の求めに対して執られた措置の内容

② 退去等命令の申立ては、次に掲げる事項を記載した書面でしなければならない。

一 配偶者からの身体に対する暴力又は生命等に対する脅迫を受けた状況（当該身体に対する暴力又は生命等に対する脅迫を受けた後に、被害者が離婚をし、又はその婚姻が取り消された場合であって、当該配偶者であった者からの身体に対する暴力又は生命等に対する脅迫を受けたときにあっては、当該配偶者であった者からの身体に対する暴力又は生命等に対する脅迫を受けた状況を含む。）

二 前号に掲げるもののほか、配偶者から更に身体に対する暴力を受けることにより、生命又は身体に重大な危害を受けるおそれが大きいと認めるに足りる申立ての時における事情

三 配偶者暴力相談支援センターの職員又は警察職員に対し、前二号に掲げる事項について相談し、又は援助若しくは保護を求めた事実の有無及びその事実があるときは、次に掲げる事項

イ 当該配偶者暴力相談支援センター又は当該警察職員の所属官署の名称

ロ 相談し、又は援助若しくは保護を求めた日時及び場所

ハ 相談又は求めた援助若しくは保護の内容

ニ 相談又は申立人の求めに対して執られた措置の内容

③ 前二項の書面（以下「申立書」という。）に第一項第五号イからニまで又は前項第三号イからニまでに掲げる事項の記載がない場合には、申立書には、第一項第一号から第四号まで又は前項第一号及び第二号に掲げる事項についての申立人の供述を記載し、又は記録した書面又は電磁的記録で公証人法（明治四十一年法律第五十三号）第五十三条第一項又は第五十九条第三項の認証を受けたものを添付しなければならない。

第一三条から第二二条まで（略）

第五章 雑則

（第二三条から第二八条まで）（略）

第五章の二 補則

（第二八条の二）（略）

第六章 罰則（抄）

第二九条 保護命令（前条において読み替えて準用する第十条第一項から第四項まで及び第十条の二の規定によるものを含む。第三十一条において同じ。）に違反した者は、二年以下の拘禁刑又は二百万円以下の罰金に処する。

第三〇条 （略）

第三一条 第十二条第一項若しくは第二項（第十八条第二項の規定により読み替えて適用する場合を含む。）又は第二十八条の二において読み替えて準用する第十二条第一項若しくは第二項（第二十八条の二において準用する第十八条第二項の規定により読み替えて適用する場合を含む。）の規定により記載すべき事項について虚偽の記載のある申立書により保護命令の申立てをした者は、十万円以下の過料に処する。

附 則 （抄）

（施行期日）

第一条 この法律は、公布の日から起算して六月を経過した日（平成一三・一〇・一三）から施行する。ただし、（中略）第六条（配偶者暴力相談支援センターに係る部分に限る。）、第七条、第九条（配偶者暴力相談支援センターに係る部分に限る。）（中略）の規定は、平成十四年四月一日から施行する。

刑法等の一部を改正する法律の施行に伴う関係法律整理法中経過規定

（令和四・六・一七法六八）（抄）

第四四一条から第四四三条まで （刑法の同経過規定参照）

第五〇九条 （刑法の同経過規定参照）

刑法等の一部を改正する法律の施行に伴う関係法律整理法

附 則 （令和四・六・一七法六八）（抄）

（施行期日）

① この法律は、刑法等一部改正法（刑法等の一部を改正する法律（令和四法六七））施行日（令和七・六・一）から施行する。ただし、次の各号に掲げる規定は、当該各号に定める日から施行する。

一 第五百九条の規定 公布の日

二 （略）

民事関係手続等における情報通信技術の活用等の推進を図るための関係法律の整備に関する法律中経過規定

（令和五・六・一四法五三）（抄）

（接近禁止命令等の申立て等に関する経過措置）

第一九八条 第二号施行日（附則第二号に掲げる規定の施行の日）から施行日の前日までの間における改正後配偶者暴力防止法（改正後の配偶者からの暴力の防止及び被害者の保護等に関する法律）第十二条第三項の規定の適用については、同項中「記載し、又は記録した書面又は電磁的記録」とあるのは「記載した書面」と、「第五十三条第一項又は第五十九条第三項」とあるのは「第五十三条第一項」とする。

第三八七条から第三八九条まで （民事執行法の同経過規定参照）

民事関係手続等における情報通信技術の活用等の推進を図るための関係法律の整備に関する法律

附 則 （令和五・六・一四法五三）

この法律は、公布の日から起算して五年を超えない範囲内において政令で定める日から施行する。ただし、次の各号に掲げる規定は、当該各号に定める日から施行する。

一 （前略）第三百八十八条の規定 公布の日

二 （前略）第百八十五条中配偶者からの暴力の防止及び被害者の保護等に関する法律第十二条第三項の改正規定（中略）並びに第三百八十七条の規定 公布の日から起算して二年六月を超えない範囲内において政令で定める日

三 （略）

○民事調停法（抄）（昭和二六・六・九 法 二二二）

施行 昭和二六・一〇・一（附則）
最終改正 令和五法五三

目次

第一章 総則（抄）

第一節 通則（抄）

（この法律の目的）
第一条 この法律は、民事に関する紛争につき、当事者の互譲により、条理にかない実情に即した解決を図ることを目的とする。

（調停事件）
第二条 民事に関して紛争を生じたときは、当事者は、裁判所に調停の申立てをすることができる。

（管轄）
第三条① 調停事件は、特別の定めがある場合を除いて、相手方の住所、居所、営業所若しくは事務所の所在地を管轄する簡易裁判所又は当事者が合意で定める地方裁判所若しくは簡易裁判所の管轄とする。
② 調停事件は、日本国内に相手方（法人その他の社団又は財団を除く。）の住所及び居所がないとき、又は住所及び居所が知れないときは、その最後の住所地を管轄する簡易裁判所の管轄に属する。
③ 調停事件は、相手方が法人その他の社団又は財団（外国の社団又は財団を除く。）である場合において、日本国内にその事務所若しくは営業所がないとき、又はその事務所若しくは営業所の所在地が知れないときは、代表者その他の主たる業務担当者の住所地を管轄する簡易裁判所の管轄に属する。
④ 調停事件は、相手方が外国の社団又は財団である場合において、日本国内にその事務所又は営業所がないときは、日本における代表者その他の主たる業務担当者の住所地を管轄する簡易裁判所の管轄に属する。

（移送等）
第四条① 裁判所は、調停事件の全部又は一部がその管轄に属しないと認めるとき（次項本文に規定するときを除く。）は、申立てにより又は職権で、これを管轄権のある地方裁判所又は簡易裁判所に移送しなければならない。ただし、事件を処理するために特に必要があると認めるときは、職権で、土地管轄の規定にかかわらず、事件の全部又は一部を他の管轄裁判所に移送し、又は自ら処理することができる。
② 裁判所は、調停事件の全部又は一部がその管轄に属しないと認める場合であって、その事件が家事事件手続法（平成二十三年法律第五十二号）第二百四十四条の規定により家庭裁判所が調停を行うことができる事件であるときは、職権で、これを管轄権のある家庭裁判所に移送しなければならない。ただし、事件を処理するために特に必要があると認めるときは、土地管轄の規定にかかわらず、事件の全部又は一部を他の家庭裁判所に移送することができる。
③ 裁判所は、調停事件がその管轄に属する場合においても、事件を処理するために適当であると認めるときは、職権で、土地管轄の規定にかかわらず、事件の全部又は一部を他の管轄裁判所に移送することができる。

（調停の申立て）
第四条の二① 調停の申立ては、申立書を裁判所に提出してしなければならない。
② 前項の申立書には、次に掲げる事項を記載しなければならない。
一 当事者及び法定代理人
二 申立ての趣旨及び紛争の要点

（調停機関）
第五条① 裁判所は、調停委員会で調停を行う。ただし、裁判所が相当であると認めるときは、裁判官だけでこれを行うことができる。
② 裁判所は、当事者の申立てがあるときは、前項ただし書の規定にかかわらず、調停委員会で調停を行わなければならない。

（調停委員会の組織）
第六条 調停委員会は、調停主任一人及び民事調停委員二人以上で組織する。

（調停主任等の指定）
第七条① 調停主任は、裁判官の中から、地方裁判所が指定する。
② 調停委員会を組織する民事調停委員は、裁判所が各事件について指定する。

（民事調停委員）
第八条① 民事調停委員は、調停委員会で行う調停に関与するほか、裁判所の命を受けて、他の調停事件について、専門的な知識経験に基づく意見を述べ、嘱託に係る紛争の解決に関する事件の関係人の意見の聴取を行い、その他調停事件を処理するために必要な最高裁判所の定める事務を行う。
② 民事調停委員は、非常勤とし、その任免に関して必要な事項は、最高裁判所が定める。

（民事調停委員の除斥）
第九条① 民事調停委員の除斥については、非訟事件手続法（平成二十三年法律第五十一号）第十一条（編注・裁判官の除斥）、第十三条第二項、第八項及び第九項並びに第十四条第二項の規定（忌避に関する部分を除く。）を準用する。
② 民事調停委員の除斥についての裁判は、民事調停委員の所属する裁判所がする。

第一〇条（略）

（利害関係人の参加）
第一一条① 調停の結果について利害関係を有する者は、調停委員会の許可を受けて、調停手続に参加することができる。
② 調停委員会は、相当であると認めるときは、調停の結果について利害関係を有する者を調停手続に参加させることができる。

（調停前の措置）
第一二条① 調停委員会は、調停のために特に必要であると認めるときは、当事者の申立てにより、調停前の措置として、相手方その他の事件の関係人に対して、現状の変更又は物の処分の禁止その他調停の内容たる事項の実現を不能にし又は著しく困難ならしめる行為の排除を命ずることができる。
② 前項の措置は、執行力を有しない。

（調停手続の指揮）
第一二条の二 調停委員会における調停手続は、調停主任が指揮する。

（期日の呼出し）
第一二条の三 調停委員会は、調停手続の期日を定めて、事件の関係人を呼び出さなければならない。

（調停の場所）

第一二条の四　調停委員会は、事件の実情を考慮して、裁判所外の適当な場所で調停を行うことができる。

第一二条の五及び第一二条の六　（略）

＊**令和五法五三**（令和一〇・六・一三までに施行）**による改正後**

第一二条の七から第一二条の九まで　（略）（改正により追加）

（事実の調査及び証拠調べ等）

第一二条の七①　調停委員会は、職権で事実の調査をし、かつ、申立てにより又は職権で、必要と認める証拠調べをすることができる。

②　調停委員会は、調停主任に事実の調査又は証拠調べをさせることができる。

＊**令和五法五三**（令和一〇・六・一三までに施行）**による改正**

第一二条の七を第一二条の一〇とする。（本文未織込み）

（調停をしない場合）

第一三条　調停委員会は、事件が性質上調停をするのに適当でないと認めるとき、又は当事者が不当な目的でみだりに調停の申立てをしたと認めるときは、調停をしないものとして、事件を終了させることができる。

（調停の不成立）

第一四条　調停委員会は、当事者間に合意が成立する見込みがない場合又は成立した合意が相当でないと認める場合において、裁判所が第十七条の決定をしないときは、調停が成立しないものとして、事件を終了させることができる。

第一五条　（略）

（調停の成立・効力）

第一六条　調停において当事者間に合意が成立し、これを調書に記載したときは、調停が成立したものとし、その記載は、裁判上の和解と同一の効力を有する。

＊**令和五法五三**（令和一〇・六・一三までに施行）**による改正後**

（調停の成立・効力）

第一六条①　調停において当事者間に合意が成立した場合において、その合意について電子調書を作成し、これをファイルに記録したときは、調停が成立したものとし、その記録は、裁判上の和解と同一の効力を有する。（改正前の本条）

②　前項の規定によりファイルに記録された電子調書は、当事者に送付しなければならない。（改正により追加）

＊**令和五法五三**（令和一〇・六・一三までに施行）**による改正後**

第一六条の二　（略）（改正により追加）

（調停に代わる決定）

第一七条　裁判所は、調停委員会の調停が成立する見込みがない場合において相当であると認めるときは、当該調停委員会を組織する民事調停委員の意見を聴き、当事者双方のために衡平に考慮し、一切の事情を見て、職権で、当事者双方の申立ての趣旨に反しない限度で、事件の解決のために必要な決定をすることができる。この決定においては、金銭の支払、物の引渡しその他の財産上の給付を命ずることができる。

（異議の申立て）

第一八条①　前条の決定に対しては、当事者又は利害関係人は、異議の申立てをすることができる。その期間は、当事者が決定の告知を受けた日から二週間とする。

②　裁判所は、前項の規定による異議の申立てが不適法であると認めるときは、これを却下しなければならない。

③　前項の規定により異議の申立てを却下する裁判に対する即時抗告は、執行停止の効力を有する。

④　適法な異議の申立てがあったときは、前条の決定は、その効力を失う。

⑤　第一項の期間内に異議の申立てがないときは、前条の決定は、裁判上の和解と同一の効力を有する。

（調停不成立等の場合の訴の提起）

第一九条　第十四条（第十五条において準用する場合を含む。）の規定により事件が終了し、又は前条第四項の規定により決定が効力を失った場合において、申立人がその旨の通知を受けた日から二週間以内に調停の目的となった請求について訴えを提起したときは、調停の申立ての時に、その訴えの提起があったものとみなす。

（調停の申立ての取下げ）

第一九条の二　調停の申立ては、調停事件が終了するまで、その全部又は一部を取り下げることができる。ただし、第十七条の決定がされた後にあっては、相手方の同意を得なければ、その効力を生じない。

（付調停）

第二〇条①　受訴裁判所は、適当であると認めるときは、職権で、事件を調停に付した上、管轄裁判所に処理させ又は自ら処理することができる。ただし、事件について争点及び証拠の整理が完了した後において、当事者の合意がない場合には、この限りでない。

②　前項の規定により事件を調停に付した場合において、調停が成立し又は第十七条の決定が確定したときは、訴えの取下げがあったものとみなす。

③　第一項の規定により受訴裁判所が自ら調停により事件を処理する場合には、調停主任は、第七条第一項の規定にかかわらず、受訴裁判所がその裁判官の中から指定する。

④　前三項の規定は、非訟事件を調停に付する場合について準用する。

（調停が成立した場合の費用の負担）

第二〇条の二①　調停が成立した場合において、調停手続の費用の負担について特別の定めをしなかったときは、その費用は、各自が負担する。

②　前条第一項（同条第四項において準用する場合を含む。）及び第二十四条の三第二項の規定により調停に付された訴訟事件又は非訟事件について調停が成立した場合において、訴訟費用及び非訟事件の手続の費用の負担について特別の定めをしなかったときは、その費用は、各自が負担する。

（訴訟手続等の中止）

第二〇条の三①　調停の申立てがあった事件について訴訟が係属しているとき、又は第二十条第一項若しくは第二十四条の二第二項の規定により事件が調停に付されたときは、受訴裁判所は、調停事件が終了するまで訴訟手続を中止することができる。ただし、事件について争点及び証拠の整理が完了した後において、当事者の合意がない場合には、この限りでない。

②　前項の規定は、調停の申立てがあった事件について非訟事件が係属しているとき、又は第二十条第四項において準用する同条第一項の規定により非訟事件が調停に付されたときについて準用する。

（終局決定以外の決定に対する即時抗告）

第二一条　調停手続における終局決定以外の決定に対しては、この法律に定めるもののほか、最高裁判所規則で定めるところにより、即時抗告をすることができる。

＊**令和五法五三**（令和一〇・六・一三までに施行）**による改正後**

第二一条の二　（略）（改正により追加）

（当事者に対する住所、氏名等の秘匿）

第二一条の二　調停手続における申立てその他の申述については、民事訴訟法第一編第八章（第百三十三条の二第五項及び第六項並びに第百三十三条の三第二項を除く。）の規定を準用する。この場合において、同法第百三十三条第一項中「当事者」とあるのは「当事者又は参加人（民事調停法第十一条（同法第十五条において準用する場合を含む。）の規定により調停手続に参加した者をいう。第百三十三条の四第一項、第二項及び第七項において同じ。）」と、同条第三項中「訴訟記録等（訴訟記録又は第百三十二条の四第一項の処分の申立てに係る事件の記録をいう。以下この章において同じ。）」とあるのは「調停事件の記録」と、「について訴訟記録等の閲覧等（訴訟記録の閲覧等、非電磁的証拠収集処分記録の閲覧等又は電磁的証拠収集処分記録の閲覧等をいう。以下この章において同じ。）」とあるのは「の閲覧若しくは謄写又はその謄本若しくは抄本の交付」と、同法第百三十三条の二第一項中「に係る訴訟記録等の閲覧等」とあるのは「の閲覧若しくは謄写又はその謄本若しくは抄本の交付」と、同条第二項中「訴訟記録等中」とあるのは「調停事件の記録中」と、同項及び同条第三項中「に係る訴訟記録等の閲覧等」とあるのは「の閲覧若しくは謄写、その正本、謄本若しくは抄本の交付又はその複製」と、同法第百三十三条の三第一項中「記載され、又は記録された書面又は電磁的記録」とあるのは「記載された書面」と、「当該書面又は電磁的記録」とあるのは「当該書面」と、「又は電磁的記録その他これに類する書面又は電磁的記録に係る訴訟記録等の閲覧等」とあるのは「その他これに類する書面の閲覧若しくは謄写又はその謄本若しくは抄本の交付」と、同法第百三十三条の四第一項中「者は、訴訟記録等」とあるのは「当事者若しくは参加人又は利害関係を疎明した第三者は、調停事件の記録」と、同条第二項中「当事者」とあるのは「当事者又は参加人」と、「訴訟記録等の存する」とあるのは「調停事件の記録の存する」と、「訴訟記録等の閲覧等」とあるのは「閲覧若しくは謄写、その正本、謄本若しくは抄本の交付又はその複製」と、同条第七項中「当事者」とあるのは「当事者若しくは参加人」と読み替えるものとする。

＊令和四法四八（令和八・五・二四までに施行）による改正前

第二一条の二（当事者に対する住所、氏名等の秘匿） 調停手続における申立てその他の申述については、民事訴訟法第一編第八章の規定を準用する。この場合において、同法第百三十三条第一項中「当事者」とあるのは「当事者又は参加人（民事調停法第十一条（同法第十五条において準用する場合を含む。）の規定により調停手続に参加した者をいう。第百三十三条の四第一項、第二項及び第七項において同じ。）」と、同法第百三十三条の二第二項中「訴訟記録等（訴訟記録又は第百三十二条の四第一項の処分の申立てに係る事件の記録をいう。第百三十三条の四第一項及び第二項において同じ。）」とあるのは「調停事件の記録」と、同法第百三十三条の四第一項中「者は、訴訟記録等」とあるのは「当事者若しくは参加人又は利害関係を疎明した第三者は、調停事件の記録」と、同条第二項中「当事者」とあるのは「当事者又は参加人」と、「訴訟記録等」とあるのは「調停事件の記録」と、同条第七項中「当事者」とあるのは「当事者若しくは参加人」と読み替えるものとする。

＊令和五法五三（令和一〇・六・一三までに施行）による改正後

第二一条の三（当事者に対する住所、氏名等の秘匿） 調停手続における申立て等については、民事訴訟法第一編第八章の規定を準用する。この場合において、次の表の上欄に掲げる同法の規定中同表の中欄に掲げる字句は、それぞれ同表の下欄に掲げる字句に読み替えるものとする。

第百三十三条第一項	当事者	当事者又は参加人（民事調停法第十一条（同法第十五条において準用する場合を含む。）の規定により調停手続に参加した者をいう。第百三十三条の四第一項、第二項及び第七項において同じ。）
第百三十三条第三項	訴訟記録等（訴訟記録又は第百三十二条の四第一項の処分の申立てに係る事件の記録をいう。以下この章において同じ。）	調停事件の記録
	訴訟記録等の閲覧等（訴訟記録の閲覧等、非電磁的証拠収集処分記録の閲覧等又は電磁的証拠収集処分記録の閲覧等	調停事件の記録の閲覧等（民事調停法第十二条の六第一項に規定する非電磁的事件記録をいう。）の閲覧若しくは謄写、その正本、謄本若しくは抄本の交付若しくはその複製又は電磁的事件記録（同法第十二条の七第一項に規定する電磁的事件記録をいう。次条において同じ。）の閲覧若しくは複写若しくはその内容の全部若しくは一部を証明した書面の交付若しくは電磁的記録の提供
第百三十三条の二第一項から第三項まで、第百三十三条の三第一項及び第百三十三条の四第二項	訴訟記録等の閲覧等	調停事件の記録の閲覧等
第百三十三条の二第二項	訴訟記録等中	調停事件の記録中
第百三十三条の二第五項	電磁的訴訟記録等（電磁的訴訟記録又は第百三十二条の四第一項の処分の申立てに係る事件の記録中ファイル記録事項に係る部分をいう。以下この項及び次項において同じ。）	電磁的事件記録
	電磁的訴訟記録等から	電磁的事件記録から
第百三十三条の二第六項	電磁的訴訟記録等	電磁的事件記録
第百三十三条の四第一項	者は、訴訟記録等	当事者若しくは参加人又は利害関係を疎明した第三者は、調停事件の記録
第百三十三条の四第二項	当事者	当事者又は参加人
	訴訟記録等の存する	調停事件の記録の存する
第百三十三条の四第七項	当事者	当事者若しくは参加人

（改正前の第二一条の二）

第二二条及び第二三条　（略）

第二節　民事調停官（抄）

第二三条の二（民事調停官の任命等） ① 民事調停官は、弁護士で五年以上その職にあったもののうちから、最高裁判所が任命する。

② 民事調停官は、この法律の定めるところにより、調停事件の処理に必要な職務を行う。

③　民事調停官は、任期を二年とし、再任されることができる。

④　民事調停官は、非常勤とする。

⑤⑥　（略）

第二三条の三（民事調停官の権限等）①　民事調停官は、裁判所の指定を受けて、調停事件を取り扱う。

②　民事調停官は、その取り扱う調停事件の処理について、次条第三項ただし書（編注・忌避の申立てを却下する裁判）に規定する権限並びにこの法律の規定（第二十二条において準用する非訟事件手続法の規定を含む。）及び特定債務等の調整の促進のための特定調停に関する法律（平成十一年法律第百五十八号）の規定において裁判官が行うものとして規定されている民事調停及び特定調停に関する権限（調停主任に係るものを含む。）のほか、次に掲げる権限を行うことができる。

一　第四条、第五条第一項ただし書、第七条第二項、第八条第一項、第十七条、第三十条（第三十三条において準用する場合を含む。）において準用する第二十八条、第三十四条及び第三十五条の規定において裁判所が行うものとして規定されている民事調停に関する権限

二　第二十二条において準用する非訟事件手続法の規定（同法第十三条及び第十四条第三項本文（同法第十五条において準用する場合を含む。）の規定を除く。）において裁判所が行うものとして規定されている権限であつて民事調停に関するもの

三　特定債務等の調整の促進のための特定調停に関する法律の規定において裁判所が行うものとして規定されている特定調停に関する権限

＊令和五法五三（令和一〇・六・一三までに施行）**による改正後**

②　（柱書略）

一　第四条、第五条第一項ただし書、第七条第二項、第八条第一項、第十六条の二第一項、第十七条、第三十条（第三十三条において準用する場合を含む。）において準用する第二十八条、第三十四条及び第三十五条の規定において裁判所が行うものとして規定されている民事調停に関する権限

二　第十二条の九において準用する民事訴訟法第九十二条、第二十一条の二第一項において準用する同法第百三十二条の十二、第二十一条の二第二項において準用する同法第百三十二条の十三及び第二十一条の三において準用する同法第一編第八章の規定において裁判所が行うものとして規定されている権限であつて民事調停に関するもの（改正により追加）

三・四　（略、改正前の二・三）

③　民事調停官は、独立してその職権を行う。

④　民事調停官は、その権限を行うについて、裁判所書記官に対し、その職務に関し必要な命令をすることができる。この場合において、裁判所法（昭和二十二年法律第五十九号）第六十条第五項の規定は、民事調停官の命令を受けた裁判所書記官について準用する。

第二三条の四及び第二三条の五　（略）

第二章　特則（抄）

第一節　宅地建物調停（抄）

第二四条　（略）

第二四条の二（地代借賃増減請求事件の調停の前置）①　借地借家法（平成三年法律第九十号）第十一条の地代若しくは土地の借賃の額の増減の請求又は同法第三十二条の建物の借賃の額の増減の請求に関する事件について訴えを提起しようとする者は、まず調停の申立てをしなければならない。

②　前項の事件について調停の申立てをすることなく訴えを提起した場合には、受訴裁判所は、その事件を調停に付さなければならない。ただし、受訴裁判所が事件を調停に付することを適当でないと認めるときは、この限りでない。

第二四条の三（地代借賃増減調停事件について調停委員会が定める調停条項）①　前条第一項の請求に係る調停事件については、調停委員会は、当事者間に合意が成立する見込みがない場合又は成立した合意が相当でないと認める場合において、当事者間に調停委員会の定める調停条項に服する旨の書面による合意（当該調停事件に係る調停の申立ての後にされたものに限る。）があるときは、申立てにより、事件の解決のために適当な調停条項を定めることができる。

②　前項の調停条項を調書に記載したときは、調停が成立したものとみなし、その記載は、裁判上の和解と同一の効力を有する。

＊令和五法五三（令和一〇・六・一三までに施行）**による改正後**

第二四条の三（地代借賃増減調停事件について調停委員会が定める調停条項）①　（略）

②　前項の調停委員会の定める調停条項に服する旨の合意がその内容を記録した電磁的記録によつてされたときは、その合意は書面によつてされたものとみなして、同項の規定を適用する。（改正により追加）

③　第一項の調停条項について電子調書を作成し、これをファイルに記録したときは、調停が成立したものとみなし、その記録は、裁判上の和解と同一の効力を有する。（改正前の②）

第二節　農事調停（抄）

第二五条及び第二六条　（略）

第二七条（小作官等の意見陳述）①　小作官又は小作主事は、調停手続の期日に出席し、又は調停手続の期日外において、調停委員会に対して意見を述べることができる。

②　調停委員会は、相当と認めるときは、当事者の意見を聴いて、前項の期日において、最高裁判所規則で定めるところにより、調停委員会及び当事者双方が小作官又は小作主事との間で音声の送受信により同時に通話をすることができる方法によつて、小作官又は小作主事に同項の意見を述べさせることができる。

＊令和五法五三（令和八・五・二四までに施行）**による改正前**

第二七条（小作官等の意見陳述）（略、改正後の①）

②　（改正により追加）

第二八条（小作官等の意見聴取）　調停委員会は、調停をしようとするときは、小作官又は小作主事の意見を聴かなければならない。

第二九条（裁判官の調停への準用）　前二条の規定は、裁判官だけで調停を行う場合に準用する。

第三〇条（移送等への準用）　第二十八条の規定は、裁判所が、第四条第一項ただし書若しくは第三項の規定により事件を移送し若しくは自ら処理しようとし、又は第十七条の決定をしようとする場合に準用する。

第三節　商事調停

第三一条（商事調停事件について調停委員会が定める調停条項）　第二十四条の三の規定は、商事の紛争に関する調停事件に準用する。

第四節　鉱害調停（抄）

第三二条　（略）

第三三条（農事調停等に関する規定の準用）　第二十四条の三及び第二十七条から第三十条までの規

定は、前条の調停事件（編注・鉱業法（昭和二五法二八九）に定める鉱害の賠償の紛争に関する調停事件）に準用する。この場合において、第二十七条及び第二十八条中「小作官又は小作主事」とあるのは、「経済産業局長」と読み替えるものとする。

第五節　交通調停　から　**第七節**　知的財産調停　まで
（第三三条の二から第三三条の四まで）（略）

第三章　罰則（抄）

（不出頭に対する制裁）
第三四条　裁判所又は調停委員会の呼出しを受けた事件の関係人が正当な事由がなく出頭しないときは、裁判所は、五万円以下の過料に処する。

（措置違反に対する制裁）
第三五条　当事者又は参加人が正当な事由がなく第十二条（第十五条において準用する場合を含む。）の規定による措置に従わないときは、裁判所は、十万円以下の過料に処する。

第三六条　（略）

（評議の秘密を漏らす罪）
第三七条　民事調停委員又は民事調停委員であった者が正当な事由がなく評議の経過又は調停主任若しくは民事調停委員の意見若しくはその多少の数を漏らしたときは、三十万円以下の罰金に処する。

（人の秘密を漏らす罪）
第三八条　民事調停委員又は民事調停委員であった者が正当な事由がなくその職務上取り扱ったことについて知り得た人の秘密を漏らしたときは、一年以下の拘禁刑又は五十万円以下の罰金に処する。

附　則（抄）

（借地借家調停法等の廃止）
第二条　借地借家調停法（大正十一年法律第四十一号）、小作調停法（大正十三年法律第十八号）、商事調停法（大正十五年法律第四十二号）及び金銭債務臨時調停法（昭和七年法律第二十六号）は、廃止する。

附　則（令和四・五・二五法四八）（抄）

（施行期日）
第一条　この法律は、公布の日から起算して四年を超えない範囲内において政令で定める日から施行する。ただし、次の各号に掲げる規定は、当該各号に定める日から施行する。
一　（前略）附則第百二十五条の規定　公布の日
二　（前略）附則第四十五条（民事調停法の一部改正）（中略）の規定（中略）　公布の日から起算して九月を超えない範囲内において政令で定める日（令和五・二・二〇―令和四政三八四）
三―五　（略）

（政令への委任）
第一二五条　（前略）この法律の施行に関し必要な経過措置は、政令で定める。

刑法等の一部を改正する法律の施行に伴う関係法律整理法中経過規定　（令和四・六・一七法六八）（抄）

第四四一条から第四四三条まで　（刑法の同経過規定参照）
第五〇九条　（刑法の同経過規定参照）

刑法等の一部を改正する法律の施行に伴う関係法律整理法
附　則（令和四・六・一七法六八）（抄）

（施行期日）
①　この法律は、刑法等一部改正法（刑法等の一部を改正する法律（令和四法六七））施行日（令和七・六・一）から施行する。ただし、次の各号に掲げる規定は、当該各号に定める日から施行する。
一　第五百九条の規定　公布の日
二　（略）

民事関係手続等における情報通信技術の活用等の推進を図るための関係法律の整備に関する法律中経過規定　（令和五・六・一四法五三）（抄）

（調書に関する経過措置）
第六四条①　前条の規定による改正後の民事調停法（以下「改正後民事調停法」という。）第十二条の五の規定は、施行日以後に開始される調停事件（以下この節において「改正後調停事件」という。）における電子調書の作成について適用し、施行日前に開始された調停事件（以下この条及び次条において「改正前調停事件」という。）における調書の作成については、なお従前の例による。
②　改正後民事調停法第十六条第一項（第二百四十一条の規定による改正後の労働審判法（平成十六年法律第四十五号。以下「改正後労働審判法」という。）第二十九条第二項において準用する場合を含む。）の規定は、改正後調停事件（第二百四十二条に規定する改正後労働審判事件を含む。）における調停において成立した合意についての電子調書の作成について適用し、改正前調停事件（第二百四十二条に規定する改正前労働審判事件を含む。次項において同じ。）における調停において成立した合意の調書への記載については、なお従前の例による。
③　（略）
④　改正後民事調停法第二十四条の三第三項の規定は、施行日以後に開始される地代借賃増減調停事件（民事調停法第二十四条の二第一項に規定する請求に係る調停事件をいう。以下この項において同じ。）における調停委員会が定める調停条項について適用し、施行日前に開始された地代借賃増減調停事件における調停委員会が定める調停条項については、なお従前の例による。

第三八七条から第三八九条まで　（民事執行法の同経過規定参照）

民事関係手続等における情報通信技術の活用等の推進を図るための関係法律の整備に関する法律
附　則（令和五・六・一四法五三）
この法律は、公布の日から起算して五年を超えない範囲内において政令で定める日から施行する。ただし、次の各号に掲げる規定は、当該各号に定める日から施行する。
一　（前略）第三百八十八条の規定　公布の日
二　（前略）第三百八十七条の規定　公布の日から起算して二年六月を超えない範囲内において政令で定める日
三　（前略）第六十三条中民事調停法（中略）第二十七条に一項を加える改正規定（中略）　民事訴訟法等の一部を改正する法律（令和四法四八）の施行の日

○仲裁法（抄）（平成一五・八・一 法 一 三 八）

施行 平成一六・三・一（平成一五政五四四）
最終改正 令和五法五三

目次

第一章 総則（抄）

（趣旨）

第一条 仲裁地が日本国内にある仲裁手続及び仲裁手続に関して裁判所が行う手続については、他の法令に定めるもののほか、この法律の定めるところによる。

（定義）

第二条① この法律において「仲裁合意」とは、既に生じた民事上の紛争又は将来において生ずる一定の法律関係（契約に基づくものであるかどうかを問わない。）に関する民事上の紛争の全部又は一部の解決を一人又は二人以上の仲裁人にゆだね、かつ、その判断（以下「仲裁判断」という。）に服する旨の合意をいう。

② この法律において「仲裁廷」とは、仲裁合意に基づき、その対象となる民事上の紛争について審理し、仲裁判断を行う一人の仲裁人又は二人以上の仲裁人の合議体をいう。

③ この法律において「主張書面」とは、仲裁手続において当事者が作成して仲裁廷に提出する書面であって、当該当事者の主張が記載されているものをいう。

（適用範囲）

第三条① 次章から第七章まで、第九章及び第十章の規定は、次項及び第八条（編注・仲裁地が定まっていない場合における裁判所の関与）に定めるものを除き、仲裁地が日本国内にある場合について適用する。

② 第十四条第一項及び第十五条の規定は、仲裁地が日本国内にある場合、仲裁地が日本国外にある場合及び仲裁地が定まっていない場合に適用する。

＊令和五法五三（令和一〇・六・一三までに施行）による改正
第二項中「第十四条第一項」を「第十六条第一項」に、「第十五条」を「第十七条」に改める。（本文未織込み）

③ 第八章の規定は、仲裁地が日本国内にある場合及び仲裁地が日本国外にある場合に適用する。

（裁判所の関与）

第四条 仲裁手続に関しては、裁判所は、この法律に規定する場合に限り、その権限を行使することができる。

（裁判所の管轄）

第五条① この法律の規定により裁判所が行う手続に係る事件は、次に掲げる裁判所の管轄に専属する。

一 当事者が合意により定めた地方裁判所
二 仲裁地（一の地方裁判所の管轄区域のみに属する地域を仲裁地として定めた場合に限る。）を管轄する地方裁判所
三 当該事件の被申立人の普通裁判籍の所在地を管轄する地方裁判所

② 前項の規定にかかわらず、仲裁地が日本国内にあるときは、この法律の規定により裁判所が行う手続に係る申立ては、東京地方裁判所及び大阪地方裁判所にもすることができる。

③ この法律の規定により二以上の裁判所が管轄権を有するときは、先に申立てがあった裁判所が管轄する。

④ 裁判所は、この法律の規定により裁判所が行う手続に係る事件の全部又は一部がその管轄に属しないと認めるときは、申立てにより又は職権で、これを管轄裁判所に移送しなければならない。

⑤ 裁判所は、第三項の規定により管轄する事件について、相当と認めるときは、申立てにより又は職権で、当該事件の全部又は一部を同項の規定により管轄権を有しないこととされた裁判所に移送することができる。

第六条から第一二条まで（略）

第二章 仲裁合意

（仲裁合意の効力等）

第一三条① 仲裁合意は、法令に別段の定めがある場合を除き、当事者が和解をすることができる民事上の紛争（離婚又は離縁の紛争を除く。）を対象とする場合に限り、その効力を有する。

② 仲裁合意は、当事者の全部が署名した文書、当事者が交換した書簡又は電報（ファクシミリ装置その他の隔地者間の通信手段で文字による通信内容の記録が受信者に提供されるものを用いて送信されたものを含む。）その他の書面によってしなければならない。

③ 書面によってされた契約において、仲裁合意を内容とする条項が記載された文書が当該契約の一部を構成するものとして引用されているときは、その仲裁合意は、書面によってされたものとみなす。

④ 仲裁合意がその内容を記録した電磁的記録（電子的方式、磁気的方式その他人の知覚によっては認識することができない方式で作られる記録であって、電子計算機による情報処理の用に供されるものをいう。第六項において同じ。）によってされたときは、その仲裁合意は、書面によってされたものとみなす。

＊令和五法五三（令和一〇・六・一三までに施行）による改正後
④ 仲裁合意がその内容を記録した電磁的記録によってされたときは、その仲裁合意は、書面によってされたものとみなす。

⑤ 仲裁手続において、一方の当事者が提出した主張書面に仲裁合意の内容の記載があり、これに対して他方の当事者が提出した主張書面にこれを争う旨の記載がないときは、その仲裁合意は、書面によってされたものとみなす。

⑥ 書面によらないでされた契約において、仲裁合意を内容とする条項が記載され、又は記録された文書又は電磁的記録が当該契約の一部を構成するものとして引用されているときは、その仲裁合意は、書面によってされたものとみなす。

⑦ 仲裁合意を含む一の契約において、仲裁合意以外の契約条項が無効、取消しその他の事由により効力を有しないものとされる場合においても、仲裁合意は、当然には、その効力を妨げられない。

＊令和五法五三（令和一〇・六・一三までに施行）による改正
第一三条を第一五条とする。（本文未織込み）

（仲裁合意と本案訴訟）

第一四条① 仲裁合意の対象となる民事上の紛争について訴えが提起されたときは、受訴裁判所は、被告の申立てにより、訴えを却下しなければならない。ただし、次に掲げる場合は、この限りでない。

一 仲裁合意が無効、取消しその他の事由により効力を有しな

いとき。

二　仲裁合意に基づく仲裁手続を行うことができないとき。

三　当該申立てが、本案について、被告が弁論をし、又は弁論準備手続において申述をした後にされたものであるとき。

②　仲裁廷は、前項の訴えに係る訴訟が裁判所に係属する間においても、仲裁手続を開始し、又は続行し、かつ、仲裁判断をすることができる。

＊令和五法五三（令和一〇・六・一三までに施行）による改正
第一四条を第一六条とする。（本文未織込み）

（仲裁合意と裁判所の保全処分）

第一五条　仲裁合意は、その当事者が、当該仲裁合意の対象となる民事上の紛争に関して、仲裁手続の開始前又は進行中に、裁判所に対して保全処分の申立てをすること、及びその申立てを受けた裁判所が保全処分を命ずることを妨げない。

＊令和五法五三（令和一〇・六・一三までに施行）による改正
第一五条を第一七条とする。（本文未織込み）

第三章　仲裁人（抄）

（仲裁人の数）

第一六条①　仲裁人の数は、当事者が合意により定めるところによる。

②　当事者の数が二人である場合において、前項の合意がないときは、仲裁人の数は、三人とする。

③　当事者の数が三人以上である場合において、第一項の合意がないときは、当事者の申立てにより、裁判所が仲裁人の数を定める。

＊令和五法五三（令和一〇・六・一三までに施行）による改正
第一六条を第一八条とする。（本文未織込み）

（仲裁人の選任）

第一七条①　仲裁人の選任手続は、当事者が合意により定めるところによる。ただし、第五項又は第六項に規定するものについては、この限りでない。

②　当事者の数が二人であり、仲裁人の数が三人である場合において、前項の合意がないときは、当事者がそれぞれ一人の仲裁人を、当事者により選任された二人の仲裁人がその余の仲裁人を、選任する。この場合において、一方の当事者が仲裁人を選任した他方の当事者から仲裁人を選任すべき旨の催告を受けた日から三十日以内にその選任をしないときは当該当事者の申立てにより、当事者により選任された二人の仲裁人がその選任後三十日以内にその余の仲裁人を選任しないときは一方の当事者の申立てにより、裁判所が仲裁人を選任する。

③　当事者の数が二人であり、仲裁人の数が一人である場合において、第一項の合意がなく、かつ、当事者間に仲裁人の選任についての合意が成立しないときは、一方の当事者の申立てにより、裁判所が仲裁人を選任する。

④　当事者の数が三人以上である場合において、第一項の合意がないときは、当事者の申立てにより、裁判所が仲裁人を選任する。

⑤　第一項の合意により仲裁人の選任手続が定められた場合であっても、当該選任手続において定められた行為がされないことその他の理由によって当該選任手続による仲裁人の選任ができなくなったときは、一方の当事者は、裁判所に対し、仲裁人の選任の申立てをすることができる。

⑥　裁判所は、第二項から前項までの規定による仲裁人の選任に当たっては、次に掲げる事項に配慮しなければならない。

一　当事者の合意により定められた仲裁人の要件

二　選任される者の公正性及び独立性

三　仲裁人の数を一人とする場合又は当事者により選任された二人の仲裁人が選任すべき仲裁人を選任すべき場合にあっては、当事者双方の国籍と異なる国籍を有する者を選任することが適当かどうか。

＊令和五法五三（令和一〇・六・一三までに施行）による改正
第一七条を第一九条とする。（本文未織込み）

（忌避の原因等）

第一八条①　当事者は、仲裁人に次に掲げる事由があるときは、当該仲裁人を忌避することができる。

一　当事者の合意により定められた仲裁人の要件を具備しないとき。

二　仲裁人の公正性又は独立性を疑うに足りる相当な理由があるとき。

②　仲裁人を選任し、又は当該仲裁人の選任について推薦その他これに類する関与をした当事者は、当該選任後に知った事由を忌避の原因とする場合に限り、当該仲裁人を忌避することができる。

③　仲裁人への就任の依頼を受けてその交渉に応じようとする者は、当該依頼をした者に対し、自己の公正性又は独立性に疑いを生じさせるおそれのある事実の全部を開示しなければならない。

④　仲裁人は、仲裁手続の進行中、当事者に対し、自己の公正性又は独立性に疑いを生じさせるおそれのある事実（既に開示したものを除く。）の全部を遅滞なく開示しなければならない。

＊令和五法五三（令和一〇・六・一三までに施行）による改正
第一八条を第二〇条とする。（本文未織込み）

（忌避の手続）

第一九条①　仲裁人の忌避の手続は、当事者が合意により定めるところによる。ただし、第四項に規定するものについては、この限りでない。

②　前項の合意がない場合において、仲裁人の忌避についての決定は、当事者の申立てにより、仲裁廷が行う。

③　前項の申立てをしようとする当事者は、仲裁廷が構成されたことを知った日又は前条第一項各号に掲げる事由のいずれかがあることを知った日のいずれか遅い日から十五日以内に、忌避の原因を記載した申立書を仲裁廷に提出しなければならない。この場合において、仲裁廷は、当該仲裁人に忌避の原因があると認めるときは、忌避を理由があるとする決定をしなければならない。

④　前三項に規定する忌避の手続において仲裁人の忌避を理由がないとする決定がされた場合には、その忌避をした当事者は、当該決定の通知を受けた日から三十日以内に、裁判所に対し、当該仲裁人の忌避の申立てをすることができる。この場合において、裁判所は、当該仲裁人に忌避の原因があると認めるときは、忌避を理由があるとする決定をしなければならない。

⑤　仲裁廷は、前項の忌避の申立てに係る事件が裁判所に係属する間においても、仲裁手続を開始し、又は続行し、かつ、仲裁判断をすることができる。

＊令和五法五三（令和一〇・六・一三までに施行）による改正
第一九条を第二一条とする。（本文未織込み）

第二〇条から第二二条まで　（略）

第四章　仲裁廷の特別の権限

（自己の仲裁権限の有無についての判断）

第二三条①　仲裁廷は、仲裁合意の存否又は効力に関する主張についての判断その他自己の仲裁権限（仲裁手続における審理及び仲裁判断を行う権限をいう。以下この条において同じ。）の有無についての判断を示すことができる。

②　仲裁手続において、仲裁廷が仲裁権限を有しない旨の主張

は、その原因となる事由が仲裁手続の進行中に生じた場合にあってはその後速やかに、その他の場合にあっては本案についての最初の主張書面の提出の時（口頭審理において口頭で最初に本案についての主張をする時を含む。）までに、しなければならない。ただし、仲裁権限を有しない旨の主張の遅延について正当な理由があると仲裁廷が認めるときは、この限りでない。

③ 当事者は、仲裁人を選任し、又は仲裁人の選任について推薦その他これに類する関与をした場合であっても、前項の主張をすることができる。

④ 仲裁廷は、適法な第二項の主張があったときは、次の各号に掲げる区分に応じ、それぞれ当該各号に定める決定又は仲裁判断により、当該主張に対する判断を示さなければならない。

一 自己が仲裁権限を有する旨の判断を示す場合　仲裁判断前の独立の決定又は仲裁判断

二 自己が仲裁権限を有しない旨の判断を示す場合　仲裁手続の終了決定

⑤ 仲裁廷が仲裁判断前の独立の決定において自己が仲裁権限を有する旨の判断を示したときは、当事者は、当該決定の通知を受けた日から三十日以内に、裁判所に対し、当該仲裁廷が仲裁権限を有するかどうかについての判断を求める申立てをすることができる。この場合において、当該申立てに係る事件が裁判所に係属する場合であっても、当該仲裁廷は、仲裁手続を続行し、かつ、仲裁判断をすることができる。

＊令和五法五三（令和一〇・六・一三までに施行）による改正
第二三条を第二五条とする。（本文未織込み）

第二四条（暫定保全措置）① 仲裁廷は、当事者間に別段の合意がない限り、仲裁判断があるまでの間、その一方の申立てにより、他方の当事者に対し、次に掲げる措置を講ずることを命ずることができる。

一 金銭の支払を目的とする債権について、強制執行をすることができなくなるおそれがあるとき、又は強制執行をするのに著しい困難を生ずるおそれがあるときに、当該金銭の支払をするために必要な財産の処分その他の変更を禁止すること。

二 財産上の給付（金銭の支払を除く。）を求める権利について、当該権利を実行することができなくなるおそれがあるとき、又は当該権利を実行するのに著しい困難を生ずるおそれがあるときに、当該給付の目的である財産の処分その他の変更を禁止すること。

三 紛争の対象となる物又は権利関係について、申立てをした当事者に生ずる著しい損害又は急迫の危険を避けるため、当該損害若しくは当該危険の発生を防止し、若しくはその防止に必要な措置をとり、又は変更が生じた当該物若しくは権利関係について変更前の原状の回復をすること。

四 仲裁手続における審理を妨げる行為を禁止すること（次号に掲げるものを除く。）。

五 仲裁手続の審理のために必要な証拠について、その廃棄、消去又は改変その他の行為を禁止すること。

② 前項の申立て（同項第五号に係るものを除く。）をするときは、保全すべき権利又は権利関係及びその申立ての原因となる事実を疎明しなければならない。

③ 仲裁廷は、第一項各号に掲げる措置を講ずることを命ずる命令（以下「暫定保全措置命令」という。）を発するに際し、必要があると認めるときは、相当な担保を提供すべきことを命ずることができる。

④ 保全すべき権利若しくは権利関係又は第一項の申立ての原因を欠くことが判明し、又はこれを欠くに至ったときその他の事情の変更があったときは、仲裁廷は、申立てにより、暫定保全措置命令を取り消し、変更し、又はその効力を停止することができる。

⑤ 前項の規定によるほか、仲裁廷は、特別の事情があると認めるときは、当事者にあらかじめ通知した上で、職権で、暫定保全措置命令を取り消し、変更し、又はその効力を停止することができる。

⑥ 仲裁廷は、第四項の事情の変更があったと思料するときは、当事者に対し、速やかに当該事情の変更の有無及び当該事情の変更があったときはその内容を開示することを命ずることができる。

⑦ 暫定保全措置命令の申立てをした者（次項において「申立人」という。）が前項の規定による命令に従わないときは、第四項の規定の適用については、同項の事情の変更があったものとみなす。

⑧ 仲裁廷は、第四項又は第五項の規定により暫定保全措置命令を取り消し、変更し、又はその効力を停止した場合において、申立人の責めに帰すべき事由により暫定保全措置命令を発したと認めるときは、暫定保全措置命令を受けた者の申立てにより、当該申立人に対し、これにより当該暫定保全措置命令を受けた者が受けた損害の賠償を命ずることができる。ただし、当事者間に別段の合意がある場合は、この限りでない。

⑨ 前項の規定による命令は、仲裁判断としての効力を有する。

⑩ 第三十九条の規定は第八項の規定による命令について、同条第一項及び第三項の規定は暫定保全措置命令その他のこの条の規定による命令（第八項の規定による命令を除く。）又は決定について、それぞれ準用する。

＊令和五法五三（令和一〇・六・一三までに施行）による改正
第二四条第十項中「第三十九条」を「第四十一条」に改め、同条を第二六条とする。（本文未織込み）

第五章　仲裁手続の開始及び仲裁手続における審理

第二五条（当事者の平等待遇）① 仲裁手続においては、当事者は、平等に取り扱われなければならない。

② 仲裁手続においては、当事者は、事案について説明する十分な機会が与えられなければならない。

＊令和五法五三（令和一〇・六・一三までに施行）による改正
第二五条を第二七条とする。（本文未織込み）

第二六条（仲裁手続の準則）① 仲裁廷が従うべき仲裁手続の準則は、当事者が合意により定めるところによる。ただし、この法律の公の秩序に関する規定に反してはならない。

② 前項の合意がないときは、仲裁廷は、この法律の規定に反しない限り、適当と認める方法によって仲裁手続を実施することができる。

③ 第一項の合意がない場合における仲裁廷の権限には、証拠に関し、証拠としての許容性、取調べの必要性及びその証明力についての判断をする権限が含まれる。

＊令和五法五三（令和一〇・六・一三までに施行）による改正
第二六条を第二八条とする。（本文未織込み）

第二七条（異議権の放棄） 仲裁手続においては、当事者は、この法律の規定又は当事者間の合意により定められた仲裁手続の準則（いずれも公の秩序に関しないものに限る。）が遵守されていないことを知りながら、遅滞なく（異議を述べるべき期限についての定めがある場合にあっては、当該期限までに）異議を述べないときは、当事者間に別段の合意がない限り、異議を述べる権利を放棄したものとみなす。

＊令和五法五三（令和一〇・六・一三までに施行）による改正
第二七条を第二九条とする。（本文未織込み）

（仲裁地）

第二八条① 仲裁地は、当事者が合意により定めるところによる。

② 前項の合意がないときは、仲裁廷は、当事者の利便その他の紛争に関する事情を考慮して、仲裁地を定める。

③ 仲裁廷は、当事者間に別段の合意がない限り、前二項の規定による仲裁地にかかわらず、適当と認めるいかなる場所においても、次に掲げる手続を行うことができる。

一 合議体である仲裁廷の評議

二 当事者、鑑定人又は第三者の陳述の聴取

三 物又は文書の見分

＊令和五法五三（令和一〇・六・一三までに施行）**による改正**
第二八条を第三〇条とする。（本文未織込み）

（仲裁手続の開始並びに時効の完成猶予及び更新）

第二九条① 仲裁手続は、当事者間に別段の合意がない限り、特定の民事上の紛争について、一方の当事者が他方の当事者に対し、これを仲裁手続に付する旨の通知をした日に開始する。

② 仲裁手続における請求は、時効の完成猶予及び更新の効力を生ずる。ただし、当該仲裁手続が仲裁判断によらずに終了したときは、この限りでない。

＊令和五法五三（令和一〇・六・一三までに施行）**による改正**
第二九条を第三一条とする。（本文未織込み）

（言語）

第三〇条① 仲裁手続において使用する言語及びその言語を使用して行うべき手続は、当事者が合意により定めるところによる。

② 前項の合意がないときは、仲裁廷が、仲裁手続において使用する言語及びその言語を使用して行うべき手続を定める。

③ 第一項の合意又は前項の決定において、定められた言語を使用して行うべき手続についての定めがないときは、その言語を使用して行うべき手続は、次に掲げるものとする。

一 口頭による手続

二 当事者が行う書面による陳述又は通知

三 仲裁廷が行う書面による決定（仲裁判断を含む。）又は通知

④ 仲裁廷は、すべての証拠書類について、第一項の合意又は第二項の決定により定められた言語（翻訳文について使用すべき言語の定めがある場合にあっては、当該言語）による翻訳文を添付することを命ずることができる。

＊令和五法五三（令和一〇・六・一三までに施行）**による改正**
第三〇条第四項中「すべて」を「全て」に改め、同条を第三二条とする。（本文未織込み）

（当事者の陳述の時期的制限）

第三一条① 仲裁申立人（仲裁手続において、これを開始させるための行為をした当事者をいう。以下同じ。）は、仲裁廷が定めた期間内に、申立ての趣旨、申立ての根拠となる事実及び紛争の要点を陳述しなければならない。この場合において、仲裁申立人は、取り調べる必要があると思料するすべての証拠書類を提出し、又は提出予定の証拠書類その他の証拠を引用することができる。

② 仲裁被申立人（仲裁申立人以外の仲裁手続の当事者をいう。以下同じ。）は、仲裁廷が定めた期間内に、前項の規定により陳述された事項についての自己の主張を陳述しなければならない。この場合においては、同項後段の規定を準用する。

③ すべての当事者は、仲裁手続の進行中において、自己の陳述の変更又は追加をすることができる。ただし、当該変更又は追加が時機に後れてされたものであるときは、仲裁廷は、これを許さないことができる。

④ 前三項の規定は、当事者間に別段の合意がある場合には、適用しない。

＊令和五法五三（令和一〇・六・一三までに施行）**による改正**
第三一条第一項及び第三項中「すべて」を「全て」に改め、同条を第三三条とする。（本文未織込み）

（審理の方法）

第三二条① 仲裁廷は、当事者に証拠の提出又は意見の陳述をさせるため、口頭審理を実施することができる。ただし、一方の当事者が第三十四条第三項の求めその他の口頭審理の実施の申立てをしたときは、仲裁手続における適切な時期に、当該口頭審理を実施しなければならない。

② 前項の規定は、当事者間に別段の合意がある場合には、適用しない。

③ 仲裁廷は、意見の聴取又は物若しくは文書の見分を行うために口頭審理を行うときは、当該口頭審理の期日までに相当な期間をおいて、当事者に対し、当該口頭審理の日時及び場所を通知しなければならない。

④ 当事者は、主張書面、証拠書類その他の記録を仲裁廷に提供したときは、他の当事者がその内容を知ることができるようにする措置を執らなければならない。

⑤ 仲裁廷は、仲裁判断その他の仲裁廷の決定の基礎となるべき鑑定人の報告その他の証拠資料の内容を、すべての当事者が知ることができるようにする措置を執らなければならない。

＊令和五法五三（令和一〇・六・一三までに施行）**による改正**
第三二条第一項ただし書中「第三十四条第三項」を「第三十六条第三項」に改め、第五項中「すべて」を「全て」に改め、同条を第三四条とする。（本文未織込み）

（不熱心な当事者がいる場合の取扱い）

第三三条① 仲裁廷は、仲裁申立人が第三十一条第一項の規定に違反したときは、仲裁手続の終了決定をしなければならない。ただし、違反したことについて正当な理由がある場合は、この限りでない。

② 仲裁廷は、仲裁被申立人が第三十一条第二項の規定に違反した場合であっても、仲裁被申立人が仲裁申立人の主張を認めたものとして取り扱うことなく、仲裁手続を続行しなければならない。

③ 仲裁廷は、一方の当事者が口頭審理の期日に出頭せず、又は証拠書類を提出しないときは、その時までに収集された証拠に基づいて、仲裁判断をすることができる。ただし、当該当事者が口頭審理に出頭せず、又は証拠書類を提出しないことについて正当な理由がある場合は、この限りでない。

④ 前三項の規定は、当事者間に別段の合意がある場合には、適用しない。

＊令和五法五三（令和一〇・六・一三までに施行）**による改正**
第三三条第一項中「第三十一条第一項」を「第三十三条第一項」に改め、第二項中「第三十一条第二項」を「第三十三条第二項」に改め、同条を第三五条とする。（本文未織込み）

（仲裁廷による鑑定人の選任等）

第三四条① 仲裁廷は、一人又は二人以上の鑑定人を選任し、必要な事項について鑑定をさせ、文書又は口頭によりその結果の報告をさせることができる。

② 前項の場合において、仲裁廷は、当事者に対し、次に掲げる行為をすることを求めることができる。

一 鑑定に必要な情報を鑑定人に提供すること。

二 鑑定に必要な文書その他の物を、鑑定人に提出し、又は鑑定人が見分をすることができるようにすること。

③ 当事者の求めがあるとき、又は仲裁廷が必要と認めるときは、鑑定人は、第一項の規定による報告をした後、口頭審理の期日に出頭しなければならない。

④ 当事者は、前項の口頭審理の期日において、次に掲げる行為をすることができる。

一　鑑定人に質問をすること。
二　自己が依頼した専門的知識を有する者に当該鑑定に係る事項について陳述をさせること。

⑤　前各項の規定は、当事者間に別段の合意がある場合には、適用しない。

＊令和五法五三（令和一〇・六・一三までに施行）**による改正**
第三四条を第三六条とする。（本文未織込み）

（裁判所により実施する証拠調べ）

第三五条①　仲裁廷又は当事者は、民事訴訟法の規定による調査の嘱託、証人尋問、鑑定、書証（当事者が文書を提出してするものを除く。）及び検証（当事者が検証の目的を提示してするものを除く。）であって仲裁廷が必要と認めるものにつき、裁判所に対し、その実施を求める申立てをすることができる。ただし、当事者間にこれらの全部又は一部についてその実施を求める申立てをしない旨の合意がある場合は、この限りでない。

②　当事者が前項の申立てをするには、仲裁廷の同意を得なければならない。

③　第一項の申立てに係る事件は、第五条第一項及び第二項の規定にかかわらず、次に掲げる裁判所の管轄に専属する。
一　第五条第一項第二号に掲げる裁判所
二　尋問を受けるべき者若しくは文書を所持する者の住所若しくは居所又は検証の目的の所在地を管轄する地方裁判所
三　申立人又は被申立人の普通裁判籍の所在地を管轄する地方裁判所（前二号に掲げる裁判所がない場合に限る。）
四　東京地方裁判所及び大阪地方裁判所

④　第一項の申立てについての決定に対しては、即時抗告をすることができる。

⑤　第一項の申立てにより裁判所が当該証拠調べを実施するに当たり、仲裁人は、文書を閲読し、検証の目的を検証し、又は裁判長の許可を得て証人若しくは鑑定人（民事訴訟法第二百十三条に規定する鑑定人をいう。）に対して質問をすることができる。

⑥　裁判所書記官は、第一項の申立てにより裁判所が実施する証拠調べについて、調書を作成しなければならない。

＊令和五法五三（令和一〇・六・一三までに施行）**による改正後**
（裁判所により実施する証拠調べ）
第三七条①　仲裁廷又は当事者は、民事訴訟法の規定による調査の嘱託、証人尋問、鑑定、書証（当事者が文書を提出してするものを除く。）、電磁的記録に記録された情報の内容に係る証拠調べ（当事者が電磁的記録を提出してするものを除く。）及び検証（当事者が検証の目的を提示してするものを除く。）であって仲裁廷が必要と認めるものにつき、裁判所に対し、その実施を求める申立てをすることができる。ただし、当事者間にこれらの全部又は一部についてその実施を求める申立てをしない旨の合意がある場合は、この限りでない。
②　（略）
③　（柱書略）
一　（略）
二　尋問を受けるべき者、文書を所持する者若しくは電磁的記録を利用する権限を有する者の住所若しくは居所又は検証の目的の所在地を管轄する地方裁判所
三・四　（略）
④　（略）
⑤　第一項の申立てにより裁判所が当該証拠調べを実施するに当たり、仲裁人は、文書を閲読し、電磁的記録に記録された情報の内容を確認し、検証の目的を検証し、又は裁判長の許可を得て証人若しくは鑑定人（民事訴訟法第二百十三条に規定する鑑定人をいう。）に対して質問をすることができる。
⑥　裁判所書記官は、第一項の申立てにより裁判所が実施する証拠調べについて、最高裁判所規則で定めるところにより、電子調書（期日又は期日外における手続の方式、内容及び経過等の記録及び公証をするためにこの法律その他の法令の規定により裁判所書記官が作成する電磁的記録をいう。）を作成し、これをファイルに記録しなければならない。
（改正前の**第三五条**）

第六章　仲裁判断及び仲裁手続の終了（抄）

（仲裁判断において準拠すべき法）

第三六条①　仲裁廷が仲裁判断において準拠すべき法は、当事者が合意により定めるところによる。この場合において、一の国の法令が定められたときは、反対の意思が明示された場合を除き、当該定めは、抵触する内外の法令の適用関係を定めるその国の法令ではなく、事案に直接適用されるその国の法令を定めたものとみなす。

②　前項の合意がないときは、仲裁廷は、仲裁手続に付された民事上の紛争に最も密接な関係がある国の法令であって事案に直接適用されるべきものを適用しなければならない。

③　仲裁廷は、当事者双方の明示された求めがあるときは、前二項の規定にかかわらず、衡平と善により判断するものとする。

④　仲裁廷は、仲裁手続に付された民事上の紛争に係る契約があるときはこれに定められたところに従って判断し、当該民事上の紛争に適用することができる慣習があるときはこれを考慮しなければならない。

＊令和五法五三（令和一〇・六・一三までに施行）**による改正**
第三六条を第三八条とする。（本文未織込み）

（合議体である仲裁廷の議事）

第三七条①　合議体である仲裁廷は、仲裁人の互選により、仲裁廷の長である仲裁人を選任しなければならない。

②　合議体である仲裁廷の議事は、仲裁廷を構成する仲裁人の過半数で決する。

③　前項の規定にかかわらず、仲裁手続における手続上の事項は、当事者双方の合意又は他のすべての仲裁人の委任があるときは、仲裁廷の長である仲裁人が決することができる。

④　前三項の規定は、当事者間に別段の合意がある場合には、適用しない。

＊令和五法五三（令和一〇・六・一三までに施行）**による改正**
第三七条第三項中「すべて」を「全て」に改め、同条を第三九条とする。（本文未織込み）

（和解）

第三八条①　仲裁廷は、仲裁手続の進行中において、仲裁手続に付された民事上の紛争について当事者間に和解が成立し、かつ、当事者双方の申立てがあるときは、当該和解における合意を内容とする決定をすることができる。

②　前項の決定は、仲裁判断としての効力を有する。

③　第一項の決定をするには、次条第一項及び第三項の規定に従って決定書を作成し、かつ、これに仲裁判断であることの表示をしなければならない。

④　当事者双方の承諾がある場合には、仲裁廷又はその選任した一人若しくは二人以上の仲裁人は、仲裁手続に付された民事上の紛争について、和解を試みることができる。

⑤　前項の承諾又はその撤回は、当事者間に別段の合意がない限り、書面でしなければならない。

＊令和五法五三（令和一〇・六・一三までに施行）**による改正**
第三八条を第四〇条とする。（本文未織込み）

（仲裁判断書）

第三九条①　仲裁判断をするには、仲裁判断書を作成し、これに仲裁判断をした仲裁人が署名しなければならない。ただし、仲裁廷が合議体である場合には、仲裁廷を構成する仲裁人の過半数が署名し、かつ、他の仲裁人の署名がないことの理由を記載すれば足りる。

② 仲裁判断書には、理由を記載しなければならない。ただし、当事者間に別段の合意がある場合は、この限りでない。
③ 仲裁判断書には、作成の年月日及び仲裁地を記載しなければならない。
④ 仲裁判断は、仲裁地においてされたものとみなす。
⑤ 仲裁廷は、仲裁判断がされたときは、仲裁人の署名のある仲裁判断書の写しを送付する方法により、仲裁判断を各当事者に通知しなければならない。
⑥ 第一項ただし書の規定は、前項の仲裁判断書の写しについて準用する。

＊令和五法五三（令和一〇・六・一三までに施行）による改正
第三九条を第四一条とする。（本文未織込み）

（仲裁手続の終了）
第四〇条① 仲裁手続は、仲裁判断又は仲裁手続の終了決定があったときに、終了する。
② 仲裁廷は、第二十三条第四項第二号又は第三十三条第一項の規定による場合のほか、次に掲げる事由のいずれかがあるときは、仲裁手続の終了決定をしなければならない。
一 仲裁申立人がその申立てを取り下げたとき。ただし、仲裁被申立人が取下げに異議を述べ、かつ、仲裁手続に付された民事上の紛争の解決について仲裁被申立人が正当な利益を有すると仲裁廷が認めるときは、この限りでない。
二 当事者双方が仲裁手続を終了させる旨の合意をしたとき。
三 仲裁手続に付された民事上の紛争について、当事者間に和解が成立したとき（第三十八条第一項の決定があったときを除く。）。
四 前三号に掲げる場合のほか、仲裁廷が、仲裁手続を続行する必要がなく、又は仲裁手続を続行することが不可能であると認めたとき。
③ 仲裁手続が終了したときは、仲裁廷の任務は、終了する。ただし、次条から第四十三条まで（編注・仲裁判断の訂正、仲裁廷による仲裁判断の解釈、追加仲裁判断）の規定による行為をすることができる。

＊令和五法五三（令和一〇・六・一三までに施行）による改正
第四〇条第二項中「第二十三条第四項第二号」を「第二十五条第四項第二号」に、「第三十三条第一項」を「第三十五条第一項」に改め、同項第三号中「第三十八条第一項」を「第四十条第一項」に改め、第三項ただし書中「第四十三条」を「第四十五条」に改め、同条を第四二条とする。（本文未織込み）

第四一条から第四三条まで　（略）

第七章　仲裁判断の取消し

第四四条① 当事者は、次に掲げる事由があるときは、裁判所に対し、仲裁判断の取消しの申立てをすることができる。
一 仲裁合意が、当事者の行為能力の制限により、その効力を有しないこと。
二 仲裁合意が、当事者が合意により仲裁合意に適用すべきものとして指定した法令（当該指定がないときは、日本の法令）によれば、当事者の行為能力の制限以外の事由により、その効力を有しないこと。
三 申立人が、仲裁人の選任手続又は仲裁手続において、日本の法令（その法令の公の秩序に関しない規定に関する事項について当事者間に合意があるときは、当該合意）により必要とされる通知を受けなかったこと。
四 申立人が、仲裁手続において防御することが不可能であったこと。
五 仲裁判断が、仲裁合意又は仲裁手続における申立ての範囲を超える事項に関する判断を含むものであること。
六 仲裁廷の構成又は仲裁手続が、日本の法令（その法令の公の秩序に関しない規定に関する事項について当事者間に合意があるときは、当該合意）に違反するものであったこと。
七 仲裁手続における申立てが、日本の法令によれば、仲裁合意の対象とすることができない紛争に関するものであること。
八 仲裁判断の内容が、日本における公の秩序又は善良の風俗に反すること。
② 前項の申立ては、仲裁判断書（第四十一条から前条までの規定による仲裁廷の決定の決定書を含む。）の写しの送付による通知がされた日から三箇月を経過したとき、又は第四十六条の規定による執行決定が確定したときは、することができない。
③ 第一項の申立てに係る事件についての第五条第四項又は第五項の規定による決定に対しては、即時抗告をすることができる。
④ 裁判所は、口頭弁論又は当事者双方が立ち会うことができる審尋の期日を経なければ、第一項の申立てについての決定をすることができない。
⑤ 裁判所は、第一項の申立てがあった場合において、同項各号に掲げる事由のいずれかがあると認めるとき（同項第一号から第六号までに掲げる事由にあっては、申立人が当該事由の存在を証明した場合に限る。）は、仲裁判断を取り消すことができる。
⑥ 第一項第五号に掲げる事由がある場合において、当該仲裁判断から同号に規定する事項に関する部分を区分することができるときは、裁判所は、仲裁判断のうち当該部分のみを取り消すことができる。
⑦ 第一項の申立てについての決定に対しては、即時抗告をすることができる。

＊令和五法五三（令和一〇・六・一三までに施行）による改正
第四四条第二項中「第四十一条」を「第四十三条」に、「第四十六条」を「第四十八条」に改め、同条を第四六条とする。（本文未織込み）

第八章　仲裁判断の承認及び執行決定等

（仲裁判断の承認）
第四五条① 仲裁判断（仲裁地が日本国内にあるかどうかを問わない。以下この章において同じ。）は、確定判決と同一の効力を有する。ただし、当該仲裁判断に基づく民事執行をするには、次条の規定による執行決定がなければならない。
② 前項の規定は、次に掲げる事由のいずれかがある場合（第一号から第七号までに掲げる事由にあっては、当事者のいずれかが当該事由の存在を証明した場合に限る。）には、適用しない。
一 仲裁合意が、当事者の行為能力の制限により、その効力を有しないこと。
二 仲裁合意が、当事者が合意により仲裁合意に適用すべきものとして指定した法令（当該指定がないときは、仲裁地が属する国の法令）によれば、当事者の行為能力の制限以外の事由により、その効力を有しないこと。
三 当事者が、仲裁人の選任手続又は仲裁手続において、仲裁地が属する国の法令の規定（その法令の公の秩序に関しない規定に関する事項について当事者間に合意があるときは、当該合意）により必要とされる通知を受けなかったこと。
四 当事者が、仲裁手続において防御することが不可能であったこと。
五 仲裁判断が、仲裁合意又は仲裁手続における申立ての範囲を超える事項に関する判断を含むものであること。
六 仲裁廷の構成又は仲裁手続が、仲裁地が属する国の法令の規定（その法令の公の秩序に関しない規定に関する事項について当事者間に合意があるときは、当該合意）に違反するものであったこと。
七 仲裁地が属する国（仲裁手続に適用された法令が仲裁地が属する国以外の国の法令である場合にあっては、当該国）の法令によれば、仲裁判断が確定していないこと、又は仲裁判断がその国の裁判機関により取り消され、若しくは効力を停止されたこと。

八　仲裁手続における申立てが、日本の法令によれば、仲裁合意の対象とすることができない紛争に関するものであること。

九　仲裁判断の内容が、日本における公の秩序又は善良の風俗に反すること。

③　前項第五号に掲げる事由がある場合において、当該仲裁判断から同号に規定する事項に関する部分を区分することができるときは、当該部分及び当該仲裁判断のその他の部分をそれぞれ独立した仲裁判断とみなして、同項の規定を適用する。

＊令和五法五三（令和一〇・六・一三までに施行）による改正
第四五条を第四七条とする。（本文未織込み）

（仲裁判断の執行決定）

第四六条①　仲裁判断に基づいて民事執行をしようとする当事者は、債務者を被申立人として、裁判所に対し、執行決定（仲裁判断に基づく民事執行を許す旨の決定をいう。以下同じ。）を求める申立てをすることができる。

②　前項の申立てをするときは、仲裁判断書の写し、当該写しの内容が仲裁判断書と同一であることを証明する文書及び仲裁判断書（日本語で作成されたものを除く。以下この項において同じ。）の日本語による翻訳文を提出しなければならない。ただし、裁判所は、相当と認めるときは、被申立人の意見を聴いて、仲裁判断書の全部又は一部について日本語による翻訳文を提出することを要しないものとすることができる。

＊令和五法五三（令和一〇・六・一三までに施行）による改正後
②　前項の申立てをするときは、次に掲げる文書又は電磁的記録を提出しなければならない。ただし、裁判所は、相当と認めるときは、被申立人の意見を聴いて、仲裁判断書の全部又は一部について第三号に掲げる翻訳文又は翻訳の内容を記録した電磁的記録を提出することを要しないものとすることができる。
一　仲裁判断書の写し又は仲裁判断書に記載された事項を記録した電磁的記録（改正により追加）
二　前号に掲げる写し又は電磁的記録の内容が仲裁判断書と同一であることを証明する文書又は電磁的記録（改正により追加）
三　仲裁判断書（日本語で作成されたものを除く。）の日本語による翻訳文又は翻訳の内容を記録した電磁的記録（改正により追加）

③　第一項の申立てを受けた裁判所は、前条第二項第七号に規定する裁判機関に対して仲裁判断の取消し又はその効力の停止を求める申立てがあった場合において、必要があると認めるときは、第一項の申立てに係る手続を中止することができる。この場合において、裁判所は、同項の申立てをした者の申立てにより、被申立人に対し、担保を立てるべきことを命ずることができる。

④　第一項の申立てに係る事件は、第五条第一項及び第二項の規定にかかわらず、次に掲げる裁判所の管轄に専属する。

一　第五条第一項各号に掲げる裁判所

二　請求の目的又は差し押さえることができる被申立人の財産の所在地を管轄する地方裁判所

三　東京地方裁判所及び大阪地方裁判所（仲裁地、被申立人の普通裁判籍の所在地又は請求の目的若しくは差し押さえることができる被申立人の財産の所在地が日本国内にある場合に限る。）

⑤　第一項の申立てに係る事件についての第五条第四項又は第五項の規定による決定に対しては、即時抗告をすることができる。

⑥　裁判所は、次項又は第八項の規定により第一項の申立てを却下する場合を除き、執行決定をしなければならない。

⑦　裁判所は、第一項の申立てがあった場合において、前条第二項各号に掲げる事由のいずれかがあると認める場合（同項第一号から第七号までに掲げる事由にあっては、被申立人が当該事由の存在を証明した場合に限る。）に限り、当該申立てを却下することができる。

⑧　前条第三項の規定は、同条第二項第五号に掲げる事由がある場合における前項の規定の適用について準用する。

⑨　第四十四条第四項及び第七項の規定は、第一項の申立てについての決定について準用する。

＊令和五法五三（令和一〇・六・一三までに施行）による改正
第四六条第九項中「第四十四条第四項」を「第四十六条第四項」に改め、同条を第四八条とする。（本文未織込み）

（暫定保全措置命令の執行等認可決定）

第四七条①　暫定保全措置命令（仲裁地が日本国内にあるかどうかを問わない。以下この章において同じ。）の申立てをした者は、当該暫定保全措置命令を受けた者を被申立人として、裁判所に対し、次の各号に掲げる区分に応じ、当該各号に定める決定（以下「執行等認可決定」という。）を求める申立てをすることができる。

一　暫定保全措置命令のうち第二十四条第一項第三号に掲げる措置を講ずることを命ずるもの　当該暫定保全措置命令に基づく民事執行を許す旨の決定

二　暫定保全措置命令のうち第二十四条第一項第一号、第二号、第四号又は第五号に掲げる措置を講ずることを命ずるもの　当該暫定保全措置命令に違反し、又は違反するおそれがあると認めるときに第四十九条第一項の規定による金銭の支払命令を発することを許す旨の決定

②　前項の申立てをするときは、暫定保全措置命令の命令書の写し、当該写しの内容が暫定保全措置命令の命令書と同一であることを証明する文書及び暫定保全措置命令の命令書（日本語で作成されたものを除く。以下この項において同じ。）の日本語による翻訳文を提出しなければならない。ただし、裁判所は、相当と認めるときは、被申立人の意見を聴いて、暫定保全措置命令の命令書の全部又は一部について日本語による翻訳文を提出することを要しないものとすることができる。

③　第一項の申立てを受けた裁判所は、仲裁廷又は裁判機関（仲裁地が属する国の法令（当該暫定保全措置命令に適用された法令が仲裁地が属する国以外の国の法令である場合にあっては、当該法令）により当該国の裁判機関がその権限を有する場合に限る。）に対して暫定保全措置命令の取消し、変更又はその効力の停止を求める申立てがあったことを知った場合において、必要があると認めるときは、同項の申立てに係る手続を中止することができる。この場合において、裁判所は、同項の申立てをした者の申立てにより、被申立人に対し、担保を立てるべきことを命ずることができる。

④　第一項の申立てに係る事件は、第五条第一項及び第二項の規定にかかわらず、次に掲げる裁判所の管轄に専属する。

一　第五条第一項各号に掲げる裁判所

二　請求の目的又は差し押さえることができる被申立人の財産の所在地を管轄する地方裁判所

三　東京地方裁判所及び大阪地方裁判所（仲裁地、被申立人の普通裁判籍の所在地又は請求の目的若しくは差し押さえることができる被申立人の財産の所在地が日本国内にある場合に限る。）

⑤　第一項の申立てに係る事件についての第五条第四項又は第五項の規定による決定に対しては、即時抗告をすることができる。

⑥　裁判所は、次項又は第八項の規定により第一項の申立てを却下する場合を除き、執行等認可決定をしなければならない。

⑦　裁判所は、第一項の申立てがあった場合において、次の各号に掲げる事由のいずれかがあると認めるとき（第一号から第八

号までに掲げる事由にあっては、被申立人が当該事由の存在を証明した場合に限る。）に限り、当該申立てを却下することができる。

一　仲裁合意が、当事者の行為能力の制限により、その効力を有しないこと。

二　仲裁合意が、当事者が合意により仲裁合意に適用すべきものとして指定した法令（当該指定がないときは、仲裁地が属する国の法令）によれば、当事者の行為能力の制限以外の事由により、その効力を有しないこと。

三　当事者が、仲裁人の選任手続又は仲裁手続（暫定保全措置命令に関する部分に限る。次号及び第六号において同じ。）において、仲裁地が属する国の法令の規定（その法令の公の秩序に関しない規定に関する事項について当事者間に合意があるときは、当該合意）により必要とされる通知を受けなかったこと。

四　当事者が、仲裁手続において防御することが不可能であったこと。

五　暫定保全措置命令が、仲裁合意若しくは暫定保全措置命令に関する別段の合意又は暫定保全措置命令の申立ての範囲を超える事項について発せられたものであること。

六　仲裁廷の構成又は仲裁手続が、仲裁地が属する国の法令の規定（その法令の公の秩序に関しない規定に関する事項について当事者間に合意があるときは、当該合意）に違反するものであったこと。

七　仲裁廷が暫定保全措置命令の申立てをした者に対して相当な担保を提供すべきことを命じた場合において、その者が当該命令に違反し、相当な担保を提供していないこと。

八　暫定保全措置命令が、仲裁廷又は第三項に規定する裁判機関により、取り消され、変更され、又はその効力を停止されたこと。

九　仲裁手続における申立てが、日本の法令によれば、仲裁合意の対象とすることができない紛争に関するものであること。

十　暫定保全措置命令の内容が、日本における公の秩序又は善良の風俗に反すること。

⑧　前項第五号に掲げる事由がある場合において、当該暫定保全措置命令から同号に規定する事項に関する部分を区分することができるときは、当該部分及び当該暫定保全措置命令のその他の部分をそれぞれ独立した暫定保全措置命令とみなして、同項の規定を適用する。

⑨　執行等認可決定は、確定しなければその効力を生じない。

⑩　第四十四条第四項及び第七項の規定は、第一項の申立てについての決定について準用する。

＊令和五法五三（令和一〇・六・一三までに施行）による改正後

（暫定保全措置命令の執行等認可決定）

第四九条①　（柱書略）

一　暫定保全措置命令のうち第二十六条第一項第三号に掲げる措置を講ずることを命ずるもの　当該暫定保全措置命令に基づく民事執行を許す旨の決定

二　暫定保全措置命令のうち第二十六条第一項第一号、第二号、第四号又は第五号に掲げる措置を講ずることを命ずるもの　当該暫定保全措置命令に違反し、又は違反するおそれがあると認めるときに第五十一条第一項の規定による金銭の支払命令を発することを許す旨の決定

②　前項の申立てをするときは、次に掲げる文書又は電磁的記録を提出しなければならない。ただし、裁判所は、相当と認めるときは、被申立人の意見を聴いて、暫定保全措置命令の命令書の全部又は一部について第三号に掲げる翻訳文又は翻訳の内容を記録した電磁的記録を提出することを要しないものとすることができる。

一　暫定保全措置命令の命令書の写し又は暫定保全措置命令の命令書に記載された事項を記録した電磁的記録（改正により追加）

二　前号に掲げる写し又は電磁的記録の内容が暫定保全措置命令の命令書と同一であることを証明する文書又は電磁的記録（改正により追加）

三　暫定保全措置命令の命令書（日本語で作成されたものを除く。）の日本語による翻訳文又は翻訳の内容を記録した電磁的記録（改正により追加）

③—⑨　（略）

⑩　第四十六条第四項及び第七項の規定は、第一項の申立てについての決定について準用する。

（改正前の**第四七条**）

（暫定保全措置命令に基づく民事執行）

第四八条　暫定保全措置命令（第二十四条第一項第三号に掲げる措置を講ずることを命ずるものに限る。）は、前条の規定による執行等認可決定がある場合に限り、当該暫定保全措置命令に基づく民事執行をすることができる。

＊令和五法五三（令和一〇・六・一三までに施行）による改正
第四八条中「第二十四条第一項第三号」を「第二十六条第一項第三号」に改め、同条を第五〇条とする。（本文末織込み）

（暫定保全措置命令に係る違反金支払命令）

第四九条①　裁判所は、暫定保全措置命令（第二十四条第一項第一号、第二号、第四号又は第五号に掲げる措置を講ずることを命ずるものに限る。以下この条において同じ。）について確定した執行等認可決定がある場合において、当該暫定保全措置命令を受けた者（以下この条において「被申立人」という。）がこれに違反し、又は違反するおそれがあると認めるときは、当該暫定保全措置命令の申立てをした者（第六項において「申立人」という。）の申立てにより、当該暫定保全措置命令の違反によって害されることとなる利益の内容及び性質並びにこれが害される態様及び程度を勘案して相当と認める一定の額の金銭の支払（被申立人が暫定保全措置命令に違反するおそれがあると認める場合にあっては、被申立人が当該暫定保全措置命令に違反したことを条件とする金銭の支払）を命ずることができる。

②　裁判所は、前項の規定にかかわらず、同項の規定による金銭の支払命令（以下この条において「違反金支払命令」という。）を、執行等認可決定と同時にすることができる。この場合においては、違反金支払命令は、執行等認可決定が確定するまでは、確定しないものとする。

③　第一項の申立てに係る事件は、第五条第一項及び第二項の規定にかかわらず、執行等認可決定をした裁判所及び第四十七条第一項の申立て（同項第二号に係るものに限る。次項において同じ。）に係る事件が係属する裁判所の管轄に専属する。

④　裁判所は、第二項前段の規定に基づき、違反金支払命令を執行等認可決定と同時にした場合において、執行等認可決定を取り消す裁判が確定したとき又は第四十七条第一項の申立てが取り下げられたときは、職権で、違反金支払命令を取り消さなければならない。

⑤　違反金支払命令は、確定しなければその効力を生じない。

⑥　違反金支払命令により命じられた金銭の支払があった場合において、暫定保全措置命令の違反により生じた損害の額が支払額を超えるときは、申立人は、その超える額について損害賠償の請求をすることを妨げられない。

⑦　違反金支払命令が発せられた後に、仲裁廷又は第四十七条第三項に規定する裁判機関により、暫定保全措置命令が取り消され、変更され、又はその効力を停止されたときは、違反金支払命令を発した裁判所は、被申立人の申立てにより、違反金支払命令を取り消すことができる。

⑧　第四十七条第三項の規定は第一項の申立てについて、第四十四条第四項及び第七項の規定は第一項及び前項の申立てについての決定について、それぞれ準用する。

＊令和五法五三（令和一〇・六・一三までに施行）による改正
第四九条第一項中「第二十四条第一項第一号」を「第二十六

条第一項第一号」に改め、第三項及び第四項中「第四十七条第一項」を「第四十九条第一項」に改め、第七項中「第四十七条第三項」を「第四十九条第三項」に改め、第八項中「第四十七条第三項」を「第四十九条第三項」に、「第四十四条第四項」を「第四十六条第四項」に改め、同条を第五一条とする。（本文未織込み）

第九章　雑則（第五〇条から第五二条まで）（略）

第十章　罰則（第五三条から第五八条まで）（略）

附　則（抄）

（施行期日）

第一条　この法律は、公布の日から起算して九月を超えない範囲内において政令で定める日（平成一六・三・一—平成一五政五四四）から施行する。

（仲裁合意の方式に関する経過措置）

第二条　この法律の施行前に成立した仲裁合意の方式については、なお従前の例による。

（消費者と事業者との間に成立した仲裁合意に関する特例）

第三条①　消費者（消費者契約法（平成十二年法律第六十一号）第二条第一項に規定する消費者をいう。以下この条において同じ。）と事業者（同条第二項に規定する事業者をいう。以下この条において同じ。）の間の将来において生ずる民事上の紛争を対象とする仲裁合意（次条に規定する仲裁合意を除く。以下この条において「消費者仲裁合意」という。）であって、この法律の施行後に締結されたものに関しては、当分の間、次項から第七項までに定めるところによる。

② 消費者は、消費者仲裁合意を解除することができる。ただし、消費者が当該消費者仲裁合意に基づく仲裁手続の仲裁申立人となった場合は、この限りでない。

③ 事業者が消費者仲裁合意に基づく仲裁手続の仲裁申立人となる場合においては、当該事業者は、仲裁廷が構成された後遅滞なく、第三十二条第一項の規定による口頭審理の実施の申立てをしなければならない。この場合において、仲裁廷は、口頭審理を実施する旨を決定し、当事者双方にその日時及び場所を通知しなければならない。

＊令和五法五三（令和一〇・六・一三までに施行）**による改正**
第三項中「第三十二条第一項」を「第三十四条第一項」に改める。（本文未織込み）

④ 仲裁廷は、当該仲裁手続における他のすべての審理に先立って、前項の口頭審理を実施しなければならない。

⑤ 消費者である当事者に対する第三項の規定による通知は、次に掲げる事項を記載した書面を送付する方法によってしなければならない。この場合において、仲裁廷は、第二号から第五号までに掲げる事項については、できる限り平易な表現を用いるように努めなければならない。

一　口頭審理の日時及び場所

二　仲裁合意がある場合には、その対象となる民事上の紛争についての仲裁判断には、確定判決と同一の効力があるものであること。

三　仲裁合意がある場合には、仲裁判断の前後を問わず、その対象となる民事上の紛争について提起した訴えは、却下されるものであること。

四　消費者は、消費者仲裁合意を解除することができること。

五　消費者である当事者が第一号の口頭審理の期日に出頭しないときは、消費者である当事者が消費者仲裁合意を解除したものとみなされること。

⑥ 第三項の口頭審理の期日においては、仲裁廷は、まず、消費者である当事者に対し、口頭で、前項第二号から第四号までに掲げる事項について説明しなければならない。この場合において、当該消費者である当事者が第二項の規定による解除権を放棄する旨の意思を明示しないときは、当該消費者である当事者は、消費者仲裁合意を解除したものとみなす。

⑦ 消費者である当事者が第三項の口頭審理の期日に出頭しないときは、当該消費者である当事者は、消費者仲裁合意を解除したものとみなす。

（個別労働関係紛争を対象とする仲裁合意に関する特例）

第四条　当分の間、この法律の施行後に成立した仲裁合意であって、将来において生ずる個別労働関係紛争（個別労働関係紛争の解決の促進に関する法律（平成十三年法律第百十二号）第一条に規定する個別労働関係紛争をいう。）を対象とするものは、無効とする。

別表（略）

＊令和四法四八（令和八・五・二四までに施行）**により別表追加**
＊令和五法五三（令和一〇・六・一三までに施行）**により別表削る**（未織込み）

民事関係手続等における情報通信技術の活用等の推進を図るための関係法律の整備に関する法律中経過規定

（裁判所が実施する証拠調べに関する経過措置）（令和五・六・一四法五三）（抄）

第二四〇条　改正後仲裁法第三十七条第六項の規定は、改正後仲裁関係事件（仲裁手続に関して裁判所が行う手続に係る事件であって施行日以後に開始されるもの）における裁判所が実施する証拠調べについて適用し、改正前仲裁関係事件（仲裁手続に関して裁判所が行う手続に係る事件であって施行日前に開始されたもの）における裁判所が実施する証拠調べについては、なお従前の例による。

第三八七条から第三八九条まで　（民事執行法の同経過規定参照）

民事関係手続等における情報通信技術の活用等の推進を図るための関係法律の整備に関する法律

附　則（令和五・六・一四法五三）

この法律は、公布の日から起算して五年を超えない範囲内において政令で定める日から施行する。ただし、次の各号に掲げる規定は、当該各号に定める日から施行する。

一　（前略）第三百八十八条の規定　公布の日

二　（前略）第三百八十七条の規定　公布の日から起算して二年六月を超えない範囲内において政令で定める日

三　（略）

○裁判外紛争解決手続の利用の促進に関する法律（抄）（平成一六・一二・一 法一五一）

施行　平成一九・四・一（平成一八政一八五）
最終改正　令和五法五三

目次

第一章　総則

（目的）
第一条　この法律は、内外の社会経済情勢の変化に伴い、裁判外紛争解決手続（訴訟手続によらずに民事上の紛争の解決をしようとする紛争の当事者のため、公正な第三者が関与して、その解決を図る手続をいう。以下同じ。）が、第三者の専門的な知見を反映して紛争の実情に即した迅速な解決を図る手続として重要なものとなっていることに鑑み、裁判外紛争解決手続についての基本理念及び国等の責務を定めるとともに、民間紛争解決手続の業務に関し、認証の制度を設け、併せて時効の完成猶予等に係る特例を定めてその利便の向上を図ること等により、紛争の当事者がその解決を図るのにふさわしい手続を選択することを容易にし、もって国民の権利利益の適切な実現に資することを目的とする。

（定義）
第二条　この法律において、次の各号に掲げる用語の意義は、それぞれ当該各号に定めるところによる。
一　民間紛争解決手続　民間事業者が、紛争の当事者が和解をすることができる民事上の紛争について、紛争の当事者双方からの依頼を受け、当該紛争の当事者との間の契約に基づき、和解の仲介を行う裁判外紛争解決手続をいう。ただし、法律の規定により指定を受けた者が当該法律の規定による紛争の解決の業務として行う裁判外紛争解決手続で政令で定めるものを除く。
二　手続実施者　民間紛争解決手続において和解の仲介を実施する者をいう。
三　認証紛争解決手続　第五条の認証を受けた業務として行う民間紛争解決手続をいう。
四　認証紛争解決事業者　第五条の認証を受け、認証紛争解決手続の業務を行う者をいう。
五　特定和解　認証紛争解決手続において紛争の当事者間に成立した和解であって、当該和解に基づいて民事執行をすることができる旨の合意がされたものをいう。

（基本理念等）
第三条①　裁判外紛争解決手続は、法による紛争の解決のための手続として、紛争の当事者の自主的な紛争解決の努力を尊重しつつ、公正かつ適正に実施され、かつ、専門的な知見を反映して紛争の実情に即した迅速な解決を図るものでなければならない。
②　裁判外紛争解決手続を行う者は、前項の基本理念にのっとり、相互に連携を図りながら協力するように努めなければならない。

（国等の責務）
第四条①　国は、裁判外紛争解決手続の利用の促進を図るため、裁判外紛争解決手続に関する内外の動向、その利用の状況その他の事項についての調査及び分析並びに情報の提供その他の必要な措置を講じ、裁判外紛争解決手続についての国民の理解を増進させるように努めなければならない。
②　地方公共団体は、裁判外紛争解決手続の普及が住民福祉の向上に寄与することにかんがみ、国との適切な役割分担を踏まえつつ、裁判外紛争解決手続に関する情報の提供その他の必要な措置を講ずるように努めなければならない。

第二章　認証紛争解決手続の業務（抄）

第一節　民間紛争解決手続の業務の認証（抄）

（民間紛争解決手続の業務の認証）
第五条　民間紛争解決手続を業として行う者（法人でない団体で代表者又は管理人の定めのあるものを含む。）は、その業務について、法務大臣の認証を受けることができる。

（認証の基準）
第六条　法務大臣は、前条の認証の申請をした者（以下「申請者」という。）が行う当該申請に係る民間紛争解決手続の業務が次に掲げる基準に適合し、かつ、申請者が当該業務を行うのに必要な知識及び能力並びに経理的基礎を有するものであると認めるときは、当該業務について認証をするものとする。
一　その専門的な知見を活用して和解の仲介を行う紛争の範囲を定めていること。
二　前号の紛争の範囲に対応して、個々の民間紛争解決手続において和解の仲介を行うのにふさわしい者を手続実施者として選任することができること。
三　手続実施者の選任の方法及び手続実施者が紛争の当事者と利害関係を有することその他の民間紛争解決手続の公正な実施を妨げるおそれがある事由がある場合において、当該手続実施者を排除するための方法を定めていること。
四　申請者の実質的支配者等（申請者の株式の所有、申請者に対する融資その他の事由を通じて申請者の事業を実質的に支配し、又はその事業に重要な影響を与える関係にあるものとして法務省令で定める者をいう。以下この号において同じ。）又は申請者の子会社等（申請者が株式の所有その他の事由を通じてその事業を実質的に支配する関係にあるものとして法務省令で定める者をいう。）を紛争の当事者とする紛争について民間紛争解決手続の業務を行うこととしている申請者にあっては、当該実質的支配者等又は申請者が手続実施者に対して不当な影響を及ぼすことを排除するための措置が講じられていること。
五　手続実施者が弁護士でない場合（司法書士法（昭和二十五年法律第百九十七号）第三条第一項第七号に規定する紛争について行う民間紛争解決手続において、手続実施者が同条第二項に規定する司法書士である場合を除く。）において、民間紛争解決手続の実施に当たり法令の解釈適用に関し専門的知識を必要とするときに、弁護士の助言を受けることができるようにするための措置を定めていること。
六　民間紛争解決手続の実施に際して行う通知について相当な方法を定めていること。
七　民間紛争解決手続の開始から終了に至るまでの標準的な手続の進行について定めていること。
八　紛争の当事者が申請者に対し民間紛争解決手続の実施の依頼をする場合の要件及び方式を定めていること。
九　申請者が紛争の一方の当事者から前号の依頼を受けた場合において、紛争の他方の当事者に対し、速やかにその旨を通知するとともに、当該紛争の他方の当事者がこれに応じて民間紛争解決手続の実施を依頼するか否かを確認するための手続を定めていること。

十　民間紛争解決手続において提出された資料の保管、返還その他の取扱いの方法を定めていること。

十一　民間紛争解決手続において陳述される意見又は提出され、若しくは提示される資料に含まれる紛争の当事者又は第三者の秘密について、当該秘密の性質に応じてこれを適切に保持するための取扱いの方法を定めていること。第十六条に規定する手続実施記録に記載されているこれらの秘密についても、同様とする。

十二　紛争の当事者が民間紛争解決手続を終了させるための要件及び方式を定めていること。

十三　手続実施者が民間紛争解決手続によっては紛争の当事者間に和解が成立する見込みがないと判断したときは、速やかに当該民間紛争解決手続を終了し、その旨を紛争の当事者に通知することを定めていること。

十四　申請者（法人にあってはその役員、法人でない団体で代表者又は管理人の定めのあるものにあってはその代表者又は管理人）、その代理人、使用人その他の従業者及び手続実施者について、これらの者が民間紛争解決手続の業務に関し知り得た秘密を確実に保持するための措置を定めていること。

十五　申請者（手続実施者を含む。）が支払を受ける報酬又は費用がある場合には、その額又は算定方法、支払方法その他必要な事項を定めており、これが著しく不当なものでないこと。

十六　申請者が行う民間紛争解決手続の業務に関する苦情の取扱いについて定めていること。

（欠格事由）
第七条　前条の規定にかかわらず、次の各号のいずれかに該当する者は、第五条の認証を受けることができない。

一　心身の故障により民間紛争解決手続の業務を適正に行うことができない者として法務省令で定めるもの

二　民間紛争解決手続の業務に関し成年者と同一の行為能力を有しない未成年者

三　破産手続開始の決定を受けて復権を得ない者

四　拘禁刑以上の刑に処せられ、その刑の執行を終わり、又は刑の執行を受けることがなくなった日から五年を経過しない者

五　この法律又は弁護士法（昭和二十四年法律第二百五号）の規定に違反し、罰金の刑に処せられ、その執行を終わり、又は執行を受けることがなくなった日から五年を経過しない者

六　第二十三条第一項又は第二項の規定により認証を取り消され、その取消しの日から五年を経過しない者

七　認証紛争解決事業者で法人（法人でない団体で代表者又は管理人の定めのあるものを含む。第九号、次条第二項第一号、第十三条第一項第三号及び第二項第一号並びに第十七条第三項において同じ。）であるものが第二十三条第一項又は第二項の規定により認証を取り消された場合において、その取消しの日前六十日以内にその役員（法人でない団体で代表者又は管理人の定めのあるものにあっては、その代表者又は管理人。第九号及び第十三条第二項第一号において同じ。）であった者でその取消しの日から五年を経過しないもの

八　暴力団員による不当な行為の防止等に関する法律（平成三年法律第七十七号）第二条第六号に規定する暴力団員（以下この号において「暴力団員」という。）又は暴力団員でなくなった日から五年を経過しない者（以下「暴力団員等」という。）

九　法人でその役員又は政令で定める使用人のうちに前各号のいずれかに該当する者のあるもの

十　個人でその政令で定める使用人のうちに第一号から第八号までのいずれかに該当する者のあるもの

十一　暴力団員等をその民間紛争解決手続の業務に従事させ、又は当該業務の補助者として使用するおそれのある者

十二　暴力団員等がその事業活動を支配する者

第八条から第一三条まで　（略）

第二節　認証紛争解決事業者の業務（抄）

（説明義務）
第一四条　認証紛争解決事業者は、認証紛争解決手続を実施する契約の締結に先立ち、紛争の当事者に対し、法務省令で定めるところにより、次に掲げる事項について、これを記載した書面を交付し、又はこれを記録した電磁的記録（電子的方式、磁気的方式その他人の知覚によっては認識することができない方式で作られる記録であって、電子計算機による情報処理の用に供されるものをいう。第二十七条の二第三項において同じ。）を提供して説明をしなければならない。

一　手続実施者の選任に関する事項

二　紛争の当事者が支払う報酬又は費用に関する事項

三　第六条第七号に規定する認証紛争解決手続の開始から終了に至るまでの標準的な手続の進行

四　前三号に掲げるもののほか、法務省令で定める事項

＊令和五法五三（令和一〇・六・一三までに施行）による改正
第一四条中「第二十七条の二第三項において」を「以下」に改める。（本文未織込み）

第一五条から第一九条まで　（略）

第三節　報告等（第二〇条から第二四条まで）（略）

第三章　認証紛争解決手続の利用に係る特例（抄）

（時効の完成猶予）
第二五条①　認証紛争解決手続によっては紛争の当事者間に和解が成立する見込みがないことを理由に手続実施者が当該認証紛争解決手続を終了した場合において、当該認証紛争解決手続の実施の依頼をした当該紛争の当事者がその旨の通知を受けた日から一月以内に当該認証紛争解決手続の目的となった請求について訴えを提起したときは、時効の完成猶予に関しては、当該認証紛争解決手続における請求の時に、訴えの提起があったものとみなす。

②　第十九条の規定により第五条の認証がその効力を失い、かつ、当該認証がその効力を失った日に認証紛争解決手続が実施されていた紛争がある場合において、当該認証紛争解決手続の実施の依頼をした当該紛争の当事者が第十七条第三項若しくは第十八条第二項の規定による通知を受けた日又は第十九条各号に規定する事由があったことを知った日のいずれか早い日（認証紛争解決事業者の死亡により第五条の認証がその効力を失った場合にあっては、その死亡の事実を知った日）から一月以内に当該認証紛争解決手続の目的となった請求について訴えを提起したときも、前項と同様とする。

③　第五条の認証が第二十三条第一項又は第二項の規定により取り消され、かつ、その取消しの処分の日に認証紛争解決手続が実施されていた紛争がある場合において、当該認証紛争解決手続の実施の依頼をした当該紛争の当事者が同条第五項の規定による通知を受けた日又は当該処分を知った日のいずれか早い日から一月以内に当該認証紛争解決手続の目的となった請求について訴えを提起したときも、第一項と同様とする。

（訴訟手続の中止）
第二六条①　紛争の当事者が和解をすることができる民事上の紛争について当該紛争の当事者間に訴訟が係属する場合において、次の各号のいずれかに掲げる事由があり、かつ、当該紛争の当事者の共同の申立てがあるときは、受訴裁判所は、四月以内の期間を定めて訴訟手続を中止する旨の決定をすることができる。

一　当該紛争について、当該紛争の当事者間において認証紛争解決手続が実施されていること。

二　前号に規定する場合のほか、当該紛争の当事者間に認証紛争解決手続によって当該紛争の解決を図る旨の合意があること。

②　受訴裁判所は、いつでも前項の決定を取り消すことができる。

③　第一項の申立てを却下する決定及び前項の規定により第一項の決定を取り消す決定に対しては、不服を申し立てることができない。

第二七条　（略）

第二七条の二（特定和解の執行決定）①　特定和解に基づいて民事執行をしようとする当事者は、債務者を被申立人として、裁判所に対し、執行決定（特定和解に基づく民事執行を許す旨の決定をいう。以下この章において同じ。）を求める申立てをしなければならない。

②　前項の申立てをする者（次項及び第四項において「申立人」という。）は、次に掲げる書面を提出しなければならない。

一　当事者が作成した特定和解の内容が記載された書面

二　認証紛争解決事業者又は手続実施者が作成した特定和解が認証紛争解決手続において成立したものであることを証明する書面

③　前項の書面については、これに記載すべき事項を記録した電磁的記録に係る記録媒体の提出をもって、当該書面の提出に代えることができる。この場合において、当該記録媒体を提出した申立人は、当該書面を提出したものとみなす。

④　第一項の申立てを受けた裁判所は、他の裁判所又は仲裁廷に対して当該特定和解に関する他の申立てがあった場合において、必要があると認めるときは、同項の申立てに係る手続を中止することができる。この場合において、裁判所は、申立人の申立てにより、被申立人に対し、担保を立てるべきことを命ずることができる。

⑤　第一項の申立てに係る事件は、次に掲げる裁判所の管轄に専属する。

一　当事者が合意により定めた地方裁判所

二　当該事件の被申立人の普通裁判籍の所在地を管轄する地方裁判所

三　請求の目的又は差し押さえることができる被申立人の財産の所在地を管轄する地方裁判所

⑥　前項の規定により二以上の裁判所が管轄権を有するときは、先に申立てがあった裁判所が管轄する。

⑦　裁判所は、第一項の申立てに係る事件の全部又は一部がその管轄に属しないと認めるときは、申立てにより又は職権で、これを管轄裁判所に移送しなければならない。

⑧　裁判所は、第六項の規定により管轄する事件について、相当と認めるときは、申立てにより又は職権で、当該事件の全部又は一部を同項の規定により管轄権を有しないこととされた裁判所に移送することができる。

⑨　前二項の規定による決定に対しては、その告知を受けた日から二週間の不変期間内に、即時抗告をすることができる。

⑩　裁判所は、次項の規定により第一項の申立てを却下する場合を除き、執行決定をしなければならない。

⑪　裁判所は、第一項の申立てがあった場合において、次の各号に掲げる事由のいずれかがあると認めるとき（第一号から第五号までに掲げる事由にあっては、被申立人が当該事由の存在を証明した場合に限る。）に限り、当該申立てを却下することができる。

一　特定和解が、無効、取消しその他の事由により効力を有しないこと。

二　特定和解に基づく債務の内容を特定することができないこと。

三　特定和解に基づく債務の全部が履行その他の事由により消滅したこと。

四　認証紛争解決事業者又は手続実施者がこの法律若しくはこの法律に基づく法務省令の規定又は認証紛争解決手続を実施する契約において定められた手続の準則（公の秩序に関しないものに限る。）に違反した場合であって、その違反する事実が重大であり、かつ、当該特定和解の成立に影響を及ぼすものであること。

五　手続実施者が、当事者に対し、自己の公正性又は独立性に疑いを生じさせるおそれのある事実を開示しなかった場合であって、当該事実が重大であり、かつ、当該特定和解の成立に影響を及ぼすものであること。

六　特定和解の対象である事項が、和解の対象とすることができない紛争に関するものであること。

七　特定和解に基づく民事執行が、公の秩序又は善良の風俗に反すること。

⑫　裁判所は、口頭弁論又は当事者双方が立ち会うことができる審尋の期日を経なければ、第一項の申立てについての決定をすることができない。

⑬　第一項の申立てについての決定に対しては、その告知を受けた日から二週間の不変期間内に、即時抗告をすることができる。

＊令和五法五三（令和一〇・六・一三までに施行）による改正
第二七条の二第三項中「に係る記録媒体」を削り、「当該記録媒体」を「当該電磁的記録」に改め、同条を第二八条とする。（本文未織込み）

第二七条の三（適用除外）　前条の規定は、次に掲げる特定和解については、適用しない。

一　消費者（消費者契約法（平成十二年法律第六十一号）第二条第一項に規定する消費者をいう。）と事業者（同条第二項に規定する事業者をいう。）との間で締結される契約に関する紛争に係る特定和解

二　個別労働関係紛争（個別労働関係紛争の解決の促進に関する法律（平成十三年法律第百十二号）第一条に規定する個別労働関係紛争をいう。）に係る特定和解

三　人事に関する紛争その他家庭に関する紛争に係る特定和解（民事執行法（昭和五十四年法律第四号）第百五十一条の二第一項各号に掲げる義務に係る金銭債権に係るものを除く。）

四　調停による国際的な和解合意に関する国際連合条約の実施に関する法律（令和五年法律第十六号）第二条第三項に規定する国際和解合意に該当する特定和解であって、同法の規定の適用を受けるもの

＊令和五法五三（令和一〇・六・一三までに施行）による改正
第二七条の三を第二九条とする。（本文未織込み）

第二七条の四から第二七条の一一まで　（略）

＊令和五法五三（令和一〇・六・一三までに施行）による改正後
第三〇条から第三五条まで　（略、改正前の第二七条の四から第二七条の一一まで）

第四章　雑則（抄）

第二八条（報酬）　認証紛争解決事業者（認証紛争解決手続における手続実施者を含む。）は、紛争の当事者又は紛争の当事者以外の者との契約で定めるところにより、認証紛争解決手続の業務を行うことに関し、報酬を受けることができる。

＊令和五法五三（令和一〇・六・一三までに施行）による改正
第二八条を第三六条とする。（本文未織込み）

第二九条から第三一条まで　（略）

＊令和五法五三（令和一〇・六・一三までに施行）による改正後

第三七条から第三九条まで（略、改正前の第二九条から第三一条まで）

第五章　罰則（抄）

第三二条① 偽りその他不正の手段により第五条の認証又は第十二条第一項の変更の認証を受けたときは、当該違反行為をした者は、二年以下の拘禁刑若しくは百万円以下の罰金に処し、又はこれを併科する。

②③（略）

＊令和五法五三（令和一〇・六・一三までに施行）**による改正**
第三二条を第四〇条とする。（本文未織込み）

第三三条及び第三四条（略）

＊令和五法五三（令和一〇・六・一三までに施行）**による改正後**
第四一条及び第四二条（略、改正前の第三三条及び第三四条）

附　則（抄）

（施行期日）

第一条　この法律は、公布の日から起算して二年六月を超えない範囲内において政令で定める日（平成一九・四・一―平成一八政一八五）から施行する。

別表（略）

＊令和五法五三（令和一〇・六・一三までに施行）**による改正**
別表を削る。（未織込み）

刑法等の一部を改正する法律の施行に伴う関係法律整理法中経過規定　（令和四・六・一七法六八）（抄）

第四四一条から第四四三条まで（刑法の同経過規定参照）

第五〇九条（刑法の同経過規定参照）

刑法等の一部を改正する法律の施行に伴う関係法律整理法

附　則（令和四・六・一七法六八）（抄）

（施行期日）

① この法律は、刑法等一部改正法（刑法等の一部を改正する法律（令和四法六七））施行日（令和七・六・一）から施行する。ただし、次の各号に掲げる規定は、当該各号に定める日から施行する。

一　第五百九条の規定　公布の日

二（略）

民事関係手続等における情報通信技術の活用等の推進を図るための関係法律の整備に関する法律中経過規定　（令和五・六・一四法五三）（抄）

第三八七条から第三八九条まで（民事執行法の同経過規定参照）

民事関係手続等における情報通信技術の活用等の推進を図るための関係法律の整備に関する法律

附　則（令和五・六・一四法五三）

この法律は、公布の日から起算して五年を超えない範囲内において政令で定める日から施行する。ただし、次の各号に掲げる規定は、当該各号に定める日から施行する。

一（前略）第三百八十八条の規定　公布の日

二（前略）第三百八十七条の規定　公布の日から起算して二年六月を超えない範囲内において政令で定める日

三（略）

◉民事執行法（昭和五四・三・三〇 法四）

施行　昭和五五・一〇・一（附則）
改正　平成一法九一、平成七法九一、平成八法一〇八・法一一〇、平成一〇法一二八、平成一二法一三〇、平成一四法六五・法一〇〇、平成一五法一三四・法一三八、平成一六法四五・法八八（平成一七法八七）・法一二四・法一四七・法一五二・法一五四、平成一九法九五、平成二三法五三・法七四、平成二五法九六、平成二九法四五、平成三〇法二〇・法二九、令和一法二、令和四法四八（令和五法五三）・法六八、令和五法一五・法一六・法一七・法五三（令和六法三三）、令和六法三三

注　令和五法五三による本法の改正規定のうち一部の規定は、令和一〇・六・一三までに施行される。改正後の規定を、改正のない条文を除き、本法末尾に掲げた。

目次

第一章　総則

（趣旨）
第一条　強制執行、担保権の実行としての競売及び民法（明治二十九年法律第八十九号）、商法（明治三十二年法律第四十八号）その他の法律の規定による換価のための競売並びに債務者の財産状況の調査（以下「民事執行」と総称する。）については、他の法令に定めるもののほか、この法律の定めるところによる。

⊛+【強制執行↓二二—一七七【担保権の実行としての競売・収益執行↓一八〇—一九五【留置権による競売↓一九五【債務者の財産状況の調査↓一九六—二一一【民法等による換価のための競売↓一九五⊛【本法の規定によって執行されるもの↓民訴一八九、三八一、刑訴四九〇

（執行機関）
第二条　民事執行は、申立てにより、裁判所又は執行官が行う。

⊛+【申立ての方式↓民執規一【裁判所が行う民事執行の例↓三⊛【少額訴訟債権執行↓一六七の二【執行官↓裁六二【執行官が固有の権限として行う民事執行↓一二二、一四八、一六八、一六九、一九〇、一九二、一九五【執行裁判所が執行官に命じてさせる執行行為の例↓五七、六四③、一一四、一二〇、一六一ETC【執行官が民事執行を開始する日時の指定↓民執規一一【執行官のする民事執行の調書↓民執規一三

（執行裁判所）
第三条　裁判所が行う民事執行に関してはこの法律の規定により執行処分を行うべき裁判所をもって、執行官が行う執行処分に関してはその執行官の所属する地方裁判所をもって執行裁判所とする。

⊛+【裁判所が行う民事執行↓四四、一一三、一一三、一四四、一四三、一六七の三、一七〇—一七二、一七四、一八八、一八九、一九三【この法律の規定により執行処分を行うべき裁判所↓四四①②、一一三、一四四①②、一六七②、一七〇、一七一②、一七二⑥、一八八、一八九、一九三【執行官の行う執行処分↓二⊛【執行官の所属↓裁六二①【財産開示手続の執行裁判所↓一九六【第三者からの情報取得手続の執行裁判所↓二〇四【執行裁判所が管轄する訴訟等の例↓三八、九〇、二一五

（任意的口頭弁論）
第四条　執行裁判所のする裁判は、口頭弁論を経ないですることができる。

⊛+【任意的口頭弁論↓民訴八七①但②【執行抗告のできる執行裁判所の裁判↓一〇⊛【執行裁判所の処分に対する執行異議↓一一【執行裁判所↓三⊛【執行裁判所における期日の調書↓民執規一二

（審尋）
第五条　執行裁判所は、執行処分をするに際し、必要があると認めるときは、利害関係を有する者その他参考人を審尋することができる。

⊛+【審尋↓民訴八七②、八八【特に審尋の規定がある場合↓五五③、八五④、一二三①㊀【審尋が必要的である場合↓八三③、一〇二、一一六④、一六一⑦、一七一③、一七二③【審尋無用の規定↓一四五②、一七〇②、一九三②【執行裁判所における期日についての調書↓民執規一二

（執行官等の職務の執行の確保）
第六条①　執行官は、職務の執行に際し抵抗を受けるときは、その抵抗を排除するために、威力を用い、又は警察上の援助を求めることができる。ただし、第六十四条の二第五項（第百八十八条において準用する場合を含む。）の規定に基づく職務の執行については、この限りでない。

②　執行官以外の者で執行裁判所の命令により民事執行に関する職務を行うものは、職務の執行に際し抵抗を受けるときは、執行官に対し、援助を求めることができる。

⊛❶【執行官の職務執行↓二⊛【執行官の立入権・質問権等↓五七②、一二三②、一六八④【執行官の捜索権↓一二三②【執行官の開扉権↓五七③、九六③、一六八④、一七五①㊀【威力行使・警察上の援助請求の際の立会い↓七　❷【執行裁判所の命により民事執行の職務を行う者の例↓五八①、九五【執行官に対する援助請求↓五八③、九六②、一一六

（立会人）
第七条　執行官又は執行裁判所の命令により民事執行に関する職務を行う者（以下「執行官等」という。）は、人の住居に立ち入って職務を執行するに際し、住居主、その代理人又は同居の親族若しくは使用人その他の従業者で相当のわきまえのあるものに出会わないときは、市町村の職員、警察官その他証人として相当と認められる者を立ち会わせなければならない。執行官が前条第一項の規定により威力を用い、又は警察上の援助を受けるときも、同様とする。

⊛+【執行官の職務執行↓二⊛【執行裁判所の命により民事執行

の職務を行う者→六②参【執行官の立入権→六①参

第八条（休日又は夜間の執行）① 執行官等は、日曜日その他の一般の休日又は午後七時から翌日の午前七時までの間に人の住居に立ち入つて職務を執行するには、執行裁判所の許可を受けなければならない。

② 執行官等は、職務の執行に当たり、前項の規定により許可を受けたことを証する文書を提示しなければならない。

参+【執行裁判所→三参【執行官等の職務執行→二参【身分証明書の携帯→九

第九条（身分証明書等の携帯） 執行官等は、職務を執行する場合には、その身分又は資格を証する文書を携帯し、利害関係を有する者の請求があつたときは、これを提示しなければならない。

参+【選任を証する文書→民執規六五②ETC

第一〇条（執行抗告）① 民事執行の手続に関する裁判に対しては、特別の定めがある場合に限り、執行抗告をすることができる。

② 執行抗告は、裁判の告知を受けた日から一週間の不変期間内に、抗告状を原裁判所に提出してしなければならない。

③ 抗告状に執行抗告の理由の記載がないときは、抗告人は、抗告状を提出した日から一週間以内に、執行抗告の理由書を原裁判所に提出しなければならない。

④ 執行抗告の理由は、最高裁判所規則で定めるところにより記載しなければならない。

⑤ 次の各号に該当するときは、原裁判所は、執行抗告を却下しなければならない。

一 抗告人が第三項の規定による執行抗告の理由書の提出をしなかつたとき。

二 執行抗告の理由の記載が明らかに前項の規定に違反しているとき。

三 執行抗告が不適法であつてその不備を補正することができないことが明らかであるとき。

四 執行抗告が民事執行の手続を不当に遅延させることを目的としてされたものであるとき。

⑥ 抗告裁判所は、執行抗告についての裁判が効力を生ずるまでの間、担保を立てさせ、若しくは立てさせないで原裁判の執行の停止若しくは民事執行の手続の全部若しくは一部の停止を命じ、又は担保を立てさせてこれらの続行を命ずることができる。事件の記録が原裁判所に存する間は、原裁判所も、これらの処分を命ずることができる。

⑦ 抗告裁判所は、抗告状又は執行抗告の理由書に記載された理由に限り、調査する。ただし、原裁判に影響を及ぼすべき法令の違反又は事実の誤認の有無については、職権で調査することができる。

⑧ 第五項の規定による決定に対しては、執行抗告をすることができる。

⑨ 第六項の規定による決定に対しては、不服を申し立てることができない。

⑩ 民事訴訟法（平成八年法律第百九号）第三百四十九条の規定は、執行抗告をすることができる裁判が確定した場合について準用する。

参❶【執行抗告のできる旨の特別の定め→一〇⑧・一二①・一四⑤・四二⑦・四五③・四七⑦・五一②・五五⑥・七四①・七五②・八三④・九三⑤・九七③・一〇一②・一〇五②・一一六③・一一七③・一一八②・一二三④・一四五⑥・一五三④・一五四③・一五九④・一六一③・一六七の五④・一六七の九④・一六七の一〇⑤・一六七の一五③・一六七の一五⑤・一七一⑤・一七二⑤・一八二・一八八・一八九・一九三②ETC【執行抗告のできる裁判の告知→民執規二①三【執行抗告に際し相手方を指定する場合→七四④【執行抗告が認められた場合の執行の停止・取消し→三九①三・四〇 ❷【決定・命令の告知→民訴一一九、民訴規五〇②【不変期間→民訴九六・九七【抗告状→民訴三三一・二八六 ❸❹【上訴における理由強制の他の例→民訴三一五・三一八⑤・三三一・三三七⑥ ❺【類似の規定→民訴三一六【理由の記載方法→民執規六 ❻【担保提供の方法→一五、民執規一〇【記録の所在する裁判所の仮の処分の権限の例→民訴四〇四【執行停止の裁判の効果→三九参 ❼【上告審における調査の範囲→民訴三二〇・三二二【執行抗告についての裁判の留保→一五九⑦ ❾【執行停止の仮の処分についての不服申立禁止の他の例→一一②・三二④・三六⑤・三七②・三八④・一三二⑤・一五三⑤、民訴四〇三

第一一条（執行異議）① 執行裁判所の執行処分で執行抗告をすることができないものに対しては、執行裁判所に執行異議を申し立てることができる。執行官の執行処分及びその遅怠に対しても、同様とする。

② 前条第六項前段及び第九項の規定は、前項の規定による申立てがあつた場合について準用する。

参+【執行抗告のできる裁判→一〇参【裁判を告知すべき者の範囲→民執規二①四【執行異議についての裁判の方式→四二【執行官の執行処分→二参【執行異議申立ての方式→民執規八【本法で不服申立てが禁止される裁判→一〇⑨・一一②・三二④⑤・三六⑤・三七②・三八④・四四④・一一九②・一三二⑤・一四四④・一五三⑤・一六七の一五⑤ ❷【執行停止の裁判等の告知→民執規二①四

第一二条（取消決定等に対する執行抗告）① 民事執行の手続を取り消す旨の決定に対しては、執行抗告をすることができる。民事執行の手続を取り消す執行官の処分に対する執行異議の申立てを却下する裁判又は執行官に民事執行の手続の取消しを命ずる決定に対しても、同様とする。

② 前項の規定により執行抗告をすることができる裁判は、確定しなければその効力を生じない。

参❶【民事執行の手続を取り消す決定→一四・五三・六三②③・七三・一〇六②・一一〇・一二〇ETC【執行抗告→一〇参【裁判の告知→民執規二①三【執行官による民事執行の取消し→一二八②・一二九②・一三〇ETC【執行異議→一一 ❷【確定しなければ効力を生じない裁判の他の例→四二⑧・五五⑥・七四⑤・七七②・八三⑤・一一八③・一五九⑤・一六一④・一七七③ +【本条の不適用→四〇②・一八三③・一一七④

第一三条（代理人）① 民事訴訟法第五十四条第一項の規定により訴訟代理人となることができる者以外の者は、執行裁判所でする手続については、訴え又は執行抗告に係る手続を除き、執行裁判所の許可を受けて代理人となることができる。

② 執行裁判所は、いつでも前項の許可を取り消すことができる。

参+【執行法上の訴えの例→三四・三五・三八・九〇【執行抗告→一〇参【代理人の資格についての瑕疵と売却不許可事由→七一三四

第一四条（費用の予納等）① 執行裁判所に対し民事執行の申立てをするときは、申立人は、民事執行の手続に必要な費用として裁判所書記官の定める金額を予納しなければならない。予納した費用が不足する場合において、裁判所書記官が相当の期間を定めてその不足する費用の予納を命じたときも、同様とする。

② 前項の規定による裁判所書記官の処分に対しては、その告知を受けた日から一週間の不変期間内に、執行裁判所に異議を申し立てることができる。

③ 第一項の規定による裁判所書記官の処分は、確定しなければその効力を生じない。

④ 申立人が費用を予納しないときは、執行裁判所は、民事執行の申立てを却下し、又は民事執行の手続を取り消すことができ

る。

⑤　前項の規定により申立てを却下する決定に対しては、執行抗告をすることができる。

∞❶【執行裁判所の行う民事執行→三∞【民事執行の申立て→二、民執規一　❷【裁判所書記官の処分に対する異議→民訴一二一　❹【取消決定に対する執行抗告→一二　❺【執行抗告→一〇【裁判の告知→民執規二①□②　+【本条の特則→一六七の六

第一五条（**担保の提供**）①　この法律の規定により担保を立てるには、担保を立てるべきことを命じた裁判所（以下この項において「発令裁判所」という。）又は執行裁判所の所在地を管轄する地方裁判所の管轄区域内の供託所に金銭又は発令裁判所が相当と認める有価証券（社債、株式等の振替に関する法律（平成十三年法律第七十五号）第二百七十八条第一項に規定する振替債を含む。）を供託する方法その他最高裁判所規則で定める方法によらなければならない。ただし、当事者が特別の契約をしたときは、その契約による。

②　民事訴訟法第七十七条、第七十九条及び第八十条の規定は、前項の担保について準用する。

∞+【担保を立てる場合の例→一〇⑥、三二②、三六②、三七①、三八④、五五④、七七②、一三二③、一五三②【立担保の条件でする民事執行→三〇②【強制執行免脱の担保→三九①国、民訴二五九③【供託所→供一【供託の手続→供二【最高裁判所規則との関係→二一【最高裁判所規則で定める担保提供方法→民執規一〇

第一五条の二（**期日の呼出しの特例**）①　民事執行の手続における期日の呼出しは、呼出状の送達、当該事件について出頭した者に対する期日の告知その他相当と認める方法によつてする。

②　呼出状の送達及び当該事件について出頭した者に対する期日の告知以外の方法による期日の呼出しをしたときは、期日に出頭しない者に対し、法律上の制裁その他期日の不遵守による不利益を帰することができない。ただし、その者が期日の呼出しを受けた旨を記載した書面を提出したときは、この限りでない。

***令和四法四八**（令和八・五・二四までに施行）**により第一五条の二追加**

∞❶【民事訴訟の場合→民訴九四

第一六条（**送達の特例**）①　民事執行の手続について、執行裁判所に対し申立て、申出若しくは届出をし、又は執行裁判所から文書の送達を受けた者は、送達を受けるべき場所（日本国内に限る。）を執行裁判所に届け出なければならない。この場合においては、送達受取人をも届け出ることができる。

②　民事訴訟法第百四条第二項及び第三項並びに第百七条の規定は、前項前段の場合について準用する。

③　第一項前段の規定による届出をしない者（前項において準用する民事訴訟法第百四条第三項に規定する者を除く。）に対する送達は、事件の記録に表れたその者の住所、居所、営業所又は事務所においてする。

④　前項の規定による送達をすべき場合において、第二十条において準用する民事訴訟法第百六条の規定により送達をすることができないときは、裁判所書記官は、同項の住所、居所、営業所又は事務所に宛てて、書類を書留郵便又は民間事業者による信書の送達に関する法律（平成十四年法律第九十九号）第二条第六項に規定する一般信書便事業者若しくは同条第九項に規定する特定信書便事業者の提供する同条第二項に規定する信書便の役務のうち書留郵便に準ずるものとして最高裁判所規則で定めるものに付して発送することができる。この場合においては、民事訴訟法第百七条第二項及び第三項の規定を準用する。

***令和四法四八**（令和八・五・二四までに施行）**による改正**
第四項中「あてて」は「宛てて」に改められた。（本文織込み済み）

⑤　民事執行の手続における公示送達は、裁判所書記官が送達すべき書類を保管し、いつでも送達を受けるべき者に交付すべき旨を裁判所の掲示場に掲示してする。

***令和四法四八**（令和八・五・二四までに施行）**により第五項追加**

∞❶【送達場所の届出の方式→民執規一〇の二【送達場所の調査→民執規一〇の三【同旨の規定→民訴一〇四①　❸❹【住所→民二二∞【居所→民二三∞【事務所・営業所→民訴五国【執行裁判所→三∞　❹【送達をすべき場合の例→二九、四五②、一四五③、一五九②ETC【郵便等に付する送達→民訴一〇七　❺【民事訴訟の場合→民訴一一一

第一七条（**民事執行の事件の記録の閲覧等**）　執行裁判所の行う民事執行について、利害関係を有する者は、裁判所書記官に対し、事件の記録の閲覧若しくは謄写、その正本、謄本若しくは抄本の交付又は事件に関する事項の証明書の交付を請求することができる。

∞+【執行裁判所の行う民事執行→三∞【裁判所書記官の組織法上の地位→裁六〇【本法で定める書記官の権限→二六①、二七②、三二①、四八、四九②④、五四、六四⑤、八二、九一、一四七①、一五〇、一六四①⑤、一七七③、一八一④ETC【訴訟記録の閲覧等→民訴九一、九一の二【買受申出人の物件明細書等の閲覧→六二②、民執規三一

第一八条（**官庁等に対する援助請求等**）①　民事執行のため必要がある場合には、執行裁判所又は執行官は、官庁又は公署に対し、援助を求めることができる。

②　前項に規定する場合には、執行裁判所又は執行官は、民事執行の目的である財産（財産が土地である場合にはその上にある建物を、財産が建物である場合にはその敷地を含む。）に対して課される租税その他の公課について、所管の官庁又は公署に対し、必要な証明書の交付を請求することができる。

③　前項の規定は、民事執行の申立てをしようとする者がその申立てのため同項の証明書を必要とする場合について準用する。

∞❶【警察上の援助→六①、七【市町村への掲示の嘱託→民執規三六②【執行裁判所→三∞【執行官→二∞　❷【執行官→二∞【租税等の主管官庁等への催告→四九②□【強制管理人による公課の支払→一〇六①　❸【民事執行の申立て→二、民執規一

第一八条の二（**記録事項証明書の提出等の省略**）　民事執行の手続においてこの法律の規定に基づき裁判所、裁判所書記官又は執行官に次の各号に掲げるものに係る記録事項証明書（裁判所の使用に係る電子計算機に備えられたファイル（以下単に「ファイル」という。）に記録されている事項を記載した書面であつて裁判所書記官が当該書面の内容が当該ファイルに記録されている事項と同一であることを証明したものをいう。以下同じ。）を提出し、又は提示すべき者は、その提出又は提示に代えて、最高裁判所規則で定めるところにより、当該各号に掲げるものに係る事件を特定するために必要な情報として最高裁判所規則で定めるものを提供することができる。この場合において、当該者は、当該記録事項証明書を提出し、又は提示したものとみなす。

一　裁判

二　裁判所書記官の処分

三　裁判上の和解又は調停

四　前三号に掲げるもののほか、確定判決と同一の効力を有す

るもの

五　第二十二条第二号から第四号の二までに掲げる債務名義が訴えの取下げその他の事由により効力を失つたことを証する電子調書（期日又は期日外における手続の方式、内容及び経過等の記録及び公証をするために民事訴訟法第百六十条第一項（他の法令において準用する場合を含む。）その他の法令の規定により裁判所書記官が作成する電磁的記録をいう。第三十九条第一項第四号及び第四号の二並びに第百六十七条の二第一項第四号において同じ。）

＊令和五法五三（令和八・五・二四までに施行）により第一八条の二追加

（専属管轄）

第一九条　この法律に規定する裁判所の管轄は、専属とする。

【本法に定める管轄の例→一一①、二四①、三二①、三三②、三四③、三八③、四四①②、九〇②、一一三、一四四①②、一六七②、一七〇、一七一②、一七二⑥、一八八、一八九、一九三、一九六、二〇四、二二五、民執規八七【専属管轄→民訴一三【国際裁判管轄→民訴三の一〇、三の五【非訟事件の管轄→非訟五、六【家事事件の管轄→家事四、六六　ETC

（電子情報処理組織による申立て等）

第一九条の二①　民事執行の手続における申立てその他の申述（以下この条において「申立て等」という。）のうち、当該申立て等に関するこの法律その他の法令の規定により書面等（書面、書類、文書、謄本、抄本、正本、副本、複本その他文字、図形等人の知覚によつて認識することができる情報が記載された紙その他の有体物をいう。次項及び第四項において同じ。）をもつてするものとされているものであつて、最高裁判所の定める裁判所に対してするもの（当該裁判所の裁判長、受命裁判官、受託裁判官又は裁判所書記官に対してするものを含む。）については、当該法令の規定にかかわらず、最高裁判所規則で定めるところにより、電子情報処理組織（裁判所の使用に係る電子計算機（入出力装置を含む。以下同じ。）と申立て等をする者の使用に係る電子計算機とを電気通信回線で接続した電子情報処理組織をいう。）を用いてすることができる。

②　前項の規定によりされた申立て等については、当該申立て等を書面等をもつてするものとして規定した申立て等に関する法令の規定に規定する書面等をもつてされたものとみなして、当該申立て等に関する法令の規定を適用する。

③　第一項の規定によりされた申立て等は、同項の裁判所の使用に係る電子計算機に備えられたファイルへの記録がされた時に、当該裁判所に到達したものとみなす。

④　第一項の場合において、当該申立て等に関する他の法令の規定により署名等（署名、記名、押印その他氏名又は名称を書面等に記載することをいう。以下この項において同じ。）をすることとされているものについては、当該申立て等をする者は、当該法令の規定にかかわらず、当該署名等に代えて、最高裁判所規則で定めるところにより、氏名又は名称を明らかにする措置を講じなければならない。

⑤　第一項の規定によりされた申立て等が第三項に規定するファイルに記録されたときは、第一項の裁判所は、当該ファイルに記録された情報の内容を書面に出力しなければならない。

⑥　第一項の規定によりされた申立て等に係るこの法律その他の法令の規定による事件の記録の閲覧若しくは謄写又はその正本、謄本若しくは抄本の交付は、前項の書面をもつてするものとする。当該申立て等に係る書類の送達又は送付も、同様とする。

＊令和四法四八（令和八・五・二四までに施行）により第一九条の二追加

【民事訴訟の場合→民訴一三二の一〇

（裁判書）

第一九条の三①　民事執行の手続に関する裁判の裁判書を作成する場合には、当該裁判書には、当該裁判に係る主文、当事者及び法定代理人並びに裁判所を記載しなければならない。

②　前項の裁判書を送達する場合には、当該送達は、当該裁判書の正本によつてする。

＊令和四法四八（令和八・五・二四までに施行）により第一九条の三追加

【民事訴訟の場合→民訴二五二、二五五

（民事訴訟法の準用）

第二〇条　特別の定めがある場合を除き、民事執行の手続に関しては、その性質に反しない限り、民事訴訟法第一編から第四編までの規定（同法第七十一条第二項、第九十一条の二、第九十二条第九項及び第十項、第九十二条の二第二項、第九十四条、第百条第二項、第一編第五章第四節第三款、第百十一条、第一編第七章、第百三十三条の二第五項及び第六項、第百三十三条の三第二項、第百五十一条第三項、第百六十条第二項、第百八十五条第三項、第二百五条第二項、第二百十五条第二項、第二百二十七条第二項並びに第二百三十二条の二の規定を除く。）を準用する。この場合において、別表第一の上欄に掲げる同法の規定中同表の中欄に掲げる字句は、それぞれ同表の下欄に掲げる字句に読み替えるものとする。

＊令和四法四八（令和八・五・二四までに施行）による改正前

（民事訴訟法の準用）

第二〇条　特別の定めがある場合を除き、民事執行の手続に関しては、その性質に反しない限り、民事訴訟法第一編から第四編までの規定（同法第八十七条の二の規定を除く。）を準用する。

【特別の定めの例→一〇⑩、一五②、一六②―④ ETC【準用される主な規定の例→民訴二三以下、二八以下、八二以下、九三以下

（最高裁判所規則）

第二一条　この法律に定めるもののほか、民事執行の手続に関し必要な事項は、最高裁判所規則で定める。

【最高裁判所の規則制定権→憲七七【規則での一般的な定め→民執規【個別的に最高裁判所規則に委任する例→一〇④、一五①、六三④、六四②、六六、七八③、八六の二③、一一七⑤、一三四、一四七①、一七〇②

（家庭裁判所における執行関係訴訟手続に関する特例）

第二一条の二①　第二十四条又は第三十三条から第三十五条までの訴えに係る事件であつて、家庭裁判所の管轄に属するものに関する手続（以下この条において「家庭裁判所における執行関係訴訟手続」という。）については、民事訴訟法第七十一条第二項、第九十一条の二、第九十二条第九項及び第十項、第九十二条の二第二項、第九十四条、第百条第二項、第一編第五章第四節第三款、第百十一条、第一編第七章、第百三十三条の二第五項及び第六項、第百三十三条の三第二項、第百五十一条第三項、第百六十条第二項、第百八十五条第三項、第二百五条第二項、第二百十五条第二項、第二百二十七条第二項、第二百三十二条の二並びに第七編の規定は、適用しない。

②　家庭裁判所における執行関係訴訟手続における民事訴訟法の規定の適用については、別表第二の上欄に掲げる同法の規定中同表の中欄に掲げる字句は、それぞれ同表の下欄に掲げる字句とする。

③　第十五条の二、第十六条第五項及び第十九条の二の規定は、家庭裁判所における執行関係訴訟手続について準用する。

＊令和四法四八（令和八・五・二四までに施行）により第二一条の二追加

⊛【家庭裁判所↓裁三一の二—三一の五

第二章　強制執行

第一節　総則

（債務名義）

第二二条　強制執行は、次に掲げるもの（以下「債務名義」という。）により行う。

一　確定判決
二　仮執行の宣言を付した判決
三　抗告によらなければ不服を申し立てることができない裁判（確定しなければその効力を生じない裁判にあつては、確定したものに限る。）
三の二　仮執行の宣言を付した損害賠償命令
三の三　仮執行の宣言を付した届出債権支払命令
四　仮執行の宣言を付した支払督促
四の二　訴訟費用、和解の費用若しくは非訟事件（他の法令の規定により非訟事件手続法（平成二十三年法律第五十一号）の規定を準用することとされる事件を含む。）、家事事件若しくは国際的な子の奪取の民事上の側面に関する条約の実施に関する法律（平成二十五年法律第四十八号）第二十九条に規定する子の返還に関する事件の手続の費用の負担の額を定める裁判所書記官の処分又は第四十二条第四項に規定する執行費用及び返還すべき金銭の額を定める裁判所書記官の処分（後者の処分にあつては、確定したものに限る。）
五　金銭の一定の額の支払又はその他の代替物若しくは有価証券の一定の数量の給付を目的とする請求について公証人が作成した公正証書で、債務者が直ちに強制執行に服する旨の陳述が記載され、又は記録されているもの（以下「執行証書」という。）
六　確定した執行判決のある外国裁判所の判決（家事事件における裁判を含む。第二十四条において同じ。）
六の二　確定した執行決定のある仲裁判断
六の三　確定した執行等認可決定のある仲裁法（平成十五年法律第百三十八号）第四十八条に規定する暫定保全措置命令
六の四　確定した執行決定のある国際和解合意
六の五　確定した執行決定のある特定和解
七　確定判決と同一の効力を有するもの（第三号に掲げる裁判を除く。）

⊛【債務名義とみなされるもの↓民保五二②【債務名義不要↓四三②【債務名義を取り消す裁判↓三九①〔一〕【債務名義に係る和解等の無効を宣言する裁判↓三九①〔二〕【債務名義の失効を証する調書等↓三九①〔三〕【債務名義成立後の弁済・猶予等↓三九①〔四〕【執行力のある債務名義の正本と同一の効力を有するもの↓五一⊛【債務名義の送達↓二九【執行力の主観的範囲↓二三①③〔二〕【判決の確定時期↓民訴一一六【執行文をめぐる訴訟や請求異議の訴えの事由↓三五②【執行文をめぐる訴訟や請求異議訴訟の管轄↓三三②〔一〕・三四③・三五③〔三〕【仮執行宣言↓民訴二五九・二六〇【仮執行宣言付判決に対する上訴・異議と執行停止↓民訴四〇三①〔二〕—〔五〕、三九①〔七〕【仮執行宣言の取消しと執行停止・取消し↓三九①〔一〕・四〇①〔三〕【本号の裁判の例↓八三④⑤・一七一④・一七二①・四二⑦、民訴七一⑦・一八九・一九二・二〇〇・二〇一⑤・三八一、ETC【執行力の主観的範囲↓二三①③【執行文をめぐる訴訟や請求異議訴訟の管轄↓三三②〔一〕・三四③・三五③〔三の二〕—〔四〕【請求異議の訴えの対象とならない↓三五①〔三の二〕【損害賠償命令↓犯罪被害保護三七〔四〕【仮執行宣言付支払督促↓民訴三九一【執行文の要否↓二五・二七②【異議と執行停止↓民訴四〇三①〔三〕〔四〕、三九①〔七〕【執行文をめぐる訴訟や請求異議訴訟の管轄↓三三②〔三〕・三四③・三五③〔四の二〕【訴訟・和解費用額確定処分↓民訴七一・七二【訴訟・和解以外の場合における費用額確定処分↓民訴七三【執行文の要否↓二五【執行文をめぐる訴訟や請求異議訴訟の管轄↓三三②〔四〕・三四③・三五③〔五〕【執行証書に関する特則↓二二②、二六、四二③【執行文をめぐる訴訟や請求異議訴訟の管轄↓三三②〔五〕・三四③・三五③【請求異議の訴えの事由↓三五①〔六〕【外国判決についての執行判決↓二四〔六の二〕【仲裁判断についての執行決定↓仲裁四六【執行力の主観的範囲↓二三①③【執行文をめぐる訴訟や請求異議訴訟の管轄↓三三②〔一〕・三四③・三五③〔六の三〕【暫定保全措置命令↓仲裁四七、四八〔七〕【本号の債務名義の例↓民訴二六七、犯罪被害保護一九④、民調一六、一七、二四の三②、家事二六八①・二八一・二八七、破二二一①、会社八九九⑤、会更二四〇、ETC【執行文をめぐる訴訟や請求異議訴訟の管轄↓三三②〔一〕〔六〕・三四③・三五③【請求異議の訴えの事由↓三五①【和解・認諾・調停が効力のないことを宣言する判決と執行の停止・取消し↓三九①〔二〕・四〇

（強制執行をすることができる者の範囲）

第二三条①　執行証書以外の債務名義による強制執行は、次に掲げる者に対し、又はその者のためにすることができる。

一　債務名義に表示された当事者
二　債務名義に表示された当事者が他人のために当事者となつた場合のその他人
三　前二号に掲げる者の債務名義成立後の承継人（前条第一号、第二号又は第六号に掲げる債務名義にあつては口頭弁論終結後の承継人、同条第三号の二に掲げる債務名義又は同条第七号に掲げる債務名義のうち損害賠償命令に係るものにあつては審理終結後の承継人）

②　執行証書による強制執行は、執行証書に表示された当事者又は執行証書作成後のその承継人に対し、若しくはこれらの者のためにすることができる。

③　第一項に規定する債務名義による強制執行は、同項各号に掲げる者のために請求の目的物を所持する者に対しても、することができる。

⊛❶〔一〕【当事者に対する判決効↓民訴一一五①〔一〕〔二〕【他人のために当事者となった場合の本人に対する判決効↓民訴一一五①〔二〕〔三〕【口頭弁論終結後の承継人に対する判決効↓民訴一一五①〔三〕　❷【執行証書↓二二〔五〕　❸【請求の目的物所持者に対する判決効↓民訴一一五①〔四〕

（外国裁判所の判決の執行判決）

第二四条①　外国裁判所の判決についての執行判決を求める訴えは、債務者の普通裁判籍の所在地を管轄する地方裁判所（家事事件における裁判に係るものにあつては、家庭裁判所。以下この項において同じ。）が管轄し、この普通裁判籍がないときは、請求の目的又は差し押さえることができる債務者の財産の所在地を管轄する地方裁判所が管轄する。

②　前項に規定する地方裁判所は、同項の訴えの全部又は一部が家庭裁判所の管轄に属する場合においても、相当と認めるときは、同項の規定にかかわらず、申立てにより又は職権で、当該訴えに係る訴訟の全部又は一部について自ら審理及び裁判をすることができる。

③　第一項に規定する家庭裁判所は、同項の訴えの全部又は一部が地方裁判所の管轄に属する場合においても、相当と認めるときは、同項の規定にかかわらず、申立てにより又は職権で、当該訴えに係る訴訟の全部又は一部について自ら審理及び裁判をすることができる。

④　執行判決は、裁判の当否を調査しないでしなければならない。

⑤　第一項の訴えは、外国裁判所の判決が、確定したことが証明されないとき、又は民事訴訟法第百十八条各号（家事事件手続法（平成二十三年法律第五十二号）第七十九条の二において準用する場合を含む。）に掲げる要件を具備しないときは、却下しなければならない。

⑥　執行判決においては、外国裁判所の判決による強制執行を許

す旨を宣言しなければならない。

∞❶【債務名義としての執行判決のある外国判決↓二二[六]【普通裁判籍↓民訴四【地方裁判所↓裁二三―三一【財産所在地の特別裁判籍↓民訴五[四]【専属管轄↓一九 ❺【判決の確定↓民訴一一六【外国判決の効力↓民訴一一八【外国裁判所の家事事件についての確定した裁判の効力↓家事七九の二 ⁺【国際裁判管轄↓一九、民訴三の一〇・三の五【非訟事件の管轄↓非訟五・六【家事事件の管轄↓家事四・六六ETC

（強制執行の実施）

第二五条 強制執行は、執行文の付された債務名義の正本（債務名義に係る電磁的記録がファイルに記録されたものである場合にあつては記録事項証明書、債務名義が電磁的記録をもつて作成された執行証書である場合にあつては公証人法（明治四十一年法律第五十三号）第四十四条第一項第二号の書面又は同項第三号の電磁的記録。以下同じ。）に基づいて実施する。ただし、少額訴訟における確定判決又は仮執行の宣言を付した少額訴訟の判決若しくは支払督促により、これに表示された当事者に対し、又はその者のためにする強制執行は、その債務名義の正本に基づいて実施する。

∞⁺【申立書の記載事項・添付書類↓民執規二一【執行文↓二六―二八【債務名義↓二二【正本↓民訴九一③、民訴規三三【記録事項証明書↓一八の二①【執行証書↓二二[五]【執行文の付された債務名義正本所持者の配当要求↓五一【少額訴訟の確定判決↓民訴三六八・三七四・三七五・三七七―三八〇【仮執行宣言付少額訴訟判決↓民訴三六八・三七四―三七六【仮執行宣言付支払督促↓民訴三八二・三九一【承継人に対する執行の際の承継執行文の必要性↓二七②【少額訴訟の確定判決、仮執行宣言付少額訴訟判決・支払督促正本の再度付与↓二八

（執行文の付与）

第二六条① 執行文は、申立てにより、執行証書以外の債務名義については事件の記録の存する裁判所の裁判所書記官が、執行証書についてはその原本（執行証書が電磁的記録をもつて作成されている場合にあつては、当該電磁的記録）を保存する公証人が付与する。

② 執行文の付与は、債権者が債務者に対しその債務名義により強制執行をすることができる場合に、次の各号に掲げる区分に応じ、それぞれ当該各号に定める方法により行う。

一 債務名義に係る電磁的記録がファイルに記録されたものである場合における執行文の付与 債権者が債務者に対しその債務名義により強制執行をすることができる旨を当該電磁的記録に併せて記録する方法

二 債務名義が電磁的記録をもつて作成された執行証書である場合における執行文の付与 債権者が債務者に対しその債務名義により強制執行をすることができる旨を当該電磁的記録に併せて記録するとともに、その旨を当該債務名義に係る公証人法第四十四条第一項第二号の書面の末尾に付記し、又はその旨を当該債務名義に係る同項第三号の電磁的記録に併せて記録する方法

三 前二号に掲げる場合以外の場合における執行文の付与 債権者が債務者に対しその債務名義により強制執行をすることができる旨を債務名義の正本の末尾に付記する方法

∞❶【申立書の方式↓民執規一六【記載事項↓民執規一七【執行証書↓二二[五]∞【記録管掌者としての書記官↓裁六〇②、一七∞【訴訟記録を保管する裁判所↓二〇、民訴規一八五【執行文の再度付与↓二八【債務名義の原本への記入↓民執規一八 ❷【執行証書↓二二[五]【債務名義の正本↓二五∞

第二七条① 請求が債権者の証明すべき事実の到来に係る場合においては、執行文は、債権者がその事実の到来したことを証する文書又は電磁的記録を提出したときに限り、付与することができる。

> ＊令和五法五三（令和八・五・二四までに施行）による改正
> 第一項中「文書」の下に「又は電磁的記録」が加えられた。（本文織込み済み）

② 債務名義に表示された当事者以外の者を債権者又は債務者とする執行文は、その者に対し、又はその者のために強制執行をすることができることが裁判所書記官若しくは公証人に明白であるとき、又は債権者がそのことを証する文書若しくは電磁的記録を提出したときに限り、付与することができる。

> ＊令和五法五三（令和八・五・二四までに施行）による改正
> 第二項中「文書」の下に「若しくは電磁的記録」が加えられた。（本文織込み済み）

③ 執行文は、債務名義について次に掲げる事由のいずれかがあり、かつ、当該債務名義に基づく不動産の引渡し又は明渡しの強制執行をする前に当該不動産を占有する者を特定することを困難とする特別の事情がある場合において、債権者がこれらを証する文書又は電磁的記録を提出したときに限り、債務者を特定しないで、付与することができる。

一 債務名義が不動産の引渡し又は明渡しの請求権を表示したものであり、これを本案とする占有移転禁止の仮処分命令（民事保全法（平成元年法律第九十一号）第二十五条の二第一項に規定する占有移転禁止の仮処分命令をいう。）が執行され、かつ、同法第六十二条第一項の規定により当該不動産を占有する者に対して当該債務名義に基づく引渡し又は明渡しの強制執行をすることができるものであること。

二 債務名義が強制競売の手続（担保権の実行としての競売の手続を含む。以下この号において同じ。）における第八十三条第一項本文（第百八十八条において準用する場合を含む。）の規定による命令（以下「引渡命令」という。）であり、当該強制競売の手続において当該引渡命令の引渡義務者に対し次のイからハまでのいずれかの保全処分及び公示保全処分（第五十五条第一項に規定する公示保全処分をいう。以下この項において同じ。）が執行され、かつ、第八十三条の二第一項（第百八十七条第五項又は第百八十八条において準用する場合を含む。）の規定により当該不動産を占有する者に対して当該引渡命令に基づく引渡しの強制執行をすることができるものであること。

イ 第五十五条第一項第三号（第百八十八条において準用する場合を含む。）に掲げる保全処分及び公示保全処分

ロ 第七十七条第一項第三号（第百八十八条において準用する場合を含む。）に掲げる保全処分及び公示保全処分

ハ 第百八十七条第一項に規定する保全処分又は公示保全処分（第五十五条第一項第三号に掲げるものに限る。）

> ＊令和五法五三（令和八・五・二四までに施行）による改正
> 第三項柱書中「文書」の下に「又は電磁的記録」が加えられた。（本文織込み済み）

④ 前項の執行文の付された債務名義の正本に基づく強制執行は、当該執行文の付与の日から四週間を経過する前であつて、当該強制執行において不動産の占有を解く際にその占有者を特定することができる場合に限り、することができる。

⑤ 第三項の規定により付与された執行文については、前項の規定により当該執行文の付された債務名義の正本に基づく強制執行がされたときは、当該強制執行によつて当該不動産の占有を解かれた者が、債務者となる。

∞⁺【執行文付与↓二六∞【各項所掲の文書が提出できないとき↓三三【付与を争うとき↓三四【文書謄本の送達の必要↓二九【申立書に趣旨・事由記載↓民執規一六①[三] ❶【反対給付・代償請求の場合の執行↓三一【意思表示が債権者の証明すべき事実の到来に係るときの意思表示擬制の時点↓一七七①【意思表示が債務者の証明すべき事実のないことに係るときの執行文付与の要件↓一七七③ ❷【強制執行ができる者の範囲↓二三【承継事由が明白であることの執行文への記載

↓民執規一七②【開始後の債務者の死亡と執行の続行↓四一①　❸【不動産の引渡し・明渡し執行↓一六八【占有者特定のための手段↓八三③・一六八②　〔二〕【債務者を特定しないで発する占有移転禁止の仮処分↓民保二五の二・六二　〔三〕【引渡命令に基づく執行↓八三・八三の二【公示保全処分↓五五①　❹【執行期間の定めがある他の例↓五五⑧・七七②・一一五⑦・一二七④、民保四三②ETC　❺【債務者であることの効果↓四二・一六八④⑤⑦

（執行文の再度付与等）

第二八条①　執行文は、債権の完全な弁済を得るため執行文の付された債務名義の正本が数通必要であるとき、又はこれが滅失したときに限り、更に付与することができる。

②　前項の規定は、少額訴訟における確定判決又は仮執行の宣言を付した少額訴訟の判決若しくは支払督促の正本又は記録事項証明書を更に交付する場合について準用する。

＊令和四法四八（令和八・五・二四までに施行）**による改正**
第二項中「正本」の下に「又は記録事項証明書」が加えられた。（本文織込み済み）

⊛❶【執行文付与の機関↓二六①【申立書に趣旨・事由記載↓民執規一六①〔三〕【執行文の再度付与の記載・記入・通知↓民執規一七③・一八①　❷【少額訴訟の確定判決、仮執行宣言付少額訴訟判決・支払督促の正本による執行↓二五⊛【少額訴訟の確定判決、仮執行宣言付少額訴訟判決・支払督促に執行文が必要な場合↓二七②【申立書の記載事項↓民執規一六③【正本再度交付の記入・通知↓民執規一八②【再度付与についての異議↓三二②―④

（債務名義等の送達）

第二九条　強制執行は、債務名義若しくは確定により債務名義となるべき裁判の正本若しくは謄本又はその債務名義若しくは裁判に係る電磁的記録が、あらかじめ、又は同時に、債務者に送達されたときに限り、開始することができる。第二十七条の規定により執行文が付与された場合においては、執行文の謄本又は執行文に係る電磁的記録及び同条の規定により債権者が提出した文書の謄本又は電磁的記録に記録されている事項の全部を記録した電磁的記録も、あらかじめ、又は同時に、送達されなければならない。

＊令和五法五三（令和八・五・二四までに施行）**による改正**
第二九条中「文書の謄本」の下に「又は電磁的記録に記録されている事項の全部を記録した電磁的記録」が加えられた。（本文織込み済み）

⊛⁺【債務名義↓二二【送達↓民訴九八―一一二【確定により債務名義となるもの↓二二〔三〕括弧書【正本・謄本↓民訴九一③、民訴規三三【判決正本の送達↓民訴二五五【送達前でも執行できる場合↓五五⑨・七七②・一一五⑦・一二七④、民保四三③ETC【執行前の送達不要の場合↓民訴一八九②但、刑訴四九〇②但、ETC

（期限の到来又は担保の提供に係る場合の強制執行）

第三〇条①　請求が確定期限の到来に係る場合においては、強制執行は、その期限の到来後に限り、開始することができる。

②　担保を立てることを強制執行の実施の条件とする債務名義による強制執行は、債権者が担保を立てたことを証する文書を提出したときに限り、開始することができる。

⊛❶【本項の例外↓一五一の二【将来の給付の訴え↓民訴一三五【期限未到来の債権による仮差押え・仮処分の可能性↓民保二〇②・二三③　❷【立担保を要する債務名義の例↓民訴二五九①、二二〔二〕

（反対給付又は他の給付の不履行に係る場合の強制執行）

第三一条①　債務者の給付が反対給付と引換えにすべきものである場合においては、強制執行は、債権者が反対給付又はその提供のあつたことを証明したときに限り、開始することができる。

②　債務者の給付が、他の給付について強制執行の目的を達することができない場合に、他の給付に代えてすべきものであるときは、強制執行は、債権者が他の給付について強制執行の目的を達することができなかつたことを証明したときに限り、開始することができる。

⊛⁺【同時履行の抗弁↓民五三三【意思表示が反対給付との引換えに係る場合の執行文の必要性と意思表示擬制の時期↓一七七①②

（執行文の付与等に関する異議の申立て）

第三二条①　執行文の付与の申立てに関する処分に対しては、裁判所書記官の処分にあつてはその裁判所書記官の所属する裁判所に、公証人の処分にあつてはその公証人の役場の所在地を管轄する地方裁判所に異議を申し立てることができる。

②　執行文の付与に対し、異議の申立てがあつたときは、裁判所は、異議についての裁判をするまでの間、担保を立てさせ、若しくは立てさせないで強制執行の停止を命じ、又は担保を立てさせてその続行を命ずることができる。急迫の事情があるときは、裁判長も、これらの処分を命ずることができる。

③　第一項の規定による申立てについての裁判及び前項の規定による裁判は、口頭弁論を経ないですることができる。

④　前項に規定する裁判に対しては、不服を申し立てることができない。

⑤　前各項の規定は、第二十八条第二項の規定による少額訴訟における確定判決又は仮執行の宣言を付した少額訴訟の判決若しくは支払督促の正本又は記録事項証明書の交付について準用する。

＊令和四法四八（令和八・五・二四までに施行）**による改正**
第五項中「正本」の下に「又は記録事項証明書」が加えられた。（本文織込み済み）

⊛❶【執行文の付与↓二六【書記官所属裁判所↓裁六〇①【地方裁判所↓裁二三―三二　❷【担保↓一五、民執規一〇【強制執行の一時停止命令↓三九①〔七〕【裁判長↓民訴一四八⊛❸【任意的口頭弁論↓民訴八七①但　❺【少額訴訟の確定判決、仮執行宣言付少額訴訟判決・支払督促における執行文の原則的不要↓二五但

（執行文付与の訴え）

第三三条①　第二十七条第一項又は第二項に規定する文書又は電磁的記録の提出をすることができないときは、債権者は、執行文（同条第三項の規定により付与されるものを除く。）の付与を求めるために、執行文付与の訴えを提起することができる。

＊令和五法五三（令和八・五・二四までに施行）**による改正**
第一項中「文書」の下に「又は電磁的記録」が加えられた。（本文織込み済み）

②　前項の訴えは、次の各号に掲げる債務名義の区分に応じ、それぞれ当該各号に定める裁判所が管轄する。

一　第二十二条第一号　第一審裁判所から第三号まで又は第六号から第六号の五までに掲げる債務名義並びに同条第七号に掲げる債務名義のうち次号、第一号の三及び第六号に掲げるもの以外のもの

一の二　第二十二条第三号の二に掲げる債務名義並びに同条第七号に掲げる債務名義のうち損害賠償命令並びに損害賠償命令事件に関する手続における和解及び請求の認諾に係るもの　損害賠償命令事件が係属していた地方裁判所

一の三　第二十二条第三号の三に掲げる債務名義並びに同条第

七号に掲げる債務名義のうち届出債権支払命令並びに簡易確定手続における届出債権の認否及び和解に係るもの　簡易確定手続が係属していた地方裁判所

二　第二十二条第四号に掲げる債務名義のうち次号に掲げるもの以外のもの　仮執行の宣言を付した支払督促を発した裁判所書記官の所属する簡易裁判所（仮執行の宣言を付した支払督促に係る請求が簡易裁判所の管轄に属しないものであるときは、その簡易裁判所の所在地を管轄する地方裁判所）

三　第二十二条第四号に掲げる債務名義のうち民事訴訟法第三百九十七条に規定する指定簡易裁判所の裁判所書記官に対してされた支払督促の申立てによるもの　当該支払督促の申立てについて同法第三百九十八条の規定により訴えの提起があつたものとみなされる裁判所

*令和四法四八（令和八・五・二四までに施行）による改正前

三　第二十二条第四号に掲げる債務名義のうち民事訴訟法第百三十二条の十第一項本文の規定による支払督促の申立て又は同法第四百二条第一項に規定する方式により記載された書面をもつてされた支払督促の申立てによるもの　当該支払督促の申立てについて同法第三百九十八条（同法第四百二条第二項において準用する場合を含む。）の規定により訴えの提起があつたものとみなされる裁判所

四　第二十二条第四号の二に掲げる債務名義　同号の処分をした裁判所書記官の所属する裁判所

五　第二十二条第五号に掲げる債務名義　債務者の普通裁判籍の所在地を管轄する裁判所（この普通裁判籍がないときは、請求の目的又は差し押さえることができる債務者の財産の所在地を管轄する裁判所）

六　第二十二条第七号に掲げる債務名義のうち和解若しくは調停（上級裁判所において成立した和解及び調停を除く。）又は労働審判に係るもの（第一号の二及び第一号の三に掲げるものを除く。）　和解若しくは調停が成立した簡易裁判所、地方裁判所若しくは家庭裁判所（簡易裁判所において成立した和解又は調停に係る請求が簡易裁判所の管轄に属しないものであるときは、その簡易裁判所の所在地を管轄する地方裁判所）又は労働審判が行われた際に労働審判事件が係属していた地方裁判所

参❶【訴えの手数料↓民訴費別表第一〈一の項〉　❷【一】【確定判決↓民訴一一四―一一六、二二二〔一〕【仮執行宣言付判決↓民訴二五九、二二二〔二〕【抗告に服する裁判↓民訴三二八、二二二〔三〕【外国判決↓民訴一一八、二二四・二二二〔六〕【仲裁判断↓仲裁三六・三九、二二二〔六の二〕　【二】【仮執行宣言付支払督促↓民訴三九一、二二二〔四〕　【三】【電子情報処理組織による支払督促↓民訴一三二の一〇、二二二〔四〕　【四】【書記官による費用額確定処分↓民訴七一―七三、四二④・二二二〔四の二〕　【五】【執行証書↓二二二〔五〕【普通裁判籍↓民訴四【財産所在地の特別裁判籍↓民訴五〔三〕〔四〕〔七〕〔十二〕　【六】【和解調書↓民訴二六七、二二二〔七〕、犯罪被害保護一九・二三【調停調書↓民調一六、二四の三②、家事二六八【労働審判書↓労審二〇③　＋【専属管轄↓一九【本条に定める裁判所の執行法上の他の役割↓三四②・三五②・一七一②・一七二⑥

（執行文付与に対する異議の訴え）

第三四条①　第二十七条の規定により執行文が付与された場合において、債権者の証明すべき事実の到来したこと又は債務名義に表示された当事者以外の者に対し、若しくはその者のために強制執行をすることができることについて異議のある債務者は、その執行文の付された債務名義の正本に基づく強制執行の不許を求めるために、執行文付与に対する異議の訴えを提起することができる。

②　異議の事由が数個あるときは、債務者は、同時に、これを主張しなければならない。

③　前条第二項の規定は、第一項の訴えについて準用する。

参❶【条件成就執行文↓二七①【承継執行文↓二七②【訴えの手数料↓民訴費別表第一〈一の項〉【本項の訴えの勝訴判決と執行の停止・取消し↓三九①〔一〕・四〇　❷【攻撃防御方法の提出時期↓民訴一五六・一五七　❸【専属管轄↓一九　＋【本条の訴え提起前の執行停止↓三六③

（請求異議の訴え）

第三五条①　債務名義（第二十二条第二号又は第三号の二から第四号までに掲げる債務名義で確定前のものを除く。以下この項において同じ。）に係る請求権の存在又は内容について異議のある債務者は、その債務名義による強制執行の不許を求めるために、請求異議の訴えを提起することができる。裁判以外の債務名義の成立について異議のある債務者も、同様とする。

②　確定判決についての異議の事由は、口頭弁論の終結後に生じたものに限る。

③　第三十三条第二項及び前条第二項の規定は、第一項の訴えについて準用する。

参❶【二二条二号の債務名義についての実体上の異議の主張方法↓民訴四〇三①〔二〕―〔五〕【二二条四号の債務名義についての実体上の異議の主張方法↓民訴四〇三①〔三〕〔四〕【裁判以外の債務名義↓二二〔五〕〔七〕【本項の訴えの勝訴判決と執行の停止・取消し↓三九①〔一〕・四〇【訴えの手数料↓民訴費別表第一〈一の項〉　❷【確定判決につき本条以外の争い方↓民訴一一七・三三八【既判力の時的限界↓民訴二五二①〔四〕　❸【専属管轄↓一九　＋【本条の訴え提起前の執行停止↓三六③【配当異議に基づく請求異議・確定判決変更の訴え↓九〇⑤

（執行文付与に対する異議の訴え等に係る執行停止の裁判）

第三六条①　執行文付与に対する異議の訴え又は請求異議の訴えの提起があつた場合において、異議のため主張した事情が法律上理由があるとみえ、かつ、事実上の点について疎明があつたときは、受訴裁判所は、申立てにより、終局判決において次条第一項の裁判をするまでの間、担保を立てさせ、若しくは立てさせないで強制執行の停止を命じ、又はこれとともに、担保を立てさせて強制執行の続行を命じ、若しくは担保を立てさせて既にした執行処分の取消しを命ずることができる。急迫の事情があるときは、裁判長も、これらの処分を命ずることができる。

②　前項の申立てについての裁判は、口頭弁論を経ないですることができる。

③　第一項に規定する事由がある場合において、急迫の事情があるときは、執行裁判所は、申立てにより、同項の規定による裁判の正本又は記録事項証明書を提出すべき期間を定めて、同項に規定する処分を命ずることができる。この裁判は、執行文付与に対する異議の訴え又は請求異議の訴えの提起前においても、することができる。

*令和四法四八（令和八・五・二四までに施行）による改正

第三項中「正本」の下に「又は記録事項証明書」が加えられた。（本文織込み済み）

④　前項の規定により定められた期間を経過したとき、又はその期間内に第一項の規定による裁判が執行裁判所若しくは執行官に提出されたときは、前項の裁判は、その効力を失う。

⑤ 第一項又は第三項の申立てについての裁判に対しては、不服を申し立てることができない。

⊗❶【執行文付与に対する異議の訴え】→三四【請求異議の訴え】→三五【疎明】→民訴一八八【担保】→一五、民執規一〇【裁判長】→民訴一四八 ⊗【終局判決における処置】→三七 ❷【任意的口頭弁論】→民訴八七①但 ❸【執行裁判所】→三 ⊗【正本】→民訴九一③、民訴規三三 ❹【執行官】→二 ⊗ ❺【執行停止の仮の処分についての不服申立禁止の他の例】→一〇⑨ ⊗ ⁺【執行停止の裁判の効果】→三九 ⊗

（終局判決における執行停止の裁判等）

第三七条① 受訴裁判所は、執行文付与に対する異議の訴え又は請求異議の訴えについての終局判決において、前条第一項に規定する処分を命じ、又は既にした同項の規定による裁判を取り消し、変更し、若しくは認可することができる。この裁判については、仮執行の宣言をしなければならない。

② 前項の規定による裁判に対しては、不服を申し立てることができない。

⊗❶【執行文付与に対する異議の訴え】→三四【請求異議の訴え】→三五【終局判決】→民訴二四三【仮執行の宣言】→民訴二五九・二六〇 ❷【執行停止の仮の処分についての不服申立禁止の他の例】→一〇⑨ ⊗

（第三者異議の訴え）

第三八条① 強制執行の目的物について所有権その他目的物の譲渡又は引渡しを妨げる権利を有する第三者は、債権者に対し、その強制執行の不許を求めるために、第三者異議の訴えを提起することができる。

② 前項に規定する第三者は、同項の訴えに併合して、債務者に対する強制執行の目的物についての訴えを提起することができる。

③ 第一項の訴えは、執行裁判所が管轄する。

④ 前二条の規定は、第一項の訴えに係る執行停止の裁判について準用する。

⊗❶【担保仮登記権利者が土地所有権の取得を差押債権者に対抗できる場合】→仮登記担保一五②【信託財産の委託者・受益者等の強制執行等に対する異議】→信託二三⑤【本項の訴えの勝訴判決と執行の停止・取消し】→三九①〔二〕・四〇【訴えの手数料】→民訴費別表第一〈一の項〉 ❷【訴えの主観的併合】→民訴三八・三九 ❸【執行裁判所】→三 ⊗【専属管轄】→一九【特則】→一六七の七、民保四五 ❹【執行停止の仮の処分についての不服申立禁止の他の例】→一〇⑨ ⊗

（強制執行の停止）

第三九条① 強制執行は、次に掲げる文書の提出があつたときは、停止しなければならない。

一 債務名義（執行証書を除く。）若しくは仮執行の宣言を取り消す旨又は強制執行を許さない旨を記載した執行力のある裁判の正本又は記録事項証明書

二 債務名義に係る和解、認諾、調停又は労働審判の効力がないことを宣言する確定判決の正本又は記録事項証明書

三 第二十二条第二号から第四号の二までに掲げる債務名義が訴えの取下げその他の事由により効力を失つたことを証する調書の正本その他の裁判所書記官の作成した文書

四 強制執行をしない旨又はその申立てを取り下げる旨を記載した裁判上の和解の調書の正本又は電子調書（民事訴訟法第百六十条第一項に規定する電子調書をいう。第百六十七条の二第一項第四号において同じ。）の記録事項証明書

四の二 強制執行をしない旨又はその申立てを取り下げる旨を記載した調停の調書又は労働審判法（平成十六年法律第四十五号）第二十一条第四項の規定により裁判上の和解と同一の効力を有する労働審判の審判書若しくは同法第二十条第七項の調書の正本

五 強制執行を免れるための担保を立てたことを証する文書

六 強制執行の停止及び執行処分の取消しを命ずる旨を記載した裁判の正本又は記録事項証明書

七 強制執行の一時の停止を命ずる旨を記載した裁判の正本又は記録事項証明書

八 債権者が、債務名義の成立後に、弁済を受け、又は弁済の猶予を承諾した旨を記載した文書

＊**令和四法四八（令和八・五・二四までに施行）による改正前**

① （柱書略）

一 債務名義（執行証書を除く。）若しくは仮執行の宣言を取り消す旨又は強制執行を許さない旨を記載した執行力のある裁判の正本

二 債務名義に係る和解、認諾、調停又は労働審判の効力がないことを宣言する確定判決の正本

三 （略）

四 強制執行をしない旨又はその申立てを取り下げる旨を記載した裁判上の和解若しくは調停の調書の正本又は労働審判法（平成十六年法律第四十五号）第二十一条第四項の規定により裁判上の和解と同一の効力を有する労働審判の審判書若しくは同法第二十条第七項の調書の正本

四の二 （改正により追加）

五 （略）

六 強制執行の停止及び執行処分の取消しを命ずる旨を記載した裁判の正本

七 強制執行の一時の停止を命ずる旨を記載した裁判の正本

八 （略）

② 前項第八号に掲げる文書のうち弁済を受けた旨を記載した文書の提出による強制執行の停止は、四週間に限るものとする。

③ 第一項第八号に掲げる文書のうち弁済の猶予を承諾した旨を記載した文書の提出による強制執行の停止は、二回に限り、かつ、通じて六月を超えることができない。

⊗❶[一]【債務名義を取り消す裁判の例】→民訴二八一・三一一・三二七①・三三八・三四九・三九五・四〇三①〔二〕―〔五〕【債務名義を取り消す裁判が確定したときの執行費用相当額の返還義務】→四二③【執行証書】→二二〔五〕【仮執行宣言の取消し】→民訴二六〇①③【強制執行を許さないとする裁判の例】→三二①・三四①・三五①・三八①【正本】→民訴九一③、民訴規三三 [三]【和解・認諾調書の執行力】→民訴二六七【調停調書の執行力】→家事二六八、民調一六【労働審判書の執行力】→労審二一④【判決の確定時期】→民訴一一六【本号の裁判が確定したときの執行費用相当額の返還義務】→四二③ [三]【訴えの取下げ】→民訴二六一―二六三【記録管掌者としての裁判所書記官】→裁六〇②、民訴九一・九一の二、一七 ⊗ [四]【裁判上の和解】→民訴八九・二六七・二七五 [四の二]【調停】→家事二四四―二八八、民調【買受申出後の本号文書の提出】→七六② [五]【執行免脱の担保】→民訴二五九③ [六]【本号の裁判の例】→三六①・三七①・三八④、民訴四〇三①〔二〕―〔四〕 [一]―[六]【既往の処分の取消しの必要】→四〇①【代金納付後に提出があったときの処置】→八四③【本号の裁判の例】→一〇⑥・一一②・三二②・三六①・三七①・三八④・一三二③、民訴四〇三①〔二〕―〔四〕【売却の実施の終了から売却決定期日の終了までに本号の文書の提出があったときの処置】→七二①【売却決定期日の終了後に本号の文書の提出があったときの処置】→七二②【本号の文書の不提出と配当異議取下げの擬制】→九〇⑥【配当額の供託】→九一①〔三〕・一〇八・一一一・一二一・一四一①〔三〕・一六六② [八]【債務名義の成立後に本号の文書の提出があったときの処置】→七二③ [七]→三五①【本号文書による停止の制限】→三九②③【売却実施の実施】→八四④【強制管理等の継続・取消し】→一〇四・一一一 [八]【既往の執行処分の保持】→四〇①【代金納付後の提出と配当の実施】→八四④【強制管理等の継続・取消し】→一〇四・一六一⑦【保証の提供による船舶執行の取消しの要件】→一一七【差押物を売却してよい場合】→一三七【転付命令等に対する執行抗告の裁判の留保】→一五九⑦・一六一⑦

（執行処分の取消し）

第四〇条① 前条第一項第一号から第六号までに掲げる文書が提

出されたときは、執行裁判所又は執行官は、既にした執行処分をも取り消さなければならない。

② 第十二条の規定は、前項の規定により執行処分を取り消す場合については適用しない。

⊛❶【三九条一項七号八号の文書の提出があつたときの処置↓三九⊛【裁判を告知すべき者↓民執規二①㈢　❷【同旨の規定↓一二⊛

（債務者が死亡した場合の強制執行の続行）

第四一条① 強制執行は、その開始後に債務者が死亡した場合においても、続行することができる。

② 前項の場合において、債務者の相続人の存在又はその所在が明らかでないときは、執行裁判所は、申立てにより、相続財産又は相続人のために、特別代理人を選任することができる。

③ 民事訴訟法第三十五条第二項及び第三項の規定は、前項の特別代理人について準用する。

⊛❶【相続人の不存在↓民九五一―九五九【相続財産清算人↓民九五二【開始後の申立債権者の承継↓民執規二二　❷【執行裁判所↓三⊛

（執行費用の負担）

第四二条① 強制執行の費用で必要なもの（以下「執行費用」という。）は、債務者の負担とする。

② 金銭の支払を目的とする債権についての強制執行にあつては、執行費用は、その執行手続において、債務名義を要しないで、同時に、取り立てることができる。

③ 強制執行の基本となる債務名義（執行証書を除く。）を取り消す旨の裁判又は債務名義に係る和解、認諾、調停若しくは労働審判の効力がないことを宣言する判決が確定したときは、債権者は、支払を受けた執行費用に相当する金銭を債務者に返還しなければならない。

④ 第一項の規定により債務者が負担すべき執行費用で第二項の規定により取り立てられたもの以外のもの及び前項の規定により債権者が返還すべき金銭の額は、申立てにより、執行裁判所の裁判所書記官が定める。

⑤ 前項の申立てについての裁判所書記官の処分に対しては、その告知を受けた日から一週間の不変期間内に、執行裁判所に異議を申し立てることができる。

⑥ 執行裁判所は、第四項の規定による裁判所書記官の処分に対する異議の申立てを理由があると認める場合において、同項に規定する執行費用及び返還すべき金銭の額を定めるべきときは、自らその額を定めなければならない。

⑦ 第五項の規定による異議の申立てについての決定に対しては、執行抗告をすることができる。

⑧ 第四項の規定による裁判所書記官の処分は、確定しなければその効力を生じない。

⑨ 民事訴訟法第七十四条第一項の規定は、第四項の規定による裁判所書記官の処分について準用する。この場合においては、第五項、第七項及び前項並びに同条第三項の規定を準用する。

⊛❶【共益費用となるもの↓五五⑩・五六②・一一五⑦・一二七④ETC　❷【金銭の支払を目的とする債権の強制執行↓四三―一六七の一六【執行力のある債務名義による執行の原則↓二五【非金銭執行の執行費用↓四二④　❸【債務名義を取り消す裁判↓三九⊛【執行証書↓二二㈤【和解・認諾等を無効とする判決↓三九①㈡　❺【不変期間↓民訴九六・九七【書記官の処分に対する異議↓民訴一二一　❻【裁判所が自ら費用額を決定する例↓民訴七一⑦　❼【執行抗告↓一〇

第二節　金銭の支払を目的とする債権についての強制執行

第一款　不動産に対する強制執行

第一目　通則

（不動産執行の方法）

第四三条① 不動産（登記することができない土地の定着物を除く。以下この節において同じ。）に対する強制執行（以下「不動産執行」という。）は、強制競売又は強制管理の方法により行う。これらの方法は、併用することができる。

② 金銭の支払を目的とする債権についての強制執行については、不動産の共有持分、登記された地上権及び永小作権並びにこれらの権利の共有持分は、不動産とみなす。

⊛❶【不動産↓民八六①【不動産登記の登記事項↓不登三二【自動車・建設機械・小型船舶に対する強制執行↓民執規八六―九三、九五、九六【強制競売↓四五―九二【強制管理↓九三―一一一【不動産仮差押えにおける二つの方法の併用↓民保四七①【不動産についての執行裁判所↓四四【強制管理中の不動産に対し強制競売開始決定がされたときの措置↓民執規二四　❷【金銭の支払を目的とする債権についての強制執行↓四三―一六七の一六【共有持分↓民二四九・二五〇・二五三、二五五【地上権の登記↓不登三㈡【永小作権の登記↓不登三㈢【本項の権利についての執行裁判所↓四四①括弧書†【不動産担保権実行の方法↓一八〇

（執行裁判所）

第四四条① 不動産執行については、その所在地（前条第二項の規定により不動産とみなされるものにあつては、その登記をすべき地）を管轄する地方裁判所が、執行裁判所として管轄する。

② 建物が数個の地方裁判所の管轄区域にまたがつて存在する場合には、その建物に対する強制執行については建物の存する土地の所在地を管轄する各地方裁判所が、その土地に対する強制執行については土地の所在地を管轄する地方裁判所又は建物に対する強制執行の申立てを受けた地方裁判所が、執行裁判所として管轄する。

③ 前項の場合において、執行裁判所は、必要があると認めるときは、事件を他の管轄裁判所に移送することができる。

④ 前項の規定による決定に対しては、不服を申し立てることができない。

⊛❶❷【地方裁判所↓裁二三―三一【執行裁判所↓三⊛【専属管轄↓一九　❸【移送↓民訴一六―二二【移送の裁判の告知↓民執規二①㈠　❹【執行法上の不服申立て↓一〇・一一

第二目　強制競売

（開始決定等）

第四五条① 執行裁判所は、強制競売の手続を開始するには、強制競売の開始決定をし、その開始決定において、債権者のために不動産を差し押さえる旨を宣言しなければならない。

② 前項の開始決定は、債務者に送達しなければならない。

③ 強制競売の申立てを却下する裁判に対しては、執行抗告をすることができる。

⊛❶【申立書の方式・記載事項、添付書類↓民執規一・二一・二三・二三の二【開始決定の通知↓民執規二四【執行裁判所↓四四【差押えの効力発生時↓四六【二重開始決定↓四七【差押えの登記↓四八　❷【送達↓一六⊛　❸【執行抗告↓一〇【執行異議↓一一

（差押えの効力）

第四六条① 差押えの効力は、強制競売の開始決定が債務者に送達された時に生ずる。ただし、差押えの登記がその開始決定の送達前にされたときは、登記がされた時に生ずる。

② 差押えは、債務者が通常の用法に従つて不動産を使用し、又は収益することを妨げない。

⊛❶【差押えの宣言↓四五①【開始決定の送達↓四五②【差押えの登記の嘱託↓四八【差押えの手続相対効↓八七　❷【債務者の使用収益権の制限↓五五・七七

（二重開始決定）

第四七条① 強制競売又は担保権の実行としての競売（以下この

節において「競売」という。）の開始決定がされた不動産について強制競売の申立てがあつたときは、執行裁判所は、更に強制競売の開始決定をするものとする。

② 先の開始決定に係る強制競売若しくは競売の申立てが取り下げられたとき、又は先の開始決定に係る強制競売若しくは競売の手続が取り消されたときは、執行裁判所は、後の強制競売の開始決定に基づいて手続を続行しなければならない。

③ 前項の場合において、後の強制競売の開始決定が配当要求の終期後の申立てに係るものであるときは、裁判所書記官は、新たに配当要求の終期を定めなければならない。この場合において、既に第五十条第一項（第百八十八条において準用する場合を含む。）の届出をした者に対しては、第四十九条第二項の規定による催告は、要しない。

④ 前項の規定による裁判所書記官の処分に対しては、執行裁判所に異議を申し立てることができる。

⑤ 第十条第六項前段及び第九項の規定は、前項の規定による異議の申立てがあつた場合について準用する。

⑥ 先の開始決定に係る強制競売又は競売の手続が停止されたときは、執行裁判所は、申立てにより、後の強制競売の開始決定（配当要求の終期までにされた申立てに係るものに限る。）に基づいて手続を続行する旨の裁判をすることができる。ただし、先の開始決定に係る強制競売又は競売の手続が取り消されたとすれば、第六十二条第一項第二号に掲げる事項について変更が生ずるときは、この限りでない。

⑦ 前項の申立てを却下する決定に対しては、執行抗告をすることができる。

参❶【強制競売開始決定→四五【担保権実行開始決定→一八一・一八八、四五【差押えの登記の嘱託→四八①【二重開始決定の通知→民執規二五① ❷【強制競売申立ての取下げ→三九①〔四〕・四〇、五四②、七六【競売申立ての取下げ→一八三①〔三〕ハ【強制競売手続の取消し→一四・四〇①・五三、六三②③、七三④【競売手続の取消し→一四・一八三①②・一八八、五三、六三、七三、一八九、一九二、一九三 ❸【配当要求の終期の決定・公告・延期→四九 ❹【裁判所書記官の処分に対する異議→民訴一二一 ❻【強制競売の手続の停止→三九【担保権実行手続の停止→一八三【先行手続停止の通知→民執規二五②【本項の裁判の通知→民執規二五③【停止を受けた債権者敗訴の際の配当関係の変動→八七③【権利取得者・仮処分債権者の地位→五九②③ ❼【執行抗告→一〇【裁判の告知→民執規二①〔二〕②

（差押えの登記の嘱託等）
第四八条① 強制競売の開始決定がされたときは、裁判所書記官は、直ちに、その開始決定に係る差押えの登記を嘱託しなければならない。

② 登記官は、前項の規定による嘱託に基づいて差押えの登記をしたときは、その登記事項証明書を執行裁判所に送付しなければならない。

参❶【強制競売開始決定と差押えの宣言→四五①【裁判所書記官→一七 参【決定書の書記官への交付→民訴一二二、民訴規一五八【嘱託による登記→不登一六【抹消の嘱託→五四・八二① ❷【登記官→不登九・一一〇【登記事項証明書→不登一一九【執行裁判所→四四

（開始決定及び配当要求の終期の公告等）
第四九条① 強制競売の開始決定に係る差押えの効力が生じた場合（その開始決定前に強制競売又は競売の開始決定がある場合を除く。）においては、裁判所書記官は、物件明細書の作成までの手続に要する期間を考慮して、配当要求の終期を定めなければならない。

② 裁判所書記官は、配当要求の終期を定めたときは、開始決定がされた旨及び配当要求の終期を公告し、かつ、次に掲げるものに対し、債権（利息その他の附帯の債権を含む。）の存否並びにその原因及び額を配当要求の終期までに執行裁判所に届け出るべき旨を催告しなければならない。

一 第八十七条第一項第三号に掲げる債権者

二 第八十七条第一項第四号に掲げる債権者（抵当証券の所持人にあつては、知れている所持人に限る。）

三 租税その他の公課を所管する官庁又は公署

③ 裁判所書記官は、特に必要があると認めるときは、配当要求の終期を延期することができる。

④ 裁判所書記官は、前項の規定により配当要求の終期を延期したときは、延期後の終期を公告しなければならない。

⑤ 第一項又は第三項の規定による裁判所書記官の処分に対しては、執行裁判所に異議を申し立てることができる。

⑥ 第十条第六項前段及び第九項の規定は、前項の規定による異議の申立てがあつた場合について準用する。

参❶【強制競売の開始決定と差押えの宣言→四五①【競売の開始決定と差押えの宣言→一八八、四五①【差押えの効力の発生時点→四六①、一八八【裁判所書記官→裁六〇【物件明細書の作成・備置き→六二【物件明細書作成までの手続→五・五七、五八、二一三①〔二〕【配当要求権者→五一【配当要求終期の延期・変更→五二【配当等を受けるべき債権者の範囲→八七 ❷【公告の方式→民執規四【催告の方式→民執規三【担保仮登記権利者に対する届出催告→仮登記担保一七①【催告を要しない場合→四七③【届出義務→五〇 〔二〕【登記後の仮差押債権者→五一 ❺【裁判所書記官の処分に対する異議→民訴一二一

（催告を受けた者の債権の届出義務）
第五〇条① 前条第二項の規定による催告を受けた同項第一号又は第二号に掲げる者は、配当要求の終期までに、その催告に係る事項について届出をしなければならない。

② 前項の届出をした者は、その届出に係る債権の元本の額に変更があつたときは、その旨の届出をしなければならない。

③ 前二項の規定により届出をすべき者は、故意又は過失により、その届出をしなかつたとき、又は不実の届出をしたときは、これによつて生じた損害を賠償する責めに任ずる。

参+【配当要求終期の決定・公告・延期→四九【仮登記権利者の届出義務→仮登記担保一七④ ❸【売却により消滅する担保仮登記権者の地位→仮登記担保一七②

（配当要求）
第五一条① 第二十五条の規定により強制執行を実施することができる債務名義の正本（以下「執行力のある債務名義の正本」という。）を有する債権者、強制競売の開始決定に係る差押えの登記後に登記された仮差押債権者及び第百八十一条第一項各号に掲げる文書により一般の先取特権を有することを証明した債権者は、配当要求をすることができる。

② 配当要求を却下する裁判に対しては、執行抗告をすることができる。

参❶【債務名義→二二【執行力のある債務名義の正本と同一の効力があるとされるものの例→民訴一八九、三八一、刑訴四九〇、ETC【差押えの登記前に登記された仮差押債権者→四九②〔二〕・八七①〔三〕【一般の先取特権→民三〇六―三一〇・三〇六 参【配当要求の終期→四九、五二【方式→民執規二六【通知→民執規二七【強制管理との対比→一〇五【債権執行との対比→一五四 ❷【執行抗告→一〇【裁判の告知→民執規二①〔二〕②

（配当要求の終期の変更）
第五二条 配当要求の終期から、三月以内に売却許可決定がされないとき、又は三月以内にされた売却許可決定が取り消され、若しくは効力を失つたときは、配当要求の終期は、その終期から三月を経過した日に変更されたものとみなす。ただし、配当要求の終期から三月以内にされた売却許可決定が効力を失つた場合において、第六十七条の規定による次順位買受けの申出について売却許可決定がされたとき（その決定が取り消され、又は効力を失つたときを除く。）は、この限りでない。

§＋【配当要求終期の決定・公告・延期↓四九【売却許可決定↓六九【売却許可決定の取消し・失効↓六七、七二②③・七四、七五、八〇

第五三条（**不動産の滅失等による強制競売の手続の取消し**）不動産の滅失その他売却による不動産の移転を妨げる事情が明らかとなつたときは、執行裁判所は、強制競売の手続を取り消さなければならない。

§＋【売却による不動産の移転を妨げる事情（執行障害）の例↓破二四、四二、民再二六・三九、会更二四・五〇、会社五一五、ETC【執行抗告可能↓一二【差押えの登記の抹消↓五四

第五四条（**差押えの登記の抹消の嘱託**）① 強制競売の申立てが取り下げられたとき、又は強制競売の手続を取り消す決定が効力を生じたときは、裁判所書記官は、その開始決定に係る差押えの登記の抹消を嘱託しなければならない。

② 前項の規定による嘱託に要する登録免許税その他の費用は、その取下げ又は取消決定に係る差押債権者の負担とする。

§❶【強制競売・競売申立ての取下げ↓四七§【強制競売手続の取消し↓四七§【裁判所書記官↓一七§【差押えの登記↓四八

第五五条（**売却のための保全処分等**）① 執行裁判所は、債務者又は不動産の占有者が価格減少行為（不動産の価格を減少させ、又は減少させるおそれがある行為をいう。以下この項において同じ。）をするときは、差押債権者（配当要求の終期後に強制競売又は競売の申立てをした差押債権者を除く。）の申立てにより、買受人が代金を納付するまでの間、次に掲げる保全処分又は公示保全処分（執行官に、当該保全処分の内容を、不動産の所在する場所に公示書その他の標識を掲示する方法により公示させることを内容とする保全処分をいう。以下同じ。）を命ずることができる。ただし、当該価格減少行為による不動産の価格の減少又はそのおそれの程度が軽微であるときは、この限りでない。

一 当該価格減少行為をする者に対し、当該価格減少行為を禁止し、又は一定の行為をすることを命ずる保全処分（執行裁判所が必要があると認めるときは、公示保全処分を含む。）

二 次に掲げる事項を内容とする保全処分（執行裁判所が必要があると認めるときは、公示保全処分を含む。）

イ 当該価格減少行為をする者に対し、不動産に対する占有を解いて執行官に引き渡すことを命ずること。

ロ 執行官に不動産の保管をさせること。

三 次に掲げる事項を内容とする保全処分及び公示保全処分

イ 前号イ及びロに掲げる事項

ロ 前号イに規定する者に対し、不動産の占有の移転を禁止することを命じ、及び当該不動産の使用を許すこと。

② 前項第二号又は第三号に掲げる保全処分は、次に掲げる場合のいずれかに該当するときでなければ、命ずることができない。

一 前項の債務者が不動産を占有する場合

二 前項の不動産の占有者の占有の権原が差押債権者、仮差押債権者又は第五十九条第一項の規定により消滅する権利を有する者に対抗することができない場合

③ 執行裁判所は、債務者以外の占有者に対し第一項の規定による決定をする場合において、必要があると認めるときは、その者を審尋しなければならない。

④ 執行裁判所が第一項の規定による決定をするときは、申立人に担保を立てさせることができる。ただし、同項第二号に掲げる保全処分については、申立人に担保を立てさせなければ、同項の規定による決定をしてはならない。

⑤ 事情の変更があつたときは、執行裁判所は、申立てにより、第一項の規定による決定を取り消し、又は変更することができる。

⑥ 第一項又は前項の申立てについての裁判に対しては、執行抗告をすることができる。

⑦ 第五項の規定による決定は、確定しなければその効力を生じない。

⑧ 第一項第二号又は第三号に掲げる保全処分又は公示保全処分を命ずる決定は、申立人に告知された日から二週間を経過したときは、執行してはならない。

⑨ 前項に規定する決定は、相手方に送達される前であつても、執行することができる。

⑩ 第一項の申立て又は同項（第一号を除く。）の規定による決定の執行に要した費用（不動産の保管のために要した費用を含む。）は、その不動産に対する強制競売の手続においては、共益費用とする。

§＋【本法の保全処分の他の例↓五五の二・六八の二・七七・一八七❶【執行裁判所↓四四【申立ての方式↓民執規二七の二【債務者の使用収益権↓四六②【占有者↓民一八八―二〇二【配当要求の終期↓四九・五二【買受人の代金納付↓七八・七九【代金納付と引渡命令↓八三【公示保全処分の執行方法↓民執規二七の三　[二]【価格減少行為に対する保全処分↓七七・一八七【公示書等損壊罪↓二一二[一]　[二]【執行官への引渡し・執行官保管の仮処分↓民保六二①　[三]【本号の処分の効果↓八三の二❸【審尋↓民訴八七②、五　❹【担保↓一五、民執規一〇❺【同旨の規定↓六八の二③・一三二②・一五三②❻【執行抗告↓一〇【裁判の告知↓民執規二①[三]【決定の確定時期↓民訴一二二・一一六❽【執行期間の定めのある他の例↓二七④・七七②・一一五⑦・一二七④、民保四三②、ETC❿【執行費用の取立て↓四二②【共益費用とされる他の例↓五六②・一一五⑦・一二七④【共益費用の考慮↓六三①

第五五条の二（**相手方を特定しないで発する売却のための保全処分等**）① 前条第一項第二号又は第三号に掲げる保全処分又は公示保全処分を命ずる決定については、当該決定の執行前に相手方を特定することを困難とする特別の事情があるときは、執行裁判所は、相手方を特定しないで、これを発することができる。

② 前項の規定による決定の執行は、不動産の占有を解く際にその占有者を特定することができない場合は、することができない。

③ 第一項の規定による決定の執行がされたときは、当該執行によつて不動産の占有を解かれた者が、当該決定の相手方となる。

④ 第一項の規定による決定は、前条第八項の期間内にその執行がされなかつたときは、相手方に対して送達することを要しない。この場合において、第十五条第二項において準用する民事訴訟法第七十九条第一項の規定による担保の取消しの決定で前条第四項の規定により立てさせた担保に係るものは、執行裁判所が相当と認める方法で申立人に告知することによつて、その効力を生ずる。

§❶【相手方を特定しないで執行文を付与することができる場合↓二七③―⑤❷【不動産の占有を解く保全処分↓五五①[二]❸【相手方であることの効果↓一〇・一一❹【執行期間徒過による担保の取消し↓五五⑧・一五②、民訴七九

第五六条（**地代等の代払の許可**）① 建物に対し強制競売の開始決定がされた場合において、その建物の所有を目的とする地上権又は賃借権について債務者が地代又は借賃を支払わないときは、執行裁判所は、申立てにより、差押債権者（配当要求の終期後に強制競売又は競売の申立てをした差押債権者を除く。）がその不払の地代又は借賃を債務者に代わつて弁済することを許可することができる。

② 第五十五条第十項の規定は、前項の申立てに要した費用及び同項の許可を得て支払つた地代又は借賃について準用する。

§❶【強制競売の対象としての建物↓四三①【強制競売開始決定

→四五【地上権→民二六五―二六九の二、借地借家二㊂【賃借権→民六〇一―六二二、借地借家二㊀【執行裁判所→四四
❷【共益費用の考慮→六三①

（現況調査）
第五七条① 執行裁判所は、執行官に対し、不動産の形状、占有関係その他の現況について調査を命じなければならない。
② 執行官は、前項の調査をするに際し、不動産に立ち入り、又は債務者若しくはその不動産を占有する第三者に対し、質問をし、若しくは文書の提示を求めることができる。
③ 執行官は、前項の規定により不動産に立ち入る場合において、必要があるときは、閉鎖した戸を開くため必要な処分をすることができる。
④ 執行官は、第一項の調査のため必要がある場合には、市町村（特別区の存する区域にあつては、都）に対し、不動産（不動産が土地である場合にはその上にある建物を、不動産が建物である場合にはその敷地を含む。）に対して課される固定資産税に関して保有する図面その他の資料の写しの交付を請求することができる。
⑤ 執行官は、前項に規定する場合には、電気、ガス又は水道水の供給その他これらに類する継続的給付を行う公益事業を営む法人に対し、必要な事項の報告を求めることができる。
⊛❶【執行裁判所→四四【執行官→二⊛【現況調査報告書→民執規二九・三一③ ❷【執行官の職務執行の確保→六①【債務者の陳述拒否等の制裁→二一三①㊁【現況調査のための審尋と過料の可能性→五・二一三①㊂ ❸【動産執行における執行官の捜索権→一二三②【強制管理の際の同様の権限→九六②
③ ⁺【不動産の評価→五八【物件明細書の作成・閲覧→六二

（評価）
第五八条① 執行裁判所は、評価人を選任し、不動産の評価を命じなければならない。
② 評価人は、近傍同種の不動産の取引価格、不動産から生ずべき収益、不動産の原価その他の不動産の価格形成上の事情を適切に勘案して、遅滞なく、評価をしなければならない。この場合において、評価人は、強制競売の手続において不動産の売却を実施するための評価であることを考慮しなければならない。
③ 評価人は、第六条第二項の規定により執行官に対し援助を求めるには、執行裁判所の許可を受けなければならない。
④ 第十八条第二項並びに前条第二項、第四項及び第五項の規定は、評価人が評価をする場合について準用する。
⊛❶【執行裁判所→四四【評価の方法→民執規二九の二【評価書→民執規三〇・三一③【売却基準価額決定の基準→六〇① ❸【執行官に対する援助請求の他の例→六⊛

（売却に伴う権利の消滅等）
第五九条① 不動産の上に存する先取特権、使用及び収益をしない旨の定めのある質権並びに抵当権は、売却により消滅する。
② 前項の規定により消滅する権利を有する者、差押債権者又は仮差押債権者に対抗することができない不動産に係る権利の取得は、売却によりその効力を失う。
③ 不動産に係る差押え、仮差押えの執行及び第一項の規定により消滅する権利を有する者、差押債権者又は仮差押債権者に対抗することができない仮処分の執行は、売却によりその効力を失う。
④ 不動産の上に存する留置権並びに使用及び収益をしない旨の定めのない質権で第二項の規定の適用がないものについては、買受人は、これらによつて担保される債権を弁済する責めに任ずる。
⑤ 利害関係を有する者が次条第一項に規定する売却基準価額が定められる時までに第一項、第二項又は前項の規定と異なる合意をした旨の届出をしたときは、売却による不動産の上の権利の変動は、その合意に従う。
⊛❶【不動産の先取特権→民三二五―三二八【不動産質権→民三五六―三六一【使用収益をしない旨の定め→民三五九・三五六、不登九五①㊅【抵当権→民三六九―三九八の二二【担保仮登記に係る権利の消滅・存続→仮登記担保一六・一五②【消滅する権利の登記の抹消→八二①㊁【仮登記があるときの配当金の供託→九一①㊄ ❷【抵当権に対抗することができる賃借権→民一七七【登記によらない対抗力→借地借家一〇・三一【消滅する担保仮登記に係る権利者に対抗することができない権利取得の失効→仮登記担保一六②【売却により効力を失つた権利の取得に係る登記の抹消→八二①㊁【失効しない権利の取得は物件明細書に記載→六二①㊁ ❸【消滅する担保仮登記に係る権利者に対抗することができない仮処分執行の失効→仮登記担保一六②【差押え・仮差押えの登記の抹消→八二①㊂【仮処分の登記→民保五三―五五・五八―六一【失効する仮処分に係る登記の抹消→八二①㊂【失効しない仮処分の執行は物件明細書に記載→六二①㊂ ❹【留置権→民二九五―三〇二 ❺【売却基準価額の決定→六〇【担保仮登記をめぐる異なる合意の効力→仮登記担保一六②

（売却基準価額の決定等）
第六〇条① 執行裁判所は、評価人の評価に基づいて、不動産の売却の額の基準となるべき価額（以下「売却基準価額」という。）を定めなければならない。
② 執行裁判所は、必要があると認めるときは、売却基準価額を変更することができる。
③ 買受けの申出の額は、売却基準価額からその十分の二に相当する額を控除した価額（以下「買受可能価額」という。）以上でなければならない。
⊛❶【執行裁判所→四四【評価人の評価→五八【評価書→民執規三〇・三一③【物件明細書との関係→民執規三〇の四【売却基準価額の公告→六四⑤【一括売却の際の売却代金案分の基準→八六の二②【特別売却条件の合意は売却基準価額の決定時まで→五九⑤【売却基準価額の決定又はその手続の重大な誤り→七一㊆ ❸【買受可能価額の効果→六一・六三・六七

（一括売却）

第六一条 執行裁判所は、相互の利用上不動産を他の不動産（差押債権者又は債務者を異にするものを含む。）と一括して同一の買受人に買い受けさせることが相当であると認めるときは、これらの不動産を一括して売却することを定めることができる。ただし、一個の申立てにより強制競売の開始決定がされた数個の不動産のうち、あるものの買受可能価額で各債権者の債権及び執行費用の全部を弁済することができる見込みがある場合には、債務者の同意があるときに限る。

⊛⁺【執行裁判所→四四【一括売却の公告→民執規三六①㊄・五〇④【強制競売開始決定→四五【買受可能価額→六〇③【執行費用の負担と取立て→四二①②【各不動産ごとに代金額を定める必要がある場合の処理→八六の二②【一括売却の決定又はその手続の重大な誤り→七一㊆

（物件明細書）
第六二条① 裁判所書記官は、次に掲げる事項を記載した物件明細書を作成しなければならない。
一 不動産の表示
二 不動産に係る権利の取得及び仮処分の執行で売却によりその効力を失わないもの
三 売却により設定されたものとみなされる地上権の概要
② 裁判所書記官は、前項の物件明細書の写しを執行裁判所に備え置いて一般の閲覧に供し、又は不特定多数の者が当該物件明細書の内容の提供を受けることができるものとして最高裁判所規則で定める措置を講じなければならない。
③ 前二項の規定による裁判所書記官の処分に対しては、執行裁判所に異議を申し立てることができる。
④ 第十条第六項前段及び第九項の規定は、前項の規定による異議の申立てがあつた場合について準用する。
⊛❶【現況調査→五七【裁判所書記官→裁六〇【物件明細書の作成又はその手続の重大な誤り→七一㊆ ㊁㊂【売却で効力を

失う権利取得↓五九②【売却で効力を失う仮処分の執行↓五九③【競売申立ての取下げにより本号の事項に変動を生じない場合の買受人等の取下げについての同意不要↓七六② ❷㈢【売却により設定される法定地上権↓八一、民三八八【物件明細書とともに備え置くもの↓民執規三一③【備置きに代わる情報公開措置↓民執規三一① ❸【裁判所書記官の処分に対する異議↓民訴一二一

（剰余を生ずる見込みのない場合等の措置）

第六三条① 執行裁判所は、次の各号のいずれかに該当すると認めるときは、その旨を差押債権者（最初の強制競売の開始決定に係る差押債権者をいう。ただし、第四十七条第六項の規定により手続を続行する旨の裁判があつたときは、その裁判を受けた差押債権者をいう。以下この条において同じ。）に通知しなければならない。

一 差押債権者の債権に優先する債権（以下この条において「優先債権」という。）がない場合において、不動産の買受可能価額が執行費用のうち共益費用であるもの（以下「手続費用」という。）の見込額を超えないとき。

二 優先債権がある場合において、不動産の買受可能価額が手続費用及び優先債権の見込額の合計額に満たないとき。

② 差押債権者が、前項の規定による通知を受けた日から一週間以内に、優先債権がない場合にあつては手続費用の見込額を超える額、優先債権がある場合にあつては手続費用及び優先債権の見込額の合計額以上の額（以下この項において「申出額」という。）を定めて、次の各号に掲げる区分に応じ、それぞれ当該各号に定める申出及び保証の提供をしないときは、執行裁判所は、差押債権者の申立てに係る強制競売の手続を取り消さなければならない。ただし、差押債権者が、その期間内に、前項各号のいずれにも該当しないことを証明したとき、又は同項第二号に該当する場合であつて不動産の買受可能価額が手続費用の見込額を超える場合において、不動産の売却について優先債権を有する者（買受可能価額で自己の優先債権の全部の弁済を受けることができる見込みがある者を除く。）の同意を得たことを証明したときは、この限りでない。

一 差押債権者が不動産の買受人になることができる場合　申出額に達する買受けの申出がないときは、自ら申出額で不動産を買い受ける旨の申出及び申出額に相当する保証の提供

二 差押債権者が不動産の買受人になることができない場合　買受けの申出の額が申出額に達しないときは、申出額と買受けの申出の額との差額を負担する旨の申出及び申出額と買受可能価額との差額に相当する保証の提供

③ 前項第二号の申出及び保証の提供があつた場合において、買受可能価額以上の額の買受けの申出がないときは、執行裁判所は、差押債権者の申立てに係る強制競売の手続を取り消さなければならない。

④ 第二項の保証の提供は、執行裁判所に対し、最高裁判所規則で定める方法により行わなければならない。

参❶【執行裁判所↓四四【買受可能価額↓六〇③【共益費用の例↓五五⑩・五六②【最初の強制競売開始決定↓四七①【差押債権者の債権に優先する債権↓八七①㈣、仮登記担保一三【通知の方式↓民執規三 ❷【本項の保証の提供方法↓民執規三二【本法で保証が要求される他の例↓六六・七七①・一一七【保証の取扱い↓七八②・八〇・八六の二①㈡㈢・一一七②【保証が金銭納付以外の方法でされているときの換価↓七八③・一一七⑤【強制競売手続の取消しの他の例↓四七参【執行抗告可能↓一二 ㈢【執行裁判所による買受申出者の制限↓民執規三三 ❹【最高裁判所規則との関係↓二一 ＋【担保権実行についても無剰余取消しの準用あり↓一八八

（売却の方法及び公告）

第六四条① 不動産の売却は、裁判所書記官の定める売却の方法により行う。

② 不動産の売却の方法は、入札又は競り売りのほか、最高裁判所規則で定める。

③ 裁判所書記官は、入札又は競り売りの方法により売却をするときは、売却の日時及び場所を定め、執行官に売却を実施させなければならない。

④ 前項の場合においては、第二十条において準用する民事訴訟法第九十三条第一項の規定にかかわらず、売却決定期日は、裁判所書記官が、売却を実施させる旨の処分と同時に指定する。

⑤ 第三項の場合においては、裁判所書記官は、売却すべき不動産の表示、売却基準価額並びに売却の日時及び場所を公告しなければならない。

⑥ 第一項、第三項又は第四項の規定による裁判所書記官の処分に対しては、執行裁判所に異議を申し立てることができる。

⑦ 第十条第六項前段及び第九項の規定は、前項の規定による異議の申立てがあつた場合について準用する。

参❶【裁判所書記官↓裁六〇 ❷【入札・競り売り以外の売却方法↓民執規五一【期日入札と期間入札↓民執規三四【期日入札の手続↓民執規三五―四二・四四・四五【期間入札の手続↓民執規四六―四八【競り売りの手続↓民執規五〇【売却の手続の重大な誤り↓七一㈣【最高裁判所規則との関係↓二一 ❸【執行官↓二参【売却実施終了後の執行停止の要否↓七二①③ ❺【公告の方法↓民執規四 ❻【裁判所書記官の処分に対する異議↓民訴一二一 ＋【買受けの申出がない場合の措置↓民執規五一の五、六〇②・六八の二②・六八の三

（内覧）

第六四条の二① 執行裁判所は、差押債権者（配当要求の終期後に強制競売又は競売の申立てをした差押債権者を除く。）の申立てがあるときは、執行官に対し、内覧（不動産の買受けを希望する者をこれに立ち入らせて見学させることをいう。以下この条において同じ。）の実施を命じなければならない。ただし、当該不動産の占有者の占有の権原が差押債権者、仮差押債権者及び第五十九条第一項の規定により消滅する権利を有する者に対抗することができる場合で当該占有者が同意しないときは、この限りでない。

② 前項の申立ては、最高裁判所規則で定めるところにより、売却を実施させる旨の裁判所書記官の処分の時までにしなければならない。

③ 第一項の命令を受けた執行官は、売却の実施の時までに、最高裁判所規則で定めるところにより内覧への参加の申出をした者（不動産を買い受ける資格又は能力を有しない者その他最高裁判所規則で定める事由がある者を除く。第五項及び第六項において「内覧参加者」という。）のために、内覧を実施しなければならない。

④ 執行裁判所は、内覧の円滑な実施が困難であることが明らかであるときは、第一項の命令を取り消すことができる。

⑤ 執行官は、内覧の実施に際し、自ら不動産に立ち入り、かつ、内覧参加者を不動産に立ち入らせることができる。

⑥ 執行官は、内覧参加者であつて内覧の円滑な実施を妨げる行為をするものに対し、不動産に立ち入ることを制限し、又は不動産から退去させることができる。

参❶【差押債権者↓二五・四五・四七【配当要求の終期↓四九・五二 ❷【内覧実施命令の申立て↓民執規五一の二【売却を実施させる旨の処分↓六四③ ❸【内覧参加資格↓民執規五一の三④【内覧の手続↓民執規五一の三 ❺【占有者による妨害↓二一三②

（売却の場所の秩序維持）

第六五条 執行官は、次に掲げる者に対し、売却の場所に入ることを制限し、若しくはその場所から退場させ、又は買受けの申出をさせないことができる。

一 他の者の買受けの申出を妨げ、若しくは不当に価額を引き下げる目的をもつて連合する等売却の適正な実施を妨げる行

為をし、又はその行為をさせた者

二　他の民事執行の手続の売却不許可決定において前号に該当する者と認定され、その売却不許可決定の確定の日から二年を経過しない者

三　民事執行の手続における売却に関し刑法（明治四十年法律第四十五号）第九十五条から第九十六条の五まで、第百九十七条から第百九十七条の四まで若しくは第百九十八条、組織的な犯罪の処罰及び犯罪収益の規制等に関する法律（平成十一年法律第百三十六号）第三条第一項第一号から第四号まで若しくは第二項（同条第一項第一号から第四号までに係る部分に限る。）又は公職にある者等のあっせん行為による利得等の処罰に関する法律（平成十二年法律第百三十号）第一条第一項、第二条第一項若しくは第四条の規定により刑に処せられ、その裁判の確定の日から二年を経過しない者

参【執行官→二参【売却の場所の決定・公告→六四③⑤【身分証明の要求と裁判所への援助請求→民執規五〇④【本条の処置と調書記載→民執規四四①[四]、五〇④　[一]【強制執行関係売却妨害罪→刑九六の四　[二]【売却不許可事由→七一[四]イ　[二]【決定の確定→民訴一二二、一一六　[三]【刑事裁判の確定→刑訴三七三、四一四、四一八　[二][三]【売却不許可事由→七一[四]ハ

（暴力団員等に該当しないこと等の陳述）

第六五条の二　不動産の買受けの申出は、次の各号のいずれにも該当しない旨を買受けの申出をしようとする者（その者に法定代理人がある場合にあつては当該法定代理人、その者が法人である場合にあつてはその代表者）が最高裁判所規則で定めるところにより陳述しなければ、することができない。

一　買受けの申出をしようとする者（その者が法人である場合にあつては、その役員）が暴力団員による不当な行為の防止等に関する法律（平成三年法律第七十七号）第二条第六号に規定する暴力団員（以下この号において「暴力団員」という。）又は暴力団員でなくなつた日から五年を経過しない者（以下この目において「暴力団員等」という。）であること。

二　自己の計算において当該買受けの申出をさせようとする者（その者が法人である場合にあつては、その役員）が暴力団員等であること。

参【買受けの申出→六三②[三]、六八の二②、民執規四七、三八、五〇①、五一⑥

（買受けの申出の保証）

第六六条　不動産の買受けの申出をしようとする者は、最高裁判所規則で定めるところにより、執行裁判所が定める額及び方法による保証を提供しなければならない。

参【保証→六三参【最高裁判所規則との関係→二一【保証の額→民執規三九、五〇、五一③【保証の提供方法→民執規四〇、四八、五〇、五一④【保証の返還等→民執規四五、五一⑥【代金に充当→七八②【代金不納付のときは返還請求不能→八〇①【債務者の買受申出の禁止→六八【買受申出の取消し→七二①、七三③

（次順位買受けの申出）

第六七条　最高価買受申出人に次いで高額の買受けの申出をした者は、その買受けの申出の額が、買受可能価額以上で、かつ、最高価買受申出人の申出の額から買受けの申出の保証の額を控除した額以上である場合に限り、売却の実施の終了までに、執行官に対し、最高価買受申出人に係る売却許可決定が第八十条第一項の規定により効力を失うときは、自己の買受けの申出について売却を許可すべき旨の申出（以下「次順位買受けの申出」という。）をすることができる。

参【最高価買受申出人→七一[三]―[四]、七二①、七三③、七六、七七【買受可能価額→六〇③【買受けの申出の保証→六六【売却の実施→六四【執行官→二参【次順位買受けの申出の催告→民執規四一③、五〇④【次順位買受申出人が二人以上いる場合の決定方法→民執規四二③【次順位買受けの申出の取消し→七二①、七三③【次順位買受けの申出についての許可・不許可の決定→五二、八〇②

（債務者の買受けの申出の禁止）

第六八条　債務者は、買受けの申出をすることができない。

参【売却不許可事由→七一[二][三]【買受申出をすることができる者の制限→民執規三三

（買受けの申出をした差押債権者のための保全処分等）

第六八条の二①　執行裁判所は、裁判所書記官が入札又は競り売りの方法により売却を実施させても買受けの申出がなかつた場合において、債務者又は不動産の占有者が不動産の売却を困難にする行為をし、又はその行為をするおそれがあるときは、差押債権者（配当要求の終期後に強制競売又は競売の申立てをした差押債権者を除く。次項において同じ。）の申立てにより、買受人が代金を納付するまでの間、担保を立てさせて、次に掲げる事項を内容とする保全処分（執行裁判所が必要があると認めるときは、公示保全処分を含む。）を命ずることができる。

一　債務者又は不動産の占有者に対し、不動産に対する占有を解いて執行官又は申立人に引き渡すことを命ずること。

二　執行官又は申立人に不動産の保管をさせること。

②　差押債権者は、前項の申立てをするには、買受可能価額以上の額（以下この項において「申出額」という。）を定めて、次の入札又は競り売りの方法による売却の実施において申出額に達する買受けの申出がないときは自ら申出額で不動産を買い受ける旨の申出をし、かつ、申出額に相当する保証の提供をしなければならない。

③　事情の変更があつたときは、執行裁判所は、申立てにより又は職権で、第一項の規定による決定を取り消し、又は変更することができる。

④　第五十五条第二項の規定は第一項に規定する保全処分について、同条第三項の規定は第一項の規定による決定について、同条第六項の規定は第一項の申立てについての裁判、前項の規定による裁判又は同項の申立てを却下する裁判について、同条第七項の規定は前項の規定による決定について、同条第八項及び第九項並びに第五十五条の二の規定は第一項に規定する保全処分を命ずる決定について、第五十五条第十項の規定は第一項の申立て又は同項の規定による決定の執行に要した費用について、第六十三条第四項の規定は第二項の保証の提供について準用する。

参【本法の保全処分の他の例→五五、七七、一八七の二【買受けの申出がなかった場合の措置→六〇②、六八の三　❶【執行裁判所→四四【入札・競り売り→六四②、民執規三四―五〇【差押債権者→二五、四五、四七【買受人による代金納付→七八、七九、八二【担保→一五、民執規一〇【公示保全処分→五五①　❷【買受可能価額→六〇③【保証が金銭納付以外の方法でされているときの換価→七八③　❸【同旨の規定→五五⑤、一三二②、一五三②

（売却の見込みのない場合の措置）

第六八条の三①　執行裁判所は、裁判所書記官が入札又は競り売りの方法により売却を三回実施させても買受けの申出がなかつた場合において、不動産の形状、用途、法令による利用の規制その他の事情を考慮して、更に売却を実施させても売却の見込みがないと認めるときは、強制競売の手続を停止することができる。この場合においては、差押債権者に対し、その旨を通知しなければならない。

②　差押債権者が、前項の規定による通知を受けた日から三月以内に、執行裁判所に対し、買受けの申出をしようとする者があることを理由として、売却を実施させるべき旨を申し出たときは、裁判所書記官は、第六十四条の定めるところにより売却を実施させなければならない。

③　差押債権者が前項の期間内に同項の規定による売却実施の申出をしないときは、執行裁判所は、強制競売の手続を取り消す

ことができる。同項の規定により裁判所書記官が売却を実施させた場合において買受けの申出がなかつたときも、同様とする。

◎❶【執行裁判所↓四四【入札・競り売り↓六四②、民執規三四―五〇【強制競売手続の停止↓三九　❷【差押債権者↓二五、四五、四七　❸【強制競売手続の取消し↓四〇

（調査の嘱託）

第六八条の四①　執行裁判所は、最高価買受申出人（その者が法人である場合にあつては、その役員。以下この項において同じ。）が暴力団員等に該当するか否かについて、必要な調査を執行裁判所の所在地を管轄する都道府県警察に嘱託しなければならない。ただし、最高価買受申出人が暴力団員等に該当しないと認めるべき事情があるものとして最高裁判所規則で定める場合は、この限りでない。

②　執行裁判所は、自己の計算において最高価買受申出人に買受けの申出をさせた者があると認める場合には、当該買受けの申出をさせた者（その者が法人である場合にあつては、その役員。以下この項において同じ。）が暴力団員等に該当するか否かについて、必要な調査を執行裁判所の所在地を管轄する都道府県警察に嘱託しなければならない。ただし、買受けの申出をさせた者が暴力団員等に該当しないと認めるべき事情があるものとして最高裁判所規則で定める場合は、この限りでない。

◎+【最高価買受申出人↓七一㈤【調査嘱託↓民訴一八六

（売却決定期日）

第六九条　執行裁判所は、売却決定期日を開き、売却の許可又は不許可を言い渡さなければならない。

◎+【執行裁判所↓四四【売却決定期日の終了と執行の一時停止の裁判の関係↓七二①②【売却許可決定の確定は差引納付申出の期限↓七八④【利害関係人の意見陳述↓七〇【売却不許可事由↓七一【執行抗告↓七四①【売却許可・不許可の決定の発効↓七四⑤【売却許可決定の失効↓八〇【売却許可決定の留保↓七三①【決定の告知方法の原則↓民訴一一九

（売却の許可又は不許可に関する意見の陳述）

第七〇条　不動産の売却の許可又は不許可に関し利害関係を有する者は、次条各号に掲げる事由で自己の権利に影響のあるものについて、売却決定期日において意見を陳述することができる。

◎+【売却決定期日↓六九【自己の権利を害される者の執行抗告↓七四①

（売却不許可事由）

第七一条　執行裁判所は、次に掲げる事由があると認めるときは、売却不許可決定をしなければならない。

一　強制競売の手続の開始又は続行をすべきでないこと。

二　最高価買受申出人が不動産を買い受ける資格若しくは能力を有しないこと又はその代理人がその権限を有しないこと。

三　最高価買受申出人が不動産を買い受ける資格を有しない者の計算において買受けの申出をした者であること。

四　最高価買受申出人、その代理人又は自己の計算において最高価買受申出人に買受けの申出をさせた者が次のいずれかに該当すること。

イ　その強制競売の手続において第六十五条第一号に規定する行為をした者

ロ　その強制競売の手続において、代金の納付をしなかつた者又は自己の計算においてその者に買受けの申出をさせたことがある者

ハ　第六十五条第二号又は第三号に掲げる者

五　最高価買受申出人又は自己の計算において最高価買受申出人に買受けの申出をさせた者が次のいずれかに該当すること。

イ　暴力団員等（買受けの申出がされた時に暴力団員等であつた者を含む。）

ロ　法人でその役員のうちに暴力団員等に該当する者があるもの（買受けの申出がされた時にその役員のうちに暴力団員等に該当する者があつたものを含む。）

六　第七十五条第一項の規定による売却の不許可の申出があること。

七　売却基準価額若しくは一括売却の決定、物件明細書の作成又はこれらの手続に重大な誤りがあること。

八　売却の手続に重大な誤りがあること。

◎+【執行裁判所↓四四【売却不許可決定に対する執行抗告の事由↓七四②　【一】【執行障害の例↓五三◎【執行の停止・取消事由↓三九、四〇　【二】【最高価買受申出人↓六七◎【買受けの資格・能力を有しない者の例↓民五、六、九、一一三、六八、六三②㈢◎【代理人↓一三　【四】【売却場所の秩序維持のための買受申出禁止等↓六五【代金不納付の効果↓八〇【六】【許可決定後は取消しの事由↓七五①　【七】【売却基準価額の決定↓六〇、二一三①㈢【一括売却の決定↓六一【物件明細書の作成・閲覧↓六二　【八】【売却の手続↓六四

（売却の実施の終了後に執行停止の裁判等の提出があつた場合の措置）

第七二条①　売却の実施の終了から売却決定期日の終了までの間に第三十九条第一項第七号に掲げる文書の提出があつた場合には、執行裁判所は、他の事由により売却不許可決定をするときを除き、売却決定期日を開くことができない。この場合においては、最高価買受申出人又は次順位買受申出人は、執行裁判所に対し、買受けの申出を取り消すことができる。

②　売却決定期日の終了後に前項に規定する文書の提出があつた場合には、その期日にされた売却許可決定が取り消され、若しくは効力を失つたとき、又はその期日にされた売却不許可決定が確定したときに限り、第三十九条の規定を適用する。

③　売却の実施の終了後に第三十九条第一項第八号に掲げる文書の提出があつた場合には、その売却に係る売却許可決定が取り消され、若しくは効力を失つたとき、又はその売却に係る売却不許可決定が確定したときに限り、同条の規定を適用する。

◎❶【売却の実施↓六四③【売却決定期日↓六九【執行裁判所↓四四【売却不許可決定の事由↓七一【最高価買受申出人↓六七◎【次順位買受申出人↓六七【申出取消しによる保証の返還↓民執規四五①、五〇④　❷❸【売却許可決定の取消し・失効↓七四、七五、八〇【売却不許可決定↓六九、七一【売却不許可決定の確定↓七四⑤　+【代金納付後に本条所掲文書の提出があったときの措置↓八四④

（超過売却となる場合の措置）

第七三条①　数個の不動産を売却した場合において、あるものの買受けの申出の額で各債権者の債権及び執行費用の全部を弁済することができる見込みがあるときは、執行裁判所は、他の不動産についての売却許可決定を留保しなければならない。

②　前項の場合において、その買受けの申出の額で各債権者の債権及び執行費用の全部を弁済することができる見込みがある不動産が数個あるときは、執行裁判所は、売却の許可をすべき不動産について、あらかじめ、債務者の意見を聴かなければならない。

③　第一項の規定により売却許可決定が留保された不動産の最高価買受申出人又は次順位買受申出人は、執行裁判所に対し、買受けの申出を取り消すことができる。

④　売却許可決定のあつた不動産について代金が納付されたときは、執行裁判所は、前項の不動産に係る強制競売の手続を取り消さなければならない。

◎❶【動産執行における超過差押えの禁止↓一二八【債権執行における超過差押えの可能と超過支払受領の禁止↓一四六、一五五【執行裁判所↓四四【売却許可決定↓六九　❸【最高価買受申出人↓六七◎【次順位買受申出人↓六七【申出取消しによる保証の返還↓民執規四五①、五〇④　❹【代金納付による所有権移転↓七九【取消決定に対する執行抗告↓一二

（売却の許可又は不許可の決定に対する執行抗告）
第七四条① 売却の許可又は不許可の決定に対しては、その決定により自己の権利が害されることを主張するときに限り、執行抗告をすることができる。
② 売却許可決定に対する執行抗告は、第七十一条各号に掲げる事由があること又は売却許可決定の手続に重大な誤りがあることを理由としなければならない。
③ 民事訴訟法第三百三十八条第一項各号に掲げる事由は、前二項の規定にかかわらず、売却の許可又は不許可の決定に対する執行抗告の理由とすることができる。
④ 抗告裁判所は、必要があると認めるときは、抗告人の相手方を定めることができる。
⑤ 売却の許可又は不許可の決定は、確定しなければその効力を生じない。

⊗❶【売却許可・不許可決定の言渡し→六九【利害関係を持つ者の意見陳述→七〇【執行抗告の理由の記載→一〇③―⑤⑦、民執規六 ❸【再審事由と上訴との関係→民訴三三八①但 ❺【決定の確定→民訴一二二・一一六

（不動産が損傷した場合の売却の不許可の申出等）
第七五条① 最高価買受申出人又は買受人は、買受けの申出をした後天災その他自己の責めに帰することができない事由により不動産が損傷した場合には、執行裁判所に対し、売却許可決定前にあつては売却の不許可の申出をし、売却許可決定後にあつては代金を納付する時までにその決定の取消しの申立てをすることができる。ただし、不動産の損傷が軽微であるときは、この限りでない。
② 前項の規定による売却許可決定の取消しの申立てについての決定に対しては、執行抗告をすることができる。
③ 前項に規定する申立てにより売却許可決定を取り消す決定は、確定しなければその効力を生じない。

⊗❶【最高価買受申出人→六七⊗【買受人→七六⊗【執行裁判所→四四【売却許可決定→六九【申出に基づく不許可決定→七一因【代金納付→七八・七九 ❷【執行抗告→一〇【裁判の告知→民執規二①〔三〕【決定の確定→民訴一二二・一一六

（買受けの申出後の強制競売の申立ての取下げ等）
第七六条① 買受けの申出があつた後に強制競売の申立てを取り下げるには、最高価買受申出人又は買受人及び次順位買受申出人の同意を得なければならない。ただし、他に差押債権者（配当要求の終期後に強制競売又は競売の申立てをした差押債権者を除く。）がある場合において、取下げにより第六十二条第一項第二号に掲げる事項について変更が生じないときは、この限りでない。
② 前項の規定は、買受けの申出があつた後に第三十九条第一項第四号から第五号までに掲げる文書を提出する場合について準用する。

⊗⁺【買受けの申出→六六―六八【買受申出の取消し→七二①・七三③【強制競売申立ての取下げ→四七②・五四【最高価買受申出人→六七⊗【買受人→七五・七七・七八・八〇・八六の二①〔三〕・七九・八二①〔二〕・八三【次順位買受申出人→六七・七三③・八〇【配当要求の終期→五一・五二【差押債権者と権利取得者・仮処分権利者との優劣→五九②③

*令和四法四八（令和八・五・二四までに施行）による改正
第二項中「又は第五号」は「から第五号まで」に改められた。（本文織込み済み）

（最高価買受申出人又は買受人のための保全処分等）
第七七条① 執行裁判所は、債務者又は不動産の占有者が、価格減少行為等（不動産の価格を減少させ、又は不動産の引渡しを困難にする行為をいう。以下この項において同じ。）をし、又は価格減少行為等をするおそれがあるときは、最高価買受申出人又は買受人の申立てにより、引渡命令の執行までの間、その買受けの申出の額（金銭により第六十六条の保証を提供した場合にあつては、当該保証の額を控除した額）に相当する金銭を納付させ、又は代金を納付させて、次に掲げる保全処分又は公示保全処分を命ずることができる。
一 債務者又は不動産の占有者に対し、価格減少行為等を禁止し、又は一定の行為をすることを命ずる保全処分（執行裁判所が必要があると認めるときは、公示保全処分を含む。）
二 次に掲げる事項を内容とする保全処分（執行裁判所が必要があると認めるときは、公示保全処分を含む。）
イ 当該価格減少行為等をし、又はそのおそれがある者に対し、不動産に対する占有を解いて執行官に引き渡すことを命ずること。
ロ 執行官に不動産の保管をさせること。
三 次に掲げる事項を内容とする保全処分及び公示保全処分
イ 前号イ及びロに掲げる事項
ロ 前号イに規定する者に対し、不動産の占有の移転を禁止することを命じ、及び不動産の使用を許すこと。
② 第五十五条第二項（第一号に係る部分に限る。）の規定は前項第二号又は第三号に掲げる保全処分について、同条第二項（第二号に係る部分に限る。）の規定は前項に掲げる保全処分について、同条第三項、第四項本文及び第五項の規定は前項の規定による決定について、同条第六項の規定は前項の申立て又はこの項において準用する同条第五項の申立てについての裁判について、同条第七項の規定はこの項において準用する同条第五項の規定による決定について、同条第八項及び第九項並びに第五十五条の二の規定は前項第二号又は第三号に掲げる保全処分を命ずる決定について準用する。

⊗⁺【売却許可決定前の保全処分→五五・五五の二・六八の二 ❶【執行裁判所→四四【債務者の使用収益権→四六②【占有者→民一八〇―二〇二【最高価買受申出人→六七⊗【買受人→七六⊗【引渡命令→八三【買受申出の保証→六六【納付した金銭→七八 ②〔二〕【公示保全処分→五五① 〔三〕【執行官→二⊗ 〔三〕【本号の処分の効果→八三の二

（代金の納付）
第七八条① 売却許可決定が確定したときは、買受人は、裁判所書記官の定める期限までに代金を執行裁判所に納付しなければならない。
② 買受人が買受けの申出の保証として提供した金銭及び前条第一項の規定により納付した金銭は、代金に充てる。
③ 買受人が第六十三条第二項第一号又は第六十八条の二第二項の保証を金銭の納付以外の方法で提供しているときは、執行裁判所は、最高裁判所規則で定めるところによりこれを換価し、その換価代金から換価に要した費用を控除したものを代金に充てる。この場合において、換価に要した費用は、買受人の負担とする。
④ 買受人は、売却代金から配当又は弁済を受けるべき債権者であるときは、売却許可決定が確定するまでに執行裁判所に申し出て、配当又は弁済を受けるべき額を差し引いて代金を配当期日又は弁済金の交付の日に納付することができる。ただし、配当期日において、買受人の受けるべき配当の額について異議の申出があつたときは、買受人は、当該配当期日から一週間以内に、異議に係る部分に相当する金銭を納付しなければならない。
⑤ 裁判所書記官は、特に必要があると認めるときは、第一項の期限を変更することができる。
⑥ 第一項又は前項の規定による裁判所書記官の処分に対しては、執行裁判所に異議を申し立てることができる。
⑦ 第十条第六項前段及び第九項の規定は、前項の規定による異議の申立てがあつた場合について準用する。

⊗❶【売却許可決定の確定→七四⑤【代金納付期限→民執規五六、三②【買受人→七六⊗ ❷【買受申出の保証→六六 ❸

【保証提供の方法→六三④、六六、民執規三二、四〇、四八、五〇④【最高裁判所規則との関係→二一 ❹【配当期日→八四①③④、八五、民執規五九、三【弁済金交付の日→八四②、民執規五九③、三②【配当期日における配当異議→八九 ❻【裁判所書記官の処分に対する異議→民訴一二一

（不動産の取得の時期）

第七九条 買受人は、代金を納付した時に不動産を取得する。

⊛【買受人→七六⊛【代金の納付→七八【買受人のための移転登記→八二①㊀【引渡命令の申立権→八三

（代金不納付の効果）

第八〇条① 買受人が代金を納付しないときは、売却許可決定は、その効力を失う。この場合においては、買受人は、第六十六条の規定により提供した保証の返還を請求することができない。

② 前項前段の場合において、次順位買受けの申出があるときは、執行裁判所は、その申出について売却の許可又は不許可の決定をしなければならない。

⊛❶【買受人→七六⊛【売却許可決定→六九、七四⑤【返還しない保証の売却代金算入→八六の二①㊂ ❷【次順位買受けの申出→六七【執行裁判所→四四【売却決定期日→六九【売却許可・不許可の決定に対する不服申立て→七四①―④【売却許可・不許可の決定の発効→七四⑤

（法定地上権）

第八一条 土地及びその上にある建物が債務者の所有に属する場合において、その土地又は建物の差押えがあり、その売却により所有者を異にするに至つたときは、その建物について、地上権が設定されたものとみなす。この場合においては、地代は、当事者の請求により、裁判所が定める。

⊛【地上権→民二六五―二六九の二【抵当権があるときの法定地上権→民三八八【概要を物件明細書に記載→六二①㊂

（代金納付による登記の嘱託）

第八二条① 買受人が代金を納付したときは、裁判所書記官は、次に掲げる登記及び登記の抹消を嘱託しなければならない。

一 買受人の取得した権利の移転の登記

二 売却により消滅した権利又は売却により効力を失つた権利の取得若しくは仮処分に係る登記の抹消

三 差押え又は仮差押えの登記の抹消

② 買受人及び買受人から不動産の上に抵当権の設定を受けようとする者が、最高裁判所規則で定めるところにより、代金の納付の時までに申出をしたときは、前項の規定による嘱託は、登記の申請の代理を業とすることができる者で申出人の指定するものに嘱託情報を提供して登記所に提供させる方法によつてしなければならない。この場合において、申出人の指定する者は、遅滞なく、その嘱託情報を登記所に提供しなければならない。

③ 第一項の規定による嘱託をするには、その嘱託情報と併せて売却許可決定があつたことを証する情報を提供しなければならない。

④ 第一項の規定による嘱託に要する登録免許税その他の費用は、買受人の負担とする。

⊛❶【買受人→七六⊛【代金納付の期限→七八①、民執規五六【裁判所書記官→一七⊛【嘱託による登記→不登一六【抹消の登記→不登六八【㊀【買受人の権利取得の時期→七九【移転登記→不登八四、一一八【㊁【売却により消滅する権利→五九①⑤【売却により効力を失う権利取得→五九②⑤【売却により効力を失う仮処分→五九③⑤【㊂【差押え・仮差押えの失効→五九③【差押えの登記→四八①【仮差押えの登記→民保四七①―③⑤ ❸【売却許可決定→六九、七四⑤、八〇【正本→民訴九一③、民訴規三三

（引渡命令）

第八三条① 執行裁判所は、代金を納付した買受人の申立てにより、債務者又は不動産の占有者に対し、不動産を買受人に引き渡すべき旨を命ずることができる。ただし、事件の記録上買受人に対抗することができる権原により占有していると認められる者に対しては、この限りでない。

② 買受人は、代金を納付した日から六月（買受けの時に民法第三百九十五条第一項に規定する抵当建物使用者が占有していた建物の買受人にあつては、九月）を経過したときは、前項の申立てをすることができない。

③ 執行裁判所は、債務者以外の占有者に対し第一項の規定による決定をする場合には、その者を審尋しなければならない。ただし、事件の記録上その者が買受人に対抗することができる権原により占有しているものでないことが明らかであるとき、又は既にその者を審尋しているときは、この限りでない。

④ 第一項の申立てについての裁判に対しては、執行抗告をすることができる。

⑤ 第一項の規定による決定は、確定しなければその効力を生じない。

⊛❶【執行裁判所→四四【買受人→七六⊛【記録の例→五・五七、民執規二九【申立ての方式→民執規五八の三 ❷【代金納付の日→七八① ❸【審尋→五、民訴八七②③、八八【必要的審尋の他の例→五⊛ ❹【執行抗告→一〇【裁判の告知→民執規二①㊂【債務名義としての性格→二二㊂ ❺【決定の確定→民訴一一二二、一一六【確定しなければ効力を生じない場合の他の例→一二⊛

（占有移転禁止の保全処分等の効力）

第八三条の二① 強制競売の手続において、第五十五条第一項第三号又は第七十七条第一項第三号に掲げる保全処分及び公示保全処分を命ずる決定の執行がされ、かつ、買受人の申立てにより当該決定の被申立人に対して引渡命令が発せられたときは、買受人は、当該引渡命令に基づき、次に掲げる者に対し、不動産の引渡しの強制執行をすることができる。

一 当該決定の執行がされたことを知つて当該不動産を占有した者

二 当該決定の執行後に当該執行がされたことを知らないで当該決定の被申立人の占有を承継した者

② 前項の決定の執行後に同項の不動産を占有した者は、その執行がされたことを知つて占有したものと推定する。

③ 第一項の引渡命令について同項の決定の被申立人以外の者に対する執行文が付与されたときは、その者は、執行文の付与に対する異議の申立てにおいて、買受人に対抗することができる権原により不動産を占有していること、又は自己が同項各号のいずれにも該当しないことを理由とすることができる。

⊛❶【買受人→七六⊛【引渡命令の本来の相手方→八三① ❸【執行文の付与に対する異議→三二①②

（売却代金の配当等の実施）

第八四条① 執行裁判所は、代金の納付があつた場合には、次項に規定する場合を除き、配当表に基づいて配当を実施しなければならない。

② 債権者が一人である場合又は債権者が二人以上であつて売却代金で各債権者の債権及び執行費用の全部を弁済することができる場合には、執行裁判所は、売却代金の交付計算書を作成して、債権者に弁済金を交付し、剰余金を債務者に交付する。

③ 代金の納付後に第三十九条第一項第一号から第六号までに掲げる文書の提出があつた場合において、他に売却代金の配当又は弁済金の交付（以下「配当等」という。）を受けるべき債権者があるときは、執行裁判所は、その債権者のために配当等を実施しなければならない。

④ 代金の納付後に第三十九条第一項第七号又は第八号に掲げる文書の提出があつた場合においても、執行裁判所は、配当等を実施しなければならない。

⊛❶【執行裁判所→四四【代金の納付→七八―八〇、八二、八三【配当期日等の指定→民執規五九①②【計算書提出の催告→

民執規六〇【配当表の作成↓八五⑤【売却代金交付等の手続↓民執規六一【執行力のある債務名義の正本の交付↓民執規六二　❷【売却代金となるもの↓八六の二【執行費用の負担↓四二【弁済金交付の日の通知↓民執規五九③、三二②　❸【本項所掲の文書提出の効果の原則↓三九、四〇【配当等を受けるべき債権者の範囲↓八七　❹【本項所掲の文書提出の効果の原則↓三九【売却実施後の本項所掲の文書提出の効果↓七二

（配当表の作成）

第八五条①　執行裁判所は、配当期日において、第八十七条第一項各号に掲げる各債権者について、その債権の元本及び利息その他の附帯の債権の額、執行費用の額並びに配当の順位及び額を定める。ただし、配当の順位及び額については、配当期日においてすべての債権者間に合意が成立した場合は、この限りでない。

② 執行裁判所は、前項本文の規定により配当の順位及び額を定める場合には、民法、商法その他の法律の定めるところによらなければならない。

③ 配当期日には、第一項に規定する債権者及び債務者を呼び出さなければならない。

④ 執行裁判所は、配当期日において、第一項本文に規定する事項を定めるため必要があると認めるときは、出頭した債権者及び債務者を審尋し、かつ、即時に取り調べることができる書証又は電磁的記録に記録された情報の内容の取調べをすることができる。

＊令和四法四八（令和八・五・二四までに施行）による改正
第四項中「書証」の下に「又は電磁的記録に記録された情報の内容」が加えられた。（本文織込み済み）

⑤ 第一項の規定により同項本文に規定する事項（同項ただし書に規定する場合には、配当の順位及び額を除く。）が定められたときは、裁判所書記官は、配当期日において、配当表を作成しなければならない。

⑥ 配当表には、売却代金の額及び第一項本文に規定する事項についての執行裁判所の定めの内容（同項ただし書に規定する場合にあつては、配当の順位及び額については、その合意の内容）を記載しなければならない。

⑦ 第十六条第三項及び第四項の規定は、第一項に規定する債権者（同条第一項前段に規定する者を除く。）に対する呼出状の送達について準用する。

参❶【執行裁判所↓四四【配当期日↓民執規五九【配当を受けるべき債権者の範囲↓八七【執行費用↓四二　❷【民法の定める配当の優先権↓民三〇三、三〇四、三〇六―三一〇、三二五―三三二、三四二、三六九【他の法律の定める優先権↓仮登記担保一三、自治二三一の三③、民三〇三参　❹【審尋↓五、民訴八七②、八八【即時に取り調べることができるとの要件↓民訴一八八【書証↓民訴二一九―二三一　❺【裁判所書記官↓裁六〇　❻【売却代金の額↓八六の二

（音声の送受信による通話の方法による配当期日）

第八六条①　執行裁判所は、相当と認めるときは、最高裁判所規則で定めるところにより、執行裁判所並びに第八十五条第一項に規定する債権者及び債務者が音声の送受信により同時に通話をすることができる方法によつて、配当期日における手続を行うことができる。

② 前項の配当期日に出頭しないでその手続に関与した者は、その配当期日に出頭したものとみなす。

＊令和五法五三（令和八・五・二四までに施行）により第八六条追加

（売却代金）

第八六条の二①　売却代金は、次に掲げるものとする。
一　不動産の代金
二　第六十三条第二項第二号の規定により提供した保証のうち申出額から代金の額を控除した残額に相当するもの
三　第八十条第一項後段の規定により買受人が返還を請求することができない保証

② 第六十一条の規定により不動産が一括して売却された場合において、各不動産ごとに売却代金の額を定める必要があるときは、その額は、売却代金の総額を各不動産の売却基準価額に応じて案分して得た額とする。各不動産ごとの執行費用の負担についても、同様とする。

③ 第七十八条第三項の規定は、第一項第二号又は第三号に規定する保証が金銭の納付以外の方法で提供されている場合の換価について準用する。

＊令和五法五三（令和八・五・二四までに施行）による改正
第八六条は第八六条の二とされた。（本文織込み済み）

参❶【一】【代金の納付↓七八　【二】【差額負担の申出↓六三②㈢【保証↓六三参　【三】【買受人↓七六参　❷【売却基準価額の決定↓六〇【執行費用の負担の原則↓四二　❸【保証の提供方法↓六三参、六六参

（配当等を受けるべき債権者の範囲）

第八七条①　売却代金の配当等を受けるべき債権者は、次に掲げる者とする。
一　差押債権者（配当要求の終期までに強制競売又は一般の先取特権の実行としての競売の申立てをした差押債権者に限る。）
二　配当要求の終期までに配当要求をした債権者
三　差押え（最初の強制競売の開始決定に係る差押えをいう。次号において同じ。）の登記前に登記された仮差押えの債権者
四　差押えの登記前に登記（民事保全法第五十三条第二項に規定する仮処分による仮登記を含む。）がされた先取特権（第一号又は第二号に掲げる債権者が有する一般の先取特権を除く。）、質権又は抵当権で売却により消滅するものを有する債権者（その抵当権に係る抵当証券の所持人を含む。）

② 前項第四号に掲げる債権者の権利が仮差押えの登記後に登記されたものである場合には、その債権者は、仮差押債権者が本案の訴訟において敗訴し、又は仮差押えがその効力を失つたときに限り、配当等を受けることができる。

③ 差押えに係る強制競売の手続が停止され、第四十七条第六項の規定による手続を続行する旨の裁判がある場合において、執行を停止された差押債権者がその停止に係る訴訟等において敗訴したときは、差押えの登記後続行の裁判に係る差押えの登記前に登記された第一項第四号に規定する権利を有する債権者は、配当等を受けることができる。

参❶【配当期日の呼出し↓八五③【売却代金となるもの↓八六の二①　【一】【差押債権者↓二五、四五、四七【配当要求の終期↓四九、五二【強制競売の申立て↓四五③、四七【一般の先取特権の実行としての競売の申立て↓一八一①㈢④　【二】【配当要求をすることができる者↓五一①　【三】【最初の開始決定↓四七①【差押えの登記↓四八①【仮差押えの登記↓民保四七①―③⑤　【四】【先取特権の登記↓民三三七―三四一、借地借家一二②、ETC、不登三㈤、五九、八三、八五、八六【一般の先取特権に基づく配当要求↓五一①【不動産質権↓民三五六―三六一【不動産質権の登記↓不登三㈥、五九、八三、九五【抵当権↓民三六九―三九八の二二【抵当権の登記↓不登三㈦、五九、八三、八八【売却により消滅する担保権↓五九①⑤　❷【仮差押債権者の本案訴訟↓民保三七【仮差押えの失効↓民保三二①、三七②、三八①、四一①　❸【強制競売手続の停止↓三九【停止に係る訴訟の例↓三四、三五【差押えの登記の重複↓四七　❷❸【配当額が定まらないときの供託↓九一①㈥【担保仮登記が仮差押えの登記後又は執行停止に係る差押えの登記後にされたものであっても配当を受けることができる場合↓仮登記担保一七④

（期限付債権の配当等）

第八八条① 確定期限の到来していない債権は、配当等については、弁済期が到来したものとみなす。

② 前項の債権が無利息であるときは、配当等の日から期限までの配当等の日における法定利率による利息との合算額がその債権の額となるべき元本額をその債権の額とみなして、配当等の額を計算しなければならない。

§❶【停止条件付又は不確定期限付債権についての配当額の供託→九一 ❷【類似の規定の例→破九九①〔三〕【配当等の日→八四①②・八五【法定利率→民四〇四【配当表への記載→八五⑥

（配当異議の申出）

第八九条① 配当表に記載された各債権者の債権又は配当の額について不服のある債権者及び債務者は、配当期日において、異議の申出（以下「配当異議の申出」という。）をすることができる。

② 執行裁判所は、配当異議の申出のない部分に限り、配当を実施しなければならない。

§❶【配当表の記載事項→八五⑥【配当期日→八五①③―⑤、民執規五九【配当異議取下げの擬制→九〇⑥ ❷【執行裁判所→四四【配当異議の申出をした者がしなければならない処置→九〇①⑤⑥

（配当異議の訴え等）

第九〇条① 配当異議の申出をした債権者及び執行力のある債務名義の正本を有しない債権者に対し配当異議の申出をした債務者は、配当異議の訴えを提起しなければならない。

② 前項の訴えは、執行裁判所が管轄する。

③ 第一項の訴えは、原告が最初の口頭弁論期日に出頭しない場合には、その責めに帰することができない事由により出頭しないときを除き、却下しなければならない。

④ 第一項の訴えの判決においては、配当表を変更し、又は新たな配当表の調製のために、配当表を取り消さなければならない。

⑤ 執行力のある債務名義の正本を有する債権者に対し配当異議の申出をした債務者は、請求異議の訴え又は民事訴訟法第百十七条第一項の訴えを提起しなければならない。

⑥ 配当異議の申出をした債権者又は債務者が、配当期日（知れていない抵当証券の所持人に対する配当異議の申出にあつては、その所持人を知つた日）から一週間以内（買受人が第七十八条第四項ただし書の規定により金銭を納付すべき場合にあつては、二週間以内）に、執行裁判所に対し、第一項の訴えを提起したことの証明をしないとき、又は前項の訴えを提起したことの証明及びその訴えに係る執行停止の裁判の正本若しくは記録事項証明書の提出をしないときは、配当異議の申出は、取り下げたものとみなす。

> **＊令和四法四八**（令和八・五・二四までに施行）**による改正**
> 第六項中「正本」の下に「若しくは記録事項証明書」が加えられた。（本文織込み済み）

§❶【配当異議の申出権者→八九【執行力のある債務名義の正本を有しない債権者→五一①【起訴があれば配当額は供託→九一①〔七〕 ❷【執行裁判所→四四【専属管轄→一九 ❸【最初の口頭弁論期日欠席の場合の通常の取扱い→民訴一五八【訴え却下の通常の原因→民訴一四〇―一四二 ❹【配当表の作成→八五【配当異議の申出をしなかった債権者のためにも配当表を変更しなければならない場合→九二② ❺【執行力のある債務名義の正本を有する債権者→二五・四七・五一【債務者の配当異議の申出→八九【請求異議の訴え→三五【確定判決の変更の訴え→民訴一一七① ❻【配当期日→八五①③―⑤【訴え提起の証明書→民訴九一③【請求異議の訴えに係る執行停止の裁判→三六・三七・三九①〔七〕

（配当等の額の供託）

第九一条① 配当等を受けるべき債権者の債権について次に掲げる事由があるときは、裁判所書記官は、その配当等の額に相当する金銭を供託しなければならない。

一 停止条件付又は不確定期限付であるとき。

二 仮差押債権者の債権であるとき。

三 第三十九条第一項第七号又は第百八十三条第一項第二号ホに掲げる文書が提出されているとき。

四 その債権に係る先取特権、質権又は抵当権（以下この項において「先取特権等」という。）の実行を一時禁止する裁判の正本が提出されているとき。

五 その債権に係る先取特権等につき仮登記又は民事保全法第五十三条第二項に規定する仮処分による仮登記がされたものであるとき。

六 仮差押え又は執行停止に係る差押えの登記後に登記された先取特権等があるため配当額が定まらないとき。

七 配当異議の訴えが提起されたとき。

② 裁判所書記官は、配当等の受領のために執行裁判所に出頭しなかつた債権者（知れていない抵当証券の所持人を含む。）に対する配当等の額に相当する金銭を供託しなければならない。

§❶【配当等を受けるべき債権者→八七【裁判所書記官→一七§【二】【供託→供【供託事由消滅の際の供託金の配当→九二【三】【停止条件→民一二七①【不確定期限→民四一二②【三】【仮差押債権者→五一①・八七①〔三〕②【四】【先取特権・質権・抵当権→八七§【実行を一時禁止する裁判の例→民保二三―二五の二【正本→民訴九一③、民訴規三三【五】【仮登記→不登一〇五・一〇六【六】【仮差押え・執行停止があるときの配当受領権者の変動→八七②③【二】―【六】【これらに掲げる者に対し配当を実施できなくなったときの処置→九二②【七】【配当異議の訴え→九〇①【起訴の証明→九〇⑥、民訴九一③【債務者の提起した配当異議の訴えで債権者が敗訴したときの処置→九二② ❷【執行裁判所→四四 ＊【供託した金銭の配当→九二

（権利確定等に伴う配当等の実施）

第九二条① 前条第一項の規定による供託がされた場合において、その供託の事由が消滅したときは、執行裁判所は、供託金について配当等を実施しなければならない。

② 前項の規定により配当を実施すべき場合において、前条第一項第一号から第五号までに掲げる事由による供託に係る債権者若しくは同項第六号に掲げる事由による供託に係る仮差押債権者若しくは執行を停止された差押債権者に対して配当を実施することができなくなつたとき、又は同項第七号に掲げる事由による供託に係る債権者が債務者の提起した配当異議の訴えにおいて敗訴したときは、執行裁判所は、配当異議の申出をしなかつた債権者のためにも配当表を変更しなければならない。

③ 前条第一項の規定による供託がされた場合における当該供託に係る債権者（同項第六号に掲げる事由による供託がされた場合にあつては、当該供託に係る仮差押債権者又は執行を停止された差押債権者。以下この条において同じ。）は、その供託の事由が消滅したときは、直ちに、その旨を執行裁判所に届け出なければならない。

④ 執行裁判所は、前条第一項の規定による供託がされた場合において、その供託がされた日（この項の規定によりその供託に係る供託の事由が消滅していない旨の届出をした場合にあつては、最後に当該届出をした日）から前項の規定による届出がされることなく二年を経過したときは、当該供託に係る債権者に対し、その供託に係る供託の事由が消滅しているときは同項の規定による届出をし、又はその供託に係る供託の事由が消滅していないときはその旨の届出をすべき旨を催告しなければならない。

⑤ 前項の規定による催告を受けた当該供託に係る債権者が、催告を受けた日から二週間以内に第三項の規定による届出又は前項の規定による供託の事由が消滅していない旨の届出をしないときは、執行裁判所は、当該供託に係る債権者を除外して第一項及び第二項の規定により供託金について配当等を実施する旨

の決定をすることができる。

⑥　前項の決定は、当該供託に係る債権者が当該決定の告知を受けた日から一週間の不変期間が経過した日にその効力を生ずる。ただし、当該供託に係る債権者が当該不変期間が経過するまでに第三項の規定による届出又は第四項の規定による供託の事由が消滅していない旨の届出をしたときは、この限りでない。

⑦　当該供託に係る債権者が第四項に規定する期間を経過する前に執行裁判所にその供託に係る供託の事由が消滅していない旨の届出をしたときは、同項の規定の適用については、同項の規定による供託の事由が消滅していない旨の届出があつたものとみなす。

＊令和五法五三（令和八・五・二四までに施行）による改正前

（権利確定等に伴う配当等の実施）

第九二条①②（略）

③―⑦（改正により追加）

参❶【執行裁判所→四四【配当等の実施→八四　❷【債務者の提起する配当異議の訴え→九〇①【配当異議の申出をした債権者→八九・九〇①【配当表の変更→九〇④

第三目　強制管理

（開始決定等）

第九三条①　執行裁判所は、強制管理の手続を開始するには、強制管理の開始決定をし、その開始決定において、債権者のために不動産を差し押さえる旨を宣言し、かつ、債務者に対し収益の処分を禁止し、及び債務者が賃貸料の請求権その他の当該不動産の収益に係る給付を求める権利（以下「給付請求権」という。）を有するときは、債務者に対して当該給付をする義務を負う者（以下「給付義務者」という。）に対しその給付の目的物を管理人に交付すべき旨を命じなければならない。

②　前項の収益は、後に収穫すべき天然果実及び既に弁済期が到来し、又は後に弁済期が到来すべき法定果実とする。

③　第一項の開始決定は、債務者及び給付義務者に送達しなければならない。

④　給付義務者に対する第一項の開始決定の効力は、開始決定が当該給付義務者に送達された時に生ずる。

⑤　強制管理の申立てについての裁判に対しては、執行抗告をすることができる。

参❶【執行裁判所→四四【申立ての方式及び記載事項→民執規一・六三【申立書の添付書類→民執規二三・二三の二【開始決定と同時になすべき処置→九四①【差押登記の嘱託→一一一・四八【公課所管官庁公署への通知→民執規六四【強制競売開始決定主文との対比→四五①【強制競売における債務者の使用収益権→四六②【管理人の権限→九五①　❷【天然果実→民八八①【法定果実→民八八②　❸【送達→一六参　❺【執行抗告→一〇【裁判の告知→民執規二①㈡【申立却下に対する執行抗告→四五③

（二重開始決定）

第九三条の二　既に強制管理の開始決定がされ、又は第百八十条第二号に規定する担保不動産収益執行の開始決定がされた不動産について強制管理の申立てがあつたときは、執行裁判所は、更に強制管理の開始決定をするものとする。

参＋【強制競売における二重開始決定→四七【二重に強制管理の申立てをした者の地位→一〇七④㈠イ

（給付義務者に対する競合する債権差押命令等の陳述の催告）

第九三条の三　裁判所書記官は、給付義務者に強制管理の開始決定を送達するに際し、当該給付義務者に対し、開始決定の送達の日から二週間以内に給付請求権に対する差押命令又は差押処分の存否その他の最高裁判所規則で定める事項について陳述すべき旨を催告しなければならない。この場合においては、第百四十七条第二項の規定を準用する。

参＋【裁判所書記官→一七参【給付義務者→九三①【開始決定の送達→九三③④【給付請求権→九三①【給付請求権に対する差押命令等→九三の四【陳述すべき事項→民執規六四の二

（給付請求権に対する競合する債権差押命令等の効力の停止等）

第九三条の四①　第九十三条第四項の規定により強制管理の開始決定の効力が給付義務者に対して生じたときは、給付請求権に対する差押命令又は差押処分であつて既に効力が生じていたものは、その効力を停止する。ただし、強制管理の開始決定の給付義務者に対する効力の発生が第百六十五条各号（第百六十七条の十四第一項において第百六十五条各号（第三号及び第四号を除く。）の規定を準用する場合及び第百九十三条第二項において準用する場合を含む。）に掲げる時後であるときは、この限りでない。

②　第九十三条第四項の規定により強制管理の開始決定の効力が給付義務者に対して生じたときは、給付請求権に対する仮差押命令であつて既に効力が生じていたものは、その効力を停止する。

③　第一項の差押命令又は差押処分の債権者、同項の差押命令又は差押処分が効力を停止する時までに当該債権執行（第百四十三条に規定する債権執行をいう。）又は少額訴訟債権執行（第百六十七条の二第二項に規定する少額訴訟債権執行をいう。）の手続において配当要求をした債権者及び前項の仮差押命令の債権者は、第百七条第四項の規定にかかわらず、前二項の強制管理の手続において配当等を受けることができる。

参❶【強制管理の開始決定の効力→九三①【給付請求権に対する差押え→一四三・一四五　❷【給付請求権に対する仮差押え→民保五〇　❸【強制管理における配当→一〇七

（管理人の選任）

第九四条①　執行裁判所は、強制管理の開始決定と同時に、管理人を選任しなければならない。

②　信託会社（信託業法（平成十六年法律第百五十四号）第三条又は第五十三条第一項の免許を受けた者をいう。）、銀行その他の法人は、管理人となることができる。

参❶【執行裁判所→四四【強制管理開始決定→九三①【管理人の権限・地位等→九五―一〇三【選任を証する文書の交付→民執規六五②【選任・解任の通知→民執規六五①③

（管理人の権限）

第九五条①　管理人は、強制管理の開始決定がされた不動産について、管理並びに収益の収取及び換価をすることができる。

②　管理人は、民法第六百二条に定める期間を超えて不動産を賃貸するには、債務者の同意を得なければならない。

③　管理人が数人あるときは、共同してその職務を行う。ただし、執行裁判所の許可を受けて、職務を分掌することができる。

④　管理人が数人あるときは、第三者の意思表示は、その一人に対してすれば足りる。

参❶【管理人の選任→九四【管理人の占有権限→九六【管理人に対して収益を給付すべき命令→九三①【収益の分与→九八【収益の換価→九八・一〇六【管理人による配当等→一〇七・一〇八、民執規七〇　❸【執行裁判所→四四

（強制管理のための不動産の占有等）

第九六条①　管理人は、不動産について、債務者の占有を解いて自らこれを占有することができる。

②　管理人は、前項の場合において、閉鎖した戸を開く必要があると認めるときは、執行官に対し援助を求めることができる。

③　第五十七条第三項の規定は、前項の規定により援助を求められた執行官について準用する。

参❶【管理人の管理権・収益収取権→九五①【建物使用の許可→

九七　❷【執行官→二参【執行官に対する援助請求→六②

第九七条（**建物使用の許可**）① 債務者の居住する建物について強制管理の開始決定がされた場合において、債務者が他に居住すべき場所を得ることができないときは、執行裁判所は、申立てにより、債務者及びその者と生計を一にする同居の親族（婚姻又は縁組の届出をしていないが債務者と事実上夫婦又は養親子と同様の関係にある者を含む。以下「債務者等」という。）の居住に必要な限度において、期間を定めて、その建物の使用を許可することができる。

② 債務者が管理人の管理を妨げたとき、又は事情の変更があつたときは、執行裁判所は、申立てにより、前項の規定による決定を取り消し、又は変更することができる。

③ 前二項の申立てについての決定に対しては、執行抗告をすることができる。

参❶【不動産執行の対象としての建物→四三①【強制管理開始決定→九三【執行裁判所→四四【親族→民七二五【婚姻の届出→民七三九―七四二【縁組の届出→民七九九―八〇一　❷【管理人及びその権限→九四、九五　❸【執行抗告→一〇【裁判の告知→民執規二①㈢

第九八条（**収益等の分与**）① 強制管理により債務者の生活が著しく困窮することとなるときは、執行裁判所は、申立てにより、管理人に対し、収益又はその換価代金からその困窮の程度に応じ必要な金銭又は収益を債務者に分与すべき旨を命ずることができる。

② 前条第二項の規定は前項の規定による決定について、同条第三項の規定は前項の申立て又はこの項において準用する前条第二項の申立てについての決定について準用する。

参❶【執行裁判所→四四【管理人の管理権・収益収取権・換価権→九五①【執行裁判所の監督権→九九　❷【執行抗告→一〇

第九九条（**管理人の監督**）管理人は、執行裁判所が監督する。

参＊【執行裁判所→四四【執行裁判所の選任・解任権→九四・一〇二

第一〇〇条（**管理人の注意義務**）① 管理人は、善良な管理者の注意をもつてその職務を行わなければならない。

② 管理人が前項の注意を怠つたときは、その管理人は、利害関係を有する者に対し、連帯して損害を賠償する責めに任ずる。

参❶【善良な管理者の注意→民六四四　❷【連帯債務→民四三六―四四五

第一〇一条（**管理人の報酬等**）① 管理人は、強制管理のため必要な費用の前払及び執行裁判所の定める報酬を受けることができる。

② 前項の規定による決定に対しては、執行抗告をすることができる。

参❶【報酬を控除して配当に充てる金銭を確定→一〇六【執行裁判所→四四　❷【執行抗告→一〇【裁判の告知→民執規二①㈢

第一〇二条（**管理人の解任**）重要な事由があるときは、執行裁判所は、利害関係を有する者の申立てにより、又は職権で、管理人を解任することができる。この場合においては、その管理人を審尋しなければならない。

参＊【執行裁判所→四四【執行裁判所の監督権→九九【審尋→五、民訴八七②③、八八【本法中の必要的審尋の他の例→五参【解任の通知→民執規六五③

第一〇三条（**計算の報告義務**）管理人の任務が終了した場合においては、管理人又はその承継人は、遅滞なく、執行裁判所に計算の報告をしなければならない。

参＊【任務終了の例→一〇二、一〇四②、一一〇【承継人としての相続人→民八八六―八九三【承継人としての存続会社→会社七四九【執行裁判所→四四【執行裁判所の監督権→九九【収取した収益等の報告義務→民執規六八

第一〇四条（**強制管理の停止**）① 第三十九条第一項第七号又は第八号に掲げる文書の提出があつた場合においては、強制管理は、配当等の手続を除き、その時の態様で継続することができる。この場合においては、管理人は、配当等に充てるべき金銭を供託し、その事情を執行裁判所に届け出なければならない。

② 前項の規定により供託された金銭の額で各債権者の債権及び執行費用の全部を弁済することができるときは、執行裁判所は、配当等の手続を除き、強制管理の手続を取り消さなければならない。

参❶【本項所掲文書の提出があつたときの既存の執行行為の保持→四〇①【強制管理における配当等→一〇七【供託→供【執行裁判所→四四【事情届の方式→民執規七一【供託事由の消滅を待って執行裁判所が配当→一〇九　❷【執行費用の負担→四二【執行抗告可能→一二

第一〇五条（**配当要求**）① 執行力のある債務名義の正本を有する債権者及び第百八十一条第一項各号に掲げる文書により一般の先取特権を有することを証明した債権者は、執行裁判所に対し、配当要求をすることができる。

② 配当要求を却下する裁判に対しては、執行抗告をすることができる。

参❶【執行力のある債務名義の正本→五一参【二重開始決定の可能性→九三の二【執行裁判所→四四【一般の先取特権→民三〇六―三一〇、三〇六参【仮差押えの執行としての強制管理の可能性→民保四七①④【配当要求の方式→民執規二六【配当要求の通知→民執規二七　❷【執行抗告→一〇【裁判の告知→民執規二①㈢②

第一〇六条（**配当等に充てるべき金銭等**）① 配当等に充てるべき金銭は、第九十八条第一項の規定による分与をした後の収益又はその換価代金から、不動産に対して課される租税その他の公課及び管理人の報酬その他の必要な費用を控除したものとする。

② 配当等に充てるべき金銭を生ずる見込みがないときは、執行裁判所は、強制管理の手続を取り消さなければならない。

参❶【管理人の管理権・収益収取権・換価権→九五【管理人の報酬→一〇一　❷【執行裁判所→四四【執行抗告可能→一二【強制競売における無益執行禁止の態様→六三

第一〇七条（**管理人による配当等の実施**）① 管理人は、前条第一項に規定する費用を支払い、執行裁判所の定める期間ごとに、配当等に充てるべき金銭の額を計算して、配当等を実施しなければならない。

② 債権者が一人である場合又は債権者が二人以上であつて配当等に充てるべき金銭で各債権者の債権及び執行費用の全部を弁済することができる場合には、管理人は、債権者に弁済金を交付し、剰余金を債務者に交付する。

③ 前項に規定する場合を除き、配当等に充てるべき金銭の配当について債権者間に協議が調つたときは、管理人は、その協議に従い配当を実施する。

④ 配当等を受けるべき債権者は、次に掲げる者とする。

一 差押債権者のうち次のイからハまでのいずれかに該当するもの

イ 第一項の期間の満了までに強制管理の申立てをしたもの

ロ 第一項の期間の満了までに一般の先取特権の実行として

第百八十条第二号に規定する担保不動産収益執行の申立てをしたもの

八　第一項の期間の満了までに第百八十条第二号に規定する担保不動産収益執行の申立てをしたもの（ロに掲げるものを除く。）であつて、当該申立てが最初の強制管理の開始決定に係る差押えの登記前に登記（民事保全法第五十三条第二項に規定する保全仮登記を含む。）がされた担保権に基づくもの

二　仮差押債権者（第一項の期間の満了までに、強制管理の方法による仮差押えの執行の申立てをしたものに限る。）

三　第一項の期間の満了までに配当要求をした債権者

⑤　第三項の協議が調わないときは、管理人は、その事情を執行裁判所に届け出なければならない。

⊛❶【執行裁判所→四四【配当等に充てるべき金銭→一〇六【管理人の権限→九五【収取した収益等の報告義務→民執規六八 ❷【執行費用の負担→四二 ❸【配当協議の日又は弁済金交付の日の指定→民執規六九【配当計算書の作成→民執規七〇 ❹【強制管理の申立てをした差押債権者→二・二五・九三【一般の先取特権者による担保不動産収益執行→一八一①〔三〕【強制管理の申立てをした仮差押債権者→民保四七①④⑤【配当要求をした債権者→一〇五【本項以外で配当等を受ける者→九三の四③ ❺【事情届の方式→民執規七二【届出があったときは執行裁判所が直ちに配当を実施→一〇九 ⊛+【執行力のある債務名義の正本の交付→民執規六二

第一〇八条（管理人による配当等の額の供託）　配当等を受けるべき債権者の債権について第九十一条第一項各号（第七号を除く。）に掲げる事由があるときは、管理人は、その配当等の額に相当する金銭を供託し、その事情を執行裁判所に届け出なければならない。債権者が配当等の受領のために出頭しなかつたときも、同様とする。

⊛+【配当等を受けるべき債権者→一〇七④【仮差押債権者のための強制管理における配当額の供託→民保四七④【供託→供【執行裁判所→四四【事情届の方式→民執規七一【供託事由の消滅を待って配当→一〇九【強制競売における同旨の規定→九一①〔二〕〔三〕②

第一〇九条（執行裁判所による配当等の実施）　執行裁判所は、第百七条第五項の規定による届出があつた場合には直ちに、第百四条第一項又は前条の規定による届出があつた場合には供託の事由が消滅したときに、配当等の手続を実施しなければならない。

⊛+【執行裁判所→四四【手続→一一一【執行力のある債務名義の正本の交付→民執規六二

第一一〇条（弁済による強制管理の手続の取消し）　各債権者が配当等によりその債権及び執行費用の全部の弁済を受けたときは、執行裁判所は、強制管理の手続を取り消さなければならない。

⊛+【配当等→一〇七―一〇九【執行費用の負担→四二【取消決定に対する執行抗告→一二・一〇【取消しに基づく差押登記抹消→一一一・五四【他の取消事由→一四・四〇・一一一・五三・一〇四②・一〇六②

第一一一条（強制競売の規定の準用）　第四十六条第一項、第四十七条第二項、第六項本文及び第七項、第四十八条、第五十三条、第五十四条、第八十四条第三項及び第四項、第八十七条第二項及び第三項並びに第八十八条の規定は強制管理について、第八十四条第一項及び第二項、第八十五条から第八十六条まで及び第八十九条から第九十二条までの規定は第百九条の規定により執行裁判所が実施する配当等の手続について準用する。この場合において、第八十四条第三項及び第四項中「代金の納付後」とあるのは、「第百七条第一項の期間の経過後」と読み替えるものとする。

> **＊令和五法五三（令和八・五・二四までに施行）による改正**
> 第一一一条中「第八十五条並びに」は「第八十五条から第八十六条まで及び」に改められた。（本文織込み済み）

第二款　船舶に対する強制執行

第一一二条（船舶執行の方法）　総トン数二十トン以上の船舶（端舟その他ろかい又は主としてろかいをもつて運転する舟を除く。以下この節及び次章において「船舶」という。）に対する強制執行（以下「船舶執行」という。）は、強制競売の方法により行う。

⊛+【総トン数二十トン未満の船舶→商六八六②【主としてろかいをもって運転する舟→商六八四【船舶の定義→商六八四【船舶の登記→商六八六【船舶の差押え等の制限→商六八九【申立ての方式→民執規一【申立書の記載事項・添付書類→民執規七四

第一一三条（執行裁判所）　船舶執行については、強制競売の開始決定の時の船舶の所在地を管轄する地方裁判所が、執行裁判所として管轄する。

⊛+【申立書には船舶所在地を記載→民執規七四【強制競売開始決定の効力発生時→一一四③【地方裁判所→裁二三―三一【専属管轄→一九【事件の移送→一一九

第一一四条（開始決定等）　①　執行裁判所は、強制競売の手続を開始するには、強制競売の開始決定をし、かつ、執行官に対し、船舶の国籍を証する文書その他の船舶の航行のために必要な文書（以下「船舶国籍証書等」という。）を取り上げて執行裁判所に提出すべきことを命じなければならない。ただし、その開始決定前にされた開始決定により船舶国籍証書等が取り上げられているときは、執行官に対する命令を要しない。

②　強制競売の開始決定においては、債権者のために船舶を差し押さえる旨を宣言し、かつ、債務者に対し船舶の出航を禁止しなければならない。

③　強制競売の開始決定の送達又は差押えの登記前に執行官が船舶国籍証書等を取り上げたときは、差押えの効力は、その取上げの時に生ずる。

⊛❶【執行裁判所→一一三【強制競売開始決定→一一三・一一二【執行官→二⊛【船舶国籍証書→商六八六①【取上げができないときの手続の取消し→一二〇【二重開始決定→一二一・四七 ❷【不動産の強制競売開始決定の主文との対比→四五① ❸【開始決定の送達→一二一・四五②【差押えの登記→一二一・四八【差押えの効力発生時の原則→一二一・四六①

第一一五条（船舶執行の申立て前の船舶国籍証書等の引渡命令）　①　船舶執行の申立て前に船舶国籍証書等を取り上げなければ船舶執行が著しく困難となるおそれがあるときは、その船舶の船籍の所在地（船籍のない船舶にあつては、最高裁判所の指定する地）を管轄する地方裁判所は、申立てにより、債務者に対し、船舶国籍証書等を執行官に引き渡すべき旨を命ずることができる。急迫の事情があるときは、船舶の所在地を管轄する地方裁判所も、この命令を発することができる。

②　前項の規定による裁判は、口頭弁論を経ないですることができる。

③　第一項の申立てをするには、執行力のある債務名義の正本を提示し、かつ、同項に規定する事由を疎明しなければならない。

④　執行官は、船舶国籍証書等の引渡しを受けた日から五日以内に債権者が船舶執行の申立てをしたことを証する文書を提出しないときは、その船舶国籍証書等を債務者に返還しなければならない。

⑤　第一項の規定による決定に対しては、即時抗告をすることができる。

⑥ 前項の即時抗告は、執行停止の効力を有しない。
⑦ 第五十五条第八項から第十項までの規定は、第一項の規定による決定について準用する。

∞❶【船舶執行の申立て↓二・一一二∞【船舶国籍証書↓商六八六①【最高裁判所規則との関係↓二一【具体的指定↓民執規七七【地方裁判所↓裁二三—三一【執行官↓二∞【船舶の所在地を管轄する地方裁判所↓一一三・一一九 ❷【任意的口頭弁論↓民訴八七①但 ❸【執行力のある債務名義の正本↓五一∞【疎明↓民訴一八八 ❺【即時抗告↓民訴三三二 ❻【即時抗告は執行停止の効力を持つのが原則↓民訴三三四①

（保管人の選任等）
第一一六条① 執行裁判所は、差押債権者の申立てにより、必要があると認めるときは、強制競売の開始決定がされた船舶について保管人を選任することができる。
② 前項の保管人が船舶の保管のために要した費用（第四項において準用する第百一条第一項の報酬を含む。）は、手続費用とする。
③ 第一項の申立てについての決定に対しては、執行抗告をすることができる。
④ 第九十四条第二項、第九十六条及び第九十九条から第百三条までの規定は、第一項の保管人について準用する。

∞❶【執行裁判所↓一一三【強制競売の開始された船舶の出航禁止↓一一四②【本条の保管人とみなされる者↓一六二③ ❷【手続費用の負担↓四二 ❸【執行抗告↓一〇【裁判の告知↓民執規二①㊂

（保証の提供による強制競売の手続の取消し）
第一一七条① 差押債権者の債権について、第三十九条第一項第七号又は第八号に掲げる文書が提出されている場合において、債務者が差押債権者及び保証の提供の時（配当要求の終期後にあつては、その終期）までに配当要求をした債権者の債権及び執行費用の総額に相当する保証を買受けの申出前に提供したときは、執行裁判所は、申立てにより、配当等の手続を除き、強制競売の手続を取り消さなければならない。
② 前項に規定する文書の提出による執行停止がその効力を失つたときは、執行裁判所は、同項の規定により提供された保証について、同項の債権者のために配当等を実施しなければならない。
③ 第一項の申立てを却下する裁判に対しては、執行抗告をすることができる。この場合において、執行裁判所は、保証の提供として供託された有価証券を取り戻すことができる。
④ 第十二条の規定は、第一項の規定による決定については適用しない。
⑤ 第十五条の規定は第一項の保証の提供について、第七十八条第三項の規定は第一項の保証が金銭の供託以外の方法で提供されている場合の換価について準用する。

∞❶【配当要求の終期↓一二一・四九、五二【配当要求ができる者↓一二一・五一【執行費用の負担↓四二【保証提供の方法↓一一七⑤、民執規七八【買受けの申出↓一二一・六六【執行裁判所↓一一三【配当等の手続↓一二一・八四—九二【執行抗告可能↓一二【裁判を告知すべき者↓民執規二①㊂ ❷【執行停止の失効↓三六④・三七【有価証券による保証↓一五、一一七⑤ ❸【執行抗告↓一〇【裁判の告知↓民執規二①㊂② ❹【本法中同旨の規定↓一二∞

（航行許可）
第一一八条① 執行裁判所は、営業上の必要その他相当の事由があると認める場合において、各債権者並びに最高価買受申出人又は買受人及び次順位買受申出人の同意があるときは、債務者の申立てにより、船舶の航行を許可することができる。
② 前項の申立てについての裁判に対しては、執行抗告をすることができる。
③ 第一項の規定による決定は、確定しなければその効力を生じない。

∞❶【執行裁判所↓一一三【差押債権者↓二一・一一四【配当要求債権者↓一二一・五一【最高価買受申出人↓一二一・六七・七二、六七∞【買受人↓一二一・七五、七六∞【次順位買受申出人↓一二一・六七、七二【不帰港の際の手続取消し↓一二一・五三 ❷【執行抗告↓一〇【裁判の告知↓民執規二①㊂ ❸【本法中同旨の規定↓一二②∞

（事件の移送）
第一一九条① 執行裁判所は、強制競売の開始決定がされた船舶が管轄区域外の地に所在することとなつた場合には、船舶の所在地を管轄する地方裁判所に事件を移送することができる。
② 前項の規定による決定に対しては、不服を申し立てることができない。

∞❶【執行裁判所↓一一三【船舶執行の所在地主義↓一一三【地方裁判所↓裁二三—三一【移送↓二〇、民訴一六—二二【移送の裁判の告知↓民執規二①㊂ ❷【本法中同旨の規定↓一〇∞

（船舶国籍証書等の取上げができない場合の強制競売の手続の取消し）
第一二〇条 執行官が強制競売の開始決定の発せられた日から二週間以内に船舶国籍証書等を取り上げることができないときは、執行裁判所は、強制競売の手続を取り消さなければならない。

∞⁺【執行官↓二∞【強制競売開始決定↓一一四【船舶国籍証書の取上げ↓一一四①【執行裁判所↓一一三【執行抗告可能↓一二①

（不動産に対する強制競売の規定の準用）
第一二一条 前款第二目（第四十五条第二項、第四十六条第二項、第四十八条、第五十四条、第五十五条第一項第二号、第五十六条、第六十四条の二、第六十五条の二、第六十八条の四、第七十一条第五号、第八十一条及び第八十二条を除く。）の規定は船舶執行について、第四十八条、第五十四条及び第八十二条の規定は船舶法（明治三十二年法律第四十六号）第一条に規定する日本船舶に対する強制執行について、それぞれ準用する。この場合において、第五十一条第一項中「第百八十一条第一項各号に掲げる文書」とあるのは「文書」と、「一般の先取特権」とあるのは「先取特権」と読み替えるものとする。

第三款　動産に対する強制執行

（動産執行の開始等）
第一二二条① 動産（登記することができない土地の定着物、土地から分離する前の天然果実で一月以内に収穫することが確実であるもの及び裏書の禁止されている有価証券以外の有価証券を含む。以下この節、次章及び第四章において同じ。）に対する強制執行（以下「動産執行」という。）は、執行官の目的物に対する差押えにより開始する。
② 動産執行においては、執行官は、差押債権者のためにその債権及び執行費用の弁済を受領することができる。

∞❶【動産↓民八六②【土地の定着物↓民八六①【不動産登記の対象↓不登三【天然果実↓民八八①【差押えの天然果実に対する効力↓一二六【強制管理による天然果実の収穫↓九三②【裏書の禁止された有価証券の例↓手一一②、小一四②、商六〇六①但、ETC【裏書禁止の有価証券に対する執行↓一四三【執行官↓二∞【申立ての方式↓民執規一【申立書の記載事項↓民執規九九 ❷【執行費用の負担↓四二【執行力のある正本の交付↓民執規一二九

（債務者の占有する動産の差押え）
第一二三条① 債務者の占有する動産の差押えは、執行官がその動産を占有して行う。
② 執行官は、前項の差押えをするに際し、債務者の住居その他債務者の占有する場所に立ち入り、その場所において、又は債務者の占有する金庫その他の容器について目的物を捜索するこ

とができる。この場合において、必要があるときは、閉鎖した戸及び金庫その他の容器を開くため必要な処分をすることができる。

③ 執行官は、相当であると認めるときは、債務者に差し押さえた動産（以下「差押物」という。）を保管させることができる。この場合においては、差押えは、差押物について封印その他の方法で差押えの表示をしたときに限り、その効力を有する。

④ 執行官は、前項の規定により債務者に差押物を保管させる場合において、相当であると認めるときは、その使用を許可することができる。

⑤ 執行官は、必要があると認めるときは、第三項の規定により債務者に保管させた差押物を自ら保管し、又は前項の規定による許可を取り消すことができる。

⊛❶【占有権→民一八〇—二〇四】【執行官→二⊛】【債務者以外の者の占有する動産の差押え→一二四】【差押物を第三者が占有するに至つたときの処置→一二七】【差し押さえるべき動産の選択→民執規一〇〇】【職務執行区域外での差押え・取戻し→民執規一〇一】【差押調書→民執規一〇二】【差押えの通知→民執規一〇三】【差押えの取消しの方法→民執規一二七】❷【執行官の職務執行の確保→六】【執行官の立入権の他の例→五七②、一六八④】【執行官の開扉権等の他の例→一六八④、一六九②】【執行への立会い→七】【夜間・休日執行→八】【身分証明書等の携帯→九】❸【差押物の保管の方法等→民執規一〇四】【差押物の点検→民執規一〇八】【封印破棄罪→刑九六】❹【使用を許可したときの表示→民執規一〇四④】

第一二四条（債務者以外の者の占有する動産の差押え） 前条第一項及び第三項から第五項までの規定は、債権者又は提出を拒まない第三者の占有する動産の差押えについて準用する。

⊛†【第三者に差押物を保管させる場合の処置→民執規一〇四①—③、一〇八】【動産の引渡請求権の差押え→一六三】

第一二五条（二重差押えの禁止及び事件の併合） ① 執行官は、差押物又は仮差押えの執行をした動産を更に差し押さえることができない。

② 差押えを受けた債務者に対しその差押えの場所について更に動産執行の申立てがあつた場合においては、執行官は、まだ差し押さえていない動産があるときはこれを差し押さえ、差し押さえるべき動産がないときはその旨を明らかにして、その動産執行事件と先の動産執行事件とを併合しなければならない。仮差押えの執行を受けた債務者に対しその執行の場所について更に動産執行の申立てがあつたときも、同様とする。

③ 前項前段の規定により二個の動産執行事件が併合されたときは、後の事件において差し押さえられた動産は、併合の時に、先の事件において差し押さえられたものとみなし、後の事件の申立ては、配当要求の効力を生ずる。先の差押債権者が動産執行の申立てを取り下げたとき、又はその申立てに係る手続が停止され、若しくは取り消されたときは、先の事件において差し押さえられた動産は、併合の時に、後の事件のために差し押さえられたものとみなす。

④ 第二項後段の規定により仮差押執行事件と動産執行事件とが併合されたときは、仮差押えの執行がされた動産は、併合の時に、動産執行事件において差し押さえられたものとみなし、仮差押執行事件の申立ては、配当要求の効力を生ずる。差押債権者が動産執行の申立てを取り下げたとき、又はその申立てに係る手続が取り消されたときは、動産執行事件において差し押さえられた動産は、併合の時に、仮差押執行事件において仮差押えの執行がされたものとみなす。

⊛❶【執行官→二⊛】【仮差押えの執行をした動産→民保四九①】❷【超過差押えの禁止→一二八】【事件併合の通知→民執規一〇六】【事件併合のための移送→民執規一〇七】❸【配当要求→一三三・一四〇】【動産執行手続の停止→三九】【差押えの取消し→一二八②・一二九②・一三〇・一三二①②、民執規一二七】❹【仮差押債権者への配当額は供託→一四一①㈢】

第一二六条（差押えの効力が及ぶ範囲） 差押えの効力は、差押物から生ずる天然の産出物に及ぶ。

⊛†【天然果実→一二二⊛】

第一二七条（差押物の引渡命令） ① 差押物を第三者が占有することとなつたときは、執行裁判所は、差押債権者の申立てにより、その第三者に対し、差押物を執行官に引き渡すべき旨を命ずることができる。

② 前項の申立ては、差押物を第三者が占有していることを知つた日から一週間以内にしなければならない。

③ 第一項の申立てについての裁判に対しては、執行抗告をすることができる。

④ 第五十五条第八項から第十項までの規定は、第一項の規定による決定について準用する。

⊛❶【執行裁判所→三】【執行官→二⊛】【債務名義としての効力→二二㈣】【引渡命令の執行方法→一六九】❸【執行抗告→一〇】

第一二八条（超過差押えの禁止等） ① 動産の差押えは、差押債権者の債権及び執行費用の弁済に必要な限度を超えてはならない。

② 差押えの後にその差押えが前項の限度を超えることが明らかとなつたときは、執行官は、その超える限度において差押えを取り消さなければならない。

⊛❶【差押物の評価→民執規一一一】【執行費用の負担→四二】【事件の併合の際の新たな差押えの必要→一二五①】【債権差押えにおける超過差押えの許容との対比→一四六】❷【執行官→二⊛】【差押えの取消しの際の処置→民執規一二七】

第一二九条（剰余を生ずる見込みのない場合の差押えの禁止等） ① 差し押さえるべき動産の売得金の額が手続費用の額を超える見込みがないときは、執行官は、差押えをしてはならない。

② 差押物の売得金の額が手続費用及び差押債権者の債権に優先する債権の額の合計額以上となる見込みがないときは、執行官は、差押えを取り消さなければならない。

⊛❶【差押物の評価→民執規一一一】【執行費用の負担→四二】【執行官→二⊛】❷【差押債権者の債権に優先する債権の例→一三三】【差押えの取消しの際の処置→民執規一二七】

第一三〇条（売却の見込みのない差押物の差押えの取消し） 差押物について相当な方法による売却の実施をしてもなお売却の見込みがないときは、執行官は、その差押物の差押えを取り消すことができる。

⊛†【売却の方法→一三四】【執行官→二⊛】【差押えの取消しの際の処置→民執規一二七】

第一三一条（差押禁止動産） 次に掲げる動産は、差し押さえてはならない。

一 債務者等の生活に欠くことができない衣服、寝具、家具、台所用具、畳及び建具

二 債務者等の一月間の生活に必要な食料及び燃料

三 標準的な世帯の二月間の必要生計費を勘案して政令で定める額の金銭

四 主として自己の労力により農業を営む者の農業に欠くことができない器具、肥料、労役の用に供する家畜及びその飼料並びに次の収穫まで農業を続行するために欠くことができない種子その他これに類する農産物

五 主として自己の労力により漁業を営む者の水産物の採捕又は養殖に欠くことができない漁網その他の漁具、えさ及び稚魚その他これに類する水産物

六 技術者、職人、労務者その他の主として自己の知的又は肉体的な労働により職業又は営業に従事する者（前二号に規定

する者を除く。）のその業務に欠くことができない器具その他の物（商品を除く。）
七　実印その他の印で職業又は生活に欠くことができないもの
八　仏像、位牌その他礼拝又は祭祀に直接供するため欠くことができない物
九　債務者に必要な系譜、日記、商業帳簿及びこれらに類する書類
十　債務者又はその親族が受けた勲章その他の名誉を表章する物
十一　債務者等の学校その他の教育施設における学習に必要な書類及び器具
十二　発明又は著作に係る物で、まだ公表していないもの
十三　債務者等に必要な義手、義足その他の身体の補足に供する物
十四　建物その他の工作物について、災害の防止又は保安のため法令の規定により設備しなければならない消防用の機械又は器具、避難器具その他の備品

∞+【差押禁止動産の範囲の変更】一三二【破産財団からの除外】破三四③〔二〕

（差押禁止動産の範囲の変更）

第一三二条①　執行裁判所は、申立てにより、債務者及び債権者の生活の状況その他の事情を考慮して、差押えの全部若しくは一部の取消しを命じ、又は前条各号に掲げる動産の差押えを許すことができる。

②　事情の変更があつたときは、執行裁判所は、申立てにより、前項の規定により差押えが取り消された動産の差押えを許し、又は同項の規定による差押えの全部若しくは一部の取消しを命ずることができる。

③　前二項の規定により差押えの取消しの命令を求める申立てがあつたときは、執行裁判所は、その裁判が効力を生ずるまでの間、担保を立てさせ、又は立てさせないで強制執行の停止を命ずることができる。

④　第一項又は第二項の申立てを却下する決定及びこれらの規定により差押えを許す決定に対しては、執行抗告をすることができる。

⑤　第三項の規定による決定に対しては、不服を申し立てることができない。

∞❶【執行裁判所】三∞　❸【担保】一五【強制執行の一時停止の原則的な場合】三九①〔七〕【裁判を告知すべき者】民執規二①〔四〕　❹【執行抗告】一〇【裁判の告知】民執規二①〔二〕②　❺【本法中同旨の規定の例】一〇∞

（先取特権者等の配当要求）

第一三三条　先取特権又は質権を有する者は、その権利を証する文書を提出して、配当要求をすることができる。

∞+【先取特権】民三〇六―三二四・三二九・三三〇・三三二―三三五【質権】民三四二―三五五【配当要求の方式】民執規二六【配当要求の通知】民執規二七【配当受領権】一四〇【配当要求の時期】一四〇【配当要求の効力を生じる場合】一二五③④

（売却の方法）

第一三四条　執行官は、差押物を売却するには、入札又は競り売りのほか、最高裁判所規則で定める方法によらなければならない。

∞+【執行官】二∞【最高裁判所規則との関係】二一【差押物の評価】民執規一一一【未分離果実の売却】民執規一一二【一括売却】民執規一一三【競り売り】民執規一一四―一一九・一二六【入札】民執規一二〇【競り売り又は入札以外の方法による売却】民執規一二一・一二二【相場のある有価証券の売却】民執規一二三【貴金属の売却】民執規一二四【売却の場所の秩序維持等】一三五

（売却の場所の秩序維持等に関する規定の準用）

第一三五条　第六十五条及び第六十八条の規定は、差押物を売却する場合について準用する。

∞+【売却の方法】一三四∞【買受申出のできる者の制限】民執規三三【代金を支払わなかった買受人の買受けの申出の禁止】民執規一二五

（手形等の提示義務）

第一三六条　執行官は、手形、小切手その他の金銭の支払を目的とする有価証券でその権利の行使のため定められた期間内に引受け若しくは支払のための提示又は支払の請求（以下「提示等」という。）を要するもの（以下「手形等」という。）を差し押さえた場合において、その期間の始期が到来したときは、債務者に代わつて手形等の提示等をしなければならない。

∞+【執行官】二∞【手形】手【小切手】小【本条の手形等を差し押さえたときの債務者への記載補充の催告】民執規一〇三②　③【引受けのための提示】手二一・二二【支払のための提示】手三八、小二九【手形等の支払金の受領】一三九・一四〇

（執行停止中の売却）

第一三七条①　第三十九条第一項第七号又は第八号に掲げる文書の提出があつた場合において、差押物について著しい価額の減少を生ずるおそれがあるとき、又はその保管のために不相応な費用を要するときは、執行官は、その差押物を売却することができる。

②　執行官は、前項の規定により差押物を売却したときは、その売得金を供託しなければならない。

∞❶【差押物】一二三③【執行官】二∞【本項所掲文書の提出があれば手続を進めてはならないのが原則】三九【売却の方法】一三四∞【仮差押物につき同旨の規定】民保四九③　❷【供託】供【本項の供託金の配当】一四〇

（有価証券の裏書等）

第一三八条　執行官は、有価証券を売却したときは、買受人のために、債務者に代わつて裏書又は名義書換えに必要な行為をすることができる。

∞+【執行官】二∞【動産執行の対象となる有価証券】一二二・一四三【売却の方法】一三四∞【裏書】手一一―二〇、小一四―二四【名義書換に必要な行為の例】会社六八八

（執行官による配当等の実施）

第一三九条①　債権者が一人である場合又は債権者が二人以上であつて売得金、差押金銭若しくは手形等の支払金（以下「売得金等」という。）で各債権者の債権及び執行費用の全部を弁済することができる場合には、執行官は、債権者に弁済金を交付し、剰余金を債務者に交付する。

②　前項に規定する場合を除き、売得金等の配当について債権者間に協議が調つたときは、執行官は、その協議に従い配当を実施する。

③　前項の協議が調わないときは、執行官は、その事情を執行裁判所に届け出なければならない。

④　第八十四条第三項及び第四項並びに第八十八条の規定は、第一項又は第二項の規定により配当等を実施する場合について準用する。

∞❶【売得金】一三四【手形等の提示義務】一三六【有価証券の裏書等】一三八【手形等の支払金】一四〇【執行費用の負担】四二【執行官】二∞　❶❷【配当等を受けるべき債権者の範囲】一四〇【配当計算書】民執規七〇【執行官が配当額を供託する場合】一四一　❸【執行裁判所】三【本項の場合の配当の実施】一四二①　+【執行力のある債務名義の正本の交付】民執規一二九

（配当等を受けるべき債権者の範囲）

第一四〇条　配当等を受けるべき債権者は、差押債権者のほか、売得金については執行官がその交付を受けるまで（第百三十七条又は民事保全法第四十九条第三項の規定により供託された売得金については、動産執行が続行されることとなるまで）に、

差押金銭についてはその差押えをするまでに、手形等の支払金についてはその支払を受けるまでに配当要求をした債権者とする。

⊛+【売却の方法↓一三四⊛【執行官の手形の提示義務等↓一三六、一三八【手形等の支払金↓一三九【配当要求した者↓一二五③④、一三三

（執行官の供託）
第一四一条① 第百三十九条第一項又は第二項の規定により配当等を実施する場合において、配当等を受けるべき債権者の債権について次に掲げる事由があるときは、執行官は、その配当等の額に相当する金銭を供託し、その事情を執行裁判所に届け出なければならない。
一 停止条件付又は不確定期限付であるとき。
二 仮差押債権者の債権であるとき。
三 第三十九条第一項第七号又は第百九十二条において準用する第百八十三条第一項第二号ホに掲げる文書が提出されているとき。
四 その債権に係る先取特権又は質権の実行を一時禁止する裁判の正本が提出されているとき。
② 執行官は、配当等の受領のために出頭しなかつた債権者に対する配当等の額に相当する金銭を供託しなければならない。

⊛❶【配当等を受けるべき債権者↓一四〇【執行官↓二⊛【供託↓供【執行裁判所↓三⊛【供託事由の消滅を待って配当実施↓一四二①　[一]【停止条件↓民一二七①　[三]【仮差押執行事件の申立てが配当要求の効力を生ずる場合↓一二五④　[四]【先取特権・質権↓一三三⊛【本号の裁判の例↓民保二三―二五の二、五二―六五【正本↓民訴九一③、民訴規三三

（執行裁判所による配当等の実施）
第一四二条① 執行裁判所は、第百三十九条第三項の規定による届出があつた場合には直ちに、前条第一項の規定による届出があつた場合には供託の事由が消滅したときに、配当等の手続を実施しなければならない。
② 第八十四条から第八十六条まで及び第八十八条から第九十二条までの規定は、前項の規定により執行裁判所が実施する配当等の手続について準用する。

> ＊令和五法五三（令和八・五・二四までに施行）による改正
> 第二項中「、第八十五条」は「から第八十六条まで」に改められた。（本文織込み済み）

⊛❶【執行裁判所↓三⊛【規則の準用↓民執規五九―六二

第四款 債権及びその他の財産権に対する強制執行

第一目 債権執行等

（債権執行の開始）
第一四三条 金銭の支払又は船舶若しくは動産の引渡しを目的とする債権（動産執行の目的となる有価証券が発行されている債権を除く。以下この節において「債権」という。）に対する強制執行（第百六十七条の二第二項に規定する少額訴訟債権執行を除く。以下この節において「債権執行」という。）は、執行裁判所の差押命令により開始する。

⊛+【金銭の支払を目的とする債権に対する強制執行↓一四四―一六一・一六四―一六六【少額訴訟債権執行↓一六七の二―一六七の一四【船舶の引渡しを目的とする債権に対する強制執行↓一四四②・一六二【動産の引渡しを目的とする債権に対する強制執行↓一四四②・一六三【その他の財産権に対する強制執行↓一六七【動産執行の目的となる有価証券↓一二二【執行裁判所↓一四四【差押命令↓一四五【申立書の記載事項↓民執規一三三

（執行裁判所）
第一四四条① 債権執行については、債務者の普通裁判籍の所在地を管轄する地方裁判所が、この普通裁判籍がないときは差し押さえるべき債権の所在地を管轄する地方裁判所が、執行裁判所として管轄する。
② 差し押さえるべき債権は、その債権の債務者（以下「第三債務者」という。）の普通裁判籍の所在地にあるものとする。ただし、船舶又は動産の引渡しを目的とする債権及び物上の担保権により担保される債権は、その物の所在地にあるものとする。
③ 差押えに係る債権（差押命令により差し押さえられた債権に限る。以下この目において同じ。）について更に差押命令が発せられた場合において、差押命令を発した執行裁判所が異なるときは、執行裁判所は、事件を他の執行裁判所に移送することができる。
④ 前項の規定による決定に対しては、不服を申し立てることができない。

⊛❶【普通裁判籍↓民訴四【地方裁判所↓裁二三―三一【専属管轄↓一九　❷【第三債務者の地位↓一四五②③⑤・一四七、一五三③・一五四②・一五六、一五七①・一五九②・一六一⑥、民執規一三三①・一三六【船舶の引渡しを目的とする債権に対する強制執行↓一四三、一六二【動産の引渡しを目的とする債権に対する強制執行↓一四三、一六三【物上の担保権により担保される債権に対する強制執行↓一五〇・一六四　❸【移送↓民訴一六―二二【移送の裁判の告知↓民執規二①

㊂ ❹【本法中同旨の規定↓一〇⊛

（差押命令）
第一四五条① 執行裁判所は、差押命令において、債務者に対し債権の取立てその他の処分を禁止し、かつ、第三債務者に対し債務者への弁済を禁止しなければならない。
② 差押命令は、債務者及び第三債務者を審尋しないで発する。
③ 差押命令は、債務者及び第三債務者に送達しなければならない。
④ 裁判所書記官は、差押命令を送達するに際し、債務者に対し、最高裁判所規則で定めるところにより、第百五十三条第一項又は第二項の規定による当該差押命令の取消しの申立てをすることができる旨その他最高裁判所規則で定める事項を教示しなければならない。
⑤ 差押えの効力は、差押命令が第三債務者に送達された時に生ずる。
⑥ 差押命令の申立てについての裁判に対しては、執行抗告をすることができる。
⑦ 執行裁判所は、債務者に対する差押命令の送達をすることができない場合には、差押債権者に対し、相当の期間を定め、その期間内に債務者の住所、居所その他差押命令の送達をすべき場所の申出（第二十条において準用する民事訴訟法第百十条第一項各号に掲げる場合にあつては、公示送達の申立て。次項において同じ。）をすべきことを命ずることができる。
⑧ 執行裁判所は、前項の申出を命じた場合において、差押債権者が同項の申出をしないときは、差押命令を取り消すことができる。

⊛❶【執行裁判所↓一四四【差押えの範囲↓一四六【差押命令を得た債権者の取立権↓一五五【差押命令に基づく債権証書引渡しの強制執行↓一四八②【差押命令を発することができない債権↓一五二、一五三【差押処分↓一六七の五　❷【第三債務者の執行法上の地位↓一四四⊛【執行裁判所では利害関係人の審尋ができるのが原則↓五【重複する差押命令・仮差押命令の可能性↓一四四③・一四九、一五六、一五七、民執規一三五①四　❸【送達↓一六⊛【差押債権者への通知↓民執規一三四【配当要求があった旨の文書の送達↓一五四②　❹【教示の方式等↓民執規一三三の二　❺【第三債務者への送達後に執行停止命令等が提出されたときの取扱い↓民執規一三六　❻【執行抗告↓一〇【裁判の告知↓民執規二①㊂

（差押えの範囲）
第一四六条① 執行裁判所は、差し押さえるべき債権の全部について差押命令を発することができる。

② 差し押さえた債権の価額が差押債権者の債権及び執行費用の額を超えるときは、執行裁判所は、他の債権を差し押さえてはならない。

§+【執行裁判所→一四四【債権一部の差押え→一四九【差押命令→一四五【執行費用の負担→四二

（第三債務者の陳述の催告）
第一四七条① 差押債権者の申立てがあるときは、裁判所書記官は、差押命令を送達するに際し、第三債務者に対し、差押命令の送達の日から二週間以内に差押えに係る債権の存否その他の最高裁判所規則で定める事項について陳述すべき旨を催告しなければならない。

② 第三債務者は、前項の規定による催告に対して、故意又は過失により、陳述をしなかつたとき、又は不実の陳述をしたときは、これによつて生じた損害を賠償する責めに任ずる。

§❶【裁判所書記官→一七§【第三債務者に対する差押命令の送達→一四五③⑤【第三債務者の執行法上の地位→一四四§【最高裁判所規則との関係→二一【催告の方式→民執規三二【陳述を催告すべき事項と陳述の方式→民執規一三五 ❷【故意・過失→民七〇九

（債権証書の引渡し）
第一四八条① 差押えに係る債権について証書があるときは、債務者は、差押債権者に対し、その証書を引き渡さなければならない。

② 差押債権者は、差押命令に基づいて、第百六十九条に規定する動産の引渡しの強制執行の方法により前項の証書の引渡しを受けることができる。

§❶【債権証書→民四八七 ❷【差押命令→一四五

（差押えが一部競合した場合の効力）
第一四九条 債権の一部が差し押さえられ、又は仮差押えの執行を受けた場合において、その残余の部分を超えて差押命令が発せられたときは、各差押え又は仮差押えの執行の効力は、その債権の全部に及ぶ。債権の全部が差し押さえられ、又は仮差押えの執行を受けた場合において、その債権の一部について差押命令が発せられたときのその差押えの効力も、同様とする。

§+【差押えの範囲→一四六【仮差押執行の範囲→民保五〇⑤、一四六【取立権の範囲→一五五【差押命令競合等の際の転付命令の無効→一五九③【差押命令・差押処分・仮差押命令が重複する場合の第三債務者の供託義務→一五六②

（先取特権等によつて担保される債権の差押えの登記等の嘱託）
第一五〇条 登記又は登録（以下「登記等」という。）のされた先取特権、質権又は抵当権によつて担保される債権に対する差押命令が効力を生じたときは、裁判所書記官は、申立てにより、その債権について差押えがされた旨の登記等を嘱託しなければならない。

§+【先取特権と登記→民三二五§【質権と登記→民三四二§【抵当権と登記→民三六九§【差押命令→一四五【裁判所書記官→一七§【本条の債権につき転付命令・譲渡命令の効力発生や売却命令による売却があつたときの処置→一六四①【本条の債権につき支払・供託を証する文書の提出等があつたときの本条の登記の抹消→一六四⑤

（継続的給付の差押え）
第一五一条 給料その他継続的給付に係る債権に対する差押えの効力は、差押債権者の債権及び執行費用の額を限度として、差押えの後に受けるべき給付に及ぶ。

§+【職務上の収入の差押えの限度→一五二【執行費用の負担→四二【間接強制→一六七の一六

（扶養義務等に係る定期金債権を請求する場合の特例）
第一五一条の二① 債権者が次に掲げる義務に係る確定期限の定めのある定期金債権を有する場合において、その一部に不履行があるときは、第三十条第一項の規定にかかわらず、当該定期金債権のうち確定期限が到来していないものについても、債権執行を開始することができる。

一 民法第七百五十二条の規定による夫婦間の協力及び扶助の義務

二 民法第七百六十条の規定による婚姻から生ずる費用の分担の義務

三 民法第七百六十六条及び第七百六十六条の三（これらの規定を同法第七百四十九条、第七百七十一条及び第七百八十八条において準用する場合を含む。）の規定による子の監護に関する義務

＊令和六法三三（令和八・五・二三までに施行）による改正前
三 民法第七百六十六条（同法第七百四十九条、第七百七十一条及び第七百八十八条において準用する場合を含む。）の規定による子の監護に関する義務

四 民法第八百七十七条から第八百八十条までの規定による扶養の義務

② 前項の規定により開始する債権執行においては、各定期金債権について、その確定期限の到来後に弁済期が到来する給料その他継続的給付に係る債権のみを差し押さえることができる。

§+【本条の義務の特殊性→一六七の一五、破二五三①四 ❶【強制執行は期限到来後に限る原則→三〇①【債権執行の開始→一四三—一四六 ❷【給料その他の継続的給付に対する差押え→一五一

（差押禁止債権）
第一五二条① 次に掲げる債権については、その支払期に受けるべき給付の四分の三に相当する部分（その額が標準的な世帯の必要生計費を勘案して政令で定める額を超えるときは、政令で定める額に相当する部分）は、差し押さえてはならない。

一 債務者が国及び地方公共団体以外の者から生計を維持するために支給を受ける継続的給付に係る債権

二 給料、賃金、俸給、退職年金及び賞与並びにこれらの性質を有する給与に係る債権

② 退職手当及びその性質を有する給与に係る債権については、その給付の四分の三に相当する部分は、差し押さえてはならない。

③ 債権者が前条第一項各号に掲げる義務に係る金銭債権（金銭の支払を目的とする債権をいう。以下同じ。）を請求する場合における前二項の規定の適用については、前二項中「四分の三」とあるのは、「二分の一」とする。

§❶［二］【継続的給付の差押え→一五一 ❷【退職手当請求権の優遇の例→会更一三〇②—④ +【特別法による差押禁止の例→労基八三②、ETC

（差押禁止債権の範囲の変更）
第一五三条① 執行裁判所は、申立てにより、債務者及び債権者の生活の状況その他の事情を考慮して、差押命令の全部若しくは一部を取り消し、又は前条の規定により差し押さえてはならない債権の部分について差押命令を発することができる。

② 事情の変更があつたときは、執行裁判所は、申立てにより、前項の規定により差押命令が取り消された債権を差し押さえ、又は同項の規定による差押命令の全部若しくは一部を取り消すことができる。

③ 前二項の申立てがあつたときは、執行裁判所は、その裁判が効力を生ずるまでの間、担保を立てさせ、又は立てさせないで、第三債務者に対し、支払その他の給付の禁止を命ずることができる。

④ 第一項又は第二項の規定による差押命令の取消しの申立てを却下する決定に対しては、執行抗告をすることができる。

⑤ 第三項の規定による決定に対しては、不服を申し立てることができない。

§+【少額訴訟債権執行の場合→一六七の八 ❶❷【執行裁判所

↓一四四　❸【担保↓一五【第三債務者の執行法上の地位↓一四四§【裁判を告知すべき者↓民執規二①㊃　❹【執行抗告↓一〇　❺【本法中同旨の規定↓一〇§

（配当要求）

第一五四条①　執行力のある債務名義の正本を有する債権者及び文書により先取特権を有することを証明した債権者は、配当要求をすることができる。

②　前項の配当要求があつたときは、その旨を記載した文書は、第三債務者に送達しなければならない。

③　配当要求を却下する裁判に対しては、執行抗告をすることができる。

§❶【執行力のある債務名義の正本による強制執行の申立て↓二五【執行力のある債務名義の正本と同視されるもの↓五一§【債権執行に配当要求をすることができる先取特権の例↓民三〇六―三一〇、ETC【債権質権者の配当要求は認めない↓民三六六①②【配当要求があるときの転付命令の無効↓一五九③【有効な配当要求の期限↓一六五【配当要求の方式・通知↓民執規二六、二七【少額訴訟債権執行の場合↓一六七の九　❷【第三債務者の執行法上の地位↓一四四§【送達↓一六【配当要求があつた旨の送達を受けた第三債務者の供託義務↓一五六②　❸【執行抗告↓一〇【裁判の告知↓民執規二①㊂②

（差押債権者の金銭債権の取立て）

第一五五条①　金銭債権を差し押さえた債権者は、債務者に対して差押命令が送達された日から一週間を経過したときは、その債権を取り立てることができる。ただし、差押債権者の債権及び執行費用の額を超えて支払を受けることができない。

②　差し押さえられた金銭債権が第百五十二条第一項各号に掲げる債権又は同条第二項に規定する債権である場合（差押債権者の債権に第百五十一条の二第一項各号に掲げる義務に係る金銭債権が含まれているときを除く。）における前項の規定の適用については、同項中「一週間」とあるのは、「四週間」とする。

③　差押債権者が第三債務者から支払を受けたときは、その債権及び執行費用は、支払を受けた額の限度で、弁済されたものとみなす。

④　差押債権者は、前項の支払を受けたときは、直ちに、その旨を執行裁判所に届け出なければならない。

⑤　差押債権者は、第一項の規定により金銭債権を取り立てることができることとなつた日（前項又はこの項の規定による届出をした場合にあつては、最後に当該届出をした日。次項において同じ。）から第三項の支払を受けることなく二年を経過したときは、同項の支払を受けていない旨を執行裁判所に届け出なければならない。

⑥　第一項の規定により金銭債権を取り立てることができることとなつた日から二年を経過した後四週間以内に差押債権者が前二項の規定による届出をしないときは、執行裁判所は、差押命令を取り消すことができる。

⑦　差押債権者が前項の規定により差押命令を取り消す旨の決定の告知を受けてから一週間の不変期間内に第四項の規定による届出（差し押さえられた金銭債権の全部の支払を受けた旨の届出を除く。）又は第五項の規定による届出をしたときは、当該決定は、その効力を失う。

⑧　差押債権者が第五項に規定する期間を経過する前に執行裁判所に第三項の支払を受けていない旨の届出をしたときは、第五項及び第六項の規定の適用については、第五項の規定による届出があつたものとみなす。

§❶【金銭債権↓一五二③【債務者に対する差押命令の送達↓一四五③【執行費用の負担↓四二【差押えの限度と支払を受けることができる限度の対比↓一四六①【取立訴訟↓一五七【執行停止命令等の提出があつたときの取立ての禁止↓民執規一三六②　❸【直接の取立てができない場合↓一五六②　❹【取立届の方式↓民執規一三七【執行裁判所↓一四四

（第三債務者の供託）

第一五六条①　第三債務者は、差押えに係る金銭債権（差押命令により差し押さえられた金銭債権に限る。以下この条及び第百六十一条の二において同じ。）の全額に相当する金銭を債務の履行地の供託所に供託することができる。

②　第三債務者は、次条第一項に規定する訴えの訴状の送達を受ける時までに、差押えに係る金銭債権のうち差し押さえられていない部分を超えて発せられた差押命令、差押処分又は仮差押命令の送達を受けたときはその債権の全額に相当する金銭を、配当要求があつた旨を記載した文書の送達を受けたときは差し押さえられた部分に相当する金銭を債務の履行地の供託所に供託しなければならない。

③　第三債務者は、第百六十一条の二第一項に規定する供託命令の送達を受けたときは、差押えに係る金銭債権の全額に相当する金銭を債務の履行地の供託所に供託しなければならない。

④　第三債務者は、前三項の規定による供託をしたときは、その事情を執行裁判所に届け出なければならない。

§+【第三債務者↓一四四§　❶【差押えに係る金銭債権の額↓一四六①、一四九【債務の履行地↓民四八四、商五一六【供託所↓供一【仮差押えの場合も供託可能↓民保五〇⑤　❷【訴状の送達↓民訴一三八【差押命令の送達↓一四五③【仮差押命令の送達↓民保五〇⑤【仮差押命令の送達↓民保五〇⑤

（取立訴訟）

第一五七条①　差押債権者が第三債務者に対し差し押さえた債権に係る給付を求める訴え（以下「取立訴訟」という。）を提起したときは、受訴裁判所は、第三債務者の申立てにより、他の債権者で訴状の送達の時までにその債権を差し押さえたものに対し、共同訴訟人として原告に参加すべきことを命ずることができる。

②　前項の裁判は、口頭弁論を経ないですることができる。

③　取立訴訟の判決の効力は、第一項の規定により参加すべきことを命じられた差押債権者で参加しなかつたものにも及ぶ。

④　前条第二項又は第三項の規定により供託の義務を負う第三債務者に対する取立訴訟において、原告の請求を認容するときは、受訴裁判所は、請求に係る金銭の支払は供託の方法によりすべき旨を判決の主文に掲げなければならない。

⑤　強制執行又は競売において、前項に規定する判決の原告が配当等を受けるべきときは、その配当等の額に相当する金銭は、供託しなければならない。

§❶【差押債権者の取立権↓一五五【第三債務者↓一四四§【受訴裁判所↓民訴四―七ETC【訴状の送達↓民訴一三八【訴状の送達時は配当要求の終期↓一六五㊂【差押命令の競合↓一四四③、一四九、一五六②【共同訴訟人↓民訴四〇【参加↓民訴五二　❷【任意的口頭弁論↓民訴八七①但　❸【判決の効力の主観的範囲についての原則↓民訴一一五　❹【判決主文↓民訴二五二①㊀【供託↓供　❺【配当等↓八四③【本項の供託があつたときの配当実施↓一六六①㊂

（債権者の損害賠償）

第一五八条　差押債権者は、債務者に対し、差し押さえた債権の行使を怠つたことによつて生じた損害を賠償する責めに任ずる。

§+【債務者の取立禁止↓一四五①【差押債権者の取立権↓一五五①

（転付命令）

第一五九条①　執行裁判所は、差押債権者の申立てにより、支払に代えて券面額で差し押さえられた金銭債権を差押債権者に転付する命令（以下「転付命令」という。）を発することができる。

② 転付命令は、債務者及び第三債務者に送達しなければならない。

③ 転付命令が第三債務者に送達される時までに、転付命令に係る金銭債権について、他の債権者が差押え、仮差押えの執行又は配当要求をしたときは、転付命令は、その効力を生じない。

④ 第一項の申立てについての決定に対しては、執行抗告をすることができる。

⑤ 転付命令は、確定しなければその効力を生じない。

⑥ 差し押さえられた金銭債権が第百五十二条第一項各号に掲げる債権又は同条第二項に規定する債権である場合（差押債権者の債権に第百五十一条の二第一項各号に掲げる義務に係る金銭債権が含まれているときを除く。）における前項の規定の適用については、同項中「確定しなければ」とあるのは、「確定し、かつ、債務者に対して差押命令が送達された日から四週間を経過するまでは、」とする。

⑦ 転付命令が発せられた後に第三十九条第一項第七号又は第八号に掲げる文書を提出したことを理由として執行抗告がされたときは、抗告裁判所は、他の理由により転付命令を取り消す場合を除き、執行抗告についての裁判を留保しなければならない。

参❶【執行裁判所→一四四【差押債権者の取立権→一五五【券面額での弁済擬制→一六〇【少額訴訟債権執行→一六七の一〇 ❷【第三債務者→一四四参【送達→一六参【転付命令の発効時→一六〇 ❸【差押え・仮差押えの競合→一四四③・一四九・一五六【配当要求→一五四 ❹【執行抗告→一〇【裁判の告知→民執規二①〔二〕 ❺【決定の確定時期→民訴一二二・一一六【本法中同旨の規定→一二②参【確定したときの効力の発生の要件及び時点→一六〇 ❼【抗告裁判所→裁一六〔三〕【執行抗告についての裁判→一〇⑦

（転付命令の効力）

第一六〇条 転付命令が効力を生じた場合においては、差押債権者の債権及び執行費用は、転付命令に係る金銭債権が存する限り、その券面額で、転付命令が第三債務者に送達された時に弁済されたものとみなす。

参*【差押命令→一四五①【転付命令→一五九①【転付命令の確定→一五九⑤【執行費用の負担→四二【券面額→一五九①【転付命令の第三債務者への送達→一五九②【担保付債権につき転付命令が確定したときの登記に関する処置→一六四

（譲渡命令等）

第一六一条① 差し押さえられた債権が、条件付若しくは期限付であるとき、又は反対給付に係ることその他の事由によりその取立てが困難であるときは、執行裁判所は、差押債権者の申立てにより、その債権を執行裁判所が定めた価額で支払に代えて差押債権者に譲渡する命令（以下「譲渡命令」という。）、取立てに代えて、執行裁判所の定める方法によりその債権の売却を執行官に命ずる命令（以下「売却命令」という。）又は管理人を選任してその債権の管理を命ずる命令（以下「管理命令」という。）その他相当な方法による換価を命ずる命令（第百六十七条の十第一項において「譲渡命令等」と総称する。）を発することができる。

② 執行裁判所は、前項の規定による決定をする場合には、債務者を審尋しなければならない。ただし、債務者が外国にあるとき、又はその住所が知れないときは、この限りでない。

③ 第一項の申立てについての決定に対しては、執行抗告をすることができる。

④ 第一項の規定による決定は、確定しなければその効力を生じない。

⑤ 差し押さえられた債権が第百五十二条第一項各号に掲げる債権又は同条第二項に規定する債権である場合（差押債権者の債権に第百五十一条の二第一項各号に掲げる義務に係る金銭債権が含まれているときを除く。）における前項の規定の適用については、同項中「確定しなければ」とあるのは、「確定し、かつ、債務者に対して差押命令が送達された日から四週間を経過するまでは、」とする。

⑥ 執行官は、差し押さえられた債権を売却したときは、債務者に代わり、第三債務者に対し、確定日付のある証書によりその譲渡の通知をしなければならない。

⑦ 第百五十九条第二項及び第三項並びに前条の規定は譲渡命令について、第百五十九条第七項の規定は譲渡命令に対する執行抗告について、第六十五条及び第六十八条の規定は売却命令に基づく執行官の売却について、第百五十九条第二項の規定は管理命令について、第八十四条第三項及び第四項、第八十八条、第九十四条第二項、第九十五条第一項、第三項及び第四項、第九十八条から第百四条まで並びに第百六条から第百十条までの規定は管理命令に基づく管理について、それぞれ準用する。この場合において、第八十四条第三項及び第四項中「代金の納付後」とあるのは、「第百六十一条第七項において準用する第百七条第一項の期間の経過後」と読み替えるものとする。

参❶【条件→民一二七—一三四【期限→民一三五【同時履行の抗弁→民五三三【債権の評価→民執規一三九【執行裁判所→一四四【譲渡命令に係る金銭の納付及び交付→民執規一四〇【担保付債権についての譲渡命令の効力が発生したときの登記に関する処置→一六四①【執行官→二参【売却命令に基づく売却の際の剰余主義→民執規一四一①②【売得金等の執行裁判所への提出→民執規一四一④【売却命令に基づく売得金の交付を執行官が受けた時→一六五〔三〕【売却命令による売却がされたときの配当の実施→一六六①〔二〕【担保付債権につき売却命令による売却が終了したときの登記に関する処置→一六四①【少額訴訟債権執行→一六七の一〇 ❷【審尋→五、民訴八七②③・八八【本法に定める必要的審尋の他の例→五参 ❸【執行抗告→一〇【裁判の告知→民執規二①〔二〕 ❹【本法中同旨の規定→一二②参 ❻【通知の方式の一般原則との対比→民執規三【通知等の時期→民執規一四一③【指名債権譲渡の対抗要件→民四六七【第三債務者→一四四参【確定日付のある証書→民施五① ❼【管理命令の際の規則の準用→民執規六三・六五・六八—七二

（供託命令）

第一六一条の二① 次の各号のいずれかに掲げる場合には、執行裁判所は、差押債権者の申立てにより、差押えに係る金銭債権の全額に相当する金銭を債務の履行地の供託所に供託すべきことを第三債務者に命ずる命令（以下この条及び第百六十七条の十において「供託命令」という。）を発することができる。

一 差押債権者又はその法定代理人の住所又は氏名について第二十条において準用する民事訴訟法第百三十三条第一項の決定がされたとき。

二 債務名義に民事訴訟法第百三十三条第五項（他の法律において準用する場合を含む。）の規定により定められた差押債権者又はその法定代理人の住所又は氏名に代わる事項が表示されているとき。

② 供託命令は、第三債務者に送達しなければならない。

③ 第一項の申立てについての決定に対しては、執行抗告をすることができる。

④ 供託命令に対しては、不服を申し立てることができない。

参❶【執行裁判所→一四四【差押えに係る金銭債権の額→一四六①・一四九【供託所→供一 〔二〕【秘匿決定→民訴一三三① ❸【執行抗告→一〇参

（船舶の引渡請求権の差押命令の執行）

第一六二条① 船舶の引渡請求権を差し押さえた債権者は、債務者に対して差押命令が送達された日から一週間を経過したときは、第三債務者に対し、船舶の所在地を管轄する地方裁判所の選任する保管人にその船舶を引き渡すべきことを請求することができる。

② 前項の規定により保管人が引渡しを受けた船舶の強制執行

は、船舶執行の方法により行う。
③ 第一項に規定する保管人が船舶の引渡しを受けた場合において、その船舶について強制競売の開始決定がされたときは、その保管人は、第百十六条第一項の規定により選任された保管人とみなす。

∞❶【船舶↓一一二∞【債権執行としての船舶引渡請求権に対する強制執行↓一四三【差押命令の第三債務者への送達↓一四五③⑤【船舶の所在地を管轄する地方裁判所↓一一三【船舶執行における保管人の選任↓一一六【差し押さえた債権に係る給付を求める訴え↓一五七 ❷【船舶執行の方法↓一一二―一二一 ❸【船舶に対する強制競売開始決定↓一一四

（動産の引渡請求権の差押命令の執行）
第一六三条① 動産の引渡請求権を差し押さえた債権者は、債務者に対して差押命令が送達された日から一週間を経過したときは、第三債務者に対し、差押債権者の申立てを受けた執行官にその動産を引き渡すべきことを請求することができる。
② 執行官は、動産の引渡しを受けたときは、動産執行の売却の手続によりこれを売却し、その売得金を執行裁判所に提出しなければならない。

∞❶【動産↓一二二∞【債権執行としての動産引渡請求権に対する強制執行↓一四三【債務者に対する差押命令の送達↓一四五②【第三債務者↓一四四∞【執行官↓二∞【引渡受領時が配当要求の終期↓一六五四【差し押さえた債権に係る給付を求める訴え↓一五七 ❷【動産執行の売却の手続↓一三四・一三五【執行裁判所↓一四四【売得金の提出があったときの配当↓一六六①三【執行官の調書の提出↓民執規一四一④

（移転登記等の嘱託）
第一六四条① 第百五十条に規定する債権について、転付命令若しくは譲渡命令が効力を生じたとき、又は売却命令による売却が終了したときは、裁判所書記官は、申立てにより、その債権を取得した差押債権者又は買受人のために先取特権、質権又は抵当権の移転の登記等を嘱託し、及び同条の規定による登記等の抹消を嘱託しなければならない。
② 前項の規定による嘱託をする場合（次項に規定する場合を除く。）においては、嘱託書に、転付命令若しくは譲渡命令の正本又は売却命令に基づく売却について執行官が作成した文書の謄本を添付しなければならない。
③ 第一項の規定による嘱託をする場合において、不動産登記法（平成十六年法律第百二十三号）第十六条第二項（他の法令において準用する場合を含む。）において準用する同法第十八条の規定による嘱託をするときは、その嘱託情報と併せて転付命令若しくは譲渡命令があつたことを証する情報又は売却命令に基づく売却について執行官が作成した文書の内容を証する情報を提供しなければならない。
④ 第一項の規定による嘱託に要する登録免許税その他の費用は、同項に規定する差押債権者又は買受人の負担とする。
⑤ 第百五十条の規定により登記等がされた場合において、差し押さえられた債権について支払又は供託があつたことを証する文書が提出されたときは、裁判所書記官は、申立てにより、その登記等の抹消を嘱託しなければならない。債権執行の申立てが取り下げられたとき、又は差押命令の取消決定が確定したときも、同様とする。
⑥ 前項の規定による嘱託に要する登録免許税その他の費用は、同項前段の場合にあつては債務者の負担とし、同項後段の場合にあつては差押債権者の負担とする。

∞❶【転付命令の確定↓一五九⑤、一六〇【譲渡命令の確定↓一六一④⑦、一六〇【売却命令による売却↓一六一①⑦、六五、六八【裁判所書記官↓一七∞【債権を取得した債権者↓一六〇、一六一⑦【買受人↓一六一①⑦【先取特権の登記↓民三三五∞【質権の登記↓民三四二∞【抵当権の登記↓民三六九∞【嘱託による登記↓不登一六【抹消の登記↓不登六八 ❷【正本・謄本↓民訴九一③、民訴規三三 ❸【転付命令↓一五九【譲渡命令・売却命令↓一六一 ❺【被差押債権の支払・供託↓一五五、一五六【債権執行申立ての取下げ↓三九①四、四〇【決定の確定時期↓民訴一二二、一一六

（配当等を受けるべき債権者の範囲）
第一六五条 配当等を受けるべき債権者は、次に掲げる時までに差押え、仮差押えの執行又は配当要求をした債権者とする。
一 第三債務者が第百五十六条第一項から第三項までの規定による供託をした時
二 取立訴訟の訴状が第三債務者に送達された時
三 売却命令により執行官が売得金の交付を受けた時
四 動産引渡請求権の差押えの場合にあつては、執行官がその動産の引渡しを受けた時

∞+【差押えの執行↓一四五①⑤【仮差押えの執行↓民保五〇①【配当要求↓一五四 【二】【第三債務者↓一四四∞ 【三】【取立訴訟の訴状の第三債務者への送達↓一五七① 【三】【売却命令による売却の実施↓一六一①⑦ 【四】【動産引渡請求権の差押え↓一六三【執行官↓二∞

（配当等の実施）
第一六六条① 執行裁判所は、第百六十一条第七項において準用する第百九条に規定する場合のほか、次に掲げる場合には、配当等を実施しなければならない。
一 第百五十六条第一項から第三項まで又は第百五十七条第五項の規定による供託がされた場合
二 売却命令による売却がされた場合
三 第百六十三条第二項の規定により売得金が提出された場合
② 第八十四条から第八十六条まで及び第八十八条から第九十二条までの規定は、前項の規定により執行裁判所が実施する配当等の手続について準用する。

＊令和五法五三（令和八・五・二四までに施行）による改正
第二項中「、第八十五条」は「から第八十六条まで」に改められた。（本文織込み済み）

③ 差し押さえられた債権が第百五十二条第一項各号に掲げる債権又は同条第二項に規定する債権である場合（差押債権者（数人あるときは、そのうち少なくとも一人以上）の債権に第百五十一条の二第一項各号に掲げる義務に係る金銭債権が含まれているときを除く。）には、債務者に対して差押命令が送達された日から四週間を経過するまでは、配当等を実施してはならない。

∞❶【執行裁判所↓一四四 【三】【売却命令に基づく売却↓一六一①⑦【少額訴訟債権執行↓一六七の一一・一六七の一二 ❷【配当手続に関する規則の準用↓民執規五九―六二

（その他の財産権に対する強制執行）
第一六七条① 不動産、船舶、動産及び債権以外の財産権（以下この条において「その他の財産権」という。）に対する強制執行については、特別の定めがあるもののほか、債権執行の例による。
② その他の財産権で権利の移転について登記等を要するものは、強制執行の管轄については、その登記等の地にあるものとする。
③ その他の財産権で第三債務者又はこれに準ずる者がないものに対する差押えの効力は、差押命令が債務者に送達された時に生ずる。
④ その他の財産権で権利の移転について登記等を要するものについて差押えの登記等が差押命令の送達前にされた場合には、差押えの効力は、差押えの登記等がされた時に生ずる。ただし、その他の財産権で権利の処分の制限について登記等をしなければその効力が生じないものに対する差押えの効力は、差押えの登記等が差押命令の送達後にされた場合においても、差押えの登記等がされた時に生ずる。
⑤ 第四十八条、第五十四条及び第八十二条の規定は、権利の移

転について登記等を要するその他の財産権の強制執行に関する登記等について準用する。

参❶【不動産】→四三参【船舶】→一一二参【動産】→一二二参【債権】→一四三参【その他の財産権の例】→民六〇一―六二二・三編二章七節参・六七六、会社六〇九、特許六六―九九、著作一七―二八、ETC ❷【権利の移転等につき登記等を要するものの例】→民六〇五、特許九八、ETC ❸【第三債務者に準ずる者のない権利の例】→特許二九・六六、著作一七、ETC【差押命令の債務者への送達】→一四五③【債権執行の場合は第三債務者への送達の時点が差押えの効力発生の時点】→一四五⑤ ❹【差押えの登記】→一六七⑤・四八【差押命令の送達】→一四五③⑤【登記等が効力発生要件であるものの例】→特許九八、ETC

第二目　少額訴訟債権執行

（少額訴訟債権執行の開始等）

第一六七条の二① 次に掲げる少額訴訟に係る債務名義による金銭債権に対する強制執行は、前目の定めるところにより裁判所が行うほか、第二条の規定にかかわらず、申立てにより、この目の定めるところにより裁判所書記官が行う。

一 少額訴訟における確定判決

二 仮執行の宣言を付した少額訴訟の判決

三 少額訴訟における訴訟費用又は和解の費用の負担の額を定める裁判所書記官の処分

四 少額訴訟における和解又は認諾の調書又は電子調書

＊令和四法四八（令和八・五・二四までに施行）**による改正前**

四 少額訴訟における和解又は認諾の調書

五 少額訴訟における民事訴訟法第二百七十五条の二第一項の規定による和解に代わる決定

② 前項の規定により裁判所書記官が行う同項の強制執行（以下この目において「少額訴訟債権執行」という。）は、裁判所書記官の差押処分により開始する。

③ 少額訴訟債権執行の申立ては、次の各号に掲げる債務名義の区分に応じ、それぞれ当該各号に定める簡易裁判所の裁判所書記官に対してする。

一 第一項第一号に掲げる債務名義　同号の判決をした簡易裁判所

二 第一項第二号に掲げる債務名義　同号の判決をした簡易裁判所

三 第一項第三号に掲げる債務名義　同号の処分をした裁判所書記官の所属する簡易裁判所

四 第一項第四号に掲げる債務名義　同号の和解が成立し、又は同号の認諾がされた簡易裁判所

五 第一項第五号に掲げる債務名義　同号の和解に代わる決定をした簡易裁判所

④ 第百四十四条第三項及び第四項の規定は、差押えに係る金銭債権（差押処分により差し押さえられた金銭債権に限る。以下この目において同じ。）について更に差押処分がされた場合について準用する。この場合において、同条第三項中「差押命令を発した執行裁判所」とあるのは「差押処分をした裁判所書記官の所属する簡易裁判所」と、「執行裁判所は」とあるのは「裁判所書記官は」と、「他の執行裁判所」とあるのは「他の簡易裁判所の裁判所書記官」と、同条第四項中「決定」とあるのは「裁判所書記官の処分」と読み替えるものとする。

参❶【少額訴訟】→民訴三六八―三八一【債務名義】→二二【少額訴訟判決】→民訴三七四【少額訴訟における仮執行宣言】→民訴三七六【訴訟費用額確定処分】→民訴七一・七二【和解・認諾調書】→民訴二六七【裁判所書記官】→裁六〇 ❷【差押処分】→一四五

（執行裁判所）

第一六七条の三　少額訴訟債権執行の手続において裁判所書記官が行う執行処分に関しては、その裁判所書記官の所属する簡易裁判所をもつて執行裁判所とする。

参+【少額訴訟債権執行】→一六七の二①②【執行裁判所】→三

（裁判所書記官の執行処分の効力等）

第一六七条の四① 少額訴訟債権執行の手続において裁判所書記官が行う執行処分は、特別の定めがある場合を除き、相当と認める方法で告知することによつて、その効力を生ずる。

② 前項に規定する裁判所書記官が行う執行処分に対しては、執行裁判所に執行異議を申し立てることができる。

③ 第十条第六項前段及び第九項の規定は、前項の規定による執行異議の申立てがあつた場合について準用する。

参❶【裁判所書記官の処分の告知】→民訴七一④・一一九 ❷【裁判所書記官の処分に対する執行異議】→一一

（差押処分）

第一六七条の五① 裁判所書記官は、差押処分において、債務者に対し金銭債権の取立てその他の処分を禁止し、かつ、第三債務者に対し債務者への弁済を禁止しなければならない。

② 第百四十五条第二項、第三項、第五項、第七項及び第八項の規定は差押処分について、同条第四項の規定は差押処分を送達する場合について、それぞれ準用する。この場合において、同項中「第百五十三条第一項又は第二項」とあるのは「第百六十七条の八第一項又は第二項」と、同条第七項及び第八項中「執行裁判所」とあるのは「裁判所書記官」と読み替えるものとする。

③ 差押処分の申立てについての裁判所書記官の処分に対する執行異議の申立ては、その告知を受けた日から一週間の不変期間内にしなければならない。

④ 前項の執行異議の申立てについての裁判に対しては、執行抗告をすることができる。

⑤ 民事訴訟法第七十四条第一項の規定は、差押処分の申立てについての裁判所書記官の処分について準用する。この場合においては、前二項及び同条第三項の規定を準用する。

⑥ 第二項において読み替えて準用する第百四十五条第八項の規定による裁判所書記官の処分に対する執行異議の申立ては、その告知を受けた日から一週間の不変期間内にしなければならない。

⑦ 前項の執行異議の申立てを却下する裁判に対しては、執行抗告をすることができる。

⑧ 第二項において読み替えて準用する第百四十五条第八項の規定による裁判所書記官の処分は、確定しなければその効力を生じない。

参❶【差押処分の効力】→一四五① ❸【差押処分に対する執行異議】→一一【不変期間】→民訴九六①但・九七 ❹【執行抗告】→一〇

（費用の予納等）

第一六七条の六① 少額訴訟債権執行についての第十四条第一項及び第四項の規定の適用については、これらの規定中「執行裁判所」とあるのは、「裁判所書記官」とする。

② 第十四条第二項及び第三項の規定は、前項の規定により読み替えて適用する同条第一項の規定による裁判所書記官の処分については、適用しない。

③ 第一項の規定により読み替えて適用する第十四条第四項の規定による裁判所書記官の処分に対する執行異議の申立ては、その告知を受けた日から一週間の不変期間内にしなければならない。

④ 前項の執行異議の申立てを却下する裁判に対しては、執行抗告をすることができる。

⑤ 第一項の規定により読み替えて適用する第十四条第四項の規定により少額訴訟債権執行の手続を取り消す旨の裁判所書記官の処分は、確定しなければその効力を生じない。

（第三者異議の訴えの管轄裁判所）

第一六七条の七　少額訴訟債権執行の不許を求める第三者異議の訴えは、第三十八条第三項の規定にかかわらず、執行裁判所の所在地を管轄する地方裁判所が管轄する。

参+【少額訴訟債権執行→一六七の二【第三者異議の訴え→三八

（差押禁止債権の範囲の変更）

第一六七条の八①　執行裁判所は、申立てにより、債務者及び債権者の生活の状況その他の事情を考慮して、差押処分の全部若しくは一部を取り消し、又は第百六十七条の十四第一項において準用する第百五十二条の規定により差し押さえてはならない金銭債権の部分について差押処分をすべき旨を命ずることができる。

②　事情の変更があつたときは、執行裁判所は、申立てにより、前項の規定により差押処分が取り消された金銭債権について差押処分をすべき旨を命じ、又は同項の規定によりされた差押処分の全部若しくは一部を取り消すことができる。

③　第百五十三条第三項から第五項までの規定は、前二項の申立てがあつた場合について準用する。この場合において、同条第四項中「差押命令」とあるのは、「差押処分」と読み替えるものとする。

参+【差押禁止債権→一五二【差押禁止範囲の変更→一五三

（配当要求）

第一六七条の九①　執行力のある債務名義の正本を有する債権者及び文書により先取特権を有することを証明した債権者は、裁判所書記官に対し、配当要求をすることができる。

②　第百五十四条第二項の規定は、前項の配当要求があつた場合について準用する。

③　第一項の配当要求を却下する旨の裁判所書記官の処分に対する執行異議の申立ては、その告知を受けた日から一週間の不変期間内にしなければならない。

④　前項の執行異議の申立てを却下する裁判に対しては、執行抗告をすることができる。

参❶【配当要求の原則規定→一五四　❸【裁判所書記官の処分に対する執行異議→一一【不変期間→民訴九六①但・九七　❹【執行抗告→一〇

（転付命令等のための移行）

第一六七条の一〇①　差押えに係る金銭債権について転付命令、譲渡命令等又は供託命令（以下この条において「転付命令等」という。）のいずれかの命令を求めようとするときは、差押債権者は、執行裁判所に対し、転付命令等のうちいずれの命令を求めるかを明らかにして、債権執行の手続に事件を移行させることを求める旨の申立てをしなければならない。

②　前項に規定する命令の種別を明らかにしてされた同項の申立てがあつたときは、執行裁判所は、その所在地を管轄する地方裁判所における債権執行の手続に事件を移行させなければならない。

③　前項の規定による決定が効力を生ずる前に、既にされた執行処分について執行異議の申立て又は執行抗告があつたときは、当該決定は、当該執行異議の申立て又は執行抗告についての裁判が確定するまでは、その効力を生じない。

④　第二項の規定による決定に対しては、不服を申し立てることができない。

⑤　第一項の申立てを却下する決定に対しては、執行抗告をすることができる。

⑥　第二項の規定による決定が効力を生じたときは、差押処分の申立て又は第一項の申立てがあつた時に第二項に規定する地方裁判所にそれぞれ差押命令の申立て又は転付命令等の申立てがあつたものとみなし、既にされた執行処分その他の行為は債権執行の手続においてされた執行処分その他の行為とみなす。

参❶【転付命令→一五九【譲渡命令等→一六一【供託命令→一六一の二【債権執行手続→一四三―一六七　❷【裁判の告知→民執規二①五　❸【執行処分についての執行異議→一六七の五③、一六七の九③

（配当等のための移行等）

第一六七条の一一①　第百六十七条の十四第一項において準用する第百五十六条第一項若しくは第二項又は第百五十七条第五項の規定により供託がされた場合において、債権者が二人以上であつて供託金で各債権者の債権及び執行費用の全部を弁済することができないため配当を実施すべきときは、執行裁判所は、その所在地を管轄する地方裁判所における債権執行の手続に事件を移行させなければならない。

②　前項に規定する場合において、差押えに係る金銭債権について更に差押命令又は差押処分が発せられたときは、執行裁判所は、同項に規定する地方裁判所における債権執行の手続のほか、当該差押命令を発した執行裁判所又は当該差押処分をした裁判所書記官の所属する簡易裁判所の所在地を管轄する地方裁判所における債権執行の手続にも事件を移行させることができる。

③　第一項に規定する供託がされた場合において、債権者が一人であるとき、又は債権者が二人以上であつて供託金で各債権者の債権及び執行費用の全部を弁済することができるときは、裁判所書記官は、供託金の交付計算書を作成して、債権者に弁済金を交付し、剰余金を債務者に交付する。

④　前項に規定する場合において、差押えに係る金銭債権について更に差押命令が発せられたときは、執行裁判所は、同項の規定にかかわらず、その所在地を管轄する地方裁判所又は当該差押命令を発した執行裁判所における債権執行の手続に事件を移行させることができる。

⑤　差押えに係る金銭債権について更に差押命令が発せられた場合において、当該差押命令を発した執行裁判所が第百六十一条第七項において準用する第百九条の規定又は第百六十六条第一項第二号の規定により配当等を実施するときは、執行裁判所は、当該差押命令を発した執行裁判所における債権執行の手続に事件を移行させなければならない。

⑥　第一項、第二項、第四項又は前項の規定による決定に対しては、不服を申し立てることができない。

⑦　第八十四条第三項及び第四項、第八十八条、第九十一条（第一項第六号及び第七号を除く。）、第九十二条第一項及び第三項から第七項まで並びに第百六十六条第三項の規定は第三項の規定により裁判所書記官が実施する弁済金の交付の手続について、前条第三項の規定は第一項、第二項、第四項又は第五項の規定による決定について、同条第六項の規定は第一項、第二項、第四項又は第五項の規定による決定が効力を生じた場合について、それぞれ準用する。この場合において、第百六十六条第三項中「差押命令」とあるのは、「差押処分」と読み替えるものとする。

*令和五法五三（令和八・五・二四までに施行）による改正
第七項中「第九十二条第一項」の下に「及び第三項から第七項まで」が加えられた。（本文織込み済み）

参❶【債権執行手続→一四三―一六七【裁判の告知→民執規二①五　❸【裁判所書記官による弁済金の交付→一三九

（裁量移行）

第一六七条の一二①　執行裁判所は、差し押さえるべき金銭債権の内容その他の事情を考慮して相当と認めるときは、その所在地を管轄する地方裁判所における債権執行の手続に事件を移行させることができる。

②　前項の規定による決定に対しては、不服を申し立てることができない。

③　第百六十七条の十第三項の規定は第一項の規定による決定について、同条第六項の規定は第一項の規定による決定が効力を生じた場合について準用する。この場合において、同条第六項中「差押処分の申立て又は第一項の申立て」とあるのは「差押

処分の申立て」と、「それぞれ差押命令の申立て又は転付命令等の申立て」とあるのは「差押命令の申立て」と読み替えるものとする。

☞*【債権執行手続→一四三―一六七】

第一六七条の一三（**総則規定の適用関係**） 少額訴訟債権執行についての第一章及び第二章第一節の規定の適用については、第十三条第一項中「執行裁判所でする手続」とあるのは「第百六十七条の二第二項に規定する少額訴訟債権執行の手続」と、第十六条第一項中「執行裁判所」とあるのは「裁判所書記官」と、第十七条中「執行裁判所の行う民事執行」とあるのは「第百六十七条の二第二項に規定する少額訴訟債権執行」と、第四十条第一項中「執行裁判所又は執行官」とあるのは「裁判所書記官」と、第四十二条第四項中「執行裁判所の裁判所書記官」とあるのは「裁判所書記官」とする。

第一六七条の一四（**債権執行の規定の準用**）① 第百四十六条から第百五十二条まで、第百五十五条、第百五十六条（第三項を除く。）、第百五十七条、第百五十八条、第百六十四条第五項及び第六項並びに第百六十五条（第三号及び第四号を除く。）の規定は、少額訴訟債権執行について準用する。この場合において、第百四十六条、第百五十五条第四項から第六項まで及び第八項並びに第百五十六条第四項中「執行裁判所」とあるのは「裁判所書記官」と、第百四十六条第一項中「差押命令を発する」とあるのは「差押処分をする」と、第百四十七条第一項、第百四十八条第二項、第百五十条、第百五十五条第一項、第六項及び第七項並びに第百五十六条第一項中「差押命令」とあるのは「差押処分」と、第百四十七条第一項及び第百四十八条第一項中「差押えに係る債権」とあるのは「差押えに係る金銭債権」と、第百四十九条中「差押命令が発せられたとき」とあるのは「差押処分がされたとき」と、第百五十五条第七項中「決定」とあるのは「裁判所書記官の処分」と、第百六十四条第五項中「差押命令の取消決定」とあるのは「差押処分の取消決定若しくは差押処分を取り消す旨の裁判所書記官の処分」と、第百六十五条（見出しを含む。）中「配当等」とあるのは「弁済金の交付」と読み替えるものとする。

② 第百六十七条の五第六項から第八項までの規定は、前項において読み替えて準用する第百五十五条第六項の規定による裁判所書記官の処分がされた場合について準用する。

第五款　扶養義務等に係る金銭債権についての強制執行の特例

第一六七条の一五（**扶養義務等に係る金銭債権についての間接強制**）① 第百五十一条の二第一項各号に掲げる義務に係る金銭債権についての強制執行は、前各款の規定により行うほか、債権者の申立てがあるときは、執行裁判所が第百七十二条第一項に規定する方法により行う。ただし、債務者が、支払能力を欠くためにその金銭債権に係る債務を弁済することができないとき、又はその債務を弁済することによつてその生活が著しく窮迫するときは、この限りでない。

② 前項の規定により同項に規定する金銭債権について第百七十二条第一項に規定する方法により強制執行を行う場合において、債務者が債権者に支払うべき金銭の額を定めるに当たつては、執行裁判所は、債務不履行により債権者が受けるべき不利益並びに債務者の資力及び従前の債務の履行の態様を特に考慮しなければならない。

③ 事情の変更があつたときは、執行裁判所は、債務者の申立てにより、その申立てがあつた時（その申立てがあつた後に事情の変更があつたときは、その事情の変更があつた時）までさかのぼつて、第一項の規定による決定を取り消すことができる。

④ 前項の申立てがあつたときは、執行裁判所は、その裁判が効力を生ずるまでの間、担保を立てさせ、又は立てさせないで、第一項の規定による決定の執行の停止を命ずることができる。

⑤ 前項の規定による決定に対しては、不服を申し立てることができない。

⑥ 第百七十二条第二項から第五項までの規定は第一項の場合について、同条第三項及び第五項の規定は第三項の場合について、第百七十三条第二項の規定は第一項の執行裁判所について準用する。

☞❶【扶養義務等に係る金銭債権→一五一の二①、破二五三①四】【支払能力→破一五】❷【間接強制金の定め方の原則→一七二①】❸【事情変更による変更の原則→一七二②】

第一六七条の一六（**扶養義務等に係る定期金債権を請求する場合の特例**） 債権者が第百五十一条の二第一項各号に掲げる義務に係る確定期限の定めのある定期金債権を有する場合において、その一部に不履行があるときは、第三十条第一項の規定にかかわらず、当該定期金債権のうち六月以内に確定期限が到来するものについても、前条第一項に規定する方法による強制執行を開始することができる。

☞*【期限未到来の定期金債権による債権執行→一五一の二】

第一六七条の一七（**扶養義務等に係る債権に基づく財産開示手続等の申立ての特例**）① 第百五十一条の二第一項各号に掲げる義務に係る請求権について執行力のある債務名義の正本を有する債権者が次の各号に掲げる申立てをした場合には、当該申立てと同時に、当該各号に定める申立てをしたものとみなす。ただし、当該債権者が当該各号に掲げる申立ての際に反対の意思を表示したときは、この限りでない。

一 第百九十七条第一項の申立て　当該申立てに係る手続において債務者（債務者に法定代理人がある場合にあつては、当該法定代理人）が開示した債権（第二百六条第一項各号に規定する債権に限る。）又は次項の規定によりその情報が提供された債権に対する差押命令の申立て

二 第二百六条第一項の申立て　当該申立てに係る手続において同項各号に掲げる者がその情報を提供した同項各号に規定する債権に対する差押命令の申立て

② 前項に規定する場合（同項第一号に掲げる申立てをした場合に限る。）において、執行裁判所の呼出しを受けた債務者（債務者に法定代理人がある場合にあつては、当該法定代理人）がその財産を開示しなかつたときは、債権者が別段の意思を表示した場合を除き、執行裁判所は、債務者の住所のある市町村（特別区を含む。第二百六条第一項第一号において同じ。）に対し、同号に定める事項について情報の提供をすべき旨を命じなければならない。

③ 第二百五条第三項から第五項までの規定は前項の規定による裁判について、第二百八条の規定は当該裁判により命じられた情報の提供について、それぞれ準用する。

④ 財産開示事件の記録中前項において準用する第二百八条第一項の情報の提供に関する部分についての第十七条の規定による請求は、次に掲げる者に限り、することができる。

一 申立人

二 債務者に対する第百五十一条の二第一項各号に掲げる義務に係る請求権又は人の生命若しくは身体の侵害による損害賠償請求権について執行力のある債務名義の正本を有する債権者

三 債務者の財産について一般の先取特権（民法第三百六条第三号に係るものに限る。）を有することを証する文書を提出した債権者

四 債務者

五 当該情報の提供をした者

⑤ 第二百十条第二項の規定は、前項第二号又は第三号に掲げる者であつて、財産開示事件の記録中の第三項において準用する

第二百八条第一項の情報の提供に関する部分の情報を得たものについて準用する。

⑥　第一項の規定により債権に対する差押命令の申立てがされたものとみなされた場合において、執行裁判所が第百九十七条第三項に規定する財産開示期日における手続の実施又は第二項若しくは第二百六条第一項の規定による裁判をしてもなお差し押さえるべき債権を特定することができないときは、執行裁判所は、債権者に対し、相当の期間を定め、その期間内に差し押さえるべき債権を特定するために必要な事項の申出をすべきことを命ずることができる。この場合において、債権者がその期間内に差し押さえるべき債権を特定するために必要な事項の申出をしないときは、差押命令の申立ては、取り下げたものとみなす。

＊令和六法三三（令和八・五・二三までに施行）により第一六七条の一七追加

§†【期限未到来の定期金債権による債権執行↓一五一の二　❶【差押命令↓一四五　❹〔二〕【人の生命・身体の侵害による損害賠償請求権↓民一六七

第三節　金銭の支払を目的としない請求権についての強制執行

（不動産の引渡し等の強制執行）

第一六八条①　不動産等（不動産又は人の居住する船舶等をいう。以下この条及び次条において同じ。）の引渡し又は明渡しの強制執行は、執行官が債務者の不動産等に対する占有を解いて債権者にその占有を取得させる方法により行う。

②　執行官は、前項の強制執行をするため同項の不動産等の占有者を特定する必要があるときは、当該不動産等に在る者に対し、当該不動産等又はこれに近接する場所において、質問をし、又は文書の提示を求めることができる。

③　第一項の強制執行は、債権者又はその代理人が執行の場所に出頭したときに限り、することができる。

④　執行官は、第一項の強制執行をするに際し、債務者の占有する不動産等に立ち入り、必要があるときは、閉鎖した戸を開くため必要な処分をすることができる。

⑤　執行官は、第一項の強制執行においては、その目的物でない動産を取り除いて、債務者、その代理人又は同居の親族若しくは使用人その他の従業者で相当のわきまえのあるものに引き渡さなければならない。この場合において、その動産をこれらの者に引き渡すことができないときは、執行官は、最高裁判所規則で定めるところにより、これを売却することができる。

⑥　執行官は、前項の動産のうちに同項の規定による引渡し又は売却をしなかつたものがあるときは、これを保管しなければならない。この場合においては、前項後段の規定を準用する。

⑦　前項の規定による保管の費用は、執行費用とする。

⑧　第五項（第六項後段において準用する場合を含む。）の規定により動産を売却したときは、執行官は、その売得金から売却及び保管に要した費用を控除し、その残余を供託しなければならない。

⑨　第五十七条第五項の規定は、第一項の強制執行について準用する。

§❶【不動産↓民八六①【人の居住する船舶等以外の動産の引渡しの強制執行↓一六九【執行官↓二§　❷【不陳述・提出拒否・虚偽陳述等↓二一三①㈢　❹【執行官の立入権・開扉権等↓六①§　❺【目的外動産の売却↓民執規一五四の二　❼【執行費用の負担額の確定と取立て↓四二④—⑨　❽【供託↓供　†【夜間執行の許可↓八【不動産の引渡し等の強制執行の際に採った措置の通知↓民執規一五一【執行調書↓民執規一三・一五三【執行終了の通知↓民執規一五四【間接強制によることも可↓一七三

（明渡しの催告）

第一六八条の二①　執行官は、不動産等の引渡し又は明渡しの強制執行の申立てがあつた場合において、当該強制執行を開始することができるときは、次項に規定する引渡し期限を定めて、明渡しの催告（不動産等の引渡し又は明渡しの催告をいう。以下この条において同じ。）をすることができる。ただし、債務者が当該不動産等を占有していないときは、この限りでない。

②　引渡し期限（明渡しの催告に基づき第六項の規定による強制執行をすることができる期限をいう。以下この条において同じ。）は、明渡しの催告があつた日から一月を経過する日とする。ただし、執行官は、執行裁判所の許可を得て、当該日以後の日を引渡し期限とすることができる。

③　執行官は、明渡しの催告をしたときは、その旨、引渡し期限及び第五項の規定により債務者が不動産等の占有を移転することを禁止されている旨を、当該不動産等の所在する場所に公示書その他の標識を掲示する方法により、公示しなければならない。

④　執行官は、引渡し期限が経過するまでの間においては、執行裁判所の許可を得て、引渡し期限を延長することができる。この場合においては、執行官は、引渡し期限の変更があつた旨及び変更後の引渡し期限を、当該不動産等の所在する場所に公示書その他の標識を掲示する方法により、公示しなければならない。

⑤　明渡しの催告があつたときは、債務者は、不動産等の占有を移転してはならない。ただし、債権者に対して不動産等の引渡し又は明渡しをする場合は、この限りでない。

⑥　明渡しの催告後に不動産等の占有の移転があつたときは、引渡し期限が経過するまでの間においては、占有者（第一項の不動産等を占有する者であつて債務者以外のものをいう。以下この条において同じ。）に対して、第一項の申立てに基づく強制執行をすることができる。この場合において、第四十二条及び前条の規定の適用については、当該占有者を債務者とみなす。

⑦　明渡しの催告後に不動産等の占有の移転があつたときは、占有者は、明渡しの催告があつたことを知らず、かつ、債務者の占有の承継人でないことを理由として、債権者に対し、強制執行の不許を求める訴えを提起することができる。この場合においては、第三十六条、第三十七条及び第三十八条第三項の規定を準用する。

⑧　明渡しの催告後に不動産等を占有した占有者は、明渡しの催告があつたことを知つて占有したものと推定する。

⑨　第六項の規定により占有者に対して強制執行がされたときは、当該占有者は、執行異議の申立てにおいて、債権者に対抗することができる権原により目的物を占有していること、又は明渡しの催告があつたことを知らず、かつ、債務者の占有の承継人でないことを理由とすることができる。

⑩　明渡しの催告に要した費用は、執行費用とする。

§❶【執行官↓二§【不動産等の引渡し・明渡しの強制執行↓一六八【催告の実施日↓民執規一五四の三　❸❹【公示書等損壊罪↓二一二㈢　❻【債務者以外の者に対する執行↓二七②　❼【強制執行不許を求める訴え↓三四　❽【同様の推定規定↓八三の二②　❾【執行異議↓一一【同様の規定↓八三の二③　❿【執行費用↓四二

（動産の引渡しの強制執行）

第一六九条①　第百六十八条第一項に規定する動産以外の動産（有価証券を含む。）の引渡しの強制執行は、執行官が債務者からこれを取り上げて債権者に引き渡す方法により行う。

②　第百二十二条第二項、第百二十三条第二項及び第百六十八条第五項から第八項までの規定は、前項の強制執行について準用する。

§†【動産↓民八六②【執行官↓二§【動産執行の対象となる有価証券↓一二二【債権者等不出頭の際の処置↓民執規一五五【職務執行区域外での執行↓民執規一五五③・一〇一【執行調書↓民執規一五五③・一五三【執行終了の通知↓民執規一五五③・一五四【債権証書の引渡しと本条↓一四八②【間接

強制によることも可↓一七三

（**目的物を第三者が占有する場合の引渡しの強制執行**）

第一七〇条① 第三者が強制執行の目的物を占有している場合においてその物を債務者に引き渡すべき義務を負つているときは、物の引渡しの強制執行は、執行裁判所が、債務者の第三者に対する引渡請求権を差し押さえ、請求権の行使を債権者に許す旨の命令を発する方法により行う。

② 第百四十四条、第百四十五条（第四項を除く。）、第百四十七条、第百四十八条、第百五十五条第一項及び第三項並びに第百五十八条の規定は、前項の強制執行について準用する。

⊛+【執行裁判所↓三⊛【金銭債権差押えの場合は取立許可命令は不要↓一五五【差押命令の申立書・差押命令の送達の通知・第三債務者に対する陳述催告の内容↓民執規一五六・一三三―一三五【間接強制によることも可↓一七三

（**代替執行**）

第一七一条① 次の各号に掲げる強制執行は、執行裁判所がそれぞれ当該各号に定める旨を命ずる方法により行う。

一 作為を目的とする債務についての強制執行 債務者の費用で第三者に当該作為をさせること。

二 不作為を目的とする債務についての強制執行 債務者の費用で、債務者がした行為の結果を除去し、又は将来のため適当な処分をすべきこと。

② 前項の執行裁判所は、第三十三条第二項第一号又は第六号に掲げる債務名義の区分に応じ、それぞれ当該各号に定める裁判所とする。

③ 執行裁判所は、第一項の規定による決定をする場合には、債務者を審尋しなければならない。

④ 執行裁判所は、第一項の規定による決定をする場合には、申立てにより、債務者に対し、その決定に掲げる行為をするために必要な費用をあらかじめ債権者に支払うべき旨を命ずることができる。

⑤ 第一項の強制執行の申立て又は前項の申立てについての裁判に対しては、執行抗告をすることができる。

⑥ 第六条第二項の規定は、第一項の規定による決定を執行する場合について準用する。

⊛❶【執行官以外の者に授権決定がされたときの援助請求↓一七一⑥【執行官が執行した場合の執行調書↓民執規一三④ ❷【作為・不作為執行の基本となる債務名義↓二二㊀―㊂㊅―㊆・三三②㊀㊅【専属管轄↓一九 ❸【審尋↓五、民訴八七②③・八八【本法における必要的審尋の他の例↓五⊛ ❹【費用の予納は債権者がする原則↓一四【費用前払の決定は債務名義となる↓二二㊂ ❺【執行抗告↓一〇【裁判の告知↓民執規二①㊂ +【間接強制によることも可↓一七三

（**間接強制**）

第一七二条① 作為又は不作為を目的とする債務で前条第一項の強制執行ができないものについての強制執行は、執行裁判所が、債務者に対し、遅延の期間に応じ、又は相当と認める一定の期間内に履行しないときは直ちに、債務の履行を確保するために相当と認める一定の額の金銭を債権者に支払うべき旨を命ずる方法により行う。

② 事情の変更があつたときは、執行裁判所は、申立てにより、前項の規定による決定を変更することができる。

③ 執行裁判所は、前二項の規定による決定をする場合には、申立ての相手方を審尋しなければならない。

④ 第一項の規定により命じられた金銭の支払があつた場合において、債務不履行により生じた損害の額が支払額を超えるときは、債権者は、その超える額について損害賠償の請求をすることを妨げられない。

⑤ 第一項の強制執行の申立て又は第二項の申立てについての裁判に対しては、執行抗告をすることができる。

⑥ 前条第二項の規定は、第一項の執行裁判所について準用する。

⊛❶【執行裁判所↓一七二⑥・一七一②【債務名義としての効力↓二二㊂【扶養義務等に係る金銭債権の間接強制↓一六七の一五 ❸【審尋↓五、民訴八七②③・八八 ❹【損害賠償↓民四一五 ❺【執行抗告↓一〇

第一七三条① 第百六十八条第一項、第百六十九条第一項、第百七十条第一項及び第百七十一条第一項に規定する強制執行は、それぞれ第百六十八条から第百七十一条までの規定により行うほか、債権者の申立てがあるときは、執行裁判所が前条第一項に規定する方法により行う。この場合においては、同条第二項から第五項までの規定を準用する。

② 前項の執行裁判所は、第三十三条第二項各号（第一号の二、第一号の三及び第四号を除く。）に掲げる債務名義の区分に応じ、それぞれ当該債務名義についての執行文付与の訴えの管轄裁判所とする。

（**子の引渡しの強制執行**）

第一七四条① 子の引渡しの強制執行は、次の各号に掲げる方法のいずれかにより行う。

一 執行裁判所が決定により執行官に子の引渡しを実施させる方法

二 第百七十二条第一項に規定する方法

② 前項第一号に掲げる方法による強制執行の申立ては、次の各号のいずれかに該当するときでなければすることができない。

一 第百七十二条第一項の規定による決定が確定した日から二週間を経過したとき（当該決定において定められた債務を履行すべき一定の期間の経過がこれより後である場合にあつては、その期間を経過したとき）。

二 前項第二号に掲げる方法による強制執行を実施しても、債務者が子の監護を解く見込みがあるとは認められないとき。

三 子の急迫の危険を防止するため直ちに強制執行をする必要があるとき。

③ 執行裁判所は、第一項第一号の規定による決定をする場合には、債務者を審尋しなければならない。ただし、子に急迫した危険があるときその他の審尋をすることにより強制執行の目的を達することができない事情があるときは、この限りでない。

④ 執行裁判所は、第一項第一号の規定による決定において、執行官に対し、債務者による子の監護を解くために必要な行為をすべきことを命じなければならない。

⑤ 第百七十一条第二項の規定は第一項第一号の執行裁判所について、同条第四項の規定は同号の規定による決定をする場合について、それぞれ準用する。

⑥ 第二項の強制執行の申立て又は前項において準用する第百七十一条第四項の申立てについての裁判に対しては、執行抗告をすることができる。

⊛❶【申立書の記載事項・添付書類↓民執規一五七 【二】【執行裁判所↓一七四⑤・一七一②【執行官が執行した場合の執行調書↓民執規一三④ ❷【申立書の記載事項・添付書類↓民執規一五八【債権者等の協力等↓民執規一六一 ❸【審尋↓五、民訴八七②③・八八【本法における必要的審尋の他の例↓五⊛ ❺【費用の予納は債権者がする原則↓一四【費用前払の決定は債務名義となる↓二二㊂ ❻【執行抗告↓一〇【裁判の告知↓民執規二①㊂

（**執行官の権限等**）

第一七五条① 執行官は、債務者による子の監護を解くために必要な行為として、債務者に対し説得を行うほか、債務者の住居その他債務者の占有する場所において、次に掲げる行為をすることができる。

一 その場所に立ち入り、子を捜索すること。この場合において、必要があるときは、閉鎖した戸を開くため必要な処分をすること。

二 債権者若しくはその代理人と子を面会させ、又は債権者若しくはその代理人と債務者を面会させること。

三　その場所に債権者又はその代理人を立ち入らせること。

② 執行官は、子の心身に及ぼす影響、当該場所及びその周囲の状況その他の事情を考慮して相当と認めるときは、前項に規定する場所以外の場所においても、債務者による子の監護を解くために必要な行為として、当該場所の占有者の同意を得て又は次項の規定による許可を受けて、前項各号に掲げる行為をすることができる。

③ 執行裁判所は、子の住居が第一項に規定する場所以外の場所である場合において、債務者と当該場所の占有者との関係、当該占有者の私生活又は業務に与える影響その他の事情を考慮して相当と認めるときは、債権者の申立てにより、当該占有者の同意に代わる許可をすることができる。

④ 執行官は、前項の規定による許可を受けて第一項各号に掲げる行為をするときは、職務の執行に当たり、当該許可を受けたことを証する文書を提示しなければならない。

⑤ 第一項又は第二項の規定による債務者による子の監護を解くために必要な行為は、債権者が第一項又は第二項に規定する場所に出頭した場合に限り、することができる。

⑥ 執行裁判所は、債権者が第一項又は第二項に規定する場所に出頭することができない場合であつても、その代理人が債権者に代わつて当該場所に出頭することが、当該代理人と子との関係、当該代理人の知識及び経験その他の事情に照らして子の利益の保護のために相当と認めるときは、前項の規定にかかわらず、債権者の申立てにより、当該代理人が当該場所に出頭した場合においても、第一項又は第二項の規定による債務者による子の監護を解くために必要な行為をすることができる旨の決定をすることができる。

⑦ 執行裁判所は、いつでも前項の決定を取り消すことができる。

⑧ 執行官は、第六条第一項の規定にかかわらず、子に対して威力を用いることはできない。子以外の者に対して威力を用いることが子の心身に有害な影響を及ぼすおそれがある場合においては、当該子以外の者についても、同様とする。

⑨ 執行官は、第一項又は第二項の規定による債務者による子の監護を解くために必要な行為をするに際し、債権者又はその代理人に対し、必要な指示をすることができる。

⊛❶❷【目的不達成の場合の事件の終了】↓民執規一六三　❶【二】【執行官の立入権・開扉権等】↓六⊛

（執行裁判所及び執行官の責務）

第一七六条　執行裁判所及び執行官は、第百七十四条第一項第一号に掲げる方法による子の引渡しの強制執行の手続において子の引渡しを実現するに当たつては、子の年齢及び発達の程度その他の事情を踏まえ、できる限り、当該強制執行が子の心身に有害な影響を及ぼさないように配慮しなければならない。

⊛+【執行裁判所】↓一七四⑤・一七一②

（意思表示の擬制）

第一七七条①　意思表示をすべきことを債務者に命ずる判決その他の裁判が確定し、又は和解、認諾、調停若しくは労働審判に係る債務名義が成立したときは、債務者は、その確定又は成立の時に意思表示をしたものとみなす。ただし、債務者の意思表示が、債権者の証明すべき事実の到来に係るときは第二十七条第一項の規定により執行文が付与された時に、反対給付との引換え又は債務の履行その他の債務者の証明すべき事実のないことに係るときは次項又は第三項の規定により執行文が付与された時に意思表示をしたものとみなす。

② 債務者の意思表示が反対給付との引換えに係る場合においては、執行文は、債権者が反対給付又はその提供のあつたことを証する文書を提出したときに限り、付与することができる。

③ 債務者の意思表示が債務者の証明すべき事実のないことに係る場合において、執行文の付与の申立てがあつたときは、裁判所書記官は、債務者に対し一定の期間を定めてその事実を証明する文書を提出すべき旨を催告し、債務者がその期間内にその文書を提出しないときに限り、執行文を付与することができる。

⊛❶【判決の確定時期】↓民訴一一六【和解に係る債務名義の成立時】↓民訴二六七、二七五【認諾に係る債務名義の成立時】↓民訴二六七【調停に係る債務名義の成立時】↓家事二六八、民調一六【労働審判に係る債務名義の成立時】↓労審二〇⑦・二一④【執行文の付与の機関・方式】↓二六　❷【債務者の給付が反対給付との引換えに係る場合の原則】↓三一　❸【裁判所書記官】↓一七⊛【催告の特則】↓民執規三②　❷❸【執行文付与の申立書の記載事項】↓民執規一五七

第一七八条及び第一七九条　削除

第三章　担保権の実行としての競売等

（不動産担保権の実行の方法）

第一八〇条　不動産（登記することができない土地の定着物を除き、第四十三条第二項の規定により不動産とみなされるものを含む。以下この章において同じ。）を目的とする担保権（以下この章において「不動産担保権」という。）の実行は、次に掲げる方法であつて債権者が選択したものにより行う。

一　担保不動産競売（競売による不動産担保権の実行をいう。以下この章において同じ。）の方法

二　担保不動産収益執行（不動産から生ずる収益を被担保債権の弁済に充てる方法による不動産担保権の実行をいう。以下この章において同じ。）の方法

⊛+【不動産担保権】↓民三二五―三二八、三五六―三六一・三六九―三九八の二二

（不動産担保権の実行の開始）

第一八一条①　不動産担保権の実行は、第一号の申立て又は第二号の文書若しくは電磁的記録の提出があつたときに限り、開始する。

一　担保権の登記（仮登記を除く。）がされた不動産についての不動産担保権の実行の申立て

二　次に掲げるいずれかの文書又は電磁的記録

イ　担保権の存在を証する確定判決若しくは家事事件手続法第七十五条の審判又はこれらと同一の効力を有するものの謄本又は記録事項証明書

ロ　担保権の存在を証する公証人が作成した公証人法第四十三条第一項第一号の公正証書の謄本、同項第二号の書面（公正証書に記録されている事項の全部を出力したものに限る。）又は同項第三号の電磁的記録（公正証書に記録されている事項の全部を記録したものに限る。）

ハ　一般の先取特権にあつては、その存在を証する文書又は電磁的記録

② 抵当証券の所持人が不動産担保権の実行の申立てをするには、抵当証券を提出しなければならない。

③ 担保権について承継があつた後不動産担保権の実行の申立てをする場合には、相続その他の一般承継にあつてはその承継を証する文書を、その他の承継にあつてはその承継を証する裁判の謄本その他の公文書を提出しなければならない。

④ 不動産担保権の実行の開始決定がされたときは、裁判所書記官は、開始決定の送達に際し、次に掲げる事項を記録した電磁的記録を相手方に送付しなければならない。この場合において、不動産担保権の実行の申立てにおいて第一項第二号ハに掲げる文書又は電磁的記録が提出されたときは、併せて、当該文書又は当該電磁的記録に記載され、又は記録されている事項であつてファイルに記録されているものに係る電磁的記録を相手方に送付しなければならない。

一　第一項第一号の申立てがあつた旨の表示又は不動産担保権の実行の申立てにおいて提出された同項第二号に掲げる文書若しくは電磁的記録の標目

二　不動産担保権の実行の申立てにおいて提出された前二項に

規定する文書又は電磁的記録の標目

⊗❶【民事執行の一環としての担保権の実行↓一【執行費用の予納↓一四①【申立書の記載事項・添付書類↓民執規一七〇・一七三 〔二〕【担保権とその登記↓民三三七―三四一、借地借家一二②、不登三[五]・八三―八六、民三五六―三六一、不登三[六]・八三、八四、九五、民三六九―三九八の二二、不登三[七]・八三、八四、八八【仮登記↓不登一〇五、一〇六【本号の登記を抹消すべき旨を命ずる確定判決の提出と執行の停止・取消し↓一八三①[三]②【担保権登記の抹消の場合の執行の停止・取消し↓一八三①[二]② 〔三〕【確定判決の効果↓民訴一一四、一一五【家事審判事項↓家事別表【確定判決と同一の効力を有するもの↓二二[七]⊗【謄本↓民訴九一③、民訴規三三【記録事項証明書↓一八の二①【本号の裁判等を取り消す文書等の提出と執行の停止・取消し↓一八三①[三]②【一般の先取特権↓五一⊗【一般の先取特権に関する本法の特別の規定↓五一・一二二・一九二・一九三②・一九七②・二〇五①[三]・二〇七② ❸【担保権実行の開始後の差押債権者の承継の通知↓民執規一七一【担保権実行の手続における配当要求↓民執規一七二 ❹【不動産担保権実行開始決定↓一八八・四五【裁判所書記官↓一七⊗【開始決定の送達↓一八八・四五② ⊗+【不動産担保権実行に関する規則の準用↓民執規一七三①

（開始決定に対する執行抗告等）

第一八二条 不動産担保権の実行の開始決定に対する執行抗告又は執行異議の申立てにおいては、債務者又は不動産の所有者（不動産とみなされるものにあつては、その権利者。以下同じ。）は、担保権の不存在又は消滅を理由とすることができる。

⊗+【不動産担保権実行開始決定↓一八八・四五【執行抗告↓一〇【執行異議↓一一【実体的不存在・消滅等の主張の原則的方法↓三五

（不動産担保権の実行の手続の停止）

第一八三条① 不動産担保権の実行の手続は、第一号の申立て又は第二号の文書（同号ハにあつては、文書又は電磁的記録）の提出があつたときは、停止しなければならない。

一 担保権の登記の抹消がされた不動産についての不動産担保権の実行の手続の停止の申立て

二 次に掲げるいずれかの文書（ハにあつては、文書又は電磁的記録）

イ 担保権のないことを証する確定判決（確定判決と同一の効力を有するものを含む。ロにおいて同じ。）の謄本又は記録事項証明書

ロ 第百八十一条第一項第一号の登記を抹消すべき旨を命じ、又は同項第二号イに掲げる裁判若しくはこれと同一の効力を有するものを取り消し、若しくはその効力がないことを宣言する確定判決の謄本又は記録事項証明書

ハ 担保権の実行をしない旨、その実行の申立てを取り下げる旨又は債権者が担保権によつて担保される債権の弁済を受け、若しくはその債権の弁済の猶予をした旨を記載した裁判上の和解の調書その他の公文書の謄本（公文書が電磁的記録をもつて作成されている場合にあつては、当該電磁的記録に記録されている事項の全部を記録した電磁的記録）

ニ 不動産担保権の実行の手続の停止及び執行処分の取消しを命ずる旨を記載した裁判の謄本又は記録事項証明書

ホ 不動産担保権の実行の手続の一時の停止を命ずる旨を記載した裁判の謄本又は記録事項証明書

ヘ 担保権の実行を一時禁止する裁判の謄本又は記録事項証明書

② 前項第一号の申立て又は同項第二号イからニまでに掲げる文書若しくは電磁的記録の提出があつたときは、執行裁判所は、既にした執行処分をも取り消さなければならない。

③ 第十二条の規定は、前項の規定による決定については適用しない。

⊗❶〔二〕【担保権の登記↓一八一①[三]⊗【登記の抹消↓不登六八【本号の場合の既往の執行処分の取消し↓一八三② 〔三〕【確定判決の効果↓民訴一一四、一一五【確定判決と同一の効力を有するもの↓二二[七]⊗【謄本↓民訴九一③、民訴規三三【記録事項証明書↓一八の二①【裁判上の和解調書↓民訴二六七、二七五【担保権の実行を一時禁止する裁判の例↓民保二三―二五の二、五二―六五【本号イからニまでの場合の既往の執行処分の取消し↓一八三② ❷【執行裁判所↓一八八・四四【裁判を告知すべき者↓民執規二①[三] ❸【同旨の規定↓一一⊗ +【担保権実行手続における第三者異議↓一九四

（代金の納付による不動産取得の効果）

第一八四条 担保不動産競売における代金の納付による買受人の不動産の取得は、担保権の不存在又は消滅により妨げられない。

⊗+【買受人↓七六⊗【代金納付による不動産の取得↓一八八・七九【担保権の不存在・消滅等を理由とする停止↓一八三①

第一八五条及び第一八六条【増価競売の請求に基づく不動産競売】削除

（担保不動産競売の開始決定前の保全処分等）

第一八七条① 執行裁判所は、担保不動産競売の開始決定前であつても、債務者又は不動産の所有者若しくは占有者が価格減少行為（第五十五条第一項に規定する価格減少行為をいう。以下この項において同じ。）をする場合において、特に必要があるときは、当該不動産につき担保不動産競売の申立てをしようとする者の申立てにより、買受人が代金を納付するまでの間、同条第一項各号に掲げる保全処分又は公示保全処分を命ずることができる。ただし、当該価格減少行為による価格の減少又はそのおそれの程度が軽微であるときは、この限りでない。

② 前項の場合において、第五十五条第一項第二号又は第三号に掲げる保全処分は、次に掲げる場合のいずれかに該当するときでなければ、命ずることができない。

一 前項の債務者又は同項の不動産の所有者が当該不動産を占有する場合

二 前項の不動産の占有者の占有の権原が同項の規定による申立てをした者に対抗することができない場合

③ 第一項の規定による申立てをするには、担保不動産競売の申立てをする場合において第百八十一条第一項から第三項までの規定により提出すべき文書を提示しなければならない。

④ 執行裁判所は、申立人が第一項の保全処分を命ずる決定の告知を受けた日から三月以内に同項の担保不動産競売の申立てをしたことを証する文書を提出しないときは、被申立人又は同項の不動産の所有者の申立てにより、その決定を取り消さなければならない。

⑤ 第五十五条第三項から第五項までの規定は第一項の規定による決定について、同条第六項の規定は第一項又はこの項において準用する同条第五項の申立てについての裁判について、同条第七項の規定はこの項において準用する同条第五項の規定による決定について、同条第八項及び第九項並びに第五十五条の二の規定は第一項の規定による決定（第五十五条第一項第一号に掲げる保全処分又は公示保全処分を命ずるものを除く。）について、第五十五条第十項の規定は第一項の申立て又は同項の規定による決定（同条第一項第一号に掲げる保全処分又は公示保全処分を命ずるものを除く。）の執行に要した費用について、第八十三条の二の規定は第一項の規定による決定（第五十五条第一項第三号に掲げる保全処分及び公示保全処分を命ずるものに限る。）の執行がされた場合について準用する。この場合において、第五十五条第三項中「債務者以外の占有者」とあるのは、「債務者及び不動産の所有者以外の占有者」と読み替えるものとする。

⊗+【本法の保全処分の他の例↓五五・五五の二・六八の二・七七 ❶【執行裁判所↓四四【担保不動産競売開始決定↓一八

八、四五【担保不動産競売の申立て↓一八一【買受人の代金納付↓七八、七九【公示保全処分↓五五①【本項の保全処分の申立ての方式↓民執規一七二の二 ❸【申立ての添付文書↓民執規一七二の二② ❹【保全処分決定の告知↓民訴一一九 +【類似の規定↓五五

（不動産執行の規定の準用）

第一八八条 第四十四条の規定は不動産担保権の実行について、前章第二節第一款第二目（第八十一条を除く。）の規定は担保不動産競売について、同款第三目の規定は担保不動産収益執行について準用する。

⊛+【担保不動産競売↓一八〇㊀、一八一―一八八【担保不動産収益執行↓一八〇㊁、一八一―一八三

（船舶の競売）

第一八九条 前章第二節第二款及び第百八十一条から第百八十四条までの規定は、船舶を目的とする担保権の実行としての競売について準用する。この場合において、第百十五条第三項中「執行力のある債務名義の正本を提示し、かつ、同項に規定する事由を疎明しなければ」とあるのは「同項に規定する事由を疎明し、かつ、担保権の登記（仮登記を除く。）がされている場合を除き、第百八十九条において準用する第百八十一条第一項（第一号を除く。）、第二項若しくは第三項の規定により提出すべき文書を提示し、又はこれらの規定により提出すべき電磁的記録を提出しなければ」と、第百八十一条第一項第二号ハ中「一般の先取特権」とあるのは「先取特権」と読み替えるものとする。

⊛+【一般の先取特権↓五一 ⊛【船舶先取特権の他の例↓船主責任制限九五【船舶抵当権↓商八四七【船舶の引渡請求権を目的とする質権↓民三六六④【申立書の記載事項↓民執規一七四①【船舶国籍証書等の引渡命令↓民執規一七四②―④【船舶に対する強制執行に関する規則の準用↓民執規一七四⑤【船舶執行・船舶競売の所在地主義と現実の拘束の必要↓一一三、一一四

（動産競売の要件）

第一九〇条① 動産を目的とする担保権の実行としての競売（以下「動産競売」という。）は、次に掲げる場合に限り、開始する。

一 債権者が執行官に対し当該動産を提出した場合

二 債権者が執行官に対し当該動産の占有者が差押えを承諾することを証する文書を提出した場合

三 債権者が執行官に対し次項の許可の決定書の謄本を提出し、かつ、第百九十二条において準用する第百二十三条第二項の規定による捜索に先立つて又はこれと同時に当該許可の決定が債務者に送達された場合

② 執行裁判所は、担保権の存在を証する文書を提出した債権者の申立てがあつたときは、当該担保権についての動産競売の開始を許可することができる。ただし、当該動産が第百二十三条第二項に規定する場所又は容器にない場合は、この限りでない。

③ 前項の許可の決定は、債務者に送達しなければならない。

④ 第二項の申立てについての裁判に対しては、執行抗告をすることができる。

⊛❶【執行官↓二⊛ ❷【担保権の存在を証する文書↓一八一①㊂【申立ての方法↓民執規一七八② ❸【送達↓民訴九八―一一二 ❹【執行抗告↓一〇

（動産の差押えに対する執行異議）

第一九一条 動産競売に係る差押えに対する執行異議の申立てにおいては、債務者又は動産の所有者は、担保権の不存在若しくは消滅又は担保権によつて担保される債権の一部の消滅を理由とすることができる。

⊛+【動産競売に係る差押え↓一九二、一二二【執行異議↓一一【実体権の不存在・消滅等の主張の原則的方法↓三五【申立書の記載事項↓民執規一七八①

（動産執行の規定の準用）

第一九二条 前章第二節第三款（第百二十三条第二項、第百二十八条、第百三十一条及び第百三十二条を除く。）及び第百八十三条の規定は動産競売について、第百二十八条、第百三十一条及び第百三十二条の規定は一般の先取特権の実行としての動産競売について、第百二十三条第二項の規定は第百九十条第一項第三号に掲げる場合における動産競売について準用する。

⊛+【動産競売↓一九〇、一九一【一般の先取特権↓五一⊛【一般の先取特権の実行の特異性↓一九三②【動産に対する強制執行に関する規則の準用↓民執規一七八③

（債権及びその他の財産権についての担保権の実行の要件等）

第一九三条① 第百四十三条に規定する債権及び第百六十七条第一項に規定する財産権（以下この項において「その他の財産権」という。）を目的とする担保権の実行は、担保権の存在を証する文書（権利の移転について登記等を要するその他の財産権を目的とする担保権で一般の先取特権以外のものについては、担保権の登記等（仮登記又は仮登録を除く。）がされている場合においてその担保権の実行の申立てがあつたとき又は第百八十一条第一項第二号イ若しくはロ、第二項若しくは第三項に規定する文書若しくは電磁的記録が提出されたとき）に限り、開始する。担保権を有する者が目的物の売却、賃貸、滅失若しくは損傷又は目的物に対する物権の設定若しくは土地収用法（昭和二十六年法律第二百十九号）による収用その他の行政処分により債務者が受けるべき金銭その他の物に対して民法その他の法律の規定によつてするその権利の行使についても、同様とする。

② 前章第二節第四款第一目（第百四十六条第二項、第百五十二条及び第百五十三条を除く。）及び第百八十二条から第百八十四条までの規定は前項に規定する担保権の実行及び行使について、第百四十六条第二項、第百五十二条及び第百五十三条の規定は前項に規定する一般の先取特権の実行及び行使について、第百六十七条の十七の規定は債務者の財産について一般の先取特権（民法第三百六条第三号に係るものに限る。）を有することを証する文書を提出した債権者が第百九十七条第二項の申立てをした場合について、それぞれ準用する。

＊令和六法三三（令和八・五・二三までに施行）による改正前

② 前章第二節第四款第一目（第百四十六条第二項、第百五十二条及び第百五十三条を除く。）及び第百八十二条から第百八十四条までの規定は前項に規定する担保権の実行及び行使について、第百四十六条第二項、第百五十二条及び第百五十三条の規定は前項に規定する一般の先取特権の実行及び行使について準用する。

③ 前項において準用する第百四十五条第二項の規定にかかわらず、債権者が民法第七百六十六条の三（同法第七百四十九条、第七百七十一条及び第七百八十八条において準用する場合を含む。）の規定による子の監護に関する義務に係る金銭債権を請求する場合には、執行裁判所は、一般の先取特権（同法第三百六条第三号に係るものに限る。）の実行としての差押命令を発するに際し、必要があると認めるときは、債務者を審尋することができる。

＊令和六法三三（令和八・五・二三までに施行）により第三項追加

⊛❶【債権を目的とする担保権の例↓民三六二―三六六【その他の財産権を目的とする担保権の例↓会社一四六―一五四、特許九五―九八【一般の先取特権↓五一⊛【担保権者の物上代位権の例↓民三〇四、三五〇、三七二【申立書の記載事項↓民執規一七九① ❷【一般の先取特権の実行の特異性↓一九二【債権その他の財産権に対する強制執行に関する規則の準

用↓民執規一七九②

第一九四条（**担保権の実行についての強制執行の総則規定の準用**） 第三十八条、第四十一条及び第四十二条の規定は、担保権の実行としての競売、担保不動産収益執行並びに前条第一項に規定する担保権の実行及び行使について準用する。

⊛＋【担保権の実行としての競売↓一八一―一九五【担保不動産収益執行↓一八一―一八三・一八八

第一九五条（**留置権による競売及び民法、商法その他の法律の規定による換価のための競売**） 留置権による競売及び民法、商法その他の法律の規定による換価のための競売については、担保権の実行としての競売の例による。

⊛＋【留置権↓民二九五―三〇二、商三一・五二一・五五七・五六二・五七四・七四一、会社二〇【民法等の規定による換価のための競売の例↓民二五八③・四九七・九三二・九四七③・九五〇・九五七、商五二四・五二七・五八二②・七〇〇・七四二、会社二三四・五三八、ETC【担保権の実行↓一八一―一九五

第四章 債務者の財産状況の調査

第一節 財産開示手続

第一九六条（**管轄**） この節の規定による債務者の財産の開示に関する手続（以下「財産開示手続」という。）については、債務者の普通裁判籍の所在地を管轄する地方裁判所が、執行裁判所として管轄する。

⊛＋【普通裁判籍↓民訴四【地方裁判所↓裁二三―三一

第一九七条（**実施決定**）① 執行裁判所は、次の各号のいずれかに該当するときは、執行力のある債務名義の正本を有する金銭債権の債権者の申立てにより、債務者について、財産開示手続を実施する旨の決定をしなければならない。ただし、当該執行力のある債務名義の正本に基づく強制執行を開始することができないときは、この限りでない。

一 強制執行又は担保権の実行における配当等の手続（申立ての日より六月以上前に終了したものを除く。）において、申立人が当該金銭債権の完全な弁済を得ることができなかつたとき。

二 知れている財産に対する強制執行を実施しても、申立人が当該金銭債権の完全な弁済を得られないことの疎明があつたとき。

② 執行裁判所は、次の各号のいずれかに該当するときは、債務者の財産について一般の先取特権を有することを証する文書を提出した債権者の申立てにより、当該債務者について、財産開示手続を実施する旨の決定をしなければならない。

一 強制執行又は担保権の実行における配当等の手続（申立ての日より六月以上前に終了したものを除く。）において、申立人が当該先取特権の被担保債権の完全な弁済を得ることができなかつたとき。

二 知れている財産に対する担保権の実行を実施しても、申立人が前号の被担保債権の完全な弁済を得られないことの疎明があつたとき。

③ 前二項の規定にかかわらず、債務者（債務者に法定代理人がある場合にあつては当該法定代理人、債務者が法人である場合にあつてはその代表者。第一号において同じ。）が前二項の申立ての日前三年以内に財産開示期日（財産を開示すべき期日をいう。以下同じ。）においてその財産について陳述をしたものであるときは、財産開示手続を実施する旨の決定をすることができない。ただし、次の各号に掲げる事由のいずれかがある場合は、この限りでない。

一 債務者が当該財産開示期日において一部の財産を開示しなかつたとき。

二 債務者が当該財産開示期日の後に新たに財産を取得したとき。

三 当該財産開示期日の後に債務者と使用者との雇用関係が終了したとき。

④ 第一項又は第二項の決定がされたときは、当該決定（同項の決定にあつては、当該決定及び同項の文書の写し）を債務者に送達しなければならない。

⑤ 第一項又は第二項の申立てについての裁判に対しては、執行抗告をすることができる。

⑥ 第一項又は第二項の決定は、確定しなければその効力を生じない。

⊛❶【執行裁判所↓一九六【執行力ある債務名義の正本↓二五【金銭債権↓一五二③【強制執行開始の要件↓二九―三一【一】【強制執行における配当等の手続↓八四―九二、一〇七―一〇九、一三九―一四二、一六五、一六六【担保権実行における配当等の手続↓一八八、一九二、一九三【二】【疎明↓民訴一八八 ❷【一般の先取特権↓五一 ⊛ ❹【送達↓民訴九八―一一二 ❺【執行抗告↓一〇

（期日指定及び期日の呼出し）

第一九八条① 執行裁判所は、前条第一項又は第二項の決定が確定したときは、財産開示期日を指定しなければならない。

② 財産開示期日には、次に掲げる者を呼び出さなければならない。

一 申立人

二 債務者（債務者に法定代理人がある場合にあつては当該法定代理人、債務者が法人である場合にあつてはその代表者）

⊛❶【執行裁判所↓一九六【財産開示手続実施決定の確定↓一九七⑥ ❷【一】【財産開示申立人↓一九七①② 【二】【法定代理人↓民八一八・八二四・八三八・八五九【法人の代表者↓一般法人七七

第一九九条（**財産開示期日**）① 開示義務者（前条第二項第二号に掲げる者をいう。以下同じ。）は、財産開示期日に出頭し、債務者の財産（第百三十一条第一号又は第二号に掲げる動産を除く。）について陳述しなければならない。

② 前項の陳述においては、陳述の対象となる財産について、第二章第二節の規定による強制執行又は前章の規定による担保権の実行の申立てをするのに必要となる事項その他申立人に開示する必要があるものとして最高裁判所規則で定める事項を明示しなければならない。

③ 執行裁判所は、財産開示期日において、開示義務者に対し質問を発することができる。

④ 申立人は、財産開示期日に出頭し、債務者の財産の状況を明らかにするため、執行裁判所の許可を得て開示義務者に対し質問を発することができる。

⑤ 執行裁判所は、申立人が出頭しないときであつても、財産開示期日における手続を実施することができる。

⑥ 財産開示期日における手続は、公開しない。

⑦ 民事訴訟法第百九十五条及び第二百六条の規定は前各項の規定による手続について、同法第二百一条第一項及び第二項の規定は開示義務者について準用する。

⊛❶【開示対象財産↓四三・一二二・一四三・一六七【全部開示の原則↓一九七③㈠・二〇〇【不出頭・不陳述・虚偽陳述に対する罰金↓二一三①㈤㈥ ❹【財産開示申立人↓一九七①② ❻【非公開↓非訟三〇 ❼【宣誓拒絶に対する罰金↓二一三①㈤

第一九九条の二（**音声の送受信による通話の方法による財産開示期日**）① 執行裁判所は、相当と認めるときは、最高裁判所規則で定めるところにより、執行裁判所並びに申立人及び開示義務者が音声の送受信により同時に通話をすることができ

る方法によつて、財産開示期日における手続を行うことができる。
② 前項の財産開示期日に出頭しないでその手続に関与した申立人は、その財産開示期日に出頭したものとみなす。

＊令和五法五三（令和八・五・二四までに施行）により第一九九条の二追加

（映像等の送受信による通話の方法による開示義務者の陳述）
第一九九条の三 執行裁判所は、次に掲げる場合であつて、相当と認めるときは、最高裁判所規則で定めるところにより、映像と音声の送受信により相手の状態を相互に認識しながら通話をすることができる方法によつて、開示義務者に第百九十九条第一項の規定による陳述をさせることができる。
一 開示義務者の住所、年齢又は心身の状態その他の事情により、開示義務者が執行裁判所に出頭することが困難であると認める場合
二 事案の性質、開示義務者の年齢又は心身の状態、開示義務者と申立人本人又はその法定代理人との関係その他の事情により、開示義務者が執行裁判所及び申立人が在席する場所において陳述するときは圧迫を受け精神の平穏を著しく害されるおそれがあると認める場合
三 申立人に異議がない場合

＊令和五法五三（令和八・五・二四までに施行）により第一九九条の三追加

（陳述義務の一部の免除）
第二〇〇条① 財産開示期日において債務者の財産の一部を開示した開示義務者は、申立人の同意がある場合又は当該開示によつて第百九十七条第一項の金銭債権若しくは同条第二項各号の被担保債権の完全な弁済に支障がなくなつたことが明らかである場合において、執行裁判所の許可を受けたときは、第百九十九条第一項の規定にかかわらず、その余の財産について陳述することを要しない。

＊令和五法五三（令和八・五・二四までに施行）による改正
第一項中「前条第一項」は「第百九十九条第一項」に改められた。（本文織込み済み）

② 前項の許可の申立てについての裁判に対しては、執行抗告をすることができる。
◎❶【財産開示期日】↓一九九、一九九の二【開示対象財産】↓一九七①㈡②㈢　❷【執行抗告】↓一〇

（財産開示事件の記録の閲覧等の制限）
第二〇一条 財産開示事件の記録中財産開示期日に関する部分についての第十七条の規定による請求は、次に掲げる者に限り、することができる。
一 申立人
二 債務者に対する金銭債権について執行力のある債務名義の正本を有する債権者
三 債務者の財産について一般の先取特権を有することを証する文書を提出した債権者
四 債務者又は開示義務者
◎+【執行事件の記録の閲覧に関する原則】↓一七　【一】【財産開示申立人】↓一九七①②　【二】【執行力ある債務名義を有する金銭債権者】↓一九七①　【三】【一般の先取特権を有する債権者】↓一九七②　【四】【開示義務者】↓一九八②㈡、一九九①

（財産開示事件に関する情報の目的外利用の制限）
第二〇二条① 申立人は、財産開示手続において得られた債務者の財産又は債務に関する情報を、当該債務者に対する債権をその本旨に従つて行使する目的以外の目的のために利用し、又は提供してはならない。
② 前条第二号又は第三号に掲げる者であつて、財産開示事件の記録中の財産開示期日に関する部分の情報を得たものは、当該情報を当該財産開示事件の債務者に対する債権をその本旨に従つて行使する目的以外の目的のために利用し、又は提供してはならない。
◎❶【財産開示申立人】↓一九七①②【財産開示期日の非公開】↓一九九⑥　❷【財産開示期日の記録の閲覧制限】↓二〇一　◎+【本条違反に対する過料】↓二一四①

（強制執行及び担保権の実行の規定の準用）
第二〇三条 第三十九条及び第四十条の規定は執行力のある債務名義の正本に基づく財産開示手続について、第四十二条（第二項を除く。）の規定は財産開示手続について、第百八十二条及び第百八十三条の規定は一般の先取特権に基づく財産開示手続について準用する。
◎+【執行力ある債務名義の正本に基づく財産開示手続】↓一九七①【一般の先取特権に基づく財産開示手続】↓一九七②

第二節　第三者からの情報取得手続

（管轄）
第二〇四条 この節の規定による債務者の財産に係る情報の取得に関する手続（以下「第三者からの情報取得手続」という。）については、債務者の普通裁判籍の所在地を管轄する地方裁判所が、この普通裁判籍がないときはこの節の規定により情報の提供を命じられるべき者の所在地を管轄する地方裁判所が、執行裁判所として管轄する。
◎+【普通裁判籍】↓民訴四【地方裁判所】↓裁二三—三一

（債務者の不動産に係る情報の取得）
第二〇五条① 執行裁判所は、次の各号のいずれかに該当するときは、それぞれ当該各号に定める者の申立てにより、法務省令で定める登記所に対し、債務者が所有権の登記名義人である土地又は建物その他これらに準ずるものとして法務省令で定めるものに対する強制執行又は担保権の実行の申立てをするのに必要となる事項として最高裁判所規則で定めるものについて情報の提供をすべき旨を命じなければならない。ただし、第一号に掲げる場合において、同号に規定する執行力のある債務名義の正本に基づく強制執行を開始することができないときは、この限りでない。
一 第百九十七条第一項各号のいずれかに該当する場合　執行力のある債務名義の正本を有する金銭債権の債権者
二 第百九十七条第二項各号のいずれかに該当する場合　債務者の財産について一般の先取特権を有することを証する文書を提出した債権者
② 前項の申立ては、財産開示期日における手続が実施された場合（当該財産開示期日に係る財産開示手続において第二百条第一項の許可がされたときを除く。）において、当該財産開示期日から三年以内に限り、することができる。
③ 第一項の申立てを認容する決定がされたときは、当該決定（同項第二号に掲げる場合にあつては、当該決定及び同号に規定する文書の写し）を債務者に送達しなければならない。
④ 第一項の申立てについての裁判に対しては、執行抗告をすることができる。
⑤ 第一項の申立てを認容する決定は、確定しなければその効力を生じない。

注　第一項の「法務省令で定める登記所」を定める省令
民事執行法第二百五条第一項に規定する法務省令で定める登記所を定める省令（令和三・三・三〇法務一五）
民事執行法（昭和五十四年法律第四号）第二百五条第一項に規定する法務省令で定める登記所は、東京法務局とする。

◎❶【申立書の記載事項・添付書類】↓民執規一八七【執行裁判所

↓二〇四【登記所↓登記所指定省令【不動産に対する強制執行の申立書の記載事項・添付書面↓民執規二一・二三【不動産担保権の実行の申立書の記載事項・添付書面↓民執規一七〇・一七三①【第三者が提供すべき情報↓民執規一八九【執行力ある債務名義の正本↓二五〔三〕【一般の先取特権↓五一 ⓢ❷【財産開示期日↓一九九・一九九の二 ❸【送達↓民訴九八―一一三 ❹【執行抗告↓一〇

第二〇六条（**債務者の給与債権に係る情報の取得**）① 執行裁判所は、第百九十七条第一項各号のいずれかに該当するときは、第百五十一条の二第一項各号に掲げる義務に係る請求権又は人の生命若しくは身体の侵害による損害賠償請求権について執行力のある債務名義の正本を有する債権者の申立てにより、次の各号に掲げる者であつて最高裁判所規則で定めるところにより当該債権者が選択したものに対し、それぞれ当該各号に定める事項について情報の提供をすべき旨を命じなければならない。ただし、当該執行力のある債務名義の正本に基づく強制執行を開始することができないときは、この限りでない。

一 市町村　債務者が支払を受ける地方税法（昭和二十五年法律第二百二十六号）第三百十七条の二第一項ただし書に規定する給与に係る債権に対する強制執行又は担保権の実行の申立てをするのに必要となる事項として最高裁判所規則で定めるもの（当該市町村が債務者の市町村民税（特別区民税を含む。）に係る事務に関して知り得たものに限る。）

二 日本年金機構、国家公務員共済組合、国家公務員共済組合連合会、地方公務員共済組合、全国市町村職員共済組合連合会又は日本私立学校振興・共済事業団　債務者（厚生年金保険の被保険者であるものに限る。以下この号において同じ。）が支払を受ける厚生年金保険法（昭和二十九年法律第百十五号）第三条第一項第三号に規定する報酬又は同項第四号に規定する賞与に係る債権に対する強制執行又は担保権の実行の申立てをするのに必要となる事項として最高裁判所規則で定めるもの（情報の提供を命じられた者が債務者の厚生年金保険に係る事務に関して知り得たものに限る。）

② 執行裁判所は、第百九十七条第二項各号のいずれかに該当するときは、債務者の財産について一般の先取特権（民法第三百六条第三号に係るものに限る。）を有することを証する文書を提出した債権者の申立てにより、前項各号に掲げる者であつて最高裁判所規則で定めるところにより当該債権者が選択したものに対し、それぞれ当該各号に定める事項について情報の提供をすべき旨を命じなければならない。

③ 前条第二項から第五項までの規定は、前二項の申立て及び当該申立てについての裁判について準用する。

*令和六法三三（令和八・五・二三までに施行）による改正前

第二〇六条（**債務者の給与債権に係る情報の取得**）①（柱書略）

一 市町村（特別区を含む。以下この号において同じ。）　（略）

二 （略）

新②（改正により追加）

② 前条第二項から第五項までの規定は、前項の申立て及び当該申立てについての裁判について準用する。（改正後の③）

ⓢ❶【執行裁判所↓二〇四【人の生命・身体の侵害による損害賠償請求権↓民一六七【執行力ある債務名義の正本↓二五【申立書の記載事項・添付書類↓民執規一八七【債権に対する強制執行の申立書の記載事項・添付書面↓民執規二一・一三三【給与に係る債権の差押え↓一五一の二・一五二①〔二〕②【第三者が提供すべき情報↓民執規一九〇 ❸【一般の先取特権↓五一 ⓢ【執行抗告↓一〇

第二〇七条（**債務者の預貯金債権等に係る情報の取得**）① 執行裁判所は、第百九十七条第一項各号のいずれかに該当するときは、執行力のある債務名義の正本を有する金銭債権の債権者の申立てにより、次の各号に掲げる者であつて最高裁判所規則で定めるところにより当該債権者が選択したものに対し、それぞれ当該各号に定める事項について情報の提供をすべき旨を命じなければならない。ただし、当該執行力のある債務名義の正本に基づく強制執行を開始することができないときは、この限りでない。

一 銀行等（銀行、信用金庫、信用金庫連合会、労働金庫、労働金庫連合会、信用協同組合、信用協同組合連合会、農業協同組合、農業協同組合連合会、漁業協同組合、漁業協同組合連合会、水産加工業協同組合、水産加工業協同組合連合会、農林中央金庫、株式会社商工組合中央金庫又は独立行政法人郵便貯金簡易生命保険管理・郵便局ネットワーク支援機構をいう。以下この号において同じ。）　債務者の当該銀行等に対する預貯金債権（民法第四百六十六条の五第一項に規定する預貯金債権をいう。）に対する強制執行又は担保権の実行の申立てをするのに必要となる事項として最高裁判所規則で定めるもの

二 振替機関等（社債、株式等の振替に関する法律第二条第五項に規定する振替機関等をいう。以下この号において同じ。）　債務者の有する振替社債等（同法第二百七十九条に規定する振替社債等であつて、当該振替機関等の備える振替口座簿における債務者の口座に記載され、又は記録されたものに限る。）に関する強制執行又は担保権の実行の申立てをするのに必要となる事項として最高裁判所規則で定めるもの

② 執行裁判所は、第百九十七条第二項各号のいずれかに該当するときは、債務者の財産について一般の先取特権を有することを証する文書を提出した債権者の申立てにより、前項各号に掲げる者であつて最高裁判所規則で定めるところにより当該債権者が選択したものに対し、それぞれ当該各号に定める事項について情報の提供をすべき旨を命じなければならない。

③ 前二項の申立てを却下する裁判に対しては、執行抗告をすることができる。

ⓢ❶【執行裁判所↓二〇四【執行力ある債務名義の正本↓二五【申立書の記載事項・添付書類↓民執規一八七【債権に対する強制執行の申立書の記載事項・添付書面↓民執規二一・一三三【債権を目的とする担保権の実行の申立書の記載事項・添付書面↓民執規一七〇・一七九【第三者が提供すべき情報↓民執規一九一 ❷【一般の先取特権↓五一 ⓢ ❸【執行抗告↓一〇

第二〇八条（**情報の提供の方法等**）① 第二百五条第一項、第二百六条第一項若しくは第二項又は前条第一項若しくは第二項の申立てを認容する決定により命じられた情報の提供は、執行裁判所に対し、書面でしなければならない。

*令和六法三三（令和八・五・二三までに施行）**による改正**
第一項中「第二百六条第一項」の下に「若しくは第二項」が

加えられた。（本文織込み済み）

② 前項の情報の提供がされたときは、執行裁判所は、最高裁判所規則で定めるところにより、申立人に同項の書面の写しを送付し、かつ、債務者に対し、同項に規定する決定に基づいてその財産に関する情報の提供がされた旨を通知しなければならない。

（第三者からの情報取得手続に係る事件の記録の閲覧等の制限）

第二〇九条① 第二百五条又は第二百七条の規定による第三者からの情報取得手続に係る事件の記録中前条第一項の情報の提供に関する部分についての第十七条の規定による請求は、次に掲げる者に限り、することができる。

一 申立人

二 債務者に対する金銭債権について執行力のある債務名義の正本を有する債権者

三 債務者の財産について一般の先取特権を有することを証する文書を提出した債権者

四 債務者

五 当該情報の提供をした者

② 第二百六条の規定による第三者からの情報取得手続に係る事件の記録中前条第一項の情報の提供に関する部分についての第十七条の規定による請求は、次に掲げる者に限り、することができる。

一 申立人

二 債務者に対する第百五十一条の二第一項各号に掲げる義務に係る請求権又は人の生命若しくは身体の侵害による損害賠償請求権について執行力のある債務名義の正本を有する債権者

三 債務者の財産について一般の先取特権（民法第三百六条第三号に係るものに限る。）を有することを証する文書を提出した債権者

四 債務者

五 当該情報の提供をした者

＊令和六法三三（令和八・五・二三までに施行）による改正前

② （柱書略）

一・二 （略）

新三 （改正により追加）

三・四 （略、改正後の四・五）

⊕【執行事件の記録の閲覧に関する原則↓一七 ❶[二]【執行力ある債務名義の正本↓二五 [三]【一般の先取特権↓五一 ❷[二]【人の生命・身体の侵害による損害賠償請求権↓民一六七】

（第三者からの情報取得手続に係る事件に関する情報の目的外利用の制限）

第二一〇条① 申立人は、第三者からの情報取得手続において得られた債務者の財産に関する情報を、当該債務者に対する債権をその本旨に従って行使する目的以外の目的のために利用し、又は提供してはならない。

② 前条第一項第二号若しくは第三号又は第二項第二号若しくは第三号に掲げる者であって、第三者からの情報取得手続に係る事件の記録中の第二百八条第一項の情報の提供に関する部分の情報を得たものは、当該情報を当該事件の債務者に対する債権をその本旨に従って行使する目的以外の目的のために利用し、又は提供してはならない。

＊令和六法三三（令和八・五・二三までに施行）による改正

第二項中「第二項第二号」の下に「若しくは第三号」が加えられた。（本文織込み済み）

⊕【本条違反に対する過料↓二一四②】

（強制執行及び担保権の実行の規定の準用）

第二一一条 第三十九条及び第四十条の規定は執行力のある債務名義の正本に基づく第三者からの情報取得手続について、第四十二条（第二項を除く。）の規定は第三者からの情報取得手続について、第百八十二条及び第百八十三条の規定は一般の先取特権に基づく第三者からの情報取得手続について、それぞれ準用する。

⊕【執行力ある債務名義の正本↓二五【第三者からの情報取得手続↓二〇四―二一一【一般の先取特権↓五一】

第五章 罰則

（公示書等損壊罪）

第二一二条 次の各号のいずれかに該当する者は、一年以下の拘禁刑又は百万円以下の罰金に処する。

一 第五十五条第一項（第一号に係る部分に限る。）、第六十八条の二第一項若しくは第七十七条第一項（第一号に係る部分に限る。）（これらの規定を第百二十一条（第百八十九条（第百九十五条の規定によりその例によることとされる場合を含む。）において準用する場合を含む。）及び第百八十八条（第百九十五条の規定によりその例によることとされる場合を含む。）において準用する場合を含む。）又は第百八十七条第一項（第百九十五条の規定によりその例によることとされる場合を含む。）の規定による命令に基づき執行官が公示するために施した公示書その他の標識（刑法第九十六条に規定する封印及び差押えの表示を除く。）を損壊した者

二 第百六十八条の二第三項又は第四項の規定により執行官が公示するために施した公示書その他の標識を損壊した者

⊕【公示書その他の標識を掲示する公示保全処分↓五五①・六八の二①・七七①・一八七①】

（陳述等拒絶の罪）

第二一三条① 次の各号のいずれかに該当する者は、六月以下の拘禁刑又は五十万円以下の罰金に処する。

一 売却基準価額の決定に関し、執行裁判所の呼出しを受けた審尋の期日において、正当な理由なく、出頭せず、若しくは陳述を拒み、又は虚偽の陳述をした者

二 第五十七条第二項（第百二十一条（第百八十九条（第百九十五条の規定によりその例によることとされる場合を含む。）において準用する場合を含む。）及び第百八十八条（第百九十五条の規定によりその例によることとされる場合を含む。）において準用する場合を含む。）の規定による執行官の質問又は文書の提出の要求に対し、正当な理由なく、陳述をせず、若しくは文書の提示を拒み、又は虚偽の陳述をし、若しくは虚偽の記載をした文書を提示した者

三 第六十五条の二（第百八十八条（第百九十五条の規定によりその例によることとされる場合を含む。）において準用する場合を含む。）の規定により陳述すべき事項について虚偽の陳述をした者

四 第百六十八条第二項の規定による執行官の質問又は文書の提出の要求に対し、正当な理由なく、陳述をせず、若しくは文書の提示を拒み、又は虚偽の陳述をし、若しくは虚偽の記載をした文書を提示した債務者又は同項に規定する不動産等を占有する第三者

五 執行裁判所の呼出しを受けた財産開示期日において、正当な理由なく、出頭せず、又は宣誓を拒んだ開示義務者

六 第百九十九条第七項において準用する民事訴訟法第二百一条第一項の規定により財産開示期日において宣誓した開示義務者であって、正当な理由なく第百九十九条第一項から第四項までの規定により陳述すべき事項について陳述をせず、又は虚偽の陳述をしたもの

② 不動産（登記することができない土地の定着物を除く。以下この項において同じ。）の占有者であって、その占有の権原を差押債権者、仮差押債権者又は第五十九条第一項（第百八十八条

（第百九十五条の規定によりその例によることとされる場合を含む。）において準用する場合を含む。）の規定により消滅する権利を有する者に対抗することができないものが、正当な理由なく、第六十四条の二第五項（第百八十八条（第百九十五条の規定によりその例によることとされる場合を含む。）において準用する場合を含む。）の規定による不動産の立入りを拒み、又は妨げたときは、三十万円以下の罰金に処する。

§❶【二】【売却基準価額の決定↓六〇【三】【現況調査における質問、文書提示要求↓五七②【四】【占有者特定のための質問、文書提示要求↓一六八② ❷【無権原占有者による内覧妨害↓六四の二⑤

（過料に処すべき場合）

第二一四条① 第二百二条の規定に違反して、同条の情報を同条に規定する目的以外の目的のために利用し、又は提供した者は、三十万円以下の過料に処する。

② 第二百十条第一項の規定又は同条第二項（第百六十七条の十七第五項（第百九十三条第二項において準用する場合を含む。）において準用する場合を含む。）の規定に違反して、これらの規定の情報をこれらの規定に規定する目的以外の目的のために利用し、又は提供した者も、前項と同様とする。

＊令和六法三三（令和八・五・二三までに施行）による改正前

② 第二百十条の規定に違反して、同条の情報を同条に規定する目的以外の目的のために利用し、又は提供した者も、前項と同様とする。

§❶【情報の目的外利用の禁止↓二〇二

（管轄）

第二一五条 前条に規定する過料の事件は、執行裁判所の管轄とする。

§†【執行裁判所↓一九六【専属管轄↓一九

附　則（抄）

（競売法の廃止）

第二条 競売法（明治三十一年法律第十五号）は、廃止する。

（特例執行文付与申立事件に適用する規定）

第五条 民事訴訟法等の一部を改正する法律（令和四年法律第四十八号）の施行の日から民事関係手続等における情報通信技術の活用等の推進を図るための関係法律の整備に関する法律（令和五年法律第五十三号）の施行の日の前日までの間に開始された執行文の付与の申立てに係る事件（申立てに係る債務名義に係る電磁的記録がファイルに記録されたものである場合に限る。以下「特例執行文付与申立事件」という。）については、第十五条の二、第十六条第五項及び第十九条の二から第二十条までの規定は適用せず、次条から附則第十条までに定めるところによる。

＊令和五法五三（令和八・五・二四までに施行）により附則第五条追加

（特例執行文付与申立事件に関する裁判所に対する電子情報処理組織による申立て等）

第六条① 特例執行文付与申立事件における申立てその他の申述（以下「特例執行文付与申立事件に関する申立て等」という。）のうち、当該特例執行文付与申立事件に関する申立て等に関するこの法律その他の法令の規定により書面等をもつてするものとされているものであつて、裁判所に対してするもの（当該裁判所の裁判長、受命裁判官、受託裁判官又は裁判所書記官に対してするものを含む。）については、当該法令の規定にかかわらず、最高裁判所規則で定めるところにより、最高裁判所規則で定める電子情報処理組織を使用して当該書面等に記載すべき事項をファイルに記録する方法により行うことができる。

② 民事訴訟法第百三十二条の十第二項から第六項までの規定は、前項の方法による特例執行文付与申立事件に関する申立て等について準用する。

＊令和五法五三（令和八・五・二四までに施行）により附則第六条追加

（特例執行文付与申立事件に関する裁判所に対する電子情報処理組織による申立て等の特例）

第七条① 次の各号に掲げる者は、それぞれ当該各号に定める事件について、裁判所に対する特例執行文付与申立事件に関する申立て等（当該裁判所の裁判長、受命裁判官、受託裁判官又は裁判所書記官に対するものを含む。次条において同じ。）をするときは、前条第一項の方法により、これを行わなければならない。ただし、口頭ですることができる特例執行文付与申立事件に関する申立て等について、口頭でするときは、この限りでない。

一 代理人のうち委任を受けたもの（民事訴訟法第五十四条第一項ただし書の許可を得て代理人となつたものを除く。） 当該委任を受けた事件

二 国の利害に関係のある訴訟についての法務大臣の権限等に関する法律第二条、第五条第一項、第六条第二項、第六条の二第四項若しくは第五項、第六条の三第四項若しくは第五項又は第七条第三項の規定（これらの規定を同法第九条において準用する場合を含む。）による指定を受けた者 当該指定の対象となつた事件

三 地方自治法第百五十三条第一項の規定による委任を受けた職員 当該委任を受けた事件

② 民事訴訟法第百三十二条の十一第二項の規定は前項各号に掲げる者について、同条第三項の規定は前項本文の特例執行文付与申立事件に関する申立て等について、それぞれ準用する。

＊令和五法五三（令和八・五・二四までに施行）により附則第七条追加

（特例執行文付与申立事件に関する書面等による申立て等）

第八条① 裁判所に対する特例執行文付与申立事件に関する申立て等が書面等により行われたとき（前条第一項の規定に違反して行われたときを除く。）は、裁判所書記官は、当該書面等に記載された事項（次の各号に掲げる場合における当該各号に定める事項を除く。）をファイルに記録しなければならない。ただし、当該事項をファイルに記録することにつき困難な事情があるときは、この限りでない。

一 当該特例執行文付与申立事件に関する申立て等に係る書面等について、当該特例執行文付与申立事件に関する申立て等とともに附則第十条において準用する民事訴訟法第九十二条第一項の申立て（同項第二号に掲げる事由があることを理由とするものに限る。以下この号において同じ。）がされた場合において、当該書面等に記載された営業秘密（不正競争防止法第二条第六項に規定する営業秘密をいう。以下この号及び次条第一項第一号において同じ。）がその手続の追行の目的以外の目的で使用され、又は当該営業秘密が開示されることにより、当該営業秘密に基づく当事者の事業活動に支障を生ずるおそれがあり、これを防止するため裁判所が特に必要があると認めるとき（当該附則第十条において準用する民事訴訟法第九十二条第一項の申立てが却下されたとき又は当該同項の申立てに係る決定を取り消す裁判が確定したときを除く。） 当該書面等に記載された営業秘密

二 書面等により附則第十条において準用する民事訴訟法第百三十三条第二項の規定による届出があつた場合 当該書面等に記載された事項

三 当該特例執行文付与申立事件に関する申立て等に係る書面等について、当該特例執行文付与申立事件に関する申立て等とともに附則第十条において準用する民事訴訟法第百三十三条の二第二項の申立てがされた場合において、裁判所が必要

があると認めるとき（当該同項の申立てが却下されたとき又は当該同項の申立てに係る決定を取り消す裁判が確定したときを除く。）当該書面等に記載された同項に規定する秘匿事項記載部分

② 前項の規定により書面等に記載された事項がファイルに記録された場合における当該書面等による裁判所に対する特例執行文付与申立事件に関する申立て等に係る送達について準用する。民事訴訟法第百三十二条の十二第二項及び第三項の規定は、前項の規定により書面等に記載された事項がファイルに記録された場合における当該書面等による裁判所に対する特例執行文付与申立事件に関する申立て等に係る送達について準用する。

*令和五法五三（令和八・五・二四までに施行）により附則第八条追加

第九条（書面等に記録された事項のファイルへの記録等）① 裁判所書記官は、前条第一項に規定する特例執行文付与申立て等に係る書面等のほか、特例執行文付与申立事件においてこの法律その他の法令の規定に基づき裁判所に提出された書面等又は電磁的記録を記録した記録媒体に記載され、又は記録されている事項（次の各号に掲げる場合における当該各号に定める事項を除く。）をファイルに記録しなければならない。ただし、当該事項をファイルに記録することにつき困難な事情があるときは、この限りでない。

一 当該書面等又は当該記録媒体について、これらの提出とともに次条において準用する民事訴訟法第九十二条第一項の申立て（同項第二号に掲げる事由があることを理由とするものに限る。）がされた場合において、当該書面等若しくは当該記録媒体に記載され、若しくは記録された営業秘密がその手続の追行の目的以外の目的で使用され、又は当該営業秘密が開示されることにより、当該営業秘密に基づく当事者の事業活動に支障を生ずるおそれがあり、これを防止するため裁判所が特に必要があると認めるとき（当該申立てが却下されたとき又は当該申立てに係る決定を取り消す裁判が確定したときを除く。） 当該書面等又は当該記録媒体に記載され、又は記録された営業秘密

二 当該記録媒体を提出する方法により次条において準用する民事訴訟法第百三十三条第二項の規定による届出があった場合 当該記録媒体に記録された事項

三 当該書面等又は当該記録媒体について、これらの提出とともに次条において準用する民事訴訟法第百三十三条の二第二項の申立てがされた場合において、裁判所が必要があると認めるとき（当該申立てが却下されたとき又は当該申立てに係る決定を取り消す裁判が確定したときを除く。） 当該書面等又は当該記録媒体に記載され、又は記録された同項に規定する秘匿事項記載部分

四 次条において準用する民事訴訟法第百三十三条の三第一項の規定による決定があった場合において、裁判所が必要があると認めるとき（当該決定を取り消す裁判が確定したときを除く。） 当該決定に係る書面等及び電磁的記録を記録した記録媒体に記載され、又は記録された事項

② 前項の規定により書面等又は電磁的記録を記録した記録媒体に記載され、又は記録されている事項がファイルに記録された場合における当該書面等又は当該記録媒体に記録された電磁的記録に係る送達について準用する。民事訴訟法第百三十二条の十二第二項及び第三項の規定は、前項の規定により書面等又は電磁的記録を記録した記録媒体に記載され、又は記録されている事項がファイルに記録された場合における当該書面等又は当該記録媒体に記録された電磁的記録に係る送達について準用する。

*令和五法五三（令和八・五・二四までに施行）により附則第九条追加

第一〇条（特例執行文付与申立事件に関する民事訴訟法の準用） 附則第六条から前条までに定めるもののほか、特例執行文付与申立事件については、その性質に反しない限り、民事訴訟法第一編から第四編までの規定を準用する。この場合において、同法第百九条の四第一項中「第百三十二条の十一第一項各号」とあるのは、「民事執行法附則第七条第一項各号」と読み替えるものとする。

*令和五法五三（令和八・五・二四までに施行）により附則第一〇条追加

別表（略）

*令和四法四八（令和八・五・二四までに施行）により別表追加

附　則（令和四・五・二五法四八）（抄）

第一条（施行期日） この法律は、公布の日から起算して四年を超えない範囲内において政令で定める日から施行する。ただし、次の各号に掲げる規定は、当該各号に定める日から施行する。

一 （前略）附則第百二十五条の規定 公布の日

二 （前略）第九条中民事執行法第百五十六条の改正規定、同法第百五十七条第四項の改正規定、同法第百六十一条第一項の改正規定、同法第百六十五条第一号の改正規定、同法第百六十六条第一項第一号の改正規定、同法第百六十七条の十第一項の改正規定及び同法第百六十七条の十四第一項の改正規定（中略） 公布の日から起算して九月を超えない範囲内において政令で定める日（令和五・二・二〇―令和四政三八四）

三 （略）

四 （前略）第八条（民事執行法の一部改正）の規定（中略） 公布の日から起算して二年を超えない範囲内において政令で定める日（令和六・三・一―令和五政三五六）

五 （略）

第一二五条（政令への委任） （前略）この法律の施行に関し必要な経過措置は、政令で定める。

第一二六条（検討） 政府は、この法律の施行後五年を経過した場合において、この法律による改正後の民事訴訟法その他の法律の規定の施行の状況について検討を加え、必要があると認めるときは、その結果に基づいて所要の措置を講ずるものとする。

刑法等の一部を改正する法律の施行に伴う関係法律整理法中経過規定

第四四一条から**第四四三条**まで（刑法の同経過規定参照）

（令和四・六・一七法六八）（抄）

第五〇九条（刑法の同経過規定参照）

刑法等の一部を改正する法律の施行に伴う関係法律整理法

附　則（令和四・六・一七法六八）（抄）

（施行期日）

① この法律は、刑法等一部改正法（刑法等の一部を改正する法律（令和四法六七））施行日（令和七・六・一）から施行する。ただし、次の各号に掲げる規定は、当該各号に定める日から施行する。

一 第五百九条の規定 公布の日

二 （略）

民事関係手続等における情報通信技術の活用等の推進を図るための関係法律の整備に関する法律中経過規定

（令和五・六・一四法五三）（抄）

第二条（執行費用額等の確定手続に関する経過措置） 前条の規定による改正後の民事執行法（以下「改正後民事執行法」という。）第二十条において準用する民事訴訟法（平成八年法律第百九号。以下この節において「準用民事訴訟法」という。）第七十一条第二項及び改正後民事執行法第四十二条第五項（改正後民事執行法第百九十四条（改正後民事執行法第百九十五条においてその例による場合を含む。）、第二百三条及び第二百十一条において準用する場合を含む。）の規定は、この法律の施行の日（以下「施行日」という。）以後に開始される民事執行の事件（以下この節において「改正後民事執行事件」という。）における執行費用の負担の額又は返還すべき金銭の額を定

める申立てについて、適用する。

第三条（期日の呼出しに関する経過措置） 準用民事訴訟法第九十四条の規定は、改正後民事執行事件における期日の呼出しについて適用し、施行日前に開始された民事執行の事件（以下この節において「改正前民事執行事件」という。）における期日の呼出しについては、なお従前の例による。

（送達報告書に関する経過措置）

第四条 準用民事訴訟法第百条第二項の規定は、改正後民事執行事件における送達報告書の提出について、適用する。

（公示送達の方法に関する経過措置）

第五条 準用民事訴訟法第百十一条から第百十三条までの規定は、改正後民事執行事件における公示送達について適用し、改正前民事執行事件における公示送達については、なお従前の例による。

（釈明処分による電磁的記録の提出に関する経過措置）

第六条 準用民事訴訟法第百五十一条第二項の規定は、改正後民事執行事件における釈明処分による電磁的記録の提出について適用し、改正前民事執行事件における釈明処分による電磁的記録の提出については、なお従前の例による。

（口頭弁論調書に関する経過措置）

第七条① 準用民事訴訟法第百六十条の規定は、改正後民事執行事件における口頭弁論調書の作成、記録及び口頭弁論の方式に関する規定の遵守に係る証明について適用し、改正前民事執行事件における口頭弁論調書の作成、記載及び口頭弁論の方式に関する規定の遵守に係る証明については、なお従前の例による。

② 準用民事訴訟法第百六十条の二の規定は、改正後民事執行事件における口頭弁論調書の更正について適用し、改正前民事執行事件における口頭弁論調書の更正については、なお従前の例による。

（尋問に代わる書面の提出等に関する経過措置）

第八条 準用民事訴訟法第二百五条第二項（準用民事訴訟法第二百七十八条第二項において準用する場合を含む。）及び第二百十五条第二項（準用民事訴訟法第二百七十八条第二項において準用する場合を含む。）の規定は、改正後民事執行事件における証人若しくは当事者本人の尋問に代わる書面及び鑑定人の意見の陳述に代わる書面の提出又は鑑定人の書面による意見の陳述に代わる意見の陳述の方式若しくは鑑定の嘱託を受けた者による鑑定書の提出について、適用する。

（電磁的記録に記録された情報の内容に係る証拠調べに関する経過措置）

第九条 準用民事訴訟法第二百三十一条の二第二項及び第二百三十一条の三第二項の規定は、改正後民事執行事件における電磁的記録に記録された情報の内容に係る証拠調べについて適用し、改正前民事執行事件における電磁的記録に記録された情報の内容に係る証拠調べについては、なお従前の例による。

（電子決定書の作成に関する経過措置）

第一〇条 準用民事訴訟法第百二十二条において準用する準用民事訴訟法第二百五十二条及び第二百五十三条の規定は、改正後民事執行事件における電子決定書の作成について適用し、改正前民事執行事件における決定書の作成については、なお従前の例による。

（申立ての取下げが口頭でされた場合における期日の電子調書の記録に関する経過措置）

第一一条 準用民事訴訟法第二百六十一条第四項の規定は、改正後民事執行事件における申立ての取下げが口頭でされた場合における期日の電子調書の記録について適用し、改正前民事執行事件における申立ての取下げが口頭でされた場合における期日の調書の記載については、なお従前の例による。

（施行日の前日までの間の読替え等）

第一二条① 附則第二号に掲げる規定の施行の日（以下「第二号施行日」という。）から施行日の前日までの間における次の表の上欄に掲げる改正後民事執行法の規定の適用については、同表の中欄に掲げる字句は、それぞれ同表の下欄に掲げる字句とする。

第二十五条	書面又は同項第三号の電磁的記録	書面
第二十六条第二項第三号	付記し、又はその旨を当該債務名義に係る同項第三号の電磁的記録に併せて記録する	付記する
第百八十一条第一項	第一号の申立て又は第二号の文書若しくは電磁的記録の提出があつたとき	次に掲げる場合
第百八十一条第一項第一号	がされた不動産についての不動産担保権の実行の申立て	に関する登記事項証明書が提出されたとき。
第百八十一条第一項第二号	いずれかの文書又は電磁的記録	いずれかの文書が提出されたとき。
第百八十一条第一項第二号ロ	謄本、限る。）又は同項第三号の電磁的記録（公正証書に記録されている事項の全部を記録したものに限る。）	謄本又は限る。）
第百八十一条第一項第二号ハ	文書又は電磁的記録	文書
第百八十一条第四項	事項を記録した電磁的記録	文書の目録
	文書又は電磁的記録が	文書が
	又は当該電磁的記録に記載され、又は記録されている事項であつてファイルに記録されているものに係る電磁的記録	の写し
第百八十一条第四項第一号	第一項第一号の申立てがあつた旨の表示又は不動産担保権	不動産担保権
	同項第二号に掲げる文書若しくは電磁的記録の標目	第一項各号に規定する文書
第百八十一条第四項第二号	文書又は電磁的記録の標目	文書
第百八十三条第一項	第一号の申立て又は第二号の文書（同号ハにあつては、文書又は電磁的記録）の提出があつたとき	次に掲げる場合
第百八十三条第一項第一号	がされた不動産についての不動産担保権の実行の手続の停止の申立て	に関する登記事項証明書が提出されたとき。
第百八十三条第一項第二号	（ハにあつては、文書又は電磁的記録）	が提出されたとき。
第百八十三条第一項第二号ハ	謄本（公文書が電磁的記録をもつて作成されている場合にあつては、当該電磁的記録に記録されている事項の全部を記録した電磁的記録）	謄本
第百八十三	の申立て又は	又は

条第二項	掲げる文書若しくは電磁的記録	規定する文書
第百八十九条	正本を提示し、かつ、同項に規定する事由を疎明しなければ	正本
	同項に規定する事由を疎明し、かつ、担保権の登記（仮登記を除く。）がされている場合を除き、第百八十九条	第百八十九条
	第百八十一条第一項（第一号を除く。）、第二項若しくは第三項	第百八十一条第一項から第三項まで
	文書を提示し、又はこれらの規定により提出すべき電磁的記録を提出しなければ	文書
第百九十三条第一項	文書又は電磁的記録が提出されたとき	文書
	担保権の登記等（仮登記又は仮登録を除く。）がされている場合においてその担保権の実行の申立てがあったとき又は第百八十一条第一項第二号イ若しくはロ、第二項若しくは第三項に規定する文書若しくは電磁的記録が提出されたとき）	第百八十一条第一項第一号、第二号イ若しくはロ、第二項又は第三項に規定する文書）が提出されたとき

② 第二号施行日から附則第三号に掲げる規定の施行の日（以下「第三号施行日」という。）の前日までの間は、改正後民事執行法第二十六条第二項（第一号に係る部分に限る。）の規定は適用せず、改正後民事執行法第二十五条、第百八十一条第一項第二号イ並びに第百八十三条第一項第二号イ、ロ及びニからへまでの規定の適用については、改正後民事執行法第二十五条中「に係る電磁的記録がファイルに記録されたものである場合にあつては記録事項証明書、債務名義が電磁的記録」とあるのは「が電磁的記録（電子的方式、磁気的方式その他人の知覚によつては認識することができない方式で作られる記録であつて、電子計算機による情報処理の用に供されるものをいう。以下同じ。）」と、改正後民事執行法第百八十一条第一項第二号イ並びに第百八十三条第一項第二号イ、ロ及びニからへまでの規定中「謄本又は記録事項証明書」とあるのは「謄本」とする。

③ 第三号施行日から施行日の前日までの間における改正後民事執行法第十八条の二、第二十五条及び第百十一条並びに附則第七条第一項及び第八条第一項の規定の適用については、改正後民事執行法第十八条の二中「電子計算機」とあるのは「電子計算機（入出力装置を含む。）」と、同条第五号中「期日又は期日外における手続の方式、内容及び経過等の記録及び公証をするために民事訴訟法第百六十条第一項（他の法令において準用する場合を含む。）その他の法令の規定により裁判所書記官が作成する電磁的記録をいう。第三十九条第一項第四号及び第四号の二並びに第百六十七条の二第一項第四号において同じ。」とあるのは「民事訴訟法第百六十条第一項に規定する電子調書をいう。」と、改正後民事執行法第二十五条中「係る電磁的記録」とあるのは「係る電磁的記録（電子的方式、磁気的方式その他人の知覚によつては認識することができない方式で作られる記録であつて、電子計算機による情報処理の用に供されるものをいう。以下同じ。）」と、改正後民事執行法第百十一条中「から第八十六条まで」とあるのは「、第八十六条」と、改正後民事執行法附則第七条第一項第二号中「国の利害に関係のある訴訟についての法務大臣の権限等に関する法律」とあるのは「国の利害に関係のある訴訟についての法務大臣の権限等に関する法律（昭和二十二年法律第百九十四号）」と、同項第三号中「地方自治法」とあるのは「地方自治法（昭和二十二年法律第六十七号）」と、改正後民事執行法附則第八条第一項第一号中「不正競争防止法」とあるのは「不正競争防止法（平成五年法律第四十七号）」とする。

第一三条（事件に関する事項の証明に関する経過措置） 改正後民事執行法第十七条の三の規定は、改正後民事執行事件に関する事項の証明について適用し、改正前民事執行事件に関する事項の証明については、なお従前の例による。

第一四条（電子情報処理組織による申立て等に関する経過措置） 改正後民事執行法第十九条の二から第十九条の六までの規定は、改正後民事執行事件における改正後民事執行法第十九条の二第一項及び第十九条の六に規定する申立て等について適用し、改正前民事執行事件における第一条の規定による改正前の民事執行法（以下「改正前民事執行法」という。）第十九条の二第一項に規定する申立て等については、同条の規定は、施行日以後も、なおその効力を有する。

第一五条（家庭裁判所における執行関係訴訟手続に関する経過措置） ① 施行日前に提起された改正前民事執行法第二十四条又は第三十三条から第三十五条までの訴えに係る事件であって家庭裁判所の管轄に属するものに関する手続（以下この条において「改正前の家庭裁判所における執行関係訴訟手続」という。）については、改正前民事執行法第二十一条の二第一項及び第二項（別表第二を含む。）の規定は、施行日以後も、なおその効力を有する。

② 改正前の家庭裁判所における執行関係訴訟手続における期日の呼出し及び公示送達については、なお従前の例による。

③ 改正前の家庭裁判所における執行関係訴訟手続における改正前民事執行法第二十一条の二第三項において準用する改正前民事執行法第十九条の二第一項に規定する申立て等については、同条の規定は、施行日以後も、なおその効力を有する。

第一六条（電子物件明細書について裁判所書記官が講ずる措置に関する経過措置） 改正後民事執行法第六十二条（改正後民事執行法第百二十一条（改正後民事執行法第百八十九条（改正後民事執行法第百九十五条においてその例による場合を含む。以下この節において同じ。）において準用する場合を含む。以下この節において同じ。）及び第百八十八条（改正後民事執行法第百九十五条においてその例による場合を含む。以下この節において同じ。）において準用する場合を含む。）の規定は、改正後民事執行事件における電子物件明細書について裁判所書記官が講ずる措置について適用し、改正前民事執行事件における物件明細書について裁判所書記官が講ずる措置については、なお従前の例による。

第一七条（売却の方法に関する経過措置） 改正後民事執行法第六十四条第四項（改正後民事執行法第百二十一条及び第百八十八条において準用する場合を含む。）の規定は、改正後民事執行事件における改正後民事執行法第七十条第一項の規定により意見を陳述すべき期間及び売却の許可又は不許可の決定をする日の指定について適用し、改正前民事執行事件における売却決定期日の指定については、なお従前の例による。

第一八条（売却決定に関する経過措置） 改正後民事執行法第六十九条（改正後民事執行法第百二十一条及び第百八十八条並びに第六十七条の規定による改正後の企業担保法（昭和三十三年法律第百六号。以下「改正後企業担保法」という。）第五十条において準用する場合を含む。）の規定は、改正後民事執行事件における売却決定について適用し、改正前民事執行事件における売却決定期日については、なお従前の例による。

第一九条（売却の許可又は不許可に関する意見の陳述に関する経過措置） 改正後民事執行法第七十条（改正後民事執行法第百二

十一条及び第百八十八条並びに改正後企業担保法第五十条において準用する場合を含む。）の規定は、改正後民事執行事件における売却の許可又は不許可に関する意見の陳述について適用し、改正前民事執行事件における売却の許可又は不許可に関する意見の陳述については、なお従前の例による。

（売却不許可事由に関する経過措置）

第二〇条　改正後民事執行法第七十一条第七号（改正後民事執行法第百二十一条及び第百八十八条並びに改正後企業担保法第五十条において準用する場合を含む。）の規定は、改正後民事執行事件における売却不許可決定について適用し、改正前民事執行事件における売却不許可決定については、なお従前の例による。

（売却の実施の終了後に執行停止の裁判等の提出があった場合に関する経過措置）

第二一条　改正後民事執行法第七十二条第一項及び第二項（これらの規定を改正後民事執行法第百二十一条及び第百八十八条並びに改正後企業担保法第五十条において準用する場合を含む。）の規定は、改正後民事執行事件における売却の実施の終了後に強制執行の一時の停止を命ずる旨を記載した裁判の正本又は記録事項証明書の提出があった場合について適用し、改正前民事執行事件における売却の実施の終了後に強制執行の一時の停止を命ずる旨を記載した裁判の正本又は記録事項証明書の提出があった場合については、なお従前の例による。

（売却の許可又は不許可の決定に対する執行抗告に関する経過措置）

第二二条　改正後民事執行法第七十四条第四項（改正後民事執行法第百二十一条及び第百八十八条並びに改正後企業担保法第五十条において準用する場合を含む。）の規定は、改正後民事執行事件における売却の許可又は不許可の決定に対する執行抗告について適用する。

（代金の納付に関する経過措置）

第二三条　改正後民事執行法第七十八条（改正後民事執行法第百二十一条及び第百八十八条並びに改正後企業担保法第五十条において準用する場合を含む。）の規定は、改正後民事執行事件における代金の納付について適用し、改正前民事執行事件における代金の納付については、なお従前の例による。

（売却代金の配当又は弁済金の交付の実施に関する経過措置）

第二四条　改正後民事執行法第八十四条第一項から第三項まで（改正後民事執行法第百十一条（改正後民事執行法第百八十八条において準用する場合を含む。以下この節において同じ。）、第百二十一条、第百四十二条第二項（改正後民事執行法第百九十二条（改正後民事執行法第百九十五条においてその例による場合を含む。）において準用する場合を含む。以下この節において同じ。）、第百六十六条第二項（改正後民事執行法第百六十七条第一項においてその例による場合及び改正後民事執行法第百九十三条第二項（改正後民事執行法第百九十五条においてその例による場合を含む。以下この節において同じ。）において準用する場合を含む。以下この節において同じ。）及び第百八十八条並びに改正後企業担保法第五十五条において準用する場合を含む。）の規定は、改正後民事執行事件における売却代金の配当又は弁済金の交付の実施について適用し、改正前民事執行事件における売却代金の配当又は弁済金の交付の実施については、なお従前の例による。

（電子配当表の作成に関する経過措置）

第二五条　改正後民事執行法第八十五条（改正後民事執行法第百十一条、第百二十一条、第百四十二条第二項、第百六十六条第二項及び第百八十八条並びに改正後企業担保法第五十五条において準用する場合を含む。）の規定は、改正後民事執行事件における電子配当表の作成について適用し、改正前民事執行事件における配当表の作成については、なお従前の例による。

（異議申出期間の指定等に関する経過措置）

第二六条　改正後民事執行法第八十五条の二及び第八十五条の三（これらの規定を改正後民事執行法第百十一条、第百二十一条、第百四十二条第二項、第百六十六条第二項及び第百八十八条並びに改正後企業担保法第五十五条において準用する場合を含む。）の規定は、改正後民事執行事件における異議申出期間の指定及び配当期日について適用する。

（配当異議の申出に関する経過措置）

第二七条　改正後民事執行法第八十九条（改正後民事執行法第百十一条、第百二十一条、第百四十二条第二項、第百六十六条第二項及び第百八十八条並びに改正後企業担保法第五十五条において準用する場合を含む。）の規定は、改正後民事執行事件における配当異議の申出について適用し、改正前民事執行事件における配当異議の申出については、なお従前の例による。

（配当異議の訴えの判決等に関する経過措置）

第二八条　改正後民事執行法第九十条第四項及び第六項（これらの規定を改正後民事執行法第百十一条、第百二十一条、第百四十二条第二項、第百六十六条第二項及び第百八十八条並びに改正後企業担保法第五十五条において準用する場合を含む。）の規定は、改正後民事執行事件に係る配当異議の訴えの判決及び配当異議の申出について適用し、改正前民事執行事件に係る配当異議の訴えの判決及び配当異議の申出については、なお従前の例による。

（電子配当表の変更に関する経過措置）

第二九条　改正後民事執行法第九十二条第二項（改正後民事執行法第百十一条、第百二十一条、第百四十二条第二項、第百六十六条第二項及び第百八十八条並びに改正後企業担保法第五十五条において準用する場合を含む。）の規定は、改正後民事執行事件における電子配当表の変更について適用し、改正前民事執行事件における配当表の変更については、なお従前の例による。

（第三債務者への送達に関する経過措置）

第三〇条　改正後民事執行法第百五十四条第二項及び第百五十六条第二項（これらの規定を改正後民事執行法第百九十三条第二項において準用する場合を含む。）の規定は、改正後民事執行事件における配当要求があった旨を記録した電磁的記録の第三債務者への送達について適用し、改正前民事執行事件における配当要求があった旨を記載した文書の第三債務者への送達については、なお従前の例による。

（移転の登記又は登録の嘱託に関する経過措置）

第三一条　改正後民事執行法第百六十四条第二項及び第三項（これらの規定を改正後民事執行法第百九十三条第二項において準用する場合を含む。）の規定は、改正後民事執行事件における移転の登記又は登録の嘱託について適用し、改正前民事執行事件における移転の登記又は登録の嘱託については、なお従前の例による。

（電子交付計算書のファイルへの記録に関する経過措置）

第三二条　改正後民事執行法第百六十七条の十一第三項の規定は、改正後民事執行事件における電子交付計算書のファイルへの記録について適用し、改正前民事執行事件における交付計算書の作成については、なお従前の例による。

（罰則に関する経過措置）

第三八七条　この法律（附則第二号及び第三号に掲げる規定については、当該各規定）の施行前にした行為並びにこの法律の規定によりなお従前の例によることとされる場合及びなおその効力を有することとされる場合におけるこの法律の施行後にした行為に対する罰則の適用については、なお従前の例による。

（政令への委任）

第三八八条　この法律に定めるもののほか、この法律の施行に関し必要な経過措置は、政令で定める。

（検討）

第三八九条　政府は、この法律の施行後五年を経過した場合において、この法律による改正後の民事執行法その他の法律の規定の施行の状況について検討を加え、必要があると認めるときは、その結果に基づいて所要の措置を講ずるものとする。

民事関係手続等における情報通信技術の活用等の推進を図るための関係法律の整備に関する法律

附　則（令和五・六・一四法五三）

この法律は、公布の日から起算して五年を超えない範囲内において政令で定める日から施行する。ただし、次の各号に掲げる規定は、当該各号に定める日から施行する。

一　第三十二章（民事訴訟法等の一部を改正する法律（令和四法四八）の一部改正）の規定及び第三百八十八条の規定　公布の日

二　第一条中民事執行法第二十二条第五号の改正規定、同法第二十五条の改正規定、同法第二十六条の改正規定、同法第二十九条の改正規定（「の謄本」の下に「又は電磁的記録に記録されている事項の全部を記録した電磁的記録」を加える部分を除く。）、同法第九十一条第一項第三号の改正規定、同法第百四十一条第一項第三号の改正規定、同法第百八十一条第一項の改正規定、同条第四項の改正規定、同法第百八十三条の改正規定、同法第百八十九条の改正規定及び同法第百九十三条第一項の改正規定、第十二条（中略）並びに第三百八十七条の規定　公布の日から起算して二年六月を超えない範囲内において政令で定める日

三　第一条中民事執行法第十八条の次に一条を加える改正規定、同法第二十七条の改正規定、同法第二十九条の改正規定（「の謄本」の下に「又は電磁的記録に記録されている事項の全部を記録した電磁的記録」を加える部分に限る。）、同法第三十三条第一項の改正規定、同法中第八十六条を第八十六条の二とし、第八十五条の次に三条を加える改正規定（同法第八十五条の二及び第八十五条の三を加える部分を除く。）、同法第九十二条に五項を加える改正規定、同法第百十一条の改正規定（「第八十五条並びに」を「第八十五条から第八十六条まで及び」に改める部分に限る。）、同法第百四十二条第二項の改正規定、同法第百六十六条第二項の改正規定、同法第百六十七条の十一第七項の改正規定（「第九十二条第一項」の下に「及び第三項から第七項まで」を加える部分に限る。）、同法第百九十九条の次に二条を加える改正規定、同法第二百条第一項の改正規定及び同法附則に六条を加える改正規定（中略）　民事訴訟法等の一部を改正する法律の施行の日

附　則（令和六・五・二四法三三）（抄）

（施行期日）

第一条　この法律は、公布の日から起算して二年を超えない範囲内において政令で定める日から施行する。ただし、附則第十六条から第十八条まで及び第十九条第一項の規定は、公布の日から施行する。

（民事執行法の一部改正に伴う経過措置）

第七条　第二条の規定による改正後の民事執行法第百六十七条の十七（同法第百九十三条第二項において準用する場合を含む。）の規定は、施行日以後に申し立てられる民事執行の事件について適用し、施行日前に申し立てられた民事執行の事件については、なお従前の例による。

（政令への委任）

第十六条　この附則に定めるもののほか、この法律の施行に関し必要な経過措置は、政令で定める。

第十七条から第十九条まで（民法の同改正附則参照）

民事執行法（令和五法五三による改正後の条文）

注　民事関係手続等における情報通信技術の活用等の推進を図るための関係法律の整備に関する法律（令和五法五三）による本法の改正規定のうち一部の規定は、令和一〇・六・一三までに施行される。改正後の規定を次に掲げる。ただし、改正のない条文は除いた。

第一五条の二　（改正により削る）

第一六条（送達の特例）①　民事執行の手続について、執行裁判所に対し申立て、申出若しくは届出をし、又は執行裁判所から文書若しくは電磁的記録（電子的方式、磁気的方式その他人の知覚によつては認識することができない方式で作られる記録であつて、電子計算機による情報処理の用に供されるものをいう。以下同じ。）の送達を受けた者は、書類の送達を受けるべき場所（日本国内に限る。）を執行裁判所に届け出なければならない。この場合においては、送達受取人をも届け出ることができる。

②　（略）

③　第一項前段の規定による届出をしない者（前項において準用する民事訴訟法第百四条第三項に規定する者を除く。）に対する書類の送達は、事件の記録に表れたその者の住所、居所、営業所又は事務所においてする。

④　前項の規定による送達をすべき場合において、第二十条において準用する民事訴訟法第百六条の規定により送達をすることができないとき（第二十条において準用する同法第百九条の二の規定により送達をすることができるときを除く。）は、裁判所書記官は、同項の住所、居所、営業所又は事務所に宛てて、書類を書留郵便又は民間事業者による信書の送達に関する法律（平成十四年法律第九十九号）第二条第六項に規定する一般信書便事業者若しくは同条第九項に規定する特定信書便事業者の提供する同条第二項に規定する信書便の役務のうち書留郵便に準ずるものとして最高裁判所規則で定めるものに付して発送することができる。この場合においては、民事訴訟法第百七条第二項及び第三項の規定を準用する。

⑤　（改正により削る）

第一七条（非電磁的事件記録の閲覧等）①　執行裁判所の行う民事執行について、利害関係を有する者は、裁判所書記官に対し、非電磁的事件記録（事件の記録中次条第一項に規定する電磁的事件記録を除いた部分をいう。）の閲覧若しくは謄写又はその正本、謄本若しくは抄本の交付を請求することができる。（改正前の本条）

②　民事訴訟法第九十一条第四項及び第五項の規定は、前項の規定による請求について準用する　（改正により追加）

第一七条の二（電磁的事件記録の閲覧等）①　執行裁判所の行う民事執行について、利害関係を有する者は、裁判所書記官に対し、最高裁判所規則で定めるところにより、電磁的事件記録（事件の記録中この法律その他の法令の規定により裁判所の使用に係る電子計算機（入出力装置を含む。以下同じ。）に備えられたファイルに記録された事項に係る部分をいう。以下この条において同じ。）の内容を最高裁判所規則で定める方法により表示したものの閲覧を請求することができる。

②　執行裁判所の行う民事執行について、利害関係を有する者は、裁判所書記官に対し、電磁的事件記録に記録されている事項について、最高裁判所規則で定めるところにより、最高裁判所規則で定める電子情報処理組織（裁判所の使用に係る電子計算機と手続の相手方の使用に係る電子計算機とを電気通信回線で接続した電子情報処理組織をいう。以下同じ。）を使用してその者の使用に係る電子計算機に備えられたファイルに記録する方法その他の最高裁判所規則で定める方法による複写を請求することができる。

③　執行裁判所の行う民事執行について、利害関係を有する者は、裁判所書記官に対し、最高裁判所規則で定めるところにより、電磁的事件記録に記録されている事項の全部若しくは一部を記載した書面であつて裁判所書記官が最高裁判所規則で定める方法により当該書面の内容が電磁的事件記録に記録されている事項と同一であることを証明したものを交付し、又は当該事項の全部若しくは一部を記録した電磁的記録であつて裁判所書記官が最高裁判所規則で定める方法により当該電磁的記録の内容が電磁的事件記録に記録されている事項と同一であることを証明したものを最高裁判所規則で定める電子情報処理組織を使用してその者の使用に係る電子計算機に備えられたファイルに記録する方法その他の最高裁判所規則で定める方法により提供することを請求することができる。

④　民事訴訟法第九十一条第五項の規定は、第一項及び第二項の規定による請求について準用する。

（改正により追加）

第一七条の三（事件に関する事項の証明）　執行裁判所の行う民事執行について、利害関係を有する者は、裁判所書記官に対し、最高裁判所規則で定めるところにより、事件に関する事項を記載した書面であつて裁判所書記官が最高裁判所規則で定める方法により当該事項を証明したものを交付し、又は当該事項を記録した電磁的記録であつて裁判所書記官が最高裁判所規則で定める方法により当該事項を証明したものを最高裁判所規則で定める電子情報処理組織を使用してその者の使用に係る電子計算機に備えられたファイルに記録する方法その他の最高裁判所規則で定める方法により提供することを請求することができる。（改正により追加）

第一九条の二（裁判所に対する電子情報処理組織による申立て等）①　民事執行の手続における申立てその他の申述（以下この条から第十九条の六までにおいて「申立て等」という。）のうち、当該申立て等に関するこの法律その他の法令の規定により書面等（書面、書類、文書、謄本、抄本、正本、副本、複本その他文字、図形等人の知覚によつて認識することができる情報が記載された紙その他の有体物をいう。以下同じ。）をもつてするものとされているものであつて、裁判所に対してするもの（当該裁判所の裁判長、受命裁判官、受託裁判官又は裁判所書記官に対してするものを含む。）については、当該法令の規定にかかわらず、最高裁判所規則で定めるところにより、最高裁判所規則で定める電子情報処理組織を使用して当該書面等に記載すべき事項をファイルに記録する方法により行うことができる。

②　民事訴訟法第百三十二条の十第二項から第六項までの規定は、前項の方法による申立て等について準用する。この場合において、同条第五項及び第六項中「送達」とあるのは、「送達又は送付」と読み替えるものとする。

③―⑥　（改正により削る）

第一九条の三（裁判所に対する電子情報処理組織による申立て等の特例）①　次の各号に掲げる者は、それぞれ当該各号に定める事件について、裁判所に対する申立て等（当該裁判所の裁判長、受命裁判官、受託裁判官又は裁判所書記官に対するものを含む。次条において同じ。）をするときは、前条第一項の方法により、これを行わなければならない。ただし、口頭ですることができる申立て等について、口頭でするときは、この限りでない。

一　代理人のうち委任を受けたもの（第十三条第一項又は民事訴訟法第五十四条第一項ただし書の許可を得て代理人となつたものを除く。）　当該委任を受けた事件

二　国の利害に関係のある訴訟についての法務大臣の権限等に関する法律（昭和二十二年法律第百九十四号）第二条、第五条第一項、第六条第二項、第六条の二第四項若しくは第五項、第六条の三第四項若しくは第五項又は第七条第三項の規定（これらの規定を同法第九条において準用する場合を含

む。）による指定を受けた者　当該指定の対象となつた事件

三　地方自治法（昭和二十二年法律第六十七号）第百五十三条第一項の規定による委任を受けた職員　当該委任を受けた事件

② 民事訴訟法第百三十二条の十一第二項の規定は前項各号に掲げる者について、同条第三項の規定は前項本文の申立て等について、それぞれ準用する。

第一九条の四（書面等による申立て等）① 民事執行の手続において、裁判所に対する申立て等が書面等により行われたとき（前条第一項の規定に違反して行われたときを除く。）は、裁判所書記官は、当該書面等に記載された事項（次の各号に掲げる場合における当該各号に定める事項を除く。）をファイルに記録しなければならない。ただし、当該事項をファイルに記録することにつき困難な事情があるときは、この限りでない。

一　当該申立て等に係る書面等について、当該申立て等とともに第二十条において準用する民事訴訟法第九十二条第一項の申立て（同項第二号に掲げる事由があることを理由とするものに限る。以下この号において同じ。）がされた場合において、当該書面等に記載された営業秘密（不正競争防止法（平成五年法律第四十七号）第二条第六項に規定する営業秘密をいう。以下この号及び次条第一項第一号において同じ。）がその手続の追行の目的以外の目的で使用され、又は当該営業秘密が開示されることにより、当該営業秘密に基づく当事者の事業活動に支障を生ずるおそれがあり、これを防止するため裁判所が特に必要があると認めるとき（当該第二十条において準用する民事訴訟法第九十二条第一項の申立てが却下されたとき又は当該同項の申立てに係る決定を取り消す裁判が確定したときを除く。）　当該書面等に記載された営業秘密

二　書面等により第二十条において準用する民事訴訟法第百三十三条第二項の規定による届出があつた場合　当該書面等に記載された事項

三　当該申立て等に係る書面等について、当該申立て等とともに第二十条において準用する民事訴訟法第百三十三条の二第二項の申立てがされた場合において、裁判所が必要があると認めるとき（当該同項の申立てが却下されたとき又は当該同項の申立てに係る決定を取り消す裁判が確定したときを除く。）　当該書面等に記載された同項に規定する秘匿事項記載部分

② 民事訴訟法第百三十二条の十二第二項及び第三項の規定は、前項の規定により書面等に記載された事項がファイルに記録された場合における当該書面等による裁判所に対する申立て等に係る送達又は送付について準用する。

第一九条の五（書面等に記録された事項のファイルへの記録等）（改正により追加）

① 裁判所書記官は、前条第一項に規定する申立て等に係る書面等のほか、民事執行の手続においてこの法律その他の法令の規定に基づき裁判所に提出された書面等又は電磁的記録を記録した記録媒体に記載され、又は記録されている事項（次の各号に掲げる場合における当該各号に定める事項を除く。）をファイルに記録しなければならない。ただし、当該事項をファイルに記録することにつき困難な事情があるときは、この限りでない。

一　当該書面等又は当該記録媒体について、これらの提出とともに第二十条において準用する民事訴訟法第九十二条第一項の申立て（同項第二号に掲げる事由があることを理由とするものに限る。）がされた場合において、当該書面等若しくは当該記録媒体に記載され、若しくは記録された営業秘密がその手続の追行の目的以外の目的で使用され、又は当該営業秘密が開示されることにより、当該営業秘密に基づく当事者の事業活動に支障を生ずるおそれがあり、これを防止するため裁判所が特に必要があると認めるとき（当該申立てが却下されたとき又は当該申立てに係る決定を取り消す裁判が確定したときを除く。）　当該書面等又は当該記録媒体に記載され、又は記録された営業秘密

二　当該記録媒体を提出する方法により第二十条において準用する民事訴訟法第百三十三条第二項の規定による届出があつた場合　当該記録媒体に記録された事項

三　当該書面等又は当該記録媒体について、これらの提出とともに第二十条において準用する民事訴訟法第百三十三条の二第二項の申立てがされた場合において、裁判所が必要があると認めるとき（当該申立てが却下されたとき又は当該申立てに係る決定を取り消す裁判が確定したときを除く。）　当該書面等又は当該記録媒体に記載され、又は記録された同項に規定する秘匿事項記載部分

四　第二十条において準用する民事訴訟法第百三十三条の三第一項の規定による決定があつた場合において、裁判所が必要があると認めるとき（当該決定を取り消す裁判が確定したときを除く。）　当該決定に係る書面等及び電磁的記録を記録した記録媒体に記載され、又は記録された事項

② 民事訴訟法第百三十二条の十二第二項及び第三項の規定は、前項の規定により書面等又は電磁的記録を記録した記録媒体に記載され、又は記録されている事項がファイルに記録された場合における当該書面等又は当該記録媒体に記録された電磁的記録に係る送達又は送付について準用する。

第一九条の六（執行官に対する申立て等）（改正により追加）　第十九条の二から第十九条の四までの規定は執行官に対する申立て等について、前条の規定は民事執行の手続においてこの法律その他の法令の規定に基づき執行官に提出された書面等又は電磁的記録を記録した記録媒体について、それぞれ準用する。この場合において、第十九条の二第一項、第十九条の四及び前条中「ファイル」とあるのは「執行官の使用に係る電子計算機（入出力装置を含む。）に備えられたファイル」と、第十九条の三第一項第一号中「第十三条第一項又は民事訴訟法第五十四条第一項ただし書の許可を得て代理人となつたものを除く」とあるのは「弁護士に限る」と読み替えるものとする。（改正により追加）

第二〇条（民事訴訟法の準用）　特別の定めがある場合を除き、民事執行の手続に関しては、その性質に反しない限り、民事訴訟法第一編から第四編までの規定を準用する。この場合において、同法第百九条の四第一項中「第百三十二条の十一第一項各号」とあるのは、「民事執行法第十九条の三第一項各号（同法第十九条の六において読み替えて準用する場合を含む。）」と読み替えるものとする。

第二一条の二　（改正により削る）

第二二条（債務名義）（柱書略）

一―六の二　（略）

六の三　確定した執行等認可決定のある仲裁法（平成十五年法律第百三十八号）第五十条に規定する暫定保全措置命令

六の四―七　（略）

第三〇条（期限の到来又は担保の提供に係る場合の強制執行）① （略）

② 担保を立てることを強制執行の実施の条件とする債務名義による強制執行は、債権者が担保を立てたことを証する文書又は電磁的記録を提出したときに限り、開始することができる。

第三九条（強制執行の停止）① 強制執行は、次に掲げる文書又は電磁的記録の提出があつたときは、停止しなければならない。

一―三　（略）

四　強制執行をしない旨又はその申立てを取り下げる旨を記載した裁判上の和解又は調停の調書の正本又は電子調書の記録事項証明書

四の二　強制執行をしない旨又はその申立てを取り下げる旨を記載した裁判上の和解と同一の効力を有する労働審判の審判

書若しくは電子審判書（労働審判法（平成十六年法律第四十五号）第二十条第三項に規定する電子審判書をいう。）又はこれらの作成に代えて口頭で告知する方法により行われた労働審判の主文及び理由の要旨を記載し、若しくは記録した調書若しくは電子調書の正本又は記録事項証明書

五　強制執行を免れるための担保を立てたことを証する文書又は電磁的記録

六・七（略）

八　債権者が、債務名義の成立後に、弁済を受け、又は弁済の猶予を承諾した旨を記載し、又は記録した文書又は電磁的記録

②　前項第八号に掲げる文書又は電磁的記録のうち弁済を受けた旨を記載し、又は記録した文書又は電磁的記録の提出による強制執行の停止は、四週間に限るものとする。

③　第一項第八号に掲げる文書又は電磁的記録のうち弁済の猶予を承諾した旨を記載し、又は記録した文書又は電磁的記録の提出による強制執行の停止は、二回に限り、かつ、通じて六月を超えることができない。

④　第一項の規定により同項第三号に掲げる文書（記録事項証明書を除く。）を提出すべき場合には、強制執行の停止の申立てをしようとする者は、当該文書の提出に代えて、最高裁判所規則で定めるところにより、同号の事由が生じた事件を特定するために必要な情報として最高裁判所規則で定めるものを提供することができる。この場合において、当該者は、当該文書を提出したものとみなす。（改正により追加）

（執行処分の取消し）

第四〇条①　前条第一項第一号から第六号までに掲げる文書又は電磁的記録が提出されたときは、執行裁判所又は執行官は、既にした執行処分をも取り消さなければならない。

②　（略）

（執行費用の負担）

第四二条①—③　（略）

④　第一項の規定により債務者が負担すべき執行費用（第二項の規定により取り立てられたものを除く。次項及び第七項において同じ。）及び前項の規定により債権者が返還すべき金銭の額は、申立てにより、執行裁判所の裁判所書記官が定める。

⑤　前項の申立ては、次の各号に掲げる額の区分に応じ、それぞれ当該各号に定める日から十年以内にしなければならない。

一　前項に規定する執行費用の額　強制執行の手続の終了の日

二　前項に規定する返還すべき金銭の額　第三項に規定する裁判又は判決が確定した日

（改正により追加）

⑥　第四項の申立てについての裁判所書記官の処分に対しては、その告知を受けた日から一週間の不変期間内に、執行裁判所に異議を申し立てることができる。（改正前の⑤）

⑦　（略、改正前の⑥）

⑧　第六項の規定による異議の申立てについての決定に対しては、執行抗告をすることができる。（改正前の⑦）

⑨　（略、改正前の⑧）

⑩　民事訴訟法第七十四条第一項の規定は、第四項の規定による裁判所書記官の処分について準用する。この場合においては、第六項、第八項及び前項並びに同条第三項の規定を準用する。（改正前の⑨）

（差押えの登記の嘱託等）

第四八条①　（略）

②　登記官は、前項の規定による嘱託に基づいて差押えの登記をしたときは、その旨及び最高裁判所規則で定める事項を執行裁判所に通知しなければならない。

（開始決定及び配当要求の終期の公告等）

第四九条①　強制競売の開始決定に係る差押えの効力が生じた場合（その開始決定前に強制競売又は競売の開始決定がある場合を除く。）においては、裁判所書記官は、電子物件明細書（第六十二条第二項に規定する電子物件明細書をいう。）の作成までの手続に要する期間を考慮して、配当要求の終期を定めなければならない。

②—⑥　（略）

（配当要求）

第五一条①　第二十五条の規定により強制執行を実施することができる債務名義の正本（以下「執行力のある債務名義の正本」という。）を有する債権者、強制競売の開始決定に係る差押えの登記後に登記された仮差押債権者、登記（仮登記を除く。）がされた一般の先取特権を有する債権者及び第百八十一条第一項第二号に掲げる文書又は電磁的記録により一般の先取特権を有することを証明した債権者は、配当要求をすることができる。

②　（略）

（電子物件明細書）

第六二条①　裁判所書記官は、不動産の売却をするには、最高裁判所規則で定めるところにより、あらかじめ次に掲げる事項を記録した電磁的記録を作成し、これをファイルに記録しなければならない。

一—三　（略）

②　裁判所書記官は、電子物件明細書（前項の規定によりファイルに記録された電磁的記録をいう。以下この項及び第七十一条第七号において同じ。）に記録されている事項を出力することにより作成した書面を執行裁判所に備え置いて一般の閲覧に供する措置、当該事項を裁判所に設置した電子計算機の映像面に表示したものの閲覧をすることができる状態に置く措置又は不特定多数の者が当該電子物件明細書の内容の提供を受けることができるものとして最高裁判所規則で定める措置を講じなければならない。

③④　（略）

（売却の方法及び公告）

第六四条①—③　（略）

④　前項の場合において、裁判所書記官は、売却を実施させる旨の処分と同時に、第七十条第一項の規定により意見を陳述すべき期間及び第六十九条第一項の決定をする日を指定しなければならない。

⑤—⑦　（略）

（売却決定）

第六九条①　執行裁判所は、売却の許可又は不許可の決定をしなければならない。（改正前の本条）

②　前項の決定は、最高裁判所規則で定めるところにより、電子決定書（第二十条において準用する民事訴訟法第百二十二条において準用する同法第二百五十二条第一項の規定により作成される電磁的記録をいう。第百九十条第一項第三号において同じ。）を作成してしなければならない。（改正により追加）

（売却の許可又は不許可に関する意見の陳述）

第七〇条①　不動産の売却の許可又は不許可に関し利害関係を有する者は、次条各号に掲げる事由で自己の権利に影響のあるものについて、意見を陳述することができる。（改正前の本条）

②　前項の規定による意見の陳述は、第六十四条第四項の規定により指定された期間内に、書面でしなければならない。（改正により追加）

（売却不許可事由）

第七一条　（柱書略）

一—六　（略）

七　売却基準価額若しくは一括売却の決定、電子物件明細書の作成又はこれらの手続に重大な誤りがあること。

八　（略）

（売却の実施の終了後に執行停止の裁判等の提出があった場合の措置）

第七二条①　売却の実施の終了から売却の許可又は不許可の決定までの間に第三十九条第一項第七号に掲げる文書の提出があった場合には、執行裁判所は、他の事由により売却不許可決定をするときを除き、売却の許可又は不許可の決定をすることができない。この場合においては、最高価買受申出人又は次順位買受申出人は、執行裁判所に対し、買受けの申出を取り消すこと

がてきる。

② 売却の許可又は不許可の決定後に前項に規定する文書の提出があつた場合には、その売却許可決定が取り消され、若しくは効力を失つたとき、又はその売却不許可決定が確定したときに限り、第三十九条の規定を適用する。

③ 売却の実施の終了後に第三十九条第一項第八号に掲げる文書又は電磁的記録の提出があつた場合には、その売却に係る売却許可決定が取り消され、若しくは効力を失つたとき、又はその売却に係る売却不許可決定が確定したときに限り、同条の規定を適用する。

（売却の許可又は不許可の決定に対する執行抗告）

第七四条①—③（略）

④ 売却の許可又は不許可の決定に対する執行抗告についての第十条第二項の規定の適用については、同項中「裁判の告知を受けた日」とあるのは、「売却の許可又は不許可の決定の日」とする。（改正により追加）

⑤⑥（略。改正前の④⑤）

（買受けの申出後の強制競売の申立ての取下げ等）

第七六条①（略）

② 前項の規定は、買受けの申出があつた後に第三十九条第一項第四号から第五号までに掲げる文書又は電磁的記録を提出する場合について準用する。

（代金の納付）

第七八条①—③（略）

④ 買受人は、売却代金から配当又は弁済を受けるべき債権者であるときは、売却許可決定が確定するまでに執行裁判所に申し出て、配当又は弁済を受けるべき額を差し引いて代金を納付することができる。この場合において、代金は、異議申出期間（第八十五条の二第一項に規定する異議申出期間をいう。次項において同じ。）が満了する日までに納付し、又は配当期日（第八十五条の三第一項に規定する配当期日をいう。次項及び第八十五条第一項において同じ。）若しくは弁済金の交付の日に納付しなければならない。

⑤ 前項の場合において、買受人の受けるべき配当の額について異議の申出があつたときは、買受人は、異議申出期間が満了する日又は配当期日から一週間以内に、異議に係る部分に相当する金銭を納付しなければならない。（改正により追加）

⑥—⑧（略。改正前の⑤—⑦）

（売却代金の配当等の実施）

第八四条① 執行裁判所は、代金の納付があつた場合には、次項に規定する場合を除き、電子配当表（次条第三項に規定する電子配当表であつて、同条第五項の規定によりファイルに記録されたものをいう。）に基づいて配当を実施しなければならない。

② 債権者が一人である場合又は債権者が二人以上であつて売却代金で各債権者の債権及び執行費用の全部を弁済することができる場合には、執行裁判所は、最高裁判所規則で定めるところにより、売却代金の電子交付計算書（執行裁判所が、最高裁判所規則で定めるところにより、弁済金及び剰余金を交付するために、売却代金の額、各債権者の債権の元本及び利息その他の附帯の債権の額、執行費用の額並びに弁済金の交付の順位及び額を記録して作成する電磁的記録をいう。次項において同じ。）を作成して、債権者に弁済金を交付し、剰余金を債務者に交付する。

③ 執行裁判所は、前項の規定により電子交付計算書を作成した場合には、最高裁判所規則で定めるところにより、これをファイルに記録しなければならない。（改正により追加）

④ 代金の納付後に第三十九条第一項第一号から第六号までに掲げる文書又は電磁的記録の提出があつた場合において、他に売却代金の配当又は弁済金の交付（以下「配当等」という。）を受けるべき債権者があるときは、執行裁判所は、その債権者のために配当等を実施しなければならない。（改正前の③）

⑤ 代金の納付後に第三十九条第一項第七号又は第八号に掲げる文書又は電磁的記録の提出があつた場合においても、執行裁判所は、配当等を実施しなければならない。（改正前の④）

（電子配当表の作成）

第八五条① 執行裁判所は、第八十七条第一項各号に掲げる各債権者について、その債権の元本及び利息その他の附帯の債権の額、執行費用の額並びに配当の順位及び額を定める。ただし、配当の順位及び額については、全ての債権者間に合意が成立し、執行裁判所に対しその旨の届出があつた場合又は配当期日において全ての債権者間に合意が成立した場合は、この限りでない。

②（略）

③ 第一項の規定により同項本文に規定する事項（同項ただし書に規定する場合には、配当の順位及び額を除く。次条第一項において同じ。）が定められたときは、裁判所書記官は、最高裁判所規則で定めるところにより、電子配当表（裁判所書記官が、最高裁判所規則で定めるところにより、配当を実施するために次項に規定する事項を記録して作成する電磁的記録をいう。以下同じ。）を作成しなければならない。

④ 電子配当表には、売却代金の額及び第一項本文に規定する事項についての執行裁判所の定めの内容（同項ただし書に規定する場合にあつては、配当の順位及び額については、その合意の内容）を記録しなければならない。

⑤ 裁判所書記官は、第三項の規定により電子配当表を作成した場合には、最高裁判所規則で定めるところにより、これをファイルに記録しなければならない。

⑥⑦（改正により削る）

（異議申出期間の指定）

第八五条の二① 執行裁判所は、前条第一項の規定により同項本文に規定する事項を定めたときは、第八十九条第一項の規定による異議の申出をすべき期間（以下「異議申出期間」という。）を指定しなければならない。

② 執行裁判所は、前項の規定による異議申出期間の指定をした場合には、当該指定の裁判及び前条第三項の規定により作成された電子配当表（同条第五項の規定によりファイルに記録されたものに限る。次条第四項を除き、以下同じ。）を前条第一項に規定する債権者及び債務者に送付しなければならない。

（改正により追加）

（配当期日）

第八五条の三① 執行裁判所は、必要があると認めるときは、第八十九条第一項の規定による異議の申出をすべき期日（以下「配当期日」という。）を指定することができる。この場合には、前条第一項の規定にかかわらず、異議申出期間を指定することを要しない。

② 配当期日には、第八十五条第一項に規定する債権者及び債務者を呼び出さなければならない。

③ 第十六条第三項及び第四項の規定は、前項の債権者（同条第一項前段に規定する者を除く。）の呼出しに係る電子呼出状（第二十条において準用する民事訴訟法第九十四条第一項第一号に規定する電子呼出状をいう。）の送達について準用する。

④ 第一項の規定により配当期日が指定された場合には、第八十五条第一項の規定による同項本文に規定する事項の定め、同項ただし書の届出並びに同条第三項及び第四項の規定による電子配当表の作成は、当該配当期日においてしなければならない。

⑤ 執行裁判所は、配当期日において、第八十五条第一項本文に規定する事項を定めるため必要があると認めるときは、出頭した債権者及び債務者を審尋し、かつ、即時に取り調べることができる書証又は電磁的記録に記録された情報の内容の取調べをすることができる。

（改正により追加）

（配当異議の申出）

第八九条① 電子配当表に記録された各債権者の債権又は配当の額について不服のある債権者及び債務者は、異議の申出（以下「配当異議の申出」という。）をすることができる。

②（略）

③ 第一項の規定による配当異議の申出は、第八十五条の二第一項の規定により指定された異議申出期間内に、書面でしなければならない。ただし、第八十五条の三第一項の規定により配当期日が指定された場合には、当該配当期日において書面又は口頭でしなければならない。（改正により追加）

（配当異議の訴え等）

第九〇条①―③（略）

④ 第一項の訴えの判決においては、電子配当表を変更し、又は新たな電子配当表の調製のために、電子配当表を取り消さなければならない。

⑤（略）

⑥ 配当異議の申出をした債権者又は債務者が、異議申出期間の満了の日又は配当期日（知れていない抵当証券の所持人に対する配当異議の申出にあつては、その所持人を知つた日）から一週間以内（買受人が第七十八条第五項の規定により金銭を納付すべき場合にあつては、二週間以内）に、執行裁判所に対し、第一項の訴えを提起したことの証明をしないとき、又は前項の訴えを提起したことの証明及びその訴えに係る執行停止の裁判の正本若しくは記録事項証明書の提出をしないときは、配当異議の申出は、取り下げたものとみなす。

（配当等の額の供託）

第九一条①（柱書略）

一―三（略）

四 その債権に係る先取特権、質権又は抵当権（以下この項において「先取特権等」という。）の実行を一時禁止する裁判の正本又は記録事項証明書が提出されているとき。

五―七（略）

②（略）

（権利確定等に伴う配当等の実施）

第九二条①（略）

② 前項の規定により配当を実施すべき場合において、前条第一項第一号から第五号までに掲げる事由による供託に係る債権者若しくは同項第六号に掲げる事由による供託に係る仮差押債権者若しくは執行を停止された差押債権者に対して配当を実施することができなくなつたとき、又は同項第七号に掲げる事由による供託に係る債権者が債務者の提起した配当異議の訴えにおいて敗訴したときは、執行裁判所は、配当異議の申出をしなかつた債権者のためにも電子配当表を変更しなければならない。

③―⑦（略）

（強制管理の停止）

第一〇四条① 第三十九条第一項第七号又は第八号に掲げる文書又は電磁的記録の提出があつた場合においては、強制管理は、配当等の手続を除き、その時の態様で継続することができる。この場合においては、管理人は、配当等に充てるべき金銭を供託し、その事情を執行裁判所に届け出なければならない。

②（略）

（配当要求）

第一〇五条① 執行力のある債務名義の正本を有する債権者、登記（仮登記を除く。）がされた一般の先取特権を有する債権者及び第百八十一条第一項第二号に掲げる文書又は電磁的記録により一般の先取特権を有することを証明した債権者は、執行裁判所に対し、配当要求をすることができる。

②（略）

（強制競売の規定の準用）

第一一一条 第四十六条第一項、第四十七条第二項、第六項本文及び第七項、第四十八条、第五十三条、第五十四条、第八十四条第四項及び第五項、第八十七条第二項及び第三項並びに第八十八条の規定は強制管理について、第八十四条第一項から第三項まで、第八十五条から第八十六条まで及び第八十九条から第九十二条までの規定は第百九条の規定により執行裁判所が実施する配当等の手続について準用する。この場合において、第八十四条第四項及び第五項中「代金の納付後」とあるのは、「第百七条第一項の期間の経過後」と読み替えるものとする。

（船舶執行の申立て前の船舶国籍証書等の引渡命令）

第一一五条①―③（略）

④ 執行官は、船舶国籍証書等の引渡しを受けた日から五日以内に債権者が船舶執行の申立てをしたことを証する文書又は電磁的記録を提出しないときは、その船舶国籍証書等を債務者に返還しなければならない。

⑤―⑦（略）

（保証の提供による強制競売の手続の取消し）

第一一七条① 差押債権者の債権について、第三十九条第一項第七号又は第八号に掲げる文書又は電磁的記録が提出されている場合において、債務者が差押債権者及び保証の提供の時（配当要求の終期後にあつては、その終期）までに配当要求をした債権者の債権及び執行費用の総額に相当する保証を買受けの申出前に提供したときは、執行裁判所は、申立てにより、配当等の手続を除き、強制競売の手続を取り消さなければならない。

② 前項に規定する文書又は電磁的記録の提出による執行停止がその効力を失つたときは、執行裁判所は、同項の規定により提供された保証について、同項の債権者のために配当等を実施しなければならない。この場合において、執行裁判所は、保証の提供として供託された有価証券を取り戻すことができる。

③―⑤（略）

（不動産に対する強制競売の規定の準用）

第一二一条 前款第二目（第四十五条第一項、第四十六条第二項、第四十八条、第五十四条、第五十五条第一項第二号、第五十六条、第六十四条の二、第六十五条の二、第六十八条の四、第七十一条第五号、第八十一条及び第八十二条を除く。）の規定は船舶執行について、第四十八条、第五十四条及び第八十二条の規定は船舶法（明治三十二年法律第四十六号）第一条に規定する日本船舶に対する強制執行について、それぞれ準用する。この場合において、第五十一条第一項中「第百八十一条第一項第二号に掲げる文書」とあるのは「文書」と、「により一般の先取特権」とあるのは「により先取特権」と読み替えるものとする。

（先取特権者等の配当要求）

第一三三条 先取特権又は質権を有する者は、その権利を証する文書又は電磁的記録を提出して、配当要求をすることができる。

（執行停止中の売却）

第一三七条① 第三十九条第一項第七号又は第八号に掲げる文書又は電磁的記録の提出があつた場合において、差押物について著しい価額の減少を生ずるおそれがあるとき、又はその保管のために不相応な費用を要するときは、執行官は、その差押物を売却することができる。

②（略）

（執行官による配当等の実施）

第一三九条①―③（略）

④ 第八十四条第四項及び第五項並びに第八十八条の規定は、第一項又は第二項の規定により配当等を実施する場合について準用する。

（執行官の供託）

第一四一条①（柱書略）

一―三（略）

四 その債権に係る先取特権又は質権の実行を一時禁止する裁判の正本又は記録事項証明書が提出されているとき。

②（略）

（差押命令）

第一四五条①―⑥（略）

⑦ 執行裁判所は、債務者に対する差押命令の送達をすることができない場合には、差押債権者に対し、相当の期間を定め、その期間内に債務者の住所、居所その他差押命令について書類の送達をすべき場所の申出（第二十条において準用する民事訴訟法第百十条第一項各号に掲げる場合にあつては、公示送達の申立て。次項において同じ。）をすべきことを命ずることができ

る。

⑧（略）

（配当要求）

第一五四条① 執行力のある債務名義の正本を有する債権者及び文書又は電磁的記録により先取特権を有することを証明した債権者は、配当要求をすることができる。

② 前項の配当要求があつたときは、その旨を記録した裁判所書記官により作成された電磁的記録（ファイルに記録されたものに限る。）は、第三債務者に送達しなければならない。

③（略）

（第三債務者の供託）

第一五六条①（略）

② 第三債務者は、次条第一項に規定する訴えの訴状の送達を受ける時までに、差押えに係る金銭債権のうち差し押さえられていない部分を超えて発せられた差押命令、差押処分又は仮差押命令の送達を受けたときはその債権の全額に相当する金銭を、配当要求があつた旨を記録した裁判所書記官により作成された電磁的記録（ファイルに記録されたものに限る。）の送達を受けたときは差し押さえられた部分に相当する金銭を債務の履行地の供託所に供託しなければならない。

③④（略）

（転付命令）

第一五九条①―⑥（略）

⑦ 転付命令が発せられた後に第三十九条第一項第七号又は第八号に掲げる文書又は電磁的記録を提出したことを理由として執行抗告がされたときは、抗告裁判所は、他の理由により転付命令を取り消す場合を除き、執行抗告についての裁判を留保しなければならない。

（譲渡命令等）

第一六一条①―⑥（略）

⑦ 第百五十九条第二項及び第三項並びに前条の規定は譲渡命令について、第百五十九条第七項の規定は譲渡命令に対する執行抗告について、第六十五条及び第六十八条の規定は売却命令に基づく執行官の売却について、第百五十九条第二項の規定は管理命令について、第八十四条第四項及び第五項、第八十八条、第九十四条第二項、第九十五条第一項、第三項及び第四項、第九十八条から第百四条まで並びに第百六条から第百十条までの規定は管理命令に基づく管理について、それぞれ準用する。この場合において、第八十四条第四項及び第五項中「代金の納付後」とあるのは、「第百六十一条第七項において準用する第百七条第一項の期間の経過後」と読み替えるものとする。

（移転登記等の嘱託）

第一六四条①（略）

② 前項の規定による嘱託をする場合（次項に規定する場合を除く。）においては、嘱託書に、転付命令若しくは譲渡命令の記録事項証明書又は売却命令に基づく売却について執行官が作成した電磁的記録であつてファイルに記録されたものの記録事項証明書を添付しなければならない。

③ 第一項の規定による嘱託をする場合において、不動産登記法（平成十六年法律第百二十三号）第十六条第二項（他の法令において準用する場合を含む。）において準用する同法第十八条の規定による嘱託をするときは、その嘱託情報と併せて転付命令若しくは譲渡命令があつたことを証する情報又は売却命令に基づく売却について執行官が作成した電磁的記録であつてファイルに記録されたものの内容を証する情報を提供しなければならない。

④（略）

⑤ 第百五十条の規定により登記等がされた場合において、差し押さえられた債権について支払又は供託があつたことを証する文書又は電磁的記録が提出されたときは、裁判所書記官は、申立てにより、その登記等の抹消を嘱託しなければならない。債権執行の申立てが取り下げられたとき、又は差押命令の取消決定が確定したときも、同様とする。

⑥（略）

（配当要求）

第一六七条の九① 執行力のある債務名義の正本を有する債権者及び文書又は電磁的記録により先取特権を有することを証明した債権者は、裁判所書記官に対し、配当要求をすることができる。

②―④（略）

（配当等のための移行等）

第一六七条の一一①②（略）

③ 第一項に規定する供託がされた場合において、債権者が一人であるとき、又は債権者が二人以上であつて供託金で各債権者の債権及び執行費用の全部を弁済することができるときは、裁判所書記官は、供託金の電子交付計算書（裁判所書記官が、最高裁判所規則で定めるところにより、弁済金及び剰余金を交付するために、供託金の額、各債権者の債権の元本及び利息その他の附帯の債権の額、執行費用の額並びに弁済金の交付の順位及び額を記録して作成する電磁的記録をいう。）をファイルに記録して、債権者に弁済金を交付し、剰余金を債務者に交付する。

④―⑥（略）

⑦ 第八十四条第四項及び第五項、第八十八条、第九十一条（第一項第六号及び第七号を除く。）、第九十二条第一項及び第三項から第七項まで並びに第百六十六条第三項の規定は第三項の規定により裁判所書記官が実施する弁済金の交付の手続について、前条第三項の規定は第一項、第二項、第四項又は第五項の規定による決定について、同条第六項の規定は第一項、第二項、第四項又は第五項の規定による決定が効力を生じた場合について、それぞれ準用する。この場合において、第百六十六条第三項中「差押命令」とあるのは、「差押処分」と読み替えるものとする。

（総則規定の適用関係）

第一六七条の一三 少額訴訟債権執行についての第一章及び第二章第一節の規定の適用については、第十三条第一項中「執行裁判所でする手続」とあるのは「第百六十七条の二第二項に規定する少額訴訟債権執行の手続」と、第十六条第一項中「執行裁判所」とあるのは「裁判所書記官」と、第十七条第一項、第十七条の二第一項から第三項まで及び第十七条の三中「執行裁判所の行う民事執行」とあるのは「第百六十七条の二第二項に規定する少額訴訟債権執行」と、第四十条第一項中「執行裁判所又は執行官」とあるのは「裁判所書記官」と、第四十二条第四項中「執行裁判所の裁判所書記官」とあるのは「裁判所書記官」とする。

（扶養義務等に係る債権に基づく財産開示手続等の申立ての特例）

第一六七条の一七①―③（略）

④ 財産開示事件の記録中前項において準用する第二百八条第一項の情報の提供に関する部分についての第十七条第一項の規定、同条第二項において準用する民事訴訟法第九十一条第四項の規定並びに第十七条の二第一項から第三項まで及び第十七条の三の規定による請求は、次に掲げる者に限り、することができる。

一・二（略）

三 債務者の財産について一般の先取特権（民法第三百六条第三号に係るものに限る。）を有することを証する文書又は電磁的記録を提出した債権者

四・五（略）

⑤⑥（略）

（意思表示の擬制）

第一七七条①（略）

② 債務者の意思表示が反対給付との引換えに係る場合においては、執行文は、債権者が反対給付又はその提供のあつたことを証する文書又は電磁的記録を提出したときに限り、付与することができる。

③債務者の意思表示が債務者の証明すべき事実のないことに係る場合において、執行文の付与の申立てがあつたときは、裁判所書記官は、債務者に対し一定の期間を定めてその事実を証明する文書又は電磁的記録を提出すべき旨を催告し、債務者がその期間内にその文書又は電磁的記録を提出しないときに限り、執行文を付与することができる。

（不動産担保権の実行の開始）

第一八一条①②（略）

③担保権について承継があつた後不動産担保権の実行の申立てをする場合には、相続その他の一般承継にあつてはその承継を証する文書又は電磁的記録を、その他の承継にあつてはその承継を証する裁判の謄本その他の公文書（電磁的記録をもつて作成されている場合における当該電磁的記録を含む。）を提出しなければならない。

④（略）

（担保不動産競売の開始決定前の保全処分等）

第一八七条①②（略）

③第一項の規定による申立てをするには、同項の不動産について担保権の登記（仮登記を除く。）がされている場合を除き、担保不動産競売の申立てをする場合において第百八十一条第一項（第一号を除く。）、第二項若しくは第三項の規定により提出すべき文書を提示し、又はこれらの規定により提出すべき電磁的記録を提出しなければならない。

④執行裁判所は、申立人が第一項の保全処分を命ずる決定の告知を受けた日から三月以内に同項の担保不動産競売の申立てをしたことを証する文書又は電磁的記録を提出しないときは、被申立人又は同項の不動産の所有者の申立てにより、その決定を取り消さなければならない。

⑤（略）

（動産競売の要件）

第一九〇条①（柱書略）

一（略）

二　債権者が執行官に対し当該動産の占有者が差押えを承諾することを証する文書又は電磁的記録を提出した場合

三　債権者が執行官に対し次項の許可の決定書の謄本又は電子決定書（第二十条において準用する民事訴訟法第百二十二条において準用する同法第二百五十三条第二項の規定によりファイルに記録されたものに限る。）の記録事項証明書を提出し、かつ、第百九十二条において準用する第百二十三条第二項の規定による捜索に先立つて又はこれと同時に当該許可の決定が債務者に送達された場合

②執行裁判所は、担保権の存在を証する文書又は電磁的記録を提出した債権者の申立てがあつたときは、当該担保権についての動産競売の開始を許可することができる。ただし、当該動産が第百二十三条第二項に規定する場所又は容器にない場合は、この限りでない。

③④（略）

（債権及びその他の財産権についての担保権の実行の要件等）

第一九三条①（略）

②前章第二節第四款第一目（第百四十六条第二項、第百五十二条及び第百五十三条を除く。）及び第百八十二条から第百八十四条までの規定は前項に規定する担保権の実行及び行使について、第百四十六条第二項、第百五十二条及び第百五十三条の規定は前項に規定する一般の先取特権の実行及び行使について、第百六十七条の十七の規定は債務者の財産について一般の先取特権（民法第三百六条第三号に係るものに限る。）を有することを証する文書又は電磁的記録を提出した債権者が第百九十七条第二項の申立て又は第二百六条第二項の申立てをした場合について、それぞれ準用する。

③（略）

（実施決定）

第一九七条①（略）

②執行裁判所は、次の各号のいずれかに該当するときは、債務者の財産について一般の先取特権を有することを証する文書又は電磁的記録を提出した債権者の申立てにより、当該債務者について、財産開示手続を実施する旨の決定をしなければならない。

一・二（略）

③（略）

④第一項又は第二項の決定がされたときは、当該決定（同項の決定にあつては、当該決定及び同項の文書の写し又は同項の電磁的記録に記録されている事項の全部を記録した電磁的記録）を債務者に送達しなければならない。

⑤⑥（略）

（財産開示事件の記録の閲覧等の制限）

第二〇一条　財産開示事件の記録中財産開示期日に関する部分についての第十七条第一項の規定、同条第二項において準用する民事訴訟法第九十一条第四項の規定並びに第十七条の二第一項から第三項まで及び第十七条の三の規定による請求は、次に掲げる者に限り、することができる。

一・二（略）

三　債務者の財産について一般の先取特権を有することを証する文書又は電磁的記録を提出した債権者

四（略）

（債務者の不動産に係る情報の取得）

第二〇五条①（柱書略）

一（略）

二　第百九十七条第二項各号のいずれかに該当する場合　債務者の財産について一般の先取特権を有することを証する文書又は電磁的記録を提出した債権者

②（略）

③第一項の申立てを認容する決定がされたときは、当該決定（同項第二号に掲げる場合にあつては、当該決定及び同号に規定する文書の写し又は同号に規定する電磁的記録に記録されている事項の全部を記録した電磁的記録）を債務者に送達しなければならない。

④⑤（略）

（債務者の給与債権に係る情報の取得）

第二〇六条①（略）

②執行裁判所は、第百九十七条第二項各号のいずれかに該当するときは、債務者の財産について一般の先取特権（民法第三百六条第三号に係るものに限る。）を有することを証する文書又は電磁的記録を提出した債権者の申立てにより、前項各号に掲げる者であつて最高裁判所規則で定めるところにより当該債権者が選択したものに対し、それぞれ当該各号に定める事項について情報の提供をすべき旨を命じなければならない。

③（略）

（債務者の預貯金債権等に係る情報の取得）

第二〇七条①（略）

②執行裁判所は、第百九十七条第二項各号のいずれかに該当するときは、債務者の財産について一般の先取特権を有することを証する文書又は電磁的記録を提出した債権者の申立てにより、前項各号に掲げる者であつて最高裁判所規則で定めるところにより当該債権者が選択したものに対し、それぞれ当該各号に定める事項について情報の提供をすべき旨を命じなければならない。

③（略）

（第三者からの情報取得手続に係る事件の記録の閲覧等の制限）

第二〇九条①　第二百五条又は第二百七条の規定による第三者からの情報取得手続に係る事件の記録中前条第一項の情報の提供に関する部分についての第十七条第一項の規定、同条第二項において準用する民事訴訟法第九十一条第四項の規定並びに第十七条の二第一項から第三項まで及び第十七条の三の規定による請求は、次に掲げる者に限り、することができる。

一・二（略）

三　債務者の財産について一般の先取特権を有することを証する文書又は電磁的記録を提出した債権者

四・五　（略）

②　第二百六条の規定による第三者からの情報取得手続に係る事件の記録中前条第一項の情報の提供に関する部分についての第十七条第一項の規定、同条第二項において準用する民事訴訟法第九十一条第四項の規定並びに第十七条の二第一項から第三項まで及び第十七条の三の規定による請求は、次に掲げる者に限り、することができる。

一・二　（略）

三　債務者の財産について一般の先取特権（民法第三百六条第三号に係るものに限る。）を有することを証する文書又は電磁的記録を提出した債権者

四・五　（略）

別表　（略）（改正により削る）

○民事執行規則（抄）（昭和五四・一一・八 最高裁規五）

施行　昭和五五・一〇・一（附則参照）
最終改正　令和四最高裁規一七

目次

第一章　総則（抄）

（民事執行の申立ての方式）

第一条　強制執行、担保権の実行及び民法（明治二十九年法律第八十九号）、商法（明治三十二年法律第四十八号）その他の法律の規定による換価のための競売並びに債務者の財産状況の調査（以下「民事執行」という。）の申立ては、書面でしなければならない。

（裁判を告知すべき者の範囲）

第二条①　次に掲げる裁判は、当該裁判が申立てに係る場合にあつてはその裁判の申立人及び相手方に対して、その他の場合にあつては民事執行の申立人及び相手方に対して告知しなければならない。

一　移送の裁判

二　執行抗告をすることができる裁判（申立てを却下する裁判を除く。）

三　民事執行法（昭和五十四年法律第四号。以下「法」という。）第四十条第一項、法第百十七条第一項又は法第百八十三条第二項（これらを準用し、又はその例による場合を含む。）の規定による裁判

四　次に掲げる裁判

イ　法第十一条第二項、法第四十七条第五項、法第四十九条第六項、法第六十二条第四項、法第六十四条第七項、法第七十八条第七項又は法第百六十七条の四第三項（これらを準用し、又はその例による場合を含む。）において準用する法第十条第六項前段の規定による裁判及びこの裁判がされた場合における法第十一条第一項、法第四十七条第四項、法第四十九条第五項、法第六十二条第三項、法第六十四条第六項、法第七十八条第六項又は法第百六十七条の四第二項（これらを準用し、又はその例による場合を含む。）の規定による申立てについての裁判

ロ　法第百三十二条第三項又は法第百五十三条第三項（これらを準用し、又はその例による場合を含む。）の規定による裁判及びこれらの裁判がされた場合における法第百三十二条第一項若しくは第二項、法第百五十三条第一項若しくは第二項又は法第百六十七条の八第一項若しくは第二項（これらを準用し、又はその例による場合を含む。）の申立てを却下する裁判

ハ　法第百六十七条の十五第四項の規定による裁判及びこの裁判がされた場合における同条第三項の申立てを却下する裁判

五　法第百六十七条の十第二項、法第百六十七条の十一第一

項、第二項、第四項若しくは第五項又は法第百六十七条の十二第一項の規定による裁判

② 民事執行の手続に関する裁判で前項各号に掲げるもの以外のものは、当該裁判が申立てに係るときは、申立人に対して告知しなければならない。

（催告及び通知）

第三条① 民事訴訟規則（平成八年最高裁判所規則第五号）第四条の規定は、民事執行の手続における催告及び通知について準用する。この場合において、同条第二項、第五項及び第六項中「裁判所書記官」とあるのは「裁判所書記官又は執行官」と読み替えるものとする。

② 前項の規定にかかわらず、民事訴訟規則第四条第三項の規定は、法第百七十七条第三項の規定による催告については準用せず、同規則第四条第五項の規定は、第五十六条第二項又は第五十九条第三項（これらの規定を準用し、又はその例による場合を含む。）の規定による通知については準用しない。

（公告及び公示）

第四条① 民事執行の手続における公告は、公告事項を記載した書面を裁判所の掲示場その他裁判所内の公衆の見やすい場所に掲示して行う。

② 裁判所書記官又は執行官は、公告をしたときは、その旨及び公告の年月日を記録上明らかにしなければならない。

③ 裁判所書記官又は執行官は、相当と認めるときは、次に掲げる事項を、日刊新聞紙に掲載し、又はインターネットを利用する等の方法により公示することができる。

一 公告事項の要旨

二 法又はこの規則の規定により執行裁判所に備え置かれた文書に記録されている情報の全部又は一部

三 前二号に掲げるもののほか、公示することが民事執行の手続の円滑な進行に資することとなる事項

（執行抗告の提起期間の始期の特例）

第五条 （略）

（執行抗告の理由の記載方法）

第六条① 執行抗告の理由には、原裁判の取消し又は変更を求める事由を具体的に記載しなければならない。

② 前項の事由が、法令の違反であるときはその法令の条項又は内容及び法令に違反する事由を、事実の誤認であるときは誤認に係る事実を摘示しなければならない。

（執行抗告に係る事件記録の送付）

第七条 （略）

（民事執行事件記録の送付の特例）

第七条の二 （略）

（執行異議の申立ての方式）

第八条① 執行異議の申立ては、期日においてする場合を除き、書面でしなければならない。

② 執行異議の申立てをするときは、異議の理由を明らかにしなければならない。

（代理人の許可の申立ての方式）

第九条 （略）

（法第十五条第一項の最高裁判所規則で定める担保提供の方法）

第一〇条 法第十五条第一項の規定による担保は、発令裁判所（同項に規定する発令裁判所をいう。以下この条において同じ。）の許可を得て、担保を立てるべきことを命じられた者が銀行、保険会社、株式会社商工組合中央金庫、農林中央金庫、全国を地区とする信用金庫連合会、信用金庫又は労働金庫（以下「銀行等」という。）との間において次に掲げる要件を満たす支払保証委託契約を締結する方法によつて立てることができる。

一 銀行等は、担保を立てるべきことを命じられた者のために、発令裁判所が定めた金額を限度として、担保に係る損害賠償請求権についての債務名義又はその損害賠償請求権の存在を確認する確定判決若しくはこれと同一の効力を有するものに表示された額の金銭を担保権利者に支払うものであること。

二 担保取消しの決定が確定した時に契約の効力が消滅するものであること。

三 契約の変更又は解除をすることができないものであること。

四 担保権利者の申出があつたときは、銀行等は、契約が締結されたことを証する文書を担保権利者に交付するものであること。

（送達場所等の届出の方式等）

第一〇条の二 民事訴訟規則第四十一条及び第四十二条の規定は、法第十六条第一項の規定による送達を受けるべき場所の届出及び送達受取人の届出について準用する。

（送達できなかつた場合の調査）

第一〇条の三 民事執行の手続において文書を送達することができないときは、裁判所書記官は、差押債権者その他当該文書の送達について利害関係を有する者に対し、送達すべき場所について必要な調査を求めることができる。

（執行官が民事執行を開始する日時の指定）

第一一条① 執行官は、民事執行の申立てがあつたときは、速やかに、民事執行を開始する日時を定め、申立人が通知を要しない旨を申し出た場合を除き、これを申立人に通知しなければならない。

② 前項の規定により定める日は、やむを得ない事由がある場合を除き、申立てがあつた日から一週間以内の日としなければならない。

（民事執行の調書）

第一二条① 執行裁判所における期日については、裁判所書記官は、調書を作成しなければならない。

② 民事訴訟法（平成八年法律第百九号）第百六十条第二項及び第三項並びに民事訴訟規則第六十六条（第一項第三号及び第六号を除く。）から第六十九条までの規定は、前項の調書について準用する。

第一三条① 執行官は、民事執行を実施したときは、次に掲げる事項を記載した調書を作成しなければならない。

一 民事執行に着手した日時及びこれを終了した日時

二 民事執行の場所及び目的物

三 民事執行に立ち会つた者の表示

四 実施した民事執行の内容

五 民事執行に着手した後これを停止したときは、その事由

六 民事執行に際し抵抗を受けたときは、その旨及びこれに対して採つた措置

七 民事執行の目的を達することができなかつたときは、その事由

八 民事執行を続行することとしたときは、その事由

② 執行官は、民事執行に立ち会つた者に、調書に署名押印させなければならない。この場合において、その者が署名押印しなかつたときは、執行官は、その事由を調書に記載しなければならない。

③ 前二項の規定は、配当等（法第八十四条第三項に規定する配当等をいう。以下同じ。）の実施については、適用しない。

④ 第一項及び第二項の規定は、次に掲げる場合について準用する。

一 執行官が法第五十五条第一項、法第六十四条の二第一項、法第六十八条の二第一項、法第七十七条第一項、法第百十四条第一項、法第百十五条第一項、法第百二十七条第一項、法第百七十一条第一項、法第百七十四条第一項第一号若しくは法第百八十七条第一項又は第八十一条、第八十九条第一項若しくは第百七十四条第二項（これらを準用し、又はその例による場合を含む。）の規定による決定を執行した場合

二 執行官が法第百六十八条の二第一項の規定による明渡しの催告を実施した場合

（執行裁判所に対する民事執行の申立ての取下げの通知）

第一四条 （略）

（執行官がした民事執行の手続の取消しの通知）
第一五条（略）
（民事訴訟規則の準用）
第一五条の二　特別の定めがある場合を除き、民事執行の手続に関しては、その性質に反しない限り、民事訴訟規則の規定（同規則第三十条の二及び第三十条の三の規定を除く。）を準用する。

第二章　強制執行（抄）

第一節　総則（抄）

（執行文付与の申立ての方式等）
第一六条①　執行文付与の申立ては、次に掲げる事項を記載した書面でしなければならない。
一　債権者及び債務者の氏名又は名称及び住所（債務者を特定することができない場合にあつては、その旨）並びに代理人の氏名及び住所
二　債務名義の表示
三　法第二十七条第一項から第三項まで又は法第二十八条第一項の規定による執行文の付与を求めるときは、その旨及びその事由
②　確定しなければその効力を生じない裁判に係る債務名義について前項の申立てをするときは、その裁判が確定したことが記録上明らかであるときを除き、申立書にその裁判の確定を証する文書を添付しなければならない。
③　第一項の規定は、少額訴訟における確定判決又は仮執行の宣言を付した少額訴訟の判決若しくは支払督促の正本の交付を更に求める場合について準用する。
（執行文の記載事項）
第一七条①　債務名義に係る請求権の一部について執行文を付与するときは、強制執行をすることができる範囲を執行文に記載しなければならない。
②　法第二十七条第二項の規定により債務名義に表示された当事者以外の者を債権者又は債務者とする執行文を付与する場合において、その者に対し、又はその者のために強制執行をすることができることが裁判所書記官又は公証人に明白であるときは、その旨を執行文に記載しなければならない。
③　法第二十八条第一項の規定により執行文を付与するときは、その旨を執行文に記載しなければならない。
④　執行文には、付与の年月日を記載して裁判所書記官又は公証人が記名押印しなければならない。
（債務名義の原本への記入）
第一八条①　裁判所書記官又は公証人は、執行文を付与したときは、債務名義の原本にその旨、付与の年月日及び執行文の通数を記載し、並びに次の各号に掲げる場合に応じ、それぞれ当該各号に定める事項を記載しなければならない。
一　債務名義に係る請求権の一部について付与したとき　強制執行をすることができる範囲
二　債務名義に表示された当事者以外の者が債権者又は債務者であるとき　その旨及びその者の氏名又は名称
三　法第二十七条第三項の規定により付与したとき　その旨
②　裁判所書記官は、少額訴訟における確定判決又は仮執行の宣言を付した少額訴訟の判決若しくは支払督促の正本を更に交付したときは、当該判決又は当該支払督促の原本にその旨、交付の年月日及び交付した正本の通数を記載しなければならない。
（執行文の再度付与等の通知）
第一九条（略）
（公証人法第五十七条ノ二第一項の最高裁判所規則で定める執行証書の正本等の送達方法）
第二〇条（略）
（強制執行の申立書の記載事項及び添付書類）
第二一条　強制執行の申立書には、次に掲げる事項を記載し、執行力のある債務名義の正本を添付しなければならない。
一　債権者及び債務者の氏名又は名称及び住所並びに代理人の氏名及び住所
二　債務名義の表示
三　第五号に規定する場合を除き、強制執行の目的とする財産の表示及び求める強制執行の方法
四　金銭の支払を命ずる債務名義に係る請求権の一部について強制執行を求めるときは、その旨及びその範囲
五　法第百七十一条第一項各号、法第百七十二条第一項又は法第百七十四条第一項第一号に規定する方法による強制執行を求めるときは、求める裁判
（強制執行開始後の申立債権者の承継）
第二二条①　強制執行の開始後に申立債権者に承継があつた場合において、承継人が自己のために強制執行の続行を求めるときは、法第二十七条第二項に規定する執行文の付された債務名義の正本を提出しなければならない。
②　前項の規定により債務名義の正本が提出されたときは、裁判所書記官又は執行官は、債務者に対し、その旨を通知しなければならない。
（特別代理人についての民事訴訟規則の準用）
第二二条の二（略）
（執行費用等の額を定める手続への民事訴訟規則の準用）
第二二条の三（略）

第二節　金銭の支払を目的とする債権についての強制執行（抄）

第一款　不動産に対する強制執行（抄）

第一目　強制競売（抄）

（申立書の添付書類）
第二三条　不動産に対する強制競売の申立書には、執行力のある債務名義の正本のほか、次に掲げる書類を添付しなければならない。
一　登記がされた不動産については、登記事項証明書及び登記記録の表題部に債務者以外の者が所有者として記録されている場合にあつては、債務者の所有に属することを証する文書
二　登記がされていない土地又は建物については、次に掲げる書類
イ　債務者の所有に属することを証する文書
ロ　当該土地についての不動産登記令（平成十六年政令第三百七十九号）第二条第二号に規定する土地所在図及び同条第三号に規定する地積測量図
ハ　当該建物についての不動産登記令第二条第五号に規定する建物図面及び同条第六号に規定する各階平面図並びに同令別表の三十二の項添付情報欄ハ又はニに掲げる情報を記載した書面
三　土地については、その土地に存する建物及び立木に関する法律（明治四十二年法律第二十二号）第一条に規定する立木（以下「立木」という。）の登記事項証明書
四　建物又は立木については、その存する土地の登記事項証明書
五　不動産に対して課される租税その他の公課の額を証する文書
（手続の進行に資する書類の提出）
第二三条の二　申立債権者は、執行裁判所に対し、次に掲げる書類を提出するものとする。
一　不動産（不動産が土地である場合にはその上にある建物を、不動産が建物である場合にはその敷地を含む。）に係る不動産登記法（平成十六年法律第百二十三号）第十四条第一項の地図又は同条第四項の地図に準ずる図面及び同条第一項の建物所在図の写し（当該地図、地図に準ずる図面又は建物所在図が電磁的記録に記録されているときは、当該記録された情報の内容を証明した書面）
二　債務者の住民票の写しその他その住所を証するに足りる文書

三　不動産の所在地に至るまでの通常の経路及び方法を記載した図面

四　申立債権者が不動産の現況の調査又は評価をした場合において当該調査の結果又は評価を記載した文書を保有するときは、その文書

（開始決定の通知）

第二四条　強制管理の開始決定がされた不動産について強制競売の開始決定がされたときは、裁判所書記官は、強制管理の差押債権者及び管理人に対し、その旨を通知しなければならない。担保不動産収益執行の開始決定がされた不動産について強制競売の開始決定がされたときも、同様とする。

（二重開始決定等の通知）

第二五条①　法第四十七条第一項の規定により開始決定がされたときは、裁判所書記官は、先の開始決定に係る差押債権者に対し、その旨を通知しなければならない。

②　先の開始決定に係る強制競売又は競売の手続が停止されたときは、裁判所書記官は、後の開始決定に係る差押債権者に対し、その旨を通知しなければならない。

③　法第四十七条第六項の裁判がされたときは、裁判所書記官は、債務者に対し、その旨を通知しなければならない。

（配当要求の方式）

第二六条　配当要求は、債権（利息その他の附帯の債権を含む。）の原因及び額を記載した書面でしなければならない。

（配当要求の通知）

第二七条　配当要求があつたときは、裁判所書記官は、差押債権者及び債務者に対し、その旨を通知しなければならない。

（売却のための保全処分等の申立ての方式等）

第二七条の二①　法第五十五条第一項の申立ては、次に掲げる事項を記載した書面でしなければならない。

一　当事者の氏名又は名称及び住所（相手方を特定することができない場合にあつては、その旨）並びに代理人の氏名及び住所

二　申立ての趣旨及び理由

三　強制競売の申立てに係る事件の表示

四　不動産の表示

②　申立ての理由においては、申立てを理由付ける事実を具体的に記載し、かつ、立証を要する事由ごとに証拠を記載しなければならない。

（公示保全処分の執行方法）

第二七条の三①　執行官は、法第五十五条第一項に規定する公示保全処分を執行するときは、滅失又は破損しにくい方法により標識を掲示しなければならない。

②　執行官は、前項の公示保全処分を執行するときは、法第五十五条第一項に規定する公示書その他の標識に、標識の損壊に対する法律上の制裁その他の執行官が必要と認める事項を記載することができる。

（相手方不特定の保全処分等を執行した場合の届出）

第二七条の四（略）

（職務執行区域外における現況調査）

第二八条（略）

（現況調査報告書）

第二九条①　執行官は、不動産の現況調査をしたときは、次に掲げる事項を記載した現況調査報告書を所定の日までに執行裁判所に提出しなければならない。

一　事件の表示

二　不動産の表示

三　調査の日時、場所及び方法

四　調査の目的物が土地であるときは、次に掲げる事項

イ　土地の形状及び現況地目

ロ　占有者の表示及び占有の状況

ハ　占有者が債務者以外の者であるときは、その者の占有の開始時期、権原の有無及び権原の内容の細目についての関係人の陳述又は関係人の提示に係る文書の要旨及び執行官の意見

ニ　土地に建物が存するときは、その建物の種類、構造、床面積の概略及び所有者の表示

五　調査の目的物が建物であるときは、次に掲げる事項

イ　建物の種類、構造及び床面積の概略

ロ　前号ロ及びハに掲げる事項

ハ　敷地の所有者の表示

ニ　敷地の所有者が債務者以外の者であるときは、債務者の敷地に対する占有の権原の有無及び権原の内容の細目についての関係人の陳述又は関係人の提示に係る文書の要旨及び執行官の意見

六　当該不動産について、債務者の占有を解いて執行官に保管させる仮処分が執行されているときは、その旨及び執行官が保管を開始した年月日

七　その他執行裁判所が定めた事項

②　現況調査報告書には、調査の目的物である土地又は建物の見取図及び写真を添付しなければならない。

（評価の方法）

第二九条の二　評価人は、評価をするに際し、不動産の所在する場所の環境、その種類、規模、構造等に応じ、取引事例比較法、収益還元法、原価法その他の評価の方法を適切に用いなければならない。

（評価書）

第三〇条①　評価人は、不動産の評価をしたときは、次に掲げる事項を記載した評価書を所定の日までに執行裁判所に提出しなければならない。

一　事件の表示

二　不動産の表示

三　不動産の評価額及び評価の年月日

四　不動産の所在する場所の環境の概要

五　評価の目的物が土地であるときは、次に掲げる事項

イ　地積

ロ　都市計画法（昭和四十三年法律第百号）、建築基準法（昭和二十五年法律第二百一号）その他の法令に基づく制限の有無及び内容

ハ　規準とした公示価格その他の評価の参考とした事項

六　評価の目的物が建物であるときは、その種類、構造及び床面積並びに残存耐用年数その他の評価の参考とした事項

七　評価額の算出の過程

八　その他執行裁判所が定めた事項

②　評価書には、不動産の形状を示す図面及び不動産の所在する場所の周辺の概況を示す図面を添付しなければならない。

（執行官及び評価人相互の協力）

第三〇条の二（略）

（売却基準価額の変更の方法）

第三〇条の三①　執行裁判所は、裁判所書記官が売却を実施させても適法な買受けの申出がなかつた場合（買受人が代金を納付しなかつた場合を含む。）において、不動産の現況、利用状況、手続の経過その他諸般の事情を考慮して、当該売却基準価額（法第六十条第一項に規定する売却基準価額をいう。以下同じ。）により更に売却を実施させても売却の見込みがないと認めるときは、評価書の記載を参考にして、売却基準価額を変更することができる。この場合においては、執行裁判所は、当該評価書を提出した評価人の意見を聴くことができる。

②　執行裁判所は、前項の聴取をするときは、裁判所書記官に命じて行わせることができる。

（物件明細書の内容と売却基準価額の決定の内容との関係についての措置）

第三〇条の四①　執行裁判所は、売却基準価額を定めるに当たり、物件明細書に記載された事項の内容が当該売却基準価額の決定の基礎となる事項の内容と異なると認めるときは、当該売却基準価額の決定において、各事項の内容が異なる旨及びその異なる事項の内容を明らかにしなければならない。

② 前項の場合には、裁判所書記官は、同項に規定する各事項の内容が異なる旨及びその異なる事項の内容の物件明細書への付記、これらを記載した書面の物件明細書への添付その他これらを物件明細書上明らかにするものとして相当と認める措置を講じなければならない。

（物件明細書の内容の公開等）

第三一条① 法第六十二条第二項の最高裁判所規則で定める措置は、執行裁判所が使用する電子計算機と情報の提供を受ける者が使用する電子計算機とを電気通信回線で接続した電子情報処理組織を使用する措置であつて、当該電気通信回線を通じて情報が送信され、当該情報の提供を受ける者の使用する電子計算機に備えられたファイルに当該情報が記録されるもののうち、次のいずれにも該当するものとする。

一 当該執行裁判所の使用する電子計算機に備えられたファイルに記録された物件明細書の内容に係る情報を電気通信回線を通じて当該情報の提供を受ける者の閲覧に供し、当該情報の提供を受ける者の使用する電子計算機に備えられたファイルに当該情報を記録するもの

二 インターネットに接続された自動公衆送信装置（著作権法（昭和四十五年法律第四十八号）第二条第一項第九号の五イに規定する自動公衆送信装置をいう。）を使用するもの

② 法第六十二条第二項の規定による物件明細書の写しの備置き又は前項の措置は、売却の実施の日の一週間前までに開始しなければならない。

③ 裁判所書記官は、前項の備置き又は措置を実施している期間中、現況調査報告書及び評価書の写しを執行裁判所に備え置いて一般の閲覧に供し、又は当該現況調査報告書及び評価書の内容に係る情報について第一項の措置に準ずる措置を講じなければならない。

④ 法第六十二条第二項及び前項の規定により物件明細書、現況調査報告書及び評価書の内容が公開されたときは、裁判所書記官は、その旨並びに公開の方法及び年月日を記録上明らかにしなければならない。

（剰余を生ずる見込みのない場合等の差押債権者による買受けの申出）

第三一条の二 （略）

（剰余を生ずる見込みがない場合等の保証提供の方法等）

第三二条① 法第六十三条第二項の保証は、次に掲げるものを執行裁判所に提出する方法により提供しなければならない。

一 金銭

二 執行裁判所が相当と認める有価証券

三 銀行等が差押債権者のために一定の額の金銭を執行裁判所の催告により納付する旨の期限の定めのない支払保証委託契約が差押債権者と銀行等との間において締結されたことを証する文書

② 民事訴訟法第八十条本文の規定は、前項の保証について準用する。

（買受けの申出をすることができる者の制限）

第三三条 執行裁判所は、法令の規定によりその取得が制限されている不動産については、買受けの申出をすることができる者を所定の資格を有する者に限ることができる。

（入札の種類）

第三四条 不動産を売却するための入札は、入札期日に入札をさせた後開札を行う期日入札及び入札期間内に入札をさせて開札期日に開札を行う期間入札とする。

（入札期日の指定等）

第三五条① 裁判所書記官は、入札の方法により不動産を売却するときは、入札期日を定めなければならない。

② 裁判所書記官は、法第六十四条第四項の規定により売却決定期日を指定するときは、やむを得ない事由がある場合を除き、入札期日から三週間以内の日を指定しなければならない。

（期日入札の公告等）

第三六条① 裁判所書記官は、入札期日及び売却決定期日（次条において「入札期日等」という。）を定めたときは、入札期日の二週間前までに、法第六十四条第五項に規定する事項のほか、次に掲げる事項を公告しなければならない。

一 事件の表示

二 売却決定期日を開く日時及び場所

三 買受可能価額（法第六十条第三項に規定する買受可能価額をいう。）

四 買受けの申出の保証の額及び提供の方法

五 法第六十一条の規定により不動産を一括して売却することを定めたときは、その旨

六 第三十三条の規定により買受けの申出をすることができる者の資格を制限したときは、その制限の内容

七 不動産に対して課される租税その他の公課の額

八 物件明細書、現況調査報告書及び評価書の内容が入札期日の一週間前までに公開される旨及び公開の方法

② 裁判所書記官は、不動産所在地の市町村に対し、公告事項を記載した書面を当該市町村の掲示場に掲示するよう入札期日の二週間前までに嘱託しなければならない。ただし、公告事項の要旨及び不動産の買受けの申出の参考となるべき事項を公示したときは、この限りでない。

（入札期日等の通知）

第三七条 裁判所書記官は、入札期日等を定めたときは、次に掲げる者に対し、入札期日等を開く日時及び場所を通知しなければならない。

一 差押債権者及び債務者

二 配当要求をしている債権者

三 当該不動産について差押えの登記前に登記がされた権利を有する者

四 知れている抵当証券の所持人及び裏書人

五 その他執行裁判所が相当と認める者

（期日入札における入札）

第三八条① 期日入札における入札は、入札書を執行官に差し出す方法により行う。

② 入札書には、次に掲げる事項を記載しなければならない。

一 入札人の氏名又は名称及び住所

二 代理人によつて入札をするときは、代理人の氏名及び住所

三 事件の表示その他の不動産を特定するために必要な事項

四 入札価額

③ 法人である入札人は、代表者の資格を証する文書を執行官に提出しなければならない。

④ 入札人の代理人は、代理権を証する文書を執行官に提出しなければならない。

⑤ 共同して入札をしようとする者は、あらかじめ、これらの者の関係及び持分を明らかにして執行官の許可を受けなければならない。

⑥ 入札は、変更し、又は取り消すことができない。

⑦ 第三十一条の二の規定は、期日入札における入札について準用する。この場合において、同条中「差押債権者」とあるのは「入札人」と、「執行裁判所」とあるのは「執行官」と、同条第一項中「法第六十三条第二項第一号の申出をするときは、次に掲げる書類」とあるのは「次に掲げる書類」と読み替えるものとする。

（期日入札における買受けの申出の保証の額）

第三九条① 期日入札における買受けの申出の保証の額は、売却基準価額の十分の二とする。

② 執行裁判所は、相当と認めるときは、前項の額を超える保証の額を定めることができる。

（期日入札における買受けの申出の保証の提供方法）

第四〇条① 前条の買受けの申出の保証は、入札書を差し出す際に次に掲げるもの（以下「保証金等」という。）を執行官に提出する方法により提供しなければならない。

一 金銭

二 銀行又は執行裁判所の定める金融機関が自己を支払人とし

て振り出した持参人払式の一般線引小切手で、提示期間の満了までに五日以上の期間のあるもの

三　銀行又は執行裁判所の定める金融機関が執行裁判所の預金口座のある銀行を支払人として振り出した持参人払式の一般線引小切手で、提示期間の満了までに五日以上の期間のあるもの

四　銀行等が買受けの申出をしようとする者のために一定の額の金銭を執行裁判所の催告により納付する旨の期限の定めのない支払保証委託契約が買受けの申出をしようとする者と銀行等との間において締結されたことを証する文書

②　執行裁判所は、相当と認めるときは、金銭を提出する方法により買受けの申出の保証を提供することができない旨を定めることができる。

（入札期日の手続）

第四一条①　執行官は、入札の催告をした後二十分を経過しなければ、入札を締め切つてはならない。

②　執行官は、開札に際しては、入札をした者を立ち会わせなければならない。この場合において、入札をした者が立ち会わないときは、適当と認められる者を立ち会わせなければならない。

③　開札が終わつたときは、執行官は、最高価買受申出人を定め、その氏名又は名称及び入札価額を告げ、かつ、次順位買受けの申出（法第六十七条に規定する次順位買受けの申出をいう。以下同じ。）をすることができる入札人がある場合にあつては、その氏名又は名称及び入札価額を告げて次順位買受けの申出を催告した後、入札期日の終了を宣しなければならない。

（期日入札における最高価買受申出人等の決定）

第四二条①　最高の価額で買受けの申出をした入札人が二人以上あるときは、執行官は、これらの者に更に入札をさせて最高価買受申出人を定める。この場合においては、入札人は、先の入札価額に満たない価額による入札をすることができない。

②　前項の入札人の全員が入札をしないときは、くじで最高価買受申出人を定める。同項の入札において最高の価額で買受けの申出をした入札人が二人以上あるときも、同様とする。

③　次順位買受けの申出をした入札人が二人以上あるときは、くじで次順位買受申出人を定める。

（入札期日を開く場所における秩序維持）

第四三条　（略）

（期日入札調書）

第四四条①　執行官は、期日入札を実施したときは、速やかに、次に掲げる事項を記載した期日入札調書を作成し、執行裁判所に提出しなければならない。

一　不動産の表示

二　入札の催告をした日時及び入札を締め切つた日時

三　最高価買受申出人及び次順位買受申出人の氏名又は名称及び住所並びに代理人の氏名及び住所

四　最高価買受申出人及び次順位買受申出人の入札価額及び買受けの申出の保証の提供方法

五　適法な入札がなかつたときは、その旨

六　第四十一条第二項後段の規定により入札をした者以外の者を開札に立ち会わせたときは、その者の表示

七　第四十二条の規定により最高価買受申出人又は次順位買受申出人を定めたときは、その旨

八　法第六十五条に規定する措置を採つたときは、その理由及び採つた措置

②　執行官は、最高価買受申出人及び次順位買受申出人又はこれらの代表者若しくは代理人に、期日入札調書に署名押印させなければならない。この場合においては、第十三条第二項後段の規定を準用する。

③　期日入札調書には、入札書を添付しなければならない。

（期日入札における買受けの申出の保証の返還等）

第四五条①　最高価買受申出人及び次順位買受申出人以外の入札人から入札期日の終了後直ちに申出があつたときは、執行官は、速やかに、保証金等を返還しなければならない。

②　保証金等の返還に係る受取証は、期日入札調書に添付しなければならない。

③　第一項の規定により入札人に返還した保証金等以外の保証金等については、執行官は、速やかに、これを執行裁判所に提出しなければならない。

（入札期間及び開札期日の指定等）

第四六条①　裁判所書記官は、期間入札の方法により不動産を売却するときは、入札期間及び開札期日を定めなければならない。この場合において、入札期間は、一週間以上一月以内の範囲内で定め、開札期日は、入札期間の満了後一週間以内の日としなければならない。

②　裁判所書記官は、法第六十四条第四項の規定により売却決定期日を指定するときは、やむを得ない事由がある場合を除き、開札期日から三週間以内の日を指定しなければならない。

（期間入札における入札の方法）

第四七条　期間入札における入札は、入札書を入れて封をし、開札期日を記載した封筒を執行官に差し出す方法又はその封筒を他の封筒に入れて郵便若しくは民間事業者による信書の送達に関する法律（平成十四年法律第九十九号）第二条第六項に規定する一般信書便事業者若しくは同条第九項に規定する特定信書便事業者による同条第二項に規定する信書便により執行官に送付する方法により行う。

（期間入札における買受けの申出の保証の提供方法）

第四八条　期間入札における買受けの申出の保証は、執行裁判所の預金口座に一定の額の金銭を振り込んだ旨の金融機関の証明書又は第四十条第一項第四号の文書を、入札書を入れて封をし、開札期日を記載した封筒と共に執行官に提出する方法により提供しなければならない。

（期日入札の規定の準用）

第四九条　（略）

（競り売り）

第五〇条①　不動産を売却するための競り売りは、競り売り期日に買受けの申出の額を競り上げさせる方法により行う。

②　買受けの申出をした者は、より高額の買受けの申出があるまで、申出の額に拘束される。

③　執行官は、買受けの申出の額のうち最高のものを三回呼び上げた後、その申出をした者を最高価買受申出人と定め、その氏名又は名称及び買受けの申出の額を告げなければならない。

④　第三十一条の二、第三十五条から第三十七条まで、第三十八条第三項から第五項まで、第三十九条、第四十条、第四十一条第三項、第四十三条、第四十四条第一項（第二号、第六号及び第七号を除く。）及び第二項並びに第四十五条の規定は、競り売りについて準用する。この場合において、第三十一条の二中「差押債権者」とあり、並びに第三十八条第三項及び第四項中「入札人」とあるのは「買受けの申出をしようとする者」と、第三十一条の二中「執行裁判所」とあるのは「執行官」と、同条第一項中「法第六十三条第二項第一号の申出をするときは、次に掲げる書類」とあるのは「次に掲げる書類」と、第三十八条第五項中「入札」とあるのは「買受けの申出」と、第四十一条第三項中「開札が終わつたときは、執行官は、最高価買受申出人を定め、その氏名又は名称及び入札価額を告げ、かつ」とあるのは「執行官は」と読み替えるものとする。

（入札又は競り売り以外の方法による売却）

第五一条①　裁判所書記官は、入札又は競り売りの方法により売却を実施させても適法な買受けの申出がなかつたとき（買受人が代金を納付しなかつたときを含む。）は、執行官に対し、やむを得ない事由がある場合を除き、三月以内の期間を定め、他の方法により不動産の売却を実施すべき旨を命ずることができる。この場合においては、売却の実施の方法その他の条件を付することができる。

②　裁判所書記官は、前項の規定により売却の実施を命じようとするときは、あらかじめ、差押債権者の意見を聴かなければな

らない。ただし、その者が、強制競売の申立てに際し、当該売却の実施について意見を述べたときは、この限りでない。

③ 前項本文に規定する場合には、執行裁判所は、買受けの申出の保証の額を定めなければならない。

④ 前項の買受けの申出の保証は、買受けの申出の際に金銭又は執行裁判所が相当と認める有価証券を執行官に提出する方法により提供しなければならない。

⑤ 裁判所書記官は、第一項の規定により売却の実施を命じたときは、各債権者及び債務者に対し、その旨を通知しなければならない。

⑥ 執行官は、第一項の規定による裁判所書記官の処分に基づいて不動産の売却を実施した場合において、買受けの申出があつたときは、速やかに、不動産の表示、買受けの申出をした者の氏名又は名称及び住所並びに買受けの申出の額及び年月日を記載した調書を作成し、保証として提出された金銭又は有価証券と共にこれを執行裁判所に提出しなければならない。

⑦ 前項の調書が提出されたときは、執行裁判所は、遅滞なく、売却決定期日を定めなければならない。

⑧ 前項の規定により売却決定期日が定められたときは、裁判所書記官は、第三十七条各号に掲げる者及び買受けの申出をした者に対し、その期日を開く日時及び場所を通知しなければならない。

⑨ 第三十一条の二の規定は執行官が第一項の規定による裁判所書記官の処分に基づいて不動産の売却を実施した場合について、第四十四条第二項の規定は第六項の調書について準用する。この場合において、第三十一条の二中「差押債権者」とあるのは「買受けの申出をしようとする者」と、「執行裁判所」とあるのは「執行官」と、同条第一項中「法第六十三条第二項第一号の申出をするときは、次に掲げる書類」とあるのは「次に掲げる書類」と読み替えるものとする。

（内覧実施命令）

第五一条の二① 法第六十四条の二第一項の申立ては、次に掲げる事項を記載した書面でしなければならない。

一 申立人の氏名又は名称及び住所並びに代理人の氏名及び住所

二 事件の表示

三 不動産の表示

四 不動産の占有者を特定するに足りる事項であつて、申立人に知れているもの（占有者がいないときは、その旨）

② 前項の申立ては、各回の売却の実施につき、売却を実施させる旨の裁判所書記官の処分の時までにしなければならない。

③ 執行裁判所は、不動産の一部について内覧を実施すべきときは、法第六十四条の二第一項の命令において、内覧を実施する部分を特定しなければならない。

④ 裁判所書記官は、法第六十四条の二第一項の命令があつたときは、知れている占有者に対し、当該命令の内容を通知しなければならない。法第六十四条の二第四項の規定により同条第一項の命令を取り消す旨の決定があつたときについても、同様とする。

（執行官による内覧の実施）

第五一条の三① 執行官は、法第六十四条の二第一項の命令があつたときは、遅滞なく、内覧への参加の申出をすべき期間及び内覧を実施する日時を定め、これらの事項及び不動産の表示（前条第三項の場合においては、内覧を実施する部分の表示を含む。）を公告し、かつ、不動産の占有者に対して内覧を実施する日時を通知しなければならない。

② 執行官は、前項の規定により内覧への参加の申出をすべき期間を定めるに当たつては、その終期が物件明細書、現況調査報告書及び評価書の内容が公開されてから相当の期間が経過した後となるよう配慮しなければならない。

③ 内覧への参加の申出は、内覧の対象となる不動産を特定するに足りる事項並びに当該不動産に立ち入る者の氏名、住所及び電話番号（ファクシミリの番号を含む。）を記載した書面により、第一項の期間内に、執行官に対してしなければならない。

④ 法第六十四条の二第三項の最高裁判所規則で定める事由は、次に掲げるものとする。

一 法第七十一条第四号イからハまでに掲げる者のいずれかに該当すること。

二 前項の書面に記載した当該不動産に立ち入る者が法第七十一条第四号イからハまでのいずれかに該当すること。

⑤ 執行官は、内覧を実施する場所における秩序を維持するため必要があると認めるときは、その場所に参集した者に対し、身分に関する証明を求めることができる。

⑥ 法第六十四条の二第一項の申立てをした差押債権者は、執行官から資料又は情報の提供その他の内覧の円滑な実施のために必要な協力を求められたときは、できる限りこれに応じるよう努めなければならない。

（買受けの申出をした差押債権者のための保全処分等の申立ての方式等）

第五一条の四（略）

（買受けの申出がなかつた場合の調査）

第五一条の五（略）

（買受けの申出をしようとする者があることを理由とする売却の実施の申出の方式）

第五一条の六（略）

（最高価買受申出人が暴力団員等に該当しないと認めるべき事情がある場合）

第五一条の七（略）

（売却決定期日を開くことができない場合等の通知）

第五二条（略）

（変更後の売却決定期日の通知）

第五三条（略）

（売却許可決定等の告知の効力の発生時期）

第五四条 売却の許可又は不許可の決定は、言渡しの時に告知の効力を生ずる。

（売却許可決定の公告）

第五五条 売却許可決定が言い渡されたときは、裁判所書記官は、その内容を公告しなければならない。

（最高価買受申出人又は買受人のための保全処分等の申立ての方式等）

第五五条の二（略）

（代金納付期限）

第五六条① 法第七十八条第一項の規定による代金納付の期限は、売却許可決定が確定した日から一月以内の日としなければならない。

② 裁判所書記官は、前項の期限を定めたときは、買受人に対し、これを通知しなければならない。法第七十八条第五項の規定により前項の期限を変更したときも、同様とする。

（保証として提供されたものの換価）

第五七条及び第五八条（略）

（法第八十二条第二項の最高裁判所規則で定める申出の方式等）

第五八条の二（略）

（引渡命令の申立ての方式等）

第五八条の三① 法第八十三条第一項の申立ては、第二十七条の二第一項各号に掲げる事項を記載した書面でしなければならない。

② 第二十七条の二第二項の規定は、前項の書面について準用する。

（配当期日等の指定）

第五九条① 不動産の代金が納付されたときは、執行裁判所は、配当期日又は弁済金の交付の日（以下「配当期日等」という。）を定めなければならない。法第七十八条第四項本文の規定による申出があつた場合において、売却許可決定が確定したときも、同様とする。

② 配当期日等は、特別の事情がある場合を除き、前項前段の場

合にあつては代金が納付された日から、同項後段の場合にあつては売却許可決定が確定した日から一月以内の日としなければならない。

③ 弁済金の交付の日が定められたときは、裁判所書記官は、各債権者及び債務者に対し、その日時及び場所を通知しなければならない。

（計算書の提出の催告）

第六〇条 配当期日等が定められたときは、裁判所書記官は、各債権者に対し、その債権の元本及び配当期日等までの利息その他の附帯の債権の額並びに執行費用の額を記載した計算書を一週間以内に執行裁判所に提出するよう催告しなければならない。

（売却代金の交付等の手続）

第六一条 各債権者及び債務者に対する売却代金の交付又は供託金の支払委託の手続は、裁判所書記官が行う。

（執行力のある債務名義の正本の交付）

第六二条① 差押債権者又は執行力のある債務名義の正本により配当要求をした債権者が債権の全額について配当等を受けたときは、債務者は、裁判所書記官に対し、当該債権者に係る執行力のある債務名義の正本の交付を求めることができる。

② 前項に規定する場合を除き、事件が終了したときは、同項の債権者は、裁判所書記官に対し、執行力のある債務名義の正本の交付を求めることができる。

③ 前項の規定により執行力のある債務名義の正本の交付を求める債権者が債権の一部について配当等を受けた者であるときは、裁判所書記官は、当該債務名義の正本に配当等を受けた額を記載して、これを交付しなければならない。

第二目　強制管理（抄）

（申立書の記載事項）

第六三条① 強制管理の申立書には、第二十一条各号に掲げる事項のほか、給付義務者（法第九十三条第一項に規定する給付義務者をいう。以下この目及び第百七十三条第一項において同じ。）を特定するに足りる事項及び給付請求権（法第九十三条第一項に規定する給付請求権をいう。以下この目及び第百七十条第三項において同じ。）の内容であつて申立人に知れているものを記載しなければならない。

② 申立人は、給付義務者を特定するに足りる事項及び給付請求権の内容についての情報収集を行うよう努めなければならない。

（開始決定の通知）

第六四条 強制管理の開始決定がされたときは、裁判所書記官は、租税その他の公課を所管する官庁又は公署に対し、その旨を通知しなければならない。

（給付義務者に対し陳述を催告すべき事項等）

第六四条の二① 法第九十三条の三前段の最高裁判所規則で定める事項は、次に掲げる事項とする。

一 給付請求権の存否及びこれが存在する場合にはその内容

二 弁済の意思の有無（期限の到来前の給付請求権にあつては、期限の到来後における弁済の意思の有無を含む。）及び弁済する範囲又は弁済しない理由

三 当該給付請求権について差押債権者に優先する権利を有する者があるときは、その者の氏名又は名称及び住所並びにその権利の内容及び優先する範囲

四 当該給付請求権に対する他の債権者の差押え又は仮差押えの執行の有無並びにこれらの執行がされているときは、当該差押命令、差押処分又は仮差押命令の事件の表示、債権者の氏名又は名称及び住所並びに送達の年月日並びにこれらの執行がされた範囲

五 当該給付請求権に対する滞納処分（その例による処分を含む。第百三十五条第一項第五号及び第百四十七条第一項第三号において同じ。）による差押えの有無並びに差押えがされているときは、当該差押えをした徴収職員、徴税吏員その他の滞納処分を執行する権限を有する者（第百三十五条第一項第五号及び第百四十七条第一項第三号において「徴収職員等」という。）の属する庁その他の事務所の名称及び所在、債権差押通知書の送達の年月日並びに差押えがされた範囲

② 法第九十三条の三前段の規定による催告に対する給付義務者の陳述は、書面でしなければならない。この場合において、給付義務者は、当該書面に押印することを要しない。

（管理人の選任の通知等）

第六五条① 管理人が選任されたときは、裁判所書記官は、差押債権者、債務者及び給付義務者に対し、管理人の氏名又は名称を通知しなければならない。

② 裁判所書記官は、管理人に対し、その選任を証する文書を交付しなければならない。

③ 管理人が解任されたときは、裁判所書記官は、差押債権者、債務者及び給付義務者に対し、その旨を通知しなければならない。

（管理人の辞任）

第六六条（略）

（強制管理の申立ての取下げ等の通知）

第六七条（略）

（収取した収益等の報告義務）

第六八条 管理人は、法第百七条第一項の期間の満了後、速やかに、期間内に収取した収益又はその換価代金、法第九十八条第一項の規定に基づく決定により分与した金銭又は収益並びに法第百六条第一項に規定する公課及び費用の明細を執行裁判所に報告しなければならない。

（配当協議の日又は弁済金の交付の日の指定）

第六九条 管理人は、法第百七条第一項の期間の満了後二週間以内の日を配当協議の日又は弁済金の交付の日と定め、各債権者及び債務者に対し、その日時及び場所を通知しなければならない。

（配当計算書）

第七〇条① 管理人は、配当協議の日までに配当計算書を作成しなければならない。

② 配当計算書には、配当に充てるべき金銭の額のほか、各債権者について、その債権の元本及び利息その他の附帯の債権の額、執行費用の額並びに配当の順位及び額を記載しなければならない。

③ 債権者間に配当計算書による配当と異なる配当の協議が調つたときは、管理人は、その協議に従い配当計算書を改めなければならない。

（事情届の方式）

第七一条① 法第百四条第一項又は法第百八条の規定による届出は、次に掲げる事項を記載した書面でしなければならない。

一 事件の表示

二 差押債権者及び債務者の氏名又は名称

三 供託の事由及び供託した金額

② 前項の書面には、供託書正本及び配当計算書が作成されている場合にあつては、配当計算書を添付しなければならない。

第七二条① 法第百七条第五項の規定による届出は、次に掲げる事項を記載した書面でしなければならない。

一 前条第一項第一号及び第二号に掲げる事項

二 配当に充てるべき金銭の額

三 配当協議が調わない旨及びその事情の要旨

② 前項の書面には配当計算書を添付しなければならない。

③ 管理人は、第一項の届出をするときは、配当に充てるべき金銭を執行裁判所に提出しなければならない。

（強制競売の規定の準用）

第七三条（略）

第二款　船舶に対する強制執行（抄）

（申立書の記載事項及び添付書類）

第七四条 船舶執行の申立書には、第二十一条各号に掲げる事項

のほか、船舶の所在する場所並びに船長の氏名及び現在する場所を記載し、執行力のある債務名義の正本のほか、次に掲げる書類を添付しなければならない。
一 登記がされた日本船舶については、登記事項証明書
二 登記がされていない日本船舶については、船舶登記令（平成十七年政令第十一号）第十三条第一項第四号イからホまでに掲げる情報を記載した書面、同令別表一の七の項添付情報欄ロ及びハに掲げる情報を記載した書面及びその船舶が債務者の所有に属することを証する文書
三 日本船舶以外の船舶については、その船舶が法第百十二条に規定する船舶であることを証する文書及びその船舶が債務者の所有に属することを証する文書

（船舶国籍証書等の取上げ等の通知）
第七五条 （略）

（船舶国籍証書等の取上げができない場合の事情届）
第七六条 （略）

（法第百十五条第一項の地の指定）
第七七条 法第百十五条第一項の最高裁判所の指定する地は、室蘭市、仙台市、東京都千代田区、横浜市、新潟市、名古屋市、大阪市、神戸市、広島市、高松市、北九州市及び那覇市とする。

（法第百十七条第五項において準用する法第十五条第一項の最高裁判所規則で定める保証提供の方法）
第七八条① 法第百十七条第一項の保証は、債務者が、執行裁判所の許可を得て、銀行等、船主相互保険組合又は漁船保険組合との間において、これらの者が債務者のために一定の額の金銭を執行裁判所の催告により納付する旨の期限の定めのない支払保証委託契約を締結したことを証する文書を執行裁判所に提出する方法によつて提供することができる。
② 第五十八条の規定は、前項の文書に係る法第百十七条第五項において準用する法第七十八条第三項の規定による換価について準用する。

（現況調査報告書）
第七九条① 執行官は、船舶の現況調査をしたときは、次に掲げる事項を記載した現況調査報告書を所定の日までに執行裁判所に提出しなければならない。
一 第二十九条第一項第一号、第三号及び第七号に掲げる事項
二 船舶の表示
三 船舶の所在する場所
四 占有者の表示及び占有の状況
五 当該船舶について、債務者の占有を解いて執行官に保管させる仮処分が執行されているときは、その旨及び執行官が保管を開始した年月日
② 現況調査報告書には、船舶の写真を添付しなければならない。

（航行許可決定の告知）
第八〇条 （略）

（船舶国籍証書等の再取上命令）
第八一条 （略）

（公告事項の掲示の嘱託）
第八二条 （略）

（不動産執行の規定の準用等）
第八三条 （略）

第三款 航空機に対する強制執行

（第八四条及び第八五条）（略）

第四款 自動車に対する強制執行（抄）

（自動車執行の方法）
第八六条 道路運送車両法（昭和二十六年法律第百八十五号）第十三条第一項に規定する登録自動車（自動車抵当法（昭和二十六年法律第百八十七号）第二条ただし書に規定する大型特殊自動車を除く。以下「自動車」という。）に対する強制執行（以下「自動車執行」という。）は、強制競売の方法により行う。

（執行裁判所）
第八七条① 自動車執行については、その自動車の自動車登録ファイルに登録された使用の本拠の位置（以下「自動車の本拠」という。）を管轄する地方裁判所が、執行裁判所として管轄する。
② 前項の裁判所の管轄は、専属とする。

（申立書の記載事項及び添付書類）
第八八条 自動車執行の申立書には、第二十一条各号に掲げる事項のほか、自動車の本拠を記載し、執行力のある債務名義の正本のほか、自動車登録ファイルに記録されている事項を証明した文書を添付しなければならない。

（開始決定等）
第八九条① 執行裁判所は、強制競売の手続を開始するには、強制競売の開始決定をし、その開始決定において、債権者のために自動車を差し押さえる旨を宣言し、かつ、債務者に対し、自動車を執行官に引き渡すべき旨を命じなければならない。ただし、当該自動車について次条第一項の規定による届出がされているときは、債務者に対する命令は、要しない。
② 強制競売の開始決定の送達又は差押えの登録前に執行官が自動車の引渡しを受けたときは、差押えの効力は、その引渡しを受けた時に生ずる。
③ 第一項の開始決定に対しては、執行抗告をすることができる。
④ 第一項の開始決定による引渡しの執行は、当該開始決定が債務者に送達される前であつても、することができる。

（自動車の引渡しを受けた場合等の届出）
第九〇条① 執行官は、強制競売の開始決定により自動車の引渡しを受けたとき、第九十七条において準用する法第百十五条第一項の規定による決定により引渡しを受けた自動車について強制競売の開始決定がされたとき、又は第九十七条において準用する法第百二十七条第一項の規定による決定を執行したときは、その旨並びに自動車の保管場所及び保管の方法を執行裁判所に届け出なければならない。
② 執行官は、前項の規定による届出をした後に自動車の保管場所又は保管の方法を変更したときは、変更後のこれらの事項を執行裁判所に届け出なければならない。

（自動車の保管の方法）
第九一条① 執行官は、相当と認めるときは、引渡しを受けた自動車を差押債権者、債務者その他適当と認められる者に保管させることができる。この場合においては、公示書のちよう付その他の方法で当該自動車が執行官の占有に係る旨を明らかにし、かつ、次項の規定により自動車の運行を許す場合を除き、これを運行させないための適当な措置を採らなければならない。
② 執行官は、営業上の必要その他の相当の事由があると認めるときは、利害関係を有する者の申立てにより、その所属する地方裁判所の許可を受けて、自動車の運行を許すことができる。

（回送命令）
第九二条 執行裁判所は、必要があると認めるときは、執行官に対し、自動車を一定の場所に回送すべき旨を命ずることができる。

（回送命令の嘱託等）
第九三条① 執行裁判所以外の地方裁判所に所属する執行官が自動車を占有しているときは、執行裁判所は、次条第一項の規定により事件を移送する場合を除き、その地方裁判所に対し、当該自動車を執行裁判所の管轄区域内の一定の場所に回送してその所属の執行官に引き渡すよう命ずることを嘱託しなければならない。
② 第九十条第一項の規定は、前項に規定する回送により執行官が自動車の引渡しを受けた場合について準用する。

（事件の移送）
第九四条 （略）

（執行官に売却を実施させる時期）
第九五条 裁判所書記官は、その管轄区域内において執行官が自動車の占有を取得した後でなければ、その売却を実施させることができない。

（入札又は競り売り以外の方法による売却）
第九六条① 裁判所書記官は、相当と認めるときは、執行官に対し、入札又は競り売り以外の方法により自動車の売却を実施すべき旨を命ずることができる。この場合においては、第五十一条（第一項前段及び第九項（第三十一条の二の規定を準用する部分に限る。）を除く。）の規定を準用する。

② 第九十七条において準用する法第六十四条又は前項の規定にかかわらず、執行裁判所は、相当と認めるときは、買受けの申出をした差押債権者の申立てにより、その者に対する自動車の売却の許可をすることができる。

③ 前項の規定による売却許可決定は、差押債権者以外の債権者にも告知しなければならない。

（買受人に対する自動車の引渡し）
第九六条の二① 買受人が代金を納付したことを証する書面を提出したときは、執行官は、自動車を買受人に引き渡さなければならない。この場合において、その自動車が執行官以外の者の保管に係るものであるときは、執行官は、買受人の同意を得て、保管者に対し買受人にその自動車を引き渡すべき旨を通知する方法により引き渡すことができる。

② 執行官は、買受人に自動車の引渡しをしたときは、その旨及びその年月日を記録上明らかにしなければならない。

（執行停止中の売却）
第九六条の三 （略）

（自動車執行の申立てが取り下げられた場合等の措置）
第九六条の四 （略）

（不動産の強制競売等の規定の準用）
第九七条 （略）

第五款　建設機械及び小型船舶に対する強制執行

（第九八条及び第九八条の二）（略）

第六款　動産に対する強制執行　（抄）

（申立書の記載事項）
第九九条 動産執行の申立書には、第二十一条各号に掲げる事項のほか、差し押さえるべき動産が所在する場所を記載しなければならない。

（差し押さえるべき動産の選択）
第一〇〇条 執行官は、差し押さえるべき動産の選択に当たつては、債権者の利益を害しない限り、債務者の利益を考慮しなければならない。

（職務執行区域外における差押え）
第一〇一条 執行官は、同時に差し押さえようとする数個の動産の所在する場所が所属の地方裁判所の管轄区域の内外にまたがつているときは、管轄区域外にある動産についても、差押えをすることができる。

（差押調書の記載事項）
第一〇二条① 動産の差押えをしたときに作成すべき差押調書には、第十三条第一項各号に掲げる事項のほか、債務者から自己の所有に属しない旨の申出があつた差押物については、その旨を記載しなければならない。

② 差押調書に係る第十三条第一項第二号の民事執行の目的物の記載については、種類、材質その他の差押物を特定するに足りる事項のほか、差押物の数量及び評価額（土地から分離する前の天然果実にあつては、その果実の収穫時期、予想収穫量及び収穫時の評価額）を明らかにしなければならない。

（差押えの通知等）
第一〇三条① 執行官は、差押えをしたときは、債務者に対し、その旨を通知しなければならない。

② 執行官は、未完成の手形等（法第百三十六条に規定する手形等をいう。以下同じ。）を差し押さえたときは、債務者に対し、期限を定めて、当該手形等に記載すべき事項を補充するよう催告しなければならない。

③ 債務者が前項の事項を補充したときは、執行官は、その旨及び補充の内容を記録上明らかにしなければならない。

（差押物の保管の方法等）
第一〇四条① 執行官は、法第百二十四条において準用する法第百二十三条第三項前段の場合のほか、相当と認めるときは、差押債権者又は第三者に差押物を保管させることができる。

② 執行官は、差押物を債務者、差押債権者又は第三者に保管させるときは、差押物件封印票による封印若しくは差押物件標目票のちよう付又はこれらの方法によることが困難な場合にあつては、その他の方法によりその物が差押物である旨、差押えの年月日並びに執行官の職及び氏名を表示しておかなければならない。

③ 執行官は、差押物を債務者、差押債権者又は第三者に保管させるときは、これらの者に対し、差押物の処分、差押えの表示の損壊その他の行為に対する法律上の制裁を告げなければならない。

④ 執行官は、差押物を保管させた者にその使用を許可したときは、その旨を第二項の規定による表示に明らかにしなければならない。

⑤ 執行官は、特に必要があると認めるときは、所属の地方裁判所の管轄区域外で差押物を保管させることができる。

（差押物の保管に関する調書等）
第一〇五条 （略）

（事件併合の通知）
第一〇六条 執行官は、事件を併合したときは、差押債権者、仮差押債権者及び債務者に対し、その旨を通知しなければならない。

（事件併合のための移送）
第一〇七条① 法第百二十五条第二項前段の規定により二個の動産執行事件を併合すべき場合において、先に差押えをした執行官と後に動産執行の申立てを受けた執行官とがその所属する地方裁判所を異にするときは、後に動産執行の申立てを受けた執行官は、差押調書又は差し押さえるべき動産がないことを記載した調書を作成した後、先に差押えをした執行官に事件を移送しなければならない。

② 法第百二十五条第二項後段の規定により仮差押執行事件と動産執行事件とを併合すべき場合において、仮差押えの執行をした執行官と動産執行の申立てを受けた執行官とがその所属する地方裁判所を異にするときは、動産執行の申立てを受けた執行官は、仮差押えの執行をした執行官に対し、事件を移送すべき旨を求めなければならない。

③ 前項の規定により事件の移送を求められた執行官は、遅滞なく、移送を求めた執行官に当該事件を移送しなければならない。

（差押物の点検）
第一〇八条① 執行官は、債務者、差押債権者又は第三者に差押物を保管させた場合において、差押債権者又は債務者の申出があるときその他必要があると認めるときは、差押物の保管の状況を点検することができる。

② 執行官は、差押物の点検をしたときは、差押物の不足又は損傷の有無及び程度並びに不足又は損傷に係る差押物について執行官が採つた措置を記載した点検調書を作成し、かつ、差押物に不足又は損傷があるときは、保管者でない差押債権者及び債務者に対し、その旨を通知しなければならない。

（職務執行区域外における差押物の取戻し）
第一〇九条 （略）

（差押物の引渡命令を執行した場合の措置等）
第一一〇条 （略）

（差押物の評価）
第一一一条① 執行官は、高価な動産を差し押さえたときは、評価人を選任し、その動産の評価をさせなければならない。
② 執行官は、必要があると認めるときは、評価人を選任し、差押物の評価をさせることができる。
③ 評価人は、差押物の評価をしたときは、評価書を所定の日までに執行官に提出しなければならない。

（未分離果実の売却）

第一一二条 土地から分離する前に差し押さえた天然果実は、収穫時期が到来した後でなければ、売却してはならない。

（一括売却）

第一一三条 執行官は、売却すべき数個の動産の種類、数量等を考慮してこれらの動産を一括して同一の買受人に買い受けさせることが相当であると認めるときは、これらの動産を一括して売却することができる。

（競り売り期日の指定等）

第一一四条① 執行官は、競り売りの方法により動産を売却するときは、競り売り期日を開く日時及び場所を定めなければならない。この場合において、競り売り期日は、やむを得ない事由がある場合を除き、差押えの日から一週間以上一月以内の日としなければならない。
② 執行官は、執行裁判所の許可を受けたときは、所属の地方裁判所の管轄区域外の場所で競り売り期日を開くことができる。

（競り売りの公告等）

第一一五条 執行官は、競り売り期日を定めたときは、次に掲げる事項を公告し、各債権者及び債務者に対し、第三号に掲げる事項を通知しなければならない。
一 事件の表示
二 売却すべき動産の表示
三 競り売り期日を開く日時及び場所
四 第百三十二条において準用する第三十三条の規定により買受けの申出をすることができる者の資格を制限したときは、その制限の内容
五 売却すべき動産を競り売り期日前に一般の見分に供するときは、その日時及び場所
六 代金支払の日を定めたときは、買受けの申出の保証の額及び提供の方法並びに代金支払の日
七 売却すべき動産が貴金属又はその加工品であるときは、その貴金属の地金としての価額

（競り売り期日の手続）

第一一六条① 競り売り期日においては、執行官は、買受けの申出の額のうち、最高のものを三回呼び上げた後、その申出をした者の氏名又は名称、買受けの申出の額及びその者に買受けを許す旨を告げなければならない。ただし、買受けの申出の額が不相当と認められるときは、この限りでない。
② 第百十八条第二項の規定により代金支払の日を定めて数個の動産を売却する場合において、あるものの代金で各債権者の債権及び執行費用の全部を弁済することができる見込みがあるときは、執行官は、他の動産の競り売りを留保しなければならない。
③ 第三十八条第三項から第五項まで、第四十三条中身分に関する証明に係る部分並びに第五十条第一項及び第二項の規定は動産の競り売りについて、第四十三条中援助の求めに係る部分の規定は執行官がその所属する地方裁判所内において競り売りを実施する場合について準用する。

（競り売りの方法により売却すべき動産の見分）

第一一七条① 執行官は、競り売り期日又はその期日前に、売却すべき動産を一般の見分に供しなければならない。
② 売却すべき動産を競り売り期日前に一般の見分に供する場合において、その動産が債務者の占有する建物内にあるときは、執行官は、見分に立ち会わなければならない。前段に規定する場合以外の場合において、当該動産の保管者から立会いの申出があつたときも、同様とする。
③ 執行官は、売却すべき動産を競り売り期日前に一般の見分に供したとき、及び前項の規定により見分に立ち会つたときは、その旨を記録上明らかにしなければならない。

（競り売りにおける代金の支払等）

第一一八条① 競り売り期日において買受けが許されたときは、買受人は、次項の規定により定められた代金支払の日に代金を支払う場合を除き、直ちに代金を支払わなければならない。
② 執行官は、差押物の売却価額が高額になると見込まれるときは、競り売り期日から一週間以内の日を代金支払の日と定めることができる。
③ 前項の規定により代金支払の日が定められた場合においては、買受けの申出をしようとする者は、執行官に対し、差押物の評価額の十分の二に相当する額の保証を提供しなければならない。
④ 前項の規定により買受人が買受けの申出の保証として提供した金銭は、代金に充てる。
⑤ 執行官は、代金支払の日を定めて競り売りを実施したときは、代金支払の日、買受人の保証の提供の方法及び代金の支払の有無を記録上明らかにしなければならない。
⑥ 買受人は、代金支払の日に代金を支払わなかつたときは、買受けの申出の保証のうち次項の規定により売得金とされた額に相当する部分の返還を請求することができない。
⑦ 買受人が代金支払の日に代金を支払わなかつたため更に動産を売却した場合において、後の売却価額が前の売却価額に満たないときは、前の買受人が提供した買受けの申出の保証は、その差額を限度として売得金とする。
⑧ 買受けの申出の保証が次項において準用する第四十条第一項第四号の文書を提出する方法により提供されている場合において、買受人が代金を支払わなかつたときは、執行官は、銀行等に対し、執行官の定める額の金銭を支払うべき旨を催告しなければならない。
⑨ 第四十条の規定は、第三項の買受けの申出の保証について準用する。

（競り売り調書）

第一一九条① 競り売りを実施したときに作成すべき競り売り調書に係る第十三条第一項第四号の実施した民事執行の内容の記載については、次に掲げる事項を明らかにしなければならない。
一 買受人の氏名又は名称及び住所、買受けの申出の額並びに代金の支払の有無
二 適法な買受けの申出がなかつたときは、その旨
② 執行官は、第十三条第二項に規定する者のほか、買受人又はその代表者若しくは代理人に競り売り調書に署名押印させなければならない。この場合においては、同項後段の規定を準用する。

（入札）

第一二〇条① 動産を売却するための入札は、入札期日に入札をさせた後開札を行う方法による。
② 開札が終わつたときは、執行官は、最高の価額で買受けの申出をした入札人の氏名又は名称、入札価額及びその者に買受けを許す旨を告げなければならない。
③ 第三十八条（第七項を除く。）、第四十一条第一項及び第二項、第四十二条第一項及び第二項、第四十三条中身分に関する証明に係る部分、第百十四条、第百十五条、第百十六条第一項ただし書及び第二項並びに前三条の規定は動産の入札について、第四十三条中援助の求めに係る部分の規定は執行官がその所属する地方裁判所内において入札を実施する場合について準用する。

（競り売り又は入札以外の方法による売却）

第一二一条① 執行官は、動産の種類、数量等を考慮して相当と認めるときは、執行裁判所の許可を受けて、競り売り又は入札以外の方法により差押物の売却を実施することができる。
② 執行官は、前項の許可を受けようとするときは、あらかじめ、差押債権者の意見を聴かなければならない。
③ 第一項の許可の申出においては、売却の実施の方法を明らか

にしなければならない。

④　執行官は、第一項の許可を受けたときは、各債権者及び債務者に対し、その旨を通知しなければならない。

⑤　第百十九条の規定は、第一項の規定により差押物の売却を実施したときに作成すべき調書について準用する。

第一二二条①　執行官は、動産の種類、数量等を考慮して相当と認めるときは、執行裁判所の許可を受けて、執行官以外の者に差押物の売却を実施させることができる。

②　前項の許可の申出においては、売却を実施する者及び売却の実施の方法を明らかにしなければならない。

③　執行官は、売却を実施した者から売得金の交付を受けたときは、売却を実施した者の表示並びに売得金の額及び交付を受けた年月日を記録上明らかにしなければならない。

④　前条第二項及び第四項の規定は、第一項の許可について準用する。

（相場のある有価証券の売却価額等）

第一二三条①　取引所の相場のある有価証券は、その日の相場以上の価額で売却しなければならない。

②　前二条中執行裁判所の許可に係る部分は、前項の有価証券については、適用しない。

（貴金属の売却価額）

第一二四条　貴金属又はその加工品は、地金としての価額以上の価額で売却しなければならない。

（代金を支払わなかつた買受人の買受けの申出の禁止）

第一二五条　買受人が代金を支払わなかつたため更に動産を売却するときは、前の買受人は、買受けの申出をすることができない。

（買受人に対する動産の引渡し）

第一二六条①　買受人が代金を支払つたときは、執行官は、売却した動産を買受人に引き渡さなければならない。この場合において、その動産が執行官以外の者の保管に係るものであるときは、執行官は、買受人の同意を得て、買受人に対し売却の事実を証する文書を交付し、かつ、保管者に対し買受人にその動産を引き渡すべき旨を通知する方法により引き渡すことができる。

②　執行官は、売却した動産の引渡しをしたときは、その旨及びその年月日を記録上明らかにしなければならない。

（差押えの取消しの方法等）

第一二七条①　動産の差押えの取消しは、執行官が、債務者その他のその動産を受け取る権利を有する者に対し、差押えを取り消す旨を通知し、その動産の所在する場所においてこれを引き渡して行う。ただし、動産を受け取る権利を有する者がその動産を保管しているときは、その者に対し、差押えを取り消す旨を通知すれば足りる。

②　執行官は、動産の差押えを取り消した場合において、取消しに係る動産を受け取る権利を有する者が債務者以外の者であるときは、債務者に対し、当該動産に係る差押えを取り消した旨を通知しなければならない。

③　差押えの取消しに係る動産を引き渡すことができないときは、執行官は、執行裁判所の許可を受けて、動産執行の手続によりこれを売却することができる。

④　法第百六十八条第八項の規定は、前項の規定により動産を売却した場合について準用する。

（配当協議の日の指定）

第一二八条　（略）

（執行力のある債務名義の正本の交付）

第一二九条①　差押債権者の債権の全額について、弁済され、又は配当等がされたときは、債務者は、執行官に対し、執行力のある債務名義の正本の交付を求めることができる。

②　前項に規定する場合を除き、事件が終了したときは、差押債権者は、執行官に対し、執行力のある債務名義の正本の交付を求めることができる。

③　前項の規定により執行力のある債務名義の正本の交付を求める差押債権者が債権の一部について弁済を受け、又は配当等を受けた者であるときは、執行官は、当該債務名義の正本に弁済を受け、又は配当等を受けた額を記載して、これを交付しなければならない。

④　前三項の規定は、法第百三十九条第三項又は法第百四十一条第一項の規定による届出がされた後は、適用しない。

（事情届の方式）

第一三〇条及び第一三一条　（略）

（不動産執行の規定の準用）

第一三二条　（略）

第七款　債権及びその他の財産権に対する強制執行　（抄）

第一目　債権執行等　（抄）

（差押命令の申立書の記載事項）

第一三三条①　債権執行についての差押命令の申立書には、第二十一条各号に掲げる事項のほか、第三債務者の氏名又は名称及び住所を記載しなければならない。

②　前項の申立書に強制執行の目的とする財産を表示するときは、差し押さえるべき債権の種類及び額その他の債権を特定するに足りる事項並びに債権の一部を差し押さえる場合にあつては、その範囲を明らかにしなければならない。

（債務者に対する教示の方式等）

第一三三条の二①　法第百四十五条第四項の規定による教示は、書面でしなければならない。

②　法第百四十五条第四項の最高裁判所規則で定める事項は、法第百五十三条第一項又は第二項の規定による差押命令の取消しの申立てに係る手続の内容とする。

（差押命令の送達の通知）

第一三四条　差押命令が債務者及び第三債務者に送達されたときは、裁判所書記官は、差押債権者に対し、その旨及び送達の年月日を通知しなければならない。

（第三債務者に対し陳述を催告すべき事項等）

第一三五条①　法第百四十七条第一項の規定により第三債務者に対し陳述を催告すべき事項は、次に掲げる事項とする。

一　差押えに係る債権の存否並びにその債権が存在するときは、その種類及び額（金銭債権以外の債権にあつては、その内容）

二　弁済の意思の有無及び弁済する範囲又は弁済しない理由

三　当該債権について差押債権者に優先する権利を有する者があるときは、その者の氏名又は名称及び住所並びにその権利の種類及び優先する範囲

四　当該債権に対する他の債権者の差押え又は仮差押えの執行の有無並びにこれらの執行がされているときは、当該差押命令、差押処分又は仮差押命令の事件の表示、債権者の氏名又は名称及び住所並びに送達の年月日並びにこれらの執行がされた範囲

五　当該債権に対する滞納処分による差押えの有無並びに差押えがされているときは、当該差押えをした徴収職員等の属する庁その他の事務所の名称及び所在、債権差押通知書の送達の年月日並びに差押えがされた範囲

②　法第百四十七条第一項の規定による催告に対する第三債務者の陳述は、書面でしなければならない。この場合において、第三債務者は、当該書面に押印することを要しない。

（申立ての取下げ等の通知）

第一三六条①　債権執行の申立てが取り下げられたときは、裁判所書記官は、差押命令の送達を受けた第三債務者に対しても、その旨を通知しなければならない。

②　差押命令が第三債務者に送達された場合において、法第三十九条第一項第七号又は第八号に掲げる文書が提出されたときは、裁判所書記官は、差押債権者及び第三債務者に対し、これらの文書が提出された旨及びその要旨並びにこれらの文書の提

出による執行停止が効力を失うまで、差押債権者は差し押さえた債権について取立て又は引渡しの請求をしてはならず、第三債務者は差し押さえられた債権について支払又は引渡しをしてはならない旨を通知しなければならない。

③　債権執行の手続を取り消す旨の決定がされたときは、裁判所書記官は、差押命令の送達を受けた第三債務者に対し、その旨を通知しなければならない。

（差押債権者の取立届の方式）

第一三七条　法第百五十五条第四項の規定による届出は、次に掲げる事項を記載した書面でしなければならない。

一　事件の表示

二　債務者及び第三債務者の氏名又は名称

三　第三債務者から支払を受けた額及び年月日

（支払を受けていない旨の届出の方式）

第一三七条の二　（略）

（差押命令の取消しの予告）

第一三七条の三　（略）

（第三債務者の事情届の方式等）

第一三八条　（略）

（債権の評価）

第一三九条①　執行裁判所は、法第百六十一条第一項に規定する命令を発する場合において、必要があると認めるときは、評価人を選任し、債権の評価を命ずることができる。

②　評価人は、債権の評価をしたときは、評価書を所定の日までに執行裁判所に提出しなければならない。

（譲渡命令に係る金銭の納付及び交付）

第一四〇条①　譲渡命令において定めるべき価額が差押債権者の債権及び執行費用の額を超えるときは、執行裁判所は、譲渡命令を発する前に、差押債権者にその超える額に相当する金銭を納付させなければならない。

②　譲渡命令が効力を生じたときは、執行裁判所は、前項の規定により納付された金銭を債務者に交付しなければならない。

（売却命令に基づく売却）

第一四一条①　執行裁判所は、差し押さえた債権の売得金の額が手続費用及び差押債権者の債権に優先する債権の額の合計額以上となる見込みがないと認めるときは、売却命令を発してはならない。

②　執行官は、手続費用及び差押債権者の債権に優先する債権の額の合計額以上の価額でなければ、債権を売却してはならない。

③　執行官は、代金の支払を受けた後でなければ、買受人に債権証書を引き渡し、及び法第百六十一条第六項の通知をしてはならない。

④　執行官は、売却の手続を終了したときは、速やかに、売得金及び売却に係る調書を執行裁判所に提出しなければならない。

（航空機の引渡請求権に対する差押命令後の執行）

第一四二条　（略）

（受領調書）

第一四二条の二　（略）

（自動車等の引渡請求権に対する差押命令後の執行）

第一四三条　（略）

（移転登記等の嘱託の申立てについて提出すべき文書）

第一四四条　（略）

（不動産執行等の規定の準用）

第一四五条　（略）

（電話加入権執行の申立書の記載事項及び添付書類）

第一四六条　（略）

（東日本電信電話株式会社又は西日本電信電話株式会社に対する照会等）

第一四七条　（略）

（電話加入権の質権者に対する通知等）

第一四八条　（略）

（電話加入権の売却についての嘱託）

第一四九条　（略）

（権利移転について登記等を要するその他の財産権に対する強制執行）

第一四九条の二　（略）

第二目　少額訴訟債権執行

（第一四九条の三から第一五〇条まで）（略）

第八款　振替社債等に関する強制執行　及び　第九款　電子記録債権に関する強制執行

（第一五〇条の二から第一五〇条の一六まで）（略）

第三節　金銭の支払を目的としない請求権についての強制執行（抄）

（不動産の引渡し等の強制執行の際に採つた措置の通知）

第一五一条　執行官は、不動産等（法第百六十八条第一項に規定する不動産等をいう。以下この節において同じ。）の引渡し又は明渡しの強制執行をした場合において、不動産等の中に差押え又は仮差押え若しくは仮処分の執行に係る動産があつたときは、これらの執行をした執行官に対し、その旨及び当該動産について採つた措置を通知しなければならない。

（職務執行区域外における不動産の引渡し等の強制執行）

第一五二条　（略）

（不動産の引渡し等の執行調書）

第一五三条　不動産等の引渡し又は明渡しの強制執行をしたときに作成すべき調書には、第十三条第一項各号に掲げる事項のほか、次に掲げる事項を記載しなければならない。

一　強制執行の目的物でない動産を法第百六十八条第五項前段に規定する者に引き渡したときは、その旨

二　前号の動産を売却したときは、その旨

三　第一号の動産を保管したときは、その旨及び保管した動産の表示

（不動産の引渡し等の執行終了の通知）

第一五四条　前条の強制執行が終了したときは、執行官は、債務者に対し、その旨を通知しなければならない。

（強制執行の目的物でない動産の売却の手続等）

第一五四条の二①　法第百六十八条第五項後段（同条第六項後段において準用する場合を含む。）の規定による売却の手続については、この条に定めるもののほか、動産執行の例による。

②　執行官は、不動産等の引渡し又は明渡しの強制執行の申立てがあつた場合において、法第百六十八条の二第一項に規定する明渡しの催告を実施したときは、これと同時に、当該申立てに基づく強制執行の実施予定日を定めた上、当該実施予定日に強制執行の目的物でない動産であつて法第百六十八条第五項の規定による引渡しをすることができなかつたものが生じたときは、当該実施予定日にこれを同項後段の規定により強制執行の場所において売却する旨を決定することができる。この場合において、執行官は、売却すべき動産の表示の公告に代えて、当該実施予定日において法第百六十八条第五項の規定による引渡しをすることができなかつた動産を売却する旨を公告すれば足りる。

③　執行官は、不動産等の引渡し又は明渡しの強制執行を行つた日（以下この項において「断行日」という。）において、強制執行の目的物でない動産であつて法第百六十八条第五項の規定による引渡しをすることができなかつたものが生じ、かつ、相当の期間内に当該動産を同項前段に規定する者に引き渡すことができる見込みがないときは、即日当該動産を売却し、又は断行日から一週間未満の日を当該動産の売却の実施の日として指定することができる。この場合において、即日当該動産を売却するときは、第百十五条（第百二十条第三項において準用する場合を含む。）各号に掲げる事項を公告することを要しない。

④　前項の規定は、高価な動産については、適用しない。

⑤ 執行官は、不動産等の引渡し又は明渡しの強制執行の申立てをした債権者に対し、明渡しの催告の実施又は強制執行の開始の前後を問わず、債務者の占有の状況、引渡し又は明渡しの実現の見込み等についての情報の提供その他の手続の円滑な進行のために必要な協力を求めることができる。

（明渡しの催告等）
第一五四条の三① 法第百六十八条の二第一項に規定する明渡しの催告は、やむを得ない事由がある場合を除き、不動産等の引渡し又は明渡しの強制執行の申立てがあつた日から二週間以内の日に実施するものとする。
② 第二十七条の三の規定は、法第百六十八条の二第三項の規定による公示をする場合について準用する。

（動産の引渡しの強制執行）
第一五五条① 執行官は、動産（法第百六十九条第一項に規定する動産をいう。以下この条において同じ。）の引渡しの強制執行の場所に債権者又はその代理人が出頭しない場合において、当該動産の種類、数量等を考慮してやむを得ないと認めるときは、強制執行の実施を留保することができる。
② 執行官は、動産の引渡しの強制執行の場所に債権者又はその代理人が出頭しなかつた場合において、債務者から動産を取り上げたときは、これを保管しなければならない。
③ 第百一条及び第百五十三条から第百五十四条の二（同条第二項を除く。）までの規定は、動産の引渡しの強制執行について準用する。

（目的物を第三者が占有する場合の引渡しの強制執行）
第一五六条 第百三十三条、第百三十四条及び第百三十五条の規定は、第三者が強制執行の目的物を占有している場合における物の引渡しの強制執行について準用する。

（子の引渡しの強制執行の申立書の記載事項及び添付書類）
第一五七条① 子の引渡しの強制執行（法第百七十四条第一項に規定する子の引渡しの強制執行をいう。以下同じ。）の申立書には、第二十一条第一号、第二号及び第五号に掲げる事項のほか、次に掲げる事項を記載しなければならない。
一 子の氏名
二 法第百七十四条第一項第一号に掲げる方法による子の引渡しの強制執行を求めるときは、その理由及び子の住所
三 法第百七十四条第二項第二号又は第三号に該当することを理由として同条第一項第一号に掲げる方法による子の引渡しの強制執行を求めるときは、同条第二項第二号又は第三号に掲げる事由に該当する具体的な事実
② 前項の申立書には、次に掲げる書類を添付しなければならない。
一 執行力のある債務名義の正本
二 法第百七十四条第二項第一号に該当することを理由として同条第一項第一号に掲げる方法による子の引渡しの強制執行を求めるときは、法第百七十二条第一項の規定による決定の謄本及び当該決定の確定についての証明書

（引渡実施の申立書の記載事項及び添付書類）
第一五八条① 法第百七十五条第一項又は第二項に規定する子の監護を解くために必要な行為（以下「引渡実施」という。）を求める旨の申立書には、次に掲げる事項を記載しなければならない。
一 債権者及び債務者の氏名又は名称及び住所、代理人の氏名及び住所並びに債権者の生年月日
二 債権者又はその代理人の郵便番号及び電話番号（ファクシミリの番号を含む。）
三 子の氏名、生年月日、性別及び住所
四 債務者の住居その他債務者の占有する場所において引渡実施を求めるときは、当該場所
五 前号に規定する場所以外の場所において引渡実施を求めるときは、当該場所、当該場所の占有者の氏名又は名称及び当該場所において引渡実施を行うことを相当とする理由並びに法第百七十五条第三項の許可があるときは、その旨
六 法第百七十五条第六項の決定があるときは、その旨並びに同項の代理人の氏名及び生年月日
七 引渡実施を希望する期間
② 前項の申立書には、法第百七十四条第一項第一号の規定による決定の正本のほか、次に掲げる書類を添付しなければならない。
一 債務者及び子の写真その他の執行官が引渡実施を行うべき場所においてこれらの者を識別することができる資料
二 債務者及び子の生活状況に関する資料
三 法第百七十五条第三項の許可があるときは、当該許可を受けたことを証する文書
四 法第百七十五条第六項の決定があるときは、当該決定の謄本

（法第百七十五条第一項に規定する場所以外の場所の占有者の同意に代わる許可の申立ての方式等）
第一五九条 （略）

（法第百七十五条第六項の申立ての方式等）
第一六〇条 （略）

（引渡実施に関する債権者等の協力等）
第一六一条① 執行官は、引渡実施を求める申立てをした債権者に対し、引渡実施を行うべき期日の前後を問わず、債務者及び子の生活状況、引渡実施を行うべき場所の状況並びに引渡実施の実現の見込みについての情報並びに債権者及び法第百七十五条第六項の代理人を識別することができる情報の提供その他の引渡実施に係る手続の円滑な進行のために必要な協力を求めることができる。
② 子の引渡しの申立てに係る事件の係属した裁判所又は子の引渡しの強制執行をした裁判所は、引渡実施に関し、執行官に対し、当該事件又は子の引渡しの強制執行に係る事件に関する情報の提供その他の必要な協力をすることができる。
③ 子の引渡しの申立てに係る事件の係属した家庭裁判所又は高等裁判所は、前項の規定による協力をするに際し、必要があると認めるときは、人事訴訟法（平成十五年法律第百九号）第三十四条第一項若しくは第二項又は家事事件手続法（平成二十三年法律第五十二号）第五十八条第一項若しくは第二項（同法第九十三条第一項及び第二百五十八条第一項において準用する場合を含む。）の事実の調査をした家庭裁判所調査官及び同法第六十条第一項（同法第九十三条第一項及び第二百五十八条第一項において準用する場合を含む。）の診断をした裁判所技官に意見を述べさせることができる。
④ 前二項の規定による協力に際して執行官が作成し、又は取得した書類については、その閲覧又はその謄本若しくは抄本の交付の請求をすることができない。

（引渡実施の終了の通知）
第一六二条 （略）

（引渡実施の目的を達することができない場合の引渡実施に係る事件の終了）
第一六三条 次に掲げる場合において、執行官は、引渡実施の目的を達することができないときは、引渡実施に係る事件を終了させることができる。
一 引渡実施を行うべき場所において子に出会わないとき。
二 引渡実施を行うべき場所において子に出会つたにもかかわらず、子の監護を解くことができないとき。
三 債権者又はその代理人が法第百七十五条第九項の指示に従わないことその他の事情により、執行官が円滑に引渡実施を行うことができないおそれがあるとき。

（引渡実施に係る調書の記載事項）
第一六四条 （略）

（執行文付与の申立書の記載事項）
第一六五条 法第百七十七条第二項又は第三項の規定による執行文の付与の申立書には、第十六条第一項各号に掲げる事項のほか、これらの規定による執行文の付与を求める旨及びその事由を記載しなければならない。

第一六六条から第一六九条まで 削除

第三章 担保権の実行としての競売等（抄）

（担保権の実行の申立書の記載事項）

第一七〇条① 担保権の実行（法第百九十三条第一項後段の規定による担保権の行使を含む。次条及び第百七十二条において同じ。）の申立書には、次に掲げる事項を記載しなければならない。
一 債権者、債務者及び担保権の目的である権利の権利者の氏名又は名称及び住所並びに代理人の氏名及び住所
二 担保権及び被担保債権の表示
三 担保権の実行又は行使に係る財産の表示及び求める担保権の実行の方法
四 被担保債権の一部について担保権の実行又は行使をするときは、その旨及びその範囲

② 担保不動産競売の申立書には、申立人が当該担保不動産に係る法第百八十七条第一項の申立てをした場合にあつては、前項各号に掲げる事項のほか、当該申立てに係る事件の表示を記載しなければならない。

③ 担保不動産収益執行の申立書には、第一項各号に掲げる事項のほか、給付義務者を特定するに足りる事項及び給付請求権の内容であつて申立人に知れているものを記載しなければならない。

（担保権の実行が開始された後の差押債権者の承継の通知）

第一七一条 担保権の実行が開始された後の差押債権者の承継について これを証する文書が提出されたときは、裁判所書記官又は執行官は、債務者及び担保権の目的である権利の権利者に対し、その旨を通知しなければならない。

（配当要求債権者に対する執行力のある債務名義の正本の交付）

第一七二条 第六十二条の規定は、担保権の実行において執行力のある債務名義の正本により配当要求がされた場合について準用する。

（担保不動産競売の開始決定前の保全処分等の申立ての方式等）

第一七二条の二① 法第百八十七条第一項の申立ては、次に掲げる事項を記載した書面でしなければならない。
一 第二十七条の二第一項第一号、第二号及び第四号に掲げる事項
二 債務者及び不動産の所有者（不動産とみなされるものにあつては、その権利者）の氏名又は名称及び住所（代理人がある場合にあつては、その氏名及び住所）
三 担保権及び被担保債権の表示

② 前項の書面には、次に掲げる文書を添付しなければならない。
一 担保権の目的である不動産の登記事項証明書
二 法第百八十七条第三項の規定による提示に係る文書（法第百八十一条第一項第三号に掲げる文書を除く。）の写し

③ 法第百八十七条第四項の文書には、当該担保不動産競売の申立てに係る事件の表示を記載しなければならない。

④ 第二十七条の二第二項の規定は第一項の書面について、第二十七条の三の規定は法第百八十七条第一項に規定する公示保全処分の執行について、第二十七条の四の規定は法第百八十七条第五項において準用する法第五十五条の二第一項の規定による決定を執行した場合について準用する。

（不動産執行の規定の準用）

第一七三条（略）

（船舶の競売）

第一七四条① 船舶を目的とする担保権の実行としての競売の申立書には、第百七十条第一項各号に掲げる事項のほか、船舶の所在する場所並びに船長の氏名及び現在する場所を記載しなければならない。

② 執行裁判所は、競売の申立人の申立てにより、当該申立人に対抗することができる権原を有しない船舶の占有者に対し、船舶国籍証書等を執行官に引き渡すべき旨を命ずることができる。

③ 前項の申立てについての裁判に対しては、執行抗告をすることができる。

④ 第二項の規定による決定は、相手方に送達される前であつても、執行することができる。

⑤ 前章第二節第二款（第七十四条中申立書の記載事項及び執行力のある債務名義の正本に係る部分並びに第八十三条において準用する第六十二条を除く。）の規定は、船舶を目的とする担保権の実行としての競売について準用する。

（航空機の競売）

第一七五条（略）

（自動車の競売）

第一七六条（略）

（建設機械の競売）

第一七七条（略）

（小型船舶の競売）

第一七七条の二（略）

（動産競売）

第一七八条① 動産競売の申立書には、第百七十条第一項各号に掲げる事項のほか、差し押さえるべき動産が所在する場所を記載しなければならない。

② 法第百九十条第二項の許可の申立ては、前項に規定する事項（第百七十条第一項第四号に掲げる事項を除く。）を記載した書面によらなければならない。

③ 前章第二節第六款（第九十九条、第百条及び第百二十九条を除く。）の規定は動産競売について、第百条の規定は一般の先取特権の実行としての動産競売について準用する。

（債権を目的とする担保権の実行等）

第一七九条① 債権を目的とする担保権の実行又は法第百九十三条第一項後段の規定による担保権の行使の申立書には、第百七十条第一項各号に掲げる事項のほか、第三債務者の氏名又は名称及び住所を記載しなければならない。

② 第百三十三条（第一項を除く。）から第百四十五条（同条において準用する第六十二条を除く。）までの規定は、前項に規定する担保権の実行又は行使について準用する。

（その他の財産権を目的とする担保権の実行）

第一八〇条（略）

（振替社債等に関する担保権の実行）

第一八〇条の二（略）

（電子記録債権に関する担保権の実行等）

第一八〇条の三（略）

（遺産の分割のための競売における換価代金の交付）

第一八一条（略）

第四章 債務者の財産状況の調査（抄）

第一節 財産開示手続

（財産開示手続の申立書の記載事項）

第一八二条① 法第百九十七条第一項又は第二項の規定による財産開示手続の申立書には、当事者の氏名又は名称及び住所、代理人の氏名及び住所並びに申立ての理由を記載しなければならない。

② 第二十七条の二第二項の規定は、前項の申立書について準用する。

（財産目録）

第一八三条① 執行裁判所は、法第百九十八条第一項の規定により財産開示期日を指定するときは、当該財産開示期日以前の日を法第百九十九条第一項に規定する開示義務者が財産目録を執行裁判所に提出すべき期限として定め、これを当該開示義務者に通知しなければならない。

② 前項の開示義務者は、財産開示期日における陳述の対象となる債務者の財産を、財産目録に記載しなければならない。この

場合においては、法第百九十九条第二項の規定を準用する。

③　第一項の開示義務者は、同項の期限までに、執行裁判所に財産目録を提出しなければならない。

第一八四条（**財産開示期日において明示すべき事項**）　法第百九十九条第二項（前条第二項後段において準用する場合を含む。）の最高裁判所規則で定める事項は、次に掲げる事項とする。

一　第二章第二節第三款から第五款まで、第八款及び第九款の規定による強制執行の申立てをするのに必要となる事項

二　第百七十五条から第百七十七条の二まで、第百八十条の二及び第百八十条の三の規定による担保権の実行の申立てをするのに必要となる事項

三　債務者の財産が動産である場合にあつては、その所在場所ごとに、主要な品目、その数量及び価格（他から購入した動産にあつては購入時期及び購入価格を含む。）

第一八五条（**開示義務者の宣誓**）①　執行裁判所が法第百九十九条第七項において準用する民事訴訟法第二百一条第一項の規定により開示義務者に宣誓をさせる場合には、裁判長は、宣誓の前に、開示義務者に対して、宣誓の趣旨及び法第二百十三条第一項第六号の規定の内容を説明しなければならない。

②　民事訴訟規則第百十二条第一項から第五項までの規定は、開示義務者の宣誓について準用する。

第一八六条（**受命裁判官等の権限**）　法第百九十九条第七項において準用する民事訴訟法第百九十五条の規定により受命裁判官又は受託裁判官が財産開示期日における手続を実施する場合における法第二百条第一項の許可の申立てについての裁判は、執行裁判所がする。

第二節　第三者からの情報取得手続（抄）

第一八七条（**第三者からの情報取得手続の申立書の記載事項及び添付書類**）①　法第二百五条第一項、法第二百六条第一項又は法第二百七条第一項若しくは第二項の規定による第三者からの情報取得手続の申立書には、次に掲げる事項を記載しなければならない。

一　申立人、債務者及び情報の提供を命じられるべき者の氏名又は名称及び住所並びに代理人の氏名及び住所

二　申立ての理由

三　法第二百五条第一項の申立てをするときは、情報の提供を命じられた登記所が検索すべき債務者が所有権の登記名義人である土地等（同項に規定する土地又は建物その他これらに準ずるものとして法務省令で定めるものをいう。第百八十九条において同じ。）の所在地の範囲

②　前項の申立書には、できる限り、債務者の氏名又は名称の振り仮名、生年月日及び性別その他の債務者の特定に資する事項を記載しなければならない。

③　第一項の申立書（法第二百五条第一項又は法第二百六条第一項の規定による第三者からの情報取得手続の申立書に限る。）には、申立ての日前三年以内に財産開示期日における手続が実施されたことを証する書面を添付しなければならない。

④　第二十七条の二第二項の規定は、第一項の申立書について準用する。

第一八八条（**裁判を告知すべき者の範囲**）（略）

第一八九条（**情報の提供を命じられた者が提供すべき情報**）　法第二百五条第一項の最高裁判所規則で定める事項は、債務者が所有権の登記名義人である土地等の存否及びその土地等が存在するときは、その土地等を特定するに足りる事項とする。

第一九〇条①　法第二百六条第一項第一号の最高裁判所規則で定める事項は、同号の給与の支払をする者の存否並びにその者が存在するときは、その者の氏名又は名称及び住所（その者が国である場合にあつては、債務者の所属する部局の名称及び所在地）とする。

②　法第二百六条第一項第二号の最高裁判所規則で定める事項は、同号の報酬又は賞与の支払をする者の存否並びにその者が存在するときは、その者の氏名又は名称及び住所（その者が国である場合にあつては、債務者の所属する部局の名称及び所在地）とする。

第一九一条①　法第二百七条第一項第一号の最高裁判所規則で定める事項は、同号の預貯金債権の存否並びにその預貯金債権が存在するときは、その預貯金債権を取り扱う店舗並びにその預貯金債権の種別、口座番号及び額とする。

②　法第二百七条第一項第二号の最高裁判所規則で定める事項は、債務者の有する振替社債等（社債、株式等の振替に関する法律第二百七十九条に規定する振替社債等であつて、情報の提供を命じられた振替機関等（法第二百七条第一項第二号に規定する振替機関等をいう。）の備える振替口座簿における債務者の口座に記載され、又は記録されたものに限る。以下この項において同じ。）の存否並びにその振替社債等が存在するときは、その振替社債等の銘柄及び額又は数とする。

第一九二条（**情報の提供の方法等**）（略）

第一九三条（**申立ての取下げの通知等**）（略）

附　則（抄）

第一条（**施行期日**）　この規則は、法の施行の日（昭和五十五年十月一日）から施行する。

●民事保全法（平成一・一二・二二 法 九一）

施行 平成三・一・一（平成二政二八三）
改正 平成八法一一〇、平成一四法六五、平成一五法一〇八・法一三四・法一三八、平成一六法四五・法八八（平成一七法八七）・法一二四・法一五二、平成一八法五〇、平成二三法三六・法五三、令和一法二、令和四法四八（令和五法五三）・法六八、令和五法五三

目次

第一章 総則

（趣旨）

第一条 民事訴訟の本案の権利の実現を保全するための仮差押え及び係争物に関する仮処分並びに民事訴訟の本案の権利関係につき仮の地位を定めるための仮処分（以下「民事保全」と総称する。）については、他の法令に定めるもののほか、この法律の定めるところによる。

【仮差押え↓二〇・四七—五〇【係争物に関する仮処分↓二三①・五二—五七【仮の地位を定める仮処分↓二三②・五二—五七【他の法令で定める例↓民一四八・一四九・一五四、一般法人三〇五、不登一〇七・一〇八・一一一①②・一一二—一一四、会社三五二・三八五・六〇三・九一七、人訴三〇、家事一〇五、破二八、民再三〇、会更二八、行訴四四 【手続の細則↓民保規

（民事保全の機関及び保全執行裁判所）

第二条① 民事保全の命令（以下「保全命令」という。）は、申立てにより、裁判所が行う。

② 民事保全の執行（以下「保全執行」という。）は、申立てにより、裁判所又は執行官が行う。

③ 裁判所が行う保全執行に関してはこの法律の規定により執行処分を行うべき裁判所をもって、執行官が行う保全執行の執行処分に関してはその執行官の所属する地方裁判所をもって保全執行裁判所とする。

❶【保全命令↓二〇—二五の二【保全命令の管轄裁判所↓一一・一二 ❷【保全執行↓四七—五〇・五二—五五【執行官↓裁六二 ❸【裁判所が行う保全執行↓四七・四八・五〇・五三—五六【執行官が行う執行処分↓四八・四九【保全執行裁判所による保全執行の取消し↓四四・五一・五七

（任意的口頭弁論）

第三条 民事保全の手続に関する裁判は、口頭弁論を経ないですることができる。

【民事保全の手続に関する裁判の例↓一五・二〇—二五の二・一九・二七・三二—三四・三六—四二・四七⑤、民執九三、四八・五〇・五二・五七【任意的口頭弁論↓民訴八七①但②【類似の規定↓民執四、破八①

（担保の提供）

第四条① この法律の規定により担保を立てるには、担保を立てるべきことを命じた裁判所又は保全執行裁判所の所在地を管轄する地方裁判所の管轄区域内の供託所に金銭又は担保を立てるべきことを命じた裁判所が相当と認める有価証券（社債、株式等の振替に関する法律（平成十三年法律第七十五号）第二百七十八条第一項に規定する振替債を含む。）を供託する方法その他最高裁判所規則で定める方法によらなければならない。ただし、当事者が特別の契約をしたときは、その契約による。

② 民事訴訟法（平成八年法律第百九号）第七十七条、第七十九条及び第八十条の規定は、前項の担保について準用する。

❶【担保を立てる場合の例↓一四・三二②・四一④・二七①・三二③・三九①・四一④・四二①【供託所↓供一【供託の手続↓供【最高裁判所規則↓八、民保規二 ❷【担保の取戻し↓民保規一七 【類似の規定↓民執一五

（事件の記録の閲覧等）

第五条 保全命令に関する手続又は保全執行に関し裁判所が行う手続について、利害関係を有する者は、裁判所書記官に対し、事件の記録の閲覧若しくは謄写、その正本、謄本若しくは抄本の交付又は事件に関する事項の証明書の交付を請求することができる。ただし、債権者以外の者にあっては、保全命令の申立てに関し口頭弁論若しくは債務者を呼び出す審尋の期日の指定があり、又は債務者に対する保全命令の送達があるまでの間は、この限りでない。

＊令和五法五三（令和一〇・六・一三までに施行）による改正後

（非電磁的事件記録の閲覧等）

第五条① 保全命令に関する手続又は保全執行に関し裁判所が行う手続について、利害関係を有する者は、裁判所書記官に対し、非電磁的事件記録（事件の記録中次条第一項に規定する電磁的事件記録を除いた部分をいう。）の閲覧若しくは謄写又はその正本、謄本若しくは抄本の交付を請求することができる。

② 民事訴訟法第九十一条第四項及び第五項の規定は、前項の規定による請求について準用する。（改正により追加）

（改正前の本条）

【保全命令に関する手続↓九・一一—四二【保全執行に関し裁判所が行う手続↓四七・四八・五〇・五三—五五・四四・五一・五七【裁判所書記官↓裁六〇【本法における書記官の権限↓四七③・四八③・五三③・五五②・五六・六〇③【保全事件の記録↓民保規一・七—一〇【記録の閲覧・謄写・交付↓民訴九一・九一の二【保全命令の申立てに関する口頭弁論・審尋の期日↓九・二三④・二九【保全命令の送達↓一七【類似の規定↓民執一七

＊令和五法五三（令和一〇・六・一三までに施行）による改正後

（電磁的事件記録の閲覧等）

第五条の二① 保全命令に関する手続又は保全執行に関し裁判所が行う手続について、利害関係を有する者は、裁判所書記官に対し、最高裁判所規則で定めるところにより、電磁的事件記録（事件の記録中この法律その他の法令の規定により裁判所の使用に係る電子計算機（入出力装置を含む。以下この条及び次条において同じ。）に備えられたファイル（第四十三条第一項において単に「ファイル」という。）に記録された事項に係る部分をいう。以下この条において同じ。）の内容を最高裁判所規則で定める方法により表示したものの閲覧を請求することができる。

② 保全命令に関する手続又は保全執行に関し裁判所が行う手続について、利害関係を有する者は、裁判所書記官に対し、電磁的事件記録に記録されている事項について、最高裁判所規則で定めるところにより、最高裁判所規則で定める電子情報処理組織（裁判所の使用に係る電子計算機と手続の相手方の使用に係

る電子計算機とを電気通信回線で接続した電子情報処理組織をいう。次項及び次条において同じ。）を使用してその者の使用に係る電子計算機に備えられたファイルに記録する方法その他の最高裁判所規則で定める方法による複写を請求することができる。

③　保全命令に関する手続又は保全執行に関し裁判所が行う手続について、利害関係を有する者は、裁判所書記官に対し、最高裁判所規則で定めるところにより、電磁的事件記録に記録されている事項の全部若しくは一部を記載した書面であって裁判所書記官が最高裁判所規則で定める方法により当該書面の内容が電磁的事件記録に記録されている事項と同一であることを証明したものを交付し、又は当該事項の全部若しくは一部を記録した電磁的記録（電子的方式、磁気的方式その他人の知覚によっては認識することができない方式で作られる記録であって、電子計算機による情報処理の用に供されるものをいう。以下同じ。）であって裁判所書記官が最高裁判所規則で定める方法により当該電磁的記録の内容が電磁的事件記録に記録されている事項と同一であることを証明したものを最高裁判所規則で定める電子情報処理組織を使用してその者の使用に係る電子計算機に備えられたファイルに記録する方法その他の最高裁判所規則で定める方法により提供することを請求することができる。

④　民事訴訟法第九十一条第五項の規定は、第一項及び第二項の規定による請求について準用する。

（改正により追加）

（事件に関する事項の証明）

第五条の三　保全命令に関する手続又は保全執行に関し裁判所が行う手続について、利害関係を有する者は、裁判所書記官に対し、最高裁判所規則で定めるところにより、事件に関する事項を記載した書面であって裁判所書記官が最高裁判所規則で定める方法により当該事項を証明したものを交付し、又は当該事項を記録した電磁的記録であって裁判所書記官が最高裁判所規則で定める方法により当該事項を証明したものを最高裁判所規則で定める電子情報処理組織を使用してその者の使用に係る電子計算機に備えられたファイルに記録する方法その他の最高裁判所規則で定める方法により提供することを請求することができる。（改正により追加）

（事件の記録の閲覧等の特則）

第五条の四　前三条の規定にかかわらず、債権者以外の者は、保全命令の申立てに関し口頭弁論若しくは債務者を呼び出す審尋の期日の指定があり、又は債務者に対する保全命令の送達があるまでの間は、これらの規定による請求をすることができない。（改正により追加）

（専属管轄）

第六条　この法律に規定する裁判所の管轄は、専属とする。

※【本法に定める管轄の例↓一一・一二・二六・三七—三九・四一・四五・二③・四七②・四八②・五〇②【専属管轄↓民訴一三・二〇・一三 ※【事件の移送↓二八・四〇①

（公示送達の方法）

第六条の二　民事保全の手続における公示送達は、裁判所書記官が送達すべき書類を保管し、いつでも送達を受けるべき者に交付すべき旨を裁判所の掲示場に掲示してする。

＊令和四法四八（令和八・五・二四までに施行）により第六条の二追加

＊令和五法五三（令和一〇・六・一三までに施行）により第六条の二削る（本文未織込み）

※【民事訴訟の場合↓民訴一一一

（電子情報処理組織による申立て等）

第六条の三①　民事保全の手続における申立てその他の申述（以下この条において「申立て等」という。）のうち、当該申立て等に関するこの法律その他の法令の規定により書面等（書面、書類、文書、謄本、抄本、正本、副本、複本その他文字、図形等人の知覚によって認識することができる情報が記載された紙その他の有体物をいう。次項及び第四項において同じ。）をもってするものとされているものであって、最高裁判所の定める裁判所に対してするもの（当該裁判所の裁判長、受命裁判官、受託裁判官又は裁判所書記官に対してするものを含む。）については、当該法令の規定にかかわらず、最高裁判所規則で定めるところにより、電子情報処理組織（裁判所の使用に係る電子計算機（入出力装置を含む。以下この項及び第三項において同じ。）と申立て等をする者の使用に係る電子計算機とを電気通信回線で接続した電子情報処理組織をいう。）を用いてすることができる。

②　前項の規定によりされた申立て等については、当該申立て等を書面等をもってするものとして規定した申立て等に関する法令の規定に規定する書面等をもってされたものとみなして、当該申立て等に関する法令の規定を適用する。

③　第一項の規定によりされた申立て等は、同項の裁判所の使用に係る電子計算機に備えられたファイルへの記録がされた時に、当該裁判所に到達したものとみなす。

④　第一項の場合において、当該申立て等に関する他の法令の規定により署名等（署名、記名、押印その他氏名又は名称を書面等に記載することをいう。以下この項において同じ。）をすることとされているものについては、当該法令の規定にかかわらず、当該署名等に代えて、当該申立て等をする者は、当該最高裁判所規則で定めるところにより、氏名又は名称を明らかにする措置を講じなければならない。

⑤　第一項の規定によりされた申立て等が第三項に規定するファイルに記録されたときは、第一項の裁判所は、当該ファイルに記録された情報の内容を書面に出力しなければならない。

⑥　第一項の規定によりされた申立て等に係るこの法律その他の法令の規定による事件の記録の閲覧若しくは謄写又はその正本、謄本若しくは抄本の交付は、前項の書面をもってするものとする。当該申立て等に係る書類の送達又は送付も、同様とする。

＊令和四法四八（令和八・五・二四までに施行）により第六条の三追加

＊令和五法五三（令和一〇・六・一三までに施行）により第六条の三削る（本文未織込み）

※【民事訴訟の場合↓民訴一三二の一〇

（民事訴訟法の準用）

第七条　特別の定めがある場合を除き、民事保全の手続に関しては、その性質に反しない限り、民事訴訟法第一編から第四編までの規定（同法第七十一条第二項、第九十一条の二、第九十二条第九項及び第十項、第九十二条の二第二項、第九十四条、第百条第二項、第一編第五章第四節第三款、第百十一条、第一編第七章、第百三十三条の二第五項及び第六項、第百三十三条の三第二項、第百五十一条第三項、第百六十条第二項、第百八十五条第三項、第二百五条第二項、第二百十五条第二項、第二百二十七条第二項、第二百三十二条の二並びに第二百六十七条第二項の規定を除く。）を準用する。この場合において、別表の上欄に掲げる同法の規定中同表の中欄に掲げる字句は、それぞれ同表の下欄に掲げる字句に読み替えるものとする。

＊令和四法四八（令和八・五・二四までに施行）による改正前

（民事訴訟法の準用）

第七条　特別の定めがある場合を除き、民事保全の手続に関しては、その性質に反しない限り、民事訴訟法第一編から第四編までの規定（同法第八十七条の二の規定を除く。）を準用する。

＊令和五法五三（令和一〇・六・一三までに施行）による改正後

（民事訴訟法の準用）

第七条　特別の定めがある場合を除き、民事保全の手続に関しては、その性質に反しない限り、民事訴訟法第一編から第四編までの規定を準用する。この場合において、同法第百九条の四第一項中「第百三十二条の十一第一項各号に掲げる者」とあるのは「第百三十二条の十一第一項各号に掲げる者（保全執行に関する手続にあっては、民事保全法第四十六条において準用する民事執行法（昭和五十四年法律第四号）第十九条の三第一項各号（同法第十九条の六において読み替えて準用する場合を含む。）に掲げる者」と、同法第百三十二条の十一第一項第二号中「規定」とあるのは「規定（これらの規定を同法第九条において準用する場合を含む。）」と読み替えるものとする。

∞+【特別の定めの例→九・一五・一六・一八・三一・三四―三六、民保規一・三、五【準用される主な規定の例→民訴二三以下・二八以下・八二以下・九三以下・九八以下

（最高裁判所規則）

第八条　この法律に定めるもののほか、民事保全の手続に関し必要な事項は、最高裁判所規則で定める。

∞+【最高裁判所の規則制定権→憲七七【規則での一般的な定め→民保規【個別的に規則に委任する例→四

第二章　保全命令に関する手続

第一節　総則

（釈明処分の特例）

第九条　裁判所は、争いに係る事実関係に関し、当事者の主張を明瞭にさせる必要があるときは、口頭弁論又は審尋の期日において、当事者のため事務を処理し、又は補助する者で、裁判所が相当と認めるものに陳述をさせることができる。

∞+【釈明処分→民訴一五一①㊀㊁【口頭弁論→三、民訴八七①但【審尋の期日→民訴八七②【本法で審尋の期日を開く場合→二三④・二九・三一・四〇①・四一④【期日の呼出し→民保規三【審尋調書→民保規七

第一〇条【受命裁判官による審尋】　削除

第二節　保全命令

第一款　通則

（保全命令事件の管轄）

第一一条　保全命令の申立ては、日本の裁判所に本案の訴えを提起することができるとき、又は仮に差し押さえるべき物若しくは係争物が日本国内にあるときに限り、することができる。

∞+【本案の国際裁判管轄→民訴三の二―三の一二【非訟事件の管轄→非訟五・六【国内管轄→一二

第一二条①　保全命令事件は、本案の管轄裁判所又は仮に差し押さえるべき物若しくは係争物の所在地を管轄する地方裁判所が管轄する。

②　本案の訴えが民事訴訟法第六条第一項に規定する特許権等に関する訴えである場合には、保全命令事件は、前項の規定にかかわらず、本案の管轄裁判所が管轄する。ただし、仮に差し押さえるべき物又は係争物の所在地を管轄する地方裁判所が同条第一項各号に定める裁判所であるときは、その裁判所もこれを管轄する。

③　本案の管轄裁判所は、第一審裁判所とする。ただし、本案が控訴審に係属するときは、控訴裁判所とする。

④　仮に差し押さえるべき物又は係争物が債権（民事執行法（昭和五十四年法律第四号）第百四十三条に規定する債権をいう。以下この条において同じ。）であるときは、その債権は、その債権の債務者（以下「第三債務者」という。）の普通裁判籍の所在地にあるものとする。ただし、船舶（同法第百十二条に規定する船舶をいう。以下同じ。）又は動産（同法第百二十二条に規定する動産をいう。以下同じ。）の引渡しを目的とする債権及び物上の担保権により担保される債権は、その物の所在地にあるものとする。

⑤　前項本文の規定は、仮に差し押さえるべき物又は係争物が民事執行法第百六十七条第一項に規定する財産権（以下「その他の財産権」という。）で第三債務者又はこれに準ずる者があるものである場合（次項に規定する場合を除く。）について準用する。

⑥　仮に差し押さえるべき物又は係争物がその他の財産権で権利の移転について登記又は登録を要するものであるときは、その財産権は、その登記又は登録の地にあるものとする。

∞+【管轄→裁二四㊀・三三①㊀、民訴八・九・四―七・一〇
❶【地方裁判所→裁二四㊀・三三①㊀【家庭裁判所に管轄が認められる場合→人訴三〇【本案の管轄裁判所→三七①④―⑦・三八・三九【仮差押物→二一・四七―五〇【係争物→二三①・五二―五五　❸【第一審裁判所→裁二四㊀・三三①㊀【控訴裁判所→裁二四㊂・一六㊀　❹【同旨の規定→民執一四四②　❺【その他の財産権の例→民執一六七①∞　❻【登記を要する財産権の例→民六〇五、五四∞

（申立て及び疎明）

第一三条①　保全命令の申立ては、その趣旨並びに保全すべき権利又は権利関係及び保全の必要性を明らかにして、これをしなければならない。

②　保全すべき権利又は権利関係及び保全の必要性は、疎明しなければならない。

∞❶【申立ての方式→民保規一【申立書の記載事項→民保規一三　❶❷【保全すべき権利・権利関係→二〇・二三①―③・三七・三八【保全の必要→二〇①・二三①②・三八　❷【疎明の方法→民訴一八八

（保全命令の担保）

第一四条①　保全命令は、担保を立てさせて、若しくは相当と認める一定の期間内に担保を立てることを保全執行の実施の条件として、又は担保を立てさせないで発することができる。

②　前項の担保を立てる場合において、遅滞なく第四条第一項の供託所に供託することが困難な事由があるときは、裁判所の許可を得て、債権者の住所地又は事務所の所在地その他裁判所が相当と認める地を管轄する地方裁判所の管轄区域内の供託所に供託することができる。

∞❶【担保提供の方法→四【保全執行の実施→四三・四七―五〇・五二―五五　❷【原則的供託所→四①

（裁判長の権限）

第一五条　保全命令は、急迫の事情があるときに限り、裁判長が発することができる。

∞+【裁判長→民訴一四八∞

（決定の理由）

第一六条　保全命令の申立てについての決定には、理由を付さなければならない。ただし、口頭弁論を経ないで決定をする場合には、理由の要旨を示せば足りる。

∞+【決定の書面性→民保規九・一〇【決定における理由の記載→民訴一二二・二五三①㊂・三一二②㊅【口頭弁論を経ないでする決定→三【本条本文の準用→一九③・三二④・三七⑧・三八③・三九③・四一④

（送達）

第一七条　保全命令は、当事者に送達しなければならない。

∞+【決定の告知に関する原則→民訴一一九【送達→民訴九八―一一二

（保全命令の申立ての取下げ）

第一八条　保全命令の申立てを取り下げるには、保全異議又は保全取消しの申立てがあった後においても、債務者の同意を得ることを要しない。

∞+【訴えの取下げ→民訴二六一②【保全異議の申立て→二六【保全取消しの申立て→三七―三九

（却下の裁判に対する即時抗告）

第一九条①　保全命令の申立てを却下する裁判に対しては、債権者は、告知を受けた日から二週間の不変期間内に、即時抗告をすることができる。

② 前項の即時抗告を却下する裁判に対しては、更に抗告をすることができない。

③ 第十六条本文の規定は、第一項の即時抗告についての決定について準用する。

§❶【申立てを却下する裁判の告知↓民訴一一九【不変期間↓民訴九六、九七①【即時抗告↓民訴三三二―三三五 ❷【再抗告↓民訴三三〇、三三一

第二款　仮差押命令

（仮差押命令の必要性）

第二〇条① 仮差押命令は、金銭の支払を目的とする債権について、強制執行をすることができなくなるおそれがあるとき、又は強制執行をするのに著しい困難を生ずるおそれがあるときに発することができる。

② 仮差押命令は、前項の債権が条件付又は期限付である場合においても、これを発することができる。

§❶【金銭の支払を目的とする債権↓民四〇二①【金銭の支払を目的とする債権についての強制執行↓民執四三―一六七の一六 ❷【条件付債権↓民一二八、一二九、民執二七①【期限付債権↓民一三五①、民執三〇①

（仮差押命令の対象）

第二一条 仮差押命令は、特定の物について発しなければならない。ただし、動産の仮差押命令は、目的物を特定しないで発することができる。

§+【仮差押命令における目的物の特定↓民執四三①、民執規二三、民執一一二、民執規七四、民執一四三、民執規一三三【動産↓民八六②、民執一二二①【動産仮差押えにおける特定不要↓民保規一九、民執規一〇〇

（仮差押解放金）

第二二条① 仮差押命令においては、仮差押えの執行の停止を得るため、又は既にした仮差押えの執行の取消しを得るために債務者が供託すべき金銭の額を定めなければならない。

② 前項の金銭の供託は、仮差押命令を発した裁判所又は保全執行裁判所の所在地を管轄する地方裁判所の管轄区域内の供託所にしなければならない。

§❶【仮差押えの執行の停止↓四六、民執三九①㈤【仮差押えの執行の取消し↓五一 ❷【仮差押命令裁判所↓一一、一二【保全執行裁判所↓二③、四七②⑤、民執四四、四八②、二③、五〇②【供託所↓供一

第三款　仮処分命令

（仮処分命令の必要性等）

第二三条① 係争物に関する仮処分命令は、その現状の変更により、債権者が権利を実行することができなくなるおそれがあるとき、又は権利を実行するのに著しい困難を生ずるおそれがあるときに発することができる。

② 仮の地位を定める仮処分命令は、争いがある権利関係について債権者に生ずる著しい損害又は急迫の危険を避けるためこれを必要とするときに発することができる。

③ 第二十条第二項の規定は、仮処分命令について準用する。

④ 第二項の仮処分命令は、口頭弁論又は債務者が立ち会うことができる審尋の期日を経なければ、これを発することができない。ただし、その期日を経ることにより仮処分命令の申立ての目的を達することができない事情があるときは、この限りでない。

§❶【係争物に関する仮処分↓五三―五五、六二、六五 ❶❷【特殊仮処分―(イ)訴訟・執行を本案とする仮処分↓民訴三三四②、三三六③、四〇三、民執一〇⑥、一一②、三二②⑤、三六、三八④、行訴二五―二八、労組二七の二〇、独禁七〇の四、七〇の五、民執五五、七七、一八七、九四、一一六【同前―(ロ)非訟手続等を本案とする仮処分↓民二五―二七、会社五四〇―五四三、八二五、八二七②、民調一二、家事一〇五、破二四、二五、二八、九一、民再二六、二七、三〇、三九、一四二、会更二四、二五、二八、三〇【同前―(ハ)本案を予定しない非訟手続上の仮の処分↓一般法人七五、七九、八〇、会社三四六②、五〇八②、六〇九、不登一〇八、金商一九二 ❷【仮の地位を定める仮処分↓五六、会社三五二、六〇三、九一七、人訴三〇 ❹【口頭弁論↓三、民訴八七① 但【審尋の期日↓九§ +【本条不適用↓行訴四四

（仮処分の方法）

第二四条 裁判所は、仮処分命令の申立ての目的を達するため、債務者に対し一定の行為を命じ、若しくは禁止し、若しくは給付を命じ、又は保管人に目的物を保管させる処分その他の必要な処分をすることができる。

§+【行為を命ずる仮処分↓五二②【行為を禁止する仮処分↓五三―五五、六二【給付を命ずる仮処分↓三三、五二②

（仮処分解放金）

第二五条① 裁判所は、保全すべき権利が金銭の支払を受けることをもってその行使の目的を達することができるものであるときに限り、債権者の意見を聴いて、仮処分の執行の停止を得るため、又は既にした仮処分の執行の取消しを得るために債務者が供託すべき金銭の額を仮処分命令において定めることができる。

② 第二十二条第二項の規定は、前項の金銭の供託について準用する。

§❶【仮処分の必要性↓二三①②【仮処分の執行の停止↓四六、民執三九①㈤【仮処分の執行の取消し↓五七【解放金の還付請求権者↓民保規二一【詐害行為取消権を保全するための仮処分における解放金の供託↓六五 ❷【管轄供託所↓供一

（債務者を特定しないで発する占有移転禁止の仮処分命令）

第二五条の二① 占有移転禁止の仮処分命令（係争物の引渡し又は明渡しの請求権を保全するための仮処分命令のうち、次に掲げる事項を内容とするものをいう。以下この条、第五十四条の二及び第六十二条において同じ。）であって、係争物が不動産であるものについては、その執行前に債務者を特定することを困難とする特別の事情があるときは、裁判所は、債務者を特定しないで、これを発することができる。

一　債務者に対し、係争物の占有の移転を禁止し、及び係争物の占有を解いて執行官に引き渡すべきことを命ずること。

二　執行官に、係争物の保管をさせ、かつ、債務者が係争物の占有の移転を禁止されている旨及び執行官が係争物を保管している旨を公示させること。

② 前項の規定による占有移転禁止の仮処分命令の執行がされたときは、当該執行によって係争物である不動産の占有を解かれた者が、債務者となる。

③ 第一項の規定による占有移転禁止の仮処分命令は、第四十三条第二項の期間内にその執行がされなかったときは、債務者に対して送達することを要しない。この場合において、第四条第二項において準用する民事訴訟法第七十九条第一項の規定による担保の取消しの決定で第十四条第一項の規定により立てさせた担保に係るものは、裁判所が相当と認める方法で申立人に告知することによって、その効力を生ずる。

§❶【占有移転禁止の仮処分命令↓五二、六二【仮処分命令は債務者を特定して発するのが原則↓二三―二五【債務者を特定しないで発された仮処分命令の執行の特則↓五四の二 ❷【債務者であることの効果↓二六、三八、三九 ❸【執行期間徒過による担保の取消し↓四②、民訴七九 +【類似の規定↓民執五五の二

第三節　保全異議

（保全異議の申立て）

第二六条 保全命令に対しては、債務者は、その命令を発した裁判所に保全異議を申し立てることができる。

参+【保全命令↓二〇—二五の二【保全命令裁判所↓一一・一二【申立書の記載事項↓民保規二四【保全異議と類似の制度↓民訴三八六②・三九三・三九五・三五七・三六一、民執一一

（保全執行の停止の裁判等）

第二七条① 保全異議の申立てがあった場合において、保全命令の取消しの原因となることが明らかな事情及び保全執行により償うことができない損害を生ずるおそれがあることにつき疎明があったときに限り、裁判所は、申立てにより、保全異議の申立てについての決定において第三項の規定による裁判をするまでの間、担保を立てさせて、又は担保を立てることを条件として保全執行の停止又は既にした執行処分の取消しを命ずることができる。

② 抗告裁判所が保全命令を発した場合において、事件の記録が原裁判所に存するときは、その裁判所も、前項の規定による裁判をすることができる。

③ 裁判所は、保全異議の申立てについての決定において、既にした第一項の規定による裁判を取り消し、変更し、又は認可しなければならない。

④ 第一項及び前項の規定による裁判に対しては、不服を申し立てることができない。

⑤ 第十五条の規定は、第一項の規定による裁判について準用する。

参❶【保全異議の申立て↓二六【保全命令の取消しの原因↓三八①【償うことができない損害↓三九①【保全執行↓四三—五七【疎明↓民訴一八八【担保の提供↓四【保全執行の停止・既にした執行処分の取消し↓四六、民執三九①⑥・四〇 ❷【抗告裁判所による保全命令↓一九①【事件の記録↓五 ❸【保全異議の申立てについての決定↓三二

（事件の移送）

第二八条 裁判所は、当事者、審尋を受けるべき証人及び審尋を受けるべき参考人の住所その他の事情を考慮して、保全異議事件につき著しい遅滞を避け、又は当事者間の衡平を図るために必要があるときは、申立てにより又は職権で、当該保全命令事件につき管轄権を有する他の裁判所に事件を移送することができる。

参+【保全命令の管轄裁判所↓一一・一二【同旨の裁量移送↓民訴一七【移送の裁判・効果↓民訴二二

（保全異議の審理）

第二九条 裁判所は、口頭弁論又は当事者双方が立ち会うことができる審尋の期日を経なければ、保全異議の申立てについての決定をすることができない。

参+【口頭弁論↓三、民訴八七①但【審尋の期日↓九参【期日の指定・通知↓民訴九三・九四

第三〇条【参考人等の審尋】 削除

（審理の終結）

第三一条 裁判所は、審理を終結するには、相当の猶予期間を置いて、審理を終結する日を決定しなければならない。ただし、口頭弁論又は当事者双方が立ち会うことができる審尋の期日においては、直ちに審理を終結する旨を宣言することができる。

参+【審理終結決定↓民訴二四三・二五二①四【口頭弁論↓三、民訴八七①但【審尋の期日↓九参

（保全異議の申立てについての決定）

第三二条① 裁判所は、保全異議の申立てについての決定においては、保全命令を認可し、変更し、又は取り消さなければならない。

② 裁判所は、前項の決定において、相当と認める一定の期間内に債権者が担保を立てること又は第十四条第一項の規定による担保の額を増加した上、相当と認める一定の期間内に債権者がその増加額につき担保を立てることを保全執行の実施又は続行の条件とする旨を定めることができる。

③ 裁判所は、第一項の規定による保全命令を取り消す決定について、債務者が担保を立てることを条件とすることができる。

④ 第十六条本文及び第十七条の規定は、第一項の決定について準用する。

参❶【保全異議の申立て↓二六【保全異議の申立てについての決定↓民保規九【保全命令↓二〇—二五の二 ❷【担保↓一四①【担保提供の方法↓四【保全執行の実施↓四七—五〇・五二—五五【追加担保を続行の条件とした場合の効果↓四四 ❶❸【保全命令の取消し↓三三・三四

（原状回復の裁判）

第三三条 仮処分命令に基づき、債権者が物の引渡し若しくは明渡し若しくは金銭の支払を受け、又は物の使用若しくは保管をしているときは、裁判所は、債務者の申立てにより、前条第一項の規定により仮処分命令を取り消す決定において、債権者に対し、債務者が引き渡し、若しくは明け渡した物の返還、債務者が支払った金銭の返還又は債権者が使用若しくは保管をしている物の返還を命ずることができる。

参+【仮処分の方法↓二四【類似の規定↓民訴二六〇②

（保全命令を取り消す決定の効力）

第三四条 裁判所は、第三十二条第一項の規定により保全命令を取り消す決定において、その送達を受けた日から二週間を超えない範囲内で相当と認める一定の期間を経過しなければその決定の効力が生じない旨を宣言することができる。ただし、その決定に対して保全抗告をすることができないときは、この限りでない。

参+【決定の効力発生時↓民訴一一九・三三四【確定しなければ効力が生じないとされる決定の例↓民執一二②・四二⑧・五五⑦・七七②・七四⑤・八三⑤・一五九⑤ETC【送達↓三二④・一七、民訴九八—一一二【保全抗告ができない決定↓四一①但

（保全異議の申立ての取下げ）

第三五条 保全異議の申立てを取り下げるには、債権者の同意を得ることを要しない。

参+【保全異議の申立て↓二六【申立ての取下げと相手方の同意の要否↓民訴二六一②・二九二・三六〇

（判事補の権限の特例）

第三六条 保全異議の申立てについての裁判は、判事補が単独ですることができない。

参+【保全異議の申立てについての裁判↓三二【判事補↓裁二七、民訴一二三

第四節 保全取消し

（本案の訴えの不提起等による保全取消し）

第三七条① 保全命令を発した裁判所は、債務者の申立てにより、債権者に対し、相当と認める一定の期間内に、本案の訴えを提起するとともにその提起を証する書面を提出し、既に本案の訴えを提起しているときはその係属を証する書面を提出すべきことを命じなければならない。

② 前項の期間は、二週間以上でなければならない。

③ 債権者が第一項の規定により定められた期間内に同項の書面を提出しなかったときは、裁判所は、債務者の申立てにより、保全命令を取り消さなければならない。

④ 第一項の書面が提出された後に、同項の本案の訴えが取り下げられ、又は却下された場合には、その書面を提出しなかったものとみなす。

⑤ 第一項及び第三項の規定の適用については、本案が家事事件手続法（平成二十三年法律第五十二号）第二百五十七条第一項に規定する事件であるときは家庭裁判所に対する調停の申立て

を、本案が労働審判法（平成十六年法律第四十五号）第一条に規定する事件であるときは地方裁判所に対する労働審判手続の申立てを、本案に関し仲裁合意があるときは仲裁手続の開始の手続を、本案が公害紛争処理法（昭和四十五年法律第百八号）第二条に規定する公害に係る被害についての損害賠償の請求に関する事件であるときは同法第四十二条の十二第一項に規定する損害賠償の責任に関する裁定（次項において「責任裁定」という。）の申請を本案の訴えの提起とみなす。

⑥ 前項の調停の事件、同項の労働審判手続、同項の仲裁手続又は同項の責任裁定の手続が調停の成立、労働審判（労働審判法第二十九条第二項において準用する民事調停法（昭和二十六年法律第二百二十二号）第十六条の規定による調停の成立及び労働審判法第二十四条第一項の規定による労働審判事件の終了を含む。）、仲裁判断又は責任裁定（公害紛争処理法第四十二条の二十四第二項の当事者間の合意の成立を含む。）によらないで終了したときは、債権者は、その終了の日から第一項の規定により定められた期間と同一の期間内に本案の訴えを提起しなければならない。

⑦ 第三項の規定は債権者が前項の規定による本案の訴えの提起をしなかった場合について、第四項の規定は前項の本案の訴えが提起され、又は労働審判法第二十二条第一項（同法第二十三条第二項及び第二十四条第二項において準用する場合を含む。）の規定により訴えの提起があったものとみなされた後にその訴えが取り下げられ、又は却下された場合について準用する。

⑧ 第十六条本文及び第十七条の規定は、第三項（前項において準用する場合を含む。）の規定による決定について準用する。

＊令和五法五三（令和一〇・六・一三までに施行）による改正
第一項、第三項及び第四項中「書面」の下に「又は電磁的記録」を加え、第六項中「第十六条」を「第十六条第一項」に改める。（本文未織込み）

§❶【保全命令の管轄裁判所→一一・一二 ❶❸❹【訴えの提起・係属の証明書→民訴九一③【申立書の記載事項→民保規二八 ❶❹—❼【本案の訴え→民訴一三四 ❸【本条による取消しの裁判→四〇①但 ❹❼【訴えの取下げ→民訴二六一—二六三 ❺【調停を行うことができる事件→家事二四四・二五七【労働審判手続の申立て→労審五【仲裁合意→仲裁一三・一四【仲裁手続の開始→仲裁二九、労調三〇、公害紛争二六【責任裁定→公害紛争四二の一二 ❻【調停の成立→家事二六八—二七〇【仲裁判断→仲裁三六・三九、労調三三・三四【責任裁定→公害紛争四二の一九・四二の二〇

（事情の変更による保全取消し）

第三八条① 保全すべき権利若しくは権利関係又は保全の必要性の消滅その他の事情の変更があるときは、保全命令を発した裁判所又は本案の裁判所は、債務者の申立てにより、保全命令を取り消すことができる。

② 前項の事情の変更は、疎明しなければならない。

③ 第十六条本文、第十七条並びに第三十二条第二項及び第三項の規定は、第一項の申立てについての決定について準用する。

§❶【保全すべき権利又は権利関係→二〇・二三①—③・一三【保全の必要性→二〇①・二三①②・一三【保全命令の管轄裁判所→一一・一二【本案の裁判所→一二§・一二§【申立書の記載事項→民保規二八【本条による取消しの裁判→四〇 ❷【疎明→一三、民訴一八八

（特別の事情による保全取消し）

第三九条① 仮処分命令により償うことができない損害を生ずるおそれがあるときその他の特別の事情があるときは、仮処分命令を発した裁判所又は本案の裁判所は、債務者の申立てにより、担保を立てることを条件として仮処分命令を取り消すことができる。

② 前項の特別の事情は、疎明しなければならない。

③ 第十六条本文及び第十七条の規定は、第一項の申立てについての決定について準用する。

§❶【仮処分命令→二三①②【償うことができない損害→二五【仮処分の管轄裁判所→一一・一二【本案の裁判所→一二§・一二§【申立書の記載事項→民保規二八【担保の提供→四【本条による取消しの裁判→四〇 ❷【疎明→一三、民訴一八八

（保全異議の規定の準用等）

第四〇条① 第二十七条から第二十九条まで、第三十一条及び第三十三条から第三十六条までの規定は、保全取消しに関する裁判について準用する。ただし、第二十七条から第二十九条まで、第三十一条、第三十三条、第三十四条及び第三十六条の規定は、第三十七条第一項の規定による裁判については、この限りでない。

② 前項において準用する第二十七条第一項の規定による裁判は、保全取消しの申立てが保全命令を発した裁判所以外の本案の裁判所にされた場合において、事件の記録が保全命令を発した裁判所に存するときは、その裁判所も、これをすることができる。

§❷【保全命令の管轄裁判所→一一・一二【保全命令裁判所に対する保全取消しの申立て→三七①・三八①・三九①【本案の裁判所に対する保全取消しの申立て→三八①・三九①【事件の記録→五

第五節　保全抗告

（保全抗告）

第四一条① 保全異議又は保全取消しの申立てについての裁判（第三十三条（前条第一項において準用する場合を含む。）の規定による裁判を含む。）に対しては、その送達を受けた日から二週間の不変期間内に、保全抗告をすることができる。ただし、抗告裁判所が発した保全命令に対する保全異議の申立てについての裁判に対しては、この限りでない。

② 原裁判所は、保全抗告を受けた場合には、保全抗告の理由の有無につき判断しないで、事件を抗告裁判所に送付しなければならない。

③ 保全抗告についての裁判に対しては、更に抗告をすることができない。

④ 第十六条本文、第十七条並びに第三十二条第二項及び第三項の規定は保全抗告についての決定について、第二十七条第一項、第四項及び第五項、第二十九条、第三十一条並びに第三十三条の規定は保全抗告に関する裁判について、民事訴訟法第三百四十九条の規定は保全抗告をすることができる裁判が確定した場合について準用する。

⑤ 前項において準用する第二十七条第一項の規定による裁判は、事件の記録が原裁判所に存するときは、その裁判所も、これをすることができる。

§❶【保全異議→二六—二九・三一—三六【保全異議の申立てについての裁判→三二・三三【保全取消し→三七—四〇【保全取消しの申立てについての裁判→三七③・三八①・三九①・四〇①・三三【送達→一七、民訴九八—一一二【不変期間→民訴九六②・九七【保全抗告の記載事項→民保規三〇・二四【抗告裁判所が保全命令を発する場合→一九① ❷【抗告提起の原則→民訴三三一・二八七・二九〇・二九一 ❺【事件の記録→五

（保全命令を取り消す決定の効力の停止の裁判）

第四二条① 保全命令を取り消す決定に対して保全抗告があった場合において、原決定の取消しの原因となることが明らかな事情及びその命令の取消しにより償うことができない損害を生ずるおそれがあることにつき疎明があったときに限り、抗告裁判所は、申立てにより、保全抗告についての裁判をするまでの間、担保を立てさせて、又は担保を立てることを条件として保全命令を取り消す決定の効力の停止を命ずることができる。

② 第十五条、第二十七条第四項及び前条第五項の規定は、前項

の規定による裁判について準用する。

参⁺【保全命令を取り消す決定↓三二①、三七③、三八①、三九①【取消しの効力停止の要件↓二七①【保全抗告についての裁判↓四一③④【担保の提供↓四 ❶【疎明↓民訴一八八

第三章 保全執行に関する手続

第一節 総則

（保全執行の要件）

第四三条① 保全執行は、保全命令の正本に基づいて実施する。ただし、保全命令に表示された当事者以外の者に対し、又はその者のためにする保全執行は、執行文の付された保全命令の正本に基づいて実施する。

> ***令和五法五三**（令和一〇・六・一三までに施行）**による改正**
> 第一項本文中「正本」の下に「（保全命令に係る電磁的記録がファイルに記録されたものである場合にあっては、記録事項証明書（ファイルに記録されている事項を記載した書面であって裁判所書記官が当該書面の内容が当該ファイルに記録されている事項と同一であることを証明したものをいう。次条第二項において同じ。）。以下この項において同じ。）」を加える。（本文未織込み）

② 保全執行は、債権者に対して保全命令が送達された日から二週間を経過したときは、これをしてはならない。

③ 保全執行は、保全命令が債務者に送達される前であっても、これをすることができる。

参❶【保全執行↓四七―五〇、五二―五五【保全命令↓二〇―二五の二【正本↓民訴九一③、民訴規三三【民事執行での原則と対比↓民執二五【承継執行文↓四六、民執二七② ❷❸【保全命令の送達↓一七 ❸【民事執行での原則と対比↓民執二九

（追加担保を提供しないことによる保全執行の取消し）

第四四条① 第三十二条第二項（第三十八条第三項及び第四十一条第四項において準用する場合を含む。以下この項において同じ。）の規定により担保を立てることを保全執行の続行の条件とする旨の裁判があったときは、債権者は、第三十二条第二項の規定により定められた期間の末日から一週間以内に保全執行裁判所又は執行官に提出しなければならない。

② 債権者が前項の規定による書面の提出をしない場合において、債務者が同項の裁判の正本を提出したときは、保全執行裁判所又は執行官は、既にした執行処分を取り消さなければならない。

③ 民事執行法第四十条第二項の規定は、前項の規定により執行処分を取り消す場合について準用する。

> ***令和五法五三**（令和一〇・六・一三までに施行）**による改正**
> 第一項中「書面」の下に「又は電磁的記録」を加え、第二項中「書面」の下に「又は電磁的記録」を、「正本」の下に「又は記録事項証明書」を加える。（本文未織込み）

参❶【担保の提供↓四【追加担保を保全執行続行の条件とする場合↓三二②、三八③、四一④ ❶❷【保全執行裁判所↓二③、四七②、四八②、五〇②、五三③、五五②【執行官↓二②③参 ❷❸【執行処分の取消し↓民執四〇①

（第三者異議の訴えの管轄裁判所の特例）

第四五条 高等裁判所が保全執行裁判所としてした保全執行に対する第三者異議の訴えは、仮に差し押さえるべき物又は係争物の所在地を管轄する地方裁判所が管轄する。

参⁺【高等裁判所↓裁一五―二二【高等裁判所が保全執行裁判所となる場合↓四七②、四八②、五〇②、五五②【第三者異議の訴えの管轄↓民執三八①③、一一・一二①【仮差押物↓二〇・四七―五〇【係争物↓二三①、五二―五五【地方裁判所↓裁二三―三一

（民事執行法の準用）

第四六条 この章に特別の定めがある場合を除き、民事執行法第五条から第十四条まで、第十六条（第五項を除く。）、第十八条、第十八条の二、第十九条の三、第二十一条の二、第二十三条第一項、第二十六条、第二十七条第二項、第二十八条、第三十条第二項、第三十二条から第三十四条まで、第三十六条から第三十八条まで、第三十九条第一項第一号から第四号の二まで、第六号及び第七号、第四十条並びに第四十一条の規定は、保全執行について準用する。

> ***令和四法四八、令和五法五三**（令和八・五・二四までに施行）**による改正前**
> （民事執行法の準用）
> **第四六条** この章に特別の定めがある場合を除き、民事執行法第五条から第十四条まで、第十六条、第十八条、第二十三条第一項、第二十六条、第二十七条第二項、第二十八条、第三十条第二項、第三十二条から第三十四条まで、第三十六条から第三十八条まで、第三十九条第一項第一号から第四号まで、第六号及び第七号、第四十条並びに第四十一条の規定は、保全執行について準用する。
>
> ***令和五法五三**（令和一〇・六・一三までに施行）**による改正**
> 第四六条中「（第五項を除く。）」を削り、「第十九条の三、第二十一条の二」を「第十九条の二から第十九条の六まで」に改め、「第七号」の下に「並びに第四項」を加える。（本文未織込み）

参⁺【保全執行↓四三、四四、四七―五七【民事執行規則の準用↓民保規三一

第二節 仮差押えの執行

（不動産に対する仮差押えの執行）

第四七条① 民事執行法第四十三条第一項に規定する不動産（同条第二項の規定により不動産とみなされるものを含む。）に対する仮差押えの執行は、仮差押えの登記をする方法又は強制管理の方法により行う。これらの方法は、併用することができる。

② 仮差押えの登記をする方法による仮差押えの執行については、仮差押命令を発した裁判所が、保全執行裁判所として管轄する。

③ 仮差押えの登記は、裁判所書記官が嘱託する。

④ 強制管理の方法による仮差押えの執行においては、管理人は、次項において準用する民事執行法第百七条第一項の規定により計算した配当等に充てるべき金銭を供託し、その事情を保全執行裁判所に届け出なければならない。

⑤ 民事執行法第四十六条第二項、第四十七条第一項、第四十八条第二項、第五十三条及び第五十四条の規定は仮差押えの登記をする方法による仮差押えの執行について、同法第四十四条、第四十六条第一項、第四十七条第二項、第六項本文及び第七項、第四十八条、第五十三条、第五十四条、第九十三条から第九十三条の三まで、第九十四条から第百四条まで、第百六条並びに第百七条第一項の規定は強制管理の方法による仮差押えの執行について準用する。

参⁺【不動産執行と対比↓民執四三【仮差押えの登記↓民執四六②、八六の二①㈢②、五一①、九一①㈢【仮差押えのための強制管理↓民執九三―一一一 ❶【仮差押命令裁判所↓一一・一二①―③ ❷【裁判所書記官↓五参【嘱託登記↓不登一六 ❸【管理人↓民執九四―九六、九九―一〇三 ❹【供託↓供

（船舶に対する仮差押えの執行）

第四八条① 船舶に対する仮差押えの執行は、仮差押えの登記をする方法又は執行官に対し船舶の国籍を証する文書その他の船舶の航行のために必要な文書（以下この条において「船舶国籍証書等」という。）を取り上げて保全執行裁判所に提出すべきこ

とを命ずる方法により行う。これらの方法は、併用することができる。

② 仮差押えの登記をする方法による仮差押えの執行は仮差押命令を発した裁判所が、船舶国籍証書等の取上げを命ずる方法による仮差押えの執行は船舶の所在地を管轄する地方裁判所が、保全執行裁判所として管轄する。

③ 前条第三項並びに民事執行法第四十六条第二項、第四十七条第一項、第四十八条第二項、第五十三条及び第五十四条の規定は仮差押えの登記をする方法による仮差押えの執行について、同法第四十五条第三項、第四十七条第一項、第五十三条、第百十六条及び第百十八条の規定は船舶国籍証書等の取上げを命ずる方法による仮差押えの執行について準用する。

⊛+【船舶執行と対比↓民執一一二【仮差押えの登記↓民執四六②、一二一、八七①三②、五一①、九一①三【船舶国籍証書↓商六八六①【国際裁判管轄↓一一 ❶【執行官↓二②③⊛❷【仮差押命令裁判所↓一二①―③【地方裁判所↓裁二三―三一

（動産に対する仮差押えの執行）

第四九条① 動産に対する仮差押えの執行は、執行官が目的物を占有する方法により行う。

② 執行官は、仮差押えの執行に係る金銭を供託しなければならない。仮差押えの執行に係る手形、小切手その他の金銭の支払を目的とする有価証券でその権利の行使のため定められた期間内に引受け若しくは支払のための提示又は支払の請求を要するものについて執行官が支払を受けた金銭についても、同様とする。

③ 仮差押えの執行に係る動産について著しい価額の減少を生ずるおそれがあるとき、又はその保管のために不相応な費用を要するときは、執行官は、民事執行法の規定による動産執行の売却の手続によりこれを売却し、その売得金を供託しなければならない。

④ 民事執行法第百二十三条から第百二十九条まで、第百三十一条、第百三十二条及び第百三十六条の規定は、動産に対する仮差押えの執行について準用する。

⊛❶【動産執行と対比↓民執一二三【執行官↓二①②⊛【仮差押えの効果↓民執一二五、一四一①二 ❷【執行官による手形等の提示等↓民執一三六⊛ ❷❸【供託の手続↓供二 ❸【仮差押物の売却・供託↓民執一三七【売却の手続↓民執一三四、一三五、民執規一一四―一二四【本項の供託金の配当↓民執一四〇

（債権及びその他の財産権に対する仮差押えの執行）

第五〇条① 民事執行法第百四十三条に規定する債権に対する仮差押えの執行は、保全執行裁判所が第三債務者に対し債務者への弁済を禁止する命令を発する方法により行う。

② 前項の仮差押えの執行については、仮差押命令を発した裁判所が、保全執行裁判所として管轄する。

③ 第三債務者が仮差押えの執行がされた金銭の支払を目的とする債権の額に相当する金銭を供託した場合には、債務者が第二十二条第一項の規定により定められた金銭の額に相当する金銭を供託したものとみなす。ただし、その金銭の額を超える部分については、この限りでない。

④ 第一項及び第二項の規定は、その他の財産権に対する仮差押えの執行について準用する。

⑤ 民事執行法第百四十五条第二項から第六項まで、第百四十六条から第百五十三条まで、第百五十六条（第三項を除く。）、第百六十四条第五項及び第六項並びに第百六十七条の規定は、第一項の債権及びその他の財産権に対する仮差押えの執行について準用する。

⊛❶【債権仮差押えの執行↓民執一四三、一四五 ❷【仮差押命令裁判所↓一一、一二④ ❸【第三債務者の供託↓民執一五六【仮差押解放金↓二二【解放金供託の効果↓四六、民執三九①五、五一 ❹【その他の財産権に対する仮差押えの執行↓民執一六七

（仮差押解放金の供託による仮差押えの執行の取消し）

第五一条① 債務者が第二十二条第一項の規定により定められた金銭の額に相当する金銭を供託したことを証明したときは、保全執行裁判所は、仮差押えの執行を取り消さなければならない。

② 前項の規定による決定は、第四十六条において準用する民事執行法第十二条第二項の規定にかかわらず、即時にその効力を生ずる。

⊛❶【仮差押解放金↓二二【保全執行裁判所↓二③、四七②⑤、民執四四、四八②、二③、五〇②⑤、民執一六七②

第三節　仮処分の執行

（仮処分の執行）

第五二条① 仮処分の執行については、この節に定めるもののほか、仮差押えの執行又は強制執行の例による。

② 物の給付その他の作為又は不作為を命ずる仮処分の執行については、仮処分命令を債務名義とみなす。

⊛❶【仮処分命令↓二三―二五の二【仮差押えの執行↓四七―五〇【強制執行↓民執二二―一七七 ❷【仮処分の方法↓二四【債務名義↓民執二二【物の給付を命ずる債務名義による強制執行↓民執一六八―一七〇【作為・不作為を命ずる債務名義による強制執行↓民執一七一―一七三、一七七

（不動産の登記請求権を保全するための処分禁止の仮処分の執行）

第五三条① 不動産に関する権利についての登記（仮登記を除く。）を請求する権利（以下「登記請求権」という。）を保全するための処分禁止の仮処分の執行は、処分禁止の登記をする方法により行う。

② 不動産に関する所有権以外の権利の保存、設定又は変更についての登記請求権を保全するための処分禁止の仮処分の執行は、前項の処分禁止の登記とともに、仮処分による仮登記（以下「保全仮登記」という。）をする方法により行う。

③ 第四十七条第二項及び第三項並びに民事執行法第四十八条第二項、第五十三条及び第五十四条の規定は、前二項の処分禁止の仮処分の執行について準用する。

⊛❶【不動産に関する権利についての登記↓不登三【仮登記↓不登一〇五【処分禁止の仮処分↓二四【処分禁止の仮処分の登記↓不登三【仮処分の登記の効力↓五八①②、五九、不登一一一①② ❷【所有権以外の権利の保存・設定・変更の登記↓不登三三―七【保全仮登記↓不登一一二―一一四、五八③④、五九、民執八七①四、九一①五

（不動産に関する権利以外の権利についての登記又は登録請求権を保全するための処分禁止の仮処分の執行）

第五四条 前条の規定は、不動産に関する権利以外の権利で、その処分の制限につき登記又は登録を対抗要件又は効力発生要件とするものについての登記（仮登記を除く。）又は登録（仮登録を除く。）を請求する権利を保全するための処分禁止の仮処分の執行について準用する。

⊛+【不動産以外の権利で登記を対抗要件とするもの↓商六八六①、六八七、七〇一、八四七ETC【不動産以外の権利で登録を対抗要件とするもの↓特許九八、九九、著作七七、ETC

（債務者を特定しないで発された占有移転禁止の仮処分命令の執行）

第五四条の二 第二十五条の二第一項の規定による占有移転禁止の仮処分命令の執行は、係争物である不動産の占有を解く際にその占有者を特定することができない場合は、することができない。

⊛+【債務者を特定しないで発された占有移転禁止の仮処分命令↓二五の二【本条の仮処分の効力↓六二【類似の規定↓民執五五の二①②

（建物収去土地明渡請求権を保全するための建物の処分禁止の仮処分の執行）

第五五条① 建物の収去及びその敷地の明渡しの請求権を保全するため、その建物の処分禁止の仮処分命令が発せられたときは、その仮処分の執行は、処分禁止の登記をする方法により行う。

② 第四十七条第二項及び第三項並びに民事執行法第四十八条第二項、第五十三条及び第五十四条の規定は、前項の処分禁止の仮処分の執行について準用する。

❶【建物収去土地明渡しの強制執行↓民執一七一・一六八【処分禁止の仮処分命令↓二三・二四【処分禁止の仮処分の登記↓不登三【仮処分の登記の効力↓六四　❷【仮処分の登記の手続↓四七③、民執四八②

（法人の代表者の職務執行停止の仮処分等の登記の嘱託）

第五六条 法人を代表する者その他法人の役員として登記された者について、その職務の執行を停止し、若しくはその職務を代行する者を選任する仮処分命令又はその仮処分命令を変更し、若しくは取り消す決定がされた場合には、裁判所書記官は、法人の本店又は主たる事務所の所在地（外国法人にあっては、各事務所の所在地）を管轄する登記所にその登記を嘱託しなければならない。ただし、これらの事項が登記すべきものでないときは、この限りでない。

【法人の代表者・役員の職務執行停止・代行者選任の仮処分↓一般法人三〇五、会社三五二・六〇三・九一七【仮処分命令↓二三②・二四【仮処分命令の変更・取消し↓三二①・三七③・三八①・三九①・四一【裁判所書記官↓五【本店・支店↓会社四・二七・五七六・九一一―九一三【事務所↓一般法人三〇一②㈢・三〇二②㈢【登記所↓商登一の三【嘱託登記↓商登一五

（仮処分解放金の供託による仮処分の執行の取消し）

第五七条① 債務者が第二十五条第一項の規定により定められた金銭の額に相当する金銭を供託したことを証明したときは、保全執行裁判所は、仮処分の執行を取り消さなければならない。

② 第五十一条第二項の規定は、前項の規定による決定について準用する。

❶【仮処分解放金↓二五【保全執行裁判所↓二③・五三③・五五②・四七②

第四章　仮処分の効力

（不動産の登記請求権を保全するための処分禁止の仮処分の効力）

第五八条① 第五十三条第一項の処分禁止の登記の後にされた登記に係る権利の取得又は処分の制限は、同項の仮処分の債権者が保全すべき登記請求権に係る登記をする場合には、その登記に係る権利の取得又は消滅と抵触する限度において、その債権者に対抗することができない。

② 前項の場合においては、第五十三条第一項の仮処分の債権者（同条第二項の仮処分の債権者を除く。）は、同条第一項の処分禁止の登記に後れる登記を抹消することができる。

③ 第五十三条第二項の仮処分の債権者が保全すべき登記請求権に係る登記をするには、保全仮登記に基づく本登記をする方法による。

④ 第五十三条第二項の仮処分の債権者は、前項の規定により登記をする場合において、その仮処分により保全すべき登記請求権に係る権利が不動産の使用又は収益をするものであるときは、不動産の使用若しくは収益をする権利（所有権を除く。）又はその権利を目的とする権利の取得に関する登記で、同条第一項の処分禁止の登記に後れるものを抹消することができる。

❶【処分禁止の仮処分の登記↓五三①【権利取得・処分制限の登記↓不登三【仮処分債権者による本登記↓三七　❷【仮処分に後れる登記の抹消↓五九、不登一一一　❸【保全仮登記↓五三②【保全仮登記に基づく本登記↓三七　❹【仮処分に後れる登記の抹消↓五九、不登一一三・一一四【不動産の使用・収益を目的とする権利↓民二六五・二七〇・二八〇・六〇五

（登記の抹消の通知）

第五九条① 仮処分の債権者が前条第二項又は第四項の規定により登記を抹消するには、あらかじめ、その登記の権利者に対し、その旨を通知しなければならない。

② 前項の規定による通知は、これを発する時の同項の権利者の登記簿上の住所又は事務所にあてて発することができる。この場合には、その通知は、遅くとも、これを発した日から一週間を経過した時に到達したものとみなす。

❶【仮処分に後れる登記の抹消↓五八②④　❷【登記簿上の住所・事務所↓不登五九【通知↓民九七①

（仮処分命令の更正等）

第六〇条① 保全仮登記に係る権利の表示がその保全仮登記に基づく本登記をすべき旨の本案の債務名義における権利の表示と符合しないときは、第五十三条第二項の処分禁止の仮処分の命令を発した裁判所は、債権者の申立てにより、その命令を更正しなければならない。

② 前項の規定による更正決定に対しては、即時抗告をすることができる。

③ 第一項の規定による更正決定が確定したときは、裁判所書記官は、保全仮登記の更正を嘱託しなければならない。

❶【保全仮登記↓五三②【保全仮登記に係る権利↓二三①②【本案の債務名義↓三七、不登一一三・一一四【保全仮登記に基づく本登記↓三七、民執二二【仮処分命令裁判所↓五三③・四七②・一一・一二①―③【判決の更正決定等との対比↓民訴二五七・三三二【非訟事件の決定の取消し・変更との対比↓非訟五九　❷【即時抗告↓民訴三三二【裁判所書記官↓五【更正登記↓不登六六・六七【嘱託登記↓不登一六

（不動産に関する権利以外の権利についての登記又は登録請求権を保全するための処分禁止の仮処分の効力）

第六一条 前三条の規定は、第五十四条に規定する処分禁止の仮処分の効力について準用する。

（占有移転禁止の仮処分命令の効力）

第六二条① 占有移転禁止の仮処分命令の執行がされたときは、債権者は、本案の債務名義に基づき、次に掲げる者に対し、係争物の引渡し又は明渡しの強制執行をすることができる。

一 当該占有移転禁止の仮処分命令の執行がされたことを知って当該係争物を占有した者

二 当該占有移転禁止の仮処分命令の執行後にその執行がされたことを知らないで当該係争物について債務者の占有を承継した者

② 占有移転禁止の仮処分命令の執行後に当該係争物を占有した者は、その執行がされたことを知って占有したものと推定する。

❶【占有移転禁止の仮処分命令↓二五の二①【占有移転禁止の仮処分の執行↓五二・五四の二【本案の債務名義に基づく執行↓民執二七②【係争物引渡し・明渡しの強制執行↓民執一六八　+【類似の規定↓民執一六八の二

（執行文の付与に対する異議の申立ての理由）

第六三条 前条第一項の本案の債務名義につき同項の債務者以外の者に対する執行文が付与されたときは、その者は、執行文の付与に対する異議の申立てにおいて、債権者に対抗することができる権原により当該物を占有していること、又はその仮処分の執行がされたことを知らず、かつ、債務者の占有の承継人でないことを理由とすることができる。

+【債務名義上の債務者以外の者に対する執行文↓民執二七②【執行文の付与に対する異議の申立て↓民執三二

（建物収去土地明渡請求権を保全するための建物の処分禁止の仮処分の効力）

第六四条　第五十五条第一項の処分禁止の登記がされたときは、債権者は、本案の債務名義に基づき、その登記がされた後に建物を譲り受けた者に対し、建物の収去及びその敷地の明渡しの強制執行をすることができる。

参【建物の処分禁止の仮処分→五五①【本案の債務名義→三七、民執二二【譲受人に対する執行→民執二七②【強制執行の方法→民執一七一・一六八

（詐害行為取消権を保全するための仮処分における解放金に対する権利の行使）

第六五条　民法（明治二十九年法律第八十九号）第四百二十四条第一項の規定による詐害行為取消権を保全するための仮処分命令において定められた第二十五条第一項の金銭の額に相当する金銭が供託されたときは、同法第四百二十四条第一項の債務者は、供託金の還付を請求する権利（以下「還付請求権」という。）を取得する。この場合において、その還付請求権は、その仮処分の執行が第五十七条第一項の規定により取り消され、かつ、保全すべき権利についての本案の判決が確定した後に、その仮処分の債権者が同法第四百二十四条第一項の債務者に対する債務名義によりその還付請求権に対し強制執行をするときに限り、これを行使することができる。

参【詐害行為取消権→民四二四【仮処分命令→二三・二四【仮処分解放金→二五【供託金還付請求権→供八①【解放金供託による仮処分の取消し→五七【保全すべき権利についての本案の判決→三七①【債務名義→民執二二【還付請求権に対する強制執行→民執一四三

第五章　罰則

（公示書等損壊罪）

第六六条　第五十二条第一項の規定によりその例によることとされる民事執行法第百六十八条の二第三項又は第四項の規定により執行官が公示するために施した公示書その他の標識を損壊した者は、一年以下の拘禁刑又は百万円以下の罰金に処する。

参【公示書その他の標識→民執一六八の二③④、二一二

（陳述等拒絶の罪）

第六七条　第五十二条第一項の規定によりその例によることとされる民事執行法第百六十八条第二項の規定による執行官の質問又は文書の提出の要求に対し、正当な理由なく、陳述をせず、若しくは文書の提示を拒み、又は虚偽の陳述をし、若しくは虚偽の記載をした文書を提示した債務者又は同項に規定する不動産等を占有する第三者は、六月以下の拘禁刑又は五十万円以下の罰金に処する。

参【占有者特定のための執行官の質問、文書提示要求→民執一六八②、二一三①四

附　則（抄）

（施行期日）

第一条　この法律は、公布の日から起算して二年を超えない範囲内において政令で定める日（平成三・一一・一―平成二政二八三）から施行する。

別表（略）

＊令和四法四八（令和八・五・二四までに施行）**により別表追加**
＊令和五法五三（令和一〇・六・一三までに施行）**により別表削る**（未織込み）

附　則（令和四・五・二五法四八）（抄）

（施行期日）

第一条　この法律は、公布の日から起算して四年を超えない範囲内において政令で定める日から施行する。ただし、次の各号に掲げる規定は、当該各号に定める日から施行する。

一　（前略）附則第百二十五条の規定　公布の日

二　（前略）附則第七十一条中民事保全法（平成元年法律第九十一号）第五十条第五項の改正規定（中略）　公布の日から起算して九月を超えない範囲内において政令で定める日（令和五・二・二〇―令和四政三八四）

三　（略）

四　（前略）附則（中略）第七十条（民事保全法の一部改正）（中略）の規定（中略）　公布の日から起算して二年を超えない範囲内において政令で定める日（令和六・三・一―令和五政三五六）

五　（略）

（政令への委任）

第一二五条　（前略）この法律の施行に関し必要な経過措置は、政令で定める。

刑法等の一部を改正する法律の施行に伴う関係法律整理法中経過規定（令和四・六・一七法六八）（抄）

第四四一条から第四四三条まで　（刑法の同経過規定参照）

第五〇九条　（刑法の同経過規定参照）

刑法等の一部を改正する法律の施行に伴う関係法律整理法附　則（令和四・六・一七法六八）（抄）

（施行期日）

①　この法律は、刑法等一部改正法（刑法等の一部を改正する法律（令和四法六七））施行日（令和七・六・一）から施行する。ただし、次の各号に掲げる規定は、当該各号に定める日から施行する。

一　第五百九条の規定　公布の日

二　（略）

民事関係手続等における情報通信技術の活用等の推進を図るための関係法律の整備に関する法律中経過規定（令和五・六・一四法五三）（抄）

（手続費用額の確定手続に関する経過措置）

第一一一条　前条の規定による改正後の民事保全法（第百十五条及び第百二十三条において「改正後民事保全法」という。）第七条において準用する民事訴訟法（以下この節において「準用民事訴訟法」という。）第七十一条第二項の規定は、施行日以後に開始される民事保全事件（以下この節において「改正後民事保全事件」という。）における民事保全の手続の費用の負担の額を定める申立てについて、適用する。

（期日の呼出しに関する経過措置）

第一一二条　準用民事訴訟法第九十四条の規定は、改正後民事保全事件における期日の呼出しについて、適用する。

（送達報告書に関する経過措置）

第一一三条　準用民事訴訟法第百条第二項の規定は、改正後民事保全事件における送達報告書の提出について、適用する。

（公示送達の方法に関する経過措置）

第一一四条　準用民事訴訟法第百十一条から第百十三条までの規定は、改正後民事保全事件における公示送達について適用し、施行日前に開始された民事保全事件（以下この節において「改正前民事保全事件」という。）における公示送達については、なお従前の例による。

（電子情報処理組織による申立て等に関する経過措置）

第一一五条①　準用民事訴訟法第一編第七章の規定は、改正後民事保全事件における準用民事訴訟法第百三十二条の十第一項に規定する申立て等について適用し、改正前民事保全事件における第百十条の規定による改正前の民事保全法（第百二十四条において「改正前民事保全法」という。）第六条の三第一項に規定する申立て等については、同条の規定は、施行日以後も、なおその効力を有する。

②　改正後民事保全法第四十六条において準用する改正後民事執行法第十九条の二から第十九条の六までの規定は、改正後民事保全事件における改正後民事保全法第四十六条において準用す

る改正後民事執行法第十九条の二第一項及び第十九条の六に規定する申立て等について適用する。

（釈明処分による電磁的記録の提出に関する経過措置）

第一一六条　準用民事訴訟法第百五十一条第二項の規定は、改正後民事保全事件における釈明処分による電磁的記録の提出について適用し、改正前民事保全事件における釈明処分による電磁的記録の提出については、なお従前の例による。

（口頭弁論調書に関する経過措置）

第一一七条①　準用民事訴訟法第百六十条の規定は、改正後民事保全事件における口頭弁論調書の作成、記録及び口頭弁論の方式に関する規定の遵守に係る証明について適用し、改正前民事保全事件における口頭弁論調書の作成、記載及び口頭弁論の方式に関する規定の遵守に係る証明については、なお従前の例による。

②　準用民事訴訟法第百六十条の二の規定は、改正後民事保全事件における口頭弁論調書の更正について適用し、改正前民事保全事件における口頭弁論調書の更正については、なお従前の例による。

（尋問に代わる書面の提出等に関する経過措置）

第一一八条　準用民事訴訟法第二百五条第二項（準用民事訴訟法第二百七十八条第二項において準用する場合を含む。）及び第二百十五条第二項（準用民事訴訟法第二百十八条第一項及び第二百七十八条第二項において準用する場合を含む。）の規定は、改正後民事保全事件における証人若しくは当事者本人の尋問に代わる書面の提出及び鑑定人の意見の陳述に代わる書面の提出又は鑑定人の書面による意見の陳述に代わる意見の陳述の方式若しくは鑑定の嘱託を受けた者による鑑定書の提出について、適用する。

（電磁的記録に記録された情報の内容に係る証拠調べに関する経過措置）

第一一九条　準用民事訴訟法第二百三十一条の二第二項及び第二百三十一条の三第二項の規定は、改正後民事保全事件における電磁的記録に記録された情報の内容に係る証拠調べについて適用し、改正前民事保全事件における電磁的記録に記録された情報の内容に係る証拠調べについては、なお従前の例による。

（電子決定書の作成に関する経過措置）

第一二〇条　準用民事訴訟法第百二十二条において準用する準用民事訴訟法第二百五十二条及び第二百五十三条の規定は、改正後民事保全事件における電子決定書（準用民事訴訟法第百二十二条において準用する準用民事訴訟法第二百五十二条第一項の規定により作成される電磁的記録をいう。）の作成について適用し、改正前民事保全事件における決定書の作成については、なお従前の例による。

（申立ての取下げが口頭でされた場合における期日の電子調書の記録に関する経過措置）

第一二一条　準用民事訴訟法第二百六十一条第四項の規定は、改正後民事保全事件における申立ての取下げが口頭でされた場合における期日の電子調書の記録について適用し、改正前民事保全事件における申立ての取下げが口頭でされた場合における期日の調書の記載については、なお従前の例による。

（和解調書の効力に関する経過措置）

第一二二条①　準用民事訴訟法第二百六十七条第一項の規定は、改正後民事保全事件における和解に係る電子調書の効力について適用し、改正前民事保全事件における和解に係る調書の効力については、なお従前の例による。

②　準用民事訴訟法第二百六十七条第二項の規定は、改正後民事保全事件における和解を記録した電子調書の送達について、適用する。

③　準用民事訴訟法第二百六十七条の二第一項の規定は、改正後民事保全事件における和解に係る調書の更正について適用し、改正前民事保全事件における和解に係る調書の更正については、なお従前の例による。

（事件に関する事項の証明に関する経過措置）

第一二三条　改正後民事保全法第五条の三の規定は、改正後民事保全事件に関する事項の証明について適用し、改正前民事保全事件に関する事項の証明については、なお従前の例による。

（家庭裁判所における執行関係訴訟手続に関する経過措置）

第一二四条①　施行日前に提起された改正前民事保全法第四十六条において準用する改正前民事執行法第三十三条又は第三十四条の訴えに係る事件であって家庭裁判所の管轄に属するものに関する手続（以下この条において「改正前の家庭裁判所における執行関係訴訟手続」という。）については、改正前民事保全法第四十六条において準用する改正前民事執行法第二十一条の二第一項及び第二項（別表第二を含む。）の規定は、施行日以後も、なおその効力を有する。

②　改正前の家庭裁判所における執行関係訴訟手続における期日の呼出し及び公示送達については、なお従前の例による。

③　改正前の家庭裁判所における執行関係訴訟手続における改正前民事保全法第四十六条において準用する改正前民事執行法第二十一条の二第三項において準用する改正前民事執行法第十九条の二第一項に規定する申立て等については、同条の規定は、施行日以後も、なおその効力を有する。

第三八七条から**第三八九条**まで　（民事執行法の同経過規定参照）

民事関係手続等における情報通信技術の活用等の推進を図るための関係法律の整備に関する法律

附　則（令和五・六・一四法五三）

この法律は、公布の日から起算して五年を超えない範囲内において政令で定める日から施行する。ただし、次の各号に掲げる規定は、当該各号に定める日から施行する。

一　第三十二章（民事訴訟法等の一部を改正する法律（令和四法四八）の一部改正）の規定及び第三百八十八条の規定　公布の日

二　（前略）第三百八十七条の規定　公布の日から起算して二年六月を超えない範囲内において政令で定める日

三　（前略）第百十条中民事保全法第四十六条の改正規定（「第十八条」の下に「、第十八条の二」を加える部分に限る。）（中略）民事訴訟法等の一部を改正する法律の施行の日

○民事保全規則（抄）

（平成二・五・一六 最高裁規三）

施行 平成三・一・一（附則参照）
最終改正 令和四最高裁規一七

目次

第一章 総則（抄）

（申立ての方式）
第一条 次に掲げる申立ては、書面でしなければならない。
一 保全命令の申立て
二 保全命令の申立てを却下する裁判に対する即時抗告
三 保全異議の申立て
四 保全取消しの申立て
五 保全抗告
六 保全執行の申立て

（法第四条第一項の最高裁判所規則で定める担保提供の方法）
第二条 民事保全法（平成元年法律第九十一号。以下「法」という。）第四条第一項の規定による担保は、担保を立てるべきことを命じた裁判所の許可を得て、これを命じられた者が銀行、保険会社、株式会社商工組合中央金庫、農林中央金庫、全国を地区とする信用金庫連合会、信用金庫又は労働金庫（以下この条において「銀行等」という。）との間において次に掲げる要件を満たす支払保証委託契約を締結する方法によって立てることができる。
一 銀行等は、担保を立てるべきことを命じられた者のために、裁判所が定めた金額を限度として、担保に係る損害賠償請求権についての債務名義又はその損害賠償請求権の存在を確認する確定判決若しくはこれと同一の効力を有するものに表示された額の金銭を担保権利者に支払うものであること。
二 担保取消しの決定が確定した時又は第十七条第一項若しくは第四項の許可がされた時に契約の効力が消滅するものであること。
三 契約の変更又は解除をすることができないものであること。
四 担保権利者の申出があったときは、銀行等は、契約が締結されたことを証する文書を担保権利者に交付するものであること。

（口頭弁論又は審尋の期日の呼出し）
第三条① 民事保全の手続における口頭弁論又は審尋の期日の呼出しは、相当と認める方法によることができる。
② 前項の呼出しがされたときは、裁判所書記官は、その旨及び呼出しの方法を記録上明らかにしなければならない。

（申立ての取下げの方式等）
第四条 （略）

（催告及び通知）
第五条 民事訴訟規則（平成八年最高裁判所規則第五号）第四条の規定は、民事保全の手続における催告及び通知について準用する。この場合において、同条第二項、第五項及び第六項中「裁判所書記官」とあるのは「裁判所書記官又は執行官」と読み替えるものとする。

（民事訴訟規則の準用）
第六条 （略）

第二章 保全命令に関する手続（抄）

第一節 総則（抄）

（口頭弁論調書の記載の省略等）
第七条① 保全命令に関する手続における口頭弁論の調書については、裁判長の許可を得て、証人、鑑定人若しくは当事者本人の陳述又は検証の結果の記載を省略することができる。
② 前項の規定により調書の記載を省略する場合において、裁判長の命令又は当事者の申出があるときは、裁判所書記官は、当事者の裁判上の利用に供するため、録音装置を使用して前項の陳述を録取しなければならない。この場合において、当事者の申出があるときは、裁判所書記官は、録音体の複製を許さなければならない。

（審尋調書の作成等）
第八条① 第一条第一号又は第二号に掲げる申立てについての手続における審尋の調書は、作成することを要しない。ただし、裁判長が作成を命じたときは、この限りでない。
② 第一条第三号から第五号までに掲げる申立てについての手続における審尋の調書については、裁判長の許可を得て、参考人又は当事者本人の陳述の記載を省略することができる。
③ 前条第二項の規定は、前項の規定により調書の記載を省略する場合について準用する。

（決定書の作成）
第九条① 第一条第一号から第五号までに掲げる申立てについての決定は、決定書を作成してしなければならない。
② 前項の決定書には、次に掲げる事項を記載し、裁判官が記名押印しなければならない。
一 事件の表示
二 当事者の氏名又は名称及び代理人の氏名
三 保全命令を発する場合にあっては、当事者の住所
四 担保額及び担保提供方法
五 主文
六 理由又は理由の要旨
七 決定の年月日
八 裁判所の表示
③ 第一項の決定の理由においては、主要な争点及びこれに対する判断を示さなければならない。
④ 第一項の決定の理由においては、口頭弁論又は債務者の審尋を経ないで保全命令を発する場合を除き、保全命令の申立書その他の当事者の主張を記載した書面（以下「主張書面」という。）を引用することができる。

（調書決定）
第一〇条① 第一条第一号から第五号までに掲げる申立てについての決定は、前条の規定にかかわらず、口頭弁論又は審尋の期日において同条第二項第四号から第六号までに掲げる事項を言い渡し、かつ、これを調書に記載させてすることができる。
② 前項の場合において、保全命令を発するときは、同項の調書に当事者の氏名又は名称及び住所並びに代理人の氏名を記載させなければならない。
③ 前条第三項及び第四項の規定は、第一項の場合について準用する。

第一一条 削除

（担保変換決定の通知）
第一二条 （略）

第二節　保全命令（抄）

第一款　通則（抄）

第一三条（申立書の記載事項）①保全命令の申立書には、次に掲げる事項を記載しなければならない。
一　当事者の氏名又は名称及び住所（債務者を特定することができない場合にあっては、その旨）並びに代理人の氏名及び住所
二　申立ての趣旨及び理由
②保全命令の申立ての理由においては、保全すべき権利又は権利関係及び保全の必要性を具体的に記載し、かつ、立証を要する事由ごとに証拠を記載しなければならない。

第一四条（主張書面の提出の方法等）（略）

第一五条（主張書面等の直送）（略）

第一六条（保全命令の申立ての却下決定等の告知）（略）

第一七条（担保の取戻し）①保全執行としてする登記若しくは登録又は第三債務者に対する保全命令の送達ができなかった場合その他保全命令により債務者に損害が生じないことが明らかである場合において、法第四十三条第二項の期間が経過し、又は保全命令の申立てが取り下げられたときは、債権者は、保全命令を発した裁判所の許可を得て、法第十四条第一項の規定により立てた担保を取り戻すことができる。
②前項の許可を求める申立ては、次に掲げる事項を記載した書面でしなければならない。
一　保全命令事件の表示
二　当事者の氏名又は名称及び住所（債務者を特定することができない場合にあっては、その旨）並びに代理人の氏名及び住所
三　申立ての趣旨及び理由
四　保全命令の正本が担保権利者である債務者以外の債務者に対する保全執行のため執行機関に提出されているときは、その旨
③前項に規定する申立書には、次に掲げる書面を添付しなければならない。
一　保全命令の正本。ただし、前項第四号に規定する場合における当該正本を除く。
二　前項第四号に規定する場合にあっては、その旨を証する書面
三　事件の記録上明らかである場合を除き、保全命令により債務者に損害が生じないことが明らかであることを証する書面
④債務者は、第一項の担保に関する債権者の権利を承継したときは、保全命令を発した裁判所の許可を得て、その担保を取り戻すことができる。
⑤前項の許可を求める申立ては、第二項第一号から第三号までに掲げる事項を記載した書面でしなければならない。この書面には、債務者が第一項の担保に関する債権者の権利を承継したことを証する書面を添付しなければならない。

第二款　仮差押命令（抄）

第一八条（申立書の記載事項の特則）①民事執行法（昭和五十四年法律第四号）第百四十三条に規定する債権（以下「債権」という。）に対する仮差押命令の申立書には、第三債務者の氏名又は名称及び住所並びに法定代理人の氏名及び住所を記載しなければならない。
②民事執行規則（昭和五十四年最高裁判所規則第五号）第百五十条の二に規定する振替社債等（以下「振替社債等」という。）に関する仮差押命令の申立書には、振替機関等（社債、株式等の振替に関する法律（平成十三年法律第七十五号）第二条第五項に規定する振替機関等であって債務者が口座の開設を受けているものをいう。以下同じ。）の名称及び住所を記載しなければならない。
③④（略）

第一九条（申立ての趣旨の記載方法）①仮差押命令の申立ての趣旨の記載は、仮に差し押さえるべき物を特定してしなければならない。ただし、仮に差し押さえるべき物が民事執行法第百二十二条第一項に規定する動産（以下「動産」という。）であるときは、その旨を記載すれば足りる。
②次の各号に掲げる仮差押命令の申立書における仮に差し押さえるべき物の記載は、当該各号に定める事項を明らかにしてしなければならない。
一　債権に対する仮差押命令　債権の種類及び額その他の債権を特定するに足りる事項
二　民事執行規則第百四十六条第一項に規定する電話加入権（以下「電話加入権」という。）に対する仮差押命令　東日本電信電話株式会社又は西日本電信電話株式会社において電話に関する現業事務を取り扱う事務所で当該電話加入権に係る契約に関する事務を取り扱うもの、電話番号、電話加入権を有する者の氏名又は名称及び電話の設置場所

第二〇条（申立書の添付書面）（略）

第三款　仮処分命令（抄）

第二一条（仮処分解放金の還付請求権者の記載）　法第二十五条第一項の金銭の額を定める場合には、仮処分命令にその金銭の還付を請求することができる者の氏名又は名称及び住所を掲げなければならない。

第二二条（保全すべき登記請求権等の記載）①法第五十三条第二項の仮処分に係る仮処分命令の決定書又はこれに代わる調書には、保全すべき登記請求権及びこれを保全するための仮処分命令である旨を記載しなければならない。
②前項の規定は、法第五十四条の仮処分に係る仮処分命令の決定書又はこれに代わる調書について準用する。
③法第五十五条第一項の仮処分命令の決定書又はこれに代わる調書には、同項の請求権を保全するための仮処分命令である旨を記載しなければならない。

第二三条（仮差押命令の規定の準用）（略）

第三節　保全異議（抄）

第二四条（申立書の記載事項）①保全異議の申立書には、次に掲げる事項を記載しなければならない。
一　保全命令事件の表示
二　債務者の氏名又は名称及び住所並びに代理人の氏名及び住所
三　債権者の氏名又は名称及び住所
四　申立ての趣旨及び理由
②保全異議の申立ての趣旨の記載は、保全命令の一部の取消し又は変更を求める場合にあっては、その範囲を明らかにしてしなければならない。
③保全異議の申立ての理由においては、保全命令の取消し又は変更を求める事由を具体的に記載し、かつ、立証を要する事由ごとに証拠を記載しなければならない。

第二五条（主張書面の提出の方法等）（略）

第二六条（主張書面等の直送）（略）

第二七条（決定書等への引用）（略）

第四節　保全取消し

（起訴命令の申立ての方式）
第二八条　法第三十七条第一項の申立ては、第二十四条第一項に掲げる事項を記載した書面でしなければならない。

（保全異議の規定の準用）
第二九条　前節（第二十六条を除く。）の規定は、保全取消しの申立てについての手続について準用する。

第五節　保全抗告

（保全異議の規定の準用）
第三〇条　第三節（第二十六条を除く。）の規定は、保全抗告についての手続について準用する。

第三章　保全執行に関する手続（抄）

第一節　総則

（民事執行規則の準用）
第三一条　民事執行規則第一章（第一条、第三条、第四条、第十条、第十四条及び第十五条の二を除く。）及び同規則第二章第一節（第十六条第二項、第二十条及び第二十二条の三を除く。）の規定は、保全執行について準用する。ただし、同規則第二十一条の規定は、登記若しくは登録をする方法又は第三債務者若しくはこれに準ずる者に保全命令の送達をする方法による保全執行については、この限りでない。

第二節　仮差押えの執行　及び　第三節　仮処分の執行

（第三二条から第四五条の二まで）（略）

第四章　仮処分の効力

（第四六条から第四八条まで）（略）

附　則（抄）

（施行期日）
第一条　この規則は、法の施行の日（平成三・一・一）から施行する。

●破産法

（平成一六・六・二 法 七 五）

施行 平成一七・一・一（平成一六政三一七）
改正 平成一六法三七・法一二四・法一四七、平成一七法八七、平成一八法五〇・法六六・法八四・法一〇九、平成二三法五三・法五七・法六一、平成二四法一六、平成二五法四五、平成二九法四五、令和一法二・法一八・法三一・法七一、令和三法二四、令和四法四八（令和五法五三）・法六八、令和五法三四・法五三、令和六法三三・法三八

目次

第一章 総則

（目的）

第一条 この法律は、支払不能又は債務超過にある債務者の財産等の清算に関する手続を定めること等により、債権者その他の利害関係人の利害及び債務者と債権者との間の権利関係を適切に調整し、もって債務者の財産等の適正かつ公平な清算を図るとともに、債務者について経済生活の再生の機会の確保を図ることを目的とする。

（定義）

第二条① この法律において「破産手続」とは、次章以下（第十二章を除く。）に定めるところにより、債務者の財産又は相続財産若しくは信託財産を清算する手続をいう。

② この法律において「破産事件」とは、破産手続に係る事件をいう。

③ この法律において「破産裁判所」とは、破産事件が係属している地方裁判所をいう。

④ この法律において「破産者」とは、債務者であって、第三十条第一項の規定により破産手続開始の決定がされているものをいう。

⑤ この法律において「破産債権」とは、破産者に対し破産手続開始前の原因に基づいて生じた財産上の請求権（第九十七条各号に掲げる債権を含む。）であって、財団債権に該当しないものをいう。

⑥ この法律において「破産債権者」とは、破産債権を有する債権者をいう。

⑦ この法律において「財団債権」とは、破産手続によらないで破産財団から随時弁済を受けることができる債権をいう。

⑧ この法律において「財団債権者」とは、財団債権を有する債権者をいう。

⑨ この法律において「別除権」とは、破産手続開始の時において破産財団に属する財産につき特別の先取特権、質権又は抵当権を有する者がこれらの権利の目的である財産について第六十五条第一項の規定により行使することができる権利をいう。

⑩ この法律において「別除権者」とは、別除権を有する者をいう。

⑪ この法律において「支払不能」とは、債務者が、支払能力を欠くために、その債務のうち弁済期にあるものにつき、一般的かつ継続的に弁済することができない状態（信託財産の破産にあっては、受託者が、信託財産による支払能力を欠くために、信託財産責任負担債務（信託法（平成十八年法律第百八号）第二条第九項に規定する信託財産責任負担債務をいう。以下同じ。）のうち弁済期にあるものにつき、一般的かつ継続的に弁済することができない状態）をいう。

⑫ この法律において「破産管財人」とは、破産手続において破産財団に属する財産の管理及び処分をする権利を有する者をいう。

⑬ この法律において「保全管理人」とは、第九十一条第一項の規定により債務者の財産に関し管理を命じられた者をいう。

⑭ この法律において「破産財団」とは、破産者の財産又は相続財産若しくは信託財産であって、破産手続において破産管財人

にその管理及び処分をする権利が専属するものをいう。

（外国人の地位）

第三条　外国人又は外国法人は、破産手続、第十二章第一節の規定による免責手続（以下「免責手続」という。）及び同章第二節の規定による復権の手続（以下この章において「破産手続等」と総称する。）に関し、日本人又は日本法人と同一の地位を有する。

（破産事件の管轄）

第四条①　この法律の規定による破産手続開始の申立ては、債務者が個人である場合には日本国内に営業所、住所、居所又は財産を有するときに限り、法人その他の社団又は財団である場合には日本国内に営業所、事務所又は財産を有するときに限り、することができる。

②　民事訴訟法（平成八年法律第百九号）の規定により裁判上の請求をすることができる債権は、日本国内にあるものとみなす。

第五条①　破産事件は、債務者が、営業者であるときはその主たる営業所の所在地、営業者で外国に主たる営業所を有するものであるときは日本におけるその主たる営業所の所在地、営業者でないとき又は営業者であっても営業所を有しないときはその普通裁判籍の所在地を管轄する地方裁判所が管轄する。

②　前項の規定による管轄裁判所がないときは、破産事件は、債務者の財産の所在地（債権については、裁判上の請求をすることができる地）を管轄する地方裁判所が管轄する。

③　前二項の規定にかかわらず、法人が株式会社の総株主の議決権（株主総会において決議をすることができる事項の全部につき議決権を行使することができない株式についての議決権を除き、会社法（平成十七年法律第八十六号）第八百七十九条第三項の規定により議決権を有するものとみなされる株式についての議決権を含む。次項、第八十三条第二項第二号及び第三項並びに第百六十一条第二項第二号イ及びロにおいて同じ。）の過半数を有する場合には、当該法人（以下この条及び第百六十一条第二項第二号ロにおいて「親法人」という。）について破産事件、再生事件又は更生事件（以下この条において「破産事件等」という。）が係属しているときにおける当該株式会社（以下この条及び第百六十一条第二項第二号ロにおいて「子株式会社」という。）についての破産手続開始の申立ては、親法人の破産事件等が係属している地方裁判所にもすることができ、子株式会社について破産事件等が係属しているときにおける親法人についての破産手続開始の申立ては、子株式会社の破産事件等が係属している地方裁判所にもすることができる。

④　子株式会社又は親法人及び子株式会社が他の株式会社の総株主の議決権の過半数を有する場合には、当該他の株式会社を当該親法人の子株式会社とみなして、前項の規定を適用する。

⑤　第一項及び第二項の規定にかかわらず、株式会社が最終事業年度について会社法第四百四十四条の規定により当該株式会社及び他の法人に係る連結計算書類（同条第一項に規定する連結計算書類をいう。）を作成し、かつ、当該株式会社の定時株主総会においてその内容が報告された場合には、当該株式会社について破産事件等が係属しているときにおける当該他の法人についての破産手続開始の申立ては、当該株式会社の破産事件等が係属している地方裁判所にもすることができ、当該他の法人について破産事件等が係属しているときにおける当該株式会社についての破産手続開始の申立ては、当該他の法人の破産事件等が係属している地方裁判所にもすることができる。

⑥　第一項及び第二項の規定にかかわらず、法人について破産事件等が係属している場合における当該法人の代表者についての破産手続開始の申立ては、当該法人の破産事件等が係属している地方裁判所にもすることができ、法人の代表者について破産事件又は再生事件が係属している場合における当該法人についての破産手続開始の申立ては、当該法人の代表者の破産事件又は再生事件が係属している地方裁判所にもすることができる。

⑦　第一項及び第二項の規定にかかわらず、次の各号に掲げる者のうちいずれか一人について破産事件が係属しているときは、それぞれ当該各号に掲げる他の者についての破産手続開始の申立ては、当該破産事件が係属している地方裁判所にもすることができる。

一　相互に連帯債務者の関係にある個人

二　相互に主たる債務者と保証人の関係にある個人

三　夫婦

⑧　第一項及び第二項の規定にかかわらず、破産手続開始の決定がされたとすれば破産債権となるべき債権を有する債権者の数が五百人以上であるときは、これらの規定による管轄裁判所の所在地を管轄する高等裁判所の所在地を管轄する地方裁判所にも、破産手続開始の申立てをすることができる。

⑨　第一項及び第二項の規定にかかわらず、前項に規定する債権者の数が千人以上であるときは、東京地方裁判所又は大阪地方裁判所にも、破産手続開始の申立てをすることができる。

⑩　前各項の規定により二以上の地方裁判所が管轄権を有するときは、破産事件は、先に破産手続開始の申立てがあった地方裁判所が管轄する。

（専属管轄）

第六条　この法律に規定する裁判所の管轄は、専属とする。

（破産事件の移送）

第七条　裁判所は、著しい損害又は遅滞を避けるため必要があると認めるときは、職権で、破産事件（破産事件の債務者又は破産者による免責許可の申立てがある場合にあっては、破産事件及び当該免責許可の申立てに係る事件）を次に掲げる地方裁判所のいずれかに移送することができる。

一　債務者の主たる営業所又は事務所以外の営業所又は事務所の所在地を管轄する地方裁判所

二　債務者の住所又は居所の所在地を管轄する地方裁判所

三　第五条第二項に規定する地方裁判所

四　次のイからハまでのいずれかに掲げる地方裁判所

イ　第五条第三項から第七項までに規定する地方裁判所

ロ　破産手続開始の決定がされたとすれば破産債権となるべき債権を有する債権者（破産手続開始の決定後にあっては、破産債権者。ハにおいて同じ。）の数が五百人以上であるときは、第五条第八項に規定する地方裁判所

ハ　ロに規定する債権者の数が千人以上であるときは、第五条第九項に規定する地方裁判所

五　第五条第三項から第九項までの規定によりこれらの規定に規定する地方裁判所に破産事件が係属しているときは、同条第一項又は第二項に規定する地方裁判所

（任意的口頭弁論等）

第八条①　破産手続等に関する裁判は、口頭弁論を経ないですることができる。

②　裁判所は、職権で、破産手続等に係る事件に関して必要な調査をすることができる。

（期日の呼出し）

第八条の二①　破産手続等における期日の呼出しは、呼出状の送達、当該事件について出頭した者に対する期日の告知その他相当と認める方法によってする。

②　呼出状の送達及び当該事件について出頭した者に対する期日の告知以外の方法による期日の呼出しをしたときは、期日に出頭しない者に対し、法律上の制裁その他期日の不遵守による不利益を帰することができない。ただし、その者が期日の呼出しを受けた旨を記載した書面を提出したときは、この限りでない。

＊令和四法四八（令和八・五・二四までに施行）**により第八条の二追加**

＊令和五法五三（令和一〇・六・一三までに施行）**により第八条の二削る**（本文未織込み）

（公示送達の方法）

第八条の三 破産手続等における公示送達は、裁判所書記官が送達すべき書類を保管し、いつでも送達を受けるべき者に交付すべき旨を裁判所の掲示場に掲示してする。

＊令和四法四八（令和八・五・二四までに施行）により第八条の三追加
＊令和五法五三（令和一〇・六・一三までに施行）により第八条の三削る（本文未織込み）

（電子情報処理組織による申立て等）

第八条の四① 破産手続等における申立てその他の申述（以下この条において「申立て等」という。）のうち、当該申立て等に関するこの法律その他の法令の規定により書面等（書面、書類、文書、謄本、抄本、正本、副本、複本その他文字、図形等人の知覚によって認識することができる情報が記載された紙その他の有体物をいう。次項及び第四項において同じ。）をもってするものとされているものであって、最高裁判所の定める裁判所に対してするもの（当該裁判所の裁判長、受命裁判官、受託裁判官又は裁判所書記官に対してするものを含む。）については、当該法令の規定にかかわらず、最高裁判所規則で定めるところにより、電子情報処理組織（裁判所の使用に係る電子計算機（入出力装置を含む。以下この項及び第三項において同じ。）と申立て等をする者の使用に係る電子計算機とを電気通信回線で接続した電子情報処理組織をいう。）を用いてすることができる。

② 前項の規定によりされた申立て等については、当該申立て等を書面等をもってするものとして規定した申立て等に関する法令の規定に規定する書面等をもってされたものとみなして、当該申立て等に関する法令の規定を適用する。

③ 第一項の規定によりされた申立て等は、同項の裁判所の使用に係る電子計算機に備えられたファイルへの記録がされた時に、当該裁判所に到達したものとみなす。

④ 第一項の場合において、当該申立て等に関する他の法令の規定により署名等（署名、記名、押印その他氏名又は名称を書面等に記載することをいう。以下この項において同じ。）をすることとされているものについては、当該申立て等をする者は、当該法令の規定にかかわらず、当該署名等に代えて、最高裁判所規則で定めるところにより、氏名又は名称を明らかにする措置を講じなければならない。

⑤ 第一項の規定によりされた申立て等が第三項に規定するファイルに記録されたときは、第一項の裁判所は、当該ファイルに記録された情報の内容を書面に出力しなければならない。

⑥ 第一項の規定によりされた申立て等に係るこの法律その他の法令の規定による事件に関する文書等の閲覧若しくは謄写又はその正本、謄本若しくは抄本の交付は、前項の書面をもってするものとする。当該申立て等に係る書類の送達又は送付も、同様とする。

＊令和四法四八（令和八・五・二四までに施行）により第八条の四追加
＊令和五法五三（令和一〇・六・一三までに施行）により第八条の四削る（本文未織込み）

（裁判書）

第八条の五① 破産手続等に関する裁判の裁判書を作成する場合には、当該裁判書には、当該裁判に係る主文、当事者及び法定代理人並びに裁判所を記載しなければならない。

② 前項の裁判書を送達する場合には、当該送達は、当該裁判書の正本によってする。

＊令和四法四八（令和八・五・二四までに施行）により第八条の五追加
＊令和五法五三（令和一〇・六・一三までに施行）により第八条の五削る（本文未織込み）

（不服申立て）

第九条 破産手続等に関する裁判につき利害関係を有する者は、この法律に特別の定めがある場合に限り、当該裁判に対し即時抗告をすることができる。その期間は、裁判の公告があった場合には、その公告が効力を生じた日から起算して二週間とする。

（公告等）

第一〇条① この法律の規定による公告は、官報に掲載してする。

② 公告は、掲載があった日の翌日に、その効力を生ずる。

③ この法律の規定により送達をしなければならない場合には、公告をもって、これに代えることができる。ただし、この法律の規定により公告及び送達をしなければならない場合は、この限りでない。

④ この法律の規定により裁判の公告がされたときは、一切の関係人に対して当該裁判の告知があったものとみなす。

⑤ 前二項の規定は、この法律に特別の定めがある場合には、適用しない。

（事件に関する文書の閲覧等）

第一一条① 利害関係人は、裁判所書記官に対し、この法律（この法律において準用する他の法律を含む。）の規定に基づき、裁判所に提出され、又は裁判所が作成した文書その他の物件（以下この条及び次条第一項において「文書等」という。）の閲覧を請求することができる。

② 利害関係人は、裁判所書記官に対し、文書等の謄写、その正本、謄本若しくは抄本の交付又は事件に関する事項の証明書の交付を請求することができる。

③ 前項の規定は、文書等のうち録音テープ又はビデオテープ（これらに準ずる方法により一定の事項を記録した物を含む。）に関しては、適用しない。この場合において、これらの物について利害関係人の請求があるときは、裁判所書記官は、その複製を許さなければならない。

④ 前三項の規定にかかわらず、次の各号に掲げる者は、当該各号に定める命令、保全処分又は裁判のいずれかがあるまでの間は、前三項の規定による請求をすることができない。ただし、当該者が破産手続開始の申立人である場合は、この限りでない。

一 債務者以外の利害関係人　第二十四条第一項の規定による中止の命令、第二十五条第二項に規定する包括的禁止命令、第二十八条第一項の規定による保全処分、第九十一条第二項に規定する保全管理命令、第百七十一条第一項の規定による保全処分又は破産手続開始の申立てについての裁判

二 債務者　破産手続開始の申立てに関する口頭弁論若しくは債務者を呼び出す審尋の期日の指定の裁判又は前号に定める命令、保全処分若しくは裁判

＊令和五法五三（令和一〇・六・一三までに施行）による改正後

（事件に関する文書の閲覧等）

第一一条① 利害関係人は、裁判所書記官に対し、この法律（この法律において準用する他の法律を含む。次条第一項において同じ。）の規定に基づき、裁判所に提出され、又は裁判所が作成した文書その他の物件（以下この条及び第十二条第一項において「文書等」という。）の閲覧を請求することができる。

② 利害関係人は、裁判所書記官に対し、文書等の謄写又はその正本、謄本若しくは抄本の交付を請求することができる。

③④（略）

⑤（改正により削る）

＊令和五法五三（令和一〇・六・一三までに施行）による改正後

（ファイル記録事項の閲覧等）

第一一条の二① 利害関係人は、裁判所書記官に対し、最高裁判所規則で定めるところにより、この法律の規定に基づき裁判所の使用に係る電子計算機（入出力装置を含む。以下同じ。）に備えられたファイル（次項及び第三項並びに次条を除き、以下単

に「ファイル」という。）に記録された事項（以下この条及び第十二条第六項において「ファイル記録事項」という。）の内容を最高裁判所規則で定める方法により表示したものの閲覧を請求することができる。

② 利害関係人は、裁判所書記官に対し、ファイル記録事項について、最高裁判所規則で定めるところにより、最高裁判所規則で定める電子情報処理組織（裁判所の使用に係る電子計算機と手続の相手方の使用に係る電子計算機とを電気通信回線で接続した電子情報処理組織をいう。以下同じ。）を使用してその者の使用に係る電子計算機に備えられたファイルに記録する方法その他の最高裁判所規則で定める方法による複写を請求することができる。

③ 利害関係人は、裁判所書記官に対し、最高裁判所規則で定めるところにより、ファイル記録事項の全部若しくは一部を記載した書面であって裁判所書記官が最高裁判所規則で定める方法により当該書面の内容がファイル記録事項と同一であることを証明したものを交付し、又はファイル記録事項の全部若しくは一部を記録した電磁的記録（電子的方式、磁気的方式その他人の知覚によっては認識することができない方式で作られる記録であって、電子計算機による情報処理の用に供されるものをいう。以下同じ。）であって裁判所書記官が最高裁判所規則で定める方法により当該電磁的記録の内容がファイル記録事項と同一であることを証明したものを最高裁判所規則で定める電子情報処理組織を使用してその者の使用に係る電子計算機に備えられたファイルに記録する方法その他の最高裁判所規則で定める方法により提供することを請求することができる。

（改正により追加）

（事件に関する事項の証明）

第一一条の三 利害関係人は、裁判所書記官に対し、最高裁判所規則で定めるところにより、事件に関する事項を記載した書面であって裁判所書記官が最高裁判所規則で定める方法により当該事項を証明したものを交付し、又は当該事項を記録した電磁的記録であって裁判所書記官が最高裁判所規則で定める方法により当該事項を証明したものを最高裁判所規則で定める電子情報処理組織を使用してその者の使用に係る電子計算機に備えられたファイルに記録する方法その他の最高裁判所規則で定める方法により提供することを請求することができる。（改正により追加）

（閲覧等の特則）

第一一条の四 前三条の規定にかかわらず、次の各号に掲げる者は、当該各号に定める命令、保全処分又は裁判のいずれかがあるまでの間は、これらの規定による請求をすることができない。ただし、当該者が破産手続開始の申立人である場合は、この限りでない。

一 債務者以外の利害関係人 第二十四条第一項の規定による中止の命令、第二十五条第二項に規定する包括的禁止命令、第二十八条第一項の規定による保全処分、第九十一条第二項に規定する保全管理命令、第百七十一条第一項の規定による保全処分又は破産手続開始の申立てについての裁判

二 債務者 破産手続開始の申立てに関する口頭弁論若しくは債務者を呼び出す審尋の期日の指定の裁判又は前号に定める命令、保全処分若しくは裁判

（改正により追加）

（支障部分の閲覧等の制限）

第一二条① 次に掲げる文書等について、利害関係人がその閲覧若しくは謄写、その正本、謄本若しくは抄本の交付又はその複製（以下この条において「閲覧等」という。）を行うことにより、破産財団（破産手続開始前にあっては、債務者の財産）の管理又は換価に著しい支障を生ずるおそれがある部分（以下この条において「支障部分」という。）があることにつき疎明があった場合には、裁判所は、当該文書等を提出した破産管財人又は保全管理人の申立てにより、支障部分の閲覧等の請求をすることができる者を、当該申立てをした者（その者が保全管理人である場合にあっては、保全管理人又は破産管財人。次項において同じ。）に限ることができる。

一 第三十六条、第四十条第一項ただし書若しくは同条第二項において準用する同条第一項ただし書（これらの規定を第九十六条第一項において準用する場合を含む。）、第七十八条第二項（第九十三条第三項において準用する場合を含む。）、第八十四条（第九十六条第一項において準用する場合を含む。）又は第九十三条第一項ただし書の許可を得るために裁判所に提出された文書等

二 第百五十七条第二項の規定による報告に係る文書等

＊令和五法五三（令和一〇・六・一三までに施行）による改正

第一項中「この条」を「この項から第三項まで」に改める。

（本文未織込み）

② 前項の申立てがあったときは、その申立てについての裁判が確定するまで、利害関係人（同項の申立てをした者を除く。次項において同じ。）は、支障部分の閲覧等の請求をすることができない。

③ 支障部分の閲覧等の請求をしようとする利害関係人は、破産裁判所に対し、第一項に規定する要件を欠くこと又はこれを欠くに至ったことを理由として、同項の規定による決定の取消しの申立てをすることができる。

④ 第一項の申立てを却下する決定及び前項の申立てについての裁判に対しては、即時抗告をすることができる。

⑤ 第一項の規定による決定を取り消す決定は、確定しなければその効力を生じない。

＊令和五法五三（令和一〇・六・一三までに施行）による改正後

⑥ 前各項の規定は、ファイル記録事項について準用する。この場合において、第一項中「謄写、その正本、謄本若しくは抄本の交付又はその複製」とあるのは、「複写又はその内容の全部若しくは一部を証明した書面の交付若しくはその内容の全部若しくは一部を証明した電磁的記録の提供」と読み替えるものとする。（改正により追加）

（民事訴訟法の準用）

第一三条 特別の定めがある場合を除き、破産手続等に関しては、その性質に反しない限り、民事訴訟法第一編から第四編までの規定（同法第七十一条第二項、第九十一条の二、第九十二条第九項及び第十項、第九十二条の二第二項、第九十四条、第百条第二項、第一編第五章第四節第三款、第百十一条、第一編第七章、第百三十三条の二第五項及び第六項、第百三十三条の三第二項、第百五十一条第三項、第二百五条第二項、第二百十五条第二項、第二百二十七条第二項並びに第二百三十二条の二の規定を除く。）を準用する。この場合において、別表の上欄に掲げる同法の規定中同表の中欄に掲げる字句は、それぞれ同表の下欄に掲げる字句に読み替えるものとする。

＊令和四法四八（令和八・五・二四までに施行）による改正前

（民事訴訟法の準用）

第一三条 特別の定めがある場合を除き、破産手続等に関しては、その性質に反しない限り、民事訴訟法第一編から第四編までの規定（同法第八十七条の二の規定を除く。）を準用する。

＊令和五法五三（令和一〇・六・一三までに施行）による改正後

（民事訴訟法の準用）

第一三条 特別の定めがある場合を除き、破産手続等に関しては、その性質に反しない限り、民事訴訟法第一編から第四編までの規定を準用する。この場合において、同法第百三十二条の十一第一項第一号中「第五十四条第一項ただし書の許可を得て訴訟代理人となったものを除く。）」とあるのは「弁護士に限る。）又は破産管財人、保全管理人、破産管財人代理若しくは保全管理人代理として選任を受けた者」と、「当該委任」とあるのは「当該委任又は選任」と、同項第二号中「第二条」とあるのは「第九条において準用する同法第二条」と読み替えるものとする。

（最高裁判所規則）
第一四条　この法律に定めるもののほか、破産手続等に関し必要な事項は、最高裁判所規則で定める。

第二章　破産手続の開始

第一節　破産手続開始の申立て

（破産手続開始の原因）
第一五条①　債務者が支払不能にあるときは、裁判所は、第三十条第一項の規定に基づき、申立てにより、決定で、破産手続を開始する。
②　債務者が支払を停止したときは、支払不能にあるものと推定する。

（法人の破産手続開始の原因）
第一六条①　債務者が法人である場合に関する前条第一項の規定の適用については、同項中「支払不能」とあるのは、「支払不能又は債務超過（債務者が、その債務につき、その財産をもって完済することができない状態をいう。）」とする。
②　前項の規定は、存立中の合名会社及び合資会社には、適用しない。

（破産手続開始の原因の推定）
第一七条　債務者についての外国で開始された手続で破産手続に相当するものがある場合には、当該債務者に破産手続開始の原因となる事実があるものと推定する。

（破産手続開始の申立て）
第一八条①　債権者又は債務者は、破産手続開始の申立てをすることができる。
②　債権者が破産手続開始の申立てをするときは、その有する債権の存在及び破産手続開始の原因となる事実を疎明しなければならない。

（法人の破産手続開始の申立て）
第一九条①　次の各号に掲げる法人については、それぞれ当該各号に定める者は、破産手続開始の申立てをすることができる。
一　一般社団法人又は一般財団法人　理事
二　株式会社又は相互会社（保険業法（平成七年法律第百五号）第二条第五項に規定する相互会社をいう。第百五十条第六項第三号において同じ。）　取締役
三　合名会社、合資会社又は合同会社　業務を執行する社員
②　前項各号に掲げる法人については、清算人も、破産手続開始の申立てをすることができる。
③　前二項の規定により第一項各号に掲げる法人について破産手続開始の申立てをする場合には、理事、取締役、業務を執行する社員又は清算人の全員が破産手続開始の申立てをするときを除き、破産手続開始の原因となる事実を疎明しなければならない。
④　前三項の規定は、第一項各号に掲げる法人以外の法人について準用する。
⑤　法人については、その解散後であっても、残余財産の引渡し又は分配が終了するまでの間は、破産手続開始の申立てをすることができる。

（破産手続開始の申立ての方式）
第二〇条①　破産手続開始の申立ては、最高裁判所規則で定める事項を記載した書面でしなければならない。
②　債権者以外の者が破産手続開始の申立てをするときは、最高裁判所規則で定める事項を記載した債権者一覧表を裁判所に提出しなければならない。ただし、当該申立てと同時に債権者一覧表を提出することができないときは、当該申立ての後遅滞なくこれを提出すれば足りる。

（破産手続開始の申立書の審査）
第二一条①　前条第一項の書面（以下この条において「破産手続開始の申立書」という。）に同項に規定する事項が記載されていない場合には、裁判所書記官は、相当の期間を定め、その期間内に不備を補正すべきことを命ずる処分をしなければならない。民事訴訟費用等に関する法律（昭和四十六年法律第四十号）の規定に従い破産手続開始の申立ての手数料を納付しない場合も、同様とする。
②　前項の処分は、相当と認める方法で告知することによって、その効力を生ずる。
③　第一項の処分に対しては、その告知を受けた日から一週間の不変期間内に、異議の申立てをすることができる。
④　前項の異議の申立ては、執行停止の効力を有する。
⑤　裁判所は、第三項の異議の申立てがあった場合において、破産手続開始の申立書に第一項の処分において補正を命じた不備以外の不備があると認めるときは、相当の期間を定め、その期間内に当該不備を補正すべきことを命じなければならない。
⑥　第一項又は前項の場合において、破産手続開始の申立人が不備を補正しないときは、裁判長は、命令で、破産手続開始の申立書を却下しなければならない。
⑦　前項の命令に対しては、即時抗告をすることができる。

（費用の予納）
第二二条①　破産手続開始の申立てをするときは、申立人は、破産手続の費用として裁判所の定める金額を予納しなければならない。
②　費用の予納に関する決定に対しては、即時抗告をすることができる。

（費用の仮支弁）
第二三条①　裁判所は、申立人の資力、破産財団となるべき財産の状況その他の事情を考慮して、申立人及び利害関係人の利益の保護のため特に必要と認めるときは、破産手続の費用を仮に国庫から支弁することができる。職権で破産手続開始の決定をした場合も、同様とする。
②　前条第一項の規定は、前項前段の規定により破産手続の費用を仮に国庫から支弁する場合には、適用しない。

（他の手続の中止命令等）
第二四条①　裁判所は、破産手続開始の申立てがあった場合において、必要があると認めるときは、利害関係人の申立てにより又は職権で、破産手続開始の申立てにつき決定があるまでの間、次に掲げる手続又は処分の中止を命ずることができる。ただし、第一号に掲げる手続又は第六号に掲げる処分についてはその手続の申立人である債権者又はその処分を行う者に不当な損害を及ぼすおそれがない場合に限り、第五号に掲げる責任制限手続については責任制限手続開始の決定がされていない場合に限る。
一　債務者の財産に対して既にされている強制執行、仮差押え、仮処分又は一般の先取特権の実行若しくは留置権（商法（明治三十二年法律第四十八号）又は会社法の規定によるものを除く。）による競売（以下この節において「強制執行等」という。）の手続で、債務者につき破産手続開始の決定がされたとすれば破産債権若しくは財団債権となるべきもの（以下この項及び次条第八項において「破産債権等」という。）に基づくもの又は破産債権等を被担保債権とするもの
二　債務者の財産に対して既にされている企業担保権の実行手続で、破産債権等に基づくもの
三　債務者の財産関係の訴訟手続
四　債務者の財産関係の事件で行政庁に係属しているものの手続
五　債務者の責任制限手続（船舶の所有者等の責任の制限に関する法律（昭和五十年法律第九十四号）第三章又は船舶油濁等損害賠償保障法（昭和五十年法律第九十五号）第五章、同法第四十三条第五項において準用する同法第三十一条及び第三十二条並びに同法第四十三条第六項において準用する船舶の所有者等の責任の制限に関する法律第三章（第九条、第十六条及び第五十四条を除く。）若しくは船舶油濁等損害賠償保障法第五十一条第五項において準用する同法第三十一条及び第三十二条並びに同法第五十一条第六項において準用する船舶の所有者等の責任の制限に関する法律第三章（第九条、第十条、第十六条、第四節及び第五十四条を除く。）の

規定による責任制限手続をいう。第二百六十三条及び第二百六十四条第一項において同じ。）

六　債務者の財産に対して既にされている共助対象外国租税（租税条約等の実施に伴う所得税法、法人税法及び地方税法の特例等に関する法律（昭和四十四年法律第四十六号。第百三条第五項及び第二百五十三条第四項において「租税条約等実施特例法」という。）第十一条第一項に規定する共助対象外国租税をいう。以下同じ。）の請求権に基づき国税滞納処分の例によってする処分（以下「外国租税滞納処分」という。）で、破産債権等に基づくもの

② 裁判所は、前項の規定による中止の命令を変更し、又は取り消すことができる。

③ 裁判所は、第九十一条第二項に規定する保全管理命令が発せられた場合において、債務者の財産の管理及び処分をするために特に必要があると認めるときは、保全管理人の申立てにより、担保を立てさせて、第一項の規定により中止した強制執行等の手続又は外国租税滞納処分の取消しを命ずることができる。

④ 第一項の規定による中止の命令、第二項の規定による決定及び前項の規定による取消しの命令に対しては、即時抗告をすることができる。

⑤ 前項の即時抗告は、執行停止の効力を有しない。

⑥ 第四項に規定する裁判及び同項の即時抗告についての裁判があった場合には、その裁判書を当事者に送達しなければならない。

＊令和五法五三（令和一〇・六・一三までに施行）による改正　第六項中「裁判書」を「電子裁判書（第十三条において準用する民事訴訟法第百二十二条において準用する同法第二百五十二条第一項の規定により作成された電磁的記録であって、第十三条において準用する同法第百二十二条において準用する同法第二百五十三条第二項の規定によりファイルに記録されたものをいう。以下同じ。）」に改める。（本文未織込み）

（包括的禁止命令）

第二五条① 裁判所は、破産手続開始の申立てがあった場合において、前条第一項第一号又は第六号の規定による中止の命令によっては破産手続の目的を十分に達成することができないおそれがあると認めるべき特別の事情があるときは、利害関係人の申立てにより又は職権で、破産手続開始の申立てにつき決定があるまでの間、全ての債権者に対し、債務者の財産に対する強制執行等及び国税滞納処分（国税滞納処分の例による処分を含み、交付要求を除く。以下同じ。）の禁止を命ずることができる。ただし、事前に又は同時に、債務者の主要な財産に関し第二十八条第一項の規定による保全処分をした場合又は第九十一条第二項に規定する保全管理命令をした場合に限る。

② 前項の規定による禁止の命令（以下「包括的禁止命令」という。）を発する場合において、裁判所は、相当と認めるときは、一定の範囲に属する強制執行等又は国税滞納処分を包括的禁止命令の対象から除外することができる。

③ 包括的禁止命令が発せられた場合には、債務者の財産に対して既にされている強制執行等の手続及び外国租税滞納処分（当該包括的禁止命令により禁止されることとなるものに限る。）は、破産手続開始の申立てにつき決定があるまでの間、中止する。

④ 裁判所は、包括的禁止命令を変更し、又は取り消すことができる。

⑤ 裁判所は、第九十一条第二項に規定する保全管理命令が発せられた場合において、債務者の財産の管理及び処分をするために特に必要があると認めるときは、保全管理人の申立てにより、担保を立てさせて、第三項の規定により中止した強制執行等の手続又は外国租税滞納処分の取消しを命ずることができる。

⑥ 包括的禁止命令、第四項の規定による決定及び前項の規定による取消しの命令に対しては、即時抗告をすることができる。

⑦ 前項の即時抗告は、執行停止の効力を有しない。

⑧ 包括的禁止命令が発せられたときは、破産債権等（当該包括的禁止命令により強制執行等又は国税滞納処分が禁止されているものに限る。）については、当該包括的禁止命令が効力を失った日の翌日から二月を経過する日までの間は、時効は、完成しない。

（包括的禁止命令に関する公告及び送達等）

第二六条① 包括的禁止命令及びこれを変更し、又は取り消す旨の決定があった場合には、その旨を公告し、その裁判書を債務者（保全管理人が選任されている場合にあっては、保全管理人。次項において同じ。）及び申立人に送達し、かつ、その決定の主文を知れている債権者及び債務者（保全管理人が選任されている場合に限る。）に通知しなければならない。

② 包括的禁止命令及びこれを変更し、又は取り消す旨の決定は、債務者に対する裁判書の送達がされた時から、効力を生ずる。

③ 前条第六項の即時抗告についての裁判（包括的禁止命令を変更し、又は取り消す旨の決定を除く。）があった場合には、その裁判書を当事者に送達しなければならない。

＊令和五法五三（令和一〇・六・一三までに施行）による改正　第二六条中「裁判書」を「電子裁判書」に改める。（本文未織込み）

（包括的禁止命令の解除）

第二七条① 裁判所は、包括的禁止命令を発した場合において、強制執行等の申立人である債権者に不当な損害を及ぼすおそれがあると認めるときは、当該債権者の申立てにより、当該債権者に限り当該包括的禁止命令を解除する旨の決定をすることができる。この場合において、当該債権者は、債務者の財産に対する強制執行等をすることができ、当該包括的禁止命令が発せられる前に当該債権者がした強制執行等の手続で第二十五条第三項の規定により中止されていたものは、続行する。

② 前項の規定は、裁判所が国税滞納処分を行う者に不当な損害を及ぼすおそれがあると認める場合について準用する。

③ 第一項（前項において準用する場合を含む。次項及び第六項において同じ。）の規定による解除の決定を受けた者に対する第二十五条第八項の規定の適用については、同項中「当該包括的禁止命令が効力を失った日」とあるのは、「第二十七条第一項（同条第二項において準用する場合を含む。）の規定による解除の決定があった日」とする。

④ 第一項の申立てについての裁判に対しては、即時抗告をすることができる。

⑤ 前項の即時抗告は、執行停止の効力を有しない。

⑥ 第一項の申立てについての裁判及び第四項の即時抗告についての裁判があった場合には、その裁判書を当事者に送達しなければならない。この場合においては、第十条第三項本文の規定は、適用しない。

＊令和五法五三（令和一〇・六・一三までに施行）による改正　第六項中「裁判書」を「電子裁判書」に改める。（本文未織込み）

（債務者の財産に関する保全処分）

第二八条① 裁判所は、破産手続開始の申立てがあった場合には、利害関係人の申立てにより又は職権で、破産手続開始の申立てにつき決定があるまでの間、債務者の財産に関し、その財産の処分禁止の仮処分その他の必要な保全処分を命ずることができる。

② 裁判所は、前項の規定による保全処分を変更し、又は取り消すことができる。

③ 第一項の規定による保全処分及び前項の規定による決定に対しては、即時抗告をすることができる。

④ 前項の即時抗告は、執行停止の効力を有しない。

⑤ 第三項に規定する裁判及び同項の即時抗告についての裁判があった場合には、その裁判書を当事者に送達しなければならない。この場合においては、第十条第三項本文の規定は、適用しない。

> **＊令和五法五三（令和一〇・六・一三までに施行）による改正**
> 第五項中「裁判書」を「電子裁判書」に改める。（本文未織込み）

⑥ 裁判所が第一項の規定により債務者が債権者に対して弁済その他の債務を消滅させる行為をすることを禁止する旨の保全処分を命じた場合には、債権者は、破産手続の関係においては、当該保全処分に反してされた弁済その他の債務を消滅させる行為の効力を主張することができない。ただし、債権者が、その行為の当時、当該保全処分がされたことを知っていたときに限る。

（破産手続開始の申立ての取下げの制限）

第二九条　破産手続開始の申立てをした者は、破産手続開始の決定前に限り、当該申立てを取り下げることができる。この場合において、第二十四条第一項の規定による中止の命令、包括的禁止命令、前条第一項の規定による保全処分、第九十一条第二項に規定する保全管理命令又は第百七十一条第一項の規定による保全処分がされた後は、裁判所の許可を得なければならない。

第二節　破産手続開始の決定

（破産手続開始の決定）

第三〇条① 裁判所は、破産手続開始の申立てがあった場合において、破産手続開始の原因となる事実があると認めるときは、次の各号のいずれかに該当する場合を除き、破産手続開始の決定をする。

一 破産手続の費用の予納がないとき（第二十三条第一項前段の規定によりその費用を仮に国庫から支弁する場合を除く。）。

二 不当な目的で破産手続開始の申立てがされたとき、その他申立てが誠実にされたものでないとき。

② 前項の決定は、その決定の時から、効力を生ずる。

（破産手続開始の決定と同時に定めるべき事項等）

第三一条① 裁判所は、破産手続開始の決定と同時に、一人又は数人の破産管財人を選任し、かつ、次に掲げる事項を定めなければならない。

一 破産債権の届出をすべき期間

二 破産者の財産状況を報告するために招集する債権者集会（第四項、第百三十六条第二項及び第三項並びに第百五十八条において「財産状況報告集会」という。）の期日

三 破産債権の調査をするための期間（第百十六条第二項の場合にあっては、破産債権の調査をするための期日）

② 前項第一号及び第三号の規定にかかわらず、裁判所は、破産財団をもって破産手続の費用を支弁するのに不足するおそれがあると認めるときは、同項第一号の期間並びに同項第三号の期間及び期日を定めないことができる。

③ 前項の場合において、裁判所は、破産財団をもって破産手続の費用を支弁するのに不足するおそれがなくなったと認めるときは、速やかに、第一項第一号の期間及び同項第三号の期間又は期日を定めなければならない。

④ 第一項第二号の規定にかかわらず、裁判所は、知れている破産債権者の数その他の事情を考慮して財産状況報告集会を招集することを相当でないと認めるときは、同号の期日を定めないことができる。

⑤ 第一項の場合において、知れている破産債権者の数が千人以上であり、かつ、相当と認めるときは、裁判所は、次条第四項本文及び第五項本文において準用する同条第三項第一号、第三十三条第三項本文並びに第百三十九条第三項本文の規定による破産債権者（同項本文の場合にあっては、同項本文に規定する議決権者。次条第二項において同じ。）に対する通知をせず、かつ、第百十一条、第百十二条又は第百十四条の規定により破産債権の届出をした破産債権者（以下「届出をした破産債権者」という。）を債権者集会の期日に呼び出さない旨の決定をすることができる。

（破産手続開始の公告等）

第三二条① 裁判所は、破産手続開始の決定をしたときは、直ちに、次に掲げる事項を公告しなければならない。

一 破産手続開始の決定の主文

二 破産管財人の氏名又は名称

三 前条第一項の規定により定めた期間又は期日

四 破産財団に属する財産の所持者及び破産者に対して債務を負担する者（第三項第二号において「財産所持者等」という。）は、破産者にその財産を交付し、又は弁済をしてはならない旨

五 第二百四条第一項第二号の規定による簡易配当をすることが相当と認められる場合にあっては、簡易配当をすることにつき異議のある破産債権者は裁判所に対し前条第一項第三号の期間の満了時又は同号の期日の終了時までに異議を述べるべき旨

② 前条第五項の決定があったときは、裁判所は、前項各号に掲げる事項のほか、第四項本文及び第五項本文において準用する次項第一号、次条第三項本文並びに第百三十九条第三項本文の規定による破産債権者に対する通知をせず、かつ、届出をした破産債権者を債権者集会の期日に呼び出さない旨をも公告しなければならない。

③ 次に掲げる者には、前二項の規定により公告すべき事項を通知しなければならない。

一 破産管財人、破産者及び知れている破産債権者

二 知れている財産所持者等

三 第九十一条第二項に規定する保全管理命令があった場合における保全管理人

四 労働組合等（破産者の使用人その他の従業者の過半数で組織する労働組合があるときはその労働組合、破産者の使用人その他の従業者の過半数で組織する労働組合がないときは破産者の使用人その他の従業者の過半数を代表する者をいう。第七十八条第四項及び第百三十六条第三項において同じ。）

④ 第一項第三号及び前項第一号の規定は、前条第三項の規定により同条第一項第一号の期間及び同項第三号の期間又は期日を定めた場合について準用する。ただし、同条第五項の決定があったときは、知れている破産債権者に対しては、当該通知をすることを要しない。

⑤ 第一項第二号並びに第三項第一号及び第二号の規定は第一項第二号に掲げる事項に変更を生じた場合について、第一項第三号及び第三項第一号の規定は第一項第三号に掲げる事項に変更を生じた場合（前条第一項第一号の期間又は同項第二号の期日に変更を生じた場合に限る。）について準用する。ただし、同条第五項の決定があったときは、知れている破産債権者に対しては、当該通知をすることを要しない。

（抗告）

第三三条① 破産手続開始の申立てについての裁判に対しては、即時抗告をすることができる。

② 第二十四条から第二十八条までの規定は、破産手続開始の申立てを棄却する決定に対して前項の即時抗告があった場合について準用する。

③ 破産手続開始の決定をした裁判所は、第一項の即時抗告があった場合において、当該決定を取り消す決定が確定したときは、直ちにその主文を公告し、かつ、前条第三項各号（第三号を除く。）に掲げる者にその主文を通知しなければならない。ただし、第三十一条第五項の決定があったときは、知れている破産債権者に対しては、当該通知をすることを要しない。

第三節　破産手続開始の効果

第一款　通則

（破産財団の範囲）

第三四条① 破産者が破産手続開始の時において有する一切の財産（日本国内にあるかどうかを問わない。）は、破産財団とする。

② 破産者が破産手続開始前に生じた原因に基づいて行うことがある将来の請求権は、破産財団に属する。

③ 第一項の規定にかかわらず、次に掲げる財産は、破産財団に属しない。

一 民事執行法（昭和五十四年法律第四号）第百三十一条第三号に規定する額に二分の三を乗じた額の金銭

二 差し押さえることができない財産（民事執行法第百三十一条第三号に規定する金銭を除く。）。ただし、同法第百三十二条第一項（同法第百九十二条において準用する場合を含む。）の規定により差押えが許されたもの及び破産手続開始後に差し押さえることができるようになったものは、この限りでない。

④ 裁判所は、破産手続開始の決定があった時から当該決定が確定した日以後一月を経過する日までの間、破産者の申立てにより又は職権で、決定で、破産者の生活の状況、破産手続開始の時において破産者が有していた前項各号に掲げる財産の種類及び額、破産者が収入を得る見込みその他の事情を考慮して、破産財団に属しない財産の範囲を拡張することができる。

⑤ 裁判所は、前項の決定をするに当たっては、破産管財人の意見を聴かなければならない。

⑥ 第四項の申立てを却下する決定に対しては、破産者は、即時抗告をすることができる。

⑦ 第四項の決定又は前項の即時抗告についての裁判があった場合には、その裁判書を破産者及び破産管財人に送達しなければならない。この場合においては、第十条第三項本文の規定は、適用しない。

＊令和五法五三（令和一〇・六・一三までに施行）による改正　第七項中「裁判書」を「電子裁判書」に改める。（本文未織込み）

（法人の存続の擬制）

第三五条 他の法律の規定により破産手続開始の決定によって解散した法人又は解散した法人で破産手続開始の決定を受けたものは、破産手続による清算の目的の範囲内において、破産手続が終了するまで存続するものとみなす。

（破産者の事業の継続）

第三六条 破産手続開始の決定がされた後であっても、破産管財人は、裁判所の許可を得て、破産者の事業を継続することができる。

（破産者の居住に係る制限）

第三七条① 破産者は、その申立てにより裁判所の許可を得なければ、その居住地を離れることができない。

② 前項の申立てを却下する決定に対しては、破産者は、即時抗告をすることができる。

（破産者の引致）

第三八条① 裁判所は、必要と認めるときは、破産者の引致を命ずることができる。

② 破産手続開始の申立てがあったときは、裁判所は、破産手続開始の決定をする前でも、債務者の引致を命ずることができる。

③ 前二項の規定による引致は、引致状を発してしなければならない。

④ 第一項又は第二項の規定による引致を命ずる決定に対しては、破産者又は債務者は、即時抗告をすることができる。

⑤ 刑事訴訟法（昭和二十三年法律第百三十一号）中勾引に関する規定は、第一項及び第二項の規定による引致について準用する。

（破産者に準ずる者への準用）

第三九条 前二条の規定は、破産者の法定代理人及び支配人並びに破産者の理事、取締役、執行役及びこれらに準ずる者について準用する。

（破産者等の説明義務）

第四〇条① 次に掲げる者は、破産管財人若しくは第百四十四条第二項に規定する債権者委員会の請求又は債権者集会の決議に基づく請求があったときは、破産に関し必要な説明をしなければならない。ただし、第五号に掲げる者については、裁判所の許可がある場合に限る。

一 破産者

二 破産者の代理人

三 破産者が法人である場合のその理事、取締役、執行役、監事、監査役及び清算人

四 前号に掲げる者に準ずる者

五 破産者の従業者（第二号に掲げる者を除く。）

② 前項の規定は、同項各号（第一号を除く。）に掲げる者であった者について準用する。

（破産者の重要財産開示義務）

第四一条 破産者は、破産手続開始の決定後遅滞なく、その所有する不動産、現金、有価証券、預貯金その他裁判所が指定する財産の内容を記載した書面を裁判所に提出しなければならない。

（他の手続の失効等）

第四二条① 破産手続開始の決定があった場合には、破産財団に属する財産に対する強制執行、仮差押え、仮処分、一般の先取特権の実行、企業担保権の実行又は外国租税滞納処分で、破産債権若しくは財団債権に基づくもの又は破産債権若しくは財団債権を被担保債権とするものは、することができない。

② 前項に規定する場合には、同項に規定する強制執行、仮差押え、仮処分、一般の先取特権の実行及び企業担保権の実行の手続並びに外国租税滞納処分で、破産財団に属する財産に対して既にされているものは、破産財団に対してはその効力を失う。ただし、同項に規定する強制執行又は一般の先取特権の実行（以下この条において「強制執行又は先取特権の実行」という。）の手続については、破産管財人において破産財団のためにその手続を続行することを妨げない。

③ 前項ただし書の規定により続行された強制執行又は先取特権の実行の手続については、民事執行法第六十三条及び第百二十九条（これらの規定を同法その他強制執行の手続に関する法令において準用する場合を含む。）の規定は、適用しない。

④ 第二項ただし書の規定により続行された強制執行又は先取特権の実行の手続に関する破産者に対する費用請求権は、財団債権とする。

⑤ 第二項ただし書の規定により続行された強制執行又は先取特権の実行に対する第三者異議の訴えについては、破産管財人を被告とする。

⑥ 破産手続開始の決定があったときは、破産債権又は財団債権に基づく財産開示手続（民事執行法第百九十六条に規定する財産開示手続をいう。以下この項並びに第二百四十九条第一項及び第二項において同じ。）又は第三者からの情報取得手続（同法第二百四条に規定する第三者からの情報取得手続をいう。以下この項並びに第二百四十九条第一項及び第二項において同じ。）の申立てはすることができず、破産債権又は財団債権に基づく財産開示手続及び第三者からの情報取得手続はその効力を失う。

（国税滞納処分等の取扱い）

第四三条① 破産手続開始の決定があった場合には、破産財団に属する財産に対する国税滞納処分（外国租税滞納処分を除く。次項において同じ。）は、することができない。

② 破産財団に属する財産に対して国税滞納処分が既にされてい

る場合には、破産手続開始の決定は、その国税滞納処分の続行を妨げない。

③ 破産手続開始の決定があったときは、破産手続が終了するまでの間は、罰金、科料及び追徴の時効は、進行しない。免責許可の申立てがあった後当該申立てについての裁判が確定するまでの間（破産手続開始の決定前に免責許可の申立てがあった場合にあっては、破産手続開始の決定後当該申立てについての裁判が確定するまでの間）も、同様とする。

（破産財団に関する訴えの取扱い）

第四四条① 破産手続開始の決定があったときは、破産者を当事者とする破産財団に関する訴訟手続は、中断する。

② 破産管財人は、前項の規定により中断した訴訟手続のうち破産債権に関しないものを受け継ぐことができる。この場合においては、受継の申立ては、相手方もすることができる。

③ 前項の場合においては、相手方の破産者に対する訴訟費用請求権は、財団債権とする。

④ 破産手続が終了したときは、破産管財人を当事者とする破産財団に関する訴訟手続は、中断する。

⑤ 破産者は、前項の規定により中断した訴訟手続を受け継がなければならない。この場合においては、受継の申立ては、相手方もすることができる。

⑥ 第一項の規定により中断した訴訟手続について第二項の規定による受継があるまでに破産手続が終了したときは、破産者は、当然訴訟手続を受継する。

（債権者代位訴訟及び詐害行為取消訴訟の取扱い）

第四五条① 民法（明治二十九年法律第八十九号）第四百二十三条第一項、第四百二十三条の七又は第四百二十四条第一項の規定により破産債権者又は財団債権者の提起した訴訟が破産手続開始当時係属するときは、その訴訟手続は、中断する。

② 破産管財人は、前項の規定により中断した訴訟手続を受け継ぐことができる。この場合においては、受継の申立ては、相手方もすることができる。

③ 前項の場合においては、相手方の破産債権者又は財団債権者に対する訴訟費用請求権は、財団債権とする。

④ 第一項の規定により中断した訴訟手続について第二項の規定による受継があった後に破産手続が終了したときは、当該訴訟手続は、中断する。

⑤ 前項の場合には、破産債権者又は財団債権者において当該訴訟手続を受け継がなければならない。この場合においては、受継の申立ては、相手方もすることができる。

⑥ 第一項の規定により中断した訴訟手続について第二項の規定による受継があるまでに破産手続が終了したときは、破産債権者又は財団債権者は、当然訴訟手続を受継する。

（行政庁に係属する事件の取扱い）

第四六条 第四十四条の規定は、破産財団に関する事件で行政庁に係属するものについて準用する。

第二款　破産手続開始の効果

（開始後の法律行為の効力）

第四七条① 破産者が破産手続開始後に破産財団に属する財産に関してした法律行為は、破産手続の関係においては、その効力を主張することができない。

② 破産者が破産手続開始の日にした法律行為は、破産手続開始後にしたものと推定する。

（開始後の権利取得の効力）

第四八条① 破産手続開始後に破産財団に属する財産に関して破産者の法律行為によらないで権利を取得しても、その権利の取得は、破産手続の関係においては、その効力を主張することができない。

② 前条第二項の規定は、破産手続開始の日における前項の権利の取得について準用する。

（開始後の登記及び登録の効力）

第四九条① 不動産又は船舶に関し破産手続開始前に生じた登記原因に基づき破産手続開始後にされた登記又は不動産登記法（平成十六年法律第百二十三号）第百五条第一号の規定による仮登記は、破産手続の関係においては、その効力を主張することができない。ただし、登記権利者が破産手続開始の事実を知らないでした登記又は仮登記については、この限りでない。

② 前項の規定は、権利の設定、移転若しくは変更に関する登録若しくは仮登録又は企業担保権の設定、移転若しくは変更に関する登記について準用する。

（開始後の破産者に対する弁済の効力）

第五〇条① 破産手続開始後に、その事実を知らないで破産者にした弁済は、破産手続の関係においても、その効力を主張することができる。

② 破産手続開始後に、その事実を知って破産者にした弁済は、破産財団が受けた利益の限度においてのみ、破産手続の関係において、その効力を主張することができる。

（善意又は悪意の推定）

第五一条 前二条の規定の適用については、第三十二条第一項の規定による公告の前においてはその事実を知らなかったものと推定し、当該公告の後においてはその事実を知っていたものと推定する。

（共有関係）

第五二条① 数人が共同して財産権を有する場合において、共有者の中に破産手続開始の決定を受けた者があるときは、その共有に係る財産の分割の請求は、共有者の間で分割をしない旨の定めがあるときでも、することができる。

② 前項の場合には、他の共有者は、相当の償金を支払って破産者の持分を取得することができる。

（双務契約）

第五三条① 双務契約について破産者及びその相手方が破産手続開始の時において共にまだその履行を完了していないときは、破産管財人は、契約の解除をし、又は破産者の債務を履行して相手方の債務の履行を請求することができる。

② 前項の場合には、相手方は、破産管財人に対し、相当の期間を定め、その期間内に契約の解除をするか、又は債務の履行を請求するかを確答すべき旨を催告することができる。この場合において、破産管財人がその期間内に確答をしないときは、契約の解除をしたものとみなす。

③ 前項の規定は、相手方又は破産管財人が民法第六百三十一条前段の規定により解約の申入れをすることができる場合又は同法第六百四十二条第一項前段の規定により契約の解除をすることができる場合について準用する。

第五四条① 前条第一項又は第二項の規定により契約の解除があった場合には、相手方は、損害の賠償について破産債権者としてその権利を行使することができる。

② 前項に規定する場合において、相手方は、破産者の受けた反対給付が破産財団中に現存するときは、その返還を請求することができ、現存しないときは、その価額について財団債権者としてその権利を行使することができる。

（継続的給付を目的とする双務契約）

第五五条① 破産者に対して継続的給付の義務を負う双務契約の相手方は、破産手続開始の申立て前の給付に係る破産債権について弁済がないことを理由としては、破産手続開始後は、その義務の履行を拒むことができない。

② 前項の双務契約の相手方が破産手続開始の申立て後破産手続開始前にした給付に係る請求権（一定期間ごとに債権額を算定すべき継続的給付については、申立ての日の属する期間内の給付に係る請求権を含む。）は、財団債権とする。

③ 前二項の規定は、労働契約には、適用しない。

（賃貸借契約等）

第五六条① 第五十三条第一項及び第二項の規定は、賃借権その他の使用及び収益を目的とする権利を設定する契約について破産者の相手方が当該権利につき登記、登録その他の第三者に対抗することができる要件を備えている場合には、適用しない。

② 前項に規定する場合には、相手方の有する請求権は、財団債権とする。

（委任契約）

第五七条 委任者について破産手続が開始された場合において、受任者は、民法第六百五十五条の規定による破産手続開始の通知を受けず、かつ、破産手続開始の事実を知らないで委任事務を処理したときは、これによって生じた債権について、破産債権者としてその権利を行使することができる。

（市場の相場がある商品の取引に係る契約）

第五八条① 取引所の相場その他の市場の相場がある商品の取引に係る契約であって、その取引の性質上特定の日時又は一定の期間内に履行をしなければ契約をした目的を達することができないものについて、その時期が破産手続開始後に到来すべきときは、当該契約は、解除されたものとみなす。

② 前項の場合において、損害賠償の額は、履行地又はその地の相場の標準となるべき地における同種の取引であって同一の時期に履行すべきものの相場と当該契約における商品の価格との差額によって定める。

③ 第五十四条第一項の規定は、前項の規定による損害の賠償について準用する。

④ 第一項又は第二項に定める事項について当該取引所又は市場における別段の定めがあるときは、その定めに従う。

⑤ 第一項の取引を継続して行うためにその当事者間で締結された基本契約において、その基本契約に基づいて行われるすべての同項の取引に係る契約につき生ずる第二項に規定する損害賠償の債権又は債務を差引計算して決済する旨の定めをしたときは、請求することができる損害賠償の額の算定については、その定めに従う。

（交互計算）

第五九条① 交互計算は、当事者の一方について破産手続が開始されたときは、終了する。この場合においては、各当事者は、計算を閉鎖して、残額の支払を請求することができる。

② 前項の規定による請求権は、破産者が有するときは破産財団に属し、相手方が有するときは破産債権とする。

（為替手形の引受け又は支払等）

第六〇条① 為替手形の振出人又は裏書人について破産手続が開始された場合において、支払人又は予備支払人がその事実を知らないで引受け又は支払をしたときは、その支払人又は予備支払人は、これによって生じた債権につき、破産債権者としてその権利を行使することができる。

② 前項の規定は、小切手及び金銭その他の物又は有価証券の給付を目的とする有価証券について準用する。

③ 第五十一条の規定は、前二項の規定の適用について準用する。

（夫婦財産関係における管理者の変更等）

第六一条 民法第七百五十八条第二項及び第三項並びに第七百五十九条の規定は配偶者の財産を管理する者につき破産手続が開始された場合について、同法第八百三十五条の規定は親権を行う者につき破産手続が開始された場合について準用する。

第三款　取戻権

（取戻権）

第六二条 破産手続の開始は、破産者に属しない財産を破産財団から取り戻す権利（第六十四条及び第七十八条第二項第十三号において「取戻権」という。）に影響を及ぼさない。

（運送中の物品の売主等の取戻権）

第六三条① 売主が売買の目的である物品を買主に発送した場合において、買主がまだ代金の全額を弁済せず、かつ、到達地でその物品を受け取らない間に買主について破産手続開始の決定があったときは、売主は、その物品を取り戻すことができる。ただし、破産管財人が代金の全額を支払ってその物品の引渡しを請求することを妨げない。

② 前項の規定は、第五十三条第一項及び第二項の規定の適用を妨げない。

③ 第一項の規定は、物品の買入れの委託を受けた問屋がその物品を委託者に発送した場合について準用する。この場合において、同項中「代金」とあるのは、「報酬及び費用」と読み替えるものとする。

（代償的取戻権）

第六四条① 破産者（保全管理人が選任されている場合にあっては、保全管理人）が破産手続開始前に取戻権の目的である財産を譲り渡した場合には、当該財産について取戻権を有する者は、反対給付の請求権の移転を請求することができる。破産管財人が取戻権の目的である財産を譲り渡した場合も、同様とする。

② 前項の場合において、破産管財人が反対給付を受けたときは、同項の取戻権を有する者は、破産管財人が反対給付として受けた財産の給付を請求することができる。

第四款　別除権

（別除権）

第六五条① 別除権は、破産手続によらないで、行使することができる。

② 担保権（特別の先取特権、質権又は抵当権をいう。以下この項において同じ。）の目的である財産が破産管財人による任意売却その他の事由により破産財団に属しないこととなった場合において当該担保権がなお存続するときにおける当該担保権を有する者も、その目的である財産について別除権を有する。

（留置権の取扱い）

第六六条① 破産手続開始の時において破産財団に属する財産につき存する商法又は会社法の規定による留置権は、破産財団に対しては特別の先取特権とみなす。

② 前項の特別の先取特権は、民法その他の法律の規定による他の特別の先取特権に後れる。

③ 第一項に規定するものを除き、破産手続開始の時において破産財団に属する財産につき存する留置権は、破産財団に対してはその効力を失う。

第五款　相殺権

（相殺権）

第六七条① 破産債権者は、破産手続開始の時において破産者に対して債務を負担するときは、破産手続によらないで、相殺をすることができる。

② 破産債権者の有する債権が破産手続開始の時において期限付若しくは解除条件付であるとき、又は第百三条第二項第一号に掲げるものであるときでも、破産債権者が前項の規定により相殺をすることを妨げない。破産債権者の負担する債務が期限付若しくは条件付であるとき、又は将来の請求権に関するものであるときも、同様とする。

（相殺に供することができる破産債権の額）

第六八条① 破産債権者が前条の規定により相殺をする場合の破産債権の額は、第百三条第二項各号に掲げる債権の区分に応じ、それぞれ当該各号に定める額とする。

② 前項の規定にかかわらず、破産債権者の有する債権が無利息債権又は定期金債権であるときは、その破産債権者は、その債権の債権額から第九十九条第一項第二号から第四号までに掲げる部分の額を控除した額の限度においてのみ、相殺をすることができる。

（解除条件付債権を有する者による相殺）

第六九条 解除条件付債権を有する者が相殺をするときは、その相殺によって消滅する債務の額について、破産財団のために、担保を供し、又は寄託をしなければならない。

（停止条件付債権等を有する者による寄託の請求）

第七〇条 停止条件付債権又は将来の請求権を有する者は、破産者に対する債務を弁済する場合には、後に相殺をするため、その債権額の限度において弁済額の寄託を請求することができる。敷金の返還請求権を有する者が破産者に対する賃料債務を弁済する場合も、同様とする。

（**相殺の禁止**）

第七一条① 破産債権者は、次に掲げる場合には、相殺をすることができない。

一 破産手続開始後に破産財団に対して債務を負担したとき。

二 支払不能になった後に契約によって負担する債務を専ら破産債権をもってする相殺に供する目的で破産者の財産の処分を内容とする契約を破産者との間で締結し、又は破産者に対して債務を負担する者の債務を引き受けることを内容とする契約を締結することにより破産者に対して債務を負担した場合であって、当該契約の締結の当時、支払不能であったことを知っていたとき。

三 支払の停止があった後に破産者に対して債務を負担した場合であって、その負担の当時、支払の停止があったことを知っていたとき。ただし、当該支払の停止があった時において支払不能でなかったときは、この限りでない。

四 破産手続開始の申立てがあった後に破産者に対して債務を負担した場合であって、その負担の当時、破産手続開始の申立てがあったことを知っていたとき。

② 前項第二号から第四号までの規定は、これらの規定に規定する債務の負担が次の各号に掲げる原因のいずれかに基づく場合には、適用しない。

一 法定の原因

二 支払不能であったこと又は支払の停止若しくは破産手続開始の申立てがあったことを破産債権者が知った時より前に生じた原因

三 破産手続開始の申立てがあった時より一年以上前に生じた原因

第七二条① 破産者に対して債務を負担する者は、次に掲げる場合には、相殺をすることができない。

一 破産手続開始後に他人の破産債権を取得したとき。

二 支払不能になった後に破産債権を取得した場合であって、その取得の当時、支払不能であったことを知っていたとき。

三 支払の停止があった後に破産債権を取得した場合であって、その取得の当時、支払の停止があったことを知っていたとき。ただし、当該支払の停止があった時において支払不能でなかったときは、この限りでない。

四 破産手続開始の申立てがあった後に破産債権を取得した場合であって、その取得の当時、破産手続開始の申立てがあったことを知っていたとき。

② 前項第二号から第四号までの規定は、これらの規定に規定する破産債権の取得が次の各号に掲げる原因のいずれかに基づく場合には、適用しない。

一 法定の原因

二 支払不能であったこと又は支払の停止若しくは破産手続開始の申立てがあったことを破産者に対して債務を負担する者が知った時より前に生じた原因

三 破産手続開始の申立てがあった時より一年以上前に生じた原因

四 破産者に対して債務を負担する者と破産者との間の契約

（**破産管財人の催告権**）

第七三条① 破産管財人は、第三十一条第一項第三号の期間が経過した後又は同号の期日が終了した後は、第六十七条の規定により相殺をすることができる破産債権者に対し、一月以上の期間を定め、その期間内に当該破産債権をもって相殺をするかどうかを確答すべき旨を催告することができる。ただし、破産債権者の負担する債務が弁済期にあるときに限る。

② 前項の規定による催告があった場合において、破産債権者が同項の規定により定めた期間内に確答をしないときは、当該破産債権者は、破産手続の関係においては、当該破産債権についての相殺の効力を主張することができない。

第三章 破産手続の機関

第一節 破産管財人

第一款 破産管財人の選任及び監督

（**破産管財人の選任**）

第七四条① 破産管財人は、裁判所が選任する。

② 法人は、破産管財人となることができる。

（**破産管財人に対する監督等**）

第七五条① 破産管財人は、裁判所が監督する。

② 裁判所は、破産管財人が破産財団に属する財産の管理及び処分を適切に行っていないとき、その他重要な事由があるときは、利害関係人の申立てにより又は職権で、破産管財人を解任することができる。この場合においては、その破産管財人を審尋しなければならない。

（**数人の破産管財人の職務執行**）

第七六条① 破産管財人が数人あるときは、共同してその職務を行う。ただし、裁判所の許可を得て、それぞれ単独にその職務を行い、又は職務を分掌することができる。

② 破産管財人が数人あるときは、第三者の意思表示は、その一人に対してすれば足りる。

（**破産管財人代理**）

第七七条① 破産管財人は、必要があるときは、その職務を行わせるため、自己の責任で一人又は数人の破産管財人代理を選任することができる。

② 前項の破産管財人代理の選任については、裁判所の許可を得なければならない。

第二款 破産管財人の権限等

（**破産管財人の権限**）

第七八条① 破産手続開始の決定があった場合には、破産財団に属する財産の管理及び処分をする権利は、裁判所が選任した破産管財人に専属する。

② 破産管財人が次に掲げる行為をするには、裁判所の許可を得なければならない。

一 不動産に関する物権、登記すべき日本船舶又は外国船舶の任意売却

二 鉱業権、漁業権、公共施設等運営権、樹木採取権、漁港水面施設運営権、貯留権、試掘権（二酸化炭素の貯留事業に関する法律（令和六年法律第三十八号）第二条第八項に規定する試掘権をいう。）、特許権、実用新案権、意匠権、商標権、回路配置利用権、育成者権、著作権又は著作隣接権の任意売却

三 営業又は事業の譲渡

四 商品の一括売却

五 借財

六 第二百三十八条第二項の規定による相続の放棄の承認、第二百四十三条において準用する同項の規定による包括遺贈の放棄の承認又は第二百四十四条第一項の規定による特定遺贈の放棄

七 動産の任意売却

八 債権又は有価証券の譲渡

九 第五十三条第一項の規定による履行の請求

十 訴えの提起

十一 和解又は仲裁合意（仲裁法（平成十五年法律第百三十八号）第二条第一項に規定する仲裁合意をいう。）

十二 権利の放棄

十三 財団債権、取戻権又は別除権の承認

十四 別除権の目的である財産の受戻し

十五 その他裁判所の指定する行為

③ 前項の規定にかかわらず、同項第七号から第十四号までに掲げる行為については、次に掲げる場合には、同項の許可を要しない。

一 最高裁判所規則で定める額以下の価額を有するものに関す

るとき。

二　前号に掲げるもののほか、裁判所が前項の許可を要しないものとしたものに関するとき。

④　裁判所は、第二項第三号の規定により営業又は事業の譲渡につき同項の許可をする場合には、労働組合等の意見を聴かなければならない。

⑤　第二項の許可を得ないでした行為は、無効とする。ただし、これをもって善意の第三者に対抗することができない。

⑥　破産管財人は、第二項各号に掲げる行為をしようとするときは、遅滞を生ずるおそれのある場合又は第三項各号に掲げる場合を除き、破産者の意見を聴かなければならない。

（破産財団の管理）

第七九条　破産管財人は、就職の後直ちに破産財団に属する財産の管理に着手しなければならない。

（当事者適格）

第八〇条　破産財団に関する訴えについては、破産管財人を原告又は被告とする。

（郵便物等の管理）

第八一条①　裁判所は、破産管財人の職務の遂行のため必要があると認めるときは、信書の送達の事業を行う者に対し、破産者にあてた郵便物又は民間事業者による信書の送達に関する法律（平成十四年法律第九十九号）第二条第三項に規定する信書便物（次条及び第百十八条第五項において「郵便物等」という。）を破産管財人に配達すべき旨を嘱託することができる。

②　裁判所は、破産者の申立てにより又は職権で、破産管財人の意見を聴いて、前項に規定する嘱託を取り消し、又は変更することができる。

③　破産手続が終了したときは、裁判所は、第一項に規定する嘱託を取り消さなければならない。

④　第一項又は第二項の規定による決定及び同項の申立てを却下する裁判に対しては、破産者又は破産管財人は、即時抗告をすることができる。

⑤　第一項の規定による決定に対する前項の即時抗告は、執行停止の効力を有しない。

第八二条①　破産管財人は、破産者にあてた郵便物等を受け取ったときは、これを開いて見ることができる。

②　破産者は、破産管財人に対し、破産管財人が受け取った前項の郵便物等の閲覧又は当該郵便物等で破産財団に関しないものの交付を求めることができる。

（破産管財人による調査等）

第八三条①　破産管財人は、第四十条第一項各号に掲げる者及び同条第二項に規定する者に対して同条の規定による説明を求め、又は破産財団に関する帳簿、書類その他の物件を検査することができる。

②　破産管財人は、その職務を行うため必要があるときは、破産者の子会社等（次の各号に掲げる区分に応じ、それぞれ当該各号に定める法人をいう。次項において同じ。）に対して、その業務及び財産の状況につき説明を求め、又はその帳簿、書類その他の物件を検査することができる。

一　破産者が株式会社である場合　破産者の子会社（会社法第二条第三号に規定する子会社をいう。）

二　破産者が株式会社以外のものである場合　破産者が株式会社の総株主の議決権の過半数を有する場合における当該株式会社

③　破産者（株式会社以外のものに限る。以下この項において同じ。）の子会社等又は破産者及びその子会社等が他の株式会社の総株主の議決権の過半数を有する場合には、前項の規定の適用については、当該他の株式会社を当該破産者の子会社等とみなす。

（破産管財人の職務の執行の確保）

第八四条　破産管財人は、職務の執行に際し抵抗を受けるときは、その抵抗を排除するために、裁判所の許可を得て、警察上の援助を求めることができる。

（破産管財人の注意義務）

第八五条①　破産管財人は、善良な管理者の注意をもって、その職務を行わなければならない。

②　破産管財人が前項の注意を怠ったときは、その破産管財人は、利害関係人に対し、連帯して損害を賠償する義務を負う。

（破産管財人の情報提供努力義務）

第八六条　破産管財人は、破産債権である給料の請求権又は退職手当の請求権を有する者に対し、破産手続に参加するのに必要な情報を提供するよう努めなければならない。

（破産管財人の報酬等）

第八七条①　破産管財人は、費用の前払及び裁判所が定める報酬を受けることができる。

②　前項の規定による決定に対しては、即時抗告をすることができる。

③　前二項の規定は、破産管財人代理について準用する。

（破産管財人の任務終了の場合の報告義務等）

第八八条①　破産管財人の任務が終了した場合には、破産管財人は、遅滞なく、計算の報告書を裁判所に提出しなければならない。

②　前項の場合において、破産管財人が欠けたときは、同項の計算の報告書は、同項の規定にかかわらず、後任の破産管財人が提出しなければならない。

③　第一項又は前項の場合には、第一項の破産管財人又は前項の後任の破産管財人は、破産管財人の任務終了による債権者集会への計算の報告を目的として第百三十五条第一項本文の申立てをしなければならない。

④　破産者、破産債権者又は後任の破産管財人（第二項の後任の破産管財人を除く。）は、前項の申立てにより招集される債権者集会の期日において、第一項又は第二項の計算について異議を述べることができる。

⑤　前項の債権者集会の期日と第一項又は第二項の規定による計算の報告書の提出日との間には、三日以上の期間を置かなければならない。

⑥　第四項の債権者集会の期日において同項の異議がなかった場合には、第一項又は第二項の計算は、承認されたものとみなす。

第八九条①　前条第一項又は第二項の場合には、同条第一項の破産管財人又は同条第二項の後任の破産管財人は、同条第三項の申立てに代えて、書面による計算の報告をする旨の申立てを裁判所にすることができる。

②　裁判所は、前項の規定による申立てがあり、かつ、前条第一項又は第二項の規定による計算の報告書の提出があったときは、その提出があった旨及びその計算に異議があれば一定の期間内にこれを述べるべき旨を公告しなければならない。この場合においては、その期間は、一月を下ることができない。

③　破産者、破産債権者又は後任の破産管財人（第一項の後任の破産管財人を除く。）は、前項の期間内に前条第一項又は第二項の計算について異議を述べることができる。

④　第二項の期間内に前項の異議がなかった場合には、前条第一項又は第二項の計算は、承認されたものとみなす。

（任務終了の場合の財産の管理）

第九〇条①　破産管財人の任務が終了した場合において、急迫の事情があるときは、破産管財人又はその承継人は、後任の破産管財人又は破産者が財産を管理することができるに至るまで必要な処分をしなければならない。

②　破産手続開始の決定の取消し又は破産手続廃止の決定が確定した場合には、破産管財人は、財団債権を弁済しなければならない。ただし、その存否又は額について争いのある財団債権については、その債権を有する者のために供託しなければならない。

第二節　保全管理人

（保全管理命令）

第九一条① 裁判所は、破産手続開始の申立てがあった場合において、債務者（法人である場合に限る。以下この節、第百四十八条第四項及び第百五十二条第二項において同じ。）の財産の管理及び処分が失当であるとき、その他債務者の財産の確保のために特に必要があると認めるときは、利害関係人の申立てにより又は職権で、破産手続開始の申立てにつき決定があるまでの間、債務者の財産に関し、保全管理人による管理を命ずる処分をすることができる。

② 裁判所は、前項の規定による処分（以下「保全管理命令」という。）をする場合には、当該保全管理命令において、一人又は数人の保全管理人を選任しなければならない。

③ 前二項の規定は、破産手続開始の申立てを棄却する決定に対して第三十三条第一項の即時抗告があった場合について準用する。

④ 裁判所は、保全管理命令を変更し、又は取り消すことができる。

⑤ 保全管理命令及び前項の規定による決定に対しては、即時抗告をすることができる。

⑥ 前項の即時抗告は、執行停止の効力を有しない。

（保全管理命令に関する公告及び送達）

第九二条① 裁判所は、保全管理命令を発したときは、その旨を公告しなければならない。保全管理命令を変更し、又は取り消す旨の決定があった場合も、同様とする。

② 保全管理命令、前条第四項の規定による決定及び同条第五項の即時抗告についての裁判があった場合には、その裁判書を当事者に送達しなければならない。

> **＊令和五法五三（令和一〇・六・一三までに施行）による改正**
> 第二項中「裁判書」を「電子裁判書」に改める。（本文未織込み）

③ 第十条第四項の規定は、第一項の場合については、適用しない。

（保全管理人の権限）

第九三条① 保全管理命令が発せられたときは、債務者の財産（日本国内にあるかどうかを問わない。）の管理及び処分をする権利は、保全管理人に専属する。ただし、保全管理人が債務者の常務に属しない行為をするには、裁判所の許可を得なければならない。

② 前項ただし書の許可を得ないでした行為は、無効とする。ただし、これをもって善意の第三者に対抗することができない。

③ 第七十八条第二項から第六項までの規定は、保全管理人について準用する。

（保全管理人の任務終了の場合の報告義務）

第九四条① 保全管理人の任務が終了した場合には、保全管理人は、遅滞なく、裁判所に書面による計算の報告をしなければならない。

② 前項の場合において、保全管理人が欠けたときは、同項の計算の報告は、同項の規定にかかわらず、後任の保全管理人又は破産管財人がしなければならない。

（保全管理人代理）

第九五条① 保全管理人は、必要があるときは、その職務を行わせるため、自己の責任で一人又は数人の保全管理人代理を選任することができる。

② 前項の規定による保全管理人代理の選任については、裁判所の許可を得なければならない。

（準用）

第九六条① 第四十条の規定は保全管理人の請求について、第四十七条、第五十条及び第五十一条の規定は保全管理命令が発せられた場合について、第七十四条第二項、第七十五条、第七十六条、第七十九条、第八十条、第八十二条から第八十五条まで、第八十七条第一項及び第二項並びに第九十条第一項の規定は保全管理人について、第八十七条第一項及び第二項の規定は保全管理人代理について準用する。この場合において、第五十一条中「第三十二条第一項の規定による公告」とあるのは「第九十二条第一項の規定による公告」と、第九十条第一項中「後任の破産管財人」とあるのは「後任の保全管理人、破産管財人」と読み替えるものとする。

② 債務者の財産に関する訴訟手続及び債務者の財産関係の事件で行政庁に係属するものについては、次の各号に掲げる場合には、当該各号に定める規定を準用する。

一 保全管理命令が発せられた場合　第四十四条第一項から第三項まで

二 保全管理命令が効力を失った場合（破産手続開始の決定があった場合を除く。）　第四十四条第四項から第六項まで

第四章　破産債権

第一節　破産債権者の権利

（破産債権に含まれる請求権）

第九七条 次に掲げる債権（財団債権であるものを除く。）は、破産債権に含まれるものとする。

一 破産手続開始後の利息の請求権

二 破産手続開始後の不履行による損害賠償又は違約金の請求権

三 破産手続開始後の延滞税、利子税若しくは延滞金の請求権又はこれらに類する共助対象外国租税の請求権

四 国税徴収法（昭和三十四年法律第百四十七号）又は国税徴収の例によって徴収することのできる請求権（以下「租税等の請求権」という。）であって、破産財団に関して破産手続開始後の原因に基づいて生ずるもの

五 加算税（国税通則法（昭和三十七年法律第六十六号）第二条第四号に規定する過少申告加算税、無申告加算税、不納付加算税及び重加算税をいう。）若しくは加算金（地方税法（昭和二十五年法律第二百二十六号）第一条第一項第十四号に規定する過少申告加算金、不申告加算金及び重加算金をいう。）の請求権又はこれらに類する共助対象外国租税の請求権

六 罰金、科料、刑事訴訟費用、追徴金又は過料の請求権（以下「罰金等の請求権」という。）

七 破産手続参加の費用の請求権

八 第五十四条第一項（第五十八条第三項において準用する場合を含む。）に規定する相手方の損害賠償の請求権

九 第五十七条に規定する債権

十 第五十九条第一項の規定による請求権であって、相手方の有するもの

十一 第六十条第一項（同条第二項において準用する場合を含む。）に規定する債権

十二 第百六十八条第二項第二号又は第三号に定める権利

（優先的破産債権）

第九八条① 破産財団に属する財産につき一般の先取特権その他一般の優先権がある破産債権（次条第一項に規定する劣後的破産債権及び同条第二項に規定する約定劣後破産債権を除く。以下「優先的破産債権」という。）は、他の破産債権に優先する。

② 前項の場合において、優先的破産債権間の優先順位は、民法、商法その他の法律の定めるところによる。

③ 優先権が一定の期間内の債権額につき存在する場合には、その期間は、破産手続開始の時からさかのぼって計算する。

（劣後的破産債権等）

第九九条① 次に掲げる債権（以下「劣後的破産債権」という。）は、他の破産債権（次項に規定する約定劣後破産債権を除く。）に後れる。

一 第九十七条第一号から第七号までに掲げる請求権

二 破産手続開始後に期限が到来すべき確定期限付債権で無利息のもののうち、破産手続開始の時から期限に至るまでの期間の年数（その期間に一年に満たない端数があるときは、これを切り捨てるものとする。）に応じた債権に対する破産手続開始の時における法定利率による利息の額に相当する部分

三　破産手続開始後に期限が到来すべき不確定期限付債権で無利息のもののうち、その債権額と破産手続開始の時における評価額との差額に相当する部分

四　金額及び存続期間が確定している定期金債権のうち、各定期金につき第二号の規定に準じて算定される額の合計額（その額を各定期金の合計額から控除した額が破産手続開始の時における法定利率によりその定期金に相当する利息を生ずべき元本額を超えるときは、その超過額を加算した額）に相当する部分

② 破産債権者と破産者との間において、破産手続開始前に、当該債務者について破産手続が開始されたとすれば当該破産手続におけるその配当の順位が劣後的破産債権に後れる旨の合意がされた債権（以下「約定劣後破産債権」という。）は、劣後的破産債権に後れる。

（破産債権の行使）

第一〇〇条① 破産債権は、この法律に特別の定めがある場合を除き、破産手続によらなければ、行使することができない。

② 前項の規定は、次に掲げる行為によって破産債権である租税等の請求権（共助対象外国租税の請求権を除く。）を行使する場合については、適用しない。

一　破産手続開始の時に破産財団に属する財産に対して既にされている国税滞納処分

二　徴収の権限を有する者による還付金又は過誤納金の充当

（給料の請求権等の弁済の許可）

第一〇一条① 優先的破産債権である給料の請求権又は退職手当の請求権について届出をした破産債権者が、これらの破産債権の弁済を受けなければその生活の維持を図るのに困難を生ずるおそれがあるときは、裁判所は、最初に第百九十五条第一項に規定する最後配当、第二百四条第一項に規定する簡易配当、第二百八条第一項に規定する同意配当又は第二百九条第一項に規定する中間配当の許可があるまでの間、破産管財人の申立てにより又は職権で、その全部又は一部の弁済をすることを許可することができる。ただし、その弁済により財団債権又は他の先順位若しくは同順位の優先的破産債権を有する者の利益を害するおそれがないときに限る。

② 破産管財人は、前項の破産債権者から同項の申立てをすべきことを求められたときは、直ちにその旨を裁判所に報告しなければならない。この場合において、その申立てをしないこととしたときは、遅滞なく、その事情を裁判所に報告しなければならない。

（破産管財人による相殺）

第一〇二条 破産管財人は、破産財団に属する債権をもって破産債権と相殺することが破産債権者の一般の利益に適合するときは、裁判所の許可を得て、その相殺をすることができる。

（破産債権者の手続参加）

第一〇三条① 破産債権者は、その有する破産債権をもって破産手続に参加することができる。

② 前項の場合において、破産債権の額は、次に掲げる債権の区分に従い、それぞれ当該各号に定める額とする。

一　次に掲げる債権　破産手続開始の時における評価額

イ　金銭の支払を目的としない債権

ロ　金銭債権で、その額が不確定であるもの又はその額を外国の通貨をもって定めたもの

ハ　金額又は存続期間が不確定である定期金債権

二　前号に掲げる債権以外の債権　債権額

③ 破産債権が期限付債権でその期限が破産手続開始後に到来すべきものであるときは、その破産債権は、破産手続開始の時において弁済期が到来したものとみなす。

④ 破産債権が破産手続開始の時において条件付債権又は将来の請求権であるときでも、当該破産債権者は、その破産債権をもって破産手続に参加することができる。

⑤ 第一項の規定にかかわらず、共助対象外国租税の請求権をもって破産手続に参加するには、共助実施決定（租税条約等実施特例法第十一条第一項に規定する共助実施決定をいう。第百三十四条第二項において同じ。）を得なければならない。

（全部の履行をする義務を負う者が数人ある場合等の手続参加）

第一〇四条① 数人が各自全部の履行をする義務を負う場合において、その全員又はそのうちの数人若しくは一人について破産手続開始の決定があったときは、債権者は、破産手続開始の時において有する債権の全額についてそれぞれの破産手続に参加することができる。

② 前項の場合において、他の全部の履行をする義務を負う者が破産手続開始後に債権者に対して弁済その他の債務を消滅させる行為（以下この条において「弁済等」という。）をしたときであっても、その債権の全額が消滅した場合を除き、その債権者は、破産手続開始の時において有する債権の全額についてその権利を行使することができる。

③ 第一項に規定する場合において、破産者に対して将来行うことがある求償権を有する者は、その全額について破産手続に参加することができる。ただし、債権者が破産手続開始の時において有する債権について破産手続に参加したときは、この限りでない。

④ 第一項の規定により債権者が破産手続に参加した場合において、破産者に対して将来行うことがある求償権を有する者が破産手続開始後に債権者に対して弁済等をしたときは、その債権の全額が消滅した場合に限り、その求償権を有する者は、その求償権の範囲内において、債権者が有した権利を破産債権者として行使することができる。

⑤ 第二項の規定は破産者の債務を担保するため自己の財産を担保に供した第三者（以下この項において「物上保証人」という。）が破産手続開始後に債権者に対して弁済等をした場合について、前二項の規定は物上保証人が破産者に対して将来行うことがある求償権を有する場合における当該物上保証人について準用する。

（保証人の破産の場合の手続参加）

第一〇五条 保証人について破産手続開始の決定があったときは、債権者は、破産手続開始の時において有する債権の全額について破産手続に参加することができる。

（法人の債務につき無限の責任を負う者の破産の場合の手続参加）

第一〇六条 法人の債務につき無限の責任を負う者について破産手続開始の決定があったときは、当該法人の債権者は、破産手続開始の時において有する債権の全額について破産手続に参加することができる。

（法人の債務につき有限の責任を負う者の破産の場合の手続参加等）

第一〇七条① 法人の債務につき有限の責任を負う者について破産手続開始の決定があったときは、当該法人の債権者は、破産手続に参加することができない。この場合においては、当該法人は、破産手続に参加することを妨げない。

② 法人の債務につき有限の責任を負う者がある場合において、当該法人について破産手続開始の決定があったときは、当該法人の債権者は、当該法人の債務につき有限の責任を負う者に対してその権利を行使することができない。

（別除権者等の手続参加）

第一〇八条① 別除権者は、当該別除権に係る第六十五条第二項に規定する担保権によって担保される債権については、その別除権の行使によって弁済を受けることができない債権の額についてのみ、破産債権者としてその権利を行使することができる。ただし、当該担保権によって担保される債権の全部又は一部が破産手続開始後に担保されないこととなった場合には、その債権の当該全部又は一部の額について、破産債権者としてその権利を行使することを妨げない。

② 破産財団に属しない破産者の財産につき特別の先取特権、質権若しくは抵当権を有する者又は破産者につき更に破産手続開

始の決定があった場合における前の破産手続において破産債権を有する者も、前項と同様とする。

（外国で弁済を受けた破産債権者の手続参加）

第一〇九条　破産債権者は、破産手続開始の決定があった後に、破産財団に属する財産で外国にあるものに対して権利を行使したことにより、破産債権について弁済を受けた場合であっても、その弁済を受ける前の債権の額について破産手続に参加することができる。

（代理委員）

第一一〇条①　破産債権者は、裁判所の許可を得て、共同して又は各別に、一人又は数人の代理委員を選任することができる。

②　代理委員は、これを選任した破産債権者のために、破産手続に属する一切の行為をすることができる。

③　代理委員が数人あるときは、共同してその権限を行使する。ただし、第三者の意思表示は、その一人に対してすれば足りる。

④　裁判所は、代理委員の権限の行使が著しく不公正であると認めるときは、第一項の許可を取り消すことができる。

第二節　破産債権の届出

（破産債権の届出）

第一一一条①　破産手続に参加しようとする破産債権者は、第三十一条第一項第一号又は第三項の規定により定められた破産債権の届出をすべき期間（以下「債権届出期間」という。）内に、次に掲げる事項を裁判所に届け出なければならない。

一　各破産債権の額及び原因

二　優先的破産債権であるときは、その旨

三　劣後的破産債権又は約定劣後破産債権であるときは、その旨

四　自己に対する配当額の合計額が最高裁判所規則で定める額に満たない場合においても配当金を受領する意思があるときは、その旨

五　前各号に掲げるもののほか、最高裁判所規則で定める事項

②　別除権者は、前項各号に掲げる事項のほか、次に掲げる事項を届け出なければならない。

一　別除権の目的である財産

二　別除権の行使によって弁済を受けることができないと見込まれる債権の額

③　前項の規定は、第百八条第二項に規定する特別の先取特権、質権若しくは抵当権又は破産債権を有する者（以下「準別除権者」という。）について準用する。

（一般調査期間経過後又は一般調査期日終了後の届出等）

第一一二条①　破産債権者がその責めに帰することができない事由によって第三十一条第一項第三号の期間（以下「一般調査期間」という。）の経過又は同号の期日（以下「一般調査期日」という。）の終了までに破産債権の届出をすることができなかった場合には、その事由が消滅した後一月以内に限り、その届出をすることができる。

②　前項に規定する一月の期間は、伸長し、又は短縮することができない。

③　一般調査期間の経過後又は一般調査期日の終了後に生じた破産債権については、その権利の発生した後一月の不変期間内に、その届出をしなければならない。

④　第一項及び第二項の規定は、破産債権者が、その責めに帰することができない事由によって、一般調査期間の経過後又は一般調査期日の終了後に、届け出た事項について他の破産債権者の利益を害すべき変更を加える場合について準用する。

（届出名義の変更）

第一一三条①　届出をした破産債権を取得した者は、一般調査期間の経過後又は一般調査期日の終了後でも、届出名義の変更を受けることができる。

②　前項の規定により届出名義の変更を受ける者は、自己に対する配当額の合計額が第百十一条第一項第四号に規定する最高裁判所規則で定める額に満たない場合においても配当金を受領する意思があるときは、その旨を裁判所に届け出なければならない。

（租税等の請求権等の届出）

第一一四条　次に掲げる請求権を有する者は、遅滞なく、当該請求権の額及び原因並びに当該請求権が共助対象外国租税の請求権である場合にはその旨その他最高裁判所規則で定める事項を裁判所に届け出なければならない。この場合において、当該請求権を有する者が別除権者又は準別除権者であるときは、第百十一条第二項の規定を準用する。

一　租税等の請求権であって、財団債権に該当しないもの

二　罰金等の請求権であって、財団債権に該当しないもの

第三節　破産債権の調査及び確定

第一款　通則

（破産債権者表の作成等）

第一一五条①　裁判所書記官は、届出があった破産債権について、破産債権者表を作成しなければならない。

②　前項の破産債権者表には、各破産債権について、第百十一条第一項第一号から第四号まで及び第二項第二号（同条第三項において準用する場合を含む。）に掲げる事項その他最高裁判所規則で定める事項を記載しなければならない。

③　破産債権者表の記載に誤りがあるときは、裁判所書記官は、申立てにより又は職権で、いつでもその記載を更正する処分をすることができる。

＊令和五法五三（令和一〇・六・一三までに施行）による改正後

（電子破産債権者表の作成等）

第一一五条①　裁判所書記官は、届出があった破産債権について、最高裁判所規則で定めるところにより、電子破産債権者表（破産債権の調査の対象及び結果を明らかにするとともに、確定した破産債権に関する事項を明らかにするために裁判所書記官が作成する電磁的記録をいう。以下同じ。）を作成しなければならない。

②　電子破産債権者表には、各破産債権について、第百十一条第一項第一号から第四号まで及び第二項第二号（同条第三項において準用する場合を含む。）に掲げる事項その他最高裁判所規則で定める事項を記録しなければならない。

③　裁判所書記官は、第一項の規定により電子破産債権者表を作成したときは、最高裁判所規則で定めるところにより、これをファイルに記録しなければならない。（改正により追加）

④　電子破産債権者表（前項の規定によりファイルに記録されたものに限る。以下同じ。）の内容に誤りがあるときは、裁判所書記官は、申立てにより又は職権で、いつでも更正する処分をすることができる。（改正前の③）

⑤　前項の規定による更正の処分は、最高裁判所規則で定めるところにより、その旨をファイルに記録してしなければならない。（改正により追加）

⑥　民事訴訟法第七十一条第四項、第五項及び第八項の規定は、第四項の規定による更正の処分又は同項の申立てを却下する処分及びこれらに対する異議の申立てについて準用する。（改正により追加）

（破産債権の調査の方法）

第一一六条①　裁判所による破産債権の調査は、次款の規定により、破産管財人が作成した認否書並びに破産債権者及び破産者の書面による異議に基づいてする。

②　前項の規定にかかわらず、裁判所は、必要があると認めるときは、第三款の規定により、破産債権の調査を、そのための期日における破産管財人の認否並びに破産債権者及び破産者の異議に基づいてすることができる。

③　裁判所は、第百二十一条の規定による一般調査期日における破産債権の調査の後であっても、第百十九条の規定による特別調査期間における書面による破産債権の調査をすることができ、必要があると認めるときは、第百十八条の規定による一般

調査期間における書面による破産債権の調査の後であっても、第百二十二条の規定による特別調査期日における破産債権の調査をすることができる。

第二款　書面による破産債権の調査

（認否書の作成及び提出）

第一一七条① 破産管財人は、一般調査期間が定められたときは、債権届出期間内に届出があった破産債権について、次に掲げる事項についての認否を記載した認否書を作成しなければならない。

一　破産債権の額

二　優先的破産債権であること。

三　劣後的破産債権又は約定劣後破産債権であること。

四　別除権（第百八条第二項に規定する特別の先取特権、質権若しくは抵当権又は破産債権を含む。）の行使によって弁済を受けることができないと見込まれる債権の額

② 破産管財人は、債権届出期間の経過後に届出があり、又は届出事項の変更（他の破産債権者の利益を害すべき事項の変更に限る。以下この節において同じ。）があった破産債権についても、前項各号に掲げる事項（当該届出事項の変更があった場合にあっては、変更後の同項各号に掲げる事項。以下この節において同じ。）についての認否を同項の認否書に記載することができる。

③ 破産管財人は、一般調査期間前の裁判所の定める期限までに、前二項の規定により作成した認否書を裁判所に提出しなければならない。

④ 第一項の規定により同項の認否書に認否を記載すべき事項であって前項の規定により提出された認否書に認否の記載がないものがあるときは、破産管財人において当該事項を認めたものとみなす。

⑤ 第二項の規定により第一項各号に掲げる事項についての認否を認否書に記載することができる破産債権について、第三項の規定により提出された認否書に当該事項の一部についての認否の記載があるときは、破産管財人において当該事項のうち当該認否書に認否の記載のないものを認めたものとみなす。

（一般調査期間における調査）

第一一八条① 届出をした破産債権者は、一般調査期間内に、裁判所に対し、前条第一項又は第二項に規定する破産債権についての同条第一項各号に掲げる事項について、書面で、異議を述べることができる。

② 破産者は、一般調査期間内に、裁判所に対し、前項の破産債権の額について、書面で、異議を述べることができる。

③ 裁判所は、一般調査期間を変更する決定をしたときは、その裁判書を破産管財人、破産者及び届出をした破産債権者（債権届出期間の経過前にあっては、知れている破産債権者）に送達しなければならない。

＊令和五法五三（令和一〇・六・一三までに施行）による改正
第三項中「裁判書」を「電子裁判書」に改める。（本文未織込み）

④ 前項の規定による送達は、書類を通常の取扱いによる郵便に付し、又は民間事業者による信書の送達に関する法律第二条第六項に規定する一般信書便事業者若しくは同条第九項に規定する特定信書便事業者の提供する同条第二項に規定する信書便の役務を利用して送付する方法によりすることができる。

⑤ 前項の規定による送達をした場合においては、その郵便物等が通常到達すべきであった時に、送達があったものとみなす。

（特別調査期間における調査）

第一一九条① 裁判所は、債権届出期間の経過後、一般調査期間の満了前又は一般調査期日の終了前にその届出があり、又は届出事項の変更があった破産債権について、その調査をするための期間（以下「特別調査期間」という。）を定めなければならない。ただし、当該破産債権について、破産管財人が第百十七条第三項の規定により提出された認否書に同条第一項各号に掲げる事項の全部若しくは一部についての認否を記載している場合又は一般調査期日において調査をすることについて破産管財人及び破産債権者の異議がない場合は、この限りでない。

② 一般調査期間の経過後又は一般調査期日の終了後に第百十二条第一項若しくは第三項の規定による届出があり、又は同条第四項において準用する同条第一項の規定による届出事項の変更があった破産債権についても、前項本文と同様とする。

③ 第一項本文又は前項の場合には、特別調査期間に関する費用は、当該破産債権を有する者の負担とする。

④ 破産管財人は、特別調査期間に係る破産債権については、第百十七条第一項各号に掲げる事項についての認否を記載した認否書を作成し、特別調査期間前の裁判所の定める期限までに、これを裁判所に提出しなければならない。この場合においては、同条第四項の規定を準用する。

⑤ 届出をした破産債権者は前項の破産債権についての第百十七条第一項各号に掲げる事項について、破産者は当該破産債権の額について、特別調査期間内に、裁判所に対し、書面で、異議を述べることができる。

⑥ 前条第三項から第五項までの規定は、特別調査期間を定める決定又はこれを変更する決定があった場合における裁判書の送達について準用する。

＊令和五法五三（令和一〇・六・一三までに施行）による改正
第六項中「裁判書」を「電子裁判書」に改める。（本文未織込み）

（特別調査期間に関する費用の予納）

第一二〇条① 前条第一項本文又は第二項の場合には、裁判所書記官は、相当の期間を定め、同条第三項の破産債権を有する者に対し、同項の費用の予納を命じなければならない。

② 前項の規定による処分は、相当と認める方法で告知することによって、その効力を生ずる。

③ 第一項の規定による処分に対しては、その告知を受けた日から一週間の不変期間内に、異議の申立てをすることができる。

④ 前項の異議の申立ては、執行停止の効力を有する。

⑤ 第一項の場合において、同項の破産債権を有する者が同項の費用の予納をしないときは、裁判所は、決定で、その者がした破産債権の届出又は届出事項の変更に係る届出を却下しなければならない。

⑥ 前項の規定による却下の決定に対しては、即時抗告をすることができる。

第三款　期日における破産債権の調査

（一般調査期日における調査）

第一二一条① 破産管財人は、一般調査期日が定められたときは、当該一般調査期日に出頭し、債権届出期間内に届出があった破産債権について、第百十七条第一項各号に掲げる事項についての認否をしなければならない。

② 届出をした破産債権者又はその代理人は、一般調査期日に出頭し、前項の破産債権についての同項に規定する事項について、異議を述べることができる。

③ 破産者は、一般調査期日に出頭しなければならない。ただし、正当な事由があるときは、代理人を出頭させることができる。

④ 前項本文の規定により出頭した破産者は、第一項の破産債権の額について、異議を述べることができる。

⑤ 第三項本文の規定により出頭した破産者は、必要な事項に関し意見を述べなければならない。

⑥ 前二項の規定は、第三項ただし書の代理人について準用する。

⑦ 前各項の規定は、債権届出期間の経過後に届出があり、又は

届出事項の変更があった破産債権について一般調査期日において調査をすることにつき破産管財人及び破産債権者の異議がない場合について準用する。

⑧　一般調査期日における破産債権の調査は、破産管財人が出頭しなければ、することができない。

⑨　裁判所は、一般調査期日を変更する決定をしたときは、その裁判書を破産管財人、破産者及び届出をした破産債権者（債権届出期間の経過前にあっては、知れている破産債権者）に送達しなければならない。

⑩　裁判所は、一般調査期日における破産債権の調査の延期又は続行の決定をしたときは、当該一般調査期日において言渡しをした場合を除き、その裁判書を破産管財人、破産者及び届出をした破産債権者に送達しなければならない。

⑪　第百十八条第四項及び第五項の規定は、前二項の規定による送達について準用する。

＊令和五法五三（令和一〇・六・一三までに施行）による改正
第九項及び第十項中「裁判書」を「電子裁判書」に改める。
（本文未織込み）

（映像等の送受信による通話の方法による一般調査期日）

第一二一条の二①　裁判所は、相当と認めるときは、最高裁判所規則で定めるところにより、裁判所並びに破産者、破産管財人及び届出をした破産債権者が映像と音声の送受信により相手の状態を相互に認識しながら通話をすることができる方法によって、一般調査期日における手続を行うことができる。

②　前項の一般調査期日に出頭しないでその手続に関与した破産者、破産管財人及び届出をした破産債権者は、その一般調査期日に出頭したものとみなす。

＊令和五法五三（令和八・五・二四までに施行）により第一二一条の二追加

（特別調査期日における調査）

第一二二条①　裁判所は、債権届出期間の経過後、一般調査期間の満了前又は一般調査期日の終了前に届出があり、又は届出事項の変更があった破産債権について、必要があると認めるときは、その調査をするための期日（以下「特別調査期日」という。）を定めることができる。ただし、当該破産債権について、破産管財人が第百十七条第三項の規定により提出された認否書に同条第一項各号に掲げる事項の全部若しくは一部についての認否を記載している場合又は一般調査期日において調査をすることについて破産管財人及び破産債権者の異議がない場合は、この限りでない。

②　第百十九条第二項及び第三項、同条第六項において準用する第百十八条第三項から第五項まで、第百二十条、第百二十一条（第七項及び第九項を除く。）並びに前条の規定は、前項本文の場合における特別調査期日について準用する。

＊令和五法五三（令和八・五・二四までに施行）による改正
第二項中「並びに前条」は「、第百二十一条」に改められ、「除く。）」の下に「並びに前条」が加えられた。（本文織込み済み）

（期日終了後の破産者の異議）

第一二三条①　破産者がその責めに帰することができない事由によって一般調査期日又は特別調査期日に出頭することができなかったときは、破産者は、その事由が消滅した後一週間以内に限り、裁判所に対し、当該一般調査期日又は特別調査期日における調査に係る破産債権の額について、書面で、異議を述べることができる。

②　前項に規定する一週間の期間は、伸長し、又は短縮することができない。

第四款　破産債権の確定

（異議等のない破産債権の確定）

第一二四条①　第百十七条第一項各号（第四号を除く。）に掲げる事項は、破産債権の調査において、破産管財人が認め、かつ、届出をした破産債権者が一般調査期間内若しくは特別調査期間内又は一般調査期日若しくは特別調査期日において異議を述べなかったときは、確定する。

②　裁判所書記官は、破産債権の調査の結果を破産債権者表に記載しなければならない。

③　第一項の規定により確定した事項についての破産債権者表の記載は、破産債権者の全員に対して確定判決と同一の効力を有する。

＊令和五法五三（令和一〇・六・一三までに施行）による改正
第二項中「裁判所書記官は」の下に「、最高裁判所規則で定めるところにより」を加え、「破産債権者表に記載しなければ」を「電子破産債権者表に記録しなければ」に改め、第三項中「破産債権者表の記載」を「電子破産債権者表の記録」に改める。（本文未織込み）

（破産債権査定決定）

第一二五条①　破産債権の調査において、破産債権の額又は優先的破産債権、劣後的破産債権若しくは約定劣後破産債権であるかどうかの別（以下この条及び第百二十七条第一項において「額等」という。）について破産管財人が認めず、又は届出をした破産債権者が異議を述べた場合には、当該破産債権（以下「異議等のある破産債権」という。）を有する破産債権者は、その額等の確定のために、当該破産管財人及び当該異議を述べた届出をした破産債権者（以下この款において「異議者等」という。）の全員を相手方として、裁判所に、その額等についての査定の申立て（以下「破産債権査定申立て」という。）をすることができる。ただし、第百二十七条第一項並びに第百二十九条第一項及び第二項の場合は、この限りでない。

②　破産債権査定申立ては、異議等のある破産債権に係る一般調査期間若しくは特別調査期間の末日又は一般調査期日若しくは特別調査期日から一月の不変期間内にしなければならない。

③　破産債権査定申立てがあった場合には、裁判所は、これを不適法として却下する場合を除き、決定で、異議等のある破産債権の存否及び額等を査定する裁判（次項において「破産債権査定決定」という。）をしなければならない。

④　裁判所は、破産債権査定決定をする場合には、異議者等を審尋しなければならない。

⑤　破産債権査定申立てについての決定があった場合には、その裁判書を当事者に送達しなければならない。この場合においては、第十条第三項本文の規定は、適用しない。

＊令和五法五三（令和一〇・六・一三までに施行）による改正
第五項中「裁判書」を「電子裁判書」に改める。（本文未織込み）

（破産債権査定申立てについての決定に対する異議の訴え）

第一二六条①　破産債権査定申立てについての決定に不服がある者は、その送達を受けた日から一月の不変期間内に、異議の訴え（以下「破産債権査定異議の訴え」という。）を提起することができる。

②　破産債権査定異議の訴えは、破産裁判所が管轄する。

③　破産債権査定異議の訴えが提起された第一審裁判所は、破産裁判所が破産事件を管轄することの根拠となる法令上の規定が第五条第八項又は第九項の規定のみである場合（破産裁判所が第七条第四号の規定により破産事件の移送を受けた場合において、移送を受けたことの根拠となる規定が同号ロ又はハの規定のみであるときを含む。）において、著しい損害又は遅滞を避けるため必要があると認めるときは、前項の規定にかかわらず、職権で、当該破産債権査定異議の訴えに係る訴訟を第五条第一項に規定する地方裁判所（同項に規定する地方裁判所がない場

合にあっては、同条第二項に規定する地方裁判所）に移送することができる。

④　破産債権査定異議の訴えは、これを提起する者が、異議等のある破産債権を有する破産債権者であるときは異議者等の全員を、当該異議者等であるときは当該破産債権者を、それぞれ被告としなければならない。

⑤　破産債権査定異議の訴えの口頭弁論は、第一項の期間を経過した後でなければ開始することができない。

⑥　同一の破産債権に関し破産債権査定異議の訴えが数個同時に係属するときは、弁論及び裁判は、併合してしなければならない。この場合においては、民事訴訟法第四十条第一項から第三項までの規定を準用する。

⑦　破産債権査定異議の訴えについての判決においては、訴えを不適法として却下する場合を除き、破産債権査定申立てについての決定を認可し、又は変更する。

（異議等のある破産債権に関する訴訟の受継）

第一二七条①　異議等のある破産債権に関し破産手続開始当時訴訟が係属する場合において、破産債権者がその額等の確定を求めようとするときは、異議者等の全員を当該訴訟の相手方として、訴訟手続の受継の申立てをしなければならない。

②　第百二十五条第二項の規定は、前項の申立てについて準用する。

（主張の制限）

第一二八条　破産債権査定申立てに係る査定の手続又は破産債権査定異議の訴えの提起若しくは前条第一項の規定による受継に係る訴訟手続においては、破産債権者は、異議等のある破産債権についての第百十一条第一項第一号から第三号までに掲げる事項について、破産債権者表に記載されている事項のみを主張することができる。

＊令和五法五三（令和一〇・六・一三までに施行）による改正
第一二八条中「破産債権者表に記載されている」を「電子破産債権者表に記録されている」に改める。（本文未織込み）

（執行力ある債務名義のある債権等に対する異議の主張）

第一二九条①　異議等のある破産債権のうち執行力ある債務名義又は終局判決のあるものについては、異議者等は、破産者がすることのできる訴訟手続によってのみ、異議を主張することができる。

②　前項に規定する異議等のある破産債権に関し破産手続開始当時訴訟が係属する場合において、同項の異議者等が同項の規定による異議を主張しようとするときは、当該異議者等は、当該破産債権を有する破産債権者を相手方とする訴訟手続を受け継がなければならない。

③　第百二十五条第二項の規定は第一項の規定による異議の主張又は前項の規定による受継について、第百二十六条第五項及び第六項並びに前条の規定は前二項の場合について準用する。この場合においては、第百二十六条第五項中「第一項の期間」とあるのは、「異議等のある破産債権に係る一般調査期間若しくは特別調査期間の末日又は一般調査期日若しくは特別調査期日から一月の不変期間」と読み替えるものとする。

④　前項において準用する第百二十五条第二項に規定する期間内に第一項の規定による異議の主張又は第二項の規定による受継がされなかった場合には、異議者等が破産債権者であるときは第百十八条第一項、第百十九条第五項又は第百二十一条第二項（同条第七項又は第百二十二条第二項において準用する場合を含む。）の異議はなかったものとみなし、異議者等が破産管財人であるときは破産管財人においてその破産債権を認めたものとみなす。

（破産債権の確定に関する訴訟の結果の記載）

第一三〇条　裁判所書記官は、破産管財人又は破産債権者の申立てにより、破産債権の確定に関する訴訟の結果（破産債権査定申立てについての決定に対する破産債権査定異議の訴えが、第百二十六条第一項に規定する期間内に提起されなかったとき、又は却下されたときは、当該決定の内容）を破産債権者表に記載しなければならない。

＊令和五法五三（令和一〇・六・一三までに施行）による改正
第一三〇条の見出し中「記載」を「記録」に改め、同条中「申立てにより」を「申立てがあった場合には、最高裁判所規則で定めるところにより」に、「破産債権者表に記載しなければ」を「電子破産債権者表に記録しなければ」に改める。（本文未織込み）

（破産債権の確定に関する訴訟の判決等の効力）

第一三一条①　破産債権の確定に関する訴訟についてした判決は、破産債権者の全員に対して、その効力を有する。

②　破産債権査定申立てについての決定に対する破産債権査定異議の訴えが、第百二十六条第一項に規定する期間内に提起されなかったとき、又は却下されたときは、当該決定は、破産債権者の全員に対して、確定判決と同一の効力を有する。

（訴訟費用の償還）

第一三二条　破産財団が破産債権の確定に関する訴訟（破産債権査定申立てについての決定を含む。）によって利益を受けたときは、異議を主張した破産債権者は、その利益の限度において財団債権者として訴訟費用の償還を請求することができる。

（破産手続終了の場合における破産債権の確定手続の取扱い）

第一三三条①　破産手続が終了した際現に係属する破産債権査定申立ての手続は、破産手続開始の決定の取消し又は破産手続廃止の決定の確定により破産手続が終了したときは終了するものとし、破産手続終結の決定により破産手続が終了したときは引き続き係属するものとする。

②　破産手続終結の決定により破産手続が終了した場合において、破産手続終了後に破産債権査定申立てについての決定があったときは、第百二十六条第一項の規定により破産債権査定異議の訴えを提起することができる。

③　破産手続が終了した際現に係属する破産債権査定異議の訴えに係る訴訟手続又は第百二十七条第一項若しくは第百二十九条第二項の規定による受継があった訴訟手続であって、破産管財人が当事者であるものは、破産手続終結の決定により破産手続が終了したときは、第四十四条第四項の規定にかかわらず、中断しないものとする。

④　破産手続が終了した際現に係属する破産債権査定異議の訴えに係る訴訟手続であって、破産管財人が当事者でないものは、破産手続開始の決定の取消し又は破産手続廃止の決定の確定により破産手続が終了したときは終了するものとし、破産手続終結の決定により破産手続が終了したときは引き続き係属するものとする。

⑤　破産手続が終了した際現に係属する第百二十七条第一項又は第百二十九条第二項の規定による受継があった訴訟手続であって、破産管財人が当事者でないものは、破産手続開始の決定の取消し又は破産手続廃止の決定の確定により破産手続が終了したときは中断するものとし、破産手続終結の決定により破産手続が終了したときは引き続き係属するものとする。

⑥　前項の規定により訴訟手続が中断する場合においては、第四十四条第五項の規定を準用する。

第五款　租税等の請求権等についての特例

第一三四条①　租税等の請求権及び罰金等の請求権については、第一款（第百十五条を除く。）から前款までの規定は、適用しない。

②　第百十四条の規定による届出があった請求権（罰金、科料及び刑事訴訟費用の請求権を除く。）の原因（共助対象外国租税の請求権にあっては、共助実施決定）が審査請求、訴訟（刑事訴訟を除く。次項において同じ。）その他の不服の申立てをすることができる処分である場合には、破産管財人は、当該届出があった請求権について、当該不服の申立てをする方法で、異議

を主張することができる。

③ 前項の場合において、当該届出があった請求権に関し破産手続開始当時訴訟が係属するときは、同項に規定する異議を主張しようとする破産管財人は、当該届出があった請求権を有する破産債権者を相手方とする訴訟手続を受け継がなければならない。当該届出があった請求権に関し破産手続開始当時破産財団に関する事件が行政庁に係属するときも、同様とする。

④ 第二項の規定による異議の主張又は前項の規定による受継は、破産管財人が第二項に規定する届出があったことを知った日から一月の不変期間内にしなければならない。

⑤ 第百二十四条第二項の規定は第百十四条の規定による届出があった請求権について、第百二十八条、第百三十条、第百三十一条第一項及び前条第三項の規定は第二項の規定による異議又は第三項の規定による受継があった場合について準用する。

第四節　債権者集会及び債権者委員会

第一款　債権者集会

（債権者集会の招集）

第一三五条① 裁判所は、次の各号に掲げる者のいずれかの申立てがあった場合には、債権者集会を招集しなければならない。ただし、知れている破産債権者の数その他の事情を考慮して債権者集会を招集することを相当でないと認めるときは、この限りでない。

一　破産管財人

二　第百四十四条第二項に規定する債権者委員会

三　知れている破産債権者の総債権について裁判所が評価した額の十分の一以上に当たる破産債権を有する破産債権者

② 裁判所は、前項本文の申立てがない場合であっても、相当と認めるときは、債権者集会を招集することができる。

（債権者集会の期日の呼出し等）

第一三六条① 債権者集会の期日には、破産管財人、破産者及び届出をした破産債権者を呼び出さなければならない。ただし、第三十一条第五項の決定があったときは、届出をした破産債権者を呼び出すことを要しない。

② 前項本文の規定にかかわらず、届出をした破産債権者であって議決権を行使することができないものは、呼び出さないことができる。財産状況報告集会においては、第三十二条第三項の規定により通知を受けた者も、同様とする。

③ 裁判所は、第三十二条第一項第三号及び第三項の規定により財産状況報告集会の期日の公告及び通知をするほか、各債権者集会（財産状況報告集会を除く。以下この項において同じ。）の期日及び会議の目的である事項を公告し、かつ、各債権者集会の期日を労働組合等に通知しなければならない。

④ 債権者集会の期日においてその延期又は続行について言渡しがあったときは、第一項本文及び前項の規定は、適用しない。

（映像等の送受信による通話の方法による債権者集会）

第一三六条の二① 裁判所は、相当と認めるときは、最高裁判所規則で定めるところにより、裁判所並びに破産者、破産管財人、届出をした破産債権者及び外国管財人（第二百四十五条第一項に規定する外国管財人をいう。次項において同じ。）が映像と音声の送受信により相手の状態を相互に認識しながら通話をすることができる方法によって、債権者集会の期日における手続を行うことができる。

② 前項の期日に出席しないでその手続に関与した破産者、破産管財人、届出をした破産債権者及び外国管財人は、その期日に出席したものとみなす。

＊令和五法五三（令和八・五・二四までに施行）により第一三六条の二追加

（債権者集会の指揮）

第一三七条 債権者集会は、裁判所が指揮する。

（債権者集会の決議）

第一三八条 債権者集会の決議を要する事項を可決するには、議決権を行使することができる破産債権者（以下この款において「議決権者」という。）で債権者集会の期日に出席し又は次条第二項第二号に規定する書面等投票をしたものの議決権の総額の二分の一を超える議決権を有する者の同意がなければならない。

（決議に付する旨の決定）

第一三九条① 裁判所は、第百三十五条第一項各号に掲げる者が債権者集会の決議を要する事項を決議に付することを目的として同項本文の申立てをしたときは、当該事項を債権者集会の決議に付する旨の決定をする。

② 裁判所は、前項の決議に付する旨の決定において、議決権者の議決権行使の方法として、次に掲げる方法のいずれかを定めなければならない。

一　債権者集会の期日において議決権を行使する方法

二　書面等投票（書面その他の最高裁判所規則で定める方法のうち裁判所の定めるものによる投票をいう。）により裁判所の定める期間内に議決権を行使する方法

三　前二号に掲げる方法のうち議決権者が選択するものにより議決権を行使する方法。この場合において、前号の期間の末日は、第一号の債権者集会の期日より前の日でなければならない。

③ 裁判所は、議決権行使の方法として前項第二号又は第三号に掲げる方法を定めたときは、その旨を公告し、かつ、議決権者に対して、同項第二号に規定する書面等投票は裁判所の定める期間内に限りすることができる旨を通知しなければならない。ただし、第三十一条第五項の決定があったときは、当該通知をすることを要しない。

（債権者集会の期日を開く場合における議決権の額の定め方等）

第一四〇条① 裁判所が議決権行使の方法として前条第二項第一号又は第三号に掲げる方法を定めた場合においては、議決権者は、次の各号に掲げる区分に応じ、当該各号に定める額に応じて、議決権を行使することができる。

一　前節第四款の規定によりその額が確定した破産債権を有する届出をした破産債権者（別除権者、準別除権者又は停止条件付債権若しくは将来の請求権である破産債権を有する者（次項及び次条第一項第一号において「別除権者等」という。）を除く。）　確定した破産債権の額

二　次項本文の異議のない議決権を有する届出をした破産債権者　届出の額（別除権者又は準別除権者にあっては、第百十一条第二項第二号（同条第三項又は第百十四条において準用する場合を含む。）に掲げる額）

三　次項本文の異議のある議決権を有する届出をした破産債権者　裁判所が定める額。ただし、裁判所が議決権を行使させない旨を定めたときは、議決権を行使することができない。

② 届出をした破産債権者の前項の規定による議決権については、破産管財人又は届出をした破産債権者は、債権者集会の期日において、異議を述べることができる。ただし、前節第四款の規定により破産債権の額が確定した届出をした破産債権者（別除権者等を除く。）の議決権については、この限りでない。

③ 裁判所は、利害関係人の申立てにより又は職権で、いつでも第一項第三号の規定による定めを変更することができる。

（債権者集会の期日を開かない場合における議決権の額の定め方等）

第一四一条① 裁判所が議決権行使の方法として第百三十九条第二項第二号に掲げる方法を定めた場合においては、議決権者は、次の各号に掲げる区分に応じ、当該各号に定める額に応じて、議決権を行使することができる。

一　前節第四款の規定により破産債権の額が確定した破産債権を有する届出をした破産債権者（別除権者等を除く。）　確定した破産債権の額

二　届出をした破産債権者（前号に掲げるものを除く。）　裁判

所が定める額。ただし、裁判所が議決権を行使させない旨を定めたときは、議決権を行使することができない。

② 裁判所は、利害関係人の申立てにより又は職権で、いつでも前項第二号の規定による定めを変更することができる。

（破産債権者の議決権）

第一四二条① 破産債権者は、劣後的破産債権及び約定劣後破産債権については、議決権を有しない。

② 第百一条第一項の規定により弁済を受けた破産債権者及び第百九条に規定する弁済を受けた破産債権者は、その弁済を受けた債権の額については、議決権を行使することができない。

（代理人による議決権行使）

第一四三条 議決権者は、代理人をもってその議決権を行使することができる。

第二款 債権者委員会

（債権者委員会）

第一四四条① 裁判所は、破産債権者をもって構成する委員会がある場合には、利害関係人の申立てにより、当該委員会が、この法律の定めるところにより、破産手続に関与することを承認することができる。ただし、次の各号のいずれにも該当する場合に限る。

一 委員の数が、三人以上最高裁判所規則で定める人数以内であること。

二 破産債権者の過半数が当該委員会が破産手続に関与することについて同意していると認められること。

三 当該委員会が破産債権者全体の利益を適切に代表すると認められること。

② 裁判所は、必要があると認めるときは、破産手続において、前項の規定により承認された委員会（以下「債権者委員会」という。）に対して、意見の陳述を求めることができる。

③ 債権者委員会は、破産手続において、裁判所又は破産管財人に対して、意見を述べることができる。

④ 債権者委員会に破産手続の円滑な進行に貢献する活動があったと認められるときは、裁判所は、当該活動のために必要な費用を支出した破産債権者の申立てにより、破産財団から当該破産債権者に対して相当と認める額の費用を償還することを許可することができる。この場合においては、当該費用の請求権は、財団債権とする。

⑤ 裁判所は、利害関係人の申立てにより又は職権で、いつでも第一項の規定による承認を取り消すことができる。

（債権者委員会の意見聴取）

第一四五条① 裁判所書記官は、前条第一項の規定による承認があったときは、遅滞なく、破産管財人に対して、その旨を通知しなければならない。

② 破産管財人は、前項の規定による通知を受けたときは、遅滞なく、破産財団に属する財産の管理及び処分に関する事項について、債権者委員会の意見を聴かなければならない。

（破産管財人の債権者委員会に対する報告義務）

第一四六条① 破産管財人は、第百五十三条第二項又は第百五十七条の規定により報告書等（報告書、財産目録又は貸借対照表をいう。以下この条において同じ。）を裁判所に提出したときは、遅滞なく、当該報告書等を債権者委員会にも提出しなければならない。

② 破産管財人は、前項の場合において、当該報告書等に第十二条第一項に規定する支障部分に該当する部分があると主張して同項の申立てをしたときは、当該部分を除いた報告書等を債権者委員会に提出すれば足りる。

＊令和五法五三（令和一〇・六・一三までに施行）による改正後

（破産管財人の債権者委員会に対する報告義務）

第一四六条①（略）

② 破産管財人は、前項の場合において、当該報告書等に第十二条第一項（同条第六項において読み替えて準用する場合を含む。以下この項において同じ。）に規定する支障部分に該当する部分があると主張して同条第一項の申立てをしたときは、当該部分を除いた報告書等を債権者委員会に提出すれば足りる。

③ 破産管財人は、前二項の規定による報告書等の提出に代えて、最高裁判所規則で定めるところにより、債権者委員会の承諾を得て、当該報告書等に記載すべき事項を電磁的方法（電子情報処理組織を使用する方法その他の情報通信の技術を利用する方法であって最高裁判所規則で定めるものをいう。）により提供することができる。この場合において、破産管財人は、これらの規定による報告書等の提出をしたものとみなす。（改正により追加）

（破産管財人に対する報告命令）

第一四七条① 債権者委員会は、破産債権者全体の利益のために必要があるときは、裁判所に対し、破産管財人に破産財団に属する財産の管理及び処分に関し必要な事項について第百五十七条第二項の規定による報告をすることを命ずるよう申し出ることができる。

② 前項の規定による申出を受けた裁判所は、当該申出が相当であると認めるときは、破産管財人に対し、第百五十七条第二項の規定による報告をすることを命じなければならない。

第五章 財団債権

（財団債権となる請求権）

第一四八条① 次に掲げる請求権は、財団債権とする。

一 破産債権者の共同の利益のためにする裁判上の費用の請求権

二 破産財団の管理、換価及び配当に関する費用の請求権

三 破産手続開始前の原因に基づいて生じた租税等の請求権（共助対象外国租税の請求権及び第九十七条第五号に掲げる請求権を除く。）であって、破産手続開始当時、まだ納期限の到来していないもの又は納期限から一年（その期間中に包括的禁止命令が発せられたことにより国税滞納処分をすることができない期間がある場合には、当該期間を除く。）を経過していないもの

四 破産財団に関し破産管財人がした行為によって生じた請求権

五 事務管理又は不当利得により破産手続開始後に破産財団に対して生じた請求権

六 委任の終了又は代理権の消滅の後、急迫の事情があるためにした行為によって破産手続開始後に破産財団に対して生じた請求権

七 第五十三条第一項の規定により破産管財人が債務の履行をする場合において相手方が有する請求権

八 破産手続の開始によって双務契約の解約の申入れ（第五十三条第一項又は第二項の規定による賃貸借契約の解除を含む。）があった場合において破産手続開始後その契約の終了に至るまでの間に生じた請求権

② 破産管財人が負担付遺贈の履行を受けたときは、その負担した義務の相手方が有する当該負担の利益を受けるべき請求権は、遺贈の目的の価額を超えない限度において、財団債権とする。

③ 第百三条第二項及び第三項の規定は、第一項第七号及び前項に規定する財団債権について準用する。この場合において、当該財団債権が無利息債権又は定期金債権であるときは、当該債権の額は、当該債権が破産債権であるとした場合に第九十九条第一項第二号から第四号までに掲げる劣後的破産債権となるべき部分に相当する金額を控除した額とする。

④ 保全管理人が債務者の財産に関し権限に基づいてした行為によって生じた請求権は、財団債権とする。

（使用人の給料等）

第一四九条① 破産手続開始前三月間の破産者の使用人の給料の請求権は、財団債権とする。

② 破産手続の終了前に退職した破産者の使用人の退職手当の請求権（当該請求権の全額が破産債権であるとした場合に劣後的破産債権となるべき部分を除く。）は、退職前三月間の給料の総額（その総額が破産手続開始前三月間の給料の総額より少ない場合にあっては、破産手続開始前三月間の給料の総額）に相当する額を財団債権とする。

第一五〇条（社債管理者等の費用及び報酬）① 社債管理者又は社債管理補助者が破産債権である社債の管理に関する事務を行おうとする場合には、裁判所は、破産手続の円滑な進行を図るために必要があると認めるときは、当該社債管理者又は社債管理補助者の当該事務の処理に要する費用の請求権を財団債権とする旨の許可をすることができる。

② 社債管理者又は社債管理補助者が前項の許可を得ないで破産債権である社債の管理に関する事務を行った場合であっても、裁判所は、当該社債管理者又は社債管理補助者が破産手続の円滑な進行に貢献したと認められるときは、当該事務の処理に要した費用の償還請求権のうちその貢献の程度を考慮して相当と認める額を財団債権とする旨の許可をすることができる。

③ 裁判所は、破産手続開始後の原因に基づいて生じた社債管理者又は社債管理補助者の報酬の請求権のうち相当と認める額を財団債権とする旨の許可をすることができる。

④ 前三項の規定による許可を得た請求権は、財団債権とする。

⑤ 第一項から第三項までの規定による許可の決定に対しては、即時抗告をすることができる。

⑥ 前各項の規定は、次の各号に掲げる者の区分に応じ、それぞれ当該各号に定める債権で破産債権であるものの管理に関する事務につき生ずる費用又は報酬に係る請求権について準用する。

一 担保付社債信託法（明治三十八年法律第五十二号）第二条第一項に規定する信託契約の受託会社　同項に規定する社債

二 医療法（昭和二十三年法律第二百五号）第五十四条の五に規定する社会医療法人債管理者又は同法第五十四条の五の二第一項に規定する社会医療法人債管理補助者　同法第五十四条の二に規定する社会医療法人債

三 投資信託及び投資法人に関する法律（昭和二十六年法律第百九十八号）第百三十九条の八に規定する投資法人債管理者又は同法第百三十九条の九の二第一項に規定する投資法人債管理補助者　同法第二条第十九項に規定する投資法人債

四 保険業法第六十一条の六に規定する社債管理者又は同法第六十一条の七の二に規定する社債管理補助者　相互会社が発行する社債

五 資産の流動化に関する法律（平成十年法律第百五号）第百二十六条に規定する特定社債管理者又は同法第百二十七条の二第一項に規定する特定社債管理補助者　同法第二条第七項に規定する特定社債

第一五一条（財団債権の取扱い） 財団債権は、破産債権に先立って、弁済する。

第一五二条（破産財団不足の場合の弁済方法等）① 破産財団が財団債権の総額を弁済するのに足りないことが明らかになった場合における財団債権は、法令に定める優先権にかかわらず、債権額の割合により弁済する。ただし、財団債権を被担保債権とする留置権、特別の先取特権、質権又は抵当権の効力を妨げない。

② 前項の規定にかかわらず、同項本文に規定する場合における第百四十八条第一項第一号及び第二号に掲げる財団債権（債務者の財産の管理及び換価に関する費用の請求権であって、同条第四項に規定するものを含む。）は、他の財団債権に先立って、弁済する。

第六章　破産財団の管理

第一節　破産者の財産状況の調査

第一五三条（財産の価額の評定等）① 破産管財人は、破産手続開始後遅滞なく、破産財団に属する一切の財産につき、破産手続開始の時における価額を評定しなければならない。この場合においては、破産者をその評定に立ち会わせることができる。

② 破産管財人は、前項の規定による評定を完了したときは、直ちに破産手続開始の時における財産目録及び貸借対照表を作成し、これらを裁判所に提出しなければならない。

③ 破産財団に属する財産の総額が最高裁判所規則で定める額に満たない場合には、前項の規定にかかわらず、破産管財人は、裁判所の許可を得て、同項の貸借対照表の作成及び提出をしないことができる。

第一五四条（別除権の目的の提示等）① 破産管財人は、別除権者に対し、当該別除権の目的である財産の提示を求めることができる。

② 破産管財人が前項の財産の評価をしようとするときは、別除権者は、これを拒むことができない。

第一五五条（封印及び帳簿の閉鎖）① 破産管財人は、必要があると認めるときは、裁判所書記官、執行官又は公証人に、破産財団に属する財産に封印をさせ、又はその封印を除去させることができる。

② 裁判所書記官は、必要があると認めるときは、破産管財人の申出により、破産財団に関する帳簿を閉鎖することができる。

第一五六条（破産財団に属する財産の引渡し）① 裁判所は、破産管財人の申立てにより、決定で、破産者に対し、破産財団に属する財産を破産管財人に引き渡すべき旨を命ずることができる。

② 裁判所は、前項の決定をする場合には、破産者を審尋しなければならない。

③ 第一項の申立てについての決定に対しては、即時抗告をすることができる。

④ 第一項の申立てについての決定及び前項の即時抗告についての裁判があった場合には、その裁判書を当事者に送達しなければならない。この場合においては、第十条第三項本文の規定は、適用しない。

＊令和五法五三（令和一〇・六・一三までに施行）による改正
第四項中「裁判書」を「電子裁判書」に改める。（本文未織込み）

⑤ 第一項の決定は、確定しなければその効力を生じない。

第一五七条（裁判所への報告）① 破産管財人は、破産手続開始後遅滞なく、次に掲げる事項を記載した報告書を、裁判所に提出しなければならない。

一 破産手続開始に至った事情

二 破産者及び破産財団に関する経過及び現状

三 第百七十七条第一項の規定による保全処分又は第百七十八条第一項に規定する役員責任査定決定を必要とする事情の有無

四 その他破産手続に関し必要な事項

② 破産管財人は、前項の規定によるもののほか、裁判所の定めるところにより、破産財団に属する財産の管理及び処分の状況その他裁判所の命ずる事項を裁判所に報告しなければならない。

第一五八条（財産状況報告集会への報告） 財産状況報告集会においては、破産管財人は、前条第一項各号に掲げる事項の要旨を報告しなければならない。

第一五九条（債権者集会への報告） 破産管財人は、債権者集会がその決議で定めるところにより、破産財団の状況を債権者集会に報告しなければならない。

第二節　否認権

（破産債権者を害する行為の否認）

第一六〇条① 次に掲げる行為（担保の供与又は債務の消滅に関する行為を除く。）は、破産手続開始後、破産財団のために否認することができる。

一 破産者が破産債権者を害することを知ってした行為。ただし、これによって利益を受けた者が、その行為の当時、破産債権者を害することを知らなかったときは、この限りでない。

二 破産者が支払の停止又は破産手続開始の申立て（以下この節において「支払の停止等」という。）があった後にした破産債権者を害する行為。ただし、これによって利益を受けた者が、その行為の当時、支払の停止等があったこと及び破産債権者を害することを知らなかったときは、この限りでない。

② 破産者がした債務の消滅に関する行為であって、債権者の受けた給付の価額が当該行為によって消滅した債務の額より過大であるものは、前項各号に掲げる要件のいずれかに該当するときは、破産手続開始後、その消滅した債務の額に相当する部分以外の部分に限り、破産財団のために否認することができる。

③ 破産者が支払の停止等があった後又はその前六月以内にした無償行為及びこれと同視すべき有償行為は、破産手続開始後、破産財団のために否認することができる。

（相当の対価を得てした財産の処分行為の否認）

第一六一条① 破産者が、その有する財産を処分する行為をした場合において、その行為の相手方から相当の対価を取得しているときは、その行為は、次に掲げる要件のいずれにも該当する場合に限り、破産手続開始後、破産財団のために否認することができる。

一 当該行為が、不動産の金銭への換価その他の当該処分による財産の種類の変更により、破産者において隠匿、無償の供与その他の破産債権者を害することとなる処分（以下「隠匿等の処分」という。）をするおそれを現に生じさせるものであること。

二 破産者が、当該行為の当時、対価として取得した金銭その他の財産について、隠匿等の処分をする意思を有していたこと。

三 相手方が、当該行為の当時、破産者が前号の隠匿等の処分をする意思を有していたことを知っていたこと。

② 前項の規定の適用については、当該行為の相手方が次に掲げる者のいずれかであるときは、その相手方は、当該行為の当時、破産者が同項第二号の隠匿等の処分をする意思を有していたことを知っていたものと推定する。

一 破産者が法人である場合のその理事、取締役、執行役、監事、監査役、清算人又はこれらに準ずる者

二 破産者が法人である場合にその破産者について次のイからハまでに掲げる者のいずれかに該当する者

イ 破産者である株式会社の総株主の議決権の過半数を有する者

ロ 破産者である株式会社の総株主の議決権の過半数を子株式会社又は親法人及び子株式会社が有する場合における当該親法人

ハ 株式会社以外の法人が破産者である場合におけるイ又はロに掲げる者に準ずる者

三 破産者の親族又は同居者

（特定の債権者に対する担保の供与等の否認）

第一六二条① 次に掲げる行為（既存の債務についてされた担保の供与又は債務の消滅に関する行為に限る。）は、破産手続開始後、破産財団のために否認することができる。

一 破産者が支払不能になった後又は破産手続開始の申立てがあった後にした行為。ただし、債権者が、その行為の当時、次のイ又はロに掲げる区分に応じ、それぞれ当該イ又はロに定める事実を知っていた場合に限る。

イ 当該行為が支払不能になった後にされたものである場合　支払不能であったこと又は支払の停止があったこと。

ロ 当該行為が破産手続開始の申立てがあった後にされたものである場合　破産手続開始の申立てがあったこと。

二 破産者の義務に属せず、又はその時期が破産者の義務に属しない行為であって、支払不能になる前三十日以内にされたもの。ただし、債権者がその行為の当時他の破産債権者を害することを知らなかったときは、この限りでない。

② 前項第一号の規定の適用については、次に掲げる場合には、債権者は、同号に掲げる行為の当時、同号イ又はロに掲げる場合の区分に応じ、それぞれ当該イ又はロに定める事実（同号イに掲げる場合にあっては、支払不能であったこと及び支払の停止があったこと）を知っていたものと推定する。

一 債権者が前条第二項各号に掲げる者のいずれかである場合

二 前項第一号に掲げる行為が破産者の義務に属せず、又はその方法若しくは時期が破産者の義務に属しないものである場合

③ 第一項各号の規定の適用については、支払の停止（破産手続開始の申立て前一年以内のものに限る。）があった後は、支払不能であったものと推定する。

（手形債務支払の場合等の例外）

第一六三条① 前条第一項第一号の規定は、破産者から手形の支払を受けた者がその支払を受けなければ手形上の債務者の一人又は数人に対する手形上の権利を失う場合には、適用しない。

② 前項の場合において、最終の償還義務者又は手形の振出しを委託した者が振出しの当時支払の停止等があったことを知り、又は過失によって知らなかったときは、破産管財人は、これらの者に破産者が支払った金額を償還させることができる。

③ 前条第一項の規定は、破産者が租税等の請求権（共助対象外国租税の請求権を除く。）又は罰金等の請求権につき、その徴収の権限を有する者に対してした担保の供与又は債務の消滅に関する行為には、適用しない。

（権利変動の対抗要件の否認）

第一六四条① 支払の停止等があった後権利の設定、移転又は変更をもって第三者に対抗するために必要な行為（仮登記又は仮登録を含む。）をした場合において、その行為が権利の設定、移転又は変更があった日から十五日を経過した後支払の停止等のあったことを知ってしたものであるときは、破産手続開始後、破産財団のためにこれを否認することができる。ただし、当該仮登記又は仮登録以外の仮登記又は仮登録があった後にこれらに基づいて本登記又は本登録をした場合は、この限りでない。

② 前項の規定は、権利取得の効力を生ずる登録について準用する。

（執行行為の否認）

第一六五条 否認権は、否認しようとする行為について執行力のある債務名義があるとき、又はその行為が執行行為に基づくものであるときでも、行使することを妨げない。

（支払の停止を要件とする否認の制限）

第一六六条 破産手続開始の申立ての日から一年以上前にした行為（第百六十条第三項に規定する行為を除く。）は、支払の停止があった後にされたものであること又は支払の停止の事実を知っていたことを理由として否認することができない。

（否認権行使の効果）

第一六七条① 否認権の行使は、破産財団を原状に復させる。

② 第百六十条第三項に規定する行為が否認された場合において、相手方は、当該行為の当時、支払の停止等があったこと及び破産債権者を害することを知らなかったときは、その現に受けている利益を償還すれば足りる。

（破産者の受けた反対給付に関する相手方の権利等）

第一六八条① 第百六十条第一項若しくは第三項又は第百六十一条第一項に規定する行為が否認されたときは、相手方は、次の各号に掲げる区分に応じ、それぞれ当該各号に定める権利を行使することができる。

一 破産者の受けた反対給付が破産財団中に現存する場合　当該反対給付の返還を請求する権利

二　破産者の受けた反対給付が破産財団中に現存しない場合　財団債権者として反対給付の価額の償還を請求する権利

②　前項第二号の規定にかかわらず、同号に掲げる場合において、当該行為の当時、破産者が対価として取得した財産について隠匿等の処分をする意思を有し、かつ、相手方が破産者がその意思を有していたことを知っていたときは、相手方は、次の各号に掲げる区分に応じ、それぞれ当該各号に定める権利を行使することができる。

一　破産者の受けた反対給付によって生じた利益の全部が破産財団中に現存する場合　財団債権者としてその現存利益の返還を請求する権利

二　破産者の受けた反対給付によって生じた利益が破産財団中に現存しない場合　破産債権者として反対給付の価額の償還を請求する権利

三　破産者の受けた反対給付によって生じた利益の一部が破産財団中に現存する場合　財団債権者としてその現存利益の返還を請求する権利及び破産債権者として反対給付と現存利益との差額の償還を請求する権利

③　前項の規定の適用については、当該行為の相手方が第百六十一条第二項各号に掲げる者のいずれかであるときは、その相手方は、当該行為の当時、破産者が前項の隠匿等の処分をする意思を有していたことを知っていたものと推定する。

④　破産管財人は、第百六十条第一項若しくは第三項又は第百六十一条第一項に規定する行為を否認しようとするときは、前条第一項の規定により破産財団に復すべき財産の返還に代えて、相手方に対し、当該財産の価額から前三項の規定により財団債権となる額（第一項第一号に掲げる場合にあっては、破産者の受けた反対給付の価額）を控除した額の償還を請求することができる。

第一六九条（**相手方の債権の回復**）　第百六十二条第一項に規定する行為が否認された場合において、相手方がその受けた給付を返還し、又はその価額を償還したときは、相手方の債権は、これによって原状に復する。

第一七〇条（**転得者に対する否認権**）①　次の各号に掲げる場合において、否認しようとする行為の相手方に対して否認の原因があるときは、否認権は、当該各号に規定する転得者に対しても、行使することができる。ただし、当該転得者が他の転得者から転得した者である場合においては、当該転得者の前に転得した全ての転得者に対しても否認の原因があるときに限る。

一　転得者が転得の当時、破産者がした行為が破産債権者を害することを知っていたとき。

二　転得者が第百六十一条第二項各号に掲げる者のいずれかであるとき。ただし、転得の当時、破産者がした行為が破産債権者を害することを知らなかったときは、この限りでない。

三　転得者が無償行為又はこれと同視すべき有償行為によって転得した者であるとき。

②　第百六十七条第二項の規定は、前項第三号の規定により否認権の行使があった場合について準用する。

第一七〇条の二（**破産者の受けた反対給付に関する転得者の権利等**）①　破産者がした第百六十条第一項若しくは第三項又は第百六十一条第一項に規定する行為が転得者に対する否認権の行使によって否認されたときは、転得者は、第百六十八条第一項各号に掲げる区分に応じ、それぞれ当該各号に定める権利を行使することができる。ただし、同項第一号に掲げる場合において、破産者の受けた反対給付の価額が、第四項に規定する転得者がした反対給付又は消滅した転得者の債権の価額を超えるときは、転得者は、財団債権者として破産者の受けた反対給付の価額の償還を請求する権利を行使することができる。

②　前項の規定にかかわらず、第百六十八条第一項第二号に掲げる場合において、当該行為の当時、破産者が対価として取得した財産について隠匿等の処分をする意思を有し、かつ、当該行為の相手方が破産者がその意思を有していたことを知っていたときは、転得者は、同条第二項各号に掲げる区分に応じ、それぞれ当該各号に定める権利を行使することができる。

③　前項の規定の適用については、当該行為の相手方が第百六十一条第二項各号に掲げる者のいずれかであるときは、その相手方は、当該行為の当時、破産者が前項の隠匿等の処分をする意思を有していたことを知っていたものと推定する。

④　第一項及び第二項の規定による権利の行使は、転得者がその前者から財産を取得するためにした反対給付又はその前者から財産を取得することによって消滅した債権の価額を限度とする。

⑤　破産管財人は、第一項に規定する行為を転得者に対する否認権の行使によって否認しようとするときは、第百六十七条第一項の規定により破産財団に復すべき財産の返還に代えて、転得者に対し、当該財産の価額から前各項の規定により財団債権となる額（第百六十八条第一項第一号に掲げる場合（第一項ただし書に該当するときを除く。）にあっては、破産者の受けた反対給付の価額）を控除した額の償還を請求することができる。

第一七〇条の三（**相手方の債権に関する転得者の権利**）　破産者がした第百六十二条第一項に規定する行為が転得者に対する否認権の行使によって否認された場合において、転得者がその受けた給付を返還し、又はその価額を償還したときは、転得者は、当該行為がその相手方に対する否認権の行使によって否認されたとすれば第百六十九条の規定により原状に復すべき相手方の債権を行使することができる。この場合には、前条第四項の規定を準用する。

第一七一条（**否認権のための保全処分**）①　裁判所は、破産手続開始の申立てがあった時から当該申立てについての決定があるまでの間において、否認権を保全するため必要があると認めるときは、利害関係人（保全管理人が選任されている場合にあっては、保全管理人）の申立てにより又は職権で、仮差押え、仮処分その他の必要な保全処分を命ずることができる。

②　前項の規定による保全処分は、担保を立てさせて、又は立てさせないで命ずることができる。

③　裁判所は、申立てにより又は職権で、第一項の規定による保全処分を変更し、又は取り消すことができる。

④　第一項の規定による保全処分及び前項の申立てについての裁判に対しては、即時抗告をすることができる。

⑤　前項の即時抗告は、執行停止の効力を有しない。

⑥　第四項に規定する裁判及び同項の即時抗告についての裁判があった場合には、その裁判書を当事者に送達しなければならない。この場合においては、第十条第三項本文の規定は、適用しない。

＊令和五法五三（令和一〇・六・一三までに施行）による改正
第六項中「裁判書」を「電子裁判書」に改める。（本文未織込み）

⑦　前各項の規定は、破産手続開始の申立てを棄却する決定に対して第三十三条第一項の即時抗告があった場合について準用する。

第一七二条（**保全処分に係る手続の続行と担保の取扱い**）①　前条第一項（同条第七項において準用する場合を含む。）の規定による保全処分が命じられた場合において、破産手続開始の決定があったときは、破産管財人は、当該保全処分に係る手続を続行することができる。

②　破産管財人が破産手続開始の決定後一月以内に前項の規定により同項の保全処分に係る手続を続行しないときは、当該保全処分は、その効力を失う。

③　破産管財人は、第一項の規定により同項の保全処分に係る手続を続行しようとする場合において、前条第二項（同条第七項において準用する場合を含む。）に規定する担保の全部又は一部

が破産財団に属する財産でないときは、その担保の全部又は一部を破産財団に属する財産による担保に変換しなければならない。

④ 民事保全法（平成元年法律第九十一号）第十八条並びに第二章第四節（第三十七条第五項から第七項までを除く。）及び第五節の規定は、第一項の規定により破産管財人が続行する手続に係る保全処分について準用する。

（否認権の行使）

第一七三条① 否認権は、訴え、否認の請求又は抗弁によって、破産管財人が行使する。

② 前項の訴え及び否認の請求事件は、破産裁判所が管轄する。

（否認の請求）

第一七四条① 否認の請求をするときは、その原因となる事実を疎明しなければならない。

② 否認の請求を認容し、又はこれを棄却する裁判は、理由を付した決定でしなければならない。

③ 裁判所は、前項の決定をする場合には、相手方又は転得者を審尋しなければならない。

④ 否認の請求を認容する決定があった場合には、その裁判書を当事者に送達しなければならない。この場合においては、第十条第三項本文の規定は、適用しない。

＊令和五法五三（令和一〇・六・一三までに施行）による改正
第四項中「裁判書」を「電子裁判書」に改める。（本文未織込み）

⑤ 否認の請求の手続は、破産手続が終了したときは、終了する。

（否認の請求を認容する決定に対する異議の訴え）

第一七五条① 否認の請求を認容する決定に不服がある者は、その送達を受けた日から一月の不変期間内に、異議の訴えを提起することができる。

② 前項の訴えは、破産裁判所が管轄する。

③ 第一項の訴えについての判決においては、訴えを不適法として却下する場合を除き、同項の決定を認可し、変更し、又は取り消す。

④ 第一項の決定を認可する判決が確定したときは、その決定は、確定判決と同一の効力を有する。同項の訴えが、同項に規定する期間内に提起されなかったとき、又は却下されたときも、同様とする。

⑤ 第一項の決定を認可し、又は変更する判決については、受訴裁判所は、民事訴訟法第二百五十九条第一項の定めるところにより、仮執行の宣言をすることができる。

⑥ 第一項の訴えに係る訴訟手続は、第四十四条第四項の規定にかかわらず、破産手続が終了したときは、終了する。

（否認権行使の期間）

第一七六条 否認権は、破産手続開始の日から二年を経過したときは、行使することができない。否認しようとする行為の日から十年を経過したときも、同様とする。

第三節　法人の役員の責任の追及等

（役員の財産に対する保全処分）

第一七七条① 裁判所は、法人である債務者について破産手続開始の決定があった場合において、必要があると認めるときは、破産管財人の申立てにより又は職権で、当該法人の理事、取締役、執行役、監事、監査役、清算人又はこれらに準ずる者（以下この節において「役員」という。）の責任に基づく損害賠償請求権につき、当該役員の財産に対する保全処分をすることができる。

② 裁判所は、破産手続開始の申立てがあった時から当該申立てについての決定があるまでの間においても、緊急の必要があると認めるときは、債務者（保全管理人が選任されている場合にあっては、保全管理人）の申立てにより又は職権で、前項の規定による保全処分をすることができる。

③ 裁判所は、前二項の規定による保全処分を変更し、又は取り消すことができる。

④ 第一項若しくは第二項の規定による保全処分又は前項の規定による決定に対しては、即時抗告をすることができる。

⑤ 前項の即時抗告は、執行停止の効力を有しない。

⑥ 第四項に規定する裁判及び同項の即時抗告についての裁判があった場合には、その裁判書を当事者に送達しなければならない。この場合においては、第十条第三項本文の規定は、適用しない。

＊令和五法五三（令和一〇・六・一三までに施行）による改正
第六項中「裁判書」を「電子裁判書」に改める。（本文未織込み）

⑦ 第二項から前項までの規定は、破産手続開始の申立てを棄却する決定に対して第三十三条第一項の即時抗告があった場合について準用する。

（役員の責任の査定の申立て等）

第一七八条① 裁判所は、法人である債務者について破産手続開始の決定があった場合において、必要があると認めるときは、破産管財人の申立てにより又は職権で、決定で、役員の責任に基づく損害賠償請求権の査定の裁判（以下この節において「役員責任査定決定」という。）をすることができる。

② 前項の申立てをするときは、その原因となる事実を疎明しなければならない。

③ 裁判所は、職権で役員責任査定決定の手続を開始する場合には、その旨の決定をしなければならない。

④ 第一項の申立て又は前項の決定があったときは、時効の完成猶予及び更新に関しては、裁判上の請求があったものとみなす。

⑤ 役員責任査定決定の手続（役員責任査定決定があった後のものを除く。）は、破産手続が終了したときは、終了する。

（役員責任査定決定等）

第一七九条① 役員責任査定決定及び前条第一項の申立てを棄却する決定には、理由を付さなければならない。

② 裁判所は、前項に規定する裁判をする場合には、役員を審尋しなければならない。

③ 役員責任査定決定があった場合には、その裁判書を当事者に送達しなければならない。この場合においては、第十条第三項本文の規定は、適用しない。

＊令和五法五三（令和一〇・六・一三までに施行）による改正
第三項中「裁判書」を「電子裁判書」に改める。（本文未織込み）

（役員責任査定決定に対する異議の訴え）

第一八〇条① 役員責任査定決定に不服がある者は、その送達を受けた日から一月の不変期間内に、異議の訴えを提起することができる。

② 前項の訴えは、破産裁判所が管轄する。

③ 第一項の訴えは、これを提起する者が、役員であるときは破産管財人を、破産管財人であるときは役員を、それぞれ被告としなければならない。

④ 第一項の訴えについての判決においては、訴えを不適法として却下する場合を除き、役員責任査定決定を認可し、変更し、又は取り消す。

⑤ 役員責任査定決定を認可し、又は変更した判決は、強制執行に関しては、給付を命ずる判決と同一の効力を有する。

⑥ 役員責任査定決定を認可し、又は変更した判決については、受訴裁判所は、民事訴訟法第二百五十九条第一項の定めるところにより、仮執行の宣言をすることができる。

（役員責任査定決定の効力）

第一八一条　前条第一項の訴えが、同項の期間内に提起されなかったとき、又は却下されたときは、役員責任査定決定は、給付を命ずる確定判決と同一の効力を有する。

（社員の出資責任）

第一八二条　会社法第六百六十三条の規定は、法人である債務者につき破産手続開始の決定があった場合について準用する。この場合において、同条中「当該清算持分会社」とあるのは、「破産管財人」と読み替えるものとする。

（匿名組合員の出資責任）

第一八三条　匿名組合契約が営業者が破産手続開始の決定を受けたことによって終了したときは、破産管財人は、匿名組合員に、その負担すべき損失の額を限度として、出資をさせることができる。

第七章　破産財団の換価

第一節　通則

（換価の方法）

第一八四条①　第七十八条第二項第一号及び第二号に掲げる財産の換価は、これらの規定により任意売却をする場合を除き、民事執行法その他強制執行の手続に関する法令の規定によってする。

②　破産管財人は、民事執行法その他強制執行の手続に関する法令の規定により、別除権の目的である財産の換価をすることができる。この場合においては、別除権者は、その換価を拒むことができない。

③　前二項の場合には、民事執行法第六十三条及び第百二十九条（これらの規定を同法その他強制執行の手続に関する法令において準用する場合を含む。）の規定は、適用しない。

④　第二項の場合において、別除権者が受けるべき金額がまだ確定していないときは、破産管財人は、代金を別に寄託しなければならない。この場合においては、別除権は、寄託された代金につき存する。

（別除権者が処分をすべき期間の指定）

第一八五条①　別除権者が法律に定められた方法によらないで別除権の目的である財産の処分をする権利を有するときは、裁判所は、破産管財人の申立てにより、別除権者がその処分をすべき期間を定めることができる。

②　別除権者は、前項の期間内に処分をしないときは、同項の権利を失う。

③　第一項の申立てについての裁判に対しては、即時抗告をすることができる。

④　第一項の申立てについての裁判及び前項の即時抗告についての裁判があった場合には、その裁判書を当事者に送達しなければならない。この場合においては、第十条第三項本文の規定は、適用しない。

＊令和五法五三（令和一〇・六・一三までに施行）による改正
第四項中「裁判書」を「電子裁判書」に改める。（本文未織込み）

第二節　担保権の消滅

（担保権消滅の許可の申立て）

第一八六条①　破産手続開始の時において破産財団に属する財産につき担保権（特別の先取特権、質権、抵当権又は商法若しくは会社法の規定による留置権をいう。以下この節において同じ。）が存する場合において、当該財産を任意に売却して当該担保権を消滅させることが破産債権者の一般の利益に適合するときは、破産管財人は、裁判所に対し、当該財産を任意に売却し、次の各号に掲げる区分に応じてそれぞれ当該各号に定める額に相当する金銭が裁判所に納付されることにより当該財産につき存するすべての担保権を消滅させることについての許可の申立てをすることができる。ただし、当該担保権を有する者の利益を不当に害することとなると認められるときは、この限りでない。

一　破産管財人が、売却によってその相手方から取得することができる金銭（売買契約の締結及び履行のために要する費用のうち破産財団から現に支出し又は将来支出すべき実費の額並びに当該財産の譲渡に課されるべき消費税額等（当該消費税額及びこれを課税標準として課されるべき地方消費税額をいう。以下この節において同じ。）に相当する額であって、当該売買契約において相手方の負担とされるものに相当する金銭を除く。以下この節において「売得金」という。）の一部を破産財団に組み入れようとする場合　売得金の額から破産財団に組み入れようとする金銭（以下この節において「組入金」という。）の額を控除した額

二　前号に掲げる場合以外の場合　売得金の額

②　前項第一号に掲げる場合には、同項の申立てをしようとする破産管財人は、組入金の額について、あらかじめ、当該担保権を有する者と協議しなければならない。

③　第一項の申立ては、次に掲げる事項を記載した書面（以下この節において「申立書」という。）でしなければならない。

一　担保権の目的である財産の表示

二　売得金の額（前号の財産が複数あるときは、売得金の額及びその各財産ごとの内訳の額）

三　第一号の財産の売却の相手方の氏名又は名称

四　消滅すべき担保権の表示

五　前号の担保権によって担保される債権の額

六　第一項第一号に掲げる場合には、組入金の額（第一号の財産が複数あるときは、組入金の額及びその各財産ごとの内訳の額）

七　前項の規定による協議の内容及びその経過

④　申立書には、前項第一号の財産の売却に係る売買契約の内容（売買契約の締結及び履行のために要する費用のうち破産財団から現に支出し又は将来支出すべき実費の額並びに当該財産の譲渡に課されるべき消費税額等に相当する額であって、当該売買契約において相手方の負担とされるものを含む。）を記載した書面を添付しなければならない。

⑤　第一項の申立てがあった場合には、申立書及び前項の書面を、当該申立書に記載された第三項第四号の担保権を有する者（以下この節において「被申立担保権者」という。）に送達しなければならない。この場合においては、第十条第三項本文の規定は、適用しない。

＊令和五法五三（令和一〇・六・一三までに施行）による改正
第四項中「申立書には」を「第一項の申立てをするときは」に、「記載した書面を添付しなければ」を「記載し、又は記録した書面又は電磁的記録を裁判所に提出しなければ」に改め、第五項中「書面」の下に「又は電磁的記録」を加える。（本文未織込み）

（担保権の実行の申立て）

第一八七条①　被申立担保権者は、前条第一項の申立てにつき異議があるときは、同条第五項の規定によりすべての被申立担保権者に申立書及び同条第四項の書面の送達がされた日から一月以内に、担保権の実行の申立てをしたことを証する書面を裁判所に提出することができる。

②　裁判所は、被申立担保権者につきやむを得ない事由がある場合に限り、当該被申立担保権者の申立てにより、前項の期間を伸長することができる。

③　破産管財人と被申立担保権者との間に売得金及び組入金の額（前条第一項第二号に掲げる場合にあっては、売得金の額）について合意がある場合には、当該被申立担保権者は、担保権の実行の申立てをすることができない。

④　被申立担保権者は、第一項の期間（第二項の規定により伸長されたときは、その伸長された期間。以下この節において同じ。）が経過した後は、第百九十条第六項の規定により第百八十

九条第一項の許可の決定が取り消され、又は同項の不許可の決定が確定した場合を除き、担保権の実行の申立てをすることができない。

⑤　第一項の担保権の実行の申立てをしたことを証する書面が提出された後に、当該担保権の実行の申立てが取り下げられ、又は却下された場合には、当該書面は提出されなかったものとみなす。民事執行法第百八十八条において準用する同法第六十三条又は同法第百九十二条において準用する同法第百二十九条（これらの規定を同法その他強制執行の手続に関する法令において準用する場合を含む。）の規定により同項の担保権の実行の手続が取り消された場合も、同様とする。

⑥　第百八十九条第一項の不許可の決定が確定した後に、第一項の担保権の実行の申立てが取り下げられ、又は却下された場合において、破産管財人が前条第一項の申立てをしたときは、当該担保権の実行の申立てをした被申立担保権者は、第一項の規定にかかわらず、同項の担保権の実行の申立てをしたことを証する書面を提出することができない。

＊令和五法五三（令和一〇・六・一三までに施行）による改正
第一項中「すべて」を「全て」に改め、「書面」の下に「又は電磁的記録」を加え、第五項及び第六項中「書面」の下に「又は電磁的記録」を加える。（本文未織込み）

（買受けの申出）
第一八八条①　被申立担保権者は、第百八十六条第一項の申立てにつき異議があるときは、前条第一項の期間内に、破産管財人に対し、当該被申立担保権者又は他の者が第百八十六条第三項第一号の財産を買い受ける旨の申出（以下この節において「買受けの申出」という。）をすることができる。

②　買受けの申出は、次に掲げる事項を記載した書面でしなければならない。

一　第百八十六条第三項第一号の財産を買い受けようとする者（以下この節において「買受希望者」という。）の氏名又は名称

二　破産管財人が第百八十六条第三項第一号の財産の売却によって買受希望者から取得することができる金銭の額（売買契約の締結及び履行のために要する費用のうち破産財団から現に支出し又は将来支出すべき実費の額並びに当該財産の譲渡に課されるべき消費税額等に相当する額であって、当該売買契約において買受希望者の負担とされるものに相当する金銭を除く。以下この節において「買受けの申出の額」という。）

三　第百八十六条第三項第一号の財産が複数あるときは、買受けの申出の額の各財産ごとの内訳の額

③　買受けの申出の額は、申立書に記載された第百八十六条第三項第二号の売得金の額にその二十分の一に相当する額を加えた額以上でなければならない。

④　第百八十六条第三項第一号の財産が複数あるときは、第二項第三号の買受けの申出の額の各財産ごとの内訳の額は、当該各財産につき、同条第三項第二号の売得金の額の各財産ごとの内訳の額を下回ってはならない。

⑤　買受希望者は、買受けの申出に際し、最高裁判所規則で定める額及び方法による保証を破産管財人に提供しなければならない。

⑥　前条第三項の規定は、買受けの申出について準用する。

⑦　買受けの申出をした者（その者以外の者が買受希望者である場合にあっては、当該買受希望者）は、前条第一項の期間内は、当該買受けの申出を撤回することができる。

⑧　破産管財人は、買受けの申出があったときは、前条第一項の期間が経過した後、裁判所に対し、第百八十六条第三項第一号の財産を買受希望者に売却する旨の届出をしなければならない。この場合において、買受けの申出が複数あったときは、最高の買受けの申出の額に係る買受希望者（最高の買受けの申出の額に係る買受けの申出が複数あった場合にあっては、そのうち最も先にされたものに係る買受希望者）に売却する旨の届出をしなければならない。

⑨　前項の場合においては、破産管財人は、前条第一項の期間内にされた買受けの申出に係る第二項の書面を裁判所に提出しなければならない。

⑩　買受けの申出があったときは、破産管財人は、第百八十六条第一項の申立てを取り下げるには、買受希望者（次条第一項の許可の決定が確定した後にあっては、同条第二項に規定する買受人）の同意を得なければならない。

（担保権消滅の許可の決定等）
第一八九条①　裁判所は、被申立担保権者が第百八十七条第一項の期間内に同項の担保権の実行の申立てをしたことを証する書面を提出したことにより不許可の決定をする場合を除き、次の各号に掲げる区分に応じてそれぞれ当該各号に定める者を当該許可に係る売却の相手方とする第百八十六条第一項の許可の決定をしなければならない。

一　前条第八項に規定する届出がされなかった場合　第百八十六条第三項第三号の売却の相手方

二　前条第八項に規定する届出がされた場合　同項に規定する買受希望者

②　前項第二号に掲げる場合において、同項の許可の決定が確定したときは、破産管財人と当該許可に係る同号に定める買受希望者（以下この節において「買受人」という。）との間で、第百八十六条第四項の書面に記載された内容と同一の内容（売却の相手方を除く。）の売買契約が締結されたものとみなす。この場合においては、買受けの申出の額を売買契約の売得金の額とみなす。

③　第百八十六条第一項の申立てについての裁判があった場合には、その裁判が確定するまでの間、買受希望者（第一項第二号に定める買受希望者を除く。）は、当該買受希望者に係る買受けの申出を撤回することができる。

④　第百八十六条第一項の申立てについての裁判に対しては、即時抗告をすることができる。

⑤　第百八十六条第一項の申立てについての裁判又は前項の即時抗告についての裁判があった場合には、その裁判書を当事者に送達しなければならない。この場合においては、第十条第三項本文の規定は、適用しない。

＊令和五法五三（令和一〇・六・一三までに施行）による改正
第一項中「書面」の下に「又は電磁的記録」を加え、第二項中「に記載された」を「又は電磁的記録に記載され、又は記録された」に改め、第五項中「裁判書」を「電子裁判書」に改める。（本文未織込み）

（金銭の納付等）
第一九〇条①　前条第一項の許可の決定が確定したときは、当該許可に係る売却の相手方は、次の各号に掲げる区分に応じ、それぞれ当該各号に定める額に相当する金銭を裁判所の定める期限までに裁判所に納付しなければならない。

一　前条第一項第一号に掲げる場合　第百八十六条第一項各号に掲げる区分に応じてそれぞれ当該各号に定める額

二　前条第一項第二号に掲げる場合　同条第二項後段に規定する売得金の額から第百八十八条第五項の規定により買受人が提供した保証の額を控除した額

②　前項第二号の規定による金銭の納付があったときは、第百八十八条第五項の規定により買受人が提供した保証の額に相当する金銭は、売得金に充てる。

③　前項の場合には、破産管財人は、同項の保証の額に相当する金銭を直ちに裁判所に納付しなければならない。

④　被申立担保権者の有する担保権は、第一項第一号の場合にあっては同号の規定による金銭の納付があった時に、同項第二号の場合にあっては同号の規定による金銭の納付及び前項の規定による金銭の納付があった時に、それぞれ消滅する。

⑤ 前項に規定する金銭の納付があったときは、裁判所書記官は、消滅した担保権に係る登記又は登録の抹消を嘱託しなければならない。
⑥ 第一項の規定による金銭の納付がなかったときは、裁判所は、前条第一項の許可の決定を取り消さなければならない。
⑦ 前項の場合には、買受人は、第二項の保証の返還を請求することができない。

（配当等の実施）
第一九一条① 裁判所は、前条第四項に規定する金銭の納付があった場合には、次項に規定する場合を除き、当該金銭の被申立担保権者に対する配当に係る配当表に基づいて、その配当を実施しなければならない。
② 被申立担保権者が一人である場合又は被申立担保権者が二人以上であって前条第四項に規定する金銭で各被申立担保権者の有する担保権によって担保される債権を弁済することができる場合には、裁判所は、当該金銭の交付計算書を作成して、被申立担保権者に弁済金を交付し、剰余金を破産管財人に交付する。
③ 民事執行法第八十五条から第八十六条まで及び第八十八条から第九十二条までの規定は第一項の配当の手続について、同法第八十八条、第九十一条及び第九十二条の規定は前項の規定による弁済金の交付の手続について準用する。

＊令和五法五三（令和八・五・二四までに施行）による改正
第三項中「第八十五条」の下に「から第八十六条まで」が加えられた。（本文織込み済み）

＊令和五法五三（令和一〇・六・一三までに施行）による改正後
（配当等の実施）
第一九一条① 裁判所は、前条第四項に規定する金銭の納付があった場合には、次項に規定する場合を除き、当該金銭の被申立担保権者に対する配当に係る電子配当表（第四項において準用する民事執行法第八十五条第三項の規定により作成された電磁的記録であって、第四項において準用する同条第五項の規定によりファイルに記録されたものをいう。）に基づいて、その配当を実施しなければならない。
② 被申立担保権者が一人である場合又は被申立担保権者が二人以上であって前条第四項に規定する金銭で各被申立担保権者の有する担保権によって担保される債権を弁済することができる場合には、裁判所は、最高裁判所規則で定めるところにより、当該金銭の電子交付計算書（裁判所が、最高裁判所規則で定めるところにより、弁済金及び剰余金を交付するために、当該金銭の額、各被申立担保権者の有する担保権によって担保される債権の元本及び利息その他の附帯の債権の額並びに弁済金の交付の順位及び額を記録して作成する電磁的記録をいう。次項において同じ。）を作成して、被申立担保権者に弁済金を交付し、剰余金を破産管財人に交付する。
③ 裁判所は、前項の規定により電子交付計算書を作成した場合には、最高裁判所規則で定めるところにより、これをファイルに記録しなければならない。（改正により追加）
④ 民事執行法第八十五条から第八十六条まで及び第八十八条から第九十二条までの規定は第一項の配当の手続について、同法第八十八条、第九十一条及び第九十二条の規定は第二項の規定による弁済金の交付の手続について準用する。（改正前の③）

第三節　商事留置権の消滅

第一九二条① 破産手続開始の時において破産財団に属する財産につき商法又は会社法の規定による留置権がある場合において、当該財産が第三十六条の規定により継続されている事業に必要なものであるとき、その他当該財産の回復が破産財団の価値の維持又は増加に資するときは、破産管財人は、留置権者に対して、当該留置権の消滅を請求することができる。
② 前項の規定による請求をするには、同項の財産の価額に相当する金銭を、同項の留置権者に弁済しなければならない。
③ 第一項の規定による請求及び前項に規定する弁済をするには、裁判所の許可を得なければならない。
④ 前項の許可があった場合における第二項に規定する弁済の額が第一項の財産の価額を満たすときは、当該弁済の時又は同項の規定による請求の時のいずれか遅い時に、同項の留置権は消滅する。
⑤ 前項の規定により第一項の留置権が消滅したことを原因とする同項の財産の返還を求める訴訟においては、第二項に規定する弁済の額が当該財産の価額を満たさない場合においても、原告の申立てがあり、当該訴訟の受訴裁判所が相当と認めるときは、当該受訴裁判所は、相当の期間内に不足額を弁済することを条件として、第一項の留置権者に対して、当該財産を返還することを命ずることができる。

第八章　配当

第一節　通則

（配当の方法等）
第一九三条① 破産債権者は、この章の定めるところに従い、破産財団から、配当を受けることができる。
② 破産債権者は、破産管財人がその職務を行う場所において配当を受けなければならない。ただし、破産管財人と破産債権者との合意により別段の定めをすることを妨げない。
③ 破産管財人は、配当をしたときは、その配当をした金額を破産債権者表に記載しなければならない。

＊令和五法五三（令和一〇・六・一三までに施行）による改正後
③ 破産管財人は、配当をしたときは、その配当をした金額を記載した報告書を裁判所に提出しなければならない。この場合においては、裁判所書記官は、最高裁判所規則で定めるところにより、当該報告書に記載された金額を電子破産債権者表に記録しなければならない。

（配当の順位等）
第一九四条① 配当の順位は、破産債権間においては次に掲げる順位に、第一号の優先的破産債権間においては第九十八条第二項に規定する優先順位による。
一　優先的破産債権
二　前号、次号及び第四号に掲げるもの以外の破産債権
三　劣後的破産債権
四　約定劣後破産債権
② 同一順位において配当をすべき破産債権については、それぞれその債権の額の割合に応じて、配当をする。

第二節　最後配当

（最後配当）
第一九五条① 破産管財人は、一般調査期間の経過後又は一般調査期日の終了後であって破産財団に属する財産の換価の終了後においては、第二百十七条第一項に規定する場合を除き、遅滞なく、届出をした破産債権者に対し、この節の規定による配当（以下この章及び次章において「最後配当」という。）をしなければならない。
② 破産管財人は、最後配当をするには、裁判所書記官の許可を得なければならない。
③ 裁判所は、破産管財人の意見を聴いて、あらかじめ、最後配当をすべき時期を定めることができる。

（配当表）
第一九六条① 破産管財人は、前条第二項の規定による許可があったときは、遅滞なく、次に掲げる事項を記載した配当表を作成し、これを裁判所に提出しなければならない。
一　最後配当の手続に参加することができる破産債権者の氏名又は名称及び住所
二　最後配当の手続に参加することができる債権の額
三　最後配当をすることができる金額

② 前項第二号に掲げる事項は、優先的破産債権、劣後的破産債権及び約定劣後破産債権をそれぞれ他の破産債権と区分し、優先的破産債権については第九十八条第二項に規定する優先順位に従い、これを記載しなければならない。

③ 破産管財人は、別除権に係る根抵当権によって担保される破産債権については、当該破産債権を有する破産債権者が、破産管財人に対し、当該根抵当権の行使によって弁済を受けることができない債権の額を証明しない場合においても、これを配当表に記載しなければならない。この場合においては、前条第二項の規定による許可があった日における当該破産債権のうち極度額を超える部分の額を最後配当の手続に参加することができる債権の額とする。

④ 前項の規定は、第百八条第二項に規定する抵当権（根抵当権であるものに限る。）を有する者について準用する。

（配当の公告等）

第一九七条① 破産管財人は、前条第一項の規定により配当表を裁判所に提出した後、遅滞なく、最後配当の手続に参加することができる債権の総額及び最後配当をすることができる金額を公告し、又は届出をした破産債権者に通知しなければならない。

② 前項の規定による通知は、その通知が通常到達すべきであった時に、到達したものとみなす。

③ 第一項の規定による通知が届出をした各破産債権者に通常到達すべきであった時を経過したときは、破産管財人は、遅滞なく、その旨を裁判所に届け出なければならない。

（破産債権の除斥等）

第一九八条① 異議等のある破産債権（第百二十九条第一項に規定するものを除く。）について最後配当の手続に参加するには、当該異議等のある破産債権を有する破産債権者が、前条第一項の規定による公告が効力を生じた日又は同条第三項の規定による届出があった日から起算して二週間以内に、破産管財人に対し、当該異議等のある破産債権の確定に関する破産債権査定申立てに係る査定の手続、破産債権査定異議の訴えに係る訴訟手続又は第百二十七条第一項の規定による受継があった訴訟手続が係属していることを証明しなければならない。

② 停止条件付債権又は将来の請求権である破産債権について最後配当の手続に参加するには、前項に規定する期間（以下この節及び第五節において「最後配当に関する除斥期間」という。）内にこれを行使することができるに至っていなければならない。

③ 別除権者は、最後配当の手続に参加するには、次項の場合を除き、最後配当に関する除斥期間内に、破産管財人に対し、当該別除権に係る第六十五条第二項に規定する担保権によって担保される債権の全部若しくは一部が破産手続開始後に担保されないこととなったことを証明し、又は当該担保権の行使によって弁済を受けることができない債権の額を証明しなければならない。

④ 第百九十六条第三項前段（同条第四項において準用する場合を含む。）の規定により配当表に記載された根抵当権によって担保される破産債権については、最後配当に関する除斥期間内に当該担保権の行使によって弁済を受けることができない債権の額の証明がされた場合を除き、同条第三項後段（同条第四項において準用する場合を含む。）の規定により配当表に記載された最後配当の手続に参加することができる債権の額を当該弁済を受けることができない債権の額とみなす。

⑤ 第三項の規定は、準別除権者について準用する。

（配当表の更正）

第一九九条① 次に掲げる場合には、破産管財人は、直ちに、配当表を更正しなければならない。

一 破産債権者表を更正すべき事由が最後配当に関する除斥期間内に生じたとき。

二 前条第一項に規定する事項につき最後配当に関する除斥期間内に証明があったとき。

三 前条第三項に規定する事項につき最後配当に関する除斥期間内に証明があったとき。

＊令和五法五三（令和一〇・六・一三までに施行）による改正
第一号中「破産債権者表」を「電子破産債権者表」に改める。（本文未織込み）

② 前項第三号の規定は、準別除権者について準用する。

（配当表に対する異議）

第二〇〇条① 届出をした破産債権者で配当表の記載に不服があるものは、最後配当に関する除斥期間が経過した後一週間以内に限り、裁判所に対し、異議を申し立てることができる。

② 裁判所は、前項の規定による異議の申立てを理由があると認めるときは、破産管財人に対し、配当表の更正を命じなければならない。

③ 第一項の規定による異議の申立てについての裁判に対しては、即時抗告をすることができる。この場合においては、配当表の更正を命ずる決定に対する即時抗告の期間は、第十一条第一項の規定により利害関係人がその裁判書の閲覧を請求することができることとなった日から起算する。

④ 第一項の規定による異議の申立てを却下する裁判及び前項前段の即時抗告についての裁判（配当表の更正を命ずる決定を除く。）があった場合には、その裁判書を当事者に送達しなければならない。

＊令和五法五三（令和一〇・六・一三までに施行）による改正
第三項中「第十一条第一項」を「第十一条の二第一項」に、「裁判書」を「電子裁判書」に改め、第四項中「裁判書」を「電子裁判書」に改める。（本文未織込み）

（配当額の定め及び通知）

第二〇一条① 破産管財人は、前条第一項に規定する期間が経過した後（同項の規定による異議の申立てがあったときは、当該異議の申立てに係る手続が終了した後）、遅滞なく、最後配当の手続に参加することができる破産債権者に対する配当額を定めなければならない。

② 破産管財人は、第七十条の規定により寄託した金額で第百九十八条第二項の規定に適合しなかったことにより最後配当の手続に参加することができなかった破産債権者のために寄託したものの配当を、最後配当の一部として他の破産債権者に対してしなければならない。

③ 解除条件付債権である破産債権について、その条件が最後配当に関する除斥期間内に成就しないときは、第六十九条の規定により供した担保はその効力を失い、同条の規定により寄託した金額は当該破産債権を有する破産債権者に支払わなければならない。

④ 第百一条第一項の規定により弁済を受けた破産債権者又は第百九条に規定する弁済を受けた破産債権者は、他の同順位の破産債権者が自己の受けた弁済と同一の割合の配当を受けるまでは、最後配当を受けることができない。

⑤ 第一項の規定により破産債権者に対する配当額を定めた場合において、第百十一条第一項第四号及び第百十三条第二項の規定による届出をしなかった破産債権者について、その定めた配当額が同号に規定する最高裁判所規則で定める額に満たないときは、破産管財人は、当該破産債権者以外の他の破産債権者に対して当該配当額の最後配当をしなければならない。この場合においては、当該配当額について、当該他の破産債権者に対する配当額を定めなければならない。

⑥ 次項の規定による配当額の通知を発する前に、新たに最後配当に充てることができる財産があるに至ったときは、破産管財人は、遅滞なく、配当表を更正しなければならない。

⑦ 破産管財人は、第一項から前項までの規定により定めた配当額を、最後配当の手続に参加することができる破産債権者（第

五項の規定により最後配当を受けることができない破産債権者を除く。）に通知しなければならない。

（配当額の供託）

第二〇二条　破産管財人は、次に掲げる配当額を、これを受けるべき破産債権者のために供託しなければならない。

一　異議等のある破産債権であって前条第七項の規定による配当額の通知を発した時にその確定に関する破産債権査定申立てに係る査定の手続、破産債権査定異議の訴えに係る訴訟手続、第百二十七条第一項若しくは第百二十九条第二項の規定による受継があった訴訟手続又は同条第一項の規定による異議の主張に係る訴訟手続が係属しているものに対する配当額

二　租税等の請求権又は罰金等の請求権であって前条第七項の規定による配当額の通知を発した時に審査請求、訴訟（刑事訴訟を除く。）その他の不服の申立ての手続が終了していないものに対する配当額

三　破産債権者が受け取らない配当額

（破産管財人に知れていない財団債権者の取扱い）

第二〇三条　第二百一条第七項の規定による配当額の通知を発した時に破産管財人に知れていない財団債権者は、最後配当をすることができる金額をもって弁済を受けることができない。

第三節　簡易配当

（簡易配当）

第二〇四条①　裁判所書記官は、第百九十五条第一項の規定により最後配当をすることができる場合において、次に掲げるときは、破産管財人の申立てにより、最後配当に代えてこの節の規定による配当（以下この章及び次章において「簡易配当」という。）をすることを許可することができる。

一　配当をすることができる金額が千万円に満たないと認められるとき。

二　裁判所が、第三十二条第一項の規定により同項第五号に掲げる事項を公告し、かつ、その旨を知れている破産債権者に対し同条第三項第一号の規定により通知した場合において、届出をした破産債権者が同条第一項第五号に規定する時までに異議を述べなかったとき。

三　前二号に掲げるもののほか、相当と認められるとき。

②　破産管財人は、前項の規定による許可があった場合には、次条において読み替えて準用する第百九十六条第一項の規定により配当表を裁判所に提出した後、遅滞なく、届出をした破産債権者に対する配当見込額を定めて、簡易配当の手続に参加することができる債権の総額、簡易配当をすることができる金額及び当該配当見込額を届出をした破産債権者に通知しなければならない。

③　前項の規定による通知は、その通知が通常到達すべきであった時に、到達したものとみなす。

④　第二項の規定による通知が届出をした各破産債権者に通常到達すべきであった時を経過したときは、破産管財人は、遅滞なく、その旨を裁判所に届け出なければならない。

（準用）

第二〇五条　簡易配当については、前節（第百九十五条、第百九十七条、第二百条第三項及び第四項並びに第二百一条第七項を除く。）の規定を準用する。この場合において、第百九十六条第一項及び第三項中「前条第二項の規定による許可」とあるのは「第二百四条第一項の規定による許可」と、第百九十八条第一項中「前条第一項の規定による公告が効力を生じた日又は同条第三項」とあるのは「第二百四条第四項」と、「二週間以内に」とあるのは「一週間以内に」と、第二百一条第一項中「当該異議の申立てに係る手続が終了した後」とあるのは「当該異議の申立てについての決定があった後」と、同条第六項中「次項の規定による配当額の通知を発する前に」とあるのは「前条第一項に規定する期間内に」と、第二百二条第一号及び第二号中「前条第七項の規定による配当額の通知を発した時に」とあり、並びに第二百三条中「第二百一条第七項の規定による配当額の通知を発した時に」とあるのは「第二百条第一項に規定する期間を経過した時に」と読み替えるものとする。

（簡易配当の許可の取消し）

第二〇六条　破産管財人は、第二百四条第一項第三号の規定による許可があった場合において、同条第二項の規定による通知をするときは、同時に、簡易配当をすることにつき異議のある破産債権者は裁判所に対し同条第四項の規定による届出の日から起算して一週間以内に異議を述べるべき旨をも通知しなければならない。この場合において、届出をした破産債権者が同項の規定による届出の日から起算して一週間以内に異議を述べたときは、裁判所書記官は、当該許可を取り消さなければならない。

（適用除外）

第二〇七条　第二百四条第一項の規定による簡易配当の許可は、第二百九条第一項に規定する中間配当をした場合は、することができない。

第四節　同意配当

第二〇八条①　裁判所書記官は、第百九十五条第一項の規定により最後配当をすることができる場合において、破産管財人の申立てがあったときは、最後配当に代えてこの条の規定による配当（以下この章及び次章において「同意配当」という。）をすることを許可することができる。この場合において、破産管財人の申立ては、届出をした破産債権者の全員が、破産管財人が定めた配当表、配当額並びに配当の時期及び方法について同意している場合に限り、することができる。

②　前項の規定による許可があった場合には、破産管財人は、同項後段の配当表、配当額並びに配当の時期及び方法に従い、同項後段の届出をした破産債権者に対して同意配当をすることができる。

③　同意配当については、第百九十六条第一項及び第二項並びに第二百三条の規定を準用する。この場合において、第百九十六条第一項中「前条第二項の規定による許可があったときは、遅滞なく」とあるのは「あらかじめ」と、第二百三条中「第二百一条第七項の規定による配当額の通知を発した時に」とあるのは「第二百八条第一項の規定による許可があった時に」と読み替えるものとする。

第五節　中間配当

（中間配当）

第二〇九条①　破産管財人は、一般調査期間の経過後又は一般調査期日の終了後であって破産財団に属する財産の換価の終了前において、配当をするのに適当な破産財団に属する金銭があると認めるときは、最後配当に先立って、届出をした破産債権者に対し、この節の規定による配当（以下この節において「中間配当」という。）をすることができる。

②　破産管財人は、中間配当をするには、裁判所の許可を得なければならない。

③　中間配当については、第百九十六条第一項及び第二項、第百九十七条、第百九十八条第一項、第百九十九条第一項第一号及び第二号、第二百条、第二百一条第四項並びに第二百三条の規定を準用する。この場合において、第百九十六条第一項中「前条第二項の規定による許可」とあるのは「第二百九条第二項の規定による許可」と、第百九十九条第一項各号及び第二百条第一項中「最後配当に関する除斥期間」とあるのは「第二百十条第一項に規定する中間配当に関する除斥期間」と、第二百三条中「第二百一条第七項の規定による配当額」とあるのは「第二百十一条の規定による配当率」と読み替えるものとする。

（別除権者の除斥等）

第二一〇条①　別除権者は、中間配当の手続に参加するには、前条第三項において準用する第百九十八条第一項に規定する期間（以下この節において「中間配当に関する除斥期間」という。）に、破産管財人に対し、当該別除権の目的である財産の処分に

着手したことを証明し、かつ、当該処分によって弁済を受けることができない債権の額を疎明しなければならない。

② 前項の規定は、準別除権者について準用する。

③ 破産管財人は、第一項（前項において準用する場合を含む。）に規定する事項につき中間配当に関する除斥期間内に証明及び疎明があったときは、直ちに、配当表を更正しなければならない。

（配当率の定め及び通知）

第二一一条 破産管財人は、第二百九条第三項において準用する第二百条第一項に規定する期間が経過した後（同項の規定による異議の申立てがあったときは、当該異議の申立てについての決定があった後）、遅滞なく、配当率を定めて、その配当率を中間配当の手続に参加することができる破産債権者に通知しなければならない。

（解除条件付債権の取扱い）

第二一二条① 解除条件付債権である破産債権については、相当の担保を供しなければ、中間配当を受けることができない。

② 前項の破産債権について、その条件が最後配当に関する除斥期間内に成就しないときは、同項の規定により供した担保は、その効力を失う。

（除斥された破産債権等の後の配当における取扱い）

第二一三条 第二百九条第三項において準用する第百九十八条第一項に規定する事項につき証明をしなかったことにより中間配当の手続に参加することができなかった破産債権について、当該破産債権を有する破産債権者が最後配当に関する除斥期間又はその中間配当の後に行われることがある中間配当に関する除斥期間内に当該事項につき証明をしたときは、その中間配当において受けることができた額について、当該最後配当又はその中間配当の後に行われることがある中間配当において、他の同順位の破産債権者に先立って配当を受けることができる。第二百十条第一項（同条第二項において準用する場合を含む。）に規定する事項につき証明又は疎明をしなかったことにより中間配当の手続に参加することができなかった別除権者（準別除権者を含む。）がその中間配当の後に行われることがある中間配当に関する除斥期間内に当該事項につき証明及び疎明をしたときも、同様とする。

（配当額の寄託）

第二一四条① 中間配当を行おうとする破産管財人は、次に掲げる破産債権に対する配当額を寄託しなければならない。

一 異議等のある破産債権であって、第二百二条第一号に規定する手続が係属しているもの

二 租税等の請求権又は罰金等の請求権であって、第二百十一条の規定による配当率の通知を発した時に第二百二条第二号に規定する手続が終了していないもの

三 中間配当に関する除斥期間内に第二百十条第一項（同条第二項において準用する場合を含む。）の規定による証明及び疎明があった債権のうち、当該疎明があった額に係る部分

四 停止条件付債権又は将来の請求権である破産債権

五 解除条件付債権である破産債権であって、第二百十二条第一項の規定による担保が供されていないもの

六 第百十一条第一項第四号及び第百十三条第二項の規定による届出をしなかった破産債権者が有する破産債権

② 前項第一号又は第二号の規定により当該各号に掲げる破産債権に対する配当額を寄託した場合において、第二百二条第一号又は第二号の規定により当該破産債権に対する配当額を供託するときは、破産管財人は、その寄託した配当額をこれを受けるべき破産債権者のために供託しなければならない。

③ 第一項第三号又は第四号の規定により当該各号に掲げる破産債権に対する配当額を寄託した場合において、当該破産債権を有する破産債権者又は別除権者（準別除権者を含む。）が第百九十八条第二項の規定に適合しなかったこと又は同条第三項（同条第五項において準用する場合を含む。）に規定する事項につき証明をしなかったことにより最後配当の手続に参加することができなかったときは、破産管財人は、その寄託した配当額の最後配当を他の破産債権者に対してしなければならない。

④ 第一項第五号の規定により同号に掲げる破産債権に対する配当額を寄託した場合において、当該破産債権の条件が最後配当に関する除斥期間内に成就しないときは、破産管財人は、その寄託した配当額を当該破産債権を有する破産債権者に支払わなければならない。

⑤ 第一項第六号の規定により同号に掲げる破産債権に対する配当額を寄託した場合における第二百一条第五項の規定の適用については、同項中「その定めた配当額が同号に」とあるのは「その定めた配当額及び破産管財人が第二百十四条第一項第六号の規定により寄託した同号に掲げる破産債権に対する配当額の合計額が第百十一条第一項第四号に」と、「当該配当額」とあるのは「当該合計額」とする。

第六節　追加配当

第二一五条① 第二百一条第七項の規定による配当額の通知を発した後（簡易配当にあっては第二百五条において準用する第二百条第一項に規定する期間を経過した後、同意配当にあっては第二百八条第一項の規定による許可があった後）、新たに配当に充てることができる相当の財産があることが確認されたときは、破産管財人は、裁判所の許可を得て、最後配当、簡易配当又は同意配当とは別に、届出をした破産債権者に対し、この条の規定による配当（以下この条において「追加配当」という。）をしなければならない。破産手続終結の決定があった後であっても、同様とする。

② 追加配当については、第二百一条第四項及び第五項、第二百二条並びに第二百三条の規定を準用する。この場合において、第二百一条第五項中「第一項の規定」とあるのは「第二百十五条第四項の規定」と、第二百二条第一号及び第二号中「前条第七項」とあり、並びに第二百三条中「第二百一条第七項」とあるのは「第二百十五条第五項」と読み替えるものとする。

③ 追加配当は、最後配当、簡易配当又は同意配当について作成した配当表によってする。

④ 破産管財人は、第一項の規定による許可があったときは、遅滞なく、追加配当の手続に参加することができる破産債権者に対する配当額を定めなければならない。

⑤ 破産管財人は、前項の規定により定めた配当額を、追加配当の手続に参加することができる破産債権者（第二項において読み替えて準用する第二百一条第五項の規定により追加配当を受けることができない破産債権者を除く。）に通知しなければならない。

⑥ 追加配当をした場合には、破産管財人は、遅滞なく、裁判所に書面による計算の報告をしなければならない。

⑦ 前項の場合において、破産管財人が欠けたときは、当該計算の報告は、同項の規定にかかわらず、後任の破産管財人がしなければならない。

第九章　破産手続の終了

（破産手続開始の決定と同時にする破産手続廃止の決定）

第二一六条① 裁判所は、破産財団をもって破産手続の費用を支弁するのに不足すると認めるときは、破産手続開始の決定と同時に、破産手続廃止の決定をしなければならない。

② 前項の規定は、破産手続の費用を支弁するのに足りる金額の予納があった場合には、適用しない。

③ 裁判所は、第一項の規定により破産手続開始の決定と同時に破産手続廃止の決定をしたときは、直ちに、次に掲げる事項を公告し、かつ、これを破産者に通知しなければならない。

一 破産手続開始の決定の主文

二 破産手続廃止の決定の主文及び理由の要旨

④ 第一項の規定による破産手続廃止の決定に対しては、即時抗告をすることができる。

⑤ 前項の即時抗告は、執行停止の効力を有しない。

⑥　第三十一条及び第三十二条の規定は、第一項の規定による破産手続廃止の決定を取り消す決定が確定した場合について準用する。

（破産手続開始の決定後の破産手続廃止の決定）

第二一七条①　裁判所は、破産手続開始の決定があった後、破産財団をもって破産手続の費用を支弁するのに不足すると認めるときは、破産管財人の申立てにより又は職権で、破産手続廃止の決定をしなければならない。この場合においては、裁判所は、債権者集会の期日において破産債権者の意見を聴かなければならない。

②　前項後段の規定にかかわらず、裁判所は、相当と認めるときは、同項後段に規定する債権者集会の期日における破産債権者の意見の聴取に代えて、書面によって破産債権者の意見を聴くことができる。この場合においては、当該意見の聴取を目的とする第百三十五条第一項第二号又は第三号に掲げる者による同項の規定による債権者集会の招集の申立ては、することができない。

③　前二項の規定は、破産手続の費用を支弁するのに足りる金額の予納があった場合には、適用しない。

④　裁判所は、第一項の規定による破産手続廃止の決定をしたときは、直ちに、その主文及び理由の要旨を公告し、かつ、その裁判書を破産者及び破産管財人に送達しなければならない。

⑤　裁判所は、第一項の申立てを棄却する決定をしたときは、その裁判書を破産管財人に送達しなければならない。この場合においては、第十条第三項本文の規定は、適用しない。

⑥　第一項の規定による破産手続廃止の決定及び同項の申立てを棄却する決定に対しては、即時抗告をすることができる。

⑦　第一項の規定による破産手続廃止の決定を取り消す決定が確定したときは、当該破産手続廃止の決定をした裁判所は、直ちに、その旨を公告しなければならない。

⑧　第一項の規定による破産手続廃止の決定は、確定しなければその効力を生じない。

＊令和五法五三（令和一〇・六・一三までに施行）による改正
第二項中「書面によって」を「書面による方法その他最高裁判所規則で定める方法により」に改め、第四項及び第五項中「裁判書」を「電子裁判書」に改める。（本文未織込み）

（破産債権者の同意による破産手続廃止の決定）

第二一八条①　裁判所は、次の各号に掲げる要件のいずれかに該当する破産者の申立てがあったときは、破産手続廃止の決定をしなければならない。

一　破産手続を廃止することについて、債権届出期間内に届出をした破産債権者の全員の同意を得ているとき。

二　前号の同意をしない破産債権者がある場合において、当該破産債権者に対して裁判所が相当と認める担保を供しているとき。ただし、破産財団から当該担保を供した場合には、破産財団から当該担保を供したことについて、他の届出をした破産債権者の同意を得ているときに限る。

②　前項の規定にかかわらず、裁判所は、まだ確定していない破産債権を有する破産債権者について同項第一号及び第二号ただし書の同意を得ることを要しない旨の決定をすることができる。この場合における同項第一号及び第二号ただし書の規定の適用については、これらの規定中「届出をした破産債権者」とあるのは、「届出をした破産債権者（まだ確定していない破産債権を有する破産債権者であって、裁判所の決定によりその同意を得ることを要しないとされたものを除く。）」とする。

③　裁判所は、第一項の申立てがあったときは、その旨を公告しなければならない。

④　届出をした破産債権者は、前項に規定する公告が効力を生じた日から起算して二週間以内に、裁判所に対し、第一項の申立てについて意見を述べることができる。

⑤　前条第四項から第八項までの規定は、第一項の規定による破産手続廃止の決定について準用する。この場合において、同条第五項中「破産管財人」とあるのは、「破産者」と読み替えるものとする。

（破産者が法人である場合の破産債権者の同意による破産手続廃止の決定）

第二一九条　法人である破産者が前条第一項の申立てをするには、定款その他の基本約款の変更に関する規定に従い、あらかじめ、当該法人を継続する手続をしなければならない。

（破産手続終結の決定）

第二二〇条①　裁判所は、最後配当、簡易配当又は同意配当が終了した後、第八十八条第四項の債権者集会が終結したとき、又は第八十九条第二項に規定する期間が経過したときは、破産手続終結の決定をしなければならない。

②　裁判所は、前項の規定により破産手続終結の決定をしたときは、直ちに、その主文及び理由の要旨を公告し、かつ、これを破産者に通知しなければならない。

（破産手続廃止後又は破産手続終結後の破産債権者表の記載の効力）

第二二一条①　第二百十七条第一項若しくは第二百十八条第一項の規定による破産手続廃止の決定が確定したとき、又は前条第一項の規定による破産手続終結の決定があったときは、確定した破産債権については、破産債権者表の記載は、破産者に対し、確定判決と同一の効力を有する。この場合において、破産債権者は、確定した破産債権について、当該破産者に対し、破産債権者表の記載により強制執行をすることができる。

②　前項の規定は、破産者（第百二十一条第三項ただし書の代理人を含む。）が第百十八条第二項、第百十九条第五項、第百二十一条第四項（同条第六項（同条第七項又は第百二十二条第二項において準用する場合を含む。）若しくは第七項又は第百二十二条第二項において準用する場合を含む。）又は第百二十三条第一項の規定による異議を述べた場合には、適用しない。

＊令和五法五三（令和一〇・六・一三までに施行）による改正
第二二一条の見出し及び同条第一項中「破産債権者表の記載」を「電子破産債権者表の記録」に改める。（本文未織込み）

第十章　相続財産の破産等に関する特則

第一節　相続財産の破産

（相続財産に関する破産事件の管轄）

第二二二条①　相続財産についてのこの法律の規定による破産手続開始の申立ては、被相続人の相続開始の時の住所又は相続財産に属する財産が日本国内にあるときに限り、することができる。

②　相続財産に関する破産事件は、被相続人の相続開始の時の住所地を管轄する地方裁判所が管轄する。

③　前項の規定による管轄裁判所がないときは、相続財産に関する破産事件は、相続財産に属する財産の所在地（債権については、裁判上の請求をすることができる地）を管轄する地方裁判所が管轄する。

④　相続財産に関する破産事件に対する第五条第八項及び第九項並びに第七条第五号の規定の適用については、第五条第八項及び第九項中「第一項及び第二項」とあるのは「第二百二十二条第二項及び第三項」と、第七条第五号中「同条第一項又は第二項」とあるのは「第二百二十二条第二項又は第三項」とする。

⑤　前三項の規定により二以上の地方裁判所が管轄権を有するときは、相続財産に関する破産事件は、先に破産手続開始の申立てがあった地方裁判所が管轄する。

（相続財産の破産手続開始の原因）

第二二三条　相続財産に対する第三十条第一項の規定の適用については、同項中「破産手続開始の原因となる事実があると認めるとき」とあるのは、「相続財産をもって相続債権者及び受遺者に対する債務を完済することができないと認めるとき」とする。

（破産手続開始の申立て）

第二二四条① 相続財産については、相続債権者又は受遺者のほか、相続人、相続財産の管理人、相続財産の清算人又は遺言執行者（相続財産の管理に必要な行為をする権利を有する遺言執行者に限る。以下この節において同じ。）も、破産手続開始の申立てをすることができる。

② 次の各号に掲げる者が相続財産について破産手続開始の申立てをするときは、それぞれ当該各号に定める事実を疎明しなければならない。

一 相続債権者又は受遺者 その有する債権の存在及び当該相続財産の破産手続開始の原因となる事実

二 相続人、相続財産の管理人、相続財産の清算人又は遺言執行者 当該相続財産の破産手続開始の原因となる事実

（破産手続開始の申立期間）

第二二五条 相続財産については、民法第九百四十一条第一項の規定により財産分離の請求をすることができる間に限り、破産手続開始の申立てをすることができる。ただし、限定承認又は財産分離があったときは、相続債権者及び受遺者に対する弁済が完了するまでの間も、破産手続開始の申立てをすることができる。

（破産手続開始の決定前の相続の開始）

第二二六条① 裁判所は、破産手続開始の申立て後破産手続開始の決定前に債務者について相続が開始したときは、相続債権者、受遺者、相続人、相続財産の管理人、相続財産の清算人又は遺言執行者の申立てにより、当該相続財産についてその破産手続を続行する旨の決定をすることができる。

② 前項に規定する続行の申立ては、相続が開始した後一月以内にしなければならない。

③ 第一項に規定する破産手続は、前項の期間内に第一項に規定する続行の申立てがなかった場合はその期間が経過した時に、前項の期間内に第一項に規定する続行の申立てがあった場合で当該申立てを却下する裁判が確定したときはその時に、それぞれ終了する。

④ 第一項に規定する続行の申立てを却下する裁判に対しては、即時抗告をすることができる。

（破産手続開始の決定後の相続の開始）

第二二七条 裁判所は、破産手続開始の決定後に破産者について相続が開始したときは、当該相続財産についてその破産手続を続行する。

（限定承認又は財産分離の手続との関係）

第二二八条 相続財産についての破産手続開始の決定は、限定承認又は財産分離を妨げない。ただし、破産手続開始の決定の取消し若しくは破産手続廃止の決定が確定し、又は破産手続終結の決定があるまでの間は、限定承認又は財産分離の手続は、中止する。

（破産財団の範囲）

第二二九条① 相続財産について破産手続開始の決定があった場合には、相続財産に属する一切の財産（日本国内にあるかどうかを問わない。）は、破産財団とする。この場合においては、被相続人が相続人に対して有していた権利は、消滅しなかったものとみなす。

② 相続人が相続財産の全部又は一部を処分した後に相続財産について破産手続開始の決定があったときは、相続人が反対給付について有する権利は、破産財団に属する。

③ 前項に規定する場合において、相続人が既に同項の反対給付を受けているときは、相続人は、当該反対給付を破産財団に返還しなければならない。ただし、相続人が当該反対給付を受けた当時、破産手続開始の原因となる事実又は破産手続開始の申立てがあったことを知らなかったときは、その現に受けている利益を返還すれば足りる。

（相続人等の説明義務等）

第二三〇条① 相続財産について破産手続開始の決定があった場合には、次に掲げる者は、破産管財人若しくは債権者委員会の請求又は債権者集会の決議に基づく請求があったときは、破産に関し必要な説明をしなければならない。

一 被相続人の代理人であった者

二 相続人及びその代理人

三 相続財産の管理人、相続財産の清算人及び遺言執行者

② 前項の規定は、同項第二号又は第三号に掲げる者であった者について準用する。

③ 第三十七条及び第三十八条の規定は、相続財産について破産手続開始の決定があった場合における相続人並びにその法定代理人及び支配人について準用する。

（相続債権者及び受遺者の地位）

第二三一条① 相続財産について破産手続開始の決定があった場合には、相続債権者及び受遺者は、相続人について破産手続開始の決定があったときでも、その債権の全額について破産手続に参加することができる。

② 相続財産について破産手続開始の決定があったときは、相続債権者の債権は、受遺者の債権に優先する。

（相続人の地位）

第二三二条① 相続財産について破産手続開始の決定があった場合には、相続人が被相続人に対して有していた権利は、消滅しなかったものとみなす。この場合においては、相続人は、被相続人に対して有していた債権について、相続債権者と同一の権利を有する。

② 前項に規定する場合において、相続人が相続債権者に対して自己の固有財産をもって弁済その他の債務を消滅させる行為をしたときは、相続人は、その出えんの額の範囲内において、当該相続債権者が被相続人に対して有していた権利を行使することができる。

（相続人の債権者の地位）

第二三三条 相続財産について破産手続開始の決定があったときは、相続人の債権者は、破産債権者としてその権利を行使することができない。

（否認権に関する規定の適用関係）

第二三四条 相続財産について破産手続開始の決定があった場合における第六章第二節の規定の適用については、被相続人、相続人、相続財産の管理人、相続財産の清算人又は遺言執行者が相続財産に関してした行為は、破産者がした行為とみなす。

（受遺者に対する担保の供与等の否認）

第二三五条① 相続財産について破産手続開始の決定があった場合において、受遺者に対する担保の供与又は債務の消滅に関する行為がその債権に優先する債権を有する破産債権者を害するときは、当該行為を否認することができる。

② 第百六十七条第二項の規定は、前項の行為が同項の規定により否認された場合について準用する。この場合において、同条第二項中「破産債権者を害すること」とあるのは、「第二百三十五条第一項の破産債権者を害すること」と読み替えるものとする。

（否認後の残余財産の分配等）

第二三六条 相続財産について破産手続開始の決定があった場合において、被相続人、相続人、相続財産の管理人、相続財産の清算人又は遺言執行者が相続財産に関してした行為が否認されたときは、破産管財人は、相続債権者に弁済をした後、否認された行為の相手方にその権利の価額に応じて残余財産を分配しなければならない。

（破産債権者の同意による破産手続廃止の申立て）

第二三七条① 相続財産の破産についての第二百十八条第一項の申立ては、相続人がする。

② 相続人が数人あるときは、前項の申立ては、各相続人がすることができる。

第二節 相続人の破産

（破産者の単純承認又は相続放棄の効力等）

第二三八条① 破産手続開始の決定前に破産者のために相続の開始があった場合において、破産者が破産手続開始の決定後にした単純承認は、破産財団に対しては、限定承認の効力を有する。破産者が破産手続開始の決定後にした相続の放棄も、同様とする。

② 破産管財人は、前項後段の規定にかかわらず、相続の放棄の効力を認めることができる。この場合においては、相続の放棄があったことを知った時から三月以内に、その旨を家庭裁判所に申述しなければならない。

（限定承認又は財産分離の手続との関係）

第二三九条 相続人についての破産手続開始の決定は、限定承認又は財産分離を妨げない。ただし、当該相続人のみが相続財産につき債務の弁済に必要な行為をする権限を有するときは、破産手続開始の決定の取消し若しくは破産手続廃止の決定が確定し、又は破産手続終結の決定があるまでの間は、限定承認又は財産分離の手続は、中止する。

（相続債権者、受遺者及び相続人の債権者の地位）

第二四〇条① 相続人について破産手続開始の決定があった場合には、相続債権者及び受遺者は、財産分離があったとき、又は相続財産について破産手続開始の決定があったときでも、その債権の全額について破産手続に参加することができる。

② 相続人について破産手続開始の決定があり、かつ、相続財産について破産手続開始の決定があったときは、相続人の債権者の債権は、相続人の破産財団については、相続債権者及び受遺者の債権に優先する。

③ 第二百二十五条に規定する期間内にされた破産手続開始の申立てにより相続人について破産手続開始の決定があったときは、相続人の固有財産については相続人の債権者の債権が相続債権者及び受遺者の債権に優先し、相続財産については相続債権者及び受遺者の債権が相続人の債権者の債権に優先する。

④ 相続人について破産手続開始の決定があり、かつ、当該相続人が限定承認をしたときは、相続債権者及び受遺者は、相続人の固有財産について、破産債権者としてその権利を行使することができない。第二百三十八条第一項の規定により限定承認の効力を有するときも、同様とする。

（限定承認又は財産分離の手続において相続債権者等が受けた弁済）

第二四一条① 相続債権者又は受遺者は、相続人について破産手続開始の決定があった後に、限定承認又は財産分離の手続において権利を行使したことにより、破産債権について弁済を受けた場合であっても、その弁済を受ける前の債権の額について破産手続に参加することができる。相続人の債権者が、相続人について破産手続開始の決定があった後に、財産分離の手続において権利を行使したことにより、破産債権について弁済を受けた場合も、同様とする。

② 前項の相続債権者若しくは受遺者又は相続人の債権者は、他の同順位の破産債権者が自己の受けた弁済（相続人が数人ある場合には、当該破産手続開始の決定を受けた相続人の相続分に応じた部分に限る。次項において同じ。）と同一の割合の配当を受けるまでは、破産手続により、配当を受けることができない。

③ 第一項の相続債権者若しくは受遺者又は相続人の債権者は、前項の弁済を受けた債権の額については、議決権を行使することができない。

（限定承認又は財産分離等の後の相続財産の管理及び処分等）

第二四二条① 相続人について破産手続開始の決定があった後、当該相続人が限定承認をしたとき、又は当該相続人について財産分離があったときは、破産管財人は、当該相続人の固有財産と分別して相続財産の管理及び処分をしなければならない。限定承認又は財産分離があった後に相続人について破産手続開始の決定があったときも、同様とする。

② 破産管財人が前項の規定による相続財産の管理及び処分を終えた場合において、残余財産があるときは、その残余財産のうち当該相続人に帰属すべき部分は、当該相続人の固有財産とみなす。この場合において、破産管財人は、その残余財産について、破産財団の財産目録及び貸借対照表を補充しなければならない。

③ 第一項前段及び前項の規定は、第二百三十八条第一項の規定により限定承認の効力を有する場合及び第二百四十条第三項の場合について準用する。

第三節　受遺者の破産

（包括受遺者の破産）

第二四三条 前節の規定は、包括受遺者について破産手続開始の決定があった場合について準用する。

（特定遺贈の承認又は放棄）

第二四四条① 破産手続開始の決定前に破産者のために特定遺贈があった場合において、破産者が当該決定の時においてその承認又は放棄をしていなかったときは、破産管財人は、破産者に代わって、その承認又は放棄をすることができる。

② 民法第九百八十七条の規定は、前項の場合について準用する。

第十章の二　信託財産の破産に関する特則

（信託財産に関する破産事件の管轄）

第二四四条の二① 信託財産についてのこの法律の規定による破産手続開始の申立ては、信託財産に属する財産又は受託者の住所が日本国内にあるときに限り、することができる。

② 信託財産に関する破産事件は、受託者の住所地（受託者が数人ある場合にあっては、そのいずれかの住所地）を管轄する地方裁判所が管轄する。

③ 前項の規定による管轄裁判所がないときは、信託財産に関する破産事件は、信託財産に属する財産の所在地（債権については、裁判上の請求をすることができる地）を管轄する地方裁判所が管轄する。

④ 信託財産に関する破産事件に対する第五条第八項及び第九項並びに第七条第五号の規定の適用については、第五条第八項及び第九項中「第一項及び第二項」とあるのは「第二百四十四条の二第二項及び第三項」と、第七条第五号中「同条第一項又は第二項」とあるのは「第二百四十四条の二第二項又は第三項」とする。

⑤ 前三項の規定により二以上の地方裁判所が管轄権を有するときは、信託財産に関する破産事件は、先に破産手続開始の申立てがあった地方裁判所が管轄する。

（信託財産の破産手続開始の原因）

第二四四条の三 信託財産に対する第十五条第一項の規定の適用については、同項中「支払不能」とあるのは、「支払不能又は債務超過（受託者が、信託財産責任負担債務につき、信託財産に属する財産をもって完済することができない状態をいう。）」とする。

（破産手続開始の申立て）

第二四四条の四① 信託財産については、信託債権（信託法第二十一条第二項第二号に規定する信託債権をいう。次項第一号及び第二百四十四条の七において同じ。）を有する者又は受益者のほか、受託者又は信託財産管理者、信託財産法人管理人若しくは同法第百七十条第一項の管理人（以下「受託者等」と総称する。）も、破産手続開始の申立てをすることができる。

② 次の各号に掲げる者が信託財産について破産手続開始の申立てをするときは、それぞれ当該各号に定める事実を疎明しなければならない。

一　信託債権を有する者又は受益者　その有する信託債権又は受益債権の存在及び当該信託財産の破産手続開始の原因となる事実

二　受託者等　当該信託財産の破産手続開始の原因となる事実

③前項第二号の規定は、受託者等が一人であるとき、又は受託者等が数人ある場合において受託者等の全員が破産手続開始の申立てをしたときは、適用しない。

④信託財産については、信託が終了した後であっても、残余財産の給付が終了するまでの間は、破産手続開始の申立てをすることができる。

（破産財団の範囲）

第二四四条の五　信託財産について破産手続開始の決定があった場合には、破産手続開始の時において信託財産に属する一切の財産（日本国内にあるかどうかを問わない。）は、破産財団とする。

（受託者等の説明義務等）

第二四四条の六①信託財産について破産手続開始の決定があった場合には、次に掲げる者は、破産管財人若しくは債権者委員会の請求又は債権者集会の決議に基づく請求があったときは、破産に関し必要な説明をしなければならない。

一　受託者等

二　会計監査人（信託法第二百四十八条第一項又は第二項の会計監査人をいう。以下この章において同じ。）

②前項の規定は、同項各号に掲げる者であった者について準用する。

③第三十七条及び第三十八条の規定は、信託財産について破産手続開始の決定があった場合における受託者等（個人である受託者等に限る。）について準用する。

④第四十一条の規定は、信託財産について破産手続開始の決定があった場合における受託者等について準用する。

（信託債権者及び受益者の地位）

第二四四条の七①信託財産について破産手続開始の決定があった場合には、信託債権を有する者及び受益者は、受託者について破産手続開始の決定があったときでも、破産手続開始の時において有する債権の全額について破産手続に参加することができる。

②信託財産について破産手続開始の決定があったときは、信託債権は、受益債権に優先する。

③受益債権と約定劣後破産債権は、同順位とする。ただし、信託行為の定めにより、約定劣後破産債権が受益債権に優先するものとすることができる。

（受託者の地位）

第二四四条の八　信託法第四十九条第一項（同法第五十三条第二項及び第五十四条第四項において準用する場合を含む。）の規定により受託者が有する権利は、信託財産についての破産手続との関係においては、金銭債権とみなす。

（固有財産等責任負担債務に係る債権者の地位）

第二四四条の九　信託財産について破産手続開始の決定があったときは、固有財産等責任負担債務（信託法第二十二条第一項に規定する固有財産等責任負担債務をいう。）に係る債権を有する者は、破産債権者としてその権利を行使することができない。

（否認権に関する規定の適用関係等）

第二四四条の一〇①信託財産について破産手続開始の決定があった場合における第六章第二節の規定の適用については、受託者等が信託財産に関してした行為は、破産者がした行為とみなす。

②前項に規定する場合における第百六十一条第一項の規定の適用については、当該行為の相手方が受託者等又は会計監査人であるときは、その相手方は、当該行為の当時、受託者等が同項第二号の隠匿等の処分をする意思を有していたことを知っていたものと推定する。

③第一項に規定する場合における第百六十二条第一項第一号の規定の適用については、債権者が受託者等又は会計監査人であるときは、その債権者は、同号に掲げる行為の当時、同号イ又はロに掲げる場合の区分に応じ、それぞれ当該イ又はロに定める事実（同号イに掲げる場合にあっては、支払不能であったこと及び支払の停止があったこと）を知っていたものと推定する。

④第一項に規定する場合における第百六十八条第二項及び第百七十条の二第二項の規定の適用については、当該行為の相手方が受託者等又は会計監査人であるときは、その相手方は、当該行為の当時、受託者等がこれらの規定に規定する隠匿等の処分をする意思を有していたことを知っていたものと推定する。

（破産管財人の権限）

第二四四条の一一①信託財産について破産手続開始の決定があった場合には、次に掲げるものは、破産管財人がする。

一　信託法第二十七条第一項又は第二項の規定による取消権の行使

二　信託法第三十一条第五項の規定による追認

三　信託法第三十一条第六項又は第七項の規定による取消権の行使

四　信託法第三十二条第四項の規定による権利の行使

五　信託法第四十条又は第四十一条の規定による責任の追及

六　信託法第四十二条（同法第二百五十四条第三項において準用する場合を含む。）の規定による責任の免除

七　信託法第二百二十六条第一項、第二百二十八条第一項又は第二百五十四条第一項の規定による責任の追及

②前項の規定は、保全管理人について準用する。

③第百七十七条の規定は信託財産について破産手続開始の決定があった場合における受託者等又は会計監査人の財産に対する保全処分について、第百七十八条から第百八十一条までの規定は信託財産についての破産手続における受託者等又は会計監査人の責任に基づく損失のてん補又は原状の回復の請求権の査定について、それぞれ準用する。

（保全管理命令）

第二四四条の一二　信託財産について破産手続開始の申立てがあった場合における第三章第二節の規定の適用については、第九十一条第一項中「債務者（法人である場合に限る。以下この節、第百四十八条第四項及び第百五十二条第二項において同じ。）の財産」とあり、並びに同項、第九十三条第一項及び第九十六条第二項中「債務者の財産」とあるのは、「信託財産に属する財産」とする。

（破産債権者の同意による破産手続廃止の申立て）

第二四四条の一三①信託財産の破産についての第二百十八条第一項の申立ては、受託者等がする。

②受託者等が数人あるときは、前項の申立ては、各受託者等がすることができる。

③信託財産の破産について第一項の申立てをするには、信託の変更に関する規定に従い、あらかじめ、当該信託を継続する手続をしなければならない。

第十一章　外国倒産処理手続がある場合の特則

（外国管財人との協力）

第二四五条①破産管財人は、破産者についての外国倒産処理手続（外国で開始された手続で、破産手続又は再生手続に相当するものをいう。以下この章において同じ。）がある場合には、外国管財人（当該外国倒産処理手続において破産者の財産の管理及び処分をする権利を有する者をいう。以下この章において同じ。）に対し、破産手続の適正な実施のために必要な協力及び情報の提供を求めることができる。

②前項に規定する場合には、破産管財人は、外国管財人に対し、外国倒産処理手続の適正な実施のために必要な協力及び情報の提供をするよう努めるものとする。

（外国管財人の権限等）

第二四六条①外国管財人は、債務者について破産手続開始の申立てをすることができる。

②外国管財人は、前項の申立てをするときは、破産手続開始の原因となる事実を疎明しなければならない。

③外国管財人は、破産者の破産手続において、債権者集会の期日に出席し、意見を述べることができる。

④ 第一項の規定により外国管財人が破産手続開始の申立てをした場合において、包括的禁止命令又はこれを変更し、若しくは取り消す旨の決定があったときはその主文を、破産手続開始の決定があったときは第三十二条第一項の規定により公告すべき事項を、同項第二号又は第三号に掲げる事項に変更を生じたときはその旨を、破産手続開始の決定を取り消す決定が確定したときはその主文を、それぞれ外国管財人に通知しなければならない。

（相互の手続参加）

第二四七条① 外国管財人は、届出をしていない破産債権者であって、破産者についての外国倒産処理手続に参加しているものを代理して、破産者の破産手続に参加することができる。ただし、当該外国の法令によりその権限を有する場合に限る。

② 破産管財人は、届出をした破産債権者であって、破産者についての外国倒産処理手続に参加していないものを代理して、当該外国倒産処理手続に参加することができる。

③ 破産管財人は、前項の規定による参加をした場合には、同項の規定により代理した破産債権者のために、外国倒産処理手続に属する一切の行為をすることができる。ただし、届出の取下げ、和解その他の破産債権者の権利を害するおそれがある行為をするには、当該破産債権者の授権がなければならない。

第十二章　免責手続及び復権

第一節　免責手続

（免責許可の申立て）

第二四八条① 個人である債務者（破産手続開始の決定後にあっては、破産者。第四項を除き、以下この節において同じ。）は、破産手続開始の申立てがあった日から破産手続開始の決定が確定した日以後一月を経過する日までの間に、破産裁判所に対し、免責許可の申立てをすることができる。

② 前項の債務者（以下この節において「債務者」という。）は、その責めに帰することができない事由により同項に規定する期間内に免責許可の申立てをすることができなかった場合には、その事由が消滅した後一月以内に限り、当該申立てをすることができる。

③ 免責許可の申立てをするには、最高裁判所規則で定める事項を記載した債権者名簿を提出しなければならない。ただし、当該申立てと同時に債権者名簿を提出することができないときは、当該申立ての後遅滞なくこれを提出すれば足りる。

④ 債務者が破産手続開始の申立てをした場合には、当該申立てと同時に免責許可の申立てをしたものとみなす。ただし、当該債務者が破産手続開始の申立ての際に反対の意思を表示しているときは、この限りでない。

⑤ 前項本文の規定により免責許可の申立てをしたものとみなされたときは、第二十条第二項の債権者一覧表を第三項本文の債権者名簿とみなす。

⑥ 債務者は、免責許可の申立てをしたときは、第二百十八条第一項の申立て又は再生手続開始の申立てをすることができない。

⑦ 債務者は、次の各号に掲げる申立てをしたときは、第一項及び第二項の規定にかかわらず、当該各号に定める決定が確定した後でなければ、免責許可の申立てをすることができない。

一　第二百十八条第一項の申立て　当該申立ての棄却の決定

二　再生手続開始の申立て　当該申立ての棄却、再生手続廃止又は再生計画不認可の決定

（強制執行の禁止等）

第二四九条① 免責許可の申立てがあり、かつ、第二百十六条第一項の規定による破産手続廃止の決定、第二百十七条第一項の規定による破産手続廃止の決定の確定又は第二百二十条第一項の規定による破産手続終結の決定があったときは、当該申立てについての裁判が確定するまでの間は、破産者の財産に対する破産債権に基づく強制執行、仮差押え、仮処分若しくは外国租税滞納処分若しくは破産債権を被担保債権とする一般の先取特権の実行若しくは留置権（商法又は会社法の規定によるものを除く。）による競売（以下この条において「破産債権に基づく強制執行等」という。）、破産債権に基づく財産開示手続若しくは第三者からの情報取得手続の申立て又は破産者の財産に対する破産債権に基づく国税滞納処分（外国租税滞納処分を除く。）はすることができず、破産債権に基づく強制執行等の手続又は処分で破産者の財産に対して既にされているもの並びに破産者について既にされている破産債権に基づく財産開示手続及び第三者からの情報取得手続は中止する。

② 免責許可の決定が確定したときは、前項の規定により中止した破産債権に基づく強制執行等の手続又は処分並びに破産債権に基づく財産開示手続及び第三者からの情報取得手続は、その効力を失う。

③ 第一項の場合において、次の各号に掲げる破産債権については、それぞれ当該各号に定める決定が確定した日の翌日から二月を経過する日までの間は、時効は、完成しない。

一　第二百五十三条第一項各号に掲げる請求権　免責許可の申立てについての決定

二　前号に掲げる請求権以外の破産債権　免責許可の申立てを却下した決定又は免責不許可の決定

（免責についての調査及び報告）

第二五〇条① 裁判所は、破産管財人に、第二百五十二条第一項各号に掲げる事由の有無又は同条第二項の規定による免責許可の決定をするかどうかの判断に当たって考慮すべき事情についての調査をさせ、その結果を書面で報告させることができる。

> **＊令和五法五三（令和一〇・六・一三までに施行）による改正**
> 第一項中「書面で」を削る。（本文未織込み）

② 破産者は、前項に規定する事項について裁判所が行う調査又は同項の規定により破産管財人が行う調査に協力しなければならない。

（免責についての意見申述）

第二五一条① 裁判所は、免責許可の申立てがあったときは、破産手続開始の決定があった時以後、破産者につき免責許可の決定をすることの当否について、破産管財人及び破産債権者（第二百五十三条第一項各号に掲げる請求権を有する者を除く。次項、次条第三項及び第二百五十四条において同じ。）が裁判所に対し意見を述べることができる期間を定めなければならない。

> **＊令和五法五三（令和一〇・六・一三までに施行）による改正**
> 第一項中「次条第三項」を「次条第四項」に改める。（本文未織込み）

② 裁判所は、前項の期間を定める決定をしたときは、その期間を公告し、かつ、破産管財人及び知れている破産債権者にその期間を通知しなければならない。

③ 第一項の期間は、前項の規定による公告が効力を生じた日から起算して一月以上でなければならない。

（免責許可の決定の要件等）

第二五二条① 裁判所は、破産者について、次の各号に掲げる事由のいずれにも該当しない場合には、免責許可の決定をする。

一　債権者を害する目的で、破産財団に属し、又は属すべき財産の隠匿、損壊、債権者に不利益な処分その他の破産財団の価値を不当に減少させる行為をしたこと。

二　破産手続の開始を遅延させる目的で、著しく不利益な条件で債務を負担し、又は信用取引により商品を買い入れてこれを著しく不利益な条件で処分したこと。

三　特定の債権者に対する債務について、当該債権者に特別の利益を与える目的又は他の債権者を害する目的で、担保の供与又は債務の消滅に関する行為であって、債務者の義務に属せず、又はその方法若しくは時期が債務者の義務に属しないものをしたこと。

四　浪費又は賭博その他の射幸行為をしたことによって著しく

財産を減少させ、又は過大な債務を負担したこと。

五 破産手続開始の申立てがあった日の一年前の日から破産手続開始の決定があった日までの間に、破産手続開始の原因となる事実があることを知りながら、当該事実がないと信じさせるため、詐術を用いて信用取引により財産を取得したこと。

六 業務及び財産の状況に関する帳簿、書類その他の物件を隠滅し、偽造し、又は変造したこと。

七 虚偽の債権者名簿（第二百四十八条第五項の規定により債権者名簿とみなされる債権者一覧表を含む。次条第一項第六号において同じ。）を提出したこと。

八 破産手続において裁判所が行う調査において、説明を拒み、又は虚偽の説明をしたこと。

九 不正の手段により、破産管財人、保全管理人、破産管財人代理又は保全管理人代理の職務を妨害したこと。

十 次のイからハまでに掲げる事由のいずれかがある場合において、それぞれイからハまでに定める日から七年以内に免責許可の申立てがあったこと。

イ 免責許可の決定が確定したこと　当該免責許可の決定の確定の日

ロ 民事再生法（平成十一年法律第二百二十五号）第二百三十九条第一項に規定する給与所得者等再生における再生計画が遂行されたこと　当該再生計画認可の決定の確定の日

ハ 民事再生法第二百三十五条第一項（同法第二百四十四条において準用する場合を含む。）に規定する免責の決定が確定したこと　当該免責の決定に係る再生計画認可の決定の確定の日

十一 第四十条第一項第一号、第四十一条又は第二百五十条第二項に規定する義務その他この法律に定める義務に違反したこと。

② 前項の規定にかかわらず、同項各号に掲げる事由のいずれかに該当する場合であっても、裁判所は、破産手続開始の決定に至った経緯その他一切の事情を考慮して免責を許可することが相当であると認めるときは、免責許可の決定をすることができる。

③ 裁判所は、免責許可の決定をしたときは、直ちに、その裁判書を破産者及び破産管財人に、その決定の主文を記載した書面を破産債権者に、それぞれ送達しなければならない。この場合において、裁判書の送達については、第十条第三項本文の規定は、適用しない。

④ 裁判所は、免責不許可の決定をしたときは、直ちに、その裁判書を破産者に送達しなければならない。この場合においては、第十条第三項本文の規定は、適用しない。

⑤ 免責許可の申立てについての裁判に対しては、即時抗告をすることができる。

⑥ 前項の即時抗告についての裁判があった場合には、その裁判書を当事者に送達しなければならない。この場合においては、第十条第三項本文の規定は、適用しない。

⑦ 免責許可の決定は、確定しなければその効力を生じない。

＊令和五法五三（令和一〇・六・一三までに施行）による改正後

（免責許可の決定の要件等）

第二五二条①② （略）

③ 免責許可の決定があった場合には、裁判所書記官は、最高裁判所規則で定めるところにより、その主文を記録した電磁的記録を作成し、これをファイルに記録しなければならない。（改正により追加）

④ 裁判所は、免責許可の決定をしたときは、直ちに、その電子裁判書を破産者及び破産管財人に、前項の規定によりファイルに記録された電磁的記録を破産債権者に、それぞれ送達しなければならない。この場合において、電子裁判書の送達については、第十条第三項本文の規定は、適用しない。（改正前の③）

⑤ 裁判所は、免責不許可の決定をしたときは、直ちに、その電子裁判書を破産者に送達しなければならない。この場合においては、第十条第三項本文の規定は、適用しない。（改正前の④）

⑥ （略、改正前の⑤）

⑦ 前項の即時抗告についての裁判があった場合には、その電子裁判書を当事者に送達しなければならない。この場合においては、第十条第三項本文の規定は、適用しない。（改正前の⑥）

⑧ （略、改正前の⑦）

（免責許可の決定の効力等）

第二五三条① 免責許可の決定が確定したときは、破産者は、破産手続による配当を除き、破産債権について、その責任を免れる。ただし、次に掲げる請求権については、この限りでない。

一 租税等の請求権（共助対象外国租税の請求権を除く。）

二 破産者が悪意で加えた不法行為に基づく損害賠償請求権

三 破産者が故意又は重大な過失により加えた人の生命又は身体を害する不法行為に基づく損害賠償請求権（前号に掲げる請求権を除く。）

四 次に掲げる義務に係る請求権

イ 民法第七百五十二条の規定による夫婦間の協力及び扶助の義務

ロ 民法第七百六十条の規定による婚姻から生ずる費用の分担の義務

ハ 民法第七百六十六条及び第七百六十六条の三（これらの規定を同法第七百四十九条、第七百七十一条及び第七百八十八条において準用する場合を含む。）の規定による子の監護に関する義務

＊令和六法三三（令和八・五・二三までに施行）による改正

第四号ハ中「第七百六十六条（」は「第七百六十六条及び第七百六十六条の三（これらの規定を」に改められた。（本文織込み済み）

ニ 民法第八百七十七条から第八百八十条までの規定による扶養の義務

ホ イからニまでに掲げる義務に類する義務であって、契約に基づくもの

五 雇用関係に基づいて生じた使用人の請求権及び使用人の預り金の返還請求権

六 破産者が知りながら債権者名簿に記載しなかった請求権（当該破産者について破産手続開始の決定があったことを知っていた者の有する請求権を除く。）

七 罰金等の請求権

② 免責許可の決定は、破産債権者が破産者の保証人その他破産者と共に債務を負担する者に対して有する権利及び破産者以外の者が破産債権者のために供した担保に影響を及ぼさない。

③ 免責許可の決定が確定した場合において、破産債権者表があるときは、裁判所書記官は、これに免責許可の決定が確定した旨を記載しなければならない。

＊令和五法五三（令和一〇・六・一三までに施行）による改正

第三項中「破産債権者表」を「電子破産債権者表」に改め、「裁判所書記官は」の下に「、最高裁判所規則で定めるところにより」を加え、「記載しなければ」を「記録しなければ」に改める。（本文未織込み）

④ 第一項の規定にかかわらず、共助対象外国租税の請求権についての同項の規定による免責の効力は、租税条約等実施特例法第十一条第一項の規定による共助との関係においてのみ主張することができる。

（免責取消しの決定）

第二五四条① 第二百六十五条の罪について破産者に対する有罪の判決が確定したときは、裁判所は、破産債権者の申立てにより又は職権で、免責取消しの決定をすることができる。破産者の不正の方法によって免責許可の決定がされた場合において、破産債権者が当該免責許可の決定があった後一年以内に免責取

消しの申立てをしたときも、同様とする。

② 裁判所は、免責取消しの決定をしたときは、直ちに、その裁判書を破産者及び申立人に、その決定の主文を記載した書面を破産債権者に、それぞれ送達しなければならない。この場合において、裁判書の送達については、第十条第三項本文の規定は、適用しない。

③ 第一項の申立てについての裁判及び職権による免責取消しの決定に対しては、即時抗告をすることができる。

④ 前項の即時抗告についての裁判があった場合には、その裁判書を当事者に送達しなければならない。この場合においては、第十条第三項本文の規定は、適用しない。

⑤ 免責取消しの決定が確定したときは、免責許可の決定は、その効力を失う。

⑥ 免責取消しの決定が確定した場合において、免責許可の決定の確定後免責取消しの決定が確定するまでの間に生じた原因に基づいて破産者に対する債権を有するに至った者があるときは、その者は、新たな破産手続において、他の債権者に先立って自己の債権の弁済を受ける権利を有する。

⑦ 前条第三項の規定は、免責取消しの決定が確定した場合について準用する。

＊令和五法五三（令和一〇・六・一三までに施行）**による改正後**

（免責取消しの決定）

第二五四条① （略）

② 免責取消しの決定があった場合には、裁判所書記官は、最高裁判所規則で定めるところにより、その主文を記録した電磁的記録を作成し、これをファイルに記録しなければならない。（改正により追加）

③ 裁判所は、免責取消しの決定をしたときは、直ちに、その電子裁判書を破産者及び申立人に、前項の規定によりファイルに記録された電磁的記録を破産債権者に、それぞれ送達しなければならない。この場合において、電子裁判書の送達については、第十条第三項本文の規定は、適用しない。（改正前の②）

④（略、改正前の③）

⑤ 前項の即時抗告についての裁判があった場合には、その電子裁判書を当事者に送達しなければならない。この場合においては、第十条第三項本文の規定は、適用しない。（改正前の④）

⑥―⑧ （略、改正前の⑤―⑦）

第二節　復権

（復権）

第二五五条① 破産者は、次に掲げる事由のいずれかに該当する場合には、復権する。次条第一項の復権の決定が確定したときも、同様とする。

一 免責許可の決定が確定したとき。

二 第二百十八条第一項の規定による破産手続廃止の決定が確定したとき。

三 再生計画認可の決定が確定したとき。

四 破産者が、破産手続開始の決定後、第二百六十五条の罪について有罪の確定判決を受けることなく十年を経過したとき。

② 前項の規定による復権の効果は、人の資格に関する法令の定めるところによる。

③ 免責取消しの決定又は再生計画取消しの決定が確定したときは、第一項第一号又は第三号の規定による復権は、将来に向かってその効力を失う。

（復権の決定）

第二五六条① 破産者が弁済その他の方法により破産債権者に対する債務の全部についてその責任を免れたときは、破産裁判所は、破産者の申立てにより、復権の決定をしなければならない。

② 裁判所は、前項の申立てがあったときは、その旨を公告しなければならない。

③ 破産債権者は、前項の規定による公告が効力を生じた日から起算して三月以内に、裁判所に対し、第一項の申立てについて意見を述べることができる。

④ 裁判所は、第一項の申立てについての裁判をしたときは、その裁判書を破産者に、その主文を記載した書面を破産債権者に、それぞれ送達しなければならない。この場合において、裁判書の送達については、第十条第三項本文の規定は、適用しない。

⑤ 第一項の申立てについての裁判に対しては、即時抗告をすることができる。

⑥ 前項の即時抗告についての裁判があった場合には、その裁判書を当事者に送達しなければならない。この場合においては、第十条第三項本文の規定は、適用しない。

＊令和五法五三（令和一〇・六・一三までに施行）**による改正後**

（復権の決定）

第二五六条①―③ （略）

④ 第一項の申立てについての裁判があった場合には、裁判所書記官は、最高裁判所規則で定めるところにより、その主文を記録した電磁的記録を作成し、これをファイルに記録しなければならない。（改正により追加）

⑤ 裁判所は、第一項の申立てについての裁判をしたときは、その電子裁判書を破産者に、前項の規定によりファイルに記録された電磁的記録を破産債権者に、それぞれ送達しなければならない。この場合において、電子裁判書の送達については、第十条第三項本文の規定は、適用しない。（改正前の④）

⑥（略、改正前の⑤）

⑦ 前項の即時抗告についての裁判があった場合には、その電子裁判書を当事者に送達しなければならない。この場合においては、第十条第三項本文の規定は、適用しない。（改正前の⑥）

第十三章　雑則

（法人の破産手続に関する登記の嘱託等）

第二五七条① 法人である債務者について破産手続開始の決定があったときは、裁判所書記官は、職権で、遅滞なく、破産手続開始の登記を当該破産者の本店又は主たる事務所の所在地を管轄する登記所に嘱託しなければならない。ただし、破産者が外国法人であるときは、外国会社にあっては日本における各代表者（日本に住所を有するものに限る。）の住所地（日本に営業所を設けた外国会社にあっては、当該各営業所の所在地）、その他の外国法人にあっては各事務所の所在地を管轄する登記所に嘱託しなければならない。

② 前項の登記には、破産管財人の氏名又は名称及び住所、破産管財人がそれぞれ単独にその職務を行うことについて第七十六条第一項ただし書の許可があったときはその旨並びに破産管財人が職務を分掌することについて同項ただし書の許可があったときはその旨及び各破産管財人が分掌する職務の内容をも登記しなければならない。

③ 第一項の規定は、前項に規定する事項に変更が生じた場合について準用する。

④ 第一項の債務者について保全管理命令が発せられたときは、裁判所書記官は、職権で、遅滞なく、保全管理命令の登記を同項に規定する登記所に嘱託しなければならない。

⑤ 前項の登記には、保全管理人の氏名又は名称及び住所、保全管理人がそれぞれ単独にその職務を行うことについて第九十六条第一項において準用する第七十六条第一項ただし書の許可があったときはその旨並びに保全管理人が職務を分掌することについて第九十六条第一項において準用する第七十六条第一項ただし書の許可があったときはその旨及び各保全管理人が分掌する職務の内容をも登記しなければならない。

⑥ 第四項の規定は、同項に規定する裁判の変更若しくは取消しがあった場合又は前項に規定する事項に変更が生じた場合につ

いて準用する。

⑦第一項の規定は、同項の破産者につき、破産手続開始の決定の取消し若しくは破産手続廃止の決定が確定した場合又は破産手続終結の決定があった場合について準用する。

⑧前各項の規定は、限定責任信託に係る信託財産について破産手続開始の決定があった場合について準用する。この場合において、第一項中「当該破産者の本店又は主たる事務所の所在地」とあるのは、「当該限定責任信託の事務処理地（信託法第二百十六条第二項第四号に規定する事務処理地をいう。）」と読み替えるものとする。

（個人の破産手続に関する登記の嘱託等）

第二五八条① 個人である債務者について破産手続開始の決定があった場合において、次に掲げるときは、裁判所書記官は、職権で、遅滞なく、破産手続開始の登記を登記所に嘱託しなければならない。

一 当該破産者に関する登記があることを知ったとき。

二 破産財団に属する権利で登記がされたものがあることを知ったとき。

② 前項の規定は、当該破産者につき、破産手続開始の決定の取消し若しくは破産手続廃止の決定が確定した場合又は破産手続終結の決定があった場合について準用する。

③ 裁判所書記官は、第一項第二号の規定により破産手続開始の登記がされた権利について、第三十四条第四項の決定により破産財団に属しないこととされたときは、職権で、遅滞なく、その登記の抹消を嘱託しなければならない。破産管財人がその登記がされた権利を放棄し、その登記の抹消の嘱託の申立てをしたときも、同様とする。

④ 第一項第二号（第二項において準用する場合を含む。）及び前項後段の規定は、相続財産又は信託財産について破産手続開始の決定があった場合について準用する。

⑤ 第一項第二号の規定は、信託財産について保全管理命令があった場合又は当該保全管理命令の変更若しくは取消しがあった場合について準用する。

（保全処分に関する登記の嘱託）

第二五九条① 次に掲げる場合には、裁判所書記官は、職権で、遅滞なく、当該保全処分の登記を嘱託しなければならない。

一 債務者の財産に属する権利で登記されたものに関し第二十八条第一項（第三十三条第二項において準用する場合を含む。）の規定による保全処分があったとき。

二 登記のある権利に関し第百七十一条第一項（同条第七項において準用する場合を含む。）又は第百七十七条第一項若しくは第二項（同条第七項において準用する場合を含む。）の規定による保全処分があったとき。

② 前項の規定は、同項に規定する保全処分の変更若しくは取消しがあった場合又は当該保全処分が効力を失った場合について準用する。

（否認の登記）

第二六〇条① 登記の原因である行為が否認されたときは、破産管財人は、否認の登記を申請しなければならない。登記が否認されたときも、同様とする。

② 登記官は、前項の否認の登記に係る権利に関する登記をするときは、職権で、次に掲げる登記を抹消しなければならない。

一 当該否認の登記

二 否認された行為を登記原因とする登記又は否認された登記

三 前号の登記に後れる登記があるときは、当該登記

③ 前項に規定する場合において、否認された行為の後否認の登記がされるまでの間に、同項第二号に掲げる登記に係る権利を目的とする第三者の権利に関する登記（破産手続の関係において、その効力を主張することができるものに限る。）がされているときは、同項の規定にかかわらず、登記官は、職権で、当該否認の登記の抹消及び同号に掲げる登記に係る権利の破産者への移転の登記をしなければならない。

④ 裁判所書記官は、第一項の否認の登記がされている場合において、破産者について、破産手続開始の決定の取消し若しくは破産手続廃止の決定が確定したとき、又は破産手続終結の決定があったときは、職権で、遅滞なく、当該否認の登記の抹消を嘱託しなければならない。破産管財人が、第二項第二号に掲げる登記に係る権利を放棄し、否認の登記の抹消の嘱託の申立てをしたときも、同様とする。

（非課税）

第二六一条 第二百五十七条から前条までの規定による登記については、登録免許税を課さない。

（登録のある権利への準用）

第二六二条 第二百五十八条第一項第二号及び同条第二項において準用する同号（これらの規定を同条第四項において準用する場合を含む。）、同条第三項（同条第四項において同条第三項後段の規定を準用する場合を含む。）並びに前三条の規定は、登録のある権利について準用する。

（責任制限手続の廃止による破産手続の中止）

第二六三条 破産者のために開始した責任制限手続について責任制限手続廃止の決定があったときは、破産手続は、その決定が確定するまで中止する。

（責任制限手続の廃止の場合の措置）

第二六四条① 破産者のために開始した責任制限手続について責任制限手続廃止の決定が確定した場合には、裁判所は、制限債権者のために、債権の届出をすべき期間及び債権の調査をするための期間又は期日を定めなければならない。

② 裁判所は、前項の規定により定めた期間又は期日を公告しなければならない。

③ 知れている制限債権者には、第三十二条第一項第一号及び第二号並びに前項の規定により公告すべき事項を通知しなければならない。

④ 破産管財人、破産者及び届出をした破産債権者には、第二項の規定により公告すべき事項を通知しなければならない。ただし、第一項の規定により定めた債権の調査をするための期間又は期日（当該期間又は期日に変更があった場合にあっては、変更後の期間又は期日）が第三十一条第一項第三号の規定により定めた期間又は期日と同一であるときは、届出をした破産債権者に対しては、当該通知をすることを要しない。

⑤ 前三項の規定は第一項の規定により定めた債権の届出をすべき期間に変更を生じた場合について、第百十八条第三項から第五項までの規定は第一項の規定により定めた債権の調査をするための期間を変更する決定があった場合について、第百二十一条第九項から第十一項までの規定は第一項の規定により定めた債権の調査をするための期日を変更する決定があった場合又は当該期日における債権の調査の延期若しくは続行の決定があった場合について準用する。この場合において、第百十八条第三項及び第百二十一条第九項中「破産管財人」とあるのは「届出をした制限債権者（第二百六十四条第一項の規定により定められた債権の届出をすべき期間の経過前にあっては、知れている制限債権者）、破産管財人」と、同条第十項中「破産管財人」とあるのは「届出をした制限債権者、破産管財人」と読み替えるものとする。

⑥ 第三十一条第二項及び第三項の規定は、第一項に規定する期間及び期日について準用する。

第十四章　罰則

（詐欺破産罪）

第二六五条① 破産手続開始の前後を問わず、債権者を害する目的で、次の各号のいずれかに該当する行為をした者は、債務者（相続財産の破産にあっては相続財産、信託財産の破産にあっては信託財産。次項において同じ。）について破産手続開始の決定が確定したときは、十年以下の拘禁刑若しくは千万円以下の罰金に処し、又はこれを併科する。情を知って、第四号に掲げる行為の相手方となった者も、破産手続開始の決定が確定したときは、同様とする。

一　債務者の財産（相続財産の破産にあっては相続財産に属する財産、信託財産の破産にあっては信託財産に属する財産。以下この条において同じ。）を隠匿し、又は損壊する行為
二　債務者の財産の譲渡又は債務の負担を仮装する行為
三　債務者の財産の現状を改変して、その価格を減損する行為
四　債務者の財産を債権者の不利益に処分し、又は債権者に不利益な債務を債務者が負担する行為

②　前項に規定するもののほか、債務者について破産手続開始の決定がされ、又は保全管理命令が発せられたことを認識しながら、債権者を害する目的で、破産管財人の承諾その他の正当な理由がなく、その債務者の財産を取得し、又は第三者に取得させた者も、同項と同様とする。

（特定の債権者に対する担保の供与等の罪）

第二六六条　債務者（相続財産の破産にあっては相続人、相続財産の管理人、相続財産の清算人又は遺言執行者を、信託財産の破産にあっては受託者等を含む。以下この条において同じ。）が、破産手続開始の前後を問わず、特定の債権者に対する債務について、他の債権者を害する目的で、担保の供与又は債務の消滅に関する行為であって債務者の義務に属せず又はその方法若しくは時期が債務者の義務に属しないものをし、破産手続開始の決定が確定したときは、五年以下の拘禁刑若しくは五百万円以下の罰金に処し、又はこれを併科する。

（破産管財人等の特別背任罪）

第二六七条①　破産管財人、保全管理人、破産管財人代理又は保全管理人代理が、自己若しくは第三者の利益を図り又は債権者に損害を加える目的で、その任務に背く行為をし、債権者に財産上の損害を加えたときは、十年以下の拘禁刑若しくは千万円以下の罰金に処し、又はこれを併科する。

②　破産管財人又は保全管理人が法人であるときは、前項の規定は、破産管財人又は保全管理人の職務を行う役員又は職員に適用する。

（説明及び検査の拒絶等の罪）

第二六八条①　第四十条第一項（同条第二項において準用する場合を含む。）、第二百三十条第一項（同条第二項において準用する場合を含む。）又は第二百四十四条の六第一項（同条第二項において準用する場合を含む。）の規定に違反して、説明を拒み、又は虚偽の説明をした者は、三年以下の拘禁刑若しくは三百万円以下の罰金に処し、又はこれを併科する。第九十六条第一項において準用する第四十条第一項（同条第二項において準用する場合を含む。）の規定に違反して、説明を拒み、又は虚偽の説明をした者も、同様とする。

②　第四十条第一項第二号から第五号までに掲げる者若しくは当該各号に掲げる者であった者、第二百三十条第一項各号に掲げる者（相続人を除く。）若しくは同項第二号若しくは第三号に掲げる者であった者又は第二百四十四条の六第一項各号に掲げる者若しくは同項各号に掲げる者であった者（以下この項において「説明義務者」という。）の代表者、代理人、使用人その他の従業者（以下この項及び第四項において「代表者等」という。）が、その説明義務者の業務に関し、第四十条第一項（同条第二項において準用する場合を含む。）、第二百三十条第一項（同条第二項において準用する場合を含む。）又は第二百四十四条の六第一項（同条第二項において準用する場合を含む。）の規定に違反して、説明を拒み、又は虚偽の説明をしたときも、前項前段と同様とする。説明義務者の代表者等が、その説明義務者の業務に関し、第九十六条第一項において準用する第四十条第一項（同条第二項において準用する場合を含む。）の規定に違反して、説明を拒み、又は虚偽の説明をしたときも、同様とする。

③　破産者が第八十三条第一項（第九十六条第一項において準用する場合を含む。）の規定による検査を拒んだとき、相続財産について破産手続開始の決定があった場合において第二百三十条第一項第二号若しくは第三号に掲げる者が第八十三条第一項の規定による検査を拒んだとき又は信託財産について破産手続開始の決定があった場合において受託者等が同項（第九十六条第一項において準用する場合を含む。）の規定による検査を拒んだときも、第一項前段と同様とする。

④　第八十三条第二項に規定する破産者の子会社等（同条第三項において破産者の子会社等とみなされるものを含む。以下この項において同じ。）の代表者等が、その破産者の子会社等の業務に関し、同条第二項（第九十六条第一項において準用する場合を含む。以下この項において同じ。）の規定による説明を拒み、若しくは虚偽の説明をし、又は第八十三条第二項の規定による検査を拒んだときも、第一項前段と同様とする。

（重要財産開示拒絶等の罪）

第二六九条　破産者（信託財産の破産にあっては、受託者等）が、第四十一条（第二百四十四条の六第四項において準用する場合を含む。）の規定による書面の提出を拒み、又は虚偽の書面を裁判所に提出したときは、三年以下の拘禁刑若しくは三百万円以下の罰金に処し、又はこれを併科する。

（業務及び財産の状況に関する物件の隠滅等の罪）

第二七〇条　破産手続開始の前後を問わず、債権者を害する目的で、債務者の業務及び財産（相続財産の破産にあっては相続財産に属する財産、信託財産の破産にあっては信託財産に属する財産）の状況に関する帳簿、書類その他の物件を隠滅し、偽造し、又は変造した者は、債務者（相続財産の破産にあっては相続財産、信託財産の破産にあっては信託財産）について破産手続開始の決定が確定したときは、三年以下の拘禁刑若しくは三百万円以下の罰金に処し、又はこれを併科する。第百五十五条第二項の規定により閉鎖された破産財団に関する帳簿を隠滅し、偽造し、又は変造した者も、同様とする。

（審尋における説明拒絶等の罪）

第二七一条　債務者が、破産手続開始の申立て（債務者以外の者がしたものを除く。）又は免責許可の申立てについての審尋において、裁判所が説明を求めた事項について説明を拒み、又は虚偽の説明をしたときは、三年以下の拘禁刑若しくは三百万円以下の罰金に処し、又はこれを併科する。

（破産管財人等に対する職務妨害の罪）

第二七二条　偽計又は威力を用いて、破産管財人、保全管理人、破産管財人代理又は保全管理人代理の職務を妨害した者は、三年以下の拘禁刑若しくは三百万円以下の罰金に処し、又はこれを併科する。

（収賄罪）

第二七三条①　破産管財人、保全管理人、破産管財人代理又は保全管理人代理（次項において「破産管財人等」という。）が、その職務に関し、賄賂を収受し、又はその要求若しくは約束をしたときは、三年以下の拘禁刑若しくは三百万円以下の罰金に処し、又はこれを併科する。

②　前項の場合において、その破産管財人等が不正の請託を受けたときは、五年以下の拘禁刑若しくは五百万円以下の罰金に処し、又はこれを併科する。

③　破産管財人又は保全管理人が法人である場合において、破産管財人又は保全管理人の職務を行うその役員又は職員が、その破産管財人又は保全管理人の職務に関し、賄賂を収受し、又はその要求若しくは約束をしたときは、三年以下の拘禁刑若しくは三百万円以下の罰金に処し、又はこれを併科する。破産管財人又は保全管理人が法人である場合において、その役員又は職員が、その破産管財人又は保全管理人に賄賂を収受させ、又はその供与の要求若しくは約束をしたときも、同様とする。

④　前項の場合において、その役員又は職員が不正の請託を受けたときは、五年以下の拘禁刑若しくは五百万円以下の罰金に処し、又はこれを併科する。

⑤　破産債権者若しくは代理委員又はこれらの者の代理人、役員若しくは職員が、債権者集会の期日における議決権の行使又は第百三十九条第二項第二号に規定する書面等投票による議決権の行使に関し、不正の請託を受けて、賄賂を収受し、又はその

要求若しくは約束をしたときは、五年以下の拘禁刑若しくは五百万円以下の罰金に処し、又はこれを併科する。

⑥ 前各項の場合において、犯人又は法人である破産管財人若しくは保全管理人が収受した賄賂は、没収する。その全部又は一部を没収することができないときは、その価額を追徴する。

（贈賄罪）

第二七四条① 前条第一項又は第三項に規定する賄賂を供与し、又はその申込み若しくは約束をした者は、三年以下の拘禁刑若しくは三百万円以下の罰金に処し、又はこれを併科する。

② 前条第二項、第四項又は第五項に規定する賄賂を供与し、又はその申込み若しくは約束をした者は、五年以下の拘禁刑若しくは五百万円以下の罰金に処し、又はこれを併科する。

（破産者等に対する面会強請等の罪）

第二七五条 破産者（個人である破産者に限り、相続財産の破産にあっては、相続人。以下この条において同じ。）又はその親族その他の者に破産債権（免責手続の終了後にあっては、免責されたものに限る。以下この条において同じ。）を弁済させ、又は破産債権につき破産者の親族その他の者に保証をさせる目的で、破産者又はその親族その他の者に対し、面会を強請し、又は強談威迫の行為をした者は、三年以下の拘禁刑若しくは三百万円以下の罰金に処し、又はこれを併科する。

（国外犯）

第二七六条① 第二百六十五条、第二百六十六条、第二百七十条、第二百七十二条及び第二百七十四条の罪は、刑法（明治四十年法律第四十五号）第二条の例に従う。

② 第二百六十七条及び第二百七十三条（第五項を除く。）の罪は、刑法第四条の例に従う。

③ 第二百七十三条第五項の罪は、日本国外において同項の罪を犯した者にも適用する。

（両罰規定）

第二七七条 法人の代表者又は法人若しくは人の代理人、使用人その他の従業者が、その法人又は人の業務又は財産に関し、第二百六十五条、第二百六十六条、第二百六十八条（第一項を除く。）、第二百六十九条から第二百七十二条まで、第二百七十四条又は第二百七十五条の違反行為をしたときは、行為者を罰するほか、その法人又は人に対しても、各本条の罰金刑を科する。

附 則（抄）

（施行期日）

第一条 この法律は、公布の日から起算して一年を超えない範囲内において政令で定める日（平成一七・一・一―平成一六政三一七）から施行する。

（旧法の廃止）

第二条 破産法（大正十一年法律第七十一号）は、廃止する。

別表（略）

＊令和四法四八（令和八・五・二四までに施行）**により別表追加**
＊令和五法五三（令和一〇・六・一三までに施行）**により別表削る**（未織込み）

附 則（令和四・五・二五法四八）（抄）

（施行期日）

第一条 この法律は、公布の日から起算して四年を超えない範囲内において政令で定める日から施行する。ただし、次の各号に掲げる規定は、当該各号に定める日から施行する。

一 （前略）附則第百二十五条の規定 公布の日

二・三 （略）

四 （前略）附則（中略）第百三条（破産法の一部改正）の規定（中略） 公布の日から起算して二年を超えない範囲内において政令で定める日（令和六・三・一―令和五政三五六）

五 （略）

（政令への委任）

第一二五条 （前略）この法律の施行に関し必要な経過措置は、政令で定める。

刑法等の一部を改正する法律の施行に伴う関係法律整理法中経過規定 （令和四・六・一七法六八）（抄）

第四四一条から第四四三条まで （刑法の同経過規定参照）

第五〇九条 （刑法の同経過規定参照）

刑法等の一部を改正する法律の施行に伴う関係法律整理法

附 則（令和四・六・一七法六八）（抄）

（施行期日）

① この法律は、刑法等一部改正法（刑法等の一部を改正する法律（令和四法六七））施行日（令和七・六・一）から施行する。ただし、次の各号に掲げる規定は、当該各号に定める日から施行する。

一 第五百九条の規定 公布の日

二 （略）

民事関係手続等における情報通信技術の活用等の推進を図るための関係法律の整備に関する法律中経過規定 （令和五・六・一四法五三）（抄）

（手続費用額の確定手続に関する経過措置）

第二五〇条 前条の規定による改正後の破産法（以下この節において「改正後破産法」という。）第十三条において準用する民事訴訟法（以下この節において「準用民事訴訟法」という。）第七十一条第二項の規定は、施行日以後に開始される破産手続等（改正後破産法第三条に規定する破産手続等をいう。以下この条において同じ。）に係る事件（以下この節において「改正後破産事件」という。）における破産手続等の費用の負担の額を定める申立てについて、適用する。

（期日の呼出しに関する経過措置）

第二五一条 準用民事訴訟法第九十四条の規定は、改正後破産事件における期日の呼出しについて適用し、施行日前に開始された破産事件（以下この節において「改正前破産事件」という。）における期日の呼出しについては、なお従前の例による。

（送達報告書に関する経過措置）

第二五二条 準用民事訴訟法第百条第二項の規定は、改正後破産事件における送達報告書の提出について、適用する。

（公示送達の方法に関する経過措置）

第二五三条 準用民事訴訟法第百十一条から第百十三条までの規定は、改正後破産事件における公示送達について適用し、改正前破産事件における公示送達については、なお従前の例による。

（電子情報処理組織による申立て等に関する経過措置）

第二五四条 準用民事訴訟法第一編第七章の規定は、改正後破産事件における申立て等について適用し、改正前破産事件における第二百四十九条の規定による改正前の破産法第八条の四第一項に規定する申立て等については、同条の規定は、施行日以後も、なおその効力を有する。

（釈明処分による電磁的記録の提出に関する経過措置）

第二五五条 準用民事訴訟法第百五十一条第二項の規定は、改正後破産事件における釈明処分による電磁的記録の提出について適用し、改正前破産事件における釈明処分による電磁的記録の提出については、なお従前の例による。

（口頭弁論調書に関する経過措置）

第二五六条① 準用民事訴訟法第百六十条の規定は、改正後破産事件における口頭弁論調書の作成、記録及び口頭弁論の方式に関する規定の遵守に係る証明について適用し、改正前破産事件における口頭弁論調書の作成、記載及び口頭弁論の方式に関する規定の遵守に係る証明については、なお従前の例による。

② 準用民事訴訟法第百六十条の二の規定は、改正後破産事件における口頭弁論調書の更正について適用し、改正前破産事件における口頭弁論調書の更正については、なお従前の例による。

（尋問に代わる書面の提出等に関する経過措置）

第二五七条 準用民事訴訟法第二百五条第二項及び第二百十五条

第二項（準用民事訴訟法第二百十八条第一項において準用する場合を含む。）の規定は、改正後破産事件における証人の尋問に代わる書面の提出又は鑑定人の書面による意見の陳述に代わる意見の陳述の方式若しくは鑑定の嘱託を受けた者による鑑定書の提出について、適用する。

（**電磁的記録に記録された情報の内容に係る証拠調べに関する経過措置**）

第二五八条　準用民事訴訟法第二百三十一条の二第二項及び第二百三十一条の三第二項の規定は、改正後破産事件における電磁的記録に記録された情報の内容に係る証拠調べについて適用し、改正前破産事件における電磁的記録に記録された情報の内容に係る証拠調べについては、なお従前の例による。

（**電子裁判書の作成に関する経過措置**）

第二五九条　準用民事訴訟法第百二十二条において準用する準用民事訴訟法第二百五十二条及び第二百五十三条の規定は、改正後破産事件における電子裁判書の作成について適用し、改正前破産事件における裁判書の作成については、なお従前の例による。

（**申立ての取下げが口頭でされた場合における期日の電子調書の記録に関する経過措置**）

第二六〇条　準用民事訴訟法第二百六十一条第四項の規定は、改正後破産事件における申立ての取下げが口頭でされた場合における期日の電子調書の記録について適用し、改正前破産事件における申立ての取下げが口頭でされた場合における期日の調書の記載については、なお従前の例による。

（**事件に関する事項の証明に関する経過措置**）

第二六一条　改正後破産法第十一条の三の規定は、改正後破産事件に関する事項の証明について適用し、改正前破産事件に関する事項の証明については、なお従前の例による。

（**電子裁判書の送達に関する経過措置**）

第二六二条　改正後破産法第二十四条第六項、第二十六条、第二十七条第六項及び第二十八条第五項の規定（これらの規定を改正後破産法第三十三条第二項において準用する場合を含む。）、改正後破産法第三十四条第七項、第九十二条第二項及び第百十八条第三項（改正後破産法第百十九条第六項（改正後破産法第百二十二条第二項において準用する場合を含む。）及び第二百六十四条第五項において準用する場合を含む。）の規定、改正後破産法第百二十一条第九項及び第十項の規定（これらの規定を改正後破産法第二百六十四条第五項において準用する場合を含む。）、改正後破産法第百七十一条第六項及び第百七十四条第四項、第百二十五条第五項、第百五十六条第四項、第百七十一条第六項及び第百七十四条第四項の規定、改正後破産法第百七十七条第六項及び第百七十九条第三項の規定（これらの規定を改正後破産法第二百四十四条の十一第三項において準用する場合を含む。）並びに改正後破産法第百八十五条第四項の規定は、改正後破産事件における電子裁判書の送達について適用し、改正前破産事件における裁判書の送達については、なお従前の例による。

（**電子破産債権者表の作成等に関する経過措置**）

第二六三条①　改正後破産法第百十五条、第百二十四条第二項（改正後破産法第百三十四条第五項において準用する場合を含む。）及び第三項、第百三十条（改正後破産法第百三十四条第五項において準用する場合を含む。）、第二百二十一条第一項並びに第二百五十三条第三項の規定は、改正後破産事件における電子破産債権者表の作成、記録及び更正の処分について適用し、改正前破産事件における破産債権者表の作成、記載及び更正の処分については、なお従前の例による。

②　前項の規定によりなお従前の例によることとされる破産債権者表の更正の処分は、最高裁判所規則で定めるところにより、その旨の書面を作成してしなければならない。

③　民事訴訟法第七十一条第四項、第五項及び第八項の規定は、第一項の規定によりなお従前の例によることとされる破産債権者表の更正の処分について準用する。

④　改正後破産法第百二十八条（改正後破産法第百二十九条第三項及び第百三十四条第五項において準用する場合を含む。）の規定は、改正後破産事件における破産債権に関する査定の手続又は訴訟手続における主張の制限について適用し、改正前破産事件における破産債権に関する査定の手続又は訴訟手続における主張の制限については、なお従前の例による。

（**担保権消滅の許可の申立て等に関する経過措置**）

第二六四条　改正後破産法第百八十六条第四項及び第五項、第百八十七条第一項、第五項及び第六項並びに第百八十九条第一項、第二項及び第五項の規定は、改正後破産事件における担保権消滅の許可の申立て及びこれに対する裁判並びに担保権の実行の申立てについて適用し、改正前破産事件における担保権消滅の許可の申立て及びこれに対する裁判並びに担保権の実行の申立てについては、なお従前の例による。

（**配当等の実施に関する経過措置**）

第二六五条①　第三号施行日（附則第三号に掲げる規定の施行の日）から施行日の前日までの間における改正後破産法第百九十一条第三項の規定の適用については、同項中「から第八十六条まで」とあるのは、「、第八十六条」とする。

②　改正後破産法第百九十一条第一項から第三項まで及び第四項（民事執行法第八十六条を準用する部分を除く。）並びに第百九十三条第三項の規定は、改正後破産事件における配当並びに弁済金及び剰余金の交付について適用し、改正前破産事件における配当並びに弁済金及び剰余金の交付については、なお従前の例による。

（**配当表の更正に関する経過措置**）

第二六六条　改正後破産法第百九十九条第一項（改正後破産法第二百五条及び第二百九条第三項において準用する場合を含む。）の規定は、改正後破産事件における配当表の更正について適用し、改正前破産事件における配当表の更正については、なお従前の例による。

（**配当表に対する異議の申立てについての裁判に関する経過措置**）

第二六七条　改正後破産法第二百条第三項及び第四項（これらの規定を改正後破産法第二百九条第三項において準用する場合を含む。）の規定は、改正後破産事件における配当表に対する異議の申立てについての裁判について適用し、改正前破産事件における配当表に対する異議の申立てについての裁判については、なお従前の例による。

（**破産手続開始の決定後の破産手続廃止の決定に関する経過措置**）

第二六八条　改正後破産法第二百十七条第二項、第四項及び第五項の規定は、改正後破産事件における破産手続開始の決定後の破産手続廃止の決定又はその申立てを棄却する決定について適用し、改正前破産事件における破産手続開始の決定後の破産手続廃止の決定又はその申立てを棄却する決定については、なお従前の例による。

（**免責についての報告に関する経過措置**）

第二六九条　改正後破産法第二百五十条第一項の規定は、改正後破産事件における免責についての破産管財人の報告について適用し、改正前破産事件における免責についての破産管財人の報告については、なお従前の例による。

（**免責許可の決定等に関する経過措置**）

第二七〇条　改正後破産法第二百五十二条第三項から第五項まで及び第七項の規定は、改正後破産事件における免責許可の決定、免責不許可の決定及び免責許可の申立てについての裁判に対する即時抗告についての裁判について適用し、改正前破産事件における免責許可の決定、免責不許可の決定及び免責許可の申立てについての裁判に対する即時抗告についての裁判については、なお従前の例による。

（**免責取消しの決定等に関する経過措置**）

第二七一条　改正後破産法第二百五十四条第二項、第三項及び第五項の規定は、改正後破産事件における免責取消しの決定並びに免責取消しの申立てについての裁判及び職権による免責取消しの決定に対する即時抗告についての裁判について適用し、改正前破産事件における免責取消しの決定並びに免責取消しの申立てについての裁判及び職権による免責取消しの決定に対する即時抗告についての裁判については、なお従前の例による。

（復権の決定の申立てについての裁判等に関する経過措置）

第二七二条 改正後破産法第二百五十六条第四項、第五項及び第七項の規定は、改正後破産事件における復権の決定の申立てについての裁判及びこれに対する即時抗告についての裁判について適用し、改正前破産事件における復権の決定の申立てについての裁判及びこれに対する即時抗告についての裁判については、なお従前の例による。

第三八七条から第三八九条まで （民事執行法の同経過規定参照）

民事関係手続等における情報通信技術の活用等の推進を図るための関係法律の整備に関する法律

附　則（令和五・六・一四法五三）

この法律は、公布の日から起算して五年を超えない範囲内において政令で定める日から施行する。ただし、次の各号に掲げる規定は、当該各号に定める日から施行する。

一　第三十二章（民事訴訟法等の一部を改正する法律（令和四法四八）の一部改正）の規定及び第三百八十八条の規定　公布の日

二　（前略）第三百八十七条の規定　公布の日から起算して二年六月を超えない範囲内において政令で定める日

三　（前略）第二百四十九条中破産法第百二十一条の次に一条を加える改正規定、同法第百二十二条第二項の改正規定、同法第百三十六条の次に一条を加える改正規定及び同法第百九十一条第三項の改正規定（「第八十五条」の下に「から第八十六条まで」を加える部分に限る。）、第二百六十五条第一項の規定（中略）　民事訴訟法等の一部を改正する法律の施行の日

附　則（令和六・五・二四法三三）（抄）

（施行期日）

第一条 この法律は、公布の日から起算して二年を超えない範囲内において政令で定める日から施行する。ただし、附則第十六条（中略）の規定は、公布の日から施行する。

（政令への委任）

第一六条 （前略）この法律の施行に関し必要な経過措置は、政令で定める。

附　則（令和六・五・二四法三八）（抄）

（施行期日）

第一条 この法律は、公布の日から起算して二年を超えない範囲内において政令で定める日から施行する。ただし、次の各号に掲げる規定は、当該各号に定める日から施行する。

一　附則第二十二条の規定　公布の日

二　（略）

三　（前略）附則（中略）第十九条（破産法の一部改正）から第二十一条までの規定　公布の日から起算して六月を超えない範囲内において政令で定める日

（破産法の一部改正に伴う経過措置）

第二〇条 附則第一条第三号に掲げる規定の施行の日から施行日の前日までの間における前条の規定による改正後の破産法第七十八条第二項第二号の規定の適用については、同号中「貯留権、試掘権」とあるのは、「試掘権」とする。

（政令への委任）

第二二条 この附則に規定するもののほか、この法律の施行に関し必要な経過措置（中略）は、政令で定める。

○破産規則（抄）

（平成一六・一〇・六 最高裁規一四）

施行平成一七・一・一（附則参照）
最終改正 令和四最高裁規一七

目次

第一章 総則（抄）

（**申立て等の方式**）

第一条① 破産手続等（破産法（平成十六年法律第七十五号。以下「法」という。）第三条に規定する破産手続等をいう。以下同じ。）に関する申立て、届出、申出及び裁判所に対する報告は、特別の定めがある場合を除き、書面でしなければならない。

② 前項の規定にかかわらず、特別の定めがある場合を除き、破産管財人（法第二条第十二項に規定する破産管財人をいう。以下同じ。）が期日においてする前項の申立ては、口頭ですることができる。ただし、次に掲げる申立てについては、この限りでない。

一 法第百五十六条第一項の規定による破産財団に属する財産の引渡命令の申立て

二 法第百七十三条第一項に規定する否認の請求

三 法第百七十七条第一項の規定による役員の財産に対する保全処分の申立て

四 法第百七十八条第一項の規定による役員責任査定決定の申立て

五 法第二百四十四条の十一第三項において準用する法第百七十七条第一項の規定による受託者等又は会計監査人の財産に対する保全処分の申立て

六 法第二百四十四条の十一第三項において準用する法第百七十八条第一項の規定による受託者等又は会計監査人の責任に基づく損失のてん補又は原状の回復の請求権の査定の裁判の申立て

③ 第一項の規定にかかわらず、裁判所は、破産手続等の円滑な進行を図るために必要があると認めるときは、特別の定めがある場合を除き、口頭で同項の報告をすることを許可することができる。

（**申立書の記載事項等**）

第二条① 破産手続等に関する申立書（破産手続開始の申立書（法第二十一条第一項に規定する破産手続開始の申立書をいう。以下同じ。）を除く。）には、次に掲げる事項を記載しなければならない。

一 当事者の氏名又は名称及び住所並びに法定代理人の氏名及び住所

二 申立ての趣旨

② 前項の申立書には、同項各号に掲げる事項を記載するほか、次に掲げる事項を記載するものとする。

一 申立てを理由づける具体的な事実

二 立証を要する事由ごとの証拠

三 申立人又は代理人の郵便番号及び電話番号（ファクシミリの番号を含む。）

③ 第一項の申立書には、立証を要する事由についての証拠書類の写しを添付するものとする。

④ 法第百二十五条第一項に規定する破産債権査定申立て、法第百七十三条第一項に規定する否認の請求、法第百七十八条第一項の規定による役員責任査定決定の申立て又は法第二百四十四条の十一第三項において準用する法第百七十八条第一項の規定による受託者等若しくは会計監査人の責任に基づく損失のてん補若しくは原状の回復の請求権の査定の裁判の申立てをする者は、当該申立てをする際、申立書及び証拠書類の写しを相手方に送付しなければならない。

⑤ 裁判所（破産裁判所（法第二条第三項に規定する破産裁判所をいう。以下同じ。）を含む。）は、必要があると認めるときは、破産手続開始の申立てその他の破産手続等に関する申立てをした者に対し、破産財団（法第二条第十四項に規定する破産財団をいう。以下同じ。）に属する財産（破産手続開始前にあっては、債務者の財産）に関する権利で登記又は登録がされたものについての登記事項証明書又は登録原簿に記載されている事項を証明した書面を提出させることができる。

（**電磁的方法による情報の提供等**）

第三条 （略）

（**調書**）

第四条 破産手続等における調書（口頭弁論の調書を除く。）は、特別の定めがある場合を除き、作成することを要しない。ただし、裁判長が作成を命じたときは、この限りでない。

（**即時抗告に係る事件記録の送付・法第九条**）

第五条 （略）

（**公告事務の取扱者・法第十条**）

第六条 （略）

（**破産管財人による通知事務等の取扱い**）

第七条 裁判所は、破産手続（法第二条第一項に規定する破産手続をいう。以下同じ。）の円滑な進行を図るために必要があるときは、破産管財人の同意を得て、破産管財人に書面の送付その他通知に関する事務を取り扱わせることができる。

第八条（通知等を受けるべき場所の届出）（略）

第九条（官庁等への通知）（略）

第一〇条（事件に関する文書の閲覧等・法第十一条）（略）

第一一条（支障部分の閲覧等の制限の申立ての方式等・法第十二条）（略）

第一二条（民事訴訟規則の準用・法第十三条）（略）

第二章　破産手続の開始（抄）

第一節　破産手続開始の申立て（抄）

第一三条（破産手続開始の申立書の記載事項・法第二十条）① 法第二十条第一項の最高裁判所規則で定める事項は、次に掲げるものとする。

一　申立人の氏名又は名称及び住所並びに法定代理人の氏名及び住所

二　債務者の氏名又は名称及び住所並びに法定代理人の氏名及び住所

三　申立ての趣旨

四　破産手続開始の原因となる事実

② 破産手続開始の申立書には、前項各号に掲げる事項を記載するほか、次に掲げる事項を記載するものとする。

一　債務者の収入及び支出の状況並びに資産及び負債（債権者の数を含む。）の状況

二　破産手続開始の原因となる事実が生ずるに至った事情

三　債務者の財産に関してされている他の手続又は処分で申立人に知れているもの

四　債務者について現に係属する破産事件（法第二条第二項に規定する破産事件をいう。以下同じ。）、再生事件又は更生事件（会社更生法（平成十四年法律第百五十四号）第二条第三項に規定する更生事件又は金融機関等の更生手続の特例等に関する法律（平成八年法律第九十五号）第四条第三項若しくは第百六十九条第三項に規定する更生事件をいう。）があるときは、当該事件が係属する裁判所及び当該事件の表示

五　法第五条第三項から第七項までに規定する破産事件等があるときは、当該破産事件等が係属する裁判所、当該破産事件等の表示及び当該破産事件等における破産者（法第二条第四項に規定する破産者をいう。以下同じ。）若しくは債務者、再生債務者又は更生会社若しくは開始前会社（金融機関等の更生手続の特例等に関する法律第四条第三項に規定する更生事件にあっては、当該更生事件における更生協同組織金融機関又は開始前協同組織金融機関）の氏名又は名称

六　債務者について外国倒産処理手続（法第二百四十五条第一項に規定する外国倒産処理手続をいう。以下同じ。）があるときは、当該外国倒産処理手続の概要

七　債務者について次のイ又はロに掲げる者があるときは、それぞれ当該イ又はロに定める事項

イ　債務者の使用人その他の従業者の過半数で組織する労働組合　当該労働組合の名称、主たる事務所の所在地、組合員の数及び代表者の氏名

ロ　債務者の使用人その他の従業者の過半数を代表する者　当該者の氏名及び住所

八　債務者について第九条第一項の規定による通知をすべき機関があるときは、その機関の名称及び所在地

九　申立人又は代理人の郵便番号及び電話番号（ファクシミリの番号を含む。）

第一四条（破産手続開始の申立書の添付書類等・法第二十条）① 法第二十条第二項の最高裁判所規則で定める事項は、次に掲げる債権を有する者の氏名又は名称及び住所並びにその有する債権及び担保権の内容とする。

一　破産手続開始の決定がされたとすれば破産債権（法第二条第五項に規定する破産債権をいう。以下同じ。）となるべき債権であって、次号及び第三号に掲げる請求権に該当しないもの

二　租税等の請求権（法第九十七条第四号に規定する租税等の請求権をいう。）

三　債務者の使用人の給料の請求権及び退職手当の請求権

四　民事再生法（平成十一年法律第二百二十五号）第二百五十二条第六項、会社更生法第二百五十四条第六項又は金融機関等の更生手続の特例等に関する法律第百五十八条の十第六項若しくは第三百三十一条の十第六項に規定する共益債権

② 債権者が破産手続開始の申立てをするときは、前項に規定する事項を記載した債権者一覧表を裁判所に提出するものとする。ただし、当該債権者においてこれを作成することが著しく困難である場合は、この限りでない。

③ 破産手続開始の申立書には、次に掲げる書類を添付するものとする。

一　債務者が個人であるときは、その住民票の写しであって、本籍（本籍のない者及び本籍の明らかでない者については、その旨）の記載が省略されていないもの

二　債務者が法人であるときは、その登記事項証明書

三　限定責任信託に係る信託財産について破産手続開始の申立てをするときは、限定責任信託の登記に係る登記事項証明書

四　破産手続開始の申立ての日の直近において法令の規定に基づき作成された債務者の貸借対照表及び損益計算書

五　債務者が個人であるときは、次のイ及びロに掲げる書面

イ　破産手続開始の申立ての日前一月間の債務者の収入及び支出を記載した書面

ロ　所得税法（昭和四十年法律第三十三号）第二条第一項第三十七号に規定する確定申告書の写し、同法第二百二十六条の規定により交付される源泉徴収票の写しその他の債務者の収入の額を明らかにする書面

六　債務者の財産目録

第一五条（破産手続開始の申立人に対する資料の提出の求め）裁判所は、破産手続開始の申立てをした者又はしようとする者に対し、破産手続開始の申立書及び法又はこの規則の規定により当該申立書に添付し又は提出すべき書類のほか、破産手続開始の決定がされたとすれば破産債権となるべき債権及び破産財団に属すべき財産の状況に関する資料その他破産手続の円滑な進行を図るために必要な資料の提出を求めることができる。

第一六条（破産手続開始の申立書の補正処分の方式・法第二十一条）（略）

第一七条（裁判所書記官の事実調査）裁判所は、相当と認めるときは、破産手続開始の原因となる事実又は法第三十条第一項各号に掲げる事由に係る事実の調査を裁判所書記官に命じて行わせることができる。

第一八条（費用の予納・法第二十二条）① 法第二十二条第一項の金額は、破産財団となるべき財産及び債務者の負債（債権者の数を含む。）の状況その他の事情を考慮して定める。

② 破産手続開始の決定があるまでの間において、予納した費用が不足するときは、裁判所は、申立人に、更に予納させることができる。

第二節　破産手続開始の決定（抄）

第一九条（破産手続開始の決定の裁判書等・法第三十条）（略）

第二〇条（破産手続開始の決定と同時に定めるべき事項等・法第三十一条）① 法第三十一条第一項の規定により同項各号の期間又は期日を定める場合には、特別の事情がある場合を除き、第一号及び第三号の期間はそれぞれ当該各号に定める範囲内で定

め、第二号及び第四号の期日はそれぞれ当該各号に定める日とするものとする。

一　破産債権の届出をすべき期間　破産手続開始の決定の日から二週間以上四月以下（知れている破産債権者で日本国内に住所、居所、営業所又は事務所がないものがある場合には、四週間以上四月以下）

二　財産状況報告集会（法第三十一条第一項第二号に規定する財産状況報告集会をいう。第五十四条第一項において同じ。）の期日　破産手続開始の決定の日から三月以内の日

三　破産債権の調査をするための期間　その期間の初日と第一号の期間の末日との間には一週間以上二月以下の期間を置き、一週間以上三週間以下

四　破産債権の調査をするための期日　第一号の期間の末日から一週間以上二月以内の日

② 前項（第二号を除く。）の規定は、法第三十一条第三項の規定により同項に規定する期間又は期日を定める場合について準用する。この場合において、前項第一号中「破産手続開始の決定の日」とあるのは、「法第三十一条第三項の規定による定めをした日」と読み替えるものとする。

③ 裁判所は、法第三十一条第五項の決定をしたときは、破産管財人が、日刊新聞紙に掲載し、又はインターネットを利用する等の方法であって裁判所の定めるものにより、次に掲げる事項を破産債権者が知ることができる状態に置く措置を執るものとすることができる。

一　法第三十二条第四項本文及び第五項本文において準用する同条第三項第一号、第三十三条第三項本文並びに第百三十九条第三項本文の規定により通知すべき事項の内容

二　債権者集会の期日

（破産財団に属しない財産の範囲の拡張の申立ての方式・法第三十四条）

第二一条（略）

（破産者等の引致・法第三十八条等）

第二二条（略）

第三章　破産手続の機関（抄）

第一節　破産管財人（抄）

第一款　破産管財人の選任及び監督

（破産管財人の選任等・法第七十四条）

第二三条① 裁判所は、破産管財人を選任するに当たっては、その職務を行うに適した者を選任するものとする。

② 法人が破産管財人に選任された場合には、当該法人は、役員又は職員のうち破産管財人の職務を行うべき者を指名し、指名された者の氏名を裁判所に届け出なければならない。

③ 裁判所書記官は、破産管財人に対し、その選任を証する書面を交付しなければならない。

④ 裁判所書記官は、破産管財人があらかじめその職務のために使用する印鑑を裁判所に提出した場合において、当該破産管財人が破産財団に属する不動産についての権利に関する登記を申請するために登記所に提出する印鑑の証明を請求したときは、当該破産管財人に係る前項に規定する書面に、当該請求に係る印鑑が裁判所に提出された印鑑と相違ないことを証明する旨をも記載して、これを交付するものとする。

⑤ 破産管財人は、正当な理由があるときは、裁判所の許可を得て辞任することができる。

（破産管財人に対する監督等・法第七十五条）

第二四条　裁判所は、報告書の提出を促すことその他の破産管財人に対する監督に関する事務を裁判所書記官に命じて行わせることができる。

第二款　破産管財人の権限等（抄）

（裁判所の許可を要しない行為・法第七十八条）

第二五条　法第七十八条第三項第一号の最高裁判所規則で定める額は、百万円とする。

（進行協議等）

第二六条① 裁判所と破産管財人は、破産手続の円滑な進行を図るために必要があるときは、破産財団に属する財産の管理及び処分の方針その他破産手続の進行に関し必要な事項についての協議を行うものとする。

② 破産管財人は、破産手続開始の申立てをした者に対し、破産債権及び破産財団に属する財産の状況に関する資料の提出又は情報の提供その他の破産手続の円滑な進行のために必要な協力を求めることができる。

（破産管財人の報酬等・法第八十七条）

第二七条　裁判所は、破産管財人又は破産管財人代理の報酬を定めるに当たっては、その職務と責任にふさわしい額を定めるものとする。

（破産管財人の計算についての異議の方式・法第八十九条）

第二八条（略）

第二節　保全管理人

（第二九条）（略）

第四章　破産債権（抄）

第一節　破産債権者の権利

（第三〇条及び第三一条）（略）

第二節　破産債権の届出（抄）

（破産債権の届出の方式・法第百十一条）

第三二条① 法第百十一条第一項第四号の最高裁判所規則で定める額は、千円とする。

② 法第百十一条第一項第五号の最高裁判所規則で定める事項は、次に掲げるものとする。

一　破産債権者及び代理人の氏名又は名称及び住所

二　破産手続及び免責手続において書面を送付する方法によってする通知又は期日の呼出しを受けるべき場所（日本国内に限る。）

三　執行力ある債務名義又は終局判決のある破産債権であるときは、その旨

四　破産債権に関し破産手続開始当時訴訟が係属するときは、その訴訟が係属する裁判所、当事者の氏名又は名称及び事件の表示

③ 破産債権の届出書には、破産債権者の郵便番号、電話番号（ファクシミリの番号を含む。）その他破産手続等における通知、送達又は期日の呼出しを受けるために必要な事項として裁判所が定めるものを記載するものとする。

④ 前項の届出書には、次に掲げる書面を添付しなければならない。

一　破産債権に関する証拠書類の写し

二　破産債権が執行力ある債務名義又は終局判決のあるものであるときは、執行力ある債務名義の写し又は判決書の写し

三　破産債権者が代理人をもって破産債権の届出をするときは、代理権を証する書面

⑤ 裁判所は、破産債権の届出をしようとする破産債権者に対し、第三項の届出書の写しを提出することを求めることができる。

（届出事項の変更）

第三三条（略）

（一般調査期間経過後又は一般調査期日終了後の届出等の方式・法第百十二条）

第三四条（略）

（届出名義の変更の方式・法第百十三条）

第三五条（略）

（租税等の請求権等の届出の方式・法第百十四条）

第三六条　法第百十四条の最高裁判所規則で定める事項は、次に

掲げるものとする。

一　届出に係る請求権を有する者の名称及び住所並びに代理人の氏名及び住所

二　破産手続開始当時届出に係る請求権に関する訴訟又は行政庁に係属する事件があるときは、その訴訟又は事件が係属する裁判所又は行政庁、当事者の氏名又は名称及び事件の表示

三　優先的破産債権（法第九十八条第一項に規定する優先的破産債権をいう。第六十八条第二項において同じ。）であるときは、その旨

四　劣後的破産債権（法第九十九条第一項に規定する劣後的破産債権をいう。第六十八条第二項において同じ。）又は約定劣後破産債権（法第九十九条第二項に規定する約定劣後破産債権をいう。第六十八条第二項において同じ。）であるときは、その旨

第三節　破産債権の調査及び確定（抄）

第一款　通則

（破産債権者表の記載事項・法第百十五条）

第三七条　法第百十五条第二項の最高裁判所規則で定める事項は、次に掲げるものとする。

一　破産債権者の氏名又は名称及び住所

二　執行力ある債務名義又は終局判決のある破産債権であるときは、その旨

第二款　書面による破産債権の調査

（第三八条から第四一条まで）（略）

第三款　期日における破産債権の調査（抄）

（認否予定書の提出）

第四二条①　裁判所は、一般調査期日（法第百十二条第一項に規定する一般調査期日をいう。以下この款において同じ。）を定めた場合には、破産管財人に対し、法第百二十一条第一項に規定する破産債権について、法第百十七条第一項各号に掲げる事項についての認否の予定を記載した書面の提出を命ずることができる。この場合において、破産管財人は、法第百二十一条第七項に規定する破産債権についても、法第百十七条第一項各号に掲げる事項についての認否の予定を当該書面に記載することができる。

②　前項前段の規定は、特別調査期日（法第百二十二条第一項に規定する特別調査期日をいう。以下この款において同じ。）を定めた場合における同条第一項及び同条第二項において準用する法第百十九条第二項に規定する破産債権について準用する。

（期日における認否等の方式等・法第百二十一条等）

第四三条　（略）

（書面による破産債権の調査に関する規定の準用）

第四四条　（略）

第四款　破産債権の確定

（破産債権の確定に関する訴訟の目的の価額・法第百二十六条等）

第四五条　破産債権の確定に関する訴訟の目的の価額は、配当の予定額を標準として、受訴裁判所が定める。

第四節　債権者集会及び債権者委員会（抄）

第一款　債権者集会（抄）

（議決権行使の方法等・法第百三十九条）

第四六条①　法第百三十九条第二項第二号の最高裁判所規則で定める方法は、次に掲げるものとする。

一　書面

二　電磁的方法であって、別に最高裁判所が定めるもの

②　議決権者は、書面等投票（法第百三十九条第二項第二号に規定する書面等投票をいう。）をするには、裁判所の定めるところによらなければならない。

③　法第百三十九条第二項第二号の期間は、特別の事情がある場合を除き、同条第一項の決議に付する旨の決定の日から起算して二週間以上三月以下の範囲内で定めるものとする。

（議決権額等を定める決定の変更の申立ての方式・法第百四十条）

第四七条　（略）

（代理権の証明・法第百四十三条）

第四八条　（略）

第二款　債権者委員会

（債権者委員会の委員の人数等・法第百四十四条）

第四九条①　法第百四十四条第一項第一号の最高裁判所規則で定める人数は、十人とする。

②　債権者委員会（法第百四十四条第二項に規定する債権者委員会をいう。以下この条において同じ。）は、これを構成する委員のうち連絡を担当する者を指名し、その旨を裁判所に届け出るとともに、破産管財人に通知しなければならない。

③　債権者委員会は、これを構成する委員又はその運営に関する定めについて変更が生じたときは、遅滞なく、その旨を裁判所に届け出なければならない。

第五章　財団債権

（財団債権の申出）

第五〇条①　財団債権者（法第二条第八項に規定する財団債権者をいう。）は、破産手続開始の決定があったことを知ったときは、速やかに、財団債権（法第二条第七項に規定する財団債権をいう。）を有する旨を破産管財人に申し出るものとする。

②　第一条第一項の規定は、前項の規定による申出については、適用しない。

第六章　破産財団の管理（抄）

第一節　破産者の財産状況の調査

（破産財団に属する金銭等の保管方法）

第五一条①　破産管財人は、破産手続開始後遅滞なく、破産財団に属する財産のうち金銭及び有価証券についての保管方法を定め、その保管方法を裁判所に届け出なければならない。

②　破産管財人は、前項の規定により届け出た保管方法を変更したときは、遅滞なく、変更後の保管方法を裁判所に届け出なければならない。

（貸借対照表の作成等の省略・法第百五十三条）

第五二条　法第百五十三条第三項の最高裁判所規則で定める額は、千万円とする。

（封印等の方式・法第百五十五条）

第五三条①　裁判所書記官、執行官又は公証人は、法第百五十五条第一項の規定による封印又は封印の除去（以下この条において「封印等」という。）をしたときは、調書を作成しなければならない。

②　前項の調書には、封印等をした日時及び場所並びに封印等をした財産の表示を記載し、封印等をした裁判所書記官、執行官又は公証人が記名押印をしなければならない。

③　破産管財人は、裁判所書記官が封印等をした場合を除き、第一項の調書の写しを裁判所に提出しなければならない。

④　裁判所書記官は、法第百五十五条第二項の規定により破産財団に関する帳簿を閉鎖するときは、当該帳簿にこれを閉鎖した旨を記載し、記名押印しなければならない。

⑤　第一項及び第二項の規定は、裁判所書記官が法第百五十五条第二項の規定により破産財団に関する帳簿を閉鎖した場合について準用する。この場合において、第二項中「封印等をした財産」とあるのは、「閉鎖した破産財団に関する帳簿」と読み替えるものとする。

（財産状況報告集会の期日を定めない場合の措置等・法第百五十七条）

第五四条① 裁判所は、法第三十一条第四項の規定により財産状況報告集会の期日を定めない場合には、破産管財人の意見を聴いて、破産管財人が法第百五十七条第一項の報告書（以下この条及び第八十四条において「財産状況報告書」という。）を提出すべき期間を定めることができる。
② 裁判所は、前項の規定により定めた期間内に破産管財人が財産状況報告書を提出しないときは、破産管財人に対し、その理由を記載した書面の提出を命ずることができる。
③ 第一項に規定する場合には、破産管財人は、裁判所に提出した財産状況報告書の要旨を知れている破産債権者に周知させるため、財産状況報告書の要旨を記載した書面の送付、適当な場所における財産状況報告書の備置きその他の適当な措置を執らなければならない。

第二節 否認権

（第五五条）（略）

第七章 破産財団の換価（抄）

第一節 通則

（任意売却等に関する担保権者への通知）
第五六条 破産管財人は、法第六十五条第二項に規定する担保権であって登記がされたものの目的である不動産の任意売却をしようとするときは、任意売却の二週間前までに、当該担保権を有する者に対し、任意売却をする旨及び任意売却の相手方の氏名又は名称を通知しなければならない。破産者が法人である場合において、破産管財人が当該不動産につき権利の放棄をしようとするときも、同様とする。

第二節 担保権の消滅（抄）

（担保権消滅の許可の申立ての方式・法第百八十六条）
第五七条① 法第百八十六条第三項に規定する申立書には、同項各号に掲げる事項のほか、財産の任意売却に関する交渉の経過を記載するものとする。
② 前項の申立書には、法第百八十六条第四項に規定する書面のほか、同条第三項第三号の売却の相手方が個人であるときはその住民票の写しを、法人であるときはその登記事項証明書を添付しなければならない。
③ 裁判所は、必要があると認めるときは、法第百八十六条第一項の申立てをした破産管財人に対し、同条第三項第一号の財産の価額に関する資料の提出を命ずることができる。

（担保権消滅の許可の申立書の送達等・法第百八十六条）
第五八条① すべての被申立担保権者（法第百八十六条第五項に規定する被申立担保権者をいう。以下この節において同じ。）に対し同項の規定による送達がされたときは、裁判所書記官は、その旨及びすべての被申立担保権者に対する送達が終了した日を破産管財人に通知しなければならない。
② 法第百八十六条第一項の申立てをした破産管財人は、前項に規定する日までに移転その他の事由により同条第三項に規定する申立書に記載された同項第四号の担保権を新たに有することとなった者があることを知ったときは、直ちに、その旨を裁判所に届け出なければならない。
③ 法第百八十六条第一項の申立てが取り下げられたときは、裁判所書記官は、同条第五項の規定による送達を受けた被申立担保権者に対し、その旨を通知しなければならない。

（買受けの申出の方式等・法第百八十八条等）
第五九条 （略）

（買受けの申出の保証の額及び提供方法等・法第百八十八条）
第六〇条① 法第百八十八条第五項の最高裁判所規則で定める額は、買受けの申出の額の十分の二に相当する額（その額に一円に満たない端数があるときは、これを切り捨てるものとする。）とする。
② 法第百八十八条第五項の最高裁判所規則で定める方法は、同条第二項の書面に次の各号に掲げる書面のいずれかを添付する方法とする。
一 買受希望者が破産管財人の預金口座又は貯金口座に一定の額の金銭を振り込んだ旨の金融機関の証明書
二 買受希望者が銀行、保険会社、株式会社商工組合中央金庫、農林中央金庫、全国を地区とする信用金庫連合会、信用金庫又は労働金庫（以下この項において「銀行等」という。）との間において次に掲げる要件を満たす支払保証委託契約を締結したことを証する文書
イ 銀行等は、買受希望者のために、法第百九十条第一項第二号の規定による金銭の納付又は同条第六項の規定による法第百八十九条第一項の許可の決定を取り消す決定があったときは一定の額の金銭を破産管財人に支払うものであること。
ロ 法第百八十六条第一項の申立てについての裁判（当該買受希望者を当該許可に係る売却の相手方とする法第百八十九条第一項の許可の決定を除く。）が確定した時に契約の効力が消滅するものであること。
ハ 法第百八十八条第十項の規定による法第百八十六条第一項の申立ての取下げがあった場合、法第百八十八条第七項若しくは第百八十九条第三項の規定による買受けの申出の撤回があった場合又は次項の規定により保証の変換がされた場合を除き、契約の変更又は解除をすることができないものであること。
③ 買受希望者は、破産管財人との契約により、前項各号のいずれかに掲げる書面を添付する方法により提供した保証を、同項各号に掲げる他の書面を添付する方法により提供する保証に変換することができる。
④ 破産管財人は、法第百八十八条第九項の規定により法第百八十七条第一項の期間（同条第二項の規定により伸長されたときは、その伸長された期間）内にされた買受けの申出に係る法第百八十八条第二項の書面を裁判所に提出するときは、第二項の規定により添付された同項各号に掲げる書面の写しを裁判所に提出しなければならない。

（金銭の納付に関する通知等・法第百九十条）
第六一条 （略）

（配当等の手続・法第百九十一条）
第六二条 （略）

第八章 配当

（第六三条から第六九条まで）（略）

第九章 破産手続の終了

（第七〇条及び第七一条）（略）

第十章 外国倒産処理手続がある場合の特則

（外国管財人の資格等の証明・法第二百四十六条等）
第七二条① 外国管財人（法第二百四十五条第一項に規定する外国管財人をいう。）の資格は、債務者若しくは破産者についての外国倒産処理手続が係属する裁判所又は認証の権限を有する者の認証を受けた書面で証明しなければならない。
② 法第二百四十七条第一項ただし書の権限は、書面で証明しなければならない。
③ 前二項の書面には、その訳文を添付しなければならない。

（外国倒産処理手続への参加・法第二百四十七条）
第七三条① 破産管財人は、法第二百四十七条第二項の規定により、同項に規定する届出をした破産債権者を代理して破産者についての外国倒産処理手続に参加したときは、その旨を当該届出をした破産債権者に通知しなければならない。
② 法第二百四十七条第二項に規定する届出をした破産債権者は、破産者についての外国倒産処理手続に参加したときは、その旨を破産管財人に通知しなければならない。

第十一章 免責手続及び復権

（第七四条から第七七条まで）（略）

第十二章　雑則

（第七八条から第八六条まで）（略）

附　則（抄）

（施行期日）

第一条　この規則は、法の施行の日（平成一七・一・一）から施行する。

●民事再生法（平成一一・一二・二二 法 二 二 五）

施行　平成一二・四・一（平成一二政八五）
改正　平成一二法一二八・法一二九、平成一三法八〇・法一二九、平成一四法四五・法九八・法一〇〇・法一五五、平成一五法一三四・法一三八、平成一六法七六・法八八・法一二四・法一四七、平成一七法八七、平成一八法五〇・法六六・法八四、平成二四法一六、平成二五法四五、平成二六法九一、平成二九法四五、平成三一法三、令和一法二・法七一、令和四法四八（令和五法五三）・法六八、令和五法五三、令和六法三三

目次

第一章　総則

（目的）

第一条　この法律は、経済的に窮境にある債務者について、その債権者の多数の同意を得、かつ、裁判所の認可を受けた再生計画を定めること等により、当該債務者とその債権者との間の民事上の権利関係を適切に調整し、もって当該債務者の事業又は経済生活の再生を図ることを目的とする。

（定義）

第二条　この法律において、次の各号に掲げる用語の意義は、それぞれ当該各号に定めるところによる。

一　再生債務者　経済的に窮境にある債務者であって、その者について、再生手続開始の申立てがされ、再生手続開始の決定がされ、又は再生計画が遂行されているものをいう。

二　再生債務者等　管財人が選任されていない場合にあっては再生債務者、管財人が選任されている場合にあっては管財人をいう。

三　再生計画　再生債権者の権利の全部又は一部を変更する条項その他の第百五十四条に規定する条項を定めた計画をいう。

四　再生手続　次章以下に定めるところにより、再生計画を定める手続をいう。

（外国人の地位）

第三条　外国人又は外国法人は、再生手続に関し、日本人又は日本法人と同一の地位を有する。

（再生事件の管轄）

第四条①　この法律の規定による再生手続開始の申立ては、債務者が個人である場合には日本国内に営業所、住所、居所又は財産を有するときに限り、法人その他の社団又は財団である場合には日本国内に営業所、事務所又は財産を有するときに限り、することができる。

②　民事訴訟法（平成八年法律第百九号）の規定により裁判上の請求をすることができる債権は、日本国内にあるものとみなす。

第五条①　再生事件は、再生債務者が、営業者であるときはその主たる営業所の所在地、営業者で外国に主たる営業所を有するものであるときは日本におけるその主たる営業所の所在地、営業者でないとき又は営業者であっても営業所を有しないときはその普通裁判籍の所在地を管轄する地方裁判所が管轄する。

②　前項の規定による管轄裁判所がないときは、再生事件は、再生債務者の財産の所在地（債権については、裁判上の請求をすることができる地）を管轄する地方裁判所が管轄する。

③　前二項の規定にかかわらず、法人が株式会社の総株主の議決権（株主総会において決議をすることができる事項の全部につき議決権を行使することができない株式についての議決権を除き、会社法（平成十七年法律第八十六号）第八百七十九条第三項の規定により議決権を有するものとみなされる株式についての議決権を含む。次項、第五十九条第三項第二号及び第四項並びに第百二十七条の二第二項第二号イ及びロにおいて同じ。）の過半数を有する場合には、当該法人（以下この条及び第百二十七条の二第二項第二号ロにおいて「親法人」という。）について再生事件又は更生事件（以下この条において「再生事件等」という。）が係属しているときにおける当該株式会社（以下この条及び第百二十七条の二第二項第二号ロにおいて「子株式会社」という。）についての再生手続開始の申立ては、親法人の再生事件等が係属している地方裁判所にもすることができ、子株式会社について再生事件等が係属しているときにおける親法人についての再生手続開始の申立ては、子株式会社の再生事件等が係属している地方裁判所にもすることができる。

④　子株式会社又は親法人及び子株式会社が他の株式会社の総株主の議決権の過半数を有する場合には、当該他の株式会社を当該親法人の子株式会社とみなして、前項の規定を適用する。

⑤ 第一項及び第二項の規定にかかわらず、株式会社が最終事業年度について会社法第四百四十四条の規定により当該株式会社及び他の法人に係る連結計算書類（同条第一項に規定する連結計算書類をいう。）を作成し、かつ、当該株式会社の定時株主総会においてその内容が報告された場合には、当該株式会社について再生事件等が係属しているときにおける当該他の法人についての再生手続開始の申立ては、当該株式会社の再生事件等が係属している地方裁判所にもすることができ、当該他の法人について再生事件等が係属しているときにおける当該株式会社についての再生手続開始の申立ては、当該他の法人の再生事件等が係属している地方裁判所にもすることができる。

⑥ 第一項及び第二項の規定にかかわらず、法人について再生事件等が係属している場合における当該法人の代表者についての再生手続開始の申立ては、当該法人の再生事件等が係属している地方裁判所にもすることができ、法人の代表者について再生事件が係属している場合における当該法人についての再生手続開始の申立ては、当該法人の代表者の再生事件が係属している地方裁判所にもすることができる。

⑦ 第一項及び第二項の規定にかかわらず、次の各号に掲げる者のうちいずれか一人について再生事件が係属しているときは、それぞれ当該各号に掲げる他の者についての再生手続開始の申立ては、当該再生事件が係属している地方裁判所にもすることができる。

一 相互に連帯債務者の関係にある個人

二 相互に主たる債務者と保証人の関係にある個人

三 夫婦

⑧ 第一項及び第二項の規定にかかわらず、再生債権者の数が五百人以上であるときは、これらの規定による管轄裁判所の所在地を管轄する高等裁判所の所在地を管轄する地方裁判所にも、再生手続開始の申立てをすることができる。

⑨ 第一項及び第二項の規定にかかわらず、再生債権者の数が千人以上であるときは、東京地方裁判所又は大阪地方裁判所にも、再生手続開始の申立てをすることができる。

⑩ 前各項の規定により二以上の地方裁判所が管轄権を有するときは、再生事件は、先に再生手続開始の申立てがあった地方裁判所が管轄する。

（専属管轄）

第六条 この法律に規定する裁判所の管轄は、専属とする。

（再生事件の移送）

第七条 裁判所は、著しい損害又は遅滞を避けるため必要があると認めるときは、職権で、再生事件を次に掲げる裁判所のいずれかに移送することができる。

一 再生債務者の主たる営業所又は事務所以外の営業所又は事務所の所在地を管轄する地方裁判所

二 再生債務者の住所又は居所の所在地を管轄する地方裁判所

三 第五条第二項に規定する地方裁判所

四 次のイからハまでのいずれかに掲げる地方裁判所

イ 第五条第三項から第七項までに規定する地方裁判所

ロ 再生債権者の数が五百人以上であるときは、第五条第八項に規定する地方裁判所

ハ 再生債権者の数が千人以上であるときは、第五条第九項に規定する地方裁判所

五 第五条第三項から第九項までの規定によりこれらの規定に規定する地方裁判所に再生事件が係属しているときは、同条第一項又は第二項に規定する地方裁判所

（任意的口頭弁論等）

第八条① 再生手続に関する裁判は、口頭弁論を経ないですることができる。

② 裁判所は、職権で、再生事件に関して必要な調査をすることができる。

（期日の呼出し）

第八条の二① 再生手続における期日の呼出しは、呼出状の送達、当該事件について出頭した者に対する期日の告知その他相当と認める方法によってする。

② 呼出状の送達及び当該事件について出頭した者に対する期日の告知以外の方法による期日の呼出しをしたときは、期日に出頭しない者に対し、法律上の制裁その他期日の不遵守による不利益を帰することができない。ただし、その者が期日の呼出しを受けた旨を記載した書面を提出したときは、この限りでない。

＊令和四法四八（令和八・五・二四までに施行）**により第八条の二追加**
＊令和五法五三（令和一〇・六・一三までに施行）**により第八条の二削る**（本文未織込み）

（公示送達の方法）

第八条の三 再生手続における公示送達は、裁判所書記官が送達すべき書類を保管し、いつでも送達を受けるべき者に交付すべき旨を裁判所の掲示場に掲示してする。

＊令和四法四八（令和八・五・二四までに施行）**により第八条の三追加**
＊令和五法五三（令和一〇・六・一三までに施行）**により第八条の三削る**（本文未織込み）

（電子情報処理組織による申立て等）

第八条の四① 再生手続における申立てその他の申述（以下この条において「申立て等」という。）のうち、当該申立て等に関するこの法律その他の法令の規定により書面等（書面、書類、文書、謄本、抄本、正本、副本、複本その他文字、図形等人の知覚によって認識することができる情報が記載された紙その他の有体物をいう。次項及び第四項において同じ。）をもってするものとされているものであって、最高裁判所の定める裁判所に対してするもの（当該裁判所の裁判長、受命裁判官、受託裁判官又は裁判所書記官に対してするものを含む。）については、当該法令の規定にかかわらず、最高裁判所規則で定めるところにより、電子情報処理組織（裁判所の使用に係る電子計算機（入出力装置を含む。以下この項及び第三項において同じ。）と申立て等をする者の使用に係る電子計算機とを電気通信回線で接続した電子情報処理組織をいう。）を用いてすることができる。

② 前項の規定によりされた申立て等については、当該申立て等を書面等をもってするものとして規定した申立て等に関する法令の規定に規定する書面等をもってされたものとみなして、当該申立て等に関する法令の規定を適用する。

③ 第一項の規定によりされた申立て等は、同項の裁判所の使用に係る電子計算機に備えられたファイルへの記録がされた時に、当該裁判所に到達したものとみなす。

④ 第一項の場合において、当該申立て等に関する他の法令の規定により署名等（署名、記名、押印その他氏名又は名称を書面等に記載することをいう。以下この項において同じ。）をすることとされているものについては、当該申立て等をする者は、当該法令の規定にかかわらず、当該署名等に代えて、最高裁判所規則で定めるところにより、氏名又は名称を明らかにする措置を講じなければならない。

⑤ 第一項の規定によりされた申立て等が第三項に規定するファイルに記録されたときは、第一項の裁判所は、当該ファイルに記録された情報の内容を書面に出力しなければならない。

⑥ 第一項の規定によりされた申立て等に係るこの法律その他の法令の規定による事件に関する文書等の閲覧若しくは謄写又はその正本、謄本若しくは抄本の交付は、前項の書面をもってするものとする。当該申立て等に係る書類の送達又は送付も、同様とする。

＊令和四法四八（令和八・五・二四までに施行）**により第八条の四追加**
＊令和五法五三（令和一〇・六・一三までに施行）**により第八条の四削る**（本文未織込み）

（裁判書）

第八条の五① 再生手続に関する裁判の裁判書を作成する場合には、当該裁判書には、当該裁判に係る主文、当事者及び法定代理人並びに裁判所を記載しなければならない。

② 前項の裁判書を送達する場合には、当該送達は、当該裁判書の正本によってする。

＊令和四法四八（令和八・五・二四までに施行）により第八条の五追加
＊令和五法五三（令和一〇・六・一三までに施行）により第八条の五削る（本文未織込み）

（不服申立て）

第九条 再生手続に関する裁判につき利害関係を有する者は、この法律に特別の定めがある場合に限り、当該裁判に対し即時抗告をすることができる。その期間は、裁判の公告があった場合には、その公告が効力を生じた日から起算して二週間とする。

（公告等）

第一〇条① この法律の規定による公告は、官報に掲載してする。

② 公告は、掲載があった日の翌日に、その効力を生ずる。

③ この法律の規定により送達をしなければならない場合には、公告をもって、これに代えることができる。ただし、この法律の規定により公告及び送達をしなければならない場合は、この限りでない。

④ この法律の規定により裁判の公告がされたときは、一切の関係人に対して当該裁判の告知があったものとみなす。

⑤ 前二項の規定は、この法律に特別の定めがある場合には、適用しない。

（法人の再生手続に関する登記の嘱託等）

第一一条① 法人である再生債務者について再生手続開始の決定があったときは、裁判所書記官は、職権で、遅滞なく、再生手続開始の登記を再生債務者の本店又は主たる事務所の所在地を管轄する登記所に嘱託しなければならない。ただし、再生債務者が外国法人であるときは、外国会社にあっては日本における各代表者（日本に住所を有するものに限る。）の住所地（日本に営業所を設けた外国会社にあっては、当該各営業所の所在地）、その他の外国法人にあっては各事務所の所在地を管轄する登記所に嘱託しなければならない。

② 前項の再生債務者について第五十四条第一項、第六十四条第一項又は第七十九条第一項（同条第三項において準用する場合を含む。次項において同じ。）の規定による処分がされた場合には、裁判所書記官は、職権で、遅滞なく、当該処分の登記を前項に規定する登記所に嘱託しなければならない。

③ 前項の登記には、次の各号に掲げる区分に応じ、それぞれ当該各号に定める事項をも登記しなければならない。

一 前項に規定する第五十四条第一項の規定による処分の登記　監督委員の氏名又は名称及び住所並びに同条第二項の規定により指定された行為

二 前項に規定する第六十四条第一項又は第七十九条第一項の規定による処分の登記　管財人又は保全管理人の氏名又は名称及び住所、管財人又は保全管理人がそれぞれ単独にその職務を行うことについて第七十条第一項ただし書（第八十三条第一項において準用する場合を含む。以下この号において同じ。）の許可があったときはその旨並びに管財人又は保全管理人が職務を分掌することについて第七十条第一項ただし書の許可があったときはその旨及び各管財人又は各保全管理人が分掌する職務の内容

④ 第二項の規定は、同項に規定する処分の変更若しくは取消しがあった場合又は前項に規定する事項に変更が生じた場合について準用する。

⑤ 第一項の規定は、同項の再生債務者につき次に掲げる事由が生じた場合について準用する。

一 再生手続開始の決定の取消し、再生手続廃止又は再生計画認可若しくは不認可の決定の確定

二 再生計画取消しの決定の確定（再生手続終了前である場合に限る。）

三 再生手続終結の決定による再生手続の終結

⑥ 登記官は、第一項の規定により再生手続開始の登記をする場合において、再生債務者について特別清算開始の登記があるときは、職権で、その登記を抹消しなければならない。

⑦ 登記官は、第五項第一号の規定により再生手続開始の決定の取消しの登記をする場合において、前項の規定により抹消した登記があるときは、職権で、その登記を回復しなければならない。

⑧ 第六項の規定は、第五項第一号の規定により再生計画の認可の登記をする場合における破産手続開始の登記について準用する。

（登記のある権利についての登記等の嘱託）

第一二条① 次に掲げる場合には、裁判所書記官は、職権で、遅滞なく、当該保全処分の登記を嘱託しなければならない。

一 再生債務者財産（再生債務者が有する一切の財産をいう。以下同じ。）に属する権利で登記がされたものに関し第三十条第一項（第三十六条第二項において準用する場合を含む。）の規定による保全処分があったとき。

二 登記のある権利に関し第百三十四条の四第一項（同条第七項において準用する場合を含む。）又は第百四十二条第一項若しくは第二項の規定による保全処分があったとき。

② 前項の規定は、同項に規定する保全処分の変更若しくは取消しがあった場合又は当該保全処分が効力を失った場合について準用する。

③ 裁判所書記官は、再生手続開始の決定があった場合において、再生債務者に属する権利で登記がされたものについて会社法第九百三十八条第三項（同条第四項において準用する場合を含む。）の規定による登記があることを知ったときは、職権で、遅滞なく、その登記の抹消を嘱託しなければならない。

④ 前項の規定による登記の抹消がされた場合において、再生手続開始の決定を取り消す決定が確定したときは、裁判所書記官は、職権で、遅滞なく、同項の規定により抹消された登記の回復を嘱託しなければならない。

⑤ 第三項の規定は、再生計画認可の決定が確定した場合において、裁判所書記官が再生債務者に属する権利で登記がされたものについて破産手続開始の登記があることを知ったときについて準用する。

（否認の登記）

第一三条① 登記の原因である行為が否認されたときは、監督委員又は管財人は、否認の登記を申請しなければならない。登記が否認されたときも、同様とする。

② 登記官は、前項の否認の登記に係る権利に関する登記をするときは、職権で、次に掲げる登記を抹消しなければならない。

一 当該否認の登記

二 否認された行為を登記原因とする登記又は否認された登記

三 前号の登記に後れる登記があるときは、当該登記

③ 前項に規定する場合において、否認された行為の後否認の登記がされるまでの間に、同項第二号に掲げる登記に係る権利を目的とする第三者の権利に関する登記（再生手続の関係において、その効力を主張することができるものに限る。第五項において同じ。）がされているときは、同項の規定にかかわらず、登記官は、職権で、当該否認の登記の抹消及び同号に掲げる登記に係る権利の再生債務者への移転の登記をしなければならない。

④ 裁判所書記官は、第一項の否認の登記がされている場合において、再生債務者について、再生計画認可の決定が確定したときは、職権で、遅滞なく、当該否認の登記の抹消を嘱託しなければならない。

⑤ 前項に規定する場合において、裁判所書記官から当該否認の

登記の嘱託を受けたときは、登記官は、職権で、第二項第二号及び第三号に掲げる登記を抹消しなければならない。この場合において、否認された行為の後否認の登記がされるまでの間に、同項第二号に掲げる登記に係る権利を目的とする第三者の権利に関する登記がされているときは、登記官は、職権で、同項第二号及び第三号に掲げる登記の抹消に代えて、同項第二号に掲げる登記に係る権利の再生債務者への移転の登記をしなければならない。

⑥ 裁判所書記官は、第一項の否認の登記がされている場合において、再生債務者について、再生手続開始の決定の取消し若しくは再生計画不認可の決定が確定したとき、又は再生計画認可の決定が確定する前に再生手続廃止の決定が確定したときは、職権で、遅滞なく、当該否認の登記の抹消を嘱託しなければならない。

（非課税）

第一四条 前三条の規定による登記については、登録免許税を課さない。

（登録への準用）

第一五条 前三条の規定は、登録のある権利について準用する。

（事件に関する文書の閲覧等）

第一六条① 利害関係人は、裁判所書記官に対し、この法律（この法律において準用する他の法律を含む。）の規定に基づき、裁判所に提出され、又は裁判所が作成した文書その他の物件（以下この条及び次条第一項において「文書等」という。）の閲覧を請求することができる。

② 利害関係人は、裁判所書記官に対し、文書等の謄写、その正本、謄本若しくは抄本の交付又は事件に関する事項の証明書の交付を請求することができる。

③ 前項の規定は、文書等のうち録音テープ又はビデオテープ（これらに準ずる方法により一定の事項を記録した物を含む。）に関しては、適用しない。この場合において、これらの物について利害関係人の請求があるときは、裁判所書記官は、その複製を許さなければならない。

④ 前三項の規定にかかわらず、次の各号に掲げる者は、当該各号に定める命令、保全処分、処分又は裁判のいずれかがあるまでの間は、前三項の規定による請求をすることができない。ただし、当該者が再生手続開始の申立人である場合は、この限りでない。

一 再生債務者以外の利害関係人 第二十六条第一項の規定による中止の命令、第二十七条第一項の規定による禁止の命令、第三十条第一項の規定による保全処分、第三十一条第一項の規定による中止の命令、第五十四条第一項若しくは第七十九条第一項の規定による処分、第百三十四条の四第一項の規定による保全処分、第百九十七条第一項の規定による中止の命令又は再生手続開始の申立てについての裁判

二 再生債務者 再生手続開始の申立てに関する口頭弁論若しくは再生債務者を呼び出す審尋の期日の指定の裁判又は前号に定める命令、保全処分、処分若しくは裁判

＊令和五法五三（令和一〇・六・一三までに施行）による改正後

（事件に関する文書の閲覧等）

第一六条① 利害関係人は、裁判所書記官に対し、この法律（この法律において準用する他の法律を含む。次条第一項において同じ。）の規定に基づき、裁判所に提出され、又は裁判所が作成した文書その他の物件（以下この条及び第十七条第一項において「文書等」という。）の閲覧を請求することができる。

② 利害関係人は、裁判所書記官に対し、文書等の謄写又はその正本、謄本若しくは抄本の交付を請求することができる。

③（略）

④（改正により削る）

＊令和五法五三（令和一〇・六・一三までに施行）による改正後

（ファイル記録事項の閲覧等）

第一六条の二① 利害関係人は、裁判所書記官に対し、最高裁判所規則で定めるところにより、この法律の規定に基づき裁判所の使用に係る電子計算機（入出力装置を含む。以下同じ。）に備えられたファイル（次項及び第三項並びに次条を除き、以下単に「ファイル」という。）に記録された事項（以下この条及び第十七条第六項において「ファイル記録事項」という。）の内容を最高裁判所規則で定める方法により表示したものの閲覧を請求することができる。

② 利害関係人は、裁判所書記官に対し、ファイル記録事項について、最高裁判所規則で定めるところにより、最高裁判所規則で定める電子情報処理組織（裁判所の使用に係る電子計算機と手続の相手方の使用に係る電子計算機とを電気通信回線で接続した電子情報処理組織をいう。以下同じ。）を使用してその者の使用に係る電子計算機に備えられたファイルに記録する方法その他の最高裁判所規則で定める方法による複写を請求することができる。

③ 利害関係人は、裁判所書記官に対し、最高裁判所規則で定めるところにより、ファイル記録事項の全部若しくは一部を記載した書面であって裁判所書記官が最高裁判所規則で定める方法により当該書面の内容がファイル記録事項と同一であることを証明したものを交付し、又はファイル記録事項の全部若しくは一部を記録した電磁的記録（電子的方式、磁気的方式その他人の知覚によっては認識することができない方式で作られる記録であって、電子計算機による情報処理の用に供されるものをいう。以下同じ。）であって裁判所書記官が最高裁判所規則で定める方法により当該電磁的記録の内容がファイル記録事項と同一であることを証明したものを最高裁判所規則で定める電子情報処理組織を使用してその者の使用に係る電子計算機に備えられたファイルに記録する方法その他の最高裁判所規則で定める方法により提供することを請求することができる。

（改正により追加）

（事件に関する事項の証明）

第一六条の三 利害関係人は、裁判所書記官に対し、最高裁判所規則で定めるところにより、事件に関する事項を記載した書面であって裁判所書記官が最高裁判所規則で定める方法により当該事項を証明したものを交付し、又は当該事項を記録した電磁的記録であって裁判所書記官が最高裁判所規則で定める方法により当該事項を証明したものを最高裁判所規則で定める電子情報処理組織を使用してその者の使用に係る電子計算機に備えられたファイルに記録する方法その他の最高裁判所規則で定める方法により提供することを請求することができる。（改正により追加）

（閲覧等の特則）

第一六条の四 前三条の規定にかかわらず、次の各号に掲げる者は、当該各号に定める命令、保全処分、処分又は裁判のいずれかがあるまでの間は、これらの規定による請求をすることができない。ただし、当該者が再生手続開始の申立人である場合は、この限りでない。

一 再生債務者以外の利害関係人 第二十六条第一項の規定による中止の命令、第二十七条第一項の規定による禁止の命令、第三十条第一項の規定による保全処分、第三十一条第一項の規定による中止の命令、第五十四条第一項若しくは第七十九条第一項の規定による処分、第百三十四条の四第一項の規定による保全処分、第百九十七条第一項の規定による中止の命令又は再生手続開始の申立てについての裁判

二 再生債務者 再生手続開始の申立てに関する口頭弁論若しくは再生債務者を呼び出す審尋の期日の指定の裁判又は前号に定める命令、保全処分、処分若しくは裁判

（改正により追加）

（支障部分の閲覧等の制限）

第一七条① 次に掲げる文書等について、利害関係人がその閲覧若しくは謄写、その正本、謄本若しくは抄本の交付又はその複製（以下この条において「閲覧等」という。）を行うことにより、再生債務者の事業の維持再生に著しい支障を生ずるおそれ又は再生債務者の財産に著しい損害を与えるおそれがある部分（以下この条において「支障部分」という。）があることにつき

疎明があった場合には、裁判所は、当該文書等を提出した再生債務者等（保全管理人が選任されている場合にあっては、保全管理人。以下この項及び次項において同じ。）、監督委員、調査委員又は個人再生委員の申立てにより、支障部分の閲覧等の請求をすることができる者を、当該申立てをした者及び再生債務者等に限ることができる。

一　第四十一条第一項（第八十一条第三項において準用する場合を含む。）、第四十二条第一項、第五十六条第五項又は第八十一条第一項ただし書の許可を得るために裁判所に提出された文書等

二　第六十二条第二項若しくは第二百二十三条第三項（第二百四十四条において準用する場合を含む。）に規定する調査の結果の報告又は第百二十五条第二項若しくは第三項の規定による報告に係る文書等

＊令和五法五三（令和一〇・六・一三までに施行）による改正
第一項中「この条」を「この項から第三項まで」に改める。
（本文未織込み）

② 前項の申立てがあったときは、その申立てについての裁判が確定するまで、利害関係人（同項の申立てをした者及び再生債務者等を除く。次項において同じ。）は、支障部分の閲覧等の請求をすることができない。

③ 支障部分の閲覧等の請求をしようとする利害関係人は、再生裁判所に対し、第一項に規定する要件を欠くこと又はこれを欠くに至ったことを理由として、同項の規定による決定の取消しの申立てをすることができる。

④ 第一項の申立てを却下した決定及び前項の申立てについての裁判に対しては、即時抗告をすることができる。

⑤ 第一項の規定による決定を取り消す決定は、確定しなければその効力を生じない。

＊令和五法五三（令和一〇・六・一三までに施行）による改正後
⑥ 前各項の規定は、ファイル記録事項について準用する。この場合において、第一項中「謄写、その正本、謄本若しくは抄本の交付又はその複製」とあるのは、「複写又はその内容の全部若しくは一部を証明した書面の交付若しくはその内容の全部若しくは一部を証明した電磁的記録の提供」と読み替えるものとする。（改正により追加）

（民事訴訟法の準用）
第一八条　特別の定めがある場合を除き、再生手続に関しては、その性質に反しない限り、民事訴訟法第一編から第四編までの規定（同法第七十一条第二項、第九十一条の二、第九十二条第九項及び第十項、第九十二条の二第二項、第九十四条、第百条第二項、第一編第五章第四節第三款、第百十一条、第一編第七章、第百三十三条の二第五項及び第六項、第百三十三条の三第二項、第百五十一条第三項、第百六十条第二項、第百八十五条第三項、第二百五条第二項、第二百十五条第二項、第二百二十七条第二項並びに第二百三十二条の二の規定を除く。）を準用する。この場合において、別表の上欄に掲げる同法の規定中同表の中欄に掲げる字句は、それぞれ同表の下欄に掲げる字句に読み替えるものとする。

＊令和四法四八（令和八・五・二四までに施行）による改正
（民事訴訟法の準用）
第一八条　特別の定めがある場合を除き、再生手続に関しては、その性質に反しない限り、民事訴訟法第一編から第四編までの規定（同法第八十七条の二の規定を除く。）を準用する。

＊令和五法五三（令和一〇・六・一三までに施行）による改正後
（民事訴訟法の準用）
第一八条　特別の定めがある場合を除き、再生手続に関しては、その性質に反しない限り、民事訴訟法第一編から第四編までの規定を準用する。この場合において、同法第百三十二条の十一第一項第一号中「第五十四条第一項ただし書の許可を得て訴訟代理人となったものを除く。）」とあるのは「弁護士に限る。）又は監督委員、調査委員、管財人、保全管理人、個人再生委員、管財人代理若しくは保全管理人代理として選任を受けた者」と、「当該委任」とあるのは「当該委任又は選任」と、同項第二号中「第二条」とあるのは「第九条において準用する同法第二条」と読み替えるものとする。

（最高裁判所規則）
第一九条　この法律に定めるもののほか、再生手続に関し必要な事項は、最高裁判所規則で定める。

第二〇条　削除

第二章　再生手続の開始

第一節　再生手続開始の申立て

（再生手続開始の申立て）
第二一条①　債務者に破産手続開始の原因となる事実の生ずるおそれがあるときは、債務者は、裁判所に対し、再生手続開始の申立てをすることができる。債務者が事業の継続に著しい支障を来すことなく弁済期にある債務を弁済することができないときも、同様とする。

② 前項前段に規定する場合には、債権者も、再生手続開始の申立てをすることができる。

（破産手続開始等の申立義務と再生手続開始の申立て）
第二二条　他の法律の規定により法人の理事又はこれに準ずる者がその法人に対して破産手続開始又は特別清算開始の申立てをしなければならない場合においても、再生手続開始の申立てをすることを妨げない。

（疎明）
第二三条①　再生手続開始の申立てをするときは、再生手続開始の原因となる事実を疎明しなければならない。

② 債権者が前項の申立てをするときは、その有する債権の存在をも疎明しなければならない。

（費用の予納）
第二四条①　再生手続開始の申立てをするときは、申立人は、再生手続の費用として裁判所の定める金額を予納しなければならない。

② 費用の予納に関する決定に対しては、即時抗告をすることができる。

（意見の聴取）
第二四条の二　裁判所は、再生手続開始の申立てがあった場合には、当該申立てを棄却すべきこと又は再生手続開始の決定をすべきことが明らかである場合を除き、当該申立てについての決定をする前に、労働組合等（再生債務者の使用人その他の従業者の過半数で組織する労働組合があるときはその労働組合、再生債務者の使用人その他の従業者の過半数で組織する労働組合がないときは再生債務者の使用人その他の従業者の過半数を代表する者をいう。第二百四十六条第三項を除き、以下同じ。）の意見を聴かなければならない。

（再生手続開始の条件）
第二五条　次の各号のいずれかに該当する場合には、裁判所は、再生手続開始の申立てを棄却しなければならない。

一　再生手続の費用の予納がないとき。

二　裁判所に破産手続又は特別清算手続が係属し、その手続によることが債権者の一般の利益に適合するとき。

三　再生計画案の作成若しくは可決の見込み又は再生計画の認可の見込みがないことが明らかであるとき。

四　不当な目的で再生手続開始の申立てがされたとき、その他申立てが誠実にされたものでないとき。

（他の手続の中止命令等）
第二六条①　裁判所は、再生手続開始の申立てがあった場合において、必要があると認めるときは、利害関係人の申立てにより又は職権で、再生手続開始の申立てにつき決定があるまでの間、次に掲げる手続又は処分の中止を命ずることができる。ただし、第二号に掲げる手続又は第五号に掲げる処分について

は、その手続の申立人である再生債権者又はその処分を行う者に不当な損害を及ぼすおそれがない場合に限る。

一　再生債務者についての破産手続又は特別清算手続

二　再生債権に基づく強制執行、仮差押え若しくは仮処分又は再生債権を被担保債権とする留置権（商法（明治三十二年法律第四十八号）又は会社法の規定によるものを除く。）による競売（次条、第二十九条及び第三十九条において「再生債権に基づく強制執行等」という。）の手続で、再生債務者の財産に対して既にされているもの

三　再生債務者の財産関係の訴訟手続

四　再生債務者の財産関係の事件で行政庁に係属しているものの手続

五　再生債権である共助対象外国租税（租税条約等の実施に伴う所得税法、法人税法及び地方税法の特例等に関する法律（昭和四十四年法律第四十六号。以下「租税条約等実施特例法」という。）第十一条第一項に規定する共助対象外国租税をいう。以下同じ。）の請求権に基づき国税滞納処分の例によってする処分（以下「再生債権に基づく外国租税滞納処分」という。）で、再生債務者の財産に対して既にされているもの

②　裁判所は、前項の規定による中止の命令を変更し、又は取り消すことができる。

③　裁判所は、再生債務者の事業の継続のために特に必要があると認めるときは、再生債務者（保全管理人が選任されている場合にあっては、保全管理人）の申立てにより、担保を立てさせて、第一項第二号の規定により中止した手続又は同項第五号の規定により中止した処分の取消しを命ずることができる。

④　第一項の規定による中止の命令、第二項の規定による決定及び前項の規定による取消しの命令に対しては、即時抗告をすることができる。

⑤　前項の即時抗告は、執行停止の効力を有しない。

⑥　第四項に規定する裁判及び同項の即時抗告についての裁判があった場合には、その裁判書を当事者に送達しなければならない。

＊令和五法五三（令和一〇・六・一三までに施行）による改正後

⑥　第四項に規定する裁判及び同項の即時抗告についての裁判があった場合には、その電子裁判書（第十八条において準用する民事訴訟法第百二十二条において準用する同法第二百五十二条第一項の規定により作成された電磁的記録であって、第十八条において準用する同法第百二十二条において準用する同法第二百五十三条第二項の規定によりファイルに記録されたものをいう。以下同じ。）を当事者に送達しなければならない。

（再生債権に基づく強制執行等の包括的禁止命令）

第二七条①　裁判所は、再生手続開始の申立てがあった場合において、前条第一項の規定による中止の命令によっては再生手続の目的を十分に達成することができないおそれがあると認めるべき特別の事情があるときは、利害関係人の申立てにより又は職権で、再生手続開始の申立てにつき決定があるまでの間、全ての再生債権者に対し、再生債務者の財産に対する再生債権に基づく強制執行等及び再生債権に基づく外国租税滞納処分の禁止を命ずることができる。ただし、事前に又は同時に、再生債務者の主要な財産に関し第三十条第一項の規定による保全処分をした場合又は第五十四条第一項の規定若しくは第七十九条第一項の規定による処分をした場合に限る。

②　前項の規定による禁止の命令（以下「包括的禁止命令」という。）が発せられた場合には、再生債務者の財産に対して既にされている再生債権に基づく強制執行等の手続及び再生債権に基づく外国租税滞納処分は、再生手続開始の申立てにつき決定があるまでの間、中止する。

③　裁判所は、包括的禁止命令を変更し、又は取り消すことができる。

④　裁判所は、再生債務者の事業の継続のために特に必要があると認めるときは、再生債務者（保全管理人が選任されている場合にあっては、保全管理人）の申立てにより、担保を立てさせて、第二項の規定により中止した再生債権に基づく強制執行等の手続又は再生債権に基づく外国租税滞納処分の取消しを命ずることができる。

⑤　包括的禁止命令、第三項の規定による決定及び前項の規定による取消しの命令に対しては、即時抗告をすることができる。

⑥　前項の即時抗告は、執行停止の効力を有しない。

⑦　包括的禁止命令が発せられたときは、再生債権については、当該命令が効力を失った日の翌日から二月を経過する日までの間は、時効は、完成しない。

（包括的禁止命令に関する公告及び送達等）

第二八条①　包括的禁止命令及びこれを変更し、又は取り消す旨の決定があった場合には、その旨を公告し、その裁判書を再生債務者（保全管理人が選任されている場合にあっては、保全管理人。次項において同じ。）及び申立人に送達し、かつ、その決定の主文を知れている再生債権者及び再生債務者（保全管理人が選任されている場合に限る。）に通知しなければならない。

②　包括的禁止命令及びこれを変更し、又は取り消す旨の決定は、再生債務者に対する裁判書の送達がされた時から、効力を生ずる。

③　前条第四項の規定による取消しの命令及び同条第五項の即時抗告についての裁判（包括的禁止命令を変更し、又は取り消す旨の決定を除く。）があった場合には、その裁判書を当事者に送達しなければならない。

＊令和五法五三（令和一〇・六・一三までに施行）による改正
第二八条中「裁判書」を「電子裁判書」に改める。（本文未織込み）

（包括的禁止命令の解除）

第二九条①　裁判所は、包括的禁止命令を発した場合において、再生債権に基づく強制執行等の申立人である再生債権者又は再生債権に基づく外国租税滞納処分を行う者（以下この項において「再生債権者等」という。）に不当な損害を及ぼすおそれがあると認めるときは、当該再生債権者等の申立てにより、当該再生債権者等に対しては包括的禁止命令を解除する旨の決定をすることができる。この場合において、当該再生債権者等は、再生債務者の財産に対する再生債権に基づく強制執行等又は再生債権に基づく外国租税滞納処分をすることができ、包括的禁止命令が発せられる前に当該再生債権者等がした再生債権に基づく強制執行等の手続又は再生債権に基づく外国租税滞納処分は、続行する。

②　前項の規定による解除の決定を受けた者に対する第二十七条第七項の規定の適用については、同項中「当該命令が効力を失った日」とあるのは、「第二十九条第一項の規定による解除の決定があった日」とする。

③　第一項の申立てについての裁判に対しては、即時抗告をすることができる。

④　前項の即時抗告は、執行停止の効力を有しない。

⑤　第一項の申立てについての裁判及び第三項の即時抗告についての裁判があった場合には、その裁判書を当事者に送達しなければならない。この場合においては、第十条第三項本文の規定は、適用しない。

＊令和五法五三（令和一〇・六・一三までに施行）による改正
第五項中「裁判書」を「電子裁判書」に改める。（本文未織込み）

（仮差押え、仮処分その他の保全処分）

第三〇条①　裁判所は、再生手続開始の申立てがあった場合には、利害関係人の申立てにより又は職権で、再生手続開始の申立てにつき決定があるまでの間、再生債務者の業務及び財産に関し、仮差押え、仮処分その他の必要な保全処分を命ずることができる。

② 裁判所は、前項の規定による保全処分を変更し、又は取り消すことができる。

③ 第一項の規定による保全処分及び前項の規定による決定に対しては、即時抗告をすることができる。

④ 前項の即時抗告は、執行停止の効力を有しない。

⑤ 第三項に規定する裁判及び同項の即時抗告についての裁判があった場合には、その裁判書を当事者に送達しなければならない。この場合においては、第十条第三項本文の規定は、適用しない。

⑥ 裁判所が第一項の規定により再生債務者が再生債権者に対して弁済その他の債務を消滅させる行為をすることを禁止する旨の保全処分を命じた場合には、再生債権者は、再生手続の関係においては、当該保全処分に反してされた弁済その他の債務を消滅させる行為の効力を主張することができない。ただし、再生債権者が、その行為の当時、当該保全処分がされたことを知っていたときに限る。

> **＊令和五法五三**（令和一〇・六・一三までに施行）**による改正**
> 第五項中「裁判書」を「電子裁判書」に改める。（本文未織込み）

（担保権の実行手続の中止命令）

第三一条① 裁判所は、再生手続開始の申立てがあった場合において、再生債権者の一般の利益に適合し、かつ、競売申立人に不当な損害を及ぼすおそれがないものと認めるときは、利害関係人の申立てにより又は職権で、相当の期間を定めて、第五十三条第一項に規定する再生債務者の財産につき存する担保権の実行手続の中止を命ずることができる。ただし、その担保権によって担保される債権が共益債権又は一般優先債権であるときは、この限りでない。

② 裁判所は、前項の規定による中止の命令を発する場合には、競売申立人の意見を聴かなければならない。

③ 裁判所は、第一項の規定による中止の命令を変更し、又は取り消すことができる。

④ 第一項の規定による中止の命令及び前項の規定による変更の決定に対しては、競売申立人に限り、即時抗告をすることができる。

⑤ 前項の即時抗告は、執行停止の効力を有しない。

⑥ 第四項に規定する裁判及び同項の即時抗告についての裁判があった場合には、その裁判書を当事者に送達しなければならない。この場合においては、第十条第三項本文の規定は、適用しない。

> **＊令和五法五三**（令和一〇・六・一三までに施行）**による改正**
> 第六項中「裁判書」を「電子裁判書」に改める。（本文未織込み）

（再生手続開始の申立ての取下げの制限）

第三二条 再生手続開始の申立てをした者は、再生手続開始の決定前に限り、当該申立てを取り下げることができる。この場合において、第二十六条第一項の規定による中止の命令、包括的禁止命令、第三十条第一項の規定による保全処分、前条第一項の規定による中止の命令、第五十四条第一項若しくは第七十九条第一項の規定による処分、第百三十四条の四第一項の規定による保全処分又は第百九十七条第一項の規定による中止の命令がされた後は、裁判所の許可を得なければならない。

第二節　再生手続開始の決定

（再生手続開始の決定）

第三三条① 裁判所は、第二十一条に規定する要件を満たす再生手続開始の申立てがあったときは、第二十五条の規定によりこれを棄却する場合を除き、再生手続開始の決定をする。

② 前項の決定は、その決定の時から、効力を生ずる。

（再生手続開始と同時に定めるべき事項）

第三四条① 裁判所は、再生手続開始の決定と同時に、再生債権の届出をすべき期間及び再生債権の調査をするための期間を定めなければならない。

② 前項の場合において、知れている再生債権者の数が千人以上であり、かつ、相当と認めるときは、裁判所は、次条第五項本文において準用する同条第三項第一号及び第三十七条本文の規定による知れている再生債権者に対する通知をせず、かつ、第百二条第一項に規定する届出再生債権者を債権者集会（再生計画案の決議をするためのものを除く。）の期日に呼び出さない旨の決定をすることができる。

（再生手続開始の公告等）

第三五条① 裁判所は、再生手続開始の決定をしたときは、直ちに、次に掲げる事項を公告しなければならない。ただし、第百六十九条の二第一項に規定する社債管理者等がないときは、第三号に掲げる事項については、公告することを要しない。

一　再生手続開始の決定の主文
二　前条第一項の規定により定めた期間
三　再生債務者が発行した第百六十九条の二第一項に規定する社債等について同項に規定する社債管理者等がある場合における当該社債等についての再生債権者の議決権は、同項各号のいずれかに該当する場合（同条第三項の場合を除く。）でなければ行使することができない旨

② 前条第二項の決定があったときは、裁判所は、前項各号に掲げる事項のほか、第五項本文において準用する次項第一号及び第三十七条本文の規定による知れている再生債権者に対する通知をせず、かつ、第百二条第一項に規定する届出再生債権者を債権者集会（再生計画案の決議をするためのものを除く。）の期日に呼び出さない旨をも公告しなければならない。

③ 次に掲げる者には、前二項の規定により公告すべき事項を通知しなければならない。

一　再生債務者及び知れている再生債権者
二　第五十四条第一項、第六十四条第一項又は第七十九条第一項前段の規定による処分がされた場合における監督委員、管財人又は保全管理人

④ 前項の規定にかかわらず、再生債務者がその財産をもって約定劣後再生債権（再生債権者と再生債務者との間において、再生手続開始前に、当該再生債務者について破産手続が開始されたとすれば当該破産手続におけるその配当の順位が破産法（平成十六年法律第七十五号）第九十九条第一項に規定する劣後的破産債権に後れる旨の合意がされた債権をいう。以下同じ。）に優先する債権に係る債務を完済することができない状態にあることが明らかであるときは、当該約定劣後再生債権を有する者であって知れているものに対しては、前項の規定による通知をすることを要しない。

⑤ 第一項第二号、第三項第一号及び前項の規定は、前条第一項の規定により定めた再生債権の届出をすべき期間に変更を生じた場合について準用する。ただし、同条第二項の決定があったときは、知れている再生債権者に対しては、当該通知をすることを要しない。

（抗告）

第三六条① 再生手続開始の申立てについての裁判に対しては、即時抗告をすることができる。

② 第二十六条から第三十条までの規定は、再生手続開始の申立てを棄却する決定に対して前項の即時抗告があった場合について準用する。

（再生手続開始決定の取消し）

第三七条 再生手続開始の決定をした裁判所は、前条第一項の即時抗告があった場合において、当該決定を取り消す決定が確定したときは、直ちにその主文を公告し、かつ、第三十五条第三項各号に掲げる者（保全管理人及び同条第四項の規定により通知を受けなかった者を除く。）にその主文を通知しなければならない。ただし、第三十四条第二項の決定があったときは、知れている再生債権者に対しては、当該通知をすることを要しな

い。

（再生債務者の地位）

第三八条① 再生手続が開始された後も、その業務を遂行し、並びにその財産（日本国内にあるかどうかを問わない。第六十六条及び第八十一条第一項において同じ。）を管理し、若しくは処分する権利を有する。

② 再生手続が開始された場合には、再生債務者は、債権者に対し、公平かつ誠実に、前項の権利を行使し、再生手続を追行する義務を負う。

③ 前二項の規定は、第六十四条第一項の規定による処分がされた場合には、適用しない。

（他の手続の中止等）

第三九条① 再生手続開始の決定があったときは、破産手続開始、再生手続開始若しくは特別清算開始の申立て、再生債務者の財産に対する再生債権に基づく強制執行等若しくは再生債権に基づく外国租税滞納処分又は再生債権に基づく財産開示手続若しくは第三者からの情報取得手続の申立てはすることができず、破産手続、再生債務者の財産に対して既にされている再生債権に基づく強制執行等の手続及び再生債権に基づく外国租税滞納処分並びに再生債権に基づく財産開示手続及び第三者からの情報取得手続は中止し、特別清算手続はその効力を失う。

② 裁判所は、再生に支障を来さないと認めるときは、再生債務者等の申立てにより又は職権で、前項の規定により中止した再生債権に基づく強制執行等の手続又は再生債権に基づく外国租税滞納処分の続行を命ずることができ、再生のため必要があると認めるときは、再生債務者等の申立てにより又は職権で、担保を立てさせて、又は立てさせないで、中止した再生債権に基づく強制執行等の手続又は再生債権に基づく外国租税滞納処分の取消しを命ずることができる。

③ 再生手続開始の決定があったときは、次に掲げる請求権は、共益債権とする。

一 第一項の規定により中止した破産手続における財団債権（破産法第百四十八条第一項第三号に掲げる請求権を除き、破産手続が開始されなかった場合における同法第五十五条第二項及び第百四十八条第四項に規定する請求権を含む。）

二 第一項の規定により効力を失った手続のために再生債務者に対して生じた債権及びその手続に関する再生債務者に対する費用請求権

三 前項の規定により続行された手続に関する再生債務者に対する費用請求権

④ 再生手続開始の決定があったときは、再生手続が終了するまでの間（再生計画認可の決定が確定したときは、第百八十一条第二項に規定する再生計画で定められた弁済期間が満了する時（その期間の満了前に再生計画に基づく弁済が完了した場合又は再生計画が取り消された場合にあっては弁済が完了した時又は再生計画が取り消された時）までの間）は、罰金、科料及び追徴の時効は、進行しない。ただし、当該罰金、科料又は追徴に係る請求権が共益債権である場合は、この限りでない。

（訴訟手続の中断等）

第四〇条① 再生手続開始の決定があったときは、再生債務者の財産関係の訴訟手続のうち再生債権に関するものは、中断する。

② 前項に規定する訴訟手続について、第百七条第一項、第百九条第二項（第百十三条第二項後段において準用する場合を含む。）又は第二百十三条第五項（第二百十九条第二項において準用する場合を含む。）の規定による受継があるまでに再生手続が終了したときは、再生債務者は、当然訴訟手続を受継する。

③ 前二項の規定は、再生債務者の財産関係の事件のうち再生債権に関するものであって、再生手続開始当時行政庁に係属するものについて準用する。

（債権者代位訴訟等の取扱い）

第四〇条の二① 民法（明治二十九年法律第八十九号）第四百二十三条第一項、第四百二十三条の七若しくは第四百二十四条第一項の規定により再生債権者の提起した訴訟又は破産法の規定による否認の訴訟若しくは否認の請求を認容する決定に対する異議の訴訟が再生手続開始当時係属するときは、その訴訟手続は、中断する。

② 再生債務者等は、前項の規定により中断した訴訟手続のうち、民法第四百二十三条第一項又は第四百二十三条の七の規定により再生債権者の提起した訴訟に係るものを受け継ぐことができる。この場合においては、受継の申立ては、相手方もすることができる。

③ 前項の場合においては、相手方の再生債権者に対する訴訟費用請求権は、共益債権とする。

④ 第二項に規定する訴訟手続について同項の規定による受継があった後に再生手続が終了したときは、第六十八条第四項において準用する同条第二項の規定により中断している場合を除き、当該訴訟手続は中断する。

⑤ 前項の場合には、再生債権者において当該訴訟手続を受け継がなければならない。この場合においては、受継の申立ては、相手方もすることができる。

⑥ 第二項に規定する訴訟手続が第六十八条第四項において準用する同条第二項の規定により中断した後に再生手続が終了した場合には、同条第四項において準用する同条第三項の規定にかかわらず、再生債権者において当該訴訟手続を受け継がなければならない。この場合においては、受継の申立ては、相手方もすることができる。

⑦ 第一項の規定により中断した訴訟手続について第二項又は第百四十条第一項の規定による受継があるまでに再生手続が終了したときは、再生債権者又は破産管財人は、当該訴訟手続を当然受継する。

（再生債務者等の行為の制限）

第四一条① 裁判所は、再生手続開始後において、必要があると認めるときは、再生債務者等が次に掲げる行為をするには裁判所の許可を得なければならないものとすることができる。

一 財産の処分

二 財産の譲受け

三 借財

四 第四十九条第一項の規定による契約の解除

五 訴えの提起

六 和解又は仲裁合意（仲裁法（平成十五年法律第百三十八号）第二条第一項に規定する仲裁合意をいう。）

七 権利の放棄

八 共益債権、一般優先債権又は第五十二条に規定する取戻権の承認

九 別除権の目的である財産の受戻し

十 その他裁判所の指定する行為

② 前項の許可を得ないでした行為は、無効とする。ただし、これをもって善意の第三者に対抗することができない。

（営業等の譲渡）

第四二条① 再生手続開始後において、再生債務者等が次に掲げる行為をするには、裁判所の許可を得なければならない。この場合において、裁判所は、当該再生債務者の事業の再生のために必要であると認める場合に限り、許可をすることができる。

一 再生債務者の営業又は事業の全部又は重要な一部の譲渡

二 再生債務者の子会社等（会社法第二条第三号の二に規定する子会社等をいう。ロにおいて同じ。）の株式又は持分の全部又は一部の譲渡（次のいずれにも該当する場合における譲渡に限る。）

イ 当該譲渡により譲り渡す株式又は持分の帳簿価額が再生債務者の総資産額として法務省令で定める方法により算定される額の五分の一（これを下回る割合を定款で定めた場合にあっては、その割合）を超えるとき。

ロ 再生債務者が、当該譲渡がその効力を生ずる日において当該子会社等の議決権の総数の過半数の議決権を有しないとき。

② 裁判所は、前項の許可をする場合には、知れている再生債権者（再生債務者が再生手続開始の時においてその財産をもって約定劣後再生債権に優先する債権に係る債務を完済することができない状態にある場合における当該約定劣後再生債権を有する者を除く。）の意見を聴かなければならない。ただし、第百十七条第二項に規定する債権者委員会があるときは、その意見を聴けば足りる。
③ 裁判所は、第一項の許可をする場合には、労働組合等の意見を聴かなければならない。
④ 前条第二項の規定は、第一項の許可を得ないでした行為について準用する。

（事業等の譲渡に関する株主総会の決議による承認に代わる許可）
第四三条① 再生手続開始後において、株式会社である再生債務者がその財産をもって債務を完済することができないときは、裁判所は、再生債務者等の申立てにより、当該再生債務者の会社法第四百六十七条第一項第一号から第二号の二までに掲げる行為（以下この項及び第八項において「事業等の譲渡」という。）について同条第一項に規定する株主総会の決議による承認に代わる許可を与えることができる。ただし、当該事業等の譲渡が事業の継続のために必要である場合に限る。
② 前項の許可（以下この条において「代替許可」という。）の決定があった場合には、その裁判書を再生債務者等に、その決定の要旨を記載した書面を株主に、それぞれ送達しなければならない。
③ 代替許可の決定は、前項の規定による再生債務者等に対する送達がされた時から、効力を生ずる。
④ 第二項の規定による株主に対する送達は、株主名簿に記載され、若しくは記録された住所又は株主が再生債務者に通知した場所にあてて、書類を通常の取扱いによる郵便に付し、又は民間事業者による信書の送達に関する法律（平成十四年法律第九十九号）第二条第六項に規定する一般信書便事業者若しくは同条第九項に規定する特定信書便事業者の提供する同条第二項に規定する信書便の役務を利用して送付する方法によりすることができる。
⑤ 前項の規定による送達をした場合には、その郵便物又は民間事業者による信書の送達に関する法律第二条第三項に規定する信書便物（以下「郵便物等」という。）が通常到達すべきであった時に、送達があったものとみなす。
⑥ 代替許可の決定に対しては、株主は、即時抗告をすることができる。
⑦ 前項の即時抗告は、執行停止の効力を有しない。
⑧ 代替許可を得て再生債務者の事業等の譲渡をする場合には、会社法第四百六十九条及び第四百七十条の規定は、適用しない。

＊令和五法五三（令和一〇・六・一三までに施行）による改正後
（事業等の譲渡に関する株主総会の決議による承認に代わる許可）
第四三条① 再生手続開始後において、株式会社である再生債務者がその財産をもって債務を完済することができないときは、裁判所は、再生債務者等の申立てにより、当該再生債務者の会社法第四百六十七条第一項第一号から第二号の二までに掲げる行為（以下この項及び第九項において「事業等の譲渡」という。）について同条第一項に規定する株主総会の決議による承認に代わる許可を与えることができる。ただし、当該事業等の譲渡が事業の継続のために必要である場合に限る。
② 前項の許可（以下この条において「代替許可」という。）の決定があった場合には、裁判所書記官は、最高裁判所規則で定めるところにより、その決定の要旨を記録した電磁的記録を作成し、これをファイルに記録しなければならない。（改正により追加）
③ 前項に規定する場合には、その電子裁判書を再生債務者等に、同項の規定によりファイルに記録された電磁的記録を株主に、それぞれ送達しなければならない。（改正前の②）
④（略、改正前の③）
⑤ 第三項の規定による株主に対する送達は、株主名簿に記載され、若しくは記録された住所又は株主が再生債務者に通知した場所に宛てて、書類を通常の取扱いによる郵便に付し、又は民間事業者による信書の送達に関する法律（平成十四年法律第九十九号）第二条第六項に規定する一般信書便事業者若しくは同条第九項に規定する特定信書便事業者の提供する同条第二項に規定する信書便の役務を利用して送付する方法によりすることができる。（改正前の④）
⑥―⑨（略、改正前の⑤―⑧）

（開始後の権利取得）
第四四条① 再生手続開始後、再生債権につき再生債務者財産に関して再生債務者（管財人が選任されている場合にあっては、管財人又は再生債務者）の行為によらないで権利を取得しても、再生債権者は、再生手続の関係においては、その効力を主張することができない。
② 再生手続開始の日に取得した権利は、再生手続開始後に取得したものと推定する。

（開始後の登記及び登録）
第四五条① 不動産又は船舶に関し再生手続開始前に生じた登記原因に基づき再生手続開始後にされた登記又は不動産登記法（平成十六年法律第百二十三号）第百五条第一号の規定による仮登記は、再生手続の関係においては、その効力を主張することができない。ただし、登記権利者が再生手続開始の事実を知らないでした登記又は仮登記については、この限りでない。
② 前項の規定は、権利の設定、移転若しくは変更に関する登録若しくは仮登録又は企業担保権の設定、移転若しくは変更に関する登記について準用する。

（開始後の手形の引受け等）
第四六条① 為替手形の振出人又は裏書人である再生債務者について再生手続が開始された場合において、支払人又は予備支払人がその事実を知らないで引受け又は支払をしたときは、その支払人又は予備支払人は、これによって生じた債権につき、再生債権者としてその権利を行うことができる。
② 前項の規定は、小切手及び金銭その他の物又は有価証券の給付を目的とする有価証券について準用する。

（善意又は悪意の推定）
第四七条 前二条の規定の適用については、第三十五条第一項の規定による公告（以下「再生手続開始の公告」という。）前においてはその事実を知らなかったものと推定し、再生手続開始の公告後においてはその事実を知っていたものと推定する。

（共有関係）
第四八条① 再生債務者が他人と共同して財産権を有する場合において、再生手続が開始されたときは、再生債務者等は、共有者の間で分割をしない定めがあるときでも、分割の請求をすることができる。
② 前項の場合には、他の共有者は、相当の償金を支払って再生債務者の持分を取得することができる。

（双務契約）
第四九条① 双務契約について再生債務者及びその相手方が再生手続開始の時において共にまだその履行を完了していないときは、再生債務者等は、契約の解除をし、又は再生債務者の債務の履行を請求することができる。
② 前項の場合には、相手方は、再生債務者等に対し、相当の期間を定め、その期間内に契約の解除をするか又は債務の履行を請求するかを確答すべき旨を催告することができる。この場合において、再生債務者等がその期間内に確答をしないときは、同項の規定による解除権を放棄したものとみなす。
③ 前二項の規定は、労働協約には、適用しない。
④ 第一項の規定により再生債務者の債務の履行をする場合において、相手方が有する請求権は、共益債権とする。
⑤ 破産法第五十四条の規定は、第一項の規定による契約の解除

があった場合について準用する。この場合において、同条第一項中「破産債権者」とあるのは「再生債権者」と、同条第二項中「破産者」とあるのは「再生債務者」と、「破産財団」とあるのは「再生債務者財産」と、「財団債権者」とあるのは「共益債権者」と読み替えるものとする。

（継続的給付を目的とする双務契約）

第五〇条① 再生債務者に対して継続的給付の義務を負う双務契約の相手方は、再生手続開始の申立て前の給付に係る再生債権について弁済がないことを理由としては、再生手続開始後は、その義務の履行を拒むことができない。

② 前項の双務契約の相手方が再生手続開始の申立て後再生手続開始前にした給付に係る請求権（一定期間ごとに債権額を算定すべき継続的給付については、申立ての日の属する期間内の給付に係る請求権を含む。）は、共益債権とする。

③ 前二項の規定は、労働契約には、適用しない。

（双務契約についての破産法の準用）

第五一条 破産法第五十六条、第五十八条及び第五十九条の規定は、再生手続が開始された場合について準用する。この場合において、同法第五十六条第一項中「第五十三条第一項及び第二項」とあるのは「民事再生法第四十九条第一項及び第二項」と、「破産者」とあるのは「再生債務者」と、同条第二項中「財団債権」とあるのは「共益債権」と、同法第五十八条第一項中「破産手続開始」とあるのは「再生手続開始」と、同条第三項において準用する同法第五十四条第一項中「破産債権者」とあるのは「再生債権者」と、同法第五十九条第一項中「破産手続」とあるのは「再生手続」と、同条第二項中「請求権は、破産者が有するときは破産財団に属し」とあるのは「請求権は」と、「破産債権」とあるのは「再生債権」と読み替えるものとする。

（取戻権）

第五二条① 再生手続の開始は、再生債務者に属しない財産を再生債務者から取り戻す権利に影響を及ぼさない。

② 破産法第六十三条及び第六十四条の規定は、再生手続が開始された場合について準用する。この場合において、同法第六十三条第一項中「破産手続開始の決定」とあるのは「再生手続開始の決定」と、同項ただし書及び同法第六十四条中「破産管財人」とあるのは「再生債務者（管財人が選任されている場合にあっては、管財人）」と、同法第六十三条第二項中「第五十三条第一項及び第二項」とあるのは「民事再生法第四十九条第一項及び第二項」と、同条第三項中「第一項」とあるのは「前二項」と、「同項」とあるのは「第一項」と、同法第六十四条第一項中「破産者」とあるのは「再生債務者」と、「破産手続開始」とあるのは「再生手続開始」と読み替えるものとする。

（別除権）

第五三条① 再生手続開始の時において再生債務者の財産につき存する担保権（特別の先取特権、質権、抵当権又は商法若しくは会社法の規定による留置権をいう。第三項において同じ。）を有する者は、その目的である財産について、別除権を有する。

② 別除権は、再生手続によらないで、行使することができる。

③ 担保権の目的である財産が再生債務者等による任意売却その他の事由により再生債務者財産に属しないこととなった場合において当該担保権がなお存続するときにおける当該担保権を有する者も、その目的である財産について別除権を有する。

第三章 再生手続の機関

第一節 監督委員

（監督命令）

第五四条① 裁判所は、再生手続開始の申立てがあった場合において、必要があると認めるときは、利害関係人の申立てにより又は職権で、監督委員による監督を命ずる処分をすることができる。

② 裁判所は、前項の処分（以下「監督命令」という。）をする場合には、当該監督命令において、一人又は数人の監督委員を選任し、かつ、その同意を得なければ再生債務者がすることができない行為を指定しなければならない。

③ 法人は、監督委員となることができる。

④ 第二項に規定する監督委員の同意を得ないでした行為は、無効とする。ただし、これをもって善意の第三者に対抗することができない。

⑤ 裁判所は、監督命令を変更し、又は取り消すことができる。

⑥ 監督命令及び前項の規定による決定に対しては、即時抗告をすることができる。

⑦ 前項の即時抗告は、執行停止の効力を有しない。

（監督命令に関する公告及び送達）

第五五条① 裁判所は、監督命令を発したときは、その旨を公告しなければならない。監督命令を変更し、又は取り消す旨の決定があった場合も、同様とする。

② 監督命令、前条第五項の規定による決定及び同条第六項の即時抗告についての裁判があった場合には、その裁判書を当事者に送達しなければならない。

＊令和五法五三（令和一〇・六・一三までに施行）**による改正**
第二項中「裁判書」を「電子裁判書」に改める。（本文未織込み）

③ 第十条第四項の規定は、第一項の場合については、適用しない。

（否認に関する権限の付与）

第五六条① 再生手続開始の決定があった場合には、裁判所は、利害関係人の申立てにより又は職権で、監督委員に対して、特定の行為について否認権を行使する権限を付与することができる。

② 監督委員は、前項の規定により権限を付与された場合には、当該権限の行使に関し必要な範囲内で、再生債務者のために、金銭の収支その他の財産の管理及び処分をすることができる。

③ 第七十七条第一項から第三項までの規定は、前項の監督委員について準用する。この場合において、同条第二項中「後任の管財人」とあるのは「後任の監督委員であって第五十六条第一項の規定により否認権を行使する権限を付与されたもの又は管財人」と、同条第三項中「後任の管財人」とあるのは「後任の監督委員であって第五十六条第一項の規定により否認権を行使する権限を付与されたもの、管財人」と読み替えるものとする。

④ 裁判所は、第一項の規定による決定を変更し、又は取り消すことができる。

⑤ 裁判所は、必要があると認めるときは、第一項の規定により権限を付与された監督委員が訴えの提起、和解その他裁判所の指定する行為をするには裁判所の許可を得なければならないものとすることができる。

⑥ 第四十一条第二項の規定は、監督委員が前項の許可を得ないでした行為について準用する。

（監督委員に対する監督等）

第五七条① 監督委員は、裁判所が監督する。

② 裁判所は、監督委員が再生債務者の業務及び財産の管理の監督を適切に行っていないとき、その他重要な事由があるときは、利害関係人の申立てにより又は職権で、監督委員を解任することができる。この場合においては、その監督委員を審尋しなければならない。

（数人の監督委員の職務執行）

第五八条 監督委員が数人あるときは、共同してその職務を行う。ただし、裁判所の許可を得て、それぞれ単独にその職務を行い、又は職務を分掌することができる。

（監督委員による調査等）

第五九条① 監督委員は、次に掲げる者に対して再生債務者の業務及び財産の状況につき報告を求め、再生債務者の帳簿、書類その他の物件を検査することができる。

一 再生債務者

二　再生債務者の代理人
三　再生債務者が法人である場合のその理事、取締役、執行役、監事、監査役及び清算人
四　前号に掲げる者に準ずる者
五　再生債務者の従業者（第二号に掲げる者を除く。）

② 前項の規定は、同項各号（第一号を除く。）に掲げる者であった者について準用する。

③ 監督委員は、その職務を行うため必要があるときは、再生債務者の子会社等（次の各号に掲げる区分に応じ、それぞれ当該各号に定める法人をいう。次項において同じ。）に対して、その業務及び財産の状況につき報告を求め、又はその帳簿、書類その他の物件を検査することができる。
一　再生債務者が株式会社である場合　再生債務者の子会社（会社法第二条第三号に規定する子会社をいう。）
二　再生債務者が株式会社以外のものである場合　再生債務者が株式会社の総株主の議決権の過半数を有する場合における当該株式会社

④ 再生債務者（株式会社以外のものに限る。以下この項において同じ。）の子会社等又は再生債務者及びその子会社等が他の株式会社の総株主の議決権の過半数を有する場合には、前項の規定の適用については、当該他の株式会社を当該再生債務者の子会社等とみなす。

（監督委員の注意義務）

第六〇条① 監督委員は、善良な管理者の注意をもって、その職務を行わなければならない。

② 監督委員が前項の注意を怠ったときは、その監督委員は、利害関係人に対し、連帯して損害を賠償する責めに任ずる。

（監督委員の報酬等）

第六一条① 監督委員は、費用の前払及び裁判所が定める報酬を受けることができる。

② 監督委員は、その選任後、再生債務者に対する債権又は再生債務者の株式その他の再生債務者に対する出資による持分を譲り受け、又は譲り渡すには、裁判所の許可を得なければならない。

③ 監督委員は、前項の許可を得ないで同項に規定する行為をしたときは、費用及び報酬の支払を受けることができない。

④ 第一項の規定による決定に対しては、即時抗告をすることができる。

第二節　調査委員

（調査命令）

第六二条① 裁判所は、再生手続開始の申立てがあった場合において、必要があると認めるときは、利害関係人の申立てにより又は職権で、調査委員による調査を命ずる処分をすることができる。

② 裁判所は、前項の処分（以下「調査命令」という。）をする場合には、当該調査命令において、一人又は数人の調査委員を選任し、かつ、調査委員が調査すべき事項及び裁判所に対して調査の結果の報告をすべき期間を定めなければならない。

③ 裁判所は、調査命令を変更し、又は取り消すことができる。

④ 調査命令及び前項の規定による決定に対しては、即時抗告をすることができる。

⑤ 前項の即時抗告は、執行停止の効力を有しない。

⑥ 第四項に規定する裁判及び同項の即時抗告についての裁判があった場合には、その裁判書を当事者に送達しなければならない。

> **＊令和五法五三（令和一〇・六・一三までに施行）による改正**
> 第六項中「裁判書」を「電子裁判書」に改める。（本文未織込み）

（監督委員に関する規定の準用）

第六三条 第五十四条第三項、第五十七条、第五十八条本文及び第五十九条から第六十一条までの規定は、調査委員について準用する。

第三節　管財人

（管理命令）

第六四条① 裁判所は、再生債務者（法人である場合に限る。以下この項において同じ。）の財産の管理又は処分が失当であるとき、その他再生債務者の事業の再生のために特に必要があると認めるときは、利害関係人の申立てにより又は職権で、再生手続の開始の決定と同時に又はその決定後、再生債務者の業務及び財産に関し、管財人による管理を命ずる処分をすることができる。

② 裁判所は、前項の処分（以下「管理命令」という。）をする場合には、当該管理命令において、一人又は数人の管財人を選任しなければならない。

③ 裁判所が管理命令を発しようとする場合には、再生債務者を審尋しなければならない。ただし、急迫の事情があるときは、この限りでない。

④ 裁判所は、管理命令を変更し、又は取り消すことができる。

⑤ 管理命令及び前項の規定による決定に対しては、即時抗告をすることができる。

⑥ 前項の即時抗告は、執行停止の効力を有しない。

（管理命令に関する公告及び送達）

第六五条① 裁判所は、管理命令を発したときは、次項に規定する場合を除き、次に掲げる事項を公告しなければならない。
一　管理命令を発した旨及び管財人の氏名又は名称
二　再生債務者の財産の所持者及び再生債務者に対して債務を負担する者（第五項において「財産所持者等」という。）は、再生債務者にその財産を交付し、又は弁済をしてはならない旨

② 裁判所は、再生手続開始の決定と同時に管理命令を発したときは、再生手続開始の公告には、前項に掲げる事項をも掲げなければならない。

③ 裁判所は、管理命令を変更し、又は取り消す旨の決定をした場合には、その旨を公告しなければならない。

④ 管理命令、前項の決定又は前条第五項の即時抗告についての裁判があった場合には、その裁判書を当事者に送達しなければならない。

> **＊令和五法五三（令和一〇・六・一三までに施行）による改正**
> 第四項中「裁判書」を「電子裁判書」に改める。（本文未織込み）

⑤ 管理命令が発せられた場合には第一項に掲げる事項を、第三項の決定があった場合又は管理命令が発せられた後に再生手続開始の決定を取り消す決定が確定した場合にはその旨を、知れている財産所持者等に通知しなければならない。

⑥ 第十条第四項の規定は、第一項の場合については、適用しない。

（管財人の権限）

第六六条 管理命令が発せられた場合には、再生債務者の業務の遂行並びに財産の管理及び処分をする権利は、裁判所が選任した管財人に専属する。

（管理命令が発せられた場合の再生債務者の財産関係の訴えの取扱い）

第六七条① 管理命令が発せられた場合には、再生債務者の財産関係の訴えについては、管財人を原告又は被告とする。

② 管理命令が発せられた場合には、再生債務者の財産関係の訴訟手続で再生債務者が当事者であるものは、中断する。第百四十五条第一項の訴えに係る訴訟手続で再生債権者が当事者であるものについても、同様とする。

③ 前項の規定により中断した訴訟手続のうち再生債権に関しないもの（第四十条の二第二項に規定するもので同項の規定によ

り受継されたものを除く。）は、管財人においてこれを受け継ぐことができる。この場合においては、受継の申立ては、相手方もすることができる。

④　第二項の規定により中断した訴訟手続のうち、再生債権に関するもので第百六条第一項、第百九条第一項若しくは第百十三条第二項前段の規定により提起され、若しくは第百七条第一項若しくは第百九条第二項（第百十三条第二項後段において準用する場合を含む。）の規定により受継されたもの又は第四十条の二第二項に規定するもので同項の規定により受継されたものは、管財人においてこれを受け継がなければならない。この場合においては、受継の申立ては、相手方もすることができる。

⑤　前二項の場合においては、相手方の再生債務者又は第二項後段の再生債権者に対する訴訟費用請求権は、共益債権とする。

第六八条①　前条第二項の規定により中断した訴訟手続について同条第三項又は第四項の規定による受継があるまでに再生手続が終了したときは、再生債務者は、当該訴訟手続（第四十条の二第二項に規定するもので同条第三項の規定により中断するものを除く。次項において同じ。）を当然受継する。

②　再生手続が終了したときは、管財人を当事者とする再生債務者の財産関係の訴訟手続は、中断する。

③　再生債務者は、前項の規定により中断した訴訟手続（再生計画不認可、再生手続廃止又は再生計画取消しの決定の確定により再生手続が終了した場合における第百三十七条第一項の訴えに係るものを除く。）を受け継がなければならない。この場合においては、受継の申立ては、相手方もすることができる。

④　第一項の規定は前条第三項又は第四項の規定による受継があるまでに管理命令を取り消す旨の決定が確定した場合について、前二項の規定は管理命令を取り消す旨の決定が確定した場合について準用する。この場合において、第一項中「前条第二項」とあるのは「前条第二項前段」と、「訴訟手続（第四十条の二第二項に規定するもので同条第三項の規定により中断するものを除く。次項において同じ。）」とあるのは「訴訟手続」と読み替えるものとする。

⑤　第三項の規定は、前条第三項の規定による受継があるまでに管理命令を取り消す旨の決定が確定した場合における同条第二項後段の規定により中断した訴訟手続について準用する。この場合において、第三項中「再生債務者」とあるのは、「前条第二項後段の再生債権者」と読み替えるものとする。

（行政庁に係属する事件の取扱い）

第六九条　第六十七条第二項から第五項まで及び前条の規定は、再生債務者の財産関係の事件で管理命令が発せられた当時行政庁に係属するものについて準用する。

（数人の管財人の職務執行）

第七〇条①　管財人が数人あるときは、共同してその職務を行う。ただし、裁判所の許可を得て、それぞれ単独にその職務を行い、又は職務を分掌することができる。

②　管財人が数人あるときは、第三者の意思表示は、その一人に対してすれば足りる。

（管財人代理）

第七一条①　管財人は、必要があるときは、その職務を行わせるため、自己の責任で一人又は数人の管財人代理を選任することができる。

②　前項の管財人代理の選任については、裁判所の許可を得なければならない。

（再生債務者の業務及び財産の管理）

第七二条　管財人は、就職の後直ちに再生債務者の業務及び財産の管理に着手しなければならない。

（郵便物等の管理）

第七三条①　裁判所は、管財人の職務の遂行のため必要があると認めるときは、信書の送達の事業を行う者に対し、再生債務者にあてた郵便物等を管財人に配達すべき旨を嘱託することができる。

②　裁判所は、再生債務者の申立てにより又は職権で、管財人の意見を聴いて、前項に規定する嘱託を取り消し、又は変更することができる。

③　再生手続が終了したときは、裁判所は、第一項に規定する嘱託を取り消さなければならない。管理命令が取り消されたときも、同様とする。

④　第一項又は第二項の規定による決定及び同項の申立てを却下する裁判に対しては、再生債務者又は管財人は、即時抗告をすることができる。

⑤　第一項の規定による決定に対する前項の即時抗告は、執行停止の効力を有しない。

第七四条①　管財人は、再生債務者にあてた郵便物等を受け取ったときは、これを開いて見ることができる。

②　再生債務者は、管財人に対し、管財人が受け取った前項の郵便物等の閲覧又は当該郵便物等で再生債務者財産に関しないものの交付を求めることができる。

（管財人の行為に対する制限）

第七五条①　管財人は、裁判所の許可を得なければ、再生債務者の財産を譲り受け、再生債務者に対し自己の財産を譲り渡し、その他自己又は第三者のために再生債務者と取引をすることができない。

②　前項の許可を得ないでした行為は、無効とする。ただし、これをもって善意の第三者に対抗することができない。

（管理命令後の再生債務者の行為等）

第七六条①　再生債務者が管理命令が発せられた後に再生債務者財産に関してした法律行為は、再生手続の関係においては、その効力を主張することができない。ただし、相手方がその行為の当時管理命令が発せられた事実を知らなかったときは、この限りでない。

②　管理命令が発せられた後に、その事実を知らないで再生債務者にした弁済は、再生手続の関係においても、その効力を主張することができる。

③　管理命令が発せられた後に、その事実を知って再生債務者にした弁済は、再生債務者財産が受けた利益の限度においてのみ、再生手続の関係において、その効力を主張することができる。

④　第四十七条の規定は、前三項の規定の適用について準用する。この場合において、「第三十五条第一項の規定による公告（以下「再生手続開始の公告」という。）」とあるのは「第六十五条第一項の規定による公告（再生手続開始の決定と同時に管理命令が発せられた場合には、第三十五条第一項の規定による公告）」と読み替えるものとする。

（取締役等の報酬）

第七六条の二　管理命令が発せられた場合における再生債務者が法人であるときのその理事、取締役、執行役、監事、監査役、清算人又はこれらに準ずる者は、再生債務者に対して報酬を請求することができない。

（任務終了の場合の報告義務等）

第七七条①　管財人の任務が終了した場合には、管財人は、遅滞なく、裁判所に計算の報告をしなければならない。

②　前項の場合において、管財人が欠けたときは、同項の計算の報告は、同項の規定にかかわらず、後任の管財人がしなければならない。

③　管財人の任務が終了した場合において、急迫の事情があるときは、管財人又はその承継人は、後任の管財人又は再生債務者が財産を管理することができるに至るまで必要な処分をしなければならない。

④　再生手続開始の決定を取り消す決定、再生手続廃止の決定若しくは再生計画不認可の決定が確定した場合又は再生手続終了前に再生計画取消しの決定が確定した場合には、第二百五十二条第六項に規定する場合を除き、管財人は、共益債権及び一般優先債権を弁済し、これらの債権のうち異議のあるものについては、その債権を有する者のために供託をしなければならない。

（監督委員に関する規定の準用）

第七八条　第五十四条第三項、第五十七条及び第五十九条から第六十一条までの規定は管財人について、同条の規定は管財人代理について準用する。

第四節　保全管理人

（保全管理命令）

第七九条① 裁判所は、再生手続開始の申立てがあった場合において、再生債務者（法人である場合に限る。以下この節において同じ。）の財産の管理又は処分が失当であるとき、その他再生債務者の事業の継続のために特に必要があると認めるときは、利害関係人の申立てにより又は職権で、再生手続開始の申立てにつき決定があるまでの間、再生債務者の業務及び財産に関し、保全管理人による管理を命ずる処分をすることができる。この場合においては、第六十四条第三項の規定を準用する。

② 裁判所は、前項の処分（以下「保全管理命令」という。）をする場合には、当該保全管理命令において、一人又は数人の保全管理人を選任しなければならない。

③ 前二項の規定は、再生手続開始の申立てを棄却する決定に対して第三十六条第一項の即時抗告があった場合について準用する。

④ 裁判所は、保全管理命令を変更し、又は取り消すことができる。

⑤ 保全管理命令及び前項の規定による決定に対しては、即時抗告をすることができる。

⑥ 前項の即時抗告は、執行停止の効力を有しない。

（保全管理命令に関する公告及び送達）

第八〇条① 裁判所は、保全管理命令を発したときは、その旨を公告しなければならない。保全管理命令を変更し、又は取り消す旨の決定があった場合も、同様とする。

② 保全管理命令、前条第四項の規定による決定及び同条第五項の即時抗告についての裁判があった場合には、その裁判書を当事者に送達しなければならない。

＊**令和五法五三**（令和一〇・六・一三までに施行）**による改正**
第二項中「裁判書」を「電子裁判書」に改める。（本文未織込み）

③ 第十条第四項の規定は、第一項の場合については、適用しない。

（保全管理人の権限）

第八一条① 保全管理命令が発せられたときは、再生債務者の業務の遂行並びに財産の管理及び処分をする権利は、保全管理人に専属する。ただし、保全管理人が再生債務者の常務に属しない行為をするには、裁判所の許可を得なければならない。

② 前項ただし書の許可を得ないでした行為は、無効とする。ただし、これをもって善意の第三者に対抗することができない。

③ 第四十一条の規定は、保全管理人について準用する。

（保全管理人代理）

第八二条① 保全管理人は、必要があるときは、その職務を行わせるため、自己の責任で一人又は数人の保全管理人代理を選任することができる。

② 前項の保全管理人代理の選任については、裁判所の許可を得なければならない。

（監督委員に関する規定等の保全管理人等への準用）

第八三条① 第五十四条第三項、第五十七条、第五十九条から第六十一条まで、第六十七条第一項、第七十条、第七十二条、第七十四条から第七十六条まで及び第七十七条第一項から第三項までの規定は保全管理人について、第六十一条の規定は保全管理人代理について準用する。この場合において、第七十六条第四項後段中「第六十五条第一項の規定による公告（再生手続開始の決定と同時に管理命令が発せられた場合には、第三十五条第一項の規定による公告）」とあるのは「第八十条第一項の規定による公告」と、第七十七条第二項中「後任の管財人」とあるのは「後任の保全管理人」と、同条第三項中「後任の管財人」とあるのは「後任の保全管理人、管財人」と読み替えるものとする。

② 第六十七条第二項、第三項及び第五項の規定は保全管理命令が発せられた場合について、第六十八条第一項から第三項までの規定は保全管理命令が効力を失った場合について準用する。

③ 第六十七条第二項、第三項及び第五項並びに第六十八条第一項から第三項までの規定は、再生債務者の財産関係の事件で保全管理命令が発せられた当時行政庁に係属するものについて準用する。この場合において、第六十八条第二項及び第三項中「再生手続が終了したとき」とあるのは「保全管理命令が効力を失ったとき」と読み替えるものとする。

④ 第七十六条の二の規定は、保全管理命令が発せられた場合における再生債務者が法人であるときのその理事、取締役、執行役、監事、監査役、清算人又はこれらに準ずる者について準用する。

第四章　再生債権

第一節　再生債権者の権利

（再生債権となる請求権）

第八四条① 再生債務者に対し再生手続開始前の原因に基づいて生じた財産上の請求権（共益債権又は一般優先債権であるものを除く。次項において同じ。）は、再生債権とする。

② 次に掲げる請求権も、再生債権とする。
一 再生手続開始後の利息の請求権
二 再生手続開始後の不履行による損害賠償及び違約金の請求権
三 再生手続参加の費用の請求権

（再生債権の弁済の禁止）

第八五条① 再生債権については、再生手続開始後は、この法律に特別の定めがある場合を除き、再生計画の定めるところによらなければ、弁済をし、弁済を受け、その他これを消滅させる行為（免除を除く。）をすることができない。

② 再生債務者を主要な取引先とする中小企業者が、その有する再生債権の弁済を受けなければ、事業の継続に著しい支障を来すおそれがあるときは、裁判所は、再生計画認可の決定が確定する前でも、再生債務者等の申立てにより又は職権で、その全部又は一部の弁済をすることを許可することができる。

③ 裁判所は、前項の規定による許可をする場合には、再生債務者と同項の中小企業者との取引の状況、再生債務者の資産状態、利害関係人の利害その他一切の事情を考慮しなければならない。

④ 再生債務者等は、再生債権者から第二項の申立てをすべきことを求められたときは、直ちにその旨を裁判所に報告しなければならない。この場合において、その申立てをしないこととしたときは、遅滞なく、その事情を裁判所に報告しなければならない。

⑤ 少額の再生債権を早期に弁済することにより再生手続を円滑に進行することができるとき、又は少額の再生債権を早期に弁済しなければ再生債務者の事業の継続に著しい支障を来すときは、裁判所は、再生計画認可の決定が確定する前でも、再生債務者等の申立てにより、その弁済をすることを許可することができる。

⑥ 第二項から前項までの規定は、約定劣後再生債権である再生債権については、適用しない。

（再生債務者等による相殺）

第八五条の二　再生債務者等は、再生債務者財産に属する債権をもって再生債権と相殺することが再生債権者の一般の利益に適合するときは、裁判所の許可を得て、その相殺をすることができる。

（再生債権者の手続参加）

第八六条① 再生債権者は、その有する再生債権をもって再生手続に参加することができる。

② 破産法第百四条から第百七条までの規定は、再生手続が開始された場合における再生債権者の権利の行使について準用する。この場合において、同法第百四条から第百七条までの規定中「破産手続開始」とあるのは「再生手続開始」と、同法第百四条第一項、第三項及び第四項、第百五条、第百六条並びに第百七条第一項中「破産手続に」とあるのは「再生手続に」と、同法第百四条第三項から第五項までの規定中「破産者」とあるのは「再生債務者」と、同条第四項中「破産債権者」とあるのは「再生債権者」と読み替えるものとする。

③ 第一項の規定にかかわらず、共助対象外国租税の請求権をもって再生手続に参加するには、共助実施決定（租税条約等実施特例法第十一条第一項に規定する共助実施決定をいう。第百十三条第二項において同じ。）を得なければならない。

第八七条（再生債権者の議決権）① 再生債権者は、次に掲げる債権の区分に従い、それぞれ当該各号に定める金額に応じて、議決権を有する。

一 再生手続開始後に期限が到来すべき確定期限付債権で無利息のもの　再生手続開始の時から期限に至るまでの期間の年数（その期間に一年に満たない端数があるときは、これを切り捨てるものとする。）に応じた債権に対する再生手続開始の時における法定利率による利息を債権額から控除した額

二 金額及び存続期間が確定している定期金債権　各定期金につき前号の規定に準じて算定される額の合計額（その額が再生手続開始の時における法定利率によりその定期金に相当する利息を生ずべき元本額を超えるときは、その元本額）

三 次に掲げる債権　再生手続開始の時における評価額

イ 再生手続開始後に期限が到来すべき不確定期限付債権で無利息のもの

ロ 金額又は存続期間が不確定である定期金債権

ハ 金銭の支払を目的としない債権

ニ 金銭債権で、その額が不確定であるもの又はその額を外国の通貨をもって定めたもの

ホ 条件付債権

ヘ 再生債務者に対して行うことがある将来の請求権

四 前三号に掲げる債権以外の債権　債権額

② 前項の規定にかかわらず、再生債権者は、第八十四条第二項に掲げる請求権、第九十七条第一号に規定する再生手続開始前の罰金等及び共助対象外国租税の請求権については、議決権を有しない。

③ 第一項の規定にかかわらず、再生債務者が再生手続開始の時においてその財産をもって約定劣後再生債権に優先する債権に係る債務を完済することができない状態にあるときは、当該約定劣後再生債権を有する者は、議決権を有しない。

第八八条（別除権者の手続参加） 別除権者は、当該別除権に係る第五十三条第一項に規定する担保権によって担保される債権については、その別除権の行使によって弁済を受けることができない債権の部分についてのみ、再生債権者として、その権利を行うことができる。ただし、当該担保権によって担保される債権の全部又は一部が再生手続開始後に担保されないこととなった場合には、その債権の当該全部又は一部について、再生債権者として、その権利を行うことを妨げない。

第八九条（再生債権者が外国で受けた弁済）① 再生債権者は、再生手続開始の決定があった後に、再生債務者の財産で外国にあるものに対して権利を行使したことにより、再生債権について弁済を受けた場合であっても、その弁済を受ける前の債権の全部をもって再生手続に参加することができる。

② 前項の再生債権者は、他の再生債権者（同項の再生債権者が約定劣後再生債権を有する者である場合にあっては、他の約定劣後再生債権を有する者）が自己の受けた弁済と同一の割合の弁済を受けるまでは、再生手続により、弁済を受けることができない。

③ 第一項の再生債権者は、外国において弁済を受けた債権の部分については、議決権を行使することができない。

第九〇条（代理委員）① 再生債権者は、裁判所の許可を得て、共同して又は各別に、一人又は数人の代理委員を選任することができる。

② 裁判所は、再生手続の円滑な進行を図るために必要があると認めるときは、再生債権者に対し、相当の期間を定めて、代理委員の選任を勧告することができる。

③ 代理委員は、これを選任した再生債権者のために、再生手続に属する一切の行為をすることができる。

④ 代理委員が数人あるときは、共同してその権限を行使する。ただし、第三者の意思表示は、その一人に対してすれば足りる。

⑤ 裁判所は、代理委員の権限の行使が著しく不公正であると認めるときは、第一項の許可の決定又は次条第一項の選任の決定を取り消すことができる。

⑥ 再生債権者は、いつでも、その選任した代理委員を解任することができる。

第九〇条の二（裁判所による代理委員の選任）① 裁判所は、共同の利益を有する再生債権者が著しく多数である場合において、これらの者のうちに前条第二項の規定による勧告を受けたにもかかわらず同項の期間内に代理委員を選任しない者があり、かつ、代理委員の選任がなければ再生手続の進行に支障があると認めるときは、その者のために、相当と認める者を代理委員に選任することができる。

② 前項の規定により代理委員を選任するには、当該代理委員の同意を得なければならない。

③ 第一項の規定により代理委員が選任された場合には、当該代理委員は、本人（その者のために同項の規定により代理委員が選任された者をいう。第六項において同じ。）が前条第一項の規定により選任したものとみなす。

④ 第一項の規定により選任された代理委員は、正当な理由があるときは、裁判所の許可を得て辞任することができる。

⑤ 第一項の規定により選任された代理委員は、再生債務者財産から、次に掲げるものの支払を受けることができる。

一 前条第三項に規定する行為をするために必要な費用について、その前払又は支出額の償還

二 裁判所が相当と認める額の報酬

⑥ 第一項の規定により代理委員が選任された場合における当該代理委員と本人との間の関係については、民法第六百四十四条から第六百四十七条まで及び第六百五十四条の規定を準用する。

第九一条（報償金等）① 裁判所は、再生債権者若しくは代理委員又はこれらの者の代理人が再生債務者の再生に貢献したと認められるときは、再生債務者等の申立てにより又は職権で、再生債務者等が、再生債務者財産から、これらの者に対し、その事務処理に要した費用を償還し、又は報償金を支払うことを許可することができる。

② 前項の規定による決定に対しては、即時抗告をすることができる。

第九二条（相殺権）① 再生債権者が再生手続開始当時再生債務者に対して債務を負担する場合において、債権及び債務の双方が第九十四条第一項に規定する債権届出期間の満了前に相殺に適するようになったときは、再生債権者は、当該債権届出期間内に限り、再生計画の定めるところによらないで、相殺をすることができる。債務が期限付であるときも、同様とする。

② 再生債権者が再生債務者に対して負担する債務が賃料債務である場合には、再生債権者は、再生手続開始後にその弁済期が到来すべき賃料債務（前項の債権届出期間の満了後にその弁済期が到来すべきものを含む。次項において同

じ。）については、再生手続開始の時における賃料の六月分に相当する額を限度として、前項の債権届出期間内に限り、再生計画の定めるところによらないで、相殺をすることができる。

③ 前項に規定する場合において、再生債権者が、再生手続開始後にその弁済期が到来すべき賃料債務について、再生手続開始後その弁済期に弁済をしたときは、再生債権者が有する敷金の返還請求権は、再生手続開始の時における賃料の六月分に相当する額（同項の規定により相殺をする場合には、相殺により免れる賃料債務の額を控除した額）の範囲内におけるその弁済額を限度として、共益債権とする。

④ 前二項の規定は、地代又は小作料の支払を目的とする債務について準用する。

第九三条（相殺の禁止）① 再生債権者は、次に掲げる場合には、相殺をすることができない。

一 再生手続開始後に再生債務者に対して債務を負担したとき。

二 支払不能（再生債務者が、支払能力を欠くために、その債務のうち弁済期にあるものにつき、一般的かつ継続的に弁済することができない状態をいう。以下同じ。）になった後に契約によって負担する債務を専ら再生債権をもってする相殺に供する目的で再生債務者の財産の処分を内容とする契約を再生債務者との間で締結し、又は再生債務者に対して債務を負担する者の債務を引き受けることを内容とする契約を締結することにより再生債務者に対して債務を負担した場合であって、当該契約の締結の当時、支払不能であったことを知っていたとき。

三 支払の停止があった後に再生債務者に対して債務を負担した場合であって、その負担の当時、支払の停止があったことを知っていたとき。ただし、当該支払の停止があった時において支払不能でなかったときは、この限りでない。

四 再生手続開始、破産手続開始又は特別清算開始の申立て（以下この条及び次条において「再生手続開始の申立て等」という。）があった後に再生債務者に対して債務を負担した場合であって、その負担の当時、再生手続開始の申立て等があったことを知っていたとき。

② 前項第二号から第四号までの規定は、これらの規定に規定する債務の負担が次の各号に掲げる原因のいずれかに基づく場合には、適用しない。

一 法定の原因

二 支払不能であったこと又は支払の停止若しくは再生手続開始の申立て等があったことを再生債権者が知った時より前に生じた原因

三 再生手続開始の申立て等があった時より一年以上前に生じた原因

第九三条の二① 再生債務者に対して債務を負担する者は、次に掲げる場合には、相殺をすることができない。

一 再生手続開始後に他人の再生債権を取得したとき。

二 支払不能になった後に再生債権を取得した場合であって、その取得の当時、支払不能であったことを知っていたとき。

三 支払の停止があった後に再生債権を取得した場合であって、その取得の当時、支払の停止があったことを知っていたとき。ただし、当該支払の停止があった時において支払不能でなかったときは、この限りでない。

四 再生手続開始の申立て等があった後に再生債権を取得した場合であって、その取得の当時、再生手続開始の申立て等があったことを知っていたとき。

② 前項第二号から第四号までの規定は、これらの規定に規定する再生債権の取得が次の各号に掲げる原因のいずれかに基づく場合には、適用しない。

一 法定の原因

二 支払不能であったこと又は支払の停止若しくは再生手続開始の申立て等があったことを再生債務者に対して債務を負担する者が知った時より前に生じた原因

三 再生手続開始の申立て等があった時より一年以上前に生じた原因

四 再生債務者に対して債務を負担する者と再生債務者との間の契約

第二節 再生債権の届出

第九四条（届出）① 再生手続に参加しようとする再生債権者は、第三十四条第一項の規定により定められた再生債権の届出をすべき期間（以下「債権届出期間」という。）内に、各債権について、その内容及び原因、約定劣後再生債権であるときはその旨、議決権の額その他最高裁判所規則で定める事項を裁判所に届け出なければならない。

② 別除権者は、前項に規定する事項のほか、別除権の目的である財産及び別除権の行使によって弁済を受けることができないと見込まれる債権の額を届け出なければならない。

第九五条（届出の追完等）① 再生債権者がその責めに帰することができない事由によって債権届出期間内に届出をすることができなかった場合には、その事由が消滅した後一月以内に限り、その届出の追完をすることができる。

② 前項に定める届出の追完の期間は、伸長し、又は短縮することができない。

③ 債権届出期間経過後に生じた再生債権については、その権利の発生した後一月の不変期間内に、届出をしなければならない。

④ 第一項及び第三項の届出は、再生計画案を決議に付する旨の決定がされた後は、することができない。

⑤ 第一項、第二項及び前項の規定は、再生債権者が、その責めに帰することができない事由によって、届け出た事項について他の再生債権者の利益を害すべき変更を加える場合について準用する。

第九六条（届出名義の変更） 届出をした再生債権を取得した者は、債権届出期間が経過した後でも、届出名義の変更を受けることができる。第百一条第三項の規定により認否書に記載された再生債権を取得した者についても、同様とする。

第九七条（罰金、科料等の届出） 次に掲げる請求権を有する者は、遅滞なく、当該請求権の額及び原因並びに当該請求権が共助対象外国租税の請求権である場合にはその旨を裁判所に届け出なければならない。

一 再生手続開始前の罰金、科料、刑事訴訟費用、追徴金又は過料の請求権（共益債権又は一般優先債権であるものを除く。以下「再生手続開始前の罰金等」という。）

二 共助対象外国租税の請求権（共益債権又は一般優先債権であるものを除く。）

第九八条 削除

第三節 再生債権の調査及び確定

第九九条（再生債権者表の作成等）① 裁判所書記官は、届出があった再生債権及び第百一条第三項の規定により再生債務者等が認否書に記載した再生債権について、再生債権者表を作成しなければならない。

② 前項の再生債権者表には、各債権について、その内容（約定劣後再生債権であるかどうかの別を含む。以下この節において同じ。）及び原因、議決権の額、第九十四条第二項に規定する債権の額その他最高裁判所規則で定める事項を記載しなければならない。

③ 再生債権者表の記載に誤りがあるときは、裁判所書記官は、申立てにより又は職権で、いつでもその記載を更正する処分をすることができる。

＊令和五法五三（令和一〇・六・一三までに施行）による改正後

第九九条（**電子再生債権者表の作成等**）① 裁判所書記官は、届出があった再生債権及び第百一条第三項の規定により再生債務者等が認否書に記載した再生債権について、最高裁判所規則で定めるところにより、電子再生債権者表（再生債権の調査の対象及び結果を明らかにするとともに、確定した再生債権に関する事項を明らかにするために裁判所書記官が作成する電磁的記録をいう。以下同じ。）を作成しなければならない。

② 電子再生債権者表には、各債権について、その内容（約定劣後再生債権であるかどうかの別を含む。以下この節において同じ。）及び原因、議決権の額、第九十四条第二項に規定する債権の額その他最高裁判所規則で定める事項を記録しなければならない。

③ 裁判所書記官は、第一項の規定により電子再生債権者表を作成したときは、最高裁判所規則で定めるところにより、これをファイルに記録しなければならない。（改正により追加）

④ 電子再生債権者表（前項の規定によりファイルに記録されたものに限る。以下同じ。）の内容に誤りがあるときは、裁判所書記官は、申立てにより又は職権で、いつでも更正する処分をすることができる。（改正前の③）

⑤ 前項の規定による更正の処分は、最高裁判所規則で定めるところにより、その旨をファイルに記録してしなければならない。（改正により追加）

⑥ 民事訴訟法第七十一条第四項、第五項及び第八項の規定は、第四項の規定による更正の処分又は同項の申立てを却下する処分及びこれらに対する異議の申立てについて準用する。（改正により追加）

第一〇〇条（**再生債権の調査**） 裁判所による再生債権の調査は、前条第二項に規定する事項について、再生債務者等が作成した認否書並びに再生債権者及び再生債務者（管財人が選任されている場合に限る。）の書面による異議に基づいてする。

第一〇一条（**認否書の作成及び提出**）① 再生債務者等は、債権届出期間内に届出があった再生債権について、その内容及び議決権についての認否を記載した認否書を作成しなければならない。

② 再生債務者等は、第九十五条の規定による届出又は届出事項の変更があった再生債権についても、その内容及び議決権（当該届出事項の変更があった場合には、変更後の内容及び議決権）についての認否を前項の認否書に記載することができる。

③ 再生債務者等は、届出がされていない再生債権があることを知っている場合には、当該再生債権について、自認する内容その他最高裁判所規則で定める事項を第一項の認否書に記載しなければならない。

④ 債権届出期間内に約定劣後再生債権の届出がなかったときは、前項の規定は、約定劣後再生債権で再生債務者等が知っているものについては、適用しない。

⑤ 再生債務者等は、第三十四条第一項に規定する再生債権の調査をするための期間（以下「一般調査期間」という。）前の裁判所の定める期限までに、前各項の規定により作成した認否書を裁判所に提出しなければならない。

⑥ 前項の規定により提出された認否書に、第一項に規定する再生債権の内容又は議決権についての認否の記載がないときは、再生債務者等において、これを認めたものとみなす。当該認否書に第三項に規定する再生債権の内容又は議決権のいずれかについての認否の記載がない場合についても、同様とする。

第一〇二条（**一般調査期間における調査**）① 届出をした再生債権者（以下「届出再生債権者」という。）は、一般調査期間内に、裁判所に対し、前条第一項若しくは第二項に規定する再生債権の内容若しくは議決権又は同条第三項の規定により認否書に記載された再生債権の内容について、書面で、異議を述べることができる。

② 再生債務者（管財人が選任されている場合に限る。）は、一般調査期間内に、裁判所に対し、前項に規定する再生債権の内容について、書面で、異議を述べることができる。

③ 一般調査期間を変更する決定をしたときは、その裁判書は、再生債務者、管財人及び届出再生債権者（債権届出期間の経過前にあっては、知れている再生債権者）に送達しなければならない。

④ 前項の規定による送達は、第四十三条第四項に規定する方法によりすることができる。

⑤ 前項の規定による送達をした場合においては、その郵便物等が通常到達すべきであった時に、送達があったものとみなす。

＊令和五法五三（令和一〇・六・一三までに施行）による改正

第三項中「裁判書」を「電子裁判書」に改め、第四項中「第四十三条第四項」を「第四十三条第五項」に改める。（本文未織込み）

第一〇三条（**特別調査期間における調査**）① 裁判所は、第九十五条の規定による届出があり、又は届出事項の変更があった再生債権について、その調査をするための期間（以下「特別調査期間」という。）を定めなければならない。ただし、再生債務者等が第百一条第二項の規定により認否書に当該再生債権の内容又は議決権についての認否を記載している場合は、この限りでない。

② 前項本文の場合には、特別調査期間に関する費用は、当該再生債権を有する者の負担とする。

③ 再生債務者等は、特別調査期間に係る再生債権について、その内容及び議決権についての認否を記載した認否書を作成し、特別調査期間前の裁判所の定める期限までに、これを裁判所に提出しなければならない。この場合には、第百一条第六項前段の規定を準用する。

④ 届出再生債権者は前項の再生債権の内容又は議決権について、再生債務者（管財人が選任されている場合に限る。）は同項の再生債権の内容について、特別調査期間内に、裁判所に対し、書面で、異議を述べることができる。

⑤ 前条第三項から第五項までの規定は、特別調査期間を定める決定又はこれを変更する決定をした場合における裁判書の送達について準用する。

＊令和五法五三（令和一〇・六・一三までに施行）による改正

第五項中「裁判書」を「電子裁判書」に改める。（本文未織込み）

第一〇三条の二（**特別調査期間に関する費用の予納**）① 前条第一項本文の場合には、裁判所書記官は、相当の期間を定め、同条第二項の再生債権を有する者に対し、同項の費用の予納を命じなければならない。

② 前項の規定による処分は、相当と認める方法で告知することによって、その効力を生ずる。

③ 第一項の規定による処分に対しては、その告知を受けた日から一週間の不変期間内に、異議の申立てをすることができる。

④ 前項の異議の申立ては、執行停止の効力を有する。

⑤ 第一項の場合において、同項の再生債権を有する者が同項の費用の予納をしないときは、裁判所は、決定で、その者がした再生債権の届出又は届出事項の変更に係る届出を却下しなければならない。

⑥ 前項の規定による却下の決定に対しては、即時抗告をすることができる。

第一〇四条（**再生債権の調査の結果**）① 再生債権の調査において、再生債務者等が認め、かつ、調査期間内に届出再生債権者の異議がなかったときは、その再生債権の内容又は議決権の額（第百一条第三項の規定により認否書に記載された再生債権にあっては、その内容）は、確定する。

② 裁判所書記官は、再生債権の調査の結果を再生債権者表に記載しなければならない。

③ 第一項の規定により確定した再生債権については、再生債権者表の記載は、再生債権者の全員に対して確定判決と同一の効力を有する。

＊令和五法五三（令和一〇・六・一三までに施行）による改正
第二項中「裁判所書記官は」の下に「、最高裁判所規則で定めるところにより」を加え、「再生債権者表に記載しなければ」を「電子再生債権者表に記録しなければ」に改め、第三項中「再生債権者表の記載」を「電子再生債権者表の記録」に改める。（本文未織込み）

（再生債権の査定の裁判）

第一〇五条① 再生債権の調査において、再生債権の内容について再生債務者等が認めず、又は届出再生債権者が異議を述べた場合には、当該再生債権（以下「異議等のある再生債権」という。）を有する再生債権者は、その内容の確定のために、当該再生債務者等及び当該異議を述べた届出再生債権者（以下この条から第百七条まで及び第百九条において「異議者等」という。）の全員を相手方として、裁判所に査定の申立てをすることができる。ただし、第百七条第一項並びに第百九条第一項及び第二項の場合は、この限りでない。

② 前項本文の査定の申立ては、異議等のある再生債権に係る調査期間の末日から一月の不変期間内にしなければならない。

③ 第一項本文の査定の申立てがあった場合には、裁判所は、当該申立てを不適法として却下する場合を除き、査定の裁判をしなければならない。

④ 査定の裁判においては、異議等のある再生債権について、その債権の存否及びその内容を定める。

⑤ 裁判所は、査定の裁判をする場合には、異議者等を審尋しなければならない。

⑥ 第一項本文の査定の申立てについての裁判があった場合には、その裁判書を当事者に送達しなければならない。この場合においては、第十条第三項本文の規定は、適用しない。

＊令和五法五三（令和一〇・六・一三までに施行）による改正
第六項中「裁判書」を「電子裁判書」に改める。（本文未織込み）

（査定の申立てについての裁判に対する異議の訴え）

第一〇六条① 前条第一項本文の査定の申立てについての裁判に不服がある者は、その送達を受けた日から一月の不変期間内に、異議の訴えを提起することができる。

② 前項の訴えは、再生裁判所が管轄する。

③ 第一項の訴えが提起された第一審裁判所は、再生裁判所が再生事件を管轄することの根拠となる法令上の規定が第五条第八項又は第九項の規定のみである場合（再生裁判所が第七条第四号の規定により再生事件の移送を受けた場合において、移送を受けたことの根拠となる規定が同号ロ又はハの規定のみであるときを含む。）において、著しい損害又は遅滞を避けるため必要があると認めるときは、前項の規定にかかわらず、職権で、当該訴えに係る訴訟を第五条第一項に規定する地方裁判所（同項に規定する地方裁判所がない場合にあっては、同条第二項に規定する地方裁判所）に移送することができる。

④ 第一項の訴えは、これを提起する者が、異議等のある再生債権を有する再生債権者であるときは異議者等の全員を、異議者等であるときは当該再生債権者を、それぞれ被告としなければならない。

⑤ 第一項の訴えの口頭弁論は、同項の期間を経過した後でなければ開始することができない。

⑥ 同一の債権に関し第一項の訴えが数個同時に係属するときは、弁論及び裁判は、併合してしなければならない。この場合においては、民事訴訟法第四十条第一項から第三項までの規定を準用する。

⑦ 第一項の訴えについての判決においては、訴えを不適法として却下する場合を除き、同項の裁判を認可し、又は変更する。

（異議等のある再生債権に関する訴訟の受継）

第一〇七条① 異議等のある再生債権に関し再生手続開始当時訴訟が係属する場合において、再生債権者がその内容の確定を求めようとするときは、異議者等の全員を当該訴訟の相手方として、訴訟手続の受継の申立てをしなければならない。

② 第百五条第二項の規定は、前項の申立てについて準用する。

（主張の制限）

第一〇八条 第百五条第一項本文の査定の申立てに係る査定の手続又は第百六条第一項の訴えの提起若しくは前条第一項の規定による受継に係る訴訟手続においては、再生債権者は、異議等のある再生債権の内容及び原因について、再生債権者表に記載されている事項のみを主張することができる。

＊令和五法五三（令和一〇・六・一三までに施行）による改正
第一〇八条中「再生債権者表に記載されている」を「電子再生債権者表に記録されている」に改める。（本文未織込み）

（執行力ある債務名義のある債権等に対する異議の主張）

第一〇九条① 異議等のある再生債権のうち執行力ある債務名義又は終局判決のあるものについては、異議者等は、再生債務者がすることのできる訴訟手続によってのみ、異議を主張することができる。

② 前項に規定する再生債権に関し再生手続開始当時訴訟が係属する場合において、異議者等が同項の規定による異議を主張しようとするときは、異議者等は、当該再生債権を有する再生債権者を相手方とする訴訟手続を受け継がなければならない。

③ 第百五条第二項は第一項の規定による異議の主張又は前項の規定による受継について、第百六条第五項及び第六項並びに前条の規定は前二項の場合について準用する。この場合においては、第百六条第五項中「同項の期間」とあるのは、「異議等のある再生債権に係る調査期間の末日から一月の不変期間」と読み替えるものとする。

④ 前項において準用する第百五条第二項に規定する期間内に第一項の規定による異議の主張又は第二項の規定による受継がされなかった場合には、異議者等が再生債権者であるときは第百二条第一項又は第百三条第四項の異議はなかったものとみなし、異議者等が再生債務者等であるときは再生債務者等においてその再生債権を認めたものとみなす。

（再生債権の確定に関する訴訟の結果の記載）

第一一〇条 裁判所書記官は、再生債務者等又は再生債権者の申立てにより、再生債権の確定に関する訴訟の結果（第百五条第一項本文の査定の申立てについての裁判に対する第百六条第一項の訴えが、同項に規定する期間内に提起されなかったとき、又は却下されたときは、当該裁判の内容）を再生債権者表に記載しなければならない。

＊令和五法五三（令和一〇・六・一三までに施行）による改正後
（再生債権の確定に関する訴訟の結果の記録）
第一一〇条① 裁判所書記官は、再生債務者等又は再生債権者の申立てがあった場合には、最高裁判所規則で定めるところにより、再生債権の確定に関する訴訟の結果（第百五条第一項本文の査定の申立てについての裁判に対する第百六条第一項の訴えが、同項に規定する期間内に提起されなかったとき、又は却下されたときは、当該裁判の内容）を電子再生債権者表に記録しなければならない。

（再生債権の確定に関する訴訟の判決等の効力）

第一一一条① 再生債権の確定に関する訴訟についてした判決は、再生債権者の全員に対して、その効力を有する。

② 第百五条第一項本文の査定の申立てについての裁判に対する

第百六条第一項の訴えが、同項に規定する期間内に提起されなかったとき、又は却下されたときは、当該裁判は、再生債権者の全員に対して、確定判決と同一の効力を有する。

（訴訟費用の償還）
第一一二条　再生債務者財産が再生債権の確定に関する訴訟（第百五条第一項本文の査定の申立てについての裁判を含む。）によって利益を受けたときは、異議を主張した再生債権者は、その利益の限度において、再生債務者財産から訴訟費用の償還を請求することができる。

（再生手続終了の場合における再生債権の確定手続の取扱い）
第一一二条の二①　再生手続が終了した際現に係属する第百五条第一項本文の査定の申立てに係る査定の手続は、再生計画認可の決定の確定前に再生手続が終了したときは終了するものとし、再生計画認可の決定の確定後に再生手続が終了したときは引き続き係属するものとする。
②　第六十八条第二項及び第三項の規定は、再生計画認可の決定の確定後に再生手続が終了した場合における管財人を当事者とする第百五条第一項本文の査定の申立てに係る査定の手続について準用する。
③　再生計画認可の決定の確定後に再生手続が終了した場合において、再生手続終了後に第百五条第一項本文の査定の申立てについての裁判があったときは、第百六条第一項の規定により同項の訴えを提起することができる。
④　再生手続が終了した際現に係属する第百六条第一項の訴えに係る訴訟手続であって、再生債務者等が当事者でないものは、再生計画認可の決定の確定前に再生手続が終了したときは中断するものとし、再生計画認可の決定の確定後に再生手続が終了したときは引き続き係属するものとする。
⑤　再生手続が終了した際現に係属する訴訟手続（再生債務者等が当事者であるものを除く。）であって、第百七条第一項又は第百九条第二項の規定による受継があったものは、再生計画認可の決定の確定前に再生手続が終了したときは中断するものとし、再生計画認可の決定の確定後に再生手続が終了したときは中断しないものとする。
⑥　前項の規定により訴訟手続が中断する場合においては、第六十八条第三項の規定を準用する。

（再生手続開始前の罰金等についての不服の申立て）
第一一三条①　再生手続開始前の罰金等及び共助対象外国租税の請求権については、第百条から前条までの規定は、適用しない。
②　第九十七条の規定による届出があった請求権（罰金、科料及び刑事訴訟費用の請求権を除く。）の原因（共助対象外国租税の請求権にあっては、共助実施決定）が審査請求、訴訟（刑事訴訟を除く。次項において同じ。）その他の不服の申立てをすることができる処分である場合には、再生債務者等は、当該届出があった請求権について、当該不服の申立てをする方法で、異議を主張することができる。
③　前項の場合において、当該届出があった請求権に関し再生手続開始の当時訴訟が係属するときは、同項に規定する異議を主張しようとする再生債務者等は、当該届出があった請求権を有する再生債権者を相手方とする訴訟手続を受け継がなければならない。当該届出があった請求権に関し再生手続開始当時再生債務者の財産関係の事件が行政庁に係属するときも、同様とする。
④　第二項の規定による異議の主張又は前項の規定による受継は、再生債務者等が第二項に規定する届出があったことを知った日から一月の不変期間内にしなければならない。
⑤　第百四条第二項の規定は第九十七条の規定による届出があった請求権について、第百八条、第百十条及び第百十一条第一項の規定は第二項の規定による異議又は第三項の規定による受継があった場合について準用する。

第四節　債権者集会及び債権者委員会

（債権者集会の招集）
第一一四条　裁判所は、再生債務者等若しくは第百十七条第二項に規定する債権者委員会の申立て又は知れている再生債権者の総債権について裁判所が評価した額の十分の一以上に当たる債権を有する再生債権者の申立てがあったときは、債権者集会を招集しなければならない。これらの申立てがない場合であっても、裁判所は、相当と認めるときは、債権者集会を招集することができる。

（債権者集会の期日の呼出し等）
第一一五条①　債権者集会の期日には、再生債務者、管財人、届出再生債権者及び再生のために債務を負担し又は担保を提供する者があるときは、その者を呼び出さなければならない。ただし、第三十四条第二項の決定があったときは、再生計画案の決議をするための債権者集会の期日を除き、届出再生債権者を呼び出すことを要しない。
②　前項の規定にかかわらず、議決権を行使することができない届出再生債権者は、呼び出さないことができる。
③　債権者集会の期日は、労働組合等に通知しなければならない。
④　裁判所は、債権者集会の期日及び会議の目的である事項を公告しなければならない。
⑤　債権者集会の期日においてその延期又は続行について言渡しがあったときは、第一項及び前二項の規定は、適用しない。

（映像等の送受信による通話の方法による債権者集会）
第一一五条の二①　裁判所は、相当と認めるときは、最高裁判所規則で定めるところにより、裁判所並びに再生債務者、管財人、届出再生債権者、外国管財人（第二百七条第一項に規定する外国管財人をいう。次項において同じ。）及び再生のために債務を負担し又は担保を提供する者が映像と音声の送受信により相手の状態を相互に認識しながら通話をすることができる方法によって、債権者集会の期日における手続を行うことができる。
②　前項の期日に出席しないでその手続に関与した再生債務者、管財人、届出再生債権者、外国管財人及び再生のために債務を負担し又は担保を提供する者は、その期日に出席したものとみなす。

＊令和五法五三（令和八・五・二四までに施行）により第一一五条の二追加

（債権者集会の指揮）
第一一六条　債権者集会は、裁判所が指揮する。

（債権者委員会）
第一一七条①　裁判所は、再生債権者をもって構成する委員会がある場合には、利害関係人の申立てにより、当該委員会が、この法律の定めるところにより、再生手続に関与することを承認することができる。ただし、次に掲げる要件のすべてを具備する場合に限る。
一　委員の数が、三人以上最高裁判所規則で定める人数以内であること。
二　再生債権者の過半数が当該委員会が再生手続に関与することについて同意していると認められること。
三　当該委員会が再生債権者全体の利益を適切に代表すると認められること。
②　裁判所は、必要があると認めるときは、再生手続において、前項の規定により承認された委員会（以下「債権者委員会」という。）に対して、意見の陳述を求めることができる。
③　債権者委員会は、再生手続において、裁判所、再生債務者等又は監督委員に対して、意見を述べることができる。
④　債権者委員会に再生債務者の再生に貢献する活動があったと認められるときは、裁判所は、当該活動のために必要な費用を支出した再生債権者の申立てにより、再生債務者財産から、当該再生債権者に対し、相当と認める額の費用を償還することを

許可することができる。

⑤　裁判所は、利害関係人の申立てにより又は職権で、いつでも第一項の規定による承認を取り消すことができる。

（債権者委員会の意見聴取）

第一一八条①　裁判所書記官は、前条第一項の規定による承認があったときは、遅滞なく、再生債務者等に対して、その旨を通知しなければならない。

②　再生債務者等は、前項の規定による通知を受けたときは、遅滞なく、再生債務者の業務及び財産の管理に関する事項について、債権者委員会の意見を聴かなければならない。

（再生債務者等の債権者委員会に対する報告義務）

第一一八条の二①　再生債務者等は、第百二十四条第二項又は第百二十五条第一項若しくは第二項の規定により報告書等（報告書、財産目録又は貸借対照表をいう。以下この条において同じ。）を裁判所に提出したときは、遅滞なく、当該報告書等を債権者委員会にも提出しなければならない。

②　再生債務者等は、前項の場合において、当該報告書等に第十七条第一項に規定する支障部分に該当する部分があると主張して同項の申立てをしたときは、当該部分を除いた報告書等を債権者委員会に提出すれば足りる。

＊令和五法五三（令和一〇・六・一三までに施行）による改正後

（再生債務者等の債権者委員会に対する報告義務）

第一一八条の二①　（略）

②　再生債務者等は、前項の場合において、当該報告書等に第十七条第一項（同条第六項において読み替えて準用する場合を含む。以下この項において同じ。）に規定する支障部分に該当する部分があると主張して同条第一項の申立てをしたときは、当該部分を除いた報告書等を債権者委員会に提出すれば足りる。

③　再生債務者等は、前二項の規定による報告書等の提出に代えて、最高裁判所規則で定めるところにより、債権者委員会の承諾を得て、当該報告書等に記載すべき事項を電磁的方法（電子情報処理組織を使用する方法その他の情報通信の技術を利用する方法であって最高裁判所規則で定めるものをいう。）により提供することができる。この場合において、再生債務者等は、これらの規定による報告書等の提出をしたものとみなす。（改正により追加）

（再生債務者等に対する報告命令）

第一一八条の三①　債権者委員会は、再生債権者全体の利益のために必要があるときは、裁判所に対し、再生債務者等に再生債務者の業務及び財産の管理状況その他再生債務者の事業の再生に関し必要な事項について第百二十五条第二項の規定による報告をすることを命ずるよう申し出ることができる。

②　前項の規定による申出を受けた裁判所は、当該申出が相当であると認めるときは、再生債務者等に対し、第百二十五条第二項の規定による報告をすることを命じなければならない。

第五章　共益債権、一般優先債権及び開始後債権

（共益債権となる請求権）

第一一九条　次に掲げる請求権は、共益債権とする。

一　再生債権者の共同の利益のためにする裁判上の費用の請求権

二　再生手続開始後の再生債務者の業務、生活並びに財産の管理及び処分に関する費用の請求権

三　再生計画の遂行に関する費用の請求権（再生手続終了後に生じたものを除く。）

四　第六十一条第一項（第六十三条、第七十八条及び第八十三条第一項において準用する場合を含む。）、第九十条の二第五項、第九十一条第一項、第百十二条、第百十七条第四項及び第二百二十三条第九項（第二百四十四条において準用する場合を含む。）の規定により支払うべき費用、報酬及び報償金の請求権

五　再生債務者財産に関し再生債務者等が再生手続開始後にした資金の借入れその他の行為によって生じた請求権

六　事務管理又は不当利得により再生手続開始後に再生債務者に対して生じた請求権

七　再生債務者のために支出すべきやむを得ない費用の請求権で、再生手続開始後に生じたもの（前各号に掲げるものを除く。）

（開始前の借入金等）

第一二〇条①　再生債務者（保全管理人が選任されている場合を除く。以下この項及び第三項において同じ。）が、再生手続開始の申立て後再生手続開始前に、資金の借入れ、原材料の購入その他再生債務者の事業の継続に欠くことができない行為をする場合には、裁判所は、その行為によって生ずべき相手方の請求権を共益債権とする旨の許可をすることができる。

②　裁判所は、監督委員に対し、前項の許可に代わる承認をする権限を付与することができる。

③　再生債務者が第一項の許可又は前項の承認を得て第一項に規定する行為をしたときは、その行為によって生じた相手方の請求権は、共益債権とする。

④　保全管理人が再生債務者の業務及び財産に関し権限に基づいてした資金の借入れその他の行為によって生じた請求権は、共益債権とする。

（社債管理者等の費用及び報酬）

第一二〇条の二①　社債管理者又は社債管理補助者が再生債権である社債の管理に関する事務を行おうとする場合には、裁判所は、再生手続の目的を達成するために必要があると認めるときは、当該社債管理者又は社債管理補助者の再生債務者に対する当該事務の処理に要する費用の請求権を共益債権とする旨の許可をすることができる。

②　社債管理者又は社債管理補助者が前項の許可を得ないで再生債権である社債の管理に関する事務を行った場合であっても、裁判所は、当該社債管理者又は社債管理補助者が再生債務者の事業の再生に貢献したと認められるときは、当該事務の処理に要した費用の償還請求権のうちその貢献の程度を考慮して相当と認める額を共益債権とする旨の許可をすることができる。

③　裁判所は、再生手続開始後の原因に基づいて生じた社債管理者又は社債管理補助者の報酬の請求権のうち相当と認める額を共益債権とする旨の許可をすることができる。

④　前三項の規定による許可を得た請求権は、共益債権とする。

⑤　第一項から第三項までの規定による許可の決定に対しては、即時抗告をすることができる。

⑥　前各項の規定は、次の各号に掲げる者の区分に応じ、それぞれ当該各号に定める債権で再生債権であるものの管理に関する事務につき生ずる費用又は報酬に係る請求権について準用する。

一　担保付社債信託法（明治三十八年法律第五十二号）第二条第一項に規定する信託契約の受託会社　同項に規定する社債

二　医療法（昭和二十三年法律第二百五号）第五十四条の五に規定する社会医療法人債管理者又は同法第五十四条の五の二に規定する社会医療法人債管理補助者　同法第五十四条の二第一項に規定する社会医療法人債

三　投資信託及び投資法人に関する法律（昭和二十六年法律第百九十八号）第百三十九条の八に規定する投資法人債管理者又は同法第百三十九条の九の二第一項に規定する投資法人債管理補助者　同法第二条第十九項に規定する投資法人債

四　保険業法（平成七年法律第百五号）第六十一条の六に規定する社債管理者又は同法第六十一条の七の二に規定する社債管理補助者　相互会社（同法第二条第五項に規定する相互会社をいう。）が発行する社債

五　資産の流動化に関する法律（平成十年法律第百五号）第百二十六条に規定する特定社債管理者又は同法第百二十七条の二第一項に規定する特定社債管理補助者　同法第二条第七項に規定する特定社債

（共益債権の取扱い）

第一二一条① 共益債権は、再生手続によらないで、随時弁済する。
② 共益債権は、再生債権に先立って、弁済する。
③ 共益債権に基づき再生債務者の財産に対し強制執行又は仮差押えがされている場合において、その強制執行又は仮差押えが再生に著しい支障を及ぼし、かつ、再生債務者が他に換価の容易な財産を十分に有するときは、裁判所は、再生手続開始後において、再生債務者等の申立てにより又は職権で、担保を立てさせて、又は立てさせないで、その強制執行又は仮差押えの中止又は取消しを命ずることができる。共益債権である共助対象外国租税の請求権に基づき再生債務者の財産に対し国税滞納処分の例によってする処分がされている場合におけるその処分の中止又は取消しについても、同様とする。
④ 裁判所は、前項の規定による中止の命令を変更し、又は取り消すことができる。
⑤ 第三項の規定による中止又は取消しの命令及び前項の規定による決定に対しては、即時抗告をすることができる。
⑥ 前項の即時抗告は、執行停止の効力を有しない。

（一般優先債権）
第一二二条① 一般の先取特権その他一般の優先権がある債権（共益債権であるものを除く。）は、一般優先債権とする。
② 一般優先債権は、再生手続によらないで、随時弁済する。
③ 優先権が一定の期間内の債権額につき存在する場合には、その期間は、再生手続開始の時からさかのぼって計算する。
④ 前条第三項から第六項までの規定は、一般優先債権に基づく強制執行若しくは仮差押え又は一般優先債権を被担保債権とする一般の先取特権の実行について準用する。

（開始後債権）
第一二三条① 再生手続開始後の原因に基づいて生じた財産上の請求権（共益債権、一般優先債権又は再生債権であるものを除く。）は、開始後債権とする。
② 開始後債権は、再生手続が開始された時から再生計画で定められた弁済期間が満了する時（再生計画認可の決定が確定する前に再生手続が終了した場合にあっては再生手続が終了した時、その期間の満了前に、再生計画に基づく弁済が完了した場合又は再生計画が取り消された場合にあっては弁済が完了した時又は再生計画が取り消された時）までの間は、弁済をし、弁済を受け、その他これを消滅させる行為（免除を除く。）をすることができない。
③ 開始後債権に基づく再生債務者の財産に対する強制執行、仮差押え及び仮処分並びに財産開示手続及び第三者からの情報取得手続の申立ては、前項に規定する期間は、することができない。開始後債権である共助対象外国租税の請求権に基づく再生債務者の財産に対する国税滞納処分の例によってする処分についても、同様とする。

第六章　再生債務者の財産の調査及び確保

第一節　再生債務者の財産状況の調査

（財産の価額の評定等）
第一二四条① 再生債務者等は、再生手続開始後（管財人については、その就職の後）遅滞なく、再生債務者に属する一切の財産につき再生手続開始の時における価額を評定しなければならない。
② 再生債務者等は、前項の規定による評定を完了したときは、直ちに再生手続開始の時における財産目録及び貸借対照表を作成し、これらを裁判所に提出しなければならない。
③ 裁判所は、必要があると認めるときは、利害関係人の申立てにより又は職権で、評価人を選任し、再生債務者の財産の評価を命ずることができる。

（裁判所への報告）
第一二五条① 再生債務者等は、再生手続開始後（管財人については、その就職の後）遅滞なく、次の事項を記載した報告書を、裁判所に提出しなければならない。
一 再生手続開始に至った事情
二 再生債務者の業務及び財産に関する経過及び現状
三 第百四十二条第一項の規定による保全処分又は第百四十三条第一項の規定による査定の裁判を必要とする事情の有無
四 その他再生手続に関し必要な事項
② 再生債務者等は、前項の規定によるもののほか、裁判所の定めるところにより、再生債務者の業務及び財産の管理状況その他裁判所の命ずる事項を裁判所に報告しなければならない。
③ 監督委員は、裁判所の定めるところにより、再生債務者の業務及び財産の管理状況その他裁判所の命ずる事項を裁判所に報告しなければならない。

（財産状況報告集会への報告）
第一二六条① 再生債務者の財産状況を報告するために招集された債権者集会においては、再生債務者等は、前条第一項に掲げる事項の要旨を報告しなければならない。
② 前項の債権者集会（以下「財産状況報告集会」という。）においては、裁判所は、再生債務者、管財人又は届出再生債権者から、管財人の選任並びに再生債務者の業務及び財産の管理に関する事項につき、意見を聴かなければならない。
③ 財産状況報告集会においては、労働組合等は、前項に規定する事項について意見を述べることができる。

第二節　否認権

（再生債権者を害する行為の否認）
第一二七条① 次に掲げる行為（担保の供与又は債務の消滅に関する行為を除く。）は、再生手続開始後、再生債務者財産のために否認することができる。
一 再生債務者が再生債権者を害することを知ってした行為。ただし、これによって利益を受けた者が、その行為の当時、再生債権者を害することを知らなかったときは、この限りでない。
二 再生債務者が支払の停止又は再生手続開始、破産手続開始若しくは特別清算開始の申立て（以下この節において「支払の停止等」という。）があった後にした再生債権者を害する行為。ただし、これによって利益を受けた者が、その行為の当時、支払の停止等があったこと及び再生債権者を害することを知らなかったときは、この限りでない。
② 再生債務者がした債務の消滅に関する行為であって、債権者の受けた給付の価額が当該行為によって消滅した債務の額より過大であるものは、前項各号に掲げる要件のいずれかに該当するときは、再生手続開始後、その消滅した債務の額に相当する部分以外の部分に限り、再生債務者財産のために否認することができる。
③ 再生債務者が支払の停止等があった後又はその前六月以内にした無償行為及びこれと同視すべき有償行為は、再生手続開始後、再生債務者財産のために否認することができる。

（相当の対価を得てした財産の処分行為の否認）
第一二七条の二① 再生債務者が、その有する財産を処分する行為をした場合において、その行為の相手方から相当の対価を取得しているときは、その行為は、次に掲げる要件のいずれにも該当する場合に限り、再生手続開始後、再生債務者財産のために否認することができる。
一 当該行為が、不動産の金銭への換価その他の当該処分による財産の種類の変更により、再生債務者において隠匿、無償の供与その他の再生債権者を害することとなる処分（以下「隠匿等の処分」という。）をするおそれを現に生じさせるものであること。
二 再生債務者が、当該行為の当時、対価として取得した金銭その他の財産について、隠匿等の処分をする意思を有していたこと。
三 相手方が、当該行為の当時、再生債務者が前号の隠匿等の処分をする意思を有していたことを知っていたこと。
② 前項の規定の適用については、当該行為の相手方が次に掲げ

る者のいずれかであるときは、その相手方は、当該行為の当時、再生債務者が同項第二号の隠匿等の処分をする意思を有していたことを知っていたものと推定する。

一 再生債務者が法人である場合のその理事、取締役、執行役、監事、監査役、清算人又はこれらに準ずる者

二 再生債務者が法人である場合にその再生債務者について次のイからハまでに掲げる者のいずれかに該当する者

イ 再生債務者である株式会社の総株主の議決権の過半数を有する者

ロ 再生債務者である株式会社の総株主の議決権の過半数を子株式会社又は親法人及び子株式会社が有する場合における当該親法人

ハ 株式会社以外の法人が再生債務者である場合におけるイ又はロに掲げる者に準ずる者

三 再生債務者の親族又は同居者

（特定の債権者に対する担保の供与等の否認）

第一二七条の三① 次に掲げる行為（既存の債務についてされた担保の供与又は債務の消滅に関する行為に限る。）は、再生手続開始後、再生債務者財産のために否認することができる。

一 再生債務者が支払不能になった後又は再生手続開始、破産手続開始若しくは特別清算開始の申立て（以下この節において「再生手続開始の申立て等」という。）があった後にした行為。ただし、債権者が、その行為の当時、次のイ又はロに掲げる区分に応じ、それぞれ当該イ又はロに定める事実を知っていた場合に限る。

イ 当該行為が支払不能になった後にされたものである場合 支払不能であったこと又は支払の停止があったこと。

ロ 当該行為が再生手続開始の申立て等があった後にされたものである場合 再生手続開始の申立て等があったこと。

二 再生債務者の義務に属せず、又はその時期が再生債務者の義務に属しない行為であって、支払不能になる前三十日以内にされたもの。ただし、債権者がその行為の当時他の再生債権者を害することを知らなかったときは、この限りでない。

② 前項第一号の規定の適用については、次に掲げる場合には、債権者は、同号に掲げる行為の当時、同号イ又はロに掲げる場合の区分に応じ、それぞれ当該イ又はロに定める事実（同号イに掲げる場合にあっては、支払不能であったこと及び支払の停止があったこと）を知っていたものと推定する。

一 債権者が前条第二項各号に掲げる者のいずれかである場合

二 前項第一号に掲げる行為が再生債務者の義務に属せず、又はその方法若しくは時期が再生債務者の義務に属しないものである場合

③ 第一項各号の規定の適用については、支払の停止（再生手続開始の申立て等の前一年以内のものに限る。）があった後は、支払不能であったものと推定する。

（手形債務支払の場合等の例外）

第一二八条① 前条第一項第一号の規定は、再生債務者から手形の支払を受けた者がその支払を受けなければ手形上の債務者の一人又は数人に対する手形上の権利を失う場合には、適用しない。

② 前項の場合において、最終の償還義務者又は手形の振出しを委託した者が振出しの当時支払の停止等があったことを知り、又は過失によって知らなかったときは、第五十六条第一項の規定により否認権を行使する権限を付与された監督委員（以下「否認権限を有する監督委員」という。）又は管財人は、これらの者に再生債務者が支払った金額を償還させることができる。

③ 前条第一項の規定は、再生債務者が再生手続開始前の罰金等につき、その徴収の権限を有する者に対してした担保の供与又は債務の消滅に関する行為には、適用しない。

（権利変動の対抗要件の否認）

第一二九条① 支払の停止等があった後権利の設定、移転又は変更をもって第三者に対抗するために必要な行為（仮登記又は仮登録を含む。）をした場合において、その行為が権利の設定、移転又は変更があった日から十五日を経過した後悪意でしたものであるときは、これを否認することができる。ただし、当該仮登記又は仮登録以外の仮登記又は仮登録があった後にこれらに基づいてされた本登記又は本登録は、この限りでない。

② 前項の規定は、権利取得の効力を生ずる登録について準用する。

（執行行為の否認）

第一三〇条 否認権は、否認しようとする行為につき、執行力のある債務名義があるとき、又はその行為が執行行為に基づくものであるときでも、行うことを妨げない。

（支払の停止を要件とする否認の制限）

第一三一条 再生手続開始の申立て等の日から一年以上前にした行為（第百二十七条第三項に規定する行為を除く。）は、支払の停止があった後にされたものであること又は支払の停止の事実を知っていたことを理由として否認することができない。

（否認権行使の効果）

第一三二条① 否認権の行使は、再生債務者財産を原状に復させる。

② 第百二十七条第三項に規定する行為が否認された場合において、相手方は、当該行為の当時、支払の停止等があったこと及び再生債権者を害することを知らなかったときは、その現に受けている利益を償還すれば足りる。

（再生債務者の受けた反対給付に関する相手方の権利等）

第一三二条の二① 第百二十七条第一項若しくは第三項又は第百二十七条の二第一項に規定する行為が否認されたときは、相手方は、次の各号に掲げる区分に応じ、それぞれ当該各号に定める権利を行使することができる。

一 再生債務者の受けた反対給付が再生債務者財産中に現存する場合 当該反対給付の返還を請求する権利

二 再生債務者の受けた反対給付が再生債務者財産中に現存しない場合 共益債権者として反対給付の価額の償還を請求する権利

② 前項第二号の規定にかかわらず、同号に掲げる場合において、当該行為の当時、再生債務者が対価として取得した財産について隠匿等の処分をする意思を有し、かつ、相手方が再生債務者がその意思を有していたことを知っていたときは、相手方は、次の各号に掲げる区分に応じ、それぞれ当該各号に定める権利を行使することができる。

一 再生債務者の受けた反対給付によって生じた利益の全部が再生債務者財産中に現存する場合 共益債権者としてその現存利益の返還を請求する権利

二 再生債務者の受けた反対給付によって生じた利益が再生債務者財産中に現存しない場合 再生債権者として反対給付の価額の償還を請求する権利

三 再生債務者の受けた反対給付によって生じた利益の一部が再生債務者財産中に現存する場合 共益債権者としてその現存利益の返還を請求する権利及び再生債権者として反対給付と現存利益との差額の償還を請求する権利

③ 前項の規定の適用については、当該行為の相手方が第百二十七条の二第二項各号に掲げる者のいずれかであるときは、その相手方は、当該行為の当時、再生債務者が前項の隠匿等の処分をする意思を有していたことを知っていたものと推定する。

④ 否認権限を有する監督委員又は管財人は、第百二十七条第一項若しくは第三項又は第百二十七条の二第一項に規定する行為を否認しようとするときは、前条第一項の規定により再生債務者財産に復すべき財産の返還に代えて、相手方に対し、当該財産の価額から前三項の規定により共益債権となる額（第一項第一号に掲げる場合にあっては、再生債務者の受けた反対給付の価額）を控除した額の償還を請求することができる。

（相手方の債権の回復）

第一三三条 第百二十七条の三第一項に規定する行為が否認された場合において、相手方がその受けた給付を返還し、又はその価額を償還したときは、相手方の債権は、これによって原状に

復する。

第一三四条（転得者に対する否認権）① 次の各号に掲げる場合において、否認しようとする行為の相手方に対して否認の原因があるときは、否認権は、当該各号に規定する転得者に対しても、行使することができる。ただし、当該転得者が他の転得者から転得した者である場合においては、当該転得者の前に転得した全ての転得者に対しても否認の原因があるときに限る。

一 転得者が転得の当時、再生債務者がした行為が再生債権者を害することを知っていたとき。

二 転得者が第百二十七条の二第二項各号に掲げる者のいずれかであるとき。ただし、転得の当時、再生債務者がした行為が再生債権者を害することを知らなかったときは、この限りでない。

三 転得者が無償行為又はこれと同視すべき有償行為によって転得した者であるとき。

② 第百三十二条第二項の規定は、前項第三号の規定により否認権の行使があった場合について準用する。

第一三四条の二（再生債務者の受けた反対給付に関する転得者の権利等）① 再生債務者がした第百二十七条第一項若しくは第三項又は第百二十七条の二第一項に規定する行為が転得者に対する否認権の行使によって否認されたときは、転得者は、第百三十二条の二第一項各号に掲げる区分に応じ、それぞれ当該各号に定める権利を行使することができる。ただし、同項第一号に掲げる場合において、再生債務者の受けた反対給付の価額が、第四項に規定する転得者がした反対給付又は消滅した転得者の債権の価額を超えるときは、転得者は、共益債権者として再生債務者の受けた反対給付の価額の償還を請求する権利を行使することができる。

② 前項の規定にかかわらず、第百三十二条の二第一項第二号に掲げる場合において、当該行為の当時、再生債務者が対価として取得した財産について隠匿等の処分をする意思を有し、かつ、当該行為の相手方が再生債務者がその意思を有していたことを知っていたときは、転得者は、同条第二項各号に掲げる区分に応じ、それぞれ当該各号に定める権利を行使することができる。

③ 前項の規定の適用については、当該行為の相手方が第百二十七条の二第二項各号に掲げる者のいずれかであるときは、その相手方は、当該行為の当時、再生債務者が前項の隠匿等の処分をする意思を有していたことを知っていたものと推定する。

④ 第一項及び第二項の規定による権利の行使は、転得者がその前者から財産を取得するためにした反対給付又はその前者から財産を取得することによって消滅した債権の価額を限度とする。

⑤ 否認権限を有する監督委員又は管財人は、第一項に規定する行為を転得者に対する否認権の行使によって否認しようとするときは、第百三十二条第一項の規定により再生債務者財産に復すべき財産の返還に代えて、転得者に対し、当該財産の価額から前各項の規定により共益債権となる額（第百三十二条の二第一項第一号に掲げる場合（第一項ただし書に該当するときを除く。）にあっては、再生債務者の受けた反対給付の価額）を控除した額の償還を請求することができる。

第一三四条の三（相手方の債権に関する転得者の権利） 再生債務者がした第百二十七条の三第一項に規定する行為が転得者に対する否認権の行使によって否認された場合において、転得者がその受けた給付を返還し、又はその価額を償還したときは、転得者は、当該行為がその相手方に対する否認権の行使によって否認されたとすれば第百三十三条の規定により原状に復すべき当該行為の相手方の債権を行使することができる。この場合には、前条第四項の規定を準用する。

第一三四条の四（否認権のための保全処分）① 裁判所は、再生手続開始の申立てがあった時から当該申立てについての決定があるまでの間において、否認権を保全するため必要があると認めるときは、利害関係人（保全管理人が選任されている場合にあっては、保全管理人）の申立てにより又は職権で、仮差押え、仮処分その他の必要な保全処分を命ずることができる。

② 前項の規定による保全処分は、担保を立てさせて、又は立てさせないで命ずることができる。

③ 裁判所は、申立てにより又は職権で、第一項の規定による保全処分を変更し、又は取り消すことができる。

④ 第一項の規定による保全処分及び前項の申立てについての裁判に対しては、即時抗告をすることができる。

⑤ 前項の即時抗告は、執行停止の効力を有しない。

⑥ 第四項に規定する裁判及び同項の即時抗告についての裁判があった場合には、その裁判書を当事者に送達しなければならない。この場合においては、第十条第三項本文の規定は、適用しない。

＊令和五法五三（令和一〇・六・一三までに施行）による改正
第六項中「裁判書」を「電子裁判書」に改める。（本文未織込み）

⑦ 前各項の規定は、再生手続開始の申立てを棄却する決定に対して第三十六条第一項の即時抗告があった場合について準用する。

第一三四条の五（保全処分に係る手続の続行と担保の取扱い）① 前条第一項（同条第七項において準用する場合を含む。）の規定による保全処分が命じられた場合において、再生手続開始の決定があったときは、否認権限を有する監督委員又は管財人は、当該保全処分に係る手続を続行することができる。

② 再生手続開始の決定後一月以内に前項の規定により同項の保全処分に係る手続が続行されないときは、当該保全処分は、その効力を失う。

③ 否認権限を有する監督委員又は管財人は、第一項の規定により同項の保全処分に係る手続を続行しようとする場合において、前条第二項（同条第七項において準用する場合を含む。）に規定する担保の全部又は一部が再生債務者財産に属する財産でないときは、その担保の全部又は一部を再生債務者財産に属する財産による担保に変換しなければならない。

④ 民事保全法（平成元年法律第九十一号）第十八条並びに第二章第四節（第三十七条第五項から第七項までを除く。）及び第五節の規定は、第一項の規定により否認権限を有する監督委員又は管財人が続行する手続に係る保全処分について準用する。

第一三五条（否認権の行使）① 否認権は、訴え又は否認の請求によって、否認権限を有する監督委員又は管財人が行う。

② 前項の訴え及び否認の請求事件は、再生裁判所が管轄する。

③ 第一項に規定する方法によるほか、管財人は、抗弁によっても、否認権を行うことができる。

第一三六条（否認の請求）① 否認の請求をするときは、その原因となる事実を疎明しなければならない。

② 否認の請求を認容し、又はこれを棄却する裁判は、理由を付した決定でしなければならない。

③ 裁判所は、前項の決定をする場合には、相手方又は転得者を審尋しなければならない。

④ 否認の請求を認容する決定があった場合には、その裁判書を当事者に送達しなければならない。この場合においては、第十条第三項本文の規定は、適用しない。

＊令和五法五三（令和一〇・六・一三までに施行）による改正
第四項中「裁判書」を「電子裁判書」に改める。（本文未織込み）

⑤ 否認の請求の手続は、再生手続が終了したときは、終了する。

第一三七条（否認の請求を認容する決定に対する異議の訴え）① 否認の請求を認容する決定に不服がある者は、その送達を受けた日から一月の不変期間内に、異議の訴えを提起することができる。

② 前項の訴えは、再生裁判所が管轄する。

③ 第一項の訴えについての判決においては、訴えを不適法として却下する場合を除き、同項の決定を認可し、変更し、又は取り消す。

④ 第一項の決定を認可する判決が確定したときは、その決定は、確定判決と同一の効力を有する。同項の訴えが、同項に規定する期間内に提起されなかったとき、又は却下されたときも、同様とする。

⑤ 第一項の決定を認可し、又は変更する判決については、受訴裁判所は、民事訴訟法第二百五十九条第一項の定めるところにより、仮執行の宣言をすることができる。

⑥ 第一項の訴えに係る訴訟手続で否認権限を有する監督委員が当事者であるものは、再生手続開始の決定の取消しの決定の確定又は再生手続終結の決定により再生手続が終了したときは終了するものとし、再生計画不認可、再生手続廃止又は再生計画取消しの決定の確定により再生手続が終了したときは中断するものとする。

⑦ 第一項の訴えに係る訴訟手続で管財人が当事者であるものは、再生手続開始の決定の取消しの決定の確定又は再生手続終結の決定により再生手続が終了したときは、第六十八条第二項の規定にかかわらず、終了するものとする。

第一三八条（否認権限を有する監督委員の訴訟参加等）① 否認権限を有する監督委員は、第百三十五条第一項の規定にかかわらず、否認権の行使に係る相手方（以下この条において「相手方」という。）及び再生債務者間の訴訟が係属する場合には、否認権を行使するため、相手方を被告として、当事者としてその訴訟に参加することができる。ただし、当該訴訟の目的である権利又は義務に係る請求をする場合に限る。

② 否認権限を有する監督委員が当事者である否認の訴え（前条第一項の訴え及び第百四十条第一項の規定により受継された訴訟手続を含む。）が係属する場合には、再生債務者は、当該訴えの目的である権利又は義務に係る請求をするため、相手方を被告として、当事者としてその訴訟に参加することができる。

③ 前項に規定する場合には、相手方は、当該訴訟の口頭弁論の終結に至るまで、再生債務者を被告として、当該訴訟の目的である権利又は義務に係る訴えをこれに併合して提起することができる。

④ 民事訴訟法第四十条第一項から第三項までの規定は前三項の場合について、同法第四十三条並びに第四十七条第二項及び第三項の規定は第一項及び第二項の規定による参加の申出について準用する。

第一三九条（否認権行使の期間） 否認権は、再生手続開始の日（再生手続開始の日より前に破産手続が開始されている場合にあっては、破産手続開始の日）から二年を経過したときは、行使することができない。否認しようとする行為の日から十年を経過したときも、同様とする。

第一四〇条（詐害行為取消訴訟等の取扱い）① 否認権限を有する監督委員又は管財人は、第四十条の二第一項の規定により中断した訴訟手続のうち、民法第四百二十四条第一項の規定により再生債権者の提起した訴訟又は破産法の規定による否認の訴訟若しくは否認の請求を認容する決定に対する異議の訴訟に係るものを受け継ぐことができる。この場合においては、受継の申立ては、相手方もすることができる。

② 前項の場合においては、相手方の再生債権者又は破産管財人に対する訴訟費用請求権は、共益債権とする。

③ 第一項に規定する訴訟手続について同項の規定による受継があった後に再生手続が終了したときは、次条第一項の規定により中断している場合を除き、当該訴訟手続は中断する。

④ 前項の場合又は第一項に規定する訴訟手続が次条第一項の規定により中断した後に再生手続が終了した場合には、再生債権者又は破産管財人において当該訴訟手続を受け継がなければならない。この場合においては、受継の申立ては、相手方もすることができる。

第一四一条（否認の訴え等の中断及び受継）① 次の各号に掲げる裁判が取り消された場合には、当該各号に定める訴訟手続は、中断する。

一 監督命令又は第五十六条第一項の規定による裁判　否認権限を有する監督委員が当事者である否認の訴え若しくは第百三十七条第一項の訴えに係る訴訟手続、否認権限を有する監督委員が第百三十八条第一項の規定による参加をした訴訟手続又は否認権限を有する監督委員が受継した前条第一項に規定する訴訟手続

二 管理命令　管財人が当事者である第百三十七条第一項の訴えに係る訴訟手続又は管財人が受継した前条第一項に規定する訴訟手続

② 前項の規定により中断した訴訟手続は、その後、監督委員が第五十六条第一項の規定により否認権を行使する権限を付与された場合又は管財人が選任された場合には、その監督委員又は管財人においてこれを受け継がなければならない。この場合においては、受継の申立ては、相手方もすることができる。

第三節　法人の役員の責任の追及

第一四二条（法人の役員の財産に対する保全処分）① 裁判所は、法人である再生債務者について再生手続開始の決定があった場合において、必要があると認めるときは、再生債務者等の申立てにより又は職権で、再生債務者の理事、取締役、執行役、監事、監査役、清算人又はこれらに準ずる者（以下この条から第百四十五条までにおいて「役員」という。）の責任に基づく損害賠償請求権につき、役員の財産に対する保全処分をすることができる。

② 裁判所は、緊急の必要があると認めるときは、再生手続開始の決定をする前でも、再生債務者（保全管理人が選任されている場合にあっては、保全管理人）の申立てにより又は職権で、前項の保全処分をすることができる。

③ 第一項に規定する場合において管財人が選任されていないとき、又は前項に規定する場合において保全管理人が選任されていないときは、再生債権者も、第一項又は前項の申立てをすることができる。

④ 裁判所は、第一項又は第二項の規定による保全処分を変更し、又は取り消すことができる。

⑤ 第一項若しくは第二項の規定による保全処分又は前項の規定による決定に対しては、即時抗告をすることができる。

⑥ 前項の即時抗告は、執行停止の効力を有しない。

⑦ 第五項に規定する裁判及び同項の即時抗告についての裁判があった場合には、その裁判書を当事者に送達しなければならない。この場合においては、第十条第三項本文の規定は、適用しない。

＊令和五法五三（令和一〇・六・一三までに施行）による改正
第七項中「裁判書」を「電子裁判書」に改める。（本文未織込み）

第一四三条（損害賠償請求権の査定の申立て等）① 裁判所は、法人である再生債務者について再生手続開始の決定があった場合において、必要があると認めるときは、再生債務者等の申立てにより又は職権で、役員の責任に基づく損害賠償請求権の査定の裁判をすることができる。

② 前項に規定する場合において、管財人が選任されていないと

きは、再生債権者も、同項の申立てをすることができる。

③ 第一項の申立てをするときは、その原因となる事実を疎明しなければならない。

④ 裁判所は、職権で査定の手続を開始する場合には、その旨の決定をしなければならない。

⑤ 第一項の申立てがあったとき、又は職権による査定の手続の開始決定があったときは、時効の完成猶予及び更新に関しては、裁判上の請求があったものとみなす。

⑥ 査定の手続（第一項の査定の裁判があった後のものを除く。）は、再生手続が終了したときは、終了する。

第一四四条（損害賠償請求権の査定に関する裁判）① 前条第一項の査定の裁判及び同項の申立てを棄却する裁判は、理由を付した決定でしなければならない。

② 裁判所は、前項の決定をする場合には、役員を審尋しなければならない。

③ 前条第一項の査定の裁判があった場合には、その裁判書を当事者に送達しなければならない。この場合においては、第十条第三項本文の規定は、適用しない。

＊令和五法五三（令和一〇・六・一三までに施行）による改正
第三項中「裁判書」を「電子裁判書」に改める。（本文未織込み）

第一四五条（査定の裁判に対する異議の訴え）① 第百四十三条第一項の査定の裁判に不服がある者は、その送達を受けた日から一月の不変期間内に、異議の訴えを提起することができる。

② 前項の訴えは、再生裁判所が管轄する。

③ 第一項の訴え（次項の訴えを除く。）は、これを提起する者が、役員であるときは第百四十三条第一項の申立てをした者を、同項の申立てをした者であるときは役員を、それぞれ被告としなければならない。

④ 職権でされた査定の裁判に対する第一項の訴えは、これを提起する者が、役員であるときは再生債務者等を、再生債務者等であるときは役員を、それぞれ被告としなければならない。

第一四六条① 前条第一項の訴えの口頭弁論は、同項の期間を経過した後でなければ開始することができない。

② 前条第一項の訴えが数個同時に係属するときは、弁論及び裁判は、併合してしなければならない。この場合においては、民事訴訟法第四十条第一項から第三項までの規定を準用する。

③ 前条第一項の訴えについての判決においては、訴えを不適法として却下する場合を除き、査定の裁判を認可し、変更し、又は取り消す。

④ 査定の裁判を認可し、又は変更した判決は、強制執行に関しては、給付を命ずる判決と同一の効力を有する。

⑤ 査定の裁判を認可し、又は変更した判決については、受訴裁判所は、民事訴訟法第二百五十九条第一項の定めるところにより、仮執行の宣言をすることができる。

⑥ 再生手続が終了したときは、前条第一項の訴えに係る訴訟手続であって再生債務者等が当事者でないものは、中断する。この場合においては、第六十八条第三項の規定を準用する。

第一四七条（査定の裁判の効力） 第百四十五条第一項の訴えが、同項の期間内に提起されないとき、又は却下されたときは、査定の裁判は、給付を命ずる確定判決と同一の効力を有する。

第四節　担保権の消滅

第一四八条（担保権消滅の許可等）① 再生手続開始の時において再生債務者の財産につき第五十三条第一項に規定する担保権（以下この条、次条及び第百五十二条において「担保権」という。）が存する場合において、当該財産が再生債務者の事業の継続に欠くことのできないものであるときは、再生債務者等は、裁判所に対し、当該財産の価額に相当する金銭を裁判所に納付して当該財産につき存するすべての担保権を消滅させることについての許可の申立てをすることができる。

② 前項の許可の申立ては、次に掲げる事項を記載した書面でしなければならない。

一 担保権の目的である財産の表示
二 前号の財産の価額
三 消滅すべき担保権の表示
四 前号の担保権によって担保される債権の額

③ 第一項の許可の決定があった場合には、その裁判書を、前項の書面（以下この条及び次条において「申立書」という。）とともに、当該申立書に記載された同項第三号の担保権を有する者（以下この条から第百五十三条までにおいて「担保権者」という。）に送達しなければならない。この場合においては、第十条第三項本文の規定は、適用しない。

④ 第一項の許可の決定に対しては、担保権者は、即時抗告をすることができる。

⑤ 前項の即時抗告についての裁判があった場合には、その裁判書を担保権者に送達しなければならない。この場合においては、第十条第三項本文の規定は、適用しない。

⑥ 第二項第三号の担保権が根抵当権である場合において、根抵当権者が第三項の規定による送達を受けた時から二週間を経過したときは、根抵当権の担保すべき元本は、確定する。

⑦ 民法第三百九十八条の二十第二項の規定は、第一項の許可の申立てが取り下げられ、又は同項の許可が取り消された場合について準用する。

＊令和五法五三（令和一〇・六・一三までに施行）による改正
第三項及び第五項中「裁判書」を「電子裁判書」に改める。（本文未織込み）

第一四九条（価額決定の請求）① 担保権者は、申立書に記載された前条第二項第二号の価額（第百五十一条及び第百五十二条において「申出額」という。）について異議があるときは、当該申立書の送達を受けた日から一月以内に、担保権の目的である財産（次条において「財産」という。）について価額の決定を請求することができる。

② 前条第一項の許可をした裁判所は、やむを得ない事由がある場合に限り、担保権者の申立てにより、前項の期間を伸長することができる。

③ 第一項の規定による請求（以下この条から第百五十二条までにおいて「価額決定の請求」という。）に係る事件は、再生裁判所が管轄する。

④ 価額決定の請求をする者は、その請求に係る手続の費用として再生裁判所の定める金額を予納しなければならない。

⑤ 前項に規定する費用の予納がないときは、再生裁判所は、価額決定の請求を却下しなければならない。

第一五〇条（財産の価額の決定）① 価額決定の請求があった場合には、再生裁判所は、当該請求を却下する場合を除き、評価人を選任し、財産の評価を命じなければならない。

② 前項の場合には、再生裁判所は、評価人の評価に基づき、決定で、財産の価額を定めなければならない。

③ 担保権者が数人ある場合には、前項の決定は、担保権者の全員につき前条第一項の期間（同条第二項の規定により期間が伸長されたときは、その伸長された期間。第百五十二条第一項において「請求期間」という。）が経過した後にしなければならない。この場合において、数個の価額決定の請求事件が同時に係属するときは、事件を併合して裁判しなければならない。

④ 第二項の決定は、価額決定の請求をしなかった担保権者に対しても、その効力を有する。

⑤ 価額決定の請求についての決定に対しては、再生債務者等及び担保権者は、即時抗告をすることができる。

⑥ 価額決定の請求についての決定又は前項の即時抗告についての裁判があった場合には、その裁判書を再生債務者等及び担保権者に送達しなければならない。この場合においては、第十条第三項本文の規定は、適用しない。

＊令和五法五三（令和一〇・六・一三までに施行）による改正
第六項中「裁判書」を「電子裁判書」に改める。（本文未織込み）

（費用の負担）
第一五一条① 価額決定の請求に係る手続に要した費用は、前条第二項の決定により定められた価額が、申出額を超える場合には再生債務者の負担とし、申出額を超えない場合には価額決定の請求をした者の負担とする。ただし、申出額を超える額が当該費用の額に満たないときは、当該費用のうち、その超える額に相当する部分は再生債務者の負担とし、その余の部分は価額決定の請求をした者の負担とする。
② 前条第五項の即時抗告に係る手続に要した費用は、当該即時抗告をした者の負担とする。
③ 第一項の規定により再生債務者に対して費用請求権を有する者は、その費用に関し、次条第一項の規定により納付された金銭について、他の担保権者に先立ち弁済を受ける権利を有する。
④ 次条第四項の場合には、第一項及び第二項の費用は、これらの規定にかかわらず、再生債務者の負担とする。この場合においては、再生債務者に対する費用請求権は、共益債権とする。

（価額に相当する金銭の納付等）
第一五二条① 再生債務者等は、請求期間内に価額決定の請求がなかったとき、又は価額決定の請求のすべてが取り下げられ、若しくは却下されたときは申出額に相当する金銭を、第百五十条第二項の決定が確定したときは当該決定により定められた価額に相当する金銭を、裁判所の定める期限までに裁判所に納付しなければならない。
② 担保権者の有する担保権は、前項の規定による金銭の納付があった時に消滅する。
③ 第一項の規定による金銭の納付があったときは、裁判所書記官は、消滅した担保権に係る登記又は登録の抹消を嘱託しなければならない。
④ 再生債務者等が第一項の規定による金銭の納付をしないときは、裁判所は、第百四十八条第一項の許可を取り消さなければならない。

（配当等の実施）
第一五三条① 裁判所は、前条第一項の規定による金銭の納付があった場合には、次項に規定する場合を除き、配当表に基づいて、担保権者に対する配当を実施しなければならない。
② 担保権者が一人である場合又は担保権者が二人以上であって前条第一項の規定により納付された金銭で各担保権者の有する担保権によって担保される債権及び第百五十一条第一項の規定により再生債務者の負担すべき費用を弁済することができる場合には、裁判所は、当該金銭の交付計算書を作成して、担保権者に弁済金を交付し、剰余金を再生債務者等に交付する。
③ 民事執行法第八十五条から第八十六条まで及び第八十八条から第九十二条までの規定は第一項の配当の手続について、同法第八十八条、第九十一条及び第九十二条の規定は前項の規定による弁済金の交付の手続について準用する。

＊令和五法五三（令和八・五・二四までに施行）による改正
第三項中「民事執行法（昭和五十四年法律第四号）第八十五条」は「民事執行法第八十五条から第八十六条まで」に改められた。（本文織込み済み）

＊令和五法五三（令和一〇・六・一三までに施行）による改正後
（配当等の実施）
第一五三条① 裁判所は、前条第一項の規定による金銭の納付があった場合には、次項に規定する場合を除き、電子配当表（第四項において準用する民事執行法（昭和五十四年法律第四号）第八十五条第三項の規定により作成された電磁的記録であって、第四項において準用する同条第五項の規定によりファイルに記録されたものをいう。）に基づいて、担保権者に対する配当を実施しなければならない。
② 担保権者が一人である場合又は担保権者が二人以上であって前条第一項の規定により納付された金銭で各担保権者の有する担保権によって担保される債権及び第百五十一条第一項の規定により再生債務者の負担すべき費用を弁済することができる場合には、裁判所は、最高裁判所規則で定めるところにより、当該金銭の電子交付計算書（裁判所が、最高裁判所規則で定めるところにより、弁済金及び剰余金を交付するために、当該金銭の額、各担保権者の有する担保権によって担保される債権の元本及び利息その他の附帯の債権の額、同項の規定により再生債務者の負担すべき費用の額並びに弁済金の交付の順位及び額を記録して作成する電磁的記録をいう。次項において同じ。）を作成して、担保権者に弁済金を交付し、剰余金を再生債務者等に交付する。
③ 裁判所は、前項の規定により電子交付計算書を作成した場合には、最高裁判所規則で定めるところにより、これをファイルに記録しなければならない。（改正により追加）
④ 民事執行法第八十五条から第八十六条まで条及び第八十八条から第九十二条までの規定は第一項の配当の手続について、同法第八十八条、第九十一条及び第九十二条の規定は第二項の規定による弁済金の交付の手続について準用する。（改正前の③）

第七章　再生計画

第一節　再生計画の条項

（再生計画の条項）
第一五四条① 再生計画においては、次に掲げる事項に関する条項を定めなければならない。
一　全部又は一部の再生債権者の権利の変更
二　共益債権及び一般優先債権の弁済
三　知れている開始後債権があるときは、その内容
② 債権者委員会が再生計画で定められた弁済期間内にその履行を確保するため監督その他の関与を行う場合において、再生債務者がその費用の全部又は一部を負担するときは、その負担に関する条項を定めなければならない。
③ 第百六十六条第一項の規定による裁判所の許可があった場合には、再生計画の定めによる再生債務者の株式の取得に関する条項、株式の併合に関する条項、資本金の額の減少に関する条項又は再生債務者が発行することができる株式の総数についての定款の変更に関する条項を定めることができる。
④ 第百六十六条の二第二項の規定による裁判所の許可があった場合には、再生計画において、募集株式（会社法第百九十九条第一項に規定する募集株式をいい、譲渡制限株式であるものに限る。以下この章において同じ。）を引き受ける者の募集（同法第二百二条第一項各号に掲げる事項を定めるものを除く。以下この章において同じ。）に関する条項を定めることができる。

（再生計画による権利の変更）
第一五五条① 再生計画による権利の変更の内容は、再生債権者の間では平等でなければならない。ただし、不利益を受ける再生債権者の同意がある場合又は少額の再生債権若しくは第八十四条第二項に掲げる請求権について別段の定めをし、その他これらの者の間に差を設けても衡平を害しない場合は、この限りでない。
② 前項の規定にかかわらず、約定劣後再生債権の届出がある場合における再生計画においては、再生債権（約定劣後再生債権を除く。）を有する者と約定劣後再生債権を有する者との間においては、第三十五条第四項に規定する配当の順位についての合意の内容を考慮して、再生計画の内容に公正かつ衡平な差を設

けなければならない。

③ 再生計画によって債務が負担され、又は債務の期限が猶予されるときは、特別の事情がある場合を除き、再生計画認可の決定の確定から十年を超えない範囲で、その債務の期限を定めるものとする。

④ 再生手続開始前の罰金等については、再生計画において減免その他権利に影響を及ぼす定めをすることができない。

⑤ 再生手続開始前の共助対象外国租税の請求権について、再生計画において減免その他権利に影響を及ぼす定めをする場合には、徴収の権限を有する者の意見を聴かなければならない。

第一五六条（権利の変更の一般的基準） 再生債権者の権利を変更する条項においては、債務の減免、期限の猶予その他の権利の変更の一般的基準（約定劣後再生債権の届出があるときは、約定劣後再生債権についての一般的基準を含む。）を定めなければならない。

第一五七条（届出再生債権者等の権利に関する定め）① 再生債権者の権利を変更する条項においては、届出再生債権者及び第百一条第三項の規定により認否書に記載された再生債権者の権利のうち変更されるべき権利を明示し、かつ、前条の一般的基準に従って変更した後の権利の内容を定めなければならない。ただし、第百五十九条及び第百六十条第一項に規定する再生債権については、この限りでない。

② 前項に規定する再生債権者の権利で、再生計画によってその権利に影響を受けないものがあるときは、その権利を明示しなければならない。

第一五八条（債務の負担及び担保の提供に関する定め）① 再生債務者以外の者が債務を引き受け、又は保証人となる等再生のために債務を負担するときは、再生計画において、その者を明示し、かつ、その債務の内容を定めなければならない。

② 再生債務者又は再生債務者以外の者が、再生のために担保を提供するときは、再生計画において、担保を提供する者を明示し、かつ、担保権の内容を定めなければならない。

第一五九条（未確定の再生債権に関する定め） 異議等のある再生債権で、その確定手続が終了していないものがあるときは、再生計画において、その権利確定の可能性を考慮し、これに対する適確な措置を定めなければならない。

第一六〇条（別除権者の権利に関する定め）① 別除権の行使によって弁済を受けることができない債権の部分が確定していない再生債権を有する者があるときは、再生計画において、その債権の部分が確定した場合における再生債権者としての権利の行使に関する適確な措置を定めなければならない。

② 前項に規定する再生債権を担保する根抵当権の元本が確定している場合には、その根抵当権の被担保債権のうち極度額を超える部分について、第百五十六条の一般的基準に従い、仮払に関する定めをすることができる。この場合においては、当該根抵当権の行使によって弁済を受けることができない債権の部分が確定した場合における精算に関する措置をも定めなければならない。

第一六一条（再生債務者の株式の取得等に関する定め）① 再生計画によって株式会社である再生債務者が当該再生債務者の株式の取得をするときは、次に掲げる事項を定めなければならない。

一 再生債務者が取得する株式の数（種類株式発行会社にあっては、株式の種類及び種類ごとの数）

二 再生債務者が前号の株式を取得する日

② 再生計画によって株式会社である再生債務者の株式の併合をするときは、会社法第百八十条第二項各号に掲げる事項を定めなければならない。

③ 再生計画によって株式会社である再生債務者の資本金の額の減少をするときは、会社法第四百四十七条第一項各号に掲げる事項を定めなければならない。

④ 再生計画によって株式会社である再生債務者が発行することができる株式の総数についての定款の変更をするときは、その変更の内容を定めなければならない。

第一六二条（募集株式を引き受ける者の募集に関する定め） 株式会社である再生債務者が、第百六十六条の二第二項の規定による裁判所の許可を得て、募集株式を引き受ける者の募集をしようとするときは、再生計画において、会社法第百九十九条第一項各号に掲げる事項を定めなければならない。

第二節　再生計画案の提出

第一六三条（再生計画案の提出時期）① 再生債務者等は、債権届出期間の満了後裁判所の定める期間内に、再生計画案を作成して裁判所に提出しなければならない。

② 再生債務者（管財人が選任されている場合に限る。）又は届出再生債権者は、裁判所の定める期間内に、再生計画案を作成して裁判所に提出することができる。

③ 裁判所は、申立てにより又は職権で、前二項の規定により定めた期間を伸長することができる。

第一六四条（再生計画案の事前提出）① 再生債務者等は、前条第一項の規定にかかわらず、再生手続開始の申立て後債権届出期間の満了前に、再生計画案を提出することができる。

② 前項の場合には、第百五十七条及び第百五十九条に規定する事項を定めないで、再生計画案を提出することができる。この場合においては、債権届出期間の満了後裁判所の定める期間内に、これらの事項について、再生計画案の条項を補充しなければならない。

第一六五条（債務を負担する者等の同意）① 第百五十八条に規定する債務の負担又は担保の提供についての定めをした再生計画案を提出しようとする者は、あらかじめ、当該債務を負担し、又は当該担保を提供する者の同意を得なければならない。

② 第百六十条第二項の仮払に関する定めをした再生計画案を提出しようとする者は、あらかじめ、当該定めに係る根抵当権を有する者の同意を得なければならない。

第一六六条（再生債務者の株式の取得等を定める条項に関する許可）① 第百五十四条第三項に規定する条項を定めた再生計画案を提出しようとする者は、あらかじめ、裁判所の許可を得なければならない。

② 裁判所は、株式会社である再生債務者がその財産をもって債務を完済することができない場合に限り、前項の許可をすることができる。

③ 第一項の許可の決定があった場合には、その裁判書を当該許可の申立てをした者に、その決定の要旨を記載した書面を株主に、それぞれ送達しなければならない。この場合における株主に対する送達については、第四十三条第四項及び第五項の規定を準用する。

④ 第一項の規定による許可の決定に対しては、株主は、即時抗告をすることができる。

＊令和五法五三（令和一〇・六・一三までに施行）による改正後

第一六六条（再生債務者の株式の取得等を定める条項に関する許可）①②（略）

③ 第一項の許可の決定があった場合には、裁判所書記官は、最高裁判所規則で定めるところにより、その決定の要旨を記録した電磁的記録を作成し、これをファイルに記録しなければならない。（改正により追加）

④ 前項に規定する場合には、その電子裁判書を当該許可の申立てをした者に、同項の規定によりファイルに記録された電磁的記録を株主に、それぞれ送達しなければならない。この場合における株主に対する送達については、第四十三条第五項及び第六項の規定を準用する。（改正前の③

⑤（略、改正前の④）

（募集株式を引き受ける者の募集を定める条項に関する許可）

第一六六条の二① 第百五十四条第四項に規定する条項を定めた再生計画案は、再生債務者のみが提出することができる。

② 再生債務者は、前項の再生計画案を提出しようとするときは、あらかじめ、裁判所の許可を得なければならない。

③ 裁判所は、株式会社である再生債務者がその財産をもって債務を完済することができない状態にあり、かつ、当該募集株式を引き受ける者の募集が再生債務者の事業の継続に欠くことのできないものであると認める場合に限り、前項の許可をすることができる。

④ 前条第三項及び第四項の規定は、第二項の許可の決定があった場合について準用する。

＊令和五法五三（令和一〇・六・一三までに施行）による改正
第四項中「及び第四項」を「から第五項まで」に改める。
（本文未織込み）

（再生計画案の修正）

第一六七条 再生計画案の提出者は、裁判所の許可を得て、再生計画案を修正することができる。ただし、再生計画案を決議に付する旨の決定がされた後は、この限りでない。

（再生債務者の労働組合等の意見）

第一六八条 裁判所は、再生計画案について、労働組合等の意見を聴かなければならない。前条の規定による修正があった場合における修正後の再生計画案についても、同様とする。

第三節　再生計画案の決議

（決議に付する旨の決定）

第一六九条① 再生計画案の提出があったときは、裁判所は、次の各号のいずれかに該当する場合を除き、当該再生計画案を決議に付する旨の決定をする。

一 一般調査期間が終了していないとき。

二 財産状況報告集会における再生債務者等による報告又は第百二十五条第一項の報告書の提出がないとき。

三 裁判所が再生計画案について第百七十四条第二項各号（第三号を除く。）に掲げる要件のいずれかに該当するものと認めるとき。

四 第百九十一条第二号の規定により再生手続を廃止するとき。

② 裁判所は、前項の決議に付する旨の決定において、議決権を行使することができる再生債権者（以下「議決権者」という。）の議決権行使の方法及び第百七十二条第二項（同条第三項において準用する場合を含む。）の規定により議決権の不統一行使をする場合における裁判所に対する通知の期限を定めなければならない。この場合においては、議決権行使の方法として、次に掲げる方法のいずれかを定めなければならない。

一 債権者集会の期日において議決権を行使する方法

二 書面等投票（書面その他の最高裁判所規則で定める方法のうち裁判所の定めるものによる投票をいう。）により裁判所の定める期間内に議決権を行使する方法

三 前二号に掲げる方法のうち議決権者が選択するものにより議決権を行使する方法。この場合において、前号の期間の末日は、第一号の債権者集会の期日より前の日でなければならない。

③ 裁判所は、第一項の決議に付する旨の決定をした場合には、前項前段に規定する期限を公告し、かつ、当該期限及び再生計画案の内容又はその要旨を第百十五条第一項本文に規定する者（同条第二項に規定する者を除く。）に通知しなければならない。

④ 裁判所は、議決権行使の方法として第二項第二号又は第三号に掲げる方法を定めたときは、その旨を公告し、かつ、議決権者に対して、同項第二号に規定する書面等投票は裁判所の定める期間内に限りすることができる旨を通知しなければならない。

⑤ 裁判所は、議決権行使の方法として第二項第二号に掲げる方法を定めた場合において、第百十四条前段の申立てをすることができる者が前項の期間内に再生計画案の決議をするための債権者集会の招集の申立てをしたときは、議決権行使の方法につき、当該定めを取り消して、第二項第一号又は第三号に掲げる方法を定めなければならない。

（社債権者等の議決権の行使に関する制限）

第一六九条の二① 再生債権である社債又は第百二十条の二第六項各号に定める債権（以下この条において「社債等」という。）を有する者は、当該社債等について社債管理者、社債管理補助者（当該社債等についての再生債権者の議決権を行使することができる権限を有するものに限る。）又は同項各号に掲げる者（以下この条において「社債管理者等」という。）がある場合には、次の各号のいずれかに該当する場合に限り、当該社債等について議決権を行使することができる。

一 当該社債等について再生債権の届出をしたとき、又は届出名義の変更を受けたとき。

二 当該社債管理者等が当該社債等について再生債権の届出をした場合において、再生計画案を決議に付する旨の決定があるまでに、裁判所に対し、当該社債等について議決権を行使する意思がある旨の申出をしたとき（当該申出のあった再生債権である社債等について次項の規定による申出名義の変更を受けた場合を含む。）。

② 前項第二号に規定する申出のあった再生債権である社債等を取得した者は、申出名義の変更を受けることができる。

③ 次に掲げる場合には、第一項の社債等を有する者（同項各号のいずれかに該当するものに限る。）は、同項の規定にかかわらず、当該再生計画案の決議において議決権の行使をすることができない。

一 再生債権である社債等につき、再生計画案の決議における議決権の行使についての会社法第七百六条第一項若しくは第七百十四条の四第三項（これらの規定を医療法第五十四条の七において準用する場合を含む。）の社債権者集会の決議若しくは社会医療法人債権者集会の決議、投資信託及び投資法人に関する法律第百三十九条の九第四項若しくは同法第百三十九条の九の二第二項において読み替えて準用する会社法第七百十四条の四第三項の投資法人債権者集会の決議、保険業法第六十一条の七第四項若しくは第六十一条の七の三第三項の社債権者集会の決議又は資産の流動化に関する法律第百二十七条第四項若しくは同法第百二十七条の二第二項において読み替えて準用する会社法第七百十四条の四第三項の特定社債権者集会の決議が成立したとき。

二 会社法第七百六条第一項ただし書（医療法第五十四条の七において準用する場合を含む。）、投資信託及び投資法人に関する法律第百三十九条の九第四項ただし書若しくは保険業法第六十一条の七第四項ただし書の定めがあるとき、又は資産の流動化に関する法律第百二十七条第四項ただし書の通知がされたとき。

（債権者集会が開催される場合における議決権の額の定め方等）

第一七〇条① 裁判所が議決権行使の方法として第百六十九条第二項第一号又は第三号に掲げる方法を定めた場合においては、再生債務者等又は届出再生債権者は、債権者集会の期日において、届出再生債権者の議決権につき異議を述べることができる。ただし、第百四条第一項の規定によりその額が確定した届出再生債権者の議決権については、この限りでない。

② 前項本文に規定する場合においては、議決権者は、次の各号に掲げる区分に応じ、当該各号に定める額に応じて、議決権を行使することができる。

一 第百四条第一項の規定によりその額が確定した議決権を有する届出再生債権者　確定した額

二　前項本文の異議のない議決権を有する届出再生債権者　届出の額

三　前項本文の異議のある議決権を有する届出再生債権者　裁判所が定める額。ただし、裁判所が議決権を行使させない旨を定めたときは、議決権を行使することができない。

③　裁判所は、利害関係人の申立てにより又は職権で、いつでも前項第三号の規定による決定を変更することができる。

（債権者集会が開催されない場合における議決権の額の定め方等）

第一七一条①　裁判所が議決権行使の方法として第百六十九条第二項第二号に掲げる方法を定めた場合においては、議決権者は、次の各号に掲げる区分に応じ、当該各号に定める額に応じて、議決権を行使することができる。

一　第百四条第一項の規定によりその額が確定した議決権を有する届出再生債権者　確定した額

二　届出再生債権者（前号に掲げるものを除く。）　裁判所が定める額。ただし、裁判所が議決権を行使させない旨を定めたときは、議決権を行使することができない。

②　裁判所は、利害関係人の申立てにより又は職権で、いつでも前項第二号の規定による決定を変更することができる。

（議決権の行使の方法等）

第一七二条①　議決権者は、代理人をもってその議決権を行使することができる。

②　議決権者は、その有する議決権を統一しないで行使することができる。この場合においては、第百六十九条第二項前段に規定する期限までに、裁判所に対してその旨を書面で通知しなければならない。

③　前項の規定は、第一項に規定する代理人が委任を受けた議決権（自己の議決権を有するときは、当該議決権を含む。）を統一しないで行使する場合について準用する。

（基準日による議決権者の確定）

第一七二条の二①　裁判所は、相当と認めるときは、再生計画案を決議に付する旨の決定と同時に、一定の日（以下この条において「基準日」という。）を定めて、基準日における再生債権者表に記録されている再生債権者を議決権者と定めることができる。

> **＊令和五法五三（令和一〇・六・一三までに施行）による改正**
> 第一項中「再生債権者表」を「電子再生債権者表」に改める。（本文未織込み）

②　裁判所は、基準日を公告しなければならない。この場合において、基準日は、当該公告の日から二週間を経過する日以後の日でなければならない。

（再生計画案の可決の要件）

第一七二条の三①　再生計画案を可決するには、次に掲げる同意のいずれもがなければならない。

一　議決権者（債権者集会に出席し、又は第百六十九条第二項第二号に規定する書面等投票をしたものに限る。）の過半数の同意

二　議決権者の議決権の総額の二分の一以上の議決権を有する者の同意

②　約定劣後再生債権の届出がある場合には、再生計画案の決議は、再生債権（約定劣後再生債権を除く。以下この条、第百七十二条の五第四項並びに第百七十四条の二第一項及び第二項において同じ。）を有する者と約定劣後再生債権を有する者とに分かれて行う。ただし、議決権を有する約定劣後再生債権を有する者がないときは、この限りでない。

③　裁判所は、前項本文に規定する場合であっても、相当と認めるときは、再生計画案の決議は再生債権を有する者と約定劣後再生債権を有する者とに分かれないで行うものとすることができる。

④　裁判所は、再生計画案を決議に付する旨の決定をするまでは、前項の決定を取り消すことができる。

⑤　前二項の規定による決定があった場合には、その裁判書を議決権者に送達しなければならない。ただし、債権者集会の期日において当該決定の言渡しがあったときは、この限りでない。

> **＊令和五法五三（令和一〇・六・一三までに施行）による改正**
> 第五項中「裁判書」を「電子裁判書」に改める。（本文未織込み）

⑥　第一項の規定にかかわらず、第二項本文の規定により再生計画案の決議を再生債権を有する者と約定劣後再生債権を有する者とに分かれて行う場合において再生計画案を可決するには、再生債権を有する者と約定劣後再生債権を有する者の双方について第一項各号に掲げる同意のいずれもがなければならない。

⑦　第百七十二条第二項（同条第三項において準用する場合を含む。）の規定によりその有する議決権の一部のみを再生計画案に同意するものとして行使した議決権者（その余の議決権を行使しなかったものを除く。）があるときの第一項第一号又は前項の規定の適用については、当該議決権者一人につき、同号に規定する議決権者の数に一を、再生計画案に同意する旨の議決権の行使をした議決権者の数に二分の一を、それぞれ加算するものとする。

（再生計画案の変更）

第一七二条の四　再生計画案の提出者は、議決権行使の方法として第百六十九条第二項第一号又は第三号に掲げる方法が定められた場合には、再生債権者に不利な影響を与えないときに限り、債権者集会において、裁判所の許可を得て、当該再生計画案を変更することができる。

（債権者集会の期日の続行）

第一七二条の五①　再生計画案についての議決権行使の方法として第百六十九条第二項第一号又は第三号に掲げる方法が定められ、かつ、当該再生計画案が可決されるに至らなかった場合において、次の各号のいずれかに掲げる同意があるときは、裁判所は、再生計画案の提出者の申立てにより又は職権で、続行期日を定めて言い渡さなければならない。ただし、続行期日において当該再生計画案が可決される見込みがないことが明らかである場合は、この限りでない。

一　第百七十二条の三第一項各号のいずれかに掲げる同意

二　債権者集会の期日における出席した議決権者の過半数であって出席した議決権者の議決権の総額の二分の一を超える議決権を有する者の期日の続行についての同意

②　前項本文の場合において、同項本文の再生計画案の可決は、当該再生計画案が決議に付された最初の債権者集会の期日から二月以内にされなければならない。

③　裁判所は、必要があると認めるときは、再生計画案の提出者の申立てにより又は職権で、前項の期間を伸長することができる。ただし、その期間は、一月を超えることができない。

④　前三項の規定は、第百七十二条の三第二項本文の規定により再生計画案の決議を再生債権を有する者と約定劣後再生債権を有する者とに分かれて行う場合には、再生債権を有する者と約定劣後再生債権を有する者の双方について第一項各号のいずれかに掲げる同意があるときに限り、適用する。

（再生計画案が可決された場合の法人の継続）

第一七三条　清算中若しくは特別清算中の法人又は破産手続開始後の法人である再生債務者について再生手続が開始された場合において、再生計画案が可決されたときは、定款その他の基本約款の変更に関する規定に従い、法人を継続することができる。

第四節　再生計画の認可等

（再生計画の認可又は不認可の決定）

第一七四条①　再生計画案が可決された場合には、裁判所は、次項の場合を除き、再生計画認可の決定をする。

② 裁判所は、次の各号のいずれかに該当する場合には、再生計画不認可の決定をする。

一 再生手続又は再生計画が法律の規定に違反し、かつ、その不備を補正することができないものであるとき。ただし、再生手続が法律の規定に違反する場合において、当該違反の程度が軽微であるときは、この限りでない。

二 再生計画が遂行される見込みがないとき。

三 再生計画の決議が不正の方法によって成立するに至ったとき。

四 再生計画の決議が再生債権者の一般の利益に反するとき。

③ 第百十五条第一項本文に規定する者及び労働組合等は、再生計画案を認可すべきかどうかについて、意見を述べることができる。

④ 再生計画の認可又は不認可の決定があった場合には、第百十五条第一項本文に規定する者に対して、その主文及び理由の要旨を記載した書面を送達しなければならない。

⑤ 前項に規定する場合には、同項の決定があった旨を労働組合等に通知しなければならない。

＊令和五法五三（令和一〇・六・一三までに施行）**による改正後**

（再生計画の認可又は不認可の決定）

第一七四条①―③（略）

④ 再生計画の認可又は不認可の決定があった場合には、裁判所書記官は、最高裁判所規則で定めるところにより、その主文及び理由の要旨を記録した電磁的記録を作成し、これをファイルに記録しなければならない。（改正により追加）

⑤ 前項に規定する場合には、第百十五条第一項本文に規定する者に対して、前項の規定によりファイルに記録された電磁的記録を送達しなければならない。（改正前の④）

⑥ 第四項に規定する場合には、同項の決定があった旨を労働組合等に通知しなければならない。（改正前の⑤）

（約定劣後再生債権の届出がある場合における認可等の特則）

第一七四条の二① 第百七十二条の三第二項本文の規定により再生計画案の決議を再生債権を有する者と約定劣後再生債権を有する者とに分かれて行う場合において、再生債権を有する者又は約定劣後再生債権を有する者のいずれかについて同条第一項各号のいずれかに掲げる同意を得られなかったため再生計画案が可決されなかったときにおいても、裁判所は、再生計画案を変更し、その同意が得られなかった種類の債権を有する者のために、破産手続が開始された場合に配当を受けることが見込まれる額を支払うことその他これに準じて公正かつ衡平に当該債権を有する者を保護する条項を定めて、再生計画認可の決定をすることができる。

② 第百七十二条の三第二項本文の規定により再生計画案の決議を再生債権を有する者と約定劣後再生債権を有する者とに分かれて行うべき場合において、再生計画案について、再生債権を有する者又は約定劣後再生債権を有する者のいずれかについて同条第一項各号のいずれかに掲げる同意を得られないことが明らかなものがあるときは、裁判所は、再生計画案の作成者の申立てにより、あらかじめ、その同意を得られないことが明らかな種類の債権を有する者のために前項に規定する条項を定めて再生計画案を作成することを許可することができる。この場合において、その同意を得られないことが明らかな種類の債権を有する者は、当該再生計画案の決議において議決権を行使することができない。

③ 前項の申立てがあったときは、裁判所は、申立人及び同意を得られないことが明らかな種類の債権を有する者のうち一人以上の意見を聴かなければならない。

（再生計画認可の決定等に対する即時抗告）

第一七五条① 再生計画の認可又は不認可の決定に対しては、即時抗告をすることができる。

② 前項の規定にかかわらず、再生債務者が再生手続開始の時においてその財産をもって約定劣後再生債権に優先する債権に係る債務を完済することができない状態にある場合には、約定劣後再生債権を有する者は、再生計画の内容が約定劣後再生債権を有する者の間で第百五十五条第一項に違反することを理由とする場合を除き、即時抗告をすることができない。

③ 議決権を有しなかった再生債権者が第一項の即時抗告をするには、再生債権者であることを疎明しなければならない。

④ 前項の規定は、第一項の即時抗告についての裁判に対する第十八条において準用する民事訴訟法第三百三十六条の規定による抗告及び同法第三百三十七条の規定による抗告の許可の申立てについて準用する。

（再生計画の効力発生の時期）

第一七六条 再生計画は、認可の決定の確定により、効力を生ずる。

（再生計画の効力範囲）

第一七七条① 再生計画は、再生債務者、すべての再生債権者及び再生のために債務を負担し、又は担保を提供する者のために、かつ、それらの者に対して効力を有する。

② 再生計画は、別除権者が有する第五十三条第一項に規定する担保権、再生債権者が再生債務者の保証人その他再生債務者と共に債務を負担する者に対して有する権利及び再生債務者以外の者が再生債権者のために提供した担保に影響を及ぼさない。

（再生債権の免責）

第一七八条① 再生計画認可の決定が確定したときは、再生計画の定め又はこの法律の規定によって認められた権利を除き、再生債務者は、すべての再生債権について、その責任を免れる。ただし、再生手続開始前の罰金等については、この限りでない。

② 前項の規定にかかわらず、共助対象外国租税の請求権についての同項の規定による免責の効力は、租税条約等実施特例法第十一条第一項の規定による共助との関係においてのみ主張することができる。

（届出再生債権者等の権利の変更）

第一七九条① 再生計画認可の決定が確定したときは、届出再生債権者及び第百一条第三項の規定により認否書に記載された再生債権を有する再生債権者の権利は、再生計画の定めに従い、変更される。

② 前項に規定する再生債権者は、その有する債権が確定している場合に限り、再生計画の定めによって認められた権利を行使することができる。

③ 第一項の規定にかかわらず、共助対象外国租税の請求権についての同項の規定による権利の変更の効力は、租税条約等実施特例法第十一条第一項の規定による共助との関係においてのみ主張することができる。

（再生計画の条項の再生債権者表への記載等）

第一八〇条① 再生計画認可の決定が確定したときは、裁判所書記官は、再生計画の条項を再生債権者表に記載しなければならない。

② 前項の場合には、再生債権に基づき再生計画の定めによって認められた権利については、その再生債権者表の記載は、再生債務者、再生債権者及び再生のために債務を負担し、又は担保を提供する者に対して、確定判決と同一の効力を有する。

③ 第一項の場合には、前項の権利で金銭の支払その他の給付の請求を内容とするものを有する者は、再生債務者及び再生のために債務を負担した者に対して、その再生債権者表の記載により強制執行をすることができる。ただし、民法第四百五十二条及び第四百五十三条の規定の適用を妨げない。

＊令和五法五三（令和一〇・六・一三までに施行）**による改正後**

（再生計画の条項の電子再生債権者表への記録等）

第一八〇条① 再生計画認可の決定が確定したときは、裁判所書記官は、最高裁判所規則で定めるところにより、再生計画の条項を電子再生債権者表に記録しなければならない。

② 前項の場合には、再生債権に基づき再生計画の定めによって

認められた権利については、その電子再生債権者表の記録は、再生債務者、再生債権者及び再生のために債務を負担し、又は担保を提供する者に対して、確定判決と同一の効力を有する。

③　第一項の場合には、前項の権利で金銭の支払その他の給付の請求を内容とするものを有する者は、再生債務者及び再生のために債務を負担した者に対して、その電子再生債権者表の記録により強制執行をすることができる。ただし、民法第四百五十二条及び第四百五十三条の規定の適用を妨げない。

（届出のない再生債権等の取扱い）

第一八一条①　再生計画認可の決定が確定したときは、次に掲げる再生債権（約定劣後再生債権の届出がない場合における約定劣後再生債権を除く。）は、第百五十六条の一般的基準に従い、変更される。

一　再生債権者がその責めに帰することができない事由により債権届出期間内に届出をすることができなかった再生債権で、その事由が第九十五条第四項に規定する決定前に消滅しなかったもの

二　前号の決定後に生じた再生債権

三　第百一条第三項に規定する場合において、再生債務者が同項の規定による記載をしなかった再生債権

②　前項第三号の規定により変更された後の権利については、再生計画で定められた弁済期間が満了する時（その期間の満了前に、再生計画に基づく弁済が完了した場合又は再生計画が取り消された場合にあっては弁済が完了した時又は再生計画が取り消された時）までの間は、弁済をし、弁済を受け、その他これを消滅させる行為（免除を除く。）をすることができない。

③　再生計画認可の決定が確定した場合には、再生手続開始前の罰金等についても、前項と同様とする。

（別除権者の再生計画による権利の行使）

第一八二条　再生債権者が第五十三条第一項に規定する担保権を有する場合には、その行使によって弁済を受けることができない債権の部分が確定した場合に限り、その債権の部分について、認可された再生計画の定めによって認められた権利又は前条第一項の規定により変更された後の権利を行使することができる。ただし、その担保権が根抵当権である場合において、再生計画に第百六十条第二項の規定による仮払に関する定め及び精算に関する措置の定めがあるときは、その定めるところによる。

（再生計画により再生債務者の株式の取得等がされた場合の取扱い）

第一八三条①　第百五十四条第三項の規定により再生計画において再生債務者の株式の取得に関する条項を定めたときは、再生債務者は、第百六十一条第一項第二号の日に、認可された再生計画の定めによって、同項第一号の株式を取得する。

②　第百五十四条第三項の規定により再生計画において株式の併合に関する条項を定めたときは、認可された再生計画の定めによって、株式の併合をすることができる。この場合においては、会社法第百十六条、第百十七条、第百八十二条の四及び第百八十二条の五の規定は、適用しない。

③　前項の場合には、会社法第二百三十五条第二項において準用する同法第二百三十四条第二項の許可の申立てに係る事件は、再生裁判所が管轄する。

④　第百五十四条第三項の規定により再生計画において資本金の額の減少に関する条項を定めたときは、認可された再生計画の定めによって、資本金の額の減少をすることができる。この場合においては、会社法第四百四十九条及び第七百四十条の規定は、適用しない。

⑤　前項の場合には、会社法第八百二十八条第一項第五号及び第二項第五号の規定にかかわらず、資本金の額の減少について、その無効の訴えを提起することができない。

⑥　第百五十四条第三項の規定により再生計画において再生債務者が発行することができる株式の総数についての定款の変更に関する条項を定めたときは、定款は、再生計画認可の決定が確定した時に再生計画の定めによって変更される。

⑦　第二項、第四項又は前項の規定により、認可された再生計画の定めによる株式の併合、資本金の額の減少又は定款の変更があった場合には、当該事項に係る登記の申請書には、再生計画認可の裁判書の謄本又は抄本を添付しなければならない。

＊令和五法五三（令和一〇・六・一三までに施行）による改正後

⑦　第二項、第四項又は前項の規定により、認可された再生計画の定めによる株式の併合、資本金の額の減少又は定款の変更があった場合には、当該事項に係る登記の申請書には、再生計画認可の裁判書の謄本若しくは抄本又は記録事項証明書（電子裁判書に記録されている事項の全部又は一部を記載した書面であって裁判所書記官が当該書面の内容が当該電子裁判書に記録されている事項と同一であることを証明したものをいう。次条第三項において同じ。）を添付しなければならない。

（再生計画に募集株式を引き受ける者の募集に関する条項を定めた場合の取扱い）

第一八三条の二①　第百五十四条第四項の規定により再生計画において募集株式を引き受ける者の募集に関する条項を定めたときは、会社法第百九十九条第二項の規定にかかわらず、取締役の決定（再生債務者が取締役会設置会社である場合にあっては、取締役会の決議）によって、同項に規定する募集事項を定めることができる。この場合においては、同条第四項並びに同法第二百四条第二項及び第二百五条第二項の規定は、適用しない。

②　会社法第二百一条第三項から第五項までの規定は、前項の場合について準用する。

③　第一項の募集株式を引き受ける者の募集による変更の登記の申請書には、再生計画認可の裁判書の謄本又は抄本を添付しなければならない。

＊令和五法五三（令和一〇・六・一三までに施行）による改正

第三項中「又は抄本」を「若しくは抄本又は記録事項証明書」に改める。（本文未織込み）

（中止した手続等の失効）

第一八四条　再生計画認可の決定が確定したときは、第三十九条第一項の規定により中止した手続又は処分は、その効力を失う。ただし、同条第二項の規定により続行された手続又は処分については、この限りでない。

（不認可の決定が確定した場合の再生債権者表の記載の効力）

第一八五条①　再生計画不認可の決定が確定したときは、確定した再生債権については、再生債権者表の記載は、再生債務者に対し、確定判決と同一の効力を有する。ただし、再生債務者が第百二条第二項又は第百三条第四項の規定による異議を述べたときは、この限りでない。

②　前項の場合には、再生債権者は、再生債務者に対し、再生債権者表の記載により強制執行をすることができる。

＊令和五法五三（令和一〇・六・一三までに施行）による改正

第一八五条（見出しを含む。）中「再生債権者表の記載」を「電子再生債権者表の記録」に改める。（本文未織込み）

第八章　再生計画認可後の手続

（再生計画の遂行）

第一八六条①　再生計画認可の決定が確定したときは、再生債務者等は、速やかに、再生計画を遂行しなければならない。

②　前項に規定する場合において、監督委員が選任されているときは、当該監督委員は、再生債務者の再生計画の遂行を監督する。

③　裁判所は、再生計画の遂行を確実にするため必要があると認めるときは、再生債務者等又は再生のために債務を負担し、若

しくは担保を提供する者に対し、次に掲げる者のために、相当な担保を立てるべきことを命ずることができる。

一　再生計画の定め又はこの法律の規定によって認められた権利を有する者

二　異議等のある再生債権でその確定手続が終了していないものを有する者

三　別除権の行使によって弁済を受けることができない債権の部分が確定していない再生債権を有する者

④　民事訴訟法第七十六条、第七十七条、第七十九条及び第八十条の規定は、前項の担保について準用する。

（再生計画の変更）

第一八七条①　再生計画認可の決定があった後やむを得ない事由で再生計画に定める事項を変更する必要が生じたときは、裁判所は、再生手続終了前に限り、再生債務者、管財人、監督委員又は届出再生債権者の申立てにより、再生計画を変更することができる。

②　前項の規定により再生債権者に不利な影響を及ぼすものと認められる再生計画の変更の申立てがあった場合には、再生計画案の提出があった場合の手続に関する規定を準用する。ただし、再生計画の変更によって不利な影響を受けない再生債権者は、手続に参加させることを要せず、また、変更計画案について議決権を行使しない者（変更計画案について決議をするための債権者集会に出席した者を除く。）であって従前の再生計画に同意したものは、変更計画案に同意したものとみなす。

③　第百七十五条及び第百七十六条の規定は、再生計画変更の決定があった場合について準用する。

（再生手続の終結）

第一八八条①　裁判所は、再生計画認可の決定が確定したときは、監督委員又は管財人が選任されている場合を除き、再生手続終結の決定をしなければならない。

②　裁判所は、監督委員が選任されている場合において、再生計画が遂行されたとき、又は再生計画認可の決定が確定した後三年を経過したときは、再生債務者若しくは監督委員の申立てにより又は職権で、再生手続終結の決定をしなければならない。

③　裁判所は、管財人が選任されている場合において、再生計画が遂行されたとき、又は再生計画が遂行されることが確実であると認めるに至ったときは、再生債務者若しくは管財人の申立てにより又は職権で、再生手続終結の決定をしなければならない。

④　監督命令及び管理命令は、再生手続終結の決定があったときは、その効力を失う。

⑤　裁判所は、再生手続終結の決定をしたときは、その主文及び理由の要旨を公告しなければならない。

（再生計画の取消し）

第一八九条①　再生計画認可の決定が確定した場合において、次の各号のいずれかに該当する事由があるときは、裁判所は、再生債権者の申立てにより、再生計画取消しの決定をすることができる。

一　再生計画が不正の方法により成立したこと。

二　再生債務者等が再生計画の履行を怠ったこと。

三　再生債務者が第四十一条第一項若しくは第四十二条第一項の規定に違反し、又は第五十四条第二項に規定する監督委員の同意を得ないで同項の行為をしたこと。

②　前項第一号に掲げる事由を理由とする同項の申立ては、再生債権者が再生計画認可の決定に対する即時抗告により同号の事由を主張したとき、若しくはこれを知りながら主張しなかったとき、再生債権者が同号に該当する事由があることを知った時から一月を経過したとき、又は再生計画認可の決定が確定した時から二年を経過したときは、することができない。

③　第一項第二号に掲げる事由を理由とする同項の申立ては、再生計画の定めによって認められた権利の全部（履行された部分を除く。）について裁判所が評価した額の十分の一以上に当たる権利を有する再生債権者であって、その有する履行期限が到来した当該権利の全部又は一部について履行を受けていないものに限り、することができる。

④　裁判所は、再生計画取消しの決定をしたときは、直ちに、その裁判書を第一項の申立てをした者及び再生債務者等に送達し、かつ、その主文及び理由の要旨を公告しなければならない。

＊令和五法五三（令和一〇・六・一三までに施行）による改正
第四項中「裁判書」を「電子裁判書」に改める。（本文未織込み）

⑤　第一項の申立てについての裁判に対しては、即時抗告をすることができる。

⑥　第四項の決定は、確定しなければその効力を生じない。

⑦　第四項の決定が確定した場合には、再生計画によって変更された再生債権は、原状に復する。ただし、再生債権者が再生計画によって得た権利に影響を及ぼさない。

⑧　第百八十五条の規定は第四項の決定が確定した場合について、前条第四項の規定は再生手続終了前に第四項の決定が確定した場合について準用する。

（破産手続開始の決定又は新たな再生手続開始の決定がされた場合の取扱い等）

第一九〇条①　再生計画の履行完了前に、再生債務者について破産手続開始の決定又は新たな再生手続開始の決定がされた場合には、再生計画によって変更された再生債権は、原状に復する。ただし、再生債権者が再生計画によって得た権利に影響を及ぼさない。

②　第百八十五条の規定は、前項の場合について準用する。

③　第一項の破産手続開始の決定に係る破産手続においては、再生債権であった破産債権については、その破産債権の額は、従前の再生債権の額から同項の再生計画により弁済を受けた額を控除した額とする。

④　前項の破産手続においては、同項の破産債権については、第一項の再生計画により弁済を受けた場合であっても、従前の再生債権の額をもって配当の手続に参加することができる債権の額とみなし、破産財団に当該弁済を受けた額を加算して配当率の標準を定める。ただし、当該破産債権を有する破産債権者は、他の同順位の破産債権者が自己の受けた弁済と同一の割合の配当を受けるまでは、配当を受けることができない。

⑤　第一項の破産手続開始の決定がされたときは、再生債務者が再生手続終了後に再生計画によらずに再生債権者に対してした担保の供与は、その効力を失う。

⑥　新たな再生手続においては、再生債権者は、再生債権について第一項の再生計画により弁済を受けた場合であっても、その弁済を受ける前の債権の全部をもって再生手続に参加することができる。

⑦　新たな再生手続においては、前項の規定により再生手続に参加した再生債権者は、他の再生債権者が自己の受けた弁済と同一の割合の弁済を受けるまでは、弁済を受けることができない。

⑧　新たな再生手続においては、第六項の規定により再生手続に参加した再生債権者は、第一項の再生計画により弁済を受けた債権の部分については、議決権を行使することができない。

⑨　新たな再生手続においては、従前の再生手続における共益債権は、共益債権とみなす。

第九章　再生手続の廃止

（再生計画認可前の手続廃止）

第一九一条　次の各号のいずれかに該当する場合には、裁判所は、職権で、再生手続廃止の決定をしなければならない。

一　決議に付するに足りる再生計画案の作成の見込みがないことが明らかになったとき。

二　裁判所の定めた期間若しくはその伸長した期間内に再生計

画案の提出がないとき、又はその期間内に提出されたすべての再生計画案が決議に付するに足りないものであるとき。

三　再生計画案が否決されたとき、又は第百七十二条の五第一項本文及び第四項の規定により債権者集会の続行期日が定められた場合において、同条第二項及び第三項の規定に適合する期間内に再生計画案が可決されないとき。

第一九二条①　債権届出期間の経過後再生計画認可の決定の確定前において、第二十一条第一項に規定する再生手続開始の申立ての事由のないことが明らかになったときは、裁判所は、再生債務者、管財人又は届出再生債権者の申立てにより、再生手続廃止の決定をしなければならない。

②　前項の申立てをする場合には、申立人は、再生手続廃止の原因となる事実を疎明しなければならない。

（再生債務者の義務違反による手続廃止）

第一九三条①　次の各号のいずれかに該当する場合には、裁判所は、監督委員若しくは管財人の申立てにより又は職権で、再生手続廃止の決定をすることができる。

一　再生債務者が第三十条第一項の規定による裁判所の命令に違反した場合

二　再生債務者が第四十一条第一項若しくは第四十二条第一項の規定に違反し、又は第五十四条第二項に規定する監督委員の同意を得ないで同項の行為をした場合

三　再生債務者が第百一条第五項又は第百三条第三項の規定により裁判所が定めた期限までに認否書を提出しなかった場合

②　前項の決定をする場合には、再生債務者を審尋しなければならない。

（再生計画認可後の手続廃止）

第一九四条　再生計画認可の決定が確定した後に再生計画が遂行される見込みがないことが明らかになったときは、裁判所は、再生債務者等若しくは監督委員の申立てにより又は職権で、再生手続廃止の決定をしなければならない。

（再生手続廃止の公告等）

第一九五条①　裁判所は、再生手続廃止の決定をしたときは、直ちに、その主文及び理由の要旨を公告しなければならない。

②　前項の決定に対しては、即時抗告をすることができる。

③　第百七十五条第三項の規定は、前項の即時抗告並びにこれについての決定に対する第十八条において準用する民事訴訟法第三百三十六条の規定による抗告及び同法第三百三十七条の規定による抗告の許可の申立てについて準用する。

④　再生手続廃止の決定を取り消す決定が確定したときは、再生手続廃止の決定をした裁判所は、直ちに、その旨を公告しなければならない。

⑤　第一項の決定は、確定しなければその効力を生じない。

⑥　再生計画認可の決定が確定した後にされた再生手続の廃止は、再生計画の遂行及びこの法律の規定によって生じた効力に影響を及ぼさない。

⑦　第百八十五条の規定は第百九十一条、第百九十二条第一項又は第百九十三条第一項の規定による再生手続廃止の決定が確定した場合（再生計画認可の決定が確定した後に再生手続廃止の決定が確定した場合を除く。）について、第百八十八条第四項の規定は第一項の決定が確定した場合について準用する。

第十章　住宅資金貸付債権に関する特則

（定義）

第一九六条　この章、第十二章及び第十三章において、次の各号に掲げる用語の意義は、それぞれ当該各号に定めるところによる。

一　住宅　個人である再生債務者が所有し、自己の居住の用に供する建物であって、その床面積の二分の一以上に相当する部分が専ら自己の居住の用に供されるものをいう。ただし、当該建物が二以上ある場合には、これらの建物のうち、再生債務者が主として居住の用に供する一の建物に限る。

二　住宅の敷地　住宅の用に供されている土地又は当該土地に設定されている地上権をいう。

三　住宅資金貸付債権　住宅の建設若しくは購入に必要な資金（住宅の用に供する土地又は借地権の取得に必要な資金を含む。）又は住宅の改良に必要な資金の貸付けに係る分割払の定めのある再生債権であって、当該債権又は当該債権に係る債務の保証人（保証を業とする者に限る。以下「保証会社」という。）の主たる債務者に対する求償権を担保するための抵当権が住宅に設定されているものをいう。

四　住宅資金特別条項　再生債権者の有する住宅資金貸付債権の全部又は一部を、第百九十九条第一項から第四項までの規定するところにより変更する再生計画の条項をいう。

五　住宅資金貸付契約　住宅資金貸付債権に係る資金の貸付契約をいう。

（抵当権の実行手続の中止命令等）

第一九七条①　裁判所は、再生手続開始の申立てがあった場合において住宅資金特別条項を定めた再生計画の認可の見込みがあると認めるときは、再生債務者の申立てにより、相当の期間を定めて、住宅又は再生債務者が有する住宅の敷地に設定されている前条第三号に規定する抵当権の実行手続の中止を命ずることができる。

②　第三十一条第二項から第六項までの規定は、前項の規定による中止の命令について準用する。

③　裁判所は、再生債務者が再生手続開始後に住宅資金貸付債権の一部を弁済しなければ住宅資金貸付契約の定めにより当該住宅資金貸付債権の全部又は一部について期限の利益を喪失することとなる場合において、住宅資金特別条項を定めた再生計画の認可の見込みがあると認めるときは、再生計画認可の決定が確定する前でも、再生債務者の申立てにより、その弁済をすることを許可することができる。

（住宅資金特別条項を定めることができる場合等）

第一九八条①　住宅資金貸付債権（民法第四百九十九条の規定により住宅資金貸付債権を有する者に代位した再生債権者（弁済をするについて正当な利益を有していた者に限る。）が当該代位により有するものを除く。）については、再生計画において、住宅資金特別条項を定めることができる。ただし、住宅の上に第五十三条第一項に規定する担保権（第百九十六条第三号に規定する抵当権を除く。）が存するとき、又は住宅以外の不動産にも同号に規定する抵当権が設定されている場合において当該不動産の上に同項に規定する担保権で当該抵当権に後れるものが存するときは、この限りでない。

②　保証会社が住宅資金貸付債権に係る保証債務を履行した場合において、当該保証債務の全部を履行した日から六月を経過する日までの間に再生手続開始の申立てがされたときは、第二百四条第一項本文の規定により住宅資金貸付債権を有することとなる者の権利について、住宅資金特別条項を定めることができる。この場合においては、前項ただし書の規定を準用する。

③　第一項に規定する住宅資金貸付債権を有する再生債権者又は第二百四条第一項本文の規定により住宅資金貸付債権を有することとなる者が数人あるときは、その全員を対象として住宅資金特別条項を定めなければならない。

（住宅資金特別条項の内容）

第一九九条①　住宅資金特別条項においては、次項又は第三項に規定する場合を除き、次の各号に掲げる債権について、それぞれ当該各号に定める内容を定める。

一　再生計画認可の決定の確定時までに弁済期が到来する住宅資金貸付債権の元本（再生債務者が期限の利益を喪失しなかったとすれば弁済期が到来しないものを除く。）及びこれに対する再生計画認可の決定の確定後の住宅約定利息（住宅資金貸付契約において定められた約定利率による利息をいう。以下この条において同じ。）並びに再生計画認可の決定の確定時までに生ずる住宅資金貸付債権の利息及び不履行による損害賠償　その全額を、再生計画（住宅資金特別条項を除く。）で定める弁済期間（当該期間が五年を超える場合にあって

は、再生計画認可の決定の確定から五年。第三項において「一般弁済期間」という。）内に支払うこと。

二　再生計画認可の決定の確定時までに弁済期が到来しない住宅資金貸付債権の元本（再生債務者が期限の利益を喪失しなかったとすれば弁済期が到来しないものを含む。）及びこれに対する再生計画認可の決定の確定後の住宅約定利息　住宅資金貸付契約における債務の不履行がない場合についての弁済の時期及び額に関する約定に従って支払うこと。

②　前項の規定による住宅資金特別条項を定めた再生計画の認可の見込みがない場合には、住宅資金特別条項において、住宅資金貸付債権に係る債務の弁済期を住宅資金貸付契約において定められた最終の弁済期（以下この項及び第四項において「約定最終弁済期」という。）から後の日に定めることができる。この場合における権利の変更の内容は、次に掲げる要件のすべてを具備するものでなければならない。

一　次に掲げる債権について、その全額を支払うものであること。

イ　住宅資金貸付債権の元本及びこれに対する再生計画認可の決定の確定後の住宅約定利息

ロ　再生計画認可の決定の確定時までに生ずる住宅資金貸付債権の利息及び不履行による損害賠償

二　住宅資金特別条項による変更後の最終の弁済期が約定最終弁済期から十年を超えず、かつ、住宅資金特別条項による変更後の最終の弁済期における再生債務者の年齢が七十歳を超えないものであること。

三　第一号イに掲げる債権については、一定の基準により住宅資金貸付契約における弁済期と弁済期との間隔及び各弁済期における弁済額が定められている場合には、当該基準におおむね沿うものであること。

③　前項の規定による住宅資金特別条項を定めた再生計画の認可の見込みがない場合には、一般弁済期間の範囲内で定める期間（以下この項において「元本猶予期間」という。）中は、住宅資金貸付債権の元本の一部及び住宅資金貸付債権の元本に対する元本猶予期間中の住宅約定利息のみを支払うものとすることができる。この場合における権利の変更の内容は、次に掲げる要件のすべてを具備するものでなければならない。

一　前項第一号及び第二号に掲げる要件があること。

二　前項第一号イに掲げる債権についての元本猶予期間を経過した後の弁済期及び弁済額の定めについては、一定の基準により住宅資金貸付契約における弁済期と弁済期との間隔及び各弁済期における弁済額が定められている場合には、当該基準におおむね沿うものであること。

④　住宅資金特別条項によって権利の変更を受ける者の同意がある場合には、前三項の規定にかかわらず、約定最終弁済期から十年を超えて住宅資金貸付債権に係る債務の期限を猶予することとその他前三項に規定する変更以外の変更をすることを内容とする住宅資金特別条項を定めることができる。

⑤　住宅資金特別条項によって権利の変更を受ける者と他の再生債権者との間については第百五十五条第一項の規定を、住宅資金特別条項については同条第三項の規定を、住宅資金特別条項によって権利の変更を受ける者については第百六十条及び第百六十五条第二項の規定を適用しない。

第二〇〇条（住宅資金特別条項を定めた再生計画案の提出等）①　住宅資金特別条項を定めた再生計画案は、再生債務者のみが提出することができる。

②　再生債務者により住宅資金特別条項を定めた再生計画案が提出され、かつ、次の各号のいずれかに該当することとなったときは、当該各号に定める時までに届出再生債権者が再生債権の調査において第百九十八条第一項に規定する住宅資金貸付債権の内容について述べた異議は、それぞれその時においてその効力を失う。ただし、これらの時までに、当該異議に係る再生債権の確定手続が終了していない場合に限る。

一　いずれの届出再生債権者も裁判所の定めた期間又はその伸長した期間内に住宅資金特別条項の定めのない再生計画案を提出しなかったとき　当該期間が満了した時

二　届出再生債権者が提出した住宅資金特別条項の定めのない再生計画案が決議に付されず、住宅資金特別条項を定めた再生計画案のみが決議に付されたとき　第百六十七条ただし書に規定する決定がされた時

三　住宅資金特別条項を定めた再生計画案及び届出再生債権者が提出した住宅資金特別条項の定めのない再生計画案が共に決議に付され、住宅資金特別条項を定めた再生計画案が可決されたとき　当該可決がされた時

③　前項の規定により同項本文の異議が効力を失った場合には、当該住宅資金貸付債権については、第百四条第一項及び第三項の規定は、適用しない。

④　再生債務者により住宅資金特別条項を定めた再生計画案が提出され、かつ、第二項各号のいずれかに該当することとなったときは、当該各号に定める時までに第百九十八条第一項に規定する住宅資金貸付債権を有する再生債権者であって当該住宅資金貸付債権以外に再生債権を有しないもの又は保証会社であって住宅資金貸付債権に係る債務の保証に基づく求償権以外に再生債権を有しないものが再生債権の調査において述べた異議についても、第二項と同様とする。この場合においては、当該異議を述べた者には、第百四条第三項及び第百八十条第二項の規定による確定判決と同一の効力は、及ばない。

⑤　再生債務者により住宅資金特別条項を定めた再生計画案が提出され、かつ、第二項第一号又は第二号のいずれかに該当することとなったときは、前項前段に規定する再生債権者又は保証会社は、第百七十条第一項本文の異議を述べることができない。

第二〇一条（住宅資金特別条項を定めた再生計画案の決議等）①　住宅資金特別条項を定めた再生計画案の決議においては、住宅資金特別条項によって権利の変更を受けることとされている者及び保証会社は、住宅資金貸付債権又は住宅資金貸付債権に係る債務の保証に基づく求償権については、議決権を有しない。

②　住宅資金特別条項を定めた再生計画案が提出されたときは、裁判所は、当該住宅資金特別条項によって権利の変更を受けることとされている者の意見を聴かなければならない。第百六十七条の規定による修正（その修正が住宅資金特別条項によって権利の変更を受けることとされている者に不利な影響を及ぼさないことが明らかな場合を除く。）があった場合における修正後の住宅資金特別条項を定めた再生計画案についても、同様とする。

③　住宅資金特別条項を定めた再生計画案に対する第百六十九条第一項の規定の適用については、同項第三号中「第百七十四条第二項各号（第三号を除く。）」とあるのは、「第二百二条第二項各号（第四号を除く。）」とする。

第二〇二条（住宅資金特別条項を定めた再生計画の認可又は不認可の決定等）①　住宅資金特別条項を定めた再生計画案が可決された場合には、裁判所は、次項の場合を除き、再生計画認可の決定をする。

②　裁判所は、住宅資金特別条項を定めた再生計画案が可決された場合において、次の各号のいずれかに該当するときは、再生計画不認可の決定をする。

一　第百七十四条第二項第一号又は第四号に規定する事由があるとき。

二　再生計画が遂行可能であると認めることができないとき。

三　再生債務者が住宅の所有権又は住宅の用に供されている土地を住宅の所有のために使用する権利を失うこととなると見込まれるとき。

四　再生計画の決議が不正の方法によって成立するに至ったとき。

③　住宅資金特別条項によって権利の変更を受けることとされて

いる者は、再生債権の届出をしていない場合であっても、住宅資金特別条項を定めた再生計画案を認可すべきかどうかについて、意見を述べることができる。

④ 住宅資金特別条項を定めた再生計画の認可又は不認可の決定があったときは、住宅資金特別条項によって権利の変更を受けることとされている者で再生債権の届出をしていないものに対しても、その主文及び理由の要旨を記載した書面を送達しなければならない。

＊令和五法五三（令和一〇・六・一三までに施行）による改正
第四項中「その主文及び理由の要旨を記載した書面」を「第百七十四条第四項の規定によりファイルに記録された電磁的記録」に改める。（本文未織込み）

⑤ 住宅資金特別条項を定めた再生計画案が可決された場合には、第百七十四条第一項及び第二項の規定は、適用しない。

第二〇三条（住宅資金特別条項を定めた再生計画の効力等）① 住宅資金特別条項を定めた再生計画の認可の決定が確定したときは、第百七十七条第二項の規定は、住宅及び住宅の敷地に設定されている第百九十六条第三号に規定する抵当権並びに住宅資金特別条項によって権利の変更を受けた者が再生債務者の保証人その他再生債務者と共に債務を負担する者に対して有する権利については、適用しない。この場合において、再生債務者が連帯債務者の一人であるときは、住宅資金特別条項による期限の猶予は、他の連帯債務者に対しても効力を有する。

② 住宅資金特別条項を定めた再生計画の認可の決定が確定したときは、住宅資金特別条項によって変更された後の権利については、住宅資金特別条項において、期限の利益の喪失についての定めその他の住宅資金貸付契約における定めと同一の定めがされたものとみなす。ただし、第百九十九条第四項の同意を得て別段の定めをすることを妨げない。

③ 住宅資金特別条項を定めた再生計画の認可の決定が確定した場合における第百二十三条第二項及び第百八十一条第二項の規定の適用については、これらの規定中「再生計画で定められた弁済期間」とあるのは「再生計画（住宅資金特別条項を除く。）で定められた弁済期間」と、「再生計画に基づく弁済」とあるのは「再生計画（住宅資金特別条項を除く。）に基づく弁済」とする。

④ 住宅資金特別条項によって変更された後の権利については前項の規定により読み替えて適用される第百八十一条第二項の規定を、住宅資金特別条項によって権利の変更を受けた者については第百八十二条の規定を適用しない。

第二〇四条（保証会社が保証債務を履行した場合の取扱い）① 住宅資金特別条項を定めた再生計画の認可の決定が確定した場合において、保証会社が住宅資金貸付債権に係る保証債務を履行していたときは、当該保証債務の履行は、なかったものとみなす。ただし、保証会社が当該保証債務を履行したことにより取得した権利に基づき再生債権者としてした行為に影響を及ぼさない。

② 前項本文の場合において、当該認可の決定の確定前に再生債務者が保証会社に対して同項の保証債務に係る求償権についての弁済をしていたときは、再生債務者は、同項本文の規定により住宅資金貸付債権を有することとなった者に対して、当該弁済をした額につき当該住宅資金貸付債権についての弁済をすることを要しない。この場合において、保証会社は、当該弁済を受けた額を同項本文の規定により住宅資金貸付債権を有することとなった者に対して交付しなければならない。

第二〇五条（査定の申立てがされなかった場合等の取扱い）① 第百九十八条第一項に規定する住宅資金貸付債権についての第百五条第一項に規定する査定の申立てが同条第二項の不変期間内にされなかった場合（第百七条及び第百九条の場合を除く。）、第二百条第二項の規定により同項本文の異議が効力を失った場合及び保証会社が住宅資金貸付債権に係る保証債務を履行した場合には、住宅資金特別条項については、第百五十七条、第百五十九条、第百六十四条第二項後段及び第百七十九条の規定は、適用しない。

② 住宅資金特別条項を定めた再生計画の認可の決定が確定したときは、前項に規定する場合（保証会社が住宅資金貸付債権に係る保証債務を履行した場合を除く。）における当該住宅資金貸付債権を有する再生債権者の権利及び前条第一項本文の規定により住宅資金貸付債権を有することとなる者の権利は、住宅資金特別条項における第百五十六条の一般的基準に従い、変更される。

第二〇六条（住宅資金特別条項を定めた再生計画の取消し等）① 住宅資金特別条項を定めた再生計画についての第百八十九条第一項第二号に掲げる事由を理由とする再生計画取消しの申立ては、同条第三項の規定にかかわらず、再生計画の定めによって認められた権利（住宅資金特別条項によって変更された後のものを除く。）の全部（履行された部分を除く。）について裁判所が評価した額の十分の一以上に当たる当該権利を有する再生債権者であって、その有する履行期限が到来した当該権利の全部又は一部について履行を受けていないものに限り、することができる。

② 住宅資金特別条項を定めた再生計画の取消しの決定が確定した場合における第百八十九条第七項ただし書及び第百九十条第一項ただし書の規定の適用については、これらの規定中「再生債権者が再生計画によって得た権利」とあるのは、「再生債権者が再生計画によって得た権利及び第二百四条第一項本文の規定により生じた効力」とする。

第十一章　外国倒産処理手続がある場合の特則

第二〇七条（外国管財人との協力）① 再生債務者等は、再生債務者についての外国倒産処理手続（外国で開始された手続で、破産手続又は再生手続に相当するものをいう。以下同じ。）がある場合には、外国管財人（当該外国倒産処理手続において再生債務者の財産の管理及び処分をする権利を有する者をいう。以下同じ。）に対し、再生債務者の再生のために必要な協力及び情報の提供を求めることができる。

② 前項に規定する場合には、再生債務者等は、外国管財人に対し、再生債務者の再生のために必要な協力及び情報の提供をするよう努めるものとする。

第二〇八条（再生手続の開始原因の推定） 再生債務者についての外国倒産処理手続がある場合には、当該再生債務者に再生手続開始の原因となる事実があるものと推定する。

第二〇九条（外国管財人の権限等）① 外国管財人は、第二十一条第一項前段に規定する場合には、再生債務者について再生手続開始の申立てをすることができる。この場合における第三十三条第一項の規定の適用については、同項中「第二十一条」とあるのは、「第二百九条第一項前段」とする。

② 外国管財人は、再生債務者の再生手続において、債権者集会に出席し、意見を述べることができる。

③ 外国管財人は、再生債務者の再生手続において、第百六十三条第一項に規定する期間（同条第三項の規定により期間が伸長されたときは、その伸長された期間）内に、再生計画案を作成して裁判所に提出することができる。

④ 第一項の規定により外国管財人が再生手続開始の申立てをした場合において、包括的禁止命令又はこれを変更し、若しくは取り消す旨の決定があったときはその主文を、再生手続開始の決定があったときは第三十五条第一項の規定により公告すべき事項を、第三十四条第一項の規定により定めた期間に変更を生じたときはその旨を、再生手続開始の決定を取り消す決定が確定したときはその主文を、それぞれ外国管財人に通知しなけれ

ばならない。

第二二〇条（**相互の手続参加**）① 外国管財人は、届出をしていない再生債権者であって、再生債務者についての外国倒産処理手続に参加しているものを代理して、再生債務者の再生手続に参加することができる。ただし、当該外国の法令によりその権限を有する場合に限る。

② 再生債務者等は、届出再生債権者（第百一条第三項の規定により認否書に記載された再生債権を有する者を含む。次項において同じ。）であって、再生債務者についての外国倒産処理手続に参加していないものを代理して、当該外国倒産処理手続に参加することができる。

③ 再生債務者等は、前項の規定による参加をした場合には、その代理する届出再生債権者のために、外国倒産処理手続に属する一切の行為をすることができる。ただし、届出の取下げ、和解その他の届出再生債権者の権利を害するおそれがある行為をするには、当該届出再生債権者の授権がなければならない。

第十二章　簡易再生及び同意再生に関する特則

第一節　簡易再生

第二一一条（**簡易再生の決定**）① 裁判所は、債権届出期間の経過後一般調査期間の開始前において、再生債務者等の申立てがあったときは、簡易再生の決定（再生債権の調査及び確定の手続を経ない旨の決定をいう。以下同じ。）をする。この場合において、再生債務者等の申立ては、届出再生債権者の総債権について裁判所が評価した額の五分の三以上に当たる債権を有する届出再生債権者が、書面により、再生債務者等が提出した再生計画案について同意し、かつ、第四章第三節に定める再生債権の調査及び確定の手続を経ないことについて同意している場合に限り、することができる。

② 前項の申立てをする場合には、再生債務者等は、労働組合等にその旨を通知しなければならない。

③ 裁判所は、第一項の申立てがあった場合において、同項後段の再生計画案について第百七十四条第二項各号（第三号を除く。）のいずれかに該当する事由があると認めるときは、当該申立てを却下しなければならない。

④ 第一項後段の再生計画案が住宅資金特別条項を定めたものである場合における同項後段及び前項の規定の適用については、第一項後段中「届出再生債権者の総債権」とあるのは「届出再生債権者の債権（第百九十八条第一項に規定する住宅資金貸付債権又は保証会社の住宅資金貸付債権に係る債務の保証に基づく求償権で、届出があったものを除く。）の全部」と、「債権を有する届出再生債権者」とあるのは「当該債権を有する届出再生債権者」と、前項中「第百七十四条第二項各号（第三号を除く。）」とあるのは「第二百二条第二項各号（第四号を除く。）」とする。

第二一二条（**簡易再生の決定の効力等**）① 簡易再生の決定があった場合には、一般調査期間に関する決定は、その効力を失う。

② 裁判所は、簡易再生の決定と同時に、議決権行使の方法としての第百六十九条第二項第一号に掲げる方法及び第百七十二条第二項（同条第三項において準用する場合を含む。）の規定により議決権の不統一行使をする場合における裁判所に対する通知の期限を定めて、前条第一項後段の再生計画案を決議に付する旨の決定をしなければならない。

③ 簡易再生の決定があった場合には、その主文、前条第一項後段の再生計画案について決議をするための債権者集会の期日、前項に規定する期限及び当該再生計画案を公告するとともに、これらの事項を第百十五条第一項本文に規定する者に通知しなければならない。この場合においては、当該債権者集会の期日を労働組合等に通知しなければならない。

④ 前項の債権者集会については、第百十五条第一項から第四項までの規定は適用しない。

⑤ 簡易再生の決定があった場合における第百七十二条第二項（同条第三項において準用する場合を含む。）の規定の適用については、同条第二項中「第百六十九条第二項前段」とあるのは、「第二百十二条第二項」とする。

第二一三条（**即時抗告等**）① 第二百十一条第一項の申立てについての裁判に対しては、即時抗告をすることができる。

② 前項の即時抗告は、執行停止の効力を有しない。

③ 簡易再生の決定を取り消す決定が確定した場合には、簡易再生の決定をした裁判所は、遅滞なく、一般調査期間を定めなければならない。

④ 第百二条第三項から第五項までの規定は、前項の一般調査期間を定める決定の送達について準用する。

⑤ 簡易再生の決定が確定した場合には、第四十条第一項（同条第三項において準用する場合を含む。）の規定により中断した手続は、再生債務者等においてこれを受け継がなければならない。この場合においては、受継の申立ては、相手方もすることができる。

第二一四条（**債権者集会の特則**）① 第二百十二条第三項に規定する債権者集会においては、第二百十一条第一項後段の再生計画案のみを、決議に付することができる。

② 裁判所は、財産状況報告集会における再生債務者等による報告又は第百二十五条第一項の報告書の提出がされた後でなければ、前項の再生計画案を決議に付することができない。

③ 第一項の債権者集会に出席しなかった届出再生債権者が第二百十一条第一項後段に規定する同意をしている場合には、第百七十二条の三第一項及び第六項の規定の適用については、当該届出再生債権者は、当該債権者集会に出席して再生計画案について同意したものとみなす。ただし、当該届出再生債権者が、第一項の債権者集会の開始前に、裁判所に対し、第二百十一条第一項後段に規定する同意を撤回する旨を記載した書面を提出したときは、この限りでない。

第二一五条（**再生計画の効力等の特則**）① 簡易再生の決定があった場合において、再生計画認可の決定が確定したときは、すべての再生債権者の権利（約定劣後再生債権の届出がない場合における約定劣後再生債権及び再生手続開始前の罰金等を除く。）は、第百五十六条の一般的基準に従い、変更される。

② 前項に規定する場合における第百八十二条、第百八十九条第三項及び第二百六条第一項の規定の適用については、第百八十二条中「認可された再生計画の定めによって認められた権利又は前条第一項の規定により変更された後の権利」とあり、並びに第百八十九条第三項及び第二百六条第一項中「再生計画の定めによって認められた権利」とあるのは、「第二百十五条第一項の規定により変更された後の権利」とする。

③ 第一項に規定する場合において、約定劣後再生債権の届出がないときは、再生債務者は、約定劣後再生債権について、その責任を免れる。

④ 第一項の規定にかかわらず、共助対象外国租税の請求権についての同項の規定による権利の変更の効力は、租税条約等実施特例法第十一条第一項の規定による共助との関係においてのみ主張することができる。

第二一六条（**再生債権の調査及び確定に関する規定等の適用除外等**）① 簡易再生の決定があった場合には、第六十七条第四項、第四章第三節、第百五十七条、第百五十九条、第百六十四条第二項後段、第百六十九条、第百七十一条、第百七十八条から第百八十条まで、第百八十一条第一項及び第二項、第百八十五条（第百八十九条第八項、第百九十条第二項及び第百九十五条第七項において準用する場合を含む。）、第百八十六条第三項及び第四項、第百八十七条、第二百条第二項及び第四項並びに第二百五条第二項の規定は、適用しない。

② 簡易再生の決定があった場合における第六十七条第三項の規定の適用については、同項中「訴訟手続のうち再生債権に関しないもの」とあるのは、「訴訟手続」とする。

第二節 同意再生

（同意再生の決定）

第二一七条① 裁判所は、債権届出期間の経過後一般調査期間の開始前において、再生債務者等の申立てがあったときは、同意再生の決定（再生債権の調査及び確定の手続並びに再生債務者等が提出した再生計画案の決議を経ない旨の決定をいう。以下同じ。）をする。この場合において、再生債務者等の申立ては、すべての届出再生債権者が、書面により、再生債務者等が提出した再生計画案について同意し、かつ、第四章第三節に定める再生債権の調査及び確定の手続を経ないことについて同意している場合に限り、することができる。

② 裁判所は、財産状況報告集会における再生債務者等による報告又は第百二十五条第一項の報告書の提出がされた後でなければ、同意再生の決定をすることができない。

③ 裁判所は、第一項の申立てがあった場合において、同項後段の再生計画案について第百七十四条第二項各号（第三号を除く。）のいずれかに該当する事由があると認めるときは、当該申立てを却下しなければならない。

④ 同意再生の決定があった場合には、その主文、理由の要旨及び第一項後段の再生計画案を公告するとともに、これらの事項を第百十五条第一項本文に規定する者に通知しなければならない。

⑤ 第一項後段の再生計画案が住宅資金特別条項を定めたものである場合における同項後段、第三項及び前項の規定の適用については、第一項後段中「届出再生債権者」とあるのは「届出再生債権者（第百九十八条第一項に規定する住宅資金貸付債権を有する再生債権者であって当該住宅資金貸付債権以外に再生債権を有しないもの及び保証会社であって住宅資金貸付債権に係る債務の保証に基づく求償権以外に再生債権を有しないものを除く。）」と、第三項中「第百七十四条第二項各号（第三号を除く。）」とあるのは「第二百二条第二項各号（第四号を除く。）」と、前項中「第百十五条第一項本文に規定する者」とあるのは「第百十五条第一項本文に規定する者及び住宅資金特別条項によって権利の変更を受けることとされている者で再生債権の届出をしていないもの」とする。

⑥ 第百七十四条第三項及び第二百十一条第二項の規定は第一項の申立てについて、第百七十四条第五項及び第二百十二条第一項の規定は同意再生の決定があった場合について、第二百二条第三項の規定は第一項後段の再生計画案が住宅資金特別条項を定めたものである場合における同意再生の決定に関する意見について準用する。

＊令和五法五三（令和一〇・六・一三までに施行）による改正
第六項中「第百七十四条第五項」を「第百七十四条第六項」に改める。（本文未織込み）

（即時抗告）

第二一八条① 前条第一項の申立てについての裁判に対しては、即時抗告をすることができる。

② 前項の即時抗告は、執行停止の効力を有しない。

③ 第百七十五条第二項及び第三項の規定は第一項の即時抗告並びにこれについての決定に対する第十八条において準用する民事訴訟法第三百三十六条の規定による抗告及び同法第三百三十七条の規定による抗告の許可の申立てについて、第二百十三条第三項の規定は同意再生の決定を取り消す決定が確定した場合について、第百二条第三項から第五項までの規定はこの項において準用する第二百十三条第三項の一般調査期間を定める決定の送達について準用する。

（同意再生の決定が確定した場合の効力）

第二一九条① 同意再生の決定が確定したときは、第二百十七条第一項後段の再生計画案について、再生計画認可の決定が確定したものとみなす。

② 第百七十三条、第二百十三条第五項及び第二百十五条の規定は、同意再生の決定が確定した場合について準用する。

（再生債権の調査及び確定に関する規定等の適用除外）

第二二〇条① 同意再生の決定があった場合には、第六十七条第四項、第四章第三節、第百五十七条、第百五十九条、第百六十四条第二項後段、第七章第三節、第百七十四条、第百七十五条、第百七十八条から第百八十条まで、第百八十一条第一項及び第二項、第百八十五条（第百八十九条第八項、第百九十条第二項及び第百九十五条第七項において準用する場合を含む。）、第百八十六条第三項及び第四項、第百八十七条、第二百条第二項及び第四項並びに第二百五条第二項の規定は、適用しない。

② 同意再生の決定があった場合における第六十七条第三項の規定の適用については、同項中「訴訟手続のうち再生債権に関しないもの」とあるのは、「訴訟手続」とする。

第十三章 小規模個人再生及び給与所得者等再生に関する特則

第一節 小規模個人再生

（手続開始の要件等）

第二二一条① 個人である債務者のうち、将来において継続的に又は反復して収入を得る見込みがあり、かつ、再生債権の総額（住宅資金貸付債権の額、別除権の行使によって弁済を受けることができると見込まれる再生債権の額及び再生手続開始前の罰金等の額を除く。）が五千万円を超えないものは、この節に規定する特則の適用を受ける再生手続（以下「小規模個人再生」という。）を行うことを求めることができる。

② 小規模個人再生を行うことを求める旨の申述は、再生手続開始の申立ての際（債権者が再生手続開始の申立てをした場合にあっては、再生手続開始の決定があるまで）にしなければならない。

③ 前項の申述をするには、次に掲げる事項を記載した書面（以下「債権者一覧表」という。）を提出しなければならない。

一 再生債権者の氏名又は名称並びに各再生債権の額及び原因

二 別除権者については、その別除権の目的である財産及び別除権の行使によって弁済を受けることができないと見込まれる再生債権の額（以下「担保不足見込額」という。）

三 住宅資金貸付債権については、その旨

四 住宅資金特別条項を定めた再生計画案を提出する意思があるときは、その旨

五 その他最高裁判所規則で定める事項

④ 再生債務者は、債権者一覧表に各再生債権についての再生債権の額及び担保不足見込額を記載するに当たっては、当該額の全部又は一部につき異議を述べることがある旨をも記載することができる。

⑤ 第一項に規定する再生債権の総額の算定及び債権者一覧表への再生債権の額の記載に関しては、第八十七条第一項第一号から第三号までに掲げる再生債権は、当該各号に掲げる債権の区分に従い、それぞれ当該各号に定める金額の債権として取り扱うものとする。

⑥ 再生債務者は、第二項の申述をするときは、当該申述が第一項又は第三項に規定する要件に該当しないことが明らかになった場合においても再生手続の開始を求める意思があるか否かを明らかにしなければならない。ただし、債権者が再生手続開始の申立てをした場合については、この限りでない。

⑦ 裁判所は、第二項の申述が前項本文に規定する要件に該当しないことが明らかであると認めるときは、再生手続開始の決定前に限り、再生事件を通常の再生手続により行う旨の決定をする。ただし、再生債務者が前項本文の規定により再生手続の開始を求める意思がない旨を明らかにしていたときは、裁判所は、再生手続開始の申立てを棄却しなければならない。

第二二二条（再生手続開始に伴う措置）① 小規模個人再生においては、裁判所は、再生手続開始の決定と同時に、債権届出期間のほか、届出があった再生債権に対して異議を述べることができる期間をも定めなければならない。この場合においては、一般調査期間を定めることを要しない。

② 裁判所は、再生手続開始の決定をしたときは、直ちに、再生手続開始の決定の主文、債権届出期間及び前項に規定する届出があった再生債権に対して異議を述べることができる期間（以下「一般異議申述期間」という。）を公告しなければならない。

③ 再生債務者及び知れている再生債権者には、前項に規定する事項を通知しなければならない。

④ 知れている再生債権者には、前条第三項各号及び第四項の規定により債権者一覧表に記載された事項を通知しなければならない。

⑤ 第二項及び第三項の規定は、債権届出期間に変更を生じた場合について準用する。

第二二三条（個人再生委員）① 裁判所は、第二百二十一条第二項の申述があった場合において、必要があると認めるときは、利害関係人の申立てにより又は職権で、一人又は数人の個人再生委員を選任することができる。ただし、第二百二十七条第一項本文に規定する再生債権の評価の申立てがあったときは、当該申立てを不適法として却下する場合を除き、個人再生委員の選任をしなければならない。

② 裁判所は、前項の規定による決定をする場合には、個人再生委員の職務として、次に掲げる事項の一又は二以上を指定するものとする。

一 再生債務者の財産及び収入の状況を調査すること。

二 第二百二十七条第一項本文に規定する再生債権の評価に関し裁判所を補助すること。

三 再生債務者が適正な再生計画案を作成するために必要な勧告をすること。

③ 裁判所は、第一項の規定による決定において、前項第一号に掲げる事項を個人再生委員の職務として指定する場合には、裁判所に対して調査の結果の報告をすべき期間をも定めなければならない。

④ 裁判所は、第一項の規定による決定を変更し、又は取り消すことができる。

⑤ 第一項及び前項の規定による決定に対しては、即時抗告をすることができる。

⑥ 前項の即時抗告は、執行停止の効力を有しない。

⑦ 第五項に規定する裁判及び同項の即時抗告についての裁判があった場合には、その裁判書を当事者に送達しなければならない。

＊令和五法五三（令和一〇・六・一三までに施行）による改正
第七項中「裁判書」を「電子裁判書」に改める。（本文未織込み）

⑧ 第二項第一号に掲げる事項を職務として指定された個人再生委員は、再生債務者又はその法定代理人に対し、再生債務者の財産及び収入の状況につき報告を求め、再生債務者の帳簿、書類その他の物件を検査することができる。

⑨ 個人再生委員は、費用の前払及び裁判所が定める報酬を受けることができる。

⑩ 第五十四条第三項、第五十七条、第五十八条、第六十条及び第六十一条第二項から第四項までの規定は、個人再生委員について準用する。

第二二四条（再生債権の届出の内容）① 小規模個人再生においては、再生手続に参加しようとする再生債権者は、議決権の額を届け出ることを要しない。

② 小規模個人再生における再生債権の届出に関しては、第二百二十一条第五項の規定を準用する。

第二二五条（再生債権のみなし届出） 債権者一覧表に記載されている再生債権者は、債権者一覧表に記載されている再生債権については、債権届出期間内に裁判所に当該再生債権の届出又は当該再生債権を有しない旨の届出をした場合を除き、当該債権届出期間の初日に、債権者一覧表の記載内容と同一の内容で再生債権の届出をしたものとみなす。

第二二六条（届出再生債権に対する異議）① 再生債務者及び届出再生債権者は、一般異議申述期間内に、裁判所に対し、届出があった再生債権の額又は担保不足見込額について、書面で、異議を述べることができる。ただし、再生債務者は、債権者一覧表に記載した再生債権の額及び担保不足見込額であって第二百二十一条第四項の規定により異議を述べることがある旨を債権者一覧表に記載していないものについては、異議を述べることができない。

② 第九十五条の規定による届出又は届出事項の変更があった場合には、裁判所は、その再生債権に対して異議を述べることができる期間（以下「特別異議申述期間」という。）を定めなければならない。

③ 再生債務者及び届出再生債権者は、特別異議申述期間内に、裁判所に対し、特別異議申述期間に係る再生債権の額又は担保不足見込額について、書面で、異議を述べることができる。

④ 第百二条第三項から第五項までの規定は特別異議申述期間を定める決定又は一般異議申述期間若しくは特別異議申述期間を変更する決定をした場合における裁判書の送達について、第百三条第二項の規定は第二項の場合について準用する。

＊令和五法五三（令和一〇・六・一三までに施行）による改正
第四項中「裁判書」を「電子裁判書」に改める。（本文未織込み）

⑤ 再生手続開始前の罰金等及び債権者一覧表に住宅資金特別条項を定めた再生計画案を提出する意思がある旨の記載がされた場合における第百九十八条第一項に規定する住宅資金貸付債権については、前各項の規定は、適用しない。

⑥ 再生債務者が債権者一覧表に住宅資金特別条項を定めた再生計画案を提出する意思がある旨の記載をした場合には、第百九十八条第一項に規定する住宅資金貸付債権を有する再生債権者であって当該住宅資金貸付債権以外に再生債権を有しないもの及び保証会社であって住宅資金貸付債権に係る債務の保証に基づく求償権以外に再生債権を有しないものは、第一項本文及び第三項の異議を述べることができない。

第二二七条（再生債権の評価）① 前条第一項本文又は第三項の規定により再生債務者又は届出再生債権者が異議を述べた場合には、当該再生債権を有する再生債権者は、裁判所に対し、異議申述期間の末日から三週間の不変期間内に、再生債権の評価の申立てをすることができる。ただし、当該再生債権が執行力ある債務名義又は終局判決のあるものである場合には、当該異議を述べた者が当該申立てをしなければならない。

② 前項ただし書の場合において、前項本文の不変期間内に再生債権の評価の申立てがなかったとき又は当該申立てが却下されたときは、前条第一項本文又は第三項の異議は、なかったものとみなす。

③ 再生債権の評価の申立てをするときは、申立人は、その申立てに係る手続の費用として裁判所の定める金額を予納しなければならない。

④ 前項に規定する費用の予納がないときは、裁判所は、再生債権の評価の申立てを却下しなければならない。

⑤ 裁判所は、第二百二十三条第一項の規定による決定において、同条第二項第二号に掲げる事項を個人再生委員の職務とし

て指定する場合には、裁判所に対して調査の結果の報告をすべき期間をも定めなければならない。

⑥ 第二百二十三条第二項第二号に掲げる事項を職務として指定された個人再生委員は、再生債務者若しくはその法定代理人又は再生債権者（当該個人再生委員が同項第一号に掲げる事項をも職務として指定された場合にあっては、再生債権者）に対し、再生債権の存否及び額並びに担保不足見込額に関する資料の提出を求めることができる。

⑦ 再生債権の評価においては、裁判所は、再生債権の評価の申立てに係る再生債権について、その債権の存否及び額又は担保不足見込額を定める。

⑧ 裁判所は、再生債権の評価をする場合には、第二百二十三条第二項第二号に掲げる事項を職務として指定された個人再生委員の意見を聴かなければならない。

⑨ 第七項の規定による再生債権の評価については、第二百二十一条第五項の規定を準用する。

⑩ 再生手続開始前の罰金等及び債権者一覧表に住宅資金特別条項を定めた再生計画案を提出する意思がある旨の記載がされた場合における第百九十八条第一項に規定する住宅資金貸付債権については、前各項の規定は、適用しない。

（貸借対照表の作成等の免除）

第二二八条 小規模個人再生においては、再生債務者は、第百二十四条第二項の規定による貸借対照表の作成及び提出をすることを要しない。

（再生計画による権利の変更の内容等）

第二二九条① 小規模個人再生における再生計画による権利の変更の内容は、不利益を受ける再生債権者の同意がある場合又は少額の再生債権の弁済の時期若しくは第八十四条第二項に掲げる請求権について別段の定めをする場合を除き、再生債権者の間では平等でなければならない。

② 再生債権者の権利を変更する条項における債務の期限の猶予については、前項の規定により別段の定めをする場合を除き、次に定めるところによらなければならない。

一 弁済期が三月に一回以上到来する分割払の方法によること。

二 最終の弁済期を再生計画認可の決定の確定の日から三年後の日が属する月中の日（特別の事情がある場合には、再生計画認可の決定の確定の日から五年を超えない範囲内で、三年後の日が属する月の翌月の初日以降の日）とすること。

③ 第一項の規定にかかわらず、再生債権のうち次に掲げる請求権については、当該再生債権者の同意がある場合を除き、債務の減免の定めその他権利に影響を及ぼす定めをすることができない。

一 再生債務者が悪意で加えた不法行為に基づく損害賠償請求権

二 再生債務者が故意又は重大な過失により加えた人の生命又は身体を害する不法行為に基づく損害賠償請求権（前号に掲げる請求権を除く。）

三 次に掲げる義務に係る請求権

イ 民法第七百五十二条の規定による夫婦間の協力及び扶助の義務

ロ 民法第七百六十条の規定による婚姻から生ずる費用の分担の義務

ハ 民法第七百六十六条及び第七百六十六条の三（これらの規定を同法第七百四十九条、第七百七十一条及び第七百八十八条において準用する場合を含む。）の規定による子の監護に関する義務

> **＊令和六法三三（令和八・五・二三までに施行）による改正**
> 第三号ハ中「第七百六十六条」は「第七百六十六条及び第七百六十六条の三（これらの規定を」に改められた。（本文織込み済み）

ニ 民法第八百七十七条から第八百八十条までの規定による扶養の義務

ホ イからニまでに掲げる義務に類する義務であって、契約に基づくもの

④ 住宅資金特別条項によって権利の変更を受ける者と他の再生債権者との間については第一項の規定を、住宅資金特別条項については第二項の規定を適用しない。

（再生計画案の決議）

第二三〇条① 裁判所は、一般異議申述期間（特別異議申述期間が定められた場合には、当該特別異議申述期間を含む。）が経過し、かつ、第百二十五条第一項の報告書の提出がされた後でなければ、再生計画案を決議に付することができない。当該一般異議申述期間内に第二百二十六条第一項本文の規定による異議が述べられた場合（特別異議申述期間が定められた場合には、当該特別異議申述期間内に同条第三項の規定による異議が述べられた場合を含む。）には、第二百二十七条第一項本文の不変期間を経過するまでの間（当該不変期間内に再生債権の評価の申立てがあったときは、再生債権の評価がされるまでの間）も、同様とする。

② 裁判所は、再生計画案について第百七十四条第二項各号（第三号を除く。住宅資金特別条項を定めた再生計画案については、第二百二条第二項第一号から第三号まで）又は次条第二項各号のいずれかに該当する事由があると認める場合には、その再生計画案を決議に付することができない。

③ 再生計画案の提出があったときは、裁判所は、前二項の場合を除き、議決権行使の方法としての第百六十九条第二項第二号に掲げる方法及び第百七十二条第二項（同条第三項において準用する場合を含む。）の規定により議決権の不統一行使をする場合における裁判所に対する通知の期限を定めて、再生計画案を決議に付する旨の決定をする。

④ 前項の決定をした場合には、その旨を公告するとともに、議決権者に対して、同項に規定する期限、再生計画案の内容又はその要旨及び再生計画案に同意しない者は裁判所の定める期間内に同項の規定により定められた方法によりその旨を回答すべき旨を通知しなければならない。

⑤ 第三項の決定があった場合における第百七十二条第二項（同条第三項において準用する場合を含む。）の規定の適用については、同条第二項中「第百六十九条第二項前段」とあるのは、「第二百三十条第三項」とする。

⑥ 第四項の期間内に再生計画案に同意しない旨を同項の方法により回答した議決権者が議決権者総数の半数に満たず、かつ、その議決権の額が議決権者の議決権の総額の二分の一を超えないときは、再生計画案の可決があったものとみなす。

⑦ 再生計画案に同意しない旨を第四項の方法により回答した議決権者のうち第百七十二条第二項（同条第三項において準用する場合を含む。）の規定によりその有する議決権の一部のみを行使したものがあるときの前項の規定の適用については、当該議決権者一人につき、議決権者総数に一を、再生計画案に同意しない旨を第四項の方法により回答した議決権者の数に二分の一を、それぞれ加算するものとする。

⑧ 届出再生債権者は、一般異議申述期間又は特別異議申述期間を経過するまでに異議が述べられなかった届出再生債権（第二百二十六条第五項に規定するものを除く。以下「無異議債権」という。）については届出があった再生債権の額又は担保不足見込額に応じて、第二百二十七条第七項の規定により裁判所が債権の額又は担保不足見込額を定めた再生債権（以下「評価済債権」という。）についてはその額に応じて、それぞれ議決権を行使することができる。

（再生計画の認可又は不認可の決定）

第二三一条① 小規模個人再生において再生計画案が可決された場合には、裁判所は、第百七十四条第二項（当該再生計画案が住宅資金特別条項を定めたものであるときは、第二百二条第二項）又は次項の場合を除き、再生計画認可の決定をする。

② 小規模個人再生においては、裁判所は、次の各号のいずれかに該当する場合にも、再生計画不認可の決定をする。

一　再生債務者が将来において継続的に又は反復して収入を得る見込みがないとき。

二　無異議債権の額及び評価済債権の額の総額（住宅資金貸付債権の額、別除権の行使によって弁済を受けることができると見込まれる再生債権の額及び第八十四条第二項に掲げる請求権の額を除く。）が五千万円を超えているとき。

三　前号に規定する無異議債権の額及び評価済債権の額の総額が三千万円を超え五千万円以下の場合においては、当該無異議債権及び評価済債権（別除権の行使によって弁済を受けることができると見込まれる再生債権及び第八十四条第二項各号に掲げる請求権を除く。以下「基準債権」という。）に対する再生計画に基づく弁済の総額（以下「計画弁済総額」という。）が当該無異議債権の額及び評価済債権の額の総額の十分の一を下回っているとき。

四　第二号に規定する無異議債権の額及び評価済債権の額の総額が三千万円以下の場合においては、計画弁済総額が基準債権の総額の五分の一又は百万円のいずれか多い額（基準債権の総額が百万円を下回っているときは基準債権の総額、基準債権の総額の五分の一が三百万円を超えるときは三百万円）を下回っているとき。

五　再生債務者が債権者一覧表に住宅資金特別条項を定めた再生計画案を提出する意思がある旨の記載をした場合において、再生計画に住宅資金特別条項の定めがないとき。

第二百三十二条（再生計画の効力等）① 小規模個人再生において再生計画認可の決定が確定したときは、第八十七条第一項第一号から第三号までに掲げる債権は、それぞれ当該各号に定める金額の再生債権に変更される。

② 小規模個人再生において再生計画認可の決定が確定したときは、すべての再生債権者の権利（第八十七条第一項第一号から第三号までに掲げる債権については前項の規定により変更された後の権利とし、第二百二十九条第三項各号に掲げる請求権及び再生手続開始前の罰金等を除く。）は、第百五十六条の一般的基準に従い、変更される。

③ 前項に規定する場合における同項の規定により変更された再生債権であって無異議債権及び評価済債権以外のものについては、再生計画で定められた弁済期間が満了する時（その期間の満了前に、再生計画に基づく弁済が完了した場合又は再生計画が取り消された場合にあっては弁済が完了した時又は再生計画が取り消された時。次項及び第五項において同じ。）までの間は、弁済をし、弁済を受け、その他これを消滅させる行為（免除を除く。）をすることができない。ただし、当該変更に係る再生債権が、再生債権者がその責めに帰することができない事由により債権届出期間内に届出をすることができず、かつ、その事由が第二百三十条第三項に規定する決定前に消滅しなかったもの又は再生債権の評価の対象となったものであるときは、この限りでない。

④ 第二項に規定する場合における第二百二十九条第三項各号に掲げる請求権であって無異議債権及び評価済債権であるものについては、第百五十六条の一般的基準に従って弁済をし、かつ、再生計画で定められた弁済期間が満了する時に、当該請求権の債権額から当該弁済期間内に弁済をした額を控除した残額につき弁済をしなければならない。

⑤ 第二項に規定する場合における第二百二十九条第三項各号に掲げる請求権であって無異議債権及び評価済債権以外のものについては、再生計画で定められた弁済期間が満了する時に、当該請求権の債権額の全額につき弁済をしなければならない。ただし、第三項ただし書に規定する場合には、前項の規定を準用する。

⑥ 第二項に規定する場合における第百八十二条、第百八十九条第三項及び第二百六条第一項の規定の適用については、第百八十二条中「認可された再生計画の定めによって認められた権利又は前条第一項の規定により変更された後の権利」とあるのは「第二百三十二条第二項の規定により変更された後の権利及び第二百二十九条第三項各号に掲げる請求権」と、第百八十九条第三項中「再生計画の定めによって認められた権利の全部（履行された部分を除く。）」とあるのは「第二百三十二条第二項の規定により変更された後の権利の全部及び第二百二十九条第三項各号に掲げる請求権（第二百三十二条第四項（同条第五項ただし書において準用する場合を含む。）の規定により第百五十六条の一般的基準に従って弁済される部分に限る。）であって、履行されていない部分」と、第二百六条第一項中「再生計画の定めによって認められた権利（住宅資金特別条項によって変更された後のものを除く。）の全部（履行された部分を除く。）」とあるのは「第二百三十二条第二項の規定により変更された後の権利（住宅資金特別条項によって変更された後のものを除く。）の全部及び第二百二十九条第三項各号に掲げる請求権（第二百三十二条第四項（同条第五項ただし書において準用する場合を含む。）の規定により第百五十六条の一般的基準に従って弁済される部分に限る。）であって、履行されていない部分」とする。

⑦ 住宅資金特別条項を定めた再生計画の認可の決定が確定した場合における第三項から第五項までの規定の適用については、これらの規定中「再生計画で定められた弁済期間」とあるのは「再生計画（住宅資金特別条項を除く。）で定められた弁済期間」と、第三項本文中「再生計画に基づく弁済」とあるのは「再生計画（住宅資金特別条項を除く。）に基づく弁済」と、同項ただし書中「又は再生債権の評価の対象となったもの」とあるのは「若しくは再生債権の評価の対象となったものであるとき、又は当該変更後の権利が住宅資金特別条項によって変更された後の住宅資金貸付債権」とする。

⑧ 第一項及び第二項の規定にかかわらず、共助対象外国租税の請求権についてのこれらの規定による権利の変更の効力は、租税条約等実施特例法第十一条第一項の規定による共助との関係においてのみ主張することができる。

第二百三十三条（再生手続の終結）　小規模個人再生においては、再生手続は、再生計画認可の決定の確定によって当然に終結する。

第二百三十四条（再生計画の変更）① 小規模個人再生においては、再生計画認可の決定があった後やむを得ない事由で再生計画を遂行することが著しく困難となったときは、再生債務者の申立てにより、再生計画で定められた債務の期限を延長することができる。この場合においては、変更後の債務の最終の期限は、再生計画で定められた債務の最終の期限から二年を超えない範囲で定めなければならない。

② 前項の規定により再生計画の変更の申立てがあった場合には、再生計画案の提出があった場合の手続に関する規定を準用する。

③ 第百七十五条（第二項を除く。）及び第百七十六条の規定は、再生計画の変更の決定があった場合について準用する。

第二百三十五条（計画遂行が極めて困難となった場合の免責）① 再生債務者がその責めに帰することができない事由により再生計画を遂行することが極めて困難となり、かつ、次の各号のいずれにも該当する場合には、裁判所は、再生債務者の申立てにより、免責の決定をすることができる。

一　第二百三十二条第二項の規定により変更された後の各基準債権及び同条第三項ただし書に規定する各再生債権に対してその四分の三以上の額の弁済を終えていること。

二　第二百二十九条第三項各号に掲げる請求権（第二百三十二条第四項（同条第五項ただし書において準用する場合を含む。）の規定により第百五十六条の一般的基準に従って弁済される部分に限る。）に対してその四分の三以上の額の弁済を終えていること。

三　免責の決定をすることが再生債権者の一般の利益に反する

ものでないこと。

四 前条の規定による再生計画の変更をすることが極めて困難であること。

② 前項の申立てがあったときは、裁判所は、届出再生債権者の意見を聴かなければならない。

③ 免責の決定があったときは、再生債務者及び届出再生債権者に対して、その主文及び理由の要旨を記載した書面を送達しなければならない。

④ 第一項の申立てについての裁判に対しては、即時抗告をすることができる。

⑤ 免責の決定は、確定しなければその効力を生じない。

⑥ 免責の決定が確定した場合には、再生債務者は、履行した部分を除き、再生債権者に対する債務（第二百二十九条第三項各号に掲げる請求権及び再生手続開始前の罰金等を除く。）の全部についてその責任を免れる。

⑦ 免責の決定の確定は、別除権者が有する第五十三条第一項に規定する担保権、再生債権者が再生債務者の保証人その他再生債務者と共に債務を負担する者に対して有する権利及び再生債務者以外の者が再生債権者のために提供した担保に影響を及ぼさない。

⑧ 再生計画が住宅資金特別条項を定めたものである場合における第二項及び第三項の規定の適用については、第二項中「届出再生債権者」とあるのは「届出再生債権者及び住宅資金特別条項によって権利の変更を受けた者」と、第三項中「及び届出再生債権者」とあるのは「、届出再生債権者及び住宅資金特別条項によって権利の変更を受けた者」とする。

⑨ 第六項の規定にかかわらず、共助対象外国租税の請求権についての同項の規定による免責の効力は、租税条約等実施特例法第十一条第一項の規定による共助との関係においてのみ主張することができる。

＊令和五法五三（令和一〇・六・一三までに施行）による改正後

（計画遂行が極めて困難となった場合の免責）

第二三五条①②（略）

③ 免責の決定があったときは、裁判所書記官は、最高裁判所規則で定めるところにより、その主文及び理由の要旨を記録した電磁的記録を作成し、これをファイルに記録しなければならない。（改正により追加）

④ 前項に規定する場合には、再生債務者及び届出再生債権者に対して、同項の規定によりファイルに記録された電磁的記録を送達しなければならない。（改正前の③）

⑤—⑧（略。改正前の④—⑦）

⑨ 再生計画が住宅資金特別条項を定めたものである場合における第二項及び第四項の規定の適用については、第二項中「届出再生債権者」とあるのは「届出再生債権者及び住宅資金特別条項によって権利の変更を受けた者」と、第四項中「及び届出再生債権者」とあるのは「、届出再生債権者及び住宅資金特別条項によって権利の変更を受けた者」とする。（改正前の⑧）

⑩ 第七項の規定にかかわらず、共助対象外国租税の請求権についての同項の規定による免責の効力は、租税条約等実施特例法第十一条第一項の規定による共助との関係においてのみ主張することができる。（改正前の⑨）

（再生計画の取消し）

第二三六条 小規模個人再生において再生計画認可の決定が確定した場合には、計画弁済総額が、再生計画認可の決定があった時点で再生債務者につき破産手続が行われた場合における基準債権に対する配当の総額を下回ることが明らかになったときも、裁判所は、再生債権者の申立てにより、再生計画取消しの決定をすることができる。この場合においては、第百八十九条第二項の規定を準用する。

（再生手続の廃止）

第二三七条① 小規模個人再生においては、第二百三十条第四項の期間内に再生計画案に同意しない旨を同項の方法により回答した議決権者が、議決権者総数の半数以上となり、又はその議決権の額が議決権者の議決権の総額の二分の一を超えた場合にも、裁判所は、職権で、再生手続廃止の決定をしなければならない。この場合においては、同条第七項の規定を準用する。

② 小規模個人再生において、再生債務者が財産目録に記載すべき財産を記載せず、又は不正の記載をした場合には、裁判所は、届出再生債権者若しくは個人再生委員の申立てにより又は職権で、再生手続廃止の決定をすることができる。この場合においては、第百九十三条第二項の規定を準用する。

（通常の再生手続に関する規定の適用除外）

第二三八条 小規模個人再生においては、第三十四条第二項、第三十五条、第三十七条本文（約定劣後再生債権に係る部分に限る。）及びただし書、第四十条、第四十条の二（民法第四百二十三条第一項又は第四百二十三条の七の規定により再生債権者の提起した訴訟に係る部分を除く。）、第四十二条第二項（約定劣後再生債権に係る部分に限る。）、第三章第一節及び第二節、第八十五条第六項、第八十七条第三項、第八十九条第二項及び第九十四条第一項（これらの規定中約定劣後再生債権に係る部分に限る。）、第四章第三節（第百十三条第二項から第四項までを除く。）及び第四節、第百二十六条、第六章第二節、第百五十五条第一項から第三項まで、第百五十六条（約定劣後再生債権に係る部分に限る。）、第百五十七条から第百五十九条まで、第百六十三条第二項、第百六十四条第二項後段、第百六十五条第一項、第七章第三節（第百七十二条を除く。）、第百七十四条第一項、第百七十四条の二、第百七十五条第二項、第百七十八条から第百八十条まで、第百八十一条第一項及び第二項、第百八十五条（第百八十九条第八項、第百九十条第二項及び第百九十五条第七項において準用する場合を含む。）、第百八十六条第三項及び第四項、第百八十七条、第百八十八条、第二百条第二項及び第四項、第二百二条第一項、第二百五条第二項並びに第十二章の規定は、適用しない。

第二節 給与所得者等再生

（手続開始の要件等）

第二三九条① 第二百二十一条第一項に規定する債務者のうち、給与又はこれに類する定期的な収入を得る見込みがある者であって、かつ、その額の変動の幅が小さいと見込まれるものは、この節に規定する特則の適用を受ける再生手続（以下「給与所得者等再生」という。）を行うことを求めることができる。

② 給与所得者等再生を行うことを求める旨の申述は、再生手続開始の申立ての際（債権者が再生手続開始の申立てをした場合にあっては、再生手続開始の決定があるまで）にしなければならない。

③ 再生債務者は、前項の申述をするときは、当該申述が第二百二十一条第一項又は第二百四十四条において準用する第二百二十一条第三項に規定する要件に該当しないことが明らかになった場合に通常の再生手続による手続の開始を求める意思があるか否か及び第五項各号のいずれかに該当する事由があることが明らかになった場合に小規模個人再生による手続の開始を求める意思があるか否かを明らかにしなければならない。ただし、債権者が再生手続開始の申立てをした場合については、この限りでない。

④ 裁判所は、第二項の申述が前項本文に規定する要件に該当しないことが明らかであると認めるときは、再生手続開始の決定前に限り、再生事件を通常の再生手続により行う旨の決定をする。ただし、再生債務者が前項本文の規定により通常の再生手続による手続の開始を求める意思がない旨を明らかにしていたときは、裁判所は、再生手続開始の申立てを棄却しなければならない。

⑤ 前項に規定する場合のほか、裁判所は、第二項の申述があった場合において、次の各号のいずれかに該当する事由があることが明らかであると認めるときは、再生手続開始の決定前に限り、再生事件を小規模個人再生により行う旨の決定をする。た

だし、再生債務者が第三項本文の規定により小規模個人再生による手続の開始を求める意思がない旨を明らかにしていたときは、裁判所は、再生手続開始の申立てを棄却しなければならない。

一　再生債務者が、給与又はこれに類する定期的な収入を得る見込みがある者に該当しないか、又はその額の変動の幅が小さいと見込まれる者に該当しないこと。

二　再生債務者について次のイからハまでに掲げる事由のいずれかがある場合において、それぞれイからハまでに定める日から七年以内に当該申述がされたこと。

イ　給与所得者等再生における再生計画が遂行されたこと　当該再生計画認可の決定の確定の日

ロ　第二百三十五条第一項（第二百四十四条において準用する場合を含む。）に規定する免責の決定が確定したこと　当該免責の決定に係る再生計画認可の決定の確定の日

ハ　破産法第二百五十二条第一項に規定する免責許可の決定が確定したこと　当該決定の確定の日

第二四〇条（再生計画案についての意見聴取）①　給与所得者等再生において再生計画案の提出があった場合には、裁判所は、次に掲げる場合を除き、再生計画案を認可すべきかどうかについての届出再生債権者の意見を聴く旨の決定をしなければならない。

一　再生計画案について次条第二項各号のいずれかに該当する事由があると認めるとき。

二　一般異議申述期間が経過していないか、又は当該一般異議申述期間内に第二百四十四条において準用する第二百二十六条第一項本文の規定による異議が述べられた場合において第二百四十四条において準用する第二百二十七条第一項本文の不変期間が経過していないとき（当該不変期間内に再生債権の評価の申立てがあったときは、再生債権の評価がされていないとき）。

三　特別異議申述期間が定められた場合において、当該特別異議申述期間が経過していないか、又は当該特別異議申述期間内に第二百四十四条において準用する第二百二十六条第三項の規定による異議が述べられたときであって第二百四十四条において準用する第二百二十七条第一項本文の不変期間が経過していないとき（当該不変期間内に再生債権の評価の申立てがあったときは、再生債権の評価がされていないとき）。

四　第百二十五条第一項の報告書の提出がされていないとき。

②　前項の決定をした場合には、その旨を公告し、かつ、届出再生債権者に対して、再生計画案の内容又はその要旨を通知するとともに、再生計画案について次条第二項各号のいずれかに該当する事由がある旨の意見がある者は裁判所の定める期間内にその旨及び当該事由を具体的に記載した書面を提出すべき旨を通知しなければならない。

＊令和五法五三（令和一〇・六・一三までに施行）による改正後

②　前項の決定をした場合には、その旨を公告し、かつ、届出再生債権者に対して、再生計画案の内容又はその要旨を通知するとともに、再生計画案について次条第二項各号のいずれかに該当する事由がある旨の意見がある者は裁判所の定める期間内にその旨及び当該事由を具体的に記載した書面を提出し、又は最高裁判所規則で定めるところにより、最高裁判所規則で定める電子情報処理組織を使用して当該書面に記載すべき事項をファイルに記録すべき旨を通知しなければならない。

③　給与所得者等再生における第九十五条第四項及び第百六十七条ただし書の規定の適用については、これらの規定中「再生計画案を決議に付する旨の決定」とあるのは、「再生計画案を認可すべきかどうかについての届出再生債権者の意見を聴く旨の決定」とする。

第二四一条（再生計画の認可又は不認可の決定等）①　前条第二項の規定により定められた期間が経過したときは、裁判所は、次項の場合を除き、再生計画認可の決定をする。

②　裁判所は、次の各号のいずれかに該当する場合には、再生計画不認可の決定をする。

一　第百七十四条第二項第一号又は第二号に規定する事由（再生計画が住宅資金特別条項を定めたものである場合については、同項第一号又は第二百二条第二項第二号に規定する事由）があるとき。

二　再生計画が再生債権者の一般の利益に反するとき。

三　再生計画が住宅資金特別条項を定めたものである場合において、第二百二条第二項第三号に規定する事由があるとき。

四　再生債務者が、給与若しくはこれに類する定期的な収入を得ている者に該当しないか、又はその額の変動の幅が小さいと見込まれる者に該当しないとき。

五　第二百三十一条第二項第二号から第五号までに規定する事由のいずれかがあるとき。

六　第二百三十九条第五項第二号に規定する事由があるとき。

七　計画弁済総額が、次のイからハまでに掲げる区分に応じ、それぞれイからハまでに定める額から再生債務者及びその扶養を受けるべき者の最低限度の生活を維持するために必要な一年分の費用の額を控除した額に二を乗じた額以上の額であると認めることができないとき。

イ　再生債務者の給与又はこれに類する定期的な収入の額について、再生計画案の提出前二年間の途中で再就職その他の年収について五分の一以上の変動を生ずべき事由が生じた場合　当該事由が生じた時から再生計画案を提出した時までの間の収入の合計額からこれに対する所得税、個人の道府県民税又は都民税及び市町村民税又は特別区民税及び森林環境税並びに所得税法（昭和四十年法律第三十三号）第七十四条第二項に規定する社会保険料（ロ及びハにおいて「所得税等」という。）に相当する額を控除した額を一年間当たりの額に換算した額

ロ　再生債務者が再生計画案の提出前二年間の途中で、給与又はこれに類する定期的な収入を得ている者でその額の変動の幅が小さいと見込まれるものに該当することとなった場合（イに掲げる区分に該当する場合を除く。）　給与又はこれに類する定期的な収入を得ている者でその額の変動の幅が小さいと見込まれるものに該当することとなった時から再生計画案を提出した時までの間の収入の合計額からこれに対する所得税等に相当する額を控除した額を一年間当たりの額に換算した額

ハ　イ及びロに掲げる区分に該当する場合以外の場合　再生計画案の提出前二年間の再生債務者の収入の合計額からこれに対する所得税等に相当する額を控除した額を二で除した額

③　前項第七号に規定する一年分の費用の額は、再生債務者及びその扶養を受けるべき者の年齢及び居住地域、当該扶養を受けるべき者の数、物価の状況その他一切の事情を勘案して政令で定める。

第二四二条（再生計画の取消し）　給与所得者等再生において再生計画認可の決定が確定した場合には、計画弁済総額が再生計画認可の決定があった時点で再生債務者につき破産手続が行われた場合における基準債権に対する配当の総額を下回り、又は再生計画が前条第二項第七号に該当することが明らかになったときも、裁判所は、再生債権者の申立てにより、再生計画取消しの決定をすることができる。この場合においては、第百八十九条第二項の規定を準用する。

第二四三条（再生手続の廃止）　給与所得者等再生において、次の各号のいずれかに該当する場合には、裁判所は、職権で、再生手続廃止の決定をしなければならない。

一　第二百四十一条第二項各号のいずれにも該当しない再生計画案の作成の見込みがないことが明らかになったとき。

二　裁判所の定めた期間若しくはその伸長した期間内に再生計画案の提出がないとき、又はその期間内に提出された再生計画案に第二百四十一条第二項各号のいずれかに該当する事由があるとき。

（小規模個人再生の規定の準用）

第二四四条　第二百二十一条第三項から第五項まで、第二百二十二条から第二百二十九条まで、第二百三十二条から第二百三十五条まで及び第二百三十七条第二項の規定は、給与所得者等再生について準用する。

（通常の再生手続に関する規定の適用除外）

第二四五条　給与所得者等再生においては、第二百三十八条に規定する規定並びに第八十七条第一項及び第二項、第百七十二条、第百七十四条第二項及び第三項、第百九十一条並びに第二百二条第二項の規定は、適用しない。

第十四章　再生手続と破産手続との間の移行

第一節　破産手続から再生手続への移行

（破産管財人による再生手続開始の申立て）

第二四六条①　破産管財人は、破産者に再生手続開始の原因となる事実があるときは、裁判所（破産事件を取り扱う一人の裁判官又は裁判官の合議体をいう。以下この条において同じ。）の許可を得て、当該破産者について再生手続開始の申立てをすることができる。

②　裁判所は、再生手続によることが債権者の一般の利益に適合すると認める場合に限り、前項の許可をすることができる。

③　裁判所は、第一項の許可の申立てがあった場合には、当該申立てを却下すべきこと又は当該許可をすべきことが明らかである場合を除き、当該申立てについての決定をする前に、労働組合等（当該破産者の使用人その他の従業者の過半数で組織する労働組合があるときはその労働組合、当該破産者の使用人その他の従業者の過半数で組織する労働組合がないときは当該破産者の使用人その他の従業者の過半数を代表する者をいう。）の意見を聴かなければならない。

④　第一項の規定による再生手続開始の申立てについては、第二十三条第一項の規定は、適用しない。

（再生債権の届出を要しない旨の決定）

第二四七条①　裁判所は、再生手続開始の決定をする場合において、第三十九条第一項の規定により中止することとなる破産手続において届出があった破産債権の内容及び原因、破産法第百二十五条第一項本文に規定する異議等のある破産債権の数、当該破産手続における配当の有無その他の事情を考慮して相当と認めるときは、当該決定と同時に、再生債権であって当該破産手続において破産債権としての届出があったもの（同法第九十八条第一項に規定する優先的破産債権である旨の届出があった債権、共助対象外国租税の請求権及び同法第九十七条第六号に規定する罰金等の請求権を除く。以下この条において同じ。）を有する再生債権者は当該再生債権の届出をすることを要しない旨の決定をすることができる。

②　裁判所は、前項の規定による決定をしたときは、第三十五条第一項の規定による公告に、再生債権であって前項の破産手続において破産債権としての届出があったものを有する再生債権者は当該再生債権の届出をすることを要しない旨を掲げ、かつ、その旨を知れている再生債権者に通知しなければならない。

③　第一項の規定による決定があった場合には、同項の破産手続において破産債権としての届出があった債権については、当該破産債権としての届出をした者（当該破産手続において当該届出があった債権について届出名義の変更を受けた者がある場合にあっては、その者。第五項において同じ。）が、第九十四条第一項に規定する債権届出期間の初日に、再生債権の届出をしたものとみなす。

④　前項の場合においては、当該破産債権としての届出があった債権についての次の各号に掲げる事項の届出の区分に応じ、再生債権の届出としてそれぞれ当該各号に定める事項の届出をしたものとみなす。

一　破産法第九十九条第一項に規定する劣後的破産債権である旨の届出があった債権についての同法第百十一条第一項第一号に掲げる破産債権の額及び原因の届出　第九十四条第一項に規定する再生債権の内容としての額及び同項に規定する再生債権の原因の届出

二　当該破産債権としての届出があった債権のうち前号に掲げる債権以外のものについての破産法第百十一条第一項第一号に掲げる破産債権の額及び原因の届出　第九十四条第一項に規定する再生債権の内容としての額及び同項に規定する再生債権についての議決権の額並びに同項に規定する再生債権の原因の届出

三　破産法第九十九条第二項に規定する約定劣後破産債権である旨の届出があった債権についての同法第百十一条第一項第三号に掲げるその旨の届出　第九十四条第一項に規定する約定劣後再生債権である旨の届出

四　破産法第百十一条第二項第二号に掲げる別除権の行使によって弁済を受けることができないと見込まれる債権の額の届出　第九十四条第二項に規定する別除権の行使によって弁済を受けることができないと見込まれる債権の額の届出

⑤　前二項の規定は、当該破産債権としての届出をした者が第九十四条第一項に規定する債権届出期間内に再生債権の届出をした場合には、当該破産債権としての届出があった債権については、適用しない。

⑥　前各項の規定は、第一項の再生手続開始の決定に係る再生手続が小規模個人再生又は給与所得者等再生である場合には、適用しない。

第二節　再生手続から破産手続への移行

（再生手続開始の決定があった場合の破産事件の移送）

第二四八条　裁判所（破産事件を取り扱う一人の裁判官又は裁判官の合議体をいう。）は、破産手続開始の前後を問わず、同一の債務者につき再生手続開始の決定があった場合において、当該破産事件を処理するために相当であると認めるときは、職権で、当該破産事件を再生裁判所に移送することができる。

（再生手続終了前の破産手続開始の申立て等）

第二四九条①　破産手続開始前の再生債務者について再生手続開始の決定の取消し、再生手続廃止若しくは再生計画不認可の決定又は再生計画取消しの決定（再生手続の終了前にされた申立てに基づくものに限る。以下この条において同じ。）があった場合には、第三十九条第一項の規定にかかわらず、当該決定の確定前においても、再生裁判所に当該再生債務者についての破産手続開始の申立てをすることができる。破産手続開始後の再生債務者について再生計画認可の決定の確定により破産手続が効力を失った後に第百九十三条若しくは第百九十四条の規定による再生手続廃止又は再生計画取消しの決定があった場合も、同様とする。

②　前項の規定による破産手続開始の申立てに係る破産手続開始の決定は、同項前段に規定する決定又は同項後段の再生手続廃止若しくは再生計画取消しの決定が確定した後でなければ、することができない。

（再生手続の終了に伴う職権による破産手続開始の決定）

第二五〇条①　破産手続開始前の再生債務者について再生手続開始の申立ての棄却、再生手続廃止、再生計画不認可又は再生計画取消しの決定が確定した場合において、裁判所は、当該再生債務者に破産手続開始の原因となる事実があると認めるときは、職権で、破産法に従い、破産手続開始の決定をすることができる。

②　破産手続開始後の再生債務者について再生計画認可の決定の確定により破産手続が効力を失った後に第百九十三条若しくは第百九十四条の規定による再生手続廃止又は再生計画取消しの

決定が確定した場合には、裁判所は、職権で、破産法に従い、破産手続開始の決定をしなければならない。ただし、前条第一項後段の規定による破産手続開始の申立てに基づいて破産手続開始の決定をする場合は、この限りでない。

（再生手続の終了等に伴う破産手続開始前の保全処分等）

第二五一条① 裁判所は、次に掲げる場合において、必要があると認めるときは、職権で、破産法第二十四条第一項の規定による中止の命令、同法第二十五条第二項に規定する包括的禁止命令、同法第二十八条第一項の規定による保全処分、同法第九十一条第二項に規定する保全管理命令又は同法第百七十一条第一項の規定による保全処分（以下この条及び第二百五十四条第四項において「保全処分等」という。）を命ずることができる。

一 破産手続開始前の再生債務者につき再生手続開始の申立ての棄却、再生手続開始の決定の取消し、再生手続廃止、再生計画不認可又は再生計画取消しの決定があった場合

二 破産手続開始後の再生債務者につき再生計画認可の決定の確定により破産手続が効力を失った後に第百九十三条若しくは第百九十四条の規定による再生手続廃止又は再生計画取消しの決定があった場合

② 裁判所は、前項第一号の規定による保全処分等を命じた場合において、前条第一項の規定による破産手続開始の決定をしないこととしたときは、遅滞なく、当該保全処分等を取り消さなければならない。

③ 第一項第一号の規定による保全処分等は、同号に規定する決定を取り消す決定があったときは、その効力を失う。同項第二号の再生手続廃止又は再生計画取消しの決定を取り消す決定があったときにおける同号の規定による保全処分等についても、同様とする。

④ 破産法第二十四条第四項、第二十五条第六項、第二十八条第三項、第九十一条第五項及び第百七十一条第四項の規定にかかわらず、第二項の規定による決定に対しては、即時抗告をすることができない。

（再生手続の終了に伴う破産手続における破産法の適用関係）

第二五二条① 破産手続開始前の再生債務者に関する次に掲げる場合における破産法の関係規定（破産法第七十一条第一項第四号並びに第二項第二号及び第三号、第七十二条第一項第四号並びに第二項第二号及び第三号、第百六十条（第一項第一号を除く。）、第百六十二条（第一項第二号を除く。）、第百六十三条第二項、第百六十四条第一項（同条第二項において準用する場合を含む。）、第百六十六条並びに第百六十七条第二項（同法第百七十条第二項において準用する場合を含む。）の規定をいう。第三項において同じ。）の適用については、再生手続開始の申立て等（再生手続開始の申立ての棄却、再生手続廃止若しくは再生計画不認可の決定又は再生計画取消しの決定（再生手続の終了前にされた申立てに基づくものに限る。）が確定した場合にあっては再生手続開始の申立て、再生手続開始によって効力を失った特別清算の手続における特別清算開始の申立て又は破産法第二百六十五条の罪に該当することとなる再生債務者、その法定代理人若しくは再生債務者の理事、取締役、執行役若しくはこれらに準ずる者の行為をいい、再生計画取消しの決定であって再生手続の終了前にされた申立てに基づくもの以外のものが確定した場合にあっては再生計画取消しの申立てをいう。以下この項において同じ。）は、当該再生手続開始の申立て等の前に破産手続開始の申立てがないときに限り、破産手続開始の申立てとみなす。

一 第二百五十条第一項の規定による破産手続開始の決定があった場合

二 再生手続開始の申立ての棄却の決定の確定前にされた破産手続開始の申立てに基づき、当該決定の確定後に破産手続開始の決定があった場合

三 再生手続開始の決定前にされた破産手続開始の申立てに基づき、再生手続開始の決定の取消しの決定の確定後、第百九十一条から第百九十三条まで、第二百三十七条及び第二百四十三条の規定による再生計画認可の決定の確定前の再生手続廃止の決定の確定後又は再生計画不認可の決定の確定後に、破産手続開始の決定があった場合

四 第二百四十九条第一項前段の規定による破産手続開始の申立てに基づき、破産手続開始の決定があった場合

② 再生計画不認可、再生手続廃止又は再生計画取消しの決定の確定による再生手続の終了に伴い前項各号に規定する破産手続開始の決定があった場合における破産法第百七十六条前段の規定の適用については、再生手続開始の決定の日を同条前段の破産手続開始の日とみなす。

③ 破産手続開始後の再生債務者について第二百四十九条第一項後段の規定による破産手続開始の申立てに基づいて破産手続開始の決定があった場合又は第二百五十条第二項の規定による破産手続開始の決定があった場合における破産法の関係規定の適用については、次の各号に掲げる区分に応じ、それぞれ当該各号に定める申立てがあった時に破産手続開始の申立てがあったものとみなす。

一 第百九十三条若しくは第百九十四条の規定による再生手続廃止又は再生計画取消しの決定（再生手続の終了前にされた申立てに基づくものに限る。）の確定に伴い破産手続開始の決定があった場合 再生計画認可の決定の確定によって効力を失った破産手続における破産手続開始の申立て

二 再生計画取消しの決定で前号に掲げるもの以外のものの確定に伴い破産手続開始の決定があった場合 再生計画取消しの申立て

④ 前項に規定する破産手続開始の決定があった場合（同項第一号に掲げる場合に限る。）における破産法第百七十六条前段の規定の適用については、再生計画認可の決定の確定によって効力を失った破産手続における破産手続開始の日を同条前段の破産手続開始の日とみなす。

⑤ 第一項各号又は第三項に規定する破産手続開始の決定があった場合（同項第二号に掲げる場合を除く。）における破産法第百四十九条第一項の規定の適用については、同項中「破産手続開始前三月間」とあるのは、「破産手続開始前三月間（破産手続開始の日前に再生手続開始の決定があるときは、再生手続開始前三月間）」とする。

⑥ 前項に規定する破産手続開始の決定があった場合には、共益債権（再生手続が開始されなかった場合における第五十条第二項並びに第百二十条第一項及び第四項に規定する請求権を含む。）は、財団債権とする。破産手続開始後の再生債務者について再生手続開始の申立ての棄却、第百九十一条から第百九十三条まで、第二百三十七条及び第二百四十三条の規定による再生計画認可の決定の確定前の再生手続廃止又は再生計画不認可の決定の確定によって破産手続が続行された場合も、同様とする。

（破産債権の届出を要しない旨の決定）

第二五三条① 裁判所（破産事件を取り扱う一人の裁判官又は裁判官の合議体をいう。次項において同じ。）は、前条第一項各号又は第三項に規定する破産手続開始の決定をする場合において、終了した再生手続において届出があった再生債権の内容及び原因並びに議決権の額、第百五条第一項本文に規定する異議等のある再生債権の数、再生計画による権利の変更の有無及び内容その他の事情を考慮して相当と認めるときは、当該決定と同時に、破産債権であって当該再生手続において再生債権としての届出があったもの（再生手続開始前の罰金等及び共助対象外国租税の請求権を除く。以下この条において同じ。）を有する破産債権者は当該破産債権の届出をすることを要しない旨の決定をすることができる。

② 裁判所は、前項の規定による決定をしたときは、破産法第三十二条第一項の規定による公告に、破産債権であって前項の再生手続において再生債権としての届出があったものを有する破産債権者は当該破産債権の届出をすることを要しない旨を掲げ、かつ、その旨を知れている破産債権者に通知しなければな

らない。

③ 第一項の規定による決定があった場合には、同項の再生手続において再生債権としての届出があった債権については、当該再生債権としての届出をした者（当該再生手続において当該届出があった債権について届出名義の変更を受けた者がある場合にあっては、その者。第六項において同じ。）が、破産法第百十一条第一項に規定する債権届出期間の初日に、破産債権の届出（同項第四号に掲げる事項の届出を含む。）をしたものとみなす。

④ 前項の場合においては、当該再生債権としての届出があった債権についての次の各号に掲げる事項の届出の区分に応じ、破産債権の届出としてそれぞれ当該各号に定める事項の届出をしたものとみなす。

一 第八十七条第一項第三号ロから二までに掲げる債権についての第九十四条第一項に規定する再生債権についての議決権の額及び再生債権の原因の届出　破産法第百十一条第一項第一号に掲げる破産債権の額及び原因の届出

二 当該再生債権としての届出があった債権のうち前号に掲げる債権以外のものについての第九十四条第一項に規定する再生債権の内容としての額及び再生債権の原因の届出　破産法第百十一条第一項第一号に掲げる破産債権の額及び原因の届出

三 第八十四条第二項各号に掲げる債権についての第九十四条第一項に規定する再生債権の内容の届出　破産法第百十一条第一項第三号に掲げる劣後的破産債権である旨の届出

四 第八十七条第一項第一号、第二号又は第三号イに掲げる債権についての第九十四条第一項に規定する再生債権の内容としての額及び再生債権についての議決権の額の届出があった再生債権の内容としての額から届出があった再生債権についての議決権の額を控除した額に係る部分につき破産法第百十一条第一項第三号に掲げる劣後的破産債権である旨の届出

五 約定劣後再生債権である旨の届出があった債権についての第九十四条第一項に規定するその旨の届出　破産法第百十一条第一項第三号に掲げる約定劣後破産債権である旨の届出

六 第九十四条第二項に規定する別除権の行使によって弁済を受けることができないと見込まれる債権の額の届出　破産法第百十一条第二項第二号に掲げる別除権の行使によって弁済を受けることができないと見込まれる債権の額の届出

⑤ 前項各号（第四号を除く。）の規定にかかわらず、第一項の再生手続が小規模個人再生又は給与所得者等再生であるときは、届出があった再生債権の額及び原因並びに担保不足見込額（第二百二十五条の規定により届出をしたものとみなされる再生債権の額及び原因並びに担保不足見込額を含む。）を破産債権の額及び原因並びに破産法第百十一条第二項第二号に掲げる別除権の行使によって弁済を受けることができないと見込まれる債権の額として届出をしたものとみなす。

⑥ 前三項の規定は、当該再生債権としての届出をした者が破産法第百十一条第一項に規定する債権届出期間内に破産債権の届出をした場合には、当該再生債権としての届出をした者が有する第三項の再生債権としての届出があった債権については、適用しない。

⑦ 前各項の規定は、再生計画の履行完了前に再生債務者についてされる破産手続開始の決定に係る破産手続について準用する。

第二五四条（否認の請求を認容する決定に対する異議の訴え等の取扱い）① 再生計画不認可、再生手続廃止又は再生計画取消しの決定の確定により再生手続が終了した場合において、第二百五十二条第一項各号又は第三項に規定する破産手続開始の決定があったときは、第六十八条第二項又は第百三十七条第六項の規定により中断した同条第一項の訴えに係る訴訟手続（再生手続が終了した際現に係属する同項の訴えに係る訴訟手続で第百四十一条第一項の規定により中断しているものを含む。第三項及び第四項において同じ。）は、破産管財人においてこれを受け継ぐことができる。この場合においては、受継の申立ては、相手方もすることができる。

② 前項の場合においては、相手方の否認権限を有する監督委員又は管財人に対する訴訟費用請求権は、財団債権とする。

③ 第一項の場合において、第六十八条第二項又は第百三十七条第六項の規定により中断した同条第一項の訴えに係る訴訟手続について第一項の規定による受継があるまでに破産手続が終了したときは、当該訴訟手続は、終了する。

④ 第六十八条第二項又は第百三十七条第六項の規定により中断した同条第一項の訴えに係る訴訟手続であって破産手続開始前の再生債務者についての再生事件に係るものは、その中断の日から一月（その期間中に第二百五十一条第一項第一号の規定による保全処分等又は第二百五十二条第二項各号に掲げる破産手続開始の申立てに係る破産手続における保全処分等がされていた期間があるときは、当該期間を除く。）以内に第二百五十二条第一項各号に規定する破産手続開始の決定がされていないときは、終了する。

⑤ 第百十二条の二第一項の規定により引き続き係属するものとされる第百五条第一項本文の査定の申立てに係る査定の手続は、第二百五十二条第一項各号又は第三項に規定する破産手続開始の決定があったときは、終了するものとする。この場合においては、第百十二条の二第三項の規定は、適用しない。

⑥ 第四項の規定は、第百十二条の二第四項の規定により中断した第百六条第一項の訴えに係る訴訟手続であって破産手続開始前の再生債務者についての再生事件に係るものについて準用する。

第十五章　罰則

第二五五条（詐欺再生罪）① 再生手続開始の前後を問わず、債権者を害する目的で、次の各号のいずれかに該当する行為をした者は、債務者について再生手続開始の決定が確定したときは、十年以下の拘禁刑若しくは千万円以下の罰金に処し、又はこれを併科する。情を知って、第四号に掲げる行為の相手方となった者も、再生手続開始の決定が確定したときは、同様とする。

一 債務者の財産を隠匿し、又は損壊する行為

二 債務者の財産の譲渡又は債務の負担を仮装する行為

三 債務者の財産の現状を改変して、その価格を減損する行為

四 債務者の財産を債権者の不利益に処分し、又は債権者に不利益な債務を債務者が負担する行為

② 前項に規定するもののほか、債務者について管理命令又は保全管理命令が発せられたことを認識しながら、債権者を害する目的で、管財人の承諾その他の正当な理由がなく、その債務者の財産を取得し、又は第三者に取得させた者も、同項と同様とする。

第二五六条（特定の債権者に対する担保の供与等の罪） 債務者が、再生手続開始の前後を問わず、特定の債権者に対する債務について、他の債権者を害する目的で、担保の供与又は債務の消滅に関する行為であって債務者の義務に属せず又はその方法若しくは時期が債務者の義務に属しないものをし、再生手続開始の決定が確定したときは、五年以下の拘禁刑若しくは五百万円以下の罰金に処し、又はこれを併科する。

第二五七条（監督委員等の特別背任罪）① 監督委員、調査委員、管財人、保全管理人、個人再生委員、管財人代理又は保全管理人代理が、自己若しくは第三者の利益を図り又は債権者に損害を加える目的で、その任務に背く行為をし、債権者に財産上の損害を加えたときは、十年以下の拘禁刑若しくは千万円以下の罰金に処し、又はこれを併科する。

② 監督委員、調査委員、管財人、保全管理人又は個人再生委員（以下この項において「監督委員等」という。）が法人であるときは、前項の規定は、監督委員等の職務を行う役員又は職員に

適用する。

（報告及び検査の拒絶等の罪）

第二五八条① 第五十九条第一項各号に掲げる者若しくは同項第二号から第五号までに掲げる者であった者が、同項若しくは同条第二項において準用する同条第一項（これらの規定を第六十三条、第七十八条又は第八十三条第一項において準用する場合を含む。）の規定による報告を拒み、若しくは虚偽の報告をしたとき、又は再生債務者若しくはその法定代理人が第二百二十三条第八項（第二百四十四条において準用する場合を含む。）の規定による報告を拒み、若しくは虚偽の報告をしたときは、三年以下の拘禁刑若しくは三百万円以下の罰金に処し、又はこれを併科する。

② 第五十九条第一項第二号から第五号までに掲げる者若しくは当該各号に掲げる者であった者（以下この項において「報告義務者」という。）の代表者、代理人、使用人その他の従業者（第四項において「代表者等」という。）が、その報告義務者の業務に関し、同条第一項若しくは同条第二項において準用する同条第一項（これらの規定を第六十三条、第七十八条又は第八十三条第一項において準用する場合を含む。）の規定による報告を拒み、若しくは虚偽の報告をしたとき、又は再生債務者の法定代理人の代理人、使用人その他の従業者が、その法定代理人の業務に関し、第二百二十三条第八項（第二百四十四条において準用する場合を含む。）の規定による報告を拒み、若しくは虚偽の報告をしたときも、前項と同様とする。

③ 再生債務者が第五十九条第一項（第六十三条、第七十八条又は第八十三条第一項において準用する場合を含む。）の規定による検査を拒んだとき、又は再生債務者若しくはその法定代理人が第二百二十三条第八項（第二百四十四条において準用する場合を含む。）の規定による検査を拒んだときも、第一項と同様とする。

④ 第五十九条第三項に規定する再生債務者の子会社等（同条第四項の規定により再生債務者の子会社等とみなされるものを含む。以下この項において同じ。）の代表者等が、その再生債務者の子会社等の業務に関し、同条第三項（第六十三条、第七十八条又は第八十三条第一項において準用する場合を含む。）の規定による報告若しくは検査を拒み、又は虚偽の報告をしたときも、第一項と同様とする。

（業務及び財産の状況に関する物件の隠滅等の罪）

第二五九条 再生手続開始の前後を問わず、債権者を害する目的で、債務者の業務及び財産の状況に関する帳簿、書類その他の物件を隠滅し、偽造し、又は変造した者は、債務者について再生手続開始の決定が確定したときは、三年以下の拘禁刑若しくは三百万円以下の罰金に処し、又はこれを併科する。

（監督委員等に対する職務妨害の罪）

第二六〇条 偽計又は威力を用いて、監督委員、調査委員、管財人、保全管理人、個人再生委員、管財人代理又は保全管理人代理の職務を妨害した者は、三年以下の拘禁刑若しくは三百万円以下の罰金に処し、又はこれを併科する。

（収賄罪）

第二六一条① 監督委員、調査委員、管財人、保全管理人、個人再生委員、管財人代理又は保全管理人代理が、その職務に関し、賄賂を収受し、又はその要求若しくは約束をしたときは、三年以下の拘禁刑若しくは三百万円以下の罰金に処し、又はこれを併科する。

② 前項の場合において、その監督委員、調査委員、管財人、保全管理人、個人再生委員、管財人代理又は保全管理人代理が不正の請託を受けたときは、五年以下の拘禁刑若しくは五百万円以下の罰金に処し、又はこれを併科する。

③ 監督委員、調査委員、管財人、保全管理人又は個人再生委員（以下この条において「監督委員等」という。）が法人である場合において、監督委員等の職務を行うその役員又は職員が、その監督委員等の職務に関し、賄賂を収受し、又はその要求若しくは約束をしたときは、三年以下の拘禁刑若しくは三百万円以下の罰金に処し、又はこれを併科する。監督委員等が法人である場合において、その役員又は職員が、その監督委員等の職務に関し、監督委員等に賄賂を収受させ、又はその供与の要求若しくは約束をしたときも、同様とする。

④ 前項の場合において、その役員又は職員が不正の請託を受けたときは、五年以下の拘禁刑若しくは五百万円以下の罰金に処し、又はこれを併科する。

⑤ 再生債権者若しくは代理委員又はこれらの者の代理人、役員若しくは職員が、債権者集会の期日における議決権の行使又は第百六十九条第二項第二号に規定する書面等投票による議決権の行使に関し、不正の請託を受けて、賄賂を収受し、又はその要求若しくは約束をしたときは、五年以下の拘禁刑若しくは五百万円以下の罰金に処し、又はこれを併科する。

⑥ 前各項の場合において、犯人又は法人である監督委員等が収受した賄賂は、没収する。その全部又は一部を没収することができないときは、その価額を追徴する。

（贈賄罪）

第二六二条① 前条第一項又は第三項に規定する賄賂を供与し、又はその申込み若しくは約束をした者は、三年以下の拘禁刑若しくは三百万円以下の罰金に処し、又はこれを併科する。

② 前条第二項、第四項又は第五項に規定する賄賂を供与し、又はその申込み若しくは約束をした者は、五年以下の拘禁刑若しくは五百万円以下の罰金に処し、又はこれを併科する。

（再生債務者等に対する面会強請等の罪）

第二六三条 再生債務者（個人である再生債務者に限る。以下この条において同じ。）又はその親族その他の者に再生債権（再生手続が再生計画認可の決定の確定後に終了した後にあっては、免責されたものに限る。以下この条において同じ。）を再生計画の定めるところによらずに弁済させ、又は再生債権につき再生債務者の親族その他の者に保証をさせる目的で、再生債務者又はその親族その他の者に対し、面会を強請し、又は強談威迫の行為をした者は、三年以下の拘禁刑若しくは三百万円以下の罰金に処し、又はこれを併科する。

（国外犯）

第二六四条① 第二百五十五条、第二百五十六条、第二百五十九条、第二百六十条及び第二百六十二条の罪は、刑法（明治四十年法律第四十五号）第二条の例に従う。

② 第二百五十七条及び第二百六十一条（第五項を除く。）の罪は、刑法第四条の例に従う。

③ 第二百六十一条第五項の罪は、日本国外において同項の罪を犯した者にも適用する。

（両罰規定）

第二六五条 法人の代表者又は法人若しくは人の代理人、使用人その他の従業者が、その法人又は人の業務又は財産に関し、第二百五十五条、第二百五十六条、第二百五十八条（第一項を除く。）、第二百五十九条、第二百六十条、第二百六十二条又は第二百六十三条の違反行為をしたときは、行為者を罰するほか、その法人又は人に対しても、各本条の罰金刑を科する。

（過料）

第二六六条① 再生債務者又は再生のために債務を負担し、若しくは担保を提供する者は、第百八十六条第三項の規定による裁判所の命令に違反した場合には、百万円以下の過料に処する。

② 再生債務者若しくはその法定代理人又は再生債権者が正当な理由なく第二百二十七条第六項（第二百四十四条において準用する場合を含む。）の規定による資料の提出の要求に応じない場合には、十万円以下の過料に処する。

附 則（抄）

（施行期日）

第一条 この法律は、公布の日から起算して六月を超えない範囲内において政令で定める日（平成一二・四・一―平成一二政八五）から施行する。

（和議法及び特別和議法の廃止）

第二条 和議法（大正十一年法律第七十二号）及び特別和議法

別表（昭和二十一年法律第四十一号）は、廃止する。

＊令和四法四八（令和八・五・二四までに施行）により別表追加
＊令和五法五三（令和一〇・六・一三までに施行）により別表削る（未織込み）

附　則（令和四・五・二五法四八）（抄）

（施行期日）

第一条　この法律は、公布の日から起算して四年を超えない範囲内において政令で定める日から施行する。ただし、次の各号に掲げる規定は、当該各号に定める日から施行する。

一　（前略）附則第百二十五条の規定　公布の日

二・三　（略）

四　（前略）附則（中略）第八十三条（民事再生法の一部改正）の規定（中略）公布の日から起算して二年を超えない範囲内において政令で定める日（令和六・三・一―令和五政三五六）

五　（略）

（政令への委任）

第一二五条　（前略）この法律の施行に関し必要な経過措置は、政令で定める。

刑法等の一部を改正する法律の施行に伴う関係法律整理法中経過規定（令和四・六・一七法六八）（抄）

第四四一条から第四四三条まで（刑法の同経過規定参照）

第五〇九条（刑法の同経過規定参照）

刑法等の一部を改正する法律の施行に伴う関係法律整理法

附　則（令和四・六・一七法六八）（抄）

（施行期日）

①　この法律は、刑法等一部改正法（刑法等の一部を改正する法律（令和四法六七））施行日（令和七・六・一）から施行する。ただし、次の各号に掲げる規定は、当該各号に定める日から施行する。

一　第五百九条の規定　公布の日

二　（略）

民事関係手続等における情報通信技術の活用等の推進を図るための関係法律の整備に関する法律中経過規定（令和五・六・一四法五三）（抄）

（手続費用額の確定手続に関する経過措置）

第一四六条　前条の規定による改正後の民事再生法（以下この節において「改正後民事再生法」という。）第十八条において準用する民事訴訟法（以下この節において「準用民事訴訟法」という。）第七十一条第二項の規定は、施行日以後に開始される再生事件（以下この節において「改正後再生事件」という。）における再生手続の費用の負担の額を定める申立てについて、適用する。

（期日の呼出しに関する経過措置）

第一四七条　準用民事訴訟法第九十四条の規定は、改正後再生事件における期日の呼出しについて適用し、施行日前に開始された再生事件（以下この節において「改正前再生事件」という。）における期日の呼出しについては、なお従前の例による。

（送達報告書に関する経過措置）

第一四八条　準用民事訴訟法第百条第二項の規定は、改正後再生事件における送達報告書の提出について、適用する。

（公示送達の方法に関する経過措置）

第一四九条　準用民事訴訟法第百十一条から第百十三条までの規定は改正後再生事件における公示送達について適用し、改正前再生事件における公示送達については、なお従前の例による。

（電子情報処理組織による申立て等に関する経過措置）

第一五〇条　準用民事訴訟法第一編第七章の規定は、改正後再生事件における準用民事訴訟法第百三十二条の十第一項に規定する申立て等について適用し、改正前再生事件における第百四十五条の規定による改正前の民事再生法（第百六十二条において「改正前民事再生法」という。）第八条の四第一項に規定する申立て等については、同条の規定は、施行日以後も、なおその効力を有する。

（釈明処分による電磁的記録の提出に関する経過措置）

第一五一条　準用民事訴訟法第百五十一条第二項の規定は、改正後再生事件における釈明処分による電磁的記録の提出について適用し、改正前再生事件における釈明処分による電磁的記録の提出については、なお従前の例による。

（口頭弁論調書に関する経過措置）

第一五二条①　準用民事訴訟法第百六十条の規定は、改正後再生事件における口頭弁論調書の作成、記録及び口頭弁論の方式に関する規定の遵守に係る証明について適用し、改正前再生事件における口頭弁論調書の作成、記載及び口頭弁論の方式に関する規定の遵守に係る証明については、なお従前の例による。

②　準用民事訴訟法第百六十条の二の規定は、改正後再生事件における口頭弁論調書の更正について適用し、改正前再生事件における口頭弁論調書の更正については、なお従前の例による。

（尋問に代わる書面の提出等に関する経過措置）

第一五三条　準用民事訴訟法第二百五条第二項及び第二百十五条第二項（準用民事訴訟法第二百十八条第一項において準用する場合を含む。）の規定は、改正後再生事件における証人の尋問に代わる書面の提出又は鑑定人の書面による意見の陳述に代わる意見の陳述の方式若しくは鑑定の嘱託を受けた者による鑑定書の提出について、適用する。

（電磁的記録に記録された情報の内容に係る証拠調べに関する経過措置）

第一五四条　準用民事訴訟法第二百三十一条の二第二項及び第二百三十一条の三第二項の規定は、改正後再生事件における電磁的記録に記録された情報の内容に係る証拠調べについて適用し、改正前再生事件における電磁的記録に記録された情報の内容に係る証拠調べについては、なお従前の例による。

（電子裁判書の作成に関する経過措置）

第一五五条　準用民事訴訟法第百二十二条において準用する準用民事訴訟法第二百五十二条及び第二百五十三条の規定は、改正後再生事件における電子裁判書の作成について適用し、改正前再生事件における裁判書の作成については、なお従前の例による。

（申立ての取下げが口頭でされた場合における期日の電子調書の記録に関する経過措置）

第一五六条　準用民事訴訟法第二百六十一条第四項の規定は、改正後再生事件における申立ての取下げが口頭でされた場合における期日の電子調書の記録について適用し、改正前再生事件における申立ての取下げが口頭でされた場合における期日の調書の記載については、なお従前の例による。

（事件に関する事項の証明に関する経過措置）

第一五七条　改正後民事再生法第十六条の三の規定は、改正後再生事件に関する事項の証明について適用し、改正前再生事件に関する事項の証明については、なお従前の例による。

（電子裁判書の送達に関する経過措置）

第一五八条　改正後民事再生法第二十六条第六項、第二十八条、第二十九条第五項及び第三十条第五項の規定（これらの規定を改正後民事再生法第三十六条第二項において準用する場合を含む。）、改正後民事再生法第三十一条第六項（改正後民事再生法第百九十七条第二項において準用する場合を含む。）、第五十五条第二項、第六十二条第六項、第六十五条第四項、第八十条第二項、第百二条第三項（改正後民事再生法第百三条第五項、第二百十三条第四項、第二百十八条第三項及び第二百二十六条第四項において準用する場合を含む。）、第百五条第六項、第百三十六条第四項、第百四十二条第七項、第百四十四条第三項、第百四十八条第三項及び第五項、第百五十条第六項、第百七十二条の三第五項並びに第百八十九条第四項の規定並びに改正後民事再生法第二百二十三条第七項及び第二百二十六条第四項の規定（これらの規定を改正後民事再生法第二百四十四条において準用する場合を含む。）は、改正後再生事件における電子裁判書の送達について適用し、改正前再生事件における裁判書の送達については、なお従前の例による。

（事業等の譲渡に関する株主総会の決議による承認に代わる許可の決定に関する経過措置）

第一五九条　改正後民事再生法第四十三条第二項及び第三項（中略）の規定は、改正後再生事件における代替許可の決定について適用し、改正前再生事件における代替許可の決定については、なお従前の例による。

（電子再生債権者表の作成等に関する経過措置）

第一六〇条①　改正後民事再生法第九十九条、第百四条第二項（改正後民事再生法第百十三条第五項において準用する場合を含む。）及び第三項、第百十条（改正後民事再生法第百十三条第五項において準用する場合を含む。）、第百八十条並びに第百八十五条（改正後民事再生法第百八十九条第八項、第百九十条第二項及び第百九十五条第七項において準用する場合を含む。）の規定は、改正後再生事件における電子再生債権者表の作成、記録及び更正の処分について適用し、改正前再生事件における再生債権者表の作成、記載及び更正の処分については、なお従前の例による。

② 前項の規定によりなお従前の例によることとされる再生債権者表の更正の処分は、最高裁判所規則で定めるところにより、その旨の書面を作成してしなければならない。

③ 民事訴訟法第七十一条第四項、第五項及び第八項の規定は、第一項の規定によりなお従前の例によることとされる再生債権者表の更正の処分について準用する。

④ 改正後民事再生法第百八条（改正後民事再生法第百十三条第五項において準用する場合を含む。）の規定は、改正後再生事件における再生債権に関する査定の手続又は訴訟手続における主張の制限について適用し、改正前再生事件における再生債権に関する査定の手続又は訴訟手続における主張の制限については、なお従前の例による。

（配当等の実施に関する経過措置）

第一六一条①　第三号施行日（附則第三号に掲げる規定の施行の日）から施行日の前日までの間における改正後民事再生法第百五十三条第三項の規定の適用については、同項中「民事執行法」とあるのは「民事執行法（昭和五十四年法律第四号）」と、「から第八十六条まで」とあるのは「、第八十六条」とする。

② 改正後民事再生法第百五十三条第一項から第三項まで及び第四項（民事執行法第八十六条を準用する部分を除く。）の規定は、改正後再生事件における配当並びに弁済金及び剰余金の交付について適用し、改正前再生事件における配当並びに弁済金及び剰余金の交付については、なお従前の例による。

（再生債務者の株式の取得等を定める条項に関する許可に関する経過措置）

第一六二条　改正後民事再生法第百六十六条第三項及び第四項（これらの規定を改正後民事再生法第百六十六条の二第四項において準用する場合を含む。）の規定は、改正後再生事件における改正後民事再生法第百六十六条第一項の許可について適用し、改正前再生事件における改正前民事再生法第百六十六条第一項の許可については、なお従前の例による。

（基準日による議決権者の確定に関する経過措置）

第一六三条　改正後民事再生法第百七十二条の二第一項の規定は、改正後再生事件における基準日による議決権者の確定について適用し、改正前再生事件における基準日による議決権者の確定については、なお従前の例による。

（再生計画の認可又は不認可の決定に関する経過措置）

第一六四条　改正後民事再生法第百七十四条第四項及び第五項並びに第二百二条第四項の規定は、改正後再生事件における再生計画の認可又は不認可の決定について適用し、改正前再生事件における再生計画の認可又は不認可の決定については、なお従前の例による。

（計画遂行が極めて困難となった場合の免責の決定に関する経過措置）

第一六五条　改正後民事再生法第二百三十五条第三項及び第四項（これらの規定を改正後民事再生法第二百四十四条において準用する場合を含む。）の規定は、改正後再生事件における免責の決定について適用し、改正前再生事件における免責の決定については、なお従前の例による。

（再生計画案についての意見聴取に係る決定に関する経過措置）

第一六六条　改正後民事再生法第二百四十条第二項の規定は、改正後再生事件における再生計画案についての意見聴取に係る決定について適用し、改正前再生事件における再生計画案についての意見聴取に係る決定については、なお従前の例による。

第三八七条から第三八九条まで　（民事執行法の同経過規定参照）

民事関係手続等における情報通信技術の活用等の推進を図るための関係法律の整備に関する法律

附　則（令和五・六・一四法五三）

この法律は、公布の日から起算して五年を超えない範囲内において政令で定める日から施行する。ただし、次の各号に掲げる規定は、当該各号に定める日から施行する。

一　第三十二章（民事訴訟法等の一部を改正する法律（令和四法四八）の一部改正）の規定及び第三百八十八条の規定　公布の日

二　（前略）第三百八十七条の規定　公布の日から起算して二年六月を超えない範囲内において政令で定める日

三　（前略）第百四十五条中民事再生法第百十五条の次に一条を加える改正規定及び同法第百五十三条第三項の改正規定（「民事執行法（昭和五十四年法律第四号）第八十五条」を「民事執行法第八十五条から第八十六条まで」に改める部分に限る。）、第百六十一条第一項の規定（中略）　民事訴訟法等の一部を改正する法律の施行の日

附　則（令和六・五・二四法三三）（抄）

（施行期日）

第一条　この法律は、公布の日から起算して二年を超えない範囲内において政令で定める日から施行する。ただし、附則第十六条（中略）の規定は、公布の日から施行する。

（政令への委任）

第一六条　（前略）この法律の施行に関し必要な経過措置は、政令で定める。

○民事再生規則（抄）（平成一二・一・三一 最高裁規三）

施行 平成一二・四・一（附則参照）
最終改正 令和四最高裁規一七

目次

第一章 総則（抄）

（再生債務者の責務等）

第一条① 再生債務者は、再生手続の円滑な進行に努めなければならない。

② 再生債務者は、再生手続の進行に関する重要な事項を、再生債権者に周知させるように努めなければならない。

③ 再生手続においては、その円滑な進行に努める再生債務者の活動は、できる限り、尊重されなければならない。

（申立ての方式等）

第二条① 再生手続に関する申立ては、特別の定めがある場合を除き、書面でしなければならない。

② 前項の規定は、再生手続に関する届出、申出及び裁判所に対する報告並びに再生計画案（変更計画案を含む。）の提出について準用する。

③ 前項において準用する第一項の規定にかかわらず、裁判所は、再生手続の円滑な進行を図るために必要があると認めるときは、口頭で前項の報告（民事再生法（平成十一年法律第二百二十五号。以下「法」という。）第百二十五条（裁判所への報告）第一項の規定による報告を除く。）をすることを許可することができる。

④ 裁判所は、書面を裁判所に提出した者又は提出しようとする者が当該書面に記録されている情報の内容を記録した電磁的記録（電子的方式、磁気的方式その他人の知覚によっては認識することができない方式で作られる記録であって、電子計算機による情報処理の用に供されるものをいう。以下この項において同じ。）を有している場合において、必要があると認めるときは、その者に対し、当該電磁的記録に記録された情報を電磁的方法（電子情報処理組織を使用する方法その他の情報通信の技術を利用する方法をいう。以下同じ。）であって裁判所の定めるものにより裁判所に提供することを求めることができる。

（調書）

第三条（略）

（即時抗告に係る事件記録の送付・法第九条）

第四条（略）

（公告事務の取扱者・法第十条）

第五条（略）

（管財人による通知事務等の取扱い）

第五条の二 裁判所は、管財人が選任されている場合において、再生手続の円滑な進行を図るために必要があるときは、管財人の同意を得て、管財人に書面の送付その他通知に関する事務を取り扱わせることができる。

（通知等を受けるべき場所の届出）

第五条の三① 再生債権者が第三十一条（届出の方式）第一項第二号又は第三十五条（届出名義の変更の方式）第一項第二号に規定する通知又は期日の呼出し（以下この条において「通知等」という。）を受けるべき場所を届け出たときは、再生手続において、当該再生債権者に対して書面を送付する方法によってする通知等は、当該届出に係る場所（当該再生債権者が第三十三条（届出事項等の変更）第一項の規定により通知等を受けるべき場所の変更を届け出た場合にあっては、当該変更後の場所）においてする。

② 前項に規定する通知等を受けるべき場所の届出をしない再生債権者が法第十八条（民事訴訟法の準用）において準用する民事訴訟法（平成八年法律第百九号）第百四条（送達場所等の届出）第一項の規定により送達を受けるべき場所を届け出たときは、当該再生債権者に対する前項に規定する通知等は、当該届出に係る場所においてする。

③ 第一項又は前項の規定により再生債権者に対してされた通知等が到達しなかったときは、当該再生債権者に対し、その後の通知等をすることを要しない。

④ 裁判所又は裁判所書記官が前項の規定により再生債権者に対する通知等をしないときは、裁判所書記官は、当該再生債権者に対してされた通知等が到達しなかった旨を記録上明らかにしなければならない。

（官庁等への通知）

第六条（略）

（法人の再生手続に関する登記の嘱託の手続・法第十一条）

第七条（略）

（登記のある権利についての登記等の嘱託の手続・法第十二条等）

第八条（略）

（事件に関する文書の閲覧等・法第十六条）

第九条（略）

第一〇条（支障部分の閲覧等の制限の申立ての方式等・法第十七条）（略）

（民事訴訟規則の準用・法第十八条）

第一一条 特別の定めがある場合を除き、再生手続に関しては、その性質に反しない限り、民事訴訟規則（平成八年最高裁判所規則第五号）の規定（同規則第三十条の二（映像と音声の送受信による通話の方法による口頭弁論の期日）及び第三十条の三（音声の送受信による通話の方法による審尋の期日）の規定を除く。）を準用する。

第二章 再生手続の開始（抄）

第一節 再生手続開始の申立て（抄）

（再生手続開始の申立書の記載事項・法第二十一条）

第一二条① 再生手続開始の申立書には、次に掲げる事項を記載しなければならない。

一 申立人の氏名又は名称及び住所並びに法定代理人の氏名及び住所

二 再生債務者の氏名又は名称及び住所並びに法定代理人の氏名及び住所

三 申立ての趣旨

四 再生手続開始の原因となる事実

五 再生計画案の作成の方針についての申立人の意見

② 再生計画案の作成の方針についての申立人の意見の記載は、できる限り、予想される再生債権者の権利の変更の内容及び利害関係人の協力の見込みを明らかにしてしなければならない。

（再生手続開始の申立書の記載事項）

第一三条① 再生手続開始の申立書には、前条（再生手続開始の申立書の記載事項）第一項各号に掲げる事項を記載するほか、次に掲げる事項を記載するものとする。

一 再生債務者が法人であるときは、その目的、役員の氏名、株式又は出資の状況その他の当該法人の概要

二 再生債務者が事業を行っているときは、その事業の内容及び状況、営業所又は事務所の名称及び所在地並びに使用人その他の従業者の状況

三 再生債務者の資産、負債（再生債権者の数を含む。）その他の財産の状況

四 再生手続開始の原因となる事実が生ずるに至った事情

五 再生債務者の財産に関してされている他の手続又は処分で申立人に知れているもの

六 再生債務者について次のイ又はロに掲げる者があるときは、それぞれ当該イ又はロに定める事項

イ 再生債務者の使用人その他の従業者で組織する労働組合 当該労働組合の名称、主たる事務所の所在地、組合員の数及び代表者の氏名

ロ 再生債務者の使用人その他の従業者の過半数を代表する者 当該者の氏名及び住所

七 法第百六十九条の二（社債権者等の議決権の行使に関する制限）第一項に規定する社債管理者等があるときは、その商号

八 再生債務者について法第二百七条（外国管財人との協力）第一項に規定する外国倒産処理手続があるときは、その旨

九 再生債務者が法人である場合において、その法人の設立又は目的である事業について官庁その他の機関の許可があったものであるときは、その官庁その他の機関の名称及び所在地

十 申立人又は代理人の郵便番号及び電話番号（ファクシミリの番号を含む。）

② 法第五条（再生事件の管轄）第三項から第七項までに規定する再生事件等があるときは、当該再生事件等につき、次の各号に掲げる事件の区分に従い、それぞれ当該各号に定める事項を記載するものとする。

一 再生事件 当該再生事件が係属する裁判所、当該再生事件の表示及び当該再生事件における再生債務者の氏名又は名称

二 更生事件 当該更生事件が係属する裁判所、当該更生事件の表示及び当該更生事件における更生会社又は開始前会社の商号（金融機関等の更生手続の特例等に関する法律（平成八年法律第九十五号）第四条（定義）第三項に規定する更生事件にあっては、当該更生事件における更生協同組織金融機関又は開始前協同組織金融機関の名称）

（再生手続開始の申立書の添付書面・法第二十一条）

第一四条① 再生手続開始の申立書には、次に掲げる書面を添付するものとする。

一 再生債務者が個人であるときは、その住民票の写し

二 再生債務者が法人であるときは、その定款又は寄附行為及び登記事項証明書

三 債権者の氏名又は名称、住所、郵便番号及び電話番号（ファクシミリの番号を含む。）並びにその有する債権及び担保権の内容を記載した債権者の一覧表

四 再生債務者の財産目録

五 再生手続開始の申立ての日前三年以内に法令の規定に基づき作成された再生債務者の貸借対照表及び損益計算書

六 再生債務者が事業を行っているときは、再生手続開始の申立ての日前一年間の再生債務者の資金繰りの実績を明らかにする書面及び再生手続開始の申立ての日以後六月間の再生債務者の資金繰りの見込みを明らかにする書面

七 再生債務者が労働協約を締結し、又は就業規則を作成しているときは、当該労働協約又は就業規則

② 裁判所は、必要があると認めるときは、再生手続開始の申立人に対し、再生債務者財産に属する権利で登記又は登録がされたものについての登記事項証明書又は登録原簿に記載されている事項を証明した書面を提出させることができる。

（再生手続開始の申立人に対する資料の提出の求め）

第一四条の二 裁判所は、再生手続開始の申立てをした者又はしようとする者に対し、再生手続開始の申立書及び法又はこの規則の規定により当該申立書に添付し又は提出すべき書面のほか、再生債権及び再生債務者の財産の状況に関する資料その他再生手続の円滑な進行を図るために必要な資料の提出を求めることができる。

（裁判所書記官の事実調査・法第二十一条等）

第一五条（略）

（費用の予納・法第二十四条）

第一六条（略）

第二節 再生手続開始の決定（抄）

（再生手続開始の決定の裁判書等・法第三十三条）

第一七条① 再生手続開始の申立てについての裁判は、裁判書を作成してしなければならない。

② 再生手続開始の決定の裁判書には、決定の年月日時を記載しなければならない。

（再生債権の届出をすべき期間等・法第三十四条）

第一八条① 次の各号に掲げる期間は、特別の事情がある場合を除き、それぞれ当該各号に定める範囲内で定めるものとする。

一 再生債権の届出をすべき期間 再生手続開始の決定の日から二週間以上四月以下（知れている再生債権者で日本国内に住所、居所、営業所又は事務所がないものがある場合には、四週間以上四月以下）

二 再生債権の調査をするための期間 その期間の初日と前号の期間の末日との間には一週間以上二月以下の期間をおき、一週間以上三週間以下

② 裁判所は、法第三十四条（再生手続開始と同時に定めるべき事項）第二項の決定をしたときは、再生債務者等が、日刊新聞紙に掲載し、又はインターネットを利用する等の方法であって裁判所の定めるものにより、次に掲げる事項を再生債権者が知ることができる状態に置く措置を執るものとすることができる。

一 法第三十五条（再生手続開始の公告等）第五項本文において準用する同条第三項第一号及び法第三十七条（再生手続開始決定の取消し）本文の規定により通知すべき事項の内容

二　債権者集会（再生計画案の決議をするためのものを除く。）の期日

（事業等の譲渡に関する株主総会の決議による承認に代わる許可の株主に対する送達・法第四十三条）

第一九条（略）

第三章　再生手続の機関（抄）

第一節　監督委員（抄）

（監督委員の選任等・法第五十四条）

第二〇条① 監督委員は、その職務を行うに適した者のうちから選任しなければならない。

② 法人が監督委員に選任された場合には、当該法人は、役員又は職員のうちから監督委員の職務を行うべき者を指名し、指名された者の氏名を裁判所に届け出るとともに、再生債務者に通知しなければならない。

③ 裁判所書記官は、監督委員に対し、その選任を証する書面を交付しなければならない。

（監督委員の同意の申請の方式等・法第五十四条）

第二一条（略）

（再生債務者の監督委員に対する報告）

第二二条（略）

（監督委員に対する監督等・法第五十七条）

第二三条① 裁判所は、報告書の提出を促すことその他の監督委員に対する監督に関する事務を裁判所書記官に命じて行わせることができる。

② 監督委員は、正当な理由があるときは、裁判所の許可を得て辞任することができる。

（進行協議）

第二三条の二 裁判所と再生債務者及び監督委員は、再生手続の円滑な進行を図るために必要があるときは、再生計画案の作成の方針その他再生手続の進行に関し必要な事項についての協議を行うものとする。

（監督委員による鑑定人の選任・法第五十九条）

第二四条 監督委員は、必要があるときは、裁判所の許可を得て鑑定人を選任することができる。

（監督委員の報酬の額・法第六十一条）

第二五条 裁判所が定める監督委員の報酬の額は、その職務と責任にふさわしいものでなければならない。

第二節　調査委員

（調査委員の選任等・法第六十二条等）

第二六条① 調査委員は、その職務を行うに適した者で利害関係のないもののうちから選任しなければならない。

② 第二十条（監督委員の選任等）第二項及び第三項、第二十三条（監督委員に対する監督等）、第二十四条（監督委員による鑑定人の選任）並びに前条（監督委員の報酬の額）の規定は、調査委員について準用する。

第三節　管財人及び保全管理人

（監督委員に関する規定の準用等・法第七十八条等）

第二七条① 第二十条（監督委員の選任等）及び第二十三条から第二十五条まで（監督委員に対する監督等、進行協議、監督委員による鑑定人の選任及び監督委員の報酬の額）の規定は管財人及び保全管理人について、第二十五条の規定は管財人代理及び保全管理人代理について準用する。この場合において、第二十三条の二中「再生債務者及び監督委員」とあるのは、「管財人又は保全管理人」と読み替えるものとする。

② 裁判所書記官は、管財人又は保全管理人があらかじめその職務のために使用する印鑑を裁判所に提出した場合において、当該管財人又は保全管理人が再生債務者に属する不動産についての権利に関する登記を申請するために登記所に提出する印鑑の証明を請求したときは、当該管財人又は保全管理人に係る前項において準用する第二十条第三項に規定する書面に、当該請求に係る印鑑が裁判所に提出された印鑑と相違ないことを証明する旨をも記載して、これを交付するものとする。

第四章　再生債権（抄）

第一節　再生債権者の権利（抄）

（再生債権者が外国で受けた弁済の通知・法第八十九条）

第二八条 法第百二条（一般調査期間における調査）第一項に規定する届出再生債権者及び法第百一条（認否書の作成及び提出）第三項の規定により認否書に記載された再生債権を有する再生債権者は、法第八十九条（再生債権者が外国で受けた弁済）第一項に規定する弁済を受けた場合には、速やかに、再生債務者等に対し、その旨及び当該弁済の内容を通知しなければならない。

第二九条（略）

（代理委員の権限の証明等・法第九十条）

第三〇条 削除

第二節　再生債権の届出（抄）

（届出の方式・法第九十四条）

第三一条① 再生債権の届出書には、各債権について、その内容及び原因、約定劣後再生債権であるときはその旨、議決権の額並びに法第九十四条（届出）第二項に規定する事項のほか、次に掲げる事項を記載しなければならない。

一　再生債権者及び代理人の氏名又は名称及び住所

二　再生手続において書面を送付する方法によってする通知又は期日の呼出しを受けるべき場所（日本国内に限る。）

三　法第八十四条（再生債権となる請求権）第二項各号に掲げる請求権を含むときは、その旨

四　執行力ある債務名義又は終局判決のある債権であるときは、その旨

五　再生債権に関し再生手続開始当時訴訟が係属するときは、その訴訟が係属する裁判所、当事者の氏名又は名称及び事件の表示

② 再生債権の届出書には、再生債権者の郵便番号、電話番号（ファクシミリの番号を含む。）その他再生手続における通知、送達又は期日の呼出しを受けるために必要な事項として裁判所が定めるものを記載するものとする。

③ 再生債権が執行力ある債務名義又は終局判決のあるものであるときは、第一項の届出書に、執行力ある債務名義の写し又は判決書の写しを添付しなければならない。

④ 再生債権者が代理人をもって債権の届出をする場合には、第一項の届出書に、代理権を証する書面を添付しなければならない。

（債権届出書の写しの添付等）

第三二条① 再生債権の届出をするときは、届出書のほか、その写しを提出しなければならない。

② 前項の規定により届出書の写しが提出されたときは、裁判所書記官は、遅滞なく、当該写しを再生債務者等に送付しなければならない。

（届出事項等の変更）

第三三条（略）

（届出の追完等の方式・法第九十五条）

第三四条（略）

（届出名義の変更の方式・法第九十六条）

第三五条（略）

（罰金、科料等の届出の方式・法第九十七条）

第三五条の二（略）

第三節　再生債権の調査及び確定（抄）

（再生債権者表の作成時期及び記載事項・法第九十九条）

第三六条① 再生債権者表は、一般調査期間の開始後遅滞なく、作成するものとする。

② 再生債権者表には、各債権について、その内容（約定劣後再

生債権であるかどうかの別を含む。以下この節において同じ。）及び原因、議決権の額並びに法第九十四条（届出）第二項に規定する債権の額を記載するほか、次に掲げる事項を記載しなければならない。

一　再生債権者の氏名又は名称及び住所

二　法第八十四条（再生債権となる請求権）第二項各号に掲げる請求権を含むときは、その旨

三　執行力ある債務名義又は終局判決のある債権であるときは、その旨

（証拠書類の送付・法第百一条等）

第三七条　再生債務者等は、認否書の作成のため必要があるときは、届出再生債権者に対し、当該届出再生債権に関する証拠書類の送付を求めることができる。

（認否書の記載の方式等・法第百一条等）

第三八条①　法第百一条（認否書の作成及び提出）第一項若しくは第二項又は第百三条（特別調査期間における調査）第三項の規定により認めない旨を認否書に記載するときは、その理由の要旨を付記することができる。

②　法第百一条第三項の規定により届出がされていない再生債権を認否書に記載するときは、自認する内容を記載するほか、次に掲げる事項を記載しなければならない。

一　再生債権者の氏名又は名称及び住所

二　再生債権の原因

三　法第八十四条（再生債権となる請求権）第二項各号に掲げる請求権を含むときは、その旨

四　法第九十四条（届出）第二項に規定する事項

五　執行力ある債務名義又は終局判決のある債権であるときは、その旨

六　再生債権に関し再生手続開始当時訴訟が係属するときは、その訴訟が係属する裁判所、当事者の氏名又は名称及び事件の表示

③　認否書には、副本を添付しなければならない。

（異議の方式・法第百二条等）

第三九条①　法第百二条（一般調査期間における調査）第一項若しくは第二項又は第百三条（特別調査期間における調査）第四項の書面には、異議を述べる事項及び異議の理由を記載しなければならない。

②　前条（認否書の記載の方式等）第三項の規定は、前項の書面について準用する。

（一般調査期間を変更する決定等の送達・法第百二条等）

第四〇条（略）

（認否の変更等）

第四一条（略）

（認否書等の副本による閲覧等）

第四二条（略）

（再生債務者等による認否書等の開示）

第四三条（略）

（異議の通知）

第四四条　届出再生債権者が他の再生債権の内容又は議決権について異議を述べたときは、裁判所書記官は、当該再生債権を有する再生債権者に対し、その旨を通知しなければならない。

（特別調査期間に関する費用の予納を命ずる処分の方式・法第百三条の二）

第四四条の二（略）

（再生債権の査定の申立ての方式等・法第百五条）

第四五条①　法第百五条（再生債権の査定の裁判）第一項本文の査定の申立書には、次に掲げる事項を記載しなければならない。

一　当事者の氏名又は名称及び住所並びに代理人の氏名及び住所

二　申立ての趣旨及び理由

②　申立ての理由においては、申立てを理由づける事実を具体的に記載し、かつ、立証を要する事由ごとに証拠を記載しなければならない。

③　第一項の申立書には、立証を要する事由につき、証拠書類の写しを添付しなければならない。

④　法第百五条第一項本文の査定の申立てをする再生債権者は、第一項の申立書について直送（当事者の相手方に対する直接の送付をいう。以下同じ。）をしなければならない。

（再生債権の確定に関する訴訟の目的の価額・法第百六条等）

第四六条　再生債権の確定に関する訴訟の目的の価額は、再生計画によって受ける利益の予定額を標準として、受訴裁判所が定める。

（再生債権の確定に関する訴訟の結果の記載・法第百十条）

第四七条　再生債権の確定に関する訴訟についてした判決が確定した場合において、法第百十条（再生債権の確定に関する訴訟の結果の記載）の申立てをするときは、当該判決の判決書の謄本及び当該判決の確定についての証明書を提出しなければならない。

第四節　債権者集会及び債権者委員会

（第四八条から第五四条まで）（略）

第五章　共益債権（抄）

（共益債権とする旨の許可に代わる承認をしたことの報告・法第百二十条）

第五五条　監督委員は、法第百二十条（開始前の借入金等）第二項の承認をしたときは、遅滞なく、その旨を裁判所に報告しなければならない。

（共益債権の申出）

第五五条の二（略）

第六章　再生債務者の財産の調査及び確保（抄）

第一節　再生債務者の財産状況の調査等（抄）

（価額の評定の基準等・法第百二十四条）

第五六条①　法第百二十四条（財産の価額の評定等）第一項の規定による評定は、財産を処分するものとしてしなければならない。ただし、必要がある場合には、併せて、全部又は一部の財産について、再生債務者の事業を継続するものとして評定することができる。

②　法第百二十四条第二項の財産目録及び貸借対照表には、その作成に関して用いた財産の評価の方法その他の会計方針を注記するものとする。

③　前項の財産目録及び貸借対照表には、副本を添付しなければならない。

（財産状況報告集会が招集されない場合の報告書の提出時期等・法第百二十五条）

第五七条（略）

（貸借対照表等の報告書への添付等・法第百二十五条）

第五八条（略）

（報告書の提出の促し等・法第百二十五条）

第五九条（略）

（財産状況報告集会の招集・法第百二十六条）

第六〇条①　財産状況報告集会の期日は、特別の事情がある場合を除き、再生手続開始の決定の日から三月以内の日とするものとする。

②　裁判所は、再生手続開始の決定と同時に財産状況報告集会を招集する決定をしたときは、再生手続開始の公告と法第百十五条（債権者集会の期日の呼出し等）第四項の規定による公告とを併せてすることができる。法第三十五条（再生手続開始の公告等）第三項の規定による通知と法第百十五条第一項本文の規定による呼出しについても、同様とする。

（債権者説明会の開催）

第六一条①　再生債務者等（保全管理人が選任されている場合にあっては、保全管理人を含む。以下この条において同じ。）は、債権者説明会を開催することができる。

は、再生債務者等は、再生債権者に対し、再生債務者の業務及び財産に関する状況又は再生手続の進行に関する事項について説明するものとする。

② 再生債務者等は、債権者説明会を開催したときは、その結果の要旨を裁判所に報告しなければならない。

（財産目録等の副本による閲覧等）

第六二条（略）

（財産状況の再生債務者等による周知）

第六三条① 再生債務者等は、財産状況報告集会が招集されない場合には、裁判所に提出した法第百二十五条（裁判所への報告）第一項の報告書の要旨を知れている再生債権者に周知させるため、報告書の要旨を記載した書面の送付、債権者説明会の開催その他の適当な措置を執らなければならない。

② 再生債務者等は、前項に規定する措置として次の各号に掲げる措置を執る場合には、再生債務者の使用人その他の従業者の過半数で組織する労働組合があるときはその労働組合、再生債務者の使用人その他の従業者の過半数で組織する労働組合がないときは再生債務者の使用人その他の従業者の過半数を代表する者に対して、それぞれ当該各号に定める措置を執らなければならない。

一 前項に規定する報告書の要旨を記載した書面の送付　当該書面の送付

二 前項に規定する債権者説明会の開催　当該債権者説明会の日時及び場所の通知

（再生債務者等による財産目録等の開示）

第六四条（略）

（財産の保管方法等）

第六五条（略）

第二節　否認権（抄）

（否認権のための保全処分の申立ての方式・法第百三十四条の四）

第六五条の二（略）

（否認権のための保全処分に係る手続の続行の方式等・法第百三十四条の五）

第六五条の三（略）

（否認の請求の方式等・法第百三十六条）

第六六条① 否認の請求書には、次に掲げる事項を記載しなければならない。

一 再生事件の表示

二 当事者の氏名又は名称及び住所並びに代理人の氏名及び住所

三 請求の趣旨及び理由

② 請求の理由においては、否認の請求の原因となる事実を具体的に記載し、かつ、立証を要する事由ごとに証拠を記載しなければならない。

③ 第一項の請求書には、同項に掲げる事項のほか、否認の請求をする否認権限を有する監督委員若しくは管財人又はその代理人の郵便番号及び電話番号（ファクシミリの番号を含む。）を記載しなければならない。

④ 第一項の請求書には、立証を要する事由につき、証拠書類の写しを添付しなければならない。

⑤ 否認権限を有する監督委員又は管財人は、否認の請求をするときは、第一項の請求書について直送をしなければならない。

（否認の訴えの係属の通知等・法第百三十八条）

第六七条（略）

第三節　法人の役員の責任の追及（抄）

（法人の役員の財産に対する保全処分の申立ての方式・法第百四十二条）

第六八条（略）

（損害賠償請求権の査定の申立ての方式等・法第百四十三条）

第六九条① 法第百四十三条（損害賠償請求権の査定の申立て等）第一項の査定の申立書には、次に掲げる事項を記載しなければならない。

一 当事者の氏名又は名称及び住所並びに代理人の氏名及び住所

二 申立ての趣旨及び理由

② 申立ての理由においては、申立てを理由づける事実を具体的に記載し、かつ、立証を要する事由ごとに証拠を記載しなければならない。

③ 第一項の申立書には、同項に掲げる事項のほか、申立人又はその代理人の郵便番号及び電話番号（ファクシミリの番号を含む。）を記載しなければならない。

④ 第一項の申立書には、立証を要する事由につき、証拠書類の写しを添付しなければならない。

⑤ 再生債務者等又は再生債権者は、法第百四十三条第一項の査定の申立てをするときは、第一項の申立書について直送をしなければならない。

第四節　担保権の消滅（抄）

（担保権消滅の許可の申立書の記載事項・法第百四十八条）

第七〇条① 法第百四十八条（担保権消滅の許可等）第二項の書面には、同項に掲げる事項のほか、次に掲げる事項を記載しなければならない。

一 法第百四十八条第三項に規定する担保権者（以下この節において「担保権者」という。）の氏名又は名称及び住所

二 法第百四十八条第二項第一号の財産が再生債務者の事業の継続に欠くことのできないものである事由

② 前項の書面には、同項に掲げる事項のほか、再生債務者等又はその代理人及び担保権者の郵便番号及び電話番号（ファクシミリの番号を含む。）を記載しなければならない。

（担保権消滅の許可の申立てについて提出すべき書面等・法第百四十八条）

第七一条① 法第百四十八条（担保権消滅の許可等）第一項の許可の申立てをするときは、次に掲げる書面を提出しなければならない。

一 法第百四十八条第二項第二号の価額の根拠を記載した書面

二 法第百四十八条第二項第三号の担保権で登記又は登録をすることができないものがあるときは、当該担保権の存在を証する書面

② 裁判所は、法第百四十八条第二項第一号の財産が登記又は登録をすることができるものである場合において、必要があると認めるときは、前項の許可の申立てをした再生債務者等に対し、当該財産の登記事項証明書又は登録原簿に記載されている事項を証明した書面を提出させることができる。

（担保権消滅の許可の申立書の送達等・法第百四十八条）

第七二条（略）

（担保権消滅の許可の申立て後の担保権の移転等の届出等）

第七三条（略）

（担保権消滅の許可の申立ての取下げの通知）

第七四条（略）

（価額決定の請求の方式等・法第百四十九条）

第七五条① 価額決定の請求書には、次に掲げる事項を記載しなければならない。

一 再生事件の表示

二 当事者の氏名又は名称及び住所並びに代理人の氏名及び住所

三 法第百四十九条（価額決定の請求）第一項に規定する財産の表示及び当該財産について価額の決定を求める旨

② 第一項の請求書には、法第百四十八条（担保権消滅の許可等）第三項の規定による送達を受けた裁判書及び申立書の写しを添付しなければならない。

③ 価額決定の請求をした担保権者は、再生債務者等に対し、その旨を通知しなければならない。

④ 価額決定の請求をする担保権者が第一項第三号の財産（次条

（価額決定の請求に関する書面の提出）及び第七十八条（評価人に対する協力）第二項並びに第七十九条（財産の評価の基準等）第一項、第二項及び第四項において「財産」という。）の評価をした場合において当該評価を記載した文書を保有するときは、再生裁判所に対し、その文書を提出するものとする。

（価額決定の請求に関する書面の提出）

第七六条　再生裁判所は、価額決定の請求があった場合において、必要があると認めるときは、再生債務者等に対し、次に掲げる書面を提出させることができる。

一　財産が土地であるときは、その土地に存する建物の登記事項証明書

二　財産が建物であるときは、その存する土地の登記事項証明書

三　財産が不動産であるときは、当該不動産（当該不動産が土地であるときはその土地に存する建物を、当該不動産が建物であるときはその存する土地を含む。）に係る不動産登記法第十四条（地図等）第一項の地図又は同条第四項の地図に準ずる図面及び同条第一項の建物所在図の写し（当該地図、地図に準ずる図面又は建物所在図が電磁的記録に記録されているときは、当該記録された情報の内容を証明した書面）

四　財産の所在地に至るまでの通常の経路及び方法を記載した図面

五　財産について地方税法（昭和二十五年法律第二百二十六号）第三百四十一条（固定資産税に関する用語の意義）第九号に掲げる固定資産課税台帳に登録されている価格があるときは、当該価格を証する書面

（価額決定の請求があった旨の通知）

第七七条　（略）

（評価人に対する協力）

第七八条①　法第百五十条（財産の価額の決定）第一項の規定により評価人が選任された場合には、再生債務者等及び価額決定の請求をした担保権者は、評価人の事務が円滑に処理されるようにするため、必要な協力をしなければならない。

②　評価人は、価額決定の請求をしなかった担保権者に対しても、財産の評価のために必要な協力を求めることができる。

（財産の評価の基準等・法第百五十条）

第七九条①　法第百五十条（財産の価額の決定）第一項の評価人は、財産を処分するものとしてしなければならない。

②　評価人は、財産が不動産である場合には、その評価をするに際し、当該不動産の所在する場所の環境、その種類、規模、構造等に応じ、取引事例比較法、収益還元法、原価法その他の評価の方法を適切に用いなければならない。

③　民事執行規則（昭和五十四年最高裁判所規則第五号）第三十条（評価書）第一項の規定は、評価人が不動産の評価をした場合について準用する。

④　第二項の規定は財産が不動産でない場合について、民事執行規則第三十条第一項（第四号及び第五号を除く。）の規定は評価人が不動産でない財産の評価をした場合について準用する。

（価額決定の裁判書等の送達までの担保権の移転等の届出等）

第八〇条　（略）

（価額に相当する金銭の納付期限等・法第百五十二条）

第八一条①　法第百五十二条（価額に相当する金銭の納付等）第一項の期限は、次の各号に掲げる区分に応じ、それぞれ当該各号に定める日から一月以内の日としなければならない。

一　法第百五十条（財産の価額の決定）第三項に規定する請求期間内に、価額決定の請求がなかったとき、又は価額決定の請求のすべてが取り下げられ、若しくは却下されたとき。　請求期間を経過した日

二　前号の請求期間が経過した後に、価額決定の請求のすべてが取り下げられ、又は却下されたとき。　価額決定の請求のすべてが取り下げられ、又は却下されたこととなった日

三　法第百五十条第二項の決定が確定したとき。　当該確定した日

②　前項の期限が定められたときは、裁判所書記官は、再生債務者等に対し、これを通知しなければならない。

③　法第百五十二条第三項の規定による嘱託は、嘱託書に、法第百四十八条（担保権消滅の許可等）第三項に規定する裁判書の謄本を添付してしなければならない。この場合においては、第八条（登記のある権利についての登記等の嘱託の手続）第一項後段の規定を準用する。

④　第十一条（民事訴訟規則の準用）の規定にかかわらず、民事訴訟規則第四条（催告及び通知）第五項の規定は、第二項の規定による通知については準用しない。

（配当等の実施・法第百五十三条）

第八二条①　民事執行規則第十二条（民事執行の調書）、第五十九条（第一項後段を除く。）（配当期日等の指定）、第六十条（計算書の提出の催告）及び第六十一条（売却代金の交付等の手続）の規定は、法第百五十三条（配当等の実施）第一項の配当の手続及び同条第二項の規定による弁済金の交付の手続について準用する。この場合において、同規則第十二条、第五十九条第一項及び第六十条中「執行裁判所」とあるのは「裁判所」と、同規則第五十九条第一項中「不動産の代金」とあり、同条第二項中「代金」とあり、及び同規則第六十一条中「売却代金」とあるのは「民事再生法第百五十二条（価額に相当する金銭の納付等）第一項に規定する金銭」と、同規則第五十九条第三項及び第六十一条中「各債権者及び債務者」とあるのは「担保権者及び再生債務者等」と、同規則第六十条中「各債権者」とあるのは「担保権者」と、「執行費用」とあるのは「民事再生法第百五十一条（費用の負担）第三項の費用」と読み替えるものとする。

②　前条（価額に相当する金銭の納付期限等）第四項の規定は、前項において準用する民事執行規則第五十九条第三項の規定による通知について準用する。

第七章　再生計画（抄）

第一節　再生計画の条項

（共益債権及び一般優先債権に関する条項・法第百五十四条）

第八三条　再生計画においては、共益債権及び一般優先債権については、将来弁済すべきものを明示するものとする。

第二節　再生計画案の提出（抄）

（再生計画案の提出時期・法第百六十三条）

第八四条①　法第百六十三条（再生計画案の提出時期）第一項に規定する期間の末日は、特別の事情がある場合を除き、一般調査期間の末日から二月以内の日としなければならない。

②　前項の期間（法第百六十三条第三項の規定により期間が伸長されたときは、その伸長された期間）内に再生計画案を裁判所に提出することができないときは、再生債務者等は、当該期間内に、その旨及びその理由を記載した報告書を裁判所に提出しなければならない。

③　法第百六十三条第三項の規定による期間の伸長は、特別の事情がある場合を除き、二回を超えてすることができない。

（弁済した再生債権等の報告）

第八五条①　再生債務者等は、再生計画案を裁判所に提出するとき（法第百六十四条（再生計画案の事前提出）第一項の規定により再生手続開始前に提出する場合を除く。）は、次に掲げる事項を記載した報告書を併せて提出しなければならない。

一　法第八十五条（再生債権の弁済の禁止）第二項又は第五項の規定による裁判所の許可を得て弁済した再生債権

二　法第八十五条の二（再生債務者等による相殺）の規定による裁判所の許可を得て相殺した再生債権

三　法第八十九条（再生債権者が外国で受けた弁済）第一項に規定する再生債権

②　前項の規定は、法第百六十四条第二項後段の規定により再生計画案の条項を補充する場合について準用する。

（再生計画案が事前提出された場合の取扱い・法第百六十四

条）

第八六条　（略）

（債務を負担する者等の同意の方式等・法第百六十五条）

第八七条　（略）

（再生債務者の株式の取得等を定める条項に関する許可の株主に対する送達・法第百六十六条等）

第八八条　（略）

（再生計画案の修正・法第百六十七条）

第八九条　（略）

第三節　再生計画案の決議（抄）

（議決権行使の方法等・法第百六十九条）

第九〇条①　法第百七十二条の二（基準日による議決権者の確定）第一項に規定する基準日を定めた場合における法第百六十九条（決議に付する旨の決定）第二項第一号の債権者集会の期日は、特別の事情がある場合を除き、当該基準日の翌日から三月を超えない期間をおいて定めるものとする。

②　法第百六十九条第二項第二号の最高裁判所規則で定める方法は、次に掲げるものとする。

一　書面

二　電磁的方法であって、別に最高裁判所が定めるもの

③　議決権者は、書面等投票（法第百六十九条第二項第二号に規定する書面等投票をいう。）をするには、裁判所の定めるところによらなければならない。

④　法第百六十九条第二項第二号の期間は、特別の事情がある場合を除き、次の各号に掲げる区分に応じ、それぞれ当該各号に定める日から起算して二週間以上三月以下の範囲内で定めるものとする。

一　法第百七十二条の二第一項に規定する基準日を定めた場合　当該基準日の翌日

二　前号に掲げる場合以外の場合　再生計画案を決議に付する旨の決定の日

（社債についての議決権行使の申出の方式等・法第百六十九条の二）

第九〇条の二　（略）

（議決権額等を定める決定の変更の申立ての方式・法第百七十条）

第九〇条の三　（略）

（代理権の証明・法第百七十二条）

第九〇条の四　（略）

（債権者集会の続行期日指定等の申立ての方式・法第百七十二条の五）

第九一条　（略）

（法人の継続に係る届出・法第百七十三条）

第九二条　（略）

第四節　再生計画の認可等

（法人の継続と再生計画認可等の決定の時期・法第百七十四条）

第九三条　法第百七十三条（再生計画案が可決された場合の法人の継続）に規定する場合には、前条（法人の継続に係る届出）の規定による届出がされたとき、又は再生計画案の可決後相当の期間内に同条の規定による届出がされないときに、再生計画の認可又は不認可の決定をするものとする。

第八章　再生計画認可後の手続（抄）

（再生計画変更の申立ての方式等・法第百八十七条）

第九四条①　再生計画の変更の申立書には、次に掲げる事項を記載しなければならない。

一　申立人の氏名又は名称及び住所並びに代理人の氏名及び住所

二　再生計画の変更を求める旨及びその理由

②　再生計画の変更を求める理由においては、変更を必要とする事由を具体的に記載しなければならない。

③　再生計画の変更の申立てをするときは、同時に、変更計画案を提出しなければならない。

④　法第百八十七条（再生計画の変更）第二項本文に規定する場合には、この規則中の再生計画案の提出があった場合の手続に関する規定を準用する。

（再生計画取消しの申立ての方式・法第百八十九条）

第九五条①　再生計画取消しの申立書には、次に掲げる事項を記載しなければならない。

一　再生事件の表示

二　申立人の氏名又は名称及び住所並びに代理人の氏名及び住所

三　再生債務者等の氏名又は名称及び住所並びに代理人の氏名及び住所

四　再生計画取消しを求める旨及びその理由

五　法第百八十九条（再生計画の取消し）第一項第二号に掲げる事由を理由とする申立てであるときは、申立人の有する再生計画の定めによって認められた権利のうち履行期限が到来したもので履行を受けていない部分

②　再生計画取消しを求める理由においては、取消しを求める事由を具体的に記載しなければならない。

（破産手続開始の決定等がされた場合の再生計画取消しの申立ての取扱い・法第百九十条）

第九六条　（略）

第九章　再生手続の廃止

（第九七条及び第九八条）（略）

第十章　住宅資金貸付債権に関する特則（抄）

（住宅資金特別条項）

第九九条　住宅資金特別条項においては、住宅資金特別条項である旨及び次に掲げる事項を明示しなければならない。

一　法第百九十八条（住宅資金特別条項を定めることができる場合等）第一項に規定する住宅資金貸付債権を有する再生債権者又は法第二百四条（保証会社が保証債務を履行した場合の取扱い）第一項本文の規定により住宅資金貸付債権を有することとなる者の氏名又は名称

二　住宅及び住宅の敷地の表示

三　住宅及び住宅の敷地に設定されている法第百九十六条（定義）第三号に規定する抵当権の表示

（住宅資金特別条項によって権利の変更を受ける者の同意の方式等・法第百九十九条）

第一〇〇条①　法第百九十九条（住宅資金特別条項の内容）第四項の同意は、書面でしなければならない。

②　再生債務者は、法第百九十九条第一項から第三項までに規定する変更以外の変更をすることを内容とする住宅資金特別条項を定めた再生計画案を提出するときは、前項の書面を併せて提出しなければならない。

（事前協議・法第二百条）

第一〇一条①　再生債務者は、住宅資金特別条項を定めた再生計画案を提出する場合には、あらかじめ、当該住宅資金特別条項によって権利の変更を受ける者と協議するものとする。

②　前項の場合には、住宅資金特別条項によって権利の変更を受ける者は、当該住宅資金特別条項の立案について、必要な助言をするものとする。

（再生計画案と併せて提出すべき書面等・法第二百条）

第一〇二条　（略）

（異議の失効に伴う通知・法第二百条）

第一〇三条　（略）

（再生債務者の保証人等に対する通知・法第二百三条）

第一〇四条　（略）

第十一章　外国倒産処理手続がある場合の特則

（第一〇五条及び第一〇六条）（略）

第十二章　簡易再生及び同意再生に関する特則

（第一〇七条から第一一一条まで）（略）

第十三章　小規模個人再生及び給与所得者等再生に関する特則（抄）

第一節　小規模個人再生（抄）

（債務者申立事件における小規模個人再生の申述の方式等・法第二百二十一条）

第一一二条①　再生債務者が再生手続開始の申立てをした場合においては、法第二百二十一条（手続開始の要件等）第二項の小規模個人再生を行うことを求める旨の申述は、再生手続開始の申立書に記載してしなければならない。

②　前項の場合においては、再生手続開始の申立書には、第十二条（再生手続開始の申立書の記載事項）第一項各号に掲げる事項及び前項の申述のほか、次に掲げる事項をも記載しなければならない。

一　前項の申述が法第二百二十一条第一項又は第三項に規定する要件に該当しないことが明らかになった場合における再生手続の開始を求める意思の有無

二　再生債務者の職業、収入その他の生活の状況

三　法第二百二十一条第一項に規定する再生債権の総額

③　第一項の場合においては、再生手続開始の申立書には、第十四条（再生手続開始の申立書の添付書面）第一項各号に掲げる書面のほか、次に掲げる書面をも添付するものとする。

一　所得税法（昭和四十年法律第三十三号）第二条（定義）第一項第三十七号に規定する確定申告書の写し、同法第二百二十六条（源泉徴収票）の規定により交付される源泉徴収票の写しその他の再生債務者の収入の額を明らかにする書面

二　第十四条第一項第四号の財産目録に記載された財産の価額を明らかにする書面

（債権者申立事件における小規模個人再生の申述の方式等・法第二百二十一条）

第一一三条①　再生債権者が個人である債務者に対して再生手続開始の申立てをした場合においては、裁判所書記官は、その旨及び再生手続開始の決定があるまでに小規模個人再生を行うことを求めることができる旨を再生債務者に通知しなければならない。

②　前項に規定する場合においては、法第二百二十一条（手続開始の要件等）第二項の小規模個人再生を行うことを求める旨の申述は、書面でしなければならない。

③　前項の書面には、次に掲げる事項を記載しなければならない。

一　再生債務者の氏名及び住所並びに法定代理人の氏名及び住所

二　前条（債務者申立事件における小規模個人再生の申述の方式等）第二項第二号及び第三号に掲げる事項

④　第二項の書面には、前条第三項各号に掲げる書面を添付するものとする。

（債権者一覧表の記載事項等・法第二百二十一条）

第一一四条（略）

（住宅資金特別条項を定めた再生計画案を提出する意思がある場合の特則・法第二百二十一条）

第一一五条（略）

（再生手続開始の決定等・法第二百二十二条）

第一一六条（略）

（個人再生委員・法第二百二十三条）

第一一七条（略）

（再生債権の届出の方式・法第二百二十四条）

第一一八条（略）

（再生債権に関する資料の送付）

第一一九条（略）

（届出再生債権を記載した書面）

第一二〇条（略）

（異議の方式・法第二百二十六条）

第一二一条（略）

（特別異議申述期間を定める決定等の送達・法第二百二十六条）

第一二一条の二（略）

（異議の撤回）

第一二二条（略）

（債権者一覧表等の副本等による閲覧等）

第一二三条（略）

（再生債務者による債権者一覧表等の開示）

第一二四条（略）

（異議の通知）

第一二五条（略）

（再生債権の評価の申立ての方式等・法第二百二十七条）

第一二六条（略）

（資料の提出を求める場合の制裁の告知・法第二百二十七条）

第一二七条（略）

（財産目録の記載の簡略化）

第一二八条（略）

（再生債務者による財産目録等の開示）

第一二九条（略）

（再生計画案の提出時期）

第一三〇条（略）

（再生計画により変更されるべき権利等を記載した書面）

第一三〇条の二（略）

（書面による決議における回答期間等・法第二百三十条）

第一三一条（略）

（再生計画変更の申立ての方式等・法第二百三十四条）

第一三二条（略）

（計画遂行が極めて困難となった場合の免責の申立ての方式・法第二百三十五条）

第一三三条①　法第二百三十五条（計画遂行が極めて困難となった場合の免責）第一項の規定による免責の申立書には、次に掲げる事項を記載しなければならない。

一　再生事件の表示

二　申立人の氏名及び住所並びに代理人の氏名及び住所

三　免責を求める旨及びその理由

②　免責を求める理由においては、法第二百三十五条第一項に規定する要件に該当する事実を具体的に記載しなければならない。

③　第一項の申立書には、前項に規定する事実を証する書面を添付するものとする。

（再生手続廃止の申立ての方式・法第二百三十七条）

第一三四条（略）

（通常の再生手続に関する規定の適用除外・法第二百三十八条）

第一三五条（略）

第二節　給与所得者等再生（抄）

（債務者申立事件における給与所得者等再生の申述の方式等・法第二百三十九条）

第一三六条①　再生債務者が再生手続開始の申立てをした場合においては、法第二百三十九条（手続開始の要件等）第二項の給与所得者等再生を行うことを求める旨の申述は、再生手続開始の申立書に記載してしなければならない。

②　前項の場合においては、再生手続開始の申立書には、第十二条（再生手続開始の申立書の記載事項）第一項各号に掲げる事項及び前項の申述のほか、次に掲げる事項をも記載しなければならない。

一　前項の申述が法第二百二十一条（手続開始の要件等）第一項又は法第二百四十四条（小規模個人再生の規定の準用）において準用する法第二百二十一条第三項に規定する要件に該当しないことが明らかになった場合における通常の再生手続による手続の開始を求める意思の有無

二　前項の申述が法第二百三十九条第五項各号のいずれかに該当する事由があることが明らかになった場合における小規模個人再生による手続の開始を求める意思の有無

三　再生債務者の職業、収入、家族関係その他の生活の状況

四　法第二百二十一条第一項に規定する再生債権の総額

五　再生債務者について法第二百三十九条第五項第二号イからハまでに掲げる事由のいずれかがある場合には、それぞれイからハまでに定める日から七年以内に前項の申述がされたものでない旨

③　第一項の場合においては、再生手続開始の申立書には、第十四条（再生手続開始の申立書の添付書面）第一項各号に掲げる書面のほか、次に掲げる書面をも添付するものとする。

一　所得税法第二条（定義）第一項第三十七号に規定する確定申告書の写し、同法第二百二十六条（源泉徴収票）の規定により交付される源泉徴収票の写しその他の法第二百四十一条（再生計画の認可又は不認可の決定等）第二項第七号イからハまでに定める額を明らかにする書面

二　第十四条第一項第四号の財産目録に記載された財産の価額を明らかにする書面

（債権者申立事件における給与所得者等再生の申述の方式等・法第二百三十九条）

第一三七条①　再生債権者が個人である債務者に対して再生手続開始の申立てをした場合においては、裁判所書記官は、その旨及び再生手続開始の決定があるまでに給与所得者等再生を行うことを求めることができる旨を再生債務者に通知しなければならない。

②　前項に規定する場合においては、法第二百三十九条（手続開始の要件等）第二項の給与所得者等再生を行うことを求める旨の申述は、書面でしなければならない。

③　前項の書面には、次に掲げる事項を記載しなければならない。

一　再生債務者の氏名及び住所並びに法定代理人の氏名及び住所

二　前条（債務者申立事件における給与所得者等再生の申述の方式等）第二項第三号から第五号までの事由

④　第二項の書面には、前条第三項各号に掲げる書面を添付するものとする。

（再生手続開始の決定等）

第一三八条（略）

（再生計画案についての意見聴取期間等・法第二百四十条）

第一三九条（略）

（小規模個人再生に関する規定の準用・法第二百四十四条）

第一四〇条（略）

（通常の再生手続に関する規定の適用除外・法第二百四十五条）

第一四一条（略）

第十四章　再生手続と破産手続との間の移行

（第一四二条及び第一四三条）（略）

第十五章　農水産業協同組合の再生手続の特例

（第一四四条から第一四六条まで）（略）

附　則

この規則は、法の施行の日（平成一二・四・一）から施行する。

○会社更生法（抄）（平成一四・一二・一三 法 一 五 四）

施行 平成一五・四・一（平成一五政二九）
最終改正 令和五法五三

目次

第一章 総則（抄）

（目的）

第一条 この法律は、窮境にある株式会社について、更生計画の策定及びその遂行に関する手続を定めること等により、債権者、株主その他の利害関係人の利害を適切に調整し、もって当該株式会社の事業の維持更生を図ることを目的とする。

（定義）

第二条① この法律において「更生手続」とは、株式会社について、この法律の定めるところにより、更生計画を定め、更生計画が定められた場合にこれを遂行する手続（更生手続開始の申立てについて更生手続開始の決定をするかどうかに関する審理及び裁判をする手続を含む。）をいう。

② この法律において「更生計画」とは、更生債権者等又は株主の権利の全部又は一部を変更する条項その他の第百六十七条に規定する条項を定めた計画をいう。

③ この法律において「更生事件」とは、更生手続に係る事件をいう。

④ この法律において「更生裁判所」とは、更生事件が係属している地方裁判所をいう。

⑤ この法律（第六条、第四十一条第一項第二号、第百五十五条第二項、第百五十九条、第二百四十六条第一項から第三項まで、第二百四十八条第一項から第三項まで、第二百五十条並びに第二百五十五条第一項及び第二項を除く。）において「裁判所」とは、更生事件を取り扱う一人の裁判官又は裁判官の合議体をいう。

⑥ この法律において「開始前会社」とは、更生裁判所に更生事件が係属している株式会社であって、更生手続開始の決定がされていないものをいう。

⑦ この法律において「更生会社」とは、更生裁判所に更生事件が係属している株式会社であって、更生手続開始の決定がされたものをいう。

⑧ この法律において「更生債権」とは、更生会社に対し更生手続開始前の原因に基づいて生じた財産上の請求権又は次に掲げる権利であって、更生担保権又は共益債権に該当しないものをいう。

一 更生手続開始後の利息の請求権

二 更生手続開始後の不履行による損害賠償又は違約金の請求

権

三　更生手続参加の費用の請求権

四　第五十八条第一項（同条第二項において準用する場合を含む。）に規定する債権

五　第六十一条第一項の規定により双務契約が解除された場合における相手方の損害賠償の請求権

六　第六十三条において準用する破産法（平成十六年法律第七十五号）第五十八条第二項の規定による損害賠償の請求権

七　第六十三条において準用する破産法第五十九条第一項の規定による請求権（更生会社の有するものを除く。）

八　第九十一条の二第二項第二号又は第三号に定める権利

⑨　この法律において「更生債権者」とは、更生債権を有する者をいう。

⑩　この法律において「更生担保権」とは、更生手続開始当時更生会社の財産につき存する担保権（特別の先取特権、質権、抵当権及び商法（明治三十二年法律第四十八号）又は会社法（平成十七年法律第八十六号）の規定による留置権に限る。）の被担保債権であって更生手続開始前の原因に基づいて生じたもの又は第八項各号に掲げるもの（共益債権であるものを除く。）のうち、当該担保権の目的である財産の価額が更生手続開始の時における時価であるとした場合における当該担保権によって担保された範囲のものをいう。ただし、当該被担保債権（社債を除く。）のうち利息又は不履行による損害賠償若しくは違約金の請求権の部分については、更生手続開始後一年を経過する時（その時までに更生計画認可の決定があるときは、当該決定の時）までに生ずるものに限る。

⑪　この法律において「更生担保権者」とは、更生担保権を有する者をいう。

⑫　この法律において「更生債権等」とは、更生債権又は更生担保権をいう。ただし、次章第二節においては、開始前会社について更生手続開始の決定がされたとすれば更生債権又は更生担保権となるものをいう。

⑬　この法律において「更生債権者等」とは、更生債権者又は更生担保権者をいう。ただし、次章第二節においては、開始前会社について更生手続開始の決定がされたとすれば更生債権者又は更生担保権者となるものをいう。

⑭　この法律において「更生会社財産」とは、更生会社に属する一切の財産をいう。

⑮　この法律において「租税等の請求権」とは、国税徴収法（昭和三十四年法律第百四十七号）又は国税徴収の例によって徴収することのできる請求権であって、共益債権に該当しないものをいう。

（外国人の地位）

第三条　（民再三条と同旨）

（更生事件の管轄）

第四条　この法律の規定による更生手続開始の申立ては、株式会社が日本国内に営業所を有するときに限り、することができる。

第五条①　更生事件は、株式会社の主たる営業所の所在地（外国に主たる営業所がある場合にあっては、日本における主たる営業所の所在地）を管轄する地方裁判所が管轄する。

②　前項の規定にかかわらず、更生手続開始の申立ては、株式会社の本店の所在地を管轄する地方裁判所にもすることができる。

③　第一項の規定にかかわらず、株式会社が他の株式会社の総株主の議決権（株主総会において決議をすることができる事項の全部につき議決権を行使することができない株式についての議決権を除き、会社法第八百七十九条第三項の規定により議決権を有するものとみなされる株式についての議決権を含む。以下同じ。）の過半数を有する場合には、当該他の株式会社（以下この項及び次項において「子株式会社」という。）について更生事件が係属しているときにおける当該株式会社（以下この項及び次項において「親株式会社」という。）についての更生手続開始の申立ては、子株式会社の更生事件が係属している地方裁判所にもすることができ、親株式会社について更生事件が係属しているときにおける子株式会社についての更生手続開始の申立ては、親株式会社の更生事件が係属している地方裁判所にもすることができる。

④　子株式会社又は親株式会社及び子株式会社が他の株式会社の総株主の議決権の過半数を有する場合には、当該他の株式会社を当該親株式会社の子株式会社とみなして、前項の規定を適用する。

⑤　第一項の規定にかかわらず、株式会社が最終事業年度について会社法第四百四十四条の規定により当該株式会社及び他の株式会社に係る連結計算書類（同条第一項に規定する連結計算書類をいう。）を作成し、かつ、当該株式会社の定時株主総会においてその内容が報告された場合には、当該他の株式会社について更生事件が係属しているときにおける当該株式会社についての更生手続開始の申立ては、当該他の株式会社の更生事件が係属している地方裁判所にもすることができ、当該株式会社について更生事件が係属しているときにおける当該他の株式会社についての更生手続開始の申立ては、当該株式会社の更生事件が係属している地方裁判所にもすることができる。

⑥　第一項の規定にかかわらず、更生手続開始の申立ては、東京地方裁判所又は大阪地方裁判所にもすることができる。

⑦　前各項の規定により二以上の地方裁判所が管轄権を有するときは、更生事件は、先に更生手続開始の申立てがあった地方裁判所が管轄する。

（専属管轄）

第六条　この法律に規定する裁判所の管轄は、専属とする。

第七条　（略）

（任意的口頭弁論等）

第八条①　更生手続に関する裁判は、口頭弁論を経ないですることができる。

②　裁判所は、職権で、更生事件に関して必要な調査をすることができる。

③　裁判所は、必要があると認めるときは、開始前会社又は更生会社の事業を所管する行政庁及び租税等の請求権（租税条約等の実施に伴う所得税法、法人税法及び地方税法の特例等に関する法律（昭和四十四年法律第四十六号。以下「租税条約等実施特例法」という。）第十一条第一項に規定する共助対象外国租税（以下「共助対象外国租税」という。）の請求権を除く。）につき徴収の権限を有する者に対して、当該開始前会社又は当該更生会社の更生手続について意見の陳述を求めることができる。

④　前項に規定する行政庁又は徴収の権限を有する者は、裁判所に対して、同項に規定する開始前会社又は更生会社の更生手続について意見を述べることができる。

（期日の呼出し）

第八条の二　（民再八条の二と同旨）

＊令和四法四八（令和八・五・二四までに施行）**により第八条の二追加**

＊令和五法五三（令和一〇・六・一三までに施行）**により第八条の二削る**（本文未織込み）

（公示送達の方法）

第八条の三　（民再八条の三と同旨）

＊令和四法四八（令和八・五・二四までに施行）**により第八条の三追加**

＊令和五法五三（令和一〇・六・一三までに施行）**により第八条の三削る**（本文未織込み）

（電子情報処理組織による申立て等）

第八条の四　（民再八条の四と同旨）

＊令和四法四八（令和八・五・二四までに施行）**により第八条の四追加**

＊令和五法五三（令和一〇・六・一三までに施行）により第八条の四削る（本文未織込み）

（裁判書）
第八条の五（民再八条の五と同旨）

＊令和四法四八（令和八・五・二四までに施行）により第八条の五追加
＊令和五法五三（令和一〇・六・一三までに施行）により第八条の五削る（本文未織込み）

（不服申立て）
第九条（民再九条と同旨）
（公告等）
第一〇条（民再一〇条と同旨）
第一一条から第一四条まで（略）
第一五条及び第一六条　削除

第二章　更生手続開始の申立て及びこれに伴う保全措置（抄）

第一節　更生手続開始の申立て（抄）

（更生手続開始の申立て）
第一七条① 株式会社は、当該株式会社に更生手続開始の原因となる事実（次の各号に掲げる場合のいずれかに該当する事実をいう。）があるときは、当該株式会社について更生手続開始の申立てをすることができる。
一 破産手続開始の原因となる事実が生ずるおそれがある場合
二 弁済期にある債務を弁済することとすれば、その事業の継続に著しい支障を来すおそれがある場合
② 株式会社に前項第一号に掲げる場合に該当する事実があるときは、次に掲げる者も、当該株式会社について更生手続開始の申立てをすることができる。
一 当該株式会社の資本金の額の十分の一以上に当たる債権を有する債権者
二 当該株式会社の総株主の議決権の十分の一以上を有する株主
第一八条及び第一九条（略）
（疎明）
第二〇条① 更生手続開始の申立てをするときは、第十七条第一項に規定する更生手続開始の原因となる事実を疎明しなければならない。
② 第十七条第二項の規定により債権者又は株主が申立てをするときは、その有する債権の額又は議決権（株主総会において決議をすることができる事項の全部につき議決権を行使することができない株式についての議決権を除き、会社法第八百七十九条第三項の規定により議決権を有するものとみなされる株式についての議決権を含む。）の数をも疎明しなければならない。
（費用の予納）
第二一条（民再二四条と同旨）
（意見の聴取等）
第二二条① 裁判所は、第十七条の規定による更生手続開始の申立てがあった場合には、当該申立てを棄却すべきこと又は更生手続開始の決定をすべきことが明らかである場合を除き、当該申立てについての決定をする前に、開始前会社の使用人の過半数で組織する労働組合があるときはその労働組合、開始前会社の使用人の過半数で組織する労働組合がないときは開始前会社の使用人の過半数を代表する者の意見を聴かなければならない。
② 第十七条第二項の規定により債権者又は株主が更生手続開始の申立てをした場合においては、裁判所は、当該申立てについての決定をするには、開始前会社の代表者（外国に本店があるときは、日本における代表者）を審尋しなければならない。
第二三条（略）

第二節　更生手続開始の申立てに伴う保全措置（抄）

第一款　開始前会社に関する他の手続の中止命令等

（他の手続の中止命令等）
第二四条① 裁判所は、更生手続開始の申立てがあった場合において、必要があると認めるときは、利害関係人の申立てにより又は職権で、更生手続開始の申立てにつき決定があるまでの間、次に掲げる手続又は処分の中止を命ずることができる。ただし、第二号に掲げる手続又は第六号に掲げる処分については、その手続の申立人である更生債権者等又はその処分を行う者に不当な損害を及ぼすおそれがない場合に限る。
一 開始前会社についての破産手続、再生手続又は特別清算手続
二 強制執行等（更生債権等に基づく強制執行、仮差押え、仮処分若しくは担保権の実行又は更生債権等を被担保債権とする留置権による競売をいう。）の手続で、開始前会社の財産に対して既にされているもの
三 開始前会社に対して既にされている企業担保権の実行手続
四 開始前会社の財産関係の訴訟手続
五 開始前会社の財産関係の事件で行政庁に係属しているものの手続
六 外国租税滞納処分（共助対象外国租税の請求権に基づき国税滞納処分の例によってする処分（共益債権を徴収するためのものを除く。）をいう。）で、開始前会社の財産に対して既にされているもの
② 裁判所は、更生手続開始の申立てがあった場合において、必要があると認めるときは、職権で、国税滞納処分（共益債権を徴収するためのものを除き、国税滞納処分の例による処分（共益債権及び共助対象外国租税の請求権を徴収するためのものを除く。）を含む。）で、開始前会社の財産に対して既にされているものの中止を命ずることができる。ただし、あらかじめ、徴収の権限を有する者の意見を聴かなければならない。
③ 前項の規定による中止の命令は、更生手続開始の申立てについて決定があったとき、又は中止を命ずる決定があった日から二月を経過したときは、その効力を失う。
④ 裁判所は、第一項及び第二項の規定による中止の命令を変更し、又は取り消すことができる。
⑤ 裁判所は、開始前会社の事業の継続のために特に必要があると認めるときは、開始前会社（保全管理人が選任されている場合にあっては、保全管理人）の申立てにより、担保を立てさせて、第一項第二号の規定により中止した同号に規定する強制執行等の手続、同項第六号の規定により中止した同号に規定する外国租税滞納処分又は第二項の規定により中止した同項に規定する国税滞納処分の取消しを命ずることができる。ただし、当該国税滞納処分の取消しを命ずる場合においては、あらかじめ、徴収の権限を有する者の意見を聴かなければならない。
⑥ 第一項又は第二項の規定による中止の命令、第四項の規定による決定及び前項の規定による取消しの命令に対しては、即時抗告をすることができる。
⑦ 前項の即時抗告は、執行停止の効力を有しない。
⑧ 第六項に規定する裁判及び同項の即時抗告についての裁判があった場合には、その裁判書を当事者に送達しなければならない。

＊令和五法五三（令和一〇・六・一三までに施行）**による改正**
第八項中「裁判書」を「電子裁判書（第十三条において準用する民事訴訟法第二百五十二条第一項の規定により作成された電磁的記録であって、第十三条において準用する同法第二百五十三条第二項の規定によりファイルに記録されたものをいう。以下同じ。）」に改める。（本文未織込み）

（包括的禁止命令）

第二五条① 裁判所は、更生手続開始の申立てがあった場合において、前条第一項第二号若しくは第六号又は第二項の規定による中止の命令によっては更生手続の目的を十分に達成することができないおそれがあると認めるべき特別の事情があるときは、利害関係人の申立てにより又は職権で、更生手続開始の申立てにつき決定があるまでの間、全ての更生債権者等に対し、同条第一項第二号に規定する強制執行等、同項第六号に規定する外国租税滞納処分及び同条第二項に規定する国税滞納処分の禁止を命ずることができる。ただし、事前に又は同時に、開始前会社の主要な財産に関し第二十八条第一項の規定による保全処分をした場合又は第三十条第二項に規定する保全管理命令若しくは第三十五条第二項に規定する監督命令をした場合に限る。

② 前項の規定による禁止の命令（以下「包括的禁止命令」という。）を発する場合において、裁判所は、相当と認めるときは、一定の範囲に属する前条第一項第二号に規定する強制執行等、同項第六号に規定する外国租税滞納処分又は同条第二項に規定する国税滞納処分を包括的禁止命令の対象から除外することができる。

③ 包括的禁止命令が発せられた場合には、次の各号に掲げる手続で、開始前会社の財産に対して既にされているもの（当該包括的禁止命令により禁止されることとなるものに限る。）は、当該各号に定める時までの間、中止する。

一 前条第一項第二号に規定する強制執行等の手続及び同項第六号に規定する外国租税滞納処分　更生手続開始の申立てについての決定があった時

二 前条第二項に規定する国税滞納処分　前号に定める時又は当該包括的禁止命令の日から二月が経過した時のいずれか早い時

④ 裁判所は、包括的禁止命令を変更し、又は取り消すことができる。

⑤ 裁判所は、開始前会社の事業の継続のために特に必要があると認めるときは、開始前会社（保全管理人が選任されている場合にあっては、保全管理人）の申立てにより、担保を立てさせて、第三項の規定により中止した同項各号に掲げる手続の取消しを命ずることができる。ただし、前条第二項に規定する国税滞納処分の取消しを命ずる場合においては、あらかじめ、徴収の権限を有する者の意見を聴かなければならない。

⑥ 包括的禁止命令、第四項の規定による決定及び前項の規定による取消しの命令に対しては、即時抗告をすることができる。

⑦ 前項の即時抗告は、執行停止の効力を有しない。

⑧ 包括的禁止命令が発せられたときは、更生債権等（当該包括的禁止命令により前条第一項第二号に規定する強制執行等又は同条第二項に規定する国税滞納処分が禁止されているものに限る。）については、当該包括的禁止命令が効力を失った日の翌日から二月を経過する日までの間は、時効は、完成しない。

第二六条（略）

（包括的禁止命令の解除）

第二七条① 裁判所は、包括的禁止命令を発した場合において、第二十四条第一項第二号に規定する強制執行等の申立人である更生債権者等に不当な損害を及ぼすおそれがあると認めるときは、当該更生債権者等の申立てにより、当該更生債権者等に限り当該包括的禁止命令を解除する旨の決定をすることができる。この場合において、当該更生債権者等は、開始前会社の財産に対する当該強制執行等をすることができ、当該包括的禁止命令が発せられる前に当該更生債権者等がした当該強制執行等の手続は、続行する。

② 前項の規定は、裁判所が第二十四条第一項第六号に規定する外国租税滞納処分又は同条第二項に規定する国税滞納処分を行う者に不当な損害を及ぼすおそれがあると認める場合について準用する。

③ 第一項（前項において準用する場合を含む。次項及び第六項において同じ。）の規定による解除の決定を受けた者に対する第二十五条第八項の規定の適用については、同項中「当該包括的禁止命令が効力を失った日」とあるのは、「第二十七条第一項（同条第二項において準用する場合を含む。）の規定による解除の決定があった日」とする。

④ 第一項の申立てについての裁判に対しては、即時抗告をすることができる。

⑤ 前項の即時抗告は、執行停止の効力を有しない。

⑥ 第一項の申立てについての裁判及び第四項の即時抗告についての裁判があった場合には、その裁判書を当事者に送達しなければならない。この場合においては、第十条第三項本文の規定は、適用しない。

＊令和五法五三（令和一〇・六・一三までに施行）による改正
第六項中「裁判書」を「電子裁判書」に改める。（本文未織込み）

第二款　開始前会社の業務及び財産に関する保全処分等

（開始前会社の業務及び財産に関する保全処分）

第二八条① 裁判所は、更生手続開始の申立てがあった場合には、利害関係人の申立てにより又は職権で、更生手続開始の申立てにつき決定があるまでの間、開始前会社の業務及び財産に関し、開始前会社の財産の処分禁止の仮処分その他の必要な保全処分を命ずることができる。

② 裁判所は、前項の規定による保全処分を変更し、又は取り消すことができる。

③ 第一項の規定による保全処分及び前項の規定による決定に対しては、即時抗告をすることができる。

④ 前項の即時抗告は、執行停止の効力を有しない。

⑤ 第三項に規定する裁判及び同項の即時抗告についての裁判があった場合には、その裁判書を当事者に送達しなければならない。この場合においては、第十条第三項本文の規定は、適用しない。

＊令和五法五三（令和一〇・六・一三までに施行）による改正
第五項中「裁判書」を「電子裁判書」に改める。（本文未織込み）

⑥ 裁判所が第一項の規定により開始前会社が更生債権者等に対して弁済その他の債務を消滅させる行為をすることを禁止する旨の保全処分を命じた場合には、更生債権者等は、更生手続の関係においては、当該保全処分に反してされた弁済その他の債務を消滅させる行為の効力を主張することができない。ただし、更生債権者等が、その行為の当時、当該保全処分がされたことを知っていたときに限る。

（更生手続開始前における商事留置権の消滅請求）

第二九条① 開始前会社の財産につき商法又は会社法の規定による留置権がある場合において、当該財産が開始前会社の事業の継続に欠くことのできないものであるときは、開始前会社（保全管理人が選任されている場合にあっては、保全管理人）は、更生手続開始の申立てにつき決定があるまでの間、留置権者に対して、当該留置権の消滅を請求することができる。

② 前項の請求をするには、同項の財産の価額に相当する金銭を、同項の留置権者に弁済しなければならない。

③ 第一項の請求及び前項の弁済をするには、裁判所の許可を得なければならない。

④ 前項の規定による許可があった場合における第二項の弁済の額が第一項の財産の価額を満たすときは、当該弁済の時又は同項の請求の時のいずれか遅い時に、同項の留置権は消滅する。

⑤ 前項の規定により第一項の留置権が消滅したことを原因とする同項の財産の返還を求める訴訟においては、第二項の弁済の

額が当該財産の価額を満たさない場合においても、原告の申立てがあり、当該訴訟の受訴裁判所が相当と認めるときは、当該受訴裁判所は、相当の期間内に不足額を弁済することを条件として、第一項の留置権者に対して、当該財産を返還することを命ずることができる。

第三款　保全管理命令（抄）

（**保全管理命令**）
第三〇条① 裁判所は、更生手続開始の申立てがあった場合において更生手続の目的を達成するために必要があると認めるときは、利害関係人の申立てにより又は職権で、更生手続開始の申立てにつき決定があるまでの間、開始前会社の業務及び財産に関し、保全管理人による管理を命ずる処分をすることができる。
② 裁判所は、前項の処分（以下「保全管理命令」という。）をする場合には、当該保全管理命令において、一人又は数人の保全管理人を選任しなければならない。ただし、第六十七条第三項に規定する者は、保全管理人に選任することができない。
③ 裁判所は、保全管理命令を変更し、又は取り消すことができる。
④ 保全管理命令及び前項の規定による決定に対しては、即時抗告をすることができる。
⑤ 前項の即時抗告は、執行停止の効力を有しない。

第三一条（略）

（**保全管理人の権限**）
第三二条① 保全管理命令が発せられたときは、開始前会社の事業の経営並びに財産（日本国内にあるかどうかを問わない。）の管理及び処分をする権利は、保全管理人に専属する。ただし、保全管理人が開始前会社の常務に属しない行為をするには、裁判所の許可を得なければならない。
② 前項ただし書の許可を得ないでした行為は、無効とする。ただし、これをもって善意の第三者に対抗することができない。
③ 第七十二条第二項及び第三項の規定は、保全管理人について準用する。

第三三条及び第三四条（略）

第四款　監督命令（抄）

（**監督命令**）
第三五条① 裁判所は、更生手続開始の申立てがあった場合において、更生手続の目的を達成するために必要があると認めるときは、利害関係人の申立てにより又は職権で、更生手続開始の申立てにつき決定があるまでの間、監督委員による監督を命ずる処分をすることができる。
② 裁判所は、前項の処分（以下「監督命令」という。）をする場合には、当該監督命令において、一人又は数人の監督委員を選任し、かつ、その同意を得なければ開始前会社がすることができない行為を指定しなければならない。
③ 前項に規定する監督委員の同意を得ないでした行為は、無効とする。ただし、これをもって善意の第三者に対抗することができない。
④ 裁判所は、監督命令を変更し、又は取り消すことができる。
⑤ 監督命令及び前項の規定による決定に対しては、即時抗告をすることができる。
⑥ 前項の即時抗告は、執行停止の効力を有しない。

第三六条（略）

（**取締役等の管財人の適性に関する調査**）
第三七条 裁判所は、監督委員に対して、開始前会社の取締役、会計参与、監査役、執行役、会計監査人若しくは清算人若しくはこれらの者であった者又は発起人、設立時取締役若しくは設立時監査役であった者のうち裁判所の指定する者が管財人又は管財人代理の職務を行うに適した者であるかどうかについて調査し、かつ、裁判所の定める期間内に当該調査の結果を報告すべきことを命ずることができる。

第三八条（略）

第五款　更生手続開始前の調査命令等

（**更生手続開始前の調査命令**）
第三九条 裁判所は、更生手続開始の申立てがあった時から当該申立てについての決定があるまでの間においても、必要があると認めるときは、利害関係人の申立てにより又は職権で、次に掲げる事項の全部又は一部を対象とする第百二十五条第二項に規定する調査命令を発することができる。
一 第十七条第一項に規定する更生手続開始の原因となる事実及び第四十一条第一項第二号から第四号までに掲げる事由の有無、開始前会社の業務及び財産の状況その他更生手続開始の申立てについての判断をするのに必要な事項並びに更生手続を開始することの当否
二 第二十八条第一項の規定による保全処分、保全管理命令、監督命令、次条若しくは第四十条の規定による保全処分又は第百条第一項に規定する役員等責任査定決定を必要とする事情の有無及びその処分、命令又は決定の要否
三 その他更生事件に関し調査委員による調査又は意見陳述を必要とする事項

（**否認権のための保全処分**）
第三九条の二① 裁判所は、更生手続開始の申立てがあった時から当該申立てについての決定があるまでの間において、否認権を保全するため必要があると認めるときは、利害関係人（保全管理人が選任されている場合にあっては、保全管理人）の申立てにより又は職権で、仮差押え、仮処分その他の必要な保全処分を命ずることができる。
② 前項の規定による保全処分は、担保を立てさせて、又は立てさせないで命ずることができる。
③ 裁判所は、申立てにより又は職権で、第一項の規定による保全処分を変更し、又は取り消すことができる。
④ 第一項の規定による保全処分及び前項の申立てについての裁判に対しては、即時抗告をすることができる。
⑤ 前項の即時抗告は、執行停止の効力を有しない。
⑥ 第四項に規定する裁判及び同項の即時抗告についての裁判があった場合には、その裁判書を当事者に送達しなければならない。この場合においては、第十条第三項本文の規定は、適用しない。

＊令和五法五三（令和一〇・六・一三までに施行）による改正
第六項中「裁判書」を「電子裁判書」に改める。（本文未織込み）

（**更生手続開始前の役員等の財産に対する保全処分**）
第四〇条① 裁判所は、更生手続開始の申立てがあった時から当該申立てについての決定があるまでの間においても、緊急の必要があると認めるときは、開始前会社（保全管理人が選任されている場合にあっては、保全管理人）の申立てにより又は職権で、第九十九条第一項各号に掲げる保全処分をすることができる。
② 第九十九条第二項から第五項までの規定は、前項の規定による保全処分があった場合について準用する。

第三章　更生手続開始の決定及びこれに伴う効果等（抄）

第一節　更生手続開始の決定

（**更生手続開始の決定**）
第四一条① 裁判所は、第十七条の規定による更生手続開始の申立てがあった場合において、同条第一項に規定する更生手続開始の原因となる事実があると認めるときは、次の各号のいずれかに該当する場合を除き、更生手続開始の決定をする。
一 更生手続の費用の予納がないとき。

二　裁判所に破産手続、再生手続又は特別清算手続が係属し、その手続によることが債権者の一般の利益に適合するとき。
三　事業の継続を内容とする更生計画案の作成若しくは可決の見込み又は事業の継続を内容とする更生計画の認可の見込みがないことが明らかであるとき。
四　不当な目的で更生手続開始の申立てがされたとき、その他申立てが誠実にされたものでないとき。
②　前項の決定は、その決定の時から、効力を生ずる。

第四二条（更生手続開始の決定と同時に定めるべき事項）①　裁判所は、更生手続開始の決定と同時に、一人又は数人の管財人を選任し、かつ、更生債権等の届出をすべき期間及び更生債権等の調査をするための期間を定めなければならない。
②　前項の場合において、知れている更生債権者等の数が千人以上であり、かつ、相当と認めるときは、裁判所は、次条第五項本文において準用する同条第三項第一号及び第四十四条第三項本文の規定による知れている更生債権者等に対する通知をせず、かつ、第百三十八条から第百四十条まで又は第百四十二条の規定により更生債権等の届出をした更生債権者等（以下「届出をした更生債権者等」という。）を関係人集会（更生計画案の決議をするためのものを除く。）の期日に呼び出さない旨の決定をすることができる。

第四三条（更生手続開始の公告等）①　裁判所は、更生手続開始の決定をしたときは、直ちに、次に掲げる事項を公告しなければならない。ただし、第五号に規定する社債管理者等がないときは、同号に掲げる事項については、公告することを要しない。
一　更生手続開始の決定の主文
二　管財人の氏名又は名称
三　前条第一項の規定により定めた期間
四　財産所持者等（更生会社の財産の所持者及び更生会社に対して債務を負担する者をいう。）は、更生会社にその財産を交付し、又は弁済をしてはならない旨
五　更生会社が発行した社債について社債管理者等（社債管理者、社債管理補助者（当該社債についての更生債権者等の議決権を行使することができる権限を有するものに限る。）又は担保付社債信託法（明治三十八年法律第五十二号）第二条第一項に規定する信託契約の受託会社をいう。）がある場合における当該社債についての更生債権者等の議決権は、第百九十条第一項各号のいずれかに該当する場合（同条第三項の場合を除く。）でなければ行使することができない旨
②　前条第二項の決定があったときは、裁判所は、前項各号に掲げる事項のほか、第五項本文において準用する次項第一号及び次条第三項本文の規定による知れている更生債権者等に対する通知をせず、かつ、届出をした更生債権者等を関係人集会（更生計画案の決議をするためのものを除く。）の期日に呼び出さない旨をも公告しなければならない。
③　次に掲げる者には、前二項の規定により公告すべき事項を通知しなければならない。
一　管財人、更生会社及び知れている更生債権者等
二　知れている株主
三　第一項第四号に規定する財産所持者等であって知れているもの
四　保全管理命令、監督命令又は第三十九条の規定による調査命令があった場合における保全管理人、監督委員又は調査委員
④　前項の規定にかかわらず、次の各号に掲げる場合には、それぞれ当該各号に定める者に対しては、同項の規定による通知をすることを要しない。
一　更生会社がその財産をもって約定劣後更生債権（更生債権者と更生会社との間において、更生手続開始前に、当該会社について破産手続が開始されたとすれば当該破産手続におけるその配当の順位が破産法第九十九条第一項に規定する劣後的破産債権に後れる旨の合意がされた債権をいう。以下同じ。）に優先する債権に係る債務を完済することができない状態にあることが明らかである場合　約定劣後更生債権を有する者であって知れているもの
二　更生会社がその財産をもって債務を完済することができない状態にあることが明らかである場合　知れている株主
⑤　第一項第二号、第三項第一号から第三号まで及び前項の規定は第一項第二号に掲げる事項に変更を生じた場合について、第一項第三号、第三項第一号及び第二号並びに前項の規定は第一項第三号に掲げる事項に変更を生じた場合（更生債権等の届出をすべき期間に変更を生じた場合に限る。）について準用する。ただし、前条第二項の決定があったときは、知れている更生債権者等に対しては、当該通知をすることを要しない。

第四四条（抗告）①　更生手続開始の申立てについての裁判に対しては、即時抗告をすることができる。
②　前章第二節の規定は、更生手続開始の申立てを棄却する決定に対して前項の即時抗告があった場合について準用する。
③　更生手続開始の決定をした裁判所は、第一項の即時抗告があった場合において、当該決定を取り消す決定が確定したときは、直ちにその主文を公告し、かつ、前条第三項各号（第四号を除く。）に掲げる者（同条第四項の規定により通知を受けなかった者を除く。）にその主文を通知しなければならない。ただし、第四十二条第二項の決定があったときは、知れている更生債権者等に対しては、当該通知をすることを要しない。

第二節　更生手続開始の決定に伴う効果（抄）

第四五条（更生会社の組織に関する基本的事項の変更の禁止）①　更生手続開始後その終了までの間においては、更生計画の定めるところによらなければ、更生会社について次に掲げる行為を行うことができない。
一　株式の消却、更生会社の発行する売渡株式等（会社法第百七十九条の二第一項第五号に規定する売渡株式等をいう。以下同じ。）についての株式等売渡請求（同法第百七十九条の三第一項に規定する株式等売渡請求をいう。第百七十四条の三及び第二百十四条の二において同じ。）に係る売渡株式等の取得、株式の併合若しくは分割、株式無償割当て又は募集株式（同法第百九十九条第一項に規定する募集株式をいう。以下同じ。）を引き受ける者の募集
二　募集新株予約権（会社法第二百三十八条第一項に規定する募集新株予約権をいう。以下同じ。）を引き受ける者の募集、新株予約権の消却又は新株予約権無償割当て
三　資本金又は準備金（資本準備金及び利益準備金をいう。以下同じ。）の額の減少
四　剰余金の配当その他の会社法第四百六十一条第一項各号に掲げる行為
五　解散又は株式会社の継続
六　募集社債（会社法第六百七十六条に規定する募集社債をいう。以下同じ。）を引き受ける者の募集
七　持分会社への組織変更又は合併、会社分割、株式交換、株式移転若しくは株式交付
②　更生手続開始後その終了までの間においては、更生計画の定めるところによるか、又は裁判所の許可を得なければ、更生会社の定款の変更をすることができない。

第四六条（事業等の譲渡）①　更生手続開始後その終了までの間においては、更生計画の定めるところによらなければ、更生会社に係る会社法第四百六十七条第一項第一号から第二号の二までに掲げる行為（以下この条において「事業等の譲渡」という。）をすることができない。ただし、次項から第八項までの規定により更生会社に係る事業等の譲渡をする場合は、この限りでない。
②　更生手続開始後更生計画案を決議に付する旨の決定がされるまでの間においては、管財人は、裁判所の許可を得て、更生会

社に係る事業等の譲渡をすることができる。この場合において、裁判所は、当該事業等の譲渡が当該更生会社の事業の更生のために必要であると認める場合に限り、許可をすることができる。

③ 裁判所は、前項の許可をする場合には、次に掲げる者の意見を聴かなければならない。

一 知れている更生債権者（更生会社が更生手続開始の時においてその財産をもって約定劣後更生債権に優先する債権に係る債務を完済することができない状態にある場合における当該約定劣後更生債権を有する者を除く。）。ただし、第百十七条第二項に規定する更生債権者委員会があるときは、その意見を聴けば足りる。

二 知れている更生担保権者。ただし、第百十七条第六項に規定する更生担保権者委員会があるときは、その意見を聴けば足りる。

三 労働組合等（更生会社の使用人の過半数で組織する労働組合があるときはその労働組合、更生会社の使用人の過半数で組織する労働組合がないときは更生会社の使用人の過半数を代表する者をいう。）

④ 管財人は、第二項の規定により更生会社に係る事業等の譲渡をしようとする場合には、あらかじめ、次に掲げる事項を公告し、又は株主に通知しなければならない。

一 当該事業等の譲渡の相手方、時期及び対価並びに当該事業等の譲渡の対象となる事業（会社法第四百六十七条第一項第二号の二に掲げる行為をする場合にあっては、同号の子会社の事業）の内容

二 当該事業等の譲渡に反対の意思を有する株主は、当該公告又は当該通知があった日から二週間以内にその旨を書面をもって管財人に通知すべき旨

＊令和五法五三（令和一〇・六・一三までに施行）による改正後
三 株主が前号の書面に代えて電磁的方法（電子情報処理組織を使用する方法その他の情報通信の技術を利用する方法であって最高裁判所規則で定めるものをいう。第七項第二号及び第百十九条第三項において同じ。）をもって前号の反対の意思を管財人に通知することができることとするときは、その旨（改正により追加）

⑤ 前項の規定による株主に対する通知は、株主名簿に記載され、若しくは記録された住所又は株主が更生会社若しくは管財人に通知した場所若しくは連絡先にあてて、することができる。

⑥ 第四項の規定による株主に対する通知は、その通知が通常到達すべきであった時に、到達したものとみなす。

⑦ 裁判所は、次の各号のいずれかに該当する場合には、第二項の許可をすることができない。

一 第四項の規定による公告又は通知があった日から一月を経過した後に第二項の許可の申立てがあったとき。

二 第四項第二号に規定する期間内に、更生会社の総株主の議決権の三分の一を超える議決権を有する株主が、書面をもって管財人に第二項の規定による事業等の譲渡に反対の意思を有する旨の通知をしたとき。

＊令和五法五三（令和一〇・六・一三までに施行）による改正
第二号中「書面」の下に「（同項の規定により同項第三号に掲げる事項の公告又は通知があった場合にあっては、書面又は電磁的方法）」を加える。（本文未織込み）

⑧ 第四項から前項までの規定は、第二項の規定による事業等の譲渡に係る契約の相手方が更生会社の特別支配会社（会社法第四百六十八条第一項に規定する特別支配会社をいう。）である場合又は第二項の許可の時において更生会社がその財産をもって債務を完済することができない状態にある場合には、適用しない。

⑨ 第二項の許可を得ないでした行為は、無効とする。ただし、これをもって善意の第三者に対抗することができない。

⑩ 第二項の許可を得て更生会社に係る事業等の譲渡をする場合には、会社法第二編第七章の規定は、適用しない。

（更生債権等の弁済の禁止）

第四七条① 更生債権等については、更生手続開始後は、この法律に特別の定めがある場合を除き、更生計画の定めるところによらなければ、弁済をし、弁済を受け、その他これを消滅させる行為（免除を除く。）をすることができない。

② 更生会社を主要な取引先とする中小企業者が、その有する更生債権等の弁済を受けなければ、事業の継続に著しい支障を来すおそれがあるときは、裁判所は、更生計画認可の決定をする前でも、管財人の申立てにより又は職権で、その全部又は一部の弁済をすることを許可することができる。

③ 裁判所は、前項の規定による許可をする場合には、更生会社と同項の中小企業者との取引の状況、更生会社の資産状態、利害関係人の利害その他一切の事情を考慮しなければならない。

④ 管財人は、更生債権者等から第二項の申立てをすべきことを求められたときは、直ちにその旨を裁判所に報告しなければならない。この場合において、その申立てをしないこととしたときは、遅滞なく、その事情を裁判所に報告しなければならない。

⑤ 少額の更生債権等を早期に弁済することにより更生手続を円滑に進行することができるとき、又は少額の更生債権等を早期に弁済しなければ更生会社の事業の継続に著しい支障を来すときは、裁判所は、更生計画認可の決定をする前でも、管財人の申立てにより、その弁済をすることを許可することができる。

⑥ 第二項から前項までの規定は、約定劣後更生債権である更生債権については、適用しない。

⑦ 第一項の規定は、次に掲げる事由により、更生債権等である租税等の請求権（共助対象外国租税の請求権を除く。）が消滅する場合には、適用しない。

一 第二十四条第二項に規定する国税滞納処分（当該国税滞納処分又はその続行が許される場合に限る。）

二 第二十四条第三項に規定する国税滞納処分による差押えを受けた更生会社の債権（差押えの効力の及ぶ債権を含む。）の第三債務者が当該国税滞納処分の中止中に徴収の権限を有する者に対して任意にした給付

三 徴収の権限を有する者による還付金又は過誤納金の充当

四 管財人が裁判所の許可を得てした弁済

（管財人による相殺）

第四七条の二 （民再八五条の二と同旨）

（相殺権）

第四八条 （民再九二条と同旨）

（相殺の禁止）

第四九条 （民再九三条と同旨）

第四九条の二 （民再九三条の二と同旨）

（他の手続の中止等）

第五〇条① 更生手続開始の決定があったときは、破産手続開始、再生手続開始、更生手続開始若しくは特別清算開始の申立て、更生会社の財産に対する第二十四条第一項第二号に規定する強制執行等、企業担保権の実行若しくは同項第六号に規定する外国租税滞納処分又は更生債権等に基づく財産開示手続若しくは第三者からの情報取得手続の申立てはすることができず、破産手続、再生手続、更生会社の財産に対して既にされている同項第二号に規定する強制執行等の手続、企業担保権の実行手続及び同項第六号に規定する外国租税滞納処分並びに更生債権等に基づく財産開示手続及び第三者からの情報取得手続は中止し、特別清算手続はその効力を失う。

② 更生手続開始の決定があったときは、当該決定の日から一年間（一年経過前に更生計画が認可されることなく更生手続が終了し、又は更生計画が認可されたときは、当該終了又は当該認

可の時までの間）は、更生会社の財産に対する第二十四条第二項に規定する国税滞納処分はすることができず、更生会社の財産に対して既にされている同項に規定する国税滞納処分は中止する。

③ 裁判所は、必要があると認めるときは、管財人の申立てにより又は職権で、前項の一年の期間を伸長することができる。ただし、裁判所は、あらかじめ、徴収の権限を有する者の同意を得なければならない。

④ 徴収の権限を有する者は、前項の同意をすることができる。

⑤ 裁判所は、更生に支障を来さないと認めるときは、管財人若しくは租税等の請求権（共助対象外国租税の請求権を除く。）につき徴収の権限を有する者の申立てにより又は職権で、次に掲げる手続又は処分の続行を命ずることができる。

一 第一項の規定により中止した第二十四条第一項第二号に規定する強制執行等の手続、企業担保権の実行手続又は同項第六号に規定する外国租税滞納処分

二 第二項の規定により中止した第二十四条第二項に規定する国税滞納処分

⑥ 裁判所は、更生のため必要があると認めるときは、管財人の申立てにより又は職権で、担保を立てさせて、又は立てさせないで、前項各号に掲げる手続又は処分の取消しを命ずることができる。

⑦ 裁判所は、更生計画案を決議に付する旨の決定があるまでの間において、更生担保権に係る担保権の目的である財産で、更生会社の事業の更生のために必要でないことが明らかなものがあるときは、管財人の申立てにより又は職権で、当該財産について第一項の規定による担保権の実行の禁止を解除する旨の決定をすることができる。

⑧ 管財人は、更生担保権者から前項の申立てをすべきことを求められたときは、直ちにその旨を裁判所に報告しなければならない。この場合において、その申立てをしないこととしたときは、遅滞なく、その事情を裁判所に報告しなければならない。

⑨ 更生手続開始の決定があったときは、次に掲げる請求権は、共益債権とする。

一 第一項の規定により中止した破産手続における財団債権（破産法第百四十八条第一項第三号に掲げる請求権を除き、破産手続が開始されなかった場合における同法第五十五条第二項及び第百四十八条第四項に規定する請求権を含む。）又は再生手続における共益債権（再生手続が開始されなかった場合における民事再生法（平成十一年法律第二百二十五号）第五十条第二項並びに第百二十条第三項及び第四項に規定する請求権を含む。）

二 第一項の規定により効力を失った手続のために更生会社に対して生じた債権及びその手続に関する更生会社に対する費用請求権

三 第五項の規定により続行された手続又は処分に関する更生会社に対する費用請求権

四 第七項の解除の決定により申立てが可能となった担保権の実行手続に関する更生会社に対する費用請求権

⑩ 第二十四条第二項に規定する国税滞納処分により徴収すべき徴収金の請求権の時効は、第二項及び第三項の規定により当該国税滞納処分をすることができず、又は当該国税滞納処分が中止している期間は、進行しない。

⑪ 更生手続開始の決定があったときは、更生手続が終了するまでの間（更生計画認可の決定があったときは、第二百四条第二項に規定する更生計画で定められた弁済期間が満了する時（その期間の満了前に更生計画に基づく弁済が完了した場合にあっては、弁済が完了した時）までの間）は、罰金、科料及び追徴の時効は、進行しない。ただし、当該罰金、科料又は追徴に係る請求権が共益債権である場合は、この限りでない。

第五一条（略）

（更生会社の財産関係の訴えの取扱い）

第五二条① 更生手続開始の決定があったときは、更生会社の財産関係の訴訟手続は、中断する。

② 管財人は、前項の規定により中断した訴訟手続のうち更生債権等に関しないものを受け継ぐことができる。この場合においては、受継の申立ては、相手方もすることができる。

③ 前項の場合においては、相手方の更生会社に対する訴訟費用請求権は、共益債権とする。

④ 更生手続が終了したときは、管財人を当事者とする更生会社の財産関係の訴訟手続は、中断する。

⑤ 更生会社であった株式会社は、前項の規定により中断した訴訟手続（第二百三十四条第三号又は第四号に掲げる事由が生じた場合における第九十七条第一項の訴えに係る訴訟手続を除く。）を受け継がなければならない。この場合においては、受継の申立ては、相手方もすることができる。

⑥ 第一項の規定により中断した訴訟手続について第二項の規定による受継があるまでに更生手続が終了したときは、更生会社であった株式会社は、当然訴訟手続を受継する。

（債権者代位訴訟、詐害行為取消訴訟等の取扱い）

第五二条の二① 民法（明治二十九年法律第八十九号）第四百二十三条第一項、第四百二十三条の七若しくは第四百二十四条第一項の規定により更生債権者の提起した訴訟又は破産法若しくは民事再生法の規定による否認の訴訟若しくは否認の請求を認容する決定に対する異議の訴訟が更生手続開始当時係属するときは、その訴訟手続は、中断する。

② 管財人は、前項の規定により中断した訴訟手続を受け継ぐことができる。この場合においては、受継の申立ては、相手方もすることができる。

③ 前項の場合においては、相手方の更生債権者、破産管財人又は再生手続における管財人若しくは否認権限を有する監督委員（民事再生法第百二十八条第二項に規定する否認権限を有する監督委員をいう。第五項において同じ。）に対する訴訟費用請求権は、共益債権とする。

④ 第一項の規定により中断した訴訟手続について第二項の規定による受継があった後に更生手続が終了したときは、当該訴訟手続は中断する。

⑤ 前項の場合には、更生債権者、破産管財人又は再生手続における管財人若しくは否認権限を有する監督委員において当該訴訟手続を受け継がなければならない。この場合においては、受継の申立ては、相手方もすることができる。

⑥ 第一項の規定により中断した訴訟手続について第二項の規定による受継があるまでに更生手続が終了したときは、前項前段に規定する者は、当該訴訟手続を当然受継する。

（行政庁に係属する事件の取扱い）

第五三条 第五十二条の規定は、更生会社の財産関係の事件で行政庁に係属するものについて準用する。

（更生会社のした法律行為の効力）

第五四条① 更生会社が更生手続開始後に更生会社財産に関してした法律行為は、更生手続の関係においては、その効力を主張することができない。

② 株式会社が当該株式会社についての更生手続開始の決定があった日にした法律行為は、更生手続開始後にしたものと推定する。

（管財人等の行為によらない更生債権者等の権利取得の効力）

第五五条（民再四四条と同旨）

（登記及び登録の効力）

第五六条（民再四五条と同旨）

（更生会社に対する弁済の効力）

第五七条① 更生手続開始後に、その事実を知らないで更生会社にした弁済は、更生手続の関係においても、その効力を主張することができる。

② 更生手続開始後に、その事実を知って更生会社にした弁済は、更生会社財産が受けた利益の限度においてのみ、更生手続の関係において、その効力を主張することができる。

（為替手形の引受け又は支払等）

第五八条（民再四六条と同旨）

第五九条（善意又は悪意の推定）　前三条の規定の適用については、第四十三条第一項の規定による公告の前においてはその事実を知らなかったものと推定し、当該公告の後においてはその事実を知っていたものと推定する。

第六〇条（共有関係）（民再四八条と同旨）

第六一条（双務契約）①　双務契約について更生会社及びその相手方が更生手続開始の時において共にまだその履行を完了していないときは、管財人は、契約の解除をし、又は更生会社の債務を履行して相手方の債務の履行を請求することができる。

②　前項の場合には、相手方は、管財人に対し、相当の期間を定め、その期間内に契約の解除をするか、又は債務の履行を請求するかを確答すべき旨を催告することができる。この場合において、管財人がその期間内に確答をしないときは、同項の規定による解除権を放棄したものとみなす。

③　前二項の規定は、労働協約には、適用しない。

④　第一項の規定により更生会社の債務の履行をする場合において、相手方が有する請求権は、共益債権とする。

⑤　破産法第五十四条の規定は、第一項の規定による契約の解除があった場合について準用する。この場合において、同条第一項中「破産債権者」とあるのは「更生債権者」と、同条第二項中「破産者」とあるのは「更生会社」と、「破産財団」とあるのは「更生会社財産」と、「財団債権者」とあるのは「共益債権者」と読み替えるものとする。

第六二条（継続的給付を目的とする双務契約）（民再五〇条と同旨）

第六三条（双務契約についての破産法の準用）　破産法第五十六条、第五十八条及び第五十九条の規定は、更生手続が開始された場合について準用する。この場合において、同法第五十六条第一項中「第五十三条第一項及び第二項」とあるのは「会社更生法第六十一条第一項及び第二項」と、「破産者」とあるのは「更生会社」と、同条第二項中「財団債権」とあるのは「共益債権」と、同法第五十八条第一項中「破産手続開始」とあるのは「更生手続開始」と、同条第三項において準用する同法第五十四条第一項中「破産債権者」とあるのは「更生債権者」と、同法第五十九条第一項中「破産手続」とあるのは「更生手続」と、同条第二項中「請求権は、破産者が有するときは破産財団に属し」とあるのは「請求権は」と、「破産債権」とあるのは「更生債権」と読み替えるものとする。

第六四条（取戻権）①　更生手続の開始は、更生会社に属しない財産を更生会社から取り戻す権利に影響を及ぼさない。

②　破産法第六十三条及び第六十四条の規定は、更生手続が開始された場合について準用する。この場合において、同法第六十三条第一項中「破産手続開始の決定」とあるのは「更生手続開始の決定」と、同項ただし書及び同法第六十四条中「破産管財人」とあるのは「管財人」と、同法第六十三条第二項中「第五十三条第一項及び第二項」とあるのは「会社更生法第六十一条第一項及び第二項」と、同条第三項中「第一項」とあるのは「前二項」と、「同項」とあるのは「第一項」と、同法第六十四条第一項中「破産者」とあるのは「株式会社」と、「破産手続開始」とあるのは「更生手続開始」と読み替えるものとする。

第六五条（取締役等の競業の制限）①　更生会社の取締役、執行役又は清算人は、更生手続開始後その終了までの間において自己又は第三者のために更生会社の事業の部類に属する取引をしようとするときは、会社法第三百五十六条第一項（同法第四百十九条第二項又は第四百八十二条第四項において準用する場合を含む。）の規定にかかわらず、管財人に対し、当該取引につき重要な事実を開示し、その承認を受けなければならない。ただし、第七十二条第四項前段の規定により更生会社の機関がその権限を回復している期間中は、この限りでない。

②　前項本文の取引をした取締役、執行役又は清算人は、当該取引後、遅滞なく、当該取引についての重要な事実を管財人に報告しなければならない。

③　更生会社の取締役、執行役又は清算人が第一項本文の規定に違反して同項本文の取引をしたときは、当該取引によって取締役、執行役、清算人又は第三者が得た利益の額は、更生会社に生じた損害の額と推定する。

第六六条（取締役等の報酬等）①　更生会社の取締役、会計参与、監査役、執行役及び清算人は、更生会社に対して、更生手続開始後その終了までの間の報酬等（会社法第三百六十一条第一項に規定する報酬等をいう。次項において同じ。）を請求することができない。ただし、第七十二条第四項前段の規定により更生会社の機関がその権限を回復している期間中は、この限りでない。

②　前項ただし書の場合における取締役、会計参与、監査役、執行役及び清算人が受ける個人別の報酬等の内容は、会社法第三百六十一条第一項（同法第四百八十二条第四項において準用する場合を含む。）及び第三百七十九条第一項及び第二項、第三百八十七条第一項及び第二項並びに第四百四条第三項の規定にかかわらず、管財人が、裁判所の許可を得て定める。

第三節　管財人（抄）

第一款　管財人の選任及び監督（抄）

第六七条（管財人の選任）①　管財人は、裁判所が選任する。

②　法人は、管財人となることができる。

③　裁判所は、第百条第一項に規定する役員等責任査定決定を受けるおそれがあると認められる者は、管財人に選任することができない。

第六八条（管財人に対する監督等）①　管財人は、裁判所が監督する。

②　裁判所は、管財人が更生会社の業務及び財産の管理を適切に行っていないとき、その他重要な事由があるときは、利害関係人の申立てにより又は職権で、管財人を解任することができる。この場合においては、その管財人を審尋しなければならない。

第六九条から第七一条まで（略）

第二款　管財人の権限等（抄）

第七二条（管財人の権限）①　更生手続開始の決定があった場合には、更生会社の事業の経営並びに財産（日本国内にあるかどうかを問わない。第四項において同じ。）の管理及び処分をする権利は、裁判所が選任した管財人に専属する。

②　裁判所は、更生手続開始後において、必要があると認めるときは、管財人が次に掲げる行為をするには裁判所の許可を得なければならないものとすることができる。

一　財産の処分
二　財産の譲受け
三　借財
四　第六十一条第一項の規定による契約の解除
五　訴えの提起
六　和解又は仲裁合意（仲裁法（平成十五年法律第百三十八号）第二条第一項に規定する仲裁合意をいう。）
七　権利の放棄
八　共益債権又は第六十四条第一項に規定する権利の承認
九　更生担保権に係る担保の変換
十　その他裁判所の指定する行為

③　前項の許可を得ないでした行為は、無効とする。ただし、これをもって善意の第三者に対抗することができない。

④ 前三項の規定については、更生計画の定め又は裁判所の決定で、更生計画認可の決定後の更生会社に対しては適用しないこととすることができる。この場合においては、管財人は、更生会社の事業の経営並びに財産の管理及び処分を監督する。
⑤ 裁判所は、更生計画に前項前段の規定による定めがない場合において必要があると認めるときは、管財人の申立てにより又は職権で、同項前段の規定による決定をする。
⑥ 裁判所は、管財人の申立てにより又は職権で、前項の規定による決定を取り消すことができる。
⑦ 前二項の規定による決定があったときは、その旨を公告し、かつ、その裁判書を管財人及び更生会社に送達しなければならない。この場合においては、第十条第四項の規定は、適用しない。

＊令和五法五三（令和一〇・六・一三までに施行）による改正
第七項中「裁判書」を「電子裁判書」に改める。（本文未織込み）

（更生会社の業務及び財産の管理）
第七三条 管財人は、就職の後直ちに更生会社の業務及び財産の管理に着手しなければならない。

（当事者適格等）
第七四条① 更生会社の財産関係の訴えについては、管財人を原告又は被告とする。
② 前項の規定は、第七十二条第四項前段の規定により更生会社の機関がその権限を回復している期間中に新たに提起された更生会社の財産関係の訴えについては、適用しない。
③ 第五十二条第一項、第二項及び第六項の規定は、第七十二条第四項前段の規定による更生計画の定め又は裁判所の決定が取り消された場合における前項の訴えについて準用する。

第七五条及び第七六条 （略）

（更生会社及び子会社に対する調査）
第七七条① 管財人は、更生会社の取締役、会計参与、監査役、執行役、会計監査人、清算人及び使用人その他の従業者並びにこれらの者であった者並びに発起人、設立時取締役及び設立時監査役であった者に対して更生会社の業務及び財産の状況につき報告を求め、又は更生会社の帳簿、書類その他の物件を検査することができる。
② 管財人は、その職務を行うため必要があるときは、更生会社の子会社（会社法第二条第三号に規定する子会社をいう。）に対してその業務及び財産の状況につき報告を求め、又はその帳簿、書類その他の物件を検査することができる。

（管財人の自己取引）
第七八条① 管財人は、裁判所の許可を得なければ、更生会社の財産を譲り受け、更生会社に対して自己の財産を譲り渡し、その他自己又は第三者のために更生会社と取引をすることができない。
② 前項の許可を得ないでした行為は、無効とする。ただし、これをもって善意の第三者に対抗することができない。

（管財人の競業の制限）
第七九条① 管財人は、自己又は第三者のために更生会社の事業の部類に属する取引をしようとするときは、裁判所に対し、当該取引につき重要な事実を開示し、その承認を受けなければならない。
② 前項の取引をした管財人は、当該取引後、遅滞なく、当該取引についての重要な事実を裁判所に報告しなければならない。
③ 管財人が第一項の規定に違反して同項の取引をしたときは、当該取引によって管財人又は第三者が得た利益の額は、更生会社に生じた損害の額と推定する。

（管財人の注意義務）
第八〇条① 管財人は、善良な管理者の注意をもって、その職務を行わなければならない。
② 管財人が前項の注意を怠ったときは、その管財人は、利害関係人に対し、連帯して損害を賠償する義務を負う。

（管財人の情報提供努力義務）
第八〇条の二 管財人は、更生債権等である給料の請求権又は退職手当の請求権を有する者に対し、更生手続に参加するのに必要な情報を提供するよう努めなければならない。

第八一条及び第八二条 （略）

第三款　更生会社の財産状況の調査

（財産の価額の評定等）
第八三条① 管財人は、更生手続開始後遅滞なく、更生会社に属する一切の財産につき、その価額を評定しなければならない。
② 前項の規定による評定は、更生手続開始の時における時価によるものとする。
③ 管財人は、第一項の規定による評定を完了したときは、直ちに更生手続開始の時における貸借対照表及び財産目録を作成し、これらを裁判所に提出しなければならない。
④ 更生計画認可の決定があったときは、管財人は、更生計画認可の決定の時における貸借対照表及び財産目録を作成し、これらを裁判所に提出しなければならない。
⑤ 前項の貸借対照表及び財産目録に記載し、又は記録すべき財産の評価については、法務省令の定めるところによる。

（裁判所への報告）
第八四条① 管財人は、更生手続開始後遅滞なく、次に掲げる事項を記載した報告書を、裁判所に提出しなければならない。
一 更生手続開始に至った事情
二 更生会社の業務及び財産に関する経過及び現状
三 第九十九条第一項の規定による保全処分又は第百条第一項に規定する役員等責任査定決定を必要とする事情の有無
四 その他更生手続に関し必要な事項
② 管財人は、前項の規定によるもののほか、裁判所の定めるところにより、更生会社の業務及び財産の管理状況その他裁判所の命ずる事項を裁判所に報告しなければならない。

（財産状況報告集会への報告）
第八五条① 更生会社の財産状況を報告するために招集された関係人集会においては、管財人は、前条第一項各号に掲げる事項の要旨を報告しなければならない。
② 前項の関係人集会においては、裁判所は、管財人、更生会社、届出をした更生債権者等又は株主から、管財人の選任並びに更生会社の業務及び財産の管理に関する事項につき、意見を聴かなければならない。
③ 第一項の関係人集会においては、第四十六条第三項第三号に規定する労働組合等は、前項に規定する事項について意見を述べることができる。
④ 裁判所は、第一項の関係人集会を招集しないこととしたときは、前二項に規定する者（管財人を除く。）に対し、管財人の選任について裁判所の定める期間内に書面により意見を述べることができる旨を通知しなければならない。

第四節　否認権（抄）

（更生債権者等を害する行為の否認）
第八六条 （民再一二七条と同旨）

（相当の対価を得てした財産の処分行為の否認）
第八六条の二 （民再一二七条の二と同旨）

（特定の債権者に対する担保の供与等の否認）
第八六条の三 （民再一二七条の三と同旨）

（手形債務支払の場合等の例外）
第八七条 （民再一二八条と同旨）

（権利変動の対抗要件の否認）
第八八条 （民再一二九条と同旨）

（執行行為の否認）
第八九条 （民再一三〇条と同旨）

（支払の停止を要件とする否認の制限）
第九〇条 （民再一三一条と同旨）

第九一条（否認権行使の効果）（民再一三二条と同旨）

第九一条の二（更生会社の受けた反対給付に関する相手方の権利等）（民再一三二条の二と同旨）

第九二条（相手方の債権の回復）（民再一三三条と同旨）

第九三条（転得者に対する否認権）（民再一三四条と同旨）

第九三条の二（更生会社の受けた反対給付に関する転得者の権利等）（民再一三四条の二と同旨）

第九三条の三（相手方の債権に関する転得者の権利）（民再一三四条の三と同旨）

第九四条（略）

（否認権の行使）

第九五条① 否認権は、訴え、否認の請求又は抗弁によって、管財人が行う。

② 前項の訴え及び否認の請求事件は、更生裁判所が管轄する。

（否認の請求及びこれについての決定）

第九六条（民再一三六条と同旨）

（否認の請求を認容する決定に対する異議の訴え）

第九七条① 否認の請求を認容する決定に不服がある者は、その送達を受けた日から一月の不変期間内に、異議の訴えを提起することができる。

② 前項の訴えは、更生裁判所が管轄する。

③ 第一項の訴えについての判決においては、訴えを不適法として却下する場合を除き、否認の請求を認容する決定を認可し、変更し、又は取り消す。

④ 否認の請求を認容する決定の全部又は一部を認可する判決が確定したときは、当該決定（当該判決において認可された部分に限る。）は、確定判決と同一の効力を有する。第一項の訴えが、同項に規定する期間内に提起されなかったとき、取り下げられたとき、又は却下されたときにおける否認の請求を認容する決定についても、同様とする。

⑤ 第一項の決定を認可し、又は変更する判決については、受訴裁判所は、民事訴訟法第二百五十九条第一項の定めるところにより、仮執行の宣言をすることができる。

⑥ 第一項の訴えに係る訴訟手続は、第二百三十四条第二号又は第五号に掲げる事由が生じたときは、第五十二条第四項の規定にかかわらず、終了するものとする。

（否認権行使の期間）

第九八条 否認権は、更生手続開始の日（更生手続開始の日より前に破産手続又は再生手続が開始されている場合にあっては、破産手続開始又は再生手続開始の日）から二年を経過したときは、行使することができない。否認しようとする行為の日から十年を経過したときも、同様とする。

第五節　更生会社の役員等の責任の追及（第九九条から第一〇三条まで）（略）

第六節　担保権消滅の請求等（抄）

第一款　担保権消滅の請求（抄）

（担保権消滅許可の決定）

第一〇四条① 裁判所は、更生手続開始当時更生会社の財産につき特別の先取特権、質権、抵当権又は商法若しくは会社法の規定による留置権（以下この款において「担保権」という。）がある場合において、更生会社の事業の更生のために必要であると認めるときは、管財人の申立てにより、当該財産の価額に相当する金銭を裁判所に納付して当該財産を目的とするすべての担保権を消滅させることを許可する旨の決定をすることができる。

② 前項の決定は、更生計画案を決議に付する旨の決定があった後は、することができない。

③ 第一項の申立ては、次に掲げる事項を記載した書面でしなければならない。

一 担保権の目的である財産の表示

二 前号の財産の価額

三 消滅すべき担保権の表示

④ 第一項の決定があった場合には、その裁判書を、前項の書面（以下この条及び次条において「申立書」という。）とともに、当該申立書に記載された同項第三号の担保権を有する者（以下この款において「被申立担保権者」という。）に送達しなければならない。この場合においては、第十条第三項本文の規定は、適用しない。

＊令和五法五三（令和一〇・六・一三までに施行）**による改正**
第四項中「裁判書」を「電子裁判書」に改める。（本文未織込み）

⑤ 第一項の決定に対しては、被申立担保権者は、即時抗告をすることができる。

⑥ 前項の即時抗告についての裁判があった場合には、その裁判書を被申立担保権者に送達しなければならない。この場合においては、第十条第三項本文の規定は、適用しない。

＊令和五法五三（令和一〇・六・一三までに施行）**による改正**
第六項中「裁判書」を「電子裁判書」に改める。（本文未織込み）

⑦ 申立書に記載された第三項第三号の担保権が根抵当権である場合において、根抵当権者が第四項の規定による送達を受けた時から二週間を経過したときは、当該根抵当権の担保すべき元本は、確定する。

⑧ 民法第三百九十八条の二十第二項の規定は、第一項の申立てが取り下げられ、又は同項の決定が取り消された場合について準用する。

（価額決定の請求）

第一〇五条① 被申立担保権者は、申立書に記載された前条第三項第二号の価額（第百七条及び第百八条において「申出額」という。）について異議があるときは、当該申立書の送達を受けた日から一月以内に、担保権の目的である財産（次条において「財産」という。）について価額の決定を請求することができる。

② 前条第一項の決定をした裁判所は、やむを得ない事由がある場合に限り、被申立担保権者の申立てにより、前項の期間を伸長することができる。

③ 第一項の規定による請求（以下この条から第百八条までにおいて「価額決定の請求」という。）に係る事件は、更生裁判所が管轄する。

④ 価額決定の請求をする者は、その請求に係る手続の費用として更生裁判所の定める金額を予納しなければならない。

⑤ 前項に規定する費用の予納がないときは、更生裁判所は、価額決定の請求を却下しなければならない。

（財産の価額の決定）

第一〇六条① 価額決定の請求があった場合には、更生裁判所は、これを不適法として却下する場合を除き、評価人を選任し、財産の評価を命じなければならない。

② 前項の場合には、更生裁判所は、評価人の評価に基づき、決定で、当該決定の時における財産の価額を定めなければならない。

③ 被申立担保権者が数人ある場合には、前項の決定は、被申立担保権者の全員につき前条第一項の期間（同条第二項の規定により期間が伸長されたときは、その伸長された期間。第百八条第一項第一号において「請求期間」という。）が経過した後にしなければならない。この場合において、数個の価額決定の請求事件が同時に係属するときは、事件を併合して裁判しなければならない。

④ 第二項の決定は、価額決定の請求をしなかった被申立担保権者に対しても、その効力を有する。

⑤ 価額決定の請求についての決定に対しては、管財人及び被申

立担保権者は、即時抗告をすることができる。

⑥ 価額決定の請求についての決定又は前項の即時抗告についての裁判があった場合には、その裁判書を管財人及び被申立担保権者に送達しなければならない。この場合においては、第十条第三項本文の規定は、適用しない。

＊令和五法五三（令和一〇・六・一三までに施行）による改正
第六項中「裁判書」を「電子裁判書」に改める。（本文未織込み）

第一〇七条 （略）

（価額に相当する金銭の納付等）

第一〇八条① 管財人は、次の各号に掲げる場合の区分に応じ、当該各号に定める金銭を、裁判所の定める期限までに、裁判所に納付しなければならない。

一 請求期間内に価額決定の請求がなかったとき、又は価額決定の請求のすべてが取り下げられ、若しくは却下されたとき 申出額に相当する金銭

二 第百六条第二項の決定が確定したとき 当該決定により定められた価額に相当する金銭

② 裁判所は、前項の期限の到来前においては、同項の期限を変更することができる。

③ 被申立担保権者の有する担保権は、第一項又は第百十二条第二項の規定による金銭の納付があった時に消滅する。

④ 第一項又は第百十二条第二項の規定による金銭の納付があったときは、裁判所書記官は、消滅した担保権に係る登記又は登録の抹消を嘱託しなければならない。

⑤ 管財人が第一項若しくは第百十二条第二項の規定による金銭の納付をしないとき、又は管財人がこれらの規定による金銭の納付をする前に更生計画認可の決定があったときは、裁判所は、第百四条第一項の決定を取り消さなければならない。

（更生計画認可の決定があった場合の納付された金銭の取扱い）

第一〇九条 裁判所は、更生計画認可の決定があったときは、管財人（第七十二条第四項前段の規定により更生会社の機関がその権限を回復した場合は、更生会社）に対して、前条第一項の規定により納付された金銭に相当する額（第百十一条第六項の規定による金銭の交付があったときは、当該交付に係る額を控除した額）又は第百十二条第二項の規定により納付された金銭に相当する額の金銭を交付しなければならない。

第一一〇条から第一一二条まで （略）

第二款 債権質の第三債務者の供託

第一一三条① 更生担保権に係る質権の目的である金銭債権の債務者は、当該金銭債権の全額に相当する金銭を供託して、その債務を免れることができる。

② 前項の規定による供託がされたときは、同項の質権を有していた更生担保権者は、供託金につき質権者と同一の権利を有する。

第七節 関係人集会 （抄）

（関係人集会の招集）

第一一四条① 裁判所は、次の各号に掲げる者のいずれかの申立てがあった場合には、関係人集会を招集しなければならない。これらの申立てがない場合であっても、裁判所は、相当と認めるときは、関係人集会を招集することができる。

一 管財人

二 第百十七条第二項に規定する更生債権者委員会

三 第百十七条第六項に規定する更生担保権者委員会

四 第百十七条第七項に規定する株主委員会

五 届出があった更生債権等の全部について裁判所が評価した額の十分の一以上に当たる更生債権等を有する更生債権者等

六 更生会社の総株主の議決権の十分の一以上を有する株主

② 前項前段の規定にかかわらず、更生会社が更生手続開始の時においてその財産をもって債務を完済することができない状態にあるときは、同項第四号及び第六号に掲げる者は、同項前段の申立てをすることができない。

第一一五条から第一一六条まで （略）

第八節 更生債権者委員会及び代理委員等 （抄）

（更生債権者委員会等）

第一一七条① 裁判所は、更生債権者をもって構成する委員会がある場合には、利害関係人の申立てにより、当該委員会が、この法律の定めるところにより、更生手続に関与することを承認することができる。ただし、次の各号のいずれにも該当する場合に限る。

一 委員の数が、三人以上最高裁判所規則で定める人数以内であること。

二 更生債権者の過半数が当該委員会が更生手続に関与することについて同意していると認められること。

三 当該委員会が更生債権者全体の利益を適切に代表すると認められること。

② 裁判所は、必要があると認めるときは、更生手続において、前項の規定により承認された委員会（以下「更生債権者委員会」という。）に対して、意見の陳述を求めることができる。

③ 更生債権者委員会は、更生手続において、裁判所又は管財人（第七十二条第四項前段の規定により更生会社の機関がその権限を回復したときは、管財人又は更生会社）に対して、意見を述べることができる。

④ 更生債権者委員会に更生会社の事業の更生に貢献する活動があったと認められるときは、裁判所は、当該活動のために必要な費用を支出した更生債権者の申立てにより、更生会社財産から、当該更生債権者に対し、相当と認める額の費用を償還することを許可することができる。

⑤ 裁判所は、利害関係人の申立てにより又は職権で、いつでも第一項の規定による承認を取り消すことができる。

⑥ 第一項の規定は更生担保権者をもって構成する委員会がある場合について、第二項から前項までの規定はこの項において準用する第一項の規定により承認された委員会（以下「更生担保権者委員会」という。）がある場合について、それぞれ準用する。

⑦ 第一項の規定は株主をもって構成する委員会がある場合について、第二項から第五項までの規定はこの項において準用する第一項の規定により承認された委員会（第百二十一条において「株主委員会」という。）がある場合について、それぞれ準用する。

第一一八条から第一二四条まで （略）

第九節 調査命令 （抄）

（調査命令）

第一二五条① 裁判所は、更生手続開始後において、必要があると認めるときは、利害関係人の申立てにより又は職権で、次に掲げる事項の全部又は一部を対象とする調査委員による調査又は意見陳述を命ずる処分をすることができる。

一 第九十九条第一項の規定による保全処分又は第百条第一項に規定する役員等責任査定決定を必要とする事情の有無及びその処分又は決定の要否

二 管財人の作成する貸借対照表及び財産目録の当否並びに更生会社の業務及び財産の管理状況その他裁判所の命ずる事項に関する管財人の報告の当否

三 更生計画案又は更生計画の当否

四 その他更生事件に関し調査委員による調査又は意見陳述を必要とする事項

② 裁判所は、前項の処分（以下「調査命令」という。）をする場合には、当該調査命令において、一人又は数人の調査委員を選任し、かつ、調査委員の調査又は意見陳述の対象となるべき事項及び裁判所に対して報告又は陳述をすべき期間を定めなけれ

ばならない。

③ 裁判所は、調査命令を変更し、又は取り消すことができる。

④ 調査命令及び前項の規定による決定に対しては、即時抗告をすることができる。

⑤ 前項の即時抗告は、執行停止の効力を有しない。

⑥ 第四項に規定する裁判及び同項の即時抗告についての裁判があった場合には、その裁判書を当事者に送達しなければならない。この場合においては、第十条第三項本文の規定は、適用しない。

＊令和五法五三（令和一〇・六・一三までに施行）による改正
第六項中「裁判書」を「電子裁判書」に改める。（本文未織込み）

第一二六条（略）

第四章　共益債権及び開始後債権（抄）

第一節　共益債権（抄）

（共益債権となる請求権）

第一二七条 次に掲げる請求権は、共益債権とする。

一 更生債権者等及び株主の共同の利益のためにする裁判上の費用の請求権

二 更生手続開始後の更生会社の事業の経営並びに財産の管理及び処分に関する費用の請求権

三 更生計画の遂行に関する費用の請求権（更生手続終了後に生じたものを除く。）

四 第八十一条第一項（第三十四条第一項、第三十八条、第八十一条第五項及び前条において準用する場合を含む。）、第百十七条第四項（同条第六項及び第七項において準用する場合を含む。）、第百二十三条第五項、第百二十四条第一項及び第百六十二条の規定により支払うべき費用、報酬及び報償金の請求権

五 更生会社の業務及び財産に関し管財人又は更生会社（第七十二条第四項前段の規定により更生会社の機関がその権限を回復した場合に限る。）が権限に基づいてした資金の借入れその他の行為によって生じた請求権

六 事務管理又は不当利得により更生手続開始後に更生会社に対して生じた請求権

七 更生会社のために支出すべきやむを得ない費用の請求権で、更生手続開始後に生じたもの（前各号に掲げるものを除く。）

（開始前の借入金等）

第一二八条① 保全管理人が開始前会社の業務及び財産に関し権限に基づいてした資金の借入れその他の行為によって生じた請求権は、共益債権とする。

② 開始前会社（保全管理人が選任されているものを除く。以下この項及び第四項において同じ。）が、更生手続開始の申立て後更生手続開始前に、資金の借入れ、原材料の購入その他開始前会社の事業の継続に欠くことができない行為をする場合には、裁判所は、その行為によって生ずべき相手方の請求権を共益債権とする旨の許可をすることができる。

③ 裁判所は、監督委員に対し、前項の許可に代わる承認をする権限を付与することができる。

④ 開始前会社が第二項の許可又は前項の承認を得て第二項に規定する行為をしたときは、その行為によって生じた相手方の請求権は、共益債権とする。

（源泉徴収所得税等）

第一二九条 更生会社に対して更生手続開始前の原因に基づいて生じた源泉徴収に係る所得税、消費税、酒税、たばこ税、揮発油税、地方揮発油税、石油ガス税、石油石炭税、特別徴収に係る国際観光旅客税、地方消費税、申告納付の方法により徴収する道府県たばこ税（都たばこ税を含む。）及び市町村たばこ税（特別区たばこ税を含む。）並びに特別徴収義務者が徴収して納入すべき地方税及び森林環境税の請求権で、更生手続開始当時まだ納期限の到来していないものは、共益債権とする。

（使用人の給料等）

第一三〇条① 株式会社について更生手続開始の決定があった場合において、更生手続開始前六月間の当該株式会社の使用人の給料の請求権及び更生手続開始前の原因に基づいて生じた当該株式会社の使用人の身元保証金の返還請求権は、共益債権とする。

② 前項に規定する場合において、更生計画認可の決定前に退職した当該株式会社の使用人の退職手当の請求権は、退職前六月間の給料の総額に相当する額又はその退職手当の額の三分の一に相当する額のいずれか多い額を共益債権とする。

③ 前項の退職手当の請求権で定期金債権であるものは、同項の規定にかかわらず、各期における定期金につき、その額の三分の一に相当する額を共益債権とする。

④ 前二項の規定は、第百二十七条の規定により共益債権とされる退職手当の請求権については、適用しない。

⑤ 第一項に規定する場合において、更生手続開始前の原因に基づいて生じた当該株式会社の使用人の預り金の返還請求権は、更生手続開始前六月間の給料の総額に相当する額又はその預り金の額の三分の一に相当する額のいずれか多い額を共益債権とする。

第一三一条（略）

（共益債権の取扱い）

第一三二条① 共益債権は、更生計画の定めるところによらないで、随時弁済する。

② 共益債権は、更生債権等に先立って、弁済する。

③ 共益債権に基づき更生会社の財産に対し強制執行又は仮差押えがされている場合において、その強制執行又は仮差押えが更生会社の事業の更生に著しい支障を及ぼし、かつ、更生会社が他に換価の容易な財産を十分に有するときは、裁判所は、更生手続開始後において、管財人（第七十二条第四項前段の規定により更生会社の機関がその権限を回復したときは、更生会社。次条第三項において同じ。）の申立てにより又は職権で、担保を立てさせて、又は立てさせないで、その強制執行又は仮差押えの手続の中止又は取消しを命ずることができる。共益債権である共助対象外国租税の請求権に基づき更生会社の財産に対し国税滞納処分の例によってする処分がされている場合におけるその処分の中止又は取消しについても、同様とする。

④ 裁判所は、前項の規定による中止の命令を変更し、又は取り消すことができる。

⑤ 第三項の規定による中止又は取消しの命令及び前項の規定による決定に対しては、即時抗告をすることができる。

⑥ 前項の即時抗告は、執行停止の効力を有しない。

第一三三条（略）

第二節　開始後債権（略）

第一三四条（民再一二三条と同旨）

第五章　更生債権者及び更生担保権者（抄）

第一節　更生債権者及び更生担保権者の手続参加

（略）

（更生債権者等の手続参加）

第一三五条（民再八六条と同旨）

（更生債権者等の議決権）

第一三六条（民再八七条と同旨）

（更生債権者等が外国で受けた弁済）

第一三七条（民再八九条と同旨）

第二節　更生債権及び更生担保権の届出（抄）

（更生債権等の届出）

第一三八条① 更生手続に参加しようとする更生債権者は、債権

届出期間（第四十二条第一項の規定により定められた更生債権等の届出をすべき期間をいう。）内に、次に掲げる事項を裁判所に届け出なければならない。

一　各更生債権の内容及び原因

二　一般の優先権がある債権又は約定劣後更生債権であるときは、その旨

三　各更生債権についての議決権の額

四　前三号に掲げるもののほか、最高裁判所規則で定める事項

②　更生手続に参加しようとする更生担保権者は、前項に規定する債権届出期間内に、次に掲げる事項を裁判所に届け出なければならない。

一　各更生担保権の内容及び原因

二　担保権の目的である財産及びその価額

三　各更生担保権についての議決権の額

四　前三号に掲げるもののほか、最高裁判所規則で定める事項

第一三九条から第一四二条まで　（略）

第一四三条　削除

第三節　更生債権及び更生担保権の調査及び確定（抄）

第一款　更生債権及び更生担保権の調査（抄）

第一四四条（更生債権者表及び更生担保権者表の作成等）①　裁判所書記官は、届出があった更生債権等について、更生債権者表及び更生担保権者表を作成しなければならない。

②　前項の更生債権者表には、各更生債権について、第百三十八条第一項第一号から第三号までに掲げる事項その他最高裁判所規則で定める事項を記載しなければならない。

③　第一項の更生担保権者表には、各更生担保権について、第百三十八条第二項第一号から第三号までに掲げる事項その他最高裁判所規則で定める事項を記載しなければならない。

④　更生債権者表又は更生担保権者表の記載に誤りがあるときは、裁判所書記官は、申立てにより又は職権で、いつでもその記載を更正する処分をすることができる。

＊令和五法五三（令和一〇・六・一三までに施行）による改正後

第一四四条（電子更生債権者表及び電子更生担保権者表の作成等）①　裁判所書記官は、届出があった更生債権等について、最高裁判所規則で定めるところにより、電子更生債権者表（更生債権の調査の対象及び結果を明らかにするとともに、確定した更生債権に関する事項を明らかにするために裁判所書記官が作成する電磁的記録をいう。以下同じ。）及び電子更生担保権者表（更生担保権の調査の対象及び結果を明らかにするとともに、確定した更生担保権に関する事項を明らかにするために裁判所書記官が作成する電磁的記録をいう。以下同じ。）を作成しなければならない。

②　電子更生債権者表には、各更生債権について、第百三十八条第一項第一号から第三号までに掲げる事項その他最高裁判所規則で定める事項を記録しなければならない。

③　電子更生担保権者表には、各更生担保権について、第百三十八条第二項第一号から第三号までに掲げる事項その他最高裁判所規則で定める事項を記録しなければならない。

④　裁判所書記官は、第一項の規定により電子更生債権者表又は電子更生担保権者表を作成したときは、最高裁判所規則で定めるところにより、これらをファイルに記録しなければならない。（改正により追加）

⑤　電子更生債権者表（前項の規定によりファイルに記録されたものに限る。以下同じ。）又は電子更生担保権者表（同項の規定によりファイルに記録されたものに限る。以下同じ。）の内容に誤りがあるときは、裁判所書記官は、申立てにより又は職権で、いつでも更正する処分をすることができる。（改正前の④）

⑥　前項の規定による更正の処分は、最高裁判所規則で定めるところにより、その旨をファイルに記録してしなければならない。（改正により追加）

⑦　民事訴訟法第七十一条第四項、第五項及び第八項の規定は、第五項の規定による更正の処分又は同項の申立てを却下する処分及びこれらに対する異議の申立てについて準用する。（改正により追加）

第一四五条（更生債権等の調査）　裁判所による更生債権等の調査は、前条第二項及び第三項に規定する事項について、管財人が作成した認否書並びに更生債権者等、株主及び更生会社の書面による異議に基づいてする。

第一四六条（認否書の作成及び提出）①　管財人は、第百三十八条第一項に規定する債権届出期間内に届出があった更生債権等について、次の各号に掲げる区分に応じ、当該各号に定める事項についての認否を記載した認否書を作成しなければならない。

一　更生債権　内容、一般の優先権がある債権又は約定劣後更生債権であること及び議決権の額

二　更生担保権　内容、担保権の目的である財産の価額及び議決権の額

②　管財人は、第百三十九条第一項若しくは第三項の規定によりその届出があり、又は同条第五項の規定により届出事項の変更があった更生債権等についても、次の各号に掲げる区分に応じ、当該各号に定める事項についての認否を前項の認否書に記載することができる。

一　更生債権　前項第一号に定める事項（届出事項の変更があった場合には、変更後の同号に定める事項）

二　更生担保権　前項第二号に定める事項（届出事項の変更があった場合には、変更後の同号に定める事項）

③　管財人は、一般調査期間（第四十二条第一項に規定する更生債権等の調査をするための期間をいう。）前の裁判所の定める期限までに、前二項の規定により作成した認否書を裁判所に提出しなければならない。

④　第一項の規定により同項の認否書に認否を記載すべき事項であって前項の規定により提出された認否書に認否の記載がないものがあるときは、管財人において当該事項を認めたものとみなす。

⑤　第二項の規定により同項各号に定める事項についての認否を認否書に記載することができる更生債権等について、第三項の規定により提出された認否書に当該事項の一部についての認否の記載があるときは、管財人において当該事項のうち当該認否書に認否の記載のないものを認めたものとみなす。

第一四七条から第一四九条まで　（略）

第一五〇条（異議等のない更生債権等の確定）①　第百四十六条第二項各号に定める事項は、更生債権等の調査において、管財人が認め、かつ、届出をした更生債権者等及び株主が調査期間内に異議を述べなかったとき（前条第一項の更生債権等の調査においては、管財人が同条第三項前段の規定による異議を述べなかったとき）は、確定する。

②　裁判所書記官は、更生債権等の調査の結果を更生債権者表及び更生担保権者表に記載しなければならない。

③　第一項の規定により確定した事項についての更生債権者表及び更生担保権者表の記載は、更生債権者等及び株主の全員に対して確定判決と同一の効力を有する。

＊令和五法五三（令和一〇・六・一三までに施行）による改正後

第一五〇条（異議等のない更生債権等の確定）①　（略）

②　裁判所書記官は、最高裁判所規則で定めるところにより、更生債権等の調査の結果を電子更生債権者表及び電子更生担保権者表に記録しなければならない。

③　第一項の規定により確定した事項についての電子更生債権者表及び電子更生担保権者表の記録は、更生債権者等及び株主の全員に

全員に対して確定判決と同一の効力を有する。

第二款　更生債権及び更生担保権の確定のための裁判手続（抄）

（更生債権等査定決定）

第一五一条① 異議等のある更生債権等（更生債権等であって、その調査において、その内容（一般の優先権がある債権又は約定劣後更生債権であるかどうかの別を含む。）について管財人が認めず、若しくは第百四十九条第三項前段の規定による異議を述べ、又は届出をした更生債権者等若しくは株主が異議を述べたものをいう。）を有する更生債権者等は、異議者等（当該管財人並びに当該異議を述べた更生債権者等及び株主をいう。）の全員を相手方として、裁判所に、その内容（一般の優先権がある債権又は約定劣後更生債権であるかどうかの別を含む。）についての査定の申立て（以下この款において「更生債権等査定申立て」という。）をすることができる。ただし、第百五十六条第一項並びに第百五十八条第一項及び第二項の場合は、この限りでない。

② 更生債権等査定申立ては、前項本文に規定する異議等のある更生債権等に係る調査期間の末日又は第百四十九条第四項の通知があった日から一月の不変期間内にしなければならない。

③ 更生債権等査定申立てがあった場合には、裁判所は、これを不適法として却下する場合を除き、決定で、第一項本文に規定する異議等のある更生債権等の存否及び内容（一般の優先権がある債権又は約定劣後更生債権であるかどうかの別を含む。）を査定する裁判（以下この款において「更生債権等査定決定」という。）をしなければならない。

④ 裁判所は、更生債権等査定決定をする場合には、第一項本文に規定する異議者等を審尋しなければならない。

⑤ 更生債権等査定申立てについての決定があった場合には、その裁判書を当事者に送達しなければならない。この場合においては、第十条第三項本文の規定は、適用しない。

＊**令和五法五三（令和一〇・六・一三までに施行）による改正**　第五項中「裁判書」を「電子裁判書」に改める。（本文未織込み）

⑥ 第一項本文に規定する異議等のある更生債権等（第百五十八条第一項に規定するものを除く。）につき、第二項（第百五十六条第二項において準用する場合を含む。）の期間内に更生債権等査定申立て又は第百五十六条第一項の規定による受継の申立てがないときは、当該異議等のある更生債権等についての届出は、なかったものとみなす。

（更生債権等査定申立てについての決定に対する異議の訴え）

第一五二条① 更生債権等査定申立てについての決定に不服がある者は、その送達を受けた日から一月の不変期間内に、異議の訴え（以下この款において「更生債権等査定異議の訴え」という。）を提起することができる。

② 更生債権等査定異議の訴えは、更生裁判所が管轄する。

③ 更生債権等査定異議の訴えの第一審裁判所は、更生裁判所が更生事件を管轄することの根拠となる法令上の規定が第五条第六項の規定のみである場合（更生裁判所が第七条第三号の規定により更生事件の移送を受けた場合において、同号に規定する規定中移送を受けたことの根拠となる規定が同項の規定のみであるときを含む。）において、著しい損害又は遅滞を避けるため必要があると認めるときは、前項の規定にかかわらず、職権で、当該更生債権等査定異議の訴えに係る訴訟を第五条第一項に規定する地方裁判所に移送することができる。

④ 更生債権等査定異議の訴えは、これを提起する者が、前条第一項本文に規定する異議等のある更生債権等を有する更生債権者等であるときは同項本文に規定する異議者等の全員を、当該異議者等であるときは当該更生債権者等を、それぞれ被告としなければならない。

⑤ 更生債権等査定異議の訴えの口頭弁論は、第一項の期間を経過した後でなければ開始することができない。

⑥ 同一の更生債権等に関し更生債権等査定異議の訴えが数個同時に係属するときは、弁論及び裁判は、併合してしなければならない。この場合においては、民事訴訟法第四十条第一項から第三項までの規定を準用する。

⑦ 更生債権等査定異議の訴えについての判決においては、訴えを不適法として却下する場合を除き、更生債権等査定申立てについての決定を認可し、又は変更する。

第一五三条から第一五五条まで（略）

（異議等のある更生債権等に関する訴訟の受継）

第一五六条① 第百五十一条第一項本文に規定する異議等のある更生債権等に関し更生手続開始当時訴訟が係属する場合において、更生債権者等がその内容（一般の優先権がある債権又は約定劣後更生債権であるかどうかの別を含む。）の確定を求めようとするときは、同項本文に規定する異議者等の全員を当該訴訟の相手方として、訴訟手続の受継の申立てをしなければならない。

② 第百五十一条第二項の規定は、前項の申立てについて準用する。

第一五七条（略）

（執行力ある債務名義のある債権等に対する異議の主張）

第一五八条（民再一〇九条と同旨）

第一五九条から第一六三条まで（略）

第三款　租税等の請求権等についての特例

第一六四条① 租税等の請求権及び第百四十二条第二号に規定する更生手続開始前の罰金等の請求権については、前二款（第百四十四条を除く。）の規定は、適用しない。

② 第百四十二条の規定による届出があった請求権（罰金、科料及び刑事訴訟費用の請求権を除く。）の原因（共助対象外国租税の請求権にあっては、共助実施決定）が審査請求、訴訟（刑事訴訟を除く。次項において同じ。）その他の不服の申立てをすることができる処分である場合には、管財人は、当該届出があった請求権について、当該不服の申立てをする方法で、異議を主張することができる。

③ 前項の場合において、当該届出があった請求権に関し更生手続開始当時訴訟が係属するときは、同項に規定する異議を主張しようとする管財人は、当該届出があった請求権を有する更生債権者等を相手方とする訴訟手続を受け継がなければならない。当該届出があった請求権に関し更生手続開始当時更生会社の財産関係の事件が行政庁に係属するときも、同様とする。

④ 第二項の規定による異議の主張又は前項の規定による受継は、管財人が第二項に規定する届出があったことを知った日から一月の不変期間内にしなければならない。

⑤ 第百五十条第二項の規定は第百四十二条の規定による届出があった請求権について、第百五十七条、第百六十条及び第百六十一条第一項の規定は第二項の規定による異議又は第三項の規定による受継があった場合について、それぞれ準用する。

第六章　株主

（株主の手続参加）

第一六五条① 株主は、その有する株式をもって更生手続に参加することができる。

② 株主として更生手続に参加することができる者は、株主名簿の記載又は記録によって定める。

③ 裁判所は、株主名簿に記載又は記録のない株主の申立てにより、当該株主が更生手続に参加することを許可することができる。この場合においては、当該許可に係る株式については、当該許可を受けた者以外の者は、株主として更生手続に参加することができない。

④ 裁判所は、利害関係人の申立てにより又は職権で、前項前段の規定による許可の決定を変更し、又は取り消すことができ

る。

⑤　第三項前段の申立てについての裁判及び前項の規定による決定に対しては、即時抗告をすることができる。

⑥　前項に規定する裁判及び同項の即時抗告についての裁判があった場合には、その裁判書を当事者に送達しなければならない。この場合においては、第十条第三項本文の規定は、適用しない。

> **＊令和五法五三（令和一〇・六・一三までに施行）による改正**
> 第六項中「裁判書」を「電子裁判書」に改める。（本文未織込み）

（株主の議決権）

第一六六条①　株主は、その有する株式一株につき一個の議決権を有する。ただし、更生会社が単元株式数を定款で定めている場合においては、一単元の株式につき一個の議決権を有する。

②　前項の規定にかかわらず、更生会社が更生手続開始の時においてその財産をもって債務を完済することができない状態にあるときは、株主は、議決権を有しない。

第七章　更生計画の作成及び認可（抄）

第一節　更生計画の条項（抄）

（更生計画において定める事項）

第一六七条①　更生計画においては、次に掲げる事項に関する条項を定めなければならない。

一　全部又は一部の更生債権者等又は株主の権利の変更
二　更生会社の取締役、会計参与、監査役、執行役、会計監査人及び清算人
三　共益債権の弁済
四　債務の弁済資金の調達方法
五　更生計画において予想された額を超える収益金の使途
六　次のイ及びロに掲げる金銭の額又は見込額及びこれらの使途
イ　第五十一条第一項本文に規定する手続又は処分における配当等に充てるべき金銭の額又は見込額
ロ　第百八条第一項の規定により裁判所に納付された金銭の額（第百十二条第二項の場合にあっては、同項の規定により裁判所に納付された金銭の額及び第百十一条第一項の決定において定める金額の合計額）
七　知れている開始後債権があるときは、その内容

②　第七十二条第四項前段に定めるもののほか、更生計画においては、第四十五条第一項各号に掲げる行為、定款の変更、事業譲渡等（会社法第四百六十八条第一項に規定する事業譲渡等をいう。第百七十四条第六号及び第二百十三条の二において同じ。）、株式会社の設立その他更生のために必要な事項に関する条項を定めることができる。

（更生計画による権利の変更）

第一六八条①　次に掲げる種類の権利を有する者についての更生計画の内容は、同一の種類の権利を有する者の間では、それぞれ平等でなければならない。ただし、不利益を受ける者の同意がある場合又は少額の更生債権等若しくは第百三十六条第二項第一号から第三号までに掲げる請求権について別段の定めをしても衡平を害しない場合その他同一の種類の権利を有する者の間に差を設けても衡平を害しない場合は、この限りでない。

一　更生担保権
二　一般の先取特権その他一般の優先権がある更生債権
三　前号及び次号に掲げるもの以外の更生債権
四　約定劣後更生債権
五　残余財産の分配に関し優先的内容を有する種類の株式
六　前号に掲げるもの以外の株式

②　前項第二号の更生債権について、優先権が一定の期間内の債権額につき存在する場合には、その期間は、更生手続開始の時からさかのぼって計算する。

③　更生計画においては、異なる種類の権利を有する者の間においては、第一項各号に掲げる種類の権利の順位を考慮して、更生計画の内容に公正かつ衡平な差を設けなければならない。この場合における権利の順位は、当該各号の順位による。

④　前項の規定は、租税等の請求権（共助対象外国租税の請求権を除く。）及び第百四十二条第二号に規定する更生手続開始前の罰金等の請求権については、適用しない。

⑤　更生計画によって債務が負担され、又は債務の期限が猶予されるときは、その債務の期限は、次に掲げる期間を超えてはならない。

一　担保物（その耐用期間が判定できるものに限る。）がある場合は、当該耐用期間又は十五年（更生計画の内容が更生債権者等に特に有利なものになる場合その他の特別の事情がある場合は、二十年）のいずれか短い期間
二　前号に規定する場合以外の場合は、十五年（更生計画の内容が更生債権者等に特に有利なものになる場合その他の特別の事情がある場合は、二十年）

⑥　前項の規定は、更生計画の定めにより社債を発行する場合については、適用しない。

⑦　第百四十二条第二号に規定する更生手続開始前の罰金等の請求権については、更生計画において減免の定めその他権利に影響を及ぼす定めをすることができない。

（租税等の請求権の取扱い）

第一六九条①　更生計画において、租税等の請求権につき、その権利に影響を及ぼす定めをするには、徴収の権限を有する者の同意を得なければならない。ただし、当該請求権について三年以下の期間の納税の猶予若しくは滞納処分による財産の換価の猶予の定めをする場合又は次に掲げるものに係る請求権についてその権利に影響を及ぼす定めをする場合には、徴収の権限を有する者の意見を聴けば足りる。

一　更生手続開始の決定の日から一年を経過する日（その日までに更生計画認可の決定があるときは、その決定の日）までの間に生ずる延滞税、利子税又は延滞金
二　納税の猶予又は滞納処分による財産の換価の猶予の定めをする場合におけるその猶予期間に係る延滞税又は延滞金

②　徴収の権限を有する者は、前項本文の同意をすることができる。

③　前二項の規定にかかわらず、共助対象外国租税の請求権については、その権利に影響を及ぼす定めをする場合においても、徴収の権限を有する者の意見を聴けば足りる。

（更生債権者等の権利の変更）

第一七〇条①　全部又は一部の更生債権者等又は株主の権利の変更に関する条項においては、届出をした更生債権者等及び株主の権利のうち変更されるべき権利を明示し、かつ、変更後の権利の内容を定めなければならない。ただし、第百七十二条に規定する更生債権等については、この限りでない。

②　届出をした更生債権者等又は株主の権利で、更生計画によってその権利に影響を受けないものがあるときは、その権利を明示しなければならない。

（債務の負担及び担保の提供）

第一七一条①　更生会社以外の者が更生会社の事業の更生のために債務を負担し、又は担保を提供するときは、更生計画において、その者を明示し、かつ、その債務又は担保権の内容を定めなければならない。更生会社の財産から担保を提供するときも、同様とする。

②　更生計画において、前項の規定による定めをするには、債務を負担し、又は担保を提供する者の同意を得なければならない。

第一七二条から第一八三条まで　（略）

第二節　更生計画案の提出（抄）

（更生計画案の提出時期）

第一八四条①　管財人は、第百三十八条第一項に規定する債権届

出期間の満了後裁判所の定める期間内に、更生計画案を作成して裁判所に提出しなければならない。

② 更生会社、届出をした更生債権者等又は株主は、裁判所の定める期間内に、更生計画案を作成して裁判所に提出することができる。

③ 前二項の期間（次項の規定により伸長された期間を除く。）の末日は、更生手続開始の決定の日から一年以内の日でなければならない。

④ 裁判所は、特別の事情があるときは、申立てにより又は職権で、第一項又は第二項の規定により定めた期間を伸長することができる。

第一八五条から第一八八条まで （略）

第三節　更生計画案の決議（抄）

（決議に付する旨の決定）

第一八九条① 更生計画案の提出があったときは、裁判所は、次の各号のいずれかに該当する場合を除き、当該更生計画案を決議に付する旨の決定をする。

一 第百四十六条第三項に規定する一般調査期間が終了していないとき。

二 管財人が第八十四条第一項の規定による報告書の提出又は第八十五条第一項の規定による関係人集会における報告をしていないとき。

三 裁判所が更生計画案について第百九十九条第二項各号（第四号を除く。）に掲げる要件のいずれかを満たさないものと認めるとき。

四 第二百三十六条第二号の規定により更生手続を廃止するとき。

② 裁判所は、前項の決議に付する旨の決定において、議決権を行使することができる更生債権者等又は株主（以下この節において「議決権者」という。）の議決権行使の方法及び第百九十三条第二項（同条第三項において準用する場合を含む。）の規定により議決権の不統一行使をする場合における裁判所に対する通知の期限を定めなければならない。この場合においては、議決権行使の方法として、次に掲げる方法のいずれかを定めなければならない。

一 関係人集会の期日において議決権を行使する方法

二 書面等投票（書面その他の最高裁判所規則で定める方法のうち裁判所の定めるものによる投票をいう。）により裁判所の定める期間内に議決権を行使する方法

三 前二号に掲げる方法のうち議決権者が選択するものにより議決権を行使する方法。この場合においては、前号の期間の末日は、第一号の関係人集会の期日より前の日でなければならない。

③ 裁判所は、第一項の決議に付する旨の決定をした場合には、前項前段に規定する期限を公告し、かつ、当該期限及び更生計画案の内容又はその要旨を第百十五条第一項本文に規定する者（同条第二項に規定する者を除く。）に通知しなければならない。

④ 裁判所は、議決権行使の方法として第二項第二号又は第三号に掲げる方法を定めたときは、その旨を公告し、かつ、議決権者に対して、同項第二号に規定する書面等投票は裁判所の定める期間内に限りすることができる旨を通知しなければならない。

⑤ 裁判所は、議決権行使の方法として第二項第二号に掲げる方法を定めた場合において、第百十四条第一項各号に掲げる者（同条第二項の規定により同条第一項前段の申立てをすることができない者を除く。）が前項の期間内に更生計画案の決議をするための関係人集会の招集の申立てをしたときは、議決権行使の方法につき、当該定めを取り消して、第二項第一号又は第三号に掲げる方法を定めなければならない。

第一九〇条 （略）

（関係人集会が開催される場合における議決権の額又は数の定め方等）

第一九一条① 裁判所が議決権行使の方法として第百八十九条第二項第一号又は第三号に掲げる方法を定めた場合においては、管財人、届出をした更生債権者等又は株主は、関係人集会の期日において、届出をした更生債権者等又は株主の議決権につき異議を述べることができる。ただし、第百五十条第一項の規定によりその額が確定した届出をした更生債権者等の議決権については、この限りでない。

② 前項本文に規定する場合においては、議決権者は、次の各号に掲げる区分に応じ、当該各号に定める額又は数に応じて、議決権を行使することができる。

一 第百五十条第一項の規定によりその額が確定した議決権を有する届出をした更生債権者等　確定した額

二 前項本文の異議のない議決権を有する届出をした更生債権者等　届出の額

三 前項本文の異議のない議決権を有する株主　株主名簿に記載され、若しくは記録され、又は第百六十五条第三項の許可において定める数

四 前項本文の異議のある議決権を有する届出をした更生債権者等又は株主　裁判所が定める額又は数。ただし、裁判所が議決権を行使させない旨を定めたときは、議決権を行使することができない。

③ 裁判所は、利害関係人の申立てにより又は職権で、いつでも前項第四号の規定による決定を変更することができる。

（関係人集会が開催されない場合における議決権の額又は数の定め方等）

第一九二条① 裁判所が議決権行使の方法として第百八十九条第二項第二号に掲げる方法を定めた場合においては、議決権者は、次の各号に掲げる区分に応じ、当該各号に定める額又は数に応じて、議決権を行使することができる。

一 第百五十条第一項の規定によりその額が確定した議決権を有する届出をした更生債権者等　確定した額

二 届出をした更生債権者等（前号に掲げるものを除く。）　裁判所が定める額。ただし、裁判所が議決権を行使させない旨を定めたときは、議決権を行使することができない。

三 株主　株主名簿に記載され、若しくは記録され、又は第百六十五条第三項の許可において定める数

② 裁判所は、利害関係人の申立てにより又は職権で、いつでも前項第二号の規定による決定を変更することができる。

第一九三条から第一九五条まで （略）

（更生計画案の可決の要件）

第一九六条① 更生計画案の決議は、第百六十八条第一項各号に掲げる種類の権利又は次項の規定により定められた種類の権利を有する者に分かれて行う。

② 裁判所は、相当と認めるときは、二以上の第百六十八条第一項各号に掲げる種類の権利を一の種類の権利とし、又は一の当該各号に掲げる種類の権利を二以上の種類の権利とすることができる。ただし、更生債権、更生担保権又は株式は、それぞれ別の種類の権利としなければならない。

③ 裁判所は、更生計画案を決議に付する旨の決定をするまでは、前項本文の決定を変更し、又は取り消すことができる。

④ 前二項の規定による決定があった場合には、その裁判書を議決権者に送達しなければならない。ただし、関係人集会の期日において当該決定の言渡しがあったときは、この限りでない。

＊令和五法五三（令和一〇・六・一三までに施行）**による改正**
第四項中「裁判書」を「電子裁判書」に改める。（本文未織込み）

⑤ 更生計画案を可決するには、第一項に規定する種類の権利ごとに、当該権利についての次の各号に掲げる区分に応じ、当該各号に定める者の同意がなければならない。

一 更生債権　議決権を行使することができる更生債権者の議

決権の総額の二分の一を超える議決権を有する者

二　更生担保権　次のイからハまでに掲げる区分に応じ、当該イからハまでに定める者

イ　更生担保権の期限の猶予の定めをする更生計画案　議決権を行使することができる更生担保権者の議決権の総額の三分の二以上に当たる議決権を有する者

ロ　更生担保権の減免の定めその他期限の猶予以外の方法により更生担保権者の権利に影響を及ぼす定めをする更生計画案　議決権を行使することができる更生担保権者の議決権の総額の四分の三以上に当たる議決権を有する者

ハ　更生会社の事業の全部の廃止を内容とする更生計画案　議決権を行使することができる更生担保権者の議決権の総額の十分の九以上に当たる議決権を有する者

三　株式　議決権を行使することができる株主の議決権の総数の過半数に当たる議決権を有する者

第一九七条及び第一九八条　（略）

第四節　更生計画の認可又は不認可の決定

（更生計画認可の要件等）

第一九九条①　更生計画案が可決されたときは、裁判所は、更生計画の認可又は不認可の決定をしなければならない。

②　裁判所は、次に掲げる要件のいずれにも該当する場合には、更生計画認可の決定をしなければならない。

一　更生手続又は更生計画が法令及び最高裁判所規則の規定に適合するものであること。

二　更生計画の内容が公正かつ衡平であること。

三　更生計画が遂行可能であること。

四　更生計画の決議が誠実かつ公正な方法でされたこと。

五　他の会社と共に第四十五条第一項第七号に掲げる行為を行うことを内容とする更生計画については、前項の規定による決定の時において、当該他の会社が当該行為を行うことができること。

六　行政庁の許可、認可、免許その他の処分を要する事項を定めた更生計画については、第百八十七条の規定による当該行政庁の意見と重要な点において反していないこと。

③　更生手続が法令又は最高裁判所規則の規定に違反している場合であっても、その違反の程度、更生会社の現況その他一切の事情を考慮して更生計画を認可しないことが不適当と認めるときは、裁判所は、更生計画認可の決定をすることができる。

④　裁判所は、前二項又は次条第一項の規定により更生計画認可の決定をする場合を除き、更生計画不認可の決定をしなければならない。

⑤　第百十五条第一項本文に規定する者及び第四十六条第三項第三号に規定する労働組合等は、更生計画を認可すべきかどうかについて、意見を述べることができる。

⑥　更生計画の認可又は不認可の決定があった場合には、その主文、理由の要旨及び更生計画又はその要旨を公告しなければならない。

⑦　前項に規定する場合には、同項の決定があった旨を第四十六条第三項第三号に規定する労働組合等に通知しなければならない。

（同意を得られなかった種類の権利がある場合の認可）

第二〇〇条①　第百九十六条第一項に規定する種類の権利の一部に同条第五項の要件を満たす同意を得られなかったものがあるため更生計画案が可決されなかった場合においても、裁判所は、更生計画案を変更し、同意が得られなかった種類の権利を有する者のために次に掲げる方法のいずれかにより当該権利を保護する条項を定めて、更生計画認可の決定をすることができる。

一　更生担保権者について、その更生担保権の全部をその担保権の被担保債権として存続させ、又はその担保権の目的である財産を裁判所が定める公正な取引価額（担保権による負担がないものとして評価するものとする。）以上の価額で売却し、その売得金から売却の費用を控除した残金で弁済し、又はこれを供託すること。

二　更生債権者については破産手続が開始された場合に配当を受けることが見込まれる額、株主については清算の場合に残余財産の分配により得ることが見込まれる利益の額を支払うこと。

三　当該権利を有する者に対して裁判所の定めるその権利の公正な取引価額を支払うこと。

四　その他前三号に準じて公正かつ衡平に当該権利を有する者を保護すること。

②　更生計画案について、第百九十六条第一項に規定する種類の権利の一部に、同条第五項の要件を満たす同意を得られないことが明らかなものがあるときは、裁判所は、更生計画案の作成者の申立てにより、あらかじめ、同意を得られないことが明らかな種類の権利を有する者のために前項各号に掲げる方法のいずれかにより当該権利を保護する条項を定めて、更生計画案を作成することを許可することができる。

③　前項の申立てがあったときは、裁判所は、申立人及び同意を得られないことが明らかな種類の権利を有する者のうち一人以上の意見を聴かなければならない。

（更生計画の効力発生の時期）

第二〇一条　更生計画は、認可の決定の時から、効力を生ずる。

（更生計画認可の決定等に対する即時抗告）

第二〇二条①　更生計画の認可又は不認可の決定に対しては、即時抗告をすることができる。

②　前項の規定にかかわらず、次の各号に掲げる場合には、それぞれ当該各号に定める者は、更生計画の内容が第百六十八条第一項第四号から第六号までに違反することを理由とする場合を除き、即時抗告をすることができない。

一　更生会社が更生手続開始の時においてその財産をもって約定劣後更生債権に優先する債権に係る債務を完済することができない状態にある場合　約定劣後更生債権を有する者

二　更生会社が更生手続開始の時においてその財産をもって債務を完済することができない状態にある場合　株主

③　議決権を有しなかった更生債権者等又は株主が第一項の即時抗告をするには、更生債権者等又は株主であることを疎明しなければならない。

④　第一項の即時抗告は、更生計画の遂行に影響を及ぼさない。ただし、抗告裁判所又は更生計画認可の決定をした裁判所は、同項の決定の取消しの原因となることが明らかな事情及び更生計画の遂行によって生ずる償うことができない損害を避けるべき緊急の必要があることにつき疎明があったときは、抗告人の申立てにより、当該即時抗告につき決定があるまでの間、担保を立てさせて、又は立てさせないで、当該更生計画の全部又は一部の遂行を停止し、その他必要な処分をすることができる。

⑤　前二項の規定は、第一項の即時抗告についての裁判に対する第十三条において準用する民事訴訟法第三百三十六条の規定による抗告及び同法第三百三十七条の規定による抗告の許可の申立てについて準用する。

第八章　更生計画認可後の手続（抄）

第一節　更生計画認可の決定の効力（抄）

（更生計画の効力範囲）

第二〇三条①　更生計画は、次に掲げる者のために、かつ、それらの者に対して効力を有する。

一　更生会社

二　すべての更生債権者等及び株主

三　更生会社の事業の更生のために債務を負担し、又は担保を提供する者

四　更生計画の定めるところにより更生会社が組織変更をした後の持分会社

五　更生計画の定めるところにより新設分割（他の会社と共同してするものを除く。）、株式移転（他の株式会社と共同して

するものを除く。）又は第百八十三条に規定する条項により設立される会社

② 更生計画は、更生債権者等が更生会社の保証人その他更生会社と共に債務を負担する者に対して有する権利及び更生会社以外の者が更生債権者等のために提供した担保に影響を及ぼさない。

（更生債権等の免責等）

第二〇四条① 更生計画認可の決定があったときは、次に掲げる権利を除き、更生会社は、全ての更生債権等につきその責任を免れ、株主の権利及び更生会社の財産を目的とする担保権は全て消滅する。

一 更生計画の定め又はこの法律の規定によって認められた権利

二 更生手続開始後に更生会社の取締役等（取締役、会計参与、監査役、代表取締役、執行役、代表執行役、清算人又は代表清算人をいう。）又は使用人であった者で、更生計画認可の決定後も引き続きこれらの職に在職しているものの退職手当の請求権

三 第百四十二条第二号に規定する更生手続開始前の罰金等の請求権

四 租税等の請求権（共助対象外国租税の請求権を除く。）のうち、これを免れ、若しくは免れようとし、不正の行為によりその還付を受け、又は徴収して納付し、若しくは納入すべきものを納付せず、若しくは納入しなかったことにより、更生手続開始後拘禁刑若しくは罰金に処せられ、又は国税通則法（昭和三十七年法律第六十六号）第百五十七条第一項若しくは地方税法（昭和二十五年法律第二百二十六号）第二十二条の二十八第一項の規定による通告の旨を履行した場合における、免れ、若しくは免れようとし、還付を受け、又は納付せず、若しくは納入しなかった額の租税等の請求権で届出のないもの

② 更生計画認可の決定があったときは、前項第三号及び第四号に掲げる請求権については、更生計画で定められた弁済期間が満了する時（その期間の満了前に更生計画に基づく弁済が完了した場合にあっては、弁済が完了した時）までの間は、弁済をし、弁済を受け、その他これを消滅させる行為（免除を除く。）をすることができない。

③ 第一項の規定にかかわらず、共助対象外国租税の請求権についての同項の規定による免責及び担保権の消滅の効力は、租税条約等実施特例法第十一条第一項の規定による共助との関係においてのみ主張することができる。

（届出をした更生債権者等の権利の変更）

第二〇五条① 更生計画認可の決定があったときは、届出をした更生債権者等及び株主の権利は、更生計画の定めに従い、変更される。

② 届出をした更生債権者等は、その有する更生債権等が確定している場合に限り、更生計画の定めによって認められた権利を行使することができる。

③ 更生計画の定めによって株主に対し権利が認められた場合には、更生手続に参加しなかった株主も、更生計画の定めによって認められた権利を行使することができる。

④ 会社法第百五十一条から第百五十三条までの規定は、株主が第一項の規定による権利の変更により受けるべき金銭等について準用する。

⑤ 第一項の規定にかかわらず、共助対象外国租税の請求権についての同項の規定による権利の変更の効力は、租税条約等実施特例法第十一条第一項の規定による共助との関係においてのみ主張することができる。

第二〇六条及び第二〇七条 （略）

（中止した手続等の失効）

第二〇八条 更生計画認可の決定があったときは、第五十条第一項の規定により中止した破産手続、再生手続（当該再生手続において、民事再生法第三十九条第一項の規定により中止した破産手続並びに同法第二十六条第一項第二号に規定する再生債権に基づく強制執行等の手続及び同項第五号に規定する再生債権に基づく外国租税滞納処分を含む。）、第二十四条第一項第二号に規定する強制執行等の手続、企業担保権の実行手続、同項第六号に規定する外国租税滞納処分、財産開示手続及び第三者からの情報取得手続は、その効力を失う。ただし、第五十条第五項の規定により続行された手続又は処分については、この限りでない。

第二節 更生計画の遂行（抄）

（更生計画の遂行）

第二〇九条① 更生計画認可の決定があったときは、管財人は、速やかに、更生計画の遂行又は更生会社の事業の経営並びに財産の管理及び処分の監督を開始しなければならない。

② 管財人は、第二百三条第一項第五号に掲げる会社の更生計画の実行を監督する。

③ 管財人は、前項に規定する会社の設立時取締役、設立時監査役、取締役、会計参与、監査役、執行役、会計監査人、業務を執行する社員、清算人及び使用人その他の従業者並びにこれらの者であった者に対して当該会社の業務及び財産の状況につき報告を求め、又は当該会社の帳簿、書類その他の物件を検査することができる。

④ 裁判所は、更生計画の遂行を確実にするため必要があると認めるときは、管財人（第七十二条第四項前段の規定により更生会社の機関がその権限を回復したときは、更生会社）又は更生会社の事業の更生のために債務を負担し、若しくは担保を提供する者に対し、次に掲げる者のために、相当な担保を立てるべきことを命ずることができる。

一 更生計画の定め又はこの法律の規定によって認められた権利を有する者

二 第百五十一条第一項本文に規定する異議等のある更生債権等でその確定手続が終了していないものを有する者

⑤ 民事訴訟法第七十六条、第七十七条、第七十九条及び第八十条の規定は、前項の担保について準用する。

第二一〇条から第二三二条まで （略）

第三節 更生計画の変更

第二三三条① 更生計画認可の決定があった後やむを得ない事由で更生計画に定める事項を変更する必要が生じたときは、裁判所は、更生手続終了前に限り、管財人、更生会社、届出をした更生債権者等又は株主の申立てにより、更生計画を変更することができる。

② 前項の規定により更生債権者等又は株主に不利な影響を及ぼすものと認められる更生計画の変更の申立てがあった場合には、更生計画案の提出があった場合の手続に関する規定を準用する。ただし、更生計画の変更によって不利な影響を受けない更生債権者等又は株主は、手続に参加させることを要せず、また、変更計画案について議決権を行使しない者（変更計画案について決議をするための関係人集会に出席した者を除く。）であって従前の更生計画に同意したものは、変更計画案に同意したものとみなす。

③ 変更後の更生計画によって債務が負担され、又は債務の期限が猶予されるときは、その債務の期限は、次に掲げる期間を超えてはならない。

一 担保物（その耐用期間が判定できるものに限る。）がある場合は、当該耐用期間又は最初の更生計画認可の決定の時から十五年（変更後の更生計画の内容が更生債権者等に特に有利なものになる場合その他の特別の事情がある場合は、二十年）のいずれか短い期間

二 前号に規定する場合以外の場合は、最初の更生計画認可の決定の時から十五年（変更後の更生計画の内容が更生債権者等に特に有利なものになる場合その他の特別の事情がある場合は、二十年）

④ 前項の規定は、変更後の更生計画の定めにより社債を発行し、又は既に更生計画の定めにより発行した社債の期限の猶予をする場合については、適用しない。
⑤ 変更後の更生計画は、第一項の規定による変更の決定又は第二項の規定による認可の決定の時から、効力を生ずる。
⑥ 前項に規定する決定に対しては、即時抗告をすることができる。この場合においては、第二百二条第二項から第五項までの規定を準用する。
⑦ 第七十二条第七項の規定は、更生計画の変更により第七十二条第四項前段の規定による更生計画の定めが取り消された場合について準用する。

第九章　更生手続の終了（抄）

第一節　更生手続の終了事由

第二三四条 更生手続は、次に掲げる事由のいずれかが生じた時に終了する。
一 更生手続開始の申立てを棄却する決定の確定
二 第四十四条第一項の規定による即時抗告があった場合における更生手続開始の決定を取り消す決定の確定
三 更生計画不認可の決定の確定
四 更生手続廃止の決定の確定
五 更生手続終結の決定

第二節　更生計画認可前の更生手続の終了

（第二三五条から第二三八条まで）（略）

第三節　更生計画認可後の更生手続の終了（抄）

第一款　更生手続の終結

（更生手続終結の決定）
第二三九条① 次に掲げる場合には、裁判所は、管財人の申立てにより又は職権で、更生手続終結の決定をしなければならない。
一 更生計画が遂行された場合
二 更生計画の定めによって認められた金銭債権の総額の三分の二以上の額の弁済がされた時において、当該更生計画に不履行が生じていない場合。ただし、裁判所が、当該更生計画が遂行されないおそれがあると認めたときは、この限りでない。
三 更生計画が遂行されることが確実であると認められる場合（前号に該当する場合を除く。）
② 裁判所は、更生手続終結の決定をしたときは、その主文及び理由の要旨を公告しなければならない。

（更生手続終結後の更生債権者表等の記載の効力）
第二四〇条 更生手続終結の後においては、更生債権者等は、更生債権等に基づき更生計画の定めによって認められた権利について、更生会社であった株式会社及び更生会社の事業の更生のために債務を負担した者に対して、更生債権者表又は更生担保権者表の記載により強制執行をすることができる。ただし、民法第四百五十二条及び第四百五十三条の規定の適用を妨げない。

＊令和五法五三（令和一〇・六・一三までに施行）**による改正**
第二四〇条の見出し中「更生債権者表等の記載」を「電子更生債権者表等の記録」に改め、同条中「更生債権者表又は更生担保権者表の記載」を「電子更生債権者表又は電子更生担保権者表の記録」に改める。（本文未織込み）

第二款　更生計画認可後の更生手続の廃止

（第二四一条）（略）

第十章　外国倒産処理手続がある場合の特則

（第二四二条から第二四五条まで）（略）

第十一章　更生手続と他の倒産処理手続との間の移行等

（第二四六条から第二五七条まで）（略）

第十二章　雑則

（第二五八条から第二六五条まで）（略）

第十三章　罰則

（第二六六条から第二七六条まで）（略）

附　則（抄）

（施行期日）
第一条 この法律は、公布の日から起算して六月を超えない範囲内において政令で定める日（平成一五・四・一―平成一五政二九）から施行する。

別表（略）

＊令和四法四八（令和八・五・二四までに施行）**により別表追加**
＊令和五法五三（令和一〇・六・一三までに施行）**により別表削る**（未織込み）

附　則（令和四・五・二五法四八）（抄）

（施行期日）
第一条 この法律は、公布の日から起算して四年を超えない範囲内において政令で定める日から施行する。ただし、次の各号に掲げる規定は、当該各号に定める日から施行する。
一 （前略）附則第百二十五条の規定　公布の日
二―五 （略）

（政令への委任）
第一二五条 （前略）この法律の施行に関し必要な経過措置は、政令で定める。

刑法等の一部を改正する法律の施行に伴う関係法律整理法中経過規定

（令和四・六・一七法六八）（抄）

第四四一条から第四四三条まで（刑法の同経過規定参照）

（会社更生法の一部改正に伴う経過措置）
第四九二条 租税等の請求権（会社更生法第二条第十五項に規定する租税等の請求権をいい、同法第八条第三項に規定する共助対象外国租税の請求権を除く。以下この条において同じ。）を免れ、若しくは免れようとし、不正の行為によりその還付を受け、又は徴収して納付し、若しくは納入すべきものを納付せず、若しくは納入しなかったことにより、更生手続（同法第二条第一項に規定する更生手続をいう。以下この条において同じ。）開始後懲役に処せられた場合における第五十四条の規定による改正後の同法第二百四条第一項（第四号に係る部分に限る。）の規定の適用については、当該場合における、免れ、若しくは免れようとし、還付を受け、又は納付せず、若しくは納入しなかった額の租税等の請求権は、更生手続開始後拘禁刑に処せられた場合における、免れ、若しくは免れようとし、還付を受け、又は納付せず、若しくは納入しなかった額の租税等の請求権とみなす。

第五〇九条（刑法の同経過規定参照）

刑法等の一部を改正する法律の施行に伴う関係法律整理法

附　則（令和四・六・一七法六八）（抄）

（施行期日）
① この法律は、刑法等一部改正法（刑法等の一部を改正する法律（令和四法六七））施行日（令和七・六・一）から施行する。ただし、次の各号に掲げる規定は、当該各号に定める日から施行する。
一 第五百九条の規定　公布の日
二 （略）

民事関係手続等における情報通信技術の活用等の推進を図るための関係法律の整備に関する法律中経過規定

（令和五・六・一四法五三）（抄）

（電子裁判書の送達に関する経過措置）

第二一五条　改正後会社更生法第二十四条第八項、第二十六条及び第二十七条第六項の規定（これらの規定を改正後更生特例法第十九条及び第百八十四条において準用する場合を含む。）、改正後会社更生法第二十八条第五項、第三十一条第二項、第三十六条第二項、第三十九条の二第六項、第七十二条第七項、第九十六条第四項、第九十九条第五項（改正後会社更生法第四十条第二項において準用する場合を含む。）、第百一条第三項、第百四条第四項及び第六項、第百六条第六項、第百十一条第五項並びに第百二十五条第六項の規定、改正後会社更生法第四十七条第三項及び第百四十八条第五項の規定（これらの規定を改正後更生特例法第八十七条及び第二百五十四条において準用する場合を含む。）、改正後会社更生法第百五十一条第五項及び第百五十四条第四項の規定（これらの規定を改正後更生特例法第八十八条及び第二百五十五条において準用する場合を含む。）並びに改正後会社更生法第百六十五条第六項及び第百九十六条第四項の規定は、改正後更生事件等における電子裁判書の送達について適用し、改正前更生事件等における裁判書の送達については、なお従前の例による。

（電子更生債権者表及び電子更生担保権者表の作成等に関する経過措置）

第二一七条①　改正後会社更生法第百四十四条、第百五十条第二項（改正後会社更生法第百六十四条第五項並びに改正後更生特例法第八十七条及び第二百五十四条において準用する場合を含む。）及び第三項（改正後更生特例法第八十七条及び第二百五十四条において準用する場合を含む。）、第百六十条（改正後会社更生法第百六十四条第五項並びに改正後更生特例法第八十八条及び第二百五十五条において準用する場合を含む。）、第二百六条（改正後更生特例法第百二十六条及び第二百九十六条において準用する場合を含む。）、第二百三十五条第一項（改正後会社更生法第二百三十八条第六項並びに改正後更生特例法第百五十一条及び第三百二十四条において準用する場合を含む。）並びに第二百四十条（改正後更生特例法第百五十四条及び第三百二十七条において準用する場合を含む。）の規定は、改正後更生事件等における電子更生債権者表又は電子更生担保権者表の作成、記録及び更正の処分について適用し、改正前更生事件等における更生債権者表又は更生担保権者表の作成、記載及び更正の処分については、なお従前の例による。

②　前項の規定によりなお従前の例によることとされる更生債権者表又は更生担保権者表の更正の処分（次項において「更生債権者表等の更正の処分」という。）は、最高裁判所規則で定めるところにより、その旨の書面を作成してしなければならない。

③　民事訴訟法第七十一条第四項、第五項及び第八項の規定は、更生債権者表等の更正の処分について準用する。

④　（略）

第三八七条から**第三八九条**まで　（民事執行法の同経過規定参照）

民事関係手続等における情報通信技術の活用等の推進を図るための関係法律の整備に関する法律

附　則（令和五・六・一四法五三）

この法律は、公布の日から起算して五年を超えない範囲内において政令で定める日から施行する。ただし、次の各号に掲げる規定は、当該各号に定める日から施行する。

一　（前略）第三百八十八条の規定　公布の日

二　（前略）第三百八十七条の規定　公布の日から起算して二年六月を超えない範囲内において政令で定める日

三　（略）

●法の適用に関する通則法（平成一八・六・二一 法 七八）

施行 平成一九・一・一（平成一八政二八九）

目次

第一章 総則

（趣旨）
第一条 この法律は、法の適用に関する通則について定めるものとする。

第二章 法律に関する通則

（法律の施行期日）
第二条 法律は、公布の日から起算して二十日を経過した日から施行する。ただし、法律でこれと異なる施行期日を定めたときは、その定めによる。

（法律と同一の効力を有する慣習）
第三条 公の秩序又は善良の風俗に反しない慣習は、法令の規定により認められたもの又は法令に規定されていない事項に関するものに限り、法律と同一の効力を有する。

第三章 準拠法に関する通則

第一節 人

（人の行為能力）
第四条① 人の行為能力は、その本国法によって定める。
② 法律行為をした者がその本国法によれば行為能力の制限を受けた者となるときであっても行為地法によれば行為能力者となるべきときは、当該法律行為の当時そのすべての当事者が法を同じくする地に在った場合に限り、当該法律行為をした者は、行為能力者とみなす。
③ 前項の規定は、親族法又は相続法の規定によるべき法律行為及び行為地と法を異にする地に在る不動産に関する法律行為については、適用しない。

（後見開始の審判等）
第五条 裁判所は、成年被後見人、被保佐人又は被補助人となるべき者が日本に住所若しくは居所を有するとき又は日本の国籍を有するときは、日本法により、後見開始、保佐開始又は補助開始の審判（以下「後見開始の審判等」と総称する。）をすることができる。

（失踪の宣告）
第六条① 裁判所は、不在者が生存していたと認められる最後の時点において、不在者が日本に住所を有していたとき又は日本の国籍を有していたときは、日本法により、失踪の宣告をすることができる。
② 前項に規定する場合に該当しないときであっても、裁判所は、不在者の財産が日本に在るときはその財産についてのみ、不在者に関する法律関係が日本法によるべきときその他法律関係の性質、当事者の住所又は国籍その他の事情に照らして日本に関係があるときはその法律関係についてのみ、日本法により、失踪の宣告をすることができる。

第二節 法律行為

（当事者による準拠法の選択）
第七条 法律行為の成立及び効力は、当事者が当該法律行為の当時に選択した地の法による。

（当事者による準拠法の選択がない場合）
第八条① 前条の規定による選択がないときは、法律行為の成立及び効力は、当該法律行為の当時において当該法律行為に最も密接な関係がある地の法による。
② 前項の場合において、法律行為において特徴的な給付を当事者の一方のみが行うものであるときは、その給付を行う当事者の常居所地法（その当事者が当該法律行為に関係する事業所を有する場合にあっては当該事業所の所在地の法、その当事者が当該法律行為に関係する二以上の事業所で法を異にする地に所在するものを有する場合にあってはその主たる事業所の所在地の法）を当該法律行為に最も密接な関係がある地の法と推定する。
③ 第一項の場合において、不動産を目的物とする法律行為については、前項の規定にかかわらず、その不動産の所在地法を当該法律行為に最も密接な関係がある地の法と推定する。

（当事者による準拠法の変更）
第九条 当事者は、法律行為の成立及び効力について適用すべき法を変更することができる。ただし、第三者の権利を害することとなるときは、その変更をその第三者に対抗することができない。

（法律行為の方式）
第一〇条① 法律行為の方式は、当該法律行為の成立について適用すべき法（当該法律行為の後に前条の規定による変更がされた場合にあっては、その変更前の法）による。
② 前項の規定にかかわらず、行為地法に適合する方式は、有効とする。
③ 法を異にする地に在る者に対してされた意思表示については、前項の規定の適用に当たっては、その通知を発した地を行為地とみなす。
④ 法を異にする地に在る者の間で締結された契約の方式については、前二項の規定は、適用しない。この場合においては、第一項の規定にかかわらず、申込みの通知を発した地の法又は承諾の通知を発した地の法のいずれかに適合する契約の方式は、有効とする。
⑤ 前三項の規定は、動産又は不動産に関する物権及びその他の登記をすべき権利を設定し又は処分する法律行為の方式については、適用しない。

（消費者契約の特例）
第一一条① 消費者（個人（事業として又は事業のために契約の当事者となる場合におけるものを除く。）をいう。以下この条において同じ。）と事業者（法人その他の社団又は財団及び事業として又は事業のために契約の当事者となる場合における個人をいう。以下この条において同じ。）との間で締結される契約（労働契約を除く。以下この条において「消費者契約」という。）の成立及び効力について第七条又は第九条の規定による選択又は変更により適用すべき法が消費者の常居所地法以外の法である場合であっても、消費者がその常居所地法中の特定の強行規定を適用すべき旨の意思を事業者に対し表示したときは、当該消費者契約の成立及び効力に関しその強行規定の定める事項については、その強行規定をも適用する。
② 消費者契約の成立及び効力について第七条の規定による選択がないときは、第八条の規定にかかわらず、当該消費者契約の成立及び効力は、消費者の常居所地法による。
③ 消費者契約の成立について第七条の規定により消費者の常居所地法以外の法が選択された場合であっても、当該消費者契約の方式について消費者がその常居所地法中の特定の強行規定を

適用すべき旨の意思を事業者に対し表示したときは、前条第一項、第二項及び第四項の規定にかかわらず、当該消費者契約の方式に関しその強行規定の定める事項については、専らその強行規定を適用する。

④　消費者契約の成立について第七条の規定により消費者の常居所地法が選択された場合において、当該消費者契約の方式について消費者が専らその常居所地法によるべき旨の意思を事業者に対し表示したときは、前条第二項及び第四項の規定にかかわらず、当該消費者契約の方式は、専ら消費者の常居所地法による。

⑤　消費者契約の成立について第七条の規定による選択がないときは、前条第一項、第二項及び第四項の規定にかかわらず、当該消費者契約の方式は、消費者の常居所地法による。

⑥　前各項の規定は、次のいずれかに該当する場合には、適用しない。

一　事業者の事業所で消費者契約に関係するものが消費者の常居所地と法を異にする地に所在した場合であって、消費者が当該事業所の所在地と法を同じくする地に赴いて当該消費者契約を締結したとき。ただし、消費者が、当該事業者から、当該事業所の所在地と法を同じくする地において消費者契約を締結することについての勧誘をその常居所地において受けていたときを除く。

二　事業者の事業所で消費者契約に関係するものが消費者の常居所地と法を異にする地に所在した場合であって、消費者が当該事業所の所在地と法を同じくする地において当該消費者契約に基づく債務の全部の履行を受けたとき、又は受けることとされていたとき。ただし、消費者が、当該事業者から、当該事業所の所在地と法を同じくする地において債務の全部の履行を受けることについての勧誘をその常居所地において受けていたときを除く。

三　消費者契約の締結の当時、事業者が、消費者の常居所を知らず、かつ、知らなかったことについて相当の理由があるとき。

四　消費者契約の締結の当時、事業者が、その相手方が消費者でないと誤認し、かつ、誤認したことについて相当の理由があるとき。

（労働契約の特例）

第一二条①　労働契約の成立及び効力について第七条又は第九条の規定による選択又は変更により適用すべき法が当該労働契約に最も密接な関係がある地の法以外の法である場合であっても、労働者が当該労働契約に最も密接な関係がある地の法中の特定の強行規定を適用すべき旨の意思を使用者に対し表示したときは、当該労働契約の成立及び効力に関しその強行規定の定める事項については、その強行規定をも適用する。

②　前項の規定の適用に当たっては、当該労働契約において労務を提供すべき地の法（その労務を提供すべき地を特定することができない場合にあっては、当該労働者を雇い入れた事業所の所在地の法。次項において同じ。）を当該労働契約に最も密接な関係がある地の法と推定する。

③　労働契約の成立及び効力について第七条の規定による選択がないときは、当該労働契約の成立及び効力については、第八条第二項の規定にかかわらず、当該労働契約において労務を提供すべき地の法を当該労働契約に最も密接な関係がある地の法と推定する。

第三節　物権等

（物権及びその他の登記をすべき権利）

第一三条①　動産又は不動産に関する物権及びその他の登記をすべき権利は、その目的物の所在地法による。

②　前項の規定にかかわらず、同項に規定する権利の得喪は、その原因となる事実が完成した当時におけるその目的物の所在地法による。

第四節　債権

（事務管理及び不当利得）

第一四条　事務管理又は不当利得によって生ずる債権の成立及び効力は、その原因となる事実が発生した地の法による。

（明らかにより密接な関係がある地がある場合の例外）

第一五条　前条の規定にかかわらず、事務管理又は不当利得によって生ずる債権の成立及び効力は、その原因となる事実が発生した当時において当事者が法を同じくする地に常居所を有していたこと、当事者間の契約に関連して事務管理が行われ又は不当利得が生じたことその他の事情に照らして、明らかに同条の規定により適用すべき法の属する地よりも密接な関係がある他の地があるときは、当該他の地の法による。

（当事者による準拠法の変更）

第一六条　事務管理又は不当利得の当事者は、その原因となる事実が発生した後において、事務管理又は不当利得によって生ずる債権の成立及び効力について適用すべき法を変更することができる。ただし、第三者の権利を害することとなるときは、その変更をその第三者に対抗することができない。

（不法行為）

第一七条　不法行為によって生ずる債権の成立及び効力は、加害行為の結果が発生した地の法による。ただし、その地における結果の発生が通常予見することのできないものであったときは、加害行為が行われた地の法による。

（生産物責任の特例）

第一八条　前条の規定にかかわらず、生産物（生産され又は加工された物をいう。以下この条において同じ。）で引渡しがされたものの瑕疵により他人の生命、身体又は財産を侵害する不法行為によって生ずる生産業者（生産物を業として生産し、加工し、輸入し、輸出し、流通させ、又は販売した者をいう。以下この条において同じ。）又は生産物にその生産業者と認めることができる表示をした者（以下この条において「生産業者等」と総称する。）に対する債権の成立及び効力は、被害者が生産物の引渡しを受けた地の法による。ただし、その地における生産物の引渡しが通常予見することのできないものであったときは、生産業者等の主たる事業所の所在地の法（生産業者等が事業所を有しない場合にあっては、その常居所地法）による。

（名誉又は信用の毀損の特例）

第一九条　第十七条の規定にかかわらず、他人の名誉又は信用を毀損する不法行為によって生ずる債権の成立及び効力は、被害者の常居所地法（被害者が法人その他の社団又は財団である場合にあっては、その主たる事業所の所在地の法）による。

（明らかにより密接な関係がある地がある場合の例外）

第二〇条　前三条の規定にかかわらず、不法行為によって生ずる債権の成立及び効力は、不法行為の当時において当事者が法を同じくする地に常居所を有していたこと、当事者間の契約に基づく義務に違反して不法行為が行われたことその他の事情に照らして、明らかに前三条の規定により適用すべき法の属する地よりも密接な関係がある他の地があるときは、当該他の地の法による。

（当事者による準拠法の変更）

第二一条　不法行為の当事者は、不法行為の後において、不法行為によって生ずる債権の成立及び効力について適用すべき法を変更することができる。ただし、第三者の権利を害することとなるときは、その変更をその第三者に対抗することができない。

（不法行為についての公序による制限）

第二二条①　不法行為について外国法によるべき場合において、当該外国法を適用すべき事実が日本法によれば不法とならないときは、当該外国法に基づく損害賠償その他の処分の請求は、することができない。

②　不法行為について外国法によるべき場合において、当該外国法を適用すべき事実が当該外国法及び日本法により不法となるときであっても、被害者は、日本法により認められる損害賠償

その他の処分でなければ請求することができない。

第二三条（債権の譲渡） 債権の譲渡の債務者その他の第三者に対する効力は、譲渡に係る債権について適用すべき法による。

第五節　親族

第二四条（婚姻の成立及び方式）① 婚姻の成立は、各当事者につき、その本国法による。

② 婚姻の方式は、婚姻挙行地の法による。

③ 前項の規定にかかわらず、当事者の一方の本国法に適合する方式は、有効とする。ただし、日本において婚姻が挙行された場合において、当事者の一方が日本人であるときは、この限りでない。

第二五条（婚姻の効力） 婚姻の効力は、夫婦の本国法が同一であるときはその法により、その法がない場合において夫婦の常居所地法が同一であるときはその法により、そのいずれの法もないときは夫婦に最も密接な関係がある地の法による。

第二六条（夫婦財産制）① 前条の規定は、夫婦財産制について準用する。

② 前項の規定にかかわらず、夫婦が、その署名した書面で日付を記載したものにより、次に掲げる法のうちいずれの法によるべきかを定めたときは、夫婦財産制は、その法による。この場合において、その定めは、将来に向かってのみその効力を生ずる。

一　夫婦の一方が国籍を有する国の法

二　夫婦の一方の常居所地法

三　不動産に関する夫婦財産制については、その不動産の所在地法

③ 前二項の規定により外国法を適用すべき夫婦財産制は、日本においてされた法律行為及び日本に在る財産については、善意の第三者に対抗することができない。この場合において、その第三者との間の関係については、夫婦財産制は、日本法による。

④ 前項の規定にかかわらず、第一項又は第二項の規定により適用すべき外国法に基づいてされた夫婦財産契約は、日本においてこれを登記したときは、第三者に対抗することができる。

第二七条（離婚） 第二十五条の規定は、離婚について準用する。ただし、夫婦の一方が日本に常居所を有する日本人であるときは、離婚は、日本法による。

第二八条（嫡出である子の親子関係の成立）① 夫婦の一方の本国法で子の出生の当時におけるものにより子が嫡出となるべきときは、その子は、嫡出である子とする。

② 夫が子の出生前に死亡したときは、その死亡の当時における夫の本国法を前項の夫の本国法とみなす。

第二九条（嫡出でない子の親子関係の成立）① 嫡出でない子の親子関係の成立は、父との間の親子関係については子の出生の当時における父の本国法により、母との間の親子関係についてはその当時における母の本国法による。この場合において、子の認知による親子関係の成立については、認知の当時における子の本国法によればその子又は第三者の承諾又は同意があることが認知の要件であるときは、その要件をも備えなければならない。

② 子の認知は、前項前段の規定により適用すべき法によるほか、認知の当時における認知する者又は子の本国法による。この場合において、認知する者の本国法によるときは、同項後段の規定を準用する。

③ 父が子の出生前に死亡したときは、その死亡の当時における父の本国法を第一項の父の本国法とみなす。前項に規定する者が認知前に死亡したときは、その死亡の当時におけるその者の本国法を同項のその者の本国法とみなす。

第三〇条（準正）① 子は、準正の要件である事実が完成した当時における父若しくは母又は子の本国法により準正が成立するときは、嫡出子の身分を取得する。

② 前項に規定する者が準正の要件である事実の完成前に死亡したときは、その死亡の当時におけるその者の本国法を同項のその者の本国法とみなす。

第三一条（養子縁組）① 養子縁組は、縁組の当時における養親となるべき者の本国法による。この場合において、養子となるべき者の本国法によればその者若しくは第三者の承諾若しくは同意又は公的機関の許可その他の処分があることが養子縁組の成立の要件であるときは、その要件をも備えなければならない。

② 養子とその実方の血族との親族関係の終了及び離縁は、前項前段の規定により適用すべき法による。

第三二条（親子間の法律関係） 親子間の法律関係は、子の本国法が父又は母の本国法（父母の一方が死亡し、又は知れない場合にあっては、他の一方の本国法）と同一である場合には子の本国法により、その他の場合には子の常居所地法による。

第三三条（その他の親族関係等） 第二十四条から前条までに規定するもののほか、親族関係及びこれによって生ずる権利義務は、当事者の本国法によって定める。

第三四条（親族関係についての法律行為の方式）① 第二十五条から前条までに規定する親族関係についての法律行為の方式は、当該法律行為の成立について適用すべき法による。

② 前項の規定にかかわらず、行為地法に適合する方式は、有効とする。

第三五条（後見等）① 後見、保佐又は補助（以下「後見等」と総称する。）は、被後見人、被保佐人又は被補助人（次項において「被後見人等」と総称する。）の本国法による。

② 前項の規定にかかわらず、外国人が被後見人等である場合であって、次に掲げるときは、後見人、保佐人又は補助人の選任の審判その他の後見等に関する審判については、日本法による。

一　当該外国人の本国法によればその者について後見等が開始する原因がある場合であって、日本における後見等の事務を行う者がないとき。

二　日本において当該外国人について後見開始の審判等があったとき。

第六節　相続

第三六条（相続） 相続は、被相続人の本国法による。

第三七条（遺言）① 遺言の成立及び効力は、その成立の当時における遺言者の本国法による。

② 遺言の取消しは、その当時における遺言者の本国法による。

第七節　補則

第三八条（本国法）① 当事者が二以上の国籍を有する場合には、その国籍を有する国のうちに当事者が常居所を有する国があるときはその国の法を、その国籍を有する国のうちに当事者が常居所を有する国がないときは当事者に最も密接な関係がある国の法を当事者の本国法とする。ただし、その国籍のうちのいずれかが日本の国籍であるときは、日本法を当事者の本国法とする。

② 当事者の本国法によるべき場合において、当事者が国籍を有しないときは、その常居所地法による。ただし、第二十五条

（第二十六条第一項及び第二十七条において準用する場合を含む。）及び第三十二条の規定の適用については、この限りでない。

③　当事者が地域により法を異にする国の国籍を有する場合には、その国の規則に従い指定される法（そのような規則がない場合にあっては、当事者に最も密接な関係がある地域の法）を当事者の本国法とする。

（常居所地法）

第三九条　当事者の常居所地法によるべき場合において、その常居所が知れないときは、その居所地法による。ただし、第二十五条（第二十六条第一項及び第二十七条において準用する場合を含む。）の規定の適用については、この限りでない。

（人的に法を異にする国又は地の法）

第四〇条①　当事者が人的に法を異にする国の国籍を有する場合には、その国の規則に従い指定される法（そのような規則がない場合にあっては、当事者に最も密接な関係がある法）を当事者の本国法とする。

②　前項の規定は、当事者の常居所地が人的に法を異にする場合における当事者の常居所地法で第二十五条（第二十六条第一項及び第二十七条において準用する場合を含む。）、第二十六条第二項第二号、第三十二条又は第三十八条第二項の規定により適用されるもの及び夫婦に最も密接な関係がある地が人的に法を異にする場合における夫婦に最も密接な関係がある地の法について準用する。

（反致）

第四一条　当事者の本国法によるべき場合において、その国の法に従えば日本法によるべきときは、日本法による。ただし、第二十五条（第二十六条第一項及び第二十七条において準用する場合を含む。）又は第三十二条の規定により当事者の本国法によるべき場合は、この限りでない。

（公序）

第四二条　外国法によるべき場合において、その規定の適用が公の秩序又は善良の風俗に反するときは、これを適用しない。

（適用除外）

第四三条①　この章の規定は、夫婦、親子その他の親族関係から生ずる扶養の義務については、適用しない。ただし、第三十九条本文の規定の適用については、この限りでない。

②　この章の規定は、遺言の方式については、適用しない。ただし、第三十八条第二項本文、第三十九条本文及び第四十条の規定の適用については、この限りでない。

附　則（抄）

（施行期日）

第一条　この法律は、公布の日から起算して一年を超えない範囲内において政令で定める日（平成一九・一・一―平成一八政二八九）から施行する。

○扶養義務の準拠法に関する法律（昭和六一・六・一二 法八四）

施行 昭和六一・九・一（附則参照）
最終改正 平成一八法七八

（趣旨）
第一条 この法律は、夫婦、親子その他の親族関係から生ずる扶養の義務（以下「扶養義務」という。）の準拠法に関し必要な事項を定めるものとする。

（準拠法）
第二条① 扶養義務は、扶養権利者の常居所地法によつて定める。ただし、扶養権利者の常居所地法によればその者が扶養義務者から扶養を受けることができないときは、当事者の共通本国法によつて定める。

② 前項の規定により適用すべき法によれば扶養権利者が扶養義務者から扶養を受けることができないときは、扶養義務は、日本法によつて定める。

（傍系親族間及び姻族間の扶養義務の準拠法の特例）
第三条① 傍系親族間又は姻族間の扶養義務は、扶養義務者が、当事者の共通本国法によれば扶養権利者に対して扶養をする義務を負わないことを理由として異議を述べたときは、前条の規定にかかわらず、その法によつて定める。当事者の共通本国法がない場合において、扶養義務者が、その者の常居所地法によれば扶養権利者に対して扶養をする義務を負わないことを理由として異議を述べたときも、同様とする。

② 前項の規定は、子に対する扶養義務の準拠法に関する条約（昭和五十二年条約第八号）が適用される場合には、適用しない。

（離婚をした当事者間等の扶養義務の準拠法についての特則）
第四条① 離婚をした当事者間の扶養義務は、第二条の規定にかかわらず、その離婚について適用された法によつて定める。

② 前項の規定は、法律上の別居をした夫婦間及び婚姻が無効とされ、又は取り消された当事者間の扶養義務について準用する。

（公的機関の費用償還を受ける権利の準拠法）
第五条 公的機関が扶養権利者に対して行つた給付について扶養義務者からその費用の償還を受ける権利は、その機関が従う法による。

（扶養義務の準拠法の適用範囲）
第六条 扶養権利者のためにその者の扶養を受ける権利を行使することができる者の範囲及びその行使をすることができる期間並びに前条の扶養義務者の義務の限度は、扶養義務の準拠法による。

（常居所地法及び本国法）
第七条 当事者が、地域的に、若しくは人的に法を異にする国に常居所を有し、又はその国の国籍を有する場合には、第二条第一項及び第三条第一項の規定の適用については、その国の規則に従い指定される法を、そのような規則がないときは当事者に最も密接な関係がある法を、当事者の常居所地法又は本国法とする。

（公序）
第八条① 外国法によるべき場合において、その規定の適用が明らかに公の秩序に反するときは、これを適用しない。

② 扶養の程度は、適用すべき外国法に別段の定めがある場合においても、扶養権利者の需要及び扶養義務者の資力を考慮して定める。

附 則（抄）

（施行期日）
① この法律は、扶養義務の準拠法に関する条約が日本国について効力を生ずる日（昭和六一・九・一―昭和六一外告二三五）から施行する。

（経過措置）
② この法律の施行前の期間に係る扶養義務については、なお従前の例による。

○遺言の方式の準拠法に関する法律（昭和三九・六・一〇 法一〇〇）

施行 昭和三九・八・二（附則参照）
最終改正 平成一八法七八

（趣旨）
第一条 この法律は、遺言の方式の準拠法に関し必要な事項を定めるものとする。

（準拠法）
第二条 遺言は、その方式が次に掲げる法のいずれかに適合するときは、方式に関し有効とする。
一 行為地法
二 遺言者が遺言の成立又は死亡の当時国籍を有した国の法
三 遺言者が遺言の成立又は死亡の当時住所を有した地の法
四 遺言者が遺言の成立又は死亡の当時常居所を有した地の法
五 不動産に関する遺言について、その不動産の所在地法

第三条 遺言を取り消す遺言については、前条の規定によるほか、その方式が、従前の遺言を同条の規定により有効とする法のいずれかに適合するときも、方式に関し有効とする。

（共同遺言）
第四条 前二条の規定は、二人以上の者が同一の証書でした遺言の方式についても、適用する。

（方式の範囲）
第五条 遺言者の年齢、国籍その他の人的資格による遺言の方式の制限は、方式の範囲に属するものとする。遺言が有効であるために必要とされる証人が有すべき資格についても、同様とする。

（本国法）
第六条 遺言者が地域により法を異にする国の国籍を有した場合には、第二条第二号の規定の適用については、その国の規則に従い遺言者が属した地域の法を、そのような規則がないときは遺言者が最も密接な関係を有した地域の法を、遺言者が国籍を有した国の法とする。

（住所地法）
第七条① 第二条第三号の規定の適用については、遺言者が特定の地に住所を有したかどうかは、その地の法によつて定める。
② 第二条第三号の規定の適用については、遺言の成立又は死亡の当時における遺言者の住所が知れないときは、遺言者がその当時居所を有した地の法を遺言者がその当時住所を有した地の法とする。

（公序）
第八条 外国法によるべき場合において、その規定の適用が明らかに公の秩序に反するときは、これを適用しない。

附 則（抄）

（施行期日）
① この法律は、遺言の方式に関する法律の抵触に関する条約が日本国について効力を生ずる日（昭和三九・八・二―昭和三九外告八二）から施行する。

（経過規定）
② この法律は、この法律の施行前に成立した遺言についても、適用する。ただし、遺言者がこの法律の施行前に死亡した場合には、その遺言については、なお従前の例による。

◉刑法

（明治四〇・四・二四 法四五）

施行　明治四一・一〇・一（明治四一勅一六三）

改正　大正一〇法七七、昭和一六法六一、昭和二二法一二四、昭和二八法一九五、昭和二九法五七、昭和三三法一〇七、昭和三五法八三、昭和三九法一二四、昭和四三法六一、昭和五五法三〇、昭和六二法五二、平成三法三一、平成七法九一、平成一三法九七・法一三八・法一五三、平成一五法一二二・法一三八、平成一六法一五六、平成一七法五〇・法六六、平成一八法三六、平成一九法五四、平成二二法二六、平成二三法七四、平成二五法四九・法八六、平成二八法五四、平成二九法六七・法七二、平成三〇法七二、令和四法六七（令和五法六六）、令和五法二八・法六六

目次

朕帝国議会ノ協賛ヲ経タル刑法改正法律ヲ裁可シ玆ニ之ヲ公布セシム

刑法別冊ノ通之ヲ定ム

此法律施行ノ期日ハ勅令ヲ以テ之ヲ定ム（明治四一・一〇・一施行―明治四一勅一六三）

明治十三年第三十六号布告刑法ハ此法律施行ノ日ヨリ之ヲ廃止ス

刑法

第一編　総則

第一章　通則

第一条（国内犯）①この法律は、日本国内において罪を犯したすべての者に適用する。

②日本国外にある日本船舶又は日本航空機内において罪を犯した者についても、前項と同様とする。（昭和二九法五七本項改正）

第二条（すべての者の国外犯）この法律は、日本国外において次に掲げる罪を犯したすべての者に適用する。

一　削除（昭和二二法一二四）

二　第七十七条から第七十九条まで（内乱、予備及び陰謀、内乱等幇助）の罪

三　第八十一条（外患誘致）、第八十二条（外患援助）、第八十七条（未遂罪）及び第八十八条（予備及び陰謀）の罪（昭和二二法一二四本号改正）

四　第百四十八条（通貨偽造及び行使等）の罪及びその未遂罪

五　第百五十四条（詔書偽造等）、第百五十五条（公文書偽造等）、第百五十七条（公正証書原本不実記載等）、第百五十八条（偽造公文書行使等）及び公

刑法

務所又は公務員によって作られるべき電磁的記録に係る第百六十一条の二（電磁的記録不正作出及び供用）の罪（昭和六二法五二本号改正）

六　第百六十二条（有価証券偽造等）及び第百六十三条（偽造有価証券行使等）の罪

七　第百六十三条の二から第百六十三条の五まで（支払用カード電磁的記録不正作出等、不正電磁的記録カード所持、支払用カード電磁的記録不正作出準備、未遂罪）の罪（平成一三法九七本号追加）

八　第百六十四条から第百六十六条まで（御璽偽造及び不正使用等、公印偽造及び不正使用等、公記号偽造及び不正使用等）の罪並びに第百六十四条第二項、第百六十五条第二項及び第百六十六条第二項の罪の未遂罪

㊟＋【本条の例に従う罪↓航空強取五、人質五、ETC

第三条（**国民の国外犯**）　この法律は、日本国外において次に掲げる罪を犯した日本国民に適用する。

一　第百八条（現住建造物等放火）及び第百九条第一項（非現住建造物等放火）の罪、これらの規定の例により処断すべき罪並びにこれらの罪の未遂罪

二　第百十九条（現住建造物等浸害）の罪

三　第百五十九条から第百六十一条まで（私文書偽造等、虚偽診断書等作成、偽造私文書等行使）及び前条第五号に規定する電磁的記録以外の電磁的記録に係る第百六十一条の二の罪（昭和六二法五二本号改正）

四　第百六十七条（私印偽造及び不正使用等）の罪及び同条第二項の罪の未遂罪

五　第百七十六条、第百七十七条及び第百七十九条から第百八十一条まで（不同意わいせつ、不同意性交等、監護者わいせつ及び監護者性交等、未遂罪、不同意わいせつ等致死傷）並びに第百八十四条（重婚）の罪（平成一六法一五六、平成二九法七二、令和五法六六本号改正）

六　第百九十八条（贈賄）の罪（平成二九法六七本号追加）

七　第百九十九条（殺人）の罪及びその未遂罪

八　第二百四条（傷害）及び第二百五条（傷害致死）の罪

九　第二百十四条から第二百十六条まで（業務上堕胎及び同致死傷、不同意堕胎、不同意堕胎致死傷）の罪

十　第二百十八条（保護責任者遺棄等）の罪及び同条の罪に係る第二百十九条（遺棄等致死傷）の罪

十一　第二百二十条（逮捕及び監禁）及び第二百二十一条（逮捕等致死傷）の罪

十二　第二百二十四条から第二百二十八条まで（未成年者略取及び誘拐、営利目的等略取及び誘拐、身の代金目的略取等、所在国外移送目的略取及び誘拐、人身売買、被略取者等所在国外移送、被略取者引渡し等、未遂罪）の罪（平成一七法六六本号改正）

十三　第二百三十条（名誉毀損）の罪

十四　第二百三十五条から第二百三十六条まで（窃盗、不動産侵奪、強盗）、第二百三十八条から第二百四十条まで（事後強盗、昏酔強盗、強盗致死傷）、第二百四十一条第一項及び第三項（強盗・不同意性交等及び同致死）並びに第二百四十三条（未遂罪）の罪（昭和三五法八三、平成二九法七二、令和五法六六本号改正）

十五　第二百四十六条から第二百五十条まで（詐欺、電子計算機使用詐欺、背任、準詐欺、恐喝、未遂罪）の罪

十六　第二百五十三条（業務上横領）の罪

十七　第二百五十六条第二項（盗品譲受け等）の罪

（昭和三二法一二四本条改正）

㊟＋【本条の例に従う罪↓暴力一ノ二③、人質五、児童買春一〇、組織犯罪一二、ETC

第三条の二（**国民以外の者の国外犯**）　この法律は、日本国外において日本国民に対して次に掲げる罪を犯した日本国民以外の者に適用する。

一　第百七十六条、第百七十七条及び第百七十九条から第百八十一条まで（不同意わいせつ、不同意性交等、監護者わいせつ及び監護者性交等、未遂罪、不同意わいせつ等致死傷）の罪（平成一六法一五六、平成二九法七二、令和五法六六本号改正）

二　第百九十九条（殺人）の罪及びその未遂罪

三　第二百四条（傷害）及び第二百五条（傷害致死）の罪

四　第二百二十条（逮捕及び監禁）及び第二百二十一条（逮捕等致死傷）の罪

五　第二百二十四条から第二百二十八条まで（未成年者略取及び誘拐、営利目的等略取及び誘拐、身の代金目的略取等、所在国外移送目的略取及び誘拐、人身売買、被略取者等所在国外移送、被略取者引渡し等、未遂罪）の罪（平成一七法六六本号改正）

六　第二百三十六条（強盗）、第二百三十八条から第二百四十条まで（事後強盗、昏酔強盗、強盗致死傷）並びに第二百四十一条第一項及び第三項（強盗・不同意性交等及び同致死）の罪並びにこれらの罪（同条第一項の罪を除く。）の未遂罪（平成二九法七二、令和五法六六本号改正）

（平成一五法一二二本条追加）

㊟＋【日本国民↓憲一〇、国籍【本条の例に従う罪↓暴力一ノ二③、人質五

第四条（**公務員の国外犯**）　この法律は、日本国外において次に掲げる罪を犯した日本国の公務員に適用する。

一　第百一条（看守者等による逃走援助）の罪及びその未遂罪

二　第百五十六条（虚偽公文書作成等）の罪

三　第百九十三条（公務員職権濫用）、第百九十五条第二項（特別公務員暴行陵虐）及び第百九十七条から第百九十七条の四まで（収賄、受託収賄及び事前収賄、第三者供賄、加重収賄及び事後収賄、あっせ

ん収賄）の罪並びに第百九十五条第二項の罪に係る第百九十六条（特別公務員職権濫用等致死傷）の罪（昭和一六法六一、昭和三三法一〇七本号改正）

【公務員↓七①】【本条の例に従う罪↓破二七六②、民再二六四②、ETC】

（条約による国外犯）

第四条の二　第二条から前条までに規定するもののほか、この法律は、日本国外において、第二編の罪であって条約により日本国外において犯したときであっても罰すべきものとされているものを犯したすべての者に適用する。（昭和六二法五二本条追加、平成一五法一二二本条改正）

【本条の例に従う罪↓爆発一〇、暴力一ノ二③・一ノ三②、人質五、組織犯罪一二、不正アクセス一四、ETC】

（外国判決の効力）

第五条　外国において確定裁判を受けた者であっても、同一の行為について更に処罰することを妨げない。ただし、犯人が既に外国において言い渡された刑の全部又は一部の執行を受けたときは、刑の執行を減軽し、又は免除する。（昭和二二法一二四本条改正）

【二重処罰の禁止↓憲三九】

（刑の変更）

第六条　犯罪後の法律によって刑の変更があったときは、その軽いものによる。

【刑法の不遡及↓憲三九】【刑の軽重↓一〇】【刑の廃止↓刑訴三三七㊁】【判決後の刑の変更↓刑訴三八三㊁・四一一㊄】

（定義）

第七条①　この法律において「公務員」とは、国又は地方公共団体の職員その他法令により公務に従事する議員、委員その他の職員をいう。

②　この法律において「公務所」とは、官公庁その他公務員が職務を行う所をいう。

【公務員↓四・九五・九六・一〇七・一五五―一五七・一六一の二・一六五・一九三―一九五・一九七―一九七の四】【公務所↓一五五・一六〇・一六一の二・一六五・一六六・二五八】

第七条の二　この法律において「電磁的記録」とは、電子的方式、磁気的方式その他人の知覚によっては認識することができない方式で作られる記録であって、電子計算機による情報処理の用に供されるものをいう。（昭和六二法五二本条追加）

【電磁的記録↓二㊄・三㊂・一五七①・一五八①・一六一の二・一六三の二・一六八の二・二三四の二・二四六の二・二五八・二五九】

（他の法令の罪に対する適用）

第八条　この編の規定は、他の法令の罪についても、適用する。ただし、その法令に特別の規定があるときは、この限りでない。

第二章　刑

（刑の種類）

第九条　死刑、拘禁刑、罰金、拘留及び科料を主刑とし、没収を付加刑とする。（令和四法六七本条改正）

（刑の軽重）

第一〇条①　主刑の軽重は、前条に規定する順序による。（令和四法六七本項改正）

②　同種の刑は、長期の長いもの又は多額の多いものを重い刑とし、長期又は多額が同じであるときは、短期の長いもの又は寡額の多いものを重い刑とする。

③　二個以上の死刑又は長期若しくは多額及び短期若しくは寡額が同じである同種の刑は、犯情によってその軽重を定める。

（死刑）

第一一条①　死刑は、刑事施設内において、絞首して執行する。

②　死刑の言渡しを受けた者は、その執行に至るまで刑事施設に拘置する。

（平成一七法五〇本条改正）

❶【執行↓刑訴四七五―四七九、刑事収容一七八・一七九】❷【拘置↓刑事収容二―四・三二・三六】【国際規約↓人権B規約六】

（拘禁刑）

第一二条①　拘禁刑は、無期及び有期とし、有期拘禁刑は、一月以上二十年以下とする。（平成一六法一五六本項改正）

②　拘禁刑は、刑事施設に拘置する。（平成一七法五〇本項改正）

③　拘禁刑に処せられた者には、改善更生を図るため、必要な作業を行わせ、又は必要な指導を行うことができる。（令和四法六七本項追加）

（令和四法六七本条改正）

❷【所定の作業↓刑事収容九三―九八】【執行↓刑訴四八〇―四八二・四八四―四八九の二、少五六①③】

第一三条【禁錮】削除（令和四法六七）

（有期拘禁刑の加減の限度）

第一四条①　死刑又は無期拘禁刑を減軽して有期拘禁刑とする場合においては、その長期を三十年とする。

（平成一六法一五六本項追加）

②　有期拘禁刑を加重する場合においては三十年にまで上げることができ、これを減軽する場合においては一月未満に下げることができる。

（平成一六法一五六、令和四法六七本条改正）

【加重↓四七・五七】【減軽↓三六②・三七①・三八③・三九②・四三・四三・六三・一七〇・一七一・一七三・二二八の二・二二八の三・六六】【加重減軽の方法↓六八―七二】

（罰金）

第一五条　罰金は、一万円以上とする。ただし、これを減軽する場合においては、一万円未満に下げることができる。（平成三法三一本条改正）

【減軽↓六八㊃・七一】【執行↓刑訴四九〇―四九二】

（拘留）

第一六条①　拘留は、一日以上三十日未満とし、刑事施設に拘置する。

②　拘留に処せられた者には、改善更生を図るため、必要な作業を行わせ、又は必要な指導を行うことができる。（令和四法六七本項追加）

（平成一七法五〇本条改正）

参【拘置→刑事収容二一―四【執行→刑訴四八四―四八九の二

（科料）

第一七条 科料は、千円以上一万円未満とする。（平成三法三一本条改正）

参【執行→刑訴四九〇―四九二

（労役場留置）

第一八条① 罰金を完納することができない者は、一日以上二年以下の期間、労役場に留置する。（昭和一六法六一本項改正）

② 科料を完納することができない者は、一日以上三十日以下の期間、労役場に留置する。

③ 罰金を併科した場合又は罰金と科料とを併科した場合における留置の期間は、三年を超えることができない。科料を併科した場合における留置の期間は、六十日を超えることができない。（昭和一六法六一本項全部改正）

④ 罰金又は科料の言渡しをするときは、その言渡しとともに、罰金又は科料を完納することができない場合における留置の期間を定めて言い渡さなければならない。

⑤ 罰金については裁判が確定した後三十日以内、科料については裁判が確定した後十日以内は、本人の承諾がなければ留置の執行をすることができない。

⑥ 罰金又は科料の一部を納付した者についての留置の日数は、その残額を留置一日の割合に相当する金額で除して得た日数（その日数に一日未満の端数を生じるときは、これを一日とする。）とする。

（平成一八法三六本条改正）

参【労役場→刑事収容二八七、二八八【執行→刑訴五〇五

（没収）

第一九条① 次に掲げる物は、没収することができる。

一 犯罪行為を組成した物

二 犯罪行為の用に供し、又は供しようとした物

三 犯罪行為によって生じ、若しくはこれによって得た物又は犯罪行為の報酬として得た物（昭和一六法六一本号改正）

四 前号に掲げる物の対価として得た物（昭和一六法六一本号追加）

② 没収は、犯人以外の者に属しない物に限り、これをすることができる。ただし、犯人以外の者に属する物であっても、犯罪の後にその者が情を知って取得したものであるときは、これを没収することができる。

（昭和一六法六一本項改正）

参【必要的没収の例→一九七の五、あっせん利得三、組織犯罪一三④、金商二〇〇の二、臓器移植二五【執行→刑訴四九〇―四九二、四九六、四九七 ❷【特則→組織犯罪八

（追徴）

第一九条の二 前条第一項第三号又は第四号に掲げる物の全部又は一部を没収することができないときは、その価額を追徴することができる。（昭和一六法六一本条追加）

参【必要的追徴の例→一九七の五、あっせん利得三、組織犯罪一六③【執行→刑訴四九〇―四九二

（没収の制限）

第二〇条 拘留又は科料のみに当たる罪については、特別の規定がなければ、没収を科することができない。ただし、第十九条第一項第一号に掲げる物の没収については、この限りでない。

参【拘留又は科料のみに当たる罪の例→軽犯一

（未決勾留日数の本刑算入）

第二一条 未決勾留の日数は、その全部又は一部を本刑に算入することができる。

参【法定通算→刑訴四九五【特別規定→刑訴一六七⑥、少五三

第三章 期間計算

（期間の計算）

第二二条 月又は年によって期間を定めたときは、暦に従って計算する。

（刑期の計算）

第二三条① 刑期は、裁判が確定した日から起算する。

② 拘禁されていない日数は、裁判が確定した後であっても、刑期に算入しない。

参❶【裁判の確定→刑訴三五八・三七三・四一四・四一八 ❷【拘禁されていない日数→刑訴四七一・四八一・四八四、二九③

（受刑等の初日及び釈放）

第二四条① 受刑の初日は、時間にかかわらず、一日として計算する。時効期間の初日についても、同様とする。

② 刑期が終了した場合における釈放は、その終了の日の翌日に行う。

参❶【刑の時効期間→三二 ❷【釈放→刑事収容一七一

第四章 刑の執行猶予

（刑の全部の執行猶予）

第二五条① 次に掲げる者が三年以下の拘禁刑又は五十万円以下の罰金の言渡しを受けたときは、情状により、裁判が確定した日から一年以上五年以下の期間、その刑の全部の執行を猶予することができる。

一 前に拘禁刑以上の刑に処せられたことがない者

二 前に拘禁刑以上の刑に処せられたことがあっても、その執行を終わった日又はその執行の免除を得た日から五年以内に拘禁刑以上の刑に処せられたことがない者（昭和二八法一九五本号改正）

（平成三法三一本項改正）

② 前に拘禁刑に処せられたことがあってもその刑の全部の執行を猶予された者が二年以下の拘禁刑の言渡しを受け、情状に特に酌量すべきものがあるときも、前項と同様とする。ただし、この項本文の規定により刑の全部の執行を猶予されて、次条第一項の規定により保護観察に付せられ、その期間内に更に罪を犯した者については、この限りでない。（昭和二八法一九五本項追加、昭和二九法五七本項改正）

（昭和二二法一二四、平成二五法四九、令和四法六七本条改正）

参【執行猶予の影響→公選一一①㈢―㈤、国公三八㈠　❶【二】【刑に処せられたことのない者→二七、三四の二】【三】【刑の執行の免除→五、三一　❷【保護観察→二五の二①】

（刑の全部の執行猶予中の保護観察）

第二五条の二① 前条第一項の場合においては猶予の期間中保護観察に付することができ、同条第二項の場合においては猶予の期間中保護観察に付する。

② 前項の規定により付せられた保護観察は、行政官庁の処分によって仮に解除することができる。（平成二五法四九本項改正）

③ 前項の規定により保護観察を仮に解除されたときは、前条第二項ただし書及び第二十六条の二第二号の規定の適用については、その処分を取り消されるまでの間は、保護観察に付せられなかったものとみなす。（平成二五法四九本項改正）

（昭和二八法一九五本条追加、昭和二九法五七本条全部改正）

参【保護観察の言渡し→刑訴三三三】

（刑の全部の執行猶予の必要的取消し）

第二六条 次に掲げる場合においては、刑の全部の執行猶予の言渡しを取り消さなければならない。ただし、第三号の場合において、猶予の言渡しを受けた者が第二十五条第一項第二号に掲げる者であるとき、又は次条第三号に該当するときは、この限りでない。

一 猶予の期間内に更に罪を犯して拘禁刑以上の刑に処せられ、その刑の全部について執行猶予の言渡しがないとき。（令和四法六七本号改正）

二 猶予の言渡し前に犯した他の罪について拘禁刑以上の刑に処せられ、その刑の全部について執行猶予の言渡しがないとき。（令和四法六七本号改正）

三 猶予の言渡し前に他の罪について拘禁刑以上の刑に処せられたことが発覚したとき。（令和四法六七本号改正）

（昭和二八法一九五本条全部改正、平成二五法四九本条改正）

参【取消し→刑訴三四九、三四九の二】

（刑の全部の執行猶予の裁量的取消し）

第二六条の二 次に掲げる場合においては、刑の全部の執行猶予の言渡しを取り消すことができる。

一 猶予の期間内に更に罪を犯し、罰金に処せられたとき。

二 第二十五条の二第一項の規定により保護観察に付せられた者が遵守すべき事項を遵守せず、その情状が重いとき。（昭和二九法五七本号全部改正）

三 猶予の言渡し前に他の罪について拘禁刑に処せられ、その刑の全部の執行を猶予されたことが発覚したとき。（令和四法六七本号改正）

（昭和二八法一九五本条追加、平成二五法四九本条改正）

参【手続→刑訴三四九②】

（刑の全部の執行猶予の取消しの場合における他の刑の執行猶予の取消し）

第二六条の三 前二条の規定により拘禁刑の全部の執行猶予の言渡しを取り消したときは、執行猶予中の他の拘禁刑（次条第二項後段又は第二十七条の七第二項後段の規定によりその執行を猶予されているものを除く。次条第六項、第二十七条の六及び第二十七条の七第六項において同じ。）についても、その猶予の言渡しを取り消さなければならない。（昭和二八法一九五本条追加、平成二五法四九、令和四法六七本条改正）

参【執行猶予の競合→二五②】

（刑の全部の執行猶予の猶予期間経過の効果）

第二七条① 刑の全部の執行猶予の言渡しを取り消されることなくその猶予の期間を経過したときは、刑の言渡しは、効力を失う。

② 前項の規定にかかわらず、刑の全部の執行猶予の期間内に更に犯した罪（罰金以上の刑に当たるものに限る。）について公訴の提起がされているときは、同項の刑の言渡しは、当該期間が経過した日から第四項又は第五項の規定によりこの項後段の規定による刑の全部の執行猶予の言渡しが取り消されることがなくなるまでの間（以下この項及び次項において「効力継続期間」という。）、引き続きその効力を有するものとする。この場合においては、当該刑については、当該効力継続期間はその全部の執行猶予の言渡しがされているものとみなす。（令和四法六七本項追加）

③ 前項前段の規定にかかわらず、効力継続期間における次に掲げる規定の適用については、同項の刑の言渡しは、効力を失っているものとみなす。

一 第二十五条、第二十六条、第二十六条の二、次条第一項及び第三項、第二十七条の四（第三号に係る部分に限る。）並びに第三十四条の二の規定

二 人の資格に関する法令の規定

（令和四法六七本項追加）

④ 第二項前段の場合において、当該罪について拘禁刑以上の刑に処せられ、その刑の全部について執行猶予の言渡しがないときは、同項後段の規定による刑の全部の執行猶予の言渡しを取り消さなければならない。ただし、当該罪が同項前段の猶予の期間の経過後に犯した罪と併合罪として処断された場合において、犯情その他の情状を考慮して相当でないと認めるときは、この限りでない。（令和四法六七本項追加）

⑤ 第二項前段の場合において、当該罪について罰金に処せられたときは、同項後段の規定による刑の全部の執行猶予の言渡しを取り消すことができる。（令和四法六七本項追加）

⑥ 前二項の規定により刑の全部の執行猶予の言渡しを取り消したときは、執行猶予中の他の拘禁刑についても、その猶予の言渡しを取り消さなければならない。（令和四法六七本項追加）

（平成二五法四九本条改正）

（刑の一部の執行猶予）

第二七条の二① 次に掲げる者が三年以下の拘禁刑の言渡しを受けた場合において、犯情の軽重及び犯人の境遇その他の情状を考慮して、再び犯罪をすることを防ぐために必要であり、かつ、相当であると認められるときは、一年以上五年以下の期間、その刑の一部の執行を猶予することができる。

一 前に拘禁刑以上の刑に処せられたことがない者

二　前に拘禁刑に処せられたことがあっても、その刑の全部の執行を猶予された者

三　前に拘禁刑以上の刑に処せられたことがあっても、その執行を終わった日又はその執行の免除を得た日から五年以内に拘禁刑以上の刑に処せられたことがない者

（令和四法六七本項改正）

②　前項の規定によりその一部の執行を猶予された刑については、そのうち執行が猶予されなかった部分の期間を執行し、当該部分の期間の執行を終わった日又はその執行を受けることがなくなった日から、その猶予の期間を起算する。

③　前項の規定にかかわらず、その刑のうち執行が猶予されなかった部分の期間の執行を終わり、又はその執行を受けることがなくなった時において他に執行すべき拘禁刑があるときは、第一項の規定による猶予の期間は、その執行すべき拘禁刑の執行を終わった日又はその執行を受けることがなくなった日から起算する。

（令和四法六七本項改正）

（平成二五法四九本条追加）

参【全部の猶予→二五【特則→薬物一部猶予三　❶〔二〕【刑に処せられたことのない者→二七、三四の二　〔三〕【刑の執行の免除→五、三一

（刑の一部の執行猶予中の保護観察）

第二七条の三①　前条第一項の場合においては、猶予の期間中保護観察に付することができる。

②　前項の規定により付せられた保護観察は、行政官庁の処分によって仮に解除することができる。

③　前項の規定により保護観察を仮に解除されたときは、第二十七条の五第二号の規定の適用については、その処分を取り消されるまでの間は、保護観察に付せられなかったものとみなす。

（平成二五法四九本条追加）

参【特則→薬物一部猶予四　❶【言渡し→刑訴三三三

（刑の一部の執行猶予の必要的取消し）

第二七条の四　次に掲げる場合においては、刑の一部の執行猶予の言渡しを取り消さなければならない。ただし、第三号の場合において、猶予の言渡しを受けた者が第二十七条の二第一項第三号に掲げる者であるときは、この限りでない。

一　猶予の言渡し後に更に罪を犯し、拘禁刑以上の刑に処せられたとき。（令和四法六七本号改正）

二　猶予の言渡し前に犯した他の罪について拘禁刑以上の刑に処せられたとき。（令和四法六七本号改正）

三　猶予の言渡し前に他の罪について拘禁刑以上の刑に処せられ、その刑の全部について執行猶予の言渡しがないことが発覚したとき。（令和四法六七本号改正）

（平成二五法四九本条追加）

参【特則→薬物一部猶予五①【取消し→刑訴三四九、三四九の二

（刑の一部の執行猶予の裁量的取消し）

第二七条の五　次に掲げる場合においては、刑の一部の執行猶予の言渡しを取り消すことができる。

一　猶予の言渡し後に更に罪を犯し、罰金に処せられたとき。

二　第二十七条の三第一項の規定により保護観察に付せられた者が遵守すべき事項を遵守しなかったとき。

（平成二五法四九本条追加）

参【取消し→二七の四、刑訴三四九②

（刑の一部の執行猶予の取消しの場合における他の刑の執行猶予の取消し）

第二七条の六　前二条の規定により刑の一部の執行猶予の言渡しを取り消したときは、執行猶予中の他の拘禁刑についても、その猶予の言渡しを取り消さなければならない。（平成二五法四九本条追加、令和四法六七本条改正）

参【執行猶予の競合→二七の二①〔三〕

（刑の一部の執行猶予の猶予期間経過の効果）

第二七条の七①　刑の一部の執行猶予の言渡しを取り消されることなくその猶予の期間を経過したときは、その拘禁刑を執行が猶予されなかった部分の期間を刑期とする拘禁刑に減軽する。この場合においては、当該部分の期間の執行を終わった日又はその執行を受けることがなくなった日において、刑の執行を受け終わったものとする。

②　前項の規定にかかわらず、刑の一部の執行猶予の言渡し後その猶予の期間を経過するまでに更に犯した罪（罰金以上の刑に当たるものに限る。）について公訴の提起がされているときは、当該期間が経過した日から第四項又は第五項の規定によりこの項後段の規定による刑の一部の執行猶予の言渡しが取り消されることがなくなるまでの間（以下この項及び次項において「効力継続期間」という。）、前項前段の規定による減軽は、されないものとする。この場合においては、同項の刑については、当該効力継続期間は当該猶予された部分の刑の執行猶予の言渡しがされているものとみなす。（令和四法六七本項追加）

③　前項前段の規定にかかわらず、効力継続期間における次に掲げる規定の適用については、同項の刑は、第一項前段の規定による減軽がされ、同項後段に規定する日にその執行を受け終わったものとみなす。

一　第二十五条第一項（第二号に係る部分に限る。）、第二十七条の二第一項（第三号に係る部分に限る。）及び第三項、第二十七条の四、第二十七条の五、第三十四条の二並びに第五十六条第一項の規定

二　人の資格に関する法令の規定

（令和四法六七本項追加）

④　第二項前段の場合において、当該罪について拘禁刑以上の刑に処せられたときは、同項後段の規定による刑の一部の執行猶予の言渡しを取り消さなければならない。ただし、当該罪が同項前段の猶予の期間の経過後に犯した罪と併合罪として処断された場合において、犯情その他の情状を考慮して相当でないと認めるときは、この限りでない。（令和四法六七本項追加）

⑤ 第二項前段の場合において、当該罪について罰金に処せられたときは、同項後段の規定による刑の一部の執行猶予の言渡しを取り消すことができる。（令和四法六七本項追加）

⑥ 前二項の規定により刑の一部の執行猶予の言渡しを取り消したときは、執行猶予中の他の拘禁刑についても、その猶予の言渡しを取り消さなければならない。（令和四法六七本項追加）

（平成二五法四九本条追加、令和四法六七本条改正）

参+【猶予期間の計算→二二【少年の特則→少六〇②

第五章　仮釈放（平成一七法五〇章名改正）

（仮釈放）

第二八条　拘禁刑に処せられた者に改悛（しゅん）の状があるときは、有期刑についてはその刑期の三分の一を、無期刑については十年を経過した後、行政官庁の処分によって仮に釈放することができる。（平成一七法五〇、令和四法六七本条改正）

参+【手続→刑事収容一七一【少年の特則→少五八①・五九

（仮釈放の取消し等）

第二九条①　次に掲げる場合においては、仮釈放の処分を取り消すことができる。

一　仮釈放中に更に罪を犯し、罰金以上の刑に処せられたとき。

二　仮釈放前に犯した他の罪について罰金以上の刑に処せられたとき。

三　仮釈放前に他の罪について罰金以上の刑に処せられた者に対し、その刑の執行をすべきとき。

四　仮釈放中に遵守すべき事項を遵守しなかったとき。（昭和二八法一九五本号全部改正）

② 刑の一部の執行猶予の言渡しを受け、その刑について仮釈放の処分を受けた場合において、当該仮釈放中に当該執行猶予の言渡しを取り消されたときは、その処分は、効力を失う。（平成二五法四九本項追加）

③ 仮釈放の処分を取り消したとき、又は前項の規定により仮釈放の処分が効力を失ったときは、釈放中の日数は、刑期に算入しない。（平成二五法四九本項改正）

（仮出場）

第三〇条①　拘留に処せられた者は、情状により、いつでも、行政官庁の処分によって仮に出場を許すことができる。（平成一七法五〇本条改正）

② 罰金又は科料を完納することができないため留置された者も、前項と同様とする。

参+【手続→刑事収容一七一　❷【労役場留置→一八

第六章　刑の時効及び刑の消滅（昭和二二法一二四章名改正）

（刑の時効）

第三一条　刑（死刑を除く。）の言渡しを受けた者は、時効によりその執行の免除を得る。（平成二二法二六本条改正）

参+【刑の言渡し→刑訴三三三・四六一【公訴の時効→刑訴二五〇

（時効の期間）

第三二条　時効は、刑の言渡しが確定した後、次の期間その執行を受けないことによって完成する。

一　無期拘禁刑については三十年（令和四法六七本号改正）

二　十年以上の有期拘禁刑については二十年（令和四法六七本号改正）

三　三年以上十年未満の拘禁刑については十年（令和四法六七本号改正）

四　三年未満の拘禁刑については五年（令和四法六七本号改正）

五　罰金については三年

六　拘留、科料及び没収については一年

（平成二二法二六本条改正）

参+【刑の言渡しの確定→刑訴三五八・三七三・四一四・四一八・四七〇

（時効の停止）

第三三条①　時効は、法令により執行を猶予し、又は停止した期間内は、進行しない。

② 拘禁刑、罰金、拘留及び科料の時効は、刑の言渡しを受けた者が国外にいる場合には、その国外にいる期間は、進行しない。（令和五法二八本項追加）

参+【執行猶予→二五・二七の二【刑の執行停止→刑訴三六五・四四二・四四八・四七九—四八二

（時効の中断）

第三四条①　拘禁刑及び拘留の時効は、刑の言渡しを受けた者をその執行のために拘束することによって中断する。（平成二二法二六、令和四法六七本項改正）

② 罰金、科料及び没収の時効は、執行行為をすることによって中断する。

参+【拘束→刑訴四八八・四八九・七〇—七三、刑事収容八一

（刑の消滅）

第三四条の二①　拘禁刑以上の刑の執行を終わり又はその執行の免除を得た者が罰金以上の刑に処せられないで十年を経過したときは、刑の言渡しは、効力を失う。罰金以下の刑の執行を終わり又はその執行の免除を得た者が罰金以上の刑に処せられないで五年を経過したときも、同様とする。（令和四法六七本項改正）

② 刑の免除の言渡しを受けた者が、その言渡しが確定した後、罰金以上の刑に処せられないで二年を経過したときは、刑の免除の言渡しは、効力を失う。

（昭和二二法一二四本条追加）

参❶【執行の免除→五・三一　❷【刑の免除→三六②・三七①・四三・八〇・九三・一〇五・一一三・一七〇・一七一・一七三・二〇一・二二八の三・二四四①・二五一・二五五・二五七

第七章　犯罪の不成立及び刑の減免

（正当行為）

第三五条　法令又は正当な業務による行為は、罰しない。

参+【本条の適用→労組一②【法令による行為の例→刑訴一六八・

一九九、二一〇、二一三、二三二の二、警職七、自衛八八、母体保護三、一四

（正当防衛）

第三六条① 急迫不正の侵害に対して、自己又は他人の権利を防衛するため、やむを得ずにした行為は、罰しない。

② 防衛の程度を超えた行為は、情状により、その刑を減軽し、又は免除することができる。

【本条の特則→盗犯一】【減軽→六八―七〇、七二㈢】【損害賠償→民七二〇①】

（緊急避難）

第三七条① 自己又は他人の生命、身体、自由又は財産に対する現在の危難を避けるため、やむを得ずにした行為は、これによって生じた害が避けようとした害の程度を超えなかった場合に限り、罰しない。ただし、その程度を超えた行為は、情状により、その刑を減軽し、又は免除することができる。

② 前項の規定は、業務上特別の義務がある者には、適用しない。

【減軽→六八―七〇、七二㈢】【損害賠償→民七二〇②】

（故意）

第三八条① 罪を犯す意思がない行為は、罰しない。ただし、法律に特別の規定がある場合は、この限りでない。

② 重い罪に当たるべき行為をしたのに、行為の時にその重い罪に当たることとなる事実を知らなかった者は、その重い罪によって処断することはできない。

③ 法律を知らなかったとしても、そのことによって、罪を犯す意思がなかったとすることはできない。ただし、情状により、その刑を減軽することができる。

❶【特別の規定の例→一一六、一一七②、一一七の二、一二二、一二九、二〇九―二一一】 ❸【減軽→六八―七〇、七二㈢】

（心神喪失及び心神耗弱）

第三九条① 心神喪失者の行為は、罰しない。

② 心神耗弱者の行為は、その刑を減軽する。

【心神喪失処遇】【減軽→六八―七〇、七二㈢】

第四〇条【瘖唖者】 削除（平成七法九一）

（責任年齢）

第四一条 十四歳に満たない者の行為は、罰しない。

【少二①、三①】

（自首等）

第四二条① 罪を犯した者が捜査機関に発覚する前に自首したときは、その刑を減軽することができる。

② 告訴がなければ公訴を提起することができない罪について、告訴をすることができる者に対して自己の犯罪事実を告げ、その措置にゆだねたときも、前項と同様とする。

❶【自首→刑訴二四五】【自首による刑の免除→八〇、九三】【自首による刑の必要的減免→二二八の三】 ❷【告訴がなければ公訴を提起することができない罪→一三五、二〇九②、二二九、二三二①、二四四②、二五一、二五五、二六四、著作一二三】【告訴権を有する者→刑訴二三〇―二三四】

第八章　未遂罪

（未遂減免）

第四三条 犯罪の実行に着手してこれを遂げなかった者は、その刑を減軽することができる。ただし、自己の意思により犯罪を中止したときは、その刑を減軽し、又は免除する。

【減軽→六八―七〇、七二㈢】

（未遂罪）

第四四条 未遂を罰する場合は、各本条で定める。

【未遂を罰する場合→七七②、八七、一〇二、一一二、一三二、一四一、一五一、一五七③、一五八②、一六一②、一六一の二④、一六三②、一六三の五、一六八、一六八の二③、一八〇、二〇三、二一五②、二二三③、二二八、二三四の二②、二四三、二五〇】

第九章　併合罪

（併合罪）

第四五条 確定裁判を経ていない二個以上の罪を併合罪とする。ある罪について拘禁刑以上の刑に処する確定裁判があったときは、その罪とその裁判が確定する前に犯した罪とに限り、併合罪とする。（昭和四三法六一、令和四法六七本条改正）

【確定裁判→刑訴三五八、三七三、四一四、四一八、四六五、四七〇】【処分→四六―五三】

（併科の制限）

第四六条① 併合罪のうちの一個の罪について死刑に処するときは、他の刑を科さない。ただし、没収は、この限りでない。

② 併合罪のうちの一個の罪について無期拘禁刑に処するときも、他の刑を科さない。ただし、罰金、科料及び没収は、この限りでない。（令和四法六七本項改正）

（有期拘禁刑の加重）

第四七条 併合罪のうちの二個以上の罪について有期拘禁刑に処するときは、その最も重い罪について定めた刑の長期にその二分の一を加えたものを長期とする。ただし、それぞれの罪について定めた刑の長期の合計を超えることはできない。（令和四法六七本条改正）

【加重→一四、七二㈢】

（罰金の併科等）

第四八条① 罰金と他の刑とは、併科する。ただし、第四十六条第一項の場合は、この限りでない。

② 併合罪のうちの二個以上の罪について罰金に処するときは、それぞれの罪について定めた罰金の多額の合計以下で処断する。

（没収の付加）

第四九条① 併合罪のうちの重い罪について没収を科さない場合であっても、他の罪について没収の事由があるときは、これを付加することができる。

② 二個以上の没収は、併科する。

【没収→九、一九】

（余罪の処理）

第五〇条　併合罪のうちに既に確定裁判を経た罪とまだ確定裁判を経ていない罪とがあるときは、確定裁判を経ていない罪について更に処断する。

（併合罪に係る二個以上の刑の執行）

第五一条①　併合罪について二個以上の裁判があったときは、その刑を併せて執行する。ただし、死刑を執行すべきときは、没収を除き、他の刑を執行せず、無期拘禁刑を執行すべきときは、罰金、科料及び没収を除き、他の刑を執行しない。

②　前項の場合における有期拘禁刑の執行は、その最も重い罪について定めた刑の長期にその二分の一を加えたものを超えることができない。

（令和四法六七本条改正）

参【執行の順序↓刑訴四七四】

（一部に大赦があった場合の措置）

第五二条　併合罪について処断された者がその一部の罪につき大赦を受けたときは、他の罪について改めて刑を定める。

参【手続↓刑訴三五〇】

（拘留及び科料の併科）

第五三条①　拘留又は科料と他の刑とは、併科する。ただし、第四十六条の場合は、この限りでない。

②　二個以上の拘留又は科料は、併科する。

（一個の行為が二個以上の罪名に触れる場合等の処理）

第五四条①　一個の行為が二個以上の罪名に触れ、又は犯罪の手段若しくは結果である行為が他の罪名に触れるときは、その最も重い刑により処断する。

②　第四十九条第二項の規定は、前項の場合にも、適用する。

参【最も重い刑↓一〇】【科刑上の一罪↓刑訴三三七〔一〕】

第五五条【連続犯】　削除（昭和二二法一二四）

第十章　累犯

（再犯）

第五六条①　拘禁刑に処せられた者がその執行を終わった日又はその執行の免除を得た日から五年以内に更に罪を犯した場合において、その者を有期拘禁刑に処するときは、再犯とする。

②　死刑に処せられた者がその執行の免除を得た日又は減刑により拘禁刑に減軽されてその執行を終わった日若しくはその執行の免除を得た日から五年以内に更に罪を犯した場合において、その者を有期拘禁刑に処するときも、前項と同様とする。

（令和四法六七本条改正）

参【執行の免除↓五、三一】【常習累犯↓盗犯三】

（再犯加重）

第五七条　再犯の刑は、その罪について定めた拘禁刑の長期の二倍以下とする。（令和四法六七本条改正）

参一四、七二

第五八条【確定後の再犯の発見】　削除（昭和二二法一二四）

（三犯以上の累犯）

第五九条　三犯以上の者についても、再犯の例による。

第十一章　共犯

（共同正犯）

第六〇条　二人以上共同して犯罪を実行した者は、すべて正犯とする。

参【特別規定↓二〇七、軽犯一〔二十九〕、国公一一〇①〔十六〕】

（教唆）

第六一条①　人を教唆して犯罪を実行させた者には、正犯の刑を科する。

②　教唆者を教唆した者についても、前項と同様とする。

参【処罰の制限↓六四】【特別規定↓軽犯三、破防三八—四一、国公一一〇①〔十六〕、地公六一〔四〕、爆発四】

（幇助）

第六二条①　正犯を幇助した者は、従犯とする。

②　従犯を教唆した者には、従犯の刑を科する。

参【刑↓六三】【処罰の制限↓六四】

（従犯減軽）

第六三条　従犯の刑は、正犯の刑を減軽する。

参【従犯↓六二】【減軽↓六八—七〇、七二〔三〕】

（教唆及び幇助の処罰の制限）

第六四条　拘留又は科料のみに処すべき罪の教唆者及び従犯は、特別の規定がなければ、罰しない。

参【拘留又は科料のみに処すべき罪↓軽犯一】【特別の規定↓軽犯三】

（身分犯の共犯）

第六五条①　犯人の身分によって構成すべき犯罪行為に加功したときは、身分のない者であっても、共犯とする。

②　身分によって特に刑の軽重があるときは、身分のない者には通常の刑を科する。

参【身分によって犯罪を構成すべき罪↓一三四、一五六、一六〇、一六九、一七一、一八四、一九七—一九七の四】【身分によって刑の軽重がある罪↓一〇〇、一〇一、一三六、一三八、一八五、一八六、二二三、一九三、二二〇、一九四、二〇八、一九五、二一二—二一四、二一七、二一八、二五二、二五三、盗犯二、三、暴力一ノ三①、二②

第十二章　酌量減軽

（酌量減軽）

第六六条　犯罪の情状に酌量すべきものがあるときは、その刑を減軽することができる。

参【減軽の方法↓七一】【減軽の順序↓七二〔四〕】

（法律上の加減と酌量減軽）

第六七条　法律上刑を加重し、又は減軽する場合であっても、酌量減軽をすることができる。

参【法律上の加重↓四七、五七】【法律上の減軽↓三六②、三七①但、三八③、三九②、四二、四三、六三、一七〇、一七一、一

刑法

七三、二二八の二、二二八の三

第十三章　加重減軽の方法

（法律上の減軽の方法）

第六八条　法律上刑を減軽すべき一個又は二個以上の事由があるときは、次の例による。

一　死刑を減軽するときは、無期又は十年以上の拘禁刑とする。（令和四法六七本号改正）

二　無期拘禁刑を減軽するときは、七年以上の有期拘禁刑とする。（令和四法六七本号改正）

三　有期拘禁刑を減軽するときは、その長期及び短期の二分の一を減ずる。（令和四法六七本号改正）

四　罰金を減軽するときは、その多額及び寡額の二分の一を減ずる。

五　拘留を減軽するときは、その長期の二分の一を減ずる。

六　科料を減軽するときは、その多額の二分の一を減ずる。

参【法律上の減軽の事由↓六七参【減軽の順序↓七二】

（法律上の減軽と刑の選択）

第六九条　法律上刑を減軽すべき場合において、各本条に二個以上の刑名があるときは、まず適用する刑を定めて、その刑を減軽する。

参【法律上の減軽↓六七参【刑名↓九

（端数の切捨て）

第七〇条　拘禁刑又は拘留を減軽することにより一日に満たない端数が生じたときは、これを切り捨てる。（平成三法三一、令和四法六七本条改正）

（酌量減軽の方法）

第七一条　酌量減軽をするときも、第六十八条及び前条の例による。

参【酌量減軽↓六六

（加重減軽の順序）

第七二条　同時に刑を加重し、又は減軽するときは、次の順序による。

一　再犯加重

二　法律上の減軽

三　併合罪の加重

四　酌量減軽

参【加重減軽↓一四、六八―七一【再犯加重↓五七、五九【法律上の減軽↓六七参【併合罪の加重↓四七【酌量減軽↓六六

第二編　罪

第一章　削除（皇室に対する罪）

（昭和二二法一二四）

第七三条から第七六条まで　削除

第二章　内乱に関する罪

（内乱）

第七七条①　国の統治機構を破壊し、又はその領土において国権を排除して権力を行使し、その他憲法の定める統治の基本秩序を壊乱することを目的として暴動をした者は、内乱の罪とし、次の区別に従って処断する。

一　首謀者は、死刑又は無期拘禁刑に処する。（令和四法六七本号改正）

二　謀議に参与し、又は群衆を指揮した者は無期又は三年以上の拘禁刑に処し、その他諸般の職務に従事した者は一年以上十年以下の拘禁刑に処する。（令和四法六七本号改正）

三　付和随行し、その他単に暴動に参加した者は、三年以下の拘禁刑に処する。（令和四法六七本号改正）

②　前項の罪の未遂は、罰する。ただし、同項第三号に規定する者については、この限りでない。

参【管轄↓裁一六四　❷【未遂↓四三、四四【教唆・煽動等↓破防三八

（予備及び陰謀）

第七八条　内乱の予備又は陰謀をした者は、一年以上十年以下の拘禁刑に処する。（令和四法六七本条改正）

参【自首免刑↓八〇【管轄↓裁一六四【教唆↓破防三八②

（内乱等幇助）

第七九条　兵器、資金若しくは食糧を供給し、又はその他の行為により、前二条の罪を幇助した者は、七年以下の拘禁刑に処する。（令和四法六七本条改正）

参【自首免刑↓八〇【管轄↓裁一六四【教唆↓破防三八②

（自首による刑の免除）

第八〇条　前二条の罪を犯した者であっても、暴動に至る前に自首したときは、その刑を免除する。

第三章　外患に関する罪

（外患誘致）

第八一条　外国と通謀して日本国に対し武力を行使させた者は、死刑に処する。（昭和二二法一二四本条全部改正）

参【未遂↓八七【予備・陰謀↓八八【教唆・煽動等↓破防三八

（外患援助）

第八二条　日本国に対して外国から武力の行使があったときに、これに加担して、その軍務に服し、その他これに軍事上の利益を与えた者は、死刑又は無期若しくは二年以上の拘禁刑に処する。（昭和二二法一二四本条全部改正、令和四法六七本条改正）

参【未遂↓八七【予備・陰謀↓八八【教唆・煽動等↓破防三八

第八三条から第八六条まで　【利敵行為】削除（昭和二二法一二四）

（未遂罪）

第八七条　第八十一条及び第八十二条の罪の未遂は、罰する。（昭和二二法一二四本条改正）

参【未遂↓四三、四四

（予備及び陰謀）

第八八条　第八十一条又は第八十二条の罪の予備又は陰謀をした者は、一年以上十年以下の拘禁刑に処する。（昭和二二法一二四、令和四法六七本条改正）

【教唆→破防三八②】

第八九条【戦時同盟国に対する行為】 削除（昭和二二法一二四）

第四章　国交に関する罪

第九〇条及び第九一条【外国元首・使節に対する暴行・脅迫・侮辱】 削除（昭和二二法一二四）

（外国国章損壊等）

第九二条① 外国に対して侮辱を加える目的で、その国の国旗その他の国章を損壊し、除去し、又は汚損した者は、二年以下の拘禁刑又は二十万円以下の罰金に処する。（令和四法六七本項改正）

② 前項の罪は、外国政府の請求がなければ公訴を提起することができない。（平成三法三一本条改正）

（私戦予備及び陰謀）

第九三条 外国に対して私的に戦闘行為をする目的で、その予備又は陰謀をした者は、三月以上五年以下の拘禁刑に処する。ただし、自首した者は、その刑を免除する。（令和四法六七本条改正）

（中立命令違反）

第九四条 外国が交戦している際に、局外中立に関する命令に違反した者は、三年以下の拘禁刑又は五十万円以下の罰金に処する。（平成三法三一、令和四法六七本条改正）

第五章　公務の執行を妨害する罪

（公務執行妨害及び職務強要）

第九五条① 公務員が職務を執行するに当たり、これに対して暴行又は脅迫を加えた者は、三年以下の拘禁刑又は五十万円以下の罰金に処する。（平成一八法三六、令和四法六七本項改正）

② 公務員に、ある処分をさせ、若しくはさせないため、又はその職を辞させるために、暴行又は脅迫を加えた者も、前項と同様とする。

【公務員→七①】【予備・陰謀・教唆・煽動→破防四〇】

（封印等破棄）

第九六条 公務員が施した封印若しくは差押えの表示を損壊し、又はその他の方法によりその封印若しくは差押えの表示に係る命令若しくは処分を無効にした者は、三年以下の拘禁刑若しくは二百五十万円以下の罰金に処し、又はこれを併科する。（平成三法三一、平成二三法七四、令和四法六七本条改正）

【公務員→七①】【封印若しくは差押えの表示→民執一二三③】【加重規定→組織犯罪三】

（強制執行妨害目的財産損壊等）

第九六条の二 強制執行を妨害する目的で、次の各号のいずれかに該当する行為をした者は、三年以下の拘禁刑若しくは二百五十万円以下の罰金に処し、又はこれを併科する。情を知って、第三号に規定する譲渡又は権利の設定の相手方となった者も、同様とする。

一 強制執行を受け、若しくは受けるべき財産を隠匿し、損壊し、若しくはその譲渡を仮装し、又は債務の負担を仮装する行為

二 強制執行を受け、又は受けるべき財産について、その現状を改変して、価格を減損し、又は強制執行の費用を増大させる行為

三 金銭執行を受けるべき財産について、無償その他の不利益な条件で、譲渡をし、又は権利の設定をする行為

（昭和一六法六一本条追加、平成二三法七四本条全部改正、令和四法六七本条改正）

【強制執行→民執】【加重規定→組織犯罪三】

（強制執行行為妨害等）

第九六条の三① 偽計又は威力を用いて、立入り、占有者の確認その他の強制執行の行為を妨害した者は、三年以下の拘禁刑若しくは二百五十万円以下の罰金に処し、又はこれを併科する。（令和四法六七本項改正）

② 強制執行の申立てをさせず又はその申立てを取り下げさせる目的で、申立権者又はその代理人に対して暴行又は脅迫を加えた者も、前項と同様とする。

（平成二三法七四本条追加）

【占有者の確認→民執五五、五五の二】【強制執行の行為→民執五七】【加重規定→組織犯罪三】

（強制執行関係売却妨害）

第九六条の四 偽計又は威力を用いて、強制執行において行われ、又は行われるべき売却の公正を害すべき行為をした者は、三年以下の拘禁刑若しくは二百五十万円以下の罰金に処し、又はこれを併科する。（平成二三法七四本条追加、令和四法六七本条改正）

【強制執行→民執】【売却→民執六四】【加重規定→組織犯罪三】

（加重封印等破棄等）

第九六条の五 報酬を得、又は得させる目的で、人の債務に関して、第九十六条から前条までの罪を犯した者は、五年以下の拘禁刑若しくは五百万円以下の罰金に処し、又はこれを併科する。（平成二三法七四本条追加、令和四法六七本条改正）

（公契約関係競売等妨害）

第九六条の六① 偽計又は威力を用いて、公の競売又は入札で契約を締結するためのものの公正を害すべき行為をした者は、三年以下の拘禁刑若しくは二百五十万円以下の罰金に処し、又はこれを併科する。（平成三法三一、平成二三法七四、令和四法六七本項改正）

② 公正な価格を害し又は不正な利益を得る目的で、談合した者も、前項と同様とする。

（昭和一六法六一本条追加）

【公の競売又は入札で契約を締結するためのもの→自治二三四】

第六章　逃走の罪

（逃走）

第九七条 法令により拘禁された者が逃走したときは、三年以下の拘禁刑に処する。（令和四法六七、令和五法二八本条改正）

⊛+【法令により拘禁された者↓一一・一二・一六・一八、刑訴五九・六〇・七三・七五・一五二・二〇一・二一〇・二一三】【未遂↓一〇二】

（加重逃走）

第九八条　前条に規定する者が拘禁場若しくは拘束のための器具を損壊し、暴行若しくは脅迫をし、又は二人以上通謀して、逃走したときは、三月以上五年以下の拘禁刑に処する。（令和四法六七、令和五法二八本条改正）

⊛+【前条に規定する者↓九七⊛】【拘禁場↓刑事収容三】【拘束のための器具↓刑事収容七八】【未遂↓一〇二】

（被拘禁者奪取）

第九九条　法令により拘禁された者を奪取した者は、三月以上五年以下の拘禁刑に処する。（令和四法六七本条改正）

⊛+【法令により拘禁された者↓九七⊛】【未遂↓一〇二】

（逃走援助）

第一〇〇条①　法令により拘禁された者を逃走させる目的で、器具を提供し、その他逃走を容易にすべき行為をした者は、三年以下の拘禁刑に処する。

②　前項の目的で、暴行又は脅迫をした者は、三月以上五年以下の拘禁刑に処する。

（令和四法六七本条改正）

⊛+【法令により拘禁された者↓九七⊛】【未遂↓一〇二】

（看守者等による逃走援助）

第一〇一条　法令により拘禁された者を看守し又は護送する者がその拘禁された者を逃走させたときは、一年以上十年以下の拘禁刑に処する。（令和四法六七本条改正）

⊛+【法令により拘禁された者↓九七⊛】【未遂↓一〇二】【国外犯↓四㈡】

（未遂罪）

第一〇二条　この章の罪の未遂は、罰する。

⊛+【未遂↓四三・四四】

第七章　犯人蔵匿及び証拠隠滅の罪

（犯人蔵匿等）

第一〇三条　罰金以上の刑に当たる罪を犯した者又は拘禁中に逃走した者を蔵匿し、又は隠避させた者は、三年以下の拘禁刑又は三十万円以下の罰金に処する。（平成三法三一、平成一八法五四、令和四法六七本条改正）

⊛+【特別規定↓爆発九、組織犯罪七】

（証拠隠滅等）

第一〇四条　他人の刑事事件に関する証拠を隠滅し、偽造し、若しくは変造し、又は偽造若しくは変造の証拠を使用した者は、三年以下の拘禁刑又は三十万円以下の罰金に処する。（平成三法三一、平成一八法五四、令和四法六七本条改正）

⊛+【特別規定↓爆発九、組織犯罪七】

（親族による犯罪に関する特例）

第一〇五条　前二条の罪については、犯人又は逃走した者の親族がこれらの者の利益のために犯したときは、その刑を免除することができる。（昭和二二法一二四本条改正）

⊛+【親族↓民七二五】【親族間の窃盗・不動産侵奪↓二四四】

（証人等威迫）

第一〇五条の二　自己若しくは他人の刑事事件の捜査若しくは審判に必要な知識を有すると認められる者又はその親族に対し、当該事件に関して、正当な理由がないのに面会を強請し、又は強談威迫の行為をした者は、二年以下の拘禁刑又は三十万円以下の罰金に処する。（昭和三三法一〇七本条追加、平成三法三一、平成一八法五四、令和四法六七本条改正）

⊛+【親族↓民七二五】【面会強請・強談威迫↓暴力二、議院証言九】【特別規定↓組織犯罪七】

第八章　騒乱の罪

（騒乱）

第一〇六条　多衆で集合して暴行又は脅迫をした者は、騒乱の罪とし、次の区別に従って処断する。

一　首謀者は、一年以上十年以下の拘禁刑に処する。（令和四法六七本号改正）

二　他人を指揮し、又は他人に率先して勢いを助けた者は、六月以上七年以下の拘禁刑に処する。（令和四法六七本号改正）

三　付和随行した者は、十万円以下の罰金に処する。（平成三法三一本号改正）

⊛+【特別規定↓七七①】【予備・陰謀・教唆・煽動↓破防四〇】

（多衆不解散）

第一〇七条　暴行又は脅迫をするため多衆が集合した場合において、権限のある公務員から解散の命令を三回以上受けたにもかかわらず、なお解散しなかったときは、首謀者は三年以下の拘禁刑に処し、その他の者は十万円以下の罰金に処する。（平成三法三一、令和四法六七本条改正）

⊛+【解散の命令↓警職五】

第九章　放火及び失火の罪

（現住建造物等放火）

第一〇八条　放火して、現に人が住居に使用し又は現に人がいる建造物、汽車、電車、艦船又は鉱坑を焼損した者は、死刑又は無期若しくは五年以上の拘禁刑に処する。（令和四法六七本条改正）

⊛+【未遂↓一一二】【予備↓一一三】【予備・陰謀・教唆・煽動↓破防三九】

（非現住建造物等放火）

第一〇九条①　放火して、現に人が住居に使用せず、かつ、現に人がいない建造物、艦船又は鉱坑を焼損した者は、二年以上の有期拘禁刑に処する。

②　前項の物が自己の所有に係るときは、六月以上七年以下の拘禁刑に処する。ただし、公共の危険を生じなかったときは、罰しない。

（令和四法六七本条改正）

参❶【未遂→一一二】【予備→一一三】【予備・陰謀・教唆・煽動→破防三九　❷【延焼→一一一①】

（建造物等以外放火）

第一一〇条① 放火して、前二条に規定する物以外の物を焼損し、よって公共の危険を生じさせた者は、一年以上十年以下の拘禁刑に処する。

② 前項の物が自己の所有に係るときは、一年以下の拘禁刑又は十万円以下の罰金に処する。（平成三法三一本項改正）

（令和四法六七本条改正）

（延焼）

第一一一条① 第百九条第二項又は前条第二項の罪を犯し、よって第百八条又は第百九条第一項に規定する物に延焼させたときは、三月以上十年以下の拘禁刑に処する。

② 前条第二項の罪を犯し、よって同条第一項に規定する物に延焼させたときは、三年以下の拘禁刑に処する。

（令和四法六七本条改正）

（未遂罪）

第一一二条 第百八条及び第百九条第一項の罪の未遂は、罰する。

参【未遂→四三、四四

（予備）

第一一三条 第百八条又は第百九条第一項の罪を犯す目的で、その予備をした者は、二年以下の拘禁刑に処する。ただし、情状により、その刑を免除することができる。（令和四法六七本条改正）

（消火妨害）

第一一四条 火災の際に、消火用の物を隠匿し、若しくは損壊し、又はその他の方法により、消火を妨害した者は、一年以上十年以下の拘禁刑に処する。（令和四法六七本条改正）

参【特別規定→軽犯一四

（差押え等に係る自己の物に関する特例）

第一一五条 第百九条第一項及び第百十条第一項に規定する物が自己の所有に係るものであっても、差押えを受け、物権を負担し、賃貸し、配偶者居住権が設定され、又は保険に付したものである場合において、これを焼損したときは、他人の物を焼損した者の例による。（平成三〇法七二本条改正）

参【差押え→民執四三、一二二】【物権→民三〇三、三四二、三六九】【賃貸→民六〇一】【配偶者居住権→民一〇二八】【保険→保険一一三、商八一五

（失火）

第一一六条① 失火により、第百八条に規定する物又は他人の所有に係る第百九条に規定する物を焼損した者は、五十万円以下の罰金に処する。（昭和一六法六一、平成三法三一本項改正）

② 失火により、第百九条に規定する物であって自己の所有に係るもの又は第百十条に規定する物を焼損し、よって公共の危険を生じさせた者も、前項と同様とする。

参【過失→三八①】【特別規定→軽犯一四】【民事責任→失火

（激発物破裂）

第一一七条① 火薬、ボイラーその他の激発すべき物を破裂させて、第百八条に規定する物又は他人の所有に係る第百九条に規定する物を損壊した者は、放火の例による。第百九条に規定する物であって自己の所有に係るもの又は第百十条に規定する物を損壊し、よって公共の危険を生じさせた者も、同様とする。

② 前項の行為が過失によるときは、失火の例による。

参【特別規定→爆発一・二・三】❶【前段の罪の予備・陰謀・教唆・煽動→破防三九　❷【失火→一一六

（業務上失火等）

第一一七条の二 第百十六条又は前条第一項の行為が業務上必要な注意を怠ったことによるとき、又は重大な過失によるときは、三年以下の拘禁刑又は百五十万円以下の罰金に処する。（昭和一六法六一本条追加、平成三法三一、令和四法六七本条改正）

参【過失→三八①】【重大な過失の他の例→二一一

（ガス漏出等及び同致死傷）

第一一八条① ガス、電気又は蒸気を漏出させ、流出させ、又は遮断し、よって人の生命、身体又は財産に危険を生じさせた者は、三年以下の拘禁刑又は十万円以下の罰金に処する。（平成三法三一、令和四法六七本項改正）

② ガス、電気又は蒸気を漏出させ、流出させ、又は遮断し、よって人を死傷させた者は、傷害の罪と比較して、重い刑により処断する。

参❷【傷害の罪→二〇四、二〇五】【刑の軽重→一〇

第十章　出水及び水利に関する罪

（現住建造物等浸害）

第一一九条 出水させて、現に人が住居に使用し又は現に人がいる建造物、汽車、電車又は鉱坑を浸害した者は、死刑又は無期若しくは三年以上の拘禁刑に処する。（令和四法六七本条改正）

（非現住建造物等浸害）

第一二〇条① 出水させて、前条に規定する物以外の物を浸害し、よって公共の危険を生じさせた者は、一年以上十年以下の拘禁刑に処する。（令和四法六七本項改正）

② 浸害した物が自己の所有に係るときは、その物が差押えを受け、物権を負担し、賃貸し、配偶者居住権が設定され、又は保険に付したものである場合に限り、前項の例による。（平成三〇法七二本項改正）

参❷【差押え等→一一五参

（水防妨害）

第一二一条 水害の際に、水防用の物を隠匿し、若しくは損壊し、又はその他の方法により、水防を妨害した者は、一年以上十年以下の拘禁刑に処する。（令和四法六七本条改正）

（過失建造物等浸害）

第一二二条 過失により出水させて、第百十九条に規定する物を浸害した者又は第百二十条に規定する物を浸害し、よって公共の危険を生じさせた者は、二十万円以下の罰金に処する。（平成三法三一本条改正）

参＋【過失→三八①

（水利妨害及び出水危険）

第一二三条 堤防を決壊させ、水門を破壊し、その他水利の妨害となるべき行為又は出水させるべき行為をした者は、二年以下の拘禁刑又は二十万円以下の罰金に処する。（平成三法三一、令和四法六七本条改正）

第十一章　往来を妨害する罪

（往来妨害及び同致死傷）

第一二四条① 陸路、水路又は橋を損壊し、又は閉塞して往来の妨害を生じさせた者は、二年以下の拘禁刑又は二十万円以下の罰金に処する。（平成三法三一、令和四法六七本項改正）

② 前項の罪を犯し、よって人を死傷させた者は、傷害の罪と比較して、重い刑により処断する。

参＋【未遂→一二八　❷【傷害の罪→二〇四、二〇五【刑の軽重→一〇

（往来危険）

第一二五条① 鉄道若しくはその標識を損壊し、又はその他の方法により、汽車又は電車の往来の危険を生じさせた者は、二年以上の有期拘禁刑に処する。（令和四法六七本項改正）

② 灯台若しくは浮標を損壊し、又はその他の方法により、艦船の往来の危険を生じさせた者も、前項と同様とする。

参＋【未遂→一二八【予備・陰謀・教唆・煽動→破防四〇

（汽車転覆等及び同致死）

第一二六条① 現に人がいる汽車又は電車を転覆させ、又は破壊した者は、無期又は三年以上の拘禁刑に処する。（令和四法六七本項改正）

② 現に人がいる艦船を転覆させ、沈没させ、又は破壊した者も、前項と同様とする。

③ 前二項の罪を犯し、よって人を死亡させた者は、死刑又は無期拘禁刑に処する。（令和四法六七本項改正）

参＋【未遂→一二八　❶❷【予備・陰謀・教唆・煽動→破防三九

（往来危険による汽車転覆等）

第一二七条 第百二十五条の罪を犯し、よって汽車若しくは電車を転覆させ、若しくは破壊し、又は艦船を転覆させ、沈没させ、若しくは破壊した者も、前条の例による。

（未遂罪）

第一二八条 第百二十四条第一項、第百二十五条並びに第百二十六条第一項及び第二項の罪の未遂は、罰する。

参＋【未遂→四三、四四

（過失往来危険）

第一二九条① 過失により、汽車、電車若しくは艦船の往来の危険を生じさせ、又は汽車若しくは電車を転覆させ、若しくは破壊し、若しくは艦船を転覆させ、沈没させ、若しくは破壊した者は、三十万円以下の罰金に処する。

② その業務に従事する者が前項の罪を犯したときは、三年以下の拘禁刑又は五十万円以下の罰金に処する。（令和四法六七本項改正）

（平成三法三一本条改正）

参＋【過失→三八①

第十二章　住居を侵す罪

（住居侵入等）

第一三〇条 正当な理由がないのに、人の住居若しくは人の看守する邸宅、建造物若しくは艦船に侵入し、又は要求を受けたにもかかわらずこれらの場所から退去しなかった者は、三年以下の拘禁刑又は十万円以下の罰金に処する。（平成三法三一、令和四法六七本条改正）

参＋【未遂→一三二【特別規定→盗犯一、軽犯一㈠㉜

第一三一条【皇居等侵入】　削除（昭和二二法一二四）

（未遂罪）

第一三二条 第百三十条の罪の未遂は、罰する。（昭和二二法一二四本条改正）

参＋【未遂→四三、四四

第十三章　秘密を侵す罪

（信書開封）

第一三三条 正当な理由がないのに、封をしてある信書を開けた者は、一年以下の拘禁刑又は二十万円以下の罰金に処する。（平成三法三一、令和四法六七本条改正）

参＋【信書の秘密→憲二一②【親告罪→一三五

（秘密漏示）

第一三四条① 医師、薬剤師、医薬品販売業者、助産師、弁護士、弁護人、公証人又はこれらの職にあった者が、正当な理由がないのに、その業務上取り扱ったことについて知り得た人の秘密を漏らしたときは、六月以下の拘禁刑又は十万円以下の罰金に処する。（平成三法三一、平成一三法一五三、令和四法六七本項改正）

② 宗教、祈禱若しくは祭祀の職にある者又はこれらの職にあった者が、正当な理由がないのに、その業務上取り扱ったことについて知り得た人の秘密を漏らしたときも、前項と同様とする。

参＋【証言拒絶→刑訴一四九、民訴一九七①㈡【親告罪→一三五

（親告罪）

第一三五条 この章の罪は、告訴がなければ公訴を提起することができない。

参＋【告訴→刑訴二三〇—二三二、二四一

第十四章　あへん煙に関する罪

（あへん煙輸入等）

第一三六条 あへん煙を輸入し、製造し、販売し、又は

販売の目的で所持した者は、六月以上七年以下の拘禁刑に処する。（令和四法六七本条改正）

【未遂↓一四一】【特別規定↓麻薬

（あへん煙吸食器具輸入等）

第一三七条 あへん煙を吸食する器具を輸入し、製造し、販売し、又は販売の目的で所持した者は、三月以上五年以下の拘禁刑に処する。（令和四法六七本条改正）

【未遂↓一四一】

（税関職員によるあへん煙輸入等）

第一三八条 税関職員が、あへん煙又はあへん煙を吸食するための器具を輸入し、又はこれらの輸入を許したときは、一年以上十年以下の拘禁刑に処する。（令和四法六七本条改正）

【未遂↓一四一】

（あへん煙吸食及び場所提供）

第一三九条① あへん煙を吸食した者は、三年以下の拘禁刑に処する。

② あへん煙の吸食のため建物又は室を提供して利益を図った者は、六月以上七年以下の拘禁刑に処する。（令和四法六七本条改正）

【未遂↓一四一】

（あへん煙等所持）

第一四〇条 あへん煙又はあへん煙を吸食するための器具を所持した者は、一年以下の拘禁刑に処する。（令和四法六七本条改正）

【未遂↓一四一】

（未遂罪）

第一四一条 この章の罪の未遂は、罰する。

【未遂↓四三、四四】

第十五章　飲料水に関する罪

（浄水汚染）

第一四二条 人の飲料に供する浄水を汚染し、よって使用することができないようにした者は、六月以下の拘禁刑又は十万円以下の罰金に処する。（平成三法三一、令和四法六七本条改正）

（水道汚染）

第一四三条 水道により公衆に供給する飲料の浄水又はその水源を汚染し、よって使用することができないようにした者は、六月以上七年以下の拘禁刑に処する。（令和四法六七本条改正）

（浄水毒物等混入）

第一四四条 人の飲料に供する浄水に毒物その他人の健康を害すべき物を混入した者は、三年以下の拘禁刑に処する。（令和四法六七本条改正）

（浄水汚染等致死傷）

第一四五条 前三条の罪を犯し、よって人を死傷させた者は、傷害の罪と比較して、重い刑により処断する。

【傷害の罪↓二〇四、二〇五】【刑の軽重↓一〇】

（水道毒物等混入及び同致死）

第一四六条 水道により公衆に供給する飲料の浄水又はその水源に毒物その他人の健康を害すべき物を混入した者は、二年以上の有期拘禁刑に処する。よって人を死亡させた者は、死刑又は無期若しくは五年以上の拘禁刑に処する。（令和四法六七本条改正）

【公害↓公害犯罪二、三】

（水道損壊及び閉塞）

第一四七条 公衆の飲料に供する浄水の水道を損壊し、又は閉塞した者は、一年以上十年以下の拘禁刑に処する。（令和四法六七本条改正）

第十六章　通貨偽造の罪

（通貨偽造及び行使等）

第一四八条① 行使の目的で、通用する貨幣、紙幣又は銀行券を偽造し、又は変造した者は、無期又は三年以上の拘禁刑に処する。（令和四法六七本項改正）

② 偽造又は変造の貨幣、紙幣又は銀行券を行使し、又は行使の目的で人に交付し、若しくは輸入した者も、前項と同様とする。

【未遂↓一五一】【準備↓一五三】

（外国通貨偽造及び行使等）

第一四九条① 行使の目的で、日本国内に流通している外国の貨幣、紙幣又は銀行券を偽造し、又は変造した者は、二年以上の有期拘禁刑に処する。（令和四法六七本項改正）

② 偽造又は変造の外国の貨幣、紙幣又は銀行券を行使し、又は行使の目的で人に交付し、若しくは輸入した者も、前項と同様とする。

【未遂↓一五一】【準備↓一五三】

（偽造通貨等収得）

第一五〇条 行使の目的で、偽造又は変造の貨幣、紙幣又は銀行券を収得した者は、三年以下の拘禁刑に処する。（令和四法六七本条改正）

【未遂↓一五一】

（未遂罪）

第一五一条 前三条の罪の未遂は、罰する。

【未遂↓四三、四四】

（収得後知情行使等）

第一五二条 貨幣、紙幣又は銀行券を収得した後に、それが偽造又は変造のものであることを知って、これを行使し、又は行使の目的で人に交付した者は、その額面価格の三倍以下の罰金又は科料に処する。ただし、二千円以下にすることはできない。（平成三法三一本条改正）

（通貨偽造等準備）

第一五三条 貨幣、紙幣又は銀行券の偽造又は変造の用に供する目的で、器械又は原料を準備した者は、三月以上五年以下の拘禁刑に処する。（令和四法六七本条改正）

第十七章　文書偽造の罪

（詔書偽造等）

第一五四条① 行使の目的で、御璽、国璽若しくは御名を使用して詔書その他の文書を偽造し、又は偽造した御璽、国璽若しくは御名を使用して詔書その他の文書を偽造した者は、無期又は三年以上の拘禁刑に処する。（令和四法六七本項改正）

② 御璽若しくは国璽を押し又は御名を署した詔書その他の文書を変造した者も、前項と同様とする。

（公文書偽造等）

第一五五条① 行使の目的で、公務所若しくは公務員の印章若しくは署名を使用して公務所若しくは公務員の作成すべき文書若しくは図画を偽造し、又は偽造した公務所若しくは公務員の印章若しくは署名を使用して公務所若しくは公務員の作成すべき文書若しくは図画を偽造した者は、一年以上十年以下の拘禁刑に処する。（令和四法六七本項改正）

② 公務所又は公務員が押印し又は署名した文書又は図画を変造した者も、前項と同様とする。

③ 前二項に規定するもののほか、公務所若しくは公務員の作成すべき文書若しくは図画を偽造し、又は公務所若しくは公務員が作成した文書若しくは図画を変造した者は、三年以下の拘禁刑又は二十万円以下の罰金に処する。（平成三法三一、令和四法六七本項改正）

参【公務所・公務員→七

（虚偽公文書作成等）

第一五六条 公務員が、その職務に関し、行使の目的で、虚偽の文書若しくは図画を作成し、又は文書若しくは図画を変造したときは、印章又は署名の有無により区別して、前二条の例による。

参【公務員→七①【国外犯→四③

（公正証書原本不実記載等）

第一五七条① 公務員に対し虚偽の申立てをして、登記簿、戸籍簿その他の権利若しくは義務に関する公正証書の原本に不実の記載をさせ、又は権利若しくは義務に関する公正証書の原本として用いられる電磁的記録に不実の記録をさせた者は、五年以下の拘禁刑又は五十万円以下の罰金に処する。（昭和一六法六一、昭和六二法五二、平成三法三一、令和四法六七本項改正）

② 公務員に対し虚偽の申立てをして、免状、鑑札又は旅券に不実の記載をさせた者は、一年以下の拘禁刑又は二十万円以下の罰金に処する。（昭和一六法六一、平成三法三一、令和四法六七本項改正）

③ 前二項の罪の未遂は、罰する。

参【公務員→七【電磁的記録→七の二　❸【未遂→四三、四四

（偽造公文書行使等）

第一五八条① 第百五十四条から前条までの文書若しくは図画を行使し、又は前条第一項の電磁的記録を公正証書の原本としての用に供した者は、その文書若しくは図画を偽造し、若しくは変造し、虚偽の文書若しくは図画を作成し、又は不実の記載若しくは記録をさせた者と同一の刑に処する。（昭和六二法五二本項改正）

② 前項の罪の未遂は、罰する。

参【電磁的記録→七の二　❷【未遂→四三、四四

（私文書偽造等）

第一五九条① 行使の目的で、他人の印章若しくは署名を使用して権利、義務若しくは事実証明に関する文書若しくは図画を偽造し、又は偽造した他人の印章若しくは署名を使用して権利、義務若しくは事実証明に関する文書若しくは図画を偽造した者は、三月以上五年以下の拘禁刑に処する。（令和四法六七本項改正）

② 他人が押印し又は署名した権利、義務又は事実証明に関する文書又は図画を変造した者も、前項と同様とする。

③ 前二項に規定するもののほか、権利、義務又は事実証明に関する文書又は図画を偽造し、又は変造した者は、一年以下の拘禁刑又は十万円以下の罰金に処する。（平成三法三一、令和四法六七本項改正）

（虚偽診断書等作成）

第一六〇条 医師が公務所に提出すべき診断書、検案書又は死亡証書に虚偽の記載をしたときは、三年以下の拘禁刑又は三十万円以下の罰金に処する。（平成三法三一、令和四法六七本条改正）

参【公務所→七②

（偽造私文書等行使）

第一六一条① 前二条の文書又は図画を行使した者は、その文書若しくは図画を偽造し、若しくは変造し、又は虚偽の記載をした者と同一の刑に処する。

② 前項の罪の未遂は、罰する。

参【未遂→四三、四四

（電磁的記録不正作出及び供用）

第一六一条の二① 人の事務処理を誤らせる目的で、その事務処理の用に供する権利、義務又は事実証明に関する電磁的記録を不正に作った者は、五年以下の拘禁刑又は五十万円以下の罰金に処する。（平成三法三一、令和四法六七本項改正）

② 前項の罪が公務所又は公務員により作られるべき電磁的記録に係るときは、十年以下の拘禁刑又は百万円以下の罰金に処する。（平成三法三一、令和四法六七本項改正）

③ 不正に作られた権利、義務又は事実証明に関する電磁的記録を、第一項の目的で、人の事務処理の用に供した者は、その電磁的記録を不正に作った者と同一の刑に処する。

④ 前項の罪の未遂は、罰する。

（昭和六二法五二本条追加）

参【電磁的記録→七の二　❷【公務所・公務員→七　❹【未遂→四三、四四　＋不正アクセス二④、三―七、一一―一三

第十八章　有価証券偽造の罪

（有価証券偽造等）

第一六二条① 行使の目的で、公債証書、官庁の証券、会社の株券その他の有価証券を偽造し、又は変造した者は、三月以上十年以下の拘禁刑に処する。（令和四法六七本条改正）

② 行使の目的で、有価証券に虚偽の記入をした者も、

前項と同様とする。

（偽造有価証券行使等）
第一六三条① 偽造若しくは変造の有価証券又は虚偽の記入がある有価証券を行使し、又は行使の目的で人に交付し、若しくは輸入した者は、三月以上十年以下の拘禁刑に処する。（令和四法六七本項改正）

② 前項の罪の未遂は、罰する。

⊛+【未遂→四三、四四

第十八章の二 支払用カード電磁的記録に関する罪（平成一三法九七本章追加）

（支払用カード電磁的記録不正作出等）
第一六三条の二① 人の財産上の事務処理を誤らせる目的で、その事務処理の用に供する電磁的記録であって、クレジットカードその他の代金又は料金の支払用のカードを構成するものを不正に作った者は、十年以下の拘禁刑又は百万円以下の罰金に処する。預貯金の引出用のカードを構成する電磁的記録を不正に作った者も、同様とする。（令和四法六七本項改正）

② 不正に作られた前項の電磁的記録を、同項の目的で、人の財産上の事務処理の用に供した者も、同項と同様とする。

③ 不正に作られた第一項の電磁的記録をその構成部分とするカードを、同項の目的で、譲り渡し、貸し渡し、又は輸入した者も、同項と同様とする。

⊛+【電磁的記録→七の二 ❶【電磁的記録不正作出等→一六一の二 +【未遂→一六三の五

（不正電磁的記録カード所持）
第一六三条の三 前条第一項の目的で、同条第三項のカードを所持した者は、五年以下の拘禁刑又は五十万円以下の罰金に処する。（令和四法六七本条改正）

（支払用カード電磁的記録不正作出準備）
第一六三条の四① 第百六十三条の二第一項の犯罪行為の用に供する目的で、同項の電磁的記録の情報を取得した者は、三年以下の拘禁刑又は五十万円以下の罰金に処する。情を知って、その情報を提供した者も、同様とする。（令和四法六七本項改正）

② 不正に取得された第百六十三条の二第一項の電磁的記録の情報を、前項の目的で保管した者も、同項と同様とする。

③ 第一項の目的で、器械又は原料を準備した者も、同項と同様とする。

⊛❶【未遂→一六三の五

（未遂罪）
第一六三条の五 第百六十三条の二及び前条第一項の罪の未遂は、罰する。

⊛+【未遂→四三、四四

第十九章 印章偽造の罪

（御璽偽造及び不正使用等）
第一六四条① 行使の目的で、御璽、国璽又は御名を偽造した者は、二年以上の有期拘禁刑に処する。（令和四法六七本項改正）

② 御璽、国璽若しくは御名を不正に使用し、又は偽造した御璽、国璽若しくは御名を使用した者も、前項と同様とする。

⊛❷【未遂→一六八

（公印偽造及び不正使用等）
第一六五条① 行使の目的で、公務所又は公務員の印章又は署名を偽造した者は、三月以上五年以下の拘禁刑に処する。（令和四法六七本項改正）

② 公務所若しくは公務員の印章若しくは署名を不正に使用し、又は偽造した公務所若しくは公務員の印章若しくは署名を使用した者も、前項と同様とする。

⊛+【公務所・公務員→七 ❷【未遂→一六八

（公記号偽造及び不正使用等）
第一六六条① 行使の目的で、公務所の記号を偽造した者は、三年以下の拘禁刑に処する。（令和四法六七本項改正）

② 公務所の記号を不正に使用し、又は偽造した公務所の記号を使用した者も、前項と同様とする。

⊛+【公務所→七② ❷【未遂→一六八

（私印偽造及び不正使用等）
第一六七条① 行使の目的で、他人の印章又は署名を偽造した者は、三年以下の拘禁刑に処する。（令和四法六七本項改正）

② 他人の印章若しくは署名を不正に使用し、又は偽造した印章若しくは署名を使用した者も、前項と同様とする。

⊛❷【未遂→一六八

（未遂罪）
第一六八条 第百六十四条第二項、第百六十五条第二項、第百六十六条第二項及び前条第二項の罪の未遂は、罰する。

⊛+【未遂→四三、四四

第十九章の二 不正指令電磁的記録に関する罪（平成二三法七四本章追加）

（不正指令電磁的記録作成等）
第一六八条の二① 正当な理由がないのに、人の電子計算機における実行の用に供する目的で、次に掲げる電磁的記録その他の記録を作成し、又は提供した者は、三年以下の拘禁刑又は五十万円以下の罰金に処する。

一 人が電子計算機を使用するに際してその意図に沿うべき動作をさせず、又はその意図に反する動作をさせるべき不正な指令を与える電磁的記録

二 前号に掲げるもののほか、同号の不正な指令を記述した電磁的記録その他の記録

② 正当な理由がないのに、前項第一号に掲げる電磁的記録を人の電子計算機における実行の用に供した者も、同項と同様とする。（令和四法六七本項改正）

③ 前項の罪の未遂は、罰する。

【電磁的記録→七の二【不正指令→二三四の二、二四六の二【未遂→四三、四四

（不正指令電磁的記録取得等）

第一六八条の三　正当な理由がないのに、前条第一項の目的で、同項各号に掲げる電磁的記録その他の記録を取得し、又は保管した者は、二年以下の拘禁刑又は三十万円以下の罰金に処する。（令和四法六七本条改正）

【不正取得、保管の例→一六三の四

第二十章　偽証の罪

（偽証）

第一六九条　法律により宣誓した証人が虚偽の陳述をしたときは、三月以上十年以下の拘禁刑に処する。（令和四法六七本条改正）

【法律により宣誓した証人→刑訴一五四、一五五、民訴二〇一、非訟五三①【特別規定→議院証言六

（自白による刑の減免）

第一七〇条　前条の罪を犯した者が、その証言をした事件について、その裁判が確定する前又は懲戒処分が行われる前に自白したときは、その刑を減軽し、又は免除することができる。

【裁判の確定→刑訴三七三、四一四、四一八、民訴二八五、三一三【刑の減軽→六八―七〇

（虚偽鑑定等）

第一七一条　法律により宣誓した鑑定人、通訳人又は翻訳人が虚偽の鑑定、通訳又は翻訳をしたときは、前二条の例による。

【法律により宣誓した鑑定人→刑訴一六六、民訴二一六【法律により宣誓した通訳人・翻訳人→刑訴一七八、民訴一五四③

第二十一章　虚偽告訴の罪

（虚偽告訴等）

第一七二条　人に刑事又は懲戒の処分を受けさせる目的で、虚偽の告訴、告発その他の申告をした者は、三月以上十年以下の拘禁刑に処する。（令和四法六七本条改正）

【刑事の処分→九、刑訴三三三【懲戒の処分→国公八二【申告→刑訴二三〇、二三九

（自白による刑の減免）

第一七三条　前条の罪を犯した者が、その申告をした事件について、その裁判が確定する前又は懲戒処分が行われる前に自白したときは、その刑を減軽し、又は免除することができる。

【裁判の確定→一七〇【懲戒処分→国公八二【刑の減軽→六八―七〇

第二十二章　わいせつ、不同意性交等及び重婚の罪

（平成二九法七二、令和五法六六章名改正）

（公然わいせつ）

第一七四条　公然とわいせつな行為をした者は、六月以下の拘禁刑若しくは三十万円以下の罰金又は拘留若しくは科料に処する。（昭和二二法一二四、平成三法三一、令和四法六七本条改正）

【特別規定→軽犯一[二十]

（わいせつ物頒布等）

第一七五条①　わいせつな文書、図画、電磁的記録に係る記録媒体その他の物を頒布し、又は公然と陳列した者は、二年以下の拘禁刑若しくは二百五十万円以下の罰金若しくは科料に処し、又は拘禁刑及び罰金を併科する。電気通信の送信によりわいせつな電磁的記録その他の記録を頒布した者も、同様とする。（令和四法六七本項改正）

②　有償で頒布する目的で、前項の物を所持し、又は同項の電磁的記録を保管した者も、同項と同様とする。（平成二三法七四本項追加）

（昭和二二法一二四、平成三法三一、平成二三法七四本条改正）

【電磁的記録→七の二、一六一の二【表現の自由→憲二一【児童ポルノ→児童買春二③、七

（不同意わいせつ）

第一七六条①　次に掲げる行為又は事由その他これらに類する行為又は事由により、同意しない意思を形成し、表明し若しくは全うすることが困難な状態にさせ又はその状態にあることに乗じて、わいせつな行為をした者は、婚姻関係の有無にかかわらず、六月以上十年以下の拘禁刑に処する。

一　暴行若しくは脅迫を用いること又はそれらを受けたこと。

二　心身の障害を生じさせること又はそれがあること。

三　アルコール若しくは薬物を摂取させること又はそれらの影響があること。

四　睡眠その他の意識が明瞭でない状態にさせること又はその状態にあること。

五　同意しない意思を形成し、表明し又は全うするいとまがないこと。

六　予想と異なる事態に直面させて恐怖させ、若しくは驚愕させること又はその事態に直面して恐怖し、若しくは驚愕していること。

七　虐待に起因する心理的反応を生じさせること又はそれがあること。

八　経済的又は社会的関係上の地位に基づく影響力によって受ける不利益を憂慮させること又はそれを憂慮していること。

②　行為がわいせつなものではないとの誤信をさせ、若しくは行為をする者について人違いをさせ、又はそれらの誤信若しくは人違いをしていることに乗じて、わいせつな行為をした者も、前項と同様とする。

③　十六歳未満の者に対し、わいせつな行為をした者（当該十六歳未満の者が十三歳以上である場合については、その者が生まれた日より五年以上前の日に生まれた者に限る。）も、第一項と同様とする。

（令和五法六六本条全部改正）

【未遂→一八〇【致死傷→一八一①【児童買春→児童買春二②、四

（不同意性交等）
第一七七条① 前条第一項各号に掲げる行為又は事由その他これらに類する行為又は事由により、同意しない意思を形成し、表明し若しくは全うすることが困難な状態にさせ又はその状態にあることに乗じて、性交、肛門性交、口腔性交又は膣若しくは肛門に身体の一部（陰茎を除く。）若しくは物を挿入する行為であってわいせつなもの（以下この条及び第百七十九条第二項において「性交等」という。）をした者は、婚姻関係の有無にかかわらず、五年以上の有期拘禁刑に処する。
② 行為がわいせつなものではないとの誤信をさせ、若しくは行為をする者について人違いをさせ、又はそれらの誤信若しくは人違いをしていることに乗じて、性交等をした者も、前項と同様とする。
③ 十六歳未満の者に対し、性交等をした者（当該十六歳未満の者が十三歳以上である場合については、その者が生まれた日より五年以上前の日に生まれた者に限る。）も、第一項と同様とする。
（令和五法六六本条全部改正）
参【未遂→一八〇【致死傷→一八一②【強盗・不同意性交等→二四一

第一七八条【準強制わいせつ及び準強制性交等】 削除
（令和五法六六）

（監護者わいせつ及び監護者性交等）
第一七九条① 十八歳未満の者に対し、その者を現に監護する者であることによる影響力があることに乗じてわいせつな行為をした者は、第百七十六条第一項の例による。
② 十八歳未満の者に対し、その者を現に監護する者であることによる影響力があることに乗じて性交等をした者は、第百七十七条第一項の例による。
（平成二九法七二本条追加、令和五法六六本条改正）
参【十八歳→年齢計算【監護→民八二〇、少二②

（未遂罪）
第一八〇条 第百七十六条、第百七十七条及び前条の罪の未遂は、罰する。（平成一六法一五六、令和五法六六本条改正）
参【未遂→四三、四四

（不同意わいせつ等致死傷）
第一八一条① 第百七十六条若しくは第百七十九条第一項の罪又はこれらの罪の未遂罪を犯し、よって人を死傷させた者は、無期又は三年以上の拘禁刑に処する。
② 第百七十七条若しくは第百七十九条第二項の罪又はこれらの罪の未遂罪を犯し、よって人を死傷させた者は、無期又は六年以上の拘禁刑に処する。（平成一六法一五六本項追加）
（平成一六法一五六、平成二九法七二、令和四法六七、令和五法六六本条改正）

（十六歳未満の者に対する面会要求等）
第一八二条① わいせつの目的で、十六歳未満の者に対し、次の各号に掲げるいずれかの行為をした者（当該十六歳未満の者が十三歳以上である場合については、その者が生まれた日より五年以上前の日に生まれた者に限る。）は、一年以下の拘禁刑又は五十万円以下の罰金に処する。
一 威迫し、偽計を用い又は誘惑して面会を要求すること。
二 拒まれたにもかかわらず、反復して面会を要求すること。
三 金銭その他の利益を供与し、又はその申込み若しくは約束をして面会を要求すること。
② 前項の罪を犯し、よってわいせつの目的で当該十六歳未満の者と面会をした者は、二年以下の拘禁刑又は百万円以下の罰金に処する。
③ 十六歳未満の者に対し、次の各号に掲げるいずれかの行為（第二号に掲げる行為については、当該行為をさせることがわいせつなものであるものに限る。）を要求した者（当該十六歳未満の者が十三歳以上である場合については、その者が生まれた日より五年以上前の日に生まれた者に限る。）は、一年以下の拘禁刑又は五十万円以下の罰金に処する。
一 性交、肛門性交又は口腔性交をする姿態をとってその映像を送信すること。
二 前号に掲げるもののほか、膣又は肛門に身体の一部（陰茎を除く。）又は物を挿入し又は挿入される姿態、性的な部位（性器若しくは肛門若しくはこれらの周辺部、臀部又は胸部をいう。以下この号において同じ。）を触り又は触られる姿態、性的な部位を露出した姿態その他の姿態をとってその映像を送信すること。
（令和五法六六本条追加）

（淫行勧誘）
第一八三条 営利の目的で、淫行の常習のない女子を勧誘して姦淫させた者は、三年以下の拘禁刑又は三十万円以下の罰金に処する。（平成三法三一、令和四法六七（令和五法六六）本条改正）

（重婚）
第一八四条 配偶者のある者が重ねて婚姻をしたときは、二年以下の拘禁刑に処する。その相手方となって婚姻をした者も、同様とする。（令和四法六七本条改正）
参【重ねて婚姻→民七三二、七四四

第二十三章　賭博及び富くじに関する罪

（賭博）
第一八五条 賭博をした者は、五十万円以下の罰金又は科料に処する。ただし、一時の娯楽に供する物を賭けたにとどまるときは、この限りでない。（平成三法三一本条改正）
参【特別規定→金商二〇二

（常習賭博及び賭博場開張等図利）
第一八六条① 常習として賭博をした者は、三年以下の拘禁刑に処する。
② 賭博場を開張し、又は博徒を結合して利益を図った者は、三月以上五年以下の拘禁刑に処する。
（令和四法六七本条改正）

参【特別規定→金商二〇二【加重規定→組織犯罪三【常習犯の例→暴力一ノ三①、二②、盗犯二―四

（富くじ発売等）

第一八七条① 富くじを発売した者は、二年以下の拘禁刑又は百五十万円以下の罰金に処する。（令和四法六七本項改正）

② 富くじ発売の取次ぎをした者は、一年以下の拘禁刑又は百万円以下の罰金に処する。（令和四法六七本項改正）

③ 前二項に規定するもののほか、富くじを授受した者は、二十万円以下の罰金又は科料に処する。（平成三法三一本条改正）

第二十四章　礼拝所及び墳墓に関する罪

（礼拝所不敬及び説教等妨害）

第一八八条① 神祠、仏堂、墓所その他の礼拝所に対し、公然と不敬な行為をした者は、六月以下の拘禁刑又は十万円以下の罰金に処する。

② 説教、礼拝又は葬式を妨害した者は、一年以下の拘禁刑又は十万円以下の罰金に処する。

（平成三法三一、令和四法六七本条改正）

参【特別規定→軽犯一［二十四］

（墳墓発掘）

第一八九条 墳墓を発掘した者は、二年以下の拘禁刑に処する。（令和四法六七本条改正）

（死体損壊等）

第一九〇条 死体、遺骨、遺髪又は棺に納めてある物を損壊し、遺棄し、又は領得した者は、三年以下の拘禁刑に処する。（令和四法六七本条改正）

参【特別規定→軽犯一［十八］

（墳墓発掘死体損壊等）

第一九一条 第百八十九条の罪を犯して、死体、遺骨、遺髪又は棺に納めてある物を損壊し、遺棄し、又は領得した者は、三月以上五年以下の拘禁刑に処する。

（令和四法六七本条改正）

（変死者密葬）

第一九二条 検視を経ないで変死者を葬った者は、十万円以下の罰金又は科料に処する。（平成三法三一本条改正）

参【検視→刑訴二二九

第二十五章　汚職の罪

（公務員職権濫用）

第一九三条 公務員がその職権を濫用して、人に義務のないことを行わせ、又は権利の行使を妨害したときは、二年以下の拘禁刑に処する。（昭和二二法一二四、令和四法六七本条改正）

参【公務員→七①【付審判請求→刑訴二六二―二六九【国外犯→四㊂

（特別公務員職権濫用）

第一九四条 裁判、検察若しくは警察の職務を行う者又はこれらの職務を補助する者がその職権を濫用して、人を逮捕し、又は監禁したときは、六月以上十年以下の拘禁刑に処する。（昭和二二法一二四、令和四法六七本条改正）

参【逮捕監禁→憲三三、三四、人保、二二〇【付審判請求→刑訴二六二―二六九

（特別公務員暴行陵虐）

第一九五条① 裁判、検察若しくは警察の職務を行う者又はこれらの職務を補助する者が、その職務を行うに当たり、被告人、被疑者その他の者に対して暴行又は陵辱若しくは加虐の行為をしたときは、七年以下の拘禁刑に処する。（昭和二二法一二四、令和四法六七本項改正）

② 法令により拘禁された者を看守し又は護送する者がその拘禁された者に対して暴行又は陵辱若しくは加虐の行為をしたときも、前項と同様とする。

参【暴行・陵辱・加虐の行為→憲三六、三八【付審判請求→刑訴二六二―二六九　❷【法令により拘禁された者→九七参【国外犯→四㊂

（特別公務員職権濫用等致死傷）

第一九六条 前二条の罪を犯し、よって人を死傷させた者は、傷害の罪と比較して、重い刑により処断する。

参【傷害の罪→二〇四、二〇五【刑の軽重→一〇【付審判請求→刑訴二六二―二六九

（収賄、受託収賄及び事前収賄）

第一九七条① 公務員が、その職務に関し、賄賂を収受し、又はその要求若しくは約束をしたときは、五年以下の拘禁刑に処する。この場合において、請託を受けたときは、七年以下の拘禁刑に処する。

② 公務員になろうとする者が、その担当すべき職務に関し、請託を受けて、賄賂を収受し、又はその要求若しくは約束をしたときは、公務員となった場合において、五年以下の拘禁刑に処する。

（昭和一六法六一本条全部改正、昭和五五法三〇、平成一五法一三八、令和四法六七本条改正）

参【公務員→七①【国外犯→四㊂【特別規定→会社九六七、九六八、破二七三、民再二六一、金商二〇三

（第三者供賄）

第一九七条の二 公務員が、その職務に関し、請託を受けて、第三者に賄賂を供与させ、又はその供与の要求若しくは約束をしたときは、五年以下の拘禁刑に処する。（昭和一六法六一本条追加、昭和五五法三〇、平成一五法一三八、令和四法六七本条改正）

参【公務員・国外犯→一九七参

（加重収賄及び事後収賄）

第一九七条の三① 公務員が前二条の罪を犯し、よって不正な行為をし、又は相当の行為をしなかったときは、一年以上の有期拘禁刑に処する。（令和四法六七本項改正）

② 公務員が、その職務上不正な行為をしたこと又は相当の行為をしなかったことに関し、賄賂を収受し、若しくはその要求若しくは約束をし、又は第三者にこれ

を供与させ、若しくはその供与の要求若しくは約束をしたときも、前項と同様とする。

③ 公務員であった者が、その在職中に請託を受けて職務上不正な行為をしたこと又は相当の行為をしなかったことに関し、賄賂を収受し、又はその要求若しくは約束をしたときは、五年以下の拘禁刑に処する。（昭和五五法三〇、令和四法六七本項改正）

（昭和一六法六一本条追加、平成一五法一三八本条改正）

⊕【公務員・国外犯→一九七⊕】

（あっせん収賄）

第百九十七条の四 公務員が請託を受け、他の公務員に職務上不正な行為をさせるように、又は相当の行為をさせないようにあっせんをすること又はしたことの報酬として、賄賂を収受し、又はその要求若しくは約束をしたときは、五年以下の拘禁刑に処する。（昭和三三法一〇七本条追加、昭和五五法三〇、令和四法六七本条改正）

⊕【公務員→七】【国外犯→四三】【特別規定→あっせん利得一・二】

（没収及び追徴）

第百九十七条の五 犯人又は情を知った第三者が収受した賄賂は、没収する。その全部又は一部を没収することができないときは、その価額を追徴する。（昭和一六法六一本条追加）

⊕【没収・追徴→刑訴四九〇―四九二】

（贈賄）

第百九十八条 第百九十七条から第百九十七条の四までに規定する賄賂を供与し、又はその申込み若しくは約束をした者は、三年以下の拘禁刑又は二百五十万円以下の罰金に処する。（昭和一六法六一本条全部改正、昭和三三法一〇七、昭和五五法三〇、平成三法三一、令和四法六七本条改正）

⊕【特別規定→会社九六七②・九六八②、破二七四、民再二六二、金商二〇三③】【外国公務員に対する贈賄→不正競争一八・二一】【公職者、議員秘書への利益供与→あっせん利得四】

第二十六章　殺人の罪

（殺人）

第百九十九条 人を殺した者は、死刑又は無期若しくは五年以上の拘禁刑に処する。（平成一六法一五六、令和四法六七本条改正）

⊕【加重規定→組織犯罪三】【自殺関与及び同意殺人→二〇二】【予備→二〇一】【未遂→二〇三】【予備・陰謀・教唆・煽動→破防三九】

第二百条　**【尊属殺】**　削除（平成七法九一）

（予備）

第二百一条 第百九十九条の罪を犯す目的で、その予備をした者は、二年以下の拘禁刑に処する。ただし、情状により、その刑を免除することができる。（令和四法六七本条改正）

⊕【加重規定→組織犯罪六】【特別規定→軽犯一三】

（自殺関与及び同意殺人）

第二百二条 人を教唆し若しくは幇助して自殺させ、又は人をその嘱託を受け若しくはその承諾を得て殺した者は、六月以上七年以下の拘禁刑に処する。（令和四法六七本条改正）

⊕【未遂→二〇三】

（未遂罪）

第二百三条 第百九十九条及び前条の罪の未遂は、罰する。

⊕【未遂→四三、四四】

第二十七章　傷害の罪

（傷害）

第二百四条 人の身体を傷害した者は、十五年以下の拘禁刑又は五十万円以下の罰金に処する。（平成三法三一、平成一六法一五六、令和四法六七本条改正）

⊕【特別規定→軽犯一二十九、公害犯罪二②、自動車運転致死傷二・三、母体保護三四】

（傷害致死）

第二百五条 身体を傷害し、よって人を死亡させた者は、三年以上の有期拘禁刑に処する。（平成七法九一、平成一六法一五六、令和四法六七本条改正）

⊕【特別規定→公害犯罪二②、自動車運転致死傷二・三、母体保護三四】

（現場助勢）

第二百六条 前二条の犯罪が行われるに当たり、現場において勢いを助けた者は、自ら人を傷害しなくても、一年以下の拘禁刑又は十万円以下の罰金若しくは科料に処する。（平成三法三一、令和四法六七本条改正）

⊕【幇助→六二】

（同時傷害の特例）

第二百七条 二人以上で暴行を加えて人を傷害した場合において、それぞれの暴行による傷害の軽重を知ることができず、又はその傷害を生じさせた者を知ることができないときは、共同して実行した者でなくても、共犯の例による。

⊕【共犯の例→六〇】

（暴行）

第二百八条 暴行を加えた者が人を傷害するに至らなかったときは、二年以下の拘禁刑若しくは三十万円以下の罰金又は拘留若しくは科料に処する。（昭和二二法一二四、平成三法三一、令和四法六七本条改正）

⊕【特別規定→九五・一〇〇②・一〇六・一〇七・一七六・一七七・一九五・二二三①・二三六・二三八、暴力一・一ノ三①・三、金商一九七①五】

（凶器準備集合及び結集）

第二百八条の二① 二人以上の者が他人の生命、身体又は財産に対し共同して害を加える目的で集合した場合において、凶器を準備して又はその準備があることを知って集合した者は、二年以下の拘禁刑又は三十万円以下の罰金に処する。（平成三法三一本項改正）

② 前項の場合において、凶器を準備して又はその準備

があることを知って人を集合させた者は、三年以下の拘禁刑に処する。（昭和三三法一〇七本条追加、令和四法六七本条改正）

第二十八章　過失傷害の罪

（過失傷害）

第二〇九条① 過失により人を傷害した者は、三十万円以下の罰金又は科料に処する。（平成三法三一本項改正）

② 前項の罪は、告訴がなければ公訴を提起することができない。

参❶【過失→三八①】❷【告訴→刑訴二三〇―二三二・二三四・二四二】【公訴棄却→刑訴三三八④】

（過失致死）

第二一〇条 過失により人を死亡させた者は、五十万円以下の罰金に処する。（平成三法三一本条改正）

参【過失→三八①】

（業務上過失致死傷等）

第二一一条 業務上必要な注意を怠り、よって人を死傷させた者は、五年以下の拘禁刑又は百万円以下の罰金に処する。重大な過失により人を死傷させた者も、同様とする。（昭和二二法一二四、昭和四三法六一、平成三法三一、平成一八法三六、平成二五法八六、令和四法六七本条改正）

参【過失→三八①】【重大な過失の他の例→一一七の二、不正競争二一①五六四五】【特別規定→公害犯罪三、自動車運転致死傷五】

第二十九章　堕胎の罪

（堕胎）

第二一二条 妊娠中の女子が薬物を用い、又はその他の方法により、堕胎したときは、一年以下の拘禁刑に処する。（令和四法六七本条改正）

（同意堕胎及び同致死傷）

第二一三条 女子の嘱託を受け、又はその承諾を得て堕胎させた者は、二年以下の拘禁刑に処する。よって女子を死傷させた者は、三月以上五年以下の拘禁刑に処する。（令和四法六七本条改正）

（業務上堕胎及び同致死傷）

第二一四条 医師、助産師、薬剤師又は医薬品販売業者が女子の嘱託を受け、又はその承諾を得て堕胎させたときは、三月以上五年以下の拘禁刑に処する。よって女子を死傷させたときは、六月以上七年以下の拘禁刑に処する。（平成一三法一五三、令和四法六七本条改正）

参【医師の堕胎→母体保護一四】

（不同意堕胎）

第二一五条① 女子の嘱託を受けないで、又はその承諾を得ないで堕胎させた者は、六月以上七年以下の拘禁刑に処する。（令和四法六七本項改正）

② 前項の罪の未遂は、罰する。

参❶【致死傷→二一六】❷【未遂→四三・四四】

（不同意堕胎致死傷）

第二一六条 前条の罪を犯し、よって女子を死傷させた者は、傷害の罪と比較して、重い刑により処断する。

参【傷害の罪→二〇四・二〇五】【刑の軽重→一〇】

第三十章　遺棄の罪

（遺棄）

第二一七条 老年、幼年、身体障害又は疾病のために扶助を必要とする者を遺棄した者は、一年以下の拘禁刑に処する。（令和四法六七本条改正）

参【致死傷→二一九】【特別規定→軽犯一⑱】

（保護責任者遺棄等）

第二一八条 老年者、幼年者、身体障害者又は病者を保護する責任のある者がこれらの者を遺棄し、又はその生存に必要な保護をしなかったときは、三月以上五年以下の拘禁刑に処する。（平成七法九一、令和四法六七本条改正）

参【保護責任→民八二〇・八七七】【致死傷→二一九】【交通事故の場合の救護義務→道交七二・一一七】

（遺棄等致死傷）

第二一九条 前二条の罪を犯し、よって人を死傷させた者は、傷害の罪と比較して、重い刑により処断する。

参【傷害の罪→二〇四・二〇五】【刑の軽重→一〇】

第三十一章　逮捕及び監禁の罪

（逮捕及び監禁）

第二二〇条 不法に人を逮捕し、又は監禁した者は、三月以上七年以下の拘禁刑に処する。（平成七法九一、平成一七法六六、令和四法六七本条改正）

参【致死傷→二二一】【加重規定→組織犯罪三】【特別規定→一九四】【人質→人質一・二】

（逮捕等致死傷）

第二二一条 前条の罪を犯し、よって人を死傷させた者は、傷害の罪と比較して、重い刑により処断する。

参【傷害の罪→二〇四・二〇五】【刑の軽重→一〇】

第三十二章　脅迫の罪

（脅迫）

第二二二条① 生命、身体、自由、名誉又は財産に対し害を加える旨を告知して人を脅迫した者は、二年以下の拘禁刑又は三十万円以下の罰金に処する。（昭和二二法一二四、平成三法三一、令和四法六七本項改正）

② 親族の生命、身体、自由、名誉又は財産に対し害を加える旨を告知して人を脅迫した者も、前項と同様とする。

参【親族→民七二五・七二七―七二九】【特別規定→暴力一・一ノ三①・三、金商一九七①五】

（強要）

第二二三条① 生命、身体、自由、名誉若しくは財産に対し害を加える旨を告知して脅迫し、又は暴行を用いて、人に義務のないことを行わせ、又は権利の行使を妨害した者は、三年以下の拘禁刑に処する。（令和四法六七本項改正）

刑法

② 親族の生命、身体、自由、名誉又は財産に対し害を加える旨を告知して脅迫し、人に義務のないことを行わせ、又は権利の行使を妨害した者も、前項と同様とする。

③ 前二項の罪の未遂は、罰する。

参【親族↓民七二五・七二七―七二九【未遂↓四三・四四【加重規定↓組織犯罪三【特別規定↓九五②・一〇〇②、暴力三、人質一―三

第三十三章　略取、誘拐及び人身売買の罪

（平成一七法六六章名改正）

（未成年者略取及び誘拐）

第二二四条　未成年者を略取し、又は誘拐した者は、三月以上七年以下の拘禁刑に処する。（平成一七法六六、令和四法六七本条改正）

参【未成年者↓民四【未遂↓二二八【親告罪↓二二九

（営利目的等略取及び誘拐）

第二二五条　営利、わいせつ、結婚又は生命若しくは身体に対する加害の目的で、人を略取し、又は誘拐した者は、一年以上十年以下の拘禁刑に処する。（平成一七法六六、令和四法六七本条改正）

参【未遂↓二二八【予備↓組織犯罪六

（身の代金目的略取等）

第二二五条の二①　近親者その他略取され又は誘拐された者の安否を憂慮する者の憂慮に乗じてその財物を交付させる目的で、人を略取し、又は誘拐した者は、無期又は三年以上の拘禁刑に処する。（令和四法六七本項改正）

② 人を略取し又は誘拐した者が近親者その他略取され又は誘拐された者の安否を憂慮する者の憂慮に乗じて、その財物を交付させ、又はこれを要求する行為をしたときも、前項と同様とする。

（昭和三九法一二四本条追加）

参【未遂↓二二八【予備↓二二八の三【解放減軽↓二二八の二【加重規定↓組織犯罪三

（所在国外移送目的略取及び誘拐）

第二二六条　所在国外に移送する目的で、人を略取し、又は誘拐した者は、二年以上の有期拘禁刑に処する。（平成一七法六六、令和四法六七本条改正）

参【未遂↓二二八

（人身売買）

第二二六条の二①　人を買い受けた者は、三月以上五年以下の拘禁刑に処する。（令和四法六七本項改正）

② 未成年者を買い受けた者は、三月以上七年以下の拘禁刑に処する。（令和四法六七本項改正）

③ 営利、わいせつ、結婚又は生命若しくは身体に対する加害の目的で、人を買い受けた者は、一年以上十年以下の拘禁刑に処する。（令和四法六七本項改正）

④ 人を売り渡した者も、前項と同様とする。

⑤ 所在国外に移送する目的で、人を売買した者は、二年以上の有期拘禁刑に処する。（令和四法六七本項改正）

（平成一七法六六本条追加）

参【未遂↓二二八　❷【未成年者↓民四

（被略取者等所在国外移送）

第二二六条の三　略取され、誘拐され、又は売買された者を所在国外に移送した者は、二年以上の有期拘禁刑に処する。（平成一七法六六本条追加、令和四法六七本条改正）

参【未遂↓二二八

（被略取者引渡し等）

第二二七条①　第二百二十四条、第二百二十五条又は前三条の罪を犯した者を幇助する目的で、略取され、誘拐され、又は売買された者を引き渡し、収受し、輸送し、蔵匿し、又は隠避させた者は、三月以上五年以下の拘禁刑に処する。（平成一七法六六本項改正）

② 第二百二十五条の二第一項の罪を犯した者を幇助する目的で、略取され又は誘拐された者を引き渡し、収受し、輸送し、蔵匿し、又は隠避させた者は、一年以上十年以下の拘禁刑に処する。（昭和三九法一二四本項追加、平成一七法六六本項改正）

③ 営利、わいせつ又は生命若しくは身体に対する加害の目的で、略取され、誘拐され、又は売買された者を引き渡し、収受し、輸送し、又は蔵匿した者は、六月以上七年以下の拘禁刑に処する。（平成一七法六六本項改正）

④ 第二百二十五条の二第一項の目的で、略取され又は誘拐された者を収受した者は、二年以上の有期拘禁刑に処する。略取され又は誘拐された者を収受した者が近親者その他略取され又は誘拐された者の安否を憂慮する者の憂慮に乗じて、その財物を交付させ、又はこれを要求する行為をしたときも、同様とする。（昭和三九法一二四本項追加）

（令和四法六七本条改正）

参【未遂↓二二八【親告罪↓二二九　❷❹【解放減軽↓二二八の二

（未遂罪）

第二二八条　第二百二十四条、第二百二十五条、第二百二十五条の二第一項、第二百二十六条から第二百二十六条の三まで並びに前条第一項から第三項まで及び第四項前段の罪の未遂は、罰する。（昭和三九法一二四、平成一七法六六本条改正）

参【未遂↓四三・四四

（解放による刑の減軽）

第二二八条の二　第二百二十五条の二又は第二百二十七条第二項若しくは第四項の罪を犯した者が、公訴が提起される前に、略取され又は誘拐された者を安全な場所に解放したときは、その刑を減軽する。（昭和三九法一二四本条追加）

参【刑の減軽↓六八【特別規定↓組織犯罪三①⑪・五

（身の代金目的略取等予備）

第二二八条の三　第二百二十五条の二第一項の罪を犯す目的で、その予備をした者は、二年以下の拘禁刑に処する。ただし、実行に着手する前に自首した者は、その刑を減軽し、又は免除する。（昭和三九法一二四本条追

加、令和四法六七本条改正）
☞【自首→四二①【刑の減軽→六八

（親告罪）
第二二九条　第二百二十四条の罪及び同条の罪を幇助する目的で犯した第二百二十七条第一項の罪並びにこれらの罪の未遂罪は、告訴がなければ公訴を提起することができない。（昭和三九法一二四、平成一七法六六、平成二九法七二本条改正）
☞【告訴→刑訴二三〇―二三二、二三四、二四一

第三十四章　名誉に対する罪

（名誉毀損）
第二三〇条①　公然と事実を摘示し、人の名誉を毀損した者は、その事実の有無にかかわらず、三年以下の拘禁刑又は五十万円以下の罰金に処する。（昭和二二法一二四、平成三法三一、令和四法六七本項改正）
②　死者の名誉を毀損した者は、虚偽の事実を摘示することによってした場合でなければ、罰しない。
☞❶【不処罰→二三〇の二【親告罪→二三二①　❷【告訴権者→刑訴二三三

（公共の利害に関する場合の特例）
第二三〇条の二①　前条第一項の行為が公共の利害に関する事実に係り、かつ、その目的が専ら公益を図ることにあったと認める場合には、事実の真否を判断し、真実であることの証明があったときは、これを罰しない。
②　前項の規定の適用については、公訴が提起されるに至っていない人の犯罪行為に関する事実は、公共の利害に関する事実とみなす。
③　前条第一項の行為が公務員又は公選による公務員の候補者に関する事実に係る場合には、事実の真否を判断し、真実であることの証明があったときは、これを罰しない。
（昭和二二法一二四本条追加）
☞【公務員→七①【公選による公務員→公選三

（侮辱）
第二三一条　事実を摘示しなくても、公然と人を侮辱した者は、一年以下の拘禁刑若しくは三十万円以下の罰金又は拘留若しくは科料に処する。（令和四法六七本条改正）
☞【親告罪→二三二

（親告罪）
第二三二条①　この章の罪は、告訴がなければ公訴を提起することができない。
②　告訴をすることができる者が天皇、皇后、太皇太后、皇太后又は皇嗣であるときは内閣総理大臣が、外国の君主又は大統領であるときはその国の代表者がそれぞれ代わって告訴を行う。（昭和二二法一二四本項追加）
☞【告訴→刑訴二三〇―二三四、二四一　❷【天皇→憲一【皇后・太皇太后・皇太后・皇嗣→典五・八

第三十五章　信用及び業務に対する罪

（信用毀損及び業務妨害）
第二三三条　虚偽の風説を流布し、又は偽計を用いて、人の信用を毀損し、又はその業務を妨害した者は、三年以下の拘禁刑又は五十万円以下の罰金に処する。（平成三法三一、令和四法六七本条改正）
☞【加重規定→組織犯罪三【特別規定→軽犯一〔三十一〕

（威力業務妨害）
第二三四条　威力を用いて人の業務を妨害した者も、前条の例による。
☞【加重規定→組織犯罪三【特別規定→暴力三

（電子計算機損壊等業務妨害）
第二三四条の二①　人の業務に使用する電子計算機若しくはその用に供する電磁的記録を損壊し、若しくは人の業務に使用する電子計算機に虚偽の情報若しくは不正な指令を与え、又はその他の方法により、電子計算機に使用目的に沿うべき動作をさせず、又は使用目的に反する動作をさせて、人の業務を妨害した者は、五年以下の拘禁刑又は百万円以下の罰金に処する。（令和四法六七本項改正）
②　前項の罪の未遂は、罰する。（平成二三法七四本項追加）
（昭和六二法五二本条追加、平成三法三一本条改正）
☞【電磁的記録→七の二【不正アクセス行為の禁止→不正アクセス二④・三―七、一一―一三　❷一六八の二【未遂→四三・四四

第三十六章　窃盗及び強盗の罪

（窃盗）
第二三五条　他人の財物を窃取した者は、窃盗の罪とし、十年以下の拘禁刑又は五十万円以下の罰金に処する。（平成一八法三六、令和四法六七本条改正）
☞【他人の財物→二四二、二四五【未遂→二四三【親族間の犯罪→二四四【特別規定→盗犯二・三

（不動産侵奪）
第二三五条の二　他人の不動産を侵奪した者は、十年以下の拘禁刑に処する。（昭和三五法八三本条追加、令和四法六七本条改正）
☞【不動産→民八六①【未遂→二四三【親族間の犯罪→二四四

（強盗）
第二三六条①　暴行又は脅迫を用いて他人の財物を強取した者は、強盗の罪とし、五年以上の有期拘禁刑に処する。（令和四法六七本項改正）
②　前項の方法により、財産上不法の利益を得、又は他人にこれを得させた者も、同項と同様とする。
☞【他人の財物→二四二、二四五【未遂→二四三【予備→二三七【予備・陰謀・教唆・煽動→破防三九【特別規定→盗犯二・三、航空強取一

（強盗予備）
第二三七条　強盗の罪を犯す目的で、その予備をした者は、二年以下の拘禁刑に処する。（令和四法六七本条改

正）

参【特別規定↓軽犯一㈢㈢、航空強取三

（事後強盗）

第二三八条 窃盗が、財物を得てこれを取り返されることを防ぎ、逮捕を免れ、又は罪跡を隠滅するために、暴行又は脅迫をしたときは、強盗として論ずる。

参【未遂↓二四三【特別規定↓盗犯二、三

（昏睡強盗）

第二三九条 人を昏睡させてその財物を盗取した者は、強盗として論ずる。

参【未遂↓二四三【特別規定↓盗犯二、三

（強盗致死傷）

第二四〇条 強盗が、人を負傷させたときは無期又は六年以上の拘禁刑に処し、死亡させたときは死刑又は無期拘禁刑に処する。（平成一六法一五六、令和四法六七本条改正）

参【未遂↓二四三【特別規定↓盗犯四、航空強取二

（強盗・不同意性交等及び同致死）

第二四一条① 強盗の罪若しくはその未遂罪を犯した者が第百七十七条の罪若しくはその未遂罪をも犯したとき、又は同条の罪若しくはその未遂罪を犯した者が強盗の罪若しくはその未遂罪をも犯したときは、無期又は七年以上の拘禁刑に処する。（令和四法六七、令和五法六六本項改正）

② 前項の場合のうち、その犯した罪がいずれも未遂罪であるときは、人を死傷させたときを除き、その刑を減軽することができる。ただし、自己の意思によりいずれかの犯罪を中止したときは、その刑を減軽し、又は免除する。

③ 第一項の罪に当たる行為により人を死亡させた者は、死刑又は無期拘禁刑に処する。（令和四法六七本項改正）

（平成二九法七二本条全部改正）

参【未遂↓二四三【特別規定↓盗犯四

（他人の占有等に係る自己の財物）

第二四二条 自己の財物であっても、他人が占有し、又は公務所の命令により他人が看守するものであるときは、この章の罪については、他人の財物とみなす。

参【公務所↓七②

（未遂罪）

第二四三条 第二百三十五条から第二百三十六条まで、第二百三十八条から第二百四十条まで及び第二百四十一条第三項の罪の未遂は、罰する。（昭和三五法八三、平成二九法七二本条改正）

参【未遂↓四三、四四【特別規定↓盗犯二―四、航空強取一②

（親族間の犯罪に関する特例）

第二四四条① 配偶者、直系血族又は同居の親族との間で第二百三十五条の罪、第二百三十五条の二の罪又はこれらの罪の未遂罪を犯した者は、その刑を免除する。（昭和三五法八三本項改正）

② 前項に規定する親族以外の親族との間で犯した同項に規定する罪は、告訴がなければ公訴を提起することができない。

③ 前二項の規定は、親族でない共犯については、適用しない。

（昭和二二法一二四本条改正）

参【親族↓民七二五、七二七―七二九 ❷【告訴↓刑訴二三〇―二三二、二三四、二四一 ❸【共犯↓六〇―六二

（電気）

第二四五条 この章の罪については、電気は、財物とみなす。

第三十七章 詐欺及び恐喝の罪

（詐欺）

第二四六条① 人を欺いて財物を交付させた者は、十年以下の拘禁刑に処する。（令和四法六七本項改正）

② 前項の方法により、財産上不法の利益を得、又は他人にこれを得させた者も、同項と同様とする。

参【未遂↓二五〇【自己の財物・親族間の犯罪・電気↓二五一【加重規定↓組織犯罪三

（電子計算機使用詐欺）

第二四六条の二 前条に規定するもののほか、人の事務処理に使用する電子計算機に虚偽の情報若しくは不正な指令を与えて財産権の得喪若しくは変更に係る不実の電磁的記録を作り、又は財産権の得喪若しくは変更に係る虚偽の電磁的記録を人の事務処理の用に供して、財産上不法の利益を得、又は他人にこれを得させた者は、十年以下の拘禁刑に処する。（昭和六二法五二本条追加、令和四法六七本条改正）

参【電磁的記録↓七の二【未遂↓二五〇【親族間の犯罪↓二五一【不正アクセス行為の禁止↓不正アクセス二④・三―七、一一―一三

（背任）

第二四七条 他人のためにその事務を処理する者が、自己若しくは第三者の利益を図り又は本人に損害を加える目的で、その任務に背く行為をし、本人に財産上の損害を加えたときは、五年以下の拘禁刑又は五十万円以下の罰金に処する。（平成三法三一、令和四法六七本条改正）

参【未遂↓二五〇【親族間の犯罪↓二五一【特別規定↓会社九六〇・九六一

（準詐欺）

第二四八条 未成年者の知慮浅薄又は人の心神耗弱に乗じて、その財物を交付させ、又は財産上不法の利益を得、若しくは他人にこれを得させた者は、十年以下の拘禁刑に処する。（令和四法六七本条改正）

参二四六参

（恐喝）

第二四九条① 人を恐喝して財物を交付させた者は、十年以下の拘禁刑に処する。（令和四法六七本項改正）

② 前項の方法により、財産上不法の利益を得、又は他人にこれを得させた者も、同項と同様とする。

参＋二四六参【加重規定↓組織犯罪三】

（未遂罪）

第二五〇条　この章の罪の未遂は、罰する。

参＋【未遂↓四三、四四】

（準用）
第二五一条　第二百四十二条〈他人の占有等に係る自己の財物〉、第二百四十四条〈親族間の犯罪に関する特例〉及び第二百四十五条〈電気〉の規定は、この章の罪について準用する。

第三十八章　横領の罪

（横領）
第二五二条①　自己の占有する他人の物を横領した者は、五年以下の拘禁刑に処する。（令和四法六七本項改正）
②　自己の物であっても、公務所から保管を命ぜられた場合において、これを横領した者も、前項と同様とする。
参＋【公務所↓七②】【親族間の犯罪↓二五五】

（業務上横領）
第二五三条　業務上自己の占有する他人の物を横領した者は、十年以下の拘禁刑に処する。（大正一〇法七七、令和四法六七本条改正）
参＋【親族間の犯罪↓二五五】

（遺失物等横領）
第二五四条　遺失物、漂流物その他占有を離れた他人の物を横領した者は、一年以下の拘禁刑又は十万円以下の罰金若しくは科料に処する。（平成三法三一、令和四法六七本条改正）

（準用）
第二五五条　第二百四十四条〈親族間の犯罪に関する特例〉の規定は、この章の罪について準用する。

第三十九章　盗品等に関する罪

（盗品譲受け等）
第二五六条①　盗品その他財産に対する罪に当たる行為によって領得された物を無償で譲り受けた者は、三年以下の拘禁刑に処する。
②　前項に規定する物を運搬し、保管し、若しくは有償で譲り受け、又はその有償の処分のあっせんをした者は、十年以下の拘禁刑及び五十万円以下の罰金に処する。（平成三法三一本項改正）
（令和四法六七本条改正）

（親族等の間の犯罪に関する特例）
第二五七条①　配偶者との間又は直系血族、同居の親族若しくはこれらの者の配偶者との間で前条の罪を犯した者は、その刑を免除する。
②　前項の規定は、親族でない共犯については、適用しない。
（昭和二二法一二四本条改正）

参＋【親族↓民七二五、七二七―七二九　❷共犯↓六〇―六二】

第四十章　毀棄及び隠匿の罪

（公用文書等毀棄）

第二五八条　公務所の用に供する文書又は電磁的記録を毀棄した者は、三月以上七年以下の拘禁刑に処する。

（昭和六二法五二、令和四法六七本条改正）

参＋【公務所↓七②】【電磁的記録↓七の二】

（私用文書等毀棄）

第二五九条　権利又は義務に関する他人の文書又は電磁的記録を毀棄した者は、五年以下の拘禁刑に処する。

（昭和六二法五二、令和四法六七本条改正）

参＋【電磁的記録↓七の二】【親告罪↓二六四】

（建造物等損壊及び同致死傷）

第二六〇条　他人の建造物又は艦船を損壊した者は、五年以下の拘禁刑に処する。よって人を死傷させた者は、傷害の罪と比較して、重い刑により処断する。

（令和四法六七本条改正）

参＋【加重規定↓組織犯罪三】【傷害の罪↓二〇四、二〇五】【刑の軽重↓一〇】【特別規定↓軽犯一三十三】

（器物損壊等）
第二六一条　前三条に規定するもののほか、他人の物を損壊し、又は傷害した者は、三年以下の拘禁刑又は三十万円以下の罰金若しくは科料に処する。（平成三法三一、令和四法六七本条改正）
参＋【親告罪↓二六四】

（自己の物の損壊等）
第二六二条　自己の物であっても、差押えを受け、物権を負担し、賃貸し、又は配偶者居住権が設定されたものを損壊し、又は傷害したときは、前三条の例による。（平成三〇法七二本条改正）
参＋【差押え・物権・賃貸↓一一五参】

（境界損壊）
第二六二条の二　境界標を損壊し、移動し、若しくは除去し、又はその他の方法により、土地の境界を認識することができないようにした者は、五年以下の拘禁刑又は五十万円以下の罰金に処する。（昭和三五法八三本条追加、平成三法三一、令和四法六七本条改正）

（信書隠匿）

第二六三条　他人の信書を隠匿した者は、六月以下の拘禁刑又は十万円以下の罰金若しくは科料に処する。

（平成三法三一、令和四法六七本条改正）

参＋【親告罪↓二六四】

（親告罪）
第二六四条　第二百五十九条、第二百六十一条及び前条の罪は、告訴がなければ公訴を提起することができない。
参＋【告訴↓刑訴二三〇―二三二、二三四、二四一】

附　則（令和四・六・一七法六七）

（施行期日）
①　この法律は、公布の日から起算して三年を超えない範囲内において政令で定める日（令和七・六・一―令和五政三一八）から

刑法

施行する。ただし、次の各号に掲げる規定は、当該各号に定める日から施行する。

一　第一条（刑法の一部改正）及び附則第三項の規定　公布の日から起算して二十日を経過した日（令和四・七・七）

二　（略）

（経過措置）

②　この法律の施行に伴い必要な経過措置その他の事項は、別に法律で定めるところによる。

（検証）

③　政府は、第一条の規定の施行後三年を経過したときは、同条の規定による改正後の刑法第二百三十一条の規定の施行の状況について、同条の規定がインターネット上の誹謗中傷に適切に対処することができているかどうか、表現の自由その他の自由に対する不当な制約になっていないかどうか等の観点から外部有識者を交えて検証を行い、その結果に基づいて必要な措置を講ずるものとする。

刑法等の一部を改正する法律の施行に伴う関係法律整理法中経過規定

（令和四・六・一七法六八）（抄）

第二編　経過措置

第一章　通則

（罰則の適用等に関する経過措置）

第四四一条①　刑法等の一部を改正する法律（令和四年法律第六十七号。以下「刑法等一部改正法」という。）及びこの法律（以下「刑法等一部改正法等」という。）の施行前にした行為の処罰については、次章に別段の定めがあるもののほか、なお従前の例による。

②　刑法等一部改正法等の施行後にした行為に対して、他の法律の規定によりなお従前の例によることとされ、なお効力を有することとされ又は改正前若しくは廃止前の法律の規定の例によることとされる罰則を適用する場合において、当該罰則に定める刑（刑法施行法第十九条第一項の規定又は第八十二条の規定による改正後の沖縄の復帰に伴う特別措置に関する法律第二十五条第四項の規定の適用後のものを含む。）に刑法等一部改正法第二条の規定による改正前の刑法（明治四十年法律第四十五号。以下この項において「旧刑法」という。）第十二条に規定する懲役（以下「懲役」という。）、旧刑法第十三条に規定する禁錮（以下「禁錮」という。）又は旧刑法第十六条に規定する拘留（以下「旧拘留」という。）が含まれるときは、当該刑のうち無期の懲役又は禁錮はそれぞれ無期拘禁刑と、有期の懲役又は禁錮はそれぞれその刑と長期及び短期（刑法施行法第二十条の規定の適用後のものを含む。）を同じくする有期拘禁刑と、旧拘留は長期及び短期（刑法施行法第二十条の規定の適用後のものを含む。）を同じくする拘留とする。

（裁判の効力とその執行に関する経過措置）

第四四二条　懲役、禁錮及び旧拘留の確定裁判の効力並びにその執行については、次章に別段の定めがあるもののほか、なお従前の例による。

（人の資格に関する経過措置）

第四四三条①　懲役、禁錮又は旧拘留に処せられた者に係る人の資格に関する法令の規定の適用については、無期の懲役又は禁錮に処せられた者はそれぞれ無期拘禁刑に処せられた者と、有期の懲役又は禁錮に処せられた者はそれぞれ刑期を同じくする有期拘禁刑に処せられた者と、旧拘留に処せられた者は拘留に処せられた者とみなす。

②　拘禁刑又は拘留に処せられた者に係る他の法律の規定によりなお従前の例によることとされ、なお効力を有することとされ又は改正前若しくは廃止前の法律の規定の例によることとされる人の資格に関する法令の規定の適用については、無期拘禁刑に処せられた者は無期禁錮に処せられた者と、有期拘禁刑に処せられた者は刑期を同じくする有期禁錮に処せられた者と、拘留に処せられた者は刑期を同じくする旧拘留に処せられた者とみなす。

第二章　刑法等の一部を改正する法律の施行に伴う経過措置

第一節　刑法の一部改正に伴う経過措置

（新旧の刑の軽重）

第四四四条　懲役、禁錮、旧拘留及び刑法等一部改正法第二条の規定による改正後の刑法（以下「新刑法」という。）第九条に規定する主刑の軽重は、死刑、懲役、拘禁刑、禁錮、罰金、拘留、旧拘留及び科料の順序による。ただし、無期の拘禁刑又は禁錮と有期懲役とでは拘禁刑又は禁錮を重い刑とし、無期禁錮と有期拘禁刑とでは禁錮を重い刑とし、有期拘禁刑の長期が有期懲役の長期を超えるときは拘禁刑を重い刑とし、有期禁錮の長期が有期の懲役又は拘禁刑の長期の二倍を超えるときは禁錮を重い刑とし、旧拘留の長期が拘留の長期の二倍を超えるときは旧拘留を重い刑とする。

（有期刑の加減の限度に関する経過措置）

第四四五条　新刑法第十四条の規定は、次に掲げる場合において、無期の懲役若しくは禁錮を減軽するとき、又は有期の懲役若しくは禁錮を加重し若しくは減軽するときにも、適用する。この場合において、同条第一項中「無期拘禁刑」とあるのは「無期の刑法等の一部を改正する法律（令和四年法律第六十七号）第二条の規定による改正前の第十二条に規定する懲役（以下「懲役」という。）若しくは同法第二条の規定による改正前の第十三条に規定する禁錮（以下「禁錮」という。）」と、同条中「有期拘禁刑」とあるのは「有期の懲役又は禁錮」とする。

一　併合罪として処断すべき罪に刑法等一部改正法の施行前に犯したものと施行後に犯したものがあるとき。

二　一個の行為が二個以上の罪名に触れる場合又は犯罪の手段若しくは結果である行為が他の罪名に触れる場合において、これらの罪名に触れる行為に刑法等一部改正法の施行前のものと施行後のものがあるとき。

（拘留に関する経過措置）

第四四六条　新刑法第十六条第二項の規定は、刑法等一部改正法の施行後に犯した罪に係る拘留について、適用する。

（刑の執行猶予に関する経過措置）

第四四七条①　新刑法第二十五条、第二十六条から第二十六条の三まで、第二十七条の二、第二十七条の四及び第二十七条の六並びに刑法第二十五条の二、第二十七条の三及び第二十七条の五（薬物使用等の罪を犯した者に対する刑の一部の執行猶予に関する法律（平成二十五年法律第五十号）第五条第二項の規定により読み替えて適用する場合を含む。）の規定は、懲役又は禁錮の全部の執行猶予の言渡し又は一部の執行猶予の言渡し及びこれらの取消し、当該取消しの場合における他の刑の執行猶予の言渡しの取消し並びに懲役又は禁錮の全部の執行猶予の言渡し又は一部の執行猶予の言渡しに係る猶予の期間中の保護観察についても、適用する。

②　当分の間、新刑法第二十五条、第二十六条、第二十六条の二（第三号に係る部分に限る。）、第二十六条の三、第二十七条の二第一項及び第三項、第二十七条の四並びに第二十七条の六（これらの規定を前項の規定により適用する場合を含む。）の規定の適用については、次の表の上欄に掲げる新刑法の規定中同表の中欄に掲げる字句は、それぞれ同表の下欄に掲げる字句とする。

第二十五条第一項	拘禁刑又は	拘禁刑、刑法等の一部を改正する法律（令和四年法律第六十七号）第二条の規定による改正前の第十二条に規定する懲役（以下「懲役」という。）若しくは同法第二条の規定による改正前の第十三条に規定する禁錮（以下「禁錮」という。）又は

第二十五条第一項各号	刑に	刑又は懲役若しくは禁錮に
第二十五条第二項	拘禁刑	拘禁刑、懲役又は禁錮
第二十六条各号	刑に	刑又は懲役若しくは禁錮に
第二十六条の二第三号	拘禁刑	拘禁刑、懲役又は禁錮
第二十六条の三	拘禁刑の	拘禁刑、懲役又は禁錮の
	拘禁刑（	拘禁刑、懲役又は禁錮（いずれも
第二十七条の二第一項	拘禁刑の	拘禁刑、懲役又は禁錮の
第二十七条の二第一項第一号	刑に	刑又は懲役若しくは禁錮に
第二十七条の二第一項第二号	拘禁刑	拘禁刑、懲役又は禁錮
第二十七条の二第一項第三号	刑に	刑又は懲役若しくは禁錮に
第二十七条の二第三項	拘禁刑が	拘禁刑、懲役又は禁錮が
	拘禁刑の	拘禁刑、懲役若しくは禁錮の
第二十七条の四各号	刑に	刑又は懲役若しくは禁錮に
第二十七条の六	拘禁刑	拘禁刑、懲役又は禁錮

（刑の執行猶予の猶予期間経過の効果に関する経過措置）

第四四八条① 新刑法第二十七条第二項から第六項まで及び第二十七条の七第二項から第六項までの規定は、新刑法第二十五条又は第二十七条の二（これらの規定を前条第二項の規定により読み替えて適用する場合を含む。）の規定による刑の全部の執行猶予の言渡し又は刑の一部の執行猶予の言渡しが刑法等一部改正法の施行の日（令和七・六・一）（以下「刑法等一部改正法施行日」という。）以後にされた場合について、適用する。

② 新刑法第二十七条第四項若しくは第五項の規定により同条第二項後段の規定による刑の全部の執行猶予の言渡しを取り消した場合又は新刑法第二十七条の七第四項若しくは第五項の規定により同条第二項後段の規定による刑の一部の執行猶予の言渡しを取り消した場合において、執行猶予中の他の懲役又は禁錮があるときにおける新刑法第二十七条第六項又は第二十七条の七第六項の規定の適用については、新刑法第二十七条第六項中「についても」とあるのは「又は刑法等の一部を改正する法律（令和四年法律第六十七号）第二条の規定による改正前の第十二条に規定する懲役（以下「懲役」という。）若しくは同法第二条の規定による改正前の第十三条に規定する禁錮（以下「禁錮」という。）（いずれも第二項後段又は第二十七条の七第二項後段の規定によりその執行を猶予されているものを除く。）についても」と、新刑法第二十七条の七第六項中「についても」とあるのは「又は懲役若しくは禁錮（いずれも第二十七条第二項後段又はこの条第二項後段の規定によりその執行を猶予されているものを除く。）についても」とする。

（仮釈放の取消しに関する経過措置）

第四四九条① 刑法第二十九条の規定は、懲役又は禁錮に係る仮釈放の処分の取消しについても、適用する。

② 当分の間、刑法第二十九条第一項（第四号を除き、前項の規定により適用する場合を含む。）の規定の適用については、同条第一項第一号中「刑に」とあるのは「刑（刑法等の一部を改正する法律（令和四年法律第六十七号）第二条の規定による改正前の第十二条に規定する懲役（以下「懲役」という。）及び同法第二条の規定による改正前の第十三条に規定する禁錮（以下「禁錮」という。）を含む。）に」と、同項第二号及び第三号中「刑に」とあるのは「刑（懲役及び禁錮を含む。）に」とする。

（刑の消滅に関する経過措置）

第四五〇条① 新刑法第三十四条の二第一項の規定は、懲役、禁錮及び旧拘留に係る刑の消滅についても、適用する。

② 当分の間、新刑法第三十四条の二第一項（前項の規定により適用する場合を含む。）及び刑法第三十四条の二第二項の規定の適用については、次の表の上欄に掲げる新刑法又は刑法の規定中同表の中欄に掲げる字句は、それぞれ同表の下欄に掲げる字句とする。

新刑法第三十四条の二第一項	以上の刑	以上の刑若しくは刑法等の一部を改正する法律（令和四年法律第六十七号）第二条の規定による改正前の第十二条に規定する懲役（以下「懲役」という。）若しくは同法第二条の規定による改正前の第十三条に規定する禁錮（以下「禁錮」という。）の
	刑に	刑（懲役及び禁錮を含む。）に
	以下の刑	以下の刑（同法第二条の規定による改正前の第十六条に規定する拘留を含む。）
刑法第三十四条の二第二項	刑に	刑（懲役及び禁錮を含む。）に

（併合罪に係る規定の適用に関する経過措置）

第四五一条① 新刑法第四十五条の規定は、確定裁判を経ていない二個以上の罪がある場合において、それらの罪に刑法等一部改正法の施行前に犯したものと施行後に犯したものがあるときにも、適用する。この場合において、懲役又は禁錮に処する確定裁判があったときにおける同条後段の規定の適用については、同条後段中「刑に」とあるのは、「刑又は刑法等の一部を改正する法律（令和四年法律第六十七号）第二条の規定による改正前の第十二条に規定する懲役若しくは同法第二条の規定による改正前の第十三条に規定する禁錮に」とする。

② 刑法第四十六条第一項、第四十八条第一項、第四十九条第一項、第五十条並びに第五十三条第一項及び第二項（科料に係る部分を除く。）並びに新刑法第四十六条第二項及び第四十七条の規定は、第四百四十五条第一号に掲げる場合にも、適用する。この場合において、次の表の上欄に掲げる刑法又は新刑法の規定中同表の中欄に掲げる字句は、それぞれ同表の下欄に掲げる字句とする。

刑法第四十六条第一項	刑を	刑（刑法等の一部を改正する法律（令和四年法律第六十七号）第二条の規定による改正前の第十二条に規定する懲役（以下「懲役」という。）、同法第二条の規定による改正前の第十三条に規定する禁錮（以下「禁錮」という。）及び同法第二条の規定による改正前の第十六条に規定する拘留（以下「旧拘留」という。）を含む。）を
新刑法第四十六条第二項	無期拘禁刑	無期の拘禁刑、懲役又は禁錮
	刑を	刑（懲役、禁錮及び旧拘留を含む。）を
新刑法第四十七条	有期拘禁刑	有期の拘禁刑、懲役又は禁錮

刑法第四十八条第二項	刑	刑（懲役、禁錮及び旧拘留を含む。）
刑法第五十三条第一項	拘留	拘留、旧拘留
	刑	刑（懲役、禁錮及び旧拘留を含む。）

（併合罪に係る二個以上の刑の執行に関する経過措置）

第四五二条 新刑法第五十一条の規定は、併合罪について二個以上の裁判があった場合において、それらのうちに懲役、禁錮又は旧拘留を言い渡したものがあったときにおける刑の執行についても、適用する。この場合において、同条第一項ただし書中「刑を執行せず」とあるのは「刑（刑法等の一部を改正する法律（令和四年法律第六十七号）第二条の規定による改正前の第十二条に規定する懲役（以下「懲役」という。）、同法第二条の規定による改正前の第十三条に規定する禁錮（以下「禁錮」という。）及び同法第二条の規定による改正前の第十六条に規定する拘留（以下「旧拘留」という。）を含む。）を執行せず」と、「無期拘禁刑」とあるのは「無期の拘禁刑、懲役又は禁錮」と、「刑を執行しない」とあるのは「刑（懲役、禁錮及び旧拘留を含む。）を執行しない」と、同条第二項中「有期拘禁刑」とあるのは「有期の拘禁刑、懲役又は禁錮」とする。

（再犯に関する経過措置）

第四五三条① 新刑法第五十六条及び第五十七条の規定は、第四百四十五条第二号に掲げる場合において、同号に規定する行為について有期懲役に処するときにおける再犯加重についても、適用する。

② 当分の間、新刑法第五十六条及び第五十七条（これらの規定を前項の規定により適用する場合を含む。）の規定の適用については、次の表の上欄に掲げる新刑法の規定中同表の中欄に掲げる字句は、それぞれ同表の下欄に掲げる字句とする。

第五十六条第一項	拘禁刑に処せられた者	拘禁刑又は刑法等の一部を改正する法律（令和四年法律第六十七号）第二条の規定による改正前の第十二条に規定する懲役（以下「懲役」という。）に処せられた者（併合罪について処断された者であって、その併合罪のうちに懲役に処すべき罪があったのに、その罪が最も重い罪でなかったため懲役に処せられなかったものを含む。）
第五十六条第二項	有期拘禁刑	有期の拘禁刑又は懲役
	拘禁刑に減軽されて	拘禁刑若しくは懲役に減軽されて
第五十七条	有期拘禁刑	有期の拘禁刑又は懲役
	拘禁刑	拘禁刑又は懲役

（法律上の減軽の方法に関する経過措置）

第四五四条 新刑法第六十八条（第四号及び第六号を除く。）及び第七十条の規定は、第四百四十五条第二号に掲げる場合において、死刑（刑法等一部改正法の施行前にした行為に係る罪により処せられるものに限る。）、懲役、禁錮又は旧拘留を減軽すべき一個又は二個以上の事由があるときにおける法律上の減軽についても、適用する。この場合において、次の表の上欄に掲げる新刑法の規定中同表の中欄に掲げる字句は、それぞれ同表の下欄に掲げる字句とする。

第六十八条第一号	無期又は十年以上の拘禁刑	無期の刑法等の一部を改正する法律（令和四年法律第六十七号）第二条の規定による改正前の第十二条に規定する懲役（以下「懲役」という。）若しくは同法第二条の規定による改正前の第十三条に規定する禁錮（以下「禁錮」という。）又は十年以上の懲役若しくは禁錮
第六十八条第二号	無期拘禁刑	無期の懲役又は禁錮
	有期拘禁刑	有期の懲役又は禁錮
第六十八条第三号	有期拘禁刑	有期の懲役又は禁錮
第六十八条第五号	拘留	刑法等の一部を改正する法律第二条の規定による改正前の第十六条に規定する拘留（第七十条において「旧拘留」という。）
第七十条	拘禁刑又は拘留	懲役、禁錮又は旧拘留

（酌量減軽の方法に関する経過措置）

第四五五条 第四百四十五条各号に掲げる場合において、死刑（刑法等一部改正法の施行前にした行為に係る罪により処せられるものに限る。）、懲役、禁錮又は旧拘留の酌量減軽をするときは、前条の規定により読み替えて適用する新刑法第六十八条（第四号及び第六号を除く。）及び第七十条の例による。

（犯人蔵匿等に関する経過措置）

第四五六条 懲役又は禁錮に当たる罪を犯した者を蔵匿し、又は隠避させた者に係る新刑法第百三条の規定の適用については、懲役又は禁錮に当たる罪を犯した者は、それぞれ拘禁刑に当たる罪を犯した者とみなす。

（平成十六年一部改正法の施行前にした行為等に係る併合罪の処理に関する経過措置）

第四五七条① 併合罪として処断すべき罪に刑法等の一部を改正する法律（平成十六年法律第百五十六号。以下この項及び第三項において「平成十六年一部改正法」という。）の施行前に犯したものと刑法等一部改正法の施行後に犯したものがある場合において、第四百五十一条第二項の規定により読み替えて適用する新刑法第四十七条の規定により併合罪として有期の拘禁刑、懲役又は禁錮の加重をするときは、平成十六年一部改正法附則第四条の規定及び第四百四十五条の規定にかかわらず、平成十六年一部改正法第一条の規定による改正前の刑法（次項において「平成十六年旧刑法」という。）第十四条の規定を適用する。ただし、当該併合罪として処断すべき罪のうち平成十六年一部改正法の施行後に犯したもののみについて新刑法第十四条第二項の規定を適用して処断することとした場合の刑が、この項本文の場合の刑より重い刑となるときは、その重い刑をもって処断する。

② 前項本文の場合において、有期拘禁刑を加重するときにおける平成十六年旧刑法第十四条の規定の適用については、同条中「有期の懲役又は禁錮」とあるのは、「有期の刑法等の一部を改正する法律（令和四年法律第六十七号）第二条の規定による改正後の第十二条に規定する拘禁刑」とする。

③ 第一項ただし書の場合において、当該併合罪として処断すべき罪のうち平成十六年一部改正法の施行後に犯したもののみについて新刑法第十四条第二項の規定を適用して処断することとするときにおける同項の規定の適用については、同項中「有期拘禁刑」とあるのは、「有期の拘禁刑、刑法等の一部を改正す

る法律（令和四年法律第六十七号）第二条の規定による改正前の第十二条に規定する懲役又は同法第二条の規定による改正前の第十三条に規定する禁錮」とする。

第四章　その他

（経過措置の政令への委任）

第五〇九条　この編に定めるもののほか、刑法等一部改正法等の施行に伴い必要な経過措置は、政令で定める。

刑法等の一部を改正する法律の施行に伴う関係法律整理法

附　則（令和四・六・一七法六八）（抄）

（施行期日）

①　この法律は、刑法等一部改正法施行日（令和七・六・一）から施行する。ただし、次の各号に掲げる規定は、当該各号に定める日から施行する。

一　第五百九条の規定　公布の日

二　（略）

附　則（令和五・五・一七法二八）（抄）

（施行期日）

第一条（前略）次の各号に掲げる規定は、当該各号に定める日から施行する。

一　第二条中刑法第三十三条に一項を加える改正規定並びに附則第九条及び第十条第一項の規定　公布の日

二　（前略）第二条中刑法第九十七条及び第九十八条の改正規定（中略）並びに附則（中略）第四十条の規定　公布の日から起算して二十日を経過した日（令和五・六・六）

三―六　（略）

七　附則（中略）第十条第二項（中略）の規定　刑法等一部改正法（刑法等の一部を改正する法律（令和四法六七））の施行の日（令和七・六・一）（以下「刑法等一部改正法施行日」という。）

八―十一　（略）

（刑の時効の停止に関する経過措置）

第九条　第二条の規定による改正後の刑法（次条において「新刑法」という。）第三十三条第二項の規定は、刑の言渡しを受けた者が附則第一条第一号に掲げる規定の施行の日（次条第一項において「第一号施行日」という。）以後に国外にいる期間について、適用する。

（刑法に係る拘禁刑に関する経過措置）

第一〇条①　第一号施行日から刑法等一部改正法施行日の前日までの間における新刑法第三十三条第二項の規定の適用については、同項中「拘禁刑」とあるのは、「懲役、禁錮」とする。

②　刑法等一部改正法施行日以後、当分の間、新刑法第三十三条第二項の規定の適用については、同項中「罰金、拘留」とあるのは、「刑法等の一部を改正する法律（令和四年法律第六十七号）第二条の規定による改正前の第十二条に規定する懲役、同法第二条の規定による改正前の第十三条に規定する禁錮、罰金、拘留、同法第二条の規定による改正前の第十六条に規定する拘留」とする。

（罰則に関する経過措置）

第四〇条　第二号施行日（附則第一条第二号に掲げる規定の施行の日）前にした行為に対する罰則の適用については、なお従前の例による。

○罰金等臨時措置法（昭和二三・一二・一八 法　二五一）

施行　昭和二四・二・一（附則）
最終改正　平成三法三一

第一条【目的】 経済事情の変動に伴う罰金及び科料の額等に関する特例は、当分の間、この法律の定めるところによる。

第二条【刑法等の罪以外の罪の罰金科料の多額と寡額】 ① 刑法（明治四十年法律第四十五号）、暴力行為等処罰に関する法律（大正十五年法律第六十号）及び経済関係罰則の整備に関する法律（昭和十九年法律第四号）の罪以外の罪（条例の罪を除く。）につき定めた罰金については、その多額が二万円に満たないときはこれを二万円とし、その寡額が一万円に満たないときはこれを一万円とする。ただし、罰金の額が一定の金額に倍数を乗じて定められる場合は、この限りでない。

② 前項ただし書の場合において、その罰金の額が一万円に満たないときは、これを一万円とする。

③ 第一項の罪につき定めた科料で特にその額の定めのあるものについては、その定めがないものとする。ただし、科料の額が一定の金額に倍数を乗じて定められる場合は、この限りでない。

第三条【命令の罰金の最高限度】 法律で命令に罰金の罰則を設けることを委任している場合において、その委任に基づいて規定することができる罰金額の最高限度が二万円に満たないときは、これを二万円とする。

＊心神喪失等の状態で重大な他害行為を行った者の医療及び観察等に関する法律（抜粋）（平成一五・七・一六 法　一一〇）

最終改正　令和五法六六

（定義）
第二条① この法律において「対象行為」とは、次の各号に掲げるいずれかの行為に当たるものをいう。
一　刑法（明治四十年法律第四十五号）第百八条から第百十条まで又は第百十二条に規定する行為
二　刑法第百七十六条、第百七十七条、第百七十九条又は第百八十条に規定する行為
三　刑法第百九十九条、第二百二条又は第二百三条に規定する行為
四　刑法第二百四条に規定する行為
五　刑法第二百三十六条、第二百三十八条又は第二百四十三条（第二百三十六条又は第二百三十八条に係るものに限る。）に規定する行為

② この法律において「対象者」とは、次の各号のいずれかに該当する者をいう。
一　公訴を提起しない処分において、対象行為を行ったこと及び刑法第三十九条第一項に規定する者（以下「心神喪失者」という。）又は同条第二項に規定する者（以下「心神耗弱者」という。）であることが認められた者
二　対象行為について、刑法第三十九条第一項の規定により無罪の確定裁判を受けた者又は同条第二項の規定により刑を減軽する旨の確定裁判（拘禁刑を言い渡し、その刑の全部の執行猶予の言渡しをしない裁判であって、執行すべき刑期があるものを除く。）を受けた者

③―⑤（略）

（合議制）
第一一条① 裁判所法（昭和二十二年法律第五十九号）第二十六条の規定にかかわらず、地方裁判所は、一人の裁判官及び一人の精神保健審判員の合議体で処遇事件を取り扱う。ただし、この法律で特別の定めをした事項については、この限りでない。

②③（略）

（意見を述べる義務）
第一三条① 裁判官は、前条第二項の評議において、法律に関する学識経験に基づき、その意見を述べなければならない。

② 精神保健審判員は、前条第二項の評議において、精神障害者の医療に関する学識経験に基づき、その意見を述べなければならない。

（評決）
第一四条 第十一条第一項の合議体による裁判は、裁判官及び精神保健審判員の意見の一致したところによる。

（検察官による申立て）
第三三条① 検察官は、被疑者が対象行為を行ったこと及び心神喪失者若しくは心神耗弱者であることを認めて公訴を提起しない処分をしたとき、又は第二条第二項第二号に規定する確定裁判があったときは、当該処分をされ、又は当該確定裁判を受けた対象者について、対象行為を行った際の精神障害を改善し、これに伴って同様の行為を行うことなく、社会に復帰することを促進するためにこの法律による医療を受けさせる必要が明らかにないと認める場合を除き、地方裁判所に対し、第四十二条第一項の決定をすることを申し立てなければならない。ただし、当該対象者について刑事事件若しくは少年の保護事件の処理又は外国人の退去強制に関する法令の規定による手続が行われている場合は、当該手続が終了するまで、申立てをしないことができる。

② 前項本文の規定にかかわらず、検察官は、当該対象者が刑若しくは保護処分の執行のため刑務所、少年刑務所、拘置所若しくは少年院に収容されており引き続き収容されることとなるとき、又は新たに収容されるときは、同項の申立てをすることができない。当該対象者が外国人であって出国したときも、同様とする。

③ 検察官は、刑法第二百四条に規定する行為を行った対象者については、傷害が軽い場合であって、当該行為の内容、当該対象者による過去の他害行為の有無及び内容並びに当該対象者の現在の病状、性格及び生活環境を考慮し、その必要がないと認めるときは、第一項の申立てをしないことができる。ただし、他の対象行為をも行った者については、この限りでない。

（対象者の鑑定）
第三七条① 裁判所は、対象者に関し、精神障害者であるか否か及び対象行為を行った際の精神障害を改善し、これに伴って同様の行為を行うことなく、社会に復帰することを促進するためにこの法律による医療を受けさせる必要があるか否かについて、精神保健判定医又はこれと同等以上の学識経験を有すると認める医師に鑑定を命じなければならない。ただし、当該必要が明らかにないと認める場合は、この限りでない。

②　前項の鑑定を行うに当たっては、精神障害の類型、過去の病歴、現在及び対象行為を行った当時の病状、治療状況、病状及び治療状況から予測される将来の症状、対象行為の内容、過去の他害行為の有無及び内容並びに当該対象者の性格を考慮するものとする。

③　第一項の規定により鑑定を命ぜられた医師は、当該鑑定の結果に、当該対象者の病状に基づき、この法律による入院による医療の必要性に関する意見を付さなければならない。

④⑤　（略）

（申立ての却下等）

第四〇条①　裁判所は、第二条第二項第一号に規定する対象者について第三十三条第一項の申立てがあった場合において、次の各号のいずれかに掲げる事由に該当するときは、決定をもって、申立てを却下しなければならない。

一　対象行為を行ったと認められない場合

二　心神喪失者及び心神耗弱者のいずれでもないと認める場合

②　裁判所は、検察官が心神喪失者と認めて公訴を提起しない処分をした対象者について、心神耗弱者と認めた場合には、その旨の決定をしなければならない。この場合において、検察官は、当該決定の告知を受けた日から二週間以内に、裁判所に対し、当該申立てを取り下げるか否かを通知しなければならない。

（入院等の決定）

第四二条①　裁判所は、第三十三条第一項の申立てがあった場合は、第三十七条第一項に規定する鑑定を基礎とし、かつ、同条第三項に規定する意見及び対象者の生活環境を考慮し、次の各号に掲げる区分に従い、当該各号に定める決定をしなければならない。

一　対象行為を行った際の精神障害を改善し、これに伴って同様の行為を行うことなく、社会に復帰することを促進するため、入院をさせてこの法律による医療を受けさせる必要があると認める場合　医療を受けさせるために入院をさせる旨の決定

二　前号の場合を除き、対象行為を行った際の精神障害を改善し、これに伴って同様の行為を行うことなく、社会に復帰することを促進するため、この法律による医療を受けさせる必要があると認める場合　入院によらない医療を受けさせる旨の決定

三　前二号の場合に当たらないとき　この法律による医療を行わない旨の決定

②　裁判所は、申立てが不適法であると認める場合は、決定をもって、当該申立てを却下しなければならない。

（入院等）

第四三条①　前条第一項第一号の決定を受けた者は、厚生労働大臣が定める指定入院医療機関において、入院による医療を受けなければならない。

②　前条第一項第二号の決定を受けた者は、厚生労働大臣が定める指定通院医療機関による入院によらない医療を受けなければならない。

③④　（略）

（通院期間）

第四四条　第四十二条第一項第二号の決定による入院によらない医療を行う期間は、当該決定があった日から起算して三年間とする。ただし、裁判所は、通じて二年を超えない範囲で、当該期間を延長することができる。

〇組織的な犯罪の処罰及び犯罪収益の規制等に関する法律（抄）

（平成一一・八・一八 法 一 三 六）

施行 平成一二・二・一（平成一一政三八八）
最終改正 令和六法六〇

目次

第一章 総則

（目的）

第一条 この法律は、組織的な犯罪が平穏かつ健全な社会生活を著しく害し、及び犯罪による収益がこの種の犯罪を助長するとともに、これを用いた事業活動への干渉が健全な経済活動に重大な悪影響を与えることに鑑み、並びに国際的な組織犯罪の防止に関する国際連合条約を実施するため、組織的に行われた殺人等の行為に対する処罰を強化し、犯罪による収益の隠匿及び収受並びにこれを用いた法人等の事業経営の支配を目的とする行為を処罰するとともに、犯罪による収益に係る没収及び追徴の特例等について定めることを目的とする。

（定義）

第二条① この法律において「団体」とは、共同の目的を有する多数人の継続的結合体であって、その目的又は意思を実現する行為の全部又は一部が組織（指揮命令に基づき、あらかじめ定められた任務の分担に従って構成員が一体として行動する人の結合体をいう。以下同じ。）により反復して行われるものをいう。

② この法律において「犯罪収益」とは、次に掲げる財産をいう。

一 財産上の不正な利益を得る目的で犯した次に掲げる罪の犯罪行為（日本国外でした行為であって、当該行為が日本国内において行われたとしたならばこれらの罪に当たり、かつ、当該行為地の法令により罪に当たるものを含む。）により生じ、若しくは当該犯罪行為により得た財産又は当該犯罪行為の報酬として得た財産

イ 死刑又は無期若しくは長期四年以上の拘禁刑が定められている罪（ロに掲げる罪及び国際的な協力の下に規制薬物に係る不正行為を助長する行為等の防止を図るための麻薬及び向精神薬取締法等の特例等に関する法律（平成三年法律第九十四号。以下「麻薬特例法」という。）第二条第二項各号に掲げる罪を除く。）

ロ 別表第一（第三号を除く。）又は別表第二に掲げる罪

二 次に掲げる罪の犯罪行為（日本国外でした行為であって、当該行為が日本国内において行われたとしたならばイ、ロ又はニに掲げる罪に当たり、かつ、当該行為地の法令により罪に当たるものを含む。）により提供された資金

イ 覚醒剤取締法（昭和二十六年法律第二百五十二号）第四十一条の十（覚醒剤原料の輸入等に係る資金等の提供等）の罪

ロ 売春防止法（昭和三十一年法律第百十八号）第十三条（資金等の提供）の罪

ハ 銃砲刀剣類所持等取締法（昭和三十三年法律第六号）第三十一条の十三（資金等の提供）の罪

ニ サリン等による人身被害の防止に関する法律（平成七年法律第七十八号）第七条（資金等の提供）の罪

三 次に掲げる罪の犯罪行為（日本国外でした行為であって、当該行為が日本国内において行われたとしたならばこれらの罪に当たり、かつ、当該行為地の法令により罪に当たるものを含む。）により供与された財産

イ 第七条の二（証人等買収）の罪

ロ 不正競争防止法（平成五年法律第四十七号）第二十一条第四項第四号（外国公務員等に対する不正の利益の供与等）の罪

四 公衆等脅迫目的の犯罪行為等のための資金等の提供等の処罰に関する法律（平成十四年法律第六十七号）第三条第一項若しくは第二項前段、第四条第一項若しくは第五条第一項（資金等の提供）の罪又はこれらの罪の未遂罪の犯罪行為（日本国外でした行為であって、当該行為が日本国内において行われたとしたならばこれらの罪に当たり、かつ、当該行為地の法令により罪に当たるものを含む。）により提供され、又は提供しようとした財産

五 第六条の二第一項又は第二項（テロリズム集団その他の組織的犯罪集団による実行準備行為を伴う重大犯罪遂行の計画）の罪の犯罪行為である計画（日本国外でした行為であって、当該行為が日本国内において行われたとしたならば当該罪に当たり、かつ、当該行為地の法令により罪に当たるものを含む。）をした者が、計画をした犯罪の実行のための資金として使用する目的で取得した財産

③ この法律において「犯罪収益に由来する財産」とは、犯罪収益の果実として得た財産、犯罪収益の対価として得た財産、これらの財産の対価として得た財産その他犯罪収益の保有又は処分に基づき得た財産をいう。

④ この法律において「犯罪収益等」とは、犯罪収益、犯罪収益に由来する財産又はこれらの財産とこれらの財産以外の財産とが混和した財産をいう。

⑤ この法律において「薬物犯罪収益」とは、麻薬特例法第二条第三項に規定する薬物犯罪収益をいう。

⑥ この法律において「薬物犯罪収益に由来する財産」とは、麻薬特例法第二条第四項に規定する薬物犯罪収益に由来する財産をいう。

⑦ この法律において「薬物犯罪収益等」とは、麻薬特例法第二条第五項に規定する薬物犯罪収益等をいう。

第二章 組織的な犯罪の処罰及び犯罪収益の没収等

（組織的な殺人等）

第三条① 次の各号に掲げる罪に当たる行為が、団体の活動（団体の意思決定に基づく行為であって、その効果又はこれによる利益が当該団体に帰属するものをいう。以下同じ。）として、当該罪に当たる行為を実行するための組織により行われたときは、その罪を犯した者は、当該各号に定める刑に処する。

一 刑法（明治四十年法律第四十五号）第九十六条（封印等破棄）の罪 五年以下の拘禁刑若しくは五百万円以下の罰金又はこれらの併科

二 刑法第九十六条の二（強制執行妨害目的財産損壊等）の罪 五年以下の拘禁刑若しくは五百万円以下の罰金又はこれらの併科

三 刑法第九十六条の三（強制執行行為妨害等）の罪 五年以下の拘禁刑若しくは五百万円以下の罰金又はこれらの併科

四　刑法第九十六条の四（強制執行関係売却妨害）の罪　五年以下の拘禁刑若しくは五百万円以下の罰金又はこれらの併科

五　刑法第百八十六条第一項（常習賭博）の罪　五年以下の拘禁刑

六　刑法第百八十六条第二項（賭博場開張等図利）の罪　三月以上七年以下の拘禁刑

七　刑法第百九十九条（殺人）の罪　死刑又は無期若しくは六年以上の拘禁刑

八　刑法第二百二十条（逮捕及び監禁）の罪　三月以上十年以下の拘禁刑

九　刑法第二百二十三条第一項又は第二項（強要）の罪　五年以下の拘禁刑

十　刑法第二百二十五条の二（身の代金目的略取等）の罪　無期又は五年以上の拘禁刑

十一　刑法第二百三十三条（信用毀損及び業務妨害）の罪　五年以下の拘禁刑又は五十万円以下の罰金

十二　刑法第二百三十四条（威力業務妨害）の罪　五年以下の拘禁刑又は五十万円以下の罰金

十三　刑法第二百四十六条（詐欺）の罪　一年以上の有期拘禁刑

十四　刑法第二百四十九条（恐喝）の罪　一年以上の有期拘禁刑

十五　刑法第二百六十条前段（建造物等損壊）の罪　七年以下の拘禁刑

②　団体に不正権益（団体の威力に基づく一定の地域又は分野における支配力であって、当該団体の構成員による犯罪その他の不正な行為により当該団体又はその構成員が継続的に利益を得ることを容易にすべきものをいう。以下この項及び第六条の二第二項において同じ。）を得させ、又は団体の不正権益を維持し、若しくは拡大する目的で、前項各号（第五号、第六号及び第十三号を除く。）に掲げる罪を犯した者も、同項と同様とする。

（未遂罪）

第四条　前条第一項第七号、第九号、第十号（刑法第二百二十五条の二第一項に係る部分に限る。）、第十三号及び第十四号に掲げる罪に係る前条の罪の未遂は、罰する。

（組織的な身の代金目的略取等における解放による刑の減軽）

第五条　第三条第一項第十号に掲げる罪に係る同条の罪を犯した者が、公訴が提起される前に、略取され又は誘拐された者を安全な場所に解放したときは、その刑を減軽する。

（組織的な殺人等の予備）

第六条①　次の各号に掲げる罪で、これに当たる行為が、団体の活動として、当該行為を実行するための組織により行われるものを犯す目的で、その予備をした者は、当該各号に定める刑に処する。ただし、実行に着手する前に自首した者は、その刑を減軽し、又は免除する。

一　刑法第百九十九条（殺人）の罪　五年以下の拘禁刑

二　刑法第二百二十五条（営利目的等略取及び誘拐）の罪（営利の目的によるものに限る。）　二年以下の拘禁刑

②　第三条第二項に規定する目的で、前項各号に掲げる罪の予備をした者も、同項と同様とする。

（テロリズム集団その他の組織的犯罪集団による実行準備行為を伴う重大犯罪遂行の計画）

第六条の二①　次の各号に掲げる罪に当たる行為で、テロリズム集団その他の組織的犯罪集団（団体のうち、その結合関係の基礎としての共同の目的が別表第三に掲げる罪を実行することにあるものをいう。次項において同じ。）の団体の活動として、当該行為を実行するための組織により行われるものの遂行を二人以上で計画した者は、その計画をした者のいずれかによりその計画に基づき資金又は物品の手配、関係場所の下見その他の計画をした犯罪を実行するための準備行為が行われたときは、当該各号に定める刑に処する。ただし、実行に着手する前に自首した者は、その刑を減軽し、又は免除する。

一　別表第四に掲げる罪のうち、死刑又は無期若しくは長期十年を超える拘禁刑が定められているもの　五年以下の拘禁刑

二　別表第四に掲げる罪のうち、長期四年以上十年以下の拘禁刑が定められているもの　二年以下の拘禁刑

②　前項各号に掲げる罪に当たる行為で、テロリズム集団その他の組織的犯罪集団に不正権益を得させ、又はテロリズム集団その他の組織的犯罪集団の不正権益を維持し、若しくは拡大する目的で行われるものの遂行を二人以上で計画した者も、その計画をした者のいずれかによりその計画に基づき資金又は物品の手配、関係場所の下見その他の計画をした犯罪を実行するための準備行為が行われたときは、同項と同様とする。

③　別表第四に掲げる罪のうち告訴がなければ公訴を提起することができないものに係る前二項の罪は、告訴がなければ公訴を提起することができない。

④　第一項及び第二項の罪に係る事件についての刑事訴訟法（昭和二十三年法律第百三十一号）第百九十八条第一項の規定による取調べその他の捜査を行うに当たっては、その適正の確保に十分に配慮しなければならない。

（組織的な犯罪に係る犯人蔵匿等）

第七条①　拘禁刑以上の刑が定められている罪に当たる行為が、団体の活動として、当該行為を実行するための組織により行われた場合において、次の各号に掲げる者は、当該各号に定める刑に処する。

一　その罪を犯した者を蔵匿し、又は隠避させた者　五年以下の拘禁刑又は五十万円以下の罰金

二　その罪に係る他人の刑事事件に関する証拠を隠滅し、偽造し、若しくは変造し、又は偽造若しくは変造の証拠を使用した者　五年以下の拘禁刑又は五十万円以下の罰金

三　その罪に係る自己若しくは他人の刑事事件の捜査若しくは審判に必要な知識を有すると認められる者又はその親族に対し、当該事件に関して、正当な理由がないのに面会を強請し、又は強談威迫の行為をした者　五年以下の拘禁刑又は五十万円以下の罰金

四　その罪に係る被告事件の審判に係る職務を行う裁判員若しくは補充裁判員若しくはこれらの職にあった者又はその親族に対し、面会、文書の送付、電話をかけることその他のいかなる方法をもってするかを問わず、威迫の行為をした者　三年以下の拘禁刑又は二十万円以下の罰金

五　その罪に係る被告事件に関し、当該被告事件の審判に係る職務を行う裁判員若しくは補充裁判員の選任のために選定された裁判員候補者若しくは当該裁判員若しくは補充裁判員の職務を行うべき選任予定裁判員又はその親族に対し、面会、文書の送付、電話をかけることその他のいかなる方法をもってするかを問わず、威迫の行為をした者　三年以下の拘禁刑又は二十万円以下の罰金

②　拘禁刑以上の刑が定められている罪が第三条第二項に規定する目的で犯された場合において、前項各号のいずれかに該当する者も、同項と同様とする。

（証人等買収）

第七条の二①　次に掲げる罪に係る自己又は他人の刑事事件に関し、証言をしないこと、若しくは虚偽の証言をすること、又は証拠を隠滅し、偽造し、若しくは変造すること、若しくは偽造若しくは変造の証拠を使用することの報酬として、金銭その他の利益を供与し、又はその申込み若しくは約束をした者は、二年以下の拘禁刑又は三十万円以下の罰金に処する。

一　死刑又は無期若しくは長期四年以上の拘禁刑が定められている罪（次号に掲げる罪を除く。）

二　別表第一に掲げる罪

②　前項各号に掲げる罪に当たる行為が、団体の活動として、当該行為を実行するための組織により行われた場合、又は同項各号に掲げる罪が第三条第二項に規定する目的で犯された場合において、前項の罪を犯した者は、五年以下の拘禁刑又は五十万

円以下の罰金に処する。

（団体に属する犯罪行為組成物件等の没収）

第八条 団体の構成員が罪（これに当たる行為が、当該団体の活動として、当該行為を実行するための組織により行われたもの、又は第三条第二項に規定する目的で行われたものに限る。）を犯した場合、又は当該罪を犯す目的でその予備罪（これに当たる行為が、当該団体の活動として、当該行為を実行するための組織により行われたもの、及び同項に規定する目的で行われたものを除く。）を犯した場合において、当該犯罪行為を組成し、又は当該犯罪行為の用に供し、若しくは供しようとした物が、当該団体に属し、かつ、当該構成員が管理するものであるときは、刑法第十九条第二項本文の規定にかかわらず、その物が当該団体及び犯人以外の者に属しない場合に限り、これを没収することができる。ただし、当該団体において、当該物が当該犯罪行為を組成し、又は当該犯罪行為の用に供され、若しくは供されようとすることの防止に必要な措置を講じていたときは、この限りでない。

（不法収益等による法人等の事業経営の支配を目的とする行為）

第九条① 第二条第二項第一号若しくは第三号の犯罪収益若しくは薬物犯罪収益（麻薬特例法第二条第三項各号に掲げる罪の犯罪行為により得た財産又は当該犯罪行為の報酬として得た財産に限る。第十三条第一項第三号及び同条第四項において同じ。）、これらの保有若しくは処分に基づき得た財産又はこれらの財産とこれらの財産以外の財産とが混和した財産（以下「不法収益等」という。）を用いることにより、法人等（法人又は法人でない社団若しくは財団をいう。以下この条において同じ。）の株主等（株主若しくは社員又は発起人その他の法人等の設立者をいう。以下同じ。）の地位を取得し、又は第三者に取得させた者が、当該法人等又はその子法人の事業経営を支配する目的で、その株主等の権限又は当該権限に基づく影響力を行使し、又は当該第三者に行使させて、次の各号のいずれかに該当する行為をしたときは、十年以下の拘禁刑若しくは千万円以下の罰金に処し、又はこれを併科する。

一 当該法人等又はその子法人の役員等（取締役、執行役、理事、管理人その他いかなる名称を有するものであるかを問わず、法人等の経営を行う役職にある者をいう。以下この条において同じ。）を選任し、若しくは選任させ、解任し、若しくは解任させ、又は辞任させること。

二 当該法人等又はその子法人を代表すべき役員等の地位を変更させること（前号に該当するものを除く。）。

② 不法収益等を用いることにより、法人等に対する債権を取得し、又は第三者に取得させた者が、当該法人等又はその子法人の事業経営を支配する目的で、当該債権の取得又は行使に関し、次の各号のいずれかに該当する行為をしたときも、前項と同様とする。不法収益等を用いることにより、法人等に対する債権を取得しようとし、又は第三者に取得させようとする者が、当該法人等又はその子法人の事業経営を支配する目的で、当該債権の取得又は行使に関し、これらの各号のいずれかに該当する行為をした場合において、当該債権を取得し、又は第三者に取得させたときも、同様とする。

一 当該法人等又はその子法人の役員等を選任させ、若しくは解任させ、又は辞任させること。

二 当該法人等又はその子法人を代表すべき役員等の地位を変更させること（前号に該当するものを除く。）。

③ 不法収益等を用いることにより、法人等の株主等に対する債権を取得し、又は第三者に取得させた者が、当該法人等又はその子法人の事業経営を支配する目的で、当該債権の取得又は行使に関し、当該株主等にその権限又は当該権限に基づく影響力を行使させて、前項各号のいずれかに該当する行為をしたときも、第一項と同様とする。不法収益等を用いることにより、法人等の株主等に対する債権を取得しようとし、又は第三者に取得させようとする者が、当該法人等又はその子法人の事業経営を支配する目的で、当該債権の取得又は行使に関し、当該株主等にその権限又は当該権限に基づく影響力を行使させて、これらの各号のいずれかに該当する行為をした場合において、当該債権を取得し、又は第三者に取得させたときも、同様とする。

④ この条において「子法人」とは、一の法人等が株主等の議決権（株主総会において決議をすることができる事項の全部につき議決権を行使することができない株式についての議決権を除き、会社法（平成十七年法律第八十六号）第八百七十九条第三項の規定により議決権を有するものとみなされる株式についての議決権を含む。以下この項において同じ。）の総数の百分の五十を超える数の議決権を保有する法人をいい、一の法人等及びその子法人又は一の法人等の子法人が株主等の議決権の総数の百分の五十を超える数の議決権を保有する法人は、当該法人等の子法人とみなす。

（犯罪収益等隠匿）

第一〇条① 犯罪収益等（公衆等脅迫目的の犯罪行為等のための資金等の提供等の処罰に関する法律第三条第一項若しくは第二項前段、第四条第一項又は第五条第一項の罪の未遂罪の犯罪行為（日本国外でした行為であって、当該行為が日本国内において行われたとしたならばこれらの罪に当たり、かつ、当該行為地の法令により罪に当たるものを含む。以下この項において同じ。）により提供しようとした財産を除く。以下この項及び次条において同じ。）の取得若しくは処分につき事実を仮装し、又は犯罪収益等を隠匿した者は、十年以下の拘禁刑若しくは五百万円以下の罰金に処し、又はこれを併科する。犯罪収益（同法第三条第一項若しくは第二項前段、第四条第一項又は第五条第一項の罪の未遂罪の犯罪行為により提供しようとした財産を除く。）の発生の原因につき事実を仮装した者も、同様とする。

② 前項の罪の未遂は、罰する。

③ 第一項の罪を犯す目的で、その予備をした者は、二年以下の拘禁刑又は五十万円以下の罰金に処する。

（犯罪収益等収受）

第一一条 情を知って、犯罪収益等を収受した者は、七年以下の拘禁刑若しくは三百万円以下の罰金に処し、又はこれを併科する。ただし、法令上の義務の履行として提供されたものを収受した者又は契約（債権者において相当の財産上の利益を提供すべきものに限る。）の時に当該契約に係る債務の履行が犯罪収益等によって行われることの情を知らないでした当該契約に係る債務の履行として提供されたものを収受した者は、この限りでない。

（国外犯）

第一二条 第三条第一項第九号、第十一号、第十二号及び第十五号に掲げる罪に係る同条の罪、第六条第一項第一号に掲げる罪に係る同条の罪並びに第六条の二第一項及び第二項の罪は刑法第四条の二の例に、第九条第一項から第三項まで及び前二条の罪は同法第三条の例に従う。

（犯罪収益等の没収等）

第一三条① 次に掲げる財産は、没収することができる。

一 犯罪収益（第六号に掲げる財産に該当するものを除く。）

二 犯罪収益に由来する財産（第六号に掲げる財産に該当するものを除く。）

三 第九条第一項の罪に係る株主等の地位に係る株式又は持分であって、不法収益等（薬物犯罪収益、その保有若しくは処分に基づき得た財産又はこれらの財産とこれらの財産以外の財産とが混和した財産であるもの（第四項において「薬物不法収益等」という。）を除く。以下この項において同じ。）を用いることにより取得されたもの

四 第九条第二項又は第三項の罪に係る債権であって、不法収益等を用いることにより取得されたもの（当該債権がその取得に用いられた不法収益等である財産の返還を目的とするものであるときは、当該不法収益等）

五 第十条又は第十一条の罪に係る犯罪収益等

六 不法収益等を用いた第九条第一項から第三項までの犯罪行

為又は第十条若しくは第十一条の犯罪行為により生じ、若しくはこれらの犯罪行為により得た財産又はこれらの犯罪行為の報酬として得た財産

七　第三号から前号までの財産の果実として得た財産、これらの各号の財産の対価として得た財産、これらの財産の対価として得た財産その他これらの各号の財産の保有又は処分に基づき得た財産

② 前項各号に掲げる財産が犯罪被害財産（次に掲げる罪の犯罪行為によりその被害を受けた者から得た財産又は当該財産の保有若しくは処分に基づき得た財産をいう。以下同じ。）であるときは、これを没収することができない。同項各号に掲げる財産の一部が犯罪被害財産である場合において、当該部分についても、同様とする。

一　財産に対する罪

二　刑法第二百二十五条の二第二項の罪に係る第三条（組織的な拐取者身の代金取得等）の罪

三　刑法第二百二十五条の二第二項（拐取者身の代金取得等）又は第二百二十七条第四項後段（収受者身の代金取得等）の罪

四　出資の受入れ、預り金及び金利等の取締りに関する法律（昭和二十九年法律第百九十五号）第五条第一項後段（高金利の受領）、第二項後段（業として行う高金利の受領）若しくは第三項後段（業として行う著しい高金利の受領）、第五条の二第一項後段（高保証料の受領）若しくは第五条の三第一項後段（保証料がある場合の高金利の受領）、第二項後段（保証があり、かつ、変動利率による利息の定めがある場合の高金利の受領）若しくは第三項後段（根保証がある場合の高金利の受領）の罪、同法第五条第一項後段若しくは第二項後段、第五条の二第一項後段若しくは第五条の三第一項後段、第二項後段若しくは第三項後段の違反行為に係る同法第八条第一項（高金利の受領等の脱法行為）の罪、同法第五条第三項後段の違反行為に係る同法第八条第二項（業として行う著しい高金利の受領の脱法行為）の罪又は同法第一条若しくは第二条第一項の違反行為に係る同法第八条第三項（元本を保証して行う出資金の受入れ等）の罪

五　補助金等に係る予算の執行の適正化に関する法律（昭和三十年法律第百七十九号）第二十九条（不正の手段による補助金等の受交付等）の罪

六　航空機工業振興法（昭和三十三年法律第百五十号）第二十九条（不正の手段による交付金等の受交付等）の罪

七　人質による強要行為等の処罰に関する法律（昭和五十三年法律第四十八号）第一条から第四条まで（人質による強要等、加重人質強要、人質殺害）の罪

八　金融機関等の更生手続の特例等に関する法律（平成八年法律第九十五号）第五百四十九条（詐欺更生）の罪

九　民事再生法（平成十一年法律第二百二十五号）第二百五十五条（詐欺再生）の罪

十　会社更生法（平成十四年法律第百五十四号）第二百六十六条（詐欺更生）の罪

十一　破産法（平成十六年法律第七十五号）第二百六十五条（詐欺破産）の罪

十二　海賊行為の処罰及び海賊行為への対処に関する法律（平成二十一年法律第五十五号）第二条第四号に係る海賊行為に係る同法第三条第一項（人質強要に係る海賊行為）又は第四条（人質強要に係る海賊行為致死傷）の罪

③ 前項の規定にかかわらず、次の各号のいずれかに該当するときは、犯罪被害財産（第一項各号に掲げる財産の一部が犯罪被害財産である場合における当該部分を含む。以下この項において同じ。）を没収することができる。

一　前項各号に掲げる罪の犯罪行為が、団体の活動として、当該犯罪行為を実行するための組織により行われたもの、又は第三条第二項に規定する目的で行われたものであるとき、その他犯罪の性質に照らし、前項各号に掲げる罪の犯罪行為により受けた被害の回復に関し、犯人に対する損害賠償請求権その他の請求権の行使が困難であると認められるとき。

二　当該犯罪被害財産について、その取得若しくは処分若しくは発生の原因につき事実を仮装し、又は当該犯罪被害財産を隠匿する行為が行われたとき。

三　当該犯罪被害財産について、情を知って、これを収受する行為が行われたとき。

④ 次に掲げる財産は、これを没収する。ただし、第九条第一項から第三項までの罪が薬物犯罪収益又はその保有若しくは処分に基づき得た財産とこれらの財産以外の財産とが混和した財産に係る場合において、これらの罪につき次に掲げる財産の全部を没収することが相当でないと認められるときは、その一部を没収することができる。

一　第九条第一項の罪に係る株主等の地位に係る株式又は持分であって、薬物不法収益等を用いることにより取得されたもの

二　第九条第二項又は第三項の罪に係る債権であって、薬物不法収益等を用いることにより取得されたもの（当該債権がその取得に用いられた薬物不法収益等である財産の返還を目的とするものであるときは、当該薬物不法収益等）

三　薬物不法収益等を用いた第九条第一項から第三項までの犯罪行為により得た財産又は当該犯罪行為の報酬として得た財産

四　前三号の財産の果実として得た財産、前三号の財産の対価として得た財産、これらの財産の対価として得た財産その他前三号の財産の保有又は処分に基づき得た財産

⑤ 前項の規定により没収すべき財産について、当該財産の性質、その使用の状況、当該財産に関する犯人以外の者の権利の有無その他の事情からこれを没収することが相当でないと認められるときは、同項の規定にかかわらず、これを没収しないことができる。

（犯罪収益等が混和した財産の没収等）

第一四条　前条第一項各号又は第四項各号に掲げる財産（以下「不法財産」という。）が不法財産以外の財産と混和した場合において、当該不法財産を没収すべきときは、当該混和により生じた財産（次条第一項において「混和財産」という。）のうち当該不法財産（当該混和に係る部分に限る。）の額又は数量に相当する部分を没収することができる。

（没収の要件等）

第一五条①　第十三条の規定による没収は、不法財産又は混和財産が犯人以外の者に帰属しない場合に限る。ただし、犯人以外の者が、犯罪の後情を知って当該不法財産又は混和財産を取得した場合（法令上の義務の履行として提供されたものを収受した場合又は契約（債権者において相当の財産上の利益を提供すべきものに限る。）の時に当該契約に係る債務の履行が不法財産若しくは混和財産によって行われることの情を知らないでした当該契約に係る債務の履行として提供されたものを収受した場合を除く。）は、当該不法財産又は混和財産が犯人以外の者に帰属する場合であっても、これを没収することができる。

② 地上権、抵当権その他の権利がその上に存在する財産を第十三条の規定により没収する場合において、犯人以外の者が犯罪の前に当該権利を取得したとき、又は犯人以外の者が犯罪の後情を知らないで当該権利を取得したときは、これを存続させるものとする。

（追徴）

第一六条①　第十三条第一項各号に掲げる財産を没収することができないとき、又は当該財産の性質、その使用の状況、当該財産に関する犯人以外の者の権利の有無その他の事情からこれを没収することが相当でないと認められるときは、その価額を犯人から追徴することができる。ただし、当該財産が犯罪被害財産であるときは、この限りでない。

② 前項ただし書の規定にかかわらず、第十三条第三項各号のいずれかに該当するときは、その犯罪被害財産の価額を犯人から

追徴することができる。

③ 第十三条第四項の規定により没収すべき財産を没収することができないとき、又は同条第五項の規定によりこれを没収しないときは、その価額を犯人から追徴する。

（両罰規定）

第一七条 法人の代表者又は法人若しくは人の代理人、使用人その他の従業者が、その法人又は人の業務に関して第九条第一項から第三項まで、第十条又は第十一条の罪を犯したときは、行為者を罰するほか、その法人又は人に対しても各本条の罰金刑を科する。

第三章 没収に関する手続等の特例

（第一八条から第二一条まで）（略）

第四章 保全手続

（第二二条から第五三条まで）（略）

第五章 削除

第五四条から第五八条まで 削除

第六章 没収及び追徴の裁判の執行及び保全についての国際共助手続等

（第五九条から第七四条まで）（略）

第七章 雑則

（第七五条及び第七六条）（略）

附 則（抄）

（施行期日）

第一条 この法律は、公布の日から起算して六月を超えない範囲内において政令で定める日（平成一二・二・一―平成一二政三八）から施行する。（後略）

別表（略）

刑法等の一部を改正する法律の施行に伴う関係法律整理法中経過規定

（令和四・六・一七法六八）（抄）

（刑法の同経過規定参照）

第四四一条から第四四三条まで

（組織的な犯罪の処罰及び犯罪収益の規制等に関する法律の一部改正に伴う経過措置）

第四八九条① 当分の間、第四十五条の規定による改正後の組織的な犯罪の処罰及び犯罪収益の規制等に関する法律（以下この条において「新組織的犯罪処罰法」という。）第二条第二項第一号イ中「拘禁刑」とあるのは「拘禁刑若しくは刑法等の一部を改正する法律（令和四年法律第六十七号）第二条の規定による改正前の刑法（明治四十年法律第四十五号。以下「旧刑法」という。）第十二条に規定する懲役（以下「懲役」という。）若しくは旧刑法第十三条に規定する禁錮（以下「禁錮」という。）の刑」と、新組織的犯罪処罰法第三条第一項第一号中「刑法（明治四十年法律第四十五号）」とあるのは「刑法」と、新組織的犯罪処罰法別表第一第十号イ中「拘禁刑」とあるのは「拘禁刑若しくは懲役若しくは禁錮の刑」とする。

② 刑法等一部改正法等（刑法等の一部を改正する法律（令和四法六七）及び刑法等の一部を改正する法律の施行に伴う関係法律の整理等に関する法律（令和四法六八））の施行前に計画をした犯罪を実行するための準備行為が刑法等一部改正法等の施行後に行われた場合における新組織的犯罪処罰法第六条の二第一項及び第二項の規定の適用については、その計画の時に無期の懲役又は禁錮の刑が定められていた罪に当たる行為はそれぞれ無期拘禁刑が定められている罪に当たる行為と、その計画の時に有期の懲役又は禁錮の刑が定められていた罪に当たる行為はそれぞれその罪について定めた刑と長期及び短期を同じくする有期拘禁刑が定められている罪に当たる行為とみなす。

③ 刑法等一部改正法等の施行前に懲役又は禁錮の刑が定められている罪に当たる行為が行われた場合において、刑法等一部改正法等の施行後に新組織的犯罪処罰法第七条第一項各号に掲げる行為が行われたときにおける同条の規定の適用については、懲役又は禁錮の刑が定められている罪に当たる行為は、それぞれ拘禁刑が定められている罪に当たる行為とみなす。

④ 刑法等一部改正法等の施行前に犯した懲役又は禁錮の刑が定められている罪に係る自己又は他人の刑事事件に関し、刑法等一部改正法等の施行後に新組織的犯罪処罰法第七条の二第一項に規定する行為が行われた場合における同条第一項及び第二項（いずれも第一項第一号及び第二号（別表第一第十号イに係る部分に限る。）に係る部分に限る。）の規定の適用については、無期の懲役又は禁錮の刑が定められている罪はそれぞれ無期拘禁刑が定められている罪と、有期の懲役又は禁錮の刑が定められている罪はそれぞれその罪について定めた刑と長期及び短期を同じくする有期拘禁刑が定められている罪とみなす。

第五〇九条 （刑法の同経過規定参照）

刑法等の一部を改正する法律の施行に伴う関係法律整理法

附 則（令和四・六・一七法六八）（抄）

（施行期日）

① この法律は、刑法等一部改正法（刑法等の一部を改正する法律（令和四法六七））施行日（令和七・六・一）から施行する。ただし、次の各号に掲げる規定は、当該各号に定める日から施行する。

一 第五百九条の規定 公布の日

二 （略）

○航空機の強取等の処罰に関する法律（昭和四五・五・一八 法 六 八）

施行 昭和四五・六・七（附則参照）
最終改正 令和四法六八

（航空機の強取等）
第一条① 暴行若しくは脅迫を用い、又はその他の方法により人を抵抗不能の状態に陥れて、航行中の航空機を強取し、又はほしいままにその運航を支配した者は、無期又は七年以上の拘禁刑に処する。
② 前項の未遂罪は、罰する。

（航空機強取等致死）
第二条 前条の罪を犯し、よつて人を死亡させた者は、死刑又は無期拘禁刑に処する。

（航空機強取等予備）
第三条 第一条第一項の罪を犯す目的で、その予備をした者は、三年以下の拘禁刑に処する。ただし、実行に着手する前に自首した者は、その刑を減軽し、又は免除する。

（航空機の運航阻害）
第四条 偽計又は威力を用いて、航行中の航空機の針路を変更させ、その他その正常な運航を阻害した者は、一年以上十年以下の拘禁刑に処する。

（国外犯）
第五条 前四条の罪は、刑法（明治四十年法律第四十五号）第二条の例に従う。

附 則（抄）

① この法律は、公布の日から起算して二十日を経過した日（昭和四五・六・七）から施行する。

刑法等の一部を改正する法律の施行に伴う関係法律整理法中経過規定（令和四・六・一七法六八）（抄）

第四四一条から第四四三条まで（刑法の同経過規定参照）

第五〇九条（刑法の同経過規定参照）

刑法等の一部を改正する法律の施行に伴う関係法律整理法

附 則（令和四・六・一七法六八）（抄）

（施行期日）
① この法律は、刑法等一部改正法（刑法等の一部を改正する法律（令和四法六七））施行日（令和七・六・一）から施行する。ただし、次の各号に掲げる規定は、当該各号に定める日から施行する。
一 第五百九条の規定 公布の日
二 （略）

＊人の健康に係る公害犯罪の処罰に関する法律（抜粋）（昭和四五・一二・二五 法 一 四 二）

最終改正 令和四法六八

（故意犯）
第二条① 工場又は事業場における事業活動に伴つて人の健康を害する物質（身体に蓄積した場合に人の健康を害することとなる物質を含む。以下同じ。）を排出し、公衆の生命又は身体に危険を生じさせた者は、三年以下の拘禁刑又は三百万円以下の罰金に処する。
② 前項の罪を犯し、よつて人を死傷させた者は、七年以下の拘禁刑又は五百万円以下の罰金に処する。

（過失犯）
第三条① 業務上必要な注意を怠り、工場又は事業場における事業活動に伴つて人の健康を害する物質を排出し、公衆の生命又は身体に危険を生じさせた者は、二年以下の拘禁刑又は二百万円以下の罰金に処する。
② 前項の罪を犯し、よつて人を死傷させた者は、五年以下の拘禁刑又は三百万円以下の罰金に処する。

（両罰）
第四条 法人の代表者又は法人若しくは人の代理人、使用人その他の従業者が、その法人又は人の業務に関して前二条の罪を犯したときは、行為者を罰するほか、その法人又は人に対して各本条の罰金刑を科する。

（推定）
第五条 工場又は事業場における事業活動に伴い、当該排出物質のみによつても公衆の生命又は身体に危険が生じうる程度に人の健康を害する物質を排出した者がある場合において、その排出によりそのような危険が生じうる地域内に同種の物質による公衆の生命又は身体の危険が生じているときは、その危険は、その者の排出した物質によつて生じたものと推定する。

（公訴の時効期間）
第六条 第四条の規定により法人又は人に罰金刑を科する場合における時効の期間は、各本条の罪についての時効の期間による。

*不正アクセス行為の禁止等に関する法律（抜粋）（平成一一・八・一三 法 一二八）

最終改正　令和四法六八

（定義）

第二条① この法律において「アクセス管理者」とは、電気通信回線に接続している電子計算機（以下「特定電子計算機」という。）の利用（当該電気通信回線を通じて行うものに限る。以下「特定利用」という。）につき当該特定電子計算機の動作を管理する者をいう。

② この法律において「識別符号」とは、特定電子計算機の特定利用をすることについて当該特定利用に係るアクセス管理者の許諾を得た者（以下「利用権者」という。）及び当該アクセス管理者（以下この項において「利用権者等」という。）に、当該アクセス管理者において当該利用権者等を他の利用権者等と区別して識別することができるように付される符号であって、次のいずれかに該当するもの又は次のいずれかに該当する符号とその他の符号を組み合わせたものをいう。

一 当該アクセス管理者によってその内容をみだりに第三者に知らせてはならないものとされている符号

二 当該利用権者等の身体の全部若しくは一部の影像又は音声を用いて当該アクセス管理者が定める方法により作成される符号

三 当該利用権者等の署名を用いて当該アクセス管理者が定める方法により作成される符号

③ この法律において「アクセス制御機能」とは、特定電子計算機の特定利用を自動的に制御するために当該特定利用に係るアクセス管理者によって当該特定電子計算機又は当該特定電子計算機に電気通信回線を介して接続された他の特定電子計算機に付加されている機能であって、当該特定利用をしようとする者により当該機能を有する特定電子計算機に入力された符号が当該特定利用に係る識別符号（識別符号を用いて当該アクセス管理者の定める方法により作成される符号と当該識別符号の一部を組み合わせた符号を含む。次項第一号及び第二号において同じ。）であることを確認して、当該特定利用の制限の全部又は一部を解除するものをいう。

④ この法律において「不正アクセス行為」とは、次の各号のいずれかに該当する行為をいう。

一 アクセス制御機能を有する特定電子計算機に電気通信回線を通じて当該アクセス制御機能に係る他人の識別符号を入力して当該特定電子計算機を作動させ、当該アクセス制御機能により制限されている特定利用をし得る状態にさせる行為（当該アクセス制御機能を付加したアクセス管理者がするもの及び当該アクセス管理者又は当該識別符号に係る利用権者の承諾を得てするものを除く。）

二 アクセス制御機能を有する特定電子計算機に電気通信回線を通じて当該アクセス制御機能による特定利用の制限を免れることができる情報（識別符号であるものを除く。）又は指令を入力して当該特定電子計算機を作動させ、その制限されている特定利用をし得る状態にさせる行為（当該アクセス制御機能を付加したアクセス管理者がするもの及び当該アクセス管理者の承諾を得てするものを除く。次号において同じ。）

三 電気通信回線を介して接続された他の特定電子計算機が有するアクセス制御機能によりその特定利用を制限されている特定電子計算機に電気通信回線を通じてその制限を免れることができる情報又は指令を入力して当該特定電子計算機を作動させ、その制限されている特定利用をし得る状態にさせる行為

（不正アクセス行為の禁止）

第三条 何人も、不正アクセス行為をしてはならない。

（他人の識別符号を不正に取得する行為の禁止）

第四条 何人も、不正アクセス行為（第二条第四項第一号に該当するものに限る。第六条及び第十二条第二号において同じ。）の用に供する目的で、アクセス制御機能に係る他人の識別符号を取得してはならない。

（不正アクセス行為を助長する行為の禁止）

第五条 何人も、業務その他正当な理由による場合を除いては、アクセス制御機能に係る他人の識別符号を、当該アクセス制御機能に係るアクセス管理者及び当該識別符号に係る利用権者以外の者に提供してはならない。

（他人の識別符号を不正に保管する行為の禁止）

第六条 何人も、不正アクセス行為の用に供する目的で、不正に取得されたアクセス制御機能に係る他人の識別符号を保管してはならない。

（識別符号の入力を不正に要求する行為の禁止）

第七条 何人も、アクセス制御機能を特定電子計算機に付加したアクセス管理者になりすまし、その他当該アクセス管理者であると誤認させて、次に掲げる行為をしてはならない。ただし、当該アクセス管理者の承諾を得てする場合は、この限りでない。

一 当該アクセス管理者が当該アクセス制御機能に係る識別符号を付された利用権者に対し当該識別符号を特定電子計算機に入力することを求める旨の情報を、電気通信回線に接続して行う自動公衆送信（公衆によって直接受信されることを目的として公衆からの求めに応じ自動的に送信を行うことをいい、放送又は有線放送に該当するものを除く。）を利用して公衆が閲覧することができる状態に置く行為

二 当該アクセス管理者が当該アクセス制御機能に係る識別符号を付された利用権者に対し当該識別符号を特定電子計算機に入力することを求める旨の情報を、電子メール（特定電子メールの送信の適正化等に関する法律（平成十四年法律第二十六号）第二条第一号に規定する電子メールをいう。）により当該利用権者に送信する行為

（罰則）

第一一条 第三条の規定に違反した者は、三年以下の拘禁刑又は百万円以下の罰金に処する。

第一二条 次の各号のいずれかに該当する者は、一年以下の拘禁刑又は五十万円以下の罰金に処する。

一 第四条の規定に違反した者

二 第五条の規定に違反して、相手方に不正アクセス行為の用に供する目的があることの情を知ってアクセス制御機能に係る他人の識別符号を提供した者

三 第六条の規定に違反した者

四 第七条の規定に違反した者

五 第九条第三項の規定に違反した者

第一三条 第五条の規定に違反した者（前条第二号に該当する者を除く。）は、三十万円以下の罰金に処する。

第一四条 第十一条及び第十二条第一号から第三号までの罪は、刑法（明治四十年法律第四十五号）第四条の二の例に従う。

○公職にある者等のあっせん行為による利得等の処罰に関する法律（平成一二・一一・二九 法一三〇）

施行　平成一三・三・一（附則参照）
最終改正　令和四法六八

（公職者あっせん利得）
第一条① 衆議院議員、参議院議員又は地方公共団体の議会の議員若しくは長（以下「公職にある者」という。）が、国若しくは地方公共団体が締結する売買、貸借、請負その他の契約又は特定の者に対する行政庁の処分に関し、請託を受けて、その権限に基づく影響力を行使して公務員にその職務上の行為をさせるように、又はさせないようにあっせんをすること又はしたことにつき、その報酬として財産上の利益を収受したときは、三年以下の拘禁刑に処する。

② 公職にある者が、国又は地方公共団体が資本金の二分の一以上を出資している法人が締結する売買、貸借、請負その他の契約に関し、請託を受けて、その権限に基づく影響力を行使して当該法人の役員又は職員にその職務上の行為をさせるように、又はさせないようにあっせんをすること又はしたことにつき、その報酬として財産上の利益を収受したときも、前項と同様とする。

（議員秘書あっせん利得）
第二条① 衆議院議員又は参議院議員の秘書（国会法（昭和二十二年法律第七十九号）第百三十二条に規定する秘書その他衆議院議員又は参議院議員に使用される者で当該衆議院議員又は当該参議院議員の政治活動を補佐するものをいう。以下同じ。）が、国若しくは地方公共団体が締結する売買、貸借、請負その他の契約又は特定の者に対する行政庁の処分に関し、請託を受けて、当該衆議院議員又は当該参議院議員の権限に基づく影響力を行使して公務員にその職務上の行為をさせるように、又はさせないようにあっせんをすること又はしたことにつき、その報酬として財産上の利益を収受したときは、二年以下の拘禁刑に処する。

② 衆議院議員又は参議院議員の秘書が、国又は地方公共団体が資本金の二分の一以上を出資している法人が締結する売買、貸借、請負その他の契約に関し、請託を受けて、当該衆議院議員又は当該参議院議員の権限に基づく影響力を行使して当該法人の役員又は職員にその職務上の行為をさせるように、又はさせないようにあっせんをすること又はしたことにつき、その報酬として財産上の利益を収受したときも、前項と同様とする。

（没収及び追徴）
第三条 前二条の場合において、犯人が収受した財産上の利益は、没収する。その全部又は一部を没収することができないときは、その価額を追徴する。

（利益供与）
第四条 第一条又は第二条の財産上の利益を供与した者は、一年以下の拘禁刑又は二百五十万円以下の罰金に処する。

（国外犯）
第五条 第一条及び第二条の規定は、日本国外においてこれらの条の罪を犯した者にも適用する。

（適用上の注意）
第六条 この法律の適用に当たっては、公職にある者の政治活動を不当に妨げることのないように留意しなければならない。

附　則（抄）

（施行期日）
① この法律は、公布の日から起算して三月を経過した日（平成一三・三・一）から施行する。

刑法等の一部を改正する法律の施行に伴う関係法律整理法（令和四・六・一七法六八）（抄）
中経過規定

第四四一条から第四四三条まで　（刑法の同経過規定参照）
第五〇九条　（刑法の同経過規定参照）

附　則（令和四・六・一七法六八）（抄）
刑法等の一部を改正する法律の施行に伴う関係法律整理法

（施行期日）
① この法律は、刑法等一部改正法（刑法等の一部を改正する法律（令和四法六七））施行日（令和七・六・一）から施行する。ただし、次の各号に掲げる規定は、当該各号に定める日から施行する。
一　第五百九条の規定　公布の日
二　（略）

○爆発物取締罰則（明治一七・一二・二七 太告 三二）

最終改正　令和四法六八

第一条【爆発物使用】 治安ヲ妨ケ又ハ人ノ身体財産ヲ害セントスルノ目的ヲ以テ爆発物ヲ使用シタル者及ヒ人ヲシテ之ヲ使用セシメタル者ハ死刑又ハ無期若クハ七年以上ノ拘禁刑ニ処ス

第二条【使用未遂】 前条ノ目的ヲ以テ爆発物ヲ使用セントスルノ際発覚シタル者ハ無期又ハ五年以上ノ拘禁刑ニ処ス

第三条【製造・輸入・所持・注文】 第一条ノ目的ヲ以テ爆発物若クハ其使用ニ供ス可キ器具ヲ製造輸入所持シ又ハ注文ヲ為シタル者ハ三年以上十年以下ノ拘禁刑ニ処ス

第四条【脅迫・教唆・扇動・共謀】 第一条ノ罪ヲ犯サントシテ脅迫教唆煽動ニ止ル者及ヒ共謀ニ止ル者ハ三年以上十年以下ノ拘禁刑ニ処ス

第五条【幇助のための製造・輸入等】 第一条ニ記載シタル犯罪者ノ為メ情ヲ知テ爆発物若クハ其使用ニ供ス可キ器具ヲ製造輸入販売譲与寄蔵シ及ヒ其約束ヲ為シタル者ハ三年以上十年以下ノ拘禁刑ニ処ス

第六条【挙証責任】 爆発物ヲ製造輸入所持シ又ハ注文ヲ為シタル者第一条ニ記載シタル犯罪ノ目的ニアラサルコトヲ証明スルコト能ハサル時ハ六月以上五年以下ノ拘禁刑ニ処ス

第七条【爆発物告知義務】 爆発物ヲ発見シタル者ハ直ニ警察官吏ニ告知ス可シ違フ者ハ百円以下ノ罰金ニ処ス

第八条【犯罪告知義務】 第一条乃至第五条ノ犯罪アルコトヲ認知シタル時ハ直ニ警察官吏若クハ危害ヲ被ムラントスル人ニ告知ス可シ違フ者ハ五年以下ノ拘禁刑ニ処ス

第九条【犯人蔵匿・隠避・罪証隠滅】 第一条乃至第五条ノ犯罪者ヲ蔵匿シ若クハ隠避セシメ又ハ其罪証ヲ湮滅シタル者ハ十年以下ノ拘禁刑ニ処ス

第一〇条【国外犯】 第一条乃至第六条ノ罪ハ刑法（明治四十年法律第四十五号）第四条の二ノ例ニ従フ

第一一条【自首】 第一条ニ記載シタル犯罪ノ予備陰謀ヲ為シタル者ト雖モ未タ其事ヲ行ハサル前ニ於テ官ニ自首シ因テ危害ヲ為スニ至ラサル時ハ其刑ヲ免除ス第五条ニ記載シタル犯罪者モ亦同シ

第一二条【刑法との比照】 本則ニ記載シタル犯罪刑法ニ照シ仍ホ重キ者ハ重キニ従テ処断ス

刑法等の一部を改正する法律の施行に伴う関係法律整理法
中経過規定

（令和四・六・一七法六八）（抄）

第四四一条から第四四三条まで　（刑法の同経過規定参照）

第五〇九条　（刑法の同経過規定参照）

刑法等の一部を改正する法律の施行に伴う関係法律整理法

附　則　（令和四・六・一七法六八）（抄）

（施行期日）

①　この法律は、刑法等一部改正法（刑法等の一部を改正する法律（令和四法六七））施行日（令和七・六・一）から施行する。ただし、次の各号に掲げる規定は、当該各号に定める日から施行する。

一　第五百九条の規定　公布の日

二　（略）

○暴力行為等処罰ニ関スル法律　（大正一五・四・一〇 法　六　）

施行　大正一五・四・三〇
最終改正　令和四法六八

第一条【集団的暴行・脅迫・毀棄】　団体若ハ多衆ノ威力ヲ示シ、団体若ハ多衆ヲ仮装シテ威力ヲ示シ又ハ兇器ヲ示シ若ハ数人共同シテ刑法（明治四十年法律第四十五号）第二百八条、第二百二十二条又ハ第二百六十一条ノ罪ヲ犯シタル者ハ三年以下ノ拘禁刑又ハ三十万円以下ノ罰金ニ処ス

第一条ノ二【加重傷害】　①銃砲若ハクロスボウ又ハ刀剣類ヲ用ヒテ人ノ身体ヲ傷害シタル者ハ一年以上十五年以下ノ拘禁刑ニ処ス

②前項ノ未遂罪ハ之ヲ罰ス

③前二項ノ罪ハ刑法第三条、第三条の二及第四条の二ノ例ニ従フ

第一条ノ三【常習的傷害・暴行・脅迫・毀棄】　①常習トシテ刑法第二百四条、第二百八条、第二百二十二条又ハ第二百六十一条ノ罪ヲ犯シタル者人ヲ傷害シタルモノナルトキハ一年以上十五年以下ノ拘禁刑ニ処シ其ノ他ノ場合ニ在リテハ三月以上五年以下ノ拘禁刑ニ処ス

②前項（刑法第二百四条ニ係ル部分ヲ除ク）ノ罪ハ同法第四条の二ノ例ニ従フ

第二条【集団的、常習的面会強請・強談威迫】　①財産上不正ノ利益ヲ得又ハ得シムル目的ヲ以テ第一条ノ方法ニ依リ面会ヲ強請シ又ハ強談威迫ノ行為ヲ為シタル者ハ一年以下ノ拘禁刑又ハ十万円以下ノ罰金ニ処ス

②常習トシテ故ナク面会ヲ強請シ又ハ強談威迫ノ行為ヲ為シタル者ノ罰亦前項ニ同シ

第三条【集団犯罪等の請託】　①第一条ノ方法ニ依リ刑法第百九十九条、第二百四条、第二百八条、第二百二十二条、第二百二十三条、第二百三十四条、第二百六十条又ハ第二百六十一条ノ罪ヲ犯サシムル目的ヲ以テ金品其ノ他ノ財産上ノ利益若ハ職務ヲ供与シ又ハ其ノ申込若ハ約束ヲ為シタル者及情ヲ知リテ供与ヲ受ケ又ハ其ノ要求若ハ約束ヲ為シタル者ハ六月以下ノ拘禁刑又ハ十万円以下ノ罰金ニ処ス

②第一条ノ方法ニ依リ刑法第九十五条ノ罪ヲ犯サシムル目的ヲ以テ前項ノ行為ヲ為シタル者ハ六月以下ノ拘禁刑又ハ十万円以下ノ罰金ニ処ス

刑法等の一部を改正する法律の施行に伴う関係法律整理法中経過規定　（令和四・六・一七法六八）（抄）

第四四一条から第四四三条まで　（刑法の同経過規定参照）

第五〇九条　（刑法の同経過規定参照）

刑法等の一部を改正する法律の施行に伴う関係法律整理法

附　則　（令和四・六・一七法六八）（抄）

（施行期日）

①　この法律は、刑法等一部改正法（刑法等の一部を改正する法律（令和四法六七））施行日（令和七・六・一）から施行する。ただし、次の各号に掲げる規定は、当該各号に定める日から施行する。

一　第五百九条の規定　公布の日

二　（略）

●自動車の運転により人を死傷させる行為等の処罰に関する法律

（平成二五・一一・二七　法　八　六）

施行　平成二六・五・二〇（平成二六政一六五）
改正　令和二法四七、令和四法六八、令和五法五六

（定義）

第一条① この法律において「自動車」とは、道路交通法（昭和三十五年法律第百五号）第二条第一項第九号に規定する自動車及び同項第十号に規定する原動機付自転車をいう。

② この法律において「無免許運転」とは、法令の規定による運転の免許を受けている者又は道路交通法第百七条の二の規定により国際運転免許証若しくは外国運転免許証で運転することができるとされている者でなければ運転することができないこととされている自動車を当該免許を受けないで（法令の規定により当該免許の効力が停止されている場合を含む。）又は当該国際運転免許証若しくは外国運転免許証を所持しないで（同法第八十八条第一項第二号から第四号までのいずれかに該当する場合又は本邦に上陸（住民基本台帳法（昭和四十二年法律第八十一号）に基づき住民基本台帳に記録されている者が出入国管理及び難民認定法（昭和二十六年政令第三百十九号）第六十条第一項の規定による出国の確認、同法第二十六条第一項の規定による再入国の許可（同法第二十六条の二第一項（日本国との平和条約に基づき日本の国籍を離脱した者等の出入国管理に関する特例法（平成三年法律第七十一号）第二十三条第二項において準用する場合を含む。）の規定により出入国管理及び難民認定法第二十六条第一項の規定による再入国の許可を受けたものとみなされる場合を含む。）又は出入国管理及び難民認定法第六十一条の二の十五第一項の規定による難民旅行証明書の交付を受けて出国し、当該出国の日から三月に満たない期間内に再び本邦に上陸した場合における当該上陸を除く。）をした日から起算して滞在期間が一年を超えている場合を含む。）、道路（道路交通法第二条第一項第一号に規定する道路をいう。）において、運転することをいう。

（危険運転致死傷）

第二条 次に掲げる行為を行い、よって、人を負傷させた者は十五年以下の拘禁刑に処し、人を死亡させた者は一年以上の有期拘禁刑に処する。

一 アルコール又は薬物の影響により正常な運転が困難な状態で自動車を走行させる行為

二 その進行を制御することが困難な高速度で自動車を走行させる行為

三 その進行を制御する技能を有しないで自動車を走行させる行為

四 人又は車の通行を妨害する目的で、走行中の自動車の直前に進入し、その他通行中の人又は車に著しく接近し、かつ、重大な交通の危険を生じさせる速度で自動車を運転する行為

五 車の通行を妨害する目的で、走行中の車（重大な交通の危険が生じることとなる速度で走行中のものに限る。）の前方で停止し、その他これに著しく接近することとなる方法で自動車を運転する行為

六 高速自動車国道（高速自動車国道法（昭和三十二年法律第七十九号）第四条第一項に規定する道路をいう。）又は自動車専用道路（道路法（昭和二十七年法律第百八十号）第四十八条の四に規定する自動車専用道路をいう。）において、自動車の通行を妨害する目的で、走行中の自動車の前方で停止し、その他これに著しく接近することとなる方法で自動車を運転することにより、走行中の自動車に停止又は徐行（自動車が直ちに停止することができるような速度で進行することをいう。）をさせる行為

七 赤色信号又はこれに相当する信号を殊更に無視し、かつ、重大な交通の危険を生じさせる速度で自動車を運転する行為

八 通行禁止道路（道路標識若しくは道路標示により、又はその他法令の規定により自動車の通行が禁止されている道路又はその部分であって、これを通行することが人又は車に交通の危険を生じさせるものとして政令で定めるものをいう。）を進行し、かつ、重大な交通の危険を生じさせる速度で自動車を運転する行為

第三条① アルコール又は薬物の影響により、その走行中に正常な運転に支障が生じるおそれがある状態で、自動車を運転し、よって、そのアルコール又は薬物の影響により正常な運転が困難な状態に陥り、人を負傷させた者は十二年以下の拘禁刑に処し、人を死亡させた者は十五年以下の拘禁刑に処する。

② 自動車の運転に支障を及ぼすおそれがある病気として政令で定めるものの影響により、その走行中に正常な運転に支障が生じるおそれがある状態で、自動車を運転し、よって、その病気の影響により正常な運転が困難な状態に陥り、人を死傷させた者も、前項と同様とする。

注　第二項の「自動車の運転に支障を及ぼすおそれがある病気」を定める政令

自動車の運転により人を死傷させる行為等の処罰に関する法律施行令（平成二六・四・二三政一六六）（抜粋）

（**自動車の運転に支障を及ぼすおそれがある病気**）

第三条 法第三条第二項の政令で定める病気は、次に掲げるものとする。

一 自動車の安全な運転に必要な認知、予測、判断又は操作のいずれかに係る能力を欠くこととなるおそれがある症状を呈する統合失調症

二 意識障害又は運動障害をもたらす発作が再発するおそれがあるてんかん（発作が睡眠中に限り再発するものを除く。）

三 再発性の失神（脳全体の虚血により一過性の意識障害をもたらす病気であって、発作が再発するおそれがあるものをいう。）

四 自動車の安全な運転に必要な認知、予測、判断又は操作のいずれかに係る能力を欠くこととなるおそれがある症状を呈する低血糖症

五 自動車の安全な運転に必要な認知、予測、判断又は操作のいずれかに係る能力を欠くこととなるおそれがある症状を呈するそう鬱病（そう病及び鬱病を含む。）

六 重度の眠気の症状を呈する睡眠障害

（過失運転致死傷アルコール等影響発覚免脱）

第四条 アルコール又は薬物の影響によりその走行中に正常な運転に支障が生じるおそれがある状態で自動車を運転した者が、運転上必要な注意を怠り、よって人を死傷させた場合において、その運転の時のアルコール又は薬物の影響の有無又は程度が発覚することを免れる目的で、更にアルコール又は薬物を摂取すること、その場を離れて身体に保有するアルコール又は薬物の濃度を減少させることその他その影響の有無又は程度が発覚することを免れるべき行為をしたときは、十二年以下の拘禁刑に処する。

（過失運転致死傷）

第五条 自動車の運転上必要な注意を怠り、よって人を死傷させた者は、七年以下の拘禁刑又は百万円以下の罰金に処する。ただし、その傷害が軽いときは、情状により、その刑を免除することができる。

（無免許運転による加重）

第六条① 第二条（第三号を除く。）の罪を犯した者（人を負傷させた者に限る。）が、その罪を犯した時に無免許運転をしたものであるときは、六月以上の有期拘禁刑に処する。

② 第三条の罪を犯した者が、その罪を犯した時に無免許運転を

したものであるときは、人を負傷させた者は十五年以下の拘禁刑に処し、人を死亡させた者は六月以上の有期拘禁刑に処する。

③ 第四条の罪を犯した者が、その罪を犯した時に無免許運転をしたものであるときは、十五年以下の拘禁刑に処する。

④ 前条の罪を犯した者が、その罪を犯した時に無免許運転をしたものであるときは、十年以下の拘禁刑に処する。

附 則 （抄）

（施行期日）

第一条 この法律は、公布の日から起算して六月を超えない範囲内において政令で定める日（平成二六・五・二〇―平成二六政一六五）から施行する。

（罰則の適用等に関する経過措置）

第一四条 この法律の施行前にした行為に対する罰則の適用については、なお従前の例による。

刑法等の一部を改正する法律の施行に伴う関係法律整理法中経過規定 （令和四・六・一七法六八）（抄）

第四四一条から第四四三条まで （刑法の同経過規定参照）

第五〇九条 （刑法の同経過規定参照）

刑法等の一部を改正する法律の施行に伴う関係法律整理法 附 則 （令和四・六・一七法六八）（抄）

（施行期日）

① この法律は、刑法等一部改正法（刑法等の一部を改正する法律（令和四法六七））施行日（令和七・六・一）から施行する。ただし、次の各号に掲げる規定は、当該各号に定める日から施行する。

一 第五百九条の規定　公布の日

二 （略）

○人質による強要行為等の処罰に関する法律

（昭和五三・五・一六 法 四 八）

施行　昭和五三・六・五（附則参照）
最終改正　令和四法六八

（人質による強要等）

第一条① 人を逮捕し、又は監禁し、これを人質にして、第三者に対し、義務のない行為をすること又は権利を行わないことを要求した者は、六月以上十年以下の拘禁刑に処する。

② 第三者に対して義務のない行為をすること又は権利を行わないことを要求するための人質にする目的で、人を逮捕し、又は監禁した者も、前項と同様とする。

③ 前項の未遂罪は、罰する。

（加重人質強要）

第二条 二人以上共同して、かつ、凶器を示して人を逮捕し、又は監禁した者が、これを人質にして、第三者に対し、義務のない行為をすること又は権利を行わないことを要求したときは、無期又は五年以上の拘禁刑に処する。

第三条 航空機の強取等の処罰に関する法律（昭和四十五年法律第六十八号）第一条第一項の罪を犯した者が、当該航空機内にある者を人質にして、第三者に対し、義務のない行為をすること又は権利を行わないことを要求したときは、無期又は十年以上の拘禁刑に処する。

（人質殺害）

第四条① 第二条又は前条の罪を犯した者が、人質にされている者を殺したときは、死刑又は無期拘禁刑に処する。

② 前項の未遂罪は、罰する。

（国外犯）

第五条 第一条の罪は刑法（明治四十年法律第四十五号）第三条、第三条の二及び第四条の二の例に、前三条の罪は同法第二条の例に従う。

附 則 （抄）

（施行期日）

① この法律は、公布の日から起算して二十日を経過した日（昭和五三・六・五）から施行する。

刑法等の一部を改正する法律の施行に伴う関係法律整理法中経過規定 （令和四・六・一七法六八）（抄）

第四四一条から第四四三条まで （刑法の同経過規定参照）

第五〇九条 （刑法の同経過規定参照）

刑法等の一部を改正する法律の施行に伴う関係法律整理法 附 則 （令和四・六・一七法六八）（抄）

（施行期日）

① この法律は、刑法等一部改正法（刑法等の一部を改正する法律（令和四法六七））施行日（令和七・六・一）から施行する。ただし、次の各号に掲げる規定は、当該各号に定める日から施行する。

一 第五百九条の規定　公布の日

二 （略）

○盗犯等ノ防止及処分ニ関スル法律（昭和五・五・二二 法 九）

施行 昭和五・六・一一
最終改正 令和四法六八

第一条【正当防衛の特則】 ①左ノ各号ノ場合ニ於テ自己又ハ他人ノ生命、身体又ハ貞操ニ対スル現在ノ危険ヲ排除スル為犯人ヲ殺傷シタルトキハ刑法第三十六条第一項ノ防衛行為アリタルモノトス

一 盗犯ヲ防止シ又ハ盗贓ヲ取還セントスルトキ
二 兇器ヲ携帯シテ又ハ門戸牆壁等ヲ踰越損壊シ若ハ鎖鑰ヲ開キテ人ノ住居又ハ人ノ看守スル邸宅、建造物若ハ船舶ニ侵入スル者ヲ防止セントスルトキ
三 故ナク人ノ住居又ハ人ノ看守スル邸宅、建造物若ハ船舶ニ侵入シタル者又ハ要求ヲ受ケテ此等ノ場所ヨリ退去セザル者ヲ排斥セントスルトキ

②前項各号ノ場合ニ於テ自己又ハ他人ノ生命、身体又ハ貞操ニ対スル現在ノ危険アルニ非ズト雖モ行為者恐怖、驚愕、興奮又ハ狼狽ニ因リ現場ニ於テ犯人ヲ殺傷スルニ至リタルトキハ之ヲ罰セズ

第二条【常習特殊強窃盗】 常習トシテ左ノ各号ノ方法ニ依リ刑法第二百三十五条、第二百三十六条、第二百三十八条若ハ第二百三十九条ノ罪又ハ其ノ未遂罪ヲ犯シタル者ニ対シ窃盗ヲ以テ論ズベキトキハ三年以上、強盗ヲ以テ論ズベキトキハ七年以上ノ有期拘禁刑ニ処ス

一 兇器ヲ携帯シテ犯シタルトキ
二 二人以上現場ニ於テ共同シテ犯シタルトキ
三 門戸牆壁等ヲ踰越損壊シ又ハ鎖鑰ヲ開キ人ノ住居又ハ人ノ看守スル邸宅、建造物若ハ艦船ニ侵入シテ犯シタルトキ
四 夜間人ノ住居又ハ人ノ看守スル邸宅、建造物若ハ艦船ニ侵入シテ犯シタルトキ

第三条【常習累犯強窃盗】 常習トシテ前条ニ掲ゲタル刑法各条ノ罪又ハ其ノ未遂罪ヲ犯シタル者ニシテ其ノ行為前十年内ニ此等ノ罪又ハ此等ノ罪ト他ノ罪トノ併合罪ニ付三回以上六月ノ拘禁刑以上ノ刑ノ執行ヲ受ケ又ハ其ノ執行ノ免除ヲ得タルモノニ対シ刑ヲ科スベキトキハ前条ノ例ニ依ル

第四条【常習強盗傷人、常習強盗・不同意性交等】 常習トシテ刑法第二百四十条ノ罪（人ヲ傷シタルトキニ限ル）又ハ第二百四十一条第一項ノ罪ヲ犯シタル者ハ無期又ハ十年以上ノ拘禁刑ニ処ス

刑法等の一部を改正する法律の施行に伴う関係法律整理法中経過規定 （令和四・六・一七法六八）（抄）

第四四一条から第四四三条まで （刑法の同経過規定参照）

（盗犯等の防止及び処分に関する法律の一部改正に伴う経過措置）

第四七四条 懲役の執行を受け又はその執行の免除を得た者に対し刑を科すべき場合における第七条の規定による改正後の盗犯等の防止及び処分に関する法律第三条の規定の適用については、同条中「刑ノ」とあるのは、「刑若ハ六月ノ刑法等の一部を改正する法律（令和四年法律第六十七号）ニ依ル改正前ノ刑法第十二条ニ規定スル懲役以上ノ刑ノ」とする。

第五〇九条 （刑法の同経過規定参照）

刑法等の一部を改正する法律の施行に伴う関係法律整理法 附 則（令和四・六・一七法六八）（抄）

（施行期日）

① この法律は、刑法等一部改正法（刑法等の一部を改正する法律（令和四法六七））施行日（令和七・六・一）から施行する。ただし、次の各号に掲げる規定は、当該各号に定める日から施行する。

一 第五百九条の規定 公布の日
二 （略）

＊銃砲刀剣類所持等取締法（抜粋）（昭和三三・三・一〇 法 六）

最終改正　令和六法四八

（所持の禁止）

第三条① 何人も、次の各号のいずれかに該当する場合を除いては、銃砲若しくはクロスボウ（引いた弦を固定し、これを解放することによつて矢を発射する機構を有する弓のうち、内閣府令で定めるところにより測定した矢の運動エネルギーの値が、人の生命に危険を及ぼし得るものとして内閣府令で定める値以上となるものをいう。以下同じ。）（以下「銃砲等」という。）又は刀剣類を所持してはならない。

一　法令に基づき職務のため所持する場合

二―十五（略）

②―④（略）

（輸入の禁止）

第三条の四 何人も、次の各号のいずれかに該当する場合を除いては、拳銃、小銃若しくは機関銃又は砲（装薬銃砲であつて、武器等製造法第二条第一項に規定する武器に該当するものに限る。）（以下「拳銃等」という。）を輸入してはならない。

一―五（略）

（銃砲刀剣類等の一時保管等）

第二四条の二① 警察官は、銃砲刀剣類等を携帯し、又は運搬していると疑うに足りる相当な理由のある者が、異常な挙動その他周囲の事情から合理的に判断して他人の生命又は身体に危害を及ぼすおそれがあると認められる場合においては、銃砲刀剣類等であると疑われる物を提示させ、又はそれが隠されていると疑われる物を開示させて調べることができる。

② 警察官は、銃砲刀剣類等を携帯し、又は運搬している者が、異常な挙動その他周囲の事情から合理的に判断して他人の生命又は身体に危害を及ぼすおそれがあると認められる場合においては、その危害を防止するため必要があるときは、これを提出させて一時保管することができる。

③―⑪（略）

（警察官等による拳銃等の譲受け等）

第二七条の三 警察官又は海上保安官は、拳銃等、拳銃部品又は拳銃実包に関する犯罪の捜査に当たり、その所属官署の所在地を管轄する都道府県公安委員会の許可を受けて、この法律及び火薬類取締法の規定にかかわらず、何人からも、拳銃等若しくは拳銃部品を譲り受け、若しくは借り受け、又は拳銃実包を譲り受けることができる。

【罰則】

第三一条の二① 第三条の四の規定に違反したときは、当該違反行為をした者は、三年以上の有期拘禁刑に処する。

② 営利の目的で前項の違反行為をした者は、無期若しくは五年以上の拘禁刑又は無期若しくは五年以上の拘禁刑及び三千万円以下の罰金に処する。

③ 前二項の未遂罪は、罰する。

第三一条の三① 第三条第一項の規定に違反して拳銃等を所持し、又は人の生命、身体若しくは財産を害する目的で同項の規定に違反して銃砲等（拳銃等を除く。以下この項、第三十一条の五及び第三十一条の六において同じ。）を所持したときは、当該違反行為をした者は、一年以上十年以下の拘禁刑に処する。この場合において、当該拳銃等及び銃砲等の合計数が二以上であるときは、一年以上十五年以下の拘禁刑に処する。

② 前項の違反行為をした者が次の各号のいずれかに該当する場合には、当該違反行為をした者は、三年以上の有期拘禁刑に処する。

一　当該違反行為に係る装薬銃砲を、当該装薬銃砲に適合する実包又は当該装薬銃砲に適合する金属性弾丸及び火薬と共に携帯し、運搬し、又は保管したとき。

二・三（略）

③④（略）

第三一条の一七① 第三十一条の二第一項又は第二項の罪を犯す意思をもつて、拳銃等として交付を受けた物品又は拳銃等として取得した物品を輸入したときは、当該違反行為をした者は、三年以下の拘禁刑又は五十万円以下の罰金に処する。

②―④（略）

○児童買春、児童ポルノに係る行為等の規制及び処罰並びに児童の保護等に関する法律（抄）（平成一一・五・二六 法 五二）

施行　平成一一・一一・一（平成一一政三二二）

題名改正　平成二六法七九（旧・児童買春、児童ポルノに係る行為等の処罰及び児童の保護等に関する法律）

最終改正　令和四法七六

目次

第一章　総則

（目的）

第一条 この法律は、児童に対する性的搾取及び性的虐待が児童の権利を著しく侵害することの重大性に鑑み、あわせて児童の権利の擁護に関する国際的動向を踏まえ、児童買春、児童ポルノに係る行為等を規制し、及びこれらの行為等を処罰するとともに、これらの行為等により心身に有害な影響を受けた児童の保護のための措置等を定めることにより、児童の権利を擁護することを目的とする。

（定義）

第二条① この法律において「児童」とは、十八歳に満たない者をいう。

② この法律において「児童買春」とは、次の各号に掲げる者に対し、対償を供与し、又はその供与の約束をして、当該児童に対し、性交等（性交若しくは性交類似行為をし、又は自己の性的好奇心を満たす目的で、児童の性器等（性器、肛門又は乳首をいう。以下同じ。）を触り、若しくは児童に自己の性器等を触らせることをいう。以下同じ。）をすることをいう。

一　児童
二　児童に対する性交等の周旋をした者
三　児童の保護者（親権を行う者、未成年後見人その他の者で、児童を現に監護するものをいう。以下同じ。）又は児童をその支配下に置いている者

③　この法律において「児童ポルノ」とは、写真、電磁的記録（電子的方式、磁気的方式その他人の知覚によっては認識することができない方式で作られる記録であって、電子計算機による情報処理の用に供されるものをいう。以下同じ。）に係る記録媒体その他の物であって、次の各号のいずれかに掲げる児童の姿態を視覚により認識することができる方法により描写したものをいう。
一　児童を相手方とする又は児童による性交又は性交類似行為に係る児童の姿態
二　他人が児童の性器等を触る行為又は児童が他人の性器等を触る行為に係る児童の姿態であって性欲を興奮させ又は刺激するもの
三　衣服の全部又は一部を着けない児童の姿態であって、殊更に児童の性的な部位（性器等若しくはその周辺部、臀部又は胸部をいう。）が露出され又は強調されているものであり、かつ、性欲を興奮させ又は刺激するもの

（**適用上の注意**）
第三条　この法律の適用に当たっては、学術研究、文化芸術活動、報道等に関する国民の権利及び自由を不当に侵害しないように留意し、児童に対する性的搾取及び性的虐待から児童を保護しその権利を擁護するとの本来の目的を逸脱して他の目的のためにこれを濫用するようなことがあってはならない。

（**児童買春、児童ポルノの所持その他児童に対する性的搾取及び性的虐待に係る行為の禁止**）
第三条の二　何人も、児童買春をし、又はみだりに児童ポルノを所持し、若しくは第二条第三項各号のいずれかに掲げる児童の姿態を視覚により認識することができる方法により描写した情報を記録した電磁的記録を保管することその他児童に対する性的搾取又は性的虐待に係る行為をしてはならない。

第二章　児童買春、児童ポルノに係る行為等の処罰等（抄）

（**児童買春**）
第四条　児童買春をした者は、五年以下の拘禁刑又は三百万円以下の罰金に処する。

（**児童買春周旋**）
第五条①　児童買春の周旋をした者は、五年以下の拘禁刑若しくは五百万円以下の罰金に処し、又はこれを併科する。
②　児童買春の周旋をすることを業とした者は、七年以下の拘禁刑及び千万円以下の罰金に処する。

（**児童買春勧誘**）
第六条①　児童買春の周旋をする目的で、人に児童買春をするように勧誘した者は、五年以下の拘禁刑若しくは五百万円以下の罰金に処し、又はこれを併科する。
②　前項の目的で、人に児童買春をするように勧誘することを業とした者は、七年以下の拘禁刑及び千万円以下の罰金に処する。

（**児童ポルノ所持、提供等**）
第七条①　自己の性的好奇心を満たす目的で、児童ポルノを所持した者（自己の意思に基づいて所持するに至った者であり、かつ、当該者であることが明らかに認められる者に限る。）は、一年以下の拘禁刑又は百万円以下の罰金に処する。自己の性的好奇心を満たす目的で、第二条第三項各号のいずれかに掲げる児童の姿態を視覚により認識することができる方法により描写した情報を記録した電磁的記録を保管した者（自己の意思に基づいて保管するに至った者であり、かつ、当該者であることが明らかに認められる者に限る。）も、同様とする。
②　児童ポルノを提供した者は、三年以下の拘禁刑又は三百万円以下の罰金に処する。電気通信回線を通じて第二条第三項各号のいずれかに掲げる児童の姿態を視覚により認識することができる方法により描写した情報を記録した電磁的記録その他の記録を提供した者も、同様とする。
③　前項に掲げる行為の目的で、児童ポルノを製造し、所持し、運搬し、本邦に輸入し、又は本邦から輸出した者も、同項と同様とする。同項に掲げる行為の目的で、同項の電磁的記録を保管した者も、同様とする。
④　前項に規定するもののほか、児童に第二条第三項各号のいずれかに掲げる姿態をとらせ、これを写真、電磁的記録に係る記録媒体その他の物に描写することにより、当該児童に係る児童ポルノを製造した者も、第二項と同様とする。
⑤　前二項に規定するもののほか、ひそかに第二条第三項各号のいずれかに掲げる児童の姿態を写真、電磁的記録に係る記録媒体その他の物に描写することにより、当該児童に係る児童ポルノを製造した者も、第二項と同様とする。
⑥　児童ポルノを不特定若しくは多数の者に提供し、又は公然と陳列した者は、五年以下の拘禁刑若しくは五百万円以下の罰金に処し、又はこれを併科する。電気通信回線を通じて第二条第三項各号のいずれかに掲げる児童の姿態を視覚により認識することができる方法により描写した情報を記録した電磁的記録その他の記録を不特定又は多数の者に提供した者も、同様とする。
⑦　前項に掲げる行為の目的で、児童ポルノを製造し、所持し、運搬し、本邦に輸入し、又は本邦から輸出した者も、同項と同様とする。同項に掲げる行為の目的で、同項の電磁的記録を保管した者も、同様とする。
⑧　第六項に掲げる行為の目的で、児童ポルノを外国に輸入し、又は外国から輸出した日本国民も、同項と同様とする。

（**児童買春等目的人身売買等**）
第八条①　児童を児童買春における性交等の相手方とさせ又は第二条第三項各号のいずれかに掲げる児童の姿態を描写して児童ポルノを製造する目的で、当該児童を売買した者は、一年以上十年以下の拘禁刑に処する。
②　前項の目的で、外国に居住する児童で略取され、誘拐され、又は売買されたものをその居住国外に移送した日本国民は、二年以上の有期拘禁刑に処する。
③　前二項の罪の未遂は、罰する。

（**児童の年齢の知情**）
第九条　児童を使用する者は、児童の年齢を知らないことを理由として、第五条、第六条、第七条第二項から第八項まで及び前条の規定による処罰を免れることができない。ただし、過失がないときは、この限りでない。

（**国民の国外犯**）
第一〇条　第四条から第六条まで、第七条第一項から第七項まで並びに第八条第一項及び第三項（同条第一項に係る部分に限る。）の罪は、刑法（明治四十年法律第四十五号）第三条の例に従う。

（**両罰規定**）
第一一条　法人の代表者又は法人若しくは人の代理人、使用人その他の従業者が、その法人又は人の業務に関し、第五条、第六条又は第七条第二項から第八項までの罪を犯したときは、行為者を罰するほか、その法人又は人に対して各本条の罰金刑を科する。

第一二条から第一四条まで　（略）

第三章　心身に有害な影響を受けた児童の保護のための措置

（第一五条から第一六条の二まで）（略）

第四章　雑則

（第一六条の三及び第一七条）（略）

附　則（抄）

（施行期日）

第一条　この法律は、公布の日から起算して六月を超えない範囲内において政令で定める日（平成二一・一二・一―平成二一政三二二）から施行する。

刑法等の一部を改正する法律の施行に伴う関係法律整理法中経過規定　（令和四・六・一七法六八）（抄）

第四四一条から第四四三条まで　（刑法の同経過規定参照）

第五〇九条　（刑法の同経過規定参照）

刑法等の一部を改正する法律の施行に伴う関係法律整理法

附　則（令和四・六・一七法六八）（抄）

（施行期日）

①　この法律は、刑法等一部改正法（刑法等の一部を改正する法律（令和四法六七））施行日（令和七・六・一）から施行する。ただし、次の各号に掲げる規定は、当該各号に定める日から施行する。

一　第五百九条の規定　公布の日

二　（略）

○私事性的画像記録の提供等による被害の防止に関する法律（抄）

（平成二六・一一・二七法一二六）

施行　平成二六・一一・二七（附則）
最終改正　令和六法二五

（目的）

第一条　この法律は、私事性的画像記録の提供等により私生活の平穏を侵害する行為を処罰するとともに、私事性的画像記録に係る情報の流通によって名誉又は私生活の平穏の侵害があった場合における特定電気通信による情報の流通によって発生する権利侵害等への対処に関する法律（平成十三年法律第百三十七号）の特例及び当該提供等による被害者に対する支援体制の整備等について定めることにより、個人の名誉及び私生活の平穏の侵害による被害の発生又はその拡大を防止することを目的とする。

（定義）

第二条①　この法律において「私事性的画像記録」とは、次の各号のいずれかに掲げる人の姿態が撮影された画像（撮影の対象とされた者（以下「撮影対象者」という。）において、撮影をした者、撮影対象者及び撮影対象者から提供を受けた者以外の者（次条第一項において「第三者」という。）が閲覧することを認識した上で、任意に撮影を承諾し又は撮影をしたものを除く。次項において同じ。）に係る電磁的記録（電子的方式、磁気的方式その他人の知覚によっては認識することができない方式で作られる記録であって、電子計算機による情報処理の用に供されるものをいう。同項において同じ。）その他の記録をいう。

一　性交又は性交類似行為に係る人の姿態

二　他人が人の性器等（性器、肛門又は乳首をいう。以下この号及び次号において同じ。）を触る行為又は人が他人の性器等を触る行為に係る人の姿態であって性欲を興奮させ又は刺激するもの

三　衣服の全部又は一部を着けない人の姿態であって、殊更に人の性的な部位（性器等若しくはその周辺部、臀部又は胸部をいう。）が露出され又は強調されているものであり、かつ、性欲を興奮させ又は刺激するもの

②　この法律において「私事性的画像記録物」とは、写真、電磁的記録に係る記録媒体その他の物であって、前項各号のいずれかに掲げる人の姿態が撮影された画像を記録したものをいう。

（私事性的画像記録提供等）

第三条①　第三者が撮影対象者を特定することができる方法で、電気通信回線を通じて私事性的画像記録を不特定又は多数の者に提供した者は、三年以下の拘禁刑又は五十万円以下の罰金に処する。

②　前項の方法で、私事性的画像記録物を不特定若しくは多数の者に提供し、又は公然と陳列した者も、同項と同様とする。

③　前二項の行為をさせる目的で、電気通信回線を通じて私事性的画像記録を提供し、又は私事性的画像記録物を提供した者は、一年以下の拘禁刑又は三十万円以下の罰金に処する。

④　前三項の罪は、告訴がなければ公訴を提起することができない。

⑤　第一項から第三項までの罪は、刑法（明治四十年法律第四十五号）第三条の例に従う。

第四条から第六条まで　（略）

刑法等の一部を改正する法律の施行に伴う関係法律整理法中経過規定　（令和四・六・一七法六八）（抄）

第四四一条から第四四三条まで　（刑法の同経過規定参照）

第五〇九条　（刑法の同経過規定参照）

附　則（令和四・六・一七法六八）（抄）

（施行期日）

①　この法律は、刑法等一部改正法（刑法等の一部を改正する法律（令和四法六七））施行日（令和七・六・一）から施行する。ただし、次の各号に掲げる規定は、当該各号に定める日から施行する。

一　第五百九条の規定　公布の日

二　（略）

附　則（令和六・五・一七法二五）（抄）

（施行期日）

第一条　この法律は、公布の日から起算して一年を超えない範囲内において政令で定める日から施行する。

＊母体保護法（抜粋）（昭和二三・七・一三 法 一 五 六）

題名改正　平成八法一〇五（旧・優生保護法）
最終改正　令和四法七六

（定義）

第二条①　（略）

②　この法律で人工妊娠中絶とは、胎児が、母体外において、生命を保続することのできない時期に、人工的に、胎児及びその附属物を母体外に排出することをいう。

（医師の認定による人工妊娠中絶）

第一四条①　都道府県の区域を単位として設立された公益社団法人たる医師会の指定する医師（以下「指定医師」という。）は、次の各号の一に該当する者に対して、本人及び配偶者の同意を得て、人工妊娠中絶を行うことができる。

一　妊娠の継続又は分娩が身体的又は経済的理由により母体の健康を著しく害するおそれのあるもの

二　暴行若しくは脅迫によつて又は抵抗若しくは拒絶することができない間に姦淫されて妊娠したもの

②　前項の同意は、配偶者が知れないとき若しくはその意思を表示することができないとき又は妊娠後に配偶者がなくなつたときには本人の同意だけで足りる。

○臓器の移植に関する法律（平成九・七・一六 法 一 〇 四）

施行　平成九・一〇・一六（附則参照）
最終改正　令和五法四八

（目的）

第一条　この法律は、臓器の移植についての基本的理念を定めるとともに、臓器の機能に障害がある者に対し臓器の機能の回復又は付与を目的として行われる臓器の移植術（以下単に「移植術」という。）に使用されるための臓器を死体から摘出すること、臓器売買等を禁止すること等につき必要な事項を規定することにより、移植医療の適正な実施に資することを目的とする。

（基本的理念）

第二条①　死亡した者が生存中に有していた自己の臓器の移植術に使用されるための提供に関する意思は、尊重されなければならない。

②　移植術に使用されるための臓器の提供は、任意にされたものでなければならない。

③　臓器の移植は、移植術に使用されるための臓器が人道的精神に基づいて提供されるものであることにかんがみ、移植術を必要とする者に対して適切に行われなければならない。

④　移植術を必要とする者に係る移植術を受ける機会は、公平に与えられるよう配慮されなければならない。

（国及び地方公共団体の責務）

第三条　国及び地方公共団体は、移植医療について国民の理解を深めるために必要な措置を講ずるよう努めなければならない。

（医師の責務）

第四条　医師は、臓器の移植を行うに当たっては、診療上必要な注意を払うとともに、移植術を受ける者又はその家族に対し必要な説明を行い、その理解を得るよう努めなければならない。

（定義）

第五条　この法律において「臓器」とは、人の心臓、肺、肝臓、腎臓その他厚生労働省令で定める内臓及び眼球をいう。

（臓器の摘出）

第六条①　医師は、次の各号のいずれかに該当する場合には、移植術に使用されるための臓器を、死体（脳死した者の身体を含む。以下同じ。）から摘出することができる。

一　死亡した者が生存中に当該臓器を移植術に使用されるために提供する意思を書面により表示している場合であって、その旨の告知を受けた遺族が当該臓器の摘出を拒まないとき又は遺族がないとき。

二　死亡した者が生存中に当該臓器を移植術に使用されるために提供する意思を書面により表示している場合及び当該意思がないことを表示している場合以外の場合であって、遺族が当該臓器の摘出について書面により承諾しているとき。

②　前項に規定する「脳死した者の身体」とは、脳幹を含む全脳の機能が不可逆的に停止するに至ったと判定された者の身体をいう。

③　臓器の摘出に係る前項の判定は、次の各号のいずれかに該当する場合に限り、行うことができる。

一　当該者が第一項第一号に規定する意思を書面により表示している場合であり、かつ、当該者が前項の判定に従う意思がないことを表示している場合以外の場合であって、その旨の告知を受けたその者の家族が当該判定を拒まないとき又は家族がないとき。

二　当該者が第一項第一号に規定する意思を書面により表示している場合及び当該意思がないことを表示している場合以外の場合であり、かつ、当該者が前項の判定に従う意思がないことを表示している場合以外の場合であって、その者の家族が当該判定を行うことを書面により承諾しているとき。

④　臓器の摘出に係る第二項の判定は、これを的確に行うために必要な知識及び経験を有する二人以上の医師（当該判定がなされた場合に当該脳死した者の身体から臓器を摘出し、又は当該臓器を使用した移植術を行うこととなる医師を除く。）の一般に認められている医学的知見に基づき厚生労働省令で定めるところにより行う判断の一致によって、行われるものとする。

⑤　前項の規定により第二項の判定を行った医師は、厚生労働省令で定めるところにより、直ちに、当該判定が的確に行われたことを証する書面を作成しなければならない。

⑥　臓器の摘出に係る第二項の判定に基づいて脳死した者の身体から臓器を摘出しようとする医師は、あらかじめ、当該脳死した者の身体に係る前項の書面の交付を受けなければならない。

（親族への優先提供の意思表示）

第六条の二　移植術に使用されるための臓器を死亡した後に提供する意思を書面により表示している者又は表示しようとする者は、その意思の表示に併せて、親族に対し当該臓器を優先的に提供する意思を書面により表示することができる。

（臓器の摘出の制限）

第七条　医師は、第六条の規定により死体から臓器を摘出しようとする場合において、当該死体について刑事訴訟法（昭和二十三年法律第百三十一号）第二百二十九条第一項の検視その他の犯罪捜査に関する手続が行われるときは、当該手続が終了した後でなければ、当該死体から臓器を摘出してはならない。

（礼意の保持）

第八条　第六条の規定により死体から臓器を摘出するに当たっては、礼意を失わないよう特に注意しなければならない。

（使用されなかった部分の臓器の処理）

第九条　病院又は診療所の管理者は、第六条の規定により死体から摘出された臓器であって、移植術に使用されなかった部分の臓器を、厚生労働省令で定めるところにより処理しなければならない。

（記録の作成、保存及び閲覧）

第一〇条①　医師は、第六条第二項の判定、同条の規定による臓器の摘出又は当該臓器を使用した移植術（以下この項において「判定等」という。）を行った場合には、厚生労働省令で定めるところにより、判定等に関する記録を作成しなければならない。

②　前項の記録は、病院又は診療所に勤務する医師が作成した場合にあっては当該病院又は診療所の管理者が、病院又は診療所に勤務する医師以外の医師が作成した場合にあっては当該医師が、五年間保存しなければならない。

③　前項の規定により第一項の記録を保存する者は、移植術に使用されるための臓器を提供した遺族その他の厚生労働省令で定める者から当該記録の閲覧の請求があった場合には、厚生労働省令で定めるところにより、閲覧を拒むことについて正当な理由がある場合を除き、当該記録のうち個人の権利利益を不当に侵害するおそれがないものとして厚生労働省令で定めるものを閲覧に供するものとする。

（臓器売買等の禁止）

第一一条①　何人も、移植術に使用されるための臓器を提供すること若しくは提供したことの対価として財産上の利益の供与を受け、又はその要求若しくは約束をしてはならない。

②　何人も、移植術に使用されるための臓器の提供を受けること若しくは受けたことの対価として財産上の利益を供与し、又はその申込み若しくは約束をしてはならない。

③　何人も、移植術に使用されるための臓器を提供すること若しくはその提供を受けることのあっせんをすること若しくはあっせんをしたことの対価として財産上の利益の供与を受け、又はその要求若しくは約束をしてはならない。

④　何人も、移植術に使用されるための臓器を提供すること若しくはその提供を受けることのあっせんを受けること若しくはあっせんを受けたことの対価として財産上の利益を供与し、又はその申込み若しくは約束をしてはならない。

⑤　何人も、臓器が前各項の規定のいずれかに違反する行為に係るものであることを知って、当該臓器を摘出し、又は移植術に使用してはならない。

⑥　第一項から第四項までの対価には、交通、通信、移植術に使用されるための臓器の摘出、保存若しくは移送又は移植術等に要する費用であって、移植術に使用されるための臓器を提供すること若しくはその提供を受けること又はそれらのあっせんをすることに関して通常必要であると認められるものは、含まれない。

（業として行う臓器のあっせんの許可）

第一二条①　業として移植術に使用されるための臓器（死体から摘出されるもの又は摘出されたものに限る。）を提供すること又はその提供を受けることのあっせん（以下「業として行う臓器のあっせん」という。）をしようとする者は、厚生労働省令で定めるところにより、臓器の別ごとに、厚生労働大臣の許可を受けなければならない。

②　厚生労働大臣は、前項の許可の申請をした者が次の各号のいずれかに該当する場合には、同項の許可をしてはならない。

一　営利を目的とするおそれがあると認められる者

二　業として行う臓器のあっせんに当たって当該臓器を使用した移植術を受ける者の選択を公平かつ適正に行わないおそれがあると認められる者

（秘密保持義務）

第一三条　前条第一項の許可を受けた者（以下「臓器あっせん機関」という。）若しくはその役員若しくは職員又はこれらの者であった者は、正当な理由がなく、業として行う臓器のあっせんに関して職務上知り得た人の秘密を漏らしてはならない。

（帳簿の備付け等）

第一四条①　臓器あっせん機関は、厚生労働省令で定めるところにより、帳簿を備え、その業務に関する事項を記載しなければならない。

②　臓器あっせん機関は、前項の帳簿を、最終の記載の日から五年間保存しなければならない。

（報告の徴収等）

第一五条①　厚生労働大臣は、この法律を施行するため必要があると認めるときは、臓器あっせん機関に対し、その業務に関し報告をさせ、又はその職員に、臓器あっせん機関の事務所に立ち入り、帳簿、書類その他の物件を検査させ、若しくは関係者に質問させることができる。

②　前項の規定により立入検査又は質問をする職員は、その身分を示す証明書を携帯し、関係者に提示しなければならない。

③　第一項の規定による立入検査及び質問をする権限は、犯罪捜査のために認められたものと解してはならない。

（指示）

第一六条　厚生労働大臣は、この法律を施行するため必要があると認めるときは、臓器あっせん機関に対し、その業務に関し必要な指示を行うことができる。

（許可の取消し）

第一七条　厚生労働大臣は、臓器あっせん機関が前条の規定による指示に従わないときは、第十二条第一項の許可を取り消すことができる。

（移植医療に関する啓発等）

第一七条の二　国及び地方公共団体は、国民があらゆる機会を通じて移植医療に対する理解を深めることができるよう、移植術に使用されるための臓器を死亡した後に提供する意思の有無を運転免許証及び個人番号カード（行政手続における特定の個人を識別するための番号の利用等に関する法律（平成二十五年法律第二十七号）第二条第七項に規定する個人番号カードをいう。）等に記載することができることとする等、移植医療に関する啓発及び知識の普及に必要な施策を講ずるものとする。

（経過措置）

第一八条　この法律の規定に基づき厚生労働省令を制定し、又は改廃する場合においては、その厚生労働省令で、その制定又は改廃に伴い合理的に必要と判断される範囲内において、所要の経過措置（罰則に関する経過措置を含む。）を定めることができる。

（厚生労働省令への委任）

第一九条　この法律に定めるもののほか、この法律の実施のための手続その他この法律の施行に関し必要な事項は、厚生労働省令で定める。

（罰則）

第二〇条①　第十一条第一項から第五項までの規定に違反した者は、五年以下の拘禁刑若しくは五百万円以下の罰金に処し、又はこれを併科する。

②　前項の罪は、刑法（明治四十年法律第四十五号）第三条の例に従う。

第二一条①　第六条第五項の書面に虚偽の記載をした者は、三年以下の拘禁刑又は五十万円以下の罰金に処する。

②　第六条第六項の規定に違反して同条第五項の書面の交付を受けないで臓器の摘出をした者は、一年以下の拘禁刑又は三十万円以下の罰金に処する。

第二二条　第十二条第一項の許可を受けないで、業として行う臓器器のあっせんをした者は、一年以下の拘禁刑若しくは百万円以下の罰金に処し、又はこれを併科する。

第二三条① 次の各号のいずれかに該当する者は、五十万円以下の罰金に処する。

一 第九条の規定に違反した者

二 第十条第一項の規定に違反して、記録を作成せず、若しくは虚偽の記録を作成し、又は同条第二項の規定に違反して記録を保存しなかった者

三 第十三条の規定に違反した者

四 第十四条第一項の規定に違反して、帳簿を備えず、帳簿に記載せず、若しくは虚偽の記載をし、又は同条第二項の規定に違反して帳簿を保存しなかった者

五 第十五条第一項の規定による報告をせず、若しくは虚偽の報告をし、又は同項の規定による立入検査を拒み、妨げ、若しくは忌避し、若しくは同項の規定による質問に対して答弁をせず、若しくは虚偽の答弁をした者

② 前項第三号の罪は、告訴がなければ公訴を提起することができない。

第二四条① 法人（法人でない団体で代表者又は管理人の定めのあるものを含む。以下この項において同じ。）の代表者若しくは管理人又は法人若しくは人の代理人、使用人その他の従業者が、その法人又は人の業務に関し、第二十条、第二十二条及び前条（同条第一項第三号を除く。）の違反行為をしたときは、行為者を罰するほか、その法人又は人に対しても、各本条の罰金刑を科する。

② 前項の規定により法人でない団体を処罰する場合には、その代表者又は管理人がその訴訟行為につきその団体を代表するほか、法人を被告人又は被疑者とする場合の刑事訴訟に関する法律の規定を準用する。

第二五条 第二十条第一項の場合において供与を受けた財産上の利益は、没収する。その全部又は一部を没収することができないときは、その価額を追徴する。

附 則 （抄）

（施行期日）

第一条 この法律は、公布の日から起算して三月を経過した日（平成九・一〇・一六）から施行する。

刑法等の一部を改正する法律の施行に伴う関係法律整理法 （令和四・六・一七法六八）（抄）

中経過規定

第四四一条から第四四三条まで （刑法の同経過規定参照）

第五〇九条 （刑法の同経過規定参照）

刑法等の一部を改正する法律の施行に伴う関係法律整理法

附 則 （令和四・六・一七法六八）（抄）

（施行期日）

① この法律は、刑法等一部改正法（刑法等の一部を改正する法律（令和四法六七））施行日（令和七・六・一）から施行する。ただし、次の各号に掲げる規定は、当該各号に定める日から施行する。

一 第五百九条の規定 公布の日

二 （略）

附 則 （令和五・六・九法四八）（抄）

（施行期日）

第一条 （前略）次の各号に掲げる規定は、当該各号に定める日から施行する。

一 （略）

二 （前略）附則（中略）第二十二条から第二十五条まで（附則第二四条は臓器の移植に関する法律の一部改正）（中略）の規定 公布の日から起算して一年六月を超えない範囲内において政令で定める日（令和六・一二・二―令和五政三七四）

三・四 （略）

＊麻薬及び向精神薬取締法（抜粋）（昭和二八・三・一七法一四）

題名改正 平成二法三三（旧・麻薬取締法）
最終改正 令和五法八四

（目的）

第一条 この法律は、麻薬及び向精神薬の輸入、輸出、製造、製剤、譲渡し等について必要な取締りを行うとともに、麻薬中毒者について必要な医療を行う等の措置を講ずること等により、麻薬及び向精神薬の濫用による保健衛生上の危害を防止し、もつて公共の福祉の増進を図ることを目的とする。

（定義等）

第二条① この法律において次の各号に掲げる用語の意義は、それぞれ当該各号に定めるところによる。

一 麻薬 別表第一に掲げる物及び大麻をいう。

一の二 大麻 大麻草の栽培の規制に関する法律（昭和二十三年法律第百二十四号）第二条第二項に規定する大麻をいう。

二―四十八 （略）

② 別表第一に掲げる物以外の物であつて、化学的変化（代謝を除く。）により容易に同表に掲げる物を生成するものとして政令で定めるものについては、麻薬とみなして、この法律の規定（第二十七条及び同条の規定に係る罰則を除く。）を適用する。

（禁止行為）

第一二条① ジアセチルモルヒネ、その塩類又はこれらのいずれかを含有する麻薬（以下「ジアセチルモルヒネ等」という。）は、何人も、輸入し、輸出し、製造し、製剤し、小分けし、譲り渡し、譲り受け、交付し、施用し、所持し、又は廃棄してはならない。ただし、麻薬研究施設の設置者が厚生労働大臣の許可を受けて、譲り渡し、譲り受け、又は廃棄する場合及び麻薬研究者が厚生労働大臣の許可を受けて、研究のため、製造し、製剤し、小分けし、施用し、又は所持する場合は、この限りでない。

② 何人も、あへん末を輸入し、又は輸出してはならない。

③ 麻薬原料植物は、何人も、栽培してはならない。但し、麻薬研究者が厚生労働大臣の許可を受けて、研究のため栽培する場合は、この限りでない。

④ 何人も、第一項の規定により禁止されるジアセチルモルヒネ等の施用を受けてはならない。

（輸入）

第一三条① 麻薬輸入業者でなければ、麻薬（ジアセチルモルヒネ等及び前条第二項に規定する麻薬を除く。以下第十九条の二までにおいて同じ。）を輸入してはならない。ただし、本邦に入国する者が、厚生労働大臣の許可を受けて、自己の疾病の治療の目的で携帯して輸入する場合は、この限りでない。

② （略）

（輸出）

第一七条 麻薬輸出業者でなければ、麻薬を輸出してはならない。ただし、本邦から出国する者が、厚生労働大臣の許可を受けて、自己の疾病の治療の目的で携帯して輸出する場合は、この限りでない。

（製造）

第二〇条① 麻薬製造業者でなければ、麻薬（ジアセチルモルヒネ等を除く。以下この節（第二十九条の二を除く。）において同じ。）を製造してはならない。ただし、次に掲げる場合は、この限りでない。

一 麻薬研究者が研究のため麻薬を製造する場合

二 大麻草の栽培の規制に関する法律第十二条の四第一項（同法第十七条第一項において準用する場合を含む。）の許可を受けた第一種大麻草採取栽培者又は第二種大麻草採取栽培者が大麻草の加工の過程において麻薬（別表第一第四十二号及び第四十三号に掲げる物に限る。第二十四条第一項第五号並びに第二十八条第一項第三号及び第四号において同じ。）を製造する場合

② （略）

（製剤及び小分け）

第二二条 麻薬製造業者又は麻薬製剤業者でなければ、麻薬を製剤し、又は小分けしてはならない。ただし、麻薬研究者が研究のため製剤し、又は小分けする場合は、この限りでない。

（譲渡し）

第二四条① 麻薬営業者でなければ、麻薬を譲り渡してはならない。ただし、次に掲げる場合は、この限りでない。

一 麻薬診療施設の開設者が、施用のため交付される麻薬を譲り渡す場合

二 麻薬施用者から施用のため麻薬の交付を受け、又は麻薬小売業者から麻薬処方箋により調剤された麻薬を譲り受けた者が、その麻薬を施用する必要がなくなつた場合において、その麻薬を麻薬診療施設の開設者又は麻薬小売業者に譲り渡すとき。

三 麻薬施用者から施用のため麻薬の交付を受け、又は麻薬小売業者から麻薬処方箋により調剤された麻薬を譲り受けた者が死亡した場合において、その相続人又は相続人に代わつて相続財産を管理する者が、現に所有し、又は管理する麻薬を麻薬診療施設の開設者又は麻薬小売業者に譲り渡すとき。

四 第一種大麻草採取栽培者が、大麻草の栽培の規制に関する法律第二条第四項に規定する製品の原材料として使用する大麻（同法第十二条の四第一項の許可を受けた第一種大麻草採取栽培者が大麻草の加工の過程において得たものを含む。第二十八条第一項第三号において「製品原材料大麻」という。）を他の第一種大麻草採取栽培者、大麻草研究栽培者、麻薬製造業者又は麻薬研究施設の設置者に譲り渡す場合

五 第二種大麻草採取栽培者が、大麻草の栽培の規制に関する法律第二条第五項に規定する医薬品の原料として使用する大麻（同法第十七条第一項において準用する同法第十二条の四第一項の許可を受けた第二種大麻草採取栽培者が大麻草の加工の過程において得たものを含む。第二十八条第一項第四号において「医薬品原料大麻」という。）を他の第二種大麻草採取栽培者、大麻草研究栽培者、麻薬製造業者若しくは麻薬研究施設の設置者に譲り渡す場合又は第二十条第一項第二号に掲げる場合における麻薬を麻薬製造業者若しくは麻薬研究施設の設置者に譲り渡す場合

六 大麻草研究栽培者が、大麻草の栽培の規制に関する法律第二条第六項に規定する目的のために所持する大麻を大麻草栽培者、麻薬製造業者又は麻薬研究施設の設置者に譲り渡す場合

②—⑫ （略）

（譲受け）

第二六条① 麻薬営業者、麻薬診療施設の開設者、麻薬研究施設の設置者又は大麻草栽培者でなければ、麻薬を譲り受けてはならない。ただし、次に掲げる場合は、この限りでない。

一 麻薬施用者から交付される麻薬を麻薬診療施設の開設者から譲り受ける場合

二 麻薬処方箋の交付を受けた者が、当該麻薬処方箋により調剤された麻薬を麻薬小売業者から譲り受ける場合

②③ （略）

（施用、施用のための交付及び麻薬処方箋）

第二七条① 麻薬施用者でなければ、麻薬を施用し、若しくは施用のため交付し、又は麻薬を記載した処方箋を交付してはならない。ただし、次に掲げる場合は、この限りでない。

一 麻薬研究者が、研究のため施用する場合

二 麻薬施用者から施用のため麻薬の交付を受けた者が、その麻薬を施用する場合

三 麻薬小売業者から麻薬処方箋により調剤された麻薬を譲り受けた者が、その麻薬を施用する場合

②—④ （略）

⑤ 何人も、第一項、第三項又は前項の規定により禁止される麻薬の施用を受けてはならない。

⑥ （略）

（所持）

第二八条① 麻薬取扱者、麻薬診療施設の開設者又は麻薬研究施設の設置者でなければ、麻薬を所持してはならない。ただし、次に掲げる場合は、この限りでない。

一 麻薬施用者から施用のため麻薬の交付を受け、又は麻薬小売業者から麻薬処方箋により調剤された麻薬を譲り受けた者が、その麻薬を所持する場合

二 麻薬施用者から施用のため麻薬の交付を受け、又は麻薬小売業者から麻薬処方箋により調剤された麻薬を譲り受けた者が死亡した場合において、その相続人又は相続人に代わつて相続財産を管理する者が、現に所有し、又は管理する麻薬を所持するとき。

三 第一種大麻草採取栽培者が、製品原材料大麻又は第二十条第一項第二号に掲げる場合における麻薬を所持する場合

四 第二種大麻草採取栽培者が、医薬品原料大麻又は第二十条第一項第二号に掲げる場合における麻薬を所持する場合

五 大麻草研究栽培者が、大麻草を研究する目的のために大麻を所持する場合

②③ （略）

（麻薬取締官及び麻薬取締員）

第五四条① 厚生労働省に麻薬取締官を置き、麻薬取締官は、厚生労働省の職員のうちから、厚生労働大臣が命ずる。

② 都道府県知事は、都道府県の職員のうちから、その者の主たる勤務地を管轄する地方裁判所に対応する検察庁の検事正と協議して麻薬取締員を命ずるものとする。

③ 麻薬取締官の定数は、政令で定める。

④ 麻薬取締官の資格について必要な事項は、政令で定める。

⑤ 麻薬取締官は、厚生労働大臣の指揮監督を受け、麻薬取締員は、都道府県知事の指揮監督を受けて、この法律、大麻草の栽培の規制に関する法律、あへん法、覚醒剤取締法（昭和二十六年法律第二百五十二号）若しくは国際的な協力の下に規制薬物に係る不正行為を助長する行為等の防止を図るための麻薬及び向精神薬取締法等の特例等に関する法律（平成三年法律第九十四号）に違反する罪若しくは医薬品医療機器等法第八十三条の九、第八十四条第九号（名称、形状、包装その他の厚生労働省令で定める事項からみて医薬品医療機器等法第十四条、第十九条の二、第二十三条の二の

五若しくは第二十三条の二の十七の承認若しくは医薬品医療機器等法第二十三条の二の二十三の認証を受けた医薬品又は外国において、販売し、授与し、若しくは販売若しくは授与の目的で貯蔵し、若しくは陳列（配置を含む。以下この項において同じ。）をすることが認められている医薬品と誤認させる物品を販売し、授与し、又は販売若しくは授与の目的で貯蔵し、若しくは陳列をする行為に係るものに限る。）、第十九号（医薬品医療機器等法第五十五条の二の規定に係る部分に限る。）、第二十一号、第二十七号（医薬品医療機器等法第七十条第一項に係る部分については、医薬品医療機器等法第五十五条の二に規定する模造に係る医薬品に係る部分に限る。）及び第二十八号、第八十五条第六号、第九号及び第十号、第八十六条第一項第二十五号及び第二十六号並びに第八十七条第十三号（医薬品医療機器等法第六十九条第四項及び第六項（医薬品医療機器等法第五十五条の二に規定する模造に係る医薬品に該当する疑いのある物に係る部分に限る。）並びに第七十六条の八第一項の規定に係る部分に限る。）及び第十五号（以下この項において「第八十三条の九等の規定」という。）並びに第九十条（第八十三条の九等の規定に係る部分に限る。）の罪に限る。）、刑法（明治四十年法律第四十五号）第二編第十四章に定める罪又は麻薬、あへん若しくは覚醒剤の中毒により犯された罪について、刑事訴訟法（昭和二十三年法律第百三十一号）の規定による司法警察員として職務を行う。

⑥　前項の規定による司法警察員とその他の司法警察職員とは、その職務を行うにつき互いに協力しなければならない。

⑦　麻薬取締官及び麻薬取締員は、司法警察員として職務を行うときは、小型武器を携帯することができる。

⑧　麻薬取締官及び麻薬取締員の前項の武器の使用については、警察官職務執行法（昭和二十三年法律第百三十六号）第七条の規定を準用する。

（麻薬取締官及び麻薬取締員の麻薬の譲受）

第五八条　麻薬取締官及び麻薬取締員は、麻薬に関する犯罪の捜査にあたり、厚生労働大臣の許可を受けて、この法律の規定にかかわらず、何人からも麻薬を譲り受けることができる。

【罰則】

第六四条①　ジアセチルモルヒネ等を、みだりに、本邦若しくは外国に輸入し、本邦若しくは外国から輸出し、又は製造した者は、一年以上の有期拘禁刑に処する。

②　営利の目的で前項の罪を犯したときは、当該罪を犯した者は、無期若しくは三年以上の拘禁刑に処し、又は情状により無期若しくは三年以上の拘禁刑及び千万円以下の罰金に処する。

③　前二項の未遂罪は、罰する。

第六四条の二①　ジアセチルモルヒネ等を、みだりに、製剤し、小分けし、譲り渡し、譲り受け、交付し、又は所持した者は、十年以下の拘禁刑に処する。

②　営利の目的で前項の罪を犯したときは、当該罪を犯した者は、一年以上の有期拘禁刑に処し、又は情状により一年以上の有期拘禁刑及び五百万円以下の罰金に処する。

③　前二項の未遂罪は、罰する。

第六四条の三①　第十二条第一項又は第四項の規定に違反して、ジアセチルモルヒネ等を施用し、廃棄し、又はその施用を受けた者は、十年以下の拘禁刑に処する。

②　営利の目的で前項の違反行為をしたときは、当該違反行為をした者は、一年以上の有期拘禁刑に処し、又は情状により一年以上の有期拘禁刑及び五百万円以下の罰金に処する。

③　前二項の未遂罪は、罰する。

第六五条①　次の各号のいずれかに該当する者は、一年以上十年以下の拘禁刑に処する。

一　ジアセチルモルヒネ等以外の麻薬を、みだりに、本邦若しくは外国に輸入し、本邦若しくは外国から輸出し、又は製造した者（第六十九条第一号から第三号までに規定する違反行為をした者を除く。）

二　麻薬原料植物をみだりに栽培した者

②　営利の目的で前項の罪を犯したときは、当該罪を犯した者は、一年以上の有期拘禁刑に処し、又は情状により一年以上の有期拘禁刑及び五百万円以下の罰金に処する。

③　前二項の未遂罪は、罰する。

第六六条①　ジアセチルモルヒネ等以外の麻薬を、みだりに、製剤し、小分けし、譲り渡し、譲り受け、又は所持した者（第六十九条第四号若しくは第五号又は第七十条第五号に規定する違反行為をした者を除く。）は、七年以下の拘禁刑に処する。

②　営利の目的で前項の罪を犯したときは、当該罪を犯した者は、一年以上十年以下の拘禁刑に処し、又は情状により一年以上十年以下の拘禁刑及び三百万円以下の罰金に処する。

③　前二項の未遂罪は、罰する。

第六六条の二①　第二十七条第一項又は第三項から第五項までの規定に違反した者は、七年以下の拘禁刑に処する。

②　営利の目的で前項の違反行為をしたときは、当該違反行為をした者は、一年以上十年以下の拘禁刑に処し、又は情状により一年以上十年以下の拘禁刑及び三百万円以下の罰金に処する。

③　前二項の未遂罪は、罰する。

第六九条の三①　第六十四条から第六十七条まで又は前条の罪に係る麻薬又は向精神薬で、犯人が所有し、又は所持するものは、没収する。ただし、犯人以外の所有に係るときは、没収しないことができる。

②　前項に規定する罪（第六十四条の三及び第六十六条の二の罪を除く。）の実行に関し、麻薬又は向精神薬の運搬の用に供した艦船、航空機又は車両は、没収することができる。

第七六条　ジアセチルモルヒネ等であるか、第十二条第二項に規定する麻薬であるか、又はこれらの麻薬以外の麻薬であるかを知ることができない麻薬は、この章の規定の適用については、ジアセチルモルヒネ等及び同条第二項に規定する麻薬以外の麻薬とみなす。

*大麻草の栽培の規制に関する法律（抜粋）（昭和二三・七・一〇 法 一 二 四）

題名改正 令和五法八四（旧・大麻取締法）
最終改正 令和五法八四

第一章 総則（抄）

第一条【目的】 この法律は、大麻草の栽培の適正を図るために必要な規制を行うことにより、麻薬及び向精神薬取締法（昭和二十八年法律第十四号）と相まつて、大麻の濫用による保健衛生上の危害を防止し、もつて公共の福祉に寄与することを目的とする。

第二条【定義】 ① この法律で「大麻草」とは、カンナビス・サティバ・リンネをいう。
② この法律で「大麻」とは、大麻草（その種子及び成熟した茎を除く。）及びその製品（大麻草としての形状を有しないものを除く。）をいう。
③ この法律で「大麻草栽培者」とは、第一種大麻草採取栽培者、第二種大麻草採取栽培者及び大麻草研究栽培者をいう。
④ この法律で「第一種大麻草採取栽培者」とは、第五条第一項の規定により都道府県知事の免許を受けて、大麻草から製造される製品（大麻草としての形状を有しないものを含み、種子又は成熟した茎の製品その他の厚生労働省令で定めるものに限る。）の原材料を採取する目的で、大麻草を栽培する者をいう。
⑤ この法律で「第二種大麻草採取栽培者」とは、第十三条第一項の規定により厚生労働大臣の免許を受けて、医薬品、医療機器等の品質、有効性及び安全性の確保等に関する法律（昭和三十五年法律第百四十五号）第二条第一項に規定する医薬品の原料を採取する目的で、大麻草を栽培する者をいう。
⑥ この法律で「大麻草研究栽培者」とは、第十三条第一項の規定により厚生労働大臣の免許を受けて、大麻草を研究する目的で、大麻草を栽培する者をいう。

第三条【大麻草栽培の禁止】 大麻草栽培者でなければ大麻草を栽培してはならない。

第二章 第一種大麻草採取栽培者（抄）

第五条【第一種大麻草採取栽培者】 ① 第一種大麻草採取栽培者になろうとする者は、厚生労働省令で定めるところにより、栽培地の属する都道府県の知事（以下「都道府県知事」という。）の免許（以下この章において単に「免許」という。）を受けなければならない。
② 次の各号のいずれかに該当する者には、免許を与えない。
一 第十二条の六第一項の規定により免許を取り消され、取消しの日から三年を経過していない者
二 麻薬中毒者（麻薬及び向精神薬取締法第二条第一項第二十五号に規定する麻薬中毒者をいう。）
三 拘禁刑以上の刑に処せられた者
四 未成年者
五 心身の故障により第一種大麻草採取栽培者の業務を適正に行うことができない者として厚生労働省令で定めるもの
六 暴力団員による不当な行為の防止等に関する法律（平成三年法律第七十七号）第二条第六号に規定する暴力団員又は同号に規定する暴力団員でなくなつた日から五年を経過しない者（第八号において「暴力団員等」という。）
七 法人又は団体であつて、その業務を行う役員のうちに前各号のいずれかに該当する者があるもの
八 暴力団員等がその事業活動を支配する者

第十一条【持ち出しの禁止】 第一種大麻草採取栽培者は、その所有する大麻をその栽培地外へ持ち出してはならない。ただし、都道府県知事の許可を受けたとき、又は次条第二項の規定による届出をしたときは、この限りでない。

第十二条の三【大麻草の栽培】 ① 第一種大麻草採取栽培者は、麻薬及び向精神薬取締法別表第一第四十二号に掲げる物の含有量が政令で定める基準を超えない大麻草の種子その他厚生労働省令で定める物を使用して大麻草を栽培しなければならない。
② 第一種大麻草採取栽培者は、前項の含有量が同項の基準を超える大麻草を栽培するに至つたときは、速やかに当該大麻草の栽培を中止しなければならない。

第十二条の四【大麻草の加工】 ① 第一種大麻草採取栽培者は、大麻草の加工（大麻草の成分の抽出その他厚生労働省令で定める行為を含む。以下この項及び第三項において同じ。）をしようとするときは、一月から六月まで及び七月から十二月までの期間（同項において「半期」という。）ごとに、加工のために使用する大麻草の品名及び数量並びに加工をする品目その他厚生労働省令で定める事項について、厚生労働大臣の許可を受けなければならない。ただし、大麻草の種子又は成熟した茎の加工をする場合であつて厚生労働省令で定めるときは、この限りでない。
② 前項の許可を受けようとする者は、厚生労働省令で定めるところにより、同項に規定する事項を記載した申請書を厚生労働大臣に提出しなければならない。
③ 第一項の規定により許可を受けた第一種大麻草採取栽培者は、当該許可を受けた半期の期間経過後三十日以内に、加工のために使用した大麻草の品名及び数量並びに加工をした品目その他厚生労働省令で定める事項を厚生労働大臣に報告しなければならない。
④ 厚生労働大臣は、第一項の規定に基づき許可を与えたとき、又は前項の規定による報告を受けたときは、速やかに、その旨及びその内容を都道府県知事に通知するものとする。

第十二条の五【保管方法】 第一種大麻草採取栽培者は、その所有する麻薬を、当該者が当該麻薬を業務上取り扱う事務所内の鍵をかけた堅固な設備内に収めて保管するとともに、その所有する大麻（栽培地において現に生育するものを除く。）を、当該者が当該大麻を業務上取り扱う事務所内の鍵をかけた設備内に収めて保管しなければならない。

第十二条の六【免許の取消し】 ① 都道府県知事は、第一種大麻草採取栽培者が、この法律の規定、この法律の規定に基づく都道府県知事の処分若しくはこの法律に規定する免許若しくは都道府県知事の許可に付した条件に違反したとき、その業務に関し犯罪若しくは不正の行為をしたとき、又は第五条第二項第二号から第八号までのいずれかに該当するに至つたときは、免許を取り消し、又は期間を定めて、大麻草の栽培の中止を命ずることができる。
② 都道府県知事は、前項の規定により免許を取り消したときは、第一種大麻草採取栽培者名簿の登録を抹消するものとする。
③ 厚生労働大臣は、第一種大麻草採取栽培者が、この法律の規定若しくはこの法律に規定する厚生労働大臣の許可に付した条件に違反したとき、又はその業務に関し犯罪若しくは不正の行為をしたときは、第十二条の四第一項の許可を取り消し、又は期間を定めて、同項の規定による大麻草の加工の中止を命ずることができる。

第四章 大麻草の種子の取扱い（抄）

第十八条【大麻草の種子の譲渡し】 大麻草栽培者は、大麻草の種子を譲り渡す場合には、厚生労働省令で定める方法により当該種子が発芽しないように処理しなければならない。ただし、他の大麻草栽培者に当該種子を譲り渡す場合その他厚生労働省令で定める場合は、この限りでない。

第十九条【輸入】 ① 発芽不能未処理種子は、輸入してはならない。ただし、次の各号のいずれかに該当する場合であつて、厚生労働省令で定めるところにより、厚生労働大臣の許可を受け

たときは、この限りでない。
一　大麻草栽培者が輸入する場合
二　発芽不能未処理種子を輸入し、前条に規定する方法による処理をする場合

②　前項ただし書の許可（同項第二号に係るものに限る。次項において同じ。）を受けた者は、発芽不能未処理種子を輸入した日から三月以内に、同号に規定する方法による処理をしなければならない。

③　厚生労働大臣は、第一項ただし書の許可を受けようとする者が前項の規定に違反して刑に処せられ、その刑の執行を終わり、又は執行を受けることがなくなつた日から三年を経過していないときは、当該許可をしないことができる。

第二〇条【同前】　第十八条に規定する方法による処理をした大麻草の種子は、厚生労働省令で定めるところにより、厚生労働大臣から当該処理がされた大麻草の種子である旨の証明書の交付を受けた者でなければ、これを輸入してはならない。

第六章　罰則（抄）

第二四条①　大麻草をみだりに栽培した者は、一年以上十年以下の拘禁刑に処する。

②　営利の目的で前項の罪を犯した者は、一年以上の有期拘禁刑に処し、又は情状により一年以上の有期拘禁刑及び五百万円以下の罰金に処する。

③　前二項の未遂罪は、罰する。

第二四条の二①　第十二条の三第一項の規定に違反した者は、七年以下の拘禁刑に処する。

②　営利の目的で前項の違反行為をしたときは、当該違反行為をした者は、一年以上十年以下の拘禁刑に処し、又は情状により一年以上十年以下の拘禁刑及び三百万円以下の罰金に処する。

③　前二項の未遂罪は、罰する。

第二四条の三　第二十四条第一項又は第二項の罪を犯す目的でその予備をした者は、五年以下の拘禁刑に処する。

第二四条の四　情を知つて、第二十四条第一項又は第二項の罪に当たる行為に要する資金、土地、建物、艦船、航空機、車両、設備、機械、器具又は原材料（大麻草の種子を含む。）を提供し、又は運搬した者は、五年以下の拘禁刑に処する。

第二四条の五　第二十四条及び前二条の罪は、刑法（明治四十年法律第四十五号）第二条の例に従う。

第二四条の六　次の各号のいずれかに該当する場合には、当該違反行為をした者は、三年以下の拘禁刑若しくは五十万円以下の罰金に処し、又はこれを併科する。
一　第十一条（第十七条第一項又は第二項において準用する場合を含む。）の規定に違反したとき。
二　第十二条の四第一項（第十七条第一項において準用する場合を含む。）の規定に違反して、大麻草の加工をしたとき。
三　第十二条の六第一項（第十七条第一項又は第二項において準用する場合を含む。）又は第三項（第十七条第一項において準用する場合を含む。）の規定による命令に違反したとき。
四　第十八条の規定に違反して、大麻草の種子を譲り渡したとき。
五　第十九条第一項の規定に違反して同項ただし書の許可を受けないで発芽不能未処理種子を輸入し、又は同条第二項の規定に違反したとき。

第二四条の七①　第二十四条から第二十四条の三まで若しくは前条第二号若しくは第三号の罪に係る大麻草、同条第一号の罪に係る大麻又は同条第四号若しくは第五号の罪に係る大麻草の種子で、犯人が所有し、又は所持するものは、没収する。ただし、犯人以外の所有に係るときは、没収しないことができる。

②　前項に規定する罪（第二十四条の二及び前条の罪を除く。）の実行に関し、大麻草の運搬の用に供した艦船、航空機又は車両は、没収することができる。

第二五条　次の各号のいずれかに該当する場合には、当該違反行為をした者は、一年以下の拘禁刑若しくは二十万円以下の罰金に処し、又はこれを併科する。
一―五　（略）
六　第十二条の四第三項（第十七条第一項において準用する場合を含む。）の規定による報告をする場合において虚偽の報告をしたとき。
七　第十二条の五又は第十六条の規定に違反したとき。
八　（略）

第二五条の二　次の各号のいずれかに該当する場合には、当該違反行為をした者は、六月以下の拘禁刑若しくは二十万円以下の罰金に処し、又はこれを併科する。
一　（略）
二　第十二条の四第三項（第十七条第一項において準用する場合を含む。）の規定による報告をしなかつたとき。

第二六条　次の各号のいずれかに該当する場合には、当該違反行為をした者は、二十万円以下の罰金に処する。
一　（略）
二　第二十条の規定に違反したとき。
三　（略）

第二七条【両罰規定】　法人の代表者又は法人若しくは人の代理人その他の従業者が、その法人又は人の業務に関して第二十四条第二項若しくは第三項（同条第二項に係る部分に限る。）の罪を犯し、又は第二十四条の二第二項若しくは第三項（同条第二項に係る部分に限る。）、第二十四条の六若しくは前三条の違反行為をしたときは、行為者を罰するほか、その法人又は人に対しても各本条の罰金刑を科する。

＊覚醒剤取締法（抜粋）（昭和二六・六・三〇 法 二五二）

題名改正 令和一法六三（旧・覚せい剤取締法）
最終改正 令和四法六八

（この法律の目的）

第一条 この法律は、覚醒剤の濫用による保健衛生上の危害を防止するため、覚醒剤及び覚醒剤原料の輸入、輸出、所持、製造、譲渡、譲受及び使用に関して必要な取締りを行うことを目的とする。

（用語の意義）

第二条① この法律で「覚醒剤」とは、次に掲げる物をいう。

一 フエニルアミノプロパン、フエニルメチルアミノプロパン及び各その塩類

二 前号に掲げる物と同種の覚醒作用を有する物であつて政令で指定するもの

三 前二号に掲げる物のいずれかを含有する物

②―⑩ （略）

（輸入及び輸出の禁止）

第一三条 何人も、覚醒剤を輸入し、又は輸出してはならない。

（所持の禁止）

第一四条① 覚醒剤製造業者、覚醒剤施用機関の開設者及び管理者、覚醒剤施用機関において診療に従事する医師、覚醒剤研究者並びに覚醒剤施用機関において診療に従事する医師又は覚醒剤研究者から施用のため交付を受けた者のほかは、何人も、覚醒剤を所持してはならない。

② 次の各号のいずれかに該当する場合には、前項の規定は適用しない。

一 覚醒剤製造業者、覚醒剤施用機関の管理者、覚醒剤施用機関において診療に従事する医師又は覚醒剤研究者の業務上の補助者がその業務のために覚醒剤を所持する場合

二 覚醒剤製造業者が覚醒剤施用機関若しくは覚醒剤研究者に覚醒剤を譲り渡し、又は覚醒剤の保管換をする場合において、郵便若しくは民間事業者による信書の送達に関する法律（平成十四年法律第九十九号）第二条第二項に規定する信書便（第二十四条第五項及び第三十条の七第十号において「信書便」という。）又は物の運送の業務に従事する者がその業務を行う必要上覚醒剤を所持する場合

三 覚醒剤施用機関において診療に従事する医師から施用のため交付を受ける者の看護に当たる者がその者のために覚醒剤を所持する場合

四 法令に基づいてする行為につき覚醒剤を所持する場合

（製造の禁止及び制限）

第一五条① 覚醒剤製造業者がその業務の目的のために製造する場合及び覚醒剤研究者が厚生労働大臣の許可を受けて研究のために製造する場合のほかは、何人も、覚醒剤を製造してはならない。

②―④ （略）

（譲渡及び譲受の制限及び禁止）

第一七条① 覚醒剤製造業者は、その製造した覚醒剤を覚醒剤施用機関及び覚醒剤研究者以外の者に譲り渡してはならない。

② 覚醒剤施用機関又は覚醒剤研究者は、覚醒剤製造業者以外の者から覚醒剤を譲り受けてはならない。

③ 前二項の場合及び覚醒剤施用機関において診療に従事する医師又は覚醒剤研究者が覚醒剤を施用のため交付する場合のほかは、何人も、覚醒剤を譲り渡し、又は譲り受けてはならない。

④ 法令による職務の執行につき覚醒剤を譲り渡し、若しくは譲り受ける場合又は覚醒剤研究者が厚生労働大臣の許可を受けて、覚醒剤を譲り渡し、若しくは譲り受ける場合には、前三項の規定は適用しない。

⑤ （略）

（使用の禁止）

第一九条 次に掲げる場合のほかは、何人も、覚醒剤を使用してはならない。

一 覚醒剤製造業者が製造のため使用する場合

二 覚醒剤施用機関において診療に従事する医師又は覚醒剤研究者が施用する場合

三 覚醒剤研究者が研究のため使用する場合

四 覚醒剤施用機関において診療に従事する医師又は覚醒剤研究者から施用のため交付を受けた者が施用する場合

五 法令に基づいてする行為につき使用する場合

（刑罰）

第四一条① 覚醒剤を、みだりに、本邦若しくは外国に輸入し、本邦若しくは外国から輸出し、又は製造した者（第四十一条の五第一項第二号に該当するものを除く。）は、一年以上の有期拘禁刑に処する。

② 営利の目的で前項の罪を犯した者は、無期若しくは三年以上の拘禁刑に処し、又は情状により無期若しくは三年以上の拘禁刑及び一千万円以下の罰金に処する。

③ 前二項の未遂罪は、罰する。

第四一条の二① 覚醒剤を、みだりに、所持し、譲り渡し、又は譲り受けた者（第四十二条第五号に該当する者を除く。）は、十年以下の拘禁刑に処する。

② 営利の目的で前項の罪を犯した者は、一年以上の有期拘禁刑に処し、又は情状により一年以上の有期拘禁刑及び五百万円以下の罰金に処する。

③ 前二項の未遂罪は、罰する。

第四一条の三① 次の各号のいずれかに該当する者は、十年以下の拘禁刑に処する。

一 第十九条（使用の禁止）の規定に違反した者

二―四 （略）

② 営利の目的で前項の違反行為をした者は、一年以上の有期拘禁刑に処し、又は情状により一年以上の有期拘禁刑及び五百万円以下の罰金に処する。

③ 前二項の未遂罪は、罰する。

第四一条の八① 第四十一条から前条までの罪に係る覚醒剤又は覚醒剤原料で、犯人が所有し、又は所持するものは、没収する。ただし、犯人以外の者の所有に係るときは、没収しないことができる。

② 前項に規定する罪（第四十一条の三から第四十一条の五まで及び前条の罪を除く。）の実行に関し、覚醒剤の運搬の用に供した艦船、航空機又は車両は、没収することができる。

＊国際的な協力の下に規制薬物に係る不正行為を助長する行為等の防止を図るための麻薬及び向精神薬取締法等の特例等に関する法律（抜粋）（平成三・一〇・五 法 九 四）

最終改正　令和五法八四

（**上陸の手続の特例**）
第三条① 入国審査官は、出入国管理及び難民認定法（昭和二十六年政令第三百十九号。以下「入管法」という。）第五条第一項第六号に掲げる者である疑いのある外国人から入管法第六条第二項の申請があった場合において、法務大臣から、薬物犯罪の捜査に関し、当該外国人を上陸させることが必要であるとの検察官からの通報又は司法警察職員（麻薬取締官、麻薬取締員、警察官又は海上保安官に限る。次項及び次条第一項において同じ。）からの要請があった旨並びに規制薬物の散逸及び当該外国人の逃走を防止するための十分な監視体制が確保されていると認められる旨の連絡を受けているときは、入管法第九条第一項の規定にかかわらず、入管法第五条第一項第六号以外の事項について入管法第七条第一項の審査をした上、当該外国人の旅券に入管法第九条第一項の上陸許可の証印をすることができる。
②―④（略）

（**税関手続の特例**）
第四条① 税関長は、関税法（昭和二十九年法律第六十一号）第六十七条（同法第七十五条において準用する場合を含む。以下この項において同じ。）の規定による貨物の検査により、当該検査に係る貨物に規制薬物が隠匿されていることが判明した場合において、薬物犯罪の捜査に関し、当該規制薬物が外国に向けて送り出され、又は本邦に引き取られることが必要である旨の検察官又は司法警察職員からの要請があり、かつ、当該規制薬物の散逸を防止するための十分な監視体制が確保されていると認めるときは、当該要請に応ずるために次に掲げる措置をとることができる。ただし、当該措置をとることが関税法規の目的に照らし相当でないと認められるときは、この限りでない。
一　当該貨物（当該貨物に隠匿されている規制薬物を除く。）について関税法第六十七条の規定により申告されたところに従って同条の許可を行うこと。
二　その他当該要請に応ずるために必要な措置
② 前項（第一号を除く。）の規定は、関税法第七十六条第一項ただし書の規定による郵便物中にある信書以外の物の検査により、当該信書以外の物に規制薬物が隠匿されていることが判明した場合について準用する。この場合において、当該規制薬物については、同法第七十四条の規定は、適用しない。

（**業として行う不法輸入等**）
第五条　次に掲げる行為を業とした者（これらの行為と第八条の罪に当たる行為を併せてすることを業とした者を含む。）は、無期又は五年以上の拘禁刑及び千万円以下の罰金に処する。
一　麻薬及び向精神薬取締法第六十四条、第六十四条の二（所持に係る部分を除く。）、第六十五条、第六十六条（所持に係る部分を除く。）、第六十六条の三又は第六十六条の四（所持に係る部分を除く。）の罪に当たる行為をすること。
二　大麻草の栽培の規制に関する法律第二十四条の罪に当たる行為をすること。
三　あへん法第五十一条又は第五十二条（所持に係る部分を除く。）の罪に当たる行為をすること。
四　覚醒剤取締法第四十一条又は第四十一条の二（所持に係る部分を除く。）の罪に当たる行為をすること。

（**薬物犯罪収益等隠匿**）
第六条① 薬物犯罪収益等の取得若しくは処分につき事実を仮装し、又は薬物犯罪収益等を隠匿した者は、十年以下の拘禁刑若しくは五百万円以下の罰金に処し、又はこれを併科する。薬物犯罪収益の発生の原因につき事実を仮装した者も、同様とする。
② 前項の未遂罪は、罰する。
③ 第一項の罪を犯す目的をもって、その予備をした者は、二年以下の拘禁刑又は五十万円以下の罰金に処する。

（**薬物犯罪収益等収受**）
第七条　情を知って、薬物犯罪収益等を収受した者は、七年以下の拘禁刑若しくは三百万円以下の罰金に処し、又はこれを併科する。ただし、法令上の義務の履行として提供されたものを収受した者又は契約（債権者において相当の財産上の利益を提供すべきものに限る。）の時に当該契約に係る債務の履行が薬物犯罪収益等によって行われることの情を知らないでした当該契約に係る債務の履行として提供されたものを収受した者は、この限りでない。

（**規制薬物としての物品の輸入等**）
第八条① 薬物犯罪（規制薬物の輸入又は輸出に係るものに限る。）を犯す意思をもって、規制薬物として交付を受け、又は取得した薬物その他の物品を輸入し、又は輸出した者は、三年以下の拘禁刑又は五十万円以下の罰金に処する。
② 薬物犯罪（規制薬物の譲渡し、譲受け又は所持に係るものに限る。）を犯す意思をもって、薬物その他の物品を規制薬物として譲り渡し、若しくは譲り受け、又は規制薬物として交付を受け、若しくは取得した薬物その他の物品を所持した者は、二年以下の拘禁刑又は三十万円以下の罰金に処する。

（**薬物犯罪収益等の没収**）
第一一条① 次に掲げる財産は、これを没収する。ただし、第六条第一項若しくは第二項又は第七条の罪が薬物犯罪収益又は薬物犯罪収益に由来する財産とこれらの財産以外の財産とが混和した財産に係る場合において、これらの罪につき第三号から第五号までに掲げる財産の全部を没収することが相当でないと認められるときは、その一部を没収することができる。
一　薬物犯罪収益（第二条第二項第六号又は第七号に掲げる罪に係るものを除く。）
二　薬物犯罪収益に由来する財産（第二条第二項第六号又は第七号に掲げる罪に係る薬物犯罪収益の保有又は処分に基づき得たものを除く。）
三　第六条第一項若しくは第二項又は第七条の罪に係る薬物犯罪収益等
四　第六条第一項若しくは第二項又は第七条の犯罪行為により生じ、若しくは当該犯罪行為により得た財産又は当該犯罪行為の報酬として得た財産
五　前二号の財産の果実として得た財産、前二号の財産の対価として得た財産、これらの財産の対価として得た財産その他前二号の財産の保有又は処分に基づき得た財産
② 前項の規定により没収すべき財産について、当該財産の性質、その使用の状況、当該財産に関する犯人以外の者の権利の有無その他の事情からこれを没収することが相当でないと認められるときは、同項の規定にかかわらず、これを没収しないことができる。
③ 次に掲げる財産は、これを没収することができる。
一　薬物犯罪収益（第二条第二項第六号又は第七号に掲げる罪に係るものに限る。）
二　薬物犯罪収益に由来する財産（第二条第二項第六号又は第七号に掲げる罪に係る薬物犯罪収益の保有又は処分に基づき得たものに限る。）
三　第六条第三項の罪に係る薬物犯罪収益等
四　第六条第三項の犯罪行為より生じ、若しくは当該犯罪行為により得た財産又は当該犯罪行為の報酬として得た財産

五　前二号の財産の果実として得た財産、前二号の財産の対価として得た財産、これらの財産の対価として得た財産その他前二号の財産の保有又は処分に基づき得た財産

（薬物犯罪収益の推定）

第一四条　第五条の罪に係る薬物犯罪収益については、同条各号に掲げる行為を業とした期間内に犯人が取得した財産であって、その価額が当該期間内における犯人の稼働の状況又は法令に基づく給付の受給の状況に照らし不相当に高額であると認められるものは、当該罪に係る薬物犯罪収益と推定する。

○薬物使用等の罪を犯した者に対する刑の一部の執行猶予に関する法律（平成二五・六・一九　法　五　〇）

施行　平成二八・六・一（附則参照）
最終改正　令和五法八四

（趣旨）

第一条　この法律は、薬物使用等の罪を犯した者が再び犯罪をすることを防ぐため、刑事施設における処遇に引き続き社会内においてその者の特性に応じた処遇を実施することにより規制薬物等に対する依存を改善することが有用であることに鑑み、薬物使用等の罪を犯した者に対する刑の一部の執行猶予に関し、その言渡しをすることができる者の範囲及び猶予の期間中の保護観察その他の事項について、刑法（明治四十年法律第四十五号）の特則を定めるものとする。

（定義）

第二条①　この法律において「規制薬物等」とは、毒物及び劇物取締法（昭和二十五年法律第三百三号）第三条の三に規定する興奮、幻覚又は麻酔の作用を有する毒物及び劇物（これらを含有する物を含む。）であって同条の政令で定めるもの、覚醒剤取締法（昭和二十六年法律第二百五十二号）に規定する覚醒剤、麻薬及び向精神薬取締法（昭和二十八年法律第十四号）に規定する麻薬並びにあへん法（昭和二十九年法律第七十一号）に規定するあへん及びけしがらをいう。

②　この法律において「薬物使用等の罪」とは、次に掲げる罪をいう。

一　刑法第百三十九条第一項若しくは第百四十条（あへん煙の所持に係る部分に限る。）の罪又はこれらの罪の未遂罪

二　毒物及び劇物取締法第二十四条の三の罪

三　覚醒剤取締法第四十一条の二第一項（所持に係る部分に限る。）、第四十一条の三第一項第一号若しくは第二号（施用に係る部分に限る。）若しくは第四十一条の四第一項第三号若しくは第五号の罪又はこれらの罪の未遂罪

四　麻薬及び向精神薬取締法第六十四条の二第一項（所持に係る部分に限る。）、第六十四条の三第一項（施用又は施用を受けたことに係る部分に限る。）、第六十六条第一項（所持に係る部分に限る。）若しくは第六十六条の二第一項（施用又は施用を受けたことに係る部分に限る。）の罪又はこれらの罪の未遂罪

五　あへん法第五十二条第一項（所持に係る部分に限る。）若しくは第五十二条の二第一項の罪又はこれらの罪の未遂罪

（刑の一部の執行猶予の特則）

第三条　薬物使用等の罪を犯した者であって、刑法第二十七条の二第一項各号に掲げる者以外のものに対する同項の規定の適用については、同項中「次に掲げる者が」とあるのは「薬物使用等の罪を犯した者に対する刑の一部の執行猶予に関する法律（平成二十五年法律第五十号）第二条第二項に規定する薬物使用等の罪を犯した者が、その罪又はその罪及び他の罪について」と、「考慮して」とあるのは「考慮して、刑事施設における処遇に引き続き社会内において同条第一項に規定する規制薬物等に対する依存の改善に資する処遇を実施することが」とする。

（刑の一部の執行猶予中の保護観察の特則）

第四条①　前条に規定する者に刑の一部の執行猶予の言渡しをするときは、刑法第二十七条の三第一項の規定にかかわらず、猶予の期間中保護観察に付する。

②　刑法第二十七条の三第二項及び第三項の規定は、前項の規定により付せられた保護観察の仮解除について準用する。

（刑の一部の執行猶予の必要的取消しの特則等）

第五条①　第三条の規定により読み替えて適用される刑法第二十七条の二第一項の規定による刑の一部の執行猶予の言渡しの取消しについては、同法第二十七条の四第三号の規定は、適用しない。

②　前項に規定する刑の一部の執行猶予の言渡しの取消しについての刑法第二十七条の五第二号の規定の適用については、同号中「第二十七条の三第一項」とあるのは、「薬物使用等の罪を犯した者に対する刑の一部の執行猶予に関する法律第四条第一項」とする。

附　則

（施行期日）

①　この法律は、刑法等の一部を改正する法律（平成二十五年法律第四十九号）の施行の日（平成二八・六・一）から施行する。

（経過措置）

②　この法律の規定は、この法律の施行前にした行為についても、適用する。

附　則（令和五・一二・一三法八四）（抄）

（施行期日）

第一条　この法律は、公布の日から起算して一年を超えない範囲内において政令で定める日から施行する。ただし、次の各号に

掲げる規定は、当該各号に定める日から施行する。

一　附則（中略）第二十九条の規定　公布の日

二　（略）

（一部執行猶予法の一部改正に伴う経過措置）

第二六条①　附則第八条（罰則に関する経過措置）の規定によりなお従前の例によることとされる場合における第一条改正前大麻法（第一条の規定による改正前の大麻取締法）第二十四条の二第一項（所持に係る部分に限る。次項において同じ。）の罪又はその未遂罪は、一部執行猶予法（薬物使用等の罪を犯した者に対する刑の一部の執行猶予に関する法律）第三条の規定の適用については、一部執行猶予法第二条第二項に規定する薬物使用等の罪とみなす。

②　一部執行猶予法第四条第二項の規定は、第一条改正前大麻法第二十四条の二第一項の罪又はその未遂罪を犯して一部執行猶予法第四条第一項の規定により付せられた保護観察の仮解除についても適用し、一部執行猶予法第五条第一項の規定は、第一条改正前大麻法第二十四条の二第一項の罪又はその未遂罪を犯した者に係る一部執行猶予法第三条の規定により読み替えて適用される刑法（明治四十年法律第四十五号）第二十七条の二第一項の規定による刑の一部の執行猶予の言渡しの取消しについても適用する。

（政令への委任）

第二九条　この附則に規定するもののほか、この法律の施行に伴い必要な経過措置（中略）は、政令で定める。

〇ストーカー行為等の規制等に関する法律（抄）（平成一二・五・二四 法　八　一）

施行　平成一二・一一・二四（附則参照）
最終改正　令和五法六三

（目的）

第一条　この法律は、ストーカー行為を処罰する等ストーカー行為等について必要な規制を行うとともに、その相手方に対する援助の措置等を定めることにより、個人の身体、自由及び名誉に対する危害の発生を防止し、あわせて国民の生活の安全と平穏に資することを目的とする。

（定義）

第二条①　この法律において「つきまとい等」とは、特定の者に対する恋愛感情その他の好意の感情又はそれが満たされなかったことに対する怨恨の感情を充足する目的で、当該特定の者又はその配偶者、直系若しくは同居の親族その他当該特定の者と社会生活において密接な関係を有する者に対し、次の各号のいずれかに掲げる行為をすることをいう。

一　つきまとい、待ち伏せし、進路に立ちふさがり、住居、勤務先、学校その他その現に所在する場所若しくは通常所在する場所（以下「住居等」という。）の付近において見張りをし、住居等に押し掛け、又は住居等の付近をみだりにうろつくこと。

二　その行動を監視していると思わせるような事項を告げ、又はその知り得る状態に置くこと。

三　面会、交際その他の義務のないことを行うことを要求すること。

四　著しく粗野又は乱暴な言動をすること。

五　電話をかけて何も告げず、又は拒まれたにもかかわらず、連続して、電話をかけ、文書を送付し、ファクシミリ装置を用いて送信し、若しくは電子メールの送信等をすること。

六　汚物、動物の死体その他の著しく不快又は嫌悪の情を催させるような物を送付し、又はその知り得る状態に置くこと。

七　その名誉を害する事項を告げ、又はその知り得る状態に置くこと。

八　その性的羞恥心を害する事項を告げ若しくはその知り得る状態に置き、その性的羞恥心を害する文書、図画、電磁的記録（電子的方式、磁気的方式その他人の知覚によっては認識することができない方式で作られる記録であって、電子計算機による情報処理の用に供されるものをいう。以下この号において同じ。）に係る記録媒体その他の物を送付し若しくはその知り得る状態に置き、又はその性的羞恥心を害する電磁的記録その他の記録を送信し若しくはその知り得る状態に置くこと。

②　前項第五号の「電子メールの送信等」とは、次の各号のいずれかに掲げる行為（電話をかけること及びファクシミリ装置を用いて送信することを除く。）をいう。

一　電子メールその他のその受信をする者を特定して情報を伝達するために用いられる電気通信（電気通信事業法（昭和五十九年法律第八十六号）第二条第一号に規定する電気通信をいう。次号において同じ。）の送信を行うこと。

二　前号に掲げるもののほか、特定の個人がその入力する情報を電気通信を利用して第三者に閲覧させることに付随して、その第三者が当該個人に対し情報を伝達することができる機能が提供されるものの当該機能を利用する行為をすること。

③　この法律において「位置情報無承諾取得等」とは、特定の者に対する恋愛感情その他の好意の感情又はそれが満たされなかったことに対する怨恨の感情を充足する目的で、当該特定の者又はその配偶者、直系若しくは同居の親族その他当該特定の者と社会生活において密接な関係を有する者に対し、次の各号のいずれかに掲げる行為をすることをいう。

一　その承諾を得ないで、その所持する位置情報記録・送信装置（当該装置の位置に係る位置情報（地理空間情報活用推進基本法（平成十九年法律第六十三号）第二条第一項第一号に規定する位置情報をいう。以下この号において同じ。）を記録し、又は送信する機能を有する装置で政令で定めるものをいう。以下この号及び次号において同じ。）（同号に規定する行為がされた位置情報記録・送信装置を含む。）により記録され、又は送信される当該位置情報記録・送信装置の位置に係る位置情報を政令で定める方法により取得すること。

二　その承諾を得ないで、その所持する物に位置情報記録・送信装置を取り付けること、位置情報記録・送信装置を取り付けた物を交付することその他その移動に伴い位置情報記録・送信装置を移動し得る状態にする行為として政令で定める行為をすること。

④　この法律において「ストーカー行為」とは、同一の者に対し、つきまとい等（第一項第一号から第四号まで及び第五号（電子メールの送信等に係る部分に限る。）に掲げる行為については、身体の安全、住居等の平穏若しくは名誉が害され、又は行動の自由が著しく害される不安を覚えさせるような方法によ

り行われる場合に限る。）又は位置情報無承諾取得等を反復してすることをいう。

（つきまとい等又は位置情報無承諾取得等をして不安を覚えさせることの禁止）

第三条　何人も、つきまとい等又は位置情報無承諾取得等をして、その相手方に身体の安全、住居等の平穏若しくは名誉が害され、又は行動の自由が著しく害される不安を覚えさせてはならない。

（警告）

第四条①　警視総監若しくは道府県警察本部長又は警察署長（以下「警察本部長等」という。）は、つきまとい等又は位置情報無承諾取得等をされたとして当該つきまとい等又は位置情報無承諾取得等に係る警告を求める旨の申出を受けた場合において、当該申出に係る前条の規定に違反する行為があり、かつ、当該行為をした者が更に反復して当該行為をするおそれがあると認めるときは、当該行為をした者に対し、国家公安委員会規則で定めるところにより、更に反復して当該行為をしてはならない旨を警告することができる。

②　一の警察本部長等が前項の規定による警告（以下「警告」という。）をした場合には、他の警察本部長等は、当該警告を受けた者に対し、当該警告に係る前条の規定に違反する行為について警告をすることができない。

③　警察本部長等は、警告をしたときは、速やかに、当該警告の内容及び日時を第一項の申出をした者に通知しなければならない。

④　警察本部長等は、警告をしなかったときは、速やかに、その旨及びその理由を第一項の申出をした者に書面により通知しなければならない。

⑤　前各項に定めるもののほか、第一項の申出の受理及び警告の実施に関し必要な事項は、国家公安委員会規則で定める。

（禁止命令等）

第五条①　都道府県公安委員会（以下「公安委員会」という。）は、第三条の規定に違反する行為があった場合において、当該行為をした者が更に反復して当該行為をするおそれがあると認めるときは、その相手方の申出により、又は職権で、国家公安委員会規則で定めるところにより、次に掲げる事項を命ずることができる。

一　更に反復して当該行為をしてはならないこと。

二　更に反復して当該行為が行われることを防止するために必要な事項

②　公安委員会は、前項の規定による命令（以下「禁止命令等」という。）をしようとするときは、行政手続法（平成五年法律第八十八号）第十三条第一項の規定による意見陳述のための手続の区分にかかわらず、聴聞を行わなければならない。

③　公安委員会は、第一項に規定する場合において、第三条の規定に違反する行為の相手方の身体の安全、住居等の平穏若しくは名誉が害され、又は行動の自由が著しく害されることを防止するために緊急の必要があると認めるときは、前項及び行政手続法第十三条第一項の規定にかかわらず、聴聞又は弁明の機会の付与を行わないで、当該相手方の申出により（当該相手方の身体の安全が害されることを防止するために緊急の必要があると認めるときは、その申出により、又は職権で）、禁止命令等をすることができる。この場合において、当該禁止命令等をした公安委員会は、意見の聴取を、当該禁止命令等をした日から起算して十五日以内（当該禁止命令等をした日から起算して十五日以内に次項において準用する同法第十五条第三項の規定により意見の聴取の通知を行った場合にあっては、当該通知が到達したものとみなされる日から十四日以内）に行わなければならない。

④　行政手続法第三章第二節（第二十八条を除く。）の規定は、公安委員会が前項後段の規定による意見の聴取を行う場合について準用する。この場合において、同法第十五条第一項中「聴聞を行うべき期日までに相当な期間をおいて」とあるのは「速やかに」と、同法第二十六条中「不利益処分の決定をするときは」とあるのは「ストーカー行為等の規制等に関する法律（平成十二年法律第八十一号）第五条第三項後段の規定による意見の聴取を行ったときは」と、「参酌してこれをしなければ」とあるのは「考慮しなければ」と読み替えるほか、必要な技術的読替えは、政令で定める。

⑤　一の公安委員会が禁止命令等をした場合には、他の公安委員会は、当該禁止命令等を受けた者に対し、当該禁止命令等に係る第三条の規定に違反する行為について禁止命令等をすることができない。

⑥　公安委員会は、第一項又は第三項の申出を受けた場合において、禁止命令等をしたときは、速やかに、当該禁止命令等の内容及び日時を当該申出をした者に通知しなければならない。

⑦　公安委員会は、第一項又は第三項の申出を受けた場合において、禁止命令等をしなかったときは、速やかに、その旨及びその理由を当該申出をした者に書面により通知しなければならない。

⑧　禁止命令等の効力は、禁止命令等をした日から起算して一年とする。

⑨　公安委員会は、禁止命令等をした場合において、前項の期間の経過後、当該禁止命令等を継続する必要があると認めるときは、当該禁止命令等に係る事案に関する第三条の規定に違反する行為の相手方の申出により、又は職権で、当該禁止命令等の有効期間を一年間延長することができる。当該延長に係る期間の経過後、これを更に延長しようとするときも、同様とする。

⑩　第二項の規定は禁止命令等の有効期間の延長をしようとする場合について、第六項及び第七項の規定は前項の申出を受けた場合について準用する。この場合において、第六項中「禁止命令等を」とあるのは「第九項の規定による禁止命令等の有効期間の延長の処分を」と、「当該禁止命令等の」とあるのは「当該処分の」と、第七項中「禁止命令等」とあるのは「第九項の規定による禁止命令等の有効期間の延長の処分」と読み替えるものとする。

⑪　禁止命令等又は第九項の規定による禁止命令等の有効期間の延長の処分は、国家公安委員会規則で定める書類を送達して行う。ただし、緊急を要するため当該書類を送達するいとまがないときは、口頭ですることができる。

⑫　前項の規定により送達すべき書類について、その送達を受けるべき者の住所及び居所が明らかでない場合には、当該禁止命令等又は当該処分をする公安委員会は、その送達に代えて公示送達をすることができる。

⑬　公示送達は、送達すべき書類の名称、その送達を受けるべき者の氏名及び公安委員会がその書類をいつでも送達を受けるべき者に交付する旨（以下この項において「公示事項」という。）を国家公安委員会規則で定める方法により不特定多数の者が閲覧することができる状態に置くとともに、公示事項が記載された書面を当該公安委員会の庁舎に設置した掲示板に掲示し、又は公示事項を当該公安委員会の庁舎に設置した電子計算機の映像面に表示したものの閲覧をすることができる状態に置く措置をとることにより行う。

＊令和五法六三（令和八・六・一五までに施行）**による改正前**
⑬　公示送達は、送達すべき書類の名称、その送達を受けるべき者の氏名及び公安委員会がその書類をいつでも送達を受けるべき者に交付する旨を当該公安委員会の掲示板に掲示して行う。

⑭　前項の場合において、同項の規定による措置を開始した日から起算して二週間を経過したときは、書類の送達があったものとみなす。

＊令和五法六三（令和八・六・一五までに施行）**による改正**
第十四項中「掲示を始めた」は「同項の規定による措置を開始した」に改められた。（本文織込み済み）

⑮　前各項に定めるもののほか、禁止命令等、第三項後段の規定による意見の聴取及び第十一項の規定による送達の実施に関し必要な事項は、国家公安委員会規則で定める。

（ストーカー行為等に係る情報提供の禁止）

第六条　何人も、ストーカー行為又は第三条の規定に違反する行為（以下「ストーカー行為等」という。）をするおそれがある者であることを知りながら、その者に対し、当該ストーカー行為等の相手方の氏名、住所その他の当該ストーカー行為等の相手方に係る情報でストーカー行為等をするために必要となるものを提供してはならない。

第七条から第一三条まで　（略）

（禁止命令等を行う公安委員会等）

第一四条①　この法律における公安委員会は、禁止命令等及び第五条第二項の聴聞に関しては、当該禁止命令等及び同項の聴聞に係る事案に関する第三条の規定に違反する行為の相手方の住所若しくは居所若しくは当該禁止命令等及び第五条第二項の聴聞に係る第三条の規定に違反する行為をした者の住所（日本国内に住所がないとき又は住所が知れないときは居所）の所在地又は当該行為が行われた地を管轄する公安委員会とする。

②　公安委員会は、第五条第二項の聴聞を終了しているときは、次に掲げる事由が生じた場合であっても、当該聴聞に係る禁止命令等をすることができるものとし、当該他の公安委員会は、前項の規定にかかわらず、当該聴聞に係る禁止命令等をすることができないものとする。

一　当該聴聞に係る事案に関する第三条の規定に違反する行為の相手方がその住所又は居所を他の公安委員会の管轄区域内に移転したこと。

二　当該聴聞に係る事案に関する第三条の規定に違反する行為をした者がその住所（日本国内に住所がないとき又は住所が知れないときは居所）を他の公安委員会の管轄区域内に移転したこと。

③　この法律における警察本部長等は、警告に関しては、当該警告に係る第四条第一項の申出をした者の住所若しくは居所若しくは当該申出に係る第三条の規定に違反する行為をした者の住所（日本国内に住所がないとき又は住所が知れないときは居所）の所在地又は当該行為が行われた地を管轄する警察本部長等とする。

第一五条から第一七条まで　（略）

（罰則）

第一八条　ストーカー行為をした者は、一年以下の拘禁刑又は百万円以下の罰金に処する。

第一九条①　禁止命令等（第五条第一項第一号に係るものに限る。以下同じ。）に違反してストーカー行為をした者は、二年以下の拘禁刑又は二百万円以下の罰金に処する。

②　前項に規定するもののほか、禁止命令等に違反してつきまとい等又は位置情報無承諾取得等をすることにより、ストーカー行為をした者も、同項と同様とする。

第二〇条　前条に規定するもののほか、禁止命令等に違反した者は、六月以下の拘禁刑又は五十万円以下の罰金に処する。

（適用上の注意）

第二一条　この法律の適用に当たっては、国民の権利を不当に侵害しないように留意し、その本来の目的を逸脱して他の目的のためにこれを濫用するようなことがあってはならない。

附　則　（抄）

（施行期日）

①　この法律は、公布の日から起算して六月を経過した日（平成一二・一一・二四）から施行する。

刑法等の一部を改正する法律の施行に伴う関係法律整理法中経過規定

（令和四・六・一七法六八）（抄）

第四四一条から第四四三条まで　（刑法の同経過規定参照）

第五〇九条　（刑法の同経過規定参照）

刑法等の一部を改正する法律の施行に伴う関係法律整理法

附　則（令和四・六・一七法六八）（抄）

（施行期日）

①　この法律は、刑法等一部改正法（刑法等の一部を改正する法律（令和四法六七））施行日（令和七・六・一）から施行する。ただし、次の各号に掲げる規定は、当該各号に定める日から施行する。

一　第五百九条の規定　公布の日

二　（略）

附　則（令和五・六・一六法六三）（抄）

（施行期日）

第一条　（前略）次の各号に掲げる規定は、当該各号に定める日から施行する。

一　（前略）附則第七条（中略）の規定　公布の日

二　（前略）第四十九条（ストーカー行為等の規制等に関する法律の一部改正）（中略）の規定並びに次条（中略）の規定　公布の日から起算して三年を超えない範囲内において政令で定める日

（公示送達等の方法に関する経過措置）

第二条　次に掲げる法律の規定は、前条第二号に掲げる規定の施行の日以後にする公示送達、送達又は通知について適用し、同日前にした公示送達、送達又は通知については、なお従前の例による。

一―十　（略）

十一　第四十九条の規定による改正後のストーカー行為等の規制等に関する法律第五条第十三項及び第十四項

十二―十五　（略）

（政令への委任）

第七条　この附則に定めるもののほか、この法律の施行に関し必要な経過措置（中略）は、政令で定める。

○軽犯罪法（昭和二三・五・一 法 三 九）

施行 昭和二三・五・二（附則）
最終改正 昭和四八法一〇五

第一条【罪】 左の各号の一に該当する者は、これを拘留又は科料に処する。

一 人が住んでおらず、且つ、看守していない邸宅、建物又は船舶の内に正当な理由がなくてひそんでいた者

二 正当な理由がなくて刃物、鉄棒その他人の生命を害し、又は人の身体に重大な害を加えるのに使用されるような器具を隠して携帯していた者

三 正当な理由がなくて合かぎ、のみ、ガラス切りその他他人の邸宅又は建物に侵入するのに使用されるような器具を隠して携帯していた者

四 生計の途がないのに、働く能力がありながら職業に就く意思を有せず、且つ、一定の住居を持たない者で諸方をうろついたもの

五 公共の会堂、劇場、飲食店、ダンスホールその他公共の娯楽場において、入場者に対して、又は汽車、電車、乗合自動車、船舶、飛行機その他公共の乗物の中で乗客に対して著しく粗野又は乱暴な言動で迷惑をかけた者

六 正当な理由がなくて他人の標灯又は街路その他公衆の通行し、若しくは集合する場所に設けられた灯火を消した者

七 みだりに船又はいかだを水路に放置し、その他水路の交通を妨げるような行為をした者

八 風水害、地震、火事、交通事故、犯罪の発生その他の変事に際し、正当な理由がなく、現場に出入するについて公務員若しくはこれを援助する者の指示に従うことを拒み、又は公務員から援助を求められたのにかかわらずこれに応じなかつた者

九 相当の注意をしないで、建物、森林その他燃えるような物の附近で火をたき、又はガソリンその他引火し易い物の附近で火気を用いた者

十 相当の注意をしないで、銃砲又は火薬類、ボイラーその他の爆発する物を使用し、又はもてあそんだ者

十一 相当の注意をしないで、他人の身体又は物件に害を及ぼす虞のある場所に物を投げ、注ぎ、又は発射した者

十二 人畜に害を加える性癖のあることの明らかな犬その他の鳥獣類を正当な理由がなくて解放し、又はその監守を怠つてこれを逃がした者

十三 公共の場所において多数の人に対して著しく粗野若しくは乱暴な言動で迷惑をかけ、又は威勢を示して汽車、電車、乗合自動車、船舶その他の公共の乗物、演劇その他の催し若しくは割当物資の配給を待ち、若しくはこれらの乗物若しくは催しの切符を買い、若しくは割当物資の配給に関する証票を得るため待つている公衆の列に割り込み、若しくはその列を乱した者

十四 公務員の制止をきかずに、人声、楽器、ラジオなどの音を異常に大きく出して静穏を害し近隣に迷惑をかけた者

十五 官公職、位階勲等、学位その他法令により定められた称号若しくは外国におけるこれらに準ずるものを詐称し、又は資格がないのにかかわらず、法令により定められた制服若しくは勲章、記章その他の標章若しくはこれらに似せて作つた物を用いた者

十六 虚構の犯罪又は災害の事実を公務員に申し出た者

十七 質入又は古物の売買若しくは交換に関する帳簿に、法令により記載すべき氏名、住居、職業その他の事項につき虚偽の申立をして不実の記載をさせた者

十八 自己の占有する場所内に、老幼、不具若しくは傷病のため扶助を必要とする者又は人の死体若しくは死胎のあることを知りながら、速やかにこれを公務員に申し出なかつた者

十九 正当な理由がなくて変死体又は死胎の現場を変えた者

二十 公衆の目に触れるような場所で公衆にけん悪の情を催させるような仕方でしり、ももその他身体の一部をみだりに露出した者

二十一 削除

二十二 こじきをし、又はこじきをさせた者

二十三 正当な理由がなくて人の住居、浴場、更衣場、便所その他人が通常衣服をつけないでいるような場所をひそかにのぞき見た者

二十四 公私の儀式に対して悪戯などでこれを妨害した者

二十五 川、みぞその他の水路の流通を妨げるような行為をした者

二十六 街路又は公園その他公衆の集合する場所で、たんつばを吐き、又は大小便をし、若しくはこれをさせた者

二十七 公共の利益に反してみだりにごみ、鳥獣の死体その他の汚物又は廃物を棄てた者

二十八 他人の進路に立ちふさがつて、若しくはその身辺に群がつて立ち退こうとせず、又は不安若しくは迷惑を覚えさせるような仕方で他人につきまとつた者

二十九 他人の身体に対して害を加えることを共謀した者の誰かがその共謀に係る行為の予備行為をした場合における共謀者

三十 人畜に対して犬その他の動物をけしかけ、又は馬若しくは牛を驚かせて逃げ走らせた者

三十一 他人の業務に対して悪戯などでこれを妨害した者

三十二 入ることを禁じた場所又は他人の田畑に正当な理由がなくて入つた者

三十三 みだりに他人の家屋その他の工作物にはり札をし、若しくは他人の看板、禁札その他の標示物を取り除き、又はこれらの工作物若しくは標示物を汚した者

三十四 公衆に対して物を販売し、若しくは頒布し、又は役務を提供するにあたり、人を欺き、又は誤解させるような事実を挙げて広告をした者

第二条【刑の免除・併科】 前条の罪を犯した者に対しては、情状に因り、その刑を免除し、又は拘留及び科料を併科することができる。

第三条【教唆・幇助】 第一条の罪を教唆し、又は幇助した者は、正犯に準ずる。

第四条【適用上の注意】 この法律の適用にあたつては、国民の権利を不当に侵害しないように留意し、その本来の目的を逸脱して他の目的のためにこれを濫用するようなことがあつてはならない。

附 則（抄）

② 警察犯処罰令（明治四十一年内務省令第十六号）は、これを廃止する。

◉刑事訴訟法 （昭和二三・七・一〇 法 一 三 一）

施行 昭和二四・一・一（附則）
改正 昭和二三法二六〇、昭和二四法一一六、昭和二七法二四〇・法二六八、昭和二八法一七二・法一九五、昭和二九法五七・法一六三、昭和三三法一〇八、昭和四六法四二、昭和五一法二三、昭和五四法五、昭和六一法六六、昭和六三法九三、平成三法三一、平成四法三〇、平成七法九一、平成一一法四三・法一三八・法一四七・法一五一、平成一二法七四・法一四二、平成一三法四一・法一三九・法一四〇・法一五三、平成一四法九八・法一〇〇、平成一五法六一、平成一六法六二・法一五六、平成一七法五〇・法六六、平成一八法三六、平成一九法五四・法六〇・法九五、平成二〇法七一、平成二一法六六、平成二二法二六、平成二三法六一・法七四、平成二五法四九・法八六、平成二六法七九、平成二八法五四（平成二九法六七）、平成二九法七二、令和一法六三、令和二法三三、令和三法三七、令和四法四八・法六七（令和五法二八）、令和五法二八（令和五法五六・法六六・法六七）・法六六（令和五法六七）・法六七・法八四

目次

第一編 総則

第一条【この法律の目的】 この法律は、刑事事件につき、公共の福祉の維持と個人の基本的人権の保障とを全うしつつ、事案の真相を明らかにし、刑罰法令を適正且つ迅速に適用実現することを目的とする。

参＋【公共の福祉↓憲一二、一三【基本的人権↓憲一三、三一・三三―三九、人権B規約一四【裁判の迅速と公正↓刑訴規一【捜査の基本↓捜査規範二

第一章 裁判所の管轄

第二条【土地管轄】 ① 裁判所の土地管轄は、犯罪地又は被告人の住所、居所若しくは現在地による。

② 国外に在る日本船舶内で犯した罪については、前項に規定する地の外、その船舶の船籍の所在地又は犯罪後その船舶の寄泊した地による。

③ 国外に在る日本航空機内で犯した罪については、第一項に規定する地の外、犯罪後その航空機の着陸（着水を含む。）した地による。（昭和二九法五七本項追加）

参❶【住所↓民二二【居所↓民二三 ＋【管轄違い↓三二九、三三〇、三七八㈠、三九八、三九九、四一二㈠、四一二

第三条【関連事件の併合管轄】 ① 事物管轄を異にする数個の事件が関連するときは、上級の裁判所は、併せてこれを管轄することができる。

② 高等裁判所の特別権限に属する事件と他の事件とが関連するときは、高等裁判所は、併せてこれを管轄することができる。

参❶【事物管轄↓裁二四、三三①【関連事件↓九 ❷【高等裁判所の特別権限↓裁一六四

第四条【審判の分離】 事物管轄を異にする数個の関連事件が上級の裁判所に係属する場合において、併せて審

判することを必要としないものがあるときは、上級の裁判所は、決定で管轄権を有する下級の裁判所にこれを移送することができる。

⊛+【事物管轄・関連事件→三⊛【上級裁判所の管轄権→三

第五条【審判の併合】① 数個の関連事件が各別に上級の裁判所及び下級の裁判所に係属するときは、事物管轄にかかわらず、上級の裁判所は、決定で下級の裁判所の管轄に属する事件を併せて審判することができる。

② 高等裁判所の特別権限に属する事件が高等裁判所に係属し、これと関連する事件が下級の裁判所に係属するときは、高等裁判所は、決定で下級の裁判所の管轄に属する事件を併せて審判することができる。

⊛+【事物管轄・関連事件・高等裁判所の特別権限→三⊛

第六条【関連事件の併合管轄】土地管轄を異にする数個の事件が関連するときは、一個の事件につき管轄権を有する裁判所は、併せて他の事件を管轄することができる。但し、他の法律の規定により特定の裁判所の管轄に属する事件は、これを管轄することができない。

⊛+【土地管轄→二【関連事件→九

第七条【審判の分離】土地管轄を異にする数個の関連事件が同一裁判所に係属する場合において、併せて審判することを必要としないものがあるときは、その裁判所は、決定で管轄権を有する他の裁判所にこれを移送することができる。

⊛+【土地管轄・関連事件→六⊛

第八条【審判の併合】① 数個の関連事件が各別に事物管轄を同じくする数個の裁判所に係属するときは、各裁判所は、検察官又は被告人の請求により、決定でこれを一の裁判所に併合することができる。

② 前項の場合において各裁判所の決定が一致しないときは、各裁判所に共通する直近上級の裁判所は、検察官又は被告人の請求により、決定で事件を一の裁判所に併合することができる。

⊛❶【事物管轄・関連事件→三⊛

第九条【関連事件】① 数個の事件は、左の場合に関連するものとする。

一 一人が数罪を犯したとき。

二 数人が共に同一又は別個の罪を犯したとき。

三 数人が通謀して各別に罪を犯したとき。

② 犯人蔵匿の罪、証憑湮滅の罪、偽証の罪、虚偽の鑑定通訳の罪及び贓物に関する罪とその本犯の罪とは、共に犯したものとみなす。

⊛❶【関連事件→三 ❷【犯人蔵匿の罪→刑一〇三【証憑湮滅の罪→刑一〇四【偽証の罪→刑一六九【虚偽の鑑定通訳の罪→刑一七一【贓物に関する罪→刑二五六

第一〇条【同一事件と数個の訴訟係属】① 同一事件が事物管轄を異にする数個の裁判所に係属するときは、上級の裁判所が、これを審判する。

② 上級の裁判所は、検察官又は被告人の請求により、決定で管轄権を有する下級の裁判所にその事件を審判させることができる。

第一一条【同前】① 同一事件が事物管轄を同じくする数個の裁判所に係属するときは、最初に公訴を受けた裁判所が、これを審判する。

② 各裁判所に共通する直近上級の裁判所は、検察官又は被告人の請求により、決定で後に公訴を受けた裁判所にその事件を審判させることができる。

第一二条【管轄区域外の職務執行】① 裁判所は、事実発見のため必要があるときは、管轄区域外で職務を行うことができる。

② 前項の規定は、受命裁判官にこれを準用する。

⊛❶【事実発見のための職務→九九―一六四 ❷【受命裁判官→一二五、一四二、一六三

第一三条【管轄違いと訴訟手続の効力】訴訟手続は、管轄違の理由によつては、その効力を失わない。

第一四条【管轄違いと要急処分】① 裁判所は、管轄権を有しないときでも、急速を要する場合には、事実発見のため必要な処分をすることができる。

② 前項の規定は、受命裁判官にこれを準用する。

⊛+【事実発見のため必要な処分→九九―一六四【受命裁判官→一二②⊛

第一五条【管轄指定の請求】検察官は、左の場合には、関係のある第一審裁判所に共通する直近上級の裁判所に管轄指定の請求をしなければならない。

一 裁判所の管轄区域が明らかでないため管轄裁判所が定まらないとき。

二 管轄違を言い渡した裁判が確定した事件について他に管轄裁判所がないとき。

⊛【三】【管轄違いの言渡し→三二九 +【指定の請求→刑訴規二、三、六

第一六条【同前】法律による管轄裁判所がないとき、又はこれを知ることができないときは、検事総長は、最高裁判所に管轄指定の請求をしなければならない。

⊛+【指定の請求→刑訴規二、三、六

第一七条【管轄移転の請求】① 検察官は、左の場合には、直近上級の裁判所に管轄移転の請求をしなければならない。

一 管轄裁判所が法律上の理由又は特別の事情により裁判権を行うことができないとき。

二 地方の民心、訴訟の状況その他の事情により裁判の公平を維持することができない虞があるとき。

② 前項各号の場合には、被告人も管轄移転の請求をすることができる。

⊛❶【検察官の請求→刑訴規三、四 ❷【被告人の請求→憲三七①、刑訴規五

第一八条【同前】犯罪の性質、地方の民心その他の事情により管轄裁判所が審判をするときは公安を害する虞があると認める場合には、検事総長は、最高裁判所に管轄移転の請求をしなければならない。

第一九条【事件の移送】① 裁判所は、適当と認めるときは、検察官若しくは被告人の請求により又は職権で、決定を以て、その管轄に属する事件を事物管轄を

同じくする他の管轄裁判所に移送することができる。

② 移送の決定は、被告事件につき証拠調を開始した後は、これをすることができない。

③ 移送の決定又は移送の請求を却下する決定に対しては、その決定により著しく利益を害される場合に限り、その事由を疎明して、即時抗告をすることができる。

参❶【事物管轄↓三参【移送の請求↓刑訴規七【決定の手続↓刑訴規八　❷【証拠調べ↓二九二　❸【即時抗告↓四二二、四二五

第二章　裁判所職員の除斥及び忌避

第二〇条【除斥の原因】 裁判官は、次に掲げる場合には、職務の執行から除斥される。

一 裁判官が被害者であるとき。

二 裁判官が被告人又は被害者の親族であるとき、又はあつたとき。

三 裁判官が被告人又は被害者の法定代理人、後見監督人、保佐人、保佐監督人、補助人又は補助監督人であるとき。（平成一一法一五一本号改正）

四 裁判官が事件について証人又は鑑定人となつたとき。

五 裁判官が事件について被告人の代理人、弁護人又は補佐人となつたとき。

六 裁判官が事件について検察官又は司法警察員の職務を行つたとき。

七 裁判官が事件について第二百六十六条第二号の決定、略式命令、前審の裁判、第三百九十八条乃至第四百条、第四百十二条若しくは第四百十三条の規定により差し戻し、若しくは移送された場合における原判決又はこれらの裁判の基礎となつた取調べに関与したとき。ただし、受託裁判官として関与した場合は、この限りでない。

参+憲三七①【本条違反と控訴理由↓三七七㈡、三七九【本条違反と上告理由↓四〇五㈡、四一一　〔三〕【親族↓民七二五　〔三〕【法定代理人↓民八一八、八一九、八三八―八四七【後見監督人↓民八四八―八五二【保佐人、保佐監督人、補助人、補助監督人↓民八七六―八七六の一〇　〔四〕【証人↓一四三【鑑定人↓一六五　〔五〕【代理人↓二七―二九、二八三、二八四【弁護人↓三〇―四一【補佐人↓四二　〔七〕【略式命令↓四六一【受託裁判官↓一二五、一四二、一六三　+【除斥理由があるとき↓二一、刑訴規一三

第二一条【忌避の原因、忌避申立権者】 ① 裁判官が職務の執行から除斥されるべきとき、又は不公平な裁判をする虞があるときは、検察官又は被告人は、これを忌避することができる。

② 弁護人は、被告人のため忌避の申立をすることができる。但し、被告人の明示した意思に反することはできない。

参❶憲三七【除斥されるべきとき↓二〇【忌避の申立て↓二二、刑訴規九―一一【忌避申立てに対する決定↓二三―二五、三七七㈡【忌避の理由があるとき↓刑訴規一三　❷【弁護人の忌避申立て↓四一

第二二条【忌避申立ての時期】 事件について請求又は陳述をした後には、不公平な裁判をする虞があることを理由として裁判官を忌避することはできない。但し、忌避の原因があることを知らなかつたとき、又は忌避の原因がその後に生じたときは、この限りでない。

参+【事件についての請求・陳述↓二九八①、二九一①②、二九六【本条の請求でないもの↓一七、一九、二七六①、三一三、三三一【本条ただし書による申立て↓刑訴規九③【本条違反の申立て↓二四

第二三条【忌避申立てに対する決定】 ① 合議体の構成員である裁判官が忌避されたときは、その裁判官所属の裁判所が、決定をしなければならない。この場合において、その裁判所が地方裁判所であるときは、合議体で決定をしなければならない。（平成一二法一四二、平成二〇法七一本項改正）

② 地方裁判所の一人の裁判官又は家庭裁判所の裁判官が忌避されたときはその裁判官所属の裁判所が、簡易裁判所の裁判官が忌避されたときは管轄地方裁判所が、合議体で決定をしなければならない。ただし、忌避された裁判官が忌避の申立てを理由があるものとするときは、その決定があつたものとみなす。（昭和二四法一一六、平成一二法一四二、平成二〇法七一本項改正）

③ 忌避された裁判官は、前二項の決定に関与することができない。

④ 裁判所が忌避された裁判官の退去により決定をすることができないときは、直近上級の裁判所が、決定をしなければならない。

参+【合議体↓裁九②、一八、二六②【地方裁判所の一人の裁判官↓裁二六①【決定↓二四、二五、刑訴規一二

第二四条【簡易却下手続】 ① 訴訟を遅延させる目的のみでされたことの明らかな忌避の申立は、決定でこれを却下しなければならない。この場合には、前条第三項の規定を適用しない。第二十二条の規定に違反し、又は裁判所の規則で定める手続に違反してされた忌避の申立を却下する場合も、同様である。

② 前項の場合には、忌避された受命裁判官、地方裁判所の一人の裁判官又は家庭裁判所若しくは簡易裁判所の裁判官は、忌避の申立てを却下する裁判をすることができる。（昭和二四法一一六、平成一二法一四二、平成二〇法七一本項改正）

参❶【規則の定め↓刑訴規九【却下の決定↓二五　❷【却下の裁判↓四二九①㈠

第二五条【即時抗告】 忌避の申立を却下する決定に対しては、即時抗告をすることができる。

参+【即時抗告↓四二二、四二五

第二六条【裁判所書記官の除斥・忌避】 ① この章の規定は、第二十条第七号の規定を除いて、裁判所書記にこれを準用する。

② 決定は、裁判所書記所属の裁判所がこれをしなければならない。但し、第二十四条第一項の場合には、裁判所書記の附属する受命裁判官が、忌避の申立を却下する裁判をすることができる。

参+【裁判所書記官↓裁六〇【裁判官に関する規則の準用↓刑訴規一五　❷【却下の裁判↓四二九①㈠

第三章　訴訟能力

第二七条【法人と訴訟行為の代表】 ① 被告人又は被疑者が法人であるときは、その代表者が、訴訟行為についてこれを代表する。

② 数人が共同して法人を代表する場合にも、訴訟行為については、各自が、これを代表する。

参【代表者↓一般法人七七、会社三四九、五九九

第二八条【意思無能力者と訴訟行為の代理】 刑法（明治四十年法律第四十五号）第三十九条又は第四十一条の規定を適用しない罪に当たる事件について、被告人又は被疑者が意思能力を有しないときは、その法定代理人（二人以上あるときは、各自。以下同じ。）が、訴訟行為についてこれを代理する。（平成七法九一、平成二三法六一本条改正）

参【法定代理人↓民八一八、八一九、八三八―八四七

第二九条【特別代理人】 ① 前二条の規定により被告人を代表し、又は代理する者がないときは、検察官の請求により又は職権で、特別代理人を選任しなければならない。

② 前二条の規定により被疑者を代表し、又は代理する者がない場合において、検察官、司法警察員又は利害関係人の請求があつたときも、前項と同様である。

③ 特別代理人は、被告人又は被疑者を代表し又は代理して訴訟行為をする者ができるまで、その任務を行う。

参❶【選任の請求↓刑訴規一六

第四章　弁護及び補佐

第三〇条【弁護人選任の時期、選任権者】 ① 被告人又は被疑者は、何時でも弁護人を選任することができる。

② 被告人又は被疑者の法定代理人、保佐人、配偶者、直系の親族及び兄弟姉妹は、独立して弁護人を選任することができる。

参❶【弁護人選任権↓憲三四、三七③【選任権の告知↓七六、七七、二〇三、二〇四、二〇七②、二一一、二一六、二七二【選任手続↓七八、二〇九、二一一、二一六、刑訴規一七―一八の二【弁護人の任務↓四一、一九六　❷【法定代理人↓民八一八、八一九、八三八―八四七【保佐人↓民八七六、八七六の二

第三一条【資格、特別弁護人】 ① 弁護人は、弁護士の中からこれを選任しなければならない。

② 簡易裁判所又は地方裁判所においては、裁判所の許可を得たときは、弁護士でない者を弁護人に選任することができる。ただし、地方裁判所においては、他に弁護士の中から選任された弁護人がある場合に限る。（昭和二四法一一六、平成二〇法七一本項改正）

参❶【弁護士↓憲三七③、弁護　❷【特別弁護人↓三八七、四一四

第三一条の二【弁護人選任の申出】 ① 弁護人を選任しようとする被告人又は被疑者は、弁護士会に対し、弁護人の選任の申出をすることができる。

② 弁護士会は、前項の申出を受けた場合は、速やかに、所属する弁護士の中から弁護人となろうとする者を紹介しなければならない。

③ 弁護士会は、前項の弁護人となろうとする者がないときは、当該申出をした者に対し、速やかに、その旨を通知しなければならない。同項の規定により紹介した弁護士が被告人又は被疑者がした弁護人の選任の申込みを拒んだときも、同様とする。

（平成一六法六二本条追加）

参【弁護士会↓弁護五章　❸【通知↓刑訴規一八の三

第三二条【選任の効力】 ① 公訴の提起前にした弁護人の選任は、第一審においてもその効力を有する。

② 公訴の提起後における弁護人の選任は、審級ごとにこれをしなければならない。

参❶【公訴提起前の弁護人選任↓三〇、三七の二―三七の五、刑訴規一七、二六五①　❷【公訴提起後の弁護人選任↓刑訴規一八、三六―三七、二八九、二九〇EIC

第三三条【主任弁護人】 被告人に数人の弁護人があるときは、裁判所の規則で、主任弁護人を定めなければならない。

参【主任弁護人↓刑訴規一九―二二、二四【副主任弁護人↓刑訴規二三、二四

第三四条【同前】 前条の規定による主任弁護人の権限については、裁判所の規則の定めるところによる。

参【主任弁護人の権限↓刑訴規二五、二三九、二六六

第三五条【弁護人の数の制限】 裁判所は、裁判所の規則の定めるところにより、被告人又は被疑者の弁護人の数を制限することができる。但し、被告人の弁護人については、特別の事情のあるときに限る。

参【被告人の弁護人↓刑訴規二六【被疑者の弁護人↓刑訴規二七

第三六条【被告人の国選弁護】 被告人が貧困その他の事由により弁護人を選任することができないときは、裁判所は、その請求により、被告人のため弁護人を附しなければならない。但し、被告人以外の者が選任した弁護人がある場合は、この限りでない。

参【被告人の権利↓憲三七③【選任権の告知↓三〇参【請求↓刑訴規二八【選任↓三八、刑訴規二九、一七九の六【被告人以外の者による弁護人の選任↓三〇②【訴訟費用↓五〇〇【被疑者に対する国選弁護↓三七の二―三七の五

第三六条の二【資力申告書の提出】 この法律により弁護人を要する場合を除いて、被告人が前条の請求をするには、資力申告書（その者に属する現金、預金その他政令で定めるこれらに準ずる資産の合計額（以下「資力」という。）及びその内訳を申告する書面をいう。以下同じ。）を提出しなければならない。（平成一六法六二本条追加）

参【この法律により弁護人を要する場合↓二八九、三一六の四、三一六の七、三一六の八、三一六の二八、三一六の二九、三五〇の二三【被疑者の場合↓三七の三①

第三六条の三【私選弁護人選任申出の前置】 ① この法律により弁護人を要する場合を除いて、その資力が基準額（標準的な必要生計費を勘案して一般に弁護人の報酬及び費用を賄うに足りる額として政令で定める額

をいう。以下同じ。）以上である被告人が第三十六条の請求をするには、あらかじめ、その請求をする裁判所の所在地を管轄する地方裁判所の管轄区域内に在る弁護士会に第三十一条の二第一項の申出をしていなければならない。

② 前項の規定により第三十一条の二第一項の申出を受けた弁護士会は、同条第三項の規定による通知をしたときは、前項の地方裁判所又は当該被告事件が係属する裁判所に対し、その旨を通知しなければならない。

（平成一六法六二本条追加）

⊛+【この法律により弁護人を要する場合↓三六の二⊛【弁護士会↓弁護五章【被疑者の場合↓三七の三②③

第三七条【職権による選任】 左の場合に被告人に弁護人がないときは、裁判所は、職権で弁護人を附することができる。

一 被告人が未成年者であるとき。

二 被告人が年齢七十年以上の者であるとき。

三 被告人が耳の聞えない者又は口のきけない者であるとき。

四 被告人が心神喪失者又は心神耗弱者である疑があるとき。

五 その他必要と認めるとき。

⊛+【選任↓三八、刑訴規二九【選任権の告知↓三〇⊛【一】【未成年↓民四、刑訴規二七九【四】【心神喪失・心神耗弱↓刑三九 +【弁護人が出頭しないとき↓二九〇

第三七条の二【被疑者の国選弁護】 ① 被疑者に対して勾留状が発せられている場合において、被疑者が貧困その他の事由により弁護人を選任することができないときは、裁判官は、その請求により、被疑者のため弁護人を付さなければならない。ただし、被疑者以外の者が選任した弁護人がある場合又は被疑者が釈放された場合は、この限りでない。（平成一六法六二本項改正）

② 前項の請求は、勾留を請求された被疑者も、これをすることができる。

（平成一六法六二本条追加、平成二八法五四本条改正）

⊛❶【被疑者の勾留↓二〇七、少四五㈣、刑訴規二八〇の二①③【被疑者以外の者による弁護人の選任↓三〇②【請求↓刑訴規二八―二八の三【被疑者の釈放↓八七、九五、二〇七、二〇八① ❷【勾留の請求↓二〇四①、二〇五①、二〇六① +【被疑者への教示等↓二〇三④、二〇四③、二〇七②③【選任↓三八、刑訴規二九【被告人に対する国選弁護↓三六―三七

第三七条の三【選任請求の手続】 ① 前条第一項の請求をするには、資力申告書を提出しなければならない。

② その資力が基準額以上である被疑者が前条第一項の請求をするには、あらかじめ、その勾留の請求を受けた裁判官の所属する裁判所の所在地を管轄する地方裁判所の管轄区域内に在る弁護士会に第三十一条の二第一項の申出をしていなければならない。

③ 前項の規定により第三十一条の二第一項の申出を受けた弁護士会は、同条第三項の規定による通知をしたときは、前項の地方裁判所に対し、その旨を通知しなければならない。

（平成一六法六二本条追加）

⊛❶【資力申告書↓三六の二 ❷【基準額↓三六の三①【弁護士会↓弁護五章 +【被告人の場合↓三六の二、三六の三【本条の準用↓三五〇の三②

第三七条の四【職権による選任】 裁判官は、被疑者に対して勾留状が発せられ、かつ、これに弁護人がない場合において、精神上の障害その他の事由により弁護人を必要とするかどうかを判断することが困難である疑いがある被疑者について必要があると認めるときは、職権で弁護人を付することができる。ただし、被疑者が釈放された場合は、この限りでない。（平成一六法六二本条追加、平成二八法五四本条改正）

⊛+三七の二①⊛【職権による選任↓刑訴規二八の四

第三七条の五【複数の弁護人の選任】 裁判官は、死刑又は無期拘禁刑に当たる事件について第三十七条の二第一項又は前条の規定により弁護人を付する場合又は付した場合において、特に必要があると認めるときは、職権で更に弁護人一人を付することができる。ただし、被疑者が釈放された場合は、この限りでない。

（平成一六法六二本条追加、令和四法六七本条改正）

⊛+【職権による選任↓刑訴規二八の五【被疑者の釈放↓三七の二①⊛

第三八条【選任資格、旅費等の請求】 ① この法律の規定に基づいて裁判所若しくは裁判長又は裁判官が付すべき弁護人は、弁護士の中からこれを選任しなければならない。（平成一六法六二本項改正）

② 前項の規定により選任された弁護人は、旅費、日当、宿泊料及び報酬を請求することができる。

⊛❶【この法律の規定↓三六、三七、三七の二、三七の四、二八九、二九〇、三一六の四、三一六の八、三一六の二八、三二六の二九、三五〇の一七、三五〇の一八、四五一【弁護士↓憲三七③、弁護四、八、刑訴規二九【選任の通知↓刑訴規二九の三①

第三八条の二【選任の効力の終期】 裁判官による弁護人の選任は、被疑者がその選任に係る事件について釈放されたときは、その効力を失う。ただし、その釈放が勾留の執行停止によるときは、この限りでない。（平成一六法六二本条追加）

⊛+【被疑者の釈放↓三七の二①⊛【勾留の執行停止↓九五、二〇七、二二四

第三八条の三【弁護人の解任】 ① 裁判所は、次の各号のいずれかに該当すると認めるときは、裁判所若しくは裁判長又は裁判官が付した弁護人を解任することができる。

一 第三十条の規定により弁護人が選任されたことその他の事由により弁護人を付する必要がなくなつたとき。

二 被告人と弁護人との利益が相反する状況にあり弁護人にその職務を継続させることが相当でないとき。

三 心身の故障その他の事由により、弁護人が職務を行うことができず、又は職務を行うことが困難となつたとき。

四 弁護人がその任務に著しく反したことによりその

　職務を継続させることが相当でないとき。
五　弁護人に対する暴行、脅迫その他の被告人の責めに帰すべき事由により弁護人にその職務を継続させることが相当でないとき。
②　弁護人を解任するには、あらかじめ、その意見を聴かなければならない。
③　弁護人を解任するに当たつては、被告人の権利を不当に制限することがないようにしなければならない。
④　公訴の提起前は、裁判官が付した弁護人の解任は、裁判官がこれを行う。この場合においては、前三項の規定を準用する。
（平成一六法六二本条追加）
⊛❶【裁判所が付した弁護人↓三六・三七・二八九③・二九〇・三一六の二九【裁判長が付した弁護人↓二八九②・三一六の四・三一六の八・三一六の二八・三五〇の一八・四五一【裁判官が付した弁護人↓三七の二・三七の四・三五〇の一七【解任の通知↓刑訴規二九の三②　❹【解任を行う裁判官↓刑訴規二九の二

第三八条の四【虚偽の資力申告書の提出に対する制裁】　裁判所又は裁判官の判断を誤らせる目的で、その資力について虚偽の記載のある資力申告書を提出した者は、十万円以下の過料に処する。（平成一六法六二本条追加）
⊛+【資力申告書の提出↓三六の二・三七の三①

第三九条【被告人・被疑者との接見交通】　①　身体の拘束を受けている被告人又は被疑者は、弁護人又は弁護人を選任することができる者の依頼により弁護人となろうとする者（弁護士でない者にあつては、第三十一条第二項の許可があつた後に限る。）と立会人なくして接見し、又は書類若しくは物の授受をすることができる。
②　前項の接見又は授受については、法令（裁判所の規則を含む。以下同じ。）で、被告人又は被疑者の逃亡、罪証の隠滅又は戒護に支障のある物の授受を防ぐため必要な措置を規定することができる。
③　検察官、検察事務官又は司法警察職員（司法警察員及び司法巡査をいう。以下同じ。）は、捜査のため必要があるときは、公訴の提起前に限り、第一項の接見又は授受に関し、その日時、場所及び時間を指定することができる。但し、その指定は、被疑者が防禦の準備をする権利を不当に制限するようなものであつてはならない。
⊛❶【身体の拘束を受けている被告人↓五八・六〇・一六七【身体の拘束を受けている被疑者↓一九九・二一〇・二一三・二〇七・二二四【弁護人を選任することができる者↓三〇【本条以外の者との接見交通↓八〇・八一【弁護人との連絡↓人権B規約一四3(b)　❷【法令の定め↓刑訴規三〇、刑事収容一一七―一一九・一二三・一四五・二一九・二二〇　❸【司法警察職員↓一八九・一九〇　+【不服申立て↓四三〇

第四〇条【書類・証拠物の閲覧・謄写】　①　弁護人は、公訴の提起後は、裁判所において、訴訟に関する書類及び証拠物を閲覧し、且つ謄写することができる。但し、証拠物を謄写するについては、裁判長の許可を受けなければならない。
②　前項の規定にかかわらず、第百五十七条の六第四項に規定する記録媒体は、謄写することができない。
（平成一二法七四本項追加）
⊛+【閲覧・謄写↓刑訴規三一・三〇一【制限↓二七一の六①②・二九九の六①②、刑訴規二〇七の二　❷【記録媒体↓一五七の六④

第四一条【独立行為権】　弁護人は、この法律に特別の定のある場合に限り、独立して訴訟行為をすることができる。
⊛+【弁護人だけが持つもの↓三九・四〇・一七〇・一八〇①・三八八・四一四【被告人と重複して持つもの↓一一三・一四二・一五七・二二八②・二九三②・三〇四②③、刑訴規三三④・四七②・一〇八②【被告人の明示の意思に反し得るとき↓八二②・八七・八八・九一・一七九①・二七六・二九八①・三〇九①②【黙示の意思に反し得るとき↓二一・五〇①・三五五・三五六

第四二条【補佐人】　①　被告人の法定代理人、保佐人、配偶者、直系の親族及び兄弟姉妹は、何時でも補佐人となることができる。
②　補佐人となるには、審級ごとにその旨を届け出なければならない。
③　補佐人は、被告人の明示した意思に反しない限り、被告人がすることのできる訴訟行為をすることができる。但し、この法律に特別の定のある場合は、この限りでない。
⊛❶【法定代理人・保佐人↓三〇②⊛　❷【届出↓刑訴規三二　❸【特別の定め↓三六〇

第五章　裁判

第四三条【判決、決定・命令】　①　判決は、この法律に特別の定のある場合を除いては、口頭弁論に基いてこれをしなければならない。
②　決定又は命令は、口頭弁論に基いてこれをすることを要しない。
③　決定又は命令をするについて必要がある場合には、事実の取調をすることができる。
④　前項の取調は、合議体の構成員にこれをさせ、又は地方裁判所、家庭裁判所若しくは簡易裁判所の裁判官にこれを嘱託することができる。（昭和二四法一一六本項改正）
⊛❶【特別の定め↓二八四・二八五・三一四①・三四一・三九〇・三九一・四〇八・四〇九・四一四・四一六【告知↓三四二　❷【決定・命令↓刑訴規三三①②　❸【事実の取調べ↓刑訴規三三③④　+【裁判の告知↓刑訴規三四―三五

第四四条【裁判の理由】　①　裁判には、理由を附しなければならない。
②　上訴を許さない決定又は命令には、理由を附することを要しない。但し、第四百二十八条第二項の規定により異議の申立をすることができる決定については、この限りでない。
⊛❶【理由↓三七八四・三三五・六〇②、刑訴規二四六・二六六　❷【上訴を許さない決定↓四一九・四二〇・四二七・四二八①【命令に対する上訴↓四二九【高等裁判所の決定に対する抗告に代わる異議↓四二八②

第四五条【判事補の権限】　判決以外の裁判は、判事補が

一人でこれをすることができる。

【判事補→裁二七】

第四六条【謄本の請求】　被告人その他訴訟関係人は、自己の費用で、裁判書又は裁判を記載した調書の謄本又は抄本の交付を請求することができる。

【裁判書→刑訴規五三、五七【裁判を記載した調書→刑訴規二一九、五三、五七【制限→二七一の六③―⑤、二九九の六③―⑤、刑訴規二〇七の二

第六章　書類及び送達

第四七条【訴訟書類の非公開】　訴訟に関する書類は、公判の開廷前には、これを公にしてはならない。但し、公益上の必要その他の事由があつて、相当と認められる場合は、この限りでない。

【公益上の必要の例→国会一〇四

第四八条【公判調書の作成、整理】　①　公判期日における訴訟手続については、公判調書を作成しなければならない。

②　公判調書には、裁判所の規則の定めるところにより、公判期日における審判に関する重要な事項を記載しなければならない。

③　公判調書は、各公判期日後速かに、遅くとも判決を宣告するまでにこれを整理しなければならない。ただし、判決を宣告する公判期日の調書は当該公判期日後七日以内に、公判期日から判決を宣告する日までの期間が十日に満たない場合における当該公判期日の調書は当該公判期日後十日以内（判決を宣告する日までの期間が三日に満たないときは、当該判決を宣告する公判期日後七日以内）に、整理すれば足りる。（平成一九法六〇本項改正）

❶【公判調書→四〇、四九、五一、五二、刑訴規四五―五〇、五二の七、五二の八、五二の一七　❷【記載すべき事項→刑訴規四四、犯罪被害保護一九

第四九条【被告人の公判調書閲覧権】　被告人に弁護人がないときは、公判調書は、裁判所の規則の定めるところにより、被告人も、これを閲覧することができる。被告人は、読むことができないとき、又は目の見えないときは、公判調書の朗読を求めることができる。

【規則の定め→刑訴規五〇①、三〇一【制限→二七一の六⑥、二九九の六⑥【弁護士の閲覧権→四〇【公判調書の朗読→刑訴規五〇②【異議の申立て→五一、刑訴規四八

第五〇条【公判調書の未整理と当事者の権利】　①　公判調書が次回の公判期日までに整理されなかつたときは、裁判所書記は、検察官、被告人又は弁護人の請求により、次回の公判期日において又はその期日までに、前回の公判期日における証人の供述の要旨を告げなければならない。この場合において、請求をした検察官、被告人又は弁護人が証人の供述の要旨の正確性につき異議を申し立てたときは、その旨を調書に記載しなければならない。

②　被告人及び弁護人の出頭なくして開廷した公判期日の公判調書が、次回の公判期日までに整理されなかつたときは、裁判所書記は、次回の公判期日において又はその期日までに、出頭した被告人又は弁護人に前回の公判期日における審理に関する重要な事項を告げなければならない。

❶【異議の申立て→刑訴規四八【要旨の告知→刑訴規五一

第五一条【公判調書の記載に対する異議申立て】　①　検察官、被告人又は弁護人は、公判調書の記載の正確性につき異議を申し立てることができる。異議の申立があつたときは、その旨を調書に記載しなければならない。

②　前項の異議の申立ては、遅くとも当該審級における最終の公判期日後十四日以内にこれをしなければならない。ただし、第四十八条第三項ただし書の規定により判決を宣告する公判期日後に整理された調書については、整理ができた日から十四日以内にこれをすることができる。（平成一九法六〇本項改正）

❶【異議の申立て→刑訴規四八　❷【公判調書が整理できた日→刑訴規五二、二三五、二五一【公判前整理手続調書への準用→刑訴規二一七の一八

第五二条【公判調書の証明力】　公判期日における訴訟手続で公判調書に記載されたものは、公判調書のみによつてこれを証明することができる。

【公判調書の記載→五〇、五一、刑訴規四四、四四の二、四八【公判前整理手続調書への準用→刑訴規二一七の一八

第五三条【訴訟記録の公開】　①　何人も、被告事件の終結後、訴訟記録を閲覧することができる。但し、訴訟記録の保存又は裁判所若しくは検察庁の事務に支障のあるときは、この限りでない。

②　弁論の公開を禁止した事件の訴訟記録又は一般の閲覧に適しないものとしてその閲覧が禁止された訴訟記録は、前項の規定にかかわらず、訴訟関係人又は閲覧につき正当な理由があつて特に訴訟記録の保管者の許可を受けた者でなければ、これを閲覧することができない。

③　日本国憲法第八十二条第二項但書に掲げる事件については、閲覧を禁止することはできない。

④　訴訟記録の保管及びその閲覧の手数料については、別に法律でこれを定める。

【保管検察官への送付→刑訴規三〇四

第五三条の二【情報公開法等の適用除外】　①　訴訟に関する書類及び押収物については、行政機関の保有する情報の公開に関する法律（平成十一年法律第四十二号）及び独立行政法人等の保有する情報の公開に関する法律（平成十三年法律第百四十号）の規定は、適用しない。

②　訴訟に関する書類及び押収物に記録されている個人情報については、個人情報の保護に関する法律（平成十五年法律第五十七号）第五章第四節の規定は、適用しない。（平成一五法六一本項追加、令和三法三七本項改正）

③　訴訟に関する書類については、公文書等の管理に関する法律（平成二十一年法律第六十六号）第二章の規定は、適用しない。この場合において、訴訟に関する

書類についての同法第四章の規定の適用については、同法第十四条第一項中「国の機関（行政機関を除く。以下この条において同じ。）」とあり、及び同法第十六条第一項第三号中「国の機関（行政機関を除く。）」とあるのは、「国の機関」とする。（平成二二法六六本項追加）

④ 押収物については、公文書等の管理に関する法律の規定は、適用しない。（平成二二法六六本項追加）

（平成一一法四三本条追加、平成一三法一四〇本条改正）

⊛＋行政情報公開五四

第五四条【送達】 書類の送達については、裁判所の規則に特別の定めのある場合を除いては、民事訴訟に関する法令の規定（民事訴訟法（平成八年法律第百九号）第百条第二項並びに第一編第五章第四節第三款及び第四款の規定を除く。）を準用する。（令和四法四八本条改正）

> **＊令和四法四八（令和八・五・二四までに施行）による改正前**
>
> **第五四条【送達】** 書類の送達については、裁判所の規則に特別の定めのある場合を除いては、民事訴訟に関する法令の規定（公示送達に関する規定を除く。）を準用する。
>
> ⊛＋【書類の送達→六五、二七一①、刑訴規三四【規則の定め→刑訴規六二―六五【民事訴訟に関する法令→民訴九八―一〇八【書類の発送受理→刑訴規二九八

第七章　期間

第五五条【期間の計算】 ① 期間の計算については、時で計算するものは、即時からこれを起算し、日、月又は年で計算するものは、初日を算入しない。但し、時効期間の初日は、時間を論じないで一日としてこれを計算する。

② 月及び年は、暦に従つてこれを計算する。

③ 期間の末日が日曜日、土曜日、国民の祝日に関する法律（昭和二十三年法律第百七十八号）に規定する休日、一月二日、一月三日又は十二月二十九日から十二月三十一日までの日に当たるときは、これを期間に算入しない。ただし、時効期間については、この限りでない。（昭和二四法一一六、昭和六三法九三、平成四法三〇本項改正）

⊛❶【初日→六〇②　＋【時効期間→二五〇、二五三

第五六条【法定期間の延長】 ① 法定の期間は、裁判所の規則の定めるところにより、訴訟行為をすべき者の住居又は事務所の所在地と裁判所又は検察庁の所在地との距離及び交通通信の便否に従い、これを延長することができる。

② 前項の規定は、宣告した裁判に対する上訴の提起期間には、これを適用しない。

⊛❶【規則の定め→刑訴規六六、六六の二　❷【上訴提起期間→三七三、四一四、四二二

第八章　被告人の召喚、勾引及び勾留

第五七条【召喚】 裁判所は、裁判所の規則で定める相当の猶予期間を置いて、被告人を召喚することができる。

⊛＋【猶予期間→刑訴規六七【第一回公判期日への召喚→二七五、刑訴規一七九【召喚の目的→二七三②、刑訴規一〇二【召喚の手続→六二―六五【急速を要する場合→六九、刑訴規七一【召喚に応じないとき→五八

第五八条【勾引】 裁判所は、次の場合には、被告人を勾引することができる。

一　被告人が定まつた住居を有しないとき。

二　被告人が、正当な理由がなく、召喚に応じないとき、又は応じないおそれがあるとき。

⊛＋【勾引の手続→憲三三、六二、六四、七〇―七六【勾引の嘱託→六六、六七【急速を要する場合→六九、刑訴規七一【勾引に当たつての注意→刑訴規六八【その他の場合→六八【本条の活用→刑訴規一七九の三

第五九条【勾引の効力】 勾引した被告人は、裁判所に引致した時から二十四時間以内にこれを釈放しなければならない。但し、その時間内に勾留状が発せられたときは、この限りでない。

⊛＋【引致→七三①、六七、六八【勾留状発付→六〇

第六〇条【勾留の理由、期間・期間の更新】 ① 裁判所は、被告人が罪を犯したことを疑うに足りる相当な理由がある場合で、左の各号の一にあたるときは、これを勾留することができる。

一　被告人が定まつた住居を有しないとき。

二　被告人が罪証を隠滅すると疑うに足りる相当な理由があるとき。

三　被告人が逃亡し又は逃亡すると疑うに足りる相当な理由があるとき。

② 勾留の期間は、公訴の提起があつた日から二箇月とする。特に継続の必要がある場合においては、具体的にその理由を附した決定で、一箇月ごとにこれを更新することができる。但し、第八十九条第一号、第三号、第四号又は第六号にあたる場合を除いては、更新は、一回に限るものとする。（昭和二八法一七二本項改正）

③ 三十万円（刑法、暴力行為等処罰に関する法律（大正十五年法律第六十号）及び経済関係罰則の整備に関する法律（昭和十九年法律第四号）の罪以外の罪については、当分の間、二万円）以下の罰金、拘留又は科料に当たる事件については、被告人が定まつた住居を有しない場合に限り、第一項の規定を適用する。（平成三法三一本項改正）

⊛❶【急速を要する場合→六九、刑訴規七一【被疑者の勾留→二〇七・二一一・二一六【不服申立て→四二〇②③　❷【期間→五五【決定→九七【更新→刑訴規九二【ただし書不適用→三四四①

第六一条【勾留と被告事件の告知】 被告人の勾留は、被告人に対し被告事件を告げこれに関する陳述を聴いた後でなければ、これをすることができない。但し、被告人が逃亡した場合は、この限りでない。

⊛＋【被告事件の告知→憲三四、二七一の八①㈠、刑訴規六九・三九・四二【逃亡した場合→七七③

第六二条【令状】 被告人の召喚、勾引又は勾留は、召喚

状、勾引状又は勾留状を発してこれをしなければならない。

参【令状の必要→憲三三【召喚状→六三、六五【勾引状→六四、七〇【勾留状→六四、七〇、刑訴規七三【不服申立て→四二〇、四二九

第六三条【召喚状の方式】 召喚状には、被告人の氏名及び住居、罪名、出頭すべき年月日時及び場所並びに正当な理由がなく出頭しないときは勾引状を発することがある旨その他裁判所の規則で定める事項を記載し、裁判長又は受命裁判官が、これに記名押印しなければならない。
参【規則の定め→刑訴規五六、一〇二、二一六

第六四条【勾引状・勾留状の方式】 ① 勾引状又は勾留状には、被告人の氏名及び住居、罪名、公訴事実の要旨、引致すべき場所又は勾留すべき刑事施設、有効期間及びその期間経過後は執行に着手することができず令状はこれを返還しなければならない旨並びに発付の年月日その他裁判所の規則で定める事項を記載し、裁判長又は受命裁判官が、これに記名押印しなければならない。（平成一七法五〇本項改正）
② 被告人の氏名が明らかでないときは、人相、体格その他被告人を特定するに足りる事項で被告人を指示することができる。
③ 被告人の住居が明らかでないときは、これを記載することを要しない。
参【規則の定め→刑訴規五六、七〇【有効期間→刑訴規三〇〇

第六五条【召喚の手続】 ① 召喚状は、これを送達する。
② 被告人から期日に出頭する旨を記載した書面を差し出し、又は出頭した被告人に対し口頭で次回の出頭を命じたときは、召喚状を送達した場合と同一の効力を有する。口頭で出頭を命じた場合には、その旨を調書に記載しなければならない。
③ 裁判所に近接する刑事施設にいる被告人に対しては、刑事施設職員（刑事施設の長又はその指名する刑事施設の職員をいう。以下同じ。）に通知してこれを召喚することができる。この場合には、被告人が刑事施設職員から通知を受けた時に召喚状の送達があつたものとみなす。（平成一七法五〇本項改正）
参【送達→五四【通知→二七四、刑訴規二九八①②

第六六条【勾引の嘱託】 ① 裁判所は、被告人の現在地の地方裁判所、家庭裁判所又は簡易裁判所の裁判官に被告人の勾引を嘱託することができる。（昭和二四法一一六本項改正）
② 受託裁判官は、受託の権限を有する他の地方裁判所、家庭裁判所又は簡易裁判所の裁判官に転嘱することができる。（昭和二四法一一六本項改正）
③ 受託裁判官は、受託事項について権限を有しないときは、受託の権限を有する他の地方裁判所、家庭裁判所又は簡易裁判所の裁判官に嘱託を移送することができる。（昭和二四法一一六本項改正）
④ 嘱託又は移送を受けた裁判官は、勾引状を発しなければならない。
⑤ 第六十四条（勾引状の記載事項）の規定は、前項の勾引状についてこれを準用する。この場合においては、勾引状に嘱託によつてこれを発する旨を記載しなければならない。

第六七条【嘱託による勾引の手続】 ① 前条の場合には、嘱託によつて勾引状を発した裁判官は、被告人を引致した時から二十四時間以内にその人違でないかどうかを取り調べなければならない。
② 被告人が人違でないときは、速やかに且つ直接これを指定された裁判所に送致しなければならない。この場合には、嘱託によつて勾引状を発した裁判官は、被告人が指定された裁判所に到着すべき期間を定めなければならない。
③ 前項の場合には、第五十九条の期間は、被告人が指定された裁判所に到着した時からこれを起算する。
参【嘱託による勾引状→刑訴規七六【釈放までの時間→五九

第六八条【出頭命令・同行命令・勾引】 裁判所は、必要があるときは、指定の場所に被告人の出頭又は同行を命ずることができる。被告人が正当な理由がなくこれに応じないときは、その場所に勾引することができる。この場合には、第五十九条の期間は、被告人をその場所に引致した時からこれを起算する。

参【勾引→五八【釈放までの時間→五九

第六九条【裁判長の権限】 裁判長は、急速を要する場合には、第五十七条乃至第六十二条、第六十五条、第六十六条及び前条に規定する処分をし、又は合議体の構成員にこれをさせることができる。
参【令状の記載要件→刑訴規七一

第七〇条【勾引状・勾留状の執行】 ① 勾引状又は勾留状は、検察官の指揮によつて、検察事務官又は司法警察職員がこれを執行する。但し、急速を要する場合には、裁判長、受命裁判官又は地方裁判所、家庭裁判所若しくは簡易裁判所の裁判官は、その執行を指揮することができる。（昭和二四法一一六本項改正）
② 刑事施設にいる被告人に対して発せられた勾留状は、検察官の指揮によつて、刑事施設職員がこれを執行する。（平成一七法五〇本項改正）
参【勾引状・勾留状→六二、六四、刑訴規七二【執行→七三、一二六、二二〇④【指揮→四七二、四七三、刑訴規七二【司法警察職員→三九③、一八九

第七一条【勾引状・勾留状の管轄区域外における執行・執行の嘱託】 検察事務官又は司法警察職員は、必要があるときは、管轄区域外で、勾引状若しくは勾留状を執行し、又はその地の検察事務官若しくは司法警察職員にその執行を求めることができる。（昭和二八法一七二本条改正）
参【検察事務官→検察二七、五【司法警察職員→三九③【勾引状の執行→七〇

第七二条【被告人の捜査・勾引状・勾留状の執行の嘱託】 ① 被告人の現在地が判らないときは、裁判長

は、検事長にその捜査及び勾引状又は勾留状の執行を嘱託することができる。

② 嘱託を受けた検事長は、その管内の検察官に捜査及び勾引状又は勾留状の執行の手続をさせなければならない。

（昭和二八法一七二本条改正）

⊛【検事長→検察八、一三①【勾引状の執行→七〇、七三

第七三条【勾引状・勾留状執行の手続】 ① 勾引状を執行するには、これを被告人に示した上、できる限り速やかに且つ直接、指定された裁判所その他の場所に引致しなければならない。第六十六条第四項の勾引状については、これを発した裁判官に引致しなければならない。

② 勾留状を執行するには、これを被告人に示した上、できる限り速やかに、かつ、直接、指定された刑事施設に引致しなければならない。（平成一七法五〇本項改正）

③ 勾引状又は勾留状を所持しないためこれを示すことができない場合において、急速を要するときは、前二項の規定にかかわらず、被告人に対し公訴事実の要旨及び令状が発せられている旨を告げて、その執行をすることができる。但し、令状は、できる限り速やかにこれを示さなければならない。（昭和二八法一七二本項改正）

⊛【謄本等の交付→刑訴規七四—七四の四【執行後の処置→刑訴規七五 ❶【指定された場所→六四 ❷【指定された刑事施設→六四

第七四条【護送中の仮留置】 勾引状又は勾留状の執行を受けた被告人を護送する場合において必要があるときは、仮に最寄りの刑事施設にこれを留置することができる。（平成一七法五〇本条改正）

⊛【刑事施設→刑事収容三

第七五条【勾引された被告人の留置】 勾引状の執行を受けた被告人を引致した場合において必要があるときは、これを刑事施設に留置することができる。（平成一七法五〇本条改正）

⊛【勾引状の執行→七三【勾引の効力→五九、六七、六八【刑事施設→刑事収容三【接見授受権→三九、八〇

第七六条【勾引された被告人と公訴事実・弁護人選任権の告知】 ① 被告人を勾引したときは、直ちに被告人に対し、公訴事実の要旨及び弁護人を選任することができる旨並びに貧困その他の事由により自ら弁護人を選任することができないときは弁護人の選任を請求することができる旨を告げなければならない。ただし、被告人に弁護人があるときは、公訴事実の要旨を告げれば足りる。

② 前項の規定により弁護人を選任することができる旨を告げるに当たつては、弁護士、弁護士法人（弁護士・外国法事務弁護士共同法人を含む。以下同じ。）又は弁護士会を指定して弁護人の選任を申し出ることができる旨及びその申出先を教示しなければならない。

（平成二八法五四本項追加、令和二法三三本項改正）

③ 第一項の告知及び前項の教示は、合議体の構成員又は裁判所書記官にこれをさせることができる。（平成二八法五四本項改正）

④ 第六十六条第四項の規定により勾引状を発した場合には、第一項の告知及び第二項の教示は、その勾引状を発した裁判官がこれをしなければならない。ただし、裁判所書記官にその告知及び教示をさせることができる。（平成二八法五四本項改正）

⊛【裁判所書記官の立会い→刑訴規七七【調書→刑訴規七八 ❶【公訴事実の要旨の告知→憲三四、二七一の八①㈢【弁護人選任権の告知→憲三四、三七①【弁護人選任請求権の告知→憲三七③、三六 ❷【弁護人選任の申出→七八 ❸【合議体の構成員→裁二六

第七七条【勾留と弁護人選任権等の告知】 ① 被告人を勾留するには、被告人に対し、弁護人を選任することができる旨及び貧困その他の事由により自ら弁護人を選任することができないときは弁護人の選任を請求することができる旨を告げなければならない。ただし、被告人に弁護人があるときは、この限りでない。

② 前項の規定により弁護人を選任することができる旨を告げるに当たつては、勾留された被告人は弁護士、弁護士法人又は弁護士会を指定して弁護人の選任を申し出ることができる旨及びその申出先を教示しなければならない。（平成二八法五四本項追加）

③ 第六十一条ただし書の場合には、被告人を勾留した後直ちに、第一項に規定する事項及び公訴事実の要旨を告げるとともに、前項に規定する事項を教示しなければならない。ただし、被告人に弁護人があるときは、公訴事実の要旨を告げれば足りる。

④ 前条第三項の規定は、第一項の告知、第二項の教示並びに前項の告知及び教示についてこれを準用する。

（平成二八法五四本条改正）

⊛七六⊛ ❸【公訴事実の要旨の告知→二七一の八①㈣

第七八条【弁護人選任の申出】 ① 勾引又は勾留された被告人は、裁判所又は刑事施設の長若しくはその代理者に弁護士、弁護士法人又は弁護士会を指定して弁護人の選任を申し出ることができる。ただし、被告人に弁護人があるときは、この限りでない。

② 前項の申出を受けた裁判所又は刑事施設の長若しくはその代理者は、直ちに被告人の指定した弁護士、弁護士法人又は弁護士会にその旨を通知しなければならない。被告人が二人以上の弁護士又は二以上の弁護士法人若しくは弁護士会を指定して前項の申出をしたときは、そのうちの一人の弁護士又は一の弁護士法人若しくは弁護士会にこれを通知すれば足りる。

（平成一三法四一、平成一七法五〇本条改正）

⊛【弁護人選任権→憲三四、三七③【弁護士法人→弁護四章の二【弁護士会→弁護五章【通知→刑訴規二九八②【本条の準用→二〇九、二一一、二一六、二〇七①

第七九条【勾留と弁護人等への通知】 被告人を勾留したときは、直ちに弁護人にその旨を通知しなければならない。被告人に弁護人がないときは、被告人の法定代理人、保佐人、配偶者、直系の親族及び兄弟姉妹のう

ち被告人の指定する者一人にその旨を通知しなければならない。

⌘+【法定代理人・保佐人→三〇②⌘【刑訴規七九、八〇③

第八〇条【勾留と接見交通】 勾留されている被告人は、第三十九条第一項に規定する者以外の者と、法令の範囲内で、接見し、又は書類若しくは物の授受をすることができる。勾引状により刑事施設に留置されている被告人も、同様である。（平成一七法五〇本条改正）

⌘+【法令の範囲内→刑事収容一一六・二一八・二六六、一一七・二一九・二六七【勾引状による留置→七四・七五【本条による接見等の制限→八一

第八一条【接見交通の制限】 裁判所は、逃亡し又は罪証を隠滅すると疑うに足りる相当な理由があるときは、検察官の請求により又は職権で、勾留されている被告人と第三十九条第一項に規定する者以外の者との接見を禁じ、又はこれと授受すべき書類その他の物を検閲し、その授受を禁じ、若しくはこれを差し押えることができる。但し、糧食の授受を禁じ、又はこれを差し押えることはできない。

⌘+【弁護人以外の者との接見→八〇【検閲→憲二一②【不服申立て→四二〇

第八二条【勾留理由開示の請求】 ① 勾留されている被告人は、裁判所に勾留の理由の開示を請求することができる。

② 勾留されている被告人の弁護人、法定代理人、保佐人、配偶者、直系の親族、兄弟姉妹その他利害関係人も、前項の請求をすることができる。

③ 前二項の請求は、保釈、勾留の執行停止若しくは勾留の取消があつたとき、又は勾留状の効力が消滅したときは、その効力を失う。

⌘❶【勾留理由開示→憲三四【勾留の理由→六〇① ❷【法定代理人・保佐人→三〇②⌘【開示請求者の抗告権→三五四 ❶❷刑訴規八一・八一の二・八六の二、九七③ ❸【保釈→八九―九一【勾留の執行停止→九五【勾留の取消し→八七【勾留状の失効→六〇②・三四五

第八三条【勾留の理由の開示】 ① 勾留の理由の開示は、公開の法廷でこれをしなければならない。（昭和二八法一七二本項改正）

② 法廷は、裁判官及び裁判所書記が列席してこれを開く。

③ 被告人及びその弁護人が出頭しないときは、開廷することはできない。但し、被告人の出頭については、被告人が病気その他やむを得ない事由によつて出頭することができず且つ被告人に異議がないとき、弁護人の出頭については、被告人に異議がないときは、この限りでない。

⌘❶【公開の法廷→憲三四【開示の手続→刑訴規八二―八六・九二③ ❸【被告人・弁護人の出頭→刑訴規八五の二

第八四条【同前】 ① 法廷においては、裁判長は、勾留の理由を告げなければならない。

② 検察官又は被告人及び弁護人並びにこれらの者以外の請求者は、意見を述べることができる。但し、裁判長は、相当と認めるときは、意見の陳述に代え意見を記載した書面を差し出すべきことを命ずることができる。（昭和二八法一七二本項全部改正）

⌘❶【勾留の理由→六〇①【被告事件の告知→二七一の八④ ❷【請求者→八二②【意見→憲三四、刑訴規八五の三

第八五条【同前】 勾留の理由の開示は、合議体の構成員にこれをさせることができる。（昭和二八法一七二本条改正）

⌘+【合議体の構成員→裁二六

第八六条【同前】 同一の勾留について第八十二条の請求が二以上ある場合には、勾留の理由の開示は、最初の請求についてこれを行う。その他の請求は、勾留の理由の開示が終つた後、決定でこれを却下しなければならない。（昭和二八法一七二本条改正）

⌘+【決定→刑訴規八六の二

第八七条【勾留の取消し】 ① 勾留の理由又は勾留の必要がなくなつたときは、裁判所は、検察官、勾留されている被告人若しくはその弁護人、法定代理人、保佐人、配偶者、直系の親族若しくは兄弟姉妹の請求により、又は職権で、決定を以て勾留を取り消さなければならない。

② 第八十二条第三項〈保釈等による請求の失効〉の規定は、前項の請求についてこれを準用する。

⌘❶【勾留の理由→六〇①【弁護人→四一【法定代理人・保佐人→三〇②⌘【決定→四二〇

第八八条【保釈の請求】 ① 勾留されている被告人又はその弁護人、法定代理人、保佐人、配偶者、直系の親族若しくは兄弟姉妹は、保釈の請求をすることができる。

② 第八十二条第三項〈保釈等による請求の失効〉の規定は、前項の請求についてこれを準用する。

⌘❶【弁護人→四一【法定代理人・保佐人→三〇②⌘【請求の方式→刑訴規二九六、二九七【請求による保釈の決定→八九、九一・九二【請求却下の決定→九二

第八九条【必要的保釈】 保釈の請求があつたときは、次の場合を除いては、これを許さなければならない。

一 被告人が死刑又は無期若しくは短期一年以上の拘禁刑に当たる罪を犯したものであるとき。（昭和二八法一七二、令和四法六七本号改正）

二 被告人が前に死刑又は無期若しくは長期十年を超える拘禁刑に当たる罪につき有罪の宣告を受けたことがあるとき。（令和四法六七本号改正）

三 被告人が常習として長期三年以上の拘禁刑に当たる罪を犯したものであるとき。（令和四法六七本号改正）

四 被告人が罪証を隠滅すると疑うに足りる相当な理由があるとき。

五 被告人が、被害者その他事件の審判に必要な知識を有すると認められる者若しくはその親族の身体若しくは財産に害を加え又はこれらの者を畏怖させる行為をすると疑うに足りる相当な理由があるとき。（昭和二八法一七二本号追加、昭和三三法一〇八本号改正）

六　被告人の氏名又は住居が分からないとき。（昭和二八法一七二本号改正）

参【裁判所→九七【本条の不適用→三四四①【不服申立て→四二〇②

第九〇条【職権保釈】 裁判所は、保釈された場合に被告人が逃亡し又は罪証を隠滅するおそれの程度のほか、身体の拘束の継続により被告人が受ける健康上、経済上、社会生活上又は防御の準備上の不利益の程度その他の事情を考慮し、適当と認めるときは、職権で保釈を許すことができる。（平成二八法五四本条改正）

参【拘禁刑以上の刑の宣告後の場合→三四四②【不服申立て→四二〇②

第九一条【不当に長い拘禁と勾留の取消し・保釈】 ① 勾留による拘禁が不当に長くなつたときは、裁判所は、第八十八条に規定する者の請求により、又は職権で、決定を以て勾留を取り消し、又は保釈を許さなければならない。

② 第八十二条第三項〈保釈等による請求の失効〉の規定は、前項の請求についてこれを準用する。

参【請求の方式→刑訴規二九六、二九七【不服申立て→四二〇②
❶【勾留の取消し→八七

第九二条【保釈と検察官の意見】 ① 裁判所は、保釈を許す決定又は保釈の請求を却下する決定をするには、検察官の意見を聴かなければならない。

② 検察官の請求による場合を除いて、勾留を取り消す決定をするときも、前項と同様である。但し、急速を要する場合は、この限りでない。（昭和二八法一七二本項追加）

参【保釈許否の決定→八九―九一【勾留を取り消す決定→八七、九一

第九三条【保証金、保釈の条件】 ① 保釈を許す場合には、保証金額を定めなければならない。

② 保証金額は、犯罪の性質及び情状、証拠の証明力並びに被告人の性格及び資産を考慮して、被告人の出頭を保証するに足りる相当な金額でなければならない。

③ 保釈を許す場合には、被告人の住居を制限し、その他適当と認める条件を付することができる。

④ 裁判所は、前項の規定により被告人の住居を制限する場合において、必要と認めるときは、裁判所の許可を受けないでその指定する期間を超えて当該住居を離れてはならない旨の条件を付することができる。（令和五法二八本項追加）

⑤ 前項の期間は、被告人の生活の状況その他の事情を考慮して指定する。（令和五法二八本項追加）

⑥ 第四項の許可をする場合には、同項の住居を離れることを必要とする理由その他の事情を考慮して、当該住居を離れることができる期間を指定しなければならない。（令和五法二八本項追加）

⑦ 裁判所は、必要と認めるときは、前項の期間を延長することができる。（令和五法二八本項追加）

⑧ 裁判所は、第四項の許可を受けた被告人について、同項の住居を離れることができる期間として指定された期間の終期まで当該住居を離れる必要がなくなつたと認めるときは、当該期間を短縮することができる。（令和五法二八本項追加）

参【出頭確保・逃亡防止の措置→九五の四、九八の四―九八の一一　❶【保証金→九六②③⑤―⑦、九八の一〇③、三四二の七③④、三四二の八②　❸―❽【住居の制限→九五の三、九六①四

第九四条【保釈の手続】 ① 保釈を許す決定は、保証金の納付があつた後でなければ、これを執行することができない。

② 裁判所は、保釈請求者でない者に保証金を納めることを許すことができる。

③ 裁判所は、有価証券又は裁判所の適当と認める被告人以外の者の差し出した保証書を以て保証金に代えることを許すことができる。

参❶【納付された保証金→九六②③⑤―⑦、九八の一〇③、三四二の七③④、三四二の八②、刑訴規九一①②【保釈許可決定の執行→九八の六①　❸【保証書→刑訴規八七

第九五条【勾留の執行停止】 ① 裁判所は、適当と認めるときは、決定で、勾留されている被告人を親族、保護団体その他の者に委託し、又は被告人の住居を制限して、勾留の執行を停止することができる。この場合においては、適当と認める条件を付することができる。

② 前項前段の決定をする場合には、勾留の執行停止をする期間を指定することができる。（令和五法二八本項追加）

③ 前項の期間を指定するに当たつては、その終期を日時をもつて指定するとともに、当該日時に出頭すべき場所を指定しなければならない。（令和五法二八本項追加）

④ 裁判所は、必要と認めるときは、第二項の期間を延長することができる。この場合においては、前項の規定を準用する。（令和五法二八本項追加）

⑤ 裁判所は、期間を指定されて勾留の執行停止をされた被告人について、当該期間の終期として指定された日時まで勾留の執行停止を継続する必要がなくなつたと認めるときは、当該期間を短縮することができる。この場合においては、第三項の規定を準用する。（令和五法二八本項追加）

⑥ 第九十三条第四項から第八項まで〈保証金、保釈の条件〉の規定は、第一項前段の規定により被告人の住居を制限する場合について準用する。（令和五法二八本項追加）

（令和五法二八本条改正）

参【手続→刑訴規八八【決定→四二〇②③【執行停止の失効→三四三【執行停止の取消し→九六①④、九八の九①、九八の一〇②、三四二の八①三　❶【委託→刑訴規九〇【住居の制限→九三④―⑧、九五の三、九六①四【出頭確保・逃亡防止の措置→九三参【執行停止決定の執行→九八の六②　❷―❺【期間の指定→九五の二、九八

第九五条の二【勾留執行停止期間満了後の被告人の不出頭に対する罰則】 期間を指定されて勾留の執行停止をされた被告人が、正当な理由がなく、当該期間の終期

として指定された日時に、出頭すべき場所として指定された場所に出頭しないときは、二年以下の拘禁刑に処する。（令和五法二八本条追加）

参†【勾留の執行停止と期間の指定↓九五②―⑤】

第九五条の三【保釈等をされた被告人の制限住居離脱に対する罰則】① 裁判所の許可を受けないで指定された期間を超えて制限された住居を離れてはならない旨の条件を付されて保釈又は勾留の執行停止をされた被告人が、当該条件に係る住居を離れ、当該許可を受けないで、正当な理由がなく、当該期間を超えて当該住居に帰着しないときは、二年以下の拘禁刑に処する。

② 前項の被告人が、裁判所の許可を受けて同項の住居を離れ、正当な理由がなく、当該住居を離れることができる期間として指定された期間を超えて当該住居に帰着しないときも、同項と同様とする。

（令和五法二八本条追加）

参†【保釈と住居の制限↓九三③―⑧】【勾留の執行停止と住居の制限↓九五①⑥】

第九五条の四【報告命令】① 裁判所は、被告人の逃亡を防止し、又は公判期日への出頭を確保するため必要があると認めるときは、保釈を許す決定又は第九十五条第一項前段の決定を受けた被告人に対し、その住居、労働又は通学の状況、身分関係その他のその変更が被告人が逃亡すると疑うに足りる相当な理由の有無の判断に影響を及ぼす生活上又は身分上の事項として裁判所の定めるものについて、次に掲げるところに従つて報告をすることを命ずることができる。

一 裁判所の指定する時期に、当該時期における当該事項について報告をすること。

二 当該事項に変更が生じたときは、速やかに、その変更の内容について報告をすること。

② 裁判所は、前項の場合において、必要と認めるときは、同項の被告人に対し、同項の規定による報告を裁判所の指定する日時及び場所に出頭してすることを命ずることができる。

③ 裁判所は、第一項の規定による報告があつたときはその旨及びその報告の内容を、同項（第一号に係る部分に限る。）の規定による報告がなかつたとき又は同項（第二号に係る部分に限る。）の規定による報告がなかつたことを知つたときはその旨及びその状況を、それぞれ速やかに検察官に通知しなければならない。

（令和五法二八本条追加）

参†【報告の命令↓九六①五】❶【逃亡すると疑うに足りる相当な理由↓九六①二】

第九六条【保釈等の取消し、保証金の没取】① 裁判所は、次の各号のいずれかに該当する場合には、検察官の請求により、又は職権で、決定で、保釈又は勾留の執行停止を取り消すことができる。

一 被告人が、召喚を受け正当な理由がなく出頭しないとき。

二 被告人が逃亡し又は逃亡すると疑うに足りる相当な理由があるとき。

三 被告人が罪証を隠滅し又は罪証を隠滅すると疑うに足りる相当な理由があるとき。

四 被告人が、被害者その他事件の審判に必要な知識を有すると認められる者若しくはその親族の身体若しくは財産に害を加え若しくは加えようとし、又はこれらの者を畏怖させる行為をしたとき。（昭和三三法一〇八本号改正）

五 被告人が、正当な理由がなく前条第一項の規定による報告をせず、又は虚偽の報告をしたとき。（令和五法二八本号追加）

六 被告人が住居の制限その他裁判所の定めた条件に違反したとき。

（昭和二八法一七二本項全部改正）

② 前項の規定により保釈を取り消す場合には、裁判所は、決定で、保証金の全部又は一部を没取することができる。（令和五法二八本項改正）

③ 保釈を取り消された者が、第九十八条の二の規定による命令を受け正当な理由がなく出頭しないとき、又は逃亡したときも、前項と同様とする。（令和五法二八本項追加）

④ 拘禁刑以上の刑に処する判決（拘禁刑の全部の執行猶予の言渡しをしないものに限る。以下同じ。）の宣告を受けた後、保釈又は勾留の執行停止をされている被告人が逃亡したときは、裁判所は、検察官の請求により、又は職権で、決定で、保釈又は勾留の執行停止を取り消さなければならない。（令和五法二八本項追加）

⑤ 前項の規定により保釈を取り消す場合には、裁判所は、決定で、保証金の全部又は一部を没取しなければならない。（令和五法二八本項追加）

⑥ 保釈を取り消された者が、第九十八条の二の規定による命令を受け正当な理由がなく出頭しない場合又は逃亡した場合において、その者が拘禁刑以上の刑に処する判決の宣告を受けた者であるときは、裁判所は、決定で、保証金の全部又は一部を没取しなければならない。ただし、第四項の規定により保釈を取り消された者が逃亡したときは、この限りでない。（令和五法二八本項追加）

⑦ 保釈された者が、拘禁刑以上の刑に処する判決又は拘留に処する判決の宣告を受けた後、第三百四十三条の二（第四百四条（第四百十四条において準用する場合を含む。）において準用する場合を含む。第九十八条の十七第一項第二号及び第四号において同じ。）の規定による命令を受け正当な理由がなく出頭しないとき又は逃亡したとき（保釈されている場合及び保釈を取り消された後、逃亡した場合を除く。）は検察官の請求により又は職権で、刑の執行のため呼出しを受け正当な理由がなく出頭しないときは検察官の請求により、決定で、保証金の全部又は一部を没取しなければならない。（令和五法二八本項改正）

参†【保釈・勾留執行停止を取り消した場合↓九八、九八の二、九八の三】【保証金↓九三①②】❶【召喚↓五七】【召喚を受けた公判期日への不出頭↓二七八の二、刑訴規一七九の三】【住居の制限↓九三③―⑧、九五①⑥、九五の三】【裁判所の定めた条件↓九三③・九五①】❷【決定↓四二〇②】❹【拘禁刑以上の刑の宣告後の保釈↓九〇参】❼【執行のための呼出し↓四八四、四八四

の二

第九七条【上訴と勾留に関する決定】 ① 上訴の提起期間内の事件でまだ上訴の提起がないものについて、勾留の期間を更新し、勾留を取り消し、又は保釈若しくは勾留の執行停止をし、若しくはこれを取り消すべき場合には、原裁判所が、その決定をしなければならない。（昭和二四法一一六本項改正）

② 上訴中の事件で訴訟記録が上訴裁判所に到達していないものについて前項の決定をすべき裁判所は、裁判所の規則の定めるところによる。

③ 前二項の規定は、勾留の理由の開示をすべき場合にこれを準用する。

⊛❶【勾留期間の更新↓六〇②、刑訴規九二①【勾留の取消し↓八七、九一【保釈↓八八―九四【勾留の執行停止↓九五【保釈・勾留の執行停止の取消し↓九八⊛ ❷【規則の定め↓刑訴規九二② ❸【勾留理由開示↓八二―八六

第九八条【保釈の取消し等と収容の手続】 ① 保釈若しくは勾留の執行停止を取り消す決定があつたとき、又は勾留の執行停止の期間が満了したときは、検察事務官、司法警察職員又は刑事施設職員は、検察官の指揮により、勾留状の謄本及び保釈若しくは勾留の執行停止を取り消す決定の謄本又は期間を指定した勾留の執行停止の決定の謄本を被告人に示してこれを刑事施設に収容しなければならない。

② 前項の書面を所持しないためこれを示すことができない場合において、急速を要するときは、同項の規定にかかわらず、検察官の指揮により、被告人に対し保釈若しくは勾留の執行停止が取り消された旨又は勾留の執行停止の期間が満了した旨を告げて、これを刑事施設に収容することができる。ただし、その書面は、できる限り速やかにこれを示さなければならない。（昭和二八法一七二本項追加）

③ 第七十一条〈管轄区域外での執行〉の規定は、前二項の規定による収容についてこれを準用する。（昭和二八法一七二本項追加）

（平成一七法五〇本条改正）

⊛+【保釈・勾留執行停止の取消し↓九六、九八の九①・九八の一〇②・三四二の八①㈡㈢ ❶【謄本↓刑訴規五七①【勾留状の謄本に関する特例↓二七一の八⑤ +【本条の準用↓三四三②、刑訴規九二の二

第九八条の二【保釈等の取消し後の被告人への出頭命令】 検察官は、保釈又は勾留の執行停止を取り消す決定があつた場合において、被告人が刑事施設に収容されていないときは、被告人に対し、指定する日時及び場所に出頭することを命ずることができる。（令和五法二八本条追加）

⊛+【保釈・勾留執行停止の取消し↓九六【命令違反↓九六③⑥・九八の三

第九八条の三【保釈等の取消し後の被告人の出頭命令違反に対する罰則】 保釈又は勾留の執行停止を取り消された被告人が、検察官から出頭を命ぜられ、正当な理由がなく、指定された日時及び場所に出頭しないときは、二年以下の拘禁刑に処する。（令和五法二八本条追加）

⊛+【保釈・勾留執行停止の取消し↓九六【出頭命令↓九八の二【命令違反↓九六③⑥

第九八条の四【監督者の選任、責務】 ① 裁判所は、保釈を許し、又は勾留の執行停止をする場合において、必要と認めるときは、適当と認める者を、その同意を得て監督者として選任することができる。

② 裁判所は、前項の同意を得るに当たつては、あらかじめ、監督者として選任する者に対し、次項及び第四項に規定する監督者の責務並びに第九十八条の八第二項、第九十八条の十一及び第九十八条の十八第三項の規定による監督保証金の没取の制度を理解させるために必要な事項を説明しなければならない。

③ 監督者は、被告人の逃亡を防止し、及び公判期日への出頭を確保するために必要な監督をするものとする。

④ 裁判所は、監督者に対し、次の各号に掲げる事項のいずれか又は全てを命ずるものとする。

一 被告人が召喚を受けたときその他この法律又は他の法律の規定により被告人が出頭しなければならないときは、その出頭すべき日時及び場所に、被告人と共に出頭すること。

二 被告人の住居、労働又は通学の状況、身分関係その他のその変更が被告人が逃亡すると疑うに足りる相当な理由の有無の判断に影響を及ぼす生活上又は身分上の事項として裁判所の定めるものについて、次に掲げるところに従つて報告をすること。

イ 裁判所の指定する時期に、当該時期における当該事項について報告をすること。

ロ 当該事項に変更が生じたときは、速やかに、その変更の内容について報告をすること。

（令和五法二八本条追加）

⊛❶【保釈↓八八―九四【勾留の執行停止↓九五 ❷【監督保証金↓九八の五 ❹【被告人の召喚↓五七⊛【被告人の出頭↓九八の七【逃亡すると疑うに足りる相当な理由↓九六①㈢【出頭・報告↓九八の七②【命令違反↓九八の八①㈠②

第九八条の五【監督保証金】 ① 監督者を選任する場合には、監督保証金額を定めなければならない。

② 監督保証金額は、監督者として選任する者の資産及び被告人との関係その他の事情を考慮して、前条第四項の規定により命ずる事項及び被告人の出頭を保証するに足りる相当な金額でなければならない。

（令和五法二八本条追加）

⊛+【監督保証金↓九八の六③

第九八条の六【監督者を選任した場合の保釈等の手続】

① 監督者を選任した場合には、保釈を許す決定は、第九十四条第一項の規定にかかわらず、保証金及び監督保証金の納付があつた後でなければ、執行することができない。

② 監督者を選任した場合には、第九十五条第一項前段の決定は、監督保証金の納付があつた後でなければ、執行することができない。

③ 第九十四条第二項及び第三項〈保釈の手続〉の規定は、監督保証金の納付について準用する。この場合において、同条第二項中「保釈請求者でない者」とあるのは「監督者でない者（被告人を除く。）」と、同条第三項中「被告人」とあるのは「被告人及び監督者」と読み替えるものとする。

（令和五法二八本条追加）

⊛+【納付された監督保証金↓九八の八②・九八の一〇③・九八の一一、刑訴規九一④ ❶【保釈を許す決定↓八九—九一 ❸【監督保証金の納付↓九四③、刑訴規九二の三

第九八条の七【被告人の召喚等に関する監督者への通知、監督者の出頭・報告に関する検察官への通知】

① 裁判所は、監督者を選任した場合において、被告人の召喚がされたときその他この法律又は他の法律の規定により被告人が指定の日時及び場所に出頭しなければならないこととされたときは、速やかに、監督者に対し、その旨並びに当該日時及び場所を通知しなければならない。

② 裁判所は、第九十八条の四第四項（第一号に係る部分に限る。）の規定による出頭があつたときはその旨を、同項（第二号に係る部分に限る。）の規定による報告があつたときはその旨及びその報告の内容を、同項（第一号に係る部分に限る。）の規定による出頭若しくは同項（第二号イに係る部分に限る。）の規定による報告がなかつたとき又は同項（第二号ロに係る部分に限る。）の規定による報告がなかつたことを知つたときはその旨及びその状況を、それぞれ速やかに検察官に通知しなければならない。

（令和五法二八本条追加）

⊛❶【被告人の召喚↓五七⊛

第九八条の八【監督者の解任】

① 裁判所は、次の各号のいずれかに該当すると認めるときは、検察官の請求により、又は職権で、監督者を解任することができる。

一 監督者が、正当な理由がなく、第九十八条の四第四項の規定による命令に違反したとき。

二 心身の故障その他の事由により、監督者が第九十八条の四第四項の規定により命ぜられた事項をすることができない状態になつたとき。

三 監督者から解任の申出があつたとき。

② 前項（第一号に係る部分に限る。）の規定により監督者を解任する場合には、裁判所は、決定で、監督保証金の全部又は一部を没取することができる。

（令和五法二八本条追加）

⊛❶【監督者の心身の故障等↓九八の一〇 ❷【監督保証金↓九八の五⊛

第九八条の九【監督者を解任した場合等の措置】

① 裁判所は、監督者を解任した場合又は監督者が死亡した場合には、決定で、保釈又は勾留の執行停止を取り消さなければならない。

② 裁判所は、前項に規定する場合において、相当と認めるときは、次の各号に掲げる場合の区分に応じ、当該各号に定める措置をとることができる。この場合においては、同項の規定は、適用しない。

一 被告人が保釈されている場合 新たに適当と認める者を監督者として選任し、又は保証金額を増額すること。

二 被告人が勾留の執行停止をされている場合 新たに適当と認める者を監督者として選任すること。

③ 裁判所は、前項前段の規定により監督者を選任する場合には、監督保証金を納付すべき期限を指定しなければならない。

④ 裁判所は、やむを得ない事由があると認めるときは、前項の期限を延長することができる。

⑤ 裁判所は、第三項の期限までに監督保証金の納付がなかつたときは、監督者を解任しなければならない。

⑥ 裁判所は、第二項前段（第一号に係る部分に限る。次項において同じ。）の規定により監督者を選任する場合において、相当と認めるときは、保証金額を減額することができる。

⑦ 裁判所は、第二項前段の規定により保証金額を増額する場合には、増額分の保証金を納付すべき期限を指定しなければならない。この場合においては、第四項の規定を準用する。

⑧ 第九十四条第二項及び第三項〈保釈の手続〉の規定は、前項に規定する場合における増額分の保証金の納付について準用する。この場合において、同条第二項中「保釈請求者」とあるのは、「被告人」と読み替えるものとする。

⑨ 裁判所は、第七項の期限までに増額分の保証金の納付がなかつたときは、決定で、保釈を取り消さなければならない。

（令和五法二八本条追加）

⊛+【監督者の解任↓九八の八【監督者の死亡↓九八の一〇【保釈↓八九—九一【勾留の執行停止↓九五【保証金↓九三 ❻【減額分の保証金↓刑訴規九一③ ❽【増額分の保証金の納付↓九四③、刑訴規八七②

第九八条の一〇【監督者に関する被告人の届出義務】

① 被告人は、第九十八条の八第一項第二号に該当すること又は監督者が死亡したことを知つたときは、速やかに、その旨を裁判所に届け出なければならない。

② 裁判所は、前項の規定による届出がなかつたときは、検察官の請求により、又は職権で、決定で、保釈又は勾留の執行停止を取り消すことができる。

③ 前項の規定により保釈を取り消す場合には、裁判所は、決定で、保証金の全部又は一部を没取することができる。

（令和五法二八本条追加）

⊛❶【監督者の死亡↓九八の九 ❷❸【保釈・勾留の執行停止・保証金↓九八の九⊛

第九八条の一一【保釈等を取り消す場合の監督保証金の没取】 監督者が選任されている場合において、第九十六条第一項（第一号、第二号及び第五号（第九十五条の四第二項の規定による出頭をしなかつたことにより適用される場合に限る。）に係る部分に限る。）の規定に

より保釈又は勾留の執行停止を取り消すときは、裁判所は、決定で、監督保証金の全部又は一部を没取することができる。（令和五法二八本条追加）

参→【監督保証金→九八の五

＊令和五法二八（令和一〇・五・一六までに施行）による改正後

第九八条の一二【位置測定端末装着命令】 ① 裁判所は、保釈を許す場合において、被告人が国外に逃亡することを防止するため、その位置及び当該位置に係る時刻を把握する必要があると認めるときは、被告人に対し、位置測定端末（人の身体に装着される電子計算機であつて、人工衛星から発射される信号その他これを補完する信号（第三項第一号において「人工衛星信号等」という。）を用いて行う当該電子計算機の位置及び当該位置に係る時刻の測定（以下「位置測定」という。）に用いられるものをいう。以下同じ。）をその身体に装着することを命ずることができる。

② 裁判所は、前項の規定による命令（以下「位置測定端末装着命令」という。）をするときは、飛行場又は港湾施設の周辺の区域その他の位置測定端末装着命令を受けた者が本邦から出国する際に立ち入ることとなる区域であつて、当該者が所在してはならない区域（以下「所在禁止区域」という。）を定めるものとする。

③ 位置測定端末は、次に掲げる機能及び構造を有するものでなければならない。

一 位置測定のために必要な人工衛星信号等を受信する機能

二 次に掲げる事由の発生を検知する機能

イ 位置測定端末が装着された者の身体から離れたこと。

ロ 位置測定に関して行われる信号の送受信（以下「位置測定通信」という。）であつて位置測定端末に係るものが途絶するおそれがある事由として裁判所の規則で定めるもの

ハ ロに掲げる事由がなくなつたこと。

ニ イからハまでに掲げるもののほか、位置測定端末を装着された者の本邦からの出国を防止し、又はその位置を把握するために位置測定端末において検知すべき事由として裁判所の規則で定めるもの

三 前号に掲げる事由の発生が検知されたときは、直ちに、かつ、自動的に、位置測定端末を装着された者に当該事由の発生を知らせるとともに、第五項の閲覧設備において当該事由の発生を確認するために必要な信号を、直接に又は次項の位置測定設備を経由して、第五項の閲覧設備に送信する機能

四 人の身体に装着された場合において、その全部又は一部を損壊することなく当該人の身体から取り外すことを困難とする構造

五 前各号に掲げるもののほか、位置測定に関して必要な機能又は構造として裁判所の規則で定めるもの

④ 位置測定においては、次に掲げる機能を有する電気通信設備であつて裁判所の規則で定めるもの（第一号及び第九十八条の十五第一項において「位置測定設備」という。）を使用するものとする。

一 次に掲げる事由の発生を検知する機能

イ 位置測定端末が所在禁止区域内に所在すること。

ロ 位置測定通信であつて位置測定設備に係るものが途絶するおそれがある事由として裁判所の規則で定めるもの

ハ ロに掲げる事由がなくなつたこと。

ニ イからハまでに掲げるもののほか、位置測定端末を装着された者の本邦からの出国を防止し、又はその位置を把握するために位置測定設備において検知すべき事由として裁判所の規則で定めるもの

二 前号に掲げる事由の発生が検知されたときは、直ちに、かつ、自動的に、位置測定端末を装着された者に当該事由の発生を知らせるとともに、次項の閲覧設備において当該事由の発生を確認するために必要な信号を同項の閲覧設備に送信する機能

⑤ 位置測定においては、裁判所が端末位置情報（位置測定により得られた位置測定端末の位置及び当該位置に係る時刻に関する情報をいう。以下同じ。）を表示して閲覧すること及び第三項第三号又は前項第二号の信号を受信することにより次に掲げる事由の発生を確認することができる機能を有する電気通信設備（以下「閲覧設備」という。）を使用するものとする。

一 第三項第二号イに掲げる事由

二 前項第一号イに掲げる事由

三 第三項第二号ロ又は前項第一号ロに掲げる事由

四 第三項第二号ハ又は前項第一号ハに掲げる事由

五 第三項第二号ニ又は前項第一号ニに掲げる事由

（改正により追加）

第九八条の一三【位置測定端末の装着】 ① 位置測定端末は、裁判所の指揮によつて、裁判所書記官その他の裁判所の職員が位置測定端末装着命令を受けた者の身体に装着するものとする。

② 位置測定端末装着命令がされたときは、保釈を許す決定は、前項の規定による位置測定端末の装着をした後でなければ、執行することができない。

（改正により追加）

第九八条の一四【位置測定端末装着命令を受けた者の遵守事項等】 ① 位置測定端末装着命令を受けた者は、次に掲げる事項を遵守しなければならない。

一 所在禁止区域内に所在しないこと。

二 位置測定端末を自己の身体に装着し続けること。

三 次に掲げる行為をしないこと。

イ 自己の身体に装着された位置測定端末を損壊する行為

ロ 位置測定通信に障害を与える行為

ハ イ及びロに掲げるもののほか、位置測定端末による位置測定端末装着命令を受けた者の位置の把握に支障を生じさせるおそれがある行為として裁判所の規則で定めるもの

四 裁判所の定める方法により、位置測定端末の充電その他の位置測定端末の機能の維持に必要な管理をすること。

五 自己の身体に装着された位置測定端末において位置測定通信のうち裁判所の規則で定めるものが行われていないことを知つたときは、遅滞なく、裁判所に対し、当該位置測定端末の損壊又は機能の障害の有無及び程度、電池の残量、自己の現在地その他の位置測定通信の回復に必要な措置を講ずるため必要な事項として裁判所の規則で定めるものを報告すること。

② 裁判所は、位置測定通信の回復その他の位置測定端末を用いて行う位置測定端末装着命令を受けた者の位置の把握に必要な措置を講ずるため必要があると認めるときは、当該者に対し、裁判所の指定する日時及び場所に出頭することを命ずることができる。

（改正により追加）

第九八条の一五【例外措置の許可】 ① 裁判所は、やむを得ない理由により必要があると認めるときは、位置測定端末装着命令を受けた者に対し、期間を指定して、所在禁止区域内に所在することを許可することができる。この場合において、当該期間内に当該所在禁止区域内に所在することについては、前条第一項（第一号に係る部分に限る。）の規

定は、適用せず、裁判所は、位置測定設備による第九十八条の十二第四項第一号イに掲げる事由の発生の検知を停止するものとする。

② 前項前段の期間は、その始期及び終期を日時をもつて指定しなければならない。

③ 裁判所は、必要と認めるときは、第一項前段の期間を延長することができる。

④ 裁判所は、第一項前段の規定による許可を受けた者について、所在禁止区域内に所在することができる期間の終期として指定された日時まで当該所在禁止区域内に所在する必要がなくなつたと認めるときは、当該期間を短縮することができる。

⑤ 第二項の規定は、前二項の規定による期間の延長又は短縮をする場合について準用する。この場合において、第二項中「始期及び終期」とあるのは、「終期」と読み替えるものとする。

⑥ 裁判所は、やむを得ない理由により必要があると認めるときは、位置測定端末装着命令を受けた者に対し、期間を指定して、位置測定端末を自己の身体に装着しないでいることを許可することができる。

⑦ 前項の規定による許可は、当該許可を受けた者の身体から位置測定端末を取り外した後でなければ、その効力を生じない。

⑧ 第六項の規定による許可を受けた者の身体に装着された位置測定端末は、裁判所の指揮によつて、裁判所書記官その他の裁判所の職員が取り外すものとする。

⑨ 前条第一項（第二号から第五号までに係る部分に限る。）の規定は、第六項の期間内は適用しない。

⑩ 第六項の期間を指定するに当たつては、その終期を日時をもつて指定するとともに、当該日時において位置測定端末を装着するために出頭すべき場所を指定しなければならない。

⑪ 裁判所は、必要と認めるときは、第六項の期間を延長することができる。この場合においては、前項の規定を準用する。

⑫ 裁判所は、第六項の規定による許可を受けた者について、位置測定端末を自己の身体に装着しないでいることができる期間の終期として指定された日時まで位置測定端末を自己の身体に装着しないでいる必要がなくなつたと認めるときは、当該期間を短縮することができる。この場合においては、第十項の規定を準用する。

（改正により追加）

第九八条の一六【位置測定端末装着命令の取消し】① 位置測定端末を装着させる必要がなくなつたときは、裁判所は、検察官、位置測定端末装着命令を受けた者若しくは弁護人の請求により、又は職権で、決定で、位置測定端末装着命令を取り消さなければならない。この場合においては、できる限り速やかに、位置測定端末装着命令を取り消された者の身体から位置測定端末を取り外さなければならない。

② 前条第八項の規定は、前項後段の規定による位置測定端末の取り外しについて準用する。

（改正により追加）

第九八条の一七【位置測定端末装着命令の失効】① 位置測定端末装着命令は、次に掲げる場合には、その効力を失う。

一 保釈が取り消された場合において、第九十八条第一項又は第二項の規定により刑事施設に収容されたとき。

二 拘禁刑以上の刑に処する判決の宣告があつた場合において、第三百四十三条第二項前段（第四百四条において準用する場合を含む。第九十八条の二十第五項第二号において同じ。）において準用する第九十八条第一項又は第二項の規定により刑事施設に収容されたとき。

三 拘禁刑以上の刑に処する判決又は拘留に処する判決の宣告があつた場合において、当該判決に係る刑の執行が開始されたとき。

四 無罪、免訴、刑の免除、刑の全部の執行猶予、公訴棄却（第三百三十八条第四号（第四百四条において準用する場合を含む。）による場合を除く。）、罰金若しくは科料の裁判又は勾留を取り消す裁判の告知があつたとき。

五 勾留状が効力を失つたとき（第三号の判決が確定した場合及び前号に掲げる場合を除く。）。

② 前項の規定により位置測定端末装着命令が効力を失つたときは、できる限り速やかに、位置測定端末装着命令が効力を失つた者の身体から位置測定端末を取り外さなければならない。

③ 第九十八条の十五第八項の規定は、前項の規定による位置測定端末の取り外しについて準用する。

④ 裁判所は、前項において準用する第九十八条の十五第八項の規定にかかわらず、第二項の規定により刑事施設に収容された者の身体から位置測定端末を取り外すときは、刑事施設職員を指揮してこれをさせることができる。

（改正により追加）

第九八条の一八【位置測定端末装着命令を受けた被告人の保釈の取消し】① 裁判所は、位置測定端末装着命令を受けた被告人が次の各号のいずれかに該当すると認めるときは、検察官の請求により、又は職権で、決定で、保釈を取り消すことができる。

一 第九十八条の十五第一項前段の規定による許可を受けないで、正当な理由がなく、所在禁止区域内に所在したとき。

二 第九十八条の十五第六項の規定による許可を受けないで、正当な理由がなく、位置測定端末を自己の身体から取り外し、又は装着しなかつたとき。

三 正当な理由がなく、第九十八条の十四第一項第三号イからハまでのいずれかに掲げる行為をしたとき。

四 正当な理由がなく、第九十八条の十四第一項（第四号に係る部分に限る。）の規定による管理をしなかつたとき。

五 正当な理由がなく第九十八条の十四第一項（第五号に係る部分に限る。）の規定による報告をせず、又は虚偽の報告をしたとき。

六 第九十八条の十四第二項の日時及び場所を指定され、正当な理由がなく、当該日時及び場所に出頭しないとき。

② 前項の規定により保釈を取り消す場合には、裁判所は、決定で、保証金の全部又は一部を没取することができる。

③ 監督者が選任されている場合において、第一項（第二号（位置測定端末を自己の身体に装着しないでいることができる期間の終期として指定された日時に、当該日時において位置測定端末を装着するために出頭すべき場所として指定された場所に出頭しなかつたことにより適用される場合に限る。）及び第六号に係る部分に限る。）の規定により保釈を取り消すときは、裁判所は、決定で、監督保証金の全部又は一部を没取することができる。

（改正により追加）

第九八条の一九【位置測定端末装着命令を受けた被告人の勾引】裁判所は、位置測定端末装着命令を受けた被告人について、次の各号のいずれかに該当すると認めるときは、検察官の請求により、又は職権で、当該被告人を勾引することができる。ただし、明らかに勾引の必要がないと認めるときは、この限りでない。

一 閲覧設備において第九十八条の十二第五項第一号又は第二号に掲げる事由の発生を確認したとき。

二 閲覧設備において第九十八条の十二第五項第三号に掲げる事由の発生を確認した後、裁判所の規則で定める時間を経過するまでの間に、同項第四号に掲げる事由の発生を確認することができず、かつ、第九十八条の十四第一項（第五号に係る部分に限る。）の規定による報告がなかつたとき。

（改正により追加）

第九八条の二〇【端末位置情報の閲覧等】 ① 裁判所は、閲覧設備において第九十八条の十二第五項第一号から第五号までのいずれかに掲げる事由の発生を確認したときは、直ちにその旨を検察官に通知しなければならない。

② 裁判所は、閲覧設備において第九十八条の十二第五項第一号から第三号まで又は第五号のいずれかに掲げる事由の発生を確認したときは、当該事由の発生に係る位置測定端末の端末位置情報を表示して閲覧することができる。ただし、同項第三号に掲げる事由の発生を確認した場合にあつては当該事由の発生を検知する前のものに限り、同項第五号に掲げる事由の発生を確認した場合にあつては当該事由ごとに裁判所の規則で定める時前のものに限る。

③ 検察官は、第一項の規定による通知を受けたときは、裁判所の許可を受けて、前項の規定の例により端末位置情報を表示して閲覧することができる。

④ 裁判所が第六十六条第一項の規定により前条の規定による勾引を嘱託した場合においては、受託裁判官所属の裁判所の所在地を管轄する検察庁の検察官も、裁判所又は受託裁判官の許可を受けて、第二項の規定の例により端末位置情報を表示して閲覧することができる。

⑤ 検察官、検察事務官又は司法警察職員（前項に規定する場合にあつては、受託裁判官所属の裁判所の所在地を管轄する検察庁の検察官若しくは検察事務官又は当該検察庁の所在地において職務を行うことができる司法警察職員を含む。）は、位置測定端末装着命令を受けた者について、次の各号のいずれかに該当する場合において、必要と認めるときは、裁判所（同項に規定する場合にあつては、裁判所又は受託裁判官）の許可を受けて、当該者に係る端末位置情報を表示して閲覧することができる。

一 勾引状を執行するとき。

二 第九十八条第一項又は第二項（これらの規定を第三百四十三条第二項前段において準用する場合を含む。次条第三項第二号において同じ。）の規定により刑事施設に収容するとき。

⑥ 裁判所は、位置測定端末その他の位置測定の用に供される電気通信設備の保守点検、修理その他の管理のために必要な限度において、当該位置測定端末の端末位置情報を表示して閲覧し、又は当該管理のために必要と認める者に表示させて閲覧させることができる。

（改正により追加）

第九八条の二一【受任裁判官の権限】 ① 裁判所は、自ら第九十八条の十九各号に掲げる事由を把握することが困難であるときは、あらかじめ、同条の規定による勾引に関する権限を裁判所の規則で定める裁判所の裁判官に委任することができる。この場合において、裁判所は、当該勾引に関し、適当と認める条件を付することができる。

② 前項の規定による委任を受けた裁判官（以下この条において「受任裁判官」という。）は、第九十八条の十九の規定による勾引に関し裁判所又は裁判長と同一の権限を有する。

③ 次の各号に掲げる場合には、当該各号に定める者は、必要と認めるときは、受任裁判官（受任裁判官が第六十六条第一項の規定により第九十八条の十九の規定による勾引を嘱託した場合にあつては、受任裁判官又は受託裁判官）の許可を受けて、位置測定端末装着命令を受けた者に係る端末位置情報を表示して閲覧することができる。

一 勾引状を執行する場合 受任裁判官所属の裁判所に対応する検察庁の検察官若しくは検察事務官、当該検察庁の所在地において職務を行うことができる司法警察職員、当該執行を指揮する検察官又は当該執行をする検察事務官若しくは司法警察職員

二 第九十八条第一項又は第二項の規定により刑事施設に収容する場合 受任裁判官所属の裁判所に対応する検察庁の検察官若しくは検察事務官、当該検察庁の所在地において職務を行うことができる司法警察職員、当該収容を指揮する検察官又は当該収容をする検察事務官若しくは司法警察職員

④ 受任裁判官は、前条第六項の規定による処分をすることができる。

（改正により追加）

第九八条の二二【端末位置情報の閲覧の原則禁止】 端末位置情報の閲覧は、第九十八条の二十第二項から第六項まで、前条第三項及び第四項並びに第四百八十九条の二の場合を除き、してはならない。（改正により追加）

第九八条の二三【裁判長の権限】 裁判長は、急速を要する場合には、第九十八条の十九及び第九十八条の二十の規定による処分をし、又は合議体の構成員にこれをさせることができる。（改正により追加）

第九八条の二四【位置測定端末装着命令を受けた者の遵守事項等違反に対する罰則】 ① 位置測定端末装着命令を受けた者が、次の各号のいずれかに該当するときは、一年以下の拘禁刑に処する。

一 第九十八条の十五第一項前段の規定による許可を受けないで、正当な理由がなく、所在禁止区域内に所在したとき。

二 第九十八条の十五第六項の規定による許可を受けないで、正当な理由がなく、位置測定端末を自己の身体から取り外し、又は装着しなかつたとき。

三 正当な理由がなく第九十八条の十四第一項第三号イからハまでのいずれかに掲げる行為をしたとき。

② 位置測定端末装着命令を受けた者が、次の各号のいずれかに該当するときは、六月以下の拘禁刑に処する。

一 正当な理由がなく第九十八条の十四第一項（第五号に係る部分に限る。）の規定による報告をせず、又は虚偽の報告をしたとき。

二 第九十八条の十四第二項の日時及び場所を指定され、正当な理由がなく、当該日時及び場所に出頭しないとき。

（改正により追加）

第九章 押収及び捜索

第九九条【差押え、提出命令】 ① 裁判所は、必要があるときは、証拠物又は没収すべき物と思料するものを差し押えることができる。但し、特別の定のある場合は、この限りでない。

② 差し押さえるべき物が電子計算機であるときは、当該電子計算機に電気通信回線で接続している記録媒体であつて、当該電子計算機で作成若しくは変更をした電磁的記録又は当該電子計算機で変更若しくは消去をすることができることとされている電磁的記録を保管するために使用されていると認めるに足りる状況にあるものから、その電磁的記録を当該電子計算機又は他の記録媒体に複写した上、当該電子計算機又は当該他の記録媒体を差し押さえることができる。（平成二三法七四本項追加）

③ 裁判所は、差し押えるべき物を指定し、所有者、所持者又は保管者にその物の提出を命ずることができ

る。

❶【没収すべき物↓刑一九、EIC【差押え↓憲三五、一〇六、刑訴規九三―一〇〇【特別の規定↓一〇三―一〇五 ❷一〇七② ✝【不服申立て↓四二〇②、四二九①㊂

第九九条の二【記録命令付差押え】 裁判所は、必要があるときは、記録命令付差押え（電磁的記録を保管する者その他電磁的記録を利用する権限を有する者に命じて必要な電磁的記録を記録媒体に記録させ、又は印刷させた上、当該記録媒体を差し押さえることをいう。以下同じ。）をすることができる。（平成二三法七四本条追加）

✝【記録命令付差押え↓刑訴規九三―一〇〇

第一〇〇条【郵便物等の押収】 ① 裁判所は、被告人から発し、又は被告人に対して発した郵便物、信書便物又は電信に関する書類で法令の規定に基づき通信事務を取り扱う者が保管し、又は所持するものを差し押え、又は提出させることができる。（平成一四法九八・法一〇〇本項改正）

② 前項の規定に該当しない郵便物、信書便物又は電信に関する書類で法令の規定に基づき通信事務を取り扱う者が保管し、又は所持するものは、被告事件に関係があると認めるに足りる状況のあるものに限り、これを差し押え、又は提出させることができる。（平成一四法九八・法一〇〇本項改正）

③ 前二項の規定による処分をしたときは、その旨を発信人又は受信人に通知しなければならない。但し、通知によつて審理が妨げられる虞がある場合は、この限りでない。

✝憲二一② ❸【通知↓刑訴規二九八【不服申立て↓四二〇②、四二九①㊂

第一〇一条【領置】 被告人その他の者が遺留した物又は所有者、所持者若しくは保管者が任意に提出した物は、これを領置することができる。

✝【調書の作成↓刑訴規四一【不服申立て↓四二〇②、四二九①㊂

第一〇二条【捜索】 ① 裁判所は、必要があるときは、被告人の身体、物又は住居その他の場所に就き、捜索をすることができる。

② 被告人以外の者の身体、物又は住居その他の場所については、押収すべき物の存在を認めるに足りる状況のある場合に限り、捜索をすることができる。

✝【捜索↓憲三五、一〇六、刑訴規九三―一〇〇【人の捜索↓一二六

第一〇三条【公務上秘密と押収】 公務員又は公務員であつた者が保管し、又は所持する物について、本人又は当該公務所から職務上の秘密に関するものであることを申し立てたときは、当該監督官庁の承諾がなければ、押収をすることはできない。但し、当該監督官庁は、国の重大な利益を害する場合を除いては、承諾を拒むことができない。

✝【公務員・公務所の定義↓刑七【職務上の秘密の例↓国公一〇〇【証人尋問の場合↓一四四

第一〇四条【同前】 ① 左に掲げる者が前条の申立をしたときは、第一号に掲げる者についてはその院、第二号に掲げる者については内閣の承諾がなければ、押収をすることはできない。

一 衆議院若しくは参議院の議員又はその職に在つた者

二 内閣総理大臣その他の国務大臣又はその職に在つた者

② 前項の場合において、衆議院、参議院又は内閣は、国の重大な利益を害する場合を除いては、承諾を拒むことができない。

✝【衆議院・参議院の議員↓憲四三、四四【内閣総理大臣・国務大臣↓憲六六【証人尋問の場合↓一四五

第一〇五条【業務上秘密と押収】 医師、歯科医師、助産師、看護師、弁護士（外国法事務弁護士を含む。）、弁理士、公証人、宗教の職に在る者又はこれらの職に在つた者は、業務上委託を受けたため、保管し、又は所持する物で他人の秘密に関するものについては、押収を拒むことができる。但し、本人が承諾した場合、押収の拒絶が被告人のためのみにする権利の濫用と認められる場合（被告人が本人である場合を除く。）その他裁判所の規則で定める事由がある場合は、この限りでない。（昭和六一法六六、平成一三法一五三本条改正）

✝刑一三四【証人尋問の場合↓一四九

第一〇六条【令状】 公判廷外における差押え、記録命令付差押え又は捜索は、差押状、記録命令付差押状又は捜索状を発してこれをしなければならない。（平成二三法七四本条改正）

✝【令状↓憲三五【差押え↓九九、一〇〇【記録命令付差押え↓九九の二【捜索↓一〇二

第一〇七条【差押状・記録命令付差押状・捜索状の方式】 ① 差押状、記録命令付差押状又は捜索状には、被告人の氏名、罪名、差し押さえるべき物、記録させ若しくは印刷させるべき電磁的記録及びこれを記録させ若しくは印刷させるべき者又は捜索すべき場所、身体若しくは物、有効期間及びその期間経過後は執行に着手することができず令状はこれを返還しなければならない旨並びに発付の年月日その他裁判所の規則で定める事項を記載し、裁判長が、これに記名押印しなければならない。

② 第九十九条第二項の規定による処分をするときは、前項の差押状に、同項に規定する事項のほか、差し押さえるべき電子計算機に電気通信回線で接続している記録媒体であつて、その電磁的記録を複写すべきものの範囲を記載しなければならない。（平成二三法七四本項追加）

③ 第六十四条第二項〈氏名不明のときの特徴記載〉の規定は、第一項の差押状、記録命令付差押状又は捜索状についてこれを準用する。

（平成二三法七四本条改正）

❶【場所・身体・物の明示↓憲三五【有効期間↓刑訴規三〇〇【規則の定め↓刑訴規九四

第一〇八条【差押状・記録命令付差押状・捜索状の執行】① 差押状、記録命令付差押状又は捜索状は、検察官の指揮によつて、検察事務官又は司法警察職員がこれを執行する。ただし、裁判所が被告人の保護のため必要があると認めるときは、裁判長は、裁判所書記官又は司法警察職員にその執行を命ずることができる。（平成二三法七四本項改正）

② 裁判所は、差押状、記録命令付差押状又は捜索状の執行に関し、その執行をする者に対し書面で適当と認める指示をすることができる。（平成二三法七四本項改正）

③ 前項の指示は、合議体の構成員にこれをさせることができる。

④ 第七十一条〈管轄区域外の執行〉の規定は、差押状、記録命令付差押状又は捜索状の執行についてこれを準用する。（平成二三法七四本項改正）

第一〇九条【執行の補助】 検察事務官又は裁判所書記官は、差押状、記録命令付差押状又は捜索状の執行について必要があるときは、司法警察職員に補助を求めることができる。（平成二三法七四本条改正）

第一一〇条【執行の方式】 差押状、記録命令付差押状又は捜索状は、処分を受ける者にこれを示さなければならない。（平成二三法七四本条改正）

第一一〇条の二【電磁的記録に係る記録媒体の差押えの執行方法】 差し押さえるべき物が電磁的記録に係る記録媒体であるときは、差押状の執行をする者は、その差押えに代えて次に掲げる処分をすることができる。公判廷で差押えをする場合も、同様である。

一 差し押さえるべき記録媒体に記録された電磁的記録を他の記録媒体に複写し、印刷し、又は移転した上、当該他の記録媒体を差し押さえること。

二 差押えを受ける者に差し押さえるべき記録媒体に記録された電磁的記録を他の記録媒体に複写させ、印刷させ、又は移転させた上、当該他の記録媒体を差し押さえること。

（平成二三法七四本条追加）

第一一一条【押収捜索と必要な処分】① 差押状、記録命令付差押状又は捜索状の執行については、錠をはずし、封を開き、その他必要な処分をすることができる。公判廷で差押え、記録命令付差押え又は捜索をする場合も、同様である。（平成二三法七四本項改正）

② 前項の処分は、押収物についても、これをすることができる。

第一一一条の二【捜索・差押えの際の協力要請】 差し押さえるべき物が電磁的記録に係る記録媒体であるときは、差押状又は捜索状の執行をする者は、処分を受ける者に対し、電子計算機の操作その他の必要な協力を求めることができる。公判廷で差押え又は捜索をする場合も、同様である。（平成二三法七四本条追加）

第一一二条【執行中の出入禁止】① 差押状、記録命令付差押状又は捜索状の執行中は、何人に対しても、許可を得ないでその場所に出入りすることを禁止することができる。（平成二三法七四本項改正）

② 前項の禁止に従わない者は、これを退去させ、又は執行が終わるまでこれに看守者を付することができる。

第一一三条【当事者の立会い】① 検察官、被告人又は弁護人は、差押状、記録命令付差押状又は捜索状の執行に立ち会うことができる。ただし、身体の拘束を受けている被告人は、この限りでない。（平成二三法七四本項改正）

② 差押状、記録命令付差押状又は捜索状の執行をする者は、あらかじめ、執行の日時及び場所を前項の規定により立ち会うことができる者に通知しなければならない。ただし、これらの者があらかじめ裁判所に立ち会わない意思を明示した場合及び急速を要する場合は、この限りでない。（平成二三法七四本項改正）

③ 裁判所は、差押状又は捜索状の執行について必要があるときは、被告人をこれに立ち会わせることができる。

参【立会い↓一五七、二二二⑥、刑訴規一〇〇②】

第一一四条【責任者の立会い】① 公務所内で差押状、記録命令付差押状又は捜索状の執行をするときは、その長又はこれに代わるべき者に通知してその処分に立ち会わせなければならない。

② 前項の規定による場合を除いて、人の住居又は人の看守する邸宅、建造物若しくは船舶内で差押状、記録命令付差押状又は捜索状の執行をするときは、住居主若しくは看守者又はこれらの者に代わるべき者をこれに立ち会わせなければならない。これらの者を立ち会わせることができないときは、隣人又は地方公共団体の職員を立ち会わせなければならない。

（平成二三法七四本条改正）

第一一五条【女子の身体の捜索と立会い】 女子の身体について捜索状の執行をする場合には、成年の女子をこれに立ち会わせなければならない。但し、急速を要する場合は、この限りでない。

参【身体の捜索↓一〇二】【身体検査の立会い↓一三一】【成年↓民四】

第一一六条【時刻の制限】① 日出前、日没後には、令状に夜間でも執行することができる旨の記載がなければ、差押状、記録命令付差押状又は捜索状の執行のため、人の住居又は人の看守する邸宅、建造物若しくは船舶内に入ることはできない。

② 日没前に差押状、記録命令付差押状又は捜索状の執行に着手したときは、日没後でも、その処分を継続することができる。

（平成二三法七四本条改正）

参【例外↓一一七】【検証の場合↓一三〇】

第一一七条【時刻の制限の例外】 次に掲げる場所で差押状、記録命令付差押状又は捜索状の執行をするについては、前条第一項に規定する制限によることを要しない。

一 賭博、富くじ又は風俗を害する行為に常用されるものと認められる場所

二 旅館、飲食店その他夜間でも公衆が出入りするこ

とができる場所。ただし、公開した時間内に限る。

（平成二三法七四本条改正）

☞[二]【賭博・富くじ→刑一八五―一八七

第一一八条【執行の中止と必要な処分】差押状、記録命令付差押状又は捜索状の執行を中止する場合において必要があるときは、執行が終わるまでその場所を閉鎖し、又は看守者を置くことができる。（平成二三法七四本条改正）

第一一九条【証明書の交付】捜索をした場合において証拠物又は没収すべきものがないときは、捜索を受けた者の請求により、その旨の証明書を交付しなければならない。

☞【証明書→刑訴規九六

第一二〇条【押収目録の交付】押収をした場合には、その目録を作り、所有者、所持者若しくは保管者（第百十条の二の規定による処分を受けた者を含む。）又はこれらの者に代わるべき者に、これを交付しなければならない。（平成二三法七四本条改正）
☞【目録→刑訴規九六、四一③、四三③

第一二一条【押収物の保管、廃棄】① 運搬又は保管に不便な押収物については、看守者を置き、又は所有者その他の者に、その承諾を得て、これを保管させることができる。
② 危険を生ずる虞がある押収物は、これを廃棄することができる。
③ 前二項の処分は、裁判所が特別の指示をした場合を除いては、差押状の執行をした者も、これをすることができる。
☞【保管→刑訴規九八

第一二二条【押収物の代価保管】没収することができる押収物で滅失若しくは破損の虞があるもの又は保管に不便なものについては、これを売却してその代価を保管することができる。

第一二三条【還付、仮還付等】① 押収物で留置の必要がないものは、被告事件の終結を待たないで、決定でこれを還付しなければならない。
② 押収物は、所有者、所持者、保管者又は差出人の請求により、決定で仮にこれを還付することができる。
③ 押収物が第百十条の二の規定により電磁的記録を移転し、又は移転させた上差し押さえた記録媒体で留置の必要がないものである場合において、差押えを受けた者と当該記録媒体の所有者、所持者又は保管者とが異なるときは、被告事件の終結を待たないで、決定で、当該差押えを受けた者に対し、当該記録媒体を交付し、又は当該電磁的記録の複写を許さなければならない。（平成二三法七四本項追加）
④ 前三項の決定をするについては、検察官及び被告人又は弁護人の意見を聴かなければならない。（平成二三法七四本項改正）
☞❶【還付→三四七①　❷【仮還付→三四七③【不服申立て→四二〇②、四二九①㊁

第一二四条【押収贓物の被害者還付】① 押収した贓物で留置の必要がないものは、被害者に還付すべき理由が明らかなときに限り、被告事件の終結を待たないで、検察官及び被告人又は弁護人の意見を聴き、決定でこれを被害者に還付しなければならない。
② 前項の規定は、民事訴訟の手続に従い、利害関係人がその権利を主張することを妨げない。
☞【還付→三四七①【不服申立て→四二〇②、四二九①㊁

第一二五条【受命裁判官、受託裁判官】① 押収又は捜索は、合議体の構成員にこれをさせ、又はこれをすべき地の地方裁判所、家庭裁判所若しくは簡易裁判所の裁判官にこれを嘱託することができる。（昭和二四法一一六本項改正）
② 受託裁判官は、受託の権限を有する他の地方裁判所、家庭裁判所又は簡易裁判所の裁判官に転嘱することができる。（昭和二四法一一六本項改正）
③ 受託裁判官は、受託事項について権限を有しないときは、受託の権限を有する他の地方裁判所、家庭裁判所又は簡易裁判所の裁判官に嘱託を移送することができる。（昭和二四法一一六本項改正）
④ 受命裁判官又は受託裁判官がする押収又は捜索については、裁判所がする押収又は捜索に関する規定を準用する。但し、第百条第三項の通知は、裁判所がこれをしなければならない。
☞【権限→刑訴規三〇二【不服申立て→四二九①㊁

第一二六条【勾引状等の執行と被告人の捜索】検察事務官又は司法警察職員は、勾引状又は勾留状を執行する場合において必要があるときは、人の住居又は人の看守する邸宅、建造物若しくは船舶内に入り、被告人の捜索をすることができる。この場合には、捜索状は、これを必要としない。

☞憲三三・三五、二二〇④

第一二七条【同前】第百十一条〈必要な処分〉、第百十二条〈出入禁止〉、第百十四条〈立会い〉及び第百十八条〈執行中止〉の規定は、前条の規定により検察事務官又は司法警察職員がする捜索についてこれを準用する。但し、急速を要する場合は、第百十四条第二項の規定によることを要しない。

第十章　検証

第一二八条【検証】裁判所は、事実発見のため必要があるときは、検証することができる。

☞【裁判所→一四二・一二五【検証→刑訴規一〇一―一〇五【調書→刑訴規四一①②【立会い→刑訴規一〇五

第一二九条【検証と必要な処分】検証については、身体の検査、死体の解剖、墳墓の発掘、物の破壊その他必要な処分をすることができる。
☞【身体の検査→一三一―一四〇【処分上の注意→刑訴規一〇一

第一三〇条【時刻の制限】① 日出前、日没後には、住居主若しくは看守者又はこれらの者に代るべき者の承諾がなければ、検証のため、人の住居又は人の看守する邸宅、建造物若しくは船舶内に入ることはできない。但し、日出後では検証の目的を達することができない虞がある場合は、この限りでない。

② 日没前検証に着手したときは、日没後でもその処分を継続することができる。

③ 第百十七条に規定する場所については、第一項に規定する制限によることを要しない。

参【差押え・捜索の場合→一一六

第一三一条【身体検査に関する注意、女子の身体検査と立会い】 ① 身体の検査については、これを受ける者の性別、健康状態その他の事情を考慮した上、特にその方法に注意し、その者の名誉を害しないように注意しなければならない。

② 女子の身体を検査する場合には、医師又は成年の女子をこれに立ち会わせなければならない。

参【身体の捜索の立会い→一一五【成年→民四

第一三二条【身体検査のための召喚】 裁判所は、身体の検査のため、被告人以外の者を裁判所又は指定の場所に召喚することができる。

参【被告人以外の者の身体検査のための召喚→一三三―一三六

第一三三条【出頭拒否と過料等】 ① 前条の規定により召喚を受けた者が正当な理由がなく出頭しないときは、決定で、十万円以下の過料に処し、かつ、出頭しないために生じた費用の賠償を命ずることができる。（平成三法三一本項改正）

② 前項の決定に対しては、即時抗告をすることができる。

参❶【過料・費用賠償の執行→四九〇　❷【即時抗告→三五二・四二二・四二五【準抗告→四二九①［五］

第一三四条【出頭拒否と刑罰】 ① 第百三十二条の規定により召喚を受け正当な理由がなく出頭しない者は、十万円以下の罰金又は拘留に処する。（平成三法三一本項改正）

② 前項の罪を犯した者には、情状により、罰金及び拘留を併科することができる。

第一三五条【出頭拒否と勾引】 第百三十二条の規定による召喚に応じない者は、更にこれを召喚し、又はこれを勾引することができる。

参【被告人以外の者の身体検査のための勾引→一三六、刑訴規一〇四

第一三六条【召喚・勾引に関する準用規定】 第六十二条〈召喚状〉、第六十三条〈召喚状の方式〉及び第六十五条〈召喚の手続〉の規定は、第百三十二条及び前条の規定による召喚について、第六十二条〈勾引状〉、第六十四条〈勾引状の方式〉、第六十六条〈勾引の嘱託〉、第六十七条〈嘱託による勾引の手続〉、第七十条〈執行〉、第七十一条〈管轄区域外における執行〉及び第七十三条第一項〈執行手続〉の規定は、前条の規定による勾引についてこれを準用する。

第一三七条【身体検査の拒否と過料等】 ① 被告人又は被告人以外の者が正当な理由がなく身体の検査を拒んだときは、決定で、十万円以下の過料に処し、かつ、その拒絶により生じた費用の賠償を命ずることができる。（平成三法三一本項改正）

② 前項の決定に対しては、即時抗告をすることができる。

参❶【過料・費用賠償の執行→四九〇　❷【即時抗告→三五二・四二二・四二五【準抗告→四二九①［五］

第一三八条【身体検査の拒否と刑罰】 ① 正当な理由がなく身体の検査を拒んだ者は、十万円以下の罰金又は拘留に処する。（平成三法三一本項改正）

② 前項の罪を犯した者には、情状により、罰金及び拘留を併科することができる。

第一三九条【身体検査の直接強制】 裁判所は、身体の検査を拒む者を過料に処し、又はこれに刑を科しても、その効果がないと認めるときは、そのまま、身体の検査を行うことができる。

参【過料→一三七【刑→一三八

第一四〇条【身体検査の強制に関する訓示規定】 裁判所は、第百三十七条の規定により過料を科し、又は前条の規定により身体の検査をするにあたつては、あらかじめ、検察官の意見を聴き、且つ、身体の検査を受ける者の異議の理由を知るため適当な努力をしなければならない。

第一四一条【検証の補助】 検証をするについて必要があるときは、司法警察職員に補助をさせることができる。

第一四二条【準用規定】 第百十一条の二から第百十四条まで〈捜索差押えの際の協力要請・執行中の立入禁止・当事者の立会い・責任者の立会い〉、第百十八条〈執行の中止と必要な処分〉及び第百二十五条〈受命裁判官・受託裁判官〉の規定は、検証についてこれを準用する。（平成二三法七四本条改正）

第十一章　証人尋問

第一四三条【証人の資格】 裁判所は、この法律に特別の定のある場合を除いては、何人でも証人としてこれを尋問することができる。

参【特別の定め→一四四、一四五【何人でも→三一一【尋問手続→刑訴規一一四―一二七

第一四三条の二【証人の召喚】 裁判所は、裁判所の規則で定める相当の猶予期間を置いて、証人を召喚することができる。（平成二八法五四本条追加）

参【猶予期間→刑訴規一一一【証人の召喚→一五〇―一五三、刑訴規一一三①【在廷証人→刑訴規一一三②、一七八の一〇

第一四四条【公務上秘密と証人資格】 公務員又は公務員であつた者が知り得た事実について、本人又は当該公務所から職務上の秘密に関するものであることを申し立てたときは、当該監督官庁の承諾がなければ証人としてこれを尋問することはできない。但し、当該監督官庁は、国の重大な利益を害する場合を除いては、承諾を拒むことができない。

参【公務員・公務所の定義→刑七【職務上の秘密の例→国公一〇〇

第一四五条【同前】 ① 左に掲げる者が前条の申立をしたときは、第一号に掲げる者についてはその院、第二号に掲げる者については内閣の承諾がなければ、証人としてこれを尋問することはできない。
一 衆議院若しくは参議院の議員又はその職に在つた者
二 内閣総理大臣その他の国務大臣又はその職に在つた者
② 前項の場合において、衆議院、参議院又は内閣は、国の重大な利益を害する場合を除いては、承諾を拒むことができない。
❶【衆議院又は参議院の議員→憲四三、四四【内閣総理大臣、国務大臣→憲六六

第一四六条【自己の刑事責任と証言拒絶権】 何人も、自己が刑事訴追を受け、又は有罪判決を受ける虞のある証言を拒むことができる。

憲三八①、刑訴規一二一・一二二【適用除外→一五七の二・一五七の三

第一四七条【近親者の刑事責任と証言拒絶権】 何人も、左に掲げる者が刑事訴追を受け、又は有罪判決を受ける虞のある証言を拒むことができる。
一 自己の配偶者、三親等内の血族若しくは二親等内の姻族又は自己とこれらの親族関係があつた者
二 自己の後見人、後見監督人又は保佐人
三 自己を後見人、後見監督人又は保佐人とする者
【証言拒絶→一四八、刑訴規一二一・一二二【後見人→民八三九―八四三【後見監督人→民八四八―八五二【保佐人→民八七六、八七六の二

第一四八条【同前の例外】 共犯又は共同被告人の一人又は数人に対し前条の関係がある者でも、他の共犯又は共同被告人のみに関する事項については、証言を拒むことはできない。
【共犯→刑六〇―六五

第一四九条【業務上秘密と証言拒絶権】 医師、歯科医師、助産師、看護師、弁護士（外国法事務弁護士を含む。）、弁理士、公証人、宗教の職に在る者又はこれらの職に在つた者は、業務上委託を受けたため知り得た事実で他人の秘密に関するものについては、証言を拒むことができる。但し、本人が承諾した場合、証言の拒絶が被告人のためのみにする権利の濫用と認められる場合（被告人が本人である場合を除く。）その他裁判所の規則で定める事由がある場合は、この限りでない。（昭和六一法六六、平成一三法一五三本条改正）
【業務上の秘密→刑一三四【証言拒絶→刑訴規一二一④・一二二

第一五〇条【出頭義務違反と過料等】 ① 召喚を受けた証人が正当な理由がなく出頭しないときは、決定で、十万円以下の過料に処し、かつ、出頭しないために生じた費用の賠償を命ずることができる。（平成三法三一本項改正）
② 前項の決定に対しては、即時抗告をすることができる。
❶【本項の活用→刑訴規一七九の三【過料・費用賠償の執行→四九〇 ❷【即時抗告→三五二、四二二、四二五【準抗告→四二九①四

第一五一条【出頭義務違反と刑罰】 証人として召喚を受け正当な理由がなく出頭しない者は、一年以下の拘禁刑又は三十万円以下の罰金に処する。（平成三法三一、平成一八法五四、令和四法六七本条改正）
【本条の活用→刑訴規一七九の三

第一五二条【証人の勾引】 裁判所は、証人が、正当な理由がなく、召喚に応じないとき、又は応じないおそれがあるときは、その証人を勾引することができる。（平成一八法五四本条改正）
【証人の勾引→一五三、刑訴規一〇二【本条の活用→刑訴規一七九の三

第一五三条【準用規定】 第六十二条〈召喚状〉、第六十三条〈召喚状の方式〉及び第六十五条〈召喚の手続〉の規定は、証人の召喚について、第六十二条〈勾引状〉、第六十四条〈勾引状の方式〉、第六十六条〈勾引の嘱託〉、第六十七条〈嘱託による勾引の手続〉、第七十条〈勾引状の執行〉、第七十一条〈管轄区域外における執行〉及び第七十三条第一項〈執行の手続〉の規定は、証人の勾引についてこれを準用する。
【召喚状・勾引状の記載要件→刑訴規一一〇【本条の活用→刑訴規一七九の三

第一五三条の二【証人の留置】 勾引状の執行を受けた証人を護送する場合又は引致した場合において必要があるときは、一時最寄の警察署その他の適当な場所にこれを留置することができる。（昭和二八法一七二本条追加）
【勾引状の執行を受けた証人→一五二、一五三

第一五四条【宣誓】 証人には、この法律に特別の定のある場合を除いて、宣誓をさせなければならない。
【特別の定め→一五五【宣誓→刑訴規一一六―一二〇、刑一六九

第一五五条【宣誓無能力】 ① 宣誓の趣旨を理解することができない者は、宣誓をさせないで、これを尋問しなければならない。
② 前項に掲げる者が宣誓をしたときでも、その供述は、証言としての効力を妨げられない。
【宣誓趣旨の説明→刑訴規一一六【刑訴規三八②三

第一五六条【推測事項の証言】 ① 証人には、その実験した事実により推測した事項を供述させることができる。
② 前項の供述は、鑑定に属するものでも、証言としての効力を妨げられない。
❷【鑑定→一六五

第一五七条【当事者の立会権、尋問権】 ① 検察官、被告人又は弁護人は、証人の尋問に立ち会うことができる。

② 証人尋問の日時及び場所は、あらかじめ、前項の規定により尋問に立ち会うことができる者にこれを通知しなければならない。但し、これらの者があらかじめ裁判所に立ち会わない意思を明示したときは、この限りでない。

③ 第一項に規定する者は、証人の尋問に立ち会つたときは、裁判長に告げて、その証人を尋問することができる。

⊛【被告人→憲三七②】【通知→刑訴規一九八】

第一五七条の二【証人尋問開始前の免責請求】 ① 検察官は、証人が刑事訴追を受け、又は有罪判決を受けるおそれのある事項についての尋問を予定している場合であつて、当該事項についての証言の重要性、関係する犯罪の軽重及び情状その他の事情を考慮し、必要と認めるときは、あらかじめ、裁判所に対し、当該証人尋問を次に掲げる条件により行うことを請求することができる。

一 尋問に応じてした供述及びこれに基づいて得られた証拠は、証人が当該証人尋問においてした行為が第百六十一条又は刑法第百六十九条の罪に当たる場合に当該行為に係るこれらの罪に係る事件において用いるときを除き、証人の刑事事件において、これらを証人に不利益な証拠とすることができないこと。

二 第百四十六条の規定にかかわらず、自己が刑事訴追を受け、又は有罪判決を受けるおそれのある証言を拒むことができないこと。

② 裁判所は、前項の請求を受けたときは、その証人に尋問すべき事項に証人が刑事訴追を受け、又は有罪判決を受けるおそれのある事項が含まれないと明らかに認められる場合を除き、当該証人尋問を同項各号に掲げる条件により行う旨の決定をするものとする。

(平成二八法五四本条追加)

⊛❶【刑事訴追・有罪判決を受けるおそれのある事項→一四六、憲三八①】

第一五七条の三【証人尋問開始後の免責請求】 ① 検察官は、証人が刑事訴追を受け、又は有罪判決を受けるおそれのある事項について証言を拒んだと認める場合であつて、当該事項についての証言の重要性、関係する犯罪の軽重及び情状その他の事情を考慮し、必要と認めるときは、裁判所に対し、それ以後の当該証人尋問を前条第一項各号に掲げる条件により行うことを請求することができる。

② 裁判所は、前項の請求を受けたときは、その証人が証言を拒んでいないと認められる場合又はその証人に尋問すべき事項に証人が刑事訴追を受け、若しくは有罪判決を受けるおそれのある事項が含まれないと明らかに認められる場合を除き、それ以後の当該証人尋問を前条第一項各号に掲げる条件により行う旨の決定をするものとする。

(平成二八法五四本条追加)

⊛ 一五七の二⊛

第一五七条の四【証人への付添い】 ① 裁判所は、証人を尋問する場合において、証人の年齢、心身の状態その他の事情を考慮し、証人が著しく不安又は緊張を覚えるおそれがあると認めるときは、検察官及び被告人又は弁護人の意見を聴き、その不安又は緊張を緩和するのに適当であり、かつ、裁判官若しくは訴訟関係人の尋問若しくは証人の供述を妨げ、又はその供述の内容に不当な影響を与えるおそれがないと認める者を、その証人の供述中、証人に付き添わせることができる。

② 前項の規定により証人に付き添うこととされた者は、その証人の供述中、裁判官若しくは訴訟関係人の尋問若しくは証人の供述を妨げ、又はその供述の内容に不当な影響を与えるような言動をしてはならない。

(平成一二法七四本条追加)

⊛【被害者等の意見陳述への準用→二九二の二⑥】【被害者参加人への付添い→三一六の三九①―③】❶【決定の告知→刑訴規一〇七の二】

第一五七条の五【証人尋問の際の証人の遮蔽】 ① 裁判所は、証人を尋問する場合において、犯罪の性質、証人の年齢、心身の状態、被告人との関係その他の事情により、証人が被告人の面前（次条第一項及び第二項に規定する方法による場合を含む。）において供述するときは圧迫を受け精神の平穏を著しく害されるおそれがあると認める場合であつて、相当と認めるときは、検察官及び被告人又は弁護人の意見を聴き、被告人とその証人との間で、一方から又は相互に相手の状態を認識することができないようにするための措置を採ることができる。ただし、被告人から証人の状態を認識することができないようにするための措置については、弁護人が出頭している場合に限り、採ることができる。（平成二八法五四本項改正）

② 裁判所は、証人を尋問する場合において、犯罪の性質、証人の年齢、心身の状態、名誉に対する影響その他の事情を考慮し、相当と認めるときは、検察官及び被告人又は弁護人の意見を聴き、傍聴人とその証人との間で、相互に相手の状態を認識することができないようにするための措置を採ることができる。

(平成一二法七四本条追加)

⊛【決定の告知→刑訴規一〇七の二】【被告人の証人尋問権→憲三七②】【被告人の退席・退廷との併用→二八一の二・三〇四の二】【傍聴人の退廷→刑訴規二〇二】【期日外の証人尋問→二八一・一五八】【被害者等の意見陳述への準用→二九二の二⑥】【被害者参加人の遮蔽→三一六の三九④⑤】

第一五七条の六【ビデオリンク方式による証人尋問】 ① 裁判所は、次に掲げる者を証人として尋問する場合において、相当と認めるときは、検察官及び被告人又は弁護人の意見を聴き、裁判官及び訴訟関係人が証人を尋問するために在席する場所以外の場所であつて、同一構内（これらの者が在席する場所と同一の構内をいう。次項において同じ。）にあるものにその証人を在席させ、映像と音声の送受信により相手の状態を相互に認識しながら通話をすることができる方法によつて、尋問することができる。

一 刑法第百七十六条、第百七十七条、第百七十九条、第百八十一条若しくは第百八十二条の罪、同法第二百二十五条若しくは第二百二十六条の二第三項の罪（わいせつ又は結婚の目的に係る部分に限る。以下この号において同じ。）、同法第二百二十七条第一項（同法第二百二十五条又は第二百二十六条の二第三項の罪を犯した者を幇助する目的に係る部分に限る。）若しくは第三項（わいせつの目的に係る部分に限る。）の罪若しくは同法第二百四十一条第一項若しくは第三項の罪又はこれらの罪の未遂罪の被害者
（平成一六法一五六、平成一七法六六、平成二九法七二、令和五法六六本号改正）

二 児童福祉法（昭和二十二年法律第百六十四号）第六十条第一項の罪若しくは同法第三十四条第一項第九号に係る同法第六十条第二項の罪、児童買春、児童ポルノに係る行為等の規制及び処罰並びに児童の保護等に関する法律（平成十一年法律第五十二号）第四条から第八条までの罪又は性的な姿態を撮影する行為等の処罰及び押収物に記録された性的な姿態の影像に係る電磁的記録の消去等に関する法律（令和五年法律第六十七号）第二条から第六条までの罪の被害者（平成二六法七九、令和五法六七本号改正）

三 前二号に掲げる者のほか、犯罪の性質、証人の年齢、心身の状態、被告人との関係その他の事情により、裁判官及び訴訟関係人が証人を尋問するために在席する場所において供述するときは圧迫を受け精神の平穏を著しく害されるおそれがあると認められる者
（平成二八法五四本項改正）

② 裁判所は、証人を尋問する場合において、次に掲げる場合であつて、相当と認めるときは、検察官及び被告人又は弁護人の意見を聴き、同一構内以外にある場所であつて裁判所の規則で定めるものに証人を在席させ、映像と音声の送受信により相手の状態を相互に認識しながら通話をすることができる方法によつて、尋問することができる。

一 犯罪の性質、証人の年齢、心身の状態、被告人との関係その他の事情により、証人が同一構内に出頭するときは精神の平穏を著しく害されるおそれがあると認めるとき。

二 同一構内への出頭に伴う移動に際し、証人の身体若しくは財産に害を加え又は証人を畏怖させ若しくは困惑させる行為がなされるおそれがあると認めるとき。

三 同一構内への出頭後の移動に際し尾行その他の方法で証人の住居、勤務先その他その通常所在する場所が特定されることにより、証人若しくはその親族の身体若しくは財産に害を加え又はこれらの者を畏怖させ若しくは困惑させる行為がなされるおそれがあると認めるとき。

四 証人が遠隔地に居住し、その年齢、職業、健康状態その他の事情により、同一構内に出頭することが著しく困難であると認めるとき。
（平成二八法五四本項追加）

③ 前二項に規定する方法により証人尋問を行う場合（前項第四号の規定による場合を除く。）において、裁判所は、その証人が後の刑事手続において同一の事実につき再び証人として供述を求められることがあると思料する場合であつて、証人の同意があるときは、検察官及び被告人又は弁護人の意見を聴き、その証人の尋問及び供述並びにその状況を記録媒体（映像及び音声を同時に記録することができるものに限る。）に記録することができる。（平成一二法七四、平成二八法五四本項改正）

④ 前項の規定により証人の尋問及び供述並びにその状況を記録した記録媒体は、訴訟記録に添付して調書の一部とするものとする。
（平成一二法七四本条追加）

参 【被告人の証人尋問権】→憲三七② 【証人の遮蔽との併用】→一五七の五① 【被告人の退席・退廷との併用】→二八一の二、三〇四の二 【傍聴人の退廷】→刑訴規二〇二 【期日外の証人尋問】→二八一、一五八 【被害者等の意見陳述への準用】→二九二の二⑥ 【映像等の送受信による通話の方法による尋問】→民訴二〇四 ❶―❸【決定の告知】→刑訴規一〇七の二 ❹【記録媒体がその一部とされた調書】→刑訴規三八⑦、三〇五⑤⑥、三一一の二 【記録媒体の謄写の制限】→四〇②、一八〇②、二七〇②、刑訴規一三四の二②

第一五八条【裁判所外における証人尋問】 ① 裁判所は、証人の重要性、年齢、職業、健康状態その他の事情と事案の軽重とを考慮した上、検察官及び被告人又は弁護人の意見を聴き、必要と認めるときは、裁判所外にこれを召喚し、又はその現在場所でこれを尋問することができる。

② 前項の場合には、裁判所は、あらかじめ、検察官、被告人及び弁護人に、尋問事項を知る機会を与えなければならない。

③ 検察官、被告人又は弁護人は、前項の尋問事項に附加して、必要な事項の尋問を請求することができる。

参 憲三七② 【尋問調書】→二八一 参 ❶【召喚】→一四三の二、一五〇―一五三 ❷❸【尋問事項の告知・付加請求】→刑訴規一〇八、一〇九 ❸【請求】→刑訴規二九六

第一五九条【同前】 ① 裁判所は、検察官、被告人又は弁護人が前条の証人尋問に立ち会わなかつたときは、立ち会わなかつた者に、証人の供述の内容を知る機会を与えなければならない。

② 前項の証人の供述が被告人に予期しなかつた著しい不利益なものである場合には、被告人又は弁護人は、更に必要な事項の尋問を請求することができる。

③ 裁判所は、前項の請求を理由がないものと認めるときは、これを却下することができる。

参 憲三七② 【裁判所外の証人尋問】→一六三 ❶【証言内容を知る機会】→刑訴規一二六、一七六の六、一七八の一二 ❷【請求】→刑訴規二九六

第一六〇条【宣誓証言の拒絶と過料等】 ① 証人が正当な理由がなく宣誓又は証言を拒んだときは、決定で、十万円以下の過料に処し、かつ、その拒絶により生じた費用の賠償を命ずることができる。（平成三法三一本項改正）

刑訴

② 前項の決定に対しては、即時抗告をすることができる。

❶【過料・費用賠償の執行→四九〇　❷【即時抗告→三五二・四二二・四二五【準抗告→四二九①四

第一六一条【宣誓証言の拒絶と刑罰】 正当な理由がなく宣誓又は証言を拒んだ者は、一年以下の拘禁刑又は三十万円以下の罰金に処する。（平成三法三一、平成二八法五四、令和四法六七本条改正）

第一六二条【同行命令・勾引】 裁判所は、必要があるときは、決定で指定の場所に証人の同行を命ずることができる。証人が正当な理由がなく同行に応じないときは、これを勾引することができる。

【勾引→一五三、刑訴規一二二・一一〇②

第一六三条【受命裁判官、受託裁判官】 ① 裁判所外で証人を尋問すべきときは、合議体の構成員にこれをさせ、又は証人の現在地の地方裁判所、家庭裁判所若しくは簡易裁判所の裁判官にこれを嘱託することができる。（昭和二四法一一六本項改正）

② 受託裁判官は、受託の権限を有する他の地方裁判所、家庭裁判所又は簡易裁判所の裁判官に転嘱することができる。（昭和二四法一一六本項改正）

③ 受託裁判官は、受託事項について権限を有しないときは、受託の権限を有する他の地方裁判所、家庭裁判所又は簡易裁判所の裁判官に嘱託を移送することができる。（昭和二四法一一六本項改正）

④ 受命裁判官又は受託裁判官は、証人の尋問に関し、裁判所又は裁判長に属する処分をすることができる。但し、第百五十条及び第百六十条の決定は、裁判所もこれをすることができる。

⑤ 第百五十八条第二項及び第三項並びに第百五十九条に規定する手続は、前項の規定にかかわらず、裁判所がこれをしなければならない。

❶【裁判所外の尋問→一五八　【権限→刑訴規三〇二【準抗告→四二九①四

第一六四条【証人の旅費・日当・宿泊料】 ① 証人は、旅費、日当及び宿泊料を請求することができる。但し、正当な理由がなく宣誓又は証言を拒んだ者は、この限りでない。

② 証人は、あらかじめ旅費、日当又は宿泊料の支給を受けた場合において、正当な理由がなく、出頭せず又は宣誓若しくは証言を拒んだときは、その支給を受けた費用を返納しなければならない。（昭和二八法一七二本項追加）

第十二章　鑑定

第一六五条【鑑定】 裁判所は、学識経験のある者に鑑定を命ずることができる。

【鑑定人→憲三七②【鑑定の報告→刑訴規一二九【鑑定書→三二一④【鑑定人尋問→三〇四【裁判所外の鑑定→刑訴規一三〇【捜査機関による鑑定嘱託→二二三

第一六六条【宣誓】 鑑定人には、宣誓をさせなければならない。

【宣誓→刑訴規一二八、刑一七一

第一六七条【鑑定留置、留置状】 ① 被告人の心神又は身体に関する鑑定をさせるについて必要があるときは、裁判所は、期間を定め、病院その他の相当な場所に被告人を留置することができる。

② 前項の留置は、鑑定留置状を発してこれをしなければならない。（昭和二八法一七二本項改正）

③ 第一項の留置につき必要があるときは、裁判所は、被告人を収容すべき病院その他の場所の管理者の申出により、又は職権で、司法警察職員に被告人の看守を命ずることができる。（昭和二八法一七二本項追加）

④ 裁判所は、必要があるときは、留置の期間を延長し又は短縮することができる。（昭和二八法一七二本項追加）

⑤ 勾留に関する規定は、この法律に特別の定のある場合を除いては、第一項の留置についてこれを準用する。但し、保釈に関する規定は、この限りでない。

⑥ 第一項の留置は、未決勾留日数の算入については、これを勾留とみなす。（昭和二八法一七二本項追加）

❶【鑑定→一六五【不服申立て→四二〇②・四二九①三【留置→刑訴規一三〇の五　❷【鑑定留置状→憲三三、刑訴規一三〇の二【鑑定留置状に代わるもの→二二七の八①三・三一二の二④、刑訴規一三一の二　❸【看守の申出→刑訴規一三〇の三　❹【期間の延長・短縮→刑訴規一三〇の四　❺【勾留に関する規定→一編八章・二二七の八①三、刑訴規一三一　❻【未決勾留日数→刑二一、四九五②④

第一六七条の二【鑑定留置と勾留の執行停止】 ① 勾留中の被告人に対し鑑定留置状が執行されたときは、被告人が留置されている間、勾留は、その執行を停止されたものとする。

② 前項の場合において、前条第一項の処分が取り消され又は留置の期間が満了したときは、第九十八条〈収容〉の規定を準用する。

（昭和二八法一七二本条追加）

❶【勾留の執行停止→九五　❷【九八条の準用と個人特定事項の秘匿措置→二七一の八⑥・三一四の二

第一六八条【鑑定と必要な処分、許可状】 ① 鑑定人は、鑑定について必要がある場合には、裁判所の許可を受けて、人の住居若しくは人の看守する邸宅、建造物若しくは船舶内に入り、身体を検査し、死体を解剖し、墳墓を発掘し、又は物を破壊することができる。

② 裁判所は、前項の許可をするには、被告人の氏名、罪名及び立ち入るべき場所、検査すべき身体、解剖すべき死体、発掘すべき墳墓又は破壊すべき物並びに鑑定人の氏名その他裁判所の規則で定める事項を記載した許可状を発して、これをしなければならない。

③ 裁判所は、身体の検査に関し、適当と認める条件を附することができる。

④ 鑑定人は、第一項の処分を受ける者に許可状を示さなければならない。

⑤ 前三項の規定は、鑑定人が公判廷でする第一項の処分については、これを適用しない。

⑥ 第百三十一条〈身体検査に関する注意〉、第百三十七条

〈過料〉、第百三十八条〈罰金〉及び第百四十条〈権利保護上の注意〉の規定は、鑑定人の第一項の規定によつてする身体の検査についてこれを準用する。

参❶【処分上の注意→刑訴規一三二【その他の処分→刑訴規一三四 ❷【許可状→憲三五、刑訴規一三三、捜査規範一八九 ❻【身体の検査→一七二

第一六九条【受命裁判官】 裁判所は、合議体の構成員に鑑定について必要な処分をさせることができる。但し、第百六十七条第一項に規定する処分については、この限りでない。

第一七〇条【当事者の立会い】 検察官及び弁護人は、鑑定に立ち会うことができる。この場合には、第百五十七条第二項〈日時場所の通知〉の規定を準用する。

第一七一条【準用規定】 前章の規定は、勾引に関する規定を除いて、鑑定についてこれを準用する。

参【勾引に関する規定→一五二・一六二【規則準用→刑訴規一三五

第一七二条【裁判官に対する身体検査の請求】 ① 身体の検査を受ける者が、鑑定人の第百六十八条第一項の規定によつてする身体の検査を拒んだ場合には、鑑定人は、裁判官にその者の身体の検査を請求することができる。

② 前項の請求を受けた裁判官は、第十章の規定に準じ身体の検査をすることができる。

第一七三条【鑑定料・鑑定必要費用等】 ① 鑑定人は、旅費、日当及び宿泊料の外、鑑定料を請求し、及び鑑定に必要な費用の支払又は償還を受けることができる。

② 鑑定人は、あらかじめ鑑定に必要な費用の支払を受けた場合において、正当な理由がなく、出頭せず又は宣誓若しくは鑑定を拒んだときは、その支払を受けた費用を返納しなければならない。（昭和四六法四二本項追加）

参【証人と対比→一六四

第一七四条【鑑定証人】 特別の知識によつて知り得た過去の事実に関する尋問については、この章の規定によらないで、前章の規定を適用する。

第十三章　通訳及び翻訳

第一七五条【通訳】 国語に通じない者に陳述をさせる場合には、通訳人に通訳をさせなければならない。

第一七六条【同前】 耳の聞えない者又は口のきけない者に陳述をさせる場合には、通訳人に通訳をさせることができる。

第一七七条【翻訳】 国語でない文字又は符号は、これを翻訳させることができる。

第一七八条【準用規定】 前章の規定は、通訳及び翻訳についてこれを準用する。

第十四章　証拠保全

第一七九条【証拠保全の請求、手続】 ① 被告人、被疑者又は弁護人は、あらかじめ証拠を保全しておかなければその証拠を使用することが困難な事情があるときは、第一回の公判期日前に限り、裁判官に押収、捜索、検証、証人の尋問又は鑑定の処分を請求することができる。

② 前項の請求を受けた裁判官は、その処分に関し、裁判所又は裁判長と同一の権限を有する。

参【裁判官→刑訴規一三七・一三八【権限→九九―一二七・一二八―一四二・一四三―一六四・一六五―一七四、刑訴規三〇二【書面の証拠能力→三二一①[一]②④

第一八〇条【当事者の書類・証拠物の閲覧・謄写権】 ① 検察官及び弁護人は、裁判所において、前条第一項の処分に関する書類及び証拠物を閲覧し、且つ謄写することができる。但し、弁護人が証拠物の謄写をするについては、裁判官の許可を受けなければならない。

② 前項の規定にかかわらず、第百五十七条の六第四項に規定する記録媒体は、謄写することができない。（平成一二法七四本項追加）

③ 被告人又は被疑者は、裁判官の許可を受け、裁判所において、第一項の書類及び証拠物を閲覧することができる。ただし、被告人又は被疑者に弁護人があるときは、この限りでない。

参【閲覧・謄写→刑訴規三一・三〇一

第十五章　訴訟費用

第一八一条【被告人等の費用負担】 ① 刑の言渡をしたときは、被告人に訴訟費用の全部又は一部を負担させなければならない。但し、被告人が貧困のため訴訟費用を納付することのできないことが明らかであるときは、この限りでない。（昭和二八法一七二但書追加）

② 被告人の責に帰すべき事由によつて生じた費用は、刑の言渡をしない場合にも、被告人にこれを負担させることができる。

③ 検察官のみが上訴を申し立てた場合において、上訴が棄却されたとき、又は上訴の取下げがあつたときは、上訴に関する訴訟費用は、これを被告人に負担させることができない。ただし、被告人の責めに帰すべき事由によつて生じた費用については、この限りでない。（昭和五一法二三本項改正）

④ 公訴が提起されなかつた場合において、被疑者の責めに帰すべき事由により生じた費用があるときは、被疑者にこれを負担させることができる。（平成一六法六二本項追加）

参❶【刑の言渡し→三三三【手続→一八五―一八七【執行→五〇〇・四八三 ❷【刑の言渡しをしない場合→三三四・三三六―三三九 ❸【上訴棄却→三八五・三八六・三九五・三九六・四〇八・四一四【上訴取下げ→三五九 ❹【公訴の不提起→二四七・二四八

第一八二条【共犯の費用】 共犯の訴訟費用は、共犯人に、連帯して、これを負担させることができる。

参【共犯→刑六〇―六五

第一八三条【告訴人等の費用負担】 ① 告訴、告発又は請求により公訴の提起があつた事件について被告人が無罪又は免訴の裁判を受けた場合において、告訴人、

告発人又は請求人に故意又は重大な過失があつたときは、その者に訴訟費用を負担させることができる。

② 告訴、告発又は請求があつた事件について公訴が提起されなかつた場合において、告訴人、告発人又は請求人に故意又は重大な過失があつたときも、前項と同様とする。（平成一六法六二本項追加）

参【告訴→二三〇―二三八【告発→二三八、二三九【請求→刑九二、労調四二　❶【無罪→三三六【免訴→三三七　❷【公訴の不提起→二四七、二四八

第一八四条【上訴等の取下げと費用負担】 検察官以外の者が上訴又は再審若しくは正式裁判の請求を取り下げた場合には、その者に上訴、再審又は正式裁判に関する費用を負担させることができる。（昭和二八法一七二本条改正）

参【上訴取下げ→三五九、三六〇【再審請求取下げ→四四三【正式裁判請求の取下げ→四六六

第一八五条【被告人負担の裁判】 裁判によつて訴訟手続が終了する場合において、被告人に訴訟費用を負担させるときは、職権でその裁判をしなければならない。この裁判に対しては、本案の裁判について上訴があつたときに限り、不服を申し立てることができる。

参【被告人に負担させるとき→一八一、一八二

第一八六条【第三者負担の裁判】 裁判によつて訴訟手続が終了する場合において、被告人以外の者に訴訟費用を負担させるときは、職権で別にその決定をしなければならない。この決定に対しては、即時抗告をすることができる。

参【被告人以外の者に負担をさせるとき→一八三【即時抗告→三五二、四二二、四二五

第一八七条【本案の裁判がないとき】 裁判によらないで訴訟手続が終了する場合において、訴訟費用を負担させるときは、最終に事件の係属した裁判所が、職権でその決定をしなければならない。この決定に対しては、即時抗告をすることができる。

参【裁判によらないとき→三五九、三六〇、四四三【即時抗告→三五二、四二二、四二五

第一八七条の二【公訴の提起がないとき】 公訴が提起されなかつた場合において、訴訟費用を負担させるときは、検察官の請求により、裁判所が決定をもつてこれを行う。この決定に対しては、即時抗告をすることができる。（平成一六法六二本条追加）

参【公訴の不提起→二四七、二四八【訴訟費用の請求→刑訴規一三八の二―一三八の七【即時抗告→三五二、四二二、四二五

第一八八条【負担額の算定】 訴訟費用の負担を命ずる裁判にその額を表示しないときは、執行の指揮をすべき検察官が、これを算定する。

参【執行指揮→四七二【異議申立て→五〇二

第十六章　費用の補償（昭和五一法二三本章追加）

第一八八条の二【無罪判決と費用の補償】 ① 無罪の判決が確定したときは、国は、当該事件の被告人であつた者に対し、その裁判に要した費用の補償をする。ただし、被告人であつた者の責めに帰すべき事由によつて生じた費用については、補償をしないことができる。

② 被告人であつた者が、捜査又は審判を誤らせる目的で、虚偽の自白をし、又は他の有罪の証拠を作ることにより、公訴の提起を受けるに至つたものと認められるときは、前項の補償の全部又は一部をしないことができる。

③ 第百八十八条の五第一項の規定による補償の請求がされている場合には、第百八十八条の四の規定により補償される費用については、第一項の補償をしない。

参【無罪の判決→三三六【補償手続→一八八の三【補償の範囲→一八八の六【刑事補償→刑補

第一八八条の三【補償の手続】 ① 前条第一項の補償は、被告人であつた者の請求により、無罪の判決をした裁判所が、決定をもつてこれを行う。

② 前項の請求は、無罪の判決が確定した後六箇月以内にこれをしなければならない。

③ 補償に関する決定に対しては、即時抗告をすることができる。

参❶【決定→四三、刑訴規一三八の九　❸【即時抗告→四二二、四二五

第一八八条の四【上訴費用の補償】 検察官のみが上訴をした場合において、上訴が棄却され又は取り下げられて当該上訴に係る原裁判が確定したときは、これによつて無罪の判決が確定した場合を除き、国は、当該事件の被告人又は被告人であつた者に対し、上訴によりその審級において生じた費用の補償をする。ただし、被告人又は被告人であつた者の責めに帰すべき事由によつて生じた費用については、補償をしないことができる。

参【費用の範囲→一八八の六【補償手続→一八八の五、刑訴規一三八の八

第一八八条の五【補償の手続】 ① 前条の補償は、被告人であつた者の請求により、当該上訴裁判所であつた最高裁判所又は高等裁判所が、決定をもつてこれを行う。

② 前項の請求は、当該上訴に係る原裁判が確定した後二箇月以内にこれをしなければならない。

③ 補償に関する決定で高等裁判所がしたものに対しては、第四百二十八条第二項の異議の申立てをすることができる。この場合には、即時抗告に関する規定をも準用する。

参❶【決定→四三、刑訴規一三八の九　❸【異議→四二八②

第一八八条の六【補償費用の範囲】 ① 第百八十八条の二第一項又は第百八十八条の四の規定により補償される費用の範囲は、被告人若しくは被告人であつた者又はそれらの者の弁護人であつた者が公判準備及び公判期日に出頭するに要した旅費、日当及び宿泊料並びに弁護人であつた者に対する報酬に限るものとし、その

額に関しては、刑事訴訟費用に関する法律の規定中、被告人又は被告人であつた者については証人、弁護人であつた者については弁護人に関する規定を準用する。

② 裁判所は、公判準備又は公判期日に出頭した弁護人が二人以上あつたときは、事件の性質、審理の状況その他の事情を考慮して、前項の弁護人であつた者の旅費、日当及び宿泊料を主任弁護人その他一部の弁護人に係るものに限ることができる。

第一八八条の七【刑事補償法の例】 補償の請求その他補償に関する手続、補償と他の法律による損害賠償との関係、補償を受ける権利の譲渡又は差押え及び被告人又は被告人であつた者の相続人に対する補償については、この法律に特別の定めがある場合のほか、刑事補償法（昭和二十五年法律第一号）第一条に規定する補償の例による。

第二編　第一審

第一章　捜査

第一八九条【一般司法警察職員と捜査】 ① 警察官は、それぞれ、他の法律又は国家公安委員会若しくは都道府県公安委員会の定めるところにより、司法警察職員として職務を行う。（昭和二九法一六三本項改正）

② 司法警察職員は、犯罪があると思料するときは、犯人及び証拠を捜査するものとする。

⊛【国家公安委員会→警四―一四【都道府県公安委員会→警三八―四五【司法警察職員→三九③

第一九〇条【特別司法警察職員】 森林、鉄道その他特別の事項について司法警察職員として職務を行うべき者及びその職務の範囲は、別に法律でこれを定める。

第一九一条【検察官・検察事務官と捜査】 ① 検察官は、必要と認めるときは、自ら犯罪を捜査することができる。

② 検察事務官は、検察官の指揮を受け、捜査をしなければならない。

⊛【検察官→検察四、六【検察事務官→検察二七③、一九九②・二〇二、二〇五、二四六、二四一、二四五

第一九二条【捜査に関する協力】 検察官と都道府県公安委員会及び司法警察職員とは、捜査に関し、互に協力しなければならない。（昭和二九法一六三本条改正）

第一九三条【検察官の司法警察職員に対する指示・指揮】 ① 検察官は、その管轄区域により、司法警察職員に対し、その捜査に関し、必要な一般的指示をすることができる。この場合における指示は、捜査を適正にし、その他公訴の遂行を全うするために必要な事項に関する一般的な準則を定めることによつて行うものとする。（昭和二八法一七二本項改正）

② 検察官は、その管轄区域により、司法警察職員に対し、捜査の協力を求めるため必要な一般的指揮をすることができる。

③ 検察官は、自ら犯罪を捜査する場合において必要があるときは、司法警察職員を指揮して捜査の補助をさせることができる。

④ 前三項の場合において、司法警察職員は、検察官の指示又は指揮に従わなければならない。

⊛❶【管轄区域→一九五⊛

第一九四条【司法警察職員に対する懲戒・罷免の訴追】 ① 検事総長、検事長又は検事正は、司法警察職員が正当な理由がなく検察官の指示又は指揮に従わない場合において必要と認めるときは、警察官たる司法警察職員については、国家公安委員会又は都道府県公安委員会に、警察官たる者以外の司法警察職員については、その者を懲戒し又は罷免する権限を有する者に、それぞれ懲戒又は罷免の訴追をすることができる。

② 国家公安委員会、都道府県公安委員会又は警察官たる者以外の司法警察職員を懲戒し若しくは罷免する権限を有する者は、前項の訴追が理由のあるものと認めるときは、別に法律の定めるところにより、訴追を受けた者を懲戒し又は罷免しなければならない。（昭和二九法一六三本条改正）

⊛【指示・指揮→一九三【公安委員会→一八九⊛

第一九五条【検察官・検察事務官の管轄区域外における職務執行】 検察官及び検察事務官は、捜査のため必要があるときは、管轄区域外で職務を行うことができる。

⊛【管轄区域→検察五【勾引状の執行→七一【差押状・捜索状の執行→一〇八④

第一九六条【捜査関係者に対する訓示規定】 検察官、検察事務官及び司法警察職員並びに弁護人その他職務上捜査に関係のある者は、被疑者その他の者の名誉を害しないように注意し、且つ、捜査の妨げとならないように注意しなければならない。

⊛捜査規範九―一一

第一九七条【捜査に必要な取調べ】 ① 捜査については、その目的を達するため必要な取調をすることができる。但し、強制の処分は、この法律に特別の定のある場合でなければ、これをすることができない。

② 捜査については、公務所又は公私の団体に照会して必要な事項の報告を求めることができる。

③ 検察官、検察事務官又は司法警察員は、差押え又は記録命令付差押えをするため必要があるときは、電気通信を行うための設備を他人の通信の用に供する事業を営む者又は自己の業務のために不特定若しくは多数の者の通信を媒介することのできる電気通信を行うための設備を設置している者に対し、その業務上記録している電気通信の送信元、送信先、通信日時その他の通信履歴の電磁的記録のうち必要なものを特定し、三十日を超えない期間を定めて、これを消去しないよう、書面で求めることができる。この場合において、当該電磁的記録について差押え又は記録命令付差押えをする必要がないと認めるに至つたときは、当該求めを取り消さなければならない。（平成二三法七四本項追加）

④ 前項の規定により消去しないよう求める期間につい

ては、特に必要があるときは、三十日を超えない範囲内で延長することができる。ただし、消去しないよう求める期間は、通じて六十日を超えることができない。（平成二三法七四本項追加）

⑤　第二項又は第三項の規定による求めを行う場合において、必要があるときは、みだりにこれらに関する事項を漏らさないよう求めることができる。（平成二三法七四本項追加）

参❶【任意捜査の原則】→捜査規範九九【特別の定め】→一九九、二〇四、二〇五、二一〇、二一三、二一八、二二〇、二二一、二二二の二、二二五、二二六、二二七　❸捜査規範一〇一の二

第一九八条【被疑者の出頭要求・取調べ】①　検察官、検察事務官又は司法警察職員は、犯罪の捜査をするについて必要があるときは、被疑者の出頭を求め、これを取り調べることができる。但し、被疑者は、逮捕又は勾留されている場合を除いては、出頭を拒み、又は出頭後、何時でも退去することができる。

②　前項の取調に際しては、被疑者に対し、あらかじめ、自己の意思に反して供述をする必要がない旨を告げなければならない。（昭和二八法一七二本項改正）

③　被疑者の供述は、これを調書に録取することができる。

④　前項の調書は、これを被疑者に閲覧させ、又は読み聞かせて、誤がないかどうかを問い、被疑者が増減変更の申立をしたときは、その供述を調書に記載しなければならない。

⑤　被疑者が、調書に誤のないことを申し立てたときは、これに署名押印することを求めることができる。但し、これを拒絶した場合は、この限りでない。

参❶【司法警察職員】→三九③【任意出頭】→捜査規範一〇二【出頭不応と逮捕】→一九九①但【被疑者の取調べ】→捜査規範八章　❷【供述拒否権】→憲三八①　❸【調書】→三二一、三二六、三二八　❺【署名押印】→三二二

第一九九条【逮捕状による逮捕の要件】①　検察官、検察事務官又は司法警察職員は、被疑者が罪を犯したことを疑うに足りる相当な理由があるときは、裁判官のあらかじめ発する逮捕状により、これを逮捕することができる。ただし、三十万円（刑法、暴力行為等処罰に関する法律及び経済関係罰則の整備に関する法律の罪以外の罪については、当分の間、二万円）以下の罰金、拘留又は科料に当たる罪については、被疑者が定まつた住居を有しない場合又は正当な理由がなく前条の規定による出頭の求めに応じない場合に限る。（平成三法三一本項改正）

②　裁判官は、被疑者が罪を犯したことを疑うに足りる相当な理由があると認めるときは、検察官又は司法警察員（警察官たる司法警察員については、国家公安委員会又は都道府県公安委員会が指定する警部以上の者に限る。次項及び第二百一条の二第一項において同じ。）の請求により、前項の逮捕状を発する。ただし、明らかに逮捕の必要がないと認めるときは、この限りでない。（昭和二八法一七二本項全部改正、昭和二九法一六三、令和五法二八本項改正）

③　検察官又は司法警察員は、第一項の逮捕状を請求する場合において、同一の犯罪事実についてその被疑者に対し前に逮捕状の請求又はその発付があつたときは、その旨を裁判所に通知しなければならない。

参＋憲三三、人権B規約九【逮捕状】→二〇〇、刑訴規一四四、一四五、一四六、三〇〇【国会議員の逮捕】→憲五〇、国会三三—三四の三　❶【司法警察職員】→三九③【逮捕状による逮捕】→二〇一【逮捕する場合の差押え・捜索・検証】→二二〇　❷【裁判官】→刑訴規二九九【相当な理由】→刑訴規一四三①【公安委員会】→一八九【指定】→刑訴規一四一の二、一四二①五【請求】→二〇一の二、刑訴規一三九—一四二、一四三①【逮捕の必要】→刑訴規一四二①、一四三の三　＋【国際規約】→人権B規約九

第二〇〇条【逮捕状の方式】①　逮捕状には、被疑者の氏名及び住居、罪名、被疑事実の要旨、引致すべき官公署その他の場所、有効期間及びその期間経過後は逮捕をすることができず令状はこれを返還しなければならない旨並びに発付の年月日その他裁判所の規則で定める事項を記載し、裁判官が、これに記名押印しなければならない。

②　第六十四条第二項〈氏名不明のとき特定するに足りる事項記載〉及び第三項〈住居不明のとき記載不要〉の規定は、逮捕状についてこれを準用する。

参❶【罪名・被疑事実】→憲三三【有効期間】→刑訴規三〇〇【規則の定め】→刑訴規五六、一四四、一五七の二①【逮捕状の作成】→刑訴規一四五【逮捕状の記載の変更】→捜査規範一二四

第二〇一条【逮捕状による逮捕の手続】①　逮捕状により被疑者を逮捕するには、逮捕状を被疑者に示さなければならない。

②　第七十三条第三項〈勾引状・勾留状を所持しないで執行できる〉の規定は、逮捕状により被疑者を逮捕する場合にこれを準用する。

参＋捜査規範一二六—一二八、一三六

第二〇一条の二【逮捕手続における個人特定事項の秘匿措置】①　検察官又は司法警察員は、次に掲げる者の個人特定事項（氏名及び住所その他の個人を特定させることとなる事項をいう。以下同じ。）について、必要と認めるときは、第百九十九条第二項本文の請求と同時に、裁判官に対し、被疑者に示すものとして、当該個人特定事項の記載がない逮捕状の抄本その他の逮捕状に代わるものの交付を請求することができる。

一　次に掲げる事件の被害者

イ　刑法第百七十六条、第百七十七条、第百七十九条、第百八十一条若しくは第百八十二条の罪、同法第二百二十五条若しくは第二百二十六条の二第三項の罪（わいせつ又は結婚の目的に係る部分に限る。以下このイにおいて同じ。）、同法第二百二十七条第一項（同法第二百二十五条又は第二百二十六条の二第三項の罪を犯した者を幇助する目的に係る部分に限る。）若しくは第三項（わいせつの目的に係る部分に限る。）の罪若しくは同法第二百四十一条第一項若しくは第三項の罪又はこれらの罪の未遂罪に係る事件

ロ　児童福祉法第六十条第一項の罪若しくは同法第三十四条第一項第九号に係る同法第六十条第二項の罪、児童買春、児童ポルノに係る行為等の規制

及び処罰並びに児童の保護等に関する法律第四条から第八条までの罪又は性的な姿態を撮影する行為等の処罰及び押収物に記録された性的な姿態の影像に係る電磁的記録の消去等に関する法律第二条から第六条までの罪に係る事件

ハ　イ及びロに掲げる事件のほか、犯行の態様、被害の状況その他の事情により、被害者の個人特定事項が被疑者に知られることにより次に掲げるおそれがあると認められる事件

(1)　被害者等（被害者又は被害者が死亡した場合若しくはその心身に重大な故障がある場合におけるその配偶者、直系の親族若しくは兄弟姉妹をいう。以下同じ。）の名誉又は社会生活の平穏が著しく害されるおそれ

(2)　(1)に掲げるもののほか、被害者若しくはその親族の身体若しくは財産に害を加え又はこれらの者を畏怖させ若しくは困惑させる行為がなされるおそれ

（令和五法二八（令和五法六六・法六七）本号改正）

二　前号に掲げる者のほか、個人特定事項が被疑者に知られることにより次に掲げるおそれがあると認められる者

イ　その者の名誉又は社会生活の平穏が著しく害されるおそれ

ロ　イに掲げるもののほか、その者若しくはその親族の身体若しくは財産に害を加え又はこれらの者を畏怖させ若しくは困惑させる行為がなされるおそれ

②　裁判官は、前項の規定による請求を受けた場合において、第百九十九条第二項の規定により逮捕状を発するときは、これと同時に、被疑者に示すものとして、当該請求に係る個人特定事項を明らかにしない方法により被疑事実の要旨を記載した逮捕状の抄本その他の逮捕状に代わるものを交付するものとする。ただし、当該請求に係る者が前項第一号又は第二号に掲げる者に該当しないことが明らかなときは、この限りでない。

③　前項の規定による逮捕状に代わるものの交付があつたときは、前条第一項の規定にかかわらず、逮捕状により被疑者を逮捕するに当たり、当該逮捕状に代わるものを被疑者に示すことができる。

④　第二項の規定による逮捕状に代わるものの交付があつた場合において、当該逮捕状に代わるものを所持しないためこれを示すことができない場合であつて、急速を要するときは、前条第一項の規定及び同条第二項において準用する第七十三条第三項の規定にかかわらず、被疑者に対し、逮捕状に記載された個人特定事項のうち当該逮捕状に代わるものに記載がないものを明らかにしない方法により被疑事実の要旨を告げるとともに、逮捕状が発せられている旨を告げて、逮捕状により被疑者を逮捕することができる。ただし、当該逮捕状に代わるものは、できる限り速やかに示さなければならない。

（令和五法二八本条追加）

参＋【逮捕状に代わるもの→刑訴規一四四の二、一五七の二②・一四五の二、一四六【被疑者への提示→二〇一　❶【司法警察員→一九九②、刑訴規一四二の二【請求→刑訴規一四二の二、一四三②

第二〇二条【検察官・司法警察員への引致】　検察事務官又は司法巡査が逮捕状により被疑者を逮捕したときは、直ちに、検察事務官はこれを検察官に、司法巡査はこれを司法警察員に引致しなければならない。

参＋【司法巡査→三九③【司法警察員→三九③【引致官公署→二〇〇①

第二〇三条【司法警察員の手続、検察官送致の時間の制限】　①　司法警察員は、逮捕状により被疑者を逮捕したとき、又は逮捕状により逮捕された被疑者を受け取つたときは、直ちに犯罪事実の要旨及び弁護人を選任することができる旨を告げた上、弁解の機会を与え、留置の必要がないと思料するときは直ちにこれを釈放し、留置の必要があると思料するときは被疑者が身体を拘束された時から四十八時間以内に書類及び証拠物とともにこれを検察官に送致する手続をしなければならない。

②　前項の場合において、被疑者に弁護人の有無を尋ね、弁護人があるときは、弁護人を選任することができる旨は、これを告げることを要しない。

③　司法警察員は、第一項の規定により弁護人を選任することができる旨を告げるに当たつては、被疑者に対し、弁護士、弁護士法人又は弁護士会を指定して弁護人の選任を申し出ることができる旨及びその申出先を教示しなければならない。（平成二八法五四本項追加）

④　司法警察員は、第一項の規定により弁護人を選任することができる旨を告げるに当たつては、被疑者に対し、引き続き勾留を請求された場合において貧困その他の事由により自ら弁護人を選任することができないときは裁判官に対して弁護人の選任を請求することができる旨並びに裁判官に対して弁護人の選任を請求するには資力申告書を提出しなければならない旨及びその資力が基準額以上であるときは、あらかじめ、弁護士会（第三十七条の三第二項の規定により第三十一条の二第一項の申出をすべき弁護士会をいう。）に弁護人の選任の申出をしていなければならない旨を教示しなければならない。（平成一六法六二本項追加、平成二八法五四本項改正）

⑤　第一項の時間の制限内に送致の手続をしないときは、直ちに被疑者を釈放しなければならない。

参❶【逮捕→一九九【受取→二〇二【犯罪事実の要旨→憲三四【弁護人選任権→憲三四【四十八時間→二〇六【送致を受けた検察官の手続→二〇五　❸【弁護人選任の申出→二〇九、七八　❹【請求による国選弁護人の選任→三七の二、三七の三

第二〇四条【検察官の手続・勾留請求の時間の制限】

①　検察官は、逮捕状により被疑者を逮捕したとき、又は逮捕状により逮捕された被疑者（前条の規定により送致された被疑者を除く。）を受け取つたときは、直ちに犯罪事実の要旨及び弁護人を選任することができる旨を告げた上、弁解の機会を与え、留置の必要がない

と思料するときは直ちにこれを釈放し、留置の必要があると思料するときは被疑者が身体を拘束された時から四十八時間以内に裁判官に被疑者の勾留を請求しなければならない。但し、その時間の制限内に公訴を提起したときは、勾留の請求をすることを要しない。

② 検察官は、前項の規定により弁護人を選任することができる旨を告げるに当たつては、被疑者に対し、弁護士、弁護士法人又は弁護士会を指定して弁護人の選任を申し出ることができる旨及びその申出先を教示しなければならない。（平成二八法五四本項追加）

③ 検察官は、第一項の規定により弁護人を選任することができる旨を告げるに当たつては、被疑者に対し、引き続き勾留を請求された場合において貧困その他の事由により自ら弁護人を選任することができないときは裁判官に対して弁護人の選任を請求することができる旨並びに裁判官に対して弁護人の選任を請求するには資力申告書を提出しなければならない旨及びその資力が基準額以上であるときは、あらかじめ、弁護士会（第三十七条の三第二項の規定により第三十一条の二第一項の申出をすべき弁護士会をいう。）に弁護人の選任の申出をしていなければならない旨を教示しなければならない。（平成一六法六二本項追加、平成二八法五四本項改正）

④ 第一項の時間の制限内に勾留の請求又は公訴の提起をしないときは、直ちに被疑者を釈放しなければならない。

⑤ 前条第二項の規定は、第一項の場合にこれを準用する。

❶【逮捕↓一九九【受取↓二〇二【犯罪事実の要旨↓憲三四【弁護人選任権↓憲三四【四十八時間↓二〇六【裁判官↓刑訴規二九九【勾留の請求↓二〇七、二〇七の二①、刑訴規一四七―一四八【公訴を提起したとき↓二八〇②③【少年の被疑事件の場合↓少四二―四四、刑訴規二八一　❷【弁護人選任の申出↓二〇九、七八　❸【請求による国選弁護人の選任↓三七の二、三七の三

第二〇五条【司法警察員から送致を受けた検察官の手続・勾留請求の時間の制限】 ① 検察官は、第二百三条の規定により送致された被疑者を受け取つたときは、弁解の機会を与え、留置の必要がないと思料するときは直ちにこれを釈放し、留置の必要があると思料するときは被疑者を受け取つた時から二十四時間以内に裁判官に被疑者の勾留を請求しなければならない。

② 前項の時間の制限は、被疑者が身体を拘束された時から七十二時間を超えることができない。

③ 前二項の時間の制限内に公訴を提起したときは、勾留の請求をすることを要しない。

④ 第一項及び第二項の時間の制限内に勾留の請求又は公訴の提起をしないときは、直ちに被疑者を釈放しなければならない。

（平成一六法六二、平成二八法五四本条改正）

†【二十四時間・七十二時間↓二〇六【裁判官・勾留の請求・公訴を提起したとき↓二〇四①【少年の被疑事件の場合↓二〇四①

第二〇六条【制限時間の不遵守と免責】 ① 検察官又は司法警察員がやむを得ない事情によつて前三条の時間の制限に従うことができなかつたときは、検察官は、裁判官にその事由を疎明して、被疑者の勾留を請求することができる。

② 前項の請求を受けた裁判官は、その遅延がやむを得ない事由に基く正当なものであると認める場合でなければ、勾留状を発することができない。

†【疎明↓刑訴規一四八②【正当なものでないとき↓二〇七⑤

第二〇七条【被疑者の勾留】 ① 前三条の規定による勾留の請求を受けた裁判官は、その処分に関し裁判所又は裁判長と同一の権限を有する。但し、保釈については、この限りでない。

② 前項の裁判官は、勾留を請求された被疑者に被疑事件を告げる際に、被疑者に対し、弁護人を選任することができる旨及び貧困その他の事由により自ら弁護人を選任することができないときは弁護人の選任を請求することができる旨を告げなければならない。ただし、被疑者に弁護人があるときは、この限りでない。（平成一六法六二本項追加、平成二八法五四本項改正）

③ 前項の規定により弁護人を選任することができる旨を告げるに当たつては、勾留された被疑者は弁護士、弁護士法人又は弁護士会を指定して弁護人の選任を申し出ることができる旨及びその申出先を教示しなければならない。（平成二八法五四本項追加）

④ 第二項の規定により弁護人の選任を請求することができる旨を告げるに当たつては、弁護人の選任を請求するには資力申告書を提出しなければならない旨及びその資力が基準額以上であるときは、あらかじめ、弁護士会（第三十七条の三第二項の規定により第三十一条の二第一項の申出をすべき弁護士会をいう。）に弁護人の選任の申出をしていなければならない旨を教示しなければならない。（平成一六法六二本項追加、平成二八法五四本項改正）

⑤ 裁判官は、第一項の勾留の請求を受けたときは、速やかに勾留状を発しなければならない。ただし、勾留の理由がないと認めるとき、及び前条第二項の規定により勾留状を発することができないときは、勾留状を発しないで、直ちに被疑者の釈放を命じなければならない。

❶【裁判所又は裁判長の権限↓六〇―六二、六四、七〇、七三、七四、七七―八七、九五、九五の四、九六①、九八、九八の二、九八の四―九八の一一、刑訴規六九、七〇、七二、七五、七九―八六の二、八八、九〇、九一④、九二の三、三〇二【勾留状謄本の交付請求↓刑訴規一五〇の四―一五〇の八【罰則↓二〇八の三―二〇八の五　❷❹【請求による国選弁護人の選任↓三七の二、三七の三　❸【弁護人選任の申出↓七八　❺【被疑者を勾留したとき↓刑訴規一五〇【請求の却下↓刑訴規一四〇

第二〇七条の二【被疑者の勾留手続における個人特定事項の秘匿措置】 ① 検察官は、第二百一条の二第一項第一号又は第二号に掲げる者の個人特定事項について、必要と認めるときは、前条第一項の勾留の請求と同時に、裁判官に対し、勾留を請求された被疑者に被疑事件を告げるに当たつては当該個人特定事項を明ら

刑訴

かにしない方法によること及び被疑者に示すものとして当該個人特定事項の記載がない勾留状の抄本その他の勾留状に代わるものを交付することを請求することができる。

② 裁判官は、前項の規定による請求を受けたときは、勾留を請求された被疑者に被疑事件を告げるに当たつては、当該請求に係る個人特定事項を明らかにしない方法によるとともに、前条第五項本文の規定により勾留状を発するときは、これと同時に、被疑者に示すものとして、当該個人特定事項を明らかにしない方法により被疑事実の要旨を記載した勾留状の抄本その他の勾留状に代わるものを交付するものとする。ただし、当該請求に係る者が第二百一条の二第一項第一号又は第二号に掲げる者に該当しないことが明らかなときは、この限りでない。

（令和五法二八本条追加）

【個人特定事項→二〇一の二①【被疑事件の告知→二〇七①・六一【被疑者への提示→二〇七①・七三②【鑑定留置の請求への準用→二二四③【少年に対する勾留に代わる措置における個人特定事項の秘匿措置→刑訴規二七八の二、二七八の三 ❶❷【交付の請求→刑訴規一四七の二、一四八③、一四九の三【勾留状に代わるもの→刑訴規一四九の二【準抗告の制限→四二九③

第二〇七条の三【被疑者に対する個人特定事項の通知】 ① 裁判官は、前条第二項の規定による措置をとつた場合において、次の各号のいずれかに該当すると認めるときは、被疑者又は弁護人の請求により、当該措置に係る個人特定事項の全部又は一部を被疑者に通知する旨の裁判をしなければならない。

一 イ又はロに掲げる個人特定事項の区分に応じ、当該イ又はロに定める場合であるとき。

イ 被害者の個人特定事項 当該措置に係る事件に係る罪が第二百一条の二第一項第一号イ及びロに規定するものに該当せず、かつ、当該措置に係る事件が同号ハに掲げるものに該当しないとき。

ロ 被害者以外の者の個人特定事項 当該措置に係る者が第二百一条の二第一項第二号に掲げる者に該当しないとき。

二 当該措置により被疑者の防御に実質的な不利益を生ずるおそれがあるとき。

② 裁判官は、前項の請求について裁判をするときは、検察官の意見を聴かなければならない。

③ 裁判官は、第一項の裁判（前条第二項の規定による措置に係る個人特定事項の一部を被疑者に通知する旨のものに限る。）をしたときは、速やかに、検察官に対し、被疑者に示すものとして、当該個人特定事項（当該裁判により通知することとされたものを除く。）を明らかにしない方法により被疑事実の要旨を記載した勾留状の抄本その他の勾留状に代わるものを交付するものとする。

④ 第七十条第一項本文及び第二項〈勾引状・勾留状の執行〉の規定は、第一項の裁判の執行について準用する。

⑤ 第一項の裁判を執行するには、前条第二項の規定による措置に係る個人特定事項の全部について当該裁判があつた場合にあつては勾留状を、当該個人特定事項の一部について当該裁判があつた場合にあつては第三項の勾留状に代わるものを、被疑者に示さなければならない。

（令和五法二八本条追加）

【個人特定事項→二〇一の二①【鑑定留置の請求への準用→二二四③ ❶【請求→刑訴規一五〇の二 ❸❺【勾留状に代わるもの→刑訴規一五〇の三

第二〇八条【起訴前の勾留期間、期間の延長】 ① 第二百七条の規定により被疑者を勾留した事件につき、勾留の請求をした日から十日以内に公訴を提起しないときは、検察官は、直ちに被疑者を釈放しなければならない。

② 裁判官は、やむを得ない事由があると認めるときは、検察官の請求により、前項の期間を延長することができる。この期間の延長は、通じて十日を超えることができない。

❶【十日間→少四四① ❷【延長の手続→刑訴規一五一—一五三【延長裁判の記載のある謄本交付請求→刑訴規一五四、一五四の二

第二〇八条の二【勾留期間の再延長】 裁判官は、刑法第二編第二章乃至第四章又は第八章の罪にあたる事件については、検察官の請求により、前条第二項の規定により延長された期間を更に延長することができる。この期間の延長は、通じて五日を超えることができない。（昭和二八法一七二本条追加）

【再延長→刑訴規一五〇の九【再延長の手続→二〇八②

第二〇八条の三【勾留執行停止期間満了後の被疑者の不出頭に対する罰則】 期間を指定されて勾留の執行停止をされた被疑者が、正当な理由がなく、当該期間の終期として指定された日時に、出頭すべき場所として指定された場所に出頭しないときは、二年以下の拘禁刑に処する。（令和五法二八本条追加）

【勾留執行停止の期間の指定→二〇七①、九五②—⑤

第二〇八条の四【勾留の執行停止をされた被疑者の制限住居離脱に対する罰則】 ① 裁判所の許可を受けないで指定された期間を超えて制限された住居を離れてはならない旨の条件を付されて勾留の執行停止をされた被疑者が、当該条件に係る住居を離れ、当該許可を受けないで、正当な理由がなく、当該期間を超えて当該住居に帰着しないときは、二年以下の拘禁刑に処する。

② 前項の被疑者が、裁判所の許可を受けて同項の住居を離れ、正当な理由がなく、当該住居を離れることができる期間として指定された期間を超えて当該住居に帰着しないときも、同項と同様とする。

（令和五法二八本条追加）

【勾留執行停止と住居の制限→二〇七①、九五①⑥

第二〇八条の五【勾留執行停止取消し後の被疑者の出頭命令違反に対する罰則】 勾留の執行停止を取り消さ

れ、検察官から出頭を命ぜられた被疑者が、正当な理由がなく、指定された日時及び場所に出頭しないときは、二年以下の拘禁刑に処する。（令和五法二八本条追加）

参【勾留執行停止の取消し→二〇七①、九六【出頭命令→二〇七①、九八の二

第二〇九条【逮捕状による逮捕に関する準用規定】 第七十四条〈護送中の仮留置〉、第七十五条〈引致後の留置〉及び第七十八条〈弁護人選任申出〉の規定は、逮捕状による逮捕についてこれを準用する。

第二一〇条【緊急逮捕】 ① 検察官、検察事務官又は司法警察職員は、死刑又は無期若しくは長期三年以上の拘禁刑に当たる罪を犯したことを疑うに足りる十分な理由がある場合で、急速を要し、裁判官の逮捕状を求めることができないときは、その理由を告げて被疑者を逮捕することができる。この場合には、直ちに裁判官の逮捕状を求める手続をしなければならない。逮捕状が発せられないときは、直ちに被疑者を釈放しなければならない。（令和四法六七本項改正）

② 第二百条の規定は、前項の逮捕状についてこれを準用する。

参憲三三【逮捕する場合の差押え・捜索・検証→二二〇【例外→国会三三―三四の三 ❶【司法警察職員→三九③【裁判官→刑訴規二九九【逮捕状を求める手続→刑訴規一三九、一四二、一四三 ❷【逮捕状→二〇〇、六四②③、刑訴規一四四

第二一一条【緊急逮捕と準用規定】 前条の規定により被疑者が逮捕された場合には、第百九十九条の規定により被疑者が逮捕された場合に関する規定を準用する。

参【準用される規定→二〇二―二〇九、刑訴規一三九―一四一・一四二・一四三―一四四・一四五、一四七―一五四の二

第二一二条【現行犯人】 ① 現に罪を行い、又は現に罪を行い終つた者を現行犯人とする。

② 左の各号の一にあたる者が、罪を行い終つてから間がないと明らかに認められるときは、これを現行犯人とみなす。

一 犯人として追呼されているとき。

二 贓物又は明らかに犯罪の用に供したと思われる兇器その他の物を所持しているとき。

三 身体又は被服に犯罪の顕著な証跡があるとき。

四 誰何されて逃走しようとするとき。

参【現行犯逮捕→二一三、憲三三

第二一三条【現行犯逮捕】 現行犯人は、何人でも、逮捕状なくしてこれを逮捕することができる。

参憲三三【現行犯人→二一二【逮捕後の手続→二一四―二一六【逮捕の制限→二一七【逮捕する場合の差押え・捜索・検証→二二〇

第二一四条【私人による現行犯逮捕と被逮捕者の引渡し】 検察官、検察事務官及び司法警察職員以外の者は、現行犯人を逮捕したときは、直ちにこれを地方検察庁若しくは区検察庁の検察官又は司法警察職員に引き渡さなければならない。

参【現行犯人→二一二

第二一五条【現行犯人を受け取った司法巡査の手続】 ① 司法巡査は、現行犯人を受け取つたときは、速やかにこれを司法警察員に引致しなければならない。

② 司法巡査は、犯人を受け取つた場合には、逮捕者の氏名、住居及び逮捕の事由を聴き取らなければならない。必要があるときは、逮捕者に対しともに官公署に行くことを求めることができる。

第二一六条【現行犯逮捕と準用規定】 現行犯人が逮捕された場合には、第百九十九条の規定により被疑者が逮捕された場合に関する規定を準用する。

参【準用される規定→二〇二―二〇九、刑訴規一四七―一五四の二

第二一七条【軽微事件と現行犯逮捕】 三十万円（刑法、暴力行為等処罰に関する法律及び経済関係罰則の整備に関する法律の罪以外の罪については、当分の間、二万円）以下の罰金、拘留又は科料に当たる罪の現行犯については、犯人の住居若しくは氏名が明らかでない場合又は犯人が逃亡するおそれがある場合に限り、第二百十三条から前条までの規定を適用する。（平成三法三一本条改正）

第二一八条【令状による差押え・記録命令付差押え・捜索・検証】 ① 検察官、検察事務官又は司法警察職員は、犯罪の捜査をするについて必要があるときは、裁判官の発する令状により、差押え、記録命令付差押え、捜索又は検証をすることができる。この場合において、身体の検査は、身体検査令状によらなければならない。（平成二三法七四本項改正）

② 差し押さえるべき物が電子計算機であるときは、当該電子計算機に電気通信回線で接続している記録媒体であつて、当該電子計算機で作成若しくは変更をした電磁的記録又は当該電子計算機で変更若しくは消去をすることができることとされている電磁的記録を保管するために使用されていると認めるに足りる状況にあるものから、その電磁的記録を当該電子計算機又は他の記録媒体に複写した上、当該電子計算機又は当該他の記録媒体を差し押さえることができる。（平成二三法七四本項追加）

③ 身体の拘束を受けている被疑者の指紋若しくは足型を採取し、身長若しくは体重を測定し、又は写真を撮影するには、被疑者を裸にしない限り、第一項の令状によることを要しない。（昭和二四法一一六本項追加、平成二三法七四本項改正）

④ 第一項の令状は、検察官、検察事務官又は司法警察員の請求により、これを発する。

⑤ 検察官、検察事務官又は司法警察員は、身体検査令状の請求をするには、身体の検査を必要とする理由及び身体の検査を受ける者の性別、健康状態その他裁判所の規則で定める事項を示さなければならない。

⑥ 裁判官は、身体の検査に関し、適当と認める条件を附することができる。

参❶【令状→憲三五、二一九【司法警察職員→三九③【裁判官→刑訴規二九九【記録命令付差押え→九九の二【通信履歴の電磁的記録に係る差押え等→一九七③―⑤【身体検査→二二二①、一

刑訴

二九、捜査規範一五九―一六一　❹【令状の請求→刑訴規一三九、一五五、一五六、一四〇、一四一、捜査規範一三七―一三九　❺【規則の定め→刑訴規一五五②　+捜査規範六章【令状不要の場合→二二〇

第二一九条【差押え等の令状の方式】　①　前条の令状には、被疑者若しくは被告人の氏名、罪名、差し押さえるべき物、記録させ若しくは印刷させるべき電磁的記録及びこれを記録させ若しくは印刷させるべき者、捜索すべき場所、身体若しくは物、検証すべき場所若しくは物又は検査すべき身体及び身体の検査に関する条件、有効期間及びその期間経過後は差押え、記録命令付差押え、捜索又は検証に着手することができず令状はこれを返還しなければならない旨並びに発付の年月日その他裁判所の規則で定める事項を記載し、裁判官が、これに記名押印しなければならない。〔平成二三法七四本項改正〕

②　前条第二項の場合には、同条の令状に、前項に規定する事項のほか、差し押さえるべき電子計算機に電気通信回線で接続している記録媒体であつて、その電磁的記録を複写すべきものの範囲を記載しなければならない。〔平成二三法七四本項追加〕

③　第六十四条第二項〈氏名不明のとき特定するに足りる事項記載〉の規定は、前条の令状についてこれを準用する。

❶【差し押さえるべき物→憲三五【捜索・検証すべき場所・身体・物→憲三五【条件→二一八⑥【有効期間→刑訴規三〇〇【規則の定め→刑訴規一五七、一五七の二①　❸【氏名不明→刑訴規一五五③

第二二〇条【令状によらない差押え・捜索・検証】　①　検察官、検察事務官又は司法警察職員は、第百九十九条の規定により被疑者を逮捕する場合又は現行犯人を逮捕する場合において必要があるときは、左の処分をすることができる。第二百十条の規定により被疑者を逮捕する場合において必要があるときも、同様である。

一　人の住居又は人の看守する邸宅、建造物若しくは船舶内に入り被疑者の捜索をすること。

二　逮捕の現場で差押、捜索又は検証をすること。

②　前項後段の場合において逮捕状が得られなかつたときは、差押物は、直ちにこれを還付しなければならない。第百二十三条第三項〈電磁的記録に係る記録媒体の交付等〉の規定は、この場合についてこれを準用する。〔平成二三法七四本項改正〕

③　第一項の処分をするには、令状は、これを必要としない。

④　第一項第二号及び前項の規定は、検察事務官又は司法警察職員が勾引状又は勾留状を執行する場合にこれを準用する。被疑者に対して発せられた勾引状又は勾留状を執行する場合には、第一項第一号の規定をも準用する。

❶【現行犯人逮捕→二一三【三】捜査規範一四二　❷【逮捕状が得られないとき→二一〇【還付→二二二①、一二三　❸憲三五　❹【勾引状・勾留状の執行→七〇、七三【被疑者に対する勾引状・勾留状→二〇七

第二二一条【領置】　検察官、検察事務官又は司法警察職員は、被疑者その他の者が遺留した物又は所有者、所持者若しくは保管者が任意に提出した物は、これを領置することができる。

+【領置→一〇一

第二二二条【押収・捜索・検証に関する準用規定、検証の時刻の制限、被疑者の立会い、身体検査を拒否した者に対する制裁】　①　第九十九条第一項〈差押え〉、第百条〈郵便物・信書便物・電信関係書類の差押え〉、第百二条から第百五条まで〈捜索、押収拒否権〉、第百十条から第百十二条まで〈令状の提示・電磁的記録に係る記録媒体の差押えの執行方法・錠をはずす開封等の処分・捜索差押えの際の協力要請・出入禁止処分〉、第百十四条〈立会い〉、第百十五条〈女子の身体の捜索〉及び第百十八条から第百二十四条まで〈執行中止の際の処分・証明書の交付・目録の交付・押収物の処分〉の規定は、検察官、検察事務官又は司法警察職員が第二百十八条、第二百二十条及び前条の規定によつてする押収又は捜索について、第百十条〈令状の提示〉、第百十一条の二〈捜索・差押えの際の協力要請〉、第百十二条〈出入禁止〉、第百十四条〈立会い〉、第百十八条〈執行中止の際の処分〉、第百二十九条〈検証の処分の種類〉、第百三十一条〈身体検査の注意〉及び第百三十七条から第百四十条まで〈身体検査拒否に対する身体検査の強制〉の規定は、検察官、検察事務官又は司法警察職員が第二百十八条又は第二百二十条の規定によつてする検証についてこれを準用する。ただし、司法巡査は、第百二十二条から第百二十四条までに規定する処分をすることができない。〔平成二三法七四本項改正〕

②　第二百二十条の規定により被疑者を捜索する場合において急速を要するときは、第百十四条第二項の規定によることを要しない。

③　第百十六条及び第百十七条〈時刻の制限〉の規定は、検察官、検察事務官又は司法警察職員が第二百十八条の規定によつてする差押え、記録命令付差押え又は捜索について、これを準用する。〔平成二三法七四本項改正〕

④　日出前、日没後には、令状に夜間でも検証をすることができる旨の記載がなければ、検察官、検察事務官又は司法警察職員は、第二百十八条の規定によつてする検証のため、人の住居又は人の看守する邸宅、建造物若しくは船舶内に入ることができない。但し、第百十七条に規定する場所については、この限りでない。

⑤　日没前検証に着手したときは、日没後でもその処分を継続することができる。

⑥　検察官、検察事務官又は司法警察職員は、第二百十八条の規定により差押、捜索又は検証をするについて必要があるときは、被疑者をこれに立ち会わせることができる。

⑦　第一項の規定により、身体の検査を拒んだ者を過料に処し、又はこれに賠償を命ずべきときは、裁判所にその処分を請求しなければならない。

❼【過料処分等の請求→刑訴規一五八、捜査規範一六二

刑訴

第二二二条の二【電気通信の傍受を行う強制処分】 通信の当事者のいずれの同意も得ないで電気通信の傍受を行う強制の処分については、別に法律で定めるところによる。（平成一一法一三八本条追加）

参＋【強制の処分→一九七①但【別の法律→通信傍受

第二二三条【第三者の任意出頭・取調べ・鑑定等の嘱託】 ① 検察官、検察事務官又は司法警察職員は、犯罪の捜査をするについて必要があるときは、被疑者以外の者の出頭を求め、これを取り調べ、又はこれに鑑定、通訳若しくは翻訳を嘱託することができる。

② 第百九十八条第一項但書及び第三項乃至第五項〈退去、調書、増減変更、署名押印〉の規定は、前項の場合にこれを準用する。

参❶【取調べ→二二六、二二七、捜査規範八章【鑑定の嘱託→二二四、二二五、捜査規範一八七　＋【証拠能力→三二一①㈡㈢④

第二二四条【鑑定の嘱託と鑑定留置の請求】 ① 前条第一項の規定により鑑定を嘱託する場合において第百六十七条第一項に規定する処分を必要とするときは、検察官、検察事務官又は司法警察員は、裁判官にその処分を請求しなければならない。

② 裁判官は、前項の請求を相当と認めるときは、第百六十七条の場合に準じてその処分をしなければならない。この場合には、第百六十七条の二〈勾留の執行停止〉の規定を準用する。（昭和二八法一七二本項改正）

③ 第二百七条の二〈被疑者の勾留手続における個人特定事項の秘匿措置〉及び第二百七条の三〈被疑者に対する個人特定事項の通知〉の規定は、第一項の請求について準用する。この場合において、第二百七条の二中「勾留を」とあるのは「第百六十七条第一項に規定する処分を」と、同条並びに第二百七条の三第三項及び第五項中「勾留状」とあるのは「鑑定留置状」と、第二百七条の二第二項中「前条第五項本文の規定により」とあるのは「第二百二十四条第二項前段の規定により第百六十七条の場合に準じて」と読み替えるものとする。（令和五法二八本項追加）

参❶【裁判官→刑訴規二九九【請求→刑訴規一五八の二　❷【裁判官の裁判→四二九①㈢

第二二四条の二【勾留手続における個人特定事項の秘匿措置と鑑定留置後の収容】 第二百七条の二第二項の規定による勾留状に代わるものの交付があつた場合における前条第二項後段において準用する第百六十七条の二第二項において準用する第九十八条の規定の適用については、同条第一項中「勾留状の謄本」とあるのは、「第二百七条の二第二項本文の勾留状に代わるもの」とする。（令和五法二八本条追加）

第二二五条【鑑定受託者と必要な処分、許可状】 ① 第二百二十三条第一項の規定による鑑定の嘱託を受けた者は、裁判官の許可を受けて、第百六十八条第一項に規定する処分をすることができる。

② 前項の許可の請求は、検察官、検察事務官又は司法警察員からこれをしなければならない。

③ 裁判官は、前項の請求を相当と認めるときは、許可状を発しなければならない。

④ 第百六十八条第二項乃至第四項〈許可状の提示〉及び第六項〈処分上の注意拒否に対する制裁〉の規定は、前項の許可状についてこれを準用する。

参❷【請求→刑訴規一三九―一四一、二九九、二五九　❸【許可状→刑訴規五六

第二二六条【証人尋問の請求】 犯罪の捜査に欠くことのできない知識を有すると明らかに認められる者が、第二百二十三条第一項の規定による取調に対して、出頭又は供述を拒んだ場合には、第一回の公判期日前に限り、検察官は、裁判官にその者の証人尋問を請求することができる。

参＋【裁判官→刑訴規二九九【証人尋問→二二八【請求→刑訴規一六〇、一六一、一六三【証拠能力→三二一①㈠

第二二七条【同前】 ① 第二百二十三条第一項の規定による検察官、検察事務官又は司法警察職員の取調べに際して任意の供述をした者が、公判期日においては前にした供述と異なる供述をするおそれがあり、かつ、その者の供述が犯罪の証明に欠くことができないと認められる場合には、第一回の公判期日前に限り、検察官は、裁判官にその者の証人尋問を請求することができる。（平成一六法六二本項改正）

② 前項の請求をするには、検察官は、証人尋問を必要とする理由及びそれが犯罪の証明に欠くことができないものであることを疎明しなければならない。

参＋【裁判官→刑訴規二九九【証人尋問→二二八【請求→刑訴規一六〇、一六一、一六三

第二二八条【証人尋問】 ① 前二条の請求を受けた裁判官は、証人の尋問に関し、裁判所又は裁判長と同一の権限を有する。

② 裁判官は、捜査に支障を生ずる虞がないと認めるときは、被告人、被疑者又は弁護人を前項の尋問に立ち会わせることができる。

参❶【裁判官の権限→一四三―一六四、刑訴規三〇二【証人尋問調書の証拠能力→三二一①㈠　❷【被告人等の立会い→一五七、刑訴規一六二、憲三七③

第二二九条【検視】 ① 変死者又は変死の疑のある死体があるときは、その所在地を管轄する地方検察庁又は区検察庁の検察官は、検視をしなければならない。

② 検察官は、検察事務官又は司法警察員に前項の処分をさせることができる。

参＋【臓器移植との関係→臓器移植七

第二三〇条【告訴権者】 犯罪により害を被つた者は、告訴をすることができる。

第二三一条【同前】 ① 被害者の法定代理人は、独立して告訴をすることができる。

② 被害者が死亡したときは、その配偶者、直系の親族又は兄弟姉妹は、告訴をすることができる。但し、被害者の明示した意思に反することはできない。

参❶【法定代理人→民八一八、八一九、八三八―八四七

第二三二条【同前】 被害者の法定代理人が被疑者であるとき、被疑者の配偶者であるとき、又は被疑者の四親

等内の血族若しくは三親等内の姻族であるときは、被害者の親族は、独立して告訴をすることができる。

【法定代理人↓二三一】【親族↓民七二五】

第二三三条【同前】①　死者の名誉を毀損した罪については、死者の親族又は子孫は、告訴をすることができる。

②　名誉を毀損した罪について被害者が告訴をしないで死亡したときも、前項と同様である。但し、被害者の明示した意思に反することはできない。

【死者の名誉毀損罪↓刑二三〇②】【親族↓民七二五】

第二三四条【告訴権者の指定】　親告罪について告訴をすることができる者がない場合には、検察官は、利害関係人の申立により告訴をすることができる者を指定することができる。

【親告罪の例↓刑一三五・二〇九・二二九・二三二・二四四・二五一・二五五・二六四、著作一二三】【告訴権者↓二三〇―二三三】

第二三五条【告訴期間】　親告罪の告訴は、犯人を知つた日から六箇月を経過したときは、これをすることができない。ただし、刑法第二百三十二条第二項の規定により外国の代表者が行う告訴及び日本国に派遣された外国の使節に対する同法第二百三十条又は第二百三十一条の罪につきその使節が行う告訴については、この限りでない。（平成一二法七四、平成二九法七二本条改正）

【親告罪↓二三四】【六箇月↓五五】

第二三六条【告訴期間の独立】　告訴をすることができる者が数人ある場合には、一人の期間の徒過は、他の者に対しその効力を及ぼさない。

【告訴権者↓二三〇―二三三】【期間↓二三五】

第二三七条【告訴の取消し】①　告訴は、公訴の提起があるまでこれを取り消すことができる。

②　告訴の取消をした者は、更に告訴をすることができない。

③　前二項の規定は、請求を待つて受理すべき事件についての請求についてこれを準用する。

❶【告訴取消しの手続↓二四〇・二四三・二四四】【告訴取消しの不可分↓二三八】❸【請求を待って受理すべき事件↓刑九二、労調四二】

第二三八条【告訴の不可分】①　親告罪について共犯の一人又は数人に対してした告訴又はその取消は、他の共犯に対しても、その効力を生ずる。

②　前項の規定は、告発又は請求を待つて受理すべき事件についての告発若しくは請求又はその取消についてこれを準用する。

【親告罪↓二三四】【共犯↓刑六〇―六五】【請求を待って受理すべき事件↓刑九二、労調四二】【告発を待って受理すべき事件↓独禁九六、議院証言八】

第二三九条【告発】①　何人でも、犯罪があると思料するときは、告発をすることができる。

②　官吏又は公吏は、その職務を行うことにより犯罪があると思料するときは、告発をしなければならない。

【告発義務の他の例↓爆発八、議院証言八】

第二四〇条【告訴の代理】　告訴は、代理人によりこれをすることができる。告訴の取消についても、同様である。

【告訴↓二三〇―二三三】【告訴の取消し↓二三七】

第二四一条【告訴・告発の方式】①　告訴又は告発は、書面又は口頭で検察官又は司法警察員にこれをしなければならない。

②　検察官又は司法警察員は、口頭による告訴又は告発を受けたときは調書を作らなければならない。

❶【特例↓二四四、独禁七四①②】❷【調書↓刑訴規五八・五九】

第二四二条【告訴・告発を受けた司法警察員の手続】　司法警察員は、告訴又は告発を受けたときは、速やかにこれに関する書類及び証拠物を検察官に送付しなければならない。

二四六、捜査規範二章二節

第二四三条【準用規定】　前二条の規定は、告訴又は告発の取消についてこれを準用する。

第二四四条【外国代表者等の告訴の特別方式】　刑法第二百三十二条第二項の規定により外国の代表者が行う告訴又はその取消は、第二百四十一条及び前条の規定にかかわらず、外務大臣にこれをすることができる。日本国に派遣された外国の使節に対する刑法第二百三十条又は第二百三十一条の罪につきその使節が行う告訴又はその取消も、同様である。

第二四五条【自首】　第二百四十一条〈告訴・告発の方式・調書作成〉及び第二百四十二条〈書類等の送付〉の規定は、自首についてこれを準用する。

【自首↓刑四二・八〇・九三・二二八の三、捜査規範六三・六四・六八】

第二四六条【司法警察員から検察官への事件の送致】　司法警察員は、犯罪の捜査をしたときは、この法律に特別の定のある場合を除いては、速やかに書類及び証拠物とともに事件を検察官に送致しなければならない。但し、検察官が指定した事件については、この限りでない。

【特別の定め↓二〇三・二一一・二一六・二四二・二四五、少四一】

第二章　公訴

第二四七条【国家訴追主義】　公訴は、検察官がこれを行う。

【例外↓二六二―二六八、検審四一の一〇】

第二四八条【起訴便宜主義】　犯人の性格、年齢及び境遇、犯罪の軽重及び情状並びに犯罪後の情況により訴追を必要としないときは、公訴を提起しないことができる。

【公訴提起の手続↓二五六】【不起訴処分の告知等↓二五九―二六一】【例外↓少四五⑸】

第二四九条【公訴の効力の人的範囲】　公訴は、検察官の指定した被告人以外の者にその効力を及ぼさない。

参【被告人の指定→二五六②㈡【共犯との関係→一八二、二五四【被告人以外の者に対する裁判→三七八㈢【共同被告人との関係→四〇一、四一四、四七五②【公訴の取消し→二五七

第二五〇条【公訴時効期間】① 時効は、人を死亡させた罪であつて拘禁刑に当たるものについては、次に掲げる期間を経過することによつて完成する。

一 無期拘禁刑に当たる罪については三十年（令和四法六七本号改正）

二 長期二十年の拘禁刑に当たる罪については二十年（令和四法六七本号改正）

三 前二号に掲げる罪以外の罪については十年

（平成二二法二六本項追加）

② 時効は、人を死亡させた罪であつて拘禁刑以上の刑に当たるもの以外の罪については、次に掲げる期間を経過することによつて完成する。

一 死刑に当たる罪については二十五年（平成一六法一五六本号改正）

二 無期拘禁刑に当たる罪については十五年（平成一六法一五六、令和四法六七本号改正）

三 長期十五年以上の拘禁刑に当たる罪については十年（平成一六法一五六本号追加、令和四法六七本号改正）

四 長期十五年未満の拘禁刑に当たる罪については七年（平成一六法一五六、令和四法六七本号改正）

五 長期十年未満の拘禁刑に当たる罪については五年（令和四法六七本号改正）

六 長期五年未満の拘禁刑又は罰金に当たる罪については三年（令和四法六七本号改正）

七 拘留又は科料に当たる罪については一年

③ 前項の規定にかかわらず、次の各号に掲げる罪についての時効は、当該各号に定める期間を経過することによつて完成する。

一 刑法第百八十一条の罪（人を負傷させたときに限る。）若しくは同法第二百四十一条第一項の罪又は盗犯等の防止及び処分に関する法律（昭和五年法律第九号）第四条の罪（同項の罪に係る部分に限る。） 二十年

二 刑法第百七十七条若しくは第百七十九条第二項の罪又はこれらの罪の未遂罪 十五年（令和五法六六本号改正）

三 刑法第百七十六条若しくは第百七十九条第一項の罪若しくはこれらの罪の未遂罪又は児童福祉法第六十条第一項の罪（自己を相手方として淫行をさせる行為に係るものに限る。） 十二年（令和五法六六本号改正）

（令和五法六六本項追加）

④ 前二項の規定にかかわらず、前項各号に掲げる罪について、その被害者が犯罪行為が終わつた時に十八歳未満である場合における時効は、当該各号に定める期間に当該犯罪行為が終わつた時から当該被害者が十八歳に達する日までの期間に相当する期間を加算した期間を経過することによつて完成する。（令和五法六六本項追加）

（平成二二法二六、令和四法六七本条改正）

参【適用の基準→二五一、二五二【期間の計算→五五、二五三【時効完成の効果→三三七㈣【両罰規定と時効期間→公害犯罪六【刑の時効→刑三一―三四

第二五一条【時効期間の標準となる刑】二以上の主刑を併科し、又は二以上の主刑中その一を科すべき罪については、その重い刑に従つて、前条の規定を適用する。

参【主刑→刑九【刑の軽重→刑一〇【併科の例→刑二五六②

第二五二条【同前】刑法により刑を加重し、又は減軽すべき場合には、加重し、又は減軽しない刑に従つて、第二百五十条の規定を適用する。

参【加重→刑四七、五七【減軽→刑六八、七一

第二五三条【時効の起算点】① 時効は、犯罪行為が終つた時から進行する。

② 共犯の場合には、最終の行為が終つた時から、すべての共犯に対して時効の期間を起算する。

参【時効期間→二五〇、五五【共犯→刑六〇―六五、二五四②

第二五四条【公訴の提起と時効の停止】① 時効は、当該事件についてした公訴の提起によつてその進行を停止し、管轄違又は公訴棄却の裁判が確定した時からその進行を始める。

② 共犯の一人に対してした公訴の提起による時効の停止は、他の共犯に対してその効力を有する。この場合においては、停止した時効は、当該事件についてした裁判が確定した時からその進行を始める。（昭和二八法一七二本項改正）

参❶【公訴の提起→二五六【管轄違い→三二九【公訴棄却→三三八、三三九【確定→三七三、四一四、四一八 ❷【共犯→刑六〇―六五

第二五五条【その他の理由による時効の停止】① 犯人が国外にいる場合又は犯人が逃げ隠れているため有効に起訴状の謄本の送達若しくは略式命令の告知ができなかつた場合には、時効は、その国外にいる期間又は逃げ隠れている期間その進行を停止する。

② 犯人が国外にいること又は犯人が逃げ隠れているため有効に起訴状の謄本の送達若しくは略式命令の告知ができなかつたことの証明に必要な事項は、裁判所の規則でこれを定める。

（昭和二八法一七二本条改正）

参【起訴状謄本の送達→五四、二七一、二五四①、二七一の二④

第二五六条【起訴状、訴因、罰条】① 公訴の提起は、起訴状を提出してこれをしなければならない。

② 起訴状には、左の事項を記載しなければならない。

一 被告人の氏名その他被告人を特定するに足りる事項

二 公訴事実

三 罪名

③ 公訴事実は、訴因を明示してこれを記載しなければならない。訴因を明示するには、できる限り日時、場所及び方法を以て罪となるべき事実を特定してこれを

しなければならない。

④　罪名は、適用すべき罰条を示してこれを記載しなければならない。但し、罰条の記載の誤は、被告人の防禦に実質的な不利益を生ずる虞がない限り、公訴提起の効力に影響を及ぼさない。

⑤　数個の訴因及び罰条は、予備的に又は択一的にこれを記載することができる。

⑥　起訴状には、裁判官に事件につき予断を生ぜしめる虞のある書類その他の物を添附し、又はその内容を引用してはならない。

⊛❶【公訴の提起↓二四八【即決裁判の請求↓三五〇の一六【略式命令の請求↓四六一　❷【被告人の氏名その他↓二四九【その他の記載事項↓刑訴規一六四　❸【公訴事実↓三三九①㈡【訴因↓三一二【罪となるべき事実の特定↓三三八㈣・二七一の二③　❹【罪名・罰条↓三一二　❻【予断を生じさせるおそれ↓一七九・二二六・二二七・二八〇・四六二、刑訴規一八七・一七八の一六①・一八八・二八九①、憲三七①【起訴状以外の書類の差出し↓刑訴規一六五①・一六七①

第二五六条の二【被告人に送達する起訴状謄本の提出】　検察官は、公訴の提起と同時に、被告人に送達するものとして、起訴状の謄本を裁判所に提出しなければならない。ただし、やむを得ない事情があるときは、公訴の提起後速やかにこれを提出すれば足りる。（令和五法二八本条追加）

⊛+【起訴状謄本の送達↓二七一、刑訴規一七六①

第二五七条【公訴の取消し】　公訴は、第一審の判決があるまでこれを取り消すことができる。

⊛+【起訴便宜主義↓二四八・二六六【方式↓刑訴規一六八【公訴取消しと裁判↓三三九①㈢【公訴取消しの通知↓二六〇【再起訴↓三四〇

第二五八条【他管送致】　検察官は、事件がその所属検察庁の対応する裁判所の管轄に属しないものと思料するときは、書類及び証拠物とともにその事件を管轄裁判所に対応する検察庁の検察官に送致しなければならない。

⊛+【原則↓検察五【裁判所の管轄↓二、裁一六㈣・二四㈡・三三①㈢【対応する検察庁↓検察二【他管送致の通知↓二六〇【特例↓少四二

第二五九条【被疑者に対する不起訴処分の告知】　検察官は、事件につき公訴を提起しない処分をした場合において、被疑者の請求があるときは、速やかにその旨をこれに告げなければならない。

⊛+【公訴を提起しない処分↓二四八

第二六〇条【告訴人等に対する起訴・不起訴等の通知】　検察官は、告訴、告発又は請求のあつた事件について、公訴を提起し、又はこれを提起しない処分をしたときは、速やかにその旨を告訴人、告発人又は請求人に通知しなければならない。公訴を取り消し、又は事件を他の検察庁の検察官に送致したときも、同様である。

⊛+【公訴の提起↓二五六【公訴を提起しない処分↓二四八【公訴の取消し↓二五七【他の検察庁への送致↓二五八【告訴人↓二三〇―二三三【告発人↓二三九【請求人↓刑九二【通知を受けた者↓検審三〇

第二六一条【告訴人等に対する不起訴理由の告知】　検察官は、告訴、告発又は請求のあつた事件について公訴を提起しない処分をした場合において、告訴人、告発人又は請求人の請求があるときは、速やかに告訴人、告発人又は請求人にその理由を告げなければならない。

⊛+【公訴を提起しない処分↓二四八【告訴人・告発人・請求人↓二六〇⊛

第二六二条【裁判上の準起訴手続・付審判の請求】　①　刑法第百九十三条から第百九十六条まで又は破壊活動防止法（昭和二十七年法律第二百四十号）第四十五条若しくは無差別大量殺人行為を行った団体の規制に関する法律（平成十一年法律第百四十七号）第四十二条若しくは第四十三条の罪について告訴又は告発をした者は、検察官の公訴を提起しない処分に不服があるときは、その検察官所属の検察庁の所在地を管轄する地方裁判所に事件を裁判所の審判に付することを請求することができる。（昭和二七法二四〇、平成一一法一四七本項改正）

②　前項の請求は、第二百六十条の通知を受けた日から七日以内に、請求書を公訴を提起しない処分をした検察官に差し出してこれをしなければならない。

⊛❷【七日↓五五【請求書の記載事項↓刑訴規一六九　+【特別規定↓通信傍受三七

第二六三条【請求の取下げ】　①　前条第一項の請求は、第二百六十六条の決定があるまでこれを取り下げることができる。

②　前項の取下をした者は、その事件について更に前条第一項の請求をすることができない。

⊛+【取下げの方式↓刑訴規一七〇【取下げの通知↓刑訴規一七二

②

第二六四条【公訴提起の義務】　検察官は、第二百六十二条第一項の請求を理由があるものと認めるときは、公訴を提起しなければならない。

⊛+【公訴不提起の場合↓刑訴規一七一・一七二①

第二六五条【裁判上の準起訴手続の審判】　①　第二百六十二条第一項の請求についての審理及び裁判は、合議体でこれをしなければならない。

②　裁判所は、必要があるときは、合議体の構成員に事実の取調をさせ、又は地方裁判所若しくは簡易裁判所の裁判官にこれを嘱託することができる。この場合には、受命裁判官及び受託裁判官は、裁判所又は裁判長と同一の権限を有する。

⊛❶【合議体↓裁二六②㈣【審理↓刑訴規一七三

第二六六条【請求棄却の決定・付審判の決定】　裁判所は、第二百六十二条第一項の請求を受けたときは、左の区別に従い、決定をしなければならない。

一　請求が法令上の方式に違反し、若しくは請求権の消滅後にされたものであるとき、又は請求が理由のないときは、請求を棄却する。

二　請求が理由のあるときは、事件を管轄地方裁判所

の審判に付する。

§[一]【請求権の消滅→二六二②、二六三②【法令上の方式→刑訴規一六九　[二]【審判に付する決定→三三九、刑訴規一七四、一七五

第二六七条【公訴提起の擬制】 前条第二号の決定があつたときは、その事件について公訴の提起があつたものとみなす。

第二六七条の二【付審判決定の通知】 裁判所は、第二百六十六条第二号の決定をした場合において、同一の事件について、検察審査会法（昭和二十三年法律第百四十七号）第二条第一項第一号に規定する審査を行う検察審査会又は同法第四十一条の六第一項の起訴議決をした検察審査会（同法第四十一条の九第一項の規定により公訴の提起及びその維持に当たる者が指定された後は、その者）があるときは、これに当該決定をした旨を通知しなければならない。（平成一六法六二本条追加）

第二六八条【公訴の維持と指定弁護士】 ① 裁判所は、第二百六十六条第二号の規定により事件がその裁判所の審判に付されたときは、その事件について公訴の維持にあたる者を弁護士の中から指定しなければならない。

② 前項の指定を受けた弁護士は、事件について公訴を維持するため、裁判の確定に至るまで検察官の職務を行う。但し、検察事務官及び司法警察職員に対する捜査の指揮は、検察官に嘱託してこれをしなければならない。

③ 前項の規定により検察官の職務を行う弁護士は、これを法令により公務に従事する職員とみなす。

④ 裁判所は、第一項の指定を受けた弁護士がその職務を行うに適さないと認めるときその他特別の事情があるときは、何時でもその指定を取り消すことができる。

⑤ 第一項の指定を受けた弁護士には、政令で定める額の手当を給する。

§❷【捜査の指揮→一九三②③【書類及び証拠物→刑訴規一七五　❸【法令により公務に従事する職員→刑七、一九三―一九八

第二六九条【請求者に対する費用賠償の決定】 裁判所は、第二百六十二条第一項の請求を棄却する場合又はその請求の取下があつた場合には、決定で、請求者に、その請求に関する手続によつて生じた費用の全部又は一部の賠償を命ずることができる。この決定に対しては、即時抗告をすることができる。

§↑【費用賠償の執行→四九〇【即時抗告→四一九、四二二、四二五

第二七〇条【検察官の書類・証拠物の閲覧・謄写権】 ① 検察官は、公訴の提起後は、訴訟に関する書類及び証拠物を閲覧し、且つ謄写することができる。

② 前項の規定にかかわらず、第百五十七条の六第四項に規定する記録媒体は、謄写することができない。（平成一二法七四本項追加）

§↑【制限→刑訴規三〇一【被告人側の権利→四〇、四九

第三章　公判

第一節　公判準備及び公判手続

第二七一条【起訴状謄本の送達、不送達と公訴提起の失効】 ① 裁判所は、公訴の提起があつたときは、遅滞なく起訴状の謄本を被告人に送達しなければならない。

② 公訴の提起があつた日から二箇月以内に起訴状の謄本が送達されないときは、公訴の提起は、さかのぼつてその効力を失う。

§❶【起訴状謄本→二五六の二、四六三④⑤、刑訴規二九二①、一七六【送達→五四、刑訴規六三、六五【個人特定事項の秘匿措置→二七一の二―二七一の五　❷【公訴提起の失効→三三九①㈠

第二七一条の二【被告人に対する起訴状抄本等の送達による個人特定事項の秘匿措置】 ① 検察官は、起訴状に記載された次に掲げる者の個人特定事項について、必要と認めるときは、裁判所に対し、前条第一項の規定による起訴状の謄本の送達により当該個人特定事項が被告人に知られないようにするための措置をとることを求めることができる。

一 次に掲げる事件の被害者

イ 刑法第百七十六条、第百七十七条、第百七十九条、第百八十一条若しくは第百八十二条の罪、同法第二百二十五条若しくは第二百二十六条の二第三項の罪（わいせつ又は結婚の目的に係る部分に限る。以下このイにおいて同じ。）、同法第二百二十七条第一項（同法第二百二十五条又は第二百二十六条の二第三項の罪を犯した者を幇助する目的に係る部分に限る。）若しくは第三項（わいせつの目的に係る部分に限る。）の罪若しくは同法第二百四十一条第一項若しくは第三項の罪又はこれらの罪の未遂罪に係る事件

ロ 児童福祉法第六十条第一項の罪若しくは同法第三十四条第一項第九号に係る同法第六十条第二項の罪、児童買春、児童ポルノに係る行為等の規制及び処罰並びに児童の保護等に関する法律第四条から第八条までの罪又は性的な姿態を撮影する行為等の処罰及び押収物に記録された性的な姿態の影像に係る電磁的記録の消去等に関する法律第二条から第六条までの罪に係る事件

ハ イ及びロに掲げる事件のほか、犯行の態様、被害の状況その他の事情により、被害者の個人特定事項が被告人に知られることにより次に掲げるおそれがあると認められる事件

(1) 被害者等の名誉又は社会生活の平穏が著しく害されるおそれ

(2) (1)に掲げるもののほか、被害者若しくはその親族の身体若しくは財産に害を加え又はこれらの者を畏怖させ若しくは困惑させる行為がなされるおそれ

（令和五法二八、（令和五法六六・法六七）本号改正）

二 前号に掲げる者のほか、個人特定事項が被告人に知られることにより次に掲げるおそれがあると認め

刑訴

られる者

イ　その者の名誉又は社会生活の平穏が著しく害されるおそれ

ロ　イに掲げるもののほか、その者若しくはその親族の身体若しくは財産に害を加え又はこれらの者を畏怖させ若しくは困惑させる行為がなされるおそれ

② 前項の規定による求めは、公訴の提起において、裁判所に対し、起訴状とともに、被告人に送達するものとして、当該求めに係る個人特定事項の記載がない起訴状の抄本その他の起訴状の謄本に代わるもの（以下「起訴状抄本等」という。）を提出して行わなければならない。

③ 前項の場合には、起訴状抄本等については、その公訴事実を第二百五十六条第三項に規定する公訴事実とみなして、同項の規定を適用する。この場合において、同項中「できる限り日時、場所及び方法を以て罪となるべき事実」とあるのは、「罪となるべき事実」とする。

④ 裁判所は、第二項の規定による起訴状抄本等の提出があつたときは、前条第一項の規定にかかわらず、遅滞なく起訴状抄本等を被告人に送達しなければならない。この場合において、第二百五十五条及び前条第二項中「起訴状の謄本」とあるのは、「起訴状抄本等」とする。

（令和五法二八本条追加）

参+【個人特定事項→二〇一の二①　❶【被害者等→二〇一の二①㈠　❷【起訴状抄本等の提出→二七一の三・二七一の四、刑訴規一六四①㈢・一六五の二①②・一七六の二

第二七一条の三【弁護人に対する措置】① 検察官は、前条第二項の規定により起訴状抄本等を提出する場合において、被告人に弁護人があるときは、裁判所に対し、弁護人に送達するものとして、起訴状の謄本を提出しなければならない。

② 裁判所は、前項の規定による起訴状の謄本の提出があつたときは、遅滞なく、弁護人に対し、起訴状に記載された個人特定事項のうち起訴状抄本等に記載がないものを被告人に知らせてはならない旨の条件を付して起訴状の謄本を送達しなければならない。

③ 検察官は、第一項に規定する場合において、前項の規定による措置によつては、前条第一項第一号ハ⑴若しくは第二号イに規定する名誉若しくは社会生活の平穏が著しく害されること又は同項第一号ハ⑵若しくは第二号ロに規定する行為を防止できないおそれがあると認めるときは、裁判所に対し、起訴状の謄本に代えて弁護人に送達するものとして、起訴状抄本等を提出することができる。

④ 裁判所は、前項の規定による起訴状抄本等の提出があつたときは、遅滞なく、弁護人に対し、起訴状抄本等を送達しなければならない。

（令和五法二八本条追加）

参+【起訴状抄本等→二七一の二②　❶【弁護人に送達する起訴状謄本→刑訴規一六五の二③　❷【条件を付する場合→刑訴規六一の二①　❸【弁護人に送達する起訴状抄本等→刑訴規一六五の二③④

第二七一条の四【同前】① 裁判所は、第二百七十一条の二第二項の規定による起訴状抄本等の提出があつた後に弁護人が選任されたときは、速やかに、検察官にその旨を通知しなければならない。

② 検察官は、前項の規定による通知を受けたときは、速やかに、裁判所に対し、弁護人に送達するものとして、起訴状の謄本を提出しなければならない。

③ 裁判所は、前項の規定による起訴状の謄本の提出があつたときは、遅滞なく、弁護人に対し、起訴状に記載された個人特定事項のうち起訴状抄本等に記載がないものを被告人に知らせてはならない旨の条件を付して起訴状の謄本を送達しなければならない。

④ 検察官は、第二項に規定する場合において、前項の規定による措置によつては、第二百七十一条の二第一項第一号ハ⑴若しくは第二号イに規定する名誉若しくは社会生活の平穏が著しく害されること又は同項第一号ハ⑵若しくは第二号ロに規定する行為を防止できないおそれがあると認めるときは、裁判所に対し、起訴状の謄本に代えて弁護人に送達するものとして、起訴状抄本等を提出することができる。

⑤ 裁判所は、前項の規定による起訴状抄本等の提出があつたときは、遅滞なく、弁護人に対し、起訴状抄本等を送達しなければならない。

（令和五法二八本条追加）

参+【起訴状抄本等→二七一の二②　❷【弁護人に送達する起訴状謄本→刑訴規一六五の二③　❸【条件を付する場合→刑訴規六一の二①　❹【弁護人に送達する起訴状抄本等→刑訴規一六五の二③④

第二七一条の五【被告人・弁護人に対する個人特定事項の通知】① 裁判所は、第二百七十一条の二第四項の規定による措置をとつた場合において、次の各号のいずれかに該当すると認めるときは、被告人又は弁護人の請求により、当該措置に係る個人特定事項の全部又は一部を被告人に通知する旨の決定をしなければならない。

一　イ又はロに掲げる個人特定事項の区分に応じ、当該イ又はロに定める場合であるとき。

イ　被害者の個人特定事項　当該措置に係る事件に係る罪が第二百七十一条の二第一項第一号イ及びロに規定するものに該当せず、かつ、当該措置に係る事件が同号ハに掲げるものに該当しないとき。

ロ　被害者以外の者の個人特定事項　当該措置に係る者が第二百七十一条の二第一項第二号に掲げる者に該当しないとき。

二　当該措置により被告人の防御に実質的な不利益を生ずるおそれがあるとき。

② 裁判所は、第二百七十一条の三第四項又は前条第五項の規定による措置をとつた場合において、次の各号のいずれかに該当すると認めるときは、被告人又は弁護人の請求により、弁護人に対し、当該措置に係る個人特定事項を被告人に知らせてはならない旨の条件を

付して当該個人特定事項の全部又は一部を通知する旨の決定をしなければならない。

一　第二百七十一条の三第二項又は前条第三項の規定による措置によつて、第二百七十一条の二第一項第一号ハ(1)及び第二号イに規定する名誉又は社会生活の平穏が著しく害されること並びに同項第一号ハ(2)及び第二号ロに規定する行為を防止できるとき。

二　当該措置により被告人の防御に実質的な不利益を生ずるおそれがあるとき。

③　裁判所は、前二項の請求について決定をするときは、検察官の意見を聴かなければならない。

④　第一項又は第二項の決定に係る通知は、裁判所が、当該決定により通知することとした個人特定事項を記載した書面によりするものとする。

⑤　第一項又は第二項の請求についてした決定に対しては、即時抗告をすることができる。

（令和五法二八本条追加）

参+【個人特定事項↓二〇一の二①【個人特定事項の通知の請求↓刑訴規一七六の三【請求についての決定↓刑訴規一七六の四、三一六の五㈢　❷【条件を付する場合↓刑訴規六一の二①　❺【即時抗告↓四二二・四二五

第二七一条の六【書類・証拠物の閲覧・謄写、裁判書等の謄抄本の交付、公判調書の閲覧等における個人特定事項の秘匿措置】①　裁判所は、第二百七十一条の三第一項又は第二百七十一条の四第二項の規定による起訴状の謄本の提出があつた事件について、起訴状に記載された個人特定事項のうち起訴状抄本等に記載がないもの（前条第一項の決定により通知することとされたものを除く。以下この条及び第二百七十一条の八第一項において同じ。）が第二百七十一条の二第一項第一号又は第二号に掲げる者のものに該当すると認める場合において、検察官及び弁護人の意見を聴き、相当と認めるときは、弁護人が第四十条第一項の規定により訴訟に関する書類又は証拠物を閲覧し又は謄写するに当たり、これらに記載され又は記録されている当該個人特定事項を被告人に知らせてはならない旨の条件を付し、又は被告人に知らせる時期若しくは方法を指定することができる。ただし、当該個人特定事項に係る者の供述の証明力の判断に資するような被告人その他の関係者との利害関係の有無を確かめることができなくなるときその他の被告人の防御に実質的な不利益を生ずるおそれがあるときは、この限りでない。

②　裁判所は、第二百七十一条の三第三項又は第二百七十一条の四第四項の規定による起訴状抄本等の提出があつた事件について、起訴状に記載された個人特定事項のうち起訴状抄本等に記載がないものが第二百七十一条の二第一項第一号又は第二号に掲げる者のものに該当すると認める場合において、検察官及び弁護人の意見を聴き、相当と認めるときは、弁護人が第四十条第一項の規定により訴訟に関する書類又は証拠物を閲覧し又は謄写するについて、これらのうち当該個人特定事項が記載され若しくは記録されている部分の閲覧若しくは謄写を禁じ、又は当該個人特定事項を被告人に知らせてはならない旨の条件を付し、若しくは被告人に知らせる時期若しくは方法を指定することができる。ただし、当該個人特定事項に係る者の供述の証明力の判断に資するような被告人その他の関係者との利害関係の有無を確かめることができなくなるときその他の被告人の防御に実質的な不利益を生ずるおそれがあるときは、この限りでない。

③　裁判所は、第一項本文に規定する事件について、起訴状に記載された個人特定事項のうち起訴状抄本等に記載がないものが第二百七十一条の二第一項第一号又は第二号に掲げる者のものに該当すると認める場合において、弁護人から第四十六条の規定による請求があつた場合であつて、検察官及び弁護人の意見を聴き、相当と認めるときは、弁護人に裁判書又は裁判を記載した調書の謄本又は抄本を交付するに当たり、これらに記載されている当該個人特定事項を被告人に知らせてはならない旨の条件を付し、又は被告人に知らせる時期若しくは方法を指定することができる。ただし、当該個人特定事項に係る者の供述の証明力の判断に資するような被告人その他の関係者との利害関係の有無を確かめることができなくなるときその他の被告人の防御に実質的な不利益を生ずるおそれがあるときは、この限りでない。

④　裁判所は、第二項本文に規定する事件について、起訴状に記載された個人特定事項のうち起訴状抄本等に記載がないものが第二百七十一条の二第一項第一号又は第二号に掲げる者のものに該当すると認める場合において、弁護人から第四十六条の規定による請求があつた場合であつて、検察官及び弁護人の意見を聴き、相当と認めるときは、裁判書若しくは裁判を記載した調書の抄本であつて当該個人特定事項の記載がないものを交付し、又は弁護人に裁判書若しくは裁判を記載した調書の謄本若しくは抄本を交付するに当たり、当該個人特定事項を被告人に知らせてはならない旨の条件を付し、若しくは被告人に知らせる時期若しくは方法を指定することができる。ただし、当該個人特定事項に係る者の供述の証明力の判断に資するような被告人その他の関係者との利害関係の有無を確かめることができなくなるときその他の被告人の防御に実質的な不利益を生ずるおそれがあるときは、この限りでない。

⑤　裁判所は、第二百七十一条の二第二項の規定による起訴状抄本等の提出があつた事件について、起訴状に記載された個人特定事項のうち起訴状抄本等に記載がないものが同条第一項第一号又は第二号に掲げる者のものに該当すると認める場合において、被告人その他訴訟関係人（検察官及び弁護人を除く。）から第四十六条の規定による請求があつた場合であつて、検察官及び当該請求をした被告人その他訴訟関係人の意見を聴き、相当と認めるときは、裁判書又は裁判を記載した調書の抄本であつて当該個人特定事項の記載がないものを交付することができる。ただし、当該個人特定事項に係る者の供述の証明力の判断に資するような被告人その他の関係者との利害関係の有無を確かめることができなくなるときその他の被告人の防御に実質的な不利益を生ずるおそれがあるときは、この限りでない。

不利益を生ずるおそれがあるときは、この限りでない。

⑥ 裁判所は、前項本文に規定する事件について、起訴状に記載された個人特定事項のうち起訴状抄本等に記載がないものが第二百七十一条の二第一項第一号又は第二号に掲げる者のものに該当すると認める場合において、検察官及び被告人の意見を聴き、相当と認めるときは、被告人が第四十九条の規定により公判調書を閲覧し又はその朗読を求めるについて、このうち当該個人特定事項が記載され若しくは記録されている部分の閲覧を禁じ、又は当該部分の朗読の求めを拒むことができる。ただし、当該個人特定事項に係る者の供述の証明力の判断に資するような被告人その他の関係者との利害関係の有無を確かめることができなくなるときその他の被告人の防御に実質的な不利益を生ずるおそれがあるときは、この限りでない。

（令和五法二八本条追加）

【個人特定事項→二〇一の二① ❶❷【弁護人による書類・証拠物の閲覧・謄写→四〇① ❶—❹【条件を付する場合等→刑訴規六一の二 ❺【被告人等に対する裁判書等の謄本・抄本の交付→四六 ❻【被告人による公判調書の閲覧等→四九

第二七一条の七【弁護人の違反行為に対する処置】

① 裁判所は、第二百七十一条の三第二項、第二百七十一条の四第三項、第二百七十一条の五第二項若しくは前条第一項から第四項までの規定により付した条件に弁護人が違反したとき、又は同条第一項から第四項までの規定による時期若しくは方法の指定に弁護人が従わなかつたときは、弁護士である弁護人については当該弁護士の所属する弁護士会又は日本弁護士連合会に通知し、適当な処置をとるべきことを請求することができる。

② 前項の規定による請求を受けた者は、そのとつた処置をその請求をした裁判所に通知しなければならない。

（令和五法二八本条追加）

【弁護士会・日本弁護士連合会→二九五⑤ 【弁護士会等への通知・処置の請求→二七八の三⑤、二九五⑤、二九九の七、刑訴規三四の三、七四の四、一五〇の八、二五八の三

第二七一条の八【被告人の勾引・勾留手続における個人特定事項の秘匿措置】 ① 裁判所（第一号及び第四号にあつては裁判長及び合議体の構成員を、第二号及び第三号にあつては第六十六条第四項の裁判官並びに裁判長及び合議体の構成員を含み、第五号にあつては裁判官とする。）は、第二百七十一条の二第二項の規定による起訴状抄本等の提出があつた事件について、起訴状に記載された個人特定事項のうち起訴状抄本等に記載がないものが同条第一項第一号又は第二号に掲げる者のものに該当すると認める場合において、相当と認めるときは、次に掲げる措置をとることができる。

一 当該個人特定事項を明らかにしない方法により第六十一条の規定による被告事件の告知をすること。

二 勾引状又は勾留状を発する場合において、これと同時に、被告人に示すものとして、当該個人特定事項を明らかにしない方法により公訴事実の要旨を記載した勾引状の抄本その他の勾引状に代わるもの又は勾留状の抄本その他の勾留状に代わるものを交付すること。

三 当該個人特定事項を明らかにしない方法により第七十六条第一項の規定による公訴事実の要旨の告知をし、又はこれをさせること。

四 当該個人特定事項を明らかにしない方法により第七十七条第三項の規定による公訴事実の要旨の告知をし、又はこれをさせること。

五 当該個人特定事項を明らかにしない方法により第二百八十条第二項の規定による被告事件の告知をすること。

② 前項（第二号に係る部分に限る。）の規定による勾引状に代わるものの交付があつた場合における第七十三条第一項及び第三項の規定の適用については、同条第一項前段中「これ」とあり、同条第三項中「勾引状又は勾留状」とあり、及び同項ただし書中「令状」とあるのは「第二百七十一条の八第一項第二号の勾引状に代わるもの」と、同項中「公訴事実の要旨及び」とあるのは「勾引状に記載された個人特定事項のうち第二百七十一条の八第一項第二号の勾引状に代わるものに記載がないものを明らかにしない方法により公訴事実の要旨を告げるとともに、」とする。

③ 第一項（第二号に係る部分に限る。）の規定による勾留状に代わるものの交付があつた場合における第七十三条第二項及び第三項の規定の適用については、同条第二項中「これ」とあり、同条第三項中「勾引状又は勾留状」とあり、及び同項ただし書中「令状」とあるのは「第二百七十一条の八第一項第二号の勾留状に代わるもの」と、同項中「公訴事実の要旨及び」とあるのは「勾留状に記載された個人特定事項のうち第二百七十一条の八第一項第二号の勾留状に代わるものに記載がないものを明らかにしない方法により公訴事実の要旨を告げるとともに、」とする。

④ 裁判長又は合議体の構成員は、第一項（第二号に係る部分に限る。）の規定による勾留状に代わるものの交付があつた場合又は第二百七条の二第二項の規定による勾留状に代わるものの交付があつた場合において、勾留状に記載された個人特定事項のうちこれらの勾留状に代わるものに記載がないもの（第二百七十一条の五第一項の決定又は第二百七条の三第一項の裁判により通知することとされたものを除く。）が第二百七十一条の二第一項第一号又は第二号に掲げる者のものに該当すると認める場合であつて、検察官及び弁護人の意見を聴き、相当と認めるときは、勾留の理由の開示をするに当たり、当該個人特定事項を明らかにしない方法により被告事件を告げることができる。

⑤ 第一項（第二号に係る部分に限る。）の規定による勾留状に代わるものの交付があつた場合又は第二百七条の二第二項の規定による勾留状に代わるものの交付があつた場合における第九十八条の規定の適用については、同条第一項中「勾留状の謄本」とあるのは、「第二百七十一条の八第一項第二号の勾留状に代わるもの

又は第二百七条の二第二項本文の勾留状に代わるもの」とする。

⑥ 前項の規定は、第一項（第二号に係る部分に限る。）の規定による勾留状に代わるものの交付があつた場合又は第二百七条の二第二項の規定による勾留状に代わるものの交付があつた場合であつて、第百六十七条の二第二項に規定するときにおける同項において準用する第九十八条の規定の適用について準用する。

（令和五法二八本条追加）

⊛【起訴状抄本等→二七一の二②【個人特定事項→二〇一の二①❶[二]【勾引状・勾留状に代わるもの→刑訴規七〇の二・七三❹【勾留理由の開示→八四①

第二七二条【弁護人選任権等の告知】 ① 裁判所は、公訴の提起があつたときは、遅滞なく被告人に対し、弁護人を選任することができる旨及び貧困その他の事由により弁護人を選任することができないときは弁護人の選任を請求することができる旨を知らせなければならない。但し、被告人に弁護人があるときは、この限りでない。

② 裁判所は、この法律により弁護人を要する場合を除いて、前項の規定により弁護人の選任を請求することができる旨を知らせるに当たつては、弁護人の選任を請求するには資力申告書を提出しなければならない旨及びその資力が基準額以上であるときは、あらかじめ、弁護士会（第三十六条の三第一項の規定により第三十一条の二第一項の申出をすべき弁護士会をいう。）に弁護人の選任の申出をしていなければならない旨を教示しなければならない。（平成一六法六二本項追加）

⊛【弁護人選任権→三〇・三六、憲三七③【その他の告知事項→刑訴規一七七・一七八❷【必要的弁護→二八九【資力申告書の提出→三六の二【私選弁護人選任申出の前置→三六の三

第二七三条【公判期日の指定、召喚、通知】 ① 裁判長は、公判期日を定めなければならない。

② 公判期日には、被告人を召喚しなければならない。

③ 公判期日は、これを検察官、弁護人及び補佐人に通知しなければならない。

⊛❶【公判期日の指定→二七五、刑訴規一七九②・一七八の四・一七八の六③[二]【公判期日の変更→二七六、二七七❷【被告人の召喚→六二・六五、二七四、二七五、刑訴規一七九、一七九の三【特別規定→四〇九❸【弁護人へ通知→四一・三三・三四、刑訴規一九一―二五【補佐人→四二【通知→刑訴規二九八【審理見込み時間の告知→刑訴規一七八の五【他の関係人への通知→三一六の三四②、犯罪被害保護二七②

第二七四条【召喚状送達の擬制】 裁判所の構内にいる被告人に対し公判期日を通知したときは、召喚状の送達があつた場合と同一の効力を有する。

⊛【通知→刑訴規二九八【公判期日の召喚→二七三②【召喚状送達と同一の効力ある場合→六五②③【通知の効果→五八[二]

第二七五条【期日の猶予期間】 第一回の公判期日と被告人に対する召喚状の送達との間には、裁判所の規則で定める猶予期間を置かなければならない。

⊛【第一回公判期日の召喚状送達→刑訴規一七九

第二七六条【公判期日の変更】 ① 裁判所は、検察官、被告人若しくは弁護人の請求により又は職権で、公判期日を変更することができる。

② 公判期日を変更するには、裁判所の規則の定めるところにより、あらかじめ、検察官及び被告人又は弁護人の意見を聴かなければならない。但し、急速を要する場合は、この限りでない。

③ 前項但書の場合には、変更後の公判期日において、まず、検察官及び被告人又は弁護人に対し、異議を申し立てる機会を与えなければならない。

⊛❶【請求→刑訴規一七九の四―一七九の六・一八一❷【規則の定め→刑訴規一八〇❸【不当な変更の救済→二七七

第二七七条【不当な期日変更に対する救済】 裁判所がその権限を濫用して公判期日を変更したときは、訴訟関係人は、最高裁判所の規則又は訓令の定めるところにより、司法行政監督上の措置を求めることができる。

⊛【規則の定め→刑訴規一八二②【司法行政監督→裁八〇

第二七八条【不出頭と診断書の提出】 公判期日に召喚を受けた者が病気その他の事由によつて出頭することができないときは、裁判所の規則の定めるところにより、医師の診断書その他の資料を提出しなければならない。

⊛【出頭できない場合の公判手続停止→三一四②③【規則の定め→刑訴規一八三―一八六

第二七八条の二【保釈等をされている被告人の召喚を受けた公判期日への不出頭に対する罰則】 保釈又は勾留の執行停止をされた被告人が、召喚を受け正当な理由がなく公判期日に出頭しないときは、二年以下の拘禁刑に処する。（令和五法二八本条追加）

⊛【保釈→八九―九一【勾留の執行停止→九五【公判期日への召喚→二七三②・六二・六五・二七四【正当な理由のない不出頭→九六①[二]

第二七八条の三【検察官・弁護人に対する出頭命令】 ① 裁判所は、必要と認めるときは、検察官又は弁護人に対し、公判準備又は公判期日に出頭し、かつ、これらの手続が行われている間在席し又は在廷することを命ずることができる。

② 裁判長は、急速を要する場合には、前項に規定する命令をし、又は合議体の構成員にこれをさせることができる。

③ 前二項の規定による命令を受けた検察官又は弁護人が正当な理由がなくこれに従わないときは、決定で、十万円以下の過料に処し、かつ、その命令に従わないために生じた費用の賠償を命ずることができる。

④ 前項の決定に対しては、即時抗告をすることができる。

⑤ 裁判所は、第三項の決定をしたときは、検察官については当該検察官を指揮監督する権限を有する者に、弁護士である弁護人については当該弁護士の所属する弁護士会又は日本弁護士連合会に通知し、適当な処置をとるべきことを請求しなければならない。

⑥ 前項の規定による請求を受けた者は、そのとつた処置を裁判所に通知しなければならない。

刑訴

（平成一六法六二本条追加）

⊛❹【即時抗告↓四二二、四二五　❺【検察官の指揮監督↓検察七―一〇【弁護士会・日本弁護士連合会↓二九五⑤　⊛【弁護士会等への通知・処置の請求↓二七一の七、二九五⑤、二九九の七、刑訴規三四の三、七四の四、一五〇の八、二五八の三

第二七九条【公務所等に対する照会】　裁判所は、検察官、被告人若しくは弁護人の請求により又は職権で、公務所又は公私の団体に照会して必要な事項の報告を求めることができる。

第二八〇条【勾留に関する処分】　①　公訴の提起があつた後第一回の公判期日までは、勾留に関する処分は、裁判官がこれを行う。

②　第百九十九条若しくは第二百十条の規定により逮捕され、又は現行犯人として逮捕された被疑者でまだ勾留されていないものについて第二百四条又は第二百五条の時間の制限内に公訴の提起があつた場合には、裁判官は、速やかに、被告事件を告げ、これに関する陳述を聴き、勾留状を発しないときは、直ちにその釈放を命じなければならない。

③　前二項の裁判官は、その処分に関し、裁判所又は裁判長と同一の権限を有する。

⊛❶憲三七①、二五六⑥【勾留に関する処分↓一編八章、二七一の八①㈢【裁判官↓刑訴規一八七【例外↓刑訴規二一七㈢【逮捕状・勾留状等の差出し↓刑訴規一六七　❷【現行犯人逮捕↓二一三【被告事件の告知↓二七一の八①㈤　❸【裁判官の権限↓刑訴規三〇二

第二八一条【期日外の証人尋問】　証人については、裁判所は、第百五十八条に掲げる事項を考慮した上、検察官及び被告人又は弁護人の意見を聴き必要と認めるときに限り、公判期日外においてこれを尋問することができる。

⊛+【証人の遮蔽↓一五七の五【ビデオリンク方式による証人尋問↓一五七の六【尋問事項の告知↓刑訴規一〇八、一〇九【尋問調書↓三〇三、三二一②

第二八一条の二【被告人の退席】　裁判所は、公判期日外における証人尋問に被告人が立ち会つた場合において、証人が被告人の面前（第百五十七条の五第一項に規定する措置を採る場合並びに第百五十七条の六第一項及び第二項に規定する方法による場合を含む。）においては圧迫を受け充分な供述をすることができないと認めるときは、弁護人が立ち会つている場合に限り、検察官及び弁護人の意見を聴き、その証人の供述中被告人を退席させることができる。この場合には、供述終了後被告人に証言の要旨を告知し、その証人を尋問する機会を与えなければならない。（昭和三三法一〇八本条追加、平成一二法七四、平成二八法五四本条改正）

⊛+【被告人の証人尋問権↓憲三七②【期日外における尋問↓一五八、二八一【公判期日における証人尋問の場合↓三〇四の二

第二八一条の三【開示された証拠の管理】　弁護人は、検察官において被告事件の審理の準備のために閲覧又は謄写の機会を与えた証拠に係る複製等（複製その他証拠の全部又は一部をそのまま記録した物及び書面をいう。以下同じ。）を適正に管理し、その保管をみだりに他人にゆだねてはならない。（平成一六法六二本条追加）

⊛+【証拠の閲覧・謄写↓二九九、三一六の一四①、三一六の一五、三一六の二〇

第二八一条の四【開示された証拠の目的外使用の禁止】　①　被告人若しくは弁護人（第四百四十条に規定する弁護人を含む。）又はこれらであつた者は、検察官において被告事件の審理の準備のために閲覧又は謄写の機会を与えた証拠に係る複製等を、次に掲げる手続又はその準備に使用する目的以外の目的で、人に交付し、又は提示し、若しくは電気通信回線を通じて提供してはならない。

一　当該被告事件の審理その他の当該被告事件に係る裁判のための審理

二　当該被告事件に関する次に掲げる手続

イ　第一編第十六章の規定による費用の補償の手続

ロ　第三百四十九条第一項の請求があつた場合の手続

ハ　第三百五十条の請求があつた場合の手続

ニ　上訴権回復の請求の手続

ホ　再審の請求の手続

ヘ　非常上告の手続

ト　第五百条第一項の申立ての手続

チ　第五百二条の申立ての手続

リ　刑事補償法の規定による補償の請求の手続

②　前項の規定に違反した場合の措置については、被告人の防御権を踏まえ、複製等の内容、行為の目的及び態様、関係人の名誉、その私生活又は業務の平穏を害されているかどうか、当該複製等に係る証拠が公判期日において取り調べられたものであるかどうか、その取調べの方法その他の事情を考慮するものとする。

（平成一六法六二本条追加）

⊛+【証拠の閲覧・謄写↓二九九、三一六の一四①、三一六の一五、三一六の二〇【上訴権回復請求↓三六二―三六五【再審請求↓四三五―四五三【非常上告↓四五四―四六〇

第二八一条の五【目的外使用の罪】　①　被告人又は被告人であつた者が、検察官において被告事件の審理の準備のために閲覧又は謄写の機会を与えた証拠に係る複製等を、前条第一項各号に掲げる手続又はその準備に使用する目的以外の目的で、人に交付し、又は提示し、若しくは電気通信回線を通じて提供したときは、一年以下の拘禁刑又は五十万円以下の罰金に処する。（令和四法六七本項改正）

②　弁護人（第四百四十条に規定する弁護人を含む。以下この項において同じ。）又は弁護人であつた者が、検察官において被告事件の審理の準備のために閲覧又は謄写の機会を与えた証拠に係る複製等を、対価として財産上の利益その他の利益を得る目的で、人に交付し、又は提示し、若しくは電気通信回線を通じて提供したときも、前項と同様とする。

（平成一六法六二本条追加）

⊛+【証拠の閲覧・謄写↓二九九、三一六の一四①、三一六の一五、三一六の二〇

第二八一条の六【連日的開廷の確保】　①　裁判所は、審

理に二日以上を要する事件については、できる限り、連日開廷し、継続して審理を行わなければならない。
② 訴訟関係人は、期日を厳守し、審理に支障を来さないようにしなければならない。（平成一六法六二本条追加）
参【公判期日の指定→二七三、三一六の五⑬】

第二八二条【公判廷】① 公判期日における取調は、公判廷でこれを行う。
② 公判廷は、裁判官及び裁判所書記が列席し、且つ検察官が出席してこれを開く。
参【公判廷→裁六九、三七七③】【裁判官→三一五】【検察官→検察四】【補充裁判官→裁七八】【被害者参加人等の出席→三一六の三四】

第二八三条【被告人たる法人と代理人の出頭】被告人が法人である場合には、代理人を出頭させることができる。

参【代理人→二七、三五五】

第二八四条【軽微事件における出頭義務の免除・代理人の出頭】五十万円（刑法、暴力行為等処罰に関する法律及び経済関係罰則の整備に関する法律の罪以外の罪については、当分の間、五万円）以下の罰金又は科料に当たる事件については、被告人は、公判期日に出頭することを要しない。ただし、被告人は、代理人を出頭させることができる。（平成三法三一本条改正）
参【原則→二八六】【召喚状→刑訴規二一六】【通知→刑訴規二二二】【代理人→三五五】

第二八五条【出頭義務とその免除】① 拘留に当たる事件の被告人は、判決の宣告をする場合には、公判期日に出頭しなければならない。その他の場合には、裁判所は、被告人の出頭がその権利の保護のため重要でないと認めるときは、被告人に対し公判期日に出頭しないことを許すことができる。
② 長期三年以下の拘禁刑又は五十万円（刑法、暴力行為等処罰に関する法律及び経済関係罰則の整備に関する法律の罪以外の罪については、当分の間、五万円）を超える罰金に当たる事件の被告人は、第二百九十一条の手続をする場合及び判決の宣告をする場合には、公判期日に出頭しなければならない。その他の場合には、前項後段の例による。（平成三法三一、令和四法六七本項改正）
参【原則→二八六】【公判手続→三一四②】【召喚状→刑訴規二一六】

第二八六条【被告人の出頭の権利義務】前三条に規定する場合の外、被告人が公判期日に出頭しないときは、開廷することはできない。

参【被告人の出頭を要しない場合→二八三—二八五、三一四①、三四一、三九〇、三九〇の二、四〇九、四五一③】

第二八六条の二【出頭拒否と公判手続】被告人が出頭しなければ開廷することができない場合において、勾留されている被告人が、公判期日に召喚を受け、正当な理由がなく出頭を拒否し、刑事施設職員による引致を著しく困難にしたときは、裁判所は、被告人が出頭しないでも、その期日の公判手続を行うことができる。（昭和二八法一七二本条追加、平成一七法五〇本条改正）
参【出頭しなければ開廷できない場合→二八六】【召喚→五七】【不出頭→刑訴規一八七の二—一八七の四】

第二八七条【身体の不拘束】① 公判廷においては、被告人の身体を拘束してはならない。但し、被告人が暴力を振い又は逃亡を企てた場合は、この限りでない。
② 被告人の身体を拘束しない場合にも、これに看守者を附することができる。

第二八八条【被告人の在廷義務、法廷警察権】① 被告人は、裁判長の許可がなければ、退廷することができない。
② 裁判長は、被告人を在廷させるため、又は法廷の秩序を維持するため相当な処分をすることができる。
参【被告人の退廷→三四一】【法廷の秩序維持→裁七一、七三、刑訴規二一五】【処分に対する異議→三〇九②】

第二八九条【必要的弁護】① 死刑又は無期若しくは長期三年を超える拘禁刑に当たる事件を審理する場合には、弁護人がなければ開廷することはできない。（令和四法六七本項改正）
② 弁護人がなければ開廷することができない場合において、弁護人が出頭しないとき若しくは在廷しなくなったとき、又は弁護人がないときは、裁判長は、職権で弁護人を付さなければならない。（平成一六法六二本項改正）
③ 弁護人がなければ開廷することができない場合において、弁護人が出頭しないおそれがあるときは、裁判所は、職権で弁護人を付することができる。（平成一六法六二本項追加）
参【判決→三九一、四一四】【弁護人の選任→三八、刑訴規二九、一七八、一七九の五】

第二九〇条【任意的国選弁護】第三十七条各号の場合に弁護人が出頭しないときは、裁判所は、職権で弁護人を附することができる。

参【弁護人の選任→三八、刑訴規二九】【判決→三九一、四一四】

第二九〇条の二【公開の法廷での被害者特定事項の秘匿】① 裁判所は、次に掲げる事件を取り扱う場合において、当該事件の被害者等若しくは当該被害者の法定代理人又はこれらの者から委託を受けた弁護士から申出があるときは、被告人又は弁護人の意見を聴き、相当と認めるときは、被害者特定事項（氏名及び住所その他の当該事件の被害者を特定させることとなる事項をいう。以下同じ。）を公開の法廷で明らかにしない旨の決定をすることができる。
一 刑法第百七十六条、第百七十七条、第百七十九条、第百八十一条若しくは第百八十二条の罪、同法第二百二十五条若しくは第二百二十六条の二第三項の罪（わいせつ又は結婚の目的に係る部分に限る。以下この号において同じ。）、同法第二百二十七条第一項（同法第二百二十五条又は第二百二十六条の二第三項の罪を犯した者を幇助する目的に係る部分に限る。）若しくは第三項（わいせつの目的に係る部分

刑訴

に限る。）の罪若しくは同法第二百四十一条第一項若しくは第三項の罪又はこれらの罪の未遂罪に係る事件（平成二九法七二、令和五法六六本号改正）

二　児童福祉法第六十条第一項の罪若しくは同法第三十四条第一項第九号に係る同法第六十条第二項の罪、児童買春、児童ポルノに係る行為等の規制及び処罰並びに児童の保護等に関する法律第四条から第八条までの罪又は性的な姿態を撮影する行為等の処罰及び押収物に記録された性的な姿態の影像に係る電磁的記録の消去等に関する法律第二条から第六条までの罪に係る事件（平成二六法七九、令和五法六七本号改正）

三　前二号に掲げる事件のほか、犯行の態様、被害の状況その他の事情により、被害者特定事項が公開の法廷で明らかにされることにより被害者等の名誉又は社会生活の平穏が著しく害されるおそれがあると認められる事件

（令和五法二八本項改正）

②　前項の申出は、あらかじめ、検察官にしなければならない。この場合において、検察官は、意見を付して、これを裁判所に通知するものとする。

③　裁判所は、第一項に定めるもののほか、犯行の態様、被害の状況その他の事情により、被害者特定事項が公開の法廷で明らかにされることにより被害者若しくはその親族の身体若しくは財産に害を加え又はこれらの者を畏怖させ若しくは困惑させる行為がなされるおそれがあると認められる事件を取り扱う場合において、検察官及び被告人又は弁護人の意見を聴き、相当と認めるときは、被害者特定事項を公開の法廷で明らかにしない旨の決定をすることができる。

④　裁判所は、第一項又は前項の決定をした事件について、被害者特定事項を公開の法廷で明らかにしないことが相当でないと認めるに至つたとき、第三百十二条の規定により罰条が撤回若しくは変更されたため第一項第一号若しくは第二号に掲げる事件に該当しなくなつたとき又は同項第三号に掲げる事件若しくは前項に規定する事件に該当しないと認めるに至つたときは、決定で、第一項又は前項の決定を取り消さなければならない。

（平成一九法九五本条追加）

㊟＋【被害者特定事項の秘匿↓二九一②・二九五③・三〇五③、刑訴規三五③・二〇九②、裁判員三三の二、刑訴規一九六の二―一九六の五　❶【被害者等↓二〇一の二①㊀】【法定代理人↓民八一八・八一九・八三八―八四七】

第二九〇条の三【公開の法廷での証人等特定事項の秘匿】　①　裁判所は、次に掲げる場合において、証人、鑑定人、通訳人、翻訳人又は供述録取書等（供述書、供述を録取した書面で供述者の署名若しくは押印のあるもの又は映像若しくは音声を記録することができる記録媒体であつて供述を記録したものをいう。以下同じ。）の供述者（以下この項において「証人等」という。）から申出があるときは、検察官及び被告人又は弁護人の意見を聴き、相当と認めるときは、証人等特定事項（氏名及び住所その他の当該証人等を特定させることとなる事項をいう。以下同じ。）を公開の法廷で明らかにしない旨の決定をすることができる。

一　証人等特定事項が公開の法廷で明らかにされることにより証人等若しくはその親族の身体若しくは財産に害を加え又はこれらの者を畏怖させ若しくは困惑させる行為がなされるおそれがあると認めるとき。

二　前号に掲げる場合のほか、証人等特定事項が公開の法廷で明らかにされることにより証人等の名誉又は社会生活の平穏が著しく害されるおそれがあると認めるとき。

②　裁判所は、前項の決定をした事件について、証人等特定事項を公開の法廷で明らかにしないことが相当でないと認めるに至つたときは、決定で、同項の決定を取り消さなければならない。

（平成二八法五四本条追加）

㊟＋【証人等特定事項の秘匿↓二九一③・二九五④・二九九の三・三〇五④、刑訴規三五④・二〇九③・一九六の六―一九六の八】

第二九一条【冒頭手続】　①　検察官は、まず、起訴状を朗読しなければならない。

②　第二百九十条の二第一項又は第三項の決定があつたときは、前項の起訴状の朗読は、被害者特定事項を明らかにしない方法でこれを行うものとする。この場合においては、検察官は、被告人に起訴状を示さなければならない。（平成一九法九五本項追加）

③　前条第一項の決定があつた場合における第一項の起訴状の朗読についても、前項と同様とする。この場合において、同項中「被害者特定事項」とあるのは、「証人等特定事項」とする。（平成二八法五四本項追加）

④　第二百七十一条の二第四項の規定による措置がとられた場合においては、第二項後段（前項前段の規定により第二項後段と同様とすることとされる場合を含む。以下この項において同じ。）の規定は、当該措置に係る個人特定事項の全部又は一部について第二百七十一条の五第一項の決定があつた場合に限り、適用する。この場合において、第二項後段中「起訴状」とあるのは、「第二百七十一条の二第四項の規定による措置に係る個人特定事項の全部について第二百七十一条の五第一項の決定があつた場合にあつては起訴状を、第二百七十一条の二第四項の規定による措置に係る個人特定事項の一部について当該決定があつた場合にあつては起訴状抄本等及び第二百七十一条の五第四項に規定する書面」とする。（令和五法二八本項追加）

⑤　裁判長は、第一項の起訴状の朗読が終わつた後、被告人に対し、終始沈黙し、又は個々の質問に対し陳述を拒むことができる旨その他裁判所の規則で定める被告人の権利を保護するため必要な事項を告げた上、被告人及び弁護人に対し、被告事件について陳述する機会を与えなければならない。（令和五法二八本項改正）

㊟❶【起訴状↓二五六】【朗読前の手続↓刑訴規一九六】　❷【被害者特定事項↓二九〇の二①】　❸【証人等特定事項↓二九〇の三①】　❺【供述拒否権↓憲三八①、三一一①】【規則で定める事項↓刑訴規一九七】

第二九一条の二【簡易公判手続の決定】　被告人が、前条

第五項の手続に際し、起訴状に記載された訴因について有罪である旨を陳述したときは、裁判所は、検察官、被告人及び弁護人の意見を聴き、有罪である旨の陳述のあつた訴因に限り、簡易公判手続によつて審判をする旨の決定をすることができる。ただし、死刑又は無期若しくは短期一年以上の拘禁刑に当たる事件については、この限りでない。（昭和二八法一七二本条追加、令和四法六七、令和五法二八本条改正）

参【訴因→二五六③【決定前の処置→刑訴規一九七の二【簡易公判手続と証拠調べ→三〇七の二・三二〇②

第二九一条の三【決定の取消し】 裁判所は、前条の決定があつた事件が簡易公判手続によることができないものであり、又はこれによることが相当でないものであると認めるときは、その決定を取り消さなければならない。（昭和二八法一七二本条追加）

参【取消し→三一五の二

第二九二条【証拠調べ】 証拠調べは、第二百九十一条の手続が終つた後、これを行う。ただし、次節第一款に定める公判前整理手続において争点及び証拠の整理のために行う手続については、この限りでない。（平成一六法六二本条改正）

参【証拠調べ→二九六【公判前整理手続→三一六の二―三一六の二七

第二九二条の二【被害者等の意見の陳述】 ① 裁判所は、被害者等又は当該被害者の法定代理人から、被害に関する心情その他の被告事件に関する意見の陳述の申出があるときは、公判期日において、その意見を陳述させるものとする。（平成一九法九五本項改正）

② 前項の規定による意見の陳述の申出は、あらかじめ、検察官にしなければならない。この場合において、検察官は、意見を付して、これを裁判所に通知するものとする。

③ 裁判長又は陪席の裁判官は、被害者等又は当該被害者の法定代理人が意見を陳述した後、その趣旨を明確にするため、これらの者に質問することができる。（平成一九法九五本項改正）

④ 訴訟関係人は、被害者等又は当該被害者の法定代理人が意見を陳述した後、その趣旨を明確にするため、裁判長に告げて、これらの者に質問することができる。（平成一九法九五本項改正）

⑤ 裁判長は、被害者等若しくは当該被害者の法定代理人の意見の陳述又は訴訟関係人の被害者等若しくは当該被害者の法定代理人に対する質問が既にした陳述若しくは質問と重複するとき、又は事件に関係のない事項にわたるときその他相当でないときは、これを制限することができる。（平成一九法九五本項改正）

⑥ 第百五十七条の四（証人への付添い）、第百五十七条の五（証人尋問の際の証人の遮蔽）並びに第百五十七条の六第一項及び第二項（ビデオリンク方式による証人尋問）の規定は、第一項の規定による意見の陳述について準用する。（平成二八法五四本項改正）

⑦ 裁判所は、審理の状況その他の事情を考慮して、相当でないと認めるときは、意見の陳述に代え意見を記載した書面を提出させ、又は意見の陳述をさせないことができる。

⑧ 前項の規定により書面が提出された場合には、裁判長は、公判期日において、その旨を明らかにしなければならない。この場合において、裁判長は、相当と認めるときは、その書面を朗読し、又はその要旨を告げることができる。

⑨ 第一項の規定による陳述又は第七項の規定による書面は、犯罪事実の認定のための証拠とすることができない。

（平成一二法七四本条追加）

参【被害者等・法定代理人→二九〇の二①参【意見陳述の手続→刑訴規二一〇の二―二一〇の七

第二九三条【弁論】 ① 証拠調が終つた後、検察官は、事実及び法律の適用について意見を陳述しなければならない。

② 被告人及び弁護人は、意見を陳述することができる。

参【被害者参加人等による意見の陳述→三一六の三八　❷【意見の陳述→二九五、刑訴規二一五②・二一一―二一二

第二九四条【訴訟指揮権】 公判期日における訴訟の指揮は、裁判長がこれを行う。

参【裁判長の訴訟指揮→二九五、刑訴規二一二・二〇八【異議申立て→三〇九②③

第二九五条【弁論等の制限】 ① 裁判長は、訴訟関係人のする尋問又は陳述が既にした尋問若しくは陳述と重複するとき、又は事件に関係のない事項にわたるときその他相当でないときは、訴訟関係人の本質的な権利を害しない限り、これを制限することができる。訴訟関係人の被告人に対する供述を求める行為についても同様である。

② 裁判長は、証人、鑑定人、通訳人又は翻訳人を尋問する場合において、証人、鑑定人、通訳人若しくは翻訳人若しくはこれらの親族の身体若しくは財産に害を加え又はこれらの者を畏怖させ若しくは困惑させる行為がなされるおそれがあり、これらの者の住居、勤務先その他その通常所在する場所が特定される事項が明らかにされたならば証人、鑑定人、通訳人又は翻訳人が十分な供述をすることができないと認めるときは、当該事項についての尋問を制限することができる。ただし、検察官のする尋問を制限することにより犯罪の証明に重大な支障を生ずるおそれがあるとき、又は被告人若しくは弁護人のする尋問を制限することにより被告人の防御に実質的な不利益を生ずるおそれがあるときは、この限りでない。（平成一一法一三八本項追加）

③ 裁判長は、第二百九十条の二第一項又は第三項の決定があつた場合において、訴訟関係人のする尋問又は陳述が被害者特定事項にわたるときは、これを制限することにより、犯罪の証明に重大な支障を生ずるおそれがある場合又は被告人の防御に実質的な不利益を生ずるおそれがある場合を除き、当該尋問又は陳述を制

限することができる。訴訟関係人の被告人に対する供述を求める行為についても、同様とする。（平成一九法九五本項追加）

④ 第二百九十条の三第一項の決定があつた場合における訴訟関係人のする尋問若しくは供述を求める行為又は訴訟関係人の被告人に対する供述を求める行為についても、前項と同様とする。この場合において、同項中「被害者特定事項」とあるのは、「証人等特定事項」とする。（平成二八法五四本項追加）

⑤ 裁判所は、前各項の規定による命令を受けた検察官又は弁護士である弁護人がこれに従わなかつた場合には、検察官については当該検察官を指揮監督する権限を有する者に、弁護士である弁護人については当該弁護士の所属する弁護士会又は日本弁護士連合会に通知し、適当な処置をとるべきことを請求することができる。（平成一六法六二本項追加、平成一九法九五、平成二八法五四本項改正）

⑥ 前項の規定による請求を受けた者は、そのとつた処置を裁判所に通知しなければならない。（平成一六法六二本項追加）

【訴訟指揮権↓二九四、刑訴規一②・一九九の二─一九九の一四、二〇一【尋問等の制限↓三二一の二③・三二一の三② ❸【被害者特定事項↓二九〇の三① ❹【証人等特定事項↓二九〇の二① ❺【検察官の指揮監督↓検察七─一〇【弁護士会↓弁護五章【日本弁護士連合会↓弁護六章【弁護士会等への通知・処置請求↓二七一の七・二七八の三⑤・二九九の七、刑訴規三四の三・七四の四・一五〇の八・二五八の三

第二百九十六条【検察官の冒頭陳述】 証拠調のはじめに、検察官は、証拠により証明すべき事実を明らかにしなければならない。但し、証拠とすることができず、又は証拠としてその取調を請求する意思のない資料に基いて、裁判所に事件について偏見又は予断を生ぜしめる虞のある事項を述べることはできない。

【証拠調べ↓二九二【弁護人等の陳述↓三一六の三〇、刑訴規一九八【裁判員が参加する場合↓裁判員五五

第二百九十七条【証拠調べの範囲・順序・方法の予定とその変更】 ① 裁判所は、検察官及び被告人又は弁護人の意見を聴き、証拠調の範囲、順序及び方法を定めることができる。

② 前項の手続は、合議体の構成員にこれをさせることができる。

③ 裁判所は、適当と認めるときは、何時でも、検察官及び被告人又は弁護人の意見を聴き、第一項の規定により定めた証拠調の範囲、順序又は方法を変更することができる。

【証拠調べの順序↓刑訴規一九九【義務的証拠調べ↓三〇〇・三〇三、刑訴規二一七㊂【異議申立て↓三〇九①

第二百九十八条【証拠調べの請求、職権証拠調べ】 ① 検察官、被告人又は弁護人は、証拠調を請求することができる。

② 裁判所は、必要と認めるときは、職権で証拠調をすることができる。

❶【請求の時期↓三一六の五㊄・三一六の二八、刑訴規一八八・二一七㊂【請求の方式↓三〇二、刑訴規一〇六①②・一八八の二─一八九【証拠の厳選↓刑訴規一八九の二【請求の順序↓三〇一、刑訴規一九三【請求すべき証拠↓三〇〇【証拠決定↓刑訴規一九〇─一九二・一七八の一三、一〇七【異議の申立て↓三〇九① ❷【実体的真実主義↓一【職権で証拠調べすべきもの↓三〇三

第二百九十九条【同前と当事者の権利】 ① 検察官、被告人又は弁護人が証人、鑑定人、通訳人又は翻訳人の尋問を請求するについては、あらかじめ、相手方に対し、その氏名及び住居を知る機会を与えなければならない。証拠書類又は証拠物の取調を請求するについては、あらかじめ、相手方にこれを閲覧する機会を与えなければならない。但し、相手方に異議のないときは、この限りでない。

② 裁判所が職権で証拠調の決定をするについては、検察官及び被告人又は弁護人の意見を聴かなければならない。

❶【請求↓二九八①【第一回公判期日前の当事者の準備↓刑訴規一七八の六・一七八の七【即決裁判手続の申立事件の場合↓三五〇の一九【弊害の防止↓二九九の二─二九九の七 ❷【職権証拠調べ↓二九八②

第二百九十九条の二【証人等の身体・財産への加害行為等の防止のための配慮】 検察官又は弁護人は、前条第一項の規定により証人、鑑定人、通訳人若しくは翻訳人の氏名及び住居を知る機会を与え又は証拠書類若しくは証拠物を閲覧する機会を与えるに当たり、証人、鑑定人、通訳人若しくは翻訳人若しくは証拠書類若しくは証拠物にその氏名が記載され若しくは記録されている者若しくはこれらの親族の身体若しくは財産に害を加え又はこれらの者を畏怖させ若しくは困惑させる行為がなされるおそれがあると認めるときは、相手方に対し、その旨を告げ、これらの者の住居、勤務先その他その通常所在する場所が特定される事項が、犯罪の証明若しくは犯罪の捜査又は被告人の防御に関し必要がある場合を除き、関係者（被告人を含む。）に知られないようにすることその他これらの者の安全が脅かされることがないように配慮することを求めることができる。（平成一一法一三八本条追加、平成二八法五四本条改正）

【公判前整理手続における証拠開示への準用↓三一六の二三①

第二百九十九条の三【証拠開示の際の被害者特定事項の秘匿要請】 検察官は、第二百九十九条第一項の規定により証人の氏名及び住居を知る機会を与え又は証拠書類若しくは証拠物を閲覧する機会を与えるに当たり、被害者特定事項が明らかにされることにより、被害者等の名誉若しくは社会生活の平穏が著しく害されるおそれがあると認めるとき、又は被害者若しくはその親族の身体若しくは財産に害を加え若しくはこれらの者を畏怖させ若しくは困惑させる行為がなされるおそれがあると認めるときは、弁護人に対し、その旨を告げ、被害者特定事項が、被告人の防御に関し必要がある場合を除き、被告人その他の者に知られないようにすることを求めることができる。ただし、第二百七十一条の二第二項の規定により起訴状抄本等を提出した場合を除き、被告人に知られないようにすることを求めるこ

刑訴

とについては、被害者特定事項のうち起訴状に記載された事項以外のものに限る。（平成一九法九五本条追加、令和五法二八本条改正）

【被害者特定事項→二九〇の二①【被害者等→二〇一の二①[一]【起訴状抄本等→二七一の二②【起訴状に記載された事項→二七一①、二九一②【公判前整理手続における証拠開示への準用→三一六の二三①

第二九九条の四【証人等の氏名・住居の開示に係る措置】 ① 検察官は、第二百九十九条第一項の規定により証人、鑑定人、通訳人又は翻訳人の氏名及び住居を知る機会を与えるべき場合において、その者若しくはその親族の身体若しくは財産に害を加え又はこれらの者を畏怖させ若しくは困惑させる行為がなされるおそれがあると認めるときは、弁護人に対し、当該氏名及び住居を知る機会を与えた上で、当該氏名又は住居を被告人に知らせてはならない旨の条件を付し、又は被告人に知らせる時期若しくは方法を指定することができる。ただし、その証人、鑑定人、通訳人又は翻訳人の供述の証明力の判断に資するような被告人その他の関係者との利害関係の有無を確かめることができなくなるときその他の被告人の防御に実質的な不利益を生ずるおそれがあるときは、この限りでない。

② 第二百九十九条第一項の規定により証人の氏名及び住居を知る機会を与えるべき場合において、第二百七十一条の二第二項の規定により起訴状抄本等を提出した場合又は第三百十二条の二第二項の規定により訴因変更等請求書面抄本等（同項に規定する訴因変更等請求書面抄本等をいう。以下この条及び次条第二項第一号において同じ。）を提出した場合（第三百十二条第一項の請求を却下する決定があつた場合を除く。第七項において同じ。）であつて、当該氏名又は住居が起訴状に記載された個人特定事項のうち起訴状抄本等に記載がないもの又は訴因変更等請求書面（第三百十二条第四項に規定する訴因変更等請求書面をいう。以下この条及び同号において同じ。）に記載された個人特定事項のうち訴因変更等請求書面抄本等に記載がないもの（いずれも第二百七十一条の五第一項（第三百十二条の二第四項において読み替えて準用する場合を含む。）の決定により通知することとされたものを除く。第七項及び同号において同じ。）に該当し、かつ、第二百七十一条の二第一項第一号又は第二号に掲げる者のものに該当すると認めるときも、前項と同様とする。この場合において、同項ただし書中「証人、鑑定人、通訳人又は翻訳人」とあるのは、「証人」とする。（令和五法二八本項追加）

③ 検察官は、第一項本文の場合において、同項本文に規定する行為を防止できないおそれがあると認めるとき（被告人に弁護人がないときを含む。）は、その証人、鑑定人、通訳人又は翻訳人の供述の証明力の判断に資するような被告人その他の関係者との利害関係の有無を確かめることができなくなる場合その他の被告人の防御に実質的な不利益を生ずるおそれがある場合を除き、被告人及び弁護人に対し、その証人、鑑定人、通訳人又は翻訳人の氏名又は住居を知る機会を与えないことができる。この場合において、被告人又は弁護人に対し、氏名にあつてはこれに代わる呼称を、住居にあつてはこれに代わる連絡先を知る機会を与えなければならない。

④ 第二百九十九条第一項の規定により証人の氏名及び住居を知る機会を与えるべき場合において、第二百七十一条の三第三項又は第二百七十一条の四第四項（これらの規定を第三百十二条の二第四項において準用する場合を含む。第九項において同じ。）の規定により起訴状抄本等又は訴因変更等請求書面抄本等を提出した場合（第三百十二条第一項の請求を却下する決定があつた場合を除く。第九項において同じ。）であつて、当該氏名又は住居が起訴状に記載された個人特定事項のうち起訴状抄本等に記載がないもの又は訴因変更等請求書面に記載された個人特定事項のうち訴因変更等請求書面抄本等に記載がないもの（いずれも第二百七十一条の五第一項又は第二項（これらの規定を第三百十二条の二第四項において準用する場合を含む。）の決定により通知することとされたものを除く。第九項において同じ。）に該当し、かつ、第二百七十一条の二第一項第一号又は第二号に掲げる者のものに該当すると認めるときも、前項と同様とする。この場合において、同項中「証人、鑑定人、通訳人又は翻訳人の供述」とあるのは「証人の供述」と、「その証人、鑑定人、通訳人又は翻訳人の氏名」とあるのは「当該氏名」とする。（令和五法二八本項追加）

⑤ 第二項前段に規定する場合において、被告人に弁護人がないときも、第三項と同様とする。この場合において、同項中「証人、鑑定人、通訳人又は翻訳人の供述」とあるのは「証人の供述」と、「その証人、鑑定人、通訳人又は翻訳人の氏名」とあるのは「当該氏名」とする。（令和五法二八本項追加）

⑥ 検察官は、第二百九十九条第一項の規定により証拠書類又は証拠物を閲覧する機会を与えるべき場合において、証拠書類若しくは証拠物に氏名若しくは住居が記載され若しくは記録されている者であつて検察官が証人、鑑定人、通訳人若しくは翻訳人として尋問を請求するもの若しくは供述録取書等の供述者（以下この項及び第八項において「検察官請求証人等」という。）若しくは検察官請求証人等の親族の身体若しくは財産に害を加え又はこれらの者を畏怖させ若しくは困惑させる行為がなされるおそれがあると認めるときは、弁護人に対し、証拠書類又は証拠物を閲覧する機会を与えた上で、その検察官請求証人等の氏名又は住居を被告人に知らせてはならない旨の条件を付し、又は被告人に知らせる時期若しくは方法を指定することができる。ただし、その検察官請求証人等の供述の証明力の判断に資するような被告人その他の関係者との利害関係の有無を確かめることができなくなるときその他の被告人の防御に実質的な不利益を生ずるおそれがあるときは、この限りでない。

⑦ 第二百九十九条第一項の規定により証拠書類又は証拠物を閲覧する機会を与えるべき場合において、第二

刑訴

百七十一条の二第二項の規定により起訴状抄本等を提出した場合又は第三百十二条の二第二項の規定により訴因変更等請求書面抄本等を提出した場合であつて、起訴状に記載された個人特定事項のうち起訴状抄本等に記載がないもの又は訴因変更等請求書面に記載された個人特定事項のうち訴因変更等請求書面抄本等に記載がないものが第二百七十一条の二第一項第一号又は第二号に掲げる者のものに該当すると認めるときも、前項と同様とする。この場合において、同項中「その検察官請求証人等の氏名又は住居」とあるのは「これらに記載され又は記録されているこれらの個人特定事項」と、同項ただし書中「その検察官請求証人等」とあるのは「これらの個人特定事項に係る証人」とする。（令和五法二八本項追加）

⑧　検察官は、第六項本文の場合において、同項本文の規定による措置によつては同項本文に規定する行為を防止できないおそれがあると認めるとき（被告人に弁護人がないときを含む。）は、その検察官請求証人等の供述の証明力の判断に資するような被告人その他の関係者との利害関係の有無を確かめることができなくなる場合その他の被告人の防御に実質的な不利益を生ずるおそれがある場合を除き、被告人及び弁護人に対し、証拠書類又は証拠物のうちその検察官請求証人等の氏名又は住居が記載され又は記録されている部分について閲覧する機会を与えないことができる。この場合において、被告人又は弁護人に対し、氏名にあつてはこれに代わる呼称を、住居にあつてはこれに代わる連絡先を知る機会を与えなければならない。

⑨　第二百九十九条第一項の規定により証拠書類又は証拠物を閲覧する機会を与えるべき場合において、第二百七十一条の三第三項又は第二百七十一条の四第四項の規定により起訴状抄本等又は訴因変更等請求書面抄本等を提出した場合であつて、起訴状に記載された個人特定事項のうち起訴状抄本等に記載がないもの又は訴因変更等請求書面に記載された個人特定事項のうち訴因変更等請求書面抄本等に記載がないものが第二百七十一条の二第一項第一号又は第二号に掲げる者のものに該当すると認めるときも、前項と同様とする。この場合において、同項中「その検察官請求証人等の供述」とあるのは「これらの個人特定事項に係る証人の供述」と、「その検察官請求証人等の氏名又は住居」とあるのは「これらの個人特定事項」とする。（令和五法二八本項追加）

⑩　第七項前段に規定する場合において、被告人に弁護人がないときも、第八項と同様とする。この場合において、同項中「その検察官請求証人等の供述」とあるのは「これらの個人特定事項に係る証人の供述」と、「その検察官請求証人等の氏名又は住居」とあるのは「これらの個人特定事項」とする。（令和五法二八本項追加）

⑪　検察官は、前各項の規定による措置をとつたときは、速やかに、裁判所にその旨を通知しなければならない。

（平成二八法五四本条追加）

㊟＋【公判前整理手続における証拠開示への準用↓三一六の二三②】❶❸❻❽【措置の取消し↓二九九の五①】❷❹❺❼❾❿【個人特定事項↓二〇一の二①】【措置の取消し↓二九九の五②】❶―❺【証人の氏名・住居を知る機会↓二九九①】❻―❿【証拠書類・証拠物を閲覧する機会↓二九九①】⓫【通知↓刑訴規一七八の八、一七八の一〇】

第二九九条の五【裁判所による裁定】　①　裁判所は、検察官が前条第一項、第三項、第六項又は第八項の規定による措置をとつた場合において、次の各号のいずれかに該当すると認めるときは、被告人又は弁護人の請求により、決定で、当該措置の全部又は一部を取り消さなければならない。

一　当該措置に係る者若しくはその親族の身体若しくは財産に害を加え又はこれらの者を畏怖させ若しくは困惑させる行為がなされるおそれがないとき。

二　当該措置により、当該措置に係る者の供述の証明力の判断に資するような被告人その他の関係者との利害関係の有無を確かめることができなくなるときその他の被告人の防御に実質的な不利益を生ずるおそれがあるとき。

三　検察官のとつた措置が前条第三項又は第八項の規定によるものである場合において、同条第一項本文又は第六項本文の規定による措置によつて第一号に規定する行為を防止できるとき。

②　検察官が前条第二項、第四項、第五項、第七項、第九項又は第十項の規定による措置をとつた場合において、次の各号のいずれかに該当すると認めるときも、前項と同様とする。

一　当該措置に係る氏名若しくは住居又は個人特定事項が起訴状に記載された個人特定事項のうち起訴状抄本等に記載がないもの又は訴因変更等請求書面に記載された個人特定事項のうち訴因変更等請求書面抄本等に記載がないもの（第三百十二条第一項の請求を却下する決定があつた場合における当該請求に係るものを除く。）に該当しないとき。

二　イ又はロに掲げる個人特定事項の区分に応じ、当該イ又はロに定める場合であるとき。

イ　被害者の個人特定事項　当該措置に係る事件に係る罪が第二百七十一条の二第一項第一号イ及びロに規定するものに該当せず、かつ、当該措置に係る事件が同号ハに掲げるものに該当しないとき。

ロ　被害者以外の者の個人特定事項　当該措置に係る者が第二百七十一条の二第一項第二号に掲げる者に該当しないとき。

三　検察官のとつた措置が前条第四項、第五項、第九項又は第十項の規定によるものである場合において、当該措置に係る個人特定事項が第二百七十一条の五第二項（第三百十二条の二第四項において準用する場合を含む。）の決定により通知することとされたものに該当するとき。

四　当該措置により、当該措置に係る者の供述の証明力の判断に資するような被告人その他の関係者との利害関係の有無を確かめることができなくなるときその他の被告人の防御に実質的な不利益を生ずるおそれがあるとき。
五　検察官のとつた措置が前条第四項、第五項、第九項又は第十項の規定によるものである場合において、同条第二項又は第七項の規定による措置によつて第二百七十一条の二第一項第一号ハ⑴及び第二号イに規定する名誉又は社会生活の平穏が著しく害されること並びに同項第一号ハ⑵及び第二号ロに規定する行為を防止できるとき。
（令和五法二八本項追加）

③　裁判所は、第一項第二号又は第三号に該当すると認めて検察官がとつた措置の全部又は一部を取り消す場合において、同項第一号に規定する行為がなされるおそれがあると認めるときは、弁護人に対し、当該措置に係る者の氏名又は住居を被告人に知らせてはならない旨の条件を付し、又は被告人に知らせる時期若しくは方法を指定することができる。ただし、当該条件を付し、又は当該時期若しくは方法の指定をすることにより、当該措置に係る者の供述の証明力の判断に資するような被告人その他の関係者との利害関係の有無を確かめることができなくなるときその他の被告人の防御に実質的な不利益を生ずるおそれがあるときは、この限りでない。

④　第二項第三号から第五号までに該当すると認めて検察官がとつた措置の全部又は一部を取り消す場合において、第二百七十一条の二第一項第一号ハ⑴若しくは第二号イに規定する名誉若しくは社会生活の平穏が著しく害されるおそれ又は同項第一号ハ⑵若しくは第二号ロに規定する行為がなされるおそれがあると認めるときも、前項と同様とする。この場合において、同項中「者の氏名又は住居」とあるのは、「個人特定事項」とする。（令和五法二八本項追加）

⑤　裁判所は、第一項又は第二項の請求について決定をするときは、検察官の意見を聴かなければならない。
（令和五法二八本項改正）

⑥　第一項又は第二項の請求についてした決定（第三項又は第四項の規定により条件を付し、又は時期若しくは方法を指定する裁判を含む。）に対しては、即時抗告をすることができる。（令和五法二八本項改正）
（平成二八法五四本条追加）
㊟❶❷【請求の方式→刑訴規一七八の九　❸❹【条件を付する場合等→刑訴規六二の二　❻【即時抗告→四二二・四二五

第二九九条の六【書類・証拠物、公判調書の閲覧等の制限】①　裁判所は、検察官がとつた第二百九十九条の四第一項若しくは第六項の規定による措置に係る者若しくは裁判所がとつた前条第三項の規定による措置に係る者若しくはこれらの親族の身体若しくは財産に害を加え又はこれらの者を畏怖させ若しくは困惑させる行為がなされるおそれがあると認める場合において、検察官及び弁護人の意見を聴き、相当と認めるときは、弁護人が第四十条第一項の規定により訴訟に関する書類又は証拠物を閲覧し又は謄写するに当たり、これらに記載され又は記録されている当該措置に係る者の氏名又は住居を被告人に知らせてはならない旨の条件を付し、又は被告人に知らせる時期若しくは方法を指定することができる。ただし、当該措置に係る者の供述の証明力の判断に資するような被告人その他の関係者との利害関係の有無を確かめることができなくなるときその他の被告人の防御に実質的な不利益を生ずるおそれがあるときは、この限りでない。

②　裁判所は、検察官がとつた第二百九十九条の四第三項若しくは第八項の規定による措置に係る者若しくはその親族の身体若しくは財産に害を加え又はこれらの者を畏怖させ若しくは困惑させる行為がなされるおそれがあると認める場合において、検察官及び弁護人の意見を聴き、相当と認めるときは、弁護人が第四十条第一項の規定により訴訟に関する書類又は証拠物を閲覧し又は謄写するについて、これらのうち当該措置に係る者の氏名若しくは住居が記載され若しくは記録されている部分の閲覧若しくは謄写を禁じ、又は当該氏名若しくは住居を被告人に知らせてはならない旨の条件を付し、若しくは被告人に知らせる時期若しくは方法を指定することができる。ただし、当該措置に係る者の供述の証明力の判断に資するような被告人その他の関係者との利害関係の有無を確かめることができなくなるときその他の被告人の防御に実質的な不利益を生ずるおそれがあるときは、この限りでない。

③　裁判所は、検察官がとつた第二百九十九条の四第一項若しくは第六項の規定による措置に係る者若しくは裁判所がとつた前条第三項の規定による措置に係る者若しくはこれらの親族の身体若しくは財産に害を加え又はこれらの者を畏怖させ若しくは困惑させる行為がなされるおそれがあると認める場合において、弁護人から第四十六条の規定による請求があつた場合であつて、検察官及び弁護人の意見を聴き、相当と認めるときは、弁護人に裁判書又は裁判を記載した調書の謄本又は抄本を交付するに当たり、これらに記載されている当該措置に係る者の氏名又は住居を被告人に知らせてはならない旨の条件を付し、又は被告人に知らせる時期若しくは方法を指定することができる。ただし、当該措置に係る者の供述の証明力の判断に資するような被告人その他の関係者との利害関係の有無を確かめることができなくなるときその他の被告人の防御に実質的な不利益を生ずるおそれがあるときは、この限りでない。（令和五法二八本項追加）

④　裁判所は、検察官がとつた第二百九十九条の四第三項若しくは第八項の規定による措置に係る者若しくはその親族の身体若しくは財産に害を加え又はこれらの者を畏怖させ若しくは困惑させる行為がなされるおそれがあると認める場合において、第四十六条の規定による請求があつた場合であつて、検察官及び弁護人の意見を聴き、相当と認めるときは、裁判書若しくは裁判を記載した調書の抄本であつて当該措置に係る者の氏名若しくは住居の記載がないものを交付し、又は弁護人に裁判書若しくは裁判を記載した調書の謄本若しくは抄本を交付するに当たり、当該氏名若しくは住居を被告人に知らせてはならない旨の条件を

付し、若しくは被告人に知らせる時期若しくは方法を指定することができる。ただし、当該措置に係る者の供述の証明力の判断に資するような被告人その他の関係者との利害関係の有無を確かめることができなくなるときその他の被告人の防御に実質的な不利益を生ずるおそれがあるときは、この限りでない。（令和五法二八本項追加）

⑤　裁判所は、検察官がとつた第二百九十九条の四第一項、第三項、第六項若しくは第八項の規定による措置に係る者若しくは裁判所がとつた前条第三項の規定による措置に係る者若しくはこれらの親族の身体若しくは財産に害を加え又はこれらの者を畏怖させ若しくは困惑させる行為がなされるおそれがあると認める場合において、被告人その他訴訟関係人（検察官及び弁護人を除く。）から第四十六条の規定による請求があつた場合であつて、検察官及び当該請求をした被告人その他訴訟関係人の意見を聴き、相当と認めるときは、裁判書又は裁判を記載した調書の抄本であつて当該措置に係る者の氏名又は住居の記載がないものを交付することができる。ただし、当該措置に係る者の供述の証明力の判断に資するような被告人その他の関係者との利害関係の有無を確かめることができなくなるときその他の被告人の防御に実質的な不利益を生ずるおそれがあるときは、この限りでない。（令和五法二八本項追加）

⑥　裁判所は、検察官がとつた第二百九十九条の四第一項、第三項、第六項若しくは第八項の規定による措置に係る者若しくは裁判所がとつた前条第三項の規定による措置に係る者若しくはこれらの親族の身体若しくは財産に害を加え又はこれらの者を畏怖させ若しくは困惑させる行為がなされるおそれがあると認める場合において、検察官及び被告人の意見を聴き、相当と認めるときは、被告人が第四十九条の規定により公判調書を閲覧し又はその朗読を求めるについて、このうち当該措置に係る者の氏名若しくは住居が記載され若しくは記録されている部分の閲覧を禁じ、又は当該部分の朗読の求めを拒むことができる。ただし、当該措置に係る者の供述の証明力の判断に資するような被告人その他の関係者との利害関係の有無を確かめることができなくなるときその他の被告人の防御に実質的な不利益を生ずるおそれがあるときは、この限りでない。（平成二八法五四本条追加）

参❶❷【弁護人による書類・証拠物の閲覧・謄写→四〇①　❸❹【弁護人に対する裁判書等の謄本・抄本の交付→四六　❶―❹【条件を付する場合等→刑訴規六一の二　❺【被告人等に対する裁判書等の謄本・抄本の交付→四六　❻【被告人による公判調書の閲覧等→四九

第二九九条の七【弁護人の違反行為に対する処置】①　検察官は、第二百九十九条の四第一項、第二項、第六項若しくは第七項の規定により付した条件に弁護人が違反したとき、又はこれらの規定による時期若しくは方法の指定に弁護人が従わなかつたときは、弁護士である弁護人については当該弁護士の所属する弁護士会又は日本弁護士連合会に通知し、適当な処置をとるべきことを請求することができる。（令和五法二八本項改正）

②　裁判所は、第二百九十九条の五第三項若しくは第四項若しくは前条第一項から第四項までの規定により付した条件に弁護人が違反したとき、又はこれらの規定による時期若しくは方法の指定に弁護人が従わなかつたときは、弁護士である弁護人については当該弁護士の所属する弁護士会又は日本弁護士連合会に通知し、適当な処置をとるべきことを請求することができる。（令和五法二八本項改正）

③　前二項の規定による請求を受けた者は、そのとつた処置をその請求をした検察官又は裁判所に通知しなければならない。（平成二八法五四本条追加）

参【弁護士会・日本弁護士連合会→二九五⑤　【弁護士会等への通知・処置請求→二七一の七、二七八の三⑤、二九五⑤、刑訴規三四の三、七四の四、一五〇の八、二五八の三

第三〇〇条【証拠調べの請求の義務】第三百二十一条第一項第二号後段の規定により証拠とすることができる書面については、検察官は、必ずその取調を請求しなければならない。

参【請求→二九八①

第三〇一条【自白と証拠調べの請求の制限】第三百二十二条及び第三百二十四条第一項の規定により証拠とすることができる被告人の供述が自白である場合には、犯罪事実に関する他の証拠が取り調べられた後でなければ、その取調を請求することはできない。

参【自白→憲三八③、三一九②③　【取調請求→刑訴規一九三

第三〇一条の二【取調べ等の録音・録画と記録媒体の証拠調べの請求】①　次に掲げる事件については、検察官は、第三百二十二条第一項の規定により証拠とすることができる書面であつて、当該事件についての第百九十八条第一項の規定による取調べ（逮捕又は勾留されている被疑者の取調べに限る。第三項において同じ。）又は第二百三条第一項、第二百四条第一項若しくは第二百五条第一項（第二百十一条及び第二百十六条においてこれらの規定を準用する場合を含む。第三項において同じ。）の弁解の機会に際して作成され、かつ、被告人に不利益な事実の承認を内容とするものの取調べを請求した場合において、被告人又は弁護人が、その取調べの請求に関し、その承認が任意にされたものでない疑いがあることを理由として異議を述べたときは、その承認が任意にされたものであることを証明するため、当該書面が作成された取調べ又は弁解の機会の開始から終了に至るまでの間における被告人の供述及びその状況を第四項の規定により記録した記録媒体の取調べを請求しなければならない。ただし、同項各号のいずれかに該当することにより同項の規定による記録が行われなかつたことその他やむを得ない事情によつて当該記録媒体が存在しないときは、この限りでない。

一　死刑又は無期拘禁刑に当たる罪に係る事件（令和四法六七本号改正）

二　短期一年以上の拘禁刑に当たる罪であつて故意の犯罪行為により被害者を死亡させたものに係る事件

（令和四法六七本号改正）

三　司法警察員が送致し又は送付した事件以外の事件（前二号に掲げるものを除く。）

② 検察官が前項の規定に違反して同項に規定する記録媒体の取調べを請求しないときは、裁判所は、決定で、同項に規定する書面の取調べの請求を却下しなければならない。

③ 前二項の規定は、第一項各号に掲げる事件について、第三百二十四条第一項において準用する第三百二十二条第一項の規定により証拠とすることができる被告人以外の者の供述であつて、当該事件についての第百九十八条第一項の規定による取調べ又は第二百三条第一項、第二百四条第一項若しくは第二百五条第一項の弁解の機会に際してされた被告人の供述（被告人に不利益な事実の承認を内容とするものに限る。）をその内容とするものを証拠とすることに関し、被告人又は弁護人が、その承認が任意にされたものでない疑いがあることを理由として異議を述べた場合にこれを準用する。

④ 検察官又は検察事務官は、第一項各号に掲げる事件（同項第三号に掲げる事件のうち、関連する事件が送致され又は送付されているものであつて、司法警察員が現に捜査していることその他の事情に照らして司法警察員が送致し又は送付することが見込まれるものを除く。）について、逮捕若しくは勾留されている被疑者を第百九十八条第一項の規定により取り調べるとき又は被疑者に対し第二百四条第一項若しくは第二百五条第一項（第二百十一条及び第二百十六条においてこれらの規定を準用する場合を含む。）の規定により弁解の機会を与えるときは、次の各号のいずれかに該当する場合を除き、被疑者の供述及びその状況を録音及び録画を同時に行う方法により記録媒体に記録しておかなければならない。司法警察職員が、第一項第一号又は第二号に掲げる事件について、逮捕若しくは勾留されている被疑者を第百九十八条第一項の規定により取り調べるとき又は被疑者に対し第二百三条第一項（第二百十一条及び第二百十六条において準用する場合を含む。）の規定により弁解の機会を与えるときも、同様とする。

一　記録に必要な機器の故障その他のやむを得ない事情により、記録をすることができないとき。

二　被疑者が記録を拒んだことその他の被疑者の言動により、記録をしたならば被疑者が十分な供述をすることができないと認めるとき。

三　当該事件が暴力団員による不当な行為の防止等に関する法律（平成三年法律第七十七号）第三条の規定により都道府県公安委員会の指定を受けた暴力団の構成員による犯罪に係るものであると認めるとき。

四　前二号に掲げるもののほか、犯罪の性質、関係者の言動、被疑者がその構成員である団体の性格その他の事情に照らし、被疑者の供述及びその状況が明らかにされた場合には被疑者若しくはその親族の身体若しくは財産に害を加え又はこれらの者を畏怖させ若しくは困惑させる行為がなされるおそれがあることにより、記録をしたならば被疑者が十分な供述をすることができないと認めるとき。

（平成二八法五四本条追加）

⊛❶刑訴規一九八の四 【一】【三】裁判員二① 【三】【送致・送付事件↓二〇三、二一一、二一六、二四二、二四五、二四六 ❹捜査規範一八二の三、一八二の四

第三〇二条【捜査記録の一部についての証拠調べの請求】 第三百二十一条乃至第三百二十三条又は第三百二十六条の規定により証拠とすることができる書面が捜査記録の一部であるときは、検察官は、できる限り他の部分と分離してその取調を請求しなければならない。

⊛【予断の防止↓二五六⑥

第三〇三条【公判準備の結果と証拠調べの必要】 公判準備においてした証人その他の者の尋問、検証、押収及び捜索の結果を記載した書面並びに押収した物については、裁判所は、公判期日において証拠書類又は証拠物としてこれを取り調べなければならない。

⊛【公判準備↓一五八、二八一【検証↓一二八【押収↓九九―一〇二【捜索↓一〇二【証拠書類・記録媒体の取調べ↓三〇五【証拠物の取調べ↓三〇六、三〇七

第三〇四条【人的証拠に対する証拠調べの方式】 ① 証人、鑑定人、通訳人又は翻訳人は、裁判長又は陪席の裁判官が、まず、これを尋問する。

② 検察官、被告人又は弁護人は、前項の尋問が終つた後、裁判長に告げて、その証人、鑑定人、通訳人又は翻訳人を尋問することができる。この場合において、その証人、鑑定人、通訳人又は翻訳人の取調が、検察官、被告人又は弁護人の請求にかかるものであるときは、請求をした者が、先に尋問する。

③ 裁判所は、適当と認めるときは、検察官及び被告人又は弁護人の意見を聴き、前二項の尋問の順序を変更することができる。

⊛憲三七②【傍聴人の退廷↓刑訴規二〇二 ❶【陪席裁判官↓刑訴規二〇〇【裁判長↓刑訴規二〇一【尋問の方法↓刑訴規一九九の一〇―一九九の一三 ❷【訴訟関係人↓刑訴規二〇三、一九九の九【被害者参加人等による証人尋問↓三一六の三六

第三〇四条の二【被告人の退廷】 裁判所は、証人を尋問する場合において、証人が被告人の面前（第百五十七条の五第一項に規定する措置を採る場合並びに第百五十七条の六第一項及び第二項に規定する方法による場合を含む。）においては圧迫を受け充分な供述をすることができないと認めるときは、弁護人が出頭している場合に限り、検察官及び弁護人の意見を聴き、その証人の供述中被告人を退廷させることができる。この場合には、供述終了後被告人を入廷させ、これに証言の要旨を告知し、その証人を尋問する機会を与えなければならない。（昭和三三法一〇八本条追加、平成一二法七四、平成二八法五四本条改正）

⊛【被告人の証人尋問権↓憲三七②【公判期日外の証人尋問の場

合→二八一の二

第三〇五条【証拠書類等に対する証拠調べの方式】 ①　検察官、被告人又は弁護人の請求により、証拠書類の取調べをするについては、裁判長は、その取調べを請求した者にこれを朗読させなければならない。ただし、裁判長は、自らこれを朗読し、又は陪席の裁判官若しくは裁判所書記官にこれを朗読させることができる。

②　裁判所が職権で証拠書類の取調べをするについては、裁判長は、自らその書類を朗読し、又は陪席の裁判官若しくは裁判所書記官にこれを朗読させなければならない。

③　第二百九十条の二第一項又は第三項の決定があつたときは、前二項の規定による証拠書類の朗読は、被害者特定事項を明らかにしない方法でこれを行うものとする。（平成一九法九五本項追加）

④　第二百九十条の三第一項の決定があつた場合における第一項又は第二項の規定による証拠書類の朗読についても、前項と同様とする。この場合において、同項中「被害者特定事項」とあるのは、「証人等特定事項」とする。（平成二八法五四本項追加）

⑤　第百五十七条の六第四項の規定により記録媒体がその一部とされた調書の取調べについては、第一項又は第二項の規定による朗読に代えて、当該記録媒体を再生するものとする。ただし、裁判長は、検察官及び被告人又は弁護人の意見を聴き、相当と認めるときは、当該記録媒体の再生に代えて、当該調書の取調べを請求した者、陪席の裁判官若しくは裁判所書記官に当該調書に記録された供述の内容を告げさせ、又は自らこれを告げることができる。（平成一二法七四本項追加）

⑥　裁判所は、前項の規定により第百五十七条の六第四項に規定する記録媒体を再生する場合において、必要と認めるときは、検察官及び被告人又は弁護人の意見を聴き、第百五十七条の五に規定する措置を採ることができる。（平成一二法七四本項追加、平成二八法五四本項改正）

⊛❶【取調べの請求→二九八①　❶❷【朗読→刑訴規二〇三の二　❷【職権取調べ→二九八②　❸【被害者特定事項→二九〇の二①　❹【証人等特定事項→二九〇の三①　❺【本項ただし書の不適用→三二一の二②

第三〇六条【証拠物に対する証拠調べの方式】 ①　検察官、被告人又は弁護人の請求により、証拠物の取調をするについては、裁判長は、請求をした者をしてこれを示させなければならない。但し、裁判長は、自らこれを示し、又は陪席の裁判官若しくは裁判所書記にこれを示させることができる。

②　裁判所が職権で証拠物の取調をするについては、裁判長は、自らこれを訴訟関係人に示し、又は陪席の裁判官若しくは裁判所書記にこれを示させなければならない。

⊛三〇五⊛【証拠物中書面の意義が証拠となるもの→三〇七

第三〇七条【同前】 証拠物中書面の意義が証拠となるものの取調をするについては、前条の規定による外、第三百五条の規定による。

第三〇七条の二【簡易公判手続】 第二百九十一条の二の決定があつた事件については、第二百九十六条、第二百九十七条、第三百条乃至第三百二条及び第三百四条乃至前条の規定は、これを適用せず、証拠調は、公判期日において、適当と認める方法でこれを行うことができる。（昭和二八法一七二本条追加）

⊛【弁護人の陳述、証拠調べの順序、証拠書類等の要旨告知の規定の不適用→刑訴規二〇三の三

第三〇八条【証明力を争う権利】 裁判所は、検察官及び被告人又は弁護人に対し、証拠の証明力を争うために必要とする適当な機会を与えなければならない。

⊛三一八【供述の証明力を争う証拠→三二八【告知→刑訴規二〇四

第三〇九条【証拠調べに関する異議申立て、裁判長の処分に対する異議申立て】 ①　検察官、被告人又は弁護人は、証拠調に関し異議を申し立てることができる。

②　検察官、被告人又は弁護人は、前項に規定する場合の外、裁判長の処分に対して異議を申し立てることができる。

③　裁判所は、前二項の申立について決定をしなければならない。

⊛【証拠調べ→二九五―三〇八【裁判長の処分→二八八、二九四、二九一⑤、二九五【異議申立ての理由→刑訴規二〇五【異議申立ての方式→刑訴規二〇五の二【決定→刑訴規二〇五の三―二〇六【排除決定→四二〇①、刑訴規二〇五の六②、二〇七

第三一〇条【証拠調べを終わった証拠の提出】 証拠調を終つた証拠書類又は証拠物は、遅滞なくこれを裁判所に提出しなければならない。但し、裁判所の許可を得たときは、原本に代え、その謄本を提出することができる。

⊛【証拠書類・記録媒体・証拠物の証拠調べ→三〇五―三〇七【領置→一〇一【押収証拠物の還付等→一二三、一二四、三四六、三四七

第三一一条【被告人の黙秘権・供述拒否権、任意の供述】 ①　被告人は、終始沈黙し、又は個々の質問に対し、供述を拒むことができる。

②　被告人が任意に供述をする場合には、裁判長は、何時でも必要とする事項につき被告人の供述を求めることができる。

③　陪席の裁判官、検察官、弁護人、共同被告人又はその弁護人は、裁判長に告げて、前項の供述を求めることができる。

⊛❶【被告人の供述拒否権→憲三八①【供述拒否権の告知→二九一⑤　❷【任意の供述→三二二九①　❸【共同被告人の求供述→憲三七②【求供述の制限→二九五【被害者参加人等による質問→三一六の三七

第三一二条【起訴状の変更】 ①　裁判所は、検察官の請求があるときは、公訴事実の同一性を害しない限度において、起訴状に記載された訴因又は罰条の追加、撤回又は変更を許さなければならない。

②　裁判所は、審理の経過に鑑み適当と認めるときは、

訴因又は罰条を追加又は変更すべきことを命ずることができる。

③ 第一項の請求は、書面を提出してしなければならない。（令和五法二八本項全部改正）

④ 検察官は、第一項の請求と同時に、被告人に送達するものとして、前項の書面（以下「訴因変更等請求書面」という。）の謄本を裁判所に提出しなければならない。（令和五法二八本項追加）

⑤ 裁判所は、前項の規定による訴因変更等請求書面の謄本の提出があつたときは、遅滞なくこれを被告人に送達しなければならない。（令和五法二八本項追加）

⑥ 第三項の規定にかかわらず、被告人が在廷する公判廷においては、第一項の請求は、口頭ですることができる。この場合においては、第四項の規定は、適用しない。（令和五法二八本項追加）

⑦ 裁判所は、訴因又は罰条の追加又は変更により被告人の防御に実質的な不利益を生ずるおそれがあると認めるときは、被告人又は弁護人の請求により、決定で、被告人に十分な防御の準備をさせるため必要な期間公判手続を停止しなければならない。

❶【起訴状の記載↓二五六【許可の制限↓三五〇の一三②【罰条の撤回・変更↓裁判員五　❸【訴因変更等請求書面の朗読↓刑訴規二〇九　❺【送達↓五四【個人特定事項の秘匿措置↓三一二の二

第三一二条の二【訴因変更等の手続における個人特定事項の秘匿措置】 ① 検察官は、訴因変更等請求書面に記載された第二百七十一条の二第一項第一号又は第二号に掲げる者の個人特定事項について、必要と認めるときは、裁判所に対し、前条第五項の規定による訴因変更等請求書面の謄本の送達により当該個人特定事項が被告人に知られないようにするための措置をとることを求めることができる。

② 前項の規定による求めは、裁判所に対し、訴因変更等請求書面とともに、被告人に送達するものとして、当該求めに係る個人特定事項の記載がない訴因変更等請求書面の抄本その他の訴因変更等請求書面の謄本に代わるもの（以下この条において「訴因変更等請求書面抄本等」という。）を提出して行わなければならない。

③ 裁判所は、前項の規定による訴因変更等請求書面抄本等の提出があつたときは、前条第五項の規定にかかわらず、遅滞なく訴因変更等請求書面抄本等を被告人に送達しなければならない。

④ 第二百七十一条の三から第二百七十一条の八まで〈弁護人に対する措置、被告人・弁護人に対する個人特定事項の通知、書類・証拠物の閲覧・謄写、裁判書等の謄抄本の交付、公判調書の閲覧等における個人特定事項の秘匿措置、弁護人の違反行為に対する処置、被告人の勾引・勾留手続における個人特定事項の秘匿措置〉の規定は、第二項の規定による訴因変更等請求書面抄本等の提出がある場合について準用する。この場合において、第二百七十一条の三第三項中「前条第一項第一号ハ(1)」とあるのは「第三百十二条の二第一項第一号ハ(1)」と、第二百七十一条の五第一項中「第二百七十一条の二第四項」とあるのは「第三百十二条の二第三項」と、第二百七十一条の六第五項及び第二百七十一条の八第一項中「同条第一項第一号」とあるのは「第二百七十一条の二第一項第一号」と読み替えるものとする。

（令和五法二八本条追加）

+【個人特定事項↓二〇一の二①【訴因変更等請求書面謄本の送達↓三一二⑤　❷【訴因変更等請求書面抄本等を提出する場合↓刑訴規二〇九の二、一七六の二

第三一三条【弁論の分離・併合・再開】 ① 裁判所は、適当と認めるときは、検察官、被告人若しくは弁護人の請求により又は職権で、決定を以て、弁論を分離し若しくは併合し、又は終結した弁論を再開することができる。

② 裁判所は、被告人の権利を保護するため必要があるときは、裁判所の規則の定めるところにより、決定を以て弁論を分離しなければならない。

❷【規則の定め↓刑訴規二一〇【決定↓四二〇①

第三一三条の二【併合事件における弁護人選任の効力】 ① この法律の規定に基づいて裁判所若しくは裁判長又は裁判官が付した弁護人の選任は、弁論が併合された事件についてもその効力を有する。ただし、裁判所がこれと異なる決定をしたときは、この限りでない。

② 前項ただし書の決定をするには、あらかじめ、検察官及び被告人又は弁護人の意見を聴かなければならない。

（平成一六法六二本条追加）

❶【この法律の規定↓三六、三七、三七の二、三七の四、二八九、二九〇、三一六の四、三一六の八、三一六の二八、三一六の二九、三五〇の一七、三五〇の一八【弁論の併合↓三一三①

第三一四条【公判手続の停止】 ① 被告人が心神喪失の状態に在るときは、検察官及び弁護人の意見を聴き、決定で、その状態の続いている間公判手続を停止しなければならない。但し、無罪、免訴、刑の免除又は公訴棄却の裁判をすべきことが明らかな場合には、被告人の出頭を待たないで、直ちにその裁判をすることができる。

② 被告人が病気のため出頭することができないときは、検察官及び弁護人の意見を聴き、決定で、出頭することができるまで公判手続を停止しなければならない。但し、第二百八十四条及び第二百八十五条の規定により代理人を出頭させた場合は、この限りでない。

③ 犯罪事実の存否の証明に欠くことのできない証人が病気のため公判期日に出頭することができないときは、公判期日外においてその取調をするのを適当と認める場合の外、決定で、出頭することができるまで公判手続を停止しなければならない。

④ 前三項の規定により公判手続を停止するには、医師の意見を聴かなければならない。

+【被告人の出頭↓二八六　❶【心神喪失↓二八　❷【被告人の病気による不出頭↓二七八

第三一五条【公判手続の更新】 開廷後裁判官がかわつたときは、公判手続を更新しなければならない。但し、

判決の宣告をする場合は、この限りでない。

参＋【補充裁判官→裁七八【その他の更新事由→三一五の二・三五〇の二五②、刑訴規二一三【更新の手続→刑訴規二一三の二

第三一五条の二【簡易公判手続の決定の取消しと手続の更新】 第二百九十一条の二の決定が取り消されたときは、公判手続を更新しなければならない。但し、検察官及び被告人又は弁護人に異議がないときは、この限りでない。（昭和二八法一七二本条追加）

参＋【決定の取消し→二九一の三【更新の手続→刑訴規二一三の二

第三一六条【合議制事件と一人の裁判官の手続の効力】 地方裁判所において一人の裁判官のした訴訟手続は、被告事件が合議体で審判すべきものであつた場合にも、その効力を失わない。（平成一二法一四二、平成二〇法七一本条改正）

参＋【合議体で審判すべき事件→裁二六②【管轄違いの場合→一三

第二節　争点及び証拠の整理手続

（平成一六法六二本節追加）

第一款　公判前整理手続

第一目　通則

第三一六条の二【公判前整理手続の決定と方法】 ①裁判所は、充実した公判の審理を継続的、計画的かつ迅速に行うため必要があると認めるときは、検察官、被告人若しくは弁護人の請求により又は職権で、第一回公判期日前に、決定で、事件の争点及び証拠を整理するための公判準備として、事件を公判前整理手続に付することができる。（平成二八法五四本項改正）

②前項の決定又は同項の請求を却下する決定をするには、裁判所の規則の定めるところにより、あらかじめ、検察官及び被告人又は弁護人の意見を聴かなければならない。（平成二八法五四本項追加）

③公判前整理手続は、この款に定めるところにより、訴訟関係人を出頭させて陳述させ、又は訴訟関係人に書面を提出させる方法により、行うものとする。

参❶【審理予定の策定→刑訴規二一七の二【決定→四三〇①、刑訴規二一七の四【公判前整理手続に付された場合の特例→刑訴規二一七の一九　❷【意見の聴取→刑訴規二一七の三　＋【裁判員制度との関係→裁判員四九【公判手続の特例→三一六の二九―三一六の三二【第一回公判期日後の場合→三一六の二八【本節によらない事前準備→刑訴規一七八の二・一七八の一五・一七八の一六

第三一六条の三【公判前整理手続の目的】 ①裁判所は、充実した公判の審理を継続的、計画的かつ迅速に行うことができるよう、公判前整理手続において、十分な準備が行われるようにするとともに、できる限り早期にこれを終結させるように努めなければならない。

②訴訟関係人は、充実した公判の審理を継続的、計画的かつ迅速に行うことができるよう、公判前整理手続において、相互に協力するとともに、その実施に関し、裁判所に進んで協力しなければならない。

参＋【審理予定の策定→刑訴規二一七の二

第三一六条の四【必要的弁護】 ①公判前整理手続においては、被告人に弁護人がなければその手続を行うことができない。

②公判前整理手続において被告人に弁護人がないときは、裁判長は、職権で弁護人を付さなければならない。

参＋【被告人への通知→刑訴規二一七の五　❷【弁護人の選任→三八

第三一六条の五【公判前整理手続の内容】 公判前整理手続においては、次に掲げる事項を行うことができる。

一　訴因又は罰条を明確にさせること。

二　訴因又は罰条の追加、撤回又は変更を許すこと。

三　第二百七十一条の五第一項又は第二項（これらの規定を第三百十二条の二第四項において準用する場合を含む。）の請求について決定をすること。（令和五法二八本号追加）

四　公判期日においてすることを予定している主張を明らかにさせて事件の争点を整理すること。

五　証拠調べの請求をさせること。

六　前号の請求に係る証拠について、その立証趣旨、尋問事項等を明らかにさせること。

七　証拠調べの請求に関する意見（証拠書類について第三百二十六条の同意をするかどうかの意見を含む。）を確かめること。

八　証拠調べをする決定又は証拠調べの請求を却下する決定をすること。

九　証拠調べをする決定をした証拠について、その取調べの順序及び方法を定めること。

十　証拠調べに関する異議の申立てに対して決定をすること。

十一　第三目の定めるところにより証拠開示に関する裁定をすること。

十二　第三百十六条の三十三第一項の規定による被告事件の手続への参加の申出に対する決定又は当該決定を取り消す決定をすること。（平成一九法九五本号追加）

十三　公判期日を定め、又は変更することその他公判手続の進行上必要な事項を定めること。

参＋【訴因の明示→二五六③【罰条の記載→二五六④【訴因・罰条の追加・撤回・変更→三一二【証拠調請求→二九八①【証拠決定→刑訴規一九〇【証拠調べの順序・方法の決定→二九七①【証拠調べに関する異議申立て→三〇九【決定等の告知→刑訴規二一七の一三・二一七の一四【証拠開示に関する裁定→三一六の二五―三一六の二七【公判期日の指定・変更→二七三・二七六【裁判員制度の場合の特例→裁判員五〇

第三一六条の六【公判前整理手続期日の決定と変更】 ①裁判長は、訴訟関係人を出頭させて公判前整理手続をするときは、公判前整理手続期日を定めなければならない。

②公判前整理手続期日は、これを検察官、被告人及び弁護人に通知しなければならない。

③裁判長は、検察官、被告人若しくは弁護人の請求により又は職権で、公判前整理手続期日を変更することができる。この場合においては、裁判所の規則の定め

るところにより、あらかじめ、検察官及び被告人又は弁護人の意見を聴かなければならない。

参❶【指定】→刑訴規二一七の六　❸【変更】→刑訴規二一七の七―二一七の一〇

第三一六条の七【公判前整理手続の出席者】 公判前整理手続期日に検察官又は弁護人が出頭しないときは、その期日の手続を行うことができない。

第三一六条の八【弁護人の選任】 ① 弁護人が公判前整理手続期日に出頭しないとき、又は在席しなくなつたときは、裁判長は、職権で弁護人を付さなければならない。

② 弁護人が公判前整理手続期日に出頭しないおそれがあるときは、裁判所は、職権で弁護人を付することができる。

参†【必要的弁護】→三一六の四　【弁護人の選任】→三八

第三一六条の九【被告人の出席】 ① 被告人は、公判前整理手続期日に出頭することができる。

② 裁判所は、必要と認めるときは、被告人に対し、公判前整理手続期日に出頭することを求めることができる。

③ 裁判長は、被告人を出頭させて公判前整理手続をする場合には、被告人が出頭する最初の公判前整理手続期日において、まず、被告人に対し、終始沈黙し、又は個々の質問に対し陳述を拒むことができる旨を告知しなければならない。

参❷【被告人の出頭についての通知】→刑訴規二一七の一二　❸【被告人の黙秘権】→三一一①

第三一六条の一〇【被告人の意思確認】 裁判所は、弁護人の陳述又は弁護人が提出する書面について被告人の意思を確かめる必要があると認めるときは、公判前整理手続期日において被告人に対し質問を発し、及び弁護人に対し被告人と連署した書面の提出を求めることができる。

第三一六条の一一【受命裁判官】 裁判所は、合議体の構成員に命じ、公判前整理手続（第三百十六条の五第二号、第三号、第八号及び第十号から第十二号までの決定を除く。）をさせることができる。この場合において、受命裁判官は、裁判所又は裁判長と同一の権限を有する。（平成一九法九五、令和五法二八本条改正）

参†【受命裁判官にさせる旨の決定】→刑訴規二一七の一一

第三一六条の一二【調書の作成】 ① 公判前整理手続期日には、裁判所書記官を立ち会わせなければならない。

② 公判前整理手続期日における手続については、裁判所の規則の定めるところにより、公判前整理手続調書を作成しなければならない。

参†【公判前整理手続調書】→刑訴規二一七の一五―二一七の一八

第二目　争点及び証拠の整理

第三一六条の一三【検察官による証明予定事実の提示と証拠調べ請求】 ① 検察官は、事件が公判前整理手続に付されたときは、その証明予定事実（公判期日において証拠により証明しようとする事実をいう。以下同じ。）を記載した書面を、裁判所に提出し、及び被告人又は弁護人に送付しなければならない。この場合においては、当該書面には、証拠とすることができず、又は証拠としてその取調べを請求する意思のない資料に基づいて、裁判所に事件について偏見又は予断を生じさせるおそれのある事項を記載することができない。

② 検察官は、前項の証明予定事実を証明するために用いる証拠の取調べを請求しなければならない。

③ 前項の規定により証拠の取調べを請求するについては、第二百九十九条第一項の規定は適用しない。

④ 裁判所は、検察官及び被告人又は弁護人の意見を聴いた上で、第一項の書面の提出及び送付並びに第二項の請求の期限を定めるものとする。

参❶【証明予定事実の明示】→刑訴規二一七の二〇①・二一七の二一　❷【証拠調請求】→二九八①【公判での証拠調請求の制限】→三一六の三二　❹【期限】→刑訴規二一七の二二・二一七の二三

第三一六条の一四【検察官請求証拠の開示、証拠の一覧表の交付】 ① 検察官は、前条第二項の規定により取調べを請求した証拠（以下「検察官請求証拠」という。）については、速やかに、被告人又は弁護人に対し、次の各号に掲げる証拠の区分に応じ、当該各号に定める方法による開示をしなければならない。

一　証拠書類又は証拠物　当該証拠書類又は証拠物を閲覧する機会（弁護人に対しては、閲覧し、かつ、謄写する機会）を与えること。

二　証人、鑑定人、通訳人又は翻訳人　その氏名及び住居を知る機会を与え、かつ、その者の供述録取書等のうち、その者が公判期日において供述すると思料する内容が明らかになるもの（当該供述録取書等が存在しないとき、又はこれを閲覧させることが相当でないと認めるときにあつては、その者が公判期日において供述すると思料する内容の要旨を記載した書面）を閲覧する機会（弁護人に対しては、閲覧し、かつ、謄写する機会）を与えること。（平成二八法五四本号改正）

② 検察官は、前項の規定による証拠の開示をした後、被告人又は弁護人から請求があつたときは、速やかに、被告人又は弁護人に対し、検察官が保管する証拠の一覧表の交付をしなければならない。（平成二八法五四本項追加）

③ 前項の一覧表には、次の各号に掲げる証拠の区分に応じ、証拠ごとに、当該各号に定める事項を記載しなければならない。

一　証拠物　品名及び数量

二　供述を録取した書面で供述者の署名又は押印のあるもの　当該書面の標目、作成の年月日及び供述者の氏名

三　証拠書類（前号に掲げるものを除く。）　当該証拠書類の標目、作成の年月日及び作成者の氏名

（平成二八法五四本項追加）

④ 前項の規定にかかわらず、検察官は、同項の規定により第二項の一覧表に記載すべき事項であつて、これ

を記載することにより次に掲げるおそれがあると認めるものは、同項の一覧表に記載しないことができる。

一 人の身体若しくは財産に害を加え又は人を畏怖させ若しくは困惑させる行為がなされるおそれ

二 人の名誉又は社会生活の平穏が著しく害されるおそれ

三 犯罪の証明又は犯罪の捜査に支障を生ずるおそれ

（平成二八法五四本項追加）

⑤ 検察官は、第二項の規定により一覧表の交付をした後、証拠を新たに保管するに至つたときは、速やかに、被告人又は弁護人に対し、当該新たに保管するに至つた証拠の一覧表の交付をしなければならない。この場合においては、前二項の規定を準用する。（平成二八法五四本項追加）

参❶【検察官請求証拠の開示→二九九①【供述録取書等→二九〇の三【証人等の保護→三一六の二三【公判前整理手続における本項による以外の証拠の開示→三一六の一五、三一六の二〇

第三一六条の一五【検察官請求証拠以外の証拠の開示】

① 検察官は、前条第一項の規定による開示をした証拠以外の証拠であつて、次の各号に掲げる証拠の類型のいずれかに該当し、かつ、特定の検察官請求証拠の証明力を判断するために重要であると認められるものについて、被告人又は弁護人から開示の請求があつた場合において、その重要性の程度その他の被告人の防御の準備のために当該開示をすることの必要性の程度並びに当該開示によつて生じるおそれのある弊害の内容及び程度を考慮し、相当と認めるときは、速やかに、同項第一号に定める方法による開示をしなければならない。この場合において、検察官は、必要と認めるときは、開示の時期若しくは方法を指定し、又は条件を付することができる。

一 証拠物

二 第三百二十一条第二項に規定する裁判所又は裁判官の検証の結果を記載した書面

三 第三百二十一条第三項に規定する書面又はこれに準ずる書面

四 第三百二十一条第四項に規定する書面又はこれに準ずる書面

五 次に掲げる者の供述録取書等

イ 検察官が証人として尋問を請求した者

ロ 検察官が取調べを請求した供述録取書等の供述者であつて、当該供述録取書等が第三百二十六条の同意がされない場合には、検察官が証人として尋問を請求することを予定しているもの

六 前号に掲げるもののほか、被告人以外の者の供述録取書等であつて、検察官が特定の検察官請求証拠により直接証明しようとする事実の有無に関する供述を内容とするもの

七 被告人の供述録取書等

八 取調べ状況の記録に関する準則に基づき、検察官、検察事務官又は司法警察職員が職務上作成することを義務付けられている書面であつて、身体の拘束を受けている者の取調べに関し、その年月日、時間、場所その他の取調べの状況を記録したもの（被告人又はその共犯として身体を拘束され若しくは公訴を提起された者であつて第五号イ若しくはロに掲げるものに係るものに限る。）

九 検察官請求証拠である証拠物の押収手続記録書面（押収手続の記録に関する準則に基づき、検察官、検察事務官又は司法警察職員が職務上作成することを義務付けられている書面であつて、証拠物の押収に関し、その押収者、押収の年月日、押収場所その他の押収の状況を記録したものをいう。次項及び第三項第二号イにおいて同じ。）（平成二八法五四本号追加）

② 前項の規定による開示をすべき証拠物の押収手続記録書面（前条第一項又は前項の規定による開示をしたものを除く。）について、被告人又は弁護人から開示の請求があつた場合において、当該証拠物により特定の検察官請求証拠の証明力を判断するために当該開示をすることの必要性の程度並びに当該開示によつて生じるおそれのある弊害の内容及び程度を考慮し、相当と認めるときも、同項と同様とする。（平成二八法五四本項追加）

③ 被告人又は弁護人は、前二項の開示の請求をするときは、次の各号に掲げる開示の請求の区分に応じ、当該各号に定める事項を明らかにしなければならない。

一 第一項の開示の請求 次に掲げる事項

イ 第一項各号に掲げる証拠の類型及び開示の請求に係る証拠を識別するに足りる事項

ロ 事案の内容、特定の検察官請求証拠に対応する証明予定事実、開示の請求に係る証拠と当該検察官請求証拠との関係その他の事情に照らし、当該開示の請求に係る証拠が当該検察官請求証拠の証明力を判断するために重要であることその他の被告人の防御の準備のために当該開示が必要である理由

二 前項の開示の請求 次に掲げる事項

イ 開示の請求に係る押収手続記録書面を識別するに足りる事項

ロ 第一項の規定による開示をすべき証拠物と特定の検察官請求証拠との関係その他の事情に照らし、当該証拠物により当該検察官請求証拠の証明力を判断するために当該開示が必要である理由

（平成二八法五四本条改正）

参＋【検察官請求証拠→三一六の一四①【供述録取書等→二九〇の三【取調状況の記録に関する準則→捜査規範一八二の二【証人等の保護→三一六の二三①【公判前整理手続における本条による以外の証拠開示→三一六の一四①、三一六の二〇【不開示理由の告知→刑訴規二一七の二六

第三一六条の一六【検察官請求証拠に対する被告人・弁護人の意見表明】 ① 被告人又は弁護人は、第三百十六条の十三第一項の書面の送付を受け、かつ、第三百十六条の十四第一項並びに前条第一項及び第二項の規定による開示をすべき証拠の開示を受けたときは、検察官請求証拠について、第三百二十六条の同意をするかどうか又はその取調べの請求に関し異議がないかど

刑訴

うかの意見を明らかにしなければならない。（平成二八法五四本項改正）

② 裁判所は、検察官及び被告人又は弁護人の意見を聴いた上で、前項の意見を明らかにすべき期限を定めることができる。

⊛【検察官請求証拠→三一六の一四①　❷【期限→刑訴規二一七の二二―二一七の二四

第三一六条の一七【被告人・弁護人による主張の明示と証拠調べ請求】① 被告人又は弁護人は、第三百十六条の十三第一項の書面の送付を受け、かつ、第三百十六条の十四第一項並びに第三百十六条の十五第一項及び第二項の規定による開示をすべき証拠の開示を受けた場合において、その証明予定事実その他の公判期日においてすることを予定している事実上及び法律上の主張があるときは、裁判所及び検察官に対し、これを明らかにしなければならない。この場合においては、第三百十六条の十三第一項後段〈予断・偏見を生じさせるおそれのある事項の記載の禁止〉の規定を準用する。（平成二八法五四本項改正）

② 被告人又は弁護人は、前項の証明予定事実があるときは、これを証明するために用いる証拠の取調べを請求しなければならない。この場合においては、第三百十六条の十三第三項〈当事者の権利の排除〉の規定を準用する。

③ 裁判所は、検察官及び被告人又は弁護人の意見を聴いた上で、第一項の主張を明らかにすべき期限及び前項の請求の期限を定めることができる。

⊛❶【主張の明示方法→刑訴規二一七の二〇②【証明予定事実の明示→刑訴規二一七の二一　❷【証拠調請求→二九八①【公判での証拠調請求の制限→三一六の三二　❸【期限→刑訴規二一七の二二―二一七の二四

第三一六条の一八【被告人・弁護人請求証拠の開示】被告人又は弁護人は、前条第二項の規定により取調べを請求した証拠については、速やかに、検察官に対し、次の各号に掲げる証拠の区分に応じ、当該各号に定める方法による開示をしなければならない。

一 証拠書類又は証拠物　当該証拠書類又は証拠物を閲覧し、かつ、謄写する機会を与えること。

二 証人、鑑定人、通訳人又は翻訳人　その氏名及び住居を知る機会を与え、かつ、その者の供述録取書等のうち、その者が公判期日において供述すると思料する内容が明らかになるもの（当該供述録取書等が存在しないとき、又はこれを閲覧させることが相当でないと認めるときにあつては、その者が公判期日において供述すると思料する内容の要旨を記載した書面）を閲覧し、かつ、謄写する機会を与えること。

⊛【取調請求証拠の開示→二九九①【供述録取書等→二九〇の三【証人等の保護→三一六の二三①

第三一六条の一九【被告人・弁護人請求証拠に対する検察官の意見表明】① 検察官は、前条の規定による開示をすべき証拠の開示を受けたときは、第三百十六条の十七第二項の規定により被告人又は弁護人が取調べを請求した証拠について、第三百二十六条の同意をするかどうか又はその取調べの請求に関し異議がないかどうかの意見を明らかにしなければならない。

② 裁判所は、検察官及び被告人又は弁護人の意見を聴いた上で、前項の意見を明らかにすべき期限を定めることができる。

⊛❷【期限→刑訴規二一七の二二―二一七の二四

第三一六条の二〇【争点に関連する証拠の開示】

① 検察官は、第三百十六条の十四第一項並びに第三百十六条の十五第一項及び第二項の規定による開示をした証拠以外の証拠であつて、第三百十六条の十七第一項の主張に関連すると認められるものについて、被告人又は弁護人から開示の請求があつた場合において、その関連性の程度その他の被告人の防御の準備のために当該開示をすることの必要性の程度並びに当該開示によつて生じるおそれのある弊害の内容及び程度を考慮し、相当と認めるときは、速やかに、第三百十六条の十四第一項第一号に定める方法による開示をしなければならない。この場合において、検察官は、必要と認めるときは、開示の時期若しくは方法を指定し、又は条件を付することができる。（平成二八法五四本項改正）

② 被告人又は弁護人は、前項の開示の請求をするときは、次に掲げる事項を明らかにしなければならない。

一 開示の請求に係る証拠を識別するに足りる事項

二 第三百十六条の十七第一項の主張と開示の請求に係る証拠との関連性その他の被告人の防御の準備のために当該開示が必要である理由

⊛【不開示理由の告知→刑訴規二一七の二六【証人等の保護→三一六の二三①【公判前整理手続における本条による以外の証拠の開示→三一六の一四①、三一六の一五

第三一六条の二一【検察官による証明予定事実の追加・変更】① 検察官は、第三百十六条の十三から前条まで（第三百十六条の十四第五項を除く。）に規定する手続が終わつた後、その証明予定事実を追加し又は変更する必要があると認めるときは、速やかに、その追加し又は変更すべき証明予定事実を記載した書面を、裁判所に提出し、及び被告人又は弁護人に送付しなければならない。この場合においては、第三百十六条の十三第一項後段〈予断・偏見を生じさせるおそれのある事項の記載の禁止〉の規定を準用する。（平成二八法五四本項改正）

② 検察官は、その証明予定事実を証明するために用いる証拠の取調べの請求を追加する必要があると認めるときは、速やかに、その追加すべき証拠の取調べを請求しなければならない。この場合においては、第三百十六条の十三第三項〈当事者の権利の排除〉の規定を準用する。

③ 裁判所は、検察官及び被告人又は弁護人の意見を聴いた上で、第一項の書面の提出及び送付並びに前項の請求の期限を定めることができる。

④ 第三百十六条の十四第一項〈検察官請求証拠の開示〉、

第三百十六条の十五〈検察官請求証拠以外の証拠の開示〉及び第三百十六条の十六〈検察官請求証拠に対する被告人・弁護人の意見表明〉の規定は、第二項の規定により検察官が取調べを請求した証拠についてこれを準用する。（平成二八法五四本項改正）

⊜❶【証明予定事実の明示→刑訴規二一七の二〇①、二一七の二一　❸【期限→刑訴規二一七の二二―二一七の二四

第三一六条の二二【被告人・弁護人による主張の追加・変更】 ①被告人又は弁護人は、第三百十六条の十三から第三百十六条の二十まで（第三百十六条の十四第五項を除く。）に規定する手続が終わつた後、第三百十六条の十七第一項の主張を追加し又は変更する必要があると認めるときは、速やかに、裁判所及び検察官に対し、その追加し又は変更すべき主張を明らかにしなければならない。この場合においては、第三百十六条の十三第一項後段〈予断・偏見を生じさせるおそれのある事項の記載の禁止〉の規定を準用する。（平成二八法五四本項改正）

②被告人又は弁護人は、その証明予定事実を証明するために用いる証拠の取調べの請求を追加する必要があると認めるときは、速やかに、その追加すべき証拠の取調べを請求しなければならない。この場合においては、第三百十六条の十三第三項〈当事者の権利の排除〉の規定を準用する。

③裁判所は、検察官及び被告人又は弁護人の意見を聴いた上で、第一項の主張を明らかにすべき期限及び前項の請求の期限を定めることができる。

④第三百十六条の十八〈被告人・弁護人請求証拠の開示〉及び第三百十六条の十九〈被告人・弁護人請求証拠に対する検察官の意見表明〉の規定は、第二項の規定により被告人又は弁護人が取調べを請求した証拠についてこれを準用する。

⑤第三百十六条の二十〈争点に関連する証拠の開示〉の規定は、第一項の追加し又は変更すべき主張に関連すると認められる証拠についてこれを準用する。

⊜❶【主張の明示方法→刑訴規二一七の二〇②【証明予定事実の明示→刑訴規二一七の二一　❸【期限→刑訴規二一七の二二―二一七の二四

第三一六条の二三【証人等の保護のための配慮】 ①第二百九十九条の二〈証人等の身体・財産への加害行為等の防止のための配慮〉及び第二百九十九条の三〈証拠開示の際の被害者特定事項の秘匿要請〉の規定は、検察官又は弁護人がこの目の規定による証拠の開示をする場合についてこれを準用する。

②第二百九十九条の四〈証人等の氏名・住居の開示に係る措置〉の規定は、検察官が第三百十六条の十四第一項（第三百十六条の二十一第四項において準用する場合を含む。）の規定による証拠の開示をすべき場合についてこれを準用する。（平成二八法五四本項追加）

③第二百九十九条の五から第二百九十九条の七まで〈裁判所による裁定、書類・証拠物、公判調書の閲覧等の制限、弁護人の違反行為に対する処置〉の規定は、検察官が前項において準用する第二百九十九条の四第一項から第十項までの規定による措置をとつた場合についてこれを準用する。（平成二八法五四本項追加、令和五法二八本項改正）

（平成一九法九五本条改正）

⊜❷❸【二九九条の四第一項から第一〇項までの規定による措置をとった場合→刑訴規二一七の二五

第三一六条の二四【争点及び証拠の整理結果の確認】 裁判所は、公判前整理手続を終了するに当たり、検察官及び被告人又は弁護人との間で、事件の争点及び証拠の整理の結果を確認しなければならない。

第三目　証拠開示に関する裁定

第三一六条の二五【開示方法等の指定】 ①裁判所は、証拠の開示の必要性の程度並びに証拠の開示によつて生じるおそれのある弊害の内容及び程度その他の事情を考慮して、必要と認めるときは、第三百十六条の十四第一項（第三百十六条の二十一第四項において準用する場合を含む。）の規定による開示をすべき証拠については検察官の請求により、第三百十六条の十八（第三百十六条の二十二第四項において準用する場合を含む。）の規定による開示をすべき証拠については被告人又は弁護人の請求により、決定で、当該証拠の開示の時期若しくは方法を指定し、又は条件を付することができる。（平成二八法五四本項改正）

②裁判所は、前項の請求について決定をするときは、相手方の意見を聴かなければならない。

③第一項の請求についてした決定に対しては、即時抗告をすることができる。

⊜❶【請求の方式→刑訴規二一七の二七　❸【即時抗告→四二二、四二五

第三一六条の二六【開示命令】 ①裁判所は、検察官が第三百十六条の十四第一項若しくは第三百十六条の十五第一項若しくは第二項（第三百十六条の二十一第四項においてこれらの規定を準用する場合を含む。）若しくは第三百十六条の二十第一項（第三百十六条の二十二第五項において準用する場合を含む。）の規定による開示をすべき証拠を開示していないと認めるとき、又は被告人若しくは弁護人が第三百十六条の十八（第三百十六条の二十二第四項において準用する場合を含む。）の規定による開示をすべき証拠を開示していないと認めるときは、相手方の請求により、決定で、当該証拠の開示を命じなければならない。この場合において、裁判所は、開示の時期若しくは方法を指定し、又は条件を付することができる。（平成二八法五四本項改正）

②裁判所は、前項の請求について決定をするときは、相手方の意見を聴かなければならない。

③第一項の請求についてした決定に対しては、即時抗告をすることができる。

⊜❶【請求の方式→刑訴規二一七の二七　❸【即時抗告→四二二、四二五

第三一六条の二七【証拠及び証拠の標目の提示命令】

① 裁判所は、第三百十六条の二十五第一項又は前条第一項の請求について決定をするに当たり、必要があると認めるときは、検察官、被告人又は弁護人に対し、当該請求に係る証拠の提示を命ずることができる。この場合においては、裁判所は、何人にも、当該証拠の閲覧又は謄写をさせることができない。

② 裁判所は、被告人又は弁護人がする前条第一項の請求について決定をするに当たり、必要があると認めるときは、検察官に対し、その保管する証拠であつて、裁判所の指定する範囲に属するものの標目を記載した一覧表の提示を命ずることができる。この場合においては、裁判所は、何人にも、当該一覧表の閲覧又は謄写をさせることができない。

③ 第一項の規定は第三百十六条の二十五第三項又は前条第三項の即時抗告が係属する抗告裁判所について、前項の規定は同条第三項の即時抗告が係属する抗告裁判所について、それぞれ準用する。

規❷【一覧表の記載事項→刑訴規二一七の二八】

第二款 期日間整理手続

第三一六条の二八【期日間整理手続の決定と進行】 ① 裁判所は、審理の経過に鑑み必要と認めるときは、検察官、被告人若しくは弁護人の請求により又は職権で、第一回公判期日後に、決定で、事件の争点及び証拠を整理するための公判準備として、事件を期日間整理手続に付することができる。(平成二八法五四本項改正)

② 期日間整理手続については、前款(公判前整理手続)(第三百十六条の二第一項及び第三百十六条の九第三項を除く。)の規定を準用する。この場合において、検察官、被告人又は弁護人が前項の決定前に取調べを請求している証拠については、期日間整理手続において取調べを請求した証拠とみなし、第三百十六条の六から第三百十六条の十まで及び第三百十六条の十二中「公判前整理手続期日」とあるのは「期日間整理手続期日」と、同条第二項中「公判前整理手続調書」とあるのは「期日間整理手続調書」と読み替えるものとする。

規+【公判前整理手続に関する規則の準用→刑訴規二一七の二九【決定→四二〇①

第三款 公判手続の特例

第三一六条の二九【必要的弁護】 公判前整理手続又は期日間整理手続に付された事件を審理する場合には、第二百八十九条第一項に規定する事件に該当しないときであつても、弁護人がなければ開廷することはできない。

規+【公判前整理手続→三一六の二―三一六の二七【期日間整理手続→三一六の二八【必要的弁護事件→二八九①

第三一六条の三〇【被告人・弁護人による冒頭陳述】 公判前整理手続に付された事件については、被告人又は弁護人は、証拠により証明すべき事実その他の事実上及び法律上の主張があるときは、第二百九十六条の手続に引き続き、これを明らかにしなければならない。この場合においては、同条ただし書(予断・偏見を生じさせるおそれのある事項の陳述禁止)の規定を準用する。

規+【公判前整理手続に付されなかった場合→刑訴規一九八

第三一六条の三一【整理手続の結果の顕出】 ① 公判前整理手続に付された事件については、裁判所は、裁判所の規則の定めるところにより、前条の手続が終わつた後、公判期日において、当該公判前整理手続の結果を明らかにしなければならない。

② 期日間整理手続に付された事件については、裁判所は、裁判所の規則の定めるところにより、その手続が終わつた後、公判期日において、当該期日間整理手続の結果を明らかにしなければならない。

規+【結果の顕出方法→刑訴規二一七の三一【手続調書の作成→三一六の一二

第三一六条の三二【整理手続終了後の証拠調べ請求の制限】 ① 公判前整理手続又は期日間整理手続に付された事件については、検察官及び被告人又は弁護人は、第二百九十八条第一項の規定にかかわらず、やむを得ない事由によつて公判前整理手続又は期日間整理手続において請求することができなかつたものを除き、当該公判前整理手続又は期日間整理手続が終わつた後には、証拠調べを請求することができない。

② 前項の規定は、裁判所が、必要と認めるときに、職権で証拠調べをすることを妨げるものではない。

規❶【整理手続における証拠調請求→三一六の一三②、三一六の二一②、三一六の二二②【やむを得ない事由により請求できなかった証拠→刑訴規二一七の三三 ❷【職権証拠調べ→二九八②

第三節 被害者参加 (平成一九法九五本節追加)

第三一六条の三三【被告事件の手続への被害者参加】 ① 裁判所は、次に掲げる罪に係る被告事件の被害者等若しくは当該被害者の法定代理人又はこれらの者から委託を受けた弁護士から、被告事件の手続への参加の申出があるときは、被告人又は弁護人の意見を聴き、犯罪の性質、被告人との関係その他の事情を考慮し、相当と認めるときは、決定で、当該被害者等又は当該被害者の法定代理人の被告事件の手続への参加を許すものとする。

一 故意の犯罪行為により人を死傷させた罪

二 刑法第百七十六条、第百七十七条、第百七十九条、第二百十一条、第二百二十条又は第二百二十四条から第二百二十七条までの罪(平成一九法五四、平成二九法七二、令和五法六六本号改正)

三 前号に掲げる罪のほか、その犯罪行為にこれらの罪の犯罪行為を含む罪(第一号に掲げる罪を除く。)

四 自動車の運転により人を死傷させる行為等の処罰に関する法律(平成二十五年法律第八十六号)第四条、第五条又は第六条第三項若しくは第四項の罪(平成二五法八六本号追加)

五 第一号から第三号までに掲げる罪の未遂罪

② 前項の申出は、あらかじめ、検察官にしなければならない。この場合において、検察官は、意見を付して、これを裁判所に通知するものとする。

③ 裁判所は、第一項の規定により被告事件の手続への参加を許された者（以下「被害者参加人」という。）が当該被告事件の被害者等若しくは当該被害者の法定代理人に該当せず若しくは該当しなくなつたことが明らかになつたとき、又は第三百十二条の規定により罰条が撤回若しくは変更されたため当該被告事件が同項各号に掲げる罪に係るものに該当しなくなつたときは、決定で、同項の決定を取り消さなければならない。犯罪の性質、被告人との関係その他の事情を考慮して被告事件の手続への参加を認めることが相当でないと認めるに至つたときも、同様とする。

参+【決定の告知→刑訴規二一七の四〇】❶【被害者等・法定代理人→二九〇の二①】参【委託を受けた弁護士→刑訴規二一七の三五】❷【通知の方式→刑訴規二一七の三四】

第三一六条の三四【被害者参加人等の公判期日への出席】 ① 被害者参加人又はその委託を受けた弁護士は、公判期日に出席することができる。

② 公判期日は、これを被害者参加人に通知しなければならない。

③ 裁判所は、被害者参加人又はその委託を受けた弁護士が多数である場合において、必要があると認めるときは、これらの者の全員又はその一部に対し、その中から、公判期日に出席する代表者を選定するよう求めることができる。

④ 裁判所は、審理の状況、被害者参加人又はその委託を受けた弁護士の数その他の事情を考慮して、相当でないと認めるときは、公判期日の全部又は一部への出席を許さないことができる。

⑤ 前各項の規定は、公判準備において証人の尋問又は検証が行われる場合について準用する。

参❶【公判廷の構成→二八二②】【被害者参加旅費等の支給→犯罪被害者保護五一一〇】❷【公判期日→二七三・二七六】【通知→刑訴規二九八】❸【代表者の選定→刑訴規二一七の三六、二一七の三七】❹【決定の通知→刑訴規二一七の四〇②④】❺【公判準備における証人尋問・検証→一五八・二八一・一二八】

第三一六条の三五【被害者参加人等の意見に対する検察官の説明義務】 被害者参加人又はその委託を受けた弁護士は、検察官に対し、当該被告事件についてのこの法律の規定による検察官の権限の行使に関し、意見を述べることができる。この場合において、検察官は、当該権限を行使し又は行使しないこととしたときは、必要に応じ、当該意見を述べた者に対し、その理由を説明しなければならない。

第三一六条の三六【被害者参加人等による証人尋問】 ① 裁判所は、証人を尋問する場合において、被害者参加人又はその委託を受けた弁護士から、その者がその証人を尋問することの申出があるときは、被告人又は弁護人の意見を聴き、審理の状況、申出に係る尋問事項の内容、申出をした者の数その他の事情を考慮し、相当と認めるときは、情状に関する事項（犯罪事実に関するものを除く。）についての証人の供述の証明力を争うために必要な事項について、申出をした者がその証人を尋問することを許すものとする。

② 前項の申出は、検察官の尋問が終わつた後（検察官の尋問がないときは、被告人又は弁護人の尋問が終わつた後）直ちに、尋問事項を明らかにして、検察官にしなければならない。この場合において、検察官は、当該事項について自ら尋問する場合を除き、意見を付して、これを裁判所に通知するものとする。

③ 裁判長は、第二百九十五条第一項から第四項までに規定する場合のほか、被害者参加人又はその委託を受けた弁護士のする尋問が第一項に規定する事項以外の事項にわたるときは、これを制限することができる。（平成二八法五四本項改正）

参+【証人尋問→一四三―一六四・二八一】

第三一六条の三七【被害者参加人等による被告人への質問】 ① 裁判所は、被害者参加人又はその委託を受けた弁護士から、その者が被告人に対して第三百十一条第二項の供述を求めるための質問を発することの申出があるときは、被告人又は弁護人の意見を聴き、被害者参加人又はその委託を受けた弁護士がこの法律の規定による意見の陳述をするために必要があると認める場合であつて、審理の状況、申出に係る質問をする事項の内容、申出をした者の数その他の事情を考慮し、相当と認めるときは、申出をした者が被告人に対してその質問を発することを許すものとする。

② 前項の申出は、あらかじめ、質問をする事項を明らかにして、検察官にしなければならない。この場合において、検察官は、当該事項について自ら供述を求める場合を除き、意見を付して、これを裁判所に通知するものとする。

③ 裁判長は、第二百九十五条第一項、第三項及び第四項に規定する場合のほか、被害者参加人又はその委託を受けた弁護士のする質問が第一項に規定する意見の陳述をするために必要がある事項に関係のない事項にわたるときは、これを制限することができる。（平成二八法五四本項改正）

参❶【意見の陳述→二九二の二、三一六の三八】

第三一六条の三八【被害者参加人等による弁論としての意見陳述】 ① 裁判所は、被害者参加人又はその委託を受けた弁護士から、事実又は法律の適用について意見を陳述することの申出がある場合において、審理の状況、申出をした者の数その他の事情を考慮し、相当と認めるときは、公判期日において、第二百九十三条第一項の規定による検察官の意見の陳述の後に、訴因として特定された事実の範囲内で、申出をした者がその意見を陳述することを許すものとする。

② 前項の申出は、あらかじめ、陳述する意見の要旨を明らかにして、検察官にしなければならない。この場合において、検察官は、意見を付して、これを裁判所に通知するものとする。

③ 裁判長は、第二百九十五条第一項、第三項及び第四項に規定する場合のほか、被害者参加人又はその委託

を受けた弁護士の意見の陳述が第一項に規定する範囲を超えるときは、これを制限することができる。（平成二八法五四本項改正）

④ 第一項の規定による陳述は、証拠とはならないものとする。

❶【訴因→二五六、三一二】【決定の通知→刑訴規二一七の四〇③④【意見陳述の時期・時間→刑訴規二一七の三八、二一七の三九 ❸【訴訟指揮権→二九四

第三一六条の三九【被害者参加人への付添い、遮蔽の措置】① 裁判所は、被害者参加人が第三百十六条の三十四第一項（同条第五項において準用する場合を含む。第四項において同じ。）の規定により公判期日又は公判準備に出席する場合において、被害者参加人の年齢、心身の状態その他の事情を考慮し、被害者参加人が著しく不安又は緊張を覚えるおそれがあると認めるときは、検察官及び被告人又は弁護人の意見を聴き、その不安又は緊張を緩和するのに適当であり、かつ、裁判官若しくは訴訟関係人の尋問若しくは被告人に対する供述を求める行為若しくは訴訟関係人がする陳述を妨げ、又はその陳述の内容に不当な影響を与えるおそれがないと認める者を、被害者参加人に付き添わせることができる。

② 前項の規定により被害者参加人に付き添うこととされた者は、裁判官若しくは訴訟関係人の尋問若しくは被告人に対する供述を求める行為若しくは訴訟関係人がする陳述を妨げ、又はその陳述の内容に不当な影響を与えるような言動をしてはならない。

③ 裁判所は、第一項の規定により被害者参加人に付き添うこととされた者が、裁判官若しくは訴訟関係人の尋問若しくは被告人に対する供述を求める行為若しくは訴訟関係人がする陳述を妨げ、又はその陳述の内容に不当な影響を与えるおそれがあると認めるに至つたときその他その者を被害者参加人に付き添わせることが相当でないと認めるに至つたときは、決定で、同項の決定を取り消すことができる。

④ 裁判所は、被害者参加人が第三百十六条の三十四第一項の規定により公判期日又は公判準備に出席する場合において、犯罪の性質、被告人との関係その他の事情により、被害者参加人が被告人の面前において在席、尋問、質問又は陳述をするときは圧迫を受け精神の平穏を著しく害されるおそれがあると認める場合であつて、相当と認めるときは、検察官及び被告人又は弁護人の意見を聴き、弁護人が出頭している場合に限り、被告人とその被害者参加人との間で、被告人から被害者参加人の状態を認識することができないようにするための措置を採ることができる。

⑤ 裁判所は、被害者参加人が第三百十六条の三十四第一項の規定により公判期日に出席する場合において、犯罪の性質、被害者参加人の年齢、心身の状態、名誉に対する影響その他の事情を考慮し、相当と認めるときは、検察官及び被告人又は弁護人の意見を聴き、傍聴人とその被害者参加人との間で、相互に相手の状態を認識することができないようにするための措置を採ることができる。

❶【証人への付添い→一五七の四 ❹❺【証人の遮蔽→一五七の五

第四節　証拠

第三一七条【証拠裁判主義】 事実の認定は、証拠による。

【実体的真実主義→一、三一九③【事実→二五六③、三三五【証拠→三一九―三二七

第三一八条【自由心証主義】 証拠の証明力は、裁判官の自由な判断に委ねる。

【当事者の権利→三〇八【例外→憲三八③、三一九②【裁判員が参加する場合→裁判員六二

第三一九条【自白の証拠能力・証明力】① 強制、拷問又は脅迫による自白、不当に長く抑留又は拘禁された後の自白その他任意にされたものでない疑のある自白は、これを証拠とすることができない。

② 被告人は、公判廷における自白であると否とを問わず、その自白が自己に不利益な唯一の証拠である場合には、有罪とされない。

③ 前二項の自白には、起訴された犯罪について有罪であることを自認する場合を含む。

❶【強制、拷問又は脅迫、不当に長い抑留拘禁→憲三八②【任意でされたものでない疑い→三二二①、三二四①、三二五 ❷憲三八③、三一八

第三二〇条【伝聞証拠と証拠能力の制限】① 第三百二十一条乃至第三百二十八条に規定する場合を除いては、公判期日における供述に代えて書面を証拠とし、又は公判期日外における他の者の供述を内容とする供述を証拠とすることはできない。

② 第二百九十一条の二の決定があつた事件の証拠については、前項の規定は、これを適用しない。但し、検察官、被告人又は弁護人が証拠とすることに異議を述べたものについては、この限りでない。（昭和二八法一七二本項追加）

❶憲三七②【適用除外→三五〇の二七

第三二一条【被告人以外の者の供述書・供述録取書の証拠能力】① 被告人以外の者が作成した供述書又はその者の供述を録取した書面で供述者の署名若しくは押印のあるものは、次に掲げる場合に限り、これを証拠とすることができる。

一 裁判官の面前（第百五十七条の六第一項及び第二項に規定する方法による場合を含む。）における供述を録取した書面については、その供述者が死亡、精神若しくは身体の故障、所在不明若しくは国外にいるため公判準備若しくは公判期日において供述することができないとき、又は供述者が公判準備若しくは公判期日において前の供述と異なつた供述をしたとき。（平成一二法七四、平成二八法五四本号改正）

二 検察官の面前における供述を録取した書面については、その供述者が死亡、精神若しくは身体の故

障、所在不明若しくは国外にいるため公判準備若しくは公判期日において供述することができないとき、又は公判準備若しくは公判期日において前の供述と相反するか若しくは実質的に異なつた供述をしたとき。ただし、公判準備又は公判期日における供述よりも前の供述を信用すべき特別の情況の存するときに限る。

三　前二号に掲げる書面以外の書面については、供述者が死亡、精神若しくは身体の故障、所在不明又は国外にいるため公判準備又は公判期日において供述することができず、かつ、その供述が犯罪事実の存否の証明に欠くことができないものであるとき。ただし、その供述が特に信用すべき情況の下にされたものであるときに限る。

② 被告人以外の者の公判準備若しくは公判期日における供述を録取した書面又は裁判所若しくは裁判官の検証の結果を記載した書面は、前項の規定にかかわらず、これを証拠とすることができる。

③ 検察官、検察事務官又は司法警察職員の検証の結果を記載した書面は、その供述者が公判期日において証人として尋問を受け、その真正に作成されたものであることを供述したときは、第一項の規定にかかわらず、これを証拠とすることができる。

④ 鑑定の経過及び結果を記載した書面で鑑定人の作成したものについても、前項と同様である。

参❶【二】【裁判官の面前における供述を録取した書面の例】↓一七九、二二六、二二七　【二】【検察官の面前における供述を録取した書面】↓二二三【証拠調請求義務】↓三〇〇　【三】【前二号以外の書面の例】↓二二三、捜査規範一七七―一七九　❷【公判準備の供述】↓一五八、一六三、一七一、一七八、二八一【公判期日の供述】↓四八【検証の結果の記載】↓一二八　❸【検察官等の検証】↓二一八、二二〇　❹【鑑定】↓一六五、一七一、刑訴規一二九【鑑定嘱託書】↓捜査規範一八八

第三二一条の二【ビデオリンク方式による証人尋問調書の証拠能力】① 被告事件の公判準備若しくは公判期日における手続以外の刑事手続又は他の事件の刑事手続において第百五十七条の六第一項又は第二項に規定する方法によりされた証人の尋問及び供述並びにその状況を記録した記録媒体がその一部とされた調書は、前条第一項の規定にかかわらず、証拠とすることができる。この場合において、裁判所は、その調書を取り調べた後、訴訟関係人に対し、その供述者を証人として尋問する機会を与えなければならない。（平成二八法五四本項改正）

② 前項の規定により調書を取り調べる場合においては、第三百五条第五項ただし書の規定は、適用しない。

③ 第一項の規定により取り調べられた調書に記録された証人の供述は、第二百九十五条第一項前段並びに前条第一項第一号及び第二号の適用については、被告事件の公判期日においてされたものとみなす。

（平成一二法七四本条追加）

参❶【公判準備若しくは公判期日における手続以外の刑事手続】↓一七九、二二六、二二七　❷【調書の取調べ】↓三〇五⑤⑥　❸【公判期日においてされたもの】↓二九五①、三二一①㈠㈡

第三二一条の三【被害者等の供述・供述状況を記録した録音・録画記録媒体に係る証拠能力の特則等】

① 第一号に掲げる者の供述及びその状況を録音及び録画を同時に行う方法により記録した記録媒体（その供述がされた聴取の開始から終了に至るまでの間における供述及びその状況を記録したものに限る。）は、その供述が第二号に掲げる措置が特に採られた情況の下にされたものであると認める場合であつて、聴取に至るまでの情況その他の事情を考慮し相当と認めるときは、第三百二十一条第一項の規定にかかわらず、証拠とすることができる。この場合において、裁判所は、その記録媒体を取り調べた後、訴訟関係人に対し、その供述者を証人として尋問する機会を与えなければならない。

一　次に掲げる者

イ　刑法第百七十六条、第百七十七条、第百七十九条、第百八十一条若しくは第百八十二条の罪、同法第二百二十五条若しくは第二百二十六条の二第三項の罪（わいせつ又は結婚の目的に係る部分に限る。以下このイにおいて同じ。）、同法第二百二十七条第一項（同法第二百二十五条又は第二百二十六条の二第三項の罪を犯した者を幇助する目的に係る部分に限る。）若しくは第三項（わいせつの目的に係る部分に限る。）の罪若しくは同法第二百四十一条第一項若しくは第三項の罪又はこれらの罪の未遂罪の被害者

ロ　児童福祉法第六十条第一項の罪若しくは同法第三十四条第一項第九号に係る同法第六十条第二項の罪、児童買春、児童ポルノに係る行為等の規制及び処罰並びに児童の保護等に関する法律第四条から第八条までの罪又は性的な姿態を撮影する行為等の処罰及び押収物に記録された性的な姿態の影像に係る電磁的記録の消去等に関する法律第二条から第六条までの罪の被害者

ハ　イ及びロに掲げる者のほか、犯罪の性質、供述者の年齢、心身の状態、被告人との関係その他の事情により、更に公判準備又は公判期日において供述するときは精神の平穏を著しく害されるおそれがあると認められる者

（令和五法六六（令和五法六七）本号改正）

二　次に掲げる措置

イ　供述者の年齢、心身の状態その他の特性に応じ、供述者の不安又は緊張を緩和することその他の供述者が十分な供述をするために必要な措置

ロ　供述者の年齢、心身の状態その他の特性に応じ、誘導をできる限り避けることその他の供述の内容に不当な影響を与えないようにするために必要な措置

② 前項の規定により取り調べられた記録媒体に記録された供述者の供述は、第二百九十五条第一項前段の規定の適用については、被告事件の公判期日においてされたものとみなす。

（令和五法六六本条追加）

❷【公判期日においてされたもの→二九五①】

第三百二十二条【被告人の供述書・供述録取書の証拠能力】 ①　被告人が作成した供述書又は被告人の供述を録取した書面で被告人の署名若しくは押印のあるものは、その供述が被告人に不利益な事実の承認を内容とするものであるとき、又は特に信用すべき情況の下にされたものであるときに限り、これを証拠とすることができる。但し、被告人に不利益な事実の承認を内容とする書面は、その承認が自白でない場合においても、第三百十九条の規定に準じ、任意にされたものでない疑があると認めるときは、これを証拠とすることができない。

②　被告人の公判準備又は公判期日における供述を録取した書面は、その供述が任意にされたものであると認めるときに限り、これを証拠とすることができる。

【被告人の供述録取書→一九八、捜査規範一七七―一七九】【公判期日の供述録取書→四八】【自白の任意性→憲三八①、三一九①】【自白調書等の証拠調請求の時期→三〇一】

第三百二十三条【その他の書面の証拠能力】 第三百二十一条から前条までに掲げる書面以外の書面は、次に掲げるものに限り、これを証拠とすることができる。

一　戸籍謄本、公正証書謄本その他公務員（外国の公務員を含む。）がその職務上証明することができる事実についてその公務員の作成した書面

二　商業帳簿、航海日誌その他業務の通常の過程において作成された書面

三　前二号に掲げるもののほか特に信用すべき情況の下に作成された書面

（平成一二法七四、令和五法六六本条改正）

第三百二十四条【伝聞の供述】 ①　被告人以外の者の公判準備又は公判期日における供述で被告人の供述をその内容とするものについては、第三百二十二条の規定を準用する。

②　被告人以外の者の公判準備又は公判期日における供述で被告人以外の者の供述をその内容とするものについては、第三百二十一条第一項第三号の規定を準用する。

【憲三七②【伝聞証拠の禁止→三二〇】

第三百二十五条【供述の任意性の調査】 裁判所は、第三百二十一条から前条までの規定により証拠とすることができる書面又は供述であつても、あらかじめ、その書面に記載された供述又は公判準備若しくは公判期日における供述の内容となつた他の者の供述が任意にされたものかどうかを調査した後でなければ、これを証拠とすることができない。（平成一二法七四本条改正）

第三百二十六条【当事者の同意と書面供述の証拠能力】 ①　検察官及び被告人が証拠とすることに同意した書面又は供述は、その書面が作成され又は供述のされたときの情況を考慮し相当と認めるときに限り、第三百二十一条乃至前条の規定にかかわらず、これを証拠とすることができる。

②　被告人が出頭しないでも証拠調を行うことができる場合において、被告人が出頭しないときは、前項の同意があつたものとみなす。但し、代理人又は弁護人が出頭したときは、この限りでない。

❶【同意→三一六の一六①・三一六の一九①、刑訴規一七八の六①㈡②㈡】 ❷【被告人の出頭不要→二八四・二八五・三九〇・四五一③】

第三百二十七条【合意による書面の証拠能力】 裁判所は、検察官及び被告人又は弁護人が合意の上、文書の内容又は公判期日に出頭すれば供述することが予想されるその供述の内容を書面に記載して提出したときは、その文書又は供述すべき者を取り調べないでも、その書面を証拠とすることができる。この場合においても、その書面の証明力を争うことを妨げない。

第三百二十八条【証明力を争うための証拠】 第三百二十一条乃至第三百二十四条の規定により証拠とすることができない書面又は供述であつても、公判準備又は公判期日における被告人、証人その他の者の供述の証明力を争うためには、これを証拠とすることができる。

【証明力を争う権利→三〇八】

第五節　公判の裁判

第三百二十九条【管轄違いの判決】 被告事件が裁判所の管轄に属しないときは、判決で管轄違の言渡をしなければならない。但し、第二百六十六条第二号の規定により地方裁判所の審判に付された事件については、管轄違の言渡をすることはできない。

【制限→三三〇・三三一】【管轄→二・三・六、一五―一八、裁一六㈣・二四・二五・三三・三四】【不服申立て→三七八㈠】【管轄違い→一三・一四】【裁判の確定と時効の進行→二五四】

第三百三十条【管轄違い言渡しの制限】 高等裁判所は、その特別権限に属する事件として公訴の提起があつた場合において、その事件が下級の裁判所の管轄に属するものと認めるときは、前条の規定にかかわらず、決定で管轄裁判所にこれを移送しなければならない。

【特別権限事件→裁一六、一七、刑七七―七九】【決定→四二〇①】

第三百三十一条【同前】 ①　裁判所は、被告人の申立がなければ、土地管轄について、管轄違の言渡をすることができない。

②　管轄違の申立は、被告事件につき証拠調を開始した後は、これをすることができない。

❶【土地管轄→二・六】【管轄違いの言渡し→三二九】 ❷【証拠調べの開始→二九二】

第三百三十二条【移送の決定】 簡易裁判所は、地方裁判所において審判するのを相当と認めるときは、決定で管轄地方裁判所にこれを移送しなければならない。

【裁三三①㈡③】【決定→四二〇①】

第三百三十三条【刑の言渡しの判決、刑の執行猶予の言渡し】 ①　被告事件について犯罪の証明があつたときは、第三百三十四条の場合を除いては、判決で刑の言渡をしなければならない。

②　刑の執行猶予は、刑の言渡しと同時に、判決でその

言渡しをしなければならない。猶予の期間中保護観察に付する場合も、同様とする。（昭和二八法一九五、平成二五法四九本項改正）

⊛❶【刑の言渡し↓三四二の二―三四五【判決↓四三①・三三五・三四八　❷【刑の執行猶予↓刑二五・二七の二、薬物一部猶予【保護観察↓刑二五の二・二七の三、薬物一部猶予四、刑訴規二二〇の二・二二二の二・二二二の三　⊛【訴訟費用負担↓一八一・一八二

第三三四条【刑の免除の判決】　被告事件について刑を免除するときは、判決でその旨の言渡をしなければならない。

⊛【必要的刑の免除の例↓刑四三・八〇・九三・二二八の三・二四四・二五一・二五五・二五七【任意的刑の免除↓刑三六・三七・一一三・一七〇・一七一・一七三・二〇一【刑の免除言渡し↓三四五

第三三五条【有罪判決に示すべき理由】　①　有罪の言渡をするには、罪となるべき事実、証拠の標目及び法令の適用を示さなければならない。

②　法律上犯罪の成立を妨げる理由又は刑の加重減免の理由となる事実が主張されたときは、これに対する判断を示さなければならない。

⊛四四【調書判決↓刑訴規二一九　❶【告知↓刑訴規三五②【有罪の言渡し↓三三三・三三四【罪となるべき事実↓二五六②[三]③・三一二、刑訴規二一八【証拠の標目↓三七八[四]、刑訴規二一八の二【法令の適用↓二五六②[三]④・三二一　❷【犯罪の成立を妨げる理由の例↓刑三五―三九・四一【刑の加重の例↓刑四七・五六【刑の減軽の例↓刑三九・四三【刑の免除↓刑四三・八〇・九三・二四四・二五一・二五五・二五七

第三三六条【無罪の判決】　被告事件が罪とならないとき、又は被告事件について犯罪の証明がないときは、判決で無罪の言渡をしなければならない。

⊛【罪とならないとき↓三三九①[二]【無罪の言渡し↓三四五【補償↓一八八の二・一八八の三、刑補一

第三三七条【免訴の判決】　左の場合には、判決で免訴の言渡をしなければならない。

一　確定判決を経たとき。

二　犯罪後の法令により刑が廃止されたとき。

三　大赦があつたとき。

四　時効が完成したとき。

⊛[一]【確定判決↓憲三九【判決↓三三三・三三四・三三六・三三八・四七〇・二五六・三二一・三七三・四〇四・四一八・四六五　[二]【刑の廃止↓刑六　[四]【時効↓二五〇―二五五

第三三八条【公訴棄却の判決】　左の場合には、判決で公訴を棄却しなければならない。

一　被告人に対して裁判権を有しないとき。

二　第三百四十条の規定に違反して公訴が提起されたとき。

三　公訴の提起があつた事件について、更に同一裁判所に公訴が提起されたとき。

四　公訴提起の手続がその規定に違反したため無効であるとき。

⊛【公訴棄却の言渡し↓三四五・二五四【判決による公訴棄却事由↓三五〇の一三①　[一]【裁判権↓裁三　[三]【他の裁判所に公訴が提起されたとき↓一〇・一一・三三九①[五]　[四]【公訴提起の手続↓二五六・二七一の二③、少四二、道交一三〇【告訴・告発・請求↓二三四⊛・二三八⊛

第三三九条【公訴棄却の決定】　①　左の場合には、決定で公訴を棄却しなければならない。

一　第二百七十一条第二項の規定により公訴の提起がその効力を失つたとき。（昭和二八法一七二本号追加）

二　起訴状に記載された事実が真実であつても、何らの罪となるべき事実を包含していないとき。

三　公訴が取り消されたとき。

四　被告人が死亡し、又は被告人たる法人が存続しなくなつたとき。

五　第十条又は第十一条の規定により審判してはならないとき。

②　前項の決定に対しては、即時抗告をすることができる。

⊛【公訴棄却↓三四五・二五四　❶[一]【決定の送達↓刑訴規二一九の二　[二]【起訴状の記載↓二五六　[三]【公訴の取消し↓二五七　[四]【被告人の死亡↓四三九①[四]【法人の不存続↓四九二、一般法人一四八―一五一、会社四七一―五七四・六四一・六七三　❷【即時抗告↓四二二・四二三・四二五

第三四〇条【公訴取消しによる公訴棄却と再起訴の要件】　公訴の取消による公訴棄却の決定が確定したときは、公訴の取消後犯罪事実につきあらたに重要な証拠を発見した場合に限り、同一事件について更に公訴を提起することができる。

⊛【公訴の取消し↓二五七・三三九①[三]【適用除外↓三五〇の二六【本条違反の再起訴↓三三八[二]

第三四一条【被告人の陳述を聴かない判決】　被告人が陳述をせず、許可を受けないで退廷し、又は秩序維持のため裁判長から退廷を命ぜられたときは、その陳述を聴かないで判決をすることができる。

⊛【判決↓四三①【陳述↓三一一①【退廷の許可↓二八八①【退廷命令↓二八八②

第三四二条【判決の宣告】　判決は、公判廷において、宣告によりこれを告知する。

⊛【判決↓四三①【公判廷↓裁六九【告知↓三五八、刑訴規三四・三五・二二〇―二二二

第三四二条の二【拘禁刑以上の刑の宣告を受けた者に対する出国制限】　拘禁刑以上の刑に処する判決の宣告を受けた者は、裁判所の許可を受けなければ本邦から出国してはならない。（令和五法二八本条追加）

⊛【拘禁刑以上の刑に処する判決↓九六④【裁判所の許可↓三四二の四・三四二の七①②・四〇三の三③【本条の不適用↓四〇三の三①・四七九の二

第三四二条の三【出国許可の請求】　拘禁刑以上の刑に処する判決の宣告を受けた者又はその弁護人、法定代理人、保佐人、配偶者、直系の親族若しくは兄弟姉妹は、前条の許可の請求をすることができる。（令和五法二八本条追加）

⊛【法定代理人・保佐人↓三〇②⊛

第三四二条の四【出国許可の決定】　①　裁判所は、前条の請求があつた場合において、本邦から出国することを許すべき特別の事情があると認めるときは、決定で、国外にいることができる期間を指定して、第三百

四十二条の二の許可をすることができる。ただし、出入国管理及び難民認定法（昭和二十六年政令第三百十九号。以下「入管法」という。）第四十条（入管法第十四条の四第四項において準用する場合を含む。）に規定する収容令書若しくは入管法第五十一条に規定する退去強制令書の発付を受けている者又は入管法第四十四条の二第七項に規定する被監理者については、この限りでない。（令和五法二八（令和五法五六）本項改正）

②裁判所は、前項本文に規定する特別の事情の有無を判断するに当たつては、第三百四十二条の二の許可がされた場合に拘禁刑以上の刑に処する判決の宣告を受けた者が同項の規定により指定する期間内に本邦に帰国せず又は上陸しないこととなるおそれの程度のほか、本邦から出国することができないことによりその者が受ける不利益の程度その他の事情を考慮するものとする。

③裁判所は、前条の請求について決定をするときは、検察官の意見を聴かなければならない。

④裁判所は、必要と認めるときは、第一項本文の期間を延長することができる。

⑤裁判所は、第三百四十二条の二の許可を受けた者について、国外にいることができる期間として指定された期間（以下「指定期間」という。）の終期まで国外にいる必要がなくなつたと認めるときは、当該指定期間を短縮することができる。

（令和五法二八本条追加）

参＋【出国の許可→三四二の五、三四二の六】

第三四二条の五【帰国等保証金、出国許可の条件】

①裁判所は、第三百四十二条の二の許可をする場合には、帰国等保証金額を定めなければならない。ただし、保釈を許す決定を受けた被告人について、同条の許可をするときは、この限りでない。

②帰国等保証金額は、宣告された判決に係る刑名及び刑期、当該判決の宣告を受けた者の性格、生活の本拠及び資産、その者が外国人である場合にあつてはその在留資格（入管法第二条の二第一項に規定する在留資格をいう。）の内容その他の事情を考慮して、その者が前条第一項の規定により指定される期間内に本邦に帰国し又は上陸することを保証するに足りる相当な金額でなければならない。

③裁判所は、第三百四十二条の二の許可をする場合には、その許可を受ける者の渡航先を制限し、その他適当と認める条件を付することができる。

（令和五法二八本条追加）

参＋【帰国等保証金→三四二の七③④　❶【保釈を許す決定→三四四、九〇

第三四二条の六【帰国等保証金の納付】①第三百四十二条の二の許可は、帰国等保証金額が定められたときは、帰国等保証金の納付があつた時にその効力を生ずる。

②第九十四条第二項及び第三項（保釈の手続）の規定は、帰国等保証金の納付について準用する。この場合において、同条第二項中「保釈請求者」とあるのは「第三百四十二条の三の請求をした者」と、同条第三項中「被告人」とあるのは「拘禁刑以上の刑に処する判決の宣告を受けた者」と読み替えるものとする。

（令和五法二八本条追加）

参＋【帰国等保証金→三四二の五、九四②③

第三四二条の七【出国許可の取消し、帰国等保証金の没取】①裁判所は、第三百四十二条の二の許可を受けた者が、入管法第四十条に規定する収容令書若しくは入管法第五十一条に規定する退去強制令書の発付又は入管法第四十四条の二第七項に規定する監理措置決定を受けたときは、決定で、当該許可を取り消さなければならない。（令和五法二八（令和五法五六）本項改正）

②裁判所は、次の各号のいずれかに該当すると認めるときは、検察官の請求により、又は職権で、決定で、第三百四十二条の二の許可を取り消すことができる。

一　第三百四十二条の二の許可を受けた者が、正当な理由がなく、指定期間内に本邦に帰国せず又は上陸しないと疑うに足りる相当な理由があるとき。

二　第三百四十二条の二の許可を受けた者が渡航先の制限その他裁判所の定めた条件に違反したとき。

③前項の規定により第三百四十二条の二の許可を取り消す場合には、裁判所は、決定で、帰国等保証金（第九十四条第一項の保証金が納付されている場合にあつては、当該保証金。次項において同じ。）の全部又は一部を没取することができる。

④第三百四十二条の二の許可を受けた者が、正当な理由がなく、指定期間内に本邦に帰国せず又は上陸しなかつたときは、裁判所は、検察官の請求により、又は職権で、決定で、帰国等保証金の全部又は一部を没取することができる。

（令和五法二八本条追加）

参❷【指定期間→三四二の四①④⑤　【渡航先制限その他の条件→三四二の五③　❸❹【帰国等保証金→三四二の五①②　【保証金→九三①②、九四

第三四二条の八【出国制限に違反した被告人の勾留等】

①裁判所は、拘禁刑以上の刑に処する判決の宣告を受けた被告人が第三百四十二条の二の許可を受けないで本邦から出国し若しくは出国しようとしたとき、同条の許可を受けた被告人について前条第二項の規定により当該許可が取り消されたとき、又は第三百四十二条の二の許可を受けた被告人が正当な理由がなく指定期間内に本邦に帰国せず若しくは上陸しなかつたときは、検察官の請求により、又は職権で、次の各号に掲げる場合の区分に応じ、当該各号に定める決定をすることができる。

一　当該被告人について勾留状が発せられていない場合　勾留する決定

二　当該被告人が保釈されている場合　保釈を取り消す決定

三　当該被告人が勾留の執行停止をされている場合　勾留の執行停止を取り消す決定

②前項（第二号に係る部分に限る。）の規定により保釈

を取り消す場合には、裁判所は、決定で、保証金の全部又は一部を没取することができる。（令和五法二八本条追加）

⊛+【出国許可の取消し↓三四二の七②【指定期間内に帰国・上陸しない↓三四二の七④、四八五の二　❶【二】【勾留する決定↓四〇三の二②

第三四三条【拘禁刑以上の刑の宣告と保釈等の失効】　① 拘禁刑以上の刑に処する判決の宣告があつたときは、保釈又は勾留の執行停止は、その効力を失う。

② 前項の場合には、新たに保釈又は勾留の執行停止の決定がないときに限り、第九十八条〈保釈の取消し等と収容の手続〉及び第二百七十一条の八第五項〈被告人の勾引・勾留手続における個人特定事項の秘匿措置〉（第三百十二条の二第四項において準用する場合を含む。以下この項において同じ。）の規定を準用する。この場合において、第二百七十一条の八第五項中「第一項（」とあるのは、「第二百七十一条の八第一項（」と読み替えるものとする。（令和五法二八本項追加）

（令和四法六七、令和五法二八本条改正）

⊛+【保釈↓八八—九四【勾留の執行停止↓九五　❷【新たな保釈↓三四四①、九〇、三四四②【収容の手続↓九八、二七一の八⑤、刑訴規九二の二

第三四三条の二【保釈等の失効後の被告人に対する出頭命令】　検察官は、拘禁刑以上の刑に処する判決の宣告により保釈又は勾留の執行停止がその効力を失つた場合において、被告人が刑事施設に収容されていないときは、被告人に対し、指定する日時及び場所に出頭することを命ずることができる。（令和五法二八本条追加）

⊛+【拘禁刑以上の刑に処する判決↓三四二の二⊛【保釈・勾留執行停止の失効↓三四三①【出頭命令違反↓九六⑦、三四三の三

第三四三条の三【出頭命令違反に対する罰則】　前条の規定による命令を受けた被告人が、正当な理由がなく、指定された日時及び場所に出頭しないときは、二年以下の拘禁刑に処する。（令和五法二八本条追加）

⊛+【出頭命令↓三四三の二

第三四四条【拘禁刑以上の刑の宣告後における勾留期間・保釈】　① 拘禁刑以上の刑に処する判決の宣告があつた後は、第六十条第二項ただし書及び第八十九条の規定は、これを適用しない。

② 拘禁刑以上の刑に処する判決の宣告があつた後は、第九十条の規定による保釈を許すには、同条に規定する不利益その他の不利益の程度が著しく高い場合でなければならない。ただし、保釈された場合に被告人が逃亡するおそれの程度が高くないと認めるに足りる相当な理由があるときは、この限りでない。（令和五法二八本項追加）

（昭和二八法一七二、令和四法六七本条改正）

⊛❷【拘禁刑以上の刑に処する判決↓三四二の二⊛、九〇

第三四五条【無罪等の宣告と勾留状の失効】　無罪、免訴、刑の免除、刑の全部の執行猶予、公訴棄却（第三百三十八条第四号による場合を除く。）、罰金又は科料の裁判の告知があつたときは、勾留状は、その効力を失う。（昭和二八法一七二、平成二五法四九本条改正）

⊛+【無罪↓三三六【免訴↓三三七【刑の免除↓三三四【刑の全部の執行猶予↓三三三②、刑二五【公訴棄却↓三三八、三三九【罰金の裁判↓三四五の二

第三四五条の二【罰金の裁判の告知を受けた被告人に対する出国禁止命令】　① 裁判所は、罰金の裁判（その刑の執行猶予の言渡しをしないものに限る。以下同じ。）の告知を受けた被告人について、当該裁判の確定後に罰金を完納することができないこととなるおそれがあると認めるときは、勾留状を発する場合を除き、検察官の請求により、又は職権で、決定で、裁判所の許可を受けなければ本邦から出国してはならないことを命ずるものとする。

② 前項の被告人について、保釈を許し、又は勾留の執行停止をする場合において、罰金の裁判の確定後に罰金を完納することができないこととなるおそれがあると認めるときも、同項と同様とする。

（令和五法二八本条追加）

⊛+【罰金を完納できない場合↓五〇五【裁判所の許可↓三四五の三【命令の取消し↓三四五の四【命令の失効↓四〇三の四①、四九二の二、四九四の一四、四九四の三　❶【勾留状を発する場合↓六〇　❷【保釈↓八九—九一【勾留の執行停止↓九五

第三四五条の三【準用規定】　第三百四十二条の三から第三百四十二条の八まで〈出国許可の請求、出国許可の決定、出国許可の条件、帰国等保証金、出国許可の取消し、帰国等保証金の没取、出国制限に違反した被告人の勾留等〉の規定は、前条の許可について準用する。この場合において、次の表の上欄に掲げる規定中同表の中欄に掲げる字句は、それぞれ同表の下欄に掲げる字句に読み替えるものとする。

第三百四十二条の三、第三百四十二条の四第二項、第三百四十二条の六第二項及び第三百四十二条の八第一項	拘禁刑以上の刑に処する判決の宣告	第三百四十五条の二の規定による決定
第三百四十二条の五第二項	当該判決の宣告	
第三百四十二条の五第二項	宣告された判決に係る刑名及び刑期	告知された裁判に係る罰金の金額及び罰金を完納することができない場合における留置の期間
第三百四十二条の六第二項	第三百四十二条の三	第三百四十五条の三において読み替えて準用する第三百四十二条の三
第三百四十二条の八第一項	とき、	場合、
	ときは	場合において、当該決定に係る罰金の裁

判の確定後に罰金を完納することができないこととなるおそれがあると認めるときは

(令和五法二八本条追加)

参照【出国禁止命令違反・出国許可取消し等の場合の勾留の決定→三四二の八①㈡・四〇三の四②・四九二の二・四九四の五

第三四五条の四【出国禁止命令の取消し】① 裁判所は、第三百四十五条の二の規定による決定の理由がなくなつたと認めるときは、検察官、当該決定を受けた者若しくはその弁護人、法定代理人、保佐人、配偶者、直系の親族若しくは兄弟姉妹の請求により、又は職権で、決定で、当該決定を取り消さなければならない。

② 裁判所は、検察官の請求による場合を除いて、前項の規定による決定をするときは、あらかじめ、検察官の意見を聴かなければならない。

(令和五法二八本条追加)

参照【法定代理人・保佐人→三〇②

第三四六条【没収の言渡しがない押収物】 押収した物について、没収の言渡がないときは、押収を解く言渡があつたものとする。

参照【押収→九九―一〇二【没収→刑一九

第三四七条【押収物還付の言渡し】① 押収した贓物で被害者に還付すべき理由が明らかなものは、これを被害者に還付する言渡をしなければならない。

② 贓物の対価として得た物について、被害者から交付の請求があつたときは、前項の例による。

③ 仮に還付した物について、別段の言渡がないときは、還付の言渡があつたものとする。

④ 前三項の規定は、民事訴訟の手続に従い、利害関係人がその権利を主張することを妨げない。

参照❶❷【贓物の還付→一二四 ❸【仮還付→一二三②

第三四八条【仮納付の判決】① 裁判所は、罰金、科料又は追徴を言い渡す場合において、判決の確定を待つてはその執行をすることができず、又はその執行をするのに著しい困難を生ずる虞があると認めるときは、検察官の請求により又は職権で、被告人に対し、仮に罰金、科料又は追徴に相当する金額を納付すべきことを命ずることができる。

② 仮納付の裁判は、刑の言渡と同時に、判決でその言渡をしなければならない。

③ 仮納付の裁判は、直ちにこれを執行することができる。

参照【仮納付→四七一・四九〇・四九三・四九四

第三四九条【刑の執行猶予取消しの手続】① 刑の執行猶予の言渡しを取り消すべき場合には、検察官は、刑の言渡しを受けた者の現在地又は最後の住所地を管轄する地方裁判所、家庭裁判所又は簡易裁判所に対しその請求をしなければならない。(昭和二四法一一六本項改正)

② 刑法第二十六条の二第二号又は第二十七条の五第二号の規定により刑の執行猶予の言渡しを取り消すべき場合には、前項の請求は、保護観察所の長の申出に基づいてこれをしなければならない。(昭和二八法一九五本項全部改正、平成二五法四九本項改正)

③ 刑法第二十七条第四項若しくは第五項又は第二十七条の七第四項若しくは第五項の規定により刑の執行猶予の言渡しを取り消すべき場合には、第一項の請求は、同法第二十七条第二項前段に規定する刑の全部の執行猶予の期間内又は同法第二十七条の七第二項前段に規定する刑の一部の執行猶予の言渡し後その猶予の期間を経過するまでに更に犯した罪であつて当該請求の理由に係るものについて罰金以上の刑に処する裁判が確定した日から二箇月を経過した後は、これをすることができない。(令和四法六七本項追加)

参照【取消し→刑二六・二六の二・二七の四・二七の五、薬物一部猶予五 ❶【請求→刑訴規二二二の四―二二二の六

第三四九条の二【同前】① 前条の請求があつたときは、裁判所は、猶予の言渡を受けた者又はその代理人の意見を聴いて決定をしなければならない。

② 前項の場合において、その請求が刑法第二十六条の二第二号又は第二十七条の五第二号の規定による猶予の言渡しの取消しを求めるものであつて、猶予の言渡しを受けた者の請求があるときは、口頭弁論を経なければならない。(平成二五法四九本項改正)

③ 第一項の決定をするについて口頭弁論を経る場合には、猶予の言渡を受けた者は、弁護人を選任することができる。

④ 第一項の決定をするについて口頭弁論を経る場合には、検察官は、裁判所の許可を得て、保護観察官に意見を述べさせることができる。

⑤ 第一項の決定に対しては、即時抗告をすることができる。

(昭和二八法一九五本条追加)

参照❶【意見聴取→刑訴規二二二の八 ❷【口頭弁論→四三②、刑訴規二二二の七、二二二の九 ❸【弁護人選任→刑訴規一八 ❺【即時抗告→四二二、四二五

第三五〇条【併合罪中大赦を受けない罪の刑を定める手続】 刑法第五十二条の規定により刑を定むべき場合には、検察官は、その犯罪事実について最終の判決をした裁判所にその請求をしなければならない。この場合には、前条第一項及び第五項の規定を準用する。(昭和二八法一九五本条改正)

参照【準用→刑訴規二二二の一〇

第四章 証拠収集等への協力及び訴追に関する合意 (平成二八法五四本章追加)

第一節 合意及び協議の手続

第三五〇条の二【合意の内容・対象犯罪】① 検察官は、特定犯罪に係る事件の被疑者又は被告人が特定犯罪に係る他人の刑事事件(以下単に「他人の刑事事件」という。)について一又は二以上の第一号に掲げる

行為をすることにより得られる証拠の重要性、関係する犯罪の軽重及び情状、当該関係する犯罪の関連性の程度その他の事情を考慮して、必要と認めるときは、被疑者又は被告人との間で、被疑者又は被告人が当該他人の刑事事件について一又は二以上の同号に掲げる行為をし、かつ、検察官が被疑者又は被告人の当該事件について一又は二以上の第二号に掲げる行為をすることを内容とする合意をすることができる。

一　次に掲げる行為

イ　第百九十八条第一項又は第二百二十三条第一項の規定による検察官、検察事務官又は司法警察職員の取調べに際して真実の供述をすること。

ロ　証人として尋問を受ける場合において真実の供述をすること。

ハ　検察官、検察事務官又は司法警察職員による証拠の収集に関し、証拠の提出その他の必要な協力をすること（イ及びロに掲げるものを除く。）。

二　次に掲げる行為

イ　公訴を提起しないこと。

ロ　公訴を取り消すこと。

ハ　特定の訴因及び罰条により公訴を提起し、又はこれを維持すること。

ニ　特定の訴因若しくは罰条の追加若しくは撤回又は特定の訴因若しくは罰条への変更を請求すること。

ホ　第二百九十三条第一項の規定による意見の陳述において、被告人に特定の刑を科すべき旨の意見を陳述すること。

ヘ　即決裁判手続の申立てをすること。

ト　略式命令の請求をすること。

②　前項に規定する「特定犯罪」とは、次に掲げる罪（死刑又は無期拘禁刑に当たるものを除く。）をいう。

一　刑法第九十六条から第九十六条の六まで若しくは第百五十五条の罪、同条の例により処断すべき罪、同法第百五十七条の罪、同法第百五十八条の罪（同法第百五十五条の罪、同条の例により処断すべき罪又は同法第百五十七条第一項若しくは第二項の罪に係るものに限る。）又は同法第百五十九条から第百六十三条の五まで、第百九十七条から第百九十七条の四まで、第百九十八条、第二百四十六条から第二百五十条まで若しくは第二百五十二条から第二百五十四条までの罪

二　組織的な犯罪の処罰及び犯罪収益の規制等に関する法律（平成十一年法律第百三十六号。以下「組織的犯罪処罰法」という。）第三条第一項第一号から第四号まで、第十三号若しくは第十四号に掲げる罪に係る同条の罪、同項第十三号若しくは第十四号に掲げる罪に係る同条の罪の未遂罪又は組織的犯罪処罰法第十条若しくは第十一条の罪

三　前二号に掲げるもののほか、租税に関する法律、私的独占の禁止及び公正取引の確保に関する法律（昭和二十二年法律第五十四号）又は金融商品取引法（昭和二十三年法律第二十五号）の罪その他の財政経済関係犯罪として政令で定めるもの

四　次に掲げる法律の罪

イ　爆発物取締罰則（明治十七年太政官布告第三十二号）

ロ　大麻草の栽培の規制に関する法律（昭和二十三年法律第百二十四号）

ハ　覚醒剤取締法（昭和二十六年法律第二百五十二号）

ニ　麻薬及び向精神薬取締法（昭和二十八年法律第十四号）

ホ　武器等製造法（昭和二十八年法律第百四十五号）

ヘ　あへん法（昭和二十九年法律第七十一号）

ト　銃砲刀剣類所持等取締法（昭和三十三年法律第六号）

チ　国際的な協力の下に規制薬物に係る不正行為を助長する行為等の防止を図るための麻薬及び向精神薬取締法等の特例等に関する法律（平成三年法律第九十四号）

（令和五法八四本号改正）

五　刑法第百三条、第百四条若しくは第百五条の二の罪又は組織的犯罪処罰法第七条の罪（同条第一項第一号から第三号までに掲げる者に係るものに限る。）若しくは組織的犯罪処罰法第七条の二の罪（いずれも前各号に掲げる罪を本犯の罪とするものに限る。）

（平成二八法五四（平成二九法六七）本号改正）

（令和四法六七本項改正）

③　第一項の合意には、被疑者若しくは被告人がする同項第一号に掲げる行為又は検察官がする同項第二号に掲げる行為に付随する事項その他の合意の目的を達するため必要な事項をその内容として含めることができる。

参❶【公訴の提起・不提起→二四七、二四八【公訴の取消し→二五七【訴因・罰条→二五六③④、三一二①【即決裁判手続の申立て→三五〇の一六【略式命令の請求→四六二、＊【合意に基づいてした被告人の行為により得られた証拠の証拠能力制限→三五〇の一二、三五〇の一四

第三五〇条の三【弁護人の同意、合意内容書面の作成】①　前条第一項の合意をするには、弁護人の同意がなければならない。

②　前条第一項の合意は、検察官、被疑者又は被告人及び弁護人が連署した書面により、その内容を明らかにしてするものとする。

参❷【連署した書面→三五〇の七―三五〇の九、四六二の二①

第三五〇条の四【協議の主体】第三百五十条の二第一項の合意をするため必要な協議は、検察官と被疑者又は被告人及び弁護人との間で行うものとする。ただし、被疑者又は被告人及び弁護人に異議がないときは、協議の一部を弁護人のみとの間で行うことができる。

第三五〇条の五【協議における供述の聴取】①　前条の協議において、検察官は、被疑者又は被告人に対し、他人の刑事事件について供述を求めることができる。この場合においては、第百九十八条第二項（被疑者の取調べ）の規定を準用する。

② 被疑者又は被告人が前条の協議においてした供述は、第三百五十条の二第一項の合意が成立しなかつたときは、これを証拠とすることができない。

③ 前項の規定は、被疑者又は被告人が当該協議においてした行為が刑法第百三条、第百四条若しくは第百七十二条の罪又は組織的犯罪処罰法第七条第一項第一号若しくは第二号に掲げる者に係る同条の罪に当たる場合において、これらの罪に係る事件において用いるときは、これを適用しない。

参+【他人の刑事事件→三五〇の二①　❷【協議においてした供述の本項以外による証拠能力制限→三五〇の一二、三五〇の一四

第三五〇条の六【司法警察員との関係】 ① 検察官は、司法警察員が送致し若しくは送付した事件又は司法警察員が現に捜査していると認める事件について、その被疑者との間で第三百五十条の四の協議を行おうとするときは、あらかじめ、司法警察員と協議しなければならない。

② 検察官は、第三百五十条の四の協議に係る他人の刑事事件について司法警察員が現に捜査していることその他の事情を考慮して、当該他人の刑事事件の捜査のため必要と認めるときは、前条第一項の規定により供述を求めることその他の当該協議における必要な行為を司法警察員にさせることができる。この場合において、司法警察員は、検察官の個別の授権の範囲内で、検察官が第三百五十条の二第一項の合意の内容とすることを提案する同項第二号に掲げる行為の内容の提示をすることができる。

参❶【送致事件→二四六、二〇三、二一一、二一六【送付事件→二四二、二四五　+捜査規範九章

第二節　公判手続の特例

第三五〇条の七【合意した被告人の事件における合意内容書面等の証拠調べの請求】 ① 検察官は、被疑者との間でした第三百五十条の二第一項の合意がある場合において、当該合意に係る被疑者の事件について公訴を提起したときは、第二百九十一条の手続が終わつた後（事件が公判前整理手続に付された場合にあつては、その時後）遅滞なく、証拠として第三百五十条の三第二項の書面（以下「合意内容書面」という。）の取調べを請求しなければならない。被告事件について、公訴の提起後に被告人との間で第三百五十条の二第一項の合意をしたときも、同様とする。

② 前項の規定により合意内容書面の取調べを請求する場合において、当該合意の当事者が第三百五十条の十第二項の規定により当該合意から離脱する旨の告知をしているときは、検察官は、あわせて、同項の書面の取調べを請求しなければならない。

③ 第一項の規定により合意内容書面の取調べを請求した後に、当該合意の当事者が第三百五十条の十第二項の規定により当該合意から離脱する旨の告知をしたときは、検察官は、遅滞なく、同項の書面の取調べを請求しなければならない。

参❶【公判前整理手続に付された場合→三一六の二

第三五〇条の八【解明対象となる他人の事件における合意内容書面等の証拠調べの請求】 被告人以外の者の供述録取書等であつて、その者が第三百五十条の二第一項の合意に基づいて作成したもの又は同項の合意に基づいてされた供述を録取し若しくは記録したものについて、検察官、被告人若しくは弁護人が取調べを請求し、又は裁判所が職権でこれを取り調べることとしたときは、検察官は、遅滞なく、合意内容書面の取調べを請求しなければならない。この場合においては、前条第二項及び第三項の規定を準用する。

参+【供述録取書等→二九〇の三【検察官・被告人・弁護人による取調請求→二九八①【職権による取調べ→二九八②【合意内容書面→三五〇の七①、三五〇の三②【略式命令請求の場合→刑訴規二八九②

第三五〇条の九【同前】 検察官、被告人若しくは弁護人が証人尋問を請求し、又は裁判所が職権で証人尋問を行うこととした場合において、その証人となるべき者との間で当該証人尋問についてした第三百五十条の二第一項の合意があるときは、検察官は、遅滞なく、合意内容書面の取調べを請求しなければならない。この場合においては、第三百五十条の七第三項の規定を準用する。

参+【検察官・被告人・弁護人による証人尋問請求→二九八①【職権による証人尋問→二九八②【合意内容書面→三五〇の七①、三五〇の三②

第三節　合意の終了

第三五〇条の一〇【合意からの離脱】 ① 次の各号に掲げる事由があるときは、当該各号に定める者は、第三百五十条の二第一項の合意から離脱することができる。

一 第三百五十条の二第一項の合意の当事者が当該合意に違反したとき　その相手方

二 次に掲げる事由　被告人

イ 検察官が第三百五十条の二第一項第二号ニに係る同項の合意に基づいて訴因又は罰条の追加、撤回又は変更を請求した場合において、裁判所がこれを許さなかつたとき。

ロ 検察官が第三百五十条の二第一項第二号ホに係る同項の合意に基づいて第二百九十三条第一項の規定による意見の陳述において被告人に特定の刑を科すべき旨の意見を陳述した事件について、裁判所がその刑より重い刑の言渡しをしたとき。

ハ 検察官が第三百五十条の二第一項第二号へに係る同項の合意に基づいて即決裁判手続の申立てをした事件について、裁判所がこれを却下する決定（第三百五十条の二十二第三号又は第四号に掲げる場合に該当することを理由とするものに限る。）をし、又は第三百五十条の二十五第一項第三号若しくは第四号に該当すること（同号については、被告人が起訴状に記載された訴因について有罪である旨の陳述と相反するか又は実質的に異なつた供述をしたことにより同号に該当する場合を除

く。）となつたことを理由として第三百五十条の二十二の決定を取り消したとき。

二　検察官が第三百五十条の二第一項第二号トに係る同項の合意に基づいて略式命令の請求をした事件について、裁判所が第四百六十三条第一項若しくは第二項の規定により通常の規定に従い審判をすることとし、又は検察官が第四百六十五条第一項の規定により正式裁判の請求をしたとき。

三　次に掲げる事由　検察官

イ　被疑者又は被告人が第三百五十条の四の協議においてした他人の刑事事件についての供述の内容が真実でないことが明らかになつたとき。

ロ　第一号に掲げるもののほか、被疑者若しくは被告人が第三百五十条の二第一項の合意に基づいてした供述の内容が真実でないこと又は被疑者若しくは被告人が同項の合意に基づいて提出した証拠が偽造若しくは変造されたものであることが明らかになつたとき。

②　前項の規定による離脱は、その理由を記載した書面により、当該離脱に係る合意の相手方に対し、当該合意から離脱する旨の告知をして行うものとする。

❶【訴因・罰条の追加・撤回・変更の不許可→三一二①】【即決裁判手続の申立ての却下→三五〇の二二、刑訴規二二二の一四】【即決裁判手続による審判の決定の取消し→三五〇の二五①】
❷【本項の書面の取調べ等→三五〇の七②③・三五〇の八・三五〇の九・四六二の二②、刑訴規二八九③④】

第三五〇条の一一【合意の失効】　検察官が第三百五十条の二第一項第二号イに係る同項の合意に基づいて公訴を提起しない処分をした事件について、検察審査会法第三十九条の五第一項第一号若しくは第二号の議決又は同法第四十一条の六第一項の起訴議決があつたときは、当該合意は、その効力を失う。

第三五〇条の一二【合意の失効の場合の証拠能力の制限】①　前条の場合には、当該議決に係る事件について公訴が提起されたときにおいても、被告人が第三百五十条の四の協議においてした供述及び当該合意に基づいてした被告人の行為により得られた証拠並びにこれらに基づいて得られた証拠は、当該被告人の刑事事件において、これらを証拠とすることができない。

②　前項の規定は、次に掲げる場合には、これを適用しない。

一　前条に規定する議決の前に被告人がした行為が、当該合意に違反するものであつたことが明らかになり、又は第三百五十条の十第一項第三号イ若しくはロに掲げる事由に該当することとなつたとき。

二　被告人が当該合意に基づくものとしてした行為又は当該協議においてした行為が第三百五十条の十五第一項の罪、刑法第百三条、第百四条、第百六十九条若しくは第百七十二条の罪又は組織的犯罪処罰法第七条第一項第一号若しくは第二号に掲げる者に係る同条の罪に当たる場合において、これらの罪に係る事件において用いるとき。

三　証拠とすることについて被告人に異議がないとき。

【協議においてした供述→三五〇の五①】【合意に基づいてした被告人の行為により得られた証拠→三五〇の二①[三]】

第四節　合意の履行の確保

第三五〇条の一三【合意違反の場合の公訴棄却等】①　検察官が第三百五十条の二第一項第二号イからニまで、ヘ又はトに係る同項の合意（同号ハに係るものについては、特定の訴因及び罰条により公訴を提起する旨のものに限る。）に違反して、公訴を提起し、公訴を取り消さず、異なる訴因及び罰条により公訴を提起し、訴因若しくは罰条の追加、撤回若しくは変更を請求することなく若しくは異なる訴因若しくは罰条への追加若しくは撤回若しくは異なる訴因若しくは罰条への変更を請求して公訴を維持し、又は即決裁判手続の申立て若しくは略式命令の請求を同時にすることなく公訴を提起したときは、判決で当該公訴を棄却しなければならない。

②　検察官が第三百五十条の二第一項第二号ハに係る同項の合意（特定の訴因及び罰条により公訴を維持する旨のものに限る。）に違反して訴因又は罰条の追加又は変更を請求したときは、裁判所は、第三百十二条第一項の規定にかかわらず、これを許してはならない。

三五〇の二①　❶【判決による公訴棄却→三三八四】

第三五〇条の一四【合意違反の場合の証拠能力の制限】①　検察官が第三百五十条の二第一項の合意に違反したときは、被告人が第三百五十条の四の協議においてした供述及び当該合意に基づいてした被告人の行為により得られた証拠は、これらを証拠とすることができない。

②　前項の規定は、当該被告人の刑事事件の証拠とすることについて当該被告人に異議がない場合及び当該被告人以外の者の刑事事件の証拠とすることについてその者に異議がない場合には、これを適用しない。

【協議においてした供述→三五〇の五①】【合意に基づいてした被告人の行為により得られた証拠→三五〇の二①[三]】

第三五〇条の一五【虚偽供述等の処罰】①　第三百五十条の二第一項の合意に違反して、検察官、検察事務官又は司法警察職員に対し、虚偽の供述をし又は偽造若しくは変造の証拠を提出した者は、五年以下の拘禁刑に処する。（令和四法六七本項改正）

②　前項の罪を犯した者が、当該合意に係る他人の刑事事件の裁判が確定する前であつて、かつ、当該合意に係る自己の刑事事件の裁判が確定する前に自白したときは、その刑を減軽し、又は免除することができる。

❷【自白による刑の任意的減免→刑一七〇・一七三】

第五章　即決裁判手続（平成一六法六二本章追加）

第一節　即決裁判手続の申立て

第三五〇条の一六【申立ての要件と手続】①　検察官は、公訴を提起しようとする事件について、事案が明白であり、かつ、軽微であること、証拠調べが速やかに終わると見込まれることその他の事情を考慮し、相当と認めるときは、公訴の提起と同時に、書面により即決裁判手続の申立てをすることができる。ただし、死刑又は無期若しくは短期一年以上の拘禁刑に当たる事件については、この限りでない。（令和四法六七本項改正）

② 前項の申立ては、即決裁判手続によることについての被疑者の同意がなければ、これをすることができない。

③ 検察官は、被疑者に対し、前項の同意をするかどうかの確認を求めるときは、これを書面でしなければならない。この場合において、検察官は、被疑者に対し、即決裁判手続を理解させるために必要な事項（被疑者に弁護人がないときは、次条の規定により弁護人を選任することができる旨を含む。）を説明し、通常の規定に従い審判を受けることができる旨を告げなければならない。

④ 被疑者に弁護人がある場合には、第一項の申立ては、被疑者が第二項の同意をするほか、弁護人が即決裁判手続によることについて同意をし又はその意見を留保しているときに限り、これをすることができる。

⑤ 被疑者が第二項の同意をし、及び弁護人が前項の同意をし又はその意見を留保するときは、書面でその旨を明らかにしなければならない。

⑥ 第一項の書面には、前項の書面を添付しなければならない。

⊛+【申立書→刑訴規二二二の一一

第三五〇条の一七【同意確認のための公的弁護人の選任】 ① 前条第三項の確認を求められた被疑者が即決裁判手続によることについて同意をするかどうかを明らかにしようとする場合において、被疑者が貧困その他の事由により弁護人を選任することができないときは、裁判官は、その請求により、被疑者のため弁護人を付さなければならない。ただし、被疑者以外の者が選任した弁護人がある場合は、この限りでない。

② 第三十七条の三（請求による国選弁護人選任の要件）の規定は、前項の請求をする場合についてこれを準用する。

⊛❶【請求→刑訴規二八、二八の三【弁護人選任手続→刑訴規二二二の一二、二二二の一三

第二節　公判準備及び公判手続の特例

第三五〇条の一八【職権による公的弁護人の選任】 即決裁判手続の申立てがあつた場合において、被告人に弁護人がないときは、裁判長は、できる限り速やかに、職権で弁護人を付さなければならない。

⊛+【弁護人の選任→三八、刑訴規二九

第三五〇条の一九【検察官請求証拠の開示】 検察官は、即決裁判手続の申立てをした事件について、被告人又は弁護人に対し、第二百九十九条第一項の規定により証拠書類を閲覧する機会その他の同項に規定する機会を与えるべき場合には、できる限り速やかに、その機会を与えなければならない。

⊛+二九九①⊛

第三五〇条の二〇【弁護人に対する同意の確認】 ① 裁判所は、即決裁判手続の申立てがあつた事件について、弁護人が即決裁判手続によることについてその意見を留保しているとき、又は即決裁判手続の申立てがあつた後に弁護人が選任されたときは、弁護人に対し、できる限り速やかに、即決裁判手続によることについて同意をするかどうかの確認を求めなければならない。

② 弁護人は、前項の同意をするときは、書面でその旨を明らかにしなければならない。

⊛+【即決裁判手続の申立て→三五〇の一六【弁護人の同意・意見の留保→三五〇の一六④

第三五〇条の二一【公判期日の指定】 裁判長は、即決裁判手続の申立てがあつたときは、検察官及び被告人又は弁護人の意見を聴いた上で、その申立て後（前条第一項に規定する場合においては、同項の同意があつた後）、できる限り早い時期の公判期日を定めなければならない。

⊛+【公判期日の指定→刑訴規二二二の一八

第三五〇条の二二【即決裁判手続による審判の決定】 裁判所は、即決裁判手続の申立てがあつた事件について、第二百九十一条第五項の手続に際し、被告人が起訴状に記載された訴因について有罪である旨の陳述をしたときは、次に掲げる場合を除き、即決裁判手続によつて審判をする旨の決定をしなければならない。

一 第三百五十条の十六第二項又は第四項の同意が撤回されたとき。

二 第三百五十条の二十第一項に規定する場合において、同項の同意がされなかつたとき、又はその同意が撤回されたとき。

三 前二号に掲げるもののほか、当該事件が即決裁判手続によることができないものであると認めるとき。

四 当該事件が即決裁判手続によることが相当でないものであると認めるとき。

（令和五法二八本条改正）

⊛+【申立ての却下→刑訴規二二二の一四、二二二の一五①

第三五〇条の二三【必要的弁護】 前条の手続を行う公判期日及び即決裁判手続による公判期日については、弁護人がないときは、これを開くことができない。

⊛+【弁護人がないとき→刑訴規二二二の一七【弁護人選任の通知→刑訴規二二二の一六

第三五〇条の二四【公判審理の方式】 ① 第三百五十条の二十二の決定のための審理及び即決裁判手続による審判については、第二百八十四条、第二百八十五条、第二百九十六条、第二百九十七条、第三百条から第三百二条まで及び第三百四条から第三百七条までの規定は、これを適用しない。

② 即決裁判手続による証拠調べは、公判期日において、適当と認める方法でこれを行うことができる。

参刑訴規二二二の一九―二二二の二一

第三五〇条の二五【即決裁判手続による審判の決定の取消し】① 裁判所は、第三百五十条の二十二の決定があつた事件について、次の各号のいずれかに該当することとなつた場合には、当該決定を取り消さなければならない。

一 判決の言渡し前に、被告人又は弁護人が即決裁判手続によることについての同意を撤回したとき。

二 判決の言渡し前に、被告人が起訴状に記載された訴因について有罪である旨の陳述を撤回したとき。

三 前二号に掲げるもののほか、当該事件が即決裁判手続によることができないものであると認めるとき。

四 当該事件が即決裁判手続によることが相当でないものであると認めるとき。

② 前項の規定により第三百五十条の二十二の決定が取り消されたときは、公判手続を更新しなければならない。ただし、検察官及び被告人又は弁護人に異議がないときは、この限りでない。

参❶【即決裁判手続による審判の決定の取消し】↓刑訴規二二二の一五②【被告人・弁護人の同意】↓三五〇の一六②④、三五〇の二〇①【有罪の陳述】↓二九一⑤、三五〇の二二 ❷【公判手続の更新の手続】↓刑訴規二一三の二

第三五〇条の二六【公訴取消しによる公訴棄却と再起訴】 即決裁判手続の申立てを却下する決定（第三百五十条の二十二第三号又は第四号に掲げる場合に該当することを理由とするものを除く。）があつた事件について、当該決定後、証拠調べが行われることなく公訴が取り消された場合において、公訴の取消しによる公訴棄却の決定が確定したときは、第三百四十条の規定にかかわらず、同一事件について更に公訴を提起することができる。前条第一項第一号、第二号又は第四号のいずれかに該当すること（同号については、被告人が起訴状に記載された訴因について有罪である旨の陳述と相反するか又は実質的に異なつた供述をしたことにより同号に該当する場合に限る。）となつたことを理由として第三百五十条の二十二の決定が取り消された事件について、当該取消しの決定後、証拠調べが行われることなく公訴が取り消された場合において、公訴の取消しによる公訴棄却の決定が確定したときも、同様とする。（平成二八法五四本条追加）

参【即決裁判手続の申立ての却下】↓三五〇の二二、刑訴規二二二の一四【即決裁判手続による審判の決定の取消し】↓三五〇の二五【公訴の取消しによる公訴棄却の決定】↓二五七、三三九①③、三四〇

第三節　証拠の特例

第三五〇条の二七【伝聞証拠排斥の適用除外】 第三百五十条の二十二の決定があつた事件の証拠については、第三百二十条第一項の規定は、これを適用しない。ただし、検察官、被告人又は弁護人が証拠とすることに異議を述べたものについては、この限りでない。

参三二〇②

第四節　公判の裁判の特例

第三五〇条の二八【即日判決の要請】 裁判所は、第三百五十条の二十二の決定があつた事件については、できる限り、即日判決の言渡しをしなければならない。

第三五〇条の二九【拘禁刑の言渡し】 即決裁判手続において拘禁刑の言渡しをする場合には、その刑の全部の執行猶予の言渡しをしなければならない。（平成二五法四九、令和四法六七本条改正）

参【刑の全部の執行猶予】↓刑二五【控訴制限】↓四〇三の二

第三編　上訴

第一章　通則

第三五一条【上訴権者】① 検察官又は被告人は、上訴をすることができる。

② 第二百六十六条第二号の規定により裁判所の審判に付された事件と他の事件とが併合して審判され、一個の裁判があつた場合には、第二百六十八条第二項の規定により検察官の職務を行う弁護士及び当該他の事件の検察官は、その裁判に対し各々独立して上訴をすることができる。

参【他の上訴権者】↓三五二―三五六【相手方への通知】↓刑訴規二三〇【刑事施設に収容中の被告人の上訴】↓三六六、刑訴規二二七

第三五二条【同前】 検察官又は被告人以外の者で決定を受けたものは、抗告をすることができる。

参【決定を受けたものの例】↓一三三、一三七、一五〇、一六〇、一八六、一八七

第三五三条【同前】 被告人の法定代理人又は保佐人は、被告人のため上訴をすることができる。

参【被告人のため↓四〇二【制限↓三五六

第三五四条【同前】 勾留に対しては、勾留の理由の開示があつたときは、その開示の請求をした者も、被告人のため上訴をすることができる。その上訴を棄却する決定に対しても、同様である。

参【勾留理由開示】↓八四【請求権者】↓八二②【被告人のため】↓四〇二【制限】↓三五六

第三五五条【同前】 原審における代理人又は弁護人は、被告人のため上訴をすることができる。

参【代理人】↓二八三、二八四【弁護人】↓三二②

第三五六条【同前】 前三条の上訴は、被告人の明示した意思に反してこれをすることができない。

第三五七条【一部上訴】 上訴は、裁判の一部に対してこれをすることができる。部分を限らないで上訴をしたときは、裁判の全部に対してしたものとみなす。

第三五八条【上訴提起期間】 上訴の提起期間は、裁判が告知された日から進行する。

参五六②【上訴提起期間】↓三七三、四一四、四二二、四二九⑤、四三三②【期間計算】↓五五【上訴権回復】↓三六二【刑事施設にいる被告人の特則】↓三六六①【裁判の告知】↓刑訴規三四、三五

第三五九条【上訴の放棄・取下げ】 検察官、被告人又は

第三百五十二条に規定する者は、上訴の放棄又は取下をすることができる。（昭和二八法一七二本条改正）

【放棄の制限↓三六〇の二【放棄の手続↓三六〇の三、刑訴規二二三【取下げの手続↓刑訴規二二三の二・二二四【刑事施設にいる被告人の放棄・取下げ↓三六七【放棄・取下げの効力↓三六一【相手方への通知↓刑訴規二三〇【取下げと訴訟費用の負担↓一八四・一八七

第三六〇条【同前】 第三百五十三条又は第三百五十四条に規定する者は、書面による被告人の同意を得て、上訴の放棄又は取下をすることができる。（昭和二八法一七二本条改正）

【上訴の放棄・取下げ↓三五九【相手方への通知↓刑訴規二三〇【同意↓三六一、刑訴規二二四の二

第三六〇条の二【上訴放棄の制限】 死刑又は無期拘禁刑に処する判決に対する上訴は、前二条の規定にかかわらず、これを放棄することができない。（昭和二八法一七二本条追加、令和四法六七本条改正）

第三六〇条の三【上訴放棄の手続】 上訴放棄の申立は、書面でこれをしなければならない。（昭和二八法一七二本条追加）

【書面の提出先↓刑訴規二二三

第三六一条【上訴の放棄・取下げと再上訴】 上訴の放棄又は取下をした者は、その事件について更に上訴をすることができない。上訴の放棄又は取下に同意をした被告人も、同様である。（昭和二八法一七二本条改正）

【上訴の放棄・取下げ↓三五九・三六〇【取下げの同意↓三六〇

第三六二条【上訴権回復】 第三百五十一条乃至第三百五十五条の規定により上訴をすることができる者は、自己又は代人の責に帰することができない事由によつて上訴の提起期間内に上訴をすることができなかつたときは、原裁判所に上訴権回復の請求をすることができる。

【請求手続↓三六三・三六七、刑訴規二二五・二二六【相手方への通知↓刑訴規二三〇

第三六三条【同前】 ① 上訴権回復の請求は、事由が止んだ日から上訴の提起期間に相当する期間内にこれをしなければならない。

② 上訴権回復の請求をする者は、その請求と同時に上訴の申立をしなければならない。

【上訴提起期間↓三五八【刑事施設にいる被告人の請求↓三六七【請求手続↓三六二

第三六四条【同前】 上訴権回復の請求についてした決定に対しては、即時抗告をすることができる。

【即時抗告↓四二二・四二五・四二八②

第三六五条【同前】 上訴権回復の請求があつたときは、原裁判所は、前条の決定をするまで裁判の執行を停止する決定をすることができる。この場合には、被告人に対し勾留状を発することができる。

【勾留状↓六〇―六二

第三六六条【刑事施設にいる被告人に関する特則】 ① 刑事施設にいる被告人が上訴の提起期間内に上訴の申立書を刑事施設の長又はその代理者に差し出したときは、上訴の提起期間内に上訴をしたものとみなす。

② 被告人が自ら申立書を作ることができないときは、刑事施設の長又はその代理者は、これを代書し、又は所属の職員にこれをさせなければならない。

（平成一七法五〇本条改正）

【上訴提起期間↓三五八【刑事施設に収容中の被告人の上訴↓刑訴規二二七・二二八

第三六七条【同前】 前条の規定は、刑事施設にいる被告人が上訴の放棄若しくは取下げ又は上訴権回復の請求をする場合にこれを準用する。（昭和二八法一七二、平成一七法五〇本条改正）

【上訴の放棄・取下げ↓三五九【上訴権回復の請求↓三六二【規則の準用↓刑訴規二二九

第三六八条から第三七一条まで【検察官上訴と費用の補償】 削除（昭和五一法二三）

【旧規定に代わるもの↓一八八の四―一八八の七

第二章　控訴

第三七二条【控訴を許す判決】 控訴は、地方裁判所又は簡易裁判所がした第一審の判決に対してこれをすることができる。（昭和二四法一一六、平成二〇法七一本条改正）

【控訴審の管轄↓裁一六㈢【跳躍上告↓刑訴規二五四・二五五【最高裁判所への移送↓刑訴規二四七―二四九

第三七三条【控訴提起期間】 控訴の提起期間は、十四日とする。

【十四日↓三五八・五五・五六②・三六二・三六六①【控訴提起期間内の勾留に関する処分↓九七①②、刑訴規九二

第三七四条【控訴提起の方式】 控訴をするには、申立書を第一審裁判所に差し出さなければならない。

【第一審裁判所↓三七五【刑事施設にいる被告人↓三六六【訴訟記録の送付↓刑訴規二三五【訴訟記録送付前の勾留に関する処分↓九七②、刑訴規九二

第三七五条【第一審裁判所による控訴棄却の決定】 控訴の申立が明らかに控訴権の消滅後にされたものであるときは、第一審裁判所は、決定でこれを棄却しなければならない。この決定に対しては、即時抗告をすることができる。

【控訴権の消滅↓三六一・三七三【即時抗告↓四二二・四二五

第三七六条【控訴趣意書】 ① 控訴申立人は、裁判所の規則で定める期間内に控訴趣意書を控訴裁判所に差し出さなければならない。

② 控訴趣意書には、この法律又は裁判所の規則の定めるところにより、必要な疎明資料又は検察官若しくは弁護人の保証書を添附しなければならない。

【控訴趣意書と弁論↓三八九【控訴趣意書と調査範囲↓三九二❶【訴訟記録の送付を受けた控訴裁判所↓刑訴規二三五・二三七【規則で定める期間↓刑訴規二三六・二三八・二三九【控訴趣意書↓刑訴規二四〇―二四二【答弁書↓刑訴規二四三【本条違反の控訴棄却↓三八六①㈠㈡ ❷【疎明資料↓三七八―三八三【保証書↓三七七

第三七七条【控訴申立ての理由と控訴趣意書―絶対的控訴理由】 左の事由があることを理由として控訴の申立をした場合には、控訴趣意書に、その事由があることの充分な証明をすることができる旨の検察官又は弁護人の保証書を添附しなければならない。
一　法律に従つて判決裁判所を構成しなかつたこと。
二　法令により判決に関与することができない裁判官が判決に関与したこと。
三　審判の公開に関する規定に違反したこと。

∞【一】【裁判所の構成↓裁二三・二六・二七・三一・三五・四六、裁判員二・一三―一四・一七・六四①　【二】【関与することができない裁判官↓二〇―二三　【三】【公開に関する規定↓憲八二、裁七〇

第三七八条【同前―絶対的控訴理由】 左の事由があることを理由として控訴の申立をした場合には、控訴趣意書に、訴訟記録及び原裁判所において取り調べた証拠に現われている事実であつてその事由があることを信ずるに足りるものを援用しなければならない。
一　不法に管轄又は管轄違を認めたこと。
二　不法に、公訴を受理し、又はこれを棄却したこと。
三　審判の請求を受けた事件について判決をせず、又は審判の請求を受けない事件について判決をしたこと。
四　判決に理由を附せず、又は理由にくいちがいがあること。

∞+【訴訟記録↓五二　【一】【管轄↓三二九∞・三二九―三三一　【二】【公訴の受理・棄却↓三三八・三三九　【三】【審判の請求を受けた事件↓二四九・二五六・三一二　【四】【判決の理由↓四四・三三五①

第三七九条【同前―訴訟手続の法令違反】 前二条の場合を除いて、訴訟手続に法令の違反があつてその違反が判決に影響を及ぼすことが明らかであることを理由として控訴の申立をした場合には、控訴趣意書に、訴訟記録及び原裁判所において取り調べた証拠に現われている事実であつて明らかに判決に影響を及ぼすべき法令の違反があることを信ずるに足りるものを援用しなければならない。

∞+【訴訟記録↓五二【法令↓三九②

第三八〇条【同前―法令の適用の誤り】 法令の適用に誤があつてその誤が判決に影響を及ぼすことが明らかであることを理由として控訴の申立をした場合には、控訴趣意書に、その誤及びその誤が明らかに判決に影響を及ぼすべきことを示さなければならない。

∞+【法令の適用↓三三五

第三八一条【同前―刑の量定不当】 刑の量定が不当であることを理由として控訴の申立をした場合には、控訴趣意書に、訴訟記録及び原裁判所において取り調べた証拠に現われている事実であつて刑の量定が不当であることを信ずるに足りるものを援用しなければならない。

∞+【刑の量定↓三三三

第三八二条【同前―事実誤認】 事実の誤認があつてその誤認が判決に影響を及ぼすことが明らかであることを理由として控訴の申立をした場合には、控訴趣意書に、訴訟記録及び原裁判所において取り調べた証拠に現われている事実であつて明らかに判決に影響を及ぼすべき誤認があることを信ずるに足りるものを援用しなければならない。

∞+【事実の誤認↓三三五・四〇三の二

第三八二条の二【同前―弁論終結後の事情】 ①　やむを得ない事由によつて第一審の弁論終結前に取調を請求することができなかつた証拠によつて証明することのできる事実であつて前二条に規定する控訴申立の理由があることを信ずるに足りるものは、訴訟記録及び原裁判所において取り調べた証拠に現われている事実以外の事実であつても、控訴趣意書にこれを援用することができる。

②　第一審の弁論終結後判決前に生じた事実であつて前二条に規定する控訴申立の理由があることを信ずるに足りるものについても、前項と同様である。

③　前二項の場合には、控訴趣意書に、その事実を疎明する資料を添附しなければならない。第一項の場合には、やむを得ない事由によつてその証拠の取調を請求することができなかつた旨を疎明する資料をも添附しなければならない。

（昭和二八法一七二本条追加）

∞+【弁論↓二九三・三一三①【取調べ↓三九三①

第三八三条【同前―再審事由その他】 左の事由があることを理由として控訴の申立をした場合には、控訴趣意書に、その事由があることを疎明する資料を添附しなければならない。
一　再審の請求をすることができる場合にあたる事由があること。
二　判決があつた後に刑の廃止若しくは変更又は大赦があつたこと。

∞【一】【再審理由↓四三五　【二】【刑の廃止・変更↓刑六

第三八四条【控訴理由】 控訴の申立は、第三百七十七条乃至第三百八十二条及び前条に規定する事由があることを理由とするときに限り、これをすることができる。

∞+【本条違反と控訴棄却↓三八六①㈢・三九六

第三八五条【控訴棄却の決定】 ①　控訴の申立が法令上の方式に違反し、又は控訴権の消滅後にされたものであることが明らかなときは、控訴裁判所は、決定でこれを棄却しなければならない。

②　前項の決定に対しては、第四百二十八条第二項の異議の申立をすることができる。この場合には、即時抗告に関する規定をも準用する。

∞❶【申立ての方式↓三七四【控訴権の消滅↓三六一・三七三　❷【即時抗告に関する規定↓四二二・四二五

第三八六条【同前】 ①　左の場合には、控訴裁判所は、決定で控訴を棄却しなければならない。
一　第三百七十六条第一項に定める期間内に控訴趣意

書を差し出さないとき。

二　控訴趣意書がこの法律若しくは裁判所の規則で定める方式に違反しているとき、又は控訴趣意書にこの法律若しくは裁判所の規則の定めるところに従い必要な疎明資料若しくは保証書を添附しないとき。

三　控訴趣意書に記載された控訴の申立の理由が、明らかに第三百七十七条乃至第三百八十二条及び第三百八十三条に規定する事由に該当しないとき。

② 前条第二項の規定は、前項の決定についてこれを準用する。

参❶[二]【方式→刑訴規二四〇】【疎明資料の添付→三八二の二③、三八三】【保証書の添付→三七七】

第三八七条【弁護人の資格】 控訴審では、弁護士以外の者を弁護人に選任することはできない。

参【弁護人選任→三一②】

第三八八条【弁論能力】 控訴審では、被告人のためにする弁論は、弁護人でなければ、これをすることができない。

参【弁論→三八九、三九三④】

第三八九条【弁論】 公判期日には、検察官及び弁護人は、控訴趣意書に基いて弁論をしなければならない。

参【控訴趣意書→三七六】

第三九〇条【被告人の出頭】 控訴審においては、被告人は、公判期日に出頭することを要しない。ただし、裁判所は、五十万円（刑法、暴力行為等処罰に関する法律及び経済関係罰則の整備に関する法律の罪以外の罪については、当分の間、五万円）以下の罰金又は科料に当たる事件以外の事件について、被告人の出頭がその権利の保護のため重要であると認めるときは、被告人の出頭を命ずることができる。（平成三法三一本条改正）

参【被告人の出頭→二八四―二八六】【召喚必要→四〇九】【被告人の移送→刑訴規二四四】

第三九〇条の二【判決宣告期日への被告人の出頭命令】 前条の規定にかかわらず、控訴裁判所は、拘禁刑以上の刑に当たる罪で起訴されている被告人であつて、保釈又は勾留の執行停止をされているものについては、判決を宣告する公判期日への出頭を命じなければならない。ただし、重い疾病又は傷害その他やむを得ない事由により被告人が当該公判期日に出頭することが困難であると認めるときは、この限りでない。（令和五法二八本条追加）

参【保釈→八九―九一】【勾留の執行停止→九五】【判決宣告期日への出頭→四〇二の二】

第三九一条【弁護人の不出頭等】 弁護人が出頭しないとき、又は弁護人の選任がないときは、この法律により弁護人を要する場合又は決定で弁護人を附した場合を除いては、検察官の陳述を聴いて判決をすることができる。

参【弁護人を要する場合→二八九】【弁護人を付した場合→三六、三七、二九〇】

第三九二条【調査の範囲】 ① 控訴裁判所は、控訴趣意書に包含された事項は、これを調査しなければならない。

② 控訴裁判所は、控訴趣意書に包含されない事項であつても、第三百七十七条乃至第三百八十二条及び第三百八十三条に規定する事由に関しては、職権で調査をすることができる。

参【控訴趣意書→三七六】

第三九三条【事実の取調べ】 ① 控訴裁判所は、前条の調査をするについて必要があるときは、検察官、被告人若しくは弁護人の請求により又は職権で事実の取調をすることができる。但し、第三百八十二条の二の疎明があつたものについては、刑の量定の不当又は判決に影響を及ぼすべき事実の誤認を証明するために欠くことのできない場合に限り、これを取り調べなければならない。

② 控訴裁判所は、必要があると認めるときは、職権で、第一審判決後の刑の量定に影響を及ぼすべき情状につき取調をすることができる。（昭和二八法一七二本項追加）

③ 前二項の取調は、合議体の構成員にこれをさせ、又は地方裁判所、家庭裁判所若しくは簡易裁判所の裁判官にこれを嘱託することができる。この場合には、受命裁判官及び受託裁判官は、裁判所又は裁判長と同一の権限を有する。（昭和二四法一一六本項改正）

④ 第一項又は第二項の規定による取調をしたときは、検察官及び弁護人は、その結果に基いて弁論をすることができる。（昭和二八法一七二本項追加）

参❶【量刑不当→三八一】【事実誤認→三八二】❷【裁判官の権限→刑訴規三〇二】

第三九四条【証拠能力】 第一審において証拠とすることができた証拠は、控訴審においても、これを証拠とすることができる。

参【証拠とすることができた証拠→三二一―三二四、三二六、三二七】

第三九五条【控訴棄却の判決】 控訴の申立が法令上の方式に違反し、又は控訴権の消滅後にされたものであるときは、判決で控訴を棄却しなければならない。

参【控訴申立ての方式→三七四、三八五①】【控訴権の消滅→三七三、三六一】

第三九六条【同前】 第三百七十七条乃至第三百八十二条及び第三百八十三条に規定する事由がないときは、判決で控訴を棄却しなければならない。

第三九七条【破棄の判決】 ① 第三百七十七条乃至第三百八十二条及び第三百八十三条に規定する事由があるときは、判決で原判決を破棄しなければならない。

② 第三百九十三条第二項の規定による取調の結果、原判決を破棄しなければ明らかに正義に反すると認めるときは、判決で原判決を破棄することができる。（昭和二八法一七二本項追加）

⊛【破棄の場合の措置→三九八―四〇〇

第三九八条【破棄差戻し】 不法に、管轄違を言い渡し、又は公訴を棄却したことを理由として原判決を破棄するときは、判決で事件を原裁判所に差し戻さなければならない。

⊛【管轄違い、公訴棄却→三七八㈠㈡【差戻し→裁四、刑訴規二一七

第三九九条【破棄移送】 不法に管轄を認めたことを理由として原判決を破棄するときは、判決で事件を管轄第一審裁判所に移送しなければならない。但し、控訴裁判所は、その事件について第一審の管轄権を有するときは、第一審として審判をしなければならない。

⊛【不法な管轄認定→三七八㈠、刑訴規二一七【第一審の管轄→裁一六㈣・一七【移送→裁四、刑訴規二一七

第四〇〇条【破棄差戻し・移送・自判】 前二条に規定する理由以外の理由によつて原判決を破棄するときは、判決で、事件を原裁判所に差し戻し、又は原裁判所と同等の他の裁判所に移送しなければならない。但し、控訴裁判所は、訴訟記録並びに原裁判所及び控訴裁判所において取り調べた証拠によつて、直ちに判決をすることができるものと認めるときは、被告事件について更に判決をすることができる。

⊛【差戻し・移送→裁四、刑訴規二一七【取り調べた証拠→三九三、三九四【自判の内容→四〇四

第四〇一条【共同被告人のための破棄】 被告人の利益のため原判決を破棄する場合において、破棄の理由が控訴をした共同被告人に共通であるときは、その共同被告人のためにも原判決を破棄しなければならない。

第四〇二条【不利益変更の禁止】 被告人が控訴をし、又は被告人のため控訴をした事件については、原判決の刑より重い刑を言い渡すことはできない。

⊛【被告人のため控訴→三五三、三五五【重い刑→刑一〇

第四〇二条の二【判決宣告期日に被告人が出頭しない場合の判決宣告】 ① 控訴裁判所は、拘禁刑以上の刑に当たる罪で起訴されている被告人であつて、保釈又は勾留の執行停止をされているものが判決を宣告する公判期日に出頭しないときは、次に掲げる判決以外の判決を宣告することができない。ただし、第三百九十条の二ただし書に規定する場合であつて、刑の執行のためその者を収容するのに困難を生ずるおそれがないと認めるときは、この限りでない。

一　無罪、免訴、刑の免除、公訴棄却又は管轄違いの言渡しをした原判決に対する控訴を棄却する判決

二　事件を原裁判所に差し戻し、又は管轄裁判所に移送する判決

三　無罪、免訴、刑の免除又は公訴棄却の言渡しをする判決

② 拘禁刑以上の刑に当たる罪で起訴されている被告人であつて、保釈又は勾留の執行停止を取り消されたものが勾留されていないときも、前項本文と同様とする。ただし、被告人が逃亡していることにより勾留することが困難であると見込まれる場合において、次に掲げる判決について、速やかに宣告する必要があると認めるときは、この限りでない。

一　公職選挙法（昭和二十五年法律第百号）第二百五十三条の二第一項に規定する刑事事件について、有罪の言渡し（刑の免除の言渡しを除く。以下この号において同じ。）をする判決又は有罪の言渡しをした原判決に対する控訴を棄却する判決

二　組織的犯罪処罰法第十三条第三項の規定による犯罪被害財産の没収若しくは組織的犯罪処罰法第十六条第二項の規定による犯罪被害財産の価額の追徴の言渡しをする判決又はこれらの言渡しをした原判決に対する控訴を棄却する判決

（令和五法二八本条追加）

⊛❶【控訴棄却の判決→三九五、三九六【差戻し→三九八、四〇〇【移送→三九九、四〇〇　❷【保釈・勾留の執行停止の取消し→九八⊛

第四〇三条【公訴棄却の決定】 ① 原裁判所が不法に公訴棄却の決定をしなかつたときは、決定で公訴を棄却しなければならない。

② 第三百八十五条第二項〈異議申立て〉の規定は、前項の決定についてこれを準用する。

⊛【公訴棄却→三三九、三七八㈡

第四〇三条の二【控訴の制限】 ① 即決裁判手続においてされた判決に対する控訴の申立ては、第三百八十四条の規定にかかわらず、当該判決の言渡しにおいて示された罪となるべき事実について第三百八十二条に規定する事由があることを理由としては、これをすることができない。

② 原裁判所が即決裁判手続によつて判決をした事件については、第三百九十七条第一項の規定にかかわらず、控訴裁判所は、当該判決の言渡しにおいて示された罪となるべき事実について第三百八十二条に規定する事由があることを理由としては、原判決を破棄することができない。

（平成一六法六二本条追加）

⊛【即決裁判手続→三五〇の一六―三五〇の二九、三八二

第四〇三条の三【出国制限の失効、出国許可の失効】 ① 拘禁刑以上の刑に処する判決の宣告を受けた被告人について、次に掲げる裁判の告知があつたときは、当該被告人に対しては、第三百四十二条の二の規定は、適用しない。

一　拘禁刑以上の刑に処する原判決を破棄する判決

二　拘禁刑以上の刑に処する原判決に係る被告事件についての公訴を棄却する決定

② 前項第一号に掲げる判決の宣告があつた場合（第四百条ただし書の規定により更に第三百四十二条の八第一項（第一号に係る部分に限り、第四百四条において準用する場合を含む。）の規定による決定に係る勾留状は、その効力を失う。

③ 拘禁刑以上の刑に処する判決に対する控訴が棄却されたときは、第三百四十二条の二（第四百四条におい

て準用する場合を含む。）の許可は、その効力を失う。

（令和五法二八本条追加）

⊛+【拘禁刑以上の刑に処する判決→三四二の二、三四二の二⊛

第四〇三条の四【出国禁止命令の失効等】① 次に掲げる裁判の告知があつたときは、第三百四十五条の二（次条において準用する場合を含む。以下この項において同じ。）の規定による決定は、その効力を失う。

一 第三百四十五条の二の規定による決定に係る罰金の原判決を破棄する判決

二 第三百四十五条の二の規定による決定に係る罰金の原判決に係る被告事件についての公訴を棄却する決定

② 前項第一号に掲げる判決の宣告があつた場合（第四百条ただし書の規定により更に第三百四十五条に規定する裁判をした場合を除く。）には、第三百四十五条の三（次条において準用する場合を含む。）において読み替えて準用する第三百四十二条の八第一項（第一号に係る部分に限る。）の規定による決定に係る勾留状は、その効力を失う。

（令和五法二八本条追加）

第四〇四条【準用規定】第二編中公判に関する規定は、この法律に特別の定のある場合を除いては、控訴の審判についてこれを準用する。

第三章　上告

第四〇五条【上告を許す判決・上告申立ての理由】高等裁判所がした第一審又は第二審の判決に対しては、左の事由があることを理由として上告の申立をすることができる。

一 憲法の違反があること又は憲法の解釈に誤があること。

二 最高裁判所の判例と相反する判断をしたこと。

三 最高裁判所の判例がない場合に、大審院若しくは上告裁判所たる高等裁判所の判例又はこの法律施行後の控訴裁判所たる高等裁判所の判例と相反する判断をしたこと。

⊛+【高等裁判所の第一審→裁一六四【高等裁判所の第二審→裁一六㈠【判決との因果関係の必要→四一〇①【判例を変更する場合→四一〇②【本条の理由のない場合の職権破棄→四一一【二】憲八一、裁一〇㈠㈡　【三】【判例違反→裁一〇㈢

第四〇六条【同前の特則】最高裁判所は、前条の規定により上告をすることができる場合以外の場合であつても、法令の解釈に関する重要な事項を含むものと認められる事件については、その判決確定前に限り、裁判所の規則の定めるところにより、自ら上告審としてその事件を受理することができる。

⊛+【規則の定め→刑訴規二四七―二四九、二五四、二五五、二五七―二六四、裁一〇㈢

第四〇七条【上告趣意書】上告趣意書には、裁判所の規則の定めるところにより、上告の申立の理由を明示しなければならない。

⊛+【上告趣意書→四一四、三七六、刑訴規二五二【規則の定め→刑訴規二五三、二六六、二四〇【調査の範囲→四一四、三九二

第四〇八条【弁論を経ない上告棄却の判決】上告裁判所は、上告趣意書その他の書類によつて、上告の申立の理由がないことが明らかであると認めるときは、弁論を経ないで、判決で上告を棄却することができる。

⊛+【上告申立ての理由→四〇五【判決→四三①

第四〇九条【被告人召喚の不要】上告審においては、公判期日に被告人を召喚することを要しない。

⊛+【召喚→二七三、刑訴規二六五【上告審の弁論→四一四、三八八、三八九、三九一

第四一〇条【破棄の判決】① 上告裁判所は、第四百五条各号に規定する事由があるときは、判決で原判決を破棄しなければならない。但し、判決に影響を及ぼさないことが明らかな場合は、この限りでない。

② 第四百五条第二号又は第三号に規定する事由のみがある場合において、上告裁判所がその判例を変更して原判決を維持するのを相当とするときは、前項の規定は、これを適用しない。

⊛❶【破棄→四一二、四一三　❷【判例の変更→裁一〇㈢

第四一一条【同前】上告裁判所は、第四百五条各号に規定する事由がない場合であつても、左の事由があつて原判決を破棄しなければ著しく正義に反すると認めるときは、判決で原判決を破棄することができる。

一 判決に影響を及ぼすべき法令の違反があること。

二 刑の量定が甚しく不当であること。

三 判決に影響を及ぼすべき重大な事実の誤認があること。

四 再審の請求をすることができる場合にあたる事由があること。

五 判決があつた後に刑の廃止若しくは変更又は大赦があつたこと。

⊛【四】【再審事由→四三五　【五】【刑の廃止・変更→刑六

第四一二条【破棄移送】不法に管轄を認めたことを理由として原判決を破棄するときは、判決で事件を管轄控訴裁判所又は管轄第一審裁判所に移送しなければならない。

⊛+【不法な管轄認定→四一一㈠【移送を受けた第一審裁判所→刑訴規二一七

第四一三条【破棄差戻し・移送・自判】前条に規定する理由以外の理由によつて原判決を破棄するときは、判決で、事件を原裁判所若しくは第一審裁判所に差し戻し、又はこれらと同等の他の裁判所に移送しなければならない。但し、上告裁判所は、訴訟記録並びに原裁判所及び第一審裁判所において取り調べた証拠によつて、直ちに判決をすることができるものと認めるときは、被告事件について更に判決をすることができる。

⊛+【差戻移送を受けた第一審裁判所→刑訴規二一七【自判の内容→四一四、四〇四

第四一三条の二【上告審における破棄事由の制限】第一審裁判所が即決裁判手続によつて判決をした事件については、第四百十一条の規定にかかわらず、上告裁判

所は、当該判決の言渡しにおいて示された罪となるべき事実について同条第三号に規定する事由があることを理由としては、原判決を破棄することができない。

（平成一六法六二本条追加）

⊕【即決裁判手続→三五〇の一六―三五〇の二九

第四一四条【準用規定】 前章の規定は、この法律に特別の定のある場合を除いては、上告の審判についてこれを準用する。
⊕刑訴規二六六【上告棄却の決定→三八五①・三八六

第四一五条【訂正の判決】 ① 上告裁判所は、その判決の内容に誤のあることを発見したときは、検察官、被告人又は弁護人の申立により、判決でこれを訂正することができる。
② 前項の申立は、判決の宣告があつた日から十日以内にこれをしなければならない。
③ 上告裁判所は、適当と認めるときは、第一項に規定する者の申立により、前項の期間を延長することができる。
⊕❷【訂正の申立て→刑訴規二六七・二六八　❸【延長申立ての却下決定→刑訴規二六九

第四一六条【同前】 訂正の判決は、弁論を経ないでもこれをすることができる。
⊕【判決→四三①、刑訴規二七〇

第四一七条【同前】 ① 上告裁判所は、訂正の判決をしないときは、速やかに決定で申立を棄却しなければならない。
② 訂正の判決に対しては、第四百十五条第一項の申立をすることはできない。

第四一八条【上告判決の確定】 上告裁判所の判決は、宣告があつた日から第四百十五条の期間を経過したとき、又はその期間内に同条第一項の申立があつた場合には訂正の判決若しくは申立を棄却する決定があつたときに、確定する。

⊕【裁判の確定→四七一

第四章　抗告

第四一九条【一般抗告を許す決定】 抗告は、特に即時抗告をすることができる旨の規定がある場合の外、裁判所のした決定に対してこれをすることができる。但し、この法律に特別の定のある場合は、この限りでない。

⊕【抗告の管轄→裁一六㊂【即時抗告をすることができる旨の規定→一九③・二五・二六・一三三②・一三七②・一五〇②・一六〇②・一七一・一七八・一八六―一八七の二・一八八の三③・二六九・二七一の五⑤・二七八の三④・二九九の五⑥・三一六の二五③・三一六の二六③・三三九②・三四九の二⑤・三五〇・三六四・三七五・四五〇・四六三の二③・四六七・四六八①・五〇四【特別の定め→四二〇・四二七・四二八

第四二〇条【判決前の決定に対する抗告】 ① 裁判所の管轄又は訴訟手続に関し判決前にした決定に対しては、この法律に特に即時抗告をすることができる旨の規定がある場合を除いては、抗告をすることはできない。
② 前項の規定は、勾留、保釈、押収又は押収物の還付に関する決定及び鑑定のためにする留置に関する決定については、これを適用しない。
③ 勾留に対しては、前項の規定にかかわらず、犯罪の嫌疑がないことを理由として抗告をすることはできない。
⊕❶【管轄に関する決定→四・五・七・八・一〇②・一一②【即時抗告をすることができる旨の規定→四一九⊕　❷【勾留に関する決定→六〇・三六五・八一・八七・九一・九五・九六①④・九八の九①・九八の一〇②・三四二の八①㊂・三五四【保釈に関する決定→八八―九二・九六・九八の九①・九八の一〇②・三四二の八①㊂【押収に関する決定→九九―一〇一【押収物還付に関する決定→一二三・一二四【鑑定留置→一六七

第四二一条【通常抗告の時期】 抗告は、即時抗告を除いては、何時でもこれをすることができる。但し、原決定を取り消しても実益がないようになつたときは、この限りでない。

⊕【即時抗告→四二二・四二五

第四二二条【即時抗告の提起期間】 即時抗告の提起期間は、三日とする。

⊕【期間の計算→五五、刑訴規六六【起算点→三五八

第四二三条【抗告の手続】 ① 抗告をするには、申立書を原裁判所に差し出さなければならない。
② 原裁判所は、抗告を理由があるものと認めるときは、決定を更正しなければならない。抗告の全部又は一部を理由がないと認めるときは、申立書を受け取つた日から三日以内に意見書を添えて、これを抗告裁判所に送付しなければならない。
⊕❷【抗告裁判所→裁一六㊂【送付→刑訴規二七一

第四二四条【通常抗告と執行停止】 ① 抗告は、即時抗告を除いては、裁判の執行を停止する効力を有しない。但し、原裁判所は、決定で、抗告の裁判があるまで執行を停止することができる。
② 抗告裁判所は、決定で裁判の執行を停止することができる。

第四二五条【即時抗告の執行停止の効力】 即時抗告の提起期間内及びその申立があつたときは、裁判の執行は、停止される。

⊕【即時抗告の提起期間→四二二

第四二六条【抗告に対する決定】 ① 抗告の手続がその規定に違反したとき、又は抗告が理由のないときは、決定で抗告を棄却しなければならない。
② 抗告が理由のあるときは、決定で原決定を取り消し、必要がある場合には、更に裁判をしなければならない。

第四二七条【再抗告の禁止】 抗告裁判所の決定に対しては、抗告をすることはできない。
⊕【抗告手続→四一九―四二三【抗告の理由→四二〇③【決定→四三②―④、刑訴規二七二

第四二八条【高等裁判所の決定に対する抗告の禁止、抗告に代わる異議申立て】 ① 高等裁判所の決定に対しては、抗告をすることはできない。

② 即時抗告をすることができる旨の規定がある決定並びに第四百十九条及び第四百二十条の規定により抗告をすることができる決定で高等裁判所がしたものに対しては、その高等裁判所に異議の申立をすることができる。

③ 前項の異議の申立に関しては、抗告に関する規定を準用する。即時抗告をすることができる旨の規定がある決定に対する異議の申立に関しては、即時抗告に関する規定をも準用する。

❷【即時抗告をすることができる旨の規定↓四一九】【判決前の決定に対する抗告↓四二〇】【異議の申立てを許す規定↓一八八の五③・三八五②・三八六②・四〇三②】❸【準用↓四二一—四二六、刑訴規二七一・二七二】

第四二九条【準抗告】 ① 裁判官が次に掲げる裁判をした場合において、不服がある者は、簡易裁判所の裁判官がした裁判に対しては管轄地方裁判所に、その他の裁判官がした裁判に対してはその裁判官所属の裁判所にその裁判の取消し又は変更を請求することができる。

一 忌避の申立てを却下する裁判

二 勾留、保釈、押収又は押収物の還付に関する裁判

（昭和二四法一一六本号改正）

三 鑑定のため留置を命ずる裁判

四 証人、鑑定人、通訳人又は翻訳人に対して過料又は費用の賠償を命ずる裁判

五 身体の検査を受ける者に対して過料又は費用の賠償を命ずる裁判

② 第四百二十条第三項の規定は、前項の請求についてこれを準用する。

③ 第二百七条の二第二項（第二百二十四条第三項において読み替えて準用する場合を含む。）の規定による措置に関する裁判に対しては、当該措置に係る者が第二百一条の二第一項第一号又は第二号に掲げる者に該当しないことを理由として第一項の請求をすることができない。（令和五法二八本項追加）

④ 第一項の請求を受けた地方裁判所又は家庭裁判所は、合議体で決定をしなければならない。（昭和二四法一一六本項改正）

⑤ 第一項第四号又は第五号の裁判の取消し又は変更の請求は、その裁判のあつた日から三日以内にしなければならない。（令和五法二八本項改正）

⑥ 前項の請求期間内及びその請求があつたときは、裁判の執行は、停止される。

【請求の手続↓四三一】❶[一]【忌避申立却下↓二四②・二六②・二八②・二〇七・二〇七の二②・二〇七の三①・二〇八の二】[二]【勾留↓六〇・二〇八の二・二八〇】【押収↓一二五・一七九・九九—一〇一】【押収物還付↓一二三・一二四・一七九】[三]【鑑定留置↓二二四】[四]【証人に対する過料↓一五〇・一六〇】【証人に対する費用賠償↓一六三・一七一・一七八】[五]【身体検査拒否に対する過料↓一三七・二二二⑦】【鑑定人↓一七一】【通訳人又は翻訳人↓一七八】❺【期間の計算↓五五】

第四三〇条【同前】 ① 検察官又は検察事務官のした第三十九条第三項の処分又は押収若しくは押収物の還付に関する処分に不服がある者は、その検察官又は検察事務官が所属する検察庁の対応する裁判所にその処分の取消又は変更を請求することができる。

② 司法警察職員のした前項の処分に不服がある者は、司法警察職員の職務執行地を管轄する地方裁判所又は簡易裁判所にその処分の取消又は変更を請求することができる。

③ 前二項の請求については、行政事件訴訟に関する法令の規定は、これを適用しない。

【請求の手続↓四三一・四三二】❶【押収・押収物の還付に関する処分↓二一八①・二二〇①□②・二二一・二二二①】

第四三一条【準抗告の手続】 前二条の請求をするには、請求書を管轄裁判所に差し出さなければならない。

【管轄裁判所↓四三〇】

第四三二条【同前】 第四百二十四条〈執行停止〉、第四百二十六条〈決定〉及び第四百二十七条〈再抗告の禁止〉の規定は、第四百二十九条及び第四百三十条の請求があつた場合にこれを準用する。

第四三三条【特別抗告】 ① この法律により不服を申し立てることができない決定又は命令に対しては、第四百五条に規定する事由があることを理由とする場合に限り、最高裁判所に特に抗告をすることができる。

② 前項の抗告の提起期間は、五日とする。

【最高裁判所の法令審査権↓憲八一、裁七□】❶【不服申立てができない決定の例↓四二〇・四二七・四二八①】【不服申立てができる命令↓四二九】【特別抗告↓四〇五、刑訴規二七四・二七五】❷【期間の計算↓五五】

第四三四条【同前】 第四百二十三条〈手続〉、第四百二十四条〈執行停止の効力なし〉及び第四百二十六条〈決定手続〉の規定は、この法律に特別の定のある場合を除いては、前条第一項の抗告についてこれを準用する。

第四編 再審

第四三五条【再審を許す判決・再審の理由】 再審の請求は、左の場合において、有罪の言渡をした確定判決に対して、その言渡を受けた者の利益のために、これをすることができる。

一 原判決の証拠となつた証拠書類又は証拠物が確定判決により偽造又は変造であつたことが証明されたとき。

二 原判決の証拠となつた証言、鑑定、通訳又は翻訳が確定判決により虚偽であつたことが証明されたとき。

三 有罪の言渡を受けた者を誣告した罪が確定判決により証明されたとき。但し、誣告により有罪の言渡を受けたときに限る。

四 原判決の証拠となつた裁判が確定裁判により変更されたとき。

五 特許権、実用新案権、意匠権又は商標権を害した罪により有罪の言渡をした事件について、その権利の無効の審決が確定したとき、又は無効の判決があつたとき。

六 有罪の言渡を受けた者に対して無罪若しくは免訴を言い渡し、刑の言渡を受けた者に対して刑の免除

を言い渡し、又は原判決において認めた罪より軽い罪を認めるべき明らかな証拠をあらたに発見したとき。

七　原判決に関与した裁判官、原判決の証拠となつた証拠書類の作成に関与した裁判官又は原判決の証拠となつた書面を作成し若しくは供述をした検察官、検察事務官若しくは司法警察職員が被告事件について職務に関する罪を犯したことが確定判決により証明されたとき。但し、原判決をする前に裁判官、検察官、検察事務官又は司法警察職員に対して公訴の提起があつた場合には、原判決をした裁判所がその事実を知らなかつたときに限る。

【有罪の言渡し↓三三三・三三四【確定判決↓三七三・四一四・四一八【被告人の利益のため↓憲三九　[一]【偽造、変造↓刑一〇四　[二]【虚偽↓刑一六九・一七一　[三]【誣告↓刑一七二　[五]【罪↓特許一九六【審決↓特許一二五【判決↓特許一八一　[六]【有罪↓三三三【無罪↓三三六【免訴↓三三七【刑の免除↓三三四　[七]【職務に関する罪↓刑一九三―一九七の四・一五五・一五六

第四三六条【同前】　①　再審の請求は、左の場合において、控訴又は上告を棄却した確定判決に対して、その言渡を受けた者の利益のために、これをすることができる。

一　前条第一号又は第二号に規定する事由があるとき。

二　原判決又はその証拠となつた証拠書類の作成に関与した裁判官について前条第七号に規定する事由があるとき。

②　第一審の確定判決に対して再審の請求をした事件について再審の判決があつた後は、控訴棄却の判決に対しては、再審の請求をすることはできない。

③　第一審又は第二審の確定判決に対して再審の請求をした事件について再審の判決があつた後は、上告棄却の判決に対しては、再審の請求をすることはできない。

❶【再審の請求↓刑訴規二八三・二八四【控訴棄却↓三九五・三九六【上告棄却↓四一四【言渡しを受けた者の利益↓憲三九

第四三七条【確定判決に代わる証明】　前二条の規定に従い、確定判決により犯罪が証明されたことを再審の請求の理由とすべき場合において、その確定判決を得ることができないときは、その事実を証明して再審の請求をすることができる。但し、証拠がないという理由によつて確定判決を得ることができないときは、この限りでない。

❷❸【再審請求の競合↓四四九、刑訴規二八五

【証拠がないという理由↓三三六

第四三八条【管轄】　再審の請求は、原判決をした裁判所がこれを管轄する。

第四三九条【再審請求権者】　①　再審の請求は、左の者がこれをすることができる。

一　検察官

二　有罪の言渡を受けた者

三　有罪の言渡を受けた者の法定代理人及び保佐人

四　有罪の言渡を受けた者が死亡し、又は心神喪失の状態に在る場合には、その配偶者、直系の親族及び兄弟姉妹

②　第四百三十五条第七号又は第四百三十六条第一項第二号に規定する事由による再審の請求は、有罪の言渡を受けた者がその罪を犯させた場合には、検察官でなければこれをすることができない。

❶[三]【法定代理人・保佐人↓三〇②　[四]【親族↓民七二五

第四四〇条【弁護人選任】　①　検察官以外の者は、再審の請求をする場合には、弁護人を選任することができる。

②　前項の規定による弁護人の選任は、再審の判決があるまでその効力を有する。

【弁護人の選任↓三〇・三二

第四四一条【再審請求の時期】　再審の請求は、刑の執行が終り、又はその執行を受けることがないようになつたときでも、これをすることができる。

【執行を受けることがなくなつたとき↓刑三一

第四四二条【執行停止の効力】　再審の請求は、刑の執行を停止する効力を有しない。但し、管轄裁判所に対応する検察庁の検察官は、再審の請求についての裁判があるまで刑の執行を停止することができる。

【管轄裁判所↓四三八【再審請求についての裁判↓四四六―四四九

第四四三条【再審請求の取下げ】　①　再審の請求は、これを取り下げることができる。

②　再審の請求を取り下げた者は、同一の理由によつては、更に再審の請求をすることができない。

【方式↓刑訴規二八四【訴訟費用負担↓一八四・一八七

第四四四条【刑事施設にいる被告人に関する特則】　第三百六十六条〈刑事施設の長又はその代理者への差出し〉の規定は、再審の請求及びその取下についてこれを準用する。

第四四五条【事実の取調べ】　再審の請求を受けた裁判所は、必要があるときは、合議体の構成員に再審の請求の理由について、事実の取調をさせ、又は地方裁判所、家庭裁判所若しくは簡易裁判所の裁判官にこれを嘱託することができる。この場合には、受命裁判官及び受託裁判官は、裁判所又は裁判長と同一の権限を有する。（昭和二四法一一六本条改正）

【裁判官の権限↓刑訴規三〇二

第四四六条【請求棄却の決定】　再審の請求が法令上の方式に違反し、又は請求権の消滅後にされたものであるときは、決定でこれを棄却しなければならない。

【法令上の方式↓四三八・四三九、刑訴規二八三【請求権の消滅↓四三六②③・四四三②・四四七②【決定の手続↓刑訴規二八六

第四四七条【同前】　①　再審の請求が理由のないときは、決定でこれを棄却しなければならない。

②　前項の決定があつたときは、何人も、同一の理由によつては、更に再審の請求をすることはできない。

【再審請求の理由↓四三五・四三六【決定の手続↓刑訴規二八

六

第四四八条【再審開始の決定】 ① 再審の請求が理由のあるときは、再審開始の決定をしなければならない。

② 再審開始の決定をしたときは、決定で刑の執行を停止することができる。

参【再審請求の理由→四三五、四三六【決定の手続→刑訴規二八六

第四四九条【請求の競合と請求棄却の決定】 ① 控訴を棄却した確定判決とその判決によつて確定した第一審の判決とに対して再審の請求があつた場合において、第一審裁判所が再審の判決をしたときは、控訴裁判所は、決定で再審の請求を棄却しなければならない。

② 第一審又は第二審の判決に対する上告を棄却した判決とその判決によつて確定した第一審又は第二審の判決とに対して再審の請求があつた場合において、第一審裁判所又は控訴裁判所が再審の判決をしたときは、上告裁判所は、決定で再審の請求を棄却しなければならない。

第四五〇条【即時抗告】 第四百四十六条、第四百四十七条第一項、第四百四十八条第一項又は前条第一項の決定に対しては、即時抗告をすることができる。

参【即時抗告→四二二、四二五、四二八②③

第四五一条【再審の審判】 ① 裁判所は、再審開始の決定が確定した事件については、第四百四十九条の場合を除いては、その審級に従い、更に審判をしなければならない。

② 左の場合には、第三百十四条第一項本文及び第三百三十九条第一項第四号の規定は、前項の審判にこれを適用しない。

一 死亡者又は回復の見込がない心神喪失者のために再審の請求がされたとき。

二 有罪の言渡を受けた者が、再審の判決がある前に、死亡し、又は心神喪失の状態に陥りその回復の見込がないとき。

③ 前項の場合には、被告人の出頭がなくても、審判をすることができる。但し、弁護人が出頭しなければ開廷することはできない。

④ 第二項の場合において、再審の請求をした者が弁護人を選任しないときは、裁判長は、職権で弁護人を附しなければならない。

参❶【再審開始の決定→四四八 ❸【被告人出頭の原則→二八六 ❹【国選弁護人の選任→三八

第四五二条【不利益変更の禁止】 再審においては、原判決の刑より重い刑を言い渡すことはできない。

参【憲三九【重い刑→刑一〇

第四五三条【無罪判決の公示】 再審において無罪の言渡をしたときは、官報及び新聞紙に掲載して、その判決を公示しなければならない。

参【無罪の言渡し→四五一①、三三六、四〇〇、四〇四、四一三、四一四【刑事補償決定の公示→刑補二四

第五編　非常上告

第四五四条【非常上告理由】 検事総長は、判決が確定した後その事件の審判が法令に違反したことを発見したときは、最高裁判所に非常上告をすることができる。

参【確定→三七三、四一四、四一八【最高裁判所→裁八

第四五五条【申立ての方式】 非常上告をするには、その理由を記載した申立書を最高裁判所に差し出さなければならない。

参【申立書→四五六、四六〇①

第四五六条【公判期日】 公判期日には、検察官は、申立書に基いて陳述をしなければならない。

参【申立書→四五五

第四五七条【棄却の判決】 非常上告が理由のないときは、判決でこれを棄却しなければならない。

参【非常上告の理由→四五四

第四五八条【破棄の判決】 非常上告が理由のあるときは、左の区別に従い、判決をしなければならない。

一 原判決が法令に違反したときは、その違反した部分を破棄する。但し、原判決が被告人のため不利益であるときは、これを破棄して、被告事件について更に判決をする。

二 訴訟手続が法令に違反したときは、その違反した手続を破棄する。

参【非常上告の理由→四五四【判決の効力→四五九

第四五九条【判決の効力】 非常上告の判決は、前条第一号但書の規定によりされたものを除いては、その効力を被告人に及ぼさない。

第四六〇条【調査範囲、事実の取調べ】 ① 裁判所は、申立書に包含された事項に限り、調査をしなければならない。

② 裁判所は、裁判所の管轄、公訴の受理及び訴訟手続に関しては、事実の取調をすることができる。この場合には、第三百九十三条第三項〈受命裁判官・受託裁判官〉の規定を準用する。（昭和二八法一七二本項改正）

参❶【申立書→四五五 ❷【裁判官の権限→刑訴規三〇二

第六編　略式手続

第四六一条【略式命令】 簡易裁判所は、検察官の請求により、その管轄に属する事件について、公判前、略式命令で、百万円以下の罰金又は科料を科することができる。この場合には、刑の執行猶予をし、没収を科し、その他付随の処分をすることができる。（昭和二八法一七二、平成三法三一、平成一八法三六本条改正）

参【憲三七①②、三八③【検察官の請求→四六二【簡易裁判所の管轄に属する事件→裁三三①㈡【略式命令→四六四、刑訴規二八九、二九〇、二八九⑤【刑の執行猶予→刑二五【没収→刑一九【付随の処分→刑一九の二、二五の二、三四八、ETC

第四六一条の二【略式手続についての説明と被疑者の異議】 ① 検察官は、略式命令の請求に際し、被疑者に対し、あらかじめ、略式手続を理解させるために必要な事項を説明し、通常の規定に従い審判を受けること

ができる旨を告げた上、略式手続によることについて異議がないかどうかを確めなければならない。

② 被疑者は、略式手続によることについて異議がないときは、書面でその旨を明らかにしなければならない。

（昭和二八法一七二本条追加）

参❶【書面の添付→刑訴規二八八】

第四六二条【略式命令の請求】 ① 略式命令の請求は、公訴の提起と同時に、書面でこれをしなければならない。

② 前項の書面には、前条第二項の書面を添附しなければならない。（昭和二八法一七二本項追加）

第四六二条の二【合意した被告人の事件における合意内容書面等の差出し】 ① 検察官は、略式命令の請求をする場合において、その事件について被告人との間でした第三百五十条の二第一項の合意があるときは、当該請求と同時に、合意内容書面を裁判所に差し出さなければならない。

② 前項の規定により合意内容書面を裁判所に差し出した後、裁判所が略式命令をする前に、当該合意の当事者が第三百五十条の十第二項の規定により当該合意から離脱する旨の告知をしたときは、検察官は、遅滞なく、同項の書面をその裁判所に差し出さなければならない。

（平成二八法五四本条追加）

参+【合意内容書面→三五〇の七①、三五〇の三②】

第四六三条【通常の審判】 ① 第四百六十二条の請求があつた場合において、その事件が略式命令をすることができないものであり、又はこれをすることが相当でないものであると思料するときは、通常の規定に従い、審判をしなければならない。

② 検察官が、第四百六十一条の二に定める手続をせず、又は第四百六十二条第二項に違反して略式命令を請求したときも、前項と同様である。（昭和二八法一七二本項追加）

③ 裁判所は、前二項の規定により通常の規定に従い審判をするときは、直ちに検察官にその旨を通知しなければならない。（昭和二八法一七二本項追加）

④ 検察官は、前項の規定による通知を受けたときは、速やかに、裁判所に対し、被告人に送達するものとして、起訴状の謄本を提出しなければならない。（令和五法二八本項追加）

⑤ 第一項及び第二項の場合には、第二百七十一条及び第二百七十一条の二の規定の適用があるものとする。この場合において、第二百七十一条第一項中「公訴の提起」とあるのは「第四百六十三条第四項の規定による起訴状の謄本の提出」と、同条第二項中「公訴の提起が」とあるのは「第四百六十三条第三項の規定による通知が」と、第二百七十一条の二第二項中「公訴の提起において、裁判所に対し、起訴状とともに」とあるのは「第四百六十三条第三項の規定による通知を受けた後速やかに、裁判所に対し」とする。（昭和二八法一七二本項追加　令和五法二八本項改正）

⑥ 前項において読み替えて適用する第二百七十一条の二第二項の規定による起訴状抄本等の提出は、第三百三十八条（第四号に係る部分に限る。）の規定の適用については、公訴の提起においてされたものとみなす。（令和五法二八本項追加）

（昭和二三法二六〇本条改正）

参❸【検察官への通知→刑訴規二九三】

第四六三条の二【公訴提起の失効】 ① 前条の場合を除いて、略式命令の請求があつた日から四箇月以内に略式命令が被告人に告知されないときは、公訴の提起は、さかのぼつてその効力を失う。

② 前項の場合には、裁判所は、決定で、公訴を棄却しなければならない。略式命令が既に検察官に告知されているときは、略式命令を取り消した上、その決定をしなければならない。

③ 前項の決定に対しては、即時抗告をすることができる。

（昭和二八法一七二本条追加）

参❶【謄本送達不能→刑訴規二九〇④】❷【決定→刑訴規二九一】❸【即時抗告→四二二、四二五】

第四六四条【略式命令の方式】 略式命令には、罪となるべき事実、適用した法令、科すべき刑及び附随の処分並びに略式命令の告知があつた日から十四日以内に正式裁判の請求をすることができる旨を示さなければならない。（昭和二八法一七二本条改正）

参+【有罪判決の理由事項→三三五】

第四六五条【正式裁判の請求】 ① 略式命令を受けた者又は検察官は、その告知を受けた日から十四日以内に正式裁判の請求をすることができる。（昭和二八法一七二本項改正）

② 正式裁判の請求は、略式命令をした裁判所に、書面でこれをしなければならない。正式裁判の請求があつたときは、裁判所は、速やかにその旨を検察官又は略式命令を受けた者に通知しなければならない。

参❶【請求権者→四六七、三五三、三五五【十四日以内→五五、五六、四六七、三六二、四七〇】❷【書面による申立て→刑訴規二九四、二二四、二二七、二二八【裁判所の通知→刑訴規二九三】

第四六六条【同前の取下げ】 正式裁判の請求は、第一審の判決があるまでこれを取り下げることができる。

参+【取下げの手続→四六七、三五九、三六〇、三六一、刑訴規二九四【取下げの効果→四七〇】

第四六七条【上訴規定の準用】 第三百五十三条（被告人の法定代理人・保佐人の上訴権）、第三百五十五条乃至第三百五十七条（原審における代理人・弁護人の上訴権・一部上訴）、第三百五十九条、第三百六十条及び第三百六十一条乃至第三百六十五条（上訴の取下げ・上訴権回復）の規定は、正式裁判の請求又はその取下についてこれを準用する。

第四六八条【正式裁判請求の棄却、通常の審判】 ① 正式裁判の請求が法令上の方式に違反し、又は請求権の消滅後にされたものであるときは、決定でこれを

刑訴

棄却しなければならない。この決定に対しては、即時抗告をすることができる。

② 正式裁判の請求を適法とするときは、通常の規定に従い、審判をしなければならない。（昭和二四法一一六本項改正）

③ 前項の場合においては、略式命令に拘束されない。

④ 検察官は、第二項の規定により通常の規定に従い審判をすることとされた場合において、起訴状に記載された第二百七十一条の二第一項第一号又は第二号に掲げる者の個人特定事項について、必要と認めるときは、裁判所に対し、当該個人特定事項が被告人に知られないようにするための措置をとることを求めることができる。（令和五法二八本項追加）

⑤ 前項の規定による求めは、第二百七十一条の二第一項の規定による求めとみなして、同条第二項の規定を適用する。この場合において、同項中「公訴の提起において、裁判所に対し、起訴状とともに」とあるのは、「速やかに、裁判所に対し」とする。（令和五法二八本項追加）

⑥ 第四百六十三条第六項〈通常の審判〉の規定は、前項において読み替えて適用する第二百七十一条の二第二項の規定による起訴状抄本等の提出について準用する。（令和五法二八本項追加）

参❶【法令上の方式→四六五②【請求権の消滅→四六五①・四六七・三六一【棄却の決定→四七〇【即時抗告→四二二・四二五

第四六九条【略式命令の失効】 ① 正式裁判の請求により判決をしたときは、略式命令は、その効力を失う。

② 略式命令が効力を失つたときは、第三百四十五条の二の規定による決定及び第三百四十五条の三において読み替えて準用する第三百四十二条の八第一項（第一号に係る部分に限る。）の規定による決定に係る勾留状は、その効力を失う。（令和五法二八本項追加）

参【正式裁判の判決→四六八②③

第四七〇条【略式命令の効力】 略式命令は、正式裁判の請求期間の経過又はその請求の取下により、確定判決と同一の効力を生ずる。正式裁判の請求を棄却する裁判が確定したときも、同様である。

参【請求期間→四六五①【請求の取下げ→四六六【確定判決の効力→三三七①【棄却の裁判→四六八①

第七編　裁判の執行

第一章　裁判の執行の手続（令和五法二八章名追加）

第四七一条【裁判の確定と執行】 裁判は、この法律に特別の定のある場合を除いては、確定した後これを執行する。

参【特別の定め→四二四・四三二・三四八・四九〇・四九三・四九四・四八三、刑一八⑤【裁判の確定→三七三・四一四・四一八

第四七二条【執行指揮】 ① 裁判の執行は、その裁判をした裁判所に対応する検察庁の検察官がこれを指揮する。但し、第七十条第一項但書の場合、第百八条第一項但書の場合その他その性質上裁判所又は裁判官が指揮すべき場合は、この限りでない。

② 上訴の裁判又は上訴の取下により下級の裁判所の裁判を執行する場合には、上訴裁判所に対応する検察庁の検察官がこれを指揮する。但し、訴訟記録が下級の裁判所又はその裁判所に対応する検察庁に在るときは、その裁判所に対応する検察庁の検察官が、これを指揮する。

参❶【検察官の指揮→四七五、刑訴規三六　❷【上訴の裁判→三八五・三八六・三九六・四〇八・四一四・四二六①【上訴の取下げ→三五九−三六一

第四七三条【執行指揮の方式】 裁判の執行の指揮は、書面でこれをし、これに裁判書又は裁判を記載した調書の謄本又は抄本を添えなければならない。但し、刑の執行を指揮する場合を除いては、裁判書の原本、謄本若しくは抄本又は裁判を記載した調書の謄本若しくは抄本に認印して、これをすることができる。

参【裁判書等の謄抄本→刑訴規五七・三六

第四七四条【刑の執行の順序】 二以上の主刑の執行は、罰金及び科料を除いては、その重いものを先にする。但し、検察官は、重い刑の執行を停止して、他の刑の執行をさせることができる。（昭和二八法一七二本条改正）

参【主刑→刑九【刑の軽重→刑一〇【刑の時効の停止→刑三三

第四七五条【死刑の執行】 ① 死刑の執行は、法務大臣の命令による。

② 前項の命令は、判決確定の日から六箇月以内にこれをしなければならない。但し、上訴権回復若しくは再審の請求、非常上告又は恩赦の出願若しくは申出がされその手続が終了するまでの期間及び共同被告人であつた者に対する判決が確定するまでの期間は、これをその期間に算入しない。

参❷【上訴権回復→三六二【再審→四四二【非常上告→四五九【六箇月以内→五五【刑事施設に拘置→刑一一②、刑事収容二−四

第四七六条【同前】 法務大臣が死刑の執行を命じたときは、五日以内にその執行をしなければならない。

参【五日以内→五五、刑事収容一七八②

第四七七条【同前】 ① 死刑は、検察官、検察事務官及び刑事施設の長又はその代理者の立会いの上、これを執行しなければならない。

② 検察官又は刑事施設の長の許可を受けた者でなければ、刑場に入ることはできない。（平成一七法五〇本条改正）

参【死刑の執行→刑一一①、刑事収容一七八・一七九

第四七八条【同前】 死刑の執行に立ち会つた検察事務官は、執行始末書を作り、検察官及び刑事施設の長又はその代理者とともに、これに署名押印しなければならない。（平成一七法五〇本条改正）

第四七九条【死刑執行の停止】 ① 死刑の言渡を受けた者が心神喪失の状態に在るときは、法務大臣の命令によつて執行を停止する。

② 死刑の言渡を受けた女子が懐胎しているときは、法

務大臣の命令によつて執行を停止する。

③ 前二項の規定により死刑の執行を停止した場合には、心神喪失の状態が回復した後又は出産の後に法務大臣の命令がなければ、執行することはできない。

④ 第四百七十五条第二項の規定は、前項の命令についてこれを準用する。この場合において、判決確定の日とあるのは、心神喪失の状態が回復した日又は出産の日と読み替えるものとする。

⊛【刑の時効の停止↓刑三三】

第四七九条の二【刑の執行開始等による出国制限の失効】 拘禁刑以上の刑に処する判決の宣告を受けた者について、刑法第十一条第二項の規定による拘置若しくは拘禁刑の執行が開始されたとき、又は当該判決に係る刑の執行を受けることがなくなつたときは、当該者に対しては、第三百四十二条の二（第四百四条（第四百十四条において準用する場合を含む。以下この章において同じ。）において準用する場合を含む。第四百八十五条の二において同じ。）の規定は、適用しない。

（令和五法二八本条追加）

⊛【拘禁刑以上の刑に処する判決↓三四二の二⊛【刑の執行を受けることがなくなったとき↓刑三一—三四】

第四八〇条【拘禁刑の執行停止】 拘禁刑又は拘留の言渡しを受けた者が心神喪失の状態にあるときは、刑の言渡しをした裁判所に対応する検察庁の検察官又は刑の言渡しを受けた者の現在地を管轄する地方検察庁の検察官の指揮によつて、その状態が回復するまで執行を停止する。（令和四法六七本条改正）

⊛【刑の時効の停止↓刑三三】

第四八一条【同前】 ① 前条の規定により刑の執行を停止した場合には、検察官は、刑の言渡を受けた者を監護義務者又は地方公共団体の長に引き渡し、病院その他の適当な場所に入れさせなければならない。

② 刑の執行を停止された者は、前項の処分があるまでこれを刑事施設に留置し、その期間を刑期に算入する。（平成一七法五〇本項改正）

第四八二条【同前】 拘禁刑又は拘留の言渡しを受けた者について次に掲げる事由があるときは、刑の言渡しをした裁判所に対応する検察庁の検察官又は刑の言渡しを受けた者の現在地を管轄する地方検察庁の検察官の指揮によつて執行を停止することができる。

一 刑の執行によつて、著しく健康を害するとき、又は生命を保つことのできないおそれがあるとき。
二 年齢七十年以上であるとき。
三 受胎後百五十日以上であるとき。
四 出産後六十日を経過しないとき。
五 刑の執行によつて回復することのできない不利益を生ずるおそれがあるとき。
六 祖父母又は父母が年齢七十年以上又は重病若しくは不具で、他にこれを保護する親族がないとき。
七 子又は孫が幼年で、他にこれを保護する親族がないとき。
八 その他重大な事由があるとき。

（昭和二八法一七二、令和四法六七本条改正）

⊛【病者等の仮移送↓刑事収容六二③】

第四八三条【訴訟費用の執行停止】 第五百条に規定する申立の期間内及びその申立があつたときは、訴訟費用の負担を命ずる裁判の執行は、その申立についての裁判が確定するまで停止される。

⊛【訴訟費用の負担を命ずる裁判↓一八一—一八八【その執行↓四九〇】

第四八三条の二【拘禁刑以上の刑に処する判決確定後の出国制限に関する規定の適用】 拘禁刑以上の刑に処する判決が確定した後における第三百四十二条の二から第三百四十二条の七まで（これらの規定を第四百四条において準用する場合を含む。以下この条において同じ。）の規定の適用については、次の表の上欄に掲げる規定中同表の中欄に掲げる字句は、それぞれ同表の下欄に掲げる字句とし、第三百四十二条の五第一項ただし書の規定は、適用しない。

第三百四十二条の二、第三百四十二条の四、第三百四十二条の五第一項及び第三項、第三百四十二条の六第二項において読み替えて準用する第九十四条第二項並びに第三百四十二条の七第一項及び第三項	裁判所	拘禁刑以上の刑に処する判決の言渡しをした裁判所
第三百四十二条の三	その弁護人、	その
第三百四十二条の六第二項	第三百四十二条の三	第四百八十三条の二において読み替えて適用する第三百四十二条の三（第四百四条（第四百十四条において準用する場合を含む。）において準用する場合を含む。）
第三百四十二条の六第二項において読み替えて準用する第九十四条第三項	裁判所は	拘禁刑以上の刑に処する判決の言渡しをした裁判所は
	裁判所の	その裁判所の
第三百四十二条の七第一項	第三百四十二条の二	第三百四十二条の二（第四百四条（第四百十四条において準

		用する場合を含む。）において準用する場合を含む。以下この条において同じ。）
第三百四十二条の七第二項	裁判所は	拘禁刑以上の刑に処する判決の言渡しをした裁判所は
第三百四十二条の七第二項第二号	裁判所	当該許可をした裁判所
第三百四十二条の七第四項	裁判所は、検察官の請求により、又は職権で	拘禁刑以上の刑に処する判決の言渡しをした裁判所は、検察官の請求により

（令和五法二八本条追加）

【拘禁刑以上の刑に処する判決↓三四二の二】

第四八四条【執行のための呼出し】 死刑、拘禁刑又は拘留の言渡しを受けた者が拘禁されていないときは、検察官は、執行のため、出頭すべき日時及び場所を指定してこれを呼び出さなければならない。呼出しに応じないときは、収容状を発しなければならない。（平成一七法五〇、令和四法六七、令和五法二八本条改正）

【呼出しに対する不出頭↓九六⑦、四八四の二【収容状↓四八七―四八九

第四八四条の二【執行のための呼出しを受けた者の不出頭に対する罰則】 前条前段の規定による呼出しを受けた者が、正当な理由がなく、指定された日時及び場所に出頭しないときは、二年以下の拘禁刑に処する。

（令和五法二八本条追加）

【執行のための呼出し↓四八四、九六⑦

第四八五条【収容状の発付】 死刑、拘禁刑又は拘留の言渡しを受けた者が逃亡したとき、又は逃亡するおそれがあるときは、検察官は、直ちに収容状を発し、又は司法警察員にこれを発せしめることができる。（平成一七法五〇、令和四法六七本条改正）

【収容状↓四八四】

第四八五条の二【出国制限に違反した者に対する収容状の発付】 拘禁刑以上の刑に処する判決の宣告を受けた者が次の各号のいずれかに該当するときは、検察官は、当該判決が確定した後、直ちに収容状を発付し、又は司法警察員にこれを発付させることができる。

一　第三百四十二条の二の許可を受けないで本邦から出国し又は出国しようとしたとき。

二　第三百四十二条の二の許可が取り消されたとき。

三　第三百四十二条の二の許可を受け、正当な理由がなく、指定期間内に本邦に帰国せず又は上陸しなかつたとき。

（令和五法二八本条追加）

【拘禁刑以上の刑に処する判決↓三四二の二】【収容状↓四八四】・三四二の八　[三]【許可の取消し↓三四二の七②

第四八六条【検事長に対する収容の請求】 ①　死刑、拘禁刑又は拘留の言渡しを受けた者の現在地が分からないときは、検察官は、検事長にその者の刑事施設への収容を請求することができる。（令和四法六七本項改正）

②　請求を受けた検事長は、その管内の検察官に収容状を発せしめなければならない。

第四八七条【収容状】 収容状には、刑の言渡しを受けた者の氏名、住居、年齢、刑名、刑期その他収容に必要な事項を記載し、検察官又は司法警察員が、これに記名押印しなければならない。（平成一七法五〇本条改正）

【収容状の発付↓四八四―四八六

第四八八条【収容状の効力】 収容状は、勾引状と同一の効力を有する。（平成一七法五〇本条改正）

【勾引状と同一の効力↓六二、七三、一二六

第四八九条【収容状の執行】 収容状の執行については、勾引状の執行に関する規定を準用する。（平成一七法五〇本条改正）

【勾引状の執行に関する規定↓七〇―七四

＊令和五法二八（令和一〇・五・一六までに施行）による改正後

第四八九条の二【拘禁刑以上の刑に処する判決等の確定後における位置測定端末装着命令に関する規定の適用等】 ①　拘禁刑以上の刑に処する判決又は拘留に処する判決が確定した後における第九十八条の十二から第九十八条の十七まで及び第九十八条の二十の規定の適用については、第九十八条の十二第五項、第九十八条の十四第一項第四号及び第二項、第九十八条の十五第一項、第三項、第四項、第六項、第十一項及び第十二項、第九十八条の十六第一項、第九十八条の十七第四項並びに第九十八条の二十第一項、第三項及び第六項中「裁判所」とあるのは「拘禁刑以上の刑に処する判決又は拘留に処する判決の言渡しをした裁判所」と、第九十八条の十三第一項及び第九十八条の十五第八項中「裁判所の指揮」とあるのは「拘禁刑以上の刑に処する判決又は拘留に処する判決の言渡しをした裁判所の指揮」と、第九十八条の十四第一項第五号中「裁判所に」とあるのは「拘禁刑以上の刑に処する判決又は拘留に処する判決の言渡しをした裁判所に」とし、第九十八条の十二第一項及び第二項並びに第九十八条の二十第二項、第四項及び第五項の規定は、適用しない。

②　収容状の執行を指揮する検察官又はその執行をする検察事務官若しくは司法警察職員は、位置測定端末装着命令を受けた者について、収容状の執行をする場合において、必要と認めるときは、拘禁刑以上の刑に処する判決又は拘留に処する判決の言渡しをした裁判所の許可を受けて、当該者に係る端末位置情報を表示して閲覧することができる。

③　拘禁刑以上の刑に処する判決又は拘留に処する判決の言渡しをした裁判所は、自ら第九十八条の二十第一項の規定による通知をすることが困難であるときは、あらかじめ、当該通知及び端末位置情報の閲覧の許可に関する権限を裁判所の規則で定める裁判所の裁判官に委任することができる。この場合においては、次に掲げる者は、必要と認めるときは、委任を受けた裁判官の許可を受けて、前項の規定による端末位置情報の閲覧をすることができる。

一　委任を受けた裁判官所属の裁判所に対応する検察庁の検察官若しくは検察事務官又は当該検察庁の所在地において職務を行うことができる司法警察職員

二　収容状の執行を指揮する検察官又は当該執行をする検

察事務官若しくは司法警察職員
（改正により追加）

第四九〇条【財産刑等の執行】 ① 罰金、科料、没収、追徴、過料、訴訟費用、費用賠償又は仮納付の裁判は、検察官の命令によつてこれを執行する。この命令は、執行力のある債務名義と同一の効力を有する。

② 前項の裁判の執行は、民事執行法（昭和五十四年法律第四号）その他強制執行の手続に関する法令の規定に従つてする。ただし、執行前に裁判の送達をすることを要しない。（昭和五四法五本項改正）

❶【罰金、科料、没収、追徴→三三三、四六一【過料、費用賠償→一三三、一三七、一二二⑦、一五〇、一六〇、一七一、一七八【没取→九六②③⑤―⑦、九八の八②、九八の一〇③、九八の一一、三四二の七③④、三四二の八②【訴訟費用→一八一―一八七の二【仮納付→三四八【執行力のある債務名義→民執二二、二五【執行力のある債務名義と同一の効力を有するものの例→民執五一 ❷【執行前送達→民執二九【執行費用の負担→民執四二

第四九一条【相続財産に対する執行】 没収又は租税その他の公課若しくは専売に関する法令の規定により言い渡した罰金若しくは追徴は、刑の言渡を受けた者が判決の確定した後死亡した場合には、相続財産についてこれを執行することができる。

+【死亡→民八八二【相続財産→民八九六、八九八

第四九二条【合併後の法人に対する執行】 法人に対して罰金、科料、没収又は追徴を言い渡した場合に、その法人が判決の確定した後合併によつて消滅したときは、合併の後存続する法人又は合併によつて設立された法人に対して執行することができる。

+【合併→会社七四八

第四九二条の二【仮納付の執行と出国禁止命令の失効等】 罰金に相当する金額について仮納付の裁判の執行があつたときは、第三百四十五条の二（第四百四条において準用する場合を含む。第四百九十四条の三、第四百九十四条の五（第三号を除く。）、第四百九十四条の六、第四百九十四条の八第一項、第四百九十四条の十二第一項及び第四百九十四条の十四において同じ。）の規定による決定及び第三百四十五条の三（第四百四条において準用する場合を含む。第四百九十四条の二において同じ。）において読み替えて準用する第三百四十二条の八第一項（第一号に係る部分に限る。）の規定による決定に係る勾留状は、その効力を失う。（令和五法二八本条追加）

+【仮納付の裁判の執行→三四八、四九〇、三四五の二、三四五の三、三四二の八①

第四九三条【仮納付の執行の調整】 ① 第一審と第二審とにおいて、仮納付の裁判があつた場合に、第一審の仮納付の裁判について既に執行があつたときは、その執行は、これを第二審の仮納付の裁判で納付を命ぜられた金額の限度において、第二審の仮納付の裁判についての執行とみなす。

② 前項の場合において、第一審の仮納付の裁判の執行によつて得た金額が第二審の仮納付の裁判で納付を命ぜられた金額を超えるときは、その超過額は、これを還付しなければならない。

+【仮納付の裁判→三四八、四〇四、四九〇

第四九四条【仮納付の執行と本刑の執行】 ① 仮納付の裁判の執行があつた後に、罰金、科料又は追徴の裁判が確定したときは、その金額の限度において刑の執行があつたものとみなす。

② 前項の場合において、仮納付の裁判の執行によつて得た金額が罰金、科料又は追徴の金額を超えるときは、その超過額は、これを還付しなければならない。

+四九三

第四九四条の二【罰金の裁判確定後の出国禁止命令に関する規定の適用】 罰金の裁判が確定した後における第三百四十五条の三において準用する第三百四十二条の三から第三百四十二条の七までの規定及び第三百四十五条の四（これらの規定を第四百四条において準用する場合を含む。以下この条において同じ。）の規定の適用については、次の表の上欄に掲げる規定中同表の中欄に掲げる字句は、それぞれ同表の下欄に掲げる字句とし、第三百四十五条の三において準用する第三百四十二条の五第一項ただし書の規定は、適用しない。

第三百四十五条の三において読み替えて準用する第三百四十二条の三及び第三百四十二条の四第二項	第三百四十五条の二の規定	第三百四十五条の二（第四百四条において準用する場合を含む。）の規定
第三百四十五条の三において読み替えて準用する第三百四十二条の三及び第三百四十五条の四第一項	その弁護人、	その
第三百四十五条の三において準用する第三百四十二条の四並びに第三百四十二条の五第一項及び第三項並びに第三百四十五条の三において読み替えて準用する第三百四十二条	裁判所	第三百四十五条の二（第四百四条において準用する場合を含む。）の規定による決定をした裁判所

の六第二項において読み替えて準用する第九十四条第二項		
第三百四十五条の三において読み替えて準用する第三百四十二条の五第二項及び第三百四十二条の六第二項	第三百四十五条の二	第三百四十五条の二（第四百四条（第四百十四条において準用する場合を含む。）において準用する場合を含む。）
第三百四十五条の三において読み替えて準用する第三百四十二条の六第二項	第三百四十五条の三	第四百九十四条の二において読み替えて適用する第三百四十五条の三（第四百四条（第四百十四条において準用する場合を含む。）において準用する場合を含む。）
第三百四十五条の三において読み替えて準用する第三百四十二条の六第二項において読み替えて準用する第九十四条第三項	裁判所は	第三百四十五条の二（第四百四条（第四百十四条において準用する場合を含む。）において準用する場合を含む。）の規定による決定をした裁判所は
	裁判所の	その裁判所の
第三百四十五条の三において準用する第三百四十二条の七第一項及び第三百四十五条の四第一項	裁判所	第三百四十五条の二（第四百四条（第四百十四条において準用する場合を含む。）において準用する場合を含む。以下この条において同じ。）の規定による決定をした裁判所
第三百四十五条の三において準用する第三百四十二条の七第二項	裁判所は	第三百四十五条の二の規定による決定をした裁判所は
第三百四十五条の三において準用する第三百四十二条の七第二項第二号	裁判所	当該許可をした裁判所
第三百四十五条の三において準用する第三百四十二条の七第三項及び第三百四十五条の四第二項	裁判所	第三百四十五条の二の規定による決定をした裁判所
第三百四十五条の三において準用する第三百四十二条の七第四項	裁判所は、検察官の請求により、又は職権で	第三百四十五条の二の規定による決定をした裁判所は、検察官の請求により

（令和五法二八本条追加）

参+【罰金の裁判→三四五の二①、三四五の三、三四二の三―三四二の七、三四五の四

第四九四条の三【罰金の裁判が確定した者に対する出国禁止命令】 罰金の裁判を告知した裁判所は、当該裁判が確定した者について、罰金を完納することができないおそれがあると認めるとき（その者が受けた第三百四十五条の二の規定による決定が効力を失つていないときを除く。）は、拘置状を発する場合を除き、検察官の請求により、決定で、裁判所の許可を受けなければ本邦から出国してはならないことを命ずるものとする。（令和五法二八本条追加）

参+【罰金を完納できない場合→五〇五【拘置状→四九四の七【裁判所の許可→四九四の四、三四二の三―三四二の七【命令の取消し→四九四の四、三四五の四【命令の失効→四九四の一四、三四五の二

第四九四条の四【準用規定】 第三百四十二条の三から第三百四十二条の七まで（出国許可の請求、出国許可の決定、帰国等保証金、出国許可の条件、帰国等保証金の納付、出国許可の取消し、帰国等保証金の没取）（第三百四十二条の五第一項ただし書を除く。）の規定は前条の許可について、第三百四十五条の四（出国禁止命令の取消し）の規定は前条の規定による決定について、それぞれ準用する。この場合において、次の表の上欄に掲げる規定中同表の中欄に掲げる字句は、それぞれ同表の下欄に掲げる字句に読み替えるものとする。

第三百四十二条の三、第三百四十二条の五第二項及び第三百四十二条の六第二項	拘禁刑以上の刑に処する判決の宣告	第四百九十四条の三の規定による決定
第三百四十二条の五第二項	当該判決の宣告	
第三百四十二条の三及び第三百四十五条の四第一項	その弁護人、	その
第三百四十二条の四、第三	裁判所	第四百九十四条の三の規定による決定を

百四十二条の五第一項及び第三百四十二条の六第二項において読み替えて準用する第九十四条第二項、第三百四十二条の七第一項及び第三項並びに第三百四十五条の四		した裁判所
第三百四十二条の五第二項	宣告された判決に係る刑名及び刑期	告知された裁判に係る罰金の金額及び罰金を完納することができない場合における留置の期間
第三百四十二条の六第二項	第三百四十二条の三	第四百九十四条の四において読み替えて準用する第三百四十二条の三
第三百四十二条の六第二項において読み替えて準用する第九十四条第三項	裁判所は	第四百九十四条の三の規定による決定をした裁判所は
	裁判所の	その裁判所の
第三百四十二条の七第二項	裁判所は	第四百九十四条の三の規定による決定をした裁判所は
第三百四十二条の七第二項第二号	裁判所	当該許可をした裁判所
第三百四十二条の七第四項	裁判所は、検察官の請求により、又は職権で	第四百九十四条の三の規定による決定をした裁判所は、検察官の請求により

（令和五法二八本条追加）

第四九四条の五【罰金の裁判が確定した者の拘置】 第三百四十五条の二又は第四百九十四条の三の規定による決定をした裁判所は、罰金の裁判が確定した者で、次の各号のいずれかに該当するものについて、罰金を完納することができないこととなるおそれがあると認めるときは、検察官の請求により、当該裁判が確定した後三十日を経過するまでの間、その者を刑事施設に拘置することができる。

一 第三百四十五条の二又は第四百九十四条の三の規定による決定を受けた者であつて、裁判所の許可を受けないで本邦から出国し又は出国しようとしたもの

二 第三百四十五条の二又は第四百九十四条の三の許可を取り消された者

三 正当な理由がなく、指定期間内に本邦に帰国せず又は上陸しなかつた者

四 前三号に掲げる者のほか、第三百四十五条の二又は第四百九十四条の三の規定による決定を受けた者であつて、逃亡し又は逃亡すると疑うに足りる相当な理由があるもの

（令和五法二八本条追加）

参+【出国禁止命令→三四五の二、四九四の三【罰金を完納できない場合→五〇五【裁判確定後三十日→刑一八⑤【拘置→四九四の六―四九四の八、三四五の三、三四二の八［二］【許可の取消し→三四二の七②

第四九四条の六【拘置理由の告知と陳述の聴取】 前条の規定による拘置は、第三百四十五条の二又は第四百九十四条の三の規定による決定を受けた者に対し理由を告げこれに関する陳述を聴いた後でなければ、することができない。ただし、その者が逃亡した場合は、この限りでない。（令和五法二八本条追加）

参+【理由の告知→憲三四

第四九四条の七【拘置状、準用規定】 ① 第四百九十四条の五の規定による拘置は、拘置状を発してしなければならない。

② 第六十四条〈勾引状・勾留状の方式〉、第七十条〈勾引状・勾留状の執行〉（第一項ただし書を除く。）、第七十一条〈勾引状・勾留状の管轄区域外における執行・執行の嘱託〉、第七十二条〈被告人の捜査・勾引状・勾留状の執行の嘱託〉、第七十三条第二項及び第三項〈勾引状・勾留状執行の手続〉並びに第七十四条〈護送中の仮留置〉の規定（これらの規定のうち勾留に関する部分に限る。）は、拘置状について準用する。この場合において、次の表の上欄に掲げる規定中同表の中欄に掲げる字句は、それぞれ同表の下欄に掲げる字句に読み替えるものとする。

第六十四条第一項及び第三項、第七十条第二項、第七十二条第一項、第七十三条第二項及び第三項並びに第七十四条	被告人	第三百四十五条の二（第四百四条（第四百十四条において準用する場合を含む。）において準用する場合を含む。）又は第四百九十四条の三の規定による決定を受けた者
第六十四条第一項	罪名、公訴事実の要旨	罰金の裁判を告知した裁判所、当該裁判が確定した日、当該裁判に係る罰金の金額、罰金を完納することができない場合における留置の期間
	勾留すべき	拘置すべき
	裁判長又は	裁判長

	受命裁判官	
第六十四条第二項	被告人の	第三百四十五条の二（第四百四条（第四百十四条において準用する場合を含む。）において準用する場合を含む。）又は第四百九十四条の三の規定による決定を受けた者の
	被告人を	その者を
第七十三条第三項	公訴事実の要旨	罰金が完納されていない旨

（令和五法二八本条追加）

⊛+【拘置状の失効→四九四の一四】

第四九四条の八【拘置と法定代理人等への通知、準用規定】 ① 第三百四十五条の二又は第四百九十四条の三の規定による決定を受けた者を拘置したときは、その法定代理人、保佐人、配偶者、直系の親族及び兄弟姉妹のうちその決定を受けた者の指定する者一人にその旨を通知しなければならない。

② 第六十九条〈裁判長の権限〉、第八十二条から第八十七条まで〈勾留理由開示の請求、勾留の理由の開示、勾留の取消し〉、第九十二条第二項〈保釈と検察官の意見〉及び第九十五条〈勾留の執行停止〉の規定並びに第九十六条第一項〈保釈等の取消し、保証金の没取〉（第二号及び第六号に係る部分に限る。）、第九十八条〈保釈の取消し等と収容の手続〉及び第九十八条の二〈保釈等の取消し後の被告人への出頭命令〉の規定（これらの規定のうち勾留の執行停止に関する部分に限る。）は、第四百九十四条の五の規定による拘置について準用する。この場合において、次の表の上欄に掲げる規定中同表の中欄に掲げる字句は、それぞれ同表の下欄に掲げる字句に読み替えるものとする。

第六十九条	第五十七条乃至第六十二条、第六十五条、第六十六条及び前条	第四百九十四条の五から第四百九十四条の七まで及び第四百九十四条の十二第一項
第八十二条第一項及び第二項、第八十七条第一項並びに第九十五条第五項	被告人	者
第八十二条第一項、第八十七条第一項、第九十五条第一項、第四項及び第五項並びに第九十六条第一項	裁判所	第四百九十四条の五の規定による拘置をした裁判所
第八十二条第二項及び第八十七条第一項	弁護人、法定代理人	法定代理人
第八十三条第三項	被告人及びその弁護人	拘置されている者
第八十三条第三項ただし書	被告人の	その者の
	被告人が	その者が
	被告人に異議がないとき、弁護人の出頭については、被告人に異議がないとき	その者に異議がないとき
第八十四条第二項	被告人及び弁護人並びにこれらの	拘置されている者及びその
第九十二条第二項	も、前項と同様である	は、検察官の意見を聴かなければならない
第九十五条第一項	被告人を	者を
	被告人の	拘置されている者の
第九十五条第六項	被告人	拘置の執行停止をされる者
第九十六条第一項第二号及び第六号	被告人	拘置の執行停止をされている者
第九十八条第一項及び第二項	被告人	拘置の執行停止を取り消された者又は拘置の執行停止の期間が満了した者
第九十八条の二	被告人が	拘置の執行停止を取り消された者が
	被告人に	その者に

（令和五法二八本条追加）

⊛+【拘置→四九四の五【法定代理人・保佐人→三〇②⊛】

第四九四条の九【拘置の執行停止期間満了後の不出頭に対する罰則】 期間を指定されて拘置の執行停止をされた者が、正当な理由がなく、当該期間の終期として指定された日時に、出頭すべき場所として指定された場所に出頭しないときは、二年以下の拘禁刑に処する。

（令和五法二八本条追加）

⊛+【拘置の執行停止→四九四の八、九五】

第四九四条の一〇【拘置の執行停止をされた者の制限住居離脱に対する罰則】 ① 第四百九十四条の五の規定による拘置をした裁判所の許可を受けないで指定された期間を超えて制限された住居を離れてはならない旨

の条件を付されて拘置の執行停止をされた者が、当該条件に係る住居を離れ、当該許可を受けないで、正当な理由がなく、当該期間を超えて当該住居に帰着しないときは、二年以下の拘禁刑に処する。

② 前項の者が、第四百九十四条の五の規定による拘置をした裁判所の許可を受けて同項の住居を離れ、正当な理由がなく、当該住居を離れることができる期間として指定された期間を超えて当該住居に帰着しないときも、同項と同様とする。

（令和五法二八本条追加）

参【住居の制限→四九四の八、九五⑥、九三④―⑧】

第四九四条の一一【拘置の執行停止取消し後の出頭命令違反に対する罰則】 拘置の執行停止を取り消され、検察官から出頭を命ぜられた者が、正当な理由がなく、指定された日時及び場所に出頭しないときは、二年以下の拘禁刑に処する。（令和五法二八本条追加）

参【拘置の執行停止の取消し→四九四の八、九六①、九八の二】

第四九四条の一二【拘置理由の告知等の手続のための出頭命令・勾引】 ① 第三百四十五条の二又は第四百九十四条の三の規定による決定をした裁判所は、第四百九十四条の六に規定する手続のため必要があると認めるときは、検察官の請求により、又は職権で、決定で、当該第三百四十五条の二又は第四百九十四条の三の規定による決定を受けた者に対し、指定する日時及び場所に出頭することを命ずることができる。

② 前項の規定による決定をした裁判所は、当該決定を受けた者が、正当な理由がなく、これに応じないとき、又は応じないおそれがあるときは、その者を同項の規定により指定した場所に勾引することができる。

③ 第五十九条〈勾引の効力〉、第六十二条〈令状〉、第六十四条〈勾引状・勾留状の方式〉、第六十六条〈勾引の嘱託〉、第六十七条〈嘱託による勾引の手続〉、第六十九条〈裁判長の権限〉、第七十条第一項〈勾引状・勾留状の執行〉、第七十一条〈勾引状・勾留状の管轄区域外における執行・執行の嘱託〉、第七十二条〈被告人の捜査・勾引状・勾留状の執行の嘱託〉、第七十三条第一項及び第三項〈勾引状・勾留状執行の手続〉、第七十四条〈護送中の仮留置〉並びに第七十五条〈勾引された被告人の留置〉の規定（これらの規定のうち勾引に関する部分に限る。）は、前項の規定による勾引について準用する。この場合において、次の表の上欄に掲げる規定中同表の中欄に掲げる字句は、それぞれ同表の下欄に掲げる字句に読み替えるものとする。

第五十九条、第六十二条、第六十四条第一項及び第三項、第六十七条第一項及び第三項、第七十二条第一項、第七十三条第一項及び第三項、第七十四条並びに第七十五条	被告人	第三百四十五条の二（第四百四条（第四百十四条において準用する場合を含む。）において準用する場合を含む。）又は第四百九十四条の三の規定による決定を受けた者
第五十九条	裁判所	指定した場所
第五十九条ただし書	勾留状	拘置状
第六十四条第一項	罪名、公訴事実の要旨	罰金の裁判を告知した裁判所、当該裁判が確定した日、当該裁判に係る罰金の金額、罰金を完納することができない場合における留置の期間
	裁判長又は受命裁判官	裁判長
第六十四条第二項	被告人の	第三百四十五条の二（第四百四条（第四百十四条において準用する場合を含む。）において準用する場合を含む。）又は第四百九十四条の三の規定による決定を受けた者の
第六十六条第一項	被告人を	その者を
	裁判所は	第四百九十四条の十二第一項の規定による決定をした裁判所は
	被告人の現在地	第三百四十五条の二（第四百四条（第四百十四条において準用する場合を含む。）において準用する場合を含む。）又は第四百九十四条の三の規定による決定を受けた者の現在地
第六十七条第二項	被告人の勾引	その者の勾引
	被告人が人違	第三百四十五条の二（第四百四条（第四百十四条において準用する場合を含む。）において準用する場合を含む。）又は第四百九十四条の三の規定による決定を受けた者が人違
	被告人が指定された	その者が指定された

第六十九条	第五十七条乃至第六十二条、第六十五条、第六十六条及び前条	第五十九条、第六十二条、第六十六条及び第四百九十四条の十二第二項
第七十三条第三項	公訴事実の要旨	罰金が完納されていない旨

（令和五法二八本条追加）

※【出国禁止命令↓三四五の二・四九四の三・四九四の六

第四九四条の一三【拘置日数の本刑算入】 拘置の日数は、その一日を、刑法第十八条第六項に規定する留置一日の割合に相当する金額に換算し、全部本刑に算入する。（令和五法二八本条追加）

※【留置一日の割合に相当する金額↓刑一八⑥

第四九四条の一四【出国禁止命令・拘置状の失効】 次の各号のいずれかに該当するときは、第三百四十五条の二又は第四百九十四条の三の規定による決定及び拘置状は、その効力を失う。

一　罰金が完納されたとき。

二　罰金について労役場留置の執行が開始されたとき。

三　拘置の日数が罰金の金額（未決勾留の日数が罰金に算入され若しくは通算された場合又は罰金の一部が納付された場合にあつては、当該金額から算入又は通算がされた金額及び納付された罰金の金額の合計額を控除した残額）を刑法第十八条第六項に規定する留置一日の割合に相当する金額で除して得た日数（その日数に一日未満の端数を生じるときは、これを一日とする。）を超えることとなつたとき。

四　罰金の執行を受けることがなくなつたとき。

（令和五法二八本条追加）

※【出国禁止命令↓三四五の二・四九四の三【拘置状↓四九四の七　【三】【労役場留置↓刑一八　【三】【拘置↓四九四の五　【四】【執行を受けることがなくなつたとき↓刑三一—三四

第四九五条【勾留日数の法定通算】 ①　上訴の提起期間中の未決勾留の日数は、上訴申立後の未決勾留の日数を除き、全部これを本刑に通算する。

②　上訴申立後の未決勾留の日数は、左の場合には、全部これを本刑に通算する。

一　検察官が上訴を申し立てたとき。

二　検察官以外の者が上訴を申し立てた場合においてその上訴審において原判決が破棄されたとき。

③　前二項の規定による通算については、未決勾留の一日を刑期の一日又は金額の四千円に折算する。（平成三法三一本項改正）

④　上訴裁判所が原判決を破棄した後の未決勾留は、上訴中の未決勾留日数に準じて、これを通算する。

※【未決勾留↓六〇・三六五、一六七⑥【裁定算入↓刑二一　❶【上訴提起期間↓三五八・三七三・四一四　❷【二】【検察官の上訴↓三五一　【三】【検察官以外の上訴↓三五一・三五三・三五五　【破棄↓三九七・四一〇・四一一

第四九六条【没収物の処分】 没収物は、検察官がこれを処分しなければならない。

※【没収物↓三三三・三四六・四九〇【没収↓刑一九

第四九七条【没収物の交付】 ①　没収を執行した後三箇月以内に、権利を有する者が没収物の交付を請求したときは、検察官は、破壊し、又は廃棄すべき物を除いては、これを交付しなければならない。

②　没収物を処分した後前項の請求があつた場合には、検察官は、公売によつて得た代価を交付しなければならない。

※❶【没収の執行↓四九〇【三箇月↓五五　❷【没収物の処分↓四九六

第四九八条【偽造変造の表示】 ①　偽造し、又は変造された物を返還する場合には、偽造又は変造の部分をその物に表示しなければならない。

②　偽造し、又は変造された物が押収されていないときは、これを提出させて、前項に規定する手続をしなければならない。但し、その物が公務所に属するときは、偽造又は変造の部分を公務所に通知して相当な処分をさせなければならない。

※❷【押収↓九九—一〇一

第四九八条の二【不正に作られた電磁的記録の消去等】 ①　不正に作られた電磁的記録又は没収された電磁的記録に係る記録媒体を返還し、又は交付する場合には、当該電磁的記録を消去し、又は当該電磁的記録が不正に利用されないようにする処分をしなければならない。

②　不正に作られた電磁的記録に係る記録媒体が公務所に属する場合において、当該電磁的記録に係る記録媒体が押収されていないときは、不正に作られた部分を公務所に通知して相当な処分をさせなければならない。

（平成二三法七四本条追加）

第四九九条【還付不能と公告】 ①　押収物の還付を受けるべき者の所在が判らないため、又はその他の事由によつて、その物を還付することができない場合には、検察官は、その旨を政令で定める方法によつて公告しなければならない。（昭和二八法一七二本項改正）

②　第二百二十二条第一項において準用する第百二十三条第一項若しくは第百二十四条第一項の規定又は第二百二十条第二項の規定により押収物を還付しようとするときも、前項と同様とする。この場合において、同項中「検察官」とあるのは、「検察官又は司法警察員」とする。（平成二三法二六本項追加）

③　前二項の規定による公告をした日から六箇月以内に還付の請求がないときは、その物は、国庫に帰属する。（平成二三法二六本項改正）

④　前項の期間内でも、価値のない物は、これを廃棄し、保管に不便な物は、これを公売してその代価を保管することができる。

※❶【押収物の還付↓一二三・一二四・三四六・三四七　❸【六箇

月↓五五

第四九九条の二【電磁的記録に係る記録媒体の還付不能】①　前条第一項の規定は第百二十三条第三項の規定による交付又は複写について、前条第二項の規定は第二百二十条第二項及び第二百二十二条第一項において準用する第百二十三条第三項の規定による交付又は複写について、それぞれ準用する。

②　前項において準用する前条第一項又は第二項の規定による公告をした日から六箇月以内に前項の交付又は複写の請求がないときは、その交付をし、又は複写をさせることを要しない。

（平成二三法七四本条追加）

第五〇〇条【訴訟費用執行免除の申立て】①　訴訟費用の負担を命ぜられた者は、貧困のためこれを完納することができないときは、裁判所の規則の定めるところにより、訴訟費用の全部又は一部について、その裁判の執行の免除の申立をすることができる。

②　前項の申立は、訴訟費用の負担を命ずる裁判が確定した後二十日以内にこれをしなければならない。

（昭和二八法一七二本条改正）

❶【訴訟費用の負担↓一八一―一八八【規則の定め↓刑訴規二九五―二九五の五　❷【二十日↓五五【訴訟費用の執行停止↓四八三

第五〇〇条の二【訴訟費用の予納】　被告人又は被疑者は、検察官に訴訟費用の概算額の予納をすることができる。（平成一六法六二本条追加）

【訴訟費用の負担↓一八一

第五〇〇条の三【訴訟費用の裁判の執行】①　検察官は、訴訟費用の裁判を執行する場合において、前条の規定による予納がされた金額があるときは、その予納がされた金額から当該訴訟費用の額に相当する金額を控除し、当該金額を当該訴訟費用の納付に充てる。

②　前項の規定により予納がされた金額から訴訟費用の額に相当する金額を控除して残余があるときは、その残余の額は、その予納をした者の請求により返還する。

（平成一六法六二本条追加）

❶【訴訟費用の裁判↓一八五

第五〇〇条の四【予納金の返還】　次の各号のいずれかに該当する場合には、第五百条の二の規定による予納がされた金額は、その予納をした者の請求により返還する。

一　第三十八条の二の規定により弁護人の選任が効力を失つたとき。

二　訴訟手続が終了する場合において、被告人に訴訟費用の負担を命ずる裁判がなされなかつたとき。

三　訴訟費用の負担を命ぜられた者が、訴訟費用の全部について、その裁判の執行の免除を受けたとき。

（平成一六法六二本条追加）

【訴訟費用の負担を命ずる裁判↓一八五【裁判の執行の免除↓五〇〇

第五〇一条【解釈の申立て】　刑の言渡を受けた者は、裁判の解釈について疑があるときは、言渡をした裁判所に裁判の解釈を求める申立をすることができる。

【刑の言渡し↓三三三、四〇〇、四〇四、四一三、四一四、四六一【申立て↓五〇三、五〇四

第五〇二条【異議の申立て】　裁判の執行を受ける者又はその法定代理人若しくは保佐人は、執行に関し検察官のした処分（次章の規定によるものを除く。）を不当とするときは、言渡しをした裁判所に異議の申立てをすることができる。（令和五法二八本条改正）

【法定代理人・保佐人↓三〇②【申立て↓五〇三、五〇四

第五〇三条【申立ての取下げ】①　第五百条及び前二条の申立ては、決定があるまでこれを取り下げることができる。

②　第三百六十六条〈刑事施設にいる被告人の特則〉の規定は、第五百条及び前二条の申立て及びその取下げについてこれを準用する。

第五〇四条【即時抗告】　第五百条、第五百一条及び第五百二条の申立てについてした決定に対しては、即時抗告をすることができる。

【即時抗告↓三五二、四一九、四二二、四二五、四二八②

第五〇五条【労役場留置の執行】　罰金又は科料を完納することができない場合における労役場留置の執行については、刑の執行に関する規定を準用する。

【労役場留置↓刑一八【準用規定↓四七二―四七四、四八〇―四八二、四八四―四八九

第五〇六条【執行費用の負担】　第四百九十条第一項の裁判の執行の費用は、執行を受ける者の負担とし、民事執行法その他強制執行の手続に関する法令の規定に従い、執行と同時にこれを取り立てなければならない。

（昭和五四法五本条改正）

【民事執行の費用の負担と取立て↓民執四二

第二章　裁判の執行に関する調査

（令和五法二八章名追加）

第五〇七条【検察官・検察事務官の管轄区域外における職務執行】　検察官及び検察事務官は、裁判の執行に関する調査のため必要があるときは、管轄区域外で職務を行うことができる。（令和五法二八本条追加）

【検察官・検察事務官↓一九一【管轄区域↓一九五

第五〇八条【裁判の執行に関する必要な調査】①　検察官又は裁判所若しくは裁判官は、裁判の執行に関して、その目的を達するため必要な調査をすることができる。ただし、強制の処分は、この法律に特別の定めがある場合でなければ、これをすることができない。

②　検察官又は裁判所若しくは裁判官は、裁判の執行に関しては、公務所又は公私の団体に照会して必要な事項の報告を求めることができる。

（令和五法二八本項追加）

（平成一三法一三九本条追加、令和五法二八本条改正）

❶【強制の処分↓一九七①但【特別の定め↓五〇九、五一一・五一二・五一五　❷【捜査照会↓一九七②【本条の準用↓非訟一二一

一③、民訴一八九③

第五〇九条【検察官による差押え・記録命令付差押え・捜索・検証】 ① 検察官は、裁判の執行に関して必要があると認めるときは、裁判官の発する令状により、差押え、記録命令付差押え、捜索又は検証をすることができる。この場合において、身体の検査は、身体検査令状によらなければならない。

② 差し押さえるべき物が電子計算機であるときは、当該電子計算機に電気通信回線で接続している記録媒体であつて、当該電子計算機で作成若しくは変更をした電磁的記録又は当該電子計算機で変更若しくは消去をすることができることとされている電磁的記録を保管するために使用されていると認めるに足りる状況にあるものから、その電磁的記録を当該電子計算機又は他の記録媒体に複写した上、当該電子計算機又は当該他の記録媒体を差し押さえることができる。

③ 第一項の令状は、検察官の請求により、これを発する。

④ 検察官は、第一項の身体検査令状の請求をするには、身体の検査を必要とする理由及び身体の検査を受ける者の性別、健康状態その他裁判所の規則で定める事項を示さなければならない。

⑤ 裁判官は、身体の検査に関し、適当と認める条件を付することができる。

（令和五法二八本条追加）

参❶【令状→五一〇【記録命令付差押え→九九の二【差押えの目的物→五一三① ❸【令状の請求→刑訴規二九五の六、二九五の七、二九五の一一①

第五一〇条【差押え等の令状の方式】 ① 前条第一項の令状には、裁判の執行を受ける者の氏名、差し押さえるべき物、記録させ若しくは印刷させるべき電磁的記録及びこれを記録させ若しくは印刷させるべき者、捜索すべき場所、身体若しくは物、検証すべき場所若しくは物又は検査すべき身体及び身体の検査に関する条件、有効期間及びその期間経過後は差押え、記録命令付差押え、捜索又は検証に着手することができず令状はこれを返還しなければならない旨並びに発付の年月日その他裁判所の規則で定める事項を記載し、裁判官が、これに記名押印しなければならない。

② 前条第二項の場合には、同条第一項の令状に、前項に規定する事項のほか、差し押さえるべき電子計算機に電気通信回線で接続している記録媒体であつて、その電磁的記録を複写すべきものの範囲を記載しなければならない。

③ 第六十四条第二項〈勾引状・勾留状の方式〉の規定は、前条第一項の令状について準用する。この場合において、第六十四条第二項中「被告人の」とあるのは「裁判の執行を受ける者の」と、「被告人を」とあるのは「その者を」と読み替えるものとする。

（令和五法二八本条追加）

参❶【規則の定め→刑訴規二九五の八、二九五の九

第五一一条【裁判所・裁判官による差押え・記録命令付差押え・捜索・検証】 ① 裁判所又は裁判官は、裁判の執行に関して必要があると認めるときは、令状を発して、差押え、記録命令付差押え、捜索又は検証をすることができる。この場合において、身体の検査は、身体検査令状によらなければならない。

② 差し押さえるべき物が電子計算機であるときは、当該電子計算機に電気通信回線で接続している記録媒体であつて、当該電子計算機で作成若しくは変更をした電磁的記録又は当該電子計算機で変更若しくは消去をすることができることとされている電磁的記録を保管するために使用されていると認めるに足りる状況にあるものから、その電磁的記録を当該電子計算機又は他の記録媒体に複写した上、当該電子計算機又は当該他の記録媒体を差し押さえることができる。

③ 前条の規定は、第一項の令状について準用する。この場合において、同条第一項中「裁判官」とあるのは「裁判長又は裁判官」と、同条第二項中「前条第二項」とあるのは「次条第二項」と読み替えるものとする。

（令和五法二八本条追加）

参❶【記録命令付差押え→九九の二【差押えの目的物→五一三⑥【検証→刑訴規二九五の一一③④

第五一二条【領置】 検察官又は裁判所若しくは裁判官は、裁判の執行を受ける者その他の者が遺留した物又は所有者、所持者若しくは保管者が任意に提出した物は、これを領置することができる。（令和五法二八本条追加）

第五一三条【準用規定】 ① 第九十九条第一項〈差押え、提出命令〉、第百条〈郵便物等の押収〉、第百二条から第百五条まで〈捜索、公務上秘密と押収、業務上秘密と押収〉、第百十条〈執行の方式〉、第百十条の二前段〈電磁的記録に係る記録媒体の差押えの執行方法〉、第百十一条第一項前段及び第二項〈押収捜索と必要な処分〉、第百十一条の二前段〈捜索・差押えの際の協力要請〉、第百十二条〈執行中の出入禁止〉、第百十四条〈責任者の立会い〉、第百十五条〈女子の身体の捜索と立会い〉、第百十八条から第百二十条まで〈執行の中止と必要な処分、証明書の交付、押収目録の交付〉、第百二十一条第一項及び第二項〈押収物の保管、廃棄〉、第百二十三条第一項から第三項まで〈還付、仮還付等〉並びに第二百二十二条第六項〈押収・捜索・検証に関する準用規定、検証の時刻の制限、被疑者の立会い、身体検査を拒否した者に対する制裁〉の規定は、検察官が第五百九条及び前条の規定によつてする押収又は捜索について、第百十条、第百十一条の二前段、第百十二条、第百十四条、第百十八条、第百二十九条〈検証と必要な処分等〉、第百三十一条〈身体検査に関する注意、女子の身体検査と立会い〉、第百三十七条から第百四十条まで〈身体検査の拒否と過料等、身体検査の拒否と刑罰、身体検査の直接強制、身体検査の強制に関する訓示規定〉及び第二百二十二条第四項から第七項までの規定は、検察官が第五百九条の規定によつてする検証について、それぞれ準用する。この場合において、第九十九条第一項中「証拠物又は没収すべき物」とあり、及び第百十

九条中「証拠物又は没収すべきもの」とあるのは「裁判の執行を受ける者若しくは裁判の執行の対象となるものの所在若しくは状況に関する資料、裁判の執行を受ける者の資産に関する資料、裁判の執行の対象となるもの若しくは裁判の執行を受ける者の財産を管理するために使用されている物又は第四百九十条第二項の規定によりその規定に従うこととされる民事執行法その他強制執行の手続に関する法令の規定により金銭の支払を目的とする債権についての強制執行の目的となる物若しくはそれ以外の物であつて当該強制執行の手続において執行官による取上げの対象となるべきもの」と、第百条第一項、第百二条、第百五条ただし書及び第百三十七条第一項中「被告人」とあり、並びに第二百二十二条第六項中「被疑者」とあるのは「裁判の執行を受ける者」と、第百条第二項並びに第百二十三条第一項及び第三項中「被告事件」とあり、並びに第百条第三項ただし書中「審理」とあるのは「裁判の執行」と、第二百二十二条第七項中「第一項」とあるのは「第五百十三条第一項において読み替えて準用する第百三十七条第一項」と読み替えるものとする。

② 第百十六条〈時刻の制限〉及び第百十七条〈時刻の制限の例外〉の規定は、検察官が第五百九条の規定によつてする差押え、記録命令付差押え又は捜索について準用する。

③ 検察官は、第四百九十条第二項の規定によりその規定に従うこととされる民事執行法その他強制執行の手続に関する法令の規定による手続において必要があると認めるときは、執行官に押収物を提出することができる。

④ 前項の規定による提出をしたときは、押収を解く処分があつたものとする。この場合において、当該押収物は、還付することを要しない。

⑤ 前二項の規定は、民事訴訟の手続に従い、利害関係人がその権利を主張することを妨げない。

⑥ 第九十九条第一項、第百二条から第百五条まで〈捜索、公務上秘密と押収、業務上秘密と押収〉、第百八条第一項から第三項まで〈差押状・記録命令付差押状・捜索状の執行〉、第百九条〈執行の補助〉、第百十条〈執行の方式〉、第百十条の二前段〈電磁的記録に係る記録媒体の差押えの執行方法〉、第百十一条第一項前段及び第二項〈押収捜索と必要な処分〉、第百十一条の二前段〈捜索・差押えの際の協力要請〉、第百十二条〈執行中の出入禁止〉、第百十三条第三項〈当事者の立会い〉、第百十四条〈責任者の立会い〉、第百十五条〈女子の身体の捜索と立会い〉、第百十八条から第百二十一条まで〈執行の中止と必要な処分、証明書の交付、押収目録の交付、押収物の保管、廃棄〉、第百二十三条第一項から第三項まで〈還付、仮還付等〉並びに第百二十五条〈受命裁判官、受託裁判官〉の規定は、裁判所又は裁判官が前二条の規定によつてする押収又は捜索について、第百八条第一項から第三項まで、第百九条、第百十条、第百十条の二前段、第百十一条第一項前段、第百十二条、第百十三条第三項、第百十四条、第百十八条、第百二十五条第一項から第三項まで及び第四項本文、第百二十九条〈検証と必要な処分〉、第百三十一条〈身体検査に関する注意、女子の身体検査と立会い〉、第百三十七条から第百四十条まで〈身体検査の拒否と過料等、身体検査の拒否と刑罰、身体検査の直接強制、身体検査の強制に関する訓示規定〉並びに第二百二十二条第四項及び第五項〈押収・捜索・検証に関する準用規定、検証の時刻の制限、被疑者の立会い、身体検査を拒否した者に対する制裁〉の規定は、裁判所又は裁判官が第五百十一条の規定によつてする検証について、それぞれ準用する。この場合において、第九十九条第一項中「証拠物又は没収すべき物」とあり、及び第百十九条中「証拠物又は没収すべきもの」とあるのは「裁判の執行を受ける者若しくは裁判の執行の対象となるものの所在若しくは状況に関する資料又は裁判の執行の対象となるものを管理するために使用されている物」と、第百条第一項、第百二条、第百五条ただし書、第百八条第一項ただし書、第百十三条第三項及び第百三十七条第一項中「被告人」とあるのは「裁判の執行を受ける者」と、第百条第二項並びに第百二十三条第一項及び第三項中「被告事件」とあり、並びに第百条第三項ただし書中「審理」とあるのは「裁判の執行」と、第百二十五条第一項中「裁判所」とあるのは「裁判所又は第五百十三条第六項において準用する第一項の規定による嘱託をした裁判官」と、第二百二十二条第四項中「検察官、検察事務官又は司法警察職員」とあるのは「検証状を執行する者」と読み替えるものとする。

⑦ 第百十六条〈時刻の制限〉及び第百十七条〈時刻の制限の例外〉の規定は、裁判所又は裁判官が第五百十一条の規定によつてする差押え、記録命令付差押え又は捜索について準用する。

⑧ 第七十一条〈勾引状・勾留状の管轄区域外における執行・執行の嘱託〉の規定は、第五百十一条第一項の令状の執行について準用する。

⑨ 第四百九十九条第一項、第三項及び第四項〈還付不能と公告〉の規定は、第一項及び第六項において読み替えて準用する第百二十三条第一項の規定による押収物の還付について準用する。この場合において、第四百九十九条第三項中「前二項」とあるのは、「第五百十三条第九項において準用する第一項」と読み替えるものとする。

⑩ 第四百九十九条第一項〈還付不能と公告〉の規定は、第一項及び第六項において読み替えて準用する第百二十三条第三項の規定による交付又は複写について準用する。

⑪ 前項において準用する第四百九十九条第一項の規定による公告をした日から六箇月以内に前項の交付又は複写の請求がないときは、その交付をし、又は複写をさせることを要しない。

（令和五法二八本条追加）

第五一四条【出頭要求・質問・鑑定等の嘱託】 検察官又は裁判所若しくは裁判官は、裁判の執行に関して必要があると認めるときは、裁判の執行を受ける者その他の者の出頭を求め、質問をし、又は裁判の執行を受ける者以外の者に鑑定、通訳若しくは翻訳を嘱託するこ

とができる。（令和五法二八本条追加）

第五一五条【鑑定の嘱託と必要な処分、許可状】 ① 前条の規定による鑑定の嘱託を受けた者は、裁判官の許可を受けて、第百六十八条第一項に規定する処分をすることができる。

② 検察官が前条の規定による鑑定の嘱託をした場合においては、前項の許可の請求は、検察官からこれをしなければならない。

③ 裁判官は、前項の請求を相当と認めるとき、又は裁判所若しくは裁判官が鑑定を嘱託した場合において第一項の許可をするときは、許可状を発しなければならない。

④ 第百三十一条（身体検査に関する注意、女子の身体検査と立会い）、第百三十七条（身体検査の拒否と過料等）、第百三十八条（身体検査の拒否と刑罰）、第百四十条（身体検査の強制に関する訓示規定）及び第百六十八条第二項から第四項まで（鑑定と必要な処分、許可状）の規定は、第一項の許可及び前項の許可状について準用する。この場合において、第百三十七条第一項中「被告人」とあるのは「裁判の執行を受ける者」と、第百六十八条第二項中「被告人の氏名、罪名」とあるのは「裁判の執行を受ける者の氏名」と読み替えるものとする。

（令和五法二八本条追加）

⊜❷【許可の請求↓刑訴規二九五の一〇・二九五の一一①

第五一六条【検察事務官による調査等】 検察官は、検察事務官に第五百八条第一項本文の調査又は同条第二項、第五百九条、第五百十二条若しくは第五百十四条の処分をさせることができる。（令和五法二八本条追加）

⊜†【検察官・検察事務官↓一九一⊜・五〇八・五〇九・五一二・五一四

附　則（平成二二・四・二七法二六）（抄）

（施行期日）

第一条 この法律は、公布の日から施行する。ただし、第二条中刑事訴訟法第四百九十九条の改正規定（中略）は、公布の日から起算して六月を超えない範囲内において政令で定める日（平成二二・一〇・二五―平成二二政二一五）から施行する。

（経過措置）

第三条① 第二条の規定による改正後の刑事訴訟法（次項において「新法」という。）第二百五十条の規定は、この法律の施行の際既にその公訴の時効が完成している罪については、適用しない。

② 新法第二百五十条第一項の規定は、刑法等の一部を改正する法律（平成十六年法律第百五十六号）附則第三条第二項の規定にかかわらず、同法の施行前に犯した人を死亡させた罪であって禁錮以上の刑に当たるもので、この法律の施行の際その公訴の時効が完成していないものについても、適用する。

附　則（平成二八・六・三法五四）（抄）

（施行期日）

第一条 この法律は、公布の日から起算して三年を超えない範囲内において政令で定める日（令和元・六・一―平成三一政一五六）から施行する。ただし、次の各号に掲げる規定は、当該各号に定める日から施行する。

一 附則第九条第三項の規定　公布の日

二 第一条（刑事訴訟法第九十条、第百五十一条及び第百六十一条の改正規定に限る。）（中略）の規定（中略）　公布の日から起算して二十日を経過した日（平成二八・六・二三）

三 第一条（前号に掲げる改正規定を除く。）（中略）の規定（中略）　公布の日から起算して六月を超えない範囲内において政令で定める日（平成二八・一二・一―平成二八政三一六）

四 第二条（刑事訴訟法第三百一条の次に一条を加える改正規定を除く。）（中略）の規定（中略）　公布の日から起算して二年を超えない範囲内において政令で定める日（平成三〇・六・一―平成三〇政五〇）

（検討）

第九条① 政府は、取調べの録音・録画等（取調べにおける被疑者の供述及びその状況を録音及び録画の方法により記録媒体に記録し、並びにこれを立証の用に供することをいう。以下この条において同じ。）が、被疑者の供述の任意性その他の事項についての的確な立証を担保するものであるとともに、取調べの適正な実施に資することを踏まえ、この法律の施行後三年を経過した場合において、取調べの録音・録画等の実施状況を勘案し、取調べの録音・録画等に伴って捜査上の支障その他の弊害が生じる場合があること等に留意しつつ、取調べの録音・録画等に関する制度の在り方について検討を加え、必要があると認めるときは、その結果に基づいて所要の措置を講ずるものとする。

② 前項に定めるもののほか、政府は、この法律の施行後三年を経過した場合において、この法律による改正後の規定の施行の状況について検討を加え、必要があると認めるときは、その結果に基づいて所要の措置を講ずるものとする。

③ 政府は、この法律の公布後、必要に応じ、速やかに、再審請求審における証拠の開示、起訴状等における被害者の氏名の秘匿に係る措置、証人等の刑事手続外における保護に係る措置等について検討を行うものとする。

附　則（平成二九・六・二一法六七）（抄）

（施行期日）

第一条 この法律は、公布の日から起算して二十日を経過した日（平成二九・七・一一）から施行する。（後略）

（検討）

第一二条① 政府は、刑事訴訟法等の一部を改正する法律（平成二八法五四）附則第九条第一項の規定により同項に規定する取調べの録音・録画等に関する制度の在り方について検討を行うに当たっては、新組織的犯罪処罰法（改正後の組織的な犯罪の処罰及び犯罪収益の規制等に関する法律）第六条の二第一項及び第二項の規定の適用状況並びにこれらの規定の罪に係る事件の捜査及び公判の状況等を踏まえ、特に、当該罪に係る事件における証拠の収集の方法として刑事訴訟法第百九十八条第一項の規定による取調べが重要な意義を有するとの指摘があることにも留意して、可及的速やかに、当該罪に係る事件に関する当該制度の在り方について検討を加えるものとする。

② 政府は、新組織的犯罪処罰法第六条の二第一項及び第二項の罪に係る事件の捜査に全地球測位システムに係る端末を車両に取り付けて位置情報を検索し把握する方法を用いることが、事案の真相を明らかにするための証拠の収集に資するものである一方、最高裁判所平成二八年(あ)第四四二号同二九年三月一五日大法廷判決において、当該方法を用いた捜査が、刑事訴訟法上、特別の根拠規定がある場合でなければ許容されない強制の処分に当たり、当該方法が今後も広く用いられ得る有力な捜査方法であるとすれば、これを行うに当たっては立法措置が講ぜられることが望ましい旨が指摘されていることを踏まえ、この法律の施行後速やかに、当該方法を用いた捜査を行うための制度の在り方について検討を加え、必要があると認めるときは、その結果に基づいて所要の措置を講ずるものとする。

附　則（令和四・五・二五法四八）（抄）

（施行期日）

第一条　この法律は、公布の日から起算して四年を超えない範囲内において政令で定める日から施行する。ただし、次の各号に掲げる規定は、当該各号に定める日から施行する。

一　（前略）附則第百二十五条の規定　公布の日

二―五　（略）

第一二五条　**（政令への委任）**（前略）この法律の施行に関し必要な経過措置は、政令で定める。

附　則（令和四・六・一七法六七）（抄）

（施行期日）

①　この法律は、公布の日から起算して三年を超えない範囲内において政令で定める日（令和七・六・一―令和五政三一八）から施行する。（後略）

（経過措置）

②　この法律の施行に伴い必要な経過措置その他の事項は、別に法律で定めるところによる。

刑法等の一部を改正する法律の施行に伴う関係法律整理法中経過規定

（令和四・六・一七法六八）（抄）

第四四一条から**第四四三条**まで　（刑法の同経過規定参照）

第四五八条【刑事訴訟法の一部改正に伴う経過措置】①　刑法等一部改正法等（刑法等の一部を改正する法律（令和四法六七）及び刑法等の一部を改正する法律の施行に伴う関係法律の整理等に関する法律（令和四法六八））の施行前にした行為に係る罪の事件に関しては、刑法等一部改正法第三条の規定による改正後の刑事訴訟法（昭和二十三年法律第百三十一号。以下「新刑事訴訟法」という。）第三十七条の五の規定の適用については、無期の懲役又は禁錮に当たる事件はそれぞれ無期拘禁刑に当たる事件とみなし、新刑事訴訟法第六十条第三項及び新刑事訴訟法第二百八十五条第一項の規定の適用については、旧拘留に当たる事件は拘留に当たる事件とみなし、同条第二項の規定の適用については、有期の懲役又は禁錮に当たる事件はそれぞれその事件に係る罪について定めた刑と長期及び短期を同じくする有期拘禁刑に当たる事件とみなし、新刑事訴訟法第二百八十九条第一項、第二百九十一条の二ただし書及び第三百五十条の十六第一項ただし書の規定の適用については、無期の懲役又は禁錮に当たる事件はそれぞれ無期拘禁刑に当たる事件と、有期の懲役又は禁錮に当たる事件はそれぞれその事件に係る罪について定めた刑と長期及び短期を同じくする有期拘禁刑に当たる事件とみなす。

②　刑法等一部改正法等の施行前にした行為に係る罪に関しては、新刑事訴訟法第八十九条（第一号及び第三号に係る部分に限る。）、第二百十条第一項及び第三百一条の二第一項（第一号及び第二号に係る部分に限り、同条第三項において準用する場合を含む。）の規定の適用については、無期の懲役又は禁錮に当たる罪はそれぞれ無期拘禁刑に当たる罪と、有期の懲役又は禁錮に当たる罪はそれぞれその罪について定めた刑と長期及び短期を同じくする有期拘禁刑に当たる罪とみなし、刑事訴訟法第百九十九条第一項及び第二百十七条の規定の適用については、旧拘留に当たる罪は拘留に当たる罪とみなし、新刑事訴訟法第二百五十条第一項（第三号に係る部分を除く。）及び第二項（第一号に係る部分を除く。）の規定の適用については、無期の懲役又は禁錮に当たる罪はそれぞれ無期拘禁刑に当たる罪と、有期の懲役又は禁錮に当たる罪はそれぞれその罪について定めた刑と長期及び短期を同じくする有期拘禁刑に当たる罪と、旧拘留に当たる罪は拘留に当たる罪とみなす。

③　懲役又は禁錮に当たる罪につき有罪の宣告を受けたことがある者に係る新刑事訴訟法第八十九条（第二号に係る部分に限る。）の規定の適用については、無期の懲役又は禁錮に当たる罪につき有罪の宣告を受けたことがある者はそれぞれ無期拘禁刑に当たる罪につき有罪の宣告を受けたことがある者と、有期の懲役又は禁錮に当たる罪につき有罪の宣告を受けたことがある者はそれぞれ有期拘禁刑に当たる罪につき有罪の宣告を受けたことがある者とみなす。

④　懲役又は禁錮に処する判決に関しては、新刑事訴訟法第三百四十三条及び第三百四十四条の規定の適用については、懲役又は禁錮に処する判決はそれぞれ拘禁刑に処する判決とみなし、新刑事訴訟法第三百六十条の二の規定の適用については、無期の懲役又は禁錮に処する判決はそれぞれ無期拘禁刑に処する判決とみなす。

⑤　当分の間、新刑事訴訟法第三百五十条の二第二項に規定する特定犯罪に係る新刑事訴訟法の規定の適用については、同項中「無期拘禁刑」とあるのは、「無期の拘禁刑若しくは刑法等の一部を改正する法律（令和四年法律第六十七号）第二条の規定による改正前の刑法（以下この項において「旧刑法」という。）第十二条に規定する懲役若しくは旧刑法第十三条に規定する禁錮」とする。

⑥　即決裁判手続において懲役又は禁錮の言渡しをする場合における新刑事訴訟法第三百五十条の二十九の規定の適用については、懲役又は禁錮の言渡しは、それぞれ拘禁刑の言渡しとみなす。

⑦　懲役、禁錮又は旧拘留の言渡しを受けた者に係る新刑事訴訟法第四百八十条、第四百八十二条、第四百八十四条、第四百八十五条及び第四百八十六条第一項の規定の適用については、懲役又は禁錮の言渡しはそれぞれ拘禁刑の言渡しと、旧拘留の言渡しは拘留の言渡しとみなす。

第五〇九条　（刑法の同経過規定参照）

刑法等の一部を改正する法律の施行に伴う関係法律整理法

附　則（令和四・六・一七法六八）（抄）

（施行期日）

①　この法律は、刑法等一部改正法施行日（令和七・六・一）から施行する。ただし、次の各号に掲げる規定は、当該各号に定める日から施行する。

一　第五百九条の規定　公布の日

二　（略）

附　則（令和五・五・一七法二八）（抄）

（施行期日）

第一条　この法律は、公布の日から起算して五年を超えない範囲内において政令で定める日から施行する。ただし、次の各号に掲げる規定は、当該各号に定める日から施行する。

一　（略）

二　第一条中刑事訴訟法第三百四十四条に一項を加える改正規定（中略）並びに附則第五条第一項及び第二項、第八条第四項（中略）の規定（中略）、附則第三十五条のうち、刑法等の一部を改正する法律（令和四年法律第六十七号。以下「刑法等一部改正法」という。）第三条中刑事訴訟法第三百四十四条の改正規定の改正規定（中略）並びに附則（中略）第四十条の規定　公布の日から起算して二十日を経過した日（令和五・六・六）

三　第一条のうち、刑事訴訟法（中略）第九十三条及び第九十五条の改正規定、同条の次に三条を加える改正規定、同法第九十六条の改正規定、同法第一編第八章に二十三条を加える改正規定（第九十八条の二及び第九十八条の三に係る部分に限る。）、同法第二百八条の二の次に三条を加える改正規定、同法中第二百七十八条の二を第二百七十八条の三とし、第二百七十八条の次に一条を加える改正規定、同法第三百四十三条の次に二条を加える改正規定、同法第三百九十条の次に一条を加える改正規定、同法第四百二条の次に一条を加える改正規定、同法第七編中第四百七十一条の前に章名を付する改正規定、同法第四百八十四条の改正規定、同条の次に一条を加える改正規定、同法第五百二条及び第五百七条の改正規定、同法中同条を第五百八条とし、第五百六条の次に章名及び一条を加える改正規定並びに同法本則に八条を加える改正規定（中略）並びに次条第一項及び第二項、附則第三条、第七条第一項、第八条第一項及び第二項（中略）の規定（中略）　公布の日から起算して六月を超えない範囲内において政令で定める日（令和五・一一・一五―令和五政三三〇）

四　第一条中刑事訴訟法第百九十九条第二項の改正規定、同法第二百一条の次に一条を加える改正規定、同法第二百八条第一項の改正規定、同法第二百七条の次に二条を加える改正規定、同法第二百二十四条に一項を加える改正規定、同条の次に一条を加える改正規定、同法第二百五十六条の次に一条を加える改正規定、同法第二百七十一条の次に七条を加える改正規定、同法第二百九十条の二第一項、第二百九十一条、第二百九十一条の二、第二百九十九条の三ただし書、第二百九十九条の四、第二百九十九条の五、第二百九十九条の六、第二百九十九条の七及び第三百十二条の改正規定、同条の次に一条を加える改正規定、同法第三百十六条の五、第三百十六条の十一、第三百十六条の二十三第三項、第三百四十三条、第三百五十条の二十二、第四百二十九条及び第四百六十三条の改正規定並びに同法第四百六十八条に三項を加える改正規定並びに附則第四条の規定（中略）並びに附則第三十五条のうち刑法等一部改正法第三条中刑事訴訟法第三百四十三条の改正規定の改正規定　公布の日から起算して九月を超えない範囲内において政令で定める日（令和六・二・一五―令和五政三三〇）

五　第一条中刑事訴訟法第一編第八章に二十三条を加える改正規定（第九十八条の四から第九十八条の十一までに係る部分に限る。）及び次条第三項の規定　公布の日から起算して一年を超えない範囲内において政令で定める日（令和六・五・一五―令和六政一七〇）

六　第一条中刑事訴訟法第三百四十二条の次に七条を加える改正規定、同法第三百四十五条の次に三条を加える改正規定、同法第四百三条の二の次に二条を加える改正規定、同法第四百六十九条に一項を加える改正規定、同法第四百八十三条の次に一条を加える改正規定、同法第四百八十五条の次に一条を加える改正規定、同法第四百九十二条の次に一条を加える改正規定及び同法第四百九十四条の次に十三条を加える改正規定（中略）並びに附則第六条第一項及び第二項、第七条第二項、第八条第三項（中略）の規定（中略）　公布の日から起算して二年を超えない範囲内において政令で定める日

七　附則第五条第三項、第六条第三項、第八条第五項から第七項まで（中略）の規定　刑法等一部改正法の施行の日（令和七・六・一）（以下「刑法等一部改正法施行日」という。）

八―十一　（略）

第二条①（この法律の施行の日の前日までの間の読替え等）　第一条の規定による改正後の刑事訴訟法（以下「新刑事訴訟法」という。）目次中「第九十八条の二十四」とあるのは、第三号施行日（附則第一条第三号に掲げる規定の施行の日）から前条第五号に掲げる規定の施行の日（以下この項及び第三項において「第五号施行日」という。）の前日までの間は「第九十八条の三」と、第五号施行日からこの法律の施行の日（以下「施行日」という。）の前日までの間は「第九十八条の十一」とする。

②　第三号施行日から施行日の前日までの間における新刑事訴訟法第九十六条第七項の規定の適用については、同項中「含む。第九十八条の十七第一項第二号及び第四号において同じ」とあるのは、「含む」とする。

③　第五号施行日から施行日の前日までの間における新刑事訴訟法第九十八条の四第二項の規定の適用については、同項中「、第九十八条の十一及び第九十八条の十八第三項」とあるのは、「及び第九十八条の十一」とする。

第三条①（保証金の没取等に関する経過措置）　新刑事訴訟法第九十六条第三項及び第六項（保釈を取り消された者が逃亡した場合に係る部分に限る。）の規定は、保釈を取り消された者が第三号施行日以後に逃亡した場合における保証金の没取について、適用する。

②　新刑事訴訟法第九十六条第四項の規定は、保釈又は勾留の執行停止をされている被告人が第三号施行日以後に逃亡した場合における保釈又は勾留の執行停止の取消しについて、適用する。

③　新刑事訴訟法第九十六条第七項（保釈された者が逃亡した場合（刑の執行のため呼出しを受けた場合を除く。）に係る部分に限る。）の規定は、保釈された者が第三号施行日以後に逃亡した場合における保証金の没取について、適用する。

第四条（秘匿措置に関する経過措置）　刑法の一部を改正する法律（平成二十九年法律第七十二号）附則第二条第一項の規定によりなお従前の例によることとされる場合における同法による改正前の刑法（以下「従前の例による平成二十九年改正前刑法」という。）第百七十八条の二の罪若しくはその未遂罪、従前の例による平成二十九年改正前刑法第百八十一条第三項の罪又は従前の例による平成二十九年改正前刑法第二百四十一条の罪若しくはその未遂罪に係る事件は、新刑事訴訟法第二百一条の二第一項及び第二項、第二百七条の二、第二百七条の三第一項（第一号イに係る部分に限る。）並びに第四百二十九条第三項の規定の適用については新刑事訴訟法第二百一条の二第一項第一号イに掲げる事件とみなし、新刑事訴訟法第二百七十一条の二第一項、第二百七十一条の五第一項（第一号イに係る部分に限る。）、第二百七十一条の六、第二百七十一条の八第一項及び第四項、第二百九十九条の四第二項、第四項、第七項及び第九項、第二百九十九条の五第二項（第二号イに係る部分に限る。）並びに第三百十二条の二第一項、同条第四項において読み替えて準用する新刑事訴訟法第二百七十一条の六第五項及び第二百七十一条の八第一項並びに新刑事訴訟法第四百六十八条第四項の規定の適用については新刑事訴訟法第二百七十一条の二第一項第一号イに掲げる事件とみなす。

第五条①（控訴裁判所による出頭命令に関する経過措置）　控訴裁判所は、第三号施行日以後に判決を宣告する場合にあっては、刑事訴訟法第三百九十条の規定にかかわらず、第三号施行日前においても、拘禁刑以上の刑に当たる罪で起訴されている被告人であって、保釈又は勾留の執行停止をされているものについて、新刑事訴訟法第三百九十条の二の規定の例により、判決を宣告する公判期日への出頭を命ずることができる。この場合においては、当該命令は、第三号施行日以降は、同条の規定によりされた命令とみなす。

②　附則第一条第二号に掲げる規定の施行の日（以下「第二号施行日」という。）から刑法等一部改正法施行日の前日までの間における前項の規定の適用については、同項中「拘禁刑」とあるのは、「禁錮」とする。

③　刑法等一部改正法の施行前にした行為に係る罪に関しては、刑法等一部改正法施行日以後における第一項の規定の適用については、刑法等一部改正法第二条の規定による改正前の刑法（以下この項及び附則第八条第六項において「令和四年改正前刑法」という。）第十二条に規定する懲役（次条第三項並びに附則第八条第五項及び第七項並びに第十一条第三項及び第四項において「懲役」という。）又は令和四年改正前刑法第十三条に規定する禁錮（次条第三項並びに附則第八条第五項及び第七項並びに第十一条第三項及び第四項において「禁錮」という。）に当たる罪は、それぞれ拘禁刑に当たる罪とみなす。

第六条①（出国制限に関する経過措置）　新刑事訴訟法第三百四十二条の二から第三百四十二条の八まで、第四百三条の三、第四百七十九条の二、第四百八十三条の二及び第四百八十五条の二の規定は附則第一条第六号に掲げる規定の施行の日（以下「第六号施行日」という。）以後に

拘禁刑以上の刑に処する判決の宣告を受けた者について、新刑事訴訟法第三百四十五条の二から第三百四十五条の四まで、第四百三条の四、第四百六十九条第二項、第四百九十二条の二及び第四百九十四条の二から第四百九十四条の十四までの規定は第六号施行日以後に罰金の裁判の告知を受けた者について、それぞれ適用する。

② 第六号施行日が刑法等一部改正法施行日前である場合には、第六号施行日から刑法等一部改正法施行日の前日までの間における前項の規定の適用については、同項中「拘禁刑」とあるのは、「禁錮」とする。

③ 刑法等一部改正法施行日以後における第一項の規定の適用については、懲役又は禁錮に処する判決は、それぞれ拘禁刑に処する判決とみなす。

第七条（**刑事訴訟法に係る罰則に関する経過措置等**）① 第三号施行日から刑法等一部改正法施行日の前日までの間における新刑事訴訟法第九十五条の二、第九十五条の三、第九十八条の三、第二百八条の三から第二百八条の五まで、第二百七十八条の二、第三百四十三条の三及び第四百八十四条の二の規定の適用については、これらの規定（新刑事訴訟法第九十五条の三第二項及び第二百八条の四第二項を除く。）中「拘禁刑」とあるのは、「懲役」とする。刑法等一部改正法施行日以後における刑法等一部改正法施行日前にした行為に対するこれらの規定の適用についても、同様とする。

② 第六号施行日が刑法等一部改正法施行日前である場合には、第六号施行日から刑法等一部改正法施行日の前日までの間における新刑事訴訟法第四百九十四条の九から第四百九十四条の十一までの規定の適用については、これらの規定（新刑事訴訟法第四百九十四条の十第二項を除く。）中「拘禁刑」とあるのは、「懲役」とする。刑法等一部改正法施行日以後における刑法等一部改正法施行日前にした行為に対するこれらの規定の適用についても、同様とする。

第八条（**刑事訴訟法に係る拘禁刑に関する経過措置等**）① 第三号施行日から刑法等一部改正法施行日の前日までの間における新刑事訴訟法第九十六条第四項に規定する拘禁刑以上の刑に処する判決に係る新刑事訴訟法の規定の適用については、同項中「拘禁刑以上」とあるのは「禁錮以上」と、「拘禁刑の」とあるのは「懲役又は禁錮の」とする。

② 第三号施行日から刑法等一部改正法施行日の前日までの間における新刑事訴訟法第九十六条第六項及び第七項、第三百四十三条の二、第三百九十条の二並びに第四百二条の二の規定の適用については、これらの規定中「拘禁刑」とあるのは、「禁錮」とする。

③ 第六号施行日が刑法等一部改正法施行日前である場合には、第六号施行日から刑法等一部改正法施行日の前日までの間における新刑事訴訟法第三百四十二条の二、第三百四十二条の三、第三百四十二条の四第二項、第三百四十二条の六第二項、第三百四十二条の八第一項、第四百三条の三、第四百七十九条の二及び第四百八十三条の二、同条において読み替えて適用する新刑事訴訟法第三百四十二条の二、第三百四十二条の四第二項及び第三百四十二条の六第二項並びに新刑事訴訟法第四百八十五条の二の規定の適用については、これらの規定（新刑事訴訟法第四百三条の三第二項を除く。）中「拘禁刑」とあるのは、「禁錮」とする。

④ 第二号施行日から刑法等一部改正法施行日の前日までの間における新刑事訴訟法第三百四十四条第二項の規定の適用については、同項中「拘禁刑」とあるのは、「禁錮」とする。

⑤ 刑法等一部改正法施行日以後における新刑事訴訟法第九十六条第四項、第六項及び第七項、第九十八条の十七第一項（第二号及び第三号に係る部分に限る。）、第三百四十二条の二、第三百四十二条の三並びに第三百四十二条の四第二項、新刑事訴訟法第三百四十二条の六第二項において読み替えて準用する刑事訴訟法第九十四条第三項並びに新刑事訴訟法第三百四十二条の八第一項、第三百四十三条の二、第三百四十四条第二項、第四百三条の三、第四百七十九条の二及び第四百八十三条の二の規定、同条において読み替えて適用する新刑事訴訟法第三百四十二条の二、第三百四十二条の四並びに第三百四十二条の五第一項及び第三項、新刑事訴訟法第三百四十二条の六第二項において読み替えて準用する新刑事訴訟法第九十四条第二項及び第三項並びに新刑事訴訟法第三百四十二条の七の規定、新刑事訴訟法第四百八十五条の二及び第四百八十九条の二の規定並びに同条第一項において読み替えて適用する新刑事訴訟法第九十八条の十二第五項、第九十八条の十三第一項、第九十八条の十四第一項（第四号及び第五号に係る部分に限る。）及び第二項、第九十八条の十五第一項、第三項、第四項、第六項、第八項、第十一項及び第十二項、第九十八条の十六第一項、第九十八条の十七第四項並びに第九十八条の二十第一項、第三項及び第六項の規定（次項において「第四百八十九条の二読替適用規定」という。）の適用については、懲役又は禁錮に処する判決は、それぞれ拘禁刑に処する判決とみなす。

⑥ 刑法等一部改正法施行日以後における新刑事訴訟法第九十六条第七項、第九十八条の十七第一項（第三号に係る部分に限る。）及び第四百八十九条の二の規定並びに第四百八十九条の二読替適用規定の適用については、令和四年改正前刑法第十六条に規定する拘留に処する判決は、拘留に処する判決とみなす。

⑦ 刑法等一部改正法の施行前にした行為に係る罪に関しては、刑法等一部改正法施行日以後における新刑事訴訟法第三百九十条の二及び第四百二条の二の規定の適用については、懲役又は禁錮に当たる罪は、それぞれ拘禁刑に当たる罪とみなす。

第四〇条（**罰則に関する経過措置**） 第二号施行日前にした行為に対する罰則の適用については、なお従前の例による。

附　則（令和五・六・二三法六六）（抄）

第一条（**施行期日**） この法律は、公布の日から起算して二十日を経過した日（令和五・七・一三）から施行する。ただし、次の各号に掲げる規定は、当該各号に定める日から施行する。

一　第二条（刑事訴訟法の一部改正）の規定並びに附則第四条第一項及び第五条の規定　公布の日

二　第三条中刑事訴訟法第三百二十一条の二の次に一条を加える改正規定及び同法第三百二十三条の改正規定並びに附則第四条第三項の規定　公布の日から起算して六月を超えない範囲内において政令で定める日（令和五・一二・一五—令和五政三一九）

三　附則第十九条の規定　刑事訴訟法等の一部を改正する法律（令和五年法律第二十八号）附則第一条第四号に定める日（令和六・二・一五）

第二条（**罰則の適用に関する経過措置**）① この法律の施行前にした行為の処罰については、なお従前の例による。

② 前項の規定によりなお従前の例によることとされる場合における第一条の規定による改正前の刑法（以下「旧刑法」という。）第百七十六条から第百七十八条までの罪又はこれらの罪の未遂罪の被害者は、第三条の規定による改正後の刑事訴訟法（以下「新刑事訴訟法」という。）第百五十七条の六第一項の規定の適用については、同項第一号に掲げる者とみなす。

③ 第一項の規定によりなお従前の例によることとされる場合における旧刑法第百七十六条から第百七十八条までの罪又はこれらの罪の未遂罪に係る事件は、新刑事訴訟法第二百九十条の二第一項の規定の適用については、同項第一号に掲げる事件とみなす。

④ 第一項の規定によりなお従前の例によることとされる場合における旧刑法第百七十六条から第百七十八条までの罪は、新刑事訴訟法第三百十六条の三十三第一項の規定の適用について

は、同項第二号に掲げる罪とみなす。

（刑事訴訟法の一部改正に伴う経過措置）

第四条① 附則第一条第一号に掲げる規定の施行の日からこの法律の施行の日（次条第二項（中略）において「施行日」という。）の前日までの間における第二条の規定による改正後の刑事訴訟法（以下この項及び次条において「第二条改正後刑事訴訟法」という。）第二百五十条第三項及び第四項の規定の適用については、刑法の一部を改正する法律（平成二十九年法律第七十二号）附則第二条第一項の規定によりなお従前の例によることとされる場合における同法による改正前の刑法（以下この条において「従前の例による平成二十九年改正前刑法」という。）第百七十八条の二の罪又はその未遂罪は、第二条改正後刑事訴訟法第二百五十条第三項第二号に掲げる罪とみなし、従前の例による平成二十九年改正前刑法第百八十一条第三項（人を負傷させたときに限る。）の罪又は従前の例による平成二十九年改正前刑法第二百四十一条前段の罪若しくはその未遂罪は、第二条改正後刑事訴訟法第二百五十条第三項第一号に掲げる罪とみなす。

② 新刑事訴訟法第二百五十条第三項及び第四項の規定の適用については、附則第二条第一項の規定によりなお従前の例によることとされる場合における旧刑法第百七十六条若しくは第百七十八条第一項の罪又はこれらの罪の未遂罪は、新刑事訴訟法第二百五十条第三項第三号に掲げる罪とみなし、附則第二条第一項の規定によりなお従前の例によることとされる場合における旧刑法第百七十七条若しくは第百七十八条第二項の罪若しくはこれらの罪の未遂罪又は従前の例による平成二十九年改正前刑法第百七十八条の二の罪若しくはその未遂罪は、新刑事訴訟法第二百五十条第三項第二号に掲げる罪とみなし、従前の例による平成二十九年改正前刑法第百八十一条第三項（人を負傷させたときに限る。）の罪又は従前の例による平成二十九年改正前刑法第二百四十一条前段の罪若しくはその未遂罪は、新刑事訴訟法第二百五十条第三項第一号に掲げる罪とみなす。

③ 附則第二条第一項の規定によりなお従前の例によることとされる場合における旧刑法第百七十六条から第百七十八条までの罪若しくはこれらの罪の未遂罪又は従前の例による平成二十九年改正前刑法第百七十八条の二の罪若しくはその未遂罪、従前の例による平成二十九年改正前刑法第百八十一条第三項の罪若しくは従前の例による平成二十九年改正前刑法第二百四十一条の罪若しくはその未遂罪の被害者は、新刑事訴訟法第三百二十一条の三第一項の規定の適用については、同項第一号イに掲げる者とみなす。

（公訴時効に関する経過措置）

第五条① 第二条改正後刑事訴訟法第二百五十条第三項及び第四項の規定は、第二条の規定の施行の際既にその公訴の時効が完成している罪については、適用しない。

② 第二条改正後刑事訴訟法（施行日以後においては新刑事訴訟法）第二百五十条第三項及び第四項の規定は、刑法等の一部を改正する法律（平成十六年法律第百五十六号）附則第三条第二項の規定にかかわらず、第二条の規定の施行の際その公訴の時効が完成していない罪についても、適用する。

（刑事訴訟法等の一部を改正する法律の一部改正に伴う経過措置）

第一九条① 附則第二条第一項の規定によりなお従前の例によることとされる場合における旧刑法第百七十六条から第百七十八条までの罪又はこれらの罪の未遂罪に係る事件は、刑事訴訟法等の一部を改正する法律第一条の規定による改正後の刑事訴訟法（以下この項及び次項において「改正後の刑事訴訟法」という。）第二百一条の二第一項及び第二項、第二百七条の二、第二百七条の三第一項（第一号イに係る部分に限る。）並びに第四百二十九条第三項の規定の適用については改正後の刑事訴訟法第二百一条の二第一項第一号イに掲げる事件とみなし、改正後の刑事訴訟法第二百七十一条の二第一項、第二百七十一条の五第一項（第一号イに係る部分に限る。）、第二百七十一条の六、第二百七十一条の八第一項及び第四項、第二百九十九条の四第二項、第四項、第七項及び第九項、第二百九十九条の五第二項（第二号イに係る部分に限る。）並びに第三百十二条の二第一項、同条第四項において読み替えて準用する改正後の刑事訴訟法第二百七十一条の六第五項及び第二百七十一条の八第一項並びに改正後の刑事訴訟法第四百六十八条第四項の規定の適用については改正後の刑事訴訟法第二百七十一条の二第一項第一号イに掲げる事件とみなす。

② 附則第二条第一項の規定によりなお従前の例によることとされる場合における旧刑法第百七十六条から第百七十八条までの罪又はこれらの罪の未遂罪に係る事件は、刑事訴訟法等の一部を改正する法律附則第二十二条の規定による改正後の犯罪被害者等の権利利益の保護を図るための刑事手続に付随する措置に関する法律第二十二条第一項及び第四十六条第一項の規定の適用については、改正後の刑事訴訟法第二百七十一条の二第一項第一号イに掲げる事件とみなす。

③ 民事訴訟法等の一部を改正する法律（令和四年法律第四十八号）の施行の日の前日までの間における前項の規定の適用については、同項中「第四十六条第一項」とあるのは、「第四十二条第一項」とする。

（検討等）

第二〇条① 政府は、性的な被害に係る犯罪規定が社会の受け止め方を踏まえて処罰対象を適切に決すべきものであるという特質を有し、また、その改正がそれぞれの時代の性的な被害の実態及びこれに対する社会の意識の変化に対応していること等に鑑み、この法律の施行後五年を経過した場合において、この法律による改正後のそれぞれの法律の規定及び性的な姿態を撮影する行為等の処罰及び押収物に記録された性的な姿態の影像に係る電磁的記録の消去等に関する法律（令和五年法律第六十七号）の規定（以下「新刑法等の規定」という。）の施行の状況を勘案し、新刑法等の規定の施行後の性的な被害の実態及びこれに対する社会の受け止め方や社会の意識、とりわけ性的同意についての意識も踏まえつつ、速やかに性犯罪に係る事案の実態に即した対処を行うための施策の在り方について検討を加え、必要があると認めるときは、その結果に基づいて所要の措置を講ずるものとする。

② 政府は、前項の検討がより実証的なものとなるよう、性的な被害を申告することの困難さその他性的な被害の実態について、必要な調査を行うものとする。

（周知）

第二一条 政府は、新刑法等の規定が、性的な被害の実態及びこれに対する社会の意識の変化に対応して、刑罰を伴う新たな行為規範を定めるものであることに鑑み、その趣旨及び内容について国民に周知を図るものとする。

附　則（令和五・一二・一三法八四）（抄）

（施行期日）

第一条 この法律は、公布の日から起算して一年を超えない範囲内において政令で定める日から施行する。ただし、次の各号に掲げる規定は、当該各号に定める日から施行する。

一　附則（中略）第二十九条の規定　公布の日

二　（略）

（刑事訴訟法等の一部改正に伴う経過措置）

第二二条① 附則第八条（罰則に関する経過措置）の規定によりなお従前の例によることとされる場合における第一条改正前大麻法（第一条の規定による改正前の大麻取締法）の罪は、前条（第一号に係る部分に限る。）の規定による改正後の刑事訴訟法第三百五十条の二（第二項第四号ロに係る部分に限る。）の規定の適用については、大麻草の栽培の規制に関する法律の罪とみなす。

② （略）

（政令への委任）

第二九条 この附則に規定するもののほか、この法律の施行に伴い必要な経過措置（罰則に関する経過措置を含む。）は、政令で定める。

●刑事訴訟規則（昭和二三・一二・一 最高裁規三二）

施行 昭和二四・一・一（附則）

改正 昭和二四最高裁規八・最高裁規一二、昭和二五最高裁規九・最高裁規一一・**最高裁規二八**、昭和二六最高裁規一五、昭和二七最高裁規一九、昭和二八最高裁規五・最高裁規二一、昭和二九最高裁規五、昭和三二**最高裁規一**、昭和三五最高裁規二、昭和三六**最高裁規六**、昭和四七最高裁規五、昭和五一最高裁規四・最高裁規八、昭和五七最高裁規七、昭和六二最高裁規八、平成四最高裁規一、平成七最高裁規一、平成九最高裁規五、平成一一最高裁規九、平成一二最高裁規一二・最高裁規一五、平成一三最高裁規一、平成一五最高裁規七、平成一七**最高裁規一〇**、平成一八最高裁規六・最高裁規九・最高裁規一一、平成一九最高裁規六・最高裁規一五、平成二〇最高裁規五・最高裁規六・最高裁規一四・最高裁規一七、平成二四最高裁規一、平成二八最高裁規四・最高裁規六、平成三〇最高裁規一、令和三最高裁規一・最高裁規三、令和五最高裁規三・最高裁規四・**最高裁規一〇**

目次

第一編 総則

（この規則の解釈、運用）
第一条① この規則は、憲法の所期する裁判の迅速と公正とを図るようにこれを解釈し、運用しなければならない。

② 訴訟上の権利は、誠実にこれを行使し、濫用してはならない。

第一章 裁判所の管轄

（管轄の指定、移転の請求の方式・法第十五条等）
第二条 管轄の指定又は移転の請求をするには、理由を附した請求書を管轄裁判所に差し出さなければならない。

（管轄の指定、移転の請求の通知・法第十五条等）
第三条 検察官は、裁判所に係属する事件について管轄の指定又は移転の請求をしたときは、速やかにその旨を裁判所に通知しなければならない。

（請求書の謄本の交付、意見書の差出・法第十七条）
第四条① 検察官は、裁判所に係属する事件について刑事訴訟法（昭和二十三年法律第百三十一号。以下法という。）第十七条第一項各号に規定する事由のため管轄移転の請求をした場合には、速やかに請求書の謄本を被告人に交付しなければならない。

② 被告人は、謄本の交付を受けた日から三日以内に管轄裁判所に意見書を差し出すことができる。

（被告人の管轄移転の請求・法第十七条）
第五条① 被告人が管轄移転の請求書を差し出すには、事件の係属する裁判所を経由しなければならない。

② 前項の裁判所は、請求書を受け取つたときは、速やかにこれをその裁判所に対応する検察庁の検察官に通知しなければならない。

（訴訟手続の停止・法第十五条等）
第六条 裁判所に係属する事件について管轄の指定又は移転の請求があつたときは、決定があるまで訴訟手続を停止しなければならない。ただし、急速を要する場合又は当該請求が訴訟を遅延させる目的のみでされたことが明らかである場合は、この限りでない。

（移送の請求の方式・法第十九条）
第七条 法第十九条の規定による移送の請求をするには、理由を附した請求書を裁判所に差し出さなければならない。

（意見の聴取・法第十九条）
第八条① 法第十九条の規定による移送の請求があつたときは、相手方又はその弁護人の意見を聴いて決定をしなければならない。

② 職権で法第十九条の規定による移送の決定をするには、検察官及び被告人又は弁護人の意見を聴かなければならない。

第二章 裁判所職員の除斥、忌避及び回避

（忌避の申立て・法第二十一条）
第九条① 合議体の構成員である裁判官に対する忌避の申立て

は、その裁判官所属の裁判所に、受命裁判官、地方裁判所の一人の裁判官又は家庭裁判所若しくは簡易裁判所の裁判官に対する忌避の申立ては、忌避すべき裁判官にこれをしなければならない。

② 忌避の申立てをするには、その原因を示さなければならない。

③ 忌避の原因及び忌避の申立てをした者が事件について請求若しくは陳述をした際に忌避の原因があることを知らなかつたこと又は忌避の原因が事件について請求若しくは陳述をした後に生じたことは、申立てをした日から三日以内に書面でこれを疎明しなければならない。

（**申立てに対する意見書・法第二十三条**）

第一〇条 忌避された裁判官は、次に掲げる場合を除いては、忌避の申立てに対し意見書を差し出さなければならない。

一 地方裁判所の一人の裁判官又は家庭裁判所若しくは簡易裁判所の裁判官が忌避の申立てを理由があるものとするとき。

二 忌避の申立てが訴訟を遅延させる目的のみでされたことが明らかであるとしてこれを却下するとき。

三 忌避の申立てが法第二十二条の規定に違反し、又は前条第二項若しくは第三項に定める手続に違反してされたものとしてこれを却下するとき。

（**訴訟手続の停止**）

第一一条 忌避の申立があつたときは、前条第二号及び第三号の場合を除いては、訴訟手続を停止しなければならない。但し、急速を要する場合は、この限りでない。

（**除斥の裁判・法第二十三条**）

第一二条① 忌避の申立について決定をすべき裁判所は、法第二十条各号の一に該当する者があると認めるときは、職権で除斥の決定をしなければならない。

② 前項の決定をするには、当該裁判官の意見を聴かなければならない。

③ 当該裁判官は、第一項の決定に関与することができない。

④ 裁判所が当該裁判官の退去により決定をすることができないときは、直近上級の裁判所が、決定をしなければならない。

（**回避**）

第一三条① 裁判官は、忌避されるべき原因があると思料するときは、回避しなければならない。

② 回避の申立は、裁判官所属の裁判所に書面でこれをしなければならない。

③ 忌避の申立について決定をすべき裁判所は、回避の申立について決定をしなければならない。

④ 回避については、前条第三項及び第四項の規定を準用する。

（**除斥、回避の裁判の送達**）

第一四条 前二条の決定は、これを送達しない。

（**準用規定**）

第一五条① 裁判所書記官については、この章の規定を準用する。

② 受命裁判官に附属する裁判所書記官に対する忌避の申立は、その附属する裁判官にこれをしなければならない。

第三章　訴訟能力

（**被疑者の特別代理人選任の請求・法第二十九条**）

第一六条 被疑者の特別代理人の選任の請求は、当該被疑事件を取り扱う検察官又は司法警察員の所属の官公署の所在地を管轄する地方裁判所又は簡易裁判所にこれをしなければならない。

第四章　弁護及び補佐

（**被疑者の弁護人の選任・法第三十条**）

第一七条 公訴の提起前にした弁護人の選任は、弁護人と連署した書面を当該被疑事件を取り扱う検察官又は司法警察員に差し出した場合に限り、第一審においてもその効力を有する。

（**被告人の弁護人の選任の方式・法第三十条**）

第一八条 公訴の提起後における弁護人の選任は、弁護人と連署した書面を差し出してこれをしなければならない。

（**追起訴された事件の弁護人の選任・法第三十条**）

第一八条の二 法第三十条に定める者が一の事件についてした弁護人の選任は、その事件の公訴の提起後同一裁判所に公訴が提起され且つこれと併合された他の事件についてもその効力を有する。但し、被告人又は弁護人がこれと異る申述をしたときは、この限りでない。

（**被告人、被疑者に対する通知・法第三十一条の二**）

第一八条の三① 刑事収容施設（刑事施設、留置施設及び海上保安留置施設をいう。以下同じ。）に収容され、又は留置されている被告人又は被疑者に対する法第三十一条の二第三項の規定による通知は、刑事施設の長、留置業務管理者（刑事収容施設及び被収容者等の処遇に関する法律（平成十七年法律第五十号）第十六条第一項に規定する留置業務管理者をいう。以下同じ。）又は海上保安留置業務管理者（同法第二十六条第一項に規定する海上保安留置業務管理者をいう。以下同じ。）にする。

② 刑事施設の長、留置業務管理者又は海上保安留置業務管理者は、前項の通知を受けたときは、直ちに当該被告人又は被疑者にその旨を告げなければならない。

（**主任弁護人・法第三十三条**）

第一九条① 被告人に数人の弁護人があるときは、その一人を主任弁護人とする。但し、地方裁判所においては、弁護士でない者を主任弁護人とすることはできない。

② 主任弁護人は、被告人が単独で、又は全弁護人の合意でこれを指定する。

③ 主任弁護人を指定することができる者は、その指定を変更することができる。

④ 全弁護人のする主任弁護人の指定又はその変更は、被告人の明示した意思に反してこれをすることができない。

（**主任弁護人の指定、変更の方式・法第三十三条**）

第二〇条 被告人又は全弁護人のする主任弁護人の指定又はその変更は、書面を裁判所に差し出してしなければならない。但し、公判期日において主任弁護人の指定を変更するには、その旨を口頭で申述すれば足りる。

（**裁判長の指定する主任弁護人・法第三十三条**）

第二一条① 被告人に数人の弁護人がある場合に主任弁護人がないときは、裁判長は、主任弁護人を指定しなければならない。

② 裁判長は、前項の指定を変更することができる。

③ 前二項の主任弁護人は、第十九条の主任弁護人ができるまで、その職務を行う。

（**主任弁護人の指定、変更の通知・法第三十三条**）

第二二条 主任弁護人の指定又はその変更については、被告人がこれをしたときは、直ちにその旨を検察官及び主任弁護人となつた者に、全弁護人又は裁判長がこれをしたときは、直ちにその旨を検察官及び被告人に通知しなければならない。

（**副主任弁護人・法第三十三条**）

第二三条① 裁判長は、主任弁護人に事故がある場合には、他の弁護人のうち一人を副主任弁護人に指定することができる。

② 主任弁護人があらかじめ裁判所に副主任弁護人となるべき者を届け出た場合には、その者を副主任弁護人に指定しなければならない。

③ 裁判長は、第一項の指定を取り消すことができる。

④ 副主任弁護人の指定又はその取消については、前条後段の規定を準用する。

（**主任弁護人、副主任弁護人の辞任、解任・法第三十三条**）

第二四条① 主任弁護人又は副主任弁護人の辞任又は解任については、第二十条の規定を準用する。

② 主任弁護人又は副主任弁護人の辞任又は解任があつたときは、直ちにこれを訴訟関係人に通知しなければならない。但し、被告人が解任をしたときは、被告人に対しては、通知することを要しない。

（**主任弁護人、副主任弁護人の権限・法第三十四条**）

第二五条① 主任弁護人又は副主任弁護人は、弁護人に対する通知又は書類の送達について他の弁護人を代表する。

② 主任弁護人及び副主任弁護人以外の弁護人は、裁判長又は裁判官の許可及び主任弁護人又は副主任弁護人の同意がなければ、申立、請求、質問、尋問又は陳述をすることができない。但し、証拠物の謄写の許可の請求、裁判書又は裁判を記載した調書の謄本又は抄本の交付の請求及び公判期日において証拠調が終つた後にする意見の陳述については、この限りでない。

（被告人の弁護人の数の制限・法第三十五条）

第二十六条① 裁判所は、特別の事情があるときは、弁護人の数を各被告人について三人までに制限することができる。

② 前項の制限の決定は、被告人にこれを告知することによつてその効力を生ずる。

③ 被告人の弁護人の数を制限した場合において制限した数を超える弁護人があるときは、直ちにその旨を各弁護人及びこれらの弁護人を選任した者に通知しなければならない。この場合には、制限の決定は、前項の規定にかかわらず、その告知のあつた日から七日の期間を経過することによつてその効力を生ずる。

④ 前項の制限の決定が効力を生じた場合になお制限された数を超える弁護人があるときは、弁護人の選任は、その効力を失う。

（被疑者の弁護人の数の制限・法第三十五条）

第二十七条① 被疑者の弁護人の数は、各被疑者について三人を超えることができない。但し、当該被疑事件を取り扱う検察官又は司法警察員の所属の官公署の所在地を管轄する地方裁判所又は簡易裁判所が特別の事情があるものと認めて許可をした場合は、この限りでない。

② 前項但書の許可は、弁護人を選任することができる者又はその依頼により弁護人となろうとする者の請求により、これをする。

③ 第一項但書の許可は、許可すべき弁護人の数を指定してこれをしなければならない。

（国選弁護人選任の請求・法第三十六条等）

第二十八条 法第三十六条、第三十七条の二又は第三百五十条の十七第一項の請求をするには、その理由を示さなければならない。

（国選弁護人選任の請求先裁判官・法第三十七条の二）

第二十八条の二 法第三十七条の二の請求は、勾留の請求を受けた裁判官、その所属する裁判所の所在地を管轄する地方裁判所の裁判官又はその地方裁判所の所在地（その支部の所在地を含む。）に在る簡易裁判所の裁判官にこれをしなければならない。

（国選弁護人選任請求書等の提出・法第三十七条の二等）

第二十八条の三① 刑事収容施設に収容され、又は留置されている被疑者が法第三十七条の二又は第三百五十条の十七第一項の請求をするには、裁判所書記官の面前で行う場合を除き、刑事施設の長、留置業務管理者若しくは海上保安留置業務管理者又はその代理者を経由して、請求書及び法第三十六条の二に規定する資力申告書を裁判官に提出しなければならない。

② 前項の場合において、刑事施設の長、留置業務管理者若しくは海上保安留置業務管理者又はその代理者は、被疑者から同項の書面を受け取つたときは、直ちにこれを裁判官に送付しなければならない。ただし、法第三百五十条の十七第一項の請求をする場合を除き、勾留を請求されていない被疑者から前項の書面を受け取つた場合には、当該被疑者が勾留を請求された後直ちにこれを裁判官に送付しなければならない。

③ 前項の場合において、刑事施設の長、留置業務管理者若しくは海上保安留置業務管理者又はその代理者は、第一項の書面をファクシミリを利用して送信することにより裁判官に送付することができる。

④ 前項の規定による送付がされたときは、その時に、第一項の書面の提出があつたものとみなす。

⑤ 裁判官は、前項に規定する場合において、必要があると認めるときは、刑事施設の長、留置業務管理者又は海上保安留置業務管理者に対し、送信に使用した書面を提出させることができる。

（弁護人の選任に関する処分をすべき裁判官）

第二十八条の四 法第三十七条の四の規定による弁護人の選任に関する処分は、勾留の請求を受けた裁判官、その所属する裁判所の所在地を管轄する地方裁判所の裁判官又はその地方裁判所の所在地（その支部の所在地を含む。）に在る簡易裁判所の裁判官がこれをしなければならない。

第二十八条の五 法第三十七条の二第一項又は第三十七条の四の規定により弁護人が付されている場合における法第三十七条の五の規定による弁護人の選任に関する処分は、最初の弁護人を付した裁判官、その所属する裁判所の所在地を管轄する地方裁判所の裁判官又はその地方裁判所の所在地（その支部の所在地を含む。）に在る簡易裁判所の裁判官がこれをしなければならない。

（国選弁護人の選任・法第三十八条）

第二十九条① 法の規定に基づいて裁判所又は裁判長が付すべき弁護人は、裁判所の所在地を管轄する地方裁判所の管轄区域内に在る弁護士会に所属する弁護士の中から裁判長がこれを選任しなければならない。ただし、その管轄区域内に選任すべき事件について弁護人としての活動をすることのできる弁護士がないときその他やむを得ない事情があるときは、これに隣接する他の地方裁判所の管轄区域内に在る弁護士会に所属する弁護士その他適当な弁護士の中からこれを選任することができる。

② 前項の規定は、法の規定に基づいて裁判官が弁護人を付する場合について準用する。

③ 第一項の規定にかかわらず、控訴裁判所が弁護人を付する場合であつて、控訴審の審理のため特に必要があると認めるときは、裁判長は、原審における弁護人（法の規定に基づいて裁判所若しくは裁判長又は裁判官が付したものに限る。）であつた弁護士を弁護人に選任することができる。

④ 前項の規定は、上告裁判所が弁護人を付する場合について準用する。

⑤ 被告人又は被疑者の利害が相反しないときは、同一の弁護人に数人の弁護をさせることができる。

（弁護人の解任に関する処分をすべき裁判官・法第三十八条の三）

第二十九条の二 法第三十八条の三第四項の規定による弁護人の解任に関する処分は、当該弁護人を付した裁判官、その所属する裁判所の所在地を管轄する地方裁判所の裁判官又はその地方裁判所の所在地（その支部の所在地を含む。）に在る簡易裁判所の裁判官がこれをしなければならない。

（国選弁護人の選任等の通知・法第三十八条等）

第二十九条の三① 法の規定に基づいて裁判長又は裁判官が弁護人を選任したときは、直ちにその旨を検察官及び被告人又は被疑者に通知しなければならない。この場合には、日本司法支援センターにも直ちにその旨を通知しなければならない。

② 前項の規定は、法の規定に基づいて裁判所又は裁判官が弁護人を解任した場合について準用する。

（裁判所における接見等・法第三十九条）

第三十条 裁判所は、身体の拘束を受けている被告人又は被疑者が裁判所の構内にいる場合においてこれらの者の逃亡、罪証の隠滅又は戒護に支障のある物の授受を防ぐため必要があるときは、これらの者と弁護人又は弁護人を選任することができる者の依頼により弁護人となろうとする者との接見については、その日時、場所及び時間を指定し、又、書類若しくは物の授受については、これを禁止することができる。

（弁護人の書類の閲覧等・法第四十条）

第三十一条 弁護人は、裁判長の許可を受けて、自己の使用人その他の者に訴訟に関する書類及び証拠物を閲覧又は謄写させることができる。

（補佐人の届出の方式・法第四十二条）

第三十二条 補佐人となるための届出は、書面でこれをしなければならない。

第五章　裁判

（決定、命令の手続・法第四十三条）

第三三条① 決定は、申立により公判廷でするとき、又は公判廷における申立によりするときは、訴訟関係人の陳述を聴かなければならない。その他の場合には、訴訟関係人の陳述を聴かないでこれをすることができる。但し、特別の定のある場合は、この限りでない。

② 命令は、訴訟関係人の陳述を聴かないでこれをすることができる。

③ 決定又は命令をするについて事実の取調をする場合において必要があるときは、法及びこの規則の規定により、証人を尋問し、又は鑑定を命ずることができる。

④ 前項の場合において必要と認めるときは、検察官、被告人、被疑者又は弁護人を取調又は処分に立ち会わせることができる。

（裁判の告知）

第三四条 裁判の告知は、公判廷においては、宣告によつてこれをし、その他の場合には、裁判書の謄本を送達してこれをしなければならない。ただし、特別の定めのある場合は、この限りでない。

第三四条の二① 法第二百七十一条の二第二項の規定による起訴状抄本等の提出があつた事件について、起訴状に記載された個人特定事項のうち起訴状抄本等に記載がないもの（法第二百七十一条の五第一項の決定により通知することとされたものを除く。第五項及び第六項において同じ。）が法第二百七十一条の二第一項第一号又は第二号に掲げる者のものに該当すると認める場合であつて、検察官の意見を聴き、相当と認めるときは、裁判書の抄本であつて当該個人特定事項の記載がないものその他の裁判書の謄本に代わるものの謄本を被告人に送達して裁判の告知をすることができる。

② 法第三百十二条の二第二項の規定による訴因変更等請求書面抄本等（同項に規定する訴因変更等請求書面抄本等をいう。以下同じ。）の提出があつた事件について、訴因変更等請求書面に記載された個人特定事項のうち訴因変更等請求書面抄本等に記載がないもの（法第三百十二条の二第四項において読み替えて準用する法第二百七十一条の五第一項の決定により通知することとされたものを除く。第五項及び第六項において同じ。）が法第二百七十一条の二第一項第一号又は第二号に掲げる者のものに該当すると認める場合であつて、検察官の意見を聴き、相当と認めるときは、裁判書の抄本であつて当該個人特定事項の記載がないものその他の裁判書の謄本に代わるものの謄本を被告人に送達して裁判の告知をすることができる。

③ 法第二百七条の二第二項の規定による勾留状に代わるものの交付があつた事件について、勾留状に記載された個人特定事項のうち勾留状に代わるものに記載がないもの（法第二百七条の三第一項の裁判により通知することとされたものを除く。第七項及び第八項において同じ。）が法第二百一条の二第一項第一号又は第二号に掲げる者のものに該当すると認める場合であつて、検察官の意見を聴き、相当と認めるときは、裁判書の抄本であつて当該個人特定事項の記載がないものその他の裁判書の謄本に代わるものの謄本を被疑者に送達して裁判の告知をすることができる。

④ 法第二百二十四条第三項において読み替えて準用する法第二百七条の二第二項の規定による鑑定留置状に代わるものの交付があつた事件について、鑑定留置状に記載された個人特定事項のうち鑑定留置状に代わるものに記載がないもの（法第二百二十四条第三項において準用する法第二百七条の三第一項の裁判により通知することとされたものを除く。第七項及び第八項において同じ。）が法第二百一条の二第一項第一号又は第二号に掲げる者のものに該当すると認める場合であつて、検察官の意見を聴き、相当と認めるときは、裁判書の抄本であつて当該個人特定事項の記載がないものその他の裁判書の謄本に代わるものの謄本を被疑者に送達して裁判の告知をすることができる。

⑤ 法第二百七十一条の三第一項若しくは第二百七十一条の四第二項の規定による起訴状の謄本の提出があつた事件について、起訴状に記載された個人特定事項のうち起訴状抄本等に記載がないものが法第二百七十一条の二第一項第一号若しくは第二号に掲げる者のものに該当すると認める場合又は法第三百十二条の二第四項において準用する法第二百七十一条の三第一項若しくは第二百七十一条の四第二項の規定による訴因変更等請求書面の謄本の提出があつた事件について、訴因変更等請求書面に記載された個人特定事項のうち訴因変更等請求書面抄本等に記載がないものが法第二百七十一条の二第一項第一号若しくは第二号に掲げる者のものに該当すると認める場合において、被告人に弁護人があり、検察官の意見を聴き、相当と認めるときは、弁護人に対し、裁判書の謄本を送達して裁判の告知をするに当たり、当該裁判書に記載されているこれらの個人特定事項を被告人に知らせてはならない旨の条件を付し、又は被告人に知らせる時期若しくは方法を指定することができる。

⑥ 法第二百七十一条の三第三項若しくは第二百七十一条の四第四項の規定による起訴状抄本等の提出があつた事件について、起訴状に記載された個人特定事項のうち起訴状抄本等に記載がないものが法第二百七十一条の二第一項第一号若しくは第二号に掲げる者のものに該当すると認める場合又は法第三百十二条の二第四項において準用する法第二百七十一条の三第三項若しくは第二百七十一条の四第四項の規定による訴因変更等請求書面抄本等の提出があつた事件について、訴因変更等請求書面に記載された個人特定事項のうち訴因変更等請求書面抄本等に記載がないものが法第二百七十一条の二第一項第一号若しくは第二号に掲げる者のものに該当すると認める場合において、被告人に弁護人があり、検察官の意見を聴き、相当と認めるときは、弁護人に対し、裁判書の抄本であつてこれらの個人特定事項の記載がないものその他の裁判書の謄本に代わるものの謄本を送達して裁判の告知をし、又は裁判書の謄本を送達して裁判の告知をするに当たり、当該裁判書に記載されているこれらの個人特定事項を被告人に知らせてはならない旨の条件を付し、若しくは被告人に知らせる時期若しくは方法を指定することができる。

⑦ 法第二百七条の二第二項の規定による勾留状に代わるものの交付があつた事件について、勾留状に記載された個人特定事項のうち勾留状に代わるものに記載がないものが法第二百一条の二第一項第一号若しくは第二号に掲げる者のものに該当すると認める場合又は法第二百二十四条第三項において読み替えて準用する法第二百七条の二第二項の規定による鑑定留置状に代わるものの交付があつた事件について、鑑定留置状に記載された個人特定事項のうち鑑定留置状に代わるものに記載がないものが法第二百一条の二第一項第一号若しくは第二号に掲げる者のものに該当すると認める場合において、被疑者に弁護人があり、検察官の意見を聴き、相当と認めるときは、弁護人に対し、裁判書の謄本を送達して裁判の告知をするに当たり、当該裁判書に記載されているこれらの個人特定事項を被疑者に知らせてはならない旨の条件を付することができる。

⑧ 法第二百七条の二第二項の規定による勾留状に代わるものの交付があつた事件について、勾留状に記載された個人特定事項のうち勾留状に代わるものに記載がないものが法第二百一条の二第一項第一号若しくは第二号に掲げる者のものに該当すると認める場合又は法第二百二十四条第三項において読み替えて準用する法第二百七条の二第二項の規定による鑑定留置状に代わるものの交付があつた事件について、鑑定留置状に記載された個人特定事項のうち鑑定留置状に代わるものに記載がないものが法第二百一条の二第一項第一号若しくは第二号に掲げる者のものに該当すると認める場合において、被疑者に弁護人があり、検察官の意見を聴き、前項の規定による措置によつては、法第二百一条の二第一項第一号ハ(1)若しくは第二号イに規定す

る名誉若しくは社会生活の平穏が著しく害されること又は同項第一号ハ(2)若しくは第二号ロに規定する行為を防止できないおそれがあると認めるときは、弁護人に対し、裁判書の抄本であつてこれらの個人特定事項の記載がないものその他の裁判書の謄本に代わるものの謄本を送達して裁判の告知をすることができる。

（処置をとるべきことの請求）

第三四条の三① 裁判所又は裁判官は、前条第五項から第七項までの規定により付した条件に弁護人が違反したとき、又は同条第五項若しくは第六項の規定による時期若しくは方法の指定に弁護人が従わなかつたときは、弁護士である弁護人については当該弁護士の所属する弁護士会又は日本弁護士連合会に通知し、適当な処置をとるべきことを請求することができる。

② 前項の規定による請求を受けた者は、そのとつた処置をその請求をした裁判所又は裁判官に通知しなければならない。

（裁判の宣告）

第三五条① 裁判の宣告は、裁判長がこれを行う。

② 判決の宣告をするには、主文及び理由を朗読し、又は主文の朗読と同時に理由の要旨を告げなければならない。

③ 法第二百九十条の二第一項又は第三項の決定があつたときは、前項の規定による判決の宣告は、被害者特定事項を明らかにしない方法でこれを行うものとする。

④ 法第二百九十条の三第一項の決定があつた場合における第二項の規定による判決の宣告についても、前項と同様とする。この場合において、同項中「被害者特定事項」とあるのは「証人等特定事項」とする。

（謄本、抄本の送付）

第三六条① 検察官の執行指揮を要する裁判をしたときは、速やかに裁判書又は裁判を記載した調書の謄本又は抄本を検察官に送付しなければならない。但し、特別の定のある場合は、この限りでない。

② 前項の規定により送付した抄本が第五十七条第二項から第四項までの規定による判決書又は判決を記載した調書の抄本で懲役又は禁錮の刑の執行指揮に必要なものであるときは、すみやかに、その判決書又は判決を記載した調書の抄本で罪となるべき事実を記載したものを検察官に追送しなければならない。

第六章　書類及び送達

（訴訟書類の作成者）

第三七条 訴訟に関する書類は、特別の定のある場合を除いては、裁判所書記官がこれを作らなければならない。

（証人等の尋問調書）

第三八条① 証人、鑑定人、通訳人又は翻訳人の尋問については、調書を作らなければならない。

② 調書には、次に掲げる事項を記載しなければならない。

一 尋問に立ち会つた者の氏名

二 証人が宣誓をしないときは、その事由

三 証人、鑑定人、通訳人又は翻訳人の尋問及び供述並びにこれらの者を尋問する機会を尋問に立ち会つた者に与えたこと。

四 法第百五十七条の二第一項各号に掲げる条件により証人尋問を行つたこと。

五 法第百五十七条の四第一項に規定する措置を採つたこと並びに証人に付き添つた者の氏名及びその者と証人との関係

六 法第百五十七条の五に規定する措置を採つたこと。

七 法第百五十七条の六第一項又は第二項に規定する方法により証人尋問を行つたこと。

八 法第百五十七条の六第三項の規定により証人の同意を得てその尋問及び供述並びにその状況を記録媒体に記録したこと並びにその記録媒体の種類及び数量

九 法第三百十六条の三十九第一項に規定する措置を採つたこと並びに被害者参加人（法第三百十六条の三十三第三項に規定する被害者参加人をいう。以下同じ。）に付き添つた者の氏名及びその者と被害者参加人との関係

十 法第三百十六条の三十九第四項に規定する措置を採つたこと。

③ 調書（法第百五十七条の六第三項の規定により証人の尋問及び供述並びにその状況を記録した記録媒体を除く。次項及び第五項において同じ。）は、裁判所書記官をしてこれを供述者に読み聞かさせ、又は供述者に閲覧させて、その記載が相違ないかどうかを問わなければならない。

④ 供述者が増減変更を申し立てたときは、その供述を調書に記載しなければならない。

⑤ 尋問に立ち会つた検察官、被告人、被疑者又は弁護人が調書の記載の正確性について異議を申し立てたときは、申立の要旨を調書に記載しなければならない。この場合には、裁判長又は尋問をした裁判官は、その申立についての意見を調書に記載させることができる。

⑥ 調書には、供述者に署名押印させなければならない。

⑦ 法第百五十七条の六第四項の規定により記録媒体がその一部とされた調書については、その旨を調書上明らかにしておかなければならない。

（被告人、被疑者の陳述の調書）

第三九条① 被告人又は被疑者に対し、被告事件又は被疑事件を告げこれに関する陳述を聴く場合には、調書を作らなければならない。

② 前項の調書については、前条第二項第三号前段、第三項、第四項及び第六項の規定を準用する。

（速記、録音）

第四〇条 証人、鑑定人、通訳人又は翻訳人の尋問及び供述並びに訴訟関係人の申立又は陳述については、裁判所速記官その他の速記者にこれを速記させ、又は録音装置を使用してこれを録取させることができる。

（検証、押収の調書）

第四一条① 検証又は差押状若しくは記録命令付差押状を発しないでする押収については、調書を作らなければならない。

② 検証調書には、次に掲げる事項を記載しなければならない。

一 検証に立ち会つた者の氏名

二 法第三百十六条の三十九第一項に規定する措置を採つたこと並びに被害者参加人に付き添つた者の氏名及びその者と被害者参加人との関係

三 法第三百十六条の三十九第四項に規定する措置を採つたこと。

③ 押収をしたときは、その品目を記載した目録を作り、これを調書に添附しなければならない。

（調書の記載要件）

第四二条① 第三十八条、第三十九条及び前条の調書には、裁判所書記官が取調又は処分をした年月日及び場所を記載して署名押印し、その取調又は処分をした者が認印しなければならない。但し、裁判所が取調又は処分をしたときは、認印は裁判長がしなければならない。

② 前条の調書には、処分をした時をも記載しなければならない。

（差押状等の執行調書、捜索調書）

第四三条① 差押状、記録命令付差押状若しくは捜索状の執行又は勾引状若しくは勾留状を執行する場合における被告人若しくは被疑者の捜索については、執行又は捜索をする者が、自ら調書を作らなければならない。

② 調書には、次に掲げる事項を記載しなければならない。

一 執行又は捜索をした年月日時及び場所

二 執行をすることができなかつたときは、その事由

③ 第一項の調書については、第四十一条第二項第一号及び第三項の規定を準用する。

（公判調書の記載要件・法第四十八条）

第四四条① 公判調書には、次に掲げる事項を記載しなければならない。

一　被告事件名及び被告人の氏名
二　公判をした裁判所及び年月日
三　裁判所法（昭和二十二年法律第五十九号）第六十九条第二項の規定により他の場所で法廷を開いたときは、その場所
四　裁判官及び裁判所書記官の官氏名
五　検察官の官氏名
六　出頭した被告人、弁護人、代理人及び補佐人の氏名
七　裁判長が第百八十七条の四の規定による告知をしたこと。
八　出席した被害者参加人及びその委託を受けた弁護士の氏名
九　法第三百十六条の三十九第一項に規定する措置を採つたこと並びに被害者参加人に付き添つた者の氏名及びその者と被害者参加人との関係
十　法第三百十六条の三十九第四項又は第五項に規定する措置を採つたこと。
十一　公開を禁じたこと及びその理由
十二　裁判長が被告人を退廷させる等法廷における秩序維持のための処分をしたこと。
十三　法第二百九十一条第五項の機会にした被告人及び弁護人の被告事件についての陳述
十四　証拠調べの請求その他の申立て
十五　証拠と証明すべき事実との関係（証拠の標目自体によつて明らかである場合を除く。）
十六　取調べを請求する証拠が法第三百二十八条の証拠であるときは、その旨
十七　法第三百九条の異議の申立て及びその理由
十八　主任弁護人の指定を変更する旨の申述
十九　被告人に対する質問及びその供述
二十　出頭した証人、鑑定人、通訳人及び翻訳人の氏名
二十一　証人に宣誓をさせなかつたこと及びその事由
二十二　証人、鑑定人、通訳人又は翻訳人の尋問及び供述
二十三　証人その他の者が宣誓、証言等を拒んだこと及びその事由
二十四　法第百五十七条の二第一項各号に掲げる条件により証人尋問を行つたこと。
二十五　法第百五十七条の四第一項に規定する措置を採つたこと並びに証人に付き添つた者の氏名及びその者と証人との関係
二十六　法第百五十七条の五に規定する措置を採つたこと。
二十七　法第百五十七条の六第一項又は第二項に規定する方法により証人尋問を行つたこと。
二十八　法第百五十七条の六第三項の規定により証人の同意を得てその尋問及び供述並びにその状況を記録媒体に記録したこと並びにその記録媒体の種類及び数量
二十九　裁判長が第二百二条の処置をしたこと。
三十　法第三百二十六条の同意
三十一　取り調べた証拠の標目及びその取調べの順序
三十二　公判廷においてした検証及び押収
三十三　法第三百十六条の三十一の手続をしたこと。
三十四　法第三百三十五条第二項の主張
三十五　訴因又は罰条の追加、撤回又は変更に関する事項（起訴状の訂正に関する事項を含む。）
三十六　法第二百九十二条の二第一項の規定により意見を陳述した者の氏名
三十七　前号に規定する者が陳述した意見の要旨
三十八　法第二百九十二条の二第六項において準用する法第百五十七条の四第一項に規定する措置を採つたこと並びに第三十六号に規定する者に付き添つた者の氏名及びその者と同号に規定する者との関係
三十九　法第二百九十二条の二第六項において準用する法第百五十七条の五に規定する措置を採つたこと。
四十　法第二百九十二条の二第六項において準用する法第百五十七条の六第一項又は第二項に規定する方法により法第二百九十二条の二第一項の規定による意見の陳述をさせたこと。
四十一　法第二百九十二条の二第八項の規定による手続をしたこと。
四十二　証拠調べが終わつた後に陳述した検察官、被告人及び弁護人の意見の要旨
四十三　法第三百十六条の三十八第一項の規定により陳述した被害者参加人又はその委託を受けた弁護士の意見の要旨
四十四　被告人又は弁護人の最終陳述の要旨
四十五　判決の宣告をしたこと。
四十六　法第二百七十一条の五第一項又は第二項（これらの規定を法第三百十二条の二第四項において準用する場合を含む。）の請求に関する事項
四十七　法第二百九十九条の五第一項又は第二項の規定による裁定に関する事項
四十八　決定及び命令。ただし、次に掲げるものを除く。
イ　被告人又は弁護人の冒頭陳述の許可（第百九十八条）
ロ　証拠調べの範囲、順序及び方法を定め、又は変更する決定（法第百五十七条の二第一項又は第百五十七条の三第一項の請求に対する決定を除く。）（法第二百九十七条）
ハ　被告人の退廷の許可（法第二百八十八条）
ニ　主任弁護人及び副主任弁護人以外の弁護人の申立て、請求、質問等の許可（第二十五条）
ホ　証拠決定についての提示命令（第百九十二条）
ヘ　速記、録音、撮影等の許可（第四十七条及び第二百十五条）
ト　証人の尋問及び供述並びにその状況を記録媒体に記録する旨の決定（法第百五十七条の六第三項）
チ　証拠書類又は証拠物の謄本の提出の許可（法第三百十条）
四十九　公判手続の更新をしたときは、その旨及び次に掲げる事項
イ　被告事件について被告人及び弁護人が前と異なる陳述をしたときは、その陳述
ロ　取り調べない旨の決定をした書面及び物
五十　法第三百五十条の二十二第一号若しくは第二号に該当すること又は法第二百九十一条第五項の手続に際し、被告人が起訴状に記載された訴因について有罪である旨の陳述をしなかつたことを理由として即決裁判手続の申立てを却下したときは、その旨
五十一　法第三百五十条の二十五第一項第一号、第二号又は第四号に該当すること（同号については、被告人が起訴状に記載された訴因について有罪である旨の陳述と相反するか又は実質的に異なつた供述をしたことにより同号に該当する場合に限る。）となつたことを理由として法第三百五十条の二十二の決定を取り消したときは、その旨

②　前項に掲げる事項以外の事項であつても、公判期日における訴訟手続中裁判長が訴訟関係人の請求により又は職権で記載を命じた事項は、これを公判調書に記載しなければならない。

（公判調書の供述の記載の簡易化・法第四十八条）

第四四条の二　訴訟関係人が同意し、且つ裁判長が相当と認めるときは、公判調書には、被告人に対する質問及びその供述並びに証人、鑑定人、通訳人又は翻訳人の尋問及び供述の記載に代えて、これらの者の供述の要旨のみを記載することができる。この場合には、その公判調書に訴訟関係人が同意した旨を記載しなければならない。

（公判調書の作成の手続・法第四十八条）

第四五条①　公判調書については、第三十八条第三項、第四項及び第六項の規定による手続をすることを要しない。

②　供述者の請求があるときは、裁判所書記官にその供述に関する部分を読み聞かさせなければならない。尋問された者が増減変更の申立をしたときは、その供述を記載させなければならない。

（公判調書の署名押印、認印・法第四十八条）

第四六条①　公判調書には、裁判所書記官が署名押印し、裁判長

が認印しなければならない。

② 裁判長に差し支えがあるときは、他の裁判官の一人が、その事由を付記して認印しなければならない。

③ 地方裁判所の一人の裁判官又は簡易裁判所の裁判官に差し支えがあるときは、裁判所書記官が、その事由を付記して署名押印しなければならない。

④ 裁判所書記官に差し支えがあるときは、裁判長が、その事由を付記して認印しなければならない。

（公判廷の速記、録音）

第四七条① 公判廷における証人、鑑定人、通訳人又は翻訳人の尋問及び供述、被告人に対する質問及び供述並びに訴訟関係人の申立又は陳述については、第四十条の規定を準用する。

② 検察官、被告人又は弁護人は、裁判長の許可を受けて、前項の規定による処置をとることができる。

（異議の申立の記載・法第五十条等）

第四八条 公判期日における証人の供述の要旨の正確性又は公判調書の記載の正確性についての異議の申立があつたときは、申立の年月日及びその要旨を調書に記載しなければならない。この場合には、裁判所書記官がその申立についての裁判長の意見を調書に記載して署名押印し、裁判長が認印しなければならない。

（調書への引用）

第四九条 調書には、書面、写真その他裁判所又は裁判官が適当と認めるものを引用し、訴訟記録に添附して、これを調書の一部とすることができる。

（調書の記載事項別編てつ）

第四九条の二 調書は、記載事項により区分して訴訟記録に編てつすることができる。この場合には、調書が一体となるものであることを当該調書上明らかにしておかなければならない。

（被告人の公判調書の閲覧・法第四十九条）

第五〇条① 弁護人のない被告人の公判調書の閲覧は、裁判所においてこれをしなければならない。

② 前項の被告人が読むことができないとき又は目の見えないときにすべき公判調書の朗読は、裁判長の命により、裁判所書記官がこれをしなければならない。

（証人の供述の要旨等の告知・法第五十条）

第五一条 裁判所書記官が公判期日外において前回の公判期日における証人の供述の要旨又は審理に関する重要な事項を告げるときは、裁判長の面前でこれをしなければならない。

（公判調書の整理・法第四十八条等）

第五二条 法第四十八条第三項ただし書の規定により公判調書を整理した場合には、その公判調書の記載の正確性についての異議の申立期間との関係においては、その公判調書を整理すべき最終日にこれを整理したものとみなす。

（公判準備における証人等の尋問調書）

第五二条の二① 公判準備において裁判所、受命裁判官又は受託裁判官が証人、鑑定人、通訳人又は翻訳人を尋問する場合の調書については、被告人又は弁護人が尋問に立ち会い、且つ立ち会つた訴訟関係人及び供述者が同意したときは、次の例によることができる。

一 証人その他の者の尋問及び供述の記載に代えて、これらの者の供述の要旨のみを記載すること。

二 第三十八条第三項から第六項までの規定による手続をしないこと。

② 前項各号の例によつた場合には、その調書に訴訟関係人及び供述者が同意した旨を記載しなければならない。

③ 第一項第二号の例による調書が整理されていない場合において、検察官、被告人又は弁護人の請求があるときは、裁判所書記官は、裁判長、受命裁判官又は受託裁判官の面前で、証人その他の者の供述の要旨を告げなければならない。

④ 前項の場合において、検察官、被告人又は弁護人が供述の要旨の正確性について異議を申し立てたときは、申立の年月日及びその要旨を調書に記載しなければならない。この場合には、裁判所書記官がその申立についての裁判長、受命裁判官又は受託裁判官の意見を調書に記載して署名押印し、裁判長、受命裁判官又は受託裁判官が認印しなければならない。

⑤ 第一項第二号の例による調書を公判期日において取り調べた場合において、検察官、被告人又は弁護人が調書の記載の正確性について異議を申し立てたときは、前項の規定を準用する。

（速記録の作成）

第五二条の三 裁判所速記官は、速記をしたときは、すみやかに速記原本を反訳して速記録を作らなければならない。ただし、第五十二条の四ただし書又は第五十二条の七ただし書の規定により速記録の引用が相当でないとされる場合及び第五十二条の八の規定により速記原本が公判調書の一部とされる場合は、この限りでない。

（証人の尋問調書等における速記録の引用）

第五二条の四 証人、鑑定人、通訳人又は翻訳人の尋問及び供述並びに訴訟関係人の申立又は陳述を裁判所速記官に速記させた場合には、速記録を調書に引用し、訴訟記録に添附して調書の一部とするものとする。ただし、裁判所又は裁判官が、尋問又は手続に立ち会つた検察官及び被告人、被疑者又は弁護人の意見を聴き、速記録の引用を相当でないと認めるときは、この限りでない。

（速記録引用の場合の措置）

第五二条の五① 前条本文の規定により証人、鑑定人、通訳人又は翻訳人の尋問及び供述を速記した速記録を調書の一部とするについては、第三十八条第三項から第六項までの規定による手続をしない。

② 前項の場合には、次の例による。

一 裁判所速記官に速記原本を訳読させ、供述者にその速記が相違ないかどうかを問うこと。

二 供述者が増減変更を申し立てたときは、その供述を速記させること。

三 尋問に立ち会つた検察官、被告人、被疑者又は弁護人が速記原本の正確性について異議を申し立てたときは、その申立を速記させること。この場合には、裁判長又は尋問をした裁判官は、その申立についての意見を速記させることができること。

四 裁判所書記官に第一号に定める手続をした旨を調書に記載させ、かつ、供述者をしてその調書に署名押印させること。

③ 供述者が速記原本の訳読を必要としない旨を述べ、かつ、尋問に立ち会つた検察官及び被告人、被疑者又は弁護人に異議がないときは、前項の手続をしない。この場合には、裁判所書記官にその旨を調書に記載させ、かつ、供述者をしてその調書に署名押印させなければならない。

④ 公判準備における証人、鑑定人、通訳人又は翻訳人の尋問及び供述を速記した速記録を調書の一部とする場合には、前二項の規定を適用しない。ただし、供述者が速記原本の訳読を請求したときは、第二項第一号及び第二号に定める手続をしなければならない。

第五二条の六① 前条の例による調書が整理されていない場合において、その尋問に立ち会い又は立ち会うことのできた検察官、被告人、被疑者又は弁護人の請求があるときは、裁判所書記官は、裁判所速記官に求めて速記原本の訳読をさせなければならない。

② 前項の場合において、その速記原本が公判準備における尋問及び供述を速記したものであるときは、検察官、被告人又は弁護人は、速記原本の正確性について異議を申し立てることができる。

③ 前項の異議の申立があつたときは、裁判所書記官が申立の年月日及びその要旨を調書に記載し、かつ、その申立についての裁判長、受命裁判官又は受託裁判官の意見を調書に記載して署名押印し、裁判長、受命裁判官又は受託裁判官が認印しなければならない。

④ 前条の例により公判準備における尋問及び供述を速記した速

記録をその一部とした調書を公判期日において取り調べた場合において、検察官、被告人又は弁護人が調書の正確性について異議を申し立てたときは、前項の規定を準用する。

（**公判調書における速記録の引用**）

第五二条の七　公判廷における証人、鑑定人、通訳人又は翻訳人の尋問及び供述、被告人に対する質問及び供述並びに訴訟関係人の申立又は陳述を裁判所速記官に速記させた場合には、速記録を公判調書に引用し、訴訟記録に添附して公判調書の一部とするものとする。ただし、裁判所が、検察官及び被告人又は弁護人の意見を聴き、速記録の引用を相当でないと認めるときは、この限りでない。

（**公判調書における速記原本の引用**）

第五二条の八　前条の裁判所速記官による速記がされた場合において、裁判所が相当と認め、かつ、訴訟関係人が同意したときは、速記原本を公判調書に引用し、訴訟記録に添附して公判調書の一部とすることができる。この場合には、その公判調書に訴訟関係人が同意した旨を記載しなければならない。

（**速記原本の訳読等**）

第五二条の九　第五十二条の七本文又は前条の規定により速記録又は速記原本が公判調書の一部とされる場合において、供述者の請求があるときは、裁判所速記官にその供述に関する部分の速記原本を訳読させなければならない。尋問された者が増減変更の申立をしたときは、その供述を速記させなければならない。

第五二条の一〇①　第五十二条の七本文又は第五十二条の八の規定により速記録又は速記原本を公判調書の一部とする場合において、その公判調書が次回の公判期日までに整理されなかつたときは、裁判所書記官は、検察官、被告人又は弁護人の請求により、次回の公判期日において又はその期日までに、裁判所速記官に求めて前回の公判期日における証人の尋問及び供述を速記した速記原本の訳読をさせなければならない。この場合において、請求をした検察官、被告人又は弁護人が速記原本の正確性について異議を申し立てたときは、第四十八条の規定を準用する。

②　法第五十条第二項の規定により裁判所書記官が前回の公判期日における審理に関する重要な事項を告げる場合において、その事項が裁判所速記官により速記されたものであるときは、裁判所書記官は、裁判所速記官に求めてその速記原本の訳読をさせることができる。

第五二条の一一①　検察官又は弁護人の請求があるときは、裁判所書記官は、裁判所速記官に求めて第五十二条の八の規定により公判調書の一部とした速記原本の訳読をさせなければならない。弁護人のない被告人の請求があるときも、同様である。

②　前項の場合において、速記原本の正確性についての異議の申立があつたときは、第四十八条の規定を準用する。

（**速記原本の反訳等**）

第五二条の一二①　裁判所は、次の場合には、裁判所速記官に第五十二条の八の規定により公判調書の一部とされた速記原本をすみやかに反訳して速記録を作らせなければならない。

一　検察官、被告人又は弁護人の請求があるとき。

二　上訴の申立があつたとき。ただし、その申立が明らかに上訴権の消滅後にされたものであるときを除く。

三　その他必要があると認めるとき。

②　裁判所書記官は、前項の速記録を訴訟記録に添附し、その旨を記録上明らかにし、かつ、訴訟関係人に通知しなければならない。

③　前項の規定により訴訟記録に添附された速記録は、公判調書の一部とされた速記原本に代わるものとする。

（**速記録添附の場合の異議申立期間・法第五十一条**）

第五二条の一三　前条第二項の規定による通知が最終の公判期日後にされたときは、公判調書の記載の正確性についての異議の申立ては、速記録の部分に関する限り、その通知のあつた日から十四日以内にすることができる。ただし、法第四十八条第三項ただし書の規定により判決を宣告する公判期日後に整理された公判調書について、これを整理すべき最終日前に前条第二項の規定による通知がされたときは、その最終日から十四日以内にすることができる。

（**録音反訳による証人の尋問調書等**）

第五二条の一四　証人、鑑定人、通訳人又は翻訳人の尋問及び供述並びに訴訟関係人の申立て又は陳述を録音させた場合において、裁判所又は裁判官が相当と認めるときは、録音したもの（以下「録音体」という。）を反訳した調書を作成しなければならない。

（**録音反訳の場合の措置**）

第五二条の一五①　前条の規定により証人、鑑定人、通訳人又は翻訳人の尋問及び供述を録音した録音体を反訳した調書を作成する場合においては、第三十八条第三項から第六項までの規定による手続をしない。

②　前項に規定する場合には、次に掲げる手続による。

一　裁判所書記官に録音体を再生させ、供述者にその録音が相違ないかどうかを問うこと。

二　供述者が増減変更を申し立てたときは、その供述を録音させること。

三　尋問に立ち会つた検察官、被告人、被疑者又は弁護人が録音体の正確性について異議を申し立てたときは、その申立てを録音させること。この場合には、裁判長又は尋問をした裁判官は、その申立てについての意見を録音させることができること。

四　裁判所書記官に第一号の手続をした旨を調書に記載させ、かつ、供述者をしてその調書に署名押印させること。

③　供述者が録音体の再生を必要としない旨を述べ、かつ、尋問に立ち会つた検察官及び被告人、被疑者又は弁護人に異議がないときは、前項の手続をしない。この場合には、裁判所書記官にその旨を調書に記載させ、かつ、供述者をしてその調書に署名押印させなければならない。

④　公判準備における証人、鑑定人、通訳人又は翻訳人の尋問及び供述を録音した録音体を反訳した調書を作成する場合には、前二項の規定を適用しない。ただし、供述者が録音体の再生を請求したときは、第二項第一号及び第二号の手続をしなければならない。

第五二条の一六①　前条第一項に規定する調書が整理されていない場合において、その尋問に立ち会い又は立ち会うことのできた検察官、被告人、被疑者又は弁護人の請求があるときは、裁判所書記官は、録音体を再生しなければならない。

②　前項に規定する場合において、その録音体が公判準備における尋問及び供述を録音したものであるときは、検察官、被告人又は弁護人は、録音体の正確性について異議を申し立てることができる。

③　前項に規定する異議の申立てがあつたときは、裁判所書記官が、申立ての年月日及びその要旨を調書に記載し、かつ、その申立てについての裁判長、受命裁判官又は受託裁判官の意見を調書に記載して署名押印し、裁判長、受命裁判官又は受託裁判官が認印しなければならない。

④　前条第四項に規定する調書を公判期日において取り調べた場合において、検察官、被告人又は弁護人が調書の正確性について異議を申し立てたときは、前項の規定を準用する。

（**録音反訳による公判調書**）

第五二条の一七　公判廷における証人、鑑定人、通訳人又は翻訳人の尋問及び供述、被告人に対する質問及び供述並びに訴訟関係人の申立て又は陳述を録音させた場合において、裁判所が相当と認めるときは、録音体を反訳した公判調書を作成しなければならない。

（**公判調書における録音反訳の場合の措置**）

第五二条の一八　前条の規定により公判調書を作成する場合において、供述者の請求があるときは、裁判所書記官にその供述に関する部分の録音体を再生させなければならない。この場合において、尋問された者が増減変更の申立てをしたときは、その供述を録音させなければならない。

（公判調書未整理の場合の録音体の再生等）

第五二条の一九① 公判調書が次回の公判期日までに整理されなかつたときは、裁判所は、検察官、被告人又は弁護人の請求により、次回の公判期日において又はその期日までに、前回の公判期日における証人、鑑定人、通訳人又は翻訳人の尋問及び供述、被告人に対する質問及び供述並びに訴訟関係人の申立て又は陳述を録音した録音体又は法第百五十七条の六第三項の規定により証人の尋問及び供述並びにその状況を記録した記録媒体について、再生する機会を与えなければならない。

② 前項の規定により再生する機会を与えた場合には、これをもつて法第五十条第一項の規定による要旨の告知に代えることができる。

③ 法第五十条第二項の規定により裁判所書記官が前回の公判期日における審理に関する重要な事項を告げるときは、録音体を再生する方法によりこれを行うことができる。

（公判調書における録音体の引用）

第五二条の二〇 公判廷における証人、鑑定人、通訳人又は翻訳人の尋問及び供述、被告人に対する質問及び供述並びに訴訟関係人の申立て又は陳述を録音させた場合において、裁判所が相当と認め、かつ、検察官及び被告人又は弁護人が同意したときは、録音体を公判調書に引用し、訴訟記録に添付して公判調書の一部とすることができる。

（録音体の内容を記載した書面の作成）

第五二条の二一 裁判所は、次の場合には、裁判所書記官に前条の規定により公判調書の一部とされた録音体の内容を記載した書面を速やかに作らせなければならない。

一 判決の確定前に、検察官、被告人又は弁護人の請求があるとき。

二 上訴の申立てがあつたとき。ただし、その申立てが明らかに上訴権の消滅後にされたものであるときを除く。

三 その他必要があると認めるとき。

（裁判書の作成）

第五三条 裁判をするときは、裁判書を作らなければならない。但し、決定又は命令を宣告する場合には、裁判書を作らないで、これを調書に記載させることができる。

（裁判書の作成者）

第五四条 裁判書は、裁判官がこれを作らなければならない。

（裁判書の署名押印）

第五五条 裁判書には、裁判をした裁判官が、署名押印しなければならない。裁判長が署名押印することができないときは、他の裁判官の一人が、その事由を附記して署名押印し、他の裁判官が署名押印することができないときは、裁判長が、その事由を附記して署名押印しなければならない。

（裁判書の記載要件）

第五六条① 裁判書には、特別の定のある場合を除いては、裁判を受ける者の氏名、年齢、職業及び住居を記載しなければならない。裁判を受ける者が法人（法人でない社団、財団又は団体を含む。以下同じ。）であるときは、その名称及び事務所を記載しなければならない。

② 判決書には、前項に規定する事項の外、公判期日に出席した検察官の官氏名を記載しなければならない。

（裁判書等の謄本、抄本等）

第五七条① 裁判書、裁判を記載した調書、勾留状に代わるものその他の令状に代わるもの又は裁判書の謄本に代わるもの（第二百九十条第二項の略式命令の謄本に代わるものを含む。）の謄本又は抄本は、原本又は謄本によりこれを作らなければならない。

② 判決書又は判決を記載した調書の抄本は、裁判の執行をすべき場合において急速を要するときは、前項の規定にかかわらず、被告人の氏名、年齢、職業、住居及び本籍、罪名、主文、適用した罰条、宣告をした年月日、裁判所並びに裁判官の氏名を記載してこれを作ることができる。

③ 前項の抄本は、判決をした裁判官がその記載が相違ないことを証明する旨を付記して認印したものに限り、その効力を有する。

④ 前項の場合には、第五十五条後段の規定を準用する。ただし、署名押印に代えて認印することができる。

⑤ 判決書に起訴状その他の書面に記載された事実が引用された場合には、その判決書の謄本又は抄本には、その起訴状その他の書面に記載された事実をも記載しなければならない。ただし、抄本について当該部分を記載することを要しない場合は、この限りでない。

⑥ 判決書に公判調書に記載された証拠の標目が引用された場合において、訴訟関係人の請求があるときは、その判決書の謄本又は抄本には、その公判調書に記載された証拠の標目をも記載しなければならない。

⑦ 第三十四条の二第一項から第四項まで、第六項及び第八項の裁判書の謄本に代わるものには、それぞれその根拠となる規定によるものである旨を記載し、裁判長又は裁判官が、これに記名押印しなければならない。

（公務員の書類）

第五八条① 官吏その他の公務員が作るべき書類には、特別の定めのある場合を除いては、年月日を記載して署名押印し、その所属の官公署を表示しなければならない。

② 裁判官その他の裁判所職員が作成すべき裁判書、調書、令状に代わるもの若しくは裁判書の謄本に代わるもの（第二百九十条第二項の略式命令の謄本に代わるものを含む。）又はそれらの謄本若しくは抄本のうち、訴訟関係人その他の者に送達、送付又は交付（裁判所又は裁判官に対してする場合及び被告事件の終結その他これに類する事由による場合を除く。）をすべきものについては、毎葉に契印し、又は契印に代えて、これに準ずる措置をとらなければならない。

③ 検察官、検察事務官、司法警察職員その他の公務員（裁判官その他の裁判所職員を除く。）が作成すべき書類（裁判所又は裁判官に対する申立て、意見の陳述、通知その他これらに類する訴訟行為に関する書類を除く。）には、毎葉に契印しなければならない。ただし、その謄本又は抄本を作成する場合には、契印に代えて、これに準ずる措置をとることができる。

（公務員の書類の訂正）

第五九条 官吏その他の公務員が書類を作成するには、文字を改変してはならない。文字を加え、削り、又は欄外に記入したときは、その範囲を明らかにして、訂正した部分に認印しなければならない。ただし、削つた部分は、これを読むことができるように字体を残さなければならない。

（公務員以外の者の書類）

第六〇条 官吏その他の公務員以外の者が作るべき書類には、年月日を記載して署名押印しなければならない。

（署名押印に代わる記名押印）

第六〇条の二① 裁判官その他の裁判所職員が署名押印すべき場合には、署名押印に代えて記名押印することができる。ただし、判決書に署名押印すべき場合については、この限りでない。

② 次に掲げる者が、裁判所若しくは裁判官に対する申立て、意見の陳述、通知、届出その他これらに類する訴訟行為に関する書類に署名押印すべき場合又は書類の謄本若しくは抄本に署名押印すべき場合も、前項と同様とする。

一 検察官、検察事務官、司法警察職員その他の公務員（前項に規定する者を除く。）

二 弁護人又は弁護人を選任することができる者の依頼により弁護人となろうとする者

三 法第三百十六条の三十三第一項に規定する弁護士又は被害者参加人の委託を受けて法第三百十六条の三十四若しくは第三百十六条の三十六から第三百十六条の三十八までに規定する行為を行う弁護士

（署名押印に代わる代書又は指印）

第六一条① 官吏その他の公務員以外の者が署名押印すべき場合に、署名することができないとき（前条第二項により記名押印することができるときを除く。）は他人に代書させ、押印することができないときは指印しなければならない。

② 他人に代書させた場合には、代書した者が、その事由を記載して署名押印しなければならない。

（条件を付する場合等の裁判長等による記名押印）

第六一条の二① 裁判所又は裁判官が法又はこの規則の規定により個人特定事項を被告人又は被疑者に知らせてはならない旨の条件を付する場合において、書面でこれをするときは、当該書面には、被告人又は被疑者に知らせてはならない個人特定事項及び当該個人特定事項を被告人又は被疑者に知らせてはならない旨を記載し、裁判長又は裁判官が、これに記名押印するものとする。

② 裁判所又は裁判官が法又はこの規則の規定により個人特定事項を被告人に知らせる時期又は方法を指定する場合において、書面でこれをするときは、当該書面には、被告人に知らせる時期又は方法を指定する個人特定事項及び当該個人特定事項を被告人に知らせる時期又は方法を記載し、裁判長又は裁判官が、これに記名押印するものとする。

（送達のための届出・法第五十四条）

第六二条① 被告人、代理人、弁護人又は補佐人は、書類の送達を受けるため、書面でその住居又は事務所を裁判所に届け出なければならない。裁判所の所在地に住居又は事務所を有しないときは、その所在地に住居又は事務所を有する者を送達受取人に選任し、その者と連署した書面でこれを届け出なければならない。

② 前項の規定による届出は、同一の地に在る各審級の裁判所に対してその効力を有する。

③ 前二項の規定は、刑事施設に収容されている者には、これを適用しない。

④ 送達については、送達受取人は、これを本人とみなし、その住居又は事務所は、これを本人の住居とみなす。

（書留郵便等に付する送達・法第五十四条）

第六三条① 住居、事務所又は送達受取人を届け出なければならない者がその届出をしないときは、裁判所書記官は、書類を書留郵便又は一般信書便事業者若しくは特定信書便事業者の提供する信書便の役務のうち書留郵便に準ずるものとして別に最高裁判所規則で定めるもの（次項において「書留郵便等」という。）に付して、その送達をすることができる。ただし、起訴状の謄本、起訴状抄本等、略式命令の謄本及び第二百九十条第二項の略式命令の謄本に代わるものの謄本の送達については、この限りでない。

② 前項の送達は、書類を書留郵便等に付した時に、これをしたものとみなす。

（就業場所における送達の要件・法第五十四条）

第六三条の二 書類の送達は、これを受けるべき者に異議がないときに限り、その者が雇用、委任その他の法律上の行為に基づき就業する他人の住居又は事務所においてこれをすることができる。

（検察官に対する送達・法第五十四条）

第六四条 検察官に対する送達は、書類を検察庁に送付してこれをしなければならない。

（交付送達・法第五十四条）

第六五条 裁判所書記官が本人に送達すべき書類を交付したときは、その送達があつたものとみなす。

第七章　期間

（裁判所に対する訴訟行為をする者のための法定期間の延長・法第五十六条）

第六六条① 裁判所は、裁判所の所在地と裁判所に対する訴訟行為をすべき者の住居又は事務所の所在地との距離及び交通通信の便否を考慮し、法定の期間を延長するのを相当と認めるときは、決定で、延長する期間を定めなければならない。

② 前項の規定は、宣告した裁判に対する上訴の提起期間には、これを適用しない。

（検察官に対する訴訟行為をする者のための法定期間の延長・法第五十六条）

第六六条の二① 検察官は、検察官に対する訴訟行為をすべき者の住居又は事務所の所在地と検察庁の所在地との距離及び交通通信の便否を考慮し、法定の期間を延長するのを相当と思料するときは、裁判官にその期間の延長を請求しなければならない。

② 裁判官は、前項の請求を理由があると認めるときは、すみやかに延長する期間を定めなければならない。

③ 前項の裁判は、検察官に告知することによつてその効力を生ずる。

④ 検察官は、前項の裁判の告知を受けたときは、直ちにこれを当該訴訟行為をすべき者に通知しなければならない。

第八章　被告人の召喚、勾引及び勾留

（召喚の猶予期間・法第五十七条）

第六七条① 被告人に対する召喚状の送達と出頭との間には、少くとも十二時間の猶予を置かなければならない。但し、特別の定のある場合は、この限りでない。

② 被告人に異議がないときは、前項の猶予期間を置かないことができる。

（勾引、勾留についての身体、名誉の保全）

第六八条 被告人の勾引又は勾留については、その身体及び名誉を保全することに注意しなければならない。

（裁判所書記官の立会・法第六十一条）

第六九条 法第六十一条の規定により被告人に対し被告事件を告げこれに関する陳述を聴く場合には、裁判所書記官を立ち会わせなければならない。

（勾留状の記載要件・法第六十四条）

第七〇条 勾留状には、法第六十四条に規定する事項の外、法第六十条第一項各号に定める事由を記載しなければならない。

（勾引状に代わるもの、勾留状に代わるものの記載要件・法第二百七十一条の八等）

第七〇条の二① 法第二百七十一条の八第一項第二号（法第三百十二条の二第四項において読み替えて準用する場合を含む。以下この条において同じ。）の勾引状に代わるもの又は同号の勾留状に代わるものには、次に掲げる事項を記載し、裁判長又は裁判官が、これに記名押印しなければならない。

一　被告人の氏名及び住居

二　罪名

三　起訴状に記載された個人特定事項のうち起訴状抄本等に記載がないもの又は訴因変更等請求書面に記載された個人特定事項のうち訴因変更等請求書面抄本等に記載がないものを明らかにしない方法により記載した公訴事実の要旨

四　当該書面が法第二百七十一条の八第一項第二号の規定によるものである旨

五　引致すべき場所又は勾留すべき刑事施設

六　勾引状又は勾留状の有効期間及びその期間経過後は執行に着手することができず勾引状に代わるもの又は勾留状に代わるものはこれを返還しなければならない旨

七　勾引状又は勾留状発付の年月日

八　勾引状又は勾留状に記名押印した裁判長又は裁判官の氏名

九　勾留状に代わるものを交付するときは、法第六十条第一項各号に定める事由

② 被告人の氏名が明らかでないときは、人相、体格その他被告人を特定するに足りる事項で被告人を指示することができる。

③ 被告人の住居が明らかでないときは、これを記載することを要しない。

（裁判長の令状の記載要件・法第六十九条）

第七一条　裁判長は、法第六十九条の規定により召喚状、勾引状又は勾留状を発する場合には、その旨を令状に記載しなければならない。

（勾引状、勾留状の原本の送付・法第七十条）

第七二条　検察官の指揮により勾引状又は勾留状を執行する場合には、これを発した裁判所又は裁判官は、その原本を検察官に送付しなければならない。

（勾引状等の数通交付）

第七三条　勾引状又は勾引状に代わるものは、数通を作り、これを検察事務官又は司法警察職員数人に交付することができる。

（勾引状、勾留状の謄本の被告人への交付の請求等）

第七四条①　勾引状又は勾留状の執行を受けた被告人は、その謄本の交付を請求することができる。

②　前項の規定による請求があつた場合には、次項各号に掲げるときを除き、被告人に対し、勾引状又は勾留状の謄本を交付するものとする。

③　第一項の規定による請求があつた場合であつて、次の各号に掲げるときは、被告人に対し、当該各号に定めるものを交付するものとする。

一　法第二百七条の二第二項の規定による勾留状に代わるものの交付があつた場合（同項の規定による措置に係る個人特定事項の全部について法第二百七条の三第一項の裁判があつた場合を除く。）であつて、法第二百七十一条の二第二項の規定による起訴状抄本等の提出があつたとき　当該勾留状に代わるもの（法第二百七条の三第三項の規定による勾留状に代わるものの交付があつたときは、当該勾留状に代わるもの及び法第二百七条の二第二項本文の勾留状に代わるもの）の謄本

二　法第二百七十一条の八第一項（第二号に係る部分に限る。）の規定による勾引状に代わるもの又は勾留状に代わるものの交付があつたとき　当該勾引状に代わるもの又は当該勾留状に代わるものの謄本

三　法第三百十二条の二第四項において読み替えて準用する法第二百七十一条の八第一項（第二号に係る部分に限る。）の規定による勾引状に代わるもの又は勾留状に代わるものの交付があつたとき　当該勾引状に代わるもの又は当該勾留状に代わるものの謄本

（勾引状、勾留状の謄本の弁護人への交付の請求等）

第七四条の二①　勾引状又は勾留状の執行を受けた被告人又はその弁護人は、その謄本の弁護人への交付を請求することができる。

②　前項の規定による請求があつた場合には、次項各号に掲げるときを除き、弁護人に対し、勾引状又は勾留状の謄本を交付するものとする。この場合において、法第二百七十一条の三第一項若しくは第二百七十一条の四第二項の規定による起訴状の謄本の提出があつたとき又は法第三百十二条の二第四項において準用する法第二百七十一条の三第一項若しくは第二百七十一条の四第二項の規定による訴因変更等請求書面の謄本の提出があつたとき（第一号の個人特定事項につき、裁判所若しくは裁判官が法若しくはこの規則の規定により被告人に知らせる時期の指定をし、その時期が到来したとき又は検察官から法第二百九十九条の四第十一項の規定により被告人に知らせる時期を指定した旨の通知があり、その時期が到来したときを除く。）であつて、次の各号に掲げるときは、弁護人に対し、当該各号に定める措置をとるものとする。

一　次号に掲げるとき以外のとき　勾引状の公訴事実の要旨又は勾留状の公訴事実の要旨若しくは被疑事実の要旨中に記載された個人特定事項（起訴状に記載された個人特定事項のうち起訴状抄本等に記載がないもの（法第二百七十一条の五第一項の決定により通知することとされたものを除く。）及び訴因変更等請求書面に記載された個人特定事項のうち訴因変更等請求書面抄本等に記載がないもの（法第三百十二条の二第四項において読み替えて準用する法第二百七十一条の五第一項の決定により通知することとされたものを除く。）に限る。）を被告人に知らせてはならない旨の条件を付すること。

二　前号の個人特定事項につき、裁判所若しくは裁判官が法若しくはこの規則の規定により被告人に知らせる時期若しくは方法の指定をしたとき又は検察官から法第二百九十九条の四第十一項の規定により被告人に知らせる時期若しくは方法を指定した旨の通知があつたとき　当該個人特定事項を被告人に知らせる時期又は方法を指定すること。

③　第一項の規定による請求があつた場合であつて、次の各号に掲げるときは、弁護人に対し、当該各号に定めるものを交付するものとする。

一　法第二百七条の二第二項の規定による勾留状に代わるものの交付があつた場合（同項の規定による措置に係る個人特定事項の全部について法第二百七条の三第一項の裁判があつた場合を除く。）であつて、法第二百七十一条の四第四項の規定による起訴状抄本等の提出があつたとき　当該勾留状に代わるもの（法第二百七条の三第三項の規定による勾留状に代わるものの交付があつたときは、当該勾留状に代わるもの及び法第二百七条の二第二項本文の勾留状に代わるもの）の謄本

二　法第二百七十一条の三第三項又は第二百七十一条の四第四項の規定による起訴状抄本等の提出があつた場合であつて、法第二百七十一条の八第一項（第二号に係る部分に限る。）の規定による勾引状に代わるもの又は勾留状に代わるものの交付があつたとき　当該勾引状に代わるもの又は当該勾留状に代わるものの謄本

三　法第三百十二条の二第四項において準用する法第二百七十一条の三第三項又は第二百七十一条の四第四項の規定による訴因変更等請求書面抄本等の提出があつた場合であつて、法第三百十二条の二第四項において読み替えて準用する法第二百七十一条の八第一項（第二号に係る部分に限る。）の規定による勾引状に代わるもの又は勾留状に代わるものの交付があつたとき　当該勾引状に代わるもの又は当該勾留状に代わるものの謄本

（勾引状、勾留状の謄本の弁護人への交付の請求の方式）

第七四条の三①　前条第一項の規定による請求は、書面でこれをしなければならない。

②　前項の書面においては、前条第一項の規定による請求であることを明らかにしなければならない。

③　第一項の書面において前条第一項の規定による請求であることが明らかでない場合には、請求者が被告人である請求については第七十四条第一項の規定による請求とみなし、請求者が弁護人である請求については前条第一項の規定による請求とみなす。

（処置をとるべきことの請求）

第七四条の四①　裁判所は、第七十四条の二第二項後段の規定により付した条件に弁護人が違反したとき、又は同項後段の規定による時期若しくは方法の指定に弁護人が従わなかつたときは、弁護士である弁護人については当該弁護士の所属する弁護士会又は日本弁護士連合会に通知し、適当な処置をとるべきことを請求することができる。

②　前項の規定による請求を受けた者は、そのとつた処置をその請求をした裁判所に通知しなければならない。

（勾引状、勾留状執行後の処置）

第七五条①　勾引状又は勾留状を執行したときは、これに執行の場所及び年月日時を記載し、これを執行することができなかつたときは、その事由を記載して記名押印しなければならない。

②　勾引状又は勾留状の執行に関する書類は、執行を指揮した検察官又は裁判官を経由して、勾引状又は勾留状を発した裁判所又は裁判官にこれを差し出さなければならない。

③　勾引状の執行に関する書類を受け取つた裁判所又は裁判官は、裁判所書記官に被告人が引致された年月日時を勾引状に記載させなければならない。

（嘱託による勾引状・法第六十七条）

第七六条① 嘱託によつて勾引状を発した裁判官は、勾引状の執行に関する書類を受け取つたときは、裁判所書記官に被告人が引致された年月日時を勾引状に記載させなければならない。
② 嘱託によつて勾引状を発した裁判官は、被告人を指定された裁判所に送致する場合には、勾引状に被告人が指定された裁判所に到着すべき期間を記載して記名押印しなければならない。
③ 勾引の嘱託をした裁判所又は裁判官は、勾引状の執行に関する書類を受け取つたときは、裁判所書記官に被告人が到着した年月日時を勾引状に記載させなければならない。

（裁判所書記官の立会・法第七十六条等）
第七七条 裁判所又は裁判官が法第七十六条又は第七十七条の処分をするときは、裁判所書記官を立ち会わせなければならない。

（調書の作成・法第七十六条等）
第七八条 法第七十六条又は第七十七条の処分については、調書を作らなければならない。

（勾留の通知・法第七十九条）
第七九条 被告人を勾留した場合において被告人に弁護人、法定代理人、保佐人、配偶者、直系の親族及び兄弟姉妹がないときは、被告人の申出により、その指定する者一人にその旨を通知しなければならない。

（被告人の移送）
第八〇条① 検察官は、裁判長の同意を得て、勾留されている被告人を他の刑事施設に移すことができる。
② 検察官は、被告人を他の刑事施設に移したときは、直ちにその旨及びその刑事施設を裁判所及び弁護人に通知しなければならない。被告人に弁護人がないときは、被告人の法定代理人、保佐人、配偶者、直系の親族及び兄弟姉妹のうち被告人の指定する者一人にその旨及びその刑事施設を通知しなければならない。
③ 前項の場合には、前条の規定を準用する。

（勾留の理由開示の請求の方式・法第八十二条）
第八一条① 勾留の理由の開示の請求は、請求をする者ごとに、各別の書面で、これをしなければならない。
② 法第八十二条第二項に掲げる者が前項の請求をするには、被告人との関係を書面で具体的に明らかにしなければならない。

（開示の請求の却下）
第八一条の二 前条の規定に違反してされた勾留の理由の開示の請求は、決定で、これを却下しなければならない。

（開示の手続・法第八十三条）
第八二条① 勾留の理由の開示の請求があつたときは、裁判長は、開示期日を定めなければならない。
② 開示期日には、被告人を召喚しなければならない。
③ 開示期日は、検察官、弁護人及び補佐人並びに請求者にこれを通知しなければならない。

（公判期日における開示・法第八十三条）
第八三条① 勾留の理由の開示は、公判期日においても、これをすることができる。
② 公判期日において勾留の理由の開示をするには、あらかじめ、その旨及び開示をすべき公判期日を検察官、被告人、弁護人及び補佐人並びに請求者に通知しなければならない。

（開示の請求と開示期日）
第八四条 勾留の理由の開示をすべき期日とその請求があつた日との間には、五日以上を置くことはできない。但し、やむを得ない事情があるときは、この限りでない。

（開示期日の変更）
第八五条 裁判所は、やむを得ない事情があるときは、開示期日を変更することができる。

（被告人、弁護人の退廷中の開示・法第八十三条）
第八五条の二 開示期日において被告人又は弁護人が許可を受けないで退廷し、又は秩序維持のため裁判長から退廷を命ぜられたときは、その者の在廷しないまま勾留の理由の開示をすることができる。

（開示期日における意見陳述の時間の制限等・法第八十四条）
第八五条の三① 法第八十四条第二項本文に掲げる者が開示期日において意見を述べる時間は、各十分を超えることができない。
② 前項の者は、その意見の陳述に代え又はこれを補うため、書面を差し出すことができる。

（開示期日の調書）
第八六条 開示期日における手続については、調書を作り、裁判所書記官が署名押印し、裁判長が認印しなければならない。

（開示の請求の却下決定の送達）
第八六条の二 勾留の理由の開示の請求を却下する決定は、これを送達することを要しない。

（保釈の保証書の記載事項・法第九十四条等）
第八七条① 保釈の保証書には、保証金額及びいつでもその保証金を納める旨を記載しなければならない。
② 保証書をもつて法第九十八条の九第七項に規定する増額分の保証金に代える場合における前項の規定の適用については、同項中「保証金額」とあるのは、「増額分の保証金額」とする。

（執行停止についての意見の聴取・法第九十五条）
第八八条 勾留の執行を停止するには、検察官の意見を聴かなければならない。但し、急速を要する場合は、この限りでない。

第八九条 削除

（委託による執行停止・法第九十五条）
第九〇条 勾留されている被告人を親族、保護団体その他の者に委託して勾留の執行を停止するには、これらの者から何時でも召喚に応じ被告人を出頭させる旨の書面を差し出させなければならない。

（保証金等の還付・法第九十六条、第九十八条の八、第九十八条の十一、第三百四十三条等）
第九一条① 次の場合には、没取されなかつた保証金は、これを還付しなければならない。
一 勾留が取り消され、又は勾留状が効力を失つたとき。
二 保釈が取り消され又は効力を失つたため被告人が刑事施設に収容されたとき。
三 保釈が取り消され又は効力を失つた場合において、被告人が刑事施設に収容される前に、新たに、保釈の決定があつて保証金が納付されたとき又は勾留の執行が停止されたとき。
② 前項第三号の保釈の決定があつたときは、前に納付された保証金は、新たな保証金の全部又は一部として納付されたものとみなす。
③ 法第九十八条の九第六項の規定により保証金額が減額されたときは、減額分の保証金を還付しなければならない。
④ 次の場合には、没取されなかつた監督保証金は、これを還付しなければならない。
一 勾留が取り消され、又は勾留状が効力を失つたとき。
二 保釈が取り消され又は効力を失つたとき。
三 勾留の執行停止が取り消され又は効力を失つたとき。
四 監督者が解任され又は死亡したとき。

（上訴中の事件等の勾留に関する処分・法第九十七条）
第九二条① 上訴の提起期間内の事件でまだ上訴の提起がないものについて勾留の期間を更新すべき場合には、原裁判所が、その決定をしなければならない。
② 上訴中の事件で訴訟記録が上訴裁判所に到達していないものについて、勾留の期間を更新し、勾留を取り消し、又は保釈若しくは勾留の執行停止をし、若しくはこれを取り消すべき場合にも、前項と同様である。
③ 勾留の理由の開示をすべき場合には、前項の規定を準用する。
④ 上訴裁判所は、被告人が勾留されている事件について訴訟記録を受け取つたときは、直ちにその旨を原裁判所に通知しなければならない。

（禁錮以上の刑に処せられた被告人の収容手続・法第三百四十三条、第九十八条等）

第九二条の二① 法第三百四十三条第二項において準用する法第九十八条の規定により被告人を刑事施設に収容するには、言い渡した刑並びに判決の宣告をした年月日及び裁判所を記載し、かつ、裁判長又は裁判官が相違ないことを証明する旨付記して認印した勾留状の謄本を被告人に示せば足りる。
② 法第二百七十一条の八第二項（第二号に係る部分に限る。）（法第三百十二条の二第四項において読み替えて準用する場合を含む。）の規定による勾留状に代わるものの交付があつた場合又は法第二百七条の二第二項の規定による勾留状に代わるものの交付があつた場合における前項の規定の適用については、同項中「勾留状の謄本」とあるのは、「法第二百七十一条の八第一項第二号（法第三百十二条の二第四項において読み替えて準用する場合を含む。）の勾留状に代わるもの又は法第二百七条の二第二項本文の勾留状に代わるもの」とする。

（監督保証金に代わる保証書の記載事項・法第九十八条の六等）
第九二条の三 監督保証金に代わる保証書には、監督保証金額及びいつでもその監督保証金を納める旨を記載しなければならない。

第九章 押収及び捜索

（押収、捜索についての秘密、名誉の保持）
第九三条 押収及び捜索については、秘密を保ち、且つ処分を受ける者の名誉を害しないように注意しなければならない。

（差押状等の記載事項・法第百七条）
第九四条 差押状、記録命令付差押状又は捜索状には、必要があると認めるときは、差押え、記録命令付差押え又は捜索をすべき事由をも記載しなければならない。

（準用規定）
第九五条 差押状、記録命令付差押状又は捜索状については、第七十二条の規定を準用する。

（捜索証明書、押収品目録の作成者・法第百十九条等）
第九六条 法第百十九条又は第百二十条の証明書又は目録は、捜索、差押え又は記録命令付差押えが令状の執行によつて行われた場合には、その執行をした者がこれを作つて交付しなければならない。

（差押状等執行後の処置）
第九七条 差押状、記録命令付差押状又は捜索状の執行をした者は、速やかに執行に関する書類及び差し押さえた物を令状を発した裁判所に差し出さなければならない。検察官の指揮により執行をした場合には、検察官を経由しなければならない。

（押収物の処置）
第九八条 押収物については、喪失又は破損を防ぐため、相当の処置をしなければならない。

（差押状、記録命令付差押状の執行調書の記載）
第九九条① 差押状の執行をした者は、第九十六条若しくは前条又は法第百二十一条第一項若しくは第二項の処分をしたときは、その旨を調書に記載しなければならない。
② 記録命令付差押状の執行をした者が第九十六条又は前条の処分をしたときも、前項と同様とする。

（押収、捜索の立会い）
第一〇〇条① 差押状又は記録命令付差押状を発しないで押収をするときは、裁判所書記官を立ち会わせなければならない。
② 差押状、記録命令付差押状又は捜索状を執行するときは、それぞれ他の検察事務官、司法警察職員又は裁判所書記官を立ち会わせなければならない。

第十章 検証

（検証についての注意）
第一〇一条 検証をするについて、死体を解剖し、又は墳墓を発掘する場合には、礼を失わないように注意し、配偶者、直系の親族又は兄弟姉妹があるときは、これに通知しなければならない。

（被告人の身体検査の召喚状等の記載要件・法第六十三条等）
第一〇二条 被告人に対する身体の検査のための召喚状又は勾引状には、身体の検査のために召喚又は勾引する旨をも記載しなければならない。

（被告人以外の者の身体検査の召喚状等の記載要件・法第百三十六条等）
第一〇三条① 被告人以外の者に対する身体の検査のための召喚状には、その氏名及び住居、被告人の氏名、罪名、出頭すべき年月日時及び場所、身体の検査のために召喚する旨並びに正当な理由がなく出頭しないときは過料又は刑罰に処せられ且つ勾引状を発することがある旨を記載し、裁判長が、これに記名押印しなければならない。
② 被告人以外の者に対する身体の検査のための勾引状には、その氏名及び住居、被告人の氏名、罪名、引致すべき場所、身体の検査のために勾引する旨、有効期間及びその期間経過後は執行に着手することができず令状はこれを返還しなければならない旨並びに発付の年月日を記載し、裁判長が、これに記名押印しなければならない。

（準用規定）
第一〇四条 身体の検査のためにする被告人以外の者に対する勾引については、第七十二条、第七十三条、第七十四条第一項及び第二項、第七十五条並びに第七十六条の規定を準用する。

（検証の立会）
第一〇五条 検証をするときは、裁判所書記官を立ち会わせなければならない。

第十一章 証人尋問

（尋問事項書・法第三百四条等）
第一〇六条① 証人の尋問を請求した者は、裁判官の尋問の参考に供するため、速やかに尋問事項又は証人が証言すべき事項を記載した書面を差し出さなければならない。但し、公判期日において訴訟関係人にまず証人を尋問させる場合は、この限りでない。
② 前項但書の場合においても、裁判所は、必要と認めるときは、証人の尋問を請求した者に対し、前項本文の書面を差し出すべきことを命ずることができる。
③ 前二項の書面に記載すべき事項は、証人の証言により立証しようとする事項のすべてにわたらなければならない。
④ 公判期日外において証人の尋問をする場合を除いて、裁判長は、相当と認めるときは、第一項の規定にかかわらず、同項の書面を差し出さないことを許すことができる。
⑤ 公判期日外において証人の尋問をする場合には、速やかに相手方及びその弁護人の数に応ずる第一項の書面の謄本を裁判所に差し出さなければならない。

（請求の却下）
第一〇七条 前条の規定に違反してされた証人尋問の請求は、これを却下することができる。

（決定の告知・法第百五十七条の二等）
第一〇七条の二① 法第百五十七条の二第一項及び第百五十七条の三第一項の請求に対する決定、法第百五十七条の四第一項に規定する措置を採る旨の決定、法第百五十七条の五に規定する措置を採る旨の決定、法第百五十七条の六第一項及び第二項に規定する方法により証人尋問を行う旨の決定並びに同条第三項の規定により証人の尋問及び供述並びにその状況を記録媒体に記録する旨の決定は、公判期日前にする場合においても、これを送達することを要しない。
② 前項の場合には、速やかに、それぞれ決定の内容を訴訟関係人に通知しなければならない。

（映像等の送受信による通話の方法による尋問・法第百五十七条の六）
第一〇七条の三 法第百五十七条の六第二項の同一構内以外にある場所であつて裁判所の規則で定めるものは、同項に規定する方法による尋問に必要な装置の設置された他の裁判所の構内にある場所とする。

（尋問事項の告知等・法第百五十八条）

第一〇八条① 裁判所は、公判期日外において検察官、被告人又は弁護人の請求にかかる証人を尋問する場合には、第百六条第一項の書面を参考として尋問すべき事項を定め、相手方及びその弁護人に知らせなければならない。

② 相手方又はその弁護人は、書面で、前項の尋問事項に附加して、必要な事項の尋問を請求することができる。

（職権による公判期日外の尋問・法第百五十八条）

第一〇九条① 裁判所は、職権で公判期日外において証人を尋問する場合には、あらかじめ、検察官、被告人及び弁護人に尋問事項を知らせなければならない。

② 検察官、被告人又は弁護人は、書面で、前項の尋問事項に附加して、必要な事項の尋問を請求することができる。

（召喚状、勾引状の記載要件・法第百五十三条等）

第一一〇条① 証人に対する召喚状には、その氏名及び住居、被告人の氏名、罪名、出頭すべき年月日時及び場所並びに正当な理由がなく出頭しないときは過料又は刑罰に処せられ且つ勾引状を発することがある旨を記載し、裁判長が、これに記名押印しなければならない。

② 証人に対する勾引状には、その氏名及び住居、被告人の氏名、罪名、引致すべき年月日時及び場所、有効期間及びその期間経過後は執行に着手することができず令状はこれを返還しなければならない旨並びに発付の年月日を記載し、裁判長が、これに記名押印しなければならない。

（召喚の猶予期間・法第百四十三条の二）

第一一一条 証人に対する召喚状の送達と出頭との間には、少なくとも二十四時間の猶予を置かなければならない。ただし、急速を要する場合は、この限りでない。

（準用規定）

第一一二条 証人の勾引については、第七十二条、第七十三条、第七十四条第一項及び第二項、第七十五条並びに第七十六条の規定を準用する。

（尋問上の注意、在廷証人）

第一一三条① 召喚により出頭した証人は、速やかにこれを尋問しなければならない。

② 証人が裁判所の構内（第百七条の三に規定する他の裁判所の構内を含む。）にいるときは、召喚をしない場合でも、これを尋問することができる。

（尋問の立会）

第一一四条 証人を尋問するときは、裁判所書記官を立ち会わせなければならない。

（人定尋問）

第一一五条 証人に対しては、まず、その人違でないかどうかを取り調べなければならない。

（宣誓の趣旨の説明等・法第百五十五条）

第一一六条 証人が宣誓の趣旨を理解することができる者であるかどうかについて疑があるときは、宣誓前に、この点について尋問し、且つ、必要と認めるときは、宣誓の趣旨を説明しなければならない。

（宣誓の時期・法第百五十四条）

第一一七条 宣誓は、尋問前に、これをさせなければならない。

（宣誓の方式・法第百五十四条）

第一一八条① 宣誓は、宣誓書によりこれをしなければならない。

② 宣誓書には、良心に従つて、真実を述べ何事も隠さず、又何事も附け加えないことを誓う旨を記載しなければならない。

③ 裁判長は、証人に宣誓書を朗読させ、且つこれに署名押印させなければならない。証人が宣誓書を朗読することができないときは、裁判長は、裁判所書記官にこれを朗読させなければならない。

④ 宣誓は、起立して厳粛にこれを行わなければならない。

（個別宣誓・法第百五十四条）

第一一九条 証人の宣誓は、各別にこれをさせなければならない。

（偽証の警告・法第百五十四条）

第一二〇条 宣誓をさせた証人には、尋問前に、偽証の罰を告げなければならない。

（証言拒絶権の告知等・法第百四十六条等）

第一二一条① 証人に対しては、尋問前に、自己又は法第百四十七条に規定する者が刑事訴追を受け、又は有罪判決を受ける虞のある証言を拒むことができる旨を告げなければならない。

② 裁判所は、法第百五十七条の二第二項の決定をした場合には、前項の規定にかかわらず、証人に対し、尋問前に、当該決定の内容及び法第百四十七条に規定する者が刑事訴追を受け、又は有罪判決を受けるおそれのある証言を拒むことができる旨を告げなければならない。

③ 裁判所は、法第百五十七条の三第二項の決定をした場合には、証人に対し、それ以後の尋問前に、当該決定の内容及び法第百四十七条に規定する者が刑事訴追を受け、又は有罪判決を受けるおそれのある証言を拒むことができる旨を告げなければならない。

④ 法第百四十九条に規定する者に対しては、必要と認めるときは、同条の規定により証言を拒むことができる旨を告げなければならない。

（証言の拒絶・法第百四十六条等）

第一二二条① 証言を拒む者は、これを拒む事由を示さなければならない。

② 証言を拒む者がこれを拒む事由を示さないときは、過料その他の制裁を受けることがある旨を告げて、証言を命じなければならない。

（個別尋問）

第一二三条① 証人は、各別にこれを尋問しなければならない。

② 後に尋問すべき証人が在廷するときは、退廷を命じなければならない。

（対質）

第一二四条 必要があるときは、証人と他の証人又は被告人と対質させることができる。

（書面による尋問）

第一二五条 証人が耳が聞えないときは、書面で問い、口がきけないときは、書面で答えさせることができる。

（公判期日外の尋問調書の閲覧等・法第百五十九条）

第一二六条① 裁判所は、検察官、被告人又は弁護人が公判期日外における証人尋問に立ち会わなかつた場合において証人尋問調書が整理されたとき、又はその送付を受けたときは、速やかにその旨を立ち会わなかつた者に通知しなければならない。

② 被告人は、前項の尋問調書を閲覧することができる。

③ 被告人は、読むことができないとき、又は目の見えないときは、第一項の尋問調書の朗読を求めることができる。

④ 前二項の場合には、第五十条の規定を準用する。

（受命、受託裁判官の尋問・法第百六十三条）

第一二七条 受命裁判官又は受託裁判官が証人を尋問する場合においても、第百六条第一項から第三項まで及び第五項、第百七条から第百九条まで（第百七条の三を除く。）並びに前条の手続は、裁判所がこれをしなければならない。

第十二章 鑑定

（宣誓・法第百六十六条）

第一二八条① 鑑定人の宣誓は、鑑定をする前に、これをさせなければならない。

② 宣誓は、宣誓書によりこれをしなければならない。

③ 宣誓書には、良心に従つて誠実に鑑定をすることを誓う旨を記載しなければならない。

（鑑定の報告）

第一二九条① 鑑定の経過及び結果は、鑑定人に鑑定書により又は口頭でこれを報告させなければならない。

② 鑑定人が数人あるときは、共同して報告をさせることができる。

③ 鑑定の経過及び結果を鑑定書により報告させる場合には、鑑定人に対し、鑑定書に記載した事項に関し公判期日において尋問を受けることがある旨を告げなければならない。

（裁判所外の鑑定）

第一三〇条① 裁判所は、必要がある場合には、裁判所外で鑑定をさせることができる。

② 前項の場合には、鑑定に関する物を鑑定人に交付することができる。

（鑑定留置状の記載要件・法第百六十七条）

第一三〇条の二 鑑定留置状には、被告人の氏名及び住居、罪名、公訴事実の要旨、留置すべき場所、留置の期間、鑑定の目的、有効期間及びその期間経過後は執行に着手することができず令状は返還しなければならない旨並びに発付の年月日を記載し、裁判長が記名押印しなければならない。

（看守の申出の方式・法第百六十七条）

第一三〇条の三 法第百六十七条第三項の規定による申出は、被告人の看守を必要とする事由を記載した書面を差し出してしなければならない。

（鑑定留置期間の延長、短縮・法第百六十七条）

第一三〇条の四 鑑定のためにする被告人の留置の期間の延長又は短縮は、決定でしなければならない。

（収容費の支払・法第百六十七条）

第一三〇条の五① 裁判所は、鑑定のため被告人を病院その他の場所に留置した場合には、その場所の管理者の請求により、入院料その他の収容に要した費用を支払うものとする。

② 前項の規定により支払うべき費用の額は、裁判所の相当と認めるところによる。

（準用規定）

第一三一条 鑑定のためにする被告人の留置については、この規則に特別の定のあるもののほか、勾留に関する規定を準用する。但し、保釈に関する規定は、この限りでない。

（鑑定留置状に代わるものの記載要件・法第百六十七条、第二百七十一条の八等）

第一三一条の二① 法第百六十七条第五項において準用する法第二百七十一条の八第一項第二号（法第三百十二条の二第四項において読み替えて準用する場合を含む。以下この条において同じ。）の鑑定留置状に代わるものには、次に掲げる事項を記載し、裁判長が、これに記名押印しなければならない。

一 被告人の氏名及び住居

二 罪名

三 起訴状に記載された個人特定事項のうち起訴状抄本等に記載がないもの又は訴因変更等請求書面に記載された個人特定事項のうち訴因変更等請求書面抄本等に記載がないものを明らかにしない方法により記載した公訴事実の要旨

四 当該書面が法第百六十七条第五項において準用する法第二百七十一条の八第一項第二号の規定によるものである旨

五 留置すべき場所

六 留置の期間

七 鑑定の目的

八 鑑定留置状の有効期間及びその期間経過後は執行に着手することができず鑑定留置状に代わるものはこれを返還しなければならない旨

九 鑑定留置状発付の年月日

十 鑑定留置状に記名押印した裁判長の氏名

② 第七十条の二第二項及び第三項の規定は、法第百六十七条第五項において準用する法第二百七十一条の八第一項第二号の鑑定留置状に代わるものについてこれを準用する。

（準用規定）

第一三二条 鑑定人が死体を解剖し、又は墳墓を発掘する場合には、第百一条の規定を準用する。

（鑑定許可状の記載要件・法第百六十八条）

第一三三条① 法第百六十八条の許可状には、有効期間及びその期間経過後は許可された処分に着手することができず令状はこれを返還しなければならない旨並びに発付の年月日をも記載し、裁判長が、これに記名押印しなければならない。

② 鑑定人のすべき身体の検査に関し条件を附した場合には、これを前項の許可状に記載しなければならない。

（鑑定のための閲覧等）

第一三四条① 鑑定人は、鑑定について必要がある場合には、裁判長の許可を受けて、書類及び証拠物を閲覧し、若しくは謄写し、又は被告人に対し質問する場合若しくは証人を尋問する場合にこれに立ち会うことができる。

② 前項の規定にかかわらず、法第百五十七条の六第四項に規定する記録媒体は、謄写することができない。

③ 鑑定人は、被告人に対する質問若しくは証人の尋問を求め、又は裁判長の許可を受けてこれらの者に対し直接に問を発することができる。

（準用規定）

第一三五条 鑑定については、勾引に関する規定を除いて、前章の規定を準用する。

第十三章 通訳及び翻訳

（準用規定）

第一三六条 通訳及び翻訳については、前章の規定を準用する。

第十四章 証拠保全

（処分をすべき裁判官・法第百七十九条）

第一三七条① 証拠保全の請求は、次に掲げる地を管轄する地方裁判所又は簡易裁判所の裁判官にこれをしなければならない。

一 押収（記録命令付差押えを除く。）については、押収すべき物の所在地

二 記録命令付差押えについては、電磁的記録を記録させ又は印刷させるべき者の現在地

三 捜索又は検証については、捜索又は検証すべき場所、身体又は物の所在地

四 証人の尋問については、証人の現在地

五 鑑定については、鑑定の対象の所在地又は現在地

② 鑑定の処分の請求をする場合において前項第五号の規定によることができないときは、その処分をするのに最も便宜であると思料する地方裁判所又は簡易裁判所の裁判官にその請求をすることができる。

（請求の方式・法第百七十九条）

第一三八条① 証拠保全の請求は、書面でこれをしなければならない。

② 前項の書面には、次に掲げる事項を記載しなければならない。

一 事件の概要

二 証明すべき事実

三 証拠及びその保全の方法

四 証拠保全を必要とする事由

③ 証拠保全を必要とする事由は、これを疎明しなければならない。

第十五章 訴訟費用

（請求先裁判所・法第百八十七条の二）

第一三八条の二 法第百八十七条の二の請求は、公訴を提起しない処分をした検察官が所属する検察庁の所在地を管轄する地方裁判所又は簡易裁判所にこれをしなければならない。

（請求の方式・法第百八十七条の二）

第一三八条の三 法第百八十七条の二の請求は、次に掲げる事項を記載した書面でこれをしなければならない。

一 訴訟費用を負担すべき者の氏名、年齢、職業及び住居

二 前号に規定する者が被疑者でないときは、被疑者の氏名及び年齢

三 罪名及び被疑事実の要旨
四 公訴を提起しない処分をしたこと。
五 訴訟費用を負担すべき理由
六 負担すべき訴訟費用

（資料の提供・法第百八十七条の二）
第一三八条の四 法第百八十七条の二の請求をするには、次に掲げる資料を提供しなければならない。
一 訴訟費用を負担すべき理由が存在することを認めるべき資料
二 負担すべき訴訟費用の額の算定に必要な資料

（請求書の謄本の差出し、送達・法第百八十七条の二）
第一三八条の五① 法第百八十七条の二の請求をするときは、検察官は、請求と同時に訴訟費用の負担を求められた者の数に応ずる請求書の謄本を裁判所に差し出さなければならない。
② 裁判所は、前項の謄本を受け取つたときは、遅滞なく、これを訴訟費用の負担を求められた者に送達しなければならない。

（意見の聴取・法第百八十七条の二）
第一三八条の六 法第百八十七条の二の請求について決定をする場合には、訴訟費用の負担を求められた者の意見を聴かなければならない。

（請求の却下・法第百八十七条の二）
第一三八条の七 法第百八十七条の二の請求が法令上の方式に違反しているとき、又は訴訟費用を負担させないときは、決定で請求を却下しなければならない。

第十六章 費用の補償

（準用規定）
第一三八条の八 書面による法第百八十八条の四の補償の請求については、第二百二十七条及び第二百二十八条の規定を準用する。

（裁判所書記官による計算・法第百八十八条の三等）
第一三八条の九 法第百八十八条の二第一項又は第百八十八条の四の補償の決定をする場合には、裁判所は、裁判所書記官に補償すべき費用の額の計算をさせることができる。

第二編 第一審

第一章 捜査

（令状請求の方式）
第一三九条① 令状の請求は、書面でこれをしなければならない。
② 逮捕状の請求書には、謄本一通を添附しなければならない。

（令状請求の却下）
第一四〇条 裁判官が令状の請求を却下するには、請求書にその旨を記載し、記名押印してこれを請求者に交付すれば足りる。

（令状請求書の返還）
第一四一条 裁判官は、令状を発し、又は令状の請求を却下したときは、前条の場合を除いて、速やかに令状の請求書を請求者に返還しなければならない。

（逮捕状請求権者の指定、変更の通知等）
第一四一条の二 国家公安委員会又は都道府県公安委員会は、法第百九十九条第二項の規定により逮捕状を請求することができる司法警察員を指定したとき又は法第二百一条の二第一項の規定により逮捕状に代わるものの交付を請求することができる司法警察員を指定したときは、国家公安委員会においては最高裁判所に、都道府県公安委員会においてはその所在地を管轄する地方裁判所にその旨を通知しなければならない。その通知の内容に変更を生じたときも、同様である。

（逮捕状請求書の記載要件）
第一四二条① 逮捕状の請求書には、次に掲げる事項その他逮捕状に記載することを要する事項及び逮捕状発付の要件たる事項を記載しなければならない。
一 被疑者の氏名、年齢、職業及び住居
二 罪名及び被疑事実の要旨
三 被疑者の逮捕を必要とする事由
四 請求者の官公職氏名
五 請求者が警察官たる司法警察員であるときは、法第百九十九条第二項の規定による指定を受けた者である旨
六 七日を超える有効期間を必要とするときは、その旨及び事由
七 逮捕状を数通必要とするときは、その旨及び事由
八 同一の犯罪事実又は現に捜査中である他の犯罪事実についてその被疑者に対し前に逮捕状の請求又はその発付があつたときは、その旨及びその犯罪事実
② 被疑者の氏名が明らかでないときは、人相、体格その他被疑者を特定するに足りる事項でこれを指定しなければならない。
③ 被疑者の年齢、職業又は住居が明らかでないときは、その旨を記載すれば足りる。

（逮捕状に代わるものの交付請求書の記載要件）
第一四二条の二① 法第二百一条の二第一項の規定による請求は、書面でこれをしなければならない。
② 前項の書面には、次に掲げる事項を記載しなければならない。
一 被疑者の氏名及び住居
二 罪名
三 法第二百一条の二第一項の規定による請求に係る個人特定事項を明らかにしない方法により記載した被疑事実の要旨
四 法第二百一条の二第一項の規定による請求に係る者がそれぞれ同項第一号イ、ロ若しくはハ(1)若しくは(2)又は第二号イ若しくはロのいずれに該当するかの別
五 前条第一項第四号及び第五号に掲げる事項
六 逮捕状に代わるものを数通必要とするときは、その旨及び事由
七 引致すべき官公署その他の場所
③ 前項の場合には、前条第二項及び第三項の規定を準用する。

（資料の提供）
第一四三条① 逮捕状を請求するには、逮捕の理由（逮捕の必要を除く逮捕状発付の要件をいう。以下同じ。）及び逮捕の必要があることを認めるべき資料を提供しなければならない。
② 法第二百一条の二第一項の規定による請求をするには、前条第二項第四号に掲げる事項を認めるべき資料をも提供しなければならない。

（逮捕状請求者の陳述聴取等）
第一四三条の二 逮捕状の請求を受けた裁判官は、必要と認めるときは、逮捕状の請求をした者の出頭を求めてその陳述を聴き、又はその者に対し書類その他の物の提示を求めることができる。

（明らかに逮捕の必要がない場合）
第一四三条の三 逮捕状の請求を受けた裁判官は、逮捕の理由があると認める場合においても、被疑者の年齢及び境遇並びに犯罪の軽重及び態様その他諸般の事情に照らし、被疑者が逃亡する虞がなく、かつ、罪証を隠滅する虞がない等明らかに逮捕の必要がないと認めるときは、逮捕状の請求を却下しなければならない。

（逮捕状の記載要件）
第一四四条 逮捕状には、請求者の官公職氏名をも記載しなければならない。

（逮捕状に代わるものの記載要件）
第一四四条の二① 逮捕状に代わるものには、次に掲げる事項を記載し、裁判官が、これに記名押印しなければならない。
一 被疑者の氏名及び住居
二 罪名
三 法第二百一条の二第一項の規定による請求に係る個人特定事項を明らかにしない方法により記載した被疑事実の要旨
四 当該書面が法第二百一条の二第二項の規定によるものである旨
五 引致すべき官公署その他の場所

六　請求者の官公職氏名
七　逮捕状の有効期間及びその期間経過後は逮捕をすることができず逮捕状に代わるものはこれを返還しなければならない旨
八　逮捕状発付の年月日
九　逮捕状を発付した裁判官の氏名

②　第七十条の二第二項及び第三項の規定は、逮捕状に代わるものについてこれを準用する。

第一四五条（逮捕状の作成）　逮捕状は、逮捕状請求書及びその記載を利用してこれを作ることができる。

第一四五条の二（逮捕状に代わるものの作成）　逮捕状に代わるものは、第百四十二条の二第一項の書面及びその記載を利用してこれを作ることができる。

第一四六条（数通の逮捕状等）　逮捕状及び逮捕状に代わるものは、請求により、数通を発することができる。

第一四六条の二（逮捕状に代わるものの交付請求の却下等）　第百四十条及び第百四十一条の規定は、法第二百一条の二第一項の規定による請求があつた場合について準用する。

第一四七条（勾留請求書の記載要件・法第二百四条等）①　被疑者の勾留の請求書には、次に掲げる事項を記載しなければならない。
一　被疑者の氏名、年齢、職業及び住居
二　罪名、被疑事実の要旨及び被疑者が現行犯人として逮捕された者であるときは、罪を犯したことを疑うに足りる相当な理由
三　法第六十条第一項各号に定める事由
四　検察官又は司法警察員がやむを得ない事情によつて法に定める時間の制限に従うことができなかつたときは、その事由
五　被疑者に弁護人があるときは、その氏名

②　被疑者の年齢、職業若しくは住居、罪名又は被疑事実の要旨の記載については、これらの事項が逮捕状請求書の記載と同一であるときは、前項の規定にかかわらず、その旨を請求書に記載すれば足りる。

③　第一項の場合には、第百四十二条第二項及び第三項の規定を準用する。

第一四七条の二（勾留状に代わるものの交付等請求書の記載要件・法第二百七条の二）①　法第二百七条の二第一項の規定による請求は、書面でこれをしなければならない。

②　前項の書面には、次に掲げる事項を記載しなければならない。
一　被疑者の氏名及び住居
二　罪名
三　法第二百七条の二第一項の規定による請求に係る個人特定事項を明らかにしない方法により記載した被疑事実の要旨
四　法第二百七条の二第二項の規定による請求に係る者がそれぞれ法第二百一条の二第一項第一号イ、ロ若しくはハ(1)若しくは(2)又は第二号イ若しくはロのいずれに該当するかの別及びその事由

③　被疑者の住居、罪名、法第二百七条の二第一項の規定による請求に係る個人特定事項を明らかにしない方法により記載した被疑事実の要旨又は同項の規定による請求に係る者がそれぞれ法第二百一条の二第一項第一号イ、ロ若しくはハ(1)若しくは(2)若しくは第二号イ若しくはロのいずれに該当するかの別の記載については、これらの事項が第百四十二条の二第一項の書面の記載と同一であるときは、前項の規定にかかわらず、その旨を第一項の書面に記載すれば足りる。

④　第二項の場合には、第百四十二条第二項及び第三項の規定を準用する。

第一四八条（資料の提供・法第二百四条等）①　被疑者の勾留を請求するには、次に掲げる資料を提供しなければならない。
一　その逮捕が逮捕状によるときは、逮捕状請求書並びに逮捕の年月日時及び場所、引致の年月日時、送致する手続をした年月日時及び送致を受けた年月日時が記載されそれぞれその記載についての記名押印のある逮捕状
二　その逮捕が現行犯逮捕であるときは、前号に規定する事項を記載した調書その他の書類
三　法に定める勾留の理由が存在することを認めるべき資料

②　検察官又は司法警察員がやむを得ない事情によつて法に定める時間の制限に従うことができなかつたときは、これを認めるべき資料をも提供しなければならない。

③　法第二百七条の二第一項の規定による請求をするには、前条第二項第四号に掲げる事項を認めるべき資料をも提供しなければならない。

第一四九条（勾留状の記載要件・法第二百七条等）　被疑者に対して発する勾留状には、勾留の請求の年月日をも記載しなければならない。

第一四九条の二（勾留状に代わるものの記載要件・法第二百七条の二）①　法第二百七条の二第二項本文の勾留状に代わるものには、次に掲げる事項を記載し、裁判官が、これに記名押印しなければならない。
一　被疑者の氏名及び住居
二　罪名
三　法第二百七条の二第一項の規定による請求に係る個人特定事項を明らかにしない方法により記載した被疑事実の要旨
四　当該書面が法第二百七条の二第二項の規定によるものである旨
五　法第二百七条の二第二項の規定による措置に係る者がそれぞれ法第二百一条の二第一項第一号イ、ロ若しくはハ(1)若しくは(2)又は第二号イ若しくはロのいずれに該当するかの別
六　勾留すべき刑事施設
七　勾留状の有効期間及びその期間経過後は執行に着手することができず勾留状に代わるものはこれを返還しなければならない旨
八　勾留の請求の年月日
九　勾留状発付の年月日
十　勾留状を発付した裁判官の氏名
十一　法第六十条第一項各号に定める事由

②　第七十条の二第二項及び第三項の規定は、法第二百七条の二第二項本文の勾留状に代わるものについてこれを準用する。

第一四九条の三（勾留状に代わるものの交付等請求の却下等・法第二百七条の二）　第百四十条及び第百四十一条の規定は、法第二百七条の二第一項の規定による請求があつた場合について準用する。

第一五〇条（書類の送付）　裁判官は、被疑者を勾留したときは、速やかにこれに関する書類を検察官に送付しなければならない。

第一五〇条の二（個人特定事項の通知の請求の方式・法第二百七条の三）　法第二百七条の三第一項の請求は、理由を記載した書面でこれをしなければならない。

第一五〇条の三（勾留状に代わるものの記載要件・法第二百七条の三）①　法第二百七条の三第三項の勾留状に代わるものには、次に掲げる事項を記載し、裁判官が、これに記名押印しなければならない。
一　被疑者の氏名及び住居
二　罪名
三　勾留状に記載された個人特定事項のうち法第二百七条の二第二項本文の勾留状に代わるものに記載がないもの（法第二百七条の三第一項の裁判により通知することとされたものを除く。）を明らかにしない方法により記載した被疑事実の要旨
四　当該書面が法第二百七条の三第三項の規定によるものであ

る旨
五　勾留すべき刑事施設
六　勾留状の有効期間及びその期間経過後は執行に着手することができず勾留状に代わるものはこれを返還しなければならない旨
七　勾留の請求の年月日
八　勾留状発付の年月日
九　勾留状を発付した裁判官の氏名
十　法第六十条第一項各号に定める事由

② 第七十条の二第二項及び第三項の規定は、法第二百七条の三第三項の勾留状に代わるものについてこれを準用する。

（勾留状の謄本の被疑者への交付の請求等・法第二百七条等）

第一五〇条の四① 勾留状の執行を受けた被疑者は、その謄本の交付を請求することができる。

② 前項の規定による請求があつた場合には、被疑者に対し、勾留状の謄本を交付するものとする。ただし、法第二百七条の二第二項の規定による勾留状に代わるものの交付があつたとき（同項の規定による措置に係る個人特定事項の全部について法第二百七条の三第一項の裁判があつた場合を除く。）は、被疑者に対し、当該勾留状に代わるもの（法第二百七条の三第三項の規定による勾留状に代わるものの交付があつたときは、当該勾留状に代わるもの及び法第二百七条の二第二項本文の勾留状に代わるもの）の謄本を交付するものとする。

（勾留状の謄本の弁護人への交付の請求等）

第一五〇条の五① 勾留状の執行を受けた被疑者又はその弁護人は、その謄本の弁護人への交付を請求することができる。

② 前項の規定による請求があつたときは、その旨を検察官に通知しなければならない。

③ 前項の規定による通知を受けた検察官は、勾留状並びに法第二百七条の二第二項本文の勾留状に代わるもの及び法第二百七条の三第三項の勾留状に代わるもの（いずれもその交付があつた場合に限る。）を差し出さなければならない。ただし、法第二百七条の二第二項の規定による措置に係る個人特定事項の全部について法第二百七条の三第一項の裁判があつたとき（以下この条において「全部通知の裁判があつたとき」という。）は、勾留状を差し出せば足りる。

④ 前項の検察官は、第二項の規定による通知に係る事件において法第二百七条の二第二項の規定による勾留状に代わるものの交付があつたとき（全部通知の裁判があつたときを除く。）は、前項の規定による勾留状等の差出しと同時に、次の各号に定める措置のうち、とるべきものを通知するものとする。ただし、第二号に定める措置をとるべき旨の通知は、第一号に定める措置によつては、法第二百一条の二第一項第一号ハ(1)若しくは第二号イに規定する名誉若しくは社会生活の平穏が著しく害されること又は同項第一号ハ(2)若しくは第二号ロに規定する行為を防止できないおそれがあると認めるときに限り、することができる。

一　弁護人に対し、勾留状に記載された個人特定事項のうち法第二百七条の二第二項本文の勾留状に代わるもの（法第二百七条の三第三項の規定による勾留状に代わるものの交付があつたときは、当該勾留状に代わるもの）に記載がないものを被疑者に知らせてはならない旨の条件を付して勾留状の謄本を交付すること。

二　弁護人に対し、法第二百七条の二第二項本文の勾留状に代わるもの（法第二百七条の三第三項の規定による勾留状に代わるものの交付があつたときは、当該勾留状に代わるもの及び法第二百七条の二第二項本文の勾留状に代わるもの）の謄本を交付すること。

⑤ 第一項の規定による請求があつた場合には、次項の規定による措置をとるときを除き、弁護人に対し、勾留状の謄本を交付するものとする。この場合において、第一項の規定による請求に係る事件において法第二百七条の二第二項の規定による勾留状に代わるものの交付があつたとき（全部通知の裁判があつたときを除く。）は、勾留状に記載された個人特定事項のうち法第二百七条の二第二項本文の勾留状に代わるもの（法第二百七条の三第三項の規定による勾留状に代わるものの交付があつたときは、当該勾留状に代わるもの）に記載がないものを被疑者に知らせてはならない旨の条件を付するものとする。

⑥ 第一項の規定による請求があつた場合であつて、検察官から第四項第二号に定める措置をとるべき旨の通知があつたときは、弁護人に対し、法第二百七条の二第二項本文の勾留状に代わるもの（法第二百七条の三第三項の規定による勾留状に代わるものの交付があつたときは、当該勾留状に代わるもの及び法第二百七条の二第二項本文の勾留状に代わるもの）の謄本を交付するものとする。ただし、第四項第一号に定める措置によつては、法第二百一条の二第一項第一号ハ(1)又は第二号イに規定する名誉又は社会生活の平穏が著しく害されること及び同項第一号ハ(2)又は第二号ロに規定する行為を防止できないおそれがないことが明らかなときは、この限りでない。

（勾留状の謄本の弁護人への交付の請求の方式）

第一五〇条の六① 前条第一項の規定による請求は、書面でこれをしなければならない。

② 前項の書面においては、前条第一項の規定による請求であることを明らかにしなければならない。

③ 第一項の書面において前条第一項の規定による請求であることが明らかでない場合には、請求者が被疑者である請求については被疑者による請求とみなし、請求者が弁護人である請求については前条第一項の規定による請求とみなす。

（勾留状の謄本を弁護人に交付する旨の裁判）

第一五〇条の七① 裁判官は、第百五十条の五第六項の規定による勾留状に代わるものの謄本の交付があつた場合において、次の各号のいずれかに該当すると認めるときは、被疑者又は弁護人の請求により、弁護人に対し、勾留状に記載された個人特定事項のうち法第二百七条の二第二項本文の勾留状に代わるもの（法第二百七条の三第三項の規定による勾留状に代わるものの交付があつたときは、当該勾留状に代わるもの）に記載がないものを被疑者に知らせてはならない旨の条件を付して勾留状の謄本を交付する旨の裁判をしなければならない。

一　第百五十条の五第五項後段の規定による措置によつて、法第二百一条の二第一項第一号ハ(1)及び第二号イに規定する名誉又は社会生活の平穏が著しく害されること並びに同項第一号ハ(2)及び第二号ロに規定する行為を防止できるとき。

二　第百五十条の五第六項の規定による措置により被疑者の防御に実質的な不利益を生ずるおそれがあるとき。

② 裁判官は、前項の請求について裁判をするときは、検察官の意見を聴かなければならない。

（処置をとるべきことの請求）

第一五〇条の八① 裁判官は、第百五十条の五第五項後段又は前条第一項の規定により付した条件に弁護人が違反したときは、弁護士である弁護人については当該弁護士の所属する弁護士会又は日本弁護士連合会に通知し、適当な処置をとるべきことを請求することができる。

② 前項の規定による請求を受けた者は、そのとつた処置をその請求をした裁判官に通知しなければならない。

（被疑者の勾留期間の再延長・法第二百八条の二）

第一五〇条の九　法第二百八条の二の規定による期間の延長は、やむを得ない事由があるときに限り、することができる。

（期間の延長の請求・法第二百八条等）

第一五一条① 法第二百八条第二項又は第二百八条の二の規定による期間の延長の請求は、書面でこれをしなければならない。

② 前項の書面には、やむを得ない事由及び延長を求める期間を記載しなければならない。

（資料の提供等・法第二百八条等）

第一五二条　前条第一項の請求をするには、勾留状を差し出し、且つやむを得ない事由があることを認めるべき資料を提供しなければならない。

第一五三条（**期間の延長の裁判・法第二百八条等**）① 裁判官は、第百五十一条第一項の請求を理由があるものと認めるときは、勾留状に延長する期間及び理由を記載して記名押印し、かつ裁判所書記官をしてこれを検察官に交付させなければならない。

② 前項の延長の裁判は、同項の交付をすることによつてその効力を生ずる。

③ 裁判所書記官は、勾留状を検察官に交付する場合には、勾留状に交付の年月日を記載して記名押印しなければならない。

④ 検察官は、勾留状の交付を受けたときは、直ちに刑事施設職員をしてこれを被疑者に示させなければならない。ただし、法第二百七条の二第二項の規定による勾留状に代わるものの交付があつた場合（同項の規定による措置に係る個人特定事項の全部について法第二百七条の三第一項の裁判があつた場合を除く。）においては、当該勾留状に代わるもの（法第二百七条の三第三項の規定による勾留状に代わるものの交付があつたときは、当該勾留状に代わるもの）を被疑者に示させ、延長する期間及び理由並びに延長の裁判をした裁判官の氏名を被疑者に読み聞かせさせれば足りる。

⑤ 第百五十一条第一項の請求については、第百四十条、第百四十一条及び第百五十条の規定を準用する。

第一五四条（**期間の延長の裁判の記載のある勾留状の謄本の被疑者への交付の請求等・法第二百八条等**）① 前条第一項の裁判があつたときは、被疑者は、その裁判の記載のある勾留状の謄本の被疑者への交付を請求することができる。

② 前項の規定による請求があつた場合には、第百五十条の四第二項の規定を準用する。この場合において、同項中「もの」の謄本」とあるのは、「もの」の謄本及び第百五十三条第一項の裁判の記載のある勾留状の抄本であつて、被疑事実の要旨の記載がないもの」と読み替えるものとする。

第一五四条の二（**期間の延長の裁判の記載のある勾留状の謄本の弁護人への交付の請求等**）① 第百五十三条第一項の裁判があつたときは、被疑者又は弁護人は、その裁判の記載のある勾留状の謄本の弁護人への交付を請求することができる。

② 前項の規定による請求があつた場合には、第百五十条の五第二項から第六項まで及び第百五十条の六から第百五十条の八までの規定を準用する。この場合において、第百五十条の五第二項中「前項」とあるのは「第百五十四条の二第一項」と、同条第四項第二号及び第六項中「謄本」とあるのは「謄本及び第百五十三条第一項の裁判の記載のある勾留状の抄本であつて、被疑事実の要旨の記載がないもの」と、同条第五項及び第六項中「第一項の規定による請求」とあるのは「第百五十四条の二第一項の規定による請求」と、第百五十条の六中「前条第一項」とあるのは「第百五十四条の二第一項」と、同条第三項中「第百五十条の四第一項」とあるのは「第百五十四条第一項」と読み替えるものとする。

第一五五条（**差押え等の令状請求書の記載要件・法第二百十八条**）① 差押え、記録命令付差押え、捜索又は検証のための令状の請求書には、次に掲げる事項を記載しなければならない。

一 差し押さえるべき物、記録させ若しくは印刷させるべき電磁的記録及びこれを記録させ若しくは印刷させるべき者又は捜索し若しくは検証すべき場所、身体若しくは物

二 請求者の官公職氏名

三 被疑者又は被告人の氏名（被疑者又は被告人が法人であるときは、その名称）

四 罪名及び犯罪事実の要旨

五 七日を超える有効期間を必要とするときは、その旨及び事由

六 法第二百十八条第二項の場合には、差し押さえるべき電子計算機に電気通信回線で接続している記録媒体であつて、その電磁的記録を複写すべきものの範囲

七 日出前又は日没後に差押え、記録命令付差押え、捜索又は検証をする必要があるときは、その旨及び事由

② 身体検査令状の請求書には、前項に規定する事項のほか、法第二百十八条第五項に規定する事項を記載しなければならない。

③ 被疑者又は被告人の氏名又は名称が明らかでないときは、その旨を記載すれば足りる。

第一五六条（**資料の提供・法第二百十八条等**）① 前条第一項の請求をするには、被疑者又は被告人が罪を犯したと思料されるべき資料を提供しなければならない。

② 郵便物、信書便物又は電信に関する書類で法令の規定に基づき通信事務を取り扱う者が保管し、又は所持するもの（被疑者若しくは被告人から発し、又は被疑者若しくは被告人に対して発したものを除く。）の差押えのための令状を請求するには、その物が被疑事件又は被告事件に関係があると認めるに足りる状況があることを認めるべき資料を提供しなければならない。

③ 被疑者又は被告人以外の者の身体、物又は住居その他の場所についての捜索のための令状を請求するには、差し押さえるべき物の存在を認めるに足りる状況があることを認めるべき資料を提供しなければならない。

第一五七条（**身体検査令状の記載要件・法第二百十九条**）身体検査令状には、正当な理由がなく身体の検査を拒んだときは過料又は刑罰に処せられることがある旨をも記載しなければならない。

第一五七条の二（**逮捕状等の返還に関する記載**）① 逮捕状又は法第二百十八条第一項の令状には、有効期間内であつても、その必要がなくなつたときは、直ちにこれを返還しなければならない旨をも記載しなければならない。

② 逮捕状に代わるものには、逮捕状の有効期間内であつても、逮捕の必要がなくなつたときは、直ちに逮捕状に代わるものを返還しなければならない旨をも記載しなければならない。

第一五八条（**処罰等の請求・法第二百二十二条**）法第二百二十二条第七項（法第五百十三条第一項において読み替えて準用する場合を含む。）の規定により身体の検査を拒んだ者を過料に処し又はこれに賠償を命ずべき旨の請求は、請求者の所属の官公署の所在地を管轄する地方裁判所又は簡易裁判所にこれをしなければならない。

第一五八条の二（**鑑定留置請求書の記載要件・法第二百二十四条**）① 鑑定のためにする被疑者の留置の請求書には、次に掲げる事項を記載しなければならない。

一 被疑者の氏名、年齢、職業及び住居

二 罪名及び被疑事実の要旨

三 請求者の官公職氏名

四 留置の場所

五 留置を必要とする期間

六 鑑定の目的

七 鑑定人の氏名及び職業

八 被疑者に弁護人があるときは、その氏名

② 前項の場合には、第百四十二条第二項及び第三項の規定を準用する。

第一五八条の三（**鑑定留置状に代わるものの交付等請求書の記載要件・法第二百二十四条、第二百七条の二**）① 法第二百二十四条第三項において読み替えて準用する法第二百七条の二第一項の規定による請求は、書面でこれをしなければならない。

② 前項の書面には、次に掲げる事項を記載しなければならない。

一 被疑者の氏名及び住居

二 罪名

三　法第二百二十四条第三項において読み替えて準用する法第二百七条の二第一項の規定による請求に係る個人特定事項を明らかにしない方法により記載した被疑事実の要旨

四　法第二百二十四条第三項において読み替えて準用する法第二百七条の二第一項の規定による請求に係る者がそれぞれ法第二百一条の二第一項第一号イ、ロ若しくはハ(1)若しくは(2)又は第二号イ若しくはロのいずれに該当するかの別及びその事由

③　前項の場合には、第百四十二条第二項及び第三項の規定を準用する。

第一五八条の四（**鑑定留置状に代わるものの記載要件・法第二百二十四条、第二百七条の二**）①　法第二百二十四条第三項において読み替えて準用する法第二百七条の二第二項本文の鑑定留置状に代わるものには、次に掲げる事項を記載し、裁判官が、これに記名押印しなければならない。

一　被疑者の氏名及び住居

二　罪名

三　法第二百二十四条第三項において読み替えて準用する法第二百七条の二第一項の規定による請求に係る個人特定事項を明らかにしない方法により記載した被疑事実の要旨

四　当該書面が法第二百二十四条第三項において読み替えて準用する法第二百七条の二第二項の規定によるものである旨

五　法第二百二十四条第三項において読み替えて準用する法第二百七条の二第二項の規定による措置に係る者がそれぞれ法第二百一条の二第一項第一号イ、ロ若しくはハ(1)若しくは(2)又は第二号イ若しくはロのいずれに該当するかの別

六　留置すべき場所

七　留置の期間

八　鑑定の目的

九　鑑定留置状の有効期間及びその期間経過後は執行に着手することができず鑑定留置状に代わるものはこれを返還しなければならない旨

十　鑑定留置状発付の年月日

十一　鑑定留置状を発付した裁判官の氏名

②　第七十条の二第二項及び第三項の規定は、法第二百二十四条第三項において読み替えて準用する法第二百七条の二第二項本文の鑑定留置状に代わるものについてこれを準用する。

第一五八条の五（**鑑定留置状に代わるものの交付等請求の却下等・法第二百二十四条、第二百七条の二**）　第百四十条及び第百四十一条の規定は、法第二百二十四条第三項において読み替えて準用する法第二百七条の二第一項の規定による請求があった場合について準用する。

第一五八条の六（**個人特定事項の通知の請求の方式・法第二百二十四条、第二百七条の三**）　第百五十条の二の規定は、法第二百二十四条第三項において準用する法第二百七条の三第一項の請求について準用する。

第一五八条の七（**鑑定留置状に代わるものの記載要件・法第二百二十四条、第二百七条の三**）①　法第二百二十四条第三項において読み替えて準用する法第二百七条の三第三項の鑑定留置状に代わるものには、次に掲げる事項を記載し、裁判官が、これに記名押印しなければならない。

一　被疑者の氏名及び住居

二　罪名

三　鑑定留置状に記載された個人特定事項のうち法第二百二十四条第三項において読み替えて準用する法第二百七条の二第二項本文の鑑定留置状に代わるものに記載がないもの（法第二百二十四条第三項において準用する法第二百七条の三第一項の裁判により通知することとされたものを除く。）を明らかにしない方法により記載した被疑事実の要旨

四　当該書面が法第二百二十四条第三項において読み替えて準用する法第二百七条の三第三項の規定によるものである旨

五　留置すべき場所

六　留置の期間

七　鑑定の目的

八　鑑定留置状の有効期間及びその期間経過後は執行に着手することができず鑑定留置状に代わるものはこれを返還しなければならない旨

九　鑑定留置状発付の年月日

十　鑑定留置状を発付した裁判官の氏名

②　第七十条の二第二項及び第三項の規定は、法第二百二十四条第三項において読み替えて準用する法第二百七条の三第三項の鑑定留置状に代わるものについてこれを準用する。

第一五八条の八（**準用規定**）　第百五十条の四から第百五十条の八までの規定は、法第二百二十四条第三項において読み替えて準用する法第二百七条の二第二項の規定による鑑定留置状に代わるものの交付があった場合について準用する。この場合において、第百五十条の四（見出しを含む。）、第百五十条の五の見出し、同条第一項及び第三項から第六項まで、第百五十条の六の見出し並びに第百五十条の七の見出し及び同条第一項中「勾留状」とあるのは「鑑定留置状」と、第百五十条の四第二項及び第百五十条の五第三項から第五項までの規定中「第二百七条の二第二項の」とあるのは「第二百二十四条第三項において読み替えて準用する法第二百七条の二第二項の」と、第百五十条の四第二項及び第百五十条の五第三項中「第二百七条の三第一項」とあるのは「第二百二十四条第三項において準用する法第二百七条の三第一項」と、第百五十条の四第二項、第百五十条の五第三項、第四項第一号及び第二号、第五項並びに第六項並びに第百五十条の七第一項中「第二百七条の三第三項」とあるのは「第二百二十四条第三項において読み替えて準用する法第二百七条の三第三項」と、「第二百七条の二第二項本文」とあるのは「第二百二十四条第三項において読み替えて準用する法第二百七条の二第二項本文」と読み替えるものとする。

第一五九条（**鑑定処分許可請求書の記載要件・法第二百二十五条**）①　法第二百二十五条第一項の許可の請求書には、次に掲げる事項を記載しなければならない。

一　請求者の官公職氏名

二　被疑者又は被告人の氏名（被疑者又は被告人が法人であるときは、その名称）

三　罪名及び犯罪事実の要旨

四　鑑定人の氏名及び職業

五　鑑定人が立ち入るべき住居、邸宅、建造物若しくは船舶、検査すべき身体、解剖すべき死体、発掘すべき墳墓又は破壊すべき物

六　許可状が七日を超える有効期間を必要とするときは、その旨及び事由

②　前項の場合には、第百五十五条第三項の規定を準用する。

第一六〇条（**証人尋問請求書の記載要件・法第二百二十六条又は第二百二十七条等**）①　法第二百二十六条又は第二百二十七条の証人尋問の請求は、次に掲げる事項を記載した書面でこれをしなければならない。

一　証人の氏名、年齢、職業及び住居

二　被疑者又は被告人の氏名（被疑者又は被告人が法人であるときは、その名称）

三　罪名及び犯罪事実の要旨

四　証明すべき事実

五　尋問事項又は証人が証言すべき事項

六　法第二百二十六条又は第二百二十七条に規定する事由

七　被疑者に弁護人があるときは、その氏名

②　前項の場合には、第百五十五条第三項の規定を準用する。

第一六一条（**資料の提供・法第二百二十六条**）　法第二百二十六条の証人尋問を請求するには、同条に規定する事由があることを認めるべき資料を提供しなければ

ならない。

（証人尋問の立会・法第二百二十八条）

第一六二条　法第二百二十六条又は第二百二十七条の証人尋問の請求を受けた裁判官は、捜査に支障を生ずる虞がないと認めるときは、被告人、被疑者又は弁護人をその尋問に立ち会わせることができる。

（書類の送付・法第二百二十六条等）

第一六三条　裁判官は、法第二百二十六条又は第二百二十七条の請求により証人を尋問したときは、速やかにこれに関する書類を検察官に送付しなければならない。

第二章　公訴

（起訴状の記載要件・法第二百五十六条）

第一六四条①　起訴状には、法第二百五十六条に規定する事項のほか、次に掲げる事項を記載しなければならない。

一　被告人の年齢、職業、住居及び本籍。ただし、被告人が法人であるときは、事務所並びに代表者又は管理人の氏名及び住居

二　被告人が逮捕又は勾留されているときは、その旨

三　法第二百七十一条の二第二項の規定により起訴状抄本等を提出するときは、同条第一項の規定による求めに係る者がそれぞれ同項第一号イ、ロ若しくはハ(1)若しくは(2)又は第二号イ若しくはロのいずれに該当するかの別

②　前項第一号に掲げる事項が明らかでないときは、その旨を記載すれば足りる。

（弁護人選任書の差出し等・法第二百五十六条等）

第一六五条①　検察官は、公訴の提起と同時に、検察官又は司法警察員に差し出された弁護人選任書を裁判所に差し出さなければならない。同時に差し出すことができないときは、起訴状にその旨を記載し、かつ公訴の提起後、速やかにこれを差し出さなければならない。

②　検察官は、公訴の提起前に法の規定に基づいて裁判官が付した弁護人があるときは、公訴の提起と同時にその旨を裁判所に通知しなければならない。

③　法第二百五十六条の二の規定は、略式命令の請求をする場合には、適用しない。

（起訴状抄本等の記載事項等・法第二百七十一条の二等）

第一六五条の二①　法第二百七十一条の二第二項の起訴状抄本等には、同項の規定によるものである旨を記載しなければならない。

②　法第二百七十一条の二第二項の規定により起訴状抄本等を提出する場合には、検察官は、当該起訴状抄本等のほか、起訴状抄本等一通を裁判所に差し出さなければならない。

③　法第二百七十一条の三第一項若しくは第二百七十一条の四第二項の起訴状の謄本又は法第二百七十一条の三第三項若しくは第二百七十一条の四第四項の起訴状抄本等には、それぞれその根拠となる規定によるものである旨を記載しなければならない。

④　法第二百七十一条の三第三項又は第二百七十一条の四第四項の規定により起訴状抄本等を提出する場合には、検察官は、当該起訴状抄本等のほか、起訴状抄本等一通を裁判所に差し出さなければならない。

（証明資料の差出・法第二百五十条）

第一六五条の三　公訴を提起するについて、法第二百五十条第四項の規定により加算される、犯罪行為が終わつた時から被害者が十八歳に達する日までの期間に相当する期間を証明する必要があるときは、検察官は、公訴の提起後、速やかにこれを証明すべき資料を裁判所に差し出さなければならない。この場合には、次条ただし書の規定を準用する。

（証明資料の差出・法第二百五十五条）

第一六六条　公訴を提起するについて、犯人が国外にいたこと又は犯人が逃げ隠れていたため有効に起訴状の謄本、起訴状抄本等、略式命令の謄本若しくは第二百九十条第二項の略式命令の謄本に代わるものの送達ができなかつたことを証明する必要があるときは、検察官は、公訴の提起後、速やかにこれを証明すべき資料を裁判所に差し出さなければならない。ただし、裁判官に事件につき予断を生ぜしめるおそれのある書類その他の物を差し出してはならない。

（逮捕状等の差出・法第二百八十条）

第一六七条①　検察官は、逮捕又は勾留されている被告人について公訴を提起したときは、速やかにその裁判所の裁判官に逮捕状、逮捕状に代わるもの、勾留状、法第二百七条の二第二項本文の勾留状に代わるもの及び法第二百七条の三第三項の勾留状に代わるもの（以下この条において「逮捕状等」という。）（いずれもその発付又は交付があつた場合に限る。）を差し出さなければならない。逮捕又は勾留された後釈放された被告人について公訴を提起したときも、同様である。

②　裁判官は、第百八十七条の規定により他の裁判所の裁判官がその勾留に関する処分をすべき場合には、直ちに前項の逮捕状等をその裁判官に送付しなければならない。

③　裁判官は、第一回の公判期日が開かれたときは、速やかに第一項の逮捕状等及び勾留に関する処分の書類を裁判所に送付しなければならない。

（公訴取消の方式・法第二百五十七条）

第一六八条　公訴の取消は、理由を記載した書面でこれをしなければならない。

（審判請求書の記載要件・法第二百六十二条）

第一六九条　法第二百六十二条の請求書には、裁判所の審判に付せられるべき事件の犯罪事実及び証拠を記載しなければならない。

（請求の取下の方式・法第二百六十三条）

第一七〇条　法第二百六十二条の請求の取下は、書面でこれをしなければならない。

（書類等の送付）

第一七一条　検察官は、法第二百六十二条の請求を理由がないものと認めるときは、請求書を受け取つた日から七日以内に意見書を添えて書類及び証拠物とともにこれを同条に規定する裁判所に送付しなければならない。意見書には、公訴を提起しない理由を記載しなければならない。

（請求等の通知）

第一七二条①　前条の送付があつたときは、裁判所書記官は、速やかに法第二百六十二条の請求があつた旨を被疑者に通知しなければならない。

②　法第二百六十二条の請求の取下があつたときは、裁判所書記官は、速やかにこれを検察官及び被疑者に通知しなければならない。

（被疑者の取調・法第二百六十五条）

第一七三条①　法第二百六十二条の請求を受けた裁判所は、被疑者の取調をするときは、裁判所書記官を立ち会わせなければならない。

②　前項の場合には、調書を作り、裁判所書記官が署名押印し、裁判長が認印しなければならない。

③　前項の調書については、第三十八条第二項第三号前段、第三項、第四項及び第六項の規定を準用する。

（審判に付する決定・法第二百六十六条）

第一七四条①　法第二百六十六条第二号の決定をするには、裁判書に起訴状に記載すべき事項を記載しなければならない。

②　前項の決定の謄本は、検察官及び被疑者にもこれを送達しなければならない。

（審判に付する決定後の処分・法第二百六十七条）

第一七五条　裁判所は、法第二百六十六条第二号の決定をした場合には、速やかに次に掲げる処分をしなければならない。

一　事件をその裁判所の審判に付したときは、裁判書を除いて、書類及び証拠物を事件について公訴の維持にあたる弁護士に送付する。

二　事件を他の裁判所の審判に付したときは、裁判書をその裁

判所に、書類及び証拠物を事件について公訴の維持にあたる弁護士に送付する。

第三章　公判

第一節　公判準備及び公判手続

第一七六条（起訴状の謄本の送達等・法第二百七十一条等）① 裁判所は、法第二百五十六条の二の規定による起訴状の謄本の提出があつたときは、直ちにこれを被告人に送達しなければならない。

② 裁判所は、起訴状の謄本又は起訴状抄本等の被告人に対する送達ができなかつたときは、直ちにその旨を検察官に通知しなければならない。

第一七六条の二（呼称の定め等・法第二百七十一条の二等）① 裁判所は、法第二百七十一条の二第二項の規定による起訴状抄本等の提出があつた事件又は法第三百十二条の二第二項の規定による訴因変更等請求書面抄本等の提出があつた事件について、必要があると認めるときは、起訴状に記載された個人特定事項のうち起訴状抄本等に記載がないもの又は訴因変更等請求書面に記載された個人特定事項のうち訴因変更等請求書面抄本等に記載がないものに係る名称に代わる呼称を定めることができる。

② 前項の規定により呼称を定めた場合には、検察官、被告人及び弁護人に対し、その呼称を通知しなければならない。

③ 第一項の規定により定められた呼称がある場合において、その呼称を当該事件の訴訟に関する書類（判決書及び判決を記載した調書を除く。次項において同じ。）に記載したときは、第一項に規定する個人特定事項に係る名称を記載したものとみなす。

④ 前項に規定する場合において、第一項に規定する個人特定事項に係る名称が氏名であり、かつ、その氏名に係る者が当該事件の訴訟に関する書類に署名すべきときは、署名に代えて同項の規定により定められた呼称を自署することができる。この場合における第三十八条第六項、第五十二条の五第二項第四号及び第三項、第五十二条の十五第二項第四号及び第三項、第六十条並びに第百十八条第三項の規定の適用については、第三十八条第六項、第五十二条の五第三項、第五十二条の十五第三項及び第百十八条第三項中「署名押印させなければならない」とあるのは「署名押印させ、又は第百七十六条の二第一項の規定により定められた呼称を自書させなければならない」と、第五十二条の五第二項第四号及び第五十二条の十五第二項第四号中「署名押印させる」とあるのは「署名押印させ、又は第百七十六条の二第一項の規定により定められた呼称を自書させる」と、第六十条中「を記載して署名押印しなければならない」とあるのは「を記載して、署名押印し、又は第百七十六条の二第一項の規定により定められた呼称を自書しなければならない」とする。

第一七六条の三（個人特定事項の通知の請求の方式・法第二百七十一条の五等）① 法第二百七十一条の五第一項又は第二項（これらの規定を法第三百十二条の二第四項において準用する場合を含む。）の請求は、書面を差し出してこれをしなければならない。

② 被告人又は弁護人は、前項の請求をしたときは、速やかに、同項の書面の謄本を検察官に送付しなければならない。

③ 裁判所は、第一項の規定にかかわらず、公判期日、公判前整理手続期日又は期日間整理手続期日においては、同項の請求を口頭ですることを許すことができる。

第一七六条の四（通知の請求に対する判断の時期・法第二百七十一条の五等） 前条第一項の請求については、遅滞なく決定をしなければならない。ただし、当該請求が訴訟を遅延させる目的のみでされたことが明らかである場合は、この限りでない。

第一七六条の五（呼称の通知・法第二百七十一条の六等）① 裁判所は、法第二百七十一条の六第二項の規定により、起訴状に記載された個人特定事項のうち起訴状抄本等に記載がないものが記載され若しくは記録されている部分の閲覧若しくは謄写を禁じた場合又は法第三百十二条の二第四項において準用する法第二百七十一条の六第二項の規定により、訴因変更等請求書面に記載された個人特定事項のうち訴因変更等請求書面抄本等に記載がないものが記載され若しくは記録されている部分の閲覧若しくは謄写を禁じた場合において、弁護人の請求がある場合であつて、これらの個人特定事項に係る名称が氏名であるときは、弁護人に対し、これに代わる呼称を知らせなければならない。

② 裁判所は、法第二百七十一条の六第四項の規定により、裁判書若しくは裁判を記載した調書の抄本であつて起訴状に記載された個人特定事項のうち起訴状抄本等に記載がないものの記載がないものを交付した場合又は法第三百十二条の二第四項において準用する法第二百七十一条の六第四項の規定により、裁判書若しくは裁判を記載した調書の抄本であつて訴因変更等請求書面に記載された個人特定事項のうち訴因変更等請求書面抄本等に記載がないものの記載がないものを交付した場合において、弁護人の請求がある場合であつて、これらの個人特定事項に係る名称が氏名であるときは、弁護人に対し、これに代わる呼称を知らせなければならない。

③ 裁判所は、法第二百七十一条の六第五項の規定により、裁判書若しくは裁判を記載した調書の抄本であつて起訴状に記載された個人特定事項のうち起訴状抄本等に記載がないものの記載がないものを交付した場合又は法第三百十二条の二第四項において読み替えて準用する法第二百七十一条の六第五項の規定により、裁判書若しくは裁判を記載した調書の抄本であつて訴因変更等請求書面に記載された個人特定事項のうち訴因変更等請求書面抄本等に記載がないものの記載がないものを交付した場合において、法第四十六条の規定による請求をした被告人その他訴訟関係人（検察官及び弁護人を除く。）の請求がある場合であつて、これらの個人特定事項に係る名称が氏名であるときは、その被告人その他訴訟関係人に対し、これに代わる呼称を知らせなければならない。

④ 裁判所は、法第二百七十一条の六第六項の規定により、起訴状に記載された個人特定事項のうち起訴状抄本等に記載がないものが記載され若しくは記録されている部分の閲覧を禁じ、若しくは当該部分の朗読の求めを拒んだ場合又は法第三百十二条の二第四項において準用する法第二百七十一条の六第六項の規定により、訴因変更等請求書面に記載された個人特定事項のうち訴因変更等請求書面抄本等に記載がないものが記載され若しくは記録されている部分の閲覧を禁じ、若しくは当該部分の朗読の求めを拒んだ場合において、被告人の請求がある場合であつて、これらの個人特定事項に係る名称が氏名であるときは、被告人に対し、これに代わる呼称を知らせなければならない。

⑤ 前各項の規定により氏名に代わる呼称を知らせる場合において、当該氏名について第百七十六条の二第一項の規定により定めた呼称があるときは、当該呼称を知らせるものとする。

第一七六条の六（公判期日外の尋問調書の閲覧等の制限）① 裁判所は、法第二百七十一条の二第四項の規定による措置又は法第三百十二条の二第三項の規定による措置をとつた場合において、当該措置に係る個人特定事項（法第二百七十一条の五第一項（法第三百十二条の二第四項において読み替えて準用する場合を含む。）の決定により通知することとされたものを除く。以下この条において同じ。）が法第二百七十一条の二第一項第一号又は第二号に掲げる者のものに該当し、検察官及び被告人又は弁護人の意見を聴き、相当と認めるときは、被告人が第百二十六条（第百三十五条及び第百三十六条において準用する場合を含む。以下この条において同じ。）第一項の尋問調書を第百二十六条第二項の規定により閲覧し、又は同条第三項の規定により朗読を求めるについて、このうち当該措置に係る個人特定事項が記載され若しくは記録されている部分の閲覧を禁じ、又は当該部分の朗読の求めを拒むことができる。ただし、当該措置に係る者の供述の証明力の判断に資するような被告人その他の関係者との利害関係の有無を確かめることができなくなるときその他の被告人の防御に実質的な不利益を生ずるおそれがあるときは、この限りでない。

② 裁判所は、前項の規定により、法第二百七十一条の二第四項の規定による措置若しくは法第三百十二条の二第三項の規定による措置に係る個人特定事項が記載され若しくは記録されている部分の閲覧を禁じ、又は当該部分の朗読の求めを拒んだ場合において、被告人又は弁護人の請求がある場合であつて、当該個人特定事項に係る名称が氏名であるときは、被告人に対し、これに代わる呼称を知らせなければならない。

③ 前項の規定により氏名に代わる呼称を知らせる場合において、当該氏名について第百七十六条の二第一項の規定により定めた呼称があるときは、当該呼称を知らせるものとする。

（弁護人選任に関する通知・法第二百七十二条等）

第一七七条 裁判所は、公訴の提起があつたときは、遅滞なく、被告人に対し、弁護人を選任することができる旨及び貧困その他の事由により弁護人を選任することができないときは弁護人の選任を請求することができる旨の外、死刑又は無期若しくは長期三年を超える懲役若しくは禁錮にあたる事件については、弁護人がなければ開廷することができない旨をも知らせなければならない。但し、被告人に弁護人があるときは、この限りでない。

（弁護人のない事件の処置・法第二百八十九条等）

第一七八条① 裁判所は、公訴の提起があつた場合において被告人に弁護人がないときは、遅滞なく、被告人に対し、死刑又は無期若しくは長期三年を超える懲役若しくは禁錮にあたる事件については、弁護人を選任するかどうかを、その他の事件については、法第三十六条の規定による弁護人の選任を請求するかどうかを確めなければならない。

② 裁判所は、前項の処置をするについては、被告人に対し、一定の期間を定めて回答を求めることができる。

③ 第一項前段の事件について、前項の期間内に回答がなく又は弁護人の選任がないときは、裁判長は、直ちに被告人のため弁護人を選任しなければならない。

（第一回公判期日前における訴訟関係人の準備）

第一七八条の二 訴訟関係人は、第一回の公判期日前に、できる限り証拠の収集及び整理をし、審理が迅速に行われるように準備しなければならない。

（検察官、弁護人の氏名の告知等）

第一七八条の三 裁判所は、検察官及び弁護人の訴訟の準備に関する相互の連絡が、公訴の提起後すみやかに行なわれるようにするため、必要があると認めるときは、裁判所書記官に命じて、検察官及び弁護人の氏名を相手方に知らせる等適当な措置をとらせなければならない。

（第一回公判期日の指定）

第一七八条の四 第一回の公判期日を定めるについては、その期日前に訴訟関係人がなすべき訴訟の準備を考慮しなければならない。

（審理に充てることのできる見込み時間の告知）

第一七八条の五 裁判所は、公判期日の審理が充実して行なわれるようにするため相当と認めるときは、あらかじめ、検察官又は弁護人に対し、その期日の審理に充てることのできる見込みの時間を知らせなければならない。

（第一回公判期日前における検察官、弁護人の準備の内容）

第一七八条の六① 検察官は、第一回の公判期日前に、次のことを行なわなければならない。

一 法第二百九十九条第一項本文の規定により、被告人又は弁護人に対し、閲覧する機会を与えるべき証拠書類又は証拠物があるときは、公訴の提起後なるべくすみやかに、その機会を与えること。

二 第二項第三号の規定により弁護人が閲覧する機会を与えた証拠書類又は証拠物について、なるべくすみやかに、法第三百二十六条の同意をするかどうか又はその取調の請求に関し異議がないかどうかの見込みを弁護人に通知すること。

② 弁護人は、第一回の公判期日前に、次のことを行なわなければならない。

一 被告人その他の関係者に面接する等適当な方法によつて、事実関係を確かめておくこと。

二 前項第一号の規定により検察官が閲覧する機会を与えた証拠書類又は証拠物について、なるべくすみやかに、法第三百二十六条の同意をするかどうか又はその取調の請求に関し異議がないかどうかの見込みを検察官に通知すること。

三 法第二百九十九条第一項本文の規定により、検察官に対し、閲覧する機会を与えるべき証拠書類又は証拠物があるときは、なるべくすみやかに、これを提示してその機会を与えること。

③ 検察官及び弁護人は、第一回の公判期日前に、前二項に掲げることを行なうほか、相手方と連絡して、次のことを行なわなければならない。

一 起訴状に記載された訴因若しくは罰条を明確にし、又は事件の争点を明らかにするため、相互の間でできる限り打ち合わせておくこと。

二 証拠調その他の審理に要する見込みの時間等裁判所が開廷回数の見通しをたてるについて必要な事項を裁判所に申し出ること。

（証人等の氏名及び住居を知る機会を与える場合等）

第一七八条の七① 第一回の公判期日前に、法第二百九十九条第一項本文の規定により、訴訟関係人が、相手方に対し、証人、鑑定人、通訳人又は翻訳人の氏名及び住居を知る機会を与える場合には、なるべく早い時期に、その機会を与えるようにしなければならない。法第二百九十九条の四第三項から第五項までの規定により、被告人又は弁護人に対し、証人、鑑定人、通訳人又は翻訳人の氏名又は住居を知る機会を与えないで、氏名に代わる呼称又は住居に代わる連絡先を知る機会を与える場合も同様とする。

② 検察官は、法第二百九十九条の四第三項から第五項まで又は第八項から第十項までの規定により、被告人又は弁護人に対し、氏名に代わる呼称を知る機会を与える場合において、当該氏名について第百七十六条の二第一項又は第百七十八条の十一第一項の規定により定められた呼称があるときは、氏名に代わる呼称として当該呼称を知る機会を与えるものとする。

（証人等の氏名及び住居の開示に係る措置の通知・法第二百九十九条の四）

第一七八条の八① 法第二百九十九条の四第十一項の規定による通知は、書面でしなければならない。

② 前項の書面には、次に掲げる事項を記載しなければならない。

一 検察官がとつた法第二百九十九条の四第一項から第十項までの規定による措置に係る者の氏名又は住居

二 検察官がとつた措置が法第二百九十九条の四第一項、第二項、第六項又は第七項の規定によるものであるときは、弁護人に対し付した条件又は指定した時期若しくは方法

三 検察官がとつた措置が法第二百九十九条の四第三項から第五項まで又は第八項から第十項までの規定によるものであるときは、被告人又は弁護人に対し知る機会を与えた氏名に代わる呼称又は住居に代わる連絡先

四 検察官が証拠書類又は証拠物について法第二百九十九条の四第六項から第十項までの規定による措置をとつたときは、当該証拠書類又は証拠物を識別するに足りる事項

（証人等の氏名及び住居の開示に関する裁定の請求の方式・法第二百九十九条の五）

第一七八条の九① 法第二百九十九条の五第一項又は第二項の規定による裁定の請求は、書面を差し出してこれをしなければならない。

② 被告人又は弁護人は、前項の請求をしたときは、速やかに、同項の書面の謄本を検察官に送付しなければならない。

③ 裁判所は、第一項の規定にかかわらず、公判期日においては、同項の請求を口頭ですることを許すことができる。

第一七八条の一〇（**呼称の定め等・法第二百九十九条の四等**）① 裁判所は、検察官が法第二百九十九条の四第一項、第三項、第六項若しくは第八項の規定による措置をとつたことについて同条第十一項の規定による通知があつた場合又は裁判所が法第二百九十九条の五第三項の規定による措置をとつた場合において、必要があると認めるときは、検察官がとつた法第二百九十九条の四第一項、第三項、第六項若しくは第八項の規定による措置に係る者又は裁判所がとつた法第二百九十九条の五第三項の規定による措置に係る者の氏名又は住居に代わる呼称を定めることができる。

② 前項の規定により呼称を定めた場合には、検察官、被告人及び弁護人に対し、その呼称を通知しなければならない。

③ 第一項の規定により定められた呼称がある場合において、その呼称を当該事件の訴訟に関する書類（判決書及び判決を記載した調書を除く。次項において同じ。）に記載したときは、第一項の氏名又は住居を記載したものとみなす。

④ 前項に規定する場合において、第一項の規定による氏名に代わる呼称の定めがあり、その氏名に係る者が当該事件の訴訟に関する書類に署名すべきときは、署名に代えて同項の規定により定められた呼称を自書することができる。この場合における第三十八条第六項、第五十二条の五第二項第四号及び第三項、第五十二条の十五第二項第四号及び第三項、第六十条並びに第百十八条第三項の規定の適用については、第三十八条第六項、第五十二条の五第三項、第五十二条の十五第三項及び第百十八条第三項中「署名押印させなければならない」とあるのは「署名押印させ、又は第百七十八条の十第一項の規定により定められた呼称を自書させなければならない」と、第五十二条の五第二項第四号及び第五十二条の十五第二項第四号中「署名押印させる」とあるのは「署名押印させ、又は第百七十八条の十第一項の規定により定められた呼称を自書させる」と、第六十条中「を記載して署名押印しなければならない」とあるのは「を記載して、署名押印し、又は第百七十八条の十第一項の規定により定められた呼称を自書しなければならない」とする。

第一七八条の一一（**証人等の呼称又は連絡先の通知・法第二百九十九条の六**）① 裁判所は、法第二百九十九条の六第二項の規定により、検察官がとつた法第二百九十九条の四第三項又は第八項の規定による措置に係る者の氏名又は住居が記載され又は記録されている部分の閲覧又は謄写を禁じた場合において、弁護人の請求があるときは、弁護人に対し、氏名にあつてはこれに代わる呼称を、住居にあつてはこれに代わる連絡先を知らせなければならない。

② 裁判所は、法第二百九十九条の六第四項の規定により、裁判書又は裁判を記載した調書の抄本であつて検察官がとつた法第二百九十九条の四第三項又は第八項の規定による措置に係る者の氏名又は住居の記載がないものを交付した場合において、弁護人の請求があるときは、弁護人に対し、氏名にあつてはこれに代わる呼称を、住居にあつてはこれに代わる連絡先を知らせなければならない。

③ 裁判所は、法第二百九十九条の六第五項の規定により、裁判書又は裁判を記載した調書の抄本であつて検察官がとつた法第二百九十九条の四第一項、第三項、第六項若しくは第八項の規定による措置に係る者又は裁判所がとつた法第二百九十九条の五第三項の規定による措置に係る者の氏名又は住居の記載がないものを交付した場合において、法第四十六条の規定による請求をした被告人その他訴訟関係人（検察官及び弁護人を除く。）の請求があるときは、その被告人その他訴訟関係人に対し、氏名にあつてはこれに代わる呼称を、住居にあつてはこれに代わる連絡先を知らせなければならない。

④ 裁判所は、法第二百九十九条の六第六項の規定により、検察官がとつた法第二百九十九条の四第一項、第三項、第六項若しくは第八項の規定による措置に係る者若しくは裁判所がとつた法第二百九十九条の五第三項の規定による措置に係る者の氏名若しくは住居が記載され若しくは記録されている部分の閲覧を禁じ、又は当該部分の朗読の求めを拒んだ場合において、被告人の請求があるときは、被告人に対し、氏名にあつてはこれに代わる呼称を、住居にあつてはこれに代わる連絡先を知らせなければならない。

⑤ 前各項の規定により氏名に代わる呼称を知らせる場合において、当該氏名について前条第一項の規定により定めた呼称があるときは、当該呼称を知らせるものとする。

第一七八条の一二（**公判期日外の尋問調書の閲覧等の制限**）① 裁判所は、検察官がとつた法第二百九十九条の四第一項、第三項、第六項若しくは第八項の規定による措置に係る者若しくは裁判所がとつた法第二百九十九条の五第三項の規定による措置に係る者若しくはこれらの親族の身体若しくは財産に害を加え又はこれらの者を畏怖させ若しくは困惑させる行為がなされるおそれがあると認める場合において、検察官及び被告人又は弁護人の意見を聴き、相当と認めるときは、被告人が第百二十六条（第百三十五条及び第百三十六条において準用する場合を含む。以下この条において同じ。）第一項の尋問調書を第百二十六条第二項の規定により閲覧し、又は同条第三項の規定により朗読を求めるについて、このうち当該措置に係る者の氏名若しくは住居が記載され若しくは記録されている部分の閲覧を禁じ、又は当該部分の朗読の求めを拒むことができる。ただし、当該措置に係る者の供述の証明力の判断に資するような被告人その他の関係者との利害関係の有無を確かめることができなくなるときその他の被告人の防御に実質的な不利益を生ずるおそれがあるときは、この限りでない。

② 裁判所は、前項の規定により、検察官がとつた法第二百九十九条の四第一項、第三項、第六項若しくは第八項の規定による措置に係る者若しくは裁判所がとつた法第二百九十九条の五第三項の規定による措置に係る者の氏名若しくは住居が記載され若しくは記録されている部分の閲覧を禁じ、又は当該部分の朗読の求めを拒んだ場合において、被告人又は弁護人の請求があるときは、被告人に対し、氏名にあつてはこれに代わる呼称を、住居にあつてはこれに代わる連絡先を知らせなければならない。

③ 前項の規定により氏名に代わる呼称を知らせる場合において、当該氏名について第百七十八条の十第一項の規定により定めた呼称があるときは、当該呼称を知らせるものとする。

第一七八条の一三（**証拠決定された証人等の氏名等の通知**）① 裁判所は、法第二百九十九条の四第一項若しくは第二項又は第二百九十九条の五第三項若しくは第四項の規定により氏名についての措置がとられた者について、証人、鑑定人、通訳人又は翻訳人として尋問する旨の決定を公判期日前にした場合には、第百九十一条第二項の規定にかかわらず、その氏名を検察官及び弁護人に通知する。

② 裁判所は、法第二百九十九条の四第三項から第五項までの規定により氏名についての措置がとられた者について、証人、鑑定人、通訳人又は翻訳人として尋問する旨の決定を公判期日前にした場合には、第百九十一条第二項の規定にかかわらず、その氏名に代わる呼称を訴訟関係人に通知する。

第一七八条の一四（**第一回公判期日における在廷証人**）検察官及び弁護人は、証人として尋問を請求しようとする者で第一回の公判期日において取り調べられる見込みのあるものについて、これを在廷させるように努めなければならない。

第一七八条の一五（**検察官、弁護人の準備の進行に関する問合せ等**）裁判所は、裁判所書記官に命じて、検察官又は弁護人に訴訟の準備の進行に関し問い合わせ又はその準備を促す処置をとらせることができる。

第一七八条の一六（**検察官、弁護人との事前の打合せ**）① 裁判所は、適当と認めるときは、第一回の公判期日前に、検察官及び弁護人を出頭させた上、公判期日の指定その他訴訟の進行に関し必要な事項について打合せを行うことができる。ただし、事件につき予断を生じさせるおそれのある事項にわたることはできない。

② 前項の処置は、合議体の構成員にこれをさせることができる。

第一七八条の一七（還付等に関する規定の活用） 検察官は、公訴の提起後は、その事件に関し押収している物について、被告人及び弁護人が訴訟の準備をするに当たりなるべくその物を利用することができるようにするため、法第二百二十二条第一項の規定により準用される法第百二十三条（押収物の還付等）の規定の活用を考慮しなければならない。

（第一回の公判期日・法第二百七十五条）

第一七九条① 被告人に対する第一回の公判期日の召喚状の送達は、起訴状の謄本又は起訴状抄本等の被告人に対する送達の前には、これをすることができない。

② 第一回の公判期日と被告人に対する召喚状の送達との間には、少なくとも五日の猶予期間を置かなければならない。ただし、簡易裁判所においては、三日の猶予期間を置けば足りる。

③ 被告人に異議がないときは、前項の猶予期間を置かないことができる。

第一七九条の二 削除

（公判期日に出頭しない者に対する処置）

第一七九条の三 公判期日に召喚を受けた被告人その他の者が正当な理由がなく出頭しない場合には、法第五十八条（被告人の勾引）、第九十六条（保釈の取消等）及び第百五十条から第百五十三条まで（証人に対する制裁等）の規定等の活用を考慮しなければならない。

（公判期日の変更の請求・法第二百七十六条）

第一七九条の四① 訴訟関係人は、公判期日の変更を必要とする事由が生じたときは、直ちに、裁判所に対し、その事由及びそれが継続する見込の期間を具体的に明らかにし、且つ、診断書その他の資料によりこれを疎明して、期日の変更を請求しなければならない。

② 裁判所は、前項の事由をやむを得ないものと認める場合の外、同項の請求を却下しなければならない。

（私選弁護人差支の場合の処置・法第二百八十九条等）

第一七九条の五① 法第三十条に掲げる者が選任した弁護人は、公判期日の変更を必要とする事由が生じたときは、直ちに、前条第一項の手続をする外、その事由及びそれが継続する見込の期間を被告人及び被告人以外の選任者に知らせなければならない。

② 裁判所は、前項の事由をやむを得ないものと認める場合において、その事由が長期にわたり審理の遅延を来たす虞があると思料するときは、同項に掲げる被告人及び被告人以外の選任者に対し、一定の期間を定めて、他の弁護人を選任するかどうかの回答を求めなければならない。

③ 前項の期間内に回答がなく又は他の弁護人の選任がないときは、次の例による。但し、著しく被告人の利益を害する虞があるときは、この限りでない。

一 弁護人がなければ開廷することができない事件については、法第二百八十九条第二項の規定により、被告人のため他の弁護人を選任して開廷することができる。

二 弁護人がなくても開廷することができる事件については、弁護人の出頭をまたないで開廷することができる。

（国選弁護人差支えの場合の処置・法第三十六条等）

第一七九条の六 法の規定により裁判所若しくは裁判長又は裁判官が付した弁護人は、期日の変更を必要とする事由が生じたときは、直ちに、第百七十九条の四第一項の手続をするほか、その事由及びそれが継続する見込みの期間を被告人に知らせなければならない。

（期日変更についての意見の聴取・法第二百七十六条）

第一八〇条 公判期日を変更するについては、あらかじめ、職権でこれをする場合には、検察官及び被告人又は弁護人の意見を、請求によりこれをする場合には、相手方又はその弁護人の意見を聴かなければならない。但し、急速を要する場合は、この限りでない。

（期日変更請求の却下決定の送達・法第二百七十六条）

第一八一条 公判期日の変更に関する請求を却下する決定は、これを送達することを要しない。

（公判期日の不変更・法第二百七十七条）

第一八二条① 裁判所は、やむを得ないと認める場合の外、公判期日を変更することができない。

② 裁判所がその権限を濫用して公判期日を変更したときは、訴訟関係人は、書面で、裁判所法第八十条の規定により当該裁判官に対して監督権を行う裁判所に不服の申立をすることができる。

（不出頭の場合の資料・法第二百七十八条）

第一八三条① 被告人は、公判期日に召喚を受けた場合において精神又は身体の疾病その他の事由により出頭することができないと思料するときは、直ちにその事由を記載した書面及びその事由を明らかにすべき医師の診断書その他の資料を裁判所に差し出さなければならない。

② 前項の規定により医師の診断書を差し出すべき場合において被告人が貧困のためこれを得ることができないときは、裁判所は、医師に被告人に対する診断書の作成を嘱託することができる。

③ 前二項の診断書には、病名及び病状の外、その精神又は身体の病状において、公判期日に出頭することができるかどうか、自ら又は弁護人と協力して適当に防禦権を行使することができるかどうか及び出頭し又は審理を受けることにより生命又は健康状態に著しい危険を招くかどうかの点に関する医師の具体的な意見が記載されていなければならない。

（診断書の不受理等・法第二百七十八条）

第一八四条① 裁判所は、前条の規定による医師の診断書が同条に定める方式に違反しているときは、これを受理してはならない。

② 裁判所は、前条の診断書が同条に定める方式に違反していない場合においても、その内容が疑わしいと認めるときは、診断書を作成した医師を召喚して医師としての適格性及び診断書の内容に関しこれを証人として尋問し、又は他の適格性のある公平な医師に対し被告人の病状についての鑑定を命ずる等適当な措置を講じなければならない。

（不当な診断書・法第二百七十八条）

第一八五条 裁判所は、医師が第百八十三条の規定による診断書を作成するについて、故意に、虚偽の記載をし、同条に定める方式に違反し、又は内容を不明りようなものとしその他相当でない行為があつたものと認めるときは、厚生労働大臣若しくは医師をもつて組織する団体がその医師に対し適当と認める処置をとることができるようにするためにその旨をこれらの者に通知し、又は法令によつて認められている他の適当な処置をとることができる。

（準用規定）

第一八六条 公判期日に召喚を受けた被告人以外の者及び公判期日の通知を受けた者については、前三条の規定を準用する。

（勾留に関する処分をすべき裁判官・法第二百八十条）

第一八七条① 公訴の提起があつた後第一回の公判期日までの勾留に関する処分は、公訴の提起を受けた裁判所の裁判官がこれをしなければならない。但し、事件の審判に関与すべき裁判官は、その処分をすることができない。

② 前項の規定によるときは同項の処分をすることができない場合には、同項の裁判官は、同一の地に在る地方裁判所又は簡易裁判所の裁判官にその処分を請求しなければならない。但し、急速を要する場合又は同一の地にその処分を請求すべき他の裁判所の裁判官がない場合には、同項但書の規定にかかわらず、自らその処分をすることを妨げない。

③　前項の請求を受けた裁判官は、第一項の処分をしなければならない。
④　裁判官は、第一項の処分をするについては、検察官、被告人又は弁護人の出頭を命じてその陳述を聴くことができる。必要があるときは、これらの者に対し、書類その他の物の提出を命ずることができる。但し、事件の審判に関与すべき裁判官は、事件につき予断を生ぜしめる虞のある書類その他の物の提出を命ずることができない。
⑤　地方裁判所の支部は、第一項及び第二項の規定の適用については、これを当該裁判所と別個の地方裁判所とみなす。

（出頭拒否の通知・法第二百八十六条の二）
第一八七条の二　勾留されている被告人が召喚を受けた公判期日に出頭することを拒否し、刑事施設職員による引致を著しく困難にしたときは、刑事施設の長は、直ちにその旨を裁判所に通知しなければならない。

（出頭拒否についての取調べ・法第二百八十六条の二）
第一八七条の三①　裁判所は、法第二百八十六条の二の規定により被告人の出頭をまたないで公判手続を行うには、あらかじめ、同条に定める事由が存在するかどうかを取り調べなければならない。
②　裁判所は、前項の規定による取調べをするについて必要があると認めるときは、刑事施設職員その他の関係者の出頭を命じてその陳述を聴き、又はこれらの者に対し報告書の提出を命ずることができる。
③　第一項の規定による取調は、合議体の構成員にさせることができる。

（不出頭のまま公判手続を行う旨の告知・法第二百八十六条の二）
第一八七条の四　法第二百八十六条の二の規定により被告人の出頭をまたないで公判手続を行う場合には、裁判長は、公判廷でその旨を訴訟関係人に告げなければならない。

（証拠調べの請求の時期・法第二百九十八条）
第一八八条　証拠調べの請求は、公判期日前にも、これをすることができる。ただし、公判前整理手続において行う場合を除き、第一回の公判期日前は、この限りでない。

（証拠調を請求する場合の書面の提出・法第二百九十八条）
第一八八条の二①　証人、鑑定人、通訳人又は翻訳人の尋問を請求するときは、その氏名及び住居を記載した書面を差し出さなければならない。
②　証拠書類その他の書面の取調を請求するときは、その標目を記載した書面を差し出さなければならない。

（証人尋問の時間の申出・法第二百九十八条）
第一八八条の三①　証人の尋問を請求するときは、証人の尋問に要する見込みの時間を申し出なければならない。
②　証人の尋問を請求した者の相手方は、証人を尋問する旨の決定があつたときは、その尋問に要する見込みの時間を申し出なければならない。
③　職権により証人を尋問する旨の決定があつたときは、検察官及び被告人又は弁護人は、その尋問に要する見込みの時間を申し出なければならない。

（証拠調の請求の方式・法第二百九十八条）
第一八九条①　証拠調の請求は、証拠と証明すべき事実との関係を具体的に明示して、これをしなければならない。
②　証拠書類その他の書面の一部の取調を請求するには、特にその部分を明確にしなければならない。
③　裁判所は、必要と認めるときは、証拠調の請求をする者に対し、前二項に定める事項を明らかにする書面の提出を命ずることができる。
④　前各項の規定に違反してされた証拠調の請求は、これを却下することができる。

（証拠の厳選・法第二百九十八条）
第一八九条の二　証拠調べの請求は、証明すべき事実の立証に必要な証拠を厳選して、これをしなければならない。

（証拠決定・法第二百九十八条等）
第一九〇条①　証拠調又は証拠調の請求の却下は、決定でこれをしなければならない。
②　前項の決定をするについては、証拠調の請求に基く場合には、相手方又はその弁護人の意見を、職権による場合には、検察官及び被告人又は弁護人の意見を聴かなければならない。
③　被告人が出頭しないでも証拠調を行うことができる公判期日に被告人及び弁護人が出頭していないときは、前項の規定にかかわらず、これらの者の意見を聴かないで、第一項の決定をすることができる。

（証拠決定の送達）
第一九一条①　証人、鑑定人、通訳人又は翻訳人を尋問する旨の決定は、公判期日前にこれをする場合においても、これを送達することを要しない。
②　前項の場合には、直ちにその氏名を訴訟関係人に通知しなければならない。

（証人等の出頭）
第一九一条の二　証人、鑑定人、通訳人又は翻訳人を尋問する旨の決定があつたときは、その取調を請求した訴訟関係人は、これらの者を期日に出頭させるように努めなければならない。

（証人尋問の準備）
第一九一条の三　証人の尋問を請求した検察官又は弁護人は、証人その他の関係者に事実を確かめる等の方法によつて、適切な尋問をすることができるように準備しなければならない。

（証拠決定についての提示命令）
第一九二条　証拠調の決定をするについて必要があると認めるときは、訴訟関係人に証拠書類又は証拠物の提示を命ずることができる。

（証拠調の請求の順序・法第二百九十八条）
第一九三条①　検察官は、まず、事件の審判に必要と認めるすべての証拠の取調を請求しなければならない。
②　被告人又は弁護人は、前項の請求が終つた後、事件の審判に必要と認める証拠の取調を請求することができる。

第一九四条及び第一九五条　削除

（人定質問）
第一九六条　裁判長は、検察官の起訴状の朗読に先だち、被告人に対し、その人違でないことを確めるに足りる事項を問わなければならない。

（法第二百九十条の二第一項の申出がされた旨の通知の方式）
第一九六条の二　法第二百九十条の二第二項後段の規定による通知は、書面でしなければならない。ただし、やむを得ない事情があるときは、この限りでない。

（公開の法廷で明らかにされる可能性があると思料する事項の告知・法第二百九十条の二）
第一九六条の三　検察官は、法第二百九十条の二第一項又は第三項の決定があつた場合において、事件の性質、審理の状況その他の事情を考慮して、被害者特定事項のうち被害者の氏名及び住所以外に公開の法廷で明らかにされる可能性があると思料する事項があるときは、裁判所及び被告人又は弁護人にこれを告げるものとする。

（呼称の定め・法第二百九十条の二）
第一九六条の四　裁判所は、法第二百九十条の二第一項又は第三項の決定をした場合において、必要があると認めるときは、被害者の氏名その他の被害者特定事項に係る名称に代わる呼称を定めることができる。

（決定の告知・法第二百九十条の二）
第一九六条の五①　裁判所は、法第二百九十条の二第一項若しくは第三項の決定又は同条第四項の規定によりこれらの決定を取り消す決定をしたときは、公判期日においてこれをした場合を除き、速やかに、その旨を訴訟関係人に通知しなければならない。同条第一項の決定をしないこととしたときも、同様とする。
②　裁判所は、法第二百九十条の二第一項の決定又は同条第四項

の規定により当該決定を取り消す決定をしたときは、速やかに、その旨を同条第一項の申出をした者に通知しなければならない。同項の決定をしないこととしたときも、同様とする。

（公開の法廷で明らかにされる可能性があると思料する事項の告知・法第二百九十条の三）

第一九六条の六　検察官及び被告人又は弁護人は、法第二百九十条の三第一項の決定があつた場合において、事件の性質、審理の状況その他の事情を考慮して、証人等特定事項のうち証人等の氏名及び住所以外に公開の法廷で明らかにされる可能性があると思料する事項があるときは、裁判所及び相手方又はその弁護人にこれを告げるものとする。

（呼称の定め・法第二百九十条の三）

第一九六条の七　裁判所は、法第二百九十条の三第一項の決定をした場合において、必要があると認めるときは、証人等の氏名その他の証人等特定事項に係る名称に代わる呼称を定めることができる。

（決定の告知・法第二百九十条の三）

第一九六条の八①　裁判所は、法第二百九十条の三第一項の決定又は同条第二項の規定により当該決定を取り消す決定をしたときは、公判期日においてこれをした場合を除き、速やかに、その旨を訴訟関係人に通知しなければならない。同条第一項の決定をしないこととしたときも、同様とする。

②　裁判所は、法第二百九十条の三第一項の決定又は同条第二項の規定により当該決定を取り消す決定をしたときは、速やかに、その旨を同条第一項の申出をした者に通知しなければならない。同項の決定をしないこととしたときも、同様とする。

（被告人の権利保護のための告知事項・法第二百九十一条）

第一九七条①　裁判長は、起訴状の朗読が終つた後、被告人に対し、終始沈黙し又個々の質問に対し陳述を拒むことができる旨の外、陳述をすることもできる旨及び陳述をすれば自己に不利益な証拠ともなり又利益な証拠ともなるべき旨を告げなければならない。

②　裁判長は、必要と認めるときは、被告人に対し、前項に規定する事項の外、被告人が充分に理解していないと思料される被告人保護のための権利を説明しなければならない。

（簡易公判手続によるための処置・法第二百九十一条の二）

第一九七条の二　被告人が法第二百九十一条第五項の機会に公訴事実を認める旨の陳述をした場合には、裁判長は、被告人に対し簡易公判手続の趣旨を説明し、被告人の陳述がその自由な意思に基づくかどうか及び法第二百九十一条の二に定める有罪の陳述に当たるかどうかを確かめなければならない。ただし、裁判所が簡易公判手続によることができず又はこれによることが相当でないと認める事件については、この限りでない。

（弁護人等の陳述）

第一九八条①　裁判所は、検察官が証拠調のはじめに証拠により証明すべき事実を明らかにした後、被告人又は弁護人にも、証拠により証明すべき事実を明らかにすることを許すことができる。

②　前項の場合には、被告人又は弁護人は、証拠とすることができず、又は証拠としてその取調を請求する意思のない資料に基いて、裁判所に事件について偏見又は予断を生ぜしめる虞のある事項を述べることはできない。

（争いのない事実の証拠調べ）

第一九八条の二　訴訟関係人は、争いのない事実については、誘導尋問、法第三百二十六条第一項の書面又は供述及び法第三百二十七条の書面の活用を検討するなどして、当該事実及び証拠の内容及び性質に応じた適切な証拠調べが行われるよう努めなければならない。

（犯罪事実に関しないことが明らかな情状に関する証拠の取調べ）

第一九八条の三　犯罪事実に関しないことが明らかな情状に関する証拠の取調べは、できる限り、犯罪事実に関する証拠の取調べと区別して行うよう努めなければならない。

（取調べの状況に関する立証）

第一九八条の四　検察官は、被告人又は被告人以外の者の供述に関し、その取調べの状況を立証しようとするときは、できる限り、取調べの状況を記録した書面その他の取調べ状況に関する資料を用いるなどして、迅速かつ的確な立証に努めなければならない。

（証拠調の順序）

第一九九条①　証拠調については、まず、検察官が取調を請求した証拠で事件の審判に必要と認めるすべてのものを取り調べ、これが終つた後、被告人又は弁護人が取調を請求した証拠で事件の審判に必要と認めるものを取り調べるものとする。但し、相当と認めるときは、随時必要とする証拠を取り調べることができる。

②　前項の証拠調が終つた後においても、必要があるときは、更に証拠を取り調べることを妨げない。

（証人尋問の順序・法第三百四条）

第一九九条の二①　訴訟関係人がまず証人を尋問するときは、次の順序による。

一　証人の尋問を請求した者の尋問（主尋問）

二　相手方の尋問（反対尋問）

三　証人の尋問を請求した者の再度の尋問（再主尋問）

②　訴訟関係人は、裁判長の許可を受けて、更に尋問することができる。

（主尋問・法第三百四条等）

第一九九条の三①　主尋問は、立証すべき事項及びこれに関連する事項について行う。

②　主尋問においては、証人の供述の証明力を争うために必要な事項についても尋問することができる。

③　主尋問においては、誘導尋問をしてはならない。ただし、次の場合には、誘導尋問をすることができる。

一　証人の身分、経歴、交友関係等で、実質的な尋問に入るに先だつて明らかにする必要のある準備的な事項に関するとき。

二　訴訟関係人に争のないことが明らかな事項に関するとき。

三　証人の記憶が明らかでない事項についてその記憶を喚起するため必要があるとき。

四　証人が主尋問者に対して敵意又は反感を示すとき。

五　証人が証言を避けようとする事項に関するとき。

六　証人が前の供述と相反するか又は実質的に異なる供述をした場合において、その供述した事項に関するとき。

七　その他誘導尋問を必要とする特別の事情があるとき。

④　誘導尋問をするについては、書面の朗読その他証人の供述に不当な影響を及ぼすおそれのある方法を避けるように注意しなければならない。

⑤　裁判長は、誘導尋問を相当でないと認めるときは、これを制限することができる。

（反対尋問・法第三百四条等）

第一九九条の四①　反対尋問は、主尋問に現われた事項及びこれに関連する事項並びに証人の供述の証明力を争うために必要な事項について行う。

②　反対尋問は、特段の事情のない限り、主尋問終了後直ちに行わなければならない。

③　反対尋問においては、必要があるときは、誘導尋問をすることができる。

④　裁判長は、誘導尋問を相当でないと認めるときは、これを制限することができる。

（反対尋問の機会における新たな事項の尋問・法第三百四条）

第一九九条の五①　証人の尋問を請求した者の相手方は、裁判長の許可を受けたときは、反対尋問の機会に、自己の主張を支持する新たな事項についても尋問することができる。

②　前項の規定による尋問は、同項の事項についての主尋問とみなす。

（供述の証明力を争うために必要な事項の尋問・法第三百四

条）

第一九九条の六　証人の供述の証明力を争うために必要な事項の尋問は、証人の観察、記憶又は表現の正確性等証言の信用性に関する事項及び証人の利害関係、偏見、予断等証人の信用性に関する事項について行う。ただし、みだりに証人の名誉を害する事項に及んではならない。

（再主尋問・法第三百四条等）

第一九九条の七①　再主尋問は、反対尋問に現われた事項及びこれに関連する事項について行う。

②　再主尋問については、主尋問の例による。

③　第百九十九条の五の規定は、再主尋問の場合に準用する。

（補充尋問・法第三百四条）

第一九九条の八　裁判長又は陪席の裁判官がまず証人を尋問した後にする訴訟関係人の尋問については、証人の尋問を請求した者、相手方の区別に従い、前六条の規定を準用する。

（職権による証人の補充尋問・法第三百四条）

第一九九条の九　裁判所が職権で証人を取り調べる場合において、裁判長又は陪席の裁判官が尋問した後、訴訟関係人が尋問するときは、反対尋問の例による。

（書面又は物の提示・法第三百四条等）

第一九九条の一〇①　訴訟関係人は、書面又は物に関しその成立、同一性その他これに準ずる事項について証人を尋問する場合において必要があるときは、その書面又は物を示すことができる。

②　前項の書面又は物が証拠調を終つたものでないときは、あらかじめ、相手方にこれを閲覧する機会を与えなければならない。ただし、相手方に異議がないときは、この限りでない。

（記憶喚起のための書面等の提示・法第三百四条等）

第一九九条の一一①　訴訟関係人は、証人の記憶が明らかでない事項についてその記憶を喚起するため必要があるときは、裁判長の許可を受けて、書面（供述を録取した書面を除く。）又は物を示して尋問することができる。

②　前項の規定による尋問については、書面の内容が証人の供述に不当な影響を及ぼすことのないように注意しなければならない。

③　第一項の場合には、前条第二項の規定を準用する。

（図面等の利用・法第三百四条等）

第一九九条の一二①　訴訟関係人は、証人の供述を明確にするため必要があるときは、裁判長の許可を受けて、図面、写真、模型、装置等を利用して尋問することができる。

②　前項の場合には、第百九十九条の十第二項の規定を準用する。

（証人尋問の方法・法第三百四条等）

第一九九条の一三①　訴訟関係人は、証人を尋問するに当たつては、できる限り個別的かつ具体的で簡潔な尋問によらなければならない。

②　訴訟関係人は、次に掲げる尋問をしてはならない。ただし、第二号から第四号までの尋問については、正当な理由がある場合は、この限りでない。

一　威嚇的又は侮辱的な尋問
二　すでにした尋問と重複する尋問
三　意見を求め又は議論にわたる尋問
四　証人が直接経験しなかつた事実についての尋問

（関連性の明示・法第二百九十五条）

第一九九条の一四①　訴訟関係人は、立証すべき事項又は主尋問若しくは反対尋問に現れた事項に関連する事項について尋問する場合には、その関連性が明らかになるような尋問をすることその他の方法により、裁判所にその関連性を明らかにしなければならない。

②　証人の観察、記憶若しくは表現の正確性その他の証言の信用性に関連する事項又は証人の利害関係、偏見、予断その他の証人の信用性に関連する事項について尋問する場合も、前項と同様とする。

（陪席裁判官の尋問・法第三百四条）

第二〇〇条　陪席の裁判官は、証人、鑑定人、通訳人又は翻訳人を尋問するには、あらかじめ、その旨を裁判長に告げなければならない。

（裁判長の尋問・法第三百四条）

第二〇一条①　裁判長は、必要と認めるときは、何時でも訴訟関係人の証人、鑑定人、通訳人又は翻訳人に対する尋問を中止させ、自らその事項について尋問することができる。

②　前項の規定は、訴訟関係人が法第二百九十五条の制限の下において証人その他前項に規定する者を充分に尋問することができる権利を否定するものと解釈してはならない。

（傍聴人の退廷）

第二〇二条　裁判長は、被告人、証人、鑑定人、通訳人又は翻訳人が特定の傍聴人の面前（証人については、法第百五十七条の五第二項に規定する措置を採る場合並びに法第百五十七条の六第一項及び第二項に規定する方法による場合を含む。）で充分な供述をすることができないと思料するときは、その供述をする間、その傍聴人を退廷させることができる。

（訴訟関係人の尋問の機会・法第三百四条）

第二〇三条　裁判長は、証人、鑑定人、通訳人又は翻訳人の尋問をする場合には、訴訟関係人に対し、これらの者を尋問する機会を与えなければならない。

（証拠書類等の取調の方法・法第三百五条等）

第二〇三条の二①　裁判長は、訴訟関係人の意見を聴き、相当と認めるときは、請求により証拠書類又は証拠物中書面の意義が証拠となるものの取調をするについての朗読に代えて、その取調を請求した者、陪席の裁判官若しくは裁判所書記官にその要旨を告げさせ、又は自らこれを告げることができる。

②　裁判長は、訴訟関係人の意見を聴き、相当と認めるときは、職権で証拠書類又は証拠物中書面の意義が証拠となるものの取調をするについての朗読に代えて、自らその要旨を告げ、又は陪席の裁判官若しくは裁判所書記官にこれを告げさせることができる。

（簡易公判手続による場合の特例・法第三百七条の二）

第二〇三条の三　簡易公判手続によつて審判をする旨の決定があつた事件については、第百九十八条、第百九十九条及び前条の規定は、適用しない。

（証拠の証明力を争う機会・法第三百八条）

第二〇四条　裁判長は、裁判所が適当と認める機会に検察官及び被告人又は弁護人に対し、反証の取調の請求その他の方法により証拠の証明力を争うことができる旨を告げなければならない。

（異議申立の事由・法第三百九条）

第二〇五条①　法第三百九条第一項の異議の申立は、法令の違反があること又は相当でないことを理由としてこれをすることができる。但し、証拠調に関する決定に対しては、相当でないことを理由としてこれをすることはできない。

②　法第三百九条第二項の異議の申立は、法令の違反があることを理由とする場合に限りこれをすることができる。

（異議申立の方式、時期・法第三百九条）

第二〇五条の二　異議の申立は、個々の行為、処分又は決定ごとに、簡潔にその理由を示して、直ちにしなければならない。

（異議申立に対する決定の時期・法第三百九条）

第二〇五条の三　異議の申立については、遅滞なく決定をしなければならない。

（異議申立が不適法な場合の決定・法第三百九条）

第二〇五条の四　時機に遅れてされた異議の申立、訴訟を遅延させる目的のみでされたことの明らかな異議の申立、その他不適法な異議の申立は、決定で却下しなければならない。但し、時機に遅れてされた異議の申立については、その申し立てた事項が重要であつてこれに対する判断を示すことが相当であると認めるときは、時機に遅れたことを理由としてこれを却下してはならない。

（異議申立が理由のない場合の決定・法第三百九条）

第二〇五条の五　異議の申立を理由がないと認めるときは、決定で棄却しなければならない。

（異議申立が理由のある場合の決定・法第三百九条）

第二〇五条の六①　異議の申立を理由があると認めるときは、異議を申し立てられた行為の中止、撤回、取消又は変更を命ずる等その申立に対応する決定をしなければならない。

②　取り調べた証拠が証拠とすることができないものであることを理由とする異議の申立を理由があると認めるときは、その証拠の全部又は一部を排除する決定をしなければならない。

（重ねて異議を申し立てることの禁止・法第三百九条）

第二〇六条　異議の申立について決定があつたときは、その決定で判断された事項については、重ねて異議を申し立てることはできない。

（職権による排除決定）

第二〇七条　裁判所は、取り調べた証拠が証拠とすることができないものであることが判明したときは、職権でその証拠の全部又は一部を排除する決定をすることができる。

（閲覧の対象から除外することに弁護人に異議がなかつた部分の通知等）

第二〇七条の二①　裁判所は、法第二百七十一条の二第二項の規定による起訴状抄本等の提出があつた事件又は法第三百十二条の二第二項の規定による訴因変更等請求書面抄本等の提出があつた事件について、弁護人が法第四十条第一項の規定により訴訟に関する書類若しくは証拠物を閲覧し若しくは謄写する場合又は弁護人若しくは被告人その他訴訟関係人（検察官を除く。第四項第二号において同じ。）から法第四十六条の規定による請求があつた場合において、必要があると認めるときは、検察官に対し、法第三百十条の規定により裁判所に提出された証拠書類又は証拠物に記載され又は記録されている個人特定事項（起訴状に記載された個人特定事項のうち起訴状抄本等に記載がないもの及び訴因変更等請求書面に記載された個人特定事項のうち訴因変更等請求書面抄本等に記載がないものを除く。）であつて、法第二百七十一条の二第四項の規定による措置に係る者のもの又は法第三百十二条の二第四項の規定による措置に係る者のもののうち、法第二百九十九条第一項本文の規定により検察官が弁護人に事前に閲覧する機会を与えるに当たり、閲覧の対象から除外することについて弁護人に異議がなかつたもの（以下この条において「非開示個人特定事項」という。）又は弁護人から被告人に知らせないことについて弁護人に異議がなかつたもの（以下この条において「条件付き開示個人特定事項」という。）の有無及びこれらの個人特定事項がある場合にはその内容を通知するよう求めることができる。

②　検察官は、前項の規定による求めがあつた場合には、裁判所に対し、非開示個人特定事項及び条件付き開示個人特定事項の有無並びにこれらの個人特定事項がある場合にはその内容を通知するものとする。ただし、同項の規定による求めの前に、同項の証拠書類若しくは証拠物の抄本であつて非開示個人特定事項の記載若しくは記録がないもの又は非開示個人特定事項若しくは条件付き開示個人特定事項を特定したものを提出しているときは、この限りでない。

③　検察官は、第一項の証拠書類又は証拠物の抄本であつて非開示個人特定事項の記載又は記録がないものを提出することによつて、前項本文の通知に代えることができる。

④　裁判所は、次の各号に掲げる場合には、それにより被告人の防御に実質的な不利益を生ずるおそれがあるときを除き、当該各号に定める措置をとることができる。ただし、第一号に定める措置については同号の弁護人に、第二号に定める措置については同号の請求をした者に異議がないときに限り、とることができる。

一　弁護人が法第四十条第一項の規定により訴訟に関する書類又は証拠物を閲覧し又は謄写する場合であつて、非開示個人特定事項があるとき　訴訟に関する書類若しくは証拠物の抄本であつて非開示個人特定事項の記載若しくは記録がないもの又は第二項ただし書若しくは前項の証拠書類若しくは証拠物の抄本であつて非開示個人特定事項の記載若しくは記録がないものを閲覧又は謄写させる方法により、当該請求に係る閲覧又は謄写に代えること。

二　弁護人又は被告人その他訴訟関係人から法第四十六条の規定による請求があつた場合であつて、非開示個人特定事項があるとき　裁判書又は裁判を記載した調書の抄本であつて非開示個人特定事項の記載がないものを交付すること。

三　弁護人が法第四十条第一項の規定により訴訟に関する書類若しくは証拠物を閲覧し若しくは謄写する場合又は弁護人から法第四十六条の規定による請求があつた場合であつて、条件付き開示個人特定事項があるとき　弁護人が訴訟に関する書類若しくは証拠物を閲覧し若しくは謄写するに当たり又は弁護人に裁判書若しくは裁判を記載した調書の謄本若しくは抄本を交付するに当たり、これらに記載又は記録された条件付き開示個人特定事項を被告人に知らせてはならない旨の条件を付すること。

（釈明等）

第二〇八条①　裁判長は、必要と認めるときは、訴訟関係人に対し、釈明を求め、又は立証を促すことができる。

②　陪席の裁判官は、裁判長に告げて、前項に規定する処置をすることができる。

③　訴訟関係人は、裁判長に対し、釈明のための発問を求めることができる。

（訴因変更等請求書面の朗読・法第三百十二条等）

第二〇九条①　検察官は、法第三百十二条第五項又は第三百十二条の二第三項の規定による送達があつた後、遅滞なく公判期日において訴因変更等請求書面を朗読しなければならない。

②　法第二百九十条の二第一項又は第三項の決定があつたときは、前項の規定による訴因変更等請求書面の朗読は、被害者特定事項を明らかにしない方法でこれを行うものとする。この場合においては、検察官は、被告人に訴因変更等請求書面を示さなければならない。

③　法第二百九十条の三第一項の決定があつた場合における第一項の規定による訴因変更等請求書面の朗読についても、前項と同様とする。この場合において、同項中「被害者特定事項」とあるのは「証人等特定事項」とする。

④　法第三百十二条の二第三項の規定による措置がとられた場合においては、第二項後段（前項後段の規定により第二項後段と同様とすることとされる場合を含む。以下この項において同じ。）の規定は、当該措置に係る個人特定事項の全部又は一部について法第三百十二条の二第四項において読み替えて準用する法第二百七十一条の五第一項の決定があつた場合に限り、適用する。この場合において、第二項後段中「訴因変更等請求書面」とあるのは、「法第三百十二条の二第三項の規定による措置に係る個人特定事項の全部について同条第四項において読み替えて準用する法第二百七十一条の五第一項の決定があつた場合にあつては訴因変更等請求書面を、法第三百十二条の二第三項の規定による措置に係る個人特定事項の一部について当該決定があつた場合にあつては訴因変更等請求書面抄本等及び同条第四項において準用する法第二百七十一条の五第四項に規定する書面」とする。

（訴因変更等請求書面の記載要件等・法第三百十二条の二）

第二〇九条の二①　法第三百十二条の二第二項の規定により訴因変更等請求書面抄本等を提出する場合には、訴因変更等請求書面に、同条第一項の規定による求めに係る者がそれぞれ法第二百七十一条の二第一項第一号イ、ロ若しくはハ(1)若しくは(2)又は第二号イ若しくはロのいずれに該当するかの別を記載しなければならない。

②　前項に規定する場合には、第百六十五条の二第一項及び第二項の規定を準用する。

③　法第三百十二条の二第四項において準用する法第二百七十一

条の三第三項又は第二百七十一条の四第四項の規定により訴因変更等請求書面抄本等を提出する場合には、第百六十五条の二第三項及び第四項の規定を準用する。

（弁論の分離・法第三百十三条）

第二一〇条　裁判所は、被告人の防禦が互に相反する等の事由があつて被告人の権利を保護するため必要があると認めるときは、検察官、被告人若しくは弁護人の請求により又は職権で、決定を以て、弁論を分離しなければならない。

（意見陳述の申出がされた旨の通知の方式・法第二百九十二条の二）

第二一〇条の二　法第二百九十二条の二第二項後段に規定する通知は、書面でしなければならない。ただし、やむを得ない事情があるときは、この限りでない。

（意見陳述が行われる公判期日の通知）

第二一〇条の三①　裁判所は、法第二百九十二条の二第一項の規定により意見の陳述をさせる公判期日を、その陳述の申出をした者に通知しなければならない。

②　裁判所は、前項の通知をしたときは、当該公判期日において前項に規定する者に法第二百九十二条の二第一項の規定による意見の陳述をさせる旨を、訴訟関係人に通知しなければならない。

（意見陳述の時間）

第二一〇条の四　裁判長は、法第二百九十二条の二第一項の規定による意見の陳述に充てることのできる時間を定めることができる。

（意見の陳述に代わる措置等の決定の告知）

第二一〇条の五　法第二百九十二条の二第七項の決定は、公判期日前にする場合においても、送達することを要しない。この場合においては、速やかに、同項の決定の内容を、法第二百九十二条の二第一項の規定による意見の陳述の申出をした者及び訴訟関係人に通知しなければならない。

（意見を記載した書面が提出されたことの通知）

第二一〇条の六　裁判所は、法第二百九十二条の二第七項の規定により意見を記載した書面が提出されたときは、速やかに、その旨を検察官及び被告人又は弁護人に通知しなければならない。

（準用規定）

第二一〇条の七①　法第二百九十二条の二の規定による意見の陳述については、第百十五条及び第百二十五条の規定を準用する。

②　法第二百九十二条の二第六項において準用する法第百五十七条の四に規定する措置を採る旨の決定については、第百七条の二の規定を準用する。法第二百九十二条の二第六項において準用する法第百五十七条の五に規定する措置を採る旨の決定並びに法第二百九十二条の二第六項において準用する法第百五十七条の六第一項及び第二項に規定する方法により意見の陳述を行う旨の決定についても同様とする。

③　法第二百九十二条の二第六項において準用する法第百五十七条の六第二項に規定する方法による意見の陳述については、第百七条の三の規定を準用する。

（最終陳述・法第二百九十三条）

第二一一条　被告人又は弁護人には、最終に陳述する機会を与えなければならない。

（弁論の時期）

第二一一条の二　検察官、被告人又は弁護人は、証拠調べの後に意見を陳述するに当たつては、証拠調べ後できる限り速やかに、これを行わなければならない。

（弁論の方法）

第二一一条の三　検察官、被告人又は弁護人は、証拠調べの後に意見を陳述するに当たり、争いのある事実については、その意見と証拠との関係を具体的に明示して行わなければならない。

（弁論時間の制限）

第二一二条　裁判長は、必要と認めるときは、検察官、被告人又は弁護人の本質的な権利を害しない限り、これらの者が証拠調の後にする意見を陳述する時間を制限することができる。

（公判手続の更新）

第二一三条①　開廷後被告人の心神喪失により公判手続を停止した場合には、公判手続を更新しなければならない。

②　開廷後長期間にわたり開廷しなかつた場合において必要があると認めるときは、公判手続を更新することができる。

（更新の手続）

第二一三条の二　公判手続を更新するには、次の例による。

一　裁判長は、まず、検察官に起訴状（起訴状訂正書又は訴因変更等請求書面を含む。）に基づいて公訴事実の要旨を陳述させなければならない。ただし、被告人及び弁護人に異議がないときは、その陳述の全部又は一部をさせないことができる。

二　裁判長は、前号の手続が終わつた後、被告人及び弁護人に対し、被告事件について陳述する機会を与えなければならない。

三　更新前の公判期日における被告人若しくは被告人以外の者の供述を録取した書面又は更新前の公判期日における裁判所の検証の結果を記載した書面並びに更新前の公判期日において取り調べた書面又は物については、職権で証拠書類又は証拠物として取り調べなければならない。ただし、裁判所は、証拠とすることができないと認める書面又は物及び証拠とするのを相当でないと認めかつ訴訟関係人が取り調べないことに異議のない書面又は物については、これを取り調べない旨の決定をしなければならない。

四　裁判長は、前号本文に掲げる書面又は物を取り調べる場合において訴訟関係人が同意したときは、その全部若しくは一部を朗読し又は示すことに代えて、相当と認める方法でこれを取り調べることができる。

五　裁判長は、取り調べた各個の証拠について訴訟関係人の意見及び弁解を聴かなければならない。

（弁論の再開請求の却下決定の送達）

第二一四条　終結した弁論の再開の請求を却下する決定は、これを送達することを要しない。

（公判廷の写真撮影等の制限）

第二一五条　公判廷における写真の撮影、録音又は放送は、裁判所の許可を得なければ、これをすることができない。但し、特別の定のある場合は、この限りでない。

（判決宣告期日の告知・法第二百八十四条等）

第二一六条①　法第二百八十四条又は第二百八十五条に掲げる事件について判決の宣告のみをすべき公判期日の召喚状には、その公判期日に判決を宣告する旨をも記載しなければならない。

②　前項の事件について、同項の公判期日を刑事施設職員に通知して召喚する場合には、その公判期日に判決の宣告をする旨をも通知しなければならない。この場合には、刑事施設職員は、被告人に対し、その旨をも通知しなければならない。

（破棄後の手続）

第二一七条　事件が上訴裁判所から差し戻され、又は移送された場合には、次の例による。

一　第一回の公判期日までの勾留に関する処分は、裁判所がこれを行う。

二　第百八十八条ただし書の規定は、これを適用しない。

三　証拠保全の請求又は法第二百二十六条若しくは第二百二十七条の証人尋問の請求は、これをすることができない。

第二節　争点及び証拠の整理手続

第一款　公判前整理手続

第一目　通則

（審理予定の策定・法第三百十六条の二等）

第二一七条の二①　裁判所は、公判前整理手続においては、充実した公判の審理を継続的、計画的かつ迅速に行うことができるように公判の審理予定を定めなければならない。

② 訴訟関係人は、法及びこの規則に定める義務を履行することにより、前項の審理予定の策定に協力しなければならない。

（公判前整理手続に付する旨の決定等についての意見の聴取・法第三百十六条の二）

第二一七条の三 法第三百十六条の二第一項の決定又は同項の請求を却下する決定をするについては、あらかじめ、職権でこれをする場合には、検察官及び被告人又は弁護人の意見を、請求によりこれをする場合には、相手方又はその弁護人の意見を聴かなければならない。

（公判前整理手続に付する旨の決定等の送達・法第三百十六条の二）

第二一七条の四 法第三百十六条の二第一項の決定及び同項の請求を却下する決定は、これを送達することを要しない。

（弁護人を必要とする旨の通知・法第三百十六条の四等）

第二一七条の五 裁判所は、事件を公判前整理手続に付したときは、遅滞なく、被告人に対し、弁護人がなければ公判前整理手続を行うことができない旨のほか、当該事件が第百七十七条に規定する事件以外の事件である場合には、弁護人がなければ開廷することができない旨をも知らせなければならない。ただし、被告人に弁護人があるときは、この限りでない。

（公判前整理手続期日の指定・法第三百十六条の六）

第二一七条の六 公判前整理手続期日を定めるについては、その期日前に訴訟関係人がすべき準備を考慮しなければならない。

（公判前整理手続期日の変更の請求・法第三百十六条の六）

第二一七条の七① 訴訟関係人は、公判前整理手続期日の変更を必要とする事由が生じたときは、直ちに、裁判長に対し、その事由及びそれが継続する見込みの期間を具体的に明らかにして、期日の変更を請求しなければならない。

② 裁判長は、前項の事由をやむを得ないものと認める場合のほか、同項の請求を却下しなければならない。

（公判前整理手続期日の変更についての意見の聴取・法第三百十六条の六）

第二一七条の八 公判前整理手続期日を変更するについては、あらかじめ、職権でこれをする場合には、検察官及び被告人又は弁護人の意見を、請求によりこれをする場合には、相手方又はその弁護人の意見を聴かなければならない。

（公判前整理手続期日の変更に関する命令の送達・法第三百十六条の六）

第二一七条の九 公判前整理手続期日の変更に関する命令は、これを送達することを要しない。

（公判前整理手続期日の不変更・法第三百十六条の六）

第二一七条の一〇 裁判長は、やむを得ないと認める場合のほか、公判前整理手続期日を変更することができない。

（被告人の公判前整理手続期日への出頭についての通知・法第三百十六条の九）

第二一七条の一一 裁判所は、被告人に対し公判前整理手続期日に出頭することを求めたときは、速やかに、その旨を検察官及び弁護人に通知しなければならない。

（公判前整理手続を受命裁判官にさせる旨の決定の送達・法第三百十六条の十一）

第二一七条の一二 合議体の構成員に命じて公判前整理手続をさせる旨の決定は、これを送達することを要しない。

（公判前整理手続期日における決定等の告知）

第二一七条の一三 公判前整理手続期日においてした決定又は命令は、これに立ち会つた訴訟関係人には送達又は通知することを要しない。

（決定の告知・法第三百十六条の五）

第二一七条の一四 公判前整理手続において法第三百十六条の五第三号又は第八号から第十号までの決定をした場合には、その旨を検察官及び被告人又は弁護人に通知しなければならない。

（公判前整理手続調書の記載要件・法第三百十六条の十二）

第二一七条の一五① 公判前整理手続調書には、次に掲げる事項を記載しなければならない。

一 被告事件名及び被告人の氏名
二 公判前整理手続をした裁判所又は受命裁判官、年月日及び場所
三 裁判官及び裁判所書記官の官氏名
四 出頭した検察官の官氏名
五 出頭した被告人、弁護人、代理人及び補佐人の氏名
六 出頭した通訳人の氏名
七 通訳人の尋問及び供述
八 証明予定事実その他の公判期日においてすることを予定している事実上及び法律上の主張
九 証拠調べの請求その他の申立て
十 証拠と証明すべき事実との関係（証拠の標目自体によつて明らかである場合を除く。）
十一 取調べを請求する証拠が法第三百二十八条の証拠であるときは、その旨
十二 法第三百九条の異議の申立て及びその理由
十三 法第三百二十六条の同意
十四 訴因又は罰条の追加、撤回又は変更に関する事項（起訴状の訂正に関する事項を含む。）
十五 法第二百七十一条の五第一項又は第二項（これらの規定を法第三百十二条の二第四項において準用する場合を含む。）の請求に関する事項
十六 証拠開示に関する裁定に関する事項
十七 法第三百十六条の二十三第三項において準用する法第二百九十九条の五第一項又は第二項の規定による裁定に関する事項
十八 決定及び命令。ただし、次に掲げるものを除く。
イ 証拠調べの順序及び方法を定める決定（法第百五十七条の二第一項の請求に対する決定を除く。）（法第三百十六条の五第九号）
ロ 主任弁護人及び副主任弁護人以外の弁護人の申立て、請求、質問等の許可（第二十五条）
ハ 証拠決定についての提示命令（第百九十二条）
十九 事件の争点及び証拠の整理の結果を確認した旨並びにその内容

② 前項に掲げる事項以外の事項であつても、公判前整理手続期日における手続中、裁判長又は受命裁判官が訴訟関係人の請求により又は職権で記載を命じた事項は、これを公判前整理手続調書に記載しなければならない。

（公判前整理手続調書の署名押印、認印・法第三百十六条の十二）

第二一七条の一六① 公判前整理手続調書には、裁判所書記官が署名押印し、裁判長又は受命裁判官が認印しなければならない。

② 裁判長に差し支えがあるときは、他の裁判官の一人が、その事由を付記して認印しなければならない。

③ 地方裁判所の一人の裁判官、簡易裁判所の裁判官又は受命裁判官に差し支えがあるときは、裁判所書記官が、その事由を付記して署名押印しなければならない。

④ 裁判所書記官に差し支えがあるときは、裁判長又は受命裁判官が、その事由を付記して認印しなければならない。

（公判前整理手続調書の整理・法第三百十六条の十二）

第二一七条の一七 公判前整理手続調書は、各公判前整理手続期日後速やかに、遅くとも第一回公判期日までにこれを整理しなければならない。

（公判前整理手続調書の記載に対する異議申立て等・法第三百十六条の十二）

第二一七条の一八 公判前整理手続調書については、法第五十一条第一項及び第二項本文並びに第五十二条並びにこの規則第四十八条の規定を準用する。この場合において、法第五十二条中「公判期日における訴訟手続」とあるのは「公判前整理手続期日における手続」と、第四十八条中「裁判長」とあるのは「裁

判長又は受命裁判官」と読み替えるものとする。

（公判前整理手続に付された場合の特例・法第三百十六条の二）

第二一七条の一九　法第三百十六条の二第一項の決定があつた事件については、第百七十八条の六第一項並びに第二項第二号及び第三号、第百七十八条の七、第百七十八条の十四並びに第百九十三条の規定は、適用しない。

第二目　争点及び証拠の整理

（証明予定事実等の明示方法・法第三百十六条の十三等）

第二一七条の二〇①検察官は、法第三百十六条の十三第一項又は第三百十六条の二十一第一項に規定する書面に証明予定事実を記載するについては、事件の争点及び証拠の整理に必要な事項を具体的かつ簡潔に明示しなければならない。

②被告人又は弁護人は、法第三百十六条の十七第一項又は第三百十六条の二十二第一項の規定により証明予定事実その他の公判期日においてすることを予定している事実上及び法律上の主張を明らかにするについては、事件の争点及び証拠の整理に必要な事項を具体的かつ簡潔に明示しなければならない。

（証明予定事実の明示における留意事項・法第三百十六条の十三等）

第二一七条の二一　検察官及び被告人又は弁護人は、証明予定事実を明らかにするに当たつては、事実とこれを証明するために用いる主要な証拠との関係を具体的に明示することその他の適当な方法によつて、事件の争点及び証拠の整理が円滑に行われるように努めなければならない。

（期限の告知・法第三百十六条の十三等）

第二一七条の二二　公判前整理手続において、法第三百十六条の十三第四項、第三百十六条の十六第二項（法第三百十六条の二十一第四項において準用する場合を含む。）、第三百十六条の十七第三項、第三百十六条の十九第二項（法第三百十六条の二十二第四項において準用する場合を含む。）、第三百十六条の二十一第三項又は第三百十六条の二十二第三項に規定する期限を定めた場合には、これを検察官及び被告人又は弁護人に通知しなければならない。

（期限の厳守・法第三百十六条の十三等）

第二一七条の二三　訴訟関係人は、前条に規定する期限が定められた場合には、これを厳守し、事件の争点及び証拠の整理に支障を来さないようにしなければならない。

（期限を守らない場合の措置・法第三百十六条の十六等）

第二一七条の二四　裁判所は、公判前整理手続において法第三百十六条の十六第二項（法第三百十六条の二十一第四項において準用する場合を含む。）、第三百十六条の十七第三項、第三百十六条の十九第二項（法第三百十六条の二十二第四項において準用する場合を含む。）、第三百十六条の二十一第三項又は第三百十六条の二十二第三項に規定する期限を定めた場合において、当該期限までに、意見若しくは主張が明らかにされず、又は証拠調べの請求がされない場合においても、公判の審理を開始するのを相当と認めるときは、公判前整理手続を終了することができる。

（証人等の氏名及び住居の開示に関する措置に係る準用規定・法第三百十六条の二十三）

第二一七条の二五　第百七十八条の七第二項及び第百七十八条の八から第百七十八条の十二までの規定は、検察官が法第三百十六条の二十三第二項において準用する法第二百九十九条の四第一項から第十項までの規定による措置をとつた場合について準用する。この場合において、第百七十八条の九第三項中「公判期日」とあるのは「公判前整理手続期日」と読み替えるものとする。

第三目　証拠開示に関する裁定

（証拠不開示の理由の告知・法第三百十六条の十五等）

第二一七条の二六　検察官は、法第三百十六条の十五第一項若しくは第二項（法第三百十六条の二十一第四項において準用する場合を含む。）又は第三百十六条の二十第一項（法第三百十六条の二十二第五項において準用する場合を含む。）の規定により被告人又は弁護人から開示の請求があつた証拠について、これを開示しない場合には、被告人又は弁護人に対し、開示しない理由を告げなければならない。

（証拠開示に関する裁定の請求の方式・法第三百十六条の二十五等）

第二一七条の二七①法第三百十六条の二十五第一項又は第三百十六条の二十六第一項の規定による証拠開示に関する裁定の請求は、書面を差し出してこれをしなければならない。

②前項の請求をした者は、速やかに、同項の書面の謄本を相手方又はその弁護人に送付しなければならない。

③裁判所は、第一項の規定にかかわらず、公判前整理手続期日においては、同項の請求を口頭ですることを許すことができる。

（証拠標目一覧表の記載事項・法第三百十六条の二十七）

第二一七条の二八　法第三百十六条の二十七第二項の一覧表には、証拠ごとに、その種類、供述者又は作成者及び作成年月日のほか、同条第一項の規定により証拠の提示を命ずるかどうかの判断のために必要と認める事項を記載しなければならない。

第二款　期日間整理手続

（準用規定）

第二一七条の二九　期日間整理手続については、前款（第二百十七条の十九を除く。）の規定を準用する。この場合において、これらの規定（見出しを含む。）中「公判前整理手続期日」とあるのは「期日間整理手続期日」と、「公判前整理手続調書」とあるのは「期日間整理手続調書」と読み替えるほか、第二百十七条の二から第二百十七条の四までの見出し中「第三百十六条の二」とあるのは「第三百十六条の二十八」と、第二百十七条の三及び第二百十七条の四中「第三百十六条の二第一項」とあるのは「第三百十六条の二十八第一項」と、第二百十七条の五から第二百十七条の十二までの見出し、第二百十七条の十四（見出しを含む。）、第二百十七条の十五から第二百十七条の十八までの見出し、第二百十七条の二十、第二百十七条の二十一の見出し、第二百十七条の二十二（見出しを含む。）、第二百十七条の二十三の見出し、第二百十七条の二十四（見出しを含む。）、第二百十七条の二十五の見出し、第二百十七条の二十六（見出しを含む。）、第二百十七条の二十七の見出し及び同条第一項並びに前条（見出しを含む。）中「法」とあるのは「法第三百十六条の二十八第二項において準用する法」と、第二百十七条の十五第一項第十七号中「第三百十六条の二十三第三項」とあるのは「第三百十六条の二十八第二項において準用する法第三百十六条の二十三第三項」と、同項第十八号イ中「第百五十七条の二第一項」とあるのは「第百五十七条の二第一項又は第百五十七条の三第一項」と、「第三百十六条の五第九号」とあるのは「第三百十六条の二十八第二項において準用する法第三百十六条の五第九号」と、第二百十七条の十七中「第一回公判期日」とあるのは「期日間整理手続終了後の最初の公判期日」と、第二百十七条の二十の見出し中「第三百十六条の十三」とあるのは「第三百十六条の二十八第二項において準用する法第三百十六条の十三」と、同条第二項中「第三百十六条の十七第一項」とあるのは「第三百十六条の二十八第二項において準用する法第三百十六条の十七第一項」と、第二百十七条の二十五中「第三百十六条の二十三第二項」とあるのは「第三百十六条の二十八第二項において準用する法第三百十六条の二十三第二項」と読み替えるものとする。

第三款　公判手続の特例

（審理予定に従つた公判の審理の進行）

第二一七条の三〇①裁判所は、公判前整理手続又は期日間整理手続に付された事件については、公判の審理を当該公判前整理手続又は期日間整理手続において定められた予定に従つて進行させるように努めなければならない。

② 訴訟関係人は、公判の審理が公判前整理手続又は期日間整理手続において定められた予定に従つて進行するよう、裁判所に協力しなければならない。

（公判前整理手続等の結果を明らかにする手続・法第三百十六条の三十一）

第二一七条の三一① 公判前整理手続又は期日間整理手続に付された事件について、当該公判前整理手続又は期日間整理手続の結果を明らかにするには、公判前整理手続調書若しくは期日間整理手続調書を朗読し、又はその要旨を告げなければならない。法第三百十六条の二第三項（法第三百十六条の二十八第二項において準用する場合を含む。）に規定する書面についても、同様とする。

② 裁判所は、前項の規定により公判前整理手続又は期日間整理手続の結果を明らかにする場合には、裁判所書記官に命じて行わせることができる。

③ 法第二百九十条の二第一項又は第三項の決定があつたときは、前二項の規定による公判前整理手続調書又は期日間整理手続調書の朗読又は要旨の告知は、被害者特定事項を明らかにしない方法でこれを行うものとする。法第三百十六条の二第三項（法第三百十六条の二十八第二項において準用する場合を含む。）に規定する書面についても、同様とする。

④ 法第二百九十条の三第一項の決定があつた場合における第一項又は第二項の規定による公判前整理手続調書又は期日間整理手続調書の朗読又は要旨の告知は、証人等特定事項を明らかにしない方法でこれを行うものとする。法第三百十六条の二第三項（法第三百十六条の二十八第二項において準用する場合を含む。）に規定する書面についても、同様とする。

（やむを得ない事由の疎明・法第三百十六条の三十二）

第二一七条の三二 公判前整理手続又は期日間整理手続に付された事件について、公判前整理手続又は期日間整理手続において請求しなかつた証拠の取調べを請求するには、やむを得ない事由によつてその証拠の取調べを請求することができなかつたことを疎明しなければならない。

（やむを得ない事由により請求することができなかつた証拠の取調べの請求・法第三百十六条の三十二）

第二一七条の三三 公判前整理手続又は期日間整理手続に付された事件について、やむを得ない事由により公判前整理手続又は期日間整理手続において請求することができなかつた証拠の取調べを請求するときは、その事由がやんだ後、できる限り速やかに、これを行わなければならない。

第三節　被害者参加

（被害者参加の申出がされた旨の通知の方式・法第三百十六条の三十三）

第二一七条の三四 法第三百十六条の三十三第二項後段の規定による通知は、書面でしなければならない。ただし、やむを得ない事情があるときは、この限りでない。

（委託の届出等・法第三百十六条の三十四等）

第二一七条の三五① 法第三百十六条の三十四及び第三百十六条の三十六から第三百十六条の三十八までに規定する行為を弁護士に委託した被害者参加人は、当該行為を当該弁護士に行わせるに当たり、あらかじめ、委託した旨を当該弁護士と連署した書面で裁判所に届け出なければならない。

② 前項の規定による届出は、審級ごとにしなければならない。

③ 第一項の書面に委託した行為を特定する記載がないときは、法第三百十六条の三十四及び第三百十六条の三十六から第三百十六条の三十八までに規定するすべての行為を委託したものとみなす。

④ 第一項の規定による届出は、弁論が併合された事件であつて、当該被害者参加人が手続への参加を許されたものについてもその効力を有する。ただし、当該被害者参加人が、手続への参加を許された事件のうち当該届出の効力を及ぼさない旨の申述をしたものについては、この限りでない。

⑤ 第一項の規定による届出をした被害者参加人が委託の全部又は一部を取り消したときは、その旨を書面で裁判所に届け出なければならない。

（代表者選定の求めの記録化・法第三百十六条の三十四）

第二一七条の三六 法第三百十六条の三十四第三項（同条第五項において準用する場合を含む。次条において同じ。）の規定により公判期日又は公判準備に出席する代表者の選定を求めたときは、裁判所書記官は、これを記録上明らかにしなければならない。

（選定された代表者の通知・法第三百十六条の三十四）

第二一七条の三七 法第三百十六条の三十四第三項の規定により公判期日又は公判準備に出席する代表者に選定された者は、速やかに、その旨を裁判所に通知しなければならない。

（意見陳述の時期・法第三百十六条の三十八）

第二一七条の三八 法第三百十六条の三十八第一項の規定による意見の陳述は、法第二百九十三条第一項の規定による検察官の意見の陳述の後速やかに、これをしなければならない。

（意見陳述の時間・法第三百十六条の三十八）

第二一七条の三九 裁判長は、法第三百十六条の三十八第一項の規定による意見の陳述に充てることのできる時間を定めることができる。

（決定の告知・法第三百十六条の三十三等）

第二一七条の四〇① 裁判所は、法第三百十六条の三十三第一項の申出に対する決定又は同項の決定を取り消す決定をしたときは、速やかに、その旨を同項の申出をした者に通知しなければならない。

② 裁判所は、法第三百十六条の三十四第四項（同条第五項において準用する場合を含む。）の規定により公判期日又は公判準備への出席を許さない旨の決定をしたときは、速やかに、その旨を出席を許さないこととされた者に通知しなければならない。

③ 裁判所は、法第三百十六条の三十六第一項、第三百十六条の三十七第一項又は第三百十六条の三十八第一項の申出に対する決定をしたときは、速やかに、その旨を当該申出をした者に通知しなければならない。

④ 裁判所は、法第三百十六条の三十三第一項の申出に対する決定若しくは同項の決定を取り消す決定、法第三百十六条の三十四第四項の規定による公判期日又は公判準備への出席を許さない旨の決定、法第三百十六条の三十六第一項、第三百十六条の三十七第一項若しくは第三百十六条の三十八第一項の申出に対する決定、法第三百十六条の三十九第一項に規定する措置を採る旨の決定若しくは同項の決定を取り消す決定又は同条第四項若しくは第五項に規定する措置を採る旨の決定をしたときは、公判期日においてこれをした場合を除き、速やかに、その旨を訴訟関係人に通知しなければならない。

第四節　公判の裁判

（判決書への引用）

第二一八条 地方裁判所又は簡易裁判所においては、判決書には、起訴状に記載された公訴事実又は訴因変更等請求書面に記載された事実を引用することができる。

第二一八条の二 地方裁判所又は簡易裁判所においては、簡易公判手続又は即決裁判手続によつて審理をした事件の判決書には、公判調書に記載された証拠の標目を特定して引用することができる。

（調書判決）

第二一九条① 地方裁判所又は簡易裁判所においては、上訴の申立てがない場合には、裁判所書記官に判決主文並びに罪となるべき事実の要旨及び適用した罰条を判決の宣告をした公判期日の調書の末尾に記載させ、これをもつて判決書に代えることができる。ただし、判決宣告の日から十四日以内でかつ判決の確定前に判決書の謄本の請求があつたときは、この限りでない。

② 前項の記載については、判決をした裁判官が、裁判所書記官とともに署名押印しなければならない。

③ 前項の場合には、第四十六条第三項及び第四項並びに第五十五条後段の規定を準用する。

（**公訴棄却の決定の送達の特例・法第三百三十九条**）

第二一九条の二① 法第三百三十九条第一項第一号の規定による公訴棄却の決定は、被告人に送達することを要しない。

② 前項の決定をした場合において被告人に弁護人があるときは、弁護人にその旨を通知しなければならない。

（**上訴期間等の告知**）

第二二〇条 有罪の判決の宣告をする場合には、被告人に対し、上訴期間及び上訴申立書を差し出すべき裁判所を告知しなければならない。

（**保護観察の趣旨等の説示・法第三百三十三条**）

第二二〇条の二 保護観察に付する旨の判決の宣告をする場合には、裁判長は、被告人に対し、保護観察の趣旨その他必要と認める事項を説示しなければならない。

（**判決宣告後の訓戒**）

第二二一条 裁判長は、判決の宣告をした後、被告人に対し、その将来について適当な訓戒をすることができる。

（**判決の通知・法第二百八十四条**）

第二二二条 法第二百八十四条に掲げる事件について被告人の不出頭のまま判決の宣告をした場合には、直ちにその旨及び判決主文を被告人に通知しなければならない。但し、代理人又は弁護人が判決の宣告をした公判期日に出頭した場合は、この限りでない。

（**刑法第二十五条の二第一項の規定による保護観察の判決の通知等**）

第二二二条の二① 裁判所は、刑法（明治四十年法律第四十五号）第二十五条の二第一項の規定により保護観察に付する旨の判決の宣告をしたときは、速やかに、判決書の謄本若しくは抄本又は保護観察を受けるべき者の氏名、年齢、住居、罪名、判決の主文、犯罪事実の要旨及び宣告の年月日を記載した書面をその者の保護観察を担当すべき保護観察所の長に送付しなければならない。この場合において、裁判所は、その者が保護観察の期間中遵守すべき特別の事項に関する意見を記載した書面を添付しなければならない。

② 前項前段の書面には、同項後段に規定する意見以外の裁判所の意見その他保護観察の資料となるべき事項を記載した書面を添付することができる。

（**保護観察の成績の報告**）

第二二二条の三 保護観察に付する旨の判決をした裁判所は、保護観察の期間中、保護観察所の長に対し、保護観察を受けている者の成績について報告を求めることができる。

（**執行猶予取消請求の方式・法第三百四十九条**）

第二二二条の四 刑の執行猶予の言渡の取消の請求は、取消の事由を具体的に記載した書面でしなければならない。

（**資料の差出し・法第三百四十九条**）

第二二二条の五 刑の執行猶予の言渡しの取消しの請求をするには、取消しの事由があることを認めるべき資料を差し出さなければならない。その請求が刑法第二十六条の二第二号又は第二十七条の五第二号の規定による猶予の言渡しの取消しを求めるものであるときは、保護観察所の長の申出があつたことを認めるべき資料をも差し出さなければならない。

（**請求書の謄本の差出し、送達・法第三百四十九条等**）

第二二二条の六① 刑法第二十六条の二第二号又は第二十七条の五第二号の規定による猶予の言渡しの取消しを請求するときは、検察官は、請求と同時に請求書の謄本を裁判所に差し出さなければならない。

② 裁判所は、前項の謄本を受け取つたときは、遅滞なく、これを猶予の言渡を受けた者に送達しなければならない。

（**口頭弁論請求権の通知等・法第三百四十九条の二**）

第二二二条の七① 裁判所は、刑法第二十六条の二第二号又は第二十七条の五第二号の規定による猶予の言渡しの取消しの請求を受けたときは、遅滞なく、猶予の言渡しを受けた者に対し、口頭弁論を請求することができる旨及びこれを請求する場合には弁護人を選任することができる旨を知らせ、かつ、口頭弁論を請求するかどうかを確かめなければならない。

② 前項の規定により口頭弁論を請求するかどうかを確めるについては、猶予の言渡を受けた者に対し、一定の期間を定めて回答を求めることができる。

（**出頭命令・法第三百四十九条等**）

第二二二条の八 裁判所は、猶予の言渡の取消の請求を受けた場合において必要があると認めるときは、猶予の言渡を受けた者に出頭を命ずることができる。

（**口頭弁論・法第三百四十九条の二**）

第二二二条の九 法第三百四十九条の二第二項の規定による口頭弁論については、次の例による。

一 裁判長は、口頭弁論期日を定めなければならない。

二 口頭弁論期日には、猶予の言渡を受けた者に出頭を命じなければならない。

三 口頭弁論期日は、検察官及び弁護人に通知しなければならない。

四 裁判所は、検察官、猶予の言渡を受けた者若しくは弁護人の請求により、又は職権で、口頭弁論期日を変更することができる。

五 口頭弁論は、公開の法廷で行う。法廷は、裁判官及び裁判所書記官が列席し、かつ、検察官が出席して開く。

六 猶予の言渡を受けた者が期日に出頭しないときは、開廷することができない。但し、正当な理由がなく出頭しないときは、この限りでない。

七 猶予の言渡を受けた者の請求があるとき、又は公の秩序若しくは善良の風俗を害する虞があるときは、口頭弁論を公開しないことができる。

八 口頭弁論については、調書を作らなければならない。

（**準用規定・法第三百五十条**）

第二二二条の一〇 法第三百五十条の請求については、第二百二十二条の四、第二百二十二条の五前段及び第二百二十二条の八の規定を準用する。

第四章 即決裁判手続

第一節 即決裁判手続の申立て

（**書面の添付・法第三百五十条の十六**）

第二二二条の一一 即決裁判手続の申立書には、法第三百五十条の十六第三項に定める手続をしたことを明らかにする書面を添付しなければならない。

（**同意確認のための国選弁護人選任の請求・法第三百五十条の十七**）

第二二二条の一二 法第三百五十条の十七第一項の請求は、法第三百五十条の十六第三項の確認を求めた検察官が所属する検察庁の所在地を管轄する地方裁判所若しくは簡易裁判所の裁判官又はその地方裁判所の所在地（その支部の所在地を含む。）に在る簡易裁判所の裁判官にこれをしなければならない。

（**同意確認のための私選弁護人選任の申出・法第三百五十条の十七**）

第二二二条の一三 その資力（法第三十六条の二に規定する資力をいう。第二百八十条の三第一項において同じ。）が基準額（法第三十六条の三第一項に規定する基準額をいう。第二百八十条の三第一項において同じ。）以上である被疑者が法第三百五十条の十七第一項の請求をする場合においては、同条第二項において準用する法第三十七条の三第二項の規定により法第三十一条の二第一項の申出をすべき弁護士会は法第三百五十条の十六第三項の確認を求めた検察官が所属する検察庁の所在地を管轄する地方裁判所の管轄区域内に在る弁護士会とし、当該弁護士会が法第三百五十条の十七第二項において準用する法第三十七条の三第三項の規定により通知をすべき地方裁判所は当該検察庁の所在地を管轄する地方裁判所とする。

第二節　公判準備及び公判手続の特例

（即決裁判手続の申立ての却下）

第二二二条の一四① 裁判所は、即決裁判手続の申立てがあつた事件について、法第三百五十条の二十二各号のいずれかに該当する場合には、決定でその申立てを却下しなければならない。法第二百九十一条第五項の手続に際し、被告人が起訴状に記載された訴因について有罪である旨の陳述をしなかつた場合も、同様とする。

② 前項の決定は、これを送達することを要しない。

（即決裁判手続の申立てを却下する決定等をした場合の措置・法第三百五十条の二十二等）

第二二二条の一五① 即決裁判手続の申立てを却下する裁判書には、その理由が法第三百五十条の二十二第一号若しくは第二号に該当すること又は法第二百九十一条第五項の手続に際し、被告人が起訴状に記載された訴因について有罪である旨の陳述をしなかつたことであるときは、その旨を記載しなければならない。

② 法第三百五十条の二十二の決定を取り消す裁判書には、その理由が法第三百五十条の二十五第一項第一号、第二号又は第四号に該当すること（同号については、被告人が起訴状に記載された訴因について有罪である旨の陳述と相反するか又は実質的に異なつた供述をしたことにより同号に該当する場合に限る。）となつたことであるときは、その旨を記載しなければならない。

（弁護人選任に関する通知・法第三百五十条の二十三）

第二二二条の一六 裁判所は、死刑又は無期若しくは長期三年を超える懲役若しくは禁錮に当たる事件以外の事件について、即決裁判手続の申立てがあつたときは、第百七十七条の規定にかかわらず、遅滞なく、被告人に対し、弁護人を選任することができる旨及び貧困その他の事由により弁護人を選任することができないときは弁護人の選任を請求することができる旨のほか、弁護人がなければ法第三百五十条の二十二の手続を行う公判期日及び即決裁判手続による公判期日を開くことができない旨をも知らせなければならない。ただし、被告人に弁護人があるときは、この限りでない。

（弁護人のない事件の処置・法第三百五十条の二十三）

第二二二条の一七① 裁判所は、即決裁判手続の申立てがあつた場合において、被告人に弁護人がないときは、第百七十八条の規定にかかわらず、遅滞なく、被告人に対し、弁護人を選任するかどうかを確かめなければならない。

② 裁判所は、前項の処置をするについては、被告人に対し、一定の期間を定めて回答を求めなければならない。

③ 前項の期間内に回答がなく又は弁護人の選任がないときは、裁判長は、直ちに被告人のため弁護人を選任しなければならない。

（公判期日の指定・法第三百五十条の二十一）

第二二二条の一八 法第三百五十条の二十一の公判期日は、できる限り、公訴が提起された日から十四日以内の日を定めなければならない。

（即決裁判手続による場合の特例）

第二二二条の一九 即決裁判手続によつて審判をする旨の決定があつた事件については、第百九十八条、第百九十九条及び第二百三条の二の規定は、適用しない。

第二二二条の二〇① 即決裁判手続によつて審理し、即日判決の言渡しをした事件の公判調書については、判決の言渡しをした公判期日から二十一日以内にこれを整理すれば足りる。

② 前項の場合には、その公判調書の記載の正確性についての異議の申立期間との関係においては、その公判調書を整理すべき最終日にこれを整理したものとみなす。

第二二二条の二一① 即決裁判手続によつて審理し、即日判決の言渡しをした事件について、裁判長の許可があるときは、裁判所書記官は、第四十四条第一項第十九号及び第二十二号に掲げる記載事項の全部又は一部を省略することができる。ただし、控訴の申立てがあつた場合は、この限りでない。

② 検察官及び弁護人は、裁判長が前項の許可をする際に、意見を述べることができる。

第三編　上訴

第一章　通則

（上訴放棄の申立裁判所・法第三百五十九条等）

第二二三条 上訴放棄の申立は、原裁判所にしなければならない。

（上訴取下の申立裁判所・法第三百五十九条等）

第二二三条の二① 上訴取下の申立は、上訴裁判所にこれをしなければならない。

② 訴訟記録を上訴裁判所に送付する前に上訴の取下をする場合には、その申立書を原裁判所に差し出すことができる。

（上訴取下の申立の方式・法第三百五十九条等）

第二二四条 上訴取下の申立は、書面でこれをしなければならない。但し、公判廷においては、口頭でこれをすることができる。この場合には、その申立を調書に記載しなければならない。

（同意書の差出・法第三百六十条）

第二二四条の二 法第三百五十三条又は第三百五十四条に規定する者は、上訴の放棄又は取下をするときは、同時に、被告人のこれに同意する旨の書面を差し出さなければならない。

（上訴権回復請求の方式・法第三百六十三条）

第二二五条 上訴権回復の請求は、書面でこれをしなければならない。

（上訴権回復請求の理由の疎明・法第三百六十三条）

第二二六条 上訴権回復の理由となる事実は、これを疎明しなければならない。

（刑事施設に収容中の被告人の上訴・法第三百六十六条）

第二二七条① 刑事施設に収容されている被告人が上訴をするには、刑事施設の長又はその代理者を経由して上訴の申立書を差し出さなければならない。

② 刑事施設の長又はその代理者は、原裁判所に上訴の申立書を送付し、かつ、これを受け取つた年月日を通知しなければならない。

第二二八条 刑事施設に収容されている被告人が上訴の提起期間内に上訴の申立書を刑事施設の長又はその代理者に差し出したときは、上訴の提起期間内に上訴をしたものとみなす。

（刑事施設に収容中の被告人の上訴放棄等・法第三百六十七条等）

第二二九条 刑事施設に収容されている被告人が上訴の放棄若しくは取下げ又は上訴権回復の請求をする場合には、前二条の規定を準用する。

（上訴等の通知）

第二三〇条 上訴、上訴の放棄若しくは取下又は上訴権回復の請求があつたときは、裁判所書記官は、速やかにこれを相手方に通知しなければならない。

第二三一条から第二三四条まで　削除

第二章　控訴

（訴訟記録等の送付）

第二三五条 控訴の申立が明らかに控訴権の消滅後にされたものである場合を除いては、第一審裁判所は、公判調書の記載の正確性についての異議申立期間の経過後、速やかに訴訟記録及び証拠物を控訴裁判所に送付しなければならない。

（控訴趣意書の差出期間・法第三百七十六条）

第二三六条① 控訴裁判所は、訴訟記録の送付を受けたときは、速やかに控訴趣意書を差し出すべき最終日を指定してこれを控訴申立人に通知しなければならない。控訴申立人に弁護人があるときは、その通知は、弁護人にもこれをしなければならない。

② 前項の通知は、通知書を送達してこれをしなければならない。

③ 第一項の最終日は、控訴申立人に対する前項の送達があつた日の翌日から起算して二十一日目以後の日でなければならない。

④ 第二項の通知書の送達があつた場合において第一項の最終日の指定が前項の規定に違反しているときは、第一項の規定にかかわらず、控訴申立人に対する送達があつた日の翌日から起算して二十一日目の日を最終日とみなす。

（**訴訟記録到達の通知**）

第二三七条 控訴裁判所は、前条の通知をする場合には、同時に訴訟記録の送付があつた旨を検察官又は被告人で控訴申立人でない者に通知しなければならない。被告人に弁護人があるときは、その通知は、弁護人にもこれをしなければならない。

（**期間経過後の控訴趣意書**）

第二三八条 控訴裁判所は、控訴趣意書を差し出すべき期間経過後に控訴趣意書を受け取つた場合においても、その遅延がやむを得ない事情に基くものと認めるときは、これを期間内に差し出されたものとして審判をすることができる。

（**主任弁護人以外の弁護人の控訴趣意書・法第三十四条**）

第二三九条 控訴趣意書は、主任弁護人以外の弁護人もこれを差し出すことができる。

（**控訴趣意書の記載**）

第二四〇条 控訴趣意書には、控訴の理由を簡潔に明示しなければならない。

（**控訴趣意書の謄本**）

第二四一条 控訴趣意書には、相手方の数に応ずる謄本を添附しなければならない。

（**控訴趣意書の謄本の送達**）

第二四二条 控訴裁判所は、控訴趣意書を受け取つたときは、速やかにその謄本を相手方に送達しなければならない。

（**答弁書**）

第二四三条① 控訴の相手方は、控訴趣意書の謄本の送達を受けた日から七日以内に答弁書を控訴裁判所に差し出すことができる。

② 検察官が相手方であるときは、重要と認める控訴の理由について答弁書を差し出さなければならない。

③ 裁判所は、必要と認めるときは、控訴の相手方に対し、一定の期間を定めて、答弁書を差し出すべきことを命ずることができる。

④ 答弁書には、相手方の数に応ずる謄本を添附しなければならない。

⑤ 控訴裁判所は、答弁書を受け取つたときは、速やかにその謄本を控訴申立人に送達しなければならない。

（**被告人の移送**）

第二四四条① 被告人が刑事施設に収容されている場合において公判期日を指定すべきときは、控訴裁判所は、その旨を対応する検察庁の検察官に通知しなければならない。

② 検察官は、前項の通知を受けたときは、速やかに被告人を控訴裁判所の所在地の刑事施設に移さなければならない。

③ 被告人が控訴裁判所の所在地の刑事施設に移されたときは、検察官は、速やかに被告人の移された刑事施設を控訴裁判所に通知しなければならない。

（**受命裁判官の報告書**）

第二四五条① 裁判長は、合議体の構成員に控訴申立書、控訴趣意書及び答弁書を検閲して報告書を作らせることができる。

② 公判期日には、受命裁判官は、弁論前に、報告書を朗読しなければならない。

（**判決書の記載**）

第二四六条 判決書には、控訴の趣意及び重要な答弁について、その要旨を記載しなければならない。この場合において、適当と認めるときは、控訴趣意書又は答弁書に記載された事実を引用することができる。

（**最高裁判所への移送・法第四百六条**）

第二四七条 控訴裁判所は、憲法の違反があること又は憲法の解釈に誤があることのみを理由として控訴の申立をした事件について、相当と認めるときは、訴訟関係人の意見を聴いて、決定でこれを最高裁判所に移送することができる。

（**移送の許可の申請・法第四百六条**）

第二四八条① 前条の決定は、最高裁判所の許可を受けてこれをしなければならない。

② 前項の許可は、書面でこれを求めなければならない。

③ 前項の書面には、原判決の謄本及び控訴趣意書の謄本を添附しなければならない。

（**移送の決定の効力・法第四百六条**）

第二四九条 第二百四十七条の決定があつたときは、控訴の申立があつた時に控訴趣意書に記載された理由による上告の申立があつたものとみなす。

（**準用規定**）

第二五〇条 控訴の審判については、特別の定のある場合を除いては、第二編中公判に関する規定を準用する。

第三章　上告

（**訴訟記録の送付**）

第二五一条 上告の申立が明らかに上告権の消滅後にされたものである場合を除いては、原裁判所は、公判調書の記載の正確性についての異議申立期間の経過後、速やかに訴訟記録を上告裁判所に送付しなければならない。

（**上告趣意書の差出期間・法第四百十四条等**）

第二五二条① 上告趣意書を差し出すべき最終日は、その指定の通知書が上告申立人に送達された日の翌日から起算して二十八日目以後の日でなければならない。

② 前項の規定による最終日の通知書の送達があつた場合においてその指定が同項の規定に違反しているときは、その送達があつた日の翌日から起算して二十八日目の日を最終日とみなす。

（**判例の摘示**）

第二五三条 判例と相反する判断をしたことを理由として上告の申立をした場合には、上告趣意書にその判例を具体的に示さなければならない。

（**跳躍上告・法第四百六条**）

第二五四条① 地方裁判所又は簡易裁判所がした第一審判決に対しては、その判決において法律、命令、規則若しくは処分が憲法に違反するものとした判断又は地方公共団体の条例若しくは規則が法律に違反するものとした判断が不当であることを理由として、最高裁判所に上告をすることができる。

② 検察官は、地方裁判所又は簡易裁判所がした第一審判決に対し、その判決において地方公共団体の条例又は規則が憲法又は法律に適合するものとした判断が不当であることを理由として、最高裁判所に上告をすることができる。

（**跳躍上告と控訴・法第四百六条**）

第二五五条 前条の上告は、控訴の申立があつたときは、その効力を失う。但し、控訴の取下又は控訴棄却の裁判があつたときは、この限りでない。

（**違憲判断事件の優先審判**）

第二五六条 最高裁判所は、原判決において法律、命令、規則又は処分が憲法に違反するものとした判断が不当であることを上告の理由とする事件については、原裁判において同種の判断をしていない他のすべての事件に優先して、これを審判しなければならない。

（**上告審としての事件受理の申立・法第四百六条**）

第二五七条 高等裁判所がした第一審又は第二審の判決に対しては、その事件が法令（裁判所の規則を含む。）の解釈に関する重要な事項を含むものと認めるときは、上訴権者は、その判決に対する上告の提起期間内に限り、最高裁判所に上告審として事件を受理すべきことを申し立てることができる。但し、法第四百五条に規定する事由をその理由とすることはできない。

第二五八条（申立の方式・法第四百六条） 前条の申立をするには、申立書を原裁判所に差し出さなければならない。

第二五八条の二（原判決の謄本等の交付・法第四百六条） ① 第二百五十七条の申立てがあつたときは、原裁判所に対して法第四十六条の規定による判決の謄本の交付の請求があつたものとみなす。ただし、申立人が申立ての前に判決の謄本の交付を受けているとき（その交付を受けるに当たり、起訴状に記載された個人特定事項のうち起訴状抄本等に記載がないもの（法第二百七十一条の五第一項（法第四百四条において準用する場合を含む。）の決定により通知することとされたものを除く。）又は訴因変更等請求書面に記載された個人特定事項のうち訴因変更等請求書面抄本等に記載がないもの（法第三百十二条の二第四項（法第四百四条において準用する場合を含む。）において読み替えて準用する法第二百七十一条の五第一項の決定により通知することとされたものを除く。）を被告人に知らせてはならない旨の条件が付され、又は被告人に知らせる時期若しくは方法を指定された場合を含む。）又は法第二百七十一条の六第四項若しくは第五項（これらの規定を法第三百十二条の二第四項において準用する場合を含む。）の規定による判決の抄本の交付、法第二百九十九条の六第四項若しくは第五項の規定による判決の抄本の交付若しくは法第四百四条において準用する法第二百七十一条の六第四項若しくは第五項（これらの規定を法第四百四条において準用する法第三百十二条の二第四項において準用する場合を含む。）若しくは第二百九十九条の六第四項若しくは第五項の規定による判決の抄本の交付を受けているときは、この限りでない。

② 前項本文の場合には、原裁判所は、遅滞なく判決の謄本を申立人に交付しなければならない。ただし、弁護人又は被告人その他訴訟関係人（検察官を除く。）から第二百五十七条の申立てがあつた場合であつて、次の各号に掲げるときは、当該各号に定める措置をとることをもつて、判決の謄本の交付に代えることができる。

一 第二百五十七条の申立てに係る事件において法第二百七十一条の二第二項の規定による起訴状抄本等の提出があつたとき又は法第三百十二条の二第二項（法第四百四条において準用する場合を含む。）の規定による訴因変更等請求書面抄本等の提出があつたとき　法第二百七十一条の六第三項から第五項まで（これらの規定を法第三百十二条の二第四項において準用する場合を含む。）の規定による措置又は法第四百四条において準用する法第二百七十一条の六第三項から第五項まで（これらの規定を法第四百四条において準用する法第三百十二条の二第四項において準用する場合を含む。）の規定による措置

二 第二百五十七条の申立てに係る事件において検察官が法第二百九十九条の四第一項、第三項、第六項若しくは第八項（これらの規定を法第四百四条において準用する場合を含む。）の規定による措置をとつたとき又は裁判所が法第二百九十九条の五第三項（法第四百四条において準用する場合を含む。）の規定による措置をとつたとき　法第二百九十九条の六第三項から第五項まで（これらの規定を法第四百四条において準用する場合を含む。）の規定による措置

③ 第一項ただし書又は前項の場合には、裁判所書記官は、判決の謄本又は抄本を交付した日を記録上明らかにしておかなければならない。

第二五八条の三（処置をとるべきことの請求） ① 裁判所は、前条第二項ただし書の規定により付した条件に弁護人が違反したとき、又は同項ただし書の規定による時期若しくは方法の指定に弁護人が従わなかつたときは、弁護士である弁護人については当該弁護士の所属する弁護士会又は日本弁護士連合会に通知し、適当な処置をとるべきことを請求することができる。

② 前項の規定による請求を受けた者は、そのとつた処置をその請求をした裁判所に通知しなければならない。

第二五八条の四（事件受理の申立理由書・法第四百六条） ① 申立人は、第二百五十八条の二第一項の規定による謄本又は抄本の交付を受けたときはその日から、同条第一項ただし書の場合には第二百五十七条の申立てをした日から十四日以内に理由書を原裁判所に差し出さなければならない。この場合には、理由書に相手方の数に応ずる謄本及び原判決の謄本又は抄本を添付しなければならない。

② 前項の理由書には、第一審判決の内容を摘示する等の方法により、申立ての理由をできる限り具体的に記載しなければならない。

第二五九条（原裁判所の棄却決定・法第四百六条） 第二百五十七条の申立が明らかに申立権の消滅後にされたものであるとき、又は前条第一項の理由書が同項の期間内に差し出されないときは、原裁判所は、決定で申立を棄却しなければならない。

第二六〇条（申立書の送付等・法第四百六条） ① 原裁判所は、第二百五十八条の四第一項の理由書及び添付書類を受け取つたときは、前条の場合を除いて、速やかにこれを第二百五十八条の申立書とともに最高裁判所に送付しなければならない。

② 最高裁判所は、前項の送付を受けたときは、速やかにその年月日を検察官に通知しなければならない。

第二六一条（事件受理の決定・法第四百六条） ① 最高裁判所は、自ら上告審として事件を受理するのを相当と認めるときは、前条の送付を受けた日から十四日以内にその旨の決定をしなければならない。この場合において申立の理由中に重要でないと認めるものがあるときは、これを排除することができる。

② 最高裁判所は、前項の決定をしたときは、同項の期間内にこれを検察官に通知しなければならない。

第二六二条（事件受理の決定の通知・法第四百六条） 最高裁判所は、前条第一項の決定をしたときは、速やかにその旨を原裁判所に通知しなければならない。

第二六三条（事件受理の決定の効力等・法第四百六条） ① 第二百六十一条第一項の決定があつたときは、第二百五十八条の四第一項の理由書は、その理由（第二百六十一条第一項後段の規定により排除された理由を除く。）を上告の理由とする上告趣意書とみなす。

② 前項の理由書の謄本を相手方に送達する場合において、第二百六十一条第一項後段の規定により排除された理由があるときは、同時にその決定の謄本をも送達しなければならない。

第二六四条（申立の効力・法第四百六条） 第二百五十七条の申立は、原判決の確定を妨げる効力を有する。但し、申立を棄却する決定があつたとき、又は第二百六十一条第一項の決定がされないで同項の期間が経過したときは、この限りでない。

第二六五条（被告人の移送・法第四百九条） 上告審においては、公判期日を指定すべき場合においても、被告人の移送は、これを必要としない。

第二六六条（準用規定） 上告の審判については、特別の定のある場合を除いては、前章の規定を準用する。

第二六七条（判決訂正申立等の方式・法第四百十五条） ① 判決を訂正する申立は、書面でこれをしなければならない。

② 前項の書面には、申立の理由を簡潔に明示しなければならない。

③ 判決訂正の申立期間延長の申立については、前二項の規定を準用する。

（判決訂正申立の通知・法第四百十五条）

第二六八条　前条第一項の申立があつたときは、速やかにその旨を相手方に通知しなければならない。

（却下決定の送達・法第四百十五条）

第二六九条　判決訂正の申立期間延長の申立を却下する決定は、これを送達することを要しない。

（判決訂正申立についての裁判・法第四百十六条等）

第二七〇条①　判決訂正の申立についての裁判は、原判決をした裁判所を構成した裁判官全員で構成される裁判所がこれをしなければならない。但し、その裁判官が死亡した場合その他やむを得ない事情がある場合は、この限りでない。

②　前項但書の場合にも、原判決をするについて反対意見を表示した裁判官が多数となるように構成された裁判所においては、同項の裁判をすることができない。

第四章　抗告

（訴訟記録等の送付）

第二七一条①　原裁判所は、必要と認めるときは、訴訟記録及び証拠物を抗告裁判所に送付しなければならない。

②　抗告裁判所は、訴訟記録及び証拠物の送付を求めることができる。

（抗告裁判所の決定の通知）

第二七二条　抗告裁判所の決定は、これを原裁判所に通知しなければならない。

（準用規定）

第二七三条　法第四百二十九条及び第四百三十条の請求があつた場合には、前二条の規定を準用する。

（特別抗告申立書の記載・法第四百三十三条）

第二七四条　法第四百三十三条の抗告の申立書には、抗告の趣旨を簡潔に記載しなければならない。

（特別抗告についての調査の範囲・法第四百三十三条）

第二七五条　最高裁判所は、法第四百三十三条の抗告については、申立書に記載された抗告の趣意についてのみ調査をするものとする。但し、法第四百五条に規定する事由については、職権で調査をすることができる。

（準用規定）

第二七六条　法第四百三十三条の抗告の申立があつた場合には、第二百五十六条、第二百七十一条及び第二百七十二条の規定を準用する。

第四編　少年事件の特別手続

（審理の方針）

第二七七条　少年事件の審理については、懇切を旨とし、且つ事案の真相を明らかにするため、家庭裁判所の取り調べた証拠は、つとめてこれを取り調べるようにしなければならない。

（少年鑑別所への送致令状の記載要件・少年法第四十四条）

第二七八条①　少年法（昭和二十三年法律第百六十八号）第四十四条第二項の規定により発する令状には、少年の氏名、年齢及び住居、罪名、被疑事実の要旨、法第六十条第一項各号に定める事由、収容すべき少年鑑別所、有効期間及びその期間経過後は執行に着手することができず令状はこれを返還しなければならない旨並びに請求及び発付の年月日を記載し、裁判官が、これに記名押印しなければならない。

②　前項の令状の執行は、法及びこの規則中勾留状の執行に関する規定に準じてこれをしなければならない。

（少年鑑別所への送致令状に代わるものの交付請求等）

第二七八条の二①　検察官は、法第二百一条の二第一項第一号又は第二号に掲げる者の個人特定事項について、必要と認めるときは、勾留の請求に代わる少年法第十七条第一項の措置の請求（以下「勾留に代わる措置の請求」という。）と同時に、裁判官に対し、勾留に代わる措置の請求をされた少年に被疑事件を告げるに当たつては当該個人特定事項を明らかにしない方法によること及び少年に示すものとして当該個人特定事項の記載がない前条第一項の令状の抄本その他の当該令状に代わるものを交付することを請求することができる。

②　裁判官は、前項の規定による請求を受けたときは、勾留に代わる措置の請求をされた少年に被疑事件を告げるに当たつては、当該請求に係る個人特定事項を明らかにしない方法によるとともに、少年法第四十四条第二項の規定により令状を発するときは、これと同時に、少年に示すものとして、当該個人特定事項を明らかにしない方法により被疑事実の要旨を記載した当該令状の抄本その他の当該令状に代わるものを交付するものとする。ただし、当該請求に係る者が法第二百一条の二第一項第一号又は第二号に掲げる者に該当しないことが明らかなときは、この限りでない。

第二七八条の三①　裁判官は、前条第二項の規定による措置をとつた場合において、次の各号のいずれかに該当すると認めるときは、少年又は弁護人の請求により、当該措置に係る個人特定事項の全部又は一部を少年に通知する旨の裁判をしなければならない。

一　イ又はロに掲げる個人特定事項の区分に応じ、当該イ又はロに定める場合であるとき。

イ　被害者の個人特定事項　当該措置に係る事件に係る罪が法第二百一条の二第一項第一号イ及びロに規定するものに該当せず、かつ、当該措置に係る事件が同号ハに掲げるものに該当しないとき。

ロ　被害者以外の者の個人特定事項　当該措置に係る者が法第二百一条の二第一項第二号に掲げる者に該当しないとき。

二　当該措置により少年の防御に実質的な不利益を生ずるおそれがあるとき。

②　裁判官は、前項の請求について裁判をするときは、検察官の意見を聴かなければならない。

③　裁判官は、第一項の裁判（前条第二項の規定による措置に係る個人特定事項の一部を少年に通知する旨のものに限る。）をしたときは、速やかに、検察官に対し、少年に示すものとして、当該個人特定事項（当該裁判により通知することとされたものを除く。）を明らかにしない方法により被疑事実の要旨を記載した第二百七十八条第一項の令状の抄本その他の当該令状に代わるものを交付するものとする。

④　第一項の裁判の執行は、法第二百七条の三第五項の規定並びに法及びこの規則中勾留状の執行に関する規定に準じてこれをしなければならない。

（国選弁護人・法第三十七条等）

第二七九条　少年の被告人に弁護人がないときは、裁判所は、なるべく、職権で弁護人を附さなければならない。

（家庭裁判所調査官の観護に付する決定の効力・少年法第四十五条）

第二八〇条　少年法第十七条第一項第一号の措置は、事件を終局させる裁判の確定によりその効力を失う。

（観護の措置が勾留とみなされる場合の国選弁護人選任の請求等・少年法第四十五条等）

第二八〇条の二①　少年法第四十五条第七号（同法第四十五条の二において準用する場合を含む。）の規定により被疑者に勾留状が発せられているものとみなされる場合における法第三十七条の二第一項の請求は、少年法第十九条第二項（同法第二十三条第三項において準用する場合を含む。次項及び次条第一項において同じ。）、第二十条第一項若しくは第六十二条第一項の決定をした家庭裁判所の裁判官又はその所属する家庭裁判所の所在地を管轄する地方裁判所の裁判官若しくはその地方裁判所の所在地（その支部の所在地を含む。）に在る簡易裁判所の裁判官にこれをしなければならない。

②　前項に規定する場合における法第三十七条の四の規定による弁護人の選任に関する処分は、少年法第十九条第二項、第二十条第一項若しくは第六十二条第一項の決定をした家庭裁判所の裁判官、その所属する家庭裁判所の所在地を管轄する地方裁判

所の裁判官又はその地方裁判所の所在地（その支部の所在地を含む。）に在る簡易裁判所の裁判官がこれをしなければならない。

③ 第一項の被疑者が同項の地方裁判所の管轄区域外に在る刑事施設に収容されたときは、同項の規定にかかわらず、法第三十七条の二第一項の請求は、その刑事施設の所在地を管轄する地方裁判所の裁判官又はその地方裁判所の所在地（その支部の所在地を含む。）に在る簡易裁判所の裁判官にこれをしなければならない。

④ 前項に規定する場合における法第三十七条の四の規定による弁護人の選任に関する処分は、第二項の規定にかかわらず、前項の刑事施設の所在地を管轄する地方裁判所の裁判官又はその地方裁判所の所在地（その支部の所在地を含む。）に在る簡易裁判所の裁判官がこれをしなければならない。法第三十七条の五及び第三十八条の三第四項の規定による弁護人の選任に関する処分についても同様とする。

（観護の措置が勾留とみなされる場合の私選弁護人選任の申出・少年法第四十五条等）

第二八〇条の三① 少年法第四十五条第七号の規定により勾留状が発せられているものとみなされた被疑者でその資力が基準額以上であるものが法第三十七条の二第一項の請求をする場合においては、法第三十七条の三第二項の規定により法第三十一条の二第一項の申出をすべき弁護士会は少年法第十九条第二項、第二十条第一項又は第六十二条第一項の決定をした家庭裁判所の所在地を管轄する地方裁判所の管轄区域内に在る弁護士会とし、当該弁護士会が法第三十七条の三第三項の規定により通知をすべき地方裁判所は当該家庭裁判所の所在地を管轄する地方裁判所とする。

② 前項の被疑者が同項の地方裁判所の管轄区域外に在る刑事施設に収容された場合において、法第三十七条の二第一項の請求をするときは、前項の規定にかかわらず、法第三十七条の三第二項の規定により法第三十一条の二第一項の申出をすべき弁護士会は当該刑事施設の所在地を管轄する地方裁判所の管轄区域内に在る弁護士会とし、当該弁護士会が法第三十七条の三第三項の規定により通知をすべき地方裁判所は当該刑事施設の所在地を管轄する地方裁判所とする。

（勾留に代わる措置の請求・少年法第四十三条）

第二八一条 少年事件において、検察官が裁判官に対し勾留に代わる措置の請求をする場合には、第百四十七条から第百五十条の八までの規定を準用する。

（準用規定）

第二八二条 被告人又は被疑者が少年鑑別所に収容又は拘禁されている場合には、この規則中刑事施設に関する規定を準用する。

第五編 再審

（請求の手続）

第二八三条 再審の請求をするには、その趣意書に原判決の謄本、証拠書類及び証拠物を添えてこれを管轄裁判所に差し出さなければならない。ただし、法第二百七十一条の二第二項の規定による起訴状抄本等の提出があつた場合、法第二百九十九条の四第一項、第三項、第六項若しくは第八項の規定による措置がとられた場合又は法第三百十二条の二第二項（法第四百四条において準用する場合を含む。）の規定による訴因変更等請求書面抄本等の提出があつた場合であつて、原判決の謄本を添えることができないときは、原判決の抄本であつてこれらの措置に係る個人特定事項又は氏名若しくは住居の記載がないものを添えれば足りる。

（準用規定）

第二八四条 再審の請求又はその取下については、第二百二十四条、第二百二十七条、第二百二十八条及び第二百三十条の規定を準用する。

（請求の競合）

第二八五条① 第一審の確定判決と控訴を棄却した確定判決とに対して再審の請求があつたときは、控訴裁判所は、決定で第一審裁判所の訴訟手続が終了するに至るまで、訴訟手続を停止しなければならない。

② 第一審又は第二審の確定判決と上告を棄却した確定判決とに対して再審の請求があつたときは、上告裁判所は、決定で第一審裁判所又は控訴裁判所の訴訟手続が終了するに至るまで、訴訟手続を停止しなければならない。

（意見の聴取）

第二八六条 再審の請求について決定をする場合には、請求をした者及びその相手方の意見を聴かなければならない。有罪の言渡を受けた者の法定代理人又は保佐人が請求をした場合には、有罪の言渡を受けた者の意見をも聴かなければならない。

第六編 略式手続

第二八七条 削除

（書面の添附・法第四百六十一条の二等）

第二八八条 略式命令の請求書には、法第四百六十一条の二第一項に定める手続をしたことを明らかにする書面を添附しなければならない。

（書類等の差出）

第二八九条① 検察官は、略式命令の請求と同時に、略式命令をするために必要があると思料する書類及び証拠物を裁判所に差し出さなければならない。

② 検察官は、前項の規定により被告人以外の者の供述録取書等（法第二百九十条の三第一項に規定する供述録取書等をいう。）であつて、その者が法第三百五十条の二第一項の合意に基づいて作成したもの又は同項の合意に基づいてされた供述を録取し若しくは記録したものを裁判所に差し出すときは、その差出しと同時に、合意内容書面（法第三百五十条の七第一項に規定する合意内容書面をいう。以下同じ。）を裁判所に差し出さなければならない。

③ 前項の規定により合意内容書面を裁判所に差し出す場合において、当該合意の当事者が法第三百五十条の十第二項の規定により当該合意から離脱する旨の告知をしているときは、検察官は、あわせて、同項の書面を裁判所に差し出さなければならない。

④ 第二項の規定により合意内容書面を裁判所に差し出した後、裁判所が略式命令をする前に、当該合意の当事者が法第三百五十条の十第二項の規定により当該合意から離脱する旨の告知をしたときは、検察官は、遅滞なく、同項の書面をその裁判所に差し出さなければならない。

⑤ 検察官は、次条第二項の略式命令の謄本に代わるものの謄本を被告人に送達するのを相当と思料するときは、起訴状に記載された個人特定事項が法第二百七十一条の二第一項第一号又は第二号に掲げる者のものに該当すると認めるべき資料を裁判所に差し出すことができる。

（略式命令の時期等）

第二九〇条① 略式命令は、遅くともその請求のあつた日から十四日以内にこれを発しなければならない。

② 裁判所は、略式命令を発する場合において、起訴状に記載された個人特定事項が法第二百七十一条の二第一項第一号又は第二号に掲げる者のものに該当し、かつ、相当と認めるときは、略式命令の謄本に代えて当該個人特定事項の記載がない略式命令の抄本その他の略式命令の謄本に代わるものの謄本を被告人に送達してその告知をすることができる。

③ 前項の略式命令の謄本に代わるものには、同項の規定によるものである旨を記載し、裁判官が、これに記名押印しなければならない。

④ 裁判所は、略式命令又は略式命令の謄本に代わるものの謄本の送達ができなかつたときは、直ちにその旨を検察官に通知しなければならない。

（準用規定）
第二九一条　法第四百六十三条の二第二項の決定については、第二百十九条の二の規定を準用する。

（起訴状の謄本の送達等・法第四百六十三条等）
第二九二条①　法第四百六十三条第四項の規定による起訴状の謄本の提出があつた場合には、第百七十六条の規定の適用があるものとする。

②　法第四百六十三条第五項において読み替えて適用する法第二百七十一条の二第二項の規定により起訴状抄本等を提出する場合には、検察官は、当該起訴状抄本等及び第百六十五条の二第二項の規定により差し出す起訴状抄本等に、法第二百七十一条の二第一項の規定による求めに係る者がそれぞれ同項第一号イ、ロ若しくはハ⑴若しくは⑵又は第二号イ若しくはロのいずれに該当するかの別を記載しなければならない。

（準用規定）
第二九二条の二　法第四百六十八条第五項において読み替えて適用する法第二百七十一条の二第二項の規定により起訴状抄本等を提出する場合については、前条第二項の規定を準用する。

（書類等の返還）
第二九三条　裁判所は、法第四百六十三条第三項又は第四百六十五条第二項の通知をしたときは、直ちに第二百八十九条第一項の書類及び証拠物並びに合意内容書面及び法第三百五十条の十第二項の書面を検察官に返還しなければならない。

（準用規定）
第二九四条　正式裁判の請求、その取下又は正式裁判請求権回復の請求については、第二百二十四条から第二百二十八条まで及び第二百三十条の規定を準用する。

第七編　裁判の執行

（訴訟費用免除の申立等・法第五百条等）
第二九五条①　訴訟費用の負担を命ずる裁判の執行免除の申立又は裁判の解釈を求める申立若しくは裁判の執行についての異議の申立は、書面でこれをしなければならない。申立の取下についても、同様である。

②　前項の申立又はその取下については、第二百二十七条及び第二百二十八条の規定を準用する。

（免除の申立裁判所・法第五百条）
第二九五条の二①　訴訟費用の負担を命ずる裁判の執行免除の申立は、その裁判を言い渡した裁判所にしなければならない。但し、事件が上訴審において終結した場合には、全部の訴訟費用について、その上訴裁判所にしなければならない。

②　前項の申立を受けた裁判所は、その申立について決定をしなければならない。但し、前項但書の規定による申立を受けた裁判所は、自ら決定をするのが適当でないと認めるときは、訴訟費用の負担を命ずる裁判を言い渡した下級の裁判所に決定をさせることができる。この場合には、その旨を記載し、かつ、裁判長が認印した送付書とともに申立書及び関係書類を送付するものとする。

③　前項但書の規定による送付をしたときは、裁判所は、直ちにその旨を検察官に通知しなければならない。

（申立書が申立裁判所以外の裁判所に差し出された場合・法第五百条）
第二九五条の三　前条第一項の規定により申立をすべき裁判所以外の裁判所（事件の係属した裁判所に限る。）に申立書が差し出されたときは、裁判所は、すみやかに申立書を申立をすべき裁判所に送付しなければならない。この場合において申立書が申立期間内に差し出されたときは、申立期間内に申立があつたものとみなす。

（申立書の記載要件・法第五百条）
第二九五条の四　訴訟費用の負担を命ずる裁判の執行免除の申立書には、その裁判を言い渡した裁判所を表示し、かつ、訴訟費用を完納することができない事由を具体的に記載しなければならない。

（検察官に対する通知・法第五百条）
第二九五条の五　訴訟費用の負担を命ずる裁判の執行免除の申立書が差し出されたときは、裁判所は、直ちにその旨を検察官に通知しなければならない。

（差押え等の令状請求書の記載要件・法第五百九条）
第二九五条の六①　法第五百九条の規定による差押え、記録命令付差押え、捜索又は検証のための令状の請求書には、次に掲げる事項を記載しなければならない。

一　差し押さえるべき物、記録させ若しくは印刷させるべき電磁的記録及びこれを記録させ若しくは印刷させるべき者又は捜索し若しくは検証すべき場所、身体若しくは物
二　請求者の官公職氏名
三　裁判の執行を受ける者の氏名（その者が法人であるときは、その名称）
四　執行すべき裁判を特定するに足りる事項
五　前号の裁判が確定した後でなければこれを執行することができないものであるときは、当該裁判が確定した日及び確定した事由
六　七日を超える有効期間を必要とするときは、その旨及び事由
七　法第五百九条第二項の場合には、差し押さえるべき電子計算機に電気通信回線で接続している記録媒体であつて、その電磁的記録を複写すべきものの範囲
八　日出前又は日没後に差押え、記録命令付差押え、捜索又は検証をする必要があるときは、その旨及び事由

②　法第五百九条の規定による身体検査令状の請求書には、前項に規定する事項のほか、法第五百九条第四項に規定する事項を記載しなければならない。

③　裁判の執行を受ける者の氏名又は名称が明らかでないときは、その旨を記載すれば足りる。

（資料の提供等・法第五百九条等）
第二九五条の七①　前条第一項の請求をするには、執行すべき裁判の裁判書又は裁判を記載した調書の謄本又は抄本を差し出さなければならない。

②　前項の請求をする場合において、郵便物、信書便物又は電信に関する書類で法令の規定に基づき通信事務を取り扱う者が保管し、又は所持するもの（裁判の執行を受ける者から発し、又は裁判の執行を受ける者に対して発したものを除く。）の差押えのための令状を請求するには、その物が裁判の執行に関係があると認めるに足りる状況があることを認めるべき資料を提供しなければならない。

③　第一項の請求をする場合において、裁判の執行を受ける者以外の者の身体、物又は住居その他の場所についての捜索のための令状を請求するには、差し押さえるべき物の存在を認めるに足りる状況があることを認めるべき資料を提供しなければならない。

（身体検査令状の記載要件・法第五百十条）
第二九五条の八　法第五百九条第一項後段又は第五百十一条第一項後段の身体検査令状には、正当な理由がなく身体の検査を拒んだときは過料又は刑罰に処せられることがある旨をも記載しなければならない。

（令状の返還に関する記載・法第五百十条）
第二九五条の九　法第五百九条第一項の令状には、有効期間内であつても、その必要がなくなつたときは、直ちにこれを返還しなければならない旨をも記載しなければならない。

（鑑定処分許可請求書の記載要件・法第五百十五条）
第二九五条の一〇①　検察官が法第五百十五条第二項の規定によつてする請求に係る請求書には、次に掲げる事項を記載しなければならない。

一　請求者の官公職氏名
二　裁判の執行を受ける者の氏名（その者が法人であるときは、その名称）
三　執行すべき裁判を特定するに足りる事項

四　前号の裁判が確定した後でなければこれを執行することができないものであるときは、当該裁判が確定した日及び確定した事由
五　鑑定人の氏名及び職業
六　鑑定人が立ち入るべき住居、邸宅、建造物若しくは船舶、検査すべき身体、解剖すべき死体、発掘すべき墳墓又は破壊すべき物
七　許可状が七日を超える有効期間を必要とするときは、その旨及び事由
②　前項の請求をする場合には、第二百九十五条の六第三項及び第二百九十五条の七第一項の規定を準用する。

（準用規定等）
第二九五条の一一①　第百三十九条第一項、第百四十条及び第百四十一条の規定は、検察官が法第五百九条第三項又は第五百十五条第二項の規定によつてする請求について準用する。
②　第四十三条及び第一編第九章の規定（第百条第一項の規定を除く。）は裁判所又は裁判官が法第五百十一条及び第五百十二条の規定によつてする押収又は捜索について、第百一条の規定は裁判所又は裁判官が法第五百十一条の規定によつてする検証について、それぞれ準用する。この場合において、第四十三条第一項中「被告人若しくは被疑者」とあるのは、「裁判の執行を受ける者」と読み替えるものとする。
③　裁判所又は裁判官が法第五百十一条の規定によつてする検証については、執行をする者が、自ら調書を作らなければならない。
④　前項の調書については、第四十一条第二項（第一号に限る。）及び第四十三条第二項の規定を準用する。

第八編　補則

（申立その他の申述の方式）
第二九六条①　裁判所又は裁判官に対する申立その他の申述は、書面又は口頭でこれをすることができる。但し、特別の定のある場合は、この限りでない。
②　口頭による申述は、裁判所書記官の面前でこれをしなければならない。
③　前項の場合には、裁判所書記官は、調書を作らなければならない。

（刑事収容施設に収容中又は留置中の被告人又は被疑者の申述）
第二九七条　刑事施設の長、留置業務管理者若しくは海上保安留置業務管理者又はその代理者は、刑事収容施設に収容され、又は留置されている被告人又は被疑者が裁判所又は裁判官に対して申立てその他の申述をしようとするときは、努めてその便宜を図り、ことに、被告人又は被疑者が自ら申述書を作ることができないときは、これを代書し、又は所属の職員にこれを代書させなければならない。

（書類の発送、受理等）
第二九八条①　書類の発送及び受理は、裁判所書記官がこれを取り扱う。
②　訴訟関係人その他の者に対する通知は、裁判所書記官にこれをさせることができる。
③　訴訟関係人その他の者に対し通知をした場合には、これを記録上明らかにしておかなければならない。

（裁判官に対する取調等の請求）
第二九九条①　検察官、検察事務官又は司法警察職員の裁判官に対する取調、処分又は令状の請求は、当該事件の管轄にかかわらず、これらの者の所属の官公署の所在地を管轄する地方裁判所又は簡易裁判所の裁判官にこれをしなければならない。但し、やむを得ない事情があるときは、最寄の下級裁判所の裁判官にこれをすることができる。
②　前項の請求は、少年事件については、同項本文の規定にかかわらず、同項に規定する者の所属の官公署の所在地を管轄する家庭裁判所の裁判官にもこれをすることができる。

（令状の有効期間）
第三〇〇条　令状の有効期間は、令状発付の日から七日とする。但し、裁判所又は裁判官は、相当と認めるときは、七日を超える期間を定めることができる。

（書類・証拠物の閲覧等）
第三〇一条①　裁判長又は裁判官は、訴訟に関する書類及び証拠物の閲覧又は謄写について、日時、場所及び時間を指定することができる。
②　裁判長又は裁判官は、訴訟に関する書類及び証拠物の閲覧又は謄写について、書類の破棄その他不法な行為を防ぐため必要があると認めるときは、裁判所書記官その他の裁判所職員をこれに立ち会わせ、又はその他の適当な措置を講じなければならない。

（裁判官の権限）
第三〇二条①　法において裁判所若しくは裁判長と同一の権限を有するものとされ、裁判所がする処分に関する規定の準用があるものとされ、又は裁判所若しくは裁判長に属する処分をすることができるものとされている受命裁判官、受託裁判官その他の裁判官は、その処分に関しては、この規則においても、同様である。
②　法第二百二十四条又は第二百二十五条の請求を受けた裁判官は、その処分に関し、裁判所又は裁判長と同一の権限を有する。

（検察官及び弁護人の訴訟遅延行為に対する処置）
第三〇三条①　裁判所は、検察官又は弁護士である弁護人が訴訟手続に関する法律又は裁判所の規則に違反し、審理又は公判前整理手続若しくは期日間整理手続の迅速な進行を妨げた場合には、その検察官又は弁護人に対し理由の説明を求めることができる。
②　前項の場合において、裁判所は、特に必要があると認めるときは、検察官については、当該検察官に対して指揮監督の権を有する者に、弁護人については、当該弁護士の所属する弁護士会又は日本弁護士連合会に通知し、適当な処置をとるべきことを請求しなければならない。
③　前項の規定による請求を受けた者は、そのとつた処置を裁判所に通知しなければならない。

（被告事件終結後の訴訟記録の送付）
第三〇四条①　裁判所は、被告事件の終結後、速やかに訴訟記録を第一審裁判所に対応する検察庁の検察官に送付しなければならない。
②　前項の送付は、被告事件が上訴審において終結した場合には、当該被告事件の係属した下級の裁判所を経由してしなければならない。

（代替収容の場合における規定の適用）
第三〇五条　刑事収容施設及び被収容者等の処遇に関する法律第十五条第一項の規定により留置施設に留置される者については、留置施設を刑事施設と、留置業務管理者を刑事施設の長と、留置担当官（同法第十六条第二項に規定する留置担当官をいう。）を刑事施設職員とみなして、第六十二条第三項、第七十条の二第一項第五号、第八十条第一項及び第二項、第九十一条第一項第二号及び第三号、第九十二条の二第一項、第百四十九条の二第一項第六号、第百五十条の三第一項第五号、第百五十三条第四項、第百八十七条の二、第百八十七条の三第二項、第二百二十六条第二項、第二百二十七条（第百三十八条の八、第二百二十九条、第二百八十四条、第二百九十四条及び第二百九十五条第二項において準用する場合を含む。）、第二百二十八条（第百三十八条の八、第二百二十九条、第二百八十四条、第二百九十四条及び第二百九十五条第二項において準用する場合を含む。）、第二百二十九条、第二百四十四条、第二百八十条の二第三項及び第四項並びに第二百八十条の三第二項の規定を適用する。

●犯罪捜査のための通信傍受に関する法律

（平成一一・八・一八
法 一 三 七）

施行 平成一二・八・一五（平成一二政三九〇）
改正 平成一一法四八（織込み不能）・法一六〇、平成一三法一五三、平成一五法一二五、平成一九法一二〇、平成二三法七四、平成二八法五四、令和一法六三、令和四法六八、令和五法八四、令和六法四八

目次

第一章 総則

（目的）

第一条 この法律は、組織的な犯罪が平穏かつ健全な社会生活を著しく害していることにかんがみ、数人の共謀によって実行される組織的な殺人、薬物及び銃器の不正取引に係る犯罪等の重大犯罪において、犯人間の相互連絡等に用いられる電話その他の電気通信の傍受を行わなければ事案の真相を解明することが著しく困難な場合が増加する状況にあることを踏まえ、これに適切に対処するため必要な刑事訴訟法（昭和二十三年法律第百三十一号）に規定する電気通信の傍受を行う強制の処分に関し、通信の秘密を不当に侵害することなく事案の真相の的確な解明に資するよう、その要件、手続その他必要な事項を定めることを目的とする。

（定義）

第二条① この法律において「通信」とは、電話その他の電気通信であって、その伝送路の全部若しくは一部が有線（有線以外の方式で電波その他の電磁波を送り、又は受けるための電気的設備に附属する有線を除く。）であるもの又はその伝送路に交換設備があるものをいう。

② この法律において「傍受」とは、現に行われている他人間の通信について、その内容を知るため、当該通信の当事者のいずれの同意も得ないで、これを受けることをいう。

③ この法律において「通信事業者等」とは、電気通信を行うための設備（以下「電気通信設備」という。）を用いて他人の通信を媒介し、その他電気通信設備を他人の通信の用に供する事業を営む者及びそれ以外の者であって自己の業務のために不特定又は多数の者の通信を媒介することのできる電気通信設備を設置している者をいう。

④ この法律において「暗号化」とは、通信の内容を伝達する信号、通信日時に関する情報を伝達する信号その他の信号であって、電子計算機による情報処理の用に供されるもの（以下「原信号」という。）について、電子計算機及び変換符号（信号の変換処理を行うために用いる符号をいう。以下同じ。）を用いて変換処理を行うことにより、当該変換処理に用いた変換符号と対応する変換符号（以下「対応変換符号」という。）を用いなければ復元することができないようにすることをいい、「復号」とは、暗号化により作成された信号（以下「暗号化信号」という。）について、電子計算機及び対応変換符号を用いて変換処理を行うことにより、原信号を復元することをいう。

⑤ この法律において「一時的保存」とは、暗号化信号について、その復号がなされるまでの間に限り、一時的に記録媒体に記録して保存することをいう。

⑥ この法律において「再生」とは、一時的保存をされた暗号化信号（通信の内容を伝達する信号に係るものに限る。）の復号により復元された通信について、電子計算機を用いて、音の再生、文字の表示その他の方法により、人の聴覚又は視覚により認識することができる状態にするための処理をすることをいう。

第二章 通信傍受の要件及び実施の手続

（傍受令状）

第三条① 検察官又は司法警察員は、次の各号のいずれかに該当する場合において、当該各号に規定する犯罪（第二号及び第三号にあっては、その一連の犯罪をいう。）の実行、準備又は証拠隠滅等の事後措置に関する謀議、指示その他の相互連絡その他当該犯罪の実行に関連する事項を内容とする通信（以下この項において「犯罪関連通信」という。）が行われると疑うに足りる状況があり、かつ、他の方法によっては、犯人を特定し、又は犯行の状況若しくは内容を明らかにすることが著しく困難であるときは、裁判官の発する傍受令状により、電話番号その他発信元又は発信先を識別するための番号又は符号（以下「電話番号等」という。）によって特定された通信の手段（以下「通信手段」という。）であって、被疑者が通信事業者等との間の契約に基づいて使用しているもの（犯人による犯罪関連通信に用いられる疑いがないと認められるものを除く。）又は犯人による犯罪関連通信に用いられると疑うに足りるものについて、これを用いて行われた犯罪関連通信の傍受をすることができる。

一 別表第一又は別表第二に掲げる罪が犯されたと疑うに足りる十分な理由がある場合において、当該犯罪が数人の共謀によるもの（別表第二に掲げる罪にあっては、当該罪に当たる行為が、あらかじめ定められた役割の分担に従って行動する人の結合体により行われるものに限る。次号及び第三号において同じ。）であると疑うに足りる状況があるとき。

二 別表第一又は別表第二に掲げる罪が犯され、かつ、引き続き次に掲げる罪が犯されると疑うに足りる十分な理由がある場合において、これらの犯罪が数人の共謀によるものであると疑うに足りる状況があるとき。

イ 当該犯罪と同様の態様で犯されるこれと同一又は同種の別表第一又は別表第二に掲げる罪

ロ 当該犯罪の実行を含む一連の犯行の計画に基づいて犯される別表第一又は別表第二に掲げる罪

三 死刑又は無期若しくは長期二年以上の拘禁刑に当たる罪が別表第一又は別表第二に掲げる罪と一体のものとしてその実行に必要な準備のために犯され、かつ、引き続き当該別表第一又は別表第二に掲げる罪が犯されると疑うに足りる十分な理由がある場合において、当該犯罪が数人の共謀によるものであると疑うに足りる状況があるとき。

② 別表第一に掲げる罪であって、譲渡し、譲受け、貸付け、借受け又は交付の行為を罰するものについては、前項の規定にかかわらず、数人の共謀によるものであると疑うに足りる状況があることを要しない。

③ 前二項の規定による傍受は、通信事業者等の看守する場所で行う場合を除き、人の住居又は人の看守する邸宅、建造物若しくは船舶内においては、これをすることができない。ただし、住居主若しくは看守者又はこれらの者に代わるべき者の承諾がある場合は、この限りでない。

（令状請求の手続）

第四条① 傍受令状の請求は、検察官（検事総長が指定する検事に限る。以下この条及び第七条において同じ。）又は司法警察員（国家公安委員会又は都道府県公安委員会が指定する警視以上の警察官、厚生労働大臣が指定する麻薬取締官及び海上保安庁長官が指定する海上保安官に限る。以下この条及び第七条において同じ。）から地方裁判所の裁判官にこれをしなければならない。

② 検察官又は司法警察員は、前項の請求をする場合において、当該請求に係る被疑事実の全部又は一部と同一の被疑事実につ

いて、前に同一の通信手段を対象とする傍受令状の請求又はその発付があったときは、その旨を裁判官に通知しなければならない。

③ 第二十条第一項の許可又は第二十三条第一項の許可の請求は、第一項の請求をする際に、検察官又は司法警察員からこれをしなければならない。

（傍受令状の発付）

第五条① 前条第一項の請求を受けた裁判官は、同項の請求を理由があると認めるときは、傍受ができる期間として十日以内の期間を定めて、傍受令状を発する。

② 裁判官は、傍受令状を発する場合において、傍受の実施（通信の傍受をすること及び通信手段について直ちに傍受をすることができる状態で通信の状況を監視することをいう。以下同じ。）に関し、適当と認める条件を付することができる。

③ 裁判官は、前条第三項の請求があったときは、同項の請求を相当と認めるときは、当該請求に係る許可をするものとする。

④ 裁判官は、前項の規定により第二十条第一項の許可をするときは、傍受の実施の場所として、通信管理者等（通信手段の傍受の実施をする部分を管理する者（会社その他の法人又は団体にあっては、その役職員）又はこれに代わるべき者をいう。以下同じ。）の管理する場所を定めなければならない。この場合において、前条第三項の請求をした者から申立てがあり、かつ、当該申立てに係る傍受の実施の場所の状況その他の事情を考慮し、相当と認めるときは、指定期間（第二十条第一項に規定する指定期間をいう。以下この項において同じ。）における傍受の実施の場所及び指定期間以外の期間における傍受の実施の場所をそれぞれ定めるものとする。

（傍受令状の記載事項）

第六条① 傍受令状には、被疑者の氏名、被疑事実の要旨、罪名、罰条、傍受すべき通信、傍受の実施の対象とすべき通信手段、傍受の実施の方法及び場所、傍受ができる期間、傍受の実施に関する条件、有効期間及びその期間経過後は傍受の処分に着手することができず傍受令状はこれを返還しなければならない旨並びに発付の年月日その他最高裁判所規則で定める事項を記載し、裁判官が、これに記名押印しなければならない。ただし、被疑者の氏名については、これが明らかでないときは、その旨を記載すれば足りる。

② 裁判官は、前条第三項の規定により第二十条第一項の許可又は第二十三条第一項の許可をするときは、傍受令状にその旨を記載するものとする。

（傍受ができる期間の延長）

第七条① 地方裁判所の裁判官は、必要があると認めるときは、検察官又は司法警察員の請求により、十日以内の期間を定めて、傍受ができる期間を延長することができる。ただし、傍受ができる期間は、通じて三十日を超えることができない。

② 前項の延長は、傍受令状に延長する期間及び理由を記載し記名押印してこれをしなければならない。

（同一事実に関する傍受令状の発付）

第八条 裁判官は、傍受令状の請求があった場合において、当該請求に係る被疑事実に前に発付された傍受令状の被疑事実と同一のものが含まれるときは、同一の通信手段については、更に傍受をすることを必要とする特別の事情があると認めるときに限り、これを発付することができる。

（変換符号及び対応変換符号の作成等）

第九条 裁判所書記官その他の裁判所の職員は、次の各号に掲げる場合には、裁判官の命を受けて、当該各号に定める措置を執るものとする。

一 傍受令状に第二十条第一項の許可をする旨の記載があるとき　同項の規定による暗号化に用いる変換符号及びその対応変換符号を作成し、これらを通信管理者等に提供すること。

二 傍受令状に第二十三条第一項の許可をする旨の記載があるとき　次のイからハまでに掲げる措置

イ 第二十三条第一項の規定による暗号化に用いる変換符号を作成し、これを通信管理者等に提供すること。

ロ イの変換符号の対応変換符号及び第二十六条第一項の規定による暗号化に用いる変換符号を作成し、これらを検察官又は司法警察員が傍受の実施に用いるものとして指定した特定電子計算機（第二十三条第二項に規定する特定電子計算機をいう。）以外の機器において用いることができないようにするための技術的措置を講じた上で、これらを検察官又は司法警察員に提供すること。

ハ ロの検察官又は司法警察員に提供される変換符号の対応変換符号を作成し、これを保管すること。

（傍受令状の提示）

第一〇条① 傍受令状は、通信管理者等に示さなければならない。ただし、被疑事実の要旨については、この限りでない。

② 傍受ができる期間が延長されたときも、前項と同様とする。

（必要な処分等）

第一一条① 傍受の実施については、電気通信設備に傍受のための機器を接続することその他の必要な処分をすることができる。

② 検察官又は司法警察員は、検察事務官又は司法警察職員に前項の処分をさせることができる。

（通信事業者等の協力義務）

第一二条 検察官又は司法警察員は、通信事業者等に対して、傍受の実施に関し、傍受のための機器の接続その他の必要な協力を求めることができる。この場合においては、通信事業者等は、正当な理由がないのに、これを拒んではならない。

（立会い）

第一三条① 傍受の実施をするときは、通信管理者等を立ち会わせなければならない。通信管理者等を立ち会わせることができないときは、地方公共団体の職員を立ち会わせなければならない。

② 立会人は、検察官又は司法警察員に対し、当該傍受の実施に関し意見を述べることができる。

（該当性判断のための傍受）

第一四条① 検察官又は司法警察員は、傍受の実施をしている間に行われた通信であって、傍受令状に記載された傍受すべき通信（以下単に「傍受すべき通信」という。）に該当するかどうか明らかでないものについては、傍受すべき通信に該当するかどうかを判断するため、これに必要な最小限度の範囲に限り、当該通信の傍受をすることができる。

② 外国語による通信又は暗号その他その内容を即時に復元することができない方法を用いた通信であって、傍受の時にその内容を知ることが困難なため、傍受すべき通信に該当するかどうかを判断することができないものについては、その全部の傍受をすることができる。この場合においては、速やかに、傍受すべき通信に該当するかどうかの判断を行わなければならない。

（他の犯罪の実行を内容とする通信の傍受）

第一五条 検察官又は司法警察員は、傍受の実施をしている間に、傍受令状に被疑事実として記載されている犯罪以外の犯罪であって、別表第一若しくは別表第二に掲げるもの又は死刑若しくは無期若しくは短期一年以上の拘禁刑に当たるものを実行したこと、実行していること又は実行することを内容とするものと明らかに認められる通信が行われたときは、当該通信の傍受をすることができる。

（医師等の業務に関する通信の傍受の禁止）

第一六条 医師、歯科医師、助産師、看護師、弁護士（外国法事務弁護士を含む。）、弁理士、公証人又は宗教の職にある者（傍受令状に被疑者として記載されている者を除く。）との間の通信については、他人の依頼を受けて行うその業務に関するものと認められるときは、傍受をしてはならない。

（相手方の電話番号等の探知）

第一七条① 検察官又は司法警察員は、傍受の実施をしている間に行われた通信について、これが傍受すべき通信若しくは第十五条の規定により傍受をすることができる通信に該当するものであるとき、又は第十四条の規定による傍受すべき通信に該当するかどうかの判断に資すると認めるときは、傍受の実施の場所において、当該通信の相手方の電話番号等の探知をすることができる。この場合においては、別に令状を必要としない。

② 検察官又は司法警察員は、通信事業者等に対して、前項の処分に関し、必要な協力を求めることができる。この場合においては、通信事業者等は、正当な理由がないのに、これを拒んではならない。

③ 検察官又は司法警察員は、傍受の実施の場所以外の場所において第一項の探知のための措置を必要とする場合には、当該措置を執ることができる通信事業者等に対し、同項の規定により行う探知である旨を告知して、当該措置を執ることを要請することができる。この場合においては、前項後段の規定を準用する。

（**傍受の実施を中断し又は終了すべき時の措置**）

第一八条　傍受令状の記載するところに従い傍受の実施を中断し又は終了すべき時に現に通信が行われているときは、その通信手段の使用（以下「通話」という。）が終了するまで傍受の実施を継続することができる。

（**傍受の実施の終了**）

第一九条　傍受の実施は、傍受の理由又は必要がなくなったときは、傍受令状に記載された傍受ができる期間内であっても、これを終了しなければならない。

（**一時的保存を命じて行う通信傍受の実施の手続**）

第二〇条① 検察官又は司法警察員は、裁判官の許可を受けて、通信管理者等に命じて、傍受令状の記載するところに従い傍受の実施をすることができる期間（前条の規定により傍受の実施を終了した後の期間を除く。）内において検察官又は司法警察員が指定する期間（当該期間の終期において第十八条の規定により傍受の実施を継続することができるときは、その継続することができる期間を含む。以下「指定期間」という。）に行われる全ての通信について、第九条第一号の規定により提供された変換符号を用いた原信号（通信の内容を伝達するものに限る。）の暗号化をさせ、及び当該暗号化により作成される暗号化信号について一時的保存をさせる方法により、傍受をすることができる。この場合における傍受の実施については、第十三条の規定は、適用しない。

② 検察官又は司法警察員は、前項の規定による傍受をするときは、通信管理者等に命じて、指定期間内における通話の開始及び終了の年月日時に関する情報を伝達する原信号について、同項に規定する変換符号を用いた暗号化をさせ、及び当該暗号化により作成される暗号化信号について一時的保存をさせるものとする。

③ 検察官又は司法警察員は、第一項の規定による傍受をすると きは、次条第七項の手続の用に供するため、通信管理者等に対し、同項の手続が終了するまでの間第一項の規定による傍受をする通信の相手方の電話番号等の情報を保存することを求めることができる。この場合においては、第十七条第二項後段の規定を準用する。

④ 通信管理者等が前項の電話番号等の情報を保存することができないときは、検察官又は司法警察員は、これを保存することができる通信事業者等に対し、次条第七項の手続の用に供するための要請である旨を告知して、同項の手続が終了するまでの間これを保存することを要請することができる。この場合においては、第十七条第三項後段の規定を準用する。

⑤ 検察官及び司法警察員は、指定期間内は、傍受の実施の場所に立ち入ってはならない。

⑥ 検察官及び司法警察員は、指定期間内においては、第一項に規定する方法によるほか、傍受の実施をすることができない。

⑦ 第一項の規定による傍受をした通信の復号による復元は、次条第一項の規定による場合を除き、これをすることができない。

第二一条① 検察官又は司法警察員は、前条第一項の規定による傍受をしたときは、傍受の実施の場所（指定期間以外の期間における傍受の実施の場所が定められているときは、その場所）において、通信管理者等に命じて、同項の規定により一時的保存をされた暗号化信号について、第九条第一号の規定により提供された対応変換符号を用いた復号をさせることにより、同項の規定による傍受をした通信を復元させ、同時に、復元された通信について、第三項から第六項までに定めるところにより、再生をすることができる。この場合における再生の実施（通信の再生をすること並びに一時的保存のために用いられた記録媒体について直ちに再生をすることができる状態で一時的保存の状況の確認及び暗号化信号の復号をすることをいう。以下同じ。）については、第十一条から第十三条までの規定を準用する。

② 検察官又は司法警察員は、前項の規定による再生の実施をするときは、通信管理者等に命じて、前条第二項の規定により一時的保存をされた暗号化信号について、前項に規定する対応変換符号を用いた復号をさせることにより、同条第二項の規定により暗号化をされた通話の開始及び終了の年月日時に関する情報を伝達する原信号を復元させるものとする。

③ 検察官又は司法警察員は、第一項の規定による復号により復元された通信のうち、傍受すべき通信に該当する通信の再生をすることができるほか、傍受すべき通信に該当するかどうか明らかでないものについては、傍受すべき通信に該当するかどうかを判断するため、これに必要な最小限度の範囲に限り、当該通信の再生をすることができる。

④ 検察官又は司法警察員は、第一項の規定による復号により復元された通信のうち、外国語による通信又は暗号その他その内容を即時に復元することができない方法を用いた通信であって、再生の時にその内容を知ることが困難なため、傍受すべき通信に該当するかどうかを判断することができないものについては、その全部の再生をすることができる。この場合においては、速やかに、傍受すべき通信に該当するかどうかの判断を行わなければならない。

⑤ 検察官又は司法警察員は、第一項の規定による復号により復元された通信の中に、第十五条に規定する通信があるときは、当該通信の再生をすることができる。

⑥ 第十六条の規定は、第一項の規定による復号により復元された通信の再生をする場合について準用する。

⑦ 検察官又は司法警察員は、前条第一項の規定による傍受をした通信について、これが傍受すべき通信若しくは第五項の規定により再生をすることができる通信に該当するものであるとき、又は第三項若しくは第四項の規定による傍受すべき通信に該当するかどうかの判断に資すると認めるときは、同条第三項の規定による求め又は同条第四項の規定による要請に係る電話番号等のうち当該通信の相手方のものの開示を受けることができる。この場合においては、第十七条第一項後段の規定を準用する。

⑧ 第一項の規定による再生の実施は、傍受令状に記載された傍受ができる期間内に終了しなかったときは、傍受令状に記載された傍受ができる期間の終了後できる限り速やかに、これを終了しなければならない。

⑨ 第一項の規定による再生の実施は、傍受の理由又は必要がなくなったときは、傍受令状に記載された傍受ができる期間内であっても、その開始前にあってはこれを開始してはならず、その開始後にあってはこれを終了しなければならない。ただし、傍受の理由又は必要がなくなるに至るまでの間に一時的保存をされた暗号化信号については、傍受すべき通信に該当する通信が行われると疑うに足りる状況がなくなったこと又は傍受令状に記載された傍受の実施の対象とすべき通信手段が被疑者が通信事業者等との間の契約に基づいて使用しているものではなくなったこと若しくは犯人による傍受すべき通信に該当する通信に用いられると疑うに足りるものではなくなったことを理由として傍受の理由又は必要がなくなった場合に限り、再生の実施

をすることができる。

第二二条① 通信管理者等は、前条第一項の規定による復号が終了したときは、直ちに、第二十条第一項の規定により一時的保存をした暗号化信号を全て消去しなければならない。前条第二項の規定による復号が終了した場合における第二十条第二項の規定により一時的保存をした暗号化信号についても、同様とする。

② 検察官又は司法警察員は、前条第一項の規定による再生の実施を終了するとき又は同条第九項の規定により再生の実施を開始してはならないこととなつたときに、第二十条第一項及び第二項の規定により一時的保存をされた暗号化信号であつて前条第一項及び第二項の規定による復号をされていないものがあるときは、直ちに、通信管理者等に命じて、これを全て消去させなければならない。

（特定電子計算機を用いる通信傍受の実施の手続）

第二三条① 検察官又は司法警察員は、裁判官の許可を受けて、通信管理者等に命じて、傍受の実施をしている間に行われる全ての通信について、第九条第二号イの規定により提供された変換符号を用いた原信号（通信の内容を伝達するものに限る。）の暗号化をさせ、及び当該暗号化により作成される暗号化信号を傍受の実施の場所に設置された特定電子計算機に伝送させた上で、次のいずれかの傍受をすることができる。この場合における傍受の実施については、第十三条の規定は適用せず、第二号の規定による傍受については、第二十条第三項及び第四項の規定を準用する。

一 暗号化信号を受信するのと同時に、第九条第二号ロの規定により提供された対応変換符号を用いて復号をし、復元された通信について、第三条及び第十四条から第十六条までに定めるところにより、傍受をすること。

二 暗号化信号を受信するのと同時に一時的保存をする方法により、当該暗号化信号に係る原信号によりその内容を伝達される通信の傍受をすること。

② 前項に規定する「特定電子計算機」とは、次に掲げる機能の全てを有する電子計算機をいう。

一 伝送された暗号化信号について一時的保存の処理を行う機能

二 伝送された暗号化信号について復号の処理を行う機能

三 前項第一号の規定による傍受をした通信にあつてはその傍受と同時に、第四項の規定による再生をした通信にあつてはその再生と同時に、全て、自動的に、暗号化の処理をして記録媒体に記録する機能

四 傍受の実施をしている間における通話の開始及び終了の年月日時、前項第一号の規定による傍受をした通信の開始及び終了の年月日時、第四項の規定による再生をした通信の開始及び終了の年月日時その他政令で定める事項に関する情報を伝達する原信号を作成し、当該原信号について、自動的に、暗号化の処理をして前号の記録媒体に記録する機能

五 第三号の記録媒体に記録される同号の通信及び前号の原信号について、前二号に掲げる機能により当該記録媒体に記録するのと同時に、暗号化の処理をすることなく他の記録媒体に記録する機能

六 入力された対応変換符号（第九条第二号ロの規定により提供されたものに限る。）が第二号に規定する復号以外の処理に用いられることを防止する機能

七 入力された変換符号（第九条第二号ロの規定により提供されたものに限る。）が第三号及び第四号に規定する暗号化以外の処理に用いられることを防止する機能

八 第一号に規定する一時的保存をされた暗号化信号について、第二号に規定する復号をした時に、全て、自動的に消去する機能

③ 検察官及び司法警察員は、傍受令状に第一項の許可をする旨の記載がある場合には、同項に規定する方法によるほか、傍受の実施をすることができない。

④ 検察官又は司法警察員は、第一項第二号の規定による傍受をしたときは、傍受の実施の場所において、同号の規定により一時的保存をした暗号化信号について、特定電子計算機（第二項に規定する特定電子計算機をいう。第六項及び第二十六条第一項において同じ。）を用いて、第九条第二号ロの規定により提供された対応変換符号を用いた復号をすることにより、第一項第二号の規定による傍受をした通信を復元し、同時に、復元された通信について、第二十一条第三項から第六項までの規定の例により、再生をすることができる。この場合における再生の実施については、第十一条、第十二条及び第二十一条第七項から第九項までの規定を準用する。

⑤ 第一項第二号の規定による傍受をした通信の復号による復元は、前項の規定による場合を除き、これをすることができない。

⑥ 検察官又は司法警察員は、第一項第二号の規定により一時的保存をした暗号化信号については、特定電子計算機の機能により自動的に消去されるもの以外のものであつても、第四項の規定による再生の実施を終了するとき又は同項において準用する第二十一条第九項の規定により再生の実施を開始してはならないこととなつたときに、第四項の規定による復号をしていないものがあるときは、直ちに、全て消去しなければならない。

第三章　通信傍受の記録等

（傍受をした通信の記録）

第二四条① 傍受をした通信（第二十条第一項の規定による傍受の場合にあつては、第二十一条第一項の規定による再生をした通信）については、全て、録音その他通信の性質に応じた適切な方法により記録媒体に記録しなければならない。この場合においては、第二十九条第三項又は第四項の手続の用に供するため、同時に、同一の方法により他の記録媒体に記録することができる。

② 傍受の実施（第二十条第一項の規定によるものの場合にあつては、第二十一条第一項の規定による再生の実施）を中断し又は終了するときは、その時に使用している記録媒体に対する記録を終了しなければならない。

（記録媒体の封印等）

第二五条① 前条第一項前段の規定により記録をした記録媒体（次項に規定する記録媒体を除く。）については、傍受の実施を中断し又は終了したときは、速やかに、立会人にその封印を求めなければならない。傍受の実施をしている間に記録媒体の交換をしたときその他記録媒体に対する記録が終了したときも、同様とする。

② 第二十一条第一項の規定による再生をした通信を前条第一項前段の規定により記録をした記録媒体については、再生の実施を中断し又は終了したときは、速やかに、立会人にその封印を求めなければならない。再生の実施をしている間に記録媒体の交換をしたときその他記録媒体に対する記録が終了したときも、同様とする。

③ 前二項の記録媒体については、前条第一項後段の規定により記録をした記録媒体がある場合を除き、立会人にその封印を求める前に、第二十九条第三項又は第四項の手続の用に供するための複製を作成することができる。

④ 立会人が封印をした記録媒体は、遅滞なく、傍受令状を発付した裁判官が所属する裁判所の裁判官に提出しなければならない。

（特定電子計算機を用いる通信傍受の記録等）

第二六条① 第二十三条第一項の規定による傍受をしたときは、前二条の規定にかかわらず、特定電子計算機及び第九条第二号ロの規定により提供された変換符号を用いて、傍受をした通信（同項第二号の規定による傍受の場合にあつては、第二十三条第四項の規定による再生をした通信。以下この項及び次項において同じ。）について、全て、暗号化をして記録媒体に記録するとともに、傍受の実施をしている間における通話の開始及び終

了の年月日時、傍受をした通信の開始及び終了の年月日時その他政令で定める事項について、暗号化をして当該記録媒体に記録しなければならない。

② 前項の場合においては、第二十九条第三項又は第四項の手続の用に供するため、同時に、傍受をした通信及び前項に規定する事項について、全て、他の記録媒体に記録するものとする。

③ 第二十三条第一項の規定による傍受の実施（同項第二号の規定によるものの場合にあっては、同条第四項の規定による再生の実施）を中断し又は終了するときは、その時に使用している記録媒体に対する記録を終了しなければならない。

④ 第一項の規定により記録をした記録媒体については、傍受の実施の終了後（傍受の実施を終了する時に第二十三条第一項第二号の規定により一時的保存をした暗号化信号であって同条第四項の規定による復号をしていないものがあるときは、再生の実施の終了後）、遅滞なく、前条第四項に規定する裁判官に提出しなければならない。

（傍受の実施の状況を記載した書面等の提出等）

第二七条① 検察官又は司法警察員は、傍受の実施の終了後、遅滞なく、次に掲げる事項を記載した書面を、第二十五条第四項に規定する裁判官に提出しなければならない。第七条の規定により傍受ができる期間の延長を請求する時も、同様とする。

一 傍受の実施の開始、中断及び終了の年月日時

二 第十三条第一項の規定による立会人の氏名及び職業

三 第十三条第二項の規定により立会人が述べた意見

四 傍受の実施をしている間における通話の開始及び終了の年月日時

五 傍受をした通信については、傍受の根拠となった条項、その開始及び終了の年月日時並びに通信の当事者の氏名その他その特定に資する事項

六 第十五条に規定する通信については、当該通信に係る犯罪の罪名及び罰条並びに当該通信が同条に規定する通信に該当すると認めた理由

七 傍受の実施をしている間において記録媒体の交換をした年月日時

八 第二十五条第一項の規定による封印の年月日時及び封印をした立会人の氏名

九 その他傍受の実施の状況に関し最高裁判所規則で定める事項

② 検察官又は司法警察員は、第二十三条第一項第一号の規定による傍受の実施をしたときは、前項の規定にかかわらず、傍受の実施の終了後、遅滞なく、次に掲げる事項を記載した書面を、第二十五条第四項に規定する裁判官に提出しなければならない。同号の規定による傍受の実施をした後に第七条の規定により傍受ができる期間の延長を請求する時も、同様とする。

一 第二十三条第一項第一号の規定による傍受の実施の開始、中断及び終了の年月日時

二 第二十三条第一項第一号の規定による傍受の実施をしている間における通話の開始及び終了の年月日時

三 第二十三条第一項第一号の規定による傍受をした通信については、傍受の根拠となった条項、その開始及び終了の年月日時並びに通信の当事者の氏名その他その特定に資する事項

四 第十五条に規定する通信については、当該通信に係る犯罪の罪名及び罰条並びに当該通信が同条に規定する通信に該当すると認めた理由

五 傍受の実施をしている間において記録媒体の交換をした年月日時

六 前各号に掲げるもののほか、第二十三条第一項第一号の規定による傍受の実施の状況に関し最高裁判所規則で定める事項

③ 前二項に規定する書面の提出を受けた裁判官は、第一項第六号又は前項第四号の通信については、これが第十五条に規定する通信に該当するかどうかを審査し、これに該当しないと認めるときは、当該通信の傍受の処分を取り消すものとする。この場合においては、第三十三条第三項、第五項及び第六項の規定を準用する。

第二八条① 検察官又は司法警察員は、傍受の実施をした期間のうちに第二十条第一項の規定による傍受の実施をした期間があるときは、前条第一項の規定にかかわらず、傍受の実施の終了後（傍受の実施を終了する時に第二十条第一項の規定により一時的保存をされた暗号化信号であって第二十一条第一項の規定による復号をされていないものがあるときは、再生の実施の終了後）、遅滞なく、当該期間以外の期間に関しては前条第一項各号に掲げる事項を、第二十条第一項の規定による傍受の実施をした期間に関しては次に掲げる事項を、それぞれ記載した書面を、第二十五条第四項に規定する裁判官に提出しなければならない。第二十条第一項の規定による傍受の実施をした後に第七条の規定により傍受ができる期間の延長を請求する時も、同様とする。

一 指定期間の開始及び終了の年月日時

二 第二十条第一項の規定による傍受の実施の開始、中断及び終了の年月日時

三 第二十条第一項の規定による傍受の実施をしている間における通話の開始及び終了の年月日時

四 第二十一条第一項の規定による再生の実施の開始、中断及び終了の年月日時

五 第二十一条第一項において準用する第十三条第一項の規定による立会人の氏名及び職業

六 第二十一条第一項において準用する第十三条第二項の規定により立会人が述べた意見

七 第三号に規定する通話のうち第二十一条第一項の規定による復号をされた暗号化信号、同項の規定による復号をされる前に消去された暗号化信号及びそれら以外の暗号化信号にそれぞれ対応する部分を特定するに足りる事項

八 第二十一条第一項の規定による再生をした通信については、再生の根拠となった条項、その開始及び終了の年月日時並びに通信の当事者の氏名その他その特定に資する事項

九 第十五条に規定する通信については、当該通信に係る犯罪の罪名及び罰条並びに当該通信が同条に規定する通信に該当すると認めた理由

十 再生の実施をしている間において記録媒体の交換をした年月日時

十一 第二十五条第二項の規定による封印の年月日時及び封印をした立会人の氏名

十二 前各号に掲げるもののほか、第二十条第一項の規定による傍受の実施又は第二十一条第一項の規定による再生の実施の状況に関し最高裁判所規則で定める事項

② 検察官又は司法警察員は、傍受の実施をした期間のうちに第二十三条第一項第二号の規定による傍受の実施をした期間があるときは、前条第二項の規定にかかわらず、傍受の実施の終了後（傍受の実施を終了する時に同号の規定により一時的保存をした暗号化信号であって第二十三条第四項の規定による復号をしていないものがあるときは、再生の実施の終了後）、遅滞なく、当該期間以外の期間に関しては前条第二項各号に掲げる事項を、第二十三条第一項第二号の規定による傍受の実施をした期間に関しては次に掲げる事項を、それぞれ記載した書面を、第二十五条第四項に規定する裁判官に提出しなければならない。同号の規定による傍受の実施をした後に第七条の規定により傍受ができる期間の延長をする時も、同様とする。

一 第二十三条第一項第二号の規定による傍受の実施の開始、中断及び終了の年月日時

二 第二十三条第一項第二号の規定による傍受の実施をしている間における通話の開始及び終了の年月日時

三 第二十三条第四項の規定による再生の実施の開始、中断及び終了の年月日時

四 第二号に規定する通話のうち第二十三条第四項の規定による復号をした暗号化信号、同項の規定による復号をする前に

消去した暗号化信号及びそれら以外の暗号化信号にそれぞれ対応する部分を特定するに足りる事項

五　第二十三条第四項の規定による再生をした通信については、再生の根拠となった条項、その開始及び終了の年月日時並びに通信の当事者の氏名その他その特定に資する事項

六　第十五条に規定する通信については、当該通信に係る犯罪の罪名及び罰条並びに当該通信が同条に規定する通信に該当すると認めた理由

七　再生の実施をしている間において記録媒体の交換をした年月日時

八　前各号に掲げるもののほか、第二十三条第一項第二号の規定による傍受の実施又は同条第四項の規定による再生の実施の状況に関し最高裁判所規則で定める事項

③　前二項に規定する書面の提出を受けた裁判官は、前条第一項第六号若しくは第二項第四号又は第一項第九号若しくは前項第六号の通信については、これが第十五条に規定する通信に該当するかどうかを審査し、これに該当しないと認めるときは、当該通信の傍受又は再生の処分を取り消すものとする。この場合においては、第三十三条第三項、第五項及び第六項の規定を準用する。

第二九条（傍受記録の作成）①　検察官又は司法警察員は、傍受の実施（第二十条第一項又は第二十三条第一項第二号の規定によるものを除く。以下この項において同じ。）を中断し又は終了したときは、その都度、速やかに、傍受をした通信の内容を刑事手続において使用するための記録一通を作成しなければならない。傍受の実施をしている間に記録媒体の交換をしたときその他記録媒体に対する記録が終了したときも、同様とする。

②　検察官又は司法警察員は、再生の実施を中断し又は終了したときは、その都度、速やかに、再生をした通信の内容を刑事手続において使用するための記録一通を作成しなければならない。再生の実施をしている間に記録媒体の交換をしたときその他記録媒体に対する記録が終了したときも、同様とする。

③　第一項に規定する記録は、第二十四条第一項後段若しくは第二十六条第二項の規定により記録をした記録媒体又は第二十五条第三項の規定により作成した同条第一項の記録媒体の複製から、次に掲げる通信以外の通信の記録を消去して作成するものとする。

一　傍受すべき通信に該当する通信

二　第十四条第二項の規定により傍受をした通信であって、なおその内容を復元するための措置を要するもの

三　第十五条の規定により傍受をした通信及び第十四条第二項の規定により傍受をした通信であって第十五条に規定する通信に該当すると認められるに至ったもの

四　前三号に掲げる通信と同一の通話の機会に行われた通信

④　第二項に規定する記録は、第二十四条第一項後段若しくは第二十六条第二項の規定により記録をした記録媒体又は第二十五条第三項の規定により作成した同条第二項の記録媒体の複製から、次に掲げる通信以外の通信の記録を消去して作成するものとする。

一　傍受すべき通信に該当する通信

二　第二十一条第四項（第二十三条第四項においてその例による場合を含む。次号において同じ。）の規定により再生をした通信であって、なおその内容を復元するための措置を要するもの

三　第二十一条第五項（第二十三条第四項においてその例による場合を含む。）の規定により再生をした通信及び第二十一条第四項の規定により再生をした通信であって第十五条に規定する通信に該当すると認められるに至ったもの

四　前三号に掲げる通信と同一の通話の機会に行われた通信

⑤　第三項第二号又は前項第二号に掲げる通信の記録については、当該通信が傍受すべき通信及び第十五条に規定する通信に該当しないことが判明したときは、第一項に規定する記録又は第二項に規定する記録（以下「傍受記録」と総称する。）から当該通信の記録及び当該通信に係る第三項第四号又は前項第四号に掲げる通信の記録を消去しなければならない。ただし、当該通信と同一の通話の機会に行われた第三項第一号から第三号まで又は前項第一号から第三号までに掲げる通信があるときは、この限りでない。

⑥　検察官又は司法警察員は、傍受記録を作成した場合において、他に第二十五条第四項又は第二十六条第四項の規定により裁判官に提出した記録媒体（以下「傍受の原記録」という。）以外の傍受をした通信（第二十一条第一項又は第二十三条第四項の規定により再生をした通信及びこれらの規定による復号により復元された通信を含む。次項において同じ。）の記録をした記録媒体又はその複製等（複製その他記録の内容の全部又は一部をそのまま記録した物及び書面をいう。以下同じ。）があるときは、その記録の全部を消去しなければならない。前項の規定により傍受記録から記録を消去した場合において、他に当該記録の複製等があるときも、同様とする。

⑦　検察官又は司法警察員は、傍受をした通信であって、傍受記録に記録されたもの以外のものについては、その内容を他人に知らせ、又は使用してはならない。その職を退いた後も、同様とする。

第三〇条（通信の当事者に対する通知）①　検察官又は司法警察員は、傍受記録に記録されている通信の当事者に対し、傍受記録を作成した旨及び次に掲げる事項を書面で通知しなければならない。

一　当該通信の開始及び終了の年月日時並びに相手方の氏名（判明している場合に限る。）

二　傍受令状の発付の年月日

三　傍受の実施の開始及び終了の年月日

四　傍受の実施の対象とした通信手段

五　傍受令状に記載された罪名及び罰条

六　第十五条に規定する通信については、その旨並びに当該通信に係る犯罪の罪名及び罰条

七　次条の規定による傍受記録の聴取等（聴取若しくは閲覧又は複製の作成をいう。以下この号において同じ。）及び第三十二条第一項の規定による傍受の原記録の聴取等の許可の請求並びに第三十三条第一項又は第二項の規定による不服申立てをすることができる旨

②　前項の通知は、通信の当事者が特定できない場合又はその所在が明らかでない場合を除き、傍受の実施が終了した後三十日以内にこれを発しなければならない。ただし、地方裁判所の裁判官は、捜査が妨げられるおそれがあると認めるときは、検察官又は司法警察員の請求により、六十日以内の期間を定めて、この項の規定により通知を発しなければならない期間を延長することができる。

③　検察官又は司法警察員は、前項本文に規定する期間が経過した後に、通信の当事者が特定された場合又はその所在が明らかになった場合には、当該通信の当事者に対し、速やかに、第一項の通知を発しなければならない。この場合においては、前項ただし書の規定を準用する。

第三一条（傍受記録の聴取及び閲覧等）　前条第一項の通知を受けた通信の当事者は、傍受記録のうち当該通信に係る部分を聴取し、若しくは閲覧し、又はその複製を作成することができる。

第三二条（傍受の原記録の聴取及び閲覧等）①　傍受の原記録を保管する裁判官（以下「原記録保管裁判官」という。）は、傍受記録に記録されている通信の当事者が、前条の規定により、傍受記録のうち当該通信に係る部分を聴取し、若しくは閲覧し、又はその複製を作成した場合において、傍受記録の正確性の確認のために必要があると認めるときその他正当な理由があると認めるときは、当該通信の当事者の請求により、傍受の原記録のうち当該通信に相当する部分を聴取し、若しくは閲覧し、又はその複製を作成することを許可し

なければならない。

② 原記録保管裁判官は、傍受をされた通信（第二十条第一項又は第二十三条第一項第二号の規定による傍受の場合にあっては、第二十一条第一項又は第二十三条第四項の規定による再生をされた通信）の内容の確認のために必要があると認めるときその他正当な理由があると認めるときは、傍受記録に記録されている通信以外の通信の当事者の請求により、傍受の原記録のうち当該通信に係る部分を聴取し、若しくは閲覧し、又はその複製を作成することを許可しなければならない。

③ 原記録保管裁判官は、傍受が行われた事件に関し、犯罪事実の存否の証明又は傍受記録の正確性の確認のために必要があると認めるときその他正当な理由があると認めるときは、検察官又は司法警察員の請求により、傍受の原記録のうち必要と認める部分を聴取し、若しくは閲覧し、又はその複製を作成することを許可することができる。ただし、複製の作成については、次に掲げる通信（傍受記録に記録されているものを除く。）に係る部分に限る。

一 傍受すべき通信に該当する通信

二 犯罪事実の存否の証明に必要な証拠となる通信（前号に掲げる通信を除く。）

三 前二号に掲げる通信と同一の通話の機会に行われた通信

④ 次条第三項（第二十七条第三項及び第二十八条第三項において準用する場合を含む。以下この項において同じ。）の規定により記録の消去を命じた裁判がある場合においては、前項の規定による複製を作成することの許可の請求は、同項の規定にかかわらず、当該裁判により消去を命じられた記録に係る通信が新たに同項第一号又は第二号に掲げる通信であって他にこれに代わるべき適当な証明方法がないものであることが判明するに至った場合に限り、傍受の原記録のうち当該通信及びこれと同一の通話の機会に行われた通信に係る部分について、することができる。ただし、当該裁判が次条第三項第二号に該当するとしてこれらの通信の記録の消去を命じたものであるときは、この請求をすることができない。

⑤ 原記録保管裁判官は、検察官により傍受記録又はその複製等の取調べの請求があった被告事件に関し、被告人の防御又は傍受記録の正確性の確認のために必要があると認めるときその他正当な理由があると認めるときは、被告人又はその弁護人の請求により、傍受の原記録のうち必要と認める部分を聴取し、若しくは閲覧し、又はその複製を作成することを許可することができる。ただし、被告人が当事者でない通信に係る部分の複製の作成については、当該通信の当事者のいずれかの同意がある場合に限る。

⑥ 検察官又は司法警察員が第三項の規定により作成した複製は、傍受記録とみなす。この場合において、第三十条の規定の適用については、同条第一項中「次に掲げる事項」とあるのは「次に掲げる事項並びに第三十二条第三項の複製を作成することの許可があった旨及びその年月日」と、同条第二項中「傍受の実施が終了した後」とあるのは「複製を作成した後」とする。

⑦ 傍受の原記録については、第一項から第五項までの規定による場合のほか、これを聴取させ、若しくは閲覧させ、又はその複製を作成させてはならない。ただし、裁判所又は裁判官が、刑事訴訟法の定めるところにより、検察官により傍受記録若しくはその複製等の取調べの請求があった被告事件又は傍受に関する刑事の事件の審理又は裁判のために必要があると認めて、傍受の原記録のうち必要と認める部分を取り調べる場合においては、この限りでない。

（不服申立て）

第三三条① 裁判官がした通信の傍受に関する裁判に不服がある者は、その裁判官が所属する裁判所に、その裁判の取消し又は変更を請求することができる。

② 検察官又は検察事務官がした通信の傍受又は再生に関する処分に不服がある者はその検察官又は検察事務官が所属する検察庁の所在地を管轄する地方裁判所に、司法警察職員がした通信の傍受又は再生に関する処分に不服がある者はその職務執行地を管轄する地方裁判所に、その処分の取消し又は変更（傍受の実施又は再生の実施の終了を含む。）を請求することができる。

③ 裁判所は、前項の請求により傍受又は再生の処分を取り消す場合において、次の各号のいずれかに該当すると認めるときは、検察官又は司法警察員に対し、その保管する傍受記録（前条第六項の規定により傍受記録とみなされたものを除く。以下この項において同じ。）及びその複製等のうち当該傍受又は再生の処分に係る通信及びこれと同一の通話の機会に行われた通信の記録並びに当該傍受の処分に係る一時的保存をされた暗号化信号の消去を命じなければならない。ただし、第三号に該当すると認める場合において、当該記録の消去を命ずることが相当でないと認めるときは、この限りでない。

一 当該傍受又は再生に係る通信が、第二十九条第三項各号又は第四項各号に掲げる通信のいずれにも当たらないとき。

二 当該傍受又は再生において、通信の当事者の利益を保護するための手続に重大な違法があるとき。

三 前二号に該当する場合を除き、当該傍受又は再生の手続に違法があるとき。

④ 前条第三項の複製を作成することの許可が取り消されたときは、検察官又は司法警察員は、その保管する同条第六項の規定によりみなされた傍受記録（その複製等を含む。）のうち当該取り消された許可に係る部分を消去しなければならない。

⑤ 第三項に規定する記録の消去を命ずる裁判又は前項に規定する複製を作成することの許可の取消しの裁判は、当該傍受記録又はその複製等について既に被告事件において証拠調べがされているときは、証拠から排除する決定がない限り、これを当該被告事件に関する手続において証拠として用いることを妨げるものではない。

⑥ 前項に規定する裁判があった場合において、当該傍受記録について既に被告事件において証拠調べがされているときは、当該被告事件に関する手続においてその内容を他人に知らせ又は使用する場合以外の場合においては、当該傍受記録について第三項の裁判又は第四項の規定による消去がされたものとみなして、第二十九条第七項の規定を適用する。

⑦ 第一項及び第二項の規定による不服申立てに関する手続については、この法律に定めるもののほか、刑事訴訟法第四百二十九条第一項及び第四百三十条第一項の請求に係る手続の例による。

（傍受の原記録の保管期間）

第三四条① 傍受の原記録は、第二十五条第四項若しくは第二十六条第四項の規定による提出の日から五年を経過する日又は傍受記録若しくはその複製等が証拠として取り調べられた被告事件若しくは傍受に関する刑事の事件の終結の日から六月を経過する日のうち最も遅い日まで保管するものとする。

② 原記録保管裁判官は、必要があると認めるときは、前項の保管の期間を延長することができる。

第四章　通信の秘密の尊重等

（関係者による通信の秘密の尊重等）

第三五条 検察官、検察事務官及び司法警察職員並びに弁護人その他通信の傍受に関与し、又はその状況若しくは傍受をした通信（再生をした通信を含む。）の内容を職務上知り得た者は、通信の秘密を不当に害しないように注意し、かつ、捜査の妨げとならないように注意しなければならない。

（国会への報告等）

第三六条 政府は、毎年、傍受令状の請求及び発付の件数、その請求及び発付に係る罪名、傍受の対象とした通信手段の種類、傍受の実施をした期間、傍受の実施をしている間における通話の回数、このうち第二十九条第三項第一号若しくは第三号又は第四項第一号若しくは第三号に掲げる通信が行われたものの数、第二十条第一項又は第二十三条第一項第一号若しくは第二号の規定による傍受の実施をしたときはその旨並びに傍受が行われた事件に関して逮捕した人員数を国会に報告するとともに、公表するものとする。ただし、罪名については、捜査に支障を生ずるおそれがあるときは、その支障がなくなった後においてこれらの措置を執るものとする。

（通信の秘密を侵す行為の処罰等）

第三七条① 捜査又は調査の権限を有する公務員が、その捜査又は調査の職務に関し、電気通信事業法（昭和五十九年法律第八十六号）第百七十九条第一項又は有線電気通信法（昭和二十八年法律第九十六号）第十四条第一項の罪を犯したときは、三年以下の拘禁刑又は百万円以下の罰金に処する。

② 前項の罪の未遂は、罰する。

③ 前二項の罪について告訴又は告発をした者は、検察官の公訴を提起しない処分に不服があるときは、刑事訴訟法第二百六十二条第一項の請求をすることができる。

第五章 補則

（刑事訴訟法との関係）

第三八条 通信の傍受に関する手続については、この法律に特別の定めがあるもののほか、刑事訴訟法による。

（最高裁判所規則）

第三九条 この法律に定めるもののほか、傍受令状の発付、傍受ができる期間の延長、記録媒体の封印及び提出、傍受の原記録の保管その他の取扱い、傍受の実施の状況を記載した書面の提出、第十五条に規定する通信に該当するかどうかの審査、通信の当事者に対する通知を発しなければならない期間の延長、裁判所が保管する傍受記録の聴取及び閲覧並びにその複製の作成並びに不服申立てに関する手続について必要な事項は、最高裁判所規則で定める。

附 則（抄）

（施行期日）

① この法律は、公布の日から起算して一年を超えない範囲内において政令で定める日（平成一二・八・一五―平成一二政三九〇）から施行する。

別表第一（第三条、第十五条関係）

一 大麻草の栽培の規制に関する法律（昭和二十三年法律第百二十四号）第二十四条（大麻草の栽培）の罪

二 覚醒剤取締法（昭和二十六年法律第二百五十二号）第四十一条（輸入等）若しくは第四十一条の二（所持、譲渡し等）の罪、同法第四十一条の三第一項第三号（覚醒剤原料の輸入等）若しくは第四号（覚醒剤原料の製造）の罪若しくはこれらの罪に係る同条第二項（営利目的の覚醒剤原料の輸入等）の罪若しくはこれらの罪の未遂罪又は同法第四十一条の四第一項第三号（覚醒剤原料の所持）若しくは第四号（覚醒剤原料の譲渡し等）の罪若しくはこれらの罪に係る同条第二項（営利目的の覚醒剤原料の所持、譲渡し等）の罪若しくはこれらの罪の未遂罪

三 出入国管理及び難民認定法（昭和二十六年政令第三百十九号）第七十四条（集団密航者を不法入国させる行為等）、第七十四条の二（集団密航者の輸送）又は第七十四条の四（集団密航者の収受等）の罪

四 麻薬及び向精神薬取締法（昭和二十八年法律第十四号）第六十四条（ジアセチルモルヒネ等の輸入等）、第六十四条の二（ジアセチルモルヒネ等の譲渡し、所持等）、第六十五条（ジアセチルモルヒネ等以外の麻薬の輸入等）、第六十六条（ジアセチルモルヒネ等以外の麻薬の譲渡し、所持等）、第六十六条の三（向精神薬の輸入等）又は第六十六条の四（向精神薬の譲渡し等）の罪

五 武器等製造法（昭和二十八年法律第百四十五号）第三十一条（銃砲の無許可製造）、第三十一条の二（銃砲弾の無許可製造）又は第三十一条の三第一号（銃砲及び銃砲弾以外の武器の無許可製造）の罪

六 あへん法（昭和二十九年法律第七十一号）第五十一条（けしの栽培、あへんの輸入等）又は第五十二条（あへん等の譲渡し、所持等）の罪

七 銃砲刀剣類所持等取締法（昭和三十三年法律第六号）第三十一条（銃砲等の発射）の罪（拳銃等の発射に係るものに限る。）、同法第三十一条の二（拳銃等の輸入）の罪、同法第三十一条の三（銃砲等の所持等）の罪（拳銃等の所持に係るものに限る。）又は同法第三十一条の四（拳銃等の譲渡し等）、第三十一条の七から第三十一条の九まで（拳銃実包の輸入、所持、譲渡し等）、第三十一条の十一第一項第二号（拳銃部品の輸入）若しくは第二項（未遂罪）若しくは第三十一条の十六第一項第二号（拳銃部品の所持）若しくは第三号（拳銃部品の譲渡し等）若しくは第二項（未遂罪）の罪

八 国際的な協力の下に規制薬物に係る不正行為を助長する行為等の防止を図るための麻薬及び向精神薬取締法等の特例等に関する法律（平成三年法律第九十四号）第五条（業として行う不法輸入等）の罪

九 組織的な犯罪の処罰及び犯罪収益の規制等に関する法律（平成十一年法律第百三十六号）第三条第一項第七号に掲げる罪に係る同条（組織的な殺人）の罪又はその未遂罪

別表第二（第三条、第十五条関係）

一 爆発物取締罰則（明治十七年太政官布告第三十二号）第一条（爆発物の使用）又は第二条（使用の未遂）の罪

二イ 刑法（明治四十年法律第四十五号）第百八条（現住建造物等放火）の罪又はその未遂罪

ロ 刑法第百九十九条（殺人）の罪又はその未遂罪

ハ 刑法第二百四条（傷害）又は第二百五条（傷害致死）の罪

ニ 刑法第二百二十条（逮捕及び監禁）又は第二百二十一条（逮捕等致死傷）の罪

ホ 刑法第二百二十四条から第二百二十八条まで（未成年者略取及び誘拐、営利目的等略取及び誘拐、身の代金目的略取等、所在国外移送目的略取及び誘拐、人身売買、被略取者等所在国外移送、被略取者引渡し等、未遂罪）の罪

ヘ 刑法第二百三十五条（窃盗）、第二百三十六条第一項（強盗）若しくは第二百四十条（強盗致死傷）の罪又はこれらの罪の未遂罪

ト 刑法第二百四十六条第一項（詐欺）、第二百四十六条の二（電子計算機使用詐欺）若しくは第二百四十九条第一項（恐喝）の罪又はこれらの罪の未遂罪

三 児童買春、児童ポルノに係る行為等の規制及び処罰並びに児童の保護等に関する法律（平成十一年法律第五十二号）第七条第六項（児童ポルノ等の不特定又は多数の者に対する提供等）又は第七項（不特定又は多数の者に対する提供等の目的による児童ポルノの製造等）の罪

刑法等の一部を改正する法律の施行に伴う関係法律整理法

中経過規定

（令和四・六・一七法六八）（抄）

第四四一条から**第四四三条**まで（刑法の同経過規定参照）

（犯罪捜査のための通信傍受に関する法律の一部改正に伴う経過措置）

第四九〇条 刑法等一部改正法等（刑法等の一部を改正する法律（令和四法六七）及び刑法等の一部を改正する法律の施行に伴う関係法律の整理等に関する法律（令和四法六八））の施行前にした行為に係る第四十六条の規定による改正後の犯罪捜査のための通信傍受に関する法律第三条第一項（第三号に係る部分に限る。）及び第十五条の規定の適用については、無期の懲役又は禁錮に当たる罪はそれぞれ無期拘禁刑に当たる罪と、有期の懲役又は禁錮に当たる罪はそれぞれその罪について定めた刑と長期及び短期を同じくする有期拘禁刑に当たる罪とみなす。

第五〇九条 （刑法の同経過規定参照）

刑法等の一部を改正する法律の施行に伴う関係法律整理法

附　則（令和四・六・一七法六八）（抄）

（施行期日）

① この法律は、刑法等一部改正法（刑法等の一部を改正する法律（令和四法六七））施行日（令和七・六・一）から施行する。ただし、次の各号に掲げる規定は、当該各号に定める日から施行する。

一　第五百九条の規定　公布の日

二　（略）

附　則（令和五・一二・一三法八四）（抄）

（施行期日）

第一条　この法律は、公布の日から起算して一年を超えない範囲内において政令で定める日から施行する。ただし、次の各号に掲げる規定は、当該各号に定める日から施行する。

一　附則（中略）第二十九条の規定　公布の日

二　（略）

（犯罪捜査のための通信傍受に関する法律の一部改正に伴う経過措置）

第二三条　附則第八条（罰則に関する経過措置）の規定によりなお従前の例によることとされる場合における第一条改正前大麻法（第一条の規定による改正前の大麻取締法）第二十四条及び第二十四条の二の罪は、前条の規定による改正後の犯罪捜査のための通信傍受に関する法律第三条、第十五条及び別表第一の規定の適用については、同表に掲げる罪とみなす。

（政令への委任）

第二九条　この附則に規定するもののほか、この法律の施行に伴い必要な経過措置（中略）は、政令で定める。

○犯罪捜査規範（抄）

（昭和三二・七・一一 国公委規二）

施行 昭和三二・九・一（附則）
最終改正 令和六国公委規七

目次

第一章 総則（抄）

第一節 捜査の心構え（抄）

（この規則の目的）
第一条 この規則は、警察官が犯罪の捜査を行うに当つて守るべき心構え、捜査の方法、手続その他捜査に関し必要な事項を定めることを目的とする。

（捜査の基本）
第二条① 捜査は、事案の真相を明らかにして事件を解決するとの強固な信念をもつて迅速適確に行わなければならない。
② 捜査を行うに当つては、個人の基本的人権を尊重し、かつ、公正誠実に捜査の権限を行使しなければならない。

（法令等の厳守）
第三条 捜査を行うに当たつては、警察法（昭和二十九年法律第百六十二号）、刑事訴訟法（昭和二十三年法律第百三十一号。以下「刑訴法」という。）その他の法令及び規則を厳守し、個人の自由及び権利を不当に侵害することのないように注意しなければならない。

第四条から第六条まで （略）

（公訴、公判への配慮）
第七条 捜査は、それが刑事手続の一環であることにかんがみ、公訴の実行及び公判の審理を念頭に置いて、行わなければならない。特に、裁判員の参加する刑事裁判に関する法律（平成十六年法律第六十三号）第二条第一項に規定する事件に該当する事件の捜査を行う場合は、国民の中から選任された裁判員に分かりやすい立証が可能となるよう、配慮しなければならない。

第八条 （略）

（秘密の保持等）
第九条① 捜査を行うに当たつては、秘密を厳守し、捜査の遂行に支障を及ぼさないように注意するとともに、被疑者、被害者（犯罪により害を被つた者をいう。以下同じ。）その他事件の関係者の名誉を害することのないように注意しなければならない。
② 捜査を行うに当たつては、前項の規定により秘密を厳守するほか、告訴、告発、犯罪に関する申告その他犯罪捜査の端緒又は犯罪捜査の資料を提供した者その他捜査の関係者（第十一条（被害者等の保護等）第二項において「資料提供者等」という。）の名誉又は信用を害することのないように注意しなければならない。

（関係者に対する配慮）
第一〇条 捜査を行うに当つては、常に言動を慎み、関係者の利便を考慮し、必要な限度をこえて迷惑を及ぼさないように注意しなければならない。

（被害者等に対する配慮）
第一〇条の二① 捜査を行うに当たつては、被害者又はその親族（以下この節において「被害者等」という。）の心情を理解し、その人格を尊重しなければならない。
② 捜査を行うに当たつては、被害者等の取調べにふさわしい場所の利用その他の被害者等にできる限り不安又は迷惑を覚えさせないようにするための措置を講じなければならない。

（被害者等に対する通知）
第一〇条の三 捜査を行うに当たつては、被害者等に対し、刑事手続の概要を説明するとともに、当該事件の捜査の経過その他被害者等の救済又は不安の解消に資すると認められる事項を通知しなければならない。ただし、捜査その他の警察の事務若しくは公判に支障を及ぼし、又は関係者の名誉その他の権利を不当に侵害するおそれのある場合は、この限りでない。

（被害者等の保護等）
第一一条① 警察官は、犯罪の手口、動機及び組織的背景、被疑者と被害者等との関係、被疑者の言動その他の状況から被害者等に後難が及ぶおそれがあると認められるときは、被疑者その他の関係者に、当該被害者等の氏名又はこれらを推知されるような事項を告げないようにするほか、必要に応じ、当該被害者等の保護のための措置を講じなければならない。
② 前項の規定は、資料提供者等に後難が及ぶおそれがあると認められる場合について準用する。

第一二条 （略）

（備忘録）
第一三条 警察官は、捜査を行うに当り、当該事件の公判の審理に証人として出頭する場合を考慮し、および将来の捜査に資するため、その経過その他参考となるべき事項を明細に記録しておかなければならない。

（捜査の回避）

第一四条　警察官は、被疑者、被害者その他事件の関係者と親族その他特別の関係にあるため、その捜査について疑念をいだかれるおそれのあるときは、上司の許可を得て、その捜査を回避しなければならない。

第二節　捜査の組織　及び　第三節　手配および共助

（第一五条から第四四条まで）（略）

第四節　検察官との関係

（捜査に関する協力）

第四五条①　警察官は、捜査に関し、検察官と互に協力しなければならない。

②　警察本部長または警察署長は、その捜査する事件について、公訴を実行するため、あらかじめ連絡しておく必要があると認めるときは、すみやかに、犯罪事実の概要その他の参考となるべき事項を検察官に連絡しなければならない。

（一般的指示）

第四六条　警察官は、司法警察職員捜査書類基本書式例その他の刑訴法第百九十三条第一項の規定に基づき検察官から示された一般的指示があるときは、これに従つて捜査を行わなければならない。

（捜査調整の申出）

第四七条①　警察官は、他の司法警察職員との間において捜査の調整につき、刑訴法第百九十三条第二項の規定による検察官の一般的指揮を必要とする特別の事情があるときは、すみやかに順を経て警察本部長に報告しなければならない。

②　警察本部長は、前項に規定する報告を受けた場合において、必要があると認められるときは、すみやかに、その旨を検察官に申し出なければならない。

（一般的指揮）

第四八条　刑訴法第百九十三条第二項の規定に基き、検察官から一般的指揮が与えられたときは、警察官はこれに従つて捜査を行わなければならない。

（補助のための指揮）

第四九条　刑訴法第百九十三条第三項の規定により検察官が自ら捜査する犯罪について、その補助を求められたときは、警察官はすみやかに、これに従つて必要な捜査を行い、かつ、その結果を報告しなければならない。

第五節　特別司法警察職員等との関係　及び　第六節　捜査書類

（第五〇条から第五八条まで）（略）

第三章　捜査の端緒（抄）

第一節　端緒のは握

（端緒の把握の努力）

第五九条　警察官は、新聞紙その他の出版物の記事、インターネットを利用して提供される情報、匿名の申告、風説その他広く社会の事象に注意するとともに、警ら、職務質問等の励行により、進んで捜査の端緒を得ることに努めなければならない。

（手配の有無等の照会）

第六〇条　職務質問に当り、必要があると認められるときは、直ちに、指名手配その他の手配または通報の有無、被害届の有無、鑑識資料の有無等を、電話その他適当な方法により、警視庁もしくは道府県警察本部または警察署に照会しなければならない。

（被害届の受理）

第六一条①　警察官は、犯罪による被害の届出をする者があつたときは、その届出に係る事件が管轄区域の事件であるかどうかを問わず、これを受理しなければならない。

②　前項の届出が口頭によるものであるときは、被害届（別記様式第六号）に記入を求め又は警察官が代書するものとする。この場合において、参考人供述調書を作成したときは、被害届の作成を省略することができる。

（犯罪事件受理簿）

第六二条　犯罪事件を受理したときは、警察庁長官（以下「長官」という。）が定める様式の犯罪事件受理簿に登載しなければならない。

第二節　告訴、告発および自首（抄）

（告訴、告発および自首の受理）

第六三条①　司法警察員たる警察官は、告訴、告発または自首をする者があつたときは、管轄区域内の事件であるかどうかを問わず、この節に定めるところにより、これを受理しなければならない。

②　司法巡査たる警察官は、告訴、告発または自首をする者があつたときは、直ちに、これを司法警察員たる警察官に移さなければならない。

（自首調書、告訴調書および告発調書等）

第六四条①　自首を受けたときまたは口頭による告訴もしくは告発を受けたときは、自首調書または告訴調書もしくは告発調書を作成しなければならない。

②　告訴または告発の口頭による取消しを受けたときは、告訴取消調書または告発取消調書を作成しなければならない。

（書面による告訴および告発）

第六五条　書面による告訴または告発を受けた場合においても、その趣旨が不明であるときまたは本人の意思に適合しないと認められるときは、本人から補充の書面を差し出させ、またはその供述を求めて参考人供述調書（補充調書）を作成しなければならない。

（被害者以外の者の告訴）

第六六条①　被害者の委任による代理人から告訴を受ける場合には、委任状を差し出させなければならない。

②　被害者以外の告訴権者から告訴を受ける場合には、その資格を証する書面を差し出させなければならない。

③　被害者以外の告訴権者の委任による代理人から告訴を受ける場合には、前二項の書面をあわせ差し出させなければならない。

④　前三項の規定は、告訴の取消を受ける場合について準用する。

（告訴事件および告発事件の捜査）

第六七条　告訴または告発があつた事件については、特にすみやかに捜査を行うように努めるとともに、次に掲げる事項に注意しなければならない。

一　ぶ告、中傷を目的とする虚偽または著しい誇張によるものでないかどうか。

二　当該事件の犯罪事実以外の犯罪がないかどうか。

（自首事件の捜査）

第六八条　自首のあつた事件について捜査を行うに当つては、次に掲げる事項に注意しなければならない。

一　当該犯罪または犯人が既に発覚していたものでないかどうか。

二　自首が当該事件について他に存する真犯人を隠すためのものでないかどうか。

三　自首者が、自己が犯した他の犯罪を隠すために、ことさらに当該事件につき自首したものでないかどうか。

第六九条（略）

（親告罪の要急捜査）

第七〇条　警察官は、親告罪に係る犯罪があることを知つた場合において、直ちにその捜査を行わなければ証拠の収集その他事後における捜査が著しく困難となるおそれがあると認めるときは、未だ告訴がない場合においても、捜査しなければならない。この場合においては、被害者またはその家族の名誉、信用等を傷つけることのないよう、特に注意しなければならない。

（親告罪の告訴取消の場合の処置）

第七一条　親告罪に係る犯罪につき捜査を行い、事件を検察官に送付した後、告訴人から告訴の取消を受けたときは、直ちに、その旨を検察官に通知し、必要な書類を追送しなければならない。

第七二条から第七五条まで（略）

第三章　捜査の開始（抄）

第一節　捜査の着手　及び　第二節　捜査資料

（第七六条から第八三条まで）（略）

第三節　犯罪現場（抄）

（現場臨検）

第八四条①　警察官は、現場臨検を必要とする犯罪の発生を知つたときは、捜査専従員たると否とを問わず、すみやかにその現場に臨み、必要な捜査を行なわなければならない。

②　前項の場合において他に捜査主任官その他の者による現場臨検が行われるときは、確実に現場を保存するように努めなければならない。

第八五条から第八八条まで（略）

（現場保存ができないときの処置）

第八九条　負傷者の救護その他やむを得ない理由のため現場を変更する必要があるときまたは捜査資料を原状のまま保存することができないときは、写真、見取図、記録その他の方法により原状を明らかにする処置をとらなければならない。

（現場における捜査の要点）

第九〇条　現場において捜査を行うに当たつては、現場鑑識その他の科学的合理的な方法により、次に掲げる事項を明らかにするように努め、犯行の過程を全般的に把握するようにしなければならない。

一　時の関係

イ　犯行の日時及びこれを推定し得る状況

ロ　発覚の日時及び状況

ハ　犯行当時における気象の状況

ニ　その他時に関し参考となる事項

二　場所の関係

イ　現場に通ずる道路及びその状況

ロ　家屋その他現場附近にある物件及びその状況

ハ　現場の間取等の状況

ニ　現場における器具その他物品の状況

ホ　指掌紋、足跡その他のこん跡並びに遺留物件の位置及び状況

ヘ　その他場所に関し参考となる事項

三　被害者の関係

イ　犯人に対する応接その他被害前の状況

ロ　被害時における抵抗、姿勢等の状況

ハ　傷害の部位及び程度、被害金品の種別及び数量等被害の程度

ニ　死体の位置及び創傷、流血その他の状況

ホ　その他被害者に関し参考となる事項

四　被疑者の関係

イ　現場についての侵入及び逃走の経路

ロ　被疑者の数及び性別

ハ　犯罪の手段、方法その他犯罪実行の状況

ニ　被疑者の犯行の動機並びに被害者との面識及び現場についての知識の有無を推定し得る状況

ホ　被疑者の人相、風体、特徴、習癖その他特異な言動等

ヘ　凶器の種類、形状及び加害の方法その他加害の状況

ト　その他被疑者に関し参考となる事項

第九一条（略）

（資料を発見した時の措置）

第九二条　遺留品、現場指掌紋等の資料を発見したときは、年月日時及び場所を記載した紙片に被害者又は第三者の署名を求め、これを添付して撮影する等証拠力の保全に努めなければならない。

第四節　緊急配備

（緊急配備）

第九三条　警察本部長または警察署長は、管轄区域内に発生した犯罪について、犯人捕そくのため緊急の必要がある場合においては、この節に定めるところに従つて、緊急配備をしなければならない。管轄区域外に発生した犯罪について必要がある場合も、また同様とする。

（緊急配備計画）

第九四条①　警察本部長または警察署長は、緊急配備の目的を達成するため、あらかじめ綿密適正な緊急配備計画を立て、所属警察官に周知させておかなければならない。

②　前項の計画を立てる場合において必要があるときは、隣接警察その他関係機関と密接な連絡をとらなければならない。

（緊急配備の方法）

第九五条①　緊急配備は、前条の規定による計画に基き、犯人の数、車両利用の状況、凶器の有無その他犯罪の規模および態様を考慮し、配備につくべき区域、警察官数、特に警戒すべき地域または地点等を定めて行うものとする。

②　緊急配備を行うに当つては、まず、交通の要所その他の重要地点に警察官を配置し、事後、逐次配備網を伸縮する等事態に即応して行わなければならない。

第五節　捜査方針

（第九六条から第九八条まで）（略）

第四章　任意捜査（抄）

（任意捜査の原則）

第九九条　捜査は、なるべく任意捜査の方法によつて行わなければならない。

（承諾を求める際の注意）

第一〇〇条　任意捜査を行うに当り相手方の承諾を求めるについては、次に掲げる事項に注意しなければならない。

一　承諾を強制し、またはその疑を受けるおそれのある態度もしくは方法をとらないこと。

二　任意性を疑われることのないように、必要な配意をすること。

（聞込その他の内偵）

第一〇一条　捜査を行うに当つては、聞込、尾行、密行、張込等により、できる限り多くの捜査資料を入手するように努めなければならない。

（保全要請）

第一〇一条の二①　刑訴法第百九十七条第三項の規定による通信履歴の電磁的記録を消去しないことの求め及び当該求めの取消し並びに同条第四項の規定による期間の延長をするときは、警察本部長又は警察署長の指揮を受けて行わなければならない。

②　通信履歴の電磁的記録を消去しないことの求め及び当該求めの取消し並びに期間の延長は、司法警察員たる警察官が行わなければならない。

（任意出頭）

第一〇二条①　捜査のため、被疑者その他の関係者に対して任意出頭を求めるには、電話、呼出状（別記様式第七号）の送付その他適当な方法により、出頭すべき日時、場所、用件その他必要な事項を呼出人に確実に伝達しなければならない。この場合において、被疑者又は重要な参考人の任意出頭については、警察本部長又は警察署長に報告して、その指揮を受けなければならない。

②　被疑者その他の関係者に対して任意出頭を求める場合には、呼出簿（別記様式第八号）に所要事項を記載して、その処理の経過を明らかにしておかなければならない。

（逮捕状発付後の事情変更）

第一〇三条①　逮捕状の発付されている場合であつても、その後の事情により逮捕状による逮捕の必要がないと認められるに至

つたときは、任意捜査の方法によらなければならない。この場合においては、逮捕状は、その有効期間内であつても、直ちに裁判官に返還しなければならない。

② 前項の場合において、刑訴法第二百一条の二第二項の規定による逮捕状に代わるものの交付があるときは、当該逮捕状に代わるものをも直ちに裁判官に返還しなければならない。

（実況見分）

第一〇四条① 犯罪の現場その他の場所、身体又は物について事実発見のため必要があるときは、実況見分を行わなければならない。

② 実況見分は、居住者、管理者その他関係者の立会を得て行い、その結果を実況見分調書に正確に記載しておかなければならない。

③ 実況見分調書には、できる限り、図面及び写真を添付しなければならない。

④ 前三項の規定により、実況見分調書を作成するに当たつては、写真をはり付けた部分にその説明を付記するなど、分かりやすい実況見分調書となるよう工夫しなければならない。

（実況見分調書記載上の注意）

第一〇五条① 実況見分調書は、客観的に記載するように努め、被疑者、被害者その他の関係者に対し説明を求めた場合においても、その指示説明の範囲をこえて記載することのないように注意しなければならない。

② 被疑者、被害者その他の関係者の指示説明の範囲をこえて、特にその供述を実況見分調書に記載する必要がある場合には、刑訴法第百九十八条第三項から第五項までおよび同法第二百二十三条第二項の規定によらなければならない。この場合において、被疑者の供述に関しては、あらかじめ、自己の意思に反して供述をする必要がない旨を告げ、かつ、その点を調書に明らかにしておかなければならない。

（被疑者の供述に基づく実況見分）

第一〇六条 被疑者の供述により凶器、盗品等その他の証拠資料を発見した場合において、証明力確保のため必要があるときは実況見分を行い、その発見の状況を実況見分調書に明確にしておかなければならない。

（女子の任意の身体検査の禁止）

第一〇七条 女子の任意の身体検査は、行つてはならない。ただし、裸にしないときはこの限りでない。

（人の住居等の任意の捜索の禁止）

第一〇八条 人の住居又は人の看守する邸宅、建造物若しくは船舶につき捜索をする必要があるときは、住居主又は看守者の任意の承諾が得られると認められる場合においても、捜索許可状の発付を受けて捜索をしなければならない。

（任意提出物の領置）

第一〇九条① 所有者、所持者又は保管者の任意の提出に係る物を領置するに当たつては、なるべく提出者から任意提出書を提出させた上、領置調書を作成しなければならない。この場合においては、刑訴法第百二十条の規定による押収品目録交付書を交付するものとする。

② 任意の提出に係る物を領置した場合（次項に規定する場合に該当する場合を除く。）において、その所有者がその物の所有権を放棄する旨の意思を表示したときは、任意提出書にその旨を記載させ、又は所有権放棄書の提出を求めなければならない。

③ 任意の提出に係る物を領置した場合において、その物が電磁的記録に係る記録媒体であり、当該記録媒体の所有者でない提出者が当該電磁的記録について所有に属するものとみなされる権利（刑事事件における第三者所有物の没収手続に関する応急措置法（昭和三十八年法律第百三十八号）第一条の二の規定により所有に属するものとみなされる場合における権利をいう。）を放棄する旨の意思を表示したときは、任意提出書にその旨を記載させ、又は電磁的記録に係る権利放棄書の提出を求めなければならない。

（遺留物の領置）

第一一〇条① 被疑者その他の者の遺留物を領置するに当つては、居住者、管理者その他関係者の立会を得て行うようにしなければならない。

② 前項の領置については、実況見分調書その他によりその物の発見された状況等を明確にした上、領置調書を作成しておかなければならない。

（原状のままの領置）

第一一一条 領置をするに当たつては、指掌紋その他の附着物を破壊しないように注意するとともに、その物をできる限り原状のまま保存するため適当な方法を講じ、滅失、毀損、変質、変形、混合又は散逸することのないように注意しなければならない。

（廃棄等の処分）

第一一二条① 領置物について廃棄、換価、還付又は仮還付の処分をするときは、警察本部長又は警察署長の指揮を受けて行わなければならない。ただし、急速に廃棄処分をする必要がある場合においては、処分後速やかに警察本部長又は警察署長にその旨を報告するものとする。

② 還付又は仮還付の処分をするに当たつては、相手方から（仮）還付請書を徴しておくとともに、先に仮還付した物について更に還付の処分をする必要があるときは、還付通知書（別記様式第九号）を交付して行うものとする。

③ 運搬又は保管に不便な領置物について、看守者を置き、又は所有者その他の者に、その者の承諾を得て保管させる場合も第一項の場合と同様とする。この場合は、なるべくその者から保管請書を徴しておかなくてはならない。

④ 廃棄（刑訴法第四百九十九条第四項の規定によるものに限る。）、換価、還付及び仮還付の処分は、司法警察員たる警察官が行わなければならない。

（還付の公告）

第一一二条の二① 領置物の還付に関して刑訴法第四百九十九条第二項の規定による公告をするときは、警察本部長又は警察署長の指揮を受けて行わなければならない。

② 前項の公告は、司法警察員たる警察官が行わなければならない。

（廃棄処分等と証拠との関係）

第一一三条① 領置物について廃棄又は換価の処分を行うに当たつては、次に掲げる事項に注意しなければならない。

一 処分に先立ち、その物の状況を写真、見取図、模写図又は記録等の方法により明らかにすること。

二 特に必要があると認められるときは、当該領置物の性状、価格等を鑑定に付しておくこと。この場合においては、再鑑定のためその物の一部保存について配意すること。

三 危険を生じ、滅失又は破損するおそれがあり、保管に不便なものである等廃棄又は換価の処分を行うべき相当な理由があることを明確にしておくこと。

② 廃棄又は換価の処分をしたときは、それぞれ廃棄処分書（別記様式第十号）又は換価処分書（別記様式第十一号）を作成しておかなければならない。

第一一四条（略）

（領置物の還付等の相手方の調査）

第一一五条 領置物の還付または仮還付の処分をするに当つては、還付または仮還付を受ける者が正当の権限を有する者であるかどうかについて調査を行い、事後に紛議の生ずることがないようにしなければならない。

（領置調書への記載）

第一一六条 領置物の廃棄、換価、還付または仮還付の処分をするに当つては、その物に係る領置調書中にその旨を記載しておかなければならない。

（証拠物件保存簿）

第一一七条 事件の捜査が長期にわたる場合においては、領置物は証拠物件保存簿（別記様式第十二号）に記載して、その出納を明確にしておかなければならない。

第五章　逮捕

（逮捕権運用の慎重適正）

第一一八条　逮捕権は、犯罪構成要件の充足その他の逮捕の理由、逮捕の必要性、これらに関する疎明資料の有無、収集した証拠の証明力等を充分に検討して、慎重適正に運用しなければならない。

（通常逮捕状の請求等）

第一一九条①　刑訴法第百九十九条第二項の規定による逮捕状（以下「通常逮捕状」という。）の請求（当該請求と同時に同法第二百一条の二第一項の規定による逮捕状に代わるものの交付の請求をする場合にあつては、当該逮捕状に代わるものの交付の請求を含む。次項において同じ。）は、公安委員会が指定する警部以上の階級にある司法警察員（以下「指定司法警察員」という。）が、責任をもつてこれに当たらなければならない。

②　指定司法警察員が通常逮捕状の請求をするに当たつては、順を経て警察本部長又は警察署長に報告し、その指揮を受けなければならない。ただし、急速を要し、指揮を受けるいとまのない場合には、請求後、速やかにその旨を報告するものとする。

（緊急逮捕状の請求）

第一二〇条①　刑訴法第二百十条第一項の規定による逮捕状（以下「緊急逮捕状」という。）の請求は、指定司法警察員又は当該逮捕に当たつた警察官がこれを行うものとする。ただし、指定司法警察員がいないときは、他の司法警察員たる警察官が請求しても差し支えない。

②　緊急逮捕した被疑者の身柄の処置については、順を経て警察本部長又は警察署長に報告し、その指揮を受けなければならない。

③　被疑者を緊急逮捕した場合は、逮捕の理由となつた犯罪事実がないこと若しくはその事実が罪とならないことが明らかになり、又は身柄を留置して取り調べる必要がないと認め、被疑者を釈放したときにおいても、緊急逮捕状の請求をしなければならない。

（親告罪事件の逮捕状請求）

第一二一条　逮捕状を請求するに当つて、当該事件が親告罪に係るものであつて、未だ告訴がないときは、告訴権者に対して告訴するかどうかを確かめなければならない。

（逮捕状請求の疎明資料）

第一二二条①　通常逮捕状を請求するときは、被疑者が罪を犯したことを疑うに足りる相当な理由があること及び逮捕の必要があることを疎明する被害届、参考人供述調書、捜査報告書等の資料を添えて行わなければならない。ただし、刑訴法第百九十九条第一項ただし書に規定する罰金、拘留又は科料に当たる罪について通常逮捕状を請求するときは、更に、被疑者が定まつた住居を有しないこと又は正当な理由がなく任意出頭の求めに応じないことを疎明する資料を添えて行わなければならない。

②　緊急逮捕状を請求するときは、被疑者が罪を犯したことを疑うに足りる十分な理由があつたこと、逮捕の必要があつたこと及び急速を要し逮捕状を求めることができない理由があつたことを疎明する逮捕手続書、被害届その他の資料を添えて行わなければならない。

（逮捕状に代わるものの交付の請求の疎明資料）

第一二二条の二　逮捕状に代わるものの交付の請求をするときは、当該請求に係る者が刑訴法第二百一条の二第一項第一号又は第二号に掲げる者のいずれかに該当することを疎明する被害届、参考人供述調書、捜査報告書等の資料をも添えて行わなければならない。

（請求のための出頭）

第一二三条①　逮捕状の請求（当該請求と同時に逮捕状に代わるものの交付の請求をする場合にあつては、当該逮捕状に代わるものの交付の請求を含む。第百二十五条において同じ。）に当たつては、なるべくその事件の捜査に当たつた警察官が裁判官のもとに出頭しなければならない。

②　裁判官から特に当該逮捕状を請求した者の出頭を求められたときは、当該請求者が自ら出頭して、陳述し、又は書類その他の物の提示に当たらなければならない。

（逮捕状等の記載の変更）

第一二四条　逮捕状の発付を受けた後、逮捕前において、引致場所その他の記載の変更を必要とする理由が生じたときは、当該逮捕状を請求した警察官又はこれに代わるべき警察官が、当該逮捕状を発付した裁判官又はその者の所属する裁判所の他の裁判官に対し、書面（引致場所の変更を必要とするときは、引致場所変更請求書）により逮捕状（逮捕状の発付と同時に逮捕状に代わるものの交付がある場合にあつては、逮捕状及び当該逮捕状に代わるもの）の記載の変更を請求するものとする。ただし、やむを得ない事情があるときは、他の裁判所の裁判官に対して請求することができる。

（令状等請求簿）

第一二五条　逮捕状の請求をしたときは、令状等請求簿（別記様式第十三号）により請求の手続、発付後の状況等を明らかにしておかなければならない。

（逮捕の際の注意）

第一二六条①　逮捕を行うに当たつては、感情にとらわれることなく、沈着冷静を保持するとともに、必要な限度を超えて実力を行使することがないように注意しなければならない。

②　逮捕を行うに当たつては、あらかじめ、その時期、方法等を考慮しなければならない。

③　警察本部長又は警察署長は、逮捕を行うため必要な態勢を確立しなければならない。

④　被疑者を逮捕したときは、直ちにその身体について凶器を所持しているかどうかを調べなければならない。

⑤　多数の被疑者を同時に逮捕するに当たつては、個々の被疑者について、人相、体格その他の特徴、その犯罪事実及び逮捕時の状況並びに当該被疑者と証拠との関連を明確にし、逮捕、押収その他の処分に関する書類の作成、取調べ及び立証に支障を生じないようにしなければならない。

⑥　刑訴法第二百一条の二第三項の規定により逮捕状に代わるものを被疑者に示すときは、当該逮捕状に代わるものの交付の請求に係る個人特定事項（同条第一項に規定する個人特定事項をいう。第百八十九条第三項において同じ。）が被疑者に知られることがないように注意しなければならない。

（手錠の使用）

第一二七条①　逮捕した被疑者が逃亡し、自殺し、又は暴行する等のおそれがある場合において必要があるときは、確実に手錠を使用しなければならない。

②　前項の規定により、手錠を使用する場合においても、苛酷にわたらないように注意するとともに、衆目に触れないように努めなければならない。

（連行及び護送）

第一二八条①　逮捕した被疑者を連行し、又は護送するに当たつては、被疑者が逃亡し、罪証を隠滅し、自殺し、又はこれを奪取されることのないように注意しなければならない。

②　前項の場合において、必要があるときは、他の警察に対し、被疑者の仮の留置を依頼することができる。

（現行犯人を受け取つた場合の手続）

第一二九条①　警察官は、刑訴法第二百十四条の規定により現行犯人を引き渡す者があるときは、直ちにこれを受け取り、逮捕者の氏名、住所および逮捕の事由を聞き取らなければならない。

②　前項の犯人を受け取つた警察官が司法巡査であるときは、すみやかにこれを司法警察員に引致しなければならない。

（司法警察員の処置）

第一三〇条①　司法警察員は、被疑者を逮捕し、又は逮捕された被疑者を受け取つたときは、直ちにその者について次に掲げる処置をとつた後、被疑者の留置の要否又は釈放について、警察本部長又は警察署長の指揮を受けなければならない。

一　犯罪事実の要旨を告げること。
二　弁護人を選任できる旨を告げること。
三　前号に掲げる処置をとるに当たつて、弁護士、弁護士法人（弁護士・外国法事務弁護士共同法人を含む。第百三十二条において同じ。）又は弁護士会を指定して弁護人の選任を申し出ることができる旨及びその申出先を教示すること。
四　弁解の機会を与え、その結果を弁解録取書に記載すること。

②　司法警察員は、前項第二号に掲げる処置をとるに当たつては、被疑者に対し、次に掲げる事項を教示しなければならない。
一　引き続き勾留を請求された場合において、貧困その他の事由により自ら弁護人を選任することができないときは、裁判官に対して弁護人の選任を請求することができること。
二　裁判官に対して弁護人の選任を請求する場合は、刑訴法第三十六条の二に規定する資力申告書を提出しなければならないこと。
三　被疑者の資力が五十万円以上であるときは、あらかじめ、第一号の勾留の請求を受けた裁判官の所属する裁判所の所在地を管轄する地方裁判所の管轄区域内に在る弁護士会に弁護人の選任の申出をしていなければならないこと。

③　被疑者が留置されている場合において、留置の必要がなくなつたと認められるときは、司法警察員は、警察本部長又は警察署長の指揮を受け、直ちに被疑者の釈放に係る措置をとらなければならない。

④　被疑者の留置の要否を判断するに当たつては、その事案の軽重及び態様並びに逃亡、罪証隠滅、通謀等捜査上の支障の有無並びに被疑者の年齢、境遇、健康その他諸般の状況を考慮しなければならない。

（指掌紋の採取、照会等）
第一三一条①　逮捕した被疑者については、引致後速やかに、指掌紋を採取し、写真その他鑑識資料を確実に作成するとともに、指掌紋照会並びに余罪及び指名手配の有無を照会しなければならない。
②　取調べの過程において、新たな事実を発見した場合においても、余罪及び指名手配の有無を照会しなければならない。

（弁護人選任の申出の通知）
第一三二条　逮捕された被疑者が弁護人選任の申出をした場合において、当該弁護士、弁護士法人若しくは弁護士会又は父兄その他の者にその旨を通知したときは、弁護人選任通知簿（別記様式第十四号）に記載して、その手続を明らかにしておかなければならない。

（弁護人の選任）
第一三三条①　弁護人の選任については、弁護人と連署した選任届を当該被疑者または刑訴法第三十条第二項の規定により独立して弁護人を選任することができる者から差し出させるものとする。
②　被疑者の弁護人の選任届は、各被疑者について通じて三人をこえてこれを受理してはならない。ただし、三人をこえて弁護人を選任することについて管轄地方裁判所または簡易裁判所の許可がある場合は、この限りでない。
③　弁護人の選任に当つては、警察官から特定の弁護人を示唆し、または推薦してはならない。

（弁解録取上の注意）
第一三四条　被疑者の弁解を録取するに当つて、その供述が犯罪事実の核心に触れる等弁解の範囲外にわたると認められるときは、弁解録取書に記載することなく、被疑者供述調書を作成しなければならない。

（遅延事由報告書）
第一三五条　被疑者の身柄とともに事件を送致する場合において、遠隔の地で被疑者を逮捕したため、または逮捕した被疑者が病気、でい酔等により保護を必要とするためその他やむを得ない事情により、刑訴法第二百三条第一項に規定する時間の制限に従うことができなかつたときは、遅延事由報告書を作成して、これを送致書に添付しなければならない。

（逮捕手続書）
第一三六条①　被疑者を逮捕したときは、逮捕の年月日時、場所、逮捕時の状況、証拠資料の有無、引致の年月日時等逮捕に関する詳細を記載した逮捕手続書を作成しなければならない。
②　前項の場合において、被疑者が現行犯人であるときは、現に罪を行い、もしくは現に罪を行い終つたと認められた状況、または刑訴法第二百十二条第二項各号の一に当る者が罪を行い終つてから間がないと明らかに認められた状況を逮捕手続書に具体的に記載しなければならない。

（引き当たり捜査の際の注意）
第一三六条の二①　留置被疑者を同行させて警察施設の外において行われる実況見分その他の捜査は、あらかじめ捜査主任官が留置主任官と協議して作成し、警察本部長又は警察署長の承認を受けた計画に基づいて行わなければならない。
②　前項の計画は、同行する被疑者、日時、場所及び行程、当該捜査に従事する者及びその任務分担、被疑者の逃亡その他の事故を防止するために留意すべき事項その他捜査を適正に遂行し、及び事故を防止するため必要な事項について定めるものとする。

（捜査と留置の分離）
第一三六条の三　捜査員は、自らが犯罪の捜査に従事している場合における当該犯罪について留置されている被留置者に係る留置業務に従事してはならない。

第六章　捜索・差押え等（抄）

第一節　通則

（令状の請求）
第一三七条①　刑訴法第二百十八条第一項の規定による捜索、差押え、記録命令付差押え、検証又は身体検査の令状の請求は、指定司法警察員がこれを行うものとする。ただし、やむを得ないときは、他の司法警察員が請求しても差し支えない。
②　前項の令状を請求するに当たつては、順を経て警察本部長又は警察署長に報告し、その指揮を受けなければならない。ただし、急速を要し、指揮を受けるいとまのない場合には、請求後速やかに、その旨を報告するものとする。
③　第一項の令状を請求したときは、令状等請求簿により、請求の手続、発付後の状況等を明らかにしておかなければならない。

（令状請求の際の注意）
第一三八条①　捜索、差押え、記録命令付差押え、検証又は身体検査の令状を請求するに当たつては、捜査に必要かつ十分な範囲を定め、捜索すべき場所、身体若しくは物、差し押さえるべき物、記録させ若しくは印刷させるべき電磁的記録及びこれを記録させ若しくは印刷させるべき者、検証すべき場所、身体若しくは物又は検査すべき身体の部位等を明確にして行わなければならない。
②　刑訴法第二百十八条第二項の規定による差押えの令状を請求するに当たつては、前項に規定する事項のほか、差し押さえるべき電子計算機に電気通信回線で接続している記録媒体であつて、その電磁的記録を複写すべきものの範囲を明確にして行わなければならない。

（疎明資料）
第一三九条①　捜索、差押え、記録命令付差押え、検証又は身体検査の令状を請求するに当たつては、被疑者供述調書、参考人供述調書、捜査報告書その他犯罪の捜査のため当該処分を行う必要があることを疎明する資料を添えて行わなければならない。
②　被疑者以外の者の身体、物又は住居その他の場所について、捜索許可状を裁判官に請求するに当たつては、差し押さえるべき物の存在を認めるに足りる状況があることを疎明する資料を添えて行わなければならない。

③ 郵便物、信書便物又は電信に関する書類で法令の規定に基づき通信事務を取り扱う者が保管し、又は所持するもの（被疑者から発し、又は被疑者に対して発したものを除く。）について差押許可状を裁判官に請求するに当たつては、その物が当該事件に関係があると認めるに足りる状況があることを疎明する資料を添えて行わなければならない。

（実施上の一般的注意）
第一四〇条① 捜索、差押え、記録命令付差押え又は検証を行うに当たつては、必要以上に関係者の迷惑になることのないように特に注意しなければならない。
② 捜索、差押え、記録命令付差押え又は検証を行うに当たつては、やむを得ない理由がある場合を除くほか、建造物、器具等を損壊し、又は書類その他の物を乱すことがないように注意するとともに、これを終えたときは、できる限り原状に復しておくようにしなければならない。

（令状の提示）
第一四一条① 令状により捜索、差押え、記録命令付差押え、検証又は身体検査を行うに当たつては、当該処分を受ける者に対して、令状を示さなければならない。
② やむを得ない理由によつて、当該処分を受ける者に令状を示すことができないときは、立会人に対してこれを示すようにしなければならない。

（逮捕の際の捜索等）
第一四二条 被疑者を逮捕する場合において必要があるときは、逮捕の現場において刑訴法第二百二十条の規定による捜索、差押または検証を行い、捜査資料を発見入手するように努めなければならない。

（立会い）
第一四三条① 公務所内で捜索、差押え、記録命令付差押え又は検証を行うに当たつては、その長又はこれに代わるべき者に通知してこれに立ち会わせなければならない。
② 前項の規定による場合を除いて、人の住居又は人の看守する邸宅、建造物若しくは船舶内で捜索、差押え、記録命令付差押え又は検証を行うに当たつては、住居主若しくは看守者又はこれらの者に代わるべき者を立ち会わせなければならない。これらの者を立ち会わせることができないときは、隣人又は地方公共団体の職員を立ち会わせなければならない。ただし、刑訴法第二百二十条の規定により被疑者を捜索する場合において急速を要するときは、この限りでない。
③ 女子の身体について捜索を行う場合には、十八歳以上の女子を立ち会わせなければならない。ただし、急速を要する場合は、この限りでない。
④ 女子の身体を検査する場合には、医師又は十八歳以上の女子を立ち会わせなければならない。

（被疑者等の立会い）
第一四四条① 捜索、差押え、記録命令付差押え又は検証を行うに当たつて捜査上特に必要があるときは、被疑者その他の関係者を立ち会わせるようにしなければならない。
② 前項の場合においては、常にこれらの者の言語および挙動に注意し、新たな捜査資料を入手することに努めなければならない。

第二節 捜索（抄）

（第三者の立会）
第一四五条① 捜索を行うに当つては、公務所内または人の居住し、もしくは人の看守する邸宅、建造物もしくは船舶内以外の場所でこれを行う場合にも、なるべく第三者の立会を得て行うようにしなければならない。
② 前項の場合において、第三者の立会が得られないときは、他の警察官の立会を得て捜索を行うものとする。

第一四六条 （略）

（執行中の退去および出入禁止）
第一四七条① 捜索を行うに当つては、立会人または特に許可を受けた者以外の者は、その場所から退去させ、およびその場所に出入させないようにしなければならない。
② 前項の許可を受けないでその場所にある者に対しては、退去を強制しまたは看守者を附して、捜索の実施を妨げさせないようにしなければならない。ただし、必要な限度をこえて実力を行使することのないようにしなければならない。

（協力要請）
第一四七条の二 差し押さえるべき物が電磁的記録に係る記録媒体であつて、捜索を行うに当たつて必要があるときは、刑訴法第二百二十二条第一項において準用する同法第百十一条の二の規定に基づき、処分を受ける者に対し、電子計算機の操作その他の必要な協力を求めるものとする。

（捜索中止の場合の処置）
第一四八条 捜索に着手した後、一時これを中止する場合においては、その場所を閉鎖し、または看守者を附して事後の捜索の続行に支障がないようにしておかなければならない。

（捜索調書）
第一四九条① 捜索を行つた場合は、捜索の状況を明らかにした捜索調書（被疑者捜索調書を含む。）を作成しなければならない。
② 捜索に際し、処分を受ける者に捜索許可状を示すことができなかつたとき、立会人を得ることができなかつたとき、又は女子の身体について捜索を行う場合に急速を要し、十八歳以上の女子の立会いが得られなかつたときは、捜索調書にその旨を記載し、その理由を明らかにしておかなければならない。

（捜索証明書）
第一五〇条 捜索をした結果、証拠物または没収すべき物がない場合において、当該処分を受けた者から請求があつたときは、すみやかに捜索証明書を作成して交付しなければならない。

第三節 差押え及び記録命令付差押え

（領置に関する規定の準用等）
第一五一条① 第百九条（任意提出物の領置）第一項後段、第二項及び第三項並びに第百十条第二項から第百十七条まで（遺留物の領置、原状のままの領置、廃棄等の処分、還付の公告、廃棄処分等と証拠との関係、調査職員への連絡、領置物の還付等の相手方の調査、領置調書への記載、証拠物件保存簿）の規定は、差押え及び記録命令付差押えを行う場合について準用する。この場合において、第百十条第二項及び第百十六条中「領置調書」とあるのは、「差押調書又は記録命令付差押調書」と読み替えるものとする。
② 次に掲げる処分を行つた場合は、これらの処分を受けた者に対しても押収品目録交付書を交付しなければならない。
一 刑訴法第二百二十二条第一項において準用する同法第百十条の二の規定による処分を行つた場合
二 記録命令付差押え又は刑訴法第二百十八条第二項の規定による処分を行うに当たり記録媒体を警察官が用意した場合

（捜索に関する規定の準用）
第一五二条 第百四十五条（第三者の立会）の規定は、差押えを行う場合について、第百四十七条（執行中の退去および出入禁止）、第百四十七条の二（協力要請）及び第百四十八条（捜索中止の場合の処置）の規定は、差押え又は記録命令付差押えを行う場合について、それぞれ準用する。

（捜索調書に関する規定の準用）
第一五三条 第百四十九条（捜索調書）第二項の規定は、差押調書又は記録命令付差押調書の作成について準用する。

（差押え又は記録命令付差押えに緊急を要する場合）
第一五四条① 犯罪に関係があると認められる物を発見した場合において、その物の所有者又は保管者から任意の提出を受ける見込みがないと認めたときは、直ちにその物に対する差押許可状の発付を請求するとともに、その隠匿、散逸等を防止するため適切な処置をとらなければならない。
② 犯罪に関係があると認められる電磁的記録を発見した場合に

おいて、その電磁的記録に係る記録媒体の所有者若しくは保管者又はその電磁的記録を保管する者その他その電磁的記録を利用する権限を有する者からその電磁的記録に係る記録媒体又はその電磁的記録を記録若しくは印刷させた記録媒体について任意の提出を受ける見込みがないと認めたときは、直ちにその電磁的記録に係る記録媒体に対する差押許可状又はその電磁的記録に係る記録命令付差押許可状の発付を請求するとともに、その隠匿、散逸等を防止するため適切な処置をとらなければならない。

（**交付又は複写の許可**）

第一五四条の二① 差押物について、刑訴法第二百二十二条第一項において準用する同法第百二十三条第三項の規定による交付又は複写の許可をするときは、警察本部長又は警察署長の指揮を受けて行わなければならない。

② 前項の交付又は複写の許可は、司法警察員たる警察官が行わなければならない。

③ 第一項の交付又は複写の許可をするに当たつては、相手方から交付請書又は複写電磁的記録請書を徴しておくものとする。

④ 差押えを受けた者が第一項の交付又は複写の許可を受ける権利を放棄する旨の意思を表示した場合は、電磁的記録に係る権利放棄書の提出を求めなければならない。

⑤ 第一項の交付又は複写の許可に関して刑訴法第四百九十九条の二第一項において準用する同法第四百九十九条第二項の規定による公告をするときは、警察本部長又は警察署長の指揮を受けて行わなければならない。

⑥ 前項の公告は、司法警察員たる警察官が行わなければならない。

第四節　検証

（**検証**）

第一五五条 犯罪の現場その他の場所、身体または物の検証については、事実発見のため身体の検査、死体の解剖、墳墓の発掘、物の破壊その他必要な処分をすることができる。

（**死体の検証等の注意**）

第一五六条① 死体の検証、墳墓の発掘等を行うに当つては、礼を失わないように注意し、配偶者、直系の親族または兄弟姉妹があるときは、これらの者に、その旨を通知し、なるべくその立会を得るようにしなければならない。

② 前項の場合において、死体の被服、附着物、墳墓内の埋葬物等で捜査上必要があると認められるものについては、遺族から任意提出を受け、または差押許可状により差押を行わなければならない。

（**実況見分に関する規定の準用**）

第一五七条① 第百四条第三項から第百六条まで（実況見分、実況見分調書記載上の注意、被疑者の供述に基づく実況見分）の規定は、検証を行う場合について準用する。この場合において、これらの規定中「実況見分調書」とあるのは「検証調書又は身体検査調書」と読み替えるものとする。

② 検証を行う場合において他の処分と同時に身体の検査をするときは、別に身体検査調書を作成することなく、検証調書に身体の検査に関する事項をもあわせて記載することができる。

（**捜索に関する規定の準用等**）

第一五八条① 第百四十五条（第三者の立会）、第百四十七条（執行中の退去および出入禁止）、第百四十七条の二（協力要請）、第百四十八条（捜索中止の場合の処置）及び第百四十九条（捜索調書）第一項の規定は検証を行う場合について、第百四十九条（捜索調書）第二項の規定は検証調書の作成について、それぞれ準用する。この場合において、第百四十九条第一項の規定中「捜索調書」とあるのは、「検証調書又は身体検査調書」と読み替えるものとする。

② 身体検査に際し、やむを得ない理由により立会人を得ることができなかつたときは、その事情を身体検査調書に明らかにしておかなければならない。

（**身体検査についての注意**）

第一五九条 身体検査を行うに当たつては、刑訴法第二百十八条第六項の規定により裁判官の付した条件を厳格に遵守するほか、性別、年令、健康状態、場所的関係その他諸般の状況を考慮してこれを受ける者の名誉を害しないように注意し、かつ、穏当な方法で行わなければならない。

（**医師等の助力**）

第一六〇条 身体検査を行うに当つては、必要があると認められるときは、医師その他専門的知識を有する者の助力を得て行わなければならない。

（**負傷者の身体検査**）

第一六一条 負傷者の負傷部位について身体検査を行うときは、その状況を撮影等により明確に記録する等の方法をとり、できる限り短時間のうちに終了するように努めなければならない。

（**身体検査拒否の場合の処置**）

第一六二条 刑訴法第二百二十二条第七項の規定により、正当の理由がなく身体検査を拒んだ者に対する過料処分またはその者にその拒絶により生じた費用の賠償を命ずべき処分を裁判所に請求するには、過料処分等請求書を作成して行わなければならない。

第七章　没収保全等の請求

（第一六三条から第一六五条まで）（略）

第八章　取調べ

（**取調べの心構え**）

第一六六条 取調べに当たつては、予断を排し、被疑者その他関係者の供述、弁解等の内容のみにとらわれることなく、あくまで真実の発見を目標として行わなければならない。

（**取調べにおける留意事項**）

第一六七条① 取調べを行うに当たつては、被疑者の動静に注意を払い、被疑者の逃亡及び自殺その他の事故を防止するように注意しなければならない。

② 取調べを行うに当たつては、事前に相手方の年令、性別、境遇、性格等を把握するように努めなければならない。

③ 取調べに当たつては、冷静を保ち、感情にはしることなく、被疑者の利益となるべき事情をも明らかにするように努めなければならない。

④ 取調べに当たつては、言動に注意し、相手方の年令、性別、境遇、性格等に応じ、その者にふさわしい取扱いをする等その心情を理解して行わなければならない。

⑤ 警察官は、常に相手方の特性に応じた取調べ方法の習得に努め、取調べに当たつては、その者の特性に応じた方法を用いるようにしなければならない。

（**任意性の確保**）

第一六八条① 取調べを行うに当たつては、強制、拷問、脅迫その他供述の任意性について疑念をいだかれるような方法を用いてはならない。

② 取調べを行うに当たつては、自己が期待し、又は希望する供述を相手方に示唆する等の方法により、みだりに供述を誘導し、供述の代償として利益を供与すべきことを約束し、その他供述の真実性を失わせるおそれのある方法を用いてはならない。

③ 取調べは、やむを得ない理由がある場合のほか、深夜に又は長時間にわたり行うことを避けなければならない。この場合において、午後十時から午前五時までの間に、又は一日につき八時間を超えて、被疑者の取調べを行うときは、警察本部長又は警察署長の承認を受けなければならない。

（**精神又は身体に障害のある者の取調べにおける留意事項**）

第一六八条の二 精神又は身体に障害のある者の取調べを行うに当たつては、その者の特性を十分に理解し、取調べを行う時間や場所等について配慮するとともに、供述の任意性に疑念が生じることのないように、その障害の程度等を踏まえ、適切な方法を用いなければならない。

（自己の意思に反して供述をする必要がない旨の告知）

第一六九条① 被疑者の取調べを行うに当たつては、あらかじめ、自己の意思に反して供述する必要がない旨を告げなければならない。

② 前項の告知は、取調べが相当期間中断した後再びこれを開始する場合又は取調べ警察官が交代した場合には、改めて行わなければならない。

（共犯者の取調べ）

第一七〇条① 共犯者の取調べは、なるべく各別に行つて、通謀を防ぎ、かつ、みだりに供述の符合を図ることのないように注意しなければならない。

② 取調べを行うに当たり、対質尋問を行う場合には、特に慎重を期し、一方が他方の威圧を受ける等のことがないようその時期及び方法を誤らないように注意しなければならない。

（証拠物の呈示）

第一七一条 捜査上特に必要がある場合において、証拠物を被疑者に示すときは、その時期及び方法に適切を期するとともに、その際における被疑者の供述を調書に記載しておかなければならない。

（臨床の取調べ）

第一七二条 相手方の現在する場所で臨床の取調べを行うに当たつては、相手方の健康状態に十分の考慮を払うことはもちろん、捜査に重大な支障のない限り、家族、医師その他適当な者を立ち会わせるようにしなければならない。

（裏付け捜査及び供述の吟味の必要）

第一七三条① 取調べにより被疑者の供述があつたときは、その供述が被疑者に不利な供述であると有利な供述であるとを問わず、直ちにその供述の真実性を明らかにするための捜査を行い、物的証拠、情況証拠その他必要な証拠資料を収集するようにしなければならない。

② 被疑者の供述については、事前に収集した証拠及び前項の規定により収集した証拠を踏まえ、客観的事実と符合するかどうか、合理的であるかどうか等について十分に検討し、その真実性について判断しなければならない。

（伝聞供述の排除）

第一七四条① 事実を明らかにするため被疑者以外の関係者を取り調べる必要があるときは、なるべく、その事実を直接に経験した者から供述を求めるようにしなければならない。

② 重要な事項に係るもので伝聞にわたる供述があつたときは、その事実を直接に経験した者について、更に取調べを行うように努めなければならない。

（供述者の死亡等に備える処置）

第一七五条 被疑者以外の者を取り調べる場合においては、その者が死亡、精神又は身体の故障その他の理由により公判準備又は公判期日において供述することができないおそれがあり、かつ、その供述が犯罪事実の存否の証明に欠くことができないものであるときは、捜査に支障のない限り被疑者、弁護人その他適当な者を取調べに立ち会わせ、又は検察官による取調べが行われるように連絡する等の配意をしなければならない。

（証人尋問請求についての連絡）

第一七六条 刑訴法第二百二十六条又は同法第二百二十七条の規定による証人尋問の必要があると認められるときは、証人尋問請求方連絡書に、同法第二百二十六条又は同法第二百二十七条に規定する理由があることを疎明すべき資料を添えて、検察官に連絡しなければならない。この場合において、証明すべき事実及び尋問すべき事項は、特に具体的かつ明瞭に記載するものとする。

（供述調書）

第一七七条① 取調べを行つたときは、特に必要がないと認められる場合を除き、被疑者供述調書又は参考人供述調書を作成しなければならない。

② 被疑者その他の関係者が、手記、上申書、始末書等の書面を提出した場合においても、必要があると認めるときは、被疑者供述調書又は参考人供述調書を作成しなければならない。

（供述調書の記載事項）

第一七八条① 被疑者供述調書には、おおむね次の事項を明らかにしておかなければならない。

一 本籍、住居、職業、氏名、生年月日、年齢及び出生地（被疑者が法人であるときは名称又は商号、主たる事務所又は本店の所在地並びに代表者の氏名及び住居、被疑者が法人でない団体であるときは名称、主たる事務所の所在地並びに代表者、管理人又は主幹者の氏名及び住居）

二 旧氏名、変名、偽名、通称及びあだ名

三 位記、勲章、褒賞、記章、恩給又は年金の有無（もしあるときは、その種類及び等級）

四 前科の有無（もしあるときは、その罪名、刑名、刑期、罰金又は科料の金額、刑の執行猶予の言渡し及び保護観察に付されたことの有無、犯罪事実の概要並びに裁判をした裁判所の名称及びその年月日）

五 刑の執行停止、仮釈放、仮出所、恩赦による刑の減免又は刑の消滅の有無

六 起訴猶予又は微罪処分の有無（もしあるときは、犯罪事実の概要、処分をした庁名及び処分年月日）

七 保護処分を受けたことの有無（もしあるときは、その処分の内容、処分をした庁名及び処分年月日）

八 現に他の警察署その他の捜査機関において捜査中の事件の有無（もしあるときは、その罪名、犯罪事実の概要及び当該捜査機関の名称）

九 現に裁判所に係属中の事件の有無（もしあるときは、その罪名、犯罪事実の概要、起訴の年月日及び当該裁判所の名称）

十 学歴、経歴、資産、家族、生活状態及び交友関係

十一 被害者との親族又は同居関係の有無（もし親族関係があるときは、その続柄）

十二 犯罪の年月日時、場所、方法、動機又は原因並びに犯行の状況、被害の状況及び犯罪後の行動

十三 盗品等に関する罪の被疑者については、本犯と親族又は同居の関係の有無（もし親族関係があるときは、その続柄）

十四 犯行後、国外にいた場合には、その始期及び終期

十五 未成年者、成年被後見人又は被保佐人であるときは、その法定代理人又は保佐人の氏名及び住居（法定代理人又は保佐人が法人であるときは名称又は商号、主たる事務所又は本店の所在地並びに代表者の氏名及び住居）

② 参考人供述調書については、捜査上必要な事項を明らかにするとともに、被疑者との関係をも記載しておかなければならない。

③ 刑訴法第六十条の勾留の原因たるべき事項又は同法第八十九条に規定する保釈に関し除外理由たるべき事項があるときは、被疑者供述調書又は参考人供述調書に、その状況を明らかにしておかなければならない。

（供述調書作成についての注意）

第一七九条① 供述調書を作成するに当たつては、次に掲げる事項に注意しなければならない。

一 形式に流れることなく、推測又は誇張を排除し、不必要な重複又は冗長な記載は避け、分かりやすい表現を用いること。

二 犯意、着手の方法、実行行為の態様、未遂既遂の別、共謀の事実等犯罪構成に関する事項については、特に明確に記載するとともに、事件の性質に応じて必要と認められる場合には、主題ごと又は場面ごとの供述調書を作成するなどの工夫を行うこと。

三 必要があるときは、問答の形式をとり、又は供述者の供述する際の態度を記入し、供述の内容のみならず供述したときの状況をも明らかにすること。

四　供述者が略語、方言、隠語等を用いた場合において、供述の真実性を確保するために必要があるときは、これをそのまま記載し、適当な注を付しておく等の方法を講ずること。

②　供述を録取したときは、これを供述者に閲覧させ又は供述者が明らかにこれを聞き取り得るように読み聞かせるとともに、供述者に対して増減変更を申し立てる機会を十分に与えなければならない。

③　被疑者の供述について前項の規定による措置を講ずる場合において、被疑者が調書（司法警察職員捜査書類基本書式例による調書に限る。以下この項において同じ。）の毎葉の記載内容を確認したときは、それを証するため調書毎葉の欄外に署名又は押印を求めるものとする。

（補助者及び立会人の署名押印）

第一八〇条①　供述調書の作成に当たつては、警察官その他適当な者に記録その他の補助をさせることができる。この場合においては、その供述調書に補助をした者の署名押印を求めなければならない。

②　取調べを行うに当たつて弁護人その他適当と認められる者を立ち会わせたときは、その供述調書に立会人の署名押印を求めなければならない。

（署名押印不能の場合の処置）

第一八一条①　供述者が、供述調書に署名することができないときは警察官が代筆し、押印することができないときは指印させなければならない。

②　前項の規定により、警察官が代筆したときは、その警察官が代筆した理由を記載して署名押印しなければならない。

③　供述者が供述調書に署名又は押印を拒否したときは、警察官がその旨を記載して署名押印しておかなければならない。

（通訳及び翻訳の場合の処置）

第一八二条①　捜査上の必要により、学識経験者その他の通訳人を介して取調べを行つたときは、供述調書に、その旨及び通訳人を介して当該供述調書を読み聞かせた旨を記載するとともに、通訳人の署名押印を求めなければならない。

②　捜査上の必要により、学識経験者その他の翻訳人に被疑者その他の関係者が提出した書面その他の捜査資料たる書面を翻訳させたときは、その翻訳文を記載した書面に翻訳人の署名押印を求めなければならない。

（取調べ状況報告書等）

第一八二条の二①　被疑者又は被告人を取調べ室又はこれに準ずる場所において取り調べたとき（当該取調べに係る事件が、第百九十八条の規定により送致しない事件と認められる場合を除く。）は、当該取調べを行つた日（当該日の翌日の午前零時以降まで継続して取調べを行つたときは、当該翌日の午前零時から当該取調べが終了するまでの時間を含む。次項において同じ。）ごとに、速やかに取調べ状況報告書（別記様式第十六号）を作成しなければならない。

②　前項の場合において、逮捕又は勾留（少年法（昭和二十三年法律第百六十八号）第四十三条第一項の規定による請求に基づく同法第十七条第一項の措置を含む。）により身柄を拘束されている被疑者又は被告人について、当該逮捕又は勾留の理由となつている犯罪事実以外の犯罪に係る被疑者供述調書を作成したときは、取調べ状況報告書に加え、当該取調べを行つた日ごとに、速やかに余罪関係報告書（別記様式第十七号）を作成しなければならない。

③　取調べ状況報告書及び余罪関係報告書を作成した場合において、被疑者又は被告人がその記載内容を確認したときは、それを証するため当該取調べ状況報告書及び余罪関係報告書の確認欄に署名押印を求めるものとする。

④　第百八十一条の規定は、前項の署名押印について準用する。この場合において、同条第三項中「その旨」とあるのは、「その旨及びその理由」と読み替えるものとする。

（取調べ等の録音・録画）

第一八二条の三①　次の各号のいずれかに掲げる事件について、逮捕若しくは勾留されている被疑者の取調べを行うとき又は被疑者に対し弁解の機会を与えるときは、刑訴法第三百一条の二第四項各号のいずれかに該当する場合を除き、取調べ等の録音・録画（取調べ又は弁解の機会における被疑者の供述及びその状況を録音及び録画を同時に行う方法により記録媒体に記録することをいう。次項及び次条において同じ。）をしなければならない。

一　死刑又は無期の懲役若しくは禁錮に当たる罪に係る事件

二　短期一年以上の有期の懲役又は禁錮に当たる罪であつて故意の犯罪行為により被害者を死亡させたものに係る事件

②　逮捕又は勾留されている被疑者が精神に障害を有する場合であつて、その被疑者の取調べを行うとき又は被疑者に対し弁解の機会を与えるときは、必要に応じ、取調べ等の録音・録画をするよう努めなければならない。

（録音・録画状況報告書）

第一八二条の四　取調べ等の録音・録画をしたときは、速やかに録音・録画状況報告書（別記様式第十八号）を作成しなければならない。

（取調べ室の構造及び設備の基準）

第一八二条の五　取調べ室は、次に掲げる基準に適合するものとしなければならない。

一　扉を片側内開きとするなど被疑者の逃走及び自殺その他の事故の防止に適当な構造及び設備を有すること。

二　外部から取調べ室内が容易に望見されないような構造及び設備を有すること。

三　透視鏡を備え付けるなど取調べ状況の把握のための構造及び設備を有すること。

四　適当な換気、照明及び防音のための設備を設けるなど適切な環境で被疑者が取調べを受けることができる構造及び設備を有すること。

五　取調べ警察官、被疑者その他関係者の数及び必要な設備に応じた適当な広さであること。

第九章　証拠収集等への協力及び訴追に関する合意（抄）

第一八二条の六　（略）

（供述の求め）

第一八二条の七　刑訴法第三百五十条の六第二項の規定による供述の求めは、取調べと明確に区別して行わなければならない。

第十章　鑑識

（鑑識の心構え）

第一八三条①　鑑識は、予断を排除し、先入観に影響されることなく、あくまでも客観的に事実を明確にすることを目的としなければならない。

②　鑑識を行うに当たつては、前項の目的を達するため、周密を旨とし、微細な点に至るまで看過することのないように努めるとともに、鑑識の対象となつた捜査資料が、公判審理において証明力を保持し得るように処置しておかなければならない。

（鑑識基礎資料の収集）

第一八四条　捜査資料について迅速正確な鑑識を行うことができるようにするため、あらかじめ、自動車塗膜、農薬、医薬品その他品質、形状、商標等によつて分類することのできる物件で必要なものを収集し、鑑識基礎資料として分類保存しておくように努めなければならない。

（鑑識資料送付上の注意）

第一八五条①　鑑識のため捜査資料を送付するに当たつては、変形、変質、滅失、散逸、混合等のことがないように注意するとともに、郵送の場合には、その外装、容器等につき細心の注意を払わなければならない。特に必要があるときは、直接持参する等の方法をとらなければならない。

②　重要な鑑識資料の受渡しに当たつては、相互に、資料の名称、個数、受渡年月日及び受渡人氏名を明確にしておかなけれ

ばならない。

（再鑑識のための考慮）

第一八六条　血液、精液、だ液、臓器、毛髪、薬品、爆発物等の鑑識に当たつては、なるべくその全部を用いることなく一部をもつて行い、残部は保存しておく等再鑑識のための考慮を払わなければならない。

（鑑定の嘱託）

第一八七条　捜査のため、死体の解剖、指掌紋又は筆跡の鑑別、電子情報処理組織及び電磁的記録の解析等専門的知識を要する鑑定を科学警察研究所その他の犯罪鑑識機関又は適当な学識経験者に嘱託するに当たつては、警察本部長又は警察署長の指揮を受けなければならない。

（鑑定嘱託書）

第一八八条①　鑑定を嘱託するに当たつては、鑑定嘱託書により、次に掲げる事項を具して、行わなければならない。

一　事件名
二　鑑定資料の名称及び個数
三　鑑定事項
四　当該鑑定に参考となるべき次に掲げる事項
　イ　犯罪の年月日時
　ロ　犯罪の場所
　ハ　被疑者の住居、氏名、年令及び性別
　ニ　鑑定資料の採取年月日及び採取時の状態
　ホ　事件内容の概要その他参考事項

②　鑑定嘱託書に前項第四号に掲げる事項を記載するに当たつては、鑑定人に予断又は偏見を生ぜしめないため当該鑑定に必要な範囲にとどめることに注意するとともに、その他鑑定嘱託書中に鑑定人に予断又は偏見を生ぜしめるような事項を記載してはならない。当該事件について口頭で必要な説明を加える場合もまた同様とする。

（鑑定処分許可状及び鑑定留置）

第一八九条①　鑑定のため、人の住居又は人の看守する邸宅、建造物若しくは船舶内に入り、身体を検査し、死体を解剖し、墳墓を発掘し、又は物を破壊する必要があるときは、鑑定処分許可状の発付を受け、これを鑑定人に交付して鑑定を行わせるものとする。

②　被疑者の心神又は身体に関する鑑定を嘱託する場合において、鑑定留置の処分を必要とするときは、裁判官にその処分を請求して鑑定留置状の発付を受け、これに基づいて病院その他鑑定留置状所定の場所に被疑者を留置して鑑定を行わせるものとする。

③　前項の場合において、刑訴法第二百一条の二第一項第一号又は第二号に掲げる者の個人特定事項について、必要と認めるときは、鑑定留置の処分の請求と同時に、裁判官に対し、同法第二百二十四条第三項において読み替えて準用する同法第二百七条の二第一項の規定による鑑定留置状に代わるものの交付の請求をするものとする。

④　鑑定留置状に記載された定められた期間を延長し、又は短縮して鑑定留置の処分を行うことを必要とするときは、裁判官に期間の延長又は短縮を請求しなければならない。

⑤　第百三十七条（令状の請求）の規定は、鑑定処分の許可の請求、鑑定留置の処分の請求、鑑定留置状に代わるものの交付の請求及び鑑定留置期間の延長又は短縮の請求について準用する。

（鑑定留置の際の注意）

第一九〇条　鑑定留置状により被疑者を病院その他の場所に留置した場合には、当該病院その他の場所の管理者と緊密な連絡を取り、必要があるときは、看守者を付するための措置を講ずる等被疑者の自殺、逃亡その他の事故を防止するように努めなければならない。

（鑑定人に対する便宜供与）

第一九一条　鑑定のため必要があるときは、鑑定人に書類及び証拠物を閲覧若しくは謄写させ、被疑者その他関係者の取調べに立ち会わせ、又はこれらの者に対し質問をさせることができる。

（鑑定書）

第一九二条①　鑑定を嘱託する場合には、鑑定人から、鑑定の日時、場所、経過及び結果を関係者に容易に理解できるよう簡潔平明に記載した鑑定書の提出を求めるようにしなければならない。ただし、鑑定の経過及び結果が簡単であるときは、鑑定人から口頭の報告を求めることができるものとし、この場合には、その供述調書を作成しておかなければならない。

②　鑑定人が数人あるときは、共同の鑑定書の提出を求めることができる。

③　鑑定書の記載に不明又は不備の点があるときは、これを補充する書面の提出を求めて鑑定書に添付しなければならない。

第十一章　送致及び送付

（送致及び送付の指揮）

第一九三条　捜査を行つた事件について送致又は送付の手続をとるに当たつては、警察本部長又は警察署長の指揮を受けて行わなければならない。

（関連事件の送致及び送付）

第一九四条　第十二章（少年事件に関する特則）に規定する場合を除き、関連する事件は、原則として、一括して送致又は送付するものとする。

（送致書及び送付書）

第一九五条　事件を送致又は送付するに当たつては、犯罪の事実及び情状等に関する意見を付した送致書又は送付書を作成し、関係書類及び証拠物を添付するものとする。

（送致又は送付後の捜査と追送）

第一九六条①　警察官は、事件の送致又は送付後においても、常にその事件に注意し、新たな証拠の収集及び参考となるべき事項の発見に努めなければならない。

②　事件の送致又は送付後において、新たな証拠物その他の資料を入手したときは、速やかにこれを追送しなければならない。

（余罪の追送致（付））

第一九七条　事件の送致又は送付後において、当該事件に係る被疑者につき、余罪のあることを発見したときは、検察官に連絡するとともに、速やかにその捜査を行い、これを追送致（付）しなければならない。

（微罪処分ができる場合）

第一九八条　捜査した事件について、犯罪事実が極めて軽微であり、かつ、検察官から送致の手続をとる必要がないとあらかじめ指定されたものについては、送致しないことができる。

（微罪処分の報告）

第一九九条　前条の規定により送致しない事件については、その処理年月日、被疑者の氏名、年令、職業及び住居、罪名並びに犯罪事実の要旨を一月ごとに一括して、微罪処分事件報告書（別記様式第十九号）により検察官に報告しなければならない。

（微罪処分の際の処置）

第二〇〇条　第百九十八条（微罪処分ができる場合）の規定により事件を送致しない場合には、次の各号に掲げる処置をとるものとする。

一　被疑者に対し、厳重に訓戒を加えて、将来を戒めること。
二　親権者、雇主その他被疑者を監督する地位にある者又はこれらの者に代わるべき者を呼び出し、将来の監督につき必要な注意を与えて、その請書を徴すること。
三　被疑者に対し、被害者に対する被害の回復、謝罪その他適当な方法を講ずるよう諭すこと。

（犯罪事件処理簿）

第二〇一条　事件を送致し、又は送付したときは、長官が定める様式の犯罪事件処理簿により、その経過を明らかにしておかなければならない。

第十二章　少年事件に関する特則（抄）

（準拠規定）
第二〇二条　少年事件の捜査については、この章に規定するもののほか、一般の例によるものとする。

（少年事件捜査の基本）
第二〇三条　少年事件の捜査については、家庭裁判所における審判その他の処理に資することを念頭に置き、少年（少年法第二条第一項に規定する少年をいう。以下同じ。）の健全な育成を期する精神をもつて、これに当たらなければならない。

（少年の特性の考慮）
第二〇四条　少年事件の捜査を行うに当たつては、少年の特性にかんがみ、特に他人の耳目に触れないようにし、取調べの言動に注意する等温情と理解をもつて当たり、その心情を傷つけないように努めなければならない。

（犯罪原因等の調査）
第二〇五条　少年事件の捜査を行うに当たつては、犯罪の原因及び動機並びに当該少年の性格、行状、経歴、教育程度、環境、家庭の状況、交友関係等を詳細に調査しておかなければならない。

（関係機関との連絡）
第二〇六条　少年事件の捜査を行うに当たつて必要があるときは、家庭裁判所、児童相談所、学校その他の関係機関との連絡を密にしなければならない。

（保護者等との連絡）
第二〇七条　少年の被疑者の呼出し又は取調べを行うに当たつては、当該少年の保護者又はこれに代わるべき者に連絡するものとする。ただし、連絡することが当該少年の福祉上不適当であると認められるときは、この限りでない。

（身柄拘束に関する注意）
第二〇八条　少年の被疑者については、なるべく身柄の拘束を避け、やむを得ず、逮捕、連行又は護送する場合には、その時期及び方法について特に慎重な注意をしなければならない。

（新聞発表等の際の注意）
第二〇九条　少年事件について、新聞その他の報道機関等に発表するときは、当該少年の氏名又は住居を告げ、その他その者を推知することができるようなことはしてはならない。ただし、特定少年（少年法第六十二条第一項に規定する特定少年をいう。次条及び第二百十五条第二号において同じ。）のとき犯した罪に係る事件であつて当該罪により公訴を提起された者に係るもの（刑訴法第四百六十一条の請求がされたもの（刑訴法第四百六十三条第一項若しくは第二項又は第四百六十八条第二項の規定により通常の規定に従い審判をすることとなつたものを除く。）を除く。）については、この限りでない。

（少年事件の送致及び送付先）
第二一〇条①　少年事件について捜査した結果、その犯罪が罰金以下の刑に当たるものであるときは、これを家庭裁判所に送致し、禁錮以上の刑に当たるものであるときは、これを検察官に送致し、又は送付しなければならない。ただし、当該少年事件が特定少年に係るものであるときは、刑の軽重にかかわらず、これを検察官に送致し、又は送付しなければならない。
②　送致又は送付に当たり、その少年（特定少年を除く。）の被疑者について、罰金以下の刑に当たる犯罪と禁錮以上の刑に当たる犯罪とがあるときは、これらを共に一括して、検察官に送致し、又は送付するものとする。

第二一一条及び第二一二条　（略）

（送致書類及び送付書類）
第二一三条　少年事件を送致又は送付するに当たつては、少年事件送致書（家庭裁判所へ送致するものについては、別記様式第二十号。ただし、当該都道府県警察の管轄区域を管轄する地方検察庁（以下「管轄地方検察庁」という。）の検事正が少年の交通法令違反事件の捜査書類の様式について特例を定めた場合において、当該都道府県警察の警察本部長がその管轄区域を管轄する家庭裁判所（以下「管轄家庭裁判所」という。）と協議してその特例に準じて別段の様式を定めたときは、その様式）又は少年事件送付書（別記様式第二十一号）その他の関係書類及び証拠物を添付するものとする。

（軽微な事件の処理）
第二一四条①　捜査した少年事件について、その事実が極めて軽微であり、犯罪の原因及び動機、当該少年の性格、行状、家庭の状況及び環境等から見て再犯のおそれがなく、刑事処分又は保護処分を必要としないと明らかに認められ、かつ、検察官又は家庭裁判所からあらかじめ指定されたものについては、被疑少年ごとに少年事件簡易送致書及び捜査報告書（家庭裁判所へ送致するものについては、別記様式第二十二号。ただし、管轄地方検察庁の検事正が少年の交通法令違反事件の捜査書類の様式について特例を定めた場合において、当該都道府県警察の警察本部長が管轄家庭裁判所と協議しその特例に準じて別段の様式を定めたときは、その様式）を作成し、これに身上調査表その他の関係書類を添付し、一月ごとに一括して検察官又は家庭裁判所に送致することができる。
②　前項の規定による処理をするに当たつては、第二百条（微罪処分の際の処置）に規定するところに準じて行うものとする。

（触法少年及びぐ犯少年）
第二一五条　捜査の結果、次の各号のいずれかに該当するときは、少年警察活動規則（平成十四年国家公安委員会規則第二十号）第三章の定めるところによる。
一　被疑者が少年法第三条第一項第二号に規定する少年であることが明らかとなつたとき。
二　被疑者が罪を犯した事実がないことが明らかとなつた場合であつて、その者が少年法第三条第一項第三号に規定する少年（特定少年を除く。）であるとき。

第二一六条及び第二一七条　削除

第十三章　交通法令違反事件に関する特則

（準拠規定）
第二一八条　道路交通法（昭和三十五年法律第百五号）又はこれに基づく命令（以下「交通法令」という。）の違反事件の捜査については、この章に規定するもののほか、一般の例によるものとする。

（身柄拘束に関する注意）
第二一九条　交通法令違反事件の捜査を行うに当たつては、事案の特性にかんがみ、犯罪事実を現認した場合であつても、逃亡その他の特別の事情がある場合のほか、被疑者の逮捕を行わないようにしなければならない。

（供述調書の記載事項）
第二二〇条　交通法令違反事件の被疑者の供述調書には、おおむね、次の事項を明らかにしておかなければならない。ただし、被疑者が犯罪事実現認報告書記載の犯罪について自白し、かつ、犯罪事実が証拠により明白で争いのないものについては、第一号に掲げる事項及びその自白を明らかにしておけば足りるものとする。
一　本籍、住居、職業、氏名、生年月日、年齢及び出生地（被疑者が法人であるときは名称又は商号、主たる事務所又は本店の所在地並びに代表者の氏名及び住居、被疑者が法人でない団体であるときは名称、主たる事務所の所在地並びに代表者、管理人又は主幹者の氏名及び住居）
二　交通事犯の前歴
三　学歴、経歴、資産、家族及び生活状態
四　犯罪の年月日時、場所、方法及び動機並びに犯行の状況

（少年の交通法令違反事件の送致）
第二二一条　少年の交通法令違反事件の送致は、交通法令違反少年事件送致書（家庭裁判所へ送致するものについては、別記様式第二十三号。ただし、管轄地方検察庁の検事正が少年の交通法令違反事件の捜査書類の様式について特例を定めた場合において、当該都道府県警察の警察本部長が管轄家庭裁判所と協議

してその特例に準じて別段の様式を定めたときは、その様式によることができる。この場合においては、身上調査表を添付することを要しない。ただし、犯罪事実、犯罪の原因及び動機、当該少年の性格、行状及び環境、家庭の状況等から、特に刑罰又は保護処分を必要とすると認められるときは、この限りでない。

（交通法令違反事件簿）

第二二二条 交通法令違反事件については、犯罪事件受理簿及び犯罪事件処理簿に代えて、長官が定める様式の交通法令違反事件簿を作成し、これにより第十九条（捜査指揮）第一項及び第百九十三条（送致及び送付の指揮）に規定する指揮の責任及び事件の送致又は送付その他の経過を明らかにしておかなければならない。

第十四章 国際犯罪に関する特則

（第二二三条から第二三八条まで）（略）

第十五章 群衆犯罪に関する特則

（第二三九条から第二四六条まで）（略）

第十六章 暴力団犯罪に関する特則

（第二四七条から第二五二条まで）（略）

第十七章 保釈者等の視察

（第二五三条から第二五六条まで）（略）

第十八章 令状の執行

（第二五七条から第二六九条まで）（略）

第十九章 雑則

（第二七〇条から第二七六条まで）（略）

別記様式（略）

○犯罪被害者等基本法（平成一六・一二・八 法 一六一）

施行 平成一七・四・一（平成一七政六七）
最終改正 平成二七法六六

目次

安全で安心して暮らせる社会を実現することは、国民すべての願いであるとともに、国の重要な責務であり、我が国においては、犯罪等を抑止するためのたゆみない努力が重ねられてきた。

しかしながら、近年、様々な犯罪等が跡を絶たず、それらに巻き込まれた犯罪被害者等の多くは、これまでその権利が尊重されてきたとは言い難いばかりか、十分な支援を受けられず、社会において孤立することを余儀なくされてきた。さらに、犯罪等による直接的な被害にとどまらず、その後も副次的な被害に苦しめられることも少なくなかった。

もとより、犯罪等による被害について第一義的責任を負うのは、加害者である。しかしながら、犯罪等を抑止し、安全で安心して暮らせる社会の実現を図る責務を有する我々もまた、犯罪被害者等の声に耳を傾けなければならない。国民の誰もが犯罪被害者等となる可能性が高まっている今こそ、犯罪被害者等の視点に立った施策を講じ、その権利利益の保護が図られる社会の実現に向けた新たな一歩を踏み出さなければならない。

ここに、犯罪被害者等のための施策の基本理念を明らかにしてその方向を示し、国、地方公共団体及びその他の関係機関並びに民間の団体等の連携の下、犯罪被害者等のための施策を総合的かつ計画的に推進するため、この法律を制定する。

第一章 総則

（目的）

第一条 この法律は、犯罪被害者等のための施策に関し、基本理念を定め、並びに国、地方公共団体及び国民の責務を明らかにするとともに、犯罪被害者等のための施策の基本となる事項を定めること等により、犯罪被害者等のための施策を総合的かつ計画的に推進し、もって犯罪被害者等の権利利益の保護を図ることを目的とする。

（定義）

第二条① この法律において「犯罪等」とは、犯罪及びこれに準ずる心身に有害な影響を及ぼす行為をいう。

② この法律において「犯罪被害者等」とは、犯罪等により害を被った者及びその家族又は遺族をいう。

③ この法律において「犯罪被害者等のための施策」とは、犯罪被害者等が、その受けた被害を回復し、又は軽減し、再び平穏な生活を営むことができるよう支援し、及び犯罪被害者等がその被害に係る刑事に関する手続に適切に関与することができるようにするための施策をいう。

（基本理念）

第三条① すべて犯罪被害者等は、個人の尊厳が重んぜられ、その尊厳にふさわしい処遇を保障される権利を有する。

② 犯罪被害者等のための施策は、被害の状況及び原因、犯罪被害者等が置かれている状況その他の事情に応じて適切に講ぜられるものとする。

③ 犯罪被害者等のための施策は、犯罪被害者等が、被害を受けたときから再び平穏な生活を営むことができるようになるまでの間、必要な支援等を途切れることなく受けることができるよう、講ぜられるものとする。

（国の責務）

第四条 国は、前条の基本理念（次条において「基本理念」という。）にのっとり、犯罪被害者等のための施策を総合的に策定し、及び実施する責務を有する。

（地方公共団体の責務）

第五条 地方公共団体は、基本理念にのっとり、犯罪被害者等の支援等に関し、国との適切な役割分担を踏まえて、その地方公共団体の地域の状況に応じた施策を策定し、及び実施する責務を有する。

（国民の責務）

第六条 国民は、犯罪被害者等の名誉又は生活の平穏を害することのないよう十分配慮するとともに、国及び地方公共団体が実施する犯罪被害者等のための施策に協力するよう努めなければならない。

（連携協力）

第七条 国、地方公共団体、日本司法支援センター（総合法律支援法（平成十六年法律第七十四号）第十三条に規定する日本司法支援センターをいう。）その他の関係機関、犯罪被害者等の援助を行う民間の団体その他の関係する者は、犯罪被害者等のための施策が円滑に実施されるよう、相互に連携を図りながら協力しなければならない。

（犯罪被害者等基本計画）

第八条① 政府は、犯罪被害者等のための施策の総合的かつ計画的な推進を図るため、犯罪被害者等のための施策に関する基本的な計画（以下「犯罪被害者等基本計画」という。）を定めなければならない。

② 犯罪被害者等基本計画は、次に掲げる事項について定めるものとする。

一 総合的かつ長期的に講ずべき犯罪被害者等のための施策の大綱

二 前号に掲げるもののほか、犯罪被害者等のための施策を総合的かつ計画的に推進するために必要な事項

③ 内閣総理大臣は、犯罪被害者等基本計画の案につき閣議の決定を求めなければならない。

④ 内閣総理大臣は、前項の規定による閣議の決定があったときは、遅滞なく、犯罪被害者等基本計画を公表しなければならない。

⑤ 前二項の規定は、犯罪被害者等基本計画の変更について準用する。

（法制上の措置等）

第九条 政府は、この法律の目的を達成するため、必要な法制上又は財政上の措置その他の措置を講じなければならない。

（年次報告）

第一〇条 政府は、毎年、国会に、政府が講じた犯罪被害者等のための施策についての報告を提出しなければならない。

第二章 基本的施策

（相談及び情報の提供等）

第一一条 国及び地方公共団体は、犯罪被害者等が日常生活又は社会生活を円滑に営むことができるようにするため、犯罪被害者等が直面している各般の問題について相談に応じ、必要な情報の提供及び助言を行い、犯罪被害者等の援助に精通している者を紹介する等必要な施策を講ずるものとする。

（損害賠償の請求についての援助等）

第一二条 国及び地方公共団体は、犯罪等による被害に係る損害賠償の請求の適切かつ円滑な実現を図るため、犯罪被害者等の行う損害賠償の請求についての援助、当該損害賠償の請求についてその被害に係る刑事に関する手続との有機的な連携を図るための制度の拡充等必要な施策を講ずるものとする。

（給付金の支給に係る制度の充実等）

第一三条 国及び地方公共団体は、犯罪被害者等が受けた被害による経済的負担の軽減を図るため、犯罪被害者等に対する給付金の支給に係る制度の充実等必要な施策を講ずるものとする。

（保健医療サービス及び福祉サービスの提供）

第一四条　国及び地方公共団体は、犯罪被害者等が心理的外傷その他犯罪等により心身に受けた影響から回復できるようにするため、その心身の状況等に応じた適切な保健医療サービス及び福祉サービスが提供されるよう必要な施策を講ずるものとする。

（安全の確保）
第一五条　国及び地方公共団体は、犯罪被害者等が更なる犯罪等により被害を受けることを防止し、その安全を確保するため、一時保護、施設への入所による保護、防犯に係る指導、犯罪被害者等がその被害に係る刑事に関する手続に証人等として関与する場合における特別の措置、犯罪被害者等に係る個人情報の適切な取扱いの確保等必要な施策を講ずるものとする。

（居住の安定）
第一六条　国及び地方公共団体は、犯罪等により従前の住居に居住することが困難となった犯罪被害者等の居住の安定を図るため、公営住宅（公営住宅法（昭和二十六年法律第百九十三号）第二条第二号に規定する公営住宅をいう。）への入居における特別の配慮等必要な施策を講ずるものとする。

（雇用の安定）
第一七条　国及び地方公共団体は、犯罪被害者等の雇用の安定を図るため、犯罪被害者等が置かれている状況について事業主の理解を深める等必要な施策を講ずるものとする。

（刑事に関する手続への参加の機会を拡充するための制度の整備等）
第一八条　国及び地方公共団体は、犯罪被害者等がその被害に係る刑事に関する手続に適切に関与することができるようにするため、刑事に関する手続の進捗状況等に関する情報の提供、刑事に関する手続への参加の機会を拡充するための制度の整備等必要な施策を講ずるものとする。

（保護、捜査、公判等の過程における配慮等）
第一九条　国及び地方公共団体は、犯罪被害者等の保護、その被害に係る刑事事件の捜査又は公判等の過程において、名誉又は生活の平穏その他犯罪被害者等の人権に十分な配慮がなされ、犯罪被害者等の負担が軽減されるよう、犯罪被害者等の心身の状況、その置かれている環境等に関する理解を深めるための訓練及び啓発、専門的知識又は技能を有する職員の配置、必要な施設の整備等必要な施策を講ずるものとする。

（国民の理解の増進）
第二〇条　国及び地方公共団体は、教育活動、広報活動等を通じて、犯罪被害者等が置かれている状況、犯罪被害者等の名誉又は生活の平穏への配慮の重要性等について国民の理解を深めるよう必要な施策を講ずるものとする。

（調査研究の推進等）
第二一条　国及び地方公共団体は、犯罪被害者等に対し専門的知識に基づく適切な支援を行うことができるようにするため、心理的外傷その他犯罪被害者等が犯罪等により心身に受ける影響及び犯罪被害者等の心身の健康を回復させるための方法等に関する調査研究の推進並びに国の内外の情報の収集、整理及び活用、犯罪被害者等の支援に係る人材の養成及び資質の向上等必要な施策を講ずるものとする。

（民間の団体に対する援助）
第二二条　国及び地方公共団体は、犯罪被害者等に対して行われる各般の支援において犯罪被害者等の援助を行う民間の団体が果たす役割の重要性にかんがみ、その活動の促進を図るため、財政上及び税制上の措置、情報の提供等必要な施策を講ずるものとする。

（意見の反映及び透明性の確保）
第二三条　国及び地方公共団体は、犯罪被害者等のための施策の適正な策定及び実施に資するため、犯罪被害者等の意見を施策に反映し、当該施策の策定の過程の透明性を確保するための制度を整備する等必要な施策を講ずるものとする。

第三章　犯罪被害者等施策推進会議

（設置及び所掌事務）
第二四条①　内閣府に、特別の機関として、犯罪被害者等施策推進会議（以下「会議」という。）を置く。
②　会議は、次に掲げる事務をつかさどる。
一　犯罪被害者等基本計画の案を作成すること。
二　前号に掲げるもののほか、犯罪被害者等のための施策に関する重要事項について審議するとともに、犯罪被害者等のための施策の実施を推進し、並びにその実施の状況を検証し、評価し、及び監視し、並びに当該施策の在り方に関し関係行政機関に意見を述べること。

（組織）
第二五条　会議は、会長及び委員十人以内をもって組織する。

（会長）
第二六条①　会長は、内閣総理大臣をもって充てる。
②　会長は、会務を総理する。
③　会長に事故があるときは、あらかじめその指名する委員がその職務を代理する。

（委員）
第二七条①　委員は、次に掲げる者をもって充てる。
一　国家公安委員会委員長
二　国家公安委員会委員長以外の国務大臣のうちから、内閣総理大臣が指定する者
三　犯罪被害者等の支援等に関し優れた識見を有する者のうちから、内閣総理大臣が任命する者
②　前項第三号の委員は、非常勤とする。

（委員の任期）
第二八条①　前条第一項第三号の委員の任期は、二年とする。ただし、補欠の委員の任期は、前任者の残任期間とする。
②　前条第一項第三号の委員は、再任されることができる。

（資料提出の要求等）
第二九条①　会議は、その所掌事務を遂行するために必要があると認めるときは、関係行政機関の長に対し、資料の提出、意見の開陳、説明その他必要な協力を求めることができる。
②　会議は、その所掌事務を遂行するために特に必要があると認めるときは、前項に規定する者以外の者に対しても、必要な協力を依頼することができる。

（政令への委任）
第三〇条　この章に定めるもののほか、会議の組織及び運営に関し必要な事項は、政令で定める。

附　則（抄）

（施行期日）
第一条　この法律は、公布の日から起算して六月を超えない範囲内において政令で定める日（平成一七・四・一—平成一七政六七）から施行する。

○犯罪被害者等の権利利益の保護を図るための刑事手続に付随する措置に関する法律（平成一二・五・一九 法 七 五）

施行　平成一二・一一・一（平成一二政四四六）
題名改正　平成一九法九五（旧・犯罪被害者等の保護を図るための刑事手続に付随する措置に関する法律）
最終改正　令和五法六六

目次

第一章　総則

（目的）

第一条　この法律は、犯罪により害を被った者（以下「被害者」という。）及びその遺族がその被害に係る刑事事件の審理の状況及び内容について深い関心を有するとともに、これらの者の受けた身体的、財産的被害その他の被害の回復には困難を伴う場合があることにかんがみ、刑事手続に付随するものとして、被害者及びその遺族の心情を尊重し、かつその被害の回復に資するための措置を定め、並びにこれらの者による損害賠償請求に係る紛争を簡易かつ迅速に解決することに資するための裁判手続の特例を定め、もってその権利利益の保護を図ることを目的とする。

第二章　公判手続の傍聴

第二条　刑事被告事件の係属する裁判所の裁判長は、当該被告事件の被害者等（被害者又は被害者が死亡した場合若しくはその心身に重大な故障がある場合におけるその配偶者、直系の親族若しくは兄弟姉妹をいう。以下同じ。）又は当該被害者の法定代理人から、当該被告事件の公判手続の傍聴の申出があるときは、傍聴席及び傍聴を希望する者の数その他の事情を考慮しつつ、申出をした者が傍聴できるよう配慮しなければならない。

第三章　公判記録の閲覧及び謄写

（被害者等による公判記録の閲覧及び謄写）

第三条①　刑事被告事件の係属する裁判所は、第一回の公判期日後当該被告事件の終結までの間において、当該被告事件の被害者等若しくは当該被害者の法定代理人又はこれらの者から委託を受けた弁護士から、当該被告事件の訴訟記録の閲覧又は謄写の申出があるときは、検察官及び被告人又は弁護人の意見を聴き、閲覧又は謄写を求める理由が正当でないと認める場合及び犯罪の性質、審理の状況その他の事情を考慮して閲覧又は謄写をさせることが相当でないと認める場合を除き、申出をした者にその閲覧又は謄写をさせるものとする。

②　裁判所は、前項の規定により謄写をさせる場合において、謄写した訴訟記録の使用目的を制限し、その他適当と認める条件を付することができる。

③　第一項の規定により訴訟記録を閲覧し又は謄写した者は、閲覧又は謄写により知り得た事項を用いるに当たり、不当に関係人の名誉若しくは生活の平穏を害し、又は捜査若しくは公判に支障を生じさせることのないよう注意しなければならない。

（同種余罪の被害者等による公判記録の閲覧及び謄写）

第四条①　刑事被告事件の係属する裁判所は、第一回の公判期日後当該被告事件の終結までの間において、次に掲げる者から、当該被告事件の訴訟記録の閲覧又は謄写の申出があるときは、被告人又は弁護人の意見を聴き、第一号又は第二号に掲げる者の損害賠償請求権の行使のために必要があると認める場合であって、犯罪の性質、審理の状況その他の事情を考慮して相当と認めるときは、申出をした者にその閲覧又は謄写をさせることができる。

一　被告人又は共犯により被告事件に係る犯罪行為と同様の態様で継続的に又は反復して行われたこれと同一又は同種の罪の犯罪行為の被害者

二　前号に掲げる者が死亡した場合又はその心身に重大な故障

がある場合におけるその配偶者、直系の親族又は兄弟姉妹
三　第一号に掲げる者の法定代理人
四　前三号に掲げる者から委託を受けた弁護士

②　前項の申出は、検察官を経由してしなければならない。この場合においては、その申出をする者は、同項各号のいずれかに該当する者であることを疎明する資料を提出しなければならない。

③　検察官は、第一項の申出があったときは、裁判所に対し、意見を付してこれを通知するとともに、前項の規定により提出を受けた資料があるときは、これを送付するものとする。

④　前条第二項及び第三項の規定は、第一項の規定による訴訟記録の閲覧又は謄写について準用する。

第四章　被害者参加旅費等

（被害者参加旅費等の支給）

第五条①　被害者参加人（刑事訴訟法（昭和二十三年法律第百三十一号）第三百十六条の三十三第三項に規定する被害者参加人をいう。以下同じ。）が同法第三百十六条の三十四第一項（同条第五項において準用する場合を含む。次条第二項において同じ。）の規定により公判期日又は公判準備に出席した場合には、法務大臣は、当該被害者参加人に対し、旅費、日当及び宿泊料を支給する。

②　前項の規定により支給する旅費、日当及び宿泊料（以下「被害者参加旅費等」という。）の額については、政令で定める。

（被害者参加旅費等の請求手続）

第六条①　被害者参加旅費等の支給を受けようとする被害者参加人は、所定の請求書に法務省令で定める被害者参加旅費等の算定に必要な資料を添えて、これを、裁判所を経由して、法務大臣に提出しなければならない。この場合において、必要な資料の全部又は一部を提出しなかった者は、その請求に係る被害者参加旅費等の額のうちその資料を提出しなかったため、その被害者参加旅費等の必要が明らかにされなかった部分の金額の支給を受けることができない。

②　裁判所は、前項の規定により請求書及び資料を受け取ったときは、当該被害者参加人が刑事訴訟法第三百十六条の三十四第一項の規定により公判期日又は公判準備に出席したことを証明する書面を添えて、これらを法務大臣に送付しなければならない。

③　第一項の規定による被害者参加旅費等の請求の期限については、政令で定める。

（協力の求め）

第七条　法務大臣は、被害者参加旅費等の支給に関し、裁判所に対して必要な協力を求めることができる。

（日本司法支援センターへの被害者参加旅費等の支給に係る法務大臣の権限に係る事務の委任）

第八条①　次に掲げる法務大臣の権限に係る事務は、日本司法支援センター（総合法律支援法（平成十六年法律第七十四号）第十三条に規定する日本司法支援センターをいう。以下同じ。）に行わせるものとする。
一　第五条第一項の規定による被害者参加旅費等の支給
二　第六条第一項の規定による請求の受理
三　前条の規定による協力の求め

②　法務大臣は、日本司法支援センターが天災その他の事由により前項各号に掲げる権限に係る事務の全部又は一部を行うことが困難又は不適当となったと認めるときは、同項各号に掲げる権限の全部又は一部を自ら行うものとする。

③　法務大臣は、前項の規定により第一項各号に掲げる権限の全部若しくは一部を自ら行うこととし、又は前項の規定により自ら行っている第一項各号に掲げる権限の全部若しくは一部を行わないこととするときは、あらかじめ、その旨を公示しなければならない。

④　法務大臣が、第二項の規定により第一項各号に掲げる権限の全部若しくは一部を自ら行うこととし、又は第二項の規定により自ら行っている第一項各号に掲げる権限の全部若しくは一部を行わないこととする場合における同項各号に掲げる権限に係る事務の引継ぎその他の必要な事項は、法務省令で定める。

（審査請求）

第九条　この法律の規定による日本司法支援センターの処分又はその不作為について不服がある者は、法務大臣に対して審査請求をすることができる。この場合において、法務大臣は、行政不服審査法（平成二十六年法律第六十八号）第二十五条第二項及び第三項、第四十六条第一項及び第二項、第四十七条並びに第四十九条第三項の規定の適用については、日本司法支援センターの上級行政庁とみなす。

（法務省令への委任）

第一〇条　第五条から前条までに定めるもののほか、被害者参加旅費等の支給に関し必要な事項（第六条第一項及び第二項の規定により裁判所が行う手続に関する事項を除く。）は、法務省令で定める。

第五章　被害者参加弁護士の選定等

（被害者参加弁護士の選定の請求）

第一一条①　刑事訴訟法第三百十六条の三十四から第三百十六条の三十八までに規定する行為を弁護士に委託しようとする被害者参加人であって、その資力（その者に属する現金、預金その他政令で定めるこれらに準ずる資産の合計額をいう。以下同じ。）から、手続への参加を許された刑事被告事件に係る犯罪行為により生じた負傷又は疾病の療養に要する費用その他の当該犯罪行為を原因として請求の日から六月以内に支出することとなると認められる費用の額（以下「療養費等の額」という。）を控除した額が基準額（標準的な六月間の必要生計費を勘案して一般に被害者参加弁護士（被害者参加人の委託を受けて同法第三百十六条の三十四から第三百十六条の三十八までに規定する行為を行う弁護士をいう。以下同じ。）の報酬及び費用を賄うに足りる額として政令で定める額をいう。以下同じ。）に満たないものは、当該被告事件の係属する裁判所に対し、被害者参加弁護士を選定することを請求することができる。

②　前項の規定による請求は、日本司法支援センターを経由してしなければならない。この場合においては、被害者参加人は、次の各号に掲げる区分に従い、当該各号に定める書面を提出しなければならない。
一　その資力が基準額に満たない者　資力及びその内訳を申告する書面
二　前号に掲げる者以外の者　資力及び療養費等の額並びにこれらの内訳を申告する書面

③　日本司法支援センターは、第一項の規定による請求があったときは、裁判所に対し、これを通知するとともに、前項の規定により提出を受けた書面を送付しなければならない。

（被害者参加弁護士の候補の指名及び通知）

第一二条①　日本司法支援センターは、前条第一項の規定による請求があったときは、裁判所が選定する被害者参加弁護士の候補を指名し、裁判所に通知しなければならない。

②　前項の規定にかかわらず、日本司法支援センターは、次条第一項各号のいずれかに該当することが明らかであると認めるときは、前項の規定による指名及び通知をしないことができる。この場合においては、日本司法支援センターは、裁判所にその旨を通知しなければならない。

③　日本司法支援センターは、第一項の規定による指名をするに当たっては、前条第一項の規定による請求をした者の意見を聴かなければならない。

（被害者参加弁護士の選定）

第一三条①　裁判所は、第十一条第一項の規定による請求があったときは、次の各号のいずれかに該当する場合を除き、当該被害者参加人のため被害者参加弁護士を選定するものとする。
一　請求が不適法であるとき。
二　請求をした者が第十一条第一項に規定する者に該当しない

とき。

三　請求をした者がその責めに帰すべき事由により被害者参加弁護士の選定が取り消された者であるとき。

② 裁判所は、前項の規定により被害者参加弁護士を選定する場合において、必要があるときは、日本司法支援センターに対し、被害者参加弁護士の候補を指名して通知するよう求めることができる。この場合においては、前条第一項及び第三項の規定を準用する。

第一四条（被害者参加弁護士の選定の効力）① 裁判所による被害者参加弁護士の選定は、審級ごとにしなければならない。

② 被害者参加弁護士の選定は、弁論が併合された事件についてもその効力を有する。ただし、被害者参加人が手続への参加を許されていない事件については、この限りでない。

③ 被害者参加弁護士の選定は、刑事訴訟法第三百十六条の三十三第三項の決定があったときは、その効力を失う。

④ 裁判所により選定された被害者参加弁護士は、旅費、日当、宿泊料及び報酬を請求することができる。

⑤ 前項の規定により被害者参加弁護士に支給すべき旅費、日当、宿泊料及び報酬の額については、刑事訴訟法第三十八条第二項の規定により弁護人に支給すべき旅費、日当、宿泊料及び報酬の例による。

第一五条（被害者参加弁護士の選定の取消し）① 裁判所は、次の各号のいずれかに該当すると認めるときは、被害者参加弁護士の選定を取り消すことができる。

一　被害者参加人が自ら刑事訴訟法第三百十六条の三十四から第三百十六条の三十八までに規定する行為を他の弁護士に委託したことその他の事由により被害者参加弁護士にその職務を行わせる必要がなくなったとき。

二　被害者参加人と被害者参加弁護士との利益が相反する状況にあり被害者参加弁護士にその職務を継続させることが相当でないとき。

三　心身の故障その他の事由により、被害者参加弁護士が職務を行うことができず、又は職務を行うことが困難となったとき。

四　被害者参加弁護士がその任務に著しく反したことによりその職務を継続させることが相当でないとき。

五　被害者参加弁護士に対する暴行、脅迫その他の被害者参加人の責めに帰すべき事由により被害者参加弁護士にその職務を継続させることが相当でないとき。

② 裁判所は、前項第二号から第四号までに掲げる事由により被害者参加弁護士の選定を取り消したときは、更に被害者参加弁護士を選定するものとする。この場合においては、第十三条第二項の規定を準用する。

第一六条（虚偽の申告書の提出に対する制裁） 被害者参加人が、裁判所の判断を誤らせる目的で、その資力又は療養費等の額について虚偽の記載のある第十一条第二項各号に定める書面を提出したときは、十万円以下の過料に処する。

第一七条（費用の徴収）① 被害者参加人が、裁判所の判断を誤らせる目的で、その資力又は療養費等の額について虚偽の記載のある第十一条第二項各号に定める書面を提出したことによりその判断を誤らせたときは、裁判所は、決定で、当該被害者参加人から、被害者参加弁護士に支給した旅費、日当、宿泊料及び報酬の全部又は一部を徴収することができる。

② 前項の決定に対しては、即時抗告をすることができる。この場合においては、即時抗告に関する刑事訴訟法の規定を準用する。

③ 費用賠償の裁判の執行に関する刑事訴訟法の規定は、第一項の決定の執行について準用する。

第一八条（刑事訴訟法の準用） 刑事訴訟法第四十三条第三項及び第四項の規定は被害者参加弁護士の選定及びその取消しについて、同条第三項及び第四項並びに同法第四十四条第一項の規定は前条第一項の決定について、それぞれ準用する。

第六章　民事上の争いについての刑事訴訟手続における和解

第一九条（民事上の争いについての刑事訴訟手続における和解）① 刑事被告事件の被告人と被害者等は、両者の間における民事上の争い（当該被告事件に係る被害についての争いを含む場合に限る。）について合意が成立した場合には、当該被告事件の係属する第一審裁判所又は控訴裁判所に対し、共同して当該合意の公判調書への記載を求める申立てをすることができる。

② 前項の合意が被告人の被害者等に対する金銭の支払を内容とする場合において、被告人以外の者が被害者等に対し当該債務について保証する旨又は連帯して責任を負う旨を約したときは、その者も、同項の申立てとともに、被告人及び被害者等と共同してその旨の公判調書への記載を求める申立てをすることができる。

③ 前二項の規定による申立ては、弁論の終結までに、公判期日に出頭し、当該申立てに係る合意及びその合意がされた民事上の争いの目的である権利を特定するに足りる事実を記載した書面を提出してしなければならない。

④ 第一項又は第二項の規定による申立てに係る合意を公判調書に記載したときは、その記載は、裁判上の和解と同一の効力を有する。

第二〇条（和解記録）① 前条第一項若しくは第二項の規定による申立てに基づき公判調書に記載された合意をした者又は利害関係を疎明した第三者は、第三章及び刑事訴訟法第四十九条の規定にかかわらず、裁判所書記官に対し、当該公判調書（当該合意及びその合意がされた民事上の争いの目的である権利を特定するに足りる事実が記載された部分に限る。）、当該申立てに係る前条第三項の書面その他の当該合意に関する記録（以下「和解記録」という。）の閲覧若しくは謄写、その正本、謄本若しくは抄本の交付又は和解に関する事項の証明書の交付を請求することができる。ただし、和解記録の閲覧及び謄写の請求は、和解記録の保存又は裁判所の執務に支障があるときは、することができない。

② 前項に規定する和解記録の閲覧若しくは謄写、その正本、謄本若しくは抄本の交付又は和解に関する事項の証明書の交付の請求に関する裁判所書記官の処分に対する異議の申立てについては民事訴訟法（平成八年法律第百九号）第百二十一条の例により、和解記録についての秘密保護のための閲覧等の制限の手続については同法第九十二条第一項から第八項までの例による。この場合において、同条第一項中「に係る訴訟記録の閲覧等（非電磁的訴訟記録の閲覧等又は電磁的訴訟記録の閲覧等をいう。第百三十三条第三項において同じ。）」とあるのは、「の閲覧若しくは謄写又はその正本、謄本若しくは抄本の交付」と読み替えるものとする。

> ***令和四法四八（令和八・五・二四までに施行）による改正前**
> ② 前項に規定する和解記録の閲覧若しくは謄写、その正本、謄本若しくは抄本の交付又は和解に関する事項の証明書の交付の請求に関する裁判所書記官の処分に対する異議の申立てについては民事訴訟法（平成八年法律第百九号）第百二十一条の例により、和解記録についての秘密保護のための閲覧等の制限の手続については同法第九十二条の例による。

③ 和解記録は、刑事被告事件の終結後は、当該被告事件の第一審裁判所において保管するものとする。

第二一条（民事訴訟法の準用） 前二条に規定する民事上の争いについての刑事訴訟手続における和解に関する手続については、その性質に反しない限り、民事訴訟法第一編第三章第一節（選定当事者及び特別代理人に関する規定を除く。）及び第四節（第六十条を除く。）並びに第八章（第百三十三条の二第五項及び第六項を除く。）の規定を準用する。（後略）

＊令和四法四八（令和八・五・二四までに施行）**による改正**
第二一条中「第八章」の下に「（第百三十三条の二第五項及び第六項を除く。）」が加えられた。（本文織込み済み）

第二二条（個人特定事項の秘匿）① 裁判所は、刑事被告事件の手続において刑事訴訟法第二百七十一条の二第四項の規定による措置をとった場合において、起訴状に記載された個人特定事項（同法第二百一条の二第一項に規定する個人特定事項をいう。以下同じ。）のうち起訴状抄本等（同法第二百七十一条の二第二項に規定する起訴状抄本等をいう。第四十六条第一項において同じ。）に記載がないもの（同法第二百七十一条の五第一項の決定により通知することとされたものを除く。第四十六条第一項において同じ。）が同法第二百七十一条の二第一項第一号又は第二号に掲げる者のものに該当すると認める場合であって、相当と認めるときは、第十九条及び第二十条に規定する民事上の争いについての刑事訴訟手続における和解に関する手続において、前条において準用する民事訴訟法第百三十三条第二項に規定する秘匿事項のほか、当該個人特定事項について、決定で、その全部又は一部を秘匿する旨の裁判をすることができる。刑事被告事件の手続において刑事訴訟法第三百十二条の二第三項の規定による措置をとった場合において、訴因変更等請求書面（同法第三百十二条第四項に規定する訴因変更等請求書面をいう。第四十六条第一項において同じ。）に記載された個人特定事項のうち訴因変更等請求書面抄本等（同法第三百十二条の二第二項に規定する訴因変更等請求書面抄本等をいう。第四十六条第一項において同じ。）に記載がないもの（同法第三百十二条の二第四項において読み替えて準用する同法第二百七十一条の五第一項の決定により通知することとされたものを除く。第四十六条第一項において同じ。）が同法第二百七十一条の二第一項第一号又は第二号に掲げる者のものに該当すると認める場合であって、相当と認めるときも、同様とする。

＊令和四法四八（令和八・五・二四までに施行）**による改正**
第一項中「第四十二条第一項」は「第四十六条第一項」に改められた。（本文織込み済み）

② 民事訴訟法第百三十三条第五項の規定は、前項の決定をする場合について準用する。（後略）
③ 民事訴訟法第百三十三条の二第二項及び第百三十三条の四（第四項第二号を除く。）の規定は、第一項の決定があった場合について準用する。（後略）

第二三条（執行文付与の訴え等の管轄の特則） 第十九条に規定する民事上の争いについての刑事訴訟手続における和解に係る執行文付与の訴え、執行文付与に対する異議の訴え及び請求異議の訴えは、民事執行法（昭和五十四年法律第四号）第三十三条第二項（同法第三十四条第三項及び第三十五条第三項において準用する場合を含む。）の規定にかかわらず、当該被告事件の第一審裁判所（第一審裁判所が簡易裁判所である場合において、その和解に係る請求が簡易裁判所の管轄に属しないものであるときは、その簡易裁判所の所在地を管轄する地方裁判所）の管轄に専属する。

第七章　刑事訴訟手続に伴う犯罪被害者等の損害賠償請求に係る裁判手続の特例

第一節　損害賠償命令の申立て等

第二四条（損害賠償命令の申立て）① 次に掲げる罪に係る刑事被告事件（刑事訴訟法第四百五十一条第一項の規定により更に審判をすることとされたものを除く。）の被害者又はその一般承継人は、当該被告事件の係属する裁判所（地方裁判所に限る。）に対し、その弁論の終結までに、損害賠償命令（当該被告事件に係る訴因として特定された事実を原因とする不法行為に基づく損害賠償の請求（これに附帯する損害賠償の請求を含む。）について、その賠償を被告人に命ずることをいう。以下同じ。）の申立てをすることができる。
一 故意の犯罪行為により人を死傷させた罪又はその未遂罪
二 次に掲げる罪又はその未遂罪
イ 刑法（明治四十年法律第四十五号）第百七十六条（不同意わいせつ）、第百七十七条（不同意性交等）又は第百七十九条（監護者わいせつ及び監護者性交等）の罪
ロ 刑法第二百二十条（逮捕及び監禁）の罪
ハ 刑法第二百二十四条から第二百二十七条まで（未成年者略取及び誘拐、営利目的等略取及び誘拐、身の代金目的略取等、所在国外移送目的略取及び誘拐、人身売買、被略取者等所在国外移送、被略取者引渡し等）の罪
ニ イからハまでに掲げる罪のほか、その犯罪行為にこれらの罪の犯罪行為を含む罪（前号に掲げる罪を除く。）
② 損害賠償命令の申立ては、次に掲げる事項を記載した書面を提出してしなければならない。
一 当事者及び法定代理人
二 請求の趣旨及び刑事被告事件に係る訴因として特定された事実その他請求を特定するに足りる事実
③ 前項の書面には、同項各号に掲げる事項その他最高裁判所規則で定める事項以外の事項を記載してはならない。

第二五条（申立書の送達） 裁判所は、前条第二項の書面の提出を受けたときは、第二十八条第一項第一号の規定により損害賠償命令の申立てを却下する場合を除き、遅滞なく、当該書面を申立ての相手方である被告人に送達しなければならない。

第二六条（管轄に関する決定の効力） 刑事被告事件について刑事訴訟法第七条、第八条、第十一条第二項若しくは第十九条第一項の決定又は同法第十七条若しくは第十八条の規定による管轄移転の請求に対する決定があったときは、これらの決定により当該被告事件の審判を行うこととなった裁判所が、損害賠償命令の申立てについての審理及び裁判を行う。

第二七条（終局裁判の告知があるまでの取扱い）① 損害賠償命令の申立てについての審理（請求の放棄及び認諾並びに和解（第十九条の規定による民事上の争いについての刑事訴訟手続における和解を除く。）のための手続を含む。）及び裁判（次条第一項第一号又は第二号の規定によるものを除く。）は、刑事被告事件について終局裁判の告知があるまでは、これを行わない。
② 裁判所は、前項に規定する終局裁判の告知があるまでの間、申立人に、当該刑事被告事件の公判期日を通知しなければならない。

第二八条（申立ての却下）① 裁判所は、次に掲げる場合には、決定で、損害賠償命令の申立てを却下しなければならない。
一 損害賠償命令の申立てが不適法であると認めるとき（刑事被告事件に係る罰条が撤回又は変更されたため、当該被告事件が第二十四条第一項各号に掲げる罪に係るものに該当しなくなったときを除く。）。
二 刑事訴訟法第四条、第五条又は第十条第二項の決定により、刑事被告事件が地方裁判所以外の裁判所に係属することとなったとき。
三 刑事被告事件について、刑事訴訟法第三百二十九条若しくは第三百三十六条から第三百三十八条までの判決若しくは同法第三百三十九条の決定又は少年法（昭和二十三年法律第百六十八号）第五十五条の決定があったとき。

四　刑事被告事件について、刑事訴訟法第三百三十五条第一項に規定する有罪の言渡しがあった場合において、当該言渡しに係る罪が第二十四条第一項各号に掲げる罪に該当しないとき。

② 前項第一号に該当することを理由とする同項の決定に対しては、即時抗告をすることができる。

③ 前項の規定による場合のほか、第一項の決定に対しては、不服を申し立てることができない。

（時効の完成猶予）

第二九条　損害賠償命令の申立てについて、前条第一項の決定（同項第一号に該当することを理由とするものを除く。）の告知があったときは、当該告知を受けた時から六月を経過するまでの間は、時効は、完成しない。

（期日の呼出し）

第三〇条①　損害賠償命令の申立てに係る事件（以下「損害賠償命令事件」という。）に関する手続における期日の呼出しは、呼出状の送達、当該損害賠償命令事件について出頭した者に対する期日の告知その他相当と認める方法によってする。

② 呼出状の送達及び当該損害賠償命令事件について出頭した者に対する期日の告知以外の方法による期日の呼出しをしたときは、期日に出頭しない当事者、証人又は鑑定人に対し、法律上の制裁その他期日の不遵守による不利益を帰することができない。ただし、これらの者が期日の呼出しを受けた旨を記載した書面を提出したときは、この限りでない。

＊令和四法四八（令和八・五・二四までに施行）**により第三〇条追加**

（公示送達の方法）

第三一条　損害賠償命令事件に関する手続における公示送達は、裁判所書記官が送達すべき書類を保管し、いつでも送達を受けるべき者に交付すべき旨を裁判所の掲示場に掲示してする。

＊令和四法四八（令和八・五・二四までに施行）**により第三一条追加**

（事件の記録の閲覧等）

第三二条①　第四十五条において準用する民事訴訟法第百三十二条の四第一項の処分の申立てをした者及び相手方（同項に規定する相手方をいう。次項において同じ。）は、裁判所書記官に対し、同条第一項の処分の申立てに係る事件の記録の閲覧若しくは謄写、その正本、謄本若しくは抄本の交付又は当該事件に関する事項の証明書の交付を請求することができる。

② 前項の規定は、同項に規定する記録中の録音テープ又はビデオテープ（これらに準ずる方法により一定の事項を記録した物を含む。）に関しては、適用しない。この場合において、これらの物について申立人又は相手方の請求があるときは、裁判所書記官は、その複製を許さなければならない。

③ 第一項に規定する記録の閲覧、謄写及び複製の請求は、当該記録の保存又は裁判所の執務に支障があるときは、することができない。

＊令和四法四八（令和八・五・二四までに施行）**により第三二条追加**

（電子情報処理組織による申立て等）

第三三条①　損害賠償命令事件に関する手続における申立てその他の申述（以下この条において「申立て等」という。）のうち、当該申立て等に関するこの法律その他の法令の規定により書面等（書面、書類、文書、謄本、抄本、正本、副本、複本その他文字、図形等人の知覚によって認識することができる情報が記載された紙その他の有体物をいう。次項及び第四項において同じ。）をもってするものとされているものであって、最高裁判所の定める裁判所に対してするもの（当該裁判所の裁判長、受命裁判官、受託裁判官又は裁判所書記官に対してするものを含む。）については、当該法令の規定にかかわらず、最高裁判所規則で定めるところにより、電子情報処理組織（裁判所の使用に係る電子計算機（入出力装置を含む。以下この項及び第三項において同じ。）と申立て等をする者の使用に係る電子計算機とを電気通信回線で接続した電子情報処理組織をいう。）を用いてすることができる。

② 前項の規定によりされた申立て等については、当該申立て等を書面等をもってするものとして規定した申立て等に関する法令の規定に規定する書面等をもってされたものとみなして、当該申立て等に関する法令の規定を適用する。

③ 第一項の規定によりされた申立て等は、同項の裁判所の使用に係る電子計算機に備えられたファイルへの記録がされた時に、当該裁判所に到達したものとみなす。

④ 第一項の場合において、当該申立て等に関する他の法令の規定により署名等（署名、記名、押印その他氏名又は名称を書面等に記載することをいう。以下この項において同じ。）をすることとされているものについては、当該申立て等をする者は、当該法令の規定にかかわらず、当該署名等に代えて、最高裁判所規則で定めるところにより、氏名又は名称を明らかにする措置を講じなければならない。

⑤ 第一項の規定によりされた申立て等が第三項に規定するファイルに記録されたときは、第一項の裁判所は、当該ファイルに記録された情報の内容を書面に出力しなければならない。

⑥ 第一項の規定によりされた申立て等に係るこの法律その他の法令の規定による損害賠償命令事件の記録の閲覧若しくは謄写又はその正本、謄本若しくは抄本の交付は、前項の書面をもってするものとする。当該申立て等に係る書類の送達又は送付も、同様とする。

＊令和四法四八（令和八・五・二四までに施行）**により第三三条追加**

第二節　審理及び裁判等

（任意的口頭弁論）

第三四条①　損害賠償命令の申立てについての裁判は、口頭弁論を経ないですることができる。

② 前項の規定により口頭弁論をしない場合には、裁判所は、当事者を審尋することができる。

＊令和四法四八（令和八・五・二四までに施行）**による改正**
第三〇条は第三四条とされた。（本文織込み済み）

（審理）

第三五条①　刑事被告事件について刑事訴訟法第三百三十五条第一項に規定する有罪の言渡しがあった場合（当該言渡しに係る罪が第二十四条第一項各号に掲げる罪に該当する場合に限る。）には、裁判所は、直ちに、損害賠償命令の申立てについての審理のための期日（以下「審理期日」という。）を開かなければならない。ただし、直ちに審理期日を開くことが相当でないと認めるときは、裁判長は、速やかに、最初の審理期日を定めなければならない。

② 審理期日には、当事者を呼び出さなければならない。

③ 損害賠償命令の申立てについては、特別の事情がある場合を除き、四回以内の審理期日において、審理を終結しなければならない。

④ 裁判所は、最初の審理期日において、刑事被告事件の訴訟記録のうち必要でないと認めるものを除き、その取調べをしなければならない。

＊令和四法四八（令和八・五・二四までに施行）**による改正**
第三一条は第三五条とされた。（本文織込み済み）

（審理の終結）
第三六条　裁判所は、審理を終結するときは、審理期日においてその旨を宣言しなければならない。

＊令和四法四八（令和八・五・二四までに施行）による改正
第三二条は第三六条とされた。（本文織込み済み）

（損害賠償命令）
第三七条①　損害賠償命令の申立てについての裁判（第二十八条第一項の決定を除く。以下この条から第三十九条までにおいて同じ。）は、次に掲げる事項を記載した決定書を作成して行わなければならない。
一　主文
二　請求の趣旨及び当事者の主張の要旨
三　理由の要旨
四　審理の終結の日
五　当事者及び法定代理人
六　裁判所
②　損害賠償命令については、裁判所は、必要があると認めるときは、申立てにより又は職権で、担保を立てて、又は立てないで仮執行をすることができることを宣言することができる。
③　第一項の決定書は、当事者に送達しなければならない。この場合においては、損害賠償命令の申立てについての裁判の効力は、当事者に送達された時に生ずる。
④　裁判所は、相当と認めるときは、第一項の規定にかかわらず、決定書の作成に代えて、当事者が出頭する審理期日において主文及び理由の要旨を口頭で告知する方法により、損害賠償命令の申立てについての裁判を行うことができる。この場合においては、当該裁判の効力は、その告知がされた時に生ずる。
⑤　裁判所は、前項の規定により損害賠償命令の申立てについての裁判を行った場合には、裁判所書記官に、第一項各号に掲げる事項を調書に記載させなければならない。

＊令和四法四八（令和八・五・二四までに施行）による改正
第三三条第一項柱書中「第三十五条」は「第三十九条」に改められ、同条は第三七条とされた。（本文織込み済み）

第三節　異議等

（異議の申立て等）
第三八条①　当事者は、損害賠償命令の申立てについての裁判に対し、前条第三項の規定による送達又は同条第四項の規定による告知を受けた日から二週間の不変期間内に、裁判所に異議の申立てをすることができる。
②　裁判所は、異議の申立てが不適法であると認めるときは、決定で、これを却下しなければならない。
③　前項の決定に対しては、即時抗告をすることができる。
④　適法な異議の申立てがあったときは、損害賠償命令の申立てについての裁判は、仮執行の宣言を付したものを除き、その効力を失う。
⑤　適法な異議の申立てがないときは、損害賠償命令の申立てについての裁判は、確定判決と同一の効力を有する。
⑥　民事訴訟法第三百五十八条及び第三百六十条の規定は、第一項の異議について準用する。

＊令和四法四八（令和八・五・二四までに施行）による改正
第三四条は第三八条とされた。（本文織込み済み）

（訴え提起の擬制等）
第三九条①　損害賠償命令の申立てについての裁判に対し適法な異議の申立てがあったときは、損害賠償命令の申立てに係る請求については、その目的の価額に従い、当該申立ての時に、当該申立てをした者が指定した地（その指定がないときは、当該申立ての相手方である被告人の普通裁判籍の所在地）を管轄する地方裁判所又は簡易裁判所に訴えの提起があったものとみなす。この場合においては、第二十四条第二項の書面を訴状と、第二十五条の規定による送達を訴状の送達とみなす。
②　前項の規定により訴えの提起があったものとみなされたときは、損害賠償命令事件に関する手続の費用は、訴訟費用の一部とする。
③　第一項の地方裁判所又は簡易裁判所は、その訴えに係る訴訟の全部又は一部がその管轄に属しないと認めるときは、申立てにより又は職権で、決定で、これを管轄裁判所に移送しなければならない。
④　前項の規定による移送の決定及び当該移送の申立てを却下する決定に対しては、即時抗告をすることができる。

＊令和四法四八（令和八・五・二四までに施行）による改正
第三五条第二項中「損害賠償命令の申立てに係る事件（以下「損害賠償命令事件」という。）」は「損害賠償命令事件」に改められ、同条は第三九条とされた。（本文織込み済み）

（記録の送付等）
第四〇条①　前条第一項の規定により訴えの提起があったものとみなされたときは、裁判所は、検察官及び被告人又は弁護人の意見（刑事被告事件に係る訴訟が終結した後においては、当該訴訟の記録を保管する検察官の意見）を聴き、第三十五条第四項の規定により取り調べた当該被告事件の訴訟記録（以下「刑事関係記録」という。）中、関係者の名誉又は生活の平穏を著しく害するおそれがあると認めるもの、捜査又は公判に支障を及ぼすおそれがあると認めるものその他前条第一項の地方裁判所又は簡易裁判所に送付することが相当でないと認めるものを特定しなければならない。
②　裁判所書記官は、前条第一項の地方裁判所又は簡易裁判所の裁判所書記官に対し、損害賠償命令事件の記録（前項の規定により裁判所が特定したものを除く。）を送付しなければならない。

＊令和四法四八（令和八・五・二四までに施行）による改正
第三六条第一項中「第三十一条第四項」は「第三十五条第四項」に改められ、同条は第四〇条とされた。（本文織込み済み）

（異議後の民事訴訟手続における書証の申出の特例）
第四一条　第三十九条第一項の規定により訴えの提起があったものとみなされた場合における前条第二項の規定により送付された記録についての書証の申出は、民事訴訟法第二百十九条の規定にかかわらず、書証とすべきものを特定することによりすることができる。

＊令和四法四八（令和八・五・二四までに施行）による改正
第三七条中「第三十五条第一項」は「第三十九条第一項」に改められ、同条は第四一条とされた。（本文織込み済み）

（異議後の判決）
第四二条①　仮執行の宣言を付した損害賠償命令に係る請求について第三十九条第一項の規定により訴えの提起があったものとみなされた場合において、当該訴えについてすべき判決が損害賠償命令と符合するときは、その判決において、損害賠償命令を認可しなければならない。ただし、損害賠償命令の手続が法律に違反したものであるときは、この限りでない。
②　前項の規定により損害賠償命令を認可する場合を除き、仮執行の宣言を付した損害賠償命令に係る請求について第三十九条第一項の規定により訴えの提起があったものとみなされた場合における当該訴えについてすべき判決においては、損害賠償命令を取り消さなければならない。
③　民事訴訟法第三百六十三条の規定は、仮執行の宣言を付した損害賠償命令に係る請求について第三十九条第一項の規定により訴えの提起があったものとみなされた場合における訴訟費用

について準用する。（後略）

＊令和四法四八（令和八・五・二四までに施行）による改正
第三八条中「第三十五条第一項」は「第三十九条第一項」に改められ、同条は第四二条とされた。（本文織込み済み）

第四節　民事訴訟手続への移行

第四三条① 裁判所は、最初の審理期日を開いた後、審理に日時を要するため第三十五条第三項に規定するところにより審理を終結することが困難であると認めるときは、申立てにより又は職権で、損害賠償命令事件を終了させる旨の決定をすることができる。

② 次に掲げる場合には、裁判所は、損害賠償命令事件を終了させる旨の決定をしなければならない。

一 刑事被告事件について終局裁判の告知があるまでに、申立人から、損害賠償命令の申立てに係る請求についての審理及び裁判を民事訴訟手続で行うことを求める旨の申述があったとき。

二 損害賠償命令の申立てについての裁判の告知があるまでに、当事者から、当該申立てに係る請求についての審理及び裁判を民事訴訟手続で行うことを求める旨の申述があり、かつ、これについて相手方の同意があったとき。

③ 前二項の決定及び第一項の申立てを却下する決定に対しては、不服を申し立てることができない。

④ 第三十九条から第四十一条までの規定は、第一項又は第二項の規定により損害賠償命令事件が終了した場合について準用する。

＊令和四法四八（令和八・五・二四までに施行）による改正
第三九条第一項中「第三十一条第三項」は「第三十五条第三項」に改められ、第四項中「第三十五条から第三十七条まで」は「第三十九条から第四十一条まで」に改められ、同条は第四三条とされた。（本文織込み済み）

第五節　補則

（損害賠償命令事件の記録の閲覧等）

第四四条① 当事者又は利害関係を疎明した第三者は、裁判所書記官に対し、損害賠償命令事件の記録の閲覧若しくは謄写、その正本、謄本若しくは抄本の交付又は損害賠償命令事件に関する事項の証明書の交付を請求することができる。

② 前項の規定は、損害賠償命令事件の記録中の録音テープ又はビデオテープ（これらに準ずる方法により一定の事項を記録した物を含む。）に関しては、適用しない。この場合において、これらの物について当事者又は利害関係を疎明した第三者の請求があるときは、裁判所書記官は、その複製を許さなければならない。

③ 前二項の規定にかかわらず、刑事関係記録の閲覧若しくは謄写、その正本、謄本若しくは抄本の交付又はその複製（以下この条において「閲覧等」という。）の請求については、裁判所が許可したときに限り、することができる。

④ 裁判所は、当事者から刑事関係記録の閲覧等の許可の申立てがあったときは、検察官及び被告人又は弁護人の意見（刑事被告事件に係る訴訟が終結した後においては、当該訴訟の記録を保管する検察官の意見）を聴き、不当な目的によるものと認める場合、関係者の名誉又は生活の平穏を著しく害するおそれがあると認める場合、捜査又は公判に支障を及ぼすおそれがあると認める場合その他相当でないと認める場合を除き、その閲覧等を許可しなければならない。

⑤ 裁判所は、利害関係を疎明した第三者から刑事関係記録の閲覧等の許可の申立てがあったときは、検察官及び被告人又は弁護人の意見（刑事被告事件に係る訴訟が終結した後においては、当該訴訟の記録を保管する検察官の意見）を聴き、正当な理由がある場合であって、関係者の名誉又は生活の平穏を害するおそれの有無、捜査又は公判に支障を及ぼすおそれの有無その他の事情を考慮して相当と認めるときは、その閲覧等を許可することができる。

⑥ 損害賠償命令事件の記録の閲覧、謄写及び複製の請求は、当該記録の保存又は裁判所の執務に支障があるときは、することができない。

⑦ 第四項の申立てを却下する決定に対しては、即時抗告をすることができる。

⑧ 第五項の申立てを却下する決定に対しては、不服を申し立てることができない。

＊令和四法四八（令和八・五・二四までに施行）による改正
第四〇条は第四四条とされた。（本文織込み済み）

（民事訴訟法の準用）

第四五条 特別の定めがある場合を除き、損害賠償命令事件に関する手続については、その性質に反しない限り、民事訴訟法第二条、第十四条、第一編第二章第三節、第三章（第四十五条第五項各号及び第四十七条から第五十一条までを除く。）、第四章（第七十一条第二項を除く。）、第五章（第八十七条、第八十七条の二、第九十一条から第九十一条の三まで、第九十二条第九項及び第十項、第九十二条の二第二項、第二節第二款、第九十四条、第百条第二項、第四節第三款、第百十一条、第百十六条並びに第百十八条を除く。）、第六章（第百三十二条の六第三項及び第百三十二条の七を除く。）及び第八章（第百三十三条の二第五項及び第六項並びに第百三十三条の三第二項を除く。）、第二編第一章（第百三十四条、第百三十四条の二、第百三十七条第二項及び第三項、第百三十八条第一項、第百三十九条、第百四十条、第百四十五条並びに第百四十六条を除く。）、第三章（第百五十一条第三項、第百五十六条の二、第百五十七条の二、第百五十八条、第百五十九条第三項、第百六十条第二項、第百六十一条第三項及び第三節を除く。）、第四章（第百八十五条第三項、第百八十七条第三項及び第四項、第二百五条第二項、第二百十五条第二項、第二百二十七条第二項、第二百三十二条の二、第二百三十五条第一項ただし書並びに第二百三十六条を除く。）、第五章（第二百四十九条から第二百五十五条まで、第二百五十六条第三項各号並びに第二百五十九条第一項及び第二項を除く。）及び第六章（第二百六十二条第二項、第二百六十三条、第二百六十六条第二項及び第二百六十七条第二項を除く。）、第三編第三章、第四編並びに第九編（第四百三条第一項第一号、第二号及び第四号から第六号までを除く。）の規定を準用する。（後略）

＊令和四法四八（令和八・五・二四までに施行）による改正前
（民事訴訟法の準用）
第四一条 特別の定めがある場合を除き、損害賠償命令事件に関する手続については、その性質に反しない限り、民事訴訟法第二条、第十四条、第一編第二章第三節、第三章（第四十七条から第五十一条までを除く。）、第四章、第五章（第八十七条、第八十七条の二、第九十一条、第二節第二款、第百十六条及び第百十八条を除く。）、第六章から第八章まで、第二編第一章（第百三十三条、第百三十四条の二、第百三十七条第二項及び第三項、第百三十八条第一項、第百三十九条、第百四十条、第百四十五条並びに第百四十六条を除く。）、第三章（第百五十六条の二、第百五十七条の二、第百五十八条、第百五十九条第三項、第百六十一条第三項及び第三節を除く。）、第四章（第二百三十五条第一項ただし書及び第二百三十六条を除く。）、第五章（第二百四十九条から第二百五十五条まで並びに第二百五十九条第一項及び第二項を除く。）及び第六章（第二百六十二条第二項、第二百六十三条及び第二百六十六条第二項を除く。）、第三編第三章、第四編並びに第八編（第四百三条第一項第一号、第二号及び第四号から第六号までを除く。）の規定を準用する。（後

略）

（改正後の**第四五条**）

第四六条（**個人特定事項の秘匿**）① 裁判所は、刑事被告事件の手続において刑事訴訟法第二百七十一条の二第四項の規定による措置をとった場合において、起訴状に記載された個人特定事項のうち起訴状抄本等に記載がないものが同条第一項第一号又は第二号に掲げる者のものに該当すると認める場合であって、相当と認めるときは、損害賠償命令事件に関する手続において、前条において準用する民事訴訟法第百三十三条第二項に規定する秘匿事項のほか、当該個人特定事項について、決定で、その全部又は一部を秘匿する旨の裁判をすることができる。刑事被告事件の手続において刑事訴訟法第三百十二条の二第三項の規定による措置をとった場合において、訴因変更等請求書面に記載された個人特定事項のうち訴因変更等請求書面抄本等に記載がないものが同法第二百七十一条の二第一項第一号又は第二号に掲げる者のものに該当すると認める場合であって、相当と認めるときも、同様とする。

② 民事訴訟法第百三十三条第五項の規定は、前項の決定をする場合について準用する。（後略）

③ 第一項の決定があった場合における第二十五条及び第三十九条第一項（第四十三条第四項において準用する場合を含む。第五項において同じ。）の規定の適用については、これらの規定中「書面を」とあるのは、「書面中第四十六条第一項の決定に係る個人特定事項が記載された部分について、当該個人特定事項に代えて同条第二項において読み替えて準用する民事訴訟法第百三十三条第五項前段の規定により定めた事項を記載した書面を」とする。

④ 民事訴訟法第百三十三条の二第二項及び第百三十三条の四（第四項第二号を除く。）の規定は、第一項の決定があった場合について準用する。（後略）

⑤ 第一項の決定があった場合において、第三十九条第一項の規定により訴えの提起があったものとみなされたときは、裁判所は、損害賠償命令事件の記録（刑事関係記録を除く。）中、当該決定に係る個人特定事項が記載され、又は記録されたものであって、第三十九条第一項の地方裁判所又は簡易裁判所に送付することが相当でないと認めるものを特定しなければならない。この場合における第四十条第二項の規定の適用については、同項中「前項」とあるのは、「前項又は第四十六条第五項前段」とする。

＊**令和四法四八**（令和八・五・二四までに施行）**による改正前**

第四二条（**個人特定事項の秘匿**）①② （略）

③ 第一項の決定があった場合における第二十五条及び第三十五条第一項（第三十九条第四項において準用する場合を含む。第五項において同じ。）の規定の適用については、これらの規定中「書面を」とあるのは、「書面中第四十二条第一項の決定に係る個人特定事項が記載された部分について、当該個人特定事項に代えて同条第二項において読み替えて準用する民事訴訟法第百三十三条第五項前段の規定により定めた事項を記載した書面を」とする。

④ （略）

⑤ 第一項の決定があった場合において、第三十五条第一項の規定により訴えの提起があったものとみなされたときは、裁判所は、損害賠償命令事件の記録（刑事関係記録を除く。）中、当該決定に係る個人特定事項が記載され、又は記録されたものであって、第三十五条第一項の地方裁判所又は簡易裁判所に送付することが相当でないと認めるものを特定しなければならない。この場合における第三十六条第二項の規定の適用については、同項中「前項」とあるのは、「前項又は第四十二条第五項前段」とする。

（改正後の**第四六条**）

第八章　雑則

第四七条（**公判記録の閲覧及び謄写等の手数料**）① 第三条第一項又は第四条第一項の規定による訴訟記録の閲覧又は謄写の手数料については、その性質に反しない限り、民事訴訟費用等に関する法律（昭和四十六年法律第四十号）第七条から第十条まで及び別表第二の一の項の規定（同項上欄中「（事件の係属中に当事者等が請求するものを除く。）」とある部分を除く。）を準用する。

② 第十九条第一項の規定による申立てをするには、二千円の手数料を納めなければならない。

③ 第六章に規定する民事上の争いについての刑事訴訟手続における和解に関する手続の手数料については、その性質に反しない限り、民事訴訟費用等に関する法律第三条第一項及び第七条から第十条まで並びに別表第一の一七の項及び一八の項（上欄(4)に係る部分に限る。）並びに別表第三の一の項から三の項までの規定（同表一の項上欄中「（事件の係属中に当事者等が請求するものを除く。）」とある部分を除く。）を準用する。

＊**令和四法四八**（令和八・五・二四までに施行）**による改正前**

第四三条（**公判記録の閲覧及び謄写等の手数料**）① 第三条第一項又は第四条第一項の規定による訴訟記録の閲覧又は謄写の手数料については、その性質に反しない限り、民事訴訟費用等に関する法律（昭和四十六年法律第四十号）第七条から第十条まで及び別表第二の一の項から三の項までの規定（同表一の項上欄中「（事件の係属中に当事者等が請求するものを除く。）」とある部分を除く。）を準用する。

新② （改正により追加）

② 第六章に規定する民事上の争いについての刑事訴訟手続における和解に関する手続の手数料については、その性質に反しない限り、民事訴訟費用等に関する法律第三条第一項及び第七条から第十条まで並びに別表第一の九の項、一七の項及び一八の項（上欄(4)に係る部分に限る。）並びに別表第二の一の項から三の項までの規定（同表一の項上欄中「（事件の係属中に当事者等が請求するものを除く。）」とある部分を除く。）を準用する。

（改正後の③）

（改正後の**第四七条**）

第四八条（**損害賠償命令事件に関する手続の手数料等**）① 損害賠償命令の申立てをするには、二千円の手数料を納めなければならない。

② 民事訴訟費用等に関する法律第三条第一項及び別表第一の一七の項の規定は、第三十八条第一項の規定による異議の申立ての手数料について準用する。

③ 損害賠償命令の申立てをした者は、第三十九条第一項（第四十三条第四項において準用する場合を含む。）の規定により訴えの提起があったものとみなされたときは、速やかに、民事訴訟費用等に関する法律第三条第二項及び別表第二の一の項の規定により納めるべき手数料の額から損害賠償命令の申立てについて納めた手数料の額を控除した額の手数料を納めなければならない。

④ 前三項に規定するもののほか、損害賠償命令事件に関する手続の費用については、その性質に反しない限り、民事訴訟費用等に関する法律の規定を準用する。

＊**令和四法四八**（令和八・五・二四までに施行）**による改正前**

第四四条（**損害賠償命令事件に関する手続の手数料等**）① （略）

② 民事訴訟費用等に関する法律第三条第一項及び別表第一の一七の項の規定は、第三十四条第一項の規定による異議の申立ての手数料について準用する。

③ 損害賠償命令の申立てをした者は、第三十五条第一項（第三十九条第四項において準用する場合を含む。）の規定により訴えの提起があったものとみなされたときは、速やかに、民事訴訟

費用等に関する法律第三条第一項及び別表第一の一の項の規定により納めるべき手数料の額から損害賠償命令の申立てについて納めた手数料の額を控除した額の手数料を納めなければならない。

④ （略）

（改正後の第四八条）

＊令和五法五三（令和一〇・六・一三までに施行）による改正後

（手数料の納付方法）

第四八条 手数料は、申立書又は申立ての趣意を記載した調書に収入印紙を貼って納めなければならない。ただし、最高裁判所規則で定める場合には、最高裁判所規則で定めるところにより、現金をもって納めることができる。

＊令和五法五三（令和一〇・六・一三までに施行）による改正後

（過納手数料の還付等）

第四九条① 手数料が過大に納められた場合においては、裁判所書記官は、申立てにより、過大に納められた手数料の額に相当する金額の金銭を還付しなければならない。

② 前項の申立ては、一の手数料に係る申立ての申立人が二人以上ある場合においては、当該各申立人がすることができる。

③ 第一項の申立ては、その申立てをすることができる事由が生じた日から五年以内にしなければならない。

④ 第一項の申立てについてされた裁判所書記官の処分に対しては、その告知を受けた日から一週間の不変期間内に、その裁判所書記官の所属する裁判所に異議を申し立てることができる。

⑤ 手数料還付事件（第一項の申立て及びその申立てについての裁判所書記官の処分並びに前項の規定による異議の申立て及びその異議の申立てについての裁判に係る事件をいう。以下この条において同じ。）に関する手続における期日の呼出しについては、第三十条の規定を準用する。

⑥ 手数料還付事件に関する手続における期日及び期間については、民事訴訟法第九十五条から第九十七条までの規定を準用する。

⑦ 手数料還付事件に関する手続における送達及び手続の中止については、その性質に反しない限り、民事訴訟法第一編第五章第四節（第百条第二項、第三款及び第百十一条を除く。）及び第百三十条から第百三十二条まで（同条第一項を除く。）の規定を準用する。（後略）

⑧ 前項において準用する民事訴訟法第百十条第一項の規定による公示送達については、裁判所書記官が送達すべき書類を保管し、いつでも送達を受けるべき者に交付すべき旨を裁判所の掲示場に掲示してする。

⑨ 手数料還付事件に関する手続における申立てその他の申述については、第三十三条の規定を準用する。

⑩ 特別の定めがある場合を除き、手数料還付事件に関しては、その性質に反しない限り、非訟事件手続法（平成二十三年法律第五十一号）第二編（第二十七条、第三十一条第二項、第三十一条の二、第三十二条の二、第三十四条第四項、第三十八条、第四十条、第四十二条及び第五十七条第三項を除く。）の規定を準用する。（後略）

（改正により追加）

（再使用証明）

第五〇条① 前条第一項の申立てにおいて、第四十八条の規定により納めた収入印紙を当該裁判所における他の手数料の納付について再使用したい旨の申出があったときは、金銭による還付に代えて、還付の日から一年以内に限り再使用をすることができる旨の裁判所書記官の証明を付して還付すべき金額に相当する収入印紙を交付することができる。

② 前項の証明の付された収入印紙の交付を受けた者が、同項の証明に係る期間内に、当該収入印紙を提出してその額に相当する金額の金銭の還付を受けたい旨の申立てをしたときは、同項の裁判所の裁判所書記官は、当該収入印紙の額に相当する金額の金銭を還付しなければならない。

③ 前条第四項から第十項までの規定は、前項の規定による裁判所書記官の処分について準用する。

（改正により追加）

（損害賠償命令事件に関する手続の費用）

第五一条① 損害賠償命令事件に関する手続の費用については、その性質に反しない限り、民事訴訟費用等に関する法律（同法第八条から第十条までを除く。）の規定を準用する。（後略）

② 裁判所は、郵便物の料金又は民間事業者による信書の送達に関する法律（平成十四年法律第九十九号）第二条第六項に規定する一般信書便事業者若しくは同条第九項に規定する特定信書便事業者の提供する同条第二項に規定する信書便の役務に関する料金に充てるための費用に限り、金銭に代えて郵便切手又は最高裁判所が定めるこれに類する証票（次項及び第五項において「郵便切手等」という。）で予納させることができる。

③ 前項の規定により予納させた郵便切手等の管理に関する事務は、最高裁判所が指定する裁判所書記官が取り扱う。

④ 前項の裁判所書記官の責任については、物品管理法（昭和三十一年法律第百十三号）に規定する物品管理職員の責任の例による。

⑤ 前二項に定めるもののほか、第三項の郵便切手等の管理について必要な事項は、最高裁判所が定める。

（改正により追加）

（最高裁判所規則）

第四九条 この法律に定めるもののほか、第三章に規定する訴訟記録の閲覧又は謄写、第六条第一項及び第二項の規定により裁判所が行う手続、第五章に規定する被害者参加弁護士の選定等、第六章に規定する民事上の争いについての刑事訴訟手続における和解並びに損害賠償命令事件に関する手続について必要な事項は、最高裁判所規則で定める。

＊令和四法四八（令和八・五・二四までに施行）による改正

第四五条は第四九条とされた。（本文織込み済み）

＊令和五法五三（令和一〇・六・一三までに施行）による改正

第四九条を第五二条とする。（本文未織込み）

附　則（抄）

（施行期日）

① この法律は、公布の日から起算して六月を超えない範囲内において政令で定める日（平成一二・一一・一―平成一二政四四六）から施行する。

附　則（令和四・五・二五法四八）（抄）

（施行期日）

第一条 この法律は、公布の日から起算して四年を超えない範囲内において政令で定める日から施行する。ただし、次の各号に掲げる規定は、当該各号に定める日から施行する。

一 （前略）附則第百二十五条の規定　公布の日

二 （前略）附則第八十六条（犯罪被害者等の権利利益の保護を図るための刑事手続に付随する措置に関する法律の一部改正）（中略）の規定　公布の日から起算して九月を超えない範囲内において政令で定める日（令和五・二・二〇―令和四政三八四）

三 （略）

四 （前略）附則第八十七条中犯罪被害者等の権利利益の保護を図るための刑事手続に付随する措置に関する法律（平成十二年法律第七十五号）第四十条の改正規定（「第八十七条」の下に「、第八十七条の二」を加える部分に限る。）（中略）　公布の日から起算して二年を超えない範囲内において政令で定める日（令和六・三・一―令和五政三六）

五 （略）

（政令への委任）

第一二五条 （前略）この法律の施行に関し必要な経過措置は、政令で定める。

民事関係手続等における情報通信技術の活用等の推進を図るための関係法律の整備に関する法律中経過規定（令和五・六・一四法五三）（抄）

第三八七条から第三八九条まで　（民事執行法の同経過規定参照）

民事関係手続等における情報通信技術の活用等の推進を図るための関係法律の整備に関する法律

附　則（令和五・六・一四法五三）

この法律は、公布の日から起算して五年を超えない範囲内において政令で定める日から施行する。ただし、次の各号に掲げる規定は、当該各号に定める日から施行する。

一　（前略）第三百八十八条の規定　公布の日

二　（前略）第三百八十七条の規定　公布の日から起算して二年六月を超えない範囲内において政令で定める日

三　（略）

●少年法

（昭和二三・七・一五 法 一 六 八）

施行 昭和二四・一・一（附則）
改正 昭和二三法二五二、昭和二四法一四三・法二一二・法二四六、昭和二五法九八・法二〇四、昭和二六法五九、昭和二七法二六八、昭和二八法八六・昭和二九法一二六・法一六三、昭和六〇法四五、昭和六二法九九、平成七法九一、平成九法七四、平成一一法八七、平成一二法一四二、平成一五法一二一、平成一六法六二・法一五二・法一五三、平成一七法五〇・法一二三、平成一八法五八、平成一九法六八・法七三・法八八・法九六、平成二〇法七一、平成二二法二六、平成二三法五三・法六一、平成二五法八六、平成二六法二三、平成二八法六三、令和一法四六、令和三法四七、令和四法四八・法六八、令和五法二八・法五三・法六七

目次

第一章 総則

（この法律の目的）

第一条 この法律は、少年の健全な育成を期し、非行のある少年に対して性格の矯正及び環境の調整に関する保護処分を行うとともに、少年の刑事事件について特別の措置を講ずることを目的とする。

（定義）

第二条① この法律において「少年」とは、二十歳に満たない者をいう。

② この法律において「保護者」とは、少年に対して法律上監護教育の義務ある者及び少年を現に監護する者をいう。

第二章 少年の保護事件

第一節 通則

（審判に付すべき少年）

第三条① 次に掲げる少年は、これを家庭裁判所の審判に付する。

一 罪を犯した少年
二 十四歳に満たないで刑罰法令に触れる行為をした少年
三 次に掲げる事由があつて、その性格又は環境に照して、将来、罪を犯し、又は刑罰法令に触れる行為をする虞のある少年
イ 保護者の正当な監督に服しない性癖のあること。
ロ 正当の理由がなく家庭に寄り附かないこと。
ハ 犯罪性のある人若しくは不道徳な人と交際し、又はいかがわしい場所に出入すること。
ニ 自己又は他人の徳性を害する行為をする性癖のあること。

② 家庭裁判所は、前項第二号に掲げる少年及び同項第三号に掲げる少年で十四歳に満たない者については、都道府県知事又は児童相談所長から送致を受けたときに限り、これを審判に付することができる。

（判事補の職権）

第四条 第二十条第一項の決定以外の裁判は、判事補が一人でこれをすることができる。

（管轄）

第五条① 保護事件の管轄は、少年の行為地、住所、居所又は現在地による。

② 家庭裁判所は、保護の適正を期するため特に必要があると認めるときは、決定をもつて、事件を他の管轄家庭裁判所に移送することができる。

③ 家庭裁判所は、事件がその管轄に属しないと認めるときは、決定をもつて、これを管轄家庭裁判所に移送しなければならない。

（被害者等による記録の閲覧及び謄写）

第五条の二① 裁判所は、第三条第一項第一号又は第二号に掲げる少年に係る保護事件について、第二十一条の決定があつた後、最高裁判所規則の定めるところにより当該保護事件の被害者等（被害者又はその法定代理人若しくは被害者が死亡した場合若しくはその心身に重大な故障がある場合におけるその配偶者、直系の親族若しくは兄弟姉妹をいう。以下同じ。）又は被害者等から委託を受けた弁護士から、その保管する当該保護事件の記録（家庭裁判所が専ら当該少年の保護の必要性を判断するために収集したもの及び家庭裁判所調査官が家庭裁判所による当該少年の保護の必要性の判断に資するよう作成し又は収集したものを除く。）の閲覧又は謄写の申出があるときは、閲覧又は謄写を求める理由が正当でないと認める場合及び少年の健全な育成に対する影響、事件の性質、調査又は審判の状況その他の事情を考慮して閲覧又は謄写をさせることが相当でないと認める場合を除き、申出をした者にその閲覧又は謄写をさせるものとする。

② 前項の申出は、その申出に係る保護事件を終局させる決定が確定した後三年を経過したときは、することができない。

③ 第一項の規定により記録の閲覧又は謄写をした者は、正当な理由がないのに閲覧又は謄写により知り得た少年の氏名その他少年の身上に関する事項を漏らしてはならず、かつ、閲覧又は謄写により知り得た事項をみだりに用いて、少年の健全な育成を妨げ、関係人の名誉若しくは生活の平穏を害し、又は調査若しくは審判に支障を生じさせる行為をしてはならない。

（閲覧又は謄写の手数料）

第五条の三 前条第一項の規定による記録の閲覧又は謄写の手数料については、その性質に反しない限り、民事訴訟費用等に関する法律（昭和四十六年法律第四十号）第七条から第十条まで及び別表第三の一の項の規定（同項上欄中「（事件の係属中に当事者等が請求するものを除く。）」とある部分を除く。）を準用する。

＊令和四法四八（令和八・五・二四までに施行）**による改正**
第五条の三中「別表第二の一の項」は「別表第三の一の項」に改められた。（本文織込み済み）
＊令和五法五三（令和一〇・六・一三までに施行）**により第五条の三削る**（本文未織込み）

第二節 通告、警察官の調査等

（通告）

第六条① 家庭裁判所の審判に付すべき少年を発見した者は、これを家庭裁判所に通告しなければならない。

② 警察官又は保護者は、第三条第一項第三号に掲げる少年につ

いて、直接これを家庭裁判所に送致し、又は通告するよりも、先づ児童福祉法（昭和二十二年法律第百六十四号）による措置にゆだねるのが適当であると認めるときは、その少年を直接児童相談所に通告することができる。

（警察官等の調査）

第六条の二① 警察官は、客観的な事情から合理的に判断して、第三条第一項第二号に掲げる少年であると疑うに足りる相当の理由のある者を発見した場合において、必要があるときは、事件について調査をすることができる。

② 前項の調査は、少年の情操の保護に配慮しつつ、事案の真相を明らかにし、もつて少年の健全な育成のための措置に資することを目的として行うものとする。

③ 警察官は、国家公安委員会規則の定めるところにより、少年の心理その他の特性に関する専門的知識を有する警察職員（警察官を除く。）に調査（第六条の五第一項の処分を除く。）をさせることができる。

（調査における付添人）

第六条の三 少年及び保護者は、前条第一項の調査に関し、いつでも、弁護士である付添人を選任することができる。

（呼出し、質問、報告の要求）

第六条の四① 警察官は、調査をするについて必要があるときは、少年、保護者又は参考人を呼び出し、質問することができる。

② 前項の質問に当たつては、強制にわたることがあつてはならない。

③ 警察官は、調査について、公務所又は公私の団体に照会して必要な事項の報告を求めることができる。

（押収、捜索、検証、鑑定嘱託）

第六条の五① 警察官は、第三条第一項第二号に掲げる少年に係る事件の調査をするについて必要があるときは、押収、捜索、検証又は鑑定の嘱託をすることができる。

② 刑事訴訟法（昭和二十三年法律第百三十一号）中司法警察職員の行う押収、捜索、検証及び鑑定の嘱託に関する規定（同法第二百二十四条を除く。）は、前項の場合に、これを準用する。この場合において、これらの規定中「司法警察員」とあるのは「司法警察員たる警察官」と、「司法巡査」とあるのは「司法巡査たる警察官」と読み替えるほか、同法第四百九十九条第一項中「検察官」とあるのは「警視総監若しくは道府県警察本部長又は警察署長」と、「政令」とあるのは「国家公安委員会規則」と、同条第三項中「国庫」とあるのは「当該都道府県警察又は警察署の属する都道府県」と読み替えるものとする。

（警察官の送致等）

第六条の六① 警察官は、調査の結果、次の各号のいずれかに該当するときは、当該調査に係る書類とともに事件を児童相談所長に送致しなければならない。

一 第三条第一項第二号に掲げる少年に係る事件について、その少年の行為が次に掲げる罪に係る刑罰法令に触れるものであると思料するとき。

イ 故意の犯罪行為により被害者を死亡させた罪

ロ イに掲げるもののほか、死刑又は無期若しくは短期二年以上の拘禁刑に当たる罪

二 前号に掲げるもののほか、第三条第一項第二号に掲げる少年に係る事件について、家庭裁判所の審判に付することが適当であると思料するとき。

② 警察官は、前項の規定により児童相談所長に送致した事件について、児童福祉法第二十七条第一項第四号の措置がとられた場合において、証拠物があるときは、これを家庭裁判所に送付しなければならない。

③ 警察官は、第一項の規定により事件を送致した場合を除き、児童福祉法第二十五条第一項の規定により調査に係る少年を児童相談所に通告するときは、国家公安委員会規則の定めるところにより、児童相談所に対し、同法による措置をとるについて参考となる当該調査の概要及び結果を通知するものとする。

（都道府県知事又は児童相談所長の送致）

第六条の七① 都道府県知事又は児童相談所長は、前条第一項（第一号に係る部分に限る。）の規定により送致を受けた事件については、児童福祉法第二十七条第一項第四号の措置をとらなければならない。ただし、調査の結果、その必要がないと認められるときは、この限りでない。

② 都道府県知事又は児童相談所長は、児童福祉法の適用がある少年について、たまたま、その行動の自由を制限し、又はその自由を奪うような強制的措置を必要とするときは、同法第三十三条、第三十三条の二及び第四十七条の規定により認められる場合を除き、これを家庭裁判所に送致しなければならない。

（家庭裁判所調査官の報告）

第七条① 家庭裁判所調査官は、家庭裁判所の審判に付すべき少年を発見したときは、これを裁判官に報告しなければならない。

② 家庭裁判所調査官は、前項の報告に先だち、少年及び保護者について、事情を調査することができる。

第三節 調査及び審判

（事件の調査）

第八条① 家庭裁判所は、第六条第一項の通告又は前条第一項の報告により、審判に付すべき少年があると思料するときは、事件について調査しなければならない。検察官、司法警察員、警察官、都道府県知事又は児童相談所長から家庭裁判所の審判に付すべき少年事件の送致を受けたときも、同様とする。

② 家庭裁判所は、家庭裁判所調査官に命じて、少年、保護者又は参考人の取調その他の必要な調査を行わせることができる。

（調査の方針）

第九条 前条の調査は、なるべく、少年、保護者又は関係人の行状、経歴、素質、環境等について、医学、心理学、教育学、社会学その他の専門的智識特に少年鑑別所の鑑別の結果を活用して、これを行うように努めなければならない。

（被害者等の申出による意見の聴取）

第九条の二 家庭裁判所は、最高裁判所規則の定めるところにより第三条第一項第一号又は第二号に掲げる少年に係る事件の被害者等から、被害に関する心情その他の事件に関する意見の陳述の申出があるときは、自らこれを聴取し、又は家庭裁判所調査官に命じてこれを聴取させるものとする。ただし、事件の性質、調査又は審判の状況その他の事情を考慮して、相当でないと認めるときは、この限りでない。

（付添人）

第一〇条① 少年並びにその保護者、法定代理人、保佐人、配偶者、直系の親族及び兄弟姉妹は、家庭裁判所の許可を受けて、付添人を選任することができる。ただし、弁護士を付添人に選任するには、家庭裁判所の許可を要しない。

② 保護者は、家庭裁判所の許可を受けて、付添人となることができる。

（呼出し及び同行）

第一一条① 家庭裁判所は、事件の調査又は審判について必要があると認めるときは、少年又は保護者に対して、呼出状を発して、その呼出しをすることができる。

② 家庭裁判所は、少年又は保護者が、正当な理由がなく、前項の規定による呼出しに応じないとき、又は応じないおそれがあるときは、その少年又は保護者に対して、同行状を発して、その同行をすることができる。

（緊急の場合の同行）

第一二条① 家庭裁判所は、少年が保護のため緊急を要する状態にあつて、その福祉上必要であると認めるときは、前条第二項の規定にかかわらず、その少年に対して、同行状を発して、その同行をすることができる。

② 裁判長は、急速を要する場合には、前項の処分をし、又は合議体の構成員にこれをさせることができる。

（同行状の執行）

第一三条① 同行状は、家庭裁判所調査官がこれを執行する。

② 家庭裁判所は、警察官、保護観察官又は裁判所書記官をして、同行状を執行させることができる。

③ 裁判長は、急速を要する場合には、前項の処分をし、又は合議体の構成員にこれをさせることができる。

（証人尋問・鑑定・通訳・翻訳）

第一四条① 家庭裁判所は、証人を尋問し、又は鑑定、通訳若しくは翻訳を命ずることができる。

② 刑事訴訟法中、裁判所の行う証人尋問、鑑定、通訳及び翻訳に関する規定は、保護事件の性質に反しない限り、前項の場合に、これを準用する。

（検証、押収、捜索）

第一五条① 家庭裁判所は、検証、押収又は捜索をすることができる。

② 刑事訴訟法中、裁判所の行う検証、押収及び捜索に関する規定は、保護事件の性質に反しない限り、前項の場合に、これを準用する。

（援助、協力）

第一六条① 家庭裁判所は、調査及び観察のため、警察官、保護観察官、保護司、児童福祉司（児童福祉法第十二条の三第二項第六号に規定する児童福祉司をいう。第二十六条第一項において同じ。）又は児童委員に対して、必要な援助をさせることができる。

② 家庭裁判所は、その職務を行うについて、公務所、公私の団体、学校、病院その他に対して、必要な協力を求めることができる。

（観護の措置）

第一七条① 家庭裁判所は、審判を行うため必要があるときは、決定をもつて、次に掲げる観護の措置をとることができる。

一 家庭裁判所調査官の観護に付すること。

二 少年鑑別所に送致すること。

② 同行された少年については、観護の措置は、遅くとも、到着のときから二十四時間以内に、これを行わなければならない。検察官又は司法警察員から勾留又は逮捕された少年の送致を受けたときも、同様である。

③ 第一項第二号の措置においては、少年鑑別所に収容する期間は、二週間を超えることができない。ただし、特に継続の必要があるときは、決定をもつて、これを更新することができる。

④ 前項ただし書の規定による更新は、一回を超えて行うことができない。ただし、第三条第一項第一号に掲げる少年に係る拘禁刑以上の刑に当たる罪の事件でその非行事実（犯行の動機、態様及び結果その他の当該犯罪に密接に関連する重要な事実を含む。以下同じ。）の認定に関し証人尋問、鑑定若しくは検証を行うことを決定したもの又はこれを行つたものについて、少年を収容しなければ審判に著しい支障が生じるおそれがあると認めるに足りる相当の理由がある場合には、その更新は、更に二回を限度として、行うことができる。

⑤ 第三項ただし書の規定にかかわらず、検察官から再び送致を受けた事件が先に第一項第二号の措置がとられ、又は勾留状が発せられた事件であるときは、収容の期間は、これを更新することができない。

⑥ 裁判官が第四十三条第一項の請求により、第一項第一号の措置をとつた場合において、事件が家庭裁判所に送致されたときは、その措置は、これを第一項第一号の措置とみなす。

⑦ 裁判官が第四十三条第一項の請求により第一項第二号の措置をとつた場合において、事件が家庭裁判所に送致されたときは、その措置は、これを第一項第二号の措置とみなす。この場合には、第三項の期間は、家庭裁判所が事件の送致を受けた日から、これを起算する。

⑧ 観護の措置は、決定をもつて、これを取り消し、又は変更することができる。

⑨ 第一項第二号の措置については、収容の期間は、通じて八週間を超えることができない。ただし、その収容の期間が通じて四週間を超えることとなる決定を行うときは、第四項ただし書に規定する事由がなければならない。

⑩ 裁判長は、急速を要する場合には、第一項及び第八項の処分をし、又は合議体の構成員にこれをさせることができる。

（異議の申立て）

第一七条の二① 少年、その法定代理人又は付添人は、前条第一項第二号又は第三項ただし書の決定に対して、保護事件の係属する家庭裁判所に異議の申立てをすることができる。ただし、付添人は、選任者である保護者の明示した意思に反して、異議の申立てをすることができない。

② 前項の異議の申立ては、審判に付すべき事由がないことを理由としてすることはできない。

③ 第一項の異議の申立てについては、家庭裁判所は、合議体で決定をしなければならない。この場合において、その決定には、原決定に関与した裁判官は、関与することができない。

④ 第三十二条の三、第三十三条及び第三十四条の規定は、第一項の異議の申立てがあつた場合について準用する。この場合において、第三十三条第二項中「取り消して、事件を原裁判所に差し戻し、又は他の家庭裁判所に移送しなければならない」とあるのは、「取り消し、必要があるときは、更に裁判をしなければならない」と読み替えるものとする。

（特別抗告）

第一七条の三① 第三十五条第一項の規定は、前条第三項の決定について準用する。この場合において、第三十五条第一項中「二週間」とあるのは、「五日」と読み替えるものとする。

② 前条第四項及び第三十二条の二の規定は、前項の規定による抗告があつた場合について準用する。

（少年鑑別所送致の場合の仮収容）

第一七条の四① 家庭裁判所は、第十七条第一項第二号の措置をとつた場合において、直ちに少年鑑別所に収容することが著しく困難であると認める事情があるときは、決定をもつて、少年を仮に最寄りの少年院又は刑事施設の特に区別した場所に収容することができる。ただし、その期間は、収容した時から七十二時間を超えることができない。

② 裁判長は、急速を要する場合には、前項の処分をし、又は合議体の構成員にこれをさせることができる。

③ 第一項の規定による収容の期間は、これを第十七条第一項第二号の措置により少年鑑別所に収容した期間とみなし、同条第三項の期間は、少年院又は刑事施設に収容した日から、これを起算する。

④ 裁判官が第四十三条第一項の請求のあつた事件につき、第一項の収容をした場合において、事件が家庭裁判所に送致されたときは、その収容は、これを第一項の規定による収容とみなす。

（児童福祉法の措置）

第一八条① 家庭裁判所は、調査の結果、児童福祉法の規定による措置を相当と認めるときは、決定をもつて、事件を権限を有する都道府県知事又は児童相談所長に送致しなければならない。

② 第六条の七第二項の規定により、都道府県知事又は児童相談所長から送致を受けた少年については、決定をもつて、期限を付して、これに対してとるべき保護の方法その他の措置を指示して、事件を権限を有する都道府県知事又は児童相談所長に送致することができる。

（審判を開始しない旨の決定）

第一九条① 家庭裁判所は、調査の結果、審判に付することができず、又は審判に付するのが相当でないと認めるときは、審判を開始しない旨の決定をしなければならない。

② 家庭裁判所は、調査の結果、本人が二十歳以上であることが判明したときは、前項の規定にかかわらず、決定をもつて、事件を管轄地方裁判所に対応する検察庁の検察官に送致しなければならない。

（検察官への送致）
第二〇条① 家庭裁判所は、拘禁刑以上の刑に当たる罪の事件について、調査の結果、その罪質及び情状に照らして刑事処分を相当と認めるときは、決定をもつて、これを管轄地方裁判所に対応する検察庁の検察官に送致しなければならない。
② 前項の規定にかかわらず、家庭裁判所は、故意の犯罪行為により被害者を死亡させた罪の事件であつて、その罪を犯すとき十六歳以上の少年に係るものについては、同項の決定をしなければならない。ただし、調査の結果、犯行の動機及び態様、犯行後の情況、少年の性格、年齢、行状及び環境その他の事情を考慮し、刑事処分以外の措置を相当と認めるときは、この限りでない。

（審判開始の決定）
第二一条 家庭裁判所は、調査の結果、審判を開始するのが相当であると認めるときは、その旨の決定をしなければならない。

（審判の方式）
第二二条① 審判は、懇切を旨として、和やかに行うとともに、非行のある少年に対し自己の非行について内省を促すものとしなければならない。
② 審判は、これを公開しない。
③ 審判の指揮は、裁判長が行う。

（検察官の関与）
第二二条の二① 家庭裁判所は、第三条第一項第一号に掲げる少年に係る事件であつて、死刑又は無期若しくは長期三年を超える拘禁刑に当たる罪のものにおいて、その非行事実を認定するための審判の手続に検察官が関与する必要があると認めるときは、決定をもつて、審判に検察官を出席させることができる。
② 家庭裁判所は、前項の決定をするには、検察官の申出がある場合を除き、あらかじめ、検察官の意見を聴かなければならない。
③ 検察官は、第一項の決定があつた事件において、その非行事実の認定に資するため必要な限度で、最高裁判所規則の定めるところにより、事件の記録及び証拠物を閲覧し及び謄写し、審判の手続（事件を終局させる決定の告知を含む。）に立ち会い、少年及び証人その他の関係人に発問し、並びに意見を述べることができる。

（国選付添人）
第二二条の三① 家庭裁判所は、前条第一項の決定をした場合において、少年に弁護士である付添人がないときは、弁護士である付添人を付さなければならない。
② 家庭裁判所は、第三条第一項第一号に掲げる少年に係る事件であつて前条第一項に規定する罪のもの又は第三条第一項第二号に掲げる少年に係る事件であつて前条第一項に規定する罪に係る刑罰法令に触れるものについて、第十七条第一項第二号の措置がとられており、かつ、少年に弁護士である付添人がない場合において、事案の内容、保護者の有無その他の事情を考慮し、審判の手続に弁護士である付添人が関与する必要があると認めるときは、弁護士である付添人を付することができる。
③ 前二項の規定により家庭裁判所が付すべき付添人は、最高裁判所規則の定めるところにより、選任するものとする。
④ 前項（第二十二条の五第四項において準用する場合を含む。）の規定により選任された付添人は、旅費、日当、宿泊料及び報酬を請求することができる。

（被害者等による少年審判の傍聴）
第二二条の四① 家庭裁判所は、最高裁判所規則の定めるところにより第三条第一項第一号に掲げる少年に係る事件であつて次に掲げる罪のもの又は同項第二号に掲げる少年（十二歳に満たないで刑罰法令に触れる行為をした少年を除く。次項において同じ。）に係る事件であつて次に掲げる罪に係る刑罰法令に触れるもの（いずれも被害者を傷害した場合にあつては、これにより生命に重大な危険を生じさせたときに限る。）の被害者等から、審判期日における審判の傍聴の申出がある場合において、少年の年齢及び心身の状態、事件の性質、審判の状況その他の事情を考慮して、少年の健全な育成を妨げるおそれがなく相当と認めるときは、その申出をした者に対し、これを傍聴することを許すことができる。
一 故意の犯罪行為により被害者を死傷させた罪
二 刑法（明治四十年法律第四十五号）第二百十一条（業務上過失致死傷等）の罪
三 自動車の運転により人を死傷させる行為等の処罰に関する法律（平成二十五年法律第八十六号）第四条、第五条又は第六条第三項若しくは第四項の罪
② 家庭裁判所は、前項の規定により第三条第一項第二号に掲げる少年に係る事件の被害者等に審判の傍聴を許すか否かを判断するに当たつては、同号に掲げる少年が、一般に、精神的に特に未成熟であることを十分考慮しなければならない。
③ 家庭裁判所は、第一項の規定により審判の傍聴を許す場合において、傍聴する者の年齢、心身の状態その他の事情を考慮し、その者が著しく不安又は緊張を覚えるおそれがあると認めるときは、その不安又は緊張を緩和するのに適当であり、かつ、審判を妨げ、又はこれに不当な影響を与えるおそれがないと認める者を、傍聴する者に付き添わせることができる。
④ 裁判長は、第一項の規定により審判を傍聴する者及び前項の規定によりこの者に付き添う者の座席の位置、審判を行う場所における裁判所職員の配置等を定めるに当たつては、少年の心身に及ぼす影響に配慮しなければならない。
⑤ 第五条の二第三項の規定は、第一項の規定により審判を傍聴した者又は第三項の規定によりこの者に付き添つた者について、準用する。

（弁護士である付添人からの意見の聴取等）
第二二条の五① 家庭裁判所は、前条第一項の規定により審判の傍聴を許すには、あらかじめ、弁護士である付添人の意見を聴かなければならない。
② 家庭裁判所は、前項の場合において、少年に弁護士である付添人がないときは、弁護士である付添人を付さなければならない。
③ 少年に弁護士である付添人がない場合であつて、最高裁判所規則の定めるところにより少年及び保護者がこれを必要としない旨の意思を明示したときは、前二項の規定は適用しない。
④ 第二十二条の三第三項の規定は、第二項の規定により家庭裁判所が付すべき付添人について、準用する。

（被害者等に対する説明）
第二二条の六① 家庭裁判所は、最高裁判所規則の定めるところにより第三条第一項第一号又は第二号に掲げる少年に係る事件の被害者等から申出がある場合において、少年の健全な育成を妨げるおそれがなく相当と認めるときは、最高裁判所規則の定めるところにより、その申出をした者に対し、審判期日における審判の状況を説明するものとする。
② 前項の申出は、その申出に係る事件を終局させる決定が確定した後三年を経過したときは、することができない。
③ 第五条の二第三項の規定は、第一項の規定により説明を受けた者について、準用する。

（審判開始後保護処分に付しない場合）
第二三条① 家庭裁判所は、審判の結果、第十八条又は第二十条にあたる場合であると認めるときは、それぞれ、所定の決定をしなければならない。
② 家庭裁判所は、審判の結果、保護処分に付することができず、又は保護処分に付する必要がないと認めるときは、その旨の決定をしなければならない。
③ 第十九条第二項の規定は、家庭裁判所の審判の結果、本人が二十歳以上であることが判明した場合に準用する。

（保護処分の決定）
第二四条① 家庭裁判所は、前条の場合を除いて、審判を開始した事件につき、決定をもつて、次に掲げる保護処分をしなければならない。ただし、決定の時に十四歳に満たない少年に係る事件については、特に必要と認める場合に限り、第三号の保護

処分をすることができる。

一 保護観察所の保護観察に付すること。

二 児童自立支援施設又は児童養護施設に送致すること。

三 少年院に送致すること。

② 前項第一号及び第三号の保護処分においては、保護観察所の長をして、家庭その他の環境調整に関する措置を行わせることができる。

（没取）

第二四条の二① 家庭裁判所は、第三条第一項第一号及び第二号に掲げる少年について、第十八条、第十九条、第二十三条第二項又は前条第一項の決定をする場合には、決定をもつて、次に掲げる物を没取することができる。

一 刑罰法令に触れる行為を組成した物

二 刑罰法令に触れる行為に供し、又は供しようとした物

三 刑罰法令に触れる行為から生じ、若しくはこれによつて得た物又は刑罰法令に触れる行為の報酬として得た物

四 前号に記載した物の対価として得た物

② 家庭裁判所は、前項に規定する少年について、第十八条、第十九条、第二十三条第二項又は前条第一項の決定をする場合には、決定をもつて、次に掲げる物を没取することができる。

一 私事性的画像記録の提供等による被害の防止に関する法律（平成二十六年法律第百二十六号）第三条第一項から第三項までの規定に触れる行為を組成し、若しくは当該行為の用に供した私事性的画像記録（同法第二条第一項に規定する私事性的画像記録をいう。）が記録されている物若しくはこれを複写した物又は当該行為を組成し、若しくは当該行為の用に供した私事性的画像記録物（同法第二条第二項に規定する私事性的画像記録物をいう。）を複写した物

二 性的な姿態を撮影する行為等の処罰及び押収物に記録された性的な姿態の影像に係る電磁的記録の消去等に関する法律（令和五年法律第六十七号）第二条第一項又は第六条第一項の規定に触れる行為により生じた物を複写した物

③ 没取は、その物が本人以外の者に属しないときに限る。ただし、刑罰法令に触れる行為の後、本人以外の者が情を知つて第一項の物を取得し、又は前項の物を保有するに至つたときは、本人以外の者に属する場合であつても、これを没取することができる。

（家庭裁判所調査官の観察）

第二五条① 家庭裁判所は、第二十四条第一項の保護処分を決定するため必要があると認めるときは、決定をもつて、相当の期間、家庭裁判所調査官の観察に付することができる。

② 家庭裁判所は、前項の観察とあわせて、次に掲げる措置をとることができる。

一 遵守事項を定めてその履行を命ずること。

二 条件を附けて保護者に引き渡すこと。

三 適当な施設、団体又は個人に補導を委託すること。

（保護者に対する措置）

第二五条の二 家庭裁判所は、必要があると認めるときは、保護者に対し、少年の監護に関する責任を自覚させ、その非行を防止するため、調査又は審判において、自ら訓戒、指導その他の適当な措置をとり、又は家庭裁判所調査官に命じてこれらの措置をとらせることができる。

（決定の執行）

第二六条① 家庭裁判所は、第十七条第一項第二号、第十七条の四第一項並びに第二十四条第一項第二号及び第三号の決定をしたときは、家庭裁判所調査官、裁判所書記官、法務事務官、法務教官、警察官、保護観察官又は児童福祉司をして、その決定を執行させることができる。

② 家庭裁判所は、第十七条第一項第二号、第十七条の四第一項並びに第二十四条第一項第二号及び第三号の決定を執行するため必要があるときは、少年に対して、呼出状を発して、その呼出しをすることができる。

③ 家庭裁判所は、少年が、正当な理由がなく、前項の規定による呼出しに応じないとき、又は応じないおそれがあるときは、その少年に対して、同行状を発して、その同行をすることができる。

④ 家庭裁判所は、少年が保護のため緊急を要する状態にあつて、その福祉上必要であると認めるときは、前項の規定にかかわらず、その少年に対して、同行状を発して、その同行をすることができる。

⑤ 第十三条の規定は、前二項の同行状に、これを準用する。

⑥ 裁判長は、急速を要する場合には、第一項及び第四項の処分をし、又は合議体の構成員にこれをさせることができる。

（少年鑑別所収容の一時継続）

第二六条の二 家庭裁判所は、第十七条第一項第二号の措置がとられている事件について、第十八条、第十九条、第二十条第一項、第二十三条第二項又は第二十四条第一項の決定をする場合において、必要と認めるときは、決定をもつて、少年を引き続き相当期間少年鑑別所に収容することができる。ただし、その期間は、七日を超えることはできない。

（同行状の執行の場合の仮収容）

第二六条の三 第二十四条第一項第三号の決定を受けた少年に対して第二十六条第三項又は第四項の同行状を執行する場合において、必要があるときは、その少年を仮に最寄の少年鑑別所に収容することができる。

（保護観察中の者に対する措置）

第二六条の四① 更生保護法（平成十九年法律第八十八号）第六十七条第二項の申請があつた場合において、家庭裁判所は、審判の結果、第二十四条第一項第一号の保護処分を受けた者がその遵守すべき事項を遵守せず、同法第六十七条第一項の警告を受けたにもかかわらず、なお遵守すべき事項を遵守しなかつたと認められる事由があり、その程度が重く、かつ、その保護処分によつては本人の改善及び更生を図ることができないと認めるときは、決定をもつて、第二十四条第一項第二号又は第三号の保護処分をしなければならない。

② 家庭裁判所は、前項の規定により二十歳以上の者に対して第二十四条第一項第三号の保護処分をするときは、その決定と同時に、本人が二十三歳を超えない期間内において、少年院に収容する期間を定めなければならない。

③ 前項に定めるもののほか、第一項の規定による保護処分に係る事件の手続は、その性質に反しない限り、第二十四条第一項の規定による保護処分に係る事件の手続の例による。

（競合する処分の調整）

第二七条① 保護処分の継続中、本人に対して有罪判決が確定したときは、保護処分をした家庭裁判所は、相当と認めるときは、決定をもつて、その保護処分を取り消すことができる。

② 保護処分の継続中、本人に対して新たな保護処分がなされたときは、新たな保護処分をした家庭裁判所は、前の保護処分をした家庭裁判所の意見を聞いて、決定をもつて、いずれかの保護処分を取り消すことができる。

（保護処分の取消し）

第二七条の二① 保護処分の継続中、本人に対し審判権がなかつたこと、又は十四歳に満たない少年について、都道府県知事若しくは児童相談所長から送致の手続がなかつたにもかかわらず、保護処分をしたことを認め得る明らかな資料を新たに発見したときは、保護処分をした家庭裁判所は、決定をもつて、その保護処分を取り消さなければならない。

② 保護処分が終了した後においても、審判に付すべき事由の存在が認められないにもかかわらず保護処分をしたことを認め得る明らかな資料を新たに発見したときは、前項と同様とする。ただし、本人が死亡した場合は、この限りでない。

③ 保護観察所、児童自立支援施設、児童養護施設又は少年院の長は、保護処分の継続中の者について、第一項の事由があることを疑うに足りる資料を発見したときは、保護処分をした家庭裁判所に、その旨の通知をしなければならない。

④ 第十八条第一項及び第十九条第二項の規定は、家庭裁判所

が、第一項の規定により、保護処分を取り消した場合に準用する。

⑤　家庭裁判所は、第一項の規定により、少年院に収容中の者の保護処分を取り消した場合において、必要があると認めるときは、決定をもつて、その者を引き続き少年院に収容することができる。但し、その期間は、三日を超えることはできない。

⑥　前三項に定めるもののほか、第一項及び第二項の規定による第二十四条第一項の保護処分の取消しの事件の手続は、その性質に反しない限り、同項の保護処分に係る事件の手続の例による。

（報告と意見の提出）

第二八条　家庭裁判所は、第二十四条又は第二十五条の決定をした場合において、施設、団体、個人、保護観察所、児童福祉施設又は少年院に対して、少年に関する報告又は意見の提出を求めることができる。

（委託費用の支給）

第二九条　家庭裁判所は、第二十五条第二項第三号の措置として、適当な施設、団体又は個人に補導を委託したときは、その者に対して、これによつて生じた費用の全部又は一部を支給することができる。

（証人等の費用）

第三〇条①　証人、鑑定人、翻訳人及び通訳人に支給する旅費、日当、宿泊料その他の費用の額については、刑事訴訟費用に関する法令の規定を準用する。

②　参考人は、旅費、日当、宿泊料を請求することができる。

③　参考人に支給する費用は、これを証人に支給する費用とみなして、第一項の規定を適用する。

④　第二十二条の三第四項の規定により付添人に支給すべき旅費、日当、宿泊料及び報酬の額については、刑事訴訟法第三十八条第二項の規定により弁護人に支給すべき旅費、日当、宿泊料及び報酬の例による。

第三〇条の二　家庭裁判所は、第十六条第一項の規定により保護司又は児童委員をして、調査及び観察の援助をさせた場合には、最高裁判所の定めるところにより、その費用の一部又は全部を支払うことができる。

（費用の徴収）

第三一条①　家庭裁判所は、少年又はこれを扶養する義務のある者から証人、鑑定人、通訳人、翻訳人、参考人、第二十二条の三第三項（第二十二条の五第四項において準用する場合を含む。）の規定により選任された付添人及び補導を委託された者に支給した旅費、日当、宿泊料その他の費用並びに少年鑑別所及び少年院において生じた費用の全部又は一部を徴収することができる。

②　前項の費用の徴収については、非訟事件手続法（平成二十三年法律第五十一号）第百二十一条第一項、第二項及び第四項並びに刑事訴訟法第五百八条第一項本文及び第二項並びに第五百十四条の規定を準用する。この場合において、非訟事件手続法第百二十一条第一項中「検察官」とあるのは、「家庭裁判所」と読み替えるものとする。

（被害者等に対する通知）

第三一条の二①　家庭裁判所は、第三条第一項第一号又は第二号に掲げる少年に係る事件を終局させる決定をした場合において、最高裁判所規則の定めるところにより当該事件の被害者等から申出があるときは、その申出をした者に対し、次に掲げる事項を通知するものとする。ただし、その通知をすることが少年の健全な育成を妨げるおそれがあり相当でないと認められるものについては、この限りでない。

一　少年及びその法定代理人の氏名及び住居（法定代理人が法人である場合においては、その名称又は商号及び主たる事務所又は本店の所在地）

二　決定の年月日、主文及び理由の要旨

②　前項の申出は、同項に規定する決定が確定した後三年を経過したときは、することができない。

③　第五条の二第三項の規定は、第一項の規定により通知を受けた者について、準用する。

第四節　抗告

（抗告）

第三二条　保護処分の決定に対しては、決定に影響を及ぼす法令の違反、重大な事実の誤認又は処分の著しい不当を理由とするときに限り、少年、その法定代理人又は付添人から、二週間以内に、抗告をすることができる。ただし、付添人は、選任者である保護者の明示した意思に反して、抗告をすることができない。

（抗告裁判所の調査の範囲）

第三二条の二①　抗告裁判所は、抗告の趣意に含まれている事項に限り、調査をするものとする。

②　抗告裁判所は、抗告の趣意に含まれていない事項であつても、抗告の理由となる事由に関しては、職権で調査をすることができる。

（抗告裁判所の事実の取調べ）

第三二条の三①　抗告裁判所は、決定をするについて必要があるときは、事実の取調べをすることができる。

②　前項の取調べは、合議体の構成員にさせ、又は家庭裁判所の裁判官に嘱託することができる。

（抗告受理の申立て）

第三二条の四①　検察官は、第二十二条の二第一項の決定がされた場合においては、保護処分に付さない決定又は保護処分の決定に対し、同項の決定があつた事件の非行事実の認定に関し、決定に影響を及ぼす法令の違反又は重大な事実の誤認があることを理由とするときに限り、高等裁判所に対し、二週間以内に、抗告審として事件を受理すべきことを申し立てることができる。

②　前項の規定による申立て（以下「抗告受理の申立て」という。）は、申立書を原裁判所に差し出してしなければならない。この場合において、原裁判所は、速やかにこれを高等裁判所に送付しなければならない。

③　高等裁判所は、抗告受理の申立てがされた場合において、抗告審として事件を受理するのを相当と認めるときは、これを受理することができる。この場合においては、その旨の決定をしなければならない。

④　高等裁判所は、前項の決定をする場合において、抗告受理の申立ての理由中に重要でないと認めるものがあるときは、これを排除することができる。

⑤　第三項の決定は、高等裁判所が原裁判所から第二項の申立書の送付を受けた日から二週間以内にしなければならない。

⑥　第三項の決定があつた場合には、抗告があつたものとみなす。この場合において、第三十二条の二の規定の適用については、抗告受理の申立ての理由中第四項の規定により排除されたもの以外のものを抗告の趣意とみなす。

（抗告審における国選付添人）

第三二条の五①　前条第三項の決定があつた場合において、少年に弁護士である付添人がないときは、抗告裁判所は、弁護士である付添人を付さなければならない。

②　抗告裁判所は、第二十二条の三第二項に規定する事件（家庭裁判所において第十七条第一項第二号の措置がとられたものに限る。）について、少年に弁護士である付添人がなく、かつ、事案の内容、保護者の有無その他の事情を考慮し、抗告審の審理に弁護士である付添人が関与する必要があると認めるときは、弁護士である付添人を付することができる。

（準用）

第三二条の六　第三十二条の二、第三十二条の三及び前条に定めるもののほか、抗告審の審理については、その性質に反しない限り、家庭裁判所の審判に関する規定を準用する。

（抗告審の裁判）

第三三条①　抗告の手続がその規定に違反したとき、又は抗告が理由のないときは、決定をもつて、抗告を棄却しなければならない。

② 抗告が理由のあるときは、決定をもつて、原決定を取り消して、事件を原裁判所に差し戻し、又は他の家庭裁判所に移送しなければならない。

第三四条（執行の停止） 抗告は、執行を停止する効力を有しない。但し、原裁判所又は抗告裁判所は、決定をもつて、執行を停止することができる。

第三五条（再抗告）① 抗告裁判所のした第三十三条の決定に対しては、憲法に違反し、若しくは憲法の解釈に誤りがあること、又は最高裁判所若しくは控訴裁判所である高等裁判所の判例と相反する判断をしたことを理由とする場合に限り、少年、その法定代理人又は付添人から、最高裁判所に対し、二週間以内に、特に抗告をすることができる。ただし、付添人は、選任者である保護者の明示した意思に反して、抗告をすることができない。

② 第三十二条の二、第三十二条の三、第三十二条の五第二項及び第三十二条の六から前条までの規定は、前項の場合に、これを準用する。この場合において、第三十三条第二項中「取り消して、事件を原裁判所に差し戻し、又は他の家庭裁判所に移送しなければならない」とあるのは、「取り消さなければならない。この場合には、家庭裁判所の決定を取り消して、事件を家庭裁判所に差し戻し、又は他の家庭裁判所に移送することができる」と読み替えるものとする。

第三六条（その他の事項） この法律で定めるものの外、保護事件に関して必要な事項は、最高裁判所がこれを定める。

第三七条から第三九条まで 削除

第三章 少年の刑事事件

第一節 通則

第四〇条（準拠法例） 少年の刑事事件については、この法律で定めるものの外、一般の例による。

第二節 手続

第四一条（司法警察員の送致） 司法警察員は、少年の被疑事件について捜査を遂げた結果、罰金以下の刑にあたる犯罪の嫌疑があるものと思料するときは、これを家庭裁判所に送致しなければならない。犯罪の嫌疑がない場合でも、家庭裁判所の審判に付すべき事由があると思料するときは、同様である。

第四二条（検察官の送致）① 検察官は、少年の被疑事件について捜査を遂げた結果、犯罪の嫌疑があるものと思料するときは、第四十五条第五号本文に規定する場合を除いて、これを家庭裁判所に送致しなければならない。犯罪の嫌疑がない場合でも、家庭裁判所の審判に付すべき事由があると思料するときは、同様である。

② 前項の場合においては、刑事訴訟法の規定に基づく裁判官による被疑者についての弁護人の選任は、その効力を失う。

第四三条（勾留に代る措置）① 検察官は、少年の被疑事件においては、裁判官に対して、勾留の請求に代え、第十七条第一項の措置を請求することができる。但し、第十七条第一項第一号の措置は、家庭裁判所の裁判官に対して、これを請求しなければならない。

② 前項の請求を受けた裁判官は、第十七条第一項の措置に関して、家庭裁判所と同一の権限を有する。

③ 検察官は、少年の被疑事件においては、やむを得ない場合でなければ、裁判官に対して、勾留を請求することはできない。

第四四条（勾留に代る措置の効力）① 裁判官が前条第一項の請求に基いて第十七条第一項第一号の措置をとつた場合において、検察官は、捜査を遂げた結果、事件を家庭裁判所に送致しないときは、直ちに、裁判官に対して、その措置の取消を請求しなければならない。

② 裁判官が前条第一項の請求に基いて第十七条第一項第二号の措置をとるときは、令状を発してこれをしなければならない。

③ 前項の措置の効力は、その請求をした日から十日とする。

第四五条（検察官へ送致後の取扱い） 家庭裁判所が、第二十条第一項の規定によつて事件を検察官に送致したときは、次の例による。

一 第十七条第一項第一号の措置は、その少年の事件が再び家庭裁判所に送致された場合を除いて、検察官が事件の送致を受けた日から十日以内に公訴が提起されないときは、その効力を失う。公訴が提起されたときは、裁判所は、検察官の請求により、又は職権をもつて、いつでも、これを取り消すことができる。

二 前号の措置の継続中、勾留状が発せられたときは、その措置は、これによつて、その効力を失う。

三 第一号の措置は、その少年が満二十歳に達した後も、引き続きその効力を有する。

四 第十七条第一項第二号の措置は、これを裁判官のした勾留とみなし、その期間は、検察官が事件の送致を受けた日から、これを起算する。この場合において、その事件が先に勾留状の発せられた事件であるときは、この期間は、これを延長することができない。

五 検察官は、家庭裁判所から送致を受けた事件について、公訴を提起するに足りる犯罪の嫌疑があると思料するときは、公訴を提起しなければならない。ただし、送致を受けた事件の一部について公訴を提起するに足りる犯罪の嫌疑がないか、又は犯罪の情状等に影響を及ぼすべき新たな事情を発見したため、訴追を相当でないと思料するときは、この限りでない。送致後の情況により訴追を相当でないと思料するときも、同様である。

六 第十条第一項の規定により選任された弁護士である付添人は、これを弁護人とみなす。

七 第四号の規定により第十七条第一項第二号の措置が裁判官のした勾留とみなされた場合には、勾留状が発せられているものとみなして、刑事訴訟法中、裁判官による被疑者についての弁護人の選任に関する規定を適用する。

第四五条の二 前条第一号から第四号まで及び第七号の規定は、家庭裁判所が、第十九条第二項又は第二十三条第三項の規定により、事件を検察官に送致した場合に準用する。

第四五条の三（訴訟費用の負担）① 家庭裁判所が、先に裁判官により被疑者のため弁護人が付された事件について第二十三条第二項又は第二十四条第一項の決定をするときは、刑事訴訟法中、訴訟費用の負担に関する規定を準用する。この場合において、同法第百八十一条第一項及び第二項中「刑の言渡」とあるのは、「保護処分の決定」と読み替えるものとする。

② 検察官は、家庭裁判所が少年に訴訟費用の負担を命ずる裁判をした事件について、その裁判を執行するため必要な限度で、最高裁判所規則の定めるところにより、事件の記録及び証拠物を閲覧し、及び謄写することができる。

第四六条（保護処分等の効力）① 罪を犯した少年に対して第二十四条第一項の保護処分がなされたときは、審判を経た事件について、刑事訴追をし、又は家庭裁判所の審判に付することができない。

② 第二十二条の二第一項の決定がされた場合において、同項の決定があつた事件につき、審判に付すべき事由の存在が認められないこと又は保護処分に付する必要がないことを理由とした保護処分に付さない旨の決定が確定したときは、その事件についても、前項と同様とする。

③ 第一項の規定は、第二十七条の二第一項の規定による保護処分の取消しの決定が確定した事件については、適用しない。ただし、当該事件につき同条第六項の規定によりその例によるこ

とされる第二十二条の二第一項の決定がされた場合であつて、その取消しの理由が審判に付すべき事由の存在が認められないことであるときは、この限りでない。

（時効の停止）
第四七条① 第八条第一項前段の場合においては第二十一条の決定があつてから、第八条第一項後段の場合においては送致を受けてから、保護処分の決定が確定するまで、公訴の時効は、その進行を停止する。
② 前項の規定は、第二十一条の決定又は送致の後、本人が満二十歳に達した事件についても、これを適用する。

（勾留）
第四八条① 勾留状は、やむを得ない場合でなければ、少年に対して、これを発することはできない。
② 少年を勾留する場合には、少年鑑別所にこれを拘禁することができる。
③ 本人が満二十歳に達した後でも、引き続き前項の規定によることができる。

（取扱いの分離）
第四九条① 少年の被疑者又は被告人は、他の被疑者又は被告人と分離して、なるべく、その接触を避けなければならない。
② 少年に対する被告事件は、他の被告事件と関連する場合にも、審理に妨げない限り、その手続を分離しなければならない。
③ 刑事施設、留置施設及び海上保安留置施設においては、少年（刑事収容施設及び被収容者等の処遇に関する法律（平成十七年法律第五十号）第二条第四号の受刑者（同条第七号の未決拘禁者としての地位を有するものを除く。）を除く。）を二十歳以上の者と分離して収容しなければならない。

（審理の方針）
第五〇条 少年に対する刑事事件の審理は、第九条の趣旨に従つて、これを行わなければならない。

第三節　処分

（死刑と無期拘禁刑の緩和）
第五一条① 罪を犯すとき十八歳に満たない者に対しては、死刑をもつて処断すべきときは、無期拘禁刑を科する。
② 罪を犯すとき十八歳に満たない者に対しては、無期拘禁刑をもつて処断すべきときであつても、有期拘禁刑を科することができる。この場合において、その刑は、十年以上二十年以下において言い渡す。

（不定期刑）
第五二条① 少年に対して有期拘禁刑をもつて処断すべきときは、処断すべき刑の範囲内において、長期を定めるとともに、長期の二分の一（長期が十年を下回るときは、長期から五年を減じた期間。次項において同じ。）を下回らない範囲内において短期を定めて、これを言い渡す。この場合において、長期は十五年、短期は十年を超えることはできない。
② 前項の短期については、同項の規定にかかわらず、少年の改善更生の可能性その他の事情を考慮し特に必要があるときは、処断すべき刑の短期の二分の一を下回らず、かつ、長期の二分の一を下回らない範囲内において、これを定めることができる。この場合においては、刑法第十四条第二項の規定を準用する。
③ 刑の執行猶予の言渡しをする場合には、前二項の規定は、これを適用しない。

（少年鑑別所収容中の日数）
第五三条 第十七条第一項第二号の措置がとられた場合においては、少年鑑別所に収容中の日数は、これを未決勾留の日数とみなす。

（換刑処分の禁止）
第五四条 少年に対しては、労役場留置の言渡をしない。

（家庭裁判所への移送）
第五五条 裁判所は、事実審理の結果、少年の被告人を保護処分に付するのが相当であると認めるときは、決定をもつて、事件を家庭裁判所に移送しなければならない。

（拘禁刑の執行）
第五六条① 拘禁刑の言渡しを受けた少年（第三項の規定により少年院において刑の執行を受ける者を除く。）に対しては、特に設けた刑事施設又は刑事施設若しくは留置施設内の特に分界を設けた場所において、その刑を執行する。
② 本人が二十六歳に達するまでは、前項の規定による執行を継続することができる。
③ 拘禁刑の言渡しを受けた十六歳に満たない少年に対しては、刑法第十二条第二項の規定にかかわらず、十六歳に達するまでの間、少年院において、その刑を執行することができる。この場合において、その少年には、矯正教育を授ける。

（刑の執行と保護処分）
第五七条 保護処分の継続中、拘禁刑又は拘留の刑が確定したときは、先に刑を執行する。拘禁刑又は拘留の刑が確定してその執行前保護処分がなされたときも、同様である。

（仮釈放）
第五八条① 少年のとき拘禁刑の言渡しを受けた者については、次の期間を経過した後、仮釈放をすることができる。
一　無期拘禁刑については七年
二　第五十一条第二項の規定により言い渡した有期拘禁刑については、その刑期の三分の一
三　第五十二条第一項又は同条第一項及び第二項の規定により言い渡した拘禁刑については、その短期の三分の一
② 第五十一条第一項の規定により無期拘禁刑の言渡しを受けた者については、前項第一号の規定は適用しない。

（仮釈放期間の終了）
第五九条① 少年のとき無期拘禁刑の言渡しを受けた者が、仮釈放後、その処分を取り消されないで十年を経過したときは、刑の執行を受け終わつたものとする。
② 少年のとき第五十一条第二項又は第五十二条第一項若しくは同条第一項及び第二項の規定により有期拘禁刑の言渡しを受けた者が、仮釈放後、その処分を取り消されないで仮釈放前に刑の執行を受けた期間と同一の期間又は第五十一条第二項の刑期若しくは第五十二条第一項の長期を経過したときは、そのいずれか早い時期において、刑の執行を受け終わつたものとする。

（人の資格に関する法令の適用）
第六〇条① 少年のとき犯した罪により刑に処せられてその執行を受け終り、又は執行の免除を受けた者は、人の資格に関する法令の適用については、将来に向つて刑の言渡を受けなかつたものとみなす。
② 少年のとき犯した罪について刑に処せられた者で刑の執行猶予の言渡を受けた者は、その猶予期間中、刑の執行を受け終つたものとみなして、前項の規定を適用する。
③ 前項の場合において、刑の執行猶予の言渡を取り消されたときは、人の資格に関する法令の適用については、その取り消されたとき、刑の言渡があつたものとみなす。

第四章　記事等の掲載の禁止

第六一条 家庭裁判所の審判に付された少年又は少年のとき犯した罪により公訴を提起された者については、氏名、年齢、職業、住居、容ぼう等によりその者が当該事件の本人であることを推知することができるような記事又は写真を新聞紙その他の出版物に掲載してはならない。

第五章　特定少年の特例

第一節　保護事件の特例

（検察官への送致についての特例）
第六二条① 家庭裁判所は、特定少年（十八歳以上の少年をいう。以下同じ。）に係る事件については、第二十条の規定にかかわらず、調査の結果、その罪質及び情状に照らして刑事処分を相当と認めるときは、決定をもつて、これを管轄地方裁判所に

対応する検察庁の検察官に送致しなければならない。

② 前項の規定にかかわらず、家庭裁判所は、特定少年に係る次に掲げる事件については、同項の決定をしなければならない。ただし、調査の結果、犯行の動機、態様及び結果、犯行後の情況、特定少年の性格、年齢、行状及び環境その他の事情を考慮し、刑事処分以外の措置を相当と認めるときは、この限りでない。

一 故意の犯罪行為により被害者を死亡させた罪の事件であつて、その罪を犯すとき十六歳以上の少年に係るもの

二 死刑又は無期若しくは短期一年以上の拘禁刑に当たる罪の事件であつて、その罪を犯すとき特定少年に係るもの（前号に該当するものを除く。）

第六三条① 家庭裁判所は、公職選挙法（昭和二十五年法律第百号。他の法律において準用する場合を含む。）及び政治資金規正法（昭和二十三年法律第百九十四号）に規定する罪の事件（次項に規定する場合に係る同項に規定する罪の事件を除く。）であつて、その罪を犯すとき特定少年に係るものについて、前条第一項の規定により検察官に送致するかどうかを決定するに当たつては、選挙の公正の確保等を考慮して行わなければならない。

② 家庭裁判所は、公職選挙法第二百四十七条の罪又は同法第二百五十一条の二第一項各号に掲げる者が犯した同項に規定する罪、同法第二百五十一条の三第一項の組織的選挙運動管理者等が犯した同項に規定する罪若しくは同法第二百五十一条の四第一項各号に掲げる者が犯した同項に規定する罪の事件であつて、その罪を犯すとき特定少年に係るものについて、その罪質が選挙の公正の確保に重大な支障を及ぼすと認める場合には、前条第一項の規定にかかわらず、同項の決定をしなければならない。この場合においては、同条第二項ただし書の規定を準用する。

第六四条（保護処分についての特例）① 第二十四条第一項の規定にかかわらず、家庭裁判所は、第二十三条の場合を除いて、審判を開始した事件につき、少年が特定少年である場合には、犯情の軽重を考慮して相当な限度を超えない範囲内において、決定をもつて、次の各号に掲げる保護処分のいずれかをしなければならない。ただし、罰金以下の刑に当たる罪の事件については、第一号の保護処分に限り、これをすることができる。

一 六月の保護観察所の保護観察に付すること。

二 二年の保護観察所の保護観察に付すること。

三 少年院に送致すること。

② 前項第二号の保護観察においては、第六十六条第一項に規定する場合に、同項の決定により少年院に収容することができるものとし、家庭裁判所は、同号の保護処分をするときは、その決定と同時に、一年以下の範囲内において犯情の軽重を考慮して同項の決定により少年院に収容することができる期間を定めなければならない。

③ 家庭裁判所は、第一項第三号の保護処分をするときは、その決定と同時に、三年以下の範囲内において犯情の軽重を考慮して少年院に収容する期間を定めなければならない。

④ 勾留され又は第十七条第一項第二号の措置がとられた特定少年については、未決勾留の日数は、その全部又は一部を、前二項の規定により定める期間に算入することができる。

⑤ 第一項の保護処分においては、保護観察所の長をして、家庭その他の環境調整に関する措置を行わせることができる。

第六五条（この法律の適用関係）① 第三条第一項（第三号に係る部分に限る。）の規定は、特定少年については、適用しない。

② 第十二条、第二十六条第四項及び第二十六条の二の規定は、特定少年である少年の保護事件（第二十六条の四第一項の規定による保護処分に係る事件を除く。）については、適用しない。

③ 第二十七条の二第五項の規定は、少年院に収容中の者について、前条第一項第二号又は第三号の保護処分を取り消した場合には、適用しない。

④ 特定少年である少年の保護事件に関する次の表の上欄に掲げるこの法律の規定の適用については、これらの規定中同表の中欄に掲げる字句は、同表の下欄に掲げる字句とする。

第四条	第二十条第一項	第六十二条第一項
第十七条の二第一項ただし書、第三十二条ただし書及び第三十五条第一項ただし書（第十七条の三第一項において読み替えて準用する場合を含む。）	選任者である保護者	第六十二条第一項の特定少年
第二十三条第一項	又は第二十条	、第六十二条又は第六十三条第二項
第二十四条の二第一項	前条第一項	第六十四条第一項
第二十五条第一項及び第二十七条の二第六項	第二十四条第一項	第六十四条第一項
第二十六条第一項及び第二項	並びに第二十四条第一項第二号及び第三号	及び第六十四条第一項第三号
第二十六条の三	第二十四条第一項第三号	第六十四条第一項第三号
第二十八条	第二十四条又は第二十五条	第二十五条又は第六十四条

第六六条（保護観察中の者に対する収容決定）① 更生保護法第六十八条の二の申請があつた場合において、家庭裁判所は、審判の結果、第六十四条第一項第二号の保護処分を受けた者がその遵守すべき事項を遵守しなかつたと認められる事由があり、その程度が重く、かつ、少年院において処遇を行わなければ本人の改善及び更生を図ることができないと認めるときは、これを少年院に収容する旨の決定をしなければならない。ただし、この項の決定により既に少年院に収容した期間が通算して同条第二項の規定により定められた期間に達しているときは、この限りでない。

② 次項に定めるもののほか、前項の決定に係る事件の手続は、その性質に反しない限り、この法律（この項を除く。）の規定による特定少年である少年の保護事件の手続の例による。

③ 第一項の決定をする場合においては、前項の規定によりその例によることとされる第十七条第一項第二号の措置における収容及び更生保護法第六十八条の三第一項の規定による留置の日数は、その全部又は一部を、第六十四条第二項の規定により定められた期間に算入することができる。

第二節 刑事事件の特例

第六七条① 第四十一条及び第四十三条第三項の規定は、特定少年の被疑事件（同項の規定については、第二十条第一項又は第六十二条第一項の決定があつたものに限る。）については、適用しない。

② 第四十八条第一項並びに第四十九条第一項及び第三項の規定は、特定少年の被疑事件（第二十条第一項又は第六十二条第一項の決定があつたものに限る。）の被疑者及び特定少年である被告人については、適用しない。

③ 第四十九条第二項の規定は、特定少年に対する被告事件については、適用しない。

④ 第五十二条、第五十四条並びに第五十六条第一項及び第二項

の規定は、特定少年については、適用しない。

⑤ 第五十八条及び第五十九条の規定は、特定少年のとき刑の言渡しを受けた者については、適用しない。

⑥ 第六十条の規定は、特定少年のとき犯した罪により刑に処せられた者については、適用しない。

⑦ 特定少年である少年の刑事事件に関する次の表の上欄に掲げるこの法律の規定の適用については、これらの規定中同表の中欄に掲げる字句は、同表の下欄に掲げる字句とする。

第四十五条	第二十条第一項	第六十二条第一項
第四十五条の三第一項及び第四十六条第一項	第二十四条第一項	第六十四条第一項

第三節　記事等の掲載の禁止の特例

第六八条　第六十一条の規定は、特定少年のとき犯した罪により公訴を提起された場合における同条の記事又は写真については、適用しない。ただし、当該罪に係る事件について刑事訴訟法第四百六十一条の請求がされた場合（同法第四百六十三条第一項若しくは第二項又は第四百六十八条第二項の規定により通常の規定に従い審判をすることとなつた場合を除く。）は、この限りでない。

＊令和五法五三（令和一〇・六・一三までに施行）により第六章（第六九条―第七二条）追加

第六章　雑則

（閲覧又は謄写の手数料）

第六九条　第五条の二第一項の規定による記録の閲覧又は謄写をするには、民事訴訟費用等に関する法律（昭和四十六年法律第四十号）別表第二の一の項下欄に掲げる額の手数料を納めなければならない。

（手数料の納付方法）

第七〇条　手数料は、申立書又は申立ての趣意を記載した調書に収入印紙を貼つて納めなければならない。ただし、最高裁判所規則で定める場合には、最高裁判所規則で定めるところにより、現金をもつて納めることができる。

（過納手数料の還付等）

第七一条① 手数料が過大に納められた場合においては、裁判所書記官は、申立てにより、過大に納められた手数料の額に相当する金額の金銭を還付しなければならない。

② 前項の申立ては、その申立てをすることができる事由が生じた日から五年以内にしなければならない。

③ 第一項の申立てについてされた裁判所書記官の処分に対しては、その告知を受けた日から一週間の不変期間内に、その裁判所書記官の所属する裁判所に異議を申し立てることができる。

④ 手数料還付事件（第一項の申立て及びその申立てについての裁判所書記官の処分並びに前項の規定による異議の申立て及びその異議の申立てについての裁判に係る事件をいう。以下この条において同じ。）に関する手続における期日の呼出しは、呼出状の送達、当該事件について出頭した者に対する期日の告知その他相当と認める方法によつてする。

⑤ 手数料還付事件に関する手続における期日及び期間については、民事訴訟法（平成八年法律第百九号）第九十四条第三項及び第九十五条から第九十七条までの規定を準用する。この場合において、同項中「第一項各号に規定する方法」とあるのは、「呼出状の送達及び当該事件について出頭した者に対する期日の告知」と読み替えるものとする。

⑥ 手数料還付事件に関する手続における送達及び手続の中止については、その性質に反しない限り、民事訴訟法第一編第五章第四節（第百条第二項、第三款及び第百十一条を除く。）及び第百三十条から第百三十二条まで（同条第一項を除く。）の規定を準用する。この場合において、同法第百十二条第一項本文中「前条の規定による措置を開始した」とあるのは「裁判所書記官が送達すべき書類を保管し、いつでも送達を受けるべき者に交付すべき旨の裁判所の掲示場への掲示を始めた」と、同項ただし書中「前条の規定による措置を開始した」とあるのは「当該掲示を始めた」と読み替えるものとする。

⑦ 前項において準用する民事訴訟法第百十条第一項の規定による公示送達については、裁判所書記官が送達すべき書類を保管し、いつでも送達を受けるべき者に交付すべき旨を裁判所の掲示場に掲示してする。

⑧ 手数料還付事件に関する手続における申立てその他の申述（以下この条において「申立て等」という。）のうち、当該申立て等に関するこの法律その他の法令の規定により書面等（書面、書類、文書、謄本、抄本、正本、副本、複本その他文字、図形等人の知覚によつて認識することができる情報が記載された紙その他の有体物をいう。次項及び第十一項において同じ。）をもつてするものとされているものであつて、最高裁判所の定める裁判所に対してするもの（当該裁判所の裁判長、受命裁判官、受託裁判官又は裁判所書記官に対してするものを含む。）については、当該法令の規定にかかわらず、最高裁判所規則で定めるところにより、電子情報処理組織（裁判所の使用に係る電子計算機（入出力装置を含む。以下この項及び第十項において同じ。）と申立て等をする者の使用に係る電子計算機とを電気通信回線で接続した電子情報処理組織をいう。）を用いてすることができる。

⑨ 前項の規定によりされた申立て等については、当該申立て等を書面等をもつてするものとして規定した申立て等に関する法令の規定に規定する書面等をもつてされたものとみなして、当該申立て等に関する法令の規定を適用する。

⑩ 第八項の規定によりされた申立て等は、同項の裁判所の使用に係る電子計算機に備えられたファイルへの記録がされた時に、当該裁判所に到達したものとみなす。

⑪ 第八項の場合において、当該申立て等に関する他の法令の規定により署名等（署名、記名、押印その他氏名又は名称を書面等に記載することをいう。以下この項において同じ。）をすることとされているものについては、当該申立て等をする者は、当該法令の規定にかかわらず、当該署名等に代えて、最高裁判所規則で定めるところにより、氏名又は名称を明らかにする措置を講じなければならない。

⑫ 第八項の規定によりされた申立て等が第十項に規定するファイルに記録されたときは、第八項の裁判所は、当該ファイルに記録された情報の内容を書面に出力しなければならない。

⑬ 第八項の規定によりされた申立て等に係るこの法律その他の法令の規定による手数料還付事件の記録の閲覧若しくは謄写又はその正本、謄本若しくは抄本の交付は、前項の書面をもつてするものとする。当該申立て等に係る書類の送達又は送付も、同様とする。

⑭ 特別の定めがある場合を除き、手数料還付事件に関しては、その性質に反しない限り、非訟事件手続法第二編（第二十七条、第三十条、第三十一条第二項、第三十二条の二、第三十二条の三、第三十四条第四項、第三十八条、第四十条、第四十二条及び第五十七条第三項を除く。）の規定を準用する。この場合において、次の表の上欄に掲げる同法の規定中同表の中欄に掲げる字句は、それぞれ同表の下欄に掲げる字句に読み替えるものとする。

第二十八条第一項	第七十一条第八項	第七十一条第二項（同法第七十二条後段において準用する場合を含む。）及び第八項
	準用する」と	準用する」と、「ついて、同条第二項の規定は前項の申立てについて」とあるのは「ついて」と
	訴訟が」とあるのは「事件が	準用する。この場合において、同条第二項中「訴訟費用の負担の裁判が確定した」とあるのは、「訴訟が完結した」

		と読み替えるものとする」とあるのは「準用する
第三十一条第一項	最高裁判所規則で定めるところにより、電子調書（期日又は期日外における手続の方式、内容及び経過等の記録及び公証をするためにこの法律その他の法令の規定により裁判所書記官が作成する電磁的記録（電子的方式、磁気的方式その他人の知覚によっては認識することができない方式で作られる記録であって、電子計算機による情報処理の用に供されるものをいう。以下同じ。）をいう。以下同じ。）	調書
	裁判所の使用に係る電子計算機（入出力装置を含む。以下同じ。）に備えられたファイル（第三十二条の二第二項及び第三項並びに第三十二条の三第一項を除き、以下単に「ファイル」という。）に記録する	記録上明らかにする
第三十二条の三第一項	交付し、又は当該事項を記録した電磁的記録であって裁判所書記官が最高裁判所規則で定める方法により当該事項を証明したものを最高裁判所規則で定める電子情報処理組織を使用してその者の使用に係る電子計算機に備えられたファイルに記録する方法その他の最高裁判所規則で定める方法により提供する	交付する
第三十三条第五項	第九十二条の二第二項の規定は第一項の規定による意見の陳述について、同法第九十二条の五の規定は	第九十二条の五の規定は、
	、それぞれ準用する	準用する
	同法第九十二条の二第二項中「前項」とあり、及び同法第九十二条の五第二項	同条第二項
第五十三条第一項	第百八十二条	第百八十二条、第百八十五条第三項
	第百八十九条まで	第百八十九条まで、第二百五条第二項
	第二百八条	第二百八条、第二百十五条第二項
	を含む。）及び第二百二十九条第四項	を含む。）、第二百二十七条第二項（同法第二百三十一条の三第一項において準用する場合を含む。）、第二百二十九条第四項及び第二百三十二条の二
	準用する。	準用する。この場合において、同法第二百五条第三項中「事項又は前項の規定によりファイルに記録された事項若しくは同項の記録媒体に記録された事項」とあり、及び同法第二百十五条第四項中「事項又は第二項の規定によりファイルに記録された事項若しくは同項の記録媒体に記録された事項」とあるのは「事項」と、同法第二百三十一条の二第二項中「方法又は最高裁判所規則で定める電子情報処理組織を使用する方法」とあるのは「方法」と、同法第二百三十一条の三第二項中「若しくは送付し、又は最高裁判所規則で定める電子情報処理組織を使用する」とあるのは「又は送付する」と読み替えるものとする。
第五十七条第一項	電子裁判書（最高裁判所規則で定めるところにより、非訟事件における裁判の内容を裁判所が記録した電磁的記録をいう。以下同じ。）	裁判書
	最高裁判所規則で定めるところにより、主文、当事者及び法定代理人並びに裁判所を記録した電磁的記録（第三項において「電子裁判書に代わる電磁的記録」という。）を作成し、又は電子調書に主文を記録することをもって、電子裁判書	手数料還付事件の申立書又は調書に主文を記載することをもって、裁判書
第五十七条第二項	電子裁判書	裁判書
	記録しなければ	記載しなければ
第五十八条第二項及び第六	最高裁判所規則で定めるところにより、	裁判書

十一条第二項	電子裁判書	
第六十三条第二項	あるのは、「非訟事件の手続の期日	あるのは「手数料還付事件の手続の期日」と、「電子調書」とあるのは「調書」と、「記録しなければ」とあるのは「記載しなければ」
第七十四条第一項第六号	記録すべき	記載すべき

（再使用証明）
第七二条① 前条第一項の申立てにおいて、第七十条の規定により納めた収入印紙を当該裁判所における他の手数料の納付について再使用したい旨の申出があつたときは、金銭による還付に代えて、還付の日から一年以内に限り再使用をすることができる旨の裁判所書記官の証明を付して還付すべき金額に相当する収入印紙を交付することができる。

② 前項の証明の付された収入印紙の交付を受けた者が、同項の証明に係る期間内に、当該収入印紙を提出してその額に相当する金額の金銭の還付を受けたい旨の申立てをしたときは、同項の裁判所の裁判所書記官は、当該収入印紙の額に相当する金額の金銭を還付しなければならない。

③ 前条第三項から第十四項までの規定は、前項の規定による裁判所書記官の処分について準用する。

附　則（抄）

（経過規定）
第五条 第六十条の規定は、この法律施行前、少年のとき犯した罪により死刑又は無期の刑法等の一部を改正する法律（令和四年法律第六十七号）第二条の規定による改正前の刑法（以下この条において「旧刑法」という。）第十二条に規定する懲役若しくは旧刑法第十三条に規定する禁錮に処せられ、減刑その他の事由で刑期を満了し、又は刑の執行の免除を受けた者に対しても、これを適用する。

附　則（令和四・五・二五法四八）（抄）

（施行期日）
第一条 この法律は、公布の日から起算して四年を超えない範囲内において政令で定める日から施行する。ただし、次の各号に掲げる規定は、当該各号に定める日から施行する。
一 （前略）附則第百二十五条の規定　公布の日
二―五 （略）

（政令への委任）
第一二五条 （前略）この法律の施行に関し必要な経過措置は、政令で定める。

刑法等の一部を改正する法律の施行に伴う関係法律整理法中経過規定（令和四・六・一七法六八）（抄）

第四四一条から第四四三条まで（刑法の同経過規定参照）

（少年法の一部改正に伴う経過措置）
第四七七条① 刑法等一部改正法等（刑法等の一部を改正する法律（令和四法六七）及び刑法等の一部を改正する法律の施行に伴う関係法律の整理等に関する法律（令和四法六八））の施行前にした行為に係る新少年法第六条の六第一項（第一号ロに係る部分に限る。）、第十七条第四項ただし書、第二十条第一項、第二十二条の二第一項及び第六十二条第二項（第二号に係る部分に限る。）の規定の適用については、無期の懲役又は禁錮に当たる罪はそれぞれ無期拘禁刑に当たる罪と、有期の懲役又は禁錮に当たる罪はそれぞれその罪について定めた刑と長期及び短期を同じくする有期拘禁刑に当たる罪とみなす。

② 刑法等一部改正法等の施行前にした行為に係る少年法第四十一条及び第六十四条第一項ただし書の規定の適用については、旧拘留に当たる犯罪は、拘留に当たる犯罪とみなす。

③ 刑法等一部改正法等の施行前に罪を犯した少年（少年法第二条第一項に規定する少年をいう。次項において同じ。）に対して死刑、懲役又は禁錮をもって処断すべき場合における刑の適用については、なお従前の例による。

④ 懲役若しくは禁錮の言渡しを受けた少年に対する刑の執行又は少年のとき懲役若しくは禁錮の言渡しを受けた者に係る仮釈放をすることができるまでの期間及び仮釈放期間の終了については、なお従前の例による。

⑤ 旧少年法第五十六条第一項（前項の規定によりなお従前の例によることとされる場合を含む。）の規定により刑の執行を受けた者に対する刑の執行の継続については、なお従前の例による。

⑥ 保護処分の継続中、懲役、禁錮若しくは旧拘留の刑が確定したとき又は懲役、禁錮若しくは旧拘留の刑が確定してその執行前保護処分がなされたときにおける刑の執行については、なお従前の例による。

第五〇九条（刑法の同経過規定参照）

刑法等の一部を改正する法律の施行に伴う関係法律整理法

附　則（令和四・六・一七法六八）（抄）

（施行期日）
① この法律は、刑法等一部改正法（刑法等の一部を改正する法律（令和四法六七））施行日（令和七・六・一）から施行する。ただし、次の各号に掲げる規定は、当該各号に定める日から施行する。
一 第五百九条の規定　公布の日
二 （略）

民事関係手続等における情報通信技術の活用等の推進を図るための関係法律の整備に関する法律中経過規定（令和五・六・一四法五三）（抄）

第三八七条から第三八九条まで（民事執行法の同経過規定参照）

民事関係手続等における情報通信技術の活用等の推進を図るための関係法律の整備に関する法律

附　則（令和五・六・一四法五三）

この法律は、公布の日から起算して五年を超えない範囲内において政令で定める日から施行する。ただし、次の各号に掲げる規定は、当該各号に定める日から施行する。
一 （前略）第三百八十八条の規定　公布の日
二 （前略）第三百八十七条の規定　公布の日から起算して二年六月を超えない範囲内において政令で定める日
三 （略）

○少年審判規則（抄）（昭和二三・一二・二一 最高裁規三三）

施行 昭和二四・一・一（附則）
最終改正 令和五最高裁規一〇

目次

第一章 総則（抄）

（この規則の解釈と運用、保護事件取扱の態度）

第一条① この規則は、少年の保護事件を適切に処理するため、少年法（昭和二十三年法律第百六十八号。以下法という。）の目的及び精神に従つて解釈し、運用しなければならない。

② 調査及び審判その他保護事件の取扱に際しては、常に懇切にして誠意ある態度をもつて少年の情操の保護に心がけ、おのずから少年及び保護者等の信頼を受けるように努めなければならない。

第二条 （略）

（決定の告知）

第三条① 次に掲げる決定を告知するには、裁判長が、審判期日において言い渡さなければならない。

一 法第二十四条第一項及び第六十四条第一項の決定
二 検察官関与決定をした事件についての法第二十三条の決定

② 次に掲げる決定を告知するには、裁判長が、少年の面前で言い渡さなければならない。

一 法第十七条第一項（次項第一号の場合を除く。）、第十七条の四第一項本文（次項第二号の場合を除く。）及び第二十五条の決定（前項第二号の場合を除く。）
二 法第十七条第一項第二号の措置がとられている事件についての法第二十条第一項及び第六十二条第一項の決定

③ 次に掲げる決定を告知するには、当該決定をする裁判官が、少年の面前で言い渡さなければならない。

一 法第十七条第十項の規定による同条第一項の決定
二 法第十七条の四第二項の規定による同条第一項本文の決定

④ 決定は、前三項の場合を除いては、相当と認める方法によつて告知する。法第二十三条第二項及び第三項（第一項第二号の場合を除く。）並びに第二十五条の決定について、第二項第一号の規定によることができないとき又はこれによることが相当でないと認めるときも、同様である。

⑤ 法第十九条の決定は、前項の規定によることができないときは、告知することを要しない。

⑥ 裁判所書記官は、第一項から第四項までの場合には告知の方法、場所及び年月日を、前項の場合には告知しなかつた旨を決定書又は決定を記載した調書に付記して押印しなければならない。

第四条 （略）

（決定の通知）

第五条① 家庭裁判所は、検察官、司法警察員、警察官、都道府県知事又は児童相談所長から送致を受けた事件について法第十八条、第十九条、第二十条第一項、第二十三条、第二十四条第一項、第六十二条第一項又は第六十四条第一項の決定をしたときは、その旨を送致をした者に通知しなければならない。保護観察所長から更生保護法（平成十九年法律第八十八号）第六十八条第一項の規定による通告を受けた事件について法第二十四条第一項の決定をしたときも、同様とする。

② 法第五十五条の規定によつて移送を受けた事件については、前項の規定を準用する。

③ 家庭裁判所は、法第二十七条及び第二十七条の二第一項の規定により保護処分を取り消したときは、その旨を保護処分を執行している保護観察所、児童自立支援施設、児童養護施設又は少年院の長に通知しなければならない。

第六条及び第六条の二 （略）

（記録、証拠物の閲覧、謄写）

第七条① 保護事件の記録又は証拠物は、法第五条の二第一項の規定による場合又は当該記録若しくは証拠物を保管する裁判所の許可を受けた場合を除いては、閲覧又は謄写することができない。

② 付添人（法第六条の三の規定により選任された者を除く。以下同じ。）は、前項の規定にかかわらず、審判開始の決定があつた後は、保護事件の記録又は証拠物を閲覧することができる。

③ 裁判所は、次の各号に掲げる場合には、付添人と少年との関係その他の事情を考慮し、付添人が前項の規定により当該記録又は証拠物を閲覧するに当たり、付添人に対し、当該各号に定める事項であつて裁判所が指定するものについて、少年若しくは保護者に知らせてはならない旨の条件を付し、又は少年若しくは保護者に知らせる時期若しくは方法を指定することができる。ただし、付添人による審判の準備その他の審判の準備の上での支障を生ずるおそれがある場合は、この限りでない。

一 法第三条第一項第一号に掲げる少年に係る事件であつて刑事訴訟法（昭和二十三年法律第百三十一号）第二百七十一条の二第一項第一号イ若しくはロに規定する罪のもの又は法第三条第一項第二号に掲げる少年に係る事件であつて刑事訴訟法第二百七十一条の二第一項第一号イ若しくはロに規定する罪に係る刑罰法令に触れるものについて、保護事件の記録又は証拠物に、当該事件の被害者の個人特定事項（氏名及び住所その他の個人を特定させることとなる事項をいう。以下同じ。）が記載され又は記録されている部分がある場合において、相当と認めるとき 当該個人特定事項
二 前号に掲げる場合のほか、保護事件の記録又は証拠物に、閲覧させることにより人の身体若しくは財産に害を加え若しくは人を畏怖させ若しくは困惑させる行為又は人の名誉若しくは社会生活の平穏を著しく害する行為がなされるおそれがある事項が記載され又は記録されている部分があると認める場合において、相当と認めるとき 当該事項

④ 裁判所は、前項本文の場合において、同項本文の規定による措置によつては同項第二号に規定する行為を防止できないおそれがあると認めるときは、付添人による審判の準備その他の審判の準備の上での支障を生ずるおそれがあるときを除き、付添人が第二項の規定により当該記録又は証拠物を閲覧するについて、これらのうち前項第一号又は第二号に規定する部分であつて裁判所が指定するものの閲覧を禁ずることができる。この場合において、閲覧を禁じた部分にその人の氏名又は住居が記載され又は記録されている場合であつて、付添人の請求があるときは、付添人に対し、氏名にあつてはこれに代わる呼称を、住居にあつてはこれに代わる連絡先を知らせなければならない。

⑤ 裁判所は、前二項の規定による措置をとるには、あらかじめ、付添人の意見を聴かなければならない。

⑥ 裁判所は、第三項又は第四項の規定による措置をとるときは、付添人にその旨を通知しなければならない。この通知をするには、第三項の規定による措置にあつては裁判所が指定する事項を、第四項の規定による措置にあつては裁判所が指定する部分を特定してこれをしなければならない。

⑦ 裁判所は、第三項の規定により付した条件に付添人が違反したとき、又は同項の規定による時期若しくは方法の指定に付添人が従わなかつたときは、弁護士である付添人については当該弁護士の所属する弁護士会又は日本弁護士連合会に通知し、適当な処置をとるべきことを請求することができる。

⑧ 前項の規定による請求を受けた者は、そのとつた処置をその請求をした裁判所に通知しなければならない。

（記録の閲覧又は謄写の申出の際に明らかにすべき事項・法第五条の二）
第七条の二　法第五条の二第一項の申出は、次に掲げる事項を明らかにしてしなければならない。
一　申出人の氏名、名称又は商号及び住所
二　閲覧又は謄写を求める記録を特定するに足りる事項
三　申出人が法第五条の二第一項の申出をすることができる者であることの基礎となるべき事実
四　閲覧又は謄写を求める理由

第二章　通告、警察官の調査等

（家庭裁判所への送致の方式）
第八条①　検察官、司法警察員、警察官、都道府県知事又は児童相談所長が事件を家庭裁判所に送致するには、次に掲げる事項を記載した送致書によらなければならない。
一　少年及び保護者の氏名、年齢、職業及び住居（保護者が法人である場合においては、その名称又は商号及び主たる事務所又は本店の所在地）並びに少年の本籍
二　審判に付すべき事由
三　その他参考となる事項
②　前項の場合において書類、証拠物その他参考となる資料があるときは、あわせて送付しなければならない。
③　送致書には、少年の処遇に関して、意見をつけることができる。
④　検察官は、家庭裁判所から送致を受けた事件を更に家庭裁判所に送致する場合には、送致書にその理由を記載しなければならない。
⑤　保護観察所長が更生保護法第六十八条第一項の規定による通告をする場合には、前四項の規定を準用する。

（通告の方式・法第六条）
第九条①　家庭裁判所の審判に付すべき少年を発見した者は、家庭裁判所に通告するには、審判に付すべき事由のほか、なるべく、少年及び保護者の氏名、年齢、職業及び住居（保護者が法人である場合においては、その名称又は商号及び主たる事務所又は本店の所在地）並びに少年の本籍を明らかにしなければならない。
②　前項の通告は、書面又は口頭ですることができる。口頭の通告があつた場合には、家庭裁判所調査官又は裁判所書記官は、これを調書に記載する。
③　第一項の場合には、前条第三項の規定を準用する。

（押収、捜索、検証、鑑定嘱託・法第六条の五）
第九条の二　刑事訴訟規則（昭和二十三年最高裁判所規則第三十二号）中、司法警察職員の行う押収、捜索、検証及び鑑定の嘱託に関する規定（同規則第百五十八条の二から第百五十八条の八までを除く。）は、法第六条の五第一項の規定による押収、捜索、検証及び鑑定の嘱託について準用する。

（報告の方式・法第七条）
第九条の三　家庭裁判所調査官が法第七条第一項の規定により報告するには、次に掲げる事項を記載した報告書によらなければならない。
一　少年及び保護者の氏名、年齢、職業及び住居（保護者が法人である場合においては、その名称又は商号及び主たる事務所又は本店の所在地）
二　審判に付すべき事由の要旨
三　その他参考となる事項

（家庭裁判所調査官の報告前の調査・法第七条）
第一〇条　家庭裁判所調査官は、法第七条第二項の調査をするについては、報告をするに必要な限度に止め、深入りしないように注意しなければならない。

第三章　調査及び審判（抄）

（調査の方針・法第九条）
第一一条①　審判に付すべき少年については、家庭及び保護者の関係、境遇、経歴、教育の程度及び状況、不良化の経過、性行、事件の関係、心身の状況等審判及び処遇上必要な事項の調査を行うものとする。
②　家族及び関係人の経歴、教育の程度、性行及び遺伝関係等についても、できる限り、調査を行うものとする。
③　少年を少年鑑別所に送致するときは、少年鑑別所に対し、なるべく、鑑別上及び観護処遇上の注意その他参考となる事項を示さなければならない。

（陳述録取調書の作成）
第一二条①　少年、保護者又は参考人の陳述が事件の審判上必要であると認めるときは、これを調書に記載させ、又は記載しなければならない。
②　前項の調書には、陳述者をして署名押印させなければならない。
③　家庭裁判所調査官は、第一項の場合において相当と認めるときは、少年、保護者又は参考人の陳述の要旨を記載した書面を作成し、これを同項の調書に代えることができる。

（家庭裁判所調査官の調査報告・法第八条）
第一三条①　家庭裁判所調査官は、調査の結果を書面で家庭裁判所に報告するものとする。
②　前項の書面には、意見をつけなければならない。
③　家庭裁判所調査官は、第一項の規定による報告の前後を問わず、少年の処遇に関し、家庭裁判所に対して意見を述べなければならない。

（意見陳述の申出の際に明らかにすべき事項等・法第九条の二）
第一三条の二①　法第九条の二本文の申出は、次に掲げる事項を明らかにしてしなければならない。
一　申出人の氏名、名称又は商号及び住所
二　当該申出に係る事件を特定するに足りる事項
三　申出人が法第九条の二本文の申出をすることができる者であることの基礎となるべき事実
②　法第九条の二本文の申出については、弁護士でなければ代理人となることができない。

（意見聴取の日時等の通知・法第九条の二）
第一三条の三　家庭裁判所又は家庭裁判所調査官は、法第九条の二本文の規定により意見を聴取するときは、申出人に対し、その旨並びに意見を聴取する日時及び場所を通知しなければならない。

（意見聴取に当たつての配慮・法第九条の二）
第一三条の四　法第九条の二本文の規定により意見を聴取するときは、申出人の心身の状態に配慮するものとする。

（意見を聴取した旨の通知・法第九条の二）
第一三条の五　家庭裁判所は、付添人がある場合において、法第九条の二本文の規定による意見の聴取がされたときは、速やかにその旨を当該付添人に通知しなければならない。

（意見の要旨を記載した書面の作成・法第九条の二）
第一三条の六①　家庭裁判所は、審判期日外において、法第九条の二本文の規定により自ら意見を聴取したときは、裁判所書記官に命じて、当該意見の要旨を記載した書面を作成させなければならない。
②　家庭裁判所調査官は、法第九条の二本文の規定により意見を聴取したときは、当該意見の要旨を記載した書面を作成しなければならない。
③　法第九条の二本文の規定による意見の陳述については、第十二条の規定は、適用しない。

（付添人・法第十条）
第一四条①　弁護士である付添人の数は、三人を超えることができない。
②　付添人を選任するには、付添人と連署した書面を差し出すものとする。この書面には、少年と付添人との関係を記載しなければならない。
③　前項の規定により付添人が署名押印すべき場合には、署名押

印に代えて記名押印することができる。

④ 付添人の選任は審級ごとにしなければならない。

⑤ 保護者が付添人となるには、書面でその旨を家庭裁判所に届け出るものとする。この場合には、第二項後段及び前項の規定を準用する。

⑥ 付添人の選任の許可及び付添人となることの許可は、いつでも、取り消すことができる。

第一五条から第一八条まで　（略）

（証人尋問等・法第十四条等）

第一九条　刑事訴訟規則中、裁判所の行う証人尋問、鑑定、通訳、翻訳、検証、押収及び捜索に関する規定は、保護事件の性質に反しない限り、法第十四条第一項の規定による証人尋問、鑑定、通訳及び翻訳並びに法第十五条第一項の規定による検証、押収及び捜索について準用する。

（調査の嘱託）

第一九条の二　家庭裁判所は、他の家庭裁判所又は簡易裁判所に事実の調査を嘱託することができる。

（少年鑑別所送致決定手続において少年に告知すべき事項等）

第一九条の三①　法第十七条第一項第二号の措置をとるに際しては、裁判長（同条第十項の規定による場合は、当該措置をとる裁判官）は、少年に対し、あらかじめ、供述を強いられることはないこと及び付添人を選任することができることを分かりやすく説明した上、審判に付すべき事由の要旨を告げ、これについて陳述する機会を与えなければならない。

② 前項の規定により審判に付すべき事由の要旨を告げる場合において、当該審判に付すべき事由に含まれる個人特定事項が次に掲げる者のものに該当すると認める場合であつて、相当と認めるときは、当該個人特定事項を明らかにしない方法により審判に付すべき事由の要旨を告げることができる。

一 次に掲げる事件の被害者

イ 法第三条第一項第一号に掲げる少年に係る事件であつて刑事訴訟法第二百七十一条の二第一項第一号イ若しくはロに規定する罪のもの又は法第三条第一項第二号に掲げる少年に係る事件であつて刑事訴訟法第二百七十一条の二第一項第一号イ若しくはロに規定する罪に係る刑罰法令に触れるもの

ロ イに掲げる事件のほか、法第三条第一項第一号又は第二号に掲げる少年に係る事件であつて、刑罰法令に触れる行為の態様、被害の状況その他の事情により、被害者の個人特定事項が少年又は保護者に知られることにより刑事訴訟法第二百七十一条の二第一項第一号ハ⑴又は⑵に掲げるおそれがあると認められる事件

二 前号に掲げる者のほか、個人特定事項が少年又は保護者に知られることにより刑事訴訟法第二百七十一条の二第一項第二号イ又はロに掲げるおそれがあると認められる者

第二〇条　（略）

（観護の措置の取消・法第十七条）

第二一条　観護の措置は、その必要がなくなつたときは、速やかに取り消さなければならない。

第二一条の二　（略）

（観護の措置に関する通知・法第十七条等）

第二二条①　観護の措置をとり又はこれを取り消し若しくは変更したときはその旨を、法第十七条第一項第二号の措置がとられている事件について法第十九条第二項（第二十三条第三項において準用する場合を含む。以下この条において同じ。）、第二十条第一項又は第六十二条第一項の決定をしたときは法第四十五条第四号の規定により法第十七条第一項第二号の措置が勾留とみなされる旨を速やかに保護者及び付添人のうちそれぞれ適当と認める者に通知しなければならない。

② 前項の通知は、観護の措置をとり若しくはこれを変更した場合又は法第十七条第一項第二号の措置がとられている事件について法第十九条第二項、第二十条第一項若しくは第六十二条第一項の決定をした場合において、少年に保護者及び付添人がないときは少年の法定代理人、保佐人、配偶者、直系の親族及び兄弟姉妹のうち少年の指定する者一人に、少年にこれらの者がないときは少年の申出によりその指定する者一人に、これをしなければならない。

③ 第一項の通知は、観護の措置を取り消した場合において、少年に保護者及び付添人がないときは、少年の法定代理人、保佐人、配偶者、直系の親族及び兄弟姉妹のうち適当と認める者に、これをしなければならない。

（異議の申立て・法第十七条の二）

第二二条の二①　法第十七条の二第一項本文の規定による異議の申立てがあつた場合において、必要があると認めるときは、保護事件の係属する裁判所は、保護事件の記録及び証拠物を同条第三項前段の決定をすべき裁判所（以下「異議裁判所」という。）に送付しなければならない。

② 異議裁判所は、保護事件の記録及び証拠物の送付を求めることができる。

③ 異議裁判所は、法第十七条の二第三項前段の決定をしたときは、その旨を保護事件の係属する裁判所に通知しなければならない。

④ 第四十三条、第四十四条（同条第一項後段の規定及び同条第二項の規定中年月日の通知に係る部分を除く。）、第四十五条第二項及び第四十七条の規定は、法第十七条の二第一項本文の異議の申立てについて準用する。

（特別抗告・法第十七条の三）

第二二条の三　前条及び第四十五条第一項の規定は、法第十七条の三第一項前段において準用する法第三十五条第一項本文の抗告について準用する。この場合において、前条第四項中「第四十四条（同条第一項後段の規定及び同条第二項の規定中年月日の通知に係る部分を除く。）」とあるのは「第四十四条」と、第四十五条第一項中「速やかに記録とともに」とあるのは「速やかに」と読み替えるものとする。

（都道府県知事等への送致の方式・法第十八条）

第二三条　事件を都道府県知事又は児童相談所長に送致する決定をするには、送致すべき都道府県知事又は児童相談所長を指定するものとする。

（検察官への送致の方式・法第二十条第一項等）

第二四条　事件を検察官に送致する決定をするには、罪となるべき事実及びその事実に適用すべき罰条を示さなければならない。

（観護の措置が勾留とみなされる場合の告知等・法第四十五条第四号等）

第二四条の二①　法第十七条第一項第二号の措置がとられている事件について、法第十九条第二項（第二十三条第三項において準用する場合を含む。）、第二十条第一項又は第六十二条第一項の決定をするときは、裁判長が、あらかじめ、本人に対し、罪となるべき事実並びに刑事訴訟法第六十条第一項各号の事由がある旨及び弁護人を選任することができる旨を告げなければならない。ただし、法第二十条第一項又は第六十二条第一項の決定をする場合において、法第十条第一項の規定により選任された弁護士である付添人があるときは、弁護人を選任することができる旨は告げることを要しない。

② 前項本文の規定により罪となるべき事実を告げる場合において、当該罪となるべき事実に含まれる個人特定事項が次に掲げる者のものに該当すると認める場合であつて、相当と認めるときは、当該個人特定事項を明らかにしない方法により罪となるべき事実を告げることができる。

一 次に掲げる事件の被害者

イ 刑事訴訟法第二百一条の二第一項第一号イ又はロに掲げる事件

ロ イに掲げる事件のほか、犯行の態様、被害の状況その他の事情により、被害者の個人特定事項が本人又は保護者に知られることにより刑事訴訟法第二百一条の二第一項第一号ハ⑴又は⑵に掲げるおそれがあると認められる事件

二　前号に掲げる者のほか、個人特定事項が本人又は保護者に知られることにより刑事訴訟法第二百一条の二第一項第二号イ又はロに掲げるおそれがあると認められる者

③　第一項本文の規定により弁護人を選任することができる旨を告げるに当たつては、本人は弁護士、弁護士法人（弁護士・外国法事務弁護士共同法人を含む。）又は弁護士会を指定して弁護人の選任を申し出ることができる旨及びその申出先を教示しなければならない。

④　第一項の裁判長は、本人に弁護人を選任することができる旨を告げる際に、本人に対し、貧困その他の事由により自ら弁護人を選任することができないときは弁護人の選任を請求することができる旨を告げなければならない。この場合においては、刑事訴訟法第二百七条第四項の規定を準用する。

⑤　前四項の規定により告知及び教示をする場合には、裁判所書記官が立ち会い、調書を作成する。

（観護の措置が勾留とみなされる場合の勾留場所・法第四十五条第四号等）

第二四条の三①　検察官は、あらかじめ、裁判長に対し、法第十七条第一項第二号の措置により少年鑑別所に収容されている者について法第十九条第二項（第二十三条第三項において準用する場合を含む。）、第二十条第一項又は第六十二条第一項の決定をするときは本人を他の少年鑑別所若しくは刑事施設に収容すること又は刑事収容施設及び被収容者等の処遇に関する法律（平成十七年法律第五十号）第十五条第一項の規定により留置施設に留置することに同意するよう請求することができる。

②　検察官は、前項の同意があつた場合には、その同意に係る少年鑑別所若しくは刑事施設又は留置施設に本人を収容し、又は留置する。

③　検察官は、第一項の請求をしない場合又は同項の同意がない場合には、本人が法第十七条第一項第二号の措置により収容されていた少年鑑別所に本人を収容する。

（審判開始決定の取消し）

第二四条の四　法第二十一条の決定は、いつでも、取り消すことができる。

（審判期日の指定と呼出）

第二五条①　審判をするには、裁判長が、審判期日を定める。

②　審判期日には、少年及び保護者を呼び出さなければならない。

（事件の併合審判）

第二五条の二　同一の少年に対する二以上の事件は、なるべく併合して審判しなければならない。

（保護観察所等への通知）

第二六条　少年の処遇に関し、保護観察官若しくは保護司又は少年鑑別所に勤務する法務技官若しくは法務教官の意見を聴くことを相当と認めるときは、保護観察所又は少年鑑別所にその旨及び意見を聴くべき日時等を通知しなければならない。

（審判の場所）

第二七条　審判は、裁判所外においても行うことができる。

（審判期日の列席者等）

第二八条①　審判の席には、裁判官及び裁判所書記官が、列席する。

②　家庭裁判所調査官は、裁判長の許可を得た場合を除き、審判の席に出席しなければならない。

③　少年が審判期日に出頭しないときは、審判を行うことができない。

④　付添人は、審判の席に出席することができる。

⑤　家庭裁判所は、審判期日を付添人に通知しなければならない。

（在席の許可）

第二九条　裁判長は、審判の席に、少年の親族、教員その他相当と認める者の在席を許すことができる。

（審判期日における告知等）

第二九条の二①　裁判長は、第一回の審判期日の冒頭において、少年に対し、供述を強いられることはないことを分かりやすく説明した上、審判に付すべき事由の要旨を告げ、これについて陳述する機会を与えなければならない。この場合において、少年に付添人があるときは、当該付添人に対し、審判に付すべき事由について陳述する機会を与えなければならない。

②　第十九条の三第二項の規定は、前項の規定による審判に付すべき事由の要旨の告知について準用する。

（証拠調べの申出）

第二九条の三　少年、保護者及び付添人は、家庭裁判所に対し、証人尋問、鑑定、検証その他の証拠調べの申出をすることができる。

（少年本人質問）

第二九条の四　付添人は、審判の席において、裁判長に告げて、少年に発問することができる。

（追送書類等に関する通知）

第二九条の五　家庭裁判所は、法第二十一条の決定をした後、当該決定をした事件について、検察官、保護観察所長、司法警察員、警察官、都道府県知事又は児童相談所長から書類、証拠物その他参考となる資料の送付を受けたときは、速やかにその旨を付添人に通知しなければならない。

（意見の陳述）

第三〇条　少年、保護者、付添人、家庭裁判所調査官、保護観察官、保護司、法務技官及び法務教官は、審判の席において、裁判長の許可を得て、意見を述べることができる。

（検察官関与決定の方式・法第二十二条の二）

第三〇条の二　検察官関与決定の主文においては、審判に検察官を出席させる事件を明らかにしなければならない。

（国選付添人の選任等・法第二十二条の三等）

第三〇条の三①　家庭裁判所は、検察官関与決定をした場合において、少年に弁護士である付添人がないときは、遅滞なく、当該少年に対し、一定の期間を定めて、弁護士である付添人を選任するかどうかについて回答を求めなければならない。

②　前項の期間内に回答がなく又は弁護士である付添人の選任がないときは、裁判長は、直ちに付添人を選任しなければならない。

③　法第二十二条の三第一項若しくは第二項又は第二十二条の五第二項の規定により家庭裁判所が付すべき付添人は、当該家庭裁判所の管轄区域内に在る弁護士会に所属する弁護士の中から裁判長がこれを選任しなければならない。ただし、その管轄区域内に選任すべき事件について付添人としての活動をすることのできる弁護士がないときその他やむを得ない事情があるときは、これに隣接する他の家庭裁判所の管轄区域内に在る弁護士会に所属する弁護士その他適当な弁護士の中からこれを選任することができる。

④　裁判長は、前項の規定により付添人を選任したときは、直ちにその旨を少年及び保護者並びに検察官（検察官関与決定があつた事件に限る。）に通知しなければならない。この場合には、日本司法支援センターにも直ちにその旨を通知しなければならない。

⑤　法第二十二条の五第三項に規定する意思の明示は、書面を家庭裁判所に差し出してしなければならない。

（審判の準備）

第三〇条の四①　家庭裁判所は、検察官関与決定をした場合において、適当と認めるときは、検察官及び弁護士である付添人を出頭させた上、当該決定をした事件の非行事実（法第十七条第四項ただし書に規定する非行事実をいう。以下同じ。）を認定するための審判の進行に関し必要な事項について打合せを行うことができる。

②　前項の打合せは、合議体の構成員に行わせることができる。

③　家庭裁判所は、裁判所書記官に命じて、審判の進行に関し必要な事項について検察官又は弁護士である付添人に問合せをさせることができる。

（検察官による記録又は証拠物の閲覧）

第三〇条の五　検察官は、検察官関与決定があった事件において、第七条第一項の規定にかかわらず、その非行事実の認定に資するため必要な限度で、保護事件の記録又は証拠物を閲覧することができる。

（検察官の審判への出席等）

第三〇条の六①　検察官は、検察官関与決定があった事件において、その非行事実の認定に資するため必要な限度で、審判（事件を終局させる決定の告知を行う審判を含む。）の席に出席し、並びに審判期日外における証人尋問、鑑定、通訳、翻訳、検証、押収及び捜索の手続に立ち会うことができる。

②　家庭裁判所は、検察官関与決定をしたときは、当該決定をした事件の非行事実を認定するための手続を行う審判期日及び当該事件を終局させる決定の告知を行う審判期日を検察官に通知しなければならない。

（検察官による証拠調べの申出）

第三〇条の七　検察官は、検察官関与決定があった事件において、その非行事実の認定に資するため必要な限度で、家庭裁判所に対し、証人尋問、鑑定、検証その他の証拠調べの申出をすることができる。

（検察官の尋問権等）

第三〇条の八①　検察官は、検察官関与決定があった事件において、その非行事実の認定に資するため必要な限度で、裁判長に告げて、証人、鑑定人、通訳人及び翻訳人を尋問することができる。

②　検察官は、検察官関与決定があった事件において、その非行事実の認定に資するため必要な限度で、審判の席において、裁判長に告げて、少年に発問することができる。

（検察官に対する提出書類等に関する通知等）

第三〇条の九①　家庭裁判所は、検察官関与決定をした後、当該決定をした事件について、少年、保護者又は付添人から書類、証拠物その他参考となる資料の提出を受けたときは、速やかにその旨を検察官に通知しなければならない。

②　家庭裁判所は、検察官関与決定をした場合において、当該決定をした事件について、法第九条の二本文の規定による意見の聴取がされたときは、速やかにその旨を検察官に通知しなければならない。

（検察官による意見の陳述）

第三〇条の一〇　検察官は、検察官関与決定があった事件において、その非行事実の認定に資するため必要な限度で、審判の席において、裁判長の許可を得て、意見を述べることができる。

（傍聴の申出の際に明らかにすべき事項等・法第二十二条の四）

第三〇条の一一①　法第二十二条の四第一項の申出は、次に掲げる事項を明らかにしてしなければならない。

一　申出人の氏名、名称又は商号及び住所
二　当該申出に係る事件を特定するに足りる事項
三　申出人が法第二十二条の四第一項の申出をすることができる者であることの基礎となるべき事実

②　法第二十二条の四第一項の申出については、弁護士でなければ代理人となることができない。

（傍聴の許否等の通知・法第二十二条の四）

第三〇条の一二　家庭裁判所は、法第二十二条の四第一項の規定により審判の傍聴を許したときはその旨及びその審判期日を、審判の傍聴を許さないこととしたときはその旨を、速やかに、申出人並びに検察官関与決定をした場合における検察官及び少年に弁護士である付添人がある場合における当該付添人に通知しなければならない。

（説明の申出の際に明らかにすべき事項等・法第二十二条の六）

第三〇条の一三①　法第二十二条の六第一項の申出は、次に掲げる事項を明らかにしてしなければならない。

一　申出人の氏名、名称又は商号及び住所
二　当該申出に係る事件を特定するに足りる事項
三　申出人が法第二十二条の六第一項の申出をすることができる者であることの基礎となるべき事実

②　法第二十二条の六第一項の申出及び同項の規定による説明を受けることについては、弁護士でなければ代理人となることができない。

（説明をさせることができる者・法第二十二条の六）

第三〇条の一四　法第二十二条の六第一項の規定による説明は、裁判所書記官又は家庭裁判所調査官にさせることができる。

（適正な審判のための措置）

第三一条①　裁判長は、適正な審判をするため必要があると認めるときは、発言を制止し、又は少年以外の者を退席させる等相当の措置をとることができる。

②　裁判長は、少年の情操を害するものと認める状況が生じたときは、その状況の継続中、少年を退席させることができる。

（裁判官の回避）

第三二条　裁判官は、審判の公平について疑を生ずべき事由があると思料するときは、職務の執行を避けなければならない。

（審判調書）

第三三条①　審判期日における手続については、審判調書を作成する。

②　審判調書には、次に掲げる事項その他審判に関する重要な事項を記載する。

一　審判をした裁判所、年月日及び場所
二　裁判官及び裁判所書記官並びに出席した家庭裁判所調査官、検察官、保護観察官、保護司、法務技官及び法務教官の氏名
三　少年並びに出席した保護者及び付添人の氏名（保護者が法人である場合においては、出席した代表者の氏名）
四　家庭裁判所調査官、検察官、保護観察官、保護司、法務技官、法務教官、保護者及び付添人の陳述の要旨
四の二　法第九条の二本文の規定により聴取した意見の要旨
五　少年の陳述の要旨
六　証人、鑑定人、通訳人及び翻訳人並びに参考人の供述の要旨
七　決定その他の処分をしたこと
八　裁判長が記載を命じた事項

③　裁判所書記官は、裁判長の許可があるときは、審判調書の作成又は前項第一号から第七号までに掲げる記載事項の一部を省略することができる。ただし、抗告又は法第三十二条の四第一項の規定による申立て（以下「抗告受理の申立て」という。）があった場合は、この限りでない。

第三四条　（略）

（保護処分の決定の言渡・法第二十四条等）

第三五条①　保護処分の決定を言い渡す場合には、少年及び保護者に対し、保護処分の趣旨を懇切に説明し、これを充分に理解させるようにしなければならない。

②　前項の場合には、二週間以内に抗告の申立書を裁判所に差し出して抗告をすることができる旨を告げなければならない。

（保護処分の決定の方式・法第二十四条等）

第三六条　罪を犯した少年の事件について保護処分の決定をするには、罪となるべき事実及びその事実に適用すべき法令を示さなければならない。

（各種の保護処分の形式と通知等・法第二十四条等）

第三七条①　法第二十四条第一項第一号又は第六十四条第一項第一号若しくは第二号の決定をするには、保護観察をすべき保護観察所を、法第二十四条第一項第三号又は第六十四条第一項第三号の決定をするには、送致すべき少年院の種類（少年院法（平成二十六年法律第五十八号）第四条第一項第一号から第三号までに掲げるものに限る。）を指定するものとする。

②　法第二十四条第一項第一号又は第六十四条第一項第一号若しくは第二号の決定をしたときは保護観察所長に、法第二十四条第一項第二号の決定をしたときは児童相談所長に、同項第三号又は第六十四条第一項第三号の決定をしたときは少年鑑別所長

に、速やかにその旨を通知しなければならない。

③　保護観察所長に前項の通知をするときは、保護観察を受けるべき者が保護観察の期間中遵守すべき特別の事項に関する意見も通知しなければならない。

（参考書類の送付等）

第三七条の二①　前条第二項の通知をするときは、少年の処遇に関する意見書及び少年調査票その他少年の処遇上参考となる書類（以下参考書類という。）を送付することができる。

②　参考書類の取扱については、家庭裁判所の指示するところに従わなければならない。

③　家庭裁判所は、執務上必要があると認めるときは、いつでも、参考書類の返還を求めることができる。

④　保護処分が終了し又は取り消されたときは、速やかに参考書類を家庭裁判所に返還しなければならない。

第三七条の三（没取の決定の執行等・法第二十四条の二）　没取の決定の執行及び没取物の処分は、家庭裁判所が刑事訴訟法中没取の裁判の執行及び没収物の処分に関する規定に準じて行う。

（保護処分の決定後の処置）

第三八条①　保護処分の決定をした家庭裁判所は、当該少年の動向に関心を持ち、随時、その成績を視察し、又は家庭裁判所調査官をして視察させるように努めなければならない。

②　保護処分の決定をした家庭裁判所は、必要があると認めるときは、少年の処遇に関し、保護観察所、児童自立支援施設、児童養護施設又は少年院に勧告をすることができる。

（環境調整の措置・法第二十四条等）

第三九条　保護観察所長をして家庭その他の環境調整に関する措置を行わせる場合には、環境についての調査の結果を通知し、且つ必要な事項を指示しなければならない。

（家庭裁判所調査官の観察に付する決定の方式等・法第二十五条）

第四〇条①　家庭裁判所調査官の観察に付する決定をするには、家庭裁判所調査官を指定するものとする。この場合には、観察の期間を定めることができる。

②　遵守事項を定めてその履行を命ずる場合には、その事項を具体的且つ明瞭に指示し、少年をして自発的にこれを遵守しようとする心構を持たせるように努めなければならない。

③　条件をつけて保護者に引き渡す場合には、保護者に対し、少年の保護監督について必要な条件を具体的に指示しなければならない。

④　適当な施設、団体又は個人に補導を委託する場合には、委託を受ける者に対し、少年の補導上参考となる事項を指示しなければならない。

⑤　家庭裁判所調査官の観察については、第十三条の規定を準用する。

⑥　家庭裁判所調査官の観察に付する決定は、いつでも、取り消し又は変更することができる。

第四一条及び第四二条　（略）

（通知の申出の際に明らかにすべき事項等・法第三十一条の二）

第四二条の二①　法第三十一条の二第一項本文の申出は、次に掲げる事項を明らかにしてしなければならない。

一　申出人の氏名、名称又は商号及び住所

二　当該申出に係る事件を特定するに足りる事項

三　申出人が法第三十一条の二第一項本文の申出をすることができる者であることの基礎となるべき事実

②　法第三十一条の二第一項本文の申出及び同項本文の通知の受領については、弁護士でなければ代理人となることができない。

第四二条の三　（略）

第四章　抗告（抄）

（抗告申立の方式・法第三十二条）

第四三条①　抗告をするには、申立書を原裁判所に差し出すものとする。

②　前項の申立書には、抗告の趣意を簡潔に明示しなければならない。

（収容中の少年の抗告申立て等・法第三十二条）

第四四条①　少年鑑別所、児童自立支援施設、児童養護施設又は少年院にいる少年が抗告をするには、施設の長又はその代理者を経由して申立書を差し出すことができる。この場合において、抗告の提起期間内に申立書を施設の長又はその代理者に差し出したときは、抗告の提起期間内に抗告をしたものとみなす。

②　前項の場合には、施設の長又はその代理者は、原裁判所に申立書を送付し、且つこれを受け取つた年月日を通知しなければならない。

③　原裁判所は、第一項前段の少年の保護事件についてした保護処分の決定に対する抗告申立書を受け取つたときは、同項前段の場合を除き、速やかにその旨を当該少年のいる施設の長又はその代理者に通知しなければならない。

（抗告申立書の送付）

第四五条①　原裁判所は、抗告申立書を受け取つたときは、速やかに記録とともに抗告裁判所に送付しなければならない。

②　前項の場合には、原裁判所は、抗告申立書に意見書をつけることができる。

（証拠物の送付）

第四五条の二①　原裁判所は、必要があると認めるときは、証拠物を抗告裁判所に送付しなければならない。

②　抗告裁判所は、証拠物の送付を求めることができる。

第四六条　（略）

（検察官に対する抗告の通知）

第四六条の二　原裁判所は、検察官関与決定をした事件についてした保護処分の決定に対する抗告申立書を受け取つたときは、検察官に対し、抗告があつた旨及び抗告の趣意を通知しなければならない。

（抗告受理の申立て・法第三十二条の四）

第四六条の三①　法第三十二条の四第二項前段の申立書には、抗告受理の申立ての理由を具体的に記載しなければならない。

②　原裁判所は、速やかに前項の申立書とともに記録を高等裁判所に送付しなければならない。

③　原裁判所は、第一項の申立書を受け取つたときは、少年及び保護者に対し、抗告受理の申立てがあつた旨及び抗告受理の申立ての理由を通知しなければならない。

④　高等裁判所は、法第三十二条の四第三項の決定（以下「抗告受理決定」という。）をするときは、当該決定において、抗告受理の申立ての理由中同条第四項の規定により排除するものを明らかにしなければならない。

⑤　抗告受理決定があつたときは、抗告裁判所は、少年及び保護者に対し、その決定の内容を通知しなければならない。

⑥　第四十四条第一項前段の少年の保護事件についてされた決定に対する抗告受理の申立てに対し抗告受理決定があつたときは、抗告裁判所は、速やかにその旨を当該少年のいる施設の長又はその代理者に通知しなければならない。

⑦　高等裁判所は、抗告受理の申立てがあつた場合において、抗告審として事件を受理しないときは、法第三十二条の四第五項の期間内にその旨の決定をしなければならない。

⑧　高等裁判所は、前項の決定をしたときは、少年及び保護者に対し、その旨を通知しなければならない。

⑨　第四十五条第二項、第四十五条の二及び第四十六条の規定は、抗告受理の申立てがあつた場合について準用する。この場合において、第四十六条中「抗告が」とあるのは、「抗告受理の申立てが」と読み替えるものとする。

（抗告審における国選付添人の選任等・法第三十二条の五等）

第四六条の四①　第三十条の三第一項及び第二項の規定は、抗告裁判所が弁護士である付添人を付すべき場合（法第三十二条の五第二項の場合を除く。）について準用する。

② 法第三十二条の五の規定又は法第三十二条の六において準用する法第二十二条の三第一項の規定により抗告裁判所が付すべき付添人は、当該抗告裁判所の所在地を管轄する家庭裁判所の管轄区域内に在る弁護士会に所属する弁護士の中から裁判長がこれを選任しなければならない。ただし、その管轄区域内に選任すべき事件について付添人としての活動をすることのできる弁護士がないときその他やむを得ない事情があるときは、これに隣接する他の家庭裁判所の管轄区域内に在る弁護士会に所属する弁護士その他適当な弁護士の中からこれを選任することができる。

③ 裁判長は、前項の規定にかかわらず、抗告審の審理のため特に必要があると認めるときは、原裁判所が付した付添人であつた弁護士を付添人に選任することができる。

④ 第三十条の三第四項の規定は、前二項の規定により裁判長が付添人を選任した場合について準用する。

（準用規定）

第四六条の五 前条に定めるもののほか、抗告審の審理については、その性質に反しない限り、家庭裁判所の審判に関する規定を準用する。

（執行停止の決定をする裁判所・法第三十四条）

第四七条 抗告中の事件について原決定の執行を停止する決定は、記録が抗告裁判所に到達する前は、原裁判所が、到達した後は、抗告裁判所がするものとする。

（検察官に対する決定の通知）

第四八条 抗告裁判所は、法第二十二条の二第一項（第三十二条の六において準用する場合を含む。）の決定があつた事件について法第三十三条の決定をしたときは、その旨を検察官に通知しなければならない。

第四九条及び第五〇条 削除

（決定の効力等）

第五一条① 抗告裁判所は、原決定を取り消す決定が確定した場合において、少年が児童自立支援施設、児童養護施設又は少年院にいるときは、直ちにこれらの施設の長に対し、事件の差戻し又は移送を受けた家庭裁判所にその少年を送致すべきことを命じなければならない。

② 前項の場合には、施設の長は、直ちに所属の職員をして事件の差戻し又は移送を受けた家庭裁判所に少年を送致させなければならない。

（差戻し又は移送後の審判）

第五二条① 抗告裁判所から差戻し又は移送を受けた事件については、更に審判をしなければならない。

② 前項の場合には、原決定に関与した裁判官は、審判に関与することができない。

第五三条 削除

（準用規定）

第五四条 法第三十五条第一項本文の抗告については、第四十三条から第四十六条の二まで、第四十六条の四から第四十八条まで、第五十一条及び第五十二条の規定を準用する。この場合において、第四十六条の二中「検察官関与決定をした事件についてした保護処分の決定」とあるのは「法第二十二条の二第一項（第三十二条の六において準用する場合を含む。）の決定があつた事件についてした法第三十三条の決定」と、第四十八条中「第三十二条の六」とあるのは「第三十二条の六（第三十五条第二項前段において準用する場合を含む。）」と、「第三十三条」とあるのは「第三十五条第二項前段において準用する法第三十三条」と読み替えるものとする。

第五章　雑則

（第五五条から第五八条まで）（略）

附　則（令和五・一二・二五最高裁規一〇）（抄）

（施行期日）

第一条 この規則は、刑事訴訟法等の一部を改正する法律（令和五年法律第二十八号。以下「改正法」という。）附則第一条第四号に掲げる規定の施行の日（令和六・二・一五）から施行する。（後略）

（秘匿措置に関する経過措置）

第二条 刑法の一部を改正する法律（平成二十九年法律第七十二号）附則第二条第一項の規定によりなお従前の例によることとされる場合における同法による改正前の刑法（明治四十年法律第四十五号。以下この条において「従前の例による平成二十九年改正前刑法」という。）第百七十八条の二の罪若しくはその未遂罪、従前の例による平成二十九年改正前刑法第百八十一条第三項の罪若しくは従前の例による平成二十九年改正前刑法第二百四十一条の罪若しくはその未遂罪又は刑法及び刑事訴訟法の一部を改正する法律（令和五年法律第六十六号）附則第二条第一項の規定によりなお従前の例によることとされる場合における同法第一条の規定による改正前の刑法第百七十六条から第百七十八条までの罪若しくはこれらの罪の未遂罪に係る事件は、この規則の第二条の規定による改正後の少年審判規則（以下この条において「新少年審判規則」という。）第七条第三項（第一号に係る部分に限る。）、第十七条第五項（第一号イに係る部分に限る。）及び第十九条の三第二項（第一号イに係る部分に限る。）（第二十九条の二第二項において準用する場合を含む。）の規定の適用については改正法第一条の規定による改正後の刑事訴訟法（以下この条において「新刑事訴訟法」という。）第二百七十一条の二第一項第一号イに掲げる事件とみなし、新少年審判規則第二十四条の二第二項（第一号イに係る部分に限る。）の規定の適用については新刑事訴訟法第二百一条の二第一項第一号イに掲げる事件とみなす。

●刑事収容施設及び被収容者等の処遇に関する法律（抄）（平成一七・五・二五 法 五〇）

施行 平成一八・五・二四（平成一八政一九一）
改正 平成一八法一〇・法五八、平成一九法三七・法八八、平成二五法四四、平成二六法六〇・法六九、令和二法三三、令和三法三七・法四七、令和四法四八・法六七、令和五法二八・法六三
題名改正 平成一八法五八（旧・刑事施設及び受刑者の処遇等に関する法律）

目次

刑事収容施設及び被収容者等の処遇に関する法律（一条―一四条）

第一編　総則（抄）

第一章　通則

（目的）

第一条　この法律は、刑事収容施設（刑事施設、留置施設及び海上保安留置施設をいう。）の適正な管理運営を図るとともに、被収容者、被留置者及び海上保安被留置者の人権を尊重しつつ、これらの者の状況に応じた適切な処遇を行うことを目的とする。

（定義）

第二条　この法律において、次の各号に掲げる用語の意義は、それぞれ当該各号に定めるところによる。

一　被収容者　刑事施設に収容されている者をいう。

二　被留置者　留置施設に留置されている者をいう。

三　海上保安被留置者　海上保安留置施設に留置されている者をいう。

四　受刑者　拘禁刑受刑者又は拘留受刑者をいう。

五　拘禁刑受刑者　拘禁刑（国際受刑者移送法（平成十四年法律第六十六号）第十六条第一項の規定により執行する共助刑を含む。次条第一号及び第十五条第一項第一号において同じ。）の執行のため拘置されている者をいう。

六　拘留受刑者　拘留の刑の執行のため拘置されている者をいう。

七　未決拘禁者　被逮捕者、被勾留者その他未決の者として拘禁されている者をいう。

八　被逮捕者　刑事訴訟法（昭和二十三年法律第百三十一号）の規定により逮捕されて留置されている者をいう。

九　被勾留者　刑事訴訟法の規定により勾留されている者をいう。

十　死刑確定者　死刑の言渡しを受けて拘置されている者をいう。

十一　各種被収容者　被収容者であって、受刑者、未決拘禁者及び死刑確定者以外のものをいう。

第二章　刑事施設

（刑事施設）

第三条　刑事施設は、次に掲げる者を収容し、これらの者に対し必要な処遇を行う施設とする。

一　拘禁刑又は拘留の刑の執行のため拘置される者

二　刑事訴訟法の規定により、逮捕された者であって、留置されるもの

三　刑事訴訟法の規定により勾留される者

四　死刑の言渡しを受けて拘置される者

五　前各号に掲げる者のほか、法令の規定により刑事施設に収容すべきこととされる者及び収容することができることとされる者

（被収容者の分離）

第四条①　被収容者は、次に掲げる別に従い、それぞれ互いに分離するものとする。

一　性別

二　受刑者（未決拘禁者としての地位を有するものを除く。）、未決拘禁者（受刑者又は死刑確定者としての地位を有するものを除く。）、未決拘禁者としての地位を有する受刑者、死刑確定者及び各種被収容者の別

三　拘禁刑受刑者及び拘留受刑者の別

②　前項の規定にかかわらず、受刑者に第九十三条に規定する作業として他の被収容者に接して食事の配給その他の作業を行わせるため必要があるときは、同項第二号及び第三号に掲げる別による分離をしないことができる。

③　第一項の規定にかかわらず、適当と認めるときは、居室（被収容者が主として休息及び就寝のために使用する場所として刑事施設の長が指定する室をいう。次編第二章において同じ。）外に限り、同項第三号に掲げる別による分離をしないことができる。

（実地監査）

第五条　法務大臣は、この法律の適正な施行を期するため、その職員のうちから監査官を指名し、各刑事施設について、毎年一回以上、これに実地監査を行わせなければならない。

（意見聴取）

第六条　刑事施設の長は、その刑事施設の適正な運営に資するため必要な意見を関係する公務所及び公私の団体の職員並びに学識経験のある者から聴くことに努めなければならない。

（刑事施設視察委員会）

第七条①　刑事施設に、刑事施設視察委員会（以下この章において「委員会」という。）を置く。

②　委員会は、その置かれた刑事施設を視察し、その運営に関し、刑事施設の長に対して意見を述べるものとする。

（組織等）

第八条①　委員会は、委員十人以内で組織する。

②　委員は、人格識見が高く、かつ、刑事施設の運営の改善向上に熱意を有する者のうちから、法務大臣が任命する。

③　委員の任期は、一年とする。ただし、再任を妨げない。

④　委員は、非常勤とする。

⑤　前各項に定めるもののほか、委員会の組織及び運営に関し必要な事項は、法務省令で定める。

（委員会に対する情報の提供及び委員の視察等）

第九条①　刑事施設の長は、刑事施設の運営の状況について、法務省令で定めるところにより、定期的に、又は必要に応じて、委員会に対し、情報を提供するものとする。

②　委員会は、刑事施設の運営の状況を把握するため、委員による刑事施設の視察をすることができる。この場合において、委員会は、必要があると認めるときは、刑事施設の長に対し、委員による被収容者との面接の実施について協力を求めることができる。

③　刑事施設の長は、前項の視察及び被収容者との面接について、必要な協力をしなければならない。

④　第百二十七条（第百四十四条において準用する場合を含む。）、第百三十五条（第百三十八条及び第百四十二条において準用する場合を含む。）及び第百四十条の規定にかかわらず、被収容者が委員会に対して提出する書面は、検査をしてはならない。

（委員会の意見等の公表）

第一〇条　法務大臣は、毎年、委員会が刑事施設の長に対して述べた意見及びこれを受けて刑事施設の長が講じた措置の内容を取りまとめ、その概要を公表するものとする。

（裁判官及び検察官の巡視）

第一一条　裁判官及び検察官は、刑事施設を巡視することができる。

（参観）

第一二条　刑事施設の長は、その刑事施設の参観を申し出る者がある場合において相当と認めるときは、これを許すことができる。

（刑務官）

第一三条①　刑務官は、法務省令で定めるところにより、法務大臣が刑事施設の職員のうちから指定する。

②　刑務官の階級は、法務省令でこれを定める。

③　刑務官には、被収容者の処遇を適正かつ効果的に行うために必要な知識及び技能を習得させ、及び向上させるために必要な研修及び訓練を行うものとする。

第三章　留置施設

（留置施設）

第一四条①　都道府県警察に、留置施設を設置する。

②　留置施設は、次に掲げる者を留置し、これらの者に対し必要

な処遇を行う施設とする。

一　警察法（昭和二十九年法律第百六十二号）及び刑事訴訟法の規定により、都道府県警察の警察官が逮捕する者又は受け取る逮捕された者であって、留置されるもの

二　前号に掲げる者で、次条第一項の規定の適用を受けて刑事訴訟法の規定により勾留されるもの

三　前二号に掲げる者のほか、法令の規定により留置施設に留置することができることとされる者

第一五条①　第三条各号に掲げる者は、次に掲げる者を除き、刑事施設に収容することに代えて、留置施設に留置することができる。

一　拘禁刑又は拘留の刑の執行のため拘置される者（これらの刑の執行以外の逮捕、勾留その他の事由により刑事訴訟法その他の法令の規定に基づいて拘禁される者としての地位を有するものを除く。）

二　死刑の言渡しを受けて拘置される者

三　少年法（昭和二十三年法律第百六十八号）第十七条の四第一項、少年院法（平成二十六年法律第五十八号）第百三十三条第二項又は少年鑑別所法（平成二十六年法律第五十九号）第百三十三条の規定により仮に収容される者

四　逃亡犯罪人引渡法（昭和二十八年法律第六十八号）第五条第一項、第十七条第二項若しくは第二十五条第一項、国際捜査共助等に関する法律（昭和五十五年法律第六十九号）第二十三条第一項又は国際刑事裁判所に対する協力等に関する法律（平成十九年法律第三十七号）第二十一条第一項若しくは第三十五条第一項の規定により拘禁される者

②　法務大臣は、国家公安委員会に対し、前項の規定による留置に関する留置施設の運営の状況について説明を求め、又は同項の規定により留置された者の処遇について意見を述べることができる。

（留置業務管理者等）

第一六条①　留置施設に係る留置業務を管理する者（以下「留置業務管理者」という。）は、警視庁、道府県警察本部又は方面本部（第二十条において「警察本部」という。）に置かれる留置施設にあっては警視以上の階級にある警察官のうちから警視総監、道府県警察本部長又は方面本部長（以下「警察本部長」という。）が指名する者とし、警察署に置かれる留置施設にあっては警察署長とする。

②　留置施設に係る留置業務に従事する警察官（以下「留置担当官」という。）には、被留置者の人権に関する理解を深めさせ、並びに被留置者の処遇を適正かつ効果的に行うために必要な知識及び技能を習得させ、及び向上させるために必要な研修及び訓練を行うものとする。

③　留置担当官は、その留置施設に留置されている被留置者に係る犯罪の捜査に従事してはならない。

（被留置者の分離）

第一七条①　被留置者は、次に掲げる別に従い、それぞれ互いに分離するものとする。

一　性別

二　受刑者としての地位を有する者か否かの別

②　前項の規定にかかわらず、留置施設の規律及び秩序の維持その他管理運営上必要がある場合において、被留置者の処遇上支障を生ずるおそれがないと認めるときは、同項第二号に掲げる別による分離をしないことができる。

（実地監査）

第一八条　警察本部長は、都道府県公安委員会（道警察本部の所在地を包括する方面以外の方面にあっては、方面公安委員会。以下「公安委員会」という。）の定めるところにより、この法律の適正な施行を期するため、その職員のうちから監査官を指名し、各留置施設について、毎年一回以上、これに実地監査を行わせなければならない。

（巡察）

第一九条　警察庁長官は、国家公安委員会の定めるところにより、被留置者の処遇の斉一を図り、この法律の適正な施行を期するため、その指名する職員に留置施設を巡察させるものとする。

（留置施設視察委員会）

第二〇条①　警察本部に、留置施設視察委員会（以下この章において「委員会」という。）を置く。

②　委員会は、その置かれた警察本部に係る都道府県警察の管轄区域内にある留置施設（道警察本部にあってはその所在地を包括する方面の区域内にある留置施設、方面本部にあっては当該方面の区域内にある留置施設）を視察し、その運営に関し、留置業務管理者に対して意見を述べるものとする。

（組織等）

第二一条①　委員会の委員（以下この条及び次条第二項において「委員」という。）は、人格識見が高く、かつ、留置施設の運営の改善向上に熱意を有する者のうちから、公安委員会が任命する。

②　委員は、非常勤とする。

③　委員又は委員であった者は、職務に関して知り得た秘密を漏らしてはならない。

④　前三項に定めるもののほか、委員の定数及び任期その他委員会の組織及び運営に関し必要な事項は、条例で定める。この場合において、委員の定数及び任期については、国家公安委員会の定める基準を参酌するものとする。

（委員会に対する情報の提供及び委員の視察等）

第二二条①　留置業務管理者は、留置施設の運営の状況（第百九十条第一項又は第二百八条第一項の規定による措置に関する事項を含む。）について、公安委員会の定めるところにより、定期的に、又は必要に応じて、委員会に対し、情報を提供するものとする。

②　委員会は、留置施設の運営の状況を把握するため、委員による留置施設の視察をすることができる。この場合において、委員会は、必要があると認めるときは、留置業務管理者に対し、委員による被留置者との面接の実施について協力を求めることができる。

③　留置業務管理者は、前項の視察及び被留置者との面接について、必要な協力をしなければならない。

④　第二百二十二条の規定にかかわらず、被留置者が委員会に対して提出する書面は、検査をしてはならない。

（委員会の意見等の公表）

第二三条　警察本部長は、毎年、委員会が留置業務管理者に対して述べた意見及びこれを受けて留置業務管理者が講じた措置の内容を取りまとめ、その概要を公表するものとする。

（刑事施設に関する規定の準用）

第二四条　第六条、第十一条及び第十二条の規定は、留置施設について準用する。この場合において、第六条及び第十二条中「刑事施設の長」とあるのは、「留置業務管理者」と読み替えるものとする。

第四章　海上保安留置施設

（第二五条から第二九条まで）（略）

第二編　被収容者等の処遇（抄）

第一章　処遇の原則

（受刑者の処遇の原則）

第三〇条　受刑者の処遇は、その者の年齢、資質及び環境に応じ、その自覚に訴え、改善更生の意欲の喚起及び社会生活に適応する能力の育成を図ることを旨として行うものとする。

（未決拘禁者の処遇の原則）

第三一条　未決拘禁者の処遇に当たっては、未決の者としての地位を考慮し、その逃走及び罪証の隠滅の防止並びにその防御権の尊重に特に留意しなければならない。

（死刑確定者の処遇の原則）

第三二条①　死刑確定者の処遇に当たっては、その者が心情の安

定を得られるようにすることに留意するものとする。

② 死刑確定者に対しては、必要に応じ、民間の篤志家の協力を求め、その心情の安定に資すると認められる助言、講話その他の措置を執るものとする。

第二章　刑事施設における被収容者の処遇（抄）

第一節　収容の開始

（収容開始時の告知）

第三三条① 刑事施設の長は、被収容者に対し、その刑事施設における収容の開始に際し、被収容者としての地位に応じ、次に掲げる事項を告知しなければならない。その刑事施設に収容されている被収容者がその地位を異にするに至ったときも、同様とする。

一 物品の貸与及び支給並びに自弁に関する事項
二 第四十八条第一項に規定する保管私物その他の金品の取扱いに関する事項
三 保健衛生及び医療に関する事項
四 宗教上の行為、儀式行事及び教誨に関する事項
五 書籍等（書籍、雑誌、新聞紙その他の文書図画（信書を除く。）をいう。以下同じ。）の閲覧に関する事項
六 第七十四条第一項に規定する遵守事項
七 面会及び信書の発受に関する事項
八 懲罰に関する事項
九 審査の申請を行うことができる措置、審査の申請をすべき行政庁及び審査の申請期間その他の審査の申請に関する事項
十 第百六十三条第一項の規定による申告を行うことができる行為、申告先及び申告期間その他の同項の規定による申告に関する事項
十一 苦情の申出に関する事項

② 前項の規定による告知は、法務省令で定めるところにより、書面で行う。

（識別のための身体検査）

第三四条① 刑務官は、被収容者について、その刑事施設における収容の開始に際し、その者の識別のため必要な限度で、その身体を検査することができる。その後必要が生じたときも、同様とする。

② 女子の被収容者について前項の規定により検査を行う場合には、女子の刑務官がこれを行わなければならない。ただし、女子の刑務官がその検査を行うことができない場合には、男子の刑務官が刑事施設の長の指名する女子の職員を指揮して、これを行うことができる。

第二節　処遇の態様

（未決拘禁者の処遇の態様）

第三五条① 未決拘禁者（刑事施設に収容されているものに限る。以下この章において同じ。）の処遇（運動、入浴又は面会の場合その他の法務省令で定める場合における処遇を除く。次条第一項及び第三十七条第一項において同じ。）は、居室外において行うことが適当と認める場合を除き、昼夜、居室において行う。

② 未決拘禁者（死刑確定者としての地位を有するものを除く。）の居室は、罪証の隠滅の防止上支障を生ずるおそれがある場合には、単独室とし、それ以外の場合にあっても、処遇上共同室に収容することが適当と認める場合を除き、できる限り、単独室とする。

③ 未決拘禁者は、罪証の隠滅の防止上支障を生ずるおそれがある場合には、居室外においても相互に接触させてはならない。

（死刑確定者の処遇の態様）

第三六条① 死刑確定者の処遇は、居室外において行うことが適当と認める場合を除き、昼夜、居室において行う。

② 死刑確定者の居室は、単独室とする。

③ 死刑確定者は、居室外においても、第三十二条第一項に定める処遇の原則に照らして有益と認められる場合を除き、相互に接触させてはならない。

（各種被収容者の処遇の態様）

第三七条① 各種被収容者（刑事施設に収容されているものに限る。以下この章において同じ。）の処遇は、居室外において行うことが適当と認める場合を除き、昼夜、居室において行う。

② 各種被収容者の居室は、処遇上共同室に収容することが適当と認める場合を除き、できる限り、単独室とする。

第三節　起居動作の時間帯等

（起居動作の時間帯等）

第三八条 刑事施設の長は、法務省令で定めるところにより、次に掲げる時間帯を定め、これを被収容者に告知するものとする。

一 食事、就寝その他の起居動作をすべき時間帯
二 受刑者（刑事施設に収容されているものに限る。以下この章において同じ。）については、第八十七条第一項に規定する矯正処遇等の時間帯及び余暇に充てられるべき時間帯

（余暇活動の援助等）

第三九条① 刑事施設の長は、被収容者に対し、刑事施設の規律及び秩序の維持その他管理運営上支障を生ずるおそれがない限り、余暇時間帯等（受刑者にあっては余暇に充てられるべき時間帯をいい、その他の被収容者にあっては食事、就寝その他の起居動作をすべき時間帯以外の時間帯をいう。次項において同じ。）において自己契約作業（その者が刑事施設の外部の者との請負契約により行う物品の製作その他の作業をいう。以下同じ。）を行うことを許すものとする。

② 刑事施設の長は、法務省令で定めるところにより、被収容者に対し、自己契約作業、知的、教育的及び娯楽的活動、運動競技その他の余暇時間帯等における活動について、援助を与えるものとする。

第四節　物品の貸与等及び自弁

（物品の貸与等）

第四〇条① 被収容者には、次に掲げる物品（書籍等を除く。以下この節において同じ。）であって、刑事施設における日常生活に必要なもの（第四十二条第一項各号に掲げる物品を除く。）を貸与し、又は支給する。

一 衣類及び寝具
二 食事及び湯茶
三 日用品、筆記具その他の物品

② 被収容者には、前項に定めるもののほか、法務省令で定めるところにより、必要に応じ、室内装飾品その他の刑事施設における日常生活に用いる物品（第四十二条第一項各号に掲げる物品を除く。）を貸与し、又は嗜好品（酒類を除く。以下同じ。）を支給することができる。

（自弁の物品の使用等）

第四一条① 刑事施設の長は、受刑者が、次に掲げる物品（次条第一項各号に掲げる物品を除く。次項において同じ。）について、自弁のものを使用し、又は摂取したい旨の申出をした場合において、その者の処遇上適当と認めるときは、法務省令で定めるところにより、これを許すことができる。

一 衣類
二 食料品及び飲料
三 室内装飾品
四 嗜好品
五 日用品、文房具その他の刑事施設における日常生活に用いる物品

② 刑事施設の長は、受刑者以外の被収容者が、前項各号に掲げる物品及び寝具について自弁のものを使用し、又は摂取したい旨の申出をした場合には、刑事施設の規律及び秩序の維持その他管理運営上支障を生ずるおそれがある場合並びに第十二節の規定により禁止される場合を除き、法務省令で定めるところに

より、これを許すものとする。

（補正器具等の自弁等）

第四二条① 被収容者には、次に掲げる物品については、刑事施設の規律及び秩序の維持その他管理運営上支障を生ずるおそれがある場合を除き、自弁のものを使用させるものとする。

一 眼鏡その他の補正器具

二 自己契約作業を行うのに必要な物品

三 信書を発するのに必要な封筒その他の物品

四 第百六条の二第一項の規定による外出又は外泊の際に使用する衣類その他の物品

五 その他法務省令で定める物品

② 前項各号に掲げる物品について、被収容者が自弁のものを使用することができない場合であって、必要と認めるときは、その者にこれを貸与し、又は支給するものとする。

（物品の貸与等の基準）

第四三条 第四十条又は前条第二項の規定により貸与し、又は支給する物品は、被収容者の健康を保持するに足り、かつ、国民生活の実情等を勘案し、被収容者としての地位に照らして、適正と認められるものでなければならない。

第五節 金品の取扱い

（第四四条から第五五条まで）（略）

第六節 保健衛生及び医療

（保健衛生及び医療の原則）

第五六条 刑事施設においては、被収容者の心身の状況を把握することに努め、被収容者の健康及び刑事施設内の衛生を保持するため、社会一般の保健衛生及び医療の水準に照らし適切な保健衛生上及び医療上の措置を講ずるものとする。

（運動）

第五七条 被収容者には、日曜日その他法務省令で定める日を除き、できる限り戸外で、その健康を保持するため適切な運動を行う機会を与えなければならない。ただし、公判期日への出頭その他の事情により刑事施設の執務時間内にその機会を与えることができないときは、この限りでない。

（被収容者の清潔義務）

第五八条 被収容者は、身体、着衣及び所持品並びに居室その他日常使用する場所を清潔にしなければならない。

（入浴）

第五九条 被収容者には、法務省令で定めるところにより、刑事施設における保健衛生上適切な入浴を行わせる。

（調髪及びひげそり）

第六〇条① 受刑者には、法務省令で定めるところにより、調髪及びひげそりを行わせる。

② 刑事施設の長は、受刑者が自弁により調髪を行いたい旨の申出をした場合において、その者の処遇上適当と認めるときは、これを許すことができる。

③ 刑事施設の長は、受刑者以外の被収容者が調髪又はひげそりを行いたい旨の申出をした場合には、法務省令で定めるところにより、これを許すものとする。

（健康診断）

第六一条① 刑事施設の長は、被収容者に対し、その刑事施設における収容の開始後速やかに、及び毎年一回以上定期的に、法務省令で定めるところにより、健康診断を行わなければならない。刑事施設における保健衛生上必要があるときも、同様とする。

② 被収容者は、前項の規定による健康診断を受けなければならない。この場合においては、その健康診断の実施のため必要な限度内における採血、エックス線撮影その他の医学的処置を拒むことはできない。

（診療等）

第六二条① 刑事施設の長は、被収容者が次の各号のいずれかに該当する場合には、速やかに、刑事施設の職員である医師等（医師又は歯科医師をいう。以下同じ。）による診療（栄養補給の処置を含む。以下同じ。）を行い、その他必要な医療上の措置を執るものとする。ただし、第一号に該当する場合において、その者の生命に危険が及び、又は他人にその疾病を感染させるおそれがないときは、その者の意思に反しない場合に限る。

一 負傷し、若しくは疾病にかかっているとき、又はこれらの疑いがあるとき。

二 飲食物を摂取しない場合において、その生命に危険が及ぶおそれがあるとき。

② 刑事施設の長は、前項に規定する場合において、傷病の種類又は程度等に応じ必要と認めるときは、刑事施設の職員でない医師等による診療を行うことができる。

③ 刑事施設の長は、前二項の規定により診療を行う場合において、必要に応じ被収容者を刑事施設の外の病院又は診療所に通院させ、やむを得ないときは被収容者を刑事施設の外の病院又は診療所に入院させることができる。

（指名医による診療）

第六三条① 刑事施設の長は、負傷し、又は疾病にかかっている被収容者が、刑事施設の職員でない医師等を指名して、その診療を受けることを申請した場合において、傷病の種類及び程度、刑事施設に収容される前にその医師等による診療を受けていたことその他の事情に照らして、その被収容者の医療上適当であると認めるときは、刑事施設内において、自弁によりその診療を受けることを許すことができる。

② 刑事施設の長は、前項の規定による診療を受けることを許す場合において、同項の診療を行う医師等（以下この条において「指名医」という。）の診療方法を確認するため、又はその後にその被収容者に対して刑事施設において診療を行うため必要があるときは、刑事施設の職員をしてその診療に立ち会わせ、若しくはその診療に関して指名医に質問させ、又は診療録の写しその他のその診療に関する資料の提出を求めることができる。

③ 指名医は、その診療に際し、刑事施設の長が法務省令で定めるところにより指示する事項を遵守しなければならない。

④ 刑事施設の長は、第一項の規定による診療を受けることを許した場合において、その指名医が、第二項の規定により刑事施設の長が行う措置に従わないとき、前項の規定により刑事施設の長が指示する事項を遵守しないとき、その他その診療を継続することが不適当であるときは、これを中止し、以後、その指名医の診療を受けることを許さないことができる。

（感染症予防上の措置）

第六四条 刑事施設の長は、刑事施設内における感染症の発生を予防し、又はそのまん延を防止するため必要がある場合には、被収容者に対し、第六十一条の規定による健康診断又は第六十二条の規定による診療その他必要な医療上の措置を執るほか、予防接種、当該疾病を感染させるおそれがなくなるまでの間の隔離その他法務省令で定める措置を執るものとする。

（養護のための措置等）

第六五条① 刑事施設の長は、老人、妊産婦、身体虚弱者その他の養護を必要とする被収容者について、その養護を必要とする事情に応じ、傷病者のための措置に準じた措置を執るものとする。

② 刑事施設の長は、被収容者が出産するときは、やむを得ない場合を除き、刑事施設の外の病院、診療所又は助産所に入院させるものとする。

（子の養育）

第六六条① 刑事施設の長は、女子の被収容者がその子を刑事施設内で養育したい旨の申出をした場合において、相当と認めるときは、その子が一歳に達するまで、これを許すことができる。

② 刑事施設の長は、被収容者が、前項の規定により養育され一歳に達した子について、引き続いて刑事施設内で養育したい旨の申出をした場合において、その被収容者の心身の状況に照らして、又はその子を養育する上で、特に必要があるときは、引

き続き六月間に限り、これを許すことができる。
③　被収容者が前二項の規定により子を養育している場合には、その子の養育に必要な物品を貸与し、又は支給する。
④　前項に規定する場合において、被収容者が、その子の養育に必要な物品について、自弁のものを使用し、若しくは摂取し、又はその子に使用させ、若しくは摂取させたい旨の申出をした場合には、刑事施設の規律及び秩序の維持その他管理運営上支障がない限り、これを許すものとする。
⑤　被収容者が第一項又は第二項の規定により養育している子については、被収容者の例により、健康診断、診療その他の必要な措置を執るものとする。

第七節　宗教上の行為等

（一人で行う宗教上の行為）
第六七条　被収容者が一人で行う礼拝その他の宗教上の行為は、これを禁止し、又は制限してはならない。ただし、刑事施設の規律及び秩序の維持その他管理運営上支障を生ずるおそれがある場合は、この限りでない。

（宗教上の儀式行事及び教誨）
第六八条①　刑事施設の長は、被収容者が宗教家（民間の篤志家に限る。以下この項において同じ。）の行う宗教上の儀式行事に参加し、又は宗教家の行う宗教上の教誨を受けることができる機会を設けるように努めなければならない。
②　刑事施設の長は、刑事施設の規律及び秩序の維持その他管理運営上支障を生ずるおそれがある場合には、被収容者に前項に規定する儀式行事に参加させず、又は同項に規定する教誨を受けさせないことができる。

第八節　書籍等の閲覧

（自弁の書籍等の閲覧）
第六九条　被収容者が自弁の書籍等を閲覧することは、この節及び第十二節の規定による場合のほか、これを禁止し、又は制限してはならない。
第七〇条①　刑事施設の長は、被収容者が自弁の書籍等を閲覧することにより次の各号のいずれかに該当する場合には、その閲覧を禁止することができる。
一　刑事施設の規律及び秩序を害する結果を生ずるおそれがあるとき。
二　被収容者が受刑者である場合において、その矯正処遇の適切な実施に支障を生ずるおそれがあるとき。
三　被収容者が未決拘禁者である場合において、罪証の隠滅の結果を生ずるおそれがあるとき。
②　前項の規定により閲覧を禁止すべき事由の有無を確認するため自弁の書籍等の翻訳が必要であるときは、法務省令で定めるところにより、被収容者にその費用を負担させることができる。この場合において、被収容者が負担すべき費用を負担しないときは、その閲覧を禁止する。

（新聞紙に関する制限）
第七一条　刑事施設の長は、法務省令で定めるところにより、被収容者が取得することができる新聞紙の範囲及び取得方法について、刑事施設の管理運営上必要な制限をすることができる。

（時事の報道に接する機会の付与等）
第七二条①　刑事施設の長は、被収容者に対し、日刊新聞紙の備付け、報道番組の放送その他の方法により、できる限り、主要な時事の報道に接する機会を与えるように努めなければならない。
②　刑事施設の長は、第三十九条第二項の規定による援助の措置として、刑事施設に書籍等を備え付けるものとする。この場合において、備え付けた書籍等の閲覧の方法は、刑事施設の長が定める。

第九節　規律及び秩序の維持

（刑事施設の規律及び秩序）
第七三条①　刑事施設の規律及び秩序は、適正に維持されなければならない。
②　前項の目的を達成するため執る措置は、被収容者の収容を確保し、並びにその処遇のための適切な環境及びその安全かつ平穏な共同生活を維持するため必要な限度を超えてはならない。

（遵守事項等）
第七四条①　刑事施設の長は、被収容者が遵守すべき事項（以下この章において「遵守事項」という。）を定める。
②　遵守事項は、被収容者としての地位に応じ、次に掲げる事項を具体的に定めるものとする。
一　犯罪行為をしてはならないこと。
二　他人に対し、粗野若しくは乱暴な言動をし、又は迷惑を及ぼす行為をしてはならないこと。
三　自身を傷つける行為をしてはならないこと。
四　刑事施設の職員の職務の執行を妨げる行為をしてはならないこと。
五　自己又は他の被収容者の収容の確保を妨げるおそれのある行為をしてはならないこと。
六　刑事施設の安全を害するおそれのある行為をしてはならないこと。
七　刑事施設内の衛生又は風紀を害する行為をしてはならないこと。
八　金品について、不正な使用、所持、授受その他の行為をしてはならないこと。
九　正当な理由なく、第九十三条に規定する作業を怠り、又は第八十六条第一項各号、第百三条若しくは第百四条に規定する指導を拒んではならないこと。
十　前各号に掲げるもののほか、刑事施設の規律及び秩序を維持するため必要な事項
十一　前各号に掲げる事項について定めた遵守事項又は第九十六条第四項（第百六条の二第二項において準用する場合を含む。）に規定する特別遵守事項に違反する行為を企て、あおり、唆し、又は援助してはならないこと。
③　前二項のほか、刑事施設の長又はその指定する職員は、刑事施設の規律及び秩序を維持するため必要がある場合には、被収容者に対し、その生活及び行動について指示することができる。

（身体の検査等）
第七五条①　刑務官は、刑事施設の規律及び秩序を維持するため必要がある場合には、被収容者について、その身体、着衣、所持品及び居室を検査し、並びにその所持品を取り上げて一時保管することができる。
②　第三十四条第二項の規定は、前項の規定による女子の被収容者の身体及び着衣の検査について準用する。
③　刑務官は、刑事施設の規律及び秩序を維持するため必要がある場合には、刑事施設内において、被収容者以外の者（弁護人又は刑事訴訟法第三十九条第一項に規定する弁護人となろうとする者（以下「弁護人等」という。）を除く。）の着衣及び携帯品を検査し、並びにその者の携帯品を取り上げて一時保管することができる。
④　前項の検査は、文書図画の内容の検査に及んではならない。

（受刑者の隔離）
第七六条①　刑事施設の長は、受刑者が次の各号のいずれかに該当する場合には、その者を他の被収容者から隔離することができる。この場合においては、その者の処遇は、運動、入浴又は面会の場合その他の法務省令で定める場合を除き、昼夜、居室において行う。
一　他の被収容者と接触することにより刑事施設の規律及び秩序を害するおそれがあるとき。
二　他の被収容者から危害を加えられるおそれがあり、これを避けるために他に方法がないとき。
②　前項の規定による隔離の期間は、三月とする。ただし、特に継続の必要がある場合には、刑事施設の長は、一月ごとにこれ

を更新することができる。

③ 刑事施設の長は、前項の期間中であっても、隔離の必要がなくなったときは、直ちにその隔離を中止しなければならない。

④ 第一項の規定により受刑者を隔離している場合には、刑事施設の長は、三月に一回以上定期的に、その受刑者の健康状態について、刑事施設の職員である医師の意見を聴かなければならない。

（**制止等の措置**）

第七七条① 刑務官は、被収容者が自身を傷つけ若しくは他人に危害を加え、逃走し、刑事施設の職員の職務の執行を妨げ、その他刑事施設の規律及び秩序を著しく害する行為をし、又はこれらの行為をしようとする場合には、合理的に必要と判断される限度で、その行為を制止し、その被収容者を拘束し、その他その行為を抑止するため必要な措置を執ることができる。

② 刑務官は、被収容者以外の者が次の各号のいずれかに該当する場合には、合理的に必要と判断される限度で、その行為を制止し、その行為をする者を拘束し、その他その行為を抑止するため必要な措置を執ることができる。

一 刑事施設に侵入し、その設備を損壊し、刑事施設の職員の職務執行を妨げ、又はこれらの行為をまさにしようとするとき。

二 刑務官の要求を受けたのに刑事施設から退去しないとき。

三 被収容者の逃走又は刑事施設の職員の職務執行の妨害を、現場で、援助し、あおり、又は唆すとき。

四 被収容者に危害を加え、又はまさに加えようとするとき。

③ 前二項の措置に必要な警備用具については、法務省令で定める。

（**捕縄、手錠及び拘束衣の使用**）

第七八条① 刑務官は、被収容者を護送する場合又は被収容者が次の各号のいずれかの行為をするおそれがある場合には、法務省令で定めるところにより、捕縄又は手錠を使用することができる。

一 逃走すること。

二 自身を傷つけ、又は他人に危害を加えること。

三 刑事施設の設備、器具その他の物を損壊すること。

② 刑務官は、被収容者が自身を傷つけるおそれがある場合において、他にこれを防止する手段がないときは、刑事施設の長の命令により、拘束衣を使用することができる。ただし、捕縄又は手錠と同時に使用することはできない。

③ 前項に規定する場合において、刑事施設の長の命令を待ついとまがないときは、刑務官は、その命令を待たないで、拘束衣を使用することができる。この場合には、速やかに、その旨を刑事施設の長に報告しなければならない。

④ 拘束衣の使用の期間は、三時間とする。ただし、刑事施設の長は、特に継続の必要があると認めるときは、通じて十二時間を超えない範囲内で、三時間ごとにその期間を更新することができる。

⑤ 刑事施設の長は、前項の期間中であっても、拘束衣の使用の必要がなくなったときは、直ちにその使用を中止させなければならない。

⑥ 被収容者に拘束衣を使用し、又はその使用の期間を更新した場合には、刑事施設の長は、速やかに、その被収容者の健康状態について、刑事施設の職員である医師の意見を聴かなければならない。

⑦ 捕縄、手錠及び拘束衣の制式は、法務省令で定める。

（**保護室への収容**）

第七九条① 刑務官は、被収容者が次の各号のいずれかに該当する場合には、刑事施設の長の命令により、その者を保護室に収容することができる。

一 自身を傷つけるおそれがあるとき。

二 次のイからハまでのいずれかに該当する場合において、刑事施設の規律及び秩序を維持するため特に必要があるとき。

イ 刑務官の制止に従わず、大声又は騒音を発するとき。

ロ 他人に危害を加えるおそれがあるとき。

ハ 刑事施設の設備、器具その他の物を損壊し、又は汚損するおそれがあるとき。

② 前項に規定する場合において、刑事施設の長の命令を待ついとまがないときは、刑務官は、その命令を待たないで、その被収容者を保護室に収容することができる。この場合には、速やかに、その旨を刑事施設の長に報告しなければならない。

③ 保護室への収容の期間は、七十二時間以内とする。ただし、特に継続の必要がある場合には、刑事施設の長は、四十八時間ごとにこれを更新することができる。

④ 刑事施設の長は、前項の期間中であっても、保護室への収容の必要がなくなったときは、直ちにその収容を中止させなければならない。

⑤ 被収容者を保護室に収容し、又はその収容の期間を更新した場合には、刑事施設の長は、速やかに、その被収容者の健康状態について、刑事施設の職員である医師の意見を聴かなければならない。

⑥ 保護室の構造及び設備の基準は、法務省令で定める。

（**武器の携帯及び使用**）

第八〇条① 刑務官は、法務省令で定める場合に限り、小型武器を携帯することができる。

② 刑務官は、被収容者が次の各号のいずれかに該当する場合には、その事態に応じ合理的に必要と判断される限度で、武器を使用することができる。

一 暴動を起こし、又はまさに起こそうとするとき。

二 他人に重大な危害を加え、又はまさに加えようとするとき。

三 刑務官が携帯し、又は刑事施設に保管されている武器を奪取し、又はまさに奪取しようとするとき。

四 凶器を携帯し、刑務官が放棄を命じたのに、これに従わないとき。

五 刑務官の制止に従わず、又は刑務官に対し暴行若しくは集団による威力を用いて、逃走し、若しくは逃走しようとし、又は他の被収容者の逃走を助けるとき。

③ 刑務官は、被収容者以外の者が次の各号のいずれかに該当する場合には、その事態に応じ合理的に必要と判断される限度で、武器を使用することができる。

一 被収容者が暴動を起こし、又はまさに起こそうとする場合において、その現場で、これらに参加し、又はこれらを援助するとき。

二 被収容者に重大な危害を加え、又はまさに加えようとするとき。

三 刑務官が携帯し、又は刑事施設に保管されている武器を奪取し、又はまさに奪取しようとするとき。

四 銃器、爆発物その他の凶器を携帯し、又は使用して、刑事施設に侵入し、若しくはその設備を損壊し、又はこれらの行為をまさにしようとするとき。

五 暴行又は脅迫を用いて、被収容者を奪取し、若しくは解放し、又はこれらの行為をまさにしようとするとき。

④ 前二項の規定による武器の使用に際しては、刑法（明治四十年法律第四十五号）第三十六条若しくは第三十七条に該当する場合又は次の各号のいずれかに該当する場合を除いては、人に危害を加えてはならない。

一 刑務官において他に被収容者の第二項各号に規定する行為を抑止する手段がないと信ずるに足りる相当の理由があるとき。

二 刑務官において他に被収容者以外の者の前項各号に規定する行為を抑止する手段がないと信ずるに足りる相当の理由があるとき。ただし、同項第二号に掲げる場合以外の場合にあっては、その者が刑務官の制止に従わないで当該行為を行うときに限る。

（**収容のための連戻し**）

第八一条 刑務官は、被収容者が次の各号のいずれかに該当する場合には、当該各号に定める時から四十八時間以内に着手したときに限り、これを連れ戻すことができる。

一　逃走したとき　逃走の時

二　第九十六条第一項の規定による作業又は第百六条の二第一項の規定による外出若しくは外泊の場合において、刑事施設の長が指定した日時までに刑事施設に帰着しなかったとき　その日時

（災害時の応急用務）

第八二条①　刑事施設の長は、地震、火災その他の災害に際し、刑事施設内にある者の生命又は身体の保護のため必要があると認める場合には、被収容者を刑事施設内又はこれに近接する区域における消火、人命の救助その他の応急の用務に就かせることができる。

②　第百条から第百二条までの規定は、被収容者が前項の規定により応急の用務に就いて死亡し、負傷し、又は疾病にかかった場合について準用する。

（災害時の避難及び解放）

第八三条①　刑事施設の長は、地震、火災その他の災害に際し、刑事施設内において避難の方法がないときは、被収容者を適当な場所に護送しなければならない。

②　前項の場合において、被収容者を護送することができないときは、刑事施設の長は、その者を刑事施設から解放することができる。地震、火災その他の災害に際し、刑事施設の外にある被収容者を避難させるため適当な場所に護送することができない場合も、同様とする。

③　前項の規定により解放された者は、避難を必要とする状況がなくなった後速やかに、刑事施設又は刑事施設の長が指定した場所に出頭しなければならない。

第十節　矯正処遇の実施等

第一款　通則

（矯正処遇）

第八四条①　受刑者には、矯正処遇として、第九十三条に規定する作業を行わせ、並びに第百三条及び第百四条に規定する指導を行う。

②　矯正処遇は、処遇要領（矯正処遇の目標並びにその基本的な内容及び方法を受刑者ごとに定める矯正処遇の実施の要領をいう。以下この条及び次条第一項において同じ。）に基づいて行うものとする。

③　処遇要領は、法務省令で定めるところにより、刑事施設の長が受刑者の年齢を考慮し、その資質及び環境の調査の結果に基づき、できる限り速やかに定めるものとし、矯正処遇の目標並びに第九十三条に規定する作業並びに第百三条及び第百四条に規定する指導ごとの内容及び方法をできる限り具体的に記載するものとする。

④　処遇要領は、必要に応じ、受刑者の希望を参酌して定めるものとする。これを変更しようとするときも、同様とする。

⑤　刑事施設の長は、第二項の規定にかかわらず、処遇要領を定めるまでの間は、受刑者の年齢、その時点において把握している資質及び環境を考慮し、必要と認められる範囲内において、法務省令で定めるところにより、矯正処遇を行うものとする。

⑥　矯正処遇は、必要に応じ、医学、心理学、教育学、社会学その他の専門的知識及び技術を活用して行うものとする。

（被害者等の心情等の考慮）

第八五条①　刑事施設の長は、処遇要領を定めるに当たっては、法務省令で定めるところにより、被害者等（受刑者が刑を言い渡される理由となった犯罪により害を被った者（以下この項において「被害者」という。）又はその法定代理人若しくは被害者が死亡した場合若しくはその心身に重大な故障がある場合におけるその配偶者、直系の親族若しくは兄弟姉妹をいう。以下この節において同じ。）の被害に関する心情、被害者等の置かれている状況及び第三項の規定により聴取した心情等を考慮するものとする。

②　刑事施設の長は、矯正処遇を行うに当たっては、前項の心情及び状況並びに次項の規定により聴取した心情等を考慮するものとする。

③　刑事施設の長は、法務省令で定める受刑者について、被害者等から、被害に関する心情、被害者等の置かれている状況又は当該受刑者の生活及び行動に関する意見（以下この節において「心情等」という。）を述べたい旨の申出があったときは、法務省令で定めるところにより、当該心情等を聴取するものとする。ただし、当該被害に係る事件の性質、当該被害者等と当該受刑者との関係その他の被害者等に関する事情を考慮して相当でないと認めるときは、この限りでない。

（刑執行開始時及び釈放前の指導等）

第八六条①　受刑者には、矯正処遇を行うほか、次の各号に掲げる期間において、当該各号に定める指導を行う。

一　刑の執行開始後の法務省令で定める期間　受刑の意義その他矯正処遇の実施の基礎となる事項並びに刑事施設における生活及び行動に関する指導

二　釈放前における法務省令で定める期間　釈放後の社会生活において直ちに必要となる知識の付与その他受刑者の帰住及び釈放後の生活に関する指導

②　前項第二号に掲げる期間における受刑者の処遇は、できる限り、これにふさわしい設備と環境を備えた場所で行うものとし、必要に応じ、第百六条の二第一項の規定による外出又は外泊を許し、その他円滑な社会復帰を図るため必要な措置を執るものとする。

③　刑事施設の長は、法務省令で定める基準に従い、第一項各号に定める指導を行う日及び時間を定める。

（集団処遇）

第八七条①　矯正処遇及び前条第一項の規定による指導（以下「矯正処遇等」という。）は、その効果的な実施を図るため、必要に応じ、受刑者を集団に編成して行うものとする。

②　前項の場合において特に必要があるときは、第四条第一項の規定にかかわらず、居室外に限り、同項第一号に掲げる別による分離をしないことができる。

（刑事施設外処遇）

第八八条　矯正処遇等は、その効果的な実施を図るため必要な限度において、刑事施設の外の適当な場所で行うことができる。

（制限の緩和）

第八九条①　受刑者の自発性及び自律性を涵養するため、刑事施設の規律及び秩序を維持するための受刑者の生活及び行動に対する制限は、法務省令で定めるところにより、第三十条の目的を達成する見込みが高まるに従い、順次緩和されるものとする。

②　前項の場合において、第三十条の目的を達成する見込みが特に高いと認められる受刑者の処遇は、法務省令で定めるところにより、開放的施設（収容を確保するため通常必要とされる設備又は措置の一部を設けず、又は講じない刑事施設の全部又は一部で法務大臣が指定するものをいう。以下同じ。）で行うことができる。

（優遇措置）

第九〇条　刑事施設の長は、受刑者の改善更生の意欲を喚起するため、次に掲げる処遇について、法務省令で定めるところにより、一定の期間ごとの受刑態度の評価に応じた優遇措置を講ずるものとする。

一　第四十条第二項の規定により物品を貸与し、又は支給すること。

二　第四十一条第一項の規定により自弁の物品の使用又は摂取を許すこと。

三　第百十一条の面会をすることができる時間又は回数を定めること。

四　その他法務省令で定める処遇

（社会との連携）

第九一条①　刑事施設の長は、受刑者の処遇を行うに当たり必要

があると認めるときは、受刑者の親族、民間の篤志家、関係行政機関その他の者に対し、協力を求めるものとする。

② 前項の協力をした者は、その協力を行うに当たって知り得た受刑者に関する秘密を漏らしてはならない。

（**公務所等への照会**）

第九二条 刑事施設の長は、受刑者の資質及び環境の調査のため必要があるときは、公務所又は公私の団体に照会して必要な事項の報告を求めることができる。

第二款　作業

（**受刑者の作業**）

第九三条 刑事施設の長は、受刑者に対し、その改善更生及び円滑な社会復帰を図るため必要と認められる場合には、作業を行わせるものとする。ただし、作業を行わせることが相当でないと認めるときは、この限りでない。

（**作業の実施**）

第九四条① 作業は、できる限り、受刑者の勤労意欲を高め、これに職業上有用な知識及び技能を習得させるように実施するものとする。

② 刑事施設の長は、職業に関する免許若しくは資格を取得させ、又は職業に必要な知識及び技能を習得させることが改善更生及び円滑な社会復帰に資すると認められる受刑者に対し、相当と認めるときは、これらを目的とする訓練を作業として実施する。

（**作業の条件等**）

第九五条① 刑事施設の長は、法務省令で定める基準に従い、作業を行う日及び時間を定める。

② 刑事施設の長は、作業を行う受刑者の安全及び衛生を確保するため必要な措置を講じなければならない。

③ 受刑者は、前項の規定により刑事施設の長が講ずる措置に応じて、必要な事項を守らなければならない。

④ 第二項の規定により刑事施設の長が講ずべき措置及び前項の規定により受刑者が守らなければならない事項は、労働安全衛生法（昭和四十七年法律第五十七号）その他の法令に定める労働者の安全及び衛生を確保するため事業者が講ずべき措置及び労働者が守らなければならない事項に準じて、法務大臣が定める。

（**外部通勤作業**）

第九六条① 刑事施設の長は、刑法第二十八条（国際受刑者移送法第二十一条において読み替えて適用する場合を含む。）、少年法第五十八条又は国際受刑者移送法第二十二条の規定により仮釈放を許すことができる期間を経過した拘禁刑受刑者が、第八十九条第二項の規定により開放的施設において処遇を受けていることその他の法務省令で定める事由に該当する場合において、その円滑な社会復帰を図るため必要があるときは、刑事施設の職員の同行なしに、その受刑者を刑事施設の外の事業所（以下この条において「外部事業所」という。）に通勤させて作業を行わせることができる。

② 前項の規定による作業（以下「外部通勤作業」という。）は、外部事業所の業務に従事し、又は外部事業所が行う職業訓練を受けることによって行う。

③ 受刑者に外部通勤作業を行わせる場合には、刑事施設の長は、法務省令で定めるところにより、当該外部事業所の事業主（以下この条において「外部事業主」という。）との間において、受刑者の行う作業の種類、作業時間、受刑者の安全及び衛生を確保するため必要な措置その他外部通勤作業の実施に関し必要な事項について、取決めを行わなければならない。

④ 刑事施設の長は、受刑者に外部通勤作業を行わせる場合には、あらかじめ、その受刑者が外部通勤作業に関し遵守すべき事項（以下この条において「特別遵守事項」という。）を定め、これをその受刑者に告知するものとする。

⑤ 特別遵守事項は、次に掲げる事項を具体的に定めるものとする。

一 指定された経路及び方法により移動しなければならないこと。

二 指定された時刻までに刑事施設に帰着しなければならないこと。

三 正当な理由なく、外部通勤作業を行う場所以外の場所に立ち入ってはならないこと。

四 外部事業主による作業上の指示に従わなければならないこと。

五 正当な理由なく、犯罪性のある者その他接触することにより矯正処遇の適切な実施に支障を生ずるおそれがある者と接触してはならないこと。

⑥ 刑事施設の長は、外部通勤作業を行う受刑者が遵守事項又は特別遵守事項を遵守しなかった場合その他外部通勤作業を不適当とする事由があると認める場合には、これを中止することができる。

（**作業収入**）

第九七条 作業の実施による収入は、国庫に帰属する。

（**作業報奨金**）

第九八条① 刑事施設の長は、作業を行った受刑者に対しては、釈放の際（その者が受刑者以外の被収容者となったときは、その際）に、その時における報奨金計算額に相当する金額の作業報奨金を支給するものとする。

② 刑事施設の長は、法務省令で定めるところにより、毎月、その月の前月において受刑者が行った作業に対応する金額として、法務大臣が定める基準に従い、その作業の成績その他就業に関する事項を考慮して算出した金額を報奨金計算額に加算するものとする。ただし、釈放の日の属する月における作業に係る加算は、釈放の時に行う。

③ 前項の基準は、作業の種類及び内容、作業に要する知識及び技能の程度等を考慮して定める。

④ 刑事施設の長は、受刑者がその釈放前に作業報奨金の支給を受けたい旨の申出をした場合において、その使用の目的が、自弁物品等の購入、親族の生計の援助、被害者に対する損害賠償への充当等相当なものであると認めるときは、第一項の規定にかかわらず、法務省令で定めるところにより、その支給の時における報奨金計算額に相当する金額の範囲内で、申出の額の全部又は一部の金額を支給することができる。この場合には、その支給額に相当する金額を報奨金計算額から減額する。

⑤ 受刑者が次の各号のいずれかに該当する場合において、当該各号に定める日から起算して六月を経過する日までに刑事施設に収容されなかったときは、その者の報奨金計算額は、零とする。

一 逃走したとき　逃走した日

二 第八十三条第二項の規定により解放された場合において、同条第三項に規定する避難を必要とする状況がなくなった後速やかに同項に規定する場所に出頭しなかったとき　避難を必要とする状況がなくなった日

三 外部通勤作業又は第百六条の二第一項の規定による外出若しくは外泊の場合において、刑事施設の長が指定した日時までに刑事施設に帰着しなかったとき　その日

（**遺族等への給付**）

第九九条 刑事施設の長は、受刑者が死亡した場合には、法務省令で定めるところにより、その遺族等に対し、その死亡の時に釈放したとするならばその受刑者に支給すべき作業報奨金に相当する金額を支給するものとする。

（**手当金**）

第一〇〇条① 刑事施設の長は、受刑者が作業上死亡した場合（作業上負傷し、又は疾病にかかった受刑者が受刑者以外の被収容者となった場合において、その負傷又は疾病により死亡したときを含む。）には、法務省令で定めるところにより、その遺族等に対し、死亡手当金を支給するものとする。

② 刑事施設の長は、作業上負傷し、又は疾病にかかった受刑者

が治った場合（作業上負傷し、又は疾病にかかった受刑者が受刑者以外の被収容者となった場合において、その被収容者が治ったときを含む。）において、身体に障害が残ったときは、法務省令で定めるところにより、その者に障害手当金を支給するものとする。ただし、その者が故意又は重大な過失によって負傷し、又は疾病にかかったときは、その全部又は一部を支給しないことができる。

③ 前二項の規定により支給する手当金の額は、労働基準法（昭和二十二年法律第四十九号）に基づく災害補償の額に関する基準を参酌して法務省令で定める基準に従い算出した金額とする。

④ 刑事施設の長は、作業上負傷し、又は疾病にかかった受刑者が釈放の時になお治っていない場合（作業上負傷し、又は疾病にかかった受刑者が受刑者以外の被収容者となった場合において、その被収容者が釈放の時になお治っていないときを含む。）において、その傷病の性質、程度その他の状況を考慮して相当と認められるときは、法務省令で定めるところにより、その者に特別手当金を支給するものとする。

（損害賠償との調整）

第一〇一条① 国が国家賠償法（昭和二十二年法律第百二十五号）、民法（明治二十九年法律第八十九号）その他の法律による損害賠償の責任を負う場合において、前条の手当金を支給したときは、同一の事由については、国は、その価額の限度においてその損害賠償の責任を免れる。

② 前項に規定する場合において、前条の手当金の支給を受けるべき者が、同一の事由につき国家賠償法、民法その他の法律による損害賠償を受けたときは、国は、その価額の限度において同条の手当金の支給の義務を免れる。

（手当金の支給を受ける権利の保護等）

第一〇二条① 第百条の手当金の支給を受ける権利は、譲り渡し、担保に供し、又は差し押さえることができない。

② 第百条の手当金として支給を受けた金銭を標準として、租税その他の公課を課してはならない。

第三款　各種指導

（改善指導）

第一〇三条① 刑事施設の長は、受刑者に対し、犯罪の責任を自覚させ、健康な心身を培わせ、並びに社会生活に適応するのに必要な知識及び生活態度を習得させるため必要な指導を行うものとする。

② 次に掲げる事情を有することにより改善更生及び円滑な社会復帰に支障があると認められる受刑者に対し前項の指導を行うに当たっては、その事情の改善に資するよう特に配慮しなければならない。

一 麻薬、覚せい剤その他の薬物に対する依存があること。

二 暴力団員による不当な行為の防止等に関する法律（平成三年法律第七十七号）第二条第六号に規定する暴力団員であること。

三 その他法務省令で定める事情

③ 刑事施設の長は、第一項の指導を行うに当たっては、被害者等の被害に関する心情、被害者等の置かれている状況及び第八十五条第三項の規定により聴取した心情等を考慮するものとする。

④ 刑事施設の長は、法務省令で定めるところにより、被害者等から、第八十五条第三項の規定により聴取した心情等を受刑者に伝達することを希望する旨の申出があったときは、第一項の指導を行うに当たり、当該心情等を受刑者に伝達するものとする。ただし、その伝達をすることが当該受刑者の改善更生を妨げるおそれがあるときその他当該被害に係る事件の性質、矯正処遇の実施状況その他の処遇に関する事情を考慮して相当でないと認めるときは、この限りでない。

（教科指導）

第一〇四条① 刑事施設の長は、社会生活の基礎となる学力を欠くことにより改善更生及び円滑な社会復帰に支障があると認められる受刑者に対しては、教科指導（学校教育法（昭和二十二年法律第二十六号）による学校教育の内容に準ずる内容の指導をいう。次項において同じ。）を行うものとする。

② 刑事施設の長は、前項に規定するもののほか、学力の向上を図ることが円滑な社会復帰に特に資すると認められる受刑者に対し、その学力の状況に応じた教科指導を行うことができる。

（指導の日及び時間）

第一〇五条 刑事施設の長は、法務省令で定める基準に従い、前二条の規定による指導を行う日及び時間を定める。

第四款　社会復帰支援等

（社会復帰支援）

第一〇六条① 刑事施設の長は、受刑者の円滑な社会復帰を図るため、釈放後に自立した生活を営む上での困難を有する受刑者に対しては、その意向を尊重しつつ、次に掲げる支援を行うものとする。

一 適切な住居その他の宿泊場所を得ること及び当該宿泊場所に帰住することを助けること。

二 医療及び療養を受けることを助けること。

三 就業又は修学を助けること。

四 前三号に掲げるもののほか、受刑者が健全な社会生活を営むために必要な援助を行うこと。

② 前項の支援は、その効果的な実施を図るため必要な限度において、刑事施設の外の適当な場所で行うことができる。

③ 刑事施設の長は、第一項の支援を行うに当たっては、矯正処遇の実施状況、第八十五条第三項の規定により聴取した心情等その他の被害者等に関する事情及び受刑者が社会復帰をするに際し支援を必要とする事情を考慮するものとする。

④ 刑事施設の長は、第一項の支援を行うに当たっては、保護観察所の長と連携を図るように努めなければならない。

（外出及び外泊）

第一〇六条の二① 刑事施設の長は、刑法第二十八条（国際受刑者移送法第二十一条において読み替えて適用する場合を含む。）、少年法第五十八条又は国際受刑者移送法第二十二条の規定により仮釈放を許すことができる期間を経過した拘禁刑受刑者が、第八十九条第二項の規定により開放的施設において処遇を受けていることその他の法務省令で定める事由に該当する場合において、その者が、釈放後の住居又は就業先の確保その他の一身上の重要な用務を行い、更生保護に関係のある者を訪問し、その他その釈放後の社会生活に有用な体験をする必要があると認めるときは、刑事施設の職員の同行なしに、外出し、又は七日以内の期間を定めて外泊することを許すことができる。ただし、外泊については、その受刑者に係る刑が六月以上執行されている場合に限る。

② 第九十六条第四項、第五項（第四号を除く。）及び第六項の規定は、前項の規定による外出及び外泊について準用する。

（刑期不算入）

第一〇七条 前条第一項の規定による外泊をした者が、刑事施設の長が指定した日時までに刑事施設に帰着しなかった場合には、その外泊の期間は、刑期に算入しない。ただし、自己の責めに帰することのできない事由によって帰着することができなかった場合は、この限りでない。

（外出等に要する費用）

第一〇八条 第百六条の二第一項の規定による外出又は外泊に要する費用については、受刑者が負担することができない場合又は刑事施設の長が相当と認める場合には、その全部又は一部を国庫の負担とする。

第五款　未決拘禁者としての地位を有する受刑者

第一〇九条① 未決拘禁者としての地位を有する受刑者については、第八十四条第一項及び第九十条の規定の適用については、第八十四条第一項中「矯正処遇として」とあるのは「未決の者としての地位を損なわない限度で、かつ、その拘禁の期間を考慮して可能な範囲内で、矯正処遇として」と、第九十条第三号中「第百十一条」とあるのは「第百十九条において準用する第百十一条」とする。
② 未決拘禁者としての地位を有する受刑者については、第八十七条から第八十九条まで、第九十六条、第百六条第二項及び第百六条の二から前条までの規定は、適用しない。

第十一節　外部交通

第一款　受刑者についての留意事項

第一一〇条　この節の定めるところにより、受刑者に対し、外部交通（面会、信書の発受及び第百四十六条第一項に規定する通信をいう。以下この条において同じ。）を行うことを許し、又はこれを禁止し、差し止め、若しくは制限するに当たっては、適正な外部交通が受刑者の改善更生及び円滑な社会復帰に資するものであることに留意しなければならない。

第二款　面会

第一目　受刑者

（面会の相手方）
第一一一条① 刑事施設の長は、受刑者（未決拘禁者としての地位を有するものを除く。以下この目において同じ。）に対し、次に掲げる者から面会の申出があったときは、第百四十八条第三項又は次節の規定により禁止される場合を除き、これを許すものとする。
一 受刑者の親族
二 婚姻関係の調整、訴訟の遂行、事業の維持その他の受刑者の身分上、法律上又は業務上の重大な利害に係る用務の処理のため面会することが必要な者
三 受刑者の更生保護に関係のある者、受刑者の釈放後にこれを雇用しようとする者その他の面会により受刑者の改善更生に資すると認められる者
② 刑事施設の長は、受刑者に対し、前項各号に掲げる者以外の者から面会の申出があった場合において、その者との交友関係の維持その他面会することを必要とする事情があり、かつ、面会により、刑事施設の規律及び秩序を害する結果を生じ、又は受刑者の矯正処遇の適切な実施に支障を生ずるおそれがないと認めるときは、これを許すことができる。

（面会の立会い等）
第一一二条　刑事施設の長は、刑事施設の規律及び秩序の維持、受刑者の矯正処遇の適切な実施その他の理由により必要があると認める場合には、その指名する職員に、受刑者の面会に立ち会わせ、又はその面会の状況を録音させ、若しくは録画させることができる。ただし、受刑者が次に掲げる者と面会する場合には、刑事施設の規律及び秩序を害する結果を生ずるおそれがあると認めるべき特別の事情がある場合を除き、この限りでない。
一 自己に対する刑事施設の長の措置その他自己が受けた処遇に関し調査を行う国又は地方公共団体の機関の職員
二 自己に対する刑事施設の長の措置その他自己が受けた処遇に関し弁護士法（昭和二十四年法律第二百五号）第三条第一項に規定する職務を遂行する弁護士

（面会の一時停止及び終了）
第一一三条① 刑事施設の職員は、次の各号のいずれかに該当する場合には、その行為若しくは発言を制止し、又はその面会を一時停止させることができる。この場合においては、面会の一時停止のため、受刑者又は面会の相手方に対し面会の場所からの退出を命じ、その他必要な措置を執ることができる。
一 受刑者又は面会の相手方が次のイ又はロのいずれかに該当する行為をするとき。
イ 次条第一項の規定による制限に違反する行為
ロ 刑事施設の規律及び秩序を害する行為
二 受刑者又は面会の相手方が次のイからホまでのいずれかに該当する内容の発言をするとき。
イ 暗号の使用その他の理由によって、刑事施設の職員が理解できないもの
ロ 犯罪の実行を共謀し、あおり、又は唆すもの
ハ 刑事施設の規律及び秩序を害する結果を生ずるおそれのあるもの
ニ 受刑者の矯正処遇の適切な実施に支障を生ずるおそれのあるもの
ホ 特定の用務の処理のため必要であることを理由として許された面会において、その用務の処理のため必要な範囲を明らかに逸脱するもの
② 刑事施設の長は、前項の規定により面会が一時停止された場合において、面会を継続させることが相当でないと認めるときは、その面会を終わらせることができる。

（面会に関する制限）
第一一四条① 刑事施設の長は、受刑者の面会に関し、法務省令で定めるところにより、面会の相手方の人数、面会の場所、日及び時間帯、面会の時間及び回数その他面会の態様について、刑事施設の規律及び秩序の維持その他管理運営上必要な制限をすることができる。
② 前項の規定により面会の回数について制限をするときは、その回数は、一月につき二回を下回ってはならない。

第二目　未決拘禁者

（面会の相手方）
第一一五条　刑事施設の長は、未決拘禁者（受刑者又は死刑確定者としての地位を有するものを除く。以下この目において同じ。）に対し、他の者から面会の申出があったときは、第百四十八条第三項又は次節の規定により禁止される場合を除き、これを許すものとする。ただし、刑事訴訟法の定めるところにより面会が許されない場合は、この限りでない。

（弁護人等以外の者との面会の立会い等）
第一一六条① 刑事施設の長は、その指名する職員に、未決拘禁者の弁護人等以外の者との面会に立ち会わせ、又はその面会の状況を録音させ、若しくは録画させるものとする。ただし、刑事施設の規律及び秩序を害する結果並びに罪証の隠滅の結果を生ずるおそれがないと認める場合には、その立会い並びに録音及び録画（次項において「立会い等」という。）をさせないことができる。
② 刑事施設の長は、前項の規定にかかわらず、未決拘禁者の第百十二条各号に掲げる者との面会については、刑事施設の規律及び秩序を害する結果又は罪証の隠滅の結果を生ずるおそれがあると認めるべき特別の事情がある場合を除き、立会い等をさせてはならない。

（面会の一時停止及び終了）
第一一七条　第百十三条（第一項第二号ホを除く。）の規定は、未決拘禁者の面会について準用する。この場合において、同項中「各号のいずれか」とあるのは「各号のいずれか（弁護人等との面会の場合にあっては、第一号ロに限る。）」と、同項第二号ニ中「受刑者の矯正処遇の適切な実施に支障」とあるのは「罪証の隠滅の結果」と読み替えるものとする。

（面会に関する制限）
第一一八条① 未決拘禁者の弁護人等との面会の日及び時間帯は、日曜日その他政令で定める日以外の日の刑事施設の執務時間内とする。
② 前項の面会の相手方の人数は、三人以内とする。
③ 刑事施設の長は、弁護人等から前二項の定めによらない面会の申出がある場合においても、刑事施設の管理運営上支障があるときを除き、これを許すものとする。
④ 刑事施設の長は、第一項の面会に関し、法務省令で定めるところにより、面会の場所について、刑事施設の規律及び秩序の維持その他管理運営上必要な制限をすることができる。

⑤ 第百十四条の規定は、未決拘禁者と弁護人等以外の者との面会について準用する。この場合において、同条第二項中「一月につき二回」とあるのは、「一日につき一回」と読み替えるものとする。

第三目 未決拘禁者としての地位を有する受刑者

第一一九条 第百十一条、第百十三条、第百十四条、第百十六条及び前条第一項から第四項までの規定は、未決拘禁者としての地位を有する受刑者の面会について準用する。この場合において、第百十一条第一項中「場合」とあるのは「場合及び刑事訴訟法の定めるところにより許されない場合」と、同条第二項中「ときは」とあるのは「ときは、刑事訴訟法の定めるところにより許されない場合を除き」と、第百十三条第一項中「各号のいずれか」とあるのは「各号のいずれか（弁護人等との面会の場合にあっては、第一号ロに限る。）」と、同項第二号ニ中「生ずる」とあるのは「生じ、又は罪証の隠滅の結果を生ずる」と、第百十四条第一項中「面会に」とあるのは「面会（弁護人等との面会を除く。）に」と読み替えるものとする。

第四目 死刑確定者

（面会の相手方）
第一二〇条① 刑事施設の長は、死刑確定者（未決拘禁者としての地位を有するものを除く。以下この目において同じ。）に対し、次に掲げる者から面会の申出があったときは、第四十八条第三項又は次節の規定により禁止される場合を除き、これを許すものとする。
一 死刑確定者の親族
二 婚姻関係の調整、訴訟の遂行、事業の維持その他の死刑確定者の身分上、法律上又は業務上の重大な利害に係る用務の処理のため面会することが必要な者
三 面会により死刑確定者の心情の安定に資すると認められる者

② 刑事施設の長は、死刑確定者に対し、前項各号に掲げる者以外の者から面会の申出があった場合において、その者との交友関係の維持その他面会することを必要とする事情があり、かつ、面会により刑事施設の規律及び秩序を害する結果を生ずるおそれがないと認めるときは、これを許すことができる。

（面会の立会い等）
第一二一条 刑事施設の長は、その指名する職員に、死刑確定者の面会に立ち会わせ、又はその面会の状況を録音させ、若しくは録画させるものとする。ただし、死刑確定者の訴訟の準備その他の正当な利益の保護のためその立会い又は録音若しくは録画をさせないことを適当とする事情がある場合において、相当と認めるときは、この限りでない。

（面会の一時停止及び終了等）
第一二二条 第百十三条（第一項第二号ニを除く。）及び第百十四条の規定は、死刑確定者の面会について準用する。この場合において、同条第二項中「一月につき二回」とあるのは、「一日につき一回」と読み替えるものとする。

第五目 未決拘禁者としての地位を有する死刑確定者

第一二三条 第百十三条、第百十八条、第百二十条及び第百二十一条の規定は、未決拘禁者としての地位を有する死刑確定者の面会について準用する。この場合において、第百十三条第一項中「各号のいずれか」とあるのは「各号のいずれか（弁護人等との面会の場合にあっては、第一号ロに限る。）」と、同項第二号ニ中「受刑者の矯正処遇の適切な実施に支障」とあるのは「罪証の隠滅の結果」と、第百二十条第一項中「場合」とあるのは「場合及び刑事訴訟法の定めるところにより許されない場合」と、同条第二項中「ときは」とあるのは「ときは、刑事訴訟法の定めるところにより許されない場合を除き」と、第百二十一条中「面会に」とあるのは「面会（弁護人等との面会を除く。）に」と読み替えるものとする。

第六目 各種被収容者

（面会の相手方）
第一二四条 刑事施設の長は、各種被収容者に対し、他の者から面会の申出があったときは、第百四十八条第三項及び次節の規定により禁止される場合を除き、これを許すものとする。

（各種被収容者の面会の立会い等）
第一二五条 第百十二条、第百十三条（第一項第二号ニ及びホを除く。）及び第百十四条の規定は、各種被収容者の面会について準用する。この場合において、第百十二条第一項中「、受刑者の矯正処遇の適切な実施その他の」とあるのは「その他の」と、第百十四条第二項中「一月につき二回」とあるのは「一日につき一回」と読み替えるものとする。

第三款 信書の発受

第一目 受刑者

（発受を許す信書）
第一二六条 刑事施設の長は、受刑者（未決拘禁者としての地位を有するものを除く。以下この目において同じ。）に対し、この目、第百四十八条第三項又は次節の規定により禁止される場合を除き、他の者との間で信書を発受することを許すものとする。

（信書の検査）
第一二七条① 刑事施設の長は、刑事施設の規律及び秩序の維持、受刑者の矯正処遇の適切な実施その他の理由により必要があると認める場合には、その指名する職員に、受刑者が発受する信書について、検査を行わせることができる。

② 次に掲げる信書については、前項の検査は、これらの信書に該当することを確認するために必要な限度において行うものとする。ただし、第三号に掲げる信書について、刑事施設の規律及び秩序を害する結果を生ずるおそれがあると認めるべき特別の事情がある場合は、この限りでない。
一 受刑者が国又は地方公共団体の機関から受ける信書
二 受刑者が自己に対する刑事施設の長の措置その他自己が受けた処遇に関し調査を行う国又は地方公共団体の機関に対して発する信書
三 受刑者が自己に対する刑事施設の長の措置その他自己が受けた処遇に関し弁護士法第三条第一項に規定する職務を遂行する弁護士（弁護士法人及び弁護士・外国法事務弁護士共同法人を含む。以下この款において同じ。）との間で発受する信書

（信書の発受の禁止）
第一二八条 刑事施設の長は、犯罪性のある者その他受刑者が信書を発受することにより、刑事施設の規律及び秩序を害し、又は受刑者の矯正処遇の適切な実施に支障を生ずるおそれがある者（受刑者の親族を除く。）については、受刑者がその者との間で信書を発受することを禁止することができる。ただし、婚姻関係の調整、訴訟の遂行、事業の維持その他の受刑者の身分上、法律上又は業務上の重大な利害に係る用務の処理のため信書を発受する場合は、この限りでない。

（信書の内容による差止め等）
第一二九条① 刑事施設の長は、第百二十七条の規定による検査の結果、受刑者が発受する信書について、その全部又は一部が次の各号のいずれかに該当する場合には、その発受を差し止め、又はその該当箇所を削除し、若しくは抹消することができる。同条第二項各号に掲げる信書について、これらの信書に該当することを確認する過程においてその全部又は一部が次の各号のいずれかに該当することが判明した場合も、同様とする。
一 暗号の使用その他の理由によって、刑事施設の職員が理解できない内容のものであるとき。
二 発受によって、刑罰法令に触れることとなり、又は刑罰法令に触れる結果を生ずるおそれがあるとき。

三　発受によって、刑事施設の規律及び秩序を害する結果を生ずるおそれがあるとき。
四　威迫にわたる記述又は明らかな虚偽の記述があるため、受信者を著しく不安にさせ、又は受信者に損害を被らせるおそれがあるとき。
五　受信者を著しく侮辱する記述があるとき。
六　発受によって、受刑者の矯正処遇の適切な実施に支障を生ずるおそれがあるとき。
②　前項の規定にかかわらず、受刑者が国又は地方公共団体の機関との間で発受する信書であってその機関の権限に属する事項を含むもの及び受刑者が弁護士との間で発受する信書であってその受刑者に係る弁護士法第三条第一項に規定する弁護士の職務に属する事項を含むものについては、その発受の差止め又はその事項に係る部分の削除若しくは抹消は、その部分の全部又は一部が前項第一号から第三号までのいずれかに該当する場合に限り、これを行うことができる。

（信書に関する制限）
第一三〇条①　刑事施設の長は、法務省令で定めるところにより、受刑者が発する信書の作成要領、その発信の申請の日及び時間帯、受刑者が発信を申請する信書の通数並びに受刑者の信書の発受の方法について、刑事施設の管理運営上必要な制限をすることができる。
②　前項の規定により受刑者が発信を申請する信書の通数について制限をするときは、その通数は、一月につき四通を下回ってはならない。

（発信に要する費用）
第一三一条　信書の発信に要する費用については、受刑者が負担することができない場合において、刑事施設の長が発信の目的に照らし相当と認めるときは、その全部又は一部を国庫の負担とする。

（発受を禁止した信書等の取扱い）
第一三二条①　刑事施設の長は、第百二十八条、第百二十九条又は第百四十八条第三項の規定により信書の発受を禁止し、又は差し止めた場合にはその信書を、第百二十九条の規定により信書の一部を削除した場合にはその削除した部分を保管するものとする。
②　刑事施設の長は、第百二十九条の規定により信書の記述の一部を抹消する場合には、その抹消する部分の複製を作成し、これを保管するものとする。
③　刑事施設の長は、受刑者の釈放の際、前二項の規定により保管する信書の全部若しくは一部又は複製（以下この章において「発受禁止信書等」という。）をその者に引き渡すものとする。
④　刑事施設の長は、受刑者が死亡した場合には、法務省令で定めるところにより、その遺族等に対し、その申請に基づき、発受禁止信書等を引き渡すものとする。
⑤　前二項の規定にかかわらず、発受禁止信書等の引渡しにより刑事施設の規律及び秩序の維持に支障を生ずるおそれがあるときは、これを引き渡さないものとする。次に掲げる場合において、その引渡しにより刑事施設の規律及び秩序の維持に支障を生ずるおそれがあるときも、同様とする。
一　釈放された受刑者が、釈放後に、発受禁止信書等の引渡しを求めたとき。
二　受刑者が、第五十四条第一項各号のいずれかに該当する場合において、発受禁止信書等の引渡しを求めたとき。
⑥　第五十三条第一項、第五十四条第一項並びに第五十五条第二項及び第三項の規定は、受刑者に係る発受禁止信書等（前項の規定により引き渡さないこととされたものを除く。）について準用する。この場合において、同条第三項中「第一項の申請」とあるのは、「第百三十二条第四項の申請」と読み替えるものとする。
⑦　第五項の規定により引き渡さないこととした発受禁止信書等は、受刑者の釈放若しくは死亡の日又は受刑者が第五十四条第一項各号のいずれかに該当することとなった日から起算して三年を経過した日に、国庫に帰属する。

（受刑者作成の文書図画）
第一三三条　刑事施設の長は、受刑者が、その作成した文書図画（信書を除く。）を他の者に交付することを申請した場合には、その交付につき、受刑者が発する信書に準じて検査その他の措置を執ることができる。

第二目　未決拘禁者

（発受を許す信書）
第一三四条　刑事施設の長は、未決拘禁者（受刑者又は死刑確定者としての地位を有するものを除く。以下この目において同じ。）に対し、この目、第百四十八条第三項又は次節の規定により禁止される場合を除き、他の者との間で信書を発受することを許すものとする。ただし、刑事訴訟法の定めるところにより信書の発受が許されない場合は、この限りでない。

（信書の検査）
第一三五条①　刑事施設の長は、その指名する職員に、未決拘禁者が発受する信書について、検査を行わせるものとする。
②　次に掲げる信書については、前項の検査は、これらの信書に該当することを確認するために必要な限度において行うものとする。ただし、第三号に掲げる信書について、刑事施設の規律及び秩序を害する結果又は罪証の隠滅の結果を生ずるおそれがあると認めるべき特別の事情がある場合は、この限りでない。
一　未決拘禁者が弁護人等から受ける信書
二　未決拘禁者が国又は地方公共団体の機関から受ける信書
三　未決拘禁者が自己に対する刑事施設の長の措置その他自己が受けた処遇に関し弁護士法第三条第一項に規定する職務を遂行する弁護士から受ける信書
③　刑事施設の長は、刑事施設の規律及び秩序を害する結果並びに罪証の隠滅の結果を生ずるおそれがないと認める場合には、前二項の規定にかかわらず、第一項の検査を行わせないことができる。

（信書の内容による差止め等）
第一三六条　第百二十九条から第百三十三条までの規定は、未決拘禁者が発受する信書について準用する。この場合において、第百二十九条第一項中「第百二十七条」とあるのは「第百三十五条」と、同項第六号中「受刑者の矯正処遇の適切な実施に支障」とあるのは「罪証の隠滅の結果」と、同条第二項中「第三号まで」とあるのは「第三号まで又は第六号」と、第百三十条第一項中「申請する信書」とあるのは「申請する信書（弁護人等に対して発するものを除く。）」と、同条第二項中「一月につき四通」とあるのは「一日につき一通」と、第百三十二条第一項中「第百二十八条、第百二十九条」とあるのは「第百二十九条」と、同条第五項第二号及び第七項中「第五十四条第一項各号」とあるのは「第五十四条第一項第一号又は第二号」と、同条第六項中「第五十四条第一項」とあるのは「第五十四条第一項（第三号を除く。）」と読み替えるものとする。

第三目　未決拘禁者としての地位を有する受刑者

（発受を許す信書）
第一三七条　刑事施設の長は、未決拘禁者としての地位を有する受刑者に対し、この目、第百四十八条第三項又は次節の規定により禁止される場合を除き、他の者との間で信書を発受することを許すものとする。ただし、刑事訴訟法の定めるところにより信書の発受が許されない場合は、この限りでない。

（信書の発受の禁止等）
第一三八条　第百二十八条から第百三十三条まで及び第百三十五条の規定は、未決拘禁者としての地位を有する受刑者が発受する信書について準用する。この場合において、第百二十九条第一項中「第百二十七条」とあるのは「第百三十八条において準用する第百三十五条」と、同項第六号中「生ずる」とあるのは「生じ、又は罪証の隠滅の結果を生ずる」と、同条第二項中「場合」とあるのは「場合又は信書の発受によって罪証の隠滅の結果を生ずるおそれがあるものである場合」と、第百三十条第一項中「申請する信書」とあるのは「申請する信書（弁護人等に対して発するものを除く。）」と、第百三十二条第五項第二号及び第七項中「第五十四条第一項各号」とあるのは「第五十四条第一項第一号又は第二号」と、同条第六項中「第五十四条第一項」とあるのは「第五十四条第一項（第三号を除く。）」と読み替えるものとする。

第四目　死刑確定者

（発受を許す信書）
第一三九条① 刑事施設の長は、死刑確定者（未決拘禁者としての地位を有するものを除く。以下この目において同じ。）に対し、この目、第百四十八条第三項又は次節の規定により禁止される場合を除き、次に掲げる信書を発受することを許すものとする。
一 死刑確定者の親族との間で発受する信書
二 婚姻関係の調整、訴訟の遂行、事業の維持その他の死刑確定者の身分上、法律上又は業務上の重大な利害に係る用務の処理のため発受する信書
三 発受により死刑確定者の心情の安定に資すると認められる信書
② 刑事施設の長は、死刑確定者に対し、前項各号に掲げる信書以外の信書の発受について、その発受の相手方との交友関係の維持その他その発受を必要とする事情があり、かつ、その発受により刑事施設の規律及び秩序を害するおそれがないと認めるときは、これを許すことができる。

（信書の検査）
第一四〇条① 刑事施設の長は、その指名する職員に、死刑確定者が発受する信書について、検査を行わせるものとする。
② 第百二十七条第二項の規定は、前項の検査について準用する。

（信書の内容による差止め等）
第一四一条 第百二十九条（第一項第六号を除く。）及び第百三十条から第百三十三条までの規定は、死刑確定者が発受する信書について準用する。この場合において、第百二十九条第一項中「第百二十七条」とあるのは「第百四十条」と、第百三十条第二項中「一月につき四通」とあるのは「一日につき一通」と、第百三十二条第一項中「第百二十八条、第百二十九条」とあるのは「第百二十九条」と、同条第五項第二号及び第七項中「第五十四条第一項各号」とあるのは「第五十四条第一項第一号又は第二号」と、同条第六項中「第五十四条第一項」とあるのは「第五十四条第一項（第三号を除く。）」と読み替えるものとする。

第五目　未決拘禁者としての地位を有する死刑確定者

第一四二条 第百二十九条から第百三十三条まで、第百三十五条第一項及び第二項並びに第百三十九条の規定は、未決拘禁者としての地位を有する死刑確定者が発受する信書について準用する。この場合において、第百二十九条第一項中「第百二十七条」とあるのは「第百四十二条において準用する第百三十五条第一項及び第二項」と、同項第六号中「受刑者の矯正処遇の適切な実施に支障」とあるのは「罪証の隠滅の結果」と、同条第二項中「第三号まで」とあるのは「第三号まで又は第六号」と、第百三十条第一項中「申請する信書」とあるのは「申請する信書（弁護人等に対して発するものを除く。）」と、同条第二項中「一月につき四通」とあるのは「一日につき一通」と、第百三十二条第一項中「第百二十八条、第百二十九条」とあるのは「第百二十九条」と、同条第五項第二号及び第七項中「第五十四条第一項各号」とあるのは「第五十四条第一項第一号又は第二号」と、同条第六項中「第五十四条第一項」とあるのは「第五十四条第一項（第三号を除く。）」と、第百三十九条第一項中「この目」とあるのは「次目」と、「場合」とあるのは「場合及び刑事訴訟法の定めるところにより許されない場合」と、同条第二項中「ときは」とあるのは「ときは、刑事訴訟法の定めるところにより許されない場合を除き」と読み替えるものとする。

第六目　各種被収容者

（発受を許す信書）
第一四三条 刑事施設の長は、各種被収容者に対し、この目、第百四十八条第三項又は次節の規定により禁止される場合を除き、他の者との間で信書を発受することを許すものとする。

（信書の検査等）
第一四四条 第百二十七条、第百二十九条（第一項第六号を除く。）及び第百三十条から第百三十三条までの規定は、各種被収容者が発受する信書について準用する。この場合において、第百二十七条第一項中「、受刑者の矯正処遇の適切な実施その他の」とあるのは「その他の」と、第百三十条第二項中「一月につき四通」とあるのは「一日につき一通」と、第百三十二条第一項中「第百二十八条、第百二十九条」とあるのは「第百二十九条」と、同条第五項第二号及び第七項中「第五十四条第一項各号」とあるのは「第五十四条第一項第一号又は第二号」と、同条第六項中「第五十四条第一項」とあるのは「第五十四条第一項（第三号を除く。）」と読み替えるものとする。

第四款　被告人又は被疑者である被収容者の面会及び信書の発受

第一四五条 被告人又は被疑者である被収容者（未決拘禁者としての地位を有するものを除く。）が弁護人等と面会し、又は弁護人等との間において信書の発受をする場合については、第二款第二目又は前款第三目中の未決拘禁者の弁護人等との面会又は信書の発受に関する規定（第百三十六条において準用する第百二十九条第一項第六号を除く。）の例による。

第五款　電話等による通信

（電話等による通信）
第一四六条① 刑事施設の長は、受刑者（未決拘禁者としての地位を有するものを除く。以下この款において同じ。）に対し、第八十九条第二項の規定により開放的施設において処遇を受けていることその他の法務省令で定める事由に該当する場合において、その者の改善更生又は円滑な社会復帰に資すると認めるときその他相当と認めるときは、電話その他政令で定める電気通信の方法による通信を行うことを許すことができる。
② 第百三十一条の規定は、前項の通信について準用する。

（通信の確認等）
第一四七条① 刑事施設の長は、刑事施設の規律及び秩序の維持、受刑者の矯正処遇の適切な実施その他の理由により必要があると認める場合には、その指名する職員に、前条第一項の通信の内容を確認するため、その通信を受けさせ、又はその内容を記録させることができる。
② 第百十三条第一項（第一号イを除く。）及び第二項の規定は、前条第一項の通信について準用する。

第六款　外国語による面会等

第一四八条① 刑事施設の長は、被収容者又はその面会等（面会又は第百四十六条第一項に規定する通信をいう。以下この条において同じ。）の相手方が国語に通じない場合には、外国語による面会等を許すものとする。この場合において、発言又は通信の内容を確認するため通訳又は翻訳が必要であるときは、法務省令で定めるところにより、その被収容者にその費用を負担させることができる。
② 刑事施設の長は、被収容者又はその信書の発受の相手方が国語に通じない場合その他相当と認める場合には、外国語による信書の発受を許すものとする。この場合において、信書の内容を確認するため翻訳が必要であるときは、法務省令で定めると

ころにより、その被収容者にその費用を負担させることができる。
③ 被収容者が前二項の規定により負担すべき費用を負担しないときは、その面会等又は信書の発受を許さない。

第十二節　賞罰

（褒賞）
第一四九条　刑事施設の長は、被収容者が次の各号のいずれかに該当する場合には、法務省令で定めるところにより、賞金又は賞品の授与その他の方法により褒賞を行うことができる。
一　人命を救助したとき。
二　第八十二条第一項に規定する応急の用務に服して、功労があったとき。
三　前二号に掲げるもののほか、賞揚に値する行為をしたとき。

（懲罰の要件等）
第一五〇条①　刑事施設の長は、被収容者が、遵守事項若しくは第九十六条第四項（第百六条の二第二項において準用する場合を含む。）に規定する特別遵守事項を遵守せず、又は第七十四条第三項の規定に基づき刑事施設の職員が行った指示に従わなかった場合には、その被収容者に懲罰を科することができる。
② 懲罰を科するに当たっては、懲罰を科せられるべき行為（以下この節において「反則行為」という。）をした被収容者の年齢、心身の状態及び行状、反則行為の性質、軽重、動機及び刑事施設の運営に及ぼした影響、反則行為後におけるその被収容者の態度、受刑者にあっては懲罰がその者の改善更生に及ぼす影響その他の事情を考慮しなければならない。
③ 懲罰は、反則行為を抑制するのに必要な限度を超えてはならない。

（懲罰の種類）
第一五一条①　受刑者に科する懲罰の種類は、次のとおりとする。
一　戒告
二　第四十一条第一項の規定による自弁の物品の使用又は摂取の一部又は全部の十五日以内の停止
三　書籍等（被告人若しくは被疑者としての権利の保護又は訴訟の準備その他の権利の保護に必要と認められるものを除く。第三項第三号及び次条第一項第三号において同じ。）の閲覧の一部又は全部の三十日以内の停止
四　報奨金計算額の三分の一以内の削減
五　三十日以内（懲罰を科する時に二十歳以上の者について、特に情状が重い場合には、六十日以内）の閉居
② 前項第二号から第四号までの懲罰にあっては二種類以上を併せて、同項第五号の懲罰（以下この節において「閉居罰」という。）にあっては同項第四号の懲罰と併せて科することができる。
③ 受刑者以外の被収容者に科する懲罰の種類は、次のとおりとする。
一　戒告
二　第四十一条第二項の規定による自弁の物品の使用又は摂取の一部又は全部の十五日以内の停止
三　書籍等の閲覧の一部又は全部の三十日以内の停止
四　閉居罰
④ 前項第二号及び第三号の懲罰は、併せて科することができる。

（閉居罰の内容）
第一五二条①　閉居罰においては、次に掲げる行為を停止し、法務省令で定めるところにより、居室内において謹慎させる。
一　第四十一条の規定により自弁の物品（刑事施設の長が指定する物品を除く。）を使用し、又は摂取すること。
二　宗教上の儀式行事に参加し、又は他の被収容者と共に宗教上の教誨を受けること。
三　書籍等を閲覧すること。
四　自己契約作業を行うこと。
五　面会すること（弁護人等と面会する場合及び被告人若しくは被疑者としての権利の保護又は訴訟の準備その他の権利の保護に必要と認められる場合を除く。）。
六　信書を発受すること（弁護人等との間で信書を発受する場合及び被告人若しくは被疑者としての権利の保護又は訴訟の準備その他の権利の保護に必要と認められる場合を除く。）。
② 閉居罰を科されている被収容者については、第五十七条の規定にかかわらず、その健康の保持に支障を生じない限度において、法務省令で定める基準に従い、運動を制限する。
③ 閉居罰を科されている受刑者には、謹慎の趣旨に反しない限度において、矯正処遇等を行うものとする。

（反則行為に係る物の国庫への帰属）
第一五三条　刑事施設の長は、懲罰を科する場合において、刑事施設の規律及び秩序を維持するため必要があるときは、次に掲げる物を国庫に帰属させることができる。ただし、反則行為をした被収容者以外の者に属する物については、この限りでない。
一　反則行為を組成した物
二　反則行為の用に供し、又は供しようとした物
三　反則行為によって生じ、若しくはこれによって得た物又は反則行為の報酬として得た物
四　前号に掲げる物の対価として得た物

（反則行為の調査）
第一五四条①　刑事施設の長は、被収容者が反則行為をした疑いがあると思料する場合には、反則行為の有無及び第百五十条第二項の規定により考慮すべき事情並びに前条の規定による処分の要件の有無について、できる限り速やかに調査を行わなければならない。
② 刑事施設の長は、前項の調査をするため必要があるときは、刑務官に、被収容者の身体、着衣、所持品及び居室を検査させ、並びにその所持品を取り上げて一時保管させることができる。
③ 第三十四条第二項の規定は、前項の規定による女子の被収容者の身体及び着衣の検査について準用する。
④ 刑事施設の長は、受刑者について、反則行為をした疑いがあると思料する場合において、必要があるときは、法務省令で定めるところにより、他の被収容者から隔離することができる。この場合においては、その者の処遇は、運動、入浴又は面会の場合その他の法務省令で定める場合を除き、昼夜、居室において行う。
⑤ 前項の規定による隔離の期間は、二週間とする。ただし、刑事施設の長は、やむを得ない事由があると認めるときは、二週間に限り、その期間を延長することができる。
⑥ 刑事施設の長は、前項の期間中であっても、隔離の必要がなくなったときは、直ちにその隔離を中止しなければならない。

（懲罰を科する手続）
第一五五条①　刑事施設の長は、被収容者に懲罰を科そうとする場合には、法務省令で定めるところにより、その聴取をする三人以上の職員を指名した上、その被収容者に対し、弁解の機会を与えなければならない。この場合においては、その被収容者に対し、あらかじめ、書面で、弁解をすべき日時又は期限及び懲罰（第百五十三条の規定による処分を含む。次項及び次条において同じ。）の原因となる事実の要旨を通知するとともに、被収容者を補佐すべき者を刑事施設の職員のうちから指名しなければならない。
② 前項前段の規定による指名を受けた職員は、懲罰を科することの適否及び科すべき懲罰の内容について協議し、これらの事項についての意見及び被収容者の弁解の内容を記載した報告書を刑事施設の長に提出しなければならない。

（懲罰の執行）
第一五六条①　刑事施設の長は、懲罰を科するときは、被収容者に対し、懲罰の内容及び懲罰の原因として認定した事実の要旨

を告知した上、直ちにその執行をするものとする。ただし、反省の情が著しい場合その他相当の理由がある場合には、その執行を延期し、又はその全部若しくは一部の執行を免除することができる。

② 刑事施設の長は、閉居罰の執行に当たっては、その被収容者の健康状態について、刑事施設の職員である医師の意見を聴かなければならない。

第十三節 不服申立て

第一款 審査の申請及び再審査の申請

（**審査の申請**）

第一五七条① 次に掲げる刑事施設の長の措置に不服がある者は、書面で、当該刑事施設の所在地を管轄する矯正管区の長に対し、審査の申請をすることができる。

一 第四十一条第二項の規定による自弁の物品の使用又は摂取を許さない処分

二 第四十九条の規定による領置されている現金の使用又は第五十条の規定による保管私物若しくは領置されている金品の交付を許さない処分

三 第六十三条第一項の規定による診療を受けることを許さない処分又は同条第四項の規定による診療の中止

四 第六十七条に規定する宗教上の行為の禁止又は制限

五 第七十条第一項又は第七十一条の規定による書籍等の閲覧の禁止又は制限

六 第七十二条第二項の規定による費用を負担させる処分

七 第七十六条第一項の規定による隔離

八 第九十八条第一項の規定による作業報奨金の支給に関する処分

九 第百条第二項（第八十二条第二項において準用する場合を含む。）の規定による障害手当金の支給に関する処分

十 第百条第四項（第八十二条第二項において準用する場合を含む。）の規定による特別手当金の支給に関する処分

十一 第百二十八条（第百三十八条において準用する場合を含む。）の規定又は第百二十九条、第百三十条第一項若しくは第百三十三条（これらの規定を第百三十六条（第百四十五条においてその例による場合を含む。次号において同じ。）、第百三十八条、第百四十一条、第百四十二条及び第百四十四条において準用する場合を含む。）の規定による信書の発受又は文書図画の交付の禁止、差止め又は制限

十二 第百三十二条第五項前段（第百三十六条、第百三十八条、第百四十一条、第百四十二条及び第百四十四条において準用する場合を含む。）の規定による発受禁止信書等の引渡しをしない処分（第百三十二条第三項（第百三十六条、第百三十八条、第百四十一条、第百四十二条及び第百四十四条において準用する場合を含む。）の規定による引渡しに係るものに限る。）

十三 第百四十八条第一項又は第二項の規定による費用を負担させる処分

十四 第百五十条第一項の規定による懲罰

十五 第百五十三条の規定による物を国庫に帰属させる処分

十六 第百五十四条第四項の規定による隔離

② 前項の規定による審査の申請（以下この節において単に「審査の申請」という。）は、これを行う者が自らしなければならない。

（**審査の申請期間**）

第一五八条① 審査の申請は、措置の告知があった日の翌日から起算して三十日以内にしなければならない。

② 天災その他前項の期間内に審査の申請をしなかったことについてやむを得ない理由があるときは、同項の規定にかかわらず、その理由がやんだ日の翌日から起算して一週間以内に限り、審査の申請をすることができる。

③ 刑事施設の長が誤って法定の期間よりも長い期間を審査の申請期間として教示した場合において、その教示された期間内に審査の申請がされたときは、その審査の申請は、法定の期間内にされたものとみなす。

（**行政不服審査法の準用**）

第一五九条 行政不服審査法（平成二十六年法律第六十八号）第十五条、第十八条第三項、第十九条第二項及び第四項、第二十二条第一項及び第五項、第二十三条、第二十五条第一項、第二項及び第六項、第二十六条、第二十七条並びに第三十九条の規定は、審査の申請について準用する。この場合において、同法第二十五条第二項中「審査請求人の申立てにより又は職権で」とあるのは、「職権で」と読み替えるものとするほか、必要な技術的読替えは、政令で定める。

（**調査**）

第一六〇条① 矯正管区の長は、職権で、審査の申請に関して必要な調査をするものとする。

② 矯正管区の長は、前項の調査をするため必要があるときは、刑事施設の長に対し、報告若しくは資料その他の物件の提出を命じ、又はその指名する職員をして、審査の申請人その他の関係者に対し質問をさせ、若しくは物件の提出を求めさせ、これらの者が提出した物件を留め置かせ、若しくは検証を行わせることができる。

（**裁決**）

第一六一条① 矯正管区の長は、審査の申請を受けたときは、できる限り九十日以内に裁決をするよう努めるものとする。

② 行政不服審査法第四十五条第一項及び第二項、第四十六条第一項本文及び第二項（第二号を除く。）、第四十七条（ただし書及び第三項、第四十八条、第五十条第一項及び第三項、第五十一条並びに第五十二条第一項及び第二項の規定は、審査の申請の裁決について準用する。この場合において、同法第五十一条第三項中「総務省令」とあるのは、「法務省令」と読み替えるものとするほか、必要な技術的読替えは、政令で定める。

＊令和五法六三（令和八・六・一五までに施行）**による改正**
第二項中「掲示し、かつ、その旨を官報その他の公報又は新聞紙に少なくとも一回掲載して」は「総務省令」に、「掲示して」は「法務省令」に改められた。（本文織込み済み）

（**再審査の申請**）

第一六二条① 審査の申請の裁決に不服がある者は、書面で、法務大臣に対し、再審査の申請をすることができる。

② 前項の規定による再審査の申請（以下この節において単に「再審査の申請」という。）は、審査の申請についての裁決の告知があった日の翌日から起算して三十日以内にしなければならない。

③ 第百五十七条第二項、第百五十八条第二項、第百六十条及び前条第一項並びに行政不服審査法第十五条、第十八条第三項、第十九条第二項及び第四項、第二十三条、第二十五条第一項、第二項及び第六項、第二十六条、第二十七条、第三十九条、第四十六条第一項本文及び第二項（第二号を除く。）、第四十七条（ただし書及び第二号を除く。）、第四十八条、第五十条第一項、第五十一条、第五十二条第一項及び第二項、第六十二条第二項並びに第六十四条第一項から第三項までの規定は、再審査の申請について準用する。この場合において、同法第二十五条第二項中「審査請求人の申立てにより又は職権で」とあるのは「職権で」と、同法第五十一条第三項中「総務省令」とあるのは「法務省令」と読み替えるものとするほか、必要な技術的読替えは、政令で定める。

＊令和五法六三（令和八・六・一五までに施行）**による改正**
第三項中「掲示し、かつ、その旨を官報その他の公報又は新聞紙に少なくとも一回掲載して」は「総務省令」に、「掲示して」は「法務省令」に改められた。（本文織込み済み）

第二款　事実の申告

（矯正管区の長に対する事実の申告）

第一六三条①　被収容者は、自己に対する刑事施設の職員による行為であって、次に掲げるものがあったときは、政令で定めるところにより、書面で、当該刑事施設の所在地を管轄する矯正管区の長に対し、その事実を申告することができる。

一　身体に対する違法な有形力の行使

二　違法又は不当な捕縄、手錠又は拘束衣の使用

三　違法又は不当な保護室への収容

②　前項の規定による申告は、その申告に係る事実があった日の翌日から起算して三十日以内にしなければならない。

③　第百六十条並びに行政不服審査法第十八条第三項、第二十二条第一項及び第五項、第二十三条、第二十七条並びに第三十九条の規定は、第一項の規定による申告について準用する。この場合において必要な技術的読替えは、政令で定める。

（通知）

第一六四条①　前条第一項の規定による申告が適法であるときは、矯正管区の長は、その申告に係る事実の有無について確認し、その結果をその申告をした者に通知するものとする。ただし、その者が釈放されたときは、この限りでない。

②　前条第一項の規定による申告が法定の期間経過後にされたものであるとき、その他不適法であるときは、矯正管区の長は、その旨をその申告をした者に通知するものとする。この場合においては、前項ただし書の規定を準用する。

③　第百六十一条第一項並びに行政不服審査法第五十条第一項及び第三項の規定は、前二項の規定による通知について準用する。この場合において必要な技術的読替えは、政令で定める。

④　矯正管区の長は、前条第一項に規定する事実があったことを確認した場合において、必要があると認めるときは、同様の行為の再発の防止のため必要な措置その他の措置を執るものとする。

（法務大臣に対する事実の申告）

第一六五条①　被収容者は、前条第一項又は第二項の規定による通知を受けた場合において、その内容に不服があるときは、政令で定めるところにより、書面で、法務大臣に対し、第百六十三条第一項に規定する事実を申告することができる。

②　前項の規定による申告は、前条第一項又は第二項の規定による通知を受けた日の翌日から起算して三十日以内にしなければならない。

③　第百五十七条第二項、第百五十八条第二項、第百六十条、第百六十一条第一項並びに前条第一項、第二項及び第四項並びに行政不服審査法第十八条第三項、第二十三条、第二十七条、第三十九条及び第五十条第一項の規定は、第一項の規定による申告について準用する。この場合において必要な技術的読替えは、政令で定める。

第三款　苦情の申出

（法務大臣に対する苦情の申出）

第一六六条①　被収容者は、自己に対する刑事施設の長の措置その他自己が受けた処遇について、書面で、法務大臣に対し、苦情の申出をすることができる。

②　第百五十七条第二項の規定は、前項の苦情の申出について準用する。

③　法務大臣は、苦情の申出を受けたときは、これを誠実に処理し、処理の結果を苦情の申出をした者に通知しなければならない。ただし、その者が釈放されたときは、この限りでない。

（監査官に対する苦情の申出）

第一六七条①　被収容者は、自己に対する刑事施設の長の措置その他自己が受けた処遇について、口頭又は書面で、第五条の規定により実地監査を行う監査官（以下この節において単に「監査官」という。）に対し、苦情の申出をすることができる。

②　第百五十七条第二項の規定は、前項の苦情の申出について準用する。

③　監査官は、口頭による苦情の申出を受けるに当たっては、刑事施設の職員を立ち会わせてはならない。

④　前条第三項の規定は、監査官が苦情の申出を受けた場合について準用する。

（刑事施設の長に対する苦情の申出）

第一六八条①　被収容者は、自己に対する刑事施設の長の措置その他自己が受けた処遇について、口頭又は書面で、刑事施設の長に対し、苦情の申出をすることができる。

②　第百五十七条第二項の規定は、前項の苦情の申出について準用する。

③　被収容者が口頭で第一項の苦情の申出をしようとするときは、刑事施設の長は、その指名する職員にその内容を聴取させることができる。

④　第百六十六条第三項の規定は、刑事施設の長が苦情の申出を受けた場合について準用する。

第四款　雑則

（秘密申立て）

第一六九条①　刑事施設の長は、被収容者が、審査の申請等（審査の申請、再審査の申請又は第百六十三条第一項若しくは第百六十五条第一項の規定による申告をいう。次項及び次条において同じ。）をし、又は法務大臣若しくは監査官に対し苦情の申出をするに当たり、その内容を刑事施設の職員に秘密にすることができるように、必要な措置を講じなければならない。

②　第百二十七条（第百四十四条において準用する場合を含む。）、第百三十五条（第百三十八条及び第百四十二条において準用する場合を含む。）及び第百四十条の規定にかかわらず、審査の申請等又は苦情の申出の書面は、検査をしてはならない。

（不利益取扱いの禁止）

第一七〇条　刑事施設の職員は、被収容者が審査の申請等又は苦情の申出をしたことを理由として、その者に対し不利益な取扱いをしてはならない。

第十四節　釈放

（受刑者の釈放）

第一七一条　受刑者の釈放は、次の各号に掲げる場合の区分に応じ、当該各号に定める期間内に、できる限り速やかに行う。

一　釈放すべき日があらかじめ定められている場合　その日の午前中

二　不定期刑の終了による場合　更生保護法（平成十九年法律第八十八号）第四十四条第二項の通知が刑事施設に到達した日の翌日の午前中

三　政令で行われる恩赦による場合であって、当該恩赦に係る政令の規定の公布の日が釈放すべき日となる場合　その日のうち

四　前三号に掲げる場合以外の場合　釈放の根拠となる文書が刑事施設に到達した時から十時間以内

（被勾留者の釈放）

第一七二条　被勾留者（刑事施設に収容されているものに限る。以下この条において同じ。）の釈放は、次に掲げる事由が生じた後直ちに行う。

一　被告人の勾留の期間が満了したこと。

二　刑事訴訟法第三百四十五条（同法第四百四条において準用する場合を含む。）、第四百三条の三第二項又は第四百三条の四第二項の規定により勾留状が効力を失ったこと（被勾留者が公判廷にある場合に限る。）。

三　検察官の釈放の指揮又は通知を受けたこと。

（その他の被収容者の釈放）

第一七三条　前二条の規定によるもののほか、被収容者の釈放は、他の法令に定めるところによるもののほか、政令で定める事由が生じた後直ちに行う。

（傷病による滞留）
第一七四条① 刑事施設の長は、釈放すべき被収容者が刑事施設内において医療を受けている場合において、釈放によってその生命に危険が及び、又はその健康に回復し難い重大な障害が生ずるおそれがあるときは、その者が刑事施設に一時とどまることを許すことができる。
② 前項の規定により刑事施設にとどまる者の処遇については、その性質に反しない限り、各種被収容者に関する規定を準用する。

（帰住旅費等の支給）
第一七五条 釈放される被収容者に対しては、その帰住を助けるため必要な旅費又は衣類を支給するものとする。

第十五節 死亡

（死亡の通知）
第一七六条 刑事施設の長は、被収容者が死亡した場合には、法務省令で定めるところにより、その遺族等に対し、その死亡の原因及び日時並びに交付すべき遺留物、支給すべき作業報奨金に相当する金額若しくは死亡手当金又は発受禁止信書等があるときはその旨を速やかに通知しなければならない。

（死体に関する措置）
第一七七条① 被収容者が死亡した場合において、その死体の埋葬又は火葬を行う者がないときは、墓地、埋葬等に関する法律（昭和二十三年法律第四十八号）第九条の規定にかかわらず、その埋葬又は火葬は、刑事施設の長が行うものとする。
② 前項に定めるもののほか、被収容者の死体に関する措置については、法務省令で定める。

第十六節 死刑の執行

（死刑の執行）
第一七八条① 死刑は、刑事施設内の刑場において執行する。
② 日曜日、土曜日、国民の祝日に関する法律（昭和二十三年法律第百七十八号）に規定する休日、一月二日、一月三日及び十二月二十九日から十二月三十一日までの日には、死刑を執行しない。

（解縄）
第一七九条 死刑を執行するときは、絞首された者の死亡を確認してから五分を経過した後に絞縄を解くものとする。

第三章 留置施設における被留置者の処遇（抄）

第一節 留置の開始

（留置開始時の告知）
第一八〇条① 留置業務管理者は、被留置者に対し、その留置施設における留置の開始に際し、被留置者としての地位に応じ、次に掲げる事項を告知しなければならない。その留置施設に留置されている被留置者がその地位を異にするに至ったときも、同様とする。
一 物品の貸与及び支給並びに自弁に関する事項
二 第百九十五条第一項に規定する保管私物その他の金品の取扱いに関する事項
三 保健衛生及び医療に関する事項
四 宗教上の行為に関する事項
五 書籍等の閲覧に関する事項
六 第二百十一条第一項に規定する遵守事項
七 面会及び信書の発受に関する事項
八 審査の申請を行うことができる措置、審査の申請をすべき行政庁及び審査の申請期間その他の審査の申請に関する事項
九 第二百三十一条第一項の規定による申告を行うことができる行為、申告先及び申告期間その他の同項の規定による申告に関する事項
十 苦情の申出に関する事項
② 前項の規定による告知は、内閣府令で定めるところにより、書面で行う。

（識別のための身体検査）
第一八一条① 留置担当官は、被留置者について、その留置施設における留置の開始に際し、その者の識別のため必要な限度で、その身体を検査することができる。その後必要が生じたときも、同様とする。
② 女子の被留置者について前項の規定により検査を行う場合には、女子の留置担当官がこれを行わなければならない。ただし、女子の留置担当官がその検査を行うことができない場合には、男子の留置担当官が留置業務管理者の指名する女子の職員を指揮して、これを行うことができる。

第二節 処遇の態様等

（処遇の態様）
第一八二条① 被留置者の処遇（運動、入浴又は面会の場合その他の内閣府令で定める場合における処遇を除く。）は、居室（被留置者が主として休息及び就寝のため使用する場所として留置業務管理者が指定する室をいう。以下この条及び第二百十二条において同じ。）外において行うことが適当と認める場合を除き、昼夜、居室において行う。
② 未決拘禁者（留置施設に留置されているものに限る。以下この章において同じ。）は、罪証の隠滅の防止上支障を生ずるおそれがないと認められる場合に限り、居室において単独の留置をしないことができる。
③ 未決拘禁者は、前項に規定する場合でなければ、居室外においても相互に接触させてはならない。

（留置施設における矯正処遇）
第一八三条 留置施設においては、受刑者としての地位を有する被留置者（以下この章において「被留置受刑者」という。）について、矯正処遇は行わない。

第三節 起居動作の時間帯等

（起居動作の時間帯）
第一八四条 留置業務管理者は、内閣府令で定めるところにより、食事、就寝その他の起居動作をすべき時間帯を定め、これを被留置者に告知するものとする。

（活動の援助）
第一八五条 留置業務管理者は、内閣府令で定めるところにより、被留置者に対し、知的、教育的及び娯楽的活動その他の活動について、援助を与えるように努めなければならない。

第四節 物品の貸与等及び自弁

（物品の貸与等）
第一八六条① 被留置者には、次に掲げる物品（書籍等を除く。以下この節において同じ。）であって、留置施設における日常生活に必要なもの（第百八十八条第一項各号に掲げる物品を除く。）を貸与し、又は支給する。
一 衣類及び寝具
二 食事及び湯茶
三 日用品、筆記具その他の物品
② 被留置者には、前項に定めるもののほか、内閣府令で定めるところにより、必要に応じ、留置施設における日常生活に用いる物品（第百八十八条第一項各号に掲げる物品を除く。）を貸与し、又は嗜好品を支給することができる。

（自弁の物品の使用等）
第一八七条 留置業務管理者は、被留置者が、次に掲げる物品（次条第一項各号に掲げる物品を除く。）について自弁のものを使用し、又は摂取したい旨の申出をした場合には、留置施設の規律及び秩序の維持その他管理運営上支障を生ずるおそれがある場合、第百九十条の規定により禁止される場合並びに被留置受刑者について内閣府令で定めるところにより、改善更生に支障を生ずるおそれがある場合を除き、これを許すものとする。
一 衣類
二 食料品及び飲料

三　嗜好品
四　日用品、文房具その他の留置施設における日常生活に用いる物品

（補正器具等の自弁等）

第一八八条①　被留置者には、次に掲げる物品については、留置施設の規律及び秩序の維持その他管理運営上支障を生ずるおそれがある場合を除き、自弁のものを使用させるものとする。
一　眼鏡その他の補正器具
二　信書を発するのに必要な封筒その他の物品
三　その他内閣府令で定める物品

②　前項各号に掲げる物品について、被留置者が自弁のものを使用することができない場合であって、必要と認めるときは、その者にこれを貸与し、又は支給するものとする。

（物品の貸与等の基準）

第一八九条　第百八十六条又は前条第二項の規定により貸与し、又は支給する物品は、被留置者の健康を保持するに足り、かつ、国民生活の実情等を勘案し、被留置者としての地位に照らして、適正と認められるものでなければならない。

（反則行為があった場合の自弁の物品に関する措置）

第一九〇条①　留置業務管理者は、被留置者が次に掲げる行為（第二百八条第一項において「反則行為」という。）を行った場合において、留置施設の規律及び秩序を維持するため必要があるときは、第百八十七条第三号に掲げる物品について、三日を超えない期間に限り、自弁のものの摂取を許さないことができる。
一　犯罪行為
二　他人に対する粗野若しくは乱暴な言動又は他人に対し迷惑を及ぼす行為
三　留置業務に従事する職員の職務の執行を妨げる行為
四　留置施設の安全を害するおそれのある行為
五　留置施設内の衛生を害する行為

②　第百五十条第二項及び第三項、第百五十三条、第百五十四条第一項から第三項まで、第百五十五条並びに第百五十六条第一項の規定は、留置業務管理者による被留置者に対する前項の措置について準用する。この場合において、第百五十条第二項中「刑事施設」とあるのは「留置施設」と、第百五十三条中「刑事施設の規律」とあるのは「留置施設の規律」と、「国庫」とあるのは「その留置施設の属する都道府県」と、第百五十四条第二項中「刑務官」とあるのは「留置担当官」と、同条第三項中「第三十四条第二項」とあるのは「第百八十一条第二項」と、「法務省令」とあるのは「内閣府令」と、第百五十五条第一項中「刑事施設の職員」とあるのは「留置業務に従事する職員」と読み替えるものとする。

③　第一項の措置は、いやしくも都道府県警察がする捜査の目的のためにこれを用いてはならない。

第五節　金品の取扱い

（第一九一条から第一九八条まで）（略）

第六節　保健衛生及び医療

（保健衛生及び医療の原則）

第一九九条　留置施設においては、被留置者の心身の状況を把握することに努め、被留置者の健康及び留置施設内の衛生を保持するため、社会一般の保健衛生及び医療の水準に照らし適切な保健衛生上及び医療上の措置を講ずるものとする。

（健康診断等）

第二〇〇条①　留置業務管理者は、留置担当官に、被留置者から、その留置施設における留置の開始に際し、疾病、外傷等の有無その他の健康状態につき事情を聴取させなければならない。

②　留置業務管理者は、被留置者に対し、おおむね一月につき二回、内閣府令で定めるところにより、当該留置業務管理者が委嘱する医師による健康診断を行わなければならない。留置施設における保健衛生上必要があるときも、同様とする。

③　被留置者は、前項の規定による健康診断を受けなければならない。この場合においては、その健康診断の実施のため必要な限度内における採血、エックス線撮影その他の医学的処置を拒むことはできない。

（診療等）

第二〇一条①　留置業務管理者は、被留置者が次の各号のいずれかに該当する場合には、速やかに、当該留置業務管理者が委嘱する医師等による診療を行い、その他必要な医療上の措置を執るものとする。ただし、第一号に該当する場合において、その者の生命に危険が及び、又は他人にその疾病を感染させるおそれがないときは、その者の意思に反しない場合に限る。
一　負傷し、若しくは疾病にかかっているとき、又はこれらの疑いがあるとき。
二　飲食物を摂取しない場合において、その生命に危険が及ぶおそれがあるとき。

②　留置業務管理者は、前項の規定により診療を行う場合において、被留置者を病院又は診療所に通院させ、やむを得ないときは被留置者を病院又は診療所に入院させることができる。

（指名医による診療）

第二〇二条①　留置業務管理者は、負傷し、又は疾病にかかっている被留置者が、当該留置業務管理者が委嘱する医師等以外の医師等を指名して、その診療を受けることを申請した場合において、傷病の種類及び程度、留置施設に留置される前にその医師等による診療を受けていたことその他の事情に照らして、その被留置者の医療上適当であると認めるときは、内閣府令で定めるところにより、留置施設内又は留置業務管理者が適当と認める病院若しくは診療所において、自弁によりその診療を受けることを許すことができる。

②　留置業務管理者は、前項の規定による診療を受けることを許す場合において、同項の診療を行う医師等（以下この条において「指名医」という。）の診療方法を確認するため、又はその後にその被留置者に対して診療を行うため必要があるときは、留置業務に従事する職員をしてその診療に立ち会わせ、若しくはその診療に関して指名医に質問させ、又は診療録の写しその他のその診療に関する資料の提出を求めることができる。

③　指名医は、その診療に際し、留置業務管理者が内閣府令で定めるところにより指示する事項を遵守しなければならない。

④　留置業務管理者は、第一項の規定による診療を受けることを許した場合において、その指名医が、第二項の規定により留置業務管理者が行う措置に従わないとき、前項の規定により留置業務管理者が指示する事項を遵守しないとき、その他その診療を継続することが不適当であるときは、これを中止し、以後、その指名医の診療を受けることを許さないことができる。

（調髪及びひげそり）

第二〇三条　留置業務管理者は、被留置者が調髪又はひげそりを行いたい旨の申出をした場合には、内閣府令で定めるところにより、これを許すものとする。

（刑事施設に関する規定の準用）

第二〇四条　第五十七条から第五十九条までの規定は被留置者について、第六十四条及び第六十五条の規定は留置業務管理者による被留置者に対する措置について、それぞれ準用する。この場合において、第五十七条、第五十九条及び第六十四条中「法務省令」とあるのは「内閣府令」と、第五十七条ただし書及び第五十九条中「刑事施設」とあるのは「留置施設」と、第六十四条中「刑事施設内」とあるのは「留置施設内」と、「第六十一条」とあるのは「第二百条第二項及び第三項」と、「第六十二条」とあるのは「第二百一条」と、第六十五条第二項中「刑事施設の外」とあるのは「留置施設の外」と読み替えるものとする。

第七節　宗教上の行為

第二〇五条　被留置者が一人で行う礼拝その他の宗教上の行為

は、これを禁止し、又は制限してはならない。ただし、留置施設の規律及び秩序の維持その他管理運営上支障を生ずるおそれがある場合は、この限りでない。

第八節　書籍等の閲覧

（自弁の書籍等の閲覧）

第二〇六条　被留置者が自弁の書籍等を閲覧することは、この節の規定による場合のほか、これを禁止し、又は制限してはならない。

第二〇七条①　留置業務管理者は、被留置者が自弁の書籍等を閲覧することにより次の各号のいずれかに該当する場合には、その閲覧を禁止することができる。

一　留置施設の規律及び秩序を害する結果を生ずるおそれがあるとき。

二　被留置者が未決拘禁者である場合において、罪証の隠滅の結果を生ずるおそれがあるとき。

三　被留置者が被留置受刑者である場合において、その改善更生に支障を生ずるおそれがあるとき。

②　前項の規定により閲覧を禁止すべき事由の有無を確認するため自弁の書籍等の翻訳が必要であるときは、内閣府令で定めるところにより、被留置者にその費用を負担させることができる。この場合において、被留置者が負担すべき費用を負担しないときは、その閲覧を禁止する。

（反則行為があった場合の自弁の書籍等に関する措置）

第二〇八条①　留置業務管理者は、被留置者が反則行為を行った場合において、留置施設の規律及び秩序を維持するため必要があるときは、内閣府令で定める自弁の書籍等（被告人若しくは被疑者としての権利の保護又は訴訟の準備その他の権利の保護に必要と認められるものを除く。）について、三日を超えない期間に限り、その閲覧を許さないことができる。

②　第百九十条第二項及び第三項の規定は、被留置者に対する前項の措置について準用する。

（刑事施設に関する規定の準用）

第二〇九条　第七十一条の規定は留置業務管理者による新聞紙に関する制限について、第七十二条の規定は留置業務管理者による時事の報道に接する機会の付与等の措置について、それぞれ準用する。この場合において、第七十一条中「法務省令」とあるのは「内閣府令」と、同条及び第七十二条第一項中「被収容者」とあるのは「被留置者」と、第七十一条中「刑事施設の管理運営」とあるのは「留置施設の管理運営」と、第七十二条第二項中「第三十九条第二項」とあるのは「第百八十五条」と、「刑事施設に」とあるのは「留置施設に」と読み替えるものとする。

第九節　規律及び秩序の維持

（留置施設の規律及び秩序）

第二一〇条①　留置施設の規律及び秩序は、適正に維持されなければならない。

②　前項の目的を達成するため執る措置は、被留置者の留置を確保し、並びにその処遇のための適切な環境及びその安全かつ平穏な共同生活を維持するため必要な限度を超えてはならない。

（遵守事項等）

第二一一条①　留置業務管理者は、被留置者が遵守すべき事項（次項において「遵守事項」という。）を定める。

②　遵守事項は、被留置者としての地位に応じ、次に掲げる事項を具体的に定めるものとする。

一　犯罪行為をしてはならないこと。

二　他人に対し、粗野若しくは乱暴な言動をし、又は迷惑を及ぼす行為をしてはならないこと。

三　自身を傷つける行為をしてはならないこと。

四　留置業務に従事する職員の職務の執行を妨げる行為をしてはならないこと。

五　自己又は他の被留置者の留置の確保を妨げるおそれのある行為をしてはならないこと。

六　留置施設の安全を害するおそれのある行為をしてはならないこと。

七　留置施設内の衛生又は風紀を害する行為をしてはならないこと。

八　金品について、不正な使用、所持、授受その他の行為をしてはならないこと。

九　前各号に掲げるもののほか、留置施設の規律及び秩序を維持するため必要な事項

十　前各号に掲げる事項について定めた遵守事項に違反する行為を企て、あおり、唆し、又は援助してはならないこと。

③　前二項のほか、留置業務管理者又はその指定する留置業務に従事する職員は、留置施設の規律及び秩序を維持するため必要がある場合には、被留置者に対し、その生活及び行動について指示することができる。

（身体の検査等）

第二一二条①　留置担当官は、留置施設の規律及び秩序を維持するため必要がある場合には、被留置者について、その身体、着衣、所持品及び居室を検査し、並びにその所持品を取り上げて一時保管することができる。

②　第百八十一条第二項の規定は、前項の規定による女子の被留置者の身体及び着衣の検査について準用する。

③　留置担当官は、留置施設の規律及び秩序を維持するため必要がある場合には、留置施設内において、被留置者以外の者（弁護人等を除く。）の着衣及び携帯品を検査し、並びにその者の携帯品を取り上げて一時保管することができる。

④　前項の検査は、文書図画の内容の検査に及んではならない。

（捕縄、手錠、拘束衣及び防声具の使用）

第二一三条①　留置担当官は、被留置者を護送する場合又は被留置者が次の各号のいずれかの行為をするおそれがある場合には、内閣府令で定めるところにより、捕縄又は手錠を使用することができる。

一　逃走すること。

二　自身を傷つけ、又は他人に危害を加えること。

三　留置施設の設備、器具その他の物を損壊すること。

②　留置担当官は、被留置者が自身を傷つけるおそれがある場合において、他にこれを防止する手段がないときは、留置業務管理者の命令により、拘束衣を使用することができる。ただし、捕縄、手錠又は防声具と同時に使用することはできない。

③　保護室が設置されていない留置施設においては、留置担当官は、被留置者が留置担当官の制止に従わず大声を発し続けて、留置施設内の平穏な生活を乱す場合において、他にこれを抑止する手段がないときは、留置業務管理者の命令により、防声具を使用することができる。この場合において、その被留置者が防声具を取り外し、又は損壊することを防ぐため必要があるときは、その使用と同時に捕縄又は手錠を使用することができる。

④　前二項に規定する場合において、留置業務管理者の命令を待ついとまがないときは、留置担当官は、その命令を待たないで、拘束衣又は防声具（前項後段の規定により使用する捕縄又は手錠を含む。）を使用することができる。この場合には、速やかに、その旨を留置業務管理者に報告しなければならない。

⑤　拘束衣及び防声具の使用の期間は、三時間とする。ただし、留置業務管理者は、特に継続の必要があると認めるときは、通じて十二時間を超えない範囲内で、三時間ごとにその期間を更新することができる。

⑥　留置業務管理者は、前項の期間中であっても、拘束衣又は防声具の使用の必要がなくなったときは、直ちにその使用を中止させなければならない。

⑦　被留置者に拘束衣若しくは防声具を使用し、又は拘束衣の使用の期間を更新した場合には、留置業務管理者は、速やかに、その被留置者の健康状態について、当該留置業務管理者が委嘱する医師の意見を聴かなければならない。

⑧ 捕縄、手錠、拘束衣及び防声具の制式は、内閣府令で定める。

第二一四条（保護室への収容）① 留置担当官は、被留置者が次の各号のいずれかに該当する場合には、留置業務管理者の命令により、その者を保護室に収容することができる。

一 自身を傷つけるおそれがあるとき。

二 次のイからハまでのいずれかに該当する場合において、留置施設の規律及び秩序を維持するため特に必要があるとき。

イ 留置担当官の制止に従わず、大声又は騒音を発するとき。

ロ 他人に危害を加えるおそれがあるとき。

ハ 留置施設の設備、器具その他の物を損壊し、又は汚損するおそれがあるとき。

② 第七十九条第二項から第六項までの規定は、被留置者の保護室への収容について準用する。この場合において、同条第二項から第五項までの規定中「刑事施設の長」とあるのは「留置業務管理者」と、同条第二項中「刑務官」とあるのは「留置担当官」と、同条第五項中「刑事施設の職員である医師」とあるのは「当該留置業務管理者が委嘱する医師」と、同条第六項中「法務省令」とあるのは「内閣府令」と読み替えるものとする。

第二一五条（災害時の避難及び解放）① 留置業務管理者は、地震、火災その他の災害に際し、留置施設内において避難の方法がないときは、被留置者を適当な場所に護送しなければならない。

② 前項の場合において、被留置者を護送することができないときは、留置業務管理者は、その者を留置施設から解放することができる。地震、火災その他の災害に際し、留置施設の外にある被留置者を避難させるため適当な場所に護送することができない場合も、同様とする。

③ 前項の規定により解放された者は、避難を必要とする状況がなくなった後速やかに、留置施設又は留置業務管理者が指定した場所に出頭しなければならない。

第十節　外部交通

第一款　面会

第二一六条（面会の相手方） 留置業務管理者は、被留置受刑者以外の被留置者に対し、他の者から面会の申出があったときは、第二百二十八条第三項の規定により禁止される場合を除き、これを許すものとする。ただし、その被留置者が未決拘禁者である場合において、刑事訴訟法の定めるところにより面会が許されないときは、この限りでない。

第二一七条（被留置受刑者の面会の相手方）① 留置業務管理者は、被留置受刑者に対し、次に掲げる者から面会の申出があったときは、第二百二十八条第三項の規定により禁止される場合を除き、これを許すものとする。この場合においては、前条ただし書の規定を準用する。

一 被留置受刑者の親族

二 婚姻関係の調整、訴訟の遂行、事業の維持その他の被留置受刑者の身分上、法律上又は業務上の重大な利害に係る用務の処理のため面会することが必要な者

三 被留置受刑者の更生保護に関係のある者、被留置受刑者の釈放後にこれを雇用しようとする者その他の面会により被留置受刑者の改善更生に資すると認められる者

② 留置業務管理者は、被留置受刑者に対し、前項各号に掲げる者以外の者から面会の申出があった場合において、その者との交友関係の維持その他面会することを必要とする事情があり、かつ、面会により、留置施設の規律及び秩序を害する結果を生じ、又はその被留置受刑者の改善更生に支障を生ずるおそれがないと認めるときは、これを許すことができる。この場合においては、前条ただし書の規定を準用する。

第二一八条（弁護人等以外の者との面会の立会い等）① 留置業務管理者は、その指名する職員に、未決拘禁者の面会（弁護人等との面会を除く。）に立ち会わせ、又はその面会の状況を録音させ、若しくは録画させるものとする。

② 留置業務管理者は、留置施設の規律及び秩序の維持その他の理由により必要があると認める場合には、その指名する職員に、未決拘禁者以外の被留置者の面会（弁護人等との面会を除く。）に立ち会わせ、又はその面会の状況を録音させ、若しくは録画させることができる。

③ 留置業務管理者は、前二項の規定にかかわらず、被留置者の次に掲げる者との面会については、留置施設の規律及び秩序を害する結果又は未決拘禁者について罪証の隠滅の結果を生ずるおそれがあると認めるべき特別の事情がある場合を除き、その立会い並びに録音及び録画をさせてはならない。

一 自己に対する留置業務管理者の措置その他自己が受けた処遇に関し調査を行う国又は地方公共団体の機関の職員

二 自己に対する留置業務管理者の措置その他自己が受けた処遇に関し弁護士法第三条第一項に規定する職務を遂行する弁護士

第二一九条（面会の一時停止及び終了）① 留置業務に従事する職員は、次の各号のいずれか（弁護人等との面会の場合にあっては、第一号ロに限る。）に該当する場合には、その行為若しくは発言を制止し、又はその面会を一時停止させることができる。この場合においては、面会の一時停止のため、被留置者又は面会の相手方に対し面会の場所からの退出を命じ、その他必要な措置を執ることができる。

一 被留置者又は面会の相手方が次のイ又はロのいずれかに該当する行為をするとき。

イ 次条第五項の規定による制限に違反する行為

ロ 留置施設の規律及び秩序を害する行為

二 被留置者又は面会の相手方が次のイからハまでのいずれかに該当する内容の発言をするとき。

イ 暗号の使用その他の理由によって、留置業務に従事する職員が理解できないもの

ロ 犯罪の実行を共謀し、あおり、又は唆すもの

ハ 留置施設の規律及び秩序を害する結果を生ずるおそれのあるもの

三 未決拘禁者又はその面会の相手方が罪証の隠滅の結果を生ずるおそれのある内容の発言をするとき。

四 被留置受刑者又はその面会の相手方が次のイ又はロのいずれかに該当する内容の発言をするとき。

イ 被留置受刑者の改善更生に支障を生ずるおそれのあるもの

ロ 特定の用務の処理のため必要であることを理由として許された面会において、その用務の処理のため必要な範囲を明らかに逸脱するもの

② 留置業務管理者は、前項の規定により面会が一時停止された場合において、面会を継続させることが相当でないと認めるときは、その面会を終わらせることができる。

第二二〇条（面会に関する制限）① 被留置者の弁護人等との面会の日及び時間帯は、日曜日その他政令で定める日以外の日の留置施設の執務時間内とする。

② 前項の面会の相手方の人数は、三人以内とする。

③ 留置業務管理者は、弁護人等から前二項の定めによらない面会の申出がある場合においても、留置施設の管理運営上支障があるときを除き、これを許すものとする。

④ 留置業務管理者は、第一項の面会に関し、内閣府令で定めるところにより、面会の場所について、留置施設の規律及び秩序の維持その他管理運営上必要な制限をすることができる。

⑤ 留置業務管理者は、被留置者と弁護人等以外の者との面会に関し、内閣府令で定めるところにより、面会の相手方の人数、面会の場所、日及び時間帯、面会の時間及び回数その他面会の態様について、留置施設の規律及び秩序の維持その他管理運営

上必要な制限をすることができる。

⑥ 前項の規定により面会の回数について制限をするときは、その回数は、一日につき一回を下回ってはならない。

第二款　信書の発受

（**発受を許す信書**）

第二二一条　留置業務管理者は、被留置者に対し、この款又は第二百二十八条第三項の規定により禁止される場合を除き、他の者との間で信書を発受することを許すものとする。ただし、その被留置者が未決拘禁者である場合において、刑事訴訟法の定めるところにより信書の発受が許されないときは、この限りでない。

（**信書の検査**）

第二二二条①　留置業務管理者は、その指名する職員に、未決拘禁者が発受する信書について、検査を行わせるものとする。

② 留置業務管理者は、留置施設の規律及び秩序の維持その他の理由により必要があると認める場合には、その指名する職員に、未決拘禁者以外の被留置者が発受する信書について、検査を行わせることができる。

③ 次に掲げる信書については、前二項の検査は、これらの信書に該当することを確認するために必要な限度において行うものとする。ただし、第一号ハ及び第二号ロに掲げる信書について、留置施設の規律及び秩序を害する結果又は未決拘禁者について罪証の隠滅の結果を生ずるおそれがあると認めるべき特別の事情がある場合は、この限りでない。

一 被留置者が次に掲げる者から受ける信書

イ 弁護人等

ロ 国又は地方公共団体の機関

ハ 自己に対する留置業務管理者の措置その他自己が受けた処遇に関し弁護士法第三条第一項に規定する職務を遂行する弁護士（弁護士法人及び弁護士・外国法事務弁護士共同法人を含む。以下この款において同じ。）

二 未決拘禁者以外の被留置者が次に掲げる者に対して発する信書

イ 自己に対する留置業務管理者の措置その他自己が受けた処遇に関し調査を行う国又は地方公共団体の機関

ロ 自己に対する留置業務管理者の措置その他自己が受けた処遇に関し弁護士法第三条第一項に規定する職務を遂行する弁護士

（**信書の発受の禁止**）

第二二三条　留置業務管理者は、犯罪性のある者その他被留置受刑者が信書を発受することにより、留置施設の規律及び秩序を害し、又は被留置受刑者の改善更生に支障を生ずるおそれがある者（被留置受刑者の親族を除く。）については、被留置受刑者がその者との間で信書を発受することを禁止することができる。ただし、婚姻関係の調整、訴訟の遂行、事業の維持その他の被留置受刑者の身分上、法律上又は業務上の重大な利害に係る用務の処理のため信書を発受する場合は、この限りでない。

（**信書の内容による差止め等**）

第二二四条①　留置業務管理者は、第二百二十二条の規定による検査の結果、被留置者が発受する信書について、その全部又は一部が次の各号のいずれかに該当する場合には、その発受を差し止め、又はその該当箇所を削除し、若しくは抹消することができる。同条第三項各号に掲げる信書について、これらの信書に該当することを確認する過程においてその全部又は一部が次の各号のいずれかに該当することが判明した場合も、同様とする。

一 暗号の使用その他の理由によって、留置業務に従事する職員が理解できない内容のものであるとき。

二 発受によって、刑罰法令に触れることとなり、又は刑罰法令に触れる結果を生ずるおそれがあるとき。

三 発受によって、留置施設の規律及び秩序を害する結果を生ずるおそれがあるとき。

四 威迫にわたる記述又は明らかな虚偽の記述があるため、受信者を著しく不安にさせ、又は受信者に損害を被らせるおそれがあるとき。

五 受信者を著しく侮辱する記述があるとき。

六 未決拘禁者が発受する信書について、その発受によって、罪証の隠滅の結果を生ずるおそれがあるとき。

七 被留置受刑者が発受する信書について、その発受によって、その改善更生に支障を生ずるおそれがあるとき。

② 前項の規定にかかわらず、被留置者が国又は地方公共団体の機関との間で発受する信書であってその機関の権限に属する事項を含むもの及び被留置者が弁護士との間で発受する信書であってその被留置者に係る弁護士法第三条第一項に規定する弁護士の職務に属する事項を含むものについては、その発受の差止め又はその事項に係る部分の削除若しくは抹消は、その部分の全部又は一部が前項第一号から第三号まで又は第六号のいずれかに該当する場合に限り、これを行うことができる。

（**信書に関する制限**）

第二二五条①　留置業務管理者は、内閣府令で定めるところにより、被留置者が発する信書の作成要領、その発信の申請の日及び時間帯、被留置者が発信を申請する信書（弁護人等に対して発するものを除く。）の通数並びに被留置者の信書の発受の方法について、留置施設の管理運営上必要な制限をすることができる。

② 前項の規定により被留置者が発信を申請する信書の通数について制限をするときは、その通数は、一日につき一通を下回ってはならない。

（**発受を禁止した信書等の取扱い**）

第二二六条①　留置業務管理者は、第二百二十三条、第二百二十四条又は第二百二十八条第三項の規定により信書の発受を禁止し、又は差し止めた場合にはその信書を、第二百二十四条の規定により信書の一部を削除した場合にはその削除した部分を保管するものとする。

② 留置業務管理者は、第二百二十四条の規定により信書の記述の一部を抹消する場合には、その抹消する部分の複製を作成し、これを保管するものとする。

③ 留置業務管理者は、被留置者の釈放の際、前二項の規定により保管する信書の全部若しくは一部又は複製（以下この章において「発受禁止信書等」という。）をその者に引き渡すものとする。

④ 留置業務管理者は、被留置者が死亡した場合には、内閣府令で定めるところにより、その遺族等（内閣府令で定める遺族その他の者をいう。第二百三十九条において同じ。）に対し、その申請に基づき、発受禁止信書等を引き渡すものとする。

⑤ 前二項の規定にかかわらず、発受禁止信書等の引渡しにより留置施設の規律及び秩序を害する結果を生ずるおそれがあるときは、これを引き渡さないものとする。次に掲げる場合において、その引渡しにより留置施設の規律及び秩序を害する結果を生ずるおそれがあるときも、同様とする。

一 釈放された被留置者が、釈放後に、発受禁止信書等の引渡しを求めたとき。

二 被留置者が、第百九十八条において準用する第五十四条第一項第一号又は第二号のいずれかに該当する場合において、発受禁止信書等の引渡しを求めたとき。

⑥ 第五十三条第一項、第五十四条第一項（第三号を除く。）並びに第五十五条第二項及び第三項の規定は、被留置者に係る発受禁止信書等（前項の規定により引き渡さないこととされたものを除く。）について準用する。この場合において、第五十三条第一項、第五十四条第一項及び第五十五条第三項中「国庫」とあるのは「その留置施設の属する都道府県」と、第五十四条第一項第二号中「第八十三条第二項」とあるのは「第二百十五条第二項」と、第五十五条第二項及び第三項中「第百七十六条」とあるのは「第二百三十九条」と、同条第二項中「刑事施設の長」とあるのは「留置業務管理者」と、同条第三項中「第一項

の申請」とあるのは「第二百二十六条第四項の申請」と読み替えるものとする。

⑦　第五項の規定により引き渡さないこととした発受禁止信書等は、被留置者の釈放若しくは死亡の日又は被留置者が前項において準用する第五十四条第一項第一号若しくは第二号のいずれかに該当することとなった日から起算して三年を経過した日に、その留置施設の属する都道府県に帰属する。

（刑事施設に関する規定の準用）

第二二七条　第百三十一条の規定は被留置者の信書について、第百三十三条の規定は被留置者の文書図画について、それぞれ準用する。この場合において、これらの規定中「刑事施設の長」とあるのは「留置業務管理者」と、第百三十一条中「国庫」とあるのは「その留置施設の属する都道府県」と読み替えるものとする。

第三款　外国語による面会等

第二二八条①　留置業務管理者は、被留置者又はその面会の相手方が国語に通じない場合には、外国語による面会を許すものとする。この場合において、発言の内容を確認するため通訳が必要であるときは、内閣府令で定めるところにより、その被留置者にその費用を負担させることができる。

②　留置業務管理者は、被留置者又はその信書の発受の相手方が国語に通じない場合その他相当と認める場合には、外国語による信書の発受を許すものとする。この場合において、信書の内容を確認するため翻訳が必要であるときは、内閣府令で定めるところにより、その被留置者にその費用を負担させることができる。

③　被留置者が前二項の規定により負担すべき費用を負担しないときは、その面会又は信書の発受を許さない。

第十一節　不服申立て

第一款　審査の申請及び再審査の申請

（審査の申請）

第二二九条①　次に掲げる留置業務管理者の措置に不服がある者は、書面で、警察本部長に対し、審査の申請をすることができる。

一　第百八十七条又は第百九十条第一項の規定による自弁の物品の使用又は摂取を許さない処分

二　第百九十条第二項（第二百八条第二項において準用する場合を含む。）において準用する第百五十三条の規定による物を都道府県に帰属させる処分

三　第百九十六条の規定による領置されている現金の使用又は第百九十七条の規定による保管私物若しくは領置されている金品の交付を許さない処分

四　第二百二条第一項の規定による診療を受けることを許さない処分又は同条第四項の規定による診療の中止

五　第二百五条に規定する宗教上の行為の禁止又は制限

六　第二百七条第一項若しくは第二百八条第一項の規定又は第二百九条において準用する第七十一条の規定による書籍等の閲覧の禁止又は制限

七　第二百七条第二項の規定による費用を負担させる処分

八　第二百二十三条、第二百二十四条若しくは第二百二十五条第一項の規定又は第二百二十七条において準用する第百三十三条の規定による信書の発受又は文書図画の交付の禁止、差止め又は制限

九　第二百二十六条第五項前段の規定による発受禁止信書等の引渡しをしない処分（同条第三項の規定による引渡しに係るものに限る。）

十　前条第一項又は第二項の規定による費用を負担させる処分

②　前項の規定による審査の申請（以下この節において単に「審査の申請」という。）は、措置の告知があった日の翌日から起算して三十日以内にしなければならない。

③　第百五十七条第二項、第百五十八条第二項及び第三項、第百六十条並びに第百六十一条第一項並びに行政不服審査法第十五条、第十八条第三項、第十九条第二項及び第四項、第二十二条第一項及び第五項、第二十三条、第二十五条第一項、第二項及び第六項、第二十六条、第二十七条、第三十九条、第四十五条第一項及び第二項、第四十六条第一項本文及び第二項（第二号を除く。）、第四十七条（ただし書及び第二号を除く。）、第四十八条、第五十条第一項及び第三項、第五十一条並びに第五十二条第一項及び第二項の規定は、審査の申請について準用する。この場合において、第百五十八条第三項及び第百六十条第二項中「刑事施設の長」とあるのは「留置業務管理者」と、同条及び第百六十一条第一項中「矯正管区の長」とあるのは「警察本部長」と、同法第二十五条第二項中「審査請求人の申立てにより又は職権で」とあるのは「職権で」と、同法第五十一条第三項中「総務省令」とあるのは「内閣府令」と読み替えるものとするほか、必要な技術的読替えは、政令で定める。

＊令和五法六三（令和八・六・一五までに施行）による改正
第三項中「掲示し、かつ、その旨を官報その他の公報又は新聞紙に少なくとも一回掲載して」は「総務省令」に、「掲示して」は「内閣府令」に改められた。（本文織込み済み）

（再審査の申請）

第二三〇条①　審査の申請の裁決に不服がある者は、書面で、公安委員会に対し、再審査の申請をすることができる。

②　前項の規定による再審査の申請（以下この節において単に「再審査の申請」という。）は、審査の申請についての裁決の告知があった日の翌日から起算して三十日以内にしなければならない。

③　第百五十七条第二項、第百五十八条第二項、第百六十条及び第百六十一条第一項並びに行政不服審査法第十五条、第十八条第三項、第十九条第二項及び第四項、第二十三条、第二十五条第一項、第二項及び第六項、第二十六条、第二十七条、第三十九条、第四十六条第一項本文及び第二項（第二号を除く。）、第四十七条（ただし書及び第二号を除く。）、第四十八条、第五十条第一項、第五十一条、第五十二条第一項及び第二項、第六十二条第二項並びに第六十四条第一項から第三項までの規定は、再審査の申請について準用する。この場合において、第百六十条及び第百六十一条第一項中「矯正管区の長」とあるのは「公安委員会」と、第百六十条第二項中「刑事施設の長」とあるのは「留置業務管理者」と、同法第二十五条第二項中「審査請求人の申立てにより又は職権で」とあるのは「職権で」と、同法第五十一条第三項中「総務省令」とあるのは「内閣府令」と読み替えるものとするほか、必要な技術的読替えは、政令で定める。

＊令和五法六三（令和八・六・一五までに施行）による改正
第三項中「掲示し、かつ、その旨を官報その他の公報又は新聞紙に少なくとも一回掲載して」は「総務省令」に、「掲示して」は「内閣府令」に改められた。（本文織込み済み）

第二款　事実の申告

（警察本部長に対する事実の申告）

第二三一条①　被留置者は、自己に対する留置業務に従事する職員による行為であって、次に掲げるものがあったときは、政令で定めるところにより、書面で、警察本部長に対し、その事実を申告することができる。

一　身体に対する違法な有形力の行使

二　違法又は不当な捕縄、手錠、拘束衣又は防声具の使用

三　違法又は不当な保護室への収容

②　前項の規定による申告は、その申告に係る事実があった日の翌日から起算して三十日以内にしなければならない。

③　第百五十七条第二項、第百五十八条第二項及び第三項、第百

六十条、第百六十一条第一項並びに第百六十四条第一項、第二項及び第四項並びに行政不服審査法第十八条第三項、第二十二条第一項及び第五項、第二十三条、第二十七条、第三十九条並びに第五十条第一項及び第三項の規定は、第一項の規定による申告について準用する。この場合において、第百五十八条第三項及び第百六十条第二項中「刑事施設の長」とあるのは「留置業務管理者」と、同条、第百六十一条第一項並びに第百六十四条第一項、第二項及び第四項中「矯正管区の長」とあるのは「警察本部長」と、同項中「前条第一項」とあるのは「第二百三十一条第一項」と読み替えるものとするほか、必要な技術的読替えは、政令で定める。

（公安委員会に対する事実の申告）

第二三二条① 被留置者は、前条第三項において準用する第百六十四条第一項又は第二項の規定による通知を受けた場合において、その内容に不服があるときは、政令で定めるところにより、書面で、公安委員会に対し、前条第一項に規定する事実を申告することができる。

② 前項の規定による申告は、同項の通知を受けた日の翌日から起算して三十日以内にしなければならない。

③ 第百五十七条第二項、第百五十八条第二項、第百六十条、第百六十一条第一項並びに第百六十四条第一項、第二項及び第四項並びに行政不服審査法第十八条第三項、第二十三条、第二十七条、第三十九条及び第五十条第一項の規定は、第一項の規定による申告について準用する。この場合において、第百六十条、第百六十一条第一項並びに第百六十四条第一項、第二項及び第四項中「矯正管区の長」とあるのは「公安委員会」と、第百六十条第二項中「刑事施設の長」とあるのは「留置業務管理者」と、第百六十四条第四項中「前条第一項」とあるのは「第二百三十一条第一項」と読み替えるものとするほか、必要な技術的読替えは、政令で定める。

第三款　苦情の申出

（警察本部長に対する苦情の申出）

第二三三条① 被留置者は、自己に対する留置業務管理者の措置その他自己が受けた処遇について、書面で、警察本部長に対し、苦情の申出をすることができる。

② 第百五十七条第二項及び第百六十六条第三項の規定は、前項の警察本部長に対する苦情の申出について準用する。

（監査官に対する苦情の申出）

第二三四条① 被留置者は、自己に対する留置業務管理者の措置その他自己が受けた処遇について、口頭又は書面で、第十八条の規定により実地監査を行う監査官（以下この節において単に「監査官」という。）に対し、苦情の申出をすることができる。

② 第百五十七条第二項、第百六十六条第三項及び第百六十七条第三項の規定は、前項の監査官に対する苦情の申出について準用する。この場合において、同条第三項中「刑事施設の職員」とあるのは、「留置業務に従事する職員」と読み替えるものとする。

（留置業務管理者に対する苦情の申出）

第二三五条① 被留置者は、自己に対する留置業務管理者の措置その他自己が受けた処遇について、口頭又は書面で、留置業務管理者に対し、苦情の申出をすることができる。

② 第百五十七条第二項、第百六十六条第三項及び第百六十八条第三項の規定は、前項の留置業務管理者に対する苦情の申出について準用する。

第四款　雑則

（秘密申立て）

第二三六条① 留置業務管理者は、被留置者が、審査の申請等（審査の申請、再審査の申請又は第二百三十一条第一項若しくは第二百三十二条第一項の規定による申告をいう。次項及び次条において同じ。）をし、又は警察本部長若しくは監査官に対し苦情の申出をするに当たり、その内容を留置業務に従事する職員に秘密にすることができるように、必要な措置を講じなければならない。

② 第二百二十二条の規定にかかわらず、審査の申請等又は苦情の申出の書面は、検査をしてはならない。

（不利益取扱いの禁止）

第二三七条 留置業務に従事する職員は、被留置者が審査の申請等又は苦情の申出をしたことを理由として、その者に対し不利益な取扱いをしてはならない。

第十二節　釈放

第二三八条 第百七十一条から第百七十三条までの規定は被留置者の釈放について、第百七十五条の規定は釈放される被留置者について、それぞれ準用する。この場合において、第百七十一条第二号及び第四号中「刑事施設」とあるのは、「留置施設」と読み替えるものとする。

第十三節　死亡

第二三九条 留置業務管理者は、被留置者が死亡した場合には、内閣府令で定めるところにより、その遺族等に対し、その死亡の原因及び日時並びに交付すべき遺留物又は発受禁止信書等があるときはその旨を速やかに通知しなければならない。

第十四節　法務大臣との協議

第二四〇条 内閣総理大臣は、被勾留者及び受刑者の処遇の斉一を図るため、被勾留者である被留置者及び被留置受刑者の処遇に関し内閣府令を制定し、又は改廃するに当たっては、法務大臣と協議するものとする。

第四章　海上保安留置施設における海上保安被留置者の処遇

（第二四一条から第二八五条まで）（略）

第三編　補則

第一章　代替収容の場合における刑事訴訟法等の適用

第二八六条 第十五条第一項の規定により留置施設に留置される者については、留置施設を刑事施設と、留置業務管理者を刑事施設の長と、留置担当官を刑事施設職員とみなして、刑事訴訟法第六十四条第一項、第六十五条第三項、第七十条第二項、第七十三条第二項、第七十八条、第八十条後段、第九十八条第一項及び第二項、第九十八条の二、第九十八条の十七第一項（第一号及び第二号に係る部分に限る。）及び第四項、第九十八条の二十第五項（第二号に係る部分に限る。）、第九十八条の二十一第三項（第二号に係る部分に限る。）、第二百八十六条の二、第三百四十三条の二、第三百六十六条、第三百六十七条並びに第四百八十一条第二項、更生保護法第十三条（同法第二十二条、第二十五条第三項、第三十六条第三項（同法第三十九条第五項において準用する場合を含む。）、第六十三条第十項、第七十三条第五項、第七十三条の四第三項及び第七十六条第四項において準用する場合を含む。）、第二十七条第三項、第三十三条、第三十五条第二項、第三十六条第二項（同法第三十七条第三項（同法第四十五条において準用する場合を含む。）及び第三十九条第五項において準用する場合を含む。）、第三十九条第四項、第四十四条、第五十四条第二項、第五十五条第二項、第八十二条、第八十六条、第九十条第二項及び第九十三条並びに民事訴訟法（平成八年法律第百九号）第九十九条第三項の規定を適用する。

*令和四法四八（令和八・五・二四までに施行）による改正
第二八六条中「第百二条第三項」は「第九十九条第三項」に改められた。（本文織込み済み）

第二章　労役場及び監置場

（労役場及び監置場の附置等）

第二八七条① 労役場及び監置場は、それぞれ、法務大臣が指定する刑事施設に附置する。

② 監置の裁判の執行を受ける者は、最寄りの地に監置場がないとき、又は最寄りの監置場に留置の余力がないときは、刑事施設内の特に区別した場所に留置することができる。

③ 労役場及び監置場については、第五条、第六条、第十一条及び第十二条の規定を準用する。

④ 刑事施設視察委員会は、刑事施設に附置された労役場及び監置場の運営に関しても、第七条第二項に規定する事務を行うものとする。この場合においては、第九条及び第十条の規定を準用する。

（労役場留置者の処遇）

第二八八条① 労役場に留置されている者（以下「労役場留置者」という。）に行わせる作業は、労役場留置者ごとに、当該労役場が附置された刑事施設の長が指定する。

② 労役場が附置された刑事施設の長は、法務省令で定める基準に従い、一日の作業時間及び作業を行わない日を定める。

③ 前二項に定めるもののほか、労役場留置者の処遇については、その性質に反しない限り、前編第二章中の受刑者に関する規定を準用する。この場合において、第七十四条第二項第九号中「第九十三条に規定する作業を怠り、又は第八十六条第一項各号、第百三条若しくは第百四条に規定する指導を拒んではならない」とあるのは、「第二百八十八条第一項に規定する作業を怠ってはならない」と読み替えるものとする。

（被監置者の処遇）

第二八九条① 監置場に留置されている者（以下「監置場留置者」という。）の処遇については、前編第二章（第四十一条第二項並びに第十一節第二款第六目及び第三款第六目を除く。）中の各種被収容者に関する規定を準用する。

② 監置場留置者の自弁の物品の使用及び摂取については、第四十一条の規定を準用する。この場合において、同条第一項中「次条第一項各号に掲げる物品を除く。次項において同じ。」とあるのは「（衣類、日用品及び文房具並びに次条第一項各号に掲げる物品を除く。）」と、同条第二項中「前項各号に掲げる物品及び寝具」とあるのは「衣類、日用品及び文房具（次条第一項各号に掲げる物品を除く。）」と読み替えるものとする。

③ 監置場留置者（次項に規定する者を除く。）の面会及び信書の発受については、その性質に反しない限り、前編第二章第十一節第二款第一目及び第三款第一目の規定を準用する。

④ 監置場留置者（刑事訴訟法の規定による勾留中に監置の裁判の執行を受けたものに限る。）の面会及び信書の発受については、その性質に反しない限り、前編第二章第十一節第二款第三目及び第三款第三目の規定を準用する。

⑤ 監置の裁判の執行のため第二百八十七条第二項の規定により刑事施設に留置されている者については、第四十一条第二項並びに前編第二章第十一節第二款第六目及び第三款第六目の規定にかかわらず、前三項の規定を準用する。

⑥ 監置の裁判の執行のため第十五条第一項及び第二百八十七条第二項の規定により留置施設に留置されている者（次項に規定する者を除く。）の面会及び信書の発受については、前編第三章第十節の規定にかかわらず、その性質に反しない限り、同節中の被留置受刑者に関する規定を準用する。

⑦ 監置の裁判の執行のため第十五条第一項及び第二百八十七条第二項の規定により留置施設に留置されている者（刑事訴訟法の規定による勾留中に監置の裁判の執行を受けたものに限る。）の面会及び信書の発受については、前編第三章第十節の規定にかかわらず、その性質に反しない限り、同節中の未決拘禁者としての地位を有する被留置受刑者に関する規定を準用する。

第三章　司法警察職員

第二九〇条① 刑事施設の長は、刑事施設における犯罪（労役場及び監置場における犯罪を含む。次項において同じ。）について、刑事訴訟法の規定による司法警察員としての職務を行う。

② 刑事施設の職員（刑事施設の長を除く。）であって、刑事施設の長がその刑事施設の所在地を管轄する地方裁判所に対応する検察庁の検事正と協議をして指名したものは、刑事施設における犯罪について、法務大臣の定めるところにより、刑事訴訟法の規定による司法警察職員としての職務を行う。

第四章　条約の効力

第二九一条 この法律に規定する面会及び信書の発受に関する事項について条約に別段の定めがあるときは、その規定による。

第五章　罰則

第二九二条 第二十一条第三項の規定に違反して秘密を漏らした者は、一年以下の拘禁刑又は百万円以下の罰金に処する。

第二九三条① 第八十三条第二項（第二百八十八条第三項及び第二百八十九条第一項において準用する場合を含む。）の規定により解放された被収容者、労役場留置者又は監置場留置者が、第八十三条第三項（第二百八十八条第三項及び第二百八十九条第一項において準用する場合を含む。）の規定に違反して刑事施設又は指定された場所に出頭しないときは、二年以下の拘禁刑に処する。

② 刑事施設に収容されている受刑者が次の各号のいずれかに該当するときは、三年以下の拘禁刑に処する。

一　外部通勤作業の場合において、そのための通勤の日を過ぎて刑事施設に帰着しないとき。

二　第百六条の二第一項の規定による外出又は外泊の場合において、その外出の日又は外泊の期間の末日を過ぎて刑事施設に帰着しないとき。

③ 第二百十五条第二項の規定により解放された被留置者が、同条第三項の規定に違反して留置施設又は指定された場所に出頭しないときも、第一項と同様とする。

④ 第二百六十三条第二項の規定により解放された海上保安被留置者が、同条第三項の規定に違反して海上保安留置施設又は指定された場所に出頭しないときも、第一項と同様とする。

附　則（抄）

（施行期日）

第一条 この法律は、公布の日から起算して一年を超えない範囲内において政令で定める日（平成一八・五・二四—平成一八政一九一）から施行する。（後略）

附　則（令和四・五・二五法四八）（抄）

（施行期日）

第一条 この法律は、公布の日から起算して四年を超えない範囲内において政令で定める日から施行する。ただし、次の各号に掲げる規定は、当該各号に定める日から施行する。

一　（前略）附則第百二十五条の規定　公布の日

二—五　（略）

（政令への委任）

第一二五条 （前略）この法律の施行に関し必要な経過措置は、政令で定める。

附　則（令和四・六・一七法六七）（抄）

（施行期日）

① この法律は、公布の日から起算して三年を超えない範囲内において政令で定める日（令和七・六・一—令和五政三一八）から施行する。ただし、次の各号に掲げる規定は、当該各号に定める日から施行する。

一　（略）

二　第四条（刑事収容施設及び被収容者等の処遇に関する法律の一部改正）（中略）の規定　公布の日から起算して一年六月を超えない範囲内において政令で定める日（令和五・一二・一—令和五政二五七）

（経過措置）

②　この法律の施行に伴い必要な経過措置その他の事項は、別に法律で定めるところによる。

刑法等の一部を改正する法律の施行に伴う関係法律整理法中経過規定（令和四・六・一七法六八）（抄）

第四四一条から第四四三条まで　（刑法の同経過規定参照）

（**受刑者に関する経過措置**）

第四五九条　当分の間、刑法等一部改正法（刑法等の一部を改正する法律（令和四法六七））第五条の規定による改正後の刑事収容施設及び被収容者等の処遇に関する法律（平成十七年法律第五十号。以下この節において「新刑事収容施設法」という。）第二条第四号の受刑者には、懲役の刑（第五十三条の規定による改正前の国際受刑者移送法（以下「旧国際受刑者移送法」という。）第十六条第一項第一号の共助刑を含む。）の執行のため拘置されている者（以下「懲役受刑者」という。）、禁錮の刑（同項第二号の共助刑を含む。）の執行のため拘置されている者（以下「禁錮受刑者」という。）及び旧拘留の刑の執行のため拘置されている者（以下この節において「旧拘留受刑者」という。）を含むものとする。

（**懲役受刑者の作業に関する経過措置**）

第四六〇条　懲役受刑者の作業については、新刑事収容施設法第九十三条及び第九十五条第一項の規定は適用せず、刑法等一部改正法第五条の規定による改正前の刑事収容施設及び被収容者等の処遇に関する法律（以下この節において「旧刑事収容施設法」という。）第九十二条及び第九十五条第一項の規定は、なおその効力を有する。

（**禁錮受刑者及び旧拘留受刑者の作業に関する経過措置**）

第四六一条　禁錮受刑者及び旧拘留受刑者の作業については、新刑事収容施設法第九十三条の規定は適用せず、旧刑事収容施設法第九十三条の規定は、なおその効力を有する。

（**懲罰に関する経過措置**）

第四六二条　禁錮受刑者及び旧拘留受刑者に科する懲罰については、新刑事収容施設法第百五十一条第一項及び第二項の規定は適用せず、旧刑事収容施設法第百五十一条第一項及び第二項の規定は、なおその効力を有する。

（**新刑事収容施設法の適用関係**）

第四六三条　当分の間、次の表の上欄に掲げる新刑事収容施設法の規定の適用については、これらの規定中同表の中欄に掲げる字句は、それぞれ同表の下欄に掲げる字句とする。

第三条第一号	拘禁刑又は拘留	拘禁刑、拘留、刑法等の一部を改正する法律（令和四年法律第六十七号。以下「刑法等一部改正法」という。）第二条の規定による改正前の刑法（明治四十年法律第四十五号。以下「旧刑法」という。）第十二条に規定する懲役（以下「懲役」という。）、旧刑法第十三条に規定する禁錮（以下「禁錮」という。）又は旧刑法第十六条に規定する拘留（以下「旧拘留」という。）
第四条第一項第三号	拘禁刑受刑者及び拘留受刑者	拘禁刑受刑者、拘留受刑者、懲役受刑者（懲役の刑（刑法等の一部を改正する法律の施行に伴う関係法律の整理等に関する法律（令和四年法律第六十八号。以下「整理法」という。）第五十三条の規定による改正前の国際受刑者移送法第十六条第一項第一号の共助刑を含む。以下同じ。）の執行のため拘置されている者をいう。以下同じ。）、禁錮受刑者（禁錮の刑（同項第二号の共助刑を含む。以下同じ。）の執行のため拘置されている者をいう。以下同じ。）及び旧拘留受刑者（旧拘留の刑の執行のため拘置されている者をいう。）
第四条第二項	第九十三条	第九十三条又は整理法第四百六十条若しくは第四百六十一条の規定によりなお効力を有することとされる刑法等一部改正法第五条の規定による改正前の第九十二条若しくは第九十三条
第十五条第一項第一号	拘禁刑又は拘留	拘禁刑、拘留、懲役、禁錮又は旧拘留
第七十四条第二項第九号	第九十三条	第九十三条若しくは整理法第四百六十条若しくは第四百六十一条の規定によりなお効力を有することとされる刑法等一部改正法第五条の規定による改正前の第九十二条若しくは第九十三条
第八十四条第一項及び第三項	第九十三条	第九十三条又は整理法第四百六十条若しくは第四百六十一条の規定によりなお効力を有することとされる刑法等一部改正法第五条の規定による改正前の第九十二条若しくは第九十三条
第九十六条第一項及び第百六条の二第一項	少年法第五十八条又は	少年法第五十八条若しくは
	拘禁刑受刑者	拘禁刑受刑者又は整理法第四百四十二条の規定によりなお従前の例によることとされる旧刑法第二十八条、整理法第四百九十一条第七項の規定により読み替えて適用される刑法第二十八条、整理法第四百七十七条第四項の規定によりなお従前の例によることとされる整理法第十四条の規定による改正前の少年法第五十八条若しくは整理法第四百九十一条第六項の規定により適用される国際受刑者移送法第二十二条の規定により仮釈放を許すことができる期間を経過した懲役受刑者若しくは禁錮受刑者

第五〇九条　（刑法の同経過規定参照）

刑法等の一部を改正する法律の施行に伴う関係法律整理法

附　則（令和四・六・一七法六八）（抄）

（**施行期日**）

①　この法律は、刑法等一部改正法施行日（令和七・六・一）から施行する。ただし、次の各号に掲げる規定は、当該各号に定める日から施行する。

一　第五百九条の規定　公布の日

二　（略）

附　則（令和五・五・一七法二八）（抄）

（**施行期日**）

第一条　この法律は、公布の日から起算して五年を超えない範囲内において政令で定める日から施行する。ただし、次の各号に掲げる規定は、当該各号に定める日から施行する。

一　（略）

二　（前略）附則第二十七条中刑事収容施設及び被収容者等の処遇に関する法律（平成十七年法律第五十号）第二百九十三条の改正規定、附則第二十八条第二項（中略）並びに附則第三十六条（令和四法六八の一部改正）及び第四十条の規定　公布の日から起算して二十日を経過した日（令和五・六・六）

三　（前略）附則第二十七条中刑事収容施設及び被収容者等の処遇に関する法律第二百八十六条の改正規定、附則第二十八条第一項の規定（中略）　公布の日から起算して六月を超えない範囲内において政令で定める日（令和五・一一・一五―令和五政三三〇）

四・五　（略）

六　（前略）附則第二十七条中刑事収容施設及び被収容者等の処遇に関する法律第百七十二条第二号の改正規定（中略）　公布の日から起算して二年を超えない範囲内において政令で定める日

七―十一　（略）

（刑事収容施設及び被収容者等の処遇に関する法律の一部改正に伴う調整規定等）

第二八条①　第三号施行日（附則第一条第三号に掲げる規定の施行の日）から施行日の前日までの間における前条の規定による改正後の刑事収容施設及び被収容者等の処遇に関する法律第二百八十六条の規定の適用については、同条中「第九十八条の二、第九十八条の十七第一項（第一号及び第二号に係る部分に限る。）及び第四項、第九十八条の二十第五項（第二号に係る部分に限る。）、第九十八条の二十一第三項（第二号に係る部分に限る。）」とあるのは、「第九十八条の二」とする。

②　第二号施行日（附則第一条第二号に掲げる規定の施行の日）から刑法等一部改正法施行日（刑法等の一部を改正する法律（令和四法六七）の施行の日。令和七・六・一）の前日までの間における前条の規定による改正後の刑事収容施設及び被収容者等の処遇に関する法律第二百九十三条第二項の規定の適用については、同項中「拘禁刑」とあるのは、「懲役」とする。刑法等一部改正法施行日以後における刑法等一部改正法施行日前にした行為に対する同項の規定の適用についても、同様とする。

（罰則に関する経過措置）

第四〇条　第二号施行日前にした行為に対する罰則の適用については、なお従前の例による。

附　則（令和五・六・一六法六三）（抄）

（施行期日）

第一条　（前略）次の各号に掲げる規定は、当該各号に定める日から施行する。

一　（前略）附則第七条（中略）の規定　公布の日

二　（前略）第五十八条（刑事収容施設及び被収容者等の処遇に関する法律の一部改正）（中略）の規定　公布の日から起算して三年を超えない範囲内において政令で定める日

（政令への委任）

第七条　（前略）この法律の施行に関し必要な経過措置（中略）は、政令で定める。

＊更生保護法（抜粋）（平成一九・六・一五法八八）

最終改正　令和五法二八

第一章　総則（抄）

第一節　目的等（抄）

（目的）

第一条　この法律は、犯罪をした者及び非行のある少年に対し、社会内において適切な処遇を行うことにより、再び犯罪をすることを防ぎ、又はその非行をなくし、これらの者が善良な社会の一員として自立し、改善更生することを助けるとともに、恩赦の適正な運用を図るほか、犯罪予防の活動の促進等を行い、もって、社会を保護し、個人及び公共の福祉を増進することを目的とする。

（運用の基準）

第三条　犯罪をした者又は非行のある少年に対してこの法律の規定によりとる措置は、当該措置を受ける者の性格、年齢、経歴、心身の状況、家庭環境、交友関係、被害者等（犯罪若しくは刑罰法令に触れる行為により害を被った者（以下この条において「被害者」という。）又はその法定代理人若しくは被害者が死亡した場合若しくはその心身に重大な故障がある場合におけるその配偶者、直系の親族若しくは兄弟姉妹をいう。以下同じ。）の被害に関する心情、被害者等の置かれている状況等を十分に考慮して、当該措置を受ける者に最もふさわしい方法により、その改善更生のために必要かつ相当な限度において行うものとする。

第二節　中央更生保護審査会（抄）

（設置及び所掌事務）

第四条①　法務省に、中央更生保護審査会（以下「審査会」という。）を置く。

②　審査会は、次に掲げる事務をつかさどる。

一　特赦、特定の者に対する減刑、刑の執行の免除又は特定の者に対する復権の実施についての申出をすること。

二　地方更生保護委員会がした決定について、この法律及び行政不服審査法（平成二十六年法律第六十八号）の定めるところにより、審査を行い、裁決をすること。

三　前二号に掲げるもののほか、この法律又は他の法律によりその権限に属させられた事項を処理すること。

第三節　地方更生保護委員会（抄）

（所掌事務）

第一六条　地方更生保護委員会（以下「地方委員会」という。）は、次に掲げる事務をつかさどる。

一　刑法（明治四十年法律第四十五号）第二十八条の行政官庁として、仮釈放を許し、又はその処分を取り消すこと。

二　刑法第三十条の行政官庁として、仮出場を許すこと。

三　少年院からの仮退院又は退院を許すこと。

四　少年院からの仮退院中の者について、少年院に戻して収容する旨の決定の申請をし、又は仮退院を許す処分を取り消すこと。

五　少年法（昭和二十三年法律第百六十八号）第五十二条第一項又は同条第一項及び第二項の規定により言い渡された刑（以下「不定期刑」という。）について、その執行を受け終わったものとする処分をすること。

六　保護観察所の事務を監督すること。

七　前各号に掲げるもののほか、この法律又は他の法律によりその権限に属させられた事項を処理すること。

第四節　保護観察所（抄）

（所掌事務）

第二九条　保護観察所は、次に掲げる事務をつかさどる。

一　保護観察を実施すること。

二　犯罪の予防を図るため、世論を啓発し、社会環境の改善に努め、及び地域住民の活動を促進すること。

三　前二号に掲げるもののほか、この法律その他の法令によりその権限に属させられた事項を処理すること。

第五節　保護観察官及び保護司

（保護観察官）

第三一条①　地方委員会の事務局及び保護観察所に、保護観察官を置く。

②　保護観察官は、医学、心理学、教育学、社会学その他の更生保護に関する専門的知識に基づき、保護観察、調査、生活環境の調整その他犯罪をした者及び非行のある少年の更生保護並びに犯罪の予防に関する事務に従事する。

（保護司）

第三二条　保護司は、保護観察官で十分でないところを補い、地方委員会又は保護観察所の長の指揮監督を受けて、保護司法（昭和二十五年法律第二百四号）の定めるところに従い、それぞれ地方委員会又は保護観察所の所掌事務に従事するものとする。

第二章　仮釈放等（抄）

第一節　仮釈放及び仮出場（抄）

（法定期間経過の通告）

第三三条　刑事施設の長又は少年院の長は、拘禁刑の執行のため収容している者について、刑法第二十八条又は少年法第五十八条第一項に規定する期間が経過したときは、その旨を地方委員会に通告しなければならない。

（仮釈放及び仮出場の申出）

第三四条①　刑事施設の長又は少年院の長は、拘禁刑の執行のため収容している者について、前条の期間が経過し、かつ、法務省令で定める基準に該当すると認めるときは、地方委員会に対し、仮釈放を許すべき旨の申出をしなければならない。

②　刑事施設の長は、拘留の刑の執行のため収容している者又は労役場に留置している者について、法務省令で定める基準に該当すると認めるときは、地方委員会に対し、仮出場を許すべき旨の申出をしなければならない。

（申出によらない審理の開始等）

第三五条①　地方委員会は、前条の申出がない場合であっても、必要があると認めるときは、仮釈放又は仮出場を許すか否かに関する審理を開始することができる。

②　地方委員会は、前項の規定により審理を開始するに当たっては、あらかじめ、審理の対象となるべき者が収容されている刑事施設（労役場に留置されている場合には、当該労役場が附置された刑事施設）の長又は少年院の長の意見を聴かなければならない。

（仮釈放の審理における委員による面接等）

第三七条①　地方委員会は、仮釈放を許すか否かに関する審理においては、その構成員である委員をして、審理対象者と面接させなければならない。ただし、その者の重い疾病若しくは傷害により面接を行うことが困難であると認められるとき又は法務省令で定める場合であって面接の必要がないと認められるときは、この限りでない。

②　地方委員会は、仮釈放を許すか否かに関する審理において必要があると認めるときは、審理対象者について、保護観察所の長に対し、事項を定めて、第八十二条第一項の規定による生活環境の調整を行うことを求めることができる。

③　前条第二項の規定は、仮釈放を許すか否かに関する審理における調査について準用する。

（被害者等の意見等の聴取）

第三八条①　地方委員会は、仮釈放を許すか否かに関する審理を行うに当たり、法務省令で定めるところにより、審理対象者が刑を言い渡される理由となった犯罪に係る被害者等から、審理対象者の仮釈放、仮釈放中の保護観察及び第八十二条第一項の規定による生活環境の調整に関する意見並びに被害に関する心情（以下この条において「意見等」という。）を述べたい旨の申出があったときは、当該意見等を聴取するものとする。ただし、当該被害に係る事件の性質、審理の状況その他の事情を考慮して相当でないと認めるときは、この限りでない。

② 地方委員会は、前項の被害者等の居住地を管轄する保護観察所の長に対し、同項の申出の受理に関する事務及び同項の規定による意見等の聴取を円滑に実施するための事務を嘱託することができる。

③ 地方委員会は、第一項の規定により仮釈放中の保護観察に関する意見を聴取した場合において、同項の審理対象者について刑法第二十八条の規定による仮釈放を許す処分をしたときは、当該審理対象者の仮釈放中の保護観察をつかさどることとなる保護観察所の長に対し、当該意見その他の仮釈放中の保護観察の実施に必要な事項を通知するものとする。

④ 地方委員会は、第一項の規定により第八十二条第一項の規定による生活環境の調整に関する意見を聴取した場合において必要があると認めるときは、第一項の審理対象者について同条第一項の規定による生活環境の調整を行う保護観察所の長に対し、当該意見その他の同項の規定による生活環境の調整の実施に必要な事項を通知するものとする。

第三九条（仮釈放及び仮出場を許す処分）① 刑法第二十八条の規定による仮釈放を許す処分及び同法第三十条の規定による仮出場を許す処分は、地方委員会の決定をもってするものとする。

② 地方委員会は、仮釈放又は仮出場を許す処分をするに当たっては、釈放すべき日を定めなければならない。

③ 地方委員会は、仮釈放を許す処分をするに当たっては、第五十一条第二項第五号の規定により宿泊すべき特定の場所を定める場合その他特別の事情がある場合を除き、第八十二条第一項の規定による住居の調整の結果に基づき、仮釈放を許される者が居住すべき住居を特定するものとする。

④ 地方委員会は、第一項の決定をした場合において、当該決定を受けた者について、その釈放までの間に、刑事施設の規律及び秩序を害する行為をしたこと、予定されていた釈放後の住居、就業先その他の生活環境に著しい変化が生じたことその他その釈放が相当でないと認められる特別の事情が生じたと認めるときは、仮釈放又は仮出場を許すか否かに関する審理を再開しなければならない。この場合においては、当該決定は、その効力を失う。

⑤ 第三十六条の規定は、前項の規定による審理の再開に係る判断について準用する。

第四〇条（仮釈放中の保護観察） 仮釈放を許された者は、仮釈放の期間中、保護観察に付する。

第二節　少年院からの仮退院

第四一条（仮退院を許す処分） 地方委員会は、保護処分の執行のため少年院に収容されている者（第六十八条の五第一項に規定する収容中の特定保護観察処分少年を除く。第四十六条第一項において同じ。）について、少年院法（平成二十六年法律第五十八号）第十六条に規定する処遇の段階が最高段階に達し、仮に退院させることが改善更生のために相当であると認めるとき、その他仮に退院させることが改善更生のために特に必要であると認めるときは、決定をもって、仮退院を許すものとする。

第四二条（準用） 第三十五条から第三十八条まで、第三十九条第二項から第五項まで及び第四十条の規定は、少年院からの仮退院について準用する。この場合において、第三十五条第一項中「前条」とあるのは「少年院法第百三十五条」と、第三十八条第一項中「刑」とあるのは「保護処分」と、「犯罪」とあるのは「犯罪又は刑罰法令に触れる行為」と読み替えるものとする。

第三節　収容中の者の不定期刑の終了（抄）

第四三条（刑事施設等に収容中の者の不定期刑の終了の申出） 刑事施設の長又は少年院の長は、不定期刑の執行のため収容している者について、その刑の短期が経過し、かつ、刑の執行を終了するのを相当と認めるときは、地方委員会に対し、刑の執行を受け終わったものとすべき旨の申出をしなければならない。

第四四条（刑事施設等に収容中の者の不定期刑の終了の処分）① 地方委員会は、前条に規定する者について、同条の申出があった場合において、刑の執行を終了するのを相当と認めるときは、決定をもって、刑の執行を受け終わったものとしなければならない。

② 地方委員会は、前項の決定をしたときは、速やかに、その対象とされた者が収容されている刑事施設の長又は少年院の長に対し、その旨を書面で通知するとともに、当該決定を受けた者に対し、当該決定をした旨の証明書を交付しなければならない。

③ 第一項の決定の対象とされた者の刑期は、前項の通知が刑事施設又は少年院に到達した日に終了するものとする。

第四節　収容中の者の退院（抄）

第四六条（少年法第二十四条第一項第三号又は第六十四条第一項第三号の保護処分の執行のため少年院に収容中の者の退院を許す処分）① 地方委員会は、保護処分の執行のため少年院に収容されている者について、少年院の長の申出があった場合において、退院させてその保護処分を終了させるのを相当と認めるとき（二十三歳を超えて少年院に収容されている者については、少年院法第百三十九条第一項に規定する事由に該当しなくなったと認めるときその他退院させてその保護処分を終了させるのを相当と認めるとき）は、決定をもって、これを許さなければならない。

② 地方委員会は、前項の決定をしたときは、当該決定を受けた者に対し、当該決定をした旨の証明書を交付しなければならない。

第四七条の二（収容中の特定保護観察処分少年の退院を許す処分） 地方委員会は、第六十八条の五第一項に規定する収容中の特定保護観察処分少年について、少年院法第十六条に規定する処遇の段階が最高段階に達し、退院させて再び保護観察を実施することが改善更生のために相当であると認めるとき、その他退院させて再び保護観察を実施することが改善更生のために特に必要であると認めるときは、決定をもって、その退院を許すものとする。

第三章　保護観察（抄）

第一節　通則（抄）

第四八条（保護観察の対象者） 次に掲げる者（以下「保護観察対象者」という。）に対する保護観察の実施については、この章の定めるところによる。

一　少年法第二十四条第一項第一号又は第六十四条第一項第一号若しくは第二号の保護処分に付されている者（以下「保護観察処分少年」という。）

二　少年院からの仮退院を許されて第四十二条において準用する第四十条の規定により保護観察に付されている者（以下「少年院仮退院者」という。）

三　仮釈放を許されて第四十条の規定により保護観察に付されている者（以下「仮釈放者」という。）

四　刑法第二十五条の二第一項若しくは第二十七条の三第一項

又は薬物使用等の罪を犯した者に対する刑の一部の執行猶予に関する法律（平成二十五年法律第五十号）第四条第一項の規定により保護観察に付されている者（以下「保護観察付執行猶予者」という。）

（保護観察の実施方法）

第四九条① 保護観察は、保護観察対象者の改善更生を図ることを目的として、その犯罪又は非行に結び付く要因及び改善更生に資する事項を的確に把握しつつ、第五十七条及び第六十五条の三第一項に規定する指導監督並びに第五十八条に規定する補導援護を行うことにより実施するものとする。

② 保護観察処分少年又は少年院仮退院者に対する保護観察は、保護処分の趣旨を踏まえ、その者の健全な育成を期して実施しなければならない。

③ 保護観察所の長は、保護観察を適切に実施するため、保護観察対象者の改善更生に資する援助を行う関係機関等に対し第三十条の規定により必要な情報の提供を求めるなどして、当該関係機関等との間の緊密な連携の確保に努めるものとする。

（一般遵守事項）

第五〇条① 保護観察対象者は、次に掲げる事項（以下「一般遵守事項」という。）を遵守しなければならない。

一 再び犯罪をすることがないよう、又は非行をなくすよう健全な生活態度を保持すること。

二 次に掲げる事項を守り、保護観察官及び保護司による指導監督を誠実に受けること。

イ 保護観察官又は保護司の呼出し又は訪問を受けたときは、これに応じ、面接を受けること。

ロ 保護観察官又は保護司から、労働又は通学の状況、収入又は支出の状況、家庭環境、交友関係その他の生活の実態を示す事実であって指導監督を行うため把握すべきものを明らかにするよう求められたときは、これに応じ、その事実を申告し、又はこれに関する資料を提示すること。

ハ 保護観察官又は保護司から、健全な生活態度を保持するために実行し、又は継続している行動の状況、特定の犯罪的傾向を改善するための専門的な援助を受けることに関してとった行動の状況、被害者等の被害を回復し、又は軽減するためにとった行動の状況その他の行動の状況を示す事実であって指導監督を行うため把握すべきものを明らかにするよう求められたときは、これに応じ、その事実を申告し、又はこれに関する資料を提示すること。

三 保護観察に付されたときは、速やかに、住居を定め、その地を管轄する保護観察所の長にその届出をすること（第三十九条第三項（第四十二条において準用する場合を含む。）又は第七十八条の二第一項において準用する第六十八条の七第一項の規定により住居を特定された場合及び次条第二項第五号の規定により宿泊すべき特定の場所を定められた場合を除く。）。

四 前号の届出に係る住居（第三十九条第三項（第四十二条及び第四十七条の三において準用する場合を含む。）又は第六十八条の七第一項（第七十八条の二第一項において準用する場合を含む。）の規定により住居を特定された場合には当該住居、次号の転居の許可を受けた場合には当該許可に係る住居）に居住すること（次条第二項第五号の規定により宿泊すべき特定の場所を定められた場合を除く。）。

五 転居（第四十七条の二の決定又は少年法第六十四条第二項の規定により定められた期間（以下「収容可能期間」という。）の満了により釈放された場合に前号の規定により居住することとされている住居に転居する場合を除く。）又は七日以上の旅行をするときは、あらかじめ、保護観察所の長の許可を受けること。

② 刑法第二十七条の三第一項又は薬物使用等の罪を犯した者に対する刑の一部の執行猶予に関する法律第四条第一項の規定により保護観察に付する旨の言渡しを受けた者（以下「保護観察付一部猶予者」という。）が仮釈放中の保護観察に引き続きこれらの規定による保護観察に付されたときは、第七十八条の二第一項において準用する第六十八条の七第一項の規定により住居を特定された場合及び次条第二項第五号の規定により宿泊すべき特定の場所を定められた場合を除き、仮釈放中の保護観察の終了時に居住することとされていた前項第三号の届出に係る住居（第三十九条第三項の規定により住居を特定された場合には当該住居、前項第五号の転居の許可を受けた場合には当該許可に係る住居）につき、同項第三号の届出をしたものとみなす。

（特別遵守事項）

第五一条① 保護観察対象者は、一般遵守事項のほか、遵守すべき特別の事項（以下「特別遵守事項」という。）が定められたときは、これを遵守しなければならない。

② 特別遵守事項は、次条に定める場合を除き、第五十二条の定めるところにより、これに違反した場合に第七十二条第一項及び第七十三条の二第一項、刑法第二十六条の二、第二十七条の五及び第二十九条第一項並びに少年法第二十六条の四第一項及び第六十六条第一項に規定する処分がされることがあることを踏まえ、次に掲げる事項について、保護観察対象者の改善更生のために特に必要と認められる範囲内において、具体的に定めるものとする。

一 犯罪性のある者との交際、いかがわしい場所への出入り、遊興による浪費、過度の飲酒その他の犯罪又は非行に結び付くおそれのある特定の行動をしてはならないこと。

二 労働に従事すること、通学することその他の再び犯罪をすることがなく又は非行のない健全な生活態度を保持するために必要と認められる特定の行動を実行し、又は継続すること。

三 七日未満の旅行、離職、身分関係の異動その他の指導監督を行うため事前に把握しておくことが特に重要と認められる生活上又は身分上の特定の事項について、緊急の場合を除き、あらかじめ、保護観察官又は保護司に申告すること。

四 医学、心理学、教育学、社会学その他の専門的知識に基づく特定の犯罪的傾向を改善するための体系化された手順による処遇として法務大臣が定めるものを受けること。

五 法務大臣が指定する施設、保護観察対象者を監護すべき者の居宅その他の改善更生のために適当と認められる特定の場所であって、宿泊の用に供されるものに一定の期間宿泊して指導監督を受けること。

六 善良な社会の一員としての意識の涵養及び規範意識の向上に資する地域社会の利益の増進に寄与する社会的活動を一定の時間行うこと。

七 更生保護事業法（平成七年法律第八十六号）の規定により更生保護事業を営む者その他の適当な者が行う特定の犯罪的傾向を改善するための専門的な援助であって法務大臣が定める基準に適合するものを受けること。

八 その他指導監督を行うため特に必要な事項

（特別遵守事項の特則）

第五一条の二① 薬物使用等の罪を犯した者に対する刑の一部の執行猶予に関する法律第四条第一項の規定により保護観察に付する旨の言渡しを受けた者については、次条第四項の定めるところにより、規制薬物等（同法第二条第一項に規定する規制薬物等をいう。以下同じ。）の使用を反復する犯罪的傾向を改善するための前条第二項第四号に規定する処遇を受けることを猶予期間中の保護観察における特別遵守事項として定めなければならない。ただし、これに違反した場合に刑法第二十七条の五に規定する処分がされることがあることを踏まえ、その改善更生のために特に必要とは認められないときは、この限りでない。

② 第四項の場合を除き、前項の規定により定められた猶予期間中の保護観察における特別遵守事項を刑法第二十七条の二の規定による猶予の期間の開始までの間に取り消す場合における第五十三条第四項の規定の適用については、同項中「必要」とあるのは、「特に必要」とする。

③ 第一項の規定は、同項に規定する者について、次条第二項及

び第三項の定めるところにより仮釈放中の保護観察における特別遵守事項を釈放の時までに定める場合に準用する。この場合において、第一項ただし書中「第二十七条の五」とあるのは、「第二十九条第一項」と読み替えるものとする。

④ 第一項に規定する者について、仮釈放を許す旨の決定をした場合においては、前項の規定による仮釈放中の保護観察における特別遵守事項の設定及び第一項の規定による猶予期間中の保護観察における特別遵守事項の設定は、釈放の時までに行うものとする。

⑤ 前項の場合において、第三項において準用する第一項の規定により定められた仮釈放中の保護観察における特別遵守事項を釈放までの間に取り消す場合における第五十三条第二項の規定の適用については、同項中「必要」とあるのは、「特に必要」とし、第一項の規定により定められた猶予期間中の保護観察における特別遵守事項を釈放までの間に取り消す場合における同条第四項の規定の適用については、同項中「刑法第二十七条の二の規定による猶予の期間の開始までの間に、必要」とあるのは、「釈放までの間に、特に必要」とする。

第五二条①（特別遵守事項の設定及び変更） 保護観察所の長は、保護観察処分少年について、法務省令で定めるところにより、少年法第二十四条第一項第一号又は第六十四条第一項第一号若しくは第二号の保護処分をした家庭裁判所の意見を聴き、これに基づいて、特別遵守事項を定めることができる。これを変更するときも、同様とする。

② 地方委員会は、少年院仮退院者又は仮釈放者について、保護観察所の長の申出により、法務省令で定めるところにより、決定をもって、特別遵守事項を定めることができる。保護観察所の長の申出により、これを変更するときも、同様とする。

③ 前項の場合において、少年院からの仮退院又は仮釈放を許す旨の決定による釈放の時までに特別遵守事項を定め、又は変更するときは、保護観察所の長の申出を要しないものとする。

④ 地方委員会は、保護観察付一部猶予者について、刑法第二十七条の二の規定による猶予の期間の開始の時までに、法務省令で定めるところにより、決定をもって、特別遵守事項（猶予期間中の保護観察における特別遵守事項に限る。以下この項及び次条第四項において同じ。）を定め、又は変更することができる。この場合において、仮釈放中の保護観察付一部猶予者について、特別遵守事項を定め、又は変更するときは、保護観察所の長の申出によらなければならない。

⑤ 保護観察所の長は、刑法第二十五条の二第一項の規定により保護観察に付されている保護観察付執行猶予者について、その保護観察の開始に際し、法務省令で定めるところにより、同項の規定により保護観察に付する旨の言渡しをした裁判所の意見を聴き、これに基づいて、特別遵守事項を定めることができる。

⑥ 保護観察所の長は、前項の場合のほか、保護観察付執行猶予者について、法務省令で定めるところにより、当該保護観察所の所在地を管轄する地方裁判所、家庭裁判所又は簡易裁判所に対し、定めようとする又は変更しようとする特別遵守事項の内容を示すとともに、必要な資料を提示して、その意見を聴いた上、特別遵守事項を定め、又は変更することができる。ただし、当該裁判所が不相当とする旨の意見を述べたものについては、この限りでない。

第五三条①（特別遵守事項の取消し） 保護観察所の長は、保護観察処分少年又は保護観察付執行猶予者について定められている特別遵守事項（遵守すべき期間が定められている特別遵守事項であって当該期間が満了したものその他の性質上一定の事実が生ずるまでの間遵守すべきこととされる特別遵守事項であって当該事実が生じたものを除く。以下この条において同じ。）につき、必要がなくなったと認めるときは、法務省令で定めるところにより、これを取り消すものとする。

② 地方委員会は、保護観察所の長の申出により、少年院仮退院者又は仮釈放者について定められている特別遵守事項につき、必要がなくなったと認めるときは、法務省令で定めるところにより、決定をもって、これを取り消すものとする。

③ 前条第三項の規定は、前項の規定により特別遵守事項を取り消す場合について準用する。

④ 地方委員会は、保護観察付一部猶予者について定められている特別遵守事項につき、刑法第二十七条の二の規定による猶予の期間の開始までの間に、必要がなくなったと認めるときは、法務省令で定めるところにより、決定をもって、これを取り消すものとする。この場合において、仮釈放中の保護観察付一部猶予者について定められている特別遵守事項を取り消すときは、保護観察所の長の申出によらなければならない。

第五六条①（生活行動指針） 保護観察所の長は、保護観察対象者について、保護観察における指導監督を適切に行うため必要があると認めるときは、法務省令で定めるところにより、当該保護観察対象者の改善更生に資する生活又は行動の指針（以下「生活行動指針」という。）を定めることができる。

② 保護観察所の長は、前項の規定により生活行動指針を定めたときは、法務省令で定めるところにより、保護観察対象者に対し、当該生活行動指針の内容を記載した書面を交付しなければならない。

③ 保護観察対象者は、第一項の規定により生活行動指針が定められたときは、これに即して生活し、及び行動するよう努めなければならない。

第五七条①（指導監督の方法） 保護観察における指導監督は、次に掲げる方法によって行うものとする。

一 面接その他の適当な方法により保護観察対象者と接触を保ち、その行状を把握すること。

二 保護観察対象者が一般遵守事項及び特別遵守事項（以下「遵守事項」という。）を遵守し、並びに生活行動指針に即して生活し、及び行動するよう、必要な指示その他の措置をとること（第四号に定めるものを除く。）。

三 特定の犯罪的傾向を改善するための専門的処遇を実施すること。

四 保護観察対象者が、更生保護事業法の規定により更生保護事業を営む者その他の適当な者が行う特定の犯罪的傾向を改善するための専門的な援助であって法務大臣が定める基準に適合するものを受けるよう、必要な指示その他の措置をとること。

五 保護観察対象者が、当該保護観察対象者が刑又は保護処分を言い渡される理由となった犯罪又は刑罰法令に触れる行為に係る被害者等の被害の回復又は軽減に誠実に努めるよう、必要な指示その他の措置をとること。

② 保護観察所の長は、前項の指導監督を適切に行うため特に必要があると認めるときは、保護観察対象者に対し、当該指導監督に適した宿泊場所を供与することができる。

③ 保護観察所の長は、第一項第四号に規定する措置をとろうとするときは、あらかじめ、同号に規定する援助を受けることが保護観察対象者の意思に反しないことを確認するとともに、当該援助を提供することについて、これを行う者に協議しなければならない。ただし、第五十一条第二項第七号の規定により当該援助を受けることを特別遵守事項として定めている場合は、保護観察対象者の意思に反しないことを確認することを要しない。

④ 保護観察所の長は、第一項第四号に規定する措置をとったときは、同号に規定する援助の状況を把握するとともに、当該援助を行う者と必要な協議を行うものとする。

⑤ 第五十一条第二項第四号に規定する処遇を受けることを特別遵守事項として定められた保護観察対象者について、第一項第四号に規定する措置をとったときは、当該処遇は、当該保護観察対象者が受けた同号に規定する援助の内容に応じ、その処遇

の一部を受け終わったものとして実施することができる。

⑥ 保護観察所の長は、第一項第五号に規定する措置をとる場合において、第三十八条第三項の規定により同項に規定する事項が通知され又は第六十五条第一項の規定により同項に規定する心情等を聴取したときは、当該通知された事項又は当該聴取した心情等を踏まえるものとする。

（**補導援護の方法**）

第五八条 保護観察における補導援護は、保護観察対象者が自立した生活を営むことができるようにするため、その自助の責任を踏まえつつ、次に掲げる方法によって行うものとする。

一 適切な住居その他の宿泊場所を得ること及び当該宿泊場所に帰住することを助けること。

二 医療及び療養を受けることを助けること。

三 職業を補導し、及び就職を助けること。

四 教養訓練の手段を得ることを助けること。

五 生活環境を改善し、及び調整すること。

六 社会生活に適応させるために必要な生活指導を行うこと。

七 前各号に掲げるもののほか、保護観察対象者が健全な社会生活を営むために必要な助言その他の措置をとること。

（**保護者に対する措置**）

第五九条 保護観察所の長は、必要があると認めるときは、保護観察に付されている少年（少年法第二条第一項に規定する少年であって、保護観察処分少年又は少年院仮退院者に限る。）の保護者（同条第二項に規定する保護者をいう。）に対し、その少年の監護に関する責任を自覚させ、その改善更生に資するため、指導、助言その他の適当な措置をとることができる。

（**保護観察の実施者**）

第六一条① 保護観察における指導監督及び補導援護は、保護観察対象者の特性、とるべき措置の内容その他の事情を勘案し、保護観察官又は保護司をして行わせるものとする。

② 前項の補導援護は、保護観察対象者の改善更生を図るため有効かつ適切であると認められる場合には、更生保護事業法の規定により更生保護事業を営む者その他の適当な者に委託して行うことができる。

（**応急の救護**）

第六二条① 保護観察所の長は、保護観察対象者が、適切な医療、食事、住居その他の健全な社会生活を営むために必要な手段を得ることができないため、その改善更生が妨げられるおそれがある場合には、当該保護観察対象者が公共の衛生福祉に関する機関その他の機関からその目的の範囲内で必要な応急の救護を得られるよう、これを援護しなければならない。

② 前項の規定による援護によっては必要な応急の救護が得られない場合には、保護観察所の長は、予算の範囲内で、自らその救護を行うものとする。

③ 前項の救護は、更生保護事業法の規定により更生保護事業を営む者その他の適当な者に委託して行うことができる。

④ 保護観察所の長は、第一項又は第二項の規定による措置をとるに当たっては、保護観察対象者の自助の責任の自覚を損なわないよう配慮しなければならない。

（**被害者等の心情等の聴取及び伝達**）

第六五条① 保護観察所の長は、法務省令で定めるところにより、保護観察対象者が刑又は保護処分を言い渡される理由となった犯罪又は刑罰法令に触れる行為に係る被害者等から、被害に関する心情、当該被害者等の置かれている状況又は保護観察対象者の生活若しくは行動に関する意見（以下この条において「心情等」という。）を述べたい旨の申出があったときは、当該心情等を聴取するものとする。ただし、当該被害に係る事件の性質その他の事情を考慮して相当でないと認めるときは、この限りでない。

② 保護観察所の長は、法務省令で定めるところにより、保護観察対象者について、前項の被害者等から、同項の規定により聴取した心情等の伝達の申出があったときは、当該保護観察対象者に伝達するものとする。ただし、その伝達をすることが当該保護観察対象者の改善更生を妨げるおそれがあり、又は当該被害に係る事件の性質、保護観察の実施状況その他の事情を考慮して相当でないと認めるときは、この限りでない。

③ 保護観察所の長は、第一項の被害者等の居住地を管轄する他の保護観察所の長に対し、前二項の申出の受理及び第一項の規定による心情等の聴取に関する事務を嘱託することができる。この場合において、前項ただし書の規定により当該保護観察所の長が心情等の伝達をしないこととするときは、あらかじめ、当該他の保護観察所の長の意見を聴かなければならない。

第一節の二 規制薬物等に対する依存がある保護観察対象者に関する特則（抄）

（**保護観察の実施方法**）

第六五条の二 規制薬物等に対する依存がある保護観察対象者に対する保護観察は、その改善更生を図るためその依存を改善することが重要であることに鑑み、これに資する医療又は援助を行う病院、公共の衛生福祉に関する機関その他の者との緊密な連携を確保しつつ実施しなければならない。

（**指導監督の方法**）

第六五条の三① 規制薬物等に対する依存がある保護観察対象者に対する保護観察における指導監督は、第五十七条第一項に掲げるもののほか、次に掲げる方法によって行うことができる。

一 規制薬物等に対する依存の改善に資する医療を受けるよう、必要な指示その他の措置をとること。

二 公共の衛生福祉に関する機関その他の適当な者が行う規制薬物等に対する依存を改善するための専門的な援助であって法務大臣が定める基準に適合するものを受けるよう、必要な指示その他の措置をとること。

② 第五十七条第三項及び第四項の規定は前項各号に規定する措置について、同条第五項の規定は前項第二号に規定する措置について、それぞれ準用する。この場合において、第五十七条第三項及び第四項中「援助」とあるのは「医療又は援助」と、同条第五項中「第五十一条第二項第四号に規定する処遇」とあるのは「規制薬物等の使用を反復する犯罪的傾向を改善するための第五十一条第二項第四号に規定する処遇」と読み替えるものとする。

第二節 保護観察処分少年（抄）

（**少年法第二十四条第一項第一号の保護処分の期間**）

第六六条 保護観察処分少年（少年法第二十四条第一項第一号の保護処分に付されているものに限る。次条及び第六十八条において同じ。）に対する保護観察の期間は、当該保護観察処分少年が二十歳に達するまで（その期間が二年に満たない場合には、二年）とする。ただし、同条第三項の規定により保護観察の期間が定められたときは、当該期間とする。

（**警告及び少年法第二十六条の四第一項の決定の申請**）

第六七条① 保護観察所の長は、保護観察処分少年が、遵守事項を遵守しなかったと認めるときは、当該保護観察処分少年に対し、これを遵守するよう警告を発することができる。

② 保護観察所の長は、前項の警告を受けた保護観察処分少年が、なお遵守事項を遵守せず、その程度が重いと認めるときは、少年法第二十六条の四第一項の決定の申請をすることができる。

（**家庭裁判所への通告等**）

第六八条① 保護観察所の長は、保護観察処分少年について、新たに少年法第三条第一項第三号に掲げる事由があると認めるときは、家庭裁判所に通告することができる。

② 前項の規定による通告があった場合において、当該通告に係る保護観察処分少年が十八歳以上であるときは、これを十八歳に満たない少年法第二条第一項の少年とみなして、同法第二章の規定を適用する。

③ 家庭裁判所は、前項の規定により十八歳に満たない少年法第二条第一項の少年とみなされる保護観察処分少年に対して同法

第二十四条第一項第一号又は第三号の保護処分をする場合において、当該保護観察処分少年が二十歳以上であるときは、保護処分の決定と同時に、その者が二十三歳を超えない期間内において、保護観察の期間又は少年院に収容する期間を定めなければならない。

（少年法第六十六条第一項の決定の申請）

第六八条の二 保護観察所の長は、特定保護観察処分少年（保護観察処分少年のうち、少年法第六十四条第一項第二号の保護処分に付されているものをいう。以下同じ。）が、遵守事項を遵守せず、その程度が重いと認めるときは、同法第六十六条第一項の決定の申請をすることができる。ただし、当該特定保護観察処分少年について、その収容可能期間が満了しているときは、この限りでない。

（収容中の特定保護観察処分少年の保護観察の停止）

第六八条の四① 特定保護観察処分少年について、少年法第六十六条第一項の決定があったときは、第四十七条の二の決定による釈放までの間又は収容可能期間の満了までの間、当該特定保護観察処分少年の保護観察は、停止するものとする。

② 前項の規定により保護観察を停止されている特定保護観察処分少年については、第四十九条、第五十条、第五十一条第一項、第五十二条、第五十三条、第五十五条から第五十八条まで、第六十条から第六十五条の四まで、第六十八条の二、第六十九条及び第七十条の規定は、適用しない。

③ 特定保護観察処分少年の保護観察の期間は、少年法第六十六条第一項の決定によってその進行を停止し、第四十七条の二の決定により釈放された時又は収容可能期間が満了した時からその進行を始める。

（収容中の特定保護観察処分少年に係る特別遵守事項の設定等）

第六八条の五① 地方委員会は、少年法第六十六条第一項の決定により少年院に収容されている特定保護観察処分少年（以下「収容中の特定保護観察処分少年」という。）について、第四十七条の二の決定による釈放の時又は収容可能期間の満了の時までに、法務省令で定めるところにより、決定をもって、特別遵守事項を定め、又は変更することができる。

② 地方委員会は、収容中の特定保護観察処分少年について定められている特別遵守事項につき、必要がなくなったと認めるときは、第四十七条の二の決定による釈放までの間又は収容可能期間の満了までの間に、法務省令で定めるところにより、決定をもって、これを取り消すものとする。

③ 収容中の特定保護観察処分少年について、少年法第六十六条第一項の決定があったときにその者に対する保護観察をつかさどっていた保護観察所の長（第四十七条の三において準用する第三十九条第三項の規定又は第六十八条の七第一項の規定により当該収容中の特定保護観察処分少年の住居が特定された場合には、その地を管轄する保護観察所の長）は、その保護観察の実施状況その他の事情を考慮し必要があると認めるときは、特別遵守事項の設定、変更又は取消しに関し、地方委員会に対して意見を述べるものとする。

（収容時又は収容中における特定保護観察処分少年に係る少年院の長との連携）

第六八条の六① 特定保護観察処分少年が少年法第六十六条第一項の決定により少年院に収容されたときは、当該決定があったときにその者に対する保護観察をつかさどっていた保護観察所の長は、その保護観察の実施状況その他の事情を考慮し、少年院における矯正教育に関し、少年院の長に対して意見を述べるものとする。

② 前条第三項の保護観察所の長は、収容中の特定保護観察処分少年について、少年院における矯正教育の状況を把握するとともに、必要があると認めるときは、第四十七条の二の決定による釈放後又は収容可能期間の満了後の保護観察の実施に関し、少年院の長の意見を聴くものとする。

（保護観察の解除）

第六九条 保護観察所の長は、保護観察処分少年について、保護観察を継続する必要がなくなったと認めるときは、保護観察を解除するものとする。

第三節　少年院仮退院者（抄）

（少年院への戻し収容の申請）

第七一条 地方委員会は、保護観察所の長の申出により、少年院仮退院者（少年法第二十四条第一項第三号の保護処分に付されているものに限る。以下この条から第七十三条までにおいて同じ。）が遵守事項を遵守しなかったと認めるときは、当該少年院仮退院者を少年院に送致した家庭裁判所に対し、これを少年院に戻して収容する旨の決定の申請をすることができる。ただし、二十三歳に達している少年院仮退院者については、少年院法第百三十九条第一項に規定する事由に該当すると認めるときに限る。

（少年院への戻し収容の決定）

第七二条① 前条の申請を受けた家庭裁判所は、当該申請に係る少年院仮退院者について、相当と認めるときは、これを少年院に戻して収容する旨の決定をすることができる。

② 家庭裁判所は、前項の決定をする場合において、二十三歳に満たない少年院仮退院者を二十歳を超えて少年院に収容する必要があると認めるときは、当該決定と同時に、その者が二十三歳を超えない期間内において、少年院に収容する期間を定めることができる。その者が既に二十歳に達しているときは、当該決定と同時に、二十三歳を超えない期間内において、少年院に収容する期間を定めなければならない。

③ 家庭裁判所は、二十三歳に達している少年院仮退院者について第一項の決定をするときは、当該決定と同時に、その者が二十六歳を超えない期間内において、少年院に収容する期間を定めなければならない。

④ 家庭裁判所は、第一項の決定に係る事件の審理に当たっては、医学、心理学、教育学、社会学その他の専門的知識を有する者及び保護観察所の長の意見を聴かなければならない。

⑤ 前三項に定めるもののほか、第一項の決定に係る事件の手続は、その性質に反しない限り、十八歳に満たない少年の保護処分に係る事件の手続の例による。

（少年法第六十四条第一項第三号の保護処分に付されている少年院仮退院者の仮退院の取消し）

第七三条の二① 地方委員会は、保護観察所の長の申出により、少年院仮退院者（少年法第六十四条第一項第三号の保護処分に付されているものに限る。第七十三条の四第一項において同じ。）が遵守事項を遵守せず、少年院に収容するのを相当と認めるときは、決定をもって、第四十一条の規定による仮退院を許す処分を取り消すものとする。

② 前項の規定により仮退院を許す処分が取り消されたときは、仮退院中の日数は、少年法第六十四条第三項の規定により定められた期間に算入するものとする。

（少年院仮退院者の退院を許す処分）

第七四条① 地方委員会は、少年院仮退院者について、保護観察所の長の申出があった場合において、保護観察を継続する必要がなくなったと認めるとき（二十三歳を超える少年院仮退院者については、少年院法第百三十九条第一項に規定する事由に該当しなくなったと認めるときその他保護観察を継続する必要がなくなったと認めるとき）は、決定をもって、退院を許さなければならない。

② 第四十六条第二項の規定は、前項の決定について準用する。

第四節　仮釈放者（抄）

（仮釈放の取消し）

第七五条① 刑法第二十九条第一項の規定による仮釈放の取消しは、仮釈放者に対する保護観察をつかさどる保護観察所の所在地を管轄する地方委員会が、決定をもってするものとする。

② 刑法第二十九条第一項第四号に該当することを理由とする前

項の決定は、保護観察所の長の申出によらなければならない。

③ 刑事訴訟法第四百八十四条から第四百八十五条まで及び第四百八十六条から第四百八十九条までの規定は、仮釈放を取り消された者の収容について適用があるものとする。

（保護観察の停止）

第七七条① 地方委員会は、保護観察所の長の申出により、仮釈放者の所在が判明しないため保護観察が実施できなくなったと認めるときは、決定をもって、保護観察を停止することができる。

② 前項の規定により保護観察を停止されている仮釈放者の所在が判明したときは、その所在の地を管轄する地方委員会は、直ちに、決定をもって、その停止を解かなければならない。

③ 前二項の決定は、急速を要するときは、第二十三条第一項の規定にかかわらず、一人の委員ですることができる。

④ 第一項の規定により保護観察を停止されている仮釈放者が第六十三条第二項又は第三項の引致状により引致されたときは、第二項の決定があったものとみなす。

⑤ 仮釈放者の刑期は、第一項の決定によってその進行を停止し、第二項の決定があった時からその進行を始める。

⑥ 地方委員会は、仮釈放者が第一項の規定により保護観察を停止されている間に遵守事項を遵守しなかったことを理由として、仮釈放の取消しをすることができない。

⑦ 地方委員会は、第一項の決定をした後、保護観察の停止の理由がなかったことが明らかになったときは、決定をもって、同項の決定を取り消さなければならない。

⑧ 前項の規定により第一項の決定が取り消された場合における仮釈放者の刑期の計算については、第五項の規定は、適用しない。

第五節　保護観察付執行猶予者（抄）

第一款　通則（抄）

（保護観察の仮解除）

第八一条① 刑法第二十五条の二第二項又は第二十七条の三第二項（薬物使用等の罪を犯した者に対する刑の一部の執行猶予に関する法律第四条第二項において準用する場合を含む。以下この条において同じ。）の規定による保護観察を仮に解除する処分は、保護観察所の長が、保護観察付執行猶予者について、遵守事項及び生活行動指針の遵守状況その他法務省令で定める事項を考慮し、現に健全な生活態度を保持しており、保護観察を仮に解除しても、当該生活態度を保持し、善良な社会の一員として自立し、改善更生することができると認めるときにするものとする。

② 刑法第二十五条の二第二項又は第二十七条の三第二項の規定により保護観察を仮に解除されている保護観察付執行猶予者については、第四十九条、第五十一条から第五十八条まで、第六十一条、第六十二条、第六十五条から第六十五条の四まで、第七十九条及び前条の規定は、適用しない。

③ 刑法第二十五条の二第二項又は第二十七条の三第二項の規定により保護観察を仮に解除されている保護観察付執行猶予者に対する第五十条及び第六十三条の規定の適用については、第五十条第一項中「以下「一般遵守事項」という」とあるのは「第二号ロ及びハ並びに第三号に掲げる事項を除く」と、同項第二号中「守り、保護観察官及び保護司による指導監督を誠実に受ける」とあるのは「守る」と、同項第五号中「転居（第四十七条の二の決定又は少年法第六十四条第二項の規定により定められた期間（以下「収容可能期間」という。）の満了により釈放された場合に前号の規定により居住することとされている住居に転居する場合を除く。）又は七日以上の旅行」とあるのは「転居」と、第六十三条第二項第二号中「遵守事項」とあるのは「第八十一条第三項の規定により読み替えて適用される第五十条第一項に掲げる事項」とする。

④ 第一項に規定する処分があったときは、その処分を受けた保護観察付執行猶予者について定められている特別遵守事項は、その処分と同時に取り消されたものとみなす。

⑤ 保護観察所の長は、刑法第二十五条の二第二項又は第二十七条の三第二項の規定により保護観察を仮に解除されている保護観察付執行猶予者について、その行状に鑑み再び保護観察を実施する必要があると認めるときは、これらの規定による処分を取り消さなければならない。

⑥ 刑法第二十五条の二第二項の規定により保護観察を仮に解除されている保護観察付執行猶予者が、同条第一項の規定により保護観察に付された場合には、同条第二項の規定による処分は、その効力を失う。

第二款　再保護観察付執行猶予者に関する特則（抄）

（保護観察の実施方法）

第八一条の二 刑法第二十五条の二第一項の規定により保護観察に付されている期間中に更に同項の規定により保護観察に付された保護観察付執行猶予者（以下「再保護観察付執行猶予者」という。）に対する保護観察は、当該再保護観察付執行猶予者が保護観察に付されている期間中に犯罪をしたことを踏まえ、当該犯罪に結び付いた要因の的確な把握に留意して実施しなければならない。

（鑑別の求め）

第八一条の三 保護観察所の長は、再保護観察付執行猶予者について、保護観察に付されている期間中に更に刑法第二十五条の二第一項の規定により付された保護観察（次条において「再度の保護観察」という。）の開始に際し、前条に規定する要因を的確に把握するため、少年鑑別所の長に対し、当該再保護観察付執行猶予者の鑑別を求めるものとする。ただし、保護観察の実施のために特に必要とは認められないときは、この限りでない。

第四章　生活環境の調整（抄）

（収容中の者に対する生活環境の調整）

第八二条① 保護観察所の長は、刑の執行のため刑事施設に収容されている者又は刑若しくは保護処分の執行のため少年院に収容されている者（以下「収容中の者」と総称する。）について、その社会復帰を円滑にするため必要があると認めるときは、その者の家族その他の関係人を訪問して協力を求めることその他の方法により、釈放後の住居、就業先その他の生活環境の調整を行うものとする。

② 地方委員会は、前項の規定による調整が有効かつ適切に行われるよう、保護観察所の長に対し、調整を行うべき住居、就業先その他の生活環境に関する事項について必要な指導及び助言を行うほか、同項の規定による調整が複数の保護観察所において行われる場合における当該保護観察所相互間の連絡調整を行うものとする。

③ 地方委員会は、前項の措置をとるに当たって必要があると認めるときは、収容中の者との面接、関係人に対する質問その他の方法により、調査を行うことができる。

④ 第二十五条第二項及び第三十六条第二項の規定は、前項の調査について準用する。

（保護観察付執行猶予の裁判確定前の生活環境の調整）

第八三条 保護観察所の長は、刑法第二十五条の二第一項の規定により保護観察に付する旨の言渡しを受け、その裁判が確定するまでの者について、保護観察を円滑に開始するため必要があると認めるときは、その者の同意を得て、前条第一項に規定する方法により、その者の住居、就業先その他の生活環境の調整を行うことができる。

（勾留中の被疑者に対する生活環境の調整）

第八三条の二① 保護観察所の長は、勾留されている被疑者であって検察官が罪を犯したと認めたものについて、身体の拘束を解かれた場合の社会復帰を円滑にするため必要があると認めるときは、その者の同意を得て、第八十二条第一項に規定する方法により、釈放後の住居、就業先その他の生活環境の調整を行うことができる。

② 保護観察所の長は、前項の規定による調整を行うに当たつては、同項の被疑者の刑事上の手続に関与している検察官の意見を聴かなければならない。

③ 保護観察所の長は、前項に規定する検察官が捜査に支障を生ずるおそれがあり相当でない旨の意見を述べたときは、第一項の規定による調整を行うことができない。

第五章　更生緊急保護等（抄）

第一節　更生緊急保護（抄）

（更生緊急保護）

第八五条① この節において「更生緊急保護」とは、次に掲げる者が、刑事上の手続又は保護処分による身体の拘束を解かれた後、親族からの援助を受けることができず、若しくは公共の衛生福祉に関する機関その他の機関から医療、宿泊、職業その他の保護を受けることができない場合又はこれらの援助若しくは保護のみによつては改善更生することができないと認められる場合に、緊急に、その者に対し、金品を給与し、又は貸与し、宿泊場所を供与し、宿泊場所への帰住、医療、療養、就職又は教養訓練を助け、職業を補導し、社会生活に適応させるために必要な生活指導を行い、生活環境の改善又は調整を図ること等により、その者が進んで法律を守る善良な社会の一員となることを援護し、その速やかな改善更生を保護することをいう。

一 拘禁刑又は拘留の刑の執行を終わつた者

二 拘禁刑又は拘留の刑の執行の免除を得た者

三 拘禁刑につき刑の全部の執行猶予の言渡しを受け、その裁判が確定するまでの者

四 前号に掲げる者のほか、拘禁刑につき刑の全部の執行猶予の言渡しを受け、保護観察に付されなかつた者

五 拘禁刑につき刑の一部の執行猶予の言渡しを受け、その猶予の期間中保護観察に付されなかつた者であつて、その刑のうち執行が猶予されなかつた部分の期間の執行を終わつたもの

六 検察官が直ちに訴追を必要としないと認めた者

七 罰金又は科料の言渡しを受けた者

八 労役場から出場し、又は仮出場を許された者

九 少年院から退院し、又は仮退院を許された者（保護観察に付されている者を除く。）

② 更生緊急保護は、その対象となる者の改善更生のために必要な限度で、国の責任において、行うものとする。

③ 更生緊急保護は、保護観察所の長が、自ら行い、又は更生保護事業法の規定により更生保護事業を営む者その他の適当な者に委託して行うものとする。

④ 更生緊急保護は、その対象となる者が刑事上の手続又は保護処分による身体の拘束を解かれた後六月を超えない範囲内において、その意思に反しない場合に限り、行うものとする。ただし、その者の改善更生を保護するため特に必要があると認められるときは、第一項の措置のうち、金品の給与又は貸与及び宿泊場所の供与については更に六月を、その他のものについては更に一年六月を、それぞれ超えない範囲内において、これを行うことができる。

⑤ 更生緊急保護を行うに当たつては、その対象となる者が公共の衛生福祉に関する機関その他の機関から必要な保護を受けることができるようあつせんするとともに、更生緊急保護の効率化に努めて、その期間の短縮と費用の節減を図らなければならない。

⑥ 更生緊急保護に関し職業のあつせんの必要があると認められるときは、公共職業安定所は、更生緊急保護を行う者の協力を得て、職業安定法（昭和二十二年法律第百四十一号）の規定に基づき、更生緊急保護の対象となる者の能力に適当な職業をあつせんすることに努めるものとする。

第五章の二　更生保護に関するその他の援助（抄）

（刑執行終了者等に対する援助）

第八八条の二 保護観察所の長は、刑執行終了者等の改善更生を図るため必要があると認めるときは、その者の意思に反しないことを確認した上で、その者に対し、更生保護に関する専門的知識を活用し、情報の提供、助言その他の必要な援助を行うことができる。

第七章　審査請求等（抄）

第二節　審査請求（抄）

（審査請求）

第九二条 この法律の規定により地方委員会が決定をもつてした処分に不服がある者は、審査会に対し、審査請求をすることができる。

附　則（令和四・六・一七法六七）（抄）

（施行期日）

① この法律は、公布の日から起算して三年を超えない範囲内において政令で定める日（令和七・六・一—令和五政三一八）から施行する。ただし、次の各号に掲げる規定は、当該各号に定める日から施行する。

一 （略）

二 （前略）第六条（更生保護法の一部改正）（中略）の規定　公布の日から起算して一年六月を超えない範囲内において政令で定める日（令和五・一二・一—令和五政二五七）

（経過措置）

② この法律の施行に伴い必要な経過措置その他の事項は、別に法律で定めるところによる。

刑法等の一部を改正する法律の施行に伴う関係法律整理法中経過規定

（令和四・六・一七法六八）（抄）

第四四一条から第四四三条まで　（刑法の同経過規定参照）

（遵守事項及び指導監督に関する経過措置）

第四六四条① 刑法等一部改正法（刑法等の一部を改正する法律（令和四法六七）第六条の規定による改正後の更生保護法（平成十九年法律第八十八号。以下「第二号改正後更生保護法」という。）第五十条第一項（第二号ハに係る部分に限る。）、第五十一条第二項（第七号に係る部分に限る。）及び第五十七条第一項（第四号に係る部分に限る。）の規定は、次に掲げる者に対する保護観察については、適用しない。

一 刑法等一部改正法第六条の規定の施行前に次に掲げる決定又は言渡しを受け、これにより保護観察に付されている者

イ 少年法第二十四条第一項第一号又は第六十四条第一項第一号若しくは第二号の保護処分の決定

ロ 少年院からの仮退院を許す旨の決定

ハ 仮釈放を許す旨の決定

ニ 刑法第二十五条の二第一項若しくは第二十七条の三第一項又は薬物使用等の罪を犯した者に対する刑の一部の執行猶予に関する法律第四条第一項の規定による保護観察に付する旨の言渡し

二 刑法等一部改正法第六条の規定の施行前に刑法第二十七条の三第一項又は薬物使用等の罪を犯した者に対する刑の一部の執行猶予に関する法律第四条第一項の規定による保護観察に付する旨の言渡しを受けた後、刑法等一部改正法附則第一項第二号に掲げる規定の施行の日（以下「刑法等一部改正法第二号施行日」という。）から新刑法（刑法等一部改正法第二条の規定による改正後の刑法）第二十七条の二の規定による猶予の期間の開始の時までに前号ハの決定を受け、同決定により保護観察に付されている者

② 刑法等一部改正法第二号施行日から刑法等一部改正法施行日の前日までの間における前項の規定の適用については、同項第二号中「新刑法第二十七条の二」とあるのは、「刑法第二十七条の二」とする。

（仮解除及び仮解除の取消しに関する経過措置）

第四六五条① 刑法等一部改正法第六条の規定の施行前に刑法第二十五条の二第一項若しくは第二十七条の三第一項又は薬物使用等の罪を犯した者に対する刑の一部の執行猶予に関する法律第四条第一項の規定による保護観察に付する旨の言渡しを受けた保護観察付執行猶予者に対する刑法第二十五条の二第二項又は第二十七条の三第二項（薬物使用等の罪を犯した者に対する刑の一部の執行猶予に関する法律第四条第二項において準用する場合を含む。以下この条において同じ。）の規定による保護観察を仮に解除する処分については、刑法等一部改正法第六条の規定による改正前の更生保護法（以下この条において「第二号改正前更生保護法」という。）第八十一条第一項の規定により保護観察所の長がした申出であって地方更生保護委員会が同項の決定をしていないものは、刑法等一部改正法第六条の規定の施行後は、当該申出がされていないものとみなして、第二号改正後更生保護法第八十一条第一項の規定を適用する。

② 刑法等一部改正法第六条の規定の施行前に刑法第二十五条の二第二項又は第二十七条の三第二項の規定による保護観察を仮に解除する処分を受けた保護観察付執行猶予者の当該処分の取消しについては、第二号改正前更生保護法第八十一条第五項の規定により保護観察所の長がした申出であって地方更生保護委員会が同項の決定をしていないものは、刑法等一部改正法第六条の規定の施行後は、当該申出がされていないものとみなして、第二号改正後更生保護法第八十一条第五項の規定を適用する。

③ 刑法等一部改正法第六条の規定の施行前に刑法第二十五条の二第二項又は第二十七条の三第二項の規定による保護観察を仮に解除する処分を受けた保護観察付執行猶予者に対する第二号改正前更生保護法第八十一条第五項の規定による当該処分の取消しに係る審査請求については、なお従前の例による。

（刑事施設の長又は少年院の長の通告、申出又は遵守事項の通知に関する経過措置）

第四六七条 懲役、禁錮又は旧拘留の刑の執行のために刑事施設又は少年院に収容されている者に係る新更生保護法第三十三条、第三十四条、第五十四条第二項及び第五十五条第二項の規定の適用については、新更生保護法第三十三条中「拘禁刑」とあるのは「刑法等の一部を改正する法律（令和四年法律第六十七号）第二条の規定による改正前の刑法第十二条に規定する懲役（以下「懲役」という。）又は同法第十三条に規定する禁錮（以下「禁錮」という。）の刑」と、新更生保護法第三十四条第一項中「拘禁刑」とあるのは「懲役又は禁錮の刑」と、同条第二項中「拘留」とあるのは「刑法等の一部を改正する法律第二条の規定による改正前の刑法第十六条に規定する拘留」と、新更生保護法第五十四条第二項中「拘禁刑の」とあるのは「懲役若しくは禁錮の刑の」と、「拘禁刑が」とあるのは「懲役又は禁錮の刑が」と、新更生保護法第五十五条第二項中「拘禁刑」とあるのは「懲役若しくは禁錮の刑」とする。

（更生緊急保護等に関する経過措置）

第四六八条 新更生保護法第五章及び第八十八条の二の規定の適用については、懲役、禁錮又は旧拘留の刑の執行を終わった者は新更生保護法第八十五条第一項第一号に掲げる者と、懲役、禁錮又は旧拘留の刑の執行の免除を得た者は同項第二号に掲げる者と、懲役又は禁錮につき刑の全部の執行猶予の言渡しを受け、その裁判が確定するまでの者は同項第三号に掲げる者と、懲役又は禁錮につき刑の全部の執行猶予の言渡しを受け、保護観察に付されなかった者（その裁判が確定するまでの者を除く。）は同項第四号に掲げる者と、懲役又は禁錮につき刑の一部の執行猶予の言渡しを受け、その猶予の期間中保護観察に付されなかった者であって、その刑のうち執行が猶予されなかった部分の期間の執行を終わったものは同項第五号に掲げる者とみなす。

第五〇九条 （刑法の同経過規定参照）

刑法等の一部を改正する法律の施行に伴う関係法律整理法

附　則（令和四・六・一七法六八）（抄）

（**施行期日**）

① この法律は、刑法等一部改正法施行日（令和七・六・一）から施行する。ただし、次の各号に掲げる規定は、当該各号に定める日から施行する。

一　第五百九条の規定　公布の日

二　（前略）第四百六十四条、第四百六十五条（中略）の規定　刑法等一部改正法第二号施行日（令和五・一二・一）

附　則（令和五・五・一七法二八）（抄）

（**施行期日**）

第一条 （前略）次の各号に掲げる規定は、当該各号に定める日から施行する。

一―五　（略）

六　（前略）附則第二十九条（更生保護法の一部改正）の規定　（中略）　公布の日から起算して二年を超えない範囲内において政令で定める日

七―十一　（略）

●労働契約法

（平成一九・一二・五 法 一二八）

施行 平成二〇・三・一（平成二〇政一〇）
改正 平成二四法五六、平成三〇法七一

目次

第一章 総則

（目的）

第一条 この法律は、労働者及び使用者の自主的な交渉の下で、労働契約が合意により成立し、又は変更されるという合意の原則その他労働契約に関する基本的事項を定めることにより、合理的な労働条件の決定又は変更が円滑に行われるようにすることを通じて、労働者の保護を図りつつ、個別の労働関係の安定に資することを目的とする。

（定義）

第二条① この法律において「労働者」とは、使用者に使用されて労働し、賃金を支払われる者をいう。

② この法律において「使用者」とは、その使用する労働者に対して賃金を支払う者をいう。

（労働契約の原則）

第三条① 労働契約は、労働者及び使用者が対等の立場における合意に基づいて締結し、又は変更すべきものとする。

② 労働契約は、労働者及び使用者が、就業の実態に応じて、均衡を考慮しつつ締結し、又は変更すべきものとする。

③ 労働契約は、労働者及び使用者が仕事と生活の調和にも配慮しつつ締結し、又は変更すべきものとする。

④ 労働者及び使用者は、労働契約を遵守するとともに、信義に従い誠実に、権利を行使し、及び義務を履行しなければならない。

⑤ 労働者及び使用者は、労働契約に基づく権利の行使に当たっては、それを濫用することがあってはならない。

（労働契約の内容の理解の促進）

第四条① 使用者は、労働者に提示する労働条件及び労働契約の内容について、労働者の理解を深めるようにするものとする。

② 労働者及び使用者は、労働契約の内容（期間の定めのある労働契約に関する事項を含む。）について、できる限り書面により確認するものとする。

（労働者の安全への配慮）

第五条 使用者は、労働契約に伴い、労働者がその生命、身体等の安全を確保しつつ労働することができるよう、必要な配慮をするものとする。

第二章 労働契約の成立及び変更

（労働契約の成立）

第六条 労働契約は、労働者が使用者に使用されて労働し、使用者がこれに対して賃金を支払うことについて、労働者及び使用者が合意することによって成立する。

第七条 労働者及び使用者が労働契約を締結する場合において、使用者が合理的な労働条件が定められている就業規則を労働者に周知させていた場合には、労働契約の内容は、その就業規則で定める労働条件によるものとする。ただし、労働契約において、労働者及び使用者が就業規則の内容と異なる労働条件を合意していた部分については、第十二条に該当する場合を除き、この限りでない。

（労働契約の内容の変更）

第八条 労働者及び使用者は、その合意により、労働契約の内容である労働条件を変更することができる。

（就業規則による労働契約の内容の変更）

第九条 使用者は、労働者と合意することなく、就業規則を変更することにより、労働者の不利益に労働契約の内容である労働条件を変更することはできない。ただし、次条の場合は、この限りでない。

第一〇条 使用者が就業規則の変更により労働条件を変更する場合において、変更後の就業規則を労働者に周知させ、かつ、就業規則の変更が、労働者の受ける不利益の程度、労働条件の変更の必要性、変更後の就業規則の内容の相当性、労働組合等との交渉の状況その他の就業規則の変更に係る事情に照らして合理的なものであるときは、労働契約の内容である労働条件は、当該変更後の就業規則に定めるところによるものとする。ただし、労働契約において、労働者及び使用者が就業規則の変更によっては変更されない労働条件として合意していた部分については、第十二条に該当する場合を除き、この限りでない。

（就業規則の変更に係る手続）

第一一条 就業規則の変更の手続に関しては、労働基準法（昭和二十二年法律第四十九号）第八十九条及び第九十条の定めるところによる。

（就業規則違反の労働契約）

第一二条 就業規則で定める基準に達しない労働条件を定める労働契約は、その部分については、無効とする。この場合において、無効となった部分は、就業規則で定める基準による。

（法令及び労働協約と就業規則との関係）

第一三条 就業規則が法令又は労働協約に反する場合には、当該反する部分については、第七条、第十条及び前条の規定は、当該法令又は労働協約の適用を受ける労働者との間の労働契約については、適用しない。

第三章 労働契約の継続及び終了

（出向）

第一四条 使用者が労働者に出向を命ずることができる場合において、当該出向の命令が、その必要性、対象労働者の選定に係る事情その他の事情に照らして、その権利を濫用したものと認められる場合には、当該命令は、無効とする。

（懲戒）

第一五条 使用者が労働者を懲戒することができる場合において、当該懲戒が、当該懲戒に係る労働者の行為の性質及び態様その他の事情に照らして、客観的に合理的な理由を欠き、社会通念上相当であると認められない場合は、その権利を濫用したものとして、当該懲戒は、無効とする。

（解雇）

第一六条 解雇は、客観的に合理的な理由を欠き、社会通念上相当であると認められない場合は、その権利を濫用したものとして、無効とする。

第四章 期間の定めのある労働契約

（契約期間中の解雇等）

第一七条① 使用者は、期間の定めのある労働契約（以下この章において「有期労働契約」という。）について、やむを得ない事由がある場合でなければ、その契約期間が満了するまでの間において、労働者を解雇することができない。

② 使用者は、有期労働契約について、その有期労働契約により労働者を使用する目的に照らして、必要以上に短い期間を定めることにより、その有期労働契約を反復して更新することのないよう配慮しなければならない。

（有期労働契約の期間の定めのない労働契約への転換）

第一八条① 同一の使用者との間で締結された二以上の有期労働契約（契約期間の始期の到来前のものを除く。以下この条において同じ。）の契約期間を通算した期間（次項において「通算契約期間」という。）が五年を超える労働者が、当該使用者に対し、現に締結している有期労働契約の契約期間が満了する日までの間に、当該満了する日の翌日から労務が提供される期間の定めのない労働契約の締結の申込みをしたときは、使用者は当該申込みを承諾したものとみなす。この場合において、当該申込みに係る期間の定めのない労働契約の内容である労働条件は、現に締結している有期労働契約の内容である労働条件（契約期間を除く。）と同一の労働条件（当該労働条件（契約期間を除く。）について別段の定めがある部分を除く。）とする。

② 当該使用者との間で締結された一の有期労働契約の契約期間が満了した日と当該使用者との間で締結されたその次の有期労働契約の契約期間の初日との間にこれらの契約期間のいずれにも含まれない期間（これらの契約期間が連続すると認められるものとして厚生労働省令で定める基準に該当する場合の当該いずれにも含まれない期間を除く。以下この項において「空白期間」という。）があり、当該空白期間が六月（当該空白期間の直前に満了した一の有期労働契約の契約期間（当該一の有期労働契約を含む二以上の有期労働契約の契約期間の間に空白期間がないときは、当該二以上の有期労働契約の契約期間を通算した期間。以下この項において同じ。）が一年に満たない場合にあっては、当該一の有期労働契約の契約期間に二分の一を乗じて得た期間を基礎として厚生労働省令で定める期間）以上であるときは、当該空白期間前に満了した有期労働契約の契約期間は、通算契約期間に算入しない。

（有期労働契約の更新等）

第一九条 有期労働契約であって次の各号のいずれかに該当するものの契約期間が満了する日までの間に労働者が当該有期労働契約の更新の申込みをした場合又は当該契約期間の満了後遅滞なく有期労働契約の締結の申込みをした場合であって、使用者が当該申込みを拒絶することが、客観的に合理的な理由を欠き、社会通念上相当であると認められないときは、使用者は、従前の有期労働契約の内容である労働条件と同一の労働条件で当該申込みを承諾したものとみなす。

一 当該有期労働契約が過去に反復して更新されたことがあるものであって、その契約期間の満了時に当該有期労働契約を更新しないことにより当該有期労働契約を終了させることが、期間の定めのない労働契約を締結している労働者に解雇の意思表示をすることにより当該期間の定めのない労働契約を終了させることと社会通念上同視できると認められること。

二 当該労働者において当該有期労働契約の契約期間の満了時に当該有期労働契約が更新されるものと期待することについて合理的な理由があるものであると認められること。

注 働き方改革を推進するための関係法律の整備に関する法律（平成三〇法七一）により、労働契約法旧第二〇条は削られた。参考のため、削られた規定を短時間労働者及び有期雇用労働者の雇用管理の改善等に関する法律第八条の後に掲げた。

第五章 雑則

（船員に関する特例）

第二〇条① 第十二条及び前章の規定は、船員法（昭和二十二年法律第百号）の適用を受ける船員（次項において「船員」という。）に関しては、適用しない。

② 船員に関しては、第七条中「第十二条」とあるのは「船員法（昭和二十二年法律第百号）第百条」と、第十条中「第十二条」とあるのは「船員法第百条」と、第十一条中「労働基準法（昭和二十二年法律第四十九号）第八十九条及び第九十条」とあるのは「船員法第九十七条及び第九十八条」と、第十三条中「前条」とあるのは「船員法第百条」とする。

（適用除外）

第二一条① この法律は、国家公務員及び地方公務員については、適用しない。

② この法律は、使用者が同居の親族のみを使用する場合の労働契約については、適用しない。

附 則（抄）

（施行期日）

第一条 この法律は、公布の日から起算して三月を超えない範囲内において政令で定める日（平成二〇・三・一―平成二〇政一〇）から施行する。

労働

○会社分割に伴う労働契約の承継等に関する法律（平成一二・五・三一 法 一 〇 三）

施行 平成一三・四・一（附則参照）
題名改正 平成一七法八七（旧・会社の分割に伴う労働契約の承継等に関する法律）
最終改正 平成二六法九一

（目的）

第一条 この法律は、会社分割が行われる場合における労働契約の承継等に関し会社法（平成十七年法律第八十六号）の特例等を定めることにより、労働者の保護を図ることを目的とする。

（労働者等への通知）

第二条① 会社（株式会社及び合同会社をいう。以下同じ。）は、会社法第五編第三章及び第五章の規定による分割（吸収分割又は新設分割をいう。以下同じ。）をするときは、次に掲げる労働者に対し、通知期限日までに、当該分割に関し、当該会社が当該労働者との間で締結している労働契約を当該分割に係る承継会社等（吸収分割にあっては同法第七百五十七条に規定する吸収分割承継会社、新設分割にあっては同法第七百六十三条第一項に規定する新設分割設立会社をいう。以下同じ。）が承継する旨の分割契約等（吸収分割にあっては吸収分割契約（同法第七百五十七条の吸収分割契約をいう。以下同じ。）、新設分割にあっては新設分割計画（同法第七百六十二条第一項の新設分割計画をいう。以下同じ。）をいう。以下同じ。）における定めの有無、第四条第三項に規定する異議申出期限日その他厚生労働省令で定める事項を書面により通知しなければならない。

一 当該会社が雇用する労働者であって、承継会社等に承継される事業に主として従事するものとして厚生労働省令で定めるもの

二 当該会社が雇用する労働者（前号に掲げる労働者を除く。）であって、当該分割契約等にその者が当該会社との間で締結している労働契約を承継会社等が承継する旨の定めがあるもの

② 前項の分割をする会社（以下「分割会社」という。）は、労働組合法（昭和二十四年法律第百七十四号）第二条の労働組合（以下単に「労働組合」という。）との間で労働協約を締結しているときは、当該労働組合に対し、通知期限日までに、当該労働協約を承継会社等が承継する旨の当該分割

契約等における定めの有無その他厚生労働省令で定める事項を書面により通知しなければならない。

③ 前二項及び第四条第三項第一号の「通知期限日」とは、次の各号に掲げる場合に応じ、当該各号に定める日をいう。

一 株式会社が分割をする場合であって当該分割に係る分割契約等について株主総会の決議による承認を要するとき 当該株主総会（第四条第三項第一号において「承認株主総会」という。）の日の二週間前の日の前日

二 株式会社が分割をする場合であって当該分割に係る分割契約等について株主総会の決議による承認を要しないとき又は合同会社が分割をする場合 吸収分割契約が締結された日又は新設分割計画が作成された日から起算して、二週間を経過する日

（承継される事業に主として従事する労働者に係る労働契約の承継）

第三条 前条第一項第一号に掲げる労働者が分割会社との間で締結している労働契約であって、分割契約等に承継会社等が承継する旨の定めがあるものは、当該分割契約等に係る分割の効力が生じた日に、当該承継会社等に承継されるものとする。

第四条① 第二条第一項第一号に掲げる労働者であって、分割契約等にその者が分割会社との間で締結している労働契約を承継会社等が承継する旨の定めがないものは、同項の通知がされた日から異議申出期限日までの間に、当該分割会社に対し、当該労働契約が当該承継会社等に承継されないことについて、書面により、異議を申し出ることができる。

② 分割会社は、異議申出期限日を定めるときは、第二条第一項の通知がされた日と異議申出期限日との間に少なくとも十三日間を置かなければならない。

③ 前二項の「異議申出期限日」とは、次の各号に掲げる場合に応じ、当該各号に定める日をいう。

一 第二条第三項第一号に掲げる場合 通知期限日の翌日から承認株主総会の日の前日までの期間の範囲内で分割会社が定める日

二 第二条第三項第二号に掲げる場合 同号の吸収分割契約又は新設分割計画に係る分割の効力が生ずる日の前日までの日で分割会社が定める日

④ 第一項に規定する労働者が同項の異議を申し出たときは、会社法第七百五十九条第一項、第七百六十一条第一項、第七百六十四条第一項又は第七百六十六条第一項の規定にかかわらず、当該労働者が分割会社との間で締結している労働契約は、分割契約等に係る分割の効力が生じた日に、承継会社等に承継されるものとする。

（その他の労働者に係る労働契約の承継）

第五条① 第二条第一項第二号に掲げる労働者は、同項の通知がされた日から前条第三項に規定する異議申出期限日までの間に、分割会社に対し、当該労働者が当該分割会社との間で締結している労働契約が承継会社等に承継されることについて、書面により、異議を申し出ることができる。

② 前条第二項の規定は、前項の場合について準用する。

③ 第一項に規定する労働者が同項の異議を申し出たときは、会社法第七百五十九条第一項、第七百六十一条第一項、第七百六十四条第一項又は第七百六十六条第一項の規定にかかわらず、当該労働者が分割会社との間で締結している労働契約は、承継会社等に承継されないものとする。

（労働協約の承継等）

第六条① 分割会社は、分割契約等に、当該分割会社と労働組合との間で締結されている労働協約のうち承継会社等が承継する部分を定めることができる。

② 分割会社と労働組合との間で締結されている労働協約に、労働組合法第十六条の基準以外の部分が定められている場合において、当該部分の全部又は一部について当該分割会社と当該労働組合との間で分割契約等の定めに従い当該承継会社等に承継させる旨の合意があったときは、当該合意に係る部分は、会社法第七百五十九条第一項、第七百六十一条第一項、第七百六十四条第一項又は第七百六十六条第一項の規定により、分割契約等の定めに従い、当該分割の効力が生じた日に、当該承継会社等に承継されるものとする。

③ 前項に定めるもののほか、分割会社と労働組合との間で締結されている労働協約については、当該労働組合の組合員である労働者と当該分割会社との間で締結されている労働契約が承継会社等に承継されるときは、会社法第七百五十九条第一項、第七百六十一条第一項、第七百六十四条第一項又は第七百六十六条第一項の規定にかかわらず、当該分割の効力が生じた日に、当該承継会社等と当該労働組合との間で当該労働協約（前項に規定する合意に係る部分を除く。）と同一の内容の労働協約が締結されたものとみなす。

（労働者の理解と協力）

第七条 分割会社は、当該分割に当たり、厚生労働大臣の定めるところにより、その雇用する労働者の理解と協力を得るよう努めるものとする。

（指針）

第八条 厚生労働大臣は、この法律に定めるもののほか、分割会社及び承継会社等が講ずべき当該分割会社が締結している労働契約及び労働協約の承継に関する措置に関し、その適切な実施を図るために必要な指針を定めることができる。

附　則（抄）

（施行期日）

第一条 この法律は、商法等の一部を改正する法律（平成十二年法律第九十号）の施行の日（平成一三・四・一）から施行する。（後略）

○公益通報者保護法（平成一六・六・一八 法 一 二 二）

施行 平成一八・四・一（平成一七政二四五）
最終改正 令和三法三六

目次

第一章 総則

（目的）
第一条 この法律は、公益通報をしたことを理由とする公益通報者の解雇の無効及び不利益な取扱いの禁止等並びに公益通報に関し事業者及び行政機関がとるべき措置等を定めることにより、公益通報者の保護を図るとともに、国民の生命、身体、財産その他の利益の保護に関わる法令の規定の遵守を図り、もって国民生活の安定及び社会経済の健全な発展に資することを目的とする。

（定義）
第二条① この法律において「公益通報」とは、次の各号に掲げる者が、不正の利益を得る目的、他人に損害を加える目的その他の不正の目的でなく、当該各号に定める事業者（法人その他の団体及び事業を行う個人をいう。以下同じ。）（以下「役務提供先」という。）又は当該役務提供先の事業に従事する場合におけるその役員（法人の取締役、執行役、会計参与、監査役、理事、監事及び清算人並びにこれら以外の者で法令（法律及び法律に基づく命令をいう。以下同じ。）の規定に基づき法人の経営に従事している者（会計監査人を除く。）をいう。以下同じ。）、従業員、代理人その他の者について通報対象事実が生じ、又はまさに生じようとしている旨を、当該役務提供先若しくは当該役務提供先があらかじめ定めた者（以下「役務提供先等」という。）、当該通報対象事実について処分（命令、取消しその他公権力の行使に当たる行為をいう。以下同じ。）若しくは勧告等（勧告その他処分に当たらない行為をいう。以下同じ。）をする権限を有する行政機関若しくは当該行政機関があらかじめ定めた者（次条第二号及び第六条第二号において「行政機関等」という。）又はその者に対し当該通報対象事実を通報することがその発生若しくはこれによる被害の拡大を防止するために必要であると認められる者（当該通報対象事実により被害を受け又は受けるおそれがある者を含み、当該役務提供先の競争上の地位その他正当な利益を害するおそれがある者を除く。次条第三号及び第六条第三号において同じ。）に通報することをいう。

一 労働者（労働基準法（昭和二十二年法律第四十九号）第九条に規定する労働者をいう。以下同じ。）又は労働者であった者 当該労働者又は労働者であった者を自ら使用し、又は当該通報の日前一年以内に自ら使用していた事業者（次号に定める事業者を除く。）
二 派遣労働者（労働者派遣事業の適正な運営の確保及び派遣労働者の保護等に関する法律（昭和六十年法律第八十八号。第四条において「労働者派遣法」という。）第二条第二号に規定する派遣労働者をいう。以下同じ。）又は派遣労働者であった者 当該派遣労働者又は派遣労働者であった者に係る労働者派遣（同条第一号に規定する労働者派遣をいう。第四条及び第五条第二項において同じ。）の役務の提供を受け、又は当該通報の日前一年以内に受けていた事業者
三 前二号に定める事業者が他の事業者との請負契約その他の契約に基づいて事業を行い、又は行っていた場合において、当該事業に従事し、又は当該通報の日前一年以内に従事していた労働者若しくは労働者であった者又は派遣労働者若しくは派遣労働者であった者 当該他の事業者
四 役員 次に掲げる事業者
イ 当該役員に職務を行わせる事業者
ロ イに掲げる事業者が他の事業者との請負契約その他の契約に基づいて事業を行う場合において、当該役員が当該事業に従事するときにおける当該他の事業者

② この法律において「公益通報者」とは、公益通報をした者をいう。

③ この法律において「通報対象事実」とは、次の各号のいずれかの事実をいう。
一 この法律及び個人の生命又は身体の保護、消費者の利益の擁護、環境の保全、公正な競争の確保その他の国民の生命、身体、財産その他の利益の保護に関わる法律として別表に掲げるもの（これらの法律に基づく命令を含む。以下この項において同じ。）に規定する罪の犯罪行為の事実又はこの法律及び別表に掲げる法律に規定する過料の理由とされている事実
二 別表に掲げる法律の規定に基づく処分に違反することが前号に掲げる事実となる場合における当該処分の理由とされている事実（当該処分の理由とされている事実が同表に掲げる法律の規定に基づく他の処分に違反し、又は勧告等に従わない事実である場合における当該他の処分又は勧告等の理由とされている事実を含む。）

④ この法律において「行政機関」とは、次に掲げる機関をいう。
一 内閣府、宮内庁、内閣府設置法（平成十一年法律第八十九号）第四十九条第一項若しくは第二項に規定する機関、デジタル庁、国家行政組織法（昭和二十三年法律第百二十号）第三条第二項に規定する機関、法律の規定に基づき内閣の所轄の下に置かれる機関若しくはこれらに置かれる機関又はこれらの機関の職員であって法律上独立に権限を行使することを認められた職員
二 地方公共団体の機関（議会を除く。）

第二章 公益通報をしたことを理由とする公益通報者の解雇の無効及び不利益な取扱いの禁止等

（解雇の無効）
第三条 労働者である公益通報者が次の各号に掲げる場合においてそれぞれ当該各号に定める公益通報をしたことを理由として前条第一項第一号に定める事業者（当該労働者を自ら使用するものに限る。第九条において同じ。）が行った解雇は、無効とする。
一 通報対象事実が生じ、又はまさに生じようとしていると思料する場合 当該役務提供先等に対する公益通報
二 通報対象事実が生じ、若しくはまさに生じようとしていると信ずるに足りる相当の理由がある場合又は通報対象事実が生じ、若しくはまさに生じようとしていると思料し、かつ、次に掲げる事項を記載した書面（電子的方式、磁気的方式その他人の知覚によっては認識することができない方式で作られる記録を含む。次号ホにおいて同じ。）を提出する場合 当該通報対象事実について処分又は勧告等をする権限を有する行政機関等に対する公益通報
イ 公益通報者の氏名又は名称及び住所又は居所
ロ 当該通報対象事実の内容
ハ 当該通報対象事実が生じ、又はまさに生じようとしていると思料する理由
ニ 当該通報対象事実について法令に基づく措置その他適当な措置がとられるべきと思料する理由
三 通報対象事実が生じ、又はまさに生じようとしていると信

ずるに足りる相当の理由があり、かつ、次のいずれかに該当する場合　その者に対し当該通報対象事実を通報することがその発生又はこれによる被害の拡大を防止するために必要であると認められる者に対する公益通報

イ　前二号に定める公益通報をすれば解雇その他不利益な取扱いを受けると信ずるに足りる相当の理由がある場合

ロ　第一号に定める公益通報をすれば当該通報対象事実に係る証拠が隠滅され、偽造され、又は変造されるおそれがあると信ずるに足りる相当の理由がある場合

ハ　第一号に定める公益通報をすれば、役務提供先が、当該公益通報者について知り得た事項を、当該公益通報者を特定させるものであることを知りながら、正当な理由がなくて漏らすと信ずるに足りる相当の理由がある場合

ニ　役務提供先から前二号に定める公益通報をしないことを正当な理由がなくて要求された場合

ホ　書面により第一号に定める公益通報をした日から二十日を経過しても、当該通報対象事実について、当該役務提供先等から調査を行う旨の通知がない場合又は当該役務提供先等が正当な理由がなくて調査を行わない場合

ヘ　個人の生命若しくは身体に対する危害又は個人（事業を行う場合におけるものを除く。以下このヘにおいて同じ。）の財産に対する損害（回復することができない損害又は著しく多数の個人における多額の損害であって、通報対象事実を直接の原因とするものに限る。第六条第二号ロ及び第三号ロにおいて同じ。）が発生し、又は発生する急迫した危険があると信ずるに足りる相当の理由がある場合

（労働者派遣契約の解除の無効）

第四条　第二条第一項第二号に定める事業者（当該派遣労働者に係る労働者派遣の役務の提供を受けるものに限る。以下この条及び次条第二項において同じ。）の指揮命令の下に労働する派遣労働者である公益通報者が前条各号に定める公益通報をしたことを理由として第二条第一項第二号に定める事業者が行った労働者派遣契約（労働者派遣法第二十六条第一項に規定する労働者派遣契約をいう。）の解除は、無効とする。

（不利益取扱いの禁止）

第五条①　第三条に規定するもののほか、第二条第一項第一号に定める事業者は、その使用し、又は使用していた公益通報者が第三条各号に定める公益通報をしたことを理由として、当該公益通報者に対して、降格、減給、退職金の不支給その他不利益な取扱いをしてはならない。

②　前条に規定するもののほか、第二条第一項第二号に定める事業者は、その指揮命令の下に労働する派遣労働者である公益通報者が第三条各号に定める公益通報をしたことを理由として、当該公益通報者に対して、当該公益通報者に係る労働者派遣をする事業者に派遣労働者の交代を求めることその他不利益な取扱いをしてはならない。

③　第二条第一項第四号に定める事業者（同号イに掲げる事業者に限る。次条及び第八条第四項において同じ。）は、その職務を行わせ、又は行わせていた公益通報者が次条各号に定める公益通報をしたことを理由として、当該公益通報者に対して、報酬の減額その他不利益な取扱い（解任を除く。）をしてはならない。

（役員を解任された場合の損害賠償請求）

第六条　役員である公益通報者は、次の各号に掲げる場合においてそれぞれ当該各号に定める公益通報をしたことを理由として第二条第一項第四号に定める事業者から解任された場合には、当該事業者に対し、解任によって生じた損害の賠償を請求することができる。

一　通報対象事実が生じ、又はまさに生じようとしていると思料する場合　当該役務提供先等に対する公益通報

二　次のいずれかに該当する場合　当該通報対象事実について処分又は勧告等をする権限を有する行政機関等に対する公益通報

イ　調査是正措置（善良な管理者と同一の注意をもって行う、通報対象事実の調査及びその是正のために必要な措置をいう。次号イにおいて同じ。）をとることに努めたにもかかわらず、なお当該通報対象事実が生じ、又はまさに生じようとしていると信ずるに足りる相当の理由がある場合

ロ　通報対象事実が生じ、又はまさに生じようとしていると信ずるに足りる相当の理由があり、かつ、個人の生命若しくは身体に対する危害又は個人（事業を行う場合におけるものを除く。）の財産に対する損害が発生し、又は発生する急迫した危険があると信ずるに足りる相当の理由がある場合

三　次のいずれかに該当する場合　その者に対し通報対象事実を通報することがその発生又はこれによる被害の拡大を防止するために必要であると認められる者に対する公益通報

イ　調査是正措置をとることに努めたにもかかわらず、なお当該通報対象事実が生じ、又はまさに生じようとしていると信ずるに足りる相当の理由があり、かつ、次のいずれかに該当する場合

(1)　前二号に定める公益通報をすれば解任、報酬の減額その他不利益な取扱いを受けると信ずるに足りる相当の理由がある場合

(2)　第一号に定める公益通報をすれば当該通報対象事実に係る証拠が隠滅され、偽造され、又は変造されるおそれがあると信ずるに足りる相当の理由がある場合

(3)　役務提供先から前二号に定める公益通報をしないことを正当な理由がなくて要求された場合

ロ　通報対象事実が生じ、又はまさに生じようとしていると信ずるに足りる相当の理由があり、かつ、個人の生命若しくは身体に対する危害又は個人（事業を行う場合におけるものを除く。）の財産に対する損害が発生し、又は発生する急迫した危険があると信ずるに足りる相当の理由がある場合

（損害賠償の制限）

第七条　第二条第一項各号に定める事業者は、第三条各号及び前条各号に定める公益通報によって損害を受けたことを理由として、当該公益通報をした公益通報者に対して、賠償を請求することができない。

（解釈規定）

第八条①　第三条から前条までの規定は、通報対象事実に係る通報をしたことを理由として第二条第一項各号に掲げる者に対して解雇その他不利益な取扱いをすることを禁止する他の法令の規定の適用を妨げるものではない。

②　第三条の規定は、労働契約法（平成十九年法律第百二十八号）第十六条の規定の適用を妨げるものではない。

③　第五条第一項の規定は、労働契約法第十四条及び第十五条の規定の適用を妨げるものではない。

④　第六条の規定は、通報対象事実に係る通報をしたことを理由として第二条第一項第四号に定める事業者から役員を解任された者が当該事業者に対し解任によって生じた損害の賠償を請求することができる旨の他の法令の規定の適用を妨げるものではない。

（一般職の国家公務員等に対する取扱い）

第九条　第三条各号に定める公益通報をしたことを理由とする一般職の国家公務員、裁判所職員臨時措置法（昭和二十六年法律第二百九十九号）の適用を受ける裁判所職員、国会職員法（昭和二十二年法律第八十五号）の適用を受ける国会職員、自衛隊法（昭和二十九年法律第百六十五号）第二条第五項に規定する隊員及び一般職の地方公務員（以下この条において「一般職の国家公務員等」という。）に対する免職その他不利益な取扱いの禁止については、第三条から第五条までの規定にかかわらず、国家公務員法（昭和二十二年法律第百二十号。裁判所職員臨時措置法において準用する場合を含む。）、国会職員法、自衛隊法及び地方公務員法（昭和二十五年法律第二百六十一号）の定め

るところによる。この場合において、第二条第一項第一号に定める事業者は、第三条各号に定める公益通報をしたことを理由として一般職の国家公務員等に対して免職その他不利益な取扱いがされることのないよう、これらの法律の規定を適用しなければならない。

（他人の正当な利益等の尊重）

第一〇条 第三条各号及び第六条各号に定める公益通報をする者は、他人の正当な利益又は公共の利益を害することのないよう努めなければならない。

第三章　事業者がとるべき措置等

（事業者がとるべき措置）

第一一条① 事業者は、第三条第一号及び第六条第一号に定める公益通報を受け、並びに当該公益通報に係る通報対象事実の調査をし、及びその是正に必要な措置をとる業務（次条において「公益通報対応業務」という。）に従事する者（次条において「公益通報対応業務従事者」という。）を定めなければならない。

② 事業者は、前項に定めるもののほか、公益通報者の保護を図るとともに、公益通報の内容の活用により国民の生命、身体、財産その他の利益の保護に関わる法令の規定の遵守を図るため、第三条第一号及び第六条第一号に定める公益通報に応じ、適切に対応するために必要な体制の整備その他の必要な措置をとらなければならない。

③ 常時使用する労働者の数が三百人以下の事業者については、第一項中「定めなければ」とあるのは「定めるように努めなければ」と、前項中「とらなければ」とあるのは「とるように努めなければ」とする。

④ 内閣総理大臣は、第一項及び第二項（これらの規定を前項の規定により読み替えて適用する場合を含む。）の規定に基づき事業者がとるべき措置に関して、その適切かつ有効な実施を図るために必要な指針（以下この条において単に「指針」という。）を定めるものとする。

⑤ 内閣総理大臣は、指針を定めようとするときは、あらかじめ、消費者委員会の意見を聴かなければならない。

⑥ 内閣総理大臣は、指針を定めたときは、遅滞なく、これを公表するものとする。

⑦ 前二項の規定は、指針の変更について準用する。

（公益通報対応業務従事者の義務）

第一二条 公益通報対応業務従事者又は公益通報対応業務従事者であった者は、正当な理由がなく、その公益通報対応業務に関して知り得た事項であって公益通報者を特定させるものを漏らしてはならない。

（行政機関がとるべき措置）

第一三条① 通報対象事実について処分又は勧告等をする権限を有する行政機関は、公益通報者から第三条第二号及び第六条第二号に定める公益通報をされた場合には、必要な調査を行い、当該公益通報に係る通報対象事実があると認めるときは、法令に基づく措置その他適当な措置をとらなければならない。

② 通報対象事実について処分又は勧告等をする権限を有する行政機関（第二条第四項第一号に規定する職員を除く。）は、前項に規定する措置の適切な実施を図るため、第三条第二号及び第六条第二号に定める公益通報に応じ、適切に対応するために必要な体制の整備その他の必要な措置をとらなければならない。

③ 第一項の公益通報が第二条第三項第一号に掲げる犯罪行為の事実を内容とする場合における当該犯罪の捜査及び公訴については、前二項の規定にかかわらず、刑事訴訟法（昭和二十三年法律第百三十一号）の定めるところによる。

（教示）

第一四条 前条第一項の公益通報が誤って当該公益通報に係る通報対象事実について処分又は勧告等をする権限を有しない行政機関に対してされたときは、当該行政機関は、当該公益通報者に対し、当該公益通報に係る通報対象事実について処分又は勧告等をする権限を有する行政機関を教示しなければならない。

第四章　雑則

（報告の徴収並びに助言、指導及び勧告）

第一五条 内閣総理大臣は、第十一条第一項及び第二項（これらの規定を同条第三項の規定により読み替えて適用する場合を含む。）の規定の施行に関し必要があると認めるときは、事業者に対して、報告を求め、又は助言、指導若しくは勧告をすることができる。

（公表）

第一六条 内閣総理大臣は、第十一条第一項及び第二項の規定に違反している事業者に対し、前条の規定による勧告をした場合において、その勧告を受けた者がこれに従わなかったときは、その旨を公表することができる。

（関係行政機関への照会等）

第一七条 内閣総理大臣は、この法律の規定に基づく事務に関し、関係行政機関に対し、照会し、又は協力を求めることができる。

（内閣総理大臣による情報の収集、整理及び提供）

第一八条 内閣総理大臣は、公益通報及び公益通報者の状況に関する情報その他その普及が公益通報者の保護及び公益通報の内容の活用による国民の生命、身体、財産その他の利益の保護に関わる法令の規定の遵守に資することとなる情報の収集、整理及び提供に努めなければならない。

（権限の委任）

第一九条 内閣総理大臣は、この法律による権限（政令で定めるものを除く。）を消費者庁長官に委任する。

（適用除外）

第二〇条 第十五条及び第十六条の規定は、国及び地方公共団体に適用しない。

第五章　罰則

第二一条 第十二条の規定に違反して同条に規定する事項を漏らした者は、三十万円以下の罰金に処する。

第二二条 第十五条の規定による報告をせず、又は虚偽の報告をした者は、二十万円以下の過料に処する。

附　則（抄）

（施行期日）

第一条 この法律は、公布の日から起算して二年を超えない範囲内において政令で定める日（平成一八・四・一—平成一七政一四五）から施行し、この法律の施行後にされた公益通報について適用する。

別表（第二条関係）

一　刑法（明治四十年法律第四十五号）
二　食品衛生法（昭和二十二年法律第二百三十三号）
三　金融商品取引法（昭和二十三年法律第二十五号）
四　日本農林規格等に関する法律（昭和二十五年法律第百七十五号）
五　大気汚染防止法（昭和四十三年法律第九十七号）
六　廃棄物の処理及び清掃に関する法律（昭和四十五年法律第百三十七号）
七　個人情報の保護に関する法律（平成十五年法律第五十七号）
八　前各号に掲げるもののほか、個人の生命又は身体の保護、消費者の利益の擁護、環境の保全、公正な競争の確保その他の国民の生命、身体、財産その他の利益の保護に関わる法律として政令で定めるもの

●労働基準法

（昭和二二・四・七法　四　九）

施行（附則参照）

改正　昭和二四法七〇・法一六六、昭和二五法二九〇、昭和二七法二八七、昭和二九法一七一、昭和三一法一二六、昭和三三法一三三、昭和三四法一三七、昭和三七法一六一、昭和四〇法一三〇、昭和四二法一〇八、昭和四三法九九、昭和四四法六四、昭和四七法五七、昭和五一法三四、昭和五八法七八、昭和五九法八七、昭和六〇法四五（昭和六〇法八九）・法五六・法八九、昭和六二法九九、平成三法七六、平成四法九〇、平成五法七九、平成七法一〇七、平成九法九二、平成一〇法一一二、平成一一法八七・法一〇二・法一〇四・法一五一・法一六〇、平成一三法三五・法一一二・法一一八、平成一四法九八・法一〇〇・法一〇二、平成一五法一〇四、平成一六法七六・法一四七、平成一七法一〇二、平成一八法八二、平成一九法一二八、平成二〇法八九、平成二四法四二、平成二七法三一、平成二九法四五、平成三〇法七一、令和二法一三、令和四法六八、令和六法四二

目次

第一章　総則

第一条①（労働条件の原則）　労働条件は、労働者が人たるに値する生活を営むための必要を充たすべきものでなければならない。

② この法律で定める労働条件の基準は最低のものであるから、労働関係の当事者は、この基準を理由として労働条件を低下させてはならないことはもとより、その向上を図るように努めなければならない。

第二条①（労働条件の決定）　労働条件は、労働者と使用者が、対等の立場において決定すべきものである。

② 労働者及び使用者は、労働協約、就業規則及び労働契約を遵守し、誠実に各々その義務を履行しなければならない。

第三条（均等待遇）　使用者は、労働者の国籍、信条又は社会的身分を理由として、賃金、労働時間その他の労働条件について、差別的取扱をしてはならない。

第四条（男女同一賃金の原則）　使用者は、労働者が女性であることを理由として、賃金について、男性と差別的取扱いをしてはならない。

第五条（強制労働の禁止）　使用者は、暴行、脅迫、監禁その他精神又は身体の自由を不当に拘束する手段によつて、労働者の意思に反して労働を強制してはならない。

第六条（中間搾取の排除）　何人も、法律に基いて許される場合の外、業として他人の就業に介入して利益を得てはならない。

第七条（公民権行使の保障）　使用者は、労働者が労働時間中に、選挙権その他公民としての権利を行使し、又は公の職務を執行するために必要な時間を請求した場合においては、拒んではならない。但し、権利の行使又は公の職務の執行に妨げがない限り、請求された時刻を変更することができる。

第八条　削除

第九条（定義）　この法律で「労働者」とは、職業の種類を問わず、事業又は事務所（以下「事業」という。）に使用される者で、賃金を支払われる者をいう。

第一〇条　この法律で使用者とは、事業主又は事業の経営担当者その他その事業の労働者に関する事項について、事業主のために行為をするすべての者をいう。

第一一条　この法律で賃金とは、賃金、給料、手当、賞与その他名称の如何を問わず、労働の対償として使用者が労働者に支払うすべてのものをいう。

第一二条①　この法律で平均賃金とは、これを算定すべき事由の発生した日以前三箇月間にその労働者に対し支払われた賃金の総額を、その期間の総日数で除した金額をいう。ただし、その金額は、次の各号の一によつて計算した金額を下つてはならない。

一　賃金が、労働した日若しくは時間によつて算定され、又は出来高払制その他の請負制によつて定められた場合においては、賃金の総額をその期間中に労働した日数で除した金額の百分の六十

二　賃金の一部が、月、週その他一定の期間によつて定められた場合においては、その部分の総額をその期間の総日数で除した金額と前号の金額の合算額

② 前項の期間は、賃金締切日がある場合においては、直前の賃金締切日から起算する。

③ 前二項に規定する期間中に、次の各号のいずれかに該当する期間がある場合においては、その日数及びその期間中の賃金は、前二項の期間及び賃金の総額から控除する。

一　業務上負傷し、又は疾病にかかり療養のために休業した期間

二　産前産後の女性が第六十五条の規定によつて休業した期間

三　使用者の責めに帰すべき事由によつて休業した期間

四　育児休業、介護休業等育児又は家族介護を行う労働者の福祉に関する法律（平成三年法律第七十六号）第二条第一号に規定する育児休業又は同条第二号に規定する介護休業（同法第六十一条第三項に規定する行政執行法人介護休業及び同法第六十一条の二第三項に規定する介護をするための休業を含む。第三十九条第十項において同じ。）をした期間

五　試みの使用期間

④ 第一項の賃金の総額には、臨時に支払われた賃金及び三箇月を超える期間ごとに支払われる賃金並びに通貨以外のもので支払われた賃金で一定の範囲に属しないものは算入しない。

⑤ 賃金が通貨以外のもので支払われる場合、第一項の賃金の総額に算入すべきものの範囲及び評価に関し必要な事項は、厚生労働省令で定める。

⑥ 雇入後三箇月に満たない者については、第一項の期間は、雇入後の期間とする。

⑦ 日日雇い入れられる者については、その従事する事業又は職業について、厚生労働大臣の定める金額を平均賃金とする。

⑧ 第一項乃至第六項によつて算定し得ない場合の平均賃金は、

厚生労働大臣の定めるところによる。

注　本条の「平均賃金」を定める省令
労働基準法施行規則（昭和二二・八・三〇厚二三）（抜粋）
第二条【平均賃金】①　労働基準法（昭和二十二年法律第四十九号。以下「法」という。）第十二条第五項の規定により、賃金の総額に算入すべきものは、法第二十四条第一項ただし書の規定による法令又は労働協約の別段の定めに基づいて支払われる通貨以外のものとする。
②　前項の通貨以外のものの評価額は、法令に別段の定がある場合の外、労働協約に定めなければならない。
③　前項の規定により労働協約に定められた評価額が不適当と認められる場合又は前項の評価額が法令若しくは労働協約に定められていない場合においては、都道府県労働局長は、第一項の通貨以外のものの評価額を定めることができる。
第三条【同前】　試の使用期間中に平均賃金を算定すべき事由が発生した場合においては、法第十二条第三項の規定にかかわらず、その期間中の日数及びその期間中の賃金は、同条第一項及び第二項の期間並びに賃金の総額に算入する。
第四条【同前】　法第十二条第三項第一号から第四号までの期間が平均賃金を算定すべき事由の発生した日以前三箇月以上にわたる場合又は雇入れの日に平均賃金を算定すべき事由の発生した場合の平均賃金は、都道府県労働局長の定めるところによる。

第二章　労働契約

（この法律違反の契約）
第一三条　この法律で定める基準に達しない労働条件を定める労働契約は、その部分については無効とする。この場合において、無効となつた部分は、この法律で定める基準による。

（契約期間等）
第一四条①　労働契約は、期間の定めのないものを除き、一定の事業の完了に必要な期間を定めるもののほかは、三年（次の各号のいずれかに該当する労働契約にあつては、五年）を超える期間について締結してはならない。
一　専門的な知識、技術又は経験（以下この号及び第四十一条の二第一項第一号において「専門的知識等」という。）であつて高度のものとして厚生労働大臣が定める基準に該当する専門的知識等を有する労働者（当該高度の専門的知識等を必要とする業務に就く者に限る。）との間に締結される労働契約
二　満六十歳以上の労働者との間に締結される労働契約（前号に掲げる労働契約を除く。）
②　厚生労働大臣は、期間の定めのある労働契約の締結時及び当該労働契約の期間の満了時において労働者と使用者との間に紛争が生ずることを未然に防止するため、使用者が講ずべき労働契約の期間の満了に係る通知に関する事項その他必要な事項についての基準を定めることができる。
③　行政官庁は、前項の基準に関し、期間の定めのある労働契約を締結する使用者に対し、必要な助言及び指導を行うことができる。

（労働条件の明示）
第一五条①　使用者は、労働契約の締結に際し、労働者に対して賃金、労働時間その他の労働条件を明示しなければならない。この場合において、賃金及び労働時間に関する事項その他の厚生労働省令で定める事項については、厚生労働省令で定める方法により明示しなければならない。
②　前項の規定によつて明示された労働条件が事実と相違する場合においては、労働者は、即時に労働契約を解除することができる。
③　前項の場合、就業のために住居を変更した労働者が、契約解除の日から十四日以内に帰郷する場合においては、使用者は、必要な旅費を負担しなければならない。

注　本条の「労働条件」を定める省令
労働基準法施行規則（昭和二二・八・三〇厚二三）（抜粋）
第五条【労働条件の明示】①　使用者が法第十五条第一項前段の規定により労働者に対して明示しなければならない労働条件は、次に掲げるものとする。ただし、第一号の二に掲げる事項については期間の定めのある労働契約（以下この条において「有期労働契約」という。）であつて当該労働契約の期間の満了後に当該労働契約を更新する場合があるものの締結の場合に限り、第四号の二から第十一号までに掲げる事項については使用者がこれらに関する定めをしない場合においては、この限りでない。
一　労働契約の期間に関する事項
一の二　有期労働契約を更新する場合の基準に関する事項（通算契約期間（労働契約法（平成十九年法律第百二十八号）第十八条第一項に規定する通算契約期間をいう。）又は有期労働契約の更新回数に上限の定めがある場合には当該上限を含む。）
一の三　就業の場所及び従事すべき業務に関する事項（就業の場所及び従事すべき業務の変更の範囲を含む。）
二　始業及び終業の時刻、所定労働時間を超える労働の有無、休憩時間、休日、休暇並びに労働者を二組以上に分けて就業させる場合における就業時転換に関する事項
三　賃金（退職手当及び第五号に規定する賃金を除く。以下この号において同じ。）の決定、計算及び支払の方法、賃金の締切り及び支払の時期並びに昇給に関する事項
四　退職に関する事項（解雇の事由を含む。）
四の二　退職手当の定めが適用される労働者の範囲、退職手当の決定、計算及び支払の方法並びに退職手当の支払の時期に関する事項
五　臨時に支払われる賃金（退職手当を除く。）、賞与及び第八条各号に掲げる賃金並びに最低賃金額に関する事項
六　労働者に負担させるべき食費、作業用品その他に関する事項
七　安全及び衛生に関する事項
八　職業訓練に関する事項
九　災害補償及び業務外の傷病扶助に関する事項
十　表彰及び制裁に関する事項
十一　休職に関する事項
②　使用者は、法第十五条第一項前段の規定により労働者に対して明示しなければならない労働条件を事実と異なるものとしてはならない。
③　法第十五条第一項後段の厚生労働省令で定める事項は、第一項第一号から第四号までに掲げる事項（昇給に関する事項を除く。）とする。
④　法第十五条第一項後段の厚生労働省令で定める方法は、労働者に対する前項に規定する事項が明らかとなる書面の交付とする。ただし、当該労働者が同項に規定する事項が明らかとなる次のいずれかの方法によることを希望した場合には、当該方法とすることができる。
一　ファクシミリを利用してする送信の方法
二　電子メールその他のその受信をする者を特定して情報を伝達するために用いられる電気通信（電気通信事業法（昭和五十九年法律第八十六号）第二条第一号に規定する電気通信をいう。以下この号において「電子メール等」という。）の送信の方法（当該労働者が当該電子メール等の記録を出力することにより書面を作成することができるものに限る。）
⑤　その契約期間内に労働者が労働契約法第十八条第一項の適用を受ける期間の定めのない労働契約の締結の申込み（以下「労働契約法第十八条第一項の無期転換申込み」という。）をすることができることとなる有期労働契約の締結の場合においては、使用者が法第十五条第一項前段の規定により労働者に対して明示しなければならない労働条件は、第一項に規定するもののほか、労働契約法第十八条第一項の無期転換申込みに関する事項並びに当該申込みに係る期間の定めのない労働契約の内容である労働条件のうち第一項第一号及び第一号の三から第十一号までに掲げる事項とする。ただし、当該申込みに係る期間の定めのない労働契約の内容である労働条件のうち同項第四号の二から第十一号までに掲げる事項については、使用者がこれらに関

する定めをしない場合においては、この限りでない。

⑥ その契約期間内に労働者が労働契約法第十八条第一項の無期転換申込みをすることができることとなる有期労働契約の締結の場合においては、法第十五条第一項後段の厚生労働省令で定める事項は、第三項に規定するもののほか、労働契約法第十八条第一項の無期転換申込みに関する事項並びに当該申込みに係る期間の定めのない労働契約の内容である労働条件のうち第一項第一号及び第一号の三から第四号までに掲げる事項（昇給に関する事項を除く。）とする。

（賠償予定の禁止）

第一六条 使用者は、労働契約の不履行について違約金を定め、又は損害賠償額を予定する契約をしてはならない。

（前借金相殺の禁止）

第一七条 使用者は、前借金その他労働することを条件とする前貸の債権と賃金を相殺してはならない。

（強制貯金）

第一八条① 使用者は、労働契約に附随して貯蓄の契約をさせ、又は貯蓄金を管理する契約をしてはならない。

② 使用者は、労働者の貯蓄金をその委託を受けて管理しようとする場合においては、当該事業場に、労働者の過半数で組織する労働組合があるときはその労働組合、労働者の過半数で組織する労働組合がないときは労働者の過半数を代表する者との書面による協定をし、これを行政官庁に届け出なければならない。

③ 使用者は、労働者の貯蓄金をその委託を受けて管理する場合においては、貯蓄金の管理に関する規程を定め、これを労働者に周知させるため作業場に備え付ける等の措置をとらなければならない。

④ 使用者は、労働者の貯蓄金をその委託を受けて管理する場合において、貯蓄金の管理が労働者の預金の受入であるときは、利子をつけなければならない。この場合において、その利子が、金融機関の受け入れる預金の利率を考慮して厚生労働省令で定める利率による利子を下るときは、その厚生労働省令で定める利率による利子をつけたものとみなす。

⑤ 使用者は、労働者の貯蓄金をその委託を受けて管理する場合において、労働者がその返還を請求したときは、遅滞なく、これを返還しなければならない。

⑥ 使用者が前項の規定に違反した場合において、当該貯蓄金の管理を継続することが労働者の利益を著しく害すると認められるときは、行政官庁は、使用者に対して、その必要な限度の範囲内で、当該貯蓄金の管理を中止すべきことを命ずることができる。

⑦ 前項の規定により貯蓄金の管理を中止すべきことを命ぜられた使用者は、遅滞なく、その管理に係る貯蓄金を労働者に返還しなければならない。

（解雇制限）

第一九条① 使用者は、労働者が業務上負傷し、又は疾病にかかり療養のために休業する期間及びその後三十日間並びに産前産後の女性が第六十五条の規定によつて休業する期間及びその後三十日間は、解雇してはならない。ただし、使用者が、第八十一条の規定によつて打切補償を支払う場合又は天災事変その他やむを得ない事由のために事業の継続が不可能となつた場合においては、この限りでない。

② 前項但書後段の場合においては、その事由について行政官庁の認定を受けなければならない。

（解雇の予告）

第二〇条① 使用者は、労働者を解雇しようとする場合においては、少くとも三十日前にその予告をしなければならない。三十日前に予告をしない使用者は、三十日分以上の平均賃金を支払わなければならない。但し、天災事変その他やむを得ない事由のために事業の継続が不可能となつた場合又は労働者の責に帰すべき事由に基いて解雇する場合においては、この限りでない。

② 前項の予告の日数は、一日について平均賃金を支払つた場合においては、その日数を短縮することができる。

③ 前条第二項の規定は、第一項但書の場合にこれを準用する。

第二一条 前条の規定は、左の各号の一に該当する労働者については適用しない。但し、第一号に該当する者が一箇月を超えて引き続き使用されるに至つた場合、第二号若しくは第三号に該当する者が所定の期間を超えて引き続き使用されるに至つた場合又は第四号に該当する者が十四日を超えて引き続き使用されるに至つた場合においては、この限りでない。

一 日日雇い入れられる者
二 二箇月以内の期間を定めて使用される者
三 季節的業務に四箇月以内の期間を定めて使用される者
四 試の使用期間中の者

（退職時等の証明）

第二二条① 労働者が、退職の場合において、使用期間、業務の種類、その事業における地位、賃金又は退職の事由（退職の事由が解雇の場合にあつては、その理由を含む。）について証明書を請求した場合においては、使用者は、遅滞なくこれを交付しなければならない。

② 労働者が、第二十条第一項の解雇の予告がされた日から退職の日までの間において、当該解雇の理由について証明書を請求した場合においては、使用者は、遅滞なくこれを交付しなければならない。ただし、解雇の予告がされた日以後に労働者が当該解雇以外の事由により退職した場合においては、使用者は、当該退職の日以後、これを交付することを要しない。

③ 前二項の証明書には、労働者の請求しない事項を記入してはならない。

④ 使用者は、あらかじめ第三者と謀り、労働者の就業を妨げることを目的として、労働者の国籍、信条、社会的身分若しくは労働組合運動に関する通信をし、又は第一項及び第二項の証明書に秘密の記号を記入してはならない。

（金品の返還）

第二三条① 使用者は、労働者の死亡又は退職の場合において、権利者の請求があつた場合においては、七日以内に賃金を支払い、積立金、保証金、貯蓄金その他名称の如何を問わず、労働者の権利に属する金品を返還しなければならない。

② 前項の賃金又は金品に関して争がある場合においては、使用者は、異議のない部分を、同項の期間中に支払い、又は返還しなければならない。

第三章 賃金

（賃金の支払）

第二四条① 賃金は、通貨で、直接労働者に、その全額を支払わなければならない。ただし、法令若しくは労働協約に別段の定めがある場合又は厚生労働省令で定める賃金について確実な支払の方法で厚生労働省令で定めるものによる場合においては、通貨以外のもので支払い、また、法令に別段の定めがある場合又は当該事業場の労働者の過半数で組織する労働組合があるときはその労働組合、労働者の過半数で組織する労働組合がないときは労働者の過半数を代表する者との書面による協定がある場合においては、賃金の一部を控除して支払うことができる。

② 賃金は、毎月一回以上、一定の期日を定めて支払わなければならない。ただし、臨時に支払われる賃金、賞与その他これに準ずるもので厚生労働省令で定める賃金（第八十九条において「臨時の賃金等」という。）については、この限りでない。

（非常時払）

第二五条 使用者は、労働者が出産、疾病、災害その他厚生労働省令で定める非常の場合の費用に充てるために請求する場合においては、支払期日前であつても、既往の労働に対する賃金を支払わなければならない。

（休業手当）

第二六条 使用者の責に帰すべき事由による休業の場合において

は、使用者は、休業期間中当該労働者に、その平均賃金の百分の六十以上の手当を支払わなければならない。

（出来高払制の保障給）

第二七条　出来高払制その他の請負制で使用する労働者については、使用者は、労働時間に応じ一定額の賃金の保障をしなければならない。

（最低賃金）

第二八条　賃金の最低基準に関しては、最低賃金法（昭和三十四年法律第百三十七号）の定めるところによる。

第二九条から第三一条まで　削除

第四章　労働時間、休憩、休日及び年次有給休暇

（労働時間）

第三二条①　使用者は、労働者に、休憩時間を除き一週間について四十時間を超えて、労働させてはならない。

②　使用者は、一週間の各日については、労働者に、休憩時間を除き一日について八時間を超えて、労働させてはならない。

第三二条の二①　使用者は、当該事業場に、労働者の過半数で組織する労働組合がある場合においてはその労働組合、労働者の過半数で組織する労働組合がない場合においては労働者の過半数を代表する者との書面による協定により、又は就業規則その他これに準ずるものにより、一箇月以内の一定の期間を平均し一週間当たりの労働時間が前条第一項の労働時間を超えない定めをしたときは、同条の規定にかかわらず、その定めにより、特定された週において同項の労働時間又は特定された日において同条第二項の労働時間を超えて、労働させることができる。

②　使用者は、厚生労働省令で定めるところにより、前項の協定を行政官庁に届け出なければならない。

第三二条の三①　使用者は、就業規則その他これに準ずるものにより、その労働者に係る始業及び終業の時刻をその労働者の決定に委ねることとした労働者については、当該事業場の労働者の過半数で組織する労働組合がある場合においてはその労働組合、労働者の過半数で組織する労働組合がない場合においては労働者の過半数を代表する者との書面による協定により、次に掲げる事項を定めたときは、その協定で第二号の清算期間として定められた期間を平均し一週間当たりの労働時間が第三十二条第一項の労働時間を超えない範囲内において、同条の規定にかかわらず、一週間において同項の労働時間又は一日において同条第二項の労働時間を超えて、労働させることができる。

一　この項の規定による労働時間により労働させることができることとされる労働者の範囲

二　清算期間（その期間を平均し一週間当たりの労働時間が第三十二条第一項の労働時間を超えない範囲内において労働させる期間をいい、三箇月以内の期間に限るものとする。以下この条及び次条において同じ。）

三　清算期間における総労働時間

四　その他厚生労働省令で定める事項

②　清算期間が一箇月を超えるものである場合における前項の規定の適用については、同項各号列記以外の部分中「労働時間を超えない」とあるのは「労働時間を超えず、かつ、当該清算期間をその開始の日以後一箇月ごとに区分した各期間（最後に一箇月未満の期間を生じたときは、当該期間。以下この項において同じ。）ごとに当該各期間を平均し一週間当たりの労働時間が五十時間を超えない」と、「同項」とあるのは「同条第一項」とする。

③　一週間の所定労働日数が五日の労働者について第一項の規定により労働させる場合における同項の規定の適用については、同項各号列記以外の部分（前項の規定により読み替えて適用する場合を含む。）中「第三十二条第一項の労働時間」とあるのは「第三十二条第一項の労働時間（当該事業場の労働者の過半数で組織する労働組合がある場合においてはその労働組合、労働者の過半数で組織する労働組合がない場合においては労働者の過半数を代表する者との書面による協定により、労働時間の限度について、当該清算期間における所定労働日数を同条第二項の労働時間に乗じて得た時間とする旨を定めたときは、当該清算期間における日数を七で除して得た数をもつてその時間を除して得た時間）」と、「同項」とあるのは「同条第一項」とする。

④　前条第二項の規定は、第一項各号に掲げる事項を定めた協定について準用する。ただし、清算期間が一箇月以内のものであるときは、この限りでない。

第三二条の三の二　使用者が、清算期間が一箇月を超えるものであるときの当該清算期間中の前条第一項の規定により労働させた期間が当該清算期間より短い労働者について、当該労働させた期間を平均し一週間当たり四十時間を超えて労働させた場合においては、その超えた時間（第三十三条又は第三十六条第一項の規定により延長し、又は休日に労働させた時間を除く。）の労働については、第三十七条の規定の例により割増賃金を支払わなければならない。

第三二条の四①　使用者は、当該事業場に、労働者の過半数で組織する労働組合がある場合においてはその労働組合、労働者の過半数で組織する労働組合がない場合においては労働者の過半数を代表する者との書面による協定により、次に掲げる事項を定めたときは、第三十二条の規定にかかわらず、その協定で第二号の対象期間として定められた期間を平均し一週間当たりの労働時間が四十時間を超えない範囲内において、当該協定（次項の規定による定めをした場合においては、その定めを含む。）で定めるところにより、特定された週において同条第一項の労働時間又は特定された日において同条第二項の労働時間を超えて、労働させることができる。

一　この条の規定による労働時間により労働させることができることとされる労働者の範囲

二　対象期間（その期間を平均し一週間当たりの労働時間が四十時間を超えない範囲内において労働させる期間をいい、一箇月を超え一年以内の期間に限るものとする。以下この条及び次条において同じ。）

三　特定期間（対象期間中の特に業務が繁忙な期間をいう。第三項において同じ。）

四　対象期間における労働日及び当該労働日ごとの労働時間（対象期間を一箇月以上の期間ごとに区分することとした場合においては、当該区分による各期間のうち当該対象期間の初日の属する期間（以下この条において「最初の期間」という。）における労働日及び当該労働日ごとの労働時間並びに当該最初の期間を除く各期間における労働日数及び総労働時間）

五　その他厚生労働省令で定める事項

②　使用者は、前項の協定で同項第四号の区分をし当該区分による各期間のうち最初の期間を除く各期間における労働日数及び総労働時間を定めたときは、当該各期間の初日の少なくとも三十日前に、当該事業場に、労働者の過半数で組織する労働組合がある場合においてはその労働組合、労働者の過半数で組織する労働組合がない場合においては労働者の過半数を代表する者の同意を得て、厚生労働省令で定めるところにより、当該労働日数を超えない範囲内において当該各期間における労働日及び当該労働日ごとの労働時間を定めなければならない。

③　厚生労働大臣は、労働政策審議会の意見を聴いて、厚生労働省令で、対象期間における労働日数の限度並びに一日及び一週間の労働時間の限度並びに対象期間（第一項の協定で特定期間として定められた期間を除く。）及び同項の協定で特定期間として定められた期間における連続して労働させる日数の限度を定めることができる。

④　第三十二条の二第二項の規定は、第一項の協定について準用する。

第三二条の四の二　使用者が、対象期間中の前条の規定により労働させた期間が当該対象期間より短い労働者について、当該労

働かせた期間を平均し一週間当たり四十時間を超えて労働させた場合においては、その超えた時間（第三十三条又は第三十六条第一項の規定により延長し、又は休日に労働させた時間を除く。）の労働については、第三十七条の規定の例により割増賃金を支払わなければならない。

第三二条の五① 使用者は、日ごとの業務に著しい繁閑の差が生ずることが多く、かつ、これを予測した上で就業規則その他これに準ずるものにより各日の労働時間を特定することが困難であると認められる厚生労働省令で定める事業であつて、常時使用する労働者の数が厚生労働省令で定める数未満のものに従事する労働者については、当該事業場に、労働者の過半数で組織する労働組合がある場合においてはその労働組合、労働者の過半数で組織する労働組合がない場合においては労働者の過半数を代表する者との書面による協定があるときは、第三十二条第二項の規定にかかわらず、一日について十時間まで労働させることができる。

② 使用者は、前項の規定により労働者に労働させる場合においては、厚生労働省令で定めるところにより、当該労働させる一週間の各日の労働時間を、あらかじめ、当該労働者に通知しなければならない。

③ 第三十二条の二第二項の規定は、第一項の協定について準用する。

（災害等による臨時の必要がある場合の時間外労働等）

第三三条① 災害その他避けることのできない事由によつて、臨時の必要がある場合においては、使用者は、行政官庁の許可を受けて、その必要の限度において第三十二条から前条まで若しくは第四十条の労働時間を延長し、又は第三十五条の休日に労働させることができる。ただし、事態急迫のために行政官庁の許可を受ける暇がない場合においては、事後に遅滞なく届け出なければならない。

② 前項ただし書の規定による届出があつた場合において、行政官庁がその労働時間の延長又は休日の労働を不適当と認めるときは、その後にその時間に相当する休憩又は休日を与えるべきことを、命ずることができる。

③ 公務のために臨時の必要がある場合においては、第一項の規定にかかわらず、官公署の事業（別表第一に掲げる事業を除く。）に従事する国家公務員及び地方公務員については、第三十二条から前条まで若しくは第四十条の労働時間を延長し、又は第三十五条の休日に労働させることができる。

（休憩）

第三四条① 使用者は、労働時間が六時間を超える場合においては少くとも四十五分、八時間を超える場合においては少くとも一時間の休憩時間を労働時間の途中に与えなければならない。

② 前項の休憩時間は、一斉に与えなければならない。ただし、当該事業場に、労働者の過半数で組織する労働組合がある場合においてはその労働組合、労働者の過半数で組織する労働組合がない場合においては労働者の過半数を代表する者との書面による協定があるときは、この限りでない。

③ 使用者は、第一項の休憩時間を自由に利用させなければならない。

（休日）

第三五条① 使用者は、労働者に対して、毎週少くとも一回の休日を与えなければならない。

② 前項の規定は、四週間を通じ四日以上の休日を与える使用者については適用しない。

（時間外及び休日の労働）

第三六条① 使用者は、当該事業場に、労働者の過半数で組織する労働組合がある場合においてはその労働組合、労働者の過半数で組織する労働組合がない場合においては労働者の過半数を代表する者との書面による協定をし、厚生労働省令で定めるところによりこれを行政官庁に届け出た場合においては、第三十二条から第三十二条の五まで若しくは第四十条の労働時間（以下この条において「労働時間」という。）又は前条の休日（以下この条において「休日」という。）に関する規定にかかわらず、その協定で定めるところによつて労働時間を延長し、又は休日に労働させることができる。

② 前項の協定においては、次に掲げる事項を定めるものとする。

一 この条の規定により労働時間を延長し、又は休日に労働させることができることとされる労働者の範囲

二 対象期間（この条の規定により労働時間を延長し、又は休日に労働させることができる期間をいい、一年間に限るものとする。第四号及び第六項第三号において同じ。）

三 労働時間を延長し、又は休日に労働させることができる場合

四 対象期間における一日、一箇月及び一年のそれぞれの期間について労働時間を延長して労働させることができる時間又は労働させることができる休日の日数

五 労働時間の延長及び休日の労働を適正なものとするために必要な事項として厚生労働省令で定める事項

③ 前項第四号の労働時間を延長して労働させることができる時間は、当該事業場の業務量、時間外労働の動向その他の事情を考慮して通常予見される時間外労働の範囲内において、限度時間を超えない時間に限る。

④ 前項の限度時間は、一箇月について四十五時間及び一年について三百六十時間（第三十二条の四第一項第二号の対象期間として三箇月を超える期間を定めて同条の規定により労働させる場合にあつては、一箇月について四十二時間及び一年について三百二十時間）とする。

⑤ 第一項の協定においては、第二項各号に掲げるもののほか、当該事業場における通常予見することのできない業務量の大幅な増加等に伴い臨時的に第三項の限度時間を超えて労働させる必要がある場合において、一箇月について労働時間を延長して労働させ、及び休日において労働させることができる時間（第二項第四号に関して協定した時間を含め百時間未満の範囲内に限る。）並びに一年について労働時間を延長して労働させることができる時間（同号に関して協定した時間を含め七百二十時間を超えない範囲内に限る。）を定めることができる。この場合において、第一項の協定に、併せて第二項第二号の対象期間において労働時間を延長して労働させる時間が一箇月について四十五時間（第三十二条の四第一項第二号の対象期間として三箇月を超える期間を定めて同条の規定により労働させる場合にあつては、一箇月について四十二時間）を超えることができる月数（一年について六箇月以内に限る。）を定めなければならない。

⑥ 使用者は、第一項の協定で定めるところによつて労働時間を延長して労働させ、又は休日において労働させる場合であつても、次の各号に掲げる時間について、当該各号に定める要件を満たすものとしなければならない。

一 坑内労働その他厚生労働省令で定める健康上特に有害な業務について、一日について労働時間を延長して労働させた時間 二時間を超えないこと。

二 一箇月について労働時間を延長して労働させ、及び休日において労働させた時間 百時間未満であること。

三 対象期間の初日から一箇月ごとに区分した各期間に当該各期間の直前の一箇月、二箇月、三箇月、四箇月及び五箇月の期間を加えたそれぞれの期間における労働時間を延長して労働させ、及び休日において労働させた時間の一箇月当たりの平均時間 八十時間を超えないこと。

⑦ 厚生労働大臣は、労働時間の延長及び休日の労働を適正なものとするため、第一項の協定で定める労働時間の延長及び休日の労働について留意すべき事項、当該労働時間の延長に係る割増賃金の率その他の必要な事項について、労働者の健康、福祉、時間外労働の動向その他の事情を考慮して指針を定めることができる。

⑧ 第一項の協定をする使用者及び労働組合又は労働者の過半数を代表する者は、当該協定で労働時間の延長及び休日の労働を

定めるに当たり、当該協定の内容が前項の指針に適合したものとなるようにしなければならない。

⑨ 行政官庁は、第七項の指針に関し、第一項の協定をする使用者及び労働組合又は労働者の過半数を代表する者に対し、必要な助言及び指導を行うことができる。

⑩ 前項の助言及び指導を行うに当たつては、労働者の健康が確保されるよう特に配慮しなければならない。

⑪ 第三項から第五項まで及び第六項（第二号及び第三号に係る部分に限る。）の規定は、新たな技術、商品又は役務の研究開発に係る業務については適用しない。

注 本条の「労働者の過半数を代表する者」及び「協定」を定める省令

労働基準法施行規則（昭和二二・八・三〇厚二三）（抜粋）

第六条の二【過半数代表者】 ① 法第十八条第二項、法第二十四条第一項ただし書、法第三十二条の二第一項、法第三十二条の三第一項、法第三十二条の四第一項及び第二項、法第三十二条の五第一項、法第三十四条第二項ただし書、法第三十六条第一項、第八項及び第九項、法第三十七条第三項、法第三十八条の二第二項、法第三十八条の三第一項、法第三十八条の四第二項第一号（法第四十一条の二第三項において準用する場合を含む。）、法第三十九条第四項、第六項及び第九項ただし書並びに法第九十条第一項に規定する労働者の過半数を代表する者（以下この条において「過半数代表者」という。）は、次の各号のいずれにも該当する者とする。

一 法第四十一条第二号に規定する監督又は管理の地位にある者でないこと。

二 法に規定する協定等をする者を選出することを明らかにして実施される投票、挙手等の方法による手続により選出された者であつて、使用者の意向に基づき選出されたものでないこと。

② 前項第一号に該当する者がいない事業場にあつては、法第十八条第二項、法第二十四条第一項ただし書、法第三十九条第四項、第六項及び第九項ただし書並びに法第九十条第一項に規定する労働者の過半数を代表する者は、前項第二号に該当する者とする。

③ 使用者は、労働者が過半数代表者であること若しくは過半数代表者になろうとしたこと又は過半数代表者として正当な行為をしたことを理由として不利益な取扱いをしないようにしなければならない。

④ 使用者は、過半数代表者が法に規定する協定等に関する事務を円滑に遂行することができるよう必要な配慮を行わなければならない。

第一六条【時間外・休日労働の協定の届出】 ① 法第三十六条第一項の規定による届出は、様式第九号（同条第五項に規定する事項に関する定めをする場合にあつては、様式第九号の二）により、所轄労働基準監督署長にしなければならない。

② 前項の規定にかかわらず、法第三十六条第十一項に規定する業務についての同条第一項の規定による届出は、様式第九号の三により、所轄労働基準監督署長にしなければならない。

③ 法第三十六条第一項の協定（労使委員会の決議及び労働時間等設定改善委員会の決議を含む。以下この項において同じ。）を更新しようとするときは、使用者は、その旨の協定を所轄労働基準監督署長に届け出ることによつて、前二項の届出に代えることができる。

第三七条【時間外、休日及び深夜の割増賃金】 ① 使用者が、第三十三条又は前条第一項の規定により労働時間を延長し、又は休日に労働させた場合においては、その時間又はその日の労働については、通常の労働時間又は労働日の賃金の計算額の二割五分以上五割以下の範囲内でそれぞれ政令で定める率以上の率で計算した割増賃金を支払わなければならない。ただし、当該延長して労働させた時間が一箇月について六十時間を超えた場合においては、その超えた時間の労働については、通常の労働時間の賃金の計算額の五割以上の率で計算した割増賃金を支払わなければならない。

② 前項の政令は、労働者の福祉、時間外又は休日の労働の動向その他の事情を考慮して定めるものとする。

③ 使用者が、当該事業場に、労働者の過半数で組織する労働組合があるときはその労働組合、労働者の過半数で組織する労働組合がないときは労働者の過半数を代表する者との書面による協定により、第一項ただし書の規定により割増賃金を支払うべき労働者に対して、当該割増賃金の支払に代えて、通常の労働時間の賃金が支払われる休暇（第三十九条の規定による有給休暇を除く。）を厚生労働省令で定めるところにより与えることを定めた場合において、当該労働者が当該休暇を取得したときは、当該労働者の同項ただし書に規定する時間を超えた時間の労働のうち当該取得した休暇に対応するものとして厚生労働省令で定める時間の労働については、同項ただし書の規定による割増賃金を支払うことを要しない。

④ 使用者が、午後十時から午前五時まで（厚生労働大臣が必要であると認める場合においては、その定める地域又は期間については午後十一時から午前六時まで）の間において労働させた場合においては、その時間の労働については、通常の労働時間の賃金の計算額の二割五分以上の率で計算した割増賃金を支払わなければならない。

⑤ 第一項及び前項の割増賃金の基礎となる賃金には、家族手当、通勤手当その他厚生労働省令で定める賃金は算入しない。

注 第一項の「政令で定める率」を定める政令

労働基準法第三十七条第一項の時間外及び休日の割増賃金に係る率の最低限度を定める政令（平成六・一・四政五）

労働基準法第三十七条第一項の政令で定める率は、同法第三十三条又は第三十六条第一項の規定により延長した労働時間の労働については二割五分とし、これらの規定により労働させた休日の労働については三割五分とする。

第三八条【時間計算】 ① 労働時間は、事業場を異にする場合においても、労働時間に関する規定の適用については通算する。

② 坑内労働については、労働者が坑口に入つた時刻から坑口を出た時刻までの時間を、休憩時間を含め労働時間とみなす。但し、この場合においては、第三十四条第二項及び第三項の休憩に関する規定は適用しない。

第三八条の二 ① 労働者が労働時間の全部又は一部について事業場外で業務に従事した場合において、労働時間を算定し難いときは、所定労働時間労働したものとみなす。ただし、当該業務を遂行するためには通常所定労働時間を超えて労働することが必要となる場合においては、当該業務に関しては、厚生労働省令で定めるところにより、当該業務の遂行に通常必要とされる時間労働したものとみなす。

② 前項ただし書の場合において、当該業務に関し、当該事業場に、労働者の過半数で組織する労働組合があるときはその労働組合、労働者の過半数で組織する労働組合がないときは労働者の過半数を代表する者との書面による協定があるときは、その協定で定める時間を同項ただし書の当該業務の遂行に通常必要とされる時間とする。

③ 使用者は、厚生労働省令で定めるところにより、前項の協定を行政官庁に届け出なければならない。

第三八条の三 ① 使用者が、当該事業場に、労働者の過半数で組織する労働組合があるときはその労働組合、労働者の過半数で組織する労働組合がないときは労働者の過半数を代表する者との書面による協定により、次に掲げる事項を定めた場合において、労働者を第一号に掲げる業務に就かせたときは、当該労働者は、厚生労働省令で定めるところにより、第二号に掲げる時間労働したものとみなす。

一 業務の性質上その遂行の方法を大幅に当該業務に従事する労働者の裁量にゆだねる必要があるため、当該業務の遂行の手段及び時間配分の決定等に関し使用者が具体的な指示をすることが困難なものとして厚生労働省令で定める業務のうち、労働者に就かせることとする業務（以下この条において「対象業務」という。）

二　対象業務に従事する労働者の労働時間として算定される時間

三　対象業務の遂行の手段及び時間配分の決定等に関し、当該対象業務に従事する労働者に対し使用者が具体的な指示をしないこと。

四　対象業務に従事する労働者の労働時間の状況に応じた当該労働者の健康及び福祉を確保するための措置を当該協定で定めるところにより使用者が講ずること。

五　対象業務に従事する労働者からの苦情の処理に関する措置を当該協定で定めるところにより使用者が講ずること。

六　前各号に掲げるもののほか、厚生労働省令で定める事項

②　前条第三項の規定は、前項の協定について準用する。

第三八条の四①　賃金、労働時間その他の当該事業場における労働条件に関する事項を調査審議し、事業主に対し当該事項について意見を述べることを目的とする委員会（使用者及び当該事業場の労働者を代表する者を構成員とするものに限る。）が設置された事業場において、当該委員会がその委員の五分の四以上の多数による議決により次に掲げる事項に関する決議をし、かつ、使用者が、厚生労働省令で定めるところにより当該決議を行政官庁に届け出た場合において、第二号に掲げる労働者の範囲に属する労働者を当該事業場における第一号に掲げる業務に就かせたときは、当該労働者は、厚生労働省令で定めるところにより、第三号に掲げる時間労働したものとみなす。

一　事業の運営に関する事項についての企画、立案、調査及び分析の業務であつて、当該業務の性質上これを適切に遂行するにはその遂行の方法を大幅に労働者の裁量に委ねる必要があるため、当該業務の遂行の手段及び時間配分の決定等に関し使用者が具体的な指示をしないこととする業務（以下この条において「対象業務」という。）

二　対象業務を適切に遂行するための知識、経験等を有する労働者であつて、当該対象業務に就かせたときは当該決議で定める時間労働したものとみなされることとなるものの範囲

三　対象業務に従事する前号に掲げる労働者の範囲に属する労働者の労働時間として算定される時間

四　対象業務に従事する第二号に掲げる労働者の範囲に属する労働者の労働時間の状況に応じた当該労働者の健康及び福祉を確保するための措置を当該決議で定めるところにより使用者が講ずること。

五　対象業務に従事する第二号に掲げる労働者の範囲に属する労働者からの苦情の処理に関する措置を当該決議で定めるところにより使用者が講ずること。

六　使用者は、この項の規定により第二号に掲げる労働者の範囲に属する労働者を対象業務に就かせたときは第三号に掲げる時間労働したものとみなすことについて当該労働者の同意を得なければならないこと及び当該同意をしなかつた当該労働者に対して解雇その他不利益な取扱いをしてはならないこと。

七　前各号に掲げるもののほか、厚生労働省令で定める事項

②　前項の委員会は、次の各号に適合するものでなければならない。

一　当該委員会の委員の半数については、当該事業場に、労働者の過半数で組織する労働組合がある場合においてはその労働組合、労働者の過半数で組織する労働組合がない場合においては労働者の過半数を代表する者に厚生労働省令で定めるところにより任期を定めて指名されていること。

二　当該委員会の議事について、厚生労働省令で定めるところにより、議事録が作成され、かつ、保存されるとともに、当該事業場の労働者に対する周知が図られていること。

三　前二号に掲げるもののほか、厚生労働省令で定める要件

③　厚生労働大臣は、対象業務に従事する労働者の適正な労働条件の確保を図るために、労働政策審議会の意見を聴いて、第一項各号に掲げる事項その他同項の委員会が決議する事項について指針を定め、これを公表するものとする。

④　第一項の規定による届出をした使用者は、厚生労働省令で定めるところにより、定期的に、同項第四号に規定する措置の実施状況を行政官庁に報告しなければならない。

⑤　第一項の委員会においてその委員の五分の四以上の多数による議決により第三十二条の二第一項、第三十二条の三第一項、第三十二条の四第一項及び第二項、第三十二条の五第一項、第三十四条第二項ただし書、第三十六条第一項、第二項及び第五項、第三十七条第三項、第三十八条の二第二項、前条第一項並びに次条第四項、第六項及び第九項ただし書に規定する事項について決議が行われた場合における第三十二条の二第一項、第三十二条の三第一項、第三十二条の四第一項から第三項まで、第三十二条の五第一項、第三十四条第二項ただし書、第三十六条、第三十七条第三項、第三十八条の二第二項、前条第一項並びに次条第四項、第六項及び第九項ただし書の規定の適用については、第三十二条の二第一項中「協定」とあるのは「協定若しくは第三十八条の四第一項に規定する委員会の決議（第百六条第一項を除き、以下「決議」という。）」と、第三十二条の三第一項、第三十二条の四第一項から第三項まで、第三十二条の五第一項、第三十四条第二項ただし書、第三十六条第二項及び第五項から第七項まで、第三十七条第三項、第三十八条の二第二項、前条第一項並びに次条第四項、第六項及び第九項ただし書中「協定」とあるのは「協定又は決議」と、第三十二条の四第二項中「同意を得て」とあるのは「同意を得て、又は決議に基づき」と、第三十六条第一項中「届け出た場合」とあるのは「届け出た場合又は決議を行政官庁に届け出た場合」と、「その協定」とあるのは「その協定又は決議」と、同条第八項中「又は労働者の過半数を代表する者」とあるのは「若しくは労働者の過半数を代表する者又は同項の決議をする委員」と、「当該協定」とあるのは「当該協定又は当該決議」と、同条第九項中「又は労働者の過半数を代表する者」とあるのは「若しくは労働者の過半数を代表する者又は同項の決議をする委員」とする。

（年次有給休暇）

第三九条①　使用者は、その雇入れの日から起算して六箇月間継続勤務し全労働日の八割以上出勤した労働者に対して、継続し、又は分割した十労働日の有給休暇を与えなければならない。

②　使用者は、一年六箇月以上継続勤務した労働者に対しては、雇入れの日から起算して六箇月を超えて継続勤務する日（以下「六箇月経過日」という。）から起算した継続勤務年数一年ごとに、前項の日数に、次の表の上欄に掲げる六箇月経過日から起算した継続勤務年数の区分に応じ同表の下欄に掲げる労働日を加算した有給休暇を与えなければならない。ただし、継続勤務した期間を六箇月経過日から一年ごとに区分した各期間（最後に一年未満の期間を生じたときは、当該期間）の初日の前日の属する期間において出勤した日数が全労働日の八割未満である者に対しては、当該初日以後の一年間においては有給休暇を与えることを要しない。

六箇月経過日から起算した継続勤務年数	労働日
一年	一労働日
二年	二労働日
三年	四労働日
四年	六労働日
五年	八労働日
六年以上	十労働日

③　次に掲げる労働者（一週間の所定労働時間が厚生労働省令で定める時間以上の者を除く。）の有給休暇の日数については、前二項の規定にかかわらず、これらの規定による有給休暇の日数

を基準とし、通常の労働者の一週間の所定労働日数として厚生労働省令で定める日数（第一号において「通常の労働者の週所定労働日数」という。）と当該労働者の一週間の所定労働日数又は一週間当たりの平均所定労働日数との比率を考慮して厚生労働省令で定める日数とする。

一 一週間の所定労働日数が通常の労働者の週所定労働日数に比し相当程度少ないものとして厚生労働省令で定める日数以下の労働者

二 週以外の期間によつて所定労働日数が定められている労働者については、一年間の所定労働日数が、前号の厚生労働省令で定める日数に一日を加えた日数を一週間の所定労働日数とする労働者の一年間の所定労働日数その他の事情を考慮して厚生労働省令で定める日数以下の労働者

④ 使用者は、当該事業場に、労働者の過半数で組織する労働組合があるときはその労働組合、労働者の過半数で組織する労働組合がないときは労働者の過半数を代表する者との書面による協定により、次に掲げる事項を定めた場合において、第一号に掲げる労働者の範囲に属する労働者が有給休暇を時間を単位として請求したときは、前三項の規定による有給休暇の日数のうち第二号に掲げる日数については、これらの規定にかかわらず、当該協定で定めるところにより時間を単位として有給休暇を与えることができる。

一 時間を単位として有給休暇を与えることができることとされる労働者の範囲

二 時間を単位として与えることができることとされる有給休暇の日数（五日以内に限る。）

三 その他厚生労働省令で定める事項

⑤ 使用者は、前各項の規定による有給休暇を労働者の請求する時季に与えなければならない。ただし、請求された時季に有給休暇を与えることが事業の正常な運営を妨げる場合においては、他の時季にこれを与えることができる。

⑥ 使用者は、当該事業場に、労働者の過半数で組織する労働組合がある場合においてはその労働組合、労働者の過半数で組織する労働組合がない場合においては労働者の過半数を代表する者との書面による協定により、第一項から第三項までの規定による有給休暇を与える時季に関する定めをしたときは、これらの規定による有給休暇の日数のうち五日を超える部分については、前項の規定にかかわらず、その定めにより有給休暇を与えることができる。

⑦ 使用者は、第一項から第三項までの規定による有給休暇（これらの規定により使用者が与えなければならない有給休暇の日数が十労働日以上である労働者に係るものに限る。以下この項及び次項において同じ。）の日数のうち五日については、基準日（継続勤務した期間を六箇月経過日から一年ごとに区分した各期間（最後に一年未満の期間を生じたときは、当該期間）の初日をいう。以下この項において同じ。）から一年以内の期間に、労働者ごとにその時季を定めることにより与えなければならない。ただし、第一項から第三項までの規定による有給休暇を当該有給休暇に係る基準日より前の日から与えることとしたときは、厚生労働省令で定めるところにより、労働者ごとにその時季を定めることにより与えなければならない。

⑧ 前項の規定にかかわらず、第五項又は第六項の規定により第一項から第三項までの規定による有給休暇を与えた場合においては、当該与えた有給休暇の日数（当該日数が五日を超える場合には、五日とする。）分については、時季を定めることにより与えることを要しない。

⑨ 使用者は、第一項から第三項までの規定による有給休暇の期間又は第四項の規定による有給休暇の時間については、就業規則その他これに準ずるもので定めるところにより、それぞれ、平均賃金若しくは所定労働時間労働した場合に支払われる通常の賃金又はこれらの額を基準として厚生労働省令で定めるところにより算定した額の賃金を支払わなければならない。ただし、当該事業場に、労働者の過半数で組織する労働組合がある場合においてはその労働組合、労働者の過半数で組織する労働組合がない場合においては労働者の過半数を代表する者との書面による協定により、その期間又はその時間について、それぞれ、健康保険法（大正十一年法律第七十号）第四十条第一項に規定する標準報酬月額の三十分の一に相当する金額（その金額に、五円未満の端数があるときは、これを切り捨て、五円以上十円未満の端数があるときは、これを十円に切り上げるものとする。）又は当該金額を基準として厚生労働省令で定めるところにより算定した金額を支払う旨を定めたときは、これによらなければならない。

⑩ 労働者が業務上負傷し、又は疾病にかかり療養のために休業した期間及び育児休業、介護休業等育児又は家族介護を行う労働者の福祉に関する法律第二条第一号に規定する育児休業又は同条第二号に規定する介護休業をした期間並びに産前産後の女性が第六十五条の規定によつて休業した期間は、第一項及び第二項の規定の適用については、これを出勤したものとみなす。

（労働時間及び休憩の特例）

第四〇条① 別表第一第一号から第三号まで、第六号及び第七号に掲げる事業以外の事業で、公衆の不便を避けるために必要なものその他特殊の必要あるものについては、その必要避くべからざる限度で、第三十二条から第三十二条の五までの労働時間及び第三十四条の休憩に関する規定について、厚生労働省令で別段の定めをすることができる。

② 前項の規定による別段の定めは、この法律で定める基準に近いものであつて、労働者の健康及び福祉を害しないものでなければならない。

（労働時間等に関する規定の適用除外）

第四一条 この章、第六章及び第六章の二で定める労働時間、休憩及び休日に関する規定は、次の各号の一に該当する労働者については適用しない。

一 別表第一第六号（林業を除く。）又は第七号に掲げる事業に従事する者

二 事業の種類にかかわらず監督若しくは管理の地位にある者又は機密の事務を取り扱う者

三 監視又は断続的労働に従事する者で、使用者が行政官庁の許可を受けたもの

第四一条の二① 賃金、労働時間その他の当該事業場における労働条件に関する事項を調査審議し、事業主に対し当該事項について意見を述べることを目的とする委員会（使用者及び当該事業場の労働者を代表する者を構成員とするものに限る。）が設置された事業場において、当該委員会がその委員の五分の四以上の多数による議決により次に掲げる事項に関する決議をし、かつ、使用者が、厚生労働省令で定めるところにより当該決議を行政官庁に届け出た場合において、第二号に掲げる労働者の範囲に属する労働者（以下この項において「対象労働者」という。）であつて書面その他の厚生労働省令で定める方法によりその同意を得たものを当該事業場における第一号に掲げる業務に就かせたときは、この章で定める労働時間、休憩、休日及び深夜の割増賃金に関する規定は、対象労働者については適用しない。ただし、第三号から第五号までに規定する措置のいずれかを使用者が講じていない場合は、この限りでない。

一 高度の専門的知識等を必要とし、その性質上従事した時間と従事して得た成果との関連性が通常高くないと認められるものとして厚生労働省令で定める業務のうち、労働者に就かせることとする業務（以下この項において「対象業務」という。）

二 この項の規定により労働する期間において次のいずれにも該当する労働者であつて、対象業務に就かせようとするものの範囲

イ 使用者との間の書面その他の厚生労働省令で定める方法による合意に基づき職務が明確に定められていること。

ロ 労働契約により使用者から支払われると見込まれる賃金の額を一年間当たりの賃金の額に換算した額が基準年間平

均給与額（厚生労働省において作成する毎月勤労統計における毎月きまって支給する給与の額を基礎として厚生労働省令で定めるところにより算定した労働者一人当たりの給与の平均額をいう。）の三倍の額を相当程度上回る水準として厚生労働省令で定める額以上であること。

三　対象業務に従事する対象労働者の健康管理を行うために当該対象労働者が事業場内にいた時間（この項の委員会が厚生労働省令で定める労働時間以外の時間を除くことを決議したときは、当該決議に係る時間を除いた時間）と事業場外において労働した時間との合計の時間（第五号ロ及びニ並びに第六号において「健康管理時間」という。）を把握する措置（厚生労働省令で定める方法に限る。）を当該決議で定めるところにより使用者が講ずること。

四　対象業務に従事する対象労働者に対し、一年間を通じ百四十日以上、かつ、四週間を通じ四日以上の休日を当該決議及び就業規則その他これに準ずるもので定めるところにより使用者が与えること。

五　対象業務に従事する対象労働者に対し、次のいずれかに該当する措置を当該決議及び就業規則その他これに準ずるもので定めるところにより使用者が講ずること。

イ　労働者ごとに始業から二十四時間を経過するまでに厚生労働省令で定める時間以上の継続した休息時間を確保し、かつ、第三十七条第四項に規定する時刻の間において労働させる回数を一箇月について厚生労働省令で定める回数以内とすること。

ロ　健康管理時間を一箇月又は三箇月についてそれぞれ厚生労働省令で定める時間を超えない範囲内とすること。

ハ　一年に一回以上の継続した二週間（労働者が請求した場合においては、一年に二回以上の継続した一週間）（使用者が当該期間において、第三十九条の規定による有給休暇を与えたときは、当該有給休暇を与えた日を除く。）について、休日を与えること。

ニ　健康管理時間の状況その他の事項が労働者の健康の保持を考慮して厚生労働省令で定める要件に該当する労働者に健康診断（厚生労働省令で定める項目を含むものに限る。）を実施すること。

六　対象業務に従事する対象労働者の健康管理時間の状況に応じた当該対象労働者の健康及び福祉を確保するための措置であつて、当該対象労働者に対する有給休暇（第三十九条の規定による有給休暇を除く。）の付与、健康診断の実施その他の厚生労働省令で定める措置のうち当該決議で定めるものを使用者が講ずること。

七　対象労働者のこの項の規定による同意の撤回に関する手続

八　対象業務に従事する対象労働者からの苦情の処理に関する措置を当該決議で定めるところにより使用者が講ずること。

九　使用者は、この項の規定による同意をしなかつた対象労働者に対して解雇その他不利益な取扱いをしてはならないこと。

十　前各号に掲げるもののほか、厚生労働省令で定める事項

②　前項の規定による届出をした使用者は、厚生労働省令で定めるところにより、同項第四号から第六号までに規定する措置の実施状況を行政官庁に報告しなければならない。

③　第三十八条の四第二項、第三項及び第五項の規定は、第一項の委員会について準用する。

④　第一項の決議をする委員は、当該決議の内容が前項において準用する第三十八条の四第三項の指針に適合したものとなるようにしなければならない。

⑤　行政官庁は、第三項において準用する第三十八条の四第三項の指針に関し、第一項の決議をする委員に対し、必要な助言及び指導を行うことができる。

第五章　安全及び衛生

第四二条　労働者の安全及び衛生に関しては、労働安全衛生法（昭和四十七年法律第五十七号）の定めるところによる。

第四三条から第五五条まで　削除

第六章　年少者

（最低年齢）

第五六条①　使用者は、児童が満十五歳に達した日以後の最初の三月三十一日が終了するまで、これを使用してはならない。

②　前項の規定にかかわらず、別表第一第一号から第五号までに掲げる事業以外の事業に係る職業で、児童の健康及び福祉に有害でなく、かつ、その労働が軽易なものについては、行政官庁の許可を受けて、満十三歳以上の児童をその者の修学時間外に使用することができる。映画の製作又は演劇の事業については、満十三歳に満たない児童についても、同様とする。

（年少者の証明書）

第五七条①　使用者は、満十八才に満たない者について、その年齢を証明する戸籍証明書を事業場に備え付けなければならない。

②　使用者は、前条第二項の規定によつて使用する児童については、修学に差し支えないことを証明する学校長の証明書及び親権者又は後見人の同意書を事業場に備え付けなければならない。

（未成年者の労働契約）

第五八条①　親権者又は後見人は、未成年者に代つて労働契約を締結してはならない。

②　親権者若しくは後見人又は行政官庁は、労働契約が未成年者に不利であると認める場合においては、将来に向つてこれを解除することができる。

第五九条　未成年者は、独立して賃金を請求することができる。親権者又は後見人は、未成年者の賃金を代つて受け取つてはならない。

（労働時間及び休日）

第六〇条①　第三十二条の二から第三十二条の五まで、第三十六条、第四十条及び第四十一条の二の規定は、満十八才に満たない者については、これを適用しない。

②　第五十六条第二項の規定によつて使用する児童についての第三十二条の規定の適用については、同条第一項中「一週間について四十時間」とあるのは「、修学時間を通算して一週間について四十時間」と、同条第二項中「一日について八時間」とあるのは「、修学時間を通算して一日について七時間」とする。

③　使用者は、第三十二条の規定にかかわらず、満十五歳以上で満十八歳に満たない者については、満十八歳に達するまでの間（満十五歳に達した日以後の最初の三月三十一日までの間を除く。）、次に定めるところにより、労働させることができる。

一　一週間の労働時間が第三十二条第一項の労働時間を超えない範囲内において、一週間のうち一日の労働時間を四時間以内に短縮する場合において、他の日の労働時間を十時間まで延長すること。

二　一週間について四十八時間以下の範囲内で厚生労働省令で定める時間、一日について八時間を超えない範囲内において、第三十二条の二又は第三十二条の四及び第三十二条の四の二の規定の例により労働させること。

（深夜業）

第六一条①　使用者は、満十八才に満たない者を午後十時から午前五時までの間において使用してはならない。ただし、交替制によつて使用する満十六才以上の男性については、この限りでない。

②　厚生労働大臣は、必要であると認める場合においては、前項の時刻を、地域又は期間を限つて、午後十一時及び午前六時とすることができる。

③　交替制によつて労働させる事業については、行政官庁の許可を受けて、第一項の規定にかかわらず午後十時三十分まで労働させ、又は前項の規定にかかわらず午前五時三十分から労働させることができる。

④　前三項の規定は、第三十三条第一項の規定によつて労働時間を延長し、若しくは休日に労働させる場合又は別表第一第六号、第七号若しくは第十三号に掲げる事業若しくは電話交換の業務については、適用しない。

⑤　第一項及び第二項の時刻は、第五十六条第二項の規定によつて使用する児童については、第一項の時刻は、午後八時及び午前五時とし、第二項の時刻は、午後九時及び午前六時とする。

第六二条（危険有害業務の就業制限）①　使用者は、満十八才に満たない者に、運転中の機械若しくは動力伝導装置の危険な部分の掃除、注油、検査若しくは修繕をさせ、運転中の機械若しくは動力伝導装置にベルト若しくはロープの取付け若しくは取りはずしをさせ、動力によるクレーンの運転をさせ、その他厚生労働省令で定める危険な業務に就かせ、又は厚生労働省令で定める重量物を取り扱う業務に就かせてはならない。

②　使用者は、満十八才に満たない者を、毒劇薬、毒劇物その他有害な原料若しくは材料又は爆発性、発火性若しくは引火性の原料若しくは材料を取り扱う業務、著しくじんあい若しくは粉末を飛散し、若しくは有害ガス若しくは有害放射線を発散する場所又は高温若しくは高圧の場所における業務その他安全、衛生又は福祉に有害な場所における業務に就かせてはならない。

③　前項に規定する業務の範囲は、厚生労働省令で定める。

第六三条（坑内労働の禁止）　使用者は、満十八才に満たない者を坑内で労働させてはならない。

第六四条（帰郷旅費）　満十八才に満たない者が解雇の日から十四日以内に帰郷する場合においては、使用者は、必要な旅費を負担しなければならない。ただし、満十八才に満たない者がその責めに帰すべき事由に基づいて解雇され、使用者がその事由について行政官庁の認定を受けたときは、この限りでない。

第六章の二　妊産婦等

第六四条の二（坑内業務の就業制限）　使用者は、次の各号に掲げる女性を当該各号に定める業務に就かせてはならない。

一　妊娠中の女性及び坑内で行われる業務に従事しない旨を使用者に申し出た産後一年を経過しない女性　坑内で行われるすべての業務

二　前号に掲げる女性以外の満十八歳以上の女性　坑内で行われる業務のうち人力により行われる掘削の業務その他の女性に有害な業務として厚生労働省令で定めるもの

第六四条の三（危険有害業務の就業制限）①　使用者は、妊娠中の女性及び産後一年を経過しない女性（以下「妊産婦」という。）を、重量物を取り扱う業務、有害ガスを発散する場所における業務その他妊産婦の妊娠、出産、哺育等に有害な業務に就かせてはならない。

②　前項の規定は、同項に規定する業務のうち女性の妊娠又は出産に係る機能に有害である業務につき、厚生労働省令で、妊産婦以外の女性に関して、準用することができる。

③　前二項に規定する業務の範囲及びこれらの規定によりこれらの業務に就かせてはならない者の範囲は、厚生労働省令で定める。

第六五条（産前産後）①　使用者は、六週間（多胎妊娠の場合にあつては、十四週間）以内に出産する予定の女性が休業を請求した場合においては、その者を就業させてはならない。

②　使用者は、産後八週間を経過しない女性を就業させてはならない。ただし、産後六週間を経過した女性が請求した場合において、その者について医師が支障がないと認めた業務に就かせることは、差し支えない。

③　使用者は、妊娠中の女性が請求した場合においては、他の軽易な業務に転換させなければならない。

第六六条①　使用者は、妊産婦が請求した場合においては、第三十二条の二第一項、第三十二条の四第一項及び第三十二条の五第一項の規定にかかわらず、一週間について第三十二条第一項の労働時間、一日について同条第二項の労働時間を超えて労働させてはならない。

②　使用者は、妊産婦が請求した場合においては、第三十三条第一項及び第三項並びに第三十六条第一項の規定にかかわらず、時間外労働をさせてはならず、又は休日に労働させてはならない。

③　使用者は、妊産婦が請求した場合においては、深夜業をさせてはならない。

第六七条（育児時間）①　生後満一年に達しない生児を育てる女性は、第三十四条の休憩時間のほか、一日二回各々少なくとも三十分、その生児を育てるための時間を請求することができる。

②　使用者は、前項の育児時間中は、その女性を使用してはならない。

第六八条（生理日の就業が著しく困難な女性に対する措置）　使用者は、生理日の就業が著しく困難な女性が休暇を請求したときは、その者を生理日に就業させてはならない。

第七章　技能者の養成

第六九条（徒弟の弊害排除）①　使用者は、徒弟、見習、養成工その他名称の如何を問わず、技能の習得を目的とする者であることを理由として、労働者を酷使してはならない。

②　使用者は、技能の習得を目的とする労働者を家事その他技能の習得に関係のない作業に従事させてはならない。

第七〇条（職業訓練に関する特例）　職業能力開発促進法（昭和四十四年法律第六十四号）第二十四条第一項（同法第二十七条の二第二項において準用する場合を含む。）の認定を受けて行う職業訓練を受ける労働者について必要がある場合においては、その必要の限度で、第十四条第一項の契約期間、第六十二条及び第六十四条の三の年少者及び妊産婦等の危険有害業務の就業制限、第六十三条の年少者の坑内労働の禁止並びに第六十四条の二の妊産婦等の坑内業務の就業制限に関する規定について、厚生労働省令で別段の定めをすることができる。ただし、第六十三条の年少者の坑内労働の禁止に関する規定については、満十六歳に満たない者に関しては、この限りでない。

第七一条　前条の規定に基いて発する厚生労働省令は、当該厚生労働省令によつて労働者を使用することについて行政官庁の許可を受けた使用者に使用される労働者以外の労働者については、適用しない。

第七二条　第七十条の規定に基づく厚生労働省令の適用を受ける未成年者についての第三十九条の規定の適用については、同条第一項中「十労働日」とあるのは「十二労働日」と、同条第二項の表六年以上の項中「十労働日」とあるのは「八労働日」とする。

第七三条　第七十一条の規定による許可を受けた使用者が第七十条の規定に基いて発する厚生労働省令に違反した場合においては、行政官庁は、その許可を取り消すことができる。

第七四条　削除

第八章　災害補償

第七五条（療養補償）①　労働者が業務上負傷し、又は疾病にかかつた場合においては、使用者は、その費用で必要な療養を行い、又は必要な療養の費用を負担しなければならない。

②　前項に規定する業務上の疾病及び療養の範囲は、厚生労働省令で定める。

注　本条の「業務上の疾病」を定める省令

労働基準法施行規則（昭和二二・八・三〇厚二三）（抜粋）

第三五条【業務上の疾病】 法第七十五条第二項の規定による業務上の疾病は、別表第一の二に掲げる疾病とする。

（休業補償）

第七六条① 労働者が前条の規定による療養のため、労働することができないために賃金を受けない場合においては、使用者は、労働者の療養中平均賃金の百分の六十の休業補償を行わなければならない。

② 使用者は、前項の規定により休業補償を行つている労働者と同一の事業場における同種の労働者に対して所定労働時間労働した場合に支払われる通常の賃金の、一月から三月まで、四月から六月まで、七月から九月まで及び十月から十二月までの各区分による期間（以下四半期という。）ごとの一箇月一人当り平均額（常時百人未満の労働者を使用する事業場については、厚生労働省において作成する毎月勤労統計における当該事業場の属する産業に係る毎月きまつて支給する給与の四半期の労働者一人当りの一箇月平均額。以下平均給与額という。）が、当該労働者が業務上負傷し、又は疾病にかかつた日の属する四半期における平均給与額の百分の百二十をこえ、又は百分の八十を下るに至つた場合においては、使用者は、その上昇し又は低下した比率に応じて、その上昇し又は低下するに至つた四半期の次の次の四半期において、前項の規定により当該労働者に対して行つている休業補償の額を改訂し、その改訂をした四半期に属する最初の月から改訂された額により休業補償を行わなければならない。改訂後の休業補償の額の改訂についてもこれに準ずる。

③ 前項の規定により難い場合における改訂の方法その他同項の規定による改訂について必要な事項は、厚生労働省令で定める。

（障害補償）

第七七条 労働者が業務上負傷し、又は疾病にかかり、治つた場合において、その身体に障害が存するときは、使用者は、その障害の程度に応じて、平均賃金に別表第二に定める日数を乗じて得た金額の障害補償を行わなければならない。

（休業補償及び障害補償の例外）

第七八条 労働者が重大な過失によつて業務上負傷し、又は疾病にかかり、且つ使用者がその過失について行政官庁の認定を受けた場合においては、休業補償又は障害補償を行わなくてもよい。

（遺族補償）

第七九条 労働者が業務上死亡した場合においては、使用者は、遺族に対して、平均賃金の千日分の遺族補償を行わなければならない。

（葬祭料）

第八〇条 労働者が業務上死亡した場合においては、使用者は、葬祭を行う者に対して、平均賃金の六十日分の葬祭料を支払わなければならない。

（打切補償）

第八一条 第七十五条の規定によつて補償を受ける労働者が、療養開始後三年を経過しても負傷又は疾病がなおらない場合においては、使用者は、平均賃金の千二百日分の打切補償を行い、その後はこの法律の規定による補償を行わなくてもよい。

（分割補償）

第八二条 使用者は、支払能力のあることを証明し、補償を受けるべき者の同意を得た場合においては、第七十七条又は第七十九条の規定による補償に替え、平均賃金に別表第三に定める日数を乗じて得た金額を、六年にわたり毎年補償することができる。

（補償を受ける権利）

第八三条① 補償を受ける権利は、労働者の退職によつて変更されることはない。

② 補償を受ける権利は、これを譲渡し、又は差し押えてはならない。

（他の法律との関係）

第八四条① この法律に規定する災害補償の事由について、労働者災害補償保険法（昭和二十二年法律第五十号）又は厚生労働省令で指定する法令に基づいてこの法律の災害補償に相当する給付が行なわれるべきものである場合においては、使用者は、補償の責を免れる。

② 使用者は、この法律による補償を行つた場合においては、同一の事由については、その価額の限度において民法による損害賠償の責を免れる。

（審査及び仲裁）

第八五条① 業務上の負傷、疾病又は死亡の認定、療養の方法、補償金額の決定その他補償の実施に関して異議のある者は、行政官庁に対して、審査又は事件の仲裁を申し立てることができる。

② 行政官庁は、必要があると認める場合においては、職権で審査又は事件の仲裁をすることができる。

③ 第一項の規定により審査若しくは仲裁の申立てがあつた事件又は前項の規定により行政官庁が審査若しくは仲裁を開始した事件について民事訴訟が提起されたときは、行政官庁は、当該事件については、審査又は仲裁をしない。

④ 行政官庁は、審査又は仲裁のために必要であると認める場合においては、医師に診断又は検案をさせることができる。

⑤ 第一項の規定による審査又は仲裁の申立て及び第二項の規定による審査又は仲裁の開始は、時効の完成猶予及び更新に関しては、これを裁判上の請求とみなす。

第八六条① 前条の規定による審査及び仲裁の結果に不服のある者は、労働者災害補償保険審査官の審査又は仲裁を申し立てることができる。

② 前条第三項の規定は、前項の規定により審査又は仲裁の申立てがあつた場合に、これを準用する。

（請負事業に関する例外）

第八七条① 厚生労働省令で定める事業が数次の請負によつて行われる場合においては、災害補償については、その元請負人を使用者とみなす。

② 前項の場合、元請負人が書面による契約で下請負人に補償を引き受けさせた場合においては、その下請負人もまた使用者とする。但し、二以上の下請負人に、同一の事業について重複して補償を引き受けさせてはならない。

③ 前項の場合、元請負人が補償の請求を受けた場合においては、補償を引き受けた下請負人に対して、まづ催告すべきことを請求することができる。ただし、その下請負人が破産手続開始の決定を受け、又は行方が知れない場合においては、この限りでない。

（補償に関する細目）

第八八条 この章に定めるものの外、補償に関する細目は、厚生労働省令で定める。

第九章　就業規則

（作成及び届出の義務）

第八九条 常時十人以上の労働者を使用する使用者は、次に掲げる事項について就業規則を作成し、行政官庁に届け出なければならない。次に掲げる事項を変更した場合においても、同様とする。

一　始業及び終業の時刻、休憩時間、休日、休暇並びに労働者を二組以上に分けて交替に就業させる場合においては就業時転換に関する事項

二　賃金（臨時の賃金等を除く。以下この号において同じ。）の決定、計算及び支払の方法、賃金の締切り及び支払の時期並びに昇給に関する事項

三　退職に関する事項（解雇の事由を含む。）

三の二　退職手当の定めをする場合においては、適用される労

働者の範囲、退職手当の決定、計算及び支払の方法並びに退職手当の支払の時期に関する事項

四 臨時の賃金等（退職手当を除く。）及び最低賃金額の定めをする場合においては、これに関する事項

五 労働者に食費、作業用品その他の負担をさせる定めをする場合においては、これに関する事項

六 安全及び衛生に関する定めをする場合においては、これに関する事項

七 職業訓練に関する定めをする場合においては、これに関する事項

八 災害補償及び業務外の傷病扶助に関する定めをする場合においては、これに関する事項

九 表彰及び制裁の定めをする場合においては、その種類及び程度に関する事項

十 前各号に掲げるもののほか、当該事業場の労働者のすべてに適用される定めをする場合においては、これに関する事項

（作成の手続）

第九〇条① 使用者は、就業規則の作成又は変更について、当該事業場に、労働者の過半数で組織する労働組合がある場合においてはその労働組合、労働者の過半数で組織する労働組合がない場合においては労働者の過半数を代表する者の意見を聴かなければならない。

② 使用者は、前条の規定により届出をなすについて、前項の意見を記した書面を添付しなければならない。

（制裁規定の制限）

第九一条 就業規則で、労働者に対して減給の制裁を定める場合においては、その減給は、一回の額が平均賃金の一日分の半額を超え、総額が一賃金支払期における賃金の総額の十分の一を超えてはならない。

（法令及び労働協約との関係）

第九二条① 就業規則は、法令又は当該事業場について適用される労働協約に反してはならない。

② 行政官庁は、法令又は労働協約に抵触する就業規則の変更を命ずることができる。

（労働契約との関係）

第九三条 労働契約と就業規則との関係については、労働契約法（平成十九年法律第百二十八号）第十二条の定めるところによる。

第十章 寄宿舎

（寄宿舎生活の自治）

第九四条① 使用者は、事業の附属寄宿舎に寄宿する労働者の私生活の自由を侵してはならない。

② 使用者は、寮長、室長その他寄宿舎生活の自治に必要な役員の選任に干渉してはならない。

（寄宿舎生活の秩序）

第九五条① 事業の附属寄宿舎に労働者を寄宿させる使用者は、左の事項について寄宿舎規則を作成し、行政官庁に届け出なければならない。これを変更した場合においても同様である。

一 起床、就寝、外出及び外泊に関する事項

二 行事に関する事項

三 食事に関する事項

四 安全及び衛生に関する事項

五 建設物及び設備の管理に関する事項

② 使用者は、前項第一号乃至第四号の事項に関する規定の作成又は変更については、寄宿舎に寄宿する労働者の過半数を代表する者の同意を得なければならない。

③ 使用者は、第一項の規定により届出をなすについて、前項の同意を証明する書面を添附しなければならない。

④ 使用者及び寄宿舎に寄宿する労働者は、寄宿舎規則を遵守しなければならない。

（寄宿舎の設備及び安全衛生）

第九六条① 使用者は、事業の附属寄宿舎について、換気、採光、照明、保温、防湿、清潔、避難、定員の収容、就寝に必要な措置その他労働者の健康、風紀及び生命の保持に必要な措置を講じなければならない。

② 使用者が前項の規定によつて講ずべき措置の基準は、厚生労働省令で定める。

（監督上の行政措置）

第九六条の二① 使用者は、常時十人以上の労働者を就業させる事業、厚生労働省令で定める危険な事業又は衛生上有害な事業の附属寄宿舎を設置し、移転し、又は変更しようとする場合においては、前条の規定に基づいて発する厚生労働省令で定める危害防止等に関する基準に従い定めた計画を、工事着手十四日前までに、行政官庁に届け出なければならない。

② 行政官庁は、労働者の安全及び衛生に必要であると認める場合においては、工事の着手を差し止め、又は計画の変更を命ずることができる。

第九六条の三① 労働者を就業させる事業の附属寄宿舎が、安全及び衛生に関し定められた基準に反する場合においては、行政官庁は、使用者に対して、その全部又は一部の使用の停止、変更その他必要な事項を命ずることができる。

② 前項の場合において行政官庁は、使用者に命じた事項について必要な事項を労働者に命ずることができる。

第十一章 監督機関

（監督機関の職員等）

第九七条① 労働基準主管局（厚生労働省の内部部局として置かれる局で労働条件及び労働者の保護に関する事務を所掌するものをいう。以下同じ。）、都道府県労働局及び労働基準監督署に労働基準監督官を置くほか、厚生労働省令で定める必要な職員を置くことができる。

② 労働基準主管局の局長（以下「労働基準主管局長」という。）、都道府県労働局長及び労働基準監督署長は、労働基準監督官をもつてこれに充てる。

③ 労働基準監督官の資格及び任免に関する事項は、政令で定める。

④ 厚生労働省に、政令で定めるところにより、労働基準監督官分限審議会を置くことができる。

⑤ 労働基準監督官を罷免するには、労働基準監督官分限審議会の同意を必要とする。

⑥ 前二項に定めるもののほか、労働基準監督官分限審議会の組織及び運営に関し必要な事項は、政令で定める。

第九八条 削除

（労働基準主管局長等の権限）

第九九条① 労働基準主管局長は、厚生労働大臣の指揮監督を受けて、都道府県労働局長を指揮監督し、労働基準に関する法令の制定改廃、労働基準監督官の任免教養、監督方法についての規程の制定及び調整、監督年報の作成並びに労働政策審議会及び労働基準監督官分限審議会に関する事項（労働政策審議会に関する事項については、労働条件及び労働者の保護に関するものに限る。）その他この法律の施行に関する事項をつかさどり、所属の職員を指揮監督する。

② 都道府県労働局長は、労働基準主管局長の指揮監督を受けて、管内の労働基準監督署長を指揮監督し、監督方法の調整に関する事項その他この法律の施行に関する事項をつかさどり、所属の職員を指揮監督する。

③ 労働基準監督署長は、都道府県労働局長の指揮監督を受けて、この法律に基く臨検、尋問、許可、認定、審査、仲裁その他この法律の実施に関する事項をつかさどり、所属の職員を指揮監督する。

④ 労働基準主管局長及び都道府県労働局長は、下級官庁の権限を自ら行い、又は所属の労働基準監督官をして行わせることができる。

（女性主管局長の権限）

第一〇〇条① 厚生労働省の女性主管局長（厚生労働省の内部部

局として置かれる局で女性労働者の特性に係る労働問題に関する事務を所掌するものの局長をいう。以下同じ。）は、厚生労働大臣の指揮監督を受けて、この法律中女性に特殊の規定の制定、改廃及び解釈に関する事項をつかさどり、その施行に関する事項については、労働基準主管局長及びその下級の官庁の長に勧告を行うとともに、労働基準主管局長が、その下級の官庁に対して行う指揮監督について援助を与える。

② 女性主管局長は、自ら又はその指定する所属官吏をして、女性に関し労働基準主管局若しくはその下級の官庁又はその所属官吏の行つた監督その他に関する文書を閲覧し、又は閲覧せしめることができる。

③ 第百一条及び第百五条の規定は、女性主管局長又はその指定する所属官吏が、この法律中女性に特殊の規定の施行に関して行う調査の場合に、これを準用する。

（労働基準監督官の権限）

第一〇一条① 労働基準監督官は、事業場、寄宿舎その他の附属建設物に臨検し、帳簿及び書類の提出を求め、又は使用者若しくは労働者に対して尋問を行うことができる。

② 前項の場合において、労働基準監督官は、その身分を証明する証票を携帯しなければならない。

第一〇二条 労働基準監督官は、この法律違反の罪について、刑事訴訟法に規定する司法警察官の職務を行う。

第一〇三条 労働者を就業させる事業の附属寄宿舎が、安全及び衛生に関して定められた基準に反し、且つ労働者に急迫した危険がある場合においては、労働基準監督官は、第九十六条の三の規定による行政官庁の権限を即時に行うことができる。

（監督機関に対する申告）

第一〇四条① 事業場に、この法律又はこの法律に基いて発する命令に違反する事実がある場合においては、労働者は、その事実を行政官庁又は労働基準監督官に申告することができる。

② 使用者は、前項の申告をしたことを理由として、労働者に対して解雇その他不利益な取扱をしてはならない。

（報告等）

第一〇四条の二① 行政官庁は、この法律を施行するため必要があると認めるときは、厚生労働省令で定めるところにより、使用者又は労働者に対し、必要な事項を報告させ、又は出頭を命ずることができる。

② 労働基準監督官は、この法律を施行するため必要があると認めるときは、使用者又は労働者に対し、必要な事項を報告させ、又は出頭を命ずることができる。

（労働基準監督官の義務）

第一〇五条 労働基準監督官は、職務上知り得た秘密を漏してはならない。労働基準監督官を退官した後においても同様である。

第十二章　雑則

（国の援助義務）

第一〇五条の二 厚生労働大臣又は都道府県労働局長は、この法律の目的を達成するために、労働者及び使用者に対して資料の提供その他必要な援助をしなければならない。

（法令等の周知義務）

第一〇六条① 使用者は、この法律及びこれに基づく命令の要旨、就業規則、第十八条第二項、第二十四条第一項ただし書、第三十二条の二第一項、第三十二条の三第一項、第三十二条の四第一項、第三十二条の五第一項、第三十四条第二項ただし書、第三十六条第一項、第三十七条第三項、第三十八条の二第二項、第三十八条の三第一項並びに第三十九条第四項、第六項及び第九項ただし書に規定する協定並びに第三十八条の四第一項及び同条第五項（第四十一条の二第三項において準用する場合を含む。）並びに第四十一条の二第一項に規定する決議を、常時各作業場の見やすい場所へ掲示し、又は備え付けること、書面を交付することその他の厚生労働省令で定める方法によつて、労働者に周知させなければならない。

② 使用者は、この法律及びこの法律に基いて発する命令のうち、寄宿舎に関する規定及び寄宿舎規則を、寄宿舎の見易い場所に掲示し、又は備え付ける等の方法によつて、寄宿舎に寄宿する労働者に周知させなければならない。

注　本条の「周知方法」を定める省令

労働基準法施行規則（昭和二二・八・三〇厚三）（抜粋）

第五二条の二【法令等の周知方法】 法第百六条第一項の厚生労働省令で定める方法は、次に掲げる方法とする。

一　常時各作業場の見やすい場所へ掲示し、又は備え付けること。

二　書面を労働者に交付すること。

三　使用者の使用に係る電子計算機に備えられたファイル又は第二十四条の二の四第三項第三号に規定する電磁的記録媒体をもつて調製するファイルに記録し、かつ、各作業場に労働者が当該記録の内容を常時確認できる機器を設置すること。

（労働者名簿）

第一〇七条① 使用者は、各事業場ごとに労働者名簿を、各労働者（日日雇い入れられる者を除く。）について調製し、労働者の氏名、生年月日、履歴その他厚生労働省令で定める事項を記入しなければならない。

② 前項の規定により記入すべき事項に変更があつた場合においては、遅滞なく訂正しなければならない。

（賃金台帳）

第一〇八条 使用者は、各事業場ごとに賃金台帳を調製し、賃金計算の基礎となる事項及び賃金の額その他厚生労働省令で定める事項を賃金支払の都度遅滞なく記入しなければならない。

（記録の保存）

第一〇九条 使用者は、労働者名簿、賃金台帳及び雇入れ、解雇、災害補償、賃金その他労働関係に関する重要な書類を五年間保存しなければならない。

第一一〇条 削除

（無料証明）

第一一一条 労働者及び労働者になろうとする者は、その戸籍に関して戸籍事務を掌る者又はその代理者に対して、無料で証明を請求することができる。使用者が、労働者及び労働者になろうとする者の戸籍に関して証明を請求する場合においても同様である。

（国及び公共団体についての適用）

第一一二条 この法律及びこの法律に基いて発する命令は、国、都道府県、市町村その他これに準ずべきものについても適用あるものとする。

（命令の制定）

第一一三条 この法律に基いて発する命令は、その草案について、公聴会で労働者を代表する者、使用者を代表する者及び公益を代表する者の意見を聴いて、これを制定する。

（付加金の支払）

第一一四条 裁判所は、第二十条、第二十六条若しくは第三十七条の規定に違反した使用者又は第三十九条第九項の規定による賃金を支払わなかつた使用者に対して、労働者の請求により、これらの規定により使用者が支払わなければならない金額についての未払金のほか、これと同一額の付加金の支払を命ずることができる。ただし、この請求は、違反のあつた時から五年以内にしなければならない。

（時効）

第一一五条 この法律の規定による賃金の請求権はこれを行使することができる時から五年間、この法律の規定による災害補償その他の請求権（賃金の請求権を除く。）はこれを行使することができる時から二年間行わない場合においては、時効によつて消滅する。

（経過措置）

第一一五条の二 この法律の規定に基づき命令を制定し、又は改廃するときは、その命令で、その制定又は改廃に伴い合理的に必要と判断される範囲内において、所要の経過措置（罰則に関する経過措置を含む。）を定めることができる。

（適用除外）

第一一六条① 第一条から第十一条まで、次項、第百十七条から第百十九条まで及び第百二十一条の規定を除き、この法律は、船員法（昭和二十二年法律第百号）第一条第一項に規定する船員については、適用しない。

② この法律は、同居の親族のみを使用する事業及び家事使用人については、適用しない。

第十三章　罰則

第一一七条 第五条の規定に違反した者は、一年以上十年以下の拘禁刑又は二十万円以上三百万円以下の罰金に処する。

第一一八条① 第六条、第五十六条、第六十三条又は第六十四条の二の規定に違反した者は、一年以下の拘禁刑又は五十万円以下の罰金に処する。

② 第七十条の規定に基づいて発する厚生労働省令（第六十三条又は第六十四条の二の規定に係る部分に限る。）に違反した者についても前項の例による。

第一一九条 次の各号のいずれかに該当する者は、六月以下の拘禁刑又は三十万円以下の罰金に処する。

一 第三条、第四条、第七条、第十六条、第十七条、第十八条第一項、第十九条、第二十条、第二十二条第四項、第三十二条、第三十四条、第三十五条、第三十六条第六項、第三十七条、第三十九条（第七項を除く。）、第六十一条、第六十二条、第六十四条の三から第六十七条まで、第七十二条、第七十五条から第七十七条まで、第七十九条、第八十条、第九十四条第二項、第九十六条又は第百四条第二項の規定に違反した者

二 第三十三条第二項、第九十六条の二第二項又は第九十六条の三第一項の規定による命令に違反した者

三 第四十条の規定に基づいて発する厚生労働省令に違反した者

四 第七十条の規定に基づいて発する厚生労働省令（第六十二条又は第六十四条の三の規定に係る部分に限る。）に違反した者

第一二〇条 次の各号のいずれかに該当する者は、三十万円以下の罰金に処する。

一 第十四条、第十五条第一項若しくは第三項、第十八条第七項、第二十二条第一項から第三項まで、第二十三条から第二十七条まで、第三十二条の二第二項（第三十二条の三第四項、第三十二条の四第四項及び第三十二条の五第三項において準用する場合を含む。）、第三十二条の五第二項、第三十三条第一項ただし書、第三十八条の二第三項（第三十八条の三第二項において準用する場合を含む。）、第三十九条第七項、第五十七条から第五十九条まで、第六十四条、第六十八条、第八十九条、第九十条第一項、第九十一条、第九十五条第一項若しくは第二項、第九十六条の二第一項、第百五条（第百条第三項において準用する場合を含む。）又は第百六条から第百九条までの規定に違反した者

二 第七十条の規定に基づいて発する厚生労働省令（第十四条の規定に係る部分に限る。）に違反した者

三 第九十二条第二項又は第九十六条の三第二項の規定による命令に違反した者

四 第百一条（第百条第三項において準用する場合を含む。）の規定による労働基準監督官又は女性主管局長若しくはその指定する所属官吏の臨検を拒み、妨げ、若しくは忌避し、その尋問に対して陳述をせず、若しくは虚偽の陳述をし、帳簿書類の提出をせず、又は虚偽の記載をした帳簿書類の提出をした者

五 第百四条の二の規定による報告をせず、若しくは虚偽の報告をし、又は出頭しなかつた者

第一二一条① この法律の違反行為をした者が、当該事業の労働者に関する事項について、事業主のために行為した代理人、使用人その他の従業者である場合においては、事業主に対しても各本条の罰金刑を科する。ただし、事業主（事業主が法人である場合においてはその代表者、事業主が営業に関し成年者と同一の行為能力を有しない未成年者又は成年被後見人である場合においてはその法定代理人（法定代理人が法人であるときは、その代表者）を事業主とする。次項において同じ。）が違反の防止に必要な措置をした場合においては、この限りでない。

② 事業主が違反の計画を知りその防止に必要な措置を講じなかつた場合、違反行為を知り、その是正に必要な措置を講じなかつた場合又は違反を教唆した場合においては、事業主も行為者として罰する。

附　則（抄）

第一二二条 この法律施行の期日は、勅令で、これを定める（第一条乃至第四一条、第六〇条、第六一条、第六四条乃至第六六条、第七五条乃至第九四条、第九七条乃至第一〇五条、第一〇六条第一項、第一〇七条乃至第一二一条及び附則の大部分は昭和二二・九・一施行―昭和二二政一七〇。その他の規定は昭和二二・一一・一施行―昭和二二政二二七。）。

第一二三条 工場法、工業労働者最低年齢法、労働者災害扶助法、商店法、黄燐燐寸製造禁止法及び昭和十四年法律第八十七号（青年学校令ニ依リ就学セシメラルベキ者ノ就業時間ニ関スル法律）は、これを廃止する。

第一三六条 使用者は、第三十九条第一項から第四項までの規定による有給休暇を取得した労働者に対して、賃金の減額その他不利益な取扱いをしないようにしなければならない。

第一三七条 期間の定めのある労働契約（一定の事業の完了に必要な期間を定めるものを除き、その期間が一年を超えるものに限る。）を締結した労働者（第十四条第一項各号に規定する労働者を除く。）は、労働基準法の一部を改正する法律（平成十五年法律第百四号）附則第三条に規定する措置が講じられるまでの間、民法第六百二十八条の規定にかかわらず、当該労働契約の期間の初日から一年を経過した日以後においては、その使用者に申し出ることにより、いつでも退職することができる。

第一三八条 削除

第一三九条① 工作物の建設の事業（災害時における復旧及び復興の事業に限る。）その他これに関連する事業として厚生労働省令で定める事業に関する第三十六条の規定の適用については、当分の間、同条第五項中「時間（第二項第四号に関して協定した時間を含め百時間未満の範囲内に限る。）」とあるのは「時間」と、「同号」とあるのは「第二項第四号」とし、同条第六項（第二号及び第三号に係る部分に限る。）の規定は適用しない。

② 前項の規定にかかわらず、工作物の建設の事業その他これに関連する事業として厚生労働省令で定める事業については、令和六年三月三十一日（同日及びその翌日を含む期間を定めている第三十六条第一項の協定に関しては、当該協定に定める期間の初日から起算して一年を経過する日）までの間、同条第二項第四号中「一箇月及び」とあるのは、「一日を超え三箇月以内の範囲で前項の協定をする使用者及び労働組合若しくは労働者の過半数を代表する者が定める期間並びに」とし、同条第三項から第五項まで及び第六項（第二号及び第三号に係る部分に限る。）の規定は適用しない。

第一四〇条① 一般乗用旅客自動車運送事業（道路運送法（昭和二十六年法律第百八十三号）第三条第一号ハに規定する一般乗用旅客自動車運送事業をいう。）の業務、貨物自動車運送事業（貨物自動車運送事業法（平成元年法律第八十三号）第二条第一項に規定する貨物自動車運送事業をいう。）の業務その他の自動車の運転の業務として厚生労働省令で定める業務に関する第三十六条の規定の適用については、当分の間、同条第五項中「時間（第二項第四号に関して協定した時間を含め百時間未満の範囲内に限る。）並びに一年について労働時間を延長して労働させることができる時間（同号に関して協定した時間を含め七

百二十時間を超えない範囲内に限る。）を定めることができる。この場合において、第一項の協定に、併せて第二項第二号の対象期間において労働時間を延長して労働させる時間が一箇月について四十五時間（第三十二条の四第一項第二号の対象期間として三箇月を超える期間を定めて同条の規定により労働させる場合にあつては、一箇月について四十二時間）を超えることができる月数（一年について六箇月以内に限る。）を定めなければならない」とあるのは、「時間並びに一年について労働時間を延長して労働させることができる時間（第二項第四号に関して協定した時間を含め九百六十時間を超えない範囲内に限る。）を定めることができる」とし、同条第六項（第二号及び第三号に係る部分に限る。）の規定は適用しない。

② 前項の規定にかかわらず、同項に規定する業務については、令和六年三月三十一日（同日及びその翌日を含む期間を定めている第三十六条第一項の協定に関しては、当該協定に定める期間の初日から起算して一年を経過する日）までの間、同条第二項第四号中「一箇月及び」とあるのは、「一日を超え三箇月以内の範囲で前項の協定をする使用者及び労働組合若しくは労働者の過半数を代表する者が定める期間並びに」とし、同条第三項から第五項まで及び第六項（第二号及び第三号に係る部分に限る。）の規定は適用しない。

第一四一条① 医業に従事する医師（医療提供体制の確保に必要な者として厚生労働省令で定める者に限る。）に関する第三十六条の規定の適用については、当分の間、同条第二項第四号中「における一日、一箇月及び一年のそれぞれの期間について」とあるのは「における」とし、同条第三項中「限度時間」とあるのは「限度時間並びに労働者の健康及び福祉を勘案して厚生労働省令で定める時間」とし、同条第五項及び第六項（第二号及び第三号に係る部分に限る。）の規定は適用しない。

② 前項の場合において、第三十六条第一項の協定に、同条第二項各号に掲げるもののほか、当該事業場における通常予見することのできない業務量の大幅な増加等に伴い臨時的に前項の規定により読み替えて適用する同条第三項の厚生労働省令で定める時間を超えて労働させる必要がある場合において、同条第二項第四号に関して協定した時間を超えて労働させることができる時間（同号に関して協定した時間を含め、同条第五項に定める時間及び月数並びに労働者の健康及び福祉を勘案して厚生労働省令で定める時間を超えない範囲内に限る。）その他厚生労働省令で定める事項を定めることができる。

③ 使用者は、第一項の場合において、第三十六条第一項の協定で定めるところによつて労働時間を延長して労働させ、又は休日において労働させる場合であつても、同条第六項に定める要件並びに労働者の健康及び福祉を勘案して厚生労働省令で定める時間を超えて労働させてはならない。

④ 前三項の規定にかかわらず、医業に従事する医師については、令和六年三月三十一日（同日及びその翌日を含む期間を定めている第三十六条第一項の協定に関しては、当該協定に定める期間の初日から起算して一年を経過する日）までの間、同条第二項第四号中「一箇月及び」とあるのは、「一日を超え三箇月以内の範囲で前項の協定をする使用者及び労働組合若しくは労働者の過半数を代表する者が定める期間並びに」とし、同条第三項から第五項まで及び第六項（第二号及び第三号に係る部分に限る。）の規定は適用しない。

⑤ 第三項の規定に違反した者は、六月以下の拘禁刑又は三十万円以下の罰金に処する。

第一四二条 鹿児島県及び沖縄県における砂糖を製造する事業に関する第三十六条の規定の適用については、令和六年三月三十一日（同日及びその翌日を含む期間を定めている同条第一項の協定に関しては、当該協定に定める期間の初日から起算して一年を経過する日）までの間、同条第五項中「時間（第二項第四号に関して協定した時間を含め百時間未満の範囲内に限る。）」とあるのは「時間」と、「同号」とあるのは「第二項第四号」とし、同条第六項（第二号及び第三号に係る部分に限る。）の規定は適用しない。

第一四三条① 第百九条の規定の適用については、当分の間、同条中「五年間」とあるのは、「三年間」とする。

② 第百十四条の規定の適用については、当分の間、同条ただし書中「五年」とあるのは、「三年」とする。

③ 第百十五条の規定の適用については、当分の間、同条中「賃金の請求権はこれを行使することができる時から五年間」とあるのは、「退職手当の請求権はこれを行使することができる時から五年間、この法律の規定による賃金（退職手当を除く。）の請求権はこれを行使することができる時から三年間」とする。

別表第一（第三十三条、第四十条、第四十一条、第五十六条、第六十一条関係）

一 物の製造、改造、加工、修理、洗浄、選別、包装、装飾、仕上げ、販売のためにする仕立て、破壊若しくは解体又は材料の変造の事業（電気、ガス又は各種動力の発生、変更若しくは伝導の事業及び水道の事業を含む。）

二 鉱業、石切り業その他土石又は鉱物採取の事業

三 土木、建築その他工作物の建設、改造、保存、修理、変更、破壊、解体又はその準備の事業

四 道路、鉄道、軌道、索道、船舶又は航空機による旅客又は貨物の運送の事業

五 ドック、船舶、岸壁、波止場、停車場又は倉庫における貨物の取扱いの事業

六 土地の耕作若しくは開墾又は植物の栽植、栽培、採取若しくは伐採の事業その他農林の事業

七 動物の飼育又は水産動植物の採捕若しくは養殖の事業その他の畜産、養蚕又は水産の事業

八 物品の販売、配給、保管若しくは賃貸又は理容の事業

九 金融、保険、媒介、周旋、集金、案内又は広告の事業

十 映画の製作又は映写、演劇その他興行の事業

十一 郵便、信書便又は電気通信の事業

十二 教育、研究又は調査の事業

十三 病者又は虚弱者の治療、看護その他保健衛生の事業

十四 旅館、料理店、飲食店、接客業又は娯楽場の事業

十五 焼却、清掃又はと畜場の事業

別表第二 身体障害等級及び災害補償表（第七十七条関係）

等級	災害補償
第一級	一三四〇日分
第二級	一一九〇日分
第三級	一〇五〇日分
第四級	九二〇日分
第五級	七九〇日分
第六級	六七〇日分
第七級	五六〇日分
第八級	四五〇日分
第九級	三五〇日分
第一〇級	二七〇日分
第一一級	二〇〇日分
第一二級	一四〇日分
第一三級	九〇日分
第一四級	五〇日分

別表第三 分割補償表（第八十二条関係）

種別	等級	災害補償
障害補償	第一級	二四〇日分
	第二級	二一三日分
	第三級	一八八日分
	第四級	一六四日分
	第五級	一四二日分

	第六級	第七級	第八級	第九級	第一〇級	第一一級	第一二級	第一三級	第一四級	遺族補償
	一二〇日分	一〇〇日分	八〇日分	六三日分	四八日分	三六日分	二五日分	一六日分	九日分	一八〇日分

刑法等の一部を改正する法律の施行に伴う関係法律整理法中経過規定（令和四・六・一七法六八）（抄）

第四四一条から第四四三条まで　（刑法の同経過規定参照）

第五〇九条　（刑法の同経過規定参照）

刑法等の一部を改正する法律の施行に伴う関係法律整理法

附　則（令和四・六・一七法六八）（抄）

（施行期日）

①　この法律は、刑法等一部改正法（刑法等の一部を改正する法律（令和四法六七））施行日（令和七・六・一）から施行する。ただし、次の各号に掲げる規定は、当該各号に定める日から施行する。

一　第五百九条の規定　公布の日

二　（略）

附　則（令和六・五・三一法四二）（抄）

（施行期日）

第一条　この法律は、令和七年四月一日から施行する。ただし、次の各号に掲げる規定は、当該各号に定める日から施行する。

一　（前略）附則（中略）第十三条の規定　公布の日

二　（略）

（政令への委任）

第一三条　（前略）この法律の施行に伴い必要な経過措置は、政令で定める。

●雇用の分野における男女の均等な機会及び待遇の確保等に関する法律（抄）

（昭和四七・七・一　法一一三）

施行　昭和四七・七・一（附則）

改正　昭和五八法七八、昭和六〇法四五、平成三法七六、平成七法一〇七、平成九法九二、平成一一法八七・法一〇四・法一六〇、平成一三法一一二、平成一四法五四・法九八、平成一八法八二、平成二〇法二六、平成二四法四二、平成二六法六七、平成二八法一七、平成二九法四五、令和一法二四（令和二法一四）、令和四法六八

題名改正　昭和六〇法四五（旧・勤労婦人福祉法）、平成九法九二（旧・雇用の分野における男女の均等な機会及び待遇の確保等女子労働者の福祉の増進に関する法律）、平成九法九二（旧・雇用の分野における男女の均等な機会及び待遇の確保等女性労働者の福祉の増進に関する法律）

目次

第一章　総則

（目的）

第一条　この法律は、法の下の平等を保障する日本国憲法の理念にのつとり雇用の分野における男女の均等な機会及び待遇の確保を図るとともに、女性労働者の就業に関して妊娠中及び出産後の健康の確保を図る等の措置を推進することを目的とする。

（基本的理念）

第二条①　この法律においては、労働者が性別により差別されることなく、また、女性労働者にあつては母性を尊重されつつ、充実した職業生活を営むことができるようにすることをその基本的理念とする。

②　事業主並びに国及び地方公共団体は、前項に規定する基本的理念に従つて、労働者の職業生活の充実が図られるように努めなければならない。

（啓発活動）

第三条　国及び地方公共団体は、雇用の分野における男女の均等な機会及び待遇の確保等について国民の関心と理解を深めるとともに、特に、雇用の分野における男女の均等な機会及び待遇の確保を妨げている諸要因の解消を図るため、必要な啓発活動を行うものとする。

（男女雇用機会均等対策基本方針）

第四条①　厚生労働大臣は、雇用の分野における男女の均等な機会及び待遇の確保等に関する施策の基本となるべき方針（以下「男女雇用機会均等対策基本方針」という。）を定めるものとする。

②　男女雇用機会均等対策基本方針に定める事項は、次のとおりとする。

一　男性労働者及び女性労働者のそれぞれの職業生活の動向に関する事項

二　雇用の分野における男女の均等な機会及び待遇の確保等について講じようとする施策の基本となるべき事項

③　男女雇用機会均等対策基本方針は、男性労働者及び女性労働者のそれぞれの労働条件、意識及び就業の実態等を考慮して定められなければならない。

④　厚生労働大臣は、男女雇用機会均等対策基本方針を定めるに当たつては、あらかじめ、労働政策審議会の意見を聴くほか、都道府県知事の意見を求めるものとする。

⑤　厚生労働大臣は、男女雇用機会均等対策基本方針を定めたときは、遅滞なく、その概要を公表するものとする。

⑥　前二項の規定は、男女雇用機会均等対策基本方針の変更について準用する。

第二章　雇用の分野における男女の均等な機会及び待遇の確保等

第一節　性別を理由とする差別の禁止等

（性別を理由とする差別の禁止）

第五条　事業主は、労働者の募集及び採用について、その性別にかかわりなく均等な機会を与えなければならない。

第六条　事業主は、次に掲げる事項について、労働者の性別を理由として、差別的取扱いをしてはならない。

一　労働者の配置（業務の配分及び権限の付与を含む。）、昇進、降格及び教育訓練

二　住宅資金の貸付けその他これに準ずる福利厚生の措置であつて厚生労働省令で定めるもの

三　労働者の職種及び雇用形態の変更

四　退職の勧奨、定年及び解雇並びに労働契約の更新

（性別以外の事由を要件とする措置）

第七条　事業主は、募集及び採用並びに前条各号に掲げる事項に関する措置であつて労働者の性別以外の事由を要件とするもののうち、措置の要件を満たす男性及び女性の比率その他の事情を勘案して実質的に性別を理由とする差別となるおそれがある措置として厚生労働省令で定めるものについては、当該措置の対象となる業務の性質に照らして当該措置の実施が当該業務の遂行上特に必要である場合、事業の運営の状況に照らして当該措置の実施が雇用管理上特に必要である場合その他の合理的な理由がある場合でなければ、これを講じてはならない。

注　本条の「実質的に性別を理由とする差別となるおそれがある措置」を定める省令

雇用の分野における男女の均等な機会及び待遇の確保等に関する法律施行規則（昭和六一・一・二七労二）（抜粋）

（実質的に性別を理由とする差別となるおそれがある措置）

第二条　法第七条の厚生労働省令で定める措置は、次のとおりとする。

一　労働者の募集又は採用に関する措置であつて、労働者の身長、体重又は体力に関する事由を要件とするもの

二　労働者の募集若しくは採用、昇進又は職種の変更に関する措置であつて、労働者の住居の移転を伴う配置転換に応じることができることを要件とするもの

三　労働者の昇進に関する措置であつて、労働者が勤務する事業場と異なる事業場に配置転換された経験があることを要件とするもの

（女性労働者に係る措置に関する特例）

第八条　前三条の規定は、事業主が、雇用の分野における男女の均等な機会及び待遇の確保の支障となつている事情を改善することを目的として女性労働者に関して行う措置を講ずることを妨げるものではない。

（婚姻、妊娠、出産等を理由とする不利益取扱いの禁止等）

第九条①　事業主は、女性労働者が婚姻し、妊娠し、又は出産したことを退職理由として予定する定めをしてはならない。

②　事業主は、女性労働者が婚姻したことを理由として、解雇してはならない。

③　事業主は、その雇用する女性労働者が妊娠したこと、出産したこと、労働基準法（昭和二十二年法律第四十九号）第六十五条第一項の規定による休業を請求し、又は同項若しくは同条第二項の規定による休業をしたことその他の妊娠又は出産に関する事由であつて厚生労働省令で定めるものを理由として、当該女性労働者に対して解雇その他不利益な取扱いをしてはならない。

④　妊娠中の女性労働者及び出産後一年を経過しない女性労働者に対してなされた解雇は、無効とする。ただし、事業主が当該解雇が前項に規定する事由を理由とする解雇でないことを証明したときは、この限りでない。

（指針）

第一〇条①　厚生労働大臣は、第五条から第七条まで及び前条第一項から第三項までの規定に定める事項に関し、事業主が適切に対処するために必要な指針（次項において「指針」という。）を定めるものとする。

②　第四条第四項及び第五項の規定は指針の策定及び変更について準用する。この場合において、同条第四項中「聴くほか、都道府県知事の意見を求める」とあるのは、「聴く」と読み替えるものとする。

第二節　事業主の講ずべき措置等

（職場における性的な言動に起因する問題に関する雇用管理上の措置等）

第一一条①　事業主は、職場において行われる性的な言動に対するその雇用する労働者の対応により当該労働者がその労働条件につき不利益を受け、又は当該性的な言動により当該労働者の就業環境が害されることのないよう、当該労働者からの相談に応じ、適切に対応するために必要な体制の整備その他の雇用管理上必要な措置を講じなければならない。

②　事業主は、労働者が前項の相談を行つたこと又は事業主による当該相談への対応に協力した際に事実を述べたことを理由として、当該労働者に対して解雇その他不利益な取扱いをしてはならない。

③　事業主は、他の事業主から当該事業主の講ずる第一項の措置の実施に関し必要な協力を求められた場合には、これに応ずるように努めなければならない。

④　厚生労働大臣は、前三項の規定に基づき事業主が講ずべき措置等に関して、その適切かつ有効な実施を図るために必要な指針（次項において「指針」という。）を定めるものとする。

⑤　第四条第四項及び第五項の規定は、指針の策定及び変更について準用する。この場合において、同条第四項中「聴くほか、都道府県知事の意見を求める」とあるのは、「聴く」と読み替えるものとする。

（職場における性的な言動に起因する問題に関する国、事業主及び労働者の責務）

第一一条の二①　国は、前条第一項に規定する不利益を与える行為又は労働者の就業環境を害する同項に規定する言動を行つてはならないことその他当該言動に起因する問題（以下この条において「性的言動問題」という。）に対する事業主その他国民一般の関心と理解を深めるため、広報活動、啓発活動その他の措置を講ずるように努めなければならない。

②　事業主は、性的言動問題に対するその雇用する労働者の関心と理解を深めるとともに、当該労働者が他の労働者に対する言動に必要な注意を払うよう、研修の実施その他の必要な配慮をするほか、国の講ずる前項の措置に協力するように努めなければならない。

③　事業主（その者が法人である場合にあつては、その役員）は、自らも、性的言動問題に対する関心と理解を深め、労働者に対する言動に必要な注意を払うように努めなければならない。

④　労働者は、性的言動問題に対する関心と理解を深め、他の労働者に対する言動に必要な注意を払うとともに、事業主の講ずる前条第一項の措置に協力するように努めなければならない。

（職場における妊娠、出産等に関する言動に起因する問題に関する雇用管理上の措置等）

第一一条の三①　事業主は、職場において行われるその雇用する女性労働者に対する当該女性労働者が妊娠したこと、出産したこと、労働基準法第六十五条第一項の規定による休業を請求し、又は同項若しくは同条第二項の規定による休業をしたことその他の妊娠又は出産に関する事由であつて厚生労働省令で定めるものに関する言動により当該女性労働者の就業環境が害されることのないよう、当該女性労働者からの相談に応じ、適切に対応するために必要な体制の整備その他の雇用管理上必要な措置を講じなければならない。

②　第十一条第二項の規定は、労働者が前項の相談を行い、又は事業主による当該相談への対応に協力した際に事実を述べた場合について準用する。

③　厚生労働大臣は、前二項の規定に基づき事業主が講ずべき措置等に関して、その適切かつ有効な実施を図るために必要な指

針（次項において「指針」という。）を定めるものとする。

④　第四条第四項及び第五項の規定は、指針の策定及び変更について準用する。この場合において、同条第四項中「聴くほか、都道府県知事の意見を求める」とあるのは、「聴く」と読み替えるものとする。

（職場における妊娠、出産等に関する言動に起因する問題に関する国、事業主及び労働者の責務）

第一一条の四①　国は、労働者の就業環境を害する前条第一項に規定する言動を行つてはならないことその他当該言動に起因する問題（以下この条において「妊娠・出産等関係言動問題」という。）に対する事業主その他国民一般の関心と理解を深めるため、広報活動、啓発活動その他の措置を講ずるように努めなければならない。

②　事業主は、妊娠・出産等関係言動問題に対するその雇用する労働者の関心と理解を深めるとともに、当該労働者が他の労働者に対する言動に必要な注意を払うよう、研修の実施その他の必要な配慮をするほか、国の講ずる前項の措置に協力するように努めなければならない。

③　事業主（その者が法人である場合にあつては、その役員）は、自らも、妊娠・出産等関係言動問題に対する関心と理解を深め、労働者に対する言動に必要な注意を払うように努めなければならない。

④　労働者は、妊娠・出産等関係言動問題に対する関心と理解を深め、他の労働者に対する言動に必要な注意を払うとともに、事業主の講ずる前条第一項の措置に協力するように努めなければならない。

（妊娠中及び出産後の健康管理に関する措置）

第一二条　事業主は、厚生労働省令で定めるところにより、その雇用する女性労働者が母子保健法（昭和四十年法律第百四十一号）の規定による保健指導又は健康診査を受けるために必要な時間を確保することができるようにしなければならない。

第一三条①　事業主は、その雇用する女性労働者が前条の保健指導又は健康診査に基づく指導事項を守ることができるようにするため、勤務時間の変更、勤務の軽減等必要な措置を講じなければならない。

②　厚生労働大臣は、前項の規定に基づき事業主が講ずべき措置に関して、その適切かつ有効な実施を図るために必要な指針（次項において「指針」という。）を定めるものとする。

③　第四条第四項及び第五項の規定は、指針の策定及び変更について準用する。この場合において、同条第四項中「聴くほか、都道府県知事の意見を求める」とあるのは、「聴く」と読み替えるものとする。

（男女雇用機会均等推進者）

第一三条の二　事業主は、厚生労働省令で定めるところにより、第八条、第十一条第一項、第十一条の二第二項、第十一条の三第一項、第十一条の四第二項、第十二条及び前条第一項に定める措置等並びに職場における男女の均等な機会及び待遇の確保が図られるようにするために講ずべきその他の措置の適切かつ有効な実施を図るための業務を担当する者を選任するように努めなければならない。

第三節　事業主に対する国の援助

第一四条　国は、雇用の分野における男女の均等な機会及び待遇が確保されることを促進するため、事業主が雇用の分野における男女の均等な機会及び待遇の確保の支障となつている事情を改善することを目的とする次に掲げる措置を講じ、又は講じようとする場合には、当該事業主に対し、相談その他の援助を行うことができる。

一　その雇用する労働者の配置その他雇用に関する状況の分析

二　前号の分析に基づき雇用の分野における男女の均等な機会及び待遇の確保の支障となつている事情を改善するに当たつて必要となる措置に関する計画の作成

三　前号の計画で定める措置の実施

四　前三号の措置を実施するために必要な体制の整備

五　前各号の措置の実施状況の開示

第三章　紛争の解決

第一節　紛争の解決の援助等

（苦情の自主的解決）

第一五条　事業主は、第六条、第七条、第九条、第十二条及び第十三条第一項に定める事項（労働者の募集及び採用に係るものを除く。）に関し、労働者から苦情の申出を受けたときは、苦情処理機関（事業主を代表する者及び当該事業場の労働者を代表する者を構成員とする当該事業場の労働者の苦情を処理するための機関をいう。）に対し当該苦情の処理をゆだねる等その自主的な解決を図るように努めなければならない。

（紛争の解決の促進に関する特例）

第一六条　第五条から第七条まで、第九条、第十一条第一項及び第二項（第十一条の三第二項において準用する場合を含む。）、第十一条の三第一項、第十二条並びに第十三条第一項に定める事項についての労働者と事業主との間の紛争については、個別労働関係紛争の解決の促進に関する法律（平成十三年法律第百十二号）第四条、第五条及び第十二条から第十九条までの規定は適用せず、次条から第二十七条までに定めるところによる。

（紛争の解決の援助）

第一七条①　都道府県労働局長は、前条に規定する紛争に関し、当該紛争の当事者の双方又は一方からその解決につき援助を求められた場合には、当該紛争の当事者に対し、必要な助言、指導又は勧告をすることができる。

②　第十一条第二項の規定は、労働者が前項の援助を求めた場合について準用する。

第二節　調停

（調停の委任）

第一八条①　都道府県労働局長は、第十六条に規定する紛争（労働者の募集及び採用についての紛争を除く。）について、当該紛争の当事者（以下「関係当事者」という。）の双方又は一方から調停の申請があつた場合において当該紛争の解決のために必要があると認めるときは、個別労働関係紛争の解決の促進に関する法律第六条第一項の紛争調整委員会（以下「委員会」という。）に調停を行わせるものとする。

②　第十一条第二項の規定は、労働者が前項の申請をした場合について準用する。

（調停）

第一九条①　前条第一項の規定に基づく調停（以下この節において「調停」という。）は、三人の調停委員が行う。

②　調停委員は、委員会の委員のうちから、会長があらかじめ指名する。

第二〇条　委員会は、調停のため必要があると認めるときは、関係当事者又は関係当事者と同一の事業場に雇用される労働者その他の参考人の出頭を求め、その意見を聴くことができる。

第二一条　委員会は、関係当事者からの申立てに基づき必要があると認めるときは、当該委員会が置かれる都道府県労働局の管轄区域内の主要な労働者団体又は事業主団体が指名する関係労働者を代表する者又は関係事業主を代表する者から当該事件につき意見を聴くものとする。

第二二条　委員会は、調停案を作成し、関係当事者に対しその受諾を勧告することができる。

第二三条①　委員会は、調停に係る紛争について調停による解決の見込みがないと認めるときは、調停を打ち切ることができる。

②　委員会は、前項の規定により調停を打ち切つたときは、その旨を関係当事者に通知しなければならない。

（時効の完成猶予）

第二四条　前条第一項の規定により調停が打ち切られた場合において、当該調停の申請をした者が同条第二項の通知を受けた日から三十日以内に調停の目的となつた請求について訴えを提起したときは、時効の完成猶予に関しては、調停の申請の時に、訴えの提起があつたものとみなす。

（**訴訟手続の中止**）
第二五条①　第十八条第一項に規定する紛争のうち民事上の紛争であるものについて関係当事者間に訴訟が係属する場合において、次の各号のいずれかに掲げる事由があり、かつ、関係当事者の共同の申立てがあるときは、受訴裁判所は、四月以内の期間を定めて訴訟手続を中止する旨の決定をすることができる。
一　当該紛争について、関係当事者間において調停が実施されていること。
二　前号に規定する場合のほか、関係当事者間に調停によつて当該紛争の解決を図る旨の合意があること。
②　受訴裁判所は、いつでも前項の決定を取り消すことができる。
③　第一項の申立てを却下する決定及び前項の規定により第一項の決定を取り消す決定に対しては、不服を申し立てることができない。

（**資料提供の要求等**）
第二六条　委員会は、当該委員会に係属している事件の解決のために必要があると認めるときは、関係行政庁に対し、資料の提供その他必要な協力を求めることができる。

（**厚生労働省令への委任**）
第二七条　この節に定めるもののほか、調停の手続に関し必要な事項は、厚生労働省令で定める。

第四章　雑則（抄）

（**調査等**）
第二八条①　厚生労働大臣は、男性労働者及び女性労働者のそれぞれの職業生活に関し必要な調査研究を実施するものとする。
②　厚生労働大臣は、この法律の施行に関し、関係行政機関の長に対し、資料の提供その他必要な協力を求めることができる。
③　厚生労働大臣は、この法律の施行に関し、都道府県知事から必要な調査報告を求めることができる。

（**報告の徴収並びに助言、指導及び勧告**）
第二九条①　厚生労働大臣は、この法律の施行に関し必要があると認めるときは、事業主に対して、報告を求め、又は助言、指導若しくは勧告をすることができる。
②　前項に定める厚生労働大臣の権限は、厚生労働省令で定めるところにより、その一部を都道府県労働局長に委任することができる。

（**公表**）
第三〇条　厚生労働大臣は、第五条から第七条まで、第九条第一項から第三項まで、第十一条第一項及び第二項（第十一条の三第二項、第十七条第二項及び第十八条第二項において準用する場合を含む。）、第十一条の三第一項、第十二条並びに第十三条第一項の規定に違反している事業主に対し、前条第一項の規定による勧告をした場合において、その勧告を受けた者がこれに従わなかつたときは、その旨を公表することができる。

第三一条　（略）

（**適用除外**）
第三二条　第二章第一節、第十三条の二、同章第三節、前章、第二十九条及び第三十条の規定は、国家公務員及び地方公務員に、第二章第二節（第十三条の二を除く。）の規定は、一般職の国家公務員（行政執行法人の労働関係に関する法律（昭和二十三年法律第二百五十七号）第二条第二号の職員を除く。）、裁判所職員臨時措置法（昭和二十六年法律第二百九十九号）の適用を受ける裁判所職員、国会職員法（昭和二十二年法律第八十五号）の適用を受ける国会職員及び自衛隊法（昭和二十九年法律第百六十五号）第二条第五項に規定する隊員に関しては適用しない。

第五章　罰則

第三三条　第二十九条第一項の規定による報告をせず、又は虚偽の報告をした者は、二十万円以下の過料に処する。

附　則（抄）

（**令和八年三月三十一日までの間の男女雇用機会均等推進者の業務**）
②　令和八年三月三十一日までの間は、第十三条の二中「並びに」とあるのは、「、女性の職業生活における活躍の推進に関する法律（平成二十七年法律第六十四号）第八条第一項に規定する一般事業主行動計画に基づく取組及び同法第二十条の規定による情報の公表の推進のための措置並びに」とする。

○育児休業、介護休業等育児又は家族介護を行う労働者の福祉に関する法律（抄）

（平成三・五・一五 法七六）

施行 平成四・四・一（附則）
題名改正 平成七法一〇七（旧・育児休業等に関する法律）、平成七法一〇七（旧・育児休業等育児又は家族介護を行う労働者の福祉に関する法律）
最終改正 令和六法四二

目次

第一章 総則

（目的）

第一条 この法律は、育児休業及び介護休業に関する制度並びに子の看護等休暇及び介護休暇に関する制度を設けるとともに、子の養育及び家族の介護を容易にするため所定労働時間等に関し事業主が講ずべき措置を定めるほか、子の養育又は家族の介護を行う労働者等に対する支援措置を講ずること等により、子の養育又は家族の介護を行う労働者等の雇用の継続及び再就職の促進を図り、もってこれらの者の職業生活と家庭生活との両立に寄与することを通じて、これらの者の福祉の増進を図り、あわせて経済及び社会の発展に資することを目的とする。

（定義）

第二条 この法律（第一号に掲げる用語にあっては、第九条の七、第六十一条第二十八項、第四十一項、第四十二項及び第四十五項並びに第六十一条の二第二十三項を除く。）において、次の各号に掲げる用語の意義は、当該各号に定めるところによる。

一 育児休業 労働者（日々雇用される者を除く。以下この条、次章から第八章まで、第二十一条から第二十四条まで、第二十五条第一項、第二十五条の二第一項及び第三項、第二十六条、第二十八条、第二十九条並びに第十一章において同じ。）が、次章に定めるところにより、その子（民法（明治二十九年法律第八十九号）第八百十七条の二第一項の規定により労働者が当該労働者との間における同項に規定する特別養子縁組の成立について家庭裁判所に請求した者（当該請求に係る家事審判事件が裁判所に係属している場合に限る。）であって当該労働者が現に監護するもの、児童福祉法（昭和二十二年法律第百六十四号）第二十七条第一項（同項第三号に係る部分に限る。）の規定により同法第六条の四第二号に規定する養子縁組里親である労働者に委託されている児童及びこれらの労働者に準ずる者として厚生労働省令で定める労働者に厚生労働省令で定めるところにより委託されている者を含む。第四号を除き、以下同じ。）を養育するためにする休業をいう。

二 介護休業 労働者が、第三章に定めるところにより、その要介護状態にある対象家族を介護するためにする休業をいう。

三 要介護状態 負傷、疾病又は身体上若しくは精神上の障害により、厚生労働省令で定める期間にわたり常時介護を必要とする状態をいう。

四 対象家族 配偶者（婚姻の届出をしていないが、事実上婚姻関係と同様の事情にある者を含む。以下同じ。）、父母及び子（これらの者に準ずる者として厚生労働省令で定めるものを含む。）並びに配偶者の父母をいう。

五 家族 対象家族その他厚生労働省令で定める親族をいう。

（基本的理念）

第三条① この法律の規定による子の養育又は家族の介護を行う労働者等の福祉の増進は、これらの者がそれぞれ職業生活の全期間を通じてその能力を有効に発揮して充実した職業生活を営むとともに、育児又は介護について家族の一員としての役割を円滑に果たすことができるようにすることをその本旨とする。

② 子の養育又は家族の介護を行うための休業をする労働者は、その休業後における就業を円滑に行うことができるよう必要な努力をするようにしなければならない。

（関係者の責務）

第四条 事業主並びに国及び地方公共団体は、前条に規定する基本的理念に従って、子の養育又は家族の介護を行う労働者等の福祉を増進するように努めなければならない。

第二章 育児休業

（育児休業の申出）

第五条① 労働者は、その養育する一歳に満たない子について、その事業主に申し出ることにより、育児休業（第九条の二第一項に規定する出生時育児休業を除く。以下この条から第九条までにおいて同じ。）をすることができる。ただし、期間を定めて雇用される者にあっては、その養育する子が一歳六か月に達する日までに、その労働契約（労働契約が更新される場合にあっては、更新後のもの。第三項、第九条の二第一項及び第十一条第一項において同じ。）が満了することが明らかでない者に限り、当該申出をすることができる。

② 前項の規定にかかわらず、労働者は、その養育する子が一歳に達する日（以下「一歳到達日」という。）までの期間（当該子を養育していない期間を除く。）内に二回の育児休業（第七項に規定する育児休業申出によりする育児休業を除く。）をした場合には、当該子については、厚生労働省令で定める特別の事情がある場合を除き、前項の規定による申出をすることができない。

③ 労働者は、その養育する一歳から一歳六か月に達するまでの子について、次の各号のいずれにも該当する場合（厚生労働省令で定める特別の事情がある場合には、第二号に該当する場合）に限り、その事業主に申し出ることにより、育児休業をすることができる。ただし、期間を定めて雇用される者であって、その翌日を第六項に規定する育児休業開始予定日とする申出をするもの（当該子の一歳到達日において育児休業をしている者に限る。）にあっては、当該子が一歳六か月に達する日までに、その労働契約が満了することが明らかでない者に限り、当該申出をすることができる。

一 当該申出に係る子について、当該労働者又はその配偶者が、当該子の一歳到達日において育児休業をしている場合

二 当該子の一歳到達日後の期間について休業することが雇用の継続のために特に必要と認められる場合として厚生労働省令で定める場合

労働

三　当該子の一歳到達日後の期間において、この項の規定による申出により育児休業をしたことがない場合

④　労働者は、その養育する一歳六か月から二歳に達するまでの子について、次の各号のいずれにも該当する場合（前項の厚生労働省令で定める特別の事情がある場合には、第二号に該当する場合）に限り、その事業主に申し出ることにより、育児休業をすることができる。

一　当該申出に係る子について、当該労働者又はその配偶者が、当該子の一歳六か月に達する日（以下「一歳六か月到達日」という。）において育児休業をしている場合

二　当該子の一歳六か月到達日後の期間について休業することが雇用の継続のために特に必要と認められる場合として厚生労働省令で定める場合に該当する場合

三　当該子の一歳六か月到達日後の期間において、この項の規定による申出により育児休業をしたことがない場合

⑤　第一項ただし書の規定は、前項の規定による申出について準用する。この場合において、第一項ただし書中「一歳六か月」とあるのは、「二歳」と読み替えるものとする。

⑥　第一項、第三項及び第四項の規定による申出（以下「育児休業申出」という。）は、厚生労働省令で定めるところにより、その期間中は育児休業をすることとする一の期間について、その初日（以下「育児休業開始予定日」という。）及び末日（以下「育児休業終了予定日」という。）とする日を明らかにして、しなければならない。この場合において、次の各号に掲げる申出にあっては、第三項の厚生労働省令で定める特別の事情がある場合を除き、当該各号に定める日を育児休業開始予定日としなければならない。

一　第三項の規定による申出　当該申出に係る子の一歳到達日の翌日（当該申出をする労働者の配偶者が同項の規定による申出により育児休業をする場合には、当該育児休業に係る育児休業終了予定日の翌日以前の日）

二　第四項の規定による申出　当該申出に係る子の一歳六か月到達日の翌日（当該申出をする労働者の配偶者が同項の規定による申出により育児休業をする場合には、当該育児休業に係る育児休業終了予定日の翌日以前の日）

⑦　第一項ただし書、第二項、第三項（第一号及び第二号を除く。）、第四項（第一号及び第二号を除く。）、第五項及び前項後段の規定は、期間を定めて雇用される者であって、その締結する労働契約の期間の末日を育児休業終了予定日（第七条第三項の規定により当該育児休業終了予定日が変更された場合にあっては、その変更後の育児休業終了予定日とされた日）とする育児休業をしているものが、当該育児休業に係る子について、当該労働契約の更新に伴い、当該更新後の労働契約の期間の初日を育児休業開始予定日とする育児休業申出をする場合には、これを適用しない。

（育児休業申出があった場合における事業主の義務等）

第六条①　事業主は、労働者からの育児休業申出があったときは、当該育児休業申出を拒むことができない。ただし、当該事業主と当該労働者が雇用される事業所の労働者の過半数で組織する労働組合があるときはその労働組合、その事業所の労働者の過半数で組織する労働組合がないときはその労働者の過半数を代表する者との書面による協定で、次に掲げる労働者のうち育児休業をすることができないものとして定められた労働者に該当する労働者からの育児休業申出があった場合は、この限りでない。

一　当該事業主に引き続き雇用された期間が一年に満たない労働者

二　前号に掲げるもののほか、育児休業をすることができないこととすることについて合理的な理由があると認められる労働者として厚生労働省令で定めるもの

②　前項ただし書の場合において、事業主にその育児休業申出を拒まれた労働者は、前条第一項、第三項及び第四項の規定にかかわらず、育児休業をすることができない。

③　事業主は、労働者からの育児休業申出があった場合において、当該育児休業申出に係る育児休業開始予定日とされた日が当該育児休業申出があった日の翌日から起算して一月（前条第三項の規定による申出（当該申出があった日が当該申出に係る子の一歳到達日以前の日であるものに限る。）又は同条第四項の規定による申出（当該申出があった日が当該申出に係る子の一歳六か月到達日以前の日であるものに限る。）にあっては二週間）を経過する日（以下この項において「一月等経過日」という。）前の日であるときは、厚生労働省令で定めるところにより、当該育児休業開始予定日とされた日から当該一月等経過日（当該育児休業申出があった日までに、出産予定日前に子が出生したことその他の厚生労働省令で定める事由が生じた場合にあっては、当該一月等経過日前の日で厚生労働省令で定める日）までの間のいずれかの日を当該育児休業開始予定日として指定することができる。

④　第一項ただし書及び前項の規定は、労働者が前条第七項に規定する育児休業申出をする場合には、これを適用しない。

（育児休業開始予定日の変更の申出等）

第七条①　第五条第一項の規定による申出をした労働者は、その後当該申出に係る育児休業開始予定日とされた日（前条第三項の規定による事業主の指定があった場合にあっては、当該事業主の指定した日。以下この項において同じ。）の前日までに、前条第三項の厚生労働省令で定める事由が生じた場合には、その事業主に申し出ることにより、当該申出に係る育児休業開始予定日とされた日前の日に変更することができる。

②　事業主は、前項の規定による労働者からの申出があった場合において、当該申出に係る変更後の育児休業開始予定日とされた日が当該申出があった日の翌日から起算して一月を超えない範囲内で厚生労働省令で定める期間を経過する日（以下この項において「期間経過日」という。）前の日であるときは、厚生労働省令で定めるところにより、当該申出に係る変更後の育児休業開始予定日とされた日から当該期間経過日（その日が当該申出に係る変更前の育児休業開始予定日とされていた日（前条第三項の規定による事業主の指定があった場合にあっては、当該事業主の指定した日。以下この項において同じ。）以後の日である場合にあっては、当該変更前の育児休業開始予定日とされていた日）までの間のいずれかの日を当該労働者に係る育児休業開始予定日として指定することができる。

③　育児休業申出をした労働者は、厚生労働省令で定める日までにその事業主に申し出ることにより、当該育児休業申出に係る育児休業終了予定日を一回に限り当該育児休業終了予定日とされた日後の日に変更することができる。

（育児休業申出の撤回等）

第八条①　育児休業申出をした労働者は、当該育児休業申出に係る育児休業開始予定日とされた日（第六条第三項又は前条第二項の規定による事業主の指定があった場合にあっては当該事業主の指定した日、同条第一項の規定により育児休業開始予定日が変更された場合にあってはその変更後の育児休業開始予定日とされた日。以下同じ。）の前日までは、当該育児休業申出を撤回することができる。

②　前項の規定により第五条第一項の規定による申出を撤回した労働者は、同条第三項の規定の適用については、当該申出に係る育児休業をしたものとみなす。

③　第一項の規定により第五条第三項又は第四項の規定による申出を撤回した労働者は、当該申出に係る子については、厚生労働省令で定める特別の事情がある場合を除き、同条第三項及び第四項の規定にかかわらず、これらの規定による申出をすることができない。

④　育児休業申出がされた後育児休業開始予定日とされた日の前日までに、子の死亡その他の労働者が当該育児休業申出に係る子を養育しないこととなった事由として厚生労働省令で定める事由が生じたときは、当該育児休業申出は、されなかったもの

とみなす。この場合において、労働者は、その事業主に対して、当該事由が生じた旨を遅滞なく通知しなければならない。

第九条（**育児休業期間**）① 育児休業申出をした労働者がその期間中は育児休業をすることができる期間（以下「育児休業期間」という。）は、育児休業開始予定日とされた日から育児休業終了予定日とされた日（第七条第三項の規定により当該育児休業終了予定日が変更された場合にあっては、その変更後の育児休業終了予定日とされた日。次項において同じ。）までの間とする。

② 次の各号に掲げるいずれかの事情が生じた場合には、育児休業期間は、前項の規定にかかわらず、当該事情が生じた日（第三号に掲げる事情が生じた場合にあっては、その前日）に終了する。

一 育児休業終了予定日とされた日の前日までに、子の死亡その他の労働者が育児休業申出に係る子を養育しないこととなった事由として厚生労働省令で定める事由が生じたこと。

二 育児休業終了予定日とされた日の前日までに、育児休業申出に係る子が一歳（第五条第三項の規定による申出により育児休業をしている場合にあっては一歳六か月、同条第四項の規定による申出により育児休業をしている場合にあっては二歳）に達したこと。

三 育児休業終了予定日とされた日までに、育児休業申出をした労働者について、労働基準法（昭和二十二年法律第四十九号）第六十五条第一項若しくは第二項の規定により休業する期間、第九条の五第一項に規定する出生時育児休業期間、第十五条第一項に規定する介護休業期間又は新たな育児休業期間が始まったこと。

③ 前条第四項後段の規定は、前項第一号の厚生労働省令で定める事由が生じた場合について準用する。

第九条の二（**出生時育児休業の申出**）① 労働者は、その養育する子について、その事業主に申し出ることにより、出生時育児休業（育児休業のうち、この条から第九条の五までに定めるところにより、子の出生の日から起算して八週間を経過する日の翌日まで（出産予定日前に当該子が出生した場合にあっては当該出生の日から当該出産予定日から起算して八週間を経過する日の翌日までとし、出産予定日後に当該子が出生した場合にあっては当該出産予定日から当該出生の日から起算して八週間を経過する日の翌日までとする。次項第一号において同じ。）の期間内に四週間以内の期間を定めてする休業をいう。以下同じ。）をすることができる。ただし、期間を定めて雇用される者にあっては、その養育する子の出生の日（出産予定日前に当該子が出生した場合にあっては、当該出産予定日）から起算して八週間を経過する日の翌日から六月を経過する日までに、その労働契約が満了することが明らかでない者に限り、当該申出をすることができる。

② 前項の規定にかかわらず、労働者は、その養育する子について次の各号のいずれかに該当する場合には、当該子については、同項の規定による申出をすることができない。

一 当該子の出生の日から起算して八週間を経過する日の翌日までの期間（当該子を養育していない期間を除く。）内に二回の出生時育児休業（第四項に規定する出生時育児休業申出によりする出生時育児休業を除く。）をした場合

二 当該子の出生の日（出産予定日後に当該子が出生した場合にあっては、当該出産予定日）以後に出生時育児休業をする日数（出生時育児休業を開始する日から出生時育児休業を終了する日までの日数とする。第九条の五第六項第三号において同じ。）が二十八日に達している場合

③ 第一項の規定による申出（以下「出生時育児休業申出」という。）は、厚生労働省令で定めるところにより、その期間中は出生時育児休業をすることとする一の期間について、その初日（以下「出生時育児休業開始予定日」という。）及び末日（以下「出生時育児休業終了予定日」という。）とする日を明らかにして、しなければならない。

④ 第一項ただし書及び第二項（第二号を除く。）の規定は、期間を定めて雇用される者であって、その締結する労働契約の期間の末日を出生時育児休業終了予定日（第九条の四において準用する第七条第三項の規定により当該出生時育児休業終了予定日が変更された場合にあっては、その変更後の出生時育児休業終了予定日とされた日）とする出生時育児休業をしているものが、当該出生時育児休業に係る子について、当該労働契約の更新に伴い、当該更新後の労働契約の期間の初日を出生時育児休業開始予定日とする出生時育児休業申出をする場合には、これを適用しない。

第九条の三（**出生時育児休業申出があった場合における事業主の義務等**）① 事業主は、労働者からの出生時育児休業申出があったときは、当該出生時育児休業申出を拒むことができない。ただし、労働者からその養育する子について出生時育児休業申出がなされた後に、当該労働者から当該出生時育児休業申出をした日に養育していた子について新たに出生時育児休業申出がなされた場合は、この限りでない。

② 第六条第一項ただし書及び第二項の規定は、労働者からの出生時育児休業申出があった場合について準用する。この場合において、同項中「前項ただし書」とあるのは「第九条の三第一項ただし書」と、「前条第一項、第三項及び第四項」とあるのは「第九条の二第一項」と読み替えるものとする。

③ 事業主は、労働者からの出生時育児休業申出があった場合において、当該出生時育児休業申出に係る出生時育児休業開始予定日とされた日が当該出生時育児休業申出があった日の翌日から起算して二週間を経過する日（以下この項において「二週間経過日」という。）前の日であるときは、厚生労働省令で定めるところにより、当該出生時育児休業開始予定日とされた日から当該二週間経過日（当該出生時育児休業申出があった日までに、第六条第三項の厚生労働省令で定める事由が生じた場合にあっては、当該二週間経過日前の日で厚生労働省令で定める日）までの間のいずれかの日を当該出生時育児休業開始予定日として指定することができる。

④ 事業主と労働者が雇用される事業所の労働者の過半数で組織する労働組合があるときはその労働組合、その事業所の労働者の過半数で組織する労働組合がないときはその労働者の過半数を代表する者との書面による協定で、次に掲げる事項を定めた場合における前項の規定の適用については、同項中「二週間を経過する日（以下この項において「二週間経過日」という。）」とあるのは「次項第二号に掲げる期間を経過する日」と、「当該二週間経過日」とあるのは「同号に掲げる期間を経過する日」とする。

一 出生時育児休業申出が円滑に行われるようにするための雇用環境の整備その他の厚生労働省令で定める措置の内容

二 事業主が出生時育児休業申出に係る出生時育児休業開始予定日を指定することができる出生時育児休業申出があった日の翌日から出生時育児休業開始予定日とされた日までの期間（二週間を超え一月以内の期間に限る。）

⑤ 第一項ただし書及び前三項の規定は、労働者が前条第四項に規定する出生時育児休業申出をする場合には、これを適用しない。

第九条の四（**準用**） 第七条並びに第八条第一項、第二項及び第四項の規定は、出生時育児休業申出並びに出生時育児休業開始予定日及び出生時育児休業終了予定日について準用する。この場合において、第七条第一項中「（前条第三項」とあるのは「（第九条の三第三項（同条第四項の規定により読み替えて適用する場合を含む。）」と、同条第二項中「一月」とあるのは「二週間」と、「前条第三項」とあるのは「第九条の三第三項の規定により読み替えて適用する場合を含む。）」と、第八条第一項中「第六条第三項又は前条第二項」とあるのは「第九条の三第三項（同条第四項の規定により読み替えて適用する場合を含

む。）又は第九条の四において準用する前条第二項」と、「同条第一項」とあるのは「第九条の四において準用する前条第一項」と、同条第二項中「同条第二項」とあるのは「第九条の二第二項」と読み替えるものとする。

第九条の五（**出生時育児休業期間等**）① 出生時育児休業申出をした労働者がその期間中は出生時育児休業をすることができる期間（以下「出生時育児休業期間」という。）は、出生時育児休業開始予定日とされた日（第九条の三第三項（同条第四項の規定により読み替えて適用する場合を含む。）又は前条において準用する第七条第二項の規定による事業主の指定があった場合にあっては当該事業主の指定した日、前条において準用する第七条第一項の規定により出生時育児休業開始予定日が変更された場合にあってはその変更後の出生時育児休業開始予定日とされた日。以下この条において同じ。）から出生時育児休業終了予定日とされた日（前条において準用する第七条第三項の規定により当該出生時育児休業終了予定日が変更された場合にあっては、その変更後の出生時育児休業終了予定日とされた日。第六項において同じ。）までの間とする。

② 出生時育児休業申出をした労働者（事業主と当該労働者が雇用される事業所の労働者の過半数で組織する労働組合があるときはその労働組合、その事業所の労働者の過半数で組織する労働組合がないときはその労働者の過半数を代表する者との書面による協定で、出生時育児休業期間中に就業させることができるものとして定められた労働者に該当するものに限る。）は、当該出生時育児休業申出に係る出生時育児休業開始予定日とされた日の前日までの間、事業主に対し、当該出生時育児休業申出に係る出生時育児休業期間において就業することができる日その他の厚生労働省令で定める事項（以下この条において「就業可能日等」という。）を申し出ることができる。

③ 前項の規定による申出をした労働者は、当該申出に係る出生時育児休業開始予定日とされた日の前日までは、その事業主に申し出ることにより当該申出に係る就業可能日等を変更し、又は当該申出を撤回することができる。

④ 事業主は、労働者から第二項の規定による申出（前項の規定による変更の申出を含む。）があった場合には、当該申出に係る就業可能日等（前項の規定により就業可能日等が変更された場合にあっては、その変更後の就業可能日等）の範囲内で日時を提示し、厚生労働省令で定めるところにより、当該申出に係る出生時育児休業開始予定日とされた日の前日までに当該労働者の同意を得た場合に限り、厚生労働省令で定める範囲内で、当該労働者を当該日時に就業させることができる。

⑤ 前項の同意をした労働者は、当該同意の全部又は一部を撤回することができる。ただし、第二項の規定による申出に係る出生時育児休業開始予定日とされた日以後においては、厚生労働省令で定める特別の事情がある場合に限る。

⑥ 次の各号に掲げるいずれかの事情が生じた場合には、出生時育児休業期間は、第一項の規定にかかわらず、当該事情が生じた日（第四号に掲げる事情が生じた場合にあっては、その前日）に終了する。

一 出生時育児休業終了予定日とされた日の前日までに、子の死亡その他の労働者が出生時育児休業申出に係る子を養育しないこととなった事由として厚生労働省令で定める事由が生じたこと。

二 出生時育児休業終了予定日とされた日の前日までに、出生時育児休業申出に係る子の出生の日の翌日（出産予定日前に当該子が出生した場合にあっては、当該出産予定日の翌日）から起算して八週間を経過したこと。

三 出生時育児休業終了予定日とされた日の前日までに、出生時育児休業申出に係る子の出生の日（出産予定日後に当該子が出生した場合にあっては、当該出産予定日）以後に出生時育児休業をする日数が二十八日に達したこと。

四 出生時育児休業終了予定日とされた日までに、出生時育児休業申出をした労働者について、労働基準法第六十五条第一項若しくは第二項の規定により休業する期間、育児休業期間、第十五条第一項に規定する介護休業期間又は新たな出生時育児休業期間が始まったこと。

⑦ 第八条第四項後段の規定は、前項第一号の厚生労働省令で定める事由が生じた場合について準用する。

第九条の六（**同一の子について配偶者が育児休業をする場合の特例**）① 労働者の養育する子について、当該労働者の配偶者が当該子の一歳到達日以前のいずれかの日において当該子を養育するために育児休業をしている場合における第二章から第五章まで、第二十四条第一項及び第十二章の規定の適用については、第五条第一項中「一歳に満たない子」とあるのは「一歳二か月に満たない子（第九条の六第一項の規定により読み替えて適用するこの項の規定により育児休業をする場合にあっては、一歳に満たない子）」と、同条第三項ただし書中「一歳到達日」とあるのは「一歳到達日（当該労働者が第九条の六第一項の規定により読み替えて適用する第一項の規定によりした申出に係る第九条第一項（第九条の六第一項の規定により読み替えて適用する場合を含む。）に規定する育児休業終了予定日とされた日が当該子の一歳到達日後である場合にあっては、当該育児休業終了予定日とされた日）」と、同項第一号中「又はその配偶者が、当該子の一歳到達日」とあるのは「が当該子の一歳到達日（当該労働者が第九条の六第一項の規定により読み替えて適用する第一項の規定によりした申出に係る第九条第一項（第九条の六第一項の規定により読み替えて適用する場合を含む。）に規定する育児休業終了予定日とされた日が当該子の一歳到達日後である場合にあっては、当該育児休業終了予定日とされた日）において育児休業をしている場合又は当該労働者の配偶者が当該子の一歳到達日（当該配偶者が第九条の六第一項の規定により読み替えて適用する第一項の規定によりした申出に係る第九条第一項（第九条の六第一項の規定により読み替えて適用する場合を含む。）に規定する育児休業終了予定日とされた日が当該子の一歳到達日後である場合にあっては、当該育児休業終了予定日とされた日）」と、同項第三号中「一歳到達日」とあるのは「一歳到達日（当該子を養育する労働者が第九条の六第一項の規定により読み替えて適用する第一項の規定によりした申出に係る第九条第一項（第九条の六第一項の規定により読み替えて適用する場合を含む。）に規定する育児休業終了予定日とされた日が当該子の一歳到達日後である場合にあっては、当該育児休業終了予定日とされた日）」と、同条第六項第一号中「一歳到達日」とあるのは「一歳到達日（当該子を養育する労働者又はその配偶者が第九条の六第一項の規定により読み替えて適用する第一項の規定によりした申出に係る第九条第一項（第九条の六第一項の規定により読み替えて適用する場合を含む。）に規定する育児休業終了予定日とされた日が当該子の一歳到達日後である場合にあっては、当該育児休業終了予定日とされた日（当該労働者に係る育児休業終了予定日とされた日と当該配偶者に係る育児休業終了予定日とされた日が異なるときは、そのいずれかの日）。次条第三項において同じ。）」と、第九条第一項中「変更後の育児休業終了予定日とされた日。次項」とあるのは「変更後の育児休業終了予定日とされた日。次項（第九条の六第一項の規定により読み替えて適用する場合を含む。）において同じ。）（当該育児休業終了予定日とされた日が当該育児休業開始予定日とされた日から起算して育児休業等可能日数（当該育児休業に係る子の出生した日から当該子の一歳到達日までの日数をいう。）から育児休業等取得日数（当該子の出生した日以後当該労働者が労働基準法（昭和二十二年法律第四十九号）第六十五条第一項又は第二項の規定により休業した日数と当該子について育児休業及び次条第一項に規定する出生時育児休業をした日数を合算した日数をいう。）を差し引いた日数を経過する日より後の日であるときは、当該経過する日。次項（第九条の六第一項の規定により読み替えて適用する場合を含む。）」と、同条第二項第二号中「第五条第三項」とあるのは

「第九条の六第一項の規定により読み替えて適用する第五条第一項の規定による申出により育児休業をしている場合にあっては一歳二か月、同条第三項（第九条の六第一項の規定により読み替えて適用する場合を含む。）」と、「同条第四項」とあるのは「第五条第四項」と、第二十四条第一項第一号中「一歳（」とあるのは「一歳（当該労働者が第九条の六第一項の規定により読み替えて適用する第五条第一項の規定による申出をすることができる場合にあっては一歳二か月、」とするほか、必要な技術的読替えは、厚生労働省令で定める。

② 前項の規定は、同項の規定を適用した場合の第五条第一項の規定による申出に係る育児休業開始予定日とされた日が、当該育児休業に係る子の一歳到達日の翌日後である場合又は前項の場合における当該労働者の配偶者がしている育児休業に係る育児休業期間の初日前である場合には、これを適用しない。

（公務員である配偶者がする育児休業に関する規定の適用）

第九条の七　第五条第三項、第四項及び第六項並びに前条の規定の適用については、労働者の配偶者が国会職員の育児休業等に関する法律（平成三年法律第百八号）第三条第二項、国家公務員の育児休業等に関する法律（平成三年法律第百九号）第三条第二項（同法第二十七条第一項及び裁判所職員臨時措置法（昭和二十六年法律第二百九十九号）（第七号に係る部分に限る。）において準用する場合を含む。）、地方公務員の育児休業等に関する法律（平成三年法律第百十号）第二条第二項又は裁判官の育児休業に関する法律（平成三年法律第百十一号）第二条第二項の規定によりする請求及び当該請求に係る育児休業は、それぞれ第五条第一項、第三項又は第四項の規定によりする申出及び当該申出によりする育児休業とみなす。

（不利益取扱いの禁止）

第一〇条　事業主は、労働者が育児休業申出等（育児休業申出及び出生時育児休業申出をいう。以下同じ。）をし、若しくは育児休業をしたこと又は第九条の五第二項の規定による申出若しくは同条第四項の同意をしなかったことその他の同条第二項から第五項までの規定に関する事由であって厚生労働省令で定めるものを理由として、当該労働者に対して解雇その他不利益な取扱いをしてはならない。

第三章　介護休業

（介護休業の申出）

第一一条① 労働者は、その事業主に申し出ることにより、介護休業をすることができる。ただし、期間を定めて雇用される者にあっては、第三項に規定する介護休業開始予定日から起算して九十三日を経過する日から六月を経過する日までに、その労働契約が満了することが明らかでない者に限り、当該申出をすることができる。

② 前項の規定にかかわらず、介護休業をしたことがある労働者は、当該介護休業に係る対象家族が次の各号のいずれかに該当する場合には、当該対象家族については、同項の規定による申出をすることができない。

一　当該対象家族について三回の介護休業をした場合

二　当該対象家族について介護休業をした日数（介護休業を開始した日から介護休業を終了した日までの日数とし、二回以上の介護休業をした場合にあっては、介護休業ごとに、当該介護休業を開始した日から当該介護休業を終了した日までの日数を合算して得た日数とする。第十五条第一項において「介護休業日数」という。）が九十三日に達している場合

③ 第一項の規定による申出（以下「介護休業申出」という。）は、厚生労働省令で定めるところにより、介護休業申出に係る対象家族が要介護状態にあることを明らかにし、かつ、その期間中は当該対象家族に係る介護休業をすることとする一の期間について、その初日（以下「介護休業開始予定日」という。）及び末日（以下「介護休業終了予定日」という。）とする日を明らかにして、しなければならない。

④ 第一項ただし書及び第二項（第二号を除く。）の規定は、期間を定めて雇用される者であって、その締結する労働契約の期間の末日を介護休業終了予定日（第十三条において準用する第七条第三項の規定により当該介護休業終了予定日が変更された場合にあっては、その変更後の介護休業終了予定日とされた日）とする介護休業をしているものが、当該介護休業に係る対象家族について、当該労働契約の更新に伴い、当該更新後の労働契約の期間の初日を介護休業開始予定日とする介護休業申出をする場合には、これを適用しない。

（介護休業申出があった場合における事業主の義務等）

第一二条① 事業主は、労働者からの介護休業申出があったときは、当該介護休業申出を拒むことができない。

② 第六条第一項ただし書及び第二項の規定は、労働者からの介護休業申出があった場合について準用する。この場合において、同項中「前項ただし書」とあるのは「第十二条第二項において準用する前項ただし書」と、「前条第一項、第三項及び第四項」とあるのは「第十一条第一項」と読み替えるものとする。

③ 事業主は、労働者からの介護休業申出があった場合において、当該介護休業申出に係る介護休業開始予定日とされた日が当該介護休業申出があった日の翌日から起算して二週間を経過する日（以下この項において「二週間経過日」という。）前の日であるときは、厚生労働省令で定めるところにより、当該介護休業開始予定日とされた日から当該二週間経過日までの間のいずれかの日を当該介護休業開始予定日として指定することができる。

④ 前二項の規定は、労働者が前条第四項に規定する介護休業申出をする場合には、これを適用しない。

（介護休業終了予定日の変更の申出）

第一三条　第七条第三項の規定は、介護休業終了予定日の変更の申出について準用する。

（介護休業申出の撤回等）

第一四条① 介護休業申出をした労働者は、当該介護休業申出に係る介護休業開始予定日とされた日（第十二条第三項の規定による事業主の指定があった場合にあっては、当該事業主の指定した日。第三項において準用する第八条第四項及び次条第一項において同じ。）の前日までは、当該介護休業申出を撤回することができる。

② 前項の規定による介護休業申出の撤回がなされ、かつ、当該撤回に係る対象家族について当該撤回後になされる最初の介護休業申出が撤回された場合においては、その後になされる当該対象家族についての介護休業申出については、事業主は、第十二条第一項の規定にかかわらず、これを拒むことができる。

③ 第八条第四項の規定は、介護休業申出について準用する。この場合において、同項中「子」とあるのは「対象家族」と、「養育」とあるのは「介護」と読み替えるものとする。

（介護休業期間）

第一五条① 介護休業申出をした労働者がその期間中は介護休業をすることができる期間（以下「介護休業期間」という。）は、当該介護休業申出に係る介護休業開始予定日とされた日から介護休業終了予定日とされた日（その日が当該介護休業開始予定日とされた日から起算して九十三日から当該労働者の当該介護休業申出に係る対象家族についての介護休業日数を差し引いた日数を経過する日より後の日であるときは、当該経過する日。第三項において同じ。）までの間とする。

② この条において、介護休業終了予定日とされた日とは、第十三条において準用する第七条第三項の規定により当該介護休業終了予定日が変更された場合にあっては、その変更後の介護休業終了予定日とされた日をいう。

③ 次の各号に掲げるいずれかの事情が生じた場合には、介護休業期間は、第一項の規定にかかわらず、当該事情が生じた日（第二号に掲げる事情が生じた場合にあっては、その前日）に終了する。

一　介護休業終了予定日とされた日の前日までに、対象家族の

死亡その他の労働者が介護休業申出に係る対象家族を介護しないこととなった事由として厚生労働省令で定める事由が生じたこと。

二　介護休業終了予定日とされた日までに、介護休業申出をした労働者について、労働基準法第六十五条第一項若しくは第二項の規定により休業する期間、育児休業期間、出生時育児休業期間又は新たな介護休業期間が始まったこと。

④　第八条第四項後段の規定は、前項第一号の厚生労働省令で定める事由が生じた場合について準用する。

（不利益取扱いの禁止）

第一六条　事業主は、労働者が介護休業申出をし、又は介護休業をしたことを理由として、当該労働者に対して解雇その他不利益な取扱いをしてはならない。

第四章　子の看護等休暇

（子の看護等休暇の申出）

第一六条の二①　九歳に達する日以後の最初の三月三十一日までの間にある子（以下この項において「小学校第三学年修了前の子」という。）を養育する労働者は、その事業主に申し出ることにより、一の年度において五労働日（その養育する小学校第三学年修了前の子が二人以上の場合にあっては、十労働日）を限度として、負傷し、若しくは疾病にかかった当該小学校第三学年修了前の子の世話、疾病の予防を図るために必要なものとして厚生労働省令で定める当該小学校第三学年修了前の子の世話若しくは学校保健安全法（昭和三十三年法律第五十六号）第二十条の規定による学校の休業その他これに準ずるものとして厚生労働省令で定める事由に伴う当該小学校第三学年修了前の子の世話を行うため、又は当該小学校第三学年修了前の子の教育若しくは保育に係る行事のうち厚生労働省令で定めるものへの参加をするための休暇（以下「子の看護等休暇」という。）を取得することができる。

②　子の看護等休暇は、一日の所定労働時間が短い労働者として厚生労働省令で定めるもの以外の者は、厚生労働省令で定めるところにより、厚生労働省令で定める一日未満の単位で取得することができる。

③　第一項の規定による申出は、厚生労働省令で定めるところにより、子の看護等休暇を取得する日（前項の厚生労働省令で定める一日未満の単位で取得するときは子の看護等休暇の開始及び終了の日時）を明らかにして、しなければならない。

④　第一項の年度は、事業主が別段の定めをする場合を除き、四月一日に始まり、翌年三月三十一日に終わるものとする。

（子の看護等休暇の申出があった場合における事業主の義務等）

第一六条の三①　事業主は、労働者からの前条第一項の規定による申出があったときは、当該申出を拒むことができない。

②　第六条第一項ただし書（第二号に係る部分に限る。）及び第二項の規定は、労働者からの前条第一項の規定による申出があった場合について準用する。この場合において、同号中「定めるもの」とあるのは「定めるもの又は業務の性質若しくは業務の実施体制に照らして、第十六条の二第二項の厚生労働省令で定める一日未満の単位で子の看護等休暇を取得することが困難と認められる業務に従事する労働者（同項の規定による厚生労働省令で定める一日未満の単位で取得しようとする者に限る。）」と、第六条第二項中「前項ただし書」とあるのは「第十六条の三第二項において準用する前項ただし書」と、「前条第一項、第三項及び第四項」とあるのは「第十六条の二第一項」と読み替えるものとする。

（準用）

第一六条の四　第十六条の規定は、第十六条の二第一項の規定による申出及び子の看護等休暇について準用する。

第五章　介護休暇

（介護休暇の申出）

第一六条の五①　要介護状態にある対象家族の介護その他の厚生労働省令で定める世話を行う労働者は、その事業主に申し出ることにより、一の年度において五労働日（要介護状態にある対象家族が二人以上の場合にあっては、十労働日）を限度として、当該世話を行うための休暇（以下「介護休暇」という。）を取得することができる。

②　介護休暇は、一日の所定労働時間が短い労働者として厚生労働省令で定めるもの以外の者は、厚生労働省令で定めるところにより、厚生労働省令で定める一日未満の単位で取得することができる。

③　第一項の規定による申出は、厚生労働省令で定めるところにより、当該申出に係る対象家族が要介護状態にあること及び介護休暇を取得する日（前項の厚生労働省令で定める一日未満の単位で取得するときは介護休暇の開始及び終了の日時）を明らかにして、しなければならない。

④　第一項の年度は、事業主が別段の定めをする場合を除き、四月一日に始まり、翌年三月三十一日に終わるものとする。

（介護休暇の申出があった場合における事業主の義務等）

第一六条の六①　事業主は、労働者からの前条第一項の規定による申出があったときは、当該申出を拒むことができない。

②　第六条第一項ただし書（第二号に係る部分に限る。）及び第二項の規定は、労働者からの前条第一項の規定による申出があった場合について準用する。この場合において、同号中「定めるもの」とあるのは「定めるもの又は業務の性質若しくは業務の実施体制に照らして、第十六条の五第二項の厚生労働省令で定める一日未満の単位で介護休暇を取得することが困難と認められる業務に従事する労働者（同項の規定による厚生労働省令で定める一日未満の単位で取得しようとする者に限る。）」と、第六条第二項中「前項ただし書」とあるのは「第十六条の六第二項において準用する前項ただし書」と、「前条第一項、第三項及び第四項」とあるのは「第十六条の五第一項」と読み替えるものとする。

（準用）

第一六条の七　第十六条の規定は、第十六条の五第一項の規定による申出及び介護休暇について準用する。

第六章　所定外労働の制限

第一六条の八①　事業主は、小学校就学の始期に達するまでの子を養育する労働者であって、当該事業主と当該労働者が雇用される事業所の労働者の過半数で組織する労働組合があるときはその労働組合、その事業所の労働者の過半数で組織する労働組合がないときはその労働者の過半数を代表する者との書面による協定で、次に掲げる労働者のうちこの項本文の規定による請求をできないものとして定められた労働者に該当しない労働者が当該子を養育するために請求した場合においては、所定労働時間を超えて労働させてはならない。ただし、事業の正常な運営を妨げる場合は、この限りでない。

一　当該事業主に引き続き雇用された期間が一年に満たない労働者

二　前号に掲げるもののほか、当該請求をできないこととすることについて合理的な理由があると認められる労働者として厚生労働省令で定めるもの

②　前項の規定による請求は、厚生労働省令で定めるところにより、その期間中は所定労働時間を超えて労働させてはならないこととなる一の期間（一月以上一年以内の期間に限る。第四項において「制限期間」という。）について、その初日（以下この条において「制限開始予定日」という。）及び末日（第四項において「制限終了予定日」という。）とする日を明らかにして、制限開始予定日の一月前までにしなければならない。この場合において、この項前段に規定する制限期間については、第十七条第二項前段（第十八条第一項において準用する場合を含む。）に規定する制限期間と重複しないようにしなければならない。

③　第一項の規定による請求がされた後制限開始予定日とされた

日の前日までに、子の死亡その他の労働者が当該請求に係る子の養育をしないこととなった事由として厚生労働省令で定める事由が生じたときは、当該請求は、されなかったものとみなす。この場合において、労働者は、その事業主に対して、当該事由が生じた旨を遅滞なく通知しなければならない。

④　次の各号に掲げるいずれかの事情が生じた場合には、制限期間は、当該事情が生じた日（第三号に掲げる事情が生じた場合にあっては、その前日）に終了する。

一　制限終了予定日とされた日の前日までに、子の死亡その他の労働者が第一項の規定による請求に係る子を養育しないこととなった事由として厚生労働省令で定める事由が生じたこと。

二　制限終了予定日とされた日の前日までに、第一項の規定による請求に係る子が小学校就学の始期に達したこと。

三　制限終了予定日とされた日までに、第一項の規定による請求をした労働者について、労働基準法第六十五条第一項若しくは第二項の規定により休業する期間、育児休業期間、出生時育児休業期間又は介護休業期間が始まったこと。

⑤　第三項後段の規定は、前項第一号の厚生労働省令で定める事由が生じた場合について準用する。

第一六条の九①　前条第一項から第三項まで及び第四項（第二号を除く。）の規定は、要介護状態にある対象家族を介護する労働者について準用する。この場合において、同条第一項中「当該子を養育する」とあるのは「当該対象家族を介護する」と、同条第三項及び第四項第一号中「子」とあるのは「対象家族」と、「養育」とあるのは「介護」と読み替えるものとする。

②　前条第三項後段の規定は、前項において準用する同条第四項第一号の厚生労働省令で定める事由が生じた場合について準用する。

第一六条の一〇　事業主は、労働者が第十六条の八第一項（前条第一項において準用する場合を含む。以下この条において同じ。）の規定による請求をし、又は第十六条の八第一項の規定により当該事業主が当該請求をした労働者について所定労働時間を超えて労働させてはならない場合に当該労働者が所定労働時間を超えて労働しなかったことを理由として、当該労働者に対して解雇その他不利益な取扱いをしてはならない。

第七章　時間外労働の制限

第一七条①　事業主は、労働基準法第三十六条第一項の規定により同項に規定する労働時間（以下この条において単に「労働時間」という。）を延長することができる場合において、小学校就学の始期に達するまでの子を養育する労働者であって次の各号のいずれにも該当しないものが当該子を養育するために請求したときは、制限時間（一月について二十四時間、一年について百五十時間をいう。次項及び第十八条の二において同じ。）を超えて労働時間を延長してはならない。ただし、事業の正常な運営を妨げる場合は、この限りでない。

一　当該事業主に引き続き雇用された期間が一年に満たない労働者

二　前号に掲げるもののほか、当該請求をできないこととすることについて合理的な理由があると認められる労働者として厚生労働省令で定めるもの

②　前項の規定による請求は、厚生労働省令で定めるところにより、その期間中は制限時間を超えて労働時間を延長してはならないこととなる一の期間（一月以上一年以内の期間に限る。第四項において「制限期間」という。）について、その初日（以下この条において「制限開始予定日」という。）及び末日（第四項において「制限終了予定日」という。）とする日を明らかにして、制限開始予定日の一月前までにしなければならない。この場合において、この項前段に規定する制限期間については、第十六条の八第二項前段（第十六条の九第一項において準用する場合を含む。）に規定する制限期間と重複しないようにしなければならない。

③　第一項の規定による請求がされた後制限開始予定日とされた日の前日までに、子の死亡その他の労働者が当該請求に係る子の養育をしないこととなった事由として厚生労働省令で定める事由が生じたときは、当該請求は、されなかったものとみなす。この場合において、労働者は、その事業主に対して、当該事由が生じた旨を遅滞なく通知しなければならない。

④　次の各号に掲げるいずれかの事情が生じた場合には、制限期間は、当該事情が生じた日（第三号に掲げる事情が生じた場合にあっては、その前日）に終了する。

一　制限終了予定日とされた日の前日までに、子の死亡その他の労働者が第一項の規定による請求に係る子を養育しないこととなった事由として厚生労働省令で定める事由が生じたこと。

二　制限終了予定日とされた日の前日までに、第一項の規定による請求に係る子が小学校就学の始期に達したこと。

三　制限終了予定日とされた日までに、第一項の規定による請求をした労働者について、労働基準法第六十五条第一項若しくは第二項の規定により休業する期間、育児休業期間、出生時育児休業期間又は介護休業期間が始まったこと。

⑤　第三項後段の規定は、前項第一号の厚生労働省令で定める事由が生じた場合について準用する。

第一八条①　前条第一項、第二項、第三項及び第四項（第二号を除く。）の規定は、要介護状態にある対象家族を介護する労働者について準用する。この場合において、同条第一項中「当該子を養育する」とあるのは「当該対象家族を介護する」と、同条第三項及び第四項第一号中「子」とあるのは「対象家族」と、「養育」とあるのは「介護」と読み替えるものとする。

②　前条第三項後段の規定は、前項において準用する同条第四項第一号の厚生労働省令で定める事由が生じた場合について準用する。

第一八条の二　事業主は、労働者が第十七条第一項（前条第一項において準用する場合を含む。以下この条において同じ。）の規定による請求をし、又は第十七条第一項の規定により当該事業主が当該請求をした労働者について制限時間を超えて労働時間を延長してはならない場合に当該労働者が制限時間を超えて労働しなかったことを理由として、当該労働者に対して解雇その他不利益な取扱いをしてはならない。

第八章　深夜業の制限

第一九条①　事業主は、小学校就学の始期に達するまでの子を養育する労働者であって次の各号のいずれにも該当しないものが当該子を養育するために請求した場合においては、午後十時から午前五時までの間（以下この条及び第二十条の二において「深夜」という。）において労働させてはならない。ただし、事業の正常な運営を妨げる場合は、この限りでない。

一　当該事業主に引き続き雇用された期間が一年に満たない労働者

二　当該請求に係る深夜において、常態として当該子を保育することができる当該子の同居の家族その他の厚生労働省令で定める者がいる場合における当該労働者

三　前二号に掲げるもののほか、当該請求をできないこととすることについて合理的な理由があると認められる労働者として厚生労働省令で定めるもの

②　前項の規定による請求は、厚生労働省令で定めるところにより、その期間中は深夜において労働させてはならないこととなる一の期間（一月以上六月以内の期間に限る。第四項において「制限期間」という。）について、その初日（以下この条において「制限開始予定日」という。）及び末日（同項において「制限終了予定日」という。）とする日を明らかにして、制限開始予定日の一月前までにしなければならない。

③　第一項の規定による請求がされた後制限開始予定日とされた日の前日までに、子の死亡その他の労働者が当該請求に係る子の養育をしないこととなった事由として厚生労働省令で定める

事由が生じたときは、当該請求は、されなかったものとみなす。この場合において、労働者は、その事業主に対して、当該事由が生じた旨を遅滞なく通知しなければならない。

④ 次の各号に掲げるいずれかの事情が生じた場合には、制限期間は、当該事情が生じた日（第三号に掲げる事情が生じた場合にあっては、その前日）に終了する。

一 制限終了予定日とされた日の前日までに、子の死亡その他の労働者が第一項の規定による請求に係る子を養育しないこととなった事由として厚生労働省令で定める事由が生じたこと。

二 制限終了予定日とされた日の前日までに、第一項の規定による請求に係る子が小学校就学の始期に達したこと。

三 制限終了予定日とされた日までに、第一項の規定による請求をした労働者について、労働基準法第六十五条第一項若しくは第二項の規定により休業する期間、育児休業期間、出生時育児休業期間又は介護休業期間が始まったこと。

⑤ 第三項後段の規定は、前項第一号の厚生労働省令で定める事由が生じた場合について準用する。

第二〇条① 前条第一項から第三項まで及び第四項（第二号を除く。）の規定は、要介護状態にある対象家族を介護する労働者について準用する。この場合において、同条第一項中「当該子を養育する」とあるのは「当該対象家族を介護する」と、同項第二号中「子」とあるのは「対象家族」と、「保育」とあるのは「介護」と、同条第三項及び第四項第一号中「子」とあるのは「対象家族」と、「養育」とあるのは「介護」と読み替えるものとする。

② 前条第三項後段の規定は、前項において準用する同条第四項第一号の厚生労働省令で定める事由が生じた場合について準用する。

第二〇条の二 事業主は、労働者が第十九条第一項（前条第一項において準用する場合を含む。以下この条において同じ。）の規定による請求をし、又は第十九条第一項の規定により当該事業主が当該請求をした労働者について深夜において労働させてはならない場合に当該労働者が深夜において労働しなかったことを理由として、当該労働者に対して解雇その他不利益な取扱いをしてはならない。

第九章　事業主が講ずべき措置等

（妊娠又は出産等についての申出があった場合等における措置等）

第二一条① 事業主は、労働者が当該事業主に対し、当該労働者又はその配偶者が妊娠し、又は出産したことその他これに準ずるものとして厚生労働省令で定める事実を申し出たときは、厚生労働省令で定めるところにより、当該労働者に対して、育児休業に関する制度その他の厚生労働省令で定める事項を知らせるとともに、育児休業申出等に係る当該労働者の意向を確認するための面談その他の厚生労働省令で定める措置を講じなければならない。

② 事業主は、前項の措置を講ずるに当たっては、厚生労働省令で定めるところにより、同項の規定による申出に係る子の心身の状況又は育児に関する当該申出をした労働者の家庭の状況に起因して当該子の出生の日以後に発生し、又は発生することが予想される職業生活と家庭生活との両立の支障となる事情の改善に資するものとして厚生労働省令で定める就業に関する条件に係る当該労働者の意向を確認しなければならない。

③ 事業主は、前項の規定により意向を確認した労働者に係る就業に関する条件を定めるに当たっては、当該意向に配慮しなければならない。

④ 事業主は、労働者が当該事業主に対し、対象家族が当該労働者の介護を必要とする状況に至ったことを申し出たときは、厚生労働省令で定めるところにより、当該労働者に対して、介護休業に関する制度、仕事と介護との両立に資するものとして厚生労働省令で定める制度又は措置（以下この条及び第二十二条第四項において「介護両立支援制度等」という。）その他の厚生労働省令で定める事項を知らせるとともに、介護休業申出及び介護両立支援制度等の利用に係る申出（同項において「介護両立支援制度等申出」という。）に係る当該労働者の意向を確認するための面談その他の厚生労働省令で定める措置を講じなければならない。

⑤ 事業主は、労働者が、当該労働者が四十歳に達した日の属する年度その他の介護休業に関する制度及び介護両立支援制度等の利用について労働者の理解と関心を深めるため介護休業に関する制度、介護両立支援制度等その他の厚生労働省令で定める事項を知らせるのに適切かつ効果的なものとして厚生労働省令で定める期間の始期に達したときは、厚生労働省令で定めるところにより、当該労働者に対して、当該期間内に、当該事項を知らせなければならない。

⑥ 事業主は、労働者が第一項若しくは第四項の規定による申出をしたこと又は第二項の規定により確認された意向の内容を理由として、当該労働者に対して解雇その他不利益な取扱いをしてはならない。

（育児休業等に関する定めの周知等の措置）

第二一条の二① 前条第一項、第四項及び第五項に定めるもののほか、事業主は、育児休業及び介護休業に関して、あらかじめ、次に掲げる事項を定めるとともに、これを労働者に周知させるための措置（労働者若しくはその配偶者が妊娠し、若しくは出産したこと又は労働者が対象家族を介護していることを知ったときに、当該労働者に対し知らせる措置を含む。）を講ずるように努めなければならない。

一 労働者の育児休業及び介護休業中における待遇に関する事項

二 育児休業及び介護休業後における賃金、配置その他の労働条件に関する事項

三 前二号に掲げるもののほか、厚生労働省令で定める事項

② 事業主は、労働者が育児休業申出等又は介護休業申出をしたときは、厚生労働省令で定めるところにより、当該労働者に対し、前項各号に掲げる事項に関する当該労働者に係る取扱いを明示するよう努めなければならない。

（雇用環境の整備及び雇用管理等に関する措置）

第二二条① 事業主は、育児休業申出等が円滑に行われるようにするため、次の各号のいずれかの措置を講じなければならない。

一 その雇用する労働者に対する育児休業に係る研修の実施

二 育児休業に関する相談体制の整備

三 その他厚生労働省令で定める育児休業に係る雇用環境の整備に関する措置

② 事業主は、介護休業申出が円滑に行われるようにするため、次の各号のいずれかの措置を講じなければならない。

一 その雇用する労働者に対する介護休業に係る研修の実施

二 介護休業に関する相談体制の整備

三 その他厚生労働省令で定める介護休業に係る雇用環境の整備に関する措置

③ 前二項に定めるもののほか、事業主は、育児休業申出等及び介護休業申出並びに育児休業及び介護休業後における就業が円滑に行われるようにするため、育児休業又は介護休業をする労働者が雇用される事業所における労働者の配置その他の雇用管理、育児休業又は介護休業をしている労働者の職業能力の開発及び向上等に関して、必要な措置を講ずるように努めなければならない。

④ 事業主は、介護両立支援制度等申出が円滑に行われるようにするため、次の各号のいずれかの措置を講じなければならない。

一 その雇用する労働者に対する介護両立支援制度等に係る研修の実施

二 介護両立支援制度等に関する相談体制の整備

三 その他厚生労働省令で定める介護両立支援制度等に係る雇

用環境の整備に関する措置

第二二条の二（育児休業の取得の状況の公表） 常時雇用する労働者の数が三百人を超える事業主は、厚生労働省令で定めるところにより、毎年少なくとも一回、その雇用する労働者の育児休業の取得の状況として厚生労働省令で定めるものを公表しなければならない。

（所定労働時間の短縮措置等）

第二三条① 事業主は、その雇用する労働者のうち、その三歳に満たない子を養育する労働者であって育児休業をしていないもの（一日の所定労働時間が短い労働者として厚生労働省令で定めるものを除く。）に関して、厚生労働省令で定めるところにより、労働者の申出に基づき所定労働時間を短縮することにより当該労働者が就業しつつその子を養育することを容易にするための措置（以下この条及び第二十三条の三第一項第三号において「育児のための所定労働時間の短縮措置」という。）を講じなければならない。ただし、当該事業主と当該労働者が雇用される事業所の労働者の過半数で組織する労働組合があるときはその労働組合、その事業所の労働者の過半数で組織する労働組合がないときはその労働者の過半数を代表する者との書面による協定で、次に掲げる労働者のうち育児のための所定労働時間の短縮措置を講じないものとして定められた労働者に該当する労働者については、この限りでない。

一　当該事業主に引き続き雇用された期間が一年に満たない労働者

二　前号に掲げるもののほか、育児のための所定労働時間の短縮措置を講じないこととすることについて合理的な理由があると認められる労働者として厚生労働省令で定めるもの

三　前二号に掲げるもののほか、業務の性質又は業務の実施体制に照らして、育児のための所定労働時間の短縮措置を講ずることが困難と認められる業務に従事する労働者

② 事業主は、その雇用する労働者のうち、前項ただし書の規定により同項第三号に掲げる労働者であってその三歳に満たない子を養育するものについて育児のための所定労働時間の短縮措置を講じないこととするときは、当該労働者に関して、厚生労働省令で定めるところにより、労働者の申出に基づく育児休業に関する制度に準ずる措置又は次の各号のいずれかに掲げる措置を講じなければならない。

一　労働者の申出に基づき、当該労働者が就業しつつその子を養育することを容易にするため、住居その他これに準ずるものとして労働契約又は労働協約、就業規則その他これらに準ずるもので定める場所における勤務（第二十四条第四項において「在宅勤務等」という。）をさせる措置（第二十三条の三第一項第二号及び第二十四条第二項において「在宅勤務等の措置」という。）

二　前号に掲げるもののほか、労働基準法第三十二条の三第一項の規定により労働させることその他の労働者の申出に基づく厚生労働省令で定める当該労働者が就業しつつその子を養育することを容易にするための措置（第二十三条の三第一項第一号並びに第二十四条第一項第一号及び第二号において「始業時刻変更等の措置」という。）

③ 事業主は、その雇用する労働者のうち、その要介護状態にある対象家族を介護する労働者であって介護休業をしていないものに関して、厚生労働省令で定めるところにより、労働者の申出に基づく連続する三年の期間以上の期間における所定労働時間の短縮その他の当該労働者が就業しつつその要介護状態にある対象家族を介護することを容易にするための措置（以下この条及び第二十四条第三項において「介護のための所定労働時間の短縮等の措置」という。）を講じなければならない。ただし、当該事業主と当該労働者が雇用される事業所の労働者の過半数で組織する労働組合があるときはその労働組合、その事業所の労働者の過半数で組織する労働組合がないときはその労働者の過半数を代表する者との書面による協定で、次に掲げる労働者のうち介護のための所定労働時間の短縮等の措置を講じないものとして定められた労働者に該当する労働者については、この限りでない。

一　当該事業主に引き続き雇用された期間が一年に満たない労働者

二　前号に掲げるもののほか、介護のための所定労働時間の短縮等の措置を講じないこととすることについて合理的な理由があると認められる労働者として厚生労働省令で定めるもの

④ 前項本文の期間は、当該労働者が介護のための所定労働時間の短縮等の措置の利用を開始する日として当該労働者が申し出た日から起算する。

第二三条の二 事業主は、労働者が前条の規定による申出をし、又は同条の規定により当該労働者に措置が講じられたことを理由として、当該労働者に対して解雇その他不利益な取扱いをしてはならない。

（三歳から小学校就学の始期に達するまでの子を養育する労働者等に関する措置）

第二三条の三① 事業主は、その雇用する労働者のうち、その三歳から小学校就学の始期に達するまでの子を養育するものに関して、厚生労働省令で定めるところにより、労働者の申出に基づく次に掲げる措置のうち二以上の措置を講じなければならない。

一　始業時刻変更等の措置であって厚生労働省令で定めるもの

二　在宅勤務等の措置

三　育児のための所定労働時間の短縮措置

四　労働者が就業しつつ当該子を養育することを容易にするための休暇（子の看護等休暇、介護休暇及び労働基準法第三十九条の規定による年次有給休暇として与えられるものを除く。）を与えるための措置

五　前各号に掲げるもののほか、労働者が就業しつつ当該子を養育することを容易にするための措置として厚生労働省令で定めるもの

② 前項の規定により事業主が同項第四号に掲げる措置を講じたときは、同号に規定する休暇は、一日の所定労働時間が短い労働者として厚生労働省令で定めるもの以外の者は、厚生労働省令で定めるところにより、厚生労働省令で定める一日未満の単位で取得することができる。

③ 第一項の規定（第三号に掲げる労働者にあっては、同項第四号に係る部分に限る。以下この項において同じ。）は、当該事業主と当該労働者が雇用される事業所の労働者の過半数で組織する労働組合があるときはその労働組合、その事業所の労働者の過半数で組織する労働組合がないときはその労働者の過半数を代表する者との書面による協定で、次に掲げる労働者のうち第一項の規定による措置を講じないものとして定められた労働者に該当する労働者については、これを適用しない。

一　当該事業主に引き続き雇用された期間が一年に満たない労働者

二　前号に掲げるもののほか、第一項に掲げる措置を講じないこととすることについて合理的な理由があると認められる労働者として厚生労働省令で定めるもの

三　業務の性質又は業務の実施体制に照らして、前項の厚生労働省令で定める一日未満の単位で第一項第四号に規定する休暇を取得することが困難と認められる業務に従事する労働者（前項の規定により同項の厚生労働省令で定める一日未満の単位で取得しようとする者に限る。）

④ 事業主は、第一項の規定による措置を講じようとするときは、あらかじめ、当該事業所に労働者の過半数で組織する労働組合がある場合においてはその労働組合、労働者の過半数で組織する労働組合がない場合においては労働者の過半数を代表する者の意見を聴かなければならない。

⑤ 事業主は、厚生労働省令で定めるところにより、三歳に満たない子を養育する労働者に対して、当該労働者が第一項の規定により当該事業主が講じた措置（以下この項及び第七項において「対象措置」という。）のいずれを選択するか判断するために

適切なものとして厚生労働省令で定める期間内に、対象措置その他の厚生労働省令で定める事項を知らせるとともに、対象措置に係る申出に係る当該労働者の意向を確認するための面談その他の厚生労働省令で定める措置を講じなければならない。

⑥ 第二十一条第二項及び第三項の規定は、前項の厚生労働省令で定める措置を講ずる場合について準用する。この場合において、同条第二項中「同項の規定による申出」とあるのは「第二十三条の三第五項に規定する対象措置」と、「当該申出をした」とあるのは「当該対象措置の対象となる」と、「当該子の出生の日以後に発生し」とあるのは「発生し」と読み替えるものとする。

⑦ 事業主は、労働者が対象措置に係る申出をし、若しくは第一項の規定により当該労働者に措置が講じられたこと又は前項において準用する第二十一条第二項の規定により確認された意向の内容を理由として、当該労働者に対して解雇その他不利益な取扱いをしてはならない。

（小学校就学の始期に達するまでの子を養育する労働者等に関する措置）

第二四条① 事業主は、その雇用する労働者のうち、その小学校就学の始期に達するまでの子を養育する労働者に関して、労働者の申出に基づく育児に関する目的のために利用することができる休暇（子の看護等休暇、介護休暇、前条第一項第四号に規定する休暇及び労働基準法第三十九条の規定による年次有給休暇として与えられるものを除き、出産後の養育について出産前において準備することができる休暇を含む。）を与えるための措置及び次の各号に掲げる当該労働者の区分に応じ当該各号に定める制度又は措置に準じて、それぞれ必要な措置を講ずるように努めなければならない。

一 その一歳（当該労働者が第五条第三項の規定による申出をすることができる場合にあっては一歳六か月、当該労働者が同条第四項の規定による申出をすることができる場合にあっては二歳。次号において同じ。）に満たない子を養育する労働者（第二十三条第二項に規定する労働者を除く。同号において同じ。）で育児休業をしていないもの　始業時刻変更等の措置

二 その一歳から三歳に達するまでの子を養育する労働者　育児休業に関する制度又は始業時刻変更等の措置

三 その三歳から小学校就学の始期に達するまでの子を養育する労働者　育児休業に関する制度

② 前項に定めるもののほか、事業主は、その雇用する労働者のうち、その三歳に満たない子を養育する労働者（第二十三条第二項に規定する労働者を除く。）で育児休業をしていないものに関して、在宅勤務等の措置に準じて、必要な措置を講ずるように努めなければならない。

③ 事業主は、その雇用する労働者のうち、その家族を介護する労働者に関して、介護休業若しくは介護休暇に関する制度又は介護のための所定労働時間の短縮等の措置に準じて、その介護を必要とする期間、回数等に配慮した必要な措置を講ずるように努めなければならない。

④ 前項に定めるもののほか、事業主は、その雇用する労働者のうち、その要介護状態にある対象家族を介護する労働者で介護休業をしていないものに関して、労働者の申出に基づく在宅勤務等をさせることにより当該労働者が就業しつつその要介護状態にある対象家族を介護することを容易にするための措置を講ずるように努めなければならない。

（職場における育児休業等に関する言動に起因する問題に関する雇用管理上の措置等）

第二五条① 事業主は、職場において行われるその雇用する労働者に対する育児休業、介護休業その他の子の養育又は家族の介護に関する厚生労働省令で定める制度又は措置の利用に関する言動により当該労働者の就業環境が害されることのないよう、当該労働者からの相談に応じ、適切に対応するために必要な体制の整備その他の雇用管理上必要な措置を講じなければならない。

② 事業主は、労働者が前項の相談を行ったこと又は事業主による当該相談への対応に協力した際に事実を述べたことを理由として、当該労働者に対して解雇その他不利益な取扱いをしてはならない。

（職場における育児休業等に関する言動に起因する問題に関する国、事業主及び労働者の責務）

第二五条の二① 国は、労働者の就業環境を害する前条第一項に規定する言動を行ってはならないことその他当該言動に起因する問題（以下この条において「育児休業等関係言動問題」という。）に対する事業主その他国民一般の関心と理解を深めるため、広報活動、啓発活動その他の措置を講ずるように努めなければならない。

② 事業主は、育児休業等関係言動問題に対するその雇用する労働者の関心と理解を深めるとともに、当該労働者が他の労働者に対する言動に必要な注意を払うよう、研修の実施その他の必要な配慮をするほか、国の講ずる前項の措置に協力するように努めなければならない。

③ 事業主（その者が法人である場合にあっては、その役員）は、自らも、育児休業等関係言動問題に対する関心と理解を深め、労働者に対する言動に必要な注意を払うように努めなければならない。

④ 労働者は、育児休業等関係言動問題に対する関心と理解を深め、他の労働者に対する言動に必要な注意を払うとともに、事業主の講ずる前条第一項の措置に協力するように努めなければならない。

（労働者の配置に関する配慮）

第二六条 事業主は、その雇用する労働者の配置の変更で就業の場所の変更を伴うものをしようとする場合において、その就業の場所の変更により就業しつつその子の養育又は家族の介護を行うことが困難となることとなる労働者がいるときは、当該労働者の子の養育又は家族の介護の状況に配慮しなければならない。

（再雇用特別措置等）

第二七条 事業主は、妊娠、出産若しくは育児又は介護を理由として退職した者（以下「育児等退職者」という。）について、必要に応じ、再雇用特別措置（育児等退職者であって、その退職の際に、その就業が可能となったときに当該退職に係る事業の事業主に再び雇用されることの希望を有する旨の申出をしていたものについて、当該事業主が、労働者の募集又は採用に当たって特別の配慮をする措置をいう。第三十条において同じ。）その他これに準ずる措置を実施するよう努めなければならない。

（指針）

第二八条 厚生労働大臣は、第二十一条から第二十五条まで、第二十六条及び前条の規定に基づき事業主が講ずべき措置等並びに子の養育又は家族の介護を行い、又は行うこととなる労働者の職業生活と家庭生活との両立が図られるようにするために事業主が講ずべきその他の措置に関して、その適切かつ有効な実施を図るための指針となるべき事項を定め、これを公表するものとする。

（職業家庭両立推進者）

第二九条 事業主は、厚生労働省令で定めるところにより、第二十一条第一項、同条第二項及び第三項（これらの規定を第二十三条の三第六項において準用する場合を含む。）、第二十一条第四項及び第五項、第二十一条の二から第二十二条の二まで、第二十三条第一項から第三項まで、第二十三条の三第一項から第五項まで、第二十四条、第二十五条第一項、第二十五条の二第二項、第二十六条並びに第二十七条に定める措置等並びに子の養育又は家族の介護を行い、又は行うこととなる労働者の職業生活と家庭生活との両立が図られるようにするために講ずべきその他の措置の適切かつ有効な実施を図るための業務を担当する者を選任するように努めなければならない。

第十章　対象労働者等に対する国等による援助
（第三〇条から第五二条まで）（略）

第十一章　紛争の解決
（第五二条の二から第五二条の六まで）（略）

第十二章　雑則
（第五三条から第六一条の二まで）（略）

第十三章　罰則
（第六二条から第六六条まで）（略）

附　則（令和六・五・三一法四二）（抄）

（施行期日）

第一条　この法律は、令和七年四月一日から施行する。ただし、次の各号に掲げる規定は、当該各号に定める日から施行する。

一　（前略）附則第三条（中略）及び第十三条の規定　公布の日

二　第二条（育児休業、介護休業等育児又は家族介護を行う労働者の福祉に関する法律の一部改正）の規定（中略）　公布の日から起算して一年六月を超えない範囲内において政令で定める日

（検討）

第二条　政府は、この法律の施行後五年を目途として、この法律による改正後のそれぞれの法律の施行の状況を勘案し、必要があると認めるときは、この法律による改正後のそれぞれの法律の規定について検討を加え、その結果に基づいて必要な措置を講ずるものとする。

（所定外労働の制限の請求に関する経過措置）

第三条　この法律の施行の日（以下この条及び次条において「施行日」という。）以後において第一条の規定による改正後の育児休業、介護休業等育児又は家族介護を行う労働者の福祉に関する法律（以下この条及び次条において「新育児・介護休業法」という。）第十六条の八の規定による所定外労働の制限に関する制度を利用するため、同条第一項の規定による請求（その三歳から小学校就学の始期に達するまでの子を養育するためにするものに限る。）をしようとする労働者（新育児・介護休業法第二条第一号に規定する労働者をいう。）は、施行日前においても、同項及び新育児・介護休業法第十六条の八第二項の規定の例により、当該請求をすることができる。

（育児休業の取得の状況の公表に関する経過措置）

第四条　新育児・介護休業法第二十二条の二の規定は、施行日以後に開始する事業年度から適用する。

（政令への委任）

第一三条　この附則に定めるもののほか、この法律の施行に伴い必要な経過措置は、政令で定める。

○短時間労働者及び有期雇用労働者の雇用管理の改善等に関する法律（抄）

（平成五・六・一八 法七六）

施行 平成五・一二・一（附則参照）
題名改正 平成三〇法七一（旧・短時間労働者の雇用管理の改善等に関する法律）
最終改正 令和一法二四

目次

第一章 総則

（目的）
第一条 この法律は、我が国における少子高齢化の進展、就業構造の変化等の社会経済情勢の変化に伴い、短時間・有期雇用労働者の果たす役割の重要性が増大していることに鑑み、短時間・有期雇用労働者について、その適正な労働条件の確保、雇用管理の改善、通常の労働者への転換の推進、職業能力の開発及び向上等に関する措置等を講ずることにより、通常の労働者との均衡のとれた待遇の確保等を図ることを通じて短時間・有期雇用労働者がその有する能力を有効に発揮することができるようにし、もってその福祉の増進を図り、あわせて経済及び社会の発展に寄与することを目的とする。

（定義）
第二条① この法律において「短時間労働者」とは、一週間の所定労働時間が同一の事業主に雇用される通常の労働者（当該事業主に雇用される通常の労働者と同種の業務に従事する当該事業主に雇用される労働者にあっては、厚生労働省令で定める場合を除き、当該労働者と同種の業務に従事する当該通常の労働者）の一週間の所定労働時間に比し短い労働者をいう。
② この法律において「有期雇用労働者」とは、事業主と期間の定めのある労働契約を締結している労働者をいう。
③ この法律において「短時間・有期雇用労働者」とは、短時間労働者及び有期雇用労働者をいう。

（基本的理念）
第二条の二 短時間・有期雇用労働者及び短時間・有期雇用労働者になろうとする者は、生活との調和を保ちつつその意欲及び能力に応じて就業することができる機会が確保され、職業生活の充実が図られるように配慮されるものとする。

（事業主等の責務）
第三条① 事業主は、その雇用する短時間・有期雇用労働者について、その就業の実態等を考慮して、適正な労働条件の確保、教育訓練の実施、福利厚生の充実その他の雇用管理の改善及び通常の労働者への転換（短時間・有期雇用労働者が雇用される事業所において通常の労働者として雇い入れられることをいう。以下同じ。）の推進（以下「雇用管理の改善等」という。）に関する措置等を講ずることにより、通常の労働者との均衡のとれた待遇の確保等を図り、当該短時間・有期雇用労働者がその有する能力を有効に発揮することができるように努めるものとする。
② 事業主の団体は、その構成員である事業主の雇用する短時間・有期雇用労働者の雇用管理の改善等に関し、必要な助言、協力その他の援助を行うように努めるものとする。

（国及び地方公共団体の責務）
第四条① 国は、短時間・有期雇用労働者の雇用管理の改善等について事業主その他の関係者の自主的な努力を尊重しつつその実情に応じてこれらの者に対し必要な指導、援助等を行うとともに、短時間・有期雇用労働者の能力の有効な発揮を妨げている諸要因の解消を図るために必要な広報その他の啓発活動を行うほか、その職業能力の開発及び向上等を図る等、短時間・有期雇用労働者の雇用管理の改善等の促進その他の福祉の増進を図るために必要な施策を総合的かつ効果的に推進するように努めるものとする。
② 地方公共団体は、前項の国の施策と相まって、短時間・有期雇用労働者の福祉の増進を図るために必要な施策を推進するように努めるものとする。

第二章 短時間・有期雇用労働者対策基本方針

（第五条）（略）

第三章 短時間・有期雇用労働者の雇用管理の改善等に関する措置等（抄）

第一節 雇用管理の改善等に関する措置

（労働条件に関する文書の交付等）
第六条① 事業主は、短時間・有期雇用労働者を雇い入れたときは、速やかに、当該短時間・有期雇用労働者に対して、労働条件に関する事項のうち労働基準法（昭和二十二年法律第四十九号）第十五条第一項に規定する厚生労働省令で定める事項以外のものであって厚生労働省令で定めるもの（次項及び第十四条第一項において「特定事項」という。）を文書の交付その他厚生労働省令で定める方法（次項において「文書の交付等」という。）により明示しなければならない。
② 事業主は、前項の規定に基づき特定事項を明示するときは、労働条件に関する事項のうち特定事項及び労働基準法第十五条第一項に規定する厚生労働省令で定める事項以外のものについても、文書の交付等により明示するように努めるものとする。

（就業規則の作成の手続）
第七条① 事業主は、短時間労働者に係る事項について就業規則を作成し、又は変更しようとするときは、当該事業所において雇用する短時間労働者の過半数を代表すると認められるものの意見を聴くように努めるものとする。
② 前項の規定は、事業主が有期雇用労働者に係る事項について就業規則を作成し、又は変更しようとする場合について準用する。この場合において、「短時間労働者」とあるのは、「有期雇用労働者」と読み替えるものとする。

（不合理な待遇の禁止）
第八条 事業主は、その雇用する短時間・有期雇用労働者の基本給、賞与その他の待遇のそれぞれについて、当該待遇に対応する通常の労働者の待遇との間において、当該短時間・有期雇用労働者及び通常の労働者の業務の内容及び当該業務に伴う責任の程度（以下「職務の内容」という。）、当該職務の内容及び配置の変更の範囲その他の事情のうち、当該待遇の性質及び当該待遇を行う目的に照らして適切と認められるものを考慮して、不合理と認められる相違を設けてはならない。

注 平成三〇法七一による改正前の労働契約法第二〇条
労働契約法（平成一九・一二・五法一二八）（抜粋）
（期間の定めがあることによる不合理な労働条件の禁止）

旧第二〇条 有期労働契約を締結している労働者の労働契約の内容である労働条件が、期間の定めがあることにより同一の使用者と期間の定めのない労働契約を締結している労働者の労働契約の内容である労働条件と相違する場合においては、当該労働条件の相違は、労働者の業務の内容及び当該業務に伴う責任の程度（以下この条において「職務の内容」という。）、当該職務の内容及び配置の変更の範囲その他の事情を考慮して、不合理と認められるものであってはならない。

（平成三〇法七一により削られた）

（通常の労働者と同視すべき短時間・有期雇用労働者に対する差別的取扱いの禁止）

第九条 事業主は、職務の内容が通常の労働者と同一の短時間・有期雇用労働者（第十一条第一項において「職務内容同一短時間・有期雇用労働者」という。）であって、当該事業所における慣行その他の事情からみて、当該事業主との雇用関係が終了するまでの全期間において、その職務の内容及び配置が当該通常の労働者の職務の内容及び配置の変更の範囲と同一の範囲で変更されることが見込まれるもの（次条及び同項において「通常の労働者と同視すべき短時間・有期雇用労働者」という。）については、短時間・有期雇用労働者であることを理由として、基本給、賞与その他の待遇のそれぞれについて、差別的取扱いをしてはならない。

（賃金）

第一〇条 事業主は、通常の労働者との均衡を考慮しつつ、その雇用する短時間・有期雇用労働者（通常の労働者と同視すべき短時間・有期雇用労働者を除く。次条第二項及び第十二条において同じ。）の職務の内容、職務の成果、意欲、能力又は経験その他の就業の実態に関する事項を勘案し、その賃金（通勤手当その他の厚生労働省令で定めるものを除く。）を決定するように努めるものとする。

（教育訓練）

第一一条① 事業主は、通常の労働者に対して実施する教育訓練であって、当該通常の労働者が従事する職務の遂行に必要な能力を付与するためのものについては、職務内容同一短時間・有期雇用労働者（通常の労働者と同視すべき短時間・有期雇用労働者を除く。以下この項において同じ。）が既に当該職務に必要な能力を有している場合その他の厚生労働省令で定める場合を除き、職務内容同一短時間・有期雇用労働者に対しても、これを実施しなければならない。

② 事業主は、前項に定めるもののほか、通常の労働者との均衡を考慮しつつ、その雇用する短時間・有期雇用労働者の職務の内容、職務の成果、意欲、能力及び経験その他の就業の実態に関する事項に応じ、当該短時間・有期雇用労働者に対して教育訓練を実施するように努めるものとする。

（福利厚生施設）

第一二条 事業主は、通常の労働者に対して利用の機会を与える福利厚生施設であって、健康の保持又は業務の円滑な遂行に資するものとして厚生労働省令で定めるものについては、その雇用する短時間・有期雇用労働者に対しても、利用の機会を与えなければならない。

（通常の労働者への転換）

第一三条 事業主は、通常の労働者への転換を推進するため、その雇用する短時間・有期雇用労働者について、次の各号のいずれかの措置を講じなければならない。

一 通常の労働者の募集を行う場合において、当該募集に係る事業所に掲示すること等により、その者が従事すべき業務の内容、賃金、労働時間その他の当該募集に係る事項を当該事業所において雇用する短時間・有期雇用労働者に周知すること。

二 通常の労働者の配置を新たに行う場合において、当該配置の希望を申し出る機会を当該配置に係る事業所において雇用する短時間・有期雇用労働者に対して与えること。

三 一定の資格を有する短時間・有期雇用労働者を対象とした通常の労働者への転換のための試験制度を設けることその他の通常の労働者への転換を推進するための措置を講ずること。

（事業主が講ずる措置の内容等の説明）

第一四条① 事業主は、短時間・有期雇用労働者を雇い入れたときは、速やかに、第八条から前条までの規定により措置を講ずべきこととされている事項（労働基準法第十五条第一項に規定する厚生労働省令で定める事項及び特定事項を除く。）に関し講ずることとしている措置の内容について、当該短時間・有期雇用労働者に説明しなければならない。

② 事業主は、その雇用する短時間・有期雇用労働者から求めがあったときは、当該短時間・有期雇用労働者と通常の労働者との間の待遇の相違の内容及び理由並びに第六条から前条までの規定により措置を講ずべきこととされている事項に関する決定をするに当たって考慮した事項について、当該短時間・有期雇用労働者に説明しなければならない。

③ 事業主は、短時間・有期雇用労働者が前項の求めをしたことを理由として、当該短時間・有期雇用労働者に対して解雇その他不利益な取扱いをしてはならない。

（指針）

第一五条① 厚生労働大臣は、第六条から前条までに定める措置その他の第三条第一項の事業主が講ずべき雇用管理の改善等に関する措置等に関し、その適切かつ有効な実施を図るために必要な指針（以下この節において「指針」という。）を定めるものとする。

② 第五条第三項から第五項までの規定は指針の策定について、同条第四項及び第五項の規定は指針の変更について、それぞれ準用する。

（相談のための体制の整備）

第一六条 事業主は、短時間・有期雇用労働者の雇用管理の改善等に関する事項に関し、その雇用する短時間・有期雇用労働者からの相談に応じ、適切に対応するために必要な体制を整備しなければならない。

（短時間・有期雇用管理者）

第一七条 事業主は、常時厚生労働省令で定める数以上の短時間・有期雇用労働者を雇用する事業所ごとに、厚生労働省令で定めるところにより、指針に定める事項その他の短時間・有期雇用労働者の雇用管理の改善等に関する事項を管理させるため、短時間・有期雇用管理者を選任するように努めるものとする。

（報告の徴収並びに助言、指導及び勧告等）

第一八条① 厚生労働大臣は、短時間・有期雇用労働者の雇用管理の改善等を図るため必要があると認めるときは、短時間・有期雇用労働者を雇用する事業主に対して、報告を求め、又は助言、指導若しくは勧告をすることができる。

② 厚生労働大臣は、第六条第一項、第九条、第十一条第一項、第十二条から第十四条まで及び第十六条の規定に違反している事業主に対し、前項の規定による勧告をした場合において、その勧告を受けた者がこれに従わなかったときは、その旨を公表することができる。

③ 前二項に定める厚生労働大臣の権限は、厚生労働省令で定めるところにより、その一部を都道府県労働局長に委任することができる。

第二節 事業主等に対する国の援助等

（第一九条から第二一条まで）（略）

第四章 紛争の解決

第一節 紛争の解決の援助等

（苦情の自主的解決）

第二二条 事業主は、第六条第一項、第八条、第九条、第十一条第一項及び第十二条から第十四条までに定める事項に関し、短時間・有期雇用労働者から苦情の申出を受けたときは、苦情処理機関（事業主を代表する者及び当該事業所の労働者を代表する者を構成員とする当該事業所の労働者の苦情を処理するための機関をいう。）に対し当該苦情の処理を委ねる等その自主的な解決を図るように努めるものとする。

（紛争の解決の促進に関する特例）

第二三条　前条の事項についての短時間・有期雇用労働者と事業主との間の紛争については、個別労働関係紛争の解決の促進に関する法律（平成十三年法律第百十二号）第四条、第五条及び第十二条から第十九条までの規定は適用せず、次条から第二十七条までに定めるところによる。

（紛争の解決の援助）

第二四条①　都道府県労働局長は、前条に規定する紛争に関し、当該紛争の当事者の双方又は一方からその解決につき援助を求められた場合には、当該紛争の当事者に対し、必要な助言、指導又は勧告をすることができる。

②　事業主は、短時間・有期雇用労働者が前項の援助を求めたことを理由として、当該短時間・有期雇用労働者に対して解雇その他不利益な取扱いをしてはならない。

第二節　調停

（調停の委任）

第二五条①　都道府県労働局長は、第二十三条に規定する紛争について、当該紛争の当事者の双方又は一方から調停の申請があつた場合において当該紛争の解決のために必要があると認めるときは、個別労働関係紛争の解決の促進に関する法律第六条第一項の紛争調整委員会に調停を行わせるものとする。

②　前条第二項の規定は、短時間・有期雇用労働者が前項の申請をした場合について準用する。

（調停）

第二六条　雇用の分野における男女の均等な機会及び待遇の確保等に関する法律（昭和四十七年法律第百十三号）第十九条から第二十六条までの規定は、前条第一項の調停の手続について準用する。この場合において、同法第十九条第一項中「前条第一項」とあるのは「短時間労働者及び有期雇用労働者の雇用管理の改善等に関する法律第二十五条第一項」と、同法第二十条中「事業場」とあるのは「事業所」と、同法第二十五条第一項中「第十八条第一項」とあるのは「短時間労働者及び有期雇用労働者の雇用管理の改善等に関する法律第二十三条」と読み替えるものとする。

（厚生労働省令への委任）

第二七条　この節に定めるもののほか、調停の手続に関し必要な事項は、厚生労働省令で定める。

第五章　雑則（抄）

第二八条及び第二九条　（略）

（過料）

第三〇条　第十八条第一項の規定による報告をせず、又は虚偽の報告をした者は、二十万円以下の過料に処する。

第三一条　第六条第一項の規定に違反した者は、十万円以下の過料に処する。

附　則（抄）

（施行期日）

第一条　この法律は、公布の日から起算して六月を超えない範囲内において政令で定める日（平成五・一二・一―平成五政三六六）から施行する。ただし、第四章の規定（中略）は、平成六年四月一日から施行する。

＊最低賃金法（抜粋）（昭和三四・四・一五 法 一 三 七）

最終改正 令和四法六八

第一章 総則

（目的）

第一条 この法律は、賃金の低廉な労働者について、賃金の最低額を保障することにより、労働条件の改善を図り、もつて、労働者の生活の安定、労働力の質的向上及び事業の公正な競争の確保に資するとともに、国民経済の健全な発展に寄与することを目的とする。

（定義）

第二条 この法律において、次の各号に掲げる用語の意義は、当該各号に定めるところによる。

一 労働者 労働基準法（昭和二十二年法律第四十九号）第九条に規定する労働者（同居の親族のみを使用する事業又は事務所に使用される者及び家事使用人を除く。）をいう。

二 使用者 労働基準法第十条に規定する使用者をいう。

三 賃金 労働基準法第十一条に規定する賃金をいう。

第二章 最低賃金

第一節 総則

（最低賃金額）

第三条 最低賃金額（最低賃金において定める賃金の額をいう。以下同じ。）は、時間によつて定めるものとする。

（最低賃金の効力）

第四条① 使用者は、最低賃金の適用を受ける労働者に対し、その最低賃金額以上の賃金を支払わなければならない。

② 最低賃金の適用を受ける労働者と使用者との間の労働契約で最低賃金額に達しない賃金を定めるものは、その部分については無効とする。この場合において、無効となつた部分は、最低賃金と同様の定をしたものとみなす。

③ 次に掲げる賃金は、前二項に規定する賃金に算入しない。

一 一月をこえない期間ごとに支払われる賃金以外の賃金で厚生労働省令で定めるもの

二 通常の労働時間又は労働日の賃金以外の賃金で厚生労働省令で定めるもの

三 当該最低賃金において算入しないことを定める賃金

④ 第一項及び第二項の規定は、労働者がその都合により所定労働時間若しくは所定労働日の労働をしなかつた場合又は使用者が正当な理由により労働者に所定労働時間若しくは所定労働日の労働をさせなかつた場合において、労働しなかつた時間又は日に対応する限度で賃金を支払わないことを妨げるものではない。

（現物給与等の評価）

第五条 賃金が通貨以外のもので支払われる場合又は使用者が労働者に提供した食事その他のものの代金を賃金から控除する場合においては、最低賃金の適用について、これらのものは、適正に評価されなければならない。

（最低賃金の競合）

第六条① 労働者が二以上の最低賃金の適用を受ける場合は、これらにおいて定める最低賃金額のうち最高のものにより第四条の規定を適用する。

② 前項の場合においても、第九条第一項に規定する地域別最低賃金において定める最低賃金額については、第四条第一項及び第四十条の規定の適用があるものとする。

（最低賃金の減額の特例）

第七条 使用者が厚生労働省令で定めるところにより都道府県労働局長の許可を受けたときは、次に掲げる労働者については、当該最低賃金において定める最低賃金額から当該最低賃金額に労働能力その他の事情を考慮して厚生労働省令で定める率を乗じて得た額を減額した額により第四条の規定を適用する。

一 精神又は身体の障害により著しく労働能力の低い者

二 試の使用期間中の者

三 職業能力開発促進法（昭和四十四年法律第六十四号）第二十四条第一項の認定を受けて行われる職業訓練のうち職業に必要な基礎的な技能及びこれに関する知識を習得させることを内容とするものを受ける者であつて厚生労働省令で定めるもの

四 軽易な業務に従事する者その他の厚生労働省令で定める者

（周知義務）

第八条 最低賃金の適用を受ける使用者は、厚生労働省令で定めるところにより、当該最低賃金の概要を、常時作業場の見やすい場所に掲示し、又はその他の方法で、労働者に周知させるための措置をとらなければならない。

第二節 地域別最低賃金

（地域別最低賃金の原則）

第九条① 賃金の低廉な労働者について、賃金の最低額を保障するため、地域別最低賃金（一定の地域ごとの最低賃金をいう。以下同じ。）は、あまねく全国各地域について決定されなければならない。

② 地域別最低賃金は、地域における労働者の生計費及び賃金並びに通常の事業の賃金支払能力を考慮して定められなければならない。

③ 前項の労働者の生計費を考慮するに当たつては、労働者が健康で文化的な最低限度の生活を営むことができるよう、生活保護に係る施策との整合性に配慮するものとする。

（地域別最低賃金の決定）

第一〇条① 厚生労働大臣又は都道府県労働局長は、一定の地域ごとに、中央最低賃金審議会又は地方最低賃金審議会（以下「最低賃金審議会」という。）の調査審議を求め、その意見を聴いて、地域別最低賃金の決定をしなければならない。

② 厚生労働大臣又は都道府県労働局長は、前項の規定による最低賃金審議会の意見の提出があつた場合において、その意見により難いと認めるときは、理由を付して、最低賃金審議会に再審議を求めなければならない。

（最低賃金審議会の意見に関する異議の申出）

第一一条① 厚生労働大臣又は都道府県労働局長は、前条第一項の規定による最低賃金審議会の意見の提出があつたときは、厚生労働省令で定めるところにより、その意見の要旨を公示しなければならない。

② 前条第一項の規定による最低賃金審議会の意見に係る地域の労働者又はこれを使用する使用者は、前項の規定による公示があつた日から十五日以内に、厚生労働大臣又は都道府県労働局長に、異議を申し出ることができる。

③ 厚生労働大臣又は都道府県労働局長は、前項の規定による申出があつたときは、その申出について、最低賃金審議会に意見を求めなければならない。

④ 厚生労働大臣又は都道府県労働局長は、第一項の規定による公示の日から十五日を経過するまでは、前条第一項の決定をすることができない。第二項の規定による申出があつた場合において、前項の規定による最低賃金審議会の意見が提出されるまでも、同様とする。

（地域別最低賃金の改正等）

第一二条 厚生労働大臣又は都道府県労働局長は、地域別最低賃金について、地域における労働者の生計費及び賃金並びに通常の事業の賃金支払能力を考慮して必要があると認めるときは、その決定の例により、その改正又は廃止の決定をしなければならない。

（派遣中の労働者の地域別最低賃金）

第一三条 労働者派遣事業の適正な運営の確保及び派遣労働者の保護等に関する法律（昭和六十年法律第八十八号）第四十四条

第一項に規定する派遣中の労働者（第十八条において「派遣中の労働者」という。）については、その派遣先の事業（同項に規定する派遣先の事業をいう。第十八条において同じ。）の事業場の所在地を含む地域について決定された地域別最低賃金において定める最低賃金額により第四条の規定を適用する。

第一四条（地域別最低賃金の公示及び発効）① 厚生労働大臣又は都道府県労働局長は、地域別最低賃金に関する決定をしたときは、厚生労働省令で定めるところにより、決定した事項を公示しなければならない。

② 第十条第一項の規定による地域別最低賃金の決定及び第十二条の規定による地域別最低賃金の改正の決定は、前項の規定による公示の日から起算して三十日を経過した日（公示の日から起算して三十日を経過した日後の日であつて当該決定において別に定める日があるときは、その日）から、同条の規定による地域別最低賃金の廃止の決定は、同項の規定による公示の日（公示の日後の日であつて当該決定において別に定める日があるときは、その日）から、その効力を生ずる。

第三節　特定最低賃金

第一五条（特定最低賃金の決定等）① 労働者又は使用者の全部又は一部を代表する者は、厚生労働省令で定めるところにより、厚生労働大臣又は都道府県労働局長に対し、当該労働者若しくは使用者に適用される一定の事業若しくは職業に係る最低賃金（以下「特定最低賃金」という。）の決定又は当該労働者若しくは使用者に現に適用されている特定最低賃金の改正若しくは廃止の決定をするよう申し出ることができる。

② 厚生労働大臣又は都道府県労働局長は、前項の規定による申出があつた場合において必要があると認めるときは、最低賃金審議会の調査審議を求め、その意見を聴いて、当該申出に係る特定最低賃金の決定又は当該申出に係る特定最低賃金の改正若しくは廃止の決定をすることができる。

③ 第十条第二項及び第十一条の規定は、前項の規定による最低賃金審議会の意見の提出があつた場合について準用する。この場合において、同条第二項中「地域」とあるのは、「事業若しくは職業」と読み替えるものとする。

④ 厚生労働大臣又は都道府県労働局長は、第二項の決定をする場合において、前項において準用する第十一条第二項の規定による申出があつたときは、前項において準用する同条第三項の規定による最低賃金審議会の意見に基づき、当該特定最低賃金において、一定の範囲の事業について、その適用を一定の期間を限つて猶予し、又は最低賃金額について別段の定めをすることができる。

⑤ 第十条第二項の規定は、前項の規定による最低賃金審議会の意見の提出があつた場合について準用する。

第一六条 前条第二項の規定により決定され、又は改正される特定最低賃金において定める最低賃金額は、当該特定最低賃金の適用を受ける使用者の事業場の所在地を含む地域について決定された地域別最低賃金において定める最低賃金額を上回るものでなければならない。

第一七条 厚生労働大臣又は都道府県労働局長は、第十五条第一項及び第二項の規定にかかわらず、同項の規定により決定され、又は改正された特定最低賃金が著しく不適当となつたと認めるときは、その決定の例により、その廃止の決定をすることができる。

第一八条（派遣中の労働者の特定最低賃金） 派遣中の労働者については、その派遣先の事業と同種の事業又はその派遣先の事業の事業場で使用される同種の労働者の職業について特定最低賃金が適用されている場合にあつては、当該特定最低賃金において定める最低賃金額により第四条の規定を適用する。

第一九条（特定最低賃金の公示及び発効）① 厚生労働大臣又は都道府県労働局長は、特定最低賃金に関する決定をしたときは、厚生労働省令で定めるところにより、決定した事項を公示しなければならない。

② 第十五条第二項の規定による特定最低賃金の決定及び特定最低賃金の改正の決定は、前項の規定による公示の日から起算して三十日を経過した日（公示の日から起算して三十日を経過した日後の日であつて当該決定において別に定める日があるときは、その日）から、同条第二項及び第十七条の規定による特定最低賃金の廃止の決定は、前項の規定による公示の日（公示の日後の日であつて当該決定において別に定める日があるときは、その日）から、その効力を生ずる。

第三章　最低賃金審議会（抄）

第二〇条（設置） 厚生労働省に中央最低賃金審議会を、都道府県労働局に地方最低賃金審議会を置く。

第二一条（権限） 最低賃金審議会は、この法律の規定によりその権限に属させられた事項をつかさどるほか、地方最低賃金審議会にあつては、都道府県労働局長の諮問に応じて、最低賃金に関する重要事項を調査審議し、及びこれに関し必要と認める事項を都道府県労働局長に建議することができる。

第二二条から**第二六条**まで　（略）

第四章　雑則（抄）

第二七条及び第二八条　（略）

第二九条（報告） 厚生労働大臣及び都道府県労働局長は、この法律の目的を達成するため必要な限度において、厚生労働省令で定めるところにより、使用者又は労働者に対し、賃金に関する事項の報告をさせることができる。

第三〇条（職権等）① 第十条第一項、第十二条、第十五条第二項及び第十七条に規定する厚生労働大臣又は都道府県労働局長の職権は、二以上の都道府県労働局の管轄区域にわたる事案及び一の都道府県労働局の管轄区域内のみに係る事案で厚生労働大臣が全国的に関連があると認めて厚生労働省令で定めるところにより指定するものについては、厚生労働大臣が行い、一の都道府県労働局の管轄区域内のみに係る事案（厚生労働大臣の職権に属する事案を除く。）については、当該都道府県労働局長が行う。

② 厚生労働大臣は、都道府県労働局長が決定した最低賃金が著しく不適当であると認めるときは、その改正又は廃止の決定をなすべきことを都道府県労働局長に命ずることができる。

③ 厚生労働大臣は、前項の規定による命令をしようとするときは、あらかじめ中央最低賃金審議会の意見を聴かなければならない。

④ 第十条第二項の規定は、前項の規定による中央最低賃金審議会の意見の提出があつた場合について準用する。

第三一条（労働基準監督署長及び労働基準監督官） 労働基準監督署長及び労働基準監督官は、厚生労働省令で定めるところにより、この法律の施行に関する事務をつかさどる。

第三二条（労働基準監督官の権限）① 労働基準監督官は、この法律の目的を達成するため必要な限度において、使用者の事業場に立ち入り、帳簿書類その他の物件を検査し、又は関係者に質問をすることができる。

② 前項の規定により立入検査をする労働基準監督官は、その身分を示す証票を携帯し、関係者に提示しなければならない。

③ 第一項の規定による立入検査の権限は、犯罪捜査のために認められたものと解釈してはならない。

第三三条 労働基準監督官は、この法律の規定に違反する罪について、刑事訴訟法（昭和二十三年法律第百三十一号）の規定による司法警察員の職務を行う。

（監督機関に対する申告）

第三四条① 労働者は、事業場にこの法律又はこれに基づく命令の規定に違反する事実があるときは、その事実を都道府県労働局長、労働基準監督署長又は労働基準監督官に申告して是正のため適当な措置をとるように求めることができる。

② 使用者は、前項の申告をしたことを理由として、労働者に対し、解雇その他不利益な取扱いをしてはならない。

第三五条から第三七条まで（略）

（省令への委任）

第三八条 この法律に規定するもののほか、この法律の施行に関し必要な事項は、厚生労働省令で定める。

第五章　罰則

第三九条 第三十四条第二項の規定に違反した者は、六月以下の拘禁刑又は三十万円以下の罰金に処する。

第四〇条 第四条第一項の規定に違反した者（地域別最低賃金及び船員に適用される特定最低賃金に係るものに限る。）は、五十万円以下の罰金に処する。

第四一条 次の各号の一に該当する者は、三十万円以下の罰金に処する。

一 第八条の規定に違反した者（地域別最低賃金及び船員に適用される特定最低賃金に係るものに限る。）

二 第二十九条の規定による報告をせず、又は虚偽の報告をした者

三 第三十二条第一項の規定による立入り若しくは検査を拒み、妨げ、若しくは忌避し、又は質問に対して陳述をせず、若しくは虚偽の陳述をした者

第四二条 法人の代表者又は法人若しくは人の代理人、使用人その他の従業者が、その法人又は人の業務に関して、前三条の違反行為をしたときは、行為者を罰するほか、その法人又は人に対しても各本条の罰金刑を科する。

刑法等の一部を改正する法律の施行に伴う関係法律整理法中経過規定

第四四一条から第四四三条まで（令和四・六・一七法六八）（抄）（刑法の同経過規定参照）

第五〇九条（刑法の同経過規定参照）

刑法等の一部を改正する法律の施行に伴う関係法律整理法

附　則（令和四・六・一七法六八）（抄）

（施行期日）

① この法律は、刑法等一部改正法（刑法等の一部を改正する法律（令和四法六七））施行日（令和七・六・一）から施行する。ただし、次の各号に掲げる規定は、当該各号に定める日から施行する。

一 第五百九条の規定　公布の日

二 （略）

○労働者災害補償保険法（抄）

（昭和二二・四・七 法 五〇）

施行 昭和二二・九・一（昭和二二政一七一）
最終改正 令和四法六八

目次

第一章 総則（抄）

第一条【目的】 労働者災害補償保険は、業務上の事由、事業主が同一人でない二以上の事業に使用される労働者（以下「複数事業労働者」という。）の二以上の事業の業務を要因とする事由又は通勤による労働者の負傷、疾病、障害、死亡等に対して迅速かつ公正な保護をするため、必要な保険給付を行い、あわせて、業務上の事由、複数事業労働者の二以上の事業の業務を要因とする事由又は通勤により負傷し、又は疾病にかかつた労働者の社会復帰の促進、当該労働者及びその遺族の援護、労働者の安全及び衛生の確保等を図り、もつて労働者の福祉の増進に寄与することを目的とする。

第二条【管掌】 労働者災害補償保険は、政府が、これを管掌する。

第二条の二【目的達成の方策】 労働者災害補償保険は、第一条の目的を達成するため、業務上の事由、複数事業労働者の二以上の事業の業務を要因とする事由又は通勤による労働者の負傷、疾病、障害、死亡等に関して保険給付を行うほか、社会復帰促進等事業を行うことができる。

第三条【適用事業、非適用事業】 ① この法律においては、労働者を使用する事業を適用事業とする。

② 前項の規定にかかわらず、国の直営事業及び官公署の事業（労働基準法（昭和二十二年法律第四十九号）別表第一に掲げる事業を除く。）については、この法律は、適用しない。

第四条 削除

第五条 （略）

第二章 保険関係の成立及び消滅

第六条【保険関係の成立及び消滅】 保険関係の成立及び消滅については、徴収法（編注・労働保険の保険料の徴収等に関する法律。以下同じ。）の定めるところによる。

第三章 保険給付（抄）

第一節 通則（抄）

第七条【保険給付の種類】 ① この法律による保険給付は、次に掲げる保険給付とする。

一 労働者の業務上の負傷、疾病、障害又は死亡（以下「業務災害」という。）に関する保険給付

二 複数事業労働者（これに類する者として厚生労働省令で定めるものを含む。以下同じ。）の二以上の事業の業務を要因とする負傷、疾病、障害又は死亡（以下「複数業務要因災害」という。）に関する保険給付（前号に掲げるものを除く。以下同じ。）

三 労働者の通勤による負傷、疾病、障害又は死亡（以下「通勤災害」という。）に関する保険給付

四 二次健康診断等給付

② 前項第三号の通勤とは、労働者が、就業に関し、次に掲げる移動を、合理的な経路及び方法により行うことをいい、業務の性質を有するものを除くものとする。

一 住居と就業の場所との間の往復

二 厚生労働省令で定める就業の場所から他の就業の場所への移動

三 第一号に掲げる往復に先行し、又は後続する住居間の移動（厚生労働省令で定める要件に該当するものに限る。）

③ 労働者が、前項各号に掲げる移動の経路を逸脱し、又は同項各号に掲げる移動を中断した場合においては、当該逸脱又は中断の間及びその後の同項各号に掲げる移動は、第一項第三号の通勤としない。ただし、当該逸脱又は中断が、日常生活上必要な行為であつて厚生労働省令で定めるものをやむを得ない事由により行うための最小限度のものである場合は、当該逸脱又は中断の間を除き、この限りでない。

第八条【給付基礎日額】 ① 給付基礎日額は、労働基準法第十二条の平均賃金に相当する額とする。この場合において、同条第一項の平均賃金を算定すべき事由の発生した日は、前条第一項第一号から第三号までに規定する負傷若しくは死亡の原因である事故が発生した日又は診断によつて同項第一号から第三号までに規定する疾病の発生が確定した日（以下「算定事由発生日」という。）とする。

② 労働基準法第十二条の平均賃金に相当する額を給付基礎日額とすることが適当でないと認められるときは、前項の規定にかかわらず、厚生労働省令で定めるところによつて政府が算定する額を給付基礎日額とする。

③ 前二項の規定にかかわらず、複数事業労働者の業務上の事由、複数事業労働者の二以上の事業の業務を要因とする事由又は複数事業労働者の通勤による負傷、疾病、障害又は死亡により、当該複数事業労働者、その遺族その他厚生労働省令で定める者に対して保険給付を行う場合における給付基礎日額は、前二項に定めるところにより当該複数事業労働者を使用する事業ごとに算定した給付基礎日額に相当する額を合算した額を基礎として、厚生労働省令で定めるところによつて政府が算定する額とする。

第八条の二【休業給付基礎日額】 ① 休業補償給付、複数事業労働者休業給付又は休業給付（以下この条において「休業補償給付等」という。）の額の算定の基礎として用いる給付基礎日額（以下この条において「休業給付基礎日額」という。）については、次に定めるところによる。

一 次号に規定する休業補償給付等以外の休業補償給付等については、前条の規定により給付基礎日額として算定した額を休業給付基礎日額とする。

二 一月から三月まで、四月から六月まで、七月から九月まで及び十月から十二月までの各区分による期間（以下この条及び第四十二条第二項において「四半期」という。）ごとの平均給与額（厚生労働省において作成する毎月勤労統計における毎月きまつて支給する給与の額を基礎として厚生労働省令で定めるところにより算定した労働者一人当たりの給与の一箇月平均額をいう。以下この号において同じ。）が、算定事由発生日の属する四半期（この号の規定により算定した額（以下この号において「改定日額」という。）を休業給付基礎日額とすることとされている場合にあつては、当該改定日額を休業

補償給付等の額の算定の基礎として用いるべき最初の四半期の前々四半期）の平均給与額の百分の百十を超え、又は百分の九十を下るに至つた場合において、その上昇し、又は低下するに至つた四半期の翌々四半期に属する最初の日以後に支給すべき事由が生じた休業補償給付等については、その上昇し、又は低下した比率を基準として厚生労働大臣が定める率を前条の規定により給付基礎日額として算定した額（改定日額を休業給付基礎日額とすることとされている場合にあつては、当該改定日額）に乗じて得た額を休業給付基礎日額とする。

② 休業補償給付等を支給すべき事由が生じた日が当該休業補償給付等に係る療養を開始した日から起算して一年六箇月を経過した日以後の日である場合において、次の各号に掲げる場合に該当するときは、前項の規定にかかわらず、当該各号に定める額を休業給付基礎日額とする。

一 前項の規定により休業給付基礎日額として算定した額が、厚生労働省令で定める年齢階層（以下この条において単に「年齢階層」という。）ごとに休業給付基礎日額の最低限度額として厚生労働大臣が定める額のうち、当該休業補償給付等を受けるべき労働者の当該休業補償給付等を支給すべき事由が生じた日の属する四半期の初日（次号において「基準日」という。）における年齢の属する年齢階層に係る額に満たない場合 当該年齢階層に係る額

二 前項の規定により休業給付基礎日額として算定した額が、年齢階層ごとに休業給付基礎日額の最高限度額として厚生労働大臣が定める額のうち、当該休業補償給付等を受けるべき労働者の基準日における年齢の属する年齢階層に係る額を超える場合 当該年齢階層に係る額

③ 前項第一号の厚生労働大臣が定める額は、毎年、年齢階層ごとに、厚生労働省令で定めるところにより、当該年齢階層に属するすべての労働者を、その受けている一月当たりの賃金の額（以下この項において「賃金月額」という。）の高低に従い、二十の階層に区分し、その区分された階層のうち最も低い賃金月額に係る階層に属する労働者の受けている賃金月額のうち最も高いものを基礎とし、労働者の年齢階層別の就業状態その他の事情を考慮して定めるものとする。

④ 前項の規定は、第二項第二号の厚生労働大臣が定める額について準用する。この場合において、前項中「最も低い賃金月額に係る」とあるのは、「最も高い賃金月額に係る階層の直近下位の」と読み替えるものとする。

第八条の三【年金給付基礎日額】 ① 年金たる保険給付の額の算定の基礎として用いる給付基礎日額（以下この条において「年金給付基礎日額」という。）については、次に定めるところによる。

一 算定事由発生日の属する年度（四月一日から翌年三月三十一日までをいう。以下同じ。）の翌々年度の七月以前の分として支給する年金たる保険給付については、第八条の規定により給付基礎日額として算定した額を年金給付基礎日額とする。

二 算定事由発生日の属する年度の翌々年度の八月以後の分として支給する年金たる保険給付については、第八条の規定により給付基礎日額として算定した額に当該年金たる保険給付を支給すべき月の属する年度の前年度（当該月が四月から七月までの月に該当する場合にあつては、前々年度）の平均給与額（厚生労働省において作成する毎月勤労統計における毎月きまつて支給する給与の額を基礎として厚生労働省令で定めるところにより算定した労働者一人当たりの給与の平均額をいう。以下この号及び第十六条の六第二項において同じ。）を算定事由発生日の属する年度の平均給与額で除して得た率を基準として厚生労働大臣が定める率を乗じて得た額を年金給付基礎日額とする。

② 前条第二項から第四項までの規定は、年金給付基礎日額について準用する。この場合において、同条第二項中「休業補償給付等を支給すべき事由が生じた日が当該休業補償給付等に係る療養を開始した日から起算して一年六箇月を経過した日以後の日である」とあるのは「年金たる保険給付を支給すべき事由がある」と、「前項」とあるのは「次条第一項」と、「休業給付基礎日額」とあるのは「年金給付基礎日額」と、同項第一号中「休業補償給付等」とあるのは「年金たる保険給付」と、「支給すべき事由が生じた日」とあるのは「支給すべき月」と、「四半期の初日（次号」とあるのは「年度の八月一日（当該月が四月から七月までの月に該当する場合にあつては、当該年度の前年度の八月一日。以下この項」と、「年齢の」とあるのは「年齢（遺族補償年金、複数事業労働者遺族年金又は遺族年金を支給すべき場合にあつては、当該支給をすべき事由に係る労働者の死亡がなかつたものとして計算した場合に得られる当該労働者の基準日における年齢。次号において同じ。）の」と、同項第二号中「休業補償給付等」とあるのは「年金たる保険給付」と読み替えるものとする。

第八条の四から第一二条の二まで （略）

第一二条の二の二【給付制限】 ① 労働者が、故意に負傷、疾病、障害若しくは死亡又はその直接の原因となつた事故を生じさせたときは、政府は、保険給付を行わない。

② 労働者が故意の犯罪行為若しくは重大な過失により、又は正当な理由がなくて療養に関する指示に従わないことにより、負傷、疾病、障害若しくは死亡若しくはこれらの原因となつた事故を生じさせ、又は負傷、疾病若しくは障害の程度を増進させ、若しくはその回復を妨げたときは、政府は、保険給付の全部又は一部を行わないことができる。

第一二条の三 （略）

第一二条の四【政府による求償権の取得】 ① 政府は、保険給付の原因である事故が第三者の行為によつて生じた場合において、保険給付をしたときは、その給付の価額の限度で、保険給付を受けた者が第三者に対して有する損害賠償の請求権を取得する。

② 前項の場合において、保険給付を受けるべき者が当該第三者から同一の事由について損害賠償を受けたときは、政府は、その価額の限度で保険給付をしないことができる。

第一二条の五【受給権と退職、その譲渡及び差押えの禁止】 ① 保険給付を受ける権利は、労働者の退職によつて変更されることはない。

② 保険給付を受ける権利は、譲り渡し、担保に供し、又は差し押さえることができない。

第一二条の六及び第一二条の七 （略）

第二節　業務災害に関する保険給付（抄）

第一二条の八【業務災害に関する保険給付の種類】 ① 第七条第一項第一号の業務災害に関する保険給付は、次に掲げる保険給付とする。

一 療養補償給付

二 休業補償給付

三 障害補償給付

四 遺族補償給付

五 葬祭料

六 傷病補償年金

七 介護補償給付

② 前項の保険給付（傷病補償年金及び介護補償給付を除く。）は、労働基準法第七十五条から第七十七条まで、第七十九条及び第八十条に規定する災害補償の事由又は船員法（昭和二十二年法律第百号）第八十九条第一項、第九十一条第一項、第九十二条本文、第九十三条及び第九十四条に規定する災害補償の事由（同法第九十一条第一項にあつては、労働基準法第七十六条第一項に規定する災害補償の事由に相当する部分に限る。）が生じた場合に、補償を受けるべき労働者若しくは遺族又は葬祭を行う者に対し、その請求に基づいて行う。

③ 傷病補償年金は、業務上負傷し、又は疾病にかかつた労働者

が、当該負傷又は疾病に係る療養の開始後一年六箇月を経過した日において次の各号のいずれにも該当するとき、又は同日後次の各号のいずれにも該当することとなつたときに、その状態が継続している間、当該労働者に対して支給する。
一 当該負傷又は疾病が治つていないこと。
二 当該負傷又は疾病による障害の程度が厚生労働省令で定める傷病等級に該当すること。

④ 介護補償給付は、障害補償年金又は傷病補償年金を受ける権利を有する労働者が、その受ける権利を有する障害補償年金又は傷病補償年金の支給事由となる障害であつて厚生労働省令で定める程度のものにより、常時又は随時介護を要する状態にあり、かつ、常時又は随時介護を受けているときに、当該介護を受けている間（次に掲げる間を除く。）、当該労働者に対し、その請求に基づいて行う。
一 障害者の日常生活及び社会生活を総合的に支援するための法律（平成十七年法律第百二十三号）第五条第十一項に規定する障害者支援施設（以下「障害者支援施設」という。）に入所している間（同条第七項に規定する生活介護（以下「生活介護」という。）を受けている場合に限る。）
二 障害者支援施設（生活介護を行うものに限る。）に準ずる施設として厚生労働大臣が定めるものに入所している間
三 病院又は診療所に入院している間

第一三条【療養補償給付】 ① 療養補償給付は、療養の給付とする。

② 前項の療養の給付の範囲は、次の各号（政府が必要と認めるものに限る。）による。
一 診察
二 薬剤又は治療材料の支給
三 処置、手術その他の治療
四 居宅における療養上の管理及びその療養に伴う世話その他の看護
五 病院又は診療所への入院及びその療養に伴う世話その他の看護
六 移送

③ 政府は、第一項の療養の給付をすることが困難な場合その他厚生労働省令で定める場合には、療養の給付に代えて療養の費用を支給することができる。

第一四条【休業補償給付】 ① 休業補償給付は、労働者が業務上の負傷又は疾病による療養のため労働することができないために賃金を受けない日の第四日目から支給するものとし、その額は、一日につき給付基礎日額の百分の六十に相当する額とする。ただし、労働者が業務上の負傷又は疾病による療養のため所定労働時間のうちその一部分についてのみ労働する日若しくは賃金が支払われる休暇（以下この項において「部分算定日」という。）又は複数事業労働者の部分算定日に係る休業補償給付の額は、給付基礎日額（第八条の二第二項第二号に定める額（以下この項において「最高限度額」という。）を給付基礎日額とすることとされている場合にあつては、同号の規定の適用がないものとした場合における給付基礎日額）から部分算定日に対して支払われる賃金の額を控除して得た額（当該控除して得た額が最高限度額を超える場合にあつては、最高限度額に相当する額）の百分の六十に相当する額とする。

② 休業補償給付を受ける労働者が同一の事由について厚生年金保険法（昭和二十九年法律第百十五号）の規定による障害厚生年金又は国民年金法（昭和三十四年法律第百四十一号）の規定による障害基礎年金を受けることができるときは、当該労働者に支給する休業補償給付の額は、前項の規定にかかわらず、同項の額に別表第一第一号から第三号までに規定する場合に応じ、それぞれ同表第一号から第三号までの政令で定める率のうち傷病補償年金について定める率を乗じて得た額（その額が政令で定める額を下回る場合には、当該政令で定める額）とする。

第一四条の二【休業補償給付を行わない場合】 労働者が次の各号のいずれかに該当する場合（厚生労働省令で定める場合に限る。）には、休業補償給付は、行わない。
一 刑事施設、労役場その他これらに準ずる施設に拘禁されている場合
二 少年院その他これに準ずる施設に収容されている場合

第一五条【障害補償給付】 ① 障害補償給付は、厚生労働省令で定める障害等級に応じ、障害補償年金又は障害補償一時金とする。

② 障害補償年金又は障害補償一時金の額は、それぞれ、別表第一又は別表第二に規定する額とする。

第一五条の二【障害補償年金】 障害補償年金を受ける労働者の当該障害の程度に変更があつたため、新たに別表第一又は別表第二中の他の障害等級に該当するに至つた場合には、政府は、厚生労働省令で定めるところにより、新たに該当するに至つた障害等級に応ずる障害補償年金又は障害補償一時金を支給するものとし、その後は、従前の障害補償年金は、支給しない。

第一六条【遺族補償給付】 遺族補償給付は、遺族補償年金又は遺族補償一時金とする。

第一六条の二【遺族補償年金―受給権者】 ① 遺族補償年金を受けることができる遺族は、労働者の配偶者、子、父母、孫、祖父母及び兄弟姉妹であつて、労働者の死亡の当時その収入によつて生計を維持していたものとする。ただし、妻（婚姻の届出をしていないが、事実上婚姻関係と同様の事情にあつた者を含む。以下同じ。）以外の者にあつては、労働者の死亡の当時次の各号に掲げる要件に該当した場合に限るものとする。
一 夫（婚姻の届出をしていないが、事実上婚姻関係と同様の事情にあつた者を含む。以下同じ。）、父母又は祖父母については、六十歳以上であること。
二 子又は孫については、十八歳に達する日以後の最初の三月三十一日までの間にあること。
三 兄弟姉妹については、十八歳に達する日以後の最初の三月三十一日までの間にあること又は六十歳以上であること。
四 前三号の要件に該当しない夫、子、父母、孫、祖父母又は兄弟姉妹については、厚生労働省令で定める障害の状態にあること。

② 労働者の死亡の当時胎児であつた子が出生したときは、前項の規定の適用については、将来に向かつて、その子は、労働者の死亡の当時その収入によつて生計を維持していた子とみなす。

③ 遺族補償年金を受けるべき遺族の順位は、配偶者、子、父母、孫、祖父母及び兄弟姉妹の順序とする。

第一六条の三【同前―額】 ① 遺族補償年金の額は、別表第一に規定する額とする。

② 遺族補償年金を受ける権利を有する者が二人以上あるときは、遺族補償年金の額は、前項の規定にかかわらず、別表第一に規定する額をその人数で除して得た額とする。

③ 遺族補償年金の額の算定の基礎となる遺族の数に増減を生じたときは、その増減を生じた月の翌月から、遺族補償年金の額を改定する。

④ 遺族補償年金を受ける権利を有する遺族が妻であり、かつ、当該妻と生計を同じくしている遺族補償年金を受けることができる遺族がない場合において、当該妻が次の各号の一に該当するに至つたときは、その該当するに至つた月の翌月から、遺族補償年金の額を改定する。
一 五十五歳に達したとき（別表第一の厚生労働省令で定める障害の状態にあるときを除く。）。
二 別表第一の厚生労働省令で定める障害の状態になり、又はその事情がなくなつたとき（五十五歳以上であるときを除く。）。

第一六条の四【同前―消滅】 ① 遺族補償年金を受ける権利は、その権利を有する遺族が次の各号の一に該当するに至つたときは、消滅する。この場合において、同順位者がなくて後順位者があるときは、次順位者に遺族補償年金を支給する。

一　死亡したとき。
二　婚姻（届出をしていないが、事実上婚姻関係と同様の事情にある場合を含む。）をしたとき。
三　直系血族又は直系姻族以外の者の養子（届出をしていないが、事実上養子縁組関係と同様の事情にある者を含む。）となつたとき。
四　離縁によつて、死亡した労働者との親族関係が終了したとき。
五　子、孫又は兄弟姉妹については、十八歳に達した日以後の最初の三月三十一日が終了したとき（労働者の死亡の時から引き続き第十六条の二第一項第四号の厚生労働省令で定める障害の状態にあるときを除く。）。
六　第十六条の二第一項第四号の厚生労働省令で定める障害の状態にある夫、子、父母、孫、祖父母又は兄弟姉妹については、その事情がなくなつたとき（夫、父母又は祖父母については、労働者の死亡の当時六十歳以上であつたとき、子又は孫については、十八歳に達する日以後の最初の三月三十一日までの間にあるとき、兄弟姉妹については、十八歳に達する日以後の最初の三月三十一日までの間にあるか又は労働者の死亡の当時六十歳以上であつたときを除く。）。

②　遺族補償年金を受けることができる遺族が前項各号の一に該当するに至つたときは、その者は、遺族補償年金を受けることができる遺族でなくなる。

第一六条の五　（略）

第一六条の六【遺族補償一時金】①　遺族補償一時金は、次の場合に支給する。
一　労働者の死亡の当時遺族補償年金を受けることができる遺族がないとき。
二　遺族補償年金を受ける権利を有する者の権利が消滅した場合において、他に当該遺族補償年金を受けることができる遺族がなく、かつ、当該労働者の死亡に関し支給された遺族補償年金の額の合計額が当該権利が消滅した日において前号に掲げる場合に該当することとなるものとしたときに支給されることとなる遺族補償一時金の額に満たないとき。

②　前項第二号に規定する遺族補償年金の額の合計額を計算する場合には、同号に規定する権利が消滅した日の属する年度（当該権利が消滅した日の属する月が四月から七月までの月に該当する場合にあつては、その前年度。以下この項において同じ。）の七月以前の分として支給された遺族補償年金の額については、その現に支給された額に当該権利が消滅した日の属する年度の前年度の平均給与額を当該遺族補償年金の支給の対象とされた月の属する年度の前年度（当該月が四月から七月までの月に該当する場合にあつては、前々年度）の平均給与額で除して得た率を基準として厚生労働大臣が定める率を乗じて得た額により算定するものとする。

第一六条の七【同前―受給権者】①　遺族補償一時金を受けることができる遺族は、次の各号に掲げる者とする。
一　配偶者
二　労働者の死亡の当時その収入によつて生計を維持していた子、父母、孫及び祖父母
三　前号に該当しない子、父母、孫及び祖父母並びに兄弟姉妹

②　遺族補償一時金を受けるべき遺族の順位は、前項各号の順序により、同項第二号及び第三号に掲げる者のうちにあつては、それぞれ、当該各号に掲げる順序による。

第一六条の八【同前―額】①　遺族補償一時金の額は、別表第二に規定する額とする。

②　第十六条の三第二項の規定は、遺族補償一時金の額について準用する。この場合において、同項中「別表第一」とあるのは、「別表第二」と読み替えるものとする。

第一六条の九　（略）

第一七条【葬祭料】　葬祭料は、通常葬祭に要する費用を考慮して厚生労働大臣が定める金額とする。

第一八条【傷病補償年金】①　傷病補償年金は、第十二条の八第三項第二号の厚生労働省令で定める傷病等級に応じ、別表第一に規定する額とする。

②　傷病補償年金を受ける者には、休業補償給付は、行わない。

第一八条の二【同前―障害の程度に変更があつた場合】　傷病補償年金を受ける労働者の当該障害の程度に変更があつたため、新たに別表第一中の他の傷病等級に該当するに至つた場合には、政府は、厚生労働省令で定めるところにより、新たに該当するに至つた傷病等級に応ずる傷病補償年金を支給するものとし、その後は、従前の傷病補償年金は、支給しない。

第一九条【傷病補償年金と労働基準法第一九条第一項との関係】業務上負傷し、又は疾病にかかつた労働者が、当該負傷又は疾病に係る療養の開始後三年を経過した日において傷病補償年金を受けている場合又は同日後において傷病補償年金を受けることとなつた場合には、労働基準法第十九条第一項の規定の適用については、当該使用者は、それぞれ、当該三年を経過した日又は傷病補償年金を受けることとなつた日において、同法第八十一条の規定により打切補償を支払つたものとみなす。

第一九条の二【介護補償給付】　介護補償給付は、月を単位として支給するものとし、その月額は、常時又は随時介護を受ける場合に通常要する費用を考慮して厚生労働大臣が定める額とする。

第二〇条【省令への委任】　この節に定めるもののほか、業務災害に関する保険給付について必要な事項は、厚生労働省令で定める。

第二節の二　複数業務要因災害に関する保険給付

第二〇条の二【複数業務要因災害に関する保険給付の種類】　第七条第一項第二号の複数業務要因災害に関する保険給付は、次に掲げる保険給付とする。
一　複数事業労働者療養給付
二　複数事業労働者休業給付
三　複数事業労働者障害給付
四　複数事業労働者遺族給付
五　複数事業労働者葬祭給付
六　複数事業労働者傷病年金
七　複数事業労働者介護給付

第二〇条の三【複数事業労働者療養給付】①　複数事業労働者療養給付は、複数事業労働者がその従事する二以上の事業の業務を要因として負傷し、又は疾病（厚生労働省令で定めるものに限る。以下この節において同じ。）にかかつた場合に、当該複数事業労働者に対し、その請求に基づいて行う。

②　第十三条の規定は、複数事業労働者療養給付について準用する。

第二〇条の四【複数事業労働者休業給付】①　複数事業労働者休業給付は、複数事業労働者がその従事する二以上の事業の業務を要因とする負傷又は疾病による療養のため労働することができないために賃金を受けない場合に、当該複数事業労働者に対し、その請求に基づいて行う。

②　第十四条及び第十四条の二の規定は、複数事業労働者休業給付について準用する。この場合において、第十四条第一項中「労働者が業務上の」とあるのは「複数事業労働者がその従事する二以上の事業の業務を要因とする」と、同条第二項中「別表第一第一号から第三号までに規定する場合に応じ、それぞれ同表第一号から第三号までの政令で定める率のうち傷病補償年金について定める率」とあるのは「第二十条の八第二項において準用する別表第一第一号から第三号までに規定する場合に応じ、それぞれ同表第一号から第三号までの政令で定める率のうち複数事業労働者傷病年金について定める率」と読み替えるものとする。

第二〇条の五【複数事業労働者障害給付】①　複数事業労働者障害給付は、複数事業労働者がその従事する二以上の事業の業務を要因として負傷し、又は疾病にかかり、治つたとき身体に障害が存する場合に、当該複数事業労働者に対し、その請求に基

づいて行う。

② 複数事業労働者障害給付は、第十五条第一項の厚生労働省令で定める障害等級に応じ、複数事業労働者障害年金又は複数事業労働者障害一時金とする。

③ 第十五条第二項及び第十五条の二並びに別表第一（障害補償年金に係る部分に限る。）及び別表第二（障害補償一時金に係る部分に限る。）の規定は、複数事業労働者障害給付について準用する。この場合において、これらの規定中「障害補償年金」とあるのは「複数事業労働者障害年金」と、「障害補償一時金」とあるのは「複数事業労働者障害一時金」と読み替えるものとする。

第二〇条の六【複数事業労働者遺族給付】 ① 複数事業労働者遺族給付は、複数事業労働者がその従事する二以上の事業の業務を要因として死亡した場合に、当該複数事業労働者の遺族に対し、その請求に基づいて行う。

② 複数事業労働者遺族給付は、複数事業労働者遺族年金又は複数事業労働者遺族一時金とする。

③ 第十六条の二から第十六条の九まで並びに別表第一（遺族補償年金に係る部分に限る。）及び別表第二（遺族補償一時金に係る部分に限る。）の規定は、複数事業労働者遺族給付について準用する。この場合において、これらの規定中「遺族補償年金」とあるのは「複数事業労働者遺族年金」と、「遺族補償一時金」とあるのは「複数事業労働者遺族一時金」と読み替えるものとする。

第二〇条の七【複数事業労働者葬祭給付】 ① 複数事業労働者葬祭給付は、複数事業労働者がその従事する二以上の事業の業務を要因として死亡した場合に、葬祭を行う者に対し、その請求に基づいて行う。

② 第十七条の規定は、複数事業労働者葬祭給付について準用する。

第二〇条の八【複数事業労働者傷病年金】 ① 複数事業労働者傷病年金は、複数事業労働者がその従事する二以上の事業の業務を要因として負傷し、又は疾病にかかつた場合に、当該負傷又は疾病に係る療養の開始後一年六箇月を経過した日において次の各号のいずれにも該当するとき、又は同日後次の各号のいずれにも該当することとなつたときに、その状態が継続している間、当該複数事業労働者に対して支給する。

一 当該負傷又は疾病が治つていないこと。

二 当該負傷又は疾病による障害の程度が第十二条の八第三項第二号の厚生労働省令で定める傷病等級に該当すること。

② 第十八条、第十八条の二及び別表第一（傷病補償年金に係る部分に限る。）の規定は、複数事業労働者傷病年金について準用する。この場合において、第十八条第二項中「休業補償給付」とあるのは「複数事業労働者休業給付」と、同表中「傷病補償年金」とあるのは「複数事業労働者傷病年金」と読み替えるものとする。

第二〇条の九【複数事業労働者介護給付】 ① 複数事業労働者介護給付は、複数事業労働者障害年金又は複数事業労働者傷病年金を受ける権利を有する複数事業労働者が、その受ける権利を有する複数事業労働者障害年金又は複数事業労働者傷病年金の支給事由となる障害であつて第十二条の八第四項の厚生労働省令で定める程度のものにより、常時又は随時介護を要する状態にあり、かつ、常時又は随時介護を受けているときに、当該介護を受けている間（次に掲げる間を除く。）、当該複数事業労働者に対し、その請求に基づいて行う。

一 障害者支援施設に入所している間（生活介護を受けている場合に限る。）

二 第十二条の八第四項第二号の厚生労働大臣が定める施設に入所している間

三 病院又は診療所に入院している間

② 第十九条の二の規定は、複数事業労働者介護給付について準用する。

第二〇条の一〇【省令への委任】 この節に定めるもののほか、複数事業要因災害に関する保険給付について必要な事項は、厚生労働省令で定める。

第三節 通勤災害に関する保険給付

第二一条【通勤災害に関する保険給付の種類】 第七条第一項第三号の通勤災害に関する保険給付は、次に掲げる保険給付とする。

一 療養給付

二 休業給付

三 障害給付

四 遺族給付

五 葬祭給付

六 傷病年金

七 介護給付

第二二条【療養給付】 ① 療養給付は、労働者が通勤（第七条第一項第三号の通勤をいう。以下同じ。）により負傷し、又は疾病（厚生労働省令で定めるものに限る。以下この節において同じ。）にかかつた場合に、当該労働者に対し、その請求に基づいて行う。

② 第十三条の規定は、療養給付について準用する。

第二二条の二【休業給付】 ① 休業給付は、労働者が通勤による負傷又は疾病に係る療養のため労働することができないために賃金を受けない場合に、当該労働者に対し、その請求に基づいて行なう。

② 第十四条及び第十四条の二の規定は、休業給付について準用する。この場合において、第十四条第一項中「業務上の」とあるのは「通勤による」と、同条第二項中「別表第一第一号から第三号までに規定する場合に応じ、それぞれ同表第一号から第三号までの政令で定める率のうち傷病補償年金について定める率」とあるのは「第二十三条第二項において準用する別表第一第一号から第三号までに規定する場合に応じ、それぞれ同表第一号から第三号までの政令で定める率のうち傷病年金について定める率」と読み替えるものとする。

③ 療養給付を受ける労働者（第三十一条第二項の厚生労働省令で定める者を除く。）に支給する休業給付であつて最初に支給すべき事由の生じた日に係るものの額は、前項において準用する第十四条第一項の規定にかかわらず、同項の額から第三十一条第二項の厚生労働省令で定める額に相当する額を減じた額とする。

第二二条の三【障害給付】 ① 障害給付は、労働者が通勤により負傷し、又は疾病にかかり、なおつたとき身体に障害が存する場合に、当該労働者に対し、その請求に基づいて行なう。

② 障害給付は、第十五条第一項の厚生労働省令で定める障害等級に応じ、障害年金又は障害一時金とする。

③ 第十五条第二項及び第十五条の二並びに別表第一（障害補償年金に係る部分に限る。）及び別表第二（障害補償一時金に係る部分に限る。）の規定は、障害給付について準用する。この場合において、これらの規定中「障害補償年金」とあるのは「障害年金」と、「障害補償一時金」とあるのは「障害一時金」と読み替えるものとする。

第二二条の四【遺族給付】 ① 遺族給付は、労働者が通勤により死亡した場合に、当該労働者の遺族に対し、その請求に基づいて行なう。

② 遺族給付は、遺族年金又は遺族一時金とする。

③ 第十六条の二から第十六条の九まで並びに別表第一（遺族補償年金に係る部分に限る。）及び別表第二（遺族補償一時金に係る部分に限る。）の規定は、遺族給付について準用する。この場合において、これらの規定中「遺族補償年金」とあるのは「遺族年金」と、「遺族補償一時金」とあるのは「遺族一時金」と読み替えるものとする。

第二二条の五【葬祭給付】 ① 葬祭給付は、労働者が通勤により死亡した場合に、葬祭を行なう者に対し、その請求に基づいて行なう。

② 第十七条の規定は、葬祭給付について準用する。

第二三条【傷病年金】 ① 傷病年金は、通勤により負傷し、又は疾病にかかつた労働者が、当該負傷又は疾病に係る療養の開始後一年六箇月を経過した日において次の各号のいずれにも該当するとき、又は同日後次の各号のいずれにも該当することとなつたときに、その状態が継続している間、当該労働者に対して支給する。

一 当該負傷又は疾病が治つていないこと。

二 当該負傷又は疾病による障害の程度が第十二条の八第三項第二号の厚生労働省令で定める傷病等級に該当すること。

② 第十八条、第十八条の二及び別表第一（傷病補償年金に係る部分に限る。）の規定は、傷病年金について準用する。この場合において、第十八条第二項中「休業補償給付」とあるのは「休業給付」と、同表中「傷病補償年金」とあるのは「傷病年金」と読み替えるものとする。

第二四条【介護給付】 ① 介護給付は、障害年金又は傷病年金を受ける権利を有する労働者が、その受ける権利を有する障害年金又は傷病年金の支給事由となる障害であつて第十二条の八第四項の厚生労働省令で定める程度のものにより、常時又は随時介護を要する状態にあり、かつ、常時又は随時介護を受けているときに、当該介護を受けている間（次に掲げる間を除く。）、当該労働者に対し、その請求に基づいて行う。

一 障害者支援施設に入所している間（生活介護を受けている場合に限る。）

二 第十二条の八第四項第二号の厚生労働大臣が定める施設に入所している間

三 病院又は診療所に入院している間

② 第十九条の二の規定は、介護給付について準用する。

第二五条【省令への委任】 この節に定めるもののほか、通勤災害に関する保険給付について必要な事項は、厚生労働省令で定める。

第四節 二次健康診断等給付

第二六条【二次健康診断等給付の請求、給付の範囲】 ① 二次健康診断等給付は、労働安全衛生法（昭和四十七年法律第五十七号）第六十六条第一項の規定による健康診断又は当該健康診断に係る同条第五項ただし書の規定による健康診断のうち、直近のもの（以下この項において「一次健康診断」という。）において、血圧検査、血液検査その他業務上の事由による脳血管疾患及び心臓疾患の発生にかかわる身体の状態に関する検査であつて、厚生労働省令で定めるものが行われた場合において、当該検査を受けた労働者がそのいずれの項目にも異常の所見があると診断されたときに、当該労働者（当該一次健康診断の結果その他の事情により既に脳血管疾患又は心臓疾患の症状を有すると認められるものを除く。）に対し、その請求に基づいて行う。

② 二次健康診断等給付の範囲は、次のとおりとする。

一 脳血管及び心臓の状態を把握するために必要な検査（前項に規定する検査を除く。）であつて厚生労働省令で定めるものを行う医師による健康診断（一年度につき一回に限る。以下この節において「二次健康診断」という。）

二 二次健康診断の結果に基づき、脳血管疾患及び心臓疾患の発生の予防を図るため、面接により行われる医師又は保健師による保健指導（二次健康診断ごとに一回に限る。次項において「特定保健指導」という。）

③ 政府は、二次健康診断の結果その他の事情により既に脳血管疾患又は心臓疾患の症状を有すると認められる労働者については、当該二次健康診断に係る特定保健指導を行わないものとする。

第二七条【二次健康診断の結果についての労働安全衛生法の適用】 二次健康診断を受けた労働者から当該二次健康診断の実施の日から三箇月を超えない期間で厚生労働省令で定める期間内に当該二次健康診断の結果を証明する書面の提出を受けた事業者（労働安全衛生法第二条第三号に規定する事業者をいう。）に対する同法第六十六条の四の規定の適用については、同条中「健康診断の結果（当該健康診断」とあるのは、「健康診断及び労働者災害補償保険法第二十六条第二項第一号に規定する二次健康診断の結果（これらの健康診断」とする。

第二八条【省令への委任】 この節に定めるもののほか、二次健康診断等給付について必要な事項は、厚生労働省令で定める。

第三章の二 社会復帰促進等事業

（第二九条）（略）

第四章 費用の負担（抄）

第三〇条【保険料】 労働者災害補償保険事業に要する費用にあてるため政府が徴収する保険料については、徴収法の定めるところによる。

第三一条 （略）

第三二条【国庫負担】 国庫は、予算の範囲内において、労働者災害補償保険事業に要する費用の一部を補助することができる。

第四章の二 特別加入（抄）

第三三条【特別加入できる者】 次の各号に掲げる者（第二号、第四号及び第五号に掲げる者にあつては、労働者である者を除く。）の業務災害、複数業務要因災害及び通勤災害に関しては、この章に定めるところによる。

一 厚生労働省令で定める数以下の労働者を使用する事業（厚生労働省令で定める事業を除く。第七号において「特定事業」という。）の事業主で徴収法第三十三条第三項の労働保険事務組合（以下「労働保険事務組合」という。）に同条第一項の労働保険事務の処理を委託するものである者（事業主が法人その他の団体であるときは、代表者）

二 前号の事業主が行う事業に従事する者

三 厚生労働省令で定める種類の事業を労働者を使用しないで行うことを常態とする者

四 前号の者が行う事業に従事する者

五 厚生労働省令で定める種類の作業に従事する者

六 この法律の施行地外の地域のうち開発途上にある地域に対する技術協力の実施の事業（事業の期間が予定される事業を除く。）を行う団体が、当該団体の業務の実施のため、当該開発途上にある地域（業務災害、複数業務要因災害及び通勤災害に関する保護制度の状況その他の事情を考慮して厚生労働省令で定める国の地域を除く。）において行われる事業に従事させるために派遣する者

七 この法律の施行地内において事業（事業の期間が予定される事業を除く。）を行う事業主が、この法律の施行地外の地域（業務災害、複数業務要因災害及び通勤災害に関する保護制度の状況その他の事情を考慮して厚生労働省令で定める国の地域を除く。）において行われる事業に従事させるために派遣する者（当該事業が特定事業に該当しないときは、当該事業に使用される労働者として派遣する者に限る。）

第三四条【小事業主及びその事業に従事する者に関する取扱い】 ① 前条第一号の事業主が、同号及び同条第二号に掲げる者を包括して当該事業について成立する保険関係に基づきこの保険による業務災害、複数業務要因災害及び通勤災害に関する保険給付を受けることができる者とすることにつき申請をし、政府の承認があつたときは、第三章第一節から第三節まで及び第三章の二の規定の適用については、次に定めるところによる。

一 前条第一号及び第二号に掲げる者は、当該事業に使用される労働者とみなす。

二 前条第一号又は第二号に掲げる者が業務上負傷し、若しくは疾病にかかつたとき、その負傷若しくは疾病についての療養のため当該事業に従事することができないとき、その負傷若しくは疾病が治つた場合において身体に障害が存するとき、又は業務上死亡したときは、労働基準法第七十五条から第七十七条まで、第七十九条及び第八十条に規定する災害補

償の事由が生じたものとみなす。

三　前条第一号及び第二号に掲げる者の給付基礎日額は、当該事業に使用される労働者の賃金の額その他の事情を考慮して厚生労働大臣が定める額とする。

四　前条第一号又は第二号に掲げる者の事故が徴収法第十条第二項第二号の第一種特別加入保険料が滞納されている期間中に生じたものであるときは、政府は、当該事故に係る保険給付の全部又は一部を行わないことができる。これらの者の業務災害の原因である事故が前条第一号の事業主の故意又は重大な過失によつて生じたものであるときも、同様とする。

② 前条第一号の事業主は、前項の承認があつた後においても、政府の承認を受けて、同号及び同条第二号に掲げる者を包括して保険給付を受けることができる者としないこととすることができる。

③ 政府は、前条第一号の事業主がこの法律若しくは徴収法又はこれらの法律に基づく厚生労働省令の規定に違反したときは、第一項の承認を取り消すことができる。

④ 前条第一号及び第二号に掲げる者の保険給付を受ける権利は、第二項の規定による承認又は前項の規定による第一項の承認の取消しによつて変更されない。これらの者が同条第一号及び第二号に掲げる者でなくなつたことによつても、同様とする。

第三五条及び第三六条　（略）

第三七条【省令への委任】 この章に定めるもののほか、第三十三条各号に掲げる者の業務災害、複数業務要因災害及び通勤災害に関し必要な事項は、厚生労働省令で定める。

第五章　不服申立て及び訴訟

（第三八条から第四一条まで）（略）

第六章　雑則（抄）

第四二条【消滅時効】 ① 療養補償給付、休業補償給付、葬祭料、介護補償給付、複数事業労働者療養給付、複数事業労働者休業給付、複数事業労働者葬祭給付、複数事業労働者介護給付、療養給付、休業給付、葬祭給付、介護給付及び二次健康診断等給付を受ける権利は、これらを行使することができる時から二年を経過したとき、障害補償給付、遺族補償給付、複数事業労働者障害給付、複数事業労働者遺族給付、障害給付及び遺族給付を受ける権利は、これらを行使することができる時から五年を経過したときは、時効によつて消滅する。

② 第八条の二第一項第二号の規定による四半期ごとの平均給与額又は第八条の三第一項第二号の規定による年度の平均給与額が修正されたことにより、第八条の二第一項第二号、第八条の三第一項第二号又は第十六条の六第二項（第二十条の六第三項若しくは第二十二条の四第三項において準用する場合又は第五十八条第一項、第六十条の二第一項若しくは第六十一条第一項の規定によりその例によることとされる場合を含む。）に規定する厚生労働大臣が定める率を厚生労働大臣が、第八条第二項に規定する政府が算定する額を政府がそれぞれ変更した場合において、当該変更に伴いその額が再び算定された保険給付があるときは、当該保険給付に係る第十一条の規定による未支給の保険給付の支給を受ける権利については、会計法（昭和二十二年法律第三十五号）第三十一条第一項の規定を適用しない。

第四三条から第五〇条まで　（略）

第七章　罰則

（第五一条から第五四条まで）（略）

附　則（抄）

第五五条【施行期日】 この法律施行の期日は、勅令で、これを定める（昭和二二・九・一施行―昭和二二政一七二）。

第五七条【労働者災害扶助責任保険法の廃止】 ① 労働者災害扶助責任保険法は、これを廃止する。

②―⑤　（略）

第六四条【年金給付と損害賠償との関係】 ① 労働者又はその遺族が障害補償年金若しくは遺族補償年金、複数事業労働者障害年金若しくは複数事業労働者遺族年金又は障害年金若しくは遺族年金（以下この条において「年金給付」という。）を受けるべき場合（当該年金給付を受ける権利を有することとなつた時に、当該年金給付に係る障害補償年金前払一時金若しくは遺族補償年金前払一時金、複数事業労働者障害年金前払一時金若しくは複数事業労働者遺族年金前払一時金又は障害年金前払一時金若しくは遺族年金前払一時金（以下この条において「前払一時金給付」という。）を請求することができる場合に限る。）であつて、同一の事由について、当該労働者を使用している事業主又は使用していた事業主から民法その他の法律による損害賠償（以下単に「損害賠償」といい、当該年金給付によつて塡補される損害を塡補する部分に限る。）を受けることができるときは、当該損害賠償については、当分の間、次に定めるところによるものとする。

一　事業主は、当該労働者又はその遺族の年金給付を受ける権利が消滅するまでの間、その損害の発生時から当該年金給付に係る前払一時金給付を受けるべき時までのその損害の発生時における法定利率により計算される額を合算した場合における当該合算した額が当該前払一時金給付の最高限度額に相当する額となるべき額（次号の規定により損害賠償の責めを免れたときは、その免れた額を控除した額）の限度で、その損害賠償の履行をしないことができる。

二　前号の規定により損害賠償の履行が猶予されている場合において、年金給付又は前払一時金給付の支給が行われたときは、事業主は、その損害の発生時から当該支給が行われた時までのその損害の発生時における法定利率により計算される額を合算した場合における当該合算した額が当該年金給付又は前払一時金給付の額となるべき額の限度で、その損害賠償の責めを免れる。

② 労働者又はその遺族が、当該労働者を使用している事業主又は使用していた事業主から損害賠償を受けることができる場合であつて、保険給付を受けるべきときに、同一の事由について、損害賠償（当該保険給付によつて塡補される損害を塡補する部分に限る。）を受けたときは、政府は、労働政策審議会の議を経て厚生労働大臣が定める基準により、その価額の限度で、保険給付をしないことができる。ただし、前項に規定する年金給付を受けるべき場合において、次に掲げる保険給付については、この限りでない。

一　年金給付（労働者又はその遺族に対して、各月に支給されるべき額の合計額が厚生労働省令で定める算定方法に従い当該年金給付に係る前払一時金給付の最高限度額（当該前払一時金給付の支給を受けたことがある者にあつては、当該支給を受けた額を控除した額とする。）に相当する額に達するまでの間についての年金給付に限る。）

二　障害補償年金差額一時金及び第十六条の六第一項第二号の場合に支給される遺族補償一時金、複数事業労働者障害年金差額一時金及び第二十条の六第三項において読み替えて準用する第十六条の六第一項第二号の場合に支給される複数事業労働者遺族一時金並びに障害年金差額一時金及び第二十二条の四第三項において読み替えて準用する第十六条の六第一項第二号の場合に支給される遺族一時金

三　前払一時金給付

別表（略）

○個別労働関係紛争の解決の促進に関する法律（抄）（平成一三・七・一一 法 一一二）

施行 平成一三・一〇・一（附則）
最終改正 令和四法六八

（目的）
第一条 この法律は、労働条件その他労働関係に関する事項についての個々の労働者と事業主との間の紛争（労働者の募集及び採用に関する事項についての個々の求職者と事業主との間の紛争を含む。以下「個別労働関係紛争」という。）について、あっせんの制度を設けること等により、その実情に即した迅速かつ適正な解決を図ることを目的とする。

（紛争の自主的解決）
第二条 個別労働関係紛争が生じたときは、当該個別労働関係紛争の当事者は、早期に、かつ、誠意をもって、自主的な解決を図るように努めなければならない。

（労働者、事業主等に対する情報提供等）
第三条 都道府県労働局長は、個別労働関係紛争を未然に防止し、及び個別労働関係紛争の自主的な解決を促進するため、労働者、求職者又は事業主に対し、労働関係に関する事項並びに労働者の募集及び採用に関する事項についての情報の提供、相談その他の援助を行うものとする。

（当事者に対する助言及び指導）
第四条① 都道府県労働局長は、個別労働関係紛争（労働関係調整法（昭和二十一年法律第二十五号）第六条に規定する労働争議に当たる紛争及び行政執行法人の労働関係に関する法律（昭和二十三年法律第二百五十七号）第二十六条第一項に規定する紛争を除く。）に関し、当該個別労働関係紛争の当事者の双方又は一方からその解決につき援助を求められた場合には、当該個別労働関係紛争の当事者に対し、必要な助言又は指導をすることができる。
② 都道府県労働局長は、前項に規定する助言又は指導をするため必要があると認めるときは、広く産業社会の実情に通じ、かつ、労働問題に関し専門的知識を有する者の意見を聴くものとする。
③ 事業主は、労働者が第一項の援助を求めたことを理由として、当該労働者に対して解雇その他不利益な取扱いをしてはならない。

（あっせんの委任）
第五条① 都道府県労働局長は、前条第一項に規定する個別労働関係紛争（労働者の募集及び採用に関する事項についての紛争を除く。）について、当該個別労働関係紛争の当事者（以下「紛争当事者」という。）の双方又は一方からあっせんの申請があった場合において当該個別労働関係紛争の解決のために必要があると認めるときは、紛争調整委員会にあっせんを行わせるものとする。
② 前条第三項の規定は、労働者が前項の申請をした場合について準用する。

（委員会の設置）
第六条① 都道府県労働局に、紛争調整委員会（以下「委員会」という。）を置く。
② 委員会は、前条第一項のあっせんを行う機関とする。

（委員会の組織）
第七条① 委員会は、三人以上政令で定める人数以内の委員をもって組織する。
② 委員は、学識経験を有する者のうちから、厚生労働大臣が任命する。
③ 委員会に会長を置き、委員の互選により選任する。
④ 会長は会務を総理する。
⑤ 会長に事故があるときは、委員のうちからあらかじめ互選された者がその職務を代理する。

（委員の任期等）
第八条① 委員の任期は、二年とする。ただし、補欠の委員の任期は、前任者の残任期間とする。
② 委員は、再任されることができる。
③ 委員は、後任の委員が任命されるまでその職務を行う。
④ 委員は、非常勤とする。

（委員の欠格条項）
第九条① 次の各号のいずれかに該当する者は、委員となることができない。
一 破産者で復権を得ないもの
二 拘禁刑以上の刑に処せられ、その執行を終わり、又はその執行を受けることがなくなった日から五年を経過しない者
② 委員が前項各号のいずれかに該当するに至ったときは、当然失職する。

（委員の解任）
第一〇条 厚生労働大臣は、委員が次の各号のいずれかに該当するときは、その委員を解任することができる。
一 心身の故障のため職務の執行に堪えないと認められるとき。
二 職務上の義務違反その他委員たるに適しない非行があると認められるとき。

（会議及び議決）
第一一条① 委員会の会議は、会長が招集する。
② 委員会は、会長又は第七条第五項の規定により会長を代理する者のほか、委員の過半数が出席しなければ、会議を開き、議決をすることができない。
③ 委員会の議事は、出席者の過半数をもって決する。可否同数のときは、会長が決する。

（あっせん）
第一二条① 委員会によるあっせんは、委員のうちから会長が事件ごとに指名する三人のあっせん委員によって行う。
② あっせん委員は、紛争当事者間をあっせんし、双方の主張の要点を確かめ、実情に即して事件が解決されるように努めなければならない。

第一三条① あっせん委員は、紛争当事者から意見を聴取するほか、必要に応じ、参考人から意見を聴取し、又はこれらの者から意見書の提出を求め、事件の解決に必要なあっせん案を作成し、これを紛争当事者に提示することができる。
② 前項のあっせん案の作成は、あっせん委員の全員一致をもって行うものとする。

第一四条 あっせん委員は、紛争当事者からの申立てに基づき必要があると認めるときは、当該委員会が置かれる都道府県労働局の管轄区域内の主要な労働者団体又は事業主団体が指名する関係労働者を代表する者又は関係事業主を代表する者から当該事件につき意見を聴くものとする。

第一五条 あっせん委員は、あっせんに係る紛争について、あっせんによっては紛争の解決の見込みがないと認めるときは、あっせんを打ち切ることができる。

（時効の完成猶予）
第一六条 前条の規定によりあっせんが打ち切られた場合において、当該あっせんの申請をした者がその旨の通知を受けた日から三十日以内にあっせんの目的となった請求について訴えを提起したときは、時効の完成猶予に関しては、あっせんの申請の時に、訴えの提起があったものとみなす。

（資料提供の要求等）
第一七条 委員会は、当該委員会に係属している事件の解決のために必要があると認めるときは、関係行政庁に対し、資料の提供その他必要な協力を求めることができる。

（あっせん状況の報告）
第一八条 委員会は、都道府県労働局長に対し、厚生労働省令で定めるところにより、あっせんの状況について報告しなければ

ならない。

（厚生労働省令への委任）

第一九条 この法律に定めるもののほか、委員会及びあっせんの手続に関し必要な事項は、厚生労働省令で定める。

（地方公共団体の施策等）

第二〇条① 地方公共団体は、国の施策と相まって、当該地域の実情に応じ、個別労働関係紛争を未然に防止し、及び個別労働関係紛争の自主的な解決を促進するため、労働者、求職者又は事業主に対する情報の提供、相談、あっせんその他の必要な施策を推進するように努めるものとする。

② 国は、地方公共団体が実施する前項の施策を支援するため、情報の提供その他の必要な措置を講ずるものとする。

③ 第一項の施策として、地方自治法（昭和二十二年法律第六十七号）第百八十条の二の規定に基づく都道府県知事の委任を受けて都道府県労働委員会が行う場合には、中央労働委員会は、当該都道府県労働委員会に対し、必要な助言又は指導をすることができる。

第二一条（略）

（適用除外）

第二二条 この法律は、国家公務員及び地方公務員については、適用しない。ただし、行政執行法人の労働関係に関する法律第二条第二号の職員、地方公営企業法（昭和二十七年法律第二百九十二号）第十五条第一項の企業職員、地方独立行政法人法（平成十五年法律第百十八号）第四十七条の職員及び地方公務員法（昭和二十五年法律第二百六十一号）第五十七条に規定する単純な労務に雇用される一般職に属する地方公務員であって地方公営企業等の労働関係に関する法律（昭和二十七年法律第二百八十九号）第三条第四号の職員以外のものの勤務条件に関する事項についての紛争については、この限りでない。

刑法等の一部を改正する法律の施行に伴う関係法律整理法中経過規定（令和四・六・一七法六八）（抄）

第四四一条から第四四三条まで（刑法の同経過規定参照）

第五〇九条（刑法の同経過規定参照）

刑法等の一部を改正する法律の施行に伴う関係法律整理法

附　則（令和四・六・一七法六八）（抄）

（**施行期日**）

① この法律は、刑法等一部改正法（刑法等の一部を改正する法律（令和四法六七））施行日（令和七・六・一）から施行する。ただし、次の各号に掲げる規定は、当該各号に定める日から施行する。

一 第五百九条の規定　公布の日

二 （略）

●労働審判法

（平成一六・五・一二 法 四 五）

施行 平成一八・四・一（附則参照）
改正 平成二三法三六・法五三、令和四法四八（令和五法五三）・法六八、令和五法五三

（目的）
第一条 この法律は、労働契約の存否その他の労働関係に関する事項について個々の労働者と事業主との間に生じた民事に関する紛争（以下「個別労働関係民事紛争」という。）に関し、裁判所において、裁判官及び労働関係に関する専門的な知識経験を有する者で組織する委員会が、当事者の申立てにより、事件を審理し、調停の成立による解決の見込みがある場合にはこれを試み、その解決に至らない場合には、労働審判（個別労働関係民事紛争について当事者間の権利関係を踏まえつつ事案の実情に即した解決をするために必要な審判をいう。以下同じ。）を行う手続（以下「労働審判手続」という。）を設けることにより、紛争の実情に即した迅速、適正かつ実効的な解決を図ることを目的とする。

（管轄）
第二条① 労働審判手続に係る事件（以下「労働審判事件」という。）は、相手方の住所、居所、営業所若しくは事務所の所在地を管轄する地方裁判所、個別労働関係民事紛争が生じた労働者と事業主との間の労働関係に基づいて当該労働者が現に就業し若しくは最後に就業した当該事業主の事業所の所在地を管轄する地方裁判所又は当事者が合意で定める地方裁判所の管轄とする。
② 労働審判事件は、日本国内に相手方（法人その他の社団又は財団を除く。）の住所及び居所がないとき、又は住所及び居所が知れないときは、その最後の住所地を管轄する地方裁判所の管轄に属する。
③ 労働審判事件は、相手方が法人その他の社団又は財団（外国の社団又は財団を除く。）である場合において、日本国内にその事務所若しくは営業所がないとき、又はその事務所若しくは営業所の所在地が知れないときは、代表者その他の主たる業務担当者の住所地を管轄する地方裁判所の管轄に属する。
④ 労働審判事件は、相手方が外国の社団又は財団である場合において、日本国内にその事務所又は営業所がないときは、日本における代表者その他の主たる業務担当者の住所地を管轄する地方裁判所の管轄に属する。

（移送）
第三条① 裁判所は、労働審判事件の全部又は一部がその管轄に属しないと認めるときは、申立てにより又は職権で、これを管轄裁判所に移送する。
② 裁判所は、労働審判事件がその管轄に属する場合においても、事件を処理するために適当と認めるときは、申立てにより又は職権で、当該労働審判事件の全部又は一部を他の管轄裁判所に移送することができる。

（代理人）
第四条① 労働審判手続については、法令により裁判上の行為をすることができる代理人のほか、弁護士でなければ代理人となることができない。ただし、裁判所は、当事者の権利利益の保護及び労働審判手続の円滑な進行のために必要かつ相当と認めるときは、弁護士でない者を代理人とすることを許可することができる。
② 裁判所は、前項ただし書の規定による許可を取り消すことができる。

（労働審判手続の申立て）
第五条① 当事者は、個別労働関係民事紛争の解決を図るため、裁判所に対し、労働審判手続の申立てをすることができる。
② 前項の申立ては、申立書を裁判所に提出してしなければならない。
③ 前項の申立書には、次に掲げる事項を記載しなければならない。
一 当事者及び法定代理人
二 申立ての趣旨及び理由

（不適法な申立ての却下）
第六条 裁判所は、労働審判手続の申立てが不適法であると認めるときは、決定で、その申立てを却下しなければならない。

（労働審判委員会）
第七条 裁判所は、労働審判官一人及び労働審判員二人で組織する労働審判委員会で労働審判手続を行う。

（労働審判官の指定）
第八条 労働審判官は、地方裁判所が当該地方裁判所の裁判官の中から指定する。

（労働審判員）
第九条① 労働審判員は、この法律の定めるところにより、労働審判委員会が行う労働審判手続に関与し、中立かつ公正な立場において、労働審判事件を処理するために必要な職務を行う。
② 労働審判員は、労働関係に関する専門的な知識経験を有する者のうちから任命する。
③ 労働審判員は、非常勤とし、前項に規定するもののほか、その任免に関し必要な事項は、最高裁判所規則で定める。
④ 労働審判員には、別に法律で定めるところにより手当を支給し、並びに最高裁判所規則で定める額の旅費、日当及び宿泊料を支給する。

（労働審判員の指定）
第一〇条① 労働審判委員会を組織する労働審判員は、労働審判事件ごとに、裁判所が指定する。
② 裁判所は、前項の規定により労働審判員を指定するに当たっては、労働審判員の有する知識経験その他の事情を総合的に勘案し、労働審判委員会における労働審判員の構成について適正を確保するように配慮しなければならない。

（労働審判員の除斥）
第一一条① 労働審判員の除斥については、非訟事件手続法（平成二十三年法律第五十一号）第十一条並びに第十三条第二項、第四項、第八項及び第九項の規定（忌避に関する部分を除く。）を準用する。
② 労働審判員の除斥についての裁判は、労働審判員の所属する地方裁判所がする。

（決議等）
第一二条① 労働審判委員会の決議は、過半数の意見による。
② 労働審判委員会の評議は、秘密とする。

（労働審判手続の指揮）
第一三条 労働審判手続は、労働審判官が指揮する。

（労働審判手続の期日等）
第一四条① 労働審判官は、労働審判手続の期日を定めて、事件の関係人を呼び出さなければならない。
② 裁判所書記官は、前項の期日について、その経過の要領を記録上明らかにしなければならない。
③ 裁判所書記官は、労働審判官が命じた場合には、第一項の期日について、調書を作成しなければならない。

＊令和五法五三（令和一〇・六・一三までに施行）による改正後
（労働審判手続の期日等）
第一四条①（略）
② 裁判所書記官は、前項の期日について、その経過の要領を裁判所の使用に係る電子計算機（入出力装置を含む。以下同じ。）に備えられたファイル（第二十六条の二第二項及び第三項並びに第二十六条の三を除き、以下単に「ファイル」という。）に記録しなければならない。
③ 裁判所書記官は、労働審判官が命じた場合には、第一項の期日について、最高裁判所規則で定めるところにより、電子調書（期日又は期日外における手続の方式、内容及び経過等の記録及び公証をするためにこの法律その他の法令の規定により裁判

所書記官が作成する電磁的記録（電子的方式、磁気的方式その他人の知覚によっては認識することができない方式で作られる記録であって、電子計算機による情報処理の用に供されるものをいう。以下同じ。）をいう。次項並びに第二十条第七項及び第八項において同じ。）を作成しなければならない。

④ 裁判所書記官は、前項の規定により電子調書を作成したときは、最高裁判所規則で定めるところにより、これをファイルに記録しなければならない。（改正により追加）

第一五条（迅速な手続） ① 労働審判委員会は、速やかに、当事者の陳述を聴いて争点及び証拠の整理をしなければならない。

② 労働審判手続においては、特別の事情がある場合を除き、三回以内の期日において、審理を終結しなければならない。

第一六条（手続の非公開） 労働審判手続は、公開しない。ただし、労働審判委員会は、相当と認める者の傍聴を許すことができる。

第一七条（証拠調べ等） ① 労働審判委員会は、職権で事実の調査をし、かつ、申立てにより又は職権で、必要と認める証拠調べをすることができる。

② 証拠調べについては、民事訴訟法（平成八年法律第百九号）第二編第四章（第百七十九条、第百八十二条、第百八十五条第一項後段、第二項及び第三項、第百八十八条、第百八十九条、第百九十二条から第百九十五条まで（これらの規定を同法第二百一条第五項、第二百十条及び第二百十六条において準用する場合を含む。）、第二百条、第二百二条（同法第二百十条において準用する場合を含む。）、第二百五条第二項、第二百六条（同法第二百十条において準用する場合を含む。）、第二百七条第二項、第二百八条、第二百九条、第二百十五条第二項、第二百十五条の二第二項から第四項まで、第二百十五条の四、第二百二十四条（同法第二百二十九条第二項、第二百三十一条の三第一項及び第二百三十二条第一項において準用する場合を含む。）、第二百二十五条、第二百二十七条第二項、第二百二十九条第四項から第六項まで、第二百三十条、第二百三十二条第二項及び第三項、第二百三十二条の二並びに第二百三十九条を除く。）の規定を準用する。この場合において、同法第二百五条第三項中「事項又は前項の規定によりファイルに記録された事項若しくは同項の記録媒体に記録された事項」とあり、及び同法第二百十五条第四項中「事項又は第二項の規定によりファイルに記録された事項若しくは同項の記録媒体に記録された事項」とあるのは「事項」と、同法第二百三十一条の二第二項中「方法又は最高裁判所規則で定める電子情報処理組織を使用する方法」とあるのは「方法」と、同法第二百三十一条の三第二項中「若しくは送付し、又は最高裁判所規則で定める電子情報処理組織を使用する」とあるのは「又は送付する」と読み替えるものとする。

＊令和四法四八（令和八・五・二四までに施行）による改正前
② 証拠調べについては、民事訴訟の例による。
＊令和五法五三（令和一〇・六・一三までに施行）による改正
第二項中「、第二項及び第三項」を「及び第三項」に改め、「、第二百五条第二項」、「、第二百十五条第二項」、「、第二百二十七条第二項」及び「、第二百三十二条の二」を削り、同項後段を削る。（本文未織込み）

第一八条（調停が成立した場合の費用の負担） 各当事者は、調停が成立した場合において、その支出した費用のうち調停条項中に費用の負担についての定めがないものを自ら負担するものとする。

第一九条（審理の終結） 労働審判委員会は、審理を終結するときは、労働審判手続の期日においてその旨を宣言しなければならない。

第二〇条（労働審判） ① 労働審判委員会は、審理の結果認められる当事者間の権利関係及び労働審判手続の経過を踏まえて、労働審判を行う。

② 労働審判においては、当事者間の権利関係を確認し、金銭の支払、物の引渡しその他の財産上の給付を命じ、その他個別労働関係民事紛争の解決をするために相当と認める事項を定めることができる。

③ 労働審判は、主文及び理由の要旨を記載した審判書を作成して行わなければならない。

④ 前項の審判書は、当事者に送達しなければならない。この場合においては、労働審判の効力は、当事者に送達された時に生ずる。

⑤ 前項の規定による審判書の送達については、民事訴訟法第一編第五章第四節（第百条第二項、第百四条、第三款及び第四款を除く。）の規定を準用する。

＊令和四法四八（令和八・五・二四までに施行）による改正
第五項中「民事訴訟法」の下の「（平成八年法律第百九号）」は削られ、「第百四条及び第百十条から第百十三条まで」は「第百条第二項、第百四条、第三款及び第四款」に改められた。（本文織込み済み）

⑥ 労働審判委員会は、相当と認めるときは、第三項の規定にかかわらず、審判書の作成に代えて、すべての当事者が出頭する労働審判手続の期日において労働審判の主文及び理由の要旨を口頭で告知する方法により、労働審判を行うことができる。この場合においては、労働審判の効力は、告知された時に生ずる。

⑦ 裁判所は、前項前段の規定により労働審判が行われたときは、裁判所書記官に、その主文及び理由の要旨を、調書に記載させなければならない。

＊令和五法五三（令和一〇・六・一三までに施行）による改正後
第二〇条（労働審判） ①② （略）
③ 労働審判は、最高裁判所規則で定めるところにより、電子審判書（労働審判の主文及び理由の要旨を記録した電磁的記録をいう。以下同じ。）を作成し、ファイルに記録して行わなければならない。
④ 電子審判書（前項の規定によりファイルに記録されたものに限る。次項、次条第一項及び第二十三条第一項において同じ。）は、当事者に送達しなければならない。この場合においては、労働審判の効力は、当事者に送達された時に生ずる。
⑤ 前項の規定による電子審判書の送達については、民事訴訟法第一編第五章第四節（第百九条の二第二項後段及び第四款を除く。）及び第二百五十五条第二項の規定を準用する。
⑥ 労働審判委員会は、相当と認めるときは、第三項の規定にかかわらず、電子審判書の作成に代えて、全ての当事者が出頭する労働審判手続の期日において労働審判の主文及び理由の要旨を口頭で告知する方法により、労働審判を行うことができる。この場合においては、労働審判の効力は、告知された時に生ずる。
⑦ 裁判所は、前項前段の規定により労働審判が行われたときは、裁判所書記官に、その主文及び理由の要旨を、電子調書に記録させなければならない。
⑧ 前項の電子調書（第十四条第四項の規定によりファイルに記録されたものに限る。）は、当事者に送付しなければならない。（改正により追加）

第二一条（異議の申立て等） ① 当事者は、労働審判に対し、前条第四項の規定による審判書の送達又は同条第六項の規定による労働審判の告知を受けた日から二週間の不変期間内に、裁判所に異議の申立てをすることができる。

＊令和五法五三（令和一〇・六・一三までに施行）による改正

第一項中「審判書」を「電子審判書」に改める。（本文未織込み）

② 裁判所は、異議の申立てが不適法であると認めるときは、決定で、これを却下しなければならない。

③ 適法な異議の申立てがあったときは、労働審判は、その効力を失う。

④ 適法な異議の申立てがないときは、労働審判は、裁判上の和解と同一の効力を有する。

⑤ 前項の場合において、各当事者は、その支出した費用のうち労働審判に費用の負担についての定めがないものを自ら負担するものとする。

（訴え提起の擬制）

第二十二条① 労働審判に対し適法な異議の申立てがあったときは、労働審判手続の申立てに係る請求については、当該労働審判手続の申立ての時に、当該労働審判が行われた際に労働審判事件が係属していた地方裁判所に訴えの提起があったものとみなす。この場合において、当該請求について民事訴訟法第一編第二章第一節の規定により日本の裁判所が管轄権を有しないときは、提起があったものとみなされた訴えを却下するものとする。

② 前項の規定により訴えの提起があったものとみなされる事件（同項後段の規定により却下するものとされる訴えに係るものを除く。）は、同項の地方裁判所の管轄に属する。

③ 第一項の規定により訴えの提起があったものとみなされたときは、民事訴訟法第百三十七条から第百三十八条まで及び第百五十八条の規定の適用については、第五条第二項の申立書を訴状とみなす。

＊令和四法四八（令和八・五・二四までに施行）**による改正**
第三項中「、第百三十八条」は「から第百三十八条まで」に改められた。（本文織込み済み）

（**労働審判の取消し**）

第二十三条① 第二十条第四項の規定により審判書を送達すべき場合において、次に掲げる事由があるときは、裁判所は、決定で、労働審判を取り消さなければならない。

一 当事者の住所、居所その他送達をすべき場所が知れないこと。

二 第二十条第五項において準用する民事訴訟法第百七条第一項の規定により送達をすることができないこと。

三 外国においてすべき送達について、第二十条第五項において準用する民事訴訟法第百八条の規定によることができず、又はこれによっても送達をすることができないと認められること。

四 第二十条第五項において準用する民事訴訟法第百八条の規定により外国の管轄官庁に嘱託を発した後六月を経過してもその送達を証する書面の送付がないこと。

＊令和五法五三（令和一〇・六・一三までに施行）**による改正**
第一項中「審判書」を「電子審判書」に改め、第一号中「こと」の下に「（第二十条第五項において準用する民事訴訟法第百九条の二の規定により送達をすることができる場合を除く。）」を加える。（本文未織込み）

② 前条の規定は、前項の規定により労働審判が取り消された場合について準用する。

（**労働審判をしない場合の労働審判事件の終了**）

第二十四条① 労働審判委員会は、事案の性質に照らし、労働審判手続を行うことが紛争の迅速かつ適正な解決のために適当でないと認めるときは、労働審判事件を終了させることができる。

② 第二十二条の規定は、前項の規定により労働審判事件が終了した場合について準用する。この場合において、同条第一項中「当該労働審判が行われた際に労働審判事件が係属していた」とあるのは、「労働審判事件が終了した際に当該労働審判事件が係属していた」と読み替えるものとする。

（**労働審判手続の申立ての取下げ**）

第二十四条の二 労働審判手続の申立ては、労働審判が確定するまで、その全部又は一部を取り下げることができる。

（**費用の負担**）

第二十五条 裁判所は、労働審判事件が終了した場合（第十八条及び第二十一条第五項に規定する場合を除く。）において、必要と認めるときは、申立てにより又は職権で、当該労働審判事件に関する手続の費用の負担を命ずる決定をすることができる。

＊令和五法五三（令和一〇・六・一三までに施行）**による改正後**
第二十五条①（略。改正前の本条）
② 前項の申立ては、労働審判事件が終了した日から十年以内にしなければならない。（改正により追加）

（**事件の記録の閲覧等**）

第二十六条① 当事者及び利害関係を疎明した第三者は、裁判所書記官に対し、労働審判事件の記録の閲覧若しくは謄写、その正本、謄本若しくは抄本の交付又は労働審判事件に関する事項の証明書の交付を請求することができる。

② 民事訴訟法第九十一条第四項及び第五項並びに第九十二条（第九項及び第十項を除く。）の規定は、前項の記録について準用する。

＊令和四法四八（令和八・五・二四までに施行）**による改正**
第二項中「第九十二条」は「第九十二条（第九項及び第十項を除く。）」に改められた。（本文織込み済み）

＊令和五法五三（令和一〇・六・一三までに施行）**による改正後**
（**非電磁的事件記録の閲覧等**）
第二十六条① 当事者及び利害関係を疎明した第三者は、裁判所書記官に対し、非電磁的事件記録（労働審判事件の記録中次条第一項に規定する電磁的事件記録を除いた部分をいう。次項において同じ。）の閲覧若しくは謄写又はその正本、謄本若しくは抄本の交付を請求することができる。
② 民事訴訟法第九十一条第四項及び第五項並びに第九十二条（第九項及び第十項を除く。）の規定は、非電磁的事件記録について準用する。

＊令和五法五三（令和一〇・六・一三までに施行）**による改正後**
（**電磁的事件記録の閲覧等**）
第二十六条の二① 当事者及び利害関係を疎明した第三者は、裁判所書記官に対し、最高裁判所規則で定めるところにより、電磁的事件記録（労働審判事件の記録中この法律その他の法令の規定によりファイルに記録された事項に係る部分をいう。以下この条において同じ。）の内容を最高裁判所規則で定める方法により表示したものの閲覧を請求することができる。
② 当事者及び利害関係を疎明した第三者は、裁判所書記官に対し、電磁的事件記録に記録されている事項について、最高裁判所規則で定めるところにより、最高裁判所規則で定める電子情報処理組織（裁判所の使用に係る電子計算機と手続の相手方の使用に係る電子計算機とを電気通信回線で接続した電子情報処理組織をいう。以下同じ。）を使用してその者の使用に係る電子計算機に備えられたファイルに記録する方法その他の最高裁判所規則で定める方法による複写を請求することができる。
③ 当事者及び利害関係を疎明した第三者は、裁判所書記官に対し、最高裁判所規則で定めるところにより、電磁的事件記録に記録されている事項の全部若しくは一部を記載した書面であって裁判所書記官が最高裁判所規則で定める方法により当該書面の内容が電磁的事件記録に記録されている事項と同一であることを証明したものを交付し、又は当該事項の全部若しくは一部を記録した電磁的記録であって裁判所書記官が最高裁判所規則で定める方法により当該電磁的記録の内容が電磁的事件記録に記録されている事項と同一であることを証明したものを最高裁判所規則で定める電子情報処理組織を使用してその者の使用に係る電子計算機に備えられたファイルに記録する方法その他の

最高裁判所規則で定める方法により提供することを請求することができる。

④　民事訴訟法第九十一条第五項及び第九十二条の規定は、電磁的事件記録について準用する。

（改正により追加）

（労働審判事件に関する事項の証明）

第二六条の三　当事者及び利害関係を疎明した第三者は、裁判所書記官に対し、最高裁判所規則で定めるところにより、労働審判事件に関する事項を記載した書面であって裁判所書記官が最高裁判所規則で定める方法により当該事項を証明したものを交付し、又は当該事項を記録した電磁的記録であって裁判所書記官が最高裁判所規則で定める方法により当該事項を証明したものを最高裁判所規則で定める電子情報処理組織を使用してその者の使用に係る電子計算機に備えられたファイルに記録する方法その他の最高裁判所規則で定める方法により提供することを請求することができる。（改正により追加）

（訴訟手続の中止）

第二七条　労働審判手続の申立てがあった事件について訴訟が係属するときは、受訴裁判所は、労働審判事件が終了するまで訴訟手続を中止することができる。

（即時抗告）

第二八条①　第二十五条の規定による決定に対しては、即時抗告をすることができる。

②　第六条、第二十一条第二項、第二十三条第一項及び第二十五条の規定による決定に対する即時抗告は、執行停止の効力を有する。

＊令和五法五三（令和一〇・六・一三までに施行）による改正

第二八条中「第二十五条」を「第二十五条第一項」に改める。（本文未織込み）

＊令和五法五三（令和一〇・六・一三までに施行）による改正後

（電子情報処理組織による申立て等）

第二八条の二①　労働審判手続における申立てその他の申述（次項及び次条において「申立て等」という。）については、民事訴訟法第百三十二条の十から第百三十二条の十二までの規定を準用する。この場合において、同法第百三十二条の十第五項及び第六項並びに第百三十二条の十二第二項及び第三項中「送達」とあるのは「送達又は送付」と、同法第百三十二条の十一第一項第一号中「第五十四条第一項ただし書」とあるのは「労働審判法第四条第一項ただし書」と、同項第二号中「第二条」とあるのは「第九条において準用する同法第二条」と、同法第百三十二条の十二第一項第三号中「第百三十三条の二第二項」とあるのは「労働審判法第二十八条の三において読み替えて準用する第百三十三条の二第二項」と読み替えるものとする。

②　労働審判手続においてこの法律その他の法令の規定に基づき裁判所に提出された書面等（書面、書類、文書、謄本、抄本、正本、副本、複本その他文字、図形等人の知覚によって認識することができる情報が記載された紙その他の有体物をいう。以下この項において同じ。）（申立て等が書面等により行われたときにおける当該書面等を除く。）又は電磁的記録を記録した記録媒体に記載され、又は記録されている事項のファイルへの記録については、民事訴訟法第百三十二条の十三の規定を準用する。この場合において、同条第三号中「第百三十三条の二第二項」とあるのは「労働審判法第二十八条の三において読み替えて準用する第百三十三条の二第二項」と、同条第四号中「第百三十三条の三第一項」とあるのは「労働審判法第二十八条の三において読み替えて準用する第百三十三条の三第一項」と読み替えるものとする。

（改正により追加）

（当事者に対する住所、氏名等の秘匿）

第二八条の二　労働審判手続における申立てその他の申述については、民事訴訟法第一編第八章（第百三十三条の二第五項及び第六項並びに第百三十三条の三第二項を除く。）の規定を準用する。この場合において、同法第百三十三条第一項中「当事者」とあるのは「当事者又は参加人（労働審判法第二十九条第二項において準用する民事調停法（昭和二十六年法律第二百二十二号）第十一条の規定により労働審判手続に参加した者をいう。第百三十三条の四第一項、第二項及び第七項において同じ。）」と、同条第三項中「訴訟記録等（訴訟記録又は第百三十二条の四第一項の処分の申立てに係る事件の記録をいう。以下この章において同じ。）」とあるのは「労働審判事件の記録」と、「について訴訟記録等の閲覧等（訴訟記録の閲覧等、非電磁的証拠収集処分記録の閲覧等又は電磁的証拠収集処分記録の閲覧等をいう。以下この章において同じ。）」とあるのは「の閲覧若しくは謄写又はその謄本若しくは抄本の交付」と、同法第百三十三条の二第一項中「に係る訴訟記録等の閲覧等」とあるのは「の閲覧若しくは謄写又はその謄本若しくは抄本の交付」と、同条第二項中「訴訟記録等中」とあるのは「労働審判事件の記録中」と、同項及び同条第三項中「に係る訴訟記録等の閲覧等」とあるのは「の閲覧若しくは謄写、その正本、謄本若しくは抄本の交付又はその複製」と、同法第百三十三条の三第一項中「記載され、又は記録された書面又は電磁的記録」とあるのは「記載された書面」と、「当該書面又は電磁的記録」とあるのは「当該書面」と、「又は電磁的記録その他これに類する書面又は電磁的記録に係る訴訟記録等の閲覧等」とあるのは「その他これに類する書面の閲覧若しくは謄写又はその謄本若しくは抄本の交付」と、同法第百三十三条の四第一項中「者は、訴訟記録等」とあるのは「当事者若しくは参加人又は利害関係を疎明した第三者は、労働審判事件の記録」と、同条第二項中「当事者」とあるのは「当事者又は参加人」と、「訴訟記録等の存する」とあるのは「労働審判事件の記録の存する」と、「訴訟記録等の閲覧等」とあるのは「閲覧若しくは謄写、その正本、謄本若しくは抄本の交付又はその複製」と、同条第七項中「当事者」とあるのは「当事者若しくは参加人」と読み替えるものとする。

＊令和四法四八（令和八・五・二四までに施行）による改正前

（当事者に対する住所、氏名の秘匿）

第二八条の二　労働審判手続における申立てその他の申述については、民事訴訟法第一編第八章の規定を準用する。この場合において、同法第百三十三条第一項中「当事者」とあるのは「当事者又は参加人（労働審判法第二十九条第二項において準用する民事調停法（昭和二十六年法律第二百二十二号）第十一条の規定により労働審判手続に参加した者をいう。第百三十三条の四第一項、第二項及び第七項において同じ。）」と、同法第百三十三条の二第二項中「訴訟記録等（訴訟記録又は第百三十二条の四第一項の処分の申立てに係る事件の記録をいう。第百三十三条の四第一項及び第二項において同じ。）」とあるのは「労働審判事件の記録」と、同法第百三十三条の四第一項中「者は、訴訟記録等」とあるのは「当事者若しくは参加人又は利害関係を疎明した第三者は、労働審判事件の記録」と、同条第二項中「当事者」とあるのは「当事者又は参加人」と、「訴訟記録等」とあるのは「労働審判事件の記録」と、同条第七項中「当事者」とあるのは「当事者若しくは参加人」と読み替えるものとする。

＊令和五法五三（令和一〇・六・一三までに施行）による改正後

（当事者に対する住所、氏名等の秘匿）

第二八条の三　労働審判手続における申立て等については、民事訴訟法第一編第八章の規定を準用する。この場合において、次の表の上欄に掲げる同法の規定中同表の中欄に掲げる字句は、それぞれ同表の下欄に掲げる字句に読み替えるものとする。

第百三十三条第一項	当事者	当事者又は参加人（労働審判法第二十九条第二項において準用する民事調停法（昭和二十六年法律

		第二百二十二号）第十一条の規定により労働審判手続に参加した者をいう。第百三十三条の四第一項、第二項及び第七項において同じ。）
第百三十三条第三項	訴訟記録等（訴訟記録又は第百三十二条の四第一項の処分の申立てに係る事件の記録をいう。以下この章において同じ。）	労働審判事件の記録
	訴訟記録等の閲覧等（訴訟記録の閲覧等、非電磁的証拠収集処分記録の閲覧等又は電磁的証拠収集処分記録の閲覧等	労働審判事件の記録の閲覧等（非電磁的事件記録（労働審判法第二十六条第一項に規定する非電磁的事件記録をいう。）の閲覧若しくは謄写、その正本、謄本若しくは抄本の交付若しくは複製又は電磁的事件記録（同法第二十六条の二第一項に規定する電磁的事件記録をいう。次条において同じ。）の閲覧若しくは複写若しくはその内容の全部若しくは一部を証明した書面の交付若しくは電磁的記録の提供
第百三十三条の二第一項から第三項まで、第百三十三条の三第一項及び第百三十三条の四	訴訟記録等の閲覧等	労働審判事件の記録の閲覧等
第百三十三条の二第二項	訴訟記録等中	労働審判事件の記録中

項		
第百三十三条の二第五項	電磁的訴訟記録等（電磁的訴訟記録又は第百三十二条の四第一項の処分の申立てに係る事件の記録中ファイル記録事項に係る部分をいう。以下この項及び次項において同じ。）	電磁的事件記録
	電磁的訴訟記録等から	電磁的事件記録から
第百三十三条の二第六項	電磁的訴訟記録等	電磁的事件記録
第百三十三条の四第一項	者は、訴訟記録等	当事者若しくは参加人又は利害関係を疎明した第三者は、労働審判事件の記録
第百三十三条の四第二項	当事者	当事者又は参加人
	訴訟記録等の存する	労働審判事件の記録の存する
第百三十三条の四第七項	当事者	当事者若しくは参加人

（改正前の第二八条の二）

（非訟事件手続法及び民事調停法の準用）

第二九条① 特別の定めがある場合を除いて、労働審判事件に関しては、非訟事件手続法第二編の規定（同法第十二条（同法第十四条及び第十五条において準用する場合を含む。）、第二十七条、第四十条、第四十二条の二、第五十二条、第五十三条及び第六十五条の規定を除く。）を準用する。この場合において、同法第四十三条第四項中「第二項」とあるのは、「労働審判法第五条第三項」と読み替えるものとする。

② 民事調停法（昭和二十六年法律第二百二十二号）第十一条、第十二条、第十六条及び第三十六条の規定は、労働審判事件について準用する。この場合において、同法第十一条中「調停の」とあるのは「労働審判手続の」と、「調停委員会」とあるのは「労働審判委員会」と、「調停手続」とあるのは「労働審判手続」と、同法第十二条第一項中「調停委員会」とあるのは「労働審判委員会」と、「調停の」とあるのは「調停又は労働審判の」と、「調停前の措置」とあるのは「調停又は労働審判前の措置」と、同法第三十六条第一項中「前二条」とあるのは「労働審判法（平成十六年法律第四十五号）第三十一条及び第三十二条」と読み替えるものとする。

＊令和五法五三（令和一〇・六・一三までに施行）による改正後

（非訟事件手続法及び民事調停法の準用）

第二九条① 特別の定めがある場合を除いて、労働審判事件に関しては、非訟事件手続法第二編の規定（同法第十二条（同法第十四条及び第十五条において準用する場合を含む。）、第二十七条、第四十条、第四十二条の二、第五十二条、第五十三条、第六十五条及び第六十五条の二の規定を除く。）を準用する。この場合において、同法第三十一条の二第一項中「前条第二項」とあるのは「労働審判法第十四条第四項」と、同法第三十八条中「非訟事件手続法第四十二条第一項」とあるのは「労働審判法第二十八条の二第一項」と、同法第四十三条第四項中「第二項」とあるのは「労働審判法第五条第三項」と読み替えるものとする。

② 民事調停法（昭和二十六年法律第二百二十二号）第十一条、第十二条、第十六条、第十六条の二及び第三十六条の規定は、労働審判事件について準用する。この場合において、同法第十一条中「調停の」とあるのは「労働審判手続の」と、「調停委員会」とあるのは「労働審判委員会」と、「調停手続」とあるのは「労働審判手続」と、同法第十二条第一項中「調停委員会」とあるのは「労働審判委員会」と、「調停の」とあるのは「調停又は労働審判の」と、「調停前の措置」とあるのは「調停又は労働審判前の措置」と、同法第十六条の二第二項中「第十二条」とあるのは「労働審判法第二十九条第一項」と、同法第三十六条第一項中「前二条」とあるのは「労働審判法第三十一条及び第三十二条」と読み替えるものとする。

（最高裁判所規則）

第三〇条 この法律に定めるもののほか、労働審判手続に関し必要な事項は、最高裁判所規則で定める。

（不出頭に対する制裁）

第三一条 労働審判官の呼出しを受けた事件の関係人が正当な理由がなく出頭しないときは、裁判所は、五万円以下の過料に処する。

（措置違反に対する制裁）

第三二条 当事者が正当な理由がなく第二十九条第二項において準用する民事調停法第十二条の規定による措置に従わないときは、裁判所は、十万円以下の過料に処する。

（評議の秘密を漏らす罪）

第三三条 労働審判員又は労働審判員であった者が正当な理由がなく評議の経過又は労働審判官若しくは労働審判員の意見若し

くはその多少の数を漏らしたときは、三十万円以下の罰金に処する。

（人の秘密を漏らす罪）

第三四条　労働審判員又は労働審判員であった者が正当な理由がなくその職務上取り扱ったことについて知り得た人の秘密を漏らしたときは、一年以下の拘禁刑又は五十万円以下の罰金に処する。

附　則（抄）

（施行期日）

第一条　この法律は、公布の日から起算して二年を超えない範囲内において政令で定める日（平成一八・四・一―平成一七政三〇三）から施行する。ただし、第九条の規定は、公布の日から起算して一年六月を超えない範囲内において政令で定める日（平成一七・一〇・一―平成一七政三〇三）から施行する。

附　則（令和四・五・二五法四八）（抄）

（施行期日）

第一条　この法律は、公布の日から起算して四年を超えない範囲内において政令で定める日から施行する。ただし、次の各号に掲げる規定は、当該各号に定める日から施行する。

一　（前略）附則第百二十五条の規定　公布の日

二　（前略）附則（中略）第九十八条（労働審判法の一部改正）（中略）の規定　公布の日から起算して九月を超えない範囲内において政令で定める日（令和五・二・二〇―令和四政三八四）

三―五　（略）

（政令への委任）

第一二五条　（前略）この法律の施行に関し必要な経過措置は、政令で定める。

刑法等の一部を改正する法律の施行に伴う関係法律整理法中経過規定（令和四・六・一七法六八）（抄）

第四四一条から第四四三条まで　（刑法の同経過規定参照）

第五〇九条　（刑法の同経過規定参照）

刑法等の一部を改正する法律の施行に伴う関係法律整理法

附　則（令和四・六・一七法六八）（抄）

（施行期日）

①　この法律は、刑法等一部改正法（刑法等の一部を改正する法律（令和四法六七））施行日（令和七・六・一）から施行する。ただし、次の各号に掲げる規定は、当該各号に定める日から施行する。

一　第五百九条の規定　公布の日

二　（略）

民事関係手続等における情報通信技術の活用等の推進を図るための関係法律の整備に関する法律中経過規定

（令和五・六・一四法五三）（抄）

（労働審判手続の期日に関する経過措置）

第二四二条　改正後労働審判法第十四条の規定は、施行日以後に開始される改正後労働審判手続（以下この節において「改正後労働審判事件」という。）における労働審判手続の期日について適用し、施行日前に開始された労働審判事件（以下この節において「改正前労働審判事件」という。）における労働審判手続の期日については、なお従前の例による。

（尋問に代わる書面の提出等に関する経過措置）

第二四三条　改正後労働審判法第十七条第二項において準用する民事訴訟法第二百五条第二項及び第二百十五条第二項（同法第二百十八条第一項において準用する場合を含む。）の規定は、改正後労働審判事件における証人の尋問に代わる書面の提出又は鑑定人の書面による意見の陳述に代わる意見の陳述の方式若しくは鑑定の嘱託を受けた者による鑑定書の提出について、適用する。

（電磁的記録に記録された情報の内容に係る証拠調べに関する経過措置）

第二四四条　改正後労働審判法第十七条第二項において準用する民事訴訟法第二百三十一条の二第二項及び第二百三十一条の三第二項の規定は、改正後労働審判事件における電磁的記録に記録された情報の内容に係る証拠調べについて適用し、改正前労働審判事件における電磁的記録に記録された情報の内容に係る証拠調べについては、なお従前の例による。

（電子審判書の作成等に関する経過措置）

第二四五条①　改正後労働審判法第二十条第三項から第五項まで及び第二十一条第一項の規定は、改正後労働審判事件における電子審判書の作成及びその送達について適用し、改正前労働審判事件における審判書の作成及びその送達については、なお従前の例による。

②　改正後労働審判法第二十条第六項から第八項までの規定は、改正後労働審判事件における電子審判書の作成に代わる労働審判の方式について適用し、改正前労働審判事件における審判書の作成に代わる労働審判の方式については、なお従前の例による。

③　改正後労働審判法第二十三条第一項の規定は、改正後労働審判事件における労働審判の取消しについて適用し、改正前労働審判事件における労働審判の取消しについては、なお従前の例による。

（手続費用額の確定手続に関する経過措置）

第二四六条　改正後労働審判法第二十五条第二項の規定は、改正後労働審判事件に関する手続の費用の負担を命ずる決定を求める申立てについて、適用する。

（事件に関する事項の証明に関する経過措置）

第二四七条　改正後労働審判法第二十六条の三の規定は、改正後労働審判事件に関する事項の証明について適用し、改正前労働審判事件に関する事項の証明については、なお従前の例による。

（電子情報処理組織による申立て等に関する経過措置）

第二四八条　改正後労働審判法第二十八条の二の規定は、改正後労働審判事件における同条第一項に規定する申立て等について適用する。

第三八七条から第三八九条まで　（民事執行法の同経過規定参照）

民事関係手続等における情報通信技術の活用等の推進を図るための関係法律の整備に関する法律

附　則（令和五・六・一四法五三）

この法律は、公布の日から起算して五年を超えない範囲内において政令で定める日から施行する。ただし、次の各号に掲げる規定は、当該各号に定める日から施行する。

一　第三十二章（民事訴訟法等の一部を改正する法律（令和四法四八）の一部改正）の規定及び第三百八十八条の規定　公布の日

二　（前略）第三百八十七条の規定　公布の日から起算して二年六月を超えない範囲内において政令で定める日

三　（略）

●労働組合法（昭和二四・六・一 法一七四）

施行 昭和二四・六・一〇（昭和二四政二〇一）
改正 昭和二五法七九・法八四・法一三九、昭和二六法二〇三、昭和二七法二八八、昭和二九法二一二、昭和三四法一三七、昭和三七法一四〇・法一六一、昭和四一法六四、昭和四六法六七・法一三〇、昭和五三法三九、昭和五五法八五、昭和五八法七八、昭和五九法二五、昭和六三法八二、平成五法八九、平成一一法八七・法一〇二・法一〇四・法一五一・法一六〇、平成一四法四五・法九八、平成一六法八四（平成一六法一四〇）・法一四〇・法一四七、平成一七法八七・法一〇二、平成一八法五〇、平成一九法一二九、平成二〇法二六、平成二三法五三、平成二四法四二、平成二六法六七・法六九、令和四法六八、令和五法五三

目次

第一章 総則

（目的）
第一条① この法律は、労働者が使用者との交渉において対等の立場に立つことを促進することにより労働者の地位を向上させること、労働者がその労働条件について交渉するために自ら代表者を選出することその他の団体行動を行うために自主的に労働組合を組織し、団結することを擁護すること並びに使用者と労働者との関係を規制する労働協約を締結するための団体交渉をすること及びその手続を助成することを目的とする。

② 刑法（明治四十年法律第四十五号）第三十五条の規定は、労働組合の団体交渉その他の行為であつて前項に掲げる目的を達成するためにした正当なものについて適用があるものとする。但し、いかなる場合においても、暴力の行使は、労働組合の正当な行為と解釈されてはならない。

（労働組合）
第二条 この法律で「労働組合」とは、労働者が主体となつて自主的に労働条件の維持改善その他経済的地位の向上を図ることを主たる目的として組織する団体又はその連合団体をいう。但し、左の各号の一に該当するものは、この限りでない。
一 役員、雇入解雇昇進又は異動に関して直接の権限を持つ監督的地位にある労働者、使用者の労働関係についての計画と方針とに関する機密の事項に接し、そのためにその職務上の義務と責任とが当該労働組合の組合員としての誠意と責任とに直接にてい触する監督的地位にある労働者その他使用者の利益を代表する者の参加を許すもの
二 団体の運営のための経費の支出につき使用者の経理上の援助を受けるもの。但し、労働者が労働時間中に時間又は賃金を失うことなく使用者と協議し、又は交渉することを使用者が許すことを妨げるものではなく、且つ、厚生資金又は経済上の不幸若しくは災厄を防止し、若しくは救済するための支出に実際に用いられる福利その他の基金に対する使用者の寄附及び最小限の広さの事務所の供与を除くものとする。
三 共済事業その他福利事業のみを目的とするもの
四 主として政治運動又は社会運動を目的とするもの

（労働者）
第三条 この法律で「労働者」とは、職業の種類を問わず、賃金、給料その他これに準ずる収入によつて生活する者をいう。

第四条 削除

第二章 労働組合

（労働組合として設立されたものの取扱）
第五条① 労働組合は、労働委員会に証拠を提出して第二条及び第二項の規定に適合することを立証しなければ、この法律に規定する手続に参与する資格を有せず、且つ、この法律に規定する救済を与えられない。但し、第七条第一号の規定に基く個々の労働者に対する保護を否定する趣旨に解釈されるべきではない。
② 労働組合の規約には、左の各号に掲げる規定を含まなければならない。
一 名称
二 主たる事務所の所在地
三 連合団体である労働組合以外の労働組合（以下「単位労働組合」という。）の組合員は、その労働組合のすべての問題に参与する権利及び均等の取扱を受ける権利を有すること。
四 何人も、いかなる場合においても、人種、宗教、性別、門地又は身分によつて組合員たる資格を奪われないこと。
五 単位労働組合にあつては、その役員は、組合員の直接無記名投票により選挙されること、及び連合団体である労働組合又は全国的規模をもつ労働組合にあつては、その役員は、単位労働組合の組合員又はその組合員の直接無記名投票により選挙された代議員の直接無記名投票により選挙されること。
六 総会は、少くとも毎年一回開催すること。
七 すべての財源及び使途、主要な寄附者の氏名並びに現在の経理状況を示す会計報告は、組合員によつて委嘱された職業的に資格がある会計監査人による正確であることの証明書とともに、少くとも毎年一回組合員に公表されること。
八 同盟罷業は、組合員又は組合員の直接無記名投票により選挙された代議員の直接無記名投票の過半数による決定を経なければ開始しないこと。
九 単位労働組合にあつては、その規約は、組合員の直接無記名投票による過半数の支持を得なければ改正しないこと、及び連合団体である労働組合又は全国的規模をもつ労働組合にあつては、その規約は、単位労働組合の組合員又はその組合員の直接無記名投票により選挙された代議員の直接無記名投票による過半数の支持を得なければ改正しないこと。

（交渉権限）
第六条 労働組合の代表者又は労働組合の委任を受けた者は、労働組合又は組合員のために使用者又はその団体と労働協約の締結その他の事項に関して交渉する権限を有する。

（不当労働行為）
第七条 使用者は、次の各号に掲げる行為をしてはならない。
一 労働者が労働組合の組合員であること、労働組合に加入し、若しくはこれを結成しようとしたこと若しくは労働組合の正当な行為をしたことの故をもつて、その労働者を解雇し、その他これに対して不利益な取扱いをすること又は労働者が労働組合に加入せず、若しくは労働組合から脱退することを雇用条件とすること。ただし、労働組合が特定の工場事業場に雇用される労働者の過半数を代表する場合において、その労働者がその労働組合の組合員であることを雇用条件とする労働協約を締結することを妨げるものではない。
二 使用者が雇用する労働者の代表者と団体交渉をすることを正当な理由がなくて拒むこと。
三 労働者が労働組合を結成し、若しくは運営することを支配

し、若しくはこれに介入すること、又は労働組合の運営のための経費の支払につき経理上の援助を与えること。ただし、労働者が労働時間中に時間又は賃金を失うことなく使用者と協議し、又は交渉することを使用者が許すことを妨げるものではなく、かつ、厚生資金又は経済上の不幸若しくは災厄を防止し、若しくは救済するための支出に実際に用いられる福利その他の基金に対する使用者の寄附及び最小限の広さの事務所の供与を除くものとする。

四　労働者が労働委員会に対し使用者がこの条の規定に違反した旨の申立てをしたこと若しくは中央労働委員会に対し第二十七条の十二第一項の規定による命令に対する再審査の申立てをしたこと又は労働委員会がこれらの申立てに係る調査若しくは審問をし、若しくは当事者に和解を勧め、若しくは労働関係調整法（昭和二十一年法律第二十五号）による労働争議の調整をする場合に労働者が証拠を提示し、若しくは発言をしたことを理由として、その労働者を解雇し、その他これに対して不利益な取扱いをすること。

第八条（損害賠償） 使用者は、同盟罷業その他の争議行為であつて正当なものによつて損害を受けたことの故をもつて、労働組合又はその組合員に対し賠償を請求することができない。

第九条（基金の流用） 労働組合は、共済事業その他福利事業のために特設した基金を他の目的のために流用しようとするときは、総会の決議を経なければならない。

第一〇条（解散） 労働組合は、左の事由によつて解散する。

一　規約で定めた解散事由の発生

二　組合員又は構成団体の四分の三以上の多数による総会の決議

第一一条（法人である労働組合） ① この法律の規定に適合する旨の労働委員会の証明を受けた労働組合は、その主たる事務所の所在地において登記することによつて法人となる。

② この法律に規定するものの外、労働組合の登記に関して必要な事項は、政令で定める。

③ 労働組合に関して登記すべき事項は、登記した後でなければ第三者に対抗することができない。

第一二条（代表者） ① 法人である労働組合には、一人又は数人の代表者を置かなければならない。

② 代表者が数人ある場合において、規約に別段の定めがないときは、法人である労働組合の事務は、代表者の過半数で決する。

第一二条の二（法人である労働組合の代表） 代表者は、法人である労働組合のすべての事務について、法人である労働組合を代表する。ただし、規約の規定に反することはできず、また、総会の決議に従わなければならない。

第一二条の三（代表者の代表権の制限） 法人である労働組合の管理については、代表者の代表権に加えた制限は、善意の第三者に対抗することができない。

第一二条の四（代表者の代理行為の委任） 法人である労働組合の管理については、代表者は、規約又は総会の決議によつて禁止されていないときに限り、特定の行為の代理を他人に委任することができる。

第一二条の五（利益相反行為） 法人である労働組合が代表者の債務を保証することその他代表者以外の者との間において法人である労働組合と代表者との利益が相反する事項については、代表者は、代表権を有しない。この場合においては、裁判所は、利害関係人の請求により、特別代理人を選任しなければならない。

第一二条の六（一般社団法人及び一般財団法人に関する法律の準用） 一般社団法人及び一般財団法人に関する法律（平成十八年法律第四十八号）第四条及び第七十八条（第八条に規定する場合を除く。）の規定は、法人である労働組合について準用する。

第一三条（清算中の法人である労働組合の能力） 解散した法人である労働組合は、清算の目的の範囲内において、その清算の結了に至るまではなお存続するものとみなす。

第一三条の二（清算人） 法人である労働組合が解散したときは、代表者がその清算人となる。ただし、規約に別段の定めがあるとき、又は総会において代表者以外の者を選任したときは、この限りでない。

第一三条の三（裁判所による清算人の選任） 前条の規定により清算人となる者がないとき、又は清算人が欠けたため損害を生ずるおそれがあるときは、裁判所は、利害関係人の請求により、清算人を選任することができる。

第一三条の四（清算人の解任） 重要な事由があるときは、裁判所は、利害関係人の請求により、清算人を解任することができる。

第一三条の五（清算人及び解散の登記） ① 清算人は、解散後二週間以内に、主たる事務所の所在地において、その氏名及び住所並びに解散の原因及び年月日の登記をしなければならない。

② 清算中に就職した清算人は、就職後二週間以内に、主たる事務所の所在地において、その氏名及び住所の登記をしなければならない。

第一三条の六（清算人の職務及び権限） ① 清算人の職務は、次のとおりとする。

一　現務の結了

二　債権の取立て及び債務の弁済

三　残余財産の引渡し

② 清算人は、前項各号に掲げる職務を行うために必要な一切の行為をすることができる。

第一三条の七（債権の申出の催告等） ① 清算人は、その就職の日から二月以内に、少なくとも三回の公告をもつて、債権者に対し、一定の期間内にその債権の申出をすべき旨の催告をしなければならない。この場合において、その期間は、二月を下ることができない。

② 前項の公告には、債権者がその期間内に申出をしないときは清算から除斥されるべき旨を付記しなければならない。ただし、清算人は、知れている債権者を除斥することができない。

③ 清算人は、知れている債権者には、各別にその申出の催告をしなければならない。

④ 第一項の公告は、官報に掲載してする。

第一三条の八（期間経過後の債権の申出） 前条第一項の期間の経過後に申出をした債権者は、法人である労働組合の債務が完済された後まだ権利の帰属すべき者に引き渡されていない財産に対してのみ、請求をすることができる。

第一三条の九（清算中の法人である労働組合についての破産手続の開始） ① 清算中に法人である労働組合の財産がその債務を完済するのに足りないことが明らかになつたときは、清算人は、直ちに破産手続開始の申立てをし、その旨を公告しなければならない。

② 清算人は、清算中の法人である労働組合が破産手続開始の決定を受けた場合において、破産管財人にその事務を引き継いだときは、その任務を終了したものとする。

③ 前項に規定する場合において、清算中の法人である労働組合が既に債権者に支払い、又は権利の帰属すべき者に引き渡したものがあるときは、破産管財人は、これを取り戻すことができ

る。

④ 第一項の規定による公告は、官報に掲載してする。

（**残余財産の帰属**）

第一三条の一〇① 解散した法人である労働組合の財産は、規約で指定した者に帰属する。

② 規約で権利の帰属すべき者を指定せず、又はその者を指定する方法を定めなかつたときは、代表者は、総会の決議を経て、当該法人である労働組合の目的に類似する目的のために、その財産を処分することができる。

③ 前二項の規定により処分されない財産は、国庫に帰属する。

（**特別代理人の選任等に関する事件の管轄**）

第一三条の一一 次に掲げる事件は、法人である労働組合の主たる事務所の所在地を管轄する地方裁判所の管轄に属する。

一 特別代理人の選任に関する事件

二 法人である労働組合の清算人に関する事件

（**不服申立ての制限**）

第一三条の一二 法人である労働組合の清算人の選任の裁判に対しては、不服を申し立てることができない。

（**裁判所の選任する清算人の報酬**）

第一三条の一三 裁判所は、第十三条の三の規定により法人である労働組合の清算人を選任した場合には、法人である労働組合が当該清算人に対して支払う報酬の額を定めることができる。この場合においては、裁判所は、当該清算人の陳述を聴かなければならない。

第三章 労働協約

（**労働協約の効力の発生**）

第一四条 労働組合と使用者又はその団体との間の労働条件その他に関する労働協約は、書面に作成し、両当事者が署名し、又は記名押印することによつてその効力を生ずる。

（**労働協約の期間**）

第一五条① 労働協約には、三年をこえる有効期間の定をすることができない。

② 三年をこえる有効期間の定をした労働協約は、三年の有効期間の定をした労働協約とみなす。

③ 有効期間の定がない労働協約は、当事者の一方が、署名し、又は記名押印した文書によつて相手方に予告して、解約することができる。一定の期間を定める労働協約であつて、その期間の経過後も期限を定めず効力を存続する旨の定があるものについて、その期間の経過後も、同様とする。

④ 前項の予告は、解約しようとする日の少くとも九十日前にしなければならない。

（**基準の効力**）

第一六条 労働協約に定める労働条件その他の労働者の待遇に関する基準に違反する労働契約の部分は、無効とする。この場合において無効となつた部分は、基準の定めるところによる。労働契約に定がない部分についても、同様とする。

（**一般的拘束力**）

第一七条 一の工場事業場に常時使用される同種の労働者の四分の三以上の数の労働者が一の労働協約の適用を受けるに至つたときは、当該工場事業場に使用される他の同種の労働者に関しても、当該労働協約が適用されるものとする。

（**地域的の一般的拘束力**）

第一八条① 一の地域において従業する同種の労働者の大部分が一の労働協約の適用を受けるに至つたときは、当該労働協約の当事者の双方又は一方の申立てに基づき、労働委員会の決議により、厚生労働大臣又は都道府県知事は、当該地域において従業する他の同種の労働者及びその使用者も当該労働協約（第二項の規定により修正があつたものを含む。）の適用を受けるべきことの決定をすることができる。

② 労働委員会は、前項の決議をする場合において、当該労働協約に不適当な部分があると認めたときは、これを修正することができる。

③ 第一項の決定は、公告によつてする。

第四章 労働委員会

第一節 設置、任務及び所掌事務並びに組織等

（**労働委員会**）

第一九条① 労働委員会は、使用者を代表する者（以下「使用者委員」という。）、労働者を代表する者（以下「労働者委員」という。）及び公益を代表する者（以下「公益委員」という。）各同数をもつて組織する。

② 労働委員会は、中央労働委員会及び都道府県労働委員会とする。

③ 労働委員会に関する事項は、この法律に定めるもののほか、政令で定める。

（**中央労働委員会**）

第一九条の二① 国家行政組織法（昭和二十三年法律第百二十号）第三条第二項の規定に基づいて、厚生労働大臣の所轄の下に、中央労働委員会を置く。

② 中央労働委員会は、労働者が団結することを擁護し、及び労働関係の公正な調整を図ることを任務とする。

③ 中央労働委員会は、前項の任務を達成するため、第五条、第十一条、第十八条及び第二十六条の規定による事務、不当労働行為事件の審査等（第七条、次節及び第三節の規定による事件の処理をいう。以下同じ。）に関する事務、労働争議のあつせん、調停及び仲裁に関する事務並びに労働関係調整法第三十五条の二及び第三十五条の三の規定による事務その他法律（法律に基づく命令を含む。）に基づき中央労働委員会に属させられた事務をつかさどる。

（**中央労働委員会の委員の任命等**）

第一九条の三① 中央労働委員会は、使用者委員、労働者委員及び公益委員各十五人をもつて組織する。

② 使用者委員は使用者団体の推薦（使用者委員のうち四人については、行政執行法人（独立行政法人通則法（平成十一年法律第百三号）第二条第四項に規定する行政執行法人をいう。以下この項、次条第二項第二号及び第十九条の十第一項において同じ。）の推薦）に基づいて、労働者委員は労働組合の推薦（労働者委員のうち四人については、行政執行法人の労働関係に関する法律（昭和二十三年法律第二百五十七号）第二条第二号に規定する職員（以下この章において「行政執行法人職員」という。）が結成し、又は加入する労働組合の推薦）に基づいて、公益委員は厚生労働大臣が使用者委員及び労働者委員の同意を得て作成した委員候補者名簿に記載されている者のうちから両議院の同意を得て、内閣総理大臣が任命する。

③ 公益委員の任期が満了し、又は欠員を生じた場合において、国会の閉会又は衆議院の解散のために両議院の同意を得ることができないときは、内閣総理大臣は、前項の規定にかかわらず、厚生労働大臣が使用者委員及び労働者委員の同意を得て作成した委員候補者名簿に記載されている者のうちから、公益委員を任命することができる。

④ 前項の場合においては、任命後最初の国会で両議院の事後の承認を求めなければならない。この場合において、両議院の事後の承認が得られないときは、内閣総理大臣は、直ちにその公益委員を罷免しなければならない。

⑤ 公益委員の任命については、そのうち七人以上が同一の政党に属することとなつてはならない。

⑥ 中央労働委員会の委員（次条から第十九条の九までにおいて単に「委員」という。）は、非常勤とする。ただし、公益委員のうち二人以内は、常勤とすることができる。

（**委員の欠格条項**）

第一九条の四① 拘禁刑以上の刑に処せられ、その執行を終わるまで、又は執行を受けることがなくなるまでの者は、委員となることができない。

② 次の各号のいずれかに該当する者は、公益委員となることができない。

一　国会又は地方公共団体の議会の議員
二　行政執行法人の役員、行政執行法人職員又は行政執行法人職員が結成し、若しくは加入する労働組合の組合員若しくは役員

（委員の任期等）
第一九条の五① 委員の任期は、二年とする。ただし、補欠の委員の任期は、前任者の残任期間とする。
② 委員は、再任されることができる。
③ 委員の任期が満了したときは、当該委員は、後任者が任命されるまで引き続き在任するものとする。

（公益委員の服務）
第一九条の六① 常勤の公益委員は、在任中、次の各号のいずれかに該当する行為をしてはならない。
一　政党その他の政治的団体の役員となり、又は積極的に政治運動をすること。
二　内閣総理大臣の許可のある場合を除くほか、報酬を得て他の職務に従事し、又は営利事業を営み、その他金銭上の利益を目的とする業務を行うこと。
② 非常勤の公益委員は、在任中、前項第一号に該当する行為をしてはならない。

（委員の失職及び罷免）
第一九条の七① 委員は、第十九条の四第一項に規定する者に該当するに至つた場合には、その職を失う。公益委員が同条第二項各号のいずれかに該当するに至つた場合も、同様とする。
② 内閣総理大臣は、委員が心身の故障のために職務の執行ができないと認める場合又は委員に職務上の義務違反その他委員たるに適しない非行があると認める場合には、使用者委員及び労働者委員にあつては中央労働委員会の同意を得て、公益委員にあつては両議院の同意を得て、その委員を罷免することができる。
③ 前項の規定により、内閣総理大臣が中央労働委員会に対して、使用者委員又は労働者委員の罷免の同意を求めた場合には、当該委員は、その議事に参与することができない。
④ 内閣総理大臣は、公益委員のうち六人が既に属している政党に新たに属するに至つた公益委員を直ちに罷免するものとする。
⑤ 内閣総理大臣は、公益委員のうち七人以上が同一の政党に属することとなつた場合（前項の規定に該当する場合を除く。）には、同一の政党に属する者が六人になるように、両議院の同意を得て、公益委員を罷免するものとする。ただし、政党所属関係に異動のなかつた委員を罷免することはできないものとする。

（委員の給与等）
第一九条の八 委員は、別に法律の定めるところにより俸給、手当その他の給与を受け、及び政令の定めるところによりその職務を行うために要する費用の弁償を受けるものとする。

（中央労働委員会の会長）
第一九条の九① 中央労働委員会に会長を置く。
② 会長は、委員が公益委員のうちから選挙する。
③ 会長は、中央労働委員会の会務を総理し、中央労働委員会を代表する。
④ 中央労働委員会は、あらかじめ公益委員のうちから委員の選挙により、会長に故障がある場合において会長を代理する委員を定めておかなければならない。

（地方調整委員）
第一九条の一〇① 中央労働委員会に、行政執行法人とその行政執行法人職員との間に発生した紛争その他の事件で地方において中央労働委員会が処理すべきものとして政令で定めるものに係るあつせん若しくは調停又は第二十四条の二第五項の規定による手続に参与させるため、使用者、労働者及び公益をそれぞれ代表する地方調整委員を置く。
② 地方調整委員は、中央労働委員会の同意を得て、政令で定める区域ごとに厚生労働大臣が任命する。
③ 第十九条の五第一項本文及び第二項、第十九条の七第二項並びに第十九条の八の規定は、地方調整委員について準用する。この場合において、第十九条の七第二項中「内閣総理大臣」とあるのは「厚生労働大臣」と、「使用者委員及び労働者委員にあつては中央労働委員会の同意を得て、公益委員にあつては両議院」とあるのは「中央労働委員会」と読み替えるものとする。

（中央労働委員会の事務局）
第一九条の一一① 中央労働委員会にその事務を整理させるために事務局を置き、事務局に会長の同意を得て厚生労働大臣が任命する事務局長及び必要な職員を置く。
② 事務局に、地方における事務を分掌させるため、地方事務所を置く。
③ 地方事務所の位置、名称及び管轄区域は、政令で定める。

（都道府県労働委員会）
第一九条の一二① 都道府県知事の所轄の下に、都道府県労働委員会を置く。
② 都道府県労働委員会は、使用者委員、労働者委員及び公益委員各十三人、各十一人、各九人、各七人又は各五人のうち政令で定める数のものをもつて組織する。ただし、条例で定めるところにより、当該政令で定める数に使用者委員、労働者委員及び公益委員各二人を加えた数のものをもつて組織することができる。
③ 使用者委員は使用者団体の推薦に基づいて、労働者委員は労働組合の推薦に基づいて、公益委員は使用者委員及び労働者委員の同意を得て、都道府県知事が任命する。
④ 公益委員の任命については、都道府県労働委員会における別表の上欄に掲げる公益委員の数（第二項ただし書の規定により公益委員の数を同項の政令で定める数に二人を加えた数とする都道府県労働委員会にあつては当該二人を加えた数）に応じ、それぞれ同表の下欄に定める数以上の公益委員が同一の政党に属することとなつてはならない。
⑤ 公益委員は、自己の行為によつて前項の規定に抵触するに至つたときは、当然退職するものとする。
⑥ 第十九条の三第六項、第十九条の四第一項、第十九条の五、第十九条の七第一項前段、第二項及び第三項、第十九条の八、第十九条の九並びに前条第一項の規定は、都道府県労働委員会について準用する。この場合において、第十九条の三第六項ただし書中「、常勤」とあるのは「、条例で定めるところにより、常勤」と、第十九条の七第二項中「内閣総理大臣」とあるのは「都道府県知事」と、「使用者委員及び労働者委員にあつては中央労働委員会の同意を得て、公益委員にあつては両議院」とあるのは「都道府県労働委員会」と、同条第三項中「内閣総理大臣」とあるのは「都道府県知事」と、「使用者委員又は労働者委員」とあるのは「都道府県労働委員会の委員」と、前条第一項中「厚生労働大臣」とあるのは「都道府県知事」と読み替えるものとする。

（労働委員会の権限）
第二〇条 労働委員会は、第五条、第十一条及び第十八条の規定によるもののほか、不当労働行為事件の審査等並びに労働争議のあつせん、調停及び仲裁をする権限を有する。

（会議）
第二一条① 労働委員会は、公益上必要があると認めたときは、その会議を公開することができる。
② 労働委員会の会議は、会長が招集する。
③ 労働委員会は、使用者委員、労働者委員及び公益委員各一人以上が出席しなければ、会議を開き、議決することができない。
④ 議事は、出席委員の過半数で決し、可否同数のときは、会長の決するところによる。

（強制権限）
第二二条① 労働委員会は、その事務を行うために必要があると認めたときは、使用者又はその団体、労働組合その他の関係者

に対して、出頭、報告の提出若しくは必要な帳簿書類の提出を求め、又は委員若しくは労働委員会の職員（以下単に「職員」という。）に関係工場事業場に臨検し、業務の状況若しくは帳簿書類その他の物件を検査させることができる。

② 労働委員会は、前項の臨検又は検査をさせる場合においては、委員又は職員にその身分を証明する証票を携帯させ、関係人にこれを呈示させなければならない。

（**秘密を守る義務**）

第二三条 労働委員会の委員若しくは委員であつた者又は職員若しくは職員であつた者は、その職務に関して知得した秘密を漏らしてはならない。中央労働委員会の地方調整委員又は地方調整委員であつた者も、同様とする。

（**公益委員のみで行う権限**）

第二四条① 第五条及び第十一条の規定による事件の処理並びに不当労働行為事件の審査等（次条において「審査等」という。）並びに労働関係調整法第四十二条の規定による事件の処理には、労働委員会の公益委員のみが参与する。ただし、使用者委員及び労働者委員は、第二十七条第一項（第二十七条の十七の規定により準用する場合を含む。）の規定により調査（公益委員の求めがあつた場合に限る。）及び審問を行う手続並びに第二十七条の十四第一項（第二十七条の十七の規定により準用する場合を含む。）の規定により和解を勧める手続に参与し、又は第二十七条の七第四項及び第二十七条の十二第二項（第二十七条の十七の規定により準用する場合を含む。）の規定による行為をすることができる。

② 中央労働委員会は、常勤の公益委員に、中央労働委員会に係属している事件に関するもののほか、行政執行法人職員の労働関係の状況その他中央労働委員会の事務を処理するために必要と認める事項の調査を行わせることができる。

（**合議体等**）

第二四条の二① 中央労働委員会は、会長が指名する公益委員五人をもつて構成する合議体で、審査等を行う。

② 前項の規定にかかわらず、次の各号のいずれかに該当する場合においては、公益委員の全員をもつて構成する合議体で、審査等を行う。

一 前項の合議体が、法令の解釈適用について、その意見が前に中央労働委員会のした第五条第一項若しくは第十一条第一項又は第二十七条の十二第一項（第二十七条の十七の規定により準用する場合を含む。）の規定による処分に反すると認めた場合

二 前項の合議体を構成する者の意見が分かれたため、その合議体としての意見が定まらない場合

三 前項の合議体が、公益委員の全員をもつて構成する合議体で審査等を行うことを相当と認めた場合

四 第二十七条の十第三項（第二十七条の十七の規定により準用する場合を含む。）の規定による異議の申立てを審理する場合

③ 都道府県労働委員会は、公益委員の全員をもつて構成する合議体で、審査等を行う。ただし、条例で定めるところにより、会長が指名する公益委員五人又は七人をもつて構成する合議体で、審査等を行うことができる。この場合において、前項（第一号及び第四号を除く。）の規定は、都道府県労働委員会について準用する。

④ 労働委員会は、前三項の規定により審査等を行うときは、一人又は数人の公益委員に審査等の手続（第五条第一項、第十一条第一項、第二十七条の四第一項（第二十七条の十七の規定により準用する場合を含む。）、第二十七条の七第一項（当事者若しくは証人に陳述させ、又は提出された物件を留め置く部分を除き、第二十七条の十七の規定により準用する場合を含む。）、第二十七条の十第二項並びに同条第四項及び第二十七条の十二第一項（第二十七条の十七の規定により準用する場合を含む。）の規定による処分並びに第二十七条の二十の申立てを除く。次項において同じ。）の全部又は一部を行わせることができる。

⑤ 中央労働委員会は、公益を代表する地方調整委員に、中央労働委員会が行う審査等の手続のうち、第二十七条第一項（第二十七条の十七の規定により準用する場合を含む。）の規定により調査及び審問を行う手続並びに第二十七条の十四第一項（第二十七条の十七の規定により準用する場合を含む。）の規定により和解を勧める手続の全部又は一部を行わせることができる。この場合において、使用者を代表する地方調整委員及び労働者を代表する地方調整委員は、これらの手続（調査を行う手続にあつては公益を代表する地方調整委員の求めがあつた場合に限る。）に参与することができる。

（**中央労働委員会の管轄等**）

第二五条① 中央労働委員会は、行政執行法人職員の労働関係に係る事件のあつせん、調停、仲裁及び処分（行政執行法人職員が結成し、又は加入する労働組合に関する第五条第一項及び第十一条第一項の規定による処分については、政令で定めるものに限る。）について、専属的に管轄するほか、二以上の都道府県にわたり、又は全国的に重要な問題に係る事件のあつせん、調停、仲裁及び処分について、優先して管轄する。

② 中央労働委員会は、第五条第一項、第十一条第一項及び第二十七条の十二第一項の規定による都道府県労働委員会の処分を取り消し、承認し、若しくは変更する完全な権限をもつて再審査し、又はその処分に対する再審査の申立てを却下することができる。この再審査は、都道府県労働委員会の処分の当事者のいずれか一方の申立てに基づいて、又は職権で、行うものとする。

（**規則制定権**）

第二六条① 中央労働委員会は、その行う手続及び都道府県労働委員会が行う手続に関する規則を定めることができる。

② 都道府県労働委員会は、前項の規則に違反しない限りにおいて、その会議の招集に関する事項その他の政令で定める事項に関する規則を定めることができる。

第二節 不当労働行為事件の審査の手続

（**不当労働行為事件の審査の開始**）

第二七条① 労働委員会は、使用者が第七条の規定に違反した旨の申立てを受けたときは、遅滞なく調査を行い、必要があると認めたときは、当該申立てが理由があるかどうかについて審問を行わなければならない。この場合において、審問の手続においては、当該使用者及び申立人に対し、証拠を提出し、証人に反対尋問をする充分な機会が与えられなければならない。

② 労働委員会は、前項の申立てが、行為の日（継続する行為にあつてはその終了した日）から一年を経過した事件に係るものであるときは、これを受けることができない。

（**公益委員の除斥**）

第二七条の二① 公益委員は、次の各号のいずれかに該当するときは、審査に係る職務の執行から除斥される。

一 公益委員又はその配偶者若しくは配偶者であつた者が事件の当事者又は法人である当事者の代表者であり、又はあつたとき。

二 公益委員が事件の当事者の四親等以内の血族、三親等以内の姻族又は同居の親族であり、又はあつたとき。

三 公益委員が事件の当事者の後見人、後見監督人、保佐人、保佐監督人、補助人又は補助監督人であるとき。

四 公益委員が事件について証人となつたとき。

五 公益委員が事件について当事者の代理人であり、又はあつたとき。

② 前項に規定する除斥の原因があるときは、当事者は、除斥の申立てをすることができる。

（**公益委員の忌避**）

第二七条の三① 公益委員について審査の公正を妨げるべき事情があるときは、当事者は、これを忌避することができる。

② 当事者は、事件について労働委員会に対し書面又は口頭をもつて陳述した後は、公益委員を忌避することができない。ただ

し、忌避の原因があることを知らなかつたとき、又は忌避の原因がその後に生じたときは、この限りでない。

（除斥又は忌避の申立てについての決定）

第二七条の四① 除斥又は忌避の申立てについては、労働委員会が決定する。

② 除斥又は忌避の申立てに係る公益委員は、前項の規定による決定に関与することができない。ただし、意見を述べることができる。

③ 第一項の規定による決定は、書面によるものとし、かつ、理由を付さなければならない。

（審査の手続の中止）

第二七条の五 労働委員会は、除斥又は忌避の申立てがあつたときは、その申立てについての決定があるまで審査の手続を中止しなければならない。ただし、急速を要する行為についてはこの限りでない。

（審査の計画）

第二七条の六① 労働委員会は、審問開始前に、当事者双方の意見を聴いて、審査の計画を定めなければならない。

② 前項の審査の計画においては、次に掲げる事項を定めなければならない。

一 調査を行う手続において整理された争点及び証拠（その後の審査の手続における取調べが必要な証拠として整理されたものを含む。）

二 審問を行う期間及び回数並びに尋問する証人の数

三 第二十七条の十二第一項の命令の交付の予定時期

③ 労働委員会は、審査の現状その他の事情を考慮して必要があると認めるときは、当事者双方の意見を聴いて、審査の計画を変更することができる。

④ 労働委員会及び当事者は、適正かつ迅速な審査の実現のため、審査の計画に基づいて審査が行われるよう努めなければならない。

（証拠調べ）

第二七条の七① 労働委員会は、当事者の申立てにより又は職権で、調査を行う手続においては第二号に掲げる方法により、審問を行う手続においては次の各号に掲げる方法により証拠調べをすることができる。

一 事実の認定に必要な限度において、当事者又は証人に出頭を命じて陳述させること。

二 事件に関係のある帳簿書類その他の物件であつて、当該物件によらなければ当該物件により認定すべき事実を認定することが困難となるおそれがあると認めるもの（以下「物件」という。）の所持者に対し、当該物件の提出を命じ、又は提出された物件を留め置くこと。

② 労働委員会は、前項第二号の規定により物件の提出を命ずる処分（以下「物件提出命令」という。）をするかどうかを決定するに当たつては、個人の秘密及び事業者の事業上の秘密の保護に配慮しなければならない。

③ 労働委員会は、物件提出命令をする場合において、物件に提出を命ずる必要がないと認める部分又は前項の規定により配慮した結果提出を命ずることが適当でないと認める部分があるときは、その部分を除いて、提出を命ずることができる。

④ 調査又は審問を行う手続に参与する使用者委員及び労働者委員は、労働委員会が第一項第一号の規定により当事者若しくは証人に出頭を命ずる処分（以下「証人等出頭命令」という。）又は物件提出命令をしようとする場合には、意見を述べることができる。

⑤ 労働委員会は、職権で証拠調べをしたときは、その結果について、当事者の意見を聴かなければならない。

⑥ 物件提出命令の申立ては、次に掲げる事項を明らかにしてしなければならない。

一 物件の表示

二 物件の趣旨

三 物件の所持者

四 証明すべき事実

⑦ 労働委員会は、物件提出命令をしようとする場合には、物件の所持者を審尋しなければならない。

⑧ 労働委員会は、物件提出命令をする場合には、第六項各号（第三号を除く。）に掲げる事項を明らかにしなければならない。

第二七条の八① 労働委員会が証人に陳述させるときは、その証人に宣誓をさせなければならない。

② 労働委員会が当事者に陳述させるときは、その当事者に宣誓をさせることができる。

第二七条の九 民事訴訟法（平成八年法律第百九号）第百九十六条、第百九十七条及び第二百一条第二項から第四項までの規定は、労働委員会が証人に陳述させる手続に、同法第二百十条において準用する同法第二百一条第二項の規定は、労働委員会が当事者に陳述させる手続について準用する。

（不服の申立て）

第二七条の一〇① 都道府県労働委員会の証人等出頭命令又は物件提出命令（以下この条において「証人等出頭命令等」という。）を受けた者は、証人等出頭命令等について不服があるときは、証人等出頭命令等を受けた日から一週間以内（天災その他この期間内に審査の申立てをしなかつたことについてやむを得ない理由があるときは、その理由がやんだ日の翌日から起算して一週間以内）に、その理由を記載した書面により、中央労働委員会に審査を申し立てることができる。

② 中央労働委員会は、前項の規定による審査の申立てを理由があると認めるときは、証人等出頭命令等の全部又は一部を取り消す。

③ 中央労働委員会の証人等出頭命令等を受けた者は、証人等出頭命令等について不服があるときは、証人等出頭命令等を受けた日から一週間以内（天災その他この期間内に異議の申立てをしなかつたことについてやむを得ない理由があるときは、その理由がやんだ日の翌日から起算して一週間以内）に、その理由を記載した書面により、中央労働委員会に異議を申し立てることができる。

④ 中央労働委員会は、前項の規定による異議の申立てを理由があると認めるときは、証人等出頭命令等の全部若しくは一部を取り消し、又はこれを変更する。

⑤ 審査の申立て又は異議の申立ての審理は、書面による。

⑥ 中央労働委員会は、職権で審査申立人又は異議申立人を審尋することができる。

（審問廷の秩序維持）

第二七条の一一 労働委員会は、審問を妨げる者に対し退廷を命じ、その他審問廷の秩序を維持するために必要な措置を執ることができる。

（救済命令等）

第二七条の一二① 労働委員会は、事件が命令を発するのに熟したときは、事実の認定をし、この認定に基づいて、申立人の請求に係る救済の全部若しくは一部を認容し、又は申立てを棄却する命令（以下「救済命令等」という。）を発しなければならない。

② 調査又は審問を行う手続に参与する使用者委員及び労働者委員は、労働委員会が救済命令等を発しようとする場合は、意見を述べることができる。

③ 第一項の事実の認定及び救済命令等は、書面によるものとし、その写しを使用者及び申立人に交付しなければならない。

④ 救済命令等は、交付の日から効力を生ずる。

（救済命令等の確定）

第二七条の一三① 使用者が救済命令等について第二十七条の十九第一項の期間内に同項の取消しの訴えを提起しないときは、救済命令等は、確定する。

② 使用者が確定した救済命令等に従わないときは、労働委員会は、使用者の住所地の地方裁判所にその旨を通知しなければならない。この通知は、労働組合及び労働者もすることができ

る。

第二十七条の一四（和解）① 労働委員会は、審査の途中において、いつでも、当事者に和解を勧めることができる。

② 救済命令等が確定するまでの間に当事者間で和解が成立し、当事者双方の申立てがあつた場合において、労働委員会が当該和解の内容が当事者間の労働関係の正常な秩序を維持させ、又は確立させるため適当と認めるときは、審査の手続は終了する。

③ 前項に規定する場合において、和解（前項の規定により労働委員会が適当と認めたものに限る。次項において同じ。）に係る事件について既に発せられている救済命令等は、その効力を失う。

④ 労働委員会は、和解に金銭の一定額の支払又はその他の代替物若しくは有価証券の一定の数量の給付を内容とする合意が含まれる場合は、当事者双方の申立てにより、当該合意について和解調書を作成することができる。

⑤ 前項の和解調書は、強制執行に関しては、民事執行法（昭和五十四年法律第四号）第二十二条第五号に掲げる債務名義とみなす。

⑥ 前項の規定による債務名義についての執行文の付与は、労働委員会の会長が行う。民事執行法第二十九条後段の送達も、同様とする。

⑦ 前項の規定による執行文付与に関する異議についての裁判は、労働委員会の所在地を管轄する地方裁判所においてする。

⑧ 第四項の和解調書の送達及び第六項後段の送達に関して必要な事項は、政令で定める。

第二十七条の一五（再審査の申立て）① 使用者は、都道府県労働委員会の救済命令等の交付を受けたときは、十五日以内（天災その他この期間内に再審査の申立てをしなかつたことについてやむを得ない理由があるときは、その理由がやんだ日の翌日から起算して一週間以内）に中央労働委員会に再審査の申立てをすることができる。ただし、この申立ては、救済命令等の効力を停止せず、救済命令等は、中央労働委員会が第二十五条第二項の規定による再審査の結果、これを取り消し、又は変更したときは、その効力を失う。

② 前項の規定は、労働組合又は労働者が中央労働委員会に対して行う再審査の申立てについて準用する。

第二十七条の一六（再審査と訴訟との関係） 中央労働委員会は、第二十七条の十九第一項の訴えに基づく確定判決によつて都道府県労働委員会の救済命令等の全部又は一部が支持されたときは、当該救済命令等について、再審査することができない。

第二十七条の一七（再審査の手続への準用） 第二十七条第一項、第二十七条の二から第二十七条の九まで、第二十七条の十第三項から第六項まで及び第二十七条の十一から第二十七条の十四までの規定は、中央労働委員会の再審査の手続について準用する。この場合において、第二十七条の二第一項第四号中「とき」とあるのは「とき又は事件について既に発せられている都道府県労働委員会の救済命令等に関与したとき」と読み替えるものとする。

第二十七条の一八（審査の期間） 労働委員会は、迅速な審査を行うため、審査の期間の目標を定めるとともに、目標の達成状況その他の審査の実施状況を公表するものとする。

第三節　訴訟

第二十七条の一九（取消しの訴え）① 使用者が都道府県労働委員会の救済命令等について中央労働委員会に再審査の申立てをしないとき、又は中央労働委員会が救済命令等を発したときは、使用者は、救済命令等の交付の日から三十日以内に、救済命令等の取消しの訴えを提起することができる。この期間は、不変期間とする。

② 使用者は、第二十七条の十五第一項の規定により中央労働委員会に再審査の申立てをしたときは、その申立てに対する中央労働委員会の救済命令等に対してのみ、取消しの訴えを提起することができる。この訴えについては、行政事件訴訟法（昭和三十七年法律第百三十九号）第十二条第三項から第五項までの規定は、適用しない。

③ 前項の規定は、労働組合又は労働者が行政事件訴訟法の定めるところにより提起する取消しの訴えについて準用する。

第二十七条の二〇（緊急命令） 前条第一項の規定により使用者が裁判所に訴えを提起した場合において、受訴裁判所は、救済命令等を発した労働委員会の申立てにより、決定をもつて、使用者に対し判決の確定に至るまで救済命令等の全部又は一部に従うべき旨を命じ、又は当事者の申立てにより、若しくは職権でこの決定を取り消し、若しくは変更することができる。

第二十七条の二一（証拠の申出の制限） 労働委員会が物件提出命令をしたにもかかわらず物件を提出しなかつた者（審査の手続において当事者でなかつた者を除く。）は、裁判所に対し、当該物件提出命令に係る物件により認定すべき事実を証明するためには、当該物件に係る証拠の申出をすることができない。ただし、物件を提出しなかつたことについて正当な理由があると認められる場合は、この限りでない。

第四節　雑則

第二十七条の二二（中央労働委員会の勧告等） 中央労働委員会は、都道府県労働委員会に対し、この法律の規定により都道府県労働委員会が処理する事務について、報告を求め、又は法令の適用その他当該事務の処理に関して必要な勧告、助言若しくはその委員若しくは事務局職員の研修その他の援助を行うことができる。

第二十七条の二三（抗告訴訟の取扱い等）① 都道府県労働委員会は、その処分（行政事件訴訟法第三条第二項に規定する処分をいい、第二十四条の二第四項の規定により公益委員がした処分及び同条第五項の規定により公益を代表する地方調整委員がした処分を含む。次項において同じ。）に係る行政事件訴訟法第十一条第一項（同法第三十八条第一項において準用する場合を含む。次項において同じ。）の規定による都道府県を被告とする訴訟について、当該都道府県を代表する。

② 都道府県労働委員会は、公益委員、事務局長又は事務局の職員でその指定するものに都道府県労働委員会の処分に係る行政事件訴訟法第十一条第一項の規定による都道府県を被告とする訴訟又は都道府県労働委員会を当事者とする訴訟を行わせることができる。

第二十七条の二四（費用弁償） 第二十二条第一項の規定により出頭を求められた者又は第二十七条の七第一項第一号（第二十七条の十七の規定により準用する場合を含む。）の証人は、政令の定めるところにより、費用の弁償を受けることができる。

第二十七条の二五（行政手続法の適用除外） 労働委員会がする処分（第二十四条の二第四項の規定により公益委員がする処分及び同条第五項の規定により公益を代表する地方調整委員がする処分を含む。）については、行政手続法（平成五年法律第八十八号）第二章及び第三章の規定は、適用しない。

第二十七条の二六（審査請求の制限） 労働委員会がする処分（第二十四条の二第四項の規定により公益委員がする処分及び同条第五項の規定により公益を代表する地方調整委員がする処分を含む。）又はその不作為については、審査請求をすることができない。

第五章　罰則

第二八条　救済命令等の全部又は一部が確定判決によつて支持された場合において、その違反があつたときは、その行為をした者は、一年以下の拘禁刑若しくは百万円以下の罰金に処し、又はこれを併科する。

第二八条の二　第二十七条の八第一項（第二十七条の十七の規定により準用する場合を含む。）の規定により宣誓した証人が虚偽の陳述をしたときは、三月以上十年以下の拘禁刑に処する。

第二九条　第二十三条の規定に違反した者は、一年以下の拘禁刑又は三十万円以下の罰金に処する。

第三〇条　第二十二条の規定に違反して報告をせず、若しくは虚偽の報告をし、若しくは帳簿書類の提出をせず、又は同条の規定に違反して出頭をせず、若しくは同条の規定による検査を拒み、妨げ、若しくは忌避した者は、三十万円以下の罰金に処する。

第三一条　法人の代表者又は法人若しくは人の代理人、使用人その他の従業者が、その法人又は人の業務に関して前条の違反行為をしたときは、行為者を罰するほか、その法人又は人に対しても同条の刑を科する。

第三二条　使用者が第二十七条の二十の規定による裁判所の命令に違反したときは、五十万円（当該命令が作為を命ずるものであるときは、その命令の日の翌日から起算して不履行の日数が五日を超える場合にはその超える日数一日につき十万円の割合で算定した金額を加えた金額）以下の過料に処する。第二十七条の十三第一項（第二十七条の十七の規定により準用する場合を含む。）の規定により確定した救済命令等に違反した場合も、同様とする。

第三二条の二　次の各号のいずれかに該当する者は、三十万円以下の過料に処する。

一　正当な理由がないのに、第二十七条の七第一項第一号（第二十七条の十七の規定により準用する場合を含む。）の規定による処分に違反して出頭せず、又は陳述をしない者

二　正当な理由がないのに、第二十七条の七第一項第二号（第二十七条の十七の規定により準用する場合を含む。）の規定による処分に違反して物件を提出しない者

三　正当な理由がないのに、第二十七条の八（第二十七条の十七の規定により準用する場合を含む。）の規定による処分に違反して宣誓をしない者

第三二条の三　第二十七条の八第二項（第二十七条の十七の規定により準用する場合を含む。）の規定により宣誓した当事者が虚偽の陳述をしたときは、三十万円以下の過料に処する。

第三二条の四　第二十七条の十一（第二十七条の十七の規定により準用する場合を含む。）の規定による処分に違反して審問を妨げた者は、十万円以下の過料に処する。

第三三条①　法人である労働組合の清算人は、次の各号のいずれかに該当する場合には、五十万円以下の過料に処する。

一　第十三条の五に規定する登記を怠つたとき。

二　第十三条の七第一項又は第十三条の九第一項の公告を怠り、又は不正の公告をしたとき。

三　第十三条の九第一項の規定による破産手続開始の申立てを怠つたとき。

四　官庁又は総会に対し、不実の申立てをし、又は事実を隠ぺいしたとき。

②　前項の規定は、法人である労働組合の代表者が第十一条第二項の規定に基いて発する政令で定められた登記事項の変更の登記をすることを怠つた場合において、その代表者につき準用する。

附　則（抄）

①　この法律施行の期日は、公布の日から起算して三十日を越えない期間内において、政令で定める（昭和二四・六・一〇施行―昭和二四政二〇一）。

別表（第十九条の十二関係）

十五人	七人
十三人	六人
十一人	五人
九人	四人
七人	三人
五人	二人

刑法等の一部を改正する法律の施行に伴う関係法律整理法中経過規定　（令和四・六・一七法六八）（抄）

第四四一条から第四四三条まで　（刑法の同経過規定参照）

第五〇九条　（刑法の同経過規定参照）

刑法等の一部を改正する法律の施行に伴う関係法律整理法

附　則（令和四・六・一七法六八）（抄）

（施行期日）

①　この法律は、刑法等一部改正法（刑法等の一部を改正する法律（令和四法六七））施行日（令和七・六・一）から施行する。ただし、次の各号に掲げる規定は、当該各号に定める日から施行する。

一　第五百九条の規定　公布の日

二　（略）

民事関係手続等における情報通信技術の活用等の推進を図るための関係法律の整備に関する法律中経過規定　（令和五・六・一四法五三）（抄）

第三八七条から第三八九条まで　（民事執行法の同経過規定参照）

民事関係手続等における情報通信技術の活用等の推進を図るための関係法律の整備に関する法律

附　則（令和五・六・一四法五三）

この法律は、公布の日から起算して五年を超えない範囲内において政令で定める日から施行する。ただし、次の各号に掲げる規定は、当該各号に定める日から施行する。

一　（前略）第三百八十八条の規定　公布の日

二　（前略）第三十六条（労働組合法の一部改正）（中略）の規定（中略）並びに第三百八十七条の規定　公布の日から起算して二年六月を超えない範囲内において政令で定める日

三　（略）

○労働関係調整法（昭和二一・九・二七 法 二五）

施行 昭和二一・一〇・一三（昭和二一勅四七七）
最終改正 平成二六法六九

目次

第一章 総則

第一条【法の目的】 この法律は、労働組合法と相俟つて、労働関係の公正な調整を図り、労働争議を予防し、又は解決して、産業の平和を維持し、もつて経済の興隆に寄与することを目的とする。

第二条【当事者の態度】 労働関係の当事者は、互に労働関係を適正化するやうに、労働協約中に、常に労働関係の調整を図るための正規の機関の設置及びその運営に関する事項を定めるやうに、且つ労働争議が発生したときは、誠意をもつて自主的にこれを解決するやうに、特に努力しなければならない。

第三条【政府の態度】 政府は、労働関係に関する主張が一致しない場合に、労働関係の当事者が、これを自主的に調整することに対し助力を与へ、これによつて争議行為をできるだけ防止することに努めなければならない。

第四条【自主的解決の努力】 この法律は、労働関係の当事者が、直接の協議又は団体交渉によつて、労働条件その他労働関係に関する事項を定め、又は労働関係に関する主張の不一致を調整することを妨げるものでないとともに、又、労働関係の当事者が、かかる努力をする責務を免除するものではない。

第五条【迅速な処理】 この法律によつて労働関係の調整をなす場合には、当事者及び労働委員会その他の関係機関は、できるだけ適宜の方法を講じて、事件の迅速な処理を図らなければならない。

第六条【労働争議】 この法律において労働争議とは、労働関係の当事者間において、労働関係に関する主張が一致しないで、そのために争議行為が発生してゐる状態又は発生する虞がある状態をいふ。

第七条【争議行為】 この法律において争議行為とは、同盟罷業、怠業、作業所閉鎖その他労働関係の当事者が、その主張を貫徹することを目的として行ふ行為及びこれに対抗する行為であつて、業務の正常な運営を阻害するものをいふ。

第八条【公益事業、その指定、公表】 ① この法律において公益事業とは、次に掲げる事業であつて、公衆の日常生活に欠くことのできないものをいう。
一 運輸事業
二 郵便、信書便又は電気通信の事業
三 水道、電気又はガスの供給の事業
四 医療又は公衆衛生の事業

② 内閣総理大臣は、前項の事業の外、国会の承認を経て、業務の停廃が国民経済を著しく阻害し、又は公衆の日常生活を著しく危くする事業を、一年以内の期間を限り、公益事業として指定することができる。

③ 内閣総理大臣は、前項の規定によつて公益事業の指定をしたときは、遅滞なくその旨を、官報に告示するの外、新聞、ラヂオ等適宜の方法により、公表しなければならない。

第八条の二【特別調整委員】 ① 中央労働委員会及び都道府県労働委員会に、その行う労働争議の調停又は仲裁に参与させるため、中央労働委員会にあつては厚生労働大臣が、都道府県労働委員会にあつては都道府県知事がそれぞれ特別調整委員を置くことができる。

② 中央労働委員会に置かれる特別調整委員は、厚生労働大臣が、都道府県労働委員会に置かれる特別調整委員は、都道府県知事が任命する。

③ 特別調整委員は、使用者を代表する者、労働者を代表する者及び公益を代表する者とする。

④ 特別調整委員のうち、使用者を代表する者は使用者団体の推薦に基づいて、労働者を代表する者は労働組合の推薦に基づいて、公益を代表する者は当該労働委員会の使用者を代表する委員（行政執行法人の労働関係に関する法律（昭和二十三年法律第二百五十七号）第二十五条に規定する行政執行法人担当使用者委員（次条において「行政執行法人担当使用者委員」という。）を除く。）及び労働者を代表する委員（同法第二十五条に規定する行政執行法人担当労働者委員（次条において「行政執行法人担当労働者委員」という。）を除く。）の同意を得て、任命されるものとする。

⑤ 特別調整委員は、政令で定めるところにより、その職務を行ふために要する費用の弁償を受けることができる。

⑥ 特別調整委員に関する事項は、この法律に定めるものの外、政令でこれを定める。

第八条の三【中央労働委員会における一般企業担当委員のみの参与】 中央労働委員会が第十条のあつせん員候補者の委嘱及びその名簿の作成、第十二条第一項ただし書の労働委員会の同意、第十八条第四号の労働委員会の決議その他政令で定める事務を処理する場合には、これらの事務の処理には、使用者を代表する委員のうち行政執行法人担当使用者委員以外の委員（第二十一条第一項において「一般企業担当使用者委員」という。）、労働者を代表する委員のうち行政執行法人担当労働者委員以外の委員（第二十一条第一項において「一般企業担当労働者委員」という。）並びに公益を代表する委員のうち会長があらかじめ指名する十人の委員及び会長（第二十一条第一項及び第三十一条の二において「一般企業担当公益委員」という。）のみが参与する。この場合において、中央労働委員会の事務の処理に関し必要な事項は、政令で定める。

第九条【届出義務】 争議行為が発生したときは、その当事者は、直ちにその旨を労働委員会又は都道府県知事に届け出なければならない。

第二章 斡旋

第一〇条【あつせん員名簿】 労働委員会は、斡旋員候補者を委嘱し、その名簿を作製して置かなければならない。

第一一条【あつせん員候補者】 斡旋員候補者は、学識経験を有する者で、この章の規定に基いて労働争議の解決につき援助を与へることができる者でなければならないが、その労働委員会の管轄区域内に住んでゐる者でなくても差し支へない。

第一二条【あつせん員の指名】 ① 労働争議が発生したときは、労働委員会の会長は、関係当事者の双方若しくは一方の申請又は職権に基いて、斡旋員名簿に記されてゐる者の中から、斡旋員を指名しなければならない。但し、労働委員会の同意を得れば、斡旋員名簿に記されてゐない者を臨時の斡旋員に委嘱することもできる。

② 労働組合法第十九条の十第一項に規定する地方において中央労働委員会が処理すべき事件として政令で定めるものについては、中央労働委員会の会長は、前項の規定にかかわらず、関係当事者の双方若しくは一方の申請又は職権に基づいて、同条第一項に規定する地方調整委員のうちから、あつせん員を指名する。ただし、中央労働委員会の会長が当該地方調整委員のうちからあつせん員を指名することが適当でないと認める場合は、この限りでない。

第一三条【あつせん員の任務】 斡旋員は、関係当事者間を斡旋し、双方の主張の要点を確め、事件が解決されるやうに努めなければならない。

第一四条【同前】 斡旋員は、自分の手では事件が解決される見込がないときは、その事件から手を引き、事件の要点を労働委員会に報告しなければならない。

第一四条の二【費用弁償】 斡旋員は、政令で定めるところにより、その職務を行ふために要する費用の弁償を受けることができる。

第一五条【命令への委任】 斡旋員候補者に関する事項は、この章に定めるものの外命令でこれを定める。

第一六条【自主的解決】 この章の規定は、労働争議の当事者が、双方の合意又は労働協約の定により、別の斡旋方法によつて、事件の解決を図ることを妨げるものではない。

第三章　調停

第一七条【労働組合法第二〇条の調停】 労働組合法第二十条の規定による労働委員会による労働争議の調停は、この章の定めるところによる。

第一八条【調停の開始】 労働委員会は、次の各号のいずれかに該当する場合に、調停を行う。

一　関係当事者の双方から、労働委員会に対して、調停の申請がなされたとき。

二　関係当事者の双方又は一方から、労働協約の定めに基づいて、労働委員会に対して調停の申請がなされたとき。

三　公益事業に関する事件につき、関係当事者の一方から、労働委員会に対して、調停の申請がなされたとき。

四　公益事業に関する事件につき、労働委員会が職権に基づいて、調停を行う必要があると決議したとき。

五　公益事業に関する事件又はその事件が規模が大きいため若しくは特別の性質の事業に関するものであるために公益に著しい障害を及ぼす事件につき、厚生労働大臣又は都道府県知事から、労働委員会に対して、調停の請求がなされたとき。

第一九条【調停委員会】 労働委員会による労働争議の調停は、使用者を代表する調停委員、労働者を代表する調停委員及び公益を代表する調停委員から成る調停委員会を設け、これによつて行ふ。

第二〇条【労使代表委員の同数】 調停委員会の、使用者を代表する調停委員と労働者を代表する調停委員とは、同数でなければならない。

第二一条【調停委員の指名】 ① 使用者を代表する調停委員は労働委員会の使用者を代表する委員（中央労働委員会にあつては一般企業担当使用者委員）又は特別調整委員のうちから、労働者を代表する調停委員は労働委員会の労働者を代表する委員（中央労働委員会にあつては、一般企業担当労働者委員）又は特別調整委員のうちから、公益を代表する調停委員は労働委員会の公益を代表する委員（中央労働委員会にあつては、一般企業担当公益委員）又は特別調整委員のうちから労働委員会の会長がこれを指名する。

② 労働組合法第十九条の十第一項に規定する地方において中央労働委員会が処理すべき事件として政令で定めるものについては、中央労働委員会の会長は、前項の規定にかかわらず、同条第一項に規定する地方調整委員のうちから、調停委員を指名する。ただし、中央労働委員会の会長が当該地方調整委員のうちから調停委員を指名することが適当でないと認める場合は、この限りでない。

第二二条【委員長】 調停委員会に、委員長を置く。委員長は、調停委員会で、公益を代表する調停委員の中から、これを選挙する。

第二三条【会議】 ① 調停委員会は、委員長がこれを招集し、その議事は、出席者の過半数でこれを決する。

② 調停委員会は、使用者を代表する調停委員及び労働者を代表する調停委員が出席しなければ、会議を開くことはできない。

第二四条【意見の聴取】 調停委員会は、期日を定めて、関係当事者の出頭を求め、その意見を徴さなければならない。

第二五条【出席の禁止】 調停をなす場合には、調停委員会は、関係当事者及び参考人以外の者の出席を禁止することができる。

第二六条【調停案、調停案に関する疑義、争議行為の制限】 ① 調停委員会は、調停案を作成して、これを関係当事者に示し、その受諾を勧告するとともに、その調停案は理由を附してこれを公表することができる。この場合必要があるときは、新聞又はラヂオによる協力を請求することができる。

② 前項の調停案が関係当事者の双方により受諾された後、その調停案の解釈又は履行について意見の不一致が生じたときは、関係当事者は、その調停案を提示した調停委員会にその解釈又は履行に関する見解を明らかにすることを申請しなければならない。

③ 前項の調停委員会は、前項の申請のあつた日から十五日以内に、関係当事者に対して、申請のあつた事項について解釈又は履行に関する見解を示さなければならない。

④ 前項の解釈又は履行に関する見解が示されるまでは、関係当事者は、当該調停案の解釈又は履行に関して争議行為をなすことができない。但し、前項の期間が経過したときは、この限りでない。

第二七条【公益事業に関する事件の優先的取扱い】 公益事業に関する事件の調停については、特に迅速に処理するために、必要な優先的取扱がなされなければならない。

第二八条【自主的解決】 この章の規定は、労働争議の当事者が、双方の合意又は労働協約の定により、別の調停方法によつて事件の解決を図ることを妨げるものではない。

第四章　仲裁

第二九条【労働組合法第二〇条の仲裁】 労働組合法第二十条の規定による労働委員会による労働争議の仲裁は、この章の定めるところによる。

第三〇条【仲裁の開始】 労働委員会は、左の各号の一に該当する場合に、仲裁を行ふ。

一　関係当事者の双方から、労働委員会に対して、仲裁の申請がなされたとき。

二　労働協約に、労働委員会による仲裁の申請をなさなければならない旨の定がある場合に、その定に基いて、関係当事者の双方又は一方から、労働委員会に対して、仲裁の申請がなされたとき。

第三一条【仲裁委員会】 労働委員会による労働争議の仲裁は、三人以上の奇数の仲裁委員をもつて組織される仲裁委員会を設け、これによつて行う。

第三一条の二【同前―委員の指名】 仲裁委員は、労働委員会の公益を代表する委員又は特別調整委員のうちから、関係当事者が合意により選定した者につき、労働委員会の会長が指名する。ただし、関係当事者の合意による選定がされなかつたときは、労働委員会の会長が、関係当事者の意見を聴いて、労働委員会の公益を代表する委員（中央労働委員会にあつては、一般企業担当公益委員）又は特別調整委員のうちから指名する。

第三一条の三【同前―委員長】 仲裁委員会に、委員長を置く。委員長は、仲裁委員が互選する。

第三一条の四【同前―議事】 ① 仲裁委員会は、委員長が招集する。

② 仲裁委員会は、仲裁委員の過半数が出席しなければ、会議を開き、議決することができない。

③ 仲裁委員会の議事は、仲裁委員の過半数でこれを決する。

第三一条の五【同前―労働委員会の委員の意見陳述】 関係当事者のそれぞれが指名した労働委員会の使用者を代表する委員又は特別調整委員及び労働者を代表する委員又は特別調整委員は、仲裁委員会の同意を得て、その会議に出席し、意見を述べることができる。

第三二条【出席の禁止】 仲裁をなす場合には、仲裁委員会は、関係当事者及び参考人以外の者の出席を禁止することができる。

第三三条【裁定】 仲裁裁定は、書面に作成してこれを行ふ。その書面には効力発生の期日も記さなければならない。

第三四条【裁定の効力】 仲裁裁定は、労働協約と同一の効力を有する。

第三五条【自主的解決】 この章の規定は、労働争議の当事者が、双方の合意又は労働協約の定により、別の仲裁方法によつて事件の解決を図ることを妨げるものではない。

第四章の二　緊急調整

第三五条の二【決定の条件、中央労働委員会の意見聴取、公表】 ① 内閣総理大臣は、事件が公益事業に関するものであるため、又はその規模が大きいため若しくは特別の性質の事業に関するものであるために、争議行為により当該業務が停止されるときは国民経済の運行を著しく阻害し、又は国民の日常生活を著しく危くする虞があると認める事件について、その虞が現実に存するときに限り、緊急調整の決定をすることができる。

② 内閣総理大臣は、前項の決定をしようとするときは、あらかじめ中央労働委員会の意見を聴かなければならない。

③ 内閣総理大臣は、緊急調整の決定をしたときは、直ちに、理由を附してその旨を公表するとともに、中央労働委員会及び関係当事者に通知しなければならない。

第三五条の三【中央労働委員会の任務】 ① 中央労働委員会は、前条第三項の通知を受けたときは、その事件を解決するため最大限の努力を尽さなければならない。

② 中央労働委員会は、前項の任務を遂行するため、その事件について、左の各号に掲げる措置を講ずることができる。

一　斡旋を行ふこと。
二　調停を行ふこと。
三　仲裁を行ふこと（第三十条各号に該当する場合に限る。）。
四　事件の実情を調査し、及び公表すること。
五　解決のため必要と認める措置をとるべきことを勧告すること。

③ 前項第二号の調停は、第十八条各号に該当しない場合であつても、これを行ふことができる。

第三五条の四【優先処理】 中央労働委員会は、緊急調整の決定に係る事件については、他のすべての事件に優先してこれを処理しなければならない。

第三五条の五【審査請求】 第三十五条の二の規定により内閣総理大臣がした決定については、審査請求をすることができない。

第五章　争議行為の制限禁止等

第三六条【安全保持】 工場事業場における安全保持の施設の正常な維持又は運行を停廃し、又はこれを妨げる行為は、争議行為としてでもこれをなすことはできない。

第三七条【予告期間】 ① 公益事業に関する事件につき関係当事者が争議行為をするには、その争議行為をしようとする日の少なくとも十日前までに、労働委員会及び厚生労働大臣又は都道府県知事にその旨を通知しなければならない。

② 緊急調整の決定があつた公益事業に関する事件については、前項の規定による通知は、第三十八条に規定する期間を経過した後でなければこれをすることができない。

第三八条【緊急調整中の争議行為の禁止】 緊急調整の決定をなした旨の公表があつたときは、関係当事者は、公表の日から五十日間は、争議行為をなすことができない。

第三九条【第三七条違反の罪】 ① 第三十七条の規定の違反があつた場合においては、その違反行為について責任のある使用者若しくはその団体、労働者の団体又はその他の者若しくはその団体は、これを十万円以下の罰金に処する。

② 前項の規定は、そのものが、法人であるときは、理事、取締役、執行役その他法人の業務を執行する役員に、法人でない団体であるときは、代表者その他業務を執行する役員にこれを適用する。

③ 一個の争議行為に関し科する罰金の総額は、十万円を超えることはできない。

④ 法人、法人でない使用者又は労働者の組合、争議団等の団体であつて解散したものに、第一項の規定を適用するについては、その団体は、なほ存続するものとみなす。

第四〇条【罰則】 ① 第三十八条の規定の違反があつた場合においては、その違反行為について責任のある使用者若しくはその団体、労働者の団体又はその他の者若しくはその団体は、これを二十万円以下の罰金に処する。

② 前条第二項から第四項までの規定は、前項の場合に準用する。この場合において同条第三項中「十万円」とあるのは、「二十万円」と読み替へるものとする。

第四一条　削除

第四二条【労働委員会による処罰請求】 第三十九条の罪は、労働委員会の請求を待つてこれを論ずる。

第四三条【退場の命令】 調停又は仲裁をなす場合において、その公正な進行を妨げる者に対しては、調停委員会の委員長又は仲裁委員会の委員長は、これに退場を命ずることができる。

附　則

第一条　この法律施行の期日は、勅令でこれを定める（昭和二一・一〇・一三施行—昭和二一勅四七七）。

第二条　労働争議調停法は、これを廃止する。

○行政執行法人の労働関係に関する法律（抄）（昭和二三・一二・二〇 法 二 五 七）

施行 昭和二四・六・一（附則）

題名改正 昭和二七法二八八（旧・公共企業体労働関係法）、昭和六一法九三（旧・公共企業体等労働関係法）、平成一一法一〇四（旧・国営企業労働関係法）、平成一四法九八（旧・国営企業及び特定独立行政法人の労働関係に関する法律）、平成二四法四二（旧・特定独立行政法人等の労働関係に関する法律）、平成二六法六七（旧・特定独立行政法人の労働関係に関する法律）

最終改正 令和三法六一

目次

第一章 総則

（目的及び関係者の義務）

第一条① この法律は、行政執行法人の職員の労働条件に関する苦情又は紛争の友好的かつ平和的調整を図るように団体交渉の慣行と手続とを確立することによつて、行政執行法人の正常な運営を最大限に確保し、もつて公共の福祉を増進し、擁護することを目的とする。

② 国家の経済と国民の福祉に対する行政執行法人の重要性に鑑み、この法律で定める手続に関与する関係者は、経済的紛争をできるだけ防止し、かつ、主張の不一致を友好的に調整するために、最大限の努力を尽くさなければならない。

（定義）

第二条 この法律において、次の各号に掲げる用語の意義は、当該各号に定めるところによる。

一 行政執行法人 独立行政法人通則法（平成十一年法律第百三号）第二条第四項に規定する行政執行法人をいう。

二 職員 行政執行法人に勤務する一般職に属する国家公務員をいう。

（労働組合法との関係等）

第三条① 職員に関する労働関係については、この法律の定めるところにより、この法律に定めのないものについては、労働組合法（昭和二十四年法律第百七十四号。第五条第二項第八号、第七条第一号ただし書、第八条、第十八条、第二十四条の二第一項及び第二項、第二十七条の十三第二項、第二十八条、第三十一条並びに第三十二条の規定を除く。）の定めるところによる。この場合において、同法第六条中「労働組合の代表者又は労働組合の委任を受けた者」とあり、及び同法第七条第二号中「使用者が雇用する労働者の代表者」とあるのは「労働組合を代表する交渉委員」と、同条第四号中「労働関係調整法（昭和二十一年法律第二十五号）による労働争議の調整」とあるのは「行政執行法人の労働関係に関する法律による紛争の調整」と読み替えるものとする。

② 中央労働委員会（以下「委員会」という。）は、職員に関する労働関係について労働組合法第二十四条第一項に規定する事件の処理をする場合には、会長及び第二十五条の規定に基づき公益を代表する委員のうちから会長があらかじめ指名した四人の委員全員により構成する審査委員会を設けて事件の処理を行わせ、当該審査委員会のした処分をもつて委員会の処分とすることができる。ただし、事件が重要と認められる場合その他審査委員会が処分をすることが適当でないと認められる場合は、この限りでない。

③ 前項の審査委員会に関する事項その他同項の適用に関し必要な事項は、政令で定める。

第二章 労働組合

（職員の団結権）

第四条① 職員は、労働組合を結成し、若しくは結成せず、又はこれに加入し、若しくは加入しないことができる。

② 委員会は、職員が結成し、又は加入する労働組合（以下「組合」という。）について、職員のうち労働組合法第二条第一号に規定する者の範囲を認定して告示するものとする。

③ 前項の規定による委員会の事務の処理には、委員会の公益を代表する委員のみが参与する。

④ 行政執行法人は、職を新設し、変更し、又は廃止したときは、速やかにその旨を委員会に通知しなければならない。

⑤ 前条第二項及び第三項の規定は、第三項に規定する事務の処理について準用する。

第五条及び第六条 削除

（組合のための職員の行為の制限）

第七条① 職員は、組合の業務に専ら従事することができない。ただし、行政執行法人の許可を受けて、組合の役員として専ら従事する場合は、この限りでない。

② 前項ただし書の許可は、行政執行法人が相当と認める場合に与えることができるものとし、これを与える場合においては、行政執行法人は、その許可の有効期間を定めるものとする。

③ 第一項ただし書の規定により組合の役員として専ら従事する期間は、職員としての在職期間を通じて五年（その職員が国家公務員法（昭和二十二年法律第百二十号）第百八条の六第一項ただし書の規定により職員団体の業務に専ら従事したことがある者であるときは、五年からその専ら従事した期間を控除した期間）を超えることができない。

④ 第一項ただし書の許可は、当該許可を受けた職員が組合の役員として当該組合の業務にもつぱら従事する者でなくなつたときは、取り消されるものとする。

⑤ 第一項ただし書の許可を受けた職員は、その許可が効力を有する間は、休職者とし、いかなる給与も支給されないものとする。

第三章 団体交渉等

（団体交渉の範囲）

第八条 第十一条及び第十二条第二項に規定するもののほか、職員に関する次に掲げる事項は、団体交渉の対象とし、これに関し労働協約を締結することができる。ただし、行政執行法人の管理及び運営に関する事項は、団体交渉の対象とすることができない。

一 賃金その他の給与、労働時間、休憩、休日及び休暇に関する事項

二 昇職、降職、転職、免職、休職、先任権及び懲戒の基準に関する事項

三 労働に関する安全、衛生及び災害補償に関する事項

四 前三号に掲げるもののほか、労働条件に関する事項

（交渉委員等）

第九条 行政執行法人と組合との団体交渉は、専ら、行政執行法人を代表する交渉委員と組合を代表する交渉委員とにより行う。

第一〇条① 行政執行法人を代表する交渉委員は当該行政執行法人が、組合を代表する交渉委員は当該組合が指名する。

② 行政執行法人及び組合は、交渉委員を指名したときは、その名簿を相手方に提示しなければならない。

第一一条　前二条に定めるもののほか、交渉委員の数、交渉委員の任期その他団体交渉の手続に関し必要な事項は、団体交渉で定める。

（苦情処理）

第一二条①　行政執行法人及び組合は、職員の苦情を適当に解決するため、行政執行法人を代表する者及び職員を代表する者各同数をもつて構成する苦情処理共同調整会議を設けなければならない。

②　苦情処理共同調整会議の組織その他苦情処理に関する事項は、団体交渉で定める。

第一三条から第一六条まで　削除

第四章　争議行為

（争議行為の禁止）

第一七条①　職員及び組合は、行政執行法人に対して同盟罷業、怠業、その他業務の正常な運営を阻害する一切の行為をすることができない。また、職員並びに組合の組合員及び役員は、このような禁止された行為を共謀し、唆し、又はあおつてはならない。

②　行政執行法人は、作業所閉鎖をしてはならない。

（第十七条に違反した職員の身分）

第一八条　前条の規定に違反する行為をした職員は、解雇されるものとする。

（不当労働行為の申立て等）

第一九条①　前条の規定による解雇に係る労働組合法第二十七条第一項の申立てがあつた場合において、当該申立てが当該解雇がされた日から二月を経過した後にされたものであるときは、委員会は、同条第二項の規定にかかわらず、これを受けることができない。

②　前条の規定による解雇に係る労働組合法第二十七条第一項の申立てを受けたときは、委員会は、当該申立ての日から二月以内に同法第二十七条の十二第一項の命令を発するようにしなければならない。

第五章　削除

第二〇条から第二四条まで　削除

第六章　あつせん、調停及び仲裁

（第二五条から第三五条まで）（略）

第七章　雑則（抄）

第三六条　（略）

（他の法律の適用除外）

第三七条①　次に掲げる法律の規定は、職員については、適用しない。

一　国家公務員法第三条第二項から第四項まで、第三条の二、第十七条、第十七条の二、第十九条、第二十条、第二十二条中第二十三条、第七十条の五から第七十一条まで、第七十三条、第七十七条、第八十四条第二項、第八十四条の二、第八十六条から第八十八条まで、第九十六条第二項、第九十八条第二項及び第三項、第百条第四項、第百八条の二から第百八条の七まで並びに附則第六条の規定

二　国家公務員法の一部を改正する法律（昭和二十三年法律第二百二十二号）附則第三条の規定

②　前項の規定は、職員に関し、その職務と責任の特殊性に基づいて、国家公務員法附則第四条に定める同法の特例を定めたものである。

③　行政執行法人及び職員に係る処分又はその不作為であつて第三条第一項の規定により読み替えられた労働組合法第七条各号に該当するものについては、審査請求をすることができない。

附　則（抄）

③　第七条の規定の適用については、行政執行法人の運営の実態に鑑み、労働関係の適正化を促進し、もつて行政執行法人の効率的な運営に資するため、当分の間、同条第三項中「五年」とあるのは、「七年以下の範囲内で労働協約で定める期間」とする。

＊労働施策の総合的な推進並びに労働者の雇用の安定及び職業生活の充実等に関する法律（抜粋）

（昭和四一・七・二一　法　一三二）

題名改正　平成三〇法七一（旧・雇用対策法）
最終改正　令和五法五六

第一章　総則（抄）

（目的）

第一条①　この法律は、国が、少子高齢化による人口構造の変化等の経済社会情勢の変化に対応して、労働に関し、その政策全般にわたり、必要な施策を総合的に講ずることにより、労働市場の機能が適切に発揮され、労働者の多様な事情に応じた雇用の安定及び職業生活の充実並びに労働生産性の向上を促進して、労働者がその有する能力を有効に発揮することができるようにし、これを通じて、労働者の職業の安定と経済的社会的地位の向上とを図るとともに、経済及び社会の発展並びに完全雇用の達成に資することを目的とする。

②　この法律の運用に当たつては、労働者の職業選択の自由及び事業主の雇用の管理についての自主性を尊重しなければならず、また、職業能力の開発及び向上を図り、職業を通じて自立しようとする労働者の意欲を高め、かつ、労働者の職業を安定させるための事業主の努力を助長するように努めなければならない。

（募集及び採用における年齢にかかわりない均等な機会の確保）

第九条　事業主は、労働者がその有する能力を有効に発揮するために必要であると認められるときとして厚生労働省令で定めるときは、労働者の募集及び採用について、厚生労働省令で定めるところにより、その年齢にかかわりなく均等な機会を与えなければならない。

第六章　事業主による再就職の援助を促進するための措置等（抄）

（再就職援助計画の作成等）

第二四条①　事業主は、その実施に伴い一の事業所において相当数の労働者が離職を余儀なくされることが見込まれる事業規模の縮小等であつて厚生労働省令で定めるものを行おうとするときは、厚生労働省令で定めるところにより、当該離職を余儀なくされる労働者の再就職の援助のための措置に関する計画（以下「再就職援助計画」という。）を作成しなければならない。

②　事業主は、前項の規定により再就職援助計画を作成するに当たつては、当該再就職援助計画に係る事業所に、労働者の過半数で組織する労働組合がある場合においてはその労働組合の、労働者の過半数で組織する労働組合がない場合においては労働者の過半数を代表する者の意見を聴かなければならない。当該再就職援助計画を変更しようとするときも、同様とする。

③―⑤　（略）

（大量の雇用変動の届出等）

第二七条①　事業主は、その事業所における雇用量の変動（事業規模の縮小その他の理由により一定期間内に相当数の離職者が発生することをいう。）であつて、厚生労働省令で定める場合に該当するもの（以下この条において「大量雇用変動」という。）については、当該大量雇用変動の前に、厚生労働省令で定めるところにより、当該離職者の数その他の厚生労働省令で定める事項を厚生労働大臣に届け出なければならない。

②③　（略）

第八章　外国人の雇用管理の改善、再就職の促進等の措置（抄）

（外国人雇用状況の届出等）

第二八条①　事業主は、新たに外国人を雇い入れた場合又はその雇用する外国人が離職した場合には、厚生労働省令で定めるところにより、その者の氏名並びに出入国管理及び難民認定法第二条の二第一項に規定する在留資格（以下この項及び次項において「在留資格」という。）及び同条第三項に規定する在留期間（その者が在留資格を有しない者であつて、同法第四十四条の五第一項又は第六十一条の二の七第二項の規定による許可を受けて報酬を受ける活動を行うものである場合にあつては、これらの許可を受けている旨）その他厚生労働省令で定める事項について確認し、当該事項を厚生労働大臣に届け出なければならない。

②―④　（略）

第九章　職場における優越的な関係を背景とした言動に起因する問題に関して事業主の講ずべき措置等（抄）

（雇用管理上の措置等）

第三〇条の二①　事業主は、職場において行われる優越的な関係を背景とした言動であつて、業務上必要かつ相当な範囲を超えたものによりその雇用する労働者の就業環境が害されることのないよう、当該労働者からの相談に応じ、適切に対応するために必要な体制の整備その他の雇用管理上必要な措置を講じなければならない。

②　事業主は、労働者が前項の相談を行つたこと又は事業主による当該相談への対応に協力した際に事実を述べたことを理由として、当該労働者に対して解雇その他不利益な取扱いをしてはならない。

③　厚生労働大臣は、前二項の規定に基づき事業主が講ずべき措置等に関して、その適切かつ有効な実施を図るために必要な指針（以下この条において「指針」という。）を定めるものとする。

④―⑥　（略）

（国、事業主及び労働者の責務）

第三〇条の三①　国は、労働者の就業環境を害する前条第一項に規定する言動を行つてはならないことその他当該言動に起因する問題（以下この条において「優越的言動問題」という。）に対する事業主その他国民一般の関心と理解を深めるため、広報活動、啓発活動その他の措置を講ずるように努めなければならない。

②　事業主は、優越的言動問題に対するその雇用する労働者の関心と理解を深めるとともに、当該労働者が他の労働者に対する言動に必要な注意を払うよう、研修の実施その他の必要な配慮をするほか、国の講ずる前項の措置に協力するように努めなければならない。

③　事業主（その者が法人である場合にあつては、その役員）は、自らも、優越的言動問題に対する関心と理解を深め、労働者に対する言動に必要な注意を払うように努めなければならない。

④　労働者は、優越的言動問題に対する関心と理解を深め、他の労働者に対する言動に必要な注意を払うとともに、事業主の講ずる前条第一項の措置に協力するように努めなければならない。

○職業安定法（抄）（昭和二二・一一・三〇 法 一 四 一）

施行 昭和二二・一二・一（附則）
最終改正 令和六法五〇

目次

第一章 総則

（法律の目的）

第一条 この法律は、労働施策の総合的な推進並びに労働者の雇用の安定及び職業生活の充実等に関する法律（昭和四十一年法律第百三十二号）と相まつて、公共に奉仕する公共職業安定所その他の職業安定機関が、関係行政庁又は関係団体の協力を得て職業紹介事業等を行うこと、職業安定機関以外の者の行う職業紹介事業等が労働力の需要供給の適正かつ円滑な調整に果たすべき役割に鑑みその適正な運営を確保すること等により、各人にその有する能力に適合する職業に就く機会を与え、及び産業に必要な労働力を充足し、もつて職業の安定を図るとともに、経済及び社会の発展に寄与することを目的とする。

（職業選択の自由）

第二条 何人も、公共の福祉に反しない限り、職業を自由に選択することができる。

（均等待遇）

第三条 何人も、人種、国籍、信条、性別、社会的身分、門地、従前の職業、労働組合の組合員であること等を理由として、職業紹介、職業指導等について、差別的取扱を受けることがない。但し、労働組合法の規定によつて、雇用主と労働組合との間に締結された労働協約に別段の定のある場合は、この限りでない。

（定義）

第四条① この法律において「職業紹介」とは、求人及び求職の申込みを受け、求人者と求職者との間における雇用関係の成立をあつせんすることをいう。

② この法律において「無料の職業紹介」とは、職業紹介に関し、いかなる名義でも、その手数料又は報酬を受けないで行う職業紹介をいう。

③ この法律において「有料の職業紹介」とは、無料の職業紹介以外の職業紹介をいう。

④ この法律において「職業指導」とは、職業に就こうとする者に対し、実習、講習、指示、助言、情報の提供その他の方法により、その者の能力に適合する職業の選択を容易にさせ、及びその職業に対する適応性を増大させるために行う指導をいう。

⑤ この法律において「労働者の募集」とは、労働者を雇用しようとする者が、自ら又は他人に委託して、労働者となろうとする者に対し、その被用者となることを勧誘することをいう。

⑥ この法律において「募集情報等提供」とは、次に掲げる行為をいう。

一 労働者の募集を行う者等（労働者の募集を行う者、募集受託者（第三十九条に規定する募集受託者をいう。第三号、第五条の三第一項、第五条の四第一項及び第二項並びに第五条の五第一項において同じ。）又は職業紹介事業者その他厚生労働省令で定める者（以下この項において「職業紹介事業者等」という。）をいう。第四号において同じ。）の依頼を受け、労働者の募集に関する情報を労働者になろうとする者又は他の職業紹介事業者等に提供すること。

二 前号に掲げるもののほか、労働者の募集に関する情報を、労働者になろうとする者の職業の選択を容易にすることを目的として収集し、労働者になろうとする者等（労働者になろうとする者又は職業紹介事業者等をいう。次号において同じ。）に提供すること。

三 労働者になろうとする者等の依頼を受け、労働者になろうとする者に関する情報を労働者の募集を行う者、募集受託者又は他の職業紹介事業者等に提供すること。

四 前号に掲げるもののほか、労働者になろうとする者に関する情報を、労働者の募集を行う者の必要とする労働力の確保を容易にすることを目的として収集し、労働者の募集を行う者等に提供すること。

⑦ この法律において「特定募集情報等提供」とは、労働者になろうとする者に関する情報を収集して行う募集情報等提供をいう。

⑧ この法律において「労働者供給」とは、供給契約に基づいて労働者を他人の指揮命令を受けて労働に従事させることをいい、労働者派遣事業の適正な運営の確保及び派遣労働者の保護等に関する法律（昭和六十年法律第八十八号。以下「労働者派遣法」という。）第二条第一号に規定する労働者派遣に該当するものを含まないものとする。

⑨ この法律において「特定地方公共団体」とは、第二十九条第一項の規定により無料の職業紹介事業を行う地方公共団体をいう。

⑩ この法律において「職業紹介事業者」とは、第三十条第一項若しくは第三十三条第一項の許可を受けて、又は第三十三条の三第一項の規定による届出をして職業紹介事業を行う者をいう。

⑪ この法律において「特定募集情報等提供事業者」とは、第四十三条の二第一項の規定による届出をして特定募集情報等提供事業を行う者をいう。

⑫ この法律において「労働者供給事業者」とは、第四十五条の規定により労働者供給事業を行う労働組合等（労働組合法による労働組合その他これに準ずるものであつて厚生労働省令で定めるものをいう。以下同じ。）をいう。

⑬ この法律において「個人情報」とは、個人に関する情報であつて、特定の個人を識別することができるもの（他の情報と照合することにより特定の個人を識別することができることとなるものを含む。）をいう。

（政府の行う業務）

第五条 政府は、第一条の目的を達成するために、次に掲げる業務を行う。

一 労働力の需要供給の適正かつ円滑な調整を図ること。

二 失業者に対し、職業に就く機会を与えるために、必要な政策を樹立し、その実施に努めること。

三 求職者に対し、迅速に、その能力に適合する職業に就くことをあつせんするため、及び求人者に対し、その必要とする労働力を充足するために、無料の職業紹介事業を行うこと。

四　政府以外の者（第二十九条第一項の規定により無料の職業紹介事業を行う場合における特定地方公共団体及び募集情報等提供事業を行う場合における地方公共団体を除く。）の行う職業紹介、労働者の募集、募集情報等提供事業、労働者供給事業又は労働者派遣法第二条第三号に規定する労働者派遣事業及び建設労働者の雇用の改善等に関する法律（昭和五十一年法律第三十三号。以下「建設労働法」という。）第二条第十項に規定する建設業務労働者就業機会確保事業（以下「労働者派遣事業等」という。）を労働者及び公共の利益を増進するように、指導監督すること。

五　求職者に対し、必要な職業指導を行うこと。

六　個人、団体、学校又は関係行政庁の協力を得て、公共職業安定所の業務の運営の改善向上を図ること。

七　雇用保険法（昭和四十九年法律第百十六号）の規定によつて、給付を受けるべき者について、職業紹介又は職業指導を行い、雇用保険制度の健全な運用を図ること。

（職業安定機関と特定地方公共団体等の協力）

第五条の二① 職業安定機関及び特定地方公共団体、職業紹介事業者、募集情報等提供事業を行う者又は労働者供給事業者は、労働力の需要供給の適正かつ円滑な調整を図るため、雇用情報の充実、労働力の需要供給の調整に係る技術の向上等に関し、相互に協力するように努めなければならない。

② 公共職業安定所及び特定地方公共団体又は職業紹介事業者は、求職者が希望する地域においてその能力に適合する職業に就くことができるよう、職業紹介に関し、相互に協力するように努めなければならない。

（労働条件等の明示）

第五条の三① 公共職業安定所、特定地方公共団体及び職業紹介事業者、労働者の募集を行う者及び募集受託者並びに労働者供給事業者は、それぞれ、職業紹介、労働者の募集又は労働者供給に当たり、求職者、募集に応じて労働者になろうとする者又は供給される労働者に対し、その者が従事すべき業務の内容及び賃金、労働時間その他の労働条件を明示しなければならない。

② 求人者は求人の申込みに当たり公共職業安定所、特定地方公共団体又は職業紹介事業者に対し、労働者供給を受けようとする者はあらかじめ労働者供給事業者に対し、それぞれ、求職者又は供給される労働者が従事すべき業務の内容及び賃金、労働時間その他の労働条件を明示しなければならない。

③ 求人者、労働者の募集を行う者及び労働者供給を受けようとする者（供給される労働者を雇用する場合に限る。）は、それぞれ、求人の申込みをした公共職業安定所、特定地方公共団体若しくは職業紹介事業者の紹介による求職者、募集に応じて労働者になろうとする者又は供給される労働者と労働契約を締結しようとする場合であつて、これらの者に対して第一項の規定により明示された従事すべき業務の内容及び賃金、労働時間その他の労働条件（以下この項において「従事すべき業務の内容等」という。）を変更する場合その他厚生労働省令で定める場合は、当該契約の相手方となろうとする者に対し、当該変更する従事すべき業務の内容等その他厚生労働省令で定める事項を明示しなければならない。

④ 前三項の規定による明示は、賃金及び労働時間に関する事項その他の厚生労働省令で定める事項については、厚生労働省令で定める方法により行わなければならない。

（求人等に関する情報の的確な表示）

第五条の四① 公共職業安定所、特定地方公共団体及び職業紹介事業者、労働者の募集を行う者及び募集受託者、募集情報等提供事業を行う者並びに労働者供給事業者は、この法律に基づく業務に関して新聞、雑誌その他の刊行物に掲載する広告、文書の掲出又は頒布その他厚生労働省令で定める方法（以下この条において「広告等」という。）により求人若しくは労働者の募集に関する情報又は求職者若しくは労働者になろうとする者に関する情報その他厚生労働省令で定める情報（第三項において「求人等に関する情報」という。）を提供するときは、当該情報について虚偽の表示又は誤解を生じさせる表示をしてはならない。

② 労働者の募集を行う者及び募集受託者は、この法律に基づく業務に関して広告等により労働者の募集に関する情報その他厚生労働省令で定める情報を提供するときは、正確かつ最新の内容に保たなければならない。

③ 公共職業安定所、特定地方公共団体及び職業紹介事業者、募集情報等提供事業を行う者並びに労働者供給事業者は、この法律に基づく業務に関して広告等により求人等に関する情報を提供するときは、厚生労働省令で定めるところにより正確かつ最新の内容に保つための措置を講じなければならない。

（求職者等の個人情報の取扱い）

第五条の五① 公共職業安定所、特定地方公共団体、職業紹介事業者及び求人者、労働者の募集を行う者及び募集受託者、特定募集情報等提供事業者並びに労働者供給事業者及び労働者供給を受けようとする者（次項において「公共職業安定所等」という。）は、それぞれ、その業務に関し、求職者、労働者になろうとする者又は供給される労働者の個人情報（以下この条において「求職者等の個人情報」という。）を収集し、保管し、又は使用するに当たつては、その業務の目的の達成に必要な範囲内で、厚生労働省令で定めるところにより、当該目的を明らかにして求職者等の個人情報を収集し、並びに当該収集の目的の範囲内でこれを保管し、及び使用しなければならない。ただし、本人の同意がある場合その他正当な事由がある場合は、この限りでない。

② 公共職業安定所等は、求職者等の個人情報を適正に管理するために必要な措置を講じなければならない。

（求人の申込み）

第五条の六① 公共職業安定所、特定地方公共団体及び職業紹介事業者は、求人の申込みは全て受理しなければならない。ただし、次の各号のいずれかに該当する求人の申込みは受理しないことができる。

一　その内容が法令に違反する求人の申込み

二　その内容である賃金、労働時間その他の労働条件が通常の労働条件と比べて著しく不適当であると認められる求人の申込み

三　労働に関する法律の規定であつて政令で定めるものの違反に関し、法律に基づく処分、公表その他の措置が講じられた者（厚生労働省令で定める場合に限る。）からの求人の申込み

四　第五条の三第二項の規定による明示が行われない求人の申込み

五　次に掲げるいずれかの者からの求人の申込み

イ　暴力団員による不当な行為の防止等に関する法律（平成三年法律第七十七号）第二条第六号に規定する暴力団員（以下この号及び第三十二条において「暴力団員」という。）

ロ　法人であつて、その役員（業務を執行する社員、取締役、執行役又はこれらに準ずる者をいい、相談役、顧問その他いかなる名称を有する者であるかを問わず、法人に対し業務を執行する社員、取締役、執行役又はこれらに準ずる者と同等以上の支配力を有するものと認められる者を含む。第三十二条において同じ。）のうちに暴力団員があるもの

ハ　暴力団員がその事業活動を支配する者

六　正当な理由なく次項の規定による求めに応じない者からの求人の申込み

② 公共職業安定所、特定地方公共団体及び職業紹介事業者は、求人の申込みが前項各号に該当するかどうかを確認するため必要があると認めるときは、当該求人者に報告を求めることができる。

③ 求人者は、前項の規定による求めがあつたときは、正当な理

由がない限り、その求めに応じなければならない。

（求職の申込み）

第五条の七① 公共職業安定所、特定地方公共団体及び職業紹介事業者は、求職の申込みは全て受理しなければならない。ただし、その申込みの内容が法令に違反するときは、これを受理しないことができる。

② 公共職業安定所、特定地方公共団体及び職業紹介事業者は、特殊な業務に対する求職者の適否を決定するため必要があると認めるときは、試問及び技能の検査を行うことができる。

（求職者の能力に適合する職業の紹介等）

第五条の八 公共職業安定所、特定地方公共団体及び職業紹介事業者は、求職者に対しては、その能力に適合する職業を紹介し、求人者に対しては、その雇用条件に適合する求職者を紹介するように努めなければならない。

第二章 職業安定機関の行う職業紹介及び職業指導（抄）

第一節 通則（抄）

（職業安定主管局長の権限）

第六条 職業安定主管局（厚生労働省の内部部局として置かれる局で職業紹介及び職業指導その他職業の安定に関する事務を所掌するものをいう。第九条において同じ。）の局長（以下「職業安定主管局長」という。）は、厚生労働大臣の指揮監督を受け、この法律の施行に関する事項について、都道府県労働局長を指揮監督するとともに、公共職業安定所の指揮監督に関する基準の制定、産業に必要な労働力を充足するための対策の企画及び実施、失業対策の企画及び実施、労働力の需要供給を調整するための主要労働力需要供給圏の決定、職業指導の企画及び実施その他この法律の施行に関し必要な事務をつかさどり、所属の職員を指揮監督する。

（都道府県労働局長の権限）

第七条 都道府県労働局長は、職業安定主管局長の指揮監督を受け、この法律の施行に関する事項について、公共職業安定所の業務の連絡統一に関する業務をつかさどり、所属の職員及び公共職業安定所長を指揮監督する。

（公共職業安定所）

第八条① 公共職業安定所は、職業紹介、職業指導、雇用保険その他この法律の目的を達成するために必要な業務を行い、無料で公共に奉仕する機関とする。

② 公共職業安定所長は、都道府県労働局長の指揮監督を受けて、所務をつかさどり、所属の職員を指揮監督する。

第九条から**第一六条**まで（略）

第二節 職業紹介（抄）

（職業紹介の地域）

第一七条① 公共職業安定所は、求職者に対し、できる限り、就職の際にその住所又は居所の変更を必要としない職業を紹介するよう努めなければならない。

② 公共職業安定所は、その管轄区域内において、求職者にその希望及び能力に適合する職業を紹介することができないとき、又は求人者の希望する求職者若しくは求人数を充足することができないときは、広範囲の地域にわたる職業紹介活動をするものとする。

③ 前項の広範囲の地域にわたる職業紹介活動は、できる限り近隣の公共職業安定所が相互に協力して行うように努めなければならない。

④ 第二項の広範囲の地域にわたる職業紹介活動に関し必要な事項は、厚生労働省令で定める。

（求人又は求職の開拓等）

第一八条① 公共職業安定所は、他の法律の規定に基づいて行うもののほか、厚生労働省令で定めるところにより、求職者に対しその能力に適合する職業に就く機会を与えるため、及び求人者に対しその必要とする労働力を確保することができるようにするために、必要な求人又は求職の開拓を行うものとする。

② 公共職業安定所は、前項の規定による求人又は求職の開拓に関し、地方公共団体、事業主の団体、労働組合その他の関係者に対し、情報の提供その他必要な連絡又は協力を求めることができる。

（業務情報の提供）

第一八条の二 公共職業安定所は、厚生労働省令で定めるところにより、求職者又は求人者に対し、特定地方公共団体又は職業紹介事業者（第三十二条の九第二項の命令を受けている者その他の公共職業安定所が求職者又は求人者に対してその職業紹介事業の業務に係る情報の提供を行うことが適当でない者として厚生労働省令で定めるものを除く。この項において同じ。）に関する第三十二条の十六第三項に規定する事項、特定地方公共団体又は職業紹介事業者の紹介により就職した者のうち雇用保険法第五十八条の規定による移転費の支給を受けたものの数その他職業紹介事業の業務に係る情報を提供するものとする。

（公共職業訓練のあつせん）

第一九条 公共職業安定所は、求職者に対し、公共職業能力開発施設の行う職業訓練（職業能力開発総合大学校の行うものを含む。）を受けることについてあつせんを行うものとする。

（労働争議に対する不介入）

第二〇条① 公共職業安定所は、労働争議に対する中立の立場を維持するため、同盟罷業又は作業所閉鎖の行われている事業所に、求職者を紹介してはならない。

② 前項に規定する場合の外、労働委員会が公共職業安定所に対し、事業所において、同盟罷業又は作業所閉鎖に至る虞の多い争議が発生していること及び求職者を無制限に紹介することによつて、当該争議の解決が妨げられることを通報した場合においては、公共職業安定所は当該事業所に対し、求職者を紹介してはならない。但し、当該争議の発生前、通常使用されていた労働者の員数を維持するため必要な限度まで労働者を紹介する場合は、この限りでない。

第二一条（略）

第三節 職業指導 及び 第四節 学生若しくは生徒又は学校卒業者の職業紹介等

（第二二条から第二八条まで）（略）

第二章の二 地方公共団体の行う職業紹介

（第二九条から第二九条の九まで）（略）

第三章 職業安定機関及び地方公共団体以外の者の行う職業紹介（抄）

第一節 有料職業紹介事業

（有料職業紹介事業の許可）

第三〇条① 有料の職業紹介事業を行おうとする者は、厚生労働大臣の許可を受けなければならない。

② 前項の許可を受けようとする者は、次に掲げる事項を記載した申請書を厚生労働大臣に提出しなければならない。

一 氏名又は名称及び住所並びに法人にあつては、その代表者の氏名

二 法人にあつては、その役員の氏名及び住所

三 有料の職業紹介事業を行う事業所の名称及び所在地

四 第三十二条の十四の規定により選任する職業紹介責任者の氏名及び住所

五 その他厚生労働省令で定める事項

③ 前項の申請書には、有料の職業紹介事業を行う事業所ごとの当該事業に係る事業計画書その他厚生労働省令で定める書類を添付しなければならない。

④ 前項の事業計画書には、厚生労働省令で定めるところにより、有料の職業紹介事業を行う事業所ごとの当該事業に係る求職者の見込数その他職業紹介に関する事項を記載しなければな

らない。

⑤　厚生労働大臣は、第一項の許可をしようとするときは、あらかじめ、労働政策審議会の意見を聴かなければならない。

⑥　第一項の許可を受けようとする者は、実費を勘案して厚生労働省令で定める額の手数料を納付しなければならない。

（許可の基準等）

第三一条①　厚生労働大臣は、前条第一項の許可の申請が次に掲げる基準に適合していると認めるときは、同項の許可をしなければならない。

一　申請者が、当該事業を健全に遂行するに足りる財産的基礎を有すること。

二　個人情報を適正に管理し、及び求人者、求職者等の秘密を守るために必要な措置が講じられていること。

三　前二号に定めるもののほか、申請者が、当該事業を適正に遂行することができる能力を有すること。

②　厚生労働大臣は、前条第一項の許可をしないときは、遅滞なく、理由を示してその旨を当該申請者に通知しなければならない。

（許可の欠格事由）

第三二条　厚生労働大臣は、前条第一項の規定にかかわらず、次の各号のいずれかに該当する者に対しては、第三十条第一項の許可をしてはならない。

一　拘禁刑以上の刑に処せられ、又はこの法律の規定その他労働に関する法律の規定（次号に規定する規定を除く。）であつて政令で定めるもの若しくは暴力団員による不当な行為の防止等に関する法律の規定（同法第五十条（第二号に係る部分に限る。）及び第五十二条の規定を除く。）により、若しくは刑法（明治四十年法律第四十五号）第二百四条、第二百六条、第二百八条、第二百八条の二、第二百二十二条若しくは第二百四十七条の罪、暴力行為等処罰に関する法律（大正十五年法律第六十号）の罪若しくは出入国管理及び難民認定法（昭和二十六年政令第三百十九号）第七十三条の二第一項の罪を犯したことにより、罰金の刑に処せられ、その執行を終わり、又は執行を受けることがなくなつた日から起算して五年を経過しない者

二　健康保険法（大正十一年法律第七十号）第二百八条、第二百十三条の二若しくは第二百十四条第一項、船員保険法（昭和十四年法律第七十三号）第百五十六条、第百五十九条若しくは第百六十条第一項、労働者災害補償保険法（昭和二十二年法律第五十号）第五十一条前段若しくは第五十四条第一項（同法第五十一条前段の規定に係る部分に限る。）、厚生年金保険法（昭和二十九年法律第百十五号）第百二条、第百三条の二若しくは第百四条第一項（同法第百二条又は第百三条の二の規定に係る部分に限る。）、労働保険の保険料の徴収等に関する法律（昭和四十四年法律第八十四号）第四十六条前段若しくは第四十八条第一項（同法第四十六条前段の規定に係る部分に限る。）又は雇用保険法第八十三条若しくは第八十六条（同法第八十三条の規定に係る部分に限る。）の規定により罰金の刑に処せられ、その執行を終わり、又は執行を受けることがなくなつた日から起算して五年を経過しない者

三　心身の故障により有料の職業紹介事業を適正に行うことができない者として厚生労働省令で定めるもの

四　破産手続開始の決定を受けて復権を得ない者

五　第三十二条の九第一項（第一号を除き、第三十三条第四項において準用する場合を含む。）の規定により職業紹介事業の許可を取り消され、又は第三十三条の三第二項において準用する第三十二条の九第一項（第一号を除く。）の規定により無料の職業紹介事業の廃止を命じられ、当該取消し又は命令の日から起算して五年を経過しない者

六　第三十二条の九第一項（第三十三条第四項において準用する場合を含む。）の規定により職業紹介事業の許可を取り消された者が法人である場合（第三十二条の九第一項（第一号に限る。）（第三十三条第四項において準用する場合を含む。）の規定により許可を取り消された場合については、当該法人が第一号又は第二号に規定する者に該当することとなつたことによる場合に限る。）又は第三十三条の三第二項において準用する第三十二条の九第一項の規定により無料の職業紹介事業の廃止を命じられた者が法人である場合（第三十三条の三第二項において準用する第三十二条の九第一項（第一号に限る。）の規定により廃止を命じられた場合については、当該法人が第一号又は第二号に規定する者に該当することとなつたことによる場合に限る。）において、当該取消し又は命令の処分を受ける原因となつた事項が発生した当時現に当該法人の役員であつた者で、当該取消し又は命令の日から起算して五年を経過しないもの

七　第三十二条の九第一項（第三十三条第四項において準用する場合を含む。）の規定による職業紹介事業の許可の取消し又は第三十三条の三第二項において準用する第三十二条の九第一項の規定による無料の職業紹介事業の廃止の命令の処分に係る行政手続法（平成五年法律第八十八号）第十五条の規定による通知があつた日から当該処分をする日又は処分をしないことを決定する日までの間に第三十二条の八第一項（第三十三条第四項及び第三十三条の三第二項において準用する場合を含む。）の規定による職業紹介事業の廃止の届出をした者（当該事業の廃止について相当の理由がある者を除く。）で、当該届出の日から起算して五年を経過しないもの

八　前号に規定する期間内に第三十二条の八第一項（第三十三条第四項及び第三十三条の三第二項において準用する場合を含む。）の規定による職業紹介事業の廃止の届出をした者が法人である場合において、同号の通知の日前六十日以内に当該法人（当該事業の廃止について相当の理由がある法人を除く。）の役員であつた者で、当該届出の日から起算して五年を経過しないもの

九　暴力団員又は暴力団員でなくなつた日から五年を経過しない者（以下この条において「暴力団員等」という。）

十　営業に関し成年者と同一の行為能力を有しない未成年者であつて、その法定代理人が前各号又は次号のいずれかに該当するもの

十一　法人であつて、その役員のうちに前各号のいずれかに該当する者があるもの

十二　暴力団員等がその事業活動を支配する者

十三　暴力団員等をその業務に従事させ、又はその業務の補助者として使用するおそれのある者

第三二条の二　削除

（手数料）

第三二条の三①　第三十条第一項の許可を受けた者（以下「有料職業紹介事業者」という。）は、次に掲げる場合を除き、職業紹介に関し、いかなる名義でも、実費その他の手数料又は報酬を受けてはならない。

一　職業紹介に通常必要となる経費等を勘案して厚生労働省令で定める種類及び額の手数料を徴収する場合

二　あらかじめ厚生労働大臣に届け出た手数料表（手数料の種類、額その他手数料に関する事項を定めた表をいう。）に基づき手数料を徴収する場合

②　有料職業紹介事業者は、前項の規定にかかわらず、求職者からは手数料を徴収してはならない。ただし、手数料を求職者から徴収することが当該求職者の利益のために必要であると認められるときとして厚生労働省令で定めるときは、同項各号に掲げる場合に限り、手数料を徴収することができる。

③　第一項第二号に規定する手数料表は、厚生労働省令で定める方法により作成しなければならない。

④　厚生労働大臣は、第一項第二号に規定する手数料表に基づく手数料が次の各号のいずれかに該当すると認めるときは、当該有料職業紹介事業者に対し、期限を定めて、その手数料表を変更すべきことを命ずることができる。

一　特定の者に対し不当な差別的取扱いをするものであると

き。

二　手数料の種類、額その他手数料に関する事項が明確に定められていないことにより、当該手数料が著しく不当であると認められるとき。

（許可証）

第三二条の四① 厚生労働大臣は、第三十条第一項の許可をしたときは、厚生労働省令で定めるところにより、有料の職業紹介事業を行う事業所の数に応じ、許可証を交付しなければならない。

② 許可証の交付を受けた者は、当該許可証を、有料の職業紹介事業を行う事業所ごとに備え付けるとともに、関係者から請求があつたときは提示しなければならない。

③ 許可証の交付を受けた者は、当該許可証を亡失し、又は当該許可証が滅失したときは、速やかにその旨を厚生労働大臣に届け出て、許可証の再交付を受けなければならない。

（許可の条件）

第三二条の五① 第三十条第一項の許可には、条件を付し、及びこれを変更することができる。

② 前項の条件は、第三十条第一項の許可の趣旨に照らして、又は当該許可に係る事項の確実な実施を図るために必要な最小限度のものに限り、かつ、当該許可を受ける者に不当な義務を課することとなるものであつてはならない。

（許可の有効期間等）

第三二条の六① 第三十条第一項の許可の有効期間は、当該許可の日から起算して三年とする。

② 前項に規定する許可の有効期間（当該許可の有効期間についてこの項の規定により更新を受けたときにあつては、当該更新を受けた許可の有効期間）の満了後引き続き当該許可に係る有料の職業紹介事業を行おうとする者は、許可の有効期間の更新を受けなければならない。

③ 厚生労働大臣は、前項に規定する許可の有効期間の更新の申請があつた場合において、当該申請が第三十一条第一項各号に掲げる基準に適合していると認めるときは、当該許可の有効期間の更新をしなければならない。

④ 第二項に規定する許可の有効期間の更新を受けようとする者は、実費を勘案して厚生労働省令で定める額の手数料を納付しなければならない。

⑤ 第二項の規定によりその更新を受けた場合における第三十条第一項の許可の有効期間は、当該更新前の許可の有効期間が満了する日の翌日から起算して五年とする。

⑥ 第三十条第二項から第四項まで、第三十一条第二項及び第三十二条（第五号から第八号までを除く。）の規定は、第二項に規定する許可の有効期間の更新について準用する。

（変更の届出）

第三二条の七① 有料職業紹介事業者は、第三十条第二項各号に掲げる事項（厚生労働省令で定めるものを除く。）に変更があつたときは、遅滞なく、その旨を厚生労働大臣に届け出なければならない。この場合において、当該変更に係る事項が有料の職業紹介事業を行う事業所の新設に係るものであるときは、当該事業所に係る事業計画書その他厚生労働省令で定める書類を添付しなければならない。

② 第三十条第四項の規定は、前項の事業計画書について準用する。

③ 厚生労働大臣は、第一項の規定により有料の職業紹介事業を行う事業所の新設に係る変更の届出があつたときは、厚生労働省令で定めるところにより、当該新設に係る事業所の数に応じ、許可証を交付しなければならない。

④ 有料職業紹介事業者は、第一項の規定による届出をする場合において、当該届出に係る事項が許可証の記載事項に該当するときは、厚生労働省令で定めるところにより、その書換えを受けなければならない。

（事業の廃止）

第三二条の八① 有料職業紹介事業者は、当該有料の職業紹介事業を廃止したときは、遅滞なく、厚生労働省令で定めるところにより、その旨を厚生労働大臣に届け出なければならない。

② 前項の規定による届出があつたときは、第三十条第一項の許可は、その効力を失う。

（許可の取消し等）

第三二条の九① 厚生労働大臣は、有料職業紹介事業者が次の各号のいずれかに該当するときは、第三十条第一項の許可を取り消すことができる。

一　第三十二条各号（第五号から第八号までを除く。）のいずれかに該当しているとき。

二　この法律若しくは労働者派遣法（第三章第四節の規定を除く。）の規定又はこれらの規定に基づく命令若しくは処分に違反したとき。

三　第三十二条の五第一項の規定により付された許可の条件に違反したとき。

② 厚生労働大臣は、有料職業紹介事業者が前項第二号又は第三号に該当するときは、期間を定めて当該有料の職業紹介事業の全部又は一部の停止を命ずることができる。

（名義貸しの禁止）

第三二条の一〇 有料職業紹介事業者は、自己の名義をもつて、他人に有料の職業紹介事業を行わせてはならない。

（取扱職業の範囲）

第三二条の一一① 有料職業紹介事業者は、港湾運送業務（港湾労働法（昭和六十三年法律第四十号）第二条第二号に規定する港湾運送の業務又は同条第一号に規定する港湾以外の港湾において行われる当該業務に相当する業務として厚生労働省令で定める業務をいう。）に就く職業、建設業務（土木、建築その他工作物の建設、改造、保存、修理、変更、破壊若しくは解体の作業又はこれらの作業の準備の作業に係る業務をいう。）に就く職業その他有料の職業紹介事業においてその職業のあつせんを行うことが当該職業に就く労働者の保護に支障を及ぼすおそれがあるものとして厚生労働省令で定める職業を求職者に紹介してはならない。

② 第五条の六第一項及び第五条の七第一項の規定は、有料職業紹介事業者に係る前項に規定する職業に係る求人の申込み及び求職の申込みについては、適用しない。

（取扱職種の範囲等の届出等）

第三二条の一二① 有料の職業紹介事業を行おうとする者又は有料職業紹介事業者は、取扱職種の範囲等を定めたときは、これを厚生労働大臣に届け出なければならない。これを変更したときも、同様とする。

② 有料の職業紹介事業を行おうとする者又は有料職業紹介事業者が、前項の規定により、取扱職種の範囲等を届け出た場合には、第五条の六第一項及び第五条の七第一項の規定は、その範囲内に限り適用するものとする。

③ 厚生労働大臣は、第一項の規定により届け出られた取扱職種の範囲等が、特定の者に対し不当な差別的取扱いをするものであると認めるときは、当該有料の職業紹介事業を行おうとする者又は有料職業紹介事業者に対し、期限を定めて、当該取扱職種の範囲等を変更すべきことを命ずることができる。

（取扱職種の範囲等の明示等）

第三二条の一三 有料職業紹介事業者は、取扱職種の範囲等、手数料に関する事項、苦情の処理に関する事項その他当該職業紹介事業の業務の内容に関しあらかじめ求人者及び求職者に対して知らせることが適当であるものとして厚生労働省令で定める事項について、厚生労働省令で定めるところにより、求人者及び求職者に対し、明示しなければならない。

（職業紹介責任者）

第三二条の一四 有料職業紹介事業者は、職業紹介に関し次に掲げる事項を統括管理させ、及び従業者に対する職業紹介の適正な遂行に必要な教育を行わせるため、厚生労働省令で定めるところにより、第三十二条第一号、第二号及び第四号から第九号までに該当しない者（未成年者を除き、有料の職業紹介事業の管理を適正に行うに足りる能力を有する者として、厚生労働省令で定める基準に適合するものに限る。）のうちから職業紹介責任者を選任しなければならない。

一　求人者又は求職者から申出を受けた苦情の処理に関すること。

二　求人者の情報（職業紹介に係るものに限る。）及び求職者の個人情報の管理に関すること。

三　求人及び求職の申込みの受理、求人者及び求職者に対する助言及び指導その他有料の職業紹介事業の業務の運営及び改善に関すること。

四　職業安定機関との連絡調整に関すること。

（帳簿の備付け）

第三二条の一五　有料職業紹介事業者は、その業務に関して、厚生労働省令で定める帳簿書類を作成し、その事業所に備えて置かなければならない。

（事業報告等）

第三二条の一六①　有料職業紹介事業者は、厚生労働省令で定めるところにより、有料の職業紹介事業を行う事業所ごとの当該事業に係る事業報告書を作成し、厚生労働大臣に提出しなければならない。

②　前項の事業報告書には、厚生労働省令で定めるところにより、有料の職業紹介事業を行う事業所ごとの当該事業に係る求職者の数、職業紹介に関する手数料の額その他職業紹介に関する事項を記載しなければならない。

③　有料職業紹介事業者は、厚生労働省令で定めるところにより、当該有料職業紹介事業者の紹介により就職した者の数、当該有料職業紹介事業者の紹介により就職した者（期間の定めのない労働契約を締結した者に限る。）のうち離職した者（解雇により離職した者その他厚生労働省令で定める者を除く。）の数、手数料に関する事項その他厚生労働省令で定める事項に関し情報の提供を行わなければならない。

第二節　無料職業紹介事業　及び　第三節　補則

（第三三条から第三五条まで）（略）

第三章の二　労働者の募集

（第三六条から第四三条まで）（略）

第三章の三　募集情報等提供事業

（第四三条の二から第四三条の九まで）（略）

第三章の四　労働者供給事業

（労働者供給事業の禁止）

第四四条　何人も、次条に規定する場合を除くほか、労働者供給事業を行い、又はその労働者供給事業を行う者から供給される労働者を自らの指揮命令の下に労働させてはならない。

（労働者供給事業の許可）

第四五条　労働組合等が、厚生労働大臣の許可を受けた場合は、無料の労働者供給事業を行うことができる。

（労働者供給事業者の責務）

第四五条の二　労働者供給事業者は、労働力の需要供給の適正かつ円滑な調整に資するため、当該事業の運営に当たつては、その改善向上を図るために必要な措置を講ずるように努めなければならない。

（準用）

第四六条　第二十条、第三十三条の四及び第四十一条第一項の規定は、労働組合等が前条の規定により労働者供給事業を行う場合について準用する。この場合において、第二十条第一項中「公共職業安定所」とあるのは「労働者供給事業者」と、「求職者を紹介してはならない」とあるのは「労働者を供給してはならない」と、同条第二項中「求職者を無制限に紹介する」とあるのは「労働者を無制限に供給する」と、「公共職業安定所は当該事業所に対し、求職者を紹介してはならない」とあるのは「公共職業安定所は、その旨を労働者供給事業者に通報するものとし、当該通報を受けた労働者供給事業者は、当該事業所に対し、労働者を供給してはならない」と、同項ただし書中「紹介する」とあるのは「供給する」と、第四十一条第一項中「同項の許可」とあるのは「同条の許可」と、「当該労働者の募集の業務」とあるのは「当該労働者供給事業の全部若しくは一部」と読み替えるものとする。

（施行規定）

第四七条　労働者供給事業に関する許可の申請手続その他労働者供給事業に関し必要な事項は、厚生労働省令でこれを定める。

第三章の五　労働者派遣事業等

第四七条の二　労働者派遣事業等に関しては、労働者派遣法及び港湾労働法並びに建設労働法の定めるところによる。

第四章　雑則

（第四七条の三から第六二条まで）（略）

第五章　罰則

（第六三条から第六七条まで）（略）

刑法等の一部を改正する法律の施行に伴う関係法律整理法中経過規定　（令和四・六・一七法六八）（抄）

第四四一条から第四四三条まで　（刑法の同経過規定参照）

第五〇九条　（刑法の同経過規定参照）

刑法等の一部を改正する法律の施行に伴う関係法律整理法

附　則（令和四・六・一七法六八）（抄）

（施行期日）

①　この法律は、刑法等一部改正法（刑法等の一部を改正する法律（令和四法六七））施行日（令和七・六・一）から施行する。ただし、次の各号に掲げる規定は、当該各号に定める日から施行する。

一　第五百九条の規定　公布の日

二　（略）

○労働者派遣事業の適正な運営の確保及び派遣労働者の保護等に関する法律（抄）（昭和六〇・七・五法八八）

施行　昭和六一・七・一（昭和六一政九四）
題名改正　平成二四法二七（旧・労働者派遣事業の適正な運営の確保及び派遣労働者の就業条件の整備等に関する法律）
最終改正　令和六法四二

目次

第一章　総則

（目的）
第一条　この法律は、職業安定法（昭和二十二年法律第百四十一号）と相まつて労働力の需給の適正な調整を図るため労働者派遣事業の適正な運営の確保に関する措置を講ずるとともに、派遣労働者の保護等を図り、もつて派遣労働者の雇用の安定その他福祉の増進に資することを目的とする。

（用語の意義）
第二条　この法律において、次の各号に掲げる用語の意義は、当該各号に定めるところによる。
一　労働者派遣　自己の雇用する労働者を、当該雇用関係の下に、かつ、他人の指揮命令を受けて、当該他人のために労働に従事させることをいい、当該他人に対し当該労働者を当該他人に雇用させることを約してするものを含まないものとする。
二　派遣労働者　事業主が雇用する労働者であつて、労働者派遣の対象となるものをいう。
三　労働者派遣事業　労働者派遣を業として行うことをいう。
四　紹介予定派遣　労働者派遣のうち、第五条第一項の許可を受けた者（以下「派遣元事業主」という。）が労働者派遣の役務の提供の開始前又は開始後に、当該労働者派遣に係る派遣労働者及び当該派遣労働者に係る労働者派遣の役務の提供を受ける者（第三章第四節を除き、以下「派遣先」という。）について、職業安定法その他の法律の規定による許可を受けて、又は届出をして、職業紹介を行い、又は行うことを予定してするものをいい、当該職業紹介により、当該派遣労働者が当該派遣先に雇用される旨が、当該労働者派遣の役務の提供の終了前に当該派遣労働者と当該派遣先との間で約されるものを含むものとする。

（船員に対する適用除外）
第三条　この法律は、船員職業安定法（昭和二十三年法律第百三十号）第六条第一項に規定する船員については、適用しない。

第二章　労働者派遣事業の適正な運営の確保に関する措置（抄）

第一節　業務の範囲

第四条①　何人も、次の各号のいずれかに該当する業務について、労働者派遣事業を行つてはならない。
一　港湾運送業務（港湾労働法（昭和六十三年法律第四十号）第二条第二号に規定する港湾運送の業務及び同条第一号に規定する港湾以外の港湾において行われる当該業務に相当する業務として政令で定める業務をいう。）
二　建設業務（土木、建築その他工作物の建設、改造、保存、修理、変更、破壊若しくは解体の作業又はこれらの作業の準備の作業に係る業務をいう。）
三　警備業法（昭和四十七年法律第百十七号）第二条第一項各号に掲げる業務その他その業務の実施の適正を確保するためには業として行う労働者派遣（次節並びに第二十三条第二項、第四項及び第五項において単に「労働者派遣」という。）により派遣労働者に従事させることが適当でないと認められる業務として政令で定める業務
②　厚生労働大臣は、前項第三号の政令の制定又は改正の立案をしようとするときは、あらかじめ、労働政策審議会の意見を聴かなければならない。
③　労働者派遣事業を行う事業主から労働者派遣の役務の提供を受ける者は、その指揮命令の下に当該労働者派遣に係る派遣労働者を第一項各号のいずれかに該当する業務に従事させてはならない。

第二節　事業の許可（抄）

（労働者派遣事業の許可）
第五条①　労働者派遣事業を行おうとする者は、厚生労働大臣の許可を受けなければならない。
②　前項の許可を受けようとする者は、次に掲げる事項を記載した申請書を厚生労働大臣に提出しなければならない。
一　氏名又は名称及び住所並びに法人にあつては、その代表者の氏名
二　法人にあつては、その役員の氏名及び住所
三　労働者派遣事業を行う事業所の名称及び所在地
四　第三十六条の規定により選任する派遣元責任者の氏名及び住所
③　前項の申請書には、労働者派遣事業を行う事業所ごとの当該事業に係る事業計画書その他厚生労働省令で定める書類を添付しなければならない。
④　前項の事業計画書には、厚生労働省令で定めるところにより、労働者派遣事業を行う事業所ごとの当該事業に係る派遣労働者の数、労働者派遣に関する料金の額その他労働者派遣に関する事項を記載しなければならない。
⑤　厚生労働大臣は、第一項の許可をしようとするときは、あらかじめ、労働政策審議会の意見を聴かなければならない。

（許可の欠格事由）
第六条　次の各号のいずれかに該当する者は、前条第一項の許可を受けることができない。
一　拘禁刑以上の刑に処せられ、又はこの法律の規定その他労働に関する法律の規定（次号に規定する規定を除く。）であつて政令で定めるもの若しくは暴力団員による不当な行為の防止等に関する法律（平成三年法律第七十七号）の規定（同法第五十条（第二号に係る部分に限る。）及び第五十二条の規定を除く。）により、若しくは刑法（明治四十年法律第四十五号）第二百四条、第二百六条、第二百八条、第二百八条の

二、第二百二十二条若しくは第二百四十七条の罪、暴力行為等処罰に関する法律（大正十五年法律第六十号）の罪若しくは出入国管理及び難民認定法（昭和二十六年政令第三百十九号）第七十三条の二第一項の罪を犯したことにより、罰金の刑に処せられ、その執行を終わり、又は執行を受けることがなくなつた日から起算して五年を経過しない者

二　健康保険法（大正十一年法律第七十号）第二百八条、第二百十三条の二若しくは第二百十四条第一項、船員保険法（昭和十四年法律第七十三号）第百五十六条、第百五十九条若しくは第百六十条第一項、労働者災害補償保険法（昭和二十二年法律第五十号）第五十一条前段若しくは第五十四条第一項（同法第五十一条前段の規定に係る部分に限る。）、厚生年金保険法（昭和二十九年法律第百十五号）第百二条、第百三条の二若しくは第百四条第一項（同法第百二条又は第百三条の二の規定に係る部分に限る。）、労働保険の保険料の徴収等に関する法律（昭和四十四年法律第八十四号）第四十六条前段若しくは第四十八条第一項（同法第四十六条前段の規定に係る部分に限る。）又は雇用保険法（昭和四十九年法律第百十六号）第八十三条若しくは第八十六条（同法第八十三条の規定に係る部分に限る。）の規定により罰金の刑に処せられ、その執行を終わり、又は執行を受けることがなくなつた日から起算して五年を経過しない者

三　心身の故障により労働者派遣事業を適正に行うことができない者として厚生労働省令で定めるもの

四　破産手続開始の決定を受けて復権を得ない者

五　第十四条第一項（第一号を除く。）の規定により労働者派遣事業の許可を取り消され、当該取消しの日から起算して五年を経過しない者

六　第十四条第一項の規定により労働者派遣事業の許可を取り消された者が法人である場合（同項第一号の規定により許可を取り消された場合については、当該法人が第一号又は第二号に規定する者に該当することとなつたことによる場合に限る。）において、当該取消しの処分を受ける原因となつた事項が発生した当時現に当該法人の役員（業務を執行する社員、取締役、執行役又はこれらに準ずる者をいい、相談役、顧問その他いかなる名称を有する者であるかを問わず、法人に対し業務を執行する社員、取締役、執行役又はこれらに準ずる者と同等以上の支配力を有するものと認められる者を含む。以下この条において同じ。）であつた者で、当該取消しの日から起算して五年を経過しないもの

七　第十四条第一項の規定による労働者派遣事業の許可の取消しの処分に係る行政手続法（平成五年法律第八十八号）第十五条の規定による通知があつた日から当該処分をする日又は処分をしないことを決定する日までの間に第十三条第一項の規定による労働者派遣事業の廃止の届出をした者（当該事業の廃止について相当の理由がある者を除く。）で、当該届出の日から起算して五年を経過しないもの

八　前号に規定する期間内に第十三条第一項の規定による労働者派遣事業の廃止の届出をした者が法人である場合において、同号の通知の日前六十日以内に当該法人（当該事業の廃止について相当の理由がある法人を除く。）の役員であつた者で、当該届出の日から起算して五年を経過しないもの

九　暴力団員による不当な行為の防止等に関する法律第二条第六号に規定する暴力団員（以下この号において「暴力団員」という。）又は暴力団員でなくなつた日から五年を経過しない者（以下この条において「暴力団員等」という。）

十　営業に関し成年者と同一の行為能力を有しない未成年者であつて、その法定代理人が前各号又は次号のいずれかに該当するもの

十一　法人であつて、その役員のうちに前各号のいずれかに該当する者があるもの

十二　暴力団員等がその事業活動を支配する者

十三　暴力団員等をその業務に従事させ、又はその業務の補助者として使用するおそれのある者

第七条①（**許可の基準等**）厚生労働大臣は、第五条第一項の許可の申請が次に掲げる基準に適合していると認めるときでなければ、許可をしてはならない。

一　当該事業が専ら労働者派遣の役務を特定の者に提供することを目的として行われるもの（雇用の機会の確保が特に困難であると認められる労働者の雇用の継続等を図るために必要であると認められる場合として厚生労働省令で定める場合において行われるものを除く。）でないこと。

二　申請者が、当該事業の派遣労働者に係る雇用管理を適正に行うに足りる能力を有するものとして厚生労働省令で定める基準に適合するものであること。

三　個人情報（個人に関する情報であつて、特定の個人を識別することができるもの（他の情報と照合することにより特定の個人を識別することができることとなるものを含む。）をいう。以下同じ。）を適正に管理し、及び派遣労働者等の秘密を守るために必要な措置が講じられていること。

四　前二号に掲げるもののほか、申請者が、当該事業を的確に遂行するに足りる能力を有するものであること。

②　厚生労働大臣は、第五条第一項の許可をしないときは、遅滞なく、理由を示してその旨を当該申請者に通知しなければならない。

第八条及び第九条（略）

第一〇条①（**許可の有効期間等**）第五条第一項の許可の有効期間は、当該許可の日から起算して三年とする。

②　前項に規定する許可の有効期間（当該許可の有効期間についてこの項の規定により更新を受けたときにあつては、当該更新を受けた許可の有効期間）の満了後引き続き当該許可に係る労働者派遣事業を行おうとする者は、厚生労働省令で定めるところにより、許可の有効期間の更新を受けなければならない。

③　厚生労働大臣は、前項に規定する許可の有効期間の更新の申請があつた場合において、当該申請が第七条第一項各号に掲げる基準に適合していないと認めるときは、当該許可の有効期間の更新をしてはならない。

④　第二項の規定によりその更新を受けた場合における第五条第一項の許可の有効期間は、当該更新前の許可の有効期間が満了する日の翌日から起算して五年とする。

⑤　第五条第二項から第四項まで、第六条（第五号から第八号までを除く。）及び第七条第二項の規定は、第二項に規定する許可の有効期間の更新について準用する。

第一一条から第一三条まで（略）

第一四条①（**許可の取消し等**）厚生労働大臣は、派遣元事業主が次の各号のいずれかに該当するときは、第五条第一項の許可を取り消すことができる。

一　第六条各号（第五号から第八号までを除く。）のいずれかに該当しているとき。

二　この法律（第二十三条第三項、第二十三条の二、第三十条第二項の規定により読み替えて適用する同条第一項及び次章第四節の規定を除く。）若しくは職業安定法の規定又はこれらの規定に基づく命令若しくは処分に違反したとき。

三　第九条第一項の規定により付された許可の条件に違反したとき。

四　第四十八条第三項の規定による指示を受けたにもかかわらず、なお第二十三条第三項、第二十三条の二又は第三十条第二項の規定により読み替えて適用する同条第一項の規定に違反したとき。

②　厚生労働大臣は、派遣元事業主が前項第二号又は第三号に該当するときは、期間を定めて当該派遣元事業主の労働者派遣事業の全部又は一部の停止を命ずることができる。

第一五条（略）

第一六条から第二二条まで　削除

第三節　補則（抄）

第二三条（略）

（派遣元事業主の関係派遣先に対する労働者派遣の制限）

第二三条の二　派遣元事業主は、当該派遣元事業主の経営を実質的に支配することが可能となる関係にある者その他の当該派遣元事業主と特殊の関係のある者として厚生労働省令で定める者（以下この条において「関係派遣先」という。）に労働者派遣をするときは、関係派遣先への派遣割合（一の事業年度における当該派遣元事業主が雇用する派遣労働者の関係派遣先に係る派遣就業（労働者派遣に係る派遣労働者の就業をいう。以下同じ。）に係る総労働時間を、その事業年度における当該派遣元事業主が雇用する派遣労働者のすべての派遣就業に係る総労働時間で除して得た割合として厚生労働省令で定めるところにより算定した割合をいう。）が百分の八十以下となるようにしなければならない。

第二四条（略）

（派遣元事業主以外の労働者派遣事業を行う事業主からの労働者派遣の受入れの禁止）

第二四条の二　労働者派遣の役務の提供を受ける者は、派遣元事業主以外の労働者派遣事業を行う事業主から、労働者派遣の役務の提供を受けてはならない。

（個人情報の取扱い）

第二四条の三①　派遣元事業主は、労働者派遣に関し、労働者の個人情報を収集し、保管し、又は使用するに当たつては、その業務（紹介予定派遣をする場合における職業紹介を含む。次条において同じ。）の目的の達成に必要な範囲内で労働者の個人情報を収集し、並びに当該収集の目的の範囲内でこれを保管し、及び使用しなければならない。ただし、本人の同意がある場合その他正当な事由がある場合は、この限りでない。

②　派遣元事業主は、労働者の個人情報を適正に管理するために必要な措置を講じなければならない。

第二四条の四及び第二五条（略）

第三章　派遣労働者の保護等に関する措置（抄）

第一節　労働者派遣契約（抄）

（契約の内容等）

第二六条①　労働者派遣契約（当事者の一方が相手方に対し労働者派遣をすることを約する契約をいう。以下同じ。）の当事者は、厚生労働省令で定めるところにより、当該労働者派遣契約の締結に際し、次に掲げる事項を定めるとともに、その内容の差異に応じて派遣労働者の人数を定めなければならない。

一　派遣労働者が従事する業務の内容

二　派遣労働者が労働者派遣に係る労働に従事する事業所の名称及び所在地その他派遣就業の場所並びに組織単位（労働者の配置の区分であつて、配置された労働者の業務の遂行を指揮命令する職務上の地位にある者が当該労働者の業務の配分に関して直接の権限を有するものとして厚生労働省令で定めるものをいう。以下同じ。）

三　労働者派遣の役務の提供を受ける者のために、就業中の派遣労働者を直接指揮命令する者に関する事項

四　労働者派遣の期間及び派遣就業をする日

五　派遣就業の開始及び終了の時刻並びに休憩時間

六　安全及び衛生に関する事項

七　派遣労働者から苦情の申出を受けた場合における当該申出を受けた苦情の処理に関する事項

八　派遣労働者の新たな就業の機会の確保、派遣労働者に対する休業手当（労働基準法（昭和二十二年法律第四十九号）第二十六条の規定により使用者が支払うべき手当をいう。第二十九条の二において同じ。）等の支払に要する費用を確保するための当該費用の負担に関する措置その他の労働者派遣契約の解除に当たつて講ずる派遣労働者の雇用の安定を図るために必要な措置に関する事項

九　労働者派遣契約が紹介予定派遣に係るものである場合にあつては、当該職業紹介により従事すべき業務の内容及び労働条件その他の当該紹介予定派遣に関する事項

十　前各号に掲げるもののほか、厚生労働省令で定める事項

②　前項に定めるもののほか、派遣元事業主は、労働者派遣契約であつて海外派遣に係るものの締結に際しては、厚生労働省令で定めるところにより、当該海外派遣に係る役務の提供を受ける者が次に掲げる措置を講ずべき旨を定めなければならない。

一　第四十一条の派遣先責任者の選任

二　第四十二条第一項の派遣先管理台帳の作成、同項各号に掲げる事項の当該台帳への記載及び同条第三項の厚生労働省令で定める条件に従つた通知

三　その他厚生労働省令で定める当該派遣就業が適正に行われるため必要な措置

③　派遣元事業主は、第一項の規定により労働者派遣契約を締結するに当たつては、あらかじめ、当該契約の相手方に対し、第五条第一項の許可を受けている旨を明示しなければならない。

④　派遣元事業主から新たな労働者派遣契約に基づく労働者派遣（第四十条の二第一項各号のいずれかに該当するものを除く。次項において同じ。）の役務の提供を受けようとする者は、第一項の規定により当該労働者派遣契約を締結するに当たつては、あらかじめ、当該派遣元事業主に対し、当該労働者派遣の役務の提供が開始される日以後当該労働者派遣の役務の提供を受けようとする者の事業所その他派遣就業の場所の業務について同条第一項の規定に抵触することとなる最初の日を通知しなければならない。

⑤　派遣元事業主は、新たな労働者派遣契約に基づく労働者派遣の役務の提供を受けようとする者から前項の規定による通知がないときは、当該者との間で、当該者の事業所その他派遣就業の場所の業務に係る労働者派遣契約を締結してはならない。

⑥　労働者派遣（紹介予定派遣を除く。）の役務の提供を受けようとする者は、労働者派遣契約の締結に際し、当該労働者派遣契約に基づく労働者派遣に係る派遣労働者を特定することを目的とする行為をしないように努めなければならない。

⑦　労働者派遣の役務の提供を受けようとする者は、第一項の規定により労働者派遣契約を締結するに当たつては、あらかじめ、派遣元事業主に対し、厚生労働省令で定めるところにより、当該労働者派遣に係る派遣労働者が従事する業務ごとに、比較対象労働者の賃金その他の待遇に関する情報その他の厚生労働省令で定める情報を提供しなければならない。

⑧　前項の「比較対象労働者」とは、当該労働者派遣の役務の提供を受けようとする者に雇用される通常の労働者であつて、その業務の内容及び当該業務に伴う責任の程度（以下「職務の内容」という。）並びに当該職務の内容及び配置の変更の範囲が、当該労働者派遣に係る派遣労働者と同一であると見込まれるものその他の当該派遣労働者と待遇を比較すべき労働者として厚生労働省令で定めるものをいう。

⑨　派遣元事業主は、労働者派遣の役務の提供を受けようとする者から第七項の規定による情報の提供がないときは、当該者との間で、当該労働者派遣に係る派遣労働者が従事する業務に係る労働者派遣契約を締結してはならない。

⑩　派遣先は、第七項の情報に変更があつたときは、遅滞なく、厚生労働省令で定めるところにより、派遣元事業主に対し、当該変更の内容に関する情報を提供しなければならない。

⑪　労働者派遣の役務の提供を受けようとする者及び派遣先は、当該労働者派遣に関する料金の額について、派遣元事業主が、第三十条の四第一項の協定に係る労働者派遣以外の労働者派遣にあつては第三十条の三の規定、同項の協定に係る労働者派遣にあつては同項第二号から第五号までに掲げる事項に関する協定の定めを遵守することができるものとなるように配慮しなければならない。

（契約の解除等）

第二七条　労働者派遣の役務の提供を受ける者は、派遣労働者の国籍、信条、性別、社会的身分、派遣労働者が労働組合の正当な行為をしたこと等を理由として、労働者派遣契約を解除してはならない。

第二八条及び第二九条　（略）

（労働者派遣契約の解除に当たつて講ずべき措置）

第二九条の二　労働者派遣の役務の提供を受ける者は、その者の都合による労働者派遣契約の解除に当たつては、当該労働者派遣に係る派遣労働者の新たな就業の機会の確保、労働者派遣をする事業主による当該派遣労働者に対する休業手当等の支払に要する費用を確保するための当該費用の負担その他の当該派遣労働者の雇用の安定を図るために必要な措置を講じなければならない。

第二節　派遣元事業主の講ずべき措置等（抄）

（特定有期雇用派遣労働者等の雇用の安定等）

第三〇条①　派遣元事業主は、その雇用する有期雇用派遣労働者（期間を定めて雇用される派遣労働者をいう。以下同じ。）であつて派遣先の事業所その他派遣就業の場所における同一の組織単位の業務について継続して一年以上の期間当該労働者派遣に係る労働に従事する見込みがあるものとして厚生労働省令で定めるもの（以下「特定有期雇用派遣労働者」という。）その他雇用の安定を図る必要性が高いと認められる者として厚生労働省令で定めるもの又は派遣労働者として期間を定めて雇用しようとする労働者であつて雇用の安定を図る必要性が高いと認められるものとして厚生労働省令で定めるもの（以下この項において「特定有期雇用派遣労働者等」という。）に対し、厚生労働省令で定めるところにより、次の各号の措置を講ずるように努めなければならない。

一　派遣先に対し、特定有期雇用派遣労働者に対して労働契約の申込みをすることを求めること。

二　派遣労働者として就業させることができるように就業（その条件が、特定有期雇用派遣労働者等の能力、経験その他厚生労働省令で定める事項に照らして合理的なものに限る。）の機会を確保するとともに、その機会を特定有期雇用派遣労働者等に提供すること。

三　派遣労働者以外の労働者として期間を定めないで雇用することができるように雇用の機会を確保するとともに、その機会を特定有期雇用派遣労働者等に提供すること。

四　前三号に掲げるもののほか、特定有期雇用派遣労働者等を対象とした教育訓練であつて雇用の安定に特に資すると認められるものとして厚生労働省令で定めるものその他の雇用の安定を図るために必要な措置として厚生労働省令で定めるものを講ずること。

②　派遣先の事業所その他派遣就業の場所における同一の組織単位の業務について継続して三年間当該労働者派遣に係る労働に従事する見込みがある特定有期雇用派遣労働者に係る前項の規定の適用については、同項中「講ずるように努めなければ」とあるのは、「講じなければ」とする。

（段階的かつ体系的な教育訓練等）

第三〇条の二①　派遣元事業主は、その雇用する派遣労働者が段階的かつ体系的に派遣就業に必要な技能及び知識を習得することができるように教育訓練を実施しなければならない。この場合において、当該派遣労働者が無期雇用派遣労働者（期間を定めないで雇用される派遣労働者をいう。以下同じ。）であるときは、当該無期雇用派遣労働者がその職業生活の全期間を通じてその有する能力を有効に発揮できるように配慮しなければならない。

②　派遣元事業主は、その雇用する派遣労働者の求めに応じ、当該派遣労働者の職業生活の設計に関し、相談の機会の確保その他の援助を行わなければならない。

（不合理な待遇の禁止等）

第三〇条の三①　派遣元事業主は、その雇用する派遣労働者の基本給、賞与その他の待遇のそれぞれについて、当該待遇に対応する派遣先に雇用される通常の労働者の待遇との間において、当該派遣労働者及び通常の労働者の職務の内容、当該職務の内容及び配置の変更の範囲その他の事情のうち、当該待遇の性質及び当該待遇を行う目的に照らして適切と認められるものを考慮して、不合理と認められる相違を設けてはならない。

②　派遣元事業主は、職務の内容が派遣先に雇用される通常の労働者と同一の派遣労働者であつて、当該労働者派遣契約及び当該派遣先における慣行その他の事情からみて、当該派遣先における派遣就業が終了するまでの全期間において、その職務の内容及び配置が当該派遣先との雇用関係が終了するまでの全期間における当該通常の労働者の職務の内容及び配置の変更の範囲と同一の範囲で変更されることが見込まれるものについては、正当な理由がなく、基本給、賞与その他の待遇のそれぞれについて、当該待遇に対応する当該通常の労働者の待遇に比して不利なものとしてはならない。

第三〇条の四①　派遣元事業主は、厚生労働省令で定めるところにより、労働者の過半数で組織する労働組合がある場合においてはその労働組合、労働者の過半数で組織する労働組合がない場合においては労働者の過半数を代表する者との書面による協定により、その雇用する派遣労働者の待遇（第四十条第二項の教育訓練、同条第三項の福利厚生施設その他の厚生労働省令で定めるものに係るものを除く。以下この項において同じ。）について、次に掲げる事項を定めたときは、前条の規定は、第一号に掲げる範囲に属する派遣労働者の待遇については適用しない。ただし、第二号、第四号若しくは第五号に掲げる事項であつて当該協定で定めたものを遵守していない場合又は第三号に関する当該協定の定めによる公正な評価に取り組んでいない場合は、この限りでない。

一　その待遇が当該協定で定めるところによることとされる派遣労働者の範囲

二　前号に掲げる範囲に属する派遣労働者の賃金の決定の方法（次のイ及びロ（通勤手当その他の厚生労働省令で定めるものにあつては、イ）に該当するものに限る。）

イ　派遣労働者が従事する業務と同種の業務に従事する一般の労働者の平均的な賃金の額として厚生労働省令で定めるものと同等以上の賃金の額となるものであること。

ロ　派遣労働者の職務の内容、職務の成果、意欲、能力又は経験その他の就業の実態に関する事項の向上があつた場合に賃金が改善されるものであること。

三　派遣元事業主は、前号に掲げる賃金の決定の方法により賃金を決定するに当たつては、派遣労働者の職務の内容、職務の成果、意欲、能力又は経験その他の就業の実態に関する事項を公正に評価し、その賃金を決定すること。

四　第一号に掲げる範囲に属する派遣労働者の待遇（賃金を除く。以下この号において同じ。）の決定の方法（派遣労働者の待遇のそれぞれについて、当該待遇に対応する派遣元事業主に雇用される通常の労働者（派遣労働者を除く。）の待遇との間において、当該派遣労働者及び通常の労働者の職務の内容、当該職務の内容及び配置の変更の範囲その他の事情のうち、当該待遇の性質及び当該待遇を行う目的に照らして適切と認められるものを考慮して、不合理と認められる相違が生じることとならないものに限る。）

五　派遣元事業主は、第一号に掲げる範囲に属する派遣労働者に対して第三十条の二第一項の規定による教育訓練を実施すること。

六　前各号に掲げるもののほか、厚生労働省令で定める事項

②　前項の協定を締結した派遣元事業主は、厚生労働省令で定めるところにより、当該協定をその雇用する労働者に周知しなければならない。

（職務の内容等を勘案した賃金の決定）

第三〇条の五　派遣元事業主は、派遣先に雇用される通常の労働者との均衡を考慮しつつ、その雇用する派遣労働者（第三十条

の三第二項の派遣労働者及び前条第一項の協定で定めるところによる待遇とされる派遣労働者（以下「協定対象派遣労働者」という。）を除く。）の職務の内容、職務の成果、意欲、能力又は経験その他の就業の実態に関する事項を勘案し、その賃金（通勤手当その他の厚生労働省令で定めるものを除く。）を決定するように努めなければならない。

第三〇条の六（就業規則の作成の手続） 派遣元事業主は、派遣労働者に係る事項について就業規則を作成し、又は変更しようとするときは、あらかじめ、当該事業所において雇用する派遣労働者の過半数を代表すると認められるものの意見を聴くように努めなければならない。

（派遣労働者等の福祉の増進）

第三〇条の七 第三十条から前条までに規定するもののほか、派遣元事業主は、その雇用する派遣労働者又は派遣労働者として雇用しようとする労働者について、各人の希望、能力及び経験に応じた就業の機会（派遣労働者以外の労働者としての就業の機会を含む。）及び教育訓練の機会の確保、労働条件の向上その他雇用の安定を図るために必要な措置を講ずることにより、これらの者の福祉の増進を図るように努めなければならない。

（適正な派遣就業の確保）

第三一条 派遣元事業主は、派遣先がその指揮命令の下に派遣労働者に労働させるに当たつて当該派遣就業に関しこの法律又は第四節の規定により適用される法律の規定に違反することがないようにその他当該派遣就業が適正に行われるように、必要な措置を講ずる等適切な配慮をしなければならない。

（待遇に関する事項等の説明）

第三一条の二① 派遣元事業主は、派遣労働者として雇用しようとする労働者に対し、厚生労働省令で定めるところにより、当該労働者を派遣労働者として雇用した場合における当該労働者の賃金の額の見込みその他の当該労働者の待遇に関する事項その他の厚生労働省令で定める事項を説明しなければならない。

② 派遣元事業主は、労働者を派遣労働者として雇い入れようとするときは、あらかじめ、当該労働者に対し、文書の交付その他厚生労働省令で定める方法（次項において「文書の交付等」という。）により、第一号に掲げる事項を明示するとともに、厚生労働省令で定めるところにより、第二号に掲げる措置の内容を説明しなければならない。

一 労働条件に関する事項のうち、労働基準法第十五条第一項に規定する厚生労働省令で定める事項以外のものであつて厚生労働省令で定めるもの

二 第三十条の三、第三十条の四第一項及び第三十条の五の規定により措置を講ずべきこととされている事項（労働基準法第十五条第一項に規定する厚生労働省令で定める事項及び前号に掲げる事項を除く。）に関し講ずることとしている措置の内容

③ 派遣元事業主は、労働者派遣（第三十条の四第一項の協定に係るものを除く。）をしようとするときは、あらかじめ、当該労働者派遣に係る派遣労働者に対し、文書の交付等により、第一号に掲げる事項を明示するとともに、厚生労働省令で定めるところにより、第二号に掲げる措置の内容を説明しなければならない。

一 労働基準法第十五条第一項に規定する厚生労働省令で定める事項及び前項第一号に掲げる事項（厚生労働省令で定めるものを除く。）

二 前項第二号に掲げる措置の内容

④ 派遣元事業主は、その雇用する派遣労働者から求めがあつたときは、当該派遣労働者に対し、当該派遣労働者と第二十六条第八項に規定する比較対象労働者との間の待遇の相違の内容及び理由並びに第三十条の三から第三十条の六までの規定により措置を講ずべきこととされている事項に関する決定をするに当たつて考慮した事項を説明しなければならない。

⑤ 派遣元事業主は、派遣労働者が前項の求めをしたことを理由として、当該派遣労働者に対して解雇その他不利益な取扱いをしてはならない。

（派遣労働者であることの明示等）

第三二条① 派遣元事業主は、労働者を派遣労働者として雇い入れようとするときは、あらかじめ、当該労働者にその旨（紹介予定派遣に係る派遣労働者として雇い入れようとする場合にあつては、その旨を含む。）を明示しなければならない。

② 派遣元事業主は、その雇用する労働者であつて、派遣労働者として雇い入れた労働者以外のものを新たに労働者派遣の対象としようとするときは、あらかじめ、当該労働者にその旨（新たに紹介予定派遣の対象としようとする場合にあつては、その旨を含む。）を明示し、その同意を得なければならない。

（派遣労働者に係る雇用制限の禁止）

第三三条① 派遣元事業主は、その雇用する派遣労働者又は派遣労働者として雇用しようとする労働者との間で、正当な理由がなく、その者に係る派遣先である者（派遣先であつた者を含む。次項において同じ。）又は派遣先となることとなる者に当該派遣元事業主との雇用関係の終了後雇用されることを禁ずる旨の契約を締結してはならない。

② 派遣元事業主は、その雇用する派遣労働者に係る派遣先である者又は派遣先となろうとする者との間で、正当な理由がなく、その者が当該派遣労働者を当該派遣元事業主との雇用関係の終了後雇用することを禁ずる旨の契約を締結してはならない。

（就業条件等の明示）

第三四条① 派遣元事業主は、労働者派遣をしようとするときは、あらかじめ、当該労働者派遣に係る派遣労働者に対し、厚生労働省令で定めるところにより、次に掲げる事項（当該労働者派遣が第四十条の二第一項各号のいずれかに該当する場合にあつては、第三号及び第四号に掲げる事項を除く。）を明示しなければならない。

一 当該労働者派遣をしようとする旨

二 第二十六条第一項各号に掲げる事項その他厚生労働省令で定める事項であつて当該派遣労働者に係るもの

三 当該派遣労働者が労働者派遣に係る労働に従事する事業所その他派遣就業の場所における組織単位の業務について派遣元事業主が第三十五条の三の規定に抵触することとなる最初の日

四 当該派遣労働者が労働者派遣に係る労働に従事する事業所その他派遣就業の場所の業務について派遣先が第四十条の二第一項の規定に抵触することとなる最初の日

② 派遣元事業主は、派遣先から第四十条の二第七項の規定による通知を受けたときは、遅滞なく、当該通知に係る事業所その他派遣就業の場所の業務に従事する派遣労働者に対し、厚生労働省令で定めるところにより、当該事業所その他派遣就業の場所の業務について派遣先が同条第一項の規定に抵触することとなる最初の日を明示しなければならない。

③ 派遣元事業主は、前二項の規定による明示をするに当たつては、派遣先が第四十条の六第一項第三号又は第四号に該当する行為を行つた場合には同項の規定により労働契約の申込みをしたものとみなされることとなる旨を併せて明示しなければならない。

（労働者派遣に関する料金の額の明示）

第三四条の二 派遣元事業主は、次の各号に掲げる場合には、当該各号に定める労働者に対し、厚生労働省令で定めるところにより、当該労働者に係る労働者派遣に関する料金の額として厚生労働省令で定める額を明示しなければならない。

一 労働者を派遣労働者として雇い入れようとする場合　当該労働者

二 労働者派遣をしようとする場合及び労働者派遣に関する料金の額を変更する場合　当該労働者派遣に係る派遣労働者

（派遣先への通知）

第三五条① 派遣元事業主は、労働者派遣をするときは、厚生労

働省令で定めるところにより、次に掲げる事項を派遣先に通知しなければならない。

一　当該労働者派遣に係る派遣労働者の氏名

二　当該労働者派遣に係る派遣労働者が協定対象派遣労働者であるか否かの別

三　当該労働者派遣に係る派遣労働者が無期雇用派遣労働者であるか有期雇用派遣労働者であるかの別

四　当該労働者派遣に係る派遣労働者が第四十条の二第一項第二号の厚生労働省令で定める者であるか否かの別

五　当該労働者派遣に係る派遣労働者に関する健康保険法第三十九条第一項の規定による被保険者の資格の取得の確認、厚生年金保険法第十八条第一項の規定による被保険者の資格の取得の確認及び雇用保険法第九条第一項の規定による被保険者となつたことの確認の有無に関する事項であつて厚生労働省令で定めるもの

六　その他厚生労働省令で定める事項

②　派遣元事業主は、前項の規定による通知をした後に同項第二号から第五号までに掲げる事項に変更があつたときは、遅滞なく、その旨を当該派遣先に通知しなければならない。

第三五条の二（労働者派遣の期間）　派遣元事業主は、派遣先が当該派遣元事業主から労働者派遣の役務の提供を受けたならば第四十条の二第一項の規定に抵触することとなる場合には、当該抵触することとなる最初の日以降継続して労働者派遣を行つてはならない。

第三五条の三　派遣元事業主は、派遣先の事業所その他派遣就業の場所における組織単位ごとの業務について、三年を超える期間継続して同一の派遣労働者に係る労働者派遣（第四十条の二第一項各号のいずれかに該当するものを除く。）を行つてはならない。

第三五条の四（日雇労働者についての労働者派遣の禁止）①　派遣元事業主は、その業務を迅速かつ的確に遂行するために専門的な知識、技術又は経験を必要とする業務のうち、労働者派遣により日雇労働者（日々又は三十日以内の期間を定めて雇用する労働者をいう。以下この項において同じ。）を従事させても当該日雇労働者の適正な雇用管理に支障を及ぼすおそれがないと認められる業務として政令で定める業務について労働者派遣をする場合又は雇用の機会の確保が特に困難であると認められる労働者の雇用の継続等を図るために必要であると認められる場合その他の場合で政令で定める場合を除き、その雇用する日雇労働者について労働者派遣を行つてはならない。

②　厚生労働大臣は、前項の政令の制定又は改正の立案をしようとするときは、あらかじめ、労働政策審議会の意見を聴かなければならない。

第三五条の五（離職した労働者についての労働者派遣の禁止）　派遣元事業主は、労働者派遣をしようとする場合において、派遣先が当該労働者派遣の役務の提供を受けたならば第四十条の九第一項の規定に抵触することとなるときは、当該労働者派遣を行つてはならない。

第三六条から第三八条まで　（略）

第三節　派遣先の講ずべき措置等（抄）

第三九条（労働者派遣契約に関する措置）　派遣先は、第二十六条第一項各号に掲げる事項その他厚生労働省令で定める事項に関する労働者派遣契約の定めに反することのないように適切な措置を講じなければならない。

第四〇条（適正な派遣就業の確保等）①　派遣先は、その指揮命令の下に労働させる派遣労働者から当該派遣就業に関し、苦情の申出を受けたときは、当該苦情の内容を当該派遣元事業主に通知するとともに、当該派遣元事業主との密接な連携の下に、誠意をもつて、遅滞なく、当該苦情の適切かつ迅速な処理を図らなければならない。

②　派遣先は、その指揮命令の下に労働させる派遣労働者について、当該派遣労働者を雇用する派遣元事業主からの求めに応じ、当該派遣労働者が従事する業務と同種の業務に従事するその雇用する労働者が従事する業務の遂行に必要な能力を付与するための教育訓練については、当該派遣労働者が当該業務に必要な能力を習得することができるようにするため、当該派遣労働者が既に当該業務に必要な能力を有している場合その他厚生労働省令で定める場合を除き、当該派遣労働者に対しても、これを実施する等必要な措置を講じなければならない。

③　派遣先は、当該派遣先に雇用される労働者に対して利用の機会を与える福利厚生施設であつて、業務の円滑な遂行に資するものとして厚生労働省令で定めるものについては、その指揮命令の下に労働させる派遣労働者に対しても、利用の機会を与えなければならない。

④　前三項に定めるもののほか、派遣先は、その指揮命令の下に労働させる派遣労働者について、当該派遣就業が適正かつ円滑に行われるようにするため、適切な就業環境の維持、診療所等の施設であつて現に当該派遣先に雇用される労働者が通常利用しているもの（前項に規定する厚生労働省令で定める福利厚生施設を除く。）の利用に関する便宜の供与等必要な措置を講ずるように配慮しなければならない。

⑤　派遣先は、第三十条の二、第三十条の三、第三十条の四第一項及び第三十一条の二第四項の規定による措置が適切に講じられるようにするため、派遣元事業主の求めに応じ、当該派遣先に雇用される労働者に関する情報、当該派遣労働者の業務の遂行の状況その他の情報であつて当該措置に必要なものを提供する等必要な協力をするように配慮しなければならない。

第四〇条の二（労働者派遣の役務の提供を受ける期間）①　派遣先は、当該派遣先の事業所その他派遣就業の場所ごとの業務について、派遣元事業主から派遣可能期間を超える期間継続して労働者派遣の役務の提供を受けてはならない。ただし、当該労働者派遣が次の各号のいずれかに該当するものであるときは、この限りでない。

一　無期雇用派遣労働者に係る労働者派遣

二　雇用の機会の確保が特に困難である派遣労働者であつてその雇用の継続等を図る必要があると認められるものとして厚生労働省令で定める者に係る労働者派遣

三　次のイ又はロに該当する業務に係る労働者派遣

イ　事業の開始、転換、拡大、縮小又は廃止のための業務であつて一定の期間内に完了することが予定されているもの

ロ　その業務が一箇月間に行われる日数が、当該派遣就業に係る派遣先に雇用される通常の労働者の一箇月間の所定労働日数に比し相当程度少なく、かつ、厚生労働大臣の定める日数以下である業務

四　当該派遣先に雇用される労働者が労働基準法第六十五条第一項及び第二項の規定により休業し、並びに育児休業、介護休業等育児又は家族介護を行う労働者の福祉に関する法律（平成三年法律第七十六号）第二条第一号に規定する育児休業をする場合における当該労働者の業務その他これに準ずる場合として厚生労働省令で定める場合における当該労働者の業務に係る労働者派遣

五　当該派遣先に雇用される労働者が育児休業、介護休業等育児又は家族介護を行う労働者の福祉に関する法律第二条第二号に規定する介護休業をし、及びこれに準ずる休業として厚生労働省令で定める休業をする場合における当該労働者の業務に係る労働者派遣

②　前項の派遣可能期間（以下「派遣可能期間」という。）は、三年とする。

③　派遣先は、当該派遣先の事業所その他派遣就業の場所ごとの業務について、派遣元事業主から三年を超える期間継続して労働者派遣（第一項各号のいずれかに該当するものを除く。以下この項において同じ。）の役務の提供を受けようとするときは、当該派遣先の事業所その他派遣就業の場所ごとの業務に係る労働者派遣の役務の提供が開始された日（この項の規定により派

遣可能期間を延長した場合にあつては、当該延長前の派遣可能期間が経過した日）以後当該事業所その他派遣就業の場所ごとの業務について第一項の規定に抵触することとなる最初の日の一月前の日までの間（次項において「意見聴取期間」という。）に、厚生労働省令で定めるところにより、三年を限り、派遣可能期間を延長することができる。当該延長に係る期間が経過した場合において、これを更に延長しようとするときも、同様とする。

④　派遣先は、派遣可能期間を延長しようとするときは、意見聴取期間に、厚生労働省令で定めるところにより、過半数労働組合等（当該派遣先の事業所に、労働者の過半数で組織する労働組合がある場合においてはその労働組合、労働者の過半数で組織する労働組合がない場合においては労働者の過半数を代表する者をいう。次項において同じ。）の意見を聴かなければならない。

⑤　派遣先は、前項の規定により意見を聴かれた過半数労働組合等が異議を述べたときは、当該事業所その他派遣就業の場所ごとの業務について、延長前の派遣可能期間が経過することとなる日の前日までに、当該過半数労働組合等に対し、派遣可能期間の延長の理由その他の厚生労働省令で定める事項について説明しなければならない。

⑥　派遣先は、第四項の規定による意見の聴取及び前項の規定による説明を行うに当たつては、この法律の趣旨にのつとり、誠実にこれらを行うように努めなければならない。

⑦　派遣先は、第三項の規定により派遣可能期間を延長したときは、速やかに、当該労働者派遣をする派遣元事業主に対し、当該事業所その他派遣就業の場所ごとの業務について第一項の規定に抵触することとなる最初の日を通知しなければならない。

⑧　厚生労働大臣は、第一項第二号、第四号若しくは第五号の厚生労働省令の制定又は改正をしようとするときは、あらかじめ、労働政策審議会の意見を聴かなければならない。

第四〇条の三　派遣先は、前条第三項の規定により派遣可能期間が延長された場合において、当該派遣先の事業所その他派遣就業の場所における組織単位ごとの業務について、派遣元事業主から三年を超える期間継続して同一の派遣労働者に係る労働者派遣（同条第一項各号のいずれかに該当するものを除く。）の役務の提供を受けてはならない。

（特定有期雇用派遣労働者の雇用）

第四〇条の四　派遣先は、当該派遣先の事業所その他派遣就業の場所における組織単位ごとの同一の業務について派遣元事業主から継続して一年以上の期間同一の特定有期雇用派遣労働者に係る労働者派遣（第四十条の二第一項各号のいずれかに該当するものを除く。）の役務の提供を受けた場合において、引き続き当該同一の業務に労働者を従事させるため、当該労働者派遣の役務の提供を受けた期間（以下この条において「派遣実施期間」という。）が経過した日以後労働者を雇い入れようとするときは、当該同一の業務に派遣実施期間継続して従事した特定有期雇用派遣労働者（継続して就業することを希望する者として厚生労働省令で定めるものに限る。）を、遅滞なく、雇い入れるように努めなければならない。

（派遣先に雇用される労働者の募集に係る事項の周知）

第四〇条の五①　派遣先は、当該派遣先の同一の事業所その他派遣就業の場所において派遣元事業主から一年以上の期間継続して同一の派遣労働者に係る労働者派遣の役務の提供を受けている場合において、当該事業所その他派遣就業の場所において労働に従事する通常の労働者の募集を行うときは、当該募集に係る事業所その他派遣就業の場所に掲示することその他の措置を講ずることにより、その者が従事すべき業務の内容、賃金、労働時間その他の当該募集に係る事項を当該派遣労働者に周知しなければならない。

②　派遣先の事業所その他派遣就業の場所における同一の組織単位の業務について継続して三年間当該労働者派遣に係る労働に従事する見込みがある特定有期雇用派遣労働者（継続して就業することを希望する者として厚生労働省令で定めるものに限る。）に係る前項の規定の適用については、同項中「労働者派遣」とあるのは「労働者派遣（第四十条の二第一項各号のいずれかに該当するものを除く。）」と、「通常の労働者」とあるのは「労働者」とする。

第四〇条の六①　労働者派遣の役務の提供を受ける者（国（行政執行法人（独立行政法人通則法（平成十一年法律第百三号）第二条第四項に規定する行政執行法人をいう。）を含む。次条において同じ。）及び地方公共団体（特定地方独立行政法人（地方独立行政法人法（平成十五年法律第百十八号）第二条第二項に規定する特定地方独立行政法人をいう。）を含む。次条において同じ。）の機関を除く。以下この条において同じ。）が次の各号のいずれかに該当する行為を行つた場合には、その時点において、当該労働者派遣の役務の提供を受ける者から当該労働者派遣に係る派遣労働者に対し、その時点における当該派遣労働者に係る労働条件と同一の労働条件を内容とする労働契約の申込みをしたものとみなす。ただし、労働者派遣の役務の提供を受ける者が、その行つた行為が次の各号のいずれかの行為に該当することを知らず、かつ、知らなかつたことにつき過失がなかつたときは、この限りでない。

一　第四条第三項の規定に違反して派遣労働者を同条第一項各号のいずれかに該当する業務に従事させること。

二　第二十四条の二の規定に違反して労働者派遣の役務の提供を受けること。

三　第四十条の二第一項の規定に違反して労働者派遣の役務の提供を受けること（同条第四項に規定する意見の聴取の手続のうち厚生労働省令で定めるものが行われないことにより同条第一項の規定に違反することとなつたときを除く。）。

四　第四十条の三の規定に違反して労働者派遣の役務の提供を受けること。

五　この法律又は次節の規定により適用される法律の規定の適用を免れる目的で、請負その他労働者派遣以外の名目で契約を締結し、第二十六条第一項各号に掲げる事項を定めずに労働者派遣の役務の提供を受けること。

②　前項の規定により労働契約の申込みをしたものとみなされた労働者派遣の役務の提供を受ける者は、当該労働契約の申込みに係る同項に規定する行為が終了した日から一年を経過する日までの間は、当該申込みを撤回することができない。

③　第一項の規定により労働契約の申込みをしたものとみなされた労働者派遣の役務の提供を受ける者が、当該申込みに対して前項に規定する期間内に承諾する旨又は承諾しない旨の意思表示を受けなかつたときは、当該申込みは、その効力を失う。

④　第一項の規定により申し込まれたものとみなされた労働契約に係る派遣労働者に係る労働者派遣をする事業主は、当該労働者派遣の役務の提供を受ける者から求めがあつた場合においては、当該労働者派遣の役務の提供を受ける者に対し、速やかに、同項の規定により労働契約の申込みをしたものとみなされた時点における当該派遣労働者に係る労働条件の内容を通知しなければならない。

第四〇条の七から第四三条まで　（略）

第四節　労働基準法等の適用に関する特例等（抄）

（労働基準法の適用に関する特例）

第四四条①　労働基準法第九条に規定する事業（以下この節において単に「事業」という。）の事業主（以下この条において単に「事業主」という。）に雇用され、他の事業主の事業における派遣就業のために当該事業に派遣されている同条に規定する労働者（同居の親族のみを使用する事業に使用される者及び家事使用人を除く。）であつて、当該他の事業主（以下この節において「派遣先の事業主」という。）に雇用されていないもの（以下この節において「派遣中の労働者」という。）の派遣就業に関しては、当該派遣中の労働者が派遣されている事業（以下この節において「派遣先の事業」という。）もまた、派遣中の労働者を使用する事業とみなして、同法第三条、第五条及び第六十九条の規定（これらの規定に係る罰則の規定を含む。）を適用する。

② 派遣中の労働者の派遣就業に関しては、派遣先の事業のみを、派遣中の労働者を使用する事業とみなして、労働基準法第七条、第三十二条、第三十二条の二第一項、第三十二条の三第一項、第三十二条の四第一項から第三項まで、第三十三条から第三十五条まで、第三十六条第一項及び第六項、第四十条、第四十一条、第六十条から第六十三条まで、第六十四条の二、第六十四条の三、第六十六条から第六十八条まで並びに第百四十一条第三項の規定並びに当該規定に基づいて発する命令の規定（これらの規定に係る罰則の規定を含む。）を適用する。この場合において、同法第三十二条の二第一項中「当該事業場に」とあるのは「労働者派遣事業の適正な運営の確保及び派遣労働者の保護等に関する法律（以下「労働者派遣法」という。）第四十四条第三項に規定する派遣元の使用者（以下単に「派遣元の使用者」という。）が、当該派遣元の事業（同項に規定する派遣元の事業をいう。以下同じ。）の事業場に」と、同法第三十二条の三第一項中「就業規則その他これに準ずるものにより、」とあるのは「就業規則その他これに準ずるものにより」と、「とした労働者」とあるのは「とした労働者であつて、当該労働者に係る労働者派遣法第二十六条第一項に規定する労働者派遣契約に基づきこの条の規定による労働時間により労働させることができるもの」と、「当該事業場の」とあるのは「派遣元の使用者が、当該派遣元の事業の事業場の」と、同法第三十二条の四第一項及び第二項中「当該事業場に」とあるのは「派遣元の使用者が、当該派遣元の事業の事業場に」と、同法第三十六条第一項中「当該事業場に」とあるのは「派遣元の使用者が、当該派遣元の事業の事業場に」と、「協定をし、」とあるのは「協定をし、及び」とする。

③ 労働者派遣をする事業主の事業（以下この節において「派遣元の事業」という。）の労働基準法第十条に規定する使用者（以下この条において「派遣元の使用者」という。）は、労働者派遣をする場合であつて、前項の規定により当該労働者派遣の役務の提供を受ける事業主の事業の同条に規定する使用者とみなされることとなる者が当該労働者派遣に係る労働者派遣契約に定める派遣就業の条件に従つて当該労働者派遣に係る派遣労働者を労働させたならば、同項の規定により適用される同法第三十二条、第三十四条、第三十五条、第三十六条第六項、第四十条、第六十一条から第六十三条まで、第六十四条の二、第六十四条の三若しくは第百四十一条第三項の規定又はこれらの規定に基づいて発する命令の規定（次項において「労働基準法令の規定」という。）に抵触することとなるときにおいては、当該労働者派遣をしてはならない。

④ 派遣元の使用者が前項の規定に違反したとき（当該労働者派遣に係る派遣中の労働者に関し第二項の規定により当該派遣先の事業の労働基準法第十条に規定する使用者とみなされる者において当該労働基準法令の規定に抵触することとなつたときに限る。）は、当該派遣元の使用者は当該労働基準法令の規定に違反したものとみなして、同法第百十八条、第百十九条及び第百二十一条の規定を適用する。

⑤ 前各項の規定による労働基準法の特例については、同法第三十八条の二第二項中「当該事業場」とあるのは「当該事業場（労働者派遣事業の適正な運営の確保及び派遣労働者の保護等に関する法律（昭和六十年法律第八十八号。以下「労働者派遣法」という。）第二十三条の二に規定する派遣就業にあつては、労働者派遣法第四十四条第三項に規定する派遣元の事業の事業場）」と、同法第三十八条の三第一項中「就かせたとき」とあるのは「就かせたとき（派遣先の使用者（労働者派遣法第四十四条第一項又は第二項の規定により同条第一項に規定する派遣先の事業の第十条に規定する使用者とみなされる者をいう。以下同じ。）が就かせたときを含む。）」と、同法第九十九条第一項から第三項まで、第百条第一項及び第三項並びに第百四条の二中「この法律」とあるのは「この法律及び労働者派遣法第四十四条の規定」と、同法第百一条第一項、第百四条第二項、第百四条の二、第百五条の二、第百六条第一項及び第百九条中「使用者」とあるのは「使用者（派遣先の使用者を含む。）」と、同法第百二条中「この法律違反の罪」とあるのは「この法律（労働者派遣法第四十四条の規定により適用される場合を含む。）の違反の罪（同条第四項の規定による第百十八条、第百十九条及び第百二十一条の罪を含む。）」と、同法第百四条第一項中「この法律又はこの法律に基いて発する命令」とあるのは「この法律若しくはこの法律に基づいて発する命令の規定（労働者派遣法第四十四条の規定により適用される場合を含む。）又は同条第三項の規定」と、同法第百六条第一項中「この法律」とあるのは「この法律（労働者派遣法第四十四条の規定を含む。以下この項において同じ。）」と、「協定並びに第三十八条の四第一項及び同条第五項（第四十一条の二第三項において準用する場合を含む。）並びに第四十一条の二第一項に規定する決議」とあるのは「協定並びに第三十八条の四第一項及び同条第五項（第四十一条の二第三項において準用する場合を含む。）並びに第四十一条の二第一項に規定する決議（派遣先の使用者にあつては、この法律及びこれに基づく命令の要旨）」と、同法第百十二条中「この法律及びこの法律に基いて発する命令」とあるのは「この法律及びこの法律に基づいて発する命令の規定（労働者派遣法第四十四条の規定により適用される場合を含む。）並びに同条第三項の規定」として、これらの規定（これらの規定に係る罰則の規定を含む。）を適用する。

⑥ この条の規定により労働基準法及び同法に基づいて発する命令の規定を適用する場合における技術的読替えその他必要な事項は、命令で定める。

第四五条から第四七条まで　（略）

（雇用の分野における男女の均等な機会及び待遇の確保等に関する法律の適用に関する特例）

第四七条の二　労働者派遣の役務の提供を受ける者がその指揮命令の下に労働させる派遣労働者の当該労働者派遣に係る就業に関しては、当該労働者派遣の役務の提供を受ける者もまた、当該派遣労働者を雇用する事業主とみなして、雇用の分野における男女の均等な機会及び待遇の確保等に関する法律（昭和四十七年法律第百十三号）第九条第三項、第十一条第一項、第十一条の二第二項、第十一条の三第一項、第十一条の四第二項、第十二条及び第十三条第一項の規定を適用する。この場合において、同法第十一条第一項及び第十一条の三第一項中「雇用管理上」とあるのは、「雇用管理上及び指揮命令上」とする。

（育児休業、介護休業等育児又は家族介護を行う労働者の福祉に関する法律の適用に関する特例）

第四七条の三　労働者派遣の役務の提供を受ける者がその指揮命令の下に労働させる派遣労働者の当該労働者派遣に係る就業に関しては、当該労働者派遣の役務の提供を受ける者もまた、当該派遣労働者を雇用する事業主とみなして、育児休業、介護休業等育児又は家族介護を行う労働者の福祉に関する法律第十条、第十六条（同法第十六条の四及び第十六条の七において準用する場合を含む。）、第十六条の十、第十八条の二、第二十条の二、第二十一条第六項、第二十三条の三第七項、第二十五条及び第二十五条の二第二項の規定を適用する。この場合において、同法第二十五条第一項中「雇用管理上」とあるのは、「雇用管理上及び指揮命令上」とする。

（労働施策の総合的な推進並びに労働者の雇用の安定及び職業生活の充実等に関する法律の適用に関する特例）

第四七条の四　労働者派遣の役務の提供を受ける者がその指揮命令の下に労働させる派遣労働者の当該労働者派遣に係る就業に関しては、当該労働者派遣の役務の提供を受ける者もまた、当該派遣労働者を雇用する事業主とみなして、労働施策の総合的な推進並びに労働者の雇用の安定及び職業生活の充実等に関する法律（昭和四十一年法律第百三十二号）第三十条の二第一項及び第三十条の三第二項の規定を適用する。この場合において、同法第三十条の二第一項中「雇用管理上」とあるのは、

「雇用管理上及び指揮命令上」とする。

第四章　紛争の解決

第一節　紛争の解決の援助等

（苦情の自主的解決）

第四七条の五① 派遣元事業主は、第三十条の三、第三十条の四及び第三十一条の二第二項から第五項までに定める事項に関し、派遣労働者から苦情の申出を受けたとき、又は派遣労働者が派遣先に対して申し出た苦情の内容が当該派遣先から通知されたときは、その自主的な解決を図るように努めなければならない。

② 派遣先は、第四十条第二項及び第三項に定める事項に関し、派遣労働者から苦情の申出を受けたときは、その自主的な解決を図るように努めなければならない。

（紛争の解決の促進に関する特例）

第四七条の六 前条第一項の事項についての派遣労働者と派遣元事業主との間の紛争及び同条第二項の事項についての派遣労働者と派遣先との間の紛争については、個別労働関係紛争の解決の促進に関する法律（平成十三年法律第百十二号）第四条、第五条及び第十二条から第十九条までの規定は適用せず、次条から第四十七条の十までに定めるところによる。

（紛争の解決の援助）

第四七条の七① 都道府県労働局長は、前条に規定する紛争に関し、当該紛争の当事者の双方又は一方からその解決につき援助を求められた場合には、当該紛争の当事者に対し、必要な助言、指導又は勧告をすることができる。

② 派遣元事業主及び派遣先は、派遣労働者が前項の援助を求めたことを理由として、当該派遣労働者に対して不利益な取扱いをしてはならない。

第二節　調停

（調停の委任）

第四七条の八① 都道府県労働局長は、第四十七条の六に規定する紛争について、当該紛争の当事者の双方又は一方から調停の申請があつた場合において当該紛争の解決のために必要があると認めるときは、個別労働関係紛争の解決の促進に関する法律第六条第一項の紛争調整委員会に調停を行わせるものとする。

② 前条第二項の規定は、派遣労働者が前項の申請をした場合について準用する。

（調停）

第四七条の九 雇用の分野における男女の均等な機会及び待遇の確保等に関する法律第十九条から第二十六条までの規定は、前条第一項の調停の手続について準用する。この場合において、同法第十九条第一項中「前条第一項」とあるのは「労働者派遣事業の適正な運営の確保及び派遣労働者の保護等に関する法律（昭和六十年法律第八十八号）第四十七条の八第一項」と、同法第二十条中「事業場」とあるのは「事業所」と、同法第二十五条第一項中「第十八条第一項」とあるのは「労働者派遣事業の適正な運営の確保及び派遣労働者の保護等に関する法律第四十七条の六」と読み替えるものとする。

（厚生労働省令への委任）

第四七条の一〇 この節に定めるもののほか、調停の手続に関し必要な事項は、厚生労働省令で定める。

第五章　雑則（第四七条の一一から第五七条まで）（略）

第六章　罰則（第五八条から第六二条まで）（略）

附　則（抄）

① この法律は、公布の日から起算して一年を超えない範囲内において政令で定める日（昭和六一・七・一―昭和六一政九四）から施行する。

④ 第五条第二項の規定の適用については、当分の間、同項第三号中「所在地」とあるのは、「所在地並びに当該事業所において物の製造の業務（物の溶融、鋳造、加工、組立て、洗浄、塗装、運搬等物を製造する工程における作業に係る業務をいう。）であつて、その業務に従事する労働者の就業の実情並びに当該業務に係る派遣労働者の就業条件の確保及び労働力の需給の適正な調整に与える影響を勘案して厚生労働省令で定めるものについて労働者派遣事業を行う場合にはその旨」とする。

刑法等の一部を改正する法律の施行に伴う関係法律整理法中経過規定（令和四・六・一七法六八）（抄）

第四四一条から第四四三条まで（刑法の同経過規定参照）

第五〇九条（刑法の同経過規定参照）

刑法等の一部を改正する法律の施行に伴う関係法律整理法

附　則（令和四・六・一七法六八）（抄）

（施行期日）

① この法律は、刑法等一部改正法（刑法等の一部を改正する法律（令和四法六七））施行日（令和七・六・一）から施行する。ただし、次の各号に掲げる規定は、当該各号に定める日から施行する。

一　第五百九条の規定　公布の日

二　（略）

附　則（令和六・五・三一法四二）（抄）

（施行期日）

第一条 この法律は、令和七年四月一日から施行する。ただし、次の各号に掲げる規定は、当該各号に定める日から施行する。

一　（前略）附則（中略）第十三条の規定　公布の日

二　（前略）附則第七条（第二号は労働者派遣事業の適正な運営の確保及び派遣労働者の保護等に関する法律の一部改正）の規定　公布の日から起算して一年六月を超えない範囲内において政令で定める日

（政令への委任）

第一三条（前略）この法律の施行に伴い必要な経過措置は、政令で定める。

＊高年齢者等の雇用の安定等に関する法律（抜粋）（昭和四六・五・二五 法 六 八）

題名改正 昭和六一法四三（旧・中高年齢者等の雇用の促進に関する特別措置法）
最終改正 令和四法一二

第一章 総則

（目的）

第一条 この法律は、定年の引上げ、継続雇用制度の導入等による高年齢者の安定した雇用の確保の促進、高年齢者等の再就職の促進、定年退職者その他の高年齢退職者に対する就業の機会の確保等の措置を総合的に講じ、もつて高年齢者等の職業の安定その他福祉の増進を図るとともに、経済及び社会の発展に寄与することを目的とする。

（定義）

第二条① この法律において「高年齢者」とは、厚生労働省令で定める年齢以上の者をいう。

② この法律において「高年齢者等」とは、高年齢者及び次に掲げる者で高年齢者に該当しないものをいう。

一 中高年齢者（厚生労働省令で定める年齢以上の者をいう。次項において同じ。）である求職者（次号に掲げる者を除く。）

二 中高年齢失業者等（厚生労働省令で定める範囲の年齢の失業者その他就職が特に困難な厚生労働省令で定める失業者をいう。第三章第三節において同じ。）

③ この法律において「特定地域」とは、中高年齢者である失業者が就職することが著しく困難である地域として厚生労働大臣が指定する地域をいう。

（基本的理念）

第三条① 高年齢者等は、その職業生活の全期間を通じて、その意欲及び能力に応じ、雇用の機会その他の多様な就業の機会が確保され、職業生活の充実が図られるように配慮されるものとする。

② 労働者は、高齢期における職業生活の充実のため、自ら進んで、高齢期における職業生活の設計を行い、その設計に基づき、その能力の開発及び向上並びにその健康の保持及び増進に努めるものとする。

（事業主の責務）

第四条① 事業主は、その雇用する高年齢者について職業能力の開発及び向上並びに作業施設の改善その他の諸条件の整備を行い、並びにその雇用する高年齢者等について再就職の援助等を行うことにより、その意欲及び能力に応じてその者のための雇用の機会の確保等が図られるよう努めるものとする。

② 事業主は、その雇用する労働者が高齢期においてその意欲及び能力に応じて就業することにより職業生活の充実を図ることができるようにするため、その高齢期における職業生活の設計について必要な援助を行うよう努めるものとする。

（国及び地方公共団体の責務）

第五条 国及び地方公共団体は、事業主、労働者その他の関係者の自主的な努力を尊重しつつその実情に応じてこれらの者に対し必要な援助等を行うとともに、高年齢者等の再就職の促進のために必要な職業紹介、職業訓練等の体制の整備を行う等、高年齢者等の意欲及び能力に応じた雇用の機会その他の多様な就業の機会の確保等を図るために必要な施策を総合的かつ効果的に推進するように努めるものとする。

（高年齢者等職業安定対策基本方針）

第六条① 厚生労働大臣は、高年齢者等の職業の安定に関する施策の基本となるべき方針（以下「高年齢者等職業安定対策基本方針」という。）を策定するものとする。

② 高年齢者等職業安定対策基本方針に定める事項は、次のとおりとする。

一 高年齢者等の就業の動向に関する事項

二 高年齢者の就業の機会の増大の目標に関する事項

三 第四条第一項の事業主が行うべき職業能力の開発及び向上、作業施設の改善その他の諸条件の整備、再就職の援助等並びに同条第二項の事業主が行うべき高齢期における職業生活の設計の援助に関して、その適切かつ有効な実施を図るため必要な指針となるべき事項

四 高年齢者雇用確保措置等（第九条第一項に規定する高年齢者雇用確保措置及び第十条の二第四項に規定する高年齢者就業確保措置をいう。第十一条において同じ。）の円滑な実施を図るため講じようとする施策の基本となるべき事項

五 高年齢者等の再就職の促進のために講じようとする施策の基本となるべき事項

六 前各号に掲げるもののほか、高年齢者等の職業の安定を図るため講じようとする施策の基本となるべき事項

③ 厚生労働大臣は、高年齢者等職業安定対策基本方針を定めるに当たつては、あらかじめ、関係行政機関の長と協議するとともに、労働政策審議会の意見を聴かなければならない。

④ 厚生労働大臣は、高年齢者等職業安定対策基本方針を定めたときは、遅滞なく、その概要を公表しなければならない。

⑤ 前二項の規定は、高年齢者等職業安定対策基本方針の変更について準用する。

（適用除外）

第七条① この法律は、船員職業安定法（昭和二十三年法律第百三十号）第六条第一項に規定する船員については、適用しない。

② 前条、次章、第三章第二節、第四十九条及び第五十二条の規定は、国家公務員及び地方公務員については、適用しない。

第二章 定年の引上げ、継続雇用制度の導入等による高年齢者の安定した雇用の確保の促進等

（定年を定める場合の年齢）

第八条 事業主がその雇用する労働者の定年（以下単に「定年」という。）の定めをする場合には、当該定年は、六十歳を下回ることができない。ただし、当該事業主が雇用する労働者のうち、高年齢者が従事することが困難であると認められる業務として厚生労働省令で定める業務に従事している労働者については、この限りでない。

（高年齢者雇用確保措置）

第九条① 定年（六十五歳未満のものに限る。以下この条において同じ。）の定めをしている事業主は、その雇用する高年齢者の六十五歳までの安定した雇用を確保するため、次の各号に掲げる措置（以下「高年齢者雇用確保措置」という。）のいずれかを講じなければならない。

一 当該定年の引上げ

二 継続雇用制度（現に雇用している高年齢者が希望するときは、当該高年齢者をその定年後も引き続いて雇用する制度をいう。以下同じ。）の導入

三 当該定年の定めの廃止

② 継続雇用制度には、事業主が、特殊関係事業主（当該事業主の経営を実質的に支配することが可能となる関係にある事業主その他の当該事業主と特殊の関係のある事業主として厚生労働省令で定める事業主をいう。以下この項及び第十条の二第一項において同じ。）との間で、当該事業主の雇用する高年齢者であつてその定年後に雇用されることを希望するものをその定年後に当該特殊関係事業主が引き続いて雇用することを約する契約を締結し、当該契約に基づき当該高年齢者の雇用を確保する制度が含まれるものとする。

③ 厚生労働大臣は、第一項の事業主が講ずべき高年齢者雇用確保措置の実施及び運用（心身の故障のため業務の遂行に堪えない者等の継続雇用制度における取扱いを含む。）に関する指針

（次項において「指針」という。）を定めるものとする。

④ 第六条第三項及び第四項の規定は、指針の策定及び変更について準用する。

（公表等）

第一〇条① 厚生労働大臣は、前条第一項の規定に違反している事業主に対し、必要な指導及び助言をすることができる。

② 厚生労働大臣は、前項の規定による指導又は助言をした場合において、その事業主がなお前条第一項の規定に違反していると認めるときは、当該事業主に対し、高年齢者雇用確保措置を講ずべきことを勧告することができる。

③ 厚生労働大臣は、前項の規定による勧告をした場合において、その勧告を受けた者がこれに従わなかつたときは、その旨を公表することができる。

（高年齢者就業確保措置）

第一〇条の二① 定年（六十五歳以上七十歳未満のものに限る。以下この条において同じ。）の定めをしている事業主又は継続雇用制度（高年齢者を七十歳以上まで引き続いて雇用する制度を除く。以下この項において同じ。）を導入している事業主は、その雇用する高年齢者（第九条第二項の契約に基づき、当該事業主と当該契約を締結した特殊関係事業主に現に雇用されている者を含み、厚生労働省令で定める者を除く。以下この条において同じ。）について、次に掲げる措置を講ずることにより、六十五歳から七十歳までの安定した雇用を確保するよう努めなければならない。ただし、当該事業主が、労働者の過半数で組織する労働組合がある場合においてはその労働組合の、労働者の過半数で組織する労働組合がない場合においては労働者の過半数を代表する者の同意を厚生労働省令で定めるところにより得た創業支援等措置を講ずることにより、その雇用する高年齢者について、定年後等（定年後又は継続雇用制度の対象となる年齢の上限に達した後をいう。以下この条において同じ。）又は第二号の六十五歳以上継続雇用制度の対象となる年齢の上限に達した後七十歳までの間の就業を確保する場合は、この限りでない。

一 当該定年の引上げ

二 六十五歳以上継続雇用制度（その雇用する高年齢者が希望するときは、当該高年齢者をその定年後等も引き続いて雇用する制度をいう。以下この条及び第五十二条第一項において同じ。）の導入

三 当該定年の定めの廃止

② 前項の創業支援等措置は、次に掲げる措置をいう。

一 その雇用する高年齢者が希望するときは、当該高年齢者が新たに事業を開始する場合（厚生労働省令で定める場合を含む。）に、事業主が、当該事業を開始する当該高年齢者（厚生労働省令で定める者を含む。以下この号において「創業高年齢者等」という。）との間で、当該事業に係る委託契約その他の契約（労働契約を除き、当該委託契約その他の契約に基づき当該事業主が当該事業を開始する当該創業高年齢者等に金銭を支払うものに限る。）を締結し、当該契約に基づき当該高年齢者の就業を確保する措置

二 その雇用する高年齢者が希望するときは、次に掲げる事業（ロ又はハの事業については、事業主と当該事業を実施する者との間で、当該事業を実施する者が当該高年齢者に対して当該事業に従事する機会を提供することを約する契約を締結したものに限る。）について、当該事業を実施する者が、当該高年齢者との間で、当該事業に係る委託契約その他の契約（労働契約を除き、当該委託契約その他の契約に基づき当該事業を実施する者が当該高年齢者に金銭を支払うものに限る。）を締結し、当該契約に基づき当該高年齢者の就業を確保する措置（前号に掲げる措置に該当するものを除く。）

イ 当該事業主が実施する社会貢献事業（社会貢献活動その他不特定かつ多数の者の利益の増進に寄与することを目的とする事業をいう。以下この号において同じ。）

ロ 法人その他の団体が当該事業主から委託を受けて実施する社会貢献事業

ハ 法人その他の団体が実施する社会貢献事業であつて、当該事業主が当該社会貢献事業の円滑な実施に必要な資金の提供その他の援助を行つているもの

③ 六十五歳以上継続雇用制度には、事業主が、他の事業主との間で、当該事業主の雇用する高年齢者であつてその定年後等に雇用されることを希望するものをその定年後等に当該他の事業主が引き続いて雇用することを約する契約を締結し、当該契約に基づき当該高年齢者の雇用を確保する制度が含まれるものとする。

④ 厚生労働大臣は、第一項各号に掲げる措置及び創業支援等措置（次条第一項及び第二項において「高年齢者就業確保措置」という。）の実施及び運用（心身の故障のため業務の遂行に堪えない者等の六十五歳以上継続雇用制度及び創業支援等措置における取扱いを含む。）に関する指針（次項において「指針」という。）を定めるものとする。

⑤ 第六条第三項及び第四項の規定は、指針の策定及び変更について準用する。

（高年齢者就業確保措置に関する計画）

第一〇条の三① 厚生労働大臣は、高年齢者等職業安定対策基本方針に照らして、高年齢者の六十五歳から七十歳までの安定した雇用の確保その他就業機会の確保のため必要があると認めるときは、事業主に対し、高年齢者就業確保措置の実施について必要な指導及び助言をすることができる。

② 厚生労働大臣は、前項の規定による指導又は助言をした場合において、高年齢者就業確保措置の実施に関する状況が改善していないと認めるときは、当該事業主に対し、厚生労働省令で定めるところにより、高年齢者就業確保措置の実施に関する計画の作成を勧告することができる。

③ 事業主は、前項の計画を作成したときは、厚生労働省令で定めるところにより、これを厚生労働大臣に提出するものとする。これを変更したときも、同様とする。

④ 厚生労働大臣は、第二項の計画が著しく不適当であると認めるときは、当該計画を作成した事業主に対し、その変更を勧告することができる。

（高年齢者雇用等推進者）

第一一条 事業主は、厚生労働省令で定めるところにより、高年齢者雇用確保措置等を推進するため、作業施設の改善その他の諸条件の整備を図るための業務を担当する者を選任するように努めなければならない。

〇生活保護法（抄）

（昭和二五・五・四 法一四四）

施行 昭和二五・五・四（附則）
適用 （附則参照）
最終改正 令和六法四七

目次

第一章 総則

（この法律の目的）
第一条 この法律は、日本国憲法第二十五条に規定する理念に基き、国が生活に困窮するすべての国民に対し、その困窮の程度に応じ、必要な保護を行い、その最低限度の生活を保障するとともに、その自立を助長することを目的とする。

（無差別平等）
第二条 すべて国民は、この法律の定める要件を満たす限り、この法律による保護（以下「保護」という。）を、無差別平等に受けることができる。

（最低生活）
第三条 この法律により保障される最低限度の生活は、健康で文化的な生活水準を維持することができるものでなければならない。

（保護の補足性）
第四条① 保護は、生活に困窮する者が、その利用し得る資産、能力その他あらゆるものを、その最低限度の生活の維持のために活用することを要件として行われる。
② 民法（明治二十九年法律第八十九号）に定める扶養義務者の扶養及び他の法律に定める扶助は、すべてこの法律による保護に優先して行われるものとする。
③ 前二項の規定は、急迫した事由がある場合に、必要な保護を行うことを妨げるものではない。

（この法律の解釈及び運用）
第五条 前四条に規定するところは、この法律の基本原理であつて、この法律の解釈及び運用は、すべてこの原理に基いてされなければならない。

（用語の定義）
第六条① この法律において「被保護者」とは、現に保護を受けている者をいう。
② この法律において「要保護者」とは、現に保護を受けているといないとにかかわらず、保護を必要とする状態にある者をいう。
③ この法律において「保護金品」とは、保護として給与し、又は貸与される金銭及び物品をいう。
④ この法律において「金銭給付」とは、金銭の給与又は貸与によつて、保護を行うことをいう。
⑤ この法律において「現物給付」とは、物品の給与又は貸与、医療の給付、役務の提供その他金銭給付以外の方法で保護を行うことをいう。

第二章 保護の原則

（申請保護の原則）
第七条 保護は、要保護者、その扶養義務者又はその他の同居の親族の申請に基いて開始するものとする。但し、要保護者が急迫した状況にあるときは、保護の申請がなくても、必要な保護を行うことができる。

（基準及び程度の原則）
第八条① 保護は、厚生労働大臣の定める基準により測定した要保護者の需要を基とし、そのうち、その者の金銭又は物品で満たすことのできない不足分を補う程度において行うものとする。
② 前項の基準は、要保護者の年齢別、性別、世帯構成別、所在地域別その他保護の種類に応じて必要な事情を考慮した最低限度の生活の需要を満たすに十分なものであつて、且つ、これをこえないものでなければならない。

（必要即応の原則）
第九条 保護は、要保護者の年齢別、性別、健康状態等その個人又は世帯の実際の必要の相違を考慮して、有効且つ適切に行うものとする。

（世帯単位の原則）
第一〇条 保護は、世帯を単位としてその要否及び程度を定めるものとする。但し、これによりがたいときは、個人を単位として定めることができる。

第三章 保護の種類及び範囲

（種類）
第一一条① 保護の種類は、次のとおりとする。
一 生活扶助
二 教育扶助
三 住宅扶助
四 医療扶助
五 介護扶助
六 出産扶助
七 生業扶助
八 葬祭扶助
② 前項各号の扶助は、要保護者の必要に応じ、単給又は併給として行われる。

（生活扶助）
第一二条 生活扶助は、困窮のため最低限度の生活を維持することのできない者に対して、左に掲げる事項の範囲内において行われる。
一 衣食その他日常生活の需要を満たすために必要なもの
二 移送

（教育扶助）
第一三条 教育扶助は、困窮のため最低限度の生活を維持することのできない者に対して、左に掲げる事項の範囲内において行われる。
一 義務教育に伴つて必要な教科書その他の学用品
二 義務教育に伴つて必要な通学用品
三 学校給食その他義務教育に伴つて必要なもの

（住宅扶助）
第一四条 住宅扶助は、困窮のため最低限度の生活を維持することのできない者に対して、左に掲げる事項の範囲内において行われる。
一 住居
二 補修その他住宅の維持のために必要なもの

（医療扶助）
第一五条 医療扶助は、困窮のため最低限度の生活を維持することのできない者に対して、左に掲げる事項の範囲内において行われる。

一 診察
二 薬剤又は治療材料
三 医学的処置、手術及びその他の治療並びに施術
四 居宅における療養上の管理及びその療養に伴う世話その他の看護
五 病院又は診療所への入院及びその療養に伴う世話その他の看護
六 移送

第一五条の二（**介護扶助**）① 介護扶助は、困窮のため最低限度の生活を維持することのできない要介護者（介護保険法（平成九年法律第百二十三号）第七条第三項に規定する要介護者をいう。第三項において同じ。）に対して、第一号から第四号まで及び第九号に掲げる事項の範囲内において行われ、困窮のため最低限度の生活を維持することのできない要支援者（同条第四項に規定する要支援者をいう。以下この項及び第六項において同じ。）に対して、第五号から第九号までに掲げる事項の範囲内において行われ、困窮のため最低限度の生活を維持することのできない居宅要支援被保険者等（同法第百十五条の四十五第一項第一号に規定する居宅要支援被保険者等をいう。）に相当する者（要支援者を除く。）に対して、第八号及び第九号に掲げる事項の範囲内において行われる。

一 居宅介護（居宅介護支援計画に基づき行うものに限る。）
二 福祉用具
三 住宅改修
四 施設介護
五 介護予防（介護予防支援計画に基づき行うものに限る。）
六 介護予防福祉用具
七 介護予防住宅改修
八 介護予防・日常生活支援（介護予防支援計画又は介護保険法第百十五条の四十五第一項第一号ニに規定する第一号介護予防支援事業による援助に相当する援助に基づき行うものに限る。）
九 移送

②―⑦ （略）

第一六条（**出産扶助**） 出産扶助は、困窮のため最低限度の生活を維持することのできない者に対して、左に掲げる事項の範囲内において行われる。

一 分べんの介助
二 分べん前及び分べん後の処置
三 脱脂綿、ガーゼその他の衛生材料

第一七条（**生業扶助**） 生業扶助は、困窮のため最低限度の生活を維持することのできない者又はそのおそれのある者に対して、左に掲げる事項の範囲内において行われる。但し、これによつて、その者の収入を増加させ、又はその自立を助長することのできる見込のある場合に限る。

一 生業に必要な資金、器具又は資料
二 生業に必要な技能の修得
三 就労のために必要なもの

第一八条（**葬祭扶助**）① 葬祭扶助は、困窮のため最低限度の生活を維持することのできない者に対して、左に掲げる事項の範囲内において行われる。

一 検案
二 死体の運搬
三 火葬又は埋葬
四 納骨その他葬祭のために必要なもの

② 左に掲げる場合において、その葬祭を行う者があるときは、その者に対して、前項各号の葬祭扶助を行うことができる。

一 被保護者が死亡した場合において、その者の葬祭を行う扶養義務者がないとき。
二 死者に対しその葬祭を行う扶養義務者がない場合において、その遺留した金品で、葬祭を行うに必要な費用を満たすことのできないとき。

第四章 保護の機関及び実施

第一九条（**実施機関**）① 都道府県知事、市長及び社会福祉法（昭和二十六年法律第四十五号）に規定する福祉に関する事務所（以下「福祉事務所」という。）を管理する町村長は、次に掲げる者に対して、この法律の定めるところにより、保護を決定し、かつ、実施しなければならない。

一 その管理に属する福祉事務所の所管区域内に居住地を有する要保護者
二 居住地がないか、又は明らかでない要保護者であつて、その管理に属する福祉事務所の所管区域内に現在地を有するもの

② 居住地が明らかである要保護者であつても、その者が急迫した状況にあるときは、その急迫した事由が止むまでは、その者に対する保護は、前項の規定にかかわらず、その者の現在地を所管する福祉事務所を管理する都道府県知事又は市町村長が行うものとする。

③ 第三十条第一項ただし書の規定により被保護者を救護施設、更生施設若しくはその他の適当な施設に入所させ、若しくはこれらの施設に入所を委託し、又は私人の家庭に養護を委託した場合においては、当該入所又は委託の継続中、その者に対して保護を行うべき者は、その者に係る入所又は委託前の居住地又は現在地によつて定めるものとする。

④ 前三項の規定により保護を行うべき者（以下「保護の実施機関」という。）は、保護の決定及び実施に関する事務の全部又は一部を、その管理に属する行政庁に限り、委任することができる。

⑤ 保護の実施機関は、保護の決定及び実施に関する事務の一部を、政令の定めるところにより、他の保護の実施機関に委託して行うことを妨げない。

⑥ 福祉事務所を設置しない町村の長（以下「町村長」という。）は、その町村の区域内において特に急迫した事由により放置することができない状況にある要保護者に対して、応急的処置として、必要な保護を行うものとする。

⑦ 町村長は、保護の実施機関又は福祉事務所の長（以下「福祉事務所長」という。）が行う保護事務の執行を適切ならしめるため、次に掲げる事項を行うものとする。

一 要保護者を発見し、又は被保護者の生計その他の状況の変動を発見した場合において、速やかに、保護の実施機関又は福祉事務所長にその旨を通報すること。
二 第二十四条第十項の規定により保護の開始又は変更の申請を受け取つた場合において、これを保護の実施機関に送付すること。
三 保護の実施機関又は福祉事務所長から求められた場合において、被保護者等に対して、保護金品を交付すること。
四 保護の実施機関又は福祉事務所長から求められた場合において、要保護者に関する調査を行うこと。

第二〇条（**職権の委任**） 都道府県知事は、この法律に定めるその職権の一部を、その管理に属する行政庁に委任することができる。

第二一条（**補助機関**） 社会福祉法に定める社会福祉主事は、この法律の施行について、都道府県知事又は市町村長の事務の執行を補助するものとする。

第二二条（**民生委員の協力**） 民生委員法（昭和二十三年法律第百九十八号）に定める民生委員は、この法律の施行について、市町村長、福祉事務

所長又は社会福祉主事の事務の執行に協力するものとする。

（事務監査）

第二三条① 厚生労働大臣は都道府県知事及び市町村長の行うこの法律の施行に関する事務について、都道府県知事は市町村長の行うこの法律の施行に関する事務について、その指定する職員に、その監査を行わせなければならない。

② 前項の規定により指定された職員は、都道府県知事又は市町村長に対し、必要と認める資料の提出若しくは説明を求め、又は必要と認める指示をすることができる。

③ 第一項の規定により指定すべき職員の資格については、政令で定める。

（申請による保護の開始及び変更）

第二四条① 保護の開始を申請する者は、厚生労働省令で定めるところにより、次に掲げる事項を記載した申請書を保護の実施機関に提出しなければならない。ただし、当該申請書を作成することができない特別の事情があるときは、この限りでない。

一 要保護者の氏名及び住所又は居所

二 申請者が要保護者と異なるときは、申請者の氏名及び住所又は居所並びに要保護者との関係

三 保護を受けようとする理由

四 要保護者の資産及び収入の状況（生業若しくは就労又は求職活動の状況、扶養義務者の扶養の状況及び他の法律に定める扶助の状況を含む。以下同じ。）

五 その他要保護者の保護の要否、種類、程度及び方法を決定するために必要な事項として厚生労働省令で定める事項

② 前項の申請書には、要保護者の保護の要否、種類、程度及び方法を決定するために必要な書類として厚生労働省令で定める書類を添付しなければならない。ただし、当該書類を添付することができない特別の事情があるときは、この限りでない。

③ 保護の実施機関は、保護の開始の申請があつたときは、保護の要否、種類、程度及び方法を決定し、申請者に対して書面をもつて、これを通知しなければならない。

④ 前項の書面には、決定の理由を付さなければならない。

⑤ 第三項の通知は、申請のあつた日から十四日以内にしなければならない。ただし、扶養義務者の資産及び収入の状況の調査に日時を要する場合その他特別な理由がある場合には、これを三十日まで延ばすことができる。

⑥ 保護の実施機関は、前項ただし書の規定により同項本文に規定する期間内に第三項の通知をしなかつたときは、同項の書面にその理由を明示しなければならない。

⑦ 保護の申請をしてから三十日以内に第三項の通知がないときは、申請者は、保護の実施機関が申請を却下したものとみなすことができる。

⑧ 保護の実施機関は、知れたる扶養義務者が民法の規定による扶養義務を履行していないと認められる場合において、保護の開始の決定をしようとするときは、厚生労働省令で定めるところにより、あらかじめ、当該扶養義務者に対して書面をもつて厚生労働省令で定める事項を通知しなければならない。ただし、あらかじめ通知することが適当でない場合として厚生労働省令で定める場合は、この限りでない。

⑨ 第一項から第七項までの規定は、第七条に規定する者からの保護の変更の申請について準用する。

⑩ 保護の開始又は変更の申請は、町村長を経由してすることもできる。町村長は、申請を受け取つたときは、五日以内に、その申請に、要保護者に対する扶養義務者の有無、資産及び収入の状況その他保護に関する決定をするについて参考となるべき事項を記載した書面を添えて、これを保護の実施機関に送付しなければならない。

（職権による保護の開始及び変更）

第二五条① 保護の実施機関は、要保護者が急迫した状況にあるときは、すみやかに、職権をもつて保護の種類、程度及び方法を決定し、保護を開始しなければならない。

② 保護の実施機関は、常に、被保護者の生活状態を調査し、保護の変更を必要とすると認めるときは、速やかに、職権をもつてその決定を行い、書面をもつて、これを被保護者に通知しなければならない。前条第四項の規定は、この場合に準用する。

③ 町村長は、要保護者が特に急迫した事由により放置することができない状況にあるときは、すみやかに、職権をもつて第十九条第六項に規定する保護を行わなければならない。

（保護の停止及び廃止）

第二六条 保護の実施機関は、被保護者が保護を必要としなくなつたときは、速やかに、保護の停止又は廃止を決定し、書面をもつて、これを被保護者に通知しなければならない。第二十八条第五項又は第六十二条第三項の規定により保護の停止又は廃止をするときも、同様とする。

（指導及び指示）

第二七条① 保護の実施機関は、被保護者に対して、生活の維持、向上その他保護の目的達成に必要な指導又は指示をすることができる。

② 前項の指導又は指示は、被保護者の自由を尊重し、必要の最少限度に止めなければならない。

③ 第一項の規定は、被保護者の意に反して、指導又は指示を強制し得るものと解釈してはならない。

（相談及び助言）

第二七条の二 保護の実施機関は、第五十五条の七第一項に規定する被保護者就労支援事業、第五十五条の八第一項に規定する被保護者健康管理支援事業、第五十五条の十第一項第一号に規定する子どもの進路選択支援事業、同項第二号に規定する被保護者家計改善支援事業及び同項第四号に規定する被保護者地域居住支援事業のほか、要保護者から求めがあつたときは、要保護者の自立を助長するために、要保護者からの相談に応じ、必要な助言をすることができる。

（調整会議）

第二七条の三① 保護の実施機関は、地域における福祉、就労、教育、住宅その他の被保護者に対する支援に関する業務を行う関係機関、第五十五条の七第二項（第五十五条の八第三項及び第五十五条の十第二項において準用する場合を含む。）の規定による委託を受けた者、当該支援に関係する団体、当該支援に関係する職務に従事する者その他の被保護者に対する支援に関係する者として保護の実施機関が認めたもの（以下この条において「関係機関等」という。）により構成される会議（以下この条において「調整会議」という。）を組織することができる。

② 調整会議は、被保護者に対する自立の助長を図るために必要な情報の交換を行うとともに、被保護者が地域において日常生活及び社会生活を営むのに必要な支援体制に関する検討を行うものとする。

③ 調整会議は、前項に規定する情報の交換及び検討を行うために必要があると認めるときは、関係機関等に対し、被保護者に関する資料又は情報の提供、意見の開陳その他必要な協力を求めることができる。

④ 関係機関等は、前項の規定による求めがあつた場合には、これに協力するよう努めるものとする。

⑤ 調整会議は、当該調整会議が組織されている都道府県、市又は福祉事務所を設置する町村に生活困窮者自立支援法（平成二十五年法律第百五号）第九条第一項に規定する支援会議又は社会福祉法第百六条の六第一項に規定する支援会議が組織されているときは、被保護者に対する支援の円滑な実施のため、これらの会議と相互に連携を図るよう努めるものとする。

⑥ 調整会議の事務に従事する者又は従事していた者は、正当な理由がなく、調整会議の事務に関して知り得た秘密を漏らしてはならない。

⑦ 前各項に定めるもののほか、調整会議の組織及び運営に関し必要な事項は、調整会議が定める。

（報告、調査及び検診）

第二八条① 保護の実施機関は、保護の決定若しくは実施又は第

七十七条若しくは第七十八条（第三項を除く。次項及び次条第一項において同じ。）の規定の施行のため必要があると認めるときは、要保護者の資産及び収入の状況、健康状態その他の事項を調査するために、厚生労働省令で定めるところにより、当該要保護者に対して、報告を求め、若しくは当該職員に、当該要保護者の居住の場所に立ち入り、これらの事項を調査させ、又は当該要保護者に対して、保護の実施機関の指定する医師若しくは歯科医師の検診を受けるべき旨を命ずることができる。

② 保護の実施機関は、保護の決定若しくは実施又は第七十七条若しくは第七十八条の規定の施行のため必要があると認めるときは、保護の開始又は変更の申請書及びその添付書類の内容を調査するために、厚生労働省令で定めるところにより、要保護者の扶養義務者若しくはその他の同居の親族又は保護の開始若しくは変更の申請の当時要保護者若しくはこれらの者であつた者に対して、報告を求めることができる。

③ 第一項の規定によつて立入調査を行う当該職員は、厚生労働省令の定めるところにより、その身分を示す証票を携帯し、かつ、関係人の請求があるときは、これを提示しなければならない。

④ 第一項の規定による立入調査の権限は、犯罪捜査のために認められたものと解してはならない。

⑤ 保護の実施機関は、要保護者が第一項の規定による報告をせず、若しくは虚偽の報告をし、若しくは立入調査を拒み、妨げ、若しくは忌避し、又は医師若しくは歯科医師の検診を受けるべき旨の命令に従わないときは、保護の開始若しくは変更の申請を却下し、又は保護の変更、停止若しくは廃止をすることができる。

（資料の提供等）

第二九条① 保護の実施機関及び福祉事務所長は、保護の決定若しくは実施又は第七十七条若しくは第七十八条の規定の施行のために必要があると認めるときは、次の各号に掲げる者の当該各号に定める事項につき、官公署、日本年金機構若しくは国民年金法（昭和三十四年法律第百四十一号）第三条第二項に規定する共済組合等（次項において「共済組合等」という。）に対し、必要な書類の閲覧若しくは資料の提供を求め、又は銀行、信託会社、次の各号に掲げる者の雇主その他の関係人に、報告を求めることができる。

一 要保護者又は被保護者であつた者　氏名及び住所又は居所、資産及び収入の状況、健康状態、他の保護の実施機関における保護の決定及び実施の状況その他政令で定める事項（被保護者であつた者にあつては、氏名及び住所又は居所、健康状態並びに他の保護の実施機関における保護の決定及び実施の状況を除き、保護を受けていた期間における事項に限る。）

二 前号に掲げる者の扶養義務者　氏名及び住所又は居所、資産及び収入の状況その他政令で定める事項（被保護者であつた者の扶養義務者にあつては、氏名及び住所又は居所を除き、当該被保護者であつた者が保護を受けていた期間における事項に限る。）

② 別表第一の上欄に掲げる官公署の長、日本年金機構又は共済組合等は、それぞれ同表の下欄に掲げる情報につき、保護の実施機関又は福祉事務所長から前項の規定による求めがあつたときは、速やかに、当該情報を記載し、若しくは記録した書類を閲覧させ、又は資料の提供を行うものとする。

（行政手続法の適用除外）

第二九条の二 この章の規定による処分については、行政手続法（平成五年法律第八十八号）第三章（第十二条及び第十四条を除く。）の規定は、適用しない。

第五章　保護の方法（抄）

（生活扶助の方法）

第三〇条① 生活扶助は、被保護者の居宅において行うものとする。ただし、これによることができないとき、これによつては保護の目的を達しがたいとき、又は被保護者が希望したときは、被保護者を救護施設、更生施設、日常生活支援住居施設（社会福祉法第二条第三項第八号に規定する事業の用に供する施設その他の施設であつて、被保護者に対する日常生活上の支援の実施に必要なものとして厚生労働省令で定める要件に該当すると都道府県知事が認めたものをいう。第六十二条第一項及び第七十条第一号ハにおいて同じ。）若しくはその他の適当な施設に入所させ、若しくはこれらの施設に入所を委託し、又は私人の家庭に養護を委託して行うことができる。

② 前項ただし書の規定は、被保護者の意に反して、入所又は養護を強制することができるものと解釈してはならない。

③ 保護の実施機関は、被保護者の親権者又は後見人がその権利を適切に行わない場合においては、その異議があつても、家庭裁判所の許可を得て、第一項但書の措置をとることができる。

第三一条① 生活扶助は、金銭給付によつて行うものとする。但し、これによることができないとき、これによることが適当でないとき、その他保護の目的を達するために必要があるときは、現物給付によつて行うことができる。

② 生活扶助のための保護金品は、一月分以内を限度として前渡するものとする。但し、これによりがたいときは、一月分をこえて前渡することができる。

③ 居宅において生活扶助を行う場合の保護金品は、世帯単位に計算し、世帯主又はこれに準ずる者に対して交付するものとする。但し、これによりがたいときは、被保護者に対して個々に交付することができる。

④ 地域密着型介護老人福祉施設（介護保険法第八条第二十二項に規定する地域密着型介護老人福祉施設をいう。以下同じ。）、介護老人福祉施設（同条第二十七項に規定する介護老人福祉施設をいう。以下同じ。）、介護老人保健施設（同条第二十八項に規定する介護老人保健施設をいう。以下同じ。）又は介護医療院（同条第二十九項に規定する介護医療院をいう。以下同じ。）であつて第五十四条の二第一項の規定により指定を受けたもの（同条第二項本文の規定により同条第一項の指定を受けたものとみなされたものを含む。）において施設介護（第十五条の二第四項に規定する施設介護をいう。以下同じ。）を受ける被保護者に対して生活扶助を行う場合の保護金品を前項に規定する者に交付することが適当でないときその他保護の目的を達するために必要があるときは、同項の規定にかかわらず、当該地域密着型介護老人福祉施設若しくは介護老人福祉施設の長又は当該介護老人保健施設若しくは介護医療院の管理者に対して交付することができる。

⑤ 前条第一項ただし書の規定により生活扶助を行う場合の保護金品は、被保護者又は施設の長若しくは養護の委託を受けた者に対して交付するものとする。

第三二条から第三五条まで　（略）

（生業扶助の方法）

第三六条① 生業扶助は、金銭給付によつて行うものとする。但し、これによることができないとき、これによることが適当でないとき、その他保護の目的を達するために必要があるときは、現物給付によつて行うことができる。

② 前項但書に規定する現物給付のうち、就労のために必要な施設の供用及び生業に必要な技能の授与は、授産施設若しくは訓練を目的とするその他の施設を利用させ、又はこれらの施設にこれを委託して行うものとする。

③ 生業扶助のための保護金品は、被保護者に対して交付するものとする。但し、施設の供用又は技能の授与のために必要な金品は、授産施設の長に対して交付することができる。

第三七条及び第三七条の二　（略）

第六章　保護施設（抄）

（種類）

第三八条① 保護施設の種類は、左の通りとする。

一 救護施設

二　更生施設
三　医療保護施設
四　授産施設
五　宿所提供施設

②　救護施設は、身体上又は精神上著しい障害があるために日常生活を営むことが困難な要保護者を入所させて、生活扶助を行うことを目的とする施設とする。

③　更生施設は、身体上又は精神上の理由により養護及び生活指導を必要とする要保護者を入所させて、生活扶助を行うことを目的とする施設とする。

④　医療保護施設は、医療を必要とする要保護者に対して、医療の給付を行うことを目的とする施設とする。

⑤　授産施設は、身体上若しくは精神上の理由又は世帯の事情により就業能力の限られている要保護者に対して、就労又は技能の修得のために必要な機会及び便宜を与えて、その自立を助長することを目的とする施設とする。

⑥　宿所提供施設は、住居のない要保護者の世帯に対して、住宅扶助を行うことを目的とする施設とする。

第三九条から第四八条まで　（略）

第七章　医療機関、介護機関及び助産機関

（第四九条から第五五条の三まで）（略）

第八章　就労自立給付金及び進学・就職準備給付金

（就労自立給付金の支給）

第五五条の四①　都道府県知事、市長及び福祉事務所を管理する町村長は、被保護者の自立の助長を図るため、その管理に属する福祉事務所の所管区域内に居住地を有する（居住地がないか、又は明らかでないときは、当該所管区域内にある）被保護者であつて、厚生労働省令で定める安定した職業に就いたことその他厚生労働省令で定める事由により保護を必要としなくなつたと認めたものに対して、厚生労働省令で定めるところにより、就労自立給付金を支給する。

②　前項の規定により就労自立給付金を支給する者は、就労自立給付金の支給に関する事務の全部又は一部を、その管理に属する行政庁に限り、委任することができる。

③　第一項の規定により就労自立給付金を支給する者は、就労自立給付金の支給に関する事務の一部を、政令で定めるところにより、他の就労自立給付金を支給する者に委託して行うことを妨げない。

（進学・就職準備給付金の支給）

第五五条の五①　都道府県知事、市長及び福祉事務所を管理する町村長は、その管理に属する福祉事務所の所管区域内に居住地を有する（居住地がないか、又は明らかでないときは当該所管区域内にある）被保護者（十八歳に達する日以後の最初の三月三十一日までの間にある者その他厚生労働省令で定める者に限る。）であつて、次の各号のいずれかに該当するものに対して、厚生労働省令で定めるところにより、進学・就職準備給付金を支給する。

一　教育訓練施設のうち教育訓練の内容その他の事情を勘案して厚生労働省令で定めるもの（次条において「特定教育訓練施設」という。）に確実に入学すると見込まれる者

二　厚生労働省令で定める安定した職業に確実に就くと見込まれる者その他これに準ずる者として厚生労働省令で定める者

②　前条第二項及び第三項の規定は、進学・就職準備給付金の支給について準用する。

（報告）

第五五条の六　第五十五条の四第一項の規定により就労自立給付金を支給する者又は前条第一項の規定により進学・就職準備給付金を支給する者（第六十九条において「支給機関」という。）は、就労自立給付金若しくは進学・就職準備給付金の支給又は第七十八条第三項の規定の施行のために必要があると認めるときは、被保護者若しくは被保護者であつた者又はこれらの者に係る雇主（被保護者を雇用しようとする者を含む。）若しくは特定教育訓練施設の長その他の関係人に、報告を求めることができる。

第九章　被保護者就労支援事業等

（被保護者就労支援事業）

第五五条の七①　保護の実施機関は、就労の支援に関する問題につき、被保護者からの相談に応じ、必要な情報の提供及び助言を行う事業（第五十五条の十第一項第一号に規定する子どもの進路選択支援事業に該当するものを除く。以下「被保護者就労支援事業」という。）を実施するものとする。

②　保護の実施機関は、被保護者就労支援事業の事務の全部又は一部を当該保護の実施機関以外の厚生労働省令で定める者に委託することができる。

③　前項の規定による委託を受けた者若しくはその役員若しくは職員又はこれらの者であつた者は、その委託を受けた事務に関して知り得た秘密を漏らしてはならない。

（被保護者健康管理支援事業）

第五五条の八①　保護の実施機関は、被保護者に対する必要な情報の提供、保健指導、医療の受診の勧奨その他の被保護者の健康の保持及び増進を図るための事業（以下「被保護者健康管理支援事業」という。）を実施するものとする。

②　保護の実施機関は、被保護者健康管理支援事業の実施に関し必要があると認めるときは、市町村長その他厚生労働省令で定める者に対し、被保護者に対する健康増進法（平成十四年法律第百三号）による健康増進事業の実施に関する情報その他厚生労働省令で定める必要な情報の提供を求めることができる。

③　前条第二項及び第三項の規定は、被保護者健康管理支援事業を行う場合について準用する。

（被保護者健康管理支援事業の実施のための調査及び分析等）

第五五条の九①　厚生労働大臣は、被保護者健康管理支援事業の実施に資するため、被保護者の年齢別及び地域別の疾病の動向その他被保護者の医療に関する情報について調査及び分析を行い、保護の実施機関に対して、当該調査及び分析の結果を提供するものとする。

②　保護の実施機関は、厚生労働大臣に対して、前項の規定による調査及び分析の実施に必要な情報を、厚生労働省令で定めるところにより提供しなければならない。

③　厚生労働大臣は、第一項の規定による調査及び分析に係る事務の一部を厚生労働省令で定める者に委託することができる。この場合において、厚生労働大臣は、委託を受けた者に対して、当該調査及び分析の実施に必要な範囲内において、当該調査及び分析に必要な情報を提供することができる。

④　前項の規定による委託を受けた者若しくはその役員若しくは職員又はこれらの者であつた者は、その委託を受けた事務に関して知り得た秘密を漏らしてはならない。

（子どもの進路選択支援事業等）

第五五条の一〇①　保護の実施機関は、次に掲げる事業を実施することができる。

一　被保護者である子どもの進路選択における教育、就労及び生活習慣に関する問題につき、訪問その他の適当な方法により当該子ども及び当該子どもの保護者からの相談に応じ、必要な情報の提供及び助言をし、並びに関係機関との連絡調整を行う事業（以下「子どもの進路選択支援事業」という。）

二　雇用による就業が著しく困難な被保護者に対し、厚生労働省令で定める期間にわたり、就労に必要な知識及び能力の向上のために必要な訓練を行う事業（以下「被保護者就労準備支援事業」という。）

三　被保護者に対し、収入、支出その他家計の状況を適切に把握すること及び家計の改善の意欲を高めることを支援する事業（以下「被保護者家計改善支援事業」という。）

四　居住の安定を図るための支援が必要な被保護者に対し、厚

生労働省令で定める期間にわたり、訪問による必要な情報の提供及び助言その他の現在の住居において日常生活を営むのに必要な便宜として厚生労働省令で定める便宜を供与する事業（以下「被保護者地域居住支援事業」という。）

② 第五十五条の七第二項及び第三項の規定は、前項各号に掲げる事業を行う場合について準用する。

（特定被保護者対象事業の利用）

第五五条の一一 ① 保護の実施機関は、被保護者であつて、その状況に照らして将来的に保護を必要としなくなることが相当程度見込まれる者その他の厚生労働省令で定める者に該当すると認められるもの（以下この条において「特定被保護者」という。）について、その氏名その他必要な事項を特定被保護者対象事業（生活困窮者自立支援法第三条第四項に規定する生活困窮者就労準備支援事業、同条第五項に規定する生活困窮者家計改善支援事業又は同条第六項に規定する生活困窮者居住支援事業（同項第二号に係る部分に限る。）をいう。第三項において同じ。）を実施する同法第四条第三項に規定する都道府県等に通知することができる。

② 保護の実施機関は、前項の規定による通知を行つた場合は、その旨を当該通知に係る特定被保護者に速やかに通知するものとする。

③ 保護の実施機関は、特定被保護者が特定被保護者対象事業を利用する場合においては、その利用の状況を把握するとともに、自ら当該特定被保護者の自立を助長するために必要な措置を講じなければならない。

第十章　被保護者の権利及び義務

（不利益変更の禁止）

第五六条 被保護者は、正当な理由がなければ、既に決定された保護を、不利益に変更されることがない。

（公課禁止）

第五七条 被保護者は、保護金品及び進学・就職準備給付金を標準として租税その他の公課を課せられることがない。

（差押禁止）

第五八条 被保護者は、既に給与を受けた保護金品及び進学・就職準備給付金又はこれらを受ける権利を差し押さえられることがない。

（譲渡禁止）

第五九条 保護又は就労自立給付金若しくは進学・就職準備給付金の支給を受ける権利は、譲り渡すことができない。

（生活上の義務）

第六〇条 被保護者は、常に、能力に応じて勤労に励み、自ら、健康の保持及び増進に努め、収入、支出その他生計の状況を適切に把握するとともに支出の節約を図り、その他生活の維持及び向上に努めなければならない。

（届出の義務）

第六一条 被保護者は、収入、支出その他生計の状況について変動があつたとき、又は居住地若しくは世帯の構成に異動があつたときは、すみやかに、保護の実施機関又は福祉事務所長にその旨を届け出なければならない。

（指示等に従う義務）

第六二条① 被保護者は、保護の実施機関が、第三十条第一項ただし書の規定により、被保護者を救護施設、更生施設、日常生活支援住居施設若しくはその他の適当な施設に入所させ、若しくはこれらの施設に入所を委託し、若しくは私人の家庭に養護を委託して保護を行うことを決定したとき、又は第二十七条の規定により、被保護者に対し、必要な指導又は指示をしたときは、これに従わなければならない。

② 保護施設を利用する被保護者は、第四十六条の規定により定められたその保護施設の管理規程に従わなければならない。

③ 保護の実施機関は、被保護者が前二項の規定による義務に違反したときは、保護の変更、停止又は廃止をすることができる。

④ 保護の実施機関は、前項の規定により保護の変更、停止又は廃止の処分をする場合には、当該被保護者に対して弁明の機会を与えなければならない。この場合においては、あらかじめ、当該処分をしようとする理由、弁明をすべき日時及び場所を通知しなければならない。

⑤ 第三項の規定による処分については、行政手続法第三章（第十二条及び第十四条を除く。）の規定は、適用しない。

（費用返還義務）

第六三条 被保護者が、急迫の場合等において資力があるにもかかわらず、保護を受けたときは、保護に要する費用を支弁した都道府県又は市町村に対して、すみやかに、その受けた保護金品に相当する金額の範囲内において保護の実施機関の定める額を返還しなければならない。

第十一章　不服申立て

（第六四条から第六九条まで）（略）

第十二章　費用

（第七〇条から第八〇条まで）（略）

第十三章　雑則（抄）

第八〇条の二から第八〇条の五まで（略）

（後見人選任の請求）

第八一条 被保護者が未成年者又は成年被後見人である場合において、親権者及び後見人の職務を行う者がないときは、保護の実施機関は、すみやかに、後見人の選任を家庭裁判所に請求しなければならない。

第八一条の二から第八四条の六まで（略）

（罰則）

第八五条① 不実の申請その他不正な手段により保護を受け、又は他人をして受けさせた者は、三年以下の拘禁刑又は百万円以下の罰金に処する。ただし、刑法（明治四十年法律第四十五号）に正条があるときは、刑法による。

② 偽りその他不正な手段により就労自立給付金若しくは進学・就職準備給付金の支給を受け、又は他人をして受けさせた者は、三年以下の拘禁刑又は百万円以下の罰金に処する。ただし、刑法に正条があるときは、刑法による。

第八五条の二 第五十五条の三第六項、第五十五条の七第三項（第五十五条の八第三項及び第五十五条の十第二項において準用する場合を含む。）及び第五十五条の九第四項の規定に違反して秘密を漏らした者は、一年以下の拘禁刑又は百万円以下の罰金に処する。

第八五条の三及び第八六条（略）

第八七条① 法人（法人でない社団又は財団で代表者又は管理人の定めがあるもの（以下この条において「人格のない社団等」という。）を含む。以下この項において同じ。）の代表者（人格のない社団等の管理人を含む。）又は法人若しくは人の代理人、使用人その他の従業者が、その法人又は人の業務に関して前二条の違反行為をしたときは、行為者を罰するほか、その法人又は人に対しても、各本条の罰金刑を科する。

② 人格のない社団等について前項の規定の適用がある場合においては、その代表者又は管理人がその訴訟行為につき当該人格のない社団等を代表するほか、法人を被告人又は被疑者とする場合の刑事訴訟に関する法律の規定を準用する。

附　則（抄）

（施行期日）

① この法律は、公布の日から施行し、昭和二十五年五月一日以降の給付について適用する。

（生活保護法の廃止）

② 生活保護法（昭和二十一年法律第十七号。（中略））は、廃止する。

別表（略）

刑法等の一部を改正する法律の施行に伴う関係法律整理法

中経過規定

（令和四・六・一七法六八）（抄）

第四四一条から**第四四三条**まで　（刑法の同経過規定参照）

第五〇九条　（刑法の同経過規定参照）

刑法等の一部を改正する法律の施行に伴う関係法律整理法

附　則（令和四・六・一七法六八）（抄）

（施行期日）

① この法律は、刑法等一部改正法（刑法等の一部を改正する法律（令和四法六七））施行日（令和七・六・一）から施行する。ただし、次の各号に掲げる規定は、当該各号に定める日から施行する。

一　第五百九条の規定　公布の日

二　（略）

附　則（令和六・四・二四法二一）（抄）

（施行期日）

第一条　この法律は、令和七年四月一日から施行する。ただし、次の各号に掲げる規定は、当該各号に定める日から施行する。

一　（前略）第二条中生活保護法（中略）第八章の章名、第五十五条の五、第五十五条の六、第五十七条から第五十九条まで（中略）、第八十五条第二項（中略）の改正規定並びに附則第三条及び（中略）第九条（中略）の規定　公布の日

二　（略）

三　第二条の規定（第一号に掲げる改正規定を除く。）（中略）の改正規定　令和六年十月一日

（進学・就職準備給付金の支給に関する特例）

第三条　第二条の規定による改正後の生活保護法第五十五条の五（第一項第二号に係る部分に限る。）の規定は、令和六年一月一日から適用する。

（政令への委任）

第九条　この附則に規定するもののほか、この法律の施行に伴い必要な経過措置は、政令で定める。

●私的独占の禁止及び公正取引の確保に関する法律（昭和二二・四・一四 法 五 四）

施行（附則参照）

改正（平成三〇年以前の改正は重要なもののみ掲げる）昭和二四法二一四、昭和二八法二五九、昭和五二法六三、平成九法八七、平成一〇法八一、平成一二法七六、平成一四法四七、平成一七法三五、平成二一法五一、平成二五法一〇〇、平成二八法一〇八、令和一法一六・法四五、令和四法四八・法六八、令和五法六三

目次

第一章 総則

第一条【目的】 この法律は、私的独占、不当な取引制限及び不公正な取引方法を禁止し、事業支配力の過度の集中を防止して、結合、協定等の方法による生産、販売、価格、技術等の不当な制限その他一切の事業活動の不当な拘束を排除することにより、公正且つ自由な競争を促進し、事業者の創意を発揮させ、事業活動を盛んにし、雇傭及び国民実所得の水準を高め、以て、一般消費者の利益を確保するとともに、国民経済の民主的で健全な発達を促進することを目的とする。

第二条【定義】 ① この法律において「事業者」とは、商業、工業、金融業その他の事業を行う者をいう。事業者の利益のためにする行為を行う役員、従業員、代理人その他の者は、次項又は第三章の規定の適用については、これを事業者とみなす。

② この法律において「事業者団体」とは、事業者としての共通の利益を増進することを主たる目的とする二以上の事業者の結合体又はその連合体をいい、次に掲げる形態のものを含む。ただし、二以上の事業者の結合体又はその連合体であつて、資本又は構成事業者の出資を有し、営利を目的として商業、工業、金融業その他の事業を営むことを主たる目的とし、かつ、現にその事業を営んでいるものを含まないものとする。

一 二以上の事業者が社員（社員に準ずるものを含む。）である社団法人その他の社団

二 二以上の事業者が理事又は管理人の任免、業務の執行又はその存立を支配している財団法人その他の財団

三 二以上の事業者を組合員とする組合又は契約による二以上の事業者の結合体

③ この法律において「役員」とは、理事、取締役、執行役、業務を執行する社員、監事若しくは監査役若しくはこれらに準ずる者、支配人又は本店若しくは支店の事業の主任者をいう。

④ この法律において「競争」とは、二以上の事業者がその通常の事業活動の範囲内において、かつ、当該事業活動の施設又は態様に重要な変更を加えることなく次に掲げる行為をし、又はすることができる状態をいう。

一 同一の需要者に同種又は類似の商品又は役務を供給すること

二 同一の供給者から同種又は類似の商品又は役務の供給を受けること

⑤ この法律において「私的独占」とは、事業者が、単独に、又は他の事業者と結合し、若しくは通謀し、その他いかなる方法をもつてするかを問わず、他の事業者の事業活動を排除し、又は支配することにより、公共の利益に反して、一定の取引分野における競争を実質的に制限することをいう。

⑥ この法律において「不当な取引制限」とは、事業者が、契約、協定その他何らの名義をもつてするかを問わず、他の事業者と共同して対価を決定し、維持し、若しくは引き上げ、又は数量、技術、製品、設備若しくは取引の相手方を制限する等相互にその事業活動を拘束し、又は遂行することにより、公共の利益に反して、一定の取引分野における競争を実質的に制限することをいう。

⑦ この法律において「独占的状態」とは、同種の商品（当該同種の商品に係る通常の事業活動の施設又は態様に重要な変更を加えることなく供給することができる商品を含む。）（以下この項において「一定の商品」という。）並びにこれとその機能及び効用が著しく類似している他の商品で国内において供給されたもの（輸出されたものを除く。）の価額（当該商品に直接課される租税の額に相当する額を控除した額とする。）又は国内において供給された同種の役務の価額（当該役務の提供を受ける者に当該役務に関して課される租税の額に相当する額を控除した額とする。）の政令で定める最近の一年間における合計額が千億円を超える場合における当該一定の商品又は役務に係る一定の事業分野において、次に掲げる市場構造及び市場における弊害があることをいう。

一 当該一年間において、一の事業者の事業分野占拠率（当該一定の商品並びにこれとその機能及び効用が著しく類似している他の商品で国内において供給されたもの（輸出されたものを除く。）又は国内において供給された当該役務の数量（数量によることが適当でない場合にあつては、これらの価額とする。以下この号において同じ。）のうち当該事業者が供給した当該一定の商品並びにこれとその機能及び効用が著しく類似している他の商品又は役務の数量の占める割合をいう。以下この号において同じ。）が二分の一を超え、又は二の事業者のそれぞれの事業分野占拠率の合計が四分の三を超えていること。

二 他の事業者が当該事業者の属する事業分野に属する事業を新たに営むことを著しく困難にする事情があること。

三 当該事業者の供給する当該一定の商品又は役務につき、相当の期間、需給の変動及びその供給に要する費用の変動に照らして、価格の上昇が著しく、又はその低下がきん少であり、かつ、当該事業者がその期間次のいずれかに該当していること。

イ 当該事業者の属する政令で定める業種における標準的な政令で定める種類の利益率を著しく超える率の利益を得ていること。

ロ 当該事業者の属する事業分野における事業者の標準的な販売費及び一般管理費に比し著しく過大と認められる販売費及び一般管理費を支出していること。

⑧ 経済事情が変化して国内における生産業者の出荷の状況及び卸売物価に著しい変動が生じたときは、これらの事情を考慮して、前項の金額につき政令で別段の定めをするものとする。

⑨ この法律において「不公正な取引方法」とは、次の各号のいずれかに該当する行為をいう。

一 正当な理由がないのに、競争者と共同して、次のいずれかに該当する行為をすること。
イ ある事業者に対し、供給を拒絶し、又は供給に係る商品若しくは役務の数量若しくは内容を制限すること。
ロ 他の事業者に、ある事業者に対する供給を拒絶させ、又は供給に係る商品若しくは役務の数量若しくは内容を制限させること。

二 不当に、地域又は相手方により差別的な対価をもつて、商品又は役務を継続して供給することであつて、他の事業者の事業活動を困難にさせるおそれがあるもの

三 正当な理由がないのに、商品又は役務をその供給に要する費用を著しく下回る対価で継続して供給することであつて、他の事業者の事業活動を困難にさせるおそれがあるもの

四 自己の供給する商品を購入する相手方に、正当な理由がないのに、次のいずれかに掲げる拘束の条件を付けて、当該商品を供給すること。
イ 相手方に対しその販売する当該商品の販売価格を定めてこれを維持させることその他相手方の当該商品の販売価格の自由な決定を拘束すること。
ロ 相手方の販売する当該商品を購入する事業者の当該商品の販売価格を定めて相手方をして当該事業者にこれを維持させることその他相手方をして当該事業者の当該商品の販売価格の自由な決定を拘束させること。

五 自己の取引上の地位が相手方に優越していることを利用して、正常な商慣習に照らして不当に、次のいずれかに該当する行為をすること。
イ 継続して取引する相手方（新たに継続して取引しようとする相手方を含む。ロにおいて同じ。）に対して、当該取引に係る商品又は役務以外の商品又は役務を購入させること。
ロ 継続して取引する相手方に対して、自己のために金銭、役務その他の経済上の利益を提供させること。
ハ 取引の相手方からの取引に係る商品の受領を拒み、取引の相手方から取引に係る商品を受領した後当該商品を当該取引の相手方に引き取らせ、取引の相手方に対して取引の対価の支払を遅らせ、若しくはその額を減じ、その他取引の相手方に不利益となるように取引の条件を設定し、若しくは変更し、又は取引を実施すること。

六 前各号に掲げるもののほか、次のいずれかに該当する行為であつて、公正な競争を阻害するおそれがあるもののうち、公正取引委員会が指定するもの
イ 不当に他の事業者を差別的に取り扱うこと。
ロ 不当な対価をもつて取引すること。
ハ 不当に競争者の顧客を自己と取引するように誘引し、又は強制すること。
ニ 相手方の事業活動を不当に拘束する条件をもつて取引すること。
ホ 自己の取引上の地位を不当に利用して相手方と取引すること。
ヘ 自己又は自己が株主若しくは役員である会社と国内において競争関係にある他の事業者とその取引の相手方との取引を不当に妨害し、又は当該事業者が会社である場合において、その会社の株主若しくは役員をその会社の不利益となる行為をするように、不当に誘引し、唆し、若しくは強制すること。

注 第九項第六号の「指定」のうち、事業分野を問わず一般的に指定した告示（一般指定）

不公正な取引方法（昭和五七・六・一八公取委告一五）
改正 平成二一公取委告一八

（共同の取引拒絶）
① 正当な理由がないのに、自己と競争関係にある他の事業者（以下「競争者」という。）と共同して、次の各号のいずれかに掲げる行為をすること。
一 ある事業者から商品若しくは役務の供給を受けることを拒絶し、又は供給を受ける商品若しくは役務の数量若しくは内容を制限すること。
二 他の事業者に、ある事業者から商品若しくは役務の供給を受けることを拒絶させ、又は供給を受ける商品若しくは役務の数量若しくは内容を制限させること。

（その他の取引拒絶）
② 不当に、ある事業者に対し取引を拒絶し若しくは取引に係る商品若しくは役務の数量若しくは内容を制限し、又は他の事業者にこれらに該当する行為をさせること。

（差別対価）
③ 私的独占の禁止及び公正取引の確保に関する法律（昭和二十二年法律第五十四号。以下「法」という。）第二条第九項第二号に該当する行為のほか、不当に、地域又は相手方により差別的な対価をもつて、商品若しくは役務を供給し、又はこれらの供給を受けること。

（取引条件等の差別取扱い）
④ 不当に、ある事業者に対し取引の条件又は実施について有利な又は不利な取扱いをすること。

（事業者団体における差別取扱い等）
⑤ 事業者団体若しくは共同行為からある事業者を不当に排斥し、又は事業者団体の内部若しくは共同行為においてある事業者を不当に差別的に取り扱い、その事業者の事業活動を困難にさせること。

（不当廉売）
⑥ 法第二条第九項第三号に該当する行為のほか、不当に商品又は役務を低い対価で供給し、他の事業者の事業活動を困難にさせるおそれがあること。

（不当高価購入）
⑦ 不当に商品又は役務を高い対価で購入し、他の事業者の事業活動を困難にさせるおそれがあること。

（ぎまん的顧客誘引）
⑧ 自己の供給する商品又は役務の内容又は取引条件その他これらの取引に関する事項について、実際のもの又は競争者に係るものよりも著しく優良又は有利であると顧客に誤認させることにより、競争者の顧客を自己と取引するように不当に誘引すること。

（不当な利益による顧客誘引）
⑨ 正常な商慣習に照らして不当な利益をもつて、競争者の顧客を自己と取引するように誘引すること。

（抱き合わせ販売等）
⑩ 相手方に対し、不当に、商品又は役務の供給に併せて他の商品又は役務を自己又は自己の指定する事業者から購入させ、その他自己又は自己の指定する事業者と取引するように強制すること。

（排他条件付取引）
⑪ 不当に、相手方が競争者と取引しないことを条件として当該相手方と取引し、競争者の取引の機会を減少させるおそれがあること。

（拘束条件付取引）
⑫ 法第二条第九項第四号又は前項に該当する行為のほか、相手方とその取引の相手方との取引その他相手方の事業活動を不当に拘束する条件をつけて、当該相手方と取引すること。

（取引の相手方の役員選任への不当干渉）
⑬ 自己の取引上の地位が相手方に優越していることを利用して、正常な商慣習に照らして不当に、取引の相手方である会社に対し、当該会社の役員（法第二条第三項の役員をいう。以下同じ。）の選任についてあらかじめ自己の指示に従わせ、又は自己の承認を受けさせること。

（競争者に対する取引妨害）
⑭ 自己又は自己が株主若しくは役員である会社と国内において競争関係にある他の事業者とその取引の相手方との取引について、契約の成立の阻止、契約の不履行の誘引その他いかなる方法をもつてするかを問わず、その取引を不当に妨害すること。

（競争会社に対する内部干渉）

⑮ 自己又は自己が株主若しくは役員である会社と国内において競争関係にある会社の株主又は役員に対し、株主権の行使、株式の譲渡、秘密の漏えいその他いかなる方法をもつてするかを問わず、その会社の不利益となる行為をするように、不当に誘引し、そそのかし、又は強制すること。

第二章　私的独占及び不当な取引制限

第二条の二【定義】 ① この章において「市場占有率」とは、一定の取引分野において一定の期間内に供給される商品若しくは役務の数量のうち一若しくは二以上の事業者が供給し、若しくは供給を受ける当該商品若しくは役務の数量の占める割合又は一定の取引分野において一定の期間内に供給される商品若しくは役務の価額のうち一若しくは二以上の事業者が供給し、若しくは供給を受ける当該商品若しくは役務の価額の占める割合をいう。

② この章において「子会社等」とは、事業者の子会社（法人がその総株主（総社員を含む。以下同じ。）の議決権（株主総会において決議をすることができる事項の全部につき議決権を行使することができない株式についての議決権を除き、会社法（平成十七年法律第八十六号）第八百七十九条第三項の規定により議決権を有するものとみなされる株式についての議決権及び社債、株式等の振替に関する法律（平成十三年法律第七十五号）第百四十七条第一項又は第百四十八条第一項の規定により発行者に対抗することができない株式に係る議決権を含む。以下この項及び次項において同じ。）の過半数を有する他の会社をいう。この場合において、法人及びその一若しくは二以上の子会社又は法人の一若しくは二以上の子会社がその総株主の議決権の過半数を有する他の会社は、当該法人の子会社とみなす。以下この項において同じ。）若しくは親会社（会社を子会社とする他の会社をいう。以下この項において同じ。）又は当該事業者と親会社が同一である他の会社をいう。

③ この章において「完全子会社等」とは、事業者の完全子会社（法人がその総株主の議決権の全部を有する他の会社をいう。この場合において、法人及びその一若しくは二以上の完全子会社又は法人の一若しくは二以上の完全子会社がその総株主の議決権の全部を有する他の会社は、当該法人の完全子会社とみなす。以下この章及び第五章において同じ。）若しくは完全親会社（会社を完全子会社とする他の会社をいう。以下この項において同じ。）又は当該事業者と完全親会社が同一である他の会社をいう。

④ この章において「供給子会社等」とは、第七条の二第一項又は第七条の九第一項若しくは第二項に規定する違反行為のうちいずれかの違反行為（第十三項及び第十四項を除き、以下この条において単に「違反行為」という。）をした事業者の子会社等であつて、当該違反行為に係る一定の取引分野において当該違反行為に係る商品又は役務を供給したものをいう。

⑤ この章において「違反供給子会社等」とは、供給子会社等であつて、違反行為をした事業者の当該違反行為に係る一定の取引分野において当該違反行為をしたものをいう。

⑥ この章において「非違反供給子会社等」とは、供給子会社等であつて、違反行為をした事業者の当該違反行為に係る一定の取引分野において当該違反行為をしていないものをいう。

⑦ この章において「特定非違反供給子会社等」とは、非違反供給子会社等のうち、違反行為をした事業者と完全子会社等の関係にあるものであつて、他の者に当該違反行為に係る商品又は役務を供給することについて当該事業者から指示を受け、又は情報を得た上で、当該指示又は情報に基づき当該商品又は役務を供給したものをいう。

⑧ この章において「購入子会社等」とは、違反行為をした事業者の子会社等であつて、当該違反行為に係る一定の取引分野において当該違反行為に係る商品又は役務の供給を受けたものをいう。

⑨ この章において「違反購入子会社等」とは、購入子会社等であつて、違反行為をした事業者の当該違反行為に係る一定の取引分野において当該違反行為をしたものをいう。

⑩ この章において「非違反購入子会社等」とは、購入子会社等であつて、違反行為をした事業者の当該違反行為に係る一定の取引分野において当該違反行為をしていないものをいう。

⑪ この章において「特定非違反購入子会社等」とは、非違反購入子会社等のうち、違反行為をした事業者と完全子会社等の関係にあるものであつて、他の者から当該違反行為に係る商品又は役務の供給を受けることについて当該事業者から指示を受け、又は情報を得た上で、当該指示又は情報に基づき当該商品又は役務の供給を受けたものをいう。

⑫ この章において「事前通知」とは、第七条の二第一項又は第七条の九第一項若しくは第二項の規定により課徴金の納付を命ずる場合において、第六十二条第四項において読み替えて準用する第五十条第一項の規定により公正取引委員会が違反行為をした事業者に対してする通知をいう。

⑬ この章において「実行期間」とは、第七条の二第一項又は第七条の九第一項に規定する違反行為をした事業者に係る当該違反行為の実行としての事業活動を行つた日（当該事業者に対し当該違反行為について第四十七条第一項第一号、第三号若しくは第四号に掲げる処分、第百二条第一項若しくは第二項に規定する処分又は第百三条の三各号に掲げる処分が最初に行われた日（当該事業者に対し当該処分が行われなかつたときは、当該事業者が当該違反行為について事前通知を受けた日）の十年前の日前であるときは、同日）から当該違反行為の実行としての事業活動がなくなる日までの期間をいう。

⑭ この章において「違反行為期間」とは、第七条の九第二項に規定する違反行為をした事業者に係る当該違反行為をした日（当該事業者に対し当該違反行為について第四十七条第一項第一号、第三号若しくは第四号に掲げる処分、第百二条第一項若しくは第二項に規定する処分又は第百三条の三各号に掲げる処分が最初に行われた日（当該事業者に対し当該処分が行われなかつたときは、当該事業者が当該違反行為について事前通知を受けた日）の十年前の日前であるときは、同日）から当該違反行為がなくなる日までの期間をいう。

⑮ この章（第七条の四を除く。）において「調査開始日」とは、違反行為に係る事件について第四十七条第一項第一号、第三号若しくは第四号に掲げる処分、第百二条第一項若しくは第二項に規定する処分又は第百三条の三各号に掲げる処分が最初に行われた日（当該処分が行われなかつたときは、当該違反行為をした事業者が当該違反行為について事前通知を受けた日）をいう。

第三条【私的独占・不当な取引制限の禁止】 事業者は、私的独占又は不当な取引制限をしてはならない。

第四条及び第五条　削除

第六条【国際的協定等の規制】 事業者は、不当な取引制限又は不公正な取引方法に該当する事項を内容とする国際的協定又は国際的契約をしてはならない。

第七条【排除措置命令】 ① 第三条又は前条の規定に違反する行為があるときは、公正取引委員会は、第八章第二節に規定する手続に従い、事業者に対し、当該行為の差止め、事業の一部の譲渡その他これらの規定に違反する行為を排除するために必要な措置を命ずることができる。

② 公正取引委員会は、第三条又は前条の規定に違反する行為が既になくなつている場合においても、特に必要があると認めるときは、第八章第二節に規定する手続に従い、次に掲げる者に対し、当該行為が既になくなつている旨の周知措置その他当該行為が排除されたことを確保するために必要な措置を命ずることができる。ただし、当該行為がなくなつた日から七年を経過したときは、この限りでない。

一　当該行為をした事業者

二　当該行為をした事業者が法人である場合において、当該法

人が合併により消滅したときにおける合併後存続し、又は合併により設立された法人

三　当該行為をした事業者が法人である場合において、当該法人から分割により当該行為に係る事業の全部又は一部を承継した法人

四　当該行為をした事業者から当該行為に係る事業の全部又は一部を譲り受けた事業者

第七条の二【不当な取引制限に係る課徴金納付命令】①　事業者が、不当な取引制限又は不当な取引制限に該当する事項を内容とする国際的協定若しくは国際的契約であつて、商品若しくは役務の対価に係るもの又は商品若しくは役務の供給量若しくは購入量、市場占有率若しくは取引の相手方を実質的に制限することによりその対価に影響することとなるものをしたときは、公正取引委員会は、第八章第二節に規定する手続に従い、当該事業者に対し、第一号から第三号までに掲げる額の合計額に百分の十を乗じて得た額及び第四号に掲げる額の合算額に相当する額の課徴金を国庫に納付することを命じなければならない。ただし、その額が百万円未満であるときは、その納付を命ずることができない。

一　当該違反行為（商品又は役務を供給することに係るものに限る。以下この号において同じ。）に係る一定の取引分野において当該事業者及びその特定非違反供給子会社等が供給した当該商品又は役務（当該事業者に当該特定非違反供給子会社等が供給したもの及び当該事業者又は当該特定非違反供給子会社等が当該事業者の供給子会社等に供給したものを除く。）並びに当該一定の取引分野において当該事業者及び当該特定非違反供給子会社等が当該事業者の供給子会社等に供給した当該商品又は役務（当該供給子会社等（違反供給子会社等又は特定非違反供給子会社等である場合に限る。）が他の者に当該商品又は役務を供給するために当該事業者又は当該特定非違反供給子会社等から供給を受けたものを除く。）の政令で定める方法により算定した、当該違反行為に係る実行期間における売上額

二　当該違反行為（商品又は役務の供給を受けることに係るものに限る。以下この号において同じ。）に係る一定の取引分野において当該事業者及びその特定非違反購入子会社等が供給を受けた当該商品又は役務（当該事業者から当該特定非違反購入子会社等が供給を受けたもの及び当該事業者又は当該特定非違反購入子会社等が当該事業者の購入子会社等から供給を受けたものを除く。）並びに当該一定の取引分野において当該事業者及び当該特定非違反購入子会社等が当該事業者の購入子会社等から供給を受けた当該商品又は役務（当該購入子会社等（違反購入子会社等又は特定非違反購入子会社等である場合に限る。）が他の者から供給を受けて当該事業者又は当該特定非違反購入子会社等に供給したものを除く。）の政令で定める方法により算定した、当該違反行為に係る実行期間における購入額

三　当該違反行為に係る商品又は役務の全部又は一部の製造、販売、管理その他の当該商品又は役務に密接に関連する業務として政令で定めるものであつて、当該事業者及びその完全子会社等（当該違反行為をしていないものに限る。次号において同じ。）が行つたものの対価の額に相当する額として政令で定める方法により算定した額

四　当該違反行為に係る商品若しくは役務を他の者（当該事業者の供給子会社等並びに当該違反行為をした他の事業者及びその供給子会社等を除く。）に供給しないこと又は他の者（当該事業者の購入子会社等並びに当該違反行為をした他の事業者及びその購入子会社等を除く。）から当該商品若しくは役務の供給を受けないことに関し、手数料、報酬その他名目のいかんを問わず、当該事業者及びその完全子会社等が得た金銭その他の財産上の利益に相当する額として政令で定める方法により算定した額

②　前項の場合において、当該事業者が次の各号のいずれかに該当する者（その者の一又は二以上の子会社等が当該各号のいずれにも該当しない場合を除く。）であるときは、同項中「百分の十」とあるのは、「百分の四」とする。

一　資本金の額又は出資の総額が三億円以下の会社並びに常時使用する従業員の数が三百人以下の会社及び個人であつて、製造業、建設業、運輸業その他の業種（次号から第四号までに掲げる業種及び第五号の政令で定める業種を除く。）に属する事業を主たる事業として営むもの

二　資本金の額又は出資の総額が一億円以下の会社並びに常時使用する従業員の数が百人以下の会社及び個人であつて、卸売業（第五号の政令で定める業種を除く。）に属する事業を主たる事業として営むもの

三　資本金の額又は出資の総額が五千万円以下の会社並びに常時使用する従業員の数が百人以下の会社及び個人であつて、サービス業（第五号の政令で定める業種を除く。）に属する事業を主たる事業として営むもの

四　資本金の額又は出資の総額が五千万円以下の会社並びに常時使用する従業員の数が五十人以下の会社及び個人であつて、小売業（次号の政令で定める業種を除く。）に属する事業を主たる事業として営むもの

五　資本金の額又は出資の総額がその業種ごとに政令で定める金額以下の会社並びに常時使用する従業員の数がその業種ごとに政令で定める数以下の会社及び個人であつて、その政令で定める業種に属する事業を主たる事業として営むもの

六　協業組合その他の特別の法律により協同して事業を行うことを主たる目的として設立された組合（組合の連合会を含む。）のうち、政令で定めるところにより、前各号に定める業種ごとに当該各号に定める規模に相当する規模のもの

③　第一項の規定により課徴金の納付を命ずる場合において、当該事業者が公正取引委員会又は当該違反行為に係る事件について第四十七条第二項の規定により指定された審査官その他の当該事件の調査に関する事務に従事する職員による当該違反行為に係る課徴金の計算の基礎となるべき事実に係る事実の報告又は資料の提出の求めに応じなかつたときは、公正取引委員会は、当該事業者に係る実行期間のうち当該事実の報告又は資料の提出が行われず課徴金の計算の基礎となるべき事実を把握することができない期間における第一項各号に掲げる額を、当該事業者、その特定非違反供給子会社等若しくは特定非違反購入子会社等又は当該違反行為に係る商品若しくは役務を供給する他の事業者若しくは当該商品若しくは役務の供給を受ける他の事業者から入手した資料その他の資料を用いて、公正取引委員会規則で定める合理的な方法により推計して、課徴金の納付を命ずることができる。

第七条の三【割増算定率】①　前条第一項の規定により課徴金の納付を命ずる場合において、当該事業者が次の各号のいずれかに該当する者であるときは、同項（同条第二項において読み替えて適用する場合を含む。）中「合算額」とあるのは、「合算額に一・五を乗じて得た額」とする。ただし、当該事業者が、第三項の規定の適用を受ける者であるときは、この限りでない。

一　当該違反行為に係る事件についての調査開始日から遡り十年以内に、前条第一項又は第七条の九第一項若しくは第二項の規定による命令（当該命令が確定している場合に限る。）、次条第七項若しくは第七条の七第三項の規定による通知又は第六十三条第二項の規定による決定（以下この項において「納付命令等」という。）を受けたことがある者（当該納付命令等の日以後において当該違反行為をしていた場合に限る。）

二　前号に該当する者を除き、当該違反行為に係る事件についての調査開始日から遡り十年以内に、その完全子会社が納付命令等（当該納付命令等の日において当該事業者の完全子会社である場合に限る。）を受けたことがある者（当該納付命令等の日以後において当該違反行為をしていた場合に限る。）

三　前二号に該当する者を除き、当該違反行為に係る事件についての調査開始日から遡り十年以内に納付命令等を受けたこ

とがある他の事業者たる法人と合併した事業者たる法人又は当該他の事業者たる法人から当該納付命令等に係る違反行為に係る事業の全部若しくは一部を譲り受け、若しくは分割により当該事業の全部若しくは一部を承継した事業者たる法人（当該合併、譲受け又は分割の日以後において当該違反行為をしていた場合に限る。）

② 前条第一項の規定により課徴金の納付を命ずる場合において、当該事業者が次の各号のいずれかに該当する者であるときは、同項（同条第二項において読み替えて適用する場合を含む。）中「合算額」とあるのは、「合算額に一・五を乗じて得た額」とする。ただし、当該事業者が、次項の規定の適用を受ける者であるときは、この限りでない。

一 単独で又は共同して、当該違反行為をすることを企て、かつ、他の事業者に対し当該違反行為をすること又はやめないことを要求し、依頼し、又は唆すことにより、当該違反行為をさせ、又はやめさせなかつた者

二 単独で又は共同して、他の事業者の求めに応じて、継続的に他の事業者に対し当該違反行為に係る商品又は役務に係る対価、供給量、購入量、市場占有率又は取引の相手方について指定した者

三 前二号に掲げる者のほか、単独で又は共同して、次のいずれかに該当する行為であつて、当該違反行為を容易にすべき重要なものをした者

イ 他の事業者に対し当該違反行為をすること又はやめないことを要求し、依頼し、又は唆すこと。

ロ 他の事業者に対し当該違反行為に係る商品又は役務に係る対価、供給量、購入量、市場占有率、取引の相手方その他当該違反行為の実行としての事業活動について指定すること（専ら自己の取引について指定することを除く。）。

ハ 他の事業者に対し公正取引委員会の調査の際に当該違反行為又は当該違反行為に係る課徴金の計算の基礎となるべき事実に係る資料を隠蔽し、若しくは仮装すること又は当該事実に係る虚偽の事実の報告若しくは資料の提出をすることを要求し、依頼し、又は唆すこと。

ニ 他の事業者に対し次条第一項第一号、第二項第一号から第四号まで若しくは第三項第一号若しくは第二号に規定する事実の報告及び資料の提出又は第七条の五第一項の規定による協議の申出を行わないことを要求し、依頼し、又は唆すこと。

③ 前条第一項の規定により課徴金の納付を命ずる場合において、当該事業者が、第一項各号のいずれか及び前項各号のいずれかに該当する者であるときは、同条第一項（同条第二項において読み替えて適用する場合を含む。）中「合算額」とあるのは、「合算額に二を乗じて得た額」とする。

第七条の四【報告等に基づく課徴金の減免】 ① 公正取引委員会は、第七条の二第一項の規定により課徴金を納付すべき事業者が次の各号のいずれにも該当する者であるときは、同項の規定にかかわらず、当該事業者に対し、課徴金の納付を命じないものとする。

一 公正取引委員会規則で定めるところにより、単独で、当該違反行為をした事業者のうち最初に公正取引委員会に当該違反行為に係る事実の報告及び資料の提出を行つた者（当該事実の報告及び資料の提出が当該違反行為に係る事件についての調査開始日（第四十七条第一項第四号に掲げる処分又は第百二条第一項に規定する処分が最初に行われた日をいう。以下この条において同じ。）（当該処分が行われなかつたときは、当該事業者が当該違反行為について事前通知を受けた日をいう。次号及び次項において同じ。）以後に行われた場合を除く。）

二 当該違反行為に係る事件についての調査開始日以後において、当該違反行為をしていない者

② 第七条の二第一項の場合において、公正取引委員会は、当該事業者が第一号及び第五号に該当する者であるときは減算前課徴金額（前二条の規定により計算した課徴金の額をいう。以下この条及び次条において同じ。）に百分の二十を乗じて得た額を、第二号及び第五号又は第三号及び第五号に該当する者であるときは減算前課徴金額に百分の十を乗じて得た額を、第四号及び第五号に該当する者であるときは減算前課徴金額に百分の五を乗じて得た額を、それぞれ当該減算前課徴金額から減額するものとする。

一 公正取引委員会規則で定めるところにより、単独で、当該違反行為をした事業者のうち二番目に公正取引委員会に当該違反行為に係る事実の報告及び資料の提出を行つた者（当該事実の報告及び資料の提出が当該違反行為に係る事件についての調査開始日以後に行われた場合を除く。）

二 公正取引委員会規則で定めるところにより、単独で、当該違反行為をした事業者のうち三番目に公正取引委員会に当該違反行為に係る事実の報告及び資料の提出を行つた者（当該事実の報告及び資料の提出が当該違反行為に係る事件についての調査開始日以後に行われた場合を除く。）

三 公正取引委員会規則で定めるところにより、単独で、当該違反行為をした事業者のうち四番目又は五番目に公正取引委員会に当該違反行為に係る事実の報告及び資料の提出（第四十五条第一項に規定する報告又は同条第四項の措置その他により既に公正取引委員会によつて把握されている事実に係るものを除く。次号において同じ。）を行つた者（当該事実の報告及び資料の提出が当該違反行為に係る事件についての調査開始日以後に行われた場合を除く。）

四 公正取引委員会規則で定めるところにより、単独で、当該違反行為をした事業者のうち六番目以降に公正取引委員会に当該違反行為に係る事実の報告及び資料の提出を行つた者（当該事実の報告及び資料の提出が当該違反行為に係る事件についての調査開始日以後に行われた場合を除く。）

五 当該違反行為に係る事件についての調査開始日以後において、当該違反行為をしていない者

③ 第七条の二第一項の場合において、公正取引委員会は、当該事業者が第一号及び第三号に該当する者であるときは減算前課徴金額に百分の十を乗じて得た額を、第二号及び第三号に該当する者であるときは減算前課徴金額に百分の五を乗じて得た額を、それぞれ当該減算前課徴金額から減額するものとする。

一 当該違反行為に係る第一項第一号又は前項第一号から第三号までに規定する事実の報告及び資料の提出を行つた者の数が五に満たない場合において、当該違反行為に係る事件についての調査開始日以後公正取引委員会規則で定める期日までに、公正取引委員会規則で定めるところにより、単独で、公正取引委員会に当該違反行為に係る事実の報告及び資料の提出（第四十七条第一項各号に掲げる処分又は第百二条第一項に規定する処分その他により既に公正取引委員会によつて把握されている事実に係るものを除く。次号において同じ。）を行つた者（第一項第一号又は前項第一号から第三号までに規定する事実の報告及び資料の提出を行つた者の数とこの号に規定する事実の報告及び資料の提出を行つた者の数を合計した数が五以下であり、かつ、この号に規定する事実の報告及び資料の提出を行つた者の数を合計した数が三以下である場合に限る。）

二 当該違反行為に係る事件についての調査開始日以後公正取引委員会規則で定める期日までに、公正取引委員会規則で定めるところにより、単独で、公正取引委員会に当該違反行為に係る事実の報告及び資料の提出を行つた者（前号に該当する者を除く。）

三 前二号に規定する事実の報告及び資料の提出を行つた日以後において、当該違反行為をしていない者

④ 第七条の二第一項に規定する違反行為をした事業者のうち二以上の事業者（会社である場合に限る。）が、公正取引委員会規則で定めるところにより、共同して、公正取引委員会に当該違反行為に係る事実の報告及び資料の提出を行つた場合におい

て、第一号に該当し、かつ、第二号又は第三号のいずれかに該当する者であるときに限り、当該事実の報告及び資料の提出を単独で行つたものとみなして、当該事実の報告及び資料の提出を行つた二以上の事業者について前三項の規定を適用する。この場合における第一項第一号、第二項第一号から第四号まで並びに前項第一号及び第二号に規定する事実の報告及び資料の提出を行つた事業者の数の計算については、当該二以上の事業者をもつて一の事業者とする。

一 当該二以上の事業者が、当該事実の報告及び資料の提出の時において相互に子会社等の関係にあること。

二 当該二以上の事業者のうち、当該二以上の事業者のうちの他の事業者と共同して当該違反行為をしたものが、当該他の事業者と共同して当該違反行為をした全期間（当該事実の報告及び資料の提出を行つた日から遡り十年以内の期間に限る。）において、当該他の事業者と相互に子会社等の関係にあつたこと。

三 当該二以上の事業者のうち、当該二以上の事業者のうちの他の事業者と共同しては当該違反行為をしていないものについて、次のいずれかに該当する事実があること。

イ その者が当該二以上の事業者のうちの他の事業者に対して当該違反行為に係る事業の全部若しくは一部を譲渡し、又は分割により当該違反行為に係る事業の全部若しくは一部を承継させ、かつ、当該他の事業者が当該譲渡又は分割の日から当該違反行為を開始したこと。

ロ その者が、当該二以上の事業者のうちの他の事業者から当該違反行為に係る事業の全部若しくは一部を譲り受け、又は分割により当該違反行為に係る事業の全部若しくは一部を承継し、かつ、当該譲受け又は分割の日から当該違反行為を開始したこと。

⑤ 公正取引委員会は、第一項第一号、第二項第一号から第四号まで又は第三項第一号若しくは第二号に規定する事実の報告及び資料の提出を受けたときは、当該事実の報告及び資料の提出を行つた事業者に対し、速やかに文書をもつてその旨を通知するものとする。

⑥ 公正取引委員会は、次条第一項の合意（同条第二項各号に掲げる行為をすることを内容とするものを含む。）をした場合を除き、第一項第一号、第二項第一号から第四号まで又は第三項第一号若しくは第二号に規定する事実の報告及び資料の提出を行つた事業者に対し第七条の二第一項の規定による命令又は次項の規定による通知をするまでの間、当該事業者に対し、当該違反行為に係る事実の報告又は資料の提出を追加して求めることができる。

⑦ 公正取引委員会は、第一項の規定により課徴金の納付を命じないこととしたときは、同項の規定に該当する事業者がした違反行為に係る事件について当該事業者以外の事業者に対し第七条の二第一項の規定による命令をする際に（同項の規定による命令をしない場合にあつては、公正取引委員会規則で定める時までに）、これと併せて当該事業者に対し、文書をもつてその旨を通知するものとする。

第七条の五【報告等事業者との合意に基づく課徴金の減額】

① 公正取引委員会は、前条第二項第一号から第四号まで又は第三項第一号若しくは第二号に規定する事実の報告及び資料の提出を行つた事業者（以下この条において「報告等事業者」という。）から次の各号に掲げる行為についての協議の申出があつたときは、報告等事業者との間で協議を行うものとし、当該事実及び資料により得られ、並びに第一号に掲げる行為により報告し、又は提出する事実又は資料により得られることが見込まれる事件の真相の解明に資するものとして公正取引委員会規則で定める事項に係る事実の内容その他の事情を考慮して、公正取引委員会規則で定めるところにより、報告等事業者との間で、報告等事業者が同号に掲げる行為をし、かつ、公正取引委員会が第二号に掲げる行為をすることを内容とする合意をすることができる。

一 次に掲げる行為

イ 当該協議において、公正取引委員会に対し、報告し、又は提出する旨の申出を行つた事実又は資料を当該合意後直ちに報告し、又は提出すること。

ロ 前条第二項第一号から第四号まで若しくは第三項第一号若しくは第二号に規定する事実の報告及び資料の提出又はイに掲げる行為により得られた事実又は資料に関し、公正取引委員会の求めに応じ、事実の報告、資料の提出、公正取引委員会による報告等事業者の物件の検査（ハ及び次項第一号ロにおいて単に「検査」という。）の承諾その他の行為を行うこと。

ハ 公正取引委員会による調査により判明した事実に関し、公正取引委員会の求めに応じ、事実の報告、資料の提出、検査の承諾その他の行為を行うこと。

二 減算前課徴金額に次のイ又はロに掲げる事業者の区分に応じ、当該イ又はロに定める割合（次項第二号において「上限割合」という。）の範囲内において、当該合意において定める特定の割合（同号及び第三項において「特定割合」という。）を乗じて得た額を、当該減算前課徴金額から減額すること。

イ 前条第二項第一号から第四号までに規定する事実の報告及び資料の提出を行つた事業者　百分の四十以下

ロ 前条第三項第一号又は第二号に規定する事実の報告及び資料の提出を行つた事業者　百分の二十以下

② 公正取引委員会は、前項の協議において報告等事業者により説明された同項第一号に掲げる行為により得られる事実又は資料が事件の真相の迅速な解明に必要であることに加えて、報告等事業者が同項の合意後に当該事件についての新たな事実又は資料であつて同項の公正取引委員会規則で定める事項に係る事実に係るものを把握する蓋然性が高いと認められる場合において、当該新たな事実又は資料の報告又は提出に当該合意後一定の期間を要する事情があると認めるときは、報告等事業者に対し、当該協議において、報告等事業者が同号に掲げる行為に加えて第一号に掲げる行為をすることを当該合意の内容に含めるとともに公正取引委員会が同項第二号に掲げる行為をすることに代えて第二号に掲げる行為をすることを当該合意の内容とするよう求めることができる。

一 次に掲げる行為

イ 当該合意後、当該新たな事実又は資料を把握したときは、直ちに、公正取引委員会に当該新たな事実又は資料の報告又は提出を行うこと。

ロ イに掲げる行為により得られた事実又は資料に関し、公正取引委員会の求めに応じ、事実の報告、資料の提出、検査の承諾その他の行為を行うこと。

二 減算前課徴金額に、特定割合を下限とし、これに報告等事業者が前号に掲げる行為をすることに対し減算前課徴金額を更に減ずることができる割合として公正取引委員会規則で定めるところにより当該合意において定める割合を加算した割合（上限割合以下の割合に限る。）を上限とする範囲内において、公正取引委員会が当該行為により得られた前項の公正取引委員会規則で定める事項に係る事実の内容を評価して決定する割合（次項及び第五項において「評価後割合」という。）を乗じて得た額を、当該減算前課徴金額から減額すること。

③ 第七条の二第一項の場合において、公正取引委員会は、第一項の合意（前項各号に掲げる行為をすることを内容とするものを含む。以下この条及び次条において同じ。）があるときは、前条第二項又は第三項の規定により減額する額に加えて、当該合意の内容に応じ、減算前課徴金額に特定割合又は評価後割合を乗じて得た額を、当該減算前課徴金額から減額するものとする。

④ 第一項の合意は、公正取引委員会及び報告等事業者が署名又は記名押印をした書面により、その内容を明らかにしてするものとする。

⑤ 公正取引委員会は、第二項第二号に掲げる行為をすることを

内容とする第一項の合意をする場合には、同号に規定する公正取引委員会による評価及び評価後割合の決定の方法を前項の書面に記載するものとする。

⑥ 第一項の協議において、公正取引委員会は、報告等事業者に対し、報告等事業者が同項第一号イに掲げる行為により報告し、又は提出することができる事実又は資料の概要について説明を求めることができる。

⑦ 公正取引委員会は、第一項の合意が成立しなかつた場合（報告等事業者が第二項の求めに応じず、第一項各号に掲げる行為をすることのみを内容とする合意が成立したときを除く。）には、公正取引委員会が同項の協議における報告等事業者の説明の内容を記録した、文書その他の物件を証拠とすることができない。

⑧ 協議の申出の期限その他の第一項の協議に関し必要な手続は、公正取引委員会規則で定める。

⑨ 報告等事業者は、第一項の協議を行うに当たり、代理人（弁護士又は弁護士法人に限る。次項及び第十一項において「特定代理人」という。）を選任することができる。

⑩ 公正取引委員会は、第一項の協議を行うに当たり、当該協議の相手方となる報告等事業者に対し、特定代理人を選任することができる旨を書面により教示するものとする。

⑪ 報告等事業者が第九項の規定により特定代理人を選任した場合における第一項及び第四項の規定の適用については、第一項中「との間で協議」とあるのは「又は特定代理人（第九項に規定する特定代理人をいう。第四項において同じ。）との間で協議」と、第四項中「及び報告等事業者」とあるのは「並びに報告等事業者及び特定代理人」とする。

第七条の六【課徴金の減免等の不適用】 公正取引委員会が、第七条の四第一項第一号、第二項第一号から第四号まで又は第三項第一号若しくは第二号に規定する事実の報告及び資料の提出を行つた事業者に対し第七条の二第一項の規定による命令又は第七条の四第七項の規定による通知をするまでの間に、次の各号のいずれかに該当する事実があると認めるときは、同条第一項から第三項まで及び前条第三項の規定にかかわらず、これらの規定は、適用しない。

一 当該事業者（当該事業者が第七条の四第四項に規定する事実の報告及び資料の提出を行つた者であるときは、当該事業者及び当該事業者と共同して当該事業者の報告及び資料の提出を行つた他の事業者のうち、いずれか一以上の事業者。以下この号から第三号までにおいて同じ。）が報告した事実若しくは提出した資料又は当該事業者がした前条第一項第一号若しくは第二項第一号に掲げる行為により得られた事実若しくは資料に虚偽の内容が含まれていたこと。

二 当該事業者（第七条の四第一項第一号に規定する事実の報告及び資料の提出を行つた事業者に限る。）が、同条第六項の規定による求めに対し、事実の報告若しくは資料の提出をせず、又は虚偽の事実の報告若しくは資料の提出をしたこと。

三 当該事業者（第七条の四第二項第一号から第四号まで又は第三項第一号若しくは第二号に規定する事実の報告及び資料の提出を行つた事業者に限る。）が、同条第六項の規定による求めに対し、虚偽の事実の報告又は資料の提出をしたこと。

四 当該事業者がした当該違反行為に係る事件において、当該事業者が、他の事業者に対し（当該事業者が第七条の四第四項に規定する事実の報告及び資料の提出を行つた者であるときは、当該事業者及び当該事業者と共同して当該事実の報告及び資料の提出を行つた他の事業者のうちいずれか一以上の事業者が、当該事業者及び当該事業者と共同して当該事実の報告及び資料の提出を行つた他の事業者以外の事業者に対し）第七条の二第一項に規定する違反行為をすることを強要し、又は当該違反行為をやめることを妨害していたこと。

五 当該事業者が、他の事業者に対し（当該事業者が第七条の四第四項に規定する事実の報告及び資料の提出を行つた者であるときは、当該事業者及び当該事業者と共同して当該事実の報告及び資料の提出を行つた他の事業者のうちいずれか一以上の事業者が、当該事業者及び当該事業者と共同して当該事実の報告及び資料の提出を行つた他の事業者以外の事業者に対し）同条第一項第一号、第二項第一号から第四号まで若しくは第三項第一号若しくは第二号に規定する事実の報告及び資料の提出又は前条第一項の協議の申出を行うことを妨害していたこと。

六 当該事業者が、正当な理由なく、第七条の四第一項第一号、第二項第一号から第四号まで若しくは第三項第一号若しくは第二号に規定する事実の報告及び資料の提出を行つた旨又は前条第一項の合意若しくは協議を行つた旨を第三者に対し（当該事業者が第七条の四第四項に規定する事実の報告及び資料の提出を行つた者であるときは、当該事業者及び当該事業者と共同して当該事実の報告及び資料の提出を行つた他の事業者のうちいずれか一以上の事業者が、当該事業者及び当該事業者と共同して当該事実の報告及び資料の提出を行つた他の事業者以外の者に対し）明らかにしたこと。

七 当該事業者が、前条第一項の合意に違反して当該合意に係る行為を行わなかつたこと。

第七条の七【課徴金納付命令前に罰金の刑が確定した場合の調整】 ① 公正取引委員会は、第七条の二第一項の場合において、同一事件について、当該事業者に対し、罰金の刑に処する確定裁判があるときは、同条、第七条の三、第七条の四第二項若しくは第三項又は第七条の五第三項の規定により計算した額に代えて、その額から当該罰金額の二分の一に相当する金額を控除した額を課徴金の額とするものとする。ただし、第七条の二、第七条の三、第七条の四第二項若しくは第三項又は第七条の五第三項の規定により計算した額が当該罰金額の二分の一に相当する金額を超えないとき、又は当該控除後の額が百万円未満であるときは、この限りでない。

② 前項ただし書の場合においては、公正取引委員会は、課徴金の納付を命ずることができない。

③ 公正取引委員会は、前項の規定により課徴金の納付を命じない場合には、罰金の刑に処せられた事業者に対し、当該事業者がした第七条の二第一項に規定する違反行為に係る事件について当該事業者以外の事業者に対し同項の規定による命令をする際に（当該命令をしない場合にあつては、公正取引委員会規則で定める時までに）、これと併せて文書をもつてその旨を通知するものとする。

第七条の八【課徴金の納付等】 ① 第七条の二第一項の規定による命令を受けた者は、同条、第七条の三、第七条の四第二項若しくは第三項、第七条の五第三項又は前条第一項の規定により計算した課徴金を納付しなければならない。

② 第七条の二、第七条の三、第七条の四第二項若しくは第三項、第七条の五第三項又は前条第一項の規定により計算した課徴金の額に一万円未満の端数があるときは、その端数は、切り捨てる。

③ 第七条の二第一項に規定する違反行為をした事業者が法人である場合において、当該法人が合併により消滅したときは、当該法人がした違反行為並びに当該法人が受けた同項の規定による命令、第七条の四第七項及び前条第三項の規定による通知並びに第六十三条第二項の規定による決定（以下この項及び次項において「命令等」という。）は、合併後存続し、又は合併により設立された法人がした違反行為及び当該合併後存続し、又は合併により設立された法人が受けた命令等とみなして、第七条の二からこの条までの規定を適用する。

④ 第七条の二第一項に規定する違反行為をした事業者が法人である場合において、当該法人がその一若しくは二以上の子会社等に対して当該違反行為に係る事業の全部を譲渡し、又は当該法人（会社である場合に限る。）がその一若しくは二以上の子会社等に対して分割により当該違反行為に係る事業の全部を承継させ、かつ、合併以外の事由により消滅したときは、当該法人がした違反行為及び当該法人が受けた命令等は、当該事業の全

部若しくは一部を譲り受け、又は分割により当該事業の全部若しくは一部を承継した子会社等（以下「特定事業承継子会社等」という。）がした違反行為及び当該特定事業承継子会社等が受けた命令等とみなして、同条からこの条までの規定を適用する。この場合において、当該特定事業承継子会社等が二以上あるときは、第七条の二第一項中「当該事業者に対し」とあるのは「特定事業承継子会社等（第七条の八第四項に規定する特定事業承継子会社等をいう。以下この項及び同条第一項において同じ。）に対し、この項の規定による命令を受けた他の特定事業承継子会社等と連帯して」と、第一項中「受けた者は」とあるのは「受けた特定事業承継子会社等は、同項の規定による命令を受けた他の特定事業承継子会社等と連帯して」とする。

⑤　前二項の場合において、第七条の四及び第七条の五の規定の適用に関し必要な事項は、政令で定める。

⑥　実行期間の終了した日から七年を経過したときは、公正取引委員会は、当該違反行為に係る課徴金の納付を命ずることができない。

第七条の九【私的独占に係る課徴金納付命令】　①　事業者が、私的独占（他の事業者の事業活動を支配することによるものに限る。）であつて、当該他の事業者（以下この項において「被支配事業者」という。）が供給する商品若しくは役務の対価に係るもの又は被支配事業者が供給する商品若しくは役務の供給量、市場占有率若しくは取引の相手方を実質的に制限することによりその対価に影響することとなるものをしたときは、公正取引委員会は、第八章第二節に規定する手続に従い、当該事業者に対し、第一号及び第二号に掲げる額の合計額に百分の十を乗じて得た額並びに第三号に掲げる額の合算額に相当する額の課徴金を国庫に納付することを命じなければならない。ただし、その額が百万円未満であるときは、その納付を命ずることができない。

一　当該事業者及びその特定非違反供給子会社等が被支配事業者に供給した当該商品又は役務（当該被支配事業者が当該違反行為に係る一定の取引分野において当該商品又は役務を供給するために必要な商品又は役務を含む。次号及び第三号において同じ。）並びに当該一定の取引分野において当該事業者及び当該特定非違反供給子会社等が供給した当該商品又は役務（当該事業者に当該特定非違反供給子会社等が被支配事業者及び当該事業者の供給子会社等に供給したものを除く。）並びに当該一定の取引分野において当該事業者及び当該特定非違反供給子会社等が当該事業者の供給子会社等に供給した当該商品又は役務（当該供給子会社等（違反供給子会社等又は特定非違反供給子会社等である場合に限る。）が他の者に当該商品又は役務を供給するために当該事業者又は当該特定非違反供給子会社等から供給を受けたものを除く。）の政令で定める方法により算定した、当該違反行為に係る実行期間における売上額

二　当該違反行為に係る商品又は役務の全部又は一部の製造、販売、管理その他の当該商品又は役務に密接に関連する業務として政令で定めるものであつて、当該事業者及びその完全子会社等（当該違反行為をしていないものに限る。次号において同じ。）が行つたものの対価の額に相当する額として政令で定める方法により算定した額

三　当該違反行為に係る商品若しくは役務を他の者（当該事業者の供給子会社等並びに当該違反行為をした他の事業者及びその供給子会社等を除く。）に供給しないことに関し、手数料、報酬その他名目のいかんを問わず、当該事業者及びその完全子会社等が得た金銭その他の財産上の利益に相当する額として政令で定める方法により算定した額

②　事業者が、私的独占（他の事業者の事業活動を排除することによるものに限り、前項の規定に該当するものを除く。）をしたときは、公正取引委員会は、第八章第二節に規定する手続に従い、当該事業者に対し、当該違反行為に係る一定の取引分野において当該事業者及びその特定非違反供給子会社等が供給した商品又は役務（当該一定の取引分野において当該商品又は役務を供給する他の事業者に供給したものを除く。）並びに当該一定の取引分野において当該商品又は役務を供給する他の事業者（当該事業者の供給子会社等を除く。）に当該事業者及び当該特定非違反供給子会社等が供給した当該商品又は役務（当該他の事業者が当該商品又は役務を供給するために必要な商品又は役務を含む。）並びに当該一定の取引分野において当該事業者及び当該特定非違反供給子会社等が当該事業者の供給子会社等に供給した当該商品又は役務（当該供給子会社等（違反供給子会社等又は特定非違反供給子会社等である場合に限る。）が他の者に当該商品又は役務を供給するために当該事業者又は当該特定非違反供給子会社等から供給を受けたものを除く。）の政令で定める方法により算定した、当該違反行為に係る違反行為期間における売上額に、百分の六を乗じて得た額に相当する額の課徴金を国庫に納付することを命じなければならない。ただし、その額が百万円未満であるときは、その納付を命ずることができない。

③　第七条の二第三項、第七条の三第一項（ただし書を除く。）、第七条の七並びに前条第一項から第四項まで及び第六項の規定は、第一項に規定する違反行為が行われた場合について準用する。この場合において、次の表の上欄に掲げる規定中同表の中欄に掲げる字句は、それぞれ同表の下欄に掲げる字句に読み替えるものとする。

第七条の二第三項	第一項の	第七条の九第一項の
	第一項各号	第七条の九第一項各号
	若しくは特定非違反購入子会社等又は	又は
第七条の三第一項	前条第一項の	第七条の九第一項の
	同項（同条第二項において読み替えて適用する場合を含む。）	同項
第七条の七第一項	第七条の二第一項	第七条の九第一項
	同条、第七条の三、第七条の四第二項若しくは第三項又は第七条の五第三項	同項又は同条第三項において読み替えて準用する第七条の二第三項若しくは第七条の三第一項（ただし書を除く。）
第七条の七第一項ただし書	第七条の二、第七条の三、第七条の四第二項若しくは第三項若しくは第七条の五第三項	第七条の九第一項又は同条第三項において読み替えて準用する第七条の二第三項若しくは第七条の三第一項（ただし書を除く。）
第七条の七第二項	前項ただし書	第七条の九第三項において読み替えて準用する前項ただし書
第七条の七第三項	前項	第七条の九第三項において読み替えて準用する前項
	第七条の二第一項	同条第一項
前条第一項	第七条の二第一項	次条第一項
	同条、第七条の三、第七条の四第二項若しくは	同項又は同条第三項において読み替えて準用する第七条の二第三項、第七条の三

前条第二項	第三項、第七条の五第三項又は	第一項（ただし書を除く。）若しくは
	第七条の二、第七条の三、第七条の四第二項若しくは第三項、第七条の五第三項又は	次条第一項又は同条第三項において読み替えて準用する第七条の二第三項、第七条の三第一項（ただし書を除く。）若しくは
前条第三項	第七条の二第一項	次条第一項
	第七条の四第七項及び	同条第三項において読み替えて準用する
	通知並びに	通知及び
	第七条の二からこの条まで	次条第一項並びに同条第三項において読み替えて準用する第七条の二第三項、第七条の三第一項（ただし書を除く。）、前条及び第一項から次項まで並びに次条第三項において準用する第六項
前条第四項	第七条の二第一項	次条第一項
	同条からこの条まで	同項並びに同条第三項において読み替えて準用する第七条の二第三項、第七条の三第一項（ただし書を除く。）、前条及び第一項からこの項まで並びに次条第三項において準用する第六項
	特定事業承継子会社等（第七条の八第四項に規定する特定事業承継子会社等をいう。以下この項及び同条第一項において同じ。）	特定事業承継子会社等
	、第一項	、同条第三項において読み替えて準用する第一項
	受けた特定事業承継子会社等は、同項	受けた特定事業承継子会社等（同条第三項において読み替えて準用する第四項に規定する特定事業承継子会社等をいう。以下この項において同じ。）は、同条第一項

④第七条の二第三項、第七条の三第一項（ただし書を除く。）、第七条の七並びに前条第一項から第四項まで及び第六項の規定は、第二項に規定する違反行為が行われた場合について準用する。この場合において、次の表の上欄に掲げる規定中同表の中欄に掲げる字句は、それぞれ同表の下欄に掲げる字句に読み替えるものとする。

第七条の二第三項	第一項の	第七条の九第二項の
	実行期間	違反行為期間
	第一項各号に掲げる	第七条の九第二項に規定する
	若しくは特定非違反購入子会社等又は	又は
第七条の三第一項	前条第一項の	第七条の九第二項の
	同項（同条第二項において読み替えて適用する場合を含む。）	同項
第七条の七第一項	合算額	売上額
	第七条の二第一項	第七条の九第二項
	同条、第七条の三、第七条の四第二項若しくは第三項又は第七条の五第三項	同項又は同条第四項において読み替えて準用する第七条の二第三項若しくは第七条の三第一項（ただし書を除く。）
第七条の七第一項ただし書	第七条の二、第七条の三、第七条の四第二項若しくは第三項若しくは第七条の五第三項	第七条の九第二項又は同条第四項において読み替えて準用する第七条の二第三項若しくは第七条の三第一項（ただし書を除く。）
第七条の七第二項	前項ただし書	第七条の九第四項において読み替えて準用する前項ただし書
第七条の七第三項	前項	第七条の九第四項において読み替えて準用する前項
	第七条の二第一項	同条第二項
前条第一項	第七条の二第一項	次条第二項
	同条、第七条の三、第七条の四第二項若しくは第三項、第七条の五第三項又は	同項又は同条第四項において読み替えて準用する第七条の二第三項、第七条の三第一項（ただし書を除く。）若しくは
前条第二項	第七条の二、第七条の三、第七条の四第二項若しくは第三項、第七条の五第三項又は	次条第二項又は同条第四項において読み替えて準用する第七条の二第三項、第七条の三第一項（ただし書を除く。）若しくは
前条第三項	第七条の二第一項	次条第二項
	第七条の四第七項及び	同条第四項において読み替えて準用する
	通知並びに	通知及び
	第七条の二からこの条まで	次条第二項並びに同条第四項において読み替えて準用する第七条の二第三項、第七条の三第一項（ただし書を除く。）、前条並びに第一項から次項まで及び第六項
前条第四項	第七条の二第一項	次条第二項
	同条からこの条まで	同項並びに同条第四項において読み替えて準用する第七条の二第三項、第七条の三第一項（ただし書を除く。）、前条並びに第一項からこの項まで及び第六項

		三第一項（ただし書を除く。）、前条並びに第一項からこの項まで及び第六項
	特定事業承継子会社等（第七条の八第四項に規定する特定事業承継子会社等をいう。以下この項及び同条第一項において同じ。）	特定事業承継子会社等
	、第一項	、同条第四項において読み替えて準用する第一項
	受けた特定事業承継子会社等は、同項	受けた特定事業承継子会社等（同条第四項において読み替えて準用する第四項に規定する特定事業承継子会社等をいう。以下この項において同じ。）は、同条第二項
前条第六項	実行期間	違反行為期間

第三章　事業者団体

第八条【事業者団体に対する規制】 事業者団体は、次の各号のいずれかに該当する行為をしてはならない。

一　一定の取引分野における競争を実質的に制限すること。

二　第六条に規定する国際的協定又は国際的契約をすること。

三　一定の事業分野における現在又は将来の事業者の数を制限すること。

四　構成事業者（事業者団体の構成員である事業者をいう。以下同じ。）の機能又は活動を不当に制限すること。

五　事業者に不公正な取引方法に該当する行為をさせるようにすること。

第八条の二【排除措置命令】 ①　前条の規定に違反する行為があるときは、公正取引委員会は、第八章第二節に規定する手続に従い、事業者団体に対し、当該行為の差止め、当該団体の解散その他当該行為の排除に必要な措置を命ずることができる。

②　第七条第二項の規定は、前条の規定に違反する行為に準用する。

③　公正取引委員会は、事業者団体に対し、第一項又は前項において準用する第七条第二項に規定する措置を命ずる場合において、特に必要があると認めるときは、第八章第二節に規定する手続に従い、当該団体の役員若しくは管理人又はその構成事業者（事業者の利益のためにする行為を行う役員、従業員、代理人その他の者が構成事業者である場合には、当該事業者を含む。第二十六条第一項において同じ。）に対しても、第一項又は前項において準用する第七条第二項に規定する措置を確保するために必要な措置を命ずることができる。

第八条の三【課徴金納付命令】 第二条の二（第十四項を除く。）、第七条の二、第七条の四（第四項第二号及び第三号を除く。）、第七条の五、第七条の六並びに第七条の八第一項、第二項及び第六項の規定は、第八条第一号（不当な取引制限に相当する行為をする場合に限る。）又は第二号（不当な取引制限に該当する事項を内容とする国際的協定又は国際的契約をする場合に限る。）の規定に違反する行為が行われた場合について準用する。この場合において、次の表の上欄に掲げる規定中同表の中欄に掲げる字句は、それぞれ同表の下欄に掲げる字句に読み替えるものとする。

第二条の二第二項	この章	この章（第八条の三において読み替えて準用する第七条の四第四項第一号を除く。）
第二条の二第四項	第七条の二第一項又は第七条の九第一項若しくは第二項に規定する違反行為のうちいずれかの違反行為（第十三項及び第十四項を除き、	第八条の三に規定する違反行為（
	事業者	事業者団体の構成事業者（事業者の利益のためにする行為を行う役員、従業員、代理人その他の者が構成事業者である場合には、当該事業者を含む。以下この章において「特定事業者」という。）
第二条の二第五項	事業者	事業者団体
	をしたもの	の実行としての事業活動をしたもの
第二条の二第六項	事業者	事業者団体
	をしていないもの	の実行としての事業活動をしていないもの
第二条の二第七項	事業者と	事業者団体の特定事業者と
	事業者から	特定事業者から
第二条の二第八項	事業者	事業者団体の特定事業者
第二条の二第九項	事業者	事業者団体
	をしたもの	の実行としての事業活動をしたもの
第二条の二第十項	事業者	事業者団体
	をしていないもの	の実行としての事業活動をしていないもの
第二条の二第十一項	事業者と	事業者団体の特定事業者と
	事業者から	特定事業者から
第二条の二第十二項	第七条の二第一項又は第七条の九第一項若しくは第二項	第八条の三
	事業者	事業者団体の特定事業者
第二条の二第十三項	第七条の二第一項又は第七条の九第一項に規定する違反行為をした	違反行為をした事業者団体の
	事業者	特定事業者
第二条の二第十五項	事業者	事業者団体の特定事業者
第七条の二第一項各号列記以外の部分	事業者が	事業者団体が
	事業者に	事業者団体の特定事業者に
第七条の二第一項各号	事業者	特定事業者

第七条の二第一項第三号	をしていない	の実行としての事業活動をしていない
第七条の二第一項第四号	違反行為をした	違反行為をした事業者団体の
第七条の二第二項及び第三項	当該事業者	当該特定事業者
第七条の四第一項各号列記以外の部分	事業者	特定事業者
第七条の四第一項第一号	違反行為をした	違反行為をした事業者団体の
	事業者	特定事業者
第七条の四第一項第二号	をしていない	の実行としての事業活動をしていない
第七条の四第二項各号列記以外の部分	事業者	特定事業者
	前二条	同条
第七条の四第二項第一号から第四号まで	事業者	事業者団体の特定事業者
第七条の四第二項第五号	をしていない	の実行としての事業活動をしていない
第七条の四第三項各号列記以外の部分	事業者	特定事業者
第七条の四第三項第三号	をしていない	の実行としての事業活動をしていない
第七条の四第四項各号列記以外の部分	第七条の二第一項に規定する違反行為をした	第八条第一号（不当な取引制限に相当する行為をする場合に限る。）又は第二号（不当な取引制限に該当する事項を内容とする国際的協定又は国際的契約をする場合に限る。）の規定に違反する行為をした事業者団体の
	事業者	特定事業者
	第一号に該当し、かつ、第二号又は第三号のいずれかに該当する	第一号に該当する
第七条の四第四項第一号	事業者	特定事業者
	子会社等	子会社等（特定事業者の子会社（第二条の二第二項に規定する子会社をいう。）若しくは親会社（同項に規定する親会社をいう。以下この号において同じ。）又は当該特定事業者と親会社が同一である他の会社をいう。）
第七条の四第五項及び第六項	事業者	特定事業者
第七条の四第七項	事業者	特定事業者
	した違反行為	行つた同項第一号に規定する事実の報告及び資料の提出
第七条の五第一項各号列記以外の部分	行つた事業者	行つた特定事業者
	報告等事業者	特定報告等事業者
第七条の五第一項第一号ロ	報告等事業者	特定報告等事業者
第七条の五第一項第二号	事業者	特定事業者
第七条の五第二項、第四項、第六項、第七項及び第九項から第十一項まで	報告等事業者	特定報告等事業者
第七条の六（第四号を除く。）	事業者	特定事業者
第七条の六第四号	事業者がした	事業者団体がした
	、当該事業者	、当該特定事業者
	他の事業者	他の特定事業者
	（当該事業者及び当該事業者	（当該特定事業者及び当該特定事業者
	一以上の事業者	一以上の特定事業者
	以外の事業者	以外の特定事業者
	をする	の実行としての事業活動を行う
	をやめる	の実行としての事業活動をやめる
第七条の八第一項	同条、第七条の三	同条
	、第七条の五第三項又は前条第一項	又は第七条の五第三項
第七条の八第二項	第七条の二、第七条の三	第七条の二
	、第七条の五第三項又は前条第一項	又は第七条の五第三項

第三章の二　独占的状態

第八条の四【競争回復措置命令】① 独占的状態があるときは、公正取引委員会は、第八章第二節に規定する手続に従い、事業者に対し、事業の一部の譲渡その他当該商品又は役務について競争を回復させるために必要な措置を命ずることができる。ただし、当該措置により、当該事業者につき、その供給する商品若しくは役務の供給に要する費用の著しい上昇をもたらす程度に事業の規模が縮小し、経理が不健全になり、又は国際競争力の維持が困難になると認められる場合及び当該商品又は役務について競争を回復するに足りると認められる他の措置が講ぜられる場合は、この限りでない。

② 公正取引委員会は、前項の措置を命ずるに当たつては、次の各号に掲げる事項に基づき、当該事業者及び関連事業者の事業活動の円滑な遂行並びに当該事業者に雇用されている者の生活の安定について配慮しなければならない。

一 資産及び収支その他の経理の状況
二 役員及び従業員の状況
三 工場、事業場及び事務所の位置その他の立地条件
四 事業設備の状況
五 特許権、商標権その他の無体財産権の内容及び技術上の特質
六 生産、販売等の能力及び状況
七 資金、原材料等の取得の能力及び状況
八 商品又は役務の供給及び流通の状況

第四章 株式の保有、役員の兼任、合併、分割、株式移転及び事業の譲受け

第九条【事業支配力過度集中の規制】 ① 他の国内の会社の株式（社員の持分を含む。以下同じ。）を所有することにより事業支配力が過度に集中することとなる会社は、これを設立してはならない。

② 会社（外国会社を含む。以下同じ。）は、他の国内の会社の株式を取得し、又は所有することにより国内において事業支配力が過度に集中することとなる会社となつてはならない。

③ 前二項において「事業支配力が過度に集中すること」とは、会社及び子会社その他当該会社が株式の所有により事業活動を支配している他の国内の会社の総合的事業規模が相当数の事業分野にわたつて著しく大きいこと、これらの会社の資金に係る取引に起因する他の事業者に対する影響力が著しく大きいこと又はこれらの会社が相互に関連性のある相当数の事業分野においてそれぞれ有力な地位を占めていることにより、国民経済に大きな影響を及ぼし、公正かつ自由な競争の促進の妨げとなることをいう。

④ 次に掲げる会社は、当該会社及びその子会社の総資産の額（公正取引委員会規則で定める方法による資産の合計金額をいう。以下この項において同じ。）で国内の会社に係るものを公正取引委員会規則で定める方法により合計した額が、それぞれ当該各号に掲げる金額を下回らない範囲内において政令で定める金額を超える場合には、毎事業年度終了の日から三月以内に、当該会社及びその子会社の事業に関する報告書を公正取引委員会に提出しなければならない。ただし、当該会社が他の会社の子会社である場合は、この限りでない。

一 子会社の株式の取得価額（最終の貸借対照表において別に付した価額があるときは、その価額）の合計額の当該会社の総資産の額に対する割合が百分の五十を超える会社（次号において「持株会社」という。） 六千億円
二 銀行業、保険業又は第一種金融商品取引業（金融商品取引法（昭和二十三年法律第二十五号）第二十八条第一項に規定する第一種金融商品取引業をいう。次条第三項及び第四項において同じ。）を営む会社（持株会社を除く。） 八兆円
三 前二号に掲げる会社以外の会社 二兆円

⑤ 前二項において「子会社」とは、会社がその総株主の議決権（株主総会において決議をすることができる事項の全部につき議決権を行使することができない株式についての議決権を除き、会社法第八百七十九条第三項の規定により議決権を有するものとみなされる株式についての議決権を含む。以下この条から第十一条まで、第二十二条第三号及び第七十条の四第一項において同じ。）の過半数を有する他の国内の会社をいう。この場合において、会社及びその一若しくは二以上の子会社又は会社の一若しくは二以上の子会社がその総株主の議決権の過半数を有する他の国内の会社は、当該会社の子会社とみなす。

⑥ 前項の場合において、会社が有する議決権並びに会社及びその一若しくは二以上の子会社又は会社の一若しくは二以上の子会社が有する議決権には、社債、株式等の振替に関する法律第百四十七条第一項又は第百四十八条第一項の規定により発行者に対抗することができない株式に係る議決権を含むものとする。

⑦ 新たに設立された会社は、当該会社がその設立時において第四項に規定する場合に該当するときは、公正取引委員会規則で定めるところにより、その設立の日から三十日以内に、その旨を公正取引委員会に届け出なければならない。

第一〇条【会社による株式の取得・所有の規制】 ① 会社は、他の会社の株式を取得し、又は所有することにより、一定の取引分野における競争を実質的に制限することとなる場合には、当該株式を取得し、又は所有してはならず、及び不公正な取引方法により他の会社の株式を取得し、又は所有してはならない。

② 会社であつて、その国内売上高（国内において供給された商品及び役務の価額の最終事業年度における合計額として公正取引委員会規則で定めるものをいう。以下同じ。）と当該会社が属する企業結合集団（会社及び当該会社の子会社並びに当該会社の親会社であつて他の会社の子会社でないもの及び当該親会社の子会社（当該会社及び当該会社の子会社を除く。）から成る集団をいう。以下同じ。）に属する当該会社以外の会社等（会社、組合（外国における組合に相当するものを含む。以下この条において同じ。）その他これらに類似する事業体をいう。以下この条において同じ。）の国内売上高を公正取引委員会規則で定める方法により合計した額（以下「国内売上高合計額」という。）が二百億円を下回らない範囲内において政令で定める金額を超えるもの（以下この条において「株式取得会社」という。）は、他の会社であつて、その国内売上高と当該他の会社の子会社の国内売上高を公正取引委員会規則で定める方法により合計した額が五十億円を下回らない範囲内において政令で定める金額を超えるもの（以下この条において「株式発行会社」という。）の株式の取得をしようとする場合（金銭又は有価証券の信託に係る株式について、自己が、委託者若しくは受益者となり議決権を行使することができる場合又は議決権の行使について受託者に指図を行うことができる場合において、受託者に株式発行会社の株式の取得をさせようとする場合を含む。）において、当該株式取得会社が当該取得の後において所有することとなる当該株式発行会社の株式に係る議決権の数と、当該株式取得会社の属する企業結合集団に属する当該株式取得会社以外の会社等（第四項において「当該株式取得会社以外の会社等」という。）が所有する当該株式発行会社の株式に係る議決権の数とを合計した議決権の数の当該株式発行会社の総株主の議決権の数に占める割合が、百分の二十を下回らない範囲内において政令で定める数値（複数の数値を定めた場合にあつては、政令で定めるところにより、それぞれの数値）を超えることとなるときは、公正取引委員会規則で定めるところにより、あらかじめ当該株式の取得に関する計画を公正取引委員会に届け出なければならない。ただし、あらかじめ届出を行うことが困難である場合として公正取引委員会規則で定める場合は、この限りでない。

③ 前項の場合において、当該株式取得会社が当該取得の後において所有することとなる当該株式発行会社の株式に係る議決権には、金銭又は有価証券の信託に係る株式に係る議決権（委託者又は受益者が行使し、又はその行使について受託者に指図を行うことができるものに限る。）、当該株式取得会社が銀行業又は保険業を営む会社（保険業を営む会社にあつては、公正取引委員会規則で定める会社を除く。次項並びに次条第一項及び第二項において同じ。）であり、かつ、他の国内の会社（銀行業又は保険業を営む会社その他公正取引委員会規則で定める会社を

除く。次項並びに次条第一項及び第二項において同じ。）の株式の取得をしようとする場合における当該株式取得会社が当該取得の後において所有することとなる株式に係る議決権及び当該株式取得会社が第一種金融商品取引業を営む会社であり、かつ、業務として株式の取得をしようとする場合における当該株式取得会社が当該取得の後において所有することとなる株式に係る議決権を含まないものとし、金銭又は有価証券の信託に係る株式に係る議決権で、自己が、委託者若しくは受益者として行使し、又はその行使について指図を行うことができるもの（公正取引委員会規則で定める議決権を除く。次項において同じ。）及び社債、株式等の振替に関する法律第百四十七条第一項又は第百四十八条第一項の規定により発行者に対抗することができない株式に係る議決権を含むものとする。

④　第二項の場合において、当該株式取得会社以外の会社等が所有する当該株式発行会社の株式に係る議決権には、金銭又は有価証券の信託に係る株式に係る議決権（委託者又は受益者が行使し、又はその行使について受託者に指図を行うことができるものに限る。）、当該株式取得会社以外の会社等が銀行業又は保険業を営む会社である場合における当該株式取得会社以外の会社等が所有する他の国内の会社の株式に係る議決権及び当該株式取得会社以外の会社等が第一種金融商品取引業を営む会社である場合における当該株式取得会社以外の会社等が業務として所有する株式に係る議決権を含まないものとし、金銭又は有価証券の信託に係る株式に係る議決権で、自己が、委託者若しくは受益者として行使し、又はその行使について指図を行うことができるもの及び社債、株式等の振替に関する法律第百四十七条第一項又は第百四十八条第一項の規定により発行者に対抗することができない株式に係る議決権を含むものとする。

⑤　会社の子会社である組合（民法（明治二十九年法律第八十九号）第六百六十七条第一項に規定する組合契約によつて成立する組合、投資事業有限責任組合契約に関する法律（平成十年法律第九十号）第二条第二項に規定する投資事業有限責任組合（次条第一項第四号において単に「投資事業有限責任組合」という。）及び有限責任事業組合契約に関する法律（平成十七年法律第四十号）第二条に規定する有限責任事業組合並びに外国の法令に基づいて設立された団体であつてこれらの組合に類似するもの（以下この項において「特定組合類似団体」という。）に限る。以下この項において同じ。）の組合員（特定組合類似団体の構成員を含む。以下この項において同じ。）が組合財産（特定組合類似団体の財産を含む。以下この項において同じ。）として株式発行会社の株式の取得をしようとする場合（金銭又は有価証券の信託に係る株式について、会社の子会社である組合の組合員の全員が、委託者若しくは受益者となり議決権を行使することができる場合又は議決権の行使について受託者に指図を行うことができる場合において、受託者に株式発行会社の株式の取得をさせようとする場合を含む。）には、当該組合の親会社（当該組合に二以上の親会社がある場合にあつては、当該組合の親会社のうち他のすべての親会社の子会社であるものをいう。以下この項において同じ。）が、そのすべての株式の取得をしようとするものとみなし、会社の子会社である組合の組合財産に株式発行会社の株式が属する場合（会社の子会社である組合の組合財産に属する金銭又は有価証券の信託に係る株式について、当該組合の組合員の全員が、委託者若しくは受益者となり議決権を行使することができる場合又は議決権の行使について受託者に指図を行うことができる場合を含む。）には、当該組合の親会社が、そのすべての株式を所有するものとみなして、第二項の規定を適用する。

⑥　第二項及び前項の「子会社」とは、会社がその総株主の議決権の過半数を有する株式会社その他の当該会社がその経営を支配している会社等として公正取引委員会規則で定めるものをいう。

⑦　第二項及び第五項の「親会社」とは、会社等の経営を支配している会社として公正取引委員会規則で定めるものをいう。

⑧　第二項の規定による届出を行つた会社は、届出受理の日から三十日を経過するまでは、当該届出に係る株式の取得をしてはならない。ただし、公正取引委員会は、その必要があると認める場合には、当該期間を短縮することができる。

⑨　公正取引委員会は、第十七条の二第一項の規定により当該届出に係る株式の取得に関し必要な措置を命じようとする場合には、前項本文に規定する三十日の期間又は同項ただし書の規定により短縮された期間（公正取引委員会が株式取得会社に対してそれぞれの期間内に公正取引委員会規則で定めるところにより必要な報告、情報又は資料の提出（以下この項において「報告等」という。）を求めた場合においては、前項の届出受理の日から百二十日を経過した日と全ての報告等を受理した日から九十日を経過した日とのいずれか遅い日までの期間）（以下この条において「通知期間」という。）内に、株式取得会社に対し、第五十条第一項の規定による通知をしなければならない。ただし、次に掲げる場合は、この限りでない。

一　当該届出に係る株式の取得に関する計画のうち、第一項の規定に照らして重要な事項が当該計画において行われることとされている期限までに行われなかつた場合

二　当該届出に係る株式の取得に関する計画のうち、重要な事項につき虚偽の記載があつた場合

三　当該届出に係る株式の取得に関し、第四十八条の二の規定による通知をした場合において、第四十八条の三第一項に規定する期間内に、同項の規定による認定の申請がなかつたとき。

四　当該届出に係る株式の取得に関し、第四十八条の二の規定による通知をした場合において、第四十八条の三第一項の規定による認定の申請に係る取下げがあつたとき。

五　当該届出に係る株式の取得に関し、第四十八条の二の規定による通知をした場合において、第四十八条の三第一項の規定による認定の申請について同条第六項の規定による決定があつたとき。

六　当該届出に係る株式の取得に関し、第四十八条の五第一項（第一号に係る部分に限る。）の規定による第四十八条の三第三項の認定（同条第八項の規定による変更の認定を含む。）の取消しがあつた場合

七　当該届出に係る株式の取得に関し、第四十八条の五第一項（第二号に係る部分に限る。）の規定による第四十八条の三第三項の認定（同条第八項の規定による変更の認定を含む。）の取消しがあつた場合

⑩　前項第一号の規定に該当する場合において、公正取引委員会は、第十七条の二第一項の規定により当該届出に係る株式の取得に関し必要な措置を命じようとするときは、同号の期限から起算して一年以内に前項本文の通知をしなければならない。

⑪　第九項第三号の規定に該当する場合において、公正取引委員会は、第十七条の二第一項の規定により当該届出に係る株式の取得に関し必要な措置を命じようとするときは、通知期間に六十日を加算した期間内に、第九項本文の通知をしなければならない。

⑫　第九項第四号の規定に該当する場合において、公正取引委員会は、第十七条の二第一項の規定により当該届出に係る株式の取得に関し必要な措置を命じようとするときは、通知期間に第四十八条の二の規定による通知の日から同号の取下げがあつた日までの期間に相当する期間を加算した期間内に、第九項本文の通知をしなければならない。

⑬　第九項第五号の規定に該当する場合において、公正取引委員会は、第十七条の二第一項の規定により当該届出に係る株式の取得に関し必要な措置を命じようとするときは、通知期間に九十日を加算した期間内に、第九項本文の通知をしなければならない。

⑭　第九項第六号の規定に該当する場合において、公正取引委員会は、第十七条の二第一項の規定により当該届出に係る株式の取得に関し必要な措置を命じようとするときは、第四十八条の

五第一項の規定による決定の日から起算して一年以内に第九項本文の通知をしなければならない。

第一一条【銀行業・保険業を営む会社による議決権の取得等の規制】① 銀行業又は保険業を営む会社は、他の国内の会社の議決権をその総株主の議決権の百分の五（保険業を営む会社にあつては、百分の十。次項において同じ。）を超えて有することとなる場合には、その議決権を取得し、又は保有してはならない。ただし、公正取引委員会規則で定めるところによりあらかじめ公正取引委員会の認可を受けた場合及び次の各号のいずれかに該当する場合は、この限りでない。

一 担保権の行使又は代物弁済の受領により株式を取得し、又は所有することにより議決権を取得し、又は保有する場合

二 他の国内の会社が自己の株式の取得を行つたことにより、その総株主の議決権に占める所有する株式に係る議決権の割合が増加した場合

三 金銭又は有価証券の信託に係る信託財産として株式を取得し、又は所有することにより議決権を取得し、又は保有する場合

四 投資事業有限責任組合の有限責任組合員（以下この号において「有限責任組合員」という。）となり、組合財産として株式を取得し、又は所有することにより議決権を取得し、又は保有する場合。ただし、有限責任組合員が議決権を行使することができる場合、議決権の行使について有限責任組合員が投資事業有限責任組合の無限責任組合員に指図を行うことができる場合及び当該議決権を有することとなつた日から政令で定める期間を超えて当該議決権を保有する場合を除く。

五 民法第六百六十七条第一項に規定する組合契約で会社に対する投資事業を営むことを約するものによつて成立する組合（一人又は数人の組合員にその業務の執行を委任しているものに限る。）の組合員（業務の執行を委任された者を除く。以下この号において「非業務執行組合員」という。）となり、組合財産として株式を取得し、又は所有することにより議決権を取得し、又は保有する場合。ただし、非業務執行組合員が議決権を行使することができる場合、議決権の行使について非業務執行組合員が業務の執行を委任された者に指図を行うことができる場合及び当該議決権を有することとなつた日から前号の政令で定める期間を超えて当該議決権を保有する場合を除く。

六 前各号に掲げる場合のほか、他の国内の会社の事業活動を拘束するおそれがない場合として公正取引委員会規則で定める場合

② 前項第一号から第三号まで及び第六号の場合（同項第三号の場合にあつては、当該議決権を取得し、又は保有する者以外の委託者又は受益者が議決権を行使することができる場合及び議決権の行使について当該委託者又は受益者が受託者に指図を行うことができる場合を除く。）において、他の国内の会社の議決権をその総株主の議決権の百分の五を超えて有することとなつた日から一年を超えて当該議決権を保有しようとするときは、公正取引委員会規則で定めるところにより、あらかじめ公正取引委員会の認可を受けなければならない。この場合における公正取引委員会の認可は、同項第三号の場合を除き、銀行業又は保険業を営む会社が当該議決権を速やかに処分することを条件としなければならない。

③ 公正取引委員会は、前二項の認可をしようとするときは、あらかじめ内閣総理大臣に協議しなければならない。

④ 前項の内閣総理大臣の権限は、金融庁長官に委任する。

第一二条 削除

第一三条【役員兼任の規制】① 会社の役員又は従業員（継続して会社の業務に従事する者であつて、役員以外の者をいう。以下この条において同じ。）は、他の会社の役員の地位を兼ねることにより一定の取引分野における競争を実質的に制限することとなる場合には、当該役員の地位を兼ねてはならない。

② 会社は、不公正な取引方法により、自己と国内において競争関係にある他の会社に対し、自己の役員がその会社の役員若しくは従業員の地位を兼ね、又は自己の従業員がその会社の役員の地位を兼ねることを認めるべきことを強制してはならない。

第一四条【会社以外の者による株式の取得・所有の規制】 会社以外の者は、会社の株式を取得し、又は所有することにより一定の取引分野における競争を実質的に制限することとなる場合には、当該株式を取得し、又は所有してはならず、及び不公正な取引方法により会社の株式を取得し、又は所有してはならない。

第一五条【合併の規制】① 会社は、次の各号のいずれかに該当する場合には、合併をしてはならない。

一 当該合併によつて一定の取引分野における競争を実質的に制限することとなる場合

二 当該合併が不公正な取引方法によるものである場合

② 会社は、合併をしようとする場合において、当該合併をしようとする会社（以下この条において「合併会社」という。）のうち、いずれか一の会社に係る国内売上高合計額が二百億円を下回らない範囲内において政令で定める金額を超え、かつ、他のいずれか一の会社に係る国内売上高合計額が五十億円を下回らない範囲内において政令で定める金額を超えるときは、公正取引委員会規則で定めるところにより、あらかじめ当該合併に関する計画を公正取引委員会に届け出なければならない。ただし、すべての合併会社が同一の企業結合集団に属する場合は、この限りでない。

③ 第十条第八項から第十四項までの規定は、前項の規定による届出に係る合併の制限及び公正取引委員会がする第十七条の二第一項の規定による命令について準用する。この場合において、第十条第八項及び第十項から第十四項までの規定中「株式の取得」とあるのは「合併」と、同条第九項中「株式の取得」とあるのは「合併」と、「が株式取得会社」とあるのは「が合併会社のうち少なくとも一の会社」と、「、株式取得会社」とあるのは「、合併会社」と読み替えるものとする。

第一五条の二【共同新設分割・吸収分割の規制】① 会社は、次の各号のいずれかに該当する場合には、共同新設分割（会社が他の会社と共同してする新設分割をいう。以下同じ。）をし、又は吸収分割をしてはならない。

一 当該共同新設分割又は当該吸収分割によつて一定の取引分野における競争を実質的に制限することとなる場合

二 当該共同新設分割又は当該吸収分割が不公正な取引方法によるものである場合

② 会社は、共同新設分割をしようとする場合において、次の各号のいずれかに該当するときは、公正取引委員会規則で定めるところにより、あらかじめ当該共同新設分割に関する計画を公正取引委員会に届け出なければならない。ただし、すべての共同新設分割をしようとする会社が同一の企業結合集団に属する場合は、この限りでない。

一 当該共同新設分割をしようとする会社のうち、いずれか一の会社（当該共同新設分割で設立する会社にその事業の全部を承継させようとするもの（以下この項において「全部承継会社」という。）に限る。）に係る国内売上高合計額が二百億円を下回らない範囲内において政令で定める金額を超え、かつ、他のいずれか一の会社（全部承継会社に限る。）に係る国内売上高合計額が五十億円を下回らない範囲内において政令で定める金額を超えるとき。

二 当該共同新設分割をしようとする会社のうち、いずれか一の会社（全部承継会社に限る。）に係る国内売上高合計額が二百億円を下回らない範囲内において政令で定める金額を超え、かつ、他のいずれか一の会社（当該共同新設分割で設立する会社にその事業の重要部分を承継させようとするもの（以下この項において「重要部分承継会社」という。）に限る。）の当該承継の対象部分に係る国内売上高が三十億円を下回らない範囲内において政令で定める金額を超えるとき。

三 当該共同新設分割をしようとする会社のうち、いずれか一

の会社（全部承継会社に限る。）に係る国内売上高合計額が五十億円を下回らない範囲内において政令で定める金額を超え、かつ、他のいずれか一の会社（重要部分承継会社に限る。）の当該承継の対象部分に係る国内売上高が百億円を下回らない範囲内において政令で定める金額を超えるとき（前号に該当するときを除く。）。

四　当該共同新設分割をしようとする会社のうち、いずれか一の会社（重要部分承継会社に限る。）の当該承継の対象部分に係る国内売上高が百億円を下回らない範囲内において政令で定める金額を超え、かつ、他のいずれか一の会社（重要部分承継会社に限る。）の当該承継の対象部分に係る国内売上高が三十億円を下回らない範囲内において政令で定める金額を超えるとき。

③　会社は、吸収分割をしようとする場合において、次の各号のいずれかに該当するときは、公正取引委員会規則で定めるところにより、あらかじめ当該吸収分割に関する計画を公正取引委員会に届け出なければならない。ただし、すべての吸収分割をしようとする会社が同一の企業結合集団に属する場合は、この限りでない。

一　当該吸収分割をしようとする会社のうち、分割をしようとするいずれか一の会社（当該吸収分割でその事業の全部を承継させようとするもの（次号において「全部承継会社」という。）に限る。）に係る国内売上高合計額が二百億円を下回らない範囲内において政令で定める金額を超え、かつ、分割によつて事業を承継しようとする会社に係る国内売上高合計額が五十億円を下回らない範囲内において政令で定める金額を超えるとき。

二　当該吸収分割をしようとする会社のうち、分割をしようとするいずれか一の会社（全部承継会社に限る。）に係る国内売上高合計額が五十億円を下回らない範囲内において政令で定める金額を超え、かつ、分割によつて事業を承継しようとする会社に係る国内売上高合計額が二百億円を下回らない範囲内において政令で定める金額を超えるとき（前号に該当するときを除く。）。

三　当該吸収分割をしようとする会社のうち、分割をしようとするいずれか一の会社（当該吸収分割でその事業の重要部分を承継させようとするもの（次号において「重要部分承継会社」という。）に限る。）の当該分割の対象部分に係る国内売上高が百億円を下回らない範囲内において政令で定める金額を超え、かつ、分割によつて事業を承継しようとする会社に係る国内売上高合計額が五十億円を下回らない範囲内において政令で定める金額を超えるとき。

四　当該吸収分割をしようとする会社のうち、分割をしようとするいずれか一の会社（重要部分承継会社に限る。）の当該分割の対象部分に係る国内売上高が三十億円を下回らない範囲内において政令で定める金額を超え、かつ、分割によつて事業を承継しようとする会社に係る国内売上高合計額が二百億円を下回らない範囲内において政令で定める金額を超えるとき（前号に該当するときを除く。）。

④　第十条第八項から第十四項までの規定は、前二項の規定による届出に係る共同新設分割及び吸収分割の制限並びに公正取引委員会がする第十七条の二第一項の規定による命令について準用する。この場合において、第十条第八項及び第十項から第十四項までの規定中「株式の取得」とあるのは「共同新設分割又は吸収分割」と、同条第九項中「株式の取得」とあるのは「共同新設分割又は吸収分割」と、「が株式取得会社」とあるのは「が共同新設分割をしようとし、又は吸収分割をしようとする会社のうち少なくとも一の会社」と、「、株式取得会社」とあるのは「、共同新設分割をしようとし、又は吸収分割をしようとする会社」と読み替えるものとする。

第一五条の三【共同株式移転の規制】①　会社は、次の各号のいずれかに該当する場合には、共同株式移転（会社が他の会社と共同してする株式移転をいう。以下同じ。）をしてはならない。

一　当該共同株式移転によつて一定の取引分野における競争を実質的に制限することとなる場合

二　当該共同株式移転が不公正な取引方法によるものである場合

②　会社は、共同株式移転をしようとする場合において、当該共同株式移転をしようとする会社のうち、いずれか一の会社に係る国内売上高合計額が二百億円を下回らない範囲内において政令で定める金額を超え、かつ、他のいずれか一の会社に係る国内売上高合計額が五十億円を下回らない範囲内において政令で定める金額を超えるときは、公正取引委員会規則で定めるところにより、あらかじめ当該共同株式移転に関する計画を公正取引委員会に届け出なければならない。ただし、すべての共同株式移転をしようとする会社が同一の企業結合集団に属する場合は、この限りでない。

③　第十条第八項から第十四項までの規定は、前項の規定による届出に係る共同株式移転の制限及び公正取引委員会がする第十七条の二第一項の規定による命令について準用する。この場合において、第十条第八項及び第十項から第十四項までの規定中「株式の取得」とあるのは「共同株式移転」と、同条第九項中「株式の取得」とあるのは「共同株式移転」と、「が株式取得会社」とあるのは「が共同株式移転をしようとする会社のうち少なくとも一の会社」と、「、株式取得会社」とあるのは「、共同株式移転をしようとする会社」と読み替えるものとする。

第一六条【事業の譲受け等の規制】①　会社は、次に掲げる行為をすることにより、一定の取引分野における競争を実質的に制限することとなる場合には、当該行為をしてはならず、及び不公正な取引方法により次に掲げる行為をしてはならない。

一　他の会社の事業の全部又は重要部分の譲受け

二　他の会社の事業上の固定資産の全部又は重要部分の譲受け

三　他の会社の事業の全部又は重要部分の賃借

四　他の会社の事業の全部又は重要部分についての経営の受任

五　他の会社と事業上の損益全部を共通にする契約の締結

②　会社であつて、その会社に係る国内売上高合計額が二百億円を下回らない範囲内において政令で定める金額を超えるものは、次の各号のいずれかに該当する場合には、公正取引委員会規則で定めるところにより、あらかじめ事業又は事業上の固定資産（以下この条において「事業等」という。）の譲受けに関する計画を公正取引委員会に届け出なければならない。ただし、事業等の譲受けをしようとする会社及び当該事業等の譲渡をしようとする会社が同一の企業結合集団に属する場合は、この限りでない。

一　国内売上高が三十億円を下回らない範囲内において政令で定める金額を超える他の会社の事業の全部の譲受けをしようとする場合

二　他の会社の事業の重要部分又は事業上の固定資産の全部若しくは重要部分の譲受けをしようとする場合であつて、当該譲受けの対象部分に係る国内売上高が三十億円を下回らない範囲内において政令で定める金額を超えるとき。

③　第十条第八項から第十四項までの規定は、前項の規定による届出に係る事業等の譲受けの制限及び公正取引委員会がする第十七条の二第一項の規定による命令について準用する。この場合において、第十条第八項及び第十項から第十四項までの規定中「株式の取得」とあるのは「事業又は事業上の固定資産の譲受け」と、同条第九項中「株式の取得」とあるのは「事業又は事業上の固定資産の譲受け」と、「株式取得会社」とあるのは「事業又は事業上の固定資産の譲受けをしようとする会社」と読み替えるものとする。

第一七条【脱法行為の禁止】何らの名義を以てするかを問わず、第九条から前条までの規定による禁止又は制限を免れる行為をしてはならない。

第一七条の二【排除措置命令】①　第十条第一項、第十一条第一項、第十五条第一項、第十五条の二第一項、第十五条の三第一項、第十六条第一項又は前条の規定に違反する行為があるときは、公正取引委員会は、第八章第二節に規定する手続に従い、事業者に対し、株式の全部又は一部の処分、事業の一部の譲渡その他これらの規定に違反する行為を排除するために必要な措置を命ずることができる。

② 第九条第一項若しくは第二項、第十三条、第十四条又は前条の規定に違反する行為があるときは、公正取引委員会は、第八章第二節に規定する手続に従い、当該違反行為者に対し、株式の全部又は一部の処分、会社の役員の辞任その他これらの規定に違反する行為を排除するために必要な措置を命ずることができる。

第一八条【合併等の無効の訴え】 ① 公正取引委員会は、第十五条第二項及び同条第三項において読み替えて準用する第十条第八項の規定に違反して会社が合併した場合においては、合併の無効の訴えを提起することができる。

② 前項の規定は、第十五条の二第二項及び第三項並びに同条第四項において読み替えて準用する第十条第八項の規定に違反して会社が共同新設分割又は吸収分割をした場合に準用する。この場合において、前項中「合併の無効の訴え」とあるのは、「共同新設分割又は吸収分割の無効の訴え」と読み替えるものとする。

③ 第一項の規定は、第十五条の三第二項及び同条第三項において読み替えて準用する第十条第八項の規定に違反して会社が共同株式移転をした場合に準用する。この場合において、第一項中「合併の無効の訴え」とあるのは、「共同株式移転の無効の訴え」と読み替えるものとする。

第五章　不公正な取引方法

第一八条の二【定義】 ① この章において「違反行為期間」とは、第二十条の二から第二十条の六までに規定する違反行為のうちいずれかの違反行為をした事業者に係る当該違反行為をした日（当該事業者に対し当該違反行為について第四十七条第一項第一号、第三号又は第四号に掲げる処分が最初に行われた日（当該処分が行われなかつたときは、当該事業者が当該違反行為について事前通知（第二十条の二から第二十条の六までの規定により課徴金の納付を命ずる場合において、第六十二条第四項において読み替えて準用する第五十条第一項の規定により公正取引委員会が第二十条の二から第二十条の六までに規定する違反行為のうちいずれかの違反行為をした事業者に対してする通知をいう。次項において同じ。）を受けた日）の十年前の日前であるときは、同日）から当該違反行為がなくなる日までの期間をいう。

② この章において「調査開始日」とは、第二十条の二から第二十条の五までに規定する違反行為のうちいずれかの違反行為に係る事件について第四十七条第一項第一号、第三号又は第四号に掲げる処分が最初に行われた日（当該処分が行われなかつたときは、当該違反行為をした事業者が当該違反行為について事前通知を受けた日）をいう。

第一九条【不公正な取引方法の禁止】 事業者は、不公正な取引方法を用いてはならない。

第二〇条【排除措置命令】 ① 前条の規定に違反する行為があるときは、公正取引委員会は、第八章第二節に規定する手続に従い、事業者に対し、当該行為の差止め、契約条項の削除その他当該行為を排除するために必要な措置を命ずることができる。

② 第七条第二項の規定は、前条の規定に違反する行為に準用する。

第二〇条の二【特定の共同取引拒絶を繰り返した場合の課徴金納付命令】 事業者が、次の各号のいずれかに該当する者であつて、第十九条の規定に違反する行為（第二条第九項第一号に該当するものに限る。）をしたときは、公正取引委員会は、第八章第二節に規定する手続に従い、当該事業者に対し、違反行為期間における、当該違反行為において当該事業者がその供給を拒絶し、又はその供給に係る商品若しくは役務の数量若しくは内容を制限した事業者の競争者に対し供給した同号イに規定する商品又は役務と同一の商品又は役務（同号ロに規定する違反行為にあつては、当該事業者が同号ロに規定する他の事業者（以下この条において「拒絶事業者」という。）に対し供給した同号ロに規定する商品又は役務と同一の商品又は役務（当該拒絶事業者が当該同一の商品又は役務を供給するために必要な商品又は役務を含む。）、拒絶事業者がその供給を拒絶し、又はその供給に係る商品若しくは役務の数量若しくは内容を制限した事業者の競争者に対し当該事業者が供給した当該同一の商品又は役務及び拒絶事業者が当該事業者に対し供給した当該同一の商品又は役務）の政令で定める方法により算定した売上額に百分の三を乗じて得た額に相当する額の課徴金を国庫に納付することを命じなければならない。ただし、当該事業者が当該違反行為に係る行為について第七条の二第一項（第八条の三において読み替えて準用する場合を含む。次条から第二十条の五までにおいて同じ。）若しくは第七条の九第一項若しくは第二項の規定による命令（当該命令が確定している場合に限る。第二十条の四及び第二十条の五において同じ。）、第七条の四第七項若しくは第七条の七第三項の規定による通知若しくは第六十三条第二項の規定による決定を受けたとき、又はこの条の規定による課徴金の額が百万円未満であるときは、その納付を命ずることができない。

一 当該違反行為に係る事件についての調査開始日から遡り十年以内に、前条の規定による命令（第二条第九項第一号に係るものに限る。次号において同じ。）又はこの条の規定による命令を受けたことがある者（当該命令が確定している場合に限る。次号において同じ。）

二 当該違反行為に係る事件についての調査開始日から遡り十年以内に、その完全子会社が前条の規定による命令（当該命令の日において当該事業者の完全子会社である場合に限る。）又はこの条の規定による命令（当該命令の日において当該事業者の完全子会社である場合に限る。）を受けたことがある者

第二〇条の三【特定の差別対価を繰り返した場合の課徴金納付命令】 事業者が、次の各号のいずれかに該当する者であつて、第十九条の規定に違反する行為（第二条第九項第二号に該当するものに限る。）をしたときは、公正取引委員会は、第八章第二節に規定する手続に従い、当該事業者に対し、違反行為期間における、当該違反行為において当該事業者が供給した同号に規定する商品又は役務の政令で定める方法により算定した売上額に百分の三を乗じて得た額に相当する額の課徴金を国庫に納付することを命じなければならない。ただし、当該事業者が当該違反行為に係る行為について第七条の二第一項、第七条の九第一項若しくは第二項若しくは次条の規定による命令（当該命令が確定している場合に限る。）、第七条の四第七項若しくは第七条の七第三項の規定による通知若しくは第六十三条第二項の規定による決定を受けたとき、又はこの条の規定による課徴金の額が百万円未満であるときは、その納付を命ずることができない。

一 当該違反行為に係る事件についての調査開始日から遡り十年以内に、第二十条の規定による命令（第二条第九項第二号に係るものに限る。次号において同じ。）又はこの条の規定による命令を受けたことがある者（当該命令が確定している場合に限る。次号において同じ。）

二 当該違反行為に係る事件についての調査開始日から遡り十年以内に、その完全子会社が第二十条の規定による命令（当該命令の日において当該事業者の完全子会社である場合に限る。）又はこの条の規定による命令（当該命令の日において当該事業者の完全子会社である場合に限る。）を受けたことがある者

第二〇条の四【特定の不当廉売を繰り返した場合の課徴金納付命令】 事業者が、次の各号のいずれかに該当する者であつて、第十九条の規定に違反する行為（第二条第九項第三号に該当するものに限る。）をしたときは、公正取引委員会は、第八章第二節に規定する手続に従い、当該事業者に対し、違反行為期間にお

ける、当該違反行為において当該事業者が供給した同号に規定する商品又は役務の政令で定める方法により算定した売上額に百分の三を乗じて得た額に相当する額の課徴金を国庫に納付することを命じなければならない。ただし、当該事業者が当該違反行為に係る行為について第七条の二第一項若しくは第七条の九第一項若しくは第二項の規定による命令、第七条の四第七項若しくは第七条の七第三項の規定による通知若しくは第六十三条第二項の規定による決定を受けたとき、又はこの条の規定による課徴金の額が百万円未満であるときは、その納付を命ずることができない。

一　当該違反行為に係る事件についての調査開始日から遡り十年以内に、第二十条の規定による命令（第二条第九項第三号に係るものに限る。次号において同じ。）又はこの条の規定による命令を受けたことがある者（当該命令が確定している場合に限る。次号において同じ。）

二　当該違反行為に係る事件についての調査開始日から遡り十年以内に、その完全子会社が第二十条の規定による命令（当該命令の日において当該事業者の完全子会社である場合に限る。）又はこの条の規定による命令（当該命令の日において当該事業者の完全子会社である場合に限る。）を受けたことがある者

第二〇条の五【特定の再販売価格拘束を繰り返した場合の課徴金納付命令】　事業者が、次の各号のいずれかに該当する者であつて、第十九条の規定に違反する行為（第二条第九項第四号に該当するものに限る。）をしたときは、公正取引委員会は、第八章第二節に規定する手続に従い、当該事業者に対し、違反行為期間における、当該違反行為において当該事業者が供給した同号に規定する商品の政令で定める方法により算定した売上額に百分の三を乗じて得た額に相当する額の課徴金を国庫に納付することを命じなければならない。ただし、当該事業者が当該違反行為に係る行為について第七条の二第一項若しくは第七条の九第一項若しくは第二項の規定による命令、第七条の四第七項若しくは第七条の七第三項の規定による通知若しくは第六十三条第二項の規定による決定を受けたとき、又はこの条の規定による課徴金の額が百万円未満であるときは、その納付を命ずることができない。

一　当該違反行為に係る事件についての調査開始日から遡り十年以内に、第二十条の規定による命令（第二条第九項第四号に係るものに限る。次号において同じ。）又はこの条の規定による命令を受けたことがある者（当該命令が確定している場合に限る。次号において同じ。）

二　当該違反行為に係る事件についての調査開始日から遡り十年以内に、その完全子会社が第二十条の規定による命令（当該命令の日において当該事業者の完全子会社である場合に限る。）又はこの条の規定による命令（当該命令の日において当該事業者の完全子会社である場合に限る。）を受けたことがある者

第二〇条の六【特定の優越的地位濫用をした場合の課徴金納付命令】　事業者が、第十九条の規定に違反する行為（第二条第九項第五号に該当するものであつて、継続してするものに限る。）をしたときは、公正取引委員会は、第八章第二節に規定する手続に従い、当該事業者に対し、違反行為期間における、当該違反行為の相手方との間における政令で定める方法により算定した売上額（当該違反行為が商品又は役務の供給を受ける相手方に対するものである場合は当該違反行為の相手方との間における政令で定める方法により算定した購入額とし、当該違反行為の相手方が複数ある場合は当該違反行為のそれぞれの相手方との間における政令で定める方法により算定した売上額又は購入額の合計額とする。）に百分の一を乗じて得た額に相当する額の課徴金を国庫に納付することを命じなければならない。ただし、その額が百万円未満であるときは、その納付を命ずることができない。

第二〇条の七【不当な取引制限に係る規定の準用】　第七条の二第三項並びに第七条の八第一項から第四項まで及び第六項の規定は、第二十条の二から前条までに規定する違反行為が行われた場合について準用する。この場合において、次の表の上欄に掲げる規定中同表の中欄に掲げる字句は、それぞれ同表の下欄に掲げる字句に読み替えるものとする。

第七条の二第三項	第一項の	第二十条の二から第二十条の六までの
	実行期間	第十八条の二第一項に規定する違反行為期間
	第一項各号に掲げる	第二十条の二から第二十条の六までに規定する
	当該事業者、その特定非違反供給子会社等若しくは特定非違反購入子会社等	当該事業者
第七条の八第一項	第七条の二第一項	第二十条の二から第二十条の六まで
	同条、第七条の三、第七条の四第二項若しくは第三項、第七条の五第三項又は前条第一項	これらの規定又は第二十条の七において読み替えて準用する第七条の二第三項
第七条の八第二項	第七条の二、第七条の三、第七条の四第二項若しくは第三項、第七条の五第三項又は前条第一項	第二十条の二から第二十条の六までの規定又は第二十条の七において読み替えて準用する第七条の二第三項
第七条の八第三項	第七条の二第一項	第二十条の二から第二十条の六まで
	並びに当該法人が受けた同項の規定による命令、第七条の四第七項及び前条第三項の規定による通知並びに第六十三条第二項の規定による決定（以下この項及び次項において「命令等」という。）は、合併後存続し、又は合併により設立された法人がした違反行為及び当該合併後存続し、又は合併により設立された法人が受けた命令等	は、合併後存続し、又は合併により設立された法人がした違反行為
	第七条の二からこの条まで	これらの規定並びに第二十条の七において読み替えて準用する第七条の二第三項並びに第一項から次項まで及び第六項

第七条の八第四項	第七条の二第一項に	第二十条の二から第二十条の六までに
	違反行為及び当該法人が受けた命令等	違反行為
	違反行為及び当該特定事業承継子会社等が受けた命令等	違反行為
	同条からこの条まで	これらの規定並びに第二十条の七において読み替えて準用する第七条の二第三項並びに第一項からこの項まで及び第六項
	第七条の二第一項中「当該	第二十条の二から第二十条の六までの規定中「当該
	特定事業承継子会社等（第七条の八第四項に規定する特定事業承継子会社等をいう。以下この項及び同条第一項において同じ。）に対し、この項	、特定事業承継子会社等に対し、この条
	、第一項	、第二十条の七において読み替えて準用する第一項
	受けた特定事業承継子会社等は、同項	受けた特定事業承継子会社等（第二十条の七において読み替えて準用する第四項に規定する特定事業承継子会社等をいう。以下この項において同じ。）は、これら
第七条の八第六項	実行期間	第十八条の二第一項に規定する違反行為期間

第六章　適用除外

第二一条【知的財産法による権利行使】 この法律の規定は、著作権法、特許法、実用新案法、意匠法又は商標法による権利の行使と認められる行為にはこれを適用しない。

第二二条【組合の行為】 この法律の規定は、次の各号に掲げる要件を備え、かつ、法律の規定に基づいて設立された組合（組合の連合会を含む。）の行為には、これを適用しない。ただし、不公正な取引方法を用いる場合又は一定の取引分野における競争を実質的に制限することにより不当に対価を引き上げることとなる場合は、この限りでない。

一　小規模の事業者又は消費者の相互扶助を目的とすること。

二　任意に設立され、かつ、組合員が任意に加入し、又は脱退することができること。

三　各組合員が平等の議決権を有すること。

四　組合員に対して利益分配を行う場合には、その限度が法令又は定款に定められていること。

第二三条【再販売価格拘束】 ①この法律の規定は、公正取引委員会の指定する商品であつて、その品質が一様であることを容易に識別することができるものを生産し、又は販売する事業者が、当該商品の販売の相手方たる事業者とその商品の再販売価格（その相手方たる事業者又はその相手方たる事業者の販売する当該商品を買い受けて販売する事業者がその商品を販売する価格をいう。以下同じ。）を決定し、これを維持するためにする正当な行為については、これを適用しない。ただし、当該行為が一般消費者の利益を不当に害することとなる場合及びその商品を販売する事業者がする行為にあつてはその商品を生産する事業者の意に反してする場合は、この限りでない。

②公正取引委員会は、次の各号に該当する場合でなければ、前項の規定による指定をしてはならない。

一　当該商品が一般消費者により日常使用されるものであること。

二　当該商品について自由な競争が行われていること。

③第一項の規定による指定は、告示によつてこれを行う。

④著作物を発行する事業者又はその発行する物を販売する事業者が、その物の販売の相手方たる事業者とその物の再販売価格を決定し、これを維持するためにする正当な行為についても、第一項と同様とする。

⑤第一項又は前項に規定する販売の相手方たる事業者には、次に掲げる法律の規定に基づいて設立された団体を含まないものとする。ただし、第七号及び第十号に掲げる法律の規定に基づいて設立された団体にあつては、事業協同組合、事業協同小組合、協同組合連合会、商工組合又は商工組合連合会が当該事業協同組合、協同組合連合会、商工組合又は商工組合連合会を直接又は間接に構成する者の消費の用に供する第二項に規定する商品又は前項に規定する物を買い受ける場合に限る。

一　国家公務員法（昭和二十二年法律第百二十号）

二　農業協同組合法（昭和二十二年法律第百三十二号）

三　消費生活協同組合法（昭和二十三年法律第二百号）

四　水産業協同組合法（昭和二十三年法律第二百四十二号）

五　行政執行法人の労働関係に関する法律（昭和二十三年法律第二百五十七号）

六　労働組合法（昭和二十四年法律第百七十四号）

七　中小企業等協同組合法（昭和二十四年法律第百八十一号）

八　地方公務員法（昭和二十五年法律第二百六十一号）

九　地方公営企業等の労働関係に関する法律（昭和二十七年法律第二百八十九号）

十　中小企業団体の組織に関する法律（昭和三十二年法律第百八十五号）

十一　国家公務員共済組合法（昭和三十三年法律第百二十八号）

十二　地方公務員等共済組合法（昭和三十七年法律第百五十二号）

十三　森林組合法（昭和五十三年法律第三十六号）

⑥第一項に規定する事業者は、同項に規定する再販売価格を決定し、これを維持するための契約をしたときは、公正取引委員会規則の定めるところにより、その契約の成立の日から三十日以内に、その旨を公正取引委員会に届け出なければならない。ただし、公正取引委員会規則の定める場合は、この限りでない。

第七章　差止請求及び損害賠償

第二四条【差止請求】 第八条第五号又は第十九条の規定に違反する行為によつてその利益を侵害され、又は侵害されるおそれがある者は、これにより著しい損害を生じ、又は生ずるおそれがあるときは、その利益を侵害する事業者若しくは事業者団体又は侵害するおそれがある事業者若しくは事業者団体に対し、その侵害の停止又は予防を請求することができる。

第二五条【損害賠償】 ①第三条、第六条又は第十九条の規定に違反する行為をした事業者（第六条の規定に違反する行為をした事業者にあつては、当該国際的協定又は国際的契約において、不当な取引制限をし、又は不公正な取引方法を自ら用いた事業者に限る。）及び第八条の規定に違反する行為をした事業者団体は、被害者に対し、損害賠償の責めに任ずる。

②事業者及び事業者団体は、故意又は過失がなかつたことを証明して、前項に規定する責任を免れることができない。

第二六条【損害賠償請求権の主張の前提、時効】① 前条の規定による損害賠償の請求権は、第四十九条に規定する排除措置命令（排除措置命令がされなかつた場合にあつては、第六十二条第一項に規定する納付命令（第八条第一号又は第二号の規定に違反する行為をした事業者団体の構成事業者に対するものを除く。））が確定した後でなければ、裁判上主張することができない。

② 前項の請求権は、同項の排除措置命令又は納付命令が確定した日から三年を経過したときは、時効によつて消滅する。

第八章　公正取引委員会

第一節　設置、任務及び所掌事務並びに組織等

第二七条【設置・任務】① 内閣府設置法（平成十一年法律第八十九号）第四十九条第三項の規定に基づいて、第一条の目的を達成することを任務とする公正取引委員会を置く。

② 公正取引委員会は、内閣総理大臣の所轄に属する。

第二七条の二【所掌事務】公正取引委員会は、前条第一項の任務を達成するため、次に掲げる事務をつかさどる。

一　私的独占の規制に関すること。
二　不当な取引制限の規制に関すること。
三　不公正な取引方法の規制に関すること。
四　独占的状態に係る規制に関すること。
五　所掌事務に係る国際協力に関すること。
六　前各号に掲げるもののほか、法律（法律に基づく命令を含む。）に基づき、公正取引委員会に属させられた事務

第二八条【職権行使の独立性】公正取引委員会の委員長及び委員は、独立してその職権を行う。

第二九条【公正取引委員会の組織等】① 公正取引委員会は、委員長及び委員四人を以て、これを組織する。

② 委員長及び委員は、年齢が三十五年以上で、法律又は経済に関する学識経験のある者のうちから、内閣総理大臣が、両議院の同意を得て、これを任命する。

③ 委員長の任免は、天皇が、これを認証する。

④ 委員長及び委員は、これを官吏とする。

第三〇条【委員長等の任期】① 委員長及び委員の任期は、五年とする。但し、補欠の委員長及び委員の任期は、前任者の残任期間とする。

② 委員長及び委員は、再任されることができる。

③ 委員長及び委員は、年齢が七十年に達したときには、その地位を退く。

④ 委員長又は委員の任期が満了し、又は欠員を生じた場合において、国会の閉会又は衆議院の解散のため両議院の同意を得ることができないときは、内閣総理大臣は、前条第二項に規定する資格を有する者のうちから、委員長又は委員を任命することができる。この場合においては、任命後最初の国会で両議院の事後の承認を得なければならない。

第三一条【委員長等の身分保障】委員長及び委員は、次の各号のいずれかに該当する場合を除いては、在任中、その意に反して罷免されることがない。

一　破産手続開始の決定を受けた場合
二　懲戒免官の処分を受けた場合
三　この法律の規定に違反して刑に処せられた場合
四　拘禁刑以上の刑に処せられた場合
五　公正取引委員会により、心身の故障のため職務を執ることができないと決定された場合
六　前条第四項の場合において、両議院の事後の承認を得られなかつたとき。

第三二条【委員長等の罷免】前条第一号又は第三号から第六号までの場合においては、内閣総理大臣は、その委員長又は委員を罷免しなければならない。

第三三条【委員長】① 委員長は、公正取引委員会の会務を総理し、公正取引委員会を代表する。

② 公正取引委員会は、あらかじめ委員のうちから、委員長が故障のある場合に委員長を代理する者を定めておかなければならない。

第三四条【議決方法】① 公正取引委員会は、委員長及び二人以上の委員の出席がなければ、議事を開き、議決することができない。

② 公正取引委員会の議事は、出席者の過半数を以て、これを決する。可否同数のときは、委員長の決するところによる。

③ 公正取引委員会が第三十一条第五号の規定による決定をするには、前項の規定にかかわらず、本人を除く全員の一致がなければならない。

④ 委員長が故障のある場合の第一項の規定の適用については、前条第二項に規定する委員長を代理する者は、委員長とみなす。

第三五条【事務総局の組織】① 公正取引委員会の事務を処理させるため、公正取引委員会に事務総局を置く。

② 事務総局に事務総長を置く。

③ 事務総長は、事務総局の局務を統理する。

④ 事務総局に官房及び局を置く。

⑤ 内閣府設置法第十七条第二項から第八項までの規定は、前項の官房及び局の設置、所掌事務の範囲及び内部組織について準用する。

⑥ 第四項の規定に基づき置かれる官房及び局の数は、三以内とする。

⑦ 事務総局の職員中には、検察官、任命の際現に弁護士たる者又は弁護士の資格を有する者を加えなければならない。

⑧ 前項の検察官たる職員の掌る職務は、この法律の規定に違反する事件に関するものに限る。

第三五条の二【事務総局の地方事務所】① 公正取引委員会の事務総局の地方機関として、所要の地に地方事務所を置く。

② 前項の地方事務所の名称、位置及び管轄区域は、政令で定める。

③ 第一項の地方事務所には、所要の地にその支所を置き、地方事務所の事務を分掌させることができる。

④ 前項の支所の名称、位置及び管轄区域は、内閣府令で定める。

第三六条【委員長等の報酬】① 委員長及び委員の報酬は、別に定める。

② 委員長及び委員の報酬は、在任中、その意に反してこれを減額することができない。

第三七条【政治活動・営利活動の禁止】委員長、委員及び政令で定める公正取引委員会の職員は、在任中、次の各号のいずれかに該当する行為をすることができない。

一　国会若しくは地方公共団体の議会の議員となり、又は積極的に政治運動をすること。
二　内閣総理大臣の許可のある場合を除くほか、報酬のある他の職務に従事すること。
三　商業を営み、その他金銭上の利益を目的とする業務を行うこと。

第三八条【意見公表の禁止】委員長、委員及び公正取引委員会の職員は、事件に関する事実の有無又は法令の適用について、意見を外部に発表してはならない。但し、この法律に規定する場合又はこの法律に関する研究の結果を発表する場合は、この限りでない。

第三九条【秘密漏示等の禁止】委員長、委員及び公正取引委員会の職員並びに委員長、委員又は公正取引委員会の職員であつた者は、その職務に関して知得した事業者の秘密を他に漏し、又は窃用してはならない。

第四〇条【一般的な調査】公正取引委員会は、その職務を行うために必要があるときは、公務所、特別の法令により設立された法人、事業者若しくは事業者の団体又はこれらの職員に対し、出頭を命じ、又は必要な報告、情報若しくは資料の提出を求めることができる。

第四一条【調査の嘱託】公正取引委員会は、その職務を行うため

に必要があるときは、公務所、特別の法令により設立された法人、学校、事業者、事業者の団体、学識経験ある者その他の者に対し、必要な調査を嘱託することができる。

第四二条【公聴会】 公正取引委員会は、その職務を行うために必要があるときは、公聴会を開いて一般の意見を求めることができる。

第四三条【必要な事項の公表】 公正取引委員会は、この法律の適正な運用を図るため、事業者の秘密を除いて、必要な事項を一般に公表することができる。

第四三条の二【外国競争当局に対する情報提供】 ① 公正取引委員会は、この法律に相当する外国の法令を執行する当局（以下この条において「外国競争当局」という。）に対し、その職務（この法律に規定する公正取引委員会の職務に相当するものに限る。次項において同じ。）の遂行に資すると認める情報の提供を行うことができる。ただし、当該情報の提供を行うことが、この法律の適正な執行に支障を及ぼし、その他我が国の利益を侵害するおそれがあると認められる場合は、この限りでない。

② 公正取引委員会は、外国競争当局に対し前項に規定する情報の提供を行うに際し、次に掲げる事項を確認しなければならない。

一 当該外国競争当局が、公正取引委員会に対し、前項に規定する情報の提供に相当する情報の提供を行うことができること。

二 当該外国において、前項の規定により提供する情報のうち秘密として提供するものについて、当該外国の法令により、我が国と同じ程度の秘密の保持が担保されていること。

三 当該外国競争当局において、前項の規定により提供する情報が、その職務の遂行に資する目的以外の目的で使用されないこと。

③ 第一項の規定により提供される情報については、外国における裁判所又は裁判官の行う刑事手続に使用されないよう適切な措置がとられなければならない。

第四四条【国会に対する報告等】 ① 公正取引委員会は、内閣総理大臣を経由して、国会に対し、毎年この法律の施行の状況を報告しなければならない。

② 公正取引委員会は、内閣総理大臣を経由して国会に対し、この法律の目的を達成するために必要な事項に関し、意見を提出することができる。

第二節 手続

第四五条【事件調査の端緒】 ① 何人も、この法律の規定に違反する事実があると思料するときは、公正取引委員会に対し、その事実を報告し、適当な措置をとるべきことを求めることができる。

② 前項に規定する報告があつたときは、公正取引委員会は、事件について必要な調査をしなければならない。

③ 第一項の規定による報告が、公正取引委員会規則で定めるところにより、書面で具体的な事実を摘示してされた場合において、当該報告に係る事件について、適当な措置をとり、又は措置をとらないこととしたときは、公正取引委員会は、速やかに、その旨を当該報告をした者に通知しなければならない。

④ 公正取引委員会は、この法律の規定に違反する事実又は独占的状態に該当する事実があると思料するときは、職権をもつて適当な措置をとることができる。

第四六条【独占的状態規制に関する主務大臣の意見】 ① 公正取引委員会は独占的状態に該当する事実があると思料する場合において、前条第四項の措置をとることとしたときは、その旨を当該事業者の営む事業に係る主務大臣に通知しなければならない。

② 前項の通知があつた場合には、当該主務大臣は、公正取引委員会に対し、独占的状態の有無及び第八条の四第一項ただし書に規定する競争を回復するに足りると認められる他の措置に関し意見を述べることができる。

第四七条【行政調査】 ① 公正取引委員会は、事件について必要な調査をするため、次に掲げる処分をすることができる。

一 事件関係人又は参考人に出頭を命じて審尋し、又はこれらの者から意見若しくは報告を徴すること。

二 鑑定人に出頭を命じて鑑定させること。

三 帳簿書類その他の物件の所持者に対し、当該物件の提出を命じ、又は提出物件を留めて置くこと。

四 事件関係人の営業所その他必要な場所に立ち入り、業務及び財産の状況、帳簿書類その他の物件を検査すること。

② 公正取引委員会が相当と認めるときは、政令で定めるところにより、公正取引委員会の職員を審査官に指定し、前項の処分をさせることができる。

③ 前項の規定により職員に立入検査をさせる場合においては、これに身分を示す証明書を携帯させ、関係者に提示させなければならない。

④ 第一項の規定による処分の権限は、犯罪捜査のために認められたものと解釈してはならない。

第四八条【行政調査の調書の作成】 公正取引委員会は、事件について必要な調査をしたときは、その要旨を調書に記載し、かつ、特に前条第一項に規定する処分があつたときは、処分をした年月日及びその結果を明らかにしておかなければならない。

第四八条の二【排除措置計画の認定の申請をすることができる旨の通知】 公正取引委員会は、第三条、第六条、第八条、第九条第一項若しくは第二項、第十条第一項、第十一条第一項、第十三条、第十四条、第十五条第一項、第十五条の二第一項、第十五条の三第一項、第十六条第一項、第十七条又は第十九条の規定に違反する事実があると思料する場合において、その疑いの理由となつた行為について、公正かつ自由な競争の促進を図る上で必要があると認めるときは、当該行為をしている者に対し、次に掲げる事項を書面により通知することができる。ただし、第五十条第一項（第六十二条第四項において読み替えて準用する場合を含む。）の規定による通知をした後は、この限りでない。

一 当該行為の概要

二 違反する疑いのある法令の条項

三 次条第一項の規定による認定の申請をすることができる旨

第四八条の三【排除措置計画の認定】 ① 前条の規定による通知を受けた者は、疑いの理由となつた行為を排除するために必要な措置を自ら策定し、実施しようとするときは、公正取引委員会規則で定めるところにより、その実施しようとする措置（以下この条から第四十八条の五までにおいて「排除措置」という。）に関する計画（以下この条及び第四十八条の五において「排除措置計画」という。）を作成し、これを当該通知の日から六十日以内に公正取引委員会に提出して、その認定を申請することができる。

② 排除措置計画には、次に掲げる事項を記載しなければならない。

一 排除措置の内容

二 排除措置の実施期限

三 その他公正取引委員会規則で定める事項

③ 公正取引委員会は、第一項の規定による認定の申請があつた場合において、その排除措置計画が次の各号のいずれにも適合すると認めるときは、その認定をするものとする。

一 排除措置が疑いの理由となつた行為を排除するために十分なものであること。

二 排除措置が確実に実施されると見込まれるものであること。

④ 前項の認定は、文書によつて行い、認定書には、委員長及び第六十五条第一項の規定による合議に出席した委員がこれに記名押印しなければならない。

⑤ 第三項の認定は、その名宛人に認定書の謄本を送達することによつて、その効力を生ずる。

⑥ 公正取引委員会は、第一項の規定による認定の申請があつた

場合において、その排除措置計画が第三項各号のいずれかに適合しないと認めるときは、決定でこれを却下しなければならない。

⑦　第四項及び第五項の規定は、前項の規定による決定について準用する。この場合において、第四項及び第五項中「認定書」とあるのは、「決定書」と読み替えるものとする。

⑧　第三項の認定を受けた者は、当該認定に係る排除措置計画を変更しようとするときは、公正取引委員会規則で定めるところにより、公正取引委員会の認定を受けなければならない。

⑨　第三項から第七項までの規定は、前項の規定による変更の認定について準用する。

第四八条の四【排除措置命令に係る規定・課徴金納付命令に係る規定の適用除外】　第七条第一項及び第二項（第八条の二第二項及び第二十条第二項において準用する場合を含む。）、第七条の二第一項（第八条の三において読み替えて準用する場合を含む。）、第七条の九第一項及び第二項、第八条の二第一項及び第三項、第十七条の二、第二十条第一項並びに第二十条の二から第二十条の六までの規定は、公正取引委員会が前条第三項の認定（同条第八項の規定による変更の認定を含む。次条、第六十五条、第六十八条第一項及び第七十六条第二項において同じ。）をした場合において、当該認定に係る疑いの理由となつた行為及び排除措置に係る行為については、適用しない。ただし、次条第一項の規定による決定があつた場合は、この限りでない。

第四八条の五【排除措置計画の認定の取消し】　①　公正取引委員会は、次の各号のいずれかに該当するときは、決定で、第四十八条の三第三項の認定を取り消さなければならない。

一　第四十八条の三第三項の認定を受けた排除措置計画に従つて排除措置が実施されていないと認めるとき。

二　第四十八条の三第三項の認定を受けた者が虚偽又は不正の事実に基づいて当該認定を受けたことが判明したとき。

②　第四十八条の三第四項及び第五項の規定は、前項の規定による決定について準用する。この場合において、同条第四項及び第五項中「認定書」とあるのは、「決定書」と読み替えるものとする。

③　第一項の規定による第四十八条の三第三項の認定の取消しがあつた場合において、当該取消しが第七条第二項ただし書（第八条の二第二項及び第二十条第二項において準用する場合を含む。以下この項において同じ。）に規定する期間の満了する日の二年前の日以後にあつたときは、当該認定に係る疑いの理由となつた行為に対する第七条第二項（第八条の二第二項及び第二十条第二項において準用する場合を含む。）又は第八条の二第三項の規定による命令は、第七条第二項ただし書の規定にかかわらず、当該取消しの決定の日から二年間においても、することができる。

④　前項の規定は、第七条の二第一項（第八条の三において読み替えて準用する場合を含む。）、第七条の九第一項若しくは第二項又は第二十条の二から第二十条の六までの規定による命令について準用する。この場合において、前項中「第七条第二項ただし書（第八条の二第二項及び第二十条第二項において」とあるのは「第七条の八第六項（第七条の九第三項及び第八条の三において準用する場合並びに第七条の九第四項及び第二十条の七において読み替えて」と、「、第七条第二項ただし書」とあるのは「、第七条の八第六項」と読み替えるものとする。

第四八条の六【排除確保措置計画の認定の申請をすることができる旨の通知】　公正取引委員会は、第三条、第六条、第八条又は第十九条の規定に違反する疑いの理由となつた行為が既になくなつている場合においても、公正かつ自由な競争の促進を図る上で特に必要があると認めるときは、第一号に掲げる者に対し、第二号に掲げる事項を書面により通知することができる。ただし、第五十条第一項（第六十二条第四項において読み替えて準用する場合を含む。）の規定による通知をした後は、この限りでない。

一　次に掲げる者

イ　疑いの理由となつた行為をした者

ロ　疑いの理由となつた行為をした者が法人である場合において、当該法人が合併により消滅したときにおける合併後存続し、又は合併により設立された法人

ハ　疑いの理由となつた行為をした者が法人である場合において、当該法人から分割により当該行為に係る事業の全部又は一部を承継した法人

ニ　疑いの理由となつた行為をした者から当該行為に係る事業の全部又は一部を譲り受けた者

二　次に掲げる事項

イ　疑いの理由となつた行為の概要

ロ　違反する疑いのあつた法令の条項

ハ　次条第一項の規定による認定の申請をすることができる旨

第四八条の七【排除確保措置計画の認定】　①　前条の規定による通知を受けた者は、疑いの理由となつた行為が排除されたことを確保するために必要な措置を自ら策定し、実施しようとするときは、公正取引委員会規則で定めるところにより、その実施しようとする措置（以下この条から第四十八条の九までにおいて「排除確保措置」という。）に関する計画（以下この条及び第四十八条の九において「排除確保措置計画」という。）を作成し、これを当該通知の日から六十日以内に公正取引委員会に提出して、その認定を申請することができる。

②　排除確保措置計画には、次に掲げる事項を記載しなければならない。

一　排除確保措置の内容

二　排除確保措置の実施期限

三　その他公正取引委員会規則で定める事項

③　公正取引委員会は、第一項の規定による認定の申請があつた場合において、その排除確保措置計画が次の各号のいずれにも適合すると認めるときは、その認定をするものとする。

一　排除確保措置が疑いの理由となつた行為が排除されたことを確保するために十分なものであること。

二　排除確保措置が確実に実施されると見込まれるものであること。

④　第四十八条の三第四項及び第五項の規定は、前項の規定による認定について準用する。

⑤　公正取引委員会は、第一項の規定による認定の申請があつた場合において、その排除確保措置計画が第三項各号のいずれかに適合しないと認めるときは、決定でこれを却下しなければならない。

⑥　第四十八条の三第四項及び第五項の規定は、前項の規定による決定について準用する。この場合において、同条第四項及び第五項中「認定書」とあるのは、「決定書」と読み替えるものとする。

⑦　第三項の認定を受けた者は、当該認定に係る排除確保措置計画を変更しようとするときは、公正取引委員会規則で定めるところにより、公正取引委員会の認定を受けなければならない。

⑧　第三項から第六項までの規定は、前項の規定による変更の認定について準用する。

第四八条の八【排除措置命令に係る規定・課徴金納付命令に係る規定の適用除外】　第七条第一項及び第二項（第八条の二第二項及び第二十条第二項において準用する場合を含む。）、第七条の二第一項（第八条の三において読み替えて準用する場合を含む。）、第七条の九第一項及び第二項、第八条の二第一項及び第三項、第二十条第一項並びに第二十条の二から第二十条の六までの規定は、公正取引委員会が前条第三項の認定（同条第七項の規定による変更の認定を含む。次条、第六十五条、第六十八条第二項及び第七十六条第二項において同じ。）をした場合において、当該認定に係る疑いの理由となつた行為及び排除確保措置に係る行為については、適用しない。ただし、次条第一項の規定による決定があつた場合は、この限りでない。

第四八条の九【排除確保措置計画の認定の取消し】　①　公正取引

委員会は、次の各号のいずれかに該当するときは、決定で、第四十八条の七第三項の認定を取り消さなければならない。
一　第四十八条の七第三項の認定を受けた排除確保措置計画に従つて排除確保措置が実施されていないと認めるとき。
二　第四十八条の七第三項の認定を受けた者が虚偽又は不正の事実に基づいて当該認定を受けたことが判明したとき。
②　第四十八条の三第四項及び第五項の規定は、前項の規定による決定について準用する。この場合において、同条第四項及び第五項中「認定書」とあるのは、「決定書」と読み替えるものとする。
③　第一項の規定による第四十八条の七第三項の認定の取消しがあつた場合において、当該取消しが第七条第二項ただし書（第八条の二第二項及び第二十条第二項において準用する場合を含む。以下この項において同じ。）に規定する期間の満了する日の二年前の日以後にあつたときは、当該認定に係る疑いの理由となつた行為に対する第七条第二項（第八条の二第二項及び第二十条第二項において準用する場合を含む。）又は第八条の二第三項の規定による命令は、第七条第二項ただし書の規定にかかわらず、当該取消しの決定の日から二年間においても、することができる。
④　前項の規定は、第七条の二第一項（第八条の三において読み替えて準用する場合を含む。）、第七条の九第一項若しくは第二項又は第二十条の二から第二十条の六までの規定による命令について準用する。この場合において、前項中「第七条第二項ただし書（第八条の二第二項及び第二十条第二項において」とあるのは「第七条の八第六項（第七条の九第三項及び第八条の三において準用する場合並びに第七条の九第四項及び第二十条の七において読み替えて」と、「第七条第二項ただし書」とあるのは「第七条の八第六項」と読み替えるものとする。

第四九条【排除措置命令前の意見聴取義務】公正取引委員会は、第七条第一項若しくは第二項（第八条の二第二項及び第二十条第二項において準用する場合を含む。）、第八条の二第一項若しくは第三項、第十七条の二又は第二十条第一項の規定による命令（以下「排除措置命令」という。）をしようとするときは、当該排除措置命令の名宛人となるべき者について、意見聴取を行わなければならない。

第五〇条【意見聴取の通知の方式】①　公正取引委員会は、前条の意見聴取を行うに当たつては、意見聴取を行うべき期日までに相当な期間をおいて、排除措置命令の名宛人となるべき者に対し、次に掲げる事項を書面により通知しなければならない。
一　予定される排除措置命令の内容
二　公正取引委員会の認定した事実及びこれに対する法令の適用
三　意見聴取の期日及び場所
四　意見聴取に関する事務を所掌する組織の名称及び所在地
②　前項の書面においては、次に掲げる事項を教示しなければならない。
一　意見聴取の期日に出頭して意見を述べ、及び証拠を提出し、又は意見聴取の期日への出頭に代えて陳述書及び証拠を提出することができること。
二　意見聴取が終結する時までの間、第五十二条の規定による証拠の閲覧又は謄写を求めることができること。

第五一条【代理人】①　前条第一項の規定による通知を受けた者（以下この節において「当事者」という。）は、代理人を選任することができる。
②　代理人は、各自、当事者のために、意見聴取に関する一切の行為をすることができる。

第五二条【証拠の閲覧・謄写】①　当事者は、第五十条第一項の規定による通知があつた時から意見聴取が終結する時までの間、公正取引委員会に対し、当該意見聴取に係る事件について公正取引委員会の認定した事実を立証する証拠の閲覧又は謄写（謄写については、当該証拠のうち、当該当事者若しくはその従業員が提出したもの又は当該当事者若しくはその従業員の供述を録取したものとして公正取引委員会規則で定めるものの謄写に限る。以下この条において同じ。）を求めることができる。この場合において、公正取引委員会は、第三者の利益を害するおそれがあるときその他正当な理由があるときでなければ、その閲覧又は謄写を拒むことができない。
②　前項の規定は、当事者が、意見聴取の進行に応じて必要となつた証拠の閲覧又は謄写を更に求めることを妨げない。
③　公正取引委員会は、前二項の閲覧又は謄写について日時及び場所を指定することができる。

第五三条【意見聴取の主宰】①　意見聴取は、公正取引委員会が事件ごとに指定するその職員（以下「指定職員」という。）が主宰する。
②　公正取引委員会は、前項に規定する事件について審査官の職務を行つたことのある職員その他の当該事件の調査に関する事務に従事したことのある職員を意見聴取を主宰する職員として指定することができない。

第五四条【意見聴取の期日における審理の方式】①　指定職員は、最初の意見聴取の期日の冒頭において、当該意見聴取に係る事件について第四十七条第二項の規定により指定された審査官その他の当該事件の調査に関する事務に従事した職員（次項及び第三項並びに第五十六条第一項において「審査官等」という。）に、予定される排除措置命令の内容、公正取引委員会の認定した事実及び第五十二条第一項に規定する証拠のうち主要なもの並びに公正取引委員会の認定した事実に対する法令の適用を意見聴取の期日に出頭した当事者に対し説明させなければならない。
②　当事者は、意見聴取の期日に出頭して、意見を述べ、及び証拠を提出し、並びに指定職員の許可を得て審査官等に対し質問を発することができる。
③　指定職員は、意見聴取の期日において必要があると認めるときは、当事者に対し質問を発し、意見の陳述若しくは証拠の提出を促し、又は審査官等に対し説明を求めることができる。
④　意見聴取の期日における意見聴取は、公開しない。

第五五条【陳述書・証拠の提出】当事者は、意見聴取の期日への出頭に代えて、指定職員に対し、意見聴取の期日までに陳述書及び証拠を提出することができる。

第五六条【続行期日の指定】①　指定職員は、意見聴取の期日における当事者による意見陳述、証拠提出及び質問並びに審査官等による説明（第五十八条第一項及び第二項において「当事者による意見陳述等」という。）の結果、なお意見聴取を続行する必要があると認めるときは、さらに新たな期日を定めることができる。
②　前項の場合においては、当事者に対し、あらかじめ、次回の意見聴取の期日及び場所を書面により通知しなければならない。ただし、意見聴取の期日に出頭した当事者に対しては、当該意見聴取の期日においてこれを告知すれば足りる。

第五七条【当事者の不出頭等の場合における意見聴取の終結】①　指定職員は、当事者が正当な理由なく意見聴取の期日に出頭せず、かつ、第五十五条に規定する陳述書又は証拠を提出しない場合には、当該当事者に対し改めて意見を述べ、及び証拠を提出する機会を与えることなく、意見聴取を終結することができる。
②　指定職員は、前項に規定する場合のほか、当事者が意見聴取の期日に出頭せず、かつ、第五十五条に規定する陳述書又は証拠を提出しない場合において、当該当事者の意見聴取の期日への出頭が相当期間引き続き見込めないときは、当該当事者に対し、期限を定めて陳述書及び証拠の提出を求め、当該期限が到来したときに意見聴取を終結することができる。

第五八条【意見聴取の調書及び報告書】①　指定職員は、意見聴取の期日における当事者による意見陳述等の経過を記載した調書を作成し、当該調書において、第五十条第一項第一号及び第二号に掲げる事項に対する当事者の陳述の要旨を明らかにしておかなければならない。

② 前項に規定する調書は、意見聴取の期日における当事者による意見陳述等が行われた場合には各期日ごとに、当該当事者による意見陳述等が行われなかつた場合には意見聴取の終結後速やかに作成しなければならない。

③ 第一項に規定する調書には、提出された証拠（第五十五条の規定により陳述書及び証拠が提出されたときは、提出された陳述書及び証拠）を添付しなければならない。

④ 指定職員は、意見聴取の終結後速やかに、当該意見聴取に係る事件の論点を整理し、当該整理された論点を記載した報告書を作成し、第一項に規定する調書とともに公正取引委員会に提出しなければならない。

⑤ 当事者は、第一項に規定する調書及び前項に規定する報告書の閲覧を求めることができる。

第五九条【意見聴取の再開】 ① 公正取引委員会は、意見聴取の終結後に生じた事情に鑑み必要があると認めるときは、指定職員に対し、前条第四項の規定により提出された報告書を返戻して意見聴取の再開を命ずることができる。

② 第五十六条第二項本文の規定は、前項の場合について準用する。

第六〇条【意見聴取の調書・報告書の参酌】 公正取引委員会は、排除措置命令に係る議決をするときは、第五十八条第一項に規定する調書及び同条第四項に規定する報告書の内容を十分に参酌してしなければならない。

第六一条【排除措置命令の方式及び効力発生】 ① 排除措置命令は、文書によつて行い、排除措置命令書には、違反行為を排除し、又は違反行為が排除されたことを確保するために必要な措置並びに公正取引委員会の認定した事実及びこれに対する法令の適用を示し、委員長及び第六十五条第一項の規定による合議に出席した委員がこれに記名押印しなければならない。

② 排除措置命令は、その名あて人に排除措置命令書の謄本を送達することによつて、その効力を生ずる。

第六二条【課徴金納付命令の手続】 ① 第七条の二第一項（第八条の三において読み替えて準用する場合を含む。）、第七条の九第一項若しくは第二項又は第二十条の二から第二十条の六までの規定による命令（以下「納付命令」という。）は、文書によつて行い、課徴金納付命令書には、納付すべき課徴金の額、課徴金の計算の基礎及び課徴金に係る違反行為並びに納期限を記載し、委員長及び第六十五条第一項の規定による合議に出席した委員がこれに記名押印しなければならない。

② 納付命令は、その名宛人に課徴金納付命令書の謄本を送達することによつて、その効力を生ずる。

③ 第一項の課徴金の納期限は、課徴金納付命令書の謄本を発する日から七月を経過した日とする。

④ 第四十九条から第六十条までの規定は、納付命令について準用する。この場合において、第五十条第一項第一号中「予定される排除措置命令の内容」とあるのは「納付を命じようとする課徴金の額」と、同項第二号中「公正取引委員会の認定した事実及びこれに対する法令の適用」とあり、及び第五十二条第一項中「公正取引委員会の認定した事実」とあるのは「課徴金の計算の基礎及び課徴金に係る違反行為」と、第五十四条第一項中「予定される排除措置命令の内容、公正取引委員会の認定した事実及び第五十二条第一項に規定する証拠のうち主要なもの並びに公正取引委員会の認定した事実に対する法令の適用」とあるのは「納付を命じようとする課徴金の額、課徴金の計算の基礎及び課徴金に係る違反行為並びに第六十二条第四項の規定により読み替えて準用する第五十二条第一項に規定する証拠のうち主要なもの」と読み替えるものとする。

第六三条【課徴金納付命令後に罰金の刑が確定した場合の調整】 ① 第七条の二第一項又は第七条の九第一項若しくは第二項の規定により公正取引委員会が納付命令を行つた後、同一事件について、当該納付命令を受けた者に対し、罰金の刑に処する確定裁判があつたときは、公正取引委員会は、決定で、当該納付命令に係る課徴金の額を、その額から当該裁判において命じられた罰金額の二分の一に相当する金額を控除した額に変更しなければならない。ただし、当該納付命令に係る課徴金の額が当該罰金額の二分の一に相当する金額を超えないとき、又は当該変更後の額が百万円未満となるときは、この限りでない。

② 前項ただし書の場合においては、公正取引委員会は、決定で、当該第七条の二第一項又は第七条の九第一項若しくは第二項の規定による納付命令を取り消さなければならない。

③ 前二項の規定による決定は、文書によつて行い、決定書には、公正取引委員会の認定した事実及びこれに対する法令の適用を記載し、委員長及び第六十五条第一項の規定による合議に出席した委員がこれに記名押印しなければならない。

④ 第一項及び第二項の規定による決定は、その名宛人に決定書の謄本を送達することによつて、その効力を生ずる。

⑤ 公正取引委員会は、第一項及び第二項の場合において、変更又は取消し前の納付命令に基づき既に納付された金額（第六十九条第二項に規定する延滞金を除く。）で、還付すべきものがあるときは、遅滞なく、金銭で還付しなければならない。

第六四条【競争回復措置命令の手続】 ① 第八条の四第一項の規定による命令（以下「競争回復措置命令」という。）は、文書によつて行い、競争回復措置命令書には、独占的状態に係る商品又は役務について競争を回復させるために必要な措置並びに公正取引委員会の認定した事実及びこれに対する法令の適用を示し、委員長及び次条第一項の規定による合議に出席した委員がこれに記名押印しなければならない。

② 競争回復措置命令は、その名宛人に競争回復措置命令書の謄本を送達することによつて、その効力を生ずる。

③ 競争回復措置命令は、確定しなければ執行することができない。

④ 第四十九条から第六十条までの規定は、競争回復措置命令について準用する。

⑤ 公正取引委員会は、前項において準用する第五十条第一項の規定による通知をしようとするときは、当該事業者の営む事業に係る主務大臣に協議し、かつ、公聴会を開いて一般の意見を求めなければならない。

第六五条【命令・決定の議決方法】 ① 排除措置命令、納付命令、競争回復措置命令、第四十八条の三第三項の認定及び第四十八条の七第三項の認定並びにこの節の規定による決定（第七十条第二項に規定する支払決定を除く。以下同じ。）は、委員長及び委員の合議によらなければならない。

② 第三十四条第一項、第二項及び第四項の規定は、前項の合議について準用する。

③ 競争回復措置命令をするには、前項において準用する第三十四条第二項の規定にかかわらず、三人以上の意見が一致しなければならない。

第六六条【合議の非公開】 公正取引委員会の合議は、公開しない。

第六七条【公務所等の意見】 関係のある公務所又は公共的な団体は、公共の利益を保護するため、公正取引委員会に対して意見を述べることができる。

第六八条【排除措置計画等の認定、排除措置命令・競争回復措置命令確定の後の行政調査】 ① 公正取引委員会は、第四十八条の三第三項の認定をした後においても、特に必要があるときは、第四十七条の規定により、第四十八条の五第一項各号のいずれかに該当しているかどうかを確かめるために必要な処分をし、又はその職員をして処分をさせることができる。

② 公正取引委員会は、第四十八条の七第三項の認定をした後においても、特に必要があるときは、第四十七条の規定により、第四十八条の九第一項各号のいずれかに該当しているかどうかを確かめるために必要な処分をし、又はその職員をして処分をさせることができる。

③ 公正取引委員会は、排除措置命令をした後又は競争回復措置命令が確定した後においても、特に必要があるときは、第四十七条の規定により、これらの命令において命じた措置が講じら

れているかどうかを確かめるために必要な処分をし、又はその職員をして処分をさせることができる。

第六九条【課徴金納付の延滞への対応】 ① 公正取引委員会は、課徴金をその納期限までに納付しない者があるときは、督促状により期限を指定してその納付を督促しなければならない。

② 公正取引委員会は、前項の規定による督促をしたときは、その督促に係る課徴金の額につき年十四・五パーセントを超えない範囲内において政令で定める割合で、納期限の翌日からその納付の日までの日数により計算した延滞金を徴収することができる。ただし、延滞金の額が千円未満であるときは、この限りでない。

③ 前項の規定により計算した延滞金の額に百円未満の端数があるときは、その端数は、切り捨てる。

④ 公正取引委員会は、第一項の規定による督促を受けた者がその指定する期限までにその納付すべき金額を納付しないときは、国税滞納処分の例により、その督促に係る課徴金及び第二項に規定する延滞金を徴収することができる。

⑤ 前項の規定による徴収金の先取特権の順位は、国税及び地方税に次ぐものとし、その時効については、国税の例による。

第七〇条【特定事業承継子会社等に対する課徴金の還付】 ① 公正取引委員会は、第七条の八第四項（第七条の九第三項若しくは第四項又は第二十条の七において読み替えて準用する場合を含む。）の規定により第七条の二第一項、第七条の九第一項若しくは第二項又は第二十条の二から第二十条の六までの規定による課徴金の納付を命じた場合において、これらの規定による納付命令に基づき既に納付された金額で、還付すべきものがあるとき（第六十三条第五項に規定する場合を除く。）は、遅滞なく、金銭で還付しなければならない。

② 公正取引委員会は、前項の金額を還付する場合には、当該金額の納付があつた日の翌日から起算して一月を経過する日の翌日からその還付のための支払決定をした日までの期間の日数に応じ、その金額に年七・二五パーセントを超えない範囲内において政令で定める割合を乗じて計算した金額をその還付すべき金額に加算しなければならない。

③ 前条第二項ただし書及び第三項の規定は、前項の規定により加算する金額について準用する。

第七〇条の二【認可申請の却下】 ① 公正取引委員会は、第十一条第一項又は第二項の認可の申請があつた場合において、当該申請を理由がないと認めるときは、決定でこれを却下しなければならない。

② 第四十五条第二項の規定は、前項の認可の申請があつた場合について準用する。

③ 第六十三条第三項及び第四項の規定は、第一項の規定による決定について準用する。

第七〇条の三【認可・排除措置命令・競争回復措置命令の取消し・変更】 ① 公正取引委員会は、第十一条第一項又は第二項の認可をした場合において、その認可の要件である事実が消滅し、又は変更したと認めるときは、決定でこれを取り消し、又は変更することができる。

② 第四十九条から第六十条まで並びに第六十三条第三項及び第四項の規定は、前項の規定による決定について準用する。

③ 公正取引委員会は、経済事情の変化その他の事由により、排除措置命令又は競争回復措置命令を維持することが不適当であると認めるときは、決定でこれを取り消し、又は変更することができる。ただし、排除措置命令又は競争回復措置命令の名宛人の利益を害することとなる場合は、この限りでない。

④ 第六十三条第三項及び第四項の規定は、前項の規定による決定について準用する。

第七〇条の四【緊急停止命令】 ① 裁判所は、緊急の必要があると認めるときは、公正取引委員会の申立てにより、第三条、第六条、第八条、第九条第一項若しくは第二項、第十条第一項、第十一条第一項、第十三条、第十四条、第十五条第一項、第十五条の二第一項、第十五条の三第一項、第十六条第一項、第十七条又は第十九条の規定に違反する疑いのある行為をしている者に対し、当該行為、議決権の行使若しくは会社の役員の業務の執行を一時停止すべきことを命じ、又はその命令を取り消し、若しくは変更することができる。

② 前項の規定による裁判は、非訟事件手続法（平成二十三年法律第五十一号）により行う。

第七〇条の五【緊急停止命令の執行免除】 ① 前条第一項の規定による裁判については、裁判所の定める保証金又は有価証券（社債、株式等の振替に関する法律第二百七十八条第一項に規定する振替債を含む。次項において同じ。）を供託して、その執行を免れることができる。

② 前項の規定により供託をした場合において、前条第一項の規定による裁判が確定したときは、裁判所は、公正取引委員会の申立てにより、供託に係る保証金又は有価証券の全部又は一部を没取することができる。

③ 前条第二項の規定は、前二項の規定による裁判について準用する。

第七〇条の六【送達すべき書類】 送達すべき書類は、この法律に規定するもののほか、公正取引委員会規則で定める。

第七〇条の七【送達に関する民事訴訟法の規定の準用】 書類の送達については、民事訴訟法（平成八年法律第百九号）第百条第一項、第百一条、第百二条の二、第百三条、第百五条、第百六条及び第百八条の規定を準用する。この場合において、同項中「裁判所」とあり、及び同条中「裁判長」とあるのは「公正取引委員会」と、同法第百一条第一項中「執行官」とあるのは「公正取引委員会の職員」と読み替えるものとする。

＊令和四法四八（令和八・五・二四までに施行）による改正前
第七〇条の七【送達に関する民事訴訟法の規定の準用】 書類の送達については、民事訴訟法（平成八年法律第百九号）第九十九条、第百一条、第百三条、第百五条、第百六条、第百八条及び第百九条の規定を準用する。この場合において、同法第九十九条第一項中「執行官」とあるのは「公正取引委員会の職員」と、同法第百八条中「裁判長」とあり、及び同法第百九条中「裁判所」とあるのは「公正取引委員会」と読み替えるものとする。

第七〇条の八【公示送達】 ① 公正取引委員会は、次に掲げる場合には、公示送達をすることができる。

一 送達を受けるべき者の住所、居所その他送達をすべき場所が知れない場合

二 外国においてすべき送達について、前条において読み替えて準用する民事訴訟法第百八条の規定によることができず、又はこれによつても送達をすることができないと認めるべき場合

三 前条において読み替えて準用する民事訴訟法第百八条の規定により外国の管轄官庁に嘱託を発した後六月を経過してもその送達を証する書面の送付がない場合

② 公示送達は、送達すべき書類を送達を受けるべき者にいつでも交付すべき旨を公正取引委員会規則で定める方法により不特定多数の者が閲覧することができる状態に置くとともに、その旨が記載された書面を公正取引委員会の掲示場に掲示し、又はその旨を公正取引委員会の事務所に設置した電子計算機の映像面に表示したものの閲覧をすることができる状態に置く措置をとることにより行う。

③ 公示送達は、前項の規定による措置を開始した日から二週間を経過することによつて、その効力を生ずる。

④ 外国においてすべき送達についてした公示送達にあつては、前項の期間は、六週間とする。

＊令和五法六三（令和八・六・一五までに施行）による改正前
第七〇条の八【公示送達】 ①（略）

② 公示送達は、送達すべき書類を送達を受けるべき者にいつでも交付すべき旨を公正取引委員会の掲示場に掲示することによ

り行う。

③ 公示送達は、前項の規定による掲示を始めた日から二週間を経過することによつて、その効力を生ずる。

④ （略）

第七〇条の九【電子情報処理組織を使用した処分通知等】 公正取引委員会の職員が、情報通信技術を活用した行政の推進等に関する法律（平成十四年法律第百五十一号）第三条第九号に規定する処分通知等であつてこの法律又は公正取引委員会規則の規定により書類の送達により行うこととしているものに関する事務を、情報通信技術を活用した行政の推進等に関する法律第七条第一項の規定により同法第六条第一項に規定する電子情報処理組織を使用して行つたときは、第七十条の七において読み替えて準用する民事訴訟法第百条第一項の規定による送達に関する事項を記載した書面の作成及び提出に代えて、当該事項を当該電子情報処理組織を使用して公正取引委員会の使用に係る電子計算機（入出力装置を含む。第八十一条第三項において同じ。）に備えられたファイルに記録しなければならない。

＊**令和四法四八**（令和八・五・二四までに施行）**による改正**
第七〇条の九中「第百九条」は「第百条第一項」に改められ、「含む」の下に「。第八十一条第三項において同じ」が加えられた。（本文織込み済み）

第七〇条の一〇【政令への委任】 この法律に定めるものを除くほか、公正取引委員会の調査に関する手続その他事件の処理及び第七十条の五第一項の供託に関し必要な事項は、政令で定める。

第七〇条の一一【行政手続法の適用除外】 公正取引委員会がする排除措置命令、納付命令、競争回復措置命令及び第七十条の二第一項に規定する認可の申請に係る処分並びにこの節の規定による認定、決定その他の処分（第四十七条第二項の規定によつて審査官がする処分及びこの節の規定によつて指定職員がする処分を含む。）については、行政手続法（平成五年法律第八十八号）第二章及び第三章の規定は、適用しない。

第七〇条の一二【審査請求の制限】 公正取引委員会の排除措置命令、納付命令及び競争回復措置命令並びにこの節の規定による認定、決定その他の処分（第四十七条第二項の規定による審査官の処分及びこの節の規定による指定職員の処分を含む。）又はその不作為については、審査請求をすることができない。

第三節 雑則

第七一条【不公正な取引方法の特殊指定の制定手続】 公正取引委員会は、特定の事業分野における特定の取引方法を第二条第九項第六号の規定により指定しようとするときは、当該特定の取引方法を用いる事業者と同種の事業を営む事業者の意見を聴き、かつ、公聴会を開いて一般の意見を求め、これらの意見を十分に考慮した上で、これをしなければならない。

第七二条【不公正な取引方法の指定の方式】 第二条第九項第六号の規定による指定は、告示によつてこれを行う。

第七三条 削除

第七四条【告発】 ① 公正取引委員会は、第十二章に規定する手続による調査により犯則の心証を得たときは、検事総長に告発しなければならない。

② 公正取引委員会は、前項に定めるもののほか、この法律の規定に違反する犯罪があると思料するときは、検事総長に告発しなければならない。

③ 前二項の規定による告発に係る事件について公訴を提起しない処分をしたときは、検事総長は、遅滞なく、法務大臣を経由して、その旨及びその理由を、文書をもつて内閣総理大臣に報告しなければならない。

第七五条【参考人等の旅費・手当】 第四十七条第一項第一号若しくは第二号又は第二項の規定により出頭又は鑑定を命ぜられた参考人又は鑑定人は、政令で定めるところにより、旅費及び手当を請求することができる。

第七六条【公正取引委員会による規則の制定】 ① 公正取引委員会は、その内部規律、事件の処理手続及び届出、認可又は承認の申請その他の事項に関する必要な手続について規則を定めることができる。

② 前項の規定により事件の処理手続について規則を定めるに当たつては、排除措置命令、納付命令、競争回復措置命令、第四十八条の三第三項の認定及び第四十八条の七第三項の認定並びに前節の規定による決定（以下「排除措置命令等」という。）の名宛人となるべき者が自己の主張を陳述し、及び立証するための機会が十分に確保されること等当該手続の適正の確保が図られるよう留意しなければならない。

第九章 訴訟

第七七条【排除措置命令等に係る抗告訴訟の被告】 排除措置命令等に係る行政事件訴訟法（昭和三十七年法律第百三十九号）第三条第一項に規定する抗告訴訟については、公正取引委員会を被告とする。

第七八条【差止請求訴訟における担保提供命令】 ① 第二十四条の規定による侵害の停止又は予防に関する訴えが提起されたときは、裁判所は、被告の申立てにより、決定で、相当の担保を立てるべきことを原告に命ずることができる。

② 前項の申立てをするには、同項の訴えの提起が不正の目的（不正の利益を得る目的、他人に損害を加える目的その他の不正の目的をいう。）によるものであることを疎明しなければならない。

第七九条【差止請求訴訟の公正取引委員会への通知等】 ① 裁判所は、第二十四条の規定による侵害の停止又は予防に関する訴えが提起されたときは、その旨を公正取引委員会に通知するものとする。

② 裁判所は、前項の訴えが提起されたときは、公正取引委員会に対し、当該事件に関するこの法律の適用その他の必要な事項について、意見を求めることができる。

③ 公正取引委員会は、第一項の訴えが提起されたときは、裁判所の許可を得て、裁判所に対し、当該事件に関するこの法律の適用その他の必要な事項について、意見を述べることができる。

第八〇条【差止請求訴訟における書類の提出等】 ① 裁判所は、第二十四条の規定による侵害の停止又は予防に関する訴訟においては、当事者の申立てにより、当事者に対し、当該侵害行為について立証するため必要な書類又は電磁的記録（電子的方式、磁気的方式その他人の知覚によつては認識することができない方式で作られる記録であつて、電子計算機による情報処理の用に供されるものをいう。以下同じ。）の提出を命ずることができる。ただし、その書類の所持者又はその電磁的記録を利用する権限を有する者においてその提出を拒むことについて正当な理由があるときは、この限りでない。

② 裁判所は、前項ただし書に規定する正当な理由があるかどうかの判断をするため必要があると認めるときは、書類の所持者又は電磁的記録を利用する権限を有する者にその提示をさせることができる。この場合においては、何人も、その提示された書類又は電磁的記録の開示を求めることができない。

③ 裁判所は、前項の場合において、第一項ただし書に規定する正当な理由があるかどうかについて前項後段の書類又は電磁的記録を開示してその意見を聴くことが必要であると認めるときは、当事者等（当事者（法人である場合にあつては、その代表者）又は当事者の代理人（訴訟代理人及び補佐人を除く。）、使用人その他の従業者をいう。次条第一項において同じ。）、訴訟代理人又は補佐人に対し、当該書類又は当該電磁的記録を開示することができる。

④ 前三項の規定は、第二十四条の規定による侵害の停止又は予防に関する訴訟における当該侵害行為について立証するため必要な検証の目的の提示について準用する。

＊令和四法四八（令和八・五・二四までに施行）による改正前

第八〇条【差止請求訴訟における書類の提出等】 ① 裁判所は、第二十四条の規定による侵害の停止又は予防に関する訴訟においては、当事者の申立てにより、当事者に対し、当該侵害行為について立証するため必要な書類の提出を命ずることができる。ただし、その書類の所持者においてその提出を拒むことについて正当な理由があるときは、この限りでない。

② 裁判所は、前項ただし書に規定する正当な理由があるかどうかの判断をするため必要があると認めるときは、書類の所持者にその提示をさせることができる。この場合においては、何人も、その提示された書類の開示を求めることができない。

③ 裁判所は、前項の場合において、第一項ただし書に規定する正当な理由があるかどうかについて前項後段の書類を開示してその意見を聴くことが必要であると認めるときは、当事者等（当事者（法人である場合にあつては、その代表者）又は当事者の代理人（訴訟代理人及び補佐人を除く。）、使用人その他の従業者をいう。次条第一項において同じ。）、訴訟代理人又は補佐人に対し、当該書類を開示することができる。

④ （略）

第八一条【差止請求訴訟における秘密保持命令】 ① 裁判所は、第二十四条の規定による侵害の停止又は予防に関する訴訟において、その当事者が保有する営業秘密（不正競争防止法（平成五年法律第四十七号）第二条第六項に規定する営業秘密をいう。以下同じ。）について、次に掲げる事由のいずれにも該当することにつき疎明があつた場合には、当事者の申立てにより、決定で、当事者等、訴訟代理人又は補佐人に対し、当該営業秘密を当該訴訟の追行の目的以外の目的で使用し、又は当該営業秘密に係るこの項の規定による命令を受けた者以外の者に開示してはならない旨を命ずることができる。ただし、その申立ての時までに当事者等、訴訟代理人又は補佐人が第一号に規定する準備書面の閲読又は同号に規定する証拠の取調べ若しくは開示以外の方法により当該営業秘密を取得し、又は保有していた場合は、この限りでない。

一 既に提出され、若しくは提出されるべき準備書面に当事者の保有する営業秘密が記載され、又は既に取り調べられ、若しくは取り調べられるべき証拠（前条第三項の規定により開示された書類又は電磁的記録を含む。）の内容に当事者の保有する営業秘密が含まれること。

二 前号の営業秘密が当該訴訟の追行の目的以外の目的で使用され、又は当該営業秘密が開示されることにより、当該営業秘密に基づく当事者の事業活動に支障を生ずるおそれがあり、これを防止するため当該営業秘密の使用又は開示を制限する必要があること。

② 前項の規定による命令（以下「秘密保持命令」という。）の申立ては、次に掲げる事項を記載した書面でしなければならない。

一 秘密保持命令を受けるべき者

二 秘密保持命令の対象となるべき営業秘密を特定するに足りる事実

三 前項各号に掲げる事由に該当する事実

③ 秘密保持命令が発せられた場合には、その電子決定書（民事訴訟法第百二十二条において準用する同法第二百五十二条第一項の規定により作成された電磁的記録（同法第百二十二条において準用する同法第二百五十三条第二項の規定により裁判所の使用に係る電子計算機に備えられたファイルに記録されたものに限る。）をいう。以下同じ。）を秘密保持命令を受けた者に送達しなければならない。

④ 秘密保持命令は、秘密保持命令を受けた者に対する電子決定書の送達がされた時から、効力を生ずる。

⑤ 秘密保持命令の申立てを却下した裁判に対しては、即時抗告をすることができる。

＊令和四法四八（令和八・五・二四までに施行）による改正前

第八一条【差止請求訴訟における秘密保持命令】 ①（柱書略）

一 既に提出され、若しくは提出されるべき準備書面に当事者の保有する営業秘密が記載され、又は既に取り調べられ、若しくは取り調べられるべき証拠（前条第三項の規定により開示された書類を含む。）の内容に当事者の保有する営業秘密が含まれること。

二 （略）

② （略）

③ 秘密保持命令が発せられた場合には、その決定書を秘密保持命令を受けた者に送達しなければならない。

④ 秘密保持命令は、秘密保持命令を受けた者に対する決定書の送達がされた時から、効力を生ずる。

⑤ （略）

第八二条【秘密保持命令の取消し】 ① 秘密保持命令の申立てをした者又は秘密保持命令を受けた者は、訴訟記録の存する裁判所（訴訟記録の存する裁判所がない場合にあつては、秘密保持命令を発した裁判所）に対し、前条第一項に規定する要件を欠くこと又はこれを欠くに至つたことを理由として、秘密保持命令の取消しの申立てをすることができる。

② 秘密保持命令の取消しの申立てについての裁判があつた場合には、その電子決定書をその申立てをした者及び相手方に送達しなければならない。

＊令和四法四八（令和八・五・二四までに施行）による改正

第二項中「決定書」は「電子決定書」に改められた。（本文織込み済み）

③ 秘密保持命令の取消しの申立てについての裁判に対しては、即時抗告をすることができる。

④ 秘密保持命令を取り消す裁判は、確定しなければその効力を生じない。

⑤ 裁判所は、秘密保持命令を取り消す裁判をした場合において、秘密保持命令の取消しの申立てをした者又は相手方以外に当該秘密保持命令が発せられた訴訟において当該営業秘密に係る秘密保持命令を受けている者があるときは、その者に対し、直ちに、秘密保持命令を取り消す裁判をした旨を通知しなければならない。

第八三条【訴訟記録の閲覧等の請求の通知等】 ① 秘密保持命令が発せられた訴訟（すべての秘密保持命令が取り消された訴訟を除く。）に係る訴訟記録につき、民事訴訟法第九十二条第一項の決定があつた場合において、当事者から同項に規定する秘密記載部分の閲覧等の請求があり、かつ、その請求の手続を行つた者が当該訴訟において秘密保持命令を受けていない者であるときは、裁判所書記官は、同項の申立てをした当事者（その請求をした者を除く。第三項において同じ。）に対し、その請求後直ちに、その請求があつた旨を通知しなければならない。

② 前項の場合において、裁判所書記官は、同項の請求があつた日から二週間を経過する日までの間（その請求の手続を行つた者に対する秘密保持命令の申立てがその日までにされた場合にあつては、その申立てについての裁判が確定するまでの間）、その請求の手続を行つた者に同項の秘密記載部分の閲覧等をさせてはならない。

③ 前二項の規定は、第一項の請求をした者に同項の秘密記載部分の閲覧等をさせることについて民事訴訟法第九十二条第一項の申立てをした当事者のすべての同意があるときは、適用しない。

第八四条【損害額に関する求意見】 ① 第二十五条の規定による損害賠償に関する訴えが提起されたときは、裁判所は、公正取引委員会に対し、同条に規定する違反行為によつて生じた損害の額について、意見を求めることができる。

② 前項の規定は、第二十五条の規定による損害賠償の請求が、相殺のために裁判上主張された場合に、これを準用する。

第八四条の二【差止請求訴訟の管轄】 ① 第二十四条の規定によ

る侵害の停止又は予防に関する訴えについて、民事訴訟法第四条及び第五条の規定により次の各号に掲げる裁判所が管轄権を有する場合には、それぞれ当該各号に定める裁判所にも、その訴えを提起することができる。
一　東京高等裁判所の管轄区域内に所在する地方裁判所（東京地方裁判所を除く。）、大阪地方裁判所、名古屋地方裁判所、広島地方裁判所、福岡地方裁判所、仙台地方裁判所、札幌地方裁判所又は高松地方裁判所　東京地方裁判所
二　大阪高等裁判所の管轄区域内に所在する地方裁判所（大阪地方裁判所を除く。）　東京地方裁判所又は大阪地方裁判所
三　名古屋高等裁判所の管轄区域内に所在する地方裁判所（名古屋地方裁判所を除く。）　東京地方裁判所又は名古屋地方裁判所
四　広島高等裁判所の管轄区域内に所在する地方裁判所（広島地方裁判所を除く。）　東京地方裁判所又は広島地方裁判所
五　福岡高等裁判所の管轄区域内に所在する地方裁判所（福岡地方裁判所を除く。）　東京地方裁判所又は福岡地方裁判所
六　仙台高等裁判所の管轄区域内に所在する地方裁判所（仙台地方裁判所を除く。）　東京地方裁判所又は仙台地方裁判所
七　札幌高等裁判所の管轄区域内に所在する地方裁判所（札幌地方裁判所を除く。）　東京地方裁判所又は札幌地方裁判所
八　高松高等裁判所の管轄区域内に所在する地方裁判所（高松地方裁判所を除く。）　東京地方裁判所又は高松地方裁判所

②　一の訴えで第二十四条の規定による請求を含む数個の請求をする場合における民事訴訟法第七条の規定の適用については、同条中「第四条から前条まで（第六条第三項を除く。）」とあるのは、「第四条から前条まで（第六条第三項を除く。）及び私的独占の禁止及び公正取引の確保に関する法律第八十四条の二第一項」とする。

第八四条の三【刑事訴訟の第一審の裁判権】　第八十九条から第九十一条までの罪に係る訴訟の第一審の裁判権は、地方裁判所に属する。

第八四条の四【刑事訴訟の管轄】　前条に規定する罪に係る事件について、刑事訴訟法（昭和二十三年法律第百三十一号）第二条の規定により第八十四条の二第一項各号に掲げる裁判所が管轄権を有する場合には、それぞれ当該各号に定める裁判所も、その事件を管轄することができる。

第八五条【排除措置命令等に係る抗告訴訟等の専属管轄】　次に掲げる訴訟及び事件は、東京地方裁判所の管轄に専属する。
一　排除措置命令等に係る行政事件訴訟法第三条第一項に規定する抗告訴訟
二　第七十条の四第一項、第七十条の五第一項及び第二項、第九十七条並びに第九十八条に規定する事件

第八五条の二【損害賠償に係る訴訟の第一審の裁判権】　第二十五条の規定による損害賠償に係る訴訟の第一審の裁判権は、東京地方裁判所に属する。

第八六条【東京地方裁判所における合議体】　①　東京地方裁判所は、第八十五条各号に掲げる訴訟及び事件並びに前条に規定する訴訟については、三人の裁判官の合議体で審理及び裁判をする。
②　前項の規定にかかわらず、東京地方裁判所は、同項の訴訟及び事件について、五人の裁判官の合議体で審理及び裁判をする旨の決定をその合議体ですることができる。
③　前項の場合には、判事補は、同時に三人以上合議体に加わり、又は裁判長となることができない。

第八七条【東京高等裁判所における合議体】　東京地方裁判所がした第八十五条第一号に掲げる訴訟若しくは第八十五条の二に規定する訴訟についての終局判決に対する控訴又は第八十五条第二号に掲げる事件についての決定に対する抗告が提起された東京高等裁判所においては、当該控訴又は抗告に係る事件について、五人の裁判官の合議体で審理及び裁判をする旨の決定をその合議体ですることができる。

第八七条の二【差止請求訴訟の移送】　裁判所は、第二十四条の規定による侵害の停止又は予防に関する訴えが提起された場合において、他の裁判所に同一又は同種の行為に係る同条の規定による訴訟が係属しているときは、当事者の住所又は所在地、尋問を受けるべき証人の住所、争点又は証拠の共通性その他の事情を考慮して、相当と認めるときは、申立てにより又は職権で、訴訟の全部又は一部について、当該他の裁判所又は当該訴えにつき第八十四条の二第一項の規定により管轄権を有する他の裁判所に移送することができる。

第八八条【法務大臣権限法の適用除外】　排除措置命令等に係る行政事件訴訟法第三条第一項に規定する抗告訴訟については、国の利害に関係のある訴訟についての法務大臣の権限等に関する法律（昭和二十二年法律第百九十四号）第六条の規定は、適用しない。

第十章　雑則

第八八条の二【政令・規則における経過措置の規定】　この法律に基づき、政令又は公正取引委員会規則を制定し、又は改廃する場合においては、その政令又は公正取引委員会規則で、その制定又は改廃に伴い合理的に必要と判断される範囲内において、所要の経過措置（罰則に関する経過措置を含む。）を定めることができる。

第十一章　罰則

第八九条【不当な取引制限等の罪】　①　次の各号のいずれかに該当するものは、五年以下の拘禁刑又は五百万円以下の罰金に処する。
一　第三条の規定に違反して私的独占又は不当な取引制限をした者
二　第八条第一号の規定に違反して一定の取引分野における競争を実質的に制限したもの
②　前項の未遂罪は、罰する。

第九〇条【確定排除措置命令違反等の罪】　次の各号のいずれかに該当するものは、二年以下の拘禁刑又は三百万円以下の罰金に処する。
一　第六条又は第八条第二号の規定に違反して不当な取引制限に該当する事項を内容とする国際的協定又は国際的契約をしたもの
二　第八条第三号又は第四号の規定に違反したもの
三　排除措置命令又は競争回復措置命令が確定した後においてこれに従わないもの

第九一条【銀行業・保険業を営む会社による議決権の取得等の規制違反の罪】　第十一条第一項の規定に違反して株式を取得し、若しくは所有し、若しくは同条第二項の規定に違反して株式を所有した者又はこれらの規定による禁止若しくは制限につき第十七条の規定に違反した者は、一年以下の拘禁刑又は二百万円以下の罰金に処する。

第九一条の二【届出等に係る義務違反の罪】　次の各号のいずれかに該当する者は、二百万円以下の罰金に処する。
一　第九条第四項の規定に違反して報告書を提出せず、又は虚偽の記載をした報告書を提出した者
二　第九条第七項の規定に違反して届出をせず、又は虚偽の記載をした届出書を提出した者
三　第十条第二項の規定に違反して届出をせず、又は虚偽の記載をした届出書を提出した者
四　第十条第八項の規定に違反して株式の取得をした者
五　第十五条第二項の規定に違反して届出をせず、又は虚偽の記載をした届出書を提出した者
六　第十五条第三項において読み替えて準用する第十条第八項の規定に違反して合併による設立又は変更の登記をした者
七　第十五条の二第二項及び第三項の規定に違反して届出をせず、又は虚偽の記載をした届出書を提出した者
八　第十五条の二第四項において読み替えて準用する第十条第八項の規定に違反して共同新設分割による設立の登記又は吸

収分割による変更の登記をした者
九　第十五条の三第二項の規定に違反して届出をせず、又は虚偽の記載をした届出書を提出した者
十　第十五条の三第三項において読み替えて準用する第十条第八項の規定に違反して共同株式移転による設立の登記をした者
十一　第十六条第二項の規定に違反して届出をせず、又は虚偽の記載をした届出書を提出した者
十二　第十六条第三項において読み替えて準用する第十条第八項の規定に違反して第十六条第一項第一号又は第二号に該当する行為をした者
十三　第二十三条第六項の規定に違反して届出をせず、又は虚偽の記載をした届出書を提出した者

第九二条【拘禁刑及び罰金の併科】 第八十九条から第九十一条までの罪を犯した者には、情状により、拘禁刑及び罰金を併科することができる。

第九三条【秘密漏示等の罪】 第三十九条の規定に違反した者は、一年以下の拘禁刑又は百万円以下の罰金に処する。

第九四条【行政調査の拒否等の罪】 次の各号のいずれかに該当する者は、一年以下の拘禁刑又は三百万円以下の罰金に処する。
一　第四十七条第一項第一号又は第二項の規定による事件関係人又は参考人に対する処分に違反して出頭せず、陳述をせず、若しくは虚偽の陳述をし、又は報告をせず、若しくは虚偽の報告をした者
二　第四十七条第一項第二号又は第二項の規定による鑑定人に対する処分に違反して出頭せず、鑑定をせず、又は虚偽の鑑定をした者
三　第四十七条第一項第三号又は第二項の規定による物件の所持者に対する処分に違反して物件を提出しない者
四　第四十七条第一項第四号又は第二項の規定による検査を拒み、妨げ、又は忌避した者

第九四条の二【一般的調査の拒否等の罪】 第四十条の規定による処分に違反して出頭せず、報告、情報若しくは資料を提出せず、又は虚偽の報告、情報若しくは資料を提出した者は、三百万円以下の罰金に処する。

第九四条の三【秘密保持命令違反の罪】 ① 秘密保持命令に違反した者は、五年以下の拘禁刑若しくは五百万円以下の罰金に処し、又はこれを併科する。
② 前項の罪は、告訴がなければ公訴を提起することができない。
③ 第一項の罪は、日本国外において同項の罪を犯した者にも適用する。

第九五条【両罰規定】 ① 法人の代表者又は法人若しくは人の代理人、使用人その他の従業者が、その法人又は人の業務又は財産に関して、次の各号に掲げる規定の違反行為をしたときは、行為者を罰するほか、その法人又は人に対しても、当該各号に定める罰金刑を科する。
一　第八十九条　五億円以下の罰金刑
二　第九十条第三号（第七条第一項又は第八条の二第一項若しくは第三項の規定による命令（第三条又は第八条第一号の規定に違反する行為の差止めを命ずる部分に限る。）に違反した場合を除く。）　三億円以下の罰金刑
三　第九十四条　二億円以下の罰金刑
四　第九十条第一号、第二号若しくは第三号（第七条第一項又は第八条の二第一項若しくは第三項の規定による命令（第三条又は第八条第一号の規定に違反する行為の差止めを命ずる部分に限る。）に違反した場合に限る。）、第九十一条、第九十一条の二又は第九十四条の二　各本条の罰金刑
② 法人でない団体の代表者、管理人、代理人、使用人その他の従業者がその団体の業務又は財産に関して、次の各号に掲げる規定の違反行為をしたときは、行為者を罰するほか、その団体に対しても、当該各号に定める罰金刑を科する。
一　第八十九条　五億円以下の罰金刑
二　第九十条第三号（第七条第一項又は第八条の二第一項若しくは第三項の規定による命令（第三条又は第八条第一号の規定に違反する行為の差止めを命ずる部分に限る。）に違反した場合を除く。）　三億円以下の罰金刑
三　第九十四条　二億円以下の罰金刑
四　第九十条第一号、第二号若しくは第三号（第七条第一項又は第八条の二第一項若しくは第三項の規定による命令（第三条又は第八条第一号の規定に違反する行為の差止めを命ずる部分に限る。）に違反した場合に限る。）又は第九十四条の二　各本条の罰金刑
③ 法人の代表者又は法人若しくは人の代理人、使用人その他の従業者が、その法人又は人の業務に関し、前条第一項の違反行為をしたときは、その行為者を罰するほか、その法人又は人に対して三億円以下の罰金刑を、その人に対して同項の罰金刑を科する。
④ 第一項又は第二項の規定により第八十九条の違反行為につき法人若しくは人又は団体に罰金刑を科する場合における時効の期間は、同条の罪についての時効の期間による。
⑤ 第二項の場合においては、代表者又は管理人が、その訴訟行為につきその団体を代表するほか、法人を被告人又は被疑者とする場合の訴訟行為に関する刑事訴訟法の規定を準用する。
⑥ 第三項の規定により前条第一項の違反行為につき法人又は人に罰金刑を科する場合における時効の期間は、同項の罪についての時効の期間による。

第九五条の二【法人の代表者に対する罰則】 第八十九条第一項第一号、第九十条第一号若しくは第三号又は第九十一条の違反があつた場合においては、その違反の計画を知り、その防止に必要な措置を講ぜず、又はその違反行為を知り、その是正に必要な措置を講じなかつた当該法人（第九十条第一号又は第三号の違反があつた場合における当該法人で事業者団体に該当するものを除く。）の代表者に対しても、各本条の罰金刑を科する。

第九五条の三【事業者団体の代表者等に対する罰則】 ① 第八十九条第一項第二号又は第九十条の違反があつた場合においては、その違反の計画を知り、その防止に必要な措置を講ぜず、又はその違反行為を知り、その是正に必要な措置を講じなかつた当該事業者団体の理事その他の役員若しくは管理人又はその構成事業者（事業者の利益のためにする行為を行う役員、従業員、代理人その他の者が構成事業者である場合には、当該事業者を含む。）に対しても、それぞれ各本条の罰金刑を科する。
② 前項の規定は、同項に掲げる事業者団体の理事その他の役員若しくは管理人又はその構成事業者が法人その他の団体である場合においては、当該団体の理事その他の役員又は管理人に、これを適用する。

第九五条の四【事業者団体の解散の宣告】 ① 裁判所は、十分な理由があると認めるときは、第八十九条第一項第二号又は第九十条に規定する刑の言渡しと同時に、事業者団体の解散を宣告することができる。
② 前項の規定により解散が宣告された場合には、他の法令の規定又は定款その他の定めにかかわらず、事業者団体は、その宣告により解散する。

第九六条【公正取引委員会の専属告発】 ① 第八十九条から第九十一条までの罪は、公正取引委員会の告発を待つて、これを論ずる。
② 前項の告発は、文書をもつてこれを行う。
③ 公正取引委員会は、第一項の告発をするに当たり、その告発に係る犯罪について、前条第一項又は第百条第一項第一号の宣告をすることを相当と認めるときは、その旨を前項の文書に記載することができる。
④ 第一項の告発は、公訴の提起があつた後は、これを取り消すことができない。

第九七条【排除措置命令違反に関する過料】 排除措置命令に違反したものは、五十万円以下の過料に処する。ただし、その行為につき刑を科するべきときは、この限りでない。

第九八条【緊急停止命令違反に関する過料】 第七十条の四第一項の規定による裁判に違反したものは、三十万円以下の過料に処する。

第九九条 削除

第一〇〇条【特許等の取消し等の宣告】 ① 第八十九条又は第九十条の場合において、裁判所は、情状により、刑の言渡しと同時に、次に掲げる宣告をすることができる。ただし、第一号の宣告をするのは、その特許権又は特許発明の専用実施権若しくは通常実施権が、犯人に属している場合に限る。

一 違反行為に供せられた特許権の特許又は特許発明の専用実施権若しくは通常実施権は取り消されるべき旨

二 判決確定後六月以上三年以下の期間、政府との間に契約をすることができない旨

② 前項第一号の宣告をした判決が確定したときは、裁判所は、判決の謄本を特許庁長官に送付しなければならない。

③ 前項の規定による判決の謄本の送付があつたときは、特許庁長官は、その特許権の特許又は特許発明の専用実施権若しくは通常実施権を取り消さなければならない。

第十二章 犯則事件の調査等

第一〇一条【質問・検査・領置等】 ① 公正取引委員会の職員（公正取引委員会の指定を受けた者に限る。以下この章において「委員会職員」という。）は、犯則事件（第八十九条から第九十一条までの罪に係る事件をいう。以下この章において同じ。）を調査するため必要があるときは、犯則嫌疑者若しくは参考人（以下この項において「犯則嫌疑者等」という。）に対して出頭を求め、犯則嫌疑者等に対して質問し、犯則嫌疑者等が所持し若しくは置き去つた物件を検査し、又は犯則嫌疑者等が任意に提出し若しくは置き去つた物件を領置することができる。

② 委員会職員は、犯則事件の調査について、官公署又は公私の団体に照会して必要な事項の報告を求めることができる。

第一〇二条【臨検・捜索・差押え等】 ① 委員会職員は、犯則事件を調査するため必要があるときは、公正取引委員会の所在地を管轄する地方裁判所又は簡易裁判所の裁判官があらかじめ発する許可状により、臨検、捜索、差押え又は記録命令付差押え（電磁的記録を保管する者その他電磁的記録を利用する権限を有する者に命じて必要な電磁的記録を記録媒体に記録させ、又は印刷させた上、当該記録媒体を差し押さえることをいう。以下同じ。）をすることができる。

＊令和四法四八（令和八・五・二四までに施行）による改正
第一項中「（電磁的記録」の下の「（電子的方式、磁気的方式その他人の知覚によつては認識することができない方式で作られる記録であつて、電子計算機による情報処理の用に供されるものをいう。以下同じ。）」は削られた。（本文織込み済み）

② 差し押さえるべき物件が電子計算機であるときは、当該電子計算機に電気通信回線で接続している記録媒体であつて、当該電子計算機で作成若しくは変更をした電磁的記録又は当該電子計算機で変更若しくは消去をすることができることとされている電磁的記録を保管するために使用されていると認めるに足りる状況にあるものから、その電磁的記録を当該電子計算機又は他の記録媒体に複写した上、当該電子計算機又は当該他の記録媒体を差し押さえることができる。

③ 前二項の場合において、急速を要するときは、委員会職員は、臨検すべき場所、捜索すべき場所、身体若しくは物件、差し押さえるべき物件又は電磁的記録を記録させ、若しくは印刷させるべき者の所在地を管轄する地方裁判所又は簡易裁判所の裁判官があらかじめ発する許可状により、これらの項の処分をすることができる。

④ 委員会職員は、第一項又は前項の許可状（第百十四条の三第四項及び第五項を除き、以下この章において「許可状」という。）を請求する場合においては、犯則事件が存在すると認められる資料を提供しなければならない。

⑤ 前項の請求があつた場合においては、地方裁判所又は簡易裁判所の裁判官は、臨検すべき場所、捜索すべき場所、身体若しくは物件、差し押さえるべき物件又は記録させ、若しくは印刷させるべき電磁的記録及びこれを記録させ、若しくは印刷させるべき者並びに請求者の官職及び氏名、有効期間、その期間経過後は執行に着手することができずこれを返還しなければならない旨、交付の年月日並びに裁判所名を記載し、自己の記名押印した許可状を委員会職員に交付しなければならない。この場合において、犯則嫌疑者の氏名（法人については、名称）又は犯則の事実が明らかであるときは、これらの事項をも記載しなければならない。

⑥ 第二項の場合においては、許可状に、前項に規定する事項のほか、差し押さえるべき電子計算機に電気通信回線で接続している記録媒体であつて、その電磁的記録を複写すべきものの範囲を記載しなければならない。

⑦ 委員会職員は、許可状を他の委員会職員に交付して、臨検、捜索、差押え又は記録命令付差押えをさせることができる。

第一〇三条【通信事務を取り扱う者に対する差押え】 ① 委員会職員は、犯則事件を調査するため必要があるときは、許可状の交付を受けて、犯則嫌疑者から発し、又は犯則嫌疑者に対して発した郵便物、信書便物又は電信についての書類で法令の規定に基づき通信事務を取り扱う者が保管し、又は所持するものを差し押さえることができる。

② 委員会職員は、前項の規定に該当しない郵便物、信書便物又は電信についての書類で法令の規定に基づき通信事務を取り扱う者が保管し、又は所持するものについては、犯則事件に関係があると認めるに足りる状況があるものに限り、許可状の交付を受けて、これを差し押さえることができる。

③ 委員会職員は、前二項の規定による処分をした場合においては、その旨を発信人又は受信人に通知しなければならない。ただし、通知によつて犯則事件の調査が妨げられるおそれがある場合は、この限りでない。

第一〇三条の二【通信履歴の電磁的記録の保全要請】 ① 委員会職員は、差押え又は記録命令付差押えをするため必要があるときは、電気通信を行うための設備を他人の通信の用に供する事業を営む者又は自己の業務のために不特定若しくは多数の者の通信を媒介することのできる電気通信を行うための設備を設置している者に対し、その業務上記録している電気通信の送信元、送信先、通信日時その他の通信履歴の電磁的記録のうち必要なものを特定し、三十日を超えない期間を定めて、これを消去しないよう、書面で求めることができる。この場合において、当該電磁的記録について差押え又は記録命令付差押えをする必要がないと認めるに至つたときは、当該求めを取り消さなければならない。

② 前項の規定により消去しないよう求める期間については、特に必要があるときは、三十日を超えない範囲内で延長することができる。ただし、消去しないよう求める期間は、通じて六十日を超えることができない。

③ 第一項の規定による求めを行う場合において、必要があるときは、みだりに当該求めに関する事項を漏らさないよう求めることができる。

第一〇三条の三【電磁的記録に係る記録媒体の差押えに代わる処分】 差し押さえるべき物件が電磁的記録に係る記録媒体であるときは、委員会職員は、その差押えに代えて次に掲げる処分をすることができる。

一 差し押さえるべき記録媒体に記録された電磁的記録を他の記録媒体に複写し、印刷し、又は移転した上、当該他の記録媒体を差し押さえること。

二 差押えを受ける者に差し押さえるべき記録媒体に記録された電磁的記録を他の記録媒体に複写させ、印刷させ、又は移転させた上、当該他の記録媒体を差し押さえること。

第一〇四条【臨検・捜索・差押え等の夜間執行の制限】 ① 臨

検、捜索、差押え又は記録命令付差押えは、許可状に夜間でも執行することができる旨の記載がなければ、日没から日の出までの間には、してはならない。

②　日没前に開始した臨検、捜索、差押え又は記録命令付差押えは、必要があると認めるときは、日没後まで継続することができる。

第一〇五条【許可状の提示】 臨検、捜索、差押え又は記録命令付差押えの許可状は、これらの処分を受ける者に提示しなければならない。

第一〇六条【身分の証明】 委員会職員は、この章の規定により質問、検査、領置、臨検、捜索、差押え又は記録命令付差押えをするときは、その身分を示す証票を携帯し、関係者の請求があつたときは、これを提示しなければならない。

第一〇七条【臨検・捜索・差押え等に際しての必要な処分】 ①委員会職員は、臨検、捜索、差押え又は記録命令付差押えをするため必要があるときは、錠をはずし、封を開き、その他必要な処分をすることができる。

②　前項の処分は、領置物件、差押物件又は記録命令付差押物件についても、することができる。

第一〇七条の二【処分を受ける者に対する協力要請】 臨検すべき物件又は差し押さえるべき物件が電磁的記録に係る記録媒体であるときは、委員会職員は、臨検又は捜索若しくは差押えを受ける者に対し、電子計算機の操作その他の必要な協力を求めることができる。

第一〇八条【処分中の出入りの禁止】 委員会職員は、この章の規定により質問、検査、領置、臨検、捜索、差押え又は記録命令付差押えをする間は、何人に対しても、許可を受けないでその場所に出入りすることを禁止することができる。

第一〇九条【所有者等の立会い】 ①委員会職員は、人の住居又は人の看守する邸宅若しくは建造物その他の場所で臨検、捜索、差押え又は記録命令付差押えをするときは、その所有者若しくは管理者（これらの者の代表者、代理人その他これらの者に代わるべき者を含む。）又はこれらの者の使用人若しくは同居の親族で成年に達した者を立ち会わせなければならない。

②　前項の場合において、同項に規定する者を立ち会わせることができないときは、その隣人で成年に達した者又はその地の警察官若しくは地方公共団体の職員を立ち会わせなければならない。

③　女子の身体について捜索するときは、成年の女子を立ち会わせなければならない。ただし、急速を要する場合は、この限りでない。

第一一〇条【警察官の援助】 委員会職員は、臨検、捜索、差押え又は記録命令付差押えをするに際し必要があるときは、警察官の援助を求めることができる。

第一一一条【犯則調査の調書の作成】 委員会職員は、この章の規定により質問、検査、領置、臨検、捜索、差押え又は記録命令付差押えをしたときは、その処分を行つた年月日及びその結果を記載した調書を作成し、質問を受けた者又は立会人に示し、これらの者とともにこれに署名押印しなければならない。ただし、質問を受けた者又は立会人が署名押印せず、又は署名押印することができないときは、その旨を付記すれば足りる。

第一一二条【領置目録等の作成等】 委員会職員は、領置、差押え又は記録命令付差押えをしたときは、その目録を作成し、領置物件、差押物件若しくは記録命令付差押物件の所有者、所持者若しくは保管者（第百三条の三の規定による処分を受けた者を含む。）又はこれらの者に代わるべき者にその謄本を交付しなければならない。

第一一三条【領置物件等の処置】 運搬又は保管に不便な領置物件、差押物件又は記録命令付差押物件は、その所有者又は所持者その他委員会職員が適当と認める者に、その承諾を得て、保管証を徴して保管させることができる。

第一一四条【領置物件等の還付等】 ①公正取引委員会は、領置物件、差押物件又は記録命令付差押物件について留置の必要がなくなつたときは、その返還を受けるべき者にこれを還付しなければならない。

②　公正取引委員会は、前項の領置物件、差押物件又は記録命令付差押物件の返還を受けるべき者の住所若しくは居所がわからないため、又はその他の事由によりこれを還付することができない場合においては、その旨を公告しなければならない。

③　前項の公告に係る領置物件、差押物件又は記録命令付差押物件について、公告の日から六月を経過しても還付の請求がないときは、これらの物件は、国庫に帰属する。

第一一四条の二【移転した上で差し押さえた記録媒体の交付等】 ①公正取引委員会は、第百三条の三の規定により電磁的記録を移転し、又は移転させた上差し押さえた記録媒体について留置の必要がなくなつた場合において、差押えを受けた者と当該記録媒体の所有者、所持者又は保管者とが異なるときは、当該差押えを受けた者に対し、当該記録媒体を交付し、又は当該電磁的記録の複写を許さなければならない。

②　前条第二項の規定は、前項の規定による交付又は複写について準用する。

③　前項において準用する前条第二項の規定による公告の日から六月を経過しても前項の交付又は複写の請求がないときは、その交付をし、又は複写をさせることを要しない。

第一一四条の三【鑑定等の嘱託】 ①委員会職員は、犯則事件を調査するため必要があるときは、学識経験を有する者に領置物件、差押物件若しくは記録命令付差押物件についての鑑定を嘱託し、又は通訳若しくは翻訳を嘱託することができる。

②　前項の規定による鑑定の嘱託を受けた者（第四項及び第五項において「鑑定人」という。）は、公正取引委員会の所在地を管轄する地方裁判所又は簡易裁判所の裁判官の許可を受けて、当該鑑定に係る物件を破壊することができる。

③　前項の許可の請求は、委員会職員からこれをしなければならない。

④　前項の請求があつた場合において、裁判官は、当該請求を相当と認めるときは、犯則嫌疑者の氏名（法人については、名称）、罪名、破壊すべき物件及び鑑定人の氏名並びに請求者の官職及び氏名、有効期間、その期間経過後は執行に着手することができずこれを返還しなければならない旨、交付の年月日及び裁判所名を記載し、自己の記名押印した許可状を委員会職員に交付しなければならない。

⑤　鑑定人は、第二項の処分を受ける者に前項の許可状を示さなければならない。

第一一五条【公正取引委員会への報告】 委員会職員は、犯則事件の調査を終えたときは、調査の結果を公正取引委員会に報告しなければならない。

第一一六条【検察官への引継ぎ】 ①公正取引委員会は、犯則事件の調査の結果、第七十四条第一項の規定により告発した場合において、領置物件、差押物件又は記録命令付差押物件があるときは、これを領置目録、差押目録又は記録命令付差押目録とともに引き継がなければならない。

②　前項の領置物件、差押物件又は記録命令付差押物件が第百十三条の規定による保管に係るものである場合においては、同条の保管証をもつて引き継ぐとともに、その旨を同条の保管者に通知しなければならない。

③　前二項の規定により領置物件、差押物件又は記録命令付差押物件が引き継がれたときは、当該物件は、刑事訴訟法の規定によつて押収されたものとみなす。

第一一七条【行政手続法の適用除外】 この章の規定に基づいて公正取引委員会又は委員会職員がする処分及び行政指導については、行政手続法第二章から第四章までの規定は、適用しない。

第一一八条【審査請求の制限】 この章の規定による公正取引委員会又は委員会職員の処分又はその不作為については、審査請求をすることができない。

附　則（抄）

第一条【施行期日】 この法律の施行の期日は、各規定について命令を以てこれを定める（第二七条から第四四条まで、第一一三条及び第一一四条は昭和二二・七・一施行―昭和二二政一一四。その他は昭和二二・七・二〇施行―昭和二二政一四三）。

第二条【本法違反の契約の失効】 各規定施行の際現に存する契約で、当該規定に違反するものは、当該規定の施行の日からその効力を失う。

附 則（令和四・五・二五法四八）（抄）

（施行期日）

第一条 この法律は、公布の日から起算して四年を超えない範囲内において政令で定める日から施行する。ただし、次の各号に掲げる規定は、当該各号に定める日から施行する。

一 （前略）附則第百二十五条の規定 公布の日

二―五 （略）

（私的独占の禁止及び公正取引の確保に関する法律の一部改正に伴う経過措置）

第三四条 前条の規定による改正後の私的独占の禁止及び公正取引の確保に関する法律第八十一条第三項及び第四項並びに第八十二条第二項の規定は、施行日以後に提起される同法第二十四条の規定による侵害の停止又は予防に関する訴えにおける秘密保持命令の送達及び効力の発生時期について適用し、施行日前に提起された私的独占の禁止及び公正取引の確保に関する法律第二十四条の規定による侵害の停止又は予防に関する訴えにおける秘密保持命令の送達及び効力の発生時期については、なお従前の例による。

（政令への委任）

第一二五条 この附則に定めるもののほか、この法律の施行に関し必要な経過措置は、政令で定める。

刑法等の一部を改正する法律の施行に伴う関係法律整理法中経過規定（令和四・六・一七法六八）（抄）

第四四一条から第四四三条まで（刑法の同経過規定参照）

第五〇九条（刑法の同経過規定参照）

刑法等の一部を改正する法律の施行に伴う関係法律整理法

附 則（令和四・六・一七法六八）（抄）

（施行期日）

① この法律は、刑法等一部改正法（刑法等の一部を改正する法律（令和四法六七））施行日（令和七・六・一）から施行する。ただし、次の各号に掲げる規定は、当該各号に定める日から施行する。

一 第五百九条の規定 公布の日

二 （略）

附 則（令和五・六・一六法六三）（抄）

（施行期日）

第一条 （前略）次の各号に掲げる規定は、当該各号に定める日から施行する。

一 （前略）附則第七条（中略）の規定 公布の日

二 第四条（私的独占の禁止及び公正取引の確保に関する法律の一部改正）（中略）の規定並びに次条（中略）の規定 公布の日から起算して三年を超えない範囲内において政令で定める日

（公示送達等の方法に関する経過措置）

第二条 次に掲げる法律の規定は、前条第二号に掲げる規定の施行の日以後にする公示送達、送達又は通知について適用し、同日前にした公示送達、送達又は通知については、なお従前の例による。

一 第四条の規定による改正後の私的独占の禁止及び公正取引の確保に関する法律第七十条の八第二項及び第三項（これらの規定を特定受託事業者に係る取引の適正化等に関する法律（令和五年法律第二十五号）第十条又はスマートフォンにおいて利用される特定ソフトウェアに係る競争の促進に関する法律（令和六年法律第五十八号）第四十二条において準用する場合を含む。）

二―十五 （略）

（政令への委任）

第七条 この附則に定めるもののほか、この法律の施行に関し必要な経過措置（中略）は、政令で定める。

附 則（令和六・六・一九法五八）（抄）

（施行期日）

第一条 この法律（令和五法六三の一部改正）は、公布の日から起算して一年六月を超えない範囲内において政令で定める日から施行する。ただし、次の各号に掲げる規定は、当該各号に定める日から施行する。

一 附則（中略）第八条の規定 公布の日

二 （略）

（政令への委任）

第八条 （前略）この法律の施行に関し必要な経過措置は、政令で定める。

○下請代金支払遅延等防止法（昭和三一・六・一 法 一 二 〇）

施行　昭和三一・七・一（附則参照）
最終改正　平成二一法五一

（目的）

第一条　この法律は、下請代金の支払遅延等を防止することによつて、親事業者の下請事業者に対する取引を公正ならしめるとともに、下請事業者の利益を保護し、もつて国民経済の健全な発達に寄与することを目的とする。

（定義）

第二条①　この法律で「製造委託」とは、事業者が業として行う販売若しくは業として請け負う製造（加工を含む。以下同じ。）の目的物たる物品若しくはその半製品、部品、附属品若しくは原材料若しくはこれらの製造に用いる金型又は業として行う物品の修理に必要な部品若しくは原材料の製造を他の事業者に委託すること及び事業者がその使用し又は消費する物品の製造を業として行う場合にその物品若しくはその半製品、部品、附属品若しくは原材料又はこれらの製造に用いる金型の製造を他の事業者に委託することをいう。

②　この法律で「修理委託」とは、事業者が業として請け負う物品の修理の行為の全部又は一部を他の事業者に委託すること及び事業者がその使用する物品の修理を業として行う場合にその修理の行為の一部を他の事業者に委託することをいう。

③　この法律で「情報成果物作成委託」とは、事業者が業として行う提供若しくは業として請け負う作成の目的たる情報成果物の作成の行為の全部又は一部を他の事業者に委託すること及び事業者がその使用する情報成果物の作成を業として行う場合にその情報成果物の作成の行為の全部又は一部を他の事業者に委託することをいう。

④　この法律で「役務提供委託」とは、事業者が業として行う提供の目的たる役務の提供の行為の全部又は一部を他の事業者に委託すること（建設業（建設業法（昭和二十四年法律第百号）第二条第二項に規定する建設業をいう。以下この項において同じ。）を営む者が業として請け負う建設工事（同条第一項に規定する建設工事をいう。）の全部又は一部を他の建設業を営む者に請け負わせることを除く。）をいう。

⑤　この法律で「製造委託等」とは、製造委託、修理委託、情報成果物作成委託及び役務提供委託をいう。

⑥　この法律で「情報成果物」とは、次に掲げるものをいう。

一　プログラム（電子計算機に対する指令であつて、一の結果を得ることができるように組み合わされたものをいう。）

二　映画、放送番組その他影像又は音声その他の音響により構成されるもの

三　文字、図形若しくは記号若しくはこれらの結合又はこれらと色彩との結合により構成されるもの

四　前三号に掲げるもののほか、これらに類するもので政令で定めるもの

⑦　この法律で「親事業者」とは、次の各号のいずれかに該当する者をいう。

一　資本金の額又は出資の総額が三億円を超える法人たる事業者（政府契約の支払遅延防止等に関する法律（昭和二十四年法律第二百五十六号）第十四条に規定する者を除く。）であつて、個人又は資本金の額若しくは出資の総額が三億円以下の法人たる事業者に対し製造委託等（情報成果物作成委託及び役務提供委託にあつては、それぞれ政令で定める情報成果物及び役務に係るものに限る。次号並びに次項第一号及び第二号において同じ。）をするもの

二　資本金の額又は出資の総額が千万円を超え三億円以下の法人たる事業者（政府契約の支払遅延防止等に関する法律第十四条に規定する者を除く。）であつて、個人又は資本金の額若しくは出資の総額が千万円以下の法人たる事業者に対し製造委託等をするもの

三　資本金の額又は出資の総額が五千万円を超える法人たる事業者（政府契約の支払遅延防止等に関する法律第十四条に規定する者を除く。）であつて、個人又は資本金の額若しくは出資の総額が五千万円以下の法人たる事業者に対し情報成果物作成委託又は役務提供委託（それぞれ第一号の政令で定める情報成果物又は役務に係るものを除く。次号並びに次項第三号及び第四号において同じ。）をするもの

四　資本金の額又は出資の総額が千万円を超え五千万円以下の法人たる事業者（政府契約の支払遅延防止等に関する法律第十四条に規定する者を除く。）であつて、個人又は資本金の額若しくは出資の総額が千万円以下の法人たる事業者に対し情報成果物作成委託又は役務提供委託をするもの

⑧　この法律で「下請事業者」とは、次の各号のいずれかに該当する者をいう。

一　個人又は資本金の額若しくは出資の総額が三億円以下の法人たる事業者であつて、前項第一号に規定する親事業者から製造委託等を受けるもの

二　個人又は資本金の額若しくは出資の総額が千万円以下の法人たる事業者であつて、前項第二号に規定する親事業者から製造委託等を受けるもの

三　個人又は資本金の額若しくは出資の総額が五千万円以下の法人たる事業者であつて、前項第三号に規定する親事業者から情報成果物作成委託又は役務提供委託を受けるもの

四　個人又は資本金の額若しくは出資の総額が千万円以下の法人たる事業者であつて、前項第四号に規定する親事業者から情報成果物作成委託又は役務提供委託を受けるもの

⑨　資本金の額又は出資の総額が千万円を超える法人たる事業者から役員の任免、業務の執行又は存立について支配を受け、かつ、その事業者から製造委託等を受ける法人たる事業者が、その製造委託等に係る製造、修理、作成又は提供の行為の全部又は相当部分について再委託をする場合（第七項第一号又は第二号に該当する者がそれぞれ前項第一号又は第二号に該当する者に対し製造委託等をする場合及び第七項第三号又は第四号に該当する者がそれぞれ前項第三号又は第四号に該当する者に対し情報成果物作成委託又は役務提供委託をする場合を除く。）において、再委託を受ける事業者が、役員の任免、業務の執行又は存立について支配をし、かつ、製造委託等をする当該事業者から直接製造委託等を受けるものとすれば前項各号のいずれかに該当することとなる事業者であるときは、この法律の適用については、再委託をする事業者は親事業者と、再委託を受ける事業者は下請事業者とみなす。

⑩　この法律で「下請代金」とは、親事業者が製造委託等をした場合に下請事業者の給付（役務提供委託をした場合にあつては、役務の提供。以下同じ。）に対し支払うべき代金をいう。

（下請代金の支払期日）

第二条の二①　下請代金の支払期日は、親事業者が下請事業者の給付の内容について検査をするかどうかを問わず、親事業者が下請事業者の給付を受領した日（役務提供委託の場合は、下請事業者がその委託を受けた役務の提供をした日。次項において同じ。）から起算して、六十日の期間内において、かつ、できる限り短い期間内において、定められなければならない。

②　下請代金の支払期日が定められなかつたときは親事業者が下請事業者の給付を受領した日が、前項の規定に違反して下請代金の支払期日が定められたときは親事業者が下請事業者の給付を受領した日から起算して六十日を経過した日の前日が下請代金の支払期日と定められたものとみなす。

（書面の交付等）

第三条①　親事業者は、下請事業者に対し製造委託等をした場合は、直ちに、公正取引委員会規則で定めるところにより下請事

業者の給付の内容、下請代金の額、支払期日及び支払方法その他の事項を記載した書面を下請事業者に交付しなければならない。ただし、これらの事項のうちその内容が定められないことにつき正当な理由があるものについては、その記載を要しないものとし、この場合には、親事業者は、当該事項の内容が定められた後直ちに、当該事項を記載した書面を下請事業者に交付しなければならない。

② 親事業者は、前項の規定による書面の交付に代えて、政令で定めるところにより、当該下請事業者の承諾を得て、当該書面に記載すべき事項を電子情報処理組織を使用する方法その他の情報通信の技術を利用する方法であつて公正取引委員会規則で定めるものにより提供することができる。この場合において、当該親事業者は、当該書面を交付したものとみなす。

第四条（親事業者の遵守事項）① 親事業者は、下請事業者に対し製造委託等をした場合は、次の各号（役務提供委託をした場合にあつては、第一号及び第四号を除く。）に掲げる行為をしてはならない。

一 下請事業者の責に帰すべき理由がないのに、下請事業者の給付の受領を拒むこと。

二 下請代金をその支払期日の経過後なお支払わないこと。

三 下請事業者の責に帰すべき理由がないのに、下請代金の額を減ずること。

四 下請事業者の責に帰すべき理由がないのに、下請事業者の給付を受領した後、下請事業者にその給付に係る物を引き取らせること。

五 下請事業者の給付の内容と同種又は類似の内容の給付に対し通常支払われる対価に比し著しく低い下請代金の額を不当に定めること。

六 下請事業者の給付の内容を均質にし又はその改善を図るため必要がある場合その他正当な理由がある場合を除き、自己の指定する物を強制して購入させ、又は役務を強制して利用させること。

七 親事業者が第一号若しくは第二号に掲げる行為をしている場合若しくは第三号から前号までに掲げる行為をした場合又は親事業者について次項各号の一に該当する事実があると認められる場合に下請事業者が公正取引委員会又は中小企業庁長官に対しその事実を知らせたことを理由として、取引の数量を減じ、取引を停止し、その他不利益な取扱いをすること。

② 親事業者は、下請事業者に対し製造委託等をした場合は、次の各号（役務提供委託をした場合にあつては、第一号を除く。）に掲げる行為をすることによつて、下請事業者の利益を不当に害してはならない。

一 自己に対する給付に必要な半製品、部品、附属品又は原材料（以下「原材料等」という。）を自己から購入させた場合に、下請事業者の責めに帰すべき理由がないのに、当該原材料等を用いる給付に対する下請代金の支払期日より早い時期に、支払うべき下請代金の額から当該原材料等の対価の全部若しくは一部を控除し、又は当該原材料等の対価の全部若しくは一部を支払わせること。

二 下請代金の支払につき、当該下請代金の支払期日までに一般の金融機関（預金又は貯金の受入れ及び資金の融通を業とする者をいう。）による割引を受けることが困難であると認められる手形を交付すること。

三 自己のために金銭、役務その他の経済上の利益を提供させること。

四 下請事業者の責めに帰すべき理由がないのに、下請事業者の給付の内容を変更させ、又は下請事業者の給付を受領した後に（役務提供委託の場合は、下請事業者がその委託を受けた役務の提供をした後に）給付をやり直させること。

第四条の二（遅延利息） 親事業者は、下請代金の支払期日までに下請代金を支払わなかつたときは、下請事業者に対し、下請事業者の給付を受領した日（役務提供委託の場合は、下請事業者がその委託を受けた役務の提供をした日）から起算して六十日を経過した日から支払をする日までの期間について、その日数に応じ、当該未払金額に公正取引委員会規則で定める率を乗じて得た金額を遅延利息として支払わなければならない。

第五条（書類等の作成及び保存） 親事業者は、下請事業者に対し製造委託等をした場合は、公正取引委員会規則で定めるところにより、下請事業者の給付、給付の受領（役務提供委託をした場合にあつては、下請事業者がした役務を提供する行為の実施）、下請代金の支払その他の事項について記載し又は記録した書類又は電磁的記録（電子的方式、磁気的方式その他人の知覚によつては認識することができない方式で作られる記録であつて、電子計算機による情報処理の用に供されるものをいう。以下同じ。）を作成し、これを保存しなければならない。

第六条（中小企業庁長官の請求） 中小企業庁長官は、親事業者が第四条第一項第一号、第二号若しくは第七号に掲げる行為をしているかどうか若しくは同項第三号から第六号までに掲げる行為をしたかどうか又は親事業者について同条第二項各号の一に該当する事実があるかどうかを調査し、その事実があると認めるときは、公正取引委員会に対し、この法律の規定に従い適当な措置をとるべきことを求めることができる。

第七条（勧告）① 公正取引委員会は、親事業者が第四条第一項第一号、第二号又は第七号に掲げる行為をしていると認めるときは、その親事業者に対し、速やかにその下請事業者の給付を受領し、その下請代金若しくはその下請代金及び第四条の二の規定による遅延利息を支払い、又はその不利益な取扱いをやめるべきことその他必要な措置をとるべきことを勧告するものとする。

② 公正取引委員会は、親事業者が第四条第一項第三号から第六号までに掲げる行為をしたと認めるときは、その親事業者に対し、速やかにその減じた額を支払い、その下請事業者の給付に係る物を再び引き取り、その下請代金の額を引き上げ、又はその購入させた物を引き取るべきことその他必要な措置をとるべきことを勧告するものとする。

③ 公正取引委員会は、親事業者について第四条第二項各号のいずれかに該当する事実があると認めるときは、その親事業者に対し、速やかにその下請事業者の利益を保護するため必要な措置をとるべきことを勧告するものとする。

第八条（私的独占の禁止及び公正取引の確保に関する法律との関係） 私的独占の禁止及び公正取引の確保に関する法律（昭和二十二年法律第五十四号）第二十条及び第二十条の六の規定は、公正取引委員会が前条第一項から第三項までの規定による勧告をした場合において、親事業者がその勧告に従つたときに限り、親事業者のその勧告に係る行為については、適用しない。

第九条（報告及び検査）① 公正取引委員会は、親事業者の下請事業者に対する製造委託等に関する取引（以下単に「取引」という。）を公正ならしめるため必要があると認めるときは、親事業者若しくは下請事業者に対しその取引に関する報告をさせ、又はその職員に親事業者若しくは下請事業者の事務所若しくは事業所に立ち入り、帳簿書類その他の物件を検査させることができる。

② 中小企業庁長官は、下請事業者の利益を保護するため特に必要があると認めるときは、親事業者若しくは下請事業者に対しその取引に関する報告をさせ、又はその職員に親事業者若しくは下請事業者の事務所若しくは事業所に立ち入り、帳簿書類その他の物件を検査させることができる。

③ 親事業者又は下請事業者の営む事業を所管する主務大臣は、中小企業庁長官の第六条の規定による調査に協力するため特に必要があると認めるときは、所管事業を営む親事業者若しくは下請事業者に対しその取引に関する報告をさせ、又はその職員

にこれらの者の事務所若しくは事業所に立ち入り、帳簿書類その他の物件を検査させることができる。

④　前三項の規定により職員が立ち入るときは、その身分を示す証明書を携帯し、関係人に提示しなければならない。

⑤　第一項から第三項までの規定による立入検査の権限は、犯罪捜査のために認められたものと解釈してはならない。

（罰則）

第一〇条　次の各号のいずれかに該当する場合には、その違反行為をした親事業者の代表者、代理人、使用人その他の従業者は、五十万円以下の罰金に処する。

一　第三条第一項の規定による書面を交付しなかつたとき。

二　第五条の規定による書類若しくは電磁的記録を作成せず、若しくは保存せず、又は虚偽の書類若しくは電磁的記録を作成したとき。

第一一条　第九条第一項から第三項までの規定による報告をせず、若しくは虚偽の報告をし、又は検査を拒み、妨げ、若しくは忌避した者は、五十万円以下の罰金に処する。

第一二条　法人の代表者又は法人若しくは人の代理人、使用人その他の従業者が、その法人又は人の業務に関し、前二条の違反行為をしたときは、行為者を罰するほか、その法人又は人に対して各本条の刑を科する。

附　則（抄）

①　この法律は、公布の日から起算して三十日を経過した日（昭和三一・七・一）から施行する。

〇特定受託事業者に係る取引の適正化等に関する法律（令和五・五・一二／法　二五）

施行　令和六・一一・一（令和六政一九九）

目次

第一章　総則

（目的）

第一条　この法律は、我が国における働き方の多様化の進展に鑑み、個人が事業者として受託した業務に安定的に従事することができる環境を整備するため、特定受託事業者に業務委託をする事業者について、特定受託事業者の給付の内容その他の事項の明示を義務付ける等の措置を講ずることにより、特定受託事業者に係る取引の適正化及び特定受託業務従事者の就業環境の整備を図り、もって国民経済の健全な発展に寄与することを目的とする。

（定義）

第二条①　この法律において「特定受託事業者」とは、業務委託の相手方である事業者であって、次の各号のいずれかに該当するものをいう。

一　個人であって、従業員を使用しないもの

二　法人であって、一の代表者以外に他の役員（理事、取締役、執行役、業務を執行する社員、監事若しくは監査役又はこれらに準ずる者をいう。第六項第二号において同じ。）がなく、かつ、従業員を使用しないもの

②　この法律において「特定受託業務従事者」とは、特定受託事業者である前項第一号に掲げる個人及び特定受託事業者である同項第二号に掲げる法人の代表者をいう。

③　この法律において「業務委託」とは、次に掲げる行為をいう。

一　事業者がその事業のために他の事業者に物品の製造（加工を含む。）又は情報成果物の作成を委託すること。

二　事業者がその事業のために他の事業者に役務の提供を委託すること（他の事業者をして自らに役務の提供をさせることを含む。）。

④　前項第一号の「情報成果物」とは、次に掲げるものをいう。

一　プログラム（電子計算機に対する指令であって、一の結果を得ることができるように組み合わされたものをいう。）

二　映画、放送番組その他影像又は音声その他の音響により構成されるもの

三　文字、図形若しくは記号若しくはこれらの結合又はこれらと色彩との結合により構成されるもの

四　前三号に掲げるもののほか、これらに類するもので政令で定めるもの

⑤　この法律において「業務委託事業者」とは、特定受託事業者に業務委託をする事業者をいう。

⑥　この法律において「特定業務委託事業者」とは、業務委託事業者であって、次の各号のいずれかに該当するものをいう。

一　個人であって、従業員を使用するもの

二　法人であって、二以上の役員があり、又は従業員を使用するもの

⑦　この法律において「報酬」とは、業務委託事業者が業務委託をした場合に特定受託事業者の給付（第三項第二号に該当する業務委託をした場合にあっては、当該役務の提供をすること。第五条第一項第一号及び第三号並びに第八条第三項及び第四項を除き、以下同じ。）に対し支払うべき代金をいう。

第二章　特定受託事業者に係る取引の適正化

（**特定受託事業者の給付の内容その他の事項の明示等**）

第三条①　業務委託事業者は、特定受託事業者に対し業務委託をした場合は、直ちに、公正取引委員会規則で定めるところにより、特定受託事業者の給付の内容、報酬の額、支払期日その他の事項を、書面又は電磁的方法（電子情報処理組織を使用する方法その他の情報通信の技術を利用する方法であって公正取引委員会規則で定めるものをいう。以下この条において同じ。）により特定受託事業者に対し明示しなければならない。ただし、これらの事項のうちその内容が定められないことにつき正当な理由があるものについては、その明示を要しないものとし、この場合には、業務委託事業者は、当該事項の内容が定められた後直ちに、当該事項を書面又は電磁的方法により特定受託事業者に対し明示しなければならない。

②　業務委託事業者は、前項の規定により同項に規定する事項を

電磁的方法により明示した場合において、特定受託事業者から当該事項を記載した書面の交付を求められたときは、遅滞なく、公正取引委員会規則で定めるところにより、これを交付しなければならない。ただし、特定受託事業者の保護に支障を生ずることがない場合として公正取引委員会規則で定める場合は、この限りでない。

（報酬の支払期日等）

第四条① 特定業務委託事業者が特定受託事業者に対し業務委託をした場合における報酬の支払期日は、当該特定業務委託事業者が特定受託事業者の給付の内容について検査をするかどうかを問わず、当該特定業務委託事業者が特定受託事業者の給付を受領した日（第二条第三項第二号に該当する業務委託をした場合にあっては、特定受託事業者から当該役務の提供を受けた日。次項において同じ。）から起算して六十日の期間内において、かつ、できる限り短い期間内において、定められなければならない。

② 前項の場合において、報酬の支払期日が定められなかったときは特定業務委託事業者が特定受託事業者の給付を受領した日が、同項の規定に違反して報酬の支払期日が定められたときは特定業務委託事業者が特定受託事業者の給付を受領した日から起算して六十日を経過する日が、それぞれ報酬の支払期日と定められたものとみなす。

③ 前二項の規定にかかわらず、他の事業者（以下この項及び第六項において「元委託者」という。）から業務委託を受けた特定業務委託事業者が、当該業務委託に係る業務（以下この項及び第六項において「元委託業務」という。）の全部又は一部について特定受託事業者に再委託をした場合（前条第一項の規定により再委託である旨、元委託者の氏名又は名称、元委託業務の対価の支払期日（以下この項及び次項において「元委託支払期日」という。）その他の公正取引委員会規則で定める事項を特定受託事業者に対し明示した場合に限る。）には、当該再委託に係る報酬の支払期日は、元委託支払期日から起算して三十日の期間内において、かつ、できる限り短い期間内において、定められなければならない。

④ 前項の場合において、報酬の支払期日が定められなかったときは元委託支払期日が、同項の規定に違反して報酬の支払期日が定められたときは元委託支払期日から起算して三十日を経過する日が、それぞれ報酬の支払期日と定められたものとみなす。

⑤ 特定業務委託事業者は、第一項若しくは第三項の規定により定められた支払期日又は第二項若しくは前項の支払期日までに報酬を支払わなければならない。ただし、特定受託事業者の責めに帰すべき事由により支払うことができなかったときは、当該事由が消滅した日から起算して六十日（第三項の場合にあっては、三十日）以内に報酬を支払わなければならない。

⑥ 第三項の場合において、特定業務委託事業者は、元委託者から前払金の支払を受けたときは、元委託業務の全部又は一部について再委託をした特定受託事業者に対して、資材の調達その他の業務委託に係る業務の着手に必要な費用を前払金として支払うよう適切な配慮をしなければならない。

（特定業務委託事業者の遵守事項）

第五条① 特定業務委託事業者は、特定受託事業者に対し業務委託（政令で定める期間以上の期間行うもの（当該業務委託に係る契約の更新により当該政令で定める期間以上継続して行うこととなるものを含む。）に限る。以下この条において同じ。）をした場合は、次に掲げる行為（第二条第三項第二号に該当する業務委託をした場合にあっては、第一号及び第三号に掲げる行為を除く。）をしてはならない。

一 特定受託事業者の責めに帰すべき事由がないのに、特定受託事業者の給付の受領を拒むこと。

二 特定受託事業者の責めに帰すべき事由がないのに、報酬の額を減ずること。

三 特定受託事業者の責めに帰すべき事由がないのに、特定受託事業者の給付を受領した後、特定受託事業者にその給付に係る物を引き取らせること。

四 特定受託事業者の給付の内容と同種又は類似の内容の給付に対し通常支払われる対価に比し著しく低い報酬の額を不当に定めること。

五 特定受託事業者の給付の内容を均質にし、又はその改善を図るため必要がある場合その他正当な理由がある場合を除き、自己の指定する物を強制して購入させ、又は役務を強制して利用させること。

② 特定業務委託事業者は、特定受託事業者に対し業務委託をした場合は、次に掲げる行為をすることによって、特定受託事業者の利益を不当に害してはならない。

一 自己のために金銭、役務その他の経済上の利益を提供させること。

二 特定受託事業者の責めに帰すべき事由がないのに、特定受託事業者の給付の内容を変更させ、又は特定受託事業者の給付を受領した後（第二条第三項第二号に該当する業務委託をした場合にあっては、特定受託事業者から当該役務の提供を受けた後）に給付をやり直させること。

注 第一項の「政令で定める期間」を定める政令

特定受託事業者に係る取引の適正化等に関する法律施行令（令和六・五・三一政二〇〇）（抜粋）

（法第五条第一項の政令で定める期間）

第一条 特定受託事業者に係る取引の適正化等に関する法律（以下「法」という。）第五条第一項の政令で定める期間は、一月とする。

（申出等）

第六条① 業務委託事業者から業務委託を受ける特定受託事業者は、この章の規定に違反する事実がある場合には、公正取引委員会又は中小企業庁長官に対し、その旨を申し出て、適当な措置をとるべきことを求めることができる。

② 公正取引委員会又は中小企業庁長官は、前項の規定による申出があったときは、必要な調査を行い、その申出の内容が事実であると認めるときは、この法律に基づく措置その他適当な措置をとらなければならない。

③ 業務委託事業者は、特定受託事業者が第一項の規定による申出をしたことを理由として、当該特定受託事業者に対し、取引の数量の削減、取引の停止その他の不利益な取扱いをしてはならない。

（中小企業庁長官の請求）

第七条① 中小企業庁長官は、業務委託事業者について、第三条の規定に違反したかどうか又は前条第三項の規定に違反しているかどうかを調査し、その事実があると認めるときは、公正取引委員会に対し、この法律の規定に従い適当な措置をとるべきことを求めることができる。

② 中小企業庁長官は、特定業務委託事業者について、第四条第五項若しくは第五条第一項（第一号に係る部分を除く。）若しくは第二項の規定に違反したかどうか又は同条第一項（同号に係る部分に限る。）の規定に違反しているかどうかを調査し、その事実があると認めるときは、公正取引委員会に対し、この法律の規定に従い適当な措置をとるべきことを求めることができる。

（勧告）

第八条① 公正取引委員会は、業務委託事業者が第三条の規定に違反したと認めるときは、当該業務委託事業者に対し、速やかに同条第一項の規定による明示又は同条第二項の規定による書面の交付をすべきことその他必要な措置をとるべきことを勧告することができる。

② 公正取引委員会は、特定業務委託事業者が第四条第五項の規定に違反したと認めるときは、当該特定業務委託事業者に対し、速やかに報酬を支払うべきことその他必要な措置をとるべ

きことを勧告することができる。

③　公正取引委員会は、特定業務委託事業者が第五条第一項（第一号に係る部分に限る。）の規定に違反していると認めるときは、当該特定業務委託事業者に対し、速やかに特定受託事業者の給付を受領すべきことその他必要な措置をとるべきことを勧告することができる。

④　公正取引委員会は、特定業務委託事業者が第五条第一項（第一号に係る部分を除く。）の規定に違反したと認めるときは、当該特定業務委託事業者に対し、速やかにその報酬の額から減じた額を支払い、特定受託事業者の給付に係る物を再び引き取り、その報酬の額を引き上げ、又はその購入させた物を引き取るべきことその他必要な措置をとるべきことを勧告することができる。

⑤　公正取引委員会は、特定業務委託事業者が第五条第二項の規定に違反したと認めるときは、当該特定業務委託事業者に対し、速やかに当該特定受託事業者の利益を保護するため必要な措置をとるべきことを勧告することができる。

⑥　公正取引委員会は、業務委託事業者が第六条第三項の規定に違反していると認めるときは、当該業務委託事業者に対し、速やかに不利益な取扱いをやめるべきことその他必要な措置をとるべきことを勧告することができる。

（命令）

第九条①　公正取引委員会は、前条の規定による勧告を受けた者が、正当な理由がなく、当該勧告に係る措置をとらなかったときは、当該勧告を受けた者に対し、当該勧告に係る措置をとるべきことを命ずることができる。

②　公正取引委員会は、前項の規定による命令をした場合には、その旨を公表することができる。

（私的独占の禁止及び公正取引の確保に関する法律の準用）

第一〇条　前条第一項の規定による命令をする場合については、私的独占の禁止及び公正取引の確保に関する法律（昭和二十二年法律第五十四号）第六十一条、第六十五条第一項及び第二項、第六十六条、第七十条の三第三項及び第四項、第七十条の六から第七十条の九まで、第七十条の十二、第七十六条、第七十七条、第八十五条（第一号に係る部分に限る。）、第八十六条、第八十七条並びに第八十八条の規定を準用する。

（報告及び検査）

第一一条①　中小企業庁長官は、第七条の規定の施行に必要な限度において、業務委託事業者、特定業務委託事業者、特定受託事業者その他の関係者に対し、業務委託に関し報告をさせ、又はその職員に、これらの者の事務所その他の事業場に立ち入り、帳簿書類その他の物件を検査させることができる。

②　公正取引委員会は、第八条及び第九条第一項の規定の施行に必要な限度において、業務委託事業者、特定業務委託事業者、特定受託事業者その他の関係者に対し、業務委託に関し報告をさせ、又はその職員に、これらの者の事務所その他の事業場に立ち入り、帳簿書類その他の物件を検査させることができる。

③　前二項の規定により職員が立ち入るときは、その身分を示す証明書を携帯し、関係人に提示しなければならない。

④　第一項及び第二項の規定による立入検査の権限は、犯罪捜査のために認められたものと解釈してはならない。

第三章　特定受託業務従事者の就業環境の整備

（募集情報の的確な表示）

第一二条①　特定業務委託事業者は、新聞、雑誌その他の刊行物に掲載する広告、文書の掲出又は頒布その他厚生労働省令で定める方法（次項において「広告等」という。）により、その行う業務委託に係る特定受託事業者の募集に関する情報（業務の内容その他の就業に関する事項として政令で定める事項に係るものに限る。）を提供するときは、当該情報について虚偽の表示又は誤解を生じさせる表示をしてはならない。

②　特定業務委託事業者は、広告等により前項の情報を提供するときは、正確かつ最新の内容に保たなければならない。

（妊娠、出産若しくは育児又は介護に対する配慮）

第一三条①　特定業務委託事業者は、その行う業務委託（政令で定める期間以上の期間行うもの（当該業務委託に係る契約の更新により当該政令で定める期間以上継続して行うこととなるものを含む。）に限る。以下この条及び第十六条第一項において「継続的業務委託」という。）の相手方である特定受託事業者からの申出に応じて、当該特定受託事業者（当該特定受託事業者が第二条第一項第二号に掲げる法人である場合にあっては、その代表者）が妊娠、出産若しくは育児又は介護（以下この条において「育児介護等」という。）と両立しつつ当該継続的業務委託に係る業務に従事することができるよう、その者の育児介護等の状況に応じた必要な配慮をしなければならない。

②　特定業務委託事業者は、その行う継続的業務委託以外の業務委託の相手方である特定受託事業者からの申出に応じて、当該特定受託事業者（当該特定受託事業者が第二条第一項第二号に掲げる法人である場合にあっては、その代表者）が育児介護等と両立しつつ当該業務委託に係る業務に従事することができるよう、その者の育児介護等の状況に応じた必要な配慮をするよう努めなければならない。

注　第一項の「政令で定める期間」を定める政令

特定受託事業者に係る取引の適正化等に関する法律施行令（令和六・五・三一政二〇〇）（抜粋）

（法第十三条第一項の政令で定める期間）

第三条　法第十三条第一項の政令で定める期間は、六月とする。

（業務委託に関して行われる言動に起因する問題に関して講ずべき措置等）

第一四条①　特定業務委託事業者は、その行う業務委託に係る特定受託業務従事者に対し当該業務委託に関して行われる次の各号に規定する言動により、当該各号に掲げる状況に至ることのないよう、その者からの相談に応じ、適切に対応するために必要な体制の整備その他の必要な措置を講じなければならない。

一　性的な言動に対する特定受託業務従事者の対応によりその者（その者が第二条第一項第二号に掲げる法人の代表者である場合にあっては、当該法人）に係る業務委託の条件について不利益を与え、又は性的な言動により特定受託業務従事者の就業環境を害すること。

二　特定受託業務従事者の妊娠又は出産に関する事由であって厚生労働省令で定めるものに関する言動によりその者の就業環境を害すること。

三　取引上の優越的な関係を背景とした言動であって業務委託に係る業務を遂行する上で必要かつ相当な範囲を超えたものにより特定受託業務従事者の就業環境を害すること。

②　特定業務委託事業者は、特定受託業務従事者が前項の相談を行ったこと又は特定業務委託事業者による当該相談への対応に協力した際に事実を述べたことを理由として、その者（その者が第二条第一項第二号に掲げる法人の代表者である場合にあっては、当該法人）に対し、業務委託に係る契約の解除その他の不利益な取扱いをしてはならない。

（指針）

第一五条　厚生労働大臣は、前三条に定める事項に関し、特定業務委託事業者が適切に対処するために必要な指針を公表するものとする。

（解除等の予告）

第一六条①　特定業務委託事業者は、継続的業務委託に係る契約の解除（契約期間の満了後に更新しない場合を含む。次項において同じ。）をしようとする場合には、当該契約の相手方である特定受託事業者に対し、厚生労働省令で定めるところにより、少なくとも三十日前までに、その予告をしなければならない。ただし、災害その他やむを得ない事由により予告することが困難な場合その他の厚生労働省令で定める場合は、この限りでない。

② 特定受託事業者が、前項の予告がされた日から同項の契約が満了する日までの間において、契約の解除の理由の開示を特定業務委託事業者に請求した場合には、当該特定業務委託事業者は、当該特定受託事業者に対し、厚生労働省令で定めるところにより、遅滞なくこれを開示しなければならない。ただし、第三者の利益を害するおそれがある場合その他の厚生労働省令で定める場合は、この限りでない。

（申出等）

第一七条① 特定業務委託事業者から業務委託を受け、又は受けようとする特定受託事業者は、この章の規定に違反する事実がある場合には、厚生労働大臣に対し、その旨を申し出て、適当な措置をとるべきことを求めることができる。

② 厚生労働大臣は、前項の規定による申出があったときは、必要な調査を行い、その申出の内容が事実であると認めるときは、この法律に基づく措置その他適当な措置をとらなければならない。

③ 第六条第三項の規定は、第一項の場合について準用する。

（勧告）

第一八条 厚生労働大臣は、特定業務委託事業者が第十二条、第十四条、第十六条又は前条第三項において準用する第六条第三項の規定に違反していると認めるときは、当該特定業務委託事業者に対し、その違反を是正し、又は防止するために必要な措置をとるべきことを勧告することができる。

（命令等）

第一九条① 厚生労働大臣は、前条の規定による勧告（第十四条に係るものを除く。）を受けた者が、正当な理由がなく、当該勧告に係る措置をとらなかったときは、当該勧告を受けた者に対し、当該勧告に係る措置をとるべきことを命ずることができる。

② 厚生労働大臣は、前項の規定による命令をした場合には、その旨を公表することができる。

③ 厚生労働大臣は、前条の規定による勧告（第十四条に係るものに限る。）を受けた者が、正当な理由がなく、当該勧告に係る措置をとらなかったときは、その旨を公表することができる。

（報告及び検査）

第二〇条① 厚生労働大臣は、第十八条（第十四条に係る部分を除く。）及び前条第一項の規定の施行に必要な限度において、特定業務委託事業者、特定受託事業者その他の関係者に対し、業務委託に関し報告をさせ、又はその職員に、これらの者の事務所その他の事業場に立ち入り、帳簿書類その他の物件を検査させることができる。

② 厚生労働大臣は、第十八条（第十四条に係る部分に限る。）及び前条第三項の規定の施行に必要な限度において、特定業務委託事業者に対し、業務委託に関し報告を求めることができる。

③ 第十一条第三項及び第四項の規定は、第一項の規定による立入検査について準用する。

第四章　雑則

（特定受託事業者からの相談対応に係る体制の整備）

第二一条 国は、特定受託事業者に係る取引の適正化及び特定受託業務従事者の就業環境の整備に資するよう、特定受託事業者からの相談に応じ、適切に対応するために必要な体制の整備その他の必要な措置を講ずるものとする。

（指導及び助言）

第二二条 公正取引委員会及び中小企業庁長官並びに厚生労働大臣は、この法律の施行に関し必要があると認めるときは、業務委託事業者に対し、指導及び助言をすることができる。

（厚生労働大臣の権限の委任）

第二三条 この法律に定める厚生労働大臣の権限は、厚生労働省令で定めるところにより、その一部を都道府県労働局長に委任することができる。

第五章　罰則

第二四条 次の各号のいずれかに該当する場合には、当該違反行為をした者は、五十万円以下の罰金に処する。

一 第九条第一項又は第十九条第一項の規定による命令に違反したとき。

二 第十一条第一項若しくは第二項又は第二十条第一項の規定による報告をせず、若しくは虚偽の報告をし、又はこれらの規定による検査を拒み、妨げ、若しくは忌避したとき。

第二五条 法人の代表者又は法人若しくは人の代理人、使用人その他の従業者が、その法人又は人の業務に関し、前条の違反行為をしたときは、行為者を罰するほか、その法人又は人に対して同条の刑を科する。

第二六条 第二十条第二項の規定による報告をせず、又は虚偽の報告をした者は、二十万円以下の過料に処する。

附　則

（施行期日）

① この法律は、公布の日から起算して一年六月を超えない範囲内において政令で定める日（令和六・一一・一―令和六政一九九）から施行する。

（検討）

② 政府は、この法律の施行後三年を目途として、この法律の規定の施行の状況を勘案し、この法律の規定について検討を加え、その結果に基づいて必要な措置を講ずるものとする。

○不当景品類及び不当表示防止法（昭和三七・五・一五 法一三四）

施行 昭和三七・八・一五（附則参照）
最終改正 令和五法二九

目次

第一章 総則

（目的）

第一条 この法律は、商品及び役務の取引に関連する不当な景品類及び表示による顧客の誘引を防止するため、一般消費者による自主的かつ合理的な選択を阻害するおそれのある行為の制限及び禁止について定めることにより、一般消費者の利益を保護することを目的とする。

（定義）

第二条① この法律で「事業者」とは、商業、工業、金融業その他の事業を行う者をいい、当該事業を行う者の利益のためにする行為を行う役員、従業員、代理人その他の者は、次項及び第三十六条の規定の適用については、これを当該事業者とみなす。

② この法律で「事業者団体」とは、事業者としての共通の利益を増進することを主たる目的とする二以上の事業者の結合体又はその連合体をいい、次に掲げる形態のものを含む。ただし、二以上の事業者の結合体又はその連合体であつて、資本又は構成事業者（事業者団体の構成員である事業者をいう。第五十一条において同じ。）の出資を有し、営利を目的として商業、工業、金融業その他の事業を営むことを主たる目的とし、かつ、現にその事業を営んでいるものを含まないものとする。

一 二以上の事業者が社員（社員に準ずるものを含む。）である一般社団法人その他の社団

二 二以上の事業者が理事又は管理人の任免、業務の執行又はその存立を支配している一般財団法人その他の財団

三 二以上の事業者を組合員とする組合又は契約による二以上の事業者の結合体

③ この法律で「景品類」とは、顧客を誘引するための手段として、その方法が直接的であるか間接的であるかを問わず、くじの方法によるかどうかを問わず、事業者が自己の供給する商品又は役務の取引（不動産に関する取引を含む。以下同じ。）に付随して相手方に提供する物品、金銭その他の経済上の利益であつて、内閣総理大臣が指定するものをいう。

④ この法律で「表示」とは、顧客を誘引するための手段として、事業者が自己の供給する商品又は役務の内容又は取引条件その他これらの取引に関する事項について行う広告その他の表示であつて、内閣総理大臣が指定するものをいう。

（景品類及び表示の指定に関する公聴会等及び告示）

第三条① 内閣総理大臣は、前条第三項若しくは第四項の規定による指定をし、又はその変更若しくは廃止をしようとするときは、内閣府令で定めるところにより、公聴会を開き、関係事業者及び一般の意見を求めるとともに、消費者委員会の意見を聴かなければならない。

② 前項に規定する指定並びにその変更及び廃止は、告示によつて行うものとする。

第二章 景品類及び表示に関する規制

第一節 景品類の制限及び禁止並びに不当な表示の禁止

（景品類の制限及び禁止）

第四条 内閣総理大臣は、不当な顧客の誘引を防止し、一般消費者による自主的かつ合理的な選択を確保するため必要があると認めるときは、景品類の価額の最高額若しくは総額、種類若しくは提供の方法その他景品類の提供に関する事項を制限し、又は景品類の提供を禁止することができる。

（不当な表示の禁止）

第五条 事業者は、自己の供給する商品又は役務の取引について、次の各号のいずれかに該当する表示をしてはならない。

一 商品又は役務の品質、規格その他の内容について、一般消費者に対し、実際のものよりも著しく優良であると示し、又は事実に相違して当該事業者と同種若しくは類似の商品若しくは役務を供給している他の事業者に係るものよりも著しく優良であると示す表示であつて、不当に顧客を誘引し、一般消費者による自主的かつ合理的な選択を阻害するおそれがあると認められるもの

二 商品又は役務の価格その他の取引条件について、実際のもの又は当該事業者と同種若しくは類似の商品若しくは役務を供給している他の事業者に係るものよりも取引の相手方に著しく有利であると一般消費者に誤認される表示であつて、不当に顧客を誘引し、一般消費者による自主的かつ合理的な選択を阻害するおそれがあると認められるもの

三 前二号に掲げるもののほか、商品又は役務の取引に関する事項について一般消費者に誤認されるおそれがある表示であつて、不当に顧客を誘引し、一般消費者による自主的かつ合理的な選択を阻害するおそれがあると認めて内閣総理大臣が指定するもの

（景品類の制限及び禁止並びに不当な表示の禁止に係る指定に関する公聴会等及び告示）

第六条① 内閣総理大臣は、第四条の規定による制限若しくは禁止若しくは前条第三号の規定による指定をし、又はこれらの変更若しくは廃止をしようとするときは、内閣府令で定めるところにより、公聴会を開き、関係事業者及び一般の意見を求めるとともに、消費者委員会の意見を聴かなければならない。

② 前項に規定する制限及び禁止並びに指定並びにこれらの変更及び廃止は、告示によつて行うものとする。

第二節 措置命令

第七条① 内閣総理大臣は、第四条の規定による制限若しくは禁止又は第五条の規定に違反する行為があるときは、当該事業者に対し、その行為の差止め若しくはその行為が再び行われることを防止するために必要な事項又はこれらの実施に関連する公示その他必要な事項を命ずることができる。その命令は、当該違反行為が既になくなつている場合においても、次に掲げる者に対し、することができる。

一 当該違反行為をした事業者

二 当該違反行為をした事業者が法人である場合において、当該法人が合併により消滅したときにおける合併後存続し、又は合併により設立された法人

三 当該違反行為をした事業者が法人である場合において、当

該法人から分割により当該違反行為に係る事業の全部又は一部を承継した法人

四　当該違反行為をした事業者から当該違反行為に係る事業の全部又は一部を譲り受けた事業者

②　内閣総理大臣は、前項の規定による命令（以下「措置命令」という。）に関し、事業者がした表示が第五条第一号に該当するか否かを判断するため必要があると認めるときは、当該表示をした事業者に対し、期間を定めて、当該表示の裏付けとなる合理的な根拠を示す資料の提出を求めることができる。この場合において、当該事業者が当該資料を提出しないときは、同項の規定の適用については、当該表示は同号に該当する表示とみなす。

③　措置命令は、措置命令書の謄本を送達して行う。

第三節　課徴金

（課徴金納付命令）

第八条①　事業者が、第五条の規定に違反する行為（同条第三号に該当する表示に係るものを除く。以下「課徴金対象行為」という。）をしたときは、内閣総理大臣は、当該事業者に対し、当該課徴金対象行為に係る課徴金対象期間に取引をした当該課徴金対象行為に係る商品又は役務の政令で定める方法により算定した売上額に百分の三を乗じて得た額に相当する額の課徴金を国庫に納付することを命じなければならない。ただし、当該事業者が当該課徴金対象行為をした期間を通じて当該課徴金対象行為に係る表示が次の各号のいずれかに該当することを知らず、かつ、知らないことにつき相当の注意を怠つた者でないと認められるとき、又はその額が百五十万円未満であるときは、その納付を命ずることができない。

一　商品又は役務の品質、規格その他の内容について、実際のものよりも著しく優良であること又は事実に相違して当該事業者と同種若しくは類似の商品若しくは役務を供給している他の事業者に係るものよりも著しく優良であることを示す表示

二　商品又は役務の価格その他の取引条件について、実際のものよりも取引の相手方に著しく有利であること又は事実に相違して当該事業者と同種若しくは類似の商品若しくは役務を供給している他の事業者に係るものよりも取引の相手方に著しく有利であることを示す表示

②　前項に規定する「課徴金対象期間」とは、課徴金対象行為をした期間（課徴金対象行為をやめた後そのやめた日から六月を経過する日（同日前に、当該事業者が当該課徴金対象行為に係る表示が不当に顧客を誘引し、一般消費者による自主的かつ合理的な選択を阻害するおそれを解消するための措置として内閣府令で定める措置をとつたときは、その日）までの間に当該事業者が当該課徴金対象行為に係る商品又は役務の取引をしたときは、当該課徴金対象行為をやめてから最後に当該取引をした日までの期間を加えた期間とし、当該期間が三年を超えるときは、当該期間の末日から遡つて三年間とする。）をいう。

③　内閣総理大臣は、第一項の規定による命令（以下「課徴金納付命令」という。）に関し、事業者がした表示が第五条第一号に該当するか否かを判断するため必要があると認めるときは、当該表示をした事業者に対し、期間を定めて、当該表示の裏付けとなる合理的な根拠を示す資料の提出を求めることができる。この場合において、当該事業者が当該資料を提出しないときは、同項の規定の適用については、当該表示は同号に該当する表示と推定する。

④　第一項の規定により課徴金の納付を命ずる場合において、当該事業者が当該課徴金対象行為に係る課徴金の計算の基礎となるべき事実について第二十五条第一項の規定による報告を求められたにもかかわらずその報告をしないときは、内閣総理大臣は、当該事業者に係る課徴金対象期間のうち当該事実の報告がされず課徴金の計算の基礎となるべき事実を把握することができない期間における第一項に定める売上額を、当該事業者又は当該課徴金対象行為に係る商品若しくは役務を供給する他の事業者若しくは当該商品若しくは役務の供給を受ける他の事業者から入手した資料その他の資料を用いて、内閣府令で定める合理的な方法により推計して、課徴金の納付を命ずることができる。

⑤　事業者が、基準日から遡り十年以内に、課徴金納付命令（当該課徴金納付命令が確定している場合に限る。）を受けたことがあり、かつ、当該課徴金納付命令の日以後において課徴金対象行為をしていた者であるときにおける第一項の規定の適用については、同項中「百分の三」とあるのは、「百分の四・五」とする。

⑥　前項に規定する「基準日」とは、同項に規定する課徴金対象行為に係る事案について、次に掲げる行為が行われた日のうち最も早い日をいう。

一　報告徴収等（第二十五条第一項の規定による報告の徴収、帳簿書類その他の物件の提出の命令、立入検査又は質問をいう。第十二条第四項において同じ。）

二　第三項の規定による資料の提出の求め

三　第十五条第一項の規定による通知

（課徴金対象行為に該当する事実の報告による課徴金の額の減額）

第九条　前条第一項（同条第五項の規定により読み替えて適用する場合を含む。以下この節において同じ。）の場合において、内閣総理大臣は、当該事業者が課徴金対象行為に該当する事実を内閣府令で定めるところにより内閣総理大臣に報告したときは、同条第一項の規定により計算した課徴金の額に百分の五十を乗じて得た額を当該課徴金の額から減額するものとする。ただし、その報告が、当該課徴金対象行為についての調査があつたことにより当該課徴金対象行為について課徴金納付命令があるべきことを予知してされたものであるときは、この限りでない。

（返金措置の実施による課徴金の額の減額等）

第一〇条①　第十五条第一項の規定による通知を受けた者は、第八条第二項に規定する課徴金対象期間において当該商品又は役務の取引を行つた一般消費者であつて政令で定めるところにより特定されているものからの申出があつた場合に、当該申出をした一般消費者の取引に係る商品又は役務の政令で定める方法により算定した購入額に百分の三を乗じて得た額以上の金銭（資金決済に関する法律（平成二十一年法律第五十九号）第三条第七項に規定する第三者型発行者が発行する同条第一項第一号の前払式支払手段その他内閣府令で定めるものであつて、金銭と同様に通常使用することができるものとして内閣府令で定める基準に適合するもの（以下この項において「金銭以外の支払手段」という。）を含む。以下この条及び次条第二項において同じ。）を交付する措置（金銭以外の支払手段を交付する措置にあつては、当該金銭以外の支払手段の交付を承諾した者に対し行うものに限る。以下この条及び次条において「返金措置」という。）を実施しようとするときは、内閣府令で定めるところにより、その実施しようとする返金措置（以下この条において「実施予定返金措置」という。）に関する計画（以下この条において「実施予定返金措置計画」という。）を作成し、これを第十五条第一項に規定する弁明書の提出期限までに内閣総理大臣に提出して、その認定を受けることができる。

②　実施予定返金措置計画には、次に掲げる事項を記載しなければならない。

一　実施予定返金措置の内容及び実施期間

二　実施予定返金措置の対象となる者が当該実施予定返金措置の内容を把握するための周知の方法に関する事項

三　実施予定返金措置の実施に必要な資金の額及びその調達方法

③　実施予定返金措置計画には、第一項の認定の申請前に既に実施した返金措置の対象となつた者の氏名又は名称、その者に対して交付した金銭の額及びその計算方法その他の当該申請前に

実施した返金措置に関する事項として内閣府令で定めるものを記載することができる。

④　第一項の認定の申請をした者は、当該申請後これに対する処分を受けるまでの間に返金措置を実施したときは、遅滞なく、内閣府令で定めるところにより、当該返金措置の対象となつた者の氏名又は名称、その者に対して交付した金銭の額及びその計算方法その他の当該返金措置に関する事項として内閣府令で定めるものについて、内閣総理大臣に報告しなければならない。

⑤　内閣総理大臣は、第一項の認定の申請があつた場合において、その実施予定返金措置計画が次の各号のいずれにも適合すると認める場合でなければ、その認定をしてはならない。

一　当該実施予定返金措置計画に係る実施予定返金措置が円滑かつ確実に実施されると見込まれるものであること。

二　当該実施予定返金措置計画に係る実施予定返金措置の対象となる者（当該実施予定返金措置計画に第三項に規定する事項が記載されている場合又は前項の規定による報告がされている場合にあつては、当該記載又は報告に係る返金措置が実施された者を含む。）のうち特定の者について不当に差別的でないものであること。

三　当該実施予定返金措置計画に記載されている第二項第一号に規定する実施期間が、当該課徴金対象行為による一般消費者の被害の回復を促進するため相当と認められる期間として内閣府令で定める期間内に終了するものであること。

⑥　第一項の認定を受けた者（以下この条及び次条において「認定事業者」という。）は、当該認定に係る実施予定返金措置計画を変更しようとするときは、内閣府令で定めるところにより、内閣総理大臣の認定を受けなければならない。

⑦　第五項の規定は、前項の認定について準用する。

⑧　内閣総理大臣は、認定事業者による返金措置が第一項の認定を受けた実施予定返金措置計画（第六項の規定による変更の認定があつたときは、その変更後のもの。次条第一項及び第二項において「認定実施予定返金措置計画」という。）に適合して実施されていないと認めるときは、第一項の認定（第六項の規定による変更の認定を含む。次項及び第十項ただし書において単に「認定」という。）を取り消さなければならない。

⑨　内閣総理大臣は、認定をしたとき又は前項の規定により認定を取り消したときは、速やかに、これらの処分の対象者に対し、文書をもつてその旨を通知するものとする。

⑩　内閣総理大臣は、第一項の認定をしたときは、第八条第一項の規定にかかわらず、次条第一項に規定する報告の期限までの間は、認定事業者に対し、課徴金の納付を命ずることができない。ただし、第八項の規定により認定を取り消した場合には、この限りでない。

第一一条①　認定事業者（前条第八項の規定により同条第一項の認定（同条第六項の規定による変更の認定を含む。）を取り消されたものを除く。第三項において同じ。）は、同条第一項の認定後に実施された認定実施予定返金措置計画に係る返金措置の結果について、当該認定実施予定返金措置計画に記載されている同条第二項第一号に規定する実施期間の経過後一週間以内に、内閣府令で定めるところにより、内閣総理大臣に報告しなければならない。

②　内閣総理大臣は、第八条第一項の場合において、前項の規定による報告に基づき、前条第一項の認定後に実施された返金措置が認定実施予定返金措置計画に適合して実施されたと認めるときは、当該返金措置（当該認定実施予定返金措置計画に同条第三項に規定する事項が記載されている場合又は同条第四項の規定による報告がされている場合にあつては、当該記載又は報告に係る返金措置を含む。）において交付された金銭の額として内閣府令で定めるところにより計算した額を第八条第一項若しくは第四項又は第九条の規定により計算した課徴金の額から減額するものとする。この場合において、当該内閣府令で定めるところにより計算した額を当該課徴金の額から減額した額が零を下回るときは、当該額は、零とする。

③　内閣総理大臣は、前項の規定により計算した課徴金の額が一万円未満となつたときは、第八条第一項の規定にかかわらず、認定事業者に対し、課徴金の納付を命じないものとする。この場合において、内閣総理大臣は、速やかに、当該認定事業者に対し、文書をもつてその旨を通知するものとする。

（課徴金の納付義務等）

第一二条①　課徴金納付命令を受けた者は、第八条第一項若しくは第四項、第九条又は前条第二項の規定により計算した課徴金を納付しなければならない。

②　第八条第一項若しくは第四項、第九条又は前条第二項の規定により計算した課徴金の額に一万円未満の端数があるときは、その端数は、切り捨てる。

③　課徴金対象行為をした事業者が法人である場合において、当該法人が合併により消滅したときは、当該法人がした課徴金対象行為は、合併後存続し、又は合併により設立された法人がした課徴金対象行為とみなして、第八条から前条まで並びに前二項及び次項の規定を適用する。

④　課徴金対象行為をした事業者が法人である場合において、当該法人が当該課徴金対象行為に係る事案について報告徴収等が最初に行われた日（当該報告徴収等が行われなかつたときは、当該法人が当該課徴金対象行為について第十五条第一項の規定による通知を受けた日。以下この項において「調査開始日」という。）以後においてその一若しくは二以上の子会社等（事業者の子会社若しくは親会社（会社を子会社とする他の会社をいう。以下この項において同じ。）又は当該事業者と親会社が同一である他の会社をいう。以下この項において同じ。）に対して当該課徴金対象行為に係る事業の全部を譲渡し、又は当該法人（会社に限る。）が当該課徴金対象行為に係る事案についての調査開始日以後においてその一若しくは二以上の子会社等に対して分割により当該課徴金対象行為に係る事業の全部を承継させ、かつ、合併以外の事由により消滅したときは、当該法人がした課徴金対象行為は、当該事業の全部若しくは一部を譲り受け、又は分割により当該事業の全部若しくは一部を承継した子会社等（以下この項において「特定事業承継子会社等」という。）がした課徴金対象行為とみなして、第八条から前条まで及び前三項の規定を適用する。この場合において、当該特定事業承継子会社等が二以上あるときは、第八条第一項中「当該事業者に対し」とあるのは「特定事業承継子会社等（第十二条第四項に規定する特定事業承継子会社等をいう。以下この項において同じ。）に対し、この項の規定による命令を受けた他の特定事業承継子会社等と連帯して」と、第一項中「受けた者は、第八条第一項」とあるのは「受けた特定事業承継子会社等（第四項に規定する特定事業承継子会社等をいう。以下この項において同じ。）は、第八条第一項の規定による命令を受けた他の特定事業承継子会社等と連帯して、同項」とする。

⑤　前項に規定する「子会社」とは、会社がその総株主（総社員を含む。以下この項において同じ。）の議決権（株主総会において決議をすることができる事項の全部につき議決権を行使することができない株式についての議決権を除き、会社法（平成十七年法律第八十六号）第八百七十九条第三項の規定により議決権を有するものとみなされる株式についての議決権を含む。以下この項において同じ。）の過半数を有する他の会社をいう。この場合において、会社及びその一若しくは二以上の子会社又は会社の一若しくは二以上の子会社がその総株主の議決権の過半数を有する他の会社は、当該会社の子会社とみなす。

⑥　第三項及び第四項の場合において、第八条第二項から第六項まで及び第九条から前条までの規定の適用に関し必要な事項は、政令で定める。

⑦　課徴金対象行為をやめた日から五年を経過したときは、内閣総理大臣は、当該課徴金対象行為に係る課徴金の納付を命ずることができない。

（課徴金納付命令に対する弁明の機会の付与）

第一三条 内閣総理大臣は、課徴金納付命令をしようとするときは、当該課徴金納付命令の名宛人となるべき者に対し、弁明の機会を与えなければならない。

（**弁明の機会の付与の方式**）

第一四条① 弁明は、内閣総理大臣が口頭ですることを認めたときを除き、弁明を記載した書面（次条第一項において「弁明書」という。）を提出してするものとする。

② 弁明をするときは、証拠書類又は証拠物を提出することができる。

（**弁明の機会の付与の通知の方式**）

第一五条① 内閣総理大臣は、弁明書の提出期限（口頭による弁明の機会の付与を行う場合には、その日時）までに相当な期間をおいて、課徴金納付命令の名宛人となるべき者に対し、次に掲げる事項を書面により通知しなければならない。

一 納付を命じようとする課徴金の額

二 課徴金の計算の基礎及び当該課徴金に係る課徴金対象行為

三 弁明書の提出先及び提出期限（口頭による弁明の機会の付与を行う場合には、その旨並びに出頭すべき日時及び場所）

② 内閣総理大臣は、課徴金納付命令の名宛人となるべき者の所在が判明しない場合においては、前項の規定による通知を、その者の氏名（法人にあつては、その名称及び代表者の氏名）、同項第三号に掲げる事項及び内閣総理大臣が同項各号に掲げる事項を記載した書面をいつでもその者に交付する旨（以下この項において「公示事項」という。）を内閣府令で定める方法により不特定多数の者が閲覧することができる状態に置くとともに、公示事項が記載された書面を消費者庁の掲示場に掲示し、又は公示事項を消費者庁の事務所に設置した電子計算機の映像面に表示したものを閲覧することができる状態に置く措置をとることによつて行うことができる。この場合においては、当該措置をとつた日から二週間を経過したときに、当該通知がその者に到達したものとみなす。

＊令和五法二九（令和八・五・一六までに施行）**による改正前**

② 内閣総理大臣は、課徴金納付命令の名宛人となるべき者の所在が判明しない場合においては、前項の規定による通知を、その者の氏名（法人にあつては、その名称及び代表者の氏名）、同項第三号に掲げる事項及び内閣総理大臣が同項各号に掲げる事項を記載した書面をいつでもその者に交付する旨を消費者庁の事務所の掲示場に掲示することによつて行うことができる。この場合においては、掲示を始めた日から二週間を経過したときに、当該通知がその者に到達したものとみなす。

（**代理人**）

第一六条① 前条第一項の規定による通知を受けた者（同条第二項後段の規定により当該通知が到達したものとみなされる者を含む。次項及び第四項において「当事者」という。）は、代理人を選任することができる。

② 代理人は、各自、当事者のために、弁明に関する一切の行為をすることができる。

③ 代理人の資格は、書面で証明しなければならない。

④ 代理人がその資格を失つたときは、当該代理人を選任した当事者は、書面でその旨を内閣総理大臣に届け出なければならない。

（**課徴金納付命令の方式等**）

第一七条① 課徴金納付命令は、文書によつて行い、課徴金納付命令書には、納付すべき課徴金の額、課徴金の計算の基礎及び当該課徴金に係る課徴金対象行為並びに納期限を記載しなければならない。

② 課徴金納付命令は、その名宛人に課徴金納付命令書の謄本を送達することによつて、その効力を生ずる。

③ 第一項の課徴金の納期限は、課徴金納付命令書の謄本を発する日から七月を経過した日とする。

（**納付の督促**）

第一八条① 内閣総理大臣は、課徴金をその納期限までに納付しない者があるときは、督促状により期限を指定してその納付を督促しなければならない。

② 内閣総理大臣は、前項の規定による督促をしたときは、その督促に係る課徴金の額につき年十四・五パーセントの割合で、納期限の翌日からその納付の日までの日数により計算した延滞金を徴収することができる。ただし、延滞金の額が千円未満であるときは、この限りでない。

③ 前項の規定により計算した延滞金の額に百円未満の端数があるときは、その端数は、切り捨てる。

（**課徴金納付命令の執行**）

第一九条① 前条第一項の規定により督促を受けた者がその指定する期限までにその納付すべき金額を納付しないときは、内閣総理大臣の命令で、課徴金納付命令を執行する。この命令は、執行力のある債務名義と同一の効力を有する。

② 課徴金納付命令の執行は、民事執行法（昭和五十四年法律第四号）その他強制執行の手続に関する法令の規定に従つてする。

③ 内閣総理大臣は、課徴金納付命令の執行に関して必要があると認めるときは、公務所又は公私の団体に照会して必要な事項の報告を求めることができる。

（**課徴金等の請求権**）

第二〇条 破産法（平成十六年法律第七十五号）、民事再生法（平成十一年法律第二百二十五号）、会社更生法（平成十四年法律第百五十四号）及び金融機関等の更生手続の特例等に関する法律（平成八年法律第九十五号）の規定の適用については、課徴金納付命令に係る課徴金の請求権及び第十八条第二項の規定による延滞金の請求権は、過料の請求権とみなす。

（**行政手続法の適用除外**）

第二一条 内閣総理大臣がする課徴金納付命令その他のこの節の規定による処分については、行政手続法（平成五年法律第八十八号）第三章の規定は、適用しない。ただし、第十条第八項の規定に係る同法第十二条及び第十四条の規定の適用については、この限りでない。

第四節 景品類の提供及び表示の管理上の措置

（**事業者が講ずべき景品類の提供及び表示の管理上の措置**）

第二二条① 事業者は、自己の供給する商品又は役務の取引について、景品類の提供又は表示により不当に顧客を誘引し、一般消費者による自主的かつ合理的な選択を阻害することのないよう、景品類の価額の最高額、総額その他の景品類の提供に関する事項及び商品又は役務の品質、規格その他の内容に係る表示に関する事項を適正に管理するために必要な体制の整備その他の必要な措置を講じなければならない。

② 内閣総理大臣は、前項の規定に基づき事業者が講ずべき措置に関して、その適切かつ有効な実施を図るために必要な指針（以下この条において単に「指針」という。）を定めるものとする。

③ 内閣総理大臣は、指針を定めようとするときは、あらかじめ、事業者の事業を所管する大臣及び公正取引委員会に協議するとともに、消費者委員会の意見を聴かなければならない。

④ 内閣総理大臣は、指針を定めたときは、遅滞なく、これを公表するものとする。

⑤ 前二項の規定は、指針の変更について準用する。

（**指導及び助言**）

第二三条 内閣総理大臣は、前条第一項の規定に基づき事業者が講ずべき措置に関して、その適切かつ有効な実施を図るため必要があると認めるときは、当該事業者に対し、その措置について必要な指導及び助言をすることができる。

（**勧告及び公表**）

第二四条① 内閣総理大臣は、事業者が正当な理由がなくて第二十二条第一項の規定に基づき事業者が講ずべき措置を講じていないと認めるときは、当該事業者に対し、景品類の提供又は表示の管理上必要な措置を講ずべき旨の勧告をすることができる。

② 内閣総理大臣は、前項の規定による勧告を行つた場合において当該事業者がその勧告に従わないときは、その旨を公表することができる。

第五節　報告の徴収及び立入検査等

第二五条① 内閣総理大臣は、この法律を施行するため必要があると認めるときは、当該事業者若しくはその者とその事業に関して関係のある事業者に対し、その業務若しくは財産に関して報告をさせ、若しくは帳簿書類その他の物件の提出を命じ、又はその職員に、当該事業者若しくはその者とその事業に関して関係のある事業者の事務所、事業所その他その事業を行う場所に立ち入り、帳簿書類その他の物件を検査させ、若しくは関係者に質問させることができる。

② 前項の規定により立入検査をする職員は、その身分を示す証明書を携帯し、関係者に提示しなければならない。

③ 第一項の規定による権限は、犯罪捜査のために認められたものと解釈してはならない。

第六節　是正措置計画の認定等

（継続中の違反被疑行為に係る通知）

第二六条 内閣総理大臣は、第四条の規定による制限若しくは禁止又は第五条の規定に違反する行為があると疑うに足りる事実がある場合において、その疑いの理由となつた行為について、一般消費者による自主的かつ合理的な商品及び役務の選択を確保する上で必要があると認めるときは、当該疑いの理由となつた行為をしている者に対し、次に掲げる事項を書面により通知することができる。ただし、措置命令に係る行政手続法第三十条の規定による通知又は第十五条第一項の規定による通知をした後は、この限りでない。

一 当該疑いの理由となつた行為の概要

二 違反する疑いのある法令の条項

三 次条第一項の規定による認定の申請をすることができる旨

（是正措置計画に係る認定の申請等）

第二七条① 前条の規定による通知を受けた者は、疑いの理由となつた行為及びその影響を是正するために必要な措置を自ら策定し、実施しようとするときは、内閣府令で定めるところにより、その実施しようとする措置（以下この条及び第二十九条第一項第一号において「是正措置」という。）に関する計画（以下この条及び同号において「是正措置計画」という。）を作成し、これを当該通知を受けた日から六十日以内に内閣総理大臣に提出して、その認定を申請することができる。

② 是正措置計画には、次に掲げる事項を記載しなければならない。

一 是正措置の内容

二 是正措置の実施期限

三 その他内閣府令で定める事項

③ 内閣総理大臣は、第一項の規定による認定の申請があつた場合において、その是正措置計画が次の各号のいずれにも適合すると認めるときは、その認定をするものとする。

一 是正措置が疑いの理由となつた行為及びその影響を是正するために十分なものであること。

二 是正措置が確実に実施されると見込まれるものであること。

④ 前項の認定は、文書によつて行わなければならない。

⑤ 第三項の認定は、その名宛人に認定書の謄本を送達することによつて、その効力を生ずる。

⑥ 内閣総理大臣は、第一項の規定による認定の申請があつた場合において、その是正措置計画が第三項各号のいずれかに適合しないと認めるときは、これを却下しなければならない。

⑦ 第四項及び第五項の規定は、前項の規定による処分について準用する。この場合において、第五項中「認定書」とあるのは、「不認定書」と読み替えるものとする。

⑧ 第三項の認定を受けた者は、当該認定に係る是正措置計画を変更しようとするときは、内閣府令で定めるところにより、内閣総理大臣の認定を受けなければならない。

⑨ 第三項から第七項までの規定は、前項の変更の認定について準用する。

（是正措置計画に係る認定の効果）

第二八条 第七条第一項及び第八条第一項の規定は、内閣総理大臣が前条第三項の認定（同条第八項の変更の認定を含む。次条において同じ。）をした場合における当該認定に係る疑いの理由となつた行為については、適用しない。ただし、次条第一項の規定による当該認定の取消しがあつた場合は、この限りでない。

（是正措置計画に係る認定の取消し等）

第二九条① 内閣総理大臣は、次の各号のいずれかに該当するときは、第二十七条第三項の認定を取り消さなければならない。

一 第二十七条第三項の認定を受けた是正措置計画に従つて是正措置が実施されていないと認めるとき。

二 第二十七条第三項の認定を受けた者が虚偽又は不正の事実に基づいて当該認定を受けたことが判明したとき。

② 第二十七条第四項及び第五項の規定は、前項の規定による同条第三項の認定の取消しについて準用する。この場合において、同条第五項中「認定書」とあるのは、「取消書」と読み替えるものとする。

③ 第一項の規定による第二十七条第三項の認定の取消しがあつた場合において、当該取消しが第十二条第七項に規定する期間の満了する日の二年前の日以後にあつたときは、当該認定に係る疑いの理由となつた行為に対する課徴金納付命令は、同項の規定にかかわらず、当該取消しの日から二年間においても、することができる。

（既往の違反被疑行為に係る通知）

第三〇条 内閣総理大臣は、第四条の規定による制限若しくは禁止又は第五条の規定に違反する行為があると疑うに足りる事実が既になくなつている場合においても、その疑いの理由となつた行為について、一般消費者による自主的かつ合理的な商品及び役務の選択を確保する上で必要があると認めるときは、第一号に掲げる者に対し、第二号に掲げる事項を書面により通知することができる。ただし、措置命令に係る行政手続法第三十条の規定による通知又は第十五条第一項の規定による通知をした後は、この限りでない。

一 次に掲げる者

イ 当該疑いの理由となつた行為をした者

ロ 当該疑いの理由となつた行為をした者が法人である場合において、当該法人が合併により消滅したときにおける合併後存続し、又は合併により設立された法人

ハ 当該疑いの理由となつた行為をした者が法人である場合において、当該法人から分割により当該疑いの理由となつた行為に係る事業の全部又は一部を承継した法人

ニ 当該疑いの理由となつた行為をした者から当該疑いの理由となつた行為に係る事業の全部又は一部を譲り受けた者

二 次に掲げる事項

イ 当該疑いの理由となつた行為の概要

ロ 違反する疑いのあつた法令の条項

ハ 次条第一項の規定による認定の申請をすることができる旨

（影響是正措置計画に係る認定の申請等）

第三一条① 前条の規定による通知を受けた者は、疑いの理由となつた行為による影響を是正するために必要な措置を自ら策定し、実施しようとするときは、内閣府令で定めるところにより、その実施しようとする措置（以下この条及び第三十三条第一項第一号において「影響是正措置」という。）に関する計画（以下この条及び同号において「影響是正措置計画」という。）を作成し、これを当該通知を受けた日から六十日以内に内閣総理大臣に提出して、その認定を申請することができる。

②影響是正措置計画には、次に掲げる事項を記載しなければならない。
一　影響是正措置の内容
二　影響是正措置の実施期限
三　その他内閣府令で定める事項
③内閣総理大臣は、第一項の規定による認定の申請があつた場合において、その影響是正措置計画が次の各号のいずれにも適合すると認めるときは、その認定をするものとする。
一　影響是正措置が疑いの理由となつた行為による影響を是正するために十分なものであること。
二　影響是正措置が確実に実施されると見込まれるものであること。
④第二十七条第四項及び第五項の規定は、前項の認定について準用する。
⑤内閣総理大臣は、第一項の規定による認定の申請があつた場合において、その影響是正措置計画が第三項各号のいずれかに適合しないと認めるときは、これを却下しなければならない。
⑥第二十七条第四項及び第五項の規定は、前項の規定による処分について準用する。この場合において、同条第五項中「認定書」とあるのは、「不認定書」と読み替えるものとする。
⑦第三項の認定を受けた者は、当該認定に係る影響是正措置計画を変更しようとするときは、内閣府令で定めるところにより、内閣総理大臣の認定を受けなければならない。
⑧第三項から第六項までの規定は、前項の変更の認定について準用する。

（影響是正措置計画に係る認定の効果）

第三二条　第七条第一項及び第八条第一項の規定は、内閣総理大臣が前条第三項の認定（同条第七項の変更の認定を含む。次条において同じ。）をした場合における当該認定に係る疑いの理由となつた行為については、適用しない。ただし、次条第一項の規定による当該認定の取消しがあつた場合は、この限りでない。

（影響是正措置計画に係る認定の取消し等）

第三三条①内閣総理大臣は、次の各号のいずれかに該当するときは、第三十一条第三項の認定を取り消さなければならない。
一　第三十一条第三項の認定を受けた影響是正措置計画に従つて影響是正措置が実施されていないと認めるとき。
二　第三十一条第三項の認定を受けた者が虚偽又は不正の事実に基づいて当該認定を受けたことが判明したとき。
②第二十七条第四項及び第五項の規定は、前項の規定による第三十一条第三項の認定の取消しについて準用する。この場合において、第二十七条第五項中「認定書」とあるのは、「取消書」と読み替えるものとする。
③第一項の規定による第三十一条第三項の認定の取消しがあつた場合において、当該取消しが第十二条第七項に規定する期間の満了する日の二年前の日以後にあつたときは、当該認定に係る疑いの理由となつた行為に対する課徴金納付命令は、同項の規定にかかわらず、当該取消しの日から二年間においても、することができる。

第三章　適格消費者団体の差止請求等

（差止請求権等）

第三四条①消費者契約法（平成十二年法律第六十一号）第二条第四項に規定する適格消費者団体（以下「適格消費者団体」という。）は、事業者が、不特定かつ多数の一般消費者に対して次の各号に掲げる行為を現に行い又は行うおそれがあるときは、当該事業者に対し、当該行為の停止若しくは予防又は当該行為が当該各号に規定する表示をしたものである旨の周知その他の当該行為の停止若しくは予防に必要な措置をとることを請求することができる。
一　商品又は役務の品質、規格その他の内容について、実際のもの又は当該事業者と同種若しくは類似の商品若しくは役務を供給している他の事業者に係るものよりも著しく優良であると誤認される表示をすること。
二　商品又は役務の価格その他の取引条件について、実際のもの又は当該事業者と同種若しくは類似の商品若しくは役務を供給している他の事業者に係るものよりも取引の相手方に著しく有利であると誤認される表示をすること。
②消費者安全法（平成二十一年法律第五十号）第十一条の七第一項に規定する消費生活協力団体及び消費生活協力員は、事業者が不特定かつ多数の一般消費者に対して前項各号に掲げる行為を現に行い又は行うおそれがある旨の情報を得たときは、適格消費者団体が同項の規定による請求をする権利を適切に行使するために必要な限度において、当該適格消費者団体に対し、当該情報を提供することができる。
③前項の規定により情報の提供を受けた適格消費者団体は、当該情報を第一項の規定による請求をする権利の適切な行使の用に供する目的以外の目的のために利用し、又は提供してはならない。

（資料開示要請等）

第三五条①適格消費者団体は、事業者が現にする表示が前条第一項第一号に規定する表示に該当すると疑うに足りる相当な理由があるときは、内閣府令で定めるところにより、当該事業者に対し、その理由を示して、当該事業者のする表示の裏付けとなる合理的な根拠を示す資料を開示するよう要請することができる。
②事業者は、前項の資料に営業秘密（不正競争防止法（平成五年法律第四十七号）第二条第六項に規定する営業秘密をいう。）が含まれる場合その他の正当な理由がある場合を除き、前項の規定による要請に応じるよう努めなければならない。

第四章　協定又は規約

（協定又は規約）

第三六条①事業者又は事業者団体は、内閣府令で定めるところにより、景品類又は表示に関する事項について、内閣総理大臣及び公正取引委員会の認定を受けて、不当な顧客の誘引を防止し、一般消費者による自主的かつ合理的な選択及び事業者間の公正な競争を確保するための協定又は規約を締結し、又は設定することができる。これを変更しようとするときも、同様とする。
②内閣総理大臣及び公正取引委員会は、前項の協定又は規約が次の各号のいずれにも適合すると認める場合でなければ、同項の認定をしてはならない。
一　不当な顧客の誘引を防止し、一般消費者による自主的かつ合理的な選択及び事業者間の公正な競争を確保するために適切なものであること。
二　一般消費者及び関連事業者の利益を不当に害するおそれがないこと。
三　不当に差別的でないこと。
四　当該協定若しくは規約に参加し、又は当該協定若しくは規約から脱退することを不当に制限しないこと。
③内閣総理大臣及び公正取引委員会は、第一項の認定を受けた協定又は規約が前項各号のいずれかに適合するものでなくなつたと認めるときは、当該認定を取り消さなければならない。
④内閣総理大臣及び公正取引委員会は、第一項又は前項の規定による処分をしたときは、内閣府令で定めるところにより、告示しなければならない。
⑤私的独占の禁止及び公正取引の確保に関する法律（昭和二十二年法律第五十四号）第七条第一項及び第二項（同法第八条の二第二項及び第二十条第二項において準用する場合を含む。）、第八条の二第一項及び第三項、第二十条第一項、第七十条の四第一項並びに第七十四条の規定は、第一項の認定を受けた協定又は規約及びこれらに基づいてする事業者又は事業者団体の行為には、適用しない。

（協議）

第三七条　内閣総理大臣は、前条第一項及び第四項に規定する内閣府令を定めようとするときは、あらかじめ、公正取引委員会に協議しなければならない。

第五章　雑則

（権限の委任等）

第三八条① 内閣総理大臣は、この法律による権限（政令で定めるものを除く。）を消費者庁長官に委任する。

② 消費者庁長官は、政令で定めるところにより、前項の規定により委任された権限の一部を公正取引委員会に委任することができる。

③ 消費者庁長官は、緊急かつ重点的に不当な景品類及び表示に対処する必要があることその他の政令で定める事情があるため、事業者に対し、措置命令、課徴金納付命令又は第二十四条第一項の規定による勧告を効果的に行う上で必要があると認めるときは、政令で定めるところにより、第一項の規定により委任された権限（第二十五条第一項の規定による権限に限る。）を当該事業者の事業を所管する大臣又は金融庁長官に委任することができる。

④ 公正取引委員会、事業者の事業を所管する大臣又は金融庁長官は、前二項の規定により委任された権限を行使したときは、政令で定めるところにより、その結果について消費者庁長官に報告するものとする。

⑤ 事業者の事業を所管する大臣は、政令で定めるところにより、第三項の規定により委任された権限及び前項の規定による権限について、その全部又は一部を地方支分部局の長に委任することができる。

⑥ 金融庁長官は、政令で定めるところにより、第三項の規定により委任された権限及び第四項の規定による権限（次項において「金融庁長官権限」と総称する。）について、その一部を証券取引等監視委員会に委任することができる。

⑦ 金融庁長官は、政令で定めるところにより、金融庁長官権限（前項の規定により証券取引等監視委員会に委任されたものを除く。）の一部を財務局長又は財務支局長に委任することができる。

⑧ 証券取引等監視委員会は、政令で定めるところにより、第六項の規定により委任された権限の一部を財務局長又は財務支局長に委任することができる。

⑨ 前項の規定により財務局長又は財務支局長に委任された権限に係る事務に関しては、証券取引等監視委員会が財務局長又は財務支局長を指揮監督する。

⑩ 第六項の場合において、証券取引等監視委員会が行う報告又は物件の提出の命令（第八項の規定により財務局長又は財務支局長が行う場合を含む。）についての審査請求は、証券取引等監視委員会に対してのみ行うことができる。

⑪ 第一項の規定により消費者庁長官に委任された権限に属する事務の一部は、政令で定めるところにより、都道府県知事が行うこととすることができる。

（内閣府令への委任等）

第三九条① この法律に定めるもののほか、この法律を実施するため必要な事項は、内閣府令で定める。

② 第三十七条の規定は、内閣総理大臣が前項に規定する内閣府令（第三十六条第一項の協定又は規約について定めるものに限る。）を定めようとする場合について準用する。

（関係者相互の連携）

第四〇条 内閣総理大臣、関係行政機関の長（当該行政機関が合議制の機関である場合にあっては、当該行政機関）、関係地方公共団体の長、独立行政法人国民生活センターの長その他の関係者は、不当な景品類及び表示による顧客の誘引を防止して一般消費者の利益を保護するため、必要な情報交換を行うことその他相互の密接な連携の確保に努めるものとする。

（外国執行当局への情報提供）

第四一条① 内閣総理大臣は、この法律に相当する外国の法令を執行する外国の当局（次項及び第三項において「外国執行当局」という。）に対し、その職務（この法律に規定する職務に相当するものに限る。次項において同じ。）の遂行に資すると認める情報の提供を行うことができる。

② 前項の規定による情報の提供については、当該情報が当該外国執行当局の職務の遂行以外に使用されず、かつ、次項の同意がなければ外国の刑事事件の捜査（その対象たる犯罪事実が特定された後のものに限る。）又は審判（同項において「捜査等」という。）に使用されないよう適切な措置がとられなければならない。

③ 内閣総理大臣は、外国執行当局からの要請があったときは、次の各号のいずれかに該当する場合を除き、第一項の規定により提供した情報を当該要請に係る外国（第三号において「要請国」という。）の刑事事件の捜査等に使用することについて同意をすることができる。

一　当該要請に係る刑事事件の捜査等の対象とされている犯罪が政治犯罪であるとき、又は当該要請が政治犯罪について捜査等を行う目的で行われたものと認められるとき。

二　当該要請に係る刑事事件の捜査等の対象とされている犯罪に係る行為が日本国内において行われたとした場合において、その行為が日本国の法令によれば罪に当たるものでないとき。

三　日本国が行う同種の要請に応ずる旨の要請国の保証がないとき。

④ 内閣総理大臣は、前項の同意をする場合においては、あらかじめ、同項第一号及び第二号に該当しないことについて法務大臣の確認を、同項第三号に該当しないことについて外務大臣の確認を、それぞれ受けなければならない。

（送達書類）

第四二条 送達すべき書類は、この法律に規定するもののほか、内閣府令で定める。

（送達に関する民事訴訟法の準用）

第四三条 書類の送達については、民事訴訟法（平成八年法律第百九号）第百条第一項、第百一条、第百二条の二、第百三条、第百五条、第百六条、第百七条第一項（第一号に係る部分に限る。次条第一項第二号において同じ。）及び第三項並びに第百八条の規定を準用する。この場合において、同法第百条第一項中「裁判所」とあり、及び同法第百八条中「裁判長」とあるのは「内閣総理大臣」と、同法第百一条第一項中「執行官」とあり、及び同法第百七条第一項中「裁判所書記官」とあるのは「消費者庁の職員」と、同項中「最高裁判所規則」とあるのは「内閣府令」と読み替えるものとする。

＊令和四法四八（令和八・五・二四までに施行）による改正前

（送達に関する民事訴訟法の準用）

第四三条 書類の送達については、民事訴訟法（平成八年法律第百九号）第九十九条、第百一条、第百三条、第百五条、第百六条、第百七条第一項（第一号に係る部分に限る。次条第一項第二号において同じ。）及び第三項、第百八条並びに第百九条の規定を準用する。この場合において、同法第九十九条第一項中「執行官」とあり、及び同法第百七条第一項中「裁判所書記官」とあるのは「消費者庁の職員」と、同項中「最高裁判所規則」とあるのは「内閣府令」と、同法第百八条中「裁判長」とあり、及び同法第百九条中「裁判所」とあるのは「内閣総理大臣」と読み替えるものとする。

（公示送達）

第四四条① 内閣総理大臣は、次に掲げる場合には、公示送達をすることができる。

一　送達を受けるべき者の住所、居所その他送達をすべき場所が知れない場合

二　前条において読み替えて準用する民事訴訟法第百七条第一項の規定により送達をすることができない場合

三　外国においてすべき送達について、前条において読み替えて準用する民事訴訟法第百八条の規定によることができず、

又はこれによつても送達をすることができないと認めるべき場合

四　前条において読み替えて準用する民事訴訟法第百八条の規定により外国の管轄官庁に嘱託を発した後六月を経過してもその送達を証する書面の送付がない場合

②　公示送達は、送達すべき書類を送達を受けるべき者にいつでも交付すべき旨を内閣府令で定める方法により不特定多数の者が閲覧することができる状態に置くとともに、その旨が記載された書面を消費者庁の掲示場に掲示し、又はその旨を消費者庁の事務所に設置した電子計算機の映像面に表示したものを閲覧することができる状態に置く措置をとることにより行う。

③　公示送達は、前項の規定による措置をとつた日から二週間を経過することによつて、その効力を生ずる。

④　外国においてすべき送達についてした公示送達にあつては、前項の期間は、六週間とする。

（電子情報処理組織の使用）

第四五条　消費者庁の職員が、情報通信技術を活用した行政の推進等に関する法律（平成十四年法律第百五十一号）第三条第九号に規定する処分通知等であつてこの法律又は内閣府令の規定により書類を送達して行うこととしているものに関する事務を、情報通信技術を活用した行政の推進等に関する法律第七条第一項の規定により同法第六条第一項に規定する電子情報処理組織を使用して行つたときは、第四十三条において読み替えて準用する民事訴訟法第百条第一項の規定による送達に関する事項を記載した書面の作成及び提出に代えて、当該事項を当該電子情報処理組織を使用して消費者庁の使用に係る電子計算機（入出力装置を含む。）に備えられたファイルに記録しなければならない。

＊**令和四法四八**（令和八・五・二四までに施行）**による改正**
第四五条中「第百九条」は「第百条第一項」に改められた。
（本文織込み済み）

第六章　罰則

第四六条①　措置命令に違反したときは、当該違反行為をした者は、二年以下の拘禁刑又は三百万円以下の罰金に処する。

②　前項の罪を犯した者には、情状により、拘禁刑及び罰金を併科することができる。

第四七条　第二十五条第一項の規定による報告若しくは物件の提出をせず、若しくは虚偽の報告若しくは虚偽の物件の提出をし、又は同項の規定による検査を拒み、妨げ、若しくは忌避し、若しくは同項の規定による質問に対して答弁をせず、若しくは虚偽の答弁をしたときは、当該違反行為をした者は、一年以下の拘禁刑又は三百万円以下の罰金に処する。

第四八条　次の各号のいずれかに該当する場合には、当該違反行為をした者は、百万円以下の罰金に処する。

一　自己の供給する商品又は役務の取引における当該商品又は役務の品質、規格その他の内容について、実際のもの又は当該事業者と同種若しくは類似の商品若しくは役務を供給している他の事業者に係るものよりも著しく優良であると一般消費者を誤認させるような表示をしたとき。

二　自己の供給する商品又は役務の取引における当該商品又は役務の価格その他の取引条件について、実際のもの又は当該事業者と同種若しくは類似の商品若しくは役務を供給している他の事業者に係るものよりも取引の相手方に著しく有利であると一般消費者を誤認させるような表示をしたとき。

第四九条①　法人の代表者又は法人若しくは人の代理人、使用人その他の従業者が、その法人又は人の業務又は財産に関して、次の各号に掲げる規定の違反行為をしたときは、行為者を罰するほか、その法人又は人に対しても、当該各号に定める罰金刑を科する。

一　第四十六条第一項　三億円以下の罰金刑

二　前二条　各本条の罰金刑

②　法人でない団体の代表者、管理人、代理人、使用人その他の従業者がその団体の業務又は財産に関して、前項各号に掲げる規定の違反行為をしたときは、行為者を罰するほか、その団体に対しても、当該各号に定める罰金刑を科する。

③　前項の場合においては、代表者又は管理人が、その訴訟行為につきその団体を代表するほか、法人を被告人又は被疑者とする場合の訴訟行為に関する刑事訴訟法（昭和二十三年法律第百三十一号）の規定を準用する。

第五〇条　第四十六条第一項の違反があつた場合においては、その違反の計画を知り、その防止に必要な措置を講ぜず、又はその違反行為を知り、その是正に必要な措置を講じなかつた当該法人（当該法人で事業者団体に該当するものを除く。）の代表者に対しても、同項の罰金刑を科する。

第五一条①　第四十六条第一項の違反があつた場合においては、その違反の計画を知り、その防止に必要な措置を講ぜず、又はその違反行為を知り、その是正に必要な措置を講じなかつた当該事業者団体の理事その他の役員若しくは管理人又はその構成事業者（事業者の利益のためにする行為を行う役員、従業員、代理人その他の者が構成事業者である場合には、当該事業者を含む。）に対しても、それぞれ同項の罰金刑を科する。

②　前項の規定は、同項に規定する事業者団体の理事その他の役員若しくは管理人又はその構成事業者が法人その他の団体である場合においては、当該団体の理事その他の役員又は管理人に、これを適用する。

第五二条　第三十四条第三項の規定に違反して、情報を同項に定める目的以外の目的のために利用し、又は提供した適格消費者団体は、三十万円以下の過料に処する。

附　則（抄）

①　この法律は、公布の日から起算して三月を経過した日（昭和三七・八・一五）から施行する。（後略）

附　則（令和四・五・二五法四八）（抄）

（施行期日）

第一条　この法律は、公布の日から起算して四年を超えない範囲内において政令で定める日から施行する。ただし、次の各号に掲げる規定は、当該各号に定める日から施行する。

一　（前略）附則第百二十五条の規定　公布の日

二―五　（略）

（政令への委任）

第一二五条　（前略）この法律の施行に関し必要な経過措置は、政令で定める。

刑法等の一部を改正する法律の施行に伴う関係法律整理法中経過規定（令和四・六・一七法六八）（抄）

第四四一条から第四四三条まで　（刑法の同経過規定参照）

第五〇九条　（刑法の同経過規定参照）

刑法等の一部を改正する法律の施行に伴う関係法律整理法　附　則（令和四・六・一七法六八）（抄）

（施行期日）

①　この法律は、刑法等一部改正法（刑法等の一部を改正する法律（令和四法六七））施行日（令和七・六・一）から施行する。ただし、次の各号に掲げる規定は、当該各号に定める日から施行する。

一　第五百九条の規定　公布の日

二　（略）

附　則（令和五・五・一七法二九）（抄）

（施行期日）

第一条　この法律は、公布の日から起算して一年六月を超えない範囲内において政令で定める日（令和六・一〇・一―令和六政一九一）から施行する。ただし、次の各号に掲げる規定は、当該各号に定める日から施行する。

一　附則第四条の規定　公布の日

二　第十五条第二項の改正規定　公布の日から起算して三年を超えない範囲内において政令で定める日

（経過措置）

第二条　この法律による改正後の不当景品類及び不当表示防止法（次条において「新法」という。）第八条第四項から第六項までの規定は、不当景品類及び不当表示防止法第八条第一項に規定する課徴金対象行為（以下この条において「課徴金対象行為」という。）であって、この法律の施行の日（以下この条（中略）において「施行日」という。）前に開始し施行日以後もやめていないもの及び施行日以後に開始するものについての課徴金の額（施行日前に開始し施行日以後もやめていない課徴金対象行為にあっては、施行日以後の課徴金対象行為に対応する部分に限る。）の算定について適用する。

第三条　附則第一条第二号に掲げる規定の施行の日の前日までの間における新法第四十四条第二項及び第三項の規定の適用については、同条第二項中「内閣府令で定める方法により不特定多数の者が閲覧することができる状態に置くとともに、その旨が記載された書面を消費者庁の掲示場に掲示し、又はその旨を消費者庁の事務所に設置した電子計算機の映像面に表示したものを閲覧することができる状態に置く措置をとる」とあるのは「消費者庁の掲示場に掲示する」と、同条第三項中「措置をとった」とあるのは「掲示を始めた」とする。

（政令への委任）

第四条　前二条に定めるもののほか、この法律の施行に伴い必要な経過措置（罰則に関する経過措置を含む。）は、政令で定める。

（検討）

第五条　政府は、この法律の施行後五年を経過した場合において、この法律による改正後の規定の施行の状況について検討を加え、必要があると認めるときは、その結果に基づいて必要な措置を講ずるものとする。

●金融商品取引法（抄）（昭和二三・四・一三 法 二五）

施行 昭和二三・五・六（附則参照）
改正 （平成二五年以前の改正は重要なもののみ掲げる）昭和二五**法三一**、昭和二八**法一四二**、昭和四〇**法九〇**、昭和四六**法四**、昭和六三**法七五**、平成二**法四三**、平成四**法七三**・**法八七**、平成一〇**法一〇七**（平成一一法一二五）、平成一二**法九六**（平成一二法一二六）、平成一四**法六五**、平成一五**法五四**、平成一八**法六五**、平成二〇**法六五**、平成二六法四四・法六九・法七二・法九一、平成二七法三二・法六三、平成二九法三七・法四五・法四六・法四九、平成三〇法九五、令和一法一六・法二八・法三七・法七一、令和二法三三・法五〇、令和三法四六・法五四・法七二、令和四法四一・法四八・法六一・法六八、令和五法五三・**法七九**・法八六、令和六法三二・法五二・法五六
題名改正 平成一八法六五（旧・証券取引法）

目次

第一章　総則

（目的）

第一条　この法律は、企業内容等の開示の制度を整備するとともに、金融商品取引業を行う者に関し必要な事項を定め、金融商品取引所の適切な運営を確保すること等により、有価証券の発行及び金融商品等の取引等を公正にし、有価証券の流通を円滑にするほか、資本市場の機能の十全な発揮による金融商品等の公正な価格形成等を図り、もつて国民経済の健全な発展及び投資者の保護に資することを目的とする。

（定義）

第二条①　この法律において「有価証券」とは、次に掲げるものをいう。

一　国債証券
二　地方債証券
三　特別の法律により法人の発行する債券（次号及び第十一号に掲げるものを除く。）
四　資産の流動化に関する法律（平成十年法律第百五号）に規定する特定社債券
五　社債券（相互会社の社債券を含む。以下同じ。）
六　特別の法律により設立された法人の発行する出資証券（次号、第八号及び第十一号に掲げるものを除く。）
七　協同組織金融機関の優先出資に関する法律（平成五年法律第四十四号。以下「優先出資法」という。）に規定する優先出資証券

八　資産の流動化に関する法律に規定する優先出資証券又は新優先出資引受権を表示する証券
九　株券又は新株予約権証券
十　投資信託及び投資法人に関する法律（昭和二十六年法律第百九十八号）に規定する投資信託又は外国投資信託の受益証券
十一　投資信託及び投資法人に関する法律に規定する投資証券、新投資口予約権証券若しくは投資法人債券又は外国投資証券
十二　貸付信託の受益証券
十三　資産の流動化に関する法律に規定する特定目的信託の受益証券
十四　信託法（平成十八年法律第百八号）に規定する受益証券発行信託の受益証券
十五　法人が事業に必要な資金を調達するために発行する約束手形のうち、内閣府令で定めるもの
十六　抵当証券法（昭和六年法律第十五号）に規定する抵当証券
十七　外国又は外国の者の発行する証券又は証書で第一号から第九号まで又は第十二号から前号までに掲げる証券又は証書の性質を有するもの（次号に掲げるものを除く。）
十八　外国の者の発行する証券又は証書で銀行業を営む者その他の金銭の貸付けを業として行う者の貸付債権を信託する信託の受益権又はこれに類する権利を表示するもののうち、内閣府令で定めるもの
十九　金融商品市場において金融商品市場を開設する者の定める基準及び方法に従い行う第二十一項第三号に掲げる取引に係る権利、外国金融商品市場（第八項第三号ロに規定する外国金融商品市場をいう。以下この号において同じ。）において行う取引であつて第二十一項第三号に掲げる取引と類似の取引（金融商品（第二十四項第三号の三に掲げるものに限る。）又は金融指標（当該金融商品の価格及びこれに基づいて算出した数値に限る。）に係るものを除く。）に係る権利又は金融商品市場及び外国金融商品市場によらないで行う第二十二項第三号若しくは第四号に掲げる取引に係る権利（以下「オプション」という。）を表示する証券又は証書
二十　前各号に掲げる証券又は証書の預託を受けた者が当該証券又は証書の発行された国以外の国において発行する証券又は証書で、当該預託を受けた証券又は証書に係る権利を表示するもの
二十一　前各号に掲げるもののほか、流通性その他の事情を勘案し、公益又は投資者の保護を確保することが必要と認められるものとして政令で定める証券又は証書

②　前項第一号から第十五号までに掲げる有価証券、同項第十七号に掲げる有価証券（同項第十六号に掲げる有価証券の性質を有するものを除く。）及び同項第十八号に掲げる有価証券に表示されるべき権利（同項第十四号に掲げる有価証券及び同項第十七号に掲げる有価証券（同項第十四号に掲げる有価証券の性質を有するものに限る。）に表示されるべき権利にあつては、資金決済に関する法律（平成二十一年法律第五十九号）第二条第五項第三号又は第四号に掲げるものに該当するもので有価証券とみなさなくても公益又は投資者の保護のため支障を生ずることがないと認められるものとして政令で定めるものを除く。）並びに前項第十六号に掲げる有価証券、同項第十七号に掲げる有価証券（同項第十六号に掲げる有価証券の性質を有するものに限る。）及び同項第十九号から第二十一号までに掲げる有価証券であつて内閣府令で定めるものに表示されるべき権利（以下この項及び次項において「有価証券表示権利」と総称する。）は、有価証券表示権利について当該権利を表示する当該有価証券が発行されていない場合においても、当該権利を当該有価証券とみなし、電子記録債権（電子記録債権法（平成十九年法律第百二号）第二条第一項に規定する電子記録債権をいう。以下この項において同じ。）のうち、流通性その他の事情を勘案し、社債券その他の前項各号に掲げる有価証券とみなすことが必要と認められるものとして政令で定めるもの（第七号及び次項において「特定電子記録債権」という。）は、当該電子記録債権を当該有価証券とみなし、次に掲げる権利は、証券又は証書に表示されるべき権利以外の権利であつても有価証券とみなして、この法律の規定を適用する。
一　信託の受益権（前項第十号に規定する投資信託の受益証券に表示されるべきもの及び同項第十二号から第十四号までに掲げる有価証券に表示されるべきもの並びに資金決済に関する法律第二条第五項第三号又は第四号に掲げるものに該当するもので有価証券とみなさなくても公益又は投資者の保護のため支障を生ずることがないと認められるものとして政令で定めるものを除く。）
二　外国の者に対する権利で前号に掲げる権利の性質を有するもの（前項第十号に規定する外国投資信託の受益証券に表示されるべきもの並びに同項第十七号及び第十八号に掲げる有価証券に表示されるべきものに該当するものを除く。）
三　合名会社若しくは合資会社の社員権（政令で定めるものに限る。）又は合同会社の社員権
四　外国法人の社員権で前号に掲げる権利の性質を有するもの
五　民法（明治二十九年法律第八十九号）第六百六十七条第一項に規定する組合契約、商法（明治三十二年法律第四十八号）第五百三十五条に規定する匿名組合契約、投資事業有限責任組合契約に関する法律（平成十年法律第九十号）第三条第一項に規定する投資事業有限責任組合契約又は有限責任事業組合契約に関する法律（平成十七年法律第四十号）第三条第一項に規定する有限責任事業組合契約に基づく権利、社団法人の社員権その他の権利（外国の法令に基づくものを除く。）のうち、当該権利を有する者（以下この号において「出資者」という。）が出資又は拠出をした金銭（これに類するものとして政令で定めるものを含む。）を充てて行う事業（以下この号において「出資対象事業」という。）から生ずる収益の配当又は当該出資対象事業に係る財産の分配を受けることができる権利であつて、次のいずれにも該当しないもの（前項各号に掲げる有価証券に表示される権利及びこの項（この号を除く。）の規定により有価証券とみなされる権利を除く。）
イ　出資者の全員が出資対象事業に関与する場合として政令で定める場合における当該出資者の権利
ロ　出資者がその出資又は拠出の額を超えて収益の配当又は出資対象事業に係る財産の分配を受けることがないことを内容とする当該出資者の権利（イに掲げる権利を除く。）
ハ　保険業法（平成七年法律第百五号）第二条第一項に規定する保険業を行う者が保険者となる保険契約、農業協同組合法（昭和二十二年法律第百三十二号）第十条第一項第十号に規定する事業を行う同法第四条に規定する組合と締結した共済契約、消費生活協同組合法（昭和二十三年法律第二百号）第十条第二項に規定する共済事業を行う同法第四条に規定する組合と締結した共済契約、水産業協同組合法（昭和二十三年法律第二百四十二号）第十一条第一項第十一号、第九十三条第一項第六号の二若しくは第百条の二第一項第一号に規定する事業を行う同法第二条に規定する組合と締結した共済契約、中小企業等協同組合法（昭和二十四年法律第百八十一号）第九条の二第七項に規定する共済事業を行う同法第三条に規定する組合と締結した共済契約又は不動産特定共同事業法（平成六年法律第七十七号）第二条第三項に規定する不動産特定共同事業契約（同条第九項に規定する特例事業者と締結したもの及び当該不動産特定共同事業契約に基づく権利が電子情報処理組織を用いて移転することができる財産的価値（電子機器その他の物に電子的方法により記録されるものに限る。）に表示されるものを除く。）に基づく権利（イ及びロに掲げる権利を除く。）
ニ　イからハまでに掲げるもののほか、当該権利を有価証券とみなさなくても公益又は投資者の保護のため支障を生ず

ることがないと認められるものとして政令で定める権利

六　外国の法令に基づく権利であつて、前号に掲げる権利に類するもの

七　特定電子記録債権及び前各号に掲げるもののほか、前項に規定する有価証券及び前各号に掲げる権利と同様の経済的性質を有することその他の事情を勘案し、有価証券とみなすことにより公益又は投資者の保護を確保することが必要かつ適当と認められるものとして政令で定める権利

③　この法律において、「有価証券の募集」とは、新たに発行される有価証券の取得の申込みの勧誘（これに類するものとして内閣府令で定めるもの（次項において「取得勧誘類似行為」という。）を含む。以下「取得勧誘」という。）のうち、当該取得勧誘が第一項各号に掲げる有価証券又は前項の規定により有価証券とみなされる有価証券表示権利、特定電子記録債権若しくは同項各号に掲げる権利（電子情報処理組織を用いて移転することができる財産的価値（電子機器その他の物に電子的方法により記録されるものに限る。）に表示される場合（流通性その他の事情を勘案して内閣府令で定める場合を除く。）に限る。以下「電子記録移転権利」という。）（次項及び第六項、第二条の三第四項及び第五項並びに第二十三条の十三第四項において「第一項有価証券」という。）に係るものである場合にあつては第一号及び第二号に掲げる場合、当該取得勧誘が前項の規定により有価証券とみなされる同項各号に掲げる権利（電子記録移転権利を除く。次項、第二条の三第四項及び第五項並びに第二十三条の十三第四項において「第二項有価証券」という。）に係るものである場合にあつては第三号に掲げる場合に該当するものをいい、「有価証券の私募」とは、取得勧誘であつて有価証券の募集に該当しないものをいう。

一　多数の者（適格機関投資家（有価証券に対する投資に係る専門的知識及び経験を有する者として内閣府令で定める者をいう。以下同じ。）が含まれる場合であつて、当該有価証券がその取得者である適格機関投資家から適格機関投資家以外の者に譲渡されるおそれが少ないものとして政令で定める場合に該当するときは、当該適格機関投資家を除く。）を相手方として行う場合として政令で定める場合（特定投資家のみを相手方とする場合を除く。）

二　前号に掲げる場合のほか、次に掲げる場合のいずれにも該当しない場合

イ　適格機関投資家のみを相手方として行う場合であつて、当該有価証券がその取得者から適格機関投資家以外の者に譲渡されるおそれが少ないものとして政令で定める場合

ロ　特定投資家のみを相手方として行う場合であつて、次に掲げる要件の全てに該当するとき（イに掲げる場合を除く。）

(1)　当該取得勧誘の相手方が国、日本銀行及び適格機関投資家以外の者である場合にあつては、金融商品取引業者等（第三十四条に規定する金融商品取引業者等をいう。次項、第四条第一項第四号及び第三項、第二十七条の三十二の二並びに第二十七条の三十四の二において同じ。）が顧客からの委託により又は自己のために当該取得勧誘を行うこと。

(2)　当該有価証券がその取得者から特定投資家等（特定投資家又は非居住者（外国為替及び外国貿易法（昭和二十四年法律第二百二十八号）第六条第一項第六号に規定する非居住者をいい、政令で定める者に限る。）をいう。以下同じ。）以外の者に譲渡されるおそれが少ないものとして政令で定める場合に該当すること。

ハ　前号に掲げる場合並びにイ及びロに掲げる場合以外の場合（当該有価証券と種類を同じくする有価証券の発行及び勧誘の状況等を勘案して政令で定める要件に該当する場合を除く。）であつて、当該有価証券が多数の者に所有されるおそれが少ないものとして政令で定める場合

三　その取得勧誘に応じることにより相当程度多数の者が当該取得勧誘に係る有価証券を所有することとなる場合として政令で定める場合

④　この法律において、「有価証券の売出し」とは、既に発行された有価証券の売付けの申込み又はその買付けの申込みの勧誘（取得勧誘類似行為に該当するものその他内閣府令で定めるものを除く。以下「売付け勧誘等」という。）のうち、当該売付け勧誘等が第一項有価証券に係るものである場合にあつては第一号及び第二号に掲げる場合、当該売付け勧誘等が第二項有価証券に係るものである場合にあつては第三号に掲げる場合に該当するもの（取引所金融商品市場における有価証券の売買及びこれに準ずる取引その他の政令で定める有価証券の取引に係るものを除く。）をいう。

一　多数の者（適格機関投資家が含まれる場合であつて、当該有価証券がその取得者である適格機関投資家から適格機関投資家以外の者に譲渡されるおそれが少ないものとして政令で定める場合に該当するときは、当該適格機関投資家を除く。）を相手方として行う場合として政令で定める場合（特定投資家のみを相手方とする場合を除く。）

二　前号に掲げる場合のほか、次に掲げる場合のいずれにも該当しない場合

イ　適格機関投資家のみを相手方として行う場合であつて、当該有価証券がその取得者から適格機関投資家以外の者に譲渡されるおそれが少ないものとして政令で定める場合

ロ　特定投資家のみを相手方として行う場合であつて、次に掲げる要件の全てに該当するとき（イに掲げる場合を除く。）

(1)　当該売付け勧誘等の相手方が国、日本銀行及び適格機関投資家以外の者である場合にあつては、金融商品取引業者等が顧客からの委託により又は自己のために当該売付け勧誘等を行うこと。

(2)　当該有価証券がその取得者から特定投資家等以外の者に譲渡されるおそれが少ないものとして政令で定める場合に該当すること。

ハ　前号に掲げる場合並びにイ及びロに掲げる場合以外の場合（当該有価証券と種類を同じくする有価証券の発行及び勧誘の状況等を勘案して政令で定める要件に該当する場合を除く。）であつて、当該有価証券が多数の者に所有されるおそれが少ないものとして政令で定める場合

三　その売付け勧誘等に応じることにより相当程度多数の者が当該売付け勧誘等に係る有価証券を所有することとなる場合として政令で定める場合

⑤　この法律において、「発行者」とは、有価証券を発行し、又は発行しようとする者（内閣府令で定める有価証券については、内閣府令で定める者）をいうものとし、証券又は証書に表示されるべき権利以外の権利で第二項の規定により有価証券とみなされるものについては、権利の種類ごとに内閣府令で定める者が内閣府令で定める時に当該権利を有価証券として発行するものとみなす。

⑥　この法律（第五章を除く。）において「引受人」とは、有価証券の募集若しくは売出し又は私募若しくは特定投資家向け売付け勧誘等（第一項有価証券に係る売付け勧誘等であつて、第四項第二号ロに掲げる場合に該当するもの（取引所金融商品市場における有価証券の売買及びこれに準ずる取引その他の政令で定める有価証券の取引に係るものを除く。）をいう。以下同じ。）に際し、次の各号のいずれかを行う者をいう。

一　当該有価証券を取得させることを目的として当該有価証券の全部又は一部を取得すること。

二　当該有価証券の全部又は一部につき他にこれを取得する者がない場合にその残部を取得することを内容とする契約をすること。

三　当該有価証券が新株予約権証券（これに準ずるものとして内閣府令で定める有価証券を含む。以下この号において同じ。）である場合において、当該新株予約権証券を取得した者

が当該新株予約権証券の全部又は一部につき新株予約権（これに準ずるものとして内閣府令で定める権利を含む。以下この号において同じ。）を行使しないときに当該行使しない新株予約権に係る新株予約権証券を取得して自己又は第三者が当該新株予約権を行使することを内容とする契約をすること。

⑦ この法律において「有価証券届出書」とは、第五条第一項（同条第五項において準用する場合を含む。以下同じ。）の規定による届出書及び同条第十三項の規定によりこれに添付する書類並びに第七条第一項、第九条第一項又は第十条第一項の規定による訂正届出書をいう。

⑧ この法律において「金融商品取引業」とは、次に掲げる行為（その内容等を勘案し、投資者の保護のため支障を生ずることがないと認められるものとして政令で定めるもの及び銀行、優先出資法第二条第一項に規定する協同組織金融機関（以下「協同組織金融機関」という。）その他政令で定める金融機関が行う第十二号、第十四号、第十五号又は第二十八条第八項各号に掲げるものを除く。）のいずれかを業として行うことをいう。

一 有価証券の売買（デリバティブ取引に該当するものを除く。以下同じ。）、市場デリバティブ取引（金融商品（第二十四項第三号の三に掲げるものに限る。）又は金融指標（当該金融商品の価格及びこれに基づいて算出した数値に限る。）に係る市場デリバティブ取引（以下「商品関連市場デリバティブ取引」という。）を除く。）又は外国市場デリバティブ取引（有価証券の売買にあつては、第十号に掲げるものを除く。）

二 有価証券の売買、市場デリバティブ取引又は外国市場デリバティブ取引の媒介、取次ぎ（有価証券等清算取次ぎを除く。）又は代理（有価証券の売買の媒介、取次ぎ又は代理にあつては、第十号に掲げるものを除く。）

三 次に掲げる取引の委託の媒介、取次ぎ又は代理

イ 取引所金融商品市場における有価証券の売買又は市場デリバティブ取引

ロ 外国金融商品市場（取引所金融商品市場に類似する市場で外国に所在するものをいう。以下同じ。）における有価証券の売買又は外国市場デリバティブ取引

四 店頭デリバティブ取引又はその媒介、取次ぎ（有価証券等清算取次ぎを除く。）若しくは代理（以下「店頭デリバティブ取引等」という。）

五 有価証券等清算取次ぎ

六 有価証券の引受け（有価証券の募集若しくは売出し又は私募若しくは特定投資家向け売付け勧誘等に際し、第六項各号に掲げるもののいずれかを行うことをいう。）

七 有価証券（次に掲げるものに限る。）の募集又は私募

イ 第一項第十号に規定する投資信託の受益証券のうち、投資信託及び投資法人に関する法律第二条第一項に規定する委託者指図型投資信託の受益権に係るもの

ロ 第一項第十号に規定する外国投資信託の受益証券

ハ 第一項第十六号に掲げる有価証券

ニ 第一項第十七号に掲げる有価証券のうち、同項第十六号に掲げる有価証券の性質を有するもの

ホ イ若しくはロに掲げる有価証券に表示されるべき権利又はハ若しくはニに掲げる有価証券に表示されるべき権利であつて、第二項の規定により有価証券とみなされるもの

ヘ 第二項の規定により有価証券とみなされる同項第五号又は第六号に掲げる権利

ト イからヘまでに掲げるもののほか、政令で定める有価証券

八 有価証券の売出し又は特定投資家向け売付け勧誘等

九 有価証券の募集若しくは売出しの取扱い又は私募若しくは特定投資家向け売付け勧誘等の取扱い

十 有価証券の売買又はその媒介、取次ぎ若しくは代理であつて、電子情報処理組織を使用して、同時に多数の者を一方の当事者又は各当事者として次に掲げる売買価格の決定方法又はこれに類似する方法により行うもの（取り扱う有価証券の種類等に照らして取引所金融商品市場又は店頭売買有価証券市場（第六十七条第二項に規定する店頭売買有価証券市場をいう。）以外において行うことが投資者保護のため適当でないと認められるものとして政令で定めるものを除く。）

イ 競売買の方法（有価証券の売買高が政令で定める基準を満たす場合に限る。）

ロ 金融商品取引所に上場されている有価証券について、当該金融商品取引所が開設する取引所金融商品市場における当該有価証券の売買価格を用いる方法

ハ 第六十七条の十一第一項の規定により登録を受けた有価証券（以下「店頭売買有価証券」という。）について、当該登録を行う認可金融商品取引業協会が公表する当該有価証券の売買価格を用いる方法

ニ 顧客の間の交渉に基づく価格を用いる方法

ホ イからニまでに掲げるもののほか、内閣府令で定める方法

十一 当事者の一方が相手方に対して次に掲げるものに関し、口頭、文書（新聞、雑誌、書籍その他不特定多数の者に販売することを目的として発行されるもので、不特定多数の者により随時に購入可能なものを除く。）その他の方法により助言を行うことを約し、相手方がそれに対し報酬を支払うことを約する契約（以下「投資顧問契約」という。）を締結し、当該投資顧問契約に基づき、助言を行うこと。

イ 有価証券の価値等（有価証券の価値、有価証券関連オプション（金融商品市場において金融商品市場を開設する者の定める基準及び方法に従い行う第二十八条第八項第三号ハに掲げる取引に係る権利、外国金融商品市場において行う取引であつて同号ハに掲げる取引と類似の取引に係る権利又は金融商品市場及び外国金融商品市場によらないで行う同項第四号ハ若しくはニに掲げる取引に係る権利をいう。）の対価の額又は有価証券指標（有価証券の価格若しくは利率その他これに準ずるものとして内閣府令で定めるもの又はこれらに基づいて算出した数値をいう。）の動向をいう。）

ロ 金融商品の価値等（金融商品（第二十四項第三号の三に掲げるものにあつては、金融商品取引所に上場されているものに限る。）の価値、オプションの対価の額又は金融指標（同号に掲げる金融商品に係るものにあつては、金融商品取引所に上場されているものに限る。）の動向をいう。以下同じ。）の分析に基づく投資判断（投資の対象となる有価証券の種類、銘柄、数及び価格並びに売買の別、方法及び時期についての判断又は行うべきデリバティブ取引の内容及び時期についての判断をいう。以下同じ。）

十二 次に掲げる契約を締結し、当該契約に基づき、金融商品の価値等の分析に基づく投資判断に基づいて有価証券又はデリバティブ取引に係る権利に対する投資として、金銭その他の財産の運用（その指図を含む。以下同じ。）を行うこと。

イ 投資信託及び投資法人に関する法律第二条第十三項に規定する登録投資法人と締結する同法第百八十八条第一項第四号に規定する資産の運用に係る委託契約

ロ イに掲げるもののほか、当事者の一方が、相手方から、金融商品の価値等の分析に基づく投資判断の全部又は一部を一任されるとともに、当該投資判断に基づき当該相手方のため投資を行うのに必要な権限を委任されることを内容とする契約（以下「投資一任契約」という。）

十三 投資顧問契約又は投資一任契約の締結の代理又は媒介

十四 金融商品の価値等の分析に基づく投資判断に基づいて有価証券又はデリバティブ取引に係る権利に対する投資として、第一項第十号に掲げる有価証券に表示される権利その他の政令で定める権利を有する者から拠出を受けた金銭その他の財産の運用を行うこと（第十二号に掲げる行為に該当するものを除く。）。

十五　金融商品の価値等の分析に基づく投資判断に基づいて主として有価証券又はデリバティブ取引に係る権利に対する投資として、次に掲げる権利その他政令で定める権利を有する者から出資又は拠出を受けた金銭その他の財産の運用を行うこと（第十二号及び前号に掲げる行為に該当するものを除く。）。

イ　第一項第十四号に掲げる有価証券又は同項第十七号に掲げる有価証券（同項第十四号に掲げる有価証券の性質を有するものに限る。）に表示される権利

ロ　第二項第一号又は第二号に掲げる権利

ハ　第二項第五号又は第六号に掲げる権利

十六　その行う第一号から第十号までに掲げる行為に関して、顧客から金銭、第一項各号に掲げる証券若しくは証書又は電子記録移転権利の預託を受けること（商品関連市場デリバティブ取引についての第二号、第三号又は第五号に掲げる行為を行う場合にあつては、これらの行為に関して、顧客から商品（第二十四項第三号の三に掲げるものをいう。以下この号において同じ。）又は寄託された商品に関して発行された証券若しくは証書の預託を受けることを含む。）。

十七　社債、株式等の振替に関する法律（平成十三年法律第七十五号）第二条第一項に規定する社債等の振替を行うために口座の開設を受けて社債等の振替を行うこと。

十八　前各号に掲げる行為に類するものとして政令で定める行為

⑨　この法律において「金融商品取引業者」とは、第二十九条の規定により内閣総理大臣の登録を受けた者をいう。

⑩　この法律において「目論見書」とは、有価証券の募集若しくは売出し、第四条第二項に規定する適格機関投資家取得有価証券一般勧誘（有価証券の売出しに該当するものを除く。）又は同条第三項に規定する特定投資家等取得有価証券一般勧誘（有価証券の売出しに該当するものを除く。）のために当該有価証券の発行者の事業その他の事項に関する説明を記載する文書であつて、相手方に交付し、又は相手方からの交付の請求があつた場合に交付するものをいう。

⑪　この法律において「金融商品仲介業」とは、金融商品取引業者（第二十八条第一項に規定する第一種金融商品取引業（第二十九条の四の二第九項に規定する第一種少額電子募集取扱業務及び第二十九条の四の四第八項に規定する非上場有価証券特例仲介等業務を除く。）又は第二十八条第四項に規定する投資運用業（第二十九条の五第一項に規定する適格投資家向け投資運用業を除く。）を行う者に限る。）又は登録金融機関（第三十三条の二の登録を受けた銀行、協同組織金融機関その他政令で定める金融機関をいう。以下同じ。）の委託を受けて、次に掲げる行為（第二十八条第四項に規定する投資運用業を行う者が行う第四号に掲げる行為を除く。）のいずれかを当該金融商品取引業者又は登録金融機関のために行う業務をいう。

一　有価証券の売買の媒介（第八項第十号に掲げるものを除く。）

二　第八項第三号に規定する媒介

三　第八項第九号に掲げる行為

四　第八項第十三号に規定する媒介

⑫　この法律において「金融商品仲介業者」とは、第六十六条の規定により内閣総理大臣の登録を受けた者をいう。

⑬　この法律において「認可金融商品取引業協会」とは、第四章第一節第一款の規定に基づいて設立された者をいう。

⑭　この法律において「金融商品市場」とは、有価証券の売買又は市場デリバティブ取引を行う市場（商品関連市場デリバティブ取引のみを行うものを除く。）をいう。

⑮　この法律において「金融商品会員制法人」とは、金融商品市場の開設を目的として第五章第二節第一款の規定に基づいて設立された会員組織の社団をいう。

⑯　この法律において「金融商品取引所」とは、第八十条第一項の規定により内閣総理大臣の免許を受けて金融商品市場を開設する金融商品会員制法人又は株式会社をいう。

⑰　この法律において「取引所金融商品市場」とは、金融商品取引所の開設する金融商品市場をいう。

⑱　この法律において「金融商品取引所持株会社」とは、取引所金融商品市場を開設する株式会社（以下「株式会社金融商品取引所」という。）を子会社（第八十七条の三第三項に規定する子会社をいう。）とする株式会社であつて、第百六条の十第一項の規定により内閣総理大臣の認可を受けて設立され、又は同項若しくは同条第三項ただし書の規定により内閣総理大臣の認可を受けているものをいう。

⑲　この法律において「取引参加者」とは、第百十二条第一項若しくは第二項又は第百十三条第一項若しくは第二項の規定による取引資格に基づき、取引所金融商品市場における有価証券の売買又は市場デリバティブ取引に参加できる者をいう。

⑳　この法律において「デリバティブ取引」とは、市場デリバティブ取引、店頭デリバティブ取引又は外国市場デリバティブ取引をいう。

㉑　この法律において「市場デリバティブ取引」とは、金融商品市場において、金融商品市場を開設する者の定める基準及び方法に従い行う次に掲げる取引をいう。

一　売買の当事者が将来の一定の時期において金融商品及びその対価の授受を約する売買であつて、当該売買の目的となつている金融商品の転売又は買戻しをしたときは差金の授受によつて決済することができる取引

二　当事者があらかじめ金融指標として約定する数値（以下「約定数値」という。）と将来の一定の時期における現実の当該金融指標の数値（以下「現実数値」という。）の差に基づいて算出される金銭の授受を約する取引

三　当事者の一方の意思表示により当事者間において次に掲げる取引を成立させることができる権利を相手方が当事者の一方に付与し、当事者の一方がこれに対して対価を支払うことを約する取引

イ　金融商品の売買（第一号に掲げる取引を除く。）

ロ　前二号及び次号から第六号までに掲げる取引（前号又は第四号の二に掲げる取引に準ずる取引で金融商品取引所の定めるものを含む。）

四　当事者が元本として定めた金額について当事者の一方が相手方と取り決めた金融商品（第二十四項第三号及び第三号の三に掲げるものを除く。）の利率等（利率その他これに準ずるものとして内閣府令で定めるものをいう。以下同じ。）又は金融指標（金融商品（これらの号に掲げるものを除く。）の利率等及びこれに基づいて算出した数値を除く。以下この号及び次項第五号において同じ。）の約定した期間における変化率に基づいて金銭を支払い、相手方が当事者の一方と取り決めた金融商品（第二十四項第三号及び第三号の三に掲げるものを除く。）の利率等又は金融指標の約定した期間における変化率に基づいて金銭を支払うことを相互に約する取引（これらの金銭の支払とあわせて当該元本として定めた金額に相当する金銭又は金融商品を授受することを約するものを含む。）

四の二　当事者が数量を定めた金融商品（第二十四項第三号の三に掲げるものに限る。以下この号において同じ。）について当事者の一方が相手方と取り決めた当該金融商品に係る金融指標の約定した期間における変化率に基づいて金銭を支払い、相手方が当事者の一方と取り決めた当該金融指標の約定した期間における変化率に基づいて金銭を支払うことを相互に約する取引

五　当事者の一方が金銭を支払い、これに対して当事者があらかじめ定めた次に掲げるいずれかの事由が発生した場合において相手方が金銭を支払うことを約する取引（当該事由が発生した場合において、当事者の一方が金融商品、金融商品に係る権利又は金銭債権（金融商品であるもの及び金融商品に係る権利であるものを除く。）を移転することを約するものを含み、第二号から前号までに掲げるものを除く。）

イ　法人の信用状態に係る事由その他これに類似するものとして政令で定めるもの

ロ　当事者がその発生に影響を及ぼすことが不可能又は著しく困難な事由であつて、当該当事者その他の事業者の事業活動に重大な影響を与えるものとして政令で定めるもの（イに掲げるものを除く。）

六　前各号に掲げる取引に類似する取引であつて、政令で定めるもの

㉒　この法律において「店頭デリバティブ取引」とは、金融商品市場及び外国金融商品市場によらないで行う次に掲げる取引（その内容等を勘案し、公益又は投資者の保護のため支障を生ずることがないと認められるものとして政令で定めるものを除く。）をいう。

一　売買の当事者が将来の一定の時期において金融商品（第二十四項第三号の三及び第五号に掲げるものを除く。第三号及び第六号において同じ。）及びその対価の授受を約する売買であつて、当該売買の目的となつている金融商品の売戻し又は買戻しその他政令で定める行為をしたときは差金の授受によつて決済することができる取引

二　約定数値（第二十四項第三号の三又は第五号に掲げる金融商品に係る金融指標の数値を除く。）と現実数値（これらの号に掲げる金融商品に係る金融指標の数値を除く。）の差に基づいて算出される金銭の授受を約する取引又はこれに類似する取引

三　当事者の一方の意思表示により当事者間において次に掲げる取引を成立させることができる権利を相手方が当事者の一方に付与し、当事者の一方がこれに対して対価を支払うことを約する取引又はこれに類似する取引

イ　金融商品の売買（第一号に掲げる取引を除く。）

ロ　前二号及び第五号から第七号までに掲げる取引

四　当事者の一方の意思表示により当事者間において当該意思表示を行う場合の金融指標（第二十四項第三号の三又は第五号に掲げる金融商品に係るものを除く。）としてあらかじめ約定する数値と現に当該意思表示を行つた時期における現実の当該金融指標の数値の差に基づいて算出される金銭を授受することとなる取引を成立させることができる権利を相手方が当事者の一方に付与し、当事者の一方がこれに対して対価を支払うことを約する取引又はこれに類似する取引

五　当事者が元本として定めた金額について当事者の一方が相手方と取り決めた金融商品（第二十四項第三号、第三号の三及び第五号に掲げるものを除く。）の利率等若しくは金融指標の約定した期間における変化率に基づいて金銭を支払い、相手方が当事者の一方と取り決めた金融商品（これらの号に掲げるものを除く。）の利率等若しくは金融指標の約定した期間における変化率に基づいて金銭を支払うことを相互に約する取引（これらの金銭の支払とあわせて当該元本として定めた金額に相当する金銭又は金融商品（同項第三号の三及び第五号に掲げるものを除く。）を授受することを約するものを含む。）又はこれに類似する取引

六　当事者の一方が金銭を支払い、これに対して当事者があらかじめ定めた次に掲げるいずれかの事由が発生した場合において相手方が金銭を支払うことを約する取引（当該事由が発生した場合において、当事者の一方が金融商品、金融商品に係る権利又は金銭債権（金融商品であるもの及び金融商品に係る権利であるものを除く。）を移転することを約するものを含み、第二号から前号までに掲げるものを除く。）又はこれに類似する取引

イ　法人の信用状態に係る事由その他これに類似するものとして政令で定めるもの

ロ　当事者がその発生に影響を及ぼすことが不可能又は著しく困難な事由であつて、当該当事者その他の事業者の事業活動に重大な影響を与えるものとして政令で定めるもの（イに掲げるものを除く。）

七　前各号に掲げるもののほか、これらと同様の経済的性質を有する取引であつて、公益又は投資者の保護を確保することが必要と認められるものとして政令で定める取引

㉓　この法律において「外国市場デリバティブ取引」とは、外国金融商品市場において行う取引であつて、市場デリバティブ取引と類似の取引（金融商品（次項第三号の三に掲げるものに限る。）又は金融指標（当該金融商品の価格及びこれに基づいて算出した数値に限る。）に係るものを除く。）をいう。

㉔　この法律において「金融商品」とは、次に掲げるものをいう。

一　有価証券

二　預金契約に基づく債権その他の権利又は当該権利を表示する証券若しくは証書であつて政令で定めるもの（前号に掲げるものを除く。）

三　通貨

三の二　暗号等資産（資金決済に関する法律第二条第十四項に規定する暗号資産又は同条第五項第四号に掲げるもののうち投資者の保護を確保することが必要と認められるものとして内閣府令で定めるものをいう。以下同じ。）

三の三　商品（商品先物取引法（昭和二十五年法律第二百三十九号）第二条第一項に規定する商品のうち、法令の規定に基づく当該商品の価格の安定に関する措置の有無その他当該商品の価格形成及び需給の状況を勘案し、当該商品に係る市場デリバティブ取引により当該商品の適切な価格形成が阻害されるおそれがなく、かつ、取引所金融商品市場において当該商品に係る市場デリバティブ取引が行われることが国民経済上有益であるものとして政令で定めるものをいう。以下同じ。）

四　前各号に掲げるもののほか、同一の種類のものが多数存在し、価格の変動が著しい資産であつて、当該資産に係るデリバティブ取引（デリバティブ取引に類似する取引を含む。）について投資者の保護を確保することが必要と認められるものとして政令で定めるもの（商品先物取引法第二条第一項に規定する商品を除く。）

五　第一号、第二号若しくは第三号の二に掲げるもの又は前号に掲げるもののうち内閣府令で定めるものについて、金融商品取引所が、市場デリバティブ取引を円滑化するため、利率、償還期限その他の条件を標準化して設定した標準物

㉕　この法律において「金融指標」とは、次に掲げるものをいう。

一　金融商品の価格又は金融商品（前項第三号及び第三号の三に掲げるものを除く。）の利率等

二　気象庁その他の者が発表する気象の観測の成果に係る数値

三　その変動に影響を及ぼすことが不可能若しくは著しく困難であつて、事業者の事業活動に重大な影響を与える指標（前号に掲げるものを除く。）又は社会経済の状況に関する統計の数値であつて、これらの指標又は数値に係るデリバティブ取引（デリバティブ取引に類似する取引を含む。）について投資者の保護を確保することが必要と認められるものとして政令で定めるもの（商品先物取引法第二条第二項に規定する商品指数であつて、商品以外の同条第一項に規定する商品の価格に基づいて算出されたものを除く。）

四　前三号に掲げるものに基づいて算出した数値

㉖　この法律において「外国金融商品取引所」とは、第百五十五条第一項の規定により内閣総理大臣の認可を受けた者をいう。

㉗　この法律において「有価証券等清算取次ぎ」とは、金融商品取引業者又は登録金融機関が金融商品取引清算機関又は外国金融商品取引清算機関の業務方法書の定めるところにより顧客の委託を受けてその計算において行う対象取引（次項に規定する「対象取引」をいう。以下この項において同じ。）であつて、対象取引に基づく債務を当該金融商品取引清算機関（当該金融商品取引清算機関が第百五十六条の二十の十六第一項に規定する連携金融商品債務引受業務を行う場合には、同項に規定する連

携清算機関等を含む。）又は外国金融商品取引清算機関に負担させることを条件とし、かつ、次に掲げる要件のいずれかに該当するものをいう。

一　当該顧客が当該金融商品取引業者又は登録金融機関を代理して成立させるものであること。

二　当該顧客がその委託に際しあらかじめ当該対象取引に係る相手方その他内閣府令で定める事項を特定するものであること。

㉘　この法律において「金融商品債務引受業」とは、金融商品取引業者、登録金融機関又は証券金融会社（以下この項において「金融商品債務引受業対象業者」という。）を相手方として、金融商品債務引受業対象業者が行う対象取引（有価証券の売買若しくはデリバティブ取引（取引の状況及び我が国の資本市場に与える影響その他の事情を勘案し、公益又は投資者保護のため支障を生ずることがないと認められるものとして政令で定める取引を除く。）又はこれらに付随し、若しくは関連する取引として政令で定める取引をいう。）に基づく債務を、引受け、更改その他の方法により負担することを業として行うことをいう。

㉙　この法律において「金融商品取引清算機関」とは、第百五十六条の二又は第百五十六条の十九第一項の規定により内閣総理大臣の免許又は承認を受けて金融商品債務引受業を行う者をいい、「外国金融商品取引清算機関」とは、第百五十六条の二十の二の規定により内閣総理大臣の免許を受けて金融商品債務引受業を行う者をいう。

㉚　この法律において「証券金融会社」とは、第百五十六条の二十四の規定により内閣総理大臣の免許を受けた者をいう。

㉛　この法律において「特定投資家」とは、次に掲げる者をいう。

一　適格機関投資家

二　国

三　日本銀行

四　前三号に掲げるもののほか、第七十九条の二十一に規定する投資者保護基金その他の内閣府令で定める法人

㉜　この法律において「特定取引所金融商品市場」とは、第百十七条の二第一項の規定により同項に規定する一般投資家等買付けをすることが禁止されている取引所金融商品市場をいう。

㉝　この法律において「特定上場有価証券」とは、特定取引所金融商品市場のみに上場されている有価証券をいう。

㉞　この法律において「信用格付」とは、金融商品又は法人（これに類するものとして内閣府令で定めるものを含む。）の信用状態に関する評価（以下この項において「信用評価」という。）の結果について、記号又は数字（これらに類するものとして内閣府令で定めるものを含む。）を用いて表示した等級（主として信用評価以外の事項を勘案して定められる等級として内閣府令で定めるものを除く。）をいう。

㉟　この法律において「信用格付業」とは、信用格付を付与し、かつ、提供し又は閲覧に供する行為（行為の相手方の範囲その他行為の態様に照らして投資者の保護に欠けるおそれが少ないと認められるものとして内閣府令で定めるものを除く。）を業として行うことをいう。

㊱　この法律において「信用格付業者」とは、第六十六条の二十七の規定により内閣総理大臣の登録を受けた者をいう。

㊲　この法律において「商品市場開設金融商品取引所」とは、第八十七条の二第一項ただし書の認可を受けて商品先物取引（商品先物取引法第二条第三項に規定する先物取引をいう。以下同じ。）をするために必要な市場を開設する株式会社金融商品取引所をいう。

㊳　この法律において「商品取引所」とは、会員商品取引所（商品先物取引法第二条第五項に規定する会員商品取引所をいう。）及び株式会社商品取引所（同条第六項に規定する株式会社商品取引所をいい、株式会社金融商品取引所に関する規制と同等の水準にあると認められる規制を受ける者として政令で定める者に限る。）をいう。

㊴　この法律において「商品取引所持株会社」とは、商品先物取引法第二条第十一項に規定する商品取引所持株会社（金融商品取引所持株会社に関する規制と同等の水準にあると認められる規制を受ける者として政令で定める者に限る。）をいう。

㊵　この法律において「特定金融指標」とは、金融指標であつて、当該金融指標に係るデリバティブ取引又は有価証券の取引の態様に照らして、その信頼性が低下することにより、我が国の資本市場に重大な影響を及ぼすおそれがあるものとして内閣総理大臣が定めるものをいう。

㊶　この法律において「高速取引行為」とは、次に掲げる行為であつて、当該行為を行うことについての判断が電子情報処理組織により自動的に行われ、かつ、当該判断に基づく当該有価証券の売買又は市場デリバティブ取引を行うために必要な情報の金融商品取引所その他の内閣府令で定める者に対する伝達が、情報通信の技術を利用する方法であつて、当該伝達に通常要する時間を短縮するための方法として内閣府令で定める方法を用いて行われるもの（その内容等を勘案し、投資者の保護のため支障を生ずることがないと認められるものとして政令で定めるものを除く。）をいう。

一　有価証券の売買又は市場デリバティブ取引

二　前号に掲げる行為の委託

三　前号に掲げるもののほか、第一号に掲げる行為に係る行為であつて、前二号に掲げる行為に準ずるものとして政令で定めるもの

㊷　この法律において「高速取引行為者」とは、第六十六条の五十の規定により内閣総理大臣の登録を受けた者をいう。

㊸　この法律において「投資運用関係業務」とは、投資運用業等（投資運用業（第二十八条第四項に規定する投資運用業をいう。）、適格機関投資家等特例業務（第六十三条第二項に規定する適格機関投資家等特例業務をいい、同条第一項第二号に掲げる行為を行うものに限る。）又は海外投資家等特例業務（第六十三条の八第一項に規定する海外投資家等特例業務をいい、同項第一号に掲げる行為を行うものに限る。）をいう。第一号及び次項並びに第六十六条の八十第二項において同じ。）に関して行う次に掲げる業務をいう。

一　運用対象財産（この法律の規定により投資運用業等を行うことができる者が第四十二条第一項に規定する権利者のため運用を行う金銭その他の財産をいう。）を構成する有価証券その他の資産及び当該資産から生ずる利息又は配当金並びに当該運用対象財産の運用に係る報酬その他の手数料を基礎とする当該運用対象財産の評価額の計算に関する業務

二　法令等（法令、法令に基づく行政官庁の処分又は定款その他の規則をいう。）を遵守させるための指導に関する業務

㊹　この法律において「投資運用関係業務受託業」とは、この法律の規定により投資運用業等を行うことができる者の委託を受けて、当該委託をした者のために前項各号に掲げる業務のいずれかを業として行うことをいう。

㊺　この法律において「投資運用関係業務受託業者」とは、第六十六条の七十一の規定により内閣総理大臣の登録を受けた者をいう。

（金銭とみなされるもの）

第二条の二　暗号等資産は、前条第二項第五号の金銭、同条第八項第一号の売買に係る金銭その他政令で定める規定の金銭又は当該規定の取引に係る金銭とみなして、この法律（これに基づく命令を含む。）の規定を適用する。

第二章　企業内容等の開示（抄）

（組織再編成等）

第二条の三①　この章において「組織再編成」とは、合併、会社分割、株式交換その他会社の組織に関する行為で政令で定めるものをいう。

②　この章において「組織再編成発行手続」とは、組織再編成により新たに有価証券が発行される場合（これに類する場合とし

て内閣府令で定める場合（次項において「組織再編成発行手続に類似する場合」という。）を含む。）における当該組織再編成に係る書面等の備置き（会社法（平成十七年法律第八十六号）第七百八十二条第一項の規定による書面若しくは電磁的記録の備置き又は同法第八百三条第一項の規定による書面若しくは電磁的記録の備置きをいう。次項において同じ。）その他政令で定める行為をいう。

③　この章において「組織再編成交付手続」とは、組織再編成により既に発行された有価証券が交付される場合（組織再編成発行手続に類似する場合に該当する場合を除く。）における当該組織再編成に係る書面等の備置きその他政令で定める行為をいう。

④　この章において「特定組織再編成発行手続」とは、組織再編成発行手続のうち、当該組織再編成発行手続が第一項有価証券に係るものである場合にあつては第一号及び第二号に掲げる場合、当該組織再編成発行手続が第二項有価証券に係るものである場合にあつては第三号に掲げる場合に該当するものをいう。

一　組織再編成により吸収合併消滅会社（会社法第七百四十九条第一項第一号に規定する吸収合併消滅会社をいう。）又は株式交換完全子会社（同法第七百六十八条第一項第一号に規定する株式交換完全子会社をいう。）となる会社その他政令で定める会社（第四条第一項第二号イにおいて「組織再編成対象会社」という。）が発行者である株券（新株予約権証券その他の政令で定める有価証券を含む。）の所有者（以下「組織再編成対象会社株主等」という。）が多数の者である場合として政令で定める場合（組織再編成対象会社株主等が適格機関投資家のみである場合を除く。）

二　前号に掲げる場合のほか、次に掲げる場合のいずれにも該当しない場合

イ　組織再編成対象会社株主等が適格機関投資家のみである場合であつて、当該組織再編成発行手続に係る有価証券がその取得者から適格機関投資家以外の者に譲渡されるおそれが少ないものとして政令で定める場合

ロ　前号に掲げる場合及びイに掲げる場合以外の場合（当該組織再編成発行手続に係る有価証券と種類を同じくする有価証券の発行及び交付の状況等を勘案して政令で定める要件に該当する場合を除く。）であつて、当該組織再編成発行手続に係る有価証券が多数の者に所有されるおそれが少ないものとして政令で定める場合

三　組織再編成対象会社株主等が相当程度多数の者である場合として政令で定める場合

⑤　この章において「特定組織再編成交付手続」とは、組織再編成交付手続のうち、当該組織再編成交付手続が第一項有価証券に係るものである場合にあつては第一号及び第二号に掲げる場合、当該組織再編成交付手続が第二項有価証券に係るものである場合にあつては第三号に掲げる場合に該当するものをいう。

一　組織再編成対象会社株主等が多数の者である場合として政令で定める場合（組織再編成対象会社株主等が適格機関投資家のみである場合を除く。）

二　前号に掲げる場合のほか、次に掲げる場合のいずれにも該当しない場合

イ　組織再編成対象会社株主等が適格機関投資家のみである場合であつて、当該組織再編成交付手続に係る有価証券がその取得者から適格機関投資家以外の者に譲渡されるおそれが少ないものとして政令で定める場合

ロ　前号に掲げる場合及びイに掲げる場合以外の場合（当該組織再編成交付手続に係る有価証券と種類を同じくする有価証券の発行及び交付の状況等を勘案して政令で定める要件に該当する場合を除く。）であつて、当該組織再編成交付手続に係る有価証券が多数の者に所有されるおそれが少ないものとして政令で定める場合

三　組織再編成対象会社株主等が相当程度多数の者である場合として政令で定める場合

第三条（適用除外有価証券）　この章の規定は、次に掲げる有価証券については、適用しない。

一　第二条第一項第一号及び第二号に掲げる有価証券

二　第二条第一項第三号、第六号及び第十二号に掲げる有価証券（企業内容等の開示を行わせることが公益又は投資者保護のため必要かつ適当なものとして政令で定めるものを除く。）

三　第二条第二項の規定により有価証券とみなされる同項各号に掲げる権利（次に掲げるものを除く。）

イ　次に掲げる権利（ロに掲げるものに該当するものを除く。第二十四条第一項において「有価証券投資事業権利等」という。）

(1)　第二条第二項第五号に掲げる権利のうち、当該権利に係る出資対象事業（同号に規定する出資対象事業をいう。）が主として有価証券に対する投資を行う事業であるものとして政令で定めるもの

(2)　第二条第二項第一号から第四号まで、第六号又は第七号に掲げる権利のうち、(1)に掲げる権利に類する権利として政令で定めるもの

(3)　その他政令で定めるもの

ロ　電子記録移転権利

四　政府が元本の償還及び利息の支払について保証している社債券

五　前各号に掲げる有価証券以外の有価証券で政令で定めるもの

第四条（募集又は売出しの届出）　①　有価証券の募集（特定組織再編成発行手続を含む。第十三条及び第十五条第二項から第六項までを除き、以下この章及び次章において同じ。）又は有価証券の売出し（次項に規定する適格機関投資家取得有価証券一般勧誘及び第三項に規定する特定投資家等取得有価証券一般勧誘に該当するものを除き、特定組織再編成交付手続を含む。以下この項において同じ。）は、発行者が当該有価証券の募集又は売出しに関し内閣総理大臣に届出をしているものでなければ、することができない。ただし、次の各号のいずれかに該当するものについては、この限りでない。

一　有価証券の募集又は売出しの相手方が当該有価証券に係る次条第一項各号に掲げる事項に関する情報を既に取得し、又は容易に取得することができる場合として政令で定める場合における当該有価証券の募集又は売出し

二　有価証券の募集又は売出しに係る組織再編成発行手続又は組織再編成交付手続のうち、次に掲げる場合のいずれかに該当するものがある場合における当該有価証券の募集又は売出し（前号に掲げるものを除く。）

イ　組織再編成対象会社が発行者である株券（新株予約権証券その他の政令で定める有価証券を含む。）に関して開示が行われている場合に該当しない場合

ロ　組織再編成発行手続に係る新たに発行される有価証券又は組織再編成交付手続に係る既に発行された有価証券に関して開示が行われている場合

三　その有価証券に関して開示が行われている場合における当該有価証券の売出し（前二号に掲げるものを除く。）

四　外国で既に発行された有価証券又はこれに準ずるものとして政令で定める有価証券の売出し（金融商品取引業者等が行うものに限る。）のうち、国内における当該有価証券に係る売買価格に関する情報を容易に取得することができることその他の政令で定める要件を満たすもの（前三号に掲げるものを除く。）

五　発行価額又は売出価額の総額が一億円未満の有価証券の募集又は売出しで内閣府令で定めるもの（前各号に掲げるものを除く。）

②　その有価証券発行勧誘等（取得勧誘及び組織再編成発行手続をいう。以下同じ。）又は有価証券交付勧誘等（売付け勧誘等及

び組織再編成交付手続をいう。以下同じ。）が次に掲げる場合に該当するものであつた有価証券（第二号に掲げる場合にあつては第二条第三項第一号の規定により多数の者から除かれた適格機関投資家が取得した有価証券に限り、第四号に掲げる場合にあつては同条第四項第一号の規定により多数の者から除かれた適格機関投資家が取得した有価証券に限る。）の有価証券交付勧誘等で、適格機関投資家が適格機関投資家以外の者に対して行うもの（以下「適格機関投資家取得有価証券一般勧誘」という。）は、発行者が当該適格機関投資家取得有価証券一般勧誘に関し内閣総理大臣に届出をしているものでなければ、することができない。ただし、当該有価証券に関して開示が行われている場合及び内閣府令で定めるやむを得ない理由により行われることその他の内閣府令で定める要件を満たす場合は、この限りでない。

一　第二条第三項第二号イに掲げる場合

二　第二条第三項第二号ハに掲げる場合（同項第一号の規定により多数の者から適格機関投資家を除くことにより同号に掲げる場合に該当しないこととなる場合に限る。）

三　第二条第四項第二号イに掲げる場合

四　第二条第四項第二号ハに掲げる場合（同項第一号の規定により多数の者から適格機関投資家を除くことにより同号に掲げる場合に該当しないこととなる場合に限る。）

五　第二条の三第四項第二号イに掲げる場合

六　第二条の三第五項第二号イに掲げる場合

③　次の各号のいずれかに該当する有価証券（第二十四条第一項各号のいずれかに該当するもの又は多数の特定投資家に所有される見込みが少ないと認められるものとして政令で定めるものを除く。以下「特定投資家向け有価証券」という。）の有価証券交付勧誘等で、金融商品取引業者等に委託して特定投資家等に対して行うもの以外のもの（国、日本銀行及び適格機関投資家に対して行うものその他政令で定めるものを除く。以下「特定投資家等取得有価証券一般勧誘」という。）は、発行者が当該特定投資家等取得有価証券一般勧誘に関し内閣総理大臣に届出をしているものでなければ、することができない。ただし、当該特定投資家向け有価証券に関して開示が行われている場合及び当該特定投資家等取得有価証券一般勧誘に関して届出が行われなくても公益又は投資者保護に欠けることがないものとして内閣府令で定める場合は、この限りでない。

一　その取得勧誘が第二条第三項第二号ロに掲げる場合に該当する取得勧誘（以下「特定投資家向け取得勧誘」という。）であつた有価証券

二　その売付け勧誘等が特定投資家向け売付け勧誘等であつた有価証券

三　前二号のいずれかに掲げる有価証券の発行者が発行する有価証券であつて、前二号のいずれかに掲げる有価証券と同一種類の有価証券として内閣府令で定めるもの

四　特定上場有価証券その他流通状況がこれに準ずるものとして政令で定める有価証券

④　有価証券の募集又は売出し（適格機関投資家取得有価証券一般勧誘（有価証券の売出しに該当するものを除く。）、特定投資家等取得有価証券一般勧誘（有価証券の売出しに該当するものを除く。）及び特定組織再編成交付手続を含む。次項及び第六項、第十三条並びに第十五条第二項から第六項までを除き、以下この章及び次章において同じ。）が一定の日において株主名簿（優先出資法に規定する優先出資者名簿を含む。）に記載され、又は記録されている株主（優先出資法に規定する優先出資者を含む。）に対し行われる場合には、当該募集又は売出しに関する前三項の規定による届出は、その日の二十五日前までにしなければならない。ただし、有価証券の発行価格又は売出価格その他の事情を勘案して内閣府令で定める場合は、この限りでない。

⑤　第一項第五号に掲げる有価証券の募集若しくは売出し若しくは第二項ただし書の規定により同項本文の規定の適用を受けない適格機関投資家取得有価証券一般勧誘若しくは第三項ただし書の規定により同項本文の規定の適用を受けない特定投資家等取得有価証券一般勧誘のうち、有価証券の売出しに該当するもの若しくは有価証券の売出しに該当せず、かつ、開示が行われている場合に該当しないもの（以下この項及び次項において「特定募集」という。）をし、又は当該特定募集に係る有価証券を取得させ若しくは売り付ける場合に使用する資料には、当該特定募集が第一項本文、第二項本文又は第三項本文の規定の適用を受けないものである旨を表示しなければならない。

⑥　特定募集又は第一項第三号に掲げる有価証券の売出し（以下この項において「特定募集等」という。）が行われる場合においては、当該特定募集等に係る有価証券の発行者は、当該特定募集等が開始される前に、内閣府令で定めるところにより、当該特定募集等に関する通知書を内閣総理大臣に提出しなければならない。ただし、開示が行われている場合における第四項に規定する有価証券の売出しでその売出価額の総額が一億円未満のもの、第一項第三号に掲げる有価証券の売出しで当該有価証券の発行者その他の内閣府令で定める者以外の者が行うもの及び同項第五号に掲げる有価証券の募集又は売出しでその発行価額又は売出価額の総額が内閣府令で定める金額以下のものについては、この限りでない。

⑦　第一項第二号イ及びロ並びに第三号、第二項、第三項並びに前二項に規定する開示が行われている場合とは、次に掲げる場合をいう。

一　当該有価証券について既に行われた募集若しくは売出し（適格機関投資家取得有価証券一般勧誘又は特定投資家等取得有価証券一般勧誘に該当するものを除く。）に関する第一項の規定による届出、当該有価証券について既に行われた適格機関投資家取得有価証券一般勧誘に関する第二項の規定による届出又は当該有価証券について既に行われた特定投資家等取得有価証券一般勧誘に関する第三項の規定による届出がその効力を生じている場合（当該有価証券の発行者が第二十四条第一項ただし書（同条第五項において準用し、及びこれらの規定を第二十七条において準用する場合を含む。）の規定の適用を受けている者である場合を除く。）

二　前号に掲げる場合に準ずるものとして内閣府令で定める場合

第五条（有価証券届出書の提出）①　前条第一項から第三項までの規定による有価証券の募集又は売出し（特定有価証券（その投資者の投資判断に重要な影響を及ぼす情報がその発行者が行う資産の運用その他これに類似する事業に関する情報である有価証券として政令で定めるものをいう。以下この項、第五項、第十項及び第十一項、第七条第四項、第二十四条並びに第二十四条の七第一項において同じ。）に係る有価証券の募集及び売出しを除く。以下この項及び次項において同じ。）に係る届出をしようとする発行者は、その者が会社（外国会社を含む。第五十条の二第九項、第六十六条の四十第五項及び第百五十六条の三第二項第三号を除き、以下同じ。）である場合（当該有価証券（特定有価証券を除く。以下この項から第四項までにおいて同じ。）の発行により会社を設立する場合を含む。）においては、内閣府令で定めるところにより、次に掲げる事項を記載した届出書を内閣総理大臣に提出しなければならない。ただし、当該有価証券の発行価格の決定前に募集をする必要がある場合その他の内閣府令で定める場合には、第一号のうち発行価格その他の内閣府令で定める事項を記載しないで提出することができる。

一　当該募集又は売出しに関する事項

二　当該会社の商号、当該会社の属する企業集団（当該会社及び当該会社が他の会社の議決権の過半数を所有していることその他の当該会社と密接な関係を有する者として内閣府令で定める要件に該当する者（内閣府令で定める会社その他の団体に限る。）の集団をいう。以下同じ。）及び当該会社の経理の状況その他事業の内容に関する重要な事項その他の公益又は

投資者保護のため必要かつ適当なものとして内閣府令で定める事項

② 前条第一項本文、第二項本文又は第三項本文の規定の適用を受ける有価証券の募集又は売出しのうち発行価額又は売出価額の総額が五億円未満のもので内閣府令で定めるもの（第二十四条第二項において「少額募集等」という。）に関し、前項の届出書を提出しようとする者のうち次の各号のいずれにも該当しない者は、当該届出書に、同項第二号に掲げる事項のうち当該会社に係るものとして内閣府令で定めるものを記載することにより、同号に掲げる事項の記載に代えることができる。

一 第二十四条第一項第一号、第二号又は第四号に掲げる有価証券に該当する有価証券の発行者

二 前条第一項本文、第二項本文又は第三項本文の規定の適用を受けた有価証券の募集又は売出しにつき前項第二号に掲げる事項を記載した同項の届出書を提出した者又は提出しなければならない者（前号に掲げる者を除く。）

三 既に、有価証券報告書（第二十四条第一項に規定する報告書をいう。以下この条及び第七条において同じ。）のうち同項本文に規定する事項を記載したもの又は半期報告書（第二十四条の五第一項に規定する半期報告書をいう。以下この条、第七条第四項及び第二十四条第二項において同じ。）のうち第二十四条の五第一項の表の各号の中欄に掲げる事項を記載したものを提出している者（前二号に掲げる者を除く。）

③ 既に内閣府令で定める期間継続して有価証券報告書のうち内閣府令で定めるものを提出している者は、前条第一項から第三項までの規定による届出をしようとする場合には、第一項の届出書に、内閣府令で定めるところにより、その者に係る直近の有価証券報告書及びその添付書類並びにその提出以後に提出される半期報告書並びにこれらの訂正報告書の写しをとじ込み、かつ、当該有価証券報告書提出後に生じた事実で内閣府令で定めるものを記載することにより、同項第二号に掲げる事項の記載に代えることができる。

④ 次に掲げる全ての要件を満たす者が前条第一項から第三項までの規定による届出をしようとする場合においては、第一項の届出書に、内閣府令で定めるところにより、その者に係る直近の有価証券報告書及びその添付書類並びにその提出以後に提出される半期報告書及び臨時報告書（第二十四条の五第四項に規定する報告書をいう。）並びにこれらの訂正報告書（以下「参照書類」という。）を参照すべき旨を記載したときは、第一項第二号に掲げる事項の記載をしたものとみなす。

一 既に内閣府令で定める期間継続して有価証券報告書のうち内閣府令で定めるものを提出していること。

二 当該者に係る第一項第二号に掲げる事項に関する情報が既に公衆に広範に提供されているものとして、その者が発行者である有価証券で既に発行されたものの取引所金融商品市場における取引状況等に関し内閣府令で定める基準に該当すること。

⑤ 第一項から前項までの規定は、当該有価証券が特定有価証券である場合について準用する。この場合において、第一項中「有価証券の募集及び売出しを除く」とあるのは「有価証券の募集又は売出しに限る」と、「当該有価証券（特定有価証券を除く。以下この項から第四項までにおいて同じ。）」とあるのは「当該特定有価証券」と、同項第二号中「当該会社の商号、当該会社の属する企業集団（当該会社及び当該会社が他の会社の議決権の過半数を所有していることその他の当該会社と密接な関係を有する者として内閣府令で定める要件に該当する者（内閣府令で定める会社その他の団体に限る。）の集団をいう。以下同じ。）及び当該会社の経理の状況その他事業」とあるのは「当該会社が行う資産の運用その他これに類似する事業に係る資産の経理の状況その他資産」と、第二項中「有価証券の募集又は売出しのうち」とあるのは「特定有価証券に係る有価証券の募集又は売出しのうち」と、同項第一号中「有価証券の」とあるのは「特定有価証券の」と、同項第二号中「有価証券の募集又は売出し」とあるのは「特定有価証券に係る有価証券の募集又は売出し」と、同項第三号中「同項本文」とあるのは「第二十四条第五項において準用する同条第一項本文」と、「第二十四条の五第一項の表の各号の中欄」とあるのは「第二十四条の五第三項において準用する同条第一項の表の第三号の中欄」と読み替えるものとするほか、必要な技術的読替えは、政令で定める。

⑥―⑫（略）

⑬ 第一項の届出書には、定款その他の書類で公益又は投資者保護のため必要かつ適当なものとして内閣府令で定めるものを添付しなければならない。

第六条（**届出書類の写しの金融商品取引所等への提出**） 次の各号に掲げる有価証券の発行者は、第四条第一項から第三項までの規定による届出をしたときは、遅滞なく、前条第一項及び第十三項の規定による届出書類の写しを当該各号に掲げる者に提出しなければならない。

一 金融商品取引所に上場されている有価証券　当該金融商品取引所

二 流通状況が前号に掲げる有価証券に準ずるものとして政令で定める有価証券　政令で定める認可金融商品取引業協会

（**訂正届出書の自発的提出**）

第七条① 第四条第一項から第三項までの規定による届出の日以後当該届出がその効力を生ずることとなる日前において、第五条第一項及び第十三項の規定による届出書類に記載すべき重要な事項の変更その他公益又は投資者保護のため当該書類の内容を訂正する必要があるものとして内閣府令で定める事情があるときは、届出者（会社の成立後は、その会社。以下同じ。）は、訂正届出書を内閣総理大臣に提出しなければならない。これらの事由がない場合において、届出者が当該届出書類のうちに訂正を必要とするものがあると認めたときも、同様とする。

②―⑤（略）

（**届出の効力発生日**）

第八条① 第四条第一項から第三項までの規定による届出は、内閣総理大臣が第五条第一項の規定による届出書（同項ただし書に規定する事項の記載がない場合には、当該事項に係る前条第一項の規定による訂正届出書。次項において同じ。）を受理した日から十五日を経過した日に、その効力を生ずる。

② 前項の期間内に前条第一項の規定による訂正届出書の提出があつた場合における前項の規定の適用については、内閣総理大臣がこれを受理した日に、第五条第一項の規定による届出書の受理があつたものとみなす。

③ 内閣総理大臣は、第五条第一項及び第十三項若しくは前条第一項の規定による届出書類の内容が公衆に容易に理解されると認める場合又は当該届出書類の届出者に係る第五条第一項第二号に掲げる事項に関する情報が既に公衆に広範に提供されていると認める場合においては、当該届出者に対し、第一項に規定する期間に満たない期間を指定し、又は第四条第一項から第三項までの規定による届出が、直ちに若しくは第一項に規定する届出書を受理した日の翌日に、その効力を生ずる旨を通知することができる。この場合において、同条第一項から第三項までの規定による届出は、当該満たない期間を指定した場合にあつてはその期間を経過した日に、当該通知をした場合にあつては直ちに又は当該翌日に、その効力を生ずる。

④ 第二項の規定は、前項の規定による期間の指定があつた場合について準用する。

（**形式不備等による訂正届出書の提出命令**）

第九条① 内閣総理大臣は、第五条第一項及び第十三項若しくは第七条第一項の規定による届出書類に形式上の不備があり、又はその書類に記載すべき重要な事項の記載が不十分であると認めるときは、届出者に対し、訂正届出書の提出を命ずることができる。この場合においては、行政手続法第十三条第一項の規定による意見陳述のための手続の区分にかかわらず、聴聞を行わなければならない。

② （略）

③ 第一項の規定による処分があつた場合においては、第四条第一項から第三項までの規定による届出は、前条の規定にかかわらず、内閣総理大臣が指定する期間を経過した日に、その効力を生ずる。

④ 前条第二項から第四項までの規定は、前項の場合について準用する。

⑤ 第一項の規定による処分は、第四条第一項から第三項までの規定による届出がその効力を生ずることとなつた日以後は、することができない。ただし、その日以後に第七条第一項の規定により提出される訂正届出書については、この限りでない。

（虚偽記載等による訂正届出書の提出命令及び効力の停止命令）

第一〇条① 内閣総理大臣は、有価証券届出書のうちに重要な事項について虚偽の記載があり、又は記載すべき重要な事項若しくは誤解を生じさせないために必要な重要な事実の記載が欠けていることを発見したときは、いつでも、届出者に対し、訂正届出書の提出を命じ、必要があると認めるときは、第四条第一項から第三項までの規定による届出の効力の停止を命ずることができる。この場合においては、行政手続法第十三条第一項の規定による意見陳述のための手続の区分にかかわらず、聴聞を行わなければならない。

② （略）

③ 前条第三項及び第四項の規定は、第四条第一項から第三項までの規定による届出がその効力を生ずることとなる日前に第一項の規定による訂正届出書の提出命令があつた場合について準用する。

④ 第一項の規定による停止命令があつた場合において、同項の規定による訂正届出書が提出され、かつ、内閣総理大臣がこれを適当と認めたときは、内閣総理大臣は、同項の規定による停止命令を解除するものとする。

（虚偽記載のある有価証券届出書の届出後一年内の届出の効力の停止等）

第一一条① 内閣総理大臣は、有価証券届出書のうちに重要な事項について虚偽の記載がある場合において、公益又は投資者保護のため必要かつ適当であると認めるときは、当該有価証券届出書の届出者又はその届出者がこれを提出した日から一年以内に提出する第五条第一項に規定する届出書若しくは第二十三条の三第一項に規定する発行登録書若しくは第二十三条の八第一項に規定する発行登録追補書類について、届出者に対し、公益又は投資者保護のため相当と認められる期間、その届出の効力若しくは当該発行登録書若しくは当該発行登録追補書類に係る発行登録の効力の停止を命じ、又は第八条第一項（第二十三条の五第一項において準用する場合を含む。）に規定する期間を延長することができる。この場合においては、行政手続法第十三条第一項の規定による意見陳述のための手続の区分にかかわらず、聴聞を行わなければならない。

② 前項の規定による処分があつた場合において、内閣総理大臣は、同項の記載につき第七条第一項又は前条第一項の規定により提出された訂正届出書の内容が適当であり、かつ、当該届出者が発行者である有価証券を募集又は売出しにより取得させ又は売り付けても公益又は投資者保護のため支障がないと認めるときは、前項の規定による処分を解除することができる。

（訂正届出書の写しの金融商品取引所等への提出）

第一二条 第六条の規定は、第七条第一項、第九条第一項又は第十条第一項の規定により訂正届出書が提出された場合について準用する。

（目論見書の作成及び虚偽記載のある目論見書等の使用禁止）

第一三条① その募集又は売出し（適格機関投資家取得有価証券一般勧誘（有価証券の売出しに該当するものを除く。）及び特定投資家等取得有価証券一般勧誘（有価証券の売出しに該当するものを除く。）を含む。以下この条並びに第十五条第二項から第四項まで及び第六項において同じ。）につき第四条第一項本文、第二項本文又は第三項本文の規定の適用を受ける有価証券の発行者は、当該募集又は売出しに際し、目論見書を作成しなければならない。開示が行われている場合（同条第七項に規定する開示が行われている場合をいう。以下この章において同じ。）における有価証券の売出し（その売出価額の総額が一億円未満であるものその他内閣府令で定めるものを除く。）に係る有価証券（以下この章において「既に開示された有価証券」という。）の発行者についても、同様とする。ただし、当該有価証券の募集が新株予約権証券の募集（会社法第二百七十七条に規定する新株予約権無償割当てにより行うものであつて、第四条第一項本文、第二項本文又は第三項本文の規定の適用を受けるものに限る。）であつて、次に掲げる要件の全てに該当する場合は、この限りでない。

一 当該新株予約権証券が金融商品取引所に上場されており、又はその発行後、遅滞なく上場されることが予定されていること。

二 当該新株予約権証券に関して第四条第一項本文、第二項本文又は第三項本文の規定による届出を行つた旨その他内閣府令で定める事項を当該届出を行つた後、遅滞なく、時事に関する事項を掲載する日刊新聞紙に掲載すること。

② 前項の目論見書は、次の各号に掲げる場合の区分に応じ、当該各号に定める事項に関する内容を記載しなければならない。ただし、第一号に掲げる場合の目論見書については、第五条第一項ただし書の規定により同項第一号のうち発行価格その他の内閣府令で定める事項（以下この項及び第十五条第五項において「発行価格等」という。）を記載しないで第五条第一項本文の規定による届出書を提出した場合には、当該発行価格等を記載することを要しない。

一 第十五条第二項本文の規定により交付しなければならない場合　次のイ又はロに掲げる有価証券の区分に応じ、当該イ又はロに定める事項

イ その募集又は売出しにつき第四条第一項本文、第二項本文又は第三項本文の規定の適用を受ける有価証券　次に掲げる事項

(1) 第五条第一項各号に掲げる事項（当該募集又は売出しにつき同条第六項及び第七項の規定により外国会社届出書及びその補足書類が提出された場合には、これらの規定により当該書類に記載すべきものとされる事項。以下この項において同じ。）のうち、投資者の投資判断に極めて重要な影響を及ぼすものとして内閣府令で定めるもの

(2) 第五条第一項各号に掲げる事項以外の事項であつて内閣府令で定めるもの

ロ 既に開示された有価証券　次に掲げる事項

(1) イ(1)に掲げる事項

(2) 第五条第一項各号に掲げる事項以外の事項であつて内閣府令で定めるもの

二 第十五条第三項の規定により交付しなければならない場合　次のイ又はロに掲げる有価証券の区分に応じ、当該イ又はロに定める事項

イ その募集又は売出しにつき第四条第一項本文、第二項本文又は第三項本文の規定の適用を受ける有価証券　次に掲げる事項

(1) 第五条第一項各号に掲げる事項のうち、投資者の投資判断に重要な影響を及ぼすものとして内閣府令で定めるもの

(2) 第五条第一項各号に掲げる事項以外の事項であつて内閣府令で定めるもの

ロ 既に開示された有価証券　次に掲げる事項

(1) イ(1)に掲げる事項

(2) 第五条第一項各号に掲げる事項以外の事項であつて内閣府令で定めるもの

三 第十五条第四項本文の規定により交付しなければならない場合　第七条第一項の規定による訂正届出書に記載した事項

③　前項第一号及び第二号に掲げる場合の目論見書であつて、第五条第四項（同条第五項において準用する場合を含む。以下同じ。）の規定の適用を受けた届出書を提出した者が作成すべきもの又は同条第四項各号に掲げる全ての要件を満たす者が作成すべき既に開示された有価証券に係るものについては、参照書類を参照すべき旨を記載した場合には、同条第一項第二号に掲げる事項の記載をしたものとみなす。

④　何人も、第四条第一項本文、第二項本文若しくは第三項本文の規定の適用を受ける有価証券又は既に開示された有価証券の募集又は売出しのために、虚偽の記載があり、又は記載すべき内容の記載が欠けている第一項の目論見書を使用してはならない。

⑤　何人も、第四条第一項本文、第二項本文若しくは第三項本文の規定の適用を受ける有価証券又は既に開示された有価証券の募集又は売出しのために第一項の目論見書以外の文書、図画、音声その他の資料（電磁的記録（電子的方式、磁気的方式その他人の知覚によつては認識することができない方式で作られる記録であつて、電子計算機による情報処理の用に供されるものをいう。以下同じ。）をもつて作成された場合においては、その電磁的記録に記録された情報の内容を表示したものを含む。第十七条において同じ。）を使用する場合には、虚偽の表示又は誤解を生じさせる表示をしてはならない。

第一四条　削除

（届出の効力発生前の有価証券の取引禁止及び目論見書の交付）

第一五条①　発行者、有価証券の売出しをする者、引受人（適格機関投資家取得有価証券一般勧誘（開示が行われている場合における有価証券に係るものを除く。）又は特定投資家等取得有価証券一般勧誘（開示が行われている場合における有価証券に係るものを除く。）に際し、第二条第六項各号のいずれかを行う者を含む。以下この章において同じ。）、金融商品取引業者、登録金融機関若しくは金融商品仲介業者又は金融サービス仲介業者（金融サービスの提供及び利用環境の整備等に関する法律（平成十二年法律第百一号）第十一条第六項に規定する金融サービス仲介業者をいい、有価証券等仲介業務（同条第四項に規定する有価証券等仲介業務をいう。以下同じ。）を行う者に限る。以下同じ。）は、その募集又は売出しにつき第四条第一項本文、第二項本文又は第三項本文の規定の適用を受ける有価証券については、これらの規定による届出がその効力を生じているのでなければ、これを募集又は売出しにより取得させ、又は売り付けてはならない。

②　発行者、有価証券の売出しをする者、引受人、金融商品取引業者、登録金融機関若しくは金融商品仲介業者又は金融サービス仲介業者は、前項の有価証券を募集又は売出しにより取得させ、又は売り付ける場合には、第十三条第二項第一号に定める事項に関する内容を記載した目論見書をあらかじめ又は同時に交付しなければならない。ただし、次に掲げる場合は、この限りでない。

一　適格機関投資家に取得させ、又は売り付ける場合（当該有価証券を募集又は売出しにより取得させ、又は売り付ける時までに当該適格機関投資家から当該目論見書の交付の請求があつた場合を除く。）

二　当該目論見書の交付を受けないことについて同意した次に掲げる者に当該有価証券を募集又は売出しにより取得させ、又は売り付ける場合（当該有価証券を募集又は売出しにより取得させ、又は売り付ける時までに当該同意した者から当該目論見書の交付の請求があつた場合を除く。）

イ　当該有価証券と同一の銘柄を所有する者

ロ　その同居者が既に当該目論見書の交付を受け、又は確実に交付を受けると見込まれる者

三　第十三条第一項ただし書に規定する場合

③　発行者、有価証券の売出しをする者、引受人、金融商品取引業者、登録金融機関若しくは金融商品仲介業者又は金融サービス仲介業者は、第一項の有価証券（政令で定めるものに限る。以下この項において同じ。）又は既に開示された有価証券を募集又は売出しにより取得させ、又は売り付ける場合において、その取得させ、又は売り付ける時までに、相手方から第十三条第二項第二号に定める事項に関する内容を記載した目論見書の交付の請求があつたときには、直ちに、当該目論見書を交付しなければならない。

④　発行者、有価証券の売出しをする者、引受人、金融商品取引業者、登録金融機関若しくは金融商品仲介業者又は金融サービス仲介業者は、第一項の有価証券を募集又は売出しにより取得させ、又は売り付ける場合において、当該有価証券に係る第五条第一項本文の届出書について第七条第一項の規定による訂正届出書が提出されたときには、第十三条第二項第三号に定める事項に関する内容を記載した目論見書をあらかじめ又は同時に交付しなければならない。ただし、第二項各号に掲げる場合は、この限りでない。

⑤　第十三条第二項ただし書の規定により発行価格等を記載しないで交付した第二項の目論見書に発行価格等を公表する旨及び公表の方法（内閣府令で定めるものに限る。）が記載され、かつ、当該公表の方法により当該発行価格等が公表された場合には、前項本文の規定は、適用しない。

⑥　第二項から前項までの規定は、第一項に規定する有価証券の募集又は売出しに際してその全部を取得させることができなかつた場合におけるその残部（第二十四条第一項第一号及び第二号に掲げるものに該当するものを除く。）を、当該募集又は売出しに係る第四条第一項から第三項までの規定による届出がその効力を生じた日から三月（第十条第一項又は第十一条第一項の規定による停止命令があつた場合には、当該停止命令があつた日からその解除があつた日までの期間は、算入しない。）を経過する日までの間において、募集又は売出しによらないで取得させ、又は売り付ける場合について準用する。

（違反行為者の賠償責任）

第一六条　前条の規定に違反して有価証券を取得させた者は、これを取得した者に対し当該違反行為に因り生じた損害を賠償する責に任ずる。

（虚偽記載のある目論見書等を使用した者の賠償責任）

第一七条　第四条第一項本文、第二項本文若しくは第三項本文の規定の適用を受ける有価証券又は既に開示された有価証券の募集又は売出しについて、重要な事項について虚偽の記載があり、若しくは記載すべき重要な事項若しくは誤解を生じさせないために必要な事実の記載が欠けている第十三条第一項の目論見書又は重要な事項について虚偽の表示若しくは誤解を生ずるような表示があり、若しくは誤解を生じさせないために必要な事実の表示が欠けている資料を使用して有価証券を取得させた者は、記載が虚偽であり、若しくは欠けていること又は表示が虚偽であり、若しくは誤解を生ずるような表示であり、若しくは表示が欠けていることを知らないで当該有価証券を取得した者が受けた損害を賠償する責めに任ずる。ただし、賠償の責めに任ずべき者が、記載が虚偽であり、若しくは欠けていること又は表示が虚偽であり、若しくは誤解を生ずるような表示であることを知らず、かつ、相当な注意を用いたにもかかわらず知ることができなかつたことを証明したときは、この限りでない。

（虚偽記載のある届出書の届出者等の賠償責任）

第一八条①　有価証券届出書のうちに、重要な事項について虚偽の記載があり、又は記載すべき重要な事項若しくは誤解を生じさせないために必要な重要な事実の記載が欠けているときは、当該有価証券届出書の届出者は、当該有価証券を当該募集又は売出しに応じて取得した者に対し、損害賠償の責めに任ずる。ただし、当該有価証券を取得した者がその取得の申込みの際記載が虚偽であり、又は欠けていることを知つていたときは、この限りでない。

②　前項の規定は、第十三条第一項の目論見書のうちに重要な事

項について虚偽の記載があり、又は記載すべき重要な事項若しくは誤解を生じさせないために必要な重要な事実の記載が欠けている場合について準用する。この場合において、前項中「有価証券届出書の届出者」とあるのは「目論見書を作成した発行者」と、「募集又は売出しに応じて」とあるのは「募集又は売出しに応じ当該目論見書の交付を受けて」と読み替えるものとする。

第一九条（虚偽記載のある届出書の届出者等の賠償責任額）①前条の規定により賠償の責めに任ずべき額は、請求権者が当該有価証券の取得について支払つた額から次の各号の一に掲げる額を控除した額とする。

一　前条の規定により損害賠償を請求する時における市場価額（市場価額がないときは、その時における処分推定価額）

二　前号の時前に当該有価証券を処分した場合においては、その処分価額

②前条の規定により賠償の責めに任ずべき者は、当該請求権者が受けた損害の額の全部又は一部が有価証券届出書又は目論見書のうちに重要な事項について虚偽の記載があり、又は記載すべき重要な事項若しくは誤解を生じさせないために必要な重要な事実の記載が欠けていたことによつて生ずべき当該有価証券の値下り以外の事情により生じたことを証明した場合においては、その全部又は一部については、賠償の責めに任じない。

第二〇条（虚偽記載のある届出書の届出者等に対する賠償請求権の時効）　第十八条の規定による賠償の請求権は、次に掲げる場合には、時効によつて消滅する。

一　請求権者が有価証券届出書又は目論見書のうちに重要な事項について虚偽の記載があり、又は記載すべき重要な事項若しくは誤解を生じさせないために必要な重要な事実の記載が欠けていたことを知つた時又は相当な注意をもつて知ることができる時から三年間行使しないとき。

二　当該有価証券の募集又は売出しに係る第四条第一項から第三項までの規定による届出がその効力を生じた時又は当該目論見書の交付があつた時から七年間（第十条第一項又は第十一条第一項の規定による停止命令があつた場合には、当該停止命令があつた日からその解除があつた日までの期間は、算入しない。）行使しないとき。

第二一条（虚偽記載のある届出書の提出会社の役員等の賠償責任）①有価証券届出書のうちに重要な事項について虚偽の記載があり、又は記載すべき重要な事項若しくは誤解を生じさせないために必要な重要な事実の記載が欠けているときは、次に掲げる者は、当該有価証券を募集又は売出しに応じて取得した者に対し、記載が虚偽であり又は欠けていることにより生じた損害を賠償する責めに任ずる。ただし、当該有価証券を取得した者がその取得の申込みの際記載が虚偽であり、又は欠けていることを知つていたときは、この限りでない。

一　当該有価証券届出書を提出した会社のその提出の時における役員（取締役、会計参与、監査役若しくは執行役又はこれらに準ずる者をいう。第百六十三条から第百六十七条までを除き、以下同じ。）又は当該会社の発起人（その提出が会社の成立前にされたときに限る。）

二　当該売出しに係る有価証券の所有者（その者が当該有価証券を所有している者からその売出しをすることを内容とする契約によりこれを取得した場合には、当該契約の相手方）

三　当該有価証券届出書に係る第百九十三条の二第一項に規定する監査証明において、当該監査証明に係る書類について記載が虚偽であり又は欠けているものを虚偽でなく又は欠けていないものとして証明した公認会計士又は監査法人

四　当該募集に係る有価証券の発行者又は第二号に掲げる者のいずれかと元引受契約を締結した金融商品取引業者又は登録金融機関

②前項の場合において、次の各号に掲げる者は、当該各号に掲げる事項を証明したときは、同項に規定する賠償の責めに任じない。

一　前項第一号又は第二号に掲げる者　記載が虚偽であり又は欠けていることを知らず、かつ、相当な注意を用いたにもかかわらず知ることができなかつたこと。

二　前項第三号に掲げる者　同号の証明をしたことについて故意又は過失がなかつたこと。

三　前項第四号に掲げる者　記載が虚偽であり又は欠けていることを知らず、かつ、第百九十三条の二第一項に規定する財務計算に関する書類に係る部分以外の部分については、相当な注意を用いたにもかかわらず知ることができなかつたこと。

③第一項第一号及び第二号並びに前項第一号の規定は、第十三条第一項の目論見書のうちに重要な事項について虚偽の記載があり、又は記載すべき重要な事項若しくは誤解を生じさせないために必要な重要な事実の記載が欠けている場合について準用する。この場合において、第一項中「募集又は売出しに応じて」とあるのは「募集又は売出しに応じ当該目論見書の交付を受けて」と、「当該有価証券届出書を提出した会社」とあるのは「当該目論見書を作成した会社」と、「その提出」とあるのは「その作成」と読み替えるものとする。

④第一項第四号において「元引受契約」とは、有価証券の募集又は売出しに際して締結する次の各号のいずれかの契約をいう。

一　当該有価証券を取得させることを目的として当該有価証券の全部又は一部を発行者又は所有者（金融商品取引業者及び登録金融機関を除く。次号及び第三号において同じ。）から取得することを内容とする契約

二　当該有価証券の全部又は一部につき他にこれを取得する者がない場合にその残部を発行者又は所有者から取得することを内容とする契約

三　当該有価証券が新株予約権証券（これに準ずるものとして内閣府令で定める有価証券を含む。以下この号において同じ。）である場合において、当該新株予約権証券を取得した者が当該新株予約権証券の全部又は一部につき新株予約権（これに準ずるものとして内閣府令で定める権利を含む。以下この号において同じ。）を行使しないときに当該行使しない新株予約権に係る新株予約権証券を発行者又は所有者から取得して自己又は第三者が当該新株予約権を行使することを内容とする契約

第二一条の二（虚偽記載等のある書類の提出者の賠償責任）①第二十五条第一項各号（第四号及び第七号を除く。）に掲げる書類（以下この条において「書類」という。）のうちに、重要な事項について虚偽の記載があり、又は記載すべき重要な事項若しくは誤解を生じさせないために必要な重要な事実の記載が欠けているときは、当該書類の提出者は、当該書類が同項の規定により公衆の縦覧に供されている間に当該書類（同項第十号に掲げる書類を除く。）の提出者又は当該書類（同号に掲げる書類に限る。）の提出者を親会社等（第二十四条の七第一項に規定する親会社等をいう。）とする者が発行者である有価証券を募集若しくは売出しによらないで取得した者又は処分した者に対し、第十九条第一項の規定の例により算出した額を超えない限度において、記載が虚偽であり又は欠けていること（以下この条において「虚偽記載等」という。）により生じた損害を賠償する責めに任ずる。ただし、当該有価証券を取得した者又は処分した者がその取得又は処分の際虚偽記載等を知つていたときは、この限りでない。

②前項の場合において、賠償の責めに任ずべき者は、当該書類の虚偽記載等について故意又は過失がなかつたことを証明したときは、同項に規定する賠償の責めに任じない。

③第一項本文の場合において、当該書類の虚偽記載等の事実の公表がされたときは、当該虚偽記載等の事実の公表がされた日（以下この項において「公表日」という。）前一年以内に当該有価証券を取得し、当該公表日において引き続き当該有価証券を

所有する者は、当該公表日前一月間の当該有価証券の市場価額（市場価額がないときは、処分推定価額。以下この項において同じ。）の平均額から当該公表日後一月間の当該有価証券の市場価額の平均額を控除した額を、当該書類の虚偽記載等により生じた損害の額とすることができる。

④ 前項の「虚偽記載等の事実の公表」とは、当該書類の提出者又は当該提出者の業務若しくは財産に関し法令に基づく権限を有する者により、当該書類の虚偽記載等に係る記載すべき重要な事項又は誤解を生じさせないために必要な重要な事実について、第二十五条第一項の規定による公衆の縦覧その他の手段により、多数の者の知り得る状態に置く措置がとられたことをいう。

⑤ 第三項の場合において、その賠償の責めに任ずべき者は、その請求権者が受けた損害の額の全部又は一部が、当該書類の虚偽記載等によつて生ずべき当該有価証券の値下り以外の事情により生じたことを証明したときは、その全部又は一部については、賠償の責めに任じない。

⑥ 前項の場合を除くほか、第三項の場合において、その請求権者が受けた損害の全部又は一部が、当該書類の虚偽記載等によつて生ずべき当該有価証券の値下り以外の事情により生じたことが認められ、かつ、当該事情により生じた損害の性質上その額を証明することが極めて困難であるときは、裁判所は、口頭弁論の全趣旨及び証拠調べの結果に基づき、賠償の責めに任じない損害の額として相当な額の認定をすることができる。

第二一条の三（虚偽記載等のある書類の提出者に対する賠償請求権の時効） 第二十条の規定は、前条の規定による賠償の請求権について準用する。この場合において、第二十条中「第十八条」とあるのは「第二十一条の二」と、同条第一号中「有価証券届出書又は目論見書」とあるのは「第二十五条第一項各号（第四号及び第七号を除く。）に掲げる書類」と、「三年間」とあるのは「二年間」と、同条第二号中「当該有価証券の募集又は売出しに係る第四条第一項から第三項までの規定による届出がその効力を生じた時又は当該目論見書の交付があつた時から七年間（第十条第一項又は第十一条第一項の規定による停止命令があつた場合には、当該停止命令があつた日からその解除があつた日までの期間は、算入しない。）」とあるのは「当該書類が提出された時から五年間」と読み替えるものとする。

第二二条（虚偽記載等のある届出書の提出会社の役員等の賠償責任）① 有価証券届出書のうちに重要な事項について虚偽の記載があり、又は記載すべき重要な事項若しくは誤解を生じさせないために必要な重要な事実の記載が欠けているときは、第二十一条第一項第一号及び第三号に掲げる者は、当該記載が虚偽であり、又は欠けていることを知らないで、当該有価証券届出書の届出者が発行者である有価証券を募集若しくは売出しによらないで取得した者又は処分した者に対し、記載が虚偽であり、又は欠けていることにより生じた損害を賠償する責めに任ずる。

② 第二十一条第二項第一号及び第二号の規定は、前項に規定する賠償の責めに任ずべき者について準用する。

第二三条（届出書の真実性の認定等の禁止）① 何人も、有価証券の募集又は売出しに関し、第四条第一項から第三項までの規定による届出があり、かつ、その効力が生じたこと、又は第十条第一項若しくは第十一条第一項の規定による停止命令が解除されたことをもつて、内閣総理大臣が当該届出に係る有価証券届出書の記載が真実かつ正確であり若しくはそのうちに重要な事項の記載が欠けていないことを認定し、又は当該有価証券の価値を保証若しくは承認したものであるとみなすことができない。

② 何人も、前項の規定に違反する表示をすることができない。

第二三条の二（参照方式による場合の適用規定の読替え）（略）

第二三条の三（発行登録書の提出）① 有価証券の募集又は売出しを予定している当該有価証券の発行者で、第五条第四項に規定する者に該当するものは、当該募集又は売出しを予定している有価証券の発行価額又は売出価額の総額（以下「発行予定額」という。）が一億円以上の場合（募集又は売出しを予定している有価証券が新株予約権証券である場合にあつては、発行予定額に当該新株予約権証券に係る新株予約権の行使に際して払い込むべき金額の合計額を合算した金額が一億円以上となる場合を含む。）においては、内閣府令で定めるところにより、当該募集又は売出しを予定している期間（以下「発行予定期間」という。）、当該有価証券の種類及び発行予定額又は発行残高の上限、当該有価証券について引受けを予定する金融商品取引業者又は登録金融機関のうち主たるものの名称その他の事項で公益又は投資者保護のため必要かつ適当なものとして内閣府令で定めるものを記載した書類（以下「発行登録書」という。）を内閣総理大臣に提出して、当該有価証券の募集又は売出しを登録することができる。ただし、その有価証券発行勧誘等又は有価証券交付勧誘等が第二十三条の十三第一項に規定する適格機関投資家向け勧誘（同項本文の規定の適用を受けるものに限る。）に該当するものであつた有価証券の売出し（当該有価証券に関して開示が行われている場合を除く。）、特定投資家向け有価証券の売出し（当該有価証券に関して開示が行われている場合を除く。）及びその有価証券発行勧誘等又は有価証券交付勧誘等が同条第四項に規定する少人数向け勧誘（同項本文の規定の適用を受けるものに限る。）に該当するものであつた有価証券の売出し（当該有価証券に関して開示が行われている場合を除く。）を予定している場合は、この限りでない。

② 前項の規定は、同項の発行登録書に、同項の内閣府令で定める事項のほか、内閣府令で定めるところにより第五条第一項第二号に掲げる事項につき当該発行者に係る直近の参照書類を参照すべき旨の記載があり、かつ、公益又は投資者保護のため必要かつ適当なものとして内閣府令で定める書類の添付がある場合に限り、適用する。

③ 第一項の規定による登録（以下「発行登録」という。）を行つた有価証券の募集又は売出しについては、第四条第一項から第三項までの規定は、適用しない。

④ 発行登録を行つた有価証券の発行者である会社は、第五条第四項に規定する要件を満たすため必要があるときは、第二十四条第一項（同条第五項において準用する場合を含む。以下この項において同じ。）の規定による有価証券報告書を提出する義務が消滅した後においても、引き続き同条第一項に規定する有価証券報告書及びその添付書類を提出することができる。

第二三条の四（訂正発行登録書の提出） 発行登録を行つた日以後当該発行登録がその効力を失うこととなる日前において、発行登録書において前条第二項の規定により参照すべき旨記載されている参照書類と同種の書類が新たに提出されたとき（当該発行登録書に当該同種の書類の提出期限が記載されている場合であつて、当該同種の書類がその提出期限までに提出された場合を除く。）その他当該発行登録に係る発行登録書及びその添付書類（以下この条において「発行登録書類」という。）に記載された事項につき公益又は投資者保護のためその内容を訂正する必要があるものとして内閣府令で定める事情があるときは、当該発行登録をした者（以下「発行登録者」という。）は、内閣府令で定めるところにより訂正発行登録書を内閣総理大臣に提出しなければならない。当該事情がない場合において、発行登録者が当該発行登録書類のうちに訂正を必要とするものがあると認めたときも、同様とする。この場合においては、発行予定額又は発行残高の上限の増額、発行予定期間の変更その他の内閣府令で定める事項を変更するための訂正を行うことはできない。

第二三条の五（発行登録書の効力発生日）① 第八条の規定は、発行登録の効力の発生について準用する。この場合において、同条第一項中「第五条第一項の規定による届出書（同項ただし書に規定する事項の記載がない場合には、当該事項に係る前条第一項の規定による訂正届出書。次項において同じ。）」とあるのは「第二十三条の三第一項に規定する発行登録書（以下この条から第二十三条までにおいて「発行登録書」という。）」と、同条第二項中「前条第一項の規定による訂正届出書」とあるのは「第二十三条の四の規定による訂正発行登録書」と、「第五条第一項の規定による届出書」とあるのは「発行登録書」と、同条第三項中「第五条第一項及び第十三項若しくは前条第一項の規定による届出書類」とあるのは「発行登録書及びその添付書類又は第二十三条の三第三項に規定する発行登録（以下この条から第二十三条までにおいて「発行登録」という。）が効力を生ずることとなる日前において提出される第二十三条の四の規定による訂正発行登録書」と、「当該届出書類の届出者」とあるのは「これらの書類の提出者」と読み替えるものとする。

② 発行登録が効力を生じた日以後に、前条の規定により訂正発行登録書が提出された場合には、内閣総理大臣は、公益又は投資者保護のため必要かつ適当であると認めるときは、当該訂正発行登録書が提出された日から十五日を超えない範囲内において内閣総理大臣が指定する期間、当該発行登録の効力の停止を命ずることができる。

（発行登録に係る有価証券の発行予定期間）

第二三条の六① 発行登録に係る有価証券の発行予定期間は、発行登録の効力が生じた日から起算して二年を超えない範囲内において内閣府令で定める期間とする。

② 発行登録は、前項の発行予定期間を経過した日に、その効力を失う。

（発行登録取下届出書の提出）

第二三条の七① 前条第一項に定める発行予定期間を経過する日前において発行予定額全額の有価証券の募集又は売出しが終了したときは、発行登録者は、内閣府令で定めるところによりその旨を記載した発行登録取下届出書を内閣総理大臣に提出して、発行登録を取り下げなければならない。

② 前項の場合においては、発行登録は、前条第二項の規定にかかわらず、内閣総理大臣が当該発行登録取下届出書を受理した日に、その効力を失う。

（発行登録追補書類の提出）

第二三条の八① 発行登録者、有価証券の売出しをする者、引受人、金融商品取引業者、登録金融機関若しくは金融商品仲介業者又は金融サービス仲介業者は、発行登録によりあらかじめその募集又は売出しが登録されている有価証券については、当該発行登録がその効力を生じており、かつ、当該有価証券の募集又は売出しごとにその発行価額又は売出価額の総額、発行条件又は売出条件その他の事項で公益又は投資者保護のため必要かつ適当なものとして内閣府令で定めるものを記載した書類（以下「発行登録追補書類」という。）が内閣府令で定めるところにより内閣総理大臣に提出されていなければ、これを募集又は売出しにより取得させ、又は売り付けてはならない。ただし、有価証券の募集又は売出しごとの発行価額又は売出価額の総額が一億円未満の有価証券の募集又は売出しで内閣府令で定めるものについては、この限りでない。

② 前項の規定にかかわらず、発行登録によりあらかじめその募集又は売出しが登録されている社債、株式等の振替に関する法律第二百七十八条第一項に規定する振替債のうち同法第六十六条第一号に規定する短期社債その他政令で定めるもの（その取扱いを行う振替機関（同法第二条第二項に規定する振替機関をいう。）により、その発行残高が公衆の縦覧に供されるものに限る。）については、当該発行登録がその効力を生じている場合には、これを募集又は売出しにより取得させ、又は売り付けることができる。

③ 有価証券の募集又は売出しが一定の日において株主名簿に記載され、又は記録されている株主に対し行われる場合には、当該募集又は売出しに関する発行登録追補書類の提出は、その日の十日前までにしなければならない。ただし、有価証券の発行価格又は売出価格その他の事情を勘案して内閣府令で定める場合は、この限りでない。

④ 第四条第五項及び第六項の規定は、第一項ただし書の規定の適用を受ける有価証券の募集又は売出しが行われる場合について準用する。この場合において、同条第五項中「当該特定募集に係る」とあるのは「当該募集若しくは売出しに係る」と、「当該特定募集が」とあるのは「当該募集又は売出しが」と、同条第六項中「当該特定募集等に係る」とあるのは「当該」と、「当該特定募集等が」とあるのは「当該募集又は売出しが」と、「当該特定募集等に関する」とあるのは「当該募集又は売出しに関する」と、「開示が行われている場合における第四項に規定する有価証券の売出しでその売出価額の総額が一億円未満のもの、第一項第三号に掲げる有価証券の売出しで当該有価証券の発行者その他の内閣府令で定める者以外の者が行うもの及び同項第五号に掲げる有価証券の募集又は売出しでその発行価額」とあるのは「発行価額」と、「以下のもの」とあるのは「以下の有価証券の募集又は売出し」と読み替えるものとする。

⑤ 第一項の発行登録追補書類には、同項の内閣府令で定める事項のほか、内閣府令で定めるところにより、第五条第一項第二号に掲げる事項につき当該発行者に係る直近の参照書類を参照すべき旨を記載するとともに、公益又は投資者保護のため必要かつ適当なものとして内閣府令で定める書類を添付しなければならない。

（形式不備等による訂正発行登録書の提出命令）

第二三条の九① 内閣総理大臣は、発行登録書（当該発行登録書に係る参照書類を含む。）及びその添付書類若しくは第二十三条の四の規定による訂正発行登録書（当該訂正発行登録書に係る参照書類を含む。）に形式上の不備があり、又はこれらの書類に記載すべき重要な事項の記載が不十分であると認めるときは、これらの書類の提出者に対し、訂正発行登録書の提出を命ずることができる。この場合においては、行政手続法第十三条第一項の規定による意見陳述のための手続の区分にかかわらず、聴聞を行わなければならない。

② 発行登録が効力を生ずる日前に前項の規定による処分があつた場合においては、当該発行登録は、第二十三条の五第一項において準用する第八条の規定にかかわらず、内閣総理大臣が当該発行登録に係る発行登録書を受理した日から内閣総理大臣が指定する期間を経過した日に、その効力を生ずる。

③ 前項の場合において、内閣総理大臣が指定する期間内に第二十三条の四の規定による訂正発行登録書の提出があつた場合には、内閣総理大臣が当該訂正発行登録書を受理した日に、発行登録書の受理があつたものとみなす。

④ 前項の場合において、内閣総理大臣は、第二十三条の四の規定による訂正発行登録書の内容が公衆に容易に理解されると認める場合又は当該訂正発行登録書の提出者に係る第五条第一項第二号に掲げる事項に関する情報が既に公衆に広範に提供されていると認める場合においては、第二項において内閣総理大臣が指定した期間に満たない期間を指定することができる。この場合においては、発行登録は、その期間を経過した日に、その効力を生ずる。

⑤ 第三項の規定は、前項の規定による期間の指定があつた場合において、当該指定された期間内に第二十三条の四の規定による訂正発行登録書の提出があつたときに準用する。

（虚偽記載等による訂正発行登録書の提出命令）

第二三条の一〇① 内閣総理大臣は、発行登録書（当該発行登録書に係る参照書類を含む。）及びその添付書類、第二十三条の四若しくは前条第一項の規定による訂正発行登録書（当該訂正発行登録書に係る参照書類を含む。）又は発行登録追補書類（当該発行登録追補書類に係る参照書類を含む。）及びその添付書類のうちに重要な事項について虚偽の記載があり、又は記載すべき重要な事項若しくは誤解を生じさせないために必要な重要な事実の記載が欠けていることを発見したときは、いつでも、当該書類の提出者に対し、訂正発行登録書の提出を命ずることができる。この場合においては、行政手続法第十三条第一項の規定による意見陳述のための手続の区分にかかわらず、聴聞を行わなければならない。

② 前条第二項から第五項までの規定は、発行登録が効力を生ずる日前に前項の規定による訂正発行登録書の提出命令があつた場合について準用する。

③ 内閣総理大臣は、発行登録が効力を生じた日以後に第一項の規定による処分を行つた場合において必要があると認めるときは、当該発行登録の効力の停止を命ずることができる。

④ 前項の規定による停止命令があつた場合において、第一項の規定による訂正発行登録書が提出され、かつ、内閣総理大臣がこれを適当と認めたときは、内閣総理大臣は、前項の規定による停止命令を解除するものとする。

⑤ 前各項の規定は、内閣総理大臣が、第一項の規定により提出される訂正発行登録書（当該訂正発行登録書に係る参照書類を含む。）のうちに重要な事項について虚偽の記載があり、又は記載すべき重要な事項若しくは誤解を生じさせないために必要な重要な事実の記載が欠けていることを発見した場合について準用する。

（虚偽記載による発行登録の効力の停止等）

第二三条の一一① 内閣総理大臣は、発行登録書及びその添付書類、第二十三条の四、第二十三条の九第一項若しくは前条第一項（同条第五項において準用する場合を含む。）の規定による訂正発行登録書又は発行登録追補書類及びその添付書類並びにこれらの書類に係る参照書類のうちに重要な事項について虚偽の記載がある場合において、公益又は投資者保護のため必要かつ適当であると認めるときは、当該発行登録書及びその添付書類、当該訂正発行登録書若しくは当該発行登録追補書類及びその添付書類（以下この条において「発行登録書類等」という。）又は当該発行登録書類等の提出者がこれを提出した日から一年以内に提出する第五条第一項に規定する届出書若しくは発行登録書若しくは発行登録追補書類について、これらの書類の提出者に対し、公益又は投資者保護のため相当と認められる期間、当該発行登録書類等に係る発行登録の効力、当該届出書に係る届出の効力若しくは当該発行登録書若しくは当該発行登録追補書類に係る発行登録の効力の停止を命じ、又は第八条第一項（第二十三条の五第一項において準用する場合を含む。）に規定する期間を延長することができる。この場合においては、行政手続法第十三条第一項の規定による意見陳述のための手続の区分にかかわらず、聴聞を行わなければならない。

② 前項の規定による処分があつた場合において、内閣総理大臣は、同項の記載につき第二十三条の四又は前条第一項（同条第五項において準用する場合を含む。）の規定により提出された訂正発行登録書（当該訂正発行登録書に係る参照書類を含む。）の内容が適当であり、かつ、当該提出者の発行する有価証券を募集又は売出しにより取得させ、又は売り付けても公益又は投資者保護のため支障がないと認めるときは、前項の規定による処分を解除することができる。

（発行登録書等に関する準用規定等）

第二三条の一二① 第六条の規定は、発行登録書及びその添付書類、第二十三条の四、第二十三条の九第一項若しくは第二十三条の十第一項（同条第五項において準用する場合を含む。）の規定による訂正発行登録書又は発行登録追補書類及びその添付書類が提出された場合について準用する。

② 第十三条第一項の規定は発行登録を行つた有価証券の発行者について、同条第二項本文の規定は発行登録を行つた有価証券の発行者が作成する目論見書について、同条第四項及び第五項の規定は発行登録を行つた有価証券の募集又は売出しについて、それぞれ準用する。（後略）

③ 第十五条第二項及び第六項の規定は、発行登録を行つた有価証券の募集又は売出しについて準用する。（後略）

④ 第十六条の規定は、第二十三条の八第一項若しくは第二項の規定又は前項において準用する第十五条第二項若しくは第六項の規定に違反して有価証券を取得させた者について準用する。

⑤ 第十七条から第二十一条まで、第二十二条及び第二十三条の規定は、発行登録を行つた有価証券の募集又は売出しについて準用する。（後略）

⑥ 第二項、第三項並びに前項において準用する第十七条、第十八条第二項及び第二十一条第三項の規定は、第二十三条の八第二項の有価証券については、適用しない。

⑦ 発行者、有価証券の売出しをする者、引受人、金融商品取引業者、登録金融機関若しくは金融商品仲介業者又は金融サービス仲介業者が、発行登録を行つた有価証券を募集又は売出しにより取得させ、又は売り付ける場合において、当該有価証券に係る発行登録書又は発行登録書及び当該発行登録書についての第二十三条の四の規定による訂正発行登録書が提出された後に、第二十三条の三第一項及び第二項、第二十三条の四並びに第二十三条の八第一項の規定により当該発行登録書、その訂正発行登録書及びその発行登録追補書類に記載しなければならない事項（発行条件のうち発行価格その他の内閣府令で定める事項（以下この項において「発行価格等」という。）を除く。）並びに発行価格等を公表する旨及び公表の方法（内閣府令で定めるものに限る。）を記載した書類をあらかじめ交付し、かつ、当該書類に記載された方法により当該発行価格等が公表されたときは、第三項において準用する第十五条第二項及び第六項の規定にかかわらず、当該書類を第二項において準用する第十三条第一項の目論見書とみなし、当該発行価格等の公表を第三項において準用する第十五条第二項の規定による交付とみなす。

（適格機関投資家向け勧誘の告知等）

第二三条の一三① 有価証券発行勧誘等又は有価証券交付勧誘等のうち、次の各号に掲げる場合に該当するもの（第二号に掲げる場合にあつては第二条第三項第一号の規定により多数の者から除かれる適格機関投資家を相手方とするものに限り、第四号に掲げる場合にあつては同条第四項第一号の規定により多数の者から除かれる適格機関投資家を相手方とするものに限る。以下この条において「適格機関投資家向け勧誘」という。）を行う者は、当該適格機関投資家向け勧誘が当該各号に掲げる場合のいずれかに該当することにより当該適格機関投資家向け勧誘に関し第四条第一項の規定による届出が行われていないことその他の内閣府令で定める事項を、その相手方に対して告知しなければならない。ただし、当該適格機関投資家向け勧誘に係る有価証券に関して開示が行われている場合及び発行価額又は譲渡価額の総額が一億円未満の適格機関投資家向け勧誘で内閣府令で定める場合に該当するときは、この限りでない。

一 第二条第三項第二号イに掲げる場合

二 第二条第三項第二号ハに掲げる場合（同項第一号の規定により多数の者から適格機関投資家を除くことにより同号に掲げる場合に該当しないこととなる場合に限る。）

三 第二条第四項第二号イに掲げる場合

四 第二条第四項第二号ハに掲げる場合（同項第一号の規定により多数の者から適格機関投資家を除くことにより同号に掲げる場合に該当しないこととなる場合に限る。）

五 第二条の三第四項第二号イに掲げる場合

六 第二条の三第五項第二号イに掲げる場合

② 前項本文の規定の適用を受ける適格機関投資家向け勧誘を行う者は、当該適格機関投資家向け勧誘により有価証券を取得させ、又は売り付ける場合には、あらかじめ又は同時にその相手方に対し、同項の規定により告知すべき事項を記載した書面を交付しなければならない。

③ 次の各号に掲げる行為を行う者は、その相手方に対して、内閣府令で定めるところにより、当該各号に定める事項を告知しなければならない。ただし、当該行為に係る有価証券に関して開示が行われている場合は、この限りでない。

一 特定投資家向け取得勧誘又は特定投資家向け売付け勧誘等　当該特定投資家向け取得勧誘又は当該特定投資家向け売付

け勧誘等に関し第四条第一項の規定による届出が行われていないことその他の内閣府令で定める事項

二　特定投資家向け売付け勧誘等及び特定投資家等取得有価証券一般勧誘（第四条第三項本文の規定の適用を受けるものに限る。）のいずれにも該当しないもの　当該特定投資家向け有価証券に関して開示が行われている場合に該当しないことその他の内閣府令で定める事項

④　有価証券発行勧誘等又は有価証券交付勧誘等のうち次の各号に掲げる有価証券の区分に応じ、当該各号に定める場合に該当するもの（第二条第一項第九号に掲げる有価証券の有価証券発行勧誘等又は有価証券交付勧誘等その他政令で定めるものを除き、第一号イ又はロに掲げる場合にあつては適格機関投資家向け勧誘に該当するものを除く。以下この条において「少人数向け勧誘」という。）を行う者は、当該少人数向け勧誘が次の各号に掲げる有価証券の区分に応じ、当該各号に定める場合（第一号イ又はロに掲げる場合にあつては適格機関投資家向け勧誘に該当する場合を除く。）のいずれかに該当することにより当該少人数向け勧誘に関し第四条第一項の規定による届出が行われていないことその他の内閣府令で定める事項を、その相手方に対して告知しなければならない。ただし、当該少人数向け勧誘に係る有価証券に関して開示が行われている場合及び発行価額又は譲渡価額の総額が一億円未満の少人数向け勧誘で内閣府令で定める場合に該当するときは、この限りでない。

一　第一項有価証券　次のいずれかの場合

イ　第二条第三項第二号ハに該当する場合

ロ　第二条第四項第二号ハに該当する場合

ハ　第二条の三第四項第二号ロに該当する場合

ニ　第二条の三第五項第二号ロに該当する場合

二　第二項有価証券　次のいずれかの場合

イ　第二条第三項第三号に掲げる場合に該当しない場合

ロ　第二条の三第四項第三号に掲げる場合に該当しない場合

⑤　前項本文の規定の適用を受ける少人数向け勧誘を行う者は、当該少人数向け勧誘により有価証券を取得させ、又は売り付ける場合には、あらかじめ又は同時にその相手方に対し、同項の規定により告知すべき事項を記載した書面を交付しなければならない。

（有価証券報告書の提出）

第二四条①　有価証券の発行者である会社は、その会社が発行者である有価証券（特定有価証券を除く。次の各号を除き、以下この条において同じ。）が次に掲げる有価証券のいずれかに該当する場合には、内閣府令で定めるところにより、事業年度ごとに、当該会社の商号、当該会社の属する企業集団及び当該会社の経理の状況その他事業の内容に関する重要な事項その他の公益又は投資者保護のため必要かつ適当なものとして内閣府令で定める事項を記載した報告書（以下「有価証券報告書」という。）を、内国会社にあつては当該事業年度経過後三月以内（やむを得ない理由により当該期間内に提出できないと認められる場合には、内閣府令で定めるところにより、あらかじめ内閣総理大臣の承認を受けた期間内）、外国会社にあつては公益又は投資者保護のため必要かつ適当なものとして政令で定める期間内に、内閣総理大臣に提出しなければならない。ただし、当該有価証券が第三号に掲げる有価証券（株券その他の政令で定める有価証券に限る。）に該当する場合においてその発行者である会社（報告書提出開始年度（当該有価証券の募集又は売出しにつき第四条第一項本文、第二項本文若しくは第三項本文又は第二十三条の八第一項本文若しくは第二項の規定の適用を受けることとなつた日の属する事業年度をいい、当該報告書提出開始年度が複数あるときは、その直近のものをいう。）終了後五年を経過している場合に該当する会社に限る。）の当該事業年度の末日及び当該事業年度の開始の日前四年以内に開始した事業年度全ての末日における当該有価証券の所有者の数が政令で定めるところにより計算した数に満たない場合であつて有価証券報告書を提出しなくても公益又は投資者保護に欠けることがないものとして内閣府令で定めるところにより内閣総理大臣の承認を受けたとき、当該有価証券が第四号に掲げる有価証券に該当する場合において、その発行者である会社の資本金の額が当該事業年度の末日において五億円未満（当該有価証券が第二条第二項の規定により有価証券とみなされる有価証券投資事業権利等又は電子記録移転権利である場合にあつては、当該会社の資産の額として政令で定めるものの額が当該事業年度の末日において政令で定める額未満）であるとき、及び当該事業年度の末日における当該有価証券の所有者の数が政令で定める数に満たないとき、並びに当該有価証券が第三号又は第四号に掲げる有価証券に該当する場合において有価証券報告書を提出しなくても公益又は投資者保護に欠けることがないものとして政令で定めるところにより内閣総理大臣の承認を受けたときは、この限りでない。

一　金融商品取引所に上場されている有価証券（特定上場有価証券を除く。）

二　流通状況が前号に掲げる有価証券に準ずるものとして政令で定める有価証券（流通状況が特定上場有価証券に準ずるものとして政令で定める有価証券を除く。）

三　その募集又は売出しにつき第四条第一項本文、第二項本文若しくは第三項本文又は第二十三条の八第一項本文若しくは第二項の規定の適用を受けた有価証券（前二号に掲げるものを除く。）

四　当該会社が発行する有価証券（株券、第二条第二項の規定により有価証券とみなされる有価証券投資事業権利等及び電子記録移転権利その他の政令で定める有価証券に限る。）で、当該事業年度又は当該事業年度の開始の日前四年以内に開始した事業年度のいずれかの末日におけるその所有者の数が政令で定める数以上（当該有価証券が同項の規定により有価証券とみなされる有価証券投資事業権利等又は電子記録移転権利である場合にあつては、当該事業年度の末日におけるその所有者の数が政令で定める数以上）であるもの（前三号に掲げるものを除く。）

②　前項第三号に掲げる有価証券に該当する有価証券の発行者である会社で、少額募集等につき第五条第二項に規定する事項を記載した同条第一項に規定する届出書を提出した会社のうち次の各号のいずれにも該当しない会社は、前項本文の規定により提出しなければならない有価証券報告書に、同項本文に規定する事項のうち当該会社に係るものとして内閣府令で定めるものを記載することにより、同項本文に規定する事項の記載に代えることができる。

一　既に、前項本文に規定する事項を記載した有価証券報告書又は第二十四条の五第一項の表の各号の中欄に掲げる事項を記載した半期報告書を提出している者

二　第四条第一項本文、第二項本文又は第三項本文の規定の適用を受けた有価証券の募集又は売出しにつき、第五条第一項第二号に掲げる事項を記載した同項に規定する届出書を提出した者又は提出しなければならない者（前号に掲げる者を除く。）

③　第一項本文の規定の適用を受けない会社が発行者である有価証券が同項第一号から第三号までに掲げる有価証券に該当することとなつたとき（内閣府令で定める場合を除く。）は、当該会社は、内閣府令で定めるところにより、その該当することとなつた日の属する事業年度の直前事業年度に係る有価証券報告書を、遅滞なく、内閣総理大臣に提出しなければならない。

④　第一項第四号に規定する所有者の数の算定に関し必要な事項は、内閣府令で定める。

⑤　前各項の規定は、特定有価証券が第一項各号に掲げる有価証券のいずれかに該当する場合について準用する。（後略）

⑥　有価証券報告書には、定款その他の書類で公益又は投資者保護のため必要かつ適当なものとして内閣府令で定めるものを添付しなければならない。

⑦　第六条の規定は、第一項から第三項まで（これらの規定を第五項において準用する場合を含む。）及び前項の規定により有価証券報告書及びその添付書類が提出された場合について準用する。

⑧―⑮　（略）

（訂正届出書に関する規定の準用）

第二四条の二①　第七条第一項、第九条第一項及び第十条第一項の規定は、有価証券報告書及びその添付書類について準用する。（後略）

②　有価証券の発行者である会社は、前項において準用する第七条第一項又は第十条第一項の規定により有価証券報告書の記載事項のうち重要なものについて訂正報告書を提出したときは、政令で定めるところにより、その旨を公告しなければならない。

③　第六条の規定は、第一項において準用する第七条第一項、第九条第一項又は第十条第一項の規定により有価証券報告書又はその添付書類について訂正報告書が提出された場合について準用する。

④　（略）

（虚偽記載のある有価証券報告書の提出後一年内の届出の効力の停止等）

第二四条の三　第十一条の規定は、重要な事項について虚偽の記載がある有価証券報告書（その訂正報告書を含む。次条において同じ。）を提出した者が当該記載について前条第一項において準用する第七条第一項の規定により訂正報告書を提出した日又は前条第一項において準用する第十条第一項の規定により訂正報告書の提出を命ぜられた日から一年以内に提出する第五条第一項に規定する届出書又は発行登録書若しくは発行登録追補書類について準用する。

（虚偽記載のある有価証券報告書の提出会社の役員等の賠償責任）

第二四条の四　第二十二条の規定は、有価証券報告書のうちに重要な事項について虚偽の記載があり、又は記載すべき重要な事項若しくは誤解を生じさせないために必要な重要な事実の記載が欠けている場合について準用する。この場合において、同条第一項中「有価証券を募集若しくは売出しによらないで取得した者」とあるのは、「有価証券を取得した者」と読み替えるものとする。

（有価証券報告書の記載内容に係る確認書の提出）

第二四条の四の二①　第二十四条第一項の規定による有価証券報告書を提出しなければならない会社（第二十三条の三第四項の規定により当該有価証券報告書を提出した会社を含む。次項において同じ。）のうち、第二十四条第一項第一号に掲げる有価証券の発行者である会社その他の政令で定めるものは、内閣府令で定めるところにより、当該有価証券報告書の記載内容が金融商品取引法令に基づき適正であることを確認した旨を記載した確認書（以下この条及び次条において「確認書」という。）を当該有価証券報告書（第二十四条第八項の規定により同項に規定する有価証券報告書等に代えて外国会社報告書を提出する場合にあつては、当該外国会社報告書）と併せて内閣総理大臣に提出しなければならない。

②　第二十四条第一項の規定による有価証券報告書を提出しなければならない会社であつて、前項の規定により確認書を有価証券報告書と併せて提出しなければならない会社以外の会社（政令で定めるものを除く。）は、同項に規定する確認書を任意に提出することができる。

③　（略）

④　前三項の規定は、第二十四条の二第一項において読み替えて準用する第七条第一項、第九条第一項又は第十条第一項の規定により訂正報告書を提出する場合について準用する。

⑤　第六条の規定は、第一項又は第二項（これらの規定を第三項（前項において準用する場合を含む。）及び前項において準用する場合を含む。以下この条において同じ。）の規定により確認書が提出された場合について準用する。（後略）

⑥　（略）

（訂正確認書の提出）

第二四条の四の三①　第七条第一項、第九条第一項及び第十条第一項の規定は、確認書について準用する。（後略）

②　第六条の規定は、前項において準用する第七条第一項、第九条第一項又は第十条第一項の規定により確認書の訂正確認書が提出された場合について準用する。（後略）

③　（略）

（財務計算に関する書類その他の情報の適正性を確保するための体制の評価）

第二四条の四の四①　第二十四条第一項の規定による有価証券報告書を提出しなければならない会社（第二十三条の三第四項の規定により当該有価証券報告書を提出した会社を含む。次項において同じ。）のうち、第二十四条第一項第一号に掲げる有価証券の発行者である会社その他の政令で定めるものは、内閣府令で定めるところにより、事業年度ごとに、当該会社の属する企業集団及び当該会社に係る財務計算に関する書類その他の情報の適正性を確保するために必要なものとして内閣府令で定める体制について、内閣府令で定めるところにより評価した報告書（以下「内部統制報告書」という。）を有価証券報告書（同条第八項の規定により同項に規定する有価証券報告書等に代えて外国会社報告書を提出する場合にあつては、当該外国会社報告書）と併せて内閣総理大臣に提出しなければならない。

②　第二十四条第一項の規定による有価証券報告書を提出しなければならない会社であつて、前項の規定により内部統制報告書を有価証券報告書と併せて提出しなければならない会社以外の会社（政令で定めるものを除く。）は、同項に規定する内部統制報告書を任意に提出することができる。

③　（略）

④　内部統制報告書には、第一項に規定する内閣府令で定める体制に関する事項を記載した書類その他の書類で公益又は投資者保護のため必要かつ適当なものとして内閣府令で定めるものを添付しなければならない。

⑤　第六条の規定は、第一項又は第二項（これらの規定を第三項において準用する場合を含む。以下この条において同じ。）及び前項の規定により内部統制報告書及びその添付書類が提出された場合について準用する。（後略）

⑥　（略）

（訂正内部統制報告書の提出）

第二四条の四の五①　第七条第一項、第九条第一項及び第十条第一項の規定は、内部統制報告書及びその添付書類について準用する。（後略）

②　第六条の規定は、前項において準用する第七条第一項、第九条第一項又は第十条第一項の規定により内部統制報告書又はその添付書類について訂正報告書が提出された場合について準用する。（後略）

③　（略）

（賠償責任に関する規定の準用）

第二四条の四の六　第二十二条の規定は、内部統制報告書（その訂正報告書を含む。）のうちに重要な事項について虚偽の記載があり、又は記載すべき重要な事項若しくは誤解を生じさせないために必要な重要な事実の記載が欠けている場合について準用する。この場合において、同条第一項中「当該有価証券届出書の届出者が発行者である有価証券を募集若しくは売出しによらないで取得した者」とあるのは、「当該内部統制報告書（その訂正報告書を含む。）の提出者が発行者である有価証券を取得した者」と読み替えるものとするほか、必要な技術的読替えは、政令で定める。

（半期報告書及び臨時報告書の提出）

第二四条の五①　第二十四条第一項の規定による有価証券報告書を提出しなければならない会社（第二十三条の三第四項の規定により当該有価証券報告書を提出した会社を含む。第四項において同じ。）は、事業年度ごとに、当該事業年度が開始した日から六月が経過したときは、内閣府令で定めるところにより、次の表の各号の上欄に掲げる区分に応じ、それぞれ、同表の中欄に掲げる事項を記載した半期報告書（この項の規定により提出すべき報告書をいう。以下同じ。）を、同表の下欄に掲げる期間内（やむを得ない理由により当該期間内に提出できないと認められる場合には、内閣府令で定めるところにより、あらかじめ内閣総理大臣の承認を受けた期間内）に、内閣総理大臣に提出しなければならない。ただし、同表の第三号の上欄に掲げる会社（以下この項において「非上場会社」という。）のうち同表の第二号の上欄に規定する内閣府令で定める事業を行うものについては、同号の中欄に掲げる事項を記載した半期報告書を同号の下欄に掲げる期間内に提出することをもつて、非上場会社のうち当該事業を行う会社以外の会社については、同表の第一号の中欄に掲げる事項を記載した半期報告書を同号の下欄に掲げる期間内に提出することをもつて、これに代えることができる。

一　第二十四条第一項第一号に掲げる有価証券その他流通状況がこれに準ずるものの発行者である会社その他の政令で定めるもの（以下この表において「上場会社等」という。）のうち次号の上欄に掲げる会社以外の会社	当該事業年度が開始した日以後六月間の当該会社の属する企業集団の経理の状況その他の公益又は投資者保護のため必要かつ適当なものとして内閣府令で定める事項（以下この表において「半期報告書共通記載事項」という。）	当該期間が経過した日から起算して四十五日以内の政令で定める期間内
二　上場会社等のうち金融システムの安定を図るためその業務の健全性を確保する必要がある事業として内閣府令で定める事業を行う会社	当該事業年度が開始した日以後六月間の半期報告書共通記載事項及び当該会社に係るこれと同様の事項として内閣府令で定める事項	当該期間が経過した日から起算して六十日以内の政令で定める期間内
三　上場会社等以外の会社	当該事業年度が開始した日以後六月間の半期報告書共通記載事項及び当該会社に係るこれと同様の事項並びにこれらを補足する事項として内閣府令で定める事項	当該期間が経過した日から起算して三月以内

② 第二十四条第二項に規定する事項を記載した同条第一項の規定による有価証券報告書を提出した、又は提出しようとする会社のうち次の各号のいずれにも該当しない会社は、半期報告書に、前項の表の第三号の中欄に掲げる事項のうち当該会社に係るものとして内閣府令で定めるものを記載することにより、同欄に掲げる事項の記載に代えることができる。

一　既に、第二十四条第一項本文に規定する事項を記載した有価証券報告書又は前項の表の各号の中欄に掲げる事項を記載した半期報告書を提出している者

二　第四条第一項本文、第二項本文又は第三項本文の規定の適用を受けた有価証券の募集又は売出しにつき、第五条第一項第二号に掲げる事項を記載した同項に規定する届出書を提出した者又は提出しなければならない者（前号に掲げる者を除く。）

③ （略）

④ 第二十四条第一項（同条第五項において準用する場合を含む。）の規定による有価証券報告書を提出しなければならない会社は、その会社が発行者である有価証券の募集又は売出しが外国において行われるとき、その他公益又は投資者保護のため必要かつ適当なものとして内閣府令で定める場合に該当することとなつたときは、内閣府令で定めるところにより、その内容を記載した報告書（以下「臨時報告書」という。）を、遅滞なく、内閣総理大臣に提出しなければならない。

⑤ 第七条第一項、第九条第一項及び第十条第一項の規定は半期報告書及び臨時報告書について、第二十二条の規定は半期報告書及び臨時報告書並びにこれらの訂正報告書のうちに重要な事項について虚偽の記載があり、又は記載すべき重要な事項若しくは誤解を生じさせないために必要な重要な事実の記載が欠けている場合について、それぞれ準用する。（後略）

⑥ 第六条の規定は、第一項（第三項において準用する場合を含む。次項から第十二項までにおいて同じ。）又は第四項の規定により半期報告書又は臨時報告書が提出された場合及び前項において準用する第七条第一項、第九条第一項又は第十条第一項の規定によりこれらの報告書の訂正報告書が提出された場合について準用する。

⑦―㉑ （略）

（確認書に関する規定の半期報告書への準用）

第二四条の五の二① 第二十四条の四の二の規定は、前条第一項（同条第三項において準用する場合を含む。）の規定により半期報告書を提出する場合及び同条第五項において読み替えて準用する第七条第一項、第九条第一項又は第十条第一項の規定により訂正報告書を提出する場合について準用する。（後略）

② 第二十四条の四の三の規定は、前項の規定により提出した確認書の訂正確認書を提出する場合について準用する。（後略）

（自己株券買付状況報告書の提出）

第二四条の六① 金融商品取引所に上場されている株券、流通状況が金融商品取引所に上場されている株券に準ずるものとして政令で定める株券その他政令で定める有価証券（以下この条、第二十七条の二十二の二から第二十七条の二十二の四まで及び第百六十七条において「上場株券等」という。）の発行者は、会社法第百五十六条第一項（同法第百六十五条第三項の規定により読み替えて適用する場合を含む。）の規定による株主総会の決議若しくは取締役会の決議又はこれらに相当するものとして政令で定める機関の決定（以下この項において「決議等」という。）があつた場合には、内閣府令で定めるところにより、当該決議等があつた株主総会若しくは取締役会又はこれらに相当するものとして政令で定める会議（以下この項において「株主総会等」という。）の終結した日の属する月から同法第百五十六条第一項第三号に掲げる期間の満了する日又はこれに相当するものとして政令で定める日の属する月までの各月（以下この項において「報告月」という。）ごとに、当該株主総会等の決議等に基づいて各報告月中に行つた自己の株式又は持分に係る上場株券等の買付けの状況（買付けを行わなかつた場合を含む。）に関する事項その他の公益又は投資者保護のため必要かつ適当なものとして内閣府令で定める事項を記載した報告書を、各報告月の翌月十五日までに、内閣総理大臣に提出しなければならない。

② 第七条第一項、第九条第一項及び第十条第一項の規定は前項に規定する報告書（以下「自己株券買付状況報告書」という。）について、第二十二条の規定は自己株券買付状況報告書のうちに重要な事項について虚偽の記載があり、又は記載すべき重要な事項若しくは誤解を生じさせないために必要な重要な事実の記載が欠けている場合について、それぞれ準用する。（後略）

③ 第六条の規定は、第一項の規定により自己株券買付状況報告書が提出された場合及び前項において準用する第七条第一項、

第九条第一項又は第十条第一項の規定により当該報告書の訂正報告書が提出された場合について準用する。

（親会社等状況報告書の提出）

第二四条の七① 第二十四条第一項の規定により有価証券報告書を提出しなければならない会社（同項第一号又は第二号に掲げる有価証券の発行者であるものに限る。第四項、次条第五項、第二十七条の三十の十及び第二十七条の三十の十一第一項において「提出子会社」という。）の議決権の過半数を所有している会社その他の当該有価証券報告書を提出しなければならない会社と密接な関係を有するものとして政令で定めるもの（第二十四条第一項（同条第五項において準用する場合を含む。第四項各号において同じ。）の規定により有価証券報告書を提出しなければならない会社（第二十三条の三第四項の規定により有価証券報告書を提出した会社その他内閣府令で定めるものを含む。）を除く。以下この条、次条第二項、第四項及び第五項並びに第二十七条の三十の十一第一項において「親会社等」という。）は、内閣府令で定めるところにより、当該親会社等の事業年度（当該親会社等が特定有価証券の発行者である場合には、内閣府令で定める期間。以下この項及び次項において同じ。）ごとに、当該親会社等の株式を所有する者に関する事項その他の公益又は投資者保護のため必要かつ適当なものとして内閣府令で定める事項を記載した報告書（以下「親会社等状況報告書」という。）を、当該事業年度経過後三月以内（当該親会社等が外国会社である場合には、公益又は投資者保護のため必要かつ適当なものとして政令で定める期間内）に、内閣総理大臣に提出しなければならない。ただし、親会社等状況報告書を提出しなくても公益又は投資者保護に欠けることがないものとして政令で定めるところにより内閣総理大臣の承認を受けたときは、この限りでない。

② 前項本文の規定の適用を受けない会社が親会社等に該当することとなつたときは、当該親会社等に該当することとなつた会社は、内閣府令で定めるところにより、その該当することとなつた日の属する事業年度の直前事業年度に係る親会社等状況報告書を、遅滞なく、内閣総理大臣に提出しなければならない。ただし、親会社等状況報告書を提出しなくても公益又は投資者保護に欠けることがないものとして政令で定めるところにより内閣総理大臣の承認を受けたときは、この限りでない。

③ 第七条第一項、第九条第一項及び第十条第一項の規定は、親会社等状況報告書について準用する。（後略）

④ 第一項本文若しくは第二項本文の規定により親会社等状況報告書を提出し、又は前項において準用する第七条第一項、第九条第一項若しくは第十条第一項の規定により親会社等状況報告書の訂正報告書を提出した親会社等は、遅滞なく、これらの書類の写しを当該親会社等の提出子会社に送付するとともに、これらの書類の写しを次の各号に掲げる当該提出子会社が発行者である有価証券の区分に応じ、当該各号に定める者に提出しなければならない。

一 第二十四条第一項第一号に掲げる有価証券　同号の金融商品取引所

二 第二十四条第一項第二号に掲げる有価証券　政令で定める認可金融商品取引業協会

⑤ （略）

⑥ 前各項の規定は、親会社等が会社以外の者である場合について準用する。（後略）

（有価証券届出書等の公衆縦覧）

第二五条① 内閣総理大臣は、内閣府令で定めるところにより、次の各号に掲げる書類（以下この条及び次条第一項において「縦覧書類」という。）を、当該縦覧書類を受理した日から当該各号に定める期間を経過する日（当該各号に掲げる訂正届出書、訂正発行登録書、訂正報告書又は訂正確認書にあつては、当該訂正の対象となつた当該各号に掲げる第五条第一項及び第十三項の規定による届出書及びその添付書類、有価証券報告書及びその添付書類、確認書、内部統制報告書及びその添付書類、半期報告書、臨時報告書、自己株券買付状況報告書又は親会社等状況報告書に係る当該経過する日、第二号に掲げる発行登録追補書類及びその添付書類にあつては、当該発行登録追補書類に係る発行登録についての発行登録書及びその添付書類に係る当該経過する日、第四号及び第七号に掲げる確認書（当該確認書の対象が有価証券報告書及びその添付書類の訂正報告書又は半期報告書の訂正報告書である場合に限る。）にあつては、当該訂正の対象となつた有価証券報告書及びその添付書類又は半期報告書に係る当該経過する日）までの間、公衆の縦覧に供しなければならない。

一 第五条第一項及び第十三項の規定による届出書及びその添付書類並びにこれらの訂正届出書　五年

二 発行登録書及びその添付書類、発行登録追補書類及びその添付書類並びにこれらの訂正発行登録書　五年

三 有価証券報告書及びその添付書類並びにこれらの訂正報告書　五年

四 第二十四条の四の二の規定による確認書及びその訂正確認書　五年

五 内部統制報告書及びその添付書類並びにこれらの訂正報告書　五年

六 半期報告書及びその訂正報告書　五年

七 第二十四条の五の二において準用する第二十四条の四の二の規定による確認書及びその訂正確認書　五年

八 臨時報告書及びその訂正報告書　一年

九 自己株券買付状況報告書及びその訂正報告書　一年

十 親会社等状況報告書及びその訂正報告書　五年

② 有価証券の発行者で前項第一号から第九号までに掲げる書類を提出したもの及び有価証券の発行者の親会社等が同項第十号に掲げる書類を提出した場合の当該発行者は、これらの書類の写しを、内閣府令で定めるところにより、当該発行者の本店及び主要な支店に備え置き、これらの書類を内閣総理大臣に提出した日から当該各号に掲げる期間を経過する日までの間、公衆の縦覧に供しなければならない。

③ 金融商品取引所及び政令で定める認可金融商品取引業協会は、第六条（第十二条、第二十三条の十二第一項、第二十四条第七項、第二十四条の二第三項、第二十四条の四の二第五項（第二十四条の五の二第一項において準用する場合を含む。）、第二十四条の四の三第二項（第二十四条の五の二第二項において準用する場合を含む。）、第二十四条の四の四第五項、第二十四条の四の五第二項、第二十四条の五第六項及び第二十四条の六第三項において準用する場合を含む。第五項において同じ。）及び前条第四項の規定により提出された縦覧書類の写しを、内閣府令で定めるところにより、その事務所に備え置き、これらの書類の写しの提出があつた日から第一項各号に定める期間を経過する日までの間、公衆の縦覧に供しなければならない。

④ 有価証券の発行者で第一項第一号から第八号までに掲げる書類を提出したもの及び親会社等で同項第十号に掲げる書類を提出したものがその事業上の秘密の保持の必要により前三項に規定する書類の一部について公衆の縦覧に供しないことを内閣総理大臣に申請し、内閣総理大臣が当該申請を承認した場合においては、前三項の規定にかかわらず、その一部は、公衆の縦覧に供しないものとする。

⑤ 前項の承認を受けた有価証券の発行者及び親会社等が第六条及び前条第四項の規定により縦覧書類の写しを提出子会社に送付し、又は金融商品取引所若しくは政令で定める認可金融商品取引業協会に提出する場合には、前項の規定により公衆の縦覧に供しないこととされた部分をこれらの書類の写しから削除して送付し、又は提出することができる。

⑥ 内閣総理大臣は、次のいずれかに掲げる処分をするときは、第一項の規定にかかわらず、当該処分に係る縦覧書類について、その全部又は一部を公衆の縦覧に供しないものとすることができる。

一 第九条第一項又は第十条第一項の規定による訂正届出書の

提出命令

二　第二十三条の九第一項若しくは第二十三条の十第一項の規定又は同条第五項において準用する同条第一項の規定による訂正発行登録書の提出命令

三　第二十四条の二第一項、第二十四条の四の五第一項、第二十四条の五第五項、第二十四条の六第二項又は前条第三項（同条第六項において準用する場合を含む。）において準用する第九条第一項又は第十条第一項の規定による訂正報告書の提出命令

四　第二十四条の四の三第一項において準用する第九条第一項又は第十条第一項の規定による訂正確認書の提出命令

⑦　前項の場合において、内閣総理大臣は、第二項の規定により当該縦覧書類の写しを公衆の縦覧に供する者（当該縦覧書類が親会社等状況報告書又はその訂正報告書である場合にあつては、これらの縦覧書類を提出した者及びこれらの縦覧書類の写しを公衆の縦覧に供する者。次項において「提出者等」という。）及び第三項の規定により当該縦覧書類の写しを公衆の縦覧に供する金融商品取引所又は同項の政令で定める認可金融商品取引業協会に対し、当該縦覧書類の全部又は一部を公衆の縦覧に供しないこととした旨を通知するものとする。

⑧　前項の規定により提出者等又は金融商品取引所若しくは認可金融商品取引業協会が内閣総理大臣からの通知を受けたときは、その時以後、当該通知に係る縦覧書類の写しについては、第二項及び第三項の規定は、適用しない。

（届出者等に対する報告の徴取及び検査）

第二六条①　内閣総理大臣は、公益又は投資者保護のため必要かつ適当であると認めるときは、縦覧書類を提出した者若しくは提出すべきであると認められる者若しくは有価証券の引受人その他の関係者若しくは参考人に対し参考となるべき報告若しくは資料の提出を命じ、又は当該職員をしてその者の帳簿書類その他の物件を検査させることができる。

②　内閣総理大臣は、前項の規定による報告若しくは資料の提出の命令又は検査に関して必要があると認めるときは、公務所又は公私の団体に照会して必要な事項の報告を求めることができる。

第二七条　（略）

第二章の二　公開買付けに関する開示

第一節　発行者以外の者による株券等の公開買付け

（発行者以外の者による株券等の公開買付け）

第二七条の二①　その株券、新株予約権付社債券その他の有価証券で政令で定めるもの（以下この章及び第二十七条の三十の十一（第五項を除く。）において「株券等」という。）について有価証券報告書を提出しなければならない発行者又は特定上場有価証券（流通状況がこれに準ずるものとして政令で定めるものを含み、株券等に限る。）の発行者の株券等につき、当該発行者以外の者が行う買付け等（株券等の買付けその他の有償の譲受けをいい、これに類するものとして政令で定めるものを含む。以下この節において同じ。）であつて次のいずれかに該当するものは、公開買付けによらなければならない。ただし、適用除外買付け等（新株予約権（会社法第二百七十七条の規定により割り当てられるものであつて、当該新株予約権が行使されることが確保されることにより公開買付けによらないで取得されても投資者の保護のため支障を生ずることがないと認められるものとして内閣府令で定めるものを除く。以下この項において同じ。）を有する者が当該新株予約権を行使することにより行う株券等の買付け等、株券等の買付け等を行う者がその者の特別関係者（第七項第一号に掲げる者のうち内閣府令で定めるものに限る。）から行う株券等の買付け等その他政令で定める株券等の買付け等をいう。）は、この限りでない。

一　株券等の買付け等の後におけるその者の所有（これに準ずるものとして政令で定める場合を含む。以下この節において同じ。）に係る株券等の株券等所有割合（その者に特別関係者（第七項第一号に掲げる者については、内閣府令で定める者を除く。）がある場合にあつては、その株券等所有割合を加算したもの。以下この項において同じ。）が百分の三十を超えることとなる場合又は株券等の買付け等の前におけるその者の所有に係る株券等の株券等所有割合が既に百分の三十を超えている場合における当該株券等の買付け等（株券等の買付け等の前におけるその者の所有に係る株券等の株券等所有割合が既に百分の三十を超えている場合における株券等の買付け等のうち、買付け等を行う株券等の数又は買付け等の価格の総額が著しく少ない場合として政令で定める場合に該当し、かつ、当該株券等の買付け等の後におけるその者の所有に係る株券等の株券等所有割合が政令で定める割合以上とならないもの（次号に規定する特定市場外買付け等に該当しないものに限る。）を除く。）

二　特定市場外買付け等（取引所金融商品市場外における株券等の買付け等（取引所金融商品市場における有価証券の売買等に準ずるものとして政令で定める取引による株券等の買付け等及び著しく少数の者から買付け等を行うものとして政令で定める場合における株券等の買付け等を除く。）をいう。以下この号において同じ。）の後におけるその者の所有に係る株券等の株券等所有割合が百分の五を超えることとなる場合又は特定市場外買付け等の前におけるその者の所有に係る株券等の株券等所有割合が既に百分の五を超えている場合であつて、当該特定市場外買付け等の後におけるその者の所有に係る株券等の株券等所有割合が百分の三十以下となるときにおける当該特定市場外買付け等

三　その他前二号に掲げる株券等の買付け等に準ずるものとして政令で定める株券等の買付け等

＊令和六法三二（令和八・五・二一までに施行）による改正前

①　その株券、新株予約権付社債券その他の有価証券で政令で定めるもの（以下この章及び第二十七条の三十の十一（第五項を除く。）において「株券等」という。）について有価証券報告書を提出しなければならない発行者又は特定上場有価証券（流通状況がこれに準ずるものとして政令で定めるものを含み、株券等に限る。）の発行者の株券等につき、当該発行者以外の者が行う買付け等（株券等の買付けその他の有償の譲受けをいい、これに類するものとして政令で定めるものを含む。以下この節において同じ。）であつて次のいずれかに該当するものは、公開買付けによらなければならない。ただし、適用除外買付け等（新株予約権（会社法第二百七十七条の規定により割り当てられるものであつて、当該新株予約権が行使されることが確保されることにより公開買付けによらないで取得されても投資者の保護のため支障を生ずることがないと認められるものとして内閣府令で定めるものを除く。以下この項において同じ。）を有する者が当該新株予約権を行使することにより行う株券等の買付け等、株券等の買付け等を行う者がその者の特別関係者（第七項第一号に掲げる者のうち内閣府令で定めるものに限る。）から行う株券等の買付け等その他政令で定める株券等の買付け等をいう。第四号において同じ。）は、この限りでない。

一　取引所金融商品市場外における株券等の買付け等（取引所金融商品市場における有価証券の売買等に準ずるものとして政令で定める取引による株券等の買付け等及び著しく少数の者から買付け等を行うものとして政令で定める場合における株券等の買付け等を除く。）の後におけるその者の所有（これに準ずるものとして政令で定める場合を含む。以下この節において同じ。）に係る株券等の株券等所有割合（その者に特別関係者（第七項第一号に掲げる者については、内閣府令で定める者を除く。）がある場合にあつては、その株券等所有割合を加算したもの。以下この項において同じ。）が百分の五を超える場合における当該株券等の買付け等

二　取引所金融商品市場外における株券等の買付け等（取引所金融商品市場における有価証券の売買等に準ずるものとして政令で定める取引による株券等の買付け等を除く。第四号において同じ。）であつて著しく少数の者から株券等の買付け等

を行うものとして政令で定める場合における株券等の買付け等の後におけるその者の所有に係る株券等の株券等所有割合が三分の一を超える場合における当該株券等の買付け等

三　取引所金融商品市場における有価証券の売買等であつて競売買の方法以外の方法による有価証券の売買等として内閣総理大臣が定めるもの（以下この項において「特定売買等」という。）による買付け等による株券等の買付け等の後におけるその者の所有に係る株券等の株券等所有割合が三分の一を超える場合における特定売買等による当該株券等の買付け等（改正により削られた）

四　六月を超えない範囲内において政令で定める期間内に政令で定める割合を超える株券等の取得を株券等の買付け等又は新規発行取得（株券等の発行者が新たに発行する株券等の取得をいう。以下この号において同じ。）により行う場合（株券等の買付け等により行う場合にあつては、政令で定める割合を超える株券等の買付け等を特定売買等による株券等の買付け等又は取引所金融商品市場外における株券等の買付け等（公開買付けによるもの及び適用除外買付け等を除く。）により行うときに限る。）であつて、当該買付け等又は新規発行取得の後におけるその者の所有に係る株券等の株券等所有割合が三分の一を超えるときにおける当該株券等の買付け等（前三号に掲げるものを除く。）（改正により削られた）

五　当該株券等につき公開買付けが行われている場合において、当該株券等の発行者以外の者（その者の所有に係る株券等の株券等所有割合が三分の一を超える場合に限る。）が六月を超えない範囲内において政令で定める期間内に政令で定める割合を超える株券等の買付け等を行うときにおける当該株券等の買付け等（前各号に掲げるものを除く。）（改正により削られた）

六　その他前各号に掲げる株券等の買付け等に準ずるものとして政令で定める株券等の買付け等（改正後の三）

② 前項本文に規定する公開買付けによる株券等の買付け等は、政令で定める期間の範囲内で買付け等の期間を定めて、行わなければならない。

③ 第一項本文に規定する公開買付けによる株券等の買付け等を行う場合には、買付け等の価格（買付け以外の場合にあつては、買付けの価格に準ずるものとして政令で定めるものとする。以下この節において同じ。）については、政令で定めるところにより、均一の条件によらなければならない。

④ 第一項本文に規定する公開買付けによる株券等の買付け等を行う場合には、株券等の管理、買付け等の代金の支払その他の政令で定める事務については、金融商品取引業者（第二十八条第一項に規定する第一種金融商品取引業を行う者に限る。第二十七条の十二第三項において同じ。）又は銀行等（銀行、協同組織金融機関その他政令で定める金融機関をいう。第二十七条の十二第三項において同じ。）に行わせなければならない。

⑤ 第一項本文に規定する公開買付けによる株券等の買付け等を行う場合には、前三項の規定その他この節に定めるところによるほか、政令で定める条件及び方法によらなければならない。

⑥ この条において「公開買付け」とは、不特定かつ多数の者に対し、公告により株券等の買付け等の申込み又は売付け等（売付けその他の有償の譲渡をいう。以下この章において同じ。）の申込みの勧誘を行い、取引所金融商品市場外で株券等の買付け等を行うことをいう。

⑦ 第一項の「特別関係者」とは、次に掲げる者をいう。

一　株券等の買付け等を行う者と、株式の所有関係その他の政令で定める特別の関係にある者

*令和六法三二（令和八・五・二一までに施行）による改正
第一号中「株式の所有関係」の下の「、親族関係」は削られた。（本文織込み済み）

二　株券等の買付け等を行う者との間で、共同して当該株券等を取得し、若しくは譲渡し、若しくは当該株券等の発行者の株主としての議決権その他の権利を行使すること又は当該株券等の買付け等の後に相互に当該株券等を譲渡し、若しくは譲り受けることを合意している者

⑧ 第一項の「株券等所有割合」とは、次に掲げる割合をいう。

一　株券等の買付け等を行う者にあつては、内閣府令で定めるところにより、その者の所有に係る当該株券等（その所有の態様その他の事情を勘案して内閣府令で定めるものを除く。以下この項において同じ。）に係る議決権の数（株券については株式の数を、その他のものについては内閣府令で定めるところにより計算した株式に係る議決権の数をいう。以下この項において同じ。）の合計を、当該発行者の総議決権の数にその者及びその者の特別関係者の所有に係る当該発行者の発行する新株予約権付社債券その他の政令で定める有価証券に係る議決権の数を加算した数で除して得た割合

二　前項の特別関係者（同項第二号に掲げる者で当該株券等の発行者の株券等の買付け等を行うものを除く。）にあつては、内閣府令で定めるところにより、その者の所有に係る当該株券等に係る議決権の数の合計を、当該発行者の総議決権の数にその者及び前号に掲げる株券等の買付け等を行う者の所有に係る当該発行者の発行する新株予約権付社債券その他の政令で定める有価証券に係る議決権の数を加算した数で除して得た割合

第二七条の三（**公開買付開始公告及び公開買付届出書の提出**）① 前条第一項本文の規定により同項に規定する公開買付け（以下この節において「公開買付け」という。）によつて株券等の買付け等を行わなければならない者は、政令で定めるところにより、当該公開買付けについて、その目的、買付け等の価格、買付予定の株券等の数（株券については株式の数を、その他のものについては内閣府令で定める数をいう。以下この節において同じ。）、買付け等の期間その他の内閣府令で定める事項を公告しなければならない。この場合において、当該買付け等の期間が政令で定める期間より短いときは、第二十七条の十第三項の規定により当該買付け等の期間が延長されることがある旨を当該公告において明示しなければならない。

② 前項の規定による公告（以下この節において「公開買付開始公告」という。）を行つた者（以下この節において「公開買付者」という。）は、内閣府令で定めるところにより、当該公開買付開始公告を行つた日に、次に掲げる事項を記載した書類及び内閣府令で定める添付書類（以下この節並びに第百九十七条第一項第三号及び第百九十七条の二第一項第五号において「公開買付届出書」という。）を内閣総理大臣に提出をしなければならない。ただし、当該提出をしなければならない日（以下この項において「提出日」という。）が日曜日その他内閣府令で定める日（以下この項において「日曜日等」という。）に該当するときは、日曜日等以外の日であつて、当該提出日後に最初に到来する日に提出するものとする。

一　買付け等の価格、買付予定の株券等の数、買付け等の期間（前項後段の規定により公告において明示した内容を含む。）、買付け等に係る受渡しその他の決済及び公開買付者が買付け等に付した条件（以下この節において「買付条件等」という。）

二　当該公開買付開始公告をした日以後において当該公開買付けに係る株券等の買付け等を公開買付けによらないで行う契約がある場合には、当該契約の内容

三　公開買付けの目的、公開買付者に関する事項その他の内閣府令で定める事項

*令和六法三二（令和八・五・二一までに施行）による改正前
② 前項の規定による公告（以下この節において「公開買付開始公告」という。）を行つた者（以下この節において「公開買付者」という。）は、内閣府令で定めるところにより、当該公開買付開始公告を行つた日に、次に掲げる事項を記載した書類及び

内閣府令で定める添付書類（以下この節並びに第百九十七条及び第百九十七条の二において「公開買付届出書」という。）を内閣総理大臣に提出をしなければならない。ただし、当該提出をしなければならない日が日曜日その他内閣府令で定める日に該当するときは、これらの日の翌日に提出するものとする。

一―三（略）

③ 公開買付者、その特別関係者（第二十七条の二第七項に規定する特別関係者をいう。以下この節において同じ。）その他政令で定める関係者（以下この節において「公開買付者等」という。）は、その公開買付けにつき公開買付開始公告が行われた日の翌日以後は、当該公開買付者が公開買付届出書を内閣総理大臣に提出していなければ、売付け等の申込みの勧誘その他の当該公開買付けに係る内閣府令で定める行為をしてはならない。

④ 公開買付者は、当該公開買付届出書を提出した後、直ちに当該公開買付届出書の写しを当該公開買付けに係る株券等の発行者（当該公開買付届出書を提出した日において、既に当該発行者の株券等に係る公開買付届出書の提出をしている者がある場合には、当該提出をしている者を含む。）に送付するとともに、当該公開買付けに係る株券等が次の各号に掲げる株券等に該当する場合には、当該各号に掲げる株券等の区分に応じ、当該各号に定める者に送付しなければならない。この場合において、当該写しの送付に関し必要な事項は、内閣府令で定める。

一　金融商品取引所に上場されている株券等　当該金融商品取引所

二　流通状況が前号に掲げる株券等に準ずるものとして政令で定める株券等　政令で定める認可金融商品取引業協会

第二七条の四（**有価証券をもつて対価とする買付け等**）① 公開買付者等は、次項に規定する場合を除き、その公開買付けにつき有価証券をもつてその買付け等の対価とする場合において、当該有価証券がその募集又は売出しにつき第四条第一項本文、第二項本文又は第三項本文の規定の適用を受けるものであるときは、公開買付届出書又は訂正届出書の提出と同時に当該有価証券の発行者が内閣総理大臣にこれらの規定による届出を行つていなければ、売付け等の申込みの勧誘その他の当該公開買付けに係る内閣府令で定める行為をしてはならない。

② 前項の場合において、同項の有価証券が発行登録をされた有価証券であるときは、公開買付者等は、当該発行登録が効力を生じており、かつ、公開買付届出書又は訂正届出書の提出と同時に当該有価証券の発行登録者が発行登録追補書類を内閣総理大臣に提出していなければ、売付け等の申込みの勧誘その他の当該公開買付けに係る内閣府令で定める行為をしてはならない。

③ 有価証券をもつて買付け等の対価とする公開買付けであつて、当該有価証券の募集又は売出しにつき第四条第一項から第三項までの規定による届出が行われたもの又は発行登録追補書類が提出されたものに係る公開買付届出書の提出については、前条第二項の規定にかかわらず、公開買付届出書に記載すべき事項及び添付書類のうち内閣府令で定めるものの記載及び添付を省略することができる。

第二七条の五（**公開買付けによらない買付け等の禁止**） 公開買付者等は、公開買付期間（公開買付開始公告を行つた日から公開買付けによる買付け等の期間の末日までをいい、当該期間を延長した場合には、延長した期間を含む。以下この節において同じ。）中においては、公開買付けによらないで当該公開買付けに係る株券等の発行者の株券等の買付け等を行つてはならない。ただし、次に掲げる場合は、この限りでない。

一　当該株券等の発行者の株券等の買付け等を公開買付けによらないで行う旨の契約を公開買付開始公告を行う前に締結している場合で公開買付届出書において当該契約があること及びその内容を明らかにしているとき。

二　第二十七条の二第七項第一号に掲げる者（同項第二号に掲げる者に該当するものを除く。）が、内閣府令で定めるところにより、同項第二号に掲げる者に該当しない旨の申出を内閣総理大臣に行つた場合

三　その他政令で定める場合

第二七条の六（**公開買付けに係る買付条件等の変更**）① 公開買付者は、次に掲げる買付条件等の変更を行うことができない。

一　買付け等の価格の引下げ（公開買付開始公告及び公開買付届出書において公開買付期間中に対象者（第二十七条の十第一項に規定する対象者をいう。）が株式の分割その他の政令で定める行為を行つたときは内閣府令で定める基準に従い買付け等の価格の引下げを行うことがある旨の条件を付した場合に行うものを除く。）

二　買付予定の株券等の数の減少

三　買付け等の期間の短縮

四　その他政令で定める買付条件等の変更

② 公開買付者は、前項各号に規定するもの以外の買付条件等の変更を行うことができる。この場合において、当該変更を行おうとする公開買付者は、公開買付期間中に、政令で定めるところにより、買付条件等の変更の内容（第二十七条の十第三項の規定により買付け等の期間が延長された場合における当該買付け等の期間の延長を除く。）その他内閣府令で定める事項を公告しなければならない。

③ 前項の規定による公告を公開買付期間の末日までに行うことが困難である場合には、公開買付者は、当該末日までに同項に規定する内容及び事項を内閣府令で定めるところにより公表し、その後直ちに同項の規定の例により公告を行わなければならない。

第二七条の七（**公開買付開始公告の訂正**）① 公開買付開始公告（前条第二項又は第三項の規定による公告及び同項の規定による公表を含む。次項において同じ。）を行つた公開買付者は、その内容に形式上の不備があり、又は記載された内容が事実と相違していると認めたときは、その内容を訂正して、内閣府令で定めるところにより、公告し、又は公表しなければならない。

② 内閣総理大臣は、公開買付開始公告の内容について訂正をする必要があると認めるときは、当該公開買付開始公告を行つた公開買付者に対し、期限を指定して、内閣府令で定めるところにより、その訂正の内容を公告し、又は公表することを命ずることができる。

③ 前項の規定による処分は、当該公開買付期間（次条第八項の規定により延長しなければならない期間を含む。）の末日後は、することができない。

第二七条の八（**公開買付届出書の訂正届出書の提出**）① 公開買付届出書（その訂正届出書を含む。以下この条において同じ。）を提出した公開買付者は、内閣府令で定めるところにより、当該公開買付届出書に形式上の不備があり、記載された内容が事実と相違し、又はそれに記載すべき事項若しくは誤解を生じさせないために必要な事実の記載が不十分であり、若しくは欠けていると認めたときは、訂正届出書を内閣総理大臣に提出しなければならない。

② 公開買付届出書を提出した日以後当該公開買付期間の末日までの間において、買付条件等の変更（第二十七条の十第三項の規定による買付け等の期間の延長を除く。）その他の公開買付届出書に記載すべき重要な事項の変更その他当該公開買付届出書の内容を訂正すべき内閣府令で定める事情があるときは、当該公開買付届出書を提出した公開買付者は、内閣府令で定めるところにより、直ちに、訂正届出書を内閣総理大臣に提出しなければならない。

③ 内閣総理大臣は、次に掲げる事実が明らかであると認めるときは、公開買付届出書を提出した公開買付者に対し、期限を指定して訂正届出書の提出を命ずることができる。

一　公開買付届出書に形式上の不備があること。
二　公開買付届出書に記載された買付条件等がこの節の規定に従つていないこと。
三　訂正届出書に記載された買付条件等の変更が第二十七条の六第一項の規定に違反していること。
四　公開買付届出書に記載すべき事項の記載が不十分であること。

④　内閣総理大臣は、前項の規定による場合を除き、次に掲げる事実を発見した場合には、当該公開買付届出書を提出した公開買付者に対し、期限を指定して訂正届出書の提出を命ずることができる。この場合においては、行政手続法第十三条第一項の規定による意見陳述のための手続の区分にかかわらず、聴聞を行わなければならない。
一　公開買付届出書に記載された重要な事項について虚偽の記載があること。
二　公開買付届出書に記載すべき重要な事項又は誤解を生じさせないために必要な重要な事実の記載が欠けていること。

⑤　第三項の規定による処分は、当該公開買付期間（第八項の規定により延長しなければならない期間を含む。第七項において同じ。）の末日（当該末日後に提出される訂正届出書に係る処分にあつては、当該末日の翌日から起算して五年を経過した日）後は、することができないものとし、前項の規定による処分は、当該末日の翌日から起算して五年を経過した日後は、することができない。

⑥　第二十七条の三第四項の規定は、第一項から第四項までの規定により訂正届出書が提出された場合について準用する。

⑦　公開買付者等は、公開買付期間中に第三項又は第四項の規定による処分があつた場合において、当該処分に係る訂正届出書が提出されるまでの間は、売付け等の申込みの勧誘その他の当該公開買付けに係る内閣府令で定める行為をしてはならない。

⑧　公開買付者は、公開買付期間中に、第一項若しくは第二項の規定による訂正届出書を提出する場合又は第三項若しくは第四項の規定による訂正届出書の提出命令があつた場合には、内閣府令で定める場合を除き、当該公開買付けに係る買付け等の期間を、内閣府令で定める期間、延長し、内閣府令で定めるところによりその旨を直ちに公告し、又は公表しなければならない。

⑨　前項の規定により公開買付けに係る買付け等の期間を延長しなければならない場合において、当該公開買付者は、当該延長しなければならない期間の末日までの間は、当該公開買付けに係る株券等の受渡しその他の決済を行つてはならない。

⑩　第二十七条の五の規定は、第八項の規定により公開買付けに係る買付け等の期間を延長しなければならない場合における当該延長しなければならない期間の末日までの間について準用する。

⑪　公開買付者は、第一項から第四項までの規定により訂正届出書を提出したときは、政令で定めるところにより、当該訂正届出書に記載した内容のうち公開買付開始公告に記載した内容に係るものを公告し、又は内閣府令で定めるところにより公表しなければならない。ただし、既に第二十七条の六第二項の規定による公告若しくは同条第三項の規定による公表及び公告を行つた場合又は第一項の規定による訂正届出書でその内容が軽微なものとして内閣府令で定めるものを提出した場合は、この限りでない。

⑫　前条の規定は、第八項及び前項の規定による公告又は公表について準用する。

（公開買付説明書等の作成及び交付）

第二十七条の九①　公開買付者は、公開買付届出書に記載すべき事項で内閣府令で定めるもの及び公益又は投資者保護のため必要かつ適当なものとして内閣府令で定める事項を記載した書類（以下この節並びに第百九十七条の二及び第二百条において「公開買付説明書」という。）を、内閣府令で定めるところにより、作成しなければならない。

②　公開買付者が、前項の規定に基づき公開買付説明書に記載すべき事項のうち、公開買付届出書に記載された事項（公開買付開始公告に記載すべき事項を除く。以下この項において同じ。）について、公開買付届出書を参照すべき旨及び投資者が当該公開買付届出書に記載された事項を閲覧するために必要な事項として内閣府令で定める事項を公開買付説明書に記載した場合には、公開買付説明書に当該公開買付届出書に記載された事項の記載をしたものとみなす。

③　公開買付者は、公開買付けによる株券等の買付け等を行う場合には、当該株券等の売付け等を行おうとする者に対し、内閣府令で定めるところにより、公開買付説明書を交付しなければならない。

④　公開買付者は、前条第一項から第四項までの規定により訂正届出書を提出した場合には、投資者の投資判断に及ぼす影響が軽微なものとして内閣府令で定める場合を除き、直ちに、内閣府令で定めるところにより、公開買付説明書を訂正し、かつ、既に公開買付説明書を交付している者に対して、訂正した公開買付説明書を交付しなければならない。

＊令和六法三二（令和八・五・二一までに施行）**による改正前**
（公開買付説明書等の作成及び交付）

第二十七条の九①　（略）
新②　（改正により追加）
②　（略、改正後の③）
③　公開買付者は、前条第一項から第四項までの規定により訂正届出書を提出した場合には、直ちに、内閣府令で定めるところにより、公開買付説明書を訂正し、かつ、既に公開買付説明書を交付している者に対して、訂正した公開買付説明書を交付しなければならない。（改正後の④）

（公開買付対象者による意見表明報告書等及び公開買付者による対質問回答報告書等の提出）

第二十七条の一〇①　公開買付けに係る株券等の発行者（以下この節及び第二十七条の三十の十一第四項において「対象者」という。）は、内閣府令で定めるところにより、公開買付開始公告が行われた日から政令で定める期間内に、当該公開買付けに関する意見その他の内閣府令で定める事項を記載した書類（以下「意見表明報告書」という。）を内閣総理大臣に提出しなければならない。

②　意見表明報告書には、当該公開買付けに関する意見のほか、次に掲げる事項を記載することができる。
一　公開買付者に対する質問
二　公開買付開始公告に記載された買付け等の期間を政令で定める期間に延長することを請求する旨及びその理由（当該買付け等の期間が政令で定める期間より短い場合に限る。）

③　前項の規定により意見表明報告書に同項第二号に掲げる請求をする旨の記載があり、かつ、第二十七条の十四第一項の規定により内閣総理大臣が当該意見表明報告書を公衆の縦覧に供したときは、公開買付者は、買付け等の期間を政令で定める期間に延長しなければならない。

④　対象者は、第二項の規定により意見表明報告書に同項第二号に掲げる請求をする旨の記載をした場合には、第一項に規定する期間の末日の翌日までに、政令で定めるところにより、前項の規定による延長後の買付け等の期間その他の内閣府令で定める事項を公告しなければならない。

⑤　前項の規定による公告（次項において「期間延長請求公告」という。）を行つた対象者は、その内容に形式上の不備があり、又は記載された内容が事実と相違していると認めたときは、その内容を訂正して、内閣府令で定めるところにより、公告し、又は公表しなければならない。

⑥　内閣総理大臣は、期間延長請求公告の内容について訂正をする必要があると認められるときは、当該期間延長請求公告を行つた対象者に対し、期限を指定して、内閣府令で定めるところ

融商品取引業協会が内閣総理大臣からの通知を受けたときは、その時以後、当該通知に係る縦覧書類の写しについては、第二項及び第三項の規定は、適用しない。

第二七条の一五（公開買付届出書等の真実性の認定等の禁止）① 何人も、公開買付届出書、公開買付撤回届出書、公開買付報告書、意見表明報告書又は対質問回答報告書の受理があつたことをもつて、内閣総理大臣が当該受理に係るこれらの書類の記載が真実かつ正確であり、又はこれらの書類のうちに重要な事項の記載が欠けていないことを認定したものとみなすことができない。

② 公開買付者等及び対象者は、前項の規定に違反する表示をすることができない。

第二七条の一六（公開買付けに係る違反行為による賠償責任） 第十六条の規定は、第二十七条の三第三項若しくは第二十七条の八第七項の規定に違反して内閣府令で定める行為をした者又は第二十七条の九第三項若しくは第四項の規定に違反して株券等の買付け等をした者について準用する。この場合において、第十六条中「これを取得した者」とあるのは、「公開買付け（第二十七条の三第一項に規定する公開買付けをいう。）に応じて株券等（第二十七条の二第一項に規定する株券等をいう。）の売付け等（第二十七条の二第六項に規定する売付け等をいう。）をした者」と読み替えるものとする。

＊令和六法三二（令和八・五・二一までに施行）による改正前

第二七条の一六（公開買付けに係る違反行為による賠償責任） 第十六条の規定は、第二十七条の三第三項若しくは第二十七条の八第七項の規定に違反して内閣府令で定める行為をした者又は第二十七条の九第二項若しくは第三項の規定に違反して当該株券等の買付け等をした者について準用する。この場合において、第十六条中「これを取得した者」とあるのは、「当該公開買付けに応じて当該株券等の売付け等をした者」と読み替えるものとする。

第二七条の一七① 第二十七条の五（第二十七条の八第十項において準用する場合を含む。以下この項において同じ。）の規定に違反して株券等の買付け等をした公開買付者等は、当該公開買付けに応じて株券等の売付け等をした者（第二十七条の五の規定に該当する株券等の売付け等を行つた者及び次条第二項第一号に規定する一部の者を除く。）に対し、損害賠償の責めに任ずる。

② 前項の規定により賠償の責めに任ずべき額は、同項の買付け等を行つた際に公開買付者等が支払つた価格（これに相当する利益の供与を含み、当該価格が均一でないときは、その最も有利な価格とする。）から公開買付価格（公開買付開始公告及び公開買付届出書に記載した買付け等の価格をいい、第二十七条の六第二項又は第三項の公告又は公表により買付け等の価格を変更したときは、当該変更後の買付け等の価格をいう。以下この節において同じ。）を控除した金額に前項の規定による請求権者の応募株券等（あん分比例方式により売付け等ができなかつたものを除く。次条第二項及び第二十七条の二十第二項において同じ。）の数を乗じた額とする。

第二七条の一八① 第二十七条の十三第四項の規定に違反して公開買付けによる株券等の買付け等に係る受渡しその他の決済を行つた者（以下この条において「公開買付けをした者」という。）は、当該公開買付けに応じて株券等の売付け等をした者（次項第一号に掲げる場合にあつては当該公開買付価格より有利な価格（これに相当する利益の供与を含む。以下この条において同じ。）で売付け等をした者を除くものとし、次項第二号に掲げる場合にあつては公開買付けをした者が同号の異なる方式で株券等の買付け等をしたことにより株券等の売付け等ができなかつた者を含む。）に対し、損害賠償の責めに任ずる。

② 前項の規定により賠償の責めに任ずべき額は、次に掲げる場合には、次の各号に掲げる区分に応じ当該各号に定める額とする。

一 当該公開買付けをした者が、当該公開買付けに応じて株券等の売付け等をした者の一部の者に対し、公開買付価格より有利な価格で買付け等を行つた場合 当該有利な価格（当該有利な価格が均一でないときは、その最も有利な価格とする。）から公開買付価格を控除した金額に前項の規定による請求権者の応募株券等の数を乗じた額

二 当該公開買付けをした者が公開買付届出書に記載されたあん分比例方式と異なる方式で株券等の買付け等をした場合 当該あん分比例方式で計算した場合に前項の規定による請求権者から買付け等がされるべき株券等の数から当該公開買付けをした者が当該請求権者から買付け等をした株券等の数を控除した数（当該請求権者から買付け等をしなかつた場合には、当該あん分比例方式で計算した場合に当該請求権者から買付け等がされるべき株券等の数とする。）に公開買付価格（前条第一項に該当する場合にあつては同条第二項に規定する公開買付者が支払つた価格、前号に掲げる場合に該当する場合にあつては同号に定める有利な価格とし、そのいずれにも該当する場合にあつてはそのいずれか有利な価格とする。）から前項の規定による損害賠償を請求する時における当該株券等の市場価格（市場価格がないときはその時における処分推定価格とし、当該請求時前に当該株券等を処分した場合においてはその処分価格とする。）を控除した金額を乗じた額

第二七条の一九（虚偽記載等のある公開買付説明書の使用者の賠償責任） 第十七条の規定は、重要な事項について虚偽の記載があり、又は表示すべき重要な事項若しくは誤解を生じさせないために必要な重要な事実の表示が欠けている公開買付説明書（第二十七条の九第二項の規定により当該公開買付説明書に公開買付届出書を参照すべき旨を記載した場合における当該公開買付届出書（その訂正届出書を含む。次条及び第二十七条の二十一第二項第一号において同じ。）を含む。）その他の表示を使用して株券等の売付け等をさせた者について準用する。この場合において、第十七条中「当該有価証券を取得した者」とあるのは、「公開買付け（第二十七条の三第一項に規定する公開買付けをいう。）に応じて株券等（第二十七条の二第一項に規定する株券等をいう。）の売付け等（第二十七条の二第六項に規定する売付け等をいう。）をした者」と読み替えるものとする。

＊令和六法三二（令和八・五・二一までに施行）による改正前

第二七条の一九（虚偽記載等のある公開買付説明書の使用者の賠償責任） 第十七条の規定は、重要な事項について虚偽の記載があり、又は表示すべき重要な事項若しくは誤解を生じさせないために必要な重要な事実の表示が欠けている公開買付説明書その他の表示を使用して株券等の売付け等をさせた者について準用する。この場合において、同条中「当該有価証券を取得した者」とあるのは、「当該公開買付けに応じて当該株券等の売付け等をした者」と読み替えるものとする。

第二七条の二〇（虚偽記載等のある公開買付開始公告を行つた者等の賠償責任）① 第十八条第一項の規定は、次に掲げる者について準用する。この場合において、同項中「当該有価証券を当該募集又は売出しに応じて取得した者」とあるのは「公開買付け（第二十七条の三第一項に規定する公開買付けをいう。以下この項において同じ。）に応じて株券等（第二十七条の二第一項に規定する株券等をいう。以下この項において同じ。）の売付け等（第二十七条の二第六項に規定する売付け等をいう。以下この項において同じ。）をした者」と、同項ただし書中「当該有価証券を取得した者」とあるのは「当該公開買付けに応じて当該株券等の売付け等をした者」と、「その取得の申込みの際」とあるのは「その売付け等の際」と読み替えるものとする。

一 重要な事項について虚偽の表示があり、又は表示すべき重要な事項若しくは誤解を生じさせないために必要な重要な事実の表示が欠けている公開買付開始公告又は第二十七条の六第二項若しくは第三項、第二十七条の七第一項若しくは第二

項（これらの規定を第二十七条の八第十二項において準用する場合を含む。）若しくは第二十七条の八第八項若しくは第十一項の規定による公告若しくは公表（以下この条及び次条において「公開買付開始公告等」という。）を行つた者

二　重要な事項について虚偽の記載があり、又は記載すべき重要な事項若しくは誤解を生じさせないために必要な重要な事実の記載が欠けている公開買付届出書を提出した者

三　重要な事項について虚偽の記載があり、又は記載すべき重要な事項若しくは誤解を生じさせないために必要な重要な事実の記載が欠けている公開買付説明書（第二十七条の九第四項の規定により訂正された公開買付説明書を含む。以下この条及び次条第二項第一号において同じ。）を作成した者

四　重要な事項について虚偽の記載があり、又は記載すべき重要な事項若しくは誤解を生じさせないために必要な重要な事実の記載が欠けている対質問回答報告書（その訂正報告書を含む。以下この条及び次条において同じ。）を提出した者

＊令和六法三二（令和八・五・二一までに施行）による改正前

①　第十八条第一項の規定は、次に掲げる者について準用する。この場合において、同項中「当該有価証券を当該募集又は売出しに応じて取得した者」とあり、及び「当該有価証券を取得した者」とあるのは「当該公開買付けに応じて当該株券等の売付け等をした者」と、「その取得の申込みの際」とあるのは「その売付け等の際」と読み替えるものとする。

一　（略）

二　重要な事項について虚偽の記載があり、又は記載すべき重要な事項若しくは誤解を生じさせないために必要な重要な事実の記載が欠けている公開買付届出書（その訂正届出書を含む。以下この条及び次条において同じ。）を提出した者

三　重要な事項について虚偽の記載があり、又は記載すべき重要な事項若しくは誤解を生じさせないために必要な重要な事実の記載が欠けている公開買付説明書（第二十七条の九第三項の規定により訂正された公開買付説明書を含む。以下この条及び次条において同じ。）を作成した者

四　（略）

②　前項（第一号及び第四号を除く。）の規定の適用がある場合において、公開買付者が、当該公開買付期間の末日後に当該公開買付けに係る株券等の買付け等を当該公開買付けによらないで行う契約があるにもかかわらず、公開買付届出書又は公開買付説明書にその旨の記載をすることなく、当該公開買付期間の末日後に当該契約による買付け等をしたときは、当該公開買付者が当該公開買付けに応じて株券等の売付け等をした者（当該契約により株券等の売付け等をした者及び第二十七条の五の規定に該当する株券等の売付け等をした者を除く。）に対し賠償の責めに任ずべき額は、当該公開買付者が当該買付け等をした価格（これに相当する利益の供与を含み、当該価格が均一でない場合には、その最も有利な価格とする。）から公開買付価格を控除した金額に前項において準用する第十八条第一項の規定による請求権者の応募株券等の数を乗じた額とする。

③　次に掲げる者は、前項の適用がある場合を除き、第一項各号に掲げる者と連帯して同項の規定による賠償の責めに任ずる。ただし、次に掲げる者が、記載が虚偽であり又は欠けていることを知らず、かつ、相当な注意を用いたにもかかわらず知ることができなかつたことを証明したときは、この限りでない。

一　第一項各号に掲げる者の特別関係者（第二十七条の二第七項第二号に掲げる者に限る。）

二　第一項各号に掲げる者が法人その他の団体である場合には、当該法人その他の団体のその公開買付開始公告等、公開買付届出書若しくは対質問回答報告書の提出又は公開買付説明書の作成を行つた時における取締役、会計参与、監査役、執行役、理事若しくは監事又はこれらに準ずる者

第二十七条の二一（公開買付けに係る違反行為による賠償請求権の時効）①　第二十七条の十八第二項の規定による請求権及び第二十七条の十七第一項の規定の適用がある場合における同条第一項の規定による請求権は、次に掲げる場合には、時効によつて消滅する。

一　請求権者が当該違反を知つた時又は相当な注意をもつて知ることができる時から一年間行使しないとき。

二　当該公開買付けに係る公開買付期間の末日の翌日から起算して五年間行使しないとき。

②　前条第二項の規定の適用がある場合における同条第一項の規定による請求権は、次に掲げる場合には、時効によつて消滅する。

一　請求権者が公開買付開始公告等、公開買付届出書、公開買付説明書又は対質問回答報告書のうちに重要な事項について虚偽の記載若しくは表示があり、又は記載若しくは表示すべき重要な事項若しくは誤解を生じさせないために必要な重要な事実の記載が欠けていることを知つた時又は相当な注意をもつて知ることができる時から一年間行使しないとき。

二　当該公開買付けに係る公開買付期間の末日の翌日から起算して五年間行使しないとき。

第二十七条の二二（公開買付者等に対する報告の徴取及び検査）①　内閣総理大臣は、公益又は投資者保護のため必要かつ適当であると認めるときは、公開買付者若しくは第二十七条の二第一項本文の規定により公開買付けによつて株券等の買付け等を行うべきであると認められる者若しくはこれらの特別関係者その他の関係者若しくは参考人に対し参考となるべき報告若しくは資料の提出を命じ、又は当該職員をしてその者の帳簿書類その他の物件を検査させることができる。

②　内閣総理大臣は、公益又は投資者保護のため必要かつ適当であると認めるときは、意見表明報告書を提出した者若しくは提出すべきであると認められる者若しくはこれらの関係者若しくは参考人に対し参考となるべき報告若しくは資料の提出を命じ、又は当該職員をしてその者の帳簿書類その他の物件を検査させることができる。

③　内閣総理大臣は、前二項の規定による報告若しくは資料の提出の命令又は検査に関して必要があると認めるときは、公務所又は公私の団体に照会して必要な事項の報告を求めることができる。

第二節　発行者による上場株券等の公開買付け

第二十七条の二二の二（発行者による上場株券等の公開買付け）①　上場株券等の当該上場株券等の発行者による取引所金融商品市場外における買付け等（買付けその他の有償の譲受けをいう。以下この条及び次条において同じ。）のうち、次に掲げるものに該当するものについては、公開買付けによらなければならない。ただし、取引所金融商品市場における有価証券の売買等に準ずるものとして政令で定める取引による買付け等については、この限りでない。

一　会社法第百五十六条第一項（同法第百六十五条第三項の規定により読み替えて適用する場合を含む。以下この号において同じ。）の規定又は他の法令の規定で同法第百五十六条第一項の規定に相当するものとして政令で定めるものによる買付け等（同法第百六十条第一項に規定する同法第百五十八条第一項の規定による通知を行う場合を除く。）

二　上場株券等の発行者が外国会社である買付け等のうち、多数の者が当該買付け等に関する事項を知り得る状態に置かれる方法により行われる買付け等として政令で定めるもの

②　第二十七条の二第二項から第六項まで、第二十七条の三（第一項後段及び第二項第二号を除く。）、第二十七条の四、第二十七条の五（各号列記以外の部分に限る。第五項及び次条第五項において同じ。）、第二十七条の六から第二十七条の九まで（第二十七条の八第六項、第十項及び第十二項を除く。）、第二十七条の十一から第二十七条の十五まで（第二十七条の十一第四項並びに第二十七条の十三第三項及び第四項第一号を除く。）、第

二十七条の十七、第二十七条の十八、第二十七条の二十一第一項及び前条（第二項を除く。）の規定は、前項の規定により公開買付けによる買付け等を行う場合について準用する。この場合において、これらの規定（第二十七条の三第四項及び第二十七条の十一第一項ただし書を除く。）中「株券等」とあるのは「上場株券等」と、第二十七条の二第六項中「売付け等（売付けその他の有償の譲渡をいう。以下この章において同じ。）」とあるのは「売付け等」と、第二十七条の三第二項中「次に」とあるのは「第一号及び第三号に」と、同項第一号中「買付け等の期間（前項後段の規定により公告において明示した内容を含む。）」とあるのは「買付け等の期間」と、同条第三項中「公開買付者、その特別関係者（第二十七条の二第七項に規定する特別関係者をいう。以下この節において同じ。）その他政令で定める関係者」とあるのは「公開買付者その他政令で定める関係者」と、同条第四項前段中「当該公開買付けに係る株券等の発行者（当該公開買付届出書を提出した日において、既に当該発行者の株券等に係る公開買付届出書の提出をしている者がある場合には、当該提出をしている者を含む。）に送付するとともに、当該公開買付けに係る株券等が次の各号に掲げる株券等に該当する場合には、当該各号に掲げる株券等の区分に応じ、当該各号に定める者」とあるのは「次の各号に掲げる当該公開買付けに係る上場株券等の区分に応じ、当該各号に定める者に送付するとともに、当該公開買付届出書を提出した日において、既に当該公開買付者が発行者である株券等に係る公開買付届出書の提出をしている者がある場合には、当該提出をしている者」と、同項各号中「株券等」とあるのは「上場株券等」と、第二十七条の五ただし書中「次に掲げる」とあるのは「政令で定める」と、第二十七条の六第一項第一号中「買付け等の価格の引下げ（公開買付開始公告及び公開買付届出書において公開買付期間中に対象者（第二十七条の十第一項に規定する対象者をいう。）が株式の分割その他の政令で定める行為を行つたときは内閣府令で定める基準に従い買付け等の価格の引下げを行うことがある旨の条件を付した場合に行うものを除く。）」とあるのは「買付け等の価格の引下げ」と、同条第二項中「買付条件等の変更の内容（第二十七条の十第三項の規定により買付け等の期間が延長された場合における当該買付け等の期間の延長を除く。）」とあるのは「買付条件等の変更の内容」と、第二十七条の八第二項中「買付条件等の変更（第二十七条の十第三項の規定による買付け等の期間の延長を除く。）」とあるのは「買付条件等の変更」と、第二十七条の十一第一項ただし書中「公開買付者が公開買付開始公告及び公開買付届出書において公開買付けに係る株券等の発行者若しくはその子会社（会社法第二条第三号に規定する子会社をいう。）の業務若しくは財産に関する重要な変更その他の公開買付けの目的の達成に重大な支障となる事情（政令で定めるものに限る。）が生じたときは公開買付けの撤回等をすることがある旨の条件を付した場合又は公開買付者に関し破産手続開始の決定その他の政令で定める重要な事情の変更が生じた」とあるのは「当該公開買付けにより当該上場株券等の買付け等を行うことが他の法令に違反することとなる場合又は他の法令に違反することとなるおそれがある事情として政令で定める事情が生じた」と、第二十七条の十三第四項中「次に掲げる条件を付した場合（第二号の条件を付す場合にあつては、当該公開買付けの後における公開買付者の所有に係る株券等の株券等所有割合（第二十七条の二第八項に規定する株券等所有割合をいい、当該公開買付者に同条第一項第一号に規定する特別関係者がある場合にあつては、当該特別関係者の所有に係る株券等の同条第八項に規定する株券等所有割合を加算したものをいう。）が政令で定める割合を下回る場合に限る。）」とあるのは「第二号に掲げる条件を付した場合」と、第二十七条の十四第一項中「、意見表明報告書及び対質問回答報告書（これらの」とあるのは「（その」と、同条第三項中「並びに第二十七条の十第九項（同条第十項において準用する場合を含む。）及び第十三項（同条第十四項において準用する場合を含む。）の規定」とあるのは「の規定」と、同条第五項第一号中「第二十七条の八第三項」とあるのは「第二十七条の二十二の二第二項において準用する第二十七条の八第三項」と、同項第二号中「第二十七条の十第八項若しくは第十二項又は前条第三項」とあるのは「第二十七条の二十二の二第七項」と、第二十七条の十五第一項中「、公開買付報告書、意見表明報告書又は対質問回答報告書」とあるのは「又は公開買付報告書」と、同条第二項中「公開買付者等及び対象者」とあるのは「公開買付者等」と、前条第一項中「若しくは第二十七条の二第一項本文の規定により公開買付けによつて株券等の買付け等を行うべきであると認められる者若しくはこれらの特別関係者」とあるのは「若しくは第二十七条の二十二の二第一項本文の規定により公開買付けによつて上場株券等の買付け等を行うべきであると認められる者」と、同条第三項中「前二項」とあるのは「第二十七条の二十二の二第二項において準用する第一項」と読み替えるものとする。

③ 第二十七条の三第四項の規定は、前項において準用する第二十七条の八第一項から第四項までの規定により訂正届出書が提出された場合について準用する。この場合において、第二十七条の三第四項前段中「当該公開買付けに係る株券等の発行者（当該公開買付届出書を提出した日において、既に当該発行者の株券等に係る公開買付届出書の提出をしている者がある場合には、当該提出をしている者を含む。）に送付するとともに、当該公開買付けに係る株券等が次の各号に掲げる株券等に該当する場合には、当該各号に掲げる株券等の区分に応じ、当該各号に定める者」とあるのは「次の各号に掲げる当該公開買付けに係る上場株券等の区分に応じ、当該各号に定める者に送付するとともに、当該訂正届出書を提出した日において、既に当該公開買付者が発行者である株券等に係る公開買付届出書の提出をしている者がある場合には、当該提出をしている者」と、同項各号中「株券等」とあるのは「上場株券等」と読み替えるものとする。

④ 公開買付者（第二項において準用する第二十七条の三第二項に規定する公開買付者をいう。以下この節において同じ。）は、公開買付撤回届出書（第二項において準用する第二十七条の十一第三項に規定する公開買付撤回届出書をいう。以下この節において同じ。）又は公開買付報告書（第二項において準用する第二十七条の十三第二項に規定する公開買付報告書をいう。以下この節において同じ。）を提出した後、直ちに当該公開買付撤回届出書又は公開買付報告書の写しを、第二項において準用する第二十七条の三第四項各号に掲げる当該公開買付けに係る上場株券等の区分に応じ、当該各号に定める者に送付しなければならない。この場合において、当該写しの送付に関し必要な事項は、内閣府令で定める。

⑤ 第二十七条の五の規定は、第二項において準用する第二十七条の八第八項の規定により公開買付けに係る買付け等の期間を延長しなければならない場合における当該延長しなければならない期間の末日までの間について準用する。この場合において、第二十七条の五中「株券等」とあるのは「上場株券等」と、「次に掲げる」とあるのは「政令で定める」と読み替えるものとする。

⑥ 第二十七条の七の規定は、第二項において準用する第二十七条の八第八項及び第十一項の規定による公告又は公表について準用する。

⑦ 第二十七条の八第一項から第五項までの規定は、公開買付報告書について準用する。この場合において、第二十七条の八第一項中「訂正届出書」とあるのは「訂正報告書」と、同条第二項中「当該公開買付期間の末日までの間において、買付条件等の変更（第二十七条の十第三項の規定による買付け等の期間の延長を除く。）その他の公開買付届出書に記載すべき重要な事項の変更その他当該公開買付届出書の内容を訂正すべき内閣府令で定める事情がある」とあるのは「第二十七条の二十二の二第二項において準用する第二十七条の十三第五項に規定するあん

分比例方式により買付け等をする上場株券等の数が確定した」と、「訂正届出書」とあるのは「訂正報告書」と、同条第三項中「訂正届出書」とあるのは「訂正報告書」と、「買付条件等がこの節の規定」とあるのは「買付け等に係る受渡しその他の決済が第二十七条の二十二の二第二項において準用する第二十七条の十三第四項（第一号を除く。）及び第二十七条の十三第五項の規定」と、「買付条件等の変更が第二十七条の六第一項の規定」とあるのは「買付け等をする上場株券等の数の計算の結果が第二十七条の二十二の二第二項において準用する第二十七条の十三第五項に規定する内閣府令で定めるあん分比例方式」と、同条第四項中「訂正届出書」とあるのは「訂正報告書」と、同条第五項中「第三項の規定による処分」とあるのは「第二十七条の二十二の二第七項において準用する第三項及び前項の規定による処分」と、「末日（当該末日後に提出される訂正届出書に係る処分にあつては、当該末日の翌日から起算して五年を経過した日）後は、することができないものとし、前項の規定による処分は、当該末日」とあるのは「末日」と読み替えるものとする。

⑧ 第四項の規定は、前項において準用する第二十七条の八第一項から第四項までの規定による訂正報告書について準用する。この場合において、第四項中「公開買付撤回届出書（第二項において準用する第二十七条の十一第三項に規定する公開買付撤回届出書をいう。以下この節において同じ。）又は公開買付報告書（第二項において準用する第二十七条の十三第二項に規定する公開買付報告書をいう。以下この節において同じ。）」とあるのは「訂正報告書（第七項において準用する第二十七条の八第一項から第四項までの規定による訂正報告書をいう。）」と、「公開買付撤回届出書又は公開買付報告書」とあるのは「訂正報告書」と読み替えるものとする。

⑨ 第十六条の規定は、第二項において準用する第二十七条の三第三項若しくは第二十七条の八第七項の規定に違反して内閣府令で定める行為をした者又は第二項において準用する第二十七条の九第三項若しくは第四項の規定に違反して上場株券等の買付け等をした者について準用する。この場合において、第十六条中「これを取得した者」とあるのは、「公開買付け（第二十七条の二十二の二第二項において準用する第二十七条の三第一項に規定する公開買付けをいう。）に応じて上場株券等（第二十四条の六第一項に規定する上場株券等をいう。）の売付け等（第二十七条の二第六項に規定する売付け等をいう。）をした者」と読み替えるものとする。

＊令和六法三二（令和八・五・二一までに施行）**による改正前**

⑨ 第十六条の規定は、第二項において準用する第二十七条の三第三項若しくは第二十七条の八第七項の規定に違反して内閣府令で定める行為をした者又は第二項において準用する第二十七条の九第二項若しくは第三項の規定に違反して当該上場株券等の買付け等をした者について準用する。この場合において、第十六条中「これを取得した者」とあるのは、「当該公開買付けに応じて当該上場株券等の売付け等をした者」と読み替えるものとする。

⑩ 第十七条の規定は、重要な事項について虚偽の記載があり、又は表示すべき重要な事項若しくは誤解を生じさせないために必要な重要な事実の表示が欠けている公開買付説明書（第二項において準用する第二十七条の九第一項に規定する公開買付説明書をいい、第二項において準用する同条第三項の規定により当該公開買付説明書に公開買付届出書を参照すべき旨を記載した場合における当該公開買付届出書（その訂正届出書を含む。次項第二号及び第十二項において同じ。）を含む。）その他の表示を使用して上場株券等の売付け等をさせた者について準用する。この場合において、第十七条中「当該有価証券を取得した者」とあるのは、「公開買付け（第二十七条の二十二の二第二項において準用する第二十七条の三第一項に規定する公開買付けをいう。）に応じて上場株券等（第二十四条の六第一項に規定する上場株券等をいう。）の売付け等（第二十七条の二第六項に規定する売付け等をいう。）をした者」と読み替えるものとする。

＊令和六法三二（令和八・五・二一までに施行）**による改正前**

⑩ 第十七条の規定は、重要な事項について虚偽の記載があり、又は表示すべき重要な事項若しくは誤解を生じさせないために必要な重要な事実の表示が欠けている公開買付説明書（第二項において準用する第二十七条の九第一項に規定する公開買付説明書をいう。以下この節において同じ。）その他の表示を使用して上場株券等の売付け等をさせた者について準用する。この場合において、同条中「当該有価証券を取得した者」とあるのは、「当該公開買付けに応じて上場株券等の売付け等をした者」と読み替えるものとする。

⑪ 第十八条第一項の規定は、次に掲げる者について準用する。この場合において、同項中「当該有価証券を当該募集又は売出しに応じて取得した者」とあるのは「公開買付け（第二十七条の二十二の二第二項において準用する第二十七条の三第一項に規定する公開買付けをいう。以下この項において同じ。）に応じて上場株券等（第二十四条の六第一項に規定する上場株券等をいう。以下この項において同じ。）の売付け等（第二十七条の二第六項に規定する売付け等をいう。以下この項において同じ。）をした者」と、同項ただし書中「当該有価証券を取得した者」とあるのは「当該公開買付けに応じて当該上場株券等の売付け等をした者」と、「その取得の申込みの際」とあるのは「その売付け等の際」と読み替えるものとする。

一 重要な事項について虚偽の表示があり、又は表示すべき重要な事項若しくは誤解を生じさせないために必要な重要な事実の表示が欠けている第二項において準用する第二十七条の三第二項に規定する公開買付開始公告又は第二項において準用する第二十七条の六第二項若しくは第三項、第二十七条の七第一項若しくは第二項若しくは第二十七条の八第八項若しくは第十一項の規定若しくは第六項において準用する第二十七条の七第一項若しくは第二項の規定による公告若しくは公表（次項において「公開買付開始公告等」という。）を行つた者

二 重要な事項について虚偽の記載があり、又は記載すべき重要な事項若しくは誤解を生じさせないために必要な重要な事実の記載が欠けている第二項において準用する第二十七条の三第二項に規定する公開買付届出書を提出した者

三 重要な事項について虚偽の記載があり、又は記載すべき重要な事項若しくは誤解を生じさせないために必要な重要な事実の記載が欠けている公開買付説明書（第二項において準用する第二十七条の九第一項に規定する公開買付説明書をいい、第二項において準用する同条第四項の規定により訂正された公開買付説明書を含む。次項において同じ。）を作成した者

＊令和六法三二（令和八・五・二一までに施行）**による改正前**

⑪ 第十八条第一項の規定は、次に掲げる者について準用する。この場合において、同項中「当該有価証券を当該募集又は売出しに応じて取得した者」とあり、及び「当該有価証券を取得した者」とあるのは「当該公開買付けに応じて当該上場株券等の売付け等をした者」と、「その取得の申込みの際」とあるのは「その売付け等の際」と読み替えるものとする。

一 （略）

二 重要な事項について虚偽の記載があり、又は記載すべき重要な事項若しくは誤解を生じさせないために必要な重要な事実の記載が欠けている第二項において準用する第二十七条の三第二項に規定する公開買付届出書（その訂正届出書を含む。次項において同じ。）を提出した者

三 重要な事項について虚偽の記載があり、又は記載すべき重要な事項若しくは誤解を生じさせないために必要な重要な事実の記載が欠けている公開買付説明書（第二項において準用

する第二十七条の九第三項の規定により訂正された公開買付説明書を含む。次項において同じ。）を作成した者

⑫　前項において準用する第十八条第一項の規定の適用がある場合において、当該発行者のその公開買付開始公告等、公開買付届出書の提出又は公開買付説明書の作成を行つた時における当該発行者の役員は、当該発行者と連帯して前項の規定による賠償の責めに任ずる。ただし、当該役員が、記載が虚偽であり又は欠けていることを知らず、かつ、相当な注意を用いたにもかかわらず知ることができなかつたことを証明したときは、この限りでない。

⑬　第二項、第三項及び第五項から第十一項までの場合において、これらの規定に規定する読替えのほか、必要な技術的読替えは、政令で定める。

（業務等に関する重要事実の公表等）

第二七条の二二の三①　前条第一項に規定する公開買付けによる上場株券等の買付け等を行おうとする発行者は、当該発行者の重要事実（第百六十六条第一項に規定する業務等に関する重要事実（内閣府令で定めるものを除く。）をいう。以下この条及び次条において同じ。）であつて第百六十六条第一項に規定する公表がされていないものがあるときは、公開買付届出書（前条第二項において準用する第二十七条の三第二項に規定する公開買付届出書をいう。以下この条及び次条において同じ。）を提出する日前に、内閣府令で定めるところにより、当該重要事実を公表しなければならない。

②　前条第一項に規定する公開買付けによる上場株券等の買付け等を行う場合において、公開買付者である発行者は、公開買付届出書を提出した日以後当該公開買付けに係る前条第二項において準用する第二十七条の五に規定する公開買付期間（第四項において準用する第二十七条の八第八項の規定により延長しなければならない期間を含む。次条において同じ。）の末日までの間において、当該発行者に重要事実が生じたとき（公開買付届出書を提出する日前に生じた重要事実であつて第百六十六条第一項に規定する公表がされていないものがあることが判明したときを含む。）は、直ちに、内閣府令で定めるところにより、当該重要事実を公表し、かつ、当該公開買付けに係る上場株券等の買付け等の申込みに対する承諾又は売付け等の申込みをした者及び当該上場株券等の売付け等を行おうとする者に対して、当該公表の内容を通知しなければならない。

③　前二項の規定による公表がされた後政令で定める期間が経過したときは、第百六十六条第一項に規定する公表がされたものとみなす。

④　第二十七条の八第八項及び第九項の規定は、第二項の規定による公表について準用する。この場合において、同条第八項中「第一項若しくは第三項の規定による訂正届出書を提出する場合又は第三項若しくは第四項の規定による訂正届出書の提出命令があつた場合には、内閣府令で定める場合を除き」とあるのは「第二十七条の二十二の三第二項の規定により当該重要事実を公表しなければならない場合には」と、同条第九項中「前項の規定」とあるのは「第二十七条の二十二の三第四項において準用する前項の規定」と、「株券等」とあるのは「上場株券等」と読み替えるものとする。

⑤　第二十七条の五の規定は、前項において準用する第二十七条の八第八項の規定により公開買付けに係る公開買付けの期間を延長しなければならない場合における当該延長しなければならない期間の末日までの間について準用する。この場合において、第二十七条の五中「株券等」とあるのは「上場株券等」と、「次に掲げる」とあるのは「政令で定める」と読み替えるものとする。

⑥　第十八条第一項の規定は、重要な事項について虚偽の表示があり、又は表示すべき重要な事項若しくは誤解を生じさせないために必要な重要な事実の表示が欠けている第四項において準用する第二十七条の八第八項の規定による公告又は公表を行つた発行者について準用する。この場合において、第十八条第一項中「当該有価証券を当該募集又は売出しに応じて取得した者」とあり、及び「当該有価証券を取得した者」とあるのは「当該公開買付けに応じて当該上場株券等の売付け等をした者」と、「その取得の申込みの際」とあるのは「その売付け等の際」と読み替えるものとする。

⑦　前項において準用する第十八条第一項の規定の適用がある場合において、当該発行者が前項に規定する公告又は公表を行つた時における当該発行者の役員は、当該発行者と連帯して同項の規定による賠償の責めに任ずる。ただし、当該役員が、記載が虚偽であり又は欠けていることを知らず、かつ、相当な注意を用いたにもかかわらず知ることができなかつたことを証明したときは、この限りでない。

⑧　第二十七条の十七の規定は、第五項において準用する第二十七条の五の規定に違反して上場株券等の買付け等をした場合について準用する。この場合において、第二十七条の十七中「株券等」とあるのは「上場株券等」と読み替えるものとするほか、必要な技術的読替えは、政令で定める。

（公表等の不実施又は虚偽の公表等による損害の賠償責任）

第二七条の二二の四①　前条第一項又は第二項の規定による公表又は通知（以下この条において「公表等」という。）をしなければならない重要事実についての公表等をせず、又は虚偽の公表等をした発行者は、公開買付けに応じて上場株券等の売付け等をした者に対し、公表等がされず又は公表等が虚偽であることにより生じた損害を賠償する責めに任ずる。ただし、次に掲げる場合は、この限りでない。

一　当該公開買付けに応じて当該上場株券等の売付け等をした者が、当該発行者に重要事実が生じており又は公表等の内容が虚偽であることを知つていたとき。

二　当該発行者が、当該発行者に重要事実が生じており又は公表等の内容が虚偽であることを知らず、かつ、当該公開買付け当時（前条第一項の規定による公表にあつては当該公開買付届出書の提出の時、同条第二項の規定による公表又は通知にあつては当該公開買付届出書を提出した日以後当該公開買付期間の末日までの間をいう。次項において同じ。）において相当な注意を用いたにもかかわらず知ることができなかつたことを証明したとき。

②　前項本文の規定の適用がある場合において、当該公開買付け当時における当該発行者の役員は、当該発行者と連帯して同項の規定による賠償の責めに任ずる。ただし、当該役員が、当該発行者に重要事実が生じており又は公表等の内容が虚偽であることを知らず、かつ、当該公開買付け当時において相当な注意を用いたにもかかわらず知ることができなかつたことを証明したときは、この限りでない。

第二章の三　株券等の大量保有の状況に関する開示

（大量保有報告書の提出）

第二七条の二三①　株券、新株予約権付社債券その他の政令で定める有価証券（以下この項において「株券関連有価証券」という。）で金融商品取引所に上場されているもの（流通状況がこれに準ずるものとして政令で定める株券関連有価証券を含む。）の発行者である法人が発行者（内閣府令で定める有価証券については、内閣府令で定める者。第二十七条の三十第二項を除き、以下この章及び第二十七条の三十の十一第五項において同じ。）である対象有価証券（当該対象有価証券に係るオプション（当該オプションの行使により当該行使をした者が当該オプションに係る対象有価証券の売買において買主としての地位を取得するものに限る。）を表示する第二条第一項第十九号に掲げる有価証券その他の当該対象有価証券に係る権利を表示するものとして政令で定めるものを含む。以下この章及び第二十七条の三十の十一第五項において「株券等」という。）の保有者で当該株券等に係るその株券等保有割合が百分の五を超えるもの（以下こ

の章において「大量保有者」という。）は、内閣府令で定めるところにより、株券等保有割合に関する事項、取得資金に関する事項、保有の目的その他の内閣府令で定める事項を記載した報告書（以下「大量保有報告書」という。）を大量保有者となつた日から五日（日曜日その他政令で定める休日の日数は、算入しない。第二十七条の二十五第一項及び第二十七条の二十六において同じ。）以内に、内閣総理大臣に提出しなければならない。ただし、第四項に規定する保有株券等の総数に増加がない場合その他の内閣府令で定める場合については、この限りでない。

② 前項の「対象有価証券」とは、株券、新株予約権付社債券その他の有価証券のうち政令で定めるものをいう。

③ 第一項の保有者には、自己又は他人（仮設人を含む。）の名義をもつて株券等を所有する者（売買その他の契約に基づき株券等の引渡請求権を有する者その他これに準ずる者として政令で定める者を含む。）のほか、次に掲げる者を含むものとする。ただし、第一号に掲げる者については、同号に規定する権限を有することを知つた日において、当該権限を有することを知つた株券等（株券等に係る権利を表示する第二条第一項第二十号に掲げる有価証券その他の内閣府令で定める有価証券を含む。以下この項及び次条において同じ。）に限り、保有者となるものとみなし、第三号に掲げる者については、同号に規定するデリバティブ取引の原資産である株券等の数を算出する計算方法として内閣府令で定める計算方法により算出された数の株券等について保有者となるものとみなす。

一 金銭の信託契約その他の契約又は法律の規定に基づき、株券等の発行者の株主としての議決権その他の権利を行使することができる権限又は当該議決権その他の権利の行使について指図を行うことができる権限を有する者（次号に該当する者を除く。）であつて、当該発行者の事業活動を支配する目的を有する者

二 投資一任契約その他の契約又は法律の規定に基づき、株券等に投資をするのに必要な権限を有する者

三 株券等に係るデリバティブ取引に係る権利を有する者（前二号に該当する者を除く。）であつて、当該デリバティブ取引の相手方から当該株券等を取得する目的その他の政令で定める目的を有する者

④ 第一項の「株券等保有割合」とは、株券等の保有者（同項に規定する保有者をいう。以下この章において同じ。）の保有（前項第一号若しくは第二号に規定する権限又は同項第三号に規定する権利を有する場合を含む。以下この章において同じ。）に係る当該株券等（自己株式（会社法第百十三条第四項に規定する自己株式をいう。）その他当該株券等の保有の態様その他の事情を勘案して内閣府令で定めるものを除く。以下この項において同じ。）の数（株券については株式の数を、その他のものについては内閣府令で定めるところにより計算した株式の数をいう。以下この章において同じ。）の合計から当該株券等の発行者が発行する株券等のうち、第百六十一条の二第一項に規定する信用取引その他内閣府令で定める取引の方法により譲渡したことにより、引渡義務（共同保有者に対して負うものを除く。）を有するものの数を控除した数（以下この項及び第六項において「保有株券等の数」という。）に当該発行者が発行する株券等に係る共同保有者の保有株券等の数（保有者及び共同保有者の間で引渡請求権その他の政令で定める権利が存在する株券等の数を除く。）を加算した数（第二十七条の二十五第一項において「保有株券等の総数」という。）を、当該発行者の発行済株式の総数又はこれに準ずるものとして内閣府令で定める数に当該保有者及び共同保有者の保有する当該株券等（株券その他の内閣府令で定める有価証券を除く。）の数を加算した数で除して得た割合をいう。

⑤ 前項の「共同保有者」とは、株券等の保有者が、当該株券等の発行者が発行する株券等の他の保有者と共同して当該株券等を取得し、若しくは譲渡し、又は当該発行者の株主としての議決権その他の権利を行使することを合意している場合（次に掲げる要件の全てに該当する場合を除く。）における当該他の保有者をいう。

一 当該保有者及び他の保有者が金融商品取引業者（第二十八条第一項に規定する第一種金融商品取引業を行う者又は同条第四項に規定する投資運用業を行う者に限る。）、銀行その他の内閣府令で定める者であること。

二 共同して第二十七条の二十六第一項に規定する重要提案行為等を行うことを合意の目的としないこと。

三 共同して当該発行者の株主としての議決権その他の権利を行使することの合意（個別の権利の行使ごとの合意として政令で定めるものに限る。）であること。

⑥ 株券等の保有者と当該株券等の発行者が発行する株券等の他の保有者が、株式の所有関係その他の政令で定める特別の関係にある場合においては、当該他の保有者を当該保有者に係る第四項の共同保有者とみなす。ただし、当該保有者又は他の保有者のいずれかの保有株券等の数が内閣府令で定める数以下である場合においては、この限りでない。

＊令和六法三二（令和八・五・二一までに施行）による改正前
（大量保有報告書の提出）

第二七条の二三①② （略）

③ 第一項の保有者には、自己又は他人（仮設人を含む。）の名義をもつて株券等を所有する者（売買その他の契約に基づき株券等の引渡請求権を有する者その他これに準ずる者として政令で定める者を含む。）のほか、次に掲げる者を含むものとする。ただし、第一号に掲げる者については、同号に規定する権限を有することを知つた日において、当該権限を有することを知つた株券等（株券等に係る権利を表示する第二条第一項第二十号に掲げる有価証券その他の内閣府令で定める有価証券を含む。以下この項及び次条において同じ。）に限り、保有者となつたものとみなす。

一・二 （略）

三 （改正により追加）

④ 第一項の「株券等保有割合」とは、株券等の保有者（同項に規定する保有者をいう。以下この章において同じ。）の保有（前項各号に規定する権限を有する場合を含む。以下この章において同じ。）に係る当該株券等（自己株式（会社法第百十三条第四項に規定する自己株式をいう。）その他当該株券等の保有の態様その他の事情を勘案して内閣府令で定めるものを除く。以下この項において同じ。）の数（株券については株式の数を、その他のものについては内閣府令で定める数をいう。以下この章において同じ。）の合計から当該株券等の発行者が発行する株券等のうち、第百六十一条の二第一項に規定する信用取引その他内閣府令で定める取引の方法により譲渡したことにより、引渡義務（共同保有者に対して負うものを除く。）を有するものの数を控除した数（以下この章において「保有株券等の数」という。）に当該発行者が発行する株券等に係る共同保有者の保有株券等（保有者及び共同保有者の間で引渡請求権その他の政令で定める権利が存在するものを除く。）の数を加算した数（以下この章において「保有株券等の総数」という。）を、当該発行者の発行済株式の総数又はこれに準ずるものとして内閣府令で定める数に当該保有者及び共同保有者の保有する当該株券等（株券その他の内閣府令で定める有価証券を除く。）の数を加算した数で除して得た割合をいう。

⑤ 前項の「共同保有者」とは、株券等の保有者が、当該株券等の発行者が発行する株券等の他の保有者と共同して当該株券等を取得し、若しくは譲渡し、又は当該発行者の株主としての議決権その他の権利を行使することを合意している場合における当該他の保有者をいう。

一―三 （改正により追加）

⑥ 株券等の保有者と当該株券等の発行者が発行する株券等の他の保有者が、株式の所有関係、親族関係その他の政令で定める特別の関係にある場合においては、当該他の保有者を当該保有者に係る第四項の共同保有者とみなす。ただし、当該保有者又は他の保有者のいずれかの保有株券等の数が内閣府令で定める

数以下である場合においては、この限りでない。

（株券保有状況通知書の作成及び交付）

第二七条の二四　前条第三項第二号に掲げる者は、当該株券等の発行者の株主としての議決権その他の権利を行使することができる権限又は当該議決権その他の権利の行使について指図を行うことができる権限を有する顧客に対して、内閣府令で定めるところにより、毎月一回以上、当該株券等の保有状況について説明した通知書を作成し、交付しなければならない。

（大量保有報告書に係る変更報告書の提出）

第二七条の二五①　大量保有報告書を提出すべき者は、大量保有者となつた日の後に、株券等保有割合（第二十七条の二十三第四項に規定する株券等保有割合をいう。以下この章において同じ。）が百分の一以上増加し又は減少した場合（保有株券等の総数の増加又は減少を伴わない場合を除く。以下この章において同じ。）その他の大量保有報告書に記載すべき重要な事項の変更として政令で定めるものがあつた場合は、内閣府令で定めるところにより、その日から五日以内に、当該変更に係る事項に関する報告書（以下「変更報告書」という。）を内閣総理大臣に提出しなければならない。ただし、株券等保有割合が百分の五以下であることが記載された変更報告書を既に提出している場合その他の内閣府令で定める場合については、この限りでない。

②　株券等保有割合が減少したことにより変更報告書を提出する者は、短期間に大量の株券等を譲渡したものとして政令で定める基準に該当する場合においては、内閣府令で定めるところにより、譲渡の相手方及び対価に関する事項（譲渡を受けた株券等が僅少である者として政令で定める者については、対価に関する事項に限る。）についても当該変更報告書に記載しなければならない。

③　大量保有報告書又は変更報告書を提出した者は、これらの書類に記載された内容が事実と相違し、又は記載すべき重要な事項若しくは誤解を生じさせないために必要な重要な事実の記載が不十分であり、若しくは欠けていると認めるときは、訂正報告書を内閣総理大臣に提出しなければならない。

（特例対象株券等の大量保有者による報告の特例）

第二七条の二六①　金融商品取引業者（第二十八条第一項に規定する第一種金融商品取引業を行う者又は同条第四項に規定する投資運用業を行う者に限る。以下この条において同じ。）、銀行その他の内閣府令で定める者（第三項に規定する基準日を内閣総理大臣に届け出た者に限る。）が保有する株券等で当該株券等の発行者の事業活動に重大な変更を加え、又は重大な影響を及ぼす行為として政令で定めるもの（第四項及び第五項において「重要提案行為等」という。）を行うことを保有の目的としないもの（株券等保有割合が内閣府令で定める数を超えた場合及び保有の態様その他の事情を勘案して内閣府令で定める場合を除く。）又は国、地方公共団体その他の内閣府令で定める者（第三項に規定する基準日を内閣総理大臣に届け出た者に限る。）が保有する株券等（以下この条において「特例対象株券等」という。）に係る大量保有報告書は、第二十七条の二十三第一項本文の規定にかかわらず、株券等保有割合が初めて百分の五を超えることとなつた基準日における当該株券等の保有状況に関する事項で内閣府令で定めるものを記載したものを、内閣府令で定めるところにより、当該基準日から五日以内に、内閣総理大臣に提出しなければならない。

②　特例対象株券等に係る変更報告書（当該株券等が特例対象株券等以外の株券等になる場合の変更に係るものを除く。）は、前条第一項本文の規定にかかわらず、次の各号に掲げる場合の区分に応じ当該各号に定める日までに、内閣府令で定めるところにより、内閣総理大臣に提出しなければならない。

一　前項の大量保有報告書に係る基準日の後の基準日における株券等保有割合が当該大量保有報告書に記載された株券等保有割合より百分の一以上増加し又は減少した場合その他の当該大量保有報告書に記載すべき重要な事項の変更として政令で定めるものがあつた場合　当該後の基準日から五日以内

二　変更報告書に係る基準日の後の基準日における株券等保有割合が当該変更報告書に記載された株券等保有割合より百分の一以上増加し又は減少した場合その他の当該大量保有報告書に記載すべき重要な事項の変更として政令で定めるものがあつた場合　当該後の基準日から五日以内

三　株券等保有割合が内閣府令で定める数を下回り当該株券等が特例対象株券等になつた場合　当該特例対象株券等になつた日から五日以内

四　前三号に準ずる場合として内閣府令で定める場合　内閣府令で定める日

③　前二項の基準日とは、政令で定めるところにより毎月二回以上設けられる日の組合せのうちから特例対象株券等の保有者が内閣府令で定めるところにより内閣総理大臣に届出をした日をいう。

④　第一項の規定にかかわらず、同項に規定する金融商品取引業者、銀行その他の内閣府令で定める者は、その株券等保有割合が百分の五を超えることとなつた日から政令で定める期間内に重要提案行為等を行うときは、その五日前までに、内閣府令で定めるところにより、同項の大量保有報告書を内閣総理大臣に提出しなければならない。

⑤　第二項の規定にかかわらず、第一項に規定する金融商品取引業者、銀行その他の内閣府令で定める者は、同項の大量保有報告書又は第二項の変更報告書を提出した後に株券等保有割合が百分の一以上増加した場合であつて、当該増加した日から政令で定める期間内に重要提案行為等を行うときは、その五日前までに、内閣府令で定めるところにより、同項の変更報告書を内閣総理大臣に提出しなければならない。

⑥　前条第三項の規定は、第一項若しくは第四項の大量保有報告書又は第二項若しくは前項の変更報告書について準用する。

（大量保有報告書等の写しの金融商品取引所等への提出）

第二七条の二七　株券等の保有者は、大量保有報告書若しくは変更報告書又はこれらの訂正報告書を提出したときは、遅滞なく、これらの書類の写しを当該株券等の発行者及び次の各号に掲げる株券等の区分に応じ当該各号に定める者に送付しなければならない。

一　金融商品取引所に上場されている株券等の発行者が発行する株券等　当該金融商品取引所

二　流通状況が前号に掲げる株券等に準ずるものとして政令で定める株券等の発行者が発行する株券等　政令で定める認可金融商品取引業協会

（大量保有報告書等の公衆縦覧）

第二七条の二八①　内閣総理大臣は、内閣府令で定めるところにより、大量保有報告書及び変更報告書並びにこれらの訂正報告書を、これらの書類を受理した日（訂正報告書にあつては、当該訂正の対象となつた大量保有報告書又は変更報告書を受理した日）から五年間、公衆の縦覧に供しなければならない。

②　金融商品取引所及び政令で定める認可金融商品取引業協会は、前条の規定により送付された前項に規定する書類（以下この条において「縦覧書類」という。）の写しを、内閣府令で定めるところにより、その事務所に備え置き、当該縦覧書類の写しの送付を受けた日（訂正報告書の写しにあつては、当該訂正の対象となつた大量保有報告書又は変更報告書の写しの送付を受けた日）から五年間、公衆の縦覧に供しなければならない。

③　縦覧書類に記載された取得資金に関する事項について、当該資金が銀行、協同組織金融機関その他政令で定める金融機関（以下この項において「銀行等」という。）からの借入れによる場合（内閣府令で定める場合を除く。）には、内閣総理大臣は、第一項の規定にかかわらず、当該銀行等の名称を公衆の縦覧に供しないものとし、当該縦覧書類を提出した者は、当該銀行等の名称を削除して当該縦覧書類の写しを送付するものとする。

④　内閣総理大臣は、次条第一項において準用する第九条第一項又は第十条第一項の規定による訂正報告書の提出命令をする場

合には、第一項の規定にかかわらず、当該提出命令に係る縦覧書類について、その全部又は一部を公衆の縦覧に供しないものとすることができる。

⑤　前項の場合において、内閣総理大臣は、大量保有者及び第二項の規定により当該縦覧書類の写しを公衆の縦覧に供する金融商品取引所又は同項の政令で定める認可金融商品取引業協会に対し、当該縦覧書類の全部又は一部を公衆の縦覧に供しないこととした旨を通知するものとする。

⑥　前項の規定により金融商品取引所又は認可金融商品取引業協会が内閣総理大臣からの通知を受けたときは、その時以後、当該通知に係る縦覧書類については、第二項の規定は、適用しない。

（**大量保有報告書等の訂正報告書の提出命令**）

第二七条の二九①　第九条第一項及び第十条第一項の規定は、大量保有報告書及び変更報告書について準用する。この場合において、同項中「提出を命じ、必要があると認めるときは、第四条第一項から第三項までの規定による届出の効力の停止」とあるのは、「提出」と読み替えるものとする。

②　前二条の規定は、前項において準用する第九条第一項又は第十条第一項の規定により大量保有報告書又は変更報告書につき訂正報告書が提出された場合について準用する。

（**大量保有報告書の提出者等に対する報告の徴取及び検査**）

第二七条の三〇①　内閣総理大臣は、公益又は投資者保護のため必要かつ適当であると認めるときは、大量保有報告書を提出した者若しくは提出すべきであると認められる者若しくはこれらの共同保有者（第二十七条の二十三第五項に規定する共同保有者をいう。）その他の関係者若しくは参考人に対し参考となるべき報告若しくは資料の提出を命じ、又は当該職員をしてその者の帳簿書類その他の物件を検査させることができる。

②　内閣総理大臣は、公益又は投資者保護のため必要かつ適当であると認めるときは、大量保有報告書に係る株券等の発行者又は参考人に対し、参考となるべき報告又は資料の提出を命ずることができる。

③　内閣総理大臣は、第一項の規定による報告若しくは資料の提出の命令若しくは検査又は前項の規定による報告若しくは資料の提出の命令に関して必要があると認めるときは、公務所又は公私の団体に照会して必要な事項の報告を求めることができる。

第二章の四　開示用電子情報処理組織による手続の特例等

（第二七条の三〇の二から第二七条の三〇の一一まで）

（略）

第二章の五　特定証券情報等の提供又は公表

（第二七条の三一から第二七条の三五まで）（略）

第二章の六　重要情報の公表

（**重要情報の公表**）

第二七条の三六①　第二条第一項第五号、第七号、第九号若しくは第十一号に掲げる有価証券（政令で定めるものを除く。）で金融商品取引所に上場されているもの若しくは店頭売買有価証券に該当するものその他の政令で定める有価証券の発行者（以下この条において「上場会社等」という。）若しくは投資法人（投資信託及び投資法人に関する法律第二条第十二項に規定する投資法人をいう。第一号において同じ。）である上場会社等の資産運用会社（同法第二条第二十一項に規定する資産運用会社をいう。以下この項及び次項において「上場投資法人等の資産運用会社」という。）又はこれらの役員（会計参与が法人であるときは、その社員）、代理人若しくは使用人その他の従業者（第一号及び次項において「役員等」という。）が、その業務に関して、次に掲げる者（以下この条において「取引関係者」という。）に、当該上場会社等の運営、業務又は財産に関する公表されていない重要な情報であって、投資者の投資判断に重要な影響を及ぼすもの（以下この章において「重要情報」という。）の伝達（重要情報の伝達を行う者が上場会社等又は上場投資法人等の資産運用会社の代理人又は使用人その他の従業者である場合にあっては、当該上場会社等又は当該上場投資法人等の資産運用会社において取引関係者に情報を伝達する職務を行うこととされている者が行う伝達。以下この条において同じ。）を行う場合には、当該上場会社等は、当該伝達と同時に、当該重要情報を公表しなければならない。ただし、取引関係者が、法令又は契約により、当該重要情報が公表される前に、当該重要情報に関する秘密を他に漏らし、かつ、当該上場会社等の第二条第一項第五号、第七号、第九号又は第十一号に掲げる有価証券（政令で定めるものを除く。）、これらの有価証券に係るオプションを表示する同項第十九号に掲げる有価証券その他の政令で定める有価証券（以下この項及び第三項において「上場有価証券等」という。）に係る売買その他の有償の譲渡若しくは譲受け、合併若しくは分割による承継（合併又は分割により承継させ、又は承継することをいう。）又はデリバティブ取引（上場有価証券等に係るオプションを取得している者が当該オプションを行使することにより上場有価証券等を取得することその他の内閣府令で定めるものを除く。）（第二号及び第三項において「売買等」という。）をしてはならない義務を負うときは、この限りでない。

一　金融商品取引業者、登録金融機関、信用格付業者若しくは投資法人その他の内閣府令で定める者又はこれらの役員等（重要情報の適切な管理のために必要な措置として内閣府令で定める措置を講じている者において、金融商品取引業に係る業務に従事していない者として内閣府令で定める者を除く。）

二　当該上場会社等の投資者に対する広報に係る業務に関して重要情報の伝達を受け、当該重要情報に基づく投資判断に基づいて当該上場会社等の上場有価証券等に係る売買等を行う蓋然性の高い者として内閣府令で定める者

②　前項本文の規定は、上場会社等若しくは上場投資法人等の資産運用会社又はこれらの役員等が、その業務に関して、取引関係者に重要情報の伝達を行った時において伝達した情報が重要情報に該当することを知らなかった場合又は重要情報の伝達と同時にこれを公表することが困難な場合として内閣府令で定める場合には、適用しない。この場合においては、当該上場会社等は、取引関係者に当該伝達が行われたことを知った後、速やかに、当該重要情報を公表しなければならない。

③　第一項ただし書の場合において、当該上場会社等は、当該重要情報の伝達を受けた取引関係者が、法令又は契約に違反して、当該重要情報が公表される前に、当該重要情報に関する秘密を他の取引関係者に漏らし、又は当該上場会社等の上場有価証券等に係る売買等を行ったことを知ったときは、速やかに、当該重要情報を公表しなければならない。ただし、やむを得ない理由により当該重要情報を公表することができない場合その他の内閣府令で定める場合は、この限りでない。

④　前三項の規定により重要情報を公表しようとする上場会社等は、当該重要情報を、内閣府令で定めるところにより、インターネットの利用その他の方法により公表しなければならない。

（**公表者等に対する報告の徴取及び検査**）

第二七条の三七①　内閣総理大臣は、公益又は投資者保護のため必要かつ適当であると認めるときは、重要情報を公表した者若しくは公表すべきであると認められる者若しくは参考人に対し参考となるべき報告若しくは資料の提出を命じ、又は当該職員をしてその者の帳簿書類その他の物件を検査させることができ

る。

② 内閣総理大臣は、前項の規定による報告若しくは資料の提出の命令又は検査に関して必要があると認めるときは、公務所又は公私の団体に照会して必要な事項の報告を求めることができる。

（公表の指示等）

第二七条の三八① 内閣総理大臣は、第二十七条の三十六第一項から第三項までの規定により公表されるべき重要情報が公表されていないと認めるときは、当該重要情報を公表すべきであると認められる者に対し、重要情報の公表その他の適切な措置をとるべき旨の指示をすることができる。

② 内閣総理大臣は、前項の規定による指示を受けた者が、正当な理由がないのにその指示に係る措置をとらなかつたときは、その者に対し、その指示に係る措置をとるべきことを命ずることができる。

第三章 金融商品取引業者等（抄）

第一節 総則

（第二八条から第三四条の五まで）（略）

第二節 業務（抄）

第一款 通則（抄）

第三五条から第三五条の三まで （略）

（顧客の利益の保護のための体制整備）

第三六条① 特定金融商品取引業者等は、当該特定金融商品取引業者等又はその親金融機関等若しくは子金融機関等が行う取引に伴い、当該特定金融商品取引業者等又はその子金融機関等が行う金融商品関連業務（金融商品取引行為に係る業務その他の内閣府令で定める業務をいう。）に係る顧客の利益が不当に害されることのないよう、内閣府令で定めるところにより、当該金融商品関連業務に関する情報を適正に管理し、かつ、当該金融商品関連業務の実施状況を適切に監視するための体制の整備その他必要な措置を講じなければならない。

② この条において「特定金融商品取引業者等」とは、金融商品取引業者等のうち、有価証券関連業を行う金融商品取引業者（第一種金融商品取引業を行うことにつき第二十九条の登録を受けた者に限る。）その他の政令で定める者をいう。

③ 第一項の「親金融機関等」とは、特定金融商品取引業者等の総株主等の議決権の過半数を保有している者その他の当該特定金融商品取引業者等と密接な関係を有する者として政令で定める者のうち、金融商品取引業者、銀行、協同組織金融機関その他政令で定める金融業を行う者をいう。

④ 第一項の「子金融機関等」とは、特定金融商品取引業者等が総株主等の議決権の過半数を保有している者その他の当該特定金融商品取引業者等と密接な関係を有する者として政令で定める者のうち、金融商品取引業者、銀行、協同組織金融機関その他政令で定める金融業を行う者をいう。

第三六条の二から第三七条まで （略）

（取引態様の事前明示義務）

第三七条の二 金融商品取引業者等は、顧客から有価証券の売買又は店頭デリバティブ取引に関する注文を受けたときは、あらかじめ、その者に対し自己がその相手方となつて当該売買若しくは取引を成立させるか、又は媒介し、取次ぎし、若しくは代理して当該売買若しくは取引を成立させるかの別を明らかにしなければならない。

（契約締結前の情報の提供等）

第三七条の三① 金融商品取引業者等は、金融商品取引契約を締結しようとするときは、内閣府令で定めるところにより、あらかじめ、顧客に対し、次に掲げる事項に係る情報を提供しなければならない。ただし、投資者の保護に支障を生ずることがない場合として内閣府令で定める場合は、この限りでない。

一 当該金融商品取引業者等の商号、名称又は氏名及び住所

二 金融商品取引業者等である旨及び当該金融商品取引業者等の登録番号

三 当該金融商品取引契約の概要

四 手数料、報酬その他の当該金融商品取引契約に関して顧客が支払うべき対価に関する事項であつて内閣府令で定めるもの

五 顧客が行う金融商品取引行為について金利、通貨の価格、金融商品市場における相場その他の指標に係る変動により損失が生ずることとなるおそれがあるときは、その旨

六 前号の損失の額が顧客が預託すべき委託証拠金その他の保証金その他内閣府令で定めるものの額を上回るおそれがあるときは、その旨

七 前各号に掲げるもののほか、金融商品取引業の内容に関する事項であつて、顧客の判断に影響を及ぼすこととなる重要なものとして内閣府令で定める事項

② 金融商品取引業者等は、前項の規定による情報の提供を行うときは、顧客に対し、同項各号に掲げる事項（同項第五号及び第六号に掲げる事項その他内閣府令で定める事項を除く。）について、顧客の知識、経験、財産の状況及び当該金融商品取引契約を締結しようとする目的（以下この項において「顧客属性」という。）に照らして、当該顧客に理解されるために必要な方法及び程度により、説明をしなければならない。ただし、顧客属性に照らして、当該情報の提供のみで当該顧客が当該事項の内容を理解したことを適切な方法により確認した場合その他の内閣府令で定める場合は、この限りでない。

③ 金融商品取引業者等は、第二条第二項の規定により有価証券とみなされる同項各号に掲げる権利に係る金融商品取引契約の締結の勧誘（募集若しくは売出し又は募集若しくは売出しの取扱いであつて、政令で定めるものに限る。）を行う場合には、内閣府令で定めるところにより、あらかじめ、当該金融商品取引契約に係る第一項の規定により提供する情報の内容を内閣総理大臣に届け出なければならない。ただし、投資者の保護に支障を生ずることがない場合として内閣府令で定める場合は、この限りでない。

（契約締結時等の情報の提供）

第三七条の四 金融商品取引業者等は、金融商品取引契約が成立したときその他内閣府令で定めるときは、内閣府令で定めるところにより、遅滞なく、顧客に対し、当該金融商品取引契約に関する事項その他の内閣府令で定める事項に係る情報を提供しなければならない。ただし、その金融商品取引契約の内容その他の事情を勘案し、当該情報を顧客に提供しなくても公益又は投資者保護のため支障を生ずることがないと認められるものとして内閣府令で定める場合は、この限りでない。

（保証金の受領に係る書面の交付）

第三七条の五① 金融商品取引業者等は、その行う金融商品取引業に関して顧客が預託すべき保証金（内閣府令で定めるものに限る。）を受領したときは、顧客に対し、直ちに、内閣府令で定めるところにより、その旨を記載した書面を交付しなければならない。

② 第三十四条の二第四項の規定は、前項の規定による書面の交付について準用する。

（書面等による解除）

第三七条の六① 金融商品取引業者等と金融商品取引契約（当該金融商品取引契約の内容その他の事情を勘案して政令で定めるものに限る。）を締結した顧客は、内閣府令で定める場合を除き、当該金融商品取引契約の成立に係る第三十七条の四の規定による情報の提供を受けた日として政令で定める日から起算して政令で定める日数を経過するまでの間、書面又は電磁的記録により当該金融商品取引契約の解除を行うことができる。

② 次の各号に掲げるものにより行う前項の規定による金融商品取引契約の解除は、当該各号に定める時に、その効力を生ずる。

一 書面 当該書面を発した時

二 記録媒体に記録された電磁的記録 当該記録媒体を発送し

た時

③ 金融商品取引業者等は、第一項の規定による金融商品取引契約の解除があつた場合には、当該金融商品取引契約の解除までの期間に相当する手数料、報酬その他の当該金融商品取引契約に関して顧客が支払うべき対価（次項において「対価」という。）の額として内閣府令で定める金額を超えて当該金融商品取引契約の解除に伴う損害賠償又は違約金の支払を請求することができない。

④ 金融商品取引業者等は、第一項の規定による金融商品取引契約の解除があつた場合において、当該金融商品取引契約に係る対価の前払を受けているときは、これを顧客に返還しなければならない。ただし、前項の内閣府令で定める金額については、この限りでない。

⑤ 前各項の規定に反する特約で顧客に不利なものは、無効とする。

第三七条の七（略）

（禁止行為）

第三八条　金融商品取引業者等又はその役員若しくは使用人は、次に掲げる行為をしてはならない。ただし、第四号から第六号までに掲げる行為にあつては、投資者の保護に欠け、取引の公正を害し、又は金融商品取引業の信用を失墜させるおそれのないものとして内閣府令で定めるものを除く。

一　金融商品取引契約の締結又はその勧誘に関して、顧客に対し虚偽のことを告げる行為

二　顧客に対し、不確実な事項について断定的判断を提供し、又は確実であると誤解させるおそれのあることを告げて金融商品取引契約の締結の勧誘をする行為

三　顧客に対し、信用格付業者以外の信用格付業を行う者の付与した信用格付（投資者の保護に欠けるおそれが少ないと認められるものとして内閣府令で定めるものを除く。）について、当該信用格付を付与した者が第六十六条の二十七の登録を受けていない者である旨及び当該登録の意義その他の事項として内閣府令で定める事項を告げることなく提供して、金融商品取引契約の締結の勧誘をする行為

四　金融商品取引契約（当該金融商品取引契約の内容その他の事情を勘案し、投資者の保護を図ることが特に必要なものとして政令で定めるものに限る。）の締結の勧誘の要請をしていない顧客に対し、訪問し又は電話をかけて、金融商品取引契約の締結の勧誘をする行為

五　金融商品取引契約（当該金融商品取引契約の内容その他の事情を勘案し、投資者の保護を図ることが必要なものとして政令で定めるものに限る。）の締結につき、その勧誘に先立つて、顧客に対し、その勧誘を受ける意思の有無を確認することをしないで勧誘をする行為

六　金融商品取引契約（当該金融商品取引契約の内容その他の事情を勘案し、投資者の保護を図ることが必要なものとして政令で定めるものに限る。）の締結の勧誘を受けた顧客が当該金融商品取引契約を締結しない旨の意思（当該勧誘を引き続き受けることを希望しない旨の意思を含む。）を表示したにもかかわらず、当該勧誘を継続する行為

七　自己又は第三者の利益を図る目的をもつて、特定金融指標算出者（第百五十六条の八十五第一項に規定する特定金融指標算出者をいう。以下この号において同じ。）に対し、特定金融指標の算出に関し、正当な根拠を有しない算出基礎情報（特定金融指標の算出の基礎として特定金融指標算出者に対して提供される価格、指標、数値その他の情報をいう。）を提供する行為

八　高速取引行為者（金融商品取引業者等及び取引所取引許可業者（金融商品取引業若しくは登録金融機関業務又は取引所取引業務として高速取引行為を行う者として政令で定める者に限る。）を含む。）以外の者が行う高速取引行為に係る有価証券の売買又は市場デリバティブ取引の委託を受ける行為その他これに準ずるものとして内閣府令で定める行為

九　前各号に掲げるもののほか、投資者の保護に欠け、若しくは取引の公正を害し、又は金融商品取引業の信用を失墜させるものとして内閣府令で定める行為

第三八条の二（略）

（損失補塡等の禁止）

第三九条①　金融商品取引業者等は、次に掲げる行為をしてはならない。

一　有価証券の売買その他の取引（買戻価格があらかじめ定められている買戻条件付売買その他の政令で定める取引を除く。）又はデリバティブ取引（以下この条において「有価証券売買取引等」という。）につき、当該有価証券又はデリバティブ取引（以下この条において「有価証券等」という。）について顧客（信託会社等（信託会社又は金融機関の信託業務の兼営等に関する法律第一条第一項の認可を受けた金融機関をいう。以下同じ。）が、信託契約に基づいて信託をする者の計算において、有価証券の売買又はデリバティブ取引を行う場合にあつては、当該信託をする者を含む。以下この条において同じ。）に損失が生ずることとなり、又はあらかじめ定めた額の利益が生じないこととなつた場合には自己又は第三者がその全部又は一部を補塡し、又は補足するため当該顧客又は第三者に財産上の利益を提供する旨を、当該顧客又はその指定した者に対し、申し込み、若しくは約束し、又は第三者に申し込ませ、若しくは約束させる行為

二　有価証券売買取引等につき、自己又は第三者が当該有価証券等について生じた顧客の損失の全部若しくは一部を補塡し、又はこれらについて生じた顧客の利益に追加するため当該顧客又は第三者に財産上の利益を提供する旨を、当該顧客又はその指定した者に対し、申し込み、若しくは約束し、又は第三者に申し込ませ、若しくは約束させる行為

三　有価証券売買取引等につき、当該有価証券等について生じた顧客の損失の全部若しくは一部を補塡し、又はこれらについて生じた顧客の利益に追加するため、当該顧客又は第三者に対し、財産上の利益を提供し、又は第三者に提供させる行為

② 金融商品取引業者等の顧客は、次に掲げる行為をしてはならない。

一　有価証券売買取引等につき、金融商品取引業者等又は第三者との間で、前項第一号の約束をし、又は第三者に当該約束をさせる行為（当該約束が自己がし、又は第三者にさせた要求による場合に限る。）

二　有価証券売買取引等につき、金融商品取引業者等又は第三者との間で、前項第二号の約束をし、又は第三者に当該約束をさせる行為（当該約束が自己がし、又は第三者にさせた要求による場合に限る。）

三　有価証券売買取引等につき、金融商品取引業者等又は第三者から、前項第三号の提供に係る財産上の利益を受け、又は第三者に当該財産上の利益を受けさせる行為（前二号の約束による場合であつて当該約束が自己がし、又は第三者にさせた要求によるとき及び当該財産上の利益の提供が自己がし、又は第三者にさせた要求による場合に限る。）

③ 第一項の規定は、同項各号の申込み、約束又は提供が事故（金融商品取引業者等又はその役員若しくは使用人の違法又は不当な行為であつて当該金融商品取引業者等とその顧客との間において争いの原因となるものとして内閣府令で定めるものをいう。以下この節及び次節において同じ。）による損失の全部又は一部を補塡するために行うものである場合には、適用しない。ただし、同項第二号の申込み又は約束及び同項第三号の提供にあつては、その補塡に係る損失が事故に起因するものであることにつき、当該金融商品取引業者等があらかじめ内閣総理大臣の確認を受けている場合その他内閣府令で定める場合に限る。

④ 第一項（第三号に係る部分に限る。）の規定は、同号の財産上の利益が、顧客と金融商品取引業者等との間で行われる有価証

券の売買その他の取引に係る金銭の授受の用に供することを目的としてその受益権が取得され、又は保有されるものとして内閣府令で定める投資信託（投資信託及び投資法人に関する法律第二条第三項に規定する投資信託をいう。第六項及び第四十二条の二第六号において同じ。）の元本に生じた損失の全部又は一部を補塡するため金融商品取引業者等（第二条第八項第九号に掲げる行為を業として行う者に限る。第六項において同じ。）により提供されたものである場合には、適用しない。

⑤ 第二項の規定は、同項第一号又は第二号の約束が事故による損失の全部又は一部を補塡する旨のものである場合及び同項第三号の財産上の利益が事故による損失の全部又は一部を補塡するため提供されたものである場合には、適用しない。

⑥ 第二項（第三号に係る部分に限る。）の規定は、同号の財産上の利益が、第四項の投資信託の元本に生じた損失の全部又は一部を補塡するため金融商品取引業者等により提供されたものである場合には、適用しない。

⑦ 第三項ただし書の確認を受けようとする者は、内閣府令で定めるところにより、その確認を受けようとする事実その他の内閣府令で定める事項を記載した申請書に当該事実を証するために必要な書類として内閣府令で定めるものを添えて内閣総理大臣に提出しなければならない。

（適合性の原則等）

第四〇条 金融商品取引業者等は、業務の運営の状況が次の各号のいずれかに該当することのないように、その業務を行わなければならない。

一 金融商品取引行為について、顧客の知識、経験、財産の状況及び金融商品取引契約を締結する目的に照らして不適当と認められる勧誘を行つて投資者の保護に欠けることとなつており、又は欠けることとなるおそれがあること。

二 前号に掲げるもののほか、業務に関して取得した顧客に関する情報の適正な取扱いを確保するための措置を講じていないと認められる状況、その他業務の運営の状況が公益に反し、又は投資者の保護に支障を生ずるおそれがあるものとして内閣府令で定める状況にあること。

（最良執行方針等）

第四〇条の二 ① 金融商品取引業者等は、有価証券の売買及びデリバティブ取引（政令で定めるものを除く。以下この条において「有価証券等取引」という。）に関する顧客の注文について、政令で定めるところにより、最良の取引の条件で執行するための方針及び方法（以下この条において「最良執行方針等」という。）を定めなければならない。

② 金融商品取引業者等は、内閣府令で定めるところにより、最良執行方針等を公表しなければならない。

③ 金融商品取引業者等は、最良執行方針等に従い、有価証券等取引に関する注文を執行しなければならない。

④ 金融商品取引業者等は、金融商品取引所に上場されている有価証券及び店頭売買有価証券の売買その他の取引で政令で定めるものに関する顧客の注文を受けようとするときは、内閣府令で定めるところにより、あらかじめ、顧客に対し、当該取引に係る最良執行方針等に係る情報を提供しなければならない。ただし、既に当該情報（当該最良執行方針等を変更した場合にあつては、変更後のものに係る情報）を提供しているときは、この限りでない。

⑤ 金融商品取引業者等は、有価証券等取引に関する顧客の注文を執行した後、内閣府令で定める期間内に当該顧客から求められたときは、当該注文が最良執行方針等に従つて執行された旨の説明その他の内閣府令で定める事項に係る情報を、内閣府令で定めるところにより、当該顧客に提供しなければならない。

第四〇条の三から第四〇条の七まで （略）

第二款 投資助言業務に関する特則 及び **第三款** 投資運用業に関する特則

（第四一条から第四二条の八まで）（略）

第四款 有価証券等管理業務に関する特則（抄）

第四三条 （略）

（分別管理）

第四三条の二 ① 金融商品取引業者等は、次に掲げる有価証券（次項の規定により管理する有価証券を除く。）を、確実にかつ整然と管理する方法として内閣府令で定める方法により、自己の固有財産と分別して管理しなければならない。

一 第百十九条の規定により金融商品取引業者等が顧客から預託を受けた有価証券（有価証券関連デリバティブ取引に関して預託を受けたものに限る。）又は第百六十一条の二の規定により金融商品取引業者が顧客から預託を受けた有価証券

二 有価証券関連業又は有価証券関連業に付随する業務として内閣府令で定めるものに係る取引（店頭デリバティブ取引に該当するもの（有価証券関連業を行う金融商品取引業者であつて第一種金融商品取引業を行うことにつき第二十九条の登録を受けた者を相手方として行う取引その他の取引の相手方の特性を勘案して内閣府令で定めるものに限る。）その他政令で定める取引を除く。次項第二号、第七十九条の二十及び第七十九条の四十九において「対象有価証券関連取引」という。）に関し、顧客の計算において金融商品取引業者等が占有する有価証券又は金融商品取引業者等が顧客から預託を受けた有価証券（前号に掲げる有価証券、契約により金融商品取引業者等が消費できる有価証券その他政令で定める有価証券を除く。）

② 金融商品取引業者等は、次に掲げる金銭又は有価証券について、当該金融商品取引業者等が金融商品取引業（登録金融機関業務を含む。以下この項において同じ。）を廃止した場合その他金融商品取引業を行わないこととなつた場合に顧客に返還すべき額として内閣府令で定めるところにより算定したものに相当する金銭を、自己の固有財産と分別して管理し、内閣府令で定めるところにより、当該金融商品取引業者等が金融商品取引業を廃止した場合その他金融商品取引業を行わないこととなつた場合に顧客に返還すべき額に相当する金銭を管理することを目的として、国内において、信託会社等に信託をしなければならない。

一 第百十九条の規定により金融商品取引業者等が顧客から預託を受けた金銭（有価証券関連デリバティブ取引に関して預託を受けたものに限る。）又は第百六十一条の二の規定により金融商品取引業者が顧客から預託を受けた金銭

二 対象有価証券関連取引に関し、顧客の計算に属する金銭又は金融商品取引業者等が顧客から預託を受けた金銭（前号に掲げる金銭を除く。）

三 前項各号に掲げる有価証券のうち、第四十三条の四第一項の規定により担保に供されたもの

③ 金融商品取引業者は、前二項の規定による管理の状況について、内閣府令で定めるところにより、定期に、公認会計士（公認会計士法（昭和二十三年法律第百三号）第十六条の二第五項に規定する外国公認会計士を含む。第百九十三条の二及び第百九十三条の三において同じ。）又は監査法人の監査を受けなければならない。

第四三条の二の二から第四三条の四まで （略）

第五款 電子募集業務及び電子募集取扱業務に関する特則

（第四三条の五）（略）

第六款 暗号等資産関連業務に関する特則

第四三条の六 ① 金融商品取引業者等は、暗号等資産関連業務（暗号等資産に関する内閣府令で定める金融商品取引行為（次項において「暗号等資産関連行為」という。）を業として行うことをいう。同項において同じ。）を行うときは、内閣府令で定めるところにより、暗号等資産の性質に関する説明をしなければ

てはならない。

② 金融商品取引業者等又はその役員若しくは使用人は、その行う暗号等資産関連業務に関して、顧客を相手方とし、又は顧客のために暗号等資産関連行為を行うことを内容とする契約の締結又はその勧誘をするに際し、暗号等資産の性質その他内閣府令で定める事項についてその顧客を誤認させるような表示をしてはならない。

第七款　弊害防止措置等　及び　第八款　雑則

（第四四条から第四五条まで）（略）

第三節　経理　から　第八節　雑則　まで

（第四六条から第六五条の六まで）（略）

第三章の二　金融商品仲介業者

（第六六条から第六六条の二六まで）（略）

第三章の三　信用格付業者

（第六六条の二七から第六六条の四九まで）（略）

第三章の四　高速取引行為者

（第六六条の五〇から第六六条の七〇まで）（略）

第三章の五　投資運用関係業務受託業者

（第六六条の七一から第六六条の九三まで）（略）

第四章　金融商品取引業協会

（第六七条から第七九条の一九まで）（略）

第四章の二　投資者保護基金

（第七九条の二〇から第七九条の八〇まで）（略）

第五章　金融商品取引所

（第八〇条から第一五四条の二まで）（略）

第五章の二　外国金融商品取引所

（第一五五条から第一五六条まで）（略）

第五章の三　金融商品取引清算機関等

（第一五六条の二から第一五六条の二二まで）（略）

第五章の四　証券金融会社

（第一五六条の二三から第一五六条の三七まで）（略）

第五章の五　指定紛争解決機関

（第一五六条の三八から第一五六条の六一まで）（略）

第五章の六　取引情報蓄積機関等

（第一五六条の六二から第一五六条の八四まで）（略）

第五章の七　特定金融指標算出者

（第一五六条の八五から第一五六条の九二まで）（略）

第六章　有価証券の取引等に関する規制（抄）

（不正行為の禁止）

第一五七条　何人も、次に掲げる行為をしてはならない。

一　有価証券の売買その他の取引又はデリバティブ取引等について、不正の手段、計画又は技巧をすること。

二　有価証券の売買その他の取引又はデリバティブ取引等について、重要な事項について虚偽の表示があり、又は誤解を生じさせないために必要な重要な事実の表示が欠けている文書その他の表示を使用して金銭その他の財産を取得すること。

三　有価証券の売買その他の取引又はデリバティブ取引等を誘引する目的をもつて、虚偽の相場を利用すること。

（風説の流布、偽計、暴行又は脅迫の禁止）

第一五八条　何人も、有価証券の募集、売出し若しくは売買その他の取引若しくはデリバティブ取引等のため、又は有価証券等（有価証券若しくはオプション又はデリバティブ取引に係る金融商品（有価証券を除く。）若しくは金融指標をいう。第百六十八条第一項、第百七十三条第一項及び第百九十七条第二項第一号において同じ。）の相場の変動を図る目的をもつて、風説を流布し、偽計を用い、又は暴行若しくは脅迫をしてはならない。

（相場操縦行為等の禁止）

第一五九条①　何人も、有価証券の売買（金融商品取引所が上場する有価証券、店頭売買有価証券又は取扱有価証券の売買に限る。以下この条において同じ。）、市場デリバティブ取引又は店頭デリバティブ取引（金融商品取引所が上場する金融商品、店頭売買有価証券、取扱有価証券（これらの価格又は利率等に基づき算出される金融指標を含む。）又は金融商品取引所が上場する金融指標に係るものに限る。以下この条において同じ。）のうちいずれかの取引が繁盛に行われていると他人に誤解させる目的その他のこれらの取引の状況に関し他人に誤解を生じさせる目的をもつて、次に掲げる行為をしてはならない。

一　権利の移転を目的としない仮装の有価証券の売買、市場デリバティブ取引（第二条第二十一項第一号に掲げる取引に限る。）又は店頭デリバティブ取引（同条第二十二項第一号に掲げる取引に限る。）をすること。

二　金銭の授受を目的としない仮装の市場デリバティブ取引（第二条第二十一項第二号及び第四号から第五号までに掲げる取引に限る。）又は店頭デリバティブ取引（同条第二十二項第二号、第五号及び第六号に掲げる取引に限る。）をすること。

三　オプションの付与又は取得を目的としない仮装の市場デリバティブ取引（第二条第二十一項第三号に掲げる取引に限る。）又は店頭デリバティブ取引（同条第二十二項第三号及び第四号に掲げる取引に限る。）をすること。

四　自己のする売付け（商品にあつては市場デリバティブ取引（第二条第二十一項第一号に掲げる取引に限る。）による売付けに限り、有価証券及び商品以外の金融商品にあつては同号又は同条第二十二項第一号に掲げる取引による売付けに限る。）と同時期に、それと同価格において、他人が当該金融商品を買い付けること（商品にあつては市場デリバティブ取引（同条第二十一項第一号に掲げる取引に限る。）により買い付けることに限り、有価証券及び商品以外の金融商品にあつては同号又は同条第二十二項第一号に掲げる取引により買い付けることに限る。）をあらかじめその者と通謀の上、当該売付けをすること。

五　自己のする買付け（商品にあつては市場デリバティブ取引（第二条第二十一項第一号に掲げる取引に限る。）による買付けに限り、有価証券及び商品以外の金融商品にあつては同号又は同条第二十二項第一号に掲げる取引による買付けに限る。）と同時期に、それと同価格において、他人が当該金融商品を売り付けること（商品にあつては市場デリバティブ取引（同条第二十一項第一号に掲げる取引に限る。）により売り付けることに限り、有価証券及び商品以外の金融商品にあつては同号又は同条第二十二項第一号に掲げる取引により売り付けることに限る。）をあらかじめその者と通謀の上、当該買付けをすること。

六　市場デリバティブ取引（第二条第二十一項第二号に掲げる取引に限る。）又は店頭デリバティブ取引（同条第二十二項第二号に掲げる取引に限る。）の申込みと同時期に、当該取引の約定数値と同一の約定数値において、他人が当該取引の相手方となることをあらかじめその者と通謀の上、当該取引の申込みをすること。

七　市場デリバティブ取引（第二条第二十一項第三号に掲げる取引に限る。）又は店頭デリバティブ取引（同条第二十二項第三号及び第四号に掲げる取引に限る。）の申込みと同時期に、当該取引の対価の額と同一の対価の額において、他人が当該取引の相手方となることをあらかじめその者と通謀の上、当該取引の申込みをすること。

八　市場デリバティブ取引（第二条第二十一項第四号から第五

号までに掲げる取引に限る。）又は店頭デリバティブ取引（同条第二十二項第五号及び第六号に掲げる取引に限る。）の申込みと同時期に、当該取引の相手方となることをあらかじめその者と通謀の上、当該取引の申込みをすること。

九　前各号に掲げる行為の委託等又は受託等をすること。

②　何人も、有価証券の売買、市場デリバティブ取引又は店頭デリバティブ取引（以下この条において「有価証券売買等」という。）のうちいずれかの取引を誘引する目的をもつて、次に掲げる行為をしてはならない。

一　有価証券売買等が繁盛であると誤解させ、又は取引所金融商品市場における上場金融商品等（金融商品取引所が上場する金融商品、金融指標又はオプションをいう。以下この条において同じ。）若しくは店頭売買有価証券市場における店頭売買有価証券の相場を変動させるべき一連の有価証券売買等又はその申込み、委託等若しくは受託等をすること。

二　取引所金融商品市場における上場金融商品等又は店頭売買有価証券市場における店頭売買有価証券の相場が自己又は他人の操作によつて変動するべき旨を流布すること。

三　有価証券売買等を行うにつき、重要な事項について虚偽であり、又は誤解を生じさせるべき表示を故意にすること。

③　何人も、政令で定めるところに違反して、取引所金融商品市場における上場金融商品等又は店頭売買有価証券市場における店頭売買有価証券の相場をくぎ付けし、固定し、又は安定させる目的をもつて、一連の有価証券売買等又はその申込み、委託等若しくは受託等をしてはならない。

（相場操縦行為等による賠償責任）

第一六〇条①　前条の規定に違反した者は、当該違反行為により形成された金融商品、金融指標若しくはオプションに係る価格、約定数値若しくは対価の額により、当該金融商品、金融指標若しくはオプションについて、取引所金融商品市場における有価証券の売買、市場デリバティブ取引、店頭売買有価証券市場における有価証券の売買若しくは取扱有価証券の売買（以下この項において「取引所金融商品市場等における有価証券の売買等」という。）をし、又はその委託をした者が当該取引所金融商品市場等における有価証券の売買等又は委託につき受けた損害を賠償する責任を負う。

②　前項の規定による賠償の請求権は、請求権者が前条の規定に違反する行為があつたことを知つた時から一年間又は当該行為があつた時から三年間、これを行わないときは、時効によつて消滅する。

（金融商品取引業者の自己計算取引等の制限）

第一六一条①　内閣総理大臣は、金融商品取引業者等若しくは取引所取引許可業者が自己の計算において行う有価証券の売買を制限し、又は金融商品取引業者等若しくは取引所取引許可業者の行う過当な数量の売買であつて取引所金融商品市場若しくは店頭売買有価証券市場の秩序を害すると認められるものを制限するため、公益又は投資者保護のため必要かつ適当であると認める事項を内閣府令で定めることができる。

②　前項の規定は、市場デリバティブ取引及び店頭デリバティブ取引について準用する。

③　内閣総理大臣は、商品取引参加者が自己の計算において行う商品関連市場デリバティブ取引を制限し、又はその行う過当な数量の取引であつて取引所金融商品市場の秩序を害すると認められるものを制限するため、公益又は投資者保護のため必要かつ適当であると認める事項を内閣府令で定めることができる。

（信用取引等における金銭の預託）

第一六一条の二①　信用取引その他の内閣府令で定める取引については、金融商品取引業者は、内閣府令で定めるところにより、顧客から、当該取引に係る有価証券の時価に内閣総理大臣が有価証券の売買その他の取引の公正を確保することを考慮して定める率を乗じた額を下らない額の金銭の預託を受けなければならない。

②　前項の金銭は、内閣府令で定めるところにより、有価証券をもつて充てることができる。

（空売り及び逆指値注文の禁止）

第一六二条①　何人も、政令で定めるところに違反して、次に掲げる行為をしてはならない。

一　有価証券を有しないで若しくは有価証券を借り入れて（これらに準ずる場合として政令で定める場合を含む。）その売付けをすること又は当該売付けの委託等若しくは受託等をすること。

二　有価証券の相場が委託当時の相場より騰貴して自己の指値以上となつたときには直ちにその買付けをし、又は有価証券の相場が委託当時の相場より下落して自己の指値以下となつたときには直ちにその売付けをすべき旨の委託等をすること。

②　前項第二号の規定は、第二条第二十一項第二号及び第三号に規定する取引について準用する。この場合において、同項第二号の取引にあつては前項第二号中「有価証券」とあるのは「約定数値」と、「騰貴して」とあるのは「上昇して」と、「その買付けをし」とあるのは「現実数値が約定数値を上回つた場合に金銭を受領する立場の当事者となる取引をし」と、「下落して」とあるのは「低下して」と、「その売付けをすべき」とあるのは「現実数値が約定数値を下回つた場合に金銭を受領する立場の当事者となる取引をすべき」と、同条第二十一項第三号の取引にあつては前項第二号中「有価証券」とあるのは「オプション」と、「その買付けをし」とあるのは「オプションを取得する立場の当事者となり」と、「その売付けをすべき」とあるのは「オプションを付与する立場の当事者となるべき」と読み替えるものとする。

（上場等株券等の発行者が行うその売買に関する規制）

第一六二条の二　内閣総理大臣は、金融商品取引所に上場されている株券、店頭売買有価証券に該当する株券その他政令で定める有価証券（以下この条において「上場等株券等」という。）の発行者が行う会社法第百五十六条第一項（同法第百六十三条及び第百六十五条第三項の規定により読み替えて適用する場合を含む。）若しくは第百九十九条第一項（処分する自己株式を引き受ける者を募集しようとする場合に限る。）の規定（これらに相当するものとして政令で定める法令の規定を含む。）又はこれらに相当する外国の法令の規定（当該発行者が外国の者である場合に限る。）による上場等株券等の売買若しくはその委託等、信託会社等が信託契約に基づいて上場等株券等の発行者の計算において行うこれらの取引の委託等又は金融商品取引業者等若しくは取引所取引許可業者が行うこれらの取引の受託等その他の内閣府令で定めるものについて、取引所金融商品市場又は店頭売買有価証券市場における上場等株券等の相場を操縦する行為を防止するため、上場等株券等の取引の公正の確保のため必要かつ適当であると認める事項を内閣府令で定めることができる。

（上場会社等の役員等による特定有価証券等の売買等の報告の提出）

第一六三条①　第二条第一項第五号、第七号、第九号又は第十一号に掲げる有価証券（政令で定めるものを除く。）で金融商品取引所に上場されているもの、店頭売買有価証券又は取扱有価証券に該当するものその他の政令で定める有価証券の発行者（以下この条から第百六十六条まで及び第百六十七条の二第一項において「上場会社等」という。）の役員（投資信託及び投資法人に関する法律第二条第十二項に規定する投資法人である上場会社等（第百六十六条において「上場投資法人等」という。）の資産運用会社（同法第二条第二十一項に規定する資産運用会社をいう。第百六十六条において同じ。）の役員を含む。以下この条から第百六十五条までにおいて同じ。）及び主要株主（自己又は他人（仮設人を含む。）の名義をもつて総株主等の議決権の百分の十以上の議決権（取得又は保有の態様その他の事情を勘案して内閣府令で定めるものを除く。）を保有している株主をいう。

以下この条から第百六十六条までにおいて同じ。）は、自己の計算において当該上場会社等の第二条第一項第五号、第七号、第九号若しくは第十一号に掲げる有価証券（政令で定めるものを除く。）その他の政令で定める有価証券（以下この条から第百六十六条までにおいて「特定有価証券」という。）又は当該上場会社等の特定有価証券に係るオプションを表示する同項第十九号に掲げる有価証券その他の政令で定める有価証券（以下この項において「関連有価証券」という。）に係る買付け等（特定有価証券又は関連有価証券（以下この条から第百六十六条まで、第百六十七条の二第一項、第百七十五条の二及び第百九十七条の二第一項第十四号において「特定有価証券等」という。）の買付けその他の取引で政令で定めるものをいう。以下この条、次条及び第百六十五条の二において同じ。）又は売付け等（特定有価証券等の売付けその他の取引で政令で定めるものをいう。以下この条から第百六十五条の二までにおいて同じ。）をした場合（当該役員又は主要株主が委託者又は受益者である信託の受託者が当該上場会社等の特定有価証券等に係る買付け等又は売付け等をする場合であつて内閣府令で定める場合を含む。以下この条及び次条において同じ。）には、内閣府令で定めるところにより、その売買その他の取引（以下この項、次条及び第百六十五条の二において「売買等」という。）に関する報告書を売買等があつた日の属する月の翌月十五日までに、内閣総理大臣に提出しなければならない。ただし、買付け等又は売付け等の態様その他の事情を勘案して内閣府令で定める場合は、この限りでない。

＊令和六法三二（令和八・五・二一までに施行）による改正
第一項中「第百九十七条の二第十四号」は「第百九十七条の二第一項第十四号」に改められた。（本文織込み済み）

② 前項に規定する役員又は主要株主が、当該上場会社等の特定有価証券等に係る買付け等又は売付け等を金融商品取引業者等又は取引所取引許可業者に委託等をして行つた場合においては、同項に規定する報告書は、当該金融商品取引業者等又は取引所取引許可業者を経由して提出するものとする。当該買付け等又は売付け等の相手方が金融商品取引業者等又は取引所取引許可業者であるときも、同様とする。

（上場会社等の役員等の短期売買利益の返還）

第一六四条① 上場会社等の役員又は主要株主がその職務又は地位により取得した秘密を不当に利用することを防止するため、その者が当該上場会社等の特定有価証券等について、自己の計算においてそれに係る買付け等をした後六月以内に売付け等をし、又は売付け等をした後六月以内に買付け等をして利益を得た場合においては、当該上場会社等は、その利益を上場会社等に提供すべきことを請求することができる。

② 当該上場会社等の株主（保険契約者である社員、出資者又は投資主（投資信託及び投資法人に関する法律第二条第十六項に規定する投資主をいい、同条第二十五項に規定する外国投資法人の社員を含む。）を含む。以下この項及び第八項において同じ。）が上場会社等に対し前項の規定による請求を行うべき旨を要求した日の後六十日以内に上場会社等が同項の規定による請求を行わない場合においては、当該株主は、上場会社等に代位して、その請求を行うことができる。

③ 前二項の規定により上場会社等の役員又は主要株主に対して請求する権利は、利益の取得があつた日から二年間行わないときは、消滅する。

④ 内閣総理大臣は、前条の報告書の記載に基づき、上場会社等の役員又は主要株主が第一項の利益を得ていると認める場合において、報告書のうち当該利益に係る部分（以下この条において「利益関係書類」という。）の写しを当該役員又は主要株主に送付し、当該役員又は主要株主から、当該利益関係書類に関し次項に定める期間内に同項の申立てがないときは、当該利益関係書類の写し及び当該役員又は主要株主の商号、名称又は氏名に関する情報を当該上場会社等に送付するものとする。ただし、内閣総理大臣が、当該利益関係書類の写しを当該役員若しくは主要株主又は当該上場会社等に送付する前において、第一項の利益が当該上場会社等に提供されたことを知つた場合は、この限りでない。

⑤ 前項本文の規定により上場会社等の役員又は主要株主に利益関係書類の写しが送付された場合において、当該役員又は主要株主は、当該利益関係書類の写しに記載された内容の売買等を行つていないと認めるときは、当該利益関係書類の写しを受領した日から起算して二十日以内に、内閣総理大臣に、その旨の申立てをすることができる。

⑥ 前項の規定により、当該役員又は主要株主から当該利益関係書類の写しに記載された内容の売買等を行つていない旨の申立てがあつた場合には、第四項本文の規定の適用については、当該申立てに係る部分は、内閣総理大臣に対する前条第一項の規定による報告書に記載がなかつたものとみなす。

⑦ 内閣総理大臣は、第四項の規定に基づき上場会社等に利益関係書類の写しを送付した場合には、当該利益関係書類の写しを当該送付の日より起算して三十日を経過した日から第三項に規定する請求権が消滅する日まで（請求権が消滅する日前において内閣総理大臣が第一項の利益が当該上場会社等に提供されたことを知つた場合には、当該知つた日まで）公衆の縦覧に供するものとする。ただし、内閣総理大臣が、当該利益関係書類の写しを公衆の縦覧に供する前において、第一項の利益が当該上場会社等に提供されたことを知つた場合は、この限りでない。

⑧ 前項の規定により利益関係書類の写しが公衆の縦覧に供されている場合においては、同項の上場会社等の株主は、内閣総理大臣に対し、第一項の利益を得ていると認められる役員又は主要株主の商号、名称又は氏名に関する情報の提供を求めることができる。

⑨ 前各項の規定は、主要株主が買付け等をし、又は売付け等をしたいずれかの時期において主要株主でない場合及び役員又は主要株主の行う買付け等又は売付け等の態様その他の事情を勘案して内閣府令で定める場合においては、適用しない。

⑩ 第四項において、内閣総理大臣が上場会社等の役員又は主要株主が第一項の利益を得ていると認める場合における当該利益の算定の方法については、内閣府令で定める。

（上場会社等の役員等の禁止行為）

第一六五条 上場会社等の役員又は主要株主は、次に掲げる行為をしてはならない。

一 当該上場会社等の特定有価証券等の売付けその他の取引で政令で定めるもの（以下この条及び次条第十六項において「特定取引」という。）であつて、当該特定取引に係る特定有価証券の額（特定有価証券の売付けについてはその売付けに係る特定有価証券の額を、その他の取引については内閣府令で定める額をいう。）が、その者が有する当該上場会社等の同種の特定有価証券の額として内閣府令で定める額を超えるもの

二 当該上場会社等の特定有価証券等に係る売付け等（特定取引を除く。）であつて、その売付け等において授受される金銭の額を算出する基礎となる特定有価証券の数量として内閣府令で定める数量が、その者が有する当該上場会社等の同種の特定有価証券の数量として内閣府令で定める数量を超えるもの

第一六五条の二 （略）

（会社関係者の禁止行為）

第一六六条① 次の各号に掲げる者（以下この条において「会社関係者」という。）であつて、上場会社等に係る業務等に関する重要事実（当該上場会社等の子会社に係る会社関係者（当該上場会社等に係る会社関係者に該当する者を除く。）については、当該子会社の業務等に関する重要事実であつて、次項第五号から第八号までに規定するものに限る。以下同じ。）を当該各号に定めるところにより知つたものは、当該業務等に関する重要事

実の公表がされた後でなければ、当該上場会社等の特定有価証券等に係る売買その他の有償の譲渡若しくは譲受け、合併若しくは分割による承継（合併又は分割により承継させ、又は承継することをいう。）又はデリバティブ取引（以下この条、第百六十七条の二第一項、第百七十五条の二第一項及び第百九十七条の二第一項第十四号において「売買等」という。）をしてはならない。当該上場会社等に係る業務等に関する重要事実を次の各号に定めるところにより知つた会社関係者であつて、当該各号に掲げる会社関係者でなくなつた後一年以内のものについても、同様とする。

一　当該上場会社等（当該上場会社等の親会社及び子会社並びに当該上場会社等が上場投資法人等である場合における当該上場会社等の資産運用会社及びその特定関係法人を含む。以下この項において同じ。）の役員（会計参与が法人であるときは、その社員）、代理人、使用人その他の従業者（以下この条及び次条において「役員等」という。）　その者の職務に関し知つたとき。

二　当該上場会社等の会社法第四百三十三条第一項に定める権利を有する株主若しくは優先出資法に規定する普通出資者のうちこれに類する権利を有するものとして内閣府令で定める者又は同条第三項に定める権利を有する社員（これらの株主、普通出資者又は社員が法人（法人でない団体で代表者又は管理人の定めのあるものを含む。以下この条及び次条において同じ。）であるときはその役員等を、これらの株主、普通出資者又は社員が法人以外の者であるときはその代理人又は使用人を含む。）　当該権利の行使に関し知つたとき。

二の二　当該上場会社等の投資主（投資信託及び投資法人に関する法律第二条第十六項に規定する投資主をいう。以下この号において同じ。）又は同法第百二十八条の三第二項において準用する会社法第四百三十三条第三項に定める権利を有する投資主（これらの投資主が法人であるときはその役員等を、これらの投資主が法人以外の者であるときはその代理人又は使用人を含む。）　投資信託及び投資法人に関する法律第百二十八条の三第一項に定める権利又は同条第二項において準用する会社法第四百三十三条第三項に定める権利の行使に関し知つたとき。

三　当該上場会社等に対する法令に基づく権限を有する者　当該権限の行使に関し知つたとき。

四　当該上場会社等と契約を締結している者又は締結の交渉をしている者（その者が法人であるときはその役員等を、その者が法人以外の者であるときはその代理人又は使用人を含む。）であつて、当該上場会社等の役員等以外のもの　当該契約の締結若しくはその交渉又は履行に関し知つたとき。

五　第二号、第二号の二又は前号に掲げる者であつて法人であるものの役員等（その者が役員等である当該法人の他の役員等が、それぞれ第二号、第二号の二又は前号に定めるところにより当該上場会社等に係る業務等に関する重要事実を知つた場合におけるその者に限る。）　その者の職務に関し知つたとき。

*令和六法三二（令和八・五・二一までに施行）による改正
第一項柱書中「第百九十七条の二第一項第十四号」は「第百九十七条の二第一項第十四号」に改められた。（本文織込み済み）

② 前項に規定する業務等に関する重要事実とは、次に掲げる事実（第一号、第二号、第五号、第六号、第九号、第十号、第十二号及び第十三号に掲げる事実にあつては、投資者の投資判断に及ぼす影響が軽微なものとして内閣府令で定める基準に該当するものを除く。）をいう。

一　当該上場会社等（上場投資法人等を除く。以下この号から第八号までにおいて同じ。）の業務執行を決定する機関が次に掲げる事項を行うことについての決定をしたこと又は当該機関が当該決定（公表がされたものに限る。）に係る事項を行わないことを決定したこと。

イ　会社法第百九十九条第一項に規定する株式会社の発行する株式若しくはその処分する自己株式を引き受ける者（協同組織金融機関が発行する優先出資を引き受ける者を含む。）の募集（処分する自己株式を引き受ける者の募集をする場合にあつては、これに相当する外国の法令の規定（当該上場会社等が外国会社である場合に限る。以下この条において同じ。）によるものを含む。）又は同法第二百三十八条第一項に規定する募集新株予約権を引き受ける者の募集

ロ　資本金の額の減少

ハ　資本準備金又は利益準備金の額の減少

ニ　会社法第百五十六条第一項（同法第百六十三条及び第百六十五条第三項の規定により読み替えて適用する場合を含む。）の規定又はこれらに相当する外国の法令の規定（当該上場会社等が外国会社である場合に限る。以下この条において同じ。）による自己の株式の取得

ホ　株式無償割当て又は新株予約権無償割当て

ヘ　株式（優先出資法に規定する優先出資を含む。）の分割

ト　剰余金の配当

チ　株式交換

リ　株式移転

ヌ　株式交付

ル　合併

ヲ　会社の分割

ワ　事業の全部又は一部の譲渡又は譲受け

カ　解散（合併による解散を除く。）

ヨ　新製品又は新技術の企業化

タ　業務上の提携その他のイからヨまでに掲げる事項に準ずる事項として政令で定める事項

二　当該上場会社等に次に掲げる事実が発生したこと。

イ　災害に起因する損害又は業務遂行の過程で生じた損害

ロ　主要株主の異動

ハ　特定有価証券又は特定有価証券に係るオプションの上場の廃止又は登録の取消しの原因となる事実

ニ　イからハまでに掲げる事実に準ずる事実として政令で定める事実

三　当該上場会社等の売上高、経常利益若しくは純利益（以下この条において「売上高等」という。）若しくは第一号トに規定する配当又は当該上場会社等の属する企業集団の売上高等について、公表がされた直近の予想値（当該予想値がない場合は、公表がされた前事業年度の実績値）に比較して当該上場会社等が新たに算出した予想値又は当事業年度の決算において差異（投資者の投資判断に及ぼす影響が重要なものとして内閣府令で定める基準に該当するものに限る。）が生じたこと。

四　前三号に掲げる事実を除き、当該上場会社等の運営、業務又は財産に関する重要な事実であつて投資者の投資判断に著しい影響を及ぼすもの

五　当該上場会社等の子会社の業務執行を決定する機関が当該子会社について次に掲げる事項を行うことについての決定をしたこと又は当該機関が当該決定（公表がされたものに限る。）に係る事項を行わないことを決定したこと。

イ　株式交換

ロ　株式移転

ハ　株式交付

ニ　合併

ホ　会社の分割

ヘ　事業の全部又は一部の譲渡又は譲受け

ト　解散（合併による解散を除く。）

チ　新製品又は新技術の企業化

リ　業務上の提携その他のイからチまでに掲げる事項に準ずる事項として政令で定める事項

六　当該上場会社等の子会社に次に掲げる事実が発生したこ

と。

イ　災害に起因する損害又は業務遂行の過程で生じた損害

ロ　イに掲げる事実に準ずる事実として政令で定める事実

七　当該上場会社等の子会社（第二条第一項第五号、第七号又は第九号に掲げる有価証券で金融商品取引所に上場されているものの発行者その他の内閣府令で定めるものに限る。）の売上高等について、公表がされた直近の予想値（当該予想値がない場合は、公表がされた前事業年度の実績値）に比較して当該子会社が新たに算出した予想値又は当事業年度の決算において差異（投資者の投資判断に及ぼす影響が重要なものとして内閣府令で定める基準に該当するものに限る。）が生じたこと。

八　前三号に掲げる事実を除き、当該上場会社等の子会社の運営、業務又は財産に関する重要な事実であつて投資者の投資判断に著しい影響を及ぼすもの

九　当該上場会社等（上場投資法人等に限る。次号から第十四号までにおいて同じ。）の業務執行を決定する機関が次に掲げる事項を行うことについての決定をしたこと又は当該機関が当該決定（公表がされたものに限る。）に係る事項を行わないことを決定したこと。

イ　資産の運用に係る委託契約の締結又はその解約

ロ　投資信託及び投資法人に関する法律第八十二条第一項に規定する投資法人の発行する投資口を引き受ける者の募集

ハ　投資信託及び投資法人に関する法律第八十条の二第一項（同法第八十条の五第二項の規定により読み替えて適用する場合を含む。）の規定による自己の投資口の取得

ニ　投資信託及び投資法人に関する法律第八十八条の十三に規定する新投資口予約権無償割当て

ホ　投資口の分割

ヘ　金銭の分配

ト　合併

チ　解散（合併による解散を除く。）

リ　イからチまでに掲げる事項に準ずる事項として政令で定める事項

十　当該上場会社等に次に掲げる事実が発生したこと。

イ　災害に起因する損害又は業務遂行の過程で生じた損害

ロ　特定有価証券又は特定有価証券に係るオプションの上場の廃止又は登録の取消しの原因となる事実

ハ　イ又はロに掲げる事実に準ずる事実として政令で定める事実

十一　当該上場会社等の営業収益、経常利益若しくは純利益（第四項第二号において「営業収益等」という。）又は第九号へに規定する分配について、公表がされた直近の予想値（当該予想値がない場合は、公表がされた前営業期間（投資信託及び投資法人に関する法律第百二十九条第二項に規定する営業期間をいう。以下この号において同じ。）の実績値）に比較して当該上場会社等が新たに算出した予想値又は当営業期間の決算において差異（投資者の投資判断に及ぼす影響が重要なものとして内閣府令で定める基準に該当するものに限る。）が生じたこと。

十二　当該上場会社等の資産運用会社の業務執行を決定する機関が当該資産運用会社について次に掲げる事項を行うことについての決定をしたこと又は当該機関が当該決定（公表がされたものに限る。）に係る事項を行わないことを決定したこと。

イ　当該上場会社等から委託を受けて行う資産の運用であつて、当該上場会社等による特定資産（投資信託及び投資法人に関する法律第二条第一項に規定する特定資産をいう。第五項第二号において同じ。）の取得若しくは譲渡又は貸借が行われることとなるもの

ロ　当該上場会社等と締結した資産の運用に係る委託契約の解約

ハ　株式交換

ニ　株式移転

ホ　株式交付

ヘ　合併

ト　解散（合併による解散を除く。）

チ　イからトまでに掲げる事項に準ずる事項として政令で定める事項

十三　当該上場会社等の資産運用会社に次に掲げる事実が発生したこと。

イ　第五十二条第一項の規定による第二十九条の登録の取消し、同項の規定による当該上場会社等の委託を受けて行う資産の運用に係る業務の停止の処分その他これらに準ずる行政庁による法令に基づく処分

ロ　特定関係法人の異動

ハ　主要株主の異動

ニ　イからハまでに掲げる事実に準ずる事実として政令で定める事実

十四　第九号から前号までに掲げる事実を除き、当該上場会社等の運営、業務又は財産に関する重要な事実であつて投資者の投資判断に著しい影響を及ぼすもの

③　会社関係者（第一項後段に規定する者を含む。以下この項において同じ。）から当該会社関係者が第一項各号に定めるところにより知つた同項に規定する業務等に関する重要事実の伝達を受けた者（同項各号に掲げる者であつて、当該各号に定めるところにより当該業務等に関する重要事実を知つたものを除く。）又は職務上当該伝達を受けた者が所属する法人の他の役員等であつて、その者の職務に関し当該業務等に関する重要事実を知つたものは、当該業務等に関する重要事実の公表がされた後でなければ、当該上場会社等の特定有価証券等に係る売買等をしてはならない。

④　第一項、第二項第一号、第三号、第五号、第七号、第九号、第十一号及び第十二号並びに前項の公表がされたとは、次の各号に掲げる事項について、それぞれ当該各号に定める者により多数の者の知り得る状態に置く措置として政令で定める措置がとられたこと又は当該各号に定める者が提出した第二十五条第一項（第二十七条において準用する場合を含む。）に規定する書類（同項第九号に掲げる書類を除く。）にこれらの事項が記載されている場合において、当該書類が同項の規定により公衆の縦覧に供されたことをいう。

一　上場会社等に係る第一項に規定する業務等に関する重要事実であつて第二項第一号から第八号までに規定するもの、上場会社等（上場投資法人等を除く。以下この号において同じ。）の業務執行を決定する機関の決定、上場会社等の売上高等若しくは同項第一号トに規定する配当、上場会社等の属する企業集団の売上高等、上場会社等の子会社の業務執行を決定する機関の決定又は上場会社等の子会社の売上高等　当該上場会社等又は当該上場会社等の子会社（子会社については、当該子会社の第一項に規定する業務等に関する重要事実、当該子会社の業務執行を決定する機関の決定又は当該子会社の売上高等に限る。）

二　上場投資法人等に係る第一項に規定する業務等に関する重要事実であつて第二項第九号若しくは第十一号に規定するもの、上場投資法人等の業務執行を決定する機関の決定又は上場投資法人等の営業収益等若しくは同項第九号へに規定する分配　当該上場投資法人等

三　上場投資法人等に係る第一項に規定する業務等に関する重要事実であつて第二項第十二号に規定するもの又は上場投資法人等の資産運用会社の業務執行を決定する機関の決定　当該上場投資法人等の資産運用会社

四　上場投資法人等に係る第一項に規定する業務等に関する重要事実であつて第二項第十号、第十三号又は第十四号に規定するもの　当該上場投資法人等又は当該上場投資法人等の資産運用会社

⑤　第一項及び次条において「親会社」とは、他の会社（協同組

織金融機関を含む。以下この項において同じ。）を支配する会社として政令で定めるものをいい、この条において「子会社」とは、他の会社が提出した第五条第一項の規定による届出書、第二十四条第一項の規定による有価証券報告書若しくは第二十四条の五第一項の規定による半期報告書で第二十五条第一項の規定により公衆の縦覧に供されたもの、第二十七条の三十一第二項の規定により公表した特定証券情報又は第二十七条の三十二第一項若しくは第二項の規定により公表した発行者情報のうち、直近のものにおいて、当該他の会社の属する企業集団に属する会社として記載され、又は記録されたものをいい、第一項及び第二項において「特定関係法人」とは、次の各号のいずれかに該当する者をいう。

一　上場投資法人等の資産運用会社を支配する会社として政令で定めるもの

二　上場投資法人等の資産運用会社の利害関係人等（投資信託及び投資法人に関する法律第二百一条第一項に規定する利害関係人等をいう。）のうち、当該資産運用会社が当該上場投資法人等の委託を受けて行う運用の対象となる特定資産の価値に重大な影響を及ぼす取引を行い、又は行つた法人として政令で定めるもの

⑥　第一項及び第三項の規定は、次に掲げる場合には、適用しない。

一　会社法第二百二条第一項第一号に規定する権利（優先出資法に規定する優先出資の割当てを受ける権利を含む。）を有する者が当該権利を行使することにより株券（優先出資法に規定する優先出資証券を含む。）を取得する場合

二　新株予約権等（新株予約権又は投資信託及び投資法人に関する法律第二条第十七項に規定する新投資口予約権をいう。）を有する者が当該新株予約権等を行使することにより株券又は第二条第一項第十一号に規定する投資証券を取得する場合

二の二　特定有価証券等に係るオプションを取得している者が当該オプションを行使することにより特定有価証券等に係る売買等をする場合

三　会社法第百十六条第一項、第百八十二条の四第一項、第四百六十九条第一項、第七百八十五条第一項、第七百九十七条第一項、第八百六条第一項若しくは第八百十六条の六第一項の規定による株式の買取りの請求若しくは投資信託及び投資法人に関する法律第百四十一条第一項、第百四十九条の三第一項、第百四十九条の八第一項若しくは第百四十九条の十三第一項の規定による投資口の買取りの請求又は法令上の義務に基づき売買等をする場合

四　当該上場会社等の株券等（第二十七条の二第一項に規定する株券等をいう。）に係る同項に規定する公開買付け（同項本文の規定の適用を受ける場合に限る。）又はこれに準ずる行為として政令で定めるものに対抗するため当該上場会社等の取締役会（これに相当するものとして政令で定める機関を含む。次条第五項第五号において同じ。）が決定した要請（監査等委員会設置会社にあつては会社法第三百九十九条の十三第五項の規定による取締役会の決議による委任又は同条第六項の規定による定款の定めに基づく取締役会の決議による委任に基づいて取締役の決定した要請を含み、指名委員会等設置会社にあつては同法第四百十六条第四項の規定による取締役会の決議による委任に基づいて執行役の決定した要請を含む。）に基づいて、当該上場会社等の特定有価証券等又は特定有価証券等の売買に係るオプション（当該オプションの行使により当該行使をした者が当該オプションに係る特定有価証券等の売買において買主としての地位を取得するものに限る。）の買付け（オプションにあつては、取得をいう。次号において同じ。）その他の有償の譲受けをする場合

四の二　会社法第百六十五条第三項の規定により読み替えて適用する同法第百五十六条第一項（同法第百六十三条及び第百六十五条第三項の規定により読み替えて適用する場合を含む。以下この号において同じ。）の規定若しくは投資信託及び投資法人に関する法律第八十条の二第一項（同法第八十条の五第二項の規定により読み替えて適用する場合を含む。以下この号において同じ。）の規定又はこれらに相当する外国の法令の規定による自己の株式等（株式又は投資口をいう。以下この号において同じ。）の取得についての当該上場会社等の会社法第百五十六条第一項の規定による株主総会若しくは取締役会の決議（監査等委員会設置会社にあつては同法第三百九十九条の十三第五項の規定による取締役会の決議による委任又は同条第六項の規定による定款の定めに基づく取締役会の決議による委任に基づく取締役の決定を含み、指名委員会等設置会社にあつては同法第四百十六条第四項の規定による取締役会の決議による委任に基づく執行役の決定を含む。）（同法第百五十六条第一項各号に掲げる事項に係るものに限る。）若しくは投資信託及び投資法人に関する法律第八十条の二第三項の規定による役員会の決議（同条第一項各号に掲げる事項に係るものに限る。）又はこれらに相当する外国の法令の規定に基づいて行う決議等（以下この号において「株主総会決議等」という。）について第一項に規定する公表（当該株主総会決議等の内容が当該上場会社等の業務執行を決定する機関の決定と同一の内容であり、かつ、当該株主総会決議等の前に当該決定について同項に規定する公表がされている場合の当該公表を含む。）がされた後、当該株主総会決議等に基づいて当該自己の株式等に係る株券若しくは株券に係る権利を表示する第二条第一項第二十号に掲げる有価証券その他の政令で定める有価証券（以下この号において「株券等」という。）又は株券等の売買に係るオプション（当該オプションの行使により当該行使をした者が当該オプションに係る株券等の売買において買主としての地位を取得するものに限る。以下この号において同じ。）の買付けをする場合（当該自己の株式等の取得についての当該上場会社等の業務執行を決定する機関の決定以外の第一項に規定する業務等に関する重要事実について、同項に規定する公表がされていない場合（当該自己の株式等の取得以外の会社法第百五十六条第一項の規定若しくは投資信託及び投資法人に関する法律第八十条の二第一項の規定又はこれらに相当する外国の法令の規定による自己の株式等の取得について、この号の規定に基づいて当該自己の株式等に係る株券等又は株券等の売買に係るオプションの買付けをする場合を除く。）を除く。）

五　第百五十九条第三項の政令で定めるところにより売買等をする場合

六　社債券（新株予約権付社債券を除く。）、第二条第一項第十一号に規定する投資法人債券その他の政令で定める有価証券に係る売買等をする場合（内閣府令で定める場合を除く。）

七　第一項に規定する業務等に関する重要事実を知つた者が当該業務等に関する重要事実を知つている者との間において、売買等を取引所金融商品市場又は店頭売買有価証券市場によらないでする場合（当該売買等をする者の双方において、当該売買等に係る特定有価証券等について、更に同項又は第三項の規定に違反して売買等が行われることとなることを知つている場合を除く。）

八　合併、分割又は事業の全部若しくは一部の譲渡若しくは譲受け（以下この項及び次条第五項において「合併等」という。）により特定有価証券等を承継させ、又は承継する場合であつて、当該特定有価証券等の帳簿価額の当該合併等により承継される資産の帳簿価額の合計額に占める割合が特に低い割合として内閣府令で定める割合未満であるとき。

九　合併等の契約（新設分割にあつては、新設分割計画）の内容の決定についての取締役会の決議が上場会社等に係る第一項に規定する業務等に関する重要事実を知る前にされた場合において、当該決議に基づいて当該合併等により当該上場会社等の特定有価証券等を承継させ、又は承継するとき。

十　新設分割（他の会社と共同してするものを除く。）により新設分割設立会社（会社法第七百六十三条第一項に規定する新設分割設立会社をいう。次条第五項第十二号において同じ。）

に特定有価証券等を承継させる場合

十一　合併等、株式交換又は株式交付に際して当該合併等、株式交換又は株式交付の当事者である上場会社等が有する当該上場会社等の特定有価証券等を交付し、又は当該特定有価証券等の交付を受ける場合

十二　上場会社等に係る第一項に規定する業務等に関する重要事実を知る前に締結された当該上場会社等の特定有価証券等に係る売買等に関する契約の履行又は上場会社等に係る同項に規定する業務等に関する重要事実を知る前に決定された当該上場会社等の特定有価証券等に係る売買等の計画の実行として売買等をする場合その他これに準ずる特別の事情に基づく売買等であることが明らかな売買等をする場合（内閣府令で定める場合に限る。）

（公開買付者等関係者の禁止行為）

第一六七条①　次の各号に掲げる者（以下この条において「公開買付者等関係者」という。）であつて、第二十七条の二第一項に規定する株券等で金融商品取引所に上場されているもの、店頭売買有価証券若しくは取扱有価証券に該当するもの（以下この条において「上場等株券等」という。）の同項に規定する公開買付け（同項本文の規定の適用を受ける場合に限る。）若しくはこれに準ずる行為として政令で定めるもの又は上場株券等の第二十七条の二十二の二第一項に規定する公開買付け（以下この条において「公開買付け等」という。）をする者（以下この条及び次条第二項において「公開買付者等」という。）の公開買付け等の実施に関する事実又は公開買付け等の中止に関する事実を当該各号に定めるところにより知つたものは、当該公開買付け等の実施に関する事実又は公開買付け等の中止に関する事実の公表がされた後でなければ、公開買付け等の実施に関する事実に係る場合にあつては当該公開買付け等に係る上場等株券等又は上場株券等の発行者である会社の発行する株券若しくは新株予約権付社債券その他の政令で定める有価証券（以下この項において「特定株券等」という。）又は当該特定株券等に係るオプションを表示する第二条第一項第十九号に掲げる有価証券その他の政令で定める有価証券（以下この項において「関連株券等」という。）に係る買付け等（特定株券等又は関連株券等（以下この条、次条第二項、第百七十五条の二及び第百九十七条の二第一項第十五号において「株券等」という。）の買付けその他の取引で政令で定めるものをいう。以下この条、次条第二項、第百七十五条の二第二項及び第百九十七条の二第一項第十五号において同じ。）をしてはならず、公開買付け等の中止に関する事実に係る場合にあつては当該公開買付け等に係る株券等に係る売付け等（株券等の売付けその他の取引で政令で定めるものをいう。以下この条、次条第二項、第百七十五条の二第二項及び第百九十七条の二第一項第十五号において同じ。）をしてはならない。当該公開買付け等の実施に関する事実又は公開買付け等の中止に関する事実を次の各号に定めるところにより知つた公開買付者等関係者であつて、当該各号に掲げる公開買付者等関係者でなくなつた後六月以内のものについても、同様とする。

一　当該公開買付者等（その者が法人であるときは、その親会社を含む。以下この項において同じ。）の役員等（当該公開買付者等が法人以外の者であるときは、その代理人又は使用人）　その者の職務に関し知つたとき。

二　当該公開買付者等の会社法第四百三十三条第一項に定める権利を有する株主又は同条第三項に定める権利を有する社員（当該株主又は社員が法人であるときはその役員等を、当該株主又は社員が法人以外の者であるときはその代理人又は使用人を含む。）　当該権利の行使に関し知つたとき。

三　当該公開買付者等に対する法令に基づく権限を有する者　当該権限の行使に関し知つたとき。

四　当該公開買付者等と契約を締結している者又は締結の交渉をしている者（その者が法人であるときはその役員等を、その者が法人以外の者であるときはその代理人又は使用人を含む。）であつて、当該公開買付者等が法人であるときはその役員等以外のもの、その者が法人以外の者であるときはその代理人又は使用人以外のもの　当該契約の締結若しくはその交渉又は履行に関し知つたとき。

五　当該公開買付け等（上場株券等の第二十七条の二十二の二第一項に規定する公開買付けを除く。）に係る上場等株券等の発行者（その役員等を含む。）　当該公開買付者等からの伝達により知つたとき（当該役員等にあつては、その者の職務に関し知つたとき。）。

六　第二号、第四号又は前号に掲げる者であつて法人であるものの役員等（その者が役員等である当該法人の他の役員等が、それぞれ第二号、第四号又は前号に定めるところにより当該公開買付者等の公開買付け等の実施に関する事実又は公開買付け等の中止に関する事実を知つた場合におけるその者に限る。）　その者の職務に関し知つたとき。

＊令和六法三二（令和八・五・二一までに施行）による改正
第一項柱書中「有価証券（以下この条」は「有価証券（以下この項」に、「第百九十七条の二第十五号」は「第百九十七条の二第一項第十五号」に改められた。（本文織込み済み）

②　前項に規定する公開買付け等の実施に関する事実又は公開買付け等の中止に関する事実とは、公開買付者等（当該公開買付者等が法人であるときは、その業務執行を決定する機関をいう。以下この項において同じ。）が、それぞれ公開買付け等を行うことについての決定をしたこと又は公開買付者等が当該決定（公表がされたものに限る。）に係る公開買付け等を行わないことを決定したことをいう。ただし、投資者の投資判断に及ぼす影響が軽微なものとして内閣府令で定める基準に該当するものを除く。

③　公開買付者等関係者（第一項後段に規定する者を含む。以下この項及び第五項において同じ。）から当該公開買付者等関係者が第一項各号に定めるところにより知つた同項に規定する公開買付け等の実施に関する事実又は公開買付け等の中止に関する事実（以下この条、次条第二項、第百七十五条の二第二項及び第百九十七条の二第一項第十五号において「公開買付け等事実」という。）の伝達を受けた者（第一項各号に掲げる者であつて、当該各号に定めるところにより当該公開買付け等事実を知つたものを除く。）又は職務上当該伝達を受けた者が所属する法人の他の役員等であつて、その者の職務に関し当該公開買付け等事実を知つたものは、当該公開買付け等事実の公表がされた後でなければ、同項に規定する公開買付け等の実施に関する事実に係る場合にあつては当該公開買付け等に係る株券等に係る買付け等をしてはならず、同項に規定する公開買付け等の中止に関する事実に係る場合にあつては当該公開買付け等に係る株券等に係る売付け等をしてはならない。

＊令和六法三二（令和八・五・二一までに施行）による改正
第三項中「第百九十七条の二第十五号」は「第百九十七条の二第一項第十五号」に改められた。（本文織込み済み）

④　第一項から前項までにおける公表がされたとは、公開買付け等事実について、当該公開買付者等により多数の者の知り得る状態に置く措置として政令で定める措置がとられたこと、第二十七条の三第一項（第二十七条の二十二の二第二項において準用する場合を含む。次項第八号において同じ。）の規定による公告若しくは第二十七条の十一第二項（第二十七条の二十二の二第二項において準用する場合を含む。）の規定による公告若しくは公表がされたこと又は第二十七条の十四第一項（第二十七条の二十二の二第二項において準用する場合を含む。同号において同じ。）の規定により第二十七条の三第二項（第二十七条の二十二の二第二項において準用する場合を含む。同号において同じ。）の公開買付届出書若しくは第二十七条の十一第三項（第二

十七条の二十二の二第二項において準用する場合を含む。）の公開買付撤回届出書が公衆の縦覧に供されたことをいう。

⑤ 第一項及び第三項の規定は、次に掲げる場合には、適用しない。

一 会社法第二百二条第一項第一号に規定する権利を有する者が当該権利を行使することにより株券を取得する場合

二 新株予約権（これに準ずるものとして政令で定める権利を含む。）を有する者が当該新株予約権を行使することにより株券（これに準ずるものとして政令で定める有価証券を含む。）を取得する場合

二の二 株券等に係るオプションを取得している者が当該オプションを行使することにより株券等に係る買付け等又は売付け等をする場合

三 会社法第百十六条第一項、第百八十二条の四第一項、第四百六十九条第一項、第七百八十五条第一項、第七百九十七条第一項、第八百六条第一項若しくは第八百十六条の六第一項の規定による株式の買取りの請求（これらに相当する他の法令の規定による請求として政令で定めるものを含む。）又は法令上の義務に基づき株券等に係る買付け等又は売付け等をする場合

四 公開買付者等の要請（当該公開買付者等が会社である場合には、その取締役会が決定したもの（監査等委員会設置会社にあつては会社法第三百九十九条の十三第五項の規定による取締役会の決議による委任又は同条第六項の規定による定款の定めに基づく取締役会の決議による委任に基づいて取締役の決定したものを含み、指名委員会等設置会社にあつては同法第四百十六条第四項の規定による取締役会の決議による委任に基づいて執行役の決定したものを含む。）に限る。）に基づいて当該公開買付け等に係る上場等株券等（上場等株券等の売買に係るオプションを含む。以下この号において同じ。）の買付け等をする場合（当該公開買付者等に当該上場等株券等の売付け等をする目的をもつて当該上場等株券等の買付け等をする場合に限る。）

五 公開買付け等に対抗するため当該公開買付け等に係る上場等株券等の発行者の取締役会が決定した要請（監査等委員会設置会社にあつては会社法第三百九十九条の十三第五項の規定による取締役会の決議による委任又は同条第六項の規定による定款の定めに基づく取締役会の決議による委任に基づいて取締役の決定した要請を含み、指名委員会等設置会社にあつては同法第四百十六条第四項の規定による取締役会の決議による委任に基づいて執行役の決定した要請を含む。）に基づいて当該上場等株券等（上場等株券等の売買に係るオプションを含む。）の買付け等をする場合

六 第百五十九条第三項の政令で定めるところにより株券等に係る買付け等又は売付け等をする場合

七 第一項に規定する公開買付け等の実施に関する事実を知つた者が当該公開買付け等の実施に関する事実を知つている者から買付け等を取引所金融商品市場若しくは店頭売買有価証券市場によらないでする場合又は同項に規定する公開買付け等の中止に関する事実を知つた者が当該公開買付け等の中止に関する事実を知つている者に売付け等を取引所金融商品市場若しくは店頭売買有価証券市場によらないでする場合（当該売付け等に係る者の双方において、当該売付け等に係る株券等について、更に同項又は第三項の規定に違反して売付け等が行われることとなることを知つている場合を除く。）

八 特定公開買付者等関係者（公開買付者等関係者であつて第一項各号に定めるところにより同項に規定する公開買付け等の実施に関する事実を知つたものをいう。次号において同じ。）から当該公開買付け等の実施に関する事実の伝達を受けた者（その者が法人であるときはその役員等を、その者が法人以外の者であるときはその代理人又は使用人を含む。）が株券等に係る買付け等をする場合（当該伝達を受けた者が第二十七条の三第一項の規定により行う公告において次に掲げる事項が明示され、かつ、これらの事項が記載された当該伝達を受けた者の提出した同条第二項の公開買付届出書が第二十七条の十四第一項の規定により公衆の縦覧に供された場合に限る。）

イ 当該伝達を行つた者の氏名又は名称

ロ 当該伝達を受けた時期

ハ 当該伝達を受けた公開買付け等の実施に関する事実の内容として内閣府令で定める事項

九 特定公開買付者等関係者であつて第一項第一号に掲げる者以外のもの又は特定公開買付者等関係者から同項に規定する公開買付け等の実施に関する事実の伝達を受けた者（特定公開買付者等関係者を除き、その者が法人であるときはその役員等を、その者が法人以外の者であるときはその代理人又は使用人を含む。）が株券等に係る買付け等をする場合（特定公開買付者等関係者にあつては同項各号に定めるところにより同項に規定する公開買付け等の実施に関する事実を知つた日から、当該伝達を受けた者にあつては当該伝達を受けた日から六月が経過している場合に限る。）

十 合併等により株券等を承継し、又は承継させる場合であつて、当該株券等の帳簿価額の当該合併等により承継される資産の帳簿価額の合計額に占める割合が特に低い割合として内閣府令で定める割合未満であるとき。

十一 合併等の契約（新設分割にあつては、新設分割計画）の内容の決定についての取締役会の決議が公開買付者等の公開買付け等事実を知る前にされた場合において、当該決議に基づいて当該合併等により当該公開買付け等に係る株券等を承継し、又は承継させるとき。

十二 新設分割（他の会社と共同してするものを除く。）により新設分割設立会社に株券等を承継させる場合

十三 合併等、株式交換又は株式交付に際して当該合併等、株式交換又は株式交付の当事者であつて公開買付け等に係る上場等株券等又は上場株券等の発行者である会社が有する当該会社の株券等の交付を受け、又は当該株券等を交付する場合

十四 公開買付者等の公開買付け等事実を知る前に締結された当該公開買付け等に係る株券等に係る買付け等若しくは売付け等に関する契約の履行又は公開買付者等の公開買付け等事実を知る前に決定された当該公開買付け等に係る株券等に係る買付け等若しくは売付け等の計画の実行として買付け等又は売付け等をする場合その他これに準ずる特別の事情に基づく買付け等又は売付け等であることが明らかな買付け等又は売付け等をする場合（内閣府令で定める場合に限る。）

（未公表の重要事実の伝達等の禁止）

第一六七条の二 ① 上場会社等に係る第百六十六条第一項に規定する会社関係者（同項後段に規定する者を含む。）であつて、当該上場会社等に係る同項に規定する業務等に関する重要事実を同項各号に定めるところにより知つたものは、他人に対し、当該業務等に関する重要事実について同項の公表がされたこととなる前に当該上場会社等の特定有価証券等に係る売買等をさせることにより当該他人に利益を得させ、又は当該他人の損失の発生を回避させる目的をもつて、当該業務等に関する重要事実を伝達し、又は当該売買等をすることを勧めてはならない。

② 公開買付者等に係る前条第一項に規定する公開買付者等関係者（同項後段に規定する者を含む。）であつて、当該公開買付者等の公開買付け等事実を同項各号に定めるところにより知つたものは、他人に対し、当該公開買付け等事実について同項の公表がされたこととなる前に、同項に規定する公開買付け等の実施に関する事実に係る場合にあつては当該公開買付け等に係る株券等に係る買付け等をさせ、又は同項に規定する公開買付け等の中止に関する事実に係る場合にあつては当該公開買付け等に係る株券等に係る売付け等をさせることにより当該他人に利益を得させ、又は当該他人の損失の発生を回避させる目的をもつて、当該公開買付け等事実を伝達し、又は当該買付け等若しくは当該売付け等をすることを勧めてはならない。

（無免許市場における取引の禁止）

第一六七条の三 何人も、第八十条第一項の規定に違反して開設される金融商品市場により次に掲げる取引をしてはならない。

一 有価証券の売買

二 市場デリバティブ取引

（虚偽の相場の公示等の禁止）

第一六八条① 何人も、有価証券等の相場を偽つて公示し、又は公示し若しくは頒布する目的をもつて有価証券等の相場を偽つて記載した文書を作成し、若しくは頒布してはならない。

② 何人も、発行者、有価証券の売出しをする者、特定投資家向け売付け勧誘等をする者、引受人又は金融商品取引業者等の請託を受けて、公示し又は頒布する目的をもつてこれらの者の発行、分担又は取扱いに係る有価証券に関し重要な事項について虚偽の記載をした文書を作成し、又は頒布してはならない。

③ 発行者、有価証券の売出しをする者、特定投資家向け売付け勧誘等をする者、引受人又は金融商品取引業者等は、前項の請託をしてはならない。

（対価を受けて行う新聞等への意見表示の制限）

第一六九条 何人も、発行者、有価証券の売出しをする者、特定投資家向け売付け勧誘等をする者、引受人、金融商品取引業者等又は第二十七条の三第三項（第二十七条の二十二の二第二項において準用する場合を含む。）に規定する公開買付者等から対価を受け、又は受けるべき約束をして、有価証券、発行者又は第二十七条の三第二項（第二十七条の二十二の二第二項において準用する場合を含む。）に規定する公開買付者に関し投資についての判断を提供すべき意見を新聞紙若しくは雑誌に掲載し、又は文書、放送、映画その他の方法を用いて一般に表示する場合には、当該対価を受け、又は受けるべき約束をして行う旨の表示を併せてしなければならない。ただし、広告料を対価とし、又は受けるべき約束をしている者が、当該広告料を対価とし、広告として表示する場合については、この限りでない。

（有利買付け等の表示の禁止）

第一七〇条 何人も、新たに発行される有価証券の取得の申込みの勧誘又は既に発行された有価証券の売付けの申込み若しくはその買付けの申込みの勧誘のうち、不特定かつ多数の者に対するもの（次条において「有価証券の不特定多数者向け勧誘等」という。）を行うに際し、不特定かつ多数の者に対して、これらの者の取得する当該有価証券を、自己又は他人が、あらかじめ特定した価格（あらかじめ特定した額につき一定の基準により算出される価格を含む。以下この条において同じ。）若しくはこれを超える価格により買い付ける旨又はあらかじめ特定した価格若しくはこれを超える価格により売り付けることをあつせんする旨の表示をし、又はこれらの表示と誤認されるおそれがある表示をしてはならない。ただし、当該有価証券が、第二条第一項第一号から第六号までに掲げる有価証券その他内閣府令で定める有価証券である場合は、この限りでない。

（一定の配当等の表示の禁止）

第一七一条 有価証券の不特定多数者向け勧誘等（第二条第一項第一号から第六号までに掲げる有価証券その他内閣府令で定める有価証券に係るものを除く。以下この条において同じ。）をする者又はこれらの者の役員、相談役、顧問その他これらに準ずる地位にある者若しくは代理人、使用人その他の従業者は、当該有価証券の不特定多数者向け勧誘等に際し、不特定かつ多数の者に対して、当該有価証券に関し一定の期間につき、利益の配当、収益の分配その他いかなる名称をもつてするを問わず、一定の額（一定の基準によりあらかじめ算出することができる額を含む。以下この条において同じ。）又はこれを超える額の金銭（処分することにより一定の額又はこれを超える額の金銭を得ることができるものを含む。）の供与が行われる旨の表示（当該表示と誤認されるおそれがある表示を含む。）をしてはならない。ただし、当該表示の内容が予想に基づくものである旨が明示されている場合は、この限りでない。

（無登録業者による未公開有価証券の売付け等の効果）

第一七一条の二① 無登録業者（第二十九条の規定に違反して内閣総理大臣の登録を受けないで第二十八条第一項に規定する第一種金融商品取引業又は同条第二項に規定する第二種金融商品取引業を行う者をいう。以下この項において同じ。）が、未公開有価証券につき売付け等（売付け又はその媒介若しくは代理、募集又は売出しの取扱いその他これらに準ずる行為として政令で定める行為をいう。以下この項において同じ。）を行つた場合には、対象契約（当該売付け等に係る契約又は当該売付け等により締結された契約であつて、顧客による当該未公開有価証券の取得を内容とするものをいう。以下この項において同じ。）は、無効とする。ただし、当該無登録業者又は当該対象契約に係る当該未公開有価証券の売主若しくは発行者（当該対象契約の当事者に限る。）が、当該売付け等が当該顧客の知識、経験、財産の状況及び当該対象契約を締結する目的に照らして顧客の保護に欠けるものでないこと又は当該売付け等が不当な利得行為に該当しないことを証明したときは、この限りでない。

② 前項の「未公開有価証券」とは、社債券、株券、新株予約権証券その他の政令で定める有価証券であつて、次に掲げる有価証券のいずれにも該当しないものをいう。

一 金融商品取引所に上場されている有価証券

二 店頭売買有価証券又は取扱有価証券

三 前二号に掲げるもののほか、その売買価格又は発行者に関する情報を容易に取得することができる有価証券として政令で定める有価証券

第六章の二 課徴金

（第一七二条から第一八五条の二一まで）（略）

第六章の三 暗号等資産の取引等に関する規制

（第一八五条の二二から第一八五条の二四まで）（略）

第七章 雑則（抄）

第一八六条から第一九一条まで （略）

（裁判所の禁止又は停止命令）

第一九二条① 裁判所は、次の各号のいずれかに該当すると認めるときは、内閣総理大臣又は内閣総理大臣及び財務大臣の申立てにより、当該各号に定める行為を行い、又は行おうとする者に対し、その行為の禁止又は停止を命ずることができる。

一 緊急の必要があり、かつ、公益及び投資者保護のため必要かつ適当であるとき この法律又はこの法律に基づく命令に違反する行為

二 第二条第二項第五号若しくは第六号に掲げる権利又は同項第七号に掲げる権利（同項第五号又は第六号に掲げる権利と同様の経済的性質を有するものとして政令で定める権利に限る。）に関し出資され、又は拠出された金銭（これに類するものとして政令で定めるものを含む。）を充てて行われる事業に係る業務執行が著しく適正を欠き、かつ、現に投資者の利益が著しく害されており、又は害されることが明白である場合において、投資者の損害の拡大を防止する緊急の必要があるとき これらの権利に係る同条第八項第七号から第九号までに掲げる行為

② 裁判所は、前項の規定により発した命令を取り消し、又は変更することができる。

③ 前二項の事件は、被申立人の住所地又は第一項に規定する行為が行われ、若しくは行われようとする地の地方裁判所の管轄とする。

④ 第一項及び第二項の裁判については、非訟事件手続法（平成二十三年法律第五十一号）の定めるところによる。

（法令違反行為を行つた者の氏名等の公表）

第一九二条の二 内閣総理大臣は、公益又は投資者保護のため必要かつ適当であると認めるときは、内閣府令で定めるところにより、この法律又はこの法律に基づく命令に違反する行為（以下この条において「法令違反行為」という。）を行つた者の氏名

その他法令違反行為による被害の発生若しくは拡大を防止し、又は取引の公正を確保するために必要な事項を一般に公表することができる。

（財務諸表の用語、様式及び作成方法）

第一九三条　この法律の規定により提出される貸借対照表、損益計算書その他の財務計算に関する書類は、内閣総理大臣が一般に公正妥当であると認められるところに従つて内閣府令で定める用語、様式及び作成方法により、これを作成しなければならない。

（公認会計士又は監査法人による監査証明）

第一九三条の二①　金融商品取引所に上場されている有価証券の発行会社その他の者で政令で定めるもの（以下この項及び次条において「特定発行者」という。）が、この法律の規定により提出する貸借対照表、損益計算書その他の財務計算に関する書類で内閣府令で定めるもの（第四項及び次条において「財務計算に関する書類」という。）には、その者と特別の利害関係のない公認会計士又は監査法人（特定発行者が公認会計士法第三十四条の三十四の二に規定する上場会社等である場合にあつては、同条の登録を受けた公認会計士又は監査法人に限る。）の監査証明を受けなければならない。ただし、次に掲げる場合は、この限りでない。

一　第二条第一項第十七号に掲げる有価証券で同項第九号に掲げる有価証券の性質を有するものその他の政令で定める有価証券の発行者が、外国監査法人等（公認会計士法第一条の三第七項に規定する外国監査法人等をいう。次項第一号及び第三項において同じ。）から内閣府令で定めるところにより監査証明に相当すると認められる証明を受けた場合

二　前号の発行者が、公認会計士法第三十四条の三十五第一項ただし書に規定する内閣府令で定める者から内閣府令で定めるところにより監査証明に相当すると認められる証明を受けた場合

三　監査証明を受けなくても公益又は投資者保護に欠けることがないものとして内閣府令で定めるところにより内閣総理大臣の承認を受けた場合

②　金融商品取引所に上場されている有価証券の発行会社その他の者で政令で定めるもの（以下この項において「上場会社等」という。）が、第二十四条の四の四の規定に基づき提出する内部統制報告書には、その者と特別の利害関係のない公認会計士又は監査法人（上場会社等が公認会計士法第三十四条の三十四の二に規定する上場会社等である場合にあつては、同条の登録を受けた公認会計士又は監査法人に限る。）の監査証明を受けなければならない。ただし、次に掲げる場合は、この限りでない。

一　前項第一号の発行者が、外国監査法人等から内閣府令で定めるところにより監査証明に相当すると認められる証明を受けた場合

二　前号の発行者が、公認会計士法第三十四条の三十五第一項ただし書に規定する内閣府令で定める者から内閣府令で定めるところにより監査証明に相当すると認められる証明を受けた場合

三　監査証明を受けなくても公益又は投資者保護に欠けることがないものとして内閣府令で定めるところにより内閣総理大臣の承認を受けた場合

四　上場会社等（資本の額その他の経営の規模が内閣府令で定める基準に達しない上場会社等に限る。）が、第二十四条第一項第一号に掲げる有価証券の発行者に初めて該当することとなつた日その他の政令で定める日以後三年を経過する日までの間に内部統制報告書を提出する場合

③　第一項第一号及び前項第一号の規定は、これらの規定に規定する外国監査法人等について、公認会計士法第三十四条の三十八第二項の規定により同条第一項の指示に従わなかつた旨又は同法第三十四条の三十九第一項の規定による届出があつた旨の同条第二項の規定による公表がされた場合（同法第三十四条の三十八第二項の規定による公表がされた場合において、同条第三項の規定による公表がされたときを除く。）には、適用しない。

④　第一項及び第二項の特別の利害関係とは、公認会計士又は監査法人が財務計算に関する書類を提出する者及び内部統制報告書を提出する者との間に有する公認会計士法第二十四条（同法第十六条の二第六項において準用する場合を含む。）、第二十四条の二（同法第十六条の二第六項において準用する場合を含む。）、第二十四条の三（同法第十六条の二第六項において準用する場合を含む。）、第三十四条の十一第一項又は第三十四条の十一の二第一項若しくは第二項に規定する関係及び公認会計士又は監査法人がその者に対し株主若しくは出資者として有する関係又はその者の事業若しくは財産経理に関して有する関係で、内閣総理大臣が公益又は投資者保護のため必要かつ適当であると認めて内閣府令で定めるものをいう。

⑤　第一項及び第二項の監査証明は、内閣府令で定める基準及び手続によつて、これを行わなければならない。

⑥　内閣総理大臣は、公益又は投資者保護のため必要かつ適当であると認めるときは、第一項及び第二項の監査証明を行つた公認会計士又は監査法人に対し、参考となるべき報告又は資料の提出を命ずることができる。

⑦　公認会計士又は監査法人が第一項に規定する財務計算に関する書類及び第二項に規定する内部統制報告書について監査証明をした場合において、当該監査証明が公認会計士法第三十条又は第三十四条の二十一第二項第一号若しくは第二号に規定するものであるときその他不正なものであるときは、内閣総理大臣は、一年以内の期間を定めて、当該期間内に提出される有価証券届出書、有価証券報告書（その訂正報告書を含む。）又は内部統制報告書（その訂正報告書を含む。）で当該公認会計士又は監査法人の監査証明に係るものの全部又は一部を受理しない旨の決定をすることができる。この場合においては、行政手続法第十三条第一項の規定による意見陳述のための手続の区分にかかわらず、聴聞を行わなければならない。

⑧　内閣総理大臣は、前項の決定をした場合においては、その旨を当該公認会計士又は監査法人に通知し、かつ、公表しなければならない。

（法令違反等事実発見への対応）

第一九三条の三①　公認会計士又は監査法人が、前条第一項の監査証明を行うに当たつて、特定発行者における法令に違反する事実その他の財務計算に関する書類の適正性の確保に影響を及ぼすおそれがある事実（次項第一号において「法令違反等事実」という。）を発見したときは、当該事実の内容及び当該事実に係る法令違反の是正その他の適切な措置をとるべき旨を、遅滞なく、内閣府令で定めるところにより、当該特定発行者に書面又は電子情報処理組織を使用する方法その他の情報通信の技術を利用する方法であつて内閣府令で定めるものにより通知しなければならない。

②　前項の規定による通知を行つた公認会計士又は監査法人は、当該通知を行つた日から政令で定める期間が経過した日後なお次に掲げる事項の全てがあると認める場合において、第一号に規定する重大な影響を防止するために必要があると認めるときは、内閣府令で定めるところにより、当該事項に関する意見を内閣総理大臣に申し出なければならない。この場合において、当該公認会計士又は監査法人は、あらかじめ、内閣総理大臣に申出をする旨を当該特定発行者に書面又は電子情報処理組織を使用する方法その他の情報通信の技術を利用する方法であつて内閣府令で定めるものにより通知しなければならない。

一　法令違反等事実が、特定発行者の財務計算に関する書類の適正性の確保に重大な影響を及ぼすおそれがあること。

二　前項の規定による通知を受けた特定発行者が、同項に規定する適切な措置をとらないこと。

③　前項の規定による申出を行つた公認会計士又は監査法人は、当該特定発行者に対して当該申出を行つた旨及びその内容を書面又は電子情報処理組織を使用する方法その他の情報通信の技

術を利用する方法であつて内閣府令で定めるものにより通知しなければならない。

（議決権の代理行使の勧誘の禁止）

第一九四条 何人も、政令で定めるところに違反して、金融商品取引所に上場されている株式の発行会社の株式につき、自己又は第三者に議決権の行使を代理させることを勧誘してはならない。

第一九四条の二から第一九六条の二まで（略）

第八章　罰則（抄）

第一九七条① 次の各号のいずれかに該当する場合には、当該違反行為をした者は、十年以下の拘禁刑若しくは千万円以下の罰金に処し、又はこれを併科する。

一 第五条（第二十七条において準用する場合を含む。）の規定による届出書類（第五条第四項の規定の適用を受ける届出書の場合には、当該届出書に係る参照書類を含む。）、第七条第一項、第九条第一項若しくは第十条第一項（これらの規定を第二十七条において準用する場合を含む。）の規定による訂正届出書（当該訂正届出書に係る参照書類を含む。）、第二十三条の三第一項及び第二項（これらの規定を第二十七条において準用する場合を含む。）の規定による発行登録書（当該発行登録書に係る参照書類を含む。）及びその添付書類、第二十三条の四、第二十三条の九第一項若しくは第二十三条の十第一項の規定若しくは同条第五項において準用する同条第一項（これらの規定を第二十七条において準用する場合を含む。）の規定による訂正発行登録書（当該訂正発行登録書に係る参照書類を含む。）、第二十三条の八第一項及び第五項（これらの規定を第二十七条において準用する場合を含む。）の規定による発行登録追補書類（当該発行登録追補書類に係る参照書類を含む。）及びその添付書類又は第二十四条第一項若しくは第三項（これらの規定を同条第五項（第二十七条において準用する場合を含む。）及び第二十七条において準用する場合を含む。）若しくは第二十四条の二第一項（第二十七条において準用する場合を含む。）の規定による有価証券報告書若しくはその訂正報告書であつて、重要な事項につき虚偽の記載のあるものを提出したとき。

二 第二十七条の三第一項（第二十七条の二十二の二第二項において準用する場合を含む。）、第二十七条の六第二項若しくは第三項（これらの規定を第二十七条の二十二の二第二項において準用する場合を含む。）、第二十七条の七第一項若しくは第二項（これらの規定を第二十七条の八第十二項並びに第二十七条の二十二の二第二項及び第六項において準用する場合を含む。）、第二十七条の八第八項（第二十七条の二十二の二第二項及び第二十七条の二十二の三第四項において準用する場合を含む。）、第二十七条の八第十一項（第二十七条の二十二の二第二項において準用する場合を含む。）、第二十七条の十第四項から第六項まで、第二十七条の十一第二項（第二十七条の二十二の二第二項において準用する場合を含む。）又は第二十七条の十三第一項（第二十七条の二十二の二第二項において準用する場合を含む。）の規定による公告又は公表において、重要な事項につき虚偽の表示をしたとき。

三 第二十七条の三第二項（第二十七条の二十二の二第二項において準用する場合を含む。）の規定による公開買付届出書、第二十七条の八第一項から第四項まで（これらの規定を第二十七条の二十二の二第二項において準用する場合を含む。）の規定による訂正届出書、第二十七条の十一第三項（第二十七条の二十二の二第二項において準用する場合を含む。）の規定による公開買付撤回届出書、第二十七条の十三第二項（第二十七条の二十二の二第二項において準用する場合を含む。）の規定による公開買付報告書又は第二十七条の十三第三項及び第二十七条の二十二の二第七項において準用する第二十七条の八第一項から第四項までの規定による訂正報告書であつて、重要な事項につき虚偽の記載のあるものを提出したとき。

四 第二十七条の二十二の三第一項又は第二項の規定による公表を行わず、又は虚偽の公表を行つたとき。

四の二（略）

五 第百五十七条、第百五十八条又は第百五十九条の規定に違反したとき（当該違反が商品関連市場デリバティブ取引のみに係るものである場合を除く。）。

六 第百八十五条の二十二第一項、第百八十五条の二十三第一項又は第百八十五条の二十四第一項若しくは第二項の規定に違反したとき。

② 次の各号のいずれかに該当する場合には、当該違反行為をした者は、十年以下の拘禁刑及び三千万円以下の罰金に処する。

一 財産上の利益を得る目的で、前項第五号の罪を犯して有価証券等の相場を変動させ、又はくぎ付けし、固定し、若しくは安定させ、当該変動させ、又はくぎ付けし、固定し、若しくは安定させた相場により当該有価証券等に係る有価証券の売買その他の取引又はデリバティブ取引等を行つたとき（当該罪が商品関連市場デリバティブ取引のみに係るものである場合を除く。）。

二 財産上の利益を得る目的で、前項第六号の罪を犯して暗号等資産等の相場を変動させ、当該変動させた相場により当該暗号等資産等に係る暗号等資産の売買その他の取引又は暗号等資産関連デリバティブ取引等を行つたとき。

第一九七条の二① 次の各号のいずれかに該当する場合には、当該違反行為をした者は、五年以下の拘禁刑若しくは五百万円以下の罰金に処し、又はこれを併科する。

一 第四条第一項の規定による届出を必要とする有価証券の募集若しくは売出し、同条第二項の規定による届出を必要とする適格機関投資家取得有価証券一般勧誘又は同条第三項の規定による届出を必要とする特定投資家等取得有価証券一般勧誘について、これらの届出が受理されていないのに当該募集、売出し、適格機関投資家取得有価証券一般勧誘若しくは特定投資家等取得有価証券一般勧誘又はこれらの取扱いをしたとき。

二 第六条（第十二条、第二十三条の十二第一項、第二十四条第七項、第二十四条の二第三項、第二十四条の四の四第五項、第二十四条の四の五第二項、第二十四条の五第六項及び第二十四条の六第三項において準用し、並びにこれらの規定（第二十四条の六第三項を除く。）を第二十七条において準用する場合を含む。）、第二十四条の七第四項（同条第六項（第二十七条において準用する場合を含む。）及び第二十七条において準用する場合を含む。）、第二十七条の三第四項（第二十七条の八第六項（第二十七条の十三第三項において準用する場合を含む。）、第二十七条の十一第四項、第二十七条の十三第三項並びに第二十七条の二十二の二第二項及び第三項において準用する場合を含む。）又は第二十七条の二十二の二第四項（同条第八項において準用する場合を含む。）の規定による書類の写しの提出又は送付に当たり、重要な事項につき虚偽があり、かつ、写しの基となつた書類と異なる内容の記載をした書類をその写しとして提出し、又は送付したとき。

三 第十五条第一項（第二十七条において準用する場合を含む。）、第二十三条の八第一項（第二十七条において準用する場合を含む。）、第二十三条の三第三項（第二十七条の二十二の二第二項において準用する場合を含む。）、第二十七条の八第七項（第二十七条の二十二の二第二項において準用する場合を含む。）又は第二十七条の八第九項（第二十七条の二十二の二第二項及び第二十七条の二十二の三第四項において準用する場合を含む。）の規定に違反したとき。

四 第二十七条の三第一項（第二十七条の二十二の二第二項において準用する場合を含む。）又は第二十七条の十第四項の規定による公告を行わないとき。

五 第二十四条第一項若しくは第三項（これらの規定を同条第五項（第二十七条において準用する場合を含む。）及び第二十七条において準用する場合を含む。）若しくは第二十四条第六項（第二十七条において準用する場合を含む。）の規定による有価証券報告書若しくはその添付書類、第二十四条の二第一項（第二十七条において準用する場合を含む。）において準用する第十条第一項の規定による訂正報告書、第二十四条の四の四第一項（同条第三項（第二十七条において準用する場合を含む。）及び第二十七条において準用する場合を含む。）若しくは第四項（第二十七条において準用する場合を含む。）の規定による内部統制報告書若しくはその添付書類、第二十四条の四の五第一項（第二十七条において準用する場合を含む。）において準用する第十条第一項の規定による訂正報告書、第二十七条の三第二項（第二十七条の二十二の二第二項において準用する場合を含む。）の規定による公開買付届出書、第二十七条の十一第三項（第二十七条の二十二の二第二項において準用する場合を含む。）の規定による公開買付撤回届出書、第二十七条の十三第二項（第二十七条の二十二の二第二項において準用する場合を含む。）の規定による公開買付報告書、第二十七条の二十三第一項若しくは第二十七条の二十六第一項の規定による大量保有報告書又は第二十七条の二十五第一項若しくは第二十七条の二十六第二項の規定による変更報告書を提出しないとき。

六　第二十四条第六項若しくは第二十四条の二第一項（これらの規定を第二十七条において準用する場合を含む。）、第二十四条の四の四第一項（同条第三項（第二十七条において準用する場合を含む。）及び第二十七条において準用する場合を含む。）若しくは第四項（第二十七条において準用する場合を含む。）、第二十四条の四の五第一項（同条第三項（第二十七条において準用する場合を含む。）及び第二十七条において準用する場合を含む。）若しくは第二十四条の五第四項若しくは第五項（これらの規定を第二十七条において準用する場合を含む。）の規定による添付書類、内部統制報告書若しくはその添付書類、半期報告書、臨時報告書若しくはこれらの訂正報告書、第二十四条の六第一項若しくは第二項の規定による自己株券買付状況報告書若しくはその訂正報告書、第二十四条の七第一項若しくは第二項（これらの規定を同条第六項（第二十七条において準用する場合を含む。）及び第二十七条において準用する場合を含む。）若しくは第二十四条の七第三項（同条第六項（第二十七条において準用する場合を含む。）及び第二十七条において準用する場合を含む。）において準用する第七条第一項、第九条第一項若しくは第十条第一項の規定による親会社等状況報告書若しくはその訂正報告書、第二十七条の十第一項の規定による意見表明報告書、同条第八項において準用する第二十七条の八第一項から第四項までの規定による訂正報告書、第二十七条の十第十一項の規定による対質問回答報告書、同条第十二項において準用する第二十七条の八第一項から第四項までの規定による訂正報告書、第二十七条の二十三第一項若しくは第二十七条の二十六第一項の規定による大量保有報告書、第二十七条の二十五第一項若しくは第二十七条の二十六第二項の規定による変更報告書又は第二十七条の二十五第三項（第二十七条の二十六第六項において準用する場合を含む。）若しくは第二十七条の二十九第一項において準用する第九条第一項若しくは第十条第一項の規定による訂正報告書であつて、重要な事項につき虚偽の記載のあるものを提出したとき。

七　第二十五条第二項（第二十七条において準用する場合を含む。）の規定による書類（第二十五条第一項第四号及び第七号に掲げる書類を除く。）の写しの公衆縦覧に当たり、重要な事項につき虚偽があり、かつ、写しの基となつた書類と異なる内容の記載をした書類をその写しとして公衆の縦覧に供したとき。

八　第二十七条の九第一項（第二十七条の二十二の二第二項において準用する場合を含む。）の規定による公開買付説明書又は第二十七条の九第四項（第二十七条の二十二の二第二項において準用する場合を含む。）の規定により訂正した公開買付説明書であつて、重要な事項につき虚偽の記載のあるものを交付したとき。

九　第二十七条の六第一項の規定に違反して公開買付けの買付条件等の変更を行う旨の公告を行つたとき、又は第二十七条の十一第一項ただし書（第二十七条の二十二の二第二項において準用する場合を含む。）の規定に該当しないにもかかわらず、第二十七条の十一第一項本文（第二十七条の二十二の二第二項において準用する場合を含む。）に規定する公開買付けの撤回等を行う旨の公告を行つたとき。

十　第二十七条の二十二の三第二項の規定による通知を行わず、又は虚偽の通知を行つたとき。

十の二　特定勧誘等について、当該特定勧誘等に係る特定証券情報が提供され、又は公表されていないのに当該特定勧誘等又はその取扱いをしたとき。

十の三―十二　（略）

十三　第百五十七条、第百五十八条若しくは第百五十九条の規定に違反したとき（当該違反が商品関連市場デリバティブ取引のみに係るものである場合に限る。）、又は第百六十六条第一項若しくは第三項若しくは第百六十七条第一項若しくは第三項の規定に違反したとき。

十四　第百六十七条の二第一項の規定に違反したとき（当該違反により同項の伝達を受けた者又は同項の売買等をすることを勧められた者が当該違反に係る第百六十六条第一項に規定する業務等に関する重要事実について同項の公表がされたこととなる前に当該違反に係る特定有価証券等に係る売買等をした場合（同条第六項各号に掲げる場合に該当するときを除く。）に限る。）。

十五　第百六十七条の二第二項の規定に違反したとき（当該違反により同項の伝達を受けた者又は同項の買付け等若しくは売付け等をすることを勧められた者が当該違反に係る公開買付け等事実について第百六十七条第一項の公表がされたこととなる前に当該違反に係る株券等に係る買付け等又は売付け等をした場合（同条第五項各号に掲げる場合に該当するときを除く。）に限る。）。

②　（略）

＊令和六法三二（令和八・五・二一までに施行）による改正前

第一九七条の二　次の各号のいずれかに該当する者は、五年以下の拘禁刑若しくは五百万円以下の罰金に処し、又はこれを併科する。

一―七　（略。ただし、「者」は「とき。」に改められた。（本文織込み済み））

八　第二十七条の九第一項（第二十七条の二十二の二第二項において準用する場合を含む。）の規定による公開買付説明書又は第二十七条の九第三項（第二十七条の二十二の二第二項において準用する場合を含む。）の規定により訂正した公開買付説明書であつて、重要な事項につき虚偽の記載のあるものを交付した者

九　第二十七条の六第一項の規定に違反して公開買付けの買付条件等の変更を行う旨の公告を行つた者又は第二十七条の十一第一項ただし書（第二十七条の二十二の二第二項において準用する場合を含む。）の規定に該当しないにもかかわらず、第二十七条の十一第一項本文（第二十七条の二十二の二第二項において準用する場合を含む。）に規定する公開買付けの撤回等を行う旨の公告を行つた者

十・十の二　（略。ただし、「者」は「とき。」に改められた。（本文織込み済み））

十の三―十二　（略）

十三　第百五十七条、第百五十八条若しくは第百五十九条の規定に違反した者（当該違反が商品関連市場デリバティブ取引のみに係るものである場合に限る。）又は第百六十六条第一項若しくは第三項若しくは第百六十七条第一項若しくは第三項の規定に違反した者

十四・十五（略。ただし、「者（」は「とき（」に、「限る。）」は「限る。）。」に改められた。（本文織込み済み））

②（改正後の①）

（改正により追加）

第一九七条の三（略）

第一九八条① 次の各号のいずれかに該当する場合には、当該違反行為をした者は、三年以下の拘禁刑若しくは三百万円以下の罰金に処し、又はこれを併科する。

一（略）

二 第三十六条の三、第六十六条の九、第六十六条の三十四又は第六十六条の七十九の規定に違反して他人に登録金融機関業務、金融商品仲介業、信用格付業又は投資運用関係業務受託業を行わせたとき。

二の二 第三十八条第一号の規定に違反したとき（当該違反が投資運用業に関して行われたものである場合に限る。）。

二の三 第三十八条第七号又は第六十六条の十四第一号ハの規定に違反したとき。

二の四―七（略）

八 第百九十二条第一項又は第二項の規定による裁判所の命令に違反したとき。

②（略）

第一九八条の二① 次に掲げる財産は、没収する。ただし、その取得の状況、損害賠償の履行の状況その他の事情に照らし、当該財産の全部又は一部を没収することが相当でないときは、これを没収しないことができる。

一 第百九十七条第一項第五号若しくは第六号若しくは第二項又は第百九十七条の二第一項第十三号の罪の犯罪行為により得た財産

＊**令和六法三二（令和八・五・二一までに施行）による改正**

第一号中「第百九十七条の二第十三号」は「第百九十七条の二第一項第十三号」に改められた。（本文織込み済み）

二 前号に掲げる財産の対価として得た財産又は同号に掲げる財産がオプションその他の権利である場合における当該権利の行使により得た財産

② 前項の規定により財産を没収すべき場合において、これを没収することができないときは、その価額を犯人から追徴する。

第一九八条の三 第三十八条の二若しくは第三十九条第一項（これらの規定を第六十六条の十五において準用する場合を含む。）、第四十一条の二第二号若しくは第五号又は第四十二条の二第一号、第三号若しくは第六号の規定に違反した場合（第三十八条の二第一号の規定に違反した場合にあつては、当該違反が投資運用業に関して行われたものである場合を除く。）においては、その行為をした金融商品取引業者等若しくは金融商品仲介業者の代表者、代理人、使用人その他の従業者又は金融商品取引業者若しくは金融商品仲介業者は、三年以下の拘禁刑若しくは三百万円以下の罰金に処し、又はこれを併科する。

第一九八条の四（略）

第一九八条の五 次の各号のいずれかに該当する場合には、当該違反行為をした者は、二年以下の拘禁刑若しくは三百万円以下の罰金に処し、又はこれを併科する。

一 第四十二条の四、第四十三条の二第一項若しくは第二項、第四十三条の二の二又は第四十三条の三の規定に違反したとき。

二―四（略）

第一九八条の六 次の各号のいずれかに該当する場合には、当該違反行為をした者は、一年以下の拘禁刑若しくは三百万円以下の罰金に処し、又はこれを併科する。

一（略）

二 第三十八条第一号の規定に違反したとき（当該違反が投資運用業に関して行われたものである場合を除く。）、又は第六十六条の十四第一号イの規定に違反したとき。

二の二 第四十三条の六第二項（第六十六条の十五において準用する場合を含む。）の規定に違反したとき。

三―十八（略）

第一九九条（略）

第二〇〇条 次の各号のいずれかに該当する場合には、当該違反行為をした者は、一年以下の拘禁刑若しくは百万円以下の罰金に処し、又はこれを併科する。

一 第六条（第十二条、第二十三条の十二第一項、第二十四条第七項、第二十四条の二第三項、第二十四条の四の四第五項、第二十四条の四の五第二項、第二十四条の五第六項及び第二十四条の六第三項において準用し、並びにこれらの規定（第二十四条の六第三項を除く。）を第二十七条において準用する場合を含む。）、第二十四条の七第四項（同条第六項（第二十七条において準用する場合を含む。）、第二十七条の三第四項（第二十七条の十三第三項において準用する場合を含む。）及び第二十七条の八第六項（第二十七条の十三第三項において準用する場合を含む。）、第二十七条の十一第四項、第二十七条の十三第三項並びに第二十七条の二十二の二第二項及び第三項において準用する場合を含む。）又は第二十七条の二十二の二第四項（同条第八項において準用する場合を含む。）の規定による書類の写しの提出をせず、又は送付しないとき。

二 第七条第一項前段、第九条第一項又は第十条第一項（これらの規定を第二十七条において準用する場合を含む。）の規定による訂正届出書を提出しないとき。

三 第十五条第二項（第二十三条の十二第三項において準用し、及びこれらの規定を第二十七条において準用する場合を含む。）、第十五条第三項若しくは第四項（これらの規定を第二十七条の五第二十七条において準用する場合を含む。）、第二十七条の八第十項、第二十七条の二十二の二第二項及び第五項並びに第二十七条の二十二の三第五項において準用する場合を含む。）又は第二十七条の十三第四項若しくは第五項（これらの規定を第二十七条の二十二の二第二項において準用する場合を含む。）の規定に違反したとき。

四 第二十三条の四前段、第二十三条の九第一項若しくは第二十三条の十第一項の規定又は同条第五項において準用する同条第一項（これらの規定を第二十七条において準用する場合を含む。）の規定による訂正発行登録書を提出しないとき。

五 第二十四条の二第一項（第二十七条において準用する場合を含む。）において準用する第九条第一項、第二十四条の四の五第一項（第二十七条において準用する場合を含む。）において準用する第九条第一項、第二十四条の五第四項（第二十七条において準用し、及びこれらの規定を第二十七条において準用する場合を含む。）、第二十四条の五第五項（第二十七条において準用する場合を含む。）、第二十四条の六第一項、同条第二項において準用する第九条第一項若しくは第十条第一項、第二十四条の七第一項若しくは第二項（これらの規定を同条第六項（第二十七条において準用する場合を含む。）及び第二十七条において準用する場合を含む。）又は第二十四条の七第三項（同条第六項（第二十七条において準用する場合を含む。）及び第二十七条において準用する場合を含む。）において準用する第九条第一項若しくは第十条第一項の規定による訂正報告書又は自己株券買付状況報告書、半期報告書、臨時報告書、親会社等状況報告書を提出しないとき。

六 第二十五条第二項（第二十七条において準用する場合を含む。）又は第二十七条の十四第二項（第二十七条の二十二の二第二項において準用する場合を含む。）の規定に違反して書類（第二十五条第一項第四号及び第七号に掲げる書類を除く。）の写しを公衆の縦覧に供しないとき。

七 第二十七条の七第二項（第二十七条の八第十二項並びに第二十七条の二十二の二第二項及び第六項において準用する場合を含む。）、第二十七条の八第八項（第二十七条の二十二の二第二項及び第二十七条の二十二の三第四項において準用する場合を含む。）、第二十七条の八第十一項（第二十七条の二十二の二第二項において準用する場合を含む。）、第二十七条の十第六項又は第二十七条の十三第一項（第二十七条の二十二の二第二項において準用する場合を含む。）の規定による公告又は公表を行わないとき。

八　第二十七条の八第二項から第四項まで（これらの規定を第二十七条の二十二の二第二項において準用する場合を含む。）の規定による訂正届出書又は第二十七条の十三第三項及び第二十七条の二十二の二第七項において準用する第二十七条の八第二項から第四項までの規定による訂正報告書を提出しないとき。

九　第二十七条の九第三項又は第四項（これらの規定を第二十七条の二十二の二第二項において準用する場合を含む。）の規定に違反して公開買付説明書又は訂正した公開買付説明書を交付しなかつたとき。

十　第二十七条の十第一項の規定による意見表明報告書又は同条第十一項の規定による対質問回答報告書を提出しないとき。

十一　第二十七条の十第九項（同条第十項において準用する場合を含む。）若しくは同条第十三項（同条第十四項において準用する場合を含む。）又は第二十七条の二十七（第二十七条の二十九第二項において準用する場合を含む。）の規定による書類の写しの送付に当たり、重要な事項につき虚偽があり、かつ、写しの基となつた書類と異なる内容の記載をした書類をその写しとして送付したとき。

十二　第二十七条の二十九第一項において準用する第九条第一項又は第十条第一項の規定による訂正報告書を提出しないとき。

十二の二―十三　（略）

十四　第三十九条第二項（第六十六条の十五において準用する場合を含む。）の規定に違反したとき。

十五　第三十九条第七項（第六十六条の十五において準用する場合を含む。）の規定による申請書又は書類に虚偽の記載をして提出したとき。

十五の二―十八の二　（略）

十九　第百六十七条の三の規定に違反したとき。

二十　第百六十八条の規定に違反したとき。

二十一　第百七十条又は第百七十一条の規定に違反して、表示をしたとき。

＊令和六法三二（令和八・五・二一までに施行）による改正前

第二〇〇条　次の各号のいずれかに該当する者は、一年以下の拘禁刑若しくは百万円以下の罰金に処し、又はこれを併科する。

一―八　（略。ただし、「者」は「とき。」に改められた。（本文織込み済み））

九　第二十七条の九第二項又は第三項（これらの規定を第二十七条の二十二の二第二項において準用する場合を含む。）の規定に違反して公開買付説明書又は訂正した公開買付説明書を交付しなかつた者

十―十二　（略。ただし、「者」は「とき。」に改められた。（本文織込み済み））

十二の二―十三　（略）

十四・十五　（略。ただし、「者」は「とき。」に改められた。（本文織込み済み））

十五の二―十八の二　（略）

十九―二十一　（略。ただし、「者」は「とき。」に改められた。（本文織込み済み））

第二〇〇条の二　前条第十四号の場合において、犯人又は情を知つた第三者が受けた財産上の利益は、没収する。その全部又は一部を没収することができないときは、その価額を追徴する。

第二〇〇条の三及び第二〇一条　（略）

第二〇二条①　取引所金融商品市場によらないで、取引所金融商品市場における相場（取引所金融商品市場における金融指標を含む。）により差金の授受を目的とする行為をした者は、一年以下の拘禁刑若しくは百万円以下の罰金に処し、又はこれを併科する。ただし、刑法第百八十六条の規定の適用を妨げない。

②　（略）

第二〇三条から第二〇四条まで　（略）

第二〇五条　次の各号のいずれかに該当する場合には、当該違反行為をした者は、六月以下の拘禁刑若しくは五十万円以下の罰金に処し、又はこれを併科する。

一　第四条第四項、同条第六項（第二十三条の八第四項において準用する場合を含む。）、第十三条第四項若しくは第五項（これらの規定を第二十三条の十二第二項（第二十七条において準用する場合を含む。）及び第二十七条において準用する場合を含む。）、第十五条第六項（第二十三条の十二第三項において準用し、及びこれらの規定を第二十七条において準用する場合を含む。）において準用する第十五条第二項から第四項まで、第二十三条第二項（第二十三条の十二第五項において準用し、及びこれらの規定を第二十七条において準用する場合を含む。）、第二十三条の八第三項（第二十七条において準用する場合を含む。）又は第二十四条の二第二項（第二十七条において準用する場合を含む。）の規定に違反したとき。

二　第二十七条の十第八項において準用する第二十七条の八第二項から第四項までの規定又は第二十七条の十第十二項において準用する第二十七条の八第二項から第四項までの規定による訂正報告書を提出しないとき。

三　第二十七条の十第九項（同条第十項において準用する場合を含む。）若しくは同条第十三項（同条第十四項において準用する場合を含む。）又は第二十七条の二十七（第二十七条の二十九第二項において準用する場合を含む。）の規定による書類の写しを送付しないとき。

四　第二十七条の十五第二項（第二十七条の二十二の二第二項において準用する場合を含む。）の規定に違反したとき。

五　第二十六条第一項（第二十七条において準用する場合を含む。）、第二十七条の二十二第一項（第二十七条の二十二の二第二項において準用する場合を含む。）若しくは第二項、第二十七条の三十第一項若しくは第二項、第二十七条の三十七第一項又は第百九十三条の二第六項の規定による報告若しくは資料を提出せず、又は虚偽の報告若しくは資料を提出したとき。

六　第二十六条第一項（第二十七条において準用する場合を含む。）、第二十七条の二十二第一項（第二十七条の二十二の二第二項において準用する場合を含む。）若しくは第二項、第二十七条の三十第一項、第二十七条の三十五第一項、第二十七条の三十七第一項又は第百七十七条第一項第三号の規定による検査を拒み、妨げ、又は忌避したとき。

六の二―六の四　（略）

六の五　第二十七条の三十八第二項の規定による命令に違反したとき。

七―十一　（略）

十二　第三十七条の三第一項又は第三十七条の四の規定に違反して、これらの規定による情報の提供をせず、又は虚偽の情報の提供をしたとき。

十三　第三十七条の三第三項、第四十二条の七第二項、第百三条の二第三項、第百六条の三第三項（第百六条の十第四項及び第百六条の十七第四項において準用する場合を含む。）、第百六条の十四第三項又は第百五十六条の五の五第三項の規定による届出をせず、又は虚偽の届出をしたとき。

十三の二　第三十七条の五第一項の規定に違反して、書面を交付せず、若しくは同項に規定する事項を記載しない書面若しくは虚偽の記載をした書面を交付したとき、又は同条第二項において準用する第三十四条の二第四項に規定する方法により当該事項を欠いた提供若しくは虚偽の事項の提供をしたと

き。

十四―十七　（略）

十八　第百六十一条第一項（同条第二項において準用する場合を含む。）又は第三項の規定による内閣府令に違反したとき。

十九　第百六十三条若しくは第百六十五条の二第一項若しくは第二項の規定に違反して報告書を提出せず、若しくは虚偽の記載をした報告書を提出し、又は第百六十四条第五項若しくは第百六十五条の二第十項の規定による申立てにおいて虚偽の申立てをしたとき。

二十　第百六十五条、第百六十五条の二第十六項又は第百六十九条の規定に違反したとき。

第二〇五条の二から第二〇六条まで　（略）

第二〇七条①　法人（法人でない団体で代表者又は管理人の定めのあるものを含む。以下この項及び次項において同じ。）の代表者又は法人若しくは人の代理人、使用人その他の従業者が、その法人又は人の業務又は財産に関し、次の各号に掲げる規定の違反行為をしたときは、その行為者を罰するほか、その法人に対して当該各号に定める罰金刑を、その人に対して各本条の罰金刑を科する。

一　第百九十七条　七億円以下の罰金刑

二　第百九十七条の二第一項又は第百九十七条の三　五億円以下の罰金刑

＊令和六法三二（令和八・五・二一までに施行）による改正
第二号中「第百九十七条の二（第十一号及び第十二号を除く。）」は「第百九十七条の二第一項」に改められた。（本文織込み済み）

三　第百九十八条第一項（第五号を除く。）又は第百九十八条の三から第百九十八条の五まで　三億円以下の罰金刑

四　第百九十八条の六（第八号、第九号、第十二号、第十三号及び第十五号を除く。）又は第百九十九条　二億円以下の罰金刑

五　第二百条（第十二号の三、第十五号の二、第十七号、第十八号の二及び第十九号を除く。）又は第二百一条第一号、第二号、第四号、第六号若しくは第九号から第十一号まで　一億円以下の罰金刑

六　第百九十八条第一項第五号、第百九十八条の六第八号、第九号、第十二号、第十三号若しくは第十五号、第二百条第十二号の三、第十五号の二、第十七号、第十八号の二若しくは第十九号、第二百一条（第一号、第二号、第四号、第六号及び第九号から第十一号までを除く。）、第二百五条から第二百五条の二の二まで、第二百五条の二の三第一項又は前条第一項　各本条の罰金刑

②　前項の規定により第百九十七条、第百九十七条の二第一項又は第百九十七条の三の違反行為につき法人又は人に罰金刑を科する場合における時効の期間は、これらの規定の罪についての時効の期間による。

＊令和六法三二（令和八・五・二一までに施行）による改正
第二項中「第百九十七条の二（第十一号及び第十二号を除く。）」は「第百九十七条の二第一項」に改められた。（本文織込み済み）

③　第一項の規定により法人でない団体を処罰する場合には、その代表者又は管理人がその訴訟行為につきその団体を代表するほか、法人を被告人又は被疑者とする場合の刑事訴訟に関する法律の規定を準用する。

第二〇七条の二から第二〇七条の四まで　（略）

第二〇八条　有価証券の発行者、金融商品取引業者等、金融商品取引業者の特定主要株主、指定親会社、特例業務届出者、海外投資家等特例業務届出者、金融商品仲介業者、高速取引行為者若しくは投資運用関係業務受託業者の代表者若しくは役員、個人である金融商品取引業者、金融商品取引業者の個人である特定主要株主、個人である特例業務届出者、個人である海外投資家等特例業務届出者、個人である金融商品仲介業者、個人である高速取引行為者若しくは個人である投資運用関係業務受託業者、外国法人である金融商品取引業者、第五十九条の規定により許可を受けた者、取引所取引許可業者、電子店頭デリバティブ取引等許可業者、外国法人である特例業務届出者、外国法人である海外投資家等特例業務届出者、外国法人である高速取引行為者若しくは外国法人である投資運用関係業務受託業者の国内における代表者、信用格付業者の役員（法人でない団体で代表者又は管理人の定めのあるものの代表者又は管理人を含む。）、外国法人（法人でない団体で代表者又は管理人の定めのあるものを含む。）である信用格付業者の国内における代表者、認可金融商品取引業協会若しくは第七十八条第二項に規定する認定金融商品取引業協会の役員（仮理事を含む。）若しくは代表者であつた者、投資者保護基金の役員（仮理事及び仮監事を含む。）若しくは清算人、金融商品取引所若しくは第八十五条第一項に規定する自主規制法人の役員（仮理事、仮取締役及び仮執行役を含む。）、代表者であつた者若しくは清算人、外国金融商品取引所の国内における代表者若しくは代表者であつた者、金融商品取引清算機関の代表者若しくは役員、外国金融商品取引清算機関の国内における代表者、証券金融会社の代表者若しくは役員、第百五十六条の三十八第一項に規定する指定紛争解決機関の役員（法人でない団体で代表者又は管理人の定めのあるものの代表者又は管理人を含む。）、取引情報蓄積機関の役員（法人でない団体で代表者又は管理人の定めのあるものの代表者又は管理人を含む。）、特定金融指標算出者の役員（法人でない団体で代表者又は管理人の定めのあるものの代表者又は管理人を含む。）又は個人である特定金融指標算出者は、次の場合においては、三十万円以下の過料に処する。

一　第四条第五項（第二十三条の八第四項において準用する場合を含む。）、第四十四条の四（第五十九条の六において準用する場合を含む。）、第七十九条の二十六第二項、第七十九条の七十三、第百十九条第一項若しくは第四項又は第百六十一条の二第一項の規定に違反したとき。

二　第二十四条の四の二第一項（同条第三項（同条第四項において準用する場合を含む。）及び第四項において準用し、並びにこれらの規定を第二十七条において準用する場合を含む。）の規定による確認書又は第二十四条の四の三第一項（第二十七条において準用する場合を含む。）において読み替えて準用する第九条第一項若しくは第十条第一項の規定による訂正確認書を提出しなかつたとき。

三―五　（略）

六　第四十条の二第四項又は第五項の規定に違反して、これらの規定に規定する情報を提供しなかつたとき。

六の二―二十七　（略）

第二〇八条の二　次の各号のいずれかに該当する者は、三十万円以下の過料に処する。

一　（略）

二　第百六十二条第一項（同条第二項において準用する場合を含む。）の規定に違反した者

三　第百六十二条の二の規定による内閣府令に違反した者

四　第百九十三条の三第一項の規定に違反した者

五　第百九十三条の三第二項の規定に違反して、申出をせず、又は虚偽の申出をした者

六　第百九十三条の三第三項の規定に違反して、通知をせず、又は虚偽の通知をした者

第二〇八条の三　（略）

第二〇九条　次の各号のいずれかに該当する者は、十万円以下の過料に処する。

一　第二十三条の十三第一項、第三項又は第四項（これらの規定を第二十七条において準用する場合を含む。）の規定に違反した者

二　第二十三条の十三第二項又は第五項（これらの規定を第二十七条において準用する場合を含む。）の規定に違反して、書面の交付をしなかつた者

三　第二十四条の四の二第五項（第二十四条の五の二第一項において準用し、及びこれらの規定を第二十七条において準用する場合を含む。）において準用する第六条の規定による確認書の写し又は第二十四条の四の三第二項（第二十四条の五の二第二項において準用し、及びこれらの規定を第二十七条において準用する場合を含む。）において準用する第六条の規定による訂正確認書の写しを提出しなかつた者

四　第二十四条の五の二第一項（第二十七条において準用する場合を含む。）において準用する第二十四条の四の二第一項（同条第三項（同条第四項において準用する場合を含む。）及び第四項において準用し、並びにこれらの規定を第二十七条において準用する場合を含む。）の規定による確認書又は第二十四条の五の二第二項（第二十七条において準用する場合を含む。）において準用する第二十四条の四の三第一項（第二十七条において準用する場合を含む。）において読み替えて準用する第九条第一項若しくは第十条第一項の規定による訂正確認書を提出しなかつた者

五　第二十五条第二項（第二十七条において準用する場合を含む。）の規定に違反して書類（第二十五条第一項第四号及び第七号に掲げる書類に限る。）の写しを公衆の縦覧に供しない者

六　第二十七条の三十四の規定に違反して、通知書を交付せず、又は同条に規定する事項を記載しない通知書若しくは虚偽の記載をした通知書を交付した者

六の二―十　（略）

第二〇九条の二及び第二〇九条の三　（略）

第八章の二　没収に関する手続等の特例

（第二〇九条の四から第二〇九条の七まで）（略）

第九章　犯則事件の調査等

（第二一〇条から第二二六条まで）（略）

附　則（抄）

第一条　この法律は、その成立の日（昭和二三・四・六）から三十日を経過した日（昭和二三・五・六）からこれを施行する。但し、第二章の規定は、その施行の日から六十日、第六十五条の規定は、その施行の日から六箇月を経過した日（第二章は昭和二三・七・五、第六五条は昭和二三・一一・六）から、これを施行する。

第二条　有価証券業取締法（昭和一三法三二）、有価証券引受業法（昭和一三法五四）及び有価証券割賦販売業法（大正七法二九）は、これを廃止する。

刑法等の一部を改正する法律の施行に伴う関係法律整理法中経過規定

（令和四・六・一七法六八）（抄）

第四四一条から第四四三条まで　（刑法の同経過規定参照）

第五〇九条　（刑法の同経過規定参照）

刑法等の一部を改正する法律の施行に伴う関係法律整理法

附　則（令和四・六・一七法六八）（抄）

（施行期日）

①　この法律は、刑法等一部改正法（刑法等の一部を改正する法律（令和四法六七））施行日（令和七・六・一）から施行する。ただし、次の各号に掲げる規定は、当該各号に定める日から施行する。

一　第五百九条の規定　公布の日

二　（略）

附　則（令和五・一一・二九法七九）（抄）

（施行期日）

第一条　この法律は、公布の日から起算して一年を超えない範囲内において政令で定める日から施行する。ただし、次の各号に掲げる規定は、当該各号に定める日から施行する。

一　附則第六十八条の規定　公布の日

二　第一条中金融商品取引法第十五条第一項（中略）の改正規定（中略）　公布の日から起算して三月を超えない範囲内において政令で定める日（令和六・二・一―令和六政二一）

三　第一条中金融商品取引法第五条第二項から第六項まで、第二十一条の二第一項、第二十一条の三及び第二十四条第二項の改正規定、同法第二十四条の四の七及び第二十四条の四の八を削る改正規定並びに同法第二十四条の五第一項から第三項まで（中略）、第二十五条第一項から第四項まで及び第六項（中略）、第百六十六条第四項及び第五項（中略）、第百九十七条の二第二号、第六号及び第七号、第二百条第一号、第五号及び第六号並びに第二百九条第三号から第五号までの改正規定並びに次条から附則第四条まで及び第六十七条の規定　令和六年四月一日

四　第一条中金融商品取引法第三十七条の三の見出し及び同条第一項から第三項までの改正規定、同法第三十七条の四の見出し及び同条第一項の改正規定、同条第二項を削る改正規定、同法第三十七条の六第一項の改正規定、同法第四十条の二第四項及び第五項の改正規定、同条第六項を削る改正規定（中略）並びに第二百五条第十二号及び第十三号の改正規定、同号の次に一号を加える改正規定並びに同法第二百八条第六号の改正規定（中略）並びに附則第九条（中略）の規定　公布の日から起算して一年六月を超えない範囲内において政令で定める日

五　（略）

（四半期報告書に関する経過措置）

第二条①　前条第三号に掲げる規定の施行の日（以下この条から附則第四条までにおいて「第三号施行日」という。）前に開始した四半期（第一条の規定（同号に掲げる改正規定に限る。第三項において同じ。）による改正前の金融商品取引法（以下この条から附則第四条までにおいて「第三号旧金融商品取引法」という。）第二十四条の四の七第一項に規定する事業年度の期間を三月ごとに区分した各期間をいう。次条第二項において同じ。）に係る四半期報告書（第三号旧金融商品取引法第二十四条の四の七第一項に規定する四半期報告書をいう。以下この条及び次条第二項において同じ。）の提出については、なお従前の例による。

②　前項の規定により四半期報告書を提出する場合における当該四半期報告書に係る確認書（第三号旧金融商品取引法第二十四条の四の八第一項において準用する金融商品取引法第二十四条の四の二第一項に規定する確認書をいう。次項において同じ。）の提出については、なお従前の例による。

③　第三号施行日前に第三号旧金融商品取引法第二十四条の四の七第一項又は第二項の規定により提出された四半期報告書及び第一項の規定により第三号施行日以後に提出される四半期報告書並びにこれらの四半期報告書に係る確認書に係る第一条の規定による改正後の金融商品取引法（以下この条から附則第四条までにおいて「第三号新金融商品取引法」という。）第二章の規定の適用については、なお従前の例による。

④　第三号施行日前に第三号旧金融商品取引法第二十四条の四の七第一項若しくは第二項の規定により四半期報告書を提出し、又は第一項の規定により第三号施行日以後に四半期報告書を提出する者については、第三号新金融商品取引法第五条第三項及び第四項（これらの規定を同条第五項において準用する場合を含む。）の規定は、第三号施行日以後最初に有価証券報告書を提出した時から適用し、第三号施行日以後最初に有価証券報告書を提出するまでは、なお従前の例による。

⑤　第三号旧金融商品取引法第二十四条の四の七第一項又は第二項の規定による四半期報告書（第一項の規定により第三号施行日以後に提出されるものを含む。）に関する違反行為に係る課徴金については、なお従前の例による。

⑥⑦　（略）

第三条（半期報告書に関する経過措置）① 第三号新金融商品取引法第二十四条の五第一項（同条第三項（第三号新金融商品取引法第二十七条において準用する場合を含む。）及び第三号新金融商品取引法第二十七条において準用する場合を含む。次項において同じ。）の規定は、第三号施行日以後に開始する事業年度に係る半期報告書（第三号新金融商品取引法第二十四条の五第一項に規定する半期報告書をいう。次項において同じ。）について適用し、第三号施行日前に開始した事業年度に係る半期報告書（第三号旧金融商品取引法第二十四条の五第一項に規定する半期報告書をいう。）については、なお従前の例による。

② 前条第一項の規定により第三号施行日以後に四半期報告書（事業年度における最初の四半期に係るものであって第三号施行日以後にその提出すべき期間が開始するものに限る。）を提出する場合においては、半期報告書の提出については、前項の規定にかかわらず、当該四半期が属する事業年度から、第三号新金融商品取引法第二十四条の五第一項の規定を適用する。

第四条（公衆縦覧に関する経過措置） 第三号新金融商品取引法第二十五条の規定は、第三号施行日以後に受理される同条第一項第一号、第二号及び第六号から第八号までに掲げる書類並びに第三号施行日以後に提出される当該書類の写しの縦覧について適用し、第三号施行日前に受理された第三号旧金融商品取引法第二十五条第一項第一号から第三号まで及び第八号から第十号までに掲げる書類並びに第三号施行日前に提出された当該書類の写しの縦覧については、なお従前の例による。

第五条（新たにみなし有価証券とされたものに関する経過措置） この法律の施行の日（以下「施行日」という。）前に取得の申込みの勧誘又は売付けの申込み若しくは買付けの申込みの勧誘を開始した第一条の規定（附則第一条各号に掲げる改正規定を除く。以下この条において同じ。）による改正後の金融商品取引法（以下「新金融商品取引法」という。）第二条第二項第五号及び第六号に掲げる権利（第一条の規定による改正前の金融商品取引法（以下「旧金融商品取引法」という。）第二条第二項第五号及び第六号に掲げる権利を除く。）に係るこれらの勧誘については、新金融商品取引法第二章の規定は、適用しない。

第六条①② （略）

③ 前二項の規定により新金融商品取引業を行うことができる場合においては、その者を金融商品取引業者とみなして、新金融商品取引法第三章第一節第五款、第二節（第三十六条の二を除く。）、第三節（第四十六条、第四十六条の五、第四十六条の六、第四十九条の四及び第四十九条の五を除く。）、第四節（第五十三条を除く。）及び第八節の規定並びにこれらの規定に係る新金融商品取引法第八章及び第八章の二の規定（これらの規定に基づく命令の規定を含む。）を適用する。（後略）

④ （略）

第九条（金融商品取引契約に係る契約締結時等の情報の提供等に関する経過措置）① 第一条の規定（附則第一条第四号に掲げる改正規定に限る。以下この項において同じ。）による改正後の金融商品取引法（以下「第四号新金融商品取引法」という。）第三十七条の四（中略）中小企業等協同組合法（昭和二十四年法律第百八十一号）第九条の七の五第二項及び資金決済に関する法律（平成二十一年法律第五十九号）第六十二条の十七第一項において読み替えて準用する場合を含む。）の規定は、同号に掲げる規定の施行の日（以下「第四号施行日」という。）以後に第四号新金融商品取引法第三十七条の四の金融商品取引契約が成立したときその他内閣府令で定めるとき（中略）中小企業等協同組合法第九条の七の五第二項において第四号新金融商品取引法第三十七条の四の規定を読み替えて準用する場合にあっては同条の特定共済契約が成立したときその他主務省令で定めるとき、資金決済に関する法律第六十二条の十七第一項において第四号新金融商品取引法第三十七条の四の規定を読み替えて準用する場合にあっては同条の特定電子決済手段等取引契約が成立したときその他内閣府令で定めるとき）が到来する場合について適用し、第四号施行日前に第一条の規定による改正前の金融商品取引法（以下「第四号旧金融商品取引法」という。）第三十七条の四第一項（中略）中小企業等協同組合法第九条の七の五第二項及び資金決済に関する法律第六十二条の十七第一項において読み替えて準用する場合を含む。）の金融商品取引契約が成立したときその他内閣府令で定めるとき（中略）中小企業等協同組合法第九条の七の五第二項において第四号旧金融商品取引法第三十七条の四第一項の規定を読み替えて準用する場合にあっては同項の特定共済契約が成立したとき、資金決済に関する法律第六十二条の十七第一項において第四号旧金融商品取引法第三十七条の四第一項の規定を読み替えて準用する場合にあっては同項の特定電子決済手段等取引契約が成立したときその他内閣府令で定めるとき）が到来した場合については、なお従前の例による。

② 第四号新金融商品取引法第三十七条の六第一項（資金決済に関する法律第六十二条の十七第一項において読み替えて準用する場合を含む。）の規定は、第四号施行日以後に成立する第四号新金融商品取引法第三十七条の六第一項に規定する金融商品取引契約（資金決済に関する法律第六十二条の十七第一項において第四号新金融商品取引法第三十七条の六第一項の規定を読み替えて準用する場合にあっては、同項に規定する特定電子決済手段等取引契約）の解除について適用し、第四号施行日前に成立した第四号旧金融商品取引法第三十七条の六第一項（資金決済に関する法律第六十二条の十七第一項において読み替えて準用する場合を含む。）に規定する金融商品取引契約（資金決済に関する法律第六十二条の十七第一項において第四号旧金融商品取引法第三十七条の六第一項の規定を読み替えて準用する場合にあっては、同項に規定する特定電子決済手段等取引契約）の解除については、なお従前の例による。

③ 第四号新金融商品取引法第四十条の二第五項の規定は、第四号施行日以後に顧客から有価証券等取引（同条第一項に規定する有価証券等取引をいう。）に係る同条第五項の情報の提供を求められた場合について適用し、第四号施行日前に顧客から有価証券等取引（第四号旧金融商品取引法第四十条の二第一項に規定する有価証券等取引をいう。）に係る第四号旧金融商品取引法第四十条の二第五項の書面の交付を求められた場合については、なお従前の例による。

④ （略）

第六七条（罰則に関する経過措置） この法律（附則第一条第三号及び第四号に掲げる規定にあっては、当該規定。以下この条及び次条において同じ。）の施行前にした行為及びこの附則の規定によりなお従前の例によることとされる場合におけるこの法律の施行後にした行為に対する罰則の適用については、なお従前の例による。

第六八条（政令への委任） この附則に規定するもののほか、この法律の施行に関し必要な経過措置（罰則に関する経過措置を含む。）は、政令で定める。

第六九条（検討） 政府は、この法律の施行後五年を目途として、この法律による改正後のそれぞれの法律（以下この条において「改正後の各法律」という。）の施行の状況等を勘案し、必要があると認めるときは、改正後の各法律の規定について検討を加え、その結果に基づいて所要の措置を講ずるものとする。

附　則（令和六・五・二二法三二）（抄）

第一条（施行期日） この法律は、公布の日から起算して一年を超えない範囲内において政令で定める日から施行する。ただし、次の各号に掲げる規定は、当該各号に定める日から施行する。

一 附則第十八条の規定　公布の日

二 第一条中金融商品取引法第二条第八項第十号イ（中略）の

改正規定（中略）並びに附則第十七条の規定　公布の日から起算して六月を超えない範囲内において政令で定める日

三　第一条中金融商品取引法第二十七条の二第一項及び第七項、第二十七条の三第二項並びに第二十七条の九第三項の改正規定、同項を同条第四項とし、同条第二項を同条第三項とし、同条第一項の次に一項を加える改正規定、同法第二十七条の十三の見出し及び同条第二項の改正規定、同法第二十七条の十六、第二十七条の十九、第二十七条の二十第一項、第二十七条の二十二の二第九項から第十一項まで、第二十七条の二十三第三項から第六項まで（中略）、第百六十三条第一項、第百六十六条第一項、第百六十七条第一項及び第三項並びに第百九十七条の二の改正規定、同条に一項を加える改正規定、同法第百九十八条の二第一項、第二百条並びに第二百七条第一項第二号及び第二項の改正規定（中略）並びに次条から附則第六条までの規定（中略）　公布の日から起算して二年を超えない範囲内において政令で定める日

（公開買付けに関する経過措置）

第二条　第一条の規定（前条第三号に掲げる改正規定に限る。以下この条において同じ。）による改正後の金融商品取引法（附則第五条及び第六条において「第三号新金融商品取引法」という。）第二十七条の二第一項の規定は、同号に掲げる規定の施行の日（以下「第三号施行日」という。）以後に行う同項に規定する株券等の買付け等について適用し、第三号施行日前に行った第一条の規定による改正前の金融商品取引法（次条から附則第五条までにおいて「第三号旧金融商品取引法」という。）第二十七条の二第一項に規定する株券等の買付け等については、なお従前の例による。

第三条　第三号施行日前に行った第三号旧金融商品取引法第二十七条の三第二項に規定する公開買付開始公告に係る金融商品取引法第二十七条の三第一項に規定する公開買付けに関する第三号旧金融商品取引法第二章の二第一節の規定及びこれらの規定に係る金融商品取引法第六章の二の規定の適用については、なお従前の例による。

第四条　第三号施行日前に行った金融商品取引法第二十七条の二十二の二第二項において準用する第三号旧金融商品取引法第二十七条の三第二項に規定する公開買付開始公告に係る金融商品取引法第二十七条の二十二の二第二項において準用する同法第二十七条の三第一項に規定する公開買付けに関する第三号旧金融商品取引法第二章の二第二節の規定及びこれらの規定に係る金融商品取引法第六章の二の規定の適用については、なお従前の例による。

（大量保有報告書に関する経過措置）

第五条　附則第一条第三号に掲げる規定（以下この条において「第三号改正規定」という。）の施行の際における第三号新金融商品取引法第二十七条の二十三第四項に規定する株券等保有割合（以下この条において「新株券等保有割合」という。）と第三号改正規定の施行の際に第三号旧金融商品取引法第二十七条の二十三第四項の規定を適用した場合において同項に規定する株券等保有割合となるべき割合（以下この条において「旧株券等保有割合」という。）が異なる場合は、第三号改正規定の施行の際に新株券等保有割合と旧株券等保有割合との差に相当する割合の新株券等保有割合が増加又は減少をしたものとみなして、第三号新金融商品取引法第二章の三の規定並びにこれらの規定に係る金融商品取引法第六章の二及び第三号新金融商品取引法第八章の規定を適用する。この場合において、当該新株券等保有割合の増加又は減少に係る金融商品取引法第二十七条の二十五第一項の規定の適用については、同項中「場合（保有株券等の総数の増加又は減少を伴わない場合を除く。以下この章において同じ。）」とあるのは、「場合」とする。

第六条　第三号施行日前に次の各号に掲げる規定により当該各号に定める書類を提出しなければならないこととなった場合における当該書類の提出については、第三号新金融商品取引法第二十七条の二十三第三項から第五項までの規定にかかわらず、なお従前の例による。

一　金融商品取引法第二十七条の二十三第一項　同項に規定する大量保有報告書

二　金融商品取引法第二十七条の二十五第一項　同項に規定する変更報告書

三　金融商品取引法第二十七条の二十六第一項　同項に規定する特例対象株券等に係る大量保有報告書

四　金融商品取引法第二十七条の二十六第二項　同項に規定する特例対象株券等に係る変更報告書

五　金融商品取引法第二十七条の二十六第四項　同条第一項に規定する特例対象株券等に係る大量保有報告書

六　金融商品取引法第二十七条の二十六第五項　同条第二項に規定する特例対象株券等に係る変更報告書

（罰則に関する経過措置）

第一七条　この法律（附則第一条第二号及び第三号に掲げる規定にあっては、当該規定）の施行前にした行為並びに附則第三条、第四条及び第六条の規定によりなお従前の例によることとされる場合における第三号施行日以後にした行為に対する罰則の適用については、なお従前の例による。

（政令への委任）

第一八条　この附則に規定するもののほか、この法律の施行に関し必要な経過措置（罰則に関する経過措置を含む。）は、政令で定める。

（検討）

第一九条　政府は、この法律の施行後五年を目途として、この法律による改正後のそれぞれの法律（以下この条において「改正後の各法律」という。）の施行の状況等を勘案し、必要があると認めるときは、改正後の各法律の規定について検討を加え、その結果に基づいて所要の措置を講ずるものとする。

○金融サービスの提供及び利用環境の整備等に関する法律（抄）（平成一二・五・三一 法 一〇一）

施行 平成一三・四・一（附則）
題名改正 令和二法五〇（旧・金融商品の販売等に関する法律）、令和五法七九（旧・金融サービスの提供に関する法律）
最終改正 令和六法五二

目次

第一章 総則

（目的）

第一条 この法律は、金融サービスの提供等に係る業務を行う者の職責を明らかにするとともに、金融商品販売業者等が金融商品の販売等に際し顧客に対して説明をすべき事項その他の金融商品の販売等に関する事項を定めること、金融サービス仲介業を行う者について登録制度を実施し、その業務の健全かつ適切な運営を確保すること並びに国民の安定的な資産形成及び適切な資産管理を促進するための基本的事項を定めること等により、金融サービスの提供等を受ける顧客等の保護及び金融サービスの利用環境の整備等を図り、もって国民経済の健全な発展に資することを目的とする。

（定義）

第一条の二① この法律において「預金等」とは、預金、貯金、定期積金又は銀行法（昭和五十六年法律第五十九号）第二条第四項に規定する掛金をいう。
② この法律において「保険契約」とは、保険業法（平成七年法律第百五号）第二条第一項に規定する保険業を行う者が保険者となる保険契約をいう。
③ この法律において「有価証券」とは、金融商品取引法（昭和二十三年法律第二十五号）第二条第一項に規定する有価証券又は同条第二項の規定により有価証券とみなされる権利をいう。
④ この法律において「市場デリバティブ取引」とは、金融商品取引法第二条第二十一項に規定する市場デリバティブ取引をいう。
⑤ この法律において「外国市場デリバティブ取引」とは、金融商品取引法第二条第二十三項に規定する外国市場デリバティブ取引をいう。
⑥ この法律において「資産形成」とは、金銭、有価証券その他の金融資産の運用により、資産を形成することをいう。

第二章 顧客等に対する誠実義務

第二条① 金融サービスの提供等に係る業務を行う者は、次項各号に掲げる業務又はこれに付随し、若しくは関連する業務であって顧客（次項第十四号から第十八号までに掲げる業務又はこれに付随し、若しくは関連する業務を行う場合にあっては加入者、その他政令で定める場合にあっては政令で定める者。以下この項において「顧客等」という。）の保護を確保することが必要と認められるものとして政令で定めるものを行うときは、顧客等の最善の利益を勘案しつつ、顧客等に対して誠実かつ公正に、その業務を遂行しなければならない。
② 前項の「金融サービスの提供等に係る業務を行う者」とは、次の各号に掲げる業務の区分に応じ、当該各号に定める者をいう。
一 第十一条第一項に規定する金融サービス仲介業に係る業務 当該業務を行う者並びにその役員及び使用人
二 金融商品取引法第二条第八項に規定する金融商品取引業に係る業務（第九号に掲げる行為に該当する業務を除く。） 当該業務を行う者並びにその役員及び使用人
三—十八 （略）
十九 前各号に掲げる業務に準ずるものとして政令で定める業務 政令で定める者

第三章 金融商品の販売等

（定義）

第三条① この章において「金融商品の販売」とは、次に掲げる行為をいう。
一 預金等の受入れを内容とする契約の預金者、貯金者、定期積金の積金者又は銀行法第二条第四項に規定する掛金の掛金者との締結
二 無尽業法第一条に規定する無尽に係る契約に基づく掛金（以下この号において「無尽掛金」という。）の受入れを内容とする契約の無尽掛金の掛金者との締結
三 信託財産の運用方法が特定されていないことその他の政令で定める要件に該当する金銭の信託に係る信託契約（当該信託契約に係る受益権が金融商品取引法第二条第二項第一号又は第二号に掲げる権利であるものに限る。）の委託者との締結
四 保険契約又は保険若しくは共済に係る契約で保険契約に類するものとして政令で定めるものの保険契約者又はこれに類する者との締結
五 有価証券（金融商品取引法第二条第二項の規定により有価証券とみなされる同項第一号及び第二号に掲げる権利を除く。）を取得させる行為（代理又は媒介に該当するもの並びに第八号及び第九号に掲げるものに該当するものを除く。）
六 次に掲げるものを取得させる行為（代理又は媒介に該当するもの並びに第八号及び第九号に掲げるものに該当するものを除く。）
イ 金融商品取引法第二条第二項第一号又は第二号に掲げる権利
ロ 譲渡性預金証書をもって表示される金銭債権（有価証券（金融商品取引法第二条第一項に規定する有価証券にあっ

ては、当該有価証券に表示される権利をいう。）であるものを除く。）

ハ　資金決済に関する法律第二条第十四項に規定する暗号資産

七　不動産特定共同事業法第二条第三項に規定する不動産特定共同事業契約（金銭をもって出資の目的とし、かつ、契約の終了の場合における残余財産の分割若しくは出資の返還が金銭により行われることを内容とするもの又はこれらに類する事項として政令で定めるものを内容とするものに限る。）の締結

八　市場デリバティブ取引若しくは外国市場デリバティブ取引又はこれらの取引の取次ぎ

九　金融商品取引法第二条第二十二項に規定する店頭デリバティブ取引又はその取次ぎ

十　金利、通貨の価格その他の指標の数値としてあらかじめ当事者間で約定された数値と将来の一定の時期における現実の当該指標の数値の差に基づいて算出される金銭の授受を約する取引（前二号に掲げるものに該当するものを除く。）であって政令で定めるもの又は当該取引の取次ぎ

十一　前各号に掲げるものに類するものとして政令で定める行為

②　この章において「金融商品の販売等」とは、金融商品の販売又はその代理若しくは媒介（顧客のために行われるものを含む。）をいう。

③　この章及び第七章において「金融商品販売業者等」とは、金融商品の販売等を業として行う者をいう。

（金融商品販売業者等の説明義務）

第四条①　金融商品販売業者等は、金融商品の販売等を業として行うときは、当該金融商品の販売等に係る金融商品の販売が行われるまでの間に、顧客に対し、次に掲げる事項（以下この章において「重要事項」という。）について説明をしなければならない。

一　当該金融商品の販売について金利、通貨の価格、金融商品市場（金融商品取引法第二条第十四項に規定する金融商品市場をいう。以下この条において同じ。）における相場その他の指標に係る変動を直接の原因として元本欠損が生ずるおそれがあるときは、次に掲げる事項

イ　元本欠損が生ずるおそれがある旨

ロ　当該指標

ハ　ロの指標に係る変動を直接の原因として元本欠損が生ずるおそれを生じさせる当該金融商品の販売に係る取引の仕組みのうちの重要な部分

二　当該金融商品の販売について金利、通貨の価格、金融商品市場における相場その他の指標に係る変動を直接の原因として当初元本を上回る損失が生ずるおそれがあるときは、次に掲げる事項

イ　当初元本を上回る損失が生ずるおそれがある旨

ロ　当該指標

ハ　ロの指標に係る変動を直接の原因として当初元本を上回る損失が生ずるおそれを生じさせる当該金融商品の販売に係る取引の仕組みのうちの重要な部分

三　当該金融商品の販売について当該金融商品の販売を行う者その他の者の業務又は財産の状況の変化を直接の原因として元本欠損が生ずるおそれがあるときは、次に掲げる事項

イ　元本欠損が生ずるおそれがある旨

ロ　当該者

ハ　ロの者の業務又は財産の状況の変化を直接の原因として元本欠損が生ずるおそれを生じさせる当該金融商品の販売に係る取引の仕組みのうちの重要な部分

四　当該金融商品の販売について当該金融商品の販売を行う者その他の者の業務又は財産の状況の変化を直接の原因として当初元本を上回る損失が生ずるおそれがあるときは、次に掲げる事項

イ　当初元本を上回る損失が生ずるおそれがある旨

ロ　当該者

ハ　ロの者の業務又は財産の状況の変化を直接の原因として当初元本を上回る損失が生ずるおそれを生じさせる当該金融商品の販売に係る取引の仕組みのうちの重要な部分

五　第一号及び第三号に掲げるもののほか、当該金融商品の販売について顧客の判断に影響を及ぼすこととなる重要なものとして政令で定める事由を直接の原因として元本欠損が生ずるおそれがあるときは、次に掲げる事項

イ　元本欠損が生ずるおそれがある旨

ロ　当該事由

ハ　ロの事由を直接の原因として元本欠損が生ずるおそれを生じさせる当該金融商品の販売に係る取引の仕組みのうちの重要な部分

六　第二号及び第四号に掲げるもののほか、当該金融商品の販売について顧客の判断に影響を及ぼすこととなる重要なものとして政令で定める事由を直接の原因として当初元本を上回る損失が生ずるおそれがあるときは、次に掲げる事項

イ　当初元本を上回る損失が生ずるおそれがある旨

ロ　当該事由

ハ　ロの事由を直接の原因として当初元本を上回る損失が生ずるおそれを生じさせる当該金融商品の販売に係る取引の仕組みのうちの重要な部分

七　当該金融商品の販売の対象である権利を行使することができる期間の制限又は当該金融商品の販売に係る契約の解除をすることができる期間の制限があるときは、その旨

②　前項の説明は、顧客の知識、経験、財産の状況及び当該金融商品の販売に係る契約を締結する目的に照らして、当該顧客に理解されるために必要な方法及び程度によるものでなければならない。

③　第一項第一号、第三号及び第五号の「元本欠損が生ずるおそれ」とは、当該金融商品の販売が行われることにより顧客の支払うこととなる金銭の合計額（当該金融商品の販売が行われることにより当該顧客の譲渡することとなる金銭以外の財産であって政令で定めるもの（以下この項及び第七条第二項において「金銭相当物」という。）がある場合にあっては、当該合計額に当該金銭相当物の市場価額（市場価額がないときは、処分推定価額）の合計額を加えた額）が、当該金融商品の販売により当該顧客（当該金融商品の販売により当該顧客の定めるところにより金銭又は金銭以外の財産を取得することとなる者がある場合にあっては、当該者を含む。以下この項において「顧客等」という。）の取得することとなる金銭の合計額（当該金融商品の販売により当該顧客等の取得することとなる金銭以外の財産がある場合にあっては、当該合計額に当該金銭以外の財産の市場価額（市場価額がないときは、処分推定価額）の合計額を加えた額）を上回ることとなるおそれをいう。

④　第一項第二号、第四号及び第六号の「当初元本を上回る損失が生ずるおそれ」とは、次に掲げるものをいう。

一　当該金融商品の販売（前条第一項第八号から第十号までに掲げる行為及び同項第十一号に掲げる行為であって政令で定めるものに限る。以下この項において同じ。）について金利、通貨の価格、金融商品市場における相場その他の指標に係る変動により損失が生ずることとなるおそれがある場合における当該損失の額が当該金融商品の販売が行われることにより顧客が支払うべき委託証拠金その他の保証金の金銭の額（当該金融商品の販売が行われることにより当該顧客の預託すべき金銭以外の財産であって政令で定めるもの（以下この号において「保証金相当物」という。）がある場合にあっては、当該額に当該保証金相当物の市場価額（市場価額がないときは、処分推定価額）の合計額を加えた額。次号及び第三号において同じ。）を上回ることとなるおそれ

二　当該金融商品の販売について当該金融商品の販売を行う者その他の者の業務又は財産の状況の変化により損失が生ずる

こととなるおそれがある場合における当該損失の額が当該金融商品の販売が行われることにより顧客が支払うべき委託証拠金その他の保証金の金銭の額を上回ることとなるおそれ

三　当該金融商品の販売について第一項第六号の事由により損失が生ずることとなるおそれがある場合における当該損失の額が当該金融商品の販売が行われることにより顧客が支払うべき委託証拠金その他の保証金の金銭の額を上回ることとなるおそれ

四　前三号に準ずるものとして政令で定めるもの

⑤　第一項第一号ハ、第二号ハ、第三号ハ、第四号ハ、第五号ハ及び第六号ハに規定する「金融商品の販売に係る取引の仕組み」とは、次に掲げるものをいう。

一　前条第一項第一号から第四号まで及び第七号に掲げる行為にあっては、これらの規定に規定する契約の内容

二　前条第一項第五号に掲げる行為にあっては、当該規定に規定する有価証券（金融商品取引法第二条第一項に規定する有価証券にあっては、当該有価証券に表示される権利をいい、同条第二項の規定により有価証券とみなされる同項第一号及び第二号に掲げる権利を除く。）の内容及び当該行為が行われることにより顧客が負うこととなる義務の内容

三　前条第一項第六号に掲げる行為（同号イに係るものに限る。）にあっては、当該規定に規定する権利の内容及び当該行為が行われることにより顧客が負うこととなる義務の内容

四　前条第一項第六号に掲げる行為（同号ロに係るものに限る。）にあっては、当該規定に規定する債権の内容及び当該行為が行われることにより顧客が負担することとなる債務の内容

五　前条第一項第六号に掲げる行為（同号ハに係るものに限る。）にあっては、当該規定に規定する暗号資産に表示される権利の内容（当該権利が存在しないときは、その旨）及び当該行為が行われることにより顧客が負うこととなる義務の内容

六　前条第一項第八号から第十号までに掲げる行為にあっては、これらの規定に規定する取引の仕組み

七　前条第一項第十一号の政令で定める行為にあっては、政令で定める事項

⑥　一の金融商品の販売について二以上の金融商品販売業者等が第一項の規定により顧客に対し重要事項について説明をしなければならない場合において、いずれか一の金融商品販売業者等が当該重要事項について説明をしたときは、他の金融商品販売業者等は、同項の規定にかかわらず、当該重要事項について説明をすることを要しない。ただし、当該他の金融商品販売業者等が政令で定める者である場合は、この限りでない。

⑦　第一項の規定は、次に掲げる場合には、適用しない。

一　顧客が、金融商品の販売等に関する専門的知識及び経験を有する者として政令で定める者（第十条第一項において「特定顧客」という。）である場合

二　第一項に規定する金融商品の販売が金融商品取引法第二条第八項第一号に規定する商品関連市場デリバティブ取引及びその取次ぎのいずれでもない場合において、重要事項について説明を要しない旨の顧客の意思の表明があったとき。

（金融商品販売業者等の断定的判断の提供等の禁止）

第五条　金融商品販売業者等は、金融商品の販売等を業として行うときは、当該金融商品の販売等に係る金融商品の販売が行われるまでの間に、顧客に対し、当該金融商品の販売に係る事項について、不確実な事項について断定的判断を提供し、又は確実であると誤認させるおそれのあることを告げる行為（以下この章において「断定的判断の提供等」という。）を行ってはならない。

（金融商品販売業者等の損害賠償責任）

第六条　金融商品販売業者等は、顧客に対し第四条の規定により重要事項について説明をしなければならない場合において当該重要事項について説明をしなかったとき、又は前条の規定に違反して断定的判断の提供等を行ったときは、これによって生じた当該顧客の損害を賠償する責めに任ずる。

（損害の額の推定）

第七条①　顧客が前条の規定により損害の賠償を請求する場合には、元本欠損額は、金融商品販売業者等が重要事項について説明をしなかったこと又は断定的判断の提供等を行ったことによって当該顧客に生じた損害の額と推定する。

②　前項の「元本欠損額」とは、当該金融商品の販売が行われたことにより顧客の支払った金銭及び支払うべき金銭の合計額（当該金融商品の販売が行われたことにより当該顧客の譲渡した金銭相当物又は譲渡すべき金銭相当物がある場合にあっては、当該合計額にこれらの金銭相当物の市場価額（市場価額がないときは、処分推定価額）の合計額を加えた額）から、当該金融商品の販売により当該顧客（当該金融商品の販売により当該顧客の定めるところにより金銭又は金銭以外の財産を取得することとなった者がある場合にあっては、当該者を含む。以下この項において「顧客等」という。）の取得した金銭及び取得すべき金銭の合計額（当該金融商品の販売により当該顧客等の取得した金銭以外の財産又は取得すべき金銭以外の財産がある場合にあっては、当該合計額にこれらの金銭以外の財産の市場価額（市場価額がないときは、処分推定価額）の合計額を加えた額）と当該金融商品の販売により当該顧客等の取得した金銭以外の財産であって当該顧客等が売却その他の処分をしたものの処分価額の合計額とを合算した額を控除した金額をいう。

（民法の適用）

第八条　重要事項について説明をしなかったこと又は断定的判断の提供等を行ったことによる金融商品販売業者等の損害賠償の責任については、この法律の規定によるほか、民法（明治二十九年法律第八十九号）の規定による。

（勧誘の適正の確保）

第九条　金融商品販売業者等は、業として行う金融商品の販売等に係る勧誘をするに際し、その適正の確保に努めなければならない。

（勧誘方針の策定等）

第一〇条①　金融商品販売業者等は、業として行う金融商品の販売等に係る勧誘をしようとするときは、あらかじめ、当該勧誘に関する方針（以下この条及び第百五十四条において「勧誘方針」という。）を定めなければならない。ただし、当該金融商品販売業者等が、国、地方公共団体その他勧誘の適正を欠くおそれがないと認められる者として政令で定める者である場合又は特定顧客のみを顧客とする金融商品販売業者等である場合は、この限りでない。

②　勧誘方針においては、次に掲げる事項について定めるものとする。

一　勧誘の対象となる者の知識、経験、財産の状況及び当該金融商品の販売に係る契約を締結する目的に照らし配慮すべき事項

二　勧誘の方法及び時間帯に関し勧誘の対象となる者に対し配慮すべき事項

三　前二号に掲げるもののほか、勧誘の適正の確保に関する事項

③　金融商品販売業者等は、第一項の規定により勧誘方針を定めたときは、政令で定める方法により、速やかに、これを公表しなければならない。これを変更したときも、同様とする。

第四章　金融サービス仲介業

（第一一条から第八一条まで）（略）

第五章　金融サービスの利用環境の整備等

（第八二条から第一三五条まで）（略）

第六章　雑則

（第一三六条から第一三九条まで）（略）

第七章　罰則（第一四〇条から第一六一条まで）（略）

第八章　没収に関する手続等の特例（第一六二条から第一六四条まで）（略）

附　則

（施行期日等）

① この法律は、平成十三年四月一日から施行し、この法律の施行後に金融商品販売業者等が業として行った金融商品の販売等について適用する。

（重要事項についての説明に関する経過措置）

② この法律の施行後に業として行われる金融商品の販売等について、顧客に対し、この法律の施行前に重要事項に相当する事項について説明が行われているときは、金融商品販売業者等は、当該金融商品の販売等に係る重要事項について説明を行ったものとみなす。

（政令への委任）

③ 前項に定めるもののほか、この法律の施行に関し必要な経過措置は、政令で定める。

附　則（令和五・一一・二九法七九）（抄）

（施行期日）

第一条　この法律は、公布の日から起算して一年を超えない範囲内において政令で定める日から施行する。ただし、次の各号に掲げる規定は、当該各号に定める日から施行する。

一　附則第六十八条の規定　公布の日

二　（前略）第二条（金融サービスの提供に関する法律の一部改正）の規定（中略）　公布の日から起算して三月を超えない範囲内において政令で定める日（令和六・二・一―令和六政二一）

三―五　（略）

（政令への委任）

第六八条　この附則に規定するもののほか、この法律の施行に関し必要な経過措置（罰則に関する経過措置を含む。）は、政令で定める。

第六九条　（金融商品取引法の同改正附則参照）

●特許法（抄）（昭和三四・四・一三 法 一 二 一）

施行 昭和三五・四・一（昭和三四法一二二）
改正 昭和三七法一四〇・法一六一、昭和三九法一四八、昭和四〇法八一、昭和四一法九八・法一一一、昭和四五法九一、昭和四六法四二・法九六、昭和四八法一〇、昭和五〇法四六、昭和五三法二七・法三〇、昭和五六法四五、昭和五七法八三、昭和五八法七八、昭和五九法二三・法二四、昭和六〇法四一、昭和六二法二七、昭和六三法九一、平成二法三〇、平成五法二六・法八九、平成六法一一六、平成七法九一、平成八法六八・法一一〇、平成一〇法五一、平成一一法四一・法四三・法一五一・法一六〇・法二二〇、平成一三法九六、平成一四法二四・法一〇〇、平成一五法四七・法六一・法一〇八、平成一六法七六・法七九・法八四・法一二〇・法一四七、平成一七法七五・法一〇二、平成一八法五五・法一〇九、平成二〇法一六、平成二三法六三、平成二四法三〇、平成二六法三六・法六九、平成二七法五五、平成二八法五一・法一〇八（平成三〇法三三）、平成二九法四五、平成三〇法三三、令和一法三、令和三法二四・法三七・法四二、令和四法四八・法六八、令和五法五一

目次

第一章 総則（抄）

（目的）
第一条 この法律は、発明の保護及び利用を図ることにより、発明を奨励し、もつて産業の発達に寄与することを目的とする。

（定義）
第二条① この法律で「発明」とは、自然法則を利用した技術的思想の創作のうち高度のものをいう。
② この法律で「特許発明」とは、特許を受けている発明をいう。
③ この法律で発明について「実施」とは、次に掲げる行為をいう。
一 物（プログラム等を含む。以下同じ。）の発明にあつては、その物の生産、使用、譲渡等（譲渡及び貸渡しをいい、その物がプログラム等である場合には、電気通信回線を通じた提供を含む。以下同じ。）、輸出若しくは輸入又は譲渡等の申出（譲渡等のための展示を含む。以下同じ。）をする行為
二 方法の発明にあつては、その方法の使用をする行為
三 物を生産する方法の発明にあつては、前号に掲げるもののほか、その方法により生産した物の使用、譲渡等、輸出若しくは輸入又は譲渡等の申出をする行為
④ この法律で「プログラム等」とは、プログラム（電子計算機に対する指令であつて、一の結果を得ることができるように組み合わされたものをいう。以下この項において同じ。）その他電子計算機による処理の用に供する情報であつてプログラムに準ずるものをいう。

（期間の計算）
第三条① この法律又はこの法律に基く命令の規定による期間の計算は、次の規定による。
一 期間の初日は、算入しない。ただし、その期間が午前零時から始まるときは、この限りでない。
二 期間を定めるのに月又は年をもつてしたときは、暦に従う。月又は年の始から期間を起算しないときは、その期間は、最後の月又は年においてその起算日に応当する日の前日に満了する。ただし、最後の月に応当する日がないときは、その月の末日に満了する。
② 特許出願、請求その他特許に関する手続（以下単に「手続」という。）についての期間の末日が行政機関の休日に関する法律（昭和六十三年法律第九十一号）第一条第一項各号に掲げる日に当たるときは、その日の翌日をもつてその期間の末日とする。

第四条から**第七条**まで （略）

（在外者の特許管理人）
第八条① 日本国内に住所又は居所（法人にあつては、営業所）を有しない者（以下「在外者」という。）は、政令で定める場合を除き、その者の特許に関する代理人であつて日本国内に住所又は居所を有するもの（以下「特許管理人」という。）によらなければ、手続をし、又はこの法律若しくはこの法律に基づく命令の規定により行政庁がした処分を不服として訴えを提起することができない。
② 特許管理人は、一切の手続及びこの法律又はこの法律に基づく命令の規定により行政庁がした処分を不服とする訴訟について本人を代理する。ただし、在外者が特許管理人の代理権の範囲を制限したときは、この限りでない。

第九条から**第一四条**まで （略）

（在外者の裁判籍）
第一五条 在外者の特許権その他特許に関する権利については、特許管理人があるときはその住所又は居所をもつて、特許管理人がないときは特許庁の所在地をもつて民事訴訟法（平成八年法律第百九号）第五条第四号の財産の所在地とみなす。

第一六条 （略）

（手続の補正）
第一七条① 手続をした者は、事件が特許庁に係属している場合に限り、その補正をすることができる。ただし、次条から第十七条の五までの規定により補正をすることができる場合を除き、願書に添付した明細書、特許請求の範囲、図面若しくは要約書、第四十一条第四項若しくは第四十三条第一項（第四十三条の二第二項（第四十三条の三第三項において準用する場合を含む。）及び第四十三条の三第三項において準用する場合を含む。）に規定する書面又は第百二十条の五第二項若しくは第百三十四条の二第一項の訂正若しくは訂正審判の請求書に添付した訂正した明細書、特許請求の範囲若しくは図面について補正をすることができない。
② 第三十六条の二第二項の外国語書面出願の出願人は、前項本文の規定にかかわらず、同条第一項の外国語書面及び外国語要約書面について補正をすることができない。
③ 特許庁長官は、次に掲げる場合は、相当の期間を指定して、手続の補正をすべきことを命ずることができる。
一 手続が第七条第一項から第三項まで又は第九条の規定に違反しているとき。
二 手続がこの法律又はこの法律に基づく命令で定める方式に違反しているとき。

三　手続について第百九十五条第一項から第三項までの規定により納付すべき手数料を納付しないとき。

④　手続の補正（手数料の納付を除く。）をするには、次条第二項に規定する場合を除き、手続補正書を提出しなければならない。

第一七条の二（願書に添付した明細書、特許請求の範囲又は図面の補正）①　特許出願人は、特許をすべき旨の査定の謄本の送達前においては、願書に添付した明細書、特許請求の範囲又は図面について補正をすることができる。ただし、第五十条の規定による通知を受けた後は、次に掲げる場合に限り、補正をすることができる。

一　第五十条（第百五十九条第二項（第百七十四条第二項において準用する場合を含む。）及び第百六十三条第二項において準用する場合を含む。以下この項において同じ。）の規定による通知（以下この条において「拒絶理由通知」という。）を最初に受けた場合において、第五十条の規定により指定された期間内にするとき。

二　拒絶理由通知を受けた後第四十八条の七の規定による通知を受けた場合において、同条の規定により指定された期間内にするとき。

三　拒絶理由通知を受けた後更に拒絶理由通知を受けた場合において、最後に受けた拒絶理由通知に係る第五十条の規定により指定された期間内にするとき。

四　拒絶査定不服審判を請求する場合において、その審判の請求と同時にするとき。

②　第三十六条の二第二項の外国語書面出願の出願人が、誤訳の訂正を目的として、前項の規定により明細書、特許請求の範囲又は図面について補正をするときは、その理由を記載した誤訳訂正書を提出しなければならない。

③　第一項の規定により明細書、特許請求の範囲又は図面について補正をするときは、誤訳訂正書を提出してする場合を除き、願書に最初に添付した明細書、特許請求の範囲又は図面（第三十六条の二第二項の外国語書面出願にあつては、同条第八項の規定により明細書、特許請求の範囲及び図面とみなされた同条第二項に規定する外国語書面の翻訳文（誤訳訂正書を提出して明細書、特許請求の範囲又は図面について補正をした場合にあつては、翻訳文又は当該補正後の明細書、特許請求の範囲若しくは図面）。第三十四条の二第一項及び第三十四条の三第一項において同じ。）に記載した事項の範囲内においてしなければならない。

④　前項に規定するもののほか、第一項各号に掲げる場合において特許請求の範囲について補正をするときは、その補正前に受けた拒絶理由通知において特許をすることができないものか否かについての判断が示された発明と、その補正後の特許請求の範囲に記載される事項により特定される発明とが、第三十七条の発明の単一性の要件を満たす一群の発明に該当するものとなるようにしなければならない。

⑤　前二項に規定するもののほか、第一項第一号、第三号及び第四号に掲げる場合（同項第一号に掲げる場合にあつては、拒絶理由通知と併せて第五十条の二の規定による通知を受けた場合に限る。）において特許請求の範囲についてする補正は、次に掲げる事項を目的とするものに限る。

一　第三十六条第五項に規定する請求項の削除

二　特許請求の範囲の減縮（第三十六条第五項の規定により請求項に記載した発明を特定するために必要な事項を限定するものであつて、その補正前の当該請求項に記載された発明とその補正後の当該請求項に記載される発明の産業上の利用分野及び解決しようとする課題が同一であるものに限る。）

三　誤記の訂正

四　明りようでない記載の釈明（拒絶理由通知に係る拒絶の理由に示す事項についてするものに限る。）

⑥　第百二十六条第七項の規定は、前項第二号の場合に準用する。

第一七条の三（要約書の補正）　特許出願人は、経済産業省令で定める期間内に限り、願書に添付した要約書について補正をすることができる。

第一七条の四及び第一七条の五　（略）

第一八条（手続の却下）①　特許庁長官は、第十七条第三項の規定により手続の補正をすべきことを命じた者が同項の規定により指定した期間内にその補正をしないとき、又は特許権の設定の登録を受ける者が第百八条第一項に規定する期間内に特許料を納付しないときは、その手続を却下することができる。

②　特許庁長官は、第十七条第三項の規定により第百九十五条第三項の規定による手数料の納付をすべきことを命じた特許出願人が第十七条第三項の規定により指定した期間内にその手数料の納付をしないときは、当該特許出願を却下することができる。

第一八条の二（不適法な手続の却下）①　特許庁長官は、不適法な手続であつて、その補正をすることができないものについては、その手続を却下するものとする。ただし、第三十八条の二第一項各号に該当する場合は、この限りでない。

②　前項の規定により却下しようとするときは、手続をした者に対し、その理由を通知し、相当の期間を指定して、弁明を記載した書面（以下「弁明書」という。）を提出する機会を与えなければならない。

第一九条から第二四条まで　（略）

第二五条（外国人の権利の享有）　日本国内に住所又は居所（法人にあつては、営業所）を有しない外国人は、次の各号の一に該当する場合を除き、特許権その他特許に関する権利を享有することができない。

一　その者の属する国において、日本国民に対しその国民と同一の条件により特許権その他特許に関する権利の享有を認めているとき。

二　その者の属する国において、日本国がその国民に対し特許権その他特許に関する権利の享有を認める場合には日本国民に対しその国民と同一の条件により特許権その他特許に関する権利の享有を認めることとしているとき。

三　条約に別段の定があるとき。

第二六条（条約の効力）　特許に関し条約に別段の定があるときは、その規定による。

第二七条（特許原簿への登録）①　次に掲げる事項は、特許庁に備える特許原簿に登録する。

一　特許権の設定、存続期間の延長、移転、信託による変更、消滅、回復又は処分の制限

二　専用実施権の設定、保存、移転、変更、消滅又は処分の制限

三　特許権又は専用実施権を目的とする質権の設定、移転、変更、消滅又は処分の制限

四　仮専用実施権の設定、保存、移転、変更、消滅又は処分の制限

②　特許原簿は、その全部又は一部を磁気テープ（これに準ずる方法により一定の事項を確実に記録して置くことができる物を含む。以下同じ。）をもつて調製することができる。

③　この法律に規定するもののほか、登録に関して必要な事項は、政令で定める。

第二八条（特許証の交付）①　特許庁長官は、特許権の設定の登録があつたとき、第七十四条第一項の規定による請求に基づく特許権の移転の登録があつたとき、又は願書に添付した明細書、特許請求の範囲若しくは図面の訂正をすべき旨の決定若しくは審決が確定した場合において、その登録があつたときは、特許権者に対し、特許証を交付する。

② 特許証の再交付については、経済産業省令で定める。

第二章　特許及び特許出願（抄）

（特許の要件）

第二九条① 産業上利用することができる発明をした者は、次に掲げる発明を除き、その発明について特許を受けることができる。

一 特許出願前に日本国内又は外国において公然知られた発明

二 特許出願前に日本国内又は外国において公然実施をされた発明

三 特許出願前に日本国内又は外国において、頒布された刊行物に記載された発明又は電気通信回線を通じて公衆に利用可能となつた発明

② 特許出願前にその発明の属する技術の分野における通常の知識を有する者が前項各号に掲げる発明に基いて容易に発明をすることができたときは、その発明については、同項の規定にかかわらず、特許を受けることができない。

第二九条の二 特許出願に係る発明が当該特許出願の日前の他の特許出願又は実用新案登録出願であつて当該特許出願後に第六十六条第三項の規定により同項各号に掲げる事項を掲載した特許公報（以下「特許掲載公報」という。）の発行若しくは出願公開又は実用新案法（昭和三十四年法律第百二十三号）第十四条第三項の規定により同項各号に掲げる事項を掲載した実用新案公報（以下「実用新案掲載公報」という。）の発行がされたものの願書に最初に添付した明細書、特許請求の範囲若しくは実用新案登録請求の範囲又は図面（第三十六条の二第二項の外国語書面出願にあつては、同条第一項の外国語書面）に記載された発明又は考案（その発明又は考案をした者が当該特許出願に係る発明の発明者と同一の者である場合におけるその発明又は考案を除く。）と同一であるときは、その発明については、前条第一項の規定にかかわらず、特許を受けることができない。ただし、当該特許出願の時にその出願人と当該他の特許出願又は実用新案登録出願の出願人とが同一の者であるときは、この限りでない。

（発明の新規性の喪失の例外）

第三〇条① 特許を受ける権利を有する者の意に反して第二十九条第一項各号のいずれかに該当するに至つた発明は、その該当するに至つた日から一年以内にその者がした特許出願に係る発明についての同項及び同条第二項の規定の適用については、同条第一項各号のいずれかに該当するに至らなかつたものとみなす。

② 特許を受ける権利を有する者の行為に起因して第二十九条第一項各号のいずれかに該当するに至つた発明（発明、実用新案、意匠又は商標に関する公報に掲載されたことにより同項各号のいずれかに該当するに至つたものを除く。）も、その該当するに至つた日から一年以内にその者がした特許出願に係る発明についての同項及び同条第二項の規定の適用については、前項と同様とする。

③ 前項の規定の適用を受けようとする者は、その旨を記載した書面を特許出願と同時に特許庁長官に提出し、かつ、第二十九条第一項各号のいずれかに該当するに至つた発明が前項の規定の適用を受けることができる発明であることを証明する書面（次項において「証明書」という。）を特許出願の日から三十日以内に特許庁長官に提出しなければならない。

④ 証明書を提出する者がその責めに帰することができない理由により前項に規定する期間内に証明書を提出することができないときは、同項の規定にかかわらず、その理由がなくなつた日から十四日（在外者にあつては、二月）以内でその期間の経過後六月以内にその証明書を特許庁長官に提出することができる。

第三一条 削除

（特許を受けることができない発明）

第三二条 公の秩序、善良の風俗又は公衆の衛生を害するおそれがある発明については、第二十九条の規定にかかわらず、特許を受けることができない。

（特許を受ける権利）

第三三条① 特許を受ける権利は、移転することができる。

② 特許を受ける権利は、質権の目的とすることができない。

③ 特許を受ける権利が共有に係るときは、各共有者は、他の共有者の同意を得なければ、その持分を譲渡することができない。

④ 特許を受ける権利が共有に係るときは、各共有者は、他の共有者の同意を得なければ、その特許を受ける権利に基づいて取得すべき特許権について、仮専用実施権を設定し、又は他人に仮通常実施権を許諾することができない。

第三四条① 特許出願前における特許を受ける権利の承継は、その承継人が特許出願をしなければ、第三者に対抗することができない。

② 同一の者から承継した同一の特許を受ける権利について同日に二以上の特許出願があつたときは、特許出願人の協議により定めた者以外の者の承継は、第三者に対抗することができない。

③ 同一の者から承継した同一の発明及び考案についての特許を受ける権利及び実用新案登録を受ける権利について同日に特許出願及び実用新案登録出願があつたときも、前項と同様とする。

④ 特許出願後における特許を受ける権利の承継は、相続その他の一般承継の場合を除き、特許庁長官に届け出なければ、その効力を生じない。

⑤ 特許を受ける権利の相続その他の一般承継があつたときは、承継人は、遅滞なく、その旨を特許庁長官に届け出なければならない。

⑥ 同一の者から承継した同一の特許を受ける権利の承継について同日に二以上の届出があつたときは、届出をした者の協議により定めた者以外の者の届出は、その効力を生じない。

⑦ 第三十九条第六項及び第七項の規定は、第二項、第三項及び前項の場合に準用する。

（仮専用実施権）

第三四条の二① 特許を受ける権利を有する者は、その特許を受ける権利に基づいて取得すべき特許権について、その特許出願の願書に最初に添付した明細書、特許請求の範囲又は図面に記載した事項の範囲内において、仮専用実施権を設定することができる。

② 仮専用実施権に係る特許出願について特許権の設定の登録があつたときは、その特許権について、当該仮専用実施権の設定行為で定めた範囲内において、専用実施権が設定されたものとみなす。

③ 仮専用実施権は、その特許出願に係る発明の実施の事業とともにする場合、特許を受ける権利を有する者の承諾を得た場合及び相続その他の一般承継の場合に限り、移転することができる。

④ 仮専用実施権者は、特許を受ける権利を有する者の承諾を得た場合に限り、その仮専用実施権に基づいて取得すべき専用実施権について、他人に仮通常実施権を許諾することができる。

⑤ 仮専用実施権に係る特許出願について、第四十四条第一項の規定による特許出願の分割があつたときは、当該特許出願の分割に係る新たな特許出願に係る特許を受ける権利に基づいて取得すべき特許権について、当該仮専用実施権の設定行為で定めた範囲内において、仮専用実施権が設定されたものとみなす。ただし、当該設定行為に別段の定めがあるときは、この限りでない。

⑥ 仮専用実施権は、その特許出願について特許権の設定の登録があつたとき、その特許出願が放棄され、取り下げられ、若しくは却下されたとき又はその特許出願について拒絶をすべき旨の査定若しくは審決が確定したときは、消滅する。

⑦ 仮専用実施権者は、第四項又は次条第七項本文の規定による

仮通常実施権者があるときは、これらの者の承諾を得た場合に限り、その仮専用実施権を放棄することができる。

⑧　第三十三条第二項から第四項までの規定は、仮専用実施権に準用する。

第三四条の三（**仮通常実施権**）①　特許を受ける権利を有する者は、その特許を受ける権利に基づいて取得すべき特許権について、その特許出願の願書に最初に添付した明細書、特許請求の範囲又は図面に記載した事項の範囲内において、他人に仮通常実施権を許諾することができる。

②　前項の規定による仮通常実施権に係る特許出願について特許権の設定の登録があつたときは、当該仮通常実施権を有する者に対し、その特許権について、当該仮通常実施権の設定行為で定めた範囲内において、通常実施権が許諾されたものとみなす。

③　前条第二項の規定により、同条第四項の規定による仮通常実施権に係る仮専用実施権について専用実施権が設定されたものとみなされたときは、当該仮通常実施権を有する者に対し、その専用実施権について、当該仮通常実施権の設定行為で定めた範囲内において、通常実施権が許諾されたものとみなす。

④　仮通常実施権は、その特許出願に係る発明の実施の事業とともにする場合、特許を受ける権利を有する者（仮専用実施権に基づいて取得すべき専用実施権についての仮通常実施権にあつては、特許を受ける権利を有する者及び仮専用実施権者）の承諾を得た場合及び相続その他の一般承継の場合に限り、移転することができる。

⑤　第一項若しくは前条第四項又は実用新案法第四条の二第一項の規定による仮通常実施権に係る第四十一条第一項の先の出願の願書に最初に添付した明細書、特許請求の範囲若しくは実用新案登録請求の範囲又は図面（当該先の出願が第三十六条の二第二項の外国語書面出願である場合にあつては、同条第一項の外国語書面）に記載された発明に基づいて第四十一条第一項の規定による優先権の主張があつたときは、当該仮通常実施権を有する者に対し、当該優先権の主張を伴う特許出願に係る特許を受ける権利に基づいて取得すべき特許権について、当該仮通常実施権の設定行為で定めた範囲内において、仮通常実施権が許諾されたものとみなす。ただし、当該設定行為に別段の定めがあるときは、この限りでない。

⑥　仮通常実施権に係る特許出願について、第四十四条第一項の規定による特許出願の分割があつたときは、当該仮通常実施権を有する者に対し、当該特許出願の分割に係る新たな特許出願に係る特許を受ける権利に基づいて取得すべき特許権について、当該仮通常実施権の設定行為で定めた範囲内において、仮通常実施権が許諾されたものとみなす。ただし、当該設定行為に別段の定めがあるときは、この限りでない。

⑦　前条第五項本文の規定により、同項に規定する新たな特許出願に係る特許を受ける権利に基づいて取得すべき特許権についての仮専用実施権（以下この項において「新たな特許出願に係る仮専用実施権」という。）が設定されたものとみなされたときは、当該新たな特許出願に係るもとの特許出願に係る特許を受ける権利に基づいて取得すべき特許権についての仮専用実施権に基づいて取得すべき専用実施権についての仮通常実施権を有する者に対し、当該新たな特許出願に係る仮専用実施権に基づいて取得すべき専用実施権について、当該仮通常実施権の設定行為で定めた範囲内において、仮通常実施権が許諾されたものとみなす。ただし、当該設定行為に別段の定めがあるときは、この限りでない。

⑧　実用新案法第四条の二第一項の規定による仮通常実施権に係る実用新案登録出願について、第四十六条第一項の規定による出願の変更があつたときは、当該仮通常実施権を有する者に対し、当該出願の変更に係る特許出願に係る特許を受ける権利に基づいて取得すべき特許権について、当該仮通常実施権の設定行為で定めた範囲内において、仮通常実施権が許諾されたものとみなす。ただし、当該設定行為に別段の定めがあるときは、この限りでない。

⑨　意匠法（昭和三十四年法律第百二十五号）第五条の二第一項の規定による仮通常実施権に係る意匠登録出願について、第四十六条第二項の規定による出願の変更があつたときは、当該仮通常実施権を有する者に対し、当該出願の変更に係る特許出願に係る特許を受ける権利に基づいて取得すべき特許権について、当該仮通常実施権の設定行為で定めた範囲内において、仮通常実施権が許諾されたものとみなす。ただし、当該設定行為に別段の定めがあるときは、この限りでない。

⑩　仮通常実施権は、その特許出願について特許権の設定の登録があつたとき、その特許出願が放棄され、取り下げられ、若しくは却下されたとき又はその特許出願について拒絶をすべき旨の査定若しくは審決が確定したときは、消滅する。

⑪　前項に定める場合のほか、前条第四項の規定又は第七項本文の規定による仮通常実施権は、その仮専用実施権が消滅したときは、消滅する。

⑫　第三十三条第二項及び第三項の規定は、仮通常実施権に準用する。

第三四条の四（**登録の効果**）①　仮専用実施権の設定、移転（相続その他の一般承継によるものを除く。）、変更、消滅（混同又は第三十四条の二第六項の規定によるものを除く。）又は処分の制限は、登録しなければ、その効力を生じない。

②　前項の相続その他の一般承継の場合は、遅滞なく、その旨を特許庁長官に届け出なければならない。

第三四条の五（**仮通常実施権の対抗力**）　仮通常実施権は、その許諾後に当該仮通常実施権に係る特許を受ける権利若しくは仮専用実施権又は当該仮通常実施権に係る特許を受ける権利に関する仮専用実施権を取得した者に対しても、その効力を有する。

第三五条（**職務発明**）①　使用者、法人、国又は地方公共団体（以下「使用者等」という。）は、従業者、法人の役員、国家公務員又は地方公務員（以下「従業者等」という。）がその性質上当該使用者等の業務範囲に属し、かつ、その発明をするに至つた行為がその使用者等における従業者等の現在又は過去の職務に属する発明（以下「職務発明」という。）について特許を受けたとき、又は職務発明について特許を受ける権利を承継した者がその発明について特許を受けたときは、その特許権について通常実施権を有する。

②　従業者等がした発明については、その発明が職務発明である場合を除き、あらかじめ、使用者等に特許を受ける権利を取得させ、使用者等に特許権を承継させ、又は使用者等のため仮専用実施権若しくは専用実施権を設定することを定めた契約、勤務規則その他の定めの条項は、無効とする。

③　従業者等がした職務発明については、契約、勤務規則その他の定めにおいてあらかじめ使用者等に特許を受ける権利を取得させることを定めたときは、その特許を受ける権利は、その発生した時から当該使用者等に帰属する。

④　従業者等は、契約、勤務規則その他の定めにより職務発明について使用者等に特許を受ける権利を取得させ、使用者等に特許権を承継させ、若しくは使用者等のため専用実施権を設定したとき、又は契約、勤務規則その他の定めにより職務発明について使用者等のため仮専用実施権を設定した場合において、第三十四条の二第二項の規定により専用実施権が設定されたものとみなされたときは、相当の金銭その他の経済上の利益（次項及び第七項において「相当の利益」という。）を受ける権利を有する。

⑤　契約、勤務規則その他の定めにおいて相当の利益について定める場合には、相当の利益の内容を決定するための基準の策定に際して使用者等と従業者等との間で行われる協議の状況、策定された当該基準の開示の状況、相当の利益の内容の決定につ

いて行われる従業者等からの意見の聴取の状況等を考慮して、その定めたところにより相当の利益を与えることが不合理であると認められるものであつてはならない。

⑥ 経済産業大臣は、発明を奨励するため、産業構造審議会の意見を聴いて、前項の規定により考慮すべき状況等に関する事項について指針を定め、これを公表するものとする。

⑦ 相当の利益についての定めがない場合又はその定めたところにより相当の利益を与えることが第五項の規定により不合理であると認められる場合には、第四項の規定により受けるべき相当の利益の内容は、その発明により使用者等が受けるべき利益の額、その発明に関連して使用者等が行う負担、貢献及び従業者等の処遇その他の事情を考慮して定めなければならない。

（特許出願）

第三六条① 特許を受けようとする者は、次に掲げる事項を記載した願書を特許庁長官に提出しなければならない。

一 特許出願人の氏名又は名称及び住所又は居所

二 発明者の氏名及び住所又は居所

② 願書には、明細書、特許請求の範囲、必要な図面及び要約書を添付しなければならない。

③ 前項の明細書には、次に掲げる事項を記載しなければならない。

一 発明の名称

二 図面の簡単な説明

三 発明の詳細な説明

④ 前項第三号の発明の詳細な説明の記載は、次の各号に適合するものでなければならない。

一 経済産業省令で定めるところにより、その発明の属する技術の分野における通常の知識を有する者がその実施をすることができる程度に明確かつ十分に記載したものであること。

二 その発明に関連する文献公知発明（第二十九条第一項第三号に掲げる発明をいう。以下この号において同じ。）のうち、特許を受けようとする者が特許出願の時に知つているものがあるときは、その文献公知発明が記載された刊行物の名称その他のその文献公知発明に関する情報の所在を記載したものであること。

⑤ 第二項の特許請求の範囲には、請求項に区分して、各請求項ごとに特許出願人が特許を受けようとする発明を特定するために必要と認める事項のすべてを記載しなければならない。この場合において、一の請求項に係る発明と他の請求項に係る発明とが同一である記載となることを妨げない。

⑥ 第二項の特許請求の範囲の記載は、次の各号に適合するものでなければならない。

一 特許を受けようとする発明が発明の詳細な説明に記載したものであること。

二 特許を受けようとする発明が明確であること。

三 請求項ごとの記載が簡潔であること。

四 その他経済産業省令で定めるところにより記載されていること。

⑦ 第二項の要約書には、明細書、特許請求の範囲又は図面に記載した発明の概要その他経済産業省令で定める事項を記載しなければならない。

第三六条の二 （略）

第三七条 二以上の発明については、経済産業省令で定める技術的関係を有することにより発明の単一性の要件を満たす一群の発明に該当するときは、一の願書で特許出願をすることができる。

（共同出願）

第三八条 特許を受ける権利が共有に係るときは、各共有者は、他の共有者と共同でなければ、特許出願をすることができない。

（特許出願の日の認定）

第三八条の二① 特許庁長官は、特許出願が次の各号のいずれかに該当する場合を除き、特許出願に係る願書を提出した日を特許出願の日として認定しなければならない。

一 特許を受けようとする旨の表示が明確でないと認められるとき。

二 特許出願人の氏名若しくは名称の記載がなく、又はその記載が特許出願人を特定できる程度に明確でないと認められるとき。

三 明細書（外国語書面出願にあつては、明細書に記載すべきものとされる事項を第三十六条の二第一項の経済産業省令で定める外国語で記載した書面。以下この条において同じ。）が添付されていないとき（次条第一項に規定する方法により特許出願をするときを除く。）。

② 特許庁長官は、特許出願が前項各号のいずれかに該当するときは、特許を受けようとする者に対し、特許出願について補完をすることができる旨を通知しなければならない。

③ 前項の規定による通知を受けた者は、経済産業省令で定める期間内に限り、その補完をすることができる。

④ 前項の規定により補完をするには、経済産業省令で定めるところにより、手続の補完に係る書面（以下「手続補完書」という。）を提出しなければならない。ただし、同項の規定により明細書について補完をする場合には、手続補完書の提出と同時に明細書を提出しなければならない。

⑤ 第三項の規定により明細書について補完をする場合には、手続補完書の提出と同時に第三十六条第二項の必要な図面（外国語書面出願にあつては、必要な図面でこれに含まれる説明を第三十六条の二第一項の経済産業省令で定める外国語で記載したもの。以下この条において同じ。）を提出することができる。

⑥ 第二項の規定による通知を受けた者が第三項に規定する期間内にその補完をしたときは、その特許出願は、手続補完書を提出した時にしたものとみなす。この場合において、特許庁長官は、手続補完書を提出した日を特許出願の日として認定するものとする。

⑦ 第四項ただし書の規定により提出された明細書は願書に添付して提出したものと、第五項の規定により提出された図面は願書に添付して提出したものとみなす。

⑧ 特許庁長官は、第二項の規定による通知を受けた者が第三項に規定する期間内にその補完をしないときは、その特許出願を却下することができる。

⑨ 特許を受けようとする者が第二項の規定による通知を受ける前に、その通知を受けた場合に執るべき手続を執つたときは、経済産業省令で定める場合を除き、当該手続は、その通知を受けたことにより執つた手続とみなす。

第三八条の三 （略）

（明細書又は図面の一部の記載が欠けている場合の通知等）

第三八条の四① 特許庁長官は、特許出願の日の認定に際して、願書に添付されている明細書又は図面（外国語書面出願にあつては、明細書に記載すべきものとされる事項を第三十六条の二第一項の経済産業省令で定める外国語で記載した書面又は必要な図面でこれに含まれる説明を同項の経済産業省令で定める外国語で記載したもの。以下この条において同じ。）について、その一部の記載が欠けていることを発見したときは、その旨を特許出願人に通知しなければならない。

② 前項の規定による通知を受けた者は、経済産業省令で定める期間内に限り、明細書又は図面について補完をすることができる。

③ 前項の規定によりその補完をするには、経済産業省令で定めるところにより、明細書又は図面の補完に係る書面（以下この条及び第六十七条第三項第六号において「明細書等補完書」という。）を提出しなければならない。

④ 第一項の規定による通知を受けた者が第二項に規定する期間内にその補完をしたときは、その特許出願は、第三十八条の二第一項又は第六項の規定にかかわらず、明細書等補完書を提出した時にしたものとみなす。ただし、その補完が第四十一条第一項、第四十三条第一項又は第四十

三条の二第一項（第四十三条の三第三項において準用する場合を含む。）若しくは第四十三条の三第一項若しくは第二項の規定による優先権の主張を伴う特許出願に係るものであつて、かつ、前項の規定により提出した明細書等補完書に記載した内容が経済産業省令で定める範囲内にあるときは、この限りでない。

⑤　第二項の補完をした特許出願が、第三十八条の二第一項第一号又は第二号に該当する場合であつて、その補完に係る手続補完書を第三項の規定により明細書等補完書を提出した後に提出したときは、その特許出願は、前項の規定にかかわらず、当該手続補完書を提出した時にしたものとみなす。

⑥　第二項の規定によりその補完をした明細書又は図面は、願書に添付して提出したものとみなす。

⑦　第二項の補完をした者は、経済産業省令で定める期間内に限り、第三項の規定により提出した明細書等補完書を取り下げることができる。

⑧　前項の規定による明細書等補完書の取下げがあつたときは、その補完は、されなかつたものとみなす。

⑨　第三十八条の二第九項の規定は、第一項の規定による通知を受ける前に執つた手続に準用する。

⑩　前各項の規定は、第四十四条第一項の規定による特許出願の分割に係る新たな特許出願、第四十六条第一項又は第二項の規定による出願の変更に係る特許出願及び第四十六条の二第一項の規定による実用新案登録に基づく特許出願については、適用しない。

（特許出願の放棄又は取下げ）

第三十八条の五　特許出願人は、その特許出願について仮専用実施権を有する者があるときは、その承諾を得た場合に限り、その特許出願を放棄し、又は取り下げることができる。

（先願）

第三九条①　同一の発明について異なつた日に二以上の特許出願があつたときは、最先の特許出願人のみがその発明について特許を受けることができる。

②　同一の発明について同日に二以上の特許出願があつたときは、特許出願人の協議により定めた一の特許出願人のみがその発明について特許を受けることができる。協議が成立せず、又は協議をすることができないときは、いずれも、その発明について特許を受けることができない。

③　特許出願に係る発明と実用新案登録出願に係る考案とが同一である場合において、その特許出願及び実用新案登録出願が異なつた日にされたものであるときは、特許出願人は、実用新案登録出願人より先に出願をした場合にのみその発明について特許を受けることができる。

④　特許出願に係る発明と実用新案登録出願に係る考案とが同一である場合（第四十六条の二第一項の規定による実用新案登録に基づく特許出願（第四十四条第二項（第四十六条第六項において準用する場合を含む。）の規定により当該特許出願の時にしたものとみなされるものを含む。）に係る発明とその実用新案登録に係る考案とが同一である場合を除く。）において、その特許出願及び実用新案登録出願が同日にされたものであるときは、出願人の協議により定めた一の出願人のみが特許又は実用新案登録を受けることができる。協議が成立せず、又は協議をすることができないときは、特許出願人は、その発明について特許を受けることができない。

⑤　特許出願若しくは実用新案登録出願が放棄され、取り下げられ、若しくは却下されたとき、又は特許出願について拒絶をすべき旨の査定若しくは審決が確定したときは、その特許出願又は実用新案登録出願は、第一項から前項までの規定の適用については、初めからなかつたものとみなす。ただし、その特許出願について第二項後段又は前項後段の規定に該当することにより拒絶をすべき旨の査定又は審決が確定したときは、この限りでない。

⑥　特許庁長官は、第二項又は第四項の場合は、相当の期間を指定して、第二項又は第四項の協議をしてその結果を届け出るべき旨を出願人に命じなければならない。

⑦　特許庁長官は、前項の規定により指定した期間内に同項の規定による届出がないときは、第二項又は第四項の協議が成立しなかつたものとみなすことができる。

第四〇条　削除

（特許出願等に基づく優先権主張）

第四一条①　特許を受けようとする者は、次に掲げる場合を除き、その特許出願に係る発明について、その者が特許又は実用新案登録を受ける権利を有する特許出願又は実用新案登録出願であつて先にされたもの（以下「先の出願」という。）の願書に最初に添付した明細書、特許請求の範囲若しくは実用新案登録請求の範囲又は図面（先の出願が外国語書面出願である場合にあつては、外国語書面）に記載された発明に基づいて優先権を主張することができる。ただし、先の出願について仮専用実施権を有する者があるときは、その特許出願の際に、その承諾を得ている場合に限る。

一　その特許出願が先の出願の日から一年以内にされたものでない場合（その特許出願が故意に先の出願の日から一年以内にされなかつたものでないと認められる場合であつて、かつ、その特許出願が経済産業省令で定める期間内に経済産業省令で定めるところによりされたものである場合を除く。）

二　先の出願が第四十四条第一項の規定による特許出願の分割に係る新たな特許出願、第四十六条第一項若しくは第二項の規定による出願の変更に係る特許出願若しくは第四十六条の二第一項の規定による実用新案登録に基づく特許出願又は実用新案法第十一条第一項において準用するこの法律第四十四条第一項の規定による実用新案登録出願の分割に係る新たな実用新案登録出願若しくは実用新案法第十条第一項若しくは第二項の規定による出願の変更に係る実用新案登録出願である場合

三　先の出願が、その特許出願の際に、放棄され、取り下げられ、又は却下されている場合

四　先の出願について、その特許出願の際に、査定又は審決が確定している場合

五　先の出願について、その特許出願の際に、実用新案法第十四条第二項に規定する設定の登録がされている場合

②　前項の規定による優先権の主張を伴う特許出願に係る発明のうち、当該優先権の主張の基礎とされた先の出願の願書に最初に添付した明細書、特許請求の範囲若しくは実用新案登録請求の範囲又は図面（当該先の出願が外国語書面出願である場合にあつては、外国語書面）に記載された発明（当該先の出願が同項若しくは実用新案法第八条第一項の規定による優先権の主張又は第四十三条第一項、第四十三条の二第一項（第四十三条の三第三項において準用する場合を含む。）若しくは第四十三条の三第一項若しくは第二項（これらの規定を同法第十一条第一項において準用する場合を含む。）の規定による優先権の主張を伴う出願である場合には、当該先の出願についての優先権の主張の基礎とされた出願に係る出願の際の書類（明細書、特許請求の範囲若しくは実用新案登録請求の範囲又は図面に相当するものに限る。）に記載された発明を除く。）についての第二十九条、第二十九条の二本文、第三十条第一項及び第二項、第三十九条第一項から第四項まで、第六十九条第二項第二号、第七十二条、第七十九条、第八十一条、第八十二条第一項、第百四条（第六十五条第六項（第百八十四条の十第二項において準用する場合を含む。）において準用する場合を含む。）並びに第百二十六条第七項（第十七条の二第六項、第百二十条の五第九項及び第百三十四条の二第九項において準用する場合を含む。）、同法第七条第三項及び第十七条、意匠法第二十六条、第三十一条第二項及び第三十二条第二項並びに商標法（昭和三十四年法律第百二十七号）第二十九条並びに第三十三条の二第一項及び第三十三条の三第一項（これらの規定を同法第六十八条第三項において準用する場合を含む。）の規定の適用については、当該特許

出願は、当該先の出願の時にされたものとみなす。

③　第一項の規定による優先権の主張を伴う特許出願の願書に最初に添付した明細書、特許請求の範囲又は図面（外国語書面出願にあつては、外国語書面）に記載された発明のうち、当該優先権の主張の基礎とされた先の出願の願書に最初に添付した明細書、特許請求の範囲若しくは実用新案登録請求の範囲又は図面（当該先の出願が外国語書面出願である場合にあつては、外国語書面）に記載された発明（当該先の出願が同項若しくは実用新案法第八条第一項の規定による優先権の主張又は第四十三条第一項、第四十三条の二第一項（第四十三条の三第三項において準用する場合を含む。）若しくは第四十三条の三第一項若しくは第二項（これらの規定を同法第十一条第一項において準用する場合を含む。）の規定による優先権の主張を伴う出願である場合には、当該先の出願についての優先権の主張の基礎とされた出願に係る出願の際の書類（明細書、特許請求の範囲若しくは実用新案登録請求の範囲又は図面に相当するものに限る。）に記載された発明を除く。）については、当該特許出願について特許掲載公報の発行又は出願公開がされた時に当該先の出願について出願公開又は実用新案掲載公報の発行がされたものとみなして、第二十九条の二本文又は同法第三条の二本文の規定を適用する。

④　第一項の規定による優先権を主張しようとする者は、その旨及び先の出願の表示を記載した書面を経済産業省令で定める期間内に特許庁長官に提出しなければならない。

第四二条（**先の出願の取下げ等**）①　前条第一項の規定による優先権の主張の基礎とされた先の出願は、その出願の日から経済産業省令で定める期間を経過した時に取り下げたものとみなす。ただし、当該先の出願が放棄され、取り下げられ、若しくは却下されている場合、当該先の出願について査定若しくは審決が確定している場合、当該先の出願について実用新案法第十四条第二項に規定する設定の登録がされている場合又は当該先の出願に基づく全ての優先権の主張が取り下げられている場合には、この限りでない。

②　前条第一項の規定による優先権の主張を伴う特許出願の出願人は、先の出願の日から経済産業省令で定める期間を経過した後は、その主張を取り下げることができない。

③　前条第一項の規定による優先権の主張を伴う特許出願が先の出願の日から経済産業省令で定める期間内に取り下げられたときは、同時に当該優先権の主張が取り下げられたものとみなす。

第四三条（**パリ条約による優先権主張の手続**）①　パリ条約第四条D(1)の規定により特許出願について優先権を主張しようとする者は、その旨並びに最初に出願をし若しくは同条C(4)の規定により最初の出願とみなされた出願をし又は同条A(2)の規定により最初に出願をしたものと認められたパリ条約の同盟国の国名及び出願の年月日を記載した書面を経済産業省令で定める期間内に特許庁長官に提出しなければならない。

②　前項の規定による優先権の主張をした者は、最初に出願をし、若しくはパリ条約第四条C(4)の規定により最初の出願とみなされた出願をし、若しくは同条A(2)の規定により最初に出願をしたものと認められたパリ条約の同盟国の認証がある出願の年月日を記載した書面、その出願の際の書類で明細書、特許請求の範囲若しくは実用新案登録請求の範囲及び図面に相当するものの謄本若しくはこれらと同様の内容を有する公報若しくは証明書であつてその同盟国の政府が発行したもの（電磁的方法（電子的方法、磁気的方法その他人の知覚によつては認識することができない方法をいう。第五項及び第四十四条第四項において同じ。）により提供されたものを含む。）又はこれらの写し（以下この条において「優先権証明書類等」という。）を次の各号に掲げる日のうち最先の日から一年四月以内に特許庁長官に提出しなければならない。

一　当該最初の出願若しくはパリ条約第四条C(4)の規定により当該最初の出願とみなされた出願又は同条A(2)の規定により当該最初の出願と認められた出願の日

二　その特許出願が第四十一条第一項の規定による優先権の主張を伴う場合における当該優先権の主張の基礎とした出願の日

三　その特許出願が前項、次条第一項（第四十三条の三第三項において準用する場合を含む。）又は第四十三条の三第一項若しくは第二項の規定による他の優先権の主張を伴う場合における当該優先権の主張の基礎とした出願の日

③　第一項の規定による優先権の主張をした者は、最初の出願若しくはパリ条約第四条C(4)の規定により最初の出願とみなされた出願又は同条A(2)の規定により最初の出願と認められた出願の番号を記載した書面を優先権証明書類等とともに特許庁長官に提出しなければならない。ただし、優先権証明書類等の提出前にその番号を知ることができないときは、当該書面に代えてその理由を記載した書面を提出し、かつ、その番号を知つたときは、遅滞なく、その番号を記載した書面を提出しなければならない。

④　第一項の規定による優先権の主張をした者が第二項に規定する期間内に優先権証明書類等を提出しないときは、当該優先権の主張は、その効力を失う。

⑤　優先権証明書類等に記載されている事項を電磁的方法によりパリ条約の同盟国の政府又は工業所有権に関する国際機関との間で交換することができる場合として経済産業省令で定める場合において、第一項の規定による優先権の主張をした者が、第二項に規定する期間内に、出願の番号その他の当該事項を交換するために必要な事項として経済産業省令で定める事項を記載した書面を特許庁長官に提出したときは、前二項の規定の適用については、優先権証明書類等を提出したものとみなす。

⑥　特許庁長官は、第二項に規定する期間内に優先権証明書類等又は前項に規定する書面の提出がなかつたときは、第一項の規定による優先権の主張をした者に対し、その旨を通知しなければならない。

⑦　前項の規定による通知を受けた者は、経済産業省令で定める期間内に限り、優先権証明書類等又は第五項に規定する書面を特許庁長官に提出することができる。

⑧　第六項の規定による通知を受けた者がその責めに帰することができない理由により前項に規定する期間内に優先権証明書類等又は第五項に規定する書面を提出することができないときは、前項の規定にかかわらず、経済産業省令で定める期間内に、その優先権証明書類等又は書面を特許庁長官に提出することができる。

⑨　第七項又は前項の規定により優先権証明書類等又は第五項に規定する書面の提出があつたときは、第四項の規定は、適用しない。

第四三条の二（**パリ条約の例による優先権主張**）①　パリ条約第四条D(1)の規定により特許出願について優先権を主張しようとしたにもかかわらず、同条C(1)に規定する優先期間（以下この項において「優先期間」という。）内に優先権の主張を伴う特許出願をすることができなかつた者は、経済産業省令で定める期間内に経済産業省令で定めるところによりその特許出願をしたときは、優先期間の経過後であつても、同条の規定の例により、その特許出願について優先権を主張することができる。ただし、故意に、優先期間内にその特許出願をしなかつたと認められる場合は、この限りでない。

②　前条の規定は、前項の規定により優先権を主張する場合に準用する。

第四三条の三①　次の表の上欄に掲げる者が同表の下欄に掲げる国においてした出願に基づく優先権は、パリ条約第四条の規定の例により、特許出願について、これを主張することができる。

日本国民又はパリ条約の同盟国の国民（パリ	世界貿易機

関の加盟国	条約第三条の規定により同盟国の国民とみなされる者を含む。次項において同じ。）
パリ条約の同盟国又は世界貿易機関の加盟国	世界貿易機関の加盟国の国民（世界貿易機関を設立するマラケシュ協定附属書一Ｃ第一条3に規定する加盟国の国民をいう。次項において同じ。）

② パリ条約の同盟国又は世界貿易機関の加盟国のいずれにも該当しない国（日本国民に対し、日本国と同一の条件により優先権の主張を認めることとしているものであつて、特許庁長官が指定するものに限る。以下この項において「特定国」という。）の国民がその特定国においてした出願に基づく優先権及び日本国民又はパリ条約の同盟国の国民若しくは世界貿易機関の加盟国の国民が特定国においてした出願に基づく優先権は、パリ条約第四条の規定の例により、特許出願について、これを主張することができる。

③ 前二条の規定は、前二項の規定により優先権を主張する場合に準用する。

（特許出願の分割）

第四四条① 特許出願人は、次に掲げる場合に限り、二以上の発明を包含する特許出願の一部を一又は二以上の新たな特許出願とすることができる。

一 願書に添付した明細書、特許請求の範囲又は図面について補正をすることができる時又は期間内にするとき。

二 特許をすべき旨の査定（第百六十三条第三項において準用する第五十一条の規定による特許をすべき旨の査定及び第百六十条第一項に規定する審査に付された特許出願についての特許をすべき旨の査定を除く。）の謄本の送達があつた日から三十日以内にするとき。

三 拒絶をすべき旨の最初の査定の謄本の送達があつた日から三月以内にするとき。

② 前項の場合は、新たな特許出願は、もとの特許出願の時にしたものとみなす。ただし、新たな特許出願が第二十九条の二に規定する他の特許出願又は実用新案法第三条の二に規定する特許出願に該当する場合におけるこれらの規定の適用及び第三十条第三項の規定の適用については、この限りでない。

③ 第一項に規定する新たな特許出願をする場合における第四十三条第二項（第四十三条の二第二項（前条第三項において準用する場合を含む。）及び前条第三項において準用する場合を含む。）の規定の適用については、第四十三条第二項中「最先の日から一年四月以内」とあるのは、「最先の日から一年四月又は新たな特許出願の日から三月のいずれか遅い日まで」とする。

④ 第一項に規定する新たな特許出願をする場合には、もとの特許出願について提出された書面又は書類（第四十三条第二項（第四十三条の二第二項（前条第三項において準用する場合を含む。以下この項において同じ。）及び前条第三項において準用する場合を含む。以下この項において同じ。）の規定により提出された場合には、電磁的方法により提供されたものを含む。）であつて、新たな特許出願について第三十条第三項、第四十一条第四項又は第四十三条第一項及び第二項（これらの規定を第四十三条の二第二項及び前条第三項において準用する場合を含む。）の規定により提出しなければならないものは、当該新たな特許出願と同時に特許庁長官に提出されたものとみなす。

⑤ 第一項第二号に規定する三十日の期間は、第四条又は第百八条第三項の規定により同条第一項に規定する期間が延長されたときは、その延長された期間を限り、延長されたものとみなす。

⑥ 第一項第三号に規定する三月の期間は、第四条の規定により第百二十一条第一項に規定する期間が延長されたときは、その延長された期間を限り、延長されたものとみなす。

⑦ 第一項に規定する新たな特許出願をする者がその責めに帰することができない理由により同項第二号又は第三号に規定する期間内にその新たな特許出願をすることができないときは、これらの規定にかかわらず、その理由がなくなつた日から十四日（在外者にあつては、二月）以内でこれらの規定に規定する期間の経過後六月以内にその新たな特許出願をすることができる。

第四五条 削除

（出願の変更）

第四六条① 実用新案登録出願人は、その実用新案登録出願を特許出願に変更することができる。ただし、その実用新案登録出願の日から三年を経過した後は、この限りでない。

② 意匠登録出願人は、その意匠登録出願を特許出願に変更することができる。ただし、その意匠登録出願について拒絶をすべき旨の最初の査定の謄本の送達があつた日から三月を経過した後又はその意匠登録出願の日から三年を経過した後（その意匠登録出願について拒絶をすべき旨の最初の査定の謄本の送達があつた日から三月以内の期間を除く。）は、この限りでない。

③ 前項ただし書に規定する三月の期間は、意匠法第六十八条第一項において準用するこの法律第四条の規定により意匠法第四十六条第一項に規定する期間が延長されたときは、その延長された期間を限り、延長されたものとみなす。

④ 第一項又は第二項の規定による出願の変更があつたときは、もとの出願は、取り下げたものとみなす。

⑤ 第一項の規定による出願の変更をする者がその責めに帰することができない理由により同項ただし書に規定する期間内にその出願の変更をすることができないとき、又は第二項の規定による出願の変更をする者がその責めに帰することができない理由により同項ただし書に規定する三年の期間内にその出願の変更をすることができないときは、これらの規定にかかわらず、その理由がなくなつた日から十四日（在外者にあつては、二月）以内でこれらの規定に規定する期間の経過後六月以内にその出願の変更をすることができる。

⑥ 第四十四条第二項から第四項までの規定は、第一項又は第二項の規定による出願の変更の場合に準用する。

第四六条の二（略）

第三章　審査（抄）

（審査官による審査）

第四七条① 特許庁長官は、審査官に特許出願を審査させなければならない。

② 審査官の資格は、政令で定める。

（審査官の除斥）

第四八条 第百三十九条（第六号及び第七号を除く。）の規定は、審査官について準用する。

（特許出願の審査）

第四八条の二 特許出願の審査は、その特許出願についての出願審査の請求をまつて行なう。

（出願審査の請求）

第四八条の三① 特許出願があつたときは、何人も、その日から三年以内に、特許庁長官にその特許出願について出願審査の請求をすることができる。

② 第四十四条第一項の規定による特許出願の分割に係る新たな特許出願、第四十六条第一項若しくは第二項の規定による出願の変更に係る特許出願又は第四十六条の二第一項の規定による実用新案登録に基づく特許出願については、前項の期間の経過後であつても、その特許出願の分割、出願の変更又は実用新案登録に基づく特許出願の日から三十日以内に限り、出願審査の請求をすることができる。

③ 出願審査の請求は、取り下げることができない。

④ 第一項の規定により出願審査の請求をすることができる期間内に出願審査の請求がなかつたときは、この特許出願は、取り下げたものとみなす。

⑤ 前項の規定により取り下げられたものとみなされた特許出願の出願人は、経済産業省令で定める期間内に限り、経済産業省令で定めるところにより、出願審査の請求をすることができ

る。ただし、故意に、第一項に規定する期間内にその特許出願について出願審査の請求をしなかつたと認められる場合は、この限りでない。

⑥　前項の規定によりされた出願審査の請求は、第一項に規定する期間が満了する時に特許庁長官にされたものとみなす。

⑦　前三項の規定は、第二項に規定する期間内に出願審査の請求がなかつた場合に準用する。

⑧　第五項（前項において準用する場合を含む。以下この項において同じ。）の規定により特許出願について出願審査の請求をした場合において、その特許出願について特許権の設定の登録があつたときは、その特許出願が第四項（前項において準用する場合を含む。）の規定により取り下げられたものとみなされた旨が掲載された特許公報の発行後その特許出願について第五項の規定による出願審査の請求があつた旨が掲載された特許公報の発行前に善意に日本国内において当該発明の実施である事業をしている者又はその事業の準備をしている者は、その実施又は準備をしている発明及び事業の目的の範囲内において、その特許権について通常実施権を有する。

第四八条の四及び第四八条の五　（略）

（優先審査）

第四八条の六　特許庁長官は、出願公開後に特許出願人でない者が業として特許出願に係る発明を実施していると認める場合において必要があるときは、審査官にその特許出願を他の特許出願に優先して審査させることができる。

（文献公知発明に係る情報の記載についての通知）

第四八条の七　審査官は、特許出願が第三十六条第四項第二号に規定する要件を満たしていないと認めるときは、特許出願人に対し、その旨を通知し、相当の期間を指定して、意見書を提出する機会を与えることができる。

（拒絶の査定）

第四九条　審査官は、特許出願が次の各号のいずれかに該当するときは、その特許出願について拒絶をすべき旨の査定をしなければならない。

一　その特許出願の願書に添付した明細書、特許請求の範囲又は図面についてした補正が第十七条の二第三項又は第四項に規定する要件を満たしていないとき。

二　その特許出願に係る発明が第二十五条、第二十九条、第二十九条の二、第三十二条、第三十八条又は第三十九条第一項から第四項までの規定により特許をすることができないものであるとき。

三　その特許出願に係る発明が条約の規定により特許をすることができないものであるとき。

四　その特許出願が第三十六条第四項第一号若しくは第六項又は第三十七条に規定する要件を満たしていないとき。

五　前条の規定による通知をした場合であつて、その特許出願が明細書についての補正又は意見書の提出によつてもなお第三十六条第四項第二号に規定する要件を満たすこととならないとき。

六　その特許出願が外国語書面出願である場合において、当該特許出願の願書に添付した明細書、特許請求の範囲又は図面に記載した事項が外国語書面に記載した事項の範囲内にないとき。

七　その特許出願人がその発明について特許を受ける権利を有していないとき。

（拒絶理由の通知）

第五〇条　審査官は、拒絶をすべき旨の査定をしようとするときは、特許出願人に対し、拒絶の理由を通知し、相当の期間を指定して、意見書を提出する機会を与えなければならない。ただし、第十七条の二第一項第一号又は第三号に掲げる場合（同項第一号に掲げる場合にあつては、拒絶の理由の通知と併せて次条の規定による通知をした場合に限る。）において、第五十三条第一項の規定による却下の決定をするときは、この限りでない。

（既に通知された拒絶理由と同一である旨の通知）

第五〇条の二　審査官は、前条の規定により特許出願について拒絶の理由を通知しようとする場合において、当該拒絶の理由が、他の特許出願（当該特許出願と当該他の特許出願の少なくともいずれか一方に第四十四条第二項の規定が適用されたことにより当該特許出願と同時にされたこととなつているものに限る。）についての前条（第百五十九条第二項（第百七十四条第二項において準用する場合を含む。）及び第百六十三条第二項において準用する場合を含む。）の規定による通知（当該特許出願についての出願審査の請求前に当該特許出願の出願人がその内容を知り得る状態になかつたものを除く。）に係る拒絶の理由と同一であるときは、その旨を併せて通知しなければならない。

（特許査定）

第五一条　審査官は、特許出願について拒絶の理由を発見しないときは、特許をすべき旨の査定をしなければならない。

第五二条　（略）

（補正の却下）

第五三条①　第十七条の二第一項第一号又は第三号に掲げる場合（同項第一号に掲げる場合にあつては、拒絶の理由の通知と併せて第五十条の二の規定による通知をした場合に限る。）において、願書に添付した明細書、特許請求の範囲又は図面についてした補正が第十七条の二第三項から第六項までの規定に違反しているものと特許をすべき旨の査定の謄本の送達前に認められたときは、審査官は、決定をもつてその補正を却下しなければならない。

②　前項の規定による却下の決定は、文書をもつて行い、かつ、理由を付さなければならない。

③　第一項の規定による却下の決定に対しては、不服を申し立てることができない。ただし、拒絶査定不服審判を請求した場合における審判においては、この限りでない。

（訴訟との関係）

第五四条①　審査において必要があると認めるときは、特許異議の申立てについての決定若しくは審決が確定し、又は訴訟手続が完結するまでその手続を中止することができる。

②　訴えの提起又は仮差押命令若しくは仮処分命令の申立てがあつた場合において、必要があると認めるときは、裁判所は、査定が確定するまでその訴訟手続を中止することができる。

第五五条から第六三条まで　削除

第三章の二　出願公開

（出願公開）

第六四条①　特許庁長官は、特許出願の日から一年六月を経過したときは、特許掲載公報の発行をしたものを除き、その特許出願について出願公開をしなければならない。次条第一項に規定する出願公開の請求があつたときも、同様とする。

②　出願公開は、次に掲げる事項を特許公報に掲載することにより行う。ただし、第四号から第六号までに掲げる事項については、当該事項を特許公報に掲載することが公の秩序又は善良の風俗を害するおそれがあると特許庁長官が認めるときは、この限りでない。

一　特許出願人の氏名又は名称及び住所又は居所

二　特許出願の番号及び年月日

三　発明者の氏名及び住所又は居所

四　願書に添付した明細書及び特許請求の範囲に記載した事項並びに図面の内容

五　願書に添付した要約書に記載した事項

六　外国語書面出願にあつては、外国語書面及び外国語要約書面に記載した事項

七　出願公開の番号及び年月日

八　前各号に掲げるもののほか、必要な事項

③　特許庁長官は、願書に添付した要約書の記載が第三十六条第七項の規定に適合しないときその他必要があると認めるときは、前項第五号の要約書に記載した事項に代えて、自ら作成し

た事項を特許公報に掲載することができる。

（出願公開の請求）

第六十四条の二① 特許出願人は、次に掲げる場合を除き、特許庁長官に、その特許出願について出願公開の請求をすることができる。

一 その特許出願が出願公開されている場合

二 その特許出願が第四十三条第一項、第四十三条の二第一項（第四十三条の三第三項において準用する場合を含む。）又は第四十三条の三第一項若しくは第二項の規定による優先権の主張を伴う特許出願であつて、第四十三条第二項（第四十三条の二第二項（第四十三条の三第三項において準用する場合を含む。）及び第四十三条の三第三項において準用する場合を含む。）に規定する優先権証明書類等及び第四十三条第五項（第四十三条の二第二項（第四十三条の三第三項において準用する場合を含む。）及び第四十三条の三第三項において準用する場合を含む。）に規定する書面が特許庁長官に提出されていないものである場合

三 その特許出願が外国語書面出願であつて第三十六条の二第二項に規定する外国語書面の翻訳文が特許庁長官に提出されていないものである場合

② 出願公開の請求は、取り下げることができない。

第六十四条の三 出願公開の請求をしようとする特許出願人は、次に掲げる事項を記載した請求書を特許庁長官に提出しなければならない。

一 請求人の氏名又は名称及び住所又は居所

二 出願公開の請求に係る特許出願の表示

（出願公開の効果等）

第六十五条① 特許出願人は、出願公開があつた後に特許出願に係る発明の内容を記載した書面を提示して警告をしたときは、その警告後特許権の設定の登録前に業としてその発明を実施した者に対し、その発明が特許発明である場合にその実施に対し受けるべき金銭の額に相当する額の補償金の支払を請求することができる。当該警告をしない場合においても、出願公開がされた特許出願に係る発明であることを知つて特許権の設定の登録前に業としてその発明を実施した者に対しては、同様とする。

② 前項の規定による請求権は、特許権の設定の登録があつた後でなければ、行使することができない。

③ 特許出願人は、その仮専用実施権者又は仮通常実施権者が、その設定行為で定めた範囲内において当該特許出願に係る発明を実施した場合については、第一項に規定する補償金の支払を請求することができない。

④ 第一項の規定による請求権の行使は、特許権の行使を妨げない。

⑤ 出願公開後に特許出願が放棄され、取り下げられ、若しくは却下されたとき、特許出願について拒絶をすべき旨の査定若しくは審決が確定したとき、第百十二条第六項の規定により特許権が初めから存在しなかつたものとみなされたとき（更に第百十二条の二第二項の規定により特許権が初めから存在していたものとみなされたときを除く。）、第百十四条第二項の取消決定が確定したとき、又は第百二十五条ただし書の場合を除き特許を無効にすべき旨の審決が確定したときは、第一項の請求権は、初めから生じなかつたものとみなす。

⑥ 第百一条、第百四条から第百四条の三まで、第百五条から第百五条の二の十二まで、第百五条の四から第百五条の七まで及び第百六十八条第三項から第六項まで並びに民法（明治二十九年法律第八十九号）第七百十九条及び第七百二十四条（不法行為）の規定は、第一項の規定による請求権を行使する場合に準用する。この場合において、当該請求権を有する者が特許権の設定の登録前に当該特許出願に係る発明の実施の事実及びその実施をした者を知つたときは、同条第一号中「被害者又はその法定代理人が損害及び加害者を知つた時」とあるのは、「特許権の設定の登録の日」と読み替えるものとする。

第四章 特許権（抄）

第一節 特許権（抄）

（特許権の設定の登録）

第六十六条① 特許権は、設定の登録により発生する。

② 第百七条第一項の規定による第一年から第三年までの各年分の特許料の納付又はその納付の免除若しくは猶予があつたときは、特許権の設定の登録をする。

③ 前項の登録があつたときは、次に掲げる事項を特許公報に掲載しなければならない。ただし、第五号に掲げる事項については、その特許出願について出願公開がされているときは、この限りでない。

一 特許権者の氏名又は名称及び住所又は居所

二 特許出願の番号及び年月日

三 発明者の氏名及び住所又は居所

四 願書に添付した明細書及び特許請求の範囲に記載した事項並びに図面の内容

五 願書に添付した要約書に記載した事項

六 特許番号及び設定の登録の年月日

七 前各号に掲げるもののほか、必要な事項

④ 第六十四条第三項の規定は、前項の規定により同項第五号の要約書に記載した事項を特許公報に掲載する場合に準用する。

（存続期間）

第六十七条① 特許権の存続期間は、特許出願の日から二十年をもつて終了する。

② 前項に規定する存続期間は、特許権の設定の登録が特許出願の日から起算して五年を経過した日又は出願審査の請求があつた日から起算して三年を経過した日のいずれか遅い日（以下「基準日」という。）以後にされたときは、延長登録の出願により延長することができる。

③ 前項の規定により延長することができる期間は、基準日から特許権の設定の登録の日までの期間に相当する期間から、次の各号に掲げる期間を合算した期間（これらの期間のうち重複する期間がある場合には、当該重複する期間を合算した期間を除いた期間）に相当する期間を控除した期間（以下「延長可能期間」という。）を超えない範囲内の期間とする。

一 その特許出願に係るこの法律（第三十九条第六項及び第五十条を除く。）、実用新案法若しくは工業所有権に関する手続等の特例に関する法律（平成二年法律第三十号）又はこれらの法律に基づく命令の規定による通知又は命令（特許庁長官又は審査官が行うものに限る。）があつた場合において当該通知又は命令を受けた場合に執るべき手続が執られたときにおける当該通知又は命令があつた日から当該執るべき手続が執られた日までの期間

二 その特許出願に係るこの法律又はこの法律に基づく命令（次号、第五号及び第十号において「特許法令」という。）の規定による手続を執るべき期間の延長があつた場合における当該手続を執るべき期間が経過した日から当該手続をした日までの期間

三 その特許出願に係る特許法令の規定による手続であつて当該手続を執るべき期間の定めがあるものについて特許法令の規定により出願人が当該手続を執るべき期間の経過後であつても当該手続を執ることができる場合において当該手続をしたときにおける当該手続を執るべき期間が経過した日から当該手続をした日までの期間

四 その特許出願に係るこの法律若しくは工業所有権に関する手続等の特例に関する法律又はこれらの法律に基づく命令（第八号及び第九号において「特許法関係法令」という。）の規定による処分又は通知について出願人の申出その他の行為により当該処分又は通知を保留した場合における当該申出その他の行為があつた日から当該処分又は通知を保留する理由がなくなつた日までの期間

五 その特許出願に係る特許法令の規定による特許料又は手数料の納付について当該特許料又は手数料の軽減若しくは免除

又は納付の猶予の決定があつた場合における当該軽減若しくは免除又は納付の猶予に係る申請があつた日から当該決定があつた日までの期間

六　その特許出願に係る第三十八条の四第七項の規定による明細書等補完書の取下げがあつた場合における当該明細書等補完書が同条第三項の規定により提出された日から同条第七項の規定により当該明細書等補完書が取り下げられた日までの期間

七　その特許出願に係る拒絶査定不服審判の請求があつた場合における次のイからハまでに掲げる区分に応じて当該イからハまでに定める期間

イ　第百五十九条第三項（第百七十四条第二項において準用する場合を含む。）において準用する第五十一条の規定による特許をすべき旨の審決があつた場合　拒絶をすべき旨の査定の謄本の送達があつた日から当該審決の謄本の送達があつた日までの期間

ロ　第百六十条第一項（第百七十四条第二項において準用する場合を含む。）の規定による更に審査に付すべき旨の審決があつた場合　拒絶をすべき旨の査定の謄本の送達があつた日から当該審決の謄本の送達があつた日までの期間

ハ　第百六十三条第三項において準用する第五十一条の規定による特許をすべき旨の査定があつた場合　拒絶をすべき旨の査定の謄本の送達があつた日から当該特許をすべき旨の査定の謄本の送達があつた日までの期間

八　その特許出願に係る特許法関係法令の規定による処分について行政不服審査法（平成二十六年法律第六十八号）の規定による審査請求に対する裁決が確定した場合における当該審査請求の日から当該裁決の謄本の送達があつた日までの期間

九　その特許出願に係る特許法関係法令の規定による処分について行政事件訴訟法（昭和三十七年法律第百三十九号）の規定による訴えの判決が確定した場合における当該訴えの提起の日から当該訴えの判決が確定した日までの期間

十　その特許出願に係る特許法令の規定による手続が中断し、又は中止した場合における当該手続が中断し、又は中止した期間

④　第一項に規定する存続期間（第二項の規定により延長されたときは、その延長の期間を加えたもの。第六十七条の五第三項ただし書、第六十八条の二及び第百七条第一項において同じ。）は、その特許発明の実施について安全性の確保等を目的とする法律の規定による許可その他の処分であつて当該処分の目的、手続等からみて当該処分を的確に行うには相当の期間を要するものとして政令で定めるものを受けることが必要であるために、その特許発明の実施をすることができない期間があつたときは、五年を限度として、延長登録の出願により延長することができる。

第六十七条の二（**存続期間の延長登録**）①　前条第二項の延長登録の出願をしようとする者は、次に掲げる事項を記載した願書を特許庁長官に提出しなければならない。

一　出願人の氏名又は名称及び住所又は居所
二　特許番号
三　延長を求める期間
四　特許出願の番号及び年月日
五　出願審査の請求があつた年月日

②　前項の願書には、経済産業省令で定めるところにより、同項第三号に掲げる期間の算定の根拠を記載した書面を添付しなければならない。

③　前条第二項の延長登録の出願は、特許権の設定の登録の日から三月（出願をする者がその責めに帰することができない理由により当該期間内に出願をすることができないときは、その理由がなくなつた日から十四日（在外者にあつては、二月）を経過する日までの期間（当該期間が九月を超えるときは、九月））以内にしなければならない。ただし、同条第一項に規定する存続期間の満了後は、することができない。

④　特許権が共有に係るときは、各共有者は、他の共有者と共同でなければ、前条第二項の延長登録の出願をすることができない。

⑤　前条第二項の延長登録の出願があつたときは、同条第一項に規定する存続期間は、延長されたものとみなす。ただし、その出願について拒絶をすべき旨の査定が確定し、又は次条第三項の延長登録があつたときは、この限りでない。

⑥　前条第二項の延長登録の出願があつたときは、第一項各号に掲げる事項を特許公報に掲載しなければならない。

第六十七条の三①　審査官は、第六十七条第二項の延長登録の出願が次の各号のいずれかに該当するときは、その出願について拒絶をすべき旨の査定をしなければならない。

一　その特許権の設定の登録が基準日以後にされていないとき。
二　その延長を求める期間がその特許権の存続期間に係る延長可能期間を超えているとき。
三　その出願をした者が当該特許権者でないとき。
四　その出願が前条第四項に規定する要件を満たしていないとき。

②　審査官は、第六十七条第二項の延長登録の出願について拒絶の理由を発見しないときは、延長登録をすべき旨の査定をしなければならない。

③　前項の査定があつたときは、延長登録をする。

④　前項の延長登録があつたときは、次に掲げる事項を特許公報に掲載しなければならない。

一　特許権者の氏名又は名称及び住所又は居所
二　特許番号
三　第六十七条第二項の延長登録の出願の番号及び年月日
四　延長登録の年月日
五　延長の期間
六　特許出願の番号及び年月日
七　出願審査の請求があつた年月日

第六十七条の四　第四十七条第一項、第五十条、第五十二条及び第百三十九条（第七号を除く。）の規定は、第六十七条第二項の延長登録の出願の審査について準用する。この場合において、第百三十九条第六号中「不服を申し立てられた」とあるのは、「第六十七条第二項の延長登録の出願があつた特許権に係る特許出願の」と読み替えるものとする。

第六十七条の五①　第六十七条第四項の延長登録の出願をしようとする者は、次に掲げる事項を記載した願書を特許庁長官に提出しなければならない。

一　出願人の氏名又は名称及び住所又は居所
二　特許番号
三　延長を求める期間（五年以下の期間に限る。）
四　第六十七条第四項の政令で定める処分の内容

②　前項の願書には、経済産業省令で定めるところにより、延長の理由を記載した資料を添付しなければならない。

③　第六十七条第四項の延長登録の出願は、同項の政令で定める処分を受けた日から政令で定める期間内にしなければならない。ただし、同条第一項に規定する存続期間の満了後は、することができない。

④　第六十七条の二第四項から第六項までの規定は、第六十七条第四項の延長登録の出願について準用する。この場合において第六十七条の二第五項ただし書中「次条第三項」とあるのは「第六十七条の七第三項」と、同条第六項中「第一項各号」とあるのは「第六十七条の五第一項各号」と読み替えるものとする。

第六十七条の六　（略）

第六十七条の七①　審査官は、第六十七条第四項の延長登録の出願が次の各号のいずれかに該当するときは、その出願について拒絶をすべき旨の査定をしなければならない。

一　その特許発明の実施に第六十七条第四項の政令で定める処

分を受けることが必要であつたとは認められないとき。
二 その特許権者又はその特許権についての専用実施権者若しくは通常実施権を有する者が第六十七条第四項の政令で定める処分を受けていないとき。
三 その延長を求める期間がその特許発明の実施をすることができなかつた期間を超えているとき。
四 その出願をした者が当該特許権者でないとき。
五 その出願が第六十七条の五第四項において準用する第六十七条の二第四項に規定する要件を満たしていないとき。

② 審査官は、第六十七条第四項の延長登録の出願について拒絶の理由を発見しないときは、延長登録をすべき旨の査定をしなければならない。

③ 前項の査定があつたときは、延長登録をする。

④ 前項の延長登録があつたときは、次に掲げる事項を特許公報に掲載しなければならない。
一 特許権者の氏名又は名称及び住所又は居所
二 特許番号
三 第六十七条第四項の延長登録の出願の番号及び年月日
四 延長登録の年月日
五 延長の期間
六 第六十七条第四項の政令で定める処分の内容

第六十七条の八 第六十七条の四前段の規定は、第六十七条第四項の延長登録の出願の審査について準用する。この場合において、第六十七条の四前段中「第七号」とあるのは、「第六号及び第七号」と読み替えるものとする。

（特許権の効力）

第六十八条 特許権者は、業として特許発明の実施をする権利を専有する。ただし、その特許権について専用実施権を設定したときは、専用実施権者がその特許発明の実施をする権利を専有する範囲については、この限りでない。

（第六十七条第四項の規定により存続期間が延長された場合の特許権の効力）

第六十八条の二 第六十七条第四項の規定により同条第一項に規定する存続期間が延長された場合（第六十七条の五第四項において準用する第六十七条の二第五項本文の規定により延長されたものとみなされた場合を含む。）の当該特許権の効力は、その延長登録の理由となつた第六十七条第四項の政令で定める処分の対象となつた物（その処分においてその物の使用される特定の用途が定められている場合にあつては、当該用途に使用されるその物）についての当該特許発明の実施以外の行為には、及ばない。

（特許権の効力が及ばない範囲）

第六九条① 特許権の効力は、試験又は研究のためにする特許発明の実施には、及ばない。

② 特許権の効力は、次に掲げる物には、及ばない。
一 単に日本国内を通過するに過ぎない船舶若しくは航空機又はこれらに使用する機械、器具、装置その他の物
二 特許出願の時から日本国内にある物

③ 二以上の医薬（人の病気の診断、治療、処置又は予防のため使用する物をいう。以下この項において同じ。）を混合することにより製造されるべき医薬の発明又は二以上の医薬を混合して医薬を製造する方法の発明に係る特許権の効力は、医師又は歯科医師の処方せんにより調剤する行為及び医師又は歯科医師の処方せんにより調剤する医薬には、及ばない。

（特許発明の技術的範囲）

第七〇条① 特許発明の技術的範囲は、願書に添付した特許請求の範囲の記載に基づいて定めなければならない。

② 前項の場合においては、願書に添付した明細書の記載及び図面を考慮して、特許請求の範囲に記載された用語の意義を解釈するものとする。

③ 前二項の場合においては、願書に添付した要約書の記載を考慮してはならない。

第七一条① 特許発明の技術的範囲については、特許庁に対し、判定を求めることができる。

② 特許庁長官は、前項の規定による求があつたときは、三名の審判官を指定して、その判定をさせなければならない。

③ 第百三十一条第一項、第百三十一条の二第一項本文、第百三十二条第一項及び第二項、第百三十三条、第百三十三条の二、第百三十四条第一項、第三項及び第四項、第百三十五条、第百三十六条第一項及び第二項、第百三十七条第二項、第百三十八条、第百三十九条（第六号及び第七号を除く。）、第百四十条から第百四十四条まで、第百四十四条の二第一項及び第三項から第五項まで、第百四十五条第二項から第八項まで、第百四十六条、第百四十七条第一項、第二項及び第三項（民事訴訟法第百六十条の二第一項の規定の準用に係る部分に限る。）、第百五十条第一項から第五項まで、第百五十一条から第百五十四条まで、第百五十五条第一項、第百五十七条並びに第百六十九条第三項、第四項及び第六項の規定は、第一項の判定について準用する。この場合において、第百三十五条中「審決」とあるのは「決定」と、第百四十五条第二項中「前項に規定する審判以外の審判」とあるのは「判定の審理」と、同条第六項ただし書中「公の秩序又は善良の風俗を害するおそれがあるとき」とあるのは「審判長が必要があると認めるとき」と、第百五十一条中「第百四十七条」とあるのは「第百四十七条第一項、第二項及び第三項（民事訴訟法第百六十条の二第一項の規定の準用に係る部分に限る。）」と、第百五十五条第一項中「審決が確定するまで」とあるのは「判定の謄本が送達されるまで」と読み替えるものとする。

＊令和四法四八（令和八・五・二四までに施行）による改正前

③ 第百三十一条第一項、第百三十一条の二第一項本文、第百三十二条第一項及び第二項、第百三十三条、第百三十三条の二、第百三十四条第一項、第三項及び第四項、第百三十五条、第百三十六条第一項及び第二項、第百三十七条第二項、第百三十八条、第百三十九条（第六号及び第七号を除く。）、第百四十条から第百四十四条まで、第百四十四条の二第一項及び第三項から第五項まで、第百四十五条第二項から第七項まで、第百四十六条、第百四十七条第一項及び第二項、第百五十条第一項から第五項まで、第百五十一条から第百五十四条まで、第百五十五条第一項、第百五十七条並びに第百六十九条第三項、第四項及び第六項の規定は、第一項の判定について準用する。この場合において、第百三十五条中「審決」とあるのは「決定」と、第百四十五条第二項中「前項に規定する審判以外の審判」とあるのは「判定の審理」と、同条第五項ただし書中「公の秩序又は善良の風俗を害するおそれがあるとき」とあるのは「審判長が必要があると認めるとき」と、第百五十一条中「第百四十七条」とあるのは「第百四十七条第一項及び第二項」と、第百五十五条第一項中「審決が確定するまで」とあるのは「判定の謄本が送達されるまで」と読み替えるものとする。

④ 前項において読み替えて準用する第百三十五条の規定による決定に対しては、不服を申し立てることができない。

第七一条の二（略）

（他人の特許発明等との関係）

第七二条 特許権者、専用実施権者又は通常実施権者は、その特許発明がその特許出願の日前の他人の特許発明、登録実用新案若しくは登録意匠若しくはこれに類似する意匠を利用するものであるとき、又はその特許権がその特許出願の日前の出願に係る他人の意匠権若しくは商標権と抵触するときは、業としてその特許発明の実施をすることができない。

（共有に係る特許権）

第七三条① 特許権が共有に係るときは、各共有者は、他の共有者の同意を得なければ、その持分を譲渡し、又はその持分を目的として質権を設定することができない。

② 特許権が共有に係るときは、各共有者は、契約で別段の定をした場合を除き、他の共有者の同意を得ないでその特許発明の実施をすることができる。

③ 特許権が共有に係るときは、各共有者は、他の共有者の同意

を得なければ、その特許権について専用実施権を設定し、又は他人に通常実施権を許諾することができない。

（特許権の移転の特例）

第七四条① 特許が第百二十三条第一項第二号に規定する要件に該当するとき（その特許が第三十八条の規定に違反してされたときに限る。）又は同項第六号に規定する要件に該当するときは、当該特許に係る発明について特許を受ける権利を有する者は、経済産業省令で定めるところにより、その特許権者に対し、当該特許権の移転を請求することができる。

② 前項の規定による請求に基づく特許権の移転の登録があつたときは、その特許権は、初めから当該登録を受けた者に帰属していたものとみなす。当該特許権に係る発明についての第六十五条第一項又は第百八十四条の十第一項の規定による請求権についても、同様とする。

③ 共有に係る特許権について第一項の規定による請求に基づきその持分を移転する場合においては、前条第一項の規定は、適用しない。

第七五条 削除

第七六条 （略）

（専用実施権）

第七七条① 特許権者は、その特許権について専用実施権を設定することができる。

② 専用実施権者は、設定行為で定めた範囲内において、業としてその特許発明の実施をする権利を専有する。

③ 専用実施権は、実施の事業とともにする場合、特許権者の承諾を得た場合及び相続その他の一般承継の場合に限り、移転することができる。

④ 専用実施権者は、特許権者の承諾を得た場合に限り、その専用実施権について質権を設定し、又は他人に通常実施権を許諾することができる。

⑤ 第七十三条の規定は、専用実施権に準用する。

（通常実施権）

第七八条① 特許権者は、その特許権について他人に通常実施権を許諾することができる。

② 通常実施権者は、この法律の規定により又は設定行為で定めた範囲内において、業としてその特許発明の実施をする権利を有する。

（先使用による通常実施権）

第七九条 特許出願に係る発明の内容を知らないで自らその発明をし、又は特許出願に係る発明の内容を知らないでその発明をした者から知得して、特許出願の際現に日本国内においてその発明の実施である事業をしている者又はその事業の準備をしている者は、その実施又は準備をしている発明及び事業の目的の範囲内において、その特許出願に係る特許権について通常実施権を有する。

（特許権の移転の登録前の実施による通常実施権）

第七九条の二① 第七十四条第一項の規定による請求に基づく特許権の移転の登録の際現にその特許権、その特許権についての専用実施権又はその特許権若しくは専用実施権についての通常実施権を有していた者であつて、その特許権の移転の登録前に、特許が第百二十三条第一項第二号に規定する要件に該当すること（その特許が第三十八条の規定に違反してされたときに限る。）又は同項第六号に規定する要件に該当することを知らないで、日本国内において当該発明の実施である事業をしているもの又はその事業の準備をしているものは、その実施又は準備をしている発明及び事業の目的の範囲内において、その特許権について通常実施権を有する。

② 当該特許権者は、前項の規定により通常実施権を有する者から相当の対価を受ける権利を有する。

（無効審判の請求登録前の実施による通常実施権）

第八〇条① 次の各号のいずれかに該当する者であつて、特許無効審判の請求の登録前に、特許が第百二十三条第一項各号のいずれかに規定する要件に該当することを知らないで、日本国内において当該発明の実施である事業をしているもの又はその事業の準備をしているものは、その実施又は準備をしている発明及び事業の目的の範囲内において、その特許を無効にした場合における特許権又はその際現に存する専用実施権について通常実施権を有する。

一 同一の発明についての二以上の特許のうち、その一を無効にした場合における原特許権者

二 特許を無効にして同一の発明について正当権利者に特許をした場合における原特許権者

三 前二号に掲げる場合において、特許無効審判の請求の登録の際現にその無効にした特許に係る特許権についての専用実施権又はその特許権若しくは専用実施権についての通常実施権を有する者

② 当該特許権者又は専用実施権者は、前項の規定により通常実施権を有する者から相当の対価を受ける権利を有する。

第八一条及び第八二条 （略）

（不実施の場合の通常実施権の設定の裁定）

第八三条① 特許発明の実施が継続して三年以上日本国内において適当にされていないときは、その特許発明の実施をしようとする者は、特許権者又は専用実施権者に対し通常実施権の許諾について協議を求めることができる。ただし、その特許発明に係る特許出願の日から四年を経過していないときは、この限りでない。

② 前項の協議が成立せず、又は協議をすることができないときは、その特許発明の実施をしようとする者は、特許庁長官の裁定を請求することができる。

第八四条から第九一条の二まで （略）

（自己の特許発明の実施をするための通常実施権の設定の裁定）

第九二条① 特許権者又は専用実施権者は、その特許発明が第七十二条に規定する場合に該当するときは、同条の他人に対しその特許発明の実施をするための通常実施権又は実用新案権若しくは意匠権についての通常実施権の許諾について協議を求めることができる。

② 前項の協議を求められた第七十二条の他人は、その協議を求めた特許権者又は専用実施権者に対し、これらの者がその協議により通常実施権又は実用新案権若しくは意匠権についての通常実施権の許諾を受けて実施をしようとする特許発明の範囲内において、通常実施権の許諾について協議を求めることができる。

③ 第一項の協議が成立せず、又は協議をすることができないときは、特許権者又は専用実施権者は、特許庁長官の裁定を請求することができる。

④ 第二項の協議が成立せず、又は協議をすることができない場合において、前項の裁定の請求があつたときは、第七十二条の他人は、第七項において準用する第八十四条の規定によりその者が答弁書を提出すべき期間として特許庁長官が指定した期間内に限り、特許庁長官の裁定を請求することができる。

⑤ 特許庁長官は、第三項又は前項の場合において、当該通常実施権を設定することが第七十二条の他人又は特許権者若しくは専用実施権者の利益を不当に害することとなるときは、当該通常実施権を設定すべき旨の裁定をすることができない。

⑥ 特許庁長官は、前項に規定する場合のほか、第四項の場合において、第三項の裁定の請求について通常実施権を設定すべき旨の裁定をしないときは、当該通常実施権を設定すべき旨の裁定をすることができない。

⑦ 第八十四条、第八十四条の二、第八十五条第一項及び第八十六条から前条までの規定は、第三項又は第四項の裁定に準用する。

（公共の利益のための通常実施権の設定の裁定）

第九三条① 特許発明の実施が公共の利益のため特に必要であるときは、その特許発明の実施をしようとする者は、特許権者又は専用実施権者に対し通常実施権の許諾について協議を求める

ことができる。

② 前項の協議が成立せず、又は協議をすることができないときは、その特許発明の実施をしようとする者は、経済産業大臣の裁定を請求することができる。

③ 第八十四条、第八十四条の二、第八十五条第一項及び第八十六条から第九十一条の二までの規定は、前項の裁定に準用する。

（通常実施権の移転等）

第九四条① 通常実施権は、第八十三条第二項、第九十二条第三項若しくは第四項若しくは前条第二項、実用新案法第二十二条第三項又は意匠法第三十三条第三項の裁定による通常実施権を除き、実施の事業とともにする場合、特許権者（専用実施権についての通常実施権にあつては、特許権者及び専用実施権者）の承諾を得た場合及び相続その他の一般承継の場合に限り、移転することができる。

② 通常実施権者は、第八十三条第二項、第九十二条第三項若しくは第四項若しくは前条第二項、実用新案法第二十二条第三項又は意匠法第三十三条第三項の裁定による通常実施権を除き、特許権者（専用実施権についての通常実施権にあつては、特許権者及び専用実施権者）の承諾を得た場合に限り、その通常実施権について質権を設定することができる。

③ 第八十三条第二項又は前条第二項の裁定による通常実施権は、実施の事業とともにする場合に限り、移転することができる。

④ 第九十二条第三項、実用新案法第二十二条第三項又は意匠法第三十三条第三項の裁定による通常実施権は、その通常実施権者の当該特許権、実用新案権又は意匠権が実施の事業とともに移転したときはこれらに従つて移転し、その特許権、実用新案権又は意匠権が実施の事業と分離して移転したとき、又は消滅したときは消滅する。

⑤ 第九十二条第四項の裁定による通常実施権は、その通常実施権者の当該特許権、実用新案権又は意匠権に従つて移転し、その特許権、実用新案権又は意匠権が消滅したときは消滅する。

⑥ 第七十三条第一項の規定は、通常実施権に準用する。

（質権）

第九五条 特許権、専用実施権又は通常実施権を目的として質権を設定したときは、質権者は、契約で別段の定をした場合を除き、当該特許発明の実施をすることができない。

第九六条 （略）

（特許権等の放棄）

第九七条① 特許権者は、専用実施権者又は質権者があるときは、これらの者の承諾を得た場合に限り、その特許権を放棄することができる。

② 専用実施権者は、質権者又は第七十七条第四項の規定による通常実施権者があるときは、これらの者の承諾を得た場合に限り、その専用実施権を放棄することができる。

③ 通常実施権者は、質権者があるときは、その承諾を得た場合に限り、その通常実施権を放棄することができる。

（登録の効果）

第九八条① 次に掲げる事項は、登録しなければ、その効力を生じない。

一 特許権の移転（相続その他の一般承継によるものを除く。）、信託による変更、放棄による消滅又は処分の制限

二 専用実施権の設定、移転（相続その他の一般承継によるものを除く。）、変更、消滅（混同又は特許権の消滅によるものを除く。）又は処分の制限

三 特許権又は専用実施権を目的とする質権の設定、移転（相続その他の一般承継によるものを除く。）、変更、消滅（混同又は担保する債権の消滅によるものを除く。）又は処分の制限

② 前項各号の相続その他の一般承継の場合は、遅滞なく、その旨を特許庁長官に届け出なければならない。

（通常実施権の対抗力）

第九九条 通常実施権は、その発生後にその特許権若しくは専用実施権又はその特許権についての専用実施権を取得した者に対しても、その効力を有する。

第二節　権利侵害

（差止請求権）

第一〇〇条① 特許権者又は専用実施権者は、自己の特許権又は専用実施権を侵害する者又は侵害するおそれがある者に対し、その侵害の停止又は予防を請求することができる。

② 特許権者又は専用実施権者は、前項の規定による請求をするに際し、侵害の行為を組成した物（物を生産する方法の特許発明にあつては、侵害の行為により生じた物を含む。第百二条第一項において同じ。）の廃棄、侵害の行為に供した設備の除却その他の侵害の予防に必要な行為を請求することができる。

（侵害とみなす行為）

第一〇一条 次に掲げる行為は、当該特許権又は専用実施権を侵害するものとみなす。

一 特許が物の発明についてされている場合において、業として、その物の生産にのみ用いる物の生産、譲渡等若しくは輸入又は譲渡等の申出をする行為

二 特許が物の発明についてされている場合において、その物の生産に用いる物（日本国内において広く一般に流通しているものを除く。）であつてその発明による課題の解決に不可欠なものにつき、その発明が特許発明であること及びその物がその発明の実施に用いられることを知りながら、業として、その生産、譲渡等若しくは輸入又は譲渡等の申出をする行為

三 特許が物の発明についてされている場合において、その物を業としての譲渡等又は輸出のために所持する行為

四 特許が方法の発明についてされている場合において、業として、その方法の使用にのみ用いる物の生産、譲渡等若しくは輸入又は譲渡等の申出をする行為

五 特許が方法の発明についてされている場合において、その方法の使用に用いる物（日本国内において広く一般に流通しているものを除く。）であつてその発明による課題の解決に不可欠なものにつき、その発明が特許発明であること及びその物がその発明の実施に用いられることを知りながら、業として、その生産、譲渡等若しくは輸入又は譲渡等の申出をする行為

六 特許が物を生産する方法の発明についてされている場合において、その方法により生産した物を業としての譲渡等又は輸出のために所持する行為

（損害の額の推定等）

第一〇二条① 特許権者又は専用実施権者が故意又は過失により自己の特許権又は専用実施権を侵害した者に対しその侵害により自己が受けた損害の賠償を請求する場合において、その者がその侵害の行為を組成した物を譲渡したときは、次の各号に掲げる額の合計額を、特許権者又は専用実施権者が受けた損害の額とすることができる。

一 特許権者又は専用実施権者がその侵害の行為がなければ販売することができた物の単位数量当たりの利益の額に、自己の特許権又は専用実施権を侵害した者が譲渡した物の数量（次号において「譲渡数量」という。）のうち当該特許権者又は専用実施権者の実施の能力に応じた数量（同号において「実施相応数量」という。）を超えない部分（その全部又は一部に相当する数量を当該特許権者又は専用実施権者が販売することができないとする事情があるときは、当該事情に相当する数量（同号において「特定数量」という。）を控除した数量）を乗じて得た額

二 譲渡数量のうち実施相応数量を超える数量又は特定数量がある場合（特許権者又は専用実施権者が、当該特許権者の特許権についての専用実施権の設定若しくは通常実施権の許諾又は当該専用実施権者の専用実施権についての通常実施権の許諾をし得たと認められない場合を除く。）におけるこれらの数量に応じた当該特許権又は専用実施権に係る特許発明の実

施に対し受けるべき金銭の額に相当する額

② 特許権者又は専用実施権者が故意又は過失により自己の特許権又は専用実施権を侵害した者に対しその侵害により自己が受けた損害の賠償を請求する場合において、その者がその侵害の行為により利益を受けているときは、その利益の額は、特許権者又は専用実施権者が受けた損害の額と推定する。

③ 特許権者又は専用実施権者は、故意又は過失により自己の特許権又は専用実施権を侵害した者に対し、その特許発明の実施に対し受けるべき金銭の額に相当する額の金銭を、自己が受けた損害の額としてその賠償を請求することができる。

④ 裁判所は、第一項第二号及び前項に規定する特許発明の実施に対し受けるべき金銭の額に相当する額を認定するに当たつては、特許権者又は専用実施権者が、自己の特許権又は専用実施権に係る特許発明の実施の対価について、当該特許権又は専用実施権の侵害があつたことを前提として当該特許権又は専用実施権を侵害した者との間で合意をするとしたならば、当該特許権者又は専用実施権者が得ることとなるその対価を考慮することができる。

⑤ 第三項の規定は、同項に規定する金額を超える損害の賠償の請求を妨げない。この場合において、特許権又は専用実施権を侵害した者に故意又は重大な過失がなかつたときは、裁判所は、損害の賠償の額を定めるについて、これを参酌することができる。

（過失の推定）

第一〇三条 他人の特許権又は専用実施権を侵害した者は、その侵害の行為について過失があつたものと推定する。

（生産方法の推定）

第一〇四条 物を生産する方法の発明について特許がされている場合において、その物が特許出願前に日本国内において公然知られた物でないときは、その物と同一の物は、その方法により生産したものと推定する。

（具体的態様の明示義務）

第一〇四条の二 特許権又は専用実施権の侵害に係る訴訟において、特許権者又は専用実施権者が侵害の行為を組成したものとして主張する物又は方法の具体的態様を否認するときは、相手方は、自己の行為の具体的態様を明らかにしなければならない。ただし、相手方において明らかにすることができない相当の理由があるときは、この限りでない。

（特許権者等の権利行使の制限）

第一〇四条の三① 特許権又は専用実施権の侵害に係る訴訟において、当該特許が特許無効審判により又は当該特許権の存続期間の延長登録が延長登録無効審判により無効にされるべきものと認められるときは、特許権者又は専用実施権者は、相手方に対しその権利を行使することができない。

② 前項の規定による攻撃又は防御の方法については、これが審理を不当に遅延させることを目的として提出されたものと認められるときは、裁判所は、申立てにより又は職権で、却下の決定をすることができる。

③ 第百二十三条第二項の規定は、当該特許に係る発明について特許無効審判を請求することができる者以外の者が第一項の規定による攻撃又は防御の方法を提出することを妨げない。

（主張の制限）

第一〇四条の四 特許権若しくは専用実施権の侵害又は第六十五条第一項若しくは第百八十四条の十第一項に規定する補償金の支払の請求に係る訴訟の終局判決が確定した後に、次に掲げる決定又は審決が確定したときは、当該訴訟の当事者であつた者は、当該終局判決に対する再審の訴え（当該訴訟を本案とする仮差押命令事件の債権者に対する損害賠償の請求を目的とする訴え並びに当該訴訟を本案とする仮処分命令事件の債権者に対する損害賠償及び不当利得返還の請求を目的とする訴えを含む。）において、当該決定又は審決が確定したことを主張することができない。

一 当該特許を取り消すべき旨の決定又は無効にすべき旨の審決

二 当該特許権の存続期間の延長登録を無効にすべき旨の審決

三 当該特許の願書に添付した明細書、特許請求の範囲又は図面の訂正をすべき旨の決定又は審決であつて政令で定めるもの

（書類の提出等）

第一〇五条① 裁判所は、特許権又は専用実施権の侵害に係る訴訟においては、当事者の申立てにより、当事者に対し、当該侵害行為について立証するため、又は当該侵害の行為による損害の計算をするため必要な書類又は電磁的記録（電子的方式、磁気的方式その他人の知覚によつては認識することができない方式で作られる記録であつて、電子計算機による情報処理の用に供されるものをいう。以下同じ。）の提出を命ずることができる。ただし、その書類の所持者又はその電磁的記録を利用する権限を有する者においてその提出を拒むことについて正当な理由があるときは、この限りでない。

② 裁判所は、前項本文の申立てに係る書類若しくは電磁的記録が同項本文の書類若しくは電磁的記録に該当するかどうか又は同項ただし書に規定する正当な理由があるかどうかの判断をするため必要があると認めるときは、書類の所持者又は電磁的記録を利用する権限を有する者にその提示をさせることができる。この場合においては、何人も、その提示された書類又は電磁的記録の開示を求めることができない。

③ 裁判所は、前項の場合において、第一項本文の申立てに係る書類若しくは電磁的記録が同項本文の書類若しくは電磁的記録に該当するかどうか又は同項ただし書に規定する正当な理由があるかどうかについて前項後段の書類又は電磁的記録を開示してその意見を聴くことが必要であると認めるときは、当事者等（当事者（法人である場合にあつては、その代表者）又は当事者の代理人（訴訟代理人及び補佐人を除く。）、使用人その他の従業者をいう。以下同じ。）、訴訟代理人又は補佐人に対し、当該書類又は当該電磁的記録を開示することができる。

④ 裁判所は、第二項の場合において、同項後段の書類又は電磁的記録を開示して専門的な知見に基づく説明を聴くことが必要であると認めるときは、当事者の同意を得て、専門委員（民事訴訟法第一編第五章第二節第一款に規定する専門委員をいう。第百五条の二の六第四項において同じ。）に対し、当該書類又は当該電磁的記録を開示することができる。

⑤ 前各項の規定は、特許権又は専用実施権の侵害に係る訴訟における当該侵害行為について立証するため必要な検証の目的の提示について準用する。

＊令和四法四八（令和八・五・二四までに施行）による改正前

（書類の提出等）

第一〇五条① 裁判所は、特許権又は専用実施権の侵害に係る訴訟においては、当事者の申立てにより、当事者に対し、当該侵害行為について立証するため、又は当該侵害の行為による損害の計算をするため必要な書類の提出を命ずることができる。ただし、その書類の所持者においてその提出を拒むことについて正当な理由があるときは、この限りでない。

② 裁判所は、前項本文の申立てに係る書類が同項本文の書類に該当するかどうか又は同項ただし書に規定する正当な理由があるかどうかの判断をするため必要があると認めるときは、書類の所持者にその提示をさせることができる。この場合においては、何人も、その提示された書類の開示を求めることができない。

③ 裁判所は、前項の場合において、第一項本文の申立てに係る書類が同項本文の書類に該当するかどうか又は同項ただし書に規定する正当な理由があるかどうかについて前項後段の書類を開示してその意見を聴くことが必要であると認めるときは、当事者等（当事者（法人である場合にあつては、その代表者）又は当事者の代理人（訴訟代理人及び補佐人を除く。）、使用人その他の従業者をいう。以下同じ。）、訴訟代理人又は補佐人に対し、当該書類を開示することができる。

④ 裁判所は、第二項の場合において、同項後段の書類を開示して専門的な知見に基づく説明を聴くことが必要であると認めるときは、当事者の同意を得て、専門委員（民事訴訟法第一編第五章第二節第一款に規定する専門委員をいう。第百五条の二の六第四項において同じ。）に対し、当該書類を開示することができる。

⑤ （略）

（査証人に対する査証の命令）

第一〇五条の二① 裁判所は、特許権又は専用実施権の侵害に係る訴訟においては、当事者の申立てにより、立証されるべき事実の有無を判断するため、相手方が所持し、又は管理する書類又は装置その他の物（以下「書類等」という。）について、確認、作動、計測、実験その他の措置をとることによる証拠の収集が必要であると認められる場合において、特許権又は専用実施権を相手方が侵害したことを疑うに足りる相当な理由があると認められ、かつ、申立人が自ら又は他の手段によつては、当該証拠の収集を行うことができないと見込まれるときは、相手方の意見を聴いて、査証人に対し、査証を命ずることができる。ただし、当該証拠の収集に要すべき時間又は査証を受けるべき当事者の負担が不相当なものとなることその他の事情により、相当でないと認めるときは、この限りでない。

② 査証の申立ては、次に掲げる事項を記載した書面でしなければならない。

一 特許権又は専用実施権を相手方が侵害したことを疑うに足りる相当な理由があると認められるべき事由

二 査証の対象とすべき書類等を特定するに足りる事項及び書類等の所在地

三 立証されるべき事実及びこれと査証により得られる証拠との関係

四 申立人が自ら又は他の手段によつては、前号に規定する証拠の収集を行うことができない理由

五 第百五条の二の四第二項の裁判所の許可を受けようとする場合にあつては、当該許可に係る措置及びその必要性

③ 裁判所は、第一項の規定による命令をした後において、同項ただし書に規定する事情により査証をすることが相当でないと認められるに至つたときは、その命令を取り消すことができる。

④ 査証の命令の申立てについての決定に対しては、即時抗告をすることができる。

（査証人の指定等）

第一〇五条の二の二① 査証は、査証人がする。

② 査証人は、裁判所が指定する。

③ 裁判所は、円滑に査証をするために必要と認められるときは、当事者の申立てにより、執行官に対し、査証人が査証をするに際して必要な援助をすることを命ずることができる。

（忌避）

第一〇五条の二の三① 査証人について誠実に査証をすることを妨げるべき事情があるときは、当事者は、その査証人が査証をする前に、これを忌避することができる。査証人が査証をした場合であつても、その後に、忌避の原因が生じ、又は当事者がその原因があることを知つたときは、同様とする。

② 民事訴訟法第二百十四条第二項から第四項までの規定は、前項の忌避の申立て及びこれに対する決定について準用する。この場合において、同条第二項中「受訴裁判所、受命裁判官又は受託裁判官」とあるのは、「裁判所」と読み替えるものとする。

（査証）

第一〇五条の二の四① 査証人は、第百五条の二第一項の規定による命令が発せられたときは、査証をし、その結果についての報告書（以下「査証報告書」という。）を作成し、これを裁判所に提出しなければならない。

② 査証人は、査証をするに際し、査証の対象とすべき書類等が所在する査証を受ける当事者の工場、事務所その他の場所（次項及び次条において「工場等」という。）に立ち入り、又は査証を受ける当事者に対し、質問をし、若しくは書類等の提示を求めることができるほか、装置の作動、計測、実験その他査証のために必要な措置として裁判所の許可を受けた措置をとることができる。

③ 執行官は、第百五条の二の二第三項の必要な援助をするに際し、査証の対象とすべき書類等が所在する査証を受ける当事者の工場等に立ち入り、又は査証を受ける当事者に対し、査証人を補助するため、質問をし、若しくは書類等の提示を求めることができる。

④ 前二項の場合において、査証を受ける当事者は、査証人及び執行官に対し、査証に必要な協力をしなければならない。

⑤ 第一項の規定により裁判所に提出された査証報告書については、民事訴訟法第百三十二条の十三の規定は、適用しない。

＊令和四法四八（令和八・五・二四までに施行）により第五項追加

（査証を受ける当事者が工場等への立入りを拒む場合等の効果）

第一〇五条の二の五 査証を受ける当事者が前条第二項の規定による査証人の工場等への立入りの要求若しくは質問若しくは書類等の提示の要求又は装置の作動、計測、実験その他査証のために必要な措置として裁判所の許可を受けた措置の要求に対し、正当な理由なくこれらに応じないときは、裁判所は、立証されるべき事実に関する申立人の主張を真実と認めることができる。

（査証報告書の写しの送達等）

第一〇五条の二の六① 裁判所は、査証報告書が提出されたときは、その写しを、査証を受けた当事者に送達しなければならない。

② 査証を受けた当事者は、査証報告書の写しの送達を受けた日から二週間以内に、査証報告書の全部又は一部を申立人に開示しないことを申し立てることができる。

③ 裁判所は、前項の規定による申立てがあつた場合において、正当な理由があると認めるときは、決定で、査証報告書の全部又は一部を申立人に開示しないこととすることができる。

④ 裁判所は、前項に規定する正当な理由があるかどうかについて査証報告書の全部又は一部を開示してその意見を聴くことが必要であると認めるときは、当事者等、訴訟代理人、補佐人又は専門委員に対し、査証報告書の全部又は一部を開示することができる。ただし、当事者等、補佐人又は専門委員に対し、査証報告書の全部又は一部を開示するときは、あらかじめ査証を受けた当事者の同意を得なければならない。

⑤ 第二項の規定による申立てを却下する決定及び第三項の査証報告書の全部又は一部を開示しないこととする決定に対しては、即時抗告をすることができる。

（査証報告書の閲覧等）

第一〇五条の二の七① 申立人及び査証を受けた当事者は、前条第二項に規定する期間内に査証を受けた当事者の申立てがなかつたとき、又は同項の規定による申立てについての裁判が確定したときは、裁判所書記官に対し、同条第三項の規定により全部を開示しないこととされた場合を除き、査証報告書（同項の規定により一部を開示しないこととされた場合にあつては、当該一部の記載を除く。）の閲覧若しくは謄写又はその正本、謄本若しくは抄本の交付を請求することができる。

② 前項に規定する場合のほか、何人も、その提出された査証報告書の閲覧若しくは謄写、その正本、謄本若しくは抄本の交付又はその複製を求めることができない。

③ 民事訴訟法第九十一条第四項及び第五項の規定は、第一項に規定する査証報告書について準用する。この場合において、同条第四項中「前項」とあるのは「特許法第百五条の二の七第一項」と、「当事者又は利害関係を疎明した第三者」とあるのは

「申立人又は査証を受けた当事者」と読み替えるものとする。

（査証人の証言拒絶権）

第一〇五条の二の八① 査証人又は査証人であつた者が査証に関して知得した秘密に関する事項について証人として尋問を受ける場合には、その証言を拒むことができる。

② 民事訴訟法第百九十七条第二項の規定は、前項の場合に準用する。

（査証人の旅費等）

第一〇五条の二の九 査証人に関する旅費、日当及び宿泊料並びに査証料及び査証に必要な費用については、その性質に反しない限り、民事訴訟費用等に関する法律（昭和四十六年法律第四十号）中これらに関する規定の例による。

（最高裁判所規則への委任）

第一〇五条の二の一〇 この法律に定めるもののほか、第百五条の二から前条までの規定の実施に関し必要な事項は、最高裁判所規則で定める。

（第三者の意見）

第一〇五条の二の一一① 民事訴訟法第六条第一項各号に定める裁判所は、特許権又は専用実施権の侵害に係る訴訟の第一審において、当事者の申立てにより、必要があると認めるときは、他の当事者の意見を聴いて、広く一般に対し、当該事件に関するこの法律の適用その他の必要な事項について、相当の期間を定めて、その者の選択により書面又は電磁的方法（民事訴訟法第百三十二条の二第一項に規定する電磁的方法をいう。以下この条において同じ。）のいずれかにより意見を提出することを求めることができる。

② 民事訴訟法第六条第一項各号に定める裁判所が第一審としてした特許権又は専用実施権の侵害に係る訴訟についての終局判決に対する控訴が提起された東京高等裁判所は、当該控訴に係る訴訟において、当事者の申立てにより、必要があると認めるときは、他の当事者の意見を聴いて、広く一般に対し、当該事件に関するこの法律の適用その他の必要な事項について、相当の期間を定めて、その者の選択により書面又は電磁的方法のいずれかにより意見を提出することを求めることができる。

③ 当事者は、裁判所書記官に対し、前二項の規定により提出された書面の閲覧若しくは謄写又はその正本、謄本若しくは抄本の交付又はこれらの規定により電磁的方法によつて提出された意見に係る電磁的記録の閲覧若しくは複写若しくはその内容の全部若しくは一部を証明した書面の交付若しくはその内容の全部若しくは一部を証明した電磁的記録の提供を請求することができる。

④ 民事訴訟法第九十一条第五項（同法第九十一条の二第四項において準用する場合を含む。）の規定は、第一項及び第二項の規定により提出された書面の閲覧及び謄写並びにこれらの規定により電磁的方法によつて提出された意見に係る電磁的記録の閲覧及び複写について準用する。

⑤ 第一項及び第二項の規定により裁判所に提出された書面及び電磁的記録を記録した記録媒体については、民事訴訟法第百三十二条の十三の規定は、適用しない。

＊令和四法四八（令和八・五・二四までに施行）による改正前

（第三者の意見）

第一〇五条の二の一一① 民事訴訟法第六条第一項各号に定める裁判所は、特許権又は専用実施権の侵害に係る訴訟の第一審において、当事者の申立てにより、必要があると認めるときは、他の当事者の意見を聴いて、広く一般に対し、当該事件に関するこの法律の適用その他の必要な事項について、相当の期間を定めて、意見を記載した書面の提出を求めることができる。

② 民事訴訟法第六条第一項各号に定める裁判所が第一審としてした特許権又は専用実施権の侵害に係る訴訟についての終局判決に対する控訴が提起された東京高等裁判所は、当該控訴に係る訴訟において、当事者の申立てにより、必要があると認めるときは、他の当事者の意見を聴いて、広く一般に対し、当該事件に関するこの法律の適用その他の必要な事項について、相当の期間を定めて、意見を記載した書面の提出を求めることができる。

③ 当事者は、裁判所書記官に対し、前二項の規定により提出された書面の閲覧若しくは謄写又はその正本、謄本若しくは抄本の交付を請求することができる。

④ 民事訴訟法第九十一条第五項の規定は、第一項及び第二項の規定により提出された書面の閲覧及び謄写について準用する。

⑤ （改正により追加）

（損害計算のための鑑定）

第一〇五条の二の一二 特許権又は専用実施権の侵害に係る訴訟において、当事者の申立てにより、裁判所が当該侵害の行為による損害の計算をするため必要な事項について鑑定を命じたときは、当事者は、鑑定人に対し、当該鑑定をするため必要な事項について説明しなければならない。

（相当な損害額の認定）

第一〇五条の三 特許権又は専用実施権の侵害に係る訴訟において、損害が生じたことが認められる場合において、損害額を立証するために必要な事実を立証することが当該事実の性質上極めて困難であるときは、裁判所は、口頭弁論の全趣旨及び証拠調べの結果に基づき、相当な損害額を認定することができる。

（秘密保持命令）

第一〇五条の四① 裁判所は、特許権又は専用実施権の侵害に係る訴訟において、その当事者が保有する営業秘密（不正競争防止法（平成五年法律第四十七号）第二条第六項に規定する営業秘密をいう。以下同じ。）について、次に掲げる事由のいずれにも該当することにつき疎明があつた場合には、当事者の申立てにより、決定で、当事者等、訴訟代理人又は補佐人に対し、当該営業秘密を当該訴訟の追行の目的以外の目的で使用し、又は当該営業秘密に係るこの項の規定による命令を受けた者以外の者に開示してはならない旨を命ずることができる。ただし、その申立ての時までに当事者等、訴訟代理人又は補佐人が第一号に規定する準備書面の閲読又は同号に規定する証拠の取調べ若しくは開示以外の方法により当該営業秘密を取得し、又は保有していた場合は、この限りでない。

一 既に提出され若しくは提出されるべき準備書面に当事者の保有する営業秘密が記載され、又は既に取り調べられ若しくは取り調べられるべき証拠（第百五条第三項の規定により開示された書類若しくは電磁的記録、第百五条の二の四第一項の規定により提出された査証報告書の全部若しくは一部又は第百五条の七第四項の規定により開示された書面若しくは電磁的記録を含む。）の内容に当事者の保有する営業秘密が含まれること。

＊令和四法四八（令和八・五・二四までに施行）による改正

第一号中「書類」は「書類若しくは電磁的記録」に、「書面を」は「書面若しくは電磁的記録を」に改められた。（本文織込み済み）

二 前号の営業秘密が当該訴訟の追行の目的以外の目的で使用され、又は当該営業秘密が開示されることにより、当該営業秘密に基づく当事者の事業活動に支障を生ずるおそれがあり、これを防止するため当該営業秘密の使用又は開示を制限する必要があること。

② 前項の規定による命令（以下「秘密保持命令」という。）の申立ては、次に掲げる事項を記載した書面でしなければならない。

一 秘密保持命令を受けるべき者

二 秘密保持命令の対象となるべき営業秘密を特定するに足りる事実

三 前項各号に掲げる事由に該当する事実

③ 秘密保持命令が発せられた場合には、その電子決定書（民事訴訟法第百二十二条において準用する同法第二百五十二条第一項の規定により作成された電磁的記録（同法第百二十二条にお

いて準用する同法第二百五十三条第二項の規定により裁判所の使用に係る電子計算機（入出力装置を含む。）に備えられたファイルに記録されたものに限る。）をいう。次項及び次条第二項において同じ。）を秘密保持命令を受けた者に送達しなければならない。

＊令和四法四八（令和八・五・二四までに施行）**による改正前**
③ 秘密保持命令が発せられた場合には、その決定書を秘密保持命令を受けた者に送達しなければならない。

④ 秘密保持命令は、秘密保持命令を受けた者に対する電子決定書の送達がされた時から、効力を生ずる。

＊令和四法四八（令和八・五・二四までに施行）**による改正**
第四項中「決定書」は「電子決定書」に改められた。（本文織込み済み）

⑤ 秘密保持命令の申立てを却下した裁判に対しては、即時抗告をすることができる。

第一〇五条の五（秘密保持命令の取消し）① 秘密保持命令の申立てをした者又は秘密保持命令を受けた者は、訴訟記録の存する裁判所（訴訟記録の存する裁判所がない場合にあつては、秘密保持命令を発した裁判所）に対し、前条第一項に規定する要件を欠くこと又はこれを欠くに至つたことを理由として、秘密保持命令の取消しの申立てをすることができる。

② 秘密保持命令の取消しの申立てについての裁判があつた場合には、その電子決定書をその申立てをした者及び相手方に送達しなければならない。

＊令和四法四八（令和八・五・二四までに施行）**による改正**
第二項中「決定書」は「電子決定書」に改められた。（本文織込み済み）

③ 秘密保持命令の取消しの申立てについての裁判に対しては、即時抗告をすることができる。

④ 秘密保持命令を取り消す裁判は、確定しなければその効力を生じない。

⑤ 裁判所は、秘密保持命令を取り消す裁判をした場合において、秘密保持命令の取消しの申立てをした者又は相手方以外に当該秘密保持命令が発せられた訴訟において当該営業秘密に係る秘密保持命令を受けている者があるときは、その者に対し、直ちに、秘密保持命令を取り消す裁判をした旨を通知しなければならない。

第一〇五条の六（訴訟記録の閲覧等の請求の通知等）① 秘密保持命令が発せられた訴訟（すべての秘密保持命令が取り消された訴訟を除く。）に係る訴訟記録につき、民事訴訟法第九十二条第一項の決定があつた場合において、当事者から同項に規定する秘密記載部分の閲覧等の請求があり、かつ、その請求の手続を行つた者が当該訴訟において秘密保持命令を受けていない者であるときは、裁判所書記官は、同項の申立てをした当事者（その請求をした者を除く。第三項において同じ。）に対し、その請求後直ちに、その請求があつた旨を通知しなければならない。

② 前項の場合において、裁判所書記官は、同項の請求があつた日から二週間を経過する日までの間（その請求の手続を行つた者に対する秘密保持命令の申立てがその日までにされた場合にあつては、その申立てについての裁判が確定するまでの間）、その請求の手続を行つた者に同項の秘密記載部分の閲覧等をさせてはならない。

③ 前二項の規定は、第一項の請求をした者に同項の秘密記載部分の閲覧等をさせることについて民事訴訟法第九十二条第一項の申立てをした当事者のすべての同意があるときは、適用しない。

第一〇五条の七（当事者尋問等の公開停止）① 特許権又は専用実施権の侵害に係る訴訟における当事者等が、その侵害の有無についての判断の基礎となる事項であつて当事者の保有する営業秘密に該当するものについて、当事者本人若しくは法定代理人又は証人として尋問を受ける場合においては、裁判所は、裁判官の全員一致により、その当事者等が公開の法廷で当該事項について陳述をすることにより当該営業秘密に基づく当事者の事業活動に著しい支障を生ずることが明らかであることから当該事項について十分な陳述をすることができず、かつ、当該陳述を欠くことにより他の証拠のみによつては当該事項を判断の基礎とすべき特許権又は専用実施権の侵害の有無についての適正な裁判をすることができないと認めるときは、決定で、当該事項の尋問を公開しないで行うことができる。

② 裁判所は、前項の決定をするに当たつては、あらかじめ、当事者等の意見を聴かなければならない。

③ 裁判所は、前項の場合において、必要があると認めるときは、当事者等にその陳述すべき事項の要領を記載した書面又はこれに記載すべき事項を記録した電磁的記録の提示をさせることができる。この場合においては、何人も、その提示された書面又は電磁的記録の開示を求めることができない。

＊令和四法四八（令和八・五・二四までに施行）**による改正**
第三項中「記載した書面」の下に「又はこれに記載すべき事項を記録した電磁的記録」が、「提示された書面」の下に「又は電磁的記録」が加えられた。（本文織込み済み）

④ 裁判所は、前項後段の書面又は電磁的記録を開示してその意見を聴くことが必要であると認めるときは、当事者等、訴訟代理人又は補佐人に対し、当該書面又は当該電磁的記録を開示することができる。

＊令和四法四八（令和八・五・二四までに施行）**による改正**
第四項中「の書面」の下に「又は電磁的記録」が、「当該書面」の下に「又は当該電磁的記録」が加えられた。（本文織込み済み）

⑤ 裁判所は、第一項の規定により当該事項の尋問を公開しないで行うときは、公衆を退廷させる前に、その旨を理由とともに言い渡さなければならない。当該事項の尋問が終了したときは、再び公衆を入廷させなければならない。

第一〇六条（信用回復の措置） 故意又は過失により特許権又は専用実施権を侵害したことにより特許権者又は専用実施権者の業務上の信用を害した者に対しては、裁判所は、特許権者又は専用実施権者の請求により、損害の賠償に代え、又は損害の賠償とともに、特許権者又は専用実施権者の業務上の信用を回復するのに必要な措置を命ずることができる。

第三節　特許料（抄）

第一〇七条（特許料）① 特許権の設定の登録を受ける者又は特許権者は、特許料として、特許権の設定の登録の日から第六十七条第一項に規定する存続期間（同条第四項の規定により延長されたときは、その延長の期間を加えたもの）の満了までの各年について、一件ごとに、六万千六百円を超えない範囲内で政令で定める額に一請求項につき四千八百円を超えない範囲内で政令で定める額を加えた額を納付しなければならない。

② 前項の規定は、国に属する特許権には、適用しない。

③ 第一項の特許料は、特許権が国又は第百九条若しくは第百九条の二の規定若しくは他の法令の規定による特許料の軽減若しくは免除（以下この項において「減免」という。）を受ける者を含む者の共有に係る場合であつて持分の定めがあるときは、第一項の規定にかかわらず、国以外の各共有者ごとに同項に規定する特許料の金額（減免を受ける者にあつては、その減免後の

金額）にその持分の割合を乗じて得た額を合算して得た額とし、国以外の者がその額を納付しなければならない。

④ 前項の規定により算定した特許料の金額に十円未満の端数があるときは、その端数は、切り捨てる。

⑤ 第一項の特許料の納付は、経済産業省令で定めるところにより、特許印紙をもつてしなければならない。ただし、経済産業省令で定める場合には、経済産業省令で定めるところにより、現金をもつて納めることができる。

第一〇八条から第一一二条の三まで　（略）

第五章　特許異議の申立て

（特許異議の申立て）

第一一三条　何人も、特許掲載公報の発行の日から六月以内に限り、特許庁長官に、特許が次の各号のいずれかに該当することを理由として特許異議の申立てをすることができる。この場合において、二以上の請求項に係る特許については、請求項ごとに特許異議の申立てをすることができる。

一　その特許が第十七条の二第三項に規定する要件を満たしていない補正をした特許出願（外国語書面出願を除く。）に対してされたこと。

二　その特許が第二十五条、第二十九条、第二十九条の二、第三十二条又は第三十九条第一項から第四項までの規定に違反してされたこと。

三　その特許が条約に違反してされたこと。

四　その特許が第三十六条第四項第一号又は第六項（第四号を除く。）に規定する要件を満たしていない特許出願に対してされたこと。

五　外国語書面出願に係る特許の願書に添付した明細書、特許請求の範囲又は図面に記載した事項が外国語書面に記載した事項の範囲内にないこと。

（決定）

第一一四条①　特許異議の申立てについての審理及び決定は、三人又は五人の審判官の合議体が行う。

② 審判官は、特許異議の申立てに係る特許が前条各号のいずれかに該当すると認めるときは、その特許を取り消すべき旨の決定（以下「取消決定」という。）をしなければならない。

③ 取消決定が確定したときは、その特許権は、初めから存在しなかつたものとみなす。

④ 審判官は、特許異議の申立てに係る特許が前条各号のいずれかに該当すると認めないときは、その特許を維持すべき旨の決定をしなければならない。

⑤ 前項の決定に対しては、不服を申し立てることができない。

（申立ての方式等）

第一一五条①　特許異議の申立てをする者は、次に掲げる事項を記載した特許異議申立書を特許庁長官に提出しなければならない。

一　特許異議申立人及び代理人の氏名又は名称及び住所又は居所

二　特許異議の申立てに係る特許の表示

三　特許異議の申立ての理由及び必要な証拠の表示

② 前項の規定により提出した特許異議申立書の補正は、その要旨を変更するものであつてはならない。ただし、第百十三条に規定する期間が経過する時又は第百二十条の五第一項の規定による通知がある時のいずれか早い時までにした前項第三号に掲げる事項についてする補正は、この限りでない。

③ 審判長は、特許異議申立書の副本を特許権者に送付しなければならない。

④ 第百二十三条第四項の規定は、特許異議の申立てがあつた場合に準用する。

（審判官の指定等）

第一一六条　第百三十六条第二項及び第百三十七条から第百四十四条までの規定は、第百十四条第一項の合議体及びこれを構成する審判官に準用する。

（審判書記官）

第一一七条①　特許庁長官は、各特許異議申立事件について審判書記官を指定しなければならない。

② 第百四十四条の二第三項から第五項までの規定は、前項の審判書記官に準用する。

（審理の方式等）

第一一八条①　特許異議の申立てについての審理は、書面審理による。

② 共有に係る特許権の特許権者の一人について、特許異議の申立てについての審理及び決定の手続の中断又は中止の原因があるときは、その中断又は中止は、共有者全員についてその効力を生ずる。

（参加）

第一一九条①　特許権についての権利を有する者その他特許権に関し利害関係を有する者は、特許異議の申立てについての決定があるまでは、特許権者を補助するため、その審理に参加することができる。

② 第百四十八条第四項及び第五項並びに第百四十九条の規定は、前項の規定による参加人に準用する。

（証拠調べ及び証拠保全）

第一二〇条　第百五十条及び第百五十一条の規定は、特許異議の申立てについての審理における証拠調べ及び証拠保全に準用する。

（職権による審理）

第一二〇条の二①　特許異議の申立てについての審理においては、特許権者、特許異議申立人又は参加人が申し立てない理由についても、審理することができる。

② 特許異議の申立てについての審理においては、特許異議の申立てがされていない請求項については、審理することができない。

（申立ての併合又は分離）

第一二〇条の三①　同一の特許権に係る二以上の特許異議の申立てについては、その審理は、特別の事情がある場合を除き、併合するものとする。

② 前項の規定により審理を併合したときは、更にその審理の分離をすることができる。

（申立ての取下げ）

第一二〇条の四①　特許異議の申立ては、次条第一項の規定による通知があつた後は、取り下げることができない。

② 第百五十五条第三項の規定は、特許異議の申立ての取下げに準用する。

（意見書の提出等）

第一二〇条の五①　審判長は、取消決定をしようとするときは、特許権者及び参加人に対し、特許の取消しの理由を通知し、相当の期間を指定して、意見書を提出する機会を与えなければならない。

② 特許権者は、前項の規定により指定された期間内に限り、願書に添付した明細書、特許請求の範囲又は図面の訂正を請求することができる。ただし、その訂正は、次に掲げる事項を目的とするものに限る。

一　特許請求の範囲の減縮

二　誤記又は誤訳の訂正

三　明瞭でない記載の釈明

四　他の請求項の記載を引用する請求項の記載を当該他の請求項の記載を引用しないものとすること。

③ 二以上の請求項に係る願書に添付した特許請求の範囲の訂正をする場合には、請求項ごとに前項の訂正の請求をすることができる。ただし、特許異議の申立てが請求項ごとにされた場合にあつては、請求項ごとに同項の訂正の請求をしなければならない。

④ 前項の場合において、当該請求項の中に一の請求項の記載を他の請求項が引用する関係その他経済産業省令で定める関係を有する一群の請求項（以下「一群の請求項」という。）があると

きは、当該一群の請求項ごとに当該請求をしなければならない。

⑤　審判長は、第一項の規定により指定した期間内に第二項の訂正の請求があつたときは、第一項の規定により通知した特許の取消しの理由を記載した書面並びに訂正の請求書及びこれに添付された訂正した明細書、特許請求の範囲又は図面の副本を特許異議申立人に送付し、相当の期間を指定して、意見書を提出する機会を与えなければならない。ただし、特許異議申立人から意見書の提出を希望しない旨の申出があるとき、又は特許異議申立人に意見書を提出する機会を与える必要がないと認められる特別の事情があるときは、この限りでない。

⑥　審判長は、第二項の訂正の請求が同項ただし書各号に掲げる事項を目的とせず、又は第九項において読み替えて準用する第百二十六条第五項から第七項までの規定に適合しないときは、特許権者及び参加人にその理由を通知し、相当の期間を指定して、意見書を提出する機会を与えなければならない。

⑦　第二項の訂正の請求がされた場合において、その特許異議申立事件において先にした訂正の請求があるときは、当該先の請求は、取り下げられたものとみなす。

⑧　第二項の訂正の請求は、同項の訂正の請求書に添付された訂正した明細書、特許請求の範囲又は図面について第十七条の五第一項の補正をすることができる期間内に限り、取り下げることができる。この場合において、第二項の訂正の請求を第三項又は第四項の規定により請求項ごとに又は一群の請求項ごとにしたときは、その全ての請求を取り下げなければならない。

⑨　第百二十六条第四項から第七項まで、第百二十七条、第百二十八条、第百三十一条第一項、第三項及び第四項、第百三十一条の二第一項、第百三十二条第三項及び第四項並びに第百三十三条第一項、第三項及び第四項の規定は、第二項の場合に準用する。この場合において、第百二十六条第七項中「第一項ただし書第一号又は第二号」とあるのは、「特許異議の申立てがされていない請求項に係る第一項ただし書第一号又は第二号」と読み替えるものとする。

（決定の方式）

第一二〇条の六①　特許異議の申立てについての決定は、次に掲げる事項を記載した文書をもつて行わなければならない。

一　特許異議申立事件の番号
二　特許権者、特許異議申立人及び参加人並びに代理人の氏名又は名称及び住所又は居所
三　決定に係る特許の表示
四　決定の結論及び理由
五　決定の年月日

②　特許庁長官は、決定があつたときは、決定の謄本を特許権者、特許異議申立人、参加人及び特許異議の申立てについての審理に参加を申請してその申請を拒否された者に送達しなければならない。

（決定の確定範囲）

第一二〇条の七　特許異議の申立てについての決定は、特許異議申立事件ごとに確定する。ただし、次の各号に掲げる場合には、それぞれ当該各号に定めるところにより確定する。

一　請求項ごとに特許異議の申立てがされた場合であつて、一群の請求項ごとに第百二十条の五第二項の訂正の請求がされた場合　当該一群の請求項ごと
二　請求項ごとに特許異議の申立てがされた場合であつて、前号に掲げる場合以外の場合　当該請求項ごと

（審判の規定等の準用）

第一二〇条の八①　第百三十三条、第百三十三条の二、第百三十四条第四項、第百三十五条、第百五十二条、第百六十八条、第百六十九条第三項から第六項まで及び第百七十条の規定は、特許異議の申立てについての審理及び決定に準用する。

②　第百十四条第五項の規定は、前項において準用する第百三十五条の規定による決定に準用する。

第六章　審判（抄）

（拒絶査定不服審判）

第一二一条①　拒絶をすべき旨の査定を受けた者は、その査定に不服があるときは、その査定の謄本の送達があつた日から三月以内に拒絶査定不服審判を請求することができる。

②　拒絶査定不服審判を請求する者がその責めに帰することができない理由により前項に規定する期間内にその請求をすることができないときは、同項の規定にかかわらず、その理由がなくなつた日から十四日（在外者にあつては、二月）以内でその期間の経過後六月以内にその請求をすることができる。

第一二二条　削除

（特許無効審判）

第一二三条①　特許が次の各号のいずれかに該当するときは、その特許を無効にすることについて特許無効審判を請求することができる。この場合において、二以上の請求項に係るものについては、請求項ごとに請求することができる。

一　その特許が第十七条の二第三項に規定する要件を満たしていない補正をした特許出願（外国語書面出願を除く。）に対してされたとき。
二　その特許が第二十五条、第二十九条、第二十九条の二、第三十二条、第三十八条又は第三十九条第一項から第四項までの規定に違反してされたとき（その特許が第三十八条の規定に違反してされた場合にあつては、第七十四条第一項の規定による請求に基づき、その特許に係る特許権の移転の登録があつたときを除く。）。
三　その特許が条約に違反してされたとき。
四　その特許が第三十六条第四項第一号又は第六項（第四号を除く。）に規定する要件を満たしていない特許出願に対してされたとき。
五　外国語書面出願に係る特許の願書に添付した明細書、特許請求の範囲又は図面に記載した事項が外国語書面に記載した事項の範囲内にないとき。
六　その特許がその発明について特許を受ける権利を有しない者の特許出願に対してされたとき（第七十四条第一項の規定による請求に基づき、その特許に係る特許権の移転の登録があつたときを除く。）。
七　特許がされた後において、その特許権者が第二十五条の規定により特許権を享有することができない者になつたとき、又はその特許が条約に違反することとなつたとき。
八　その特許の願書に添付した明細書、特許請求の範囲又は図面の訂正が第百二十六条第一項ただし書若しくは第五項から第七項まで（第百二十条の五第九項又は第百三十四条の二第九項において準用する場合を含む。）、第百二十条の五第二項ただし書又は第百三十四条の二第一項ただし書の規定に違反してされたとき。

②　特許無効審判は、利害関係人（前項第二号（特許が第三十八条の規定に違反してされたときに限る。）又は同項第六号に該当することを理由として特許無効審判を請求する場合にあつては、特許を受ける権利を有する者）に限り請求することができる。

③　特許無効審判は、特許権の消滅後においても、請求することができる。

④　審判長は、特許無効審判の請求があつたときは、その旨を当該特許権についての専用実施権者その他その特許に関し登録した権利を有する者に通知しなければならない。

第一二四条　削除

第一二五条　特許を無効にすべき旨の審決が確定したときは、特許権は、初めから存在しなかつたものとみなす。ただし、特許が第百二十三条第一項第七号に該当する場合において、その特許を無効にすべき旨の審決が確定したときは、特許権は、その特許が同号に該当するに至つた時から存在しなかつたものとみなす。

（延長登録無効審判）

第一二五条の二① 第六十七条の三第三項の延長登録が次の各号のいずれかに該当するときは、その延長登録を無効にすることについて延長登録無効審判を請求することができる。
一 その延長登録が基準日以後にされていない場合の出願に対してされたとき。
二 その延長登録により延長された期間がその特許権の存続期間に係る延長可能期間を超えているとき。
三 その延長登録が当該特許権者でない者の出願に対してされたとき。
四 その延長登録が第六十七条の二第四項に規定する要件を満たしていない出願に対してされたとき。
② 前項の延長登録無効審判は、利害関係人に限り請求することができる。
③ 第百二十三条第三項及び第四項の規定は、第一項の規定による延長登録無効審判の請求について準用する。
④ 第六十七条の三第三項の延長登録を無効にすべき旨の審決が確定したときは、その延長登録による特許権の存続期間の延長は、初めからされなかつたものとみなす。ただし、延長登録が第一項第二号に該当する場合において、その特許権の存続期間に係る延長可能期間を超える期間の延長登録を無効にすべき旨の審決が確定したときは、当該超える期間について、その延長がされなかつたものとみなす。
⑤ 前項本文の規定により初めからされなかつたものとみなされた延長登録による特許権の存続期間の延長に係る当該延長の期間又は同項ただし書の規定により延長がされなかつたものとみなされた期間内にされた第六十七条第四項の延長登録の出願が特許庁に係属しているときは、当該出願は、取り下げられたものとみなす。
⑥ 第四項本文の規定により初めからされなかつたものとみなされた延長登録による特許権の存続期間の延長に係る当該延長の期間又は同項ただし書の規定により延長がされなかつたものとみなされた期間内にされた第六十七条第四項の延長登録の出願に係る第六十七条の七第三項の延長登録がされているときは、当該延長登録による特許権の存続期間の延長は、初めからされなかつたものとみなす。

第一二五条の三① 第六十七条の七第三項の延長登録が次の各号のいずれかに該当するときは、その延長登録を無効にすることについて延長登録無効審判を請求することができる。
一 その延長登録がその特許発明の実施に第六十七条第四項の政令で定める処分を受けることが必要であつたとは認められない場合の出願に対してされたとき。
二 その延長登録が、その特許権者又はその特許権についての専用実施権若しくは通常実施権を有する者が第六十七条第四項の政令で定める処分を受けていない場合の出願に対してされたとき。
三 その延長登録により延長された期間がその特許発明の実施をすることができなかつた期間を超えているとき。
四 その延長登録が当該特許権者でない者の出願に対してされたとき。
五 その延長登録が第六十七条の五第四項において準用する第六十七条の二第四項に規定する要件を満たしていない出願に対してされたとき。
② 前条第二項及び第三項の規定は、前項の規定による延長登録無効審判の請求について準用する。
③ 第六十七条の七第三項の延長登録を無効にすべき旨の審決が確定したときは、その延長登録による特許権の存続期間の延長は、初めからされなかつたものとみなす。ただし、延長登録が第一項第三号に該当する場合において、その特許発明の実施をすることができなかつた期間を超える期間の延長登録を無効にすべき旨の審決が確定したときは、当該超える期間について、その延長がされなかつたものとみなす。

（訂正審判）

第一二六条① 特許権者は、願書に添付した明細書、特許請求の範囲又は図面の訂正をすることについて訂正審判を請求することができる。ただし、その訂正は、次に掲げる事項を目的とするものに限る。
一 特許請求の範囲の減縮
二 誤記又は誤訳の訂正
三 明瞭でない記載の釈明
四 他の請求項の記載を引用する請求項の記載を当該他の請求項の記載を引用しないものとすること。
② 訂正審判は、特許異議の申立て又は特許無効審判が特許庁に係属した時からその決定又は審決（請求項ごとに申立て又は請求がされた場合にあつては、その全ての決定又は審決）が確定するまでの間は、請求することができない。
③ 二以上の請求項に係る願書に添付した特許請求の範囲の訂正をする場合には、請求項ごとに第一項の規定による請求をすることができる。この場合において、当該請求項の中に一群の請求項があるときは、当該一群の請求項ごとに当該請求をしなければならない。
④ 願書に添付した明細書又は図面の訂正をする場合であつて、請求項ごとに第一項の規定による請求をしようとするときは、当該明細書又は図面の訂正に係る請求項の全て（前項後段の規定により一群の請求項ごとに第一項の規定による請求をする場合にあつては、当該明細書又は図面の訂正に係る請求項を含む一群の請求項の全て）について行わなければならない。
⑤ 第一項の明細書、特許請求の範囲又は図面の訂正は、願書に添付した明細書、特許請求の範囲又は図面（同項ただし書第二号に掲げる事項を目的とする訂正の場合にあつては、願書に最初に添付した明細書、特許請求の範囲又は図面（外国語書面出願に係る特許にあつては、外国語書面））に記載した事項の範囲内においてしなければならない。
⑥ 第一項の明細書、特許請求の範囲又は図面の訂正は、実質上特許請求の範囲を拡張し、又は変更するものであつてはならない。
⑦ 第一項ただし書第一号又は第二号に掲げる事項を目的とする訂正は、訂正後における特許請求の範囲に記載されている事項により特定される発明が特許出願の際独立して特許を受けることができるものでなければならない。
⑧ 訂正審判は、特許権の消滅後においても、請求することができる。ただし、特許が取消決定により取り消され、又は特許無効審判により無効にされた後は、この限りでない。

第一二七条 特許権者は、専用実施権者又は質権者があるときは、これらの者の承諾を得た場合に限り、訂正審判を請求することができる。

第一二八条 願書に添付した明細書、特許請求の範囲又は図面の訂正をすべき旨の審決が確定したときは、その訂正後における明細書、特許請求の範囲又は図面により特許出願、出願公開、特許をすべき旨の査定又は審決及び特許権の設定の登録がされたものとみなす。

第一二九条及び第一三〇条 削除

（審判請求の方式）

第一三一条① 審判を請求する者は、次に掲げる事項を記載した請求書を特許庁長官に提出しなければならない。
一 当事者及び代理人の氏名又は名称及び住所又は居所
二 審判事件の表示
三 請求の趣旨及びその理由
② 特許無効審判を請求する場合における前項第三号に掲げる請求の理由は、特許を無効にする根拠となる事実を具体的に特定し、かつ、立証を要する事実ごとに証拠との関係を記載したものでなければならない。
③ 訂正審判を請求する場合における第一項第三号に掲げる請求の趣旨及びその理由は、経済産業省令で定めるところにより記載したものでなければならない。
④ 訂正審判を請求するときは、請求書に訂正した明細書、特許請求の範囲又は図面を添付しなければならない。

(審判請求書の補正)

第一三一条の二① 前条第一項の規定により提出した請求書の補正は、その要旨を変更するものであつてはならない。ただし、当該補正が次の各号のいずれかに該当するときは、この限りでない。

一 特許無効審判以外の審判を請求する場合における前条第一項第三号に掲げる請求の理由についてされるとき。

二 次項の規定による審判長の許可があつたものであるとき。

三 第百三十三条第一項(第百二十条の五第九項及び第百三十四条の二第九項において準用する場合を含む。)の規定により、当該請求書について補正をすべきことを命じられた場合において、当該命じられた事項についてされるとき。

② 審判長は、特許無効審判を請求する場合における前条第一項第三号に掲げる請求の理由の補正がその要旨を変更するものである場合において、当該補正が審理を不当に遅延させるおそれがないことが明らかなものであり、かつ、次の各号のいずれかに該当する事由があると認めるときは、決定をもつて、当該補正を許可することができる。

一 当該特許無効審判において第百三十四条の二第一項の訂正の請求があり、その訂正の請求により請求の理由を補正する必要が生じたこと。

二 前号に掲げるもののほか当該補正に係る請求の理由を審判請求時の請求書に記載しなかつたことにつき合理的な理由があり、被請求人が当該補正に同意したこと。

③ 前項の補正の許可は、その補正に係る手続補正書が第百三十四条第一項の規定による請求書の副本の送達の前に提出されたときは、これをすることができない。

④ 第二項の決定又はその不作為に対しては、不服を申し立てることができない。

(共同審判)

第一三二条① 同一の特許権について特許無効審判又は延長登録無効審判を請求する者が二人以上あるときは、これらの者は、共同して審判を請求することができる。

② 共有に係る特許権について特許権者に対し審判を請求するときは、共有者の全員を被請求人として請求しなければならない。

③ 特許権又は特許を受ける権利の共有者がその共有に係る権利について審判を請求するときは、共有者の全員が共同して請求しなければならない。

④ 第一項若しくは前項の規定により審判を請求した者又は第二項の規定により審判を請求された者の一人について、審判手続の中断又は中止の原因があるときは、その中断又は中止は、全員についてその効力を生ずる。

(方式に違反した場合の決定による却下)

第一三三条① 審判長は、請求書が第百三十一条の規定に違反しているときは、請求人に対し、相当の期間を指定して、請求書について補正をすべきことを命じなければならない。

② 審判長は、前項に規定する場合を除き、審判事件に係る手続について、次の各号の一に該当するときは、相当の期間を指定して、その補正をすべきことを命ずることができる。

一 手続が第七条第一項から第三項まで又は第九条の規定に違反しているとき。

二 手続がこの法律又はこの法律に基づく命令で定める方式に違反しているとき。

三 手続について第百九十五条第一項又は第二項の規定により納付すべき手数料を納付しないとき。

③ 審判長は、前二項の規定により、審判事件に係る手続について、その補正をすべきことを命じた者がこれらの規定により指定した期間内にその補正をしないとき、又はその補正が第百三十一条の二第一項の規定に違反するときは、決定をもつてその手続を却下することができる。

④ 前項の決定は、文書をもつて行い、かつ、理由を付さなければならない。

(不適法な手続の却下)

第一三三条の二① 審判長は、審判事件に係る手続(審判の請求を除く。)において、不適法な手続であつてその補正をすることができないものについては、決定をもつてその手続を却下することができる。

② 前項の規定により却下しようとするときは、手続をした者に対し、その理由を通知し、相当の期間を指定して、弁明書を提出する機会を与えなければならない。

③ 第一項の決定は、文書をもつて行い、かつ、理由を付さなければならない。

第一三四条 (略)

(特許無効審判における訂正の請求)

第一三四条の二① 特許無効審判の被請求人は、前条第一項若しくは第二項、次条、第百五十三条第二項又は第百六十四条の二第二項の規定により指定された期間内に限り、願書に添付した明細書、特許請求の範囲又は図面の訂正を請求することができる。ただし、その訂正は、次に掲げる事項を目的とするものに限る。

一 特許請求の範囲の減縮

二 誤記又は誤訳の訂正

三 明瞭でない記載の釈明

四 他の請求項の記載を引用する請求項の記載を当該他の請求項の記載を引用しないものとすること。

② 二以上の請求項に係る願書に添付した特許請求の範囲の訂正をする場合には、請求項ごとに前項の訂正の請求をすることができる。ただし、特許無効審判が請求項ごとに請求された場合にあつては、請求項ごとに同項の訂正の請求をしなければならない。

③ 前項の場合において、当該請求項の中に一群の請求項があるときは、当該一群の請求項ごとに当該請求をしなければならない。

④ 審判長は、第一項の訂正の請求書及びこれに添付された訂正した明細書、特許請求の範囲又は図面を受理したときは、これらの副本を請求人に送達しなければならない。

⑤ 審判官は、第一項の訂正の請求が同項ただし書各号に掲げる事項を目的とせず、又は第九項において読み替えて準用する第百二十六条第五項から第七項までの規定に適合しないことについて、当事者又は参加人が申し立てない理由についても、審理することができる。この場合において、当該理由により訂正の請求を認めないときは、審判長は、審理の結果を当事者及び参加人に通知し、相当の期間を指定して、意見を申し立てる機会を与えなければならない。

⑥ 第一項の訂正の請求がされた場合において、その審判事件において先にした訂正の請求があるときは、当該先の請求は、取り下げられたものとみなす。

⑦ 第一項の訂正の請求は、同項の訂正の請求書に添付された訂正した明細書、特許請求の範囲又は図面について第十七条の五第二項の補正をすることができる期間内に限り、取り下げることができる。この場合において、第一項の訂正の請求を第二項又は第三項の規定により請求項ごとに又は一群の請求項ごとにしたときは、その全ての請求を取り下げなければならない。

⑧ 第百五十五条第三項の規定により特許無効審判の請求が請求項ごとに取り下げられたときは、第一項の訂正の請求は、当該請求項ごとに取り下げられたものとみなし、特許無効審判の審判事件に係る全ての請求が取り下げられたときは、当該審判事件に係る同項の訂正の請求は、全て取り下げられたものとみなす。

⑨ 第百二十六条第四項から第八項まで、第百二十七条、第百二十八条、第百三十一条第一項、第三項及び第四項、第百三十一条の二第一項、第百三十二条第三項及び第四項並びに第百三十三条第一項、第三項及び第四項の規定は、第一項の場合に準用する。この場合において、第百二十六条第七項中「第一項ただし書第一号又は第二号」とあるのは、「特許無効審判の請求が

されていない請求項に係る第一項ただし書第一号又は第二号」と読み替えるものとする。

（取消しの判決があつた場合における訂正の請求）

第一三四条の三　審判長は、特許無効審判の審決（審判の請求に理由がないとするものに限る。）に対する第百八十一条第一項の規定による取消しの判決が確定し、同条第二項の規定により審理を開始するときは、その判決の確定の日から一週間以内に被請求人から申立てがあつた場合に限り、被請求人に対し、願書に添付した明細書、特許請求の範囲又は図面の訂正を請求するための相当の期間を指定することができる。

第一三五条　（略）

（審判の合議制）

第一三六条①　審判は、三人又は五人の審判官の合議体が行う。

②　前項の合議体の合議は、過半数により決する。

③　審判官の資格は、政令で定める。

第一三七条及び第一三八条　（略）

（審判官の除斥）

第一三九条　審判官は、次の各号のいずれかに該当するときは、その職務の執行から除斥される。

一　審判官又はその配偶者若しくは配偶者であつた者が事件の当事者、参加人若しくは特許異議申立人であるとき、又はあつたとき。

二　審判官が事件の当事者、参加人若しくは特許異議申立人の四親等内の血族、三親等内の姻族若しくは同居の親族であるとき、又はあつたとき。

三　審判官が事件の当事者、参加人又は特許異議申立人の後見人、後見監督人、保佐人、保佐監督人、補助人又は補助監督人であるとき。

四　審判官が事件について証人又は鑑定人となつたとき。

五　審判官が事件について当事者、参加人若しくは特許異議申立人の代理人であるとき、又はあつたとき。

六　審判官が事件について不服を申し立てられた査定に審査官として関与したとき。

七　審判官が第六十七条第二項の延長登録の出願に係る事件についてその特許権に係る特許出願の審査においてその査定に審査官として関与したとき。

八　審判官が事件について直接の利害関係を有するとき。

第一四〇条　前条に規定する除斥の原因があるときは、当事者又は参加人は、除斥の申立をすることができる。

（審判官の忌避）

第一四一条①　審判官について審判の公正を妨げるべき事情があるときは、当事者又は参加人は、これを忌避することができる。

②　当事者又は参加人は、事件について審判官に対し書面又は口頭をもつて陳述をした後は、審判官を忌避することができない。ただし、忌避の原因があることを知らなかつたとき、又は忌避の原因がその後に生じたときは、この限りでない。

第一四二条から第一四四条の二まで　（略）

（審判における審理の方式）

第一四五条①　特許無効審判及び延長登録無効審判は、口頭審理による。ただし、審判長は、当事者若しくは参加人の申立てにより又は職権で、書面審理によるものとすることができる。

②　前項に規定する審判以外の審判は、書面審理による。ただし、審判長は、当事者の申立により又は職権で、口頭審理によるものとすることができる。

③　審判長は、第一項又は前項ただし書の規定により口頭審理による審判をするときは、その期日及び場所を定め、当事者及び参加人に対し、期日の呼出しを行わなければならない。

④　前項の期日の呼出しは、呼出状の送達、当該事件について出頭した者に対する期日の告知その他相当と認める方法によつてする。

⑤　呼出状の送達及び当該事件について出頭した者に対する期日の告知以外の方法により第三項の期日の呼出しをしたときは、期日に出頭しない当事者若しくは参加人、証人又は鑑定人に対し、法律上の制裁その他期日の不遵守による不利益を帰することができない。ただし、これらの者が期日の呼出しを受けた旨を記載した書面を提出したときは、この限りでない。

⑥　第一項又は第二項ただし書の規定による口頭審理は、公開して行う。ただし、公の秩序又は善良の風俗を害するおそれがあるときは、この限りでない。

⑦　審判長は、当事者若しくは参加人の申立てにより又は職権で、経済産業省令で定めるところにより、審判官及び審判書記官並びに当事者及び参加人が映像と音声の送受信により相手の状態を相互に認識しながら通話をすることができる方法によつて、第三項の期日における手続を行うことができる。

⑧　第三項の期日に出頭しないで前項の手続に関与した当事者及び参加人は、その期日に出頭したものとみなす。

＊**令和四法四八**（令和八・五・二四までに施行）**による改正前**

（審判における審理の方式）

第一四五条①—③　（略）

④　民事訴訟法第九十四条（期日の呼出し）の規定は、前項の期日の呼出しに準用する。

新⑤　（改正により追加）

⑤—⑦　（略、改正後の⑥—⑧）

第一四六条及び第一四七条　（略）

（参加）

第一四八条①　第百三十二条第一項の規定により審判を請求することができる者は、審理の終結に至るまでは、請求人としてその審判に参加することができる。

②　前項の規定による参加人は、被参加人がその審判の請求を取り下げた後においても、審判手続を続行することができる。

③　審判の結果について利害関係を有する者は、審理の終結に至るまでは、当事者の一方を補助するためその審判に参加することができる。

④　前項の規定による参加人は、一切の審判手続をすることができる。

⑤　第一項又は第三項の規定による参加人について審判手続の中断又は中止の原因があるときは、その中断又は中止は、被参加人についても、その効力を生ずる。

第一四九条　（略）

（証拠調及び証拠保全）

第一五〇条①　審判に関しては、当事者若しくは参加人の申立により又は職権で、証拠調をすることができる。

②　審判に関しては、審判請求前は利害関係人の申立により、審判の係属中は当事者若しくは参加人の申立により又は職権で、証拠保全をすることができる。

③　前項の規定による審判請求前の申立は、特許庁長官に対してしなければならない。

④　特許庁長官は、第二項の規定による審判請求前の申立てがあつたときは、証拠保全に関与すべき審判官及び審判書記官を指定する。

⑤　審判長は、第一項又は第二項の規定により職権で証拠調又は証拠保全をしたときは、その結果を当事者及び参加人に通知し、相当の期間を指定して、意見を申し立てる機会を与えなければならない。

⑥　第一項又は第二項の証拠調又は証拠保全は、当該事務を取り扱うべき地の地方裁判所又は簡易裁判所に嘱託することができる。

第一五一条　（略）

（職権による審理）

第一五二条　審判長は、当事者又は参加人が法定若しくは指定の期間内に手続をせず、又は第百四十五条第三項の規定により定めるところに従つて出頭しないときであつても、審判手続を進行することができる。

第一五三条① 審判においては、当事者又は参加人が申し立てない理由についても、審理することができる。

② 審判長は、前項の規定により当事者又は参加人が申し立てない理由について審理したときは、その審理の結果を当事者及び参加人に通知し、相当の期間を指定して、意見を申し立てる機会を与えなければならない。

③ 審判においては、請求人が申し立てない請求の趣旨については、審理することができない。

（審理の併合又は分離）

第一五四条① 当事者の双方又は一方が同一である二以上の審判については、その審理の併合をすることができる。

② 前項の規定により審理の併合をしたときは、さらにその審理の分離をすることができる。

（審判の請求の取下げ）

第一五五条① 審判の請求は、審決が確定するまでは、取り下げることができる。

② 審判の請求は、第百三十四条第一項の答弁書の提出があつた後は、相手方の承諾を得なければ、取り下げることができない。

③ 二以上の請求項に係る特許の二以上の請求項について特許無効審判を請求したときは、その請求は、請求項ごとに取り下げることができる。

④ 請求項ごとに又は一群の請求項ごとに訂正審判を請求したときは、その請求の取下げは、その全ての請求について行わなければならない。

（審理の終結の通知）

第一五六条① 審判長は、特許無効審判以外の審判においては、事件が審決をするのに熟したときは、審理の終結を当事者及び参加人に通知しなければならない。

② 審判長は、特許無効審判においては、事件が審決をするのに熟した場合であつて第百六十四条の二第一項の審決の予告をしないとき、又は同項の審決の予告をした場合であつて同条第二項の規定により指定した期間内に被請求人が第百三十四条の二第一項の訂正の請求若しくは第十七条の五第二項の補正をしないときは、審理の終結を当事者及び参加人に通知しなければならない。

③ 審判長は、必要があるときは、前二項の規定による通知をした後であつても、当事者若しくは参加人の申立てにより又は職権で、審理の再開をすることができる。

④ 審決は、第一項又は第二項の規定による通知を発した日から二十日以内にしなければならない。ただし、事件が複雑であるとき、その他やむを得ない理由があるときは、この限りでない。

（審決）

第一五七条① 審決があつたときは、審判は、終了する。

② 審決は、次に掲げる事項を記載した文書をもつて行わなければならない。

一 審判の番号

二 当事者及び参加人並びに代理人の氏名又は名称及び住所又は居所

三 審判事件の表示

四 審決の結論及び理由

五 審決の年月日

③ 特許庁長官は、審決があつたときは、審決の謄本を当事者、参加人及び審判に参加を申請してその申請を拒否された者に送達しなければならない。

（拒絶査定不服審判における特則）

第一五八条 審査においてした手続は、拒絶査定不服審判においても、その効力を有する。

第一五九条① 第五十三条の規定は、拒絶査定不服審判に準用する。この場合において、第五十三条第一項中「第十七条の二第一項第一号又は第三号」とあるのは「第十七条の二第一項第一号、第三号又は第四号」と、「補正が」とあるのは「補正（同項第一号又は第三号に掲げる場合にあつては、拒絶査定不服審判の請求前にしたものを除く。）が」と読み替えるものとする。

② 第五十条及び第五十条の二の規定は、拒絶査定不服審判において査定の理由と異なる拒絶の理由を発見した場合に準用する。この場合において、第五十条ただし書中「第十七条の二第一項第一号又は第三号に掲げる場合（同項第一号に掲げる場合にあつては、拒絶の理由の通知と併せて次条の規定による通知をした場合に限る。）」とあるのは、「第十七条の二第一項第一号（拒絶の理由の通知と併せて次条の規定による通知をした場合に限るものとし、拒絶査定不服審判の請求前に補正をしたときを除く。）、第三号（拒絶査定不服審判の請求前に補正をしたときを除く。）又は第四号に掲げる場合」と読み替えるものとする。

③ 第五十一条、第六十七条の三第二項から第四項まで及び第六十七条の七第二項から第四項までの規定は、拒絶査定不服審判の請求を理由があるとする場合における当該審判について準用する。

第一六〇条① 拒絶査定不服審判において査定を取り消すときは、さらに審査に付すべき旨の審決をすることができる。

② 前項の審決があつた場合における判断は、その事件について審査官を拘束する。

③ 第一項の審決をするときは、前条第三項の規定は、適用しない。

第一六一条から第一六三条まで （略）

第一六四条① 審査官は、第百六十二条の規定による審査において特許をすべき旨の査定をするときは、審判の請求に係る拒絶をすべき旨の査定を取り消さなければならない。

② 審査官は、前項に規定する場合を除き、前条第一項において準用する第五十三条第一項の規定による却下の決定をしてはならない。

③ 審査官は、第一項に規定する場合を除き、当該審判の請求について査定をすることなくその審査の結果を特許庁長官に報告しなければならない。

第一六四条の二から第一六六条まで （略）

（審決の効力）

第一六七条 特許無効審判又は延長登録無効審判の審決が確定したときは、当事者及び参加人は、同一の事実及び同一の証拠に基づいてその審判を請求することができない。

（審決の確定範囲）

第一六七条の二 審決は、審判事件ごとに確定する。ただし、次の各号に掲げる場合には、それぞれ当該各号に定めるところにより確定する。

一 請求項ごとに特許無効審判の請求がされた場合であつて、一群の請求項ごとに第百三十四条の二第一項の訂正の請求がされた場合　当該一群の請求項ごと

二 一群の請求項ごとに訂正審判の請求がされた場合　当該一群の請求項ごと

三 請求項ごとに審判の請求がされた場合であつて、第一号に掲げる場合以外の場合　当該請求項ごと

（訴訟との関係）

第一六八条① 審判において必要があると認めるときは、特許異議の申立てについての決定若しくは他の審判の審決が確定し、又は訴訟手続が完結するまでその手続を中止することができる。

② 訴えの提起又は仮差押命令若しくは仮処分命令の申立てがあつた場合において、必要があると認めるときは、裁判所は、審決が確定するまでその訴訟手続を中止することができる。

③ 裁判所は、特許権又は専用実施権の侵害に関する訴えの提起があつたときは、その旨を特許庁長官に通知するものとする。その訴訟手続が完結したときも、また同様とする。

④ 特許庁長官は、前項に規定する通知を受けたときは、その特許権についての審判の請求の有無を裁判所に通知するものとする。その審判の請求書の却下の決定、審決又は請求の取下げが

あつたときも、また同様とする。

⑤ 裁判所は、前項の規定によりその特許権についての審判の請求があつた旨の通知を受けた場合において、当該訴訟において第百四条の三第一項の規定による攻撃又は防御の方法を記載した書面がその通知前に既に提出され、又はその通知後に最初に提出されたときは、その旨を特許庁長官に通知するものとする。

⑥ 特許庁長官は、前項に規定する通知を受けたときは、裁判所に対し、当該訴訟の訴訟記録のうちその審判において審判官が必要と認める書面の写し又は当該訴訟の電磁的訴訟記録（民事訴訟法第九十一条の二第一項に規定する電磁的訴訟記録をいう。）に記録されている事項のうちその審判において審判官が必要と認めるものを出力した書面の送付を求めることができる。

＊令和四法四八（令和八・五・二四までに施行）による改正前

⑥ 特許庁長官は、前項に規定する通知を受けたときは、裁判所に対し、当該訴訟の訴訟記録のうちその審判において審判官が必要と認める書面の写しの送付を求めることができる。

第一六九条及び第一七〇条　（略）

第七章　再審　（抄）

（再審の請求）

第一七一条① 確定した取消決定及び確定審決に対しては、当事者又は参加人は、再審を請求することができる。

② 民事訴訟法第三百三十八条第一項及び第二項並びに第三百三十九条（再審の事由）の規定は、前項の再審の請求に準用する。

第一七二条から第一七四条まで　（略）

（再審により回復した特許権の効力の制限）

第一七五条① 取り消し、若しくは無効にした特許に係る特許権若しくは無効にした存続期間の延長登録に係る特許権が再審により回復した場合又は拒絶をすべき旨の審決があつた特許出願若しくは特許権の存続期間の延長登録の出願について再審により特許権の設定の登録若しくは特許権の存続期間を延長した旨の登録があつた場合において、その特許が物の発明についてされているときは、特許権の効力は、当該取消決定又は審決が確定した後再審の請求の登録前に善意に輸入し、又は日本国内において生産し、若しくは取得した当該物には、及ばない。

② 取り消し、若しくは無効にした特許に係る特許権若しくは無効にした存続期間の延長登録に係る特許権が再審により回復したとき、又は拒絶をすべき旨の審決があつた特許出願若しくは特許権の存続期間の延長登録の出願について再審により特許権の設定の登録若しくは特許権の存続期間を延長した旨の登録があつたときは、特許権の効力は、当該取消決定又は審決が確定した後再審の請求の登録前における次に掲げる行為には、及ばない。

一 当該発明の善意の実施

二 特許が物の発明についてされている場合において、善意に、その物の生産に用いる物の生産、譲渡等若しくは輸入又は譲渡等の申出をした行為

三 特許が物の発明についてされている場合において、善意に、その物を譲渡等又は輸出のために所持した行為

四 特許が方法の発明についてされている場合において、善意に、その方法の使用に用いる物の生産、譲渡等若しくは輸入又は譲渡等の申出をした行為

五 特許が物を生産する方法の発明についてされている場合において、善意に、その方法により生産した物を譲渡等又は輸出のために所持した行為

第一七六条 取り消し、若しくは無効にした特許に係る特許権若しくは無効にした存続期間の延長登録に係る特許権が再審により回復したとき、又は拒絶をすべき旨の審決があつた特許出願若しくは特許権の存続期間の延長登録の出願について再審により特許権の設定の登録若しくは特許権の存続期間を延長した旨の登録があつたときは、当該取消決定又は審決が確定した後再審の請求の登録前に善意に日本国内において当該発明の実施である事業をしている者又はその事業の準備をしている者は、その実施又は準備をしている発明及び事業の目的の範囲内において、その特許権について通常実施権を有する。

第一七七条 削除

第八章　訴訟　（抄）

（審決等に対する訴え）

第一七八条① 取消決定又は審決に対する訴え及び特許異議申立書、審判若しくは再審の請求書又は第百二十条の五第二項若しくは第百三十四条の二第一項の訂正の請求書の却下の決定に対する訴えは、東京高等裁判所の専属管轄とする。

② 前項の訴えは、当事者、参加人又は当該特許異議の申立てについての審理、審判若しくは再審に参加を申請してその申請を拒否された者に限り、提起することができる。

③ 第一項の訴えは、審決又は決定の謄本の送達があつた日から三十日を経過した後は、提起することができない。

④ 前項の期間は、不変期間とする。

⑤ 審判長は、遠隔又は交通不便の地にある者のため、職権で、前項の不変期間については附加期間を定めることができる。

⑥ 審判を請求することができる事項に関する訴えは、審決に対するものでなければ、提起することができない。

（被告適格）

第一七九条 前条第一項の訴えにおいては、特許庁長官を被告としなければならない。ただし、特許無効審判若しくは延長登録無効審判又はこれらの審判の確定審決に対する第百七十一条第一項の再審の審決に対するものにあつては、その審判又は再審の請求人又は被請求人を被告としなければならない。

（出訴の通知等）

第一八〇条① 裁判所は、前条ただし書に規定する訴えの提起があつたときは、遅滞なく、その旨を特許庁長官に通知しなければならない。

② 裁判所は、前項の場合において、訴えが請求項ごとに請求された特許無効審判又はその審判の確定審決に対する再審の審決に対するものであるときは、当該訴えに係る請求項を特定するために必要な書類を特許庁長官に送付しなければならない。

（審決取消訴訟における特許庁長官の意見）

第一八〇条の二① 裁判所は、第百七十九条ただし書に規定する訴えの提起があつたときは、特許庁長官に対し、当該事件に関するこの法律の適用その他の必要な事項について、意見を求めることができる。

② 特許庁長官は、第百七十九条ただし書に規定する訴えの提起があつたときは、裁判所の許可を得て、裁判所に対し、当該事件に関するこの法律の適用その他の必要な事項について、意見を述べることができる。

③ 特許庁長官は、特許庁の職員でその指定する者に前二項の意見を述べさせることができる。

（審決又は決定の取消し）

第一八一条① 裁判所は、第百七十八条第一項の訴えの提起があつた場合において、当該請求を理由があると認めるときは、当該審決又は決定を取り消さなければならない。

② 審判官は、前項の規定による審決又は決定の取消しの判決が確定したときは、更に審理を行い、審決又は決定をしなければならない。この場合において、審決又は決定の取消しの判決が、第百二十条の五第二項又は第百三十四条の二第一項の訂正の請求がされた一群の請求項のうち一部の請求項について確定したときは、審判官は、審理を行うに際し、当該一群の請求項のうちその他の請求項についての審決又は決定を取り消さなければならない。

（合議体の構成）

第一八二条　（略）

第一八二条の二　第百七十八条第一項の訴えに係る事件については、五人の裁判官の合議体で審理及び裁判をする旨の決定をその合議体ですることができる。

第一八三条（略）

（被告適格）

第一八四条　前条第一項の訴えにおいては、次に掲げる者を被告としなければならない。

一　第八十三条第二項、第九十二条第四項又は第九十三条第二項の裁定については、通常実施権者又は特許権者若しくは専用実施権者

二　第九十二条第三項の裁定については、通常実施権者又は第七十二条の他人

第一八四条の二　削除

第九章　特許協力条約に基づく国際出願に係る特例

（第一八四条の三から第一八四条の二〇まで）（略）

第十章　雑則（抄）

第一八五条及び第一八六条（略）

（特許表示）

第一八七条　特許権者、専用実施権者又は通常実施権者は、経済産業省令で定めるところにより、物の特許発明におけるその物若しくは物を生産する方法の特許発明におけるその方法により生産した物（以下「特許に係る物」という。）又はその物の包装にその物又は方法の発明が特許に係る旨の表示（以下「特許表示」という。）を附するように努めなければならない。

（虚偽表示の禁止）

第一八八条　何人も、次に掲げる行為をしてはならない。

一　特許に係る物以外の物又はその物の包装に特許表示又はこれと紛らわしい表示を付する行為

二　特許に係る物以外の物であつて、その物又はその物の包装に特許表示又はこれと紛らわしい表示を付したものの譲渡等又は譲渡等のための展示をする行為

三　特許に係る物以外の物の生産若しくは使用をさせるため、又は譲渡等をするため、広告にその物の発明が特許に係る旨を表示し、又はこれと紛らわしい表示をする行為

四　方法の特許発明におけるその方法以外の方法を使用させるため、又は譲渡し若しくは貸し渡すため、広告にその方法の発明が特許に係る旨を表示し、又はこれと紛らわしい表示をする行為

第一八九条から第一九二条まで（略）

（特許公報）

第一九三条①　特許庁は、特許公報を発行する。

②　特許公報には、この法律に規定するもののほか、次に掲げる事項を掲載しなければならない。

一　出願公開後における拒絶をすべき旨の査定若しくは特許出願の放棄、取下げ若しくは却下又は特許権の存続期間の延長登録の出願の取下げ

二　出願公開後における特許を受ける権利の承継

三　出願公開後における第十七条の二第一項の規定による願書に添付した明細書、特許請求の範囲又は図面の補正（同項ただし書各号の規定によりしたものにあつては、誤訳訂正書の提出によるものに限る。）

四　第四十八条の三第五項（同条第七項において準用する場合を含む。）の規定による出願審査の請求

五　特許権の消滅（存続期間の満了によるもの及び第百十二条第四項又は第五項の規定によるものを除く。）又は回復（第百十二条の二第二項の規定によるものに限る。）

六　特許異議の申立て若しくは審判若しくは再審の請求又はこれらの取下げ

七　特許異議の申立てについての確定した決定、審判の確定審決又は再審の確定した決定若しくは確定審決（特許権の設定の登録又は出願公開がされたものに限る。）

八　訂正した明細書及び特許請求の範囲に記載した事項並びに図面の内容（訂正をすべき旨の確定した決定又は確定審決があつたものに限る。）

九　裁定の請求若しくはその取下げ又は裁定

十　第百七十八条第一項の訴えについての確定判決（特許権の設定の登録又は出願公開がされたものに限る。）

第一九四条から第一九五条の二の二まで（略）

（行政手続法の適用除外）

第一九五条の三　この法律又はこの法律に基づく命令の規定による処分については、行政手続法（平成五年法律第八十八号）第二章及び第三章の規定は、適用しない。

（行政不服審査法の規定による審査請求の制限）

第一九五条の四　査定、取消決定若しくは審決及び特許異議申立書、審判若しくは再審の請求書若しくは第百二十条の五第二項若しくは第百三十四条の二第一項の訂正の請求書の却下の決定並びにこの法律の規定により不服を申し立てることができないこととされている処分又はこれらの不作為については、行政不服審査法の規定による審査請求をすることができない。

第十一章　罰則（抄）

（侵害の罪）

第一九六条　特許権又は専用実施権を侵害した者（第百一条の規定により特許権又は専用実施権を侵害する行為とみなされる行為を行つた者を除く。）は、十年以下の拘禁刑若しくは千万円以下の罰金に処し、又はこれを併科する。

第一九六条の二　第百一条の規定により特許権又は専用実施権を侵害する行為とみなされる行為を行つた者は、五年以下の拘禁刑若しくは五百万円以下の罰金に処し、又はこれを併科する。

（詐欺の行為の罪）

第一九七条　詐欺の行為により特許、特許権の存続期間の延長登録、特許異議の申立てについての決定又は審決を受けた者は、三年以下の拘禁刑又は三百万円以下の罰金に処する。

（虚偽表示の罪）

第一九八条　第百八十八条の規定に違反した者は、三年以下の拘禁刑又は三百万円以下の罰金に処する。

第一九九条（略）

（秘密を漏らした罪）

第二〇〇条　特許庁の職員又はその職にあつた者がその職務に関して知得した特許出願中の発明に関する秘密を漏らし、又は盗用したときは、一年以下の拘禁刑又は五十万円以下の罰金に処する。

第二〇〇条の二　査証人又は査証人であつた者が査証に関して知得した秘密を漏らし、又は盗用したときは、一年以下の拘禁刑又は五十万円以下の罰金に処する。

（秘密保持命令違反の罪）

第二〇〇条の三①　秘密保持命令に違反した者は、五年以下の拘禁刑若しくは五百万円以下の罰金に処し、又はこれを併科する。

②　前項の罪は、告訴がなければ公訴を提起することができない。

③　第一項の罪は、日本国外において同項の罪を犯した者にも適用する。

（両罰規定）

第二〇一条①　法人の代表者又は法人若しくは人の代理人、使用人その他の従業者が、その法人又は人の業務に関し、次の各号に掲げる規定の違反行為をしたときは、行為者を罰するほか、その法人に対して当該各号で定める罰金刑を、その人に対して各本条の罰金刑を科する。

一　第百九十六条、第百九十六条の二又は前条第一項　三億円以下の罰金刑

二　第百九十七条又は第百九十八条　一億円以下の罰金刑

②　前項の場合において、当該行為者に対してした前条第二項の

告訴は、その法人又は人に対しても効力を生じ、その法人又は人に対してした告訴は、当該行為者に対しても効力を生ずるものとする。

③　第一項の規定により第百九十六条、第百九十六条の二又は前条第一項の違反行為につき法人又は人に罰金刑を科する場合における時効の期間は、これらの規定の罪についての時効の期間による。

第二〇二条から第二〇四条まで　（略）

附　則

この法律の施行期日は、別に法律で定める（昭和三五・四・一施行―昭和三四法一二一）。

別表（略）

附　則（令和四・五・二五法四八）（抄）

（施行期日）

第一条　この法律は、公布の日から起算して四年を超えない範囲内において政令で定める日から施行する。ただし、次の各号に掲げる規定は、当該各号に定める日から施行する。

一　（前略）附則第百二十五条の規定　公布の日

二～五　（略）

（特許法の一部改正に伴う経過措置）

第五二条①　前条の規定による改正後の特許法（次項において「改正後特許法」という。）第百五条の二の十一（特許法第六十五条第六項（同法第百八十四条の十第二項において準用する場合を含む。）及び実用新案法（昭和三十四年法律第百二十三号）第三十条において準用する場合を含む。）の規定は、施行日以後に提起される特許権、特許権についての専用実施権、実用新案権若しくは実用新案権についての専用実施権（以下この条において「特許権等」という。）の侵害に関する訴え又は特許法第六十五条第一項の規定による請求若しくは同法第百八十四条の十第一項の規定による請求（以下この条において「出願公開補償金等の請求」という。）に関する訴えにおける意見の提出について適用し、施行日前に提起された特許権等の侵害に関する訴え又は出願公開補償金等の請求に関する訴えにおける意見の提出については、なお従前の例による。

②　改正後特許法第百五条の四第三項及び第四項並びに第百五条の五第二項（これらの規定を特許法第六十五条第六項（同法第百八十四条の十第二項において準用する場合を含む。）、実用新案法第三十条、意匠法（昭和三十四年法律第百二十五号）第六十条の十二第二項において準用する場合を含む。）、意匠法第四十一条及び商標法（昭和三十四年法律第百二十七号）第三十九条（同法第十三条の二第五項において準用する場合を含む。）において準用する場合を含む。）の規定は、施行日以後に提起される特許権等、意匠権、意匠権についての専用実施権、商標権若しくは商標権についての専用使用権の侵害に関する訴え又は出願公開補償金等の請求、意匠法第六十条の十二第一項の規定による請求若しくは商標法第十三条の二第一項の規定による請求に関する訴えにおける秘密保持命令の送達及び効力の発生時期について適用し、施行日前に提起された特許権等、意匠権、意匠権についての専用実施権、商標権若しくは商標権についての専用使用権の侵害に関する訴え又は出願公開補償金等の請求、意匠法第六十条の十二第一項の規定による請求若しくは商標法第十三条の二第一項の規定による請求に関する訴えにおける秘密保持命令の送達及び効力の発生時期については、なお従前の例による。

（政令への委任）

第一二五条　この附則に定めるもののほか、この法律の施行に関し必要な経過措置は、政令で定める。

刑法等の一部を改正する法律の施行に伴う関係法律整理法中経過規定（令和四・六・一七法六八）（抄）

第四四一条から第四四三条まで　（刑法の同経過規定参照）

第五〇九条　（刑法の同経過規定参照）

刑法等の一部を改正する法律の施行に伴う関係法律整理法

附　則（令和四・六・一七法六八）（抄）

（施行期日）

①　この法律は、刑法等一部改正法（刑法等の一部を改正する法律（令和四法六七））施行日（令和七・六・一）から施行する。ただし、次の各号に掲げる規定は、当該各号に定める日から施行する。

一　第五百九条の規定　公布の日

二　（略）

○商標法（抄）（昭和三四・四・一三 法一二七）

施行 昭和三五・四・一（昭和三四法一二八）
最終改正 令和五法五一

目次

第一章 総則

（目的）

第一条 この法律は、商標を保護することにより、商標の使用をする者の業務上の信用の維持を図り、もつて産業の発達に寄与し、あわせて需要者の利益を保護することを目的とする。

（定義等）

第二条① この法律で「商標」とは、人の知覚によつて認識することができるもののうち、文字、図形、記号、立体的形状若しくは色彩又はこれらの結合、音その他政令で定めるもの（以下「標章」という。）であつて、次に掲げるものをいう。
一 業として商品を生産し、証明し、又は譲渡する者がその商品について使用をするもの
二 業として役務を提供し、又は証明する者がその役務について使用をするもの（前号に掲げるものを除く。）

② 前項第二号の役務には、小売及び卸売の業務において行われる顧客に対する便益の提供が含まれるものとする。

③ この法律で標章について「使用」とは、次に掲げる行為をいう。
一 商品又は商品の包装に標章を付する行為
二 商品又は商品の包装に標章を付したものを譲渡し、引き渡し、譲渡若しくは引渡しのために展示し、輸出し、輸入し、又は電気通信回線を通じて提供する行為
三 役務の提供に当たりその提供を受ける者の利用に供する物（譲渡し、又は貸し渡す物を含む。以下同じ。）に標章を付する行為
四 役務の提供に当たりその提供を受ける者の利用に供する物に標章を付したものを用いて役務を提供する行為
五 役務の提供の用に供する物（役務の提供に当たりその提供を受ける者の利用に供する物を含む。以下同じ。）に標章を付したものを役務の提供のために展示する行為
六 役務の提供に当たりその提供を受ける者の当該役務の提供に係る物に標章を付する行為
七 電磁的方法（電子的方法、磁気的方法その他の人の知覚によつては認識することができない方法をいう。以下同じ。）により行う映像面を介した役務の提供に当たりその映像面に標章を表示して役務を提供する行為
八 商品若しくは役務に関する広告、価格表若しくは取引書類に標章を付して展示し、若しくは頒布し、又はこれらを内容とする情報に標章を付して電磁的方法により提供する行為
九 音の標章にあつては、前各号に掲げるもののほか、商品の譲渡若しくは引渡し又は役務の提供のために音の標章を発する行為
十 前各号に掲げるもののほか、政令で定める行為

④ 前項において、商品その他の物に標章を付することには、次の各号に掲げる各標章については、それぞれ当該各号に掲げることが含まれるものとする。
一 文字、図形、記号若しくは立体的形状若しくはこれらの結合又はこれらと色彩との結合の標章 商品若しくは商品の包装、役務の提供の用に供する物又は商品若しくは役務に関する広告を標章の形状とすること。
二 音の標章 商品、役務の提供の用に供する物又は商品若しくは役務に関する広告に記録媒体が取り付けられている場合（商品、役務の提供の用に供する物又は商品若しくは役務に関する広告自体が記録媒体である場合を含む。）において、当該記録媒体に標章を記録すること。

⑤ この法律で「登録商標」とは、商標登録を受けている商標をいう。

⑥ この法律において、商品に類似するものの範囲には役務が含まれることがあるものとし、役務に類似するものの範囲には商品が含まれることがあるものとする。

⑦ この法律において、輸入する行為には、外国にある者が外国から日本国内に他人をして持ち込ませる行為が含まれるものとする。

第二章 商標登録及び商標登録出願（抄）

（商標登録の要件）

第三条① 自己の業務に係る商品又は役務について使用をする商標については、次に掲げる商標を除き、商標登録を受けることができる。
一 その商品又は役務の普通名称を普通に用いられる方法で表示する標章のみからなる商標
二 その商品又は役務について慣用されている商標
三 その商品の産地、販売地、品質、原材料、効能、用途、形状（包装の形状を含む。第二十六条第一項第二号及び第三号において同じ。）、生産若しくは使用の方法若しくは時期その他の特徴、数量若しくは価格又はその役務の提供の場所、質、提供の用に供する物、効能、用途、態様、提供の方法若しくは時期その他の特徴、数量若しくは価格を普通に用いられる方法で表示する標章のみからなる商標
四 ありふれた氏又は名称を普通に用いられる方法で表示する標章のみからなる商標
五 極めて簡単で、かつ、ありふれた標章のみからなる商標
六 前各号に掲げるもののほか、需要者が何人かの業務に係る商品又は役務であることを認識することができない商標

② 前項第三号から第五号までに該当する商標であつても、使用をされた結果需要者が何人かの業務に係る商品又は役務であることを認識することができるものについては、同項の規定にかかわらず、商標登録を受けることができる。

（**商標登録を受けることができない商標**）

第四条① 次に掲げる商標については、前条の規定にかかわらず、商標登録を受けることができない。
一 国旗、菊花紋章、勲章、褒章又は外国の国旗と同一又は類似の商標
二 パリ条約（千九百年十二月十四日にブラッセルで、千九百十一年六月二日にワシントンで、千九百二十五年十一月六日

にヘーグで、千九百三十四年六月二日にロンドンで、千九百五十八年十月三十一日にリスボンで及び千九百六十七年七月十四日にストックホルムで改正された工業所有権の保護に関する千八百八十三年三月二十日のパリ条約をいう。以下同じ。）の同盟国、世界貿易機関の加盟国又は商標法条約の締約国の国の紋章その他の記章（パリ条約の同盟国、世界貿易機関の加盟国又は商標法条約の締約国の国旗を除く。）であつて、経済産業大臣が指定するものと同一又は類似の商標

三　国際連合その他の国際機関（ロにおいて「国際機関」という。）を表示する標章であつて経済産業大臣が指定するものと同一又は類似の商標（次に掲げるものを除く。）

イ　自己の業務に係る商品若しくは役務を表示するものとして需要者の間に広く認識されている商標又はこれに類似するものであつて、その商品若しくは役務又はこれらに類似する商品若しくは役務について使用をするもの

ロ　国際機関の略称を表示する標章と同一又は類似の標章からなる商標であつて、その国際機関と関係があるとの誤認を生ずるおそれがない商品又は役務について使用をするもの

四　赤十字の標章及び名称等の使用の制限に関する法律（昭和二十二年法律第百五十九号）第一条の標章若しくは名称又は武力攻撃事態等における国民の保護のための措置に関する法律（平成十六年法律第百十二号）第百五十八条第一項の特殊標章と同一又は類似の商標

五　日本国又はパリ条約の同盟国、世界貿易機関の加盟国若しくは商標法条約の締約国の政府又は地方公共団体の監督用又は証明用の印章又は記号のうち経済産業大臣が指定するものと同一又は類似の標章を有する商標であつて、その印章又は記号が用いられている商品又は役務と同一又は類似の商品又は役務について使用をするもの

六　国若しくは地方公共団体若しくはこれらの機関、公益に関する団体であつて営利を目的としないもの又は公益に関する事業であつて営利を目的としないものを表示する標章であつて著名なものと同一又は類似の商標

七　公の秩序又は善良の風俗を害するおそれがある商標

八　他人の肖像若しくは他人の氏名（商標の使用をする商品又は役務の分野において需要者の間に広く認識されている氏名に限る。）若しくは名称若しくは著名な雅号、芸名若しくは筆名若しくはこれらの著名な略称を含む商標（その他人の承諾を得ているものを除く。）又は他人の氏名を含む商標であつて、政令で定める要件に該当しないもの

九　政府若しくは地方公共団体（以下「政府等」という。）が開設する博覧会若しくは政府等以外の者が開設する博覧会であつて特許庁長官の定める基準に適合するもの又は外国でその政府等若しくはその許可を受けた者が開設する国際的な博覧会の賞と同一又は類似の標章を有する商標（その賞を受けた者が商標の一部としてその標章の使用をするものを除く。）

十　他人の業務に係る商品若しくは役務を表示するものとして需要者の間に広く認識されている商標又はこれに類似する商標であつて、その商品若しくは役務又はこれらに類似する商品若しくは役務について使用をするもの

十一　当該商標登録出願の日前の商標登録出願に係る他人の登録商標又はこれに類似する商標であつて、その商標登録に係る指定商品若しくは指定役務（第六条第一項（第六十八条第一項において準用する場合を含む。）の規定により指定した商品又は役務をいう。以下同じ。）又はこれらに類似する商品若しくは役務について使用をするもの

十二　他人の登録防護標章（防護標章登録を受けている標章をいう。以下同じ。）と同一の商標であつて、その防護標章登録に係る指定商品又は指定役務について使用をするもの

十三　削除

十四　種苗法（平成十年法律第八十三号）第十八条第一項の規定による品種登録を受けた品種の名称と同一又は類似の商標であつて、その品種の種苗又はこれに類似する商品若しくは役務について使用をするもの

十五　他人の業務に係る商品又は役務と混同を生ずるおそれがある商標（第十号から前号までに掲げるものを除く。）

十六　商品の品質又は役務の質の誤認を生ずるおそれがある商標

十七　日本国のぶどう酒若しくは蒸留酒の産地のうち特許庁長官が指定するものを表示する標章又は世界貿易機関の加盟国のぶどう酒若しくは蒸留酒の産地を表示する標章のうち当該加盟国において当該産地以外の地域を産地とするぶどう酒若しくは蒸留酒について使用をすることが禁止されているものを有する商標であつて、当該産地以外の地域を産地とするぶどう酒又は蒸留酒について使用をするもの

十八　商品等（商品若しくは商品の包装又は役務をいう。第二十六条第一項第五号において同じ。）が当然に備える特徴のうち政令で定めるもののみからなる商標

十九　他人の業務に係る商品又は役務を表示するものとして日本国内又は外国における需要者の間に広く認識されている商標と同一又は類似の商標であつて、不正の目的（不正の利益を得る目的、他人に損害を加える目的その他の不正の目的をいう。以下同じ。）をもつて使用をするもの（前各号に掲げるものを除く。）

② 国若しくは地方公共団体若しくはこれらの機関、公益に関する団体であつて営利を目的としないもの又は公益に関する事業であつて営利を目的としないものを行つている者が前項第六号の商標について商標登録出願をするときは、同号の規定は、適用しない。

③ 第一項第八号、第十号、第十五号、第十七号又は第十九号に該当する商標であつても、商標登録出願の時に当該各号に該当しないものについては、これらの規定は、適用しない。

④ 第一項第十一号に該当する商標であつても、その商標登録出願人が、商標登録を受けることについて同号の他人の承諾を得ており、かつ、当該商標の使用をする商品又は役務と同号の他人の登録商標に係る商標権者、専用使用権者又は通常使用権者の業務に係る商品又は役務との間で混同を生ずるおそれがないものについては、同号の規定は、適用しない。

第五条①（**商標登録出願**）商標登録を受けようとする者は、次に掲げる事項を記載した願書に必要な書面を添付して特許庁長官に提出しなければならない。

一　商標登録出願人の氏名又は名称及び住所又は居所

二　商標登録を受けようとする商標

三　指定商品又は指定役務並びに第六条第二項の政令で定める商品及び役務の区分

② 次に掲げる商標について商標登録を受けようとするときは、その旨を願書に記載しなければならない。

一　商標に係る文字、図形、記号、立体的形状若しくは色彩が変化するものであつて、その変化の前後にわたるその文字、図形、記号、立体的形状若しくは色彩又はこれらの結合からなる商標

二　立体的形状（文字、図形、記号若しくは色彩又はこれらの結合との結合を含む。）からなる商標（前号に掲げるものを除く。）

三　色彩のみからなる商標（第一号に掲げるものを除く。）

四　音からなる商標

五　前各号に掲げるもののほか、経済産業省令で定める商標

③ 商標登録を受けようとする商標について、特許庁長官の指定する文字（以下「標準文字」という。）のみによつて商標登録を受けようとするときは、その旨を願書に記載しなければならない。

④ 経済産業省令で定める商標について商標登録を受けようとするときは、経済産業省令で定めるところにより、その商標の詳細な説明を願書に記載し、又は経済産業省令で定める物件を願

書に添付しなければならない。

⑤ 前項の記載及び物件は、商標登録を受けようとする商標を特定するものでなければならない。

⑥ 商標登録を受けようとする商標を記載した部分のうち商標登録を受けようとする商標を記載する欄の色彩と同一の色彩である部分は、その商標の一部でないものとみなす。ただし、色彩を付すべき範囲を明らかにしてその欄の色彩と同一の色彩を付すべき旨を表示した部分については、この限りでない。

第五条の二 （略）

（一商標一出願）

第六条① 商標登録出願は、商標の使用をする一又は二以上の商品又は役務を指定して、商標ごとにしなければならない。

② 前項の指定は、政令で定める商品及び役務の区分に従つてしなければならない。

③ 前項の商品及び役務の区分は、商品又は役務の類似の範囲を定めるものではない。

（団体商標）

第七条① 一般社団法人その他の社団（法人格を有しないもの及び会社を除く。）若しくは事業協同組合その他の特別の法律により設立された組合（法人格を有しないものを除く。）又はこれらに相当する外国の法人は、その構成員に使用をさせる商標について、団体商標の商標登録を受けることができる。

② 前項の場合における第三条第一項の規定の適用については、同項中「自己の」とあるのは、「自己又はその構成員の」とする。

③ 第一項の規定により団体商標の商標登録を受けようとする者は、第五条第一項の商標登録出願において、商標登録出願人が第一項に規定する法人であることを証明する書面を特許庁長官に提出しなければならない。

（地域団体商標）

第七条の二① 事業協同組合その他の特別の法律により設立された組合（法人格を有しないものを除き、当該特別の法律において、正当な理由がないのに、構成員たる資格を有する者の加入を拒み、又はその加入につき現在の構成員が加入の際に付されたよりも困難な条件を付してはならない旨の定めのあるものに限る。）、商工会、商工会議所若しくは特定非営利活動促進法（平成十年法律第七号）第二条第二項に規定する特定非営利活動法人又はこれらに相当する外国の法人（以下「組合等」という。）は、その構成員に使用をさせる商標であつて、次の各号のいずれかに該当するものについて、その商標が使用をされた結果自己又はその構成員の業務に係る商品又は役務を表示するものとして需要者の間に広く認識されているときは、第三条の規定（同条第一項第一号又は第二号に係る場合を除く。）にかかわらず、地域団体商標の商標登録を受けることができる。

一 地域の名称及び自己又はその構成員の業務に係る商品又は役務の普通名称を普通に用いられる方法で表示する文字のみからなる商標

二 地域の名称及び自己又はその構成員の業務に係る商品又は役務を表示するものとして慣用されている名称を普通に用いられる方法で表示する文字のみからなる商標

三 地域の名称及び自己若しくはその構成員の業務に係る商品若しくは役務の普通名称又はこれらを表示するものとして慣用されている名称を普通に用いられる方法で表示する文字並びに商品の産地又は役務の提供の場所を表示する際に付される文字として慣用されている文字であつて、普通に用いられる方法で表示するもののみからなる商標

② 前項において「地域の名称」とは、自己若しくはその構成員が商標登録出願前から当該出願に係る商標の使用をしている商品の産地若しくは役務の提供の場所その他これらに準ずる程度に当該商品若しくは当該役務と密接な関連性を有すると認められる地域の名称又はその略称をいう。

③ 第一項の場合における第三条第一項（第一号及び第二号に係る部分に限る。）の規定の適用については、同項中「自己の」とあるのは、「自己又はその構成員の」とする。

④ 第一項の規定により地域団体商標の商標登録を受けようとする者は、第五条第一項の商標登録出願において、商標登録出願人が組合等であることを証明する書面及びその商標登録出願に係る商標が第二項に規定する地域の名称を含むものであることを証明するため必要な書類を特許庁長官に提出しなければならない。

（先願）

第八条① 同一又は類似の商品又は役務について使用をする同一又は類似の商標について異なつた日に二以上の商標登録出願があつたときは、最先の商標登録出願人のみがその商標について商標登録を受けることができる。ただし、後の日に商標登録出願をした商標登録出願人（以下この項において「後出願人」という。）が、商標登録を受けることについて先の日に商標登録出願をした商標登録出願人（当該商標登録出願人が複数あるときは、当該複数の商標登録出願人。以下この項及び第六項において「先出願人」という。）の承諾を得ており、かつ、当該後出願人がその商標の使用をする商品又は役務と当該先出願人がその商標の使用をする商品又は役務（当該商標が商標登録された場合においては、その登録商標に係る商標権者、専用使用権者又は通常使用権者の業務に係る商品又は役務）との間で混同を生ずるおそれがないときは、当該後出願人もその商標について商標登録を受けることができる。

② 同一又は類似の商品又は役務について使用をする同一又は類似の商標について同日に二以上の商標登録出願があつたときは、商標登録出願人の協議により定めた一の商標登録出願人のみがその商標について商標登録を受けることができる。ただし、全ての商標登録出願人が商標登録を受けることについて相互に承諾しており、かつ、それぞれの商標の使用をする商品又は役務との間で混同を生ずるおそれがないときは、当該全ての商標登録出願人がそれぞれの商標について商標登録を受けることができる。

③ 商標登録出願が放棄され取り下げられ若しくは却下されたとき、又は商標登録出願について査定若しくは審決が確定したときは、その商標登録出願は、前二項の規定の適用については、初めからなかつたものとみなす。

④ 特許庁長官は、第二項本文の場合は、相当の期間を指定して、同項本文の協議をしてその結果を届け出るべき旨を商標登録出願人に命じなければならない。

⑤ 第二項本文の協議が成立せず、又は前項の規定により指定した期間内に同項の規定による届出がないとき（第二項ただし書に規定するときを除く。）は、特許庁長官が行う公正な方法によるくじにより定めた順位における最先の商標登録出願人のみが商標登録を受けることができる。ただし、当該くじにより定めた順位における後順位の商標登録出願人（以下この項において「後順位出願人」という。）が、商標登録を受けることについて先順位の商標登録出願人（当該商標登録出願人が複数あるときは、当該複数の商標登録出願人。以下この項及び次項において「先順位出願人」という。）の承諾を得ており、かつ、当該後順位出願人がその商標の使用をする商品又は役務と当該先順位出願人がその商標の使用をする商品又は役務（当該商標が商標登録された場合においては、その登録商標に係る商標権者、専用使用権者又は通常使用権者の業務に係る商品又は役務）との間で混同を生ずるおそれがないときは、当該後順位出願人もその商標について商標登録を受けることができる。

⑥ 第一項ただし書又は前項ただし書の場合において、先出願人又は先順位出願人の商標が商標登録され、その登録商標に係る商標権が移転されたときは、その登録商標に係る商標権者を先出願人又は先順位出願人とみなして、これらの規定を適用する。

第九条から第九条の三まで （略）

（指定商品等又は商標登録を受けようとする商標の補正と要旨変更）

第九条の四　願書に記載した指定商品若しくは指定役務又は商標登録を受けようとする商標についてした補正がこれらの要旨を変更するものと商標権の設定の登録があつた後に認められたときは、その商標登録出願は、その補正について手続補正書を提出した時にしたものとみなす。

（商標登録出願の分割）

第一〇条①　商標登録出願人は、商標登録出願が審査、審判若しくは再審に係属している場合又は商標登録出願についての拒絶をすべき旨の審決に対する訴えが裁判所に係属している場合であつて、かつ、当該商標登録出願について第七十六条第二項の規定により納付すべき手数料を納付している場合に限り、二以上の商品又は役務を指定商品又は指定役務とする商標登録出願の一部を一又は二以上の新たな商標登録出願とすることができる。

② 前項の場合は、新たな商標登録出願は、もとの商標登録出願の時にしたものとみなす。ただし、第九条第二項並びに第十三条第一項において準用する特許法（昭和三十四年法律第百二十一号）第四十三条第一項及び第二項（これらの規定を第十三条第一項において準用する同法第四十三条の三第三項において準用する場合を含む。）の規定の適用については、この限りでない。

③ 第一項に規定する新たな商標登録出願をする場合には、もとの商標登録出願について提出された書面又は書類（第十三条第一項において準用する特許法第四十三条第二項（第十三条第一項において準用する同法第四十三条の三第三項において準用する場合を含む。）の規定により提出された場合には、電磁的方法により提供されたものを含む。）であつて、新たな商標登録出願について第九条第二項又は第十三条第一項において準用する同法第四十三条第一項及び第二項（これらの規定を第十三条第一項において準用する同法第四十三条の三第三項において準用する場合を含む。）の規定により提出しなければならないものは、当該新たな商標登録出願と同時に特許庁長官に提出されたものとみなす。

第一一条及び第一二条　（略）

（出願公開）

第一二条の二①　特許庁長官は、商標登録出願があつたときは、出願公開をしなければならない。

② 出願公開は、次に掲げる事項を商標公報に掲載することにより行う。ただし、第三号及び第四号に掲げる事項については、当該事項を商標公報に掲載することが公の秩序又は善良の風俗を害するおそれがあると特許庁長官が認めるときは、この限りでない。

一　商標登録出願人の氏名又は名称及び住所又は居所

二　商標登録出願の番号及び年月日

三　願書に記載した商標（第五条第三項に規定する場合にあつては標準文字により現したもの。以下同じ。）

四　指定商品又は指定役務

五　前各号に掲げるもののほか、必要な事項

第一三条　（略）

（設定の登録前の金銭的請求権等）

第一三条の二①　商標登録出願人は、商標登録出願をした後に当該出願に係る内容を記載した書面を提示して警告をしたときは、その警告後商標権の設定の登録前に当該出願に係る指定商品又は指定役務について当該出願に係る商標の使用をした者に対し、当該使用により生じた業務上の損失に相当する額の金銭の支払を請求することができる。

② 前項の規定による請求権は、商標権の設定の登録があつた後でなければ、行使することができない。

③ 第一項の規定による請求権の行使は、商標権の行使を妨げない。

④ 商標登録出願が放棄され、取り下げられ、若しくは却下されたとき、商標登録出願について拒絶をすべき旨の査定若しくは審決が確定したとき、第四十三条の三第二項の取消決定が確定したとき、又は第四十六条の二第一項ただし書の場合を除き商標登録を無効にすべき旨の審決が確定したときは、第一項の請求権は、初めから生じなかつたものとみなす。

⑤ 第二十七条、第三十七条、第三十九条において準用する特許法第百四条の三第一項及び第二項、第百五条、第百五条の二の十二、第百五条の四から第百五条の六まで及び第百六条、第五十六条第一項において準用する同法第百六十八条第三項から第六項まで並びに民法（明治二十九年法律第八十九号）第七百十九条及び第七百二十四条（不法行為）の規定は、第一項の規定による請求権を行使する場合に準用する。この場合において、当該請求権を有する者が商標権の設定の登録前に当該商標登録出願に係る商標の使用の事実及びその使用をした者を知つたときは、同条第一号中「被害者又はその法定代理人が損害及び加害者を知った時」とあるのは、「商標権の設定の登録の日」と読み替えるものとする。

第三章　審査　（抄）

（審査官による審査）

第一四条　特許庁長官は、審査官に商標登録出願を審査させなければならない。

（拒絶の査定）

第一五条　審査官は、商標登録出願が次の各号のいずれかに該当するときは、その商標登録出願について拒絶をすべき旨の査定をしなければならない。

一　その商標登録出願に係る商標が第三条、第四条第一項、第七条の二第一項、第八条第二項若しくは第五項、第五十一条第二項（第五十二条の二第二項において準用する場合を含む。）、第五十三条第二項又は第七十七条第三項において準用する特許法第二十五条の規定により商標登録をすることができないものであるとき。

二　その商標登録出願に係る商標が条約の規定により商標登録をすることができないものであるとき。

三　その商標登録出願が第五条第五項又は第六条第一項若しくは第二項に規定する要件を満たしていないとき。

（拒絶理由の通知）

第一五条の二　審査官は、拒絶をすべき旨の査定をしようとするときは、商標登録出願人に対し、拒絶の理由を通知し、相当の期間を指定して、意見書を提出する機会を与えなければならない。

第一五条の三①　審査官は、商標登録出願に係る商標が、当該商標登録出願の日前の商標登録出願に係る他人の商標又はこれに類似する商標であつて、その商標に係る指定商品若しくは指定役務又はこれらに類似する商品若しくは役務について使用をするものであるときは、商標登録出願人に対し、当該他人の商標が商標登録されることにより当該商標登録出願が第十五条第一号に該当することとなる旨を通知し、相当の期間を指定して、意見書を提出する機会を与えることができる。

② 前項の通知が既にされている場合であつて、当該他人の商標が商標登録されたときは、前条の通知をすることを要しない。

（商標登録の査定）

第一六条　審査官は、政令で定める期間内に商標登録出願について拒絶の理由を発見しないときは、商標登録をすべき旨の査定をしなければならない。

（補正の却下）

第一六条の二①　願書に記載した指定商品若しくは指定役務又は商標登録を受けようとする商標についてした補正がこれらの要旨を変更するものであるときは、審査官は、決定をもつてその補正を却下しなければならない。

② 前項の規定による却下の決定は、文書をもつて行い、かつ、理由を付さなければならない。

③ 第一項の規定による却下の決定があつたときは、決定の謄本の送達があつた日から三月を経過するまでは、当該商標登録出願について査定をしてはならない。

④審査官は、商標登録出願人が第一項の規定による却下の決定に対し第四十五条第一項の審判を請求したときは、その審判の審決が確定するまでその商標登録出願の審査を中止しなければならない。

第一七条及び第一七条の二　（略）

第四章　商標権（抄）

第一節　商標権（抄）

（商標権の設定の登録）

第一八条①商標権は、設定の登録により発生する。

②第四十条第一項の規定による登録料又は第四十一条の二第一項の規定により商標登録をすべき旨の査定若しくは審決の謄本の送達があつた日から三十日以内に納付すべき登録料の納付があつたときは、商標権の設定の登録をする。

③前項の登録があつたときは、次に掲げる事項を商標公報に掲載しなければならない。

一　商標権者の氏名又は名称及び住所又は居所
二　商標登録出願の番号及び年月日
三　願書に記載した商標
四　指定商品又は指定役務
五　登録番号及び設定の登録の年月日
六　前各号に掲げるもののほか、必要な事項

④特許庁長官は、前項の規定により同項各号に掲げる事項を掲載した商標公報（以下「商標掲載公報」という。）の発行の日から二月間、特許庁において出願書類及びその附属物件を公衆の縦覧に供しなければならない。ただし、個人の名誉又は生活の平穏を害するおそれがある書類又は物件及び公の秩序又は善良の風俗を害するおそれがある書類又は物件であつて、特許庁長官が秘密を保持する必要があると認めるものについては、この限りでない。

⑤特許庁長官は、個人の名誉又は生活の平穏を害するおそれがある書類又は物件であつて、前項ただし書の規定により特許庁長官が秘密を保持する必要があると認めるもの以外のものを縦覧に供しようとするときは、当該書類又は物件を提出した者に対し、その旨及びその理由を通知しなければならない。

（存続期間）

第一九条①商標権の存続期間は、設定の登録の日から十年をもつて終了する。

②商標権の存続期間は、商標権者の更新登録の申請により更新することができる。

③商標権の存続期間を更新した旨の登録があつたときは、存続期間は、その満了の時に更新されるものとする。

（存続期間の更新登録の申請）

第二〇条①商標権の存続期間の更新登録の申請をする者は、次に掲げる事項を記載した申請書を特許庁長官に提出しなければならない。

一　申請人の氏名又は名称及び住所又は居所
二　商標登録の登録番号
三　前二号に掲げるもののほか、経済産業省令で定める事項

②更新登録の申請は、商標権の存続期間の満了前六月から満了の日までの間にしなければならない。

③商標権者は、前項に規定する期間内に更新登録の申請をすることができないときは、その期間が経過した後であつても、経済産業省令で定める期間内にその申請をすることができる。

④商標権者が前項の規定により更新登録の申請をすることができる期間内に、その申請をしないときは、その商標権は、存続期間の満了の時にさかのぼつて消滅したものとみなす。

第二一条及び第二二条　（略）

（存続期間の更新の登録）

第二三条①第四十条第二項の規定による登録料又は第四十一条の二第七項の規定により更新登録の申請と同時に納付すべき登録料の納付があつたときは、商標権の存続期間を更新した旨の登録をする。

②第二十条第三項又は第二十一条第一項の規定により更新登録の申請をする場合は、前項の規定にかかわらず、第四十条第二項の規定による登録料及び第四十三条第一項の規定による割増登録料又は第四十一条の二第七項の規定により更新登録の申請と同時に納付すべき登録料及び第四十三条第二項の規定による割増登録料の納付があつたときに、商標権の存続期間を更新した旨の登録をする。

③前二項の登録があつたときは、次に掲げる事項を商標公報に掲載しなければならない。

一　商標権者の氏名又は名称及び住所又は居所
二　登録番号及び更新登録の年月日
三　前二号に掲げるもののほか、必要な事項

（商標権の分割）

第二四条①商標権の分割は、その指定商品又は指定役務が二以上あるときは、指定商品又は指定役務ごとにすることができる。

②前項の分割は、商標権の消滅後においても、第四十六条第三項の審判の請求があつたときは、その事件が審判、再審又は訴訟に係属している場合に限り、することができる。

（商標権の移転）

第二四条の二①商標権の移転は、その指定商品又は指定役務が二以上あるときは、指定商品又は指定役務ごとに分割してすることができる。

②国若しくは地方公共団体若しくはこれらの機関又は公益に関する団体であつて営利を目的としないものの商標登録出願であつて、第四条第二項に規定するものに係る商標権は、譲渡することができない。

③公益に関する事業であつて営利を目的としないものを行つている者の商標登録出願であつて、第四条第二項に規定するものに係る商標権は、その事業とともにする場合を除き、移転することができない。

④地域団体商標に係る商標権は、譲渡することができない。

（団体商標に係る商標権の移転）

第二四条の三①団体商標に係る商標権が移転されたときは、次項に規定する場合を除き、その商標権は、通常の商標権に変更されたものとみなす。

②団体商標に係る商標権を団体商標に係る商標権として移転しようとするときは、その旨を記載した書面及び第七条第三項に規定する書面を移転の登録の申請と同時に特許庁長官に提出しなければならない。

第二四条の四　（略）

（商標権の効力）

第二五条　商標権者は、指定商品又は指定役務について登録商標の使用をする権利を専有する。ただし、その商標権について専用使用権を設定したときは、専用使用権者がその登録商標の使用をする権利を専有する範囲については、この限りでない。

（商標権の効力が及ばない範囲）

第二六条①商標権の効力は、次に掲げる商標（他の商標の一部となつているものを含む。）には、及ばない。

一　自己の肖像又は自己の氏名若しくは名称若しくは著名な雅号、芸名若しくは筆名若しくはこれらの著名な略称を普通に用いられる方法で表示する商標
二　当該指定商品若しくはこれに類似する商品の普通名称、産地、販売地、品質、原材料、効能、用途、形状、生産若しくは使用の方法若しくは時期その他の特徴、数量若しくは価格又は当該指定商品に類似する役務の普通名称、提供の場所、質、提供の用に供する物、効能、用途、態様、提供の方法若しくは時期その他の特徴、数量若しくは価格を普通に用いられる方法で表示する商標
三　当該指定役務若しくはこれに類似する役務の普通名称、提供の場所、質、提供の用に供する物、効能、用途、態様、提供の方法若しくは時期その他の特徴、数量若しくは価格又は当該指定役務に類似する商品の普通名称、産地、販売地、品

質、原材料、効能、用途、形状、生産若しくは使用の方法若しくは時期その他の特徴、数量若しくは価格を普通に用いられる方法で表示する商標

四　当該指定商品若しくは指定役務又はこれらに類似する商品若しくは役務について慣用されている商標

五　商品等が当然に備える特徴のうち政令で定めるもののみからなる商標

六　前各号に掲げるもののほか、需要者が何人かの業務に係る商品又は役務であることを認識することができる態様により使用されていない商標

②　前項第一号の規定は、商標権の設定の登録があつた後、不正競争の目的で、自己の肖像又は自己の氏名若しくは名称若しくは著名な雅号、芸名若しくは筆名若しくはこれらの著名な略称を用いた場合は、適用しない。

③　商標権の効力は、次に掲げる行為には、及ばない。ただし、その行為が不正競争の目的でされない場合に限る。

一　特定農林水産物等の名称の保護に関する法律（平成二十六年法律第八十四号。以下この項において「特定農林水産物等名称保護法」という。）第三条第一項（特定農林水産物等名称保護法第三十条において読み替えて適用する場合を含む。次号及び第三号において同じ。）の規定により特定農林水産物等名称保護法第六条の登録に係る特定農林水産物等名称保護法第二条第二項に規定する特定農林水産物等（当該登録に係る特定農林水産物等を主な原料又は材料として製造され、又は加工された同条第一項に規定する農林水産物等を含む。次号及び第三号において「登録に係る特定農林水産物等」という。）又はその包装に同条第三項に規定する地理的表示（次号及び第三号において「地理的表示」という。）を付する行為

二　特定農林水産物等名称保護法第三条第一項の規定により登録に係る特定農林水産物等又はその包装に地理的表示を付したものを譲渡し、引き渡し、譲渡若しくは引渡しのために展示し、輸出し、又は輸入する行為

三　特定農林水産物等名称保護法第三条第一項の規定により登録に係る特定農林水産物等に関する広告、価格表若しくは取引書類に地理的表示を付して展示し、若しくは頒布し、又はこれらを内容とする情報に地理的表示を付して電磁的方法により提供する行為

（登録商標等の範囲）

第二七条①　登録商標の範囲は、願書に記載した商標に基づいて定めなければならない。

②　指定商品又は指定役務の範囲は、願書の記載に基づいて定めなければならない。

③　第一項の場合においては、第五条第四項の記載及び物件を考慮して、願書に記載した商標の記載の意義を解釈するものとする。

第二八条及び第二八条の二　（略）

（他人の特許権等との関係）

第二九条　商標権者、専用使用権者又は通常使用権者は、指定商品又は指定役務についての登録商標の使用がその使用の態様によりその商標登録出願の日前の出願に係る他人の特許権、実用新案権若しくは意匠権又はその商標登録出願の日前に生じた他人の著作権若しくは著作隣接権と抵触するときは、指定商品又は指定役務のうち抵触する部分についてその態様により登録商標の使用をすることができない。

（専用使用権）

第三〇条①　商標権者は、その商標権について専用使用権を設定することができる。ただし、第四条第二項に規定する商標登録出願に係る商標権及び地域団体商標に係る商標権については、この限りでない。

②　専用使用権者は、設定行為で定めた範囲内において、指定商品又は指定役務について登録商標の使用をする権利を専有する。

③　専用使用権は、商標権者の承諾を得た場合及び相続その他の一般承継の場合に限り、移転することができる。

④　特許法第七十七条第四項及び第五項（質権の設定等）、第九十七条第二項（放棄）並びに第九十八条第一項第二号及び第二項（登録の効果）の規定は、専用使用権に準用する。

（通常使用権）

第三一条①　商標権者は、その商標権について他人に通常使用権を許諾することができる。

②　通常使用権者は、設定行為で定めた範囲内において、指定商品又は指定役務について登録商標の使用をする権利を有する。

③　通常使用権は、商標権者（専用使用権についての通常使用権にあつては、商標権者及び専用使用権者）の承諾を得た場合及び相続その他の一般承継の場合に限り、移転することができる。

④　通常使用権は、その登録をしたときは、その商標権若しくは専用使用権又はその商標権についての専用使用権をその後に取得した者に対しても、その効力を生ずる。

⑤　通常使用権の移転、変更、消滅又は処分の制限は、登録しなければ、第三者に対抗することができない。

⑥　特許法第七十三条第一項（共有）、第九十四条第二項（質権の設定）及び第九十七条第三項（放棄）の規定は、通常使用権に準用する。

（団体構成員等の権利）

第三一条の二①　団体商標に係る商標権を有する第七条第一項に規定する法人の構成員（以下「団体構成員」という。）又は地域団体商標に係る商標権を有する組合等の構成員（以下「地域団体構成員」という。）は、当該法人又は当該組合等の定めるところにより、指定商品又は指定役務について団体商標又は地域団体商標に係る登録商標の使用をする権利を有する。ただし、その商標権（団体商標に係る商標権に限る。）について専用使用権が設定されたときは、専用使用権者がその登録商標の使用をする権利を専有する範囲については、この限りでない。

②　前項本文の権利は、移転することができない。

③　団体構成員又は地域団体構成員は、第二十四条の四、第二十九条、第五十条、第五十二条の二、第五十三条及び第七十三条の規定の適用については、通常使用権者とみなす。

④　団体商標又は地域団体商標に係る登録商標についての第三十三条第一項第三号の規定の適用については、同号中「又はその商標権若しくは専用使用権についての第三十一条第四項の効力を有する通常使用権を有する者」とあるのは、「若しくはその商標権若しくは専用使用権についての第三十一条第四項の効力を有する通常使用権を有する者又はその商標の使用をする権利を有する団体構成員若しくは地域団体構成員」とする。

（先使用による商標の使用をする権利）

第三二条①　他人の商標登録出願前から日本国内において不正競争の目的でなくその商標登録出願に係る指定商品若しくは指定役務又はこれらに類似する商品若しくは役務についてその商標又はこれに類似する商標の使用をしていた結果、その商標登録出願の際（第九条の四の規定により、又は第十七条の二第一項若しくは第五十五条の二第三項（第六十条の二第二項において準用する場合を含む。）において準用する意匠法第十七条の三第一項の規定により、その商標登録出願が手続補正書を提出した時にしたものとみなされたときは、もとの商標登録出願の際又は手続補正書を提出した際）現にその商標が自己の業務に係る商品又は役務を表示するものとして需要者の間に広く認識されているときは、その者は、継続してその商品又は役務についてその商標の使用をする場合は、その商品又は役務についてその商標の使用をする権利を有する。当該業務を承継した者についても、同様とする。

②　当該商標権者又は専用使用権者は、前項の規定により商標の使用をする権利を有する者に対し、その者の業務に係る商品又は役務と自己の業務に係る商品又は役務との混同を防ぐのに適当な表示を付すべきことを請求することができる。

第三二条の二①　他人の地域団体商標の商標登録出願前から日本

国内において不正競争の目的でなくその商標登録出願に係る指定商品若しくは指定役務又はこれらに類似する商品若しくは役務についてその商標又はこれに類似する商標の使用をしていた者は、継続してその商品又は役務についてその商標の使用をする場合は、その商品又は役務についてその商標の使用をする権利を有する。当該業務を承継した者についても、同様とする。

② 当該商標権者は、前項の規定により商標の使用をする権利を有する者に対し、その者の業務に係る商品又は役務と自己又はその構成員の業務に係る商品又は役務との混同を防ぐのに適当な表示を付すべきことを請求することができる。

（無効審判の請求登録前の使用による商標の使用をする権利）

第三三条① 次の各号のいずれかに該当する者が第四十六条第一項の審判の請求の登録前に商標登録が同項各号のいずれかに該当することを知らないで日本国内において指定商品若しくは指定役務又はこれらに類似する商品若しくは役務について当該登録商標又はこれに類似する商標の使用をし、その商標が自己の業務に係る商品又は役務を表示するものとして需要者の間に広く認識されていたときは、その者は、継続してその商品又は役務についてその商標の使用をする場合は、その商品又は役務についてその商標の使用をする権利を有する。当該業務を承継した者についても、同様とする。

一　同一又は類似の指定商品又は指定役務について使用をする同一又は類似の商標についての二以上の商標登録のうち、その一を無効にした場合における原商標権者

二　商標登録を無効にして同一又は類似の指定商品又は指定役務について使用をする同一又は類似の商標について正当権利者に商標登録をした場合における原商標権者

三　前二号に掲げる場合において、第四十六条第一項の審判の請求の登録の際現にその無効にした商標登録に係る商標権についての専用使用権又はその商標権若しくは専用使用権についての第三十一条第四項の効力を有する通常使用権を有する者

② 当該商標権者又は専用使用権者は、前項の規定により商標の使用をする権利を有する者から相当の対価を受ける権利を有する。

③ 第三十二条第二項の規定は、第一項の場合に準用する。

第三三条の二及び第三三条の三　（略）

（質権）

第三四条① 商標権、専用使用権又は通常使用権を目的として質権を設定したときは、質権者は、契約で別段の定めをした場合を除き、当該指定商品又は指定役務について当該登録商標の使用をすることができない。

② 通常使用権を目的とする質権の設定、移転、変更、消滅又は処分の制限は、登録しなければ、第三者に対抗することができない。

③ 特許法第九十六条（物上代位）の規定は、商標権、専用使用権又は通常使用権を目的とする質権に準用する。

④ 特許法第九十八条第一項第三号及び第二項（登録の効果）の規定は、商標権又は専用使用権を目的とする質権に準用する。

（商標権の放棄）

第三四条の二　商標権者は、専用使用権者、質権者又は通常使用権者があるときは、これらの者の承諾を得た場合に限り、その商標権を放棄することができる。

第三五条　（略）

第二節　権利侵害

（差止請求権）

第三六条① 商標権者又は専用使用権者は、自己の商標権又は専用使用権を侵害する者又は侵害するおそれがある者に対し、その侵害の停止又は予防を請求することができる。

② 商標権者又は専用使用権者は、前項の規定による請求をするに際し、侵害の行為を組成した物の廃棄、侵害の行為に供した設備の除却その他の侵害の予防に必要な行為を請求することができる。

（侵害とみなす行為）

第三七条　次に掲げる行為は、当該商標権又は専用使用権を侵害するものとみなす。

一　指定商品若しくは指定役務についての登録商標に類似する商標の使用又は指定商品若しくは指定役務に類似する商品若しくは役務についての登録商標若しくはこれに類似する商標の使用

二　指定商品又は指定商品若しくは指定役務に類似する商品であつて、その商品又はその商品の包装に登録商標又はこれに類似する商標を付したものを譲渡、引渡し又は輸出のために所持する行為

三　指定役務又は指定役務若しくは指定商品に類似する役務の提供に当たりその提供を受ける者の利用に供する物に登録商標又はこれに類似する商標を付したものを、これを用いて当該役務を提供するために所持し、又は輸入する行為

四　指定役務又は指定役務若しくは指定商品に類似する役務の提供に当たりその提供を受ける者の利用に供する物に登録商標又はこれに類似する商標を付したものを、これを用いて当該役務を提供させるために譲渡し、引き渡し、又は譲渡若しくは引渡しのために所持し、若しくは輸入する行為

五　指定商品若しくは指定役務又はこれらに類似する商品若しくは役務について登録商標又はこれに類似する商標の使用をするために登録商標又はこれに類似する商標を表示する物を所持する行為

六　指定商品若しくは指定役務又はこれらに類似する商品若しくは役務について登録商標又はこれに類似する商標の使用をさせるために登録商標又はこれに類似する商標を表示する物を譲渡し、引き渡し、又は譲渡若しくは引渡しのために所持する行為

七　指定商品若しくは指定役務又はこれらに類似する商品若しくは役務について登録商標又はこれに類似する商標の使用をし、又は使用をさせるために登録商標又はこれに類似する商標を表示する物を製造し、又は輸入する行為

八　登録商標又はこれに類似する商標を表示する物を製造するためにのみ用いる物を業として製造し、譲渡し、引き渡し、又は輸入する行為

（損害の額の推定等）

第三八条① 商標権者又は専用使用権者が故意又は過失により自己の商標権又は専用使用権を侵害した者に対しその侵害により自己が受けた損害の賠償を請求する場合において、その者がその侵害の行為を組成した商品を譲渡したときは、次の各号に掲げる額の合計額を、商標権者又は専用使用権者が受けた損害の額とすることができる。

一　商標権者又は専用使用権者がその侵害の行為がなければ販売することができた商品の単位数量当たりの利益の額に、自己の商標権又は専用使用権を侵害した者が譲渡した商品の数量（次号において「譲渡数量」という。）のうち当該商標権者又は専用使用権者の使用の能力に応じた数量（同号において「使用相応数量」という。）を超えない部分（その全部又は一部に相当する数量を当該商標権者又は専用使用権者が販売することができないとする事情があるときは、当該事情に相当する数量（同号において「特定数量」という。）を控除した数量）を乗じて得た額

二　譲渡数量のうち使用相応数量を超える数量又は特定数量がある場合（商標権者又は専用使用権者が、当該商標権者の商標権についての専用使用権の設定若しくは通常使用権の許諾又は当該専用使用権者の専用使用権についての通常使用権の許諾をし得たと認められない場合を除く。）におけるこれらの数量に応じた当該商標権又は専用使用権に係る登録商標の使用に対し受けるべき金銭の額に相当する額

② 商標権者又は専用使用権者が故意又は過失により自己の商標権又は専用使用権を侵害した者に対しその侵害により自己が受

けた損害の賠償を請求する場合において、その者がその侵害の行為により利益を受けているときは、その利益の額は、商標権者又は専用使用権者が受けた損害の額と推定する。

③ 商標権者又は専用使用権者は、故意又は過失により自己の商標権又は専用使用権を侵害した者に対し、その登録商標の使用に対し受けるべき金銭の額に相当する額の金銭を、自己が受けた損害の額としてその賠償を請求することができる。

④ 裁判所は、第一項第二号及び前項に規定する登録商標の使用に対し受けるべき金銭の額に相当する額を認定するに当たつては、商標権者又は専用使用権者が、自己の商標権又は専用使用権に係る登録商標の使用の対価について、当該商標権又は専用使用権の侵害があつたことを前提として当該商標権又は専用使用権を侵害した者との間で合意をするとしたならば、当該商標権者又は専用使用権者が得ることとなるその対価を考慮することができる。

⑤ 商標権者又は専用使用権者が故意又は過失により自己の商標権又は専用使用権を侵害した者に対しその侵害により自己が受けた損害の賠償を請求する場合において、その侵害が指定商品又は指定役務についての登録商標（書体のみに変更を加えた同一の文字からなる商標、平仮名、片仮名及びローマ字の文字の表示を相互に変更するものであつて同一の称呼及び観念を生ずる商標、外観において同視される図形からなる商標その他の当該登録商標と社会通念上同一と認められる商標を含む。第五十条において同じ。）の使用によるものであるときは、その商標権の取得及び維持に通常要する費用に相当する額を、商標権者又は専用使用権者が受けた損害の額とすることができる。

⑥ 第三項及び前項の規定は、これらの規定に規定する金額を超える損害の賠償の請求を妨げない。この場合において、商標権又は専用使用権を侵害した者に故意又は重大な過失がなかつたときは、裁判所は、損害の賠償の額を定めるについて、これを参酌することができる。

（主張の制限）

第三八条の二 商標権若しくは専用使用権の侵害又は第十三条の二第一項（第六十八条第一項において準用する場合を含む。）に規定する金銭の支払の請求に係る訴訟の終局判決が確定した後に、次に掲げる審決又は決定が確定したときは、当該訴訟の当事者であつた者は、当該終局判決に対する再審の訴え（当該訴訟を本案とする仮差押命令事件の債権者に対する損害賠償の請求を目的とする訴え並びに当該訴訟を本案とする仮処分命令事件の債権者に対する損害賠償及び不当利得返還の請求を目的とする訴えを含む。）においては、当該審決又は決定が確定したことを主張することができない。

一 当該商標登録を無効にすべき旨の審決

二 当該商標登録を取り消すべき旨の決定

（特許法の準用）

第三九条 特許法第百三条（過失の推定）、第百四条の二（具体的態様の明示義務）、第百四条の三第一項及び第二項（特許権者等の権利行使の制限）、第百五条（書類の提出等）、第百五条の二の十二から第百五条の六まで（損害計算のための鑑定、相当な損害額の認定、秘密保持命令、秘密保持命令の取消し及び訴訟記録の閲覧等の請求の通知等）並びに第百六条（信用回復の措置）の規定は、商標権又は専用使用権の侵害に準用する。

第三節 登録料

（第四〇条から第四三条まで）（略）

第四章の二 登録異議の申立て（抄）

（登録異議の申立て）

第四三条の二 何人も、商標掲載公報の発行の日から二月以内に限り、特許庁長官に、商標登録が次の各号のいずれかに該当することを理由として登録異議の申立てをすることができる。この場合において、二以上の指定商品又は指定役務に係る商標登録については、指定商品又は指定役務ごとに登録異議の申立てをすることができる。

一 その商標登録が第三条、第四条第一項、第七条の二第一項、第八条第一項、第二項若しくは第五項、第五十一条第二項（第五十二条の二第二項において準用する場合を含む。）、第五十三条第二項又は第七十七条第三項において準用する特許法第二十五条の規定に違反してされたこと。

二 その商標登録が条約に違反してされたこと。

三 その商標登録が第五条第五項に規定する要件を満たしていない商標登録出願に対してされたこと。

（決定）

第四三条の三① 登録異議の申立てについての審理及び決定は、三人又は五人の審判官の合議体が行う。

② 審判官は、登録異議の申立てに係る商標登録が前条各号の一に該当すると認めるときは、その商標登録を取り消すべき旨の決定（以下「取消決定」という。）をしなければならない。

③ 取消決定が確定したときは、その商標権は、初めから存在しなかつたものとみなす。

④ 審判官は、登録異議の申立てに係る商標登録が前条各号の一に該当すると認めないときは、その商標登録を維持すべき旨の決定をしなければならない。

⑤ 前項の決定に対しては、不服を申し立てることができない。

第四三条の四から第四三条の一五まで（略）

第五章 審判（抄）

（拒絶査定に対する審判）

第四四条① 拒絶をすべき旨の査定を受けた者は、その査定に不服があるときは、その査定の謄本の送達があつた日から三月以内に審判を請求することができる。

② 前項の審判を請求する者がその責めに帰することができない理由により同項に規定する期間内にその請求をすることができないときは、同項の規定にかかわらず、その理由がなくなつた日から十四日（在外者にあつては、二月）以内でその期間の経過後六月以内にその請求をすることができる。

第四五条（略）

（商標登録の無効の審判）

第四六条① 商標登録が次の各号のいずれかに該当するときは、その商標登録を無効にすることについて審判を請求することができる。この場合において、商標登録に係る指定商品又は指定役務が二以上のものについては、指定商品又は指定役務ごとに請求することができる。

一 その商標登録が第三条、第四条第一項、第七条の二第一項、第八条第一項、第二項若しくは第五項、第五十一条第二項（第五十二条の二第二項において準用する場合を含む。）、第五十三条第二項又は第七十七条第三項において準用する特許法第二十五条の規定に違反してされたとき。

二 その商標登録が条約に違反してされたとき。

三 その商標登録が第五条第五項に規定する要件を満たしていない商標登録出願に対してされたとき。

四 その商標登録がその商標登録出願により生じた権利を承継しない者の商標登録出願に対してされたとき。

五 商標登録がされた後において、その商標権者が第七十七条第三項において準用する特許法第二十五条の規定により商標権を享有することができない者になつたとき、又はその商標登録が条約に違反することとなつたとき。

六 商標登録がされた後において、その登録商標が第四条第一項第一号から第三号まで、第五号、第七号又は第十六号に掲げる商標に該当するものとなつているとき。

七 地域団体商標の商標登録がされた後において、その商標権者が組合等に該当しなくなつたとき、又はその登録商標が商標権者若しくはその構成員の業務に係る商品若しくは役務を表示するものとして需要者の間に広く認識されているもの若しくは第七条の二第一項各号に該当するものでなくなつているとき。

② 前項の審判は、利害関係人に限り請求することができる。

③ 第一項の審判は、商標権の消滅後においても、請求することができる。

④ 審判長は、第一項の審判の請求があつたときは、その旨を当該商標権についての専用使用権者その他その商標登録に関し登録した権利を有する者に通知しなければならない。

第四六条の二① 商標登録を無効にすべき旨の審決が確定したときは、商標権は、初めから存在しなかつたものとみなす。ただし、商標登録が前条第一項第五号から第七号までに該当する場合において、その商標登録を無効にすべき旨の審決が確定したときは、商標権は、その商標登録が同項第五号から第七号までに該当するに至つた時から存在しなかつたものとみなす。

② 前項ただし書の場合において、商標登録が前条第一項第五号から第七号までに該当するに至つた時を特定できないときは、商標権は、その商標登録を無効にすべき旨の審判の請求の登録の日から存在しなかつたものとみなす。

第四七条① 商標登録が第三条、第四条第一項第八号若しくは第十一号から第十四号まで若しくは第八条第一項、第二項若しくは第五項の規定に違反してされたとき、商標登録が第四条第一項第十号若しくは第十七号の規定に違反してされたとき（不正競争の目的で商標登録を受けた場合を除く。）、商標登録が同項第十五号の規定に違反してされたとき（不正の目的で商標登録を受けた場合を除く。）又は商標登録が第四十六条第一項第四号に該当するときは、その商標登録についての同項の審判は、商標権の設定の登録の日から五年を経過した後は、請求することができない。

② 商標登録が第七条の二第一項の規定に違反してされた場合（商標が使用をされた結果商標登録出願人又はその構成員の業務に係る商品又は役務を表示するものとして需要者の間に広く認識されているものでなかつた場合に限る。）であつて、商標権の設定の登録の日から五年を経過し、かつ、その登録商標が商標権者又はその構成員の業務に係る商品又は役務を表示するものとして需要者の間に広く認識されているときは、その商標登録についての第四十六条第一項の審判は、請求することができない。

第四八条及び第四九条 削除

（商標登録の取消しの審判）

第五〇条① 継続して三年以上日本国内において商標権者、専用使用権者又は通常使用権者のいずれもが各指定商品又は指定役務についての登録商標の使用をしていないときは、何人も、その指定商品又は指定役務に係る商標登録を取り消すことについて審判を請求することができる。

② 前項の審判の請求があつた場合においては、その審判の請求の登録前三年以内に日本国内において商標権者、専用使用権者又は通常使用権者のいずれかがその請求に係る指定商品又は指定役務のいずれかについての登録商標の使用をしていることを被請求人が証明しない限り、商標権者は、その指定商品又は指定役務に係る商標登録の取消しを免れない。ただし、その指定商品又は指定役務についてその登録商標の使用をしていないことについて正当な理由があることを被請求人が明らかにしたときは、この限りでない。

③ 第一項の審判の請求前三月からその審判の請求の登録の日までの間に、日本国内において商標権者、専用使用権者又は通常使用権者のいずれかがその請求に係る指定商品又は指定役務についての登録商標の使用をした場合であつて、その登録商標の使用がその審判の請求がされることを知つた後であることを請求人が証明したときは、その登録商標の使用は第一項に規定する登録商標の使用に該当しないものとする。ただし、その登録商標の使用をしたことについて正当な理由があることを被請求人が明らかにしたときは、この限りでない。

第五一条① 商標権者が故意に指定商品若しくは指定役務についての登録商標に類似する商標の使用又は指定商品若しくは指定役務に類似する商品若しくは役務についての登録商標若しくはこれに類似する商標の使用であつて商品の品質若しくは役務の質の誤認又は他人の業務に係る商品若しくは役務と混同を生ずるものをしたときは、何人も、その商標登録を取り消すことについて審判を請求することができる。

② 商標権者であつた者は、前項の規定により商標登録を取り消すべき旨の審決が確定した日から五年を経過した後でなければ、その商標登録に係る指定商品若しくは指定役務又はこれらに類似する商品若しくは役務について、その登録商標又はこれに類似する商標についての商標登録を受けることができない。

第五二条 前条第一項の審判は、商標権者の同項に規定する商標の使用の事実がなくなつた日から五年を経過した後は、請求することができない。

第五二条の二① 第二十四条の四各号に掲げる事由により、同一の商品若しくは役務について使用をする類似の登録商標又は類似の商品若しくは役務について使用をする同一若しくは類似の登録商標に係る商標権が異なつた商標権者に属することとなつた場合において、その一の登録商標に係る商標権者が不正競争の目的で指定商品又は指定役務についての登録商標の使用であつて他の登録商標に係る商標権者、専用使用権者又は通常使用権者の業務に係る商品又は役務と混同を生ずるものをしたときは、何人も、その商標登録を取り消すことについて審判を請求することができる。

② 第五十一条第二項及び前条の規定は、前項の審判に準用する。

第五三条① 専用使用権者又は通常使用権者が指定商品若しくは指定役務又はこれらに類似する商品若しくは役務についての登録商標又はこれに類似する商標の使用であつて商品の品質若しくは役務の質の誤認又は他人の業務に係る商品若しくは役務と混同を生ずるものをしたときは、何人も、当該商標登録を取り消すことについて審判を請求することができる。ただし、当該商標権者がその事実を知らなかつた場合において、相当の注意をしていたときは、この限りでない。

② 当該商標権者であつた者又は専用使用権者若しくは通常使用権者であつた者であつて前項に規定する使用をしたものは、同項の規定により商標登録を取り消すべき旨の審決が確定した日から五年を経過した後でなければ、その商標登録に係る指定商品若しくは指定役務又はこれらに類似する商品若しくは役務について、その登録商標又はこれに類似する商標についての商標登録を受けることができない。

③ 第五十二条の規定は、第一項の審判に準用する。

第五三条の二 登録商標がパリ条約の同盟国、世界貿易機関の加盟国若しくは商標法条約の締約国において商標に関する権利（商標権に相当する権利に限る。）を有する者の当該権利に係る商標又はこれに類似する商標であつて当該権利に係る商品若しくは役務又はこれらに類似する商品若しくは役務を指定商品又は指定役務とするものであり、かつ、その商標登録出願が、正当な理由がないのにその商標に関する権利を有する者の承諾を得ないでその代理人若しくは代表者又は当該商標登録出願の日前一年以内に代理人若しくは代表者であつた者によつてされたものであるときは、その商標に関する権利を有する者は、当該商標登録を取り消すことについて審判を請求することができる。

第五三条の三 前条の審判は、商標権の設定の登録の日から五年を経過した後は、請求することができない。

第五四条① 商標登録を取り消すべき旨の審決が確定したときは、商標権は、その後消滅する。

② 前項の規定にかかわらず、第五十条第一項の審判により商標登録を取り消すべき旨の審決が確定したときは、商標権は、同項の審判の請求の登録の日に消滅したものとみなす。

第五五条 第四十六条第四項の規定は、第五十条第一項、第五十一条第一項、第五十二条の二第一項、第五十三条第一項又は第五十三条の二の審判の請求があつた場合に準用する。

（拒絶査定に対する審判における特則）

第五五条の二① 第十五条の二及び第十五条の三の規定は、第四十四条第一項の審判において査定の理由と異なる拒絶の理由を発見した場合に準用する。

② 第十六条の規定は、第四十四条第一項の審判の請求を理由があるとする場合に準用する。ただし、第五十六条第一項において準用する特許法第百六十条第一項の規定によりさらに審査に付すべき旨の審決をするときは、この限りでない。

③ 第十六条の二及び意匠法第十七条の三の規定は、第四十四条第一項の審判に準用する。この場合において、第十六条の二第三項及び同法第十七条の三第一項中「三月」とあるのは「三十日」と、第十六条の二第四項中「第四十五条第一項の審判を請求したとき」とあるのは「第六十三条第一項の訴えを提起したとき」と読み替えるものとする。

（審決の確定範囲）

第五五条の三 審決は、審判事件ごとに確定する。ただし、指定商品又は指定役務ごとに請求された第四十六条第一項の審判の審決は、指定商品又は指定役務ごとに確定する。

（特許法の準用）

第五六条① 特許法第百三十一条第一項、第百三十一条の二第一項（第二号及び第三号を除く。）、第百三十二条から第百三十三条の二まで、第百三十四条第一項、第三項及び第四項、第百三十五条から第百五十四条まで、第百五十五条第一項及び第二項、第百五十六条第一項、第三項及び第四項、第百五十七条、第百五十八条、第百六十条第一項及び第二項、第百六十一条、第百六十七条並びに第百六十八条から第百七十条まで（審決の効果、審判の請求、審判官、審判の手続、訴訟との関係及び審判における費用）の規定は、審判に準用する。この場合において、同法第百三十一条の二第一項第一号中「特許無効審判以外の審判を請求する場合における前条第一項第三号に掲げる請求の理由」とあるのは「商標法第四十六条第一項の審判以外の審判を請求する場合における同法第五十六条第一項において準用する特許法第百三十一条第一項第三号に掲げる請求の理由」と、同法第百三十二条第一項及び第百六十七条中「特許無効審判又は延長登録無効審判」とあり、並びに同法第百四十五条第一項及び第百六十九条第一項中「特許無効審判及び延長登録無効審判」とあるのは「商標法第四十六条第一項、第五十条第一項、第五十一条第一項、第五十二条の二第一項、第五十三条第一項又は第五十三条の二の審判」と、同法第百五十六条第一項中「特許無効審判以外の審判においては、事件が」とあるのは「事件が」と、同法第百六十一条中「拒絶査定不服審判」とあり、及び同法第百六十九条第三項中「拒絶査定不服審判及び訂正審判」とあるのは「商標法第四十四条第一項又は第四十五条第一項の審判」と読み替えるものとする。

② 特許法第百五十五条第三項（審判の請求の取下げ）の規定は、第四十六条第一項の審判に準用する。

第五六条の二 （略）

第六章　再審及び訴訟（抄）

（再審の請求）

第五七条① 確定した取消決定及び確定審決に対しては、当事者又は参加人は、再審を請求することができる。

② 民事訴訟法（平成八年法律第百九号）第三百三十八条第一項及び第二項並びに第三百三十九条（再審の事由）の規定は、前項の再審の請求に準用する。

第五八条 （略）

（再審により回復した商標権の効力の制限）

第五九条 取り消し、若しくは無効にした商標登録に係る商標権が再審により回復したときは、商標権の効力は、次に掲げる行為には、及ばない。

一 当該取消決定又は審決が確定した後再審の請求の登録前における当該指定商品又は指定役務についての当該登録商標の善意の使用

二 当該取消決定又は審決が確定した後再審の請求の登録前に善意にした第三十七条各号に掲げる行為

第六〇条から第六二条まで （略）

（審決等に対する訴え）

第六三条① 取消決定又は審決に対する訴え、第五十五条の二第三項（第六十条の二第二項において準用する場合を含む。）において準用する第十六条の二第一項の規定による却下の決定に対する訴え及び登録異議申立書又は審判若しくは再審の請求書の却下の決定に対する訴えは、東京高等裁判所の専属管轄とする。

② 特許法第百七十八条第二項から第六項まで（出訴期間等）及び第百七十九条から第百八十二条まで（被告適格、出訴の通知等、審決取消訴訟における特許庁長官の意見、審決又は決定の取消し及び裁判の正本等の送付）の規定は、前項の訴えに準用する。この場合において、同法第百七十九条中「特許無効審判若しくは延長登録無効審判」とあるのは、「商標法第四十六条第一項、第五十条第一項、第五十一条第一項、第五十二条の二第一項、第五十三条第一項若しくは第五十三条の二の審判」と読み替えるものとする。

第七章　防護標章（抄）

（防護標章登録の要件）

第六四条① 商標権者は、商品に係る登録商標が自己の業務に係る指定商品を表示するものとして需要者の間に広く認識されている場合において、その登録商標に係る指定商品及びこれに類似する商品以外の商品又は指定商品に類似する役務以外の役務について他人が登録商標の使用をすることによりその商品又は役務と自己の業務に係る指定商品とが混同を生ずるおそれがあるときは、そのおそれがある商品又は役務について、その登録商標と同一の標章についての防護標章登録を受けることができる。

② 商標権者は、役務に係る登録商標が自己の業務に係る指定役務を表示するものとして需要者の間に広く認識されている場合において、その登録商標に係る指定役務及びこれに類似する役務以外の役務又は指定役務に類似する商品以外の商品について他人が登録商標の使用をすることによりその役務又は商品と自己の業務に係る指定役務とが混同を生ずるおそれがあるときは、そのおそれがある役務又は商品について、その登録商標と同一の標章についての防護標章登録を受けることができる。

③ 地域団体商標に係る商標権に係る防護標章登録についての前二項の規定の適用については、これらの規定中「自己の」とあるのは、「自己又はその構成員の」とする。

第六五条 （略）

（防護標章登録に基づく権利の存続期間）

第六五条の二① 防護標章登録に基づく権利の存続期間は、設定の登録の日から十年をもつて終了する。

② 防護標章登録に基づく権利の存続期間は、更新登録の出願により更新することができる。ただし、その登録防護標章が第六十四条の規定により防護標章登録を受けることができるものでなくなつたときは、この限りでない。

第六五条の三から第六五条の一〇まで （略）

（防護標章登録に基づく権利の附随性）

第六六条① 防護標章登録に基づく権利は、当該商標権を分割したときは、消滅する。

② 防護標章登録に基づく権利は、当該商標権を移転したときは、その商標権に従つて移転する。

③ 防護標章登録に基づく権利は、当該商標権が消滅したときは、消滅する。

④ 第二十条第四項の規定により商標権が消滅したものとみなされた場合において、第二十一条第二項の規定により回復した当該商標権に係る防護標章登録に基づく権利の効力は、第二十条第三項に規定する更新登録の申請をすることができる期間の経過後第二十一条第一項の申請により商標権の存続期間を更新した旨の登録がされる前における次条各号に掲げる行為には、及

ばない。

⑤　第四十一条の二第六項の規定により商標権が消滅したものとみなされた場合において、第四十一条の三第二項の規定により回復した当該商標権に係る防護標章登録に基づく権利の効力は、第四十一条の二第五項の規定により後期分割登録料を追納することができる期間の経過後第四十一条の三第二項の規定により商標権が存続していたものとみなされた旨の登録がされる前における次条各号に掲げる行為には、及ばない。

⑥　前項の規定は、第四十一条の三第三項において準用する同条第二項の規定により回復した商標権に係る防護標章登録に基づく権利の効力について準用する。

（侵害とみなす行為）

第六七条　次に掲げる行為は、当該商標権又は専用使用権を侵害するものとみなす。

一　指定商品又は指定役務についての登録防護標章の使用

二　指定商品であつて、その商品又はその商品の包装に登録防護標章を付したものを譲渡、引渡し又は輸出のために所持する行為

三　指定役務の提供に当たりその提供を受ける者の利用に供する物に登録防護標章を付したものを、これを用いて当該指定役務を提供するために所持し、又は輸入する行為

四　指定役務の提供に当たりその提供を受ける者の利用に供する物に登録防護標章を付したものを、これを用いて当該指定役務を提供させるために譲渡し、引き渡し、又は譲渡若しくは引渡しのために所持し、若しくは輸入する行為

五　指定商品又は指定役務について登録防護標章の使用をするために登録防護標章を表示する物を所持する行為

六　指定商品又は指定役務について登録防護標章の使用をさせるために登録防護標章を表示する物を譲渡し、引き渡し、又は譲渡若しくは引渡しのために所持する行為

七　指定商品又は指定役務について登録防護標章の使用をし、又は使用をさせるために登録防護標章を表示する物を製造し、又は輸入する行為

第六八条　（略）

第七章の二　マドリッド協定の議定書に基づく特例

（第六八条の二から第六八条の三九まで）（略）

第八章　雑則（抄）

第六八条の四〇から第七二条まで　（略）

（商標登録表示）

第七三条　商標権者、専用使用権者又は通常使用権者は、経済産業省令で定めるところにより、指定商品若しくは指定商品の包装若しくは指定役務の提供の用に供する物に登録商標を付するとき、又は指定役務の提供に当たりその提供を受ける者の当該指定役務の提供に係る物に登録商標を付するときは、その商標にその商標が登録商標である旨の表示（以下「商標登録表示」という。）を付するように努めなければならない。

（虚偽表示の禁止）

第七四条　何人も、次に掲げる行為をしてはならない。

一　登録商標以外の商標の使用をする場合において、その商標に商標登録表示又はこれと紛らわしい表示を付する行為

二　指定商品又は指定役務以外の商品又は役務について登録商標の使用をする場合において、その商標に商標登録表示又はこれと紛らわしい表示を付する行為

三　商品若しくはその商品の包装に登録商標以外の商標を付したもの、指定商品以外の商品若しくはその商品の包装に商品に係る登録商標を付したもの又は商品若しくはその商品の包装に役務に係る登録商標を付したものであつて、その商標に商標登録表示又はこれと紛らわしい表示を付したものを譲渡又は引渡しのために所持する行為

四　役務の提供に当たりその提供を受ける者の利用に供する物に登録商標以外の商標を付したもの、指定役務以外の役務の提供に当たりその提供を受ける者の利用に供する物に役務に係る登録商標を付したもの又は役務の提供に当たりその提供を受ける者の利用に供する物に商品に係る登録商標を付したものであつて、その商標に商標登録表示又はこれと紛らわしい表示を付したもの（次号において「役務に係る虚偽商標登録表示物」という。）を、これを用いて当該役務を提供するために所持し、又は輸入する行為

五　役務に係る虚偽商標登録表示物を、これを用いて当該役務を提供させるために譲渡し、引き渡し、又は譲渡若しくは引渡しのために所持し、若しくは輸入する行為

（商標公報）

第七五条①　特許庁は、商標公報を発行する。

②　商標公報には、この法律に規定するもののほか、次に掲げる事項を掲載しなければならない。

一　出願公開後における拒絶をすべき旨の査定又は商標登録出願若しくは防護標章登録出願の放棄、取下げ若しくは却下

二　出願公開後における商標登録出願により生じた権利の承継

三　出願公開後における願書に記載した指定商品若しくは指定役務又は商標登録を受けようとする商標若しくは防護標章登録を受けようとする標章についてした補正

四　商標権の消滅（存続期間の満了によるもの及び第四十一条の二第六項（同条第八項において準用する場合を含む。）の規定によるものを除く。）

五　登録異議の申立て若しくは審判若しくは再審の請求又はこれらの取下げ

六　登録異議の申立てについての確定した決定、審判の確定審決又は再審の確定した決定若しくは確定審決

七　第六十三条第一項の訴えについての確定判決

第七六条から第七七条の二まで　（略）

第九章　罰則（抄）

（侵害の罪）

第七八条　商標権又は専用使用権を侵害した者（第三十七条又は第六十七条の規定により商標権又は専用使用権を侵害する行為とみなされる行為を行つた者を除く。）は、十年以下の拘禁刑若しくは千万円以下の罰金に処し、又はこれを併科する。

第七八条の二　第三十七条又は第六十七条の規定により商標権又は専用使用権を侵害する行為とみなされる行為を行つた者は、五年以下の拘禁刑若しくは五百万円以下の罰金に処し、又はこれを併科する。

第七九条から第八一条の二まで　（略）

（両罰規定）

第八二条①　法人の代表者又は法人若しくは人の代理人、使用人その他の従業者が、その法人又は人の業務に関し、次の各号に掲げる規定の違反行為をしたときは、行為者を罰するほか、その法人に対して当該各号で定める罰金刑を、その人に対して各本条の罰金刑を科する。

一　第七十八条、第七十八条の二又は前条第一項　三億円以下の罰金刑

二　第七十九条又は第八十条　一億円以下の罰金刑

②　前項の場合において、当該行為者に対してした前条第二項の告訴は、その法人又は人に対しても効力を生じ、その法人又は人に対してした告訴は、当該行為者に対しても効力を生ずるものとする。

③　第一項の規定により第七十八条、第七十八条の二又は前条第一項の違反行為につき法人又は人に罰金刑を科する場合における時効の期間は、これらの規定の罪についての時効の期間による。

第八三条から第八五条まで　（略）

附　則（抄）

（施行期日）

第一条　この法律の施行期日は、別に法律で定める（昭和三五・

四・一施行—昭和三四法一二八）。

別表（略）

刑法等の一部を改正する法律の施行に伴う関係法律整理法
中経過規定

（令和四・六・一七法六八）（抄）

第四四一条から第四四三条まで　（刑法の同経過規定参照）

第五〇九条　（刑法の同経過規定参照）

刑法等の一部を改正する法律の施行に伴う関係法律整理法

附　則（令和四・六・一七法六八）（抄）

（施行期日）

① この法律は、刑法等一部改正法（刑法等の一部を改正する法律（令和四法六七））施行日（令和七・六・一）から施行する。ただし、次の各号に掲げる規定は、当該各号に定める日から施行する。

一　第五百九条の規定　公布の日

二　（略）

○不正競争防止法（平成五・五・一九 法 四 七）

施行 平成六・五・一（平成六政四四）
最終改正 令和五法五一

目次

第一章 総則

（目的）

第一条 この法律は、事業者間の公正な競争及びこれに関する国際約束の的確な実施を確保するため、不正競争の防止及び不正競争に係る損害賠償に関する措置等を講じ、もって国民経済の健全な発展に寄与することを目的とする。

（定義）

第二条① この法律において「不正競争」とは、次に掲げるものをいう。

一 他人の商品等表示（人の業務に係る氏名、商号、商標、標章、商品の容器若しくは包装その他の商品又は営業を表示するものをいう。以下同じ。）として需要者の間に広く認識されているものと同一若しくは類似の商品等表示を使用し、又はその商品等表示を使用した商品を譲渡し、引き渡し、譲渡若しくは引渡しのために展示し、輸出し、輸入し、若しくは電気通信回線を通じて提供して、他人の商品又は営業と混同を生じさせる行為

二 自己の商品等表示として他人の著名な商品等表示と同一若しくは類似のものを使用し、又はその商品等表示を使用した商品を譲渡し、引き渡し、譲渡若しくは引渡しのために展示し、輸出し、輸入し、若しくは電気通信回線を通じて提供する行為

三 他人の商品の形態（当該商品の機能を確保するために不可欠な形態を除く。）を模倣した商品を譲渡し、貸し渡し、譲渡若しくは貸渡しのために展示し、輸出し、輸入し、又は電気通信回線を通じて提供する行為

四 窃取、詐欺、強迫その他の不正の手段により営業秘密を取得する行為（以下「営業秘密不正取得行為」という。）又は営業秘密不正取得行為により取得した営業秘密を使用し、若しくは開示する行為（秘密を保持しつつ特定の者に示すことを含む。次号から第九号まで、第十九条第一項第七号、第二十一条及び附則第四条第一号において同じ。）

五 その営業秘密について営業秘密不正取得行為が介在したことを知って、若しくは重大な過失により知らないで営業秘密を取得し、又はその取得した営業秘密を使用し、若しくは開示する行為

六 その取得した後にその営業秘密について営業秘密不正取得行為が介在したことを知って、又は重大な過失により知らないでその取得した営業秘密を使用し、又は開示する行為

七 営業秘密を保有する事業者（以下「営業秘密保有者」という。）からその営業秘密を示された場合において、不正の利益を得る目的で、又はその営業秘密保有者に損害を加える目的で、その営業秘密を使用し、又は開示する行為

八 その営業秘密について営業秘密不正開示行為（前号に規定する場合において同号に規定する目的でその営業秘密を開示する行為又は秘密を守る法律上の義務に違反してその営業秘密を開示する行為をいう。以下同じ。）であること若しくはその営業秘密について営業秘密不正開示行為が介在したことを知って、若しくは重大な過失により知らないで営業秘密を取得し、又はその取得した営業秘密を使用し、若しくは開示する行為

九 その取得した後にその営業秘密について営業秘密不正開示行為があったこと若しくはその営業秘密について営業秘密不正開示行為が介在したことを知って、又は重大な過失により知らないでその取得した営業秘密を使用し、又は開示する行為

十 第四号から前号までに掲げる行為（技術上の秘密（営業秘密のうち、技術上の情報であるものをいう。以下同じ。）を使用する行為に限る。以下この号において「不正使用行為」という。）により生じた物を譲渡し、引き渡し、譲渡若しくは引渡しのために展示し、輸出し、輸入し、又は電気通信回線を通じて提供する行為（当該物を譲り受けた者（その譲り受けた時に当該物が不正使用行為により生じた物であることを知らず、かつ、知らないことにつき重大な過失がない者に限る。）が当該物を譲渡し、引き渡し、譲渡若しくは引渡しのために展示し、輸出し、輸入し、又は電気通信回線を通じて提供する行為を除く。）

十一 窃取、詐欺、強迫その他の不正の手段により限定提供データを取得する行為（以下「限定提供データ不正取得行為」という。）又は限定提供データ不正取得行為により取得した限定提供データを使用し、若しくは開示する行為

十二 その限定提供データについて限定提供データ不正取得行為が介在したことを知って限定提供データを取得し、又はその取得した限定提供データを使用し、若しくは開示する行為

十三 その取得した後にその限定提供データについて限定提供データ不正取得行為が介在したことを知ってその取得した限定提供データを開示する行為

十四 限定提供データを保有する事業者（以下「限定提供データ保有者」という。）からその限定提供データを示された場合において、不正の利益を得る目的で、又はその限定提供データ保有者に損害を加える目的で、その限定提供データを使用する行為（その限定提供データの管理に係る任務に違反して行うものに限る。）又は開示する行為

十五 その限定提供データについて限定提供データ不正開示行為（前号に規定する場合において同号に規定する目的でその限定提供データを開示する行為をいう。以下同じ。）であること若しくはその限定提供データについて限定提供データ不正開示行為が介在したことを知って限定提供データを取得し、又はその取得した限定提供データを使用し、若しくは開示する行為

十六 その取得した後にその限定提供データについて限定提供データ不正開示行為があったこと又はその限定提供データについて限定提供データ不正開示行為が介在したことを知ってその取得した限定提供データを開示する行為

十七 営業上用いられている技術的制限手段（他人が特定の者以外の者に影像若しくは音の視聴、プログラムの実行若しくは情報（電磁的記録（電子的方式、磁気的方式その他人の知覚によっては認識することができない方式で作られる記録であって、電子計算機による情報処理の用に供されるものをいう。以下同じ。）に記録されたものに限る。以下この号、次号及び第八項において同じ。）の処理又は影像、音、プログラムその他の情報の記録をさせないために用いているものを除く。）により制限されている影像若しくは音の視聴、プログラムの実行若しくは情報の処理又は影像、音、プログラムその他の情報の記録（以下この号において「影像の視聴等」という。）を当該技術的制限手段の効果を妨げることにより可能と

する機能を有する装置（当該装置を組み込んだ機器及び当該装置の部品一式であって容易に組み立てることができるものを含む。）、当該機能を有するプログラム（当該プログラムが他のプログラムと組み合わされたものを含む。）若しくは指令符号（電子計算機に対する指令であって、当該指令のみによって一の結果を得ることができるものをいう。次号において同じ。）を記録した記録媒体若しくは記憶した機器を譲渡し、引き渡し、譲渡若しくは引渡しのために展示し、輸出し、若しくは輸入し、若しくは当該機能を有するプログラム若しくは指令符号を電気通信回線を通じて提供する行為（当該装置又は当該プログラムが当該機能以外の機能を併せて有する場合にあっては、影像の視聴等を当該技術的制限手段の効果を妨げることにより可能とする用途に供するために行うものに限る。）又は影像の視聴等を当該技術的制限手段の効果を妨げることにより可能とする役務を提供する行為

十八　他人が特定の者以外の者に影像若しくは音の視聴、プログラムの実行若しくは情報の処理又は影像、音、プログラムその他の情報の記録をさせないために営業上用いている技術的制限手段により制限されている影像若しくは音の視聴、プログラムの実行若しくは情報の処理又は影像、音、プログラムその他の情報の記録（以下この号において「影像の視聴等」という。）を当該技術的制限手段の効果を妨げることにより可能とする機能を有する装置（当該装置を組み込んだ機器及び当該装置の部品一式であって容易に組み立てることができるものを含む。）、当該機能を有するプログラム（当該プログラムが他のプログラムと組み合わされたものを含む。）若しくは指令符号を記録した記録媒体若しくは記憶した機器を当該特定の者以外の者に譲渡し、引き渡し、譲渡若しくは引渡しのために展示し、輸出し、若しくは輸入し、若しくは当該機能を有するプログラム若しくは指令符号を電気通信回線を通じて提供する行為（当該装置又は当該プログラムが当該機能以外の機能を併せて有する場合にあっては、影像の視聴等を当該技術的制限手段の効果を妨げることにより可能とする用途に供するために行うものに限る。）又は影像の視聴等を当該技術的制限手段の効果を妨げることにより可能とする役務を提供する行為

十九　不正の利益を得る目的で、又は他人に損害を加える目的で、他人の特定商品等表示（人の業務に係る氏名、商号、商標、標章その他の商品又は役務を表示するものをいう。）と同一若しくは類似のドメイン名を使用する権利を取得し、若しくは保有し、又はそのドメイン名を使用する行為

二十　商品若しくは役務若しくはその広告若しくは取引に用いる書類若しくは通信にその商品の原産地、品質、内容、製造方法、用途若しくは数量若しくはその役務の質、内容、用途若しくは数量について誤認させるような表示をし、又はその表示をした商品を譲渡し、引き渡し、譲渡若しくは引渡しのために展示し、輸出し、輸入し、若しくは電気通信回線を通じて提供し、若しくはその表示をして役務を提供する行為

二十一　競争関係にある他人の営業上の信用を害する虚偽の事実を告知し、又は流布する行為

二十二　パリ条約（商標法（昭和三十四年法律第百二十七号）第四条第一項第二号に規定するパリ条約をいう。）の同盟国、世界貿易機関の加盟国又は商標法条約の締約国において商標に関する権利（商標権に相当する権利に限る。以下この号において単に「権利」という。）を有する者の代理人若しくは代表者又はその行為の日前一年以内に代理人若しくは代表者であった者が、正当な理由がないのに、その権利を有する者の承諾を得ないでその権利に係る商標と同一若しくは類似の商標をその権利に係る商品若しくは役務と同一若しくは類似の商品若しくは役務に使用し、又は当該商標を使用したその権利に係る商品と同一若しくは類似の商品を譲渡し、引き渡し、譲渡若しくは引渡しのために展示し、輸出し、輸入し、若しくは電気通信回線を通じて提供し、若しくは当該商標を使用してその権利に係る役務と同一若しくは類似の役務を提供する行為

②　この法律において「商標」とは、商標法第二条第一項に規定する商標をいう。

③　この法律において「標章」とは、商標法第二条第一項に規定する標章をいう。

④　この法律において「商品の形態」とは、需要者が通常の用法に従った使用に際して知覚によって認識することができる商品の外部及び内部の形状並びにその形状に結合した模様、色彩、光沢及び質感をいう。

⑤　この法律において「模倣する」とは、他人の商品の形態に依拠して、これと実質的に同一の形態の商品を作り出すことをいう。

⑥　この法律において「営業秘密」とは、秘密として管理されている生産方法、販売方法その他の事業活動に有用な技術上又は営業上の情報であって、公然と知られていないものをいう。

⑦　この法律において「限定提供データ」とは、業として特定の者に提供する情報として電磁的方法（電子的方法、磁気的方法その他人の知覚によっては認識することができない方法をいう。次項において同じ。）により相当量蓄積され、及び管理されている技術上又は営業上の情報（営業秘密を除く。）をいう。

⑧　この法律において「技術的制限手段」とは、電磁的方法により影像若しくは音の視聴、プログラムの実行若しくは情報の処理又は影像、音、プログラムその他の情報の記録を制限する手段であって、視聴等機器（影像若しくは音の視聴、プログラムの実行若しくは情報の処理又は影像、音、プログラムその他の情報の記録のために用いられる機器をいう。以下この項において同じ。）が特定の反応をする信号を記録媒体に記録し、若しくは送信する方式又は視聴等機器が特定の変換を必要とするよう影像、音、プログラムその他の情報を変換して記録媒体に記録し、若しくは送信する方式によるものをいう。

⑨　この法律において「プログラム」とは、電子計算機に対する指令であって、一の結果を得ることができるように組み合わされたものをいう。

⑩　この法律において「ドメイン名」とは、インターネットにおいて、個々の電子計算機を識別するために割り当てられる番号、記号又は文字の組合せに対応する文字、番号、記号その他の符号又はこれらの結合をいう。

⑪　この法律にいう「物」には、プログラムを含むものとする。

第二章　差止請求、損害賠償等

（差止請求権）

第三条①　不正競争によって営業上の利益を侵害され、又は侵害されるおそれがある者は、その営業上の利益を侵害する者又は侵害するおそれがある者に対し、その侵害の停止又は予防を請求することができる。

②　不正競争によって営業上の利益を侵害され、又は侵害されるおそれがある者は、前項の規定による請求をするに際し、侵害の行為を組成した物（侵害の行為により生じた物を含む。）の廃棄、侵害の行為に供した設備の除却その他の侵害の停止又は予防に必要な行為を請求することができる。

（損害賠償）

第四条　故意又は過失により不正競争を行って他人の営業上の利益を侵害した者は、これによって生じた損害を賠償する責めに任ずる。ただし、第十五条の規定により同条に規定する権利が消滅した後にその営業秘密又は限定提供データを使用する行為によって生じた損害については、この限りでない。

（損害の額の推定等）

第五条①　第二条第一項第一号から第十六号まで又は第二十二号に掲げる不正競争によって営業上の利益を侵害された者（以下この項において「被侵害者」という。）が故意又は過失により自己の営業上の利益を侵害した者（以下この項において「侵害者」という。）に対しその侵害により自己が受けた損害の賠償を

請求する場合において、侵害者がその侵害の行為を組成した物（電磁的記録を含む。以下この項において同じ。）を譲渡したとき（侵害の行為により生じた物を譲渡したときを含む。）、又はその侵害の行為により生じた役務を提供したときは、次に掲げる額の合計額を、被侵害者が受けた損害の額とすることができる。

一 被侵害者がその侵害の行為がなければ販売することができた物又は提供することができた役務の単位数量当たりの利益の額に、侵害者が譲渡した当該物及び提供した当該役務の数量（次号において「譲渡等数量」という。）のうち被侵害者の販売又は提供の能力に応じた数量（同号において「販売等能力相応数量」という。）を超えない部分（その全部又は一部に相当する数量を被侵害者が販売又は提供をすることができないとする事情があるときは、当該事情に相当する数量（同号において「特定数量」という。）を控除した数量）を乗じて得た額

二 譲渡等数量のうち販売等能力相応数量を超える数量又は特定数量がある場合におけるこれらの数量に応じた次のイからホまでに掲げる不正競争の区分に応じて当該イからホまでに定める行為に対し受けるべき金銭の額に相当する額（被侵害者が、次のイからホまでに掲げる不正競争の区分に応じて当該イからホまでに定める行為の許諾をし得たと認められない場合を除く。）

イ 第二条第一項第一号又は第二号に掲げる不正競争 当該侵害に係る商品等表示の使用

ロ 第二条第一項第三号に掲げる不正競争 当該侵害に係る商品の形態の使用

ハ 第二条第一項第四号から第九号までに掲げる不正競争 当該侵害に係る営業秘密の使用

ニ 第二条第一項第十一号から第十六号までに掲げる不正競争 当該侵害に係る限定提供データの使用

ホ 第二条第一項第二十二号に掲げる不正競争 当該侵害に係る商標の使用

② 不正競争によって営業上の利益を侵害された者が故意又は過失により自己の営業上の利益を侵害した者に対しその侵害により自己が受けた損害の賠償を請求する場合において、その者がその侵害の行為により利益を受けているときは、その利益の額は、その営業上の利益を侵害された者が受けた損害の額と推定する。

③ 第二条第一項第一号から第九号まで、第十一号から第十六号まで、第十九号又は第二十二号に掲げる不正競争によって営業上の利益を侵害された者は、故意又は過失により自己の営業上の利益を侵害した者に対し、次の各号に掲げる不正競争の区分に応じて当該各号に定める行為に対し受けるべき金銭の額に相当する額の金銭を、自己が受けた損害の額としてその賠償を請求することができる。

一 第二条第一項第一号又は第二号に掲げる不正競争 当該侵害に係る商品等表示の使用

二 第二条第一項第三号に掲げる不正競争 当該侵害に係る商品の形態の使用

三 第二条第一項第四号から第九号までに掲げる不正競争 当該侵害に係る営業秘密の使用

四 第二条第一項第十一号から第十六号までに掲げる不正競争 当該侵害に係る限定提供データの使用

五 第二条第一項第十九号に掲げる不正競争 当該侵害に係るドメイン名の使用

六 第二条第一項第二十二号に掲げる不正競争 当該侵害に係る商標の使用

④ 裁判所は、第一項第二号イからホまで及び前項各号に定める行為に対し受けるべき金銭の額を認定するに当たっては、営業上の利益を侵害された者が、当該行為の対価について、不正競争があったことを前提として当該不正競争をした者との間で合意をするとしたならば、当該営業上の利益を侵害された者が得ることとなるその対価を考慮することができる。

⑤ 第三項の規定は、同項に規定する金額を超える損害の賠償の請求を妨げない。この場合において、その営業上の利益を侵害した者に故意又は重大な過失がなかったときは、裁判所は、損害の賠償の額を定めるについて、これを参酌することができる。

（技術上の秘密を取得した者の当該技術上の秘密を使用する行為等の推定）

第五条の二① 技術上の秘密（生産方法その他政令で定める情報に係るものに限る。以下この条において同じ。）について第二条第一項第四号、第五号又は第八号に掲げる不正競争（営業秘密を取得する行為に限る。）があった場合において、その行為をした者が当該技術上の秘密を使用する行為により生ずる物の生産その他技術上の秘密を使用したことが明らかな行為として政令で定める行為（以下この条において「生産等」という。）をしたときは、その者は、それぞれ当該各号に掲げる不正競争（営業秘密を使用する行為に限る。）として生産等をしたものと推定する。

② 技術上の秘密を取得した後にその技術上の秘密について営業秘密不正取得行為が介在したことを知って、又は重大な過失により知らないで、その技術上の秘密に係る技術秘密記録媒体等（技術上の秘密が記載され、又は記録された文書、図画又は記録媒体をいう。以下この条において同じ。）、その技術上の秘密が化体された物件又は当該技術秘密記録媒体等に係る送信元識別符号（自動公衆送信（公衆によって直接受信されることを目的として公衆からの求めに応じ自動的に送信を行うことをいい、放送又は有線放送に該当するものを除く。）の送信元を識別するための文字、番号、記号その他の符号をいう。第四項において同じ。）を保有する行為があった場合において、その行為をした者が生産等をしたときは、その者は、第二条第一項第六号に掲げる不正競争（営業秘密を使用する行為に限る。）として生産等をしたものと推定する。

③ 技術上の秘密をその保有者から示された後に、不正の利益を得る目的で、又は当該技術上の秘密の保有者に損害を加える目的で、当該技術上の秘密の管理に係る任務に違反して、次に掲げる方法でその技術上の秘密を領得する行為があった場合において、その行為をした者が生産等をしたときは、その者は、第二条第一項第七号に掲げる不正競争（営業秘密を使用する行為に限る。）として生産等をしたものと推定する。

一 技術秘密記録媒体等又は技術上の秘密が化体された物件を横領すること。

二 技術秘密記録媒体等の記載若しくは記録について、又は技術上の秘密が化体された物件について、その複製を作成すること。

三 技術秘密記録媒体等の記載又は記録であって、消去すべきものを消去せず、かつ、当該記載又は記録を消去したように仮装すること。

④ 技術上の秘密を取得した後にその技術上の秘密について営業秘密不正開示行為があったこと若しくは営業秘密不正開示行為が介在したことを知って、又は重大な過失により知らないで、その技術上の秘密に係る技術秘密記録媒体等、その技術上の秘密が化体された物件又は当該技術秘密記録媒体等に係る送信元識別符号を保有する行為があった場合において、その行為をした者が生産等をしたときは、その者は、第二条第一項第九号に掲げる不正競争（営業秘密を使用する行為に限る。）として生産等をしたものと推定する。

（具体的態様の明示義務）

第六条 不正競争による営業上の利益の侵害に係る訴訟において、不正競争によって営業上の利益を侵害され、又は侵害されるおそれがあると主張する者が侵害の行為を組成したものとして主張する物又は方法の具体的態様を否認するときは、相手方は、自己の行為の具体的態様を明らかにしなければならない。ただし、相手方において明らかにすることができない相当の理

由があるときは、この限りでない。

第七条（**書類の提出等**）① 裁判所は、不正競争による営業上の利益の侵害に係る訴訟においては、当事者の申立てにより、当事者に対し、当該侵害行為について立証するため、又は当該侵害の行為による損害の計算をするため必要な書類又は電磁的記録の提出を命ずることができる。ただし、その書類の所持者又はその電磁的記録を利用する権限を有する者においてその提出を拒むことについて正当な理由があるときは、この限りでない。

＊令和四法四八（令和八・五・二四までに施行）**による改正**
第一項中「必要な書類」の下に「又は電磁的記録」が加えられ、ただし書中「所持者」の下に「又はその電磁的記録を利用する権限を有する者」が加えられた。（本文織込み済み）

② 裁判所は、前項本文の申立てに係る書類若しくは電磁的記録が同項本文の書類若しくは電磁的記録に該当するかどうか又は同項ただし書に規定する正当な理由があるかどうかの判断をするため必要があると認めるときは、書類の所持者又は電磁的記録を利用する権限を有する者にその提示をさせることができる。この場合においては、何人も、その提示された書類又は電磁的記録の開示を求めることができない。

＊令和四法四八（令和八・五・二四までに施行）**による改正前**
② 裁判所は、前項本文の申立てに係る書類が同項本文の書類に該当するかどうか又は同項ただし書に規定する正当な理由があるかどうかの判断をするため必要があると認めるときは、書類の所持者にその提示をさせることができる。この場合においては、何人も、その提示された書類の開示を求めることができない。

③ 裁判所は、前項の場合において、第一項本文の申立てに係る書類若しくは電磁的記録が同項本文の書類若しくは電磁的記録に該当するかどうか又は同項ただし書に規定する正当な理由があるかどうかについて前項後段の書類又は電磁的記録を開示してその意見を聴くことが必要であると認めるときは、当事者等（当事者（法人である場合にあっては、その代表者）又は当事者の代理人（訴訟代理人及び補佐人を除く。）、使用人その他の従業者をいう。以下同じ。）、訴訟代理人又は補佐人に対し、当該書類又は当該電磁的記録を開示することができる。

＊令和四法四八（令和八・五・二四までに施行）**による改正前**
③ 裁判所は、前項の場合において、第一項本文の申立てに係る書類が同項本文の書類に該当するかどうか又は同項ただし書に規定する正当な理由があるかどうかについて前項後段の書類を開示してその意見を聴くことが必要であると認めるときは、当事者等（当事者（法人である場合にあっては、その代表者）又は当事者の代理人（訴訟代理人及び補佐人を除く。）、使用人その他の従業者をいう。以下同じ。）、訴訟代理人又は補佐人に対し、当該書類を開示することができる。

④ 裁判所は、第二項の場合において、同項後段の書類又は電磁的記録を開示して専門的な知見に基づく説明を聴くことが必要であると認めるときは、当事者の同意を得て、民事訴訟法（平成八年法律第百九号）第一編第五章第二節第一款に規定する専門委員に対し、当該書類又は当該電磁的記録を開示することができる。

＊令和四法四八（令和八・五・二四までに施行）**による改正**
第四項中「の書類」の下に「又は電磁的記録」が、「当該書類」の下に「又は当該電磁的記録」が加えられた。（本文織込み済み）

⑤ 前各項の規定は、不正競争による営業上の利益の侵害に係る訴訟における当該侵害行為について立証するため必要な検証の目的の提示について準用する。

第八条（**損害計算のための鑑定**） 不正競争による営業上の利益の侵害に係る訴訟において、当事者の申立てにより、裁判所が当該侵害の行為による損害の計算をするため必要な事項について鑑定を命じたときは、当事者は、鑑定人に対し、当該鑑定をするため必要な事項について説明しなければならない。

第九条（**相当な損害額の認定**） 不正競争による営業上の利益の侵害に係る訴訟において、損害が生じたことが認められる場合において、損害額を立証するために必要な事実を立証することが当該事実の性質上極めて困難であるときは、裁判所は、口頭弁論の全趣旨及び証拠調べの結果に基づき、相当な損害額を認定することができる。

第一〇条（**秘密保持命令**）① 裁判所は、不正競争による営業上の利益の侵害に係る訴訟において、その当事者が保有する営業秘密について、次に掲げる事由のいずれにも該当することにつき疎明があった場合には、当事者の申立てにより、決定で、当事者等、訴訟代理人又は補佐人に対し、当該営業秘密を当該訴訟の追行の目的以外の目的で使用し、又は当該営業秘密に係るこの項の規定による命令を受けた者以外の者に開示してはならない旨を命ずることができる。ただし、その申立ての時までに当事者等、訴訟代理人又は補佐人が第一号に規定する準備書面の閲読又は同号に規定する証拠の取調べ若しくは開示以外の方法により当該営業秘密を取得し、又は保有していた場合は、この限りでない。

一 既に提出され若しくは提出されるべき準備書面に当事者の保有する営業秘密が記載され、又は既に取り調べられ若しくは取り調べられるべき証拠（第七条第三項の規定により開示された書類若しくは電磁的記録又は第十三条第四項の規定により開示された書面若しくは電磁的記録を含む。）の内容に当事者の保有する営業秘密が含まれること。

＊令和四法四八（令和八・五・二四までに施行）**による改正**
第一号中「書類」は「書類若しくは電磁的記録」に、「書面を」は「書面若しくは電磁的記録を」に改められた。（本文織込み済み）

二 前号の営業秘密が当該訴訟の追行の目的以外の目的で使用され、又は当該営業秘密が開示されることにより、当該営業秘密に基づく当事者の事業活動に支障を生ずるおそれがあり、これを防止するため当該営業秘密の使用又は開示を制限する必要があること。

② 前項の規定による命令（以下「秘密保持命令」という。）の申立ては、次に掲げる事項を記載した書面でしなければならない。

一 秘密保持命令を受けるべき者

二 秘密保持命令の対象となるべき営業秘密を特定するに足りる事実

三 前項各号に掲げる事由に該当する事実

③ 秘密保持命令が発せられた場合には、その電子決定書（民事訴訟法第百二十二条において準用する同法第二百五十二条第一項の規定により作成された電磁的記録（同法第百二十二条において準用する同法第二百五十三条第二項の規定により裁判所の使用に係る電子計算機（入出力装置を含む。）に備えられたファイルに記録されたものに限る。）をいう。次項及び次条第二項において同じ。）を秘密保持命令を受けた者に送達しなければならない。

＊令和四法四八（令和八・五・二四までに施行）**による改正前**
③ 秘密保持命令が発せられた場合には、その決定書を秘密保持命令を受けた者に送達しなければならない。

④ 秘密保持命令は、秘密保持命令を受けた者に対する電子決定書の送達がされた時から、効力を生ずる。

＊令和四法四八（令和八・五・二四までに施行）**による改正**

⑤　秘密保持命令の申立てを却下した裁判に対しては、即時抗告をすることができる。

第四項中「決定書」は「電子決定書」に改められた。（本文織込み済み）

（秘密保持命令の取消し）

第一一条①　秘密保持命令の申立てをした者又は秘密保持命令を受けた者は、訴訟記録の存する裁判所（訴訟記録の存する裁判所がない場合にあっては、秘密保持命令を発した裁判所）に対し、前条第一項に規定する要件を欠くこと又はこれを欠くに至ったことを理由として、秘密保持命令の取消しの申立てをすることができる。

②　秘密保持命令の取消しの申立てについての裁判があった場合には、その電子決定書をその申立てをした者及び相手方に送達しなければならない。

＊令和四法四八（令和八・五・二四までに施行）**による改正**
第二項中「決定書」は「電子決定書」に改められた。（本文織込み済み）

③　秘密保持命令の取消しの申立てについての裁判に対しては、即時抗告をすることができる。

④　秘密保持命令を取り消す裁判は、確定しなければその効力を生じない。

⑤　裁判所は、秘密保持命令を取り消す裁判をした場合において、秘密保持命令の取消しの申立てをした者又は相手方以外に当該秘密保持命令が発せられた訴訟において当該営業秘密に係る秘密保持命令を受けている者があるときは、その者に対し、直ちに、秘密保持命令を取り消す裁判をした旨を通知しなければならない。

（訴訟記録の閲覧等の請求の通知等）

第一二条①　秘密保持命令が発せられた訴訟（全ての秘密保持命令が取り消された訴訟を除く。）に係る訴訟記録につき、民事訴訟法第九十二条第一項の決定があった場合において、当事者から同項に規定する秘密記載部分の閲覧等の請求があり、かつ、その請求の手続を行った者が当該訴訟において秘密保持命令を受けていない者であるときは、裁判所書記官は、同項の申立てをした当事者（その請求をした者を除く。第三項において同じ。）に対し、その請求後直ちに、その請求があった旨を通知しなければならない。

②　前項の場合において、裁判所書記官は、同項の請求があった日から二週間を経過する日までの間（その請求の手続を行った者に対する秘密保持命令の申立てがその日までにされた場合にあっては、その申立てについての裁判が確定するまでの間）、その請求の手続を行った者に同項の秘密記載部分の閲覧等をさせてはならない。

③　前二項の規定は、第一項の請求をした者に同項の秘密記載部分の閲覧等をさせることについて民事訴訟法第九十二条第一項の申立てをした当事者の全ての同意があるときは、適用しない。

（当事者尋問等の公開停止）

第一三条①　不正競争による営業上の利益の侵害に係る訴訟における当事者等が、その侵害の有無についての判断の基礎となる事項であって当事者の保有する営業秘密に該当するものについて、当事者本人若しくは法定代理人又は証人として尋問を受ける場合においては、裁判所は、裁判官の全員一致により、その当事者等が公開の法廷で当該事項について陳述をすることにより当該営業秘密に基づく当事者の事業活動に著しい支障を生ずることが明らかであることから当該事項について十分な陳述をすることができず、かつ、当該陳述を欠くことにより他の証拠のみによっては当該事項を判断の基礎とすべき不正競争による営業上の利益の侵害の有無についての適正な裁判をすることができないと認めるときは、決定で、当該事項の尋問を公開しないで行うことができる。

②　裁判所は、前項の決定をするに当たっては、あらかじめ、当事者等の意見を聴かなければならない。

③　裁判所は、前項の場合において、必要があると認めるときは、当事者等にその陳述すべき事項の要領を記載した書面又はこれに記載すべき事項を記録した電磁的記録の提示をさせることができる。この場合においては、何人も、その提示された書面又は電磁的記録の開示を求めることができない。

＊令和四法四八（令和八・五・二四までに施行）**による改正**
第三項中「記載した書面」の下に「又はこれに記載すべき事項を記録した電磁的記録」が、「提示された書面」の下に「又は電磁的記録」が加えられた。（本文織込み済み）

④　裁判所は、前項後段の書面又は電磁的記録を開示してその意見を聴くことが必要であると認めるときは、当事者等、訴訟代理人又は補佐人に対し、当該書面又は当該電磁的記録を開示することができる。

＊令和四法四八（令和八・五・二四までに施行）**による改正**
第四項中「の書面」の下に「又は電磁的記録」が、「当該書面」の下に「又は当該電磁的記録」が加えられた。（本文織込み済み）

⑤　裁判所は、第一項の規定により当該事項の尋問を公開しないで行うときは、公衆を退廷させる前に、その旨を理由とともに言い渡さなければならない。当該事項の尋問が終了したときは、再び公衆を入廷させなければならない。

（信用回復の措置）

第一四条　故意又は過失により不正競争を行って他人の営業上の信用を害した者に対しては、裁判所は、その営業上の信用を害された者の請求により、損害の賠償に代え、又は損害の賠償とともに、その者の営業上の信用を回復するのに必要な措置を命ずることができる。

（消滅時効）

第一五条①　第二条第一項第四号から第九号までに掲げる不正競争のうち、営業秘密を使用する行為に対する第三条第一項の規定による侵害の停止又は予防を請求する権利は、次に掲げる場合には、時効によって消滅する。

一　その行為を行う者がその行為を継続する場合において、その行為により営業上の利益を侵害され、又は侵害されるおそれがある営業秘密保有者がその事実及びその行為を行う者を知った時から三年間行わないとき。

二　その行為の開始の時から二十年を経過したとき。

②　前項の規定は、第二条第一項第十一号から第十六号までに掲げる不正競争のうち、限定提供データを使用する行為に対する第三条第一項の規定による侵害の停止又は予防を請求する権利について準用する。この場合において、前項第一号中「営業秘密保有者」とあるのは、「限定提供データ保有者」と読み替えるものとする。

第三章　国際約束に基づく禁止行為

（外国の国旗等の商業上の使用禁止）

第一六条①　何人も、外国の国旗若しくは国の紋章その他の記章であって経済産業省令で定めるもの（以下「外国国旗等」という。）と同一若しくは類似のもの（以下「外国国旗等類似記章」という。）を商標として使用し、又は外国国旗等類似記章を商標として使用した商品を譲渡し、引き渡し、譲渡若しくは引渡しのために展示し、輸出し、輸入し、若しくは電気通信回線を通じて提供し、若しくは外国国旗等類似記章を商標として使用して役務を提供してはならない。ただし、その外国国旗等の使用の許可（許可に類する行政処分を含む。以下同じ。）を行う権限を有する外国の官庁の許可を受けたときは、この限りでない。

②　前項に規定するもののほか、何人も、商品の原産地を誤認させるような方法で、同項の経済産業省令で定める外国の国の紋章（以下「外国紋章」という。）を使用し、又は外国紋章を使用

した商品を譲渡し、引き渡し、譲渡若しくは引渡しのために展示し、輸出し、輸入し、若しくは電気通信回線を通じて提供し、若しくは外国紋章を使用して役務を提供してはならない。ただし、その外国紋章の使用の許可を行う権限を有する外国の官庁の許可を受けたときは、この限りでない。

③　何人も、外国の政府若しくは地方公共団体の監督用若しくは証明用の印章若しくは記号であって経済産業省令で定めるもの（以下「外国政府等記号」という。）と同一若しくは類似のもの（以下「外国政府等類似記号」という。）をその外国政府等記号が用いられている商品若しくは役務と同一若しくは類似の商品若しくは役務の商標として使用し、又は外国政府等類似記号を当該商標として使用した商品を譲渡し、引き渡し、譲渡若しくは引渡しのために展示し、輸出し、輸入し、若しくは電気通信回線を通じて提供し、若しくは外国政府等類似記号を当該商標として使用して役務を提供してはならない。ただし、その外国政府等記号の使用の許可を行う権限を有する外国の官庁の許可を受けたときは、この限りでない。

（国際機関の標章の商業上の使用禁止）

第一七条　何人も、その国際機関（政府間の国際機関及びこれに準ずるものとして経済産業省令で定める国際機関をいう。以下この条において同じ。）と関係があると誤認させるような方法で、国際機関を表示する標章であって経済産業省令で定めるものと同一若しくは類似のもの（以下「国際機関類似標章」という。）を商標として使用し、又は国際機関類似標章を商標として使用した商品を譲渡し、引き渡し、譲渡若しくは引渡しのために展示し、輸出し、輸入し、若しくは電気通信回線を通じて提供し、若しくは国際機関類似標章を商標として使用して役務を提供してはならない。ただし、その国際機関の許可を受けたときは、この限りでない。

（外国公務員等に対する不正の利益の供与等の禁止）

第一八条①　何人も、外国公務員等に対し、国際的な商取引に関して営業上の不正の利益を得るために、その外国公務員等に、その職務に関する行為をさせ若しくはさせないこと、又はその地位を利用して他の外国公務員等にその職務に関する行為をさせ若しくはさせないようにあっせんをさせることを目的として、金銭その他の利益を供与し、又はその申込み若しくは約束をしてはならない。

②　前項において「外国公務員等」とは、次に掲げる者をいう。

一　外国の政府又は地方公共団体の公務に従事する者

二　公共の利益に関する特定の事務を行うために外国の特別の法令により設立されたものの事務に従事する者

三　一又は二以上の外国の政府又は地方公共団体により、発行済株式のうち議決権のある株式の総数若しくは出資の金額の総額の百分の五十を超える当該株式の数若しくは出資の金額を直接に所有され、又は役員（取締役、監査役、理事、監事及び清算人並びにこれら以外の者で事業の経営に従事しているものをいう。）の過半数を任命され若しくは指名されている事業者であって、その事業の遂行に当たり、外国の政府又は地方公共団体から特に権益を付与されているものの事務に従事する者その他これに準ずる者として政令で定める者

四　国際機関（政府又は政府間の国際機関によって構成される国際機関をいう。次号において同じ。）の公務に従事する者

五　外国の政府若しくは地方公共団体又は国際機関の権限に属する事務であって、これらの機関から委任されたものに従事する者

第四章　雑則

（適用除外等）

第一九条①　第三条から第十五条まで、第二十一条及び第二十二条の規定は、次の各号に掲げる不正競争の区分に応じて当該各号に定める行為については、適用しない。

一　第二条第一項第一号、第二号、第二十号及び第二十二号に掲げる不正競争　商品若しくは営業の普通名称（ぶどうを原料又は材料とする物の原産地の名称であって、普通名称となったものを除く。）若しくは同一若しくは類似の商品若しくは営業について慣用されている商品等表示（以下「普通名称等」と総称する。）を普通に用いられる方法で使用し、若しくは表示をし、又は普通名称等を普通に用いられる方法で使用し、若しくは表示をした商品を譲渡し、引き渡し、譲渡若しくは引渡しのために展示し、輸出し、輸入し、若しくは電気通信回線を通じて提供する行為（同項第二十号及び第二十二号に掲げる不正競争の場合にあっては、普通名称等を普通に用いられる方法で表示をし、又は使用して役務を提供する行為を含む。）

二　第二条第一項第一号、第二号及び第二十二号に掲げる不正競争　自己の氏名を不正の目的（不正の利益を得る目的、他人に損害を加える目的その他の不正の目的をいう。以下同じ。）でなく使用し、又は自己の氏名を不正の目的でなく使用した商品を譲渡し、引き渡し、譲渡若しくは引渡しのために展示し、輸出し、輸入し、若しくは電気通信回線を通じて提供する行為（同号に掲げる不正競争の場合にあっては、自己の氏名を不正の目的でなく使用して役務を提供する行為を含む。）

三　第二条第一項第一号及び第二号に掲げる不正競争　商標法第四条第四項に規定する場合において商標登録がされた結果又は同法第八条第一項ただし書、第二項ただし書若しくは第五項ただし書の規定により商標登録がされた結果、同一の商品若しくは役務について使用（同法第二条第三項に規定する使用をいう。以下この号において同じ。）をする類似の登録商標（同法第二条第五項に規定する登録商標をいう。以下この号及び次項第二号において同じ。）又は類似の商品若しくは役務について使用をする同一若しくは類似の登録商標に係る商標権が異なった商標権者に属することとなった場合において、その一の登録商標に係る商標権者、専用使用権者又は通常使用権者が不正の目的でなく当該登録商標の使用をする行為

四　第二条第一項第一号に掲げる不正競争　他人の商品等表示が需要者の間に広く認識される前からその商品等表示と同一若しくは類似の商品等表示を使用する者又はその商品等表示に係る業務を承継した者がその商品等表示を不正の目的でなく使用し、又はその商品等表示を不正の目的でなく使用した商品を譲渡し、引き渡し、譲渡若しくは引渡しのために展示し、輸出し、輸入し、若しくは電気通信回線を通じて提供する行為

五　第二条第一項第二号に掲げる不正競争　他人の商品等表示が著名になる前からその商品等表示と同一若しくは類似の商品等表示を使用する者又はその商品等表示に係る業務を承継した者がその商品等表示を不正の目的でなく使用し、又はその商品等表示を不正の目的でなく使用した商品を譲渡し、引き渡し、譲渡若しくは引渡しのために展示し、輸出し、輸入し、若しくは電気通信回線を通じて提供する行為

六　第二条第一項第三号に掲げる不正競争　次のいずれかに掲げる行為

イ　日本国内において最初に販売された日から起算して三年を経過した商品について、その商品の形態を模倣した商品を譲渡し、貸し渡し、譲渡若しくは貸渡しのために展示し、輸出し、輸入し、又は電気通信回線を通じて提供する行為

ロ　他人の商品の形態を模倣した商品を譲り受けた者（その譲り受けた時にその商品が他人の商品の形態を模倣した商品であることを知らず、かつ、知らないことにつき重大な過失がない者に限る。）がその商品を譲渡し、貸し渡し、譲渡若しくは貸渡しのために展示し、輸出し、輸入し、又は電気通信回線を通じて提供する行為

七　第二条第一項第四号から第九号までに掲げる不正競争　取引によって営業秘密を取得した者（その取得した時にその営

業秘密について営業秘密不正開示行為であること又はその営業秘密について営業秘密不正取得行為若しくは営業秘密不正開示行為が介在したことを知らず、かつ、知らないことにつき重大な過失がない者に限る。)がその取引によって取得した権原の範囲内においてその営業秘密を使用し、又は開示する行為

八　第二条第一項第十号に掲げる不正競争　第十五条第一項の規定により同項に規定する権利が消滅した後にその営業秘密を使用する行為により生じた物を譲渡し、引き渡し、譲渡若しくは引渡しのために展示し、輸出し、輸入し、又は電気通信回線を通じて提供する行為

九　第二条第一項第十一号から第十六号までに掲げる不正競争　次のいずれかに掲げる行為

イ　取引によって限定提供データを取得した者(その取得した時にその限定提供データについて限定提供データ不正開示行為であること又はその限定提供データについて限定提供データ不正取得行為若しくは限定提供データ不正開示行為が介在したことを知らない者に限る。)がその取引によって取得した権原の範囲内においてその限定提供データを開示する行為

ロ　その相当量蓄積されている情報が無償で公衆に利用可能となっている情報と同一の限定提供データを取得し、又はその取得した限定提供データを使用し、若しくは開示する行為

十　第二条第一項第十七号及び第十八号に掲げる不正競争　技術的制限手段の試験又は研究のために用いられる同項第十七号及び第十八号に規定する装置、これらの号に規定するプログラム若しくは指令符号を記録した記録媒体若しくは記憶した機器を譲渡し、引き渡し、譲渡若しくは引渡しのために展示し、輸出し、若しくは輸入し、若しくは当該プログラム若しくは指令符号を電気通信回線を通じて提供する行為又は技術的制限手段の試験又は研究のために行われるこれらの号に規定する役務を提供する行為

②　前項第二号から第四号までに定める行為によって営業上の利益を侵害され、又は侵害されるおそれがある者は、次の各号に掲げる行為の区分に応じて当該各号に定める者に対し、自己の商品又は営業との混同を防ぐのに適当な表示を付すべきことを請求することができる。

一　前項第二号に定める行為　自己の氏名を使用する者(自己の氏名を使用した商品を自ら譲渡し、引き渡し、譲渡若しくは引渡しのために展示し、輸出し、輸入し、又は電気通信回線を通じて提供する者を含む。)

二　前項第三号に定める行為　同号の一の登録商標に係る商標権者、専用使用権者及び通常使用権者

三　前項第四号に定める行為　他人の商品等表示と同一又は類似の商品等表示を使用する者及びその商品等表示に係る業務を承継した者(その商品等表示を使用した商品を自ら譲渡し、引き渡し、譲渡若しくは引渡しのために展示し、輸出し、輸入し、又は電気通信回線を通じて提供する者を含む。)

第一九条の二(**営業秘密に関する訴えの管轄権**)①　日本国内において事業を行う営業秘密保有者の営業秘密であって、日本国内において管理されているものに関する第二条第一項第四号、第五号、第七号又は第八号に掲げる不正競争を行った者に対する訴えは、日本の裁判所に提起することができる。ただし、当該営業秘密が専ら日本国外において事業の用に供されるものである場合は、この限りでない。

②　民事訴訟法第十条の二の規定は、前項の規定により日本の裁判所が管轄権を有する訴えについて準用する。この場合において、同条中「前節」とあるのは「不正競争防止法第十九条の二第一項」と読み替えるものとする。

第一九条の三(**適用範囲**)　第一章、第二章及びこの章の規定は、日本国内において事業を行う営業秘密保有者の営業秘密であって、日本国内において管理されているものに関し、日本国外において第二条第一項第四号、第五号、第七号又は第八号に掲げる不正競争を行う場合についても、適用する。ただし、当該営業秘密が専ら日本国外において事業の用に供されるものである場合は、この限りでない。

第一九条の四(**政令等への委任**)①　この法律に定めるもののほか、没収保全と滞納処分との手続の調整について必要な事項で、滞納処分に関するものは、政令で定める。

②　この法律に定めるもののほか、第三十二条の規定による第三者の参加及び裁判に関する手続、第八章に規定する没収保全及び追徴保全に関する手続並びに第九章に規定する国際共助手続について必要な事項(前項に規定する事項を除く。)は、最高裁判所規則で定める。

第二〇条(**経過措置**)　この法律の規定に基づき政令又は経済産業省令を制定し、又は改廃する場合においては、その政令又は経済産業省令で、その制定又は改廃に伴い合理的に必要と判断される範囲内において、所要の経過措置(罰則に関する経過措置を含む。)を定めることができる。

第五章　罰則

第二一条(**罰則**)①　次の各号のいずれかに該当する場合には、当該違反行為をした者は、十年以下の拘禁刑若しくは二千万円以下の罰金に処し、又はこれを併科する。

一　不正の利益を得る目的で、又はその営業秘密保有者に損害を加える目的で、詐欺等行為(人を欺き、人に暴行を加え、又は人を脅迫する行為をいう。次号において同じ。)又は管理侵害行為(財物の窃取、施設への侵入、不正アクセス行為(不正アクセス行為の禁止等に関する法律(平成十一年法律第百二十八号)第二条第四項に規定する不正アクセス行為をいう。)その他の営業秘密保有者の管理を害する行為をいう。次号において同じ。)により、営業秘密を取得したとき。

二　詐欺等行為又は管理侵害行為により取得した営業秘密を、不正の利益を得る目的で、又はその営業秘密保有者に損害を加える目的で、使用し、又は開示したとき。

三　不正の利益を得る目的で、又はその営業秘密保有者に損害を加える目的で、前号若しくは次項第二号から第四号までの罪、第四項第二号の罪(前号の罪に当たる開示に係る部分に限る。)又は第五項第二号の罪に当たる開示によって営業秘密を取得して、その営業秘密を使用し、又は開示したとき。

四　不正の利益を得る目的で、又はその営業秘密保有者に損害を加える目的で、前二号若しくは次項第二号から第四号までの罪、第四項第二号の罪(前二号の罪に当たる開示に係る部分に限る。)又は第五項第二号の罪に当たる開示が介在したことを知って営業秘密を取得して、その営業秘密を使用し、又は開示したとき。

五　不正の利益を得る目的で、自己又は他人の第二号から前号まで又は第四項第三号の罪に当たる行為(技術上の秘密を使用する行為に限る。以下この号において「違法使用行為」という。)により生じた物を譲渡し、引き渡し、譲渡若しくは引渡しのために展示し、輸出し、輸入し、又は電気通信回線を通じて提供したとき(当該物が違法使用行為により生じた物であることの情を知らないで譲り受け、当該物を譲渡し、引き渡し、譲渡若しくは引渡しのために展示し、輸出し、輸入し、又は電気通信回線を通じて提供した場合を除く。)。

②　次の各号のいずれかに該当する者は、十年以下の拘禁刑若しくは二千万円以下の罰金に処し、又はこれを併科する。

一　営業秘密を営業秘密保有者から示された者であって、不正の利益を得る目的で、又はその営業秘密保有者に損害を加え

る目的で、その営業秘密の管理に係る任務に背き、次のいずれかに掲げる方法でその営業秘密を領得したもの

イ　営業秘密記録媒体等（営業秘密が記載され、又は記録された文書、図画又は記録媒体をいう。以下この号において同じ。）又は営業秘密が化体された物件を横領すること。

ロ　営業秘密記録媒体等の記載若しくは記録について、又は営業秘密が化体された物件について、その複製を作成すること。

ハ　営業秘密記録媒体等の記載又は記録であって、消去すべきものを消去せず、かつ、当該記載又は記録を消去したように仮装すること。

二　営業秘密を営業秘密保有者から示された者であって、その営業秘密の管理に係る任務に背いて前号イからハまでに掲げる方法により領得した営業秘密を、不正の利益を得る目的で、又はその営業秘密保有者に損害を加える目的で、その営業秘密の管理に係る任務に背き、使用し、又は開示したもの

三　営業秘密を営業秘密保有者から示されたその役員（理事、取締役、執行役、業務を執行する社員、監事若しくは監査役又はこれらに準ずる者をいう。次号において同じ。）又は従業者であって、不正の利益を得る目的で、又はその営業秘密保有者に損害を加える目的で、その営業秘密の管理に係る任務に背き、その営業秘密を使用し、又は開示したもの（前号に掲げる者を除く。）

四　営業秘密を営業秘密保有者から示されたその役員又は従業者であった者であって、不正の利益を得る目的で、又はその営業秘密保有者に損害を加える目的で、その在職中に、その営業秘密の管理に係る任務に背いてその営業秘密の開示の申込みをし、又はその営業秘密の使用若しくは開示について請託を受けて、その営業秘密をその職を退いた後に使用し、又は開示したもの（第二号に掲げる者を除く。）

五　不正の利益を得る目的で、又はその営業秘密保有者に損害を加える目的で、自己又は他人の第二号から前号まで又は第五項第三号の罪に当たる行為（技術上の秘密を使用する行為に限る。以下この号において「従業者等違法使用行為」という。）により生じた物を譲渡し、引き渡し、譲渡若しくは引渡しのために展示し、輸出し、輸入し、又は電気通信回線を通じて提供した者（当該物が従業者等違法使用行為により生じた物であることの情を知らないで譲り受け、当該物を譲渡し、引き渡し、譲渡若しくは引渡しのために展示し、輸出し、輸入し、又は電気通信回線を通じて提供した者を除く。）

③　次の各号のいずれかに該当する場合には、当該違反行為をした者は、五年以下の拘禁刑若しくは五百万円以下の罰金に処し、又はこれを併科する。

一　不正の目的をもって第二条第一項第一号又は第二十号に掲げる不正競争を行ったとき。

二　他人の著名な商品等表示に係る信用若しくは名声を利用して不正の利益を得る目的で、又は当該信用若しくは名声を害する目的で第二条第一項第二号に掲げる不正競争を行ったとき。

三　不正の利益を得る目的で第二条第一項第三号に掲げる不正競争を行ったとき。

四　不正の利益を得る目的で、又は営業上技術的制限手段を用いている者に損害を加える目的で、第二条第一項第十七号又は第十八号に掲げる不正競争を行ったとき。

五　商品若しくは役務若しくはその広告若しくは取引に用いる書類若しくは通信にその商品の原産地、品質、内容、製造方法、用途若しくは数量又はその役務の質、内容、用途若しくは数量について誤認させるような虚偽の表示をしたとき（第一号に掲げる場合を除く。）。

六　秘密保持命令に違反したとき。

七　第十六条又は第十七条の規定に違反したとき。

④　次の各号のいずれかに該当する場合には、当該違反行為をした者は、十年以下の拘禁刑若しくは三千万円以下の罰金に処し、又はこれを併科する。

一　日本国外において使用する目的で、第一項第一号の罪を犯したとき。

二　相手方に日本国外において第一項第二号から第四号までの罪に当たる使用をする目的があることの情を知って、これらの罪に当たる開示をしたとき。

三　日本国内において事業を行う営業秘密保有者の営業秘密について、日本国外において第一項第二号から第四号までの罪に当たる使用をしたとき。

四　第十八条第一項の規定に違反したとき。

⑤　次の各号のいずれかに該当する者は、十年以下の拘禁刑若しくは三千万円以下の罰金に処し、又はこれを併科する。

一　日本国外において使用する目的で、第二項第一号の罪を犯した者

二　相手方に日本国外において第二項第二号から第四号までの罪に当たる使用をする目的があることの情を知って、これらの罪に当たる開示をした者

三　日本国内において事業を行う営業秘密保有者の営業秘密について、日本国外において第二項第二号から第四号までの罪に当たる使用をした者

⑥　第一項、第二項（第一号を除く。）、第四項（第四号を除く。）及び前項（第一号を除く。）の罪の未遂は、罰する。

⑦　第三項第六号の罪は、告訴がなければ公訴を提起することができない。

⑧　第一項各号（第五号を除く。）、第二項各号（第五号を除く。）、第四項第一号若しくは第二号、第五項第一号若しくは第二号又は第六項（第一項第五号又は第二項第五号に係る部分を除く。）の罪は、日本国内において事業を行う営業秘密保有者の営業秘密について、日本国外においてこれらの罪を犯した者にも適用する。

⑨　第三項第六号の罪は、日本国外において同号の罪を犯した者にも適用する。

⑩　第四項第四号の罪は、刑法（明治四十年法律第四十五号）第三条の例に従う。

⑪　第四項第四号の罪は、日本国内に主たる事務所を有する法人の代表者、代理人、使用人その他の従業者であって、その法人の業務に関し、日本国外において同号の罪を犯した日本国民以外の者にも適用する。

⑫　第一項から第六項までの規定は、刑法その他の罰則の適用を妨げない。

⑬　次に掲げる財産は、これを没収することができる。

一　第一項、第二項、第四項（第四号を除く。）、第五項及び第六項の罪の犯罪行為により生じ、若しくは当該犯罪行為により得た財産又は当該犯罪行為の報酬として得た財産

二　前号に掲げる財産の果実として得た財産、同号に掲げる財産の対価として得た財産、これらの財産の対価として得た財産その他同号に掲げる財産の保有又は処分に基づき得た財産

⑭　組織的な犯罪の処罰及び犯罪収益の規制等に関する法律（平成十一年法律第百三十六号。以下「組織的犯罪処罰法」という。）第十四条及び第十五条の規定は、前項の規定による没収について準用する。この場合において、組織的犯罪処罰法第十四条中「前条第一項各号又は第四項各号」とあるのは、「不正競争防止法第二十一条第十三項各号」と読み替えるものとする。

⑮　第十三項各号に掲げる財産を没収することができないとき、又は当該財産の性質、その使用の状況、当該財産に関する犯人以外の者の権利の有無その他の事情からこれを没収することが相当でないと認められるときは、その価額を犯人から追徴することができる。

第二二条①　法人の代表者又は法人若しくは人の代理人、使用人その他の従業者が、その法人又は人の業務に関し、次の各号に掲げる規定の違反行為をしたときは、行為者を罰するほか、その法人に対して当該各号に定める罰金刑を、その人に対して各本条の罰金刑を科する。

一　前条第四項又は第六項（同条第四項に係る部分に限る。）　十億円以下の罰金刑
二　前条第一項又は第六項（同条第一項に係る部分に限る。）　五億円以下の罰金刑
三　前条第三項　三億円以下の罰金刑

② 前項の場合において、当該行為者に対してした前条第三項第六号の罪に係る同条第七項の告訴は、その法人又は人に対しても効力を生じ、その法人又は人に対してした告訴は、当該行為者に対しても効力を生ずるものとする。

③ 第一項の規定により前条第一項、第三項、第四項又は第六項（同条第一項又は第四項に係る部分に限る。）の違反行為につき法人又は人に罰金刑を科する場合における時効の期間は、これらの規定の罪についての時効の期間による。

第六章　刑事訴訟手続の特例

（営業秘密の秘匿決定等）

第二三条① 裁判所は、第二十一条第一項、第二項、第四項（第四号を除く。）、第五項若しくは第六項の罪又は前条第一項（第三号を除く。）の罪に係る事件を取り扱う場合において、当該事件の被害者若しくは当該被害者の法定代理人又はこれらの者から委託を受けた弁護士から、当該事件に係る営業秘密を構成する情報の全部又は一部を特定させることとなる事項を公開の法廷で明らかにされたくない旨の申出があるときは、被告人又は弁護人の意見を聴き、相当と認めるときは、その範囲を定めて、当該事項を公開の法廷で明らかにしない旨の決定をすることができる。

② 前項の申出は、あらかじめ、検察官にしなければならない。この場合において、検察官は、意見を付して、これを裁判所に通知するものとする。

③ 裁判所は、第一項に規定する事件を取り扱う場合において、検察官又は被告人若しくは弁護人から、被告人その他の者の保有する営業秘密を構成する情報の全部又は一部を特定させることとなる事項を公開の法廷で明らかにされたくない旨の申出があるときは、相手方の意見を聴き、当該事項が犯罪の証明又は被告人の防御のために不可欠であり、かつ、当該事項が公開の法廷で明らかにされることにより当該営業秘密に基づく被告人その他の者の事業活動に著しい支障を生ずるおそれがあると認める場合であって、相当と認めるときは、その範囲を定めて、当該事項を公開の法廷で明らかにしない旨の決定をすることができる。

④ 裁判所は、第一項又は前項の決定（以下「秘匿決定」という。）をした場合において、必要があると認めるときは、検察官及び被告人又は弁護人の意見を聴き、決定で、営業秘密構成情報特定事項（秘匿決定により公開の法廷で明らかにしないこととされた営業秘密を構成する情報の全部又は一部を特定させることとなる事項をいう。以下同じ。）に係る名称その他の表現に代わる呼称その他の表現を定めることができる。

⑤ 裁判所は、秘匿決定をした事件について、営業秘密構成情報特定事項を公開の法廷で明らかにしないことが相当でないと認めるに至ったとき、又は刑事訴訟法（昭和二十三年法律第百三十一号）第三百十二条の規定により罰条が撤回若しくは変更されたため第一項に規定する事件に該当しなくなったときは、決定で、秘匿決定の全部又は一部及び当該秘匿決定に係る前項の決定（以下「呼称等の決定」という。）の全部又は一部を取り消さなければならない。

（起訴状の朗読方法の特例）

第二四条① 秘匿決定があったときは、刑事訴訟法第二百九十一条第一項の起訴状の朗読は、営業秘密構成情報特定事項を明らかにしない方法でこれを行うものとする。この場合においては、検察官は、被告人に起訴状を示さなければならない。

② 刑事訴訟法第二百七十一条の二第四項の規定による措置がとられた場合（当該措置に係る個人特定事項（同法第二百一条の二第一項に規定する個人特定事項をいう。以下この項において同じ。）の全部について同法第二百七十一条の五第一項の決定があった場合を除く。）における前項後段の規定の適用については、同項後段中「起訴状」とあるのは、当該措置に係る個人特定事項の一部について同法第二百七十一条の五第一項の決定があった場合にあっては「起訴状抄本等（同法第二百七十一条の二第二項に規定する起訴状抄本等をいう。）及び同法第二百七十一条の五第四項に規定する書面」と、それ以外の場合にあっては「起訴状抄本等（同法第二百七十一条の二第二項に規定する起訴状抄本等をいう。）」とする。

（尋問等の制限）

第二五条① 裁判長は、秘匿決定があった場合において、訴訟関係人のする尋問又は陳述が営業秘密構成情報特定事項にわたるときは、これを制限することにより、犯罪の証明に重大な支障を生ずるおそれがある場合又は被告人の防御に実質的な不利益を生ずるおそれがある場合を除き、当該尋問又は陳述を制限することができる。訴訟関係人の被告人に対する供述を求める行為についても、同様とする。

② 刑事訴訟法第二百九十五条第五項及び第六項の規定は、前項の規定による命令を受けた検察官又は弁護士である弁護人がこれに従わなかった場合について準用する。

（公判期日外の証人尋問等）

第二六条① 裁判所は、秘匿決定をした場合において、証人、鑑定人、通訳人若しくは翻訳人を尋問するとき、又は被告人が任意に供述をするときは、検察官及び被告人又は弁護人の意見を聴き、証人、鑑定人、通訳人若しくは翻訳人の尋問若しくは供述又は被告人に対する供述を求める行為若しくは被告人の供述が営業秘密構成情報特定事項にわたり、かつ、これが公開の法廷で明らかにされることにより当該営業秘密に基づく被害者、被告人その他の者の事業活動に著しい支障を生ずるおそれがあり、これを防止するためやむを得ないと認めるときは、公判期日外において当該尋問又は刑事訴訟法第三百十一条第二項及び第三項に規定する被告人の供述を求める手続をすることができる。

② 刑事訴訟法第百五十七条第一項及び第二項、第百五十八条第二項及び第三項、第百五十九条第一項、第二百七十三条第二項、第二百七十四条並びに第三百三条の規定は、前項の規定による被告人の供述を求める手続について準用する。この場合において、同法第百五十七条第一項、第百五十八条第三項及び第百五十九条第一項中「被告人又は弁護人」とあるのは「弁護人、共同被告人又はその弁護人」と、同法第百五十八条第二項中「被告人及び弁護人」とあるのは「弁護人、共同被告人及びその弁護人」と、同法第二百七十三条第二項中「公判期日」とあるのは「不正競争防止法第二十六条第一項の規定による被告人の供述を求める手続の期日」と、同法第二百七十四条中「公判期日」とあるのは「不正競争防止法第二十六条第一項の規定による被告人の供述を求める手続の日時及び場所」と、同法第三百三条中「証人その他の者の尋問、検証、押収及び捜索の結果を記載した書面並びに押収した物」とあるのは「不正競争防止法第二十六条第一項の規定による被告人の供述を求める手続の結果を記載した書面」と、「証拠書類又は証拠物」とあるのは「証拠書類」と読み替えるものとする。

（尋問等に係る事項の要領を記載した書面の提示命令）

第二七条　裁判所は、呼称等の決定をし、又は前条第一項の規定により尋問若しくは被告人の供述を求める手続を公判期日外においてする旨を定めるに当たり、必要があると認めるときは、検察官及び被告人又は弁護人に対し、訴訟関係人のすべき尋問若しくは陳述又は被告人に対する供述を求める行為に係る事項の要領を記載した書面の提示を命ずることができる。

（証拠書類の朗読方法の特例）

第二八条　秘匿決定があったときは、刑事訴訟法第三百五条第一項又は第二項の規定による証拠書類の朗読は、営業秘密構成情報特定事項を明らかにしない方法でこれを行うものとする。

（公判前整理手続等における決定）

第二九条　次に掲げる事項は、公判前整理手続及び期日間整理手続において行うことができる。

一　秘匿決定若しくは呼称等の決定又はこれらの決定を取り消す決定をすること。

二　第二十六条第一項の規定により尋問又は被告人の供述を求める手続を公判期日外においてする旨を定めること。

第三〇条①（**証拠開示の際の営業秘密の秘匿要請**）検察官又は弁護人は、第二十九条第一項の規定により証拠書類又は証拠物を閲覧する機会を与えるに当たり、第二十三条第一項又は第三項に規定する営業秘密を構成する情報の全部又は一部を特定させることとなる事項が明らかにされることにより当該営業秘密に基づく被害者、被告人その他の者の事業活動に著しい支障を生ずるおそれがあると認めるときは、相手方に対し、その旨を告げ、当該事項が、犯罪の証明若しくは犯罪の捜査又は被告人の防御に関し必要がある場合を除き、関係者（被告人を含む。）に知られないようにすることを求めることができる。ただし、被告人に知られないようにすることを求めることについては、当該事項のうち起訴状に記載された事項以外のものに限る。

② 前項の規定は、検察官又は弁護人が刑事訴訟法第二編第三章第二節第一款第二目（同法第三百十六条の二十八第二項において準用する場合を含む。）の規定による証拠の開示をする場合について準用する。

第三一条（**最高裁判所規則への委任**）この法律に定めるもののほか、第二十三条から前条までの規定の実施に関し必要な事項は、最高裁判所規則で定める。

第七章　没収に関する手続等の特例

第三二条①（**第三者の財産の没収手続等**）第二十一条第十三項各号に掲げる財産である債権等（不動産及び動産以外の財産をいう。第三十四条において同じ。）が被告人以外の者（以下この条において「第三者」という。）に帰属する場合において、当該第三者が被告事件の手続への参加を許されていないときは、没収の裁判をすることができない。

② 第二十一条第十三項の規定により、地上権、抵当権その他の第三者の権利がその上に存在する財産を没収しようとする場合において、当該第三者が被告事件の手続への参加を許されていないときも、前項と同様とする。

③ 組織的犯罪処罰法第十八条第三項から第五項までの規定は、地上権、抵当権その他の第三者の権利がその上に存在する財産を没収する場合において、第二十一条第十四項において準用する組織的犯罪処罰法第十五条第二項の規定により当該権利を存続させるべきときについて準用する。

④ 第一項及び第二項に規定する財産の没収に関する手続については、この法律に特別の定めがあるもののほか、刑事事件における第三者所有物の没収手続に関する応急措置法（昭和三十八年法律第百三十八号）の規定を準用する。

第三三条（**没収された債権等の処分等**）組織的犯罪処罰法第十九条の規定は第二十一条第十三項の規定による没収について、組織的犯罪処罰法第二十条の規定は権利の移転について登記又は登録を要する財産を没収する裁判に基づき権利の移転の登記又は登録を関係機関に嘱託する場合について準用する。この場合において、同条中「次章第一節」とあるのは、「不正競争防止法第八章」と読み替えるものとする。

第三四条（**刑事補償の特例**）債権等の没収の執行に対する刑事補償法（昭和二十五年法律第一号）による補償の内容については、同法第四条第六項の規定を準用する。

第八章　保全手続

第三五条①（**没収保全命令**）裁判所は、第二十一条第一項、第二項、第四項（第四号を除く。）、第五項及び第六項の罪に係る被告事件に関し、同条第十三項の規定により没収することができる財産に当たると思料するに足りる相当な理由があり、かつ、当該財産を没収するため必要があると認めるときは、検察官の請求により、又は職権で、没収保全命令を発して、当該財産につき、その処分を禁止することができる。

② 裁判所は、地上権、抵当権その他の権利がその上に存在する財産について没収保全命令を発した場合又は発しようとする場合において、当該権利が没収により消滅すると思料するに足りる相当な理由がある場合であって当該財産を没収するため必要があると認めるとき、又は当該権利が仮装のものであると思料するに足りる相当の理由があると認めるときは、検察官の請求により、又は職権で、附帯保全命令を別に発して、当該権利の処分を禁止することができる。

③ 裁判官は、前二項に規定する理由及び必要があると認めるときは、公訴が提起される前であっても、検察官又は司法警察員（警察官たる司法警察員については、国家公安委員会又は都道府県公安委員会が指定する警部以上の者に限る。）の請求により、前二項に規定する処分をすることができる。

④ 前三項に定めるもののほか、これらの規定による処分については、組織的犯罪処罰法第四章第一節及び第三節の規定による没収保全命令及び附帯保全命令による処分の禁止の例による。

第三六条①（**追徴保全命令**）裁判所は、第二十一条第一項、第二項、第四項（第四号を除く。）、第五項及び第六項の罪に係る被告事件に関し、同条第十五項の規定により追徴すべき場合に当たると思料するに足りる相当な理由がある場合において、追徴の裁判の執行をすることができなくなるおそれがあり、又はその執行をするのに著しい困難を生ずるおそれがあると認めるときは、検察官の請求により、又は職権で、追徴保全命令を発して、被告人に対し、その財産の処分を禁止することができる。

② 裁判官は、前項に規定する理由及び必要があると認めるときは、公訴が提起される前であっても、検察官の請求により、同項に規定する処分をすることができる。

③ 前二項に定めるもののほか、これらの規定による処分については、組織的犯罪処罰法第四章第二節及び第三節の規定による追徴保全命令による処分の禁止の例による。

第九章　没収及び追徴の裁判の執行及び保全についての国際共助手続等

第三七条①（**共助の実施**）外国の刑事事件（当該事件において犯されたとされている犯罪に係る行為が日本国内において行われたとした場合において、当該行為が第二十一条第一項、第二項、第四項（第四号を除く。）、第五項又は第六項の罪に当たる場合に限る。）に関して、当該外国から、没収若しくは追徴の確定裁判の執行又は没収若しくは追徴のための財産の保全の共助の要請があったときは、次の各号のいずれかに該当する場合を除き、当該要請に係る共助をすることができる。

一　共助犯罪（共助の要請において犯されたとされている犯罪をいう。以下この項において同じ。）に係る行為が日本国内において行われたとした場合において、日本国の法令によればこれについて刑罰を科すことができないと認められるとき。

二　共助犯罪に係る事件が日本国の裁判所に係属するとき、又はその事件について日本国の裁判所において確定判決を経たとき。

三　没収の確定裁判の執行の共助又は没収のための保全の共助については、共助犯罪に係る行為が日本国内において行われたとした場合において、要請に係る財産が日本国の法令によれば共助犯罪について没収の裁判をし、又は没収保全をすることができる財産に当たるものでないとき。

四　追徴の確定裁判の執行の共助又は追徴のための保全の共助については、共助犯罪に係る行為が日本国内において行われたとした場合において、日本国の法令によれば共助犯罪について追徴の裁判をし、又は追徴保全をすることができる場合に当たるものでないとき。

五　没収の確定裁判の執行の共助については要請に係る財産を有し又はその財産の上に地上権、抵当権その他の権利を有すると思料するに足りる相当な理由のある者が、追徴の確定裁判の執行の共助については当該裁判を受けた者が、自己の責めに帰することのできない理由により、当該裁判に係る手続において自己の権利を主張することができなかったと認められるとき。

六　没収又は追徴のための保全の共助については、要請国の裁判所若しくは裁判官のした没収若しくは追徴のための保全の裁判に基づく要請である場合又は没収若しくは追徴の裁判の確定後の要請である場合を除き、共助犯罪に係る行為が行われたと疑うに足りる相当な理由がないとき、又は当該行為が日本国内で行われたとした場合において第三十五条第一項又は前条第一項に規定する理由がないと認められるとき。

②　地上権、抵当権その他の権利がその上に存在する財産に係る没収の確定裁判の執行の共助をするに際し、日本国の法令により当該財産を没収するとすれば当該権利を存続させるべき場合に当たるときは、これを存続させるものとする。

（追徴とみなす没収）

第三八条①　第二十一条第十三項各号に掲げる財産に代えて、その価額が当該財産の価額に相当する財産であって当該裁判を受けた者が有するものを没収する確定裁判の執行に係る共助の要請にあっては、当該確定裁判は、この法律による共助の実施については、その者から当該財産の価額を追徴する確定裁判とみなす。

②　前項の規定は、第二十一条第十三項各号に掲げる財産に代えて、その価額が当該財産の価額に相当する財産を没収するための保全に係る共助の要請について準用する。

（要請国への共助の実施に係る財産等の譲与）

第三九条　第三十七条第一項に規定する没収又は追徴の確定裁判の執行の共助の要請をした外国から、当該共助の実施に係る財産又はその価額に相当する金銭の譲与の要請があったときは、その全部又は一部を譲与することができる。

（組織的犯罪処罰法による共助等の例）

第四〇条　前三条に定めるもののほか、第三十七条の規定による共助及び前条の規定による譲与については、組織的犯罪処罰法第六章の規定による共助及び譲与の例による。

附　則（抄）

（施行期日）

第一条　この法律は、公布の日から起算して一年を超えない範囲内において政令で定める日（平成六・五・一―平成六政四四）から施行する。

附　則（令和四・五・二五法四八）（抄）

（施行期日）

第一条　この法律は、公布の日から起算して四年を超えない範囲内において政令で定める日から施行する。ただし、次の各号に掲げる規定は、当該各号に定める日から施行する。

一　（前略）附則第百二十五条の規定　公布の日

二―五　（略）

（不正競争防止法の一部改正に伴う経過措置）

第七七条　前条の規定による改正後の不正競争防止法第十条第三項及び第四項並びに第十一条第二項の規定は、施行日以後に提起される不正競争（同法第二条第一項に規定する不正競争をいう。以下この条において同じ。）による営業上の利益の侵害に関する訴えにおける秘密保持命令の送達及び効力の発生時期について適用し、施行日前に提起された不正競争による営業上の利益の侵害に関する訴えにおける秘密保持命令の送達及び効力の発生時期については、なお従前の例による。

（罰則に関する経過措置）

第一二四条　この法律の施行前にした行為及びこの附則の規定によりなお従前の例によることとされる場合におけるこの法律の施行後にした行為に対する罰則の適用については、なお従前の例による。

（政令への委任）

第一二五条　この附則に定めるもののほか、この法律の施行に関し必要な経過措置は、政令で定める。

刑法等の一部を改正する法律の施行に伴う関係法律整理法中経過規定

第四四一条から**第四四三条**まで（令和四・六・一七法六八）（抄）
（刑法の同経過規定参照）

第五〇九条　（刑法の同経過規定参照）

刑法等の一部を改正する法律の施行に伴う関係法律整理法

附　則（令和四・六・一七法六八）（抄）

（施行期日）

①　この法律は、刑法等一部改正法（刑法等の一部を改正する法律（令和四法六七））施行日（令和七・六・一）から施行する。ただし、次の各号に掲げる規定は、当該各号に定める日から施行する。

一　第五百九条の規定　公布の日

二　（略）

●著作権法（抄）

（昭和四五・五・六 法 四 八）

施行 昭和四六・一・一（附則）
改正 昭和五三法四九、昭和五六法四五、昭和五八法七八、昭和五九法二三・**法四六**、昭和六〇**法六二**、昭和六一**法六四**、昭和六三法八七、平成一法四三、平成三法六三、平成四法一〇六、平成五法八九、平成六法一一二、平成七法九一、平成八法一一七、平成九**法八六**、平成一〇法一〇一、平成一一法四三（平成一一法二二〇）・**法七七**・法一六〇・法二二〇（平成一二法一三一）、平成一二法五六・法一三一、平成一三法一四〇、平成一四**法七二**、平成一五法六一・法八五・法一一九、平成一六法八四・法九二・法一二〇（平成一六法九二）・法一四七、平成一七法七五、平成一八法五〇・**法一二一**、平成二〇法八一、平成二一**法五三**・法七三、平成二三法六五、平成二四法三二・**法四三**、平成二五法八四、平成二六法三五・法六九、平成二七法四六、平成二八法五一・法一〇八、平成二九法四五、平成三〇法三〇・法三九・法七二、令和二法四八、令和三法三七・**法五二**、令和四法四八（令和五法三三）・法六八、令和五法三三・法五三

目次

第一章　総則

第一節　通則

（目的）

第一条　この法律は、著作物並びに実演、レコード、放送及び有線放送に関し著作者の権利及びこれに隣接する権利を定め、これらの文化的所産の公正な利用に留意しつつ、著作者等の権利の保護を図り、もつて文化の発展に寄与することを目的とする。

（定義）

第二条①　この法律において、次の各号に掲げる用語の意義は、当該各号に定めるところによる。

一　著作物　思想又は感情を創作的に表現したものであつて、文芸、学術、美術又は音楽の範囲に属するものをいう。

二　著作者　著作物を創作する者をいう。

三　実演　著作物を、演劇的に演じ、舞い、演奏し、歌い、口演し、朗詠し、又はその他の方法により演ずること（これらに類する行為で、著作物を演じないが芸能的な性質を有するものを含む。）をいう。

四　実演家　俳優、舞踊家、演奏家、歌手その他実演を行う者及び実演を指揮し、又は演出する者をいう。

五　レコード　蓄音機用音盤、録音テープその他の物に音を固定したもの（音を専ら影像とともに再生することを目的とするものを除く。）をいう。

六　レコード製作者　レコードに固定されている音を最初に固定した者をいう。

七　商業用レコード　市販の目的をもつて製作されるレコードの複製物をいう。

七の二　公衆送信　公衆によつて直接受信されることを目的として無線通信又は有線電気通信の送信（電気通信設備で、その一の部分の設置の場所が他の部分の設置の場所と同一の構内（その構内が二以上の者の占有に属している場合には、同一の者の占有に属する区域内）にあるものによる送信（プログラムの著作物の送信を除く。）を除く。）を行うことをいう。

八　放送　公衆送信のうち、公衆によつて同一の内容の送信が同時に受信されることを目的として行う無線通信の送信をいう。

九　放送事業者　放送を業として行う者をいう。

九の二　有線放送　公衆送信のうち、公衆によつて同一の内容の送信が同時に受信されることを目的として行う有線電気通信の送信をいう。

九の三　有線放送事業者　有線放送を業として行う者をいう。

九の四　自動公衆送信　公衆送信のうち、公衆からの求めに応じ自動的に行うもの（放送又は有線放送に該当するものを除く。）をいう。

九の五　送信可能化　次のいずれかに掲げる行為により自動公衆送信し得るようにすることをいう。

イ　公衆の用に供されている電気通信回線に接続している自動公衆送信装置（公衆の用に供する電気通信回線に接続することにより、その記録媒体のうち自動公衆送信の用に供

する部分（以下この号において「公衆送信用記録媒体」という。）に記録され、又は当該装置に入力される情報を自動公衆送信する機能を有する装置をいう。以下同じ。）の公衆送信用記録媒体に情報を記録し、情報が記録された記録媒体を当該自動公衆送信装置の公衆送信用記録媒体として加え、若しくは情報が記録された記録媒体を当該自動公衆送信装置の公衆送信用記録媒体に変換し、又は当該自動公衆送信装置に情報を入力すること。

ロ　その公衆送信用記録媒体に情報が記録され、又は当該自動公衆送信装置に情報が入力されている自動公衆送信装置について、公衆の用に供されている電気通信回線への接続（配線、自動公衆送信装置の始動、送受信用プログラムの起動その他の一連の行為により行われる場合には、当該一連の行為のうち最後のものをいう。）を行うこと。

九の六　特定入力型自動公衆送信　放送を受信して同時に、公衆の用に供されている電気通信回線に接続している自動公衆送信装置に情報を入力することにより行う自動公衆送信（当該自動公衆送信のために行う送信可能化を含む。）をいう。

九の七　放送同時配信等　放送番組又は有線放送番組の自動公衆送信（当該自動公衆送信のために行う送信可能化を含む。以下この号において同じ。）のうち、次のイからハまでに掲げる要件を備えるもの（著作権者、出版権者若しくは著作隣接権者（以下「著作権者等」という。）の利益を不当に害するおそれがあるもの又は広く国民が容易に視聴することが困難なものとして文化庁長官が総務大臣と協議して定めるもの及び特定入力型自動公衆送信を除く。）をいう。

イ　放送番組の放送又は有線放送番組の有線放送が行われた日から一週間以内（当該放送番組又は有線放送番組が同一の名称の下に一定の間隔で連続して放送され、又は有線放送されるものであつてその間隔が一週間を超えるものである場合には、一月以内でその間隔に応じて文化庁長官が定める期間内）に行われるもの（当該放送又は有線放送が行われるより前に行われるものを除く。）であること。

ロ　放送番組又は有線放送番組の内容を変更しないで行われるもの（著作権者等から当該自動公衆送信に係る許諾が得られていない部分を表示しないことその他のやむを得ない事情により変更されたものを除く。）であること。

ハ　当該自動公衆送信を受信して行う放送番組又は有線放送番組のデジタル方式の複製を防止し、又は抑止するための措置として文部科学省令で定めるものが講じられているものであること。

九の八　放送同時配信等事業者　人的関係又は資本関係において文化庁長官が定める密接な関係（以下単に「密接な関係」という。）を有する放送事業者又は有線放送事業者から放送番組又は有線放送番組の供給を受けて放送同時配信等を業として行う事業者をいう。

十　映画製作者　映画の著作物の製作に発意と責任を有する者をいう。

十の二　プログラム　電子計算機を機能させて一の結果を得ることができるようにこれに対する指令を組み合わせたものとして表現したものをいう。

十の三　データベース　論文、数値、図形その他の情報の集合物であつて、それらの情報を電子計算機を用いて検索することができるように体系的に構成したものをいう。

十一　二次的著作物　著作物を翻訳し、編曲し、若しくは変形し、又は脚色し、映画化し、その他翻案することにより創作した著作物をいう。

十二　共同著作物　二人以上の者が共同して創作した著作物であつて、その各人の寄与を分離して個別的に利用することができないものをいう。

十三　録音　音を物に固定し、又はその固定物を増製することをいう。

十四　録画　影像を連続して物に固定し、又はその固定物を増製することをいう。

十五　複製　印刷、写真、複写、録音、録画その他の方法により有形的に再製することをいい、次に掲げるものについては、それぞれ次に掲げる行為を含むものとする。

イ　脚本その他これに類する演劇用の著作物　当該著作物の上演、放送又は有線放送を録音し、又は録画すること。

ロ　建築の著作物　建築に関する図面に従つて建築物を完成すること。

十六　上演　演奏（歌唱を含む。以下同じ。）以外の方法により著作物を演ずることをいう。

十七　上映　著作物（公衆送信されるものを除く。）を映写幕その他の物に映写することをいい、これに伴つて映画の著作物において固定されている音を再生することを含むものとする。

十八　口述　朗読その他の方法により著作物を口頭で伝達すること（実演に該当するものを除く。）をいう。

十九　頒布　有償であるか又は無償であるかを問わず、複製物を公衆に譲渡し、又は貸与することをいい、映画の著作物又は映画の著作物において複製されている著作物にあつては、これらの著作物を公衆に提示することを目的として当該映画の著作物の複製物を譲渡し、又は貸与することを含むものとする。

二十　技術的保護手段　電子的方法、磁気的方法その他の人の知覚によつて認識することができない方法（次号及び第二十二号において「電磁的方法」という。）により、第十七条第一項に規定する著作者人格権若しくは著作権、出版権又は第八十九条第一項に規定する実演家人格権若しくは同条第六項に規定する著作隣接権（以下この号、第三十条第一項第二号、第百十三条第七項並びに第百二十条の二第一号及び第四号において「著作権等」という。）を侵害する行為の防止又は抑止（著作権等を侵害する行為の結果に著しい障害を生じさせることによる当該行為の抑止をいう。第三十条第一項第二号において同じ。）をする手段（著作権等を有する者の意思に基づくことなく用いられているものを除く。）であつて、著作物、実演、レコード、放送又は有線放送（以下「著作物等」という。）の利用（著作者又は実演家の同意を得ないで行つたとしたならば著作者人格権又は実演家人格権の侵害となるべき行為を含む。）に際し、これに用いられる機器が特定の反応をする信号を記録媒体に記録し、若しくは送信する方式又は当該機器が特定の変換を必要とするよう著作物、実演、レコード若しくは放送若しくは有線放送に係る音若しくは影像を変換して記録媒体に記録し、若しくは送信する方式によるものをいう。

二十一　技術的利用制限手段　電磁的方法により、著作物等の視聴（プログラムの著作物にあつては、当該著作物を電子計算機において実行する行為を含む。以下この号及び第百十三条第六項において同じ。）を制限する手段（著作権者等の意思に基づくことなく用いられているものを除く。）であつて、著作物等の視聴に際し、これに用いられる機器が特定の反応をする信号を記録媒体に記録し、若しくは送信する方式又は当該機器が特定の変換を必要とするよう著作物、実演、レコード若しくは放送若しくは有線放送に係る音若しくは影像を変換して記録媒体に記録し、若しくは送信する方式によるものをいう。

二十二　権利管理情報　第十七条第一項に規定する著作者人格権若しくは著作権、出版権又は第八十九条第一項から第四項までの権利（以下この号において「著作権等」という。）に関する情報であつて、イからハまでのいずれかに該当するもののうち、電磁的方法により著作物、実演、レコード又は放送若しくは有線放送に係る音若しくは影像とともに記録媒体に記録され、又は送信されるもの（著作物等の利用状況の把握、著作物等の利用の許諾に係る事務処理その他の著作権等の管理（電子計算機によるものに限る。）に用いられていないものを除く。）をいう。

イ　著作物等、著作権等を有する者その他政令で定める事項を特定する情報

ロ　著作物等の利用を許諾する場合の利用方法及び条件に関する情報

ハ　他の情報と照合することによりイ又はロに掲げる事項を特定することができることとなる情報

二十三　著作権等管理事業者　著作権等管理事業法（平成十二年法律第百三十一号）第二条第三項に規定する著作権等管理事業者をいう。

二十四　国内　この法律の施行地をいう。

二十五　国外　この法律の施行地外の地域をいう。

②　この法律にいう「美術の著作物」には、美術工芸品を含むものとする。

③　この法律にいう「映画の著作物」には、映画の効果に類似する視覚的又は視聴覚的効果を生じさせる方法で表現され、かつ、物に固定されている著作物を含むものとする。

④　この法律にいう「写真の著作物」には、写真の製作方法に類似する方法を用いて表現される著作物を含むものとする。

⑤　この法律にいう「公衆」には、特定かつ多数の者を含むものとする。

⑥　この法律にいう「法人」には、法人格を有しない社団又は財団で代表者又は管理人の定めがあるものを含むものとする。

⑦　この法律において、「上演」、「演奏」又は「口述」には、著作物の上演、演奏又は口述で録音され、又は録画されたものを再生すること（公衆送信又は上映に該当するものを除く。）及び著作物の上演、演奏又は口述を電気通信設備を用いて伝達すること（公衆送信に該当するものを除く。）を含むものとする。

⑧　この法律にいう「貸与」には、いずれの名義又は方法をもつてするかを問わず、これと同様の使用の権原を取得させる行為を含むものとする。

⑨　この法律において、第一項第七号の二、第八号、第九号の二、第九号の四、第九号の五、第九号の七若しくは第十三号から第十九号まで又は前二項に掲げる用語については、それぞれこれらを動詞の語幹として用いる場合を含むものとする。

（著作物の発行）

第三条①　著作物は、その性質に応じ公衆の要求を満たすことができる相当程度の部数の複製物が、第二十一条に規定する権利を有する者若しくはその許諾（第六十三条第一項の規定による利用の許諾をいう。以下この項、次条第一項、第四条の二及び第六十三条を除き、以下この章及び次章において同じ。）を得た者又は第七十九条の出版権の設定を受けた者若しくはその複製許諾（第八十条第三項の規定による複製の許諾をいう。以下同じ。）を得た者によつて作成され、頒布された場合（第二十六条、第二十六条の二第一項又は第二十六条の三に規定する権利を有する者の権利を害しない場合に限る。）において、発行されたものとする。

②　二次的著作物である翻訳物の前項に規定する部数の複製物が第二十八条の規定により第二十一条に規定する権利と同一の権利を有する者又はその許諾を得た者によつて作成され、頒布された場合（第二十八条の規定により第二十六条、第二十六条の二第一項又は第二十六条の三に規定する権利と同一の権利を有する者の権利を害しない場合に限る。）には、その原著作物は、発行されたものとみなす。

③　著作物がこの法律による保護を受けるとしたならば前二項の権利を有すべき者又はその者からその著作物の利用の承諾を得た者は、それぞれ前二項の権利を有する者又はその許諾を得た者とみなして、前二項の規定を適用する。

（著作物の公表）

第四条①　著作物は、発行され、又は第二十二条から第二十五条までに規定する権利を有する者若しくはその許諾（第六十三条第一項の規定による利用の許諾をいう。）を得た者若しくは第七十九条の出版権の設定を受けた者若しくはその公衆送信許諾（第八十条第三項の規定による公衆送信の許諾をいう。以下同じ。）を得た者によつて上演、演奏、上映、公衆送信、口述若しくは展示の方法で公衆に提示された場合（建築の著作物にあつては、第二十一条に規定する権利を有する者又はその許諾（第六十三条第一項の規定による利用の許諾をいう。）を得た者によつて建設された場合を含む。）において、公表されたものとする。

②　著作物は、第二十三条第一項に規定する権利を有する者又はその許諾を得た者若しくは第七十九条の出版権の設定を受けた者若しくはその公衆送信許諾を得た者によつて送信可能化された場合には、公表されたものとみなす。

③　二次的著作物である翻訳物が、第二十八条の規定により第二十二条から第二十四条までに規定する権利と同一の権利を有する者若しくはその許諾を得た者によつて上演、演奏、上映、公衆送信若しくは口述の方法で公衆に提示され、又は第二十八条の規定により第二十三条第一項に規定する権利と同一の権利を有する者若しくはその許諾を得た者によつて送信可能化された場合には、その原著作物は、公表されたものとみなす。

④　美術の著作物又は写真の著作物は、第四十五条第一項に規定する者によつて同項の展示が行われた場合には、公表されたものとみなす。

⑤　著作物がこの法律による保護を受けるとしたならば第一項から第三項までの権利を有すべき者又はその者からその著作物の利用の承諾を得た者は、それぞれ第一項から第三項までの権利を有する者又はその許諾を得た者とみなして、これらの規定を適用する。

（レコードの発行）

第四条の二　レコードは、その性質に応じ公衆の要求を満たすことができる相当程度の部数の複製物が、第九十六条に規定する権利を有する者又はその許諾（第百三条において準用する第六十三条第一項の規定による利用の許諾をいう。第四章第二節及び第三節において同じ。）を得た者によつて作成され、頒布された場合（第九十七条の二第一項又は第九十七条の三第一項に規定する権利を有する者の権利を害しない場合に限る。）において、発行されたものとする。

（条約の効力）

第五条　著作者の権利及びこれに隣接する権利に関し条約に別段の定めがあるときは、その規定による。

第二節　適用範囲

（保護を受ける著作物）

第六条　著作物は、次の各号のいずれかに該当するものに限り、この法律による保護を受ける。

一　日本国民（わが国の法令に基づいて設立された法人及び国内に主たる事務所を有する法人を含む。以下同じ。）の著作物

二　最初に国内において発行された著作物（最初に国外において発行されたが、その発行の日から三十日以内に国内において発行されたものを含む。）

三　前二号に掲げるもののほか、条約によりわが国が保護の義務を負う著作物

（保護を受ける実演）

第七条　実演は、次の各号のいずれかに該当するものに限り、この法律による保護を受ける。

一　国内において行われる実演

二　次条第一号又は第二号に掲げるレコードに固定された実演

三　第九条第一号又は第二号に掲げる放送において送信される実演（実演家の承諾を得て送信前に録音され、又は録画されているものを除く。）

四　第九条の二各号に掲げる有線放送において送信される実演（実演家の承諾を得て送信前に録音され、又は録画されているものを除く。）

五　前各号に掲げるもののほか、次のいずれかに掲げる実演

イ　実演家、レコード製作者及び放送機関の保護に関する国

際条約（以下「実演家等保護条約」という。）の締約国において行われる実演
ロ　次条第三号に掲げるレコードに固定された実演
ハ　第九条第三号に掲げる放送において送信される実演（実演家の承諾を得て送信前に録音され、又は録画されているものを除く。）
六　前各号に掲げるもののほか、次のいずれかに掲げる実演
イ　実演及びレコードに関する世界知的所有権機関条約（以下「実演・レコード条約」という。）の締約国において行われる実演
ロ　次条第四号に掲げるレコードに固定された実演
七　前各号に掲げるもののほか、次のいずれかに掲げる実演
イ　世界貿易機関の加盟国において行われる実演
ロ　次条第五号に掲げるレコードに固定された実演
ハ　第九条第四号に掲げる放送において送信される実演（実演家の承諾を得て送信前に録音され、又は録画されているものを除く。）
八　前各号に掲げるもののほか、視聴覚的実演に関する北京条約の締約国の国民又は当該締約国に常居所を有する者である実演家に係る実演

第八条（保護を受けるレコード）レコードは、次の各号のいずれかに該当するものに限り、この法律による保護を受ける。
一　日本国民をレコード製作者とするレコード
二　レコードでこれに固定されている音が最初に国内において固定されたもの
三　前二号に掲げるもののほか、次のいずれかに掲げるレコード
イ　実演家等保護条約の締約国の国民（当該締約国の法令に基づいて設立された法人及び当該締約国に主たる事務所を有する法人を含む。以下同じ。）をレコード製作者とするレコード
ロ　レコードでこれに固定されている音が最初に実演家等保護条約の締約国において固定されたもの
四　前三号に掲げるもののほか、次のいずれかに掲げるレコード
イ　実演・レコード条約の締約国の国民（当該締約国の法令に基づいて設立された法人及び当該締約国に主たる事務所を有する法人を含む。以下同じ。）をレコード製作者とするレコード
ロ　レコードでこれに固定されている音が最初に実演・レコード条約の締約国において固定されたもの
五　前各号に掲げるもののほか、次のいずれかに掲げるレコード
イ　世界貿易機関の加盟国の国民（当該加盟国の法令に基づいて設立された法人及び当該加盟国に主たる事務所を有する法人を含む。以下同じ。）をレコード製作者とするレコード
ロ　レコードでこれに固定されている音が最初に世界貿易機関の加盟国において固定されたもの
六　前各号に掲げるもののほか、許諾を得ないレコードの複製からのレコード製作者の保護に関する条約（第百二十一条の二第二号において「レコード保護条約」という。）により我が国が保護の義務を負うレコード

第九条（保護を受ける放送）放送は、次の各号のいずれかに該当するものに限り、この法律による保護を受ける。
一　日本国民である放送事業者の放送
二　国内にある放送設備から行なわれる放送
三　前二号に掲げるもののほか、次のいずれかに掲げる放送
イ　実演家等保護条約の締約国の国民である放送事業者の放送
ロ　実演家等保護条約の締約国にある放送設備から行われる放送
四　前三号に掲げるもののほか、次のいずれかに掲げる放送
イ　世界貿易機関の加盟国の国民である放送事業者の放送
ロ　世界貿易機関の加盟国にある放送設備から行われる放送

第九条の二（保護を受ける有線放送）有線放送は、次の各号のいずれかに該当するものに限り、この法律による保護を受ける。
一　日本国民である有線放送事業者の有線放送（放送を受信して行うものを除く。次号において同じ。）
二　国内にある有線放送設備から行われる有線放送

第二章　著作者の権利（抄）

第一節　著作物

第一〇条（著作物の例示）①この法律にいう著作物を例示すると、おおむね次のとおりである。
一　小説、脚本、論文、講演その他の言語の著作物
二　音楽の著作物
三　舞踊又は無言劇の著作物
四　絵画、版画、彫刻その他の美術の著作物
五　建築の著作物
六　地図又は学術的な性質を有する図面、図表、模型その他の図形の著作物
七　映画の著作物
八　写真の著作物
九　プログラムの著作物
②　事実の伝達にすぎない雑報及び時事の報道は、前項第一号に掲げる著作物に該当しない。
③　第一項第九号に掲げる著作物に対するこの法律による保護は、その著作物を作成するために用いるプログラム言語、規約及び解法に及ばない。この場合において、これらの用語の意義は、次の各号に定めるところによる。
一　プログラム言語　プログラムを表現する手段としての文字その他の記号及びその体系をいう。
二　規約　特定のプログラムにおける前号のプログラム言語の用法についての特別の約束をいう。
三　解法　プログラムにおける電子計算機に対する指令の組合せの方法をいう。

第一一条（二次的著作物）二次的著作物に対するこの法律による保護は、その原著作物の著作者の権利に影響を及ぼさない。

第一二条（編集著作物）①編集物（データベースに該当するものを除く。以下同じ。）でその素材の選択又は配列によつて創作性を有するものは、著作物として保護する。
②　前項の規定は、同項の編集物の部分を構成する著作物の著作者の権利に影響を及ぼさない。

第一二条の二（データベースの著作物）①データベースでその情報の選択又は体系的な構成によつて創作性を有するものは、著作物として保護する。
②　前項の規定は、同項のデータベースの部分を構成する著作物の著作者の権利に影響を及ぼさない。

第一三条（権利の目的とならない著作物）次の各号のいずれかに該当する著作物は、この章の規定による権利の目的となることができない。
一　憲法その他の法令
二　国若しくは地方公共団体の機関、独立行政法人（独立行政法人通則法（平成十一年法律第百三号）第二条第一項に規定する独立行政法人をいう。以下同じ。）又は地方独立行政法人（地方独立行政法人法（平成十五年法律第百十八号）第二条第一項に規定する地方独立行政法人をいう。以下同じ。）が発する告示、訓令、通達その他これらに類するもの
三　裁判所の判決、決定、命令及び審判並びに行政庁の裁決及

び決定で裁判に準ずる手続により行われるもの

四　前三号に掲げるものの翻訳物及び編集物で、国若しくは地方公共団体の機関、独立行政法人又は地方独立行政法人が作成するもの

第二節　著作者

（著作者の推定）

第一四条　著作物の原作品に、又は著作物の公衆への提供若しくは提示の際に、その氏名若しくは名称（以下「実名」という。）又はその雅号、筆名、略称その他実名に代えて用いられるもの（以下「変名」という。）として周知のものが著作者名として通常の方法により表示されている者は、その著作物の著作者と推定する。

（職務上作成する著作物の著作者）

第一五条①　法人その他使用者（以下この条において「法人等」という。）の発意に基づきその法人等の業務に従事する者が職務上作成する著作物（プログラムの著作物を除く。）で、その法人等が自己の著作の名義の下に公表するものの著作者は、その作成の時における契約、勤務規則その他に別段の定めがない限り、その法人等とする。

②　法人等の発意に基づきその法人等の業務に従事する者が職務上作成するプログラムの著作物の著作者は、その作成の時における契約、勤務規則その他に別段の定めがない限り、その法人等とする。

（映画の著作物の著作者）

第一六条　映画の著作物の著作者は、その映画の著作物において翻案され、又は複製された小説、脚本、音楽その他の著作物の著作者を除き、制作、監督、演出、撮影、美術等を担当してその映画の著作物の全体的形成に創作的に寄与した者とする。ただし、前条の規定の適用がある場合は、この限りでない。

第三節　権利の内容

第一款　総則

（著作者の権利）

第一七条①　著作者は、次条第一項、第十九条第一項及び第二十条第一項に規定する権利（以下「著作者人格権」という。）並びに第二十一条から第二十八条までに規定する権利（以下「著作権」という。）を享有する。

②　著作者人格権及び著作権の享有には、いかなる方式の履行をも要しない。

第二款　著作者人格権

（公表権）

第一八条①　著作者は、その著作物でまだ公表されていないもの（その同意を得ないで公表された著作物を含む。以下この条において同じ。）を公衆に提供し、又は提示する権利を有する。当該著作物を原著作物とする二次的著作物についても、同様とする。

②　著作者は、次の各号に掲げる場合には、当該各号に掲げる行為について同意したものと推定する。

一　その著作物でまだ公表されていないものの著作権を譲渡した場合　当該著作物をその著作権の行使により公衆に提供し、又は提示すること。

二　その美術の著作物又は写真の著作物でまだ公表されていないものの原作品を譲渡した場合　これらの著作物をその原作品による展示の方法で公衆に提示すること。

三　第二十九条の規定によりその映画の著作物の著作権が映画製作者に帰属した場合　当該著作物をその著作権の行使により公衆に提供し、又は提示すること。

③　著作者は、次の各号に掲げる場合には、当該各号に掲げる行為について同意したものとみなす。

一　その著作物でまだ公表されていないものを行政機関（行政機関の保有する情報の公開に関する法律（平成十一年法律第四十二号。以下「行政機関情報公開法」という。）第二条第一項に規定する行政機関をいう。以下同じ。）に提供した場合（行政機関情報公開法第九条第一項の規定による開示する旨の決定の時までに別段の意思表示をした場合を除く。）　行政機関情報公開法の規定により行政機関の長が当該著作物を公衆に提供し、又は提示すること（当該著作物に係る歴史公文書等（公文書等の管理に関する法律（平成二十一年法律第六十六号。以下「公文書管理法」という。）第二条第六項に規定する歴史公文書等をいう。以下同じ。）が行政機関の長から公文書管理法第八条第一項の規定により国立公文書館等（公文書管理法第二条第三項に規定する国立公文書館等をいう。以下同じ。）に移管された場合（公文書管理法第十六条第一項の規定による利用をさせる旨の決定の時までに当該著作物の著作者が別段の意思表示をした場合を除く。）にあつては、公文書管理法第十六条第一項の規定により国立公文書館等の長（公文書管理法第十五条第一項に規定する国立公文書館等の長をいう。以下同じ。）が当該著作物を公衆に提供し、又は提示することを含む。）。

二　その著作物でまだ公表されていないものを独立行政法人等（独立行政法人等の保有する情報の公開に関する法律（平成十三年法律第百四十号。以下「独立行政法人等情報公開法」という。）第二条第一項に規定する独立行政法人等をいう。以下同じ。）に提供した場合（独立行政法人等情報公開法第九条第一項の規定による開示する旨の決定の時までに別段の意思表示をした場合を除く。）　独立行政法人等情報公開法の規定により当該独立行政法人等が当該著作物を公衆に提供し、又は提示すること（当該著作物に係る歴史公文書等が当該独立行政法人等から公文書管理法第十一条第四項の規定により国立公文書館等に移管された場合（公文書管理法第十六条第一項の規定による利用をさせる旨の決定の時までに当該著作物の著作者が別段の意思表示をした場合を除く。）にあつては、公文書管理法第十六条第一項の規定により国立公文書館等の長が当該著作物を公衆に提供し、又は提示することを含む。）。

三　その著作物でまだ公表されていないものを地方公共団体又は地方独立行政法人に提供した場合（開示する旨の決定の時までに別段の意思表示をした場合を除く。）　情報公開条例（地方公共団体又は地方独立行政法人の保有する情報の公開を請求する住民等の権利について定める当該地方公共団体の条例をいう。以下同じ。）の規定により当該地方公共団体の機関又は地方独立行政法人が当該著作物を公衆に提供し、又は提示すること（当該著作物に係る歴史公文書等が当該地方公共団体又は地方独立行政法人から公文書管理条例（地方公共団体又は地方独立行政法人の保有する歴史公文書等の適切な保存及び利用について定める当該地方公共団体の条例をいう。以下同じ。）に基づき地方公文書館等（歴史公文書等の適切な保存及び利用を図る施設として公文書管理条例が定める施設をいう。以下同じ。）に移管された場合（公文書管理条例の規定（公文書管理法第十六条第一項の規定に相当する規定に限る。以下この条において同じ。）による利用をさせる旨の決定の時までに当該著作物の著作者が別段の意思表示をした場合を除く。）にあつては、公文書管理条例の規定により地方公文書館等の長（地方公文書館等が地方公共団体の施設である場合にあつてはその属する地方公共団体の長をいい、地方公文書館等が地方独立行政法人の施設である場合にあつてはその施設を設置した地方独立行政法人をいう。以下同じ。）が当該著作物を公衆に提供し、又は提示することを含む。）。

四　その著作物でまだ公表されていないものを国立公文書館等に提供した場合（公文書管理法第十六条第一項の規定による利用をさせる旨の決定の時までに別段の意思表示をした場合を除く。）　同項の規定により国立公文書館等の長が当該著作物を公衆に提供し、又は提示すること。

五　その著作物でまだ公表されていないものを地方公文書館等

に提供した場合（公文書管理条例の規定による利用をさせる旨の決定の時までに別段の意思表示をした場合を除く。）公文書管理条例の規定により地方公文書館等の長が当該著作物を公衆に提供し、又は提示すること。

④ 第一項の規定は、次の各号のいずれかに該当するときは、適用しない。

一 行政機関情報公開法第五条の規定により行政機関の長が同条第一号ロ若しくはハ若しくは同条第二号ただし書に規定する情報が記録されている著作物でまだ公表されていないものを公衆に提供し、若しくは提示するとき、又は行政機関情報公開法第七条の規定により行政機関の長が著作物でまだ公表されていないものを公衆に提供し、若しくは提示するとき。

二 独立行政法人等情報公開法第五条の規定により独立行政法人等が同条第一号ロ若しくはハ若しくは同条第二号ただし書に規定する情報が記録されている著作物でまだ公表されていないものを公衆に提供し、若しくは提示するとき、又は独立行政法人等情報公開法第七条の規定により独立行政法人等が著作物でまだ公表されていないものを公衆に提供し、若しくは提示するとき。

三 情報公開条例（行政機関情報公開法第十三条第二項及び第三項の規定に相当する規定を設けているものに限る。第五号において同じ。）の規定により地方公共団体の機関又は地方独立行政法人が著作物でまだ公表されていないもの（行政機関情報公開法第五条第一号ロ又は同条第二号ただし書に規定する情報に相当する情報が記録されているものに限る。）を公衆に提供し、又は提示するとき。

四 情報公開条例の規定により地方公共団体の機関又は地方独立行政法人が著作物でまだ公表されていないもの（行政機関情報公開法第五条第一号ハに規定する情報に相当する情報が記録されているものに限る。）を公衆に提供し、又は提示するとき。

五 情報公開条例の規定で行政機関情報公開法第七条の規定に相当するものにより地方公共団体の機関又は地方独立行政法人が著作物でまだ公表されていないものを公衆に提供し、又は提示するとき。

六 公文書管理法第十六条第一項の規定により国立公文書館等の長が行政機関情報公開法第五条第一号ロ若しくはハ若しくは同条第二号ただし書に規定する情報又は独立行政法人等情報公開法第五条第一号ロ若しくはハ若しくは同条第二号ただし書に規定する情報が記録されている著作物でまだ公表されていないものを公衆に提供し、又は提示するとき。

七 公文書管理条例（公文書管理法第十八条第二項及び第四項の規定に相当する規定を設けているものに限る。）の規定により地方公文書館等の長が著作物でまだ公表されていないもの（行政機関情報公開法第五条第一号ロ又は同条第二号ただし書に規定する情報に相当する情報が記録されているものに限る。）を公衆に提供し、又は提示するとき。

八 公文書管理条例の規定により地方公文書館等の長が著作物でまだ公表されていないもの（行政機関情報公開法第五条第一号ハに規定する情報に相当する情報が記録されているものに限る。）を公衆に提供し、又は提示するとき。

第一九条（氏名表示権）① 著作者は、その著作物の原作品に、又はその著作物の公衆への提供若しくは提示に際し、その実名若しくは変名を著作者名として表示し、又は著作者名を表示しないこととする権利を有する。その著作物を原著作物とする二次的著作物の公衆への提供又は提示に際しての原著作物の著作者名の表示についても、同様とする。

② 著作物を利用する者は、その著作者の別段の意思表示がない限り、その著作物につきすでに著作者が表示しているところに従つて著作者名を表示することができる。

③ 著作者名の表示は、著作物の利用の目的及び態様に照らし著作者が創作者であることを主張する利益を害するおそれがないと認められるときは、公正な慣行に反しない限り、省略することができる。

④ 第一項の規定は、次の各号のいずれかに該当するときは、適用しない。

一 行政機関情報公開法、独立行政法人等情報公開法又は情報公開条例の規定により行政機関の長、独立行政法人等又は地方公共団体の機関若しくは地方独立行政法人が著作物を公衆に提供し、又は提示する場合において、当該著作物につき既にその著作者が表示しているところに従つて著作者名を表示するとき。

二 行政機関情報公開法第六条第二項の規定、独立行政法人等情報公開法第六条第二項の規定又は情報公開条例の規定で行政機関情報公開法第六条第二項の規定に相当するものにより行政機関の長、独立行政法人等又は地方公共団体の機関若しくは地方独立行政法人が著作物を公衆に提供し、又は提示する場合において、当該著作物の著作者名の表示を省略することとなるとき。

三 公文書管理法第十六条第一項の規定又は公文書管理条例の規定（同項の規定に相当する規定に限る。）により国立公文書館等の長又は地方公文書館等の長が著作物を公衆に提供し、又は提示する場合において、当該著作物につき既にその著作者が表示しているところに従つて著作者名を表示するとき。

第二〇条（同一性保持権）① 著作者は、その著作物及びその題号の同一性を保持する権利を有し、その意に反してこれらの変更、切除その他の改変を受けないものとする。

② 前項の規定は、次の各号のいずれかに該当する改変については、適用しない。

一 第三十三条第一項（同条第四項において準用する場合を含む。）、第三十三条の二第一項、第三十三条の三第一項又は第三十四条第一項の規定により著作物を利用する場合における用字又は用語の変更その他の改変で、学校教育の目的上やむを得ないと認められるもの

二 建築物の増築、改築、修繕又は模様替えによる改変

三 特定の電子計算機においては実行し得ないプログラムの著作物を当該電子計算機において実行し得るようにするため、又はプログラムの著作物を電子計算機においてより効果的に実行し得るようにするために必要な改変

四 前三号に掲げるもののほか、著作物の性質並びにその利用の目的及び態様に照らしやむを得ないと認められる改変

第三款　著作権に含まれる権利の種類

第二一条（複製権） 著作者は、その著作物を複製する権利を専有する。

第二二条（上演権及び演奏権） 著作者は、その著作物を、公衆に直接見せ又は聞かせることを目的として（以下「公に」という。）上演し、又は演奏する権利を専有する。

第二二条の二（上映権） 著作者は、その著作物を公に上映する権利を専有する。

第二三条（公衆送信権等）① 著作者は、その著作物について、公衆送信（自動公衆送信の場合にあつては、送信可能化を含む。）を行う権利を専有する。

② 著作者は、公衆送信されるその著作物を受信装置を用いて公に伝達する権利を専有する。

第二四条（口述権） 著作者は、その言語の著作物を公に口述する権利を専有する。

第二五条（展示権） 著作者は、その美術の著作物又はまだ発行されていない写真の著作物をこれらの原作品により公に展示する権利を専有する。

有する。

（頒布権）

第二六条① 著作者は、その映画の著作物をその複製物により頒布する権利を専有する。

② 著作者は、映画の著作物において複製されているその著作物を当該映画の著作物の複製物により頒布する権利を専有する。

（譲渡権）

第二六条の二① 著作者は、その著作物（映画の著作物を除く。以下この条において同じ。）をその原作品又は複製物（映画の著作物において複製されている著作物にあつては、当該映画の著作物の複製物を除く。以下この条において同じ。）の譲渡により公衆に提供する権利を専有する。

② 前項の規定は、著作物の原作品又は複製物で次の各号のいずれかに該当するものの譲渡による場合には、適用しない。

一 前項に規定する権利を有する者又はその許諾を得た者により公衆に譲渡された著作物の原作品又は複製物

二 第六十七条第一項、第六十七条の三第一項若しくは第六十九条第一項の規定による裁定又は万国著作権条約の実施に伴う著作権法の特例に関する法律（昭和三十一年法律第八十六号）第五条第一項の規定による許可を受けて公衆に譲渡された著作物の複製物

＊令和五法三三（令和八・五・二五までに施行）による改正
第二号中「第六十七条第一項」の下に「、第六十七条の三第一項」が加えられ、「第六十九条」は「第六十九条第一項」に改められた。（本文織込み済み）

三 第六十七条の二第一項の規定の適用を受けて公衆に譲渡された著作物の複製物

四 前項に規定する権利を有する者又はその承諾を得た者により特定かつ少数の者に譲渡された著作物の原作品又は複製物

五 国外において、前項に規定する権利に相当する権利を害することなく、又は同項に規定する権利に相当する権利を有する者若しくはその承諾を得た者により譲渡された著作物の原作品又は複製物

（貸与権）

第二六条の三 著作者は、その著作物（映画の著作物を除く。）をその複製物（映画の著作物において複製されている著作物にあつては、当該映画の著作物の複製物を除く。）の貸与により公衆に提供する権利を専有する。

（翻訳権、翻案権等）

第二七条 著作者は、その著作物を翻訳し、編曲し、若しくは変形し、又は脚色し、映画化し、その他翻案する権利を専有する。

（二次的著作物の利用に関する原著作者の権利）

第二八条 二次的著作物の原著作物の著作者は、当該二次的著作物の利用に関し、この款に規定する権利で当該二次的著作物の著作者が有するものと同一の種類の権利を専有する。

第四款 映画の著作物の著作権の帰属

第二九条① 映画の著作物（第十五条第一項、次項又は第三項の規定の適用を受けるものを除く。）の著作権は、その著作者が映画製作者に対し当該映画の著作物の製作に参加することを約束しているときは、当該映画製作者に帰属する。

② 専ら放送事業者が放送又は放送同時配信等のための技術的手段として製作する映画の著作物（第十五条第一項の規定の適用を受けるものを除く。）の著作権のうち次に掲げる権利は、映画製作者としての当該放送事業者に帰属する。

一 その著作物を放送する権利及び放送されるその著作物について、有線放送し、特定入力型自動公衆送信を行い、又は受信装置を用いて公に伝達する権利

二 その著作物を放送同時配信等する権利及び放送同時配信等されるその著作物を受信装置を用いて公に伝達する権利

三 その著作物を複製し、又はその複製物により放送事業者に頒布する権利

③ 専ら有線放送事業者が有線放送又は放送同時配信等のための技術的手段として製作する映画の著作物（第十五条第一項の規定の適用を受けるものを除く。）の著作権のうち次に掲げる権利は、映画製作者としての当該有線放送事業者に帰属する。

一 その著作物を有線放送する権利及び有線放送されるその著作物を受信装置を用いて公に伝達する権利

二 その著作物を放送同時配信等する権利及び放送同時配信等されるその著作物を受信装置を用いて公に伝達する権利

三 その著作物を複製し、又はその複製物により有線放送事業者に頒布する権利

第五款 著作権の制限

（私的使用のための複製）

第三〇条① 著作権の目的となつている著作物（以下この款において単に「著作物」という。）は、個人的に又は家庭内その他これに準ずる限られた範囲内において使用すること（以下「私的使用」という。）を目的とするときは、次に掲げる場合を除き、その使用する者が複製することができる。

一 公衆の使用に供することを目的として設置されている自動複製機器（複製の機能を有し、これに関する装置の全部又は主要な部分が自動化されている機器をいう。）を用いて複製する場合

二 技術的保護手段の回避（第二条第一項第二十号に規定する信号の除去若しくは改変その他の当該信号の効果を妨げる行為（記録又は送信の方式の変換に伴う技術的な制約によるものを除く。）を行うこと又は同号に規定する特定の変換を必要とするよう変換された著作物、実演、レコード若しくは放送若しくは有線放送に係る音若しくは影像の復元を行うことにより、当該技術的保護手段によつて防止される行為を可能とし、又は当該技術的保護手段によつて抑止される行為の結果に障害を生じないようにすること（著作権等を有する者の意思に基づいて行われるものを除く。）をいう。第百十三条第七項並びに第百二十条の二第一号及び第二号において同じ。）により可能となり、又はその結果に障害が生じないようになつた複製を、その事実を知りながら行う場合

三 著作権を侵害する自動公衆送信（国外で行われる自動公衆送信であつて、国内で行われたとしたならば著作権の侵害となるべきものを含む。）を受信して行うデジタル方式の録音又は録画（以下この号及び次項において「特定侵害録音録画」という。）を、特定侵害録音録画であることを知りながら行う場合

四 著作権（第二十八条に規定する権利（翻訳以外の方法により創作された二次的著作物に係るものに限る。）を除く。以下この号において同じ。）を侵害する自動公衆送信（国外で行われる自動公衆送信であつて、国内で行われたとしたならば著作権の侵害となるべきものを含む。）を受信して行うデジタル方式の複製（録音及び録画を除く。以下この号において同じ。）（当該著作権に係る著作物のうち当該複製がされる部分の占める割合、当該部分が自動公衆送信される際の表示の精度その他の要素に照らし軽微なものを除く。以下この号及び次項において「特定侵害複製」という。）を、特定侵害複製であることを知りながら行う場合（当該著作物の種類及び用途並びに当該特定侵害複製の態様に照らし著作権者の利益を不当に害しないと認められる特別な事情がある場合を除く。）

② 前項第三号及び第四号の規定は、特定侵害録音録画又は特定侵害複製であることを重大な過失により知らないで行う場合を含むものと解釈してはならない。

③ 私的使用を目的として、デジタル方式の録音又は録画の機能を有する機器（放送の業務のための特別の性能その他の私的使用に通常供されない特別の性能を有するもの及び録音機能付きの電話機その他の本来の機能に附属する機能として録音又は録

画の機能を有するものを除く。）であつて政令で定めるものにより、当該機器によるデジタル方式の録音又は録画の用に供される記録媒体であつて政令で定めるものに録音又は録画を行う者は、相当な額の補償金を著作権者に支払わなければならない。

（付随対象著作物の利用）

第三〇条の二① 写真の撮影、録音、録画、放送その他これらと同様に事物の影像又は音を複製し、又は複製を伴うことなく伝達する行為（以下この項において「複製伝達行為」という。）を行うに当たつて、その対象とする事物又は音（以下この項において「複製伝達対象事物等」という。）に付随して対象となる事物又は音（複製伝達対象事物等の一部を構成するものとして対象となる事物又は音を含む。以下この項において「付随対象事物等」という。）に係る著作物（当該複製伝達行為により作成され、又は伝達されるもの（以下この条において「作成伝達物」という。）のうち当該著作物の占める割合、当該作成伝達物における当該著作物の再製の精度その他の要素に照らし当該作成伝達物において当該著作物が軽微な構成部分となる場合における当該著作物に限る。以下この条において「付随対象著作物」という。）は、当該付随対象著作物の利用により利益を得る目的の有無、当該付随対象事物等の当該複製伝達対象事物等からの分離の困難性の程度、当該作成伝達物において当該付随対象著作物が果たす役割その他の要素に照らし正当な範囲内において、当該複製伝達行為に伴つて、いずれの方法によるかを問わず、利用することができる。ただし、当該付随対象著作物の種類及び用途並びに当該利用の態様に照らし著作権者の利益を不当に害することとなる場合は、この限りでない。

② 前項の規定により利用された付随対象著作物は、当該付随対象著作物に係る作成伝達物の利用に伴つて、いずれの方法によるかを問わず、利用することができる。ただし、当該付随対象著作物の種類及び用途並びに当該利用の態様に照らし著作権者の利益を不当に害することとなる場合は、この限りでない。

（検討の過程における利用）

第三〇条の三 著作権者の許諾を得て、又は第六十七条第一項、第六十七条の三第一項、第六十八条第一項若しくは第六十九条第一項の規定による裁定を受けて著作物を利用しようとする者は、これらの利用についての検討の過程（当該許諾を得、又は当該裁定を受ける過程を含む。）における利用に供することを目的とする場合には、その必要と認められる限度において、いずれの方法によるかを問わず、当該著作物を利用することができる。ただし、当該著作物の種類及び用途並びに当該利用の態様に照らし著作権者の利益を不当に害することとなる場合は、この限りでない。

＊令和五法三三（令和八・五・二五までに施行）による改正
第三〇条の三中「第六十七条第一項」の下に「、第六十七条の三第一項」が加えられ、「第六十九条」は「第六十九条第一項」に改められた。（本文織込み済み）

（著作物に表現された思想又は感情の享受を目的としない利用）

第三〇条の四 著作物は、次に掲げる場合その他の当該著作物に表現された思想又は感情を自ら享受し又は他人に享受させることを目的としない場合には、その必要と認められる限度において、いずれの方法によるかを問わず、利用することができる。ただし、当該著作物の種類及び用途並びに当該利用の態様に照らし著作権者の利益を不当に害することとなる場合は、この限りでない。

一 著作物の録音、録画その他の利用に係る技術の開発又は実用化のための試験の用に供する場合

二 情報解析（多数の著作物その他の大量の情報から、当該情報を構成する言語、音、影像その他の要素に係る情報を抽出し、比較、分類その他の解析を行うことをいう。第四十七条の五第一項第二号において同じ。）の用に供する場合

三 前二号に掲げる場合のほか、著作物の表現についての人の知覚による認識を伴うことなく当該著作物を電子計算機による情報処理の過程における利用その他の利用（プログラムの著作物にあつては、当該著作物の電子計算機における実行を除く。）に供する場合

（図書館等における複製等）

第三一条① 国立国会図書館及び図書、記録その他の資料を公衆の利用に供することを目的とする図書館その他の施設で政令で定めるもの（以下この条及び第百四条の十の四第三項において「図書館等」という。）においては、次に掲げる場合には、その営利を目的としない事業として、図書館等の図書、記録その他の資料（次項及び第六項において「図書館資料」という。）を用いて著作物を複製することができる。

一 図書館等の利用者の求めに応じ、その調査研究の用に供するために、公表された著作物の一部分（国若しくは地方公共団体の機関、独立行政法人又は地方独立行政法人が一般に周知させることを目的として作成し、その著作の名義の下に公表する広報資料、調査統計資料、報告書その他これらに類する著作物（次項及び次条第二項において「国等の周知目的資料」という。）その他の著作物の全部の複製物の提供が著作権者の利益を不当に害しないと認められる特別な事情があるものとして政令で定めるものにあつては、その全部）の複製物を一人につき一部提供する場合

二 図書館資料の保存のため必要がある場合

三 他の図書館等の求めに応じ、絶版その他これに準ずる理由により一般に入手することが困難な図書館資料（以下この条において「絶版等資料」という。）の複製物を提供する場合

② 特定図書館等においては、その営利を目的としない事業として、当該特定図書館等の利用者（あらかじめ当該特定図書館等にその氏名及び連絡先その他文部科学省令で定める情報（次項第三号及び第八項第一号において「利用者情報」という。）を登録している者に限る。第四項及び第百四条の十の四第四項において同じ。）の求めに応じ、その調査研究の用に供するために、公表された著作物の一部分（国等の周知目的資料その他の著作物の全部の公衆送信が著作権者の利益を不当に害しないと認められる特別な事情があるものとして政令で定めるものにあつては、その全部）について、次に掲げる行為を行うことができる。ただし、当該著作物の種類（著作権者若しくはその許諾を得た者又は第七十九条の出版権の設定を受けた者若しくはその公衆送信許諾を得た者による当該著作物の公衆送信（放送又は有線放送を除き、自動公衆送信の場合にあつては送信可能化を含む。以下この条において同じ。）の実施状況を含む。第百四条の十の四第四項において同じ。）及び用途並びに当該特定図書館等が行う公衆送信の態様に照らし著作権者の利益を不当に害することとなる場合は、この限りでない。

一 図書館資料を用いて次号の公衆送信のために必要な複製を行うこと。

二 図書館資料の原本又は複製物を用いて公衆送信を行うこと（当該公衆送信を受信して作成された電磁的記録（電子的方式、磁気的方式その他人の知覚によつては認識することができない方式で作られる記録であつて、電子計算機による情報処理の用に供されるものをいう。以下同じ。）による著作物の提供又は提示を防止し、又は抑止するための措置として文部科学省令で定める措置を講じて行うものに限る。）。

③ 前項に規定する特定図書館等とは、図書館等であつて次に掲げる要件を備えるものをいう。

一 前項の規定による公衆送信に関する業務を適正に実施するための責任者が置かれていること。

二 前項の規定による公衆送信に関する業務に従事する職員に対し、当該業務を適正に実施するための研修を行つていること。

三 利用者情報を適切に管理するために必要な措置を講じていること。

四 前項の規定による公衆送信のために作成された電磁的記録

に係る情報が同項に定める目的以外の目的のために利用されることを防止し、又は抑止するために必要な措置として文部科学省令で定める措置を講じていること。

五　前各号に掲げるもののほか、前項の規定による公衆送信に関する業務を適正に実施するために必要な措置として文部科学省令で定める措置を講じていること。

④　第二項の規定により公衆送信された著作物を受信した特定図書館等の利用者は、その調査研究の用に供するために必要と認められる限度において、当該著作物を複製することができる。

⑤　第二項の規定により著作物の公衆送信を行う場合には、第三項に規定する特定図書館等を設置する者は、相当な額の補償金を当該著作物の著作権者に支払わなければならない。

⑥　第一項各号に掲げる場合のほか、国立国会図書館においては、図書館資料の原本を公衆の利用に供することによるその滅失、損傷若しくは汚損を避けるために当該原本に代えて公衆の利用に供するため、又は絶版等資料に係る著作物を次項若しくは第八項の規定により自動公衆送信（送信可能化を含む。以下この条において同じ。）に用いるため、電磁的記録を作成する場合には、必要と認められる限度において、当該図書館資料に係る著作物を記録媒体に記録することができる。

⑦　国立国会図書館は、絶版等資料に係る著作物について、図書館等又はこれに類する外国の施設で政令で定めるものにおいて公衆に提示することを目的とする場合には、前項の規定により記録媒体に記録された当該著作物の複製物を用いて自動公衆送信を行うことができる。この場合において、当該図書館等においては、その営利を目的としない事業として、次に掲げる行為を行うことができる。

一　当該図書館等の利用者の求めに応じ、当該利用者が自ら利用するために必要と認められる限度において、自動公衆送信された当該著作物の複製物を作成し、当該複製物を提供すること。

二　自動公衆送信された当該著作物を受信装置を用いて公に伝達すること（当該著作物の伝達を受ける者から料金（いずれの名義をもつてするかを問わず、著作物の提供又は提示につき受ける対価をいう。第九項第二号及び第三十八条において同じ。）を受けない場合に限る。）。

⑧　国立国会図書館は、次に掲げる要件を満たすときは、特定絶版等資料に係る著作物について、第六項の規定により記録媒体に記録された当該著作物の複製物を用いて、自動公衆送信（当該自動公衆送信を受信して行う当該著作物のデジタル方式の複製を防止し、又は抑止するための措置として文部科学省令で定める措置を講じて行うものに限る。以下この項及び次項において同じ。）を行うことができる。

一　当該自動公衆送信が、当該著作物をあらかじめ国立国会図書館に利用者情報を登録している者（次号において「事前登録者」という。）の用に供することを目的とするものであること。

二　当該自動公衆送信を受信しようとする者が当該自動公衆送信を受信する際に事前登録者であることを識別するための措置を講じていること。

⑨　前項の規定による自動公衆送信を受信した者は、次に掲げる行為を行うことができる。

一　自動公衆送信された当該著作物を自ら利用するために必要と認められる限度において複製すること。

二　次のイ又はロに掲げる場合の区分に応じ、当該イ又はロに定める要件に従つて、自動公衆送信された当該著作物を受信装置を用いて公に伝達すること。

イ　個人的に又は家庭内において当該著作物が閲覧される場合の表示の大きさと同等のものとして政令で定める大きさ以下の大きさで表示する場合　営利を目的とせず、かつ、当該著作物の伝達を受ける者から料金を受けずに行うこと。

ロ　イに掲げる場合以外の場合　公共の用に供される施設であつて、国、地方公共団体又は一般社団法人若しくは一般財団法人その他の営利を目的としない法人が設置するもののうち、自動公衆送信された著作物の公の伝達を適正に行うために必要な法に関する知識を有する職員が置かれているものにおいて、営利を目的とせず、かつ、当該著作物の伝達を受ける者から料金を受けずに行うこと。

⑩　第八項の特定絶版等資料とは、第六項の規定により記録媒体に記録された著作物に係る絶版等資料のうち、著作権者若しくはその許諾を得た者又は第七十九条の出版権の設定を受けた者若しくはその複製許諾若しくは公衆送信許諾を得た者の申出を受けて、国立国会図書館の館長が当該申出のあつた日から起算して三月以内に絶版等資料に該当しなくなる蓋然性が高いと認めた資料を除いたものをいう。

⑪　前項の申出は、国立国会図書館の館長に対し、当該申出に係る絶版等資料が当該申出のあつた日から起算して三月以内に絶版等資料に該当しなくなる蓋然性が高いことを疎明する資料を添えて行うものとする。

（引用）

第三二条①　公表された著作物は、引用して利用することができる。この場合において、その引用は、公正な慣行に合致するものであり、かつ、報道、批評、研究その他の引用の目的上正当な範囲内で行なわれるものでなければならない。

②　国等の周知目的資料は、説明の材料として新聞紙、雑誌その他の刊行物に転載することができる。ただし、これを禁止する旨の表示がある場合は、この限りでない。

（教科用図書等への掲載）

第三三条①　公表された著作物は、学校教育の目的上必要と認められる限度において、教科用図書（学校教育法（昭和二十二年法律第二十六号）第三十四条第一項（同法第四十九条、第四十九条の八、第六十二条、第七十条第一項及び第八十二条において準用する場合を含む。）に規定する教科用図書をいう。以下同じ。）に掲載することができる。

②　前項の規定により著作物を教科用図書に掲載する者は、その旨を著作者に通知するとともに、同項の規定の趣旨、著作物の種類及び用途、通常の使用料の額その他の事情を考慮して文化庁長官が定める算出方法により算出した額の補償金を著作権者に支払わなければならない。

③　文化庁長官は、前項の算出方法を定めたときは、これをインターネットの利用その他の適切な方法により公表するものとする。

④　前三項の規定は、高等学校（中等教育学校の後期課程を含む。）の通信教育用学習図書及び教科用図書に係る教師用指導書（当該教科用図書を発行する者の発行に係るものに限る。）への著作物の掲載について準用する。

（教科用図書代替教材への掲載等）

第三三条の二①　教科用図書に掲載された著作物は、学校教育の目的上必要と認められる限度において、教科用図書代替教材（学校教育法第三十四条第二項又は第三項（これらの規定を同法第四十九条、第四十九条の八、第六十二条、第七十条第一項及び第八十二条において準用する場合を含む。以下この項において同じ。）の規定により教科用図書に代えて使用することができる同法第三十四条第二項に規定する教材をいう。以下この項及び次項において同じ。）に掲載し、及び教科用図書代替教材の当該使用に伴つていずれの方法によるかを問わず利用することができる。

②　前項の規定により教科用図書に掲載された著作物を教科用図書代替教材に掲載しようとする者は、あらかじめ当該教科用図書を発行する者にその旨を通知するとともに、同項の規定の趣旨、同項の規定による著作物の利用の態様及び利用状況、前条第二項に規定する補償金の額その他の事情を考慮して文化庁長官が定める算出方法により算出した額の補償金を著作権者に支払わなければならない。

③　文化庁長官は、前項の算出方法を定めたときは、これをイン

ターネットの利用その他の適切な方法により公表するものとする。

第三三条の三（教科用拡大図書等の作成のための複製等）① 教科用図書に掲載された著作物は、視覚障害、発達障害その他の障害により教科用図書に掲載された著作物を使用することが困難な児童又は生徒の学習の用に供するため、当該教科用図書に用いられている文字、図形等の拡大その他の当該児童又は生徒が当該著作物を使用するために必要な方式により複製することができる。

② 前項の規定により複製する教科用の図書その他の複製物（点字により複製するものを除き、当該教科用図書に掲載された著作物の全部又は相当部分を複製するものに限る。以下この項において「教科用拡大図書等」という。）を作成しようとする者は、あらかじめ当該教科用図書を発行する者にその旨を通知するとともに、営利を目的として当該教科用拡大図書等を頒布する場合にあつては、第三十三条第二項に規定する補償金の額に準じて文化庁長官が定める算出方法により算出した額の補償金を当該著作物の著作権者に支払わなければならない。

③ 文化庁長官は、前項の算出方法を定めたときは、これをインターネットの利用その他の適切な方法により公表するものとする。

④ 障害のある児童及び生徒のための教科用特定図書等の普及の促進等に関する法律（平成二十年法律第八十一号）第五条第一項又は第二項の規定により教科用図書に掲載された著作物に係る電磁的記録の提供を行う者は、その提供のために必要と認められる限度において、当該著作物を利用することができる。

第三四条（学校教育番組の放送等）① 公表された著作物は、学校教育の目的上必要と認められる限度において、学校教育に関する法令の定める教育課程の基準に準拠した学校向けの放送番組又は有線放送番組において放送し、有線放送し、地域限定特定入力型自動公衆送信（特定入力型自動公衆送信のうち、専ら当該放送に係る放送対象地域（放送法（昭和二十五年法律第百三十二号）第九十一条第二項第二号に規定する放送対象地域をいい、これが定められていない放送にあつては、電波法（昭和二十五年法律第百三十一号）第十四条第三項第二号に規定する放送区域をいう。）において受信されることを目的として行われるものをいう。以下同じ。）を行い、又は放送同時配信等（放送事業者、有線放送事業者又は放送同時配信等事業者が行うものに限る。第三十八条第三項、第三十九条並びに第四十条第二項及び第三項において同じ。）を行い、及び当該放送番組用又は有線放送番組用の教材に掲載することができる。

② 前項の規定により著作物を利用する者は、その旨を著作者に通知するとともに、相当な額の補償金を著作権者に支払わなければならない。

第三五条（学校その他の教育機関における複製等）① 学校その他の教育機関（営利を目的として設置されているものを除く。）において教育を担任する者及び授業を受ける者は、その授業の過程における利用に供することを目的とする場合には、その必要と認められる限度において、公表された著作物を複製し、若しくは公衆送信（自動公衆送信の場合にあつては、送信可能化を含む。以下この条において同じ。）を行い、又は公表された著作物であつて公衆送信されるものを受信装置を用いて公に伝達することができる。ただし、当該著作物の種類及び用途並びに当該複製の部数及び当該複製、公衆送信又は伝達の態様に照らし著作権者の利益を不当に害することとなる場合は、この限りでない。

② 前項の規定により公衆送信を行う場合には、同項の教育機関を設置する者は、相当な額の補償金を著作権者に支払わなければならない。

③ 前項の規定は、公表された著作物について、第一項の教育機関における授業の過程において、当該授業を直接受ける者に対して当該著作物をその原作品若しくは複製物を提供し、若しくは提示して利用する場合又は当該著作物を第三十八条第一項の規定により上演し、演奏し、上映し、若しくは口述して利用する場合において、当該授業が行われる場所以外の場所において当該授業を同時に受ける者に対して公衆送信を行うときには、適用しない。

第三六条（試験問題としての複製等）① 公表された著作物については、入学試験その他人の学識技能に関する試験又は検定の目的上必要と認められる限度において、当該試験又は検定の問題として複製し、又は公衆送信（放送又は有線放送を除き、自動公衆送信の場合にあつては送信可能化を含む。次項において同じ。）を行うことができる。ただし、当該著作物の種類及び用途並びに当該公衆送信の態様に照らし著作権者の利益を不当に害することとなる場合は、この限りでない。

② 営利を目的として前項の複製又は公衆送信を行う者は、通常の使用料の額に相当する額の補償金を著作権者に支払わなければならない。

第三七条（視覚障害者等のための複製等）① 公表された著作物は、点字により複製することができる。

② 公表された著作物については、電子計算機を用いて点字を処理する方式により、記録媒体に記録し、又は公衆送信（放送又は有線放送を除き、自動公衆送信の場合にあつては送信可能化を含む。次項において同じ。）を行うことができる。

③ 視覚障害その他の障害により視覚による表現の認識が困難な者（以下この項及び第百二条第四項において「視覚障害者等」という。）の福祉に関する事業を行う者で政令で定めるものは、公表された著作物であつて、視覚によりその表現が認識される方式（視覚及び他の知覚により認識される方式を含む。）により公衆に提供され、又は提示されているもの（当該著作物以外の著作物で、当該著作物において複製されているものその他当該著作物と一体として公衆に提供され、又は提示されているものを含む。以下この項及び同条第四項において「視覚著作物」という。）について、専ら視覚障害者等で当該方式によつては当該視覚著作物を利用することが困難な者の用に供するために必要と認められる限度において、当該視覚著作物に係る文字を音声にすることその他当該視覚障害者等が利用するために必要な方式により、複製し、又は公衆送信を行うことができる。ただし、当該視覚著作物について、著作権者又はその許諾を得た者若しくは第七十九条の出版権の設定を受けた者若しくはその複製許諾若しくは公衆送信許諾を得た者により、当該方式による公衆への提供又は提示が行われている場合は、この限りでない。

第三七条の二（聴覚障害者等のための複製等） 聴覚障害者その他聴覚による表現の認識に障害のある者（以下この条及び次条第五項において「聴覚障害者等」という。）の福祉に関する事業を行う者で次の各号に掲げる利用の区分に応じて政令で定めるものは、公表された著作物であつて、聴覚によりその表現が認識される方式（聴覚及び他の知覚により認識される方式を含む。）により公衆に提供され、又は提示されているもの（当該著作物以外の著作物で、当該著作物において複製されているものその他当該著作物と一体として公衆に提供され、又は提示されているものを含む。以下この条において「聴覚著作物」という。）について、専ら聴覚障害者等で当該方式によつては当該聴覚著作物を利用することが困難な者の用に供するために必要と認められる限度において、それぞれ当該各号に掲げる利用を行うことができる。ただし、当該聴覚著作物について、著作権者又はその許諾を得た者若しくは第七十九条の出版権の設定を受けた者若しくはその複製許諾若しくは公衆送信許諾を得た者により、当該聴覚障害者等が利用するために必要な方式による公衆への提供又は提示が行われている場合は、この限りでない。

一 当該聴覚著作物に係る音声について、これを文字にすることその他当該聴覚障害者等が利用するために必要な方式により、複製し、又は自動公衆送信（送信可能化を含む。）を行うこと。

二　専ら当該聴覚障害者等向けの貸出しの用に供するため、複製すること（当該聴覚著作物に係る音声を文字にすることその他当該聴覚障害者等が利用するために必要な方式による当該音声の複製と併せて行うものに限る。）。

（営利を目的としない上演等）

第三八条①　公表された著作物は、営利を目的とせず、かつ、聴衆又は観衆から料金を受けない場合には、公に上演し、演奏し、上映し、又は口述することができる。ただし、当該上演、演奏、上映又は口述について実演家又は口述を行う者に対し報酬が支払われる場合は、この限りでない。

②　放送される著作物は、営利を目的とせず、かつ、聴衆又は観衆から料金を受けない場合には、有線放送し、又は地域限定特定入力型自動公衆送信を行うことができる。

③　放送され、有線放送され、特定入力型自動公衆送信が行われ、又は放送同時配信等（放送又は有線放送が終了した後に開始されるものを除く。）が行われる著作物は、営利を目的とせず、かつ、聴衆又は観衆から料金を受けない場合には、受信装置を用いて公に伝達することができる。通常の家庭用受信装置を用いてする場合も、同様とする。

④　公表された著作物（映画の著作物を除く。）は、営利を目的とせず、かつ、その複製物の貸与を受ける者から料金を受けない場合には、その複製物（映画の著作物において複製されている著作物にあつては、当該映画の著作物の複製物を除く。）の貸与により公衆に提供することができる。

⑤　映画フィルムその他の視聴覚資料を公衆の利用に供することを目的とする視聴覚教育施設その他の施設（営利を目的として設置されているものを除く。）で政令で定めるもの及び聴覚障害者等の福祉に関する事業を行う者で前条の政令で定めるもの（同条第二号に係るものに限り、営利を目的として当該事業を行うものを除く。）は、公表された映画の著作物を、その複製物の貸与を受ける者から料金を受けない場合には、その複製物の貸与により頒布することができる。この場合において、当該頒布を行う者は、当該映画の著作物又は当該映画の著作物において複製されている著作物につき第二十六条に規定する権利を有する者（第二十八条の規定により第二十六条に規定する権利と同一の権利を有する者を含む。）に相当な額の補償金を支払わなければならない。

（時事問題に関する論説の転載等）

第三九条①　新聞紙又は雑誌に掲載して発行された政治上、経済上又は社会上の時事問題に関する論説（学術的な性質を有するものを除く。）は、他の新聞紙若しくは雑誌に転載し、又は放送し、有線放送し、地域限定特定入力型自動公衆送信を行い、若しくは放送同時配信等を行うことができる。ただし、これらの利用を禁止する旨の表示がある場合は、この限りでない。

②　前項の規定により放送され、有線放送され、地域限定特定入力型自動公衆送信が行われ、又は放送同時配信等が行われる論説は、受信装置を用いて公に伝達することができる。

（公開の演説等の利用）

第四〇条①　公開して行われた政治上の演説又は陳述並びに裁判手続及び行政審判手続（行政庁の行う審判その他裁判に準ずる手続をいう。第四十一条の二において同じ。）における公開の陳述は、同一の著作者のものを編集して利用する場合を除き、いずれの方法によるかを問わず、利用することができる。

②　国若しくは地方公共団体の機関、独立行政法人又は地方独立行政法人において行われた公開の演説又は陳述は、前項の規定によるものを除き、報道の目的上正当と認められる場合には、新聞紙若しくは雑誌に掲載し、又は放送し、有線放送し、地域限定特定入力型自動公衆送信を行い、若しくは放送同時配信等を行うことができる。

③　前項の規定により放送され、有線放送され、地域限定特定入力型自動公衆送信が行われ、又は放送同時配信等が行われる演説又は陳述は、受信装置を用いて公に伝達することができる。

（時事の事件の報道のための利用）

第四一条　写真、映画、放送その他の方法によつて時事の事件を報道する場合には、当該事件を構成し、又は当該事件の過程において見られ、若しくは聞かれる著作物は、報道の目的上正当な範囲内において、複製し、及び当該事件の報道に伴つて利用することができる。

（裁判手続等における複製等）

第四一条の二①　著作物は、裁判手続及び行政審判手続のために必要と認められる場合には、その必要と認められる限度において、複製することができる。ただし、当該著作物の種類及び用途並びにその複製の部数及び態様に照らし著作権者の利益を不当に害することとなる場合は、この限りでない。

②　著作物は、民事訴訟法（平成八年法律第百九号）その他政令で定める法律の規定による裁判手続及び特許法（昭和三十四年法律第百二十一号）その他政令で定める法律の規定による行政審判手続であつて、電磁的記録を用いて行い、又は映像若しくは音声の送受信を伴つて行うもののために必要と認められる限度において、公衆送信（自動公衆送信の場合にあつては、送信可能化を含む。以下この項、次条及び第四十二条の二第二項において同じ。）を行い、又は受信装置を用いて公に伝達することができる。ただし、当該著作物の種類及び用途並びにその公衆送信又は伝達の態様に照らし著作権者の利益を不当に害することとなる場合は、この限りでない。

＊令和五法五三（令和八・五・二四までに施行）による改正
第二項中「著作物は、」の下に「民事訴訟法（平成八年法律第百九号）その他政令で定める法律の規定による裁判手続及び」が加えられた。（本文織込み済み）

（立法又は行政の目的のための内部資料としての複製等）

第四二条　著作物は、立法又は行政の目的のために内部資料として必要と認められる場合には、その必要と認められる限度において、複製し、又は当該内部資料を利用する者との間で公衆送信を行い、若しくは受信装置を用いて公に伝達することができる。ただし、当該著作物の種類及び用途並びにその複製の部数及びその複製、公衆送信又は伝達の態様に照らし著作権者の利益を不当に害することとなる場合は、この限りでない。

（審査等の手続における複製等）

第四二条の二①　著作物は、次に掲げる手続のために必要と認められる場合には、その必要と認められる限度において、複製することができる。ただし、当該著作物の種類及び用途並びにその複製の部数及び態様に照らし著作権者の利益を不当に害することとなる場合は、この限りでない。

一　行政庁の行う特許、意匠若しくは商標に関する審査、実用新案に関する技術的な評価又は国際出願（特許協力条約に基づく国際出願等に関する法律（昭和五十三年法律第三十号）第二条に規定する国際出願をいう。）に関する国際調査若しくは国際予備審査に関する手続

二　行政庁の行う品種（種苗法（平成十年法律第八十三号）第二条第二項に規定する品種をいう。）に関する審査又は登録品種（同法第二十条第一項に規定する登録品種をいう。）に関する調査に関する手続

三　行政庁の行う特定農林水産物等（特定農林水産物等の名称の保護に関する法律（平成二十六年法律第八十四号）第二条第二項に規定する特定農林水産物等をいう。以下この号において同じ。）についての同法第六条の登録又は外国の特定農林水産物等についての同法第二十三条第一項の指定に関する手続

四　行政庁若しくは独立行政法人の行う薬事（医療機器（医薬品、医療機器等の品質、有効性及び安全性の確保等に関する法律（昭和三十五年法律第百四十五号）第二条第四項に規定

する医療機器をいう。）及び再生医療等製品（同条第九項に規定する再生医療等製品をいう。）に関する事項を含む。以下この号において同じ。）に関する審査若しくは調査又は行政庁若しくは独立行政法人に対する薬事に関する報告に関する手続

五　前各号に掲げるもののほか、これらに類するものとして政令で定める手続

②　著作物は、電磁的記録を用いて行い、又は映像若しくは音声の送受信を伴つて行う前項各号に掲げる手続のために必要と認められる場合には、その必要と認められる限度において、公衆送信を行い、又は受信装置を用いて公に伝達することができる。ただし、当該著作物の種類及び用途並びにその公衆送信又は伝達の態様に照らし著作権者の利益を不当に害することとなる場合は、この限りでない。

（行政機関情報公開法等による開示のための利用）

第四十二条の三　行政機関の長、独立行政法人等又は地方公共団体の機関若しくは地方独立行政法人は、行政機関情報公開法、独立行政法人等情報公開法又は情報公開条例の規定により著作物を公衆に提供し、又は提示することを目的とする場合には、それぞれ行政機関情報公開法第十四条第一項（同項の規定に基づく政令の規定を含む。）に規定する方法、独立行政法人等情報公開法第十五条第一項に規定する方法（同項の規定に基づき当該独立行政法人等が定める方法（行政機関情報公開法第十四条第一項の規定に基づく政令で定める方法以外のものを除く。）を含む。）又は情報公開条例で定める方法（行政機関情報公開法第十四条第一項（同項の規定に基づく政令の規定を含む。）に規定する方法以外のものを除く。）により開示するために必要と認められる限度において、当該著作物を利用することができる。

（公文書管理法等による保存等のための利用）

第四十二条の四①　国立公文書館等の長又は地方公文書館等の長は、公文書管理法第十五条第一項の規定又は公文書管理条例の規定（同項の規定に相当する規定に限る。）により歴史公文書等を保存することを目的とする場合には、必要と認められる限度において、当該歴史公文書等に係る著作物を複製することができる。

②　国立公文書館等の長又は地方公文書館等の長は、公文書管理法第十六条第一項の規定又は公文書管理条例の規定（同項の規定に相当する規定に限る。）により著作物を公衆に提供し、又は提示することを目的とする場合には、それぞれ公文書管理法第十九条（同条の規定に基づく政令の規定を含む。以下この項において同じ。）に規定する方法又は公文書管理条例で定める方法（同条に規定する方法以外のものを除く。）により利用をさせるために必要と認められる限度において、当該著作物を利用することができる。

（国立国会図書館法によるインターネット資料及びオンライン資料の収集のための複製）

第四十三条①　国立国会図書館の館長は、国立国会図書館法（昭和二十三年法律第五号）第二十五条の三第一項の規定により同項に規定するインターネット資料（以下この条において「インターネット資料」という。）又は同法第二十五条の四第三項の規定により同項に規定するオンライン資料を収集するために必要と認められる限度において、当該インターネット資料又は当該オンライン資料に係る著作物を国立国会図書館の使用に係る記録媒体に記録することができる。

②　次の各号に掲げる者は、当該各号に掲げる資料を提供するために必要と認められる限度において、当該各号に掲げる資料に係る著作物を複製することができる。

一　国立国会図書館法第二十四条及び第二十四条の二に規定する者　同法第二十五条の三第三項の求めに応じ提供するインターネット資料

二　国立国会図書館法第二十四条及び第二十四条の二に規定する者以外の者　同法第二十五条の四第一項の規定により提供する同項に規定するオンライン資料

（放送事業者等による一時的固定）

第四十四条①　放送事業者は、第二十三条第一項に規定する権利を害することなく放送し、又は放送同時配信等することができる著作物を、自己の放送又は放送同時配信等（当該放送事業者と密接な関係を有する放送同時配信等事業者が放送番組の供給を受けて行うものを含む。）のために、自己の手段又は当該著作物を同じく放送し、若しくは放送同時配信等することができる他の放送事業者の手段により、一時的に録音し、又は録画することができる。

②　有線放送事業者は、第二十三条第一項に規定する権利を害することなく有線放送し、又は放送同時配信等することができる著作物を、自己の有線放送（放送を受信して行うものを除く。）又は放送同時配信等（当該有線放送事業者と密接な関係を有する放送同時配信等事業者が有線放送番組の供給を受けて行うものを含む。）のために、自己の手段により、一時的に録音し、又は録画することができる。

③　放送同時配信等事業者は、第二十三条第一項に規定する権利を害することなく放送同時配信等することができる著作物を、自己の放送同時配信等のために、自己の手段又は自己と密接な関係を有する放送事業者若しくは有線放送事業者の手段により、一時的に録音し、又は録画することができる。

④　前三項の規定により作成された録音物又は録画物は、録音又は録画の後六月（その期間内に当該録音物又は録画物を用いてする放送、有線放送又は放送同時配信等があつたときは、その放送、有線放送又は放送同時配信等の後六月）を超えて保存することができない。ただし、政令で定めるところにより公的な記録保存所において保存する場合は、この限りでない。

（美術の著作物等の原作品の所有者による展示）

第四十五条①　美術の著作物若しくは写真の著作物の原作品の所有者又はその同意を得た者は、これらの著作物をその原作品により公に展示することができる。

②　前項の規定は、美術の著作物の原作品を街路、公園その他一般公衆に開放されている屋外の場所又は建造物の外壁その他一般公衆の見やすい屋外の場所に恒常的に設置する場合には、適用しない。

（公開の美術の著作物等の利用）

第四十六条　美術の著作物でその原作品が前条第二項に規定する屋外の場所に恒常的に設置されているもの又は建築の著作物は、次に掲げる場合を除き、いずれの方法によるかを問わず、利用することができる。

一　彫刻を増製し、又はその増製物の譲渡により公衆に提供する場合

二　建築の著作物を建築により複製し、又はその複製物の譲渡により公衆に提供する場合

三　前条第二項に規定する屋外の場所に恒常的に設置するために複製する場合

四　専ら美術の著作物の複製物の販売を目的として複製し、又はその複製物を販売する場合

（美術の著作物等の展示に伴う複製等）

第四十七条①　美術の著作物又は写真の著作物の原作品により、第二十五条に規定する権利を害することなく、これらの著作物を公に展示する者（以下この条において「原作品展示者」という。）は、観覧者のためにこれらの展示する著作物（以下この条及び第四十七条の六第二項第一号において「展示著作物」という。）の解説若しくは紹介をすることを目的とする小冊子に当該展示著作物を掲載し、又は次項の規定により当該展示著作物を上映し、若しくは当該展示著作物について自動公衆送信（送信可能化を含む。同項及び同号において同じ。）を行うために必要と認められる限度において、当該展示著作物を複製することができる。ただし、当該展示著作物の種類及び用途並びに当該複製の部数及び態様に照らし著作権者の利益を不当に害することとなる場合は、この限りでない。

②　原作品展示者は、観覧者のために展示著作物の解説又は紹介をすることを目的とする場合には、その必要と認められる限度

において、当該展示著作物を上映し、又は当該展示著作物について自動公衆送信を行うことができる。ただし、当該展示著作物の種類及び用途並びに当該上映又は自動公衆送信の態様に照らし著作権者の利益を不当に害することとなる場合は、この限りでない。

③ 原作品展示者及びこれに準ずる者として政令で定めるものは、展示著作物の所在に関する情報を公衆に提供するために必要と認められる限度において、当該展示著作物について複製し、又は公衆送信（自動公衆送信の場合にあつては、送信可能化を含む。）を行うことができる。ただし、当該展示著作物の種類及び用途並びに当該複製又は公衆送信の態様に照らし著作権者の利益を不当に害することとなる場合は、この限りでない。

（美術の著作物等の譲渡等の申出に伴う複製等）

第四七条の二　美術の著作物又は写真の著作物の原作品又は複製物の所有者その他のこれらの譲渡又は貸与の権原を有する者が、第二十六条の二第一項又は第二十六条の三に規定する権利を害することなく、その原作品又は複製物を譲渡し、又は貸与しようとする場合には、当該権原を有する者又はその委託を受けた者は、その申出の用に供するため、これらの著作物について、複製又は公衆送信（自動公衆送信の場合にあつては、送信可能化を含む。）（当該複製により作成される複製物を用いて行うこれらの著作物の複製又は当該公衆送信を受信して行うこれらの著作物の複製を防止し、又は抑止するための措置その他の著作権者の利益を不当に害しないための措置として政令で定める措置を講じて行うものに限る。）を行うことができる。

（プログラムの著作物の複製物の所有者による複製等）

第四七条の三① プログラムの著作物の複製物の所有者は、自ら当該著作物を電子計算機において実行するために必要と認められる限度において、当該著作物を複製することができる。ただし、当該実行に係る複製物の使用につき、第百十三条第五項の規定が適用される場合は、この限りでない。

② 前項の複製物の所有者が当該複製物（同項の規定により作成された複製物を含む。）のいずれかについて滅失以外の事由により所有権を有しなくなつた後には、その者は、当該著作権者の別段の意思表示がない限り、その他の複製物を保存してはならない。

（電子計算機における著作物の利用に付随する利用等）

第四七条の四① 電子計算機における利用（情報通信の技術を利用する方法による利用を含む。以下この条において同じ。）に供される著作物は、次に掲げる場合その他これらと同様に当該著作物の電子計算機における利用を円滑又は効率的に行うために当該電子計算機における利用に付随する利用に供することを目的とする場合には、その必要と認められる限度において、いずれの方法によるかを問わず、利用することができる。ただし、当該著作物の種類及び用途並びに当該利用の態様に照らし著作権者の利益を不当に害することとなる場合は、この限りでない。

一 電子計算機において、著作物を当該著作物の複製物を用いて利用する場合又は無線通信若しくは有線電気通信の送信がされる著作物を当該送信を受信して利用する場合において、これらの利用のための当該電子計算機による情報処理の過程において、当該情報処理を円滑又は効率的に行うために当該著作物を当該電子計算機の記録媒体に記録するとき。

二 自動公衆送信装置を他人の自動公衆送信の用に供することを業として行う者が、当該他人の自動公衆送信の遅滞若しくは障害を防止し、又は送信可能化された著作物の自動公衆送信を中継するための送信を効率的に行うために、これらの自動公衆送信のために送信可能化された著作物を記録媒体に記録する場合

三 情報通信の技術を利用する方法により情報を提供する場合において、当該提供を円滑又は効率的に行うための準備に必要な電子計算機による情報処理を行うことを目的として記録媒体への記録又は翻案を行うとき。

② 電子計算機における利用に供される著作物は、次に掲げる場合その他これらと同様に当該著作物の電子計算機における利用を行うことができる状態を維持し、又は当該状態に回復することを目的とする場合には、その必要と認められる限度において、いずれの方法によるかを問わず、利用することができる。ただし、当該著作物の種類及び用途並びに当該利用の態様に照らし著作権者の利益を不当に害することとなる場合は、この限りでない。

一 記録媒体を内蔵する機器の保守又は修理を行うために当該機器に内蔵する記録媒体（以下この号及び次号において「内蔵記録媒体」という。）に記録されている著作物を当該内蔵記録媒体以外の記録媒体に一時的に記録し、及び当該保守又は修理の後に、当該内蔵記録媒体に記録する場合

二 記録媒体を内蔵する機器をこれと同様の機能を有する機器と交換するためにその内蔵記録媒体に記録されている著作物を当該内蔵記録媒体以外の記録媒体に一時的に記録し、及び当該同様の機能を有する機器の内蔵記録媒体に記録する場合

三 自動公衆送信装置を他人の自動公衆送信の用に供することを業として行う者が、当該自動公衆送信装置により送信可能化された著作物の複製物が滅失し、又は毀損した場合の復旧の用に供するために当該著作物を記録媒体に記録するとき。

（電子計算機による情報処理及びその結果の提供に付随する軽微利用等）

第四七条の五① 電子計算機を用いた情報処理により新たな知見又は情報を創出することによつて著作物の利用の促進に資する次の各号に掲げる行為を行う者（当該行為の一部を行う者を含み、当該行為を政令で定める基準に従つて行う者に限る。）は、公衆への提供等（公衆への提供又は提示をいい、送信可能化を含む。以下同じ。）が行われた著作物（以下この条及び次条第二項第二号において「公衆提供等著作物」という。）（公表された著作物又は送信可能化された著作物に限る。）について、当該各号に掲げる行為の目的上必要と認められる限度において、当該行為に付随して、いずれの方法によるかを問わず、利用（当該公衆提供等著作物のうちその利用に供される部分の占める割合、その利用に供される部分の量、その利用に供される際の表示の精度その他の要素に照らし軽微なものに限る。以下この条において「軽微利用」という。）を行うことができる。ただし、当該公衆提供等著作物に係る公衆への提供等が著作権を侵害するものであること（国外で行われた公衆への提供等にあつては、国内で行われたとしたならば著作権の侵害となるべきものであること）を知りながら当該軽微利用を行う場合その他当該公衆提供等著作物の種類及び用途並びに当該軽微利用の態様に照らし著作権者の利益を不当に害することとなる場合は、この限りでない。

一 電子計算機を用いて、検索により求める情報（以下この号において「検索情報」という。）が記録された著作物の題号又は著作者名、送信可能化された検索情報に係る送信元識別符号（自動公衆送信の送信元を識別するための文字、番号、記号その他の符号をいう。第百十三条第二項及び第四項において同じ。）その他の検索情報の特定又は所在に関する情報を検索し、及びその結果を提供すること。

二 電子計算機による情報解析を行い、及びその結果を提供すること。

三 前二号に掲げるもののほか、電子計算機による情報処理により、新たな知見又は情報を創出し、及びその結果を提供する行為であつて、国民生活の利便性の向上に寄与するものとして政令で定めるもの

② 前項各号に掲げる行為の準備を行う者（当該行為の準備のための情報の収集、整理及び提供を政令で定める基準に従つて行う者に限る。）は、公衆提供等著作物について、同項の規定による軽微利用の準備のために必要と認められる限度において、複製若しくは公衆送信（自動公衆送信の場合にあつては、送信可能化を含む。以下この項及び次条第二項第二号において同じ。）

を行い、又はその複製物による頒布を行うことができる。ただし、当該公衆提供等著作物の種類及び用途並びに当該複製又は頒布の部数及び当該複製、公衆送信又は頒布の態様に照らし著作権者の利益を不当に害することとなる場合は、この限りでない。

第四七条の六（**翻訳、翻案等による利用**）① 次の各号に掲げる規定により著作物を利用することができる場合には、当該著作物について、当該規定の例により当該各号に定める方法による利用を行うことができる。

一 第三十条第一項、第三十三条第一項（同条第四項において準用する場合を含む。）、第三十四条第一項、第三十五条第一項又は前条第二項 翻訳、編曲、変形又は翻案

二 第三十一条第一項（第一号に係る部分に限る。）、第二項、第四項、第七項（第一号に係る部分に限る。）若しくは第九項（第一号に係る部分に限る。）、第三十二条、第三十六条第一項、第三十七条第一項若しくは第二項、第三十九条第一項、第四十条第二項又は第四十一条から第四十二条の二まで 翻訳

三 第三十三条の二第一項、第三十三条の三第一項又は第四十七条 変形又は翻案

四 第三十七条第三項 翻訳、変形又は翻案

五 第三十七条の二 翻訳又は翻案

六 第四十七条の三第一項 翻案

② 前項の規定により創作された二次的著作物は、当該二次的著作物の原著作物を同項各号に掲げる規定（次の各号に掲げる二次的著作物にあつては、当該各号に定める規定を含む。以下この項及び第四十八条第三項第二号において同じ。）により利用することができる場合には、原著作物の著作者その他の当該二次的著作物の利用に関して第二十八条に規定する権利を有する者との関係においては、当該二次的著作物を前項各号に掲げる規定に規定する著作物に該当するものとみなして、当該各号に掲げる規定による利用を行うことができる。

一 第四十七条第一項の規定により同条第二項の規定による展示著作物の上映又は自動公衆送信を行うために当該展示著作物を複製することができる場合に、前項の規定により創作された二次的著作物 同条第二項

二 前条第二項の規定により公衆提供等著作物について複製、公衆送信又はその複製物による頒布を行うことができる場合に、前項の規定により創作された二次的著作物 同条第一項

第四七条の七（**複製権の制限により作成された複製物の譲渡**） 第三十条の二第二項、第三十条の三、第三十条の四、第三十一条第一項（第一号に係る部分に限る。以下この条において同じ。）若しくは第七項（第一号に係る部分に限る。以下この条において同じ。）、第三十二条、第三十三条第一項（同条第四項において準用する場合を含む。）、第三十三条の二第一項、第三十三条の三第一項若しくは第四項、第三十四条第一項、第三十五条第一項、第三十六条第一項、第三十七条、第三十七条の二（第二号を除く。以下この条において同じ。）、第三十九条第一項、第四十条第一項若しくは第二項、第四十一条、第四十一条の二第一項、第四十二条、第四十二条の二第一項、第四十二条の三、第四十二条の四第二項、第四十六条、第四十七条第一項若しくは第三項、第四十七条の二、第四十七条の四又は第四十七条の五の規定により複製することができる著作物は、これらの規定の適用を受けて作成された複製物（第三十一条第一項若しくは第七項、第三十六条第一項、第四十一条の二第一項、第四十二条又は第四十二条の二第一項の規定に係る場合にあつては、映画の著作物の複製物（映画の著作物において複製されている著作物にあつては、当該映画の著作物の複製物を含む。以下この条において同じ。）を除く。）の譲渡により公衆に提供することができる。ただし、第三十条の三、第三十一条第一項若しくは第七項、第三十三条の二第一項、第三十三条の三第一項若しくは第四項、第三十五条第一項、第三十七条第三項、第三十七条の二、第四十一条、第四十一条の二第一項、第四十二条、第四十二条の二第一項、第四十二条の三、第四十二条の四第二項、第四十七条第一項若しくは第三項、第四十七条の二、第四十七条の四若しくは第四十七条の五の規定の適用を受けて作成された著作物の複製物（第三十一条第一項若しくは第七項、第四十一条の二第一項、第四十二条又は第四十二条の二第一項の規定に係る場合にあつては、映画の著作物の複製物を除く。）を第三十条の三、第三十一条第一項若しくは第七項、第三十三条の二第一項、第三十三条の三第一項若しくは第四項、第三十五条第一項、第三十七条第三項、第三十七条の二、第四十一条、第四十一条の二第一項、第四十二条、第四十二条の二第一項、第四十二条の三、第四十二条の四第二項、第四十七条第一項若しくは第三項、第四十七条の二、第四十七条の四若しくは第四十七条の五に定める目的以外の目的のために公衆に譲渡する場合又は第三十条の四の規定の適用を受けて作成された著作物の複製物を当該著作物に表現された思想若しくは感情を自ら享受し若しくは他人に享受させる目的のために公衆に譲渡する場合は、この限りでない。

第四八条（**出所の明示**）① 次の各号に掲げる場合には、当該各号に規定する著作物の出所を、その複製又は利用の態様に応じ合理的と認められる方法及び程度により、明示しなければならない。

一 第三十二条、第三十三条第一項（同条第四項において準用する場合を含む。）、第三十三条の二第一項、第三十三条の三第一項、第三十七条第一項、第四十一条の二第一項、第四十二条、第四十二条の二第一項又は第四十七条第一項の規定により著作物を複製する場合

二 第三十四条第一項、第三十七条第三項、第三十七条の二、第三十九条第一項、第四十条第一項若しくは第二項、第四十七条第二項若しくは第三項又は第四十七条の二の規定により著作物を利用する場合

三 第三十二条若しくは第四十二条の規定により著作物を複製以外の方法により利用する場合又は第三十五条第一項、第三十六条第一項、第三十八条第一項、第四十一条、第四十一条の二第二項、第四十二条の二第二項、第四十六条若しくは第四十七条の五第一項の規定により著作物を利用する場合において、その出所を明示する慣行があるとき。

② 前項の出所の明示に当たつては、これに伴い著作者名が明らかになる場合及び当該著作物が無名のものである場合を除き、当該著作物につき表示されている著作者名を示さなければならない。

③ 次の各号に掲げる場合には、前二項の規定の例により、当該各号に規定する二次的著作物の原著作物の出所を明示しなければならない。

一 第四十条第一項、第四十六条又は第四十七条の五第一項の規定により創作された二次的著作物をこれらの規定により利用する場合

二 第四十七条の六第一項の規定により創作された二次的著作物を同条第二項の規定の適用を受けて同条第一項各号に掲げる規定により利用する場合

第四九条（**複製物の目的外使用等**）① 次に掲げる者は、第二十一条の複製を行つたものとみなす。

一 第三十条第一項、第三十条の三、第三十一条第一項第一号、第二項第一号、第四項、第七項第一号若しくは第九項第一号、第三十三条の二第一項、第三十三条の三第一項若しくは第四項、第三十五条第一項、第三十七条第三項、第三十七条の二本文（同条第二号に係る場合にあつては、同号。次項第一号において同じ。）、第四十一条、第四十一条の二第一項、第四十二条、第四十二条の二第一項、第四十二条の三、第四十二条の四第二項、第四十三条第二項、第四十四条第一項から第三項まで、第四十七条第一項若しくは第三項、第四十七条の二又は第四十七条の五第一項に定める目的以外の目的のために、これらの規定の適用を受けて作成された著作物の複製

物（次項第一号又は第二号の複製物に該当するものを除く。）を頒布し、又は当該複製物によつて当該著作物の公衆への提示（送信可能化を含む。以下同じ。）を行つた者

二　第三十条の四の規定の適用を受けて作成された著作物の複製物（次項第三号の複製物に該当するものを除く。）を用いて、当該著作物に表現された思想又は感情を自ら享受し又は他人に享受させる目的のために、いずれの方法によるかを問わず、当該著作物を利用した者

三　第四十四条第四項の規定に違反して同項の録音物又は録画物を保存した放送事業者、有線放送事業者又は放送同時配信等事業者

四　第四十七条の三第一項の規定の適用を受けて作成された著作物の複製物（次項第四号の複製物に該当するものを除く。）を頒布し、又は当該複製物によつて当該著作物の公衆への提示を行つた者

五　第四十七条の三第二項の規定に違反して同項の複製物（次項第四号の複製物に該当するものを除く。）を保存した者

六　第四十七条の四又は第四十七条の五第二項に定める目的以外の目的のために、これらの規定の適用を受けて作成された著作物の複製物（次項第六号又は第七号の複製物に該当するものを除く。）を用いて、いずれの方法によるかを問わず、当該著作物を利用した者

②　次に掲げる者は、当該二次的著作物の原著作物につき第二十七条の翻訳、編曲、変形又は翻案を、当該二次的著作物につき第二十一条の複製を、それぞれ行つたものとみなす。

一　第三十条第三項、第三十一条第一項第一号、第二項第一号、第四項、第七項第一号若しくは第九項第一号、第三十三条の二第一項、第三十三条の三第一項、第三十五条第一項、第三十七条第三項、第三十七条の二本文、第四十一条、第四十一条の二第一項、第四十二条、第四十二条の二第一項又は第四十七条第一項若しくは第三項に定める目的以外の目的のために、第四十七条の六第二項の規定の適用を受けて同条第一項各号に掲げるこれらの規定により作成された二次的著作物の複製物を頒布し、又は当該複製物によつて当該二次的著作物の公衆への提示を行つた者

二　第三十条の三又は第四十七条の五第一項に定める目的以外の目的のために、これらの規定の適用を受けて作成された二次的著作物の複製物を頒布し、又は当該複製物によつて当該二次的著作物の公衆への提示を行つた者

三　第三十条の四の規定の適用を受けて作成された二次的著作物の複製物を用いて、当該二次的著作物に表現された思想又は感情を自ら享受し又は他人に享受させる目的のために、いずれの方法によるかを問わず、当該二次的著作物を利用した者

四　第四十七条の六第二項の規定の適用を受けて第四十七条の三第一項の規定により作成された二次的著作物の複製物を頒布し、又は当該複製物によつて当該二次的著作物の公衆への提示を行つた者

五　第四十七条の三第二項の規定に違反して前号の複製物を保存した者

六　第四十七条の四に定める目的以外の目的のために、同条の規定の適用を受けて作成された二次的著作物の複製物を用いて、いずれの方法によるかを問わず、当該二次的著作物を利用した者

七　第四十七条の五第二項に定める目的以外の目的のために、第四十七条の六第二項の規定により作成された二次的著作物の複製物を用いて、いずれの方法によるかを問わず、当該二次的著作物を利用した者

（著作者人格権との関係）

第五〇条　この款の規定は、著作者人格権に影響を及ぼすものと解釈してはならない。

第四節　保護期間

（保護期間の原則）

第五一条①　著作権の存続期間は、著作物の創作の時に始まる。

②　著作権は、この節に別段の定めがある場合を除き、著作者の死後（共同著作物にあつては、最終に死亡した著作者の死後。次条第一項において同じ。）七十年を経過するまでの間、存続する。

（無名又は変名の著作物の保護期間）

第五二条①　無名又は変名の著作物の著作権は、その著作物の公表後七十年を経過するまでの間、存続する。ただし、その存続期間の満了前にその著作者の死後七十年を経過していると認められる無名又は変名の著作物の著作権は、その著作者の死後七十年を経過したと認められる時において、消滅したものとする。

②　前項の規定は、次の各号のいずれかに該当するときは、適用しない。

一　変名の著作物における著作者の変名がその者のものとして周知のものであるとき。

二　前項の期間内に第七十五条第一項の実名の登録があつたとき。

三　著作者が前項の期間内にその実名又は周知の変名を著作者名として表示してその著作物を公表したとき。

（団体名義の著作物の保護期間）

第五三条①　法人その他の団体が著作の名義を有する著作物の著作権は、その著作物の公表後七十年（その著作物がその創作後七十年以内に公表されなかつたときは、その創作後七十年）を経過するまでの間、存続する。

②　前項の規定は、法人その他の団体が著作の名義を有する著作物の著作者である個人が同項の期間内にその実名又は周知の変名を著作者名として表示してその著作物を公表したときは、適用しない。

③　第十五条第二項の規定により法人その他の団体が著作者である著作物の著作権の存続期間に関しては、第一項の著作物に該当する著作物以外の著作物についても、当該団体が著作の名義を有するものとみなして同項の規定を適用する。

（映画の著作物の保護期間）

第五四条①　映画の著作物の著作権は、その著作物の公表後七十年（その著作物がその創作後七十年以内に公表されなかつたときは、その創作後七十年）を経過するまでの間、存続する。

②　映画の著作物の著作権がその存続期間の満了により消滅したときは、当該映画の著作物の利用に関するその原著作物の著作権は、当該映画の著作物の著作権とともに消滅したものとする。

③　前二条の規定は、映画の著作物の著作権については、適用しない。

第五五条　削除

（継続的刊行物等の公表の時）

第五六条①　第五十二条第一項、第五十三条第一項及び第五十四条第一項の公表の時は、冊、号又は回を追つて公表する著作物については、毎冊、毎号又は毎回の公表の時によるものとし、一部分ずつを逐次公表して完成する著作物については、最終部分の公表の時によるものとする。

②　一部分ずつを逐次公表して完成する著作物については、継続すべき部分が直近の公表の時から三年を経過しても公表されないときは、すでに公表されたもののうちの最終の部分をもつて前項の最終部分とみなす。

（保護期間の計算方法）

第五七条　第五十一条第二項、第五十二条第一項、第五十三条第一項又は第五十四条第一項の場合において、著作者の死後七十年又は著作物の公表後七十年若しくは創作後七十年の期間の終期を計算するときは、著作者が死亡した日又は著作物が公表され若しくは創作された日のそれぞれ属する年の翌年から起算する。

（保護期間の特例）
第五八条　文学的及び美術的著作物の保護に関するベルヌ条約により創設された国際同盟の加盟国、著作権に関する世界知的所有権機関条約の締約国又は世界貿易機関の加盟国である外国をそれぞれ文学的及び美術的著作物の保護に関するベルヌ条約、著作権に関する世界知的所有権機関条約又は世界貿易機関を設立するマラケシュ協定の規定に基づいて本国とする著作物（第六条第一号に該当するものを除く。）で、その本国において定められる著作権の存続期間が第五十一条から第五十四条までに定める著作権の存続期間より短いものについては、その本国において定められる著作権の存続期間による。

第五節　著作者人格権の一身専属性等

（著作者人格権の一身専属性）
第五九条　著作者人格権は、著作者の一身に専属し、譲渡することができない。

（著作者が存しなくなつた後における人格的利益の保護）
第六〇条　著作物を公衆に提供し、又は提示する者は、その著作物の著作者が存しなくなつた後においても、著作者が存しているとしたならばその著作者人格権の侵害となるべき行為をしてはならない。ただし、その行為の性質及び程度、社会的事情の変動その他によりその行為が当該著作者の意を害しないと認められる場合は、この限りでない。

第六節　著作権の譲渡及び消滅（抄）

（著作権の譲渡）
第六一条①　著作権は、その全部又は一部を譲渡することができる。
②　著作権を譲渡する契約において、第二十七条又は第二十八条に規定する権利が譲渡の目的として特掲されていないときは、これらの権利は、譲渡した者に留保されたものと推定する。

第六二条　（略）

第七節　権利の行使（抄）

（著作物の利用の許諾）
第六三条①　著作権者は、他人に対し、その著作物の利用を許諾することができる。
②　前項の許諾を得た者は、その許諾に係る利用方法及び条件の範囲内において、その許諾に係る著作物を利用することができる。
③　利用権（第一項の許諾に係る著作物を前項の規定により利用することができる権利をいう。次条において同じ。）は、著作権者の承諾を得ない限り、譲渡することができない。
④　著作物の放送又は有線放送についての第一項の許諾は、契約に別段の定めがない限り、当該著作物の録音又は録画の許諾を含まないものとする。
⑤　著作物の放送又は有線放送及び放送同時配信等について許諾（第一項の許諾をいう。以下この項において同じ。）を行うことができる者が、特定放送事業者等（放送事業者又は有線放送事業者のうち、放送同時配信等を業として行い、又はその者と密接な関係を有する放送同時配信等事業者が業として行う放送同時配信等のために放送番組若しくは有線放送番組を供給しており、かつ、その事実を周知するための措置として、文化庁長官が定める方法により、放送同時配信等が行われている放送番組又は有線放送番組の名称、その放送又は有線放送の時間帯その他の放送同時配信等の実施状況に関する情報として文化庁長官が定める情報を公表しているものをいう。以下この項において同じ。）に対し、当該特定放送事業者等の放送番組又は有線放送番組における著作物の利用の許諾を行つた場合には、当該許諾に際して別段の意思表示をした場合を除き、当該許諾には当該著作物の放送同時配信等（当該特定放送事業者等と密接な関係を有する放送同時配信等事業者が当該放送番組又は有線放送番組の供給を受けて行うものを含む。）の許諾を含むものと推定する。
⑥　著作物の送信可能化について第一項の許諾を得た者が、その許諾に係る利用方法及び条件（送信可能化の回数又は送信可能化に用いる自動公衆送信装置に係るものを除く。）の範囲内において反復して又は他の自動公衆送信装置を用いて行う当該著作物の送信可能化については、第二十三条第一項の規定は、適用しない。

（利用権の対抗力）
第六三条の二　利用権は、当該利用権に係る著作物の著作権を取得した者その他の第三者に対抗することができる。

（共同著作物の著作者人格権の行使）
第六四条①　共同著作物の著作者人格権は、著作者全員の合意によらなければ、行使することができない。
②　共同著作物の各著作者は、信義に反して前項の合意の成立を妨げることができない。
③　共同著作物の著作者は、そのうちからその著作者人格権を代表して行使する者を定めることができる。
④　前項の権利を代表して行使する者の代表権に加えられた制限は、善意の第三者に対抗することができない。

（共有著作権の行使）
第六五条①　共同著作物の著作権その他共有に係る著作権（以下この条において「共有著作権」という。）については、各共有者は、他の共有者の同意を得なければ、その持分を譲渡し、又は質権の目的とすることができない。
②　共有著作権は、その共有者全員の合意によらなければ、行使することができない。
③　前二項の場合において、各共有者は、正当な理由がない限り、第一項の同意を拒み、又は前項の合意の成立を妨げることができない。
④　前条第三項及び第四項の規定は、共有著作権の行使について準用する。

第六六条　（略）

第八節　裁定による著作物の利用

（著作権者不明等の場合における著作物の利用）
第六七条①　公表された著作物又は相当期間にわたり公衆に提供され、若しくは提示されている事実が明らかである著作物（以下この条及び第六十七条の三第二項において「公表著作物等」という。）を利用しようとする者は、次の各号のいずれにも該当するときは、文化庁長官の裁定を受け、かつ、通常の使用料の額に相当するものとして文化庁長官が定める額の補償金を著作権者のために供託して、当該裁定の定めるところにより、当該公表著作物等を利用することができる。
一　権利者情報（著作権者の氏名又は名称及び住所又は居所その他著作権者と連絡するために必要な情報をいう。以下この号において同じ。）を取得するための措置として文化庁長官が定めるものをとり、かつ、当該措置により取得した権利者情報その他その保有する全ての権利者情報に基づき著作権者と連絡するための措置をとつたにもかかわらず、著作権者と連絡することができなかつたこと。
二　著作者が当該公表著作物等の出版その他の利用を廃絶しようとしていることが明らかでないこと。
②　国、地方公共団体その他これらに準ずるものとして政令で定める法人（以下この節において「国等」という。）が前項の規定により公表著作物等を利用しようとするときは、同項の規定にかかわらず、同項の規定による供託を要しない。この場合において、国等が著作権者と連絡をすることができるに至つたときは、同項の規定により文化庁長官が定める額の補償金を著作権者に支払わなければならない。
③　第一項の裁定（以下この条及び次条において「裁定」という。）を受けようとする者は、裁定に係る著作物の題号、著作者名その他の当該著作物を特定するために必要な情報、当該著作物の利用方法、補償金の額の算定の基礎となるべき事項その他

文部科学省令で定める事項を記載した申請書に、次に掲げる資料を添えて、これを文化庁長官に提出しなければならない。
一　当該著作物が公表著作物等であることを疎明する資料
二　第一項各号に該当することを疎明する資料
三　前二号に掲げるもののほか、文部科学省令で定める資料

④　裁定を受けようとする者は、実費を勘案して政令で定める額の手数料を国に納付しなければならない。ただし、当該者が国であるときは、この限りでない。

⑤　裁定においては、次に掲げる事項を定めるものとする。
一　当該裁定に係る著作物の利用方法
二　前号に掲げるもののほか、文部科学省令で定める事項

⑥　文化庁長官は、裁定をしない処分をするときは、あらかじめ、裁定の申請をした者（次項及び次条第一項において「申請者」という。）にその理由を通知し、弁明及び有利な証拠の提出の機会を与えなければならない。

⑦　文化庁長官は、次の各号に掲げるときは、当該各号に定める事項を申請者に通知しなければならない。
一　裁定をしたとき　第五項各号に掲げる事項及び当該裁定に係る著作物の利用につき定めた補償金の額
二　裁定をしない処分をしたとき　その旨及びその理由

⑧　文化庁長官は、裁定をしたときは、その旨及び次に掲げる事項をインターネットの利用その他の適切な方法により公表しなければならない。
一　当該裁定に係る著作物の題号、著作者名その他の当該著作物を特定するために必要な情報
二　第五項第一号に掲げる事項
三　前二号に掲げるもののほか、文部科学省令で定める事項

⑨　文化庁長官は、前項の規定による公表に必要と認められる限度において、裁定に係る著作物を利用することができる。

⑩　第一項の規定により作成した著作物の複製物には、裁定に係る複製物である旨及びその裁定のあつた年月日を表示しなければならない。

＊令和五法三三（令和八・五・二五までに施行）による改正前

（著作権者不明等の場合における著作物の利用）

第六七条①　公表された著作物又は相当期間にわたり公衆に提供され、若しくは提示されている事実が明らかである著作物は、著作権者の不明その他の理由により相当な努力を払つてもその著作権者と連絡することができない場合として政令で定める場合は、文化庁長官の裁定を受け、かつ、通常の使用料の額に相当するものとして文化庁長官が定める額の補償金を著作権者のために供託して、その裁定に係る利用方法により利用することができる。

②　国、地方公共団体その他これらに準ずるものとして政令で定める法人（以下この項及び次条において「国等」という。）が前項の規定により著作物を利用しようとするときは、同項の規定にかかわらず、同項の規定による供託を要しない。この場合において、国等が著作権者と連絡をすることができるに至つたときは、同項の規定により文化庁長官が定める額の補償金を著作権者に支払わなければならない。

③　第一項の裁定を受けようとする者は、著作物の利用方法その他政令で定める事項を記載した申請書に、著作権者と連絡することができないことを疎明する資料その他政令で定める資料を添えて、これを文化庁長官に提出しなければならない。

④　第一項の規定により作成した著作物の複製物には、同項の裁定に係る複製物である旨及びその裁定のあつた年月日を表示しなければならない。（改正後の⑩）

新④―⑨（改正により追加）

一―三（改正により追加）

一・二（改正により追加）

（裁定申請中の著作物の利用）

第六七条の二①　申請者は、当該申請に係る著作物の利用方法を勘案して文化庁長官が定める額の担保金を供託した場合には、裁定又は裁定をしない処分を受けるまでの間（裁定又は裁定をしない処分を受けるまでの間に著作権者と連絡をすることができるに至つたときは、当該連絡をすることができるに至つた時までの間）、当該申請に係る著作物を利用することができる。ただし、当該著作物の著作者が当該著作物の出版その他の利用を廃絶しようとしていることが明らかであるときは、この限りでない。

＊令和五法三三（令和八・五・二五までに施行）による改正

第一項中「前条第一項の裁定（以下この条において単に「裁定」という。）の申請をした者」は「申請者」に改められた。

（本文織込み済み）

②　国等が前項の規定により著作物を利用しようとするときは、同項の規定にかかわらず、同項の規定による供託を要しない。

③　第一項の規定により作成した著作物の複製物には、同項の規定の適用を受けて作成された複製物である旨及び裁定の申請をした年月日を表示しなければならない。

④　第一項の規定により著作物を利用する者（以下「申請中利用者」という。）（国等を除く。次項において同じ。）が裁定を受けたときは、前条第一項の規定にかかわらず、同項の補償金のうち第一項の規定により供託された担保金の額に相当する額（当該担保金の額が当該補償金の額を超えるときは、当該額）については、同条第一項の規定による供託を要しない。

⑤　申請中利用者は、裁定をしない処分を受けたとき（当該処分を受けるまでの間に著作権者と連絡をすることができるに至つた場合を除く。）は、当該処分を受けた時までの間における第一項の規定による著作物の利用に係る使用料の額に相当するものとして文化庁長官が定める額の補償金を著作権者のために供託しなければならない。この場合において、同項の規定により供託された担保金の額のうち当該補償金の額に相当する額（当該補償金の額が当該担保金の額を超えるときは、当該額）については、当該補償金を供託したものとみなす。

⑥　申請中利用者（国等に限る。）は、裁定をしない処分を受けた後に著作権者と連絡をすることができるに至つたときは、当該処分を受けた時までの間における第一項の規定による著作物の利用に係る使用料の額に相当するものとして文化庁長官が定める額の補償金を著作権者に支払わなければならない。

⑦　申請中利用者は、裁定又は裁定をしない処分を受けるまでの間に著作権者と連絡をすることができるに至つたときは、当該連絡をすることができるに至つた時までの間における第一項の規定による著作物の利用に係る使用料の額に相当する額の補償金を著作権者に支払わなければならない。

⑧　第四項、第五項又は前項の場合において、著作権者は、前条第一項又はこの条第五項若しくは前項の補償金を受ける権利に関し、第一項の規定により供託された担保金から弁済を受けることができる。

⑨　第一項の規定により担保金を供託した者は、当該担保金の額が前項の規定により著作権者が弁済を受けることができる額を超えることとなつたときは、政令で定めるところにより、その全部又は一部を取り戻すことができる。

⑩　文化庁長官は、申請中利用者から裁定の申請を取り下げる旨の申出があつたときは、裁定をしない処分をするものとする。この場合において、前条第六項の規定は、適用しない。

＊令和五法三三（令和八・五・二五までに施行）により第十項追加

（未管理公表著作物等の利用）

第六七条の三①　未管理公表著作物等を利用しようとする者は、次の各号のいずれにも該当するときは、文化庁長官の裁定を受け、かつ、通常の使用料の額に相当する額を考慮して文化庁長官が定める額の補償金を著作権者のために供託して、当該裁定の定めるところにより、当該未管理公表著作物等を利用することができる。

一　当該未管理公表著作物等の利用の可否に係る著作権者の意思を確認するための措置として文化庁長官が定める措置をとつたにもかかわらず、その意思の確認ができなかつたこと。

二　著作者が当該未管理公表著作物等の出版その他の利用を廃絶しようとしていることが明らかでないこと。

②　前項に規定する未管理公表著作物等とは、公表著作物等のうち、次の各号のいずれにも該当しないものをいう。

一　当該公表著作物等に関する著作権について、著作権等管理事業者による管理が行われているもの

二　文化庁長官が定める方法により、当該公表著作物等の利用の可否に係る著作権者の意思を円滑に確認するために必要な情報であつて文化庁長官が定めるものの公表がされているもの

③　第一項の裁定（以下この条において「裁定」という。）を受けようとする者は、裁定に係る著作物の題号、著作者名その他の当該著作物を特定するために必要な情報、当該著作物の利用方法及び利用期間、補償金の額の算定の基礎となるべき事項その他文部科学省令で定める事項を記載した申請書に、次に掲げる資料を添えて、これを文化庁長官に提出しなければならない。

一　当該著作物が未管理公表著作物等であることを疎明する資料

二　第一項各号に該当することを疎明する資料

三　前二号に掲げるもののほか、文部科学省令で定める資料

④　裁定においては、次に掲げる事項を定めるものとする。

一　当該裁定に係る著作物の利用方法

二　当該裁定に係る著作物を利用することができる期間

三　前二号に掲げるもののほか、文部科学省令で定める事項

⑤　前項第二号の期間は、第三項の申請書に記載された利用期間の範囲内かつ三年を限度としなければならない。

⑥　第六十七条第四項及び第六項から第十項までの規定は、裁定について準用する。この場合において、同条第七項第一号中「第五項各号」とあるのは「第六十七条の三第四項各号」と、同条第八項第二号中「第五項第一号」とあるのは「第六十七条の三第四項第一号及び第二号」と読み替えるものとする。

⑦　裁定に係る著作物の著作権者が、当該著作物の著作権の管理を著作権等管理事業者に委託すること、当該著作物の利用に関する協議の求めを受け付けるための連絡先その他の情報を公表することその他の当該著作物の利用に関し当該裁定を受けた者からの協議の求めを受け付けるために必要な措置を講じた場合には、文化庁長官は、当該著作権者の請求により、当該裁定を取り消すことができる。この場合において、文化庁長官は、あらかじめ当該裁定を受けた者にその理由を通知し、弁明及び有利な証拠の提出の機会を与えなければならない。

⑧　文化庁長官は、前項の規定により裁定を取り消したときは、その旨及び次項に規定する取消時補償金相当額その他の文部科学省令で定める事項を当該裁定を受けた者及び前項の著作権者に通知しなければならない。

⑨　前項に規定する場合においては、著作権者は、第一項の補償金を受ける権利に関し同項の規定により供託された補償金の額のうち、当該裁定のあつた日からその取消しの処分のあつた日の前日までの期間に対応する額（以下この条において「取消時補償金相当額」という。）について弁済を受けることができる。

⑩　第八項に規定する場合においては、第一項の補償金を供託した者は、当該補償金の額のうち、取消時補償金相当額を超える額を取り戻すことができる。

⑪　国等が第一項の規定により未管理公表著作物等を利用しようとするときは、同項の規定にかかわらず、同項の規定による供託を要しない。この場合において、国等は、著作権者から請求があつたときは、同項の規定により文化庁長官が定める額（第八項に規定する場合にあつては、取消時補償金相当額）の補償金を著作権者に支払わなければならない。

＊令和五法三三（令和八・五・二五までに施行）により第六七条の三追加

第六八条（**著作物の放送等**）①　公表された著作物を放送し、又は放送同時配信等しようとする放送事業者又は放送同時配信等事業者は、次の各号のいずれにも該当するときは、文化庁長官の裁定を受け、かつ、通常の使用料の額に相当するものとして文化庁長官が定める額の補償金を著作権者に支払つて、その著作物を放送し、又は放送同時配信等することができる。

一　著作権者に対し放送又は放送同時配信等の許諾につき協議を求めたが、その協議が成立せず、又はその協議をすることができないこと。

二　著作者が当該著作物の放送、放送同時配信等その他の利用を廃絶しようとしていることが明らかでないこと。

三　著作権者がその著作物の放送又は放送同時配信等の許諾を与えないことについてやむを得ない事情があると認められないこと。

②　前項の規定により放送され、又は放送同時配信等される著作物は、有線放送し、地域限定特定入力型自動公衆送信を行い、又は受信装置を用いて公に伝達することができる。この場合において、当該有線放送、地域限定特定入力型自動公衆送信又は伝達を行う者は、第三十八条第二項及び第三項の規定の適用がある場合を除き、通常の使用料の額に相当する額の補償金を著作権者に支払わなければならない。

③　文化庁長官は、第一項の裁定の申請があつたときは、その旨を当該申請に係る著作権者に通知し、相当の期間を指定して、意見を述べる機会を与えなければならない。

④　第六十七条第四項、第六項及び第七項の規定は、第一項の裁定について準用する。この場合において、同条第七項中「申請者」とあるのは「申請者及び著作権者」と、同項第一号中「第五項各号に掲げる事項」とあるのは「その旨」と読み替えるものとする。

＊令和五法三三（令和八・五・二五までに施行）による改正前

第六八条（**著作物の放送等**）①　公表された著作物を放送し、又は放送同時配信等しようとする放送事業者又は放送同時配信等事業者は、その著作権者に対し放送若しくは放送同時配信等の許諾につき協議を求めたがその協議が成立せず、又はその協議をすることができないときは、文化庁長官の裁定を受け、かつ、通常の使用料の額に相当するものとして文化庁長官が定める額の補償金を著作権者に支払つて、その著作物を放送し、又は放送同時配信等することができる。

一―三　（改正により追加）

②　（略）

③④　（改正により追加）

第六九条（**商業用レコードへの録音等**）①　商業用レコードが最初に国内において販売され、かつ、その最初の販売の日から三年を経過した場合において、当該商業用レコードに著作権者の許諾を得て録音されている音楽の著作物を録音して他の商業用レコードを製作しようとする者は、次の各号のいずれにも該当するときは、文化庁長官の裁定を受け、かつ、通常の使用料の額に相当するものとして文化庁長官が定める額の補償金を著作権者に支払つて、当該録音又は譲渡による公衆への提供をすることができる。

一　著作権者に対し録音又は譲渡による公衆への提供の許諾につき協議を求めたが、その協議が成立せず、又はその協議をすることができないこと。

二　著作者が当該音楽の著作物の録音その他の利用を廃絶しようとしていることが明らかでないこと。

②　前条第三項及び第四項の規定は、前項の裁定について準用する。

＊令和五法三三（令和八・五・二五までに施行）による改正前

第六九条（**商業用レコードへの録音等**）　商業用レコードが最初に国内において販売され、かつ、その最初の販売の日から三年を経過した場合において、当該商業用レコードに著作権者の許諾を得て録音されている音楽の著作物を録音して他の商業用レコードを製作しようとする者は、その著作権者に対し録音又は譲渡による公衆への提供の許諾につき協議を求めたが、その協議が成立せず、又はその協議をすることができないときは、文化庁長官の裁定を受け、かつ、通常の使用料の額に相当するものとして文化庁長官が定める額の補償金を著作権者に支払つて、当該録音又は譲渡による公衆への提供をすることができる。

② （改正後の①）

一・二　（改正により追加）

（改正により追加）

第七〇条（**裁定に関する事項の政令への委任**）　第六十七条から前条までに規定するもののほか、この節に定める裁定に関し必要な事項は、政令で定める。

＊令和五法三三（令和八・五・二五までに施行）による改正前

第七〇条①（**裁定に関する手続及び基準**）　第六十七条第一項、第六十八条第一項又は前条の裁定の申請をする者は、実費を勘案して政令で定める額の手数料を納付しなければならない。（改正により削られた）

② 前項の規定は、同項の規定により手数料を納付すべき者が国であるときは、適用しない。（改正により削られた）

③ 文化庁長官は、第六十八条第一項又は前条の裁定の申請があつたときは、その旨を当該申請に係る著作権者に通知し、相当の期間を指定して、意見を述べる機会を与えなければならない。（改正により削られた）

④ 文化庁長官は、第六十七条第一項、第六十八条第一項又は前条の裁定の申請があつた場合において、次の各号のいずれかに該当すると認めるときは、これらの裁定をしてはならない。

一　著作者がその著作物の出版その他の利用を廃絶しようとしていることが明らかであるとき。

二　第六十八条第一項の裁定の申請に係る著作権者がその著作物の放送又は放送同時配信等の許諾を与えないことについてやむを得ない事情があるとき。

（改正により削られた）

⑤ 文化庁長官は、前項の裁定をしない処分をしようとするとき（第七項の規定により裁定をしない処分をする場合を除く。）は、あらかじめ申請者にその理由を通知し、弁明及び有利な証拠の提出の機会を与えなければならないものとし、当該裁定をしない処分をしたときは、理由を付した書面をもつて申請者にその旨を通知しなければならない。（改正により削られた）

⑥ 文化庁長官は、第六十七条第一項の裁定をしたときは、その旨を官報で告示するとともに申請者に通知し、第六十八条第一項又は前条の裁定をしたときは、その旨を当事者に通知しなければならない。（改正により削られた）

⑦ 文化庁長官は、申請中利用者から第六十七条第一項の裁定の申請を取り下げる旨の申出があつたときは、当該裁定をしない処分をするものとする。（改正により削られた）

⑧ 前各項に規定するもののほか、この節に定める裁定に関し必要な事項は、政令で定める。（改正後の本条）

第九節　補償金等（抄）

第七一条（**文化審議会への諮問**）　文化庁長官は、次に掲げる事項を定める場合には、文化審議会に諮問しなければならない。

一　第三十三条第二項（同条第四項において準用する場合を含む。）、第三十三条の二第二項又は第三十三条の三第二項の算出方法

二　第六十七条第一項、第六十七条の二第五項若しくは第六項、第六十七条の三第一項、第六十八条第一項又は第六十九条第一項の補償金の額

＊令和五法三三（令和八・五・二五までに施行）による改正

第二号中「若しくは第六項」の下に「、第六十七条の三第一項」が加えられ、「第六十九条」は「第六十九条第一項」に改められた。（本文織込み済み）

第七二条①（**補償金の額についての訴え**）　第六十七条第一項、第六十七条の二第五項若しくは第六項、第六十七条の三第一項、第六十八条第一項又は第六十九条第一項の規定に基づき定められた補償金の額について不服がある当事者は、これらの規定による裁定（第六十七条の二第五項又は第六項に係る場合にあつては、第六十七条第一項の裁定をしない処分）があつたことを知つた日から六月以内に、訴えを提起してその額の増減を求めることができる。

＊令和五法三三（令和八・五・二五までに施行）による改正

第一項中「若しくは第六項」の下に「、第六十七条の三第一項」が加えられ、「第六十九条」は「第六十九条第一項」に改められた。（本文織込み済み）

② 前項の訴えにおいては、訴えを提起する者が著作物を利用する者であるときは著作権者を、著作権者であるときは著作物を利用する者を、それぞれ被告としなければならない。

第七三条及び第七四条　（略）

第十節　登録（抄）

第七五条①（**実名の登録**）　無名又は変名で公表された著作物の著作者は、現にその著作権を有するかどうかにかかわらず、その著作物についてその実名の登録を受けることができる。

② 著作者は、その遺言で指定する者により、死後において前項の登録を受けることができる。

③ 実名の登録がされている者は、当該登録に係る著作物の著作者と推定する。

第七六条①（**第一発行年月日等の登録**）　著作権者又は無名若しくは変名の著作物の発行者は、その著作物について第一発行年月日の登録又は第一公表年月日の登録を受けることができる。

② 第一発行年月日の登録又は第一公表年月日の登録がされている著作物については、これらの登録に係る年月日において最初の発行又は最初の公表があつたものと推定する。

第七六条の二①（**創作年月日の登録**）　プログラムの著作物の著作者は、その著作物について創作年月日の登録を受けることができる。ただし、その著作物の創作後六月を経過した場合は、この限りでない。

② 前項の登録がされている著作物については、その登録に係る年月日において創作があつたものと推定する。

第七七条（**著作権の登録**）　次に掲げる事項は、登録しなければ、第三者に対抗することができない。

一　著作権の移転若しくは信託による変更又は処分の制限

二　著作権を目的とする質権の設定、移転、変更若しくは消滅（混同又は著作権若しくは担保する債権の消滅によるものを除く。）又は処分の制限

第七八条　（略）

第七八条の二（**プログラムの著作物の登録に関する特例**）　プログラムの著作物に係る登録については、この節の規定によるほか、別に法律で定めるところによる。

第三章　出版権

第七九条①（**出版権の設定**）　第二十一条又は第二十三条第一項に規定する権利を有する者（以下この章において「複製権等保有者」という。）は、その著作物について、文書若しくは図画として出版するこ

と（電子計算機を用いてその映像面に文書又は図画として表示されるようにする方式により記録媒体に記録された当該著作物の複製物により頒布することを含む。次条第二項及び第八十一条第一号において「出版行為」という。）又は当該方式により記録媒体に記録された当該著作物の複製物を用いて公衆送信（放送又は有線放送を除き、自動公衆送信の場合にあつては送信可能化を含む。以下この章において同じ。）を行うこと（次条第二項及び第八十一条第二号において「公衆送信行為」という。）を引き受ける者に対し、出版権を設定することができる。

② 複製権等保有者は、その複製権又は公衆送信権を目的とする質権が設定されているときは、当該質権を有する者の承諾を得た場合に限り、出版権を設定することができるものとする。

第八〇条（**出版権の内容**）① 出版権者は、設定行為で定めるところにより、その出版権の目的である著作物について、次に掲げる権利の全部又は一部を専有する。

一 頒布の目的をもつて、原作のまま印刷その他の機械的又は化学的方法により文書又は図画として複製する権利（原作のまま前条第一項に規定する方式により記録媒体に記録された電磁的記録として複製する権利を含む。）

二 原作のまま前条第一項に規定する方式により記録媒体に記録された当該著作物の複製物を用いて公衆送信を行う権利

② 出版権の存続期間中に当該著作物の著作者が死亡したとき、又は、設定行為に別段の定めがある場合を除き、出版権の設定後最初の出版行為又は公衆送信行為（第八十三条第二項及び第八十四条第三項において「出版行為等」という。）があつた日から三年を経過したときは、複製権等保有者は、前項の規定にかかわらず、当該著作物について、全集その他の編集物（その著作者の著作物のみを編集したものに限る。）に収録して複製し、又は公衆送信を行うことができる。

③ 出版権者は、複製権等保有者の承諾を得た場合に限り、他人に対し、その出版権の目的である著作物の複製又は公衆送信を許諾することができる。

④ 第六十三条第二項、第三項及び第六項並びに第六十三条の二の規定は、前項の場合について準用する。この場合において、第六十三条第三項中「著作権者」とあるのは「第七十九条第一項の複製権等保有者及び出版権者」と、同条第六項中「第二十三条第一項」とあるのは「第八十条第一項（第二号に係る部分に限る。）」と読み替えるものとする。

第八一条（**出版の義務**） 出版権者は、次の各号に掲げる区分に応じ、その出版権の目的である著作物につき当該各号に定める義務を負う。ただし、設定行為に別段の定めがある場合は、この限りでない。

一 前条第一項第一号に掲げる権利に係る出版権者（次条において「第一号出版権者」という。） 次に掲げる義務

イ 複製権等保有者からその著作物を複製するために必要な原稿その他の原品若しくはこれに相当する物の引渡し又はその著作物に係る電磁的記録の提供を受けた日から六月以内に当該著作物について出版行為を行う義務

ロ 当該著作物について慣行に従い継続して出版行為を行う義務

二 前条第一項第二号に掲げる権利に係る出版権者（次条第一項第二号及び第百四条の十の三第二号ロにおいて「第二号出版権者」という。） 次に掲げる義務

イ 複製権等保有者からその著作物について公衆送信を行うために必要な原稿その他の原品若しくはこれに相当する物の引渡し又はその著作物に係る電磁的記録の提供を受けた日から六月以内に当該著作物について公衆送信行為を行う義務

ロ 当該著作物について慣行に従い継続して公衆送信行為を行う義務

第八二条（**著作物の修正増減**）① 著作者は、次に掲げる場合には、正当な範囲内において、その著作物に修正又は増減を加えることができる。

一 その著作物を第一号出版権者が改めて複製する場合

二 その著作物について第二号出版権者が公衆送信を行う場合

② 第一号出版権者は、その出版権の目的である著作物を改めて複製しようとするときは、その都度、あらかじめ著作者にその旨を通知しなければならない。

第八三条（**出版権の存続期間**）① 出版権の存続期間は、設定行為で定めるところによる。

② 出版権は、その存続期間につき設定行為に定めがないときは、その設定後最初の出版行為等があつた日から三年を経過した日において消滅する。

第八四条（**出版権の消滅の請求**）① 出版権者が第八十一条第一号（イに係る部分に限る。）又は第二号（イに係る部分に限る。）の義務に違反したときは、複製権等保有者は、出版権者に通知してそれぞれ第八十条第一項第一号又は第二号に掲げる権利に係る出版権を消滅させることができる。

② 出版権者が第八十一条第一号（ロに係る部分に限る。）又は第二号（ロに係る部分に限る。）の義務に違反した場合において、複製権等保有者が三月以上の期間を定めてその履行を催告したにもかかわらず、その期間内にその履行がされないときは、複製権等保有者は、出版権者に通知してそれぞれ第八十条第一項第一号又は第二号に掲げる権利に係る出版権を消滅させることができる。

③ 複製権等保有者である著作者は、その著作物の内容が自己の確信に適合しなくなつたときは、その著作物の出版行為等を廃絶するために、出版権者に通知してその出版権を消滅させることができる。ただし、当該廃絶により出版権者に通常生ずべき損害をあらかじめ賠償しない場合は、この限りでない。

第八五条 削除

第八六条（**出版権の制限**）① 第三十条の二から第三十条の四まで、第三十一条第一項及び第七項（第一号に係る部分に限る。）、第三十二条、第三十三条第一項（同条第四項において準用する場合を含む。）、第三十三条の二第一項、第三十三条の三第一項及び第四項、第三十四条第一項、第三十五条第一項、第三十六条第一項、第三十七条、第三十七条の二、第三十九条第一項、第四十条第一項及び第二項、第四十一条、第四十一条の二第一項、第四十二条、第四十二条の二第一項、第四十二条の三、第四十二条の四第二項、第四十六条、第四十七条第一項及び第三項、第四十七条の二、第四十七条の四並びに第四十七条の五の規定は、出版権の目的となつている著作物の複製について準用する。この場合において、第三十条の二第一項ただし書及び第二項ただし書、第三十条の三、第三十条の四ただし書、第三十一条第一項第一号、第三十五条第一項ただし書、第四十一条の二第一項ただし書、第四十二条ただし書、第四十二条の二第一項ただし書、第四十七条第一項ただし書及び第三項ただし書、第四十七条の二、第四十七条の四第一項ただし書及び第二項ただし書並びに第四十七条の五第一項ただし書及び第二項ただし書中「著作権者」とあるのは「出版権者」と、同条第一項ただし書中「著作権を」とあるのは「出版権を」と、「著作権の」とあるのは「出版権の」と読み替えるものとする。

② 次に掲げる者は、第八十条第一項第一号の複製を行つたものとみなす。

一 第三十条第一項に定める私的使用の目的又は第三十一条第四項若しくは第九項第一号に定める目的以外の目的のために、これらの規定の適用を受けて原作のまま印刷その他の機械的若しくは化学的方法により文書若しくは図画として複製することにより作成された著作物の複製物（原作のまま第七十九条第一項に規定する方式により記録媒体に記録された電磁的記録として複製することにより作成されたものを含む。）

を頒布し、又は当該複製物によつて当該著作物の公衆への提示を行つた者

二　前項において準用する第三十条の三、第三十一条第一項第一号若しくは第七項第一号、第三十三条の二第一項、第三十三条の三第一項若しくは第四項、第三十五条第一項、第三十七条第三項、第三十七条の二本文（同条第二号に係る場合にあつては、同号）、第四十一条、第四十一条の二第一項、第四十二条、第四十二条の二第一項、第四十二条の三、第四十二条の四第二項、第四十七条第一項若しくは第三項、第四十七条の二又は第四十七条の五第一項に定める目的以外の目的のために、これらの規定の適用を受けて作成された著作物の複製物を頒布し、又は当該複製物によつて当該著作物の公衆への提示を行つた者

三　前項において準用する第三十条の四の規定の適用を受けて作成された著作物の複製物を用いて、当該著作物に表現された思想又は感情を自ら享受し又は他人に享受させる目的のために、いずれの方法によるかを問わず、当該著作物を利用した者

四　前項において準用する第四十七条の四又は第四十七条の五第二項に定める目的以外の目的のために、これらの規定の適用を受けて作成された著作物の複製物を用いて、いずれの方法によるかを問わず、当該著作物を利用した者

③　第三十条の二から第三十条の四まで、第三十一条第二項（第二号に係る部分に限る。）、第五項、第七項前段及び第八項、第三十二条第一項、第三十三条の二第一項、第三十三条の三第四項、第三十五条第一項、第三十六条第一項、第三十七条第二項及び第三項、第三十七条の二（第二号を除く。）、第四十条第一項、第四十一条、第四十一条の二第二項、第四十二条、第四十二条の二第二項、第四十二条の三、第四十二条の四第二項、第四十六条、第四十七条第二項及び第三項、第四十七条の二、第四十七条の四並びに第四十七条の五の規定は、出版権の目的となつている著作物の公衆送信について準用する。この場合において、第三十条の二第一項ただし書及び第二項ただし書、第三十条の三、第三十条の四ただし書、第三十一条第五項、第三十五条第一項ただし書、第三十六条第一項ただし書、第四十一条の二第二項ただし書、第四十二条の二第二項ただし書、第四十七条第二項ただし書及び第三項ただし書、第四十七条の二、第四十七条の四第一項ただし書及び第二項ただし書並びに第四十七条の五第一項ただし書及び第二項ただし書中「著作権者」とあるのは「出版権者」と、第三十一条第二項中「著作権者の」とあるのは「出版権者の」と、「著作権者若しくはその許諾を得た者又は第七十九条の出版権の設定を受けた者若しくは」とあるのは「第七十九条の出版権の設定を受けた者又は」と、第四十七条の五第一項ただし書中「著作権を」とあるのは「出版権を」と、「著作権の」とあるのは「出版権の」と読み替えるものとする。

（出版権の譲渡等）
第八七条　出版権は、複製権等保有者の承諾を得た場合に限り、その全部又は一部を譲渡し、又は質権の目的とすることができる。

（出版権の登録）
第八八条①　次に掲げる事項は、登録しなければ、第三者に対抗することができない。

一　出版権の設定、移転、変更若しくは消滅（混同又は複製権若しくは公衆送信権の消滅によるものを除く。）又は処分の制限

二　出版権を目的とする質権の設定、移転、変更若しくは消滅（混同又は出版権若しくは担保する債権の消滅によるものを除く。）又は処分の制限

②　第七十八条（第三項を除く。）の規定は、前項の登録について準用する。この場合において、同条第一項、第二項、第四項、第八項及び第九項中「著作権登録原簿」とあるのは、「出版権登録原簿」と読み替えるものとする。

第四章　著作隣接権（抄）

第一節　総則

（著作隣接権）
第八九条①　実演家は、第九十条の二第一項及び第九十条の三第一項に規定する権利（以下「実演家人格権」という。）並びに第九十一条第一項、第九十二条第一項、第九十二条の二第一項、第九十五条の二第一項及び第九十五条の三第一項に規定する権利並びに第九十四条の二及び第九十五条の三第三項に規定する報酬並びに第九十五条第一項に規定する二次使用料を受ける権利を享有する。

②　レコード製作者は、第九十六条、第九十六条の二、第九十七条の二第一項及び第九十七条の三第一項に規定する権利並びに第九十七条第一項に規定する二次使用料及び第九十七条の三第三項に規定する報酬を受ける権利を享有する。

③　放送事業者は、第九十八条から第百条までに規定する権利を享有する。

④　有線放送事業者は、第百条の二から第百条の五までに規定する権利を享有する。

⑤　前各項の権利の享有には、いかなる方式の履行をも要しない。

⑥　第一項から第四項までの権利（実演家人格権並びに第一項及び第二項の報酬及び二次使用料を受ける権利を除く。）は、著作隣接権という。

（著作者の権利と著作隣接権との関係）
第九〇条　この章の規定は、著作者の権利に影響を及ぼすものと解釈してはならない。

第二節　実演家の権利

（氏名表示権）
第九〇条の二①　実演家は、その実演の公衆への提供又は提示に際し、その氏名若しくはその芸名その他氏名に代えて用いられるものを実演家名として表示し、又は実演家名を表示しないこととする権利を有する。

②　実演を利用する者は、その実演家の別段の意思表示がない限り、その実演につき既に実演家が表示しているところに従つて実演家名を表示することができる。

③　実演家名の表示は、実演の利用の目的及び態様に照らし実演家がその実演の実演家であることを主張する利益を害するおそれがないと認められるとき又は公正な慣行に反しないと認められるときは、省略することができる。

④　第一項の規定は、次の各号のいずれかに該当するときは、適用しない。

一　行政機関情報公開法、独立行政法人等情報公開法又は情報公開条例の規定により行政機関の長、独立行政法人等又は地方公共団体の機関若しくは地方独立行政法人が実演を公衆に提供し、又は提示する場合において、当該実演につき既にその実演家が表示しているところに従つて実演家名を表示するとき。

二　行政機関情報公開法第六条第二項の規定、独立行政法人等情報公開法第六条第二項の規定又は情報公開条例の規定で行政機関情報公開法第六条第二項の規定に相当するものにより行政機関の長、独立行政法人等又は地方公共団体の機関若しくは地方独立行政法人が実演を公衆に提供し、又は提示する場合において、当該実演の実演家名の表示を省略することとなるとき。

三　公文書管理法第十六条第一項の規定又は公文書管理条例の規定（同項の規定に相当する規定に限る。）により国立公文書館等の長又は地方公文書館等の長が実演を公衆に提供し、又は提示する場合において、当該実演につき既にその実演家が表示しているところに従つて実演家名を表示するとき。

（同一性保持権）
第九〇条の三①　実演家は、その実演の同一性を保持する権利を

有し、自己の名誉又は声望を害するその実演の変更、切除その他の改変を受けないものとする。

② 前項の規定は、実演の性質並びにその利用の目的及び態様に照らしやむを得ないと認められる改変又は公正な慣行に反しないと認められる改変については、適用しない。

（録音権及び録画権）

第九一条① 実演家は、その実演を録音し、又は録画する権利を専有する。

② 前項の規定は、同項に規定する権利を有する者の許諾を得て映画の著作物において録音され、又は録画された実演については、これを録音物（音を専ら影像とともに再生することを目的とするものを除く。）に録音する場合を除き、適用しない。

（放送権及び有線放送権）

第九二条① 実演家は、その実演を放送し、又は有線放送する権利を専有する。

② 前項の規定は、次に掲げる場合には、適用しない。

一 放送される実演を有線放送する場合

二 次に掲げる実演を放送し、又は有線放送する場合

イ 前条第一項に規定する権利を有する者の許諾を得て録音され、又は録画されている実演

ロ 前条第二項の実演で同項の録音物以外の物に録音され、又は録画されているもの

（送信可能化権）

第九二条の二① 実演家は、その実演を送信可能化する権利を専有する。

② 前項の規定は、次に掲げる実演については、適用しない。

一 第九十一条第一項に規定する権利を有する者の許諾を得て録画されている実演

二 第九十一条第二項の実演で同項の録音物以外の物に録音され、又は録画されているもの

（放送等のための固定）

第九三条① 実演の放送について第九十二条第一項に規定する権利を有する者の許諾を得た放送事業者は、その実演を放送及び放送同時配信等のために録音し、又は録画することができる。ただし、契約に別段の定めがある場合及び当該許諾に係る放送番組と異なる内容の放送番組に使用する目的で録音し、又は録画する場合は、この限りでない。

② 次に掲げる者は、第九十一条第一項の録音又は録画を行つたものとみなす。

一 前項の規定により作成された録音物又は録画物を放送若しくは放送同時配信等の目的以外の目的又は同項ただし書に規定する目的のために使用し、又は提供した者

二 前項の規定により作成された録音物又は録画物の提供を受けた放送事業者又は放送同時配信等事業者で、これらを更に他の放送事業者又は放送同時配信等事業者の放送又は放送同時配信等のために提供したもの

（放送のための固定物等による放送）

第九三条の二① 第九十二条第一項に規定する権利を有する者がその実演の放送を許諾したときは、契約に別段の定めがない限り、当該実演は、当該許諾に係る放送のほか、次に掲げる放送において放送することができる。

一 当該許諾を得た放送事業者が前条第一項の規定により作成した録音物又は録画物を用いてする放送

二 当該許諾を得た放送事業者からその者が前条第一項の規定により作成した録音物又は録画物の提供を受けてする放送

三 当該許諾を得た放送事業者から当該許諾に係る放送番組の供給を受けてする放送（前号の放送を除く。）

② 前項の場合において、同項各号に掲げる放送において実演が放送されたときは、当該各号に規定する放送事業者は、相当な額の報酬を当該実演に係る第九十二条第一項に規定する権利を有する者に支払わなければならない。

（放送等のための固定物等による放送同時配信等）

第九三条の三① 第九十二条の二第一項に規定する権利（放送同時配信等に係るものに限る。以下この項及び第九十四条の三第一項において同じ。）を有する者（以下「特定実演家」という。）が放送事業者に対し、その実演の放送同時配信等（当該放送事業者と密接な関係を有する放送同時配信等事業者が放送番組の供給を受けて行うものを含む。）の許諾を行つたときは、契約に別段の定めがない限り、当該許諾を得た実演（当該実演に係る第九十二条の二第一項に規定する権利について著作権等管理事業者による管理が行われているもの又は文化庁長官が定める方法により当該実演に係る特定実演家の氏名若しくは名称、放送同時配信等の許諾の申込みを受け付けるための連絡先その他の円滑な許諾のために必要な情報であつて文化庁長官が定めるものの公表がされているものを除く。）について、当該許諾に係る放送同時配信等のほか、次に掲げる放送同時配信等を行うことができる。

一 当該許諾を得た放送事業者が当該実演について第九十三条第一項の規定により作成した録音物又は録画物を用いてする放送同時配信等

二 当該許諾を得た放送事業者と密接な関係を有する放送同時配信等事業者が当該放送事業者から当該許諾に係る放送番組の供給を受けてする放送同時配信等

② 前項の場合において、同項各号に掲げる放送同時配信等が行われたときは、当該放送事業者又は放送同時配信等事業者は、通常の使用料の額に相当する額の報酬を当該実演に係る特定実演家に支払わなければならない。

③ 前項の報酬を受ける権利は、著作権等管理事業者であつて全国を通じて一個に限りその同意を得て文化庁長官が指定するものがあるときは、当該指定を受けた著作権等管理事業者（以下この条において「指定報酬管理事業者」という。）によつてのみ行使することができる。

④ 文化庁長官は、次に掲げる要件を備える著作権等管理事業者でなければ、前項の規定による指定をしてはならない。

一 営利を目的としないこと。

二 その構成員が任意に加入し、又は脱退することができること。

三 その構成員の議決権及び選挙権が平等であること。

四 第二項の報酬を受ける権利を有する者（次項及び第七項において「権利者」という。）のためにその権利を行使する業務を自ら的確に遂行するに足りる能力を有すること。

⑤ 指定報酬管理事業者は、権利者のために自己の名をもつてその権利に関する裁判上又は裁判外の行為を行う権限を有する。

⑥ 文化庁長官は、指定報酬管理事業者に対し、政令で定めるところにより、第二項の報酬に係る業務に関して報告をさせ、若しくは帳簿、書類その他の資料の提出を求め、又はその業務の執行方法の改善のため必要な勧告をすることができる。

⑦ 指定報酬管理事業者が第三項の規定により権利者のために請求することができる報酬の額は、毎年、指定報酬管理事業者と放送事業者若しくは放送同時配信等事業者又はその団体との間において協議して定めるものとする。

⑧ 前項の協議が成立しないときは、その当事者は、政令で定めるところにより、同項の報酬の額について文化庁長官の裁定を求めることができる。

⑨ 第六十七条第七項（第一号に係る部分に限る。）及び第八項、第六十八条第三項、第七十条、第七十一条（第二号に係る部分に限る。）、第七十二条第一項、第七十三条本文並びに第七十四条第一項（第四号及び第五号に係る部分に限る。第十一項において同じ。）及び第二項の規定は、第二項の報酬及び前項の裁定について準用する。この場合において、第六十七条第七項中「申請者」とあり、及び第六十八条第三項中「著作権者」とあるのは「当事者」と、第六十七条第七項第一号中「第五項各号に掲げる事項及び当該裁定に係る著作物の利用につき定めた補償金の額」とあり、及び同条第八項中「その旨及び次に掲げる事項」とあるのは「その旨」と、第七十四条第二項中「著作権者」とあるのは「第九十三条の三第三項に規定する指定報酬管

理事業者」と読み替えるものとする。

＊令和五法三三（令和八・五・二五までに施行）による改正前

⑨ 第七十条第三項、第六項及び第八項、第七十一条（第二号に係る部分に限る。）、第七十二条第一項、第七十三条本文並びに第七十四条第一項（第四号及び第五号に係る部分に限る。第十一項において同じ。）及び第二項の規定は、第二項の報酬及び前項の裁定について準用する。この場合において、第七十条第三項中「著作権者」とあり、及び同条第六項中「申請者に通知し、第六十八条第一項又は前条の裁定をしたときは、その旨を当事者」とあるのは「当事者」と、第七十四条第二項中「著作権者」とあるのは「第九十三条の三第三項に規定する指定報酬管理事業者」と読み替えるものとする。

⑩ 前項において準用する第七十二条第一項の訴えにおいては、訴えを提起する者が放送事業者若しくは放送同時配信等事業者又はその団体であるときは指定報酬管理事業者を、指定報酬管理事業者であるときは放送事業者若しくは放送同時配信等事業者又はその団体を、それぞれ被告としなければならない。

⑪ 第九項において準用する第七十四条第一項及び第二項の規定による報酬の供託は、指定報酬管理事業者の所在地の最寄りの供託所にするものとする。この場合において、供託をした者は、速やかにその旨を指定報酬管理事業者に通知しなければならない。

⑫ 私的独占の禁止及び公正取引の確保に関する法律（昭和二十二年法律第五十四号）の規定は、第七項の協議による定め及びこれに基づいてする行為については、適用しない。ただし、不公正な取引方法を用いる場合及び関連事業者の利益を不当に害することとなる場合は、この限りでない。

⑬ 第二項から前項までに定めるもののほか、第二項の報酬の支払及び指定報酬管理事業者に関し必要な事項は、政令で定める。

（特定実演家と連絡することができない場合の放送同時配信等）

第九四条① 第九十三条の二第一項の規定により同項第一号に掲げる放送において実演が放送される場合において、当該放送を行う放送事業者又は当該放送事業者と密接な関係を有する放送同時配信等事業者は、次に掲げる措置の全てを講じてもなお当該実演に係る特定実演家と連絡することができないときは、契約に別段の定めがない限り、その事情につき、著作権等管理事業者であつて全国を通じて一個に限りその同意を得て文化庁長官が指定したもの（以下この条において「指定補償金管理事業者」という。）の確認を受け、かつ、通常の使用料の額に相当する額の補償金であつて特定実演家に支払うべきものを指定補償金管理事業者に支払うことにより、放送事業者にあつては当該放送に用いる録音物又は録画物を用いて、放送同時配信等事業者にあつては当該放送に係る放送番組の供給を受けて、当該実演の放送同時配信等を行うことができる。

一 当該特定実演家の連絡先を保有している場合には、当該連絡先に宛てて連絡を行うこと。

二 著作権等管理事業者であつて実演について管理を行つているものに対し照会すること。

三 前条第一項に規定する公表がされているかどうかを確認すること。

四 放送同時配信等することを予定している放送番組の名称、当該特定実演家の氏名その他の文化庁長官が定める情報を文化庁長官が定める方法により公表すること。

② 前項の確認を受けようとする放送事業者又は放送同時配信等事業者は、同項各号に掲げる措置の全てを適切に講じてもなお放送同時配信等しようとする実演に係る特定実演家と連絡することができないことを疎明する資料を指定補償金管理事業者に提出しなければならない。

③ 第一項の規定により補償金を受領した指定補償金管理事業者は、同項の規定により放送同時配信等された実演に係る特定実演家から請求があつた場合には、当該特定実演家に当該補償金を支払わなければならない。

④ 前条第四項の規定は第一項の規定による指定について、同条第五項から第十三項までの規定は第一項の補償金及び指定補償金管理事業者について、それぞれ準用する。この場合において、同条第四項第四号中「第二項の報酬を受ける権利を有する者（次項及び第七項において「権利者」という。）のためにその権利を行使する」とあるのは「次条第一項の確認及び同項の補償金に係る」と、同条第五項中「権利者」とあるのは「特定実演家」と、同条第六項中「第二項の報酬」とあるのは「次条第一項の確認及び同項の補償金」と、同条第七項中「第三項の規定により権利者のために請求することができる報酬」とあるのは「次条第一項の規定により受領する補償金」と読み替えるものとする。

（放送される実演の有線放送）

第九四条の二 有線放送事業者は、放送される実演を有線放送した場合（営利を目的とせず、かつ、聴衆又は観衆から料金（いずれの名義をもつてするかを問わず、実演の提示につき受ける対価をいう。第九十五条第一項において同じ。）を受けない場合を除く。）には、当該実演（著作隣接権の存続期間内のものに限り、第九十二条第二項第二号に掲げるものを除く。）に係る実演家に相当な額の報酬を支払わなければならない。

（商業用レコードに録音されている実演の放送同時配信等）

第九四条の三① 放送事業者、有線放送事業者又は放送同時配信等事業者は、第九十一条第一項に規定する権利を有する者の許諾を得て商業用レコード（送信可能化されたレコードを含む。次項、次条第一項、第九十六条の三第一項及び第二項並びに第九十七条第一項及び第三項において同じ。）に録音されている実演（当該実演に係る第九十二条の二第一項に規定する権利について著作権等管理事業者による管理が行われているもの又は文化庁長官が定める方法により当該実演に係る特定実演家の氏名若しくは名称、放送同時配信等の許諾の申込みを受け付けるための連絡先その他の円滑な許諾のために必要な情報であつて文化庁長官が定めるものの公表がされているものを除く。）について放送同時配信等を行うことができる。

② 前項の場合において、商業用レコードを用いて同項の実演の放送同時配信等を行つたときは、放送事業者、有線放送事業者又は放送同時配信等事業者は、通常の使用料の額に相当する額の補償金を当該実演に係る特定実演家に支払わなければならない。

③ 前項の補償金を受ける権利は、著作権等管理事業者であつて全国を通じて一個に限りその同意を得て文化庁長官が指定するものがあるときは、当該著作権等管理事業者によつてのみ行使することができる。

④ 第九十三条の三第四項の規定は前項の規定による指定について、同条第五項から第十三項までの規定は第二項の補償金及び前項の規定による指定を受けた著作権等管理事業者について、それぞれ準用する。この場合において、同条第四項第四号中「第二項の報酬」とあるのは「第九十四条の三第二項の補償金」と、同条第七項及び第十項中「放送事業者」とあるのは「放送事業者、有線放送事業者」と読み替えるものとする。

（商業用レコードの二次使用）

第九五条① 放送事業者及び有線放送事業者（以下この条及び第九十七条第一項において「放送事業者等」という。）は、第九十一条第一項に規定する権利を有する者の許諾を得て実演が録音されている商業用レコードを用いた放送又は有線放送を行つた場合（営利を目的とせず、かつ、聴衆又は観衆から料金を受けずに、当該放送を受信して同時に有線放送を行つた場合を除く。）には、当該実演（第七条第一号から第六号までに掲げる実演で著作隣接権の存続期間内のものに限る。次項から第四項までにおいて同じ。）に係る実演家に二次使用料を支払わなければならない。

② 前項の規定は、実演家等保護条約の締約国については、当該

締約国であつて、実演家等保護条約第十六条1(a)(i)の規定に基づき実演家等保護条約第十二条の規定を適用しないこととしている国以外の国の国民をレコード製作者とするレコードに固定されている実演に係る実演家について適用する。

③　第八条第一号に掲げるレコードについて実演家等保護条約の締約国により与えられる実演家等保護条約第十二条の規定による保護の期間が第一項の規定により実演家が保護を受ける期間より短いときは、当該締約国の国民をレコード製作者とするレコードに固定されている実演に係る実演家が同項の規定により保護を受ける期間は、第八条第一号に掲げるレコードについて当該締約国により与えられる実演家等保護条約第十二条の規定による保護の期間による。

④　第一項の規定は、実演・レコード条約の締約国（実演家等保護条約の締約国を除く。）であつて、実演・レコード条約第十五条(3)の規定により留保を付している国の国民をレコード製作者とするレコードに固定されている実演に係る実演家については、当該留保の範囲に制限して適用する。

⑤　第一項の二次使用料を受ける権利は、国内において実演を業とする者の相当数を構成員とする団体（その連合体を含む。）でその同意を得て文化庁長官が指定するものがあるときは、当該団体によつてのみ行使することができる。

⑥　文化庁長官は、次に掲げる要件を備える団体でなければ、前項の指定をしてはならない。

一　営利を目的としないこと。

二　その構成員が任意に加入し、又は脱退することができること。

三　その構成員の議決権及び選挙権が平等であること。

四　第一項の二次使用料を受ける権利を有する者（以下この条において「権利者」という。）のためにその権利を行使する業務をみずから的確に遂行するに足りる能力を有すること。

⑦　第五項の団体は、権利者から申込みがあつたときは、その者のためにその権利を行使することを拒んではならない。

⑧　第五項の団体は、前項の申込みがあつたときは、権利者のために自己の名をもつてその権利に関する裁判上又は裁判外の行為を行う権限を有する。

⑨　文化庁長官は、第五項の団体に対し、政令で定めるところにより、第一項の二次使用料に係る業務に関して報告をさせ、若しくは帳簿、書類その他の資料の提出を求め、又はその業務の執行方法の改善のため必要な勧告をすることができる。

⑩　第五項の団体が同項の規定により権利者のために請求することができる二次使用料の額は、毎年、当該団体と放送事業者等又はその団体との間において協議して定めるものとする。

⑪　前項の協議が成立しないときは、その当事者は、政令で定めるところにより、同項の二次使用料の額について文化庁長官の裁定を求めることができる。

⑫　第六十七条第七項（第一号に係る部分に限る。）及び第八項、第六十八条第三項、第七十条、第七十一条（第二号に係る部分に限る。）並びに第七十二条から第七十四条までの規定は、前項の裁定及び二次使用料について準用する。この場合において、第六十七条第七項中「申請者」とあり、及び第六十八条第三項中「著作権者」とあるのは「当事者」と、第六十七条第七項第一号中「第五項各号に掲げる事項及び当該裁定に係る著作物の利用につき定めた補償金の額」とあり、及び同条第八項中「その旨及び次に掲げる事項」とあるのは「その旨」と、第七十二条第二項中「著作物を利用する者」とあるのは「第九十五条第一項の放送事業者等」と、「著作権者」とあるのは「同条第五項の団体」と、第七十四条中「著作権者」とあるのは「第九十五条第五項の団体」と読み替えるものとする。

＊令和五法三三（令和八・五・二五までに施行）による改正前

⑫　第七十条第三項、第六項及び第八項、第七十一条（第二号に係る部分に限る。）並びに第七十二条から第七十四条までの規定は、前項の裁定及び二次使用料について準用する。この場合において、第七十条第三項中「著作権者」とあるのは「当事者」と、第七十二条第二項中「著作物を利用する者」とあるのは「第九十五条第一項の放送事業者等」と、「著作権者」とあるのは「同条第五項の団体」と、第七十四条中「著作権者」とあるのは「第九十五条第五項の団体」と読み替えるものとする。

⑬　私的独占の禁止及び公正取引の確保に関する法律の規定は、第十項の協議による定め及びこれに基づいてする行為については、適用しない。ただし、不公正な取引方法を用いる場合及び関連事業者の利益を不当に害することとなる場合は、この限りでない。

⑭　第五項から前項までに定めるもののほか、第一項の二次使用料の支払及び第五項の団体に関し必要な事項は、政令で定める。

（譲渡権）

第九五条の二①　実演家は、その実演をその録音物又は録画物の譲渡により公衆に提供する権利を専有する。

②　前項の規定は、次に掲げる実演については、適用しない。

一　第九十一条第一項に規定する権利を有する者の許諾を得て録画されている実演

二　第九十一条第二項の実演で同項の録音物以外の物に録音され、又は録画されているもの

③　第一項の規定は、実演（前項各号に掲げるものを除く。以下この条において同じ。）の録音物又は録画物で次の各号のいずれかに該当するものの譲渡による場合には、適用しない。

一　第一項に規定する権利を有する者又はその許諾を得た者により公衆に譲渡された実演の録音物又は録画物

二　第百三条において準用する第六十七条第一項又は第六十七条の三第一項の規定による裁定を受けて公衆に譲渡された実演の録音物又は録画物

＊令和五法三三（令和八・五・二五までに施行）による改正

第二号中「第六十七条第一項」の下に「又は第六十七条の三第一項」が加えられた。（本文織込み済み）

三　第百三条において準用する第六十七条の二第一項の規定の適用を受けて公衆に譲渡された実演の録音物又は録画物

四　第一項に規定する権利を有する者又はその承諾を得た者により特定かつ少数の者に譲渡された実演の録音物又は録画物

五　国外において、第一項に規定する権利に相当する権利を害することなく、又は同項に規定する権利に相当する権利を有する者若しくはその承諾を得た者により譲渡された実演の録音物又は録画物

（貸与権等）

第九五条の三①　実演家は、その実演をそれが録音されている商業用レコードの貸与により公衆に提供する権利を専有する。

②　前項の規定は、最初に販売された日から起算して一月以上十二月を超えない範囲内において政令で定める期間を経過した商業用レコード（複製されているレコードのすべてが当該商業用レコードと同一であるものを含む。以下「期間経過商業用レコード」という。）の貸与による場合には、適用しない。

③　商業用レコードの公衆への貸与を営業として行う者（以下「貸レコード業者」という。）は、期間経過商業用レコードの貸与により実演を公衆に提供した場合には、当該実演（著作隣接権の存続期間内のものに限る。）に係る実演家に相当な額の報酬を支払わなければならない。

④　第九十五条第五項から第十四項までの規定は、前項の報酬を受ける権利について準用する。この場合において、同条第十項中「放送事業者等」とあり、及び同条第十二項中「第九十五条第一項の放送事業者等」とあるのは、「第九十五条の三第三項の貸レコード業者」と読み替えるものとする。

⑤　第一項に規定する権利を有する者の許諾に係る使用料を受ける権利は、前項において準用する第九十五条第五項の団体によつて行使することができる。

⑥　第九十五条第七項から第十四項までの規定は、前項の場合について準用する。この場合においては、第四項後段の規定を準用する。

第三節　レコード製作者の権利

（複製権）
第九六条　レコード製作者は、そのレコードを複製する権利を専有する。

（送信可能化権）
第九六条の二　レコード製作者は、そのレコードを送信可能化する権利を専有する。

（商業用レコードの放送同時配信等）
第九六条の三①　放送事業者、有線放送事業者又は放送同時配信等事業者は、商業用レコード（当該商業用レコードに係る前条に規定する権利（放送同時配信等に係るものに限る。以下この項及び次項において同じ。）について著作権等管理事業者による管理が行われているもの又は文化庁長官が定める方法により当該商業用レコードに係る同条に規定する権利を有する者の氏名若しくは名称、放送同時配信等の許諾の申込みを受け付けるための連絡先その他の円滑な許諾のために必要な情報であつて文化庁長官が定めるものの公表がされているものを除く。次項において同じ。）を用いて放送同時配信等を行うことができる。
②　前項の場合において、商業用レコードを用いて放送同時配信等を行つたときは、放送事業者、有線放送事業者又は放送同時配信等事業者は、通常の使用料の額に相当する額の補償金を当該商業用レコードに係る前条に規定する権利を有する者に支払わなければならない。
③　前項の補償金を受ける権利は、著作権等管理事業者であつて全国を通じて一個に限りその同意を得て文化庁長官が指定するものがあるときは、当該著作権等管理事業者によつてのみ行使することができる。
④　第九十三条の三第四項の規定は前項の規定による指定について、同条第五項から第十三項までの規定は第二項の補償金及び前項の規定による指定を受けた著作権等管理事業者についてそれぞれ準用する。この場合において、同条第四項第四号中「第二項の報酬」とあるのは「第九十六条の三第二項の補償金」と、同条第七項及び第十項中「放送事業者」とあるのは「放送事業者、有線放送事業者」と読み替えるものとする。

（商業用レコードの二次使用）
第九七条①　放送事業者等は、商業用レコードを用いた放送又は有線放送を行つた場合（営利を目的とせず、かつ、聴衆又は観衆から料金（いずれの名義をもつてするかを問わず、レコードに係る音の提示につき受ける対価をいう。）を受けずに、当該放送を受信して同時に有線放送を行つた場合を除く。）には、そのレコード（第八条第一号から第四号までに掲げるレコードで著作隣接権の存続期間内のものに限る。）に係るレコード製作者に二次使用料を支払わなければならない。
②　第九十五条第二項及び第四項の規定は、前項に規定するレコード製作者について準用し、同条第三項の規定は、前項の規定により保護を受ける期間について準用する。この場合において、同条第二項から第四項までの規定中「国民をレコード製作者とするレコードに固定されている実演に係る実演家」とあるのは「国民であるレコード製作者」と、同条第三項中「実演家が保護を受ける期間」とあるのは「レコード製作者が保護を受ける期間」と読み替えるものとする。
③　第一項の二次使用料を受ける権利は、国内において商業用レコードの製作を業とする者の相当数を構成員とする団体（その連合体を含む。）でその同意を得て文化庁長官が指定するものがあるときは、当該団体によつてのみ行使することができる。
④　第九十五条第六項から第十四項までの規定は、第一項の二次使用料及び前項の団体について準用する。

（譲渡権）
第九七条の二①　レコード製作者は、そのレコードをその複製物の譲渡により公衆に提供する権利を専有する。
②　前項の規定は、レコードの複製物で次の各号のいずれかに該当するものの譲渡による場合には、適用しない。
一　前項に規定する権利を有する者又はその許諾を得た者により公衆に譲渡されたレコードの複製物
二　第百三条において準用する第六十七条第一項又は第六十七条の三第一項の規定による裁定を受けて公衆に譲渡されたレコードの複製物

＊令和五法三三（令和八・五・二五までに施行）による改正
第二号中「第六十七条第一項」の下に「又は第六十七条の三第一項」が加えられた。（本文織込み済み）

三　第百三条において準用する第六十七条の二第一項の規定の適用を受けて公衆に譲渡されたレコードの複製物
四　前項に規定する権利を有する者又はその承諾を得た者により特定かつ少数の者に譲渡されたレコードの複製物
五　国外において、前項に規定する権利に相当する権利を害することなく、又は同項に規定する権利に相当する権利を有する者若しくはその承諾を得た者により譲渡されたレコードの複製物

（貸与権等）
第九七条の三①　レコード製作者は、そのレコードをそれが複製されている商業用レコードの貸与により公衆に提供する権利を専有する。
②　前項の規定は、期間経過商業用レコードの貸与による場合には、適用しない。
③　貸レコード業者は、期間経過商業用レコードの貸与によりレコードを公衆に提供した場合には、当該レコード（著作隣接権の存続期間内のものに限る。）に係るレコード製作者に相当な額の報酬を支払わなければならない。
④　第九十七条第三項の規定は、前項の報酬を受ける権利の行使について準用する。
⑤　第九十五条第六項から第十四項までの規定は、第三項の報酬及び前項において準用する第九十七条第三項に規定する団体について準用する。この場合においては、第九十五条の三第四項後段の規定を準用する。
⑥　第一項に規定する権利を有する者の許諾に係る使用料を受ける権利は、第四項において準用する第九十七条第三項の団体によつて行使することができる。
⑦　第五項の規定は、前項の場合について準用する。この場合において、第五項中「第九十五条第六項」とあるのは、「第九十五条第七項」と読み替えるものとする。

第四節　放送事業者の権利

（複製権）
第九八条　放送事業者は、その放送又はこれを受信して行なう有線放送を受信して、その放送に係る音又は影像を録音し、録画し、又は写真その他これに類似する方法により複製する権利を専有する。

（再放送権及び有線放送権）
第九九条①　放送事業者は、その放送を受信してこれを再放送し、又は有線放送する権利を専有する。
②　前項の規定は、放送を受信して有線放送を行なう者が法令の規定により行なわなければならない有線放送については、適用しない。

（送信可能化権）
第九九条の二①　放送事業者は、その放送又はこれを受信して行う有線放送を受信して、その放送を送信可能化する権利を専有する。
②　前項の規定は、放送を受信して自動公衆送信を行う者が法令の規定により行わなければならない自動公衆送信に係る送信可能化については、適用しない。

（テレビジョン放送の伝達権）
第一〇〇条　放送事業者は、そのテレビジョン放送又はこれを受信して行なう有線放送を受信して、影像を拡大する特別の装置を用いてその放送を公に伝達する権利を専有する。

第五節　有線放送事業者の権利

（複製権）
第一〇〇条の二　有線放送事業者は、その有線放送を受信して、その有線放送に係る音又は影像を録音し、録画し、又は写真その他これに類似する方法により複製する権利を専有する。

（放送権及び再有線放送権）
第一〇〇条の三　有線放送事業者は、その有線放送を受信してこれを放送し、又は再有線放送する権利を専有する。

（送信可能化権）
第一〇〇条の四　有線放送事業者は、その有線放送を受信してこれを送信可能化する権利を専有する。

（有線テレビジョン放送の伝達権）
第一〇〇条の五　有線放送事業者は、その有線テレビジョン放送を受信して、影像を拡大する特別の装置を用いてその有線放送を公に伝達する権利を専有する。

第六節　保護期間

（実演、レコード、放送又は有線放送の保護期間）
第一〇一条①　著作隣接権の存続期間は、次に掲げる時に始まる。
一　実演に関しては、その実演を行つた時
二　レコードに関しては、その音を最初に固定した時
三　放送に関しては、その放送を行つた時
四　有線放送に関しては、その有線放送を行つた時
②　著作隣接権の存続期間は、次に掲げる時をもつて満了する。
一　実演に関しては、その実演が行われた日の属する年の翌年から起算して七十年を経過した時
二　レコードに関しては、その発行が行われた日の属する年の翌年から起算して七十年（その音が最初に固定された日の属する年の翌年から起算して七十年を経過する時までの間に発行されなかつたときは、その音が最初に固定された日の属する年の翌年から起算して七十年）を経過した時
三　放送に関しては、その放送が行われた日の属する年の翌年から起算して五十年を経過した時
四　有線放送に関しては、その有線放送が行われた日の属する年の翌年から起算して五十年を経過した時

第七節　実演家人格権の一身専属性等

（実演家人格権の一身専属性）
第一〇一条の二　実演家人格権は、実演家の一身に専属し、譲渡することができない。

（実演家の死後における人格的利益の保護）
第一〇一条の三　実演を公衆に提供し、又は提示する者は、その実演の実演家の死後においても、実演家が生存しているとしたならばその実演家人格権の侵害となるべき行為をしてはならない。ただし、その行為の性質及び程度、社会的事情の変動その他によりその行為が当該実演家の意を害しないと認められる場合は、この限りでない。

第八節　権利の制限、譲渡及び行使等並びに登録

（抄）

（著作隣接権の制限）
第一〇二条①　第三十条第一項（第四号を除く。第九項第一号において同じ。）、第三十条の二から第三十二条まで、第三十五条、第三十六条、第三十七条第三項、第三十七条の二（第一号を除く。次項において同じ。）、第三十八条第二項及び第四項、第四十一条から第四十三条まで、第四十四条（第二項を除く。）、第四十六条から第四十七条の二まで、第四十七条の四並びに第四十七条の五の規定は、著作隣接権の目的となつている実演、レコード、放送又は有線放送の利用について準用し、第三十条第三項及び第四十七条の七の規定は、著作隣接権の目的となつている実演又はレコードの利用について準用し、第三十三条から第三十三条の三までの規定は、著作隣接権の目的となつている放送又は有線放送の利用について準用し、第四十四条第二項の規定は、著作隣接権の目的となつている実演、レコード又は有線放送の利用について準用する。この場合において、第三十条第一項第三号中「自動公衆送信（国外で行われる自動公衆送信」とあるのは「送信可能化（国外で行われる送信可能化」と、「含む。）」とあるのは「含む。）に係る自動公衆送信」と、第四十四条第一項中「第二十三条第一項」とあるのは「第九十二条第一項、第九十二条の二第一項、第九十六条の二、第九十九条第一項又は第百条の三」と、同条第二項中「第二十三条第一項」とあるのは「第九十二条第一項、第九十二条の二第一項、第九十六条の二又は第百条の三」と、同条第三項中「第二十三条第一項」とあるのは「第九十二条の二第一項又は第九十六条の二」と読み替えるものとする。
②　前項において準用する第三十二条、第三十三条第一項（同条第四項において準用する場合を含む。）、第三十三条の二第一項、第三十三条の三第一項、第三十七条第三項、第三十七条の二、第四十一条の二第一項、第四十二条、第四十二条の二第一項若しくは第四十七条の規定又は次項若しくは第四項の規定により実演若しくはレコード又は放送若しくは有線放送に係る音若しくは影像（以下「実演等」と総称する。）を複製する場合において、その出所を明示する慣行があるときは、これらの複製の態様に応じ合理的と認められる方法及び程度により、その出所を明示しなければならない。
③　第三十三条の三第一項の規定により教科用図書に掲載された著作物を複製することができる場合には、同項の規定の適用を受けて作成された録音物において録音されている実演又は当該録音物に係るレコードを複製し、又は同項に定める目的のためにその複製物の譲渡により公衆に提供することができる。
④　視覚障害者等の福祉に関する事業を行う者で第三十七条第三項の政令で定めるものは、同項の規定により視覚著作物を複製することができる場合には、同項の規定の適用を受けて作成された録音物において録音されている実演又は当該録音物に係るレコードについて、複製し、又は同項に定める目的のために、送信可能化を行い、若しくはその複製物の譲渡により公衆に提供することができる。
⑤　著作隣接権の目的となつている実演であつて放送されるものは、地域限定特定入力型自動公衆送信を行うことができる。ただし、当該放送に係る第九十九条の二第一項に規定する権利を有する者の権利を害することとなる場合は、この限りでない。
⑥　前項の規定により実演の送信可能化を行う者は、第一項において準用する第三十八条第二項の規定の適用がある場合を除き、当該実演に係る第九十二条の二第一項に規定する権利を有する者に相当な額の補償金を支払わなければならない。
⑦　前二項の規定は、著作隣接権の目的となつているレコードの利用について準用する。この場合において、前項中「第九十二条の二第一項」とあるのは、「第九十六条の二」と読み替えるものとする。
⑧　第三十九条第一項又は第四十条第一項若しくは第二項の規定により著作物を放送し、又は有線放送することができる場合には、その著作物の放送若しくは有線放送について、これを受信して有線放送し、若しくは影像を拡大する特別の装置を用いて公に伝達し、又はその著作物の放送について、地域限定特定入力型自動公衆送信を行うことができる。
⑨　次に掲げる者は、第九十一条第一項、第九十六条、第九十八条又は第百条の二の録音、録画又は複製を行つたものとみなす。
一　第一項において準用する第三十条第一項、第三十条の三、

第三十一条第一項第一号、第二項第一号、第四項、第七項第一号若しくは第九項第一号、第三十三条の二第一項、第三十三条の三第一項若しくは第四項、第三十五条第一項、第三十七条第三項、第三十七条の二第二号、第四十一条、第四十一条の二第一項、第四十二条、第四十二条の二第一項、第四十二条の三、第四十二条の四、第四十三条第二項、第四十四条第一項から第三項まで、第四十七条第一項若しくは第三項、第四十七条の二又は第四十七条の五第一項に定める目的以外の目的のために、これらの規定の適用を受けて作成された実演等の複製物を頒布し、又は当該複製物によつて当該実演、当該レコードに係る音若しくは当該放送若しくは有線放送に係る音若しくは影像の公衆への提示を行つた者

二　第一項において準用する第三十条の四の規定の適用を受けて作成された実演等の複製物を用いて、当該実演等を自ら享受し又は他人に享受させる目的のために、いずれの方法によるかを問わず、当該実演等を利用した者

三　第一項において準用する第四十四条第四項の規定に違反して同項の録音物又は録画物を保存した放送事業者、有線放送事業者又は放送同時配信等事業者

四　第一項において準用する第四十七条の四又は第四十七条の五第二項に定める目的以外の目的のために、これらの規定の適用を受けて作成された実演等の複製物を用いて、いずれの方法によるかを問わず、当該実演等を利用した者

五　第三十三条の三第一項又は第三十七条第三項に定める目的以外の目的のために、第三項若しくは第四項の規定の適用を受けて作成された実演若しくはレコードの複製物を頒布し、又は当該複製物によつて当該実演若しくは当該レコードに係る音の公衆への提示を行つた者

（実演家人格権との関係）

第一〇二条の二　前条の著作隣接権の制限に関する規定（同条第七項及び第八項の規定を除く。）は、実演家人格権に影響を及ぼすものと解釈してはならない。

（著作隣接権の譲渡、行使等）

第一〇三条　第六十一条第一項の規定は著作隣接権の譲渡について、第六十二条第一項の規定は著作隣接権の消滅について、第六十三条及び第六十三条の二の規定は実演、レコード、放送又は有線放送の利用の許諾について、第六十五条の規定は著作隣接権が共有に係る場合について、第六十六条の規定は著作隣接権を目的として質権が設定されている場合について、第六十七条（第一項第二号を除く。）、第六十七条の二（第一項ただし書を除く。）、第七十条、第七十一条（第二号に係る部分に限る。）、第七十二条、第七十三条並びに第七十四条第三項及び第四項の規定は著作隣接権者と連絡することができない場合における実演、レコード、放送又は有線放送の利用について、第六十七条の三（第二号に係る部分に限る。）、第七十条、第七十二条、第七十三条並びに第七十四条第三項及び第四項の規定は実演、レコード、放送又は有線放送の利用の可否に係る著作隣接権者の意思の確認ができない場合におけるこれらの利用について、第六十八条（第一項第二号を除く。）、第七十条、第七十一条（第二号に係る部分に限る。）、第七十二条、第七十三条本文及び第七十四条の規定は著作隣接権者に協議を求めたがその協議が成立せず、又はその協議をすることができない場合における実演、レコード、放送又は有線放送の利用について、第七十一条（第一号に係る部分に限る。）及び第七十四条の規定は第百二条第一項において準用する第三十三条から第三十三条の三までの規定による放送又は有線放送の利用について、それぞれ準用する。この場合において、第六十三条第六項中「第二十三条第一項」とあるのは「第九十二条の二第一項、第九十六条の二、第九十九条の二第一項又は第百条の四」と、第六十八条第二項中「第三十八条第二項及び第三項」とあるのは「第百二条第一項において準用する第三十八条第二項」と読み替えるものとする。

＊令和五法三三（令和八・五・二五までに施行）による改正前

（著作隣接権の譲渡、行使等）

第一〇三条　第六十一条第一項の規定は著作隣接権の譲渡について、第六十二条第一項の規定は著作隣接権の消滅について、第六十三条及び第六十三条の二の規定は実演、レコード、放送又は有線放送の利用の許諾について、第六十五条の規定は著作隣接権が共有に係る場合について、第六十六条の規定は著作隣接権を目的として質権が設定されている場合について、第六十七条、第六十七条の二（第一項ただし書を除く。）、第七十条（第三項から第五項までを除く。）、第七十一条（第二号に係る部分に限る。）、第七十二条、第七十三条並びに第七十四条第三項及び第四項の規定は著作隣接権者と連絡することができない場合における実演、レコード、放送又は有線放送の利用について、第六十八条、第七十条（第四項第一号及び第七項を除く。）、第七十一条（第二号に係る部分に限る。）、第七十二条、第七十三条本文及び第七十四条の規定は著作隣接権者に協議を求めたがその協議が成立せず、又はその協議をすることができない場合における実演、レコード、放送又は有線放送の利用について、第七十一条（第一号に係る部分に限る。）及び第七十四条の規定は第百二条第一項において準用する第三十三条から第三十三条の三までの規定による放送又は有線放送の利用について、それぞれ準用する。この場合において、第六十三条第六項中「第二十三条第一項」とあるのは「第九十二条の二第一項、第九十六条の二、第九十九条の二第一項又は第百条の四」と、第六十八条第二項中「第三十八条第二項及び第三項」とあるのは「第百二条第一項において準用する第三十八条第二項」と読み替えるものとする。

第一〇四条　（略）

第五章　著作権等の制限による利用に係る補償金（抄）

第一節　私的録音録画補償金（抄）

（私的録音録画補償金を受ける権利の行使）

第一〇四条の二①　第三十条第三項（第百二条第一項において準用する場合を含む。以下この節において同じ。）の補償金（以下この節において「私的録音録画補償金」という。）を受ける権利は、私的録音録画補償金を受ける権利を有する者（次項及び次条第四号において「権利者」という。）のためにその権利を行使することを目的とする団体であつて、次に掲げる私的録音録画補償金の区分ごとに全国を通じて一個に限りその同意を得て文化庁長官が指定するものがあるときは、それぞれ当該指定を受けた団体（以下この節において「指定管理団体」という。）によつてのみ行使することができる。

一　私的使用を目的として行われる録音（専ら録画とともに行われるものを除く。次条第二号イ及び第百四条の四において「私的録音」という。）に係る私的録音録画補償金

二　私的使用を目的として行われる録画（専ら録音とともに行われるものを含む。次条第二号ロ及び第百四条の四において「私的録画」という。）に係る私的録音録画補償金

②　指定管理団体は、権利者のために自己の名をもつて私的録音録画補償金を受ける権利に関する裁判上又は裁判外の行為を行う権限を有する。

第一〇四条の三　（略）

（私的録音録画補償金の支払の特例）

第一〇四条の四①　第三十条第三項の政令で定める機器（以下この条及び次条において「特定機器」という。）又は記録媒体（以下この条及び次条において「特定記録媒体」という。）を購入する者（当該特定機器又は特定記録媒体が小売に供された後最初に購入するものに限る。）は、その購入に当たり、指定管理団体から、当該特定機器又は特定記録媒体を用いて行う私的録音又は私的録画に係る私的録音録画補償金の一括の支払として、第百四条の六第一項の規定により当該特定機器又は特定記録媒体

について定められた額の私的録音録画補償金の支払の請求があつた場合には、当該私的録音録画補償金を支払わなければならない。

② 前項の規定により私的録音録画補償金を支払つた者は、指定管理団体に対し、その支払に係る特定機器又は特定記録媒体を専ら私的録音及び私的録画以外の用に供することを証明して、当該私的録音録画補償金の返還を請求することができる。

③ 第一項の規定による支払の請求を受けて私的録音録画補償金が支払われた特定機器により同項の規定による支払の請求を受けて私的録音録画補償金が支払われた特定記録媒体に私的録音又は私的録画を行う者は、第三十条第三項の規定にかかわらず、当該私的録音又は私的録画を行うに当たり、私的録音録画補償金を支払うことを要しない。ただし、当該特定機器又は特定記録媒体が前項の規定により私的録音録画補償金の返還を受けたものであるときは、この限りでない。

（製造業者等の協力義務）

第一〇四条の五 前条第一項の規定により指定管理団体が私的録音録画補償金の支払を請求する場合には、特定機器又は特定記録媒体の製造又は輸入を業とする者（次条第三項において「製造業者等」という。）は、当該私的録音録画補償金の支払の請求及びその受領に関し協力しなければならない。

第一〇四条の六及び第一〇四条の七 （略）

（著作権等の保護に関する事業等のための支出）

第一〇四条の八① 指定管理団体は、私的録音録画補償金（第百四条の四第一項の規定に基づき支払を受けるものに限る。）の額の二割以内で政令で定める割合に相当する額を、著作権及び著作隣接権の保護に関する事業並びに著作物の創作の振興及び普及に資する事業のために支出しなければならない。

② 文化庁長官は、前項の政令の制定又は改正の立案をしようとするときは、文化審議会に諮問しなければならない。

③ 文化庁長官は、第一項の事業に係る業務の適正な運営を確保するため必要があると認めるときは、指定管理団体に対し、当該業務に関し監督上必要な命令をすることができる。

第一〇四条の九及び第一〇四条の一〇 （略）

第二節　図書館等公衆送信補償金（抄）

（図書館等公衆送信補償金を受ける権利の行使）

第一〇四条の一〇の二① 第三十一条第五項（第八十六条第三項及び第百二条第一項において準用する場合を含む。第百四条の十の四第二項及び第百四条の十の五第二項において同じ。）の補償金（以下この節において「図書館等公衆送信補償金」という。）を受ける権利は、図書館等公衆送信補償金を受ける権利を有する者（次項及び次条第四号において「権利者」という。）のためにその権利を行使することを目的とする団体であつて、全国を通じて一個に限りその同意を得て文化庁長官が指定するものがあるときは、当該指定を受けた団体（以下この節において「指定管理団体」という。）によつてのみ行使することができる。

② 指定管理団体は、権利者のために自己の名をもつて図書館等公衆送信補償金を受ける権利に関する裁判上又は裁判外の行為を行う権限を有する。

第一〇四条の一〇の三 （略）

（図書館等公衆送信補償金の額）

第一〇四条の一〇の四① 第百四条の十の二第一項の規定により指定管理団体が図書館等公衆送信補償金を受ける権利を行使する場合には、指定管理団体は、図書館等公衆送信補償金の額を定め、文化庁長官の認可を受けなければならない。これを変更しようとするときも、同様とする。

② 前項の認可があつたときは、図書館等公衆送信補償金の額は、第三十一条第五項の規定にかかわらず、その認可を受けた額とする。

③ 指定管理団体は、第一項の認可の申請に際し、あらかじめ、図書館等を設置する者の団体で図書館等を設置する者の意見を代表すると認められるものの意見を聴かなければならない。

④ 文化庁長官は、第一項の認可の申請に係る図書館等公衆送信補償金の額が、第三十一条第二項の規定の趣旨、図書館等公衆送信に係る著作物の種類及び用途並びに図書館等公衆送信の態様に照らした著作権者等の利益に与える影響、図書館等公衆送信により電磁的記録を容易に取得することができることにより特定図書館等の利用者が受ける便益その他の事情を考慮した適正な額であると認めるときでなければ、その認可をしてはならない。

⑤ 文化庁長官は、第一項の認可をするときは、文化審議会に諮問しなければならない。

第一〇四条の一〇の五から第一〇四条の一〇の八まで （略）

第三節　授業目的公衆送信補償金（抄）

（授業目的公衆送信補償金を受ける権利の行使）

第一〇四条の一一① 第三十五条第二項（第百二条第一項において準用する場合を含む。第百四条の十三第二項及び第百四条の十四第二項において同じ。）の補償金（以下この節において「授業目的公衆送信補償金」という。）を受ける権利は、授業目的公衆送信補償金を受ける権利を有する者（次項及び次条第四号において「権利者」という。）のためにその権利を行使することを目的とする団体であつて、全国を通じて一個に限りその同意を得て文化庁長官が指定するものがあるときは、当該指定を受けた団体（以下この節において「指定管理団体」という。）によつてのみ行使することができる。

② 指定管理団体は、権利者のために自己の名をもつて授業目的公衆送信補償金を受ける権利に関する裁判上又は裁判外の行為を行う権限を有する。

第一〇四条の一二 （略）

（授業目的公衆送信補償金の額）

第一〇四条の一三① 第百四条の十一第一項の規定により指定管理団体が授業目的公衆送信補償金を受ける権利を行使する場合には、指定管理団体は、授業目的公衆送信補償金の額を定め、文化庁長官の認可を受けなければならない。これを変更しようとするときも、同様とする。

② 前項の認可があつたときは、授業目的公衆送信補償金の額は、第三十五条第二項の規定にかかわらず、その認可を受けた額とする。

③ 指定管理団体は、第一項の認可の申請に際し、あらかじめ、授業目的公衆送信が行われる第三十五条第一項の教育機関を設置する者の団体で同項の教育機関を設置する者の意見を代表すると認められるものの意見を聴かなければならない。

④ 文化庁長官は、第一項の認可の申請に係る授業目的公衆送信補償金の額が、第三十五条第一項の規定の趣旨、公衆送信（自動公衆送信の場合にあつては、送信可能化を含む。）に係る通常の使用料の額その他の事情を考慮した適正な額であると認めるときでなければ、その認可をしてはならない。

⑤ 文化庁長官は、第一項の認可をしようとするときは、文化審議会に諮問しなければならない。

第一〇四条の一四から第一〇四条の一七まで （略）

第六章　裁定による利用に係る指定補償金管理機関及び登録確認機関（抄）

＊令和五法三三（令和八・五・二五までに施行）により第六章（第一〇四条の一八―第一〇四条の四七）追加

第一節　指定補償金管理機関（抄）

（指定）

第一〇四条の一八 文化庁長官は、一般社団法人又は一般財団法人であつて、第百四条の二十に規定する業務（以下この節及び第百二十二条の二第三号において「補償金管理業務」という。）を適正かつ確実に行うことができると認められるものを、全国を通じて一個に限り、補償金管理業務を行う者として指定することができる。

第一〇四条の一九（指定の手続等）① 前条の規定による指定（以下この節において「指定」という。）は、補償金管理業務を行おうとする者の申請により行う。

② 指定を受けようとする者は、文部科学省令で定めるところにより、次に掲げる事項を記載した申請書を文化庁長官に提出しなければならない。

一 指定を受けようとする者の名称、代表者の氏名及び主たる事務所の所在地

二 その他文部科学省令で定める事項

③ 次の各号のいずれかに該当する者は、指定を受けることができない。

一 この法律の規定により罰金の刑に処せられ、その執行を終わり、又は執行を受けることがなくなつた日から起算して二年を経過しない者

二 第百四条の三十一第一項又は第二項の規定により指定を取り消され、その取消しの日から起算して二年を経過しない者

三 その役員のうちに、イからハまでのいずれかに該当する者があるもの

イ 拘禁刑以上の刑に処せられ、又はこの法律の規定により罰金の刑に処せられ、その執行を終わり、又はその執行を受けることがなくなつた日から起算して二年を経過しない者

ロ 第百四条の二十四第二項の規定による命令により解任され、その解任の日から起算して二年を経過しない者

ハ 第百四条の三十一第一項又は第二項の規定による取消しの処分に係る行政手続法第十五条の規定による通知があつた日前六十日以内に当該取消しを受けた法人の役員であつた者でその取消しの日から二年を経過しないもの

④ 文化庁長官は、指定をしたときは、第二項第一号に規定する事項その他の文部科学省令で定める事項を官報で告示するものとする。

⑤ 指定を受けた者（以下この節において「指定補償金管理機関」という。）は、第二項各号に掲げる事項を変更するときは、文部科学省令で定めるところにより、その二週間前までに、その旨を文化庁長官に届け出なければならない。

⑥ 文化庁長官は、第四項に規定する事項について前項の規定による届出があつたときは、その旨を官報で告示するものとする。

第一〇四条の二〇（指定補償金管理機関の業務） 指定補償金管理機関は、次に掲げる業務を行うものとする。

一 次条第一項及び第二項の規定により支払われる補償金の受領に関する業務

二 次条第三項の規定により読み替えて適用する第六十七条の二第一項及び第五項（これらの規定を第百三条において準用する場合を含む。）の規定により支払われる補償金及び担保金の受領に関する業務

三 前二号の規定により受領した補償金及び担保金の管理に関する業務

四 次条第三項の規定により読み替えて適用する第六十七条の二第八項（第百三条において準用する場合を含む。）及び次条第四項の規定による著作権者及び著作隣接権者に対する支払に関する業務

五 第百四条の二十二第一項に規定する著作物等保護利用円滑化事業に関する業務

第一〇四条の二一から第一〇四条の三二まで（略）

第二節 登録確認機関（抄）

第一〇四条の三三（登録確認機関による確認等事務の実施等）① 文化庁長官は、その登録を受けた者（以下この節において「登録確認機関」という。）に、第六十七条の三第一項（第百三条において準用する場合を含む。以下この節において同じ。）の規定による裁定及び補償金の額の決定に係る事務のうち次に掲げるもの（以下この節、第百二十一条の三及び第百二十二条の二第三号において「確認等事務」という。）を行わせることができる。

一 当該裁定の申請の受付（第百四条の三十五第二項において「申請受付」という。）に関する事務

二 当該裁定の申請に係る著作物等が未管理公表著作物等に該当するか否か及び当該裁定の申請をした者が第六十七条の三第一項第一号に該当するか否かの確認（以下この条及び第百四条の三十五第二項において「要件確認」という。）に関する事務

三 第六十七条の三第一項の通常の使用料の額に相当する額の算出（以下この節において「使用料相当額算出」という。）に関する事務

② 文化庁長官は、前項の規定により登録確認機関に確認等事務を行わせるときは、確認等事務を行わないものとする。この場合において、文化庁長官は、登録確認機関が次項の規定により送付する書面に記載した要件確認及び使用料相当額算出の結果を考慮して、第六十七条の三第一項の規定による裁定及び補償金の額の決定を行わなければならない。

③ 登録確認機関は、第六十七条の三第一項の裁定の申請を受け付けたときは、要件確認及び使用料相当額算出を行い、文部科学省令で定めるところにより、当該裁定の申請書及び添付資料に当該要件確認及び使用料相当額算出の結果を記載した書面を添付して、文化庁長官に送付するものとする。

④ 第七十一条（第二号中第六十七条の三第一項に係る部分に限り、第百三条において準用する場合を含む。）の規定は、文化庁長官が第二項後段の規定により補償金の額の決定を行う場合については、適用しない。

第一〇四条の三四から第一〇四条の四七まで（略）

第七章 紛争処理（抄）

＊令和五法三三（令和八・五・二五までに施行）による改正
第六章は第七章とされた。（本文織込み済み）

第一〇五条（著作権紛争解決あつせん委員）① この法律に規定する権利に関する紛争につきあつせんによりその解決を図るため、文化庁に著作権紛争解決あつせん委員（以下この章において「委員」という。）を置く。

② 委員は、文化庁長官が、著作権又は著作隣接権に係る事項に関し学識経験を有する者のうちから、事件ごとに三人以内を委嘱する。

第一〇六条（あつせんの申請） この法律に規定する権利に関し紛争が生じたときは、当事者は、文化庁長官に対し、あつせんの申請をすることができる。

第一〇七条及び第一〇八条（略）

第一〇九条（あつせん）① 委員は、当事者間をあつせんし、双方の主張の要点を確かめ、実情に即して事件が解決されるように努めなければならない。

② 委員は、事件が解決される見込みがないと認めるときは、あつせんを打ち切ることができる。

第一一〇条及び第一一一条（略）

第八章 権利侵害

＊令和五法三三（令和八・五・二五までに施行）による改正
第七章は第八章とされた。（本文織込み済み）

第一一二条（差止請求権）① 著作者、著作権者、出版権者、実演家又は著作隣接権者は、その著作者人格権、著作権、出版権、実演家人格権

又は著作隣接権を侵害する者又は侵害するおそれがある者に対し、その侵害の停止又は予防を請求することができる。

② 著作者、著作権者、出版権者、実演家又は著作隣接権者は、前項の規定による請求をするに際し、侵害の行為を組成した物、侵害の行為によつて作成された物又は専ら侵害の行為に供された機械若しくは器具の廃棄その他の侵害の停止又は予防に必要な措置を請求することができる。

（侵害とみなす行為）

第一一三条① 次に掲げる行為は、当該著作者人格権、著作権、出版権、実演家人格権又は著作隣接権を侵害する行為とみなす。

一 国内において頒布する目的をもつて、輸入の時において国内で作成したとしたならば著作者人格権、著作権、出版権、実演家人格権又は著作隣接権の侵害となるべき行為によつて作成された物を輸入する行為

二 著作者人格権、著作権、出版権、実演家人格権又は著作隣接権を侵害する行為によつて作成された物（前号の輸入に係る物を含む。）を、情を知つて、頒布し、頒布の目的をもつて所持し、若しくは頒布する旨の申出をし、又は業として輸出し、若しくは業としての輸出の目的をもつて所持する行為

② 送信元識別符号又は送信元識別符号以外の符号その他の情報であつてその提供が送信元識別符号の提供と同一若しくは類似の効果を有するもの（以下この項及び次項において「送信元識別符号等」という。）の提供により侵害著作物等（著作権（第二十八条に規定する権利（翻訳以外の方法により創作された二次的著作物に係るものに限る。）を除く。以下この項及び次項において同じ。）、出版権又は著作隣接権を侵害して送信可能化が行われた著作物等をいい、国外で行われる送信可能化であつて国内で行われたとしたならばこれらの権利の侵害となるべきものが行われた著作物等を含む。以下この項及び次項において同じ。）の他人による利用を容易にする行為（同項において「侵害著作物等利用容易化」という。）であつて、第一号に掲げるウェブサイト等（同項及び第百十九条第二項第四号において「侵害著作物等利用容易化ウェブサイト等」という。）において又は第二号に掲げるプログラム（次項及び同条第二項第五号において「侵害著作物等利用容易化プログラム」という。）を用いて行うものは、当該行為に係る著作物等が侵害著作物等であることを知つていた場合又は知ることができたと認めるに足りる相当の理由がある場合には、当該侵害著作物等に係る著作権、出版権又は著作隣接権を侵害する行為とみなす。

一 次に掲げるウェブサイト等

イ 当該ウェブサイト等において、侵害著作物等に係る送信元識別符号等（以下この条及び第百十九条第二項において「侵害送信元識別符号等」という。）の利用を促す文言が表示されていること、侵害送信元識別符号等が強調されていることその他の当該ウェブサイト等における侵害送信元識別符号等の提供の態様に照らし、公衆を侵害著作物等に殊更に誘導するものであると認められるウェブサイト等

ロ イに掲げるもののほか、当該ウェブサイト等において提供されている侵害送信元識別符号等の数、当該数が当該ウェブサイト等において提供されている送信元識別符号等の総数に占める割合、当該侵害送信元識別符号等の利用に資する分類又は整理の状況その他の当該ウェブサイト等における侵害送信元識別符号等の提供の状況に照らし、主として公衆による侵害著作物等の利用のために用いられるものであると認められるウェブサイト等

二 次に掲げるプログラム

イ 当該プログラムによる送信元識別符号等の提供に際し、侵害送信元識別符号等の利用を促す文言が表示されていること、侵害送信元識別符号等が強調されていることその他の当該プログラムによる侵害送信元識別符号等の提供の態様に照らし、公衆を侵害著作物等に殊更に誘導するものであると認められるプログラム

ロ イに掲げるもののほか、当該プログラムにより提供されている侵害送信元識別符号等の数、当該数が当該プログラムにより提供されている送信元識別符号等の総数に占める割合、当該侵害送信元識別符号等の利用に資する分類又は整理の状況その他の当該プログラムによる侵害送信元識別符号等の提供の状況に照らし、主として公衆による侵害著作物等の利用のために用いられるものであると認められるプログラム

③ 侵害著作物等利用容易化ウェブサイト等の公衆への提示を行つている者（当該侵害著作物等利用容易化ウェブサイト等と侵害著作物等利用容易化ウェブサイト等以外の相当数のウェブサイト等とを包括しているウェブサイト等において、単に当該公衆への提示の機会を提供しているに過ぎない者（著作権者等からの当該侵害著作物等利用容易化ウェブサイト等において提供されている侵害送信元識別符号等の削除に関する請求に正当な理由なく応じない状態が相当期間にわたり継続していることその他の著作権者等の利益を不当に害すると認められる特別な事情がある場合を除く。）を除く。）又は侵害著作物等利用容易化プログラムの公衆への提供等を行つている者（当該公衆への提供等のために用いられているウェブサイト等とそれ以外の相当数のウェブサイト等とを包括しているウェブサイト等又は当該侵害著作物等利用容易化プログラム及び侵害著作物等利用容易化プログラム以外の相当数のプログラムの公衆への提供等のために用いられているウェブサイト等において、単に当該侵害著作物等利用容易化プログラムの公衆への提供等の機会を提供しているに過ぎない者（著作権者等からの当該侵害著作物等利用容易化プログラムにより提供されている侵害送信元識別符号等の削除に関する請求に正当な理由なく応じない状態が相当期間にわたり継続していることその他の著作権者等の利益を不当に害すると認められる特別な事情がある場合を除く。）を除く。）が、当該侵害著作物等利用容易化ウェブサイト等において又は当該侵害著作物等利用容易化プログラムを用いて他人による侵害著作物等利用容易化に係る送信元識別符号等の提供が行われている場合であつて、かつ、当該送信元識別符号等に係る著作物等が侵害著作物等であることを知つている場合又は知ることができたと認めるに足りる相当の理由がある場合において、当該侵害著作物等利用容易化を防止する措置を講ずることが技術的に可能であるにもかかわらず当該措置を講じない行為は、当該侵害著作物等に係る著作権、出版権又は著作隣接権を侵害する行為とみなす。

④ 前二項に規定するウェブサイト等とは、送信元識別符号のうちインターネットにおいて個々の電子計算機を識別するために用いられる部分が共通するウェブページ（インターネットを利用した情報の閲覧の用に供される電磁的記録で文部科学省令で定めるものをいう。以下この項において同じ。）の集合物（当該集合物の一部を構成する複数のウェブページであつて、ウェブページ相互の関係その他の事情に照らし公衆への提示が一体的に行われていると認められるものとして政令で定める要件に該当するものを含む。）をいう。

⑤ プログラムの著作物の著作権を侵害する行為によつて作成された複製物（当該複製物の所有者によつて第四十七条の三第一項の規定により作成された複製物並びに第一項第一号の輸入に係るプログラムの著作物の複製物及び当該複製物の所有者によつて同条第一項の規定により作成された複製物を含む。）を業務上電子計算機において使用する行為は、これらの複製物を使用する権原を取得した時に情を知つていた場合に限り、当該著作権を侵害する行為とみなす。

⑥ 技術的利用制限手段の回避（技術的利用制限手段により制限されている著作物等の視聴を当該技術的利用制限手段の効果を妨げることにより可能とすること（著作権者等の意思に基づいて行われる場合を除く。）をいう。次項並びに第百二十条の二第一号及び第二号において同じ。）を行う行為は、技術的利用制限手段に係る研究又は技術の開発の目的上正当な範囲内で行われ

る場合その他著作権者等の利益を不当に害しない場合を除き、当該技術的利用制限手段に係る著作権、出版権又は著作隣接権を侵害する行為とみなす。

⑦ 技術的保護手段の回避又は技術的利用制限手段の回避を行うことをその機能とする指令符号（電子計算機に対する指令であつて、当該指令のみによつて一の結果を得ることができるものをいう。）を公衆に譲渡し、若しくは貸与し、公衆への譲渡若しくは貸与の目的をもつて製造し、輸入し、若しくは所持し、若しくは公衆の使用に供し、又は公衆送信し、若しくは送信可能化する行為は、当該技術的保護手段に係る著作権等又は当該技術的利用制限手段に係る著作権、出版権若しくは著作隣接権を侵害する行為とみなす。

⑧ 次に掲げる行為は、当該権利管理情報に係る著作者人格権、著作権、出版権、実演家人格権又は著作隣接権を侵害する行為とみなす。

一 権利管理情報として虚偽の情報を故意に付加する行為

二 権利管理情報を故意に除去し、又は改変する行為（記録又は送信の方式の変換に伴う技術的な制約による場合その他の著作物又は実演等の利用の目的及び態様に照らしやむを得ないと認められる場合を除く。）

三 前二号の行為が行われた著作物若しくは実演等の複製物を、情を知つて、頒布し、若しくは頒布の目的をもつて輸入し、若しくは所持し、又は当該著作物若しくは実演等を情を知つて公衆送信し、若しくは送信可能化する行為

⑨ 第九十四条の二、第九十五条の三第三項若しくは第九十七条の三第三項に規定する報酬又は第九十五条第一項若しくは第九十七条第一項に規定する二次使用料を受ける権利は、前項の規定の適用については、著作隣接権とみなす。この場合において、前条中「著作隣接権者」とあるのは「著作隣接権者（次条第九項の規定により著作隣接権とみなされる権利を有する者を含む。）」と、同条第一項中「著作隣接権を」とあるのは「著作隣接権（同項の規定により著作隣接権とみなされる権利を含む。）を」とする。

⑩ 国内において頒布することを目的とする商業用レコード（以下この項において「国内頒布目的商業用レコード」という。）を自ら発行し、又は他の者に発行させている著作権者又は著作隣接権者が、当該国内頒布目的商業用レコードと同一の商業用レコードであつて、専ら国外において頒布することを目的とするもの（以下この項において「国外頒布目的商業用レコード」という。）を国外において自ら発行し、又は他の者に発行させている場合において、情を知つて、当該国外頒布目的商業用レコードを国内において頒布する目的をもつて輸入する行為又は当該国外頒布目的商業用レコードを国内において頒布し、若しくは当該国外頒布目的商業用レコードを国内において頒布する目的をもつて所持する行為は、当該国外頒布目的商業用レコードが国内で頒布されることにより当該国内頒布目的商業用レコードの発行により当該著作権者又は著作隣接権者の得ることが見込まれる利益が不当に害されることとなる場合に限り、それらの著作権又は著作隣接権を侵害する行為とみなす。ただし、国内において最初に発行された日から起算して七年を超えない範囲内において政令で定める期間を経過した国内頒布目的商業用レコードと同一の国外頒布目的商業用レコードを輸入する行為又は当該国外頒布目的商業用レコードを国内において頒布し、若しくは国内において頒布する目的をもつて所持する行為については、この限りでない。

⑪ 著作者の名誉又は声望を害する方法によりその著作物を利用する行為は、その著作者人格権を侵害する行為とみなす。

（善意者に係る譲渡権の特例）

第一一三条の二 著作物の原作品若しくは複製物（映画の著作物の複製物（映画の著作物において複製されている著作物にあつては、当該映画の著作物の複製物を含む。）を除く。以下この条において同じ。）、実演の録音物若しくは録画物又はレコードの複製物の譲渡を受けた時において、当該著作物の原作品若しくは複製物、実演の録音物若しくは録画物又はレコードの複製物がそれぞれ第二十六条の二第二項各号、第九十五条の二第三項各号又は第九十七条の二第二項各号のいずれにも該当しないものであることを知らず、かつ、知らないことにつき過失がない者が当該著作物の原作品若しくは複製物、実演の録音物若しくは録画物又はレコードの複製物を公衆に譲渡する行為は、第二十六条の二第一項、第九十五条の二第一項又は第九十七条の二第一項に規定する権利を侵害する行為でないものとみなす。

（損害の額の推定等）

第一一四条① 著作権者等が故意又は過失により自己の著作権、出版権又は著作隣接権を侵害した者（以下この項において「侵害者」という。）に対しその侵害により自己が受けた損害の賠償を請求する場合において、侵害者がその侵害の行為によつて作成された物（第一号において「侵害作成物」という。）を譲渡し、又はその侵害の行為を組成する公衆送信（自動公衆送信の場合にあつては、送信可能化を含む。同号において「侵害組成公衆送信」という。）を行つたときは、次の各号に掲げる額の合計額を、著作権者等が受けた損害の額とすることができる。

一 譲渡等数量（侵害者が譲渡した侵害作成物及び侵害者が行つた侵害組成公衆送信を公衆が受信して作成した著作物又は実演等の複製物（以下この号において「侵害受信複製物」という。）の数量をいう。次号において同じ。）のうち販売等相応数量（当該著作権者等が当該侵害作成物又は当該侵害受信複製物を販売するとした場合にその販売のために必要な行為を行う能力に応じた数量をいう。同号において同じ。）を超えない部分（その全部又は一部に相当する数量を当該著作権者等が販売することができないとする事情があるときは、当該事情に相当する数量（同号において「特定数量」という。）を控除した数量）に、著作権者等がその侵害の行為がなければ販売することができた物の単位数量当たりの利益の額を乗じて得た額

二 譲渡等数量のうち販売等相応数量を超える数量又は特定数量がある場合（著作権者等が、その著作権、出版権又は著作隣接権の行使をし得たと認められない場合を除く。）におけるこれらの数量に応じた当該著作権、出版権又は著作隣接権の行使につき受けるべき金銭の額に相当する額

② 著作権者、出版権者又は著作隣接権者が故意又は過失によりその著作権、出版権又は著作隣接権を侵害した者に対しその侵害により自己が受けた損害の賠償を請求する場合において、その者がその侵害の行為により利益を受けているときは、その利益の額は、当該著作権者、出版権者又は著作隣接権者が受けた損害の額と推定する。

③ 著作権者、出版権者又は著作隣接権者は、故意又は過失によりその著作権、出版権又は著作隣接権を侵害した者に対し、その著作権、出版権又は著作隣接権の行使につき受けるべき金銭の額に相当する額を自己が受けた損害の額として、その賠償を請求することができる。

④ 著作権者又は著作隣接権者は、前項の規定によりその著作権又は著作隣接権を侵害した者に対し損害の賠償を請求する場合において、その著作権又は著作隣接権が著作権等管理事業法第二条第一項に規定する管理委託契約に基づき著作権等管理事業者が管理するものであるときは、当該著作権等管理事業者が定める同法第十三条第一項に規定する使用料規程のうちその侵害の行為に係る著作物等の利用の態様について適用されるべき規定により算出したその著作権又は著作隣接権に係る著作物等の使用料の額（当該額の算出方法が複数あるときは、当該複数の算出方法によりそれぞれ算出した額のうち最も高い額）をもつて、前項に規定する金銭の額とすることができる。

⑤ 裁判所は、第一項第二号及び第三項に規定する著作権、出版権又は著作隣接権の行使につき受けるべき金銭の額に相当する額を認定するに当たつては、著作権者等が、自己の著作権、出版権又は著作隣接権の侵害があつたことを前提として当該著作権、出版権又は著作隣接権を侵害した者との間でこれらの権利の行使の対価について合意をするとしたならば、当該著作権者

等が得ることとなるその対価を考慮することができる。

⑥　第三項の規定は、同項に規定する金額を超える損害の賠償の請求を妨げない。この場合において、著作権、出版権又は著作隣接権を侵害した者に故意又は重大な過失がなかつたときは、裁判所は、損害の賠償の額を定めるについて、これを参酌することができる。

（具体的態様の明示義務）

第一一四条の二　著作者人格権、著作権、出版権、実演家人格権又は著作隣接権の侵害に係る訴訟において、著作者、著作権者、出版権者、実演家又は著作隣接権者が侵害の行為を組成したもの又は侵害の行為によつて作成されたものとして主張する物の具体的態様を否認するときは、相手方は、自己の行為の具体的態様を明らかにしなければならない。ただし、相手方において明らかにすることができない相当の理由があるときは、この限りでない。

（書類の提出等）

第一一四条の三①　裁判所は、著作者人格権、著作権、出版権、実演家人格権又は著作隣接権の侵害に係る訴訟においては、当事者の申立てにより、当事者に対し、当該侵害の行為について立証するため、又は当該侵害の行為による損害の計算をするため必要な書類又は電磁的記録の提出を命ずることができる。ただし、その書類の所持者又はその電磁的記録を利用する権限を有する者においてその提出を拒むことについて正当な理由があるときは、この限りでない。

②　裁判所は、前項本文の申立てに係る書類若しくは電磁的記録が同項本文の書類若しくは電磁的記録に該当するかどうか又は同項ただし書に規定する正当な理由があるかどうかの判断をするため必要があると認めるときは、書類の所持者又は電磁的記録を利用する権限を有する者にその提示をさせることができる。この場合においては、何人も、その提示された書類又は電磁的記録の開示を求めることができない。

③　裁判所は、前項の場合において、第一項本文の申立てに係る書類若しくは電磁的記録が同項本文の書類若しくは電磁的記録に該当するかどうか又は同項ただし書に規定する正当な理由があるかどうかについて前項後段の書類又は電磁的記録を開示してその意見を聴くことが必要であると認めるときは、当事者等（当事者（法人である場合にあつては、その代表者）又は当事者の代理人（訴訟代理人及び補佐人を除く。）、使用人その他の従業者をいう。第百十四条の六第一項において同じ。）、訴訟代理人又は補佐人に対し、当該書類又は当該電磁的記録を開示することができる。

④　裁判所は、第二項の場合において、同項後段の書類又は電磁的記録を開示して専門的な知見に基づく説明を聴くことが必要であると認めるときは、当事者の同意を得て、民事訴訟法第一編第五章第二節第一款に規定する専門委員に対し、当該書類又は当該電磁的記録を開示することができる。

⑤　前各項の規定は、著作者人格権、著作権、出版権、実演家人格権又は著作隣接権の侵害に係る訴訟における当該侵害の行為について立証するため必要な検証の目的の提示について準用する。

＊令和四法四八、令和五法五三（令和八・五・二四までに施行）による改正前

（書類の提出等）

第一一四条の三①　裁判所は、著作者人格権、著作権、出版権、実演家人格権又は著作隣接権の侵害に係る訴訟においては、当事者の申立てにより、当事者に対し、当該侵害の行為について立証するため、又は当該侵害の行為による損害の計算をするため必要な書類の提出を命ずることができる。ただし、その書類の所持者においてその提出を拒むことについて正当な理由があるときは、この限りでない。

②　裁判所は、前項本文の申立てに係る書類が同項本文の書類に該当するかどうか又は同項ただし書に規定する正当な理由があるかどうかの判断をするため必要があると認めるときは、書類の所持者にその提示をさせることができる。この場合においては、何人も、その提示された書類の開示を求めることができない。

③　裁判所は、前項の場合において、第一項本文の申立てに係る書類が同項本文の書類に該当するかどうか又は同項ただし書に規定する正当な理由があるかどうかについて前項後段の書類を開示してその意見を聴くことが必要であると認めるときは、当事者等（当事者（法人である場合にあつては、その代表者）又は当事者の代理人（訴訟代理人及び補佐人を除く。）、使用人その他の従業者をいう。第百十四条の六第一項において同じ。）、訴訟代理人又は補佐人に対し、当該書類を開示することができる。

④　裁判所は、第二項の場合において、同項後段の書類を開示して専門的な知見に基づく説明を聴くことが必要であると認めるときは、当事者の同意を得て、民事訴訟法（平成八年法律第百九号）第一編第五章第二節第一款に規定する専門委員に対し、当該書類を開示することができる。

⑤　（略）

（鑑定人に対する当事者の説明義務）

第一一四条の四　著作権、出版権又は著作隣接権の侵害に係る訴訟において、当事者の申立てにより、裁判所が当該侵害の行為による損害の計算をするため必要な事項について鑑定を命じたときは、当事者は、鑑定人に対し、当該鑑定をするため必要な事項について説明しなければならない。

（相当な損害額の認定）

第一一四条の五　著作権、出版権又は著作隣接権の侵害に係る訴訟において、損害が生じたことが認められる場合において、損害額を立証するために必要な事実を立証することが当該事実の性質上極めて困難であるときは、裁判所は、口頭弁論の全趣旨及び証拠調べの結果に基づき、相当な損害額を認定することができる。

（秘密保持命令）

第一一四条の六①　裁判所は、著作者人格権、著作権、出版権、実演家人格権又は著作隣接権の侵害に係る訴訟において、その当事者が保有する営業秘密（不正競争防止法（平成五年法律第四十七号）第二条第六項に規定する営業秘密をいう。以下同じ。）について、次に掲げる事由のいずれにも該当することにつき疎明があつた場合には、当事者の申立てにより、決定で、当事者等、訴訟代理人又は補佐人に対し、当該営業秘密を当該訴訟の追行の目的以外の目的で使用し、又は当該営業秘密に係るこの項の規定による命令を受けた者以外の者に開示してはならない旨を命ずることができる。ただし、その申立ての時までに当事者等、訴訟代理人又は補佐人が第一号に規定する準備書面の閲読又は同号に規定する証拠の取調べ若しくは開示以外の方法により当該営業秘密を取得し、又は保有していた場合は、この限りでない。

一　既に提出され若しくは提出されるべき準備書面に当事者の保有する営業秘密が記載され、又は既に取り調べられ若しくは取り調べられるべき証拠（第百十四条の三第三項の規定により開示された書類又は電磁的記録を含む。）の内容に当事者の保有する営業秘密が含まれること。

二　前号の営業秘密が当該訴訟の追行の目的以外の目的で使用され、又は当該営業秘密が開示されることにより、当該営業秘密に基づく当事者の事業活動に支障を生ずるおそれがあり、これを防止するため当該営業秘密の使用又は開示を制限する必要があること。

②　前項の規定による命令（以下「秘密保持命令」という。）の申立ては、次に掲げる事項を記載した書面でしなければならない。

一　秘密保持命令を受けるべき者

二　秘密保持命令の対象となるべき営業秘密を特定するに足りる事実

三　前項各号に掲げる事由に該当する事実

③　秘密保持命令が発せられた場合には、その電子決定書（民事訴訟法第百二十二条において準用する同法第二百五十二条第一項の規定により作成された電磁的記録（同法第百二十二条において準用する同法第二百五十三条第二項の規定により裁判所の使用に係る電子計算機（入出力装置を含む。）に備えられたファイルに記録されたものに限る。）をいう。次項及び次条第二項において同じ。）を秘密保持命令を受けた者に送達しなければならない。

④　秘密保持命令は、秘密保持命令を受けた者に対する電子決定書の送達がされた時から、効力を生ずる。

⑤　秘密保持命令の申立てを却下した裁判に対しては、即時抗告をすることができる。

＊令和四法四八（令和八・五・二四までに施行）**による改正前**
第一一四条の六①（柱書略）
一　既に提出され若しくは提出されるべき準備書面に当事者の保有する営業秘密が記載され、又は既に取り調べられ若しくは取り調べられるべき証拠（第百十四条の三第三項の規定により開示された書類を含む。）の内容に当事者の保有する営業秘密が含まれること。
二　（略）
②　（略）
③　秘密保持命令が発せられた場合には、その決定書を秘密保持命令を受けた者に送達しなければならない。
④　秘密保持命令は、秘密保持命令を受けた者に対する決定書の送達がされた時から、効力を生ずる。
⑤　（略）

（秘密保持命令の取消し）

第一一四条の七①　秘密保持命令の申立てをした者又は秘密保持命令を受けた者は、訴訟記録の存する裁判所（訴訟記録の存する裁判所がない場合にあつては、秘密保持命令を発した裁判所）に対し、前条第一項に規定する要件を欠くこと又はこれを欠くに至つたことを理由として、秘密保持命令の取消しの申立てをすることができる。

②　秘密保持命令の取消しの申立てについての裁判があつた場合には、その電子決定書をその申立てをした者及び相手方に送達しなければならない。

＊令和四法四八（令和八・五・二四までに施行）**による改正**
第二項中「決定書」は「電子決定書」に改められた。（本文織込み済み）

③　秘密保持命令の取消しの申立てについての裁判に対しては、即時抗告をすることができる。

④　秘密保持命令を取り消す裁判は、確定しなければその効力を生じない。

⑤　裁判所は、秘密保持命令を取り消す裁判をした場合において、秘密保持命令の取消しの申立てをした者又は相手方以外に当該秘密保持命令が発せられた訴訟において当該営業秘密に係る秘密保持命令を受けている者があるときは、その者に対し、直ちに、秘密保持命令を取り消す裁判をした旨を通知しなければならない。

（訴訟記録の閲覧等の請求の通知等）

第一一四条の八①　秘密保持命令が発せられた訴訟（全ての秘密保持命令が取り消された訴訟を除く。）に係る訴訟記録につき、民事訴訟法第九十二条第一項の決定があつた場合において、当事者から同項に規定する秘密記載部分の閲覧等の請求があり、かつ、その請求の手続を行つた者が当該訴訟において秘密保持命令を受けていない者であるときは、裁判所書記官は、同項の申立てをした当事者（その請求をした者を除く。第三項において同じ。）に対し、その請求後直ちに、その請求があつた旨を通知しなければならない。

②　前項の場合において、裁判所書記官は、同項の請求があつた日から二週間を経過する日までの間（その請求の手続を行つた者に対する秘密保持命令の申立てがその日までにされた場合にあつては、その申立てについての裁判が確定するまでの間）、その請求の手続を行つた者に同項の秘密記載部分の閲覧等をさせてはならない。

③　前二項の規定は、第一項の請求をした者に同項の秘密記載部分の閲覧等をさせることについて民事訴訟法第九十二条第一項の申立てをした当事者のすべての同意があるときは、適用しない。

（名誉回復等の措置）

第一一五条　著作者又は実演家は、故意又は過失によりその著作者人格権又は実演家人格権を侵害した者に対し、損害の賠償に代えて、又は損害の賠償とともに、著作者又は実演家であることを確保し、又は訂正その他著作者若しくは実演家の名誉若しくは声望を回復するために適当な措置を請求することができる。

（著作者又は実演家の死後における人格的利益の保護のための措置）

第一一六条①　著作者又は実演家の死後においては、その遺族（死亡した著作者又は実演家の配偶者、子、父母、孫、祖父母又は兄弟姉妹をいう。以下この条において同じ。）は、当該著作者又は実演家について第六十条又は第百一条の三の規定に違反する行為をする者又はするおそれがある者に対し第百十二条の請求を、故意又は過失により著作者人格権又は実演家人格権を侵害する行為又は第六十条若しくは第百一条の三の規定に違反する行為をした者に対し前条の請求をすることができる。

②　前項の請求をすることができる遺族の順位は、同項に規定する順序とする。ただし、著作者又は実演家が遺言によりその順位を別に定めた場合は、その順序とする。

③　著作者又は実演家は、遺言により、遺族に代えて第一項の請求をすることができる者を指定することができる。この場合において、その指定を受けた者は、当該著作者又は実演家の死亡の日の属する年の翌年から起算して七十年を経過した後（その経過する時に遺族が存する場合にあつては、その存しなくなつた後）においては、その請求をすることができない。

（共同著作物等の権利侵害）

第一一七条①　共同著作物の各著作者又は各著作権者は、他の著作者又は他の著作権者の同意を得ないで、第百十二条の規定による請求又はその著作権の侵害に係る自己の持分に対する損害の賠償の請求若しくは自己の持分に応じた不当利得の返還の請求をすることができる。

②　前項の規定は、共有に係る著作権又は著作隣接権の侵害について準用する。

（無名又は変名の著作物に係る権利の保全）

第一一八条①　無名又は変名の著作物の発行者は、その著作物の著作者又は著作権者のために、自己の名をもつて、第百十二条、第百十五条若しくは第百十六条第一項の請求又はその著作物の著作者人格権若しくは著作権の侵害に係る損害の賠償の請求若しくは不当利得の返還の請求を行なうことができる。ただし、著作者の変名がその者のものとして周知のものである場合及び第七十五条第一項の実名の登録があつた場合は、この限りでない。

②　無名又は変名の著作物の複製物にその実名又は周知の変名が発行者名として通常の方法により表示されている者は、その著作物の発行者と推定する。

＊令和五法三三（令和八・五・二五までに施行）**による改正**
第八章は第九章とされた。（本文織込み済み）

第九章　罰則（抄）

第一一九条①　著作権、出版権又は著作隣接権を侵害した者（第三十条第一項（第百二条第一項において準用する場合を含む。第三項において同じ。）に定める私的使用の目的をもつて自ら著作物若しくは実演等の複製を行つた者、第百十三条第二項、第三項若しくは第六項から第八項までの規定により著作権、出版権若しくは著作隣接権（同項の規定による場合にあつては、同条第九項の規定により著作隣接権とみなされる権利を含む。第百二十条の二第五号において同じ。）を侵害する行為とみなされる行為を行つた者、第百十三条第十項の規定により著作権若しくは著作隣接権を侵害する行為とみなされる行為を行つた者又は次項第三号若しくは第六号に掲げる者を除く。）は、十年以下の拘禁刑若しくは千万円以下の罰金に処し、又はこれを併科する。

② 次の各号のいずれかに該当する者は、五年以下の拘禁刑若しくは五百万円以下の罰金に処し、又はこれを併科する。

一 著作者人格権又は実演家人格権を侵害した者（第百十三条第八項の規定により著作者人格権又は実演家人格権を侵害する行為とみなされる行為を行つた者を除く。）

二 営利を目的として、第三十条第一項第一号に規定する自動複製機器を著作権、出版権又は著作隣接権の侵害となる著作物又は実演等の複製に使用させた者

三 第百十三条第一項の規定により著作権、出版権又は著作隣接権を侵害する行為とみなされる行為を行つた者

四 侵害著作物等利用容易化ウェブサイト等の公衆への提示を行つた者（当該侵害著作物等利用容易化ウェブサイト等と侵害著作物等利用容易化ウェブサイト等以外の相当数のウェブサイト等（第百十三条第四項に規定するウェブサイト等をいう。以下この号及び次号において同じ。）とを包括しているウェブサイト等において、単に当該公衆への提示の機会を提供したに過ぎない者（著作権者等からの当該侵害著作物等利用容易化ウェブサイト等において提供されている侵害送信元識別符号等の削除に関する請求に正当な理由なく応じない状態が相当期間にわたり継続していたことその他の著作権者等の利益を不当に害すると認められる特別な事情がある場合を除く。）を除く。）

五 侵害著作物等利用容易化プログラムの公衆への提供等を行つた者（当該公衆への提供等のために用いられているウェブサイト等とそれ以外の相当数のウェブサイト等とを包括しているウェブサイト等又は当該侵害著作物等利用容易化プログラム及び侵害著作物等利用容易化プログラム以外の相当数のプログラムの公衆への提供等のために用いられているウェブサイト等において、単に当該侵害著作物等利用容易化プログラムの公衆への提供等の機会を提供したに過ぎない者（著作権者等からの当該侵害著作物等利用容易化プログラムにより提供されている侵害送信元識別符号等の削除に関する請求に正当な理由なく応じない状態が相当期間にわたり継続していたことその他の著作権者等の利益を不当に害すると認められる特別な事情がある場合を除く。）を除く。）

六 第百十三条第五項の規定により著作権を侵害する行為とみなされる行為を行つた者

③ 次の各号のいずれかに該当する者は、二年以下の拘禁刑若しくは二百万円以下の罰金に処し、又はこれを併科する。

一 第三十条第一項に定める私的使用の目的をもつて、録音録画有償著作物等（録音され、又は録画された著作物又は実演等（著作権又は著作隣接権の目的となつているものに限る。）であつて、有償で公衆に提供され、又は提示されているもの（その提供又は提示が著作権又は著作隣接権を侵害しないものに限る。）をいう。）の著作権を侵害する自動公衆送信（国外で行われる自動公衆送信であつて、国内で行われたとしたならば著作権の侵害となるべきものを含む。）又は著作隣接権を侵害する送信可能化（国外で行われる送信可能化であつて、国内で行われたとしたならば著作隣接権の侵害となるべきものを含む。）に係る自動公衆送信を受信して行うデジタル方式の録音又は録画（以下この号及び次項において「有償著作物等特定侵害録音録画」という。）を、自ら有償著作物等特定侵害録音録画であることを知りながら行つて著作権又は著作隣接権を侵害した者

二 第三十条第一項に定める私的使用の目的をもつて、著作物（著作権の目的となつているものに限る。以下この号において同じ。）であつて有償で公衆に提供され、又は提示されているもの（その提供又は提示が著作権を侵害しないものに限る。）の著作権（第二十八条に規定する権利（翻訳以外の方法により創作された二次的著作物に係るものに限る。）を除く。以下この号及び第五項において同じ。）を侵害する自動公衆送信（国外で行われる自動公衆送信であつて、国内で行われたとしたならば著作権の侵害となるべきものを含む。）を受信して行うデジタル方式の複製（録音及び録画を除く。以下この号において同じ。）（当該著作物のうち当該複製がされる部分の占める割合、当該部分が自動公衆送信される際の表示の精度その他の要素に照らし軽微なものを除く。以下この号及び第五項において「有償著作物特定侵害複製」という。）を、自ら有償著作物特定侵害複製であることを知りながら行つて著作権を侵害する行為（当該著作物の種類及び用途並びに当該有償著作物特定侵害複製の態様に照らし著作権者の利益を不当に害しないと認められる特別な事情がある場合を除く。）を継続的に又は反復して行つた者

④ 前項第一号に掲げる者には、有償著作物等特定侵害録音録画を、自ら有償著作物等特定侵害録音録画であることを重大な過失により知らないで行つて著作権又は著作隣接権を侵害した者を含むものと解釈してはならない。

⑤ 第三項第二号に掲げる者には、有償著作物特定侵害複製を、自ら有償著作物特定侵害複製であることを重大な過失により知らないで行つて著作権を侵害する行為を継続的に又は反復して行つた者を含むものと解釈してはならない。

第一二〇条 第六十条又は第百一条の三の規定に違反した者は、五百万円以下の罰金に処する。

第一二〇条の二 次の各号のいずれかに該当する者は、三年以下の拘禁刑若しくは三百万円以下の罰金に処し、又はこれを併科する。

一 技術的保護手段の回避若しくは技術的利用制限手段の回避を行うことをその機能とする装置（当該装置の部品一式であつて容易に組み立てることができるものを含む。）若しくは技術的保護手段の回避若しくは技術的利用制限手段の回避を行うことをその機能とするプログラムの複製物を公衆に譲渡し、若しくは貸与し、公衆への譲渡若しくは貸与の目的をもつて製造し、輸入し、若しくは所持し、若しくは公衆の使用に供し、又は当該プログラムを公衆送信し、若しくは送信可能化する行為（当該装置又は当該プログラムが当該機能以外の機能を併せて有する場合にあつては、著作権等を侵害する行為を技術的保護手段の回避により可能とし、又は第百十三条第六項の規定により著作権、出版権若しくは著作隣接権を侵害する行為とみなされる行為を技術的利用制限手段の回避により可能とする用途に供するために行うものに限る。）をした者

二 業として公衆からの求めに応じて技術的保護手段の回避又は技術的利用制限手段の回避を行つた者

三 第百十三条第二項の規定により著作権、出版権又は著作隣接権を侵害する行為とみなされる行為を行つた者

四 第百十三条第七項の規定により技術的保護手段に係る著作権等又は技術的利用制限手段に係る著作権、出版権若しくは著作隣接権を侵害する行為とみなされる行為を行つた者

五 営利を目的として、第百十三条第八項の規定により著作者人格権、著作権、出版権、実演家人格権又は著作隣接権を侵害する行為とみなされる行為を行つた者

六 営利を目的として、第百十三条第十項の規定により著作権又は著作隣接権を侵害する行為とみなされる行為を行つた者

第一二一条 著作者でない者の実名又は周知の変名を著作者名として表示した著作物の複製物（原著作物の著作者でない者の実名又は周知の変名を原著作物の著作者名として表示した二次的

著作物の複製物を含む。）を頒布した者は、一年以下の拘禁刑若しくは百万円以下の罰金に処し、又はこれを併科する。

第一二一条の二　次の各号に掲げる商業用レコード（当該商業用レコードの複製物（二以上の段階にわたる複製に係る複製物を含む。）を含む。）を商業用レコードとして複製し、その複製物を頒布し、その複製物を頒布の目的をもつて所持し、又はその複製物を頒布する旨の申出をした者（当該各号の原盤に音を最初に固定した日の属する年の翌年から起算して七十年を経過した後において当該複製、頒布、所持又は申出を行つた者を除く。）は、一年以下の拘禁刑若しくは百万円以下の罰金に処し、又はこれを併科する。

一　国内において商業用レコードの製作を業とする者がレコード製作者からそのレコード（第八条各号のいずれかに該当するものを除く。）の原盤の提供を受けて製作した商業用レコード

二　国外において商業用レコードの製作を業とする者が、実演家等保護条約の締約国の国民、世界貿易機関の加盟国の国民又はレコード保護条約の締約国の国民（当該締約国の法令に基づいて設立された法人及び当該締約国に主たる事務所を有する法人を含む。）であるレコード製作者からそのレコード（第八条各号のいずれかに該当するものを除く。）の原盤の提供を受けて製作した商業用レコード

第一二一条の三　（略）

＊令和五法三三（令和八・五・二五までに施行）により第一二一条の三追加

第一二二条　第四十八条又は第百二条第二項の規定に違反した者は、五十万円以下の罰金に処する。

第一二二条の二　（略）

＊令和五法三三（令和八・五・二五までに施行）により第一二二条の二追加

第一二二条の三①　秘密保持命令に違反した者は、五年以下の拘禁刑若しくは五百万円以下の罰金に処し、又はこれを併科する。

②　前項の罪は、国外において同項の罪を犯した者にも適用する。

＊令和五法三三（令和八・五・二五までに施行）による改正
第一二二条の二は第一二二条の三とされた。（本文織込み済み）

第一二三条①　第百十九条第一項から第三項まで、第百二十条の二第三号から第六号まで、第百二十一条の二及び前条第一項の罪は、告訴がなければ公訴を提起することができない。

②　前項の規定は、次に掲げる行為の対価として財産上の利益を受ける目的又は有償著作物等の提供若しくは提示により著作権者等の得ることが見込まれる利益を害する目的で、次の各号のいずれかに掲げる行為を行うことにより犯した第百十九条第一項の罪については、適用しない。

一　有償著作物等について、原作のまま複製された複製物を公衆に譲渡し、又は原作のまま公衆送信（自動公衆送信の場合にあつては、送信可能化を含む。次号において同じ。）を行うこと（当該有償著作物等の種類及び用途、当該譲渡の部数、当該譲渡又は公衆送信の態様その他の事情に照らして、当該有償著作物等の提供又は提示により著作権者等の得ることが見込まれる利益が不当に害されることとなる場合に限る。）。

二　有償著作物等について、原作のまま複製された複製物を公衆に譲渡し、又は原作のまま公衆送信を行うために、当該有償著作物等を複製すること（当該有償著作物等の種類及び用途、当該複製の部数及び態様その他の事情に照らして、当該有償著作物等の提供又は提示により著作権者等の得ることが見込まれる利益が不当に害されることとなる場合に限る。）。

③　前項に規定する有償著作物等とは、著作物又は実演等（著作権、出版権又は著作隣接権の目的となつているものに限る。）であつて、有償で公衆に提供され、又は提示されているもの（その提供又は提示が著作権、出版権又は著作隣接権を侵害するもの（国外で行われた提供又は提示にあつては、国内で行われたとしたならばこれらの権利の侵害となるべきもの）を除く。）をいう。

④　無名又は変名の著作物の発行者は、その著作物に係る第一項に規定する罪について告訴をすることができる。ただし、第百十八条第一項ただし書に規定する場合及び当該告訴が著作者の明示した意思に反する場合は、この限りでない。

第一二四条①　法人の代表者（法人格を有しない社団又は財団の管理人を含む。）又は法人若しくは人の代理人、使用人その他の従業者が、その法人又は人の業務に関し、次の各号に掲げる規定の違反行為をしたときは、行為者を罰するほか、その法人に対して当該各号に定める罰金刑を、その人に対して各本条の罰金刑を科する。

一　第百十九条第一項若しくは第二項第三号から第六号まで又は第百二十二条の三第一項　三億円以下の罰金刑

二　第百十九条第二項第一号若しくは第二号、第百二十条から第百二十一条の二まで又は第百二十二条　各本条の罰金刑

②　法人格を有しない社団又は財団について前項の規定の適用がある場合には、その代表者又は管理人がその訴訟行為につきその社団又は財団を代表するほか、法人を被告人又は被疑者とする場合の刑事訴訟に関する法律の規定を準用する。

③　第一項の場合において、当該行為者に対してした告訴又は告訴の取消しは、その法人又は人に対しても効力を生じ、その法人又は人に対してした告訴又は告訴の取消しは、当該行為者に対しても効力を生ずるものとする。

④　第一項の規定により第百十九条第一項若しくは第二項又は第百二十二条の三第一項の違反行為につき法人又は人に罰金刑を科する場合における時効の期間は、これらの規定の罪についての時効の期間による。

＊令和五法三三（令和八・五・二五までに施行）による改正前
第一二四条①　（柱書略）
一　第百十九条第一項若しくは第二項第三号から第六号まで又は第百二十二条の二第一項　三億円以下の罰金刑
二　第百十九条第二項第一号若しくは第二号又は第百二十条から第百二十二条まで　各本条の罰金刑
②③　（略）
④　第一項の規定により第百十九条第一項若しくは第二項又は第百二十二条の二第一項の違反行為につき法人又は人に罰金刑を科する場合における時効の期間は、これらの規定の罪についての時効の期間による。

第一二五条　（略）

＊令和五法三三（令和八・五・二五までに施行）により第一二五条追加

附　則（令和四・五・二五法四八）（抄）

（施行期日）

第一条　この法律は、公布の日から起算して四年を超えない範囲内において政令で定める日から施行する。ただし、次の各号に掲げる規定は、当該各号に定める日から施行する。

一　（前略）附則第百二十五条の規定　公布の日

二―五　（略）

（著作権法の一部改正に伴う経過措置）

第六二条　前条の規定による改正後の著作権法第百十四条の六第三項及び第四項並びに第百十四条の七第二項の規定は、施行日以後に提起される著作者人格権、著作権、出版権、実演家人格権又は著作隣接権の侵害に係る訴えにおける秘密保持命令の送達及び効力の発生時期について適用し、施行日前に提起された著作者人格権、著作権、出版権、実演家人格権又は著作隣接権

の侵害に係る訴えにおける秘密保持命令の送達及び効力の発生時期については、なお従前の例による。

（罰則に関する経過措置）

第一二四条　この法律の施行前にした行為及びこの附則の規定によりなお従前の例によることとされる場合におけるこの法律の施行後にした行為に対する罰則の適用については、なお従前の例による。

（政令への委任）

第一二五条　この附則に定めるもののほか、この法律の施行に関し必要な経過措置は、政令で定める。

刑法等の一部を改正する法律の施行に伴う関係法律整理法中経過規定　（令和四・六・一七法六八）（抄）

第四四一条から第四四三条まで　（刑法の同経過規定参照）

第五〇九条　（刑法の同経過規定参照）

刑法等の一部を改正する法律の施行に伴う関係法律整理法

附　則（令和四・六・一七法六八）（抄）

（施行期日）

①　この法律は、刑法等一部改正法（刑法等の一部を改正する法律（令和四法六七））施行日（令和七・六・一）から施行する。ただし、次の各号に掲げる規定は、当該各号に定める日から施行する。

一　第五百九条の規定　公布の日

二　（略）

附　則（令和五・五・二六法三三）（抄）

（施行期日）

第一条　この法律は、公布の日から起算して三年を超えない範囲内において政令で定める日から施行する。ただし、次の各号に掲げる規定は、当該各号に定める日から施行する。

一　附則第六条の規定　公布の日

二　第四十条の改正規定、第四十一条の次に一条を加える改正規定、第四十二条の改正規定、第四十二条の三を第四十二条の四とし、第四十二条の二を第四十二条の三とし、第四十二条の次に一条を加える改正規定、第四十七条の六第一項第二号の改正規定、第四十七条の七の改正規定、第四十八条第一項の改正規定、第四十九条の改正規定、第八十六条の改正規定、第百二条の改正規定及び第百十四条の改正規定並びに附則第五条及び第九条（民事訴訟法等の一部を改正する法律（令和四法四八）の一部改正）の規定　令和六年一月一日

三　附則第三条及び第四条の規定　公布の日から起算して二年六月を超えない範囲内において政令で定める日

（第六十七条第一項の裁定の手続についての経過措置）

第二条　この法律による改正後の著作権法（以下「新法」という。）第六十七条（新法第百三条において準用する場合を含む。以下この条において同じ。）並びに第百四条の二十一第一項及び第二項（新法第六十七条に係る部分に限る。）の規定は、この法律の施行の日（以下「施行日」という。）以後にされる新法第六十七条第一項の裁定の申請に係る手続について適用し、施行日前にされたこの法律による改正前の著作権法（以下この条において「旧法」という。）第六十七条第一項（旧法第百三条において準用する場合を含む。）の裁定の申請に係る手続については、なお従前の例による。

（指定補償金管理機関の指定等に関する準備行為）

第三条①　新法第百四条の十八の規定による指定を受けようとする者は、施行日前においても、新法第百四条の十九第一項及び第二項の規定の例により、その申請を行うことができる。

②　文化庁長官は、前項の規定により指定の申請があった場合には、施行日前においても、新法第百四条の十八並びに第百四条の十九第三項及び第四項の規定の例により、その指定及び告示をすることができる。この場合において、当該指定及び告示は、施行日以後は、それぞれ新法第百四条の十八の規定による指定及び新法第百四条の十九第四項の規定による告示とみなす。

③―⑥　（略）

（登録確認機関の登録等に関する準備行為）

第四条①　新法第百四条の三十三第一項の登録を受けようとする者は、施行日前においても、新法第百四条の三十四第一項及び第二項の規定の例により、その申請を行うことができる。

②　文化庁長官は、前項の規定により登録の申請があった場合には、施行日前においても、新法第百四条の三十三第一項及び第百四条の三十四第三項から第六項までの規定の例により、その登録及び告示をすることができる。この場合において、当該登録及び告示は、施行日以後は、それぞれ新法第百四条の三十三第一項の登録及び新法第百四条の三十四第六項の規定による告示とみなす。

③④　（略）

（罰則についての経過措置）

第五条　この法律（附則第一条第二号に掲げる規定については、当該規定）の施行前にした行為に対する罰則の適用については、なお従前の例による。

（政令への委任）

第六条　附則第二条から前条までに定めるもののほか、この法律の施行に関し必要な経過措置（罰則に係る経過措置を含む。）は、政令で定める。

民事関係手続等における情報通信技術の活用等の推進を図るための関係法律の整備に関する法律中経過規定　（令和五・六・一四法五三）（抄）

第三八七条から第三八九条まで　（民事執行法の同経過規定参照）

民事関係手続等における情報通信技術の活用等の推進を図るための関係法律の整備に関する法律

附　則（令和五・六・一四法五三）

この法律は、公布の日から起算して五年を超えない範囲内において政令で定める日から施行する。ただし、次の各号に掲げる規定は、当該各号に定める日から施行する。

一　（前略）第三百八十八条の規定　公布の日

二　（前略）第三百八十七条の規定　公布の日から起算して二年六月を超えない範囲内において政令で定める日

三　（前略）第四十条（著作権法の一部改正）の規定（中略）　民事訴訟法等の一部を改正する法律（令和四法四八）の施行の日

●国際連合憲章（昭和三一・一二・一九条二六）

発効　昭和三一・一二・一八（昭和三一外告一三八）
改正　昭和四〇条一二、昭和四三外告一八三、昭和四八条一二

目次

われら連合国の人民は、
われらの一生のうちに二度まで言語に絶する悲哀を人類に与えた戦争の惨害から将来の世代を救い、
基本的人権と人間の尊厳及び価値と男女及び大小各国の同権とに関する信念をあらためて確認し、
正義と条約その他の国際法の源泉から生ずる義務の尊重とを維持することができる条件を確立し、
一層大きな自由の中で社会的進歩と生活水準の向上とを促進すること
並びに、このために、
寛容を実行し、且つ、善良な隣人として互に平和に生活し、
国際の平和及び安全を維持するためにわれらの力を合わせ、
共同の利益の場合を除く外は武力を用いないことを原則の受諾と方法の設定によつて確保し、
すべての人民の経済的及び社会的発達を促進するために国際機構を用いることを決意して、
これらの目的を達成するために、われらの努力を結集することに決定した。
よつて、われらの各自の政府は、サン・フランシスコ市に会合し、全権委任状を示してそれが良好妥当であると認められた代表者を通じて、この国際連合憲章に同意したので、ここに国際連合という国際機構を設ける。

第一章　目的及び原則

第一条【目的】 国際連合の目的は、次のとおりである。
1　国際の平和及び安全を維持すること。そのために、平和に対する脅威の防止及び除去と侵略行為その他の平和の破壊の鎮圧とのため有効な集団的措置をとること並びに平和を破壊するに至る虞のある国際的の紛争又は事態の調整又は解決を平和的手段によつて且つ正義及び国際法の原則に従つて実現すること。
2　人民の同権及び自決の原則の尊重に基礎をおく諸国間の友好関係を発展させること並びに世界平和を強化するために他の適当な措置をとること。
3　経済的、社会的、文化的又は人道的性質を有する国際問題を解決することについて、並びに人種、性、言語又は宗教による差別なくすべての者のために人権及び基本的自由を尊重するように助長奨励することについて、国際協力を達成すること。
4　これらの共通の目的の達成に当つて諸国の行動を調和するための中心となること。

第二条【原則】 この機構及びその加盟国は、第一条に掲げる目的を達成するに当つては、次の原則に従つて行動しなければならない。
1　この機構は、そのすべての加盟国の主権平等の原則に基礎をおいている。
2　すべての加盟国は、加盟国の地位から生ずる権利及び利益を加盟国のすべてに保障するために、この憲章に従つて負つている義務を誠実に履行しなければならない。
3　すべての加盟国は、その国際紛争を平和的手段によつて国際の平和及び安全並びに正義を危くしないように解決しなければならない。
4　すべての加盟国は、その国際関係において、武力による威嚇又は武力の行使を、いかなる国の領土保全又は政治的独立に対するものも、また、国際連合の目的と両立しない他のいかなる方法によるものも慎まなければならない。
5　すべての加盟国は、国際連合がこの憲章に従つてとるいかなる行動についても国際連合にあらゆる援助を与え、且つ、国際連合の防止行動又は強制行動の対象となつているいかなる国に対しても援助の供与を慎まなければならない。
6　この機構は、国際連合加盟国でない国が、国際の平和及び安全の維持に必要な限り、これらの原則に従つて行動することを確保しなければならない。
7　この憲章のいかなる規定も、本質上いずれかの国の国内管轄権内にある事項に干渉する権限を国際連合に与えるものではなく、また、その事項をこの憲章に基く解決に付託することを加盟国に要求するものでもない。但し、この原則は、第七章に基く強制措置の適用を妨げるものではない。

第二章　加盟国の地位

第三条【原加盟国】 国際連合の原加盟国とは、サン・フランシスコにおける国際機構に関する連合国会議に参加した国又はさきに千九百四十二年一月一日の連合国宣言に署名した国で、この憲章に署名し、且つ、第百十条に従つてこれを批准するものをいう。

第四条【加盟】 1　国際連合における加盟国の地位は、この憲章に掲げる義務を受諾し、且つ、この機構によつてこの義務を履行する能力及び意思があると認められる他のすべての平和愛好国に開放されている。
2　前記の国が国際連合加盟国となることの承認は、安全保障理事会の勧告に基いて、総会の決定によつて行われる。

第五条【権利と特権の停止】 安全保障理事会の防止行動又は強制行動の対象となつた国際連合加盟国に対しては、総会が、安全保障理事会の勧告に基いて、加盟国としての権利及び特権の行使を停止することができる。これらの権利及び特権の行使は、安全保障理事会が回復することができる。

第六条【除名】 この憲章に掲げる原則に執ように違反した国際連合加盟国は、総会が、安全保障理事会の勧告に基いて、この機構から除名することができる。

第三章　機関

第七条【機関】

1 国際連合の主要機関として、総会、安全保障理事会、経済社会理事会、信託統治理事会、国際司法裁判所及び事務局を設ける。

2 必要と認められる補助機関は、この憲章に従つて設けることができる。

第八条【男女の資格の平等】 国際連合は、その主要機関及び補助機関に男女がいかなる地位にも平等の条件で参加する資格があることについて、いかなる制限も設けてはならない。

第四章　総会

構成

第九条【構成】 1 総会は、すべての国際連合加盟国で構成する。

2 各加盟国は、総会において五人以下の代表者を有するものとする。

任務及び権限

第一〇条【総則】 総会は、この憲章の範囲内にある問題若しくは事項又はこの憲章に規定する機関の権限及び任務に関する問題若しくは事項を討議し、並びに、第十二条に規定する場合を除く外、このような問題又は事項について国際連合加盟国若しくは安全保障理事会又はこの両者に対して勧告をすることができる。

第一一条【平和と安全の維持】 1 総会は、国際の平和及び安全の維持についての協力に関する一般原則を、軍備縮少及び軍備規制を律する原則も含めて、審議し、並びにこのような原則について加盟国若しくは安全保障理事会又はこの両者に対して勧告をすることができる。

2 総会は、国際連合加盟国若しくは安全保障理事会によつて、又は第三十五条2に従い国際連合加盟国でない国によつて総会に付託される国際の平和及び安全の維持に関するいかなる問題も討議し、並びに、第十二条に規定する場合を除く外、このような問題について、一若しくは二以上の関係国又は安全保障理事会あるいはこの両者に対して勧告をすることができる。このような問題で行動を必要とするものは、討議の前又は後に、総会によつて安全保障理事会に付託されなければならない。

3 総会は、国際の平和及び安全を危くする虞のある事態について、安全保障理事会の注意を促すことができる。

4 本条に掲げる総会の権限は、第十条の一般的範囲を制限するものではない。

第一二条【安全保障理事会との関係】 1 安全保障理事会がこの憲章によつて与えられた任務をいずれかの紛争又は事態について遂行している間は、総会は、安全保障理事会が要請しない限り、この紛争又は事態について、いかなる勧告もしてはならない。

2 事務総長は、国際の平和及び安全の維持に関する事項で安全保障理事会が取り扱つているものを、その同意を得て、会期ごとに総会に対して通告しなければならない。事務総長は、安全保障理事会がその事項を取り扱うことをやめた場合にも、直ちに、総会又は、総会が開会中でないときは、国際連合加盟国に対して同様に通告しなければならない。

第一三条【国際協力】 1 総会は、次の目的のために研究を発議し、及び勧告をする。

a 政治的分野において国際協力を促進すること並びに国際法の漸進的発達及び法典化を奨励すること。

b 経済的、社会的、文化的、教育的及び保健的分野において国際協力を促進すること並びに人種、性、言語又は宗教による差別なくすべての者のために人権及び基本的自由を実現するように援助すること。

2 前記の1bに掲げる事項に関する総会の他の責任、任務及び権限は、第九章及び第十章に掲げる。

第一四条【平和的調整】 第十二条の規定を留保して、総会は、起因にかかわりなく、一般的福祉又は諸国間の友好関係を害する虞があると認めるいかなる事態についても、これを平和的に調整するための措置を勧告することができる。この事態には、国際連合の目的及び原則を定めるこの憲章の規定の違反から生ずる事態が含まれる。

第一五条【報告の受理】 1 総会は、安全保障理事会から年次報告及び特別報告を受け、これを審議する。この報告は、安全保障理事会が国際の平和及び安全を維持するために決定し、又はとつた措置の説明を含まなければならない。

2 総会は、国際連合の他の機関から報告を受け、これを審議する。

第一六条【信託統治に関する任務】 総会は、第十二章及び第十三章に基いて与えられる国際信託統治制度に関する任務を遂行する。この任務には、戦略地区として指定されない地区に関する信託統治協定の承認が含まれる。

第一七条【財政に関する任務】 1 総会は、この機構の予算を審議し、且つ、承認する。

2 この機構の経費は、総会によつて割り当てられるところに従つて、加盟国が負担する。

3 総会は、第五十七条に掲げる専門機関との財政上及び予算上の取極を審議し、且つ、承認し、並びに、当該専門機関に勧告をする目的で、この専門機関の行政的予算を検査する。

表決

第一八条【表決手続】 1 総会の各構成国は、一個の投票権を有する。

2 重要問題に関する総会の決定は、出席し且つ投票する構成国の三分の二の多数によつて行われる。重要問題には、国際の平和及び安全の維持に関する勧告、安全保障理事会の非常任理事国の選挙、経済社会理事会の理事国の選挙、第八十六条1cによる信託統治理事会の理事国の選挙、新加盟国の国際連合への加盟の承認、加盟国としての権利及び特権の停止、加盟国の除名、信託統治制度の運用に関する問題並びに予算問題が含まれる。

3 その他の問題に関する決定は、三分の二の多数によつて決定されるべき問題の新たな部類の決定を含めて、出席し且つ投票する構成国の過半数によつて行われる。

第一九条【分担金の支払遅滞】 この機構に対する分担金の支払が延滞している国際連合加盟国は、その延滞金の額がその時までの満二年間にその国から支払われるべきであつた分担金の額に等しいか又はこれをこえるときは、総会で投票権を有しない。但し、総会は、支払の不履行がこのような加盟国にとつてやむを得ない事情によると認めるときは、その加盟国に投票を許すことができる。

手続

第二〇条【会期】 総会は、年次通常会期として、また、必要がある場合に特別会期として会合する。特別会期は、安全保障理事会の要請又は国際連合加盟国の過半数の要請があつたとき、事務総長が招集する。

第二一条【手続規則】 総会は、その手続規則を採択する。総会は、その議長を会期ごとに選挙する。

第二二条【補助機関】 総会は、その任務の遂行に必要と認める補助機関を設けることができる。

第五章　安全保障理事会

構成

第二三条【構成】 1 安全保障理事会は、十五の国際連合加盟国で構成する。中華民国、フランス、ソヴィエト社会主義共和国連邦、グレート・ブリテン及び北部アイルランド連合王国及びアメリカ合衆国は、安全保障理事会の常任理事国となる。総会は、第一に国際の平和及び安全の維持とこの機構のその他の目的とに対する国際連合加盟国の貢献に、更に衡平な地理的分配に特に妥当な考慮を払って、安全保障理事会の非常任理事国となる他の十の国際連合加盟国を選挙する。

2　安全保障理事会の非常任理事国は、二年の任期で選挙される。安全保障理事会の理事国の定数が十一から十五に増加された後の第一回の非常任理事国の選挙では、追加の四理事国のうち二理事国は、一年の任期で選ばれる。退任理事国は、引き続いて再選される資格がない。

3　安全保障理事会の各理事国は、一人の代表者を有する。

任務及び権限

第二四条【平和と安全の維持】

1　国際連合の迅速且つ有効な行動を確保するために、国際連合加盟国は、国際の平和及び安全の維持に関する主要な責任を安全保障理事会に負わせるものとし、且つ、安全保障理事会がこの責任に基く義務を果すに当つて加盟国に代つて行動することに同意する。

2　前記の義務を果すに当つては、安全保障理事会は、国際連合の目的及び原則に従つて行動しなければならない。この義務を果すために安全保障理事会に与えられる特定の権限は、第六章、第七章、第八章及び第十二章で定める。

3　安全保障理事会は、年次報告を、また、必要があるときは特別報告を総会に審議のため提出しなければならない。

第二五条【決定の拘束力】

国際連合加盟国は、安全保障理事会の決定をこの憲章に従つて受諾し且つ履行することに同意する。

第二六条【軍備規制】

世界の人的及び経済的資源を軍備のために転用することを最も少くして国際の平和及び安全の確立及び維持を促進する目的で、安全保障理事会は、軍備規制の方式を確立するため国際連合加盟国に提出される計画を、第四十七条に掲げる軍事参謀委員会の援助を得て、作成する責任を負う。

表決

第二七条【表決手続】

1　安全保障理事会の各理事国は、一個の投票権を有する。

2　手続事項に関する安全保障理事会の決定は、九理事国の賛成投票によつて行われる。

3　その他のすべての事項に関する安全保障理事会の決定は、常任理事国の同意投票を含む九理事国の賛成投票によつて行われる。但し、第六章及び第五十二条3に基く決定については、紛争当事国は、投票を棄権しなければならない。

手続

第二八条【組織と会議】

1　安全保障理事会は、継続して任務を行うことができるように組織する。このために、安全保障理事会の各理事国は、この機構の所在地に常に代表者をおかなければならない。

2　安全保障理事会は、定期会議を開く。この会議においては、各理事国は、希望すれば、閣員又は特に指名する他の代表者によつて代表されることができる。

3　安全保障理事会は、その事業を最も容易にすると認めるこの機構の所在地以外の場所で、会議を開くことができる。

第二九条【補助機関】

安全保障理事会は、その任務の遂行に必要と認める補助機関を設けることができる。

第三〇条【手続規則】

安全保障理事会は、議長を選定する方法を含むその手続規則を採択する。

第三一条【利害関係国の参加】

安全保障理事会の理事国でない国際連合加盟国は、安全保障理事会に付託された問題について、理事会がこの加盟国の利害に特に影響があると認めるときはいつでも、この問題の討議に投票権なしで参加することができる。

第三二条【紛争当事国の参加】

安全保障理事会の理事国でない国際連合加盟国又は国際連合加盟国でない国は、安全保障理事会の審議中の紛争の当事者であるときは、この紛争に関する討議に投票権なしで参加するように勧誘されなければならない。安全保障理事会は、国際連合加盟国でない国の参加のために公正と認める条件を定める。

第六章　紛争の平和的解決

第三三条【平和的解決の義務】

1　いかなる紛争でもその継続が国際の平和及び安全の維持を危くする虞のあるものについては、その当事者は、まず第一に、交渉、審査、仲介、調停、仲裁裁判、司法的解決、地域的機関又は地域的取極の利用その他当事者が選ぶ平和的手段による解決を求めなければならない。

2　安全保障理事会は、必要と認めるときは、当事者に対して、その紛争を前記の手段によつて解決するように要請する。

第三四条【調査】

安全保障理事会は、いかなる紛争についても、国際的摩擦に導き又は紛争を発生させる虞のあるいかなる事態についても、その紛争又は事態の継続が国際の平和及び安全の維持を危くする虞があるかどうかを決定するために調査することができる。

第三五条【提訴】

1　国際連合加盟国は、いかなる紛争についても、第三十四条に掲げる性質のいかなる事態についても、安全保障理事会又は総会の注意を促すことができる。

2　国際連合加盟国でない国は、自国が当事者であるいかなる紛争についても、この憲章に定める平和的解決の義務をこの紛争についてあらかじめ受諾すれば、安全保障理事会又は総会の注意を促すことができる。

3　本条に基いて注意を促された事項に関する総会の手続は、第十一条及び第十二条の規定に従うものとする。

第三六条【調整の手続と方法の勧告】

1　安全保障理事会は、第三十三条に掲げる性質の紛争又は同様の性質の事態のいかなる段階においても、適当な調整の手続又は方法を勧告することができる。

2　安全保障理事会は、当事者が既に採用した紛争解決の手続を考慮に入れなければならない。

3　本条に基いて勧告をするに当つては、安全保障理事会は、法律的紛争が国際司法裁判所規程の規定に従い当事者によつて原則として同裁判所に付託されなければならないことも考慮に入れなければならない。

第三七条【付託の義務と勧告】

1　第三十三条に掲げる性質の紛争の当事者は、同条に示す手段によつてこの紛争を解決することができなかつたときは、これを安全保障理事会に付託しなければならない。

2　安全保障理事会は、紛争の継続が国際の平和及び安全の維持を危くする虞が実際にあると認めるときは、第三十六条に基く行動をとるか、適当と認める解決条件を勧告するかのいずれかを決定しなければならない。

第三八条【合意による付託】

第三十三条から第三十七条までの規定にかかわらず、安全保障理事会は、いかなる紛争についても、すべての紛争当事者が要請すれば、その平和的解決のためにこの当事者に対して勧告をすることができる。

第七章　平和に対する脅威、平和の破壊及び侵略行為に関する行動

第三九条【安全保障理事会の一般的権能】

安全保障理事会は、平和に対する脅威、平和の破壊又は侵略行為の存在を決定し、並びに、国際の平和及び安全を維持し又は回復するために、勧告をし、又は第四十一条及び第四十二条に従つていかなる措置をとるかを決定する。

第四〇条【暫定措置】

事態の悪化を防ぐため、第三十九条の規定により勧告をし、又は措置を決定する前に、安全保障理事会は、必要又は望ましいと

認める暫定措置に従うように関係当事者に要請することができる。この暫定措置は、関係当事者の権利、請求権又は地位を害するものではない。安全保障理事会は、関係当事者がこの暫定措置に従わなかつたときは、そのことに妥当な考慮を払わなければならない。

第四一条【非軍事的措置】
安全保障理事会は、その決定を実施するために、兵力の使用を伴わないいかなる措置を使用すべきかを決定することができ、且つ、この措置を適用するように国際連合加盟国に要請することができる。この措置は、経済関係及び鉄道、航海、航空、郵便、電信、無線通信その他の運輸通信の手段の全部又は一部の中断並びに外交関係の断絶を含むことができる。

第四二条【軍事的措置】
安全保障理事会は、第四十一条に定める措置では不充分であろうと認め、又は不充分なことが判明したと認めるときは、国際の平和及び安全の維持又は回復に必要な空軍、海軍又は陸軍の行動をとることができる。この行動は、国際連合加盟国の空軍、海軍又は陸軍による示威、封鎖その他の行動を含むことができる。

第四三条【特別協定】
1 国際の平和及び安全の維持に貢献するため、すべての国際連合加盟国は、安全保障理事会の要請に基き且つ一又は二以上の特別協定に従つて、国際の平和及び安全の維持に必要な兵力、援助及び便益を安全保障理事会に利用させることを約束する。この便益には、通過の権利が含まれる。
2 前記の協定は、兵力の数及び種類、その出動準備程度及び一般的配置並びに提供されるべき便益及び援助の性質を規定する。
3 前記の協定は、安全保障理事会の発議によつて、なるべくすみやかに交渉する。この協定は、安全保障理事会と加盟国との間又は安全保障理事会と加盟国群との間に締結され、且つ、署名国によつて各自の憲法上の手続に従つて批准されなければならない。

第四四条【非理事国の参加】
安全保障理事会は、兵力を用いることに決定したときは、理事会に代表されていない加盟国に対して第四十三条に基いて負つた義務の履行として兵力を提供するように要請する前に、その加盟国が希望すれば、その加盟国の兵力中の割当部隊の使用に関する安全保障理事会の決定に参加するようにその加盟国を勧誘しなければならない。

第四五条【空軍割当部隊】
国際連合が緊急の軍事措置をとることができるようにするために、加盟国は、合同の国際的強制行動のため国内空軍割当部隊を直ちに利用に供することができるように保持しなければならない。これらの割当部隊の数量及び出動準備程度並びにその合同行動の計画は、第四十三条に掲げる一又は二以上の特別協定の定める範囲内で、軍事参謀委員会の援助を得て安全保障理事会が決定する。

第四六条【兵力の使用計画】
兵力使用の計画は、軍事参謀委員会の援助を得て安全保障理事会が作成する。

第四七条【軍事参謀委員会】
1 国際の平和及び安全の維持のための安全保障理事会の軍事的要求、理事会の自由に任された兵力の使用及び指揮、軍備規制並びに可能な軍備縮少に関するすべての問題について理事会に助言及び援助を与えるために、軍事参謀委員会を設ける。
2 軍事参謀委員会は、安全保障理事会の常任理事国の参謀総長又はその代表者で構成する。この委員会に常任委員として代表されていない国際連合加盟国は、委員会の責任の有効な遂行のため委員会の事業へのその国の参加が必要であるときは、委員会によつてこれと提携するように勧誘されなければならない。
3 軍事参謀委員会は、安全保障理事会の下で、理事会の自由に任された兵力の戦略的指導について責任を負う。この兵力の指揮に関する問題は、後に解決する。
4 軍事参謀委員会は、安全保障理事会の許可を得て、且つ、適当な地域的機関と協議した後に、地域的小委員会を設けることができる。

第四八条【決定の履行】
1 国際の平和及び安全の維持のための安全保障理事会の決定を履行するのに必要な行動は、安全保障理事会が定めるところに従つて国際連合加盟国の全部又は一部によつてとられる。
2 前記の決定は、国際連合加盟国によつて直接に、また、国際連合加盟国が参加している適当な国際機関におけるこの加盟国の行動によつて履行される。

第四九条【相互援助】
国際連合加盟国は、安全保障理事会が決定した措置を履行するに当つて、共同して相互援助を与えなければならない。

第五〇条【経済的困難についての協議】
安全保障理事会がある国に対して防止措置又は強制措置をとつたときは、他の国でこの措置の履行から生ずる特別の経済問題に自国が当面したと認めるものは、国際連合加盟国であるかどうかを問わず、この問題の解決について安全保障理事会と協議する権利を有する。

第五一条【自衛権】
この憲章のいかなる規定も、国際連合加盟国に対して武力攻撃が発生した場合には、安全保障理事会が国際の平和及び安全の維持に必要な措置をとるまでの間、個別的又は集団的自衛の固有の権利を害するものではない。この自衛権の行使に当つて加盟国がとつた措置は、直ちに安全保障理事会に報告しなければならない。また、この措置は、安全保障理事会が国際の平和及び安全の維持又は回復のために必要と認める行動をいつでもとるこの憲章に基く権能及び責任に対しては、いかなる影響も及ぼすものではない。

第八章　地域的取極

第五二条【地域的取極、地方的紛争の解決】
1 この憲章のいかなる規定も、国際の平和及び安全の維持に関する事項で地域的行動に適当なものを処理するための地域的取極又は地域的機関が存在することを妨げるものではない。但し、この取極又は機関及びその行動が国際連合の目的及び原則と一致することを条件とする。
2 前記の取極を締結し、又は前記の機関を組織する国際連合加盟国は、地方的紛争を安全保障理事会に付託する前に、この地域的取極又は地域的機関によつてこの紛争を平和的に解決するようにあらゆる努力をしなければならない。
3 安全保障理事会は、関係国の発意に基くものであるか安全保障理事会からの付託によるものであるかを問わず、前記の地域的取極又は地域的機関による地方的紛争の平和的解決の発達を奨励しなければならない。
4 本条は、第三十四条及び第三十五条の適用をなんら害するものではない。

第五三条【強制行動】
1 安全保障理事会は、その権威の下における強制行動のために、適当な場合には、前記の地域的取極又は地域的機関を利用する。但し、いかなる強制行動も、安全保障理事会の許可がなければ、地域的取極に基いて又は地域的機関によつてとられてはならない。もつとも、本条2に定める敵国のいずれかに対する措置で、第百七条に従つて規定されるもの又はこの敵国における侵略政策の再現に備える地域的取極において規定されるものは、関係政府の要請に基いてこの機構がこの敵国による新たな侵略を防止する責任を負うときまで例外とする。
2 本条1で用いる敵国という語は、第二次世界戦争中にこの憲章のいずれかの署名国の敵国であつた国に適用される。

第五四条【安全保障理事会に対する通報】
安全保障理事会は、国際の平和及び安全の維持のために地域的取極に基いて又は地域的機関によつて開始され又は企図されている活動について、常に充分に通報されていなければならない。

第九章　経済的及び社会的国際協力

第五五条【目的】
人民の同権及び自決の原則の尊重に基礎をおく諸国間の平和的且つ友好的関係に必要な安定及び福祉の条件を創造するために、国際連合は、次のことを促進しなければならない。
a　一層高い生活水準、完全雇用並びに経済的及び社会的の進歩及び発展の条件
b　経済的、社会的及び保健的国際問題と関係国際問題の解決並びに文化的及び教育的国際協力
c　人種、性、言語又は宗教による差別のないすべての者のための人権及び基本的自由の普遍的な尊重及び遵守

第五六条【加盟国の誓約】
すべての加盟国は、第五十五条に掲げる目的を達成するために、この機構と協力して、共同及び個別の行動をとることを誓約する。

第五七条【専門機関】
1　政府間の協定によって設けられる各種の専門機関で、経済的、社会的、文化的、教育的及び保健的分野並びに関係分野においてその基本的文書で定めるところにより広い国際的責任を有するものは、第六十三条の規定に従って国際連合と連携関係をもたされなければならない。
2　こうして国際連合と連携関係をもたされる前記の機関は、以下専門機関という。

第五八条【専門機関に対する勧告】
この機構は、専門機関の政策及び活動を調整するために勧告をする。

第五九条【新専門機関の創設】
この機構は、適当な場合には、第五十五条に掲げる目的の達成に必要な新たな専門機関を設けるために関係国間の交渉を発議する。

第六〇条【総会と経済社会理事会の責任】
この章に掲げるこの機構の任務を果す責任は、総会及び、総会の権威の下に、経済社会理事会に課せられる。理事会は、このために第十章に掲げる権限を有する。

第十章　経済社会理事会

構成

第六一条【構成】
1　経済社会理事会は、総会によって選挙される五十四の国際連合加盟国で構成する。
2　3の規定を留保して、経済社会理事会の十八理事国は、三年の任期で毎年選挙される。退任理事国は、引き続いて再選される資格がある。
3　経済社会理事会の理事国の定数が二十七から五十四に増加された後の第一回の選挙では、その年の終りに任期が終了する九理事国に代わって選挙される理事国に加えて、更に二十七理事国が選挙される。このようにして選挙された追加の二十七理事国のうち、総会の定めるところに従って、九理事国の任期は一年の終りに、他の九理事国の任期は二年の終りに終了する。
4　経済社会理事会の各理事国は、一人の代表者を有する。

任務及び権限

第六二条【研究、報告、勧告】
1　経済社会理事会は、経済的、社会的、文化的、教育的及び保健的国際事項並びに関係国際事項に関する研究及び報告を行い、又は発議し、並びにこれらの事項に関して総会、国際連合加盟国及び関係専門機関に勧告をすることができる。
2　理事会は、すべての者のための人権及び基本的自由の尊重及び遵守を助長するために、勧告をすることができる。
3　理事会は、その権限に属する事項について、総会に提出するための条約案を作成することができる。
4　理事会は、国際連合の定める規則に従って、その権限に属する事項について国際会議を招集することができる。

第六三条【専門機関との協定】
1　経済社会理事会は、第五十七条に掲げる機関のいずれとの間にも、その機関が国際連合と連携関係をもたされるについての条件を定める協定を締結することができる。この協定は、総会の承認を受けなければならない。
2　理事会は、専門機関との協議及び専門機関に対する勧告並びに総会及び国際連合加盟国に対する勧告によって、専門機関の活動を調整することができる。

第六四条【報告の受理】
1　経済社会理事会は、専門機関から定期報告を受けるために、適当な措置をとることができる。理事会は、理事会の勧告と理事会の権限に属する事項に関する総会の勧告とを実施するためにとられた措置について報告を受けるため、国際連合加盟国及び専門機関と取極を行うことができる。
2　理事会は、前記の報告に関するその意見を総会に通報することができる。

第六五条【安全保障理事会に対する援助】
経済社会理事会は、安全保障理事会に情報を提供することができる。経済社会理事会は、また、安全保障理事会の要請があったときは、これを援助しなければならない。

第六六条【他の任務】
1　経済社会理事会は、総会の勧告の履行に関して、自己の権限に属する任務を遂行しなければならない。
2　理事会は、国際連合加盟国の要請があったとき、又は専門機関の要請があったときは、総会の承認を得て役務を提供することができる。
3　理事会は、この憲章の他の箇所に定められ、又は総会によって自己に与えられるその他の任務を遂行しなければならない。

表決

第六七条【表決手続】
1　経済社会理事会の各理事国は、一個の投票権を有する。
2　経済社会理事会の決定は、出席し且つ投票する理事国の過半数によって行われる。

手続

第六八条【委員会】
経済社会理事会は、経済的及び社会的分野における委員会、人権の伸張に関する委員会並びに自己の任務の遂行に必要なその他の委員会を設ける。

第六九条【特別の関係を有する国の参加】
経済社会理事会は、いずれの国際連合加盟国に対しても、その加盟国に特に関係のある事項についての審議に投票権なしで参加するように勧誘しなければならない。

第七〇条【専門機関との相互的代表】
経済社会理事会は、専門機関の代表者が理事会の審議及び理事会の設ける委員会の審議に投票権なしで参加するための取極並びに理事会の代表者が専門機関の審議に参加するための取極を行うことができる。

第七一条【民間団体】
経済社会理事会は、その権限内にある事項に関係のある民間団体と協議するために、適当な取極を行うことができる。この取極は、国際団体との間に、また、適当な場合には、関係のある国際連合加盟国と協議した後に国内団体との間に行うことができる。

第七二条【手続規則】
1　経済社会理事会は、議長を選定する方法を含むその手続規則を採択する。
2　経済社会理事会は、その規則に従って必要があるときに会合する。この規則は、理事国の過半数の要請による会議招集の規定を含まなければならない。

第十一章　非自治地域に関する宣言

第七三条【住民の福利】
人民がまだ完全には自治を行うに至っていない地域の施政を行う責任を有し、又は引き受ける国際連合加盟国は、この地域の住民の利益が至上のものであるという原則を承認し、且つ、この地

域の住民の福祉をこの憲章の確立する国際の平和及び安全の制度内で最高度まで増進する義務並びにそのために次のことを行う義務を神聖な信託として受諾する。

a　関係人民の文化を充分に尊重して、この人民の政治的、経済的、社会的及び教育的進歩、公正な待遇並びに虐待からの保護を確保すること。

b　各地域及びその人民の特殊事情並びに人民の進歩の異なる段階に応じて、自治を発達させ、人民の政治的願望に妥当な考慮を払い、且つ、人民の自由な政治制度の漸進的発達について人民を援助すること。

c　国際の平和及び安全を増進すること。

d　本条に掲げる社会的、経済的及び科学的目的を実際に達成するために、建設的な発展措置を促進し、研究を奨励し、且つ、相互に及び適当な場合には専門国際団体と協力すること。

e　第十二章及び第十三章の適用を受ける地域を除く外、前記の加盟国がそれぞれ責任を負う地域における経済的、社会的及び教育的状態に関する専門的性質の統計その他の資料を、安全保障及び憲法上の考慮から必要な制限に従うことを条件として、情報用として事務総長に定期的に送付すること。

第七四条【世界各国の利益の考慮】

国際連合加盟国は、また、本章の適用を受ける地域に関するその政策を、その本土に関する政策と同様に、世界の他の地域の利益及び福祉に妥当な考慮を払つた上で、社会的、経済的及び商業的事項に関して善隣主義の一般原則に基かせなければならないことに同意する。

第十二章　国際信託統治制度

第七五条【信託統治制度の設定】

国際連合は、その権威の下に、国際信託統治制度を設ける。この制度は、今後の個個の協定によつてこの制度の下におかれる地域の施政及び監督を目的とする。この地域は、以下信託統治地域という。

第七六条【基本目的】

信託統治制度の基本目的は、この憲章の第一条に掲げる国際連合の目的に従つて、次のとおりとする。

a　国際の平和及び安全を増進すること。

b　信託統治地域の住民の政治的、経済的、社会的及び教育的進歩を促進すること。各地域及びその人民の特殊事情並びに関係人民が自由に表明する願望に適合するように、且つ、各信託統治協定の条項が規定するところに従つて、自治又は独立に向つての住民の漸進的発達を促進すること。

c　人種、性、言語又は宗教による差別なくすべての者のために人権及び基本的自由を尊重するように奨励し、且つ、世界の人民の相互依存の認識を助長すること。

d　前記の目的の達成を妨げることなく、且つ、第八十条の規定を留保して、すべての国際連合加盟国及びその国民のために社会的、経済的及び商業的事項について平等の待遇を確保し、また、その国民のために司法上で平等の待遇を確保すること。

第七七条【信託統治地域】

1　信託統治制度は、次の種類の地域で信託統治協定によつてこの制度の下におかれるものに適用する。

a　現に委任統治の下にある地域

b　第二次世界戦争の結果として敵国から分離される地域

c　施政について責任を負う国によつて自発的にこの制度の下におかれる地域

2　前記の種類のうちのいずれの地域がいかなる条件で信託統治制度の下におかれるかについては、今後の協定で定める。

第七八条【国連の加盟国となつた地域】

国際連合加盟国の間の関係は、主権平等の原則の尊重を基礎とするから、信託統治制度は、加盟国となつた地域には適用しない。

第七九条【信託統治協定】

信託統治制度の下におかれる各地域に関する信託統治の条項は、いかなる変更又は改正も含めて、直接関係国によつて協定され、且つ、第八十三条及び第八十五条に規定するところに従つて承認されなければならない。この直接関係国は、国際連合加盟国の委任統治の下にある地域の場合には、受任国を含む。

第八〇条【現存権利の留保】

1　第七十七条、第七十九条及び第八十一条に基いて締結され、各地域を信託統治制度の下におく個個の信託統治協定において協定されるところを除き、また、このような協定が締結される時まで、本章の規定は、いずれの国又はいずれの人民のいかなる権利をも、また、国際連合加盟国がそれぞれ当事国となつている現存の国際文書の条項をも、直接又は間接にどのようにも変更するものと解釈してはならない。

2　本条1は、第七十七条に規定するところに従つて委任統治地域及びその他の地域を信託統治制度の下におくための協定の交渉及び締結の遅滞又は延期に対して、根拠を与えるものと解釈してはならない。

第八一条【施政権者】

信託統治協定は、各場合において、信託統治地域の施政を行う条件を含み、且つ、信託統治地域の施政を行う当局を指定しなければならない。この当局は、以下施政権者といい、一若しくは二以上の国又はこの機構自身であることができる。

第八二条【戦略地区】

いかなる信託統治協定においても、その協定が適用される信託統治地域の一部又は全部を含む一又は二以上の戦略地区を指定することができる。但し、第四十三条に基いて締結される特別協定を害してはならない。

第八三条【戦略地区に関する安全保障理事会の任務】

1　戦略地区に関する国際連合のすべての任務は、信託統治協定の条項及びその変更又は改正の承認を含めて、安全保障理事会が行う。

2　第七十六条に掲げる基本目的は、各戦略地区の人民に適用する。

3　安全保障理事会は、国際連合の信託統治制度に基く任務で戦略地区の政治的、経済的、社会的及び教育的事項に関するものを遂行するために、信託統治理事会の援助を利用する。但し、信託統治協定の規定には従うものとし、また、安全保障の考慮が妨げられてはならない。

第八四条【平和に関する施政権者の義務】

信託統治地域が国際の平和及び安全の維持についてその役割を果すようにすることは、施政権者の義務である。このため、施政権者は、この点に関して安全保障理事会に対して負う義務を履行するに当つて、また、地方的防衛並びに信託統治地域における法律及び秩序の維持のために、信託統治地域の義勇軍、便益及び援助を利用することができる。

第八五条【非戦略地区に関する総会と信託統治理事会の任務】

1　戦略地区として指定されないすべての地区に関する信託統治協定についての国際連合の任務は、この協定の条項及びその変更又は改正の承認を含めて、総会が行う。

2　総会の権威の下に行動する信託統治理事会は、前記の任務の遂行について総会を援助する。

第十三章　信託統治理事会

構成

第八六条【構成】

1　信託統治理事会は、次の国際連合加盟国で構成する。

a　信託統治地域の施政を行う加盟国

b　第二十三条に名を掲げる加盟国で信託統治地域の施政を行つていないもの

c　総会によつて三年の任期で選挙されるその他の加盟国。その数は、信託統治理事会の理事国の総数を、信託統治地域の施政を行う国際連合加盟国とこれを行っていないものとの間に均分するのに必要な数とする。

2 信託統治理事会の各理事国は、理事会で自国を代表する特別の資格を有する者一人を指名しなければならない。

任務及び権限

第八七条【総会と信託統治理事会の権限】 総会及び、その権威の下に、信託統治理事会は、その任務の遂行に当って次のことを行うことができる。

a 施政権者の提出する報告を審議すること。

b 請願を受理し、且つ、施政権者と協議してこれを審査すること。

c 施政権者と協定する時期に、それぞれの信託統治地域の定期視察を行わせること。

d 信託統治協定の条項に従って、前記の行動その他の行動をとること。

第八八条【質問書の作成】 信託統治理事会は、各信託統治地域の住民の政治的、経済的、社会的及び教育的進歩に関する質問書を作成しなければならない。また、総会の権限内にある各信託統治地域の施政権者は、この質問書に基いて、総会に年次報告を提出しなければならない。

表決

第八九条【表決手続】 1 信託統治理事会の各理事国は、一個の投票権を有する。

2 信託統治理事会の決定は、出席し且つ投票する理事国の過半数によって行われる。

手続

第九〇条【手続規則】 1 信託統治理事会は、議長を選定する方法を含むその手続規則を採択する。

2 信託統治理事会は、その規則に従って必要があるときに会合する。この規則は、理事国の過半数の要請による会議招集の規定を含まなければならない。

第九一条【経済社会理事会と専門機関の利用】 信託統治理事会は、適当な場合には、経済社会理事会及び専門機関がそれぞれ関係している事項について、両者の援助を利用する。

第十四章　国際司法裁判所

第九二条【裁判所の地位】 国際司法裁判所は、国際連合の主要な司法機関である。この裁判所は、附属の規程に従って任務を行う。この規程は、常設国際司法裁判所規程を基礎とし、且つ、この憲章と不可分の一体をなす。

第九三条【規程の参加国】 1 すべての国際連合加盟国は、当然に、国際司法裁判所規程の当事国となる。

2 国際連合加盟国でない国は、安全保障理事会の勧告に基いて総会が各場合に決定する条件で国際司法裁判所規程の当事国となることができる。

第九四条【判決の履行】 1 各国際連合加盟国は、自国が当事者であるいかなる事件においても、国際司法裁判所の裁判に従うことを約束する。

2 事件の一方の当事者が裁判所の与える判決に基いて自国が負う義務を履行しないときは、他方の当事者は、安全保障理事会に訴えることができる。理事会は、必要と認めるときは、判決を執行するために勧告をし、又はとるべき措置を決定することができる。

第九五条【他の裁判所への付託】 この憲章のいかなる規定も、国際連合加盟国が相互間の紛争の解決を既に存在し又は将来締結する協定によって他の裁判所に付託することを妨げるものではない。

第九六条【勧告的意見】 1 総会又は安全保障理事会は、いかなる法律問題についても勧告的意見を与えるように国際司法裁判所に要請することができる。

2 国際連合のその他の機関及び専門機関でいずれかの時に総会の許可を得るものは、また、その活動の範囲内において生ずる法律問題について裁判所の勧告的意見を要請することができる。

第十五章　事務局

第九七条【構成】 事務局は、一人の事務総長及びこの機構が必要とする職員からなる。事務総長は、安全保障理事会の勧告に基いて総会が任命する。事務総長は、この機構の行政職員の長である。

第九八条【事務総長の任務】 事務総長は、総会、安全保障理事会、経済社会理事会及び信託統治理事会のすべての会議において事務総長の資格で行動し、且つ、これらの機関から委託される他の任務を遂行する。事務総長は、この機構の事業について総会に年次報告を行う。

第九九条【平和維持に関する任務】 事務総長は、国際の平和及び安全の維持を脅威すると認める事項について、安全保障理事会の注意を促すことができる。

第一〇〇条【職員の国際性】 1 事務総長及び職員は、その任務の遂行に当って、いかなる政府からも又はこの機構外のいかなる他の当局からも指示を求め、又は受けてはならない。事務総長及び職員は、この機構に対してのみ責任を負う国際的職員としての地位を損ずる虞のあるいかなる行動も慎まなければならない。

2 各国際連合加盟国は、事務総長及び職員の責任のもっぱら国際的な性質を尊重すること並びにこれらの者が責任を果すに当ってこれらの者を左右しようとしないことを約束する。

第一〇一条【職員の任命】 1 職員は、総会が設ける規則に従って事務総長が任命する。

2 経済社会理事会、信託統治理事会及び、必要に応じて、国際連合のその他の機関に、適当な職員を常任として配属する。この職員は、事務局の一部をなす。

3 職員の雇用及び勤務条件の決定に当って最も考慮すべきことは、最高水準の能率、能力及び誠実を確保しなければならないことである。職員をなるべく広い地理的基礎に基いて採用することの重要性については、妥当な考慮を払わなければならない。

第十六章　雑則

第一〇二条【条約の登録】 1 この憲章が効力を生じた後に国際連合加盟国が締結するすべての条約及びすべての国際協定は、なるべくすみやかに事務局に登録され、且つ、事務局によって公表されなければならない。

2 前記の条約又は国際協定で本条1の規定に従って登録されていないものの当事国は、国際連合のいかなる機関に対しても当該条約又は協定を援用することができない。

第一〇三条【憲章義務の優先】 国際連合加盟国のこの憲章に基く義務と他のいずれかの国際協定に基く義務とが抵触するときは、この憲章に基く義務が優先する。

第一〇四条【法律行為能力】 この機構は、その任務の遂行及びその目的の達成のために必要な法律上の能力を各加盟国の領域において享有する。

第一〇五条【特権及び免除】 1 この機構は、その目的の達成に必要な特権及び免除を各加盟国の領域において享有する。

2 これと同様に、国際連合加盟国の代表者及びこの機構の職員は、この機構に関連する自己の任務を独立に遂行するために必要な特権及び免除を享有する。

3 総会は、本条1及び2の適用に関する細目を決定するために勧告をし、又はそのために国際連合加盟国に条約を提案することができる。

第十七章　安全保障の過渡的規定

第一〇六条【特別協定成立前の五大国の責任】
第四十三条に掲げる特別協定でそれによつて安全保障理事会が第四十二条に基く責任の遂行を開始することができると認めるものが効力を生ずるまでの間、千九百四十三年十月三十日にモスコーで署名された四国宣言の当事国及びフランスは、この宣言の第五項の規定に従つて、国際の平和及び安全の維持のために必要な共同行動をこの機構に代つてとるために相互に及び必要に応じて他の国際連合加盟国と協議しなければならない。

第一〇七条【敵国に関する行動】
この憲章のいかなる規定も、第二次世界戦争中にこの憲章の署名国の敵であつた国に関する行動でその行動について責任を有する政府がこの戦争の結果としてとり又は許可したものを無効にし、又は排除するものではない。

第十八章　改正

第一〇八条【改正】
この憲章の改正は、総会の構成国の三分の二の多数で採択され、且つ、安全保障理事会のすべての常任理事国を含む国際連合加盟国の三分の二によつて各自の憲法上の手続に従つて批准された時に、すべての国際連合加盟国に対して効力を生ずる。

第一〇九条【全体会議】
1　この憲章を再審議するための国際連合加盟国の全体会議は、総会の構成国の三分の二の多数及び安全保障理事会の九理事国の投票によつて決定される日及び場所で開催することができる。各国際連合加盟国は、この会議において一個の投票権を有する。
2　全体会議の三分の二の多数によつて勧告されるこの憲章の変更は、安全保障理事会のすべての常任理事国を含む国際連合加盟国の三分の二によつて各自の憲法上の手続に従つて批准された時に効力を生ずる。
3　この憲章の効力発生後の総会の第十回年次会期までに全体会議が開催されなかつた場合には、これを招集する提案を総会の第十回年次会期の議事日程に加えなければならず、全体会議は、総会の構成国の過半数及び安全保障理事会の七理事国の投票によつて決定されたときに開催しなければならない。

第十九章　批准及び署名

第一一〇条【批准と効力発生】
1　この憲章は、署名国によつて各自の憲法上の手続に従つて批准されなければならない。
2　批准書は、アメリカ合衆国政府に寄託される。同政府は、すべての署名国及び、この機構の事務総長が任命された場合には、事務総長に対して各寄託を通告する。
3　この憲章は、中華民国、フランス、ソヴィエト社会主義共和国連邦、グレート・ブリテン及び北部アイルランド連合王国、アメリカ合衆国及びその他の署名国の過半数が批准書を寄託した時に効力を生ずる。批准書寄託調書は、その時にアメリカ合衆国政府が作成し、その謄本をすべての署名国に送付する。
4　この憲章の署名国で憲章が効力を生じた後に批准するものは、各自の批准書の寄託の日に国際連合の原加盟国となる。

第一一一条【正文】
この憲章は、中国語、フランス語、ロシア語、英語及びスペイン語の本文をひとしく正文とし、アメリカ合衆国政府の記録に寄託しておく。この憲章の認証謄本は、同政府が他の署名国の政府に送付する。

以上の証拠として、連合国政府の代表者は、この憲章に署名した。

千九百四十五年六月二十六日にサン・フランシスコ市で作成した。

＊条約法に関するウィーン条約（抜粋）

（昭和五六・七・二〇条一六）

第二部　条約の締結及び効力発生

第一節　条約の締結

第一一条　条約に拘束されることについての同意の表明の方法
条約に拘束されることについての国の同意は、署名、条約を構成する文書の交換、批准、受諾、承認若しくは加入により又は合意がある場合には他の方法により表明することができる。

第一二条　条約に拘束されることについての同意の署名による表明
1　条約に拘束されることについての国の同意は、次の場合には、国の代表者の署名により表明される。
(a)　署名が同意の表明の効果を有することを条約が定めている場合
(b)　署名が同意の表明の効果を有することを交渉国が合意したことが他の方法により認められる場合
(c)　署名に同意の表明の効果を付与することを国が意図していることが当該国の代表者の全権委任状から明らかであるか又は交渉の過程において表明されたかのいずれかの場合
2　1の規定の適用上、
(a)　条約文への仮署名は、交渉国の合意があると認められる場合には、条約への署名とされる。
(b)　国の代表者による条約への追認を要する署名は、当該国が追認をする場合には、条約への完全な署名とされる。

第一四条　条約に拘束されることについての同意の批准、受諾又は承認による表明
1　条約に拘束されることについての国の同意は、次の場合には、批准により表明される。
(a)　同意が批准により表明されることを条約が定めている場合
(b)　批准を要することを交渉国が合意したことが他の方法により認められる場合
(c)　国の代表者が批准を条件として条約に署名した場合
(d)　批准を条件として条約に署名することを国が意図していることが当該国の代表者の全権委任状から明らかであるか又は交渉の過程において表明されたかのいずれかの場合
2　条約に拘束されることについての国の同意は、批准により表明される場合の条件と同様の条件で、受諾又は承認により表明される。

第二節　留保

第一九条　留保の表明
いずれの国も、次の場合を除くほか、条約への署名、条約の批准、受諾若しくは承認又は条約への加入に際し、留保を付することができる。
(a)　条約が当該留保を付することを禁止している場合
(b)　条約が、当該留保を含まない特定の留保のみを付することができる旨を定めている場合
(c)　(a)及び(b)の場合以外の場合において、当該留保が条約の趣旨及び目的と両立しないものであるとき。

第二一条　留保及び留保に対する異議の法的効果
1　第十九条、前条及び第二十三条の規定により他の当事国との関係において成立した留保は、

(a) 留保を付した国に関しては、当該他の当事国との関係において、留保に係る条約の規定を留保の限度において変更する。

(b) 当該他の当事国に関しては、留保を付した国との関係において、留保に係る条約の規定を留保の限度において変更する。

2 1に規定する留保は、留保を付した国以外の条約の当事国相互の間においては、条約の規定を変更しない。

3 留保に対し異議を申し立てた国が自国と留保を付した国との間において条約が効力を生ずることに反対しなかつた場合には、留保に係る規定は、これらの二の国の間において、留保の限度において適用がない。

第三部 条約の遵守、適用及び解釈

第一節 条約の遵守

第二七条 国内法と条約の遵守

当事国は、条約の不履行を正当化する根拠として自国の国内法を援用することができない。この規則は、第四十六条の規定の適用を妨げるものではない。

第五部 条約の無効、終了及び運用停止

第二節 条約の無効

第四六条 条約を締結する権能に関する国内法の規定

1 いずれの国も、条約に拘束されることについての同意が条約を締結する権能に関する国内法の規定に違反して表明されたという事実を、当該同意を無効にする根拠として援用することができない。ただし、違反が明白でありかつ基本的な重要性を有する国内法の規則に係るものである場合は、この限りでない。

2 違反は、条約の締結に関し通常の慣行に従いかつ誠実に行動するいずれの国にとつても客観的に明らかであるような場合には、明白であるとされる。

第五二条 武力による威嚇又は武力の行使による国に対する強制

国際連合憲章に規定する国際法の諸原則に違反する武力による威嚇又は武力の行使の結果締結された条約は、無効である。

第五三条 一般国際法の強行規範に抵触する条約

締結の時に一般国際法の強行規範に抵触する条約は、無効である。この条約の適用上、一般国際法の強行規範とは、いかなる逸脱も許されない規範として、また、後に成立する同一の性質を有する一般国際法の規範によつてのみ変更することのできる規範として、国により構成されている国際社会全体が受け入れ、かつ、認める規範をいう。

○世界人権宣言

（一九四八・一二・一〇 国際連合総会を通過し、且つ、これによつて宣言された。）

前文

人類社会のすべての構成員の固有の尊厳と平等で譲ることのできない権利とを承認することは、世界における自由、正義及び平和の基礎であるので、

人権の無視及び軽侮が、人類の良心を踏みにじつた野蛮行為をもたらし、言論及び信仰の自由が受けられ、恐怖及び欠乏のない世界の到来が、一般の人々の最高の願望として宣言されたので、

人間が専制と圧迫とに対する最後の手段として反逆に訴えることがないようにするためには、法の支配によつて人権を保護することが肝要であるので、

諸国間の友好関係の発展を促進することが、肝要であるので、

国際連合の諸国民は、国際連合憲章において、基本的人権、人間の尊厳及び価値並びに男女の同権についての信念を再確認し、かつ、一層大きな自由のうちで社会的進歩と生活水準の向上とを促進することを決意したので、

加盟国は、国際連合と協力して、人権及び基本的自由の普遍的な尊重及び遵守の促進を達成することを誓約したので、

これらの権利及び自由に対する共通の理解は、この誓約を完全にするためにもつとも重要であるので、

よつて、ここに、国際連合総会は、

社会の各個人及び各機関が、この世界人権宣言を常に念頭に置きながら、加盟国自身の人民の間にも、また、加盟国の管轄下にある地域の人民の間にも、これらの権利と自由との尊重を指導及び教育によつて促進すること並びにそれらの普遍的かつ効果的な承認と遵守とを国内的及び国際的な漸進的措置によつて確保することに努力するように、すべての人民とすべての国とが達成すべき共通の基準として、この世界人権宣言を公布する。

第一条【自由平等】

すべての人間は、生れながらにして自由であり、かつ、尊厳と権利とについて平等である。人間は、理性と良心とを授けられており、互いに同胞の精神をもつて行動しなければならない。

第二条【権利と自由の享有に関する無差別待遇】

1 すべて人は、人種、皮膚の色、性、言語、宗教、政治上その他の意見、国民的若しくは社会的出身、財産、門地その他の地位又はこれに類するいかなる事由による差別をも受けることなく、この宣言に掲げるすべての権利と自由とを享有することができる。

2 さらに、個人の属する国又は地域が独立国であると、信託統治地域であると、非自治地域であると、又は他のなんらかの主権制限の下にあるとを問わず、その国又は地域の政治上、管轄上又は国際上の地位に基づくいかなる差別もしてはならない。

第三条【生命・自由・身体の安全】

すべて人は、生命、自由及び身体の安全に対する権利を有する。

第四条【奴隷の禁止】

何人も、奴隷にされ、又は苦役に服することはない。奴隷制度及び奴隷売買は、いかなる形においても禁止する。

第五条【拷問等の禁止】

何人も、拷問又は残虐な、非人道的な若しくは屈辱的な取扱若しくは刑罰を受けることはない。

第六条【法の下における人としての承認】

すべて人は、いかなる場所においても、法の下において、人として認められる権利を有する。

第七条【法の下の平等】

すべての人は、法の下において平等であり、また、いかなる差別もなしに法の平等な保護を受ける権利を有する。すべての人は、この宣言に違反するいかなる差別に対しても、また、そのような差別をそそのかすいかなる行為に対しても、平等な保護を受ける権利を有する。

第八条【基本的権利の侵害に対する救済】

すべて人は、憲法又は法律によつて与えられた基本的権利を侵害する行為に対し、権限を有する国内裁判所による効果的な救済を受ける権利を有する。

第九条【逮捕・拘禁または追放の制限】

何人も、ほしいままに逮捕、拘禁、又は追放されることはない。

第一〇条【裁判所の公正な審理】

すべて人は、自己の権利及び義務並びに自己に対する刑事責任が決定されるに当つて、独立の公平な裁判所による公正な公開の審理を受けることについて完全に平等の権利を有する。

第一一条【無罪の推定、遡及処罰の禁止】

1 犯罪の訴追を受けた者は、すべて、自己の弁護に必要なすべての保障を与えられた公開の裁判において法律に従つて有罪の立証があるまでは、無罪と推定される権利を有する。

2 何人も、実行の時に国内法又は国際法により犯罪を構成しなかつた作為又は不作為のために有罪とされることはない。また、犯罪が行われた時に適用される刑罰より重い刑罰を課せら

れない。

第一二条【私事・名誉・信用の保護】
何人も、自己の私事、家族、家庭若しくは通信に対して、ほしいままに干渉され、又は名誉及び信用に対して攻撃を受けることはない。人はすべて、このような干渉又は攻撃に対して法の保護を受ける権利を有する。

第一三条【移動と居住の自由】
1 すべて人は、各国の境界内において自由に移転及び居住する権利を有する。
2 すべて人は、自国その他いずれの国をも立ち去り、及び自国に帰る権利を有する。

第一四条【迫害からの庇護】
1 すべて人は、迫害を免れるため、他国に避難することを求め、かつ、避難する権利を有する。
2 この権利は、もつぱら非政治犯罪又は国際連合の目的及び原則に反する行為を原因とする訴追の場合には、援用することはできない。

第一五条【国籍の権利】
1 すべて人は、国籍をもつ権利を有する。
2 何人も、ほしいままにその国籍を奪われ、又はその国籍を変更する権利を否認されることはない。

第一六条【婚姻と家族の権利】
1 成年の男女は、人種、国籍又は宗教によるいかなる制限をも受けることなく、婚姻し、かつ家庭をつくる権利を有する。成年の男女は、婚姻中及びその解消に際し、婚姻に関し平等の権利を有する。
2 婚姻は、両当事者の自由かつ完全な合意によつてのみ成立する。
3 家庭は、社会の自然かつ基礎的な集団単位であつて、社会及び国の保護を受ける権利を有する。

第一七条【財産権】
1 すべて人は、単独で又は他の者と共同して財産を所有する権利を有する。
2 何人も、ほしいままに自己の財産を奪われることはない。

第一八条【思想・良心及び宗教の自由】
すべて人は、思想、良心及び宗教の自由に対する権利を有する。この権利は、宗教又は信念を変更する自由並びに単独で又は他の者と共同して、公的に又は私的に、布教、行事、礼拝及び儀式によつて宗教又は信念を表明する自由を含む。

第一九条【意見及び表現の自由】
すべて人は、意見及び表現の自由に対する権利を有する。この権利は、干渉を受けることなく自己の意見をもつ自由並びにあらゆる手段により、また、国境を越えると否とにかかわりなく、情報及び思想を求め、受け、及び伝える自由を含む。

第二〇条【集会及び結社の自由】
1 すべての人は、平和的集会及び結社の自由に対する権利を有する。
2 何人も、結社に属することを強制されない。

第二一条【参政権】
1 すべての人は、直接に又は自由に選出された代表者を通じて、自国の政治に参与する権利を有する。
2 すべて人は、自国においてひとしく公務につく権利を有する。
3 人民の意思は、統治の権力の基礎とならなければならない。この意思は、定期のかつ真正な選挙によつて表明されなければならない。この選挙は、平等の普通選挙によるものでなければならず、また、秘密投票又はこれと同等の自由が保障される投票手続によつて行われなければならない。

第二二条【社会保障の権利】
すべて人は、社会の一員として、社会保障を受ける権利を有し、かつ、国家的努力及び国際的協力により、また、各国の組織及び資源に応じて、自己の尊厳と自己の人格の自由な発展とに欠くことのできない経済的、社会的及び文化的権利を実現する権利を有する。

第二三条【労働の権利】
1 すべて人は、勤労し、職業を自由に選択し、公正かつ有利な勤労条件を確保し、及び失業に対する保護を受ける権利を有する。
2 すべて人は、いかなる差別をも受けることなく、同等の勤労に対し、同等の報酬を受ける権利を有する。
3 勤労する者は、すべて、自己及び家族に対して人間の尊厳にふさわしい生活を保障する公正かつ有利な報酬を受け、かつ、必要な場合には、他の社会的保護手段によつて補充を受けることができる。
4 すべて人は、自己の利益を保護するために労働組合を組織し、及びこれに参加する権利を有する。

第二四条【休息及び余暇の権利】
すべて人は、労働時間の合理的な制限及び定期的な有給休暇を含む休息及び余暇をもつ権利を有する。

第二五条【生活水準についての権利】
1 すべて人は、衣食住、医療及び必要な社会的施設等により、自己及び家族の健康及び福祉に十分な生活水準を保持する権利並びに失業、疾病、心身障害、配偶者の死亡、老齢その他不可抗力による生活不能の場合は、保障を受ける権利を有する。
2 母と子とは、特別の保護及び援助を受ける権利を有する。すべての児童は、嫡出であると否とを問わず、同じ社会的保護を受ける。

第二六条【教育の権利】
1 すべて人は、教育を受ける権利を有する。教育は、少なくとも初等の及び基礎的の段階においては、無償でなければならない。初等教育は、義務的でなければならない。技術教育及び職業教育は、一般に利用できるものでなければならず、また、高等教育は、能力に応じ、すべての者にひとしく開放されていなければならない。
2 教育は、人格の完全な発展並びに人権及び基本的自由の尊重の強化を目的としなければならない。教育は、すべての国又は人種的若しくは宗教的集団の相互間の理解、寛容及び友好関係を増進し、かつ、平和の維持のため、国際連合の活動を促進するものでなければならない。
3 親は、子に与える教育の種類を選択する優先的権利を有する。

第二七条【文化的権利】
1 すべて人は、自由に社会の文化生活に参加し、芸術を鑑賞し、及び科学の進歩とその恩恵とにあずかる権利を有する。
2 すべて人は、その創作した科学的、文学的又は美術的作品から生ずる精神的及び物質的利益を保護される権利を有する。

第二八条【社会的及び国際的秩序への権利】
すべて人は、この宣言に掲げる権利及び自由が完全に実現される社会的及び国際的秩序に対する権利を有する。

第二九条【社会に対する義務】
1 すべて人は、その人格の自由かつ完全な発展がその中にあつてのみ可能である社会に対して義務を負う。
2 すべて人は、自己の権利及び自由を行使するに当つては、他人の権利及び自由の正当な承認及び尊重を保障すること並びに民主的社会における道徳、公の秩序及び一般の福祉の正当な要求を満たすことをもつぱら目的として法律によつて定められた制限にのみ服する。
3 これらの権利及び自由は、いかなる場合にも、国際連合の目的及び原則に反して行使してはならない。

第三〇条【権利と自由を破壊する活動の不承認】
この宣言のいかなる規定も、いずれかの国、集団又は個人に対して、この宣言に掲げる権利及び自由の破壊を目的とする活動に従事し、又はそのような目的を有する行為を行う権利を認めるものと解釈してはならない。

●経済的、社会的及び文化的権利に関する国際規約（抄）（昭和五四・八・四条約六）

発効　昭和五四・九・二一（昭和五四外告一八七）

この規約の締約国は、

国際連合憲章において宣明された原則によれば、人類社会のすべての構成員の固有の尊厳及び平等のかつ奪い得ない権利を認めることが世界における自由、正義及び平和の基礎をなすものであることを考慮し、

これらの権利が人間の固有の尊厳に由来することを認め、

世界人権宣言によれば、自由な人間は恐怖及び欠乏からの自由を享受するものであるとの理想は、すべての者がその市民的及び政治的権利とともに経済的、社会的及び文化的権利を享有することのできる条件が作り出される場合に初めて達成されることになることを認め、

人権及び自由の普遍的な尊重及び遵守を助長すべき義務を国際連合憲章に基づき諸国が負つていることを考慮し、

個人が、他人に対し及びその属する社会に対して義務を負うこと並びにこの規約において認められる権利の増進及び擁護のために努力する責任を有することを認識して、

次のとおり協定する。

第一部

第一条【人民の自決の権利】

1　すべての人民は、自決の権利を有する。この権利に基づき、すべての人民は、その政治的地位を自由に決定し並びにその経済的、社会的及び文化的発展を自由に追求する。

2　すべての人民は、互恵の原則に基づく国際的経済協力から生ずる義務及び国際法上の義務に違反しない限り、自己のためにその天然の富及び資源を自由に処分することができる。人民は、いかなる場合にも、その生存のための手段を奪われることはない。

3　この規約の締約国（非自治地域及び信託統治地域の施政の責任を有する国を含む。）は、国際連合憲章の規定に従い、自決の権利が実現されることを促進し及び自決の権利を尊重する。

第二部

第二条【締約国の実施義務】

1　この規約の各締約国は、立法措置その他のすべての適当な方法によりこの規約において認められる権利の完全な実現を漸進的に達成するため、自国における利用可能な手段を最大限に用いることにより、個々に又は国際的な援助及び協力、特に、経済上及び技術上の援助及び協力を通じて、行動をとることを約束する。

2　この規約の締約国は、この規約に規定する権利が人種、皮膚の色、性、言語、宗教、政治的意見その他の意見、国民的若しくは社会的出身、財産、出生又は他の地位によるいかなる差別もなしに行使されることを保障することを約束する。

3　開発途上にある国は、人権及び自国の経済の双方に十分な考慮を払い、この規約において認められる経済的権利をどの程度まで外国人に保障するかを決定することができる。

第三条【男女の平等】

この規約の締約国は、この規約に定めるすべての経済的、社会的及び文化的権利の享有について男女に同等の権利を確保することを約束する。

第四条【公共の福祉】

この規約の締約国は、この規約に合致するものとして国により確保される権利の享受に関し、その権利の性質と両立しており、かつ、民主的社会における一般的福祉を増進することを目的としている場合に限り、法律で定める制限のみをその権利に課することができることを認める。

第五条【保護の基準】

1　この規約のいかなる規定も、国、集団又は個人が、この規約において認められる権利若しくは自由を破壊し若しくはこの規約に定める制限の範囲を超えて制限することを目的とする活動に従事し又はそのようなことを目的とする行為を行う権利を有することを意味するものと解することはできない。

2　いずれかの国において法律、条約、規則又は慣習によつて認められ又は存する基本的人権については、この規約がそれらの権利を認めていないこと又はその認める範囲がより狭いことを理由として、それらの権利を制限し又は侵すことは許されない。

第三部

第六条【労働の権利】

1　この規約の締約国は、労働の権利を認めるものとし、この権利を保障するため適当な措置をとる。この権利には、すべての者が自由に選択し又は承諾する労働によつて生計を立てる機会を得る権利を含む。

2　この規約の締約国が1の権利の完全な実現を達成するためとる措置には、個人に対して基本的な政治的及び経済的自由を保障する条件の下で着実な経済的、社会的及び文化的発展を実現し並びに完全かつ生産的な雇用を達成するための技術及び職業の指導及び訓練に関する計画、政策及び方法を含む。

第七条【労働条件】

この規約の締約国は、すべての者が公正かつ良好な労働条件を享受する権利を有することを認める。この労働条件は、特に次のものを確保する労働条件とする。

(a)　すべての労働者に最小限度次のものを与える報酬

(i)　公正な賃金及びいかなる差別もない同一価値の労働についての同一報酬。特に、女子については、同一の労働についての同一報酬とともに男子が享受する労働条件に劣らない労働条件が保障されること。

(ii)　労働者及びその家族のこの規約に適合する相応な生活

(b)　安全かつ健康的な作業条件

(c)　先任及び能力以外のいかなる事由も考慮されることなく、すべての者がその雇用関係においてより高い適当な地位に昇進する均等な機会

(d)　休息、余暇、労働時間の合理的な制限及び定期的な有給休暇並びに公の休日についての報酬

第八条【団結権、ストライキ権】

1　この規約の締約国は、次の権利を確保することを約束する。

(a)　すべての者がその経済的及び社会的利益を増進し及び保護するため、労働組合を結成し及び当該労働組合の規則にのみ従うことを条件として自ら選択する労働組合に加入する権利。この権利の行使については、法律で定める制限であつて国の安全若しくは公の秩序のため又は他の者の権利及び自由の保護のため民主的社会において必要なもの以外のいかなる制限も課することができない。

(b)　労働組合が国内の連合又は総連合を設立する権利及びこれらの連合又は総連合が国際的な労働組合団体を結成し又はこれに加入する権利

(c)　労働組合が、法律で定める制限であつて国の安全若しくは公の秩序のため又は他の者の権利及び自由の保護のため民主的社会において必要なもの以外のいかなる制限も受けることなく、自由に活動する権利

(d)　同盟罷業をする権利。ただし、この権利は、各国の法律に従つて行使されることを条件とする。

2　この条の規定は、軍隊若しくは警察の構成員又は公務員によ

る1の権利の行使について合法的な制限を課することを妨げるものではない。

3 この条のいかなる規定も、結社の自由及び団結権の保護に関する千九百四十八年の国際労働機関の条約の締約国が、同条約に規定する保障を阻害するような立法措置を講ずること又は同条約に規定する保障を阻害するような方法により法律を適用することを許すものではない。

第九条【社会保障】

この規約の締約国は、社会保険その他の社会保障についてのすべての者の権利を認める。

第一〇条【家族、母親、児童に対する保護】

この規約の締約国は、次のことを認める。

1 できる限り広範な保護及び援助が、社会の自然かつ基礎的な単位である家族に対し、特に、家族の形成のために並びに扶養児童の養育及び教育について責任を有する間に、与えられるべきである。婚姻は、両当事者の自由な合意に基づいて成立するものでなければならない。

2 産前産後の合理的な期間においては、特別な保護が母親に与えられるべきである。働いている母親には、その期間において、有給休暇又は相当な社会保障給付を伴う休暇が与えられるべきである。

3 保護及び援助のための特別な措置が、出生その他の事情を理由とするいかなる差別もなく、すべての児童及び年少者のためにとられるべきである。児童及び年少者は、経済的及び社会的な搾取から保護されるべきである。児童及び年少者を、その精神若しくは健康に有害であり、その生命に危険があり又はその正常な発育を妨げるおそれのある労働に使用することは、法律で処罰すべきである。また、国は、年齢による制限を定め、その年齢に達しない児童を賃金を支払つて使用することを法律で禁止しかつ処罰すべきである。

第一一条【生活水準及び食糧の確保】

1 この規約の締約国は、自己及びその家族のための相当な食糧、衣類及び住居を内容とする相当な生活水準についての並びに生活条件の不断の改善についてのすべての者の権利を認める。締約国は、この権利の実現を確保するために適当な措置をとり、このためには、自由な合意に基づく国際協力が極めて重要であることを認める。

2 この規約の締約国は、すべての者が飢餓から免れる基本的な権利を有することを認め、個々に及び国際協力を通じて、次の目的のため、具体的な計画その他の必要な措置をとる。

(a) 技術的及び科学的知識を十分に利用することにより、栄養に関する原則についての知識を普及させることにより並びに天然資源の最も効果的な開発及び利用を達成するように農地制度を発展させ又は改革することにより、食糧の生産、保存及び分配の方法を改善すること。

(b) 食糧の輸入国及び輸出国の双方の問題に考慮を払い、需要との関連において世界の食糧の供給の衡平な分配を確保すること。

第一二条【健康を享受する権利】

1 この規約の締約国は、すべての者が到達可能な最高水準の身体及び精神の健康を享受する権利を有することを認める。

2 この規約の締約国が1の権利の完全な実現を達成するためにとる措置には、次のことに必要な措置を含む。

(a) 死産率及び幼児の死亡率を低下させるための並びに児童の健全な発育のための対策

(b) 環境衛生及び産業衛生のあらゆる状態の改善

(c) 伝染病、風土病、職業病その他の疾病の予防、治療及び抑圧

(d) 病気の場合にすべての者に医療及び看護を確保するような条件の創出

第一三条【教育に対する権利】

1 この規約の締約国は、教育についてのすべての者の権利を認める。締約国は、教育が人格の完成及び人格の尊厳についての意識の十分な発達を指向し並びに人権及び基本的自由の尊重を強化すべきことに同意する。更に、締約国は、教育が、すべての者に対し、自由な社会に効果的に参加すること、諸国民の間及び人種的、種族的又は宗教的集団の間の理解、寛容及び友好を促進すること並びに平和の維持のための国際連合の活動を助長することを可能にすべきことに同意する。

2 この規約の締約国は、1の権利の完全な実現を達成するため、次のことを認める。

(a) 初等教育は、義務的なものとし、すべての者に対して無償のものとすること。

(b) 種々の形態の中等教育（技術的及び職業的中等教育を含む。）は、すべての適当な方法により、特に、無償教育の漸進的な導入により、一般的に利用可能であり、かつ、すべての者に対して機会が与えられるものとすること。

(c) 高等教育は、すべての適当な方法により、特に、無償教育の漸進的な導入により、能力に応じ、すべての者に対して均等に機会が与えられるものとすること。

(d) 基礎教育は、初等教育を受けなかつた者又はその全課程を修了しなかつた者のため、できる限り奨励され又は強化されること。

(e) すべての段階にわたる学校制度の発展を積極的に追求し、適当な奨学金制度を設立し及び教育職員の物質的条件を不断に改善すること。

3 この規約の締約国は、父母及び場合により法定保護者が、公の機関によつて設置される学校以外の学校であつて国によつて定められ又は承認される最低限度の教育上の基準に適合するものを児童のために選択する自由並びに自己の信念に従つて児童の宗教的及び道徳的教育を確保する自由を有することを尊重することを約束する。

4 この条のいかなる規定も、個人及び団体が教育機関を設置し及び管理する自由を妨げるものと解してはならない。ただし、常に、1に定める原則が遵守されること及び当該教育機関において行われる教育が国によつて定められる最低限度の基準に適合することを条件とする。

第一四条【無償の初等義務教育】

この規約の締約国となる時にその本土地域又はその管轄の下にある他の地域において無償の初等義務教育を確保するに至つていない各締約国は、すべての者に対する無償の義務教育の原則をその計画中に定める合理的な期間内に漸進的に実施するための詳細な行動計画を二年以内に作成しかつ採用することを約束する。

第一五条【科学及び文化に関する権利】

1 この規約の締約国は、すべての者の次の権利を認める。

(a) 文化的な生活に参加する権利

(b) 科学の進歩及びその利用による利益を享受する権利

(c) 自己の科学的、文学的又は芸術的作品により生ずる精神的及び物質的利益が保護されることを享受する権利

2 この規約の締約国が1の権利の完全な実現を達成するためにとる措置には、科学及び文化の保存、発展及び普及に必要な措置を含む。

3 この規約の締約国は、科学研究及び創作活動に不可欠な自由を尊重することを約束する。

4 この規約の締約国は、科学及び文化の分野における国際的な連絡及び協力を奨励し及び発展させることによつて得られる利益を認める。

第四部（抄）

第一六条【実施措置の報告】

1 この規約の締約国は、この規約において認められる権利の実現のためにとつた措置及びこれらの権利の実現についてもたらされた進歩に関する報告をこの部の規定に従つて提出することを約束する。

2(a) すべての報告は、国際連合事務総長に提出するものとし、同事務総長は、この規約による経済社会理事会の審議のた

め、その写しを同理事会に送付する。

(b) 国際連合事務総長は、また、いずれかの専門機関の加盟国であるこの規約の締約国によつて提出される報告又はその一部が当該専門機関の基本文書によりその任務の範囲内にある事項に関連を有するものである場合には、それらの報告又は関係部分の写しを当該専門機関に送付する。

第一七条【同前】

1 この規約の締約国は、経済社会理事会が締約国及び関係専門機関との協議の後この規約の効力発生の後一年以内に作成する計画に従い、報告を段階的に提出する。

2 報告には、この規約に基づく義務の履行程度に影響を及ぼす要因及び障害を記載することができる。

3 関連情報がこの規約の締約国により国際連合又はいずれかの専門機関に既に提供されている場合には、その情報については、再び提供の必要はなく、提供に係る情報について明確に言及することで足りる。

第一八条【専門機関からの報告】

経済社会理事会は、人権及び基本的自由の分野における国際連合憲章に規定する責任に基づき、いずれかの専門機関の任務の範囲内にある事項に関するこの規約の規定の遵守についてもたらされた進歩に関し当該専門機関が同理事会に報告することにつき、当該専門機関と取極を行うことができる。報告には、当該専門機関の権限のある機関がこの規約の当該規定の実施に関して採択した決定及び勧告についての詳細を含ませることができる。

第一九条【人権委員会への報告の送付】

経済社会理事会は、第十六条及び第十七条の規定により締約国が提出する人権に関する報告並びに前条の規定により専門機関が提出する人権に関する報告を、検討及び一般的な性格を有する勧告のため又は適当な場合には情報用として、人権委員会に送付することができる。

第二〇条【締約国及び関係専門機関による意見の提出】

この規約の締約国及び関係専門機関は、前条にいう一般的な性格を有する勧告に関する意見又は人権委員会の報告において若しくはその報告で引用されている文書において言及されている一般的な性格を有する勧告に関する意見を、経済社会理事会に提出することができる。

第二一条【経済社会理事会の総会への報告】

経済社会理事会は、一般的な性格を有する勧告を付した報告、並びにこの規約の締約国及び専門機関から得た情報であつてこの規約において認められる権利の実現のためにとられた措置及びこれらの権利の実現についてもたらされた進歩に関する情報の概要を、総会に随時提出することができる。

第二二条及び第二三条（略）

第二四条【国連憲章及び専門機関の憲章との関係】

この規約のいかなる規定も、この規約に規定されている事項につき、国際連合の諸機関及び専門機関の任務をそれぞれ定めている国際連合憲章及び専門機関の基本文書の規定の適用を妨げるものと解してはならない。

第二五条【天然の富及び資源の享受】

この規約のいかなる規定も、すべての人民がその天然の富及び資源を十分かつ自由に享受し及び利用する固有の権利を害するものと解してはならない。

第五部

第二六条【署名、批准、加入、寄託】

1 この規約は、国際連合又はいずれかの専門機関の加盟国、国際司法裁判所規程の当事国及びこの規約の締約国となるよう国際連合総会が招請する他の国による署名のために開放しておく。

2 この規約は、批准されなければならない。批准書は、国際連合事務総長に寄託する。

3 この規約は、1に規定する国による加入のために開放しておく。

4 加入は、加入書を国際連合事務総長に寄託することによつて行う。

5 国際連合事務総長は、この規約に署名し又は加入したすべての国に対し、各批准書又は各加入書の寄託を通報する。

第二七条【効力発生】

1 この規約は、三十五番目の批准書又は加入書が国際連合事務総長に寄託された日の後三箇月で効力を生ずる。

2 この規約は、三十五番目の批准書又は加入書が寄託された後に批准し又は加入する国については、その批准書又は加入書が寄託された日の後三箇月で効力を生ずる。

第二八条【連邦国家に対する適用】

この規約は、いかなる制限又は例外もなしに、連邦国家のすべての地域について適用する。

第二九条【改正】

1 この規約のいずれの締約国も、改正を提案し及び改正案を国際連合事務総長に提出することができる。同事務総長は、直ちに、この規約の締約国に対し、改正案を送付するものとし、締約国による改正案の審議及び投票のための締約国会議の開催についての賛否を同事務総長に通告するよう要請する。締約国の三分の一以上が会議の開催に賛成する場合には、同事務総長は、国際連合の主催の下に会議を招集する。会議において出席しかつ投票する締約国の過半数によつて採択された改正案は、承認のため、国際連合総会に提出する。

2 改正は、国際連合総会が承認し、かつ、この規約の締約国の三分の二以上の多数がそれぞれの国の憲法上の手続に従つて受諾したときに、効力を生ずる。

3 改正は、効力を生じたときは、改正を受諾した締約国を拘束するものとし、他の締約国は、改正前のこの規約の規定（受諾した従前の改正を含む。）により引き続き拘束される。

第三〇条【国連事務総長による通報】

第二十六条5の規定により行われる通報にかかわらず、国際連合事務総長は、同条1に規定するすべての国に対し、次の事項を通報する。

(a) 第二十六条の規定による署名、批准及び加入

(b) 第二十七条の規定に基づきこの規約が効力を生ずる日及び前条の規定により改正が効力を生ずる日

第三一条【正文】

1 この規約は、中国語、英語、フランス語、ロシア語及びスペイン語をひとしく正文とし、国際連合に寄託される。

2 国際連合事務総長は、この規約の認証謄本を第二十六条に規定するすべての国に送付する。

以上の証拠として、下名は、各自の政府から正当に委任を受けて、千九百六十六年十二月十九日にニュー・ヨークで署名のために開放されたこの規約に署名した。

（署名欄は省略）

経済的、社会的及び文化的権利に関する国際規約及び市民的及び政治的権利に関する国際規約の署名の際に日本国政府が行つた宣言

（昭和五四・八・四外告一八七）

1 日本国は、経済的、社会的及び文化的権利に関する国際規約第七条(d)の規定の適用に当たり、この規定にいう「公の休日についての報酬」に拘束されない権利を留保する。

2 日本国は、経済的、社会的及び文化的権利に関する国際規約第八条1(d)の規定に拘束されない権利を留保する。ただし、日本国政府による同規約の批准の時に日本国の法令により前記の規定にいう権利が与えられている部門については、この限りでない。

（3 撤回）

4 日本国政府は、結社の自由及び団結権の保護に関する条約の批准に際し同条約第九条にいう「警察」には日本国の消防が含

まれると解する旨の立場をとつたことを想起し、経済的、社会的及び文化的権利に関する国際規約第八条2及び市民的及び政治的権利に関する国際規約第二十二条2にいう「警察の構成員」には日本国の消防職員が含まれると解釈するものであることを宣言する。

●市民的及び政治的権利に関する国際規約（抄）（昭和五四・八・四 条約七）

発効　昭和五四・九・二一（昭和五四外告一八七）

この規約の締約国は、

（中略）

世界人権宣言によれば、自由な人間は市民的及び政治的自由並びに恐怖及び欠乏からの自由を享受するものであるとの理想は、すべての者がその経済的、社会的及び文化的権利とともに市民的及び政治的権利を享有することのできる条件が作り出される場合に初めて達成されることになることを認め、

（中略）

次のとおり協定する。

〔前文の省略した部分は、経済的、社会的及び文化的権利に関する国際規約（A規約）と同一〕

第一部

第一条〔A規約第一条と同一〕

第二部

第二条【締約国の実施義務】

1　この規約の各締約国は、その領域内にあり、かつ、その管轄の下にあるすべての個人に対し、人種、皮膚の色、性、言語、宗教、政治的意見その他の意見、国民的若しくは社会的出身、財産、出生又は他の地位等によるいかなる差別もなしにこの規約において認められる権利を尊重し及び確保することを約束する。

2　この規約の各締約国は、立法措置その他の措置がまだとられていない場合には、この規約において認められる権利を実現するために必要な立法措置その他の措置をとるため、自国の憲法上の手続及びこの規約の規定に従つて必要な行動をとることを約束する。

3　この規約の各締約国は、次のことを約束する。

(a)　この規約において認められる権利又は自由を侵害された者が、公的資格で行動する者によりその侵害が行われた場合にも、効果的な救済措置を受けることを確保すること。

(b)　救済措置を求める者の権利が権限のある司法上、行政上若しくは立法上の機関又は国の法制で定める他の権限のある機関によつて決定されることを確保すること及び司法上の救済措置の可能性を発展させること。

(c)　救済措置が与えられる場合に権限のある機関によつて執行されることを確保すること。

第三条【男女の平等】

この規約の締約国は、この規約に定めるすべての市民的及び政治的権利の享有について男女に同等の権利を確保することを約束する。

第四条【非常事態における例外】

1　国民の生存を脅かす公の緊急事態の場合においてその緊急事態の存在が公式に宣言されているときは、この規約の締約国は、事態の緊急性が真に必要とする限度において、この規約に基づく義務に違反する措置をとることができる。ただし、その措置は、当該締約国が国際法に基づき負う他の義務に抵触してはならず、また、人種、皮膚の色、性、言語、宗教又は社会的出身のみを理由とする差別を含んではならない。

2　1の規定は、第六条、第七条、第八条1及び2、第十一条、第十五条、第十六条並びに第十八条の規定に違反することを許すものではない。

3　義務に違反する措置をとる権利を行使するこの規約の締約国は、違反した規定及び違反するに至つた理由を国際連合事務総長を通じてこの規約の他の締約国に直ちに通知する。更に、違反が終了する日に、同事務総長を通じてその旨通知する。

第五条〔A規約第五条と同旨〕

第三部

第六条【生命に対する権利及び死刑】

1　すべての人間は、生命に対する固有の権利を有する。この権利は、法律によつて保護される。何人も、恣意的にその生命を奪われない。

2　死刑を廃止していない国においては、死刑は、犯罪が行われた時に効力を有しており、かつ、この規約の規定及び集団殺害犯罪の防止及び処罰に関する条約の規定に抵触しない法律により、最も重大な犯罪についてのみ科することができる。この刑罰は、権限のある裁判所が言い渡した確定判決によつてのみ執行することができる。

3　生命の剝奪が集団殺害犯罪を構成する場合には、この条のいかなる規定も、この規約の締約国が集団殺害犯罪の防止及び処罰に関する条約の規定に基づいて負う義務を方法のいかんを問わず免れることを許すものではないと了解する。

4　死刑を言い渡されたいかなる者も、特赦又は減刑を求める権利を有する。死刑に対する大赦、特赦又は減刑は、すべての場合に与えることができる。

5　死刑は、十八歳未満の者が行つた犯罪について科してはならず、また、妊娠中の女子に対して執行してはならない。

6　この条のいかなる規定も、この規約の締約国により死刑の廃止を遅らせ又は妨げるために援用されてはならない。

第七条【拷問又は残虐な刑の禁止】

何人も、拷問又は残虐な、非人道的な若しくは品位を傷つける取扱い若しくは刑罰を受けない。特に、何人も、その自由な同意なしに医学的又は科学的実験を受けない。

第八条【奴隷及び強制労働の禁止】

1　何人も、奴隷の状態に置かれない。あらゆる形態の奴隷制度及び奴隷取引は、禁止する。

2　何人も、隷属状態に置かれない。

3(a)　何人も、強制労働に服することを要求されない。

(b)　(a)の規定は、犯罪に対する刑罰として強制労働を伴う拘禁刑を科することができる国において、権限のある裁判所による刑罰の言渡しにより強制労働をさせることを禁止するものと解してはならない。

(c)　この3の規定の適用上、「強制労働」には、次のものを含まない。

(i)　作業又は役務であつて、(b)の規定において言及されておらず、かつ、裁判所の合法的な命令によつて抑留されている者又はその抑留を条件付きで免除されている者に通常要求されるもの

(ii)　軍事的性質の役務及び、良心的兵役拒否が認められている国においては、良心的兵役拒否者が法律によつて要求される国民的役務

(iii)　社会の存立又は福祉を脅かす緊急事態又は災害の場合に要求される役務

(iv)　市民としての通常の義務とされる作業又は役務

第九条【身体の自由と逮捕抑留の要件】

1　すべての者は、身体の自由及び安全についての権利を有す

る。何人も、恣意的に逮捕され又は抑留されない。何人も、法律で定める理由及び手続によらない限り、その自由を奪われない。

2　逮捕される者は、逮捕の時にその理由を告げられるものとし、自己に対する被疑事実を速やかに告げられる。

3　刑事上の罪に問われて逮捕され又は抑留された者は、裁判官又は司法権を行使することが法律によつて認められている他の官憲の面前に速やかに連れて行かれるものとし、妥当な期間内に裁判を受ける権利又は釈放される権利を有する。裁判に付される者を抑留することが原則であつてはならず、釈放に当たつては、裁判その他の司法上の手続のすべての段階における出頭及び必要な場合における判決の執行のための出頭が保証されることを条件とすることができる。

4　逮捕又は抑留によつて自由を奪われた者は、裁判所がその抑留が合法的であるかどうかを遅滞なく決定すること及びその抑留が合法的でない場合にはその釈放を命ずることができるように、裁判所において手続をとる権利を有する。

5　違法に逮捕され又は抑留された者は、賠償を受ける権利を有する。

第一〇条【被告人の取扱い、行刑制度】

1　自由を奪われたすべての者は、人道的にかつ人間の固有の尊厳を尊重して、取り扱われる。

2(a)　被告人は、例外的な事情がある場合を除くほか有罪の判決を受けた者とは分離されるものとし、有罪の判決を受けていない者としての地位に相応する別個の取扱いを受ける。

(b)　少年の被告人は、成人とは分離されるものとし、できる限り速やかに裁判に付される。

3　行刑の制度は、被拘禁者の矯正及び社会復帰を基本的な目的とする処遇を含む。少年の犯罪者は、成人とは分離されるものとし、その年齢及び法的地位に相応する取扱いを受ける。

第一一条【契約不履行による拘禁】

何人も、契約上の義務を履行することができないことのみを理由として拘禁されない。

第一二条【移動・居住及び出国の自由】

1　合法的にいずれかの国の領域内にいるすべての者は、当該領域内において、移動の自由及び居住の自由についての権利を有する。

2　すべての者は、いずれの国（自国を含む。）からも自由に離れることができる。

3　1及び2の権利は、いかなる制限も受けない。ただし、その制限が、法律で定められ、国の安全、公の秩序、公衆の健康若しくは道徳又は他の者の権利及び自由を保護するために必要であり、かつ、この規約において認められる他の権利と両立するものである場合は、この限りでない。

4　何人も、自国に戻る権利を恣意的に奪われない。

第一三条【外国人の追放】

合法的にこの規約の締約国の領域内にいる外国人は、法律に基づいて行われた決定によつてのみ当該領域から追放することができる。国の安全のためのやむを得ない理由がある場合を除くほか、当該外国人は、自己の追放に反対する理由を提示すること及び権限のある機関又はその機関が特に指名する者によつて自己の事案が審査されることが認められるものとし、このためにその機関又はその者に対する代理人の出頭が認められる。

第一四条【公正な裁判を受ける権利】

1　すべての者は、裁判所の前に平等とする。すべての者は、その刑事上の罪の決定又は民事上の権利及び義務の争いについての決定のため、法律で設置された、権限のある、独立の、かつ、公平な裁判所による公正な公開審理を受ける権利を有する。報道機関及び公衆に対しては、民主的社会における道徳、公の秩序若しくは国の安全を理由として、当事者の私生活の利益のため必要な場合において又はその公開が司法の利益を害することとなる特別な状況において裁判所が真に必要があると認める限度で、裁判の全部又は一部を公開しないことができる。もつとも、刑事訴訟又は他の訴訟において言い渡される判決は、少年の利益のために必要がある場合又は当該手続が夫婦間の争い若しくは児童の後見に関するものである場合を除くほか、公開する。

2　刑事上の罪に問われているすべての者は、法律に基づいて有罪とされるまでは、無罪と推定される権利を有する。

3　すべての者は、その刑事上の罪の決定について、十分平等に、少なくとも次の保障を受ける権利を有する。

(a)　その理解する言語で速やかにかつ詳細にその罪の性質及び理由を告げられること。

(b)　防御の準備のために十分な時間及び便益を与えられ並びに自ら選任する弁護人と連絡すること。

(c)　不当に遅延することなく裁判を受けること。

(d)　自ら出席して裁判を受け及び、直接に又は自ら選任する弁護人を通じて、防御すること。弁護人がいない場合には、弁護人を持つ権利を告げられること。司法の利益のために必要な場合には、十分な支払手段を有しないときは自らその費用を負担することなく、弁護人を付されること。

(e)　自己に不利な証人を尋問し又はこれに対し尋問させること並びに自己に不利な証人と同じ条件で自己のための証人の出席及びこれに対する尋問を求めること。

(f)　裁判所において使用される言語を理解すること又は話すことができない場合には、無料で通訳の援助を受けること。

(g)　自己に不利益な供述又は有罪の自白を強要されないこと。

4　少年の場合には、手続は、その年齢及びその更生の促進が望ましいことを考慮したものとする。

5　有罪の判決を受けたすべての者は、法律に基づきその判決及び刑罰を上級の裁判所によつて再審理される権利を有する。

6　確定判決によつて有罪と決定された場合において、その後に、新たな事実又は新しく発見された事実により誤審のあつたことが決定的に立証されたことを理由としてその有罪の判決が破棄され又は赦免が行われたときは、その有罪の判決の結果刑罰に服した者は、法律に基づいて補償を受ける。ただし、その知られなかつた事実が適当な時に明らかにされなかつたことの全部又は一部がその者の責めに帰するものであることが証明される場合は、この限りでない。

7　何人も、それぞれの国の法律及び刑事手続に従つて既に確定的に有罪又は無罪の判決を受けた行為について再び裁判され又は処罰されることはない。

第一五条【遡及処罰の禁止】

1　何人も、実行の時に国内法又は国際法により犯罪を構成しなかつた作為又は不作為を理由として有罪とされることはない。何人も、犯罪が行われた時に適用されていた刑罰よりも重い刑罰を科されない。犯罪が行われた後により軽い刑罰を科する規定が法律に設けられる場合には、罪を犯した者は、その利益を受ける。

2　この条のいかなる規定も、国際社会の認める法の一般原則により実行の時に犯罪とされていた作為又は不作為を理由として裁判しかつ処罰することを妨げるものではない。

第一六条【人として認められる権利】

すべての者は、すべての場所において、法律の前に人として認められる権利を有する。

第一七条【私生活・名誉及び信用の尊重】

1　何人も、その私生活、家族、住居若しくは通信に対して恣意的に若しくは不法に干渉され又は名誉及び信用を不法に攻撃されない。

2　すべての者は、1の干渉又は攻撃に対する法律の保護を受ける権利を有する。

第一八条【思想・良心及び宗教の自由】

1　すべての者は、思想、良心及び宗教の自由についての権利を有する。この権利には、自ら選択する宗教又は信念を受け入れ又は有する自由並びに、単独で又は他の者と共同して及び公に又は私的に、礼拝、儀式、行事及び教導によつてその宗教又は信念を表明する自由を含む。

2　何人も、自ら選択する宗教又は信念を受け入れ又は有する自由を侵害するおそれのある強制を受けない。

3　宗教又は信念を表明する自由については、法律で定める制限であつて公共の安全、公の秩序、公衆の健康若しくは道徳又は他の者の基本的な権利及び自由を保護するために必要なもののみを課することができる。

4　この規約の締約国は、父母及び場合により法定保護者が、自己の信念に従つて児童の宗教的及び道徳的教育を確保する自由を有することを尊重することを約束する。

第一九条【表現の自由】

1　すべての者は、干渉されることなく意見を持つ権利を有する。

2　すべての者は、表現の自由についての権利を有する。この権利には、口頭、手書き若しくは印刷、芸術の形態又は自ら選択する他の方法により、国境とのかかわりなく、あらゆる種類の情報及び考えを求め、受け及び伝える自由を含む。

3　2の権利の行使には、特別の義務及び責任を伴う。したがつて、この権利の行使については、一定の制限を課することができる。ただし、その制限は、法律によつて定められ、かつ、次の目的のために必要とされるものに限る。

(a)　他の者の権利又は信用の尊重

(b)　国の安全、公の秩序又は公衆の健康若しくは道徳の保護

第二〇条【戦争宣伝及び憎悪唱道の禁止】

1　戦争のためのいかなる宣伝も、法律で禁止する。

2　差別、敵意又は暴力の扇動となる国民的、人種的又は宗教的憎悪の唱道は、法律で禁止する。

第二一条【集会の自由】

平和的な集会の権利は、認められる。この権利の行使については、法律で定める制限であつて国の安全若しくは公共の安全、公の秩序、公衆の健康若しくは道徳の保護又は他の者の権利及び自由の保護のため民主的社会において必要なもの以外のいかなる制限も課することができない。

第二二条【結社の自由】

1　すべての者は、結社の自由についての権利を有する。この権利には、自己の利益の保護のために労働組合を結成し及びこれに加入する権利を含む。

2　1の権利の行使については、法律で定める制限であつて国の安全若しくは公共の安全、公の秩序、公衆の健康若しくは道徳の保護又は他の者の権利及び自由の保護のため民主的社会において必要なもの以外のいかなる制限も課することができない。この条の規定は、1の権利の行使につき、軍隊及び警察の構成員に対して合法的な制限を課することを妨げるものではない。

3　この条のいかなる規定も、結社の自由及び団結権の保護に関する千九百四十八年の国際労働機関の条約の締約国が、同条約に規定する保障を阻害するような立法措置を講ずること又は同条約に規定する保障を阻害するような方法により法律を適用することを許すものではない。

第二三条【婚姻の自由】

1　家族は、社会の自然かつ基礎的な単位であり、社会及び国による保護を受ける権利を有する。

2　婚姻をすることができる年齢の男女が婚姻をしかつ家族を形成する権利は、認められる。

3　婚姻は、両当事者の自由かつ完全な合意なしには成立しない。

4　この規約の締約国は、婚姻中及び婚姻の解消の際に、婚姻に係る配偶者の権利及び責任の平等を確保するため、適当な措置をとる。その解消の場合には、児童に対する必要な保護のため、措置がとられる。

第二四条【児童の保護】

1　すべての児童は、人種、皮膚の色、性、言語、宗教、国民的若しくは社会的出身、財産又は出生によるいかなる差別もなしに、未成年者としての地位に必要とされる保護の措置であつて家族、社会及び国による措置についての権利を有する。

2　すべての児童は、出生の後直ちに登録され、かつ、氏名を有する。

3　すべての児童は、国籍を取得する権利を有する。

第二五条【選挙及び公務への参与】

すべての市民は、第二条に規定するいかなる差別もなく、かつ、不合理な制限なしに、次のことを行う権利及び機会を有する。

(a)　直接に、又は自由に選んだ代表者を通じて、政治に参与すること。

(b)　普通かつ平等の選挙権に基づき秘密投票により行われ、選挙人の意思の自由な表明を保障する真正な定期的選挙において、投票し及び選挙されること。

(c)　一般的な平等条件の下で自国の公務に携わること。

第二六条【法の前の平等・無差別】

すべての者は、法律の前に平等であり、いかなる差別もなしに法律による平等の保護を受ける権利を有する。このため、法律は、あらゆる差別を禁止し及び人種、皮膚の色、性、言語、宗教、政治的意見その他の意見、国民的若しくは社会的出身、財産、出生又は他の地位等のいかなる理由による差別に対しても平等のかつ効果的な保護をすべての者に保障する。

第二七条【少数民族の保護】

種族的、宗教的又は言語的少数民族が存在する国において、当該少数民族に属する者は、その集団の他の構成員とともに自己の文化を享有し、自己の宗教を信仰しかつ実践し又は自己の言語を使用する権利を否定されない。

第四部（抄）

第二八条【人権委員会の設置と委員】

1　人権委員会（以下「委員会」という。）を設置する。委員会は、十八人の委員で構成するものとし、この部に定める任務を行う。

2　委員会は、高潔な人格を有し、かつ、人権の分野において能力を認められたこの規約の締約国の国民で構成する。この場合において、法律関係の経験を有する者の参加が有益であることに考慮を払う。

3　委員会の委員は、個人の資格で、選挙され及び職務を遂行する。

第二九条【委員の選挙】

1　委員会の委員は、前条に定める資格を有し、かつ、この規約の締約国により選挙のために指名された者の名簿の中から秘密投票により選出される。

2・3　（略）

第三〇条　（略）

第三一条【委員の配分】

1　委員会は、一の国の国民を二人以上含むことができない。

2　委員会の選挙に当たつては、委員の配分が地理的に衡平に行われること並びに異なる文明形態及び主要な法体系が代表されることを考慮に入れる。

第三二条から第三九条まで　（略）

第四〇条【締約国の報告義務と「委員会」による検討】

1　この規約の締約国は、(a)当該締約国についてこの規約が効力を生ずる時から一年以内に、(b)その後は委員会が要請するときに、この規約において認められる権利の実現のためにとつた措置及びこれらの権利の享受についてもたらされた進歩に関する報告を提出することを約束する。

2　すべての報告は、国際連合事務総長に提出するものとし、同事務総長は、検討のため、これらの報告を委員会に送付する。報告には、この規約の実施に影響を及ぼす要因及び障害が存在する場合には、これらの要因及び障害を記載する。

3　国際連合事務総長は、委員会との協議の後、報告に含まれるいずれかの専門機関の権限の範囲内にある事項に関する部分の写しを当該専門機関に送付することができる。

4　委員会は、この規約の締約国の提出する報告を検討する。委

員会は、委員会の報告及び適当と認める一般的な性格を有する意見を締約国に送付しなければならず、また、この規約の締約国から受領した報告の写しとともに当該一般的な性格を有する意見を経済社会理事会に送付することができる。

5　この規約の締約国は、4の規定により送付される一般的な性格を有する意見に関する見解を委員会に提示することができる。

第四一条【国家間通報】

1　この規約の締約国は、この規約に基づく義務が他の締約国によつて履行されていない旨を主張するいずれかの締約国からの通報を委員会が受理しかつ検討する権限を有することを認めることを、この条の規定に基づいていつでも宣言することができる。この条の規定に基づく通報は、委員会の当該権限を自国について認める宣言を行つた締約国による通報である場合に限り、受理しかつ検討することができる。委員会は、宣言を行つていない締約国についての通報を受理してはならない。この条の規定により受理される通報は、次の手続に従つて取り扱う。

(a)　この規約の締約国は、他の締約国がこの規約を実施していないと認める場合には、書面による通知により、その事態につき当該他の締約国の注意を喚起することができる。通知を受領する国は、通知の受領の後三箇月以内に、当該事態について説明する文書その他の文書を、通知を送付した国に提供する。これらの文書は、当該事態について既にとられ、現在とつており又は将来とることができる国内的な手続及び救済措置に、可能かつ適当な範囲において、言及しなければならない。

(b)　最初の通知の受領の後六箇月以内に当該事案が関係締約国の双方の満足するように調整されない場合には、いずれの一方の締約国も、委員会及び他方の締約国に通告することにより当該事案を委員会に付託する権利を有する。

(c)　委員会は、付託された事案について利用し得るすべての国内的な救済措置がとられかつ尽くされたことを確認した後に限り、一般的に認められた国際法の原則に従つて、付託された事案を取り扱う。ただし、救済措置の実施が不当に遅延する場合は、この限りでない。

(d)　委員会は、この条の規定により通報を検討する場合には、非公開の会合を開催する。

(e)　(c)の規定に従うことを条件として、委員会は、この規約において認められる人権及び基本的自由の尊重を基礎として事案を友好的に解決するため、関係締約国に対してあつ旋を行う。

(f)　委員会は、付託されたいずれの事案についても、(b)にいう関係締約国に対し、あらゆる関連情報を提供するよう要請することができる。

(g)　(b)にいう関係締約国は、委員会において事案が検討されている間において代表を出席させる権利を有するものとし、また、口頭又は書面により意見を提出する権利を有する。

(h)　委員会は、(b)の通告を受領した日の後十二箇月以内に、報告を提出する。報告は、各事案ごとに、関係締約国に送付する。

(i)　(e)の規定により解決に到達した場合には、委員会は、事実及び到達した解決について簡潔に記述したものを報告する。

(ii)　(e)の規定により解決に到達しない場合には、委員会は、事実について簡潔に記述したものを報告するものとし、当該報告に関係締約国の口頭による意見の記録及び書面による意見を添付する。

2　この条の規定は、この規約の十の締約国が1の規定に基づく宣言を行つた時に効力を生ずる。宣言は、締約国が国際連合事務総長に寄託するものとし、同事務総長は、その写しを他の締約国に送付する。宣言は、同事務総長に対する通告によりいつでも撤回することができる。撤回は、この条の規定に従つて既に送付された通報におけるいかなる事案の検討をも妨げるものではない。宣言を撤回した締約国による新たな通報は、同事務総長がその宣言の撤回の通告を受領した後は、当該締約国が新たな宣言を行わない限り、受理しない。

第四二条【特別委員会とその調停活動】

1(a)　前条の規定により委員会に付託された事案が関係締約国の満足するように解決されない場合には、委員会は、関係締約国の事前の同意を得て、特別調停委員会（以下「調停委員会」という。）を設置することができる。調停委員会は、この規約の尊重を基礎として当該事案を友好的に解決するため、関係締約国に対してあつ旋を行う。

(b)　調停委員会は、関係締約国が容認する五人の者で構成する。調停委員会の構成について三箇月以内に関係締約国が合意に達しない場合には、合意が得られない調停委員会の委員については、委員会の秘密投票により、三分の二以上の多数による議決で、委員会の委員の中から選出する。

2―10　（略）

第四三条から第四五条まで　（略）

第五部

第四六条〔A規約第二四条と同一〕

第四七条〔A規約第二五条と同一〕

第六部

第四八条〔A規約第二六条と同一〕

第四九条〔A規約第二七条と同一〕

第五〇条〔A規約第二八条と同一〕

第五一条〔A規約第二九条と同一〕

第五二条〔A規約第三〇条と同旨〕

第五三条〔A規約第三一条と同旨〕

以上の証拠として、下名は、各自の政府から正当に委任を受けて、千九百六十六年十二月十九日にニュー・ヨークで署名のために開放されたこの規約に署名した。

（署名欄は省略）

（経済的、社会的及び文化的権利に関する国際規約及び市民的及び政治的権利に関する国際規約の署名の際に日本国政府が行つた宣言については、経済的、社会的及び文化的権利に関する国際規約末尾参照）

○あらゆる形態の人種差別の撤廃に関する国際条約（抄）（平成七・一二・二〇 条 二六）

発効　平成八・一・一四（平成七外告六七四）

この条約の締約国は、

国際連合憲章がすべての人間に固有の尊厳及び平等の原則に基礎を置いていること並びにすべての加盟国が、人種、性、言語又は宗教による差別のないすべての者のための人権及び基本的自由の普遍的な尊重及び遵守を助長し及び奨励するという国際連合の目的の一を達成するために、国際連合と協力して共同及び個別の行動をとることを誓約したことを考慮し、

世界人権宣言が、すべての人間は生まれながらにして自由であり、かつ、尊厳及び権利について平等であること並びにすべての人がいかなる差別をも、特に人種、皮膚の色又は国民的出身によ

る差別を受けることなく同宣言に掲げるすべての権利及び自由を享有することができることを宣明していることを考慮し、

すべての人間が法律の前に平等であり、いかなる差別に対しても、また、いかなる差別の扇動に対しても法律による平等の保護を受ける権利を有することを考慮し、

国際連合が植民地主義並びにこれに伴う隔離及び差別のあらゆる慣行（いかなる形態であるかいかなる場所に存在するかを問わない。）を非難してきたこと並びに千九百六十年十二月十四日の植民地及びその人民に対する独立の付与に関する宣言（国際連合総会決議第千五百十四号（第十五回会期））がこれらを速やかにかつ無条件に終了させる必要性を確認し及び厳粛に宣明したことを考慮し、

千九百六十三年十一月二十日のあらゆる形態の人種差別の撤廃に関する国際連合宣言（国際連合総会決議第千九百四号（第十八回会期））が、あらゆる形態及び表現による人種差別を全世界から速やかに撤廃し並びに人間の尊厳に対する理解及び尊重を確保する必要性を厳粛に確認していることを考慮し、

人種的相違に基づく優越性のいかなる理論も科学的に誤りであり、道徳的に非難されるべきであり及び社会的に不正かつ危険であること並びに理論上又は実際上、いかなる場所においても、人種差別を正当化することはできないことを確信し、

人種、皮膚の色又は種族的出身を理由とする人間の差別が諸国間の友好的かつ平和的な関係に対する障害となること並びに諸国民の間の平和及び安全並びに同一の国家内に共存している人々の調和をも害するおそれがあることを再確認し、

人種に基づく障壁の存在がいかなる人間社会の理想にも反することを確信し、

世界のいくつかの地域において人種差別が依然として存在していること及び人種的優越又は憎悪に基づく政府の政策（アパルトヘイト、隔離又は分離の政策等）がとられていることを危険な事態として受けとめ、

あらゆる形態及び表現による人種差別を速やかに撤廃するために必要なすべての措置をとること並びに人種間の理解を促進し、いかなる形態の人種隔離及び人種差別もない国際社会を建設するため、人種主義に基づく理論及び慣行を防止し並びにこれらと戦うことを決意し、

千九百五十八年に国際労働機関が採択した雇用及び職業についての差別に関する条約及び千九百六十年に国際連合教育科学文化機関が採択した教育における差別の防止に関する条約に留意し、

あらゆる形態の人種差別の撤廃に関する国際連合宣言に具現された原則を実現すること及びこのための実際的な措置を最も早い時期にとることを確保することを希望して、

次のとおり協定した。

第一部

第一条【人種差別の定義】

1　この条約において、「人種差別」とは、人種、皮膚の色、世系又は民族的若しくは種族的出身に基づくあらゆる区別、排除、制限又は優先であって、政治的、経済的、社会的、文化的その他のあらゆる公的生活の分野における平等の立場での人権及び基本的自由を認識し、享有し又は行使することを妨げ又は害する目的又は効果を有するものをいう。

2　この条約は、締約国が市民と市民でない者との間に設ける区別、排除、制限又は優先については、適用しない。

3　この条約のいかなる規定も、国籍、市民権又は帰化に関する締約国の法規に何ら影響を及ぼすものと解してはならない。ただし、これらに関する法規は、いかなる特定の民族に対しても差別を設けていないことを条件とする。

4　人権及び基本的自由の平等な享有又は行使を確保するため、保護を必要としている特定の人種若しくは種族の集団又は個人の適切な進歩を確保することのみを目的として、必要に応じてとられる特別措置は、人種差別とみなさない。ただし、この特別措置は、その結果として、異なる人種の集団に対して別個の権利を維持することとなってはならず、また、その目的が達成された後は継続してはならない。

第二条【締約国の差別撤廃義務】

1　締約国は、人種差別を非難し、また、あらゆる形態の人種差別を撤廃する政策及びあらゆる人種間の理解を促進する政策をすべての適当な方法により遅滞なくとることを約束する。このため、

(a)　各締約国は、個人、集団又は団体に対する人種差別の行為又は慣行に従事しないこと並びに国及び地方のすべての公の当局及び機関がこの義務に従って行動するよう確保することを約束する。

(b)　各締約国は、いかなる個人又は団体による人種差別も後援せず、擁護せず又は支持しないことを約束する。

(c)　各締約国は、政府（国及び地方）の政策を再検討し及び人種差別を生じさせ又は永続化させる効果を有するいかなる法令も改正し、廃止し又は無効にするために効果的な措置をとる。

(d)　各締約国は、すべての適当な方法（状況により必要とされるときは、立法を含む。）により、いかなる個人、集団又は団体による人種差別も禁止し、終了させる。

(e)　各締約国は、適当なときは、人種間の融和を目的とし、かつ、複数の人種で構成される団体及び運動を支援し並びに人種間の障壁を撤廃する他の方法を奨励すること並びに人種間の分断を強化するようないかなる動きも抑制することを約束する。

2　締約国は、状況により正当とされる場合には、特定の人種の集団又はこれに属する個人に対し人権及び基本的自由の十分かつ平等な享有を保障するため、社会的、経済的、文化的その他の分野において、当該人種の集団又は個人の適切な発展及び保護を確保するための特別かつ具体的な措置をとる。この措置は、いかなる場合においても、その目的が達成された後、その結果として、異なる人種の集団に対して不平等な又は別個の権利を維持することとなってはならない。

第三条【人種隔離の禁止】

締約国は、特に、人種隔離及びアパルトヘイトを非難し、また、自国の管轄の下にある領域におけるこの種のすべての慣行を防止し、禁止し及び根絶することを約束する。

第四条【人種的優越性に基づく差別・扇動の禁止】

締約国は、一の人種の優越性若しくは一の皮膚の色若しくは種族的出身の人の集団の優越性の思想若しくは理論に基づくあらゆる宣伝及び団体又は人種的憎悪及び人種差別（形態のいかんを問わない。）を正当化し若しくは助長することを企てるあらゆる宣伝及び団体を非難し、また、このような差別のあらゆる扇動又は行為を根絶することを目的とする迅速かつ積極的な措置をとることを約束する。このため、締約国は、世界人権宣言に具現された原則及び次条に明示的に定める権利に十分な考慮を払って、特に次のことを行う。

(a)　人種的優越又は憎悪に基づく思想のあらゆる流布、人種差別の扇動、いかなる人種若しくは皮膚の色若しくは種族的出身を異にする人の集団に対するものであるかを問わずすべての暴力行為又はその行為の扇動及び人種主義に基づく活動に対する資金援助を含むいかなる援助の提供も、法律で処罰すべき犯罪であることを宣言すること。

(b)　人種差別を助長し及び扇動する団体及び組織的宣伝活動その他のすべての宣伝活動を違法であるとして禁止するものとし、このような団体又は活動への参加が法律で処罰すべき犯罪であることを認めること。

(c)　国又は地方の公の当局又は機関が人種差別を助長し又は扇動することを認めないこと。

第五条【無差別・法の前の平等】

第二条に定める基本的義務に従い、締約国は、特に次の権利の享有に当たり、あらゆる形態の人種差別を禁止し及び撤廃すること並びに人種、皮膚の色又は民族的若しくは種族的出身による差

別なしに、すべての者が法律の前に平等であるという権利を保障することを約束する。

(a) 裁判所その他のすべての裁判及び審判を行う機関の前での平等な取扱いについての権利

(b) 暴力又は傷害（公務員によって加えられるものであるかいかなる個人、集団又は団体によって加えられるものであるかを問わない。）に対する身体の安全及び国家による保護についての権利

(c) 政治的権利、特に普通かつ平等の選挙権に基づく選挙に投票及び立候補によって参加し、国政及びすべての段階における政治に参与し並びに公務に平等に携わる権利

(d) 他の市民的権利、特に、

(i) 国境内における移動及び居住の自由についての権利

(ii) いずれの国（自国を含む。）からも離れ及び自国に戻る権利

(iii) 国籍についての権利

(iv) 婚姻及び配偶者の選択についての権利

(v) 単独で及び他の者と共同して財産を所有する権利

(vi) 相続する権利

(vii) 思想、良心及び宗教の自由についての権利

(viii) 意見及び表現の自由についての権利

(ix) 平和的な集会及び結社の自由についての権利

(e) 経済的、社会的及び文化的権利、特に、

(i) 労働、職業の自由な選択、公正かつ良好な労働条件、失業に対する保護、同一の労働についての同一報酬及び公正かつ良好な報酬についての権利

(ii) 労働組合を結成し及びこれに加入する権利

(iii) 住居についての権利

(iv) 公衆の健康、医療、社会保障及び社会的サービスについての権利

(v) 教育及び訓練についての権利

(vi) 文化的な活動への平等な参加についての権利

(f) 輸送機関、ホテル、飲食店、喫茶店、劇場、公園等一般公衆の使用を目的とするあらゆる場所又はサービスを利用する権利

第六条【人種差別に対する救済】 締約国は、自国の管轄の下にあるすべての者に対し、権限のある自国の裁判所及び他の国家機関を通じて、この条約に反して人権及び基本的自由を侵害するあらゆる人種差別の行為に対する効果的な保護及び救済措置を確保し、並びにその差別の結果として被ったあらゆる損害に対し、公正かつ適正な賠償又は救済を当該裁判所に求める権利を確保する。

第七条【教育・文化上の措置】 締約国は、人種差別につながる偏見と戦い、諸国民の間及び人種又は種族の集団の間の理解、寛容及び友好を促進し並びに国際連合憲章、世界人権宣言、あらゆる形態の人種差別の撤廃に関する国際連合宣言及びこの条約の目的及び原則を普及させるため、特に教授、教育、文化及び情報の分野において、迅速かつ効果的な措置をとることを約束する。

第二部（抄）

第八条【人種差別撤廃委員会】 1 締約国により締約国の国民の中から選出される徳望が高く、かつ、公平と認められる十八人の専門家で構成する人種差別の撤廃に関する委員会（以下「委員会」という。）を設置する。委員会の委員は、個人の資格で職務を遂行する。その選出に当たっては、委員の配分が地理的に衡平に行われること並びに異なる文明形態及び主要な法体系が代表されることを考慮に入れる。

2 委員会の委員は、締約国により指名された者の名簿の中から秘密投票により選出される。各締約国は、自国民の中から一人を指名することができる。

3－6 （略）

第九条から第一六条まで （略）

第三部 （第一七条から第二五条まで）（略）

以上の証拠として、下名は、各自の政府から正当に委任を受けて、千九百六十六年三月七日にニュー・ヨークで署名のために開放されたこの条約に署名した。

あらゆる形態の人種差別の撤廃に関する国際条約に関する日本国政府の留保

（平成七・一二・二〇外告六七四）

日本国は、あらゆる形態の人種差別の撤廃に関する国際条約第四条(a)及び(b)の規定の適用に当たり、同条に「世界人権宣言に具現された原則及び次条に明示的に定める権利に十分な考慮を払って」と規定してあることに留意し、日本国憲法の下における集会、結社及び表現の自由その他の権利の保障と抵触しない限度において、これらの規定に基づく義務を履行する。

○女子に対するあらゆる形態の差別の撤廃に関する条約（抄）

（昭和六〇・七・一条七）

発効　昭和六〇・七・二五（昭和六〇外告一九四）

この条約の締約国は、

国際連合憲章が基本的人権、人間の尊厳及び価値並びに男女の権利の平等に関する信念を改めて確認していることに留意し、

世界人権宣言が、差別は容認することができないものであるとの原則を確認していること、並びにすべての人間は生まれながらにして自由であり、かつ、尊厳及び権利について平等であること並びにすべての人は性による差別その他のいかなる差別もなしに同宣言に掲げるすべての権利及び自由を享有することができることを宣明していることに留意し、

人権に関する国際規約の締約国がすべての経済的、社会的、文化的、市民的及び政治的権利の享有について男女に平等の権利を確保する義務を負っていることに留意し、

国際連合及び専門機関の主催の下に各国が締結した男女の権利の平等を促進するための国際条約を考慮し、

更に、国際連合及び専門機関が採択した男女の権利の平等を促進するための決議、宣言及び勧告に留意し、

しかしながら、これらの種々の文書にもかかわらず女子に対する差別が依然として広範に存在していることを憂慮し、

女子に対する差別は、権利の平等の原則及び人間の尊厳の尊重の原則に反するものであり、女子が男子と平等の条件で自国の政治的、社会的、経済的及び文化的活動に参加する上で障害となるものであり、社会及び家族の繁栄の増進を阻害するものであり、また、女子の潜在能力を自国及び人類に役立てるために完全に開発することを一層困難にするものであることを想起し、

窮乏の状況においては、女子が食糧、健康、教育、雇用のための訓練及び機会並びに他の必要とするものを享受する機会が最も少ないことを憂慮し、

衡平及び正義に基づく新たな国際経済秩序の確立が男女の平等の促進に大きく貢献することを確信し、

アパルトヘイト、あらゆる形態の人種主義、人種差別、植民地主義、新植民地主義、侵略、外国による占領及び支配並びに内政干渉の根絶が男女の権利の完全な享有に不可欠であることを強調し、

し、国際の平和及び安全を強化し、国際緊張を緩和し、すべての国（社会体制及び経済体制のいかんを問わない。）の間で相互に協力し、全面的かつ完全な軍備縮小を達成し、特に厳重かつ効果的な国際管理の下での核軍備の縮小を達成し、諸国間の関係における正義、平等及び互恵の原則を確認し、外国の支配の下、植民地支配の下又は外国の占領の下にある人民の自決の権利及び人民の独立の権利を実現し並びに国の主権及び領土保全を尊重することが、社会の進歩及び発展を促進し、ひいては、男女の完全な平等の達成に貢献することを確認し、

国の完全な発展、世界の福祉及び理想とする平和は、あらゆる分野において女子が男子と平等の条件で最大限に参加することを必要としていることを確信し、

家族の福祉及び社会の発展に対する従来完全には認められていなかつた女子の大きな貢献、母性の社会的重要性並びに家庭及び子の養育における両親の役割に留意し、また、出産における女子の役割が差別の根拠となるべきではなく、子の養育には男女及び社会全体が共に責任を負うことが必要であることを認識し、

社会及び家庭における男子の伝統的役割を女子の役割とともに変更することが男女の完全な平等の達成に必要であることを認識し、

女子に対する差別の撤廃に関する宣言に掲げられている諸原則を実施すること及びこのために女子に対するあらゆる形態の差別を撤廃するための必要な措置をとることを決意して、

次のとおり協定した。

第一部

第一条【女子差別の定義】

この条約の適用上、「女子に対する差別」とは、性に基づく区別、排除又は制限であつて、政治的、経済的、社会的、文化的、市民的その他のいかなる分野においても、女子（婚姻をしているかいないかを問わない。）が男女の平等を基礎として人権及び基本的自由を認識し、享有し又は行使することを害し又は無効にする効果又は目的を有するものをいう。

第二条【締約国の差別撤廃義務】

締約国は、女子に対するあらゆる形態の差別を非難し、女子に対する差別を撤廃する政策をすべての適当な手段により、かつ、遅滞なく追求することに合意し、及びこのため次のことを約束する。

(a) 男女の平等の原則が自国の憲法その他の適当な法令に組み入れられていない場合にはこれを定め、かつ、男女の平等の原則の実際的な実現を法律その他の適当な手段により確保すること。

(b) 女子に対するすべての差別を禁止する適当な立法その他の措置（適当な場合には制裁を含む。）をとること。

(c) 女子の権利の法的な保護を男子との平等を基礎として確立し、かつ、権限のある自国の裁判所その他の公の機関を通じて差別となるいかなる行為からも女子を効果的に保護することを確保すること。

(d) 女子に対する差別となるいかなる行為又は慣行も差し控え、かつ、公の当局及び機関がこの義務に従つて行動することを確保すること。

(e) 個人、団体又は企業による女子に対する差別を撤廃するためのすべての適当な措置をとること。

(f) 女子に対する差別となる既存の法律、規則、慣習及び慣行を修正し又は廃止するためのすべての適当な措置（立法を含む。）をとること。

(g) 女子に対する差別となる自国のすべての刑罰規定を廃止すること。

第三条【女子の能力開発・向上の確保】

締約国は、あらゆる分野、特に、政治的、社会的、経済的及び文化的分野において、女子に対して男子との平等を基礎として人権及び基本的自由を行使し及び享有することを保障することを目的として、女子の完全な能力開発及び向上を確保するためのすべての適当な措置（立法を含む。）をとる。

第四条【差別とならない特別措置】

1 締約国が男女の事実上の平等を促進することを目的とする暫定的な特別措置をとることは、この条約に定義する差別と解してはならない。ただし、その結果としていかなる意味においても不平等な又は別個の基準を維持し続けることとなつてはならず、これらの措置は、機会及び待遇の平等の目的が達成された時に廃止されなければならない。

2 締約国が母性を保護することを目的とする特別措置（この条約に規定する措置を含む。）をとることは、差別と解してはならない。

第五条【役割分担の否定】

締約国は、次の目的のためのすべての適当な措置をとる。

(a) 両性いずれかの劣等性若しくは優越性の観念又は男女の定型化された役割に基づく偏見及び慣習その他あらゆる慣行の撤廃を実現するため、男女の社会的及び文化的な行動様式を修正すること。

(b) 家庭についての教育に、社会的機能としての母性についての適正な理解並びに子の養育及び発育における男女の共同責任についての認識を含めることを確保すること。あらゆる場合において、子の利益は最初に考慮するものとする。

第六条【売買・売春からの搾取の禁止】

締約国は、あらゆる形態の女子の売買及び女子の売春からの搾取を禁止するためのすべての適当な措置（立法を含む。）をとる。

第二部

第七条【政治的・公的活動における平等】

締約国は、自国の政治的及び公的活動における女子に対する差別を撤廃するためのすべての適当な措置をとるものとし、特に、女子に対して男子と平等の条件で次の権利を確保する。

(a) あらゆる選挙及び国民投票において投票する権利並びにすべての公選による機関に選挙される資格を有する権利

(b) 政府の政策の策定及び実施に参加する権利並びに政府のすべての段階において公職に就き及びすべての公務を遂行する権利

(c) 自国の公的又は政治的活動に関係のある非政府機関及び非政府団体に参加する権利

第八条【国際的活動への参加の平等】

締約国は、国際的に自国政府を代表し及び国際機関の活動に参加する機会を、女子に対して男子と平等の条件でかついかなる差別もなく確保するためのすべての適当な措置をとる。

第九条【国籍に関する平等】

1 締約国は、国籍の取得、変更及び保持に関し、女子に対して男子と平等の権利を与える。締約国は、特に、外国人との婚姻又は婚姻中の夫の国籍の変更が、自動的に妻の国籍を変更し、妻を無国籍にし又は夫の国籍を妻に強制することとならないことを確保する。

2 締約国は、子の国籍に関し、女子に対して男子と平等の権利を与える。

第三部

第一〇条【教育における差別撤廃】

締約国は、教育の分野において、女子に対して男子と平等の権利を確保することを目的として、特に、男女の平等を基礎として次のことを確保することを目的として、女子に対する差別を撤廃するためのすべての適当な措置をとる。

(a) 農村及び都市のあらゆる種類の教育施設における職業指導、修学の機会及び資格証書の取得のための同一の条件。このような平等は、就学前教育、普通教育、技術教育、専門教育及び高等技術教育並びにあらゆる種類の職業訓練において確保されなければならない。

(b) 同一の教育課程、同一の試験、同一の水準の資格を有する

教育職員並びに同一の質の学校施設及び設備を享受する機会

(c) すべての段階及びあらゆる形態の教育における男女の役割についての定型化された概念の撤廃を、この目的の達成を助長する男女共学その他の種類の教育を奨励することにより、また、特に、教材用図書及び指導計画を改訂すること並びに指導方法を調整することにより行うこと。

(d) 奨学金その他の修学援助を享受する同一の機会

(e) 継続教育計画（成人向けの及び実用的な識字計画を含む。）、特に、男女間に存在する教育上の格差をできる限り早期に減少させることを目的とした継続教育計画を利用する同一の機会

(f) 女子の中途退学率を減少させること及び早期に退学した女子のための計画を策定すること。

(g) スポーツ及び体育に積極的に参加する同一の機会

(h) 家族の健康及び福祉の確保に役立つ特定の教育的情報（家族計画に関する情報及び助言を含む。）を享受する機会

第一一条【雇用における差別撤廃】

1 締約国は、男女の平等を基礎として同一の権利、特に次の権利を確保することを目的として、雇用の分野における女子に対する差別を撤廃するためのすべての適当な措置をとる。

(a) すべての人間の奪い得ない権利としての労働の権利

(b) 同一の雇用機会（雇用に関する同一の選考基準の適用を含む。）についての権利

(c) 職業を自由に選択する権利、昇進、雇用の保障並びに労働に係るすべての給付及び条件についての権利並びに職業訓練及び再訓練（見習、上級職業訓練及び継続的訓練を含む。）を受ける権利

(d) 同一価値の労働についての同一報酬（手当を含む。）及び同一待遇についての権利並びに労働の質の評価に関する取扱いの平等についての権利

(e) 社会保障（特に、退職、失業、傷病、障害、老齢その他の労働不能の場合における社会保障）についての権利及び有給休暇についての権利

(f) 作業条件に係る健康の保護及び安全（生殖機能の保護を含む。）についての権利

2 締約国は、婚姻又は母性を理由とする女子に対する差別を防止し、かつ、女子に対して実効的な労働の権利を確保するため、次のことを目的とする適当な措置をとる。

(a) 妊娠又は母性休暇を理由とする解雇及び婚姻をしているかいないかに基づく差別的解雇を制裁を課して禁止すること。

(b) 給料又はこれに準ずる社会的給付を伴い、かつ、従前の雇用関係、先任及び社会保障上の利益の喪失を伴わない母性休暇を導入すること。

(c) 親が家庭責任と職業上の責務及び社会的活動への参加とを両立させることを可能とするために必要な補助的な社会的サービスの提供を、特に保育施設網の設置及び充実を促進することにより奨励すること。

(d) 妊娠中の女子に有害であることが証明されている種類の作業においては、当該女子に対して特別の保護を与えること。

3 この条に規定する事項に関する保護法令は、科学上及び技術上の知識に基づき定期的に検討するものとし、必要に応じて、修正し、廃止し、又はその適用を拡大する。

第一二条【保健における差別撤廃】

1 締約国は、男女の平等を基礎として保健サービス（家族計画に関連するものを含む。）を享受する機会を確保することを目的として、保健の分野における女子に対する差別を撤廃するためのすべての適当な措置をとる。

2 1の規定にかかわらず、締約国は、女子に対し、妊娠、分べん及び産後の期間中の適当なサービス（必要な場合には無料にする。）並びに妊娠及び授乳の期間中の適当な栄養を確保する。

第一三条【経済的・社会的活動における差別撤廃】

締約国は、男女の平等を基礎として同一の権利、特に次の権利を確保することを目的として、他の経済的及び社会的活動の分野における女子に対する差別を撤廃するためのすべての適当な措置をとる。

(a) 家族給付についての権利

(b) 銀行貸付け、抵当その他の形態の金融上の信用についての権利

(c) レクリエーション、スポーツ及びあらゆる側面における文化的活動に参加する権利

第一四条【農村女子に対する差別撤廃】

1 締約国は、農村の女子が直面する特別の問題及び家族の経済的生存のために果たしている重要な役割（貨幣化されていない経済の部門における労働を含む。）を考慮に入れるものとし、農村の女子に対するこの条約の適用を確保するためのすべての適当な措置をとる。

2 締約国は、男女の平等を基礎として農村の女子が農村の開発に参加すること及びその開発から生ずる利益を受けることを確保することを目的として、農村の女子に対する差別を撤廃するためのすべての適当な措置をとるものとし、特に、これらの女子に対して次の権利を確保する。

(a) すべての段階における開発計画の作成及び実施に参加する権利

(b) 適当な保健サービス（家族計画に関する情報、カウンセリング及びサービスを含む。）を享受する権利

(c) 社会保障制度から直接に利益を享受する権利

(d) 技術的な能力を高めるために、あらゆる種類（正規であるかないかを問わない。）の訓練及び教育（実用的な識字に関するものを含む。）並びに、特に、すべての地域サービス及び普及サービスからの利益を享受する権利

(e) 経済分野における平等な機会を雇用又は自営を通じて得るために、自助的集団及び協同組合を組織する権利

(f) あらゆる地域活動に参加する権利

(g) 農業信用及び貸付け、流通機構並びに適当な技術を利用する権利並びに土地及び農地の改革並びに入植計画において平等な待遇を享受する権利

(h) 適当な生活条件（特に、住居、衛生、電力及び水の供給、運輸並びに通信に関する条件）を享受する権利

第四部

第一五条【法の前の男女平等】

1 締約国は、女子に対し、法律の前の男子との平等を認める。

2 締約国は、女子に対し、民事に関して男子と同一の法的能力を与えるものとし、また、この能力を行使する同一の機会を与える。特に、締約国は、契約を締結し及び財産を管理することにつき女子に対して男子と平等の権利を与えるものとし、裁判所における手続のすべての段階において女子を男子と平等に取り扱う。

3 締約国は、女子の法的能力を制限するような法的効果を有するすべての契約及び他のすべての私的文書（種類のいかんを問わない。）を無効とすることに同意する。

4 締約国は、個人の移動並びに居所及び住所の選択の自由に関する法律において男女に同一の権利を与える。

第一六条【婚姻・家族関係における差別撤廃】

1 締約国は、婚姻及び家族関係に係るすべての事項について女子に対する差別を撤廃するためのすべての適当な措置をとるものとし、特に、男女の平等を基礎として次のことを確保する。

(a) 婚姻をする同一の権利

(b) 自由に配偶者を選択し及び自由かつ完全な合意のみにより婚姻をする同一の権利

(c) 婚姻中及び婚姻の解消の際の同一の権利及び責任

(d) 子に関する事項についての親（婚姻をしているかいないかを問わない。）としての同一の権利及び責任。あらゆる場合において、子の利益は至上である。

(e) 子の数及び出産の間隔を自由にかつ責任をもって決定する同一の権利並びにこれらの権利の行使を可能にする情報、教

育及び手段を享受する同一の権利

(f)　子の後見及び養子縁組又は国内法令にこれらに類する制度が存在する場合にはその制度に係る同一の権利及び責任。あらゆる場合において、子の利益は至上である。

(g)　夫及び妻の同一の個人的権利（姓及び職業を選択する権利を含む。）

(h)　無償であるか有償であるかを問わず、財産を所有し、取得し、運用し、管理し、利用し及び処分することに関する配偶者双方の同一の権利

2　児童の婚約及び婚姻は、法的効果を有しないものとし、また、婚姻最低年齢を定め及び公の登録所への婚姻の登録を義務付けるためのすべての必要な措置（立法を含む。）がとられなければならない。

第五部（抄）

第一七条【女子差別撤廃委員会】

1　この条約の実施に関する進捗状況を検討するために、女子に対する差別の撤廃に関する委員会（以下「委員会」という。）を設置する。委員会は、この条約の効力発生の時は十八人の、三十五番目の締約国による批准又は加入の後は二十三人の徳望が高く、かつ、この条約が対象とする分野において十分な能力を有する専門家で構成する。委員は、締約国の国民の中から締約国により選出されるものとし、個人の資格で職務を遂行する。その選出に当たつては、委員の配分が地理的に衡平に行われること並びに異なる文明形態及び主要な法体系が代表されることを考慮に入れる。

2　委員会の委員は、締約国により指名された者の名簿の中から秘密投票により選出される。各締約国は、自国民の中から一人を指名することができる。

3―9　（略）

第一八条から第二二条まで　（略）

第六部（抄）

第二三条【高水準の国内・国際法令の優先適用】

この条約のいかなる規定も、次のものに含まれる規定であつて男女の平等の達成に一層貢献するものに影響を及ぼすものではない。

(a)　締約国の法令

(b)　締約国について効力を有する他の国際条約又は国際協定

第二四条【条約上の権利の完全実現】

締約国は、自国においてこの条約の認める権利の完全な実現を達成するためのすべての必要な措置をとることを約束する。

第二五条から第三〇条まで　（略）

（以下略）

○児童の権利に関する条約（抄）（平成六・五・一六 条約二）

発効　平成六・五・二二（平成六外告二六二）
最終改正　平成一五条三

前文

この条約の締約国は、

国際連合憲章において宣明された原則によれば、人類社会のすべての構成員の固有の尊厳及び平等のかつ奪い得ない権利を認めることが世界における自由、正義及び平和の基礎を成すものであることを考慮し、

国際連合加盟国の国民が、国際連合憲章において、基本的人権並びに人間の尊厳及び価値に関する信念を改めて確認し、かつ、一層大きな自由の中で社会的進歩及び生活水準の向上を促進することを決意したことに留意し、

国際連合が、世界人権宣言及び人権に関する国際規約において、すべての人は人種、皮膚の色、性、言語、宗教、政治的意見その他の意見、国民的若しくは社会的出身、財産、出生又は他の地位等によるいかなる差別もなしに同宣言及び同規約に掲げるすべての権利及び自由を享有することができることを宣明し及び合意したことを認め、

国際連合が、世界人権宣言において、児童は特別な保護及び援助についての権利を享有することができることを宣明したことを想起し、

家族が、社会の基礎的な集団として、並びに家族のすべての構成員特に児童の成長及び福祉のための自然な環境として、社会においてその責任を十分に引き受けることができるよう必要な保護及び援助を与えられるべきであることを確信し、

児童が、その人格の完全なかつ調和のとれた発達のため、家庭環境の下で幸福、愛情及び理解のある雰囲気の中で成長すべきであることを認め、

児童が、社会において個人として生活するため十分な準備が整えられるべきであり、かつ、国際連合憲章において宣明された理想の精神並びに特に平和、尊厳、寛容、自由、平等及び連帯の精神に従って育てられるべきであることを考慮し、

児童に対して特別な保護を与えることの必要性が、千九百二十四年の児童の権利に関するジュネーヴ宣言及び千九百五十九年十一月二十日に国際連合総会で採択された児童の権利に関する宣言において述べられており、また、世界人権宣言、市民的及び政治的権利に関する国際規約（特に第二十三条及び第二十四条）、経済的、社会的及び文化的権利に関する国際規約（特に第十条）並びに児童の福祉に関係する専門機関及び国際機関の規程及び関係文書において認められていることに留意し、

児童の権利に関する宣言において示されているとおり「児童は、身体的及び精神的に未熟であるため、その出生の前後において、適当な法的保護を含む特別な保護及び世話を必要とする。」ことに留意し、

国内の又は国際的な里親委託及び養子縁組を特に考慮した児童の保護及び福祉についての社会的及び法的な原則に関する宣言、少年司法の運用のための国際連合最低基準規則（北京規則）及び緊急事態及び武力紛争における女子及び児童の保護に関する宣言の規定を想起し、

極めて困難な条件の下で生活している児童が世界のすべての国に存在すること、また、このような児童が特別の配慮を必要としていることを認め、

児童の保護及び調和のとれた発達のために各人民の伝統及び文化的価値が有する重要性を十分に考慮し、

あらゆる国特に開発途上国における児童の生活条件を改善するために国際協力が重要であることを認めて、

次のとおり協定した。

第一部

第一条【定義】

この条約の適用上、児童とは、十八歳未満のすべての者をいう。ただし、当該児童で、その者に適用される法律によりより早く成年に達したものを除く。

第二条【差別の禁止】

1　締約国は、その管轄の下にある児童に対し、児童又はその父母若しくは法定保護者の人種、皮膚の色、性、言語、宗教、政治的意見その他の意見、国民的、種族的若しくは社会的出身、財産、心身障害、出生又は他の地位にかかわらず、いかなる差別もなしにこの条約に定める権利を尊重し、及び確保する。

2　締約国は、児童がその父母、法定保護者又は家族の構成員の地位、活動、表明した意見又は信念によるあらゆる形態の差別

又は処罰から保護されることを確保するためのすべての適当な措置をとる。

第三条【児童の利益の優先】

1　児童に関するすべての措置をとるに当たっては、公的若しくは私的な社会福祉施設、裁判所、行政当局又は立法機関のいずれによって行われるものであっても、児童の最善の利益が主として考慮されるものとする。

2　締約国は、児童の父母、法定保護者又は児童について法的に責任を有する他の者の権利及び義務を考慮に入れて、児童の福祉に必要な保護及び養護を確保することを約束し、このため、すべての適当な立法上及び行政上の措置をとる。

3　締約国は、児童の養護又は保護のための施設、役務の提供及び設備が、特に安全及び健康の分野に関し並びにこれらの職員の数及び適格性並びに適正な監督に関し権限のある当局の設定した基準に適合することを確保する。

第四条【締約国の実施義務】

締約国は、この条約において認められる権利の実現のため、すべての適当な立法措置、行政措置その他の措置を講ずる。締約国は、経済的、社会的及び文化的権利に関しては、自国における利用可能な手段の最大限の範囲内で、また、必要な場合には国際協力の枠内で、これらの措置を講ずる。

第五条【父母等の責任・権利・義務の尊重】

締約国は、児童がこの条約において認められる権利を行使するに当たり、父母若しくは場合により地方の慣習により定められている大家族若しくは共同体の構成員、法定保護者又は児童について法的に責任を有する他の者がその児童の発達しつつある能力に適合する方法で適当な指示及び指導を与える責任、権利及び義務を尊重する。

第六条【生命に対する権利】

1　締約国は、すべての児童が生命に対する固有の権利を有することを認める。

2　締約国は、児童の生存及び発達を可能な最大限の範囲において確保する。

第七条【登録・氏名・国籍の権利】

1　児童は、出生の後直ちに登録される。児童は、出生の時から氏名を有する権利及び国籍を取得する権利を有するものとし、また、できる限りその父母を知りかつその父母によって養育される権利を有する。

2　締約国は、特に児童が無国籍となる場合を含めて、国内法及びこの分野における関連する国際文書に基づく自国の義務に従い、1の権利の実現を確保する。

第八条【身元関係事項保持の権利】

1　締約国は、児童が法律によって認められた国籍、氏名及び家族関係を含むその身元関係事項について不法に干渉されることなく保持する権利を尊重することを約束する。

2　締約国は、児童がその身元関係事項の一部又は全部を不法に奪われた場合には、その身元関係事項を速やかに回復するため、適当な援助及び保護を与える。

第九条【父母からの分離の禁止】

1　締約国は、児童がその父母の意思に反してその父母から分離されないことを確保する。ただし、権限のある当局が司法の審査に従うことを条件として適用のある法律及び手続に従いその分離が児童の最善の利益のために必要であると決定する場合は、この限りでない。このような決定は、父母が児童を虐待し若しくは放置する場合又は父母が別居しており児童の居住地を決定しなければならない場合のような特定の場合において必要となることがある。

2　すべての関係当事者は、1の規定に基づくいかなる手続においても、その手続に参加しかつ自己の意見を述べる機会を有する。

3　締約国は、児童の最善の利益に反する場合を除くほか、父母の一方又は双方から分離されている児童が定期的に父母のいずれとも人的な関係及び直接の接触を維持する権利を尊重する。

4　3の分離が、締約国がとった父母の一方若しくは双方又は児童の抑留、拘禁、追放、退去強制、死亡（その者が当該締約国により身体を拘束されている間に何らかの理由により生じた死亡を含む。）等のいずれかの措置に基づく場合には、当該締約国は、要請に応じ、父母、児童又は適当な場合には家族の他の構成員に対し、家族のうち不在となっている者の所在に関する重要な情報を提供する。ただし、その情報の提供が児童の福祉を害する場合は、この限りでない。締約国は、更に、その要請の提出自体が関係者に悪影響を及ぼさないことを確保する。

第一〇条【家族再統合のための出入国】

1　前条1の規定に基づく締約国の義務に従い、家族の再統合を目的とする児童又はその父母による締約国への入国又は締約国からの出国の申請については、締約国が積極的、人道的かつ迅速な方法で取り扱う。締約国は、更に、その申請の提出が申請者及びその家族の構成員に悪影響を及ぼさないことを確保する。

2　父母と異なる国に居住する児童は、例外的な事情がある場合を除くほか定期的に父母との人的な関係及び直接の接触を維持する権利を有する。このため、前条1の規定に基づく締約国の義務に従い、締約国は、児童及びその父母がいずれの国（自国を含む。）からも出国し、かつ、自国に入国する権利を尊重する。出国する権利は、法律で定められ、国の安全、公の秩序、公衆の健康若しくは道徳又は他の者の権利及び自由を保護するために必要であり、かつ、この条約において認められる他の権利と両立する制限にのみ従う。

第一一条【不法移送の禁止と帰還の確保】

1　締約国は、児童が不法に国外へ移送されることを防止し及び国外から帰還することができない事態を除去するための措置を講ずる。

2　このため、締約国は、二国間若しくは多数国間の協定の締結又は現行の協定への加入を促進する。

第一二条【意見表明の権利】

1　締約国は、自己の意見を形成する能力のある児童がその児童に影響を及ぼすすべての事項について自由に自己の意見を表明する権利を確保する。この場合において、児童の意見は、その児童の年齢及び成熟度に従って相応に考慮されるものとする。

2　このため、児童は、特に、自己に影響を及ぼすあらゆる司法上及び行政上の手続において、国内法の手続規則に合致する方法により直接に又は代理人若しくは適当な団体を通じて聴取される機会を与えられる。

第一三条【表現の自由】

1　児童は、表現の自由についての権利を有する。この権利には、口頭、手書き若しくは印刷、芸術の形態又は自ら選択する他の方法により、国境とのかかわりなく、あらゆる種類の情報及び考えを求め、受け及び伝える自由を含む。

2　1の権利の行使については、一定の制限を課することができる。ただし、その制限は、法律によって定められ、かつ、次の目的のために必要とされるものに限る。

(a)　他の者の権利又は信用の尊重

(b)　国の安全、公の秩序又は公衆の健康若しくは道徳の保護

第一四条【思想・良心・宗教の自由】

1　締約国は、思想、良心及び宗教の自由についての児童の権利を尊重する。

2　締約国は、児童が1の権利を行使するに当たり、父母及び場合により法定保護者が児童に対しその発達しつつある能力に適合する方法で指示を与える権利及び義務を尊重する。

3　宗教又は信念を表明する自由については、法律で定める制限であって公共の安全、公の秩序、公衆の健康若しくは道徳又は他の者の基本的な権利及び自由を保護するために必要なもののみを課することができる。

第一五条【結社及び集会の自由】

1　締約国は、結社の自由及び平和的な集会の自由についての児童の権利を認める。

2　1の権利の行使については、法律で定める制限であって国の安全若しくは公共の安全、公の秩序、公衆の健康若しくは道徳の保護又は他の者の権利及び自由の保護のため民主的社会において必要なもの以外のいかなる制限も課することができない。

第一六条【私生活・名誉・信用の尊重】

1　いかなる児童も、その私生活、家族、住居若しくは通信に対して恣意的に若しくは不法に干渉され又は名誉及び信用を不法に攻撃されない。

2　児童は、1の干渉又は攻撃に対する法律の保護を受ける権利を有する。

第一七条【マス・メディアの役割】

締約国は、大衆媒体（マス・メディア）の果たす重要な機能を認め、児童が国の内外の多様な情報源からの情報及び資料、特に児童の社会面、精神面及び道徳面の福祉並びに心身の健康の促進を目的とした情報及び資料を利用することができることを確保する。このため、締約国は、

(a)　児童にとって社会面及び文化面において有益であり、かつ、第二十九条の精神に沿う情報及び資料を大衆媒体（マス・メディア）が普及させるよう奨励する。

(b)　国の内外の多様な情報源（文化的にも多様な情報源を含む。）からの情報及び資料の作成、交換及び普及における国際協力を奨励する。

(c)　児童用書籍の作成及び普及を奨励する。

(d)　少数集団に属し又は原住民である児童の言語上の必要性について大衆媒体（マス・メディア）が特に考慮するよう奨励する。

(e)　第十三条及び次条の規定に留意して、児童の福祉に有害な情報及び資料から児童を保護するための適当な指針を発展させることを奨励する。

第一八条【父母の共同責任】

1　締約国は、児童の養育及び発達について父母が共同の責任を有するという原則についての認識を確保するために最善の努力を払う。父母又は場合により法定保護者は、児童の養育及び発達についての第一義的な責任を有する。児童の最善の利益は、これらの者の基本的な関心事項となるものとする。

2　締約国は、この条約に定める権利を保障し及び促進するため、父母及び法定保護者が児童の養育についての責任を遂行するに当たりこれらの者に対して適当な援助を与えるものとし、また、児童の養護のための施設、設備及び役務の提供の発展を確保する。

3　締約国は、父母が働いている児童が利用する資格を有する児童の養護のための役務の提供及び設備からその児童が便益を受ける権利を有することを確保するためのすべての適当な措置をとる。

第一九条【虐待・搾取等からの保護】

1　締約国は、児童が父母、法定保護者又は児童を監護する他の者による監護を受けている間において、あらゆる形態の身体的若しくは精神的な暴力、傷害若しくは虐待、放置若しくは怠慢な取扱い、不当な取扱い又は搾取（性的虐待を含む。）からその児童を保護するためすべての適当な立法上、行政上、社会上及び教育上の措置をとる。

2　1の保護措置には、適当な場合には、児童及び児童を監護する者のために必要な援助を与える社会的計画の作成その他の形態による防止のための効果的な手続並びに1に定める児童の不当な取扱いの事件の発見、報告、付託、調査、処置及び事後措置並びに適当な場合には司法の関与に関する効果的な手続を含むものとする。

第二〇条【家庭環境を奪われた児童の養護】

1　一時的若しくは恒久的にその家庭環境を奪われた児童又は児童自身の最善の利益にかんがみその家庭環境にとどまることが認められない児童は、国が与える特別の保護及び援助を受ける権利を有する。

2　締約国は、自国の国内法に従い、1の児童のための代替的な監護を確保する。

3　2の監護には、特に、里親委託、イスラム法のカファーラ、養子縁組又は必要な場合には児童の監護のための適当な施設への収容を含むことができる。解決策の検討に当たっては、児童の養育において継続性が望ましいこと並びに児童の種族的、宗教的、文化的及び言語的な背景について、十分な考慮を払うものとする。

第二一条【養子縁組】

養子縁組の制度を認め又は許容している締約国は、児童の最善の利益について最大の考慮が払われることを確保するものとし、また、

(a)　児童の養子縁組が権限のある当局によってのみ認められることを確保する。この場合において、当該権限のある当局は、適用のある法律及び手続に従い、かつ、信頼し得るすべての関連情報に基づき、養子縁組が父母、親族及び法定保護者に関する児童の状況にかんがみ許容されること並びに必要な場合には、関係者が所要のカウンセリングに基づき養子縁組について事情を知らされた上での同意を与えていることを認定する。

(b)　児童がその出身国内において里親若しくは養家に託され又は適切な方法で監護を受けることができない場合には、これに代わる児童の監護の手段として国際的な養子縁組を考慮することができることを認める。

(c)　国際的な養子縁組が行われる児童が国内における養子縁組の場合における保護及び基準と同等のものを享受することを確保する。

(d)　国際的な養子縁組において当該養子縁組が関係者に不当な金銭上の利得をもたらすことがないことを確保するためのすべての適当な措置をとる。

(e)　適当な場合には、二国間又は多数国間の取極又は協定を締結することによりこの条の目的を促進し、及びこの枠組みの範囲内で他国における児童の養子縁組が権限のある当局又は機関によって行われることを確保するよう努める。

第二二条【難民児童の保護】

1　締約国は、難民の地位を求めている児童又は適用のある国際法及び国際的な手続若しくは国内法及び国内的な手続に基づき難民と認められている児童が、父母又は他の者に付き添われているかいないかを問わず、この条約及び自国が締約国となっている人権又は人道に関する他の国際文書に定める権利であって適用のあるものの享受に当たり、適当な保護及び人道的援助を受けることを確保するための適当な措置をとる。

2　このため、締約国は、適当と認める場合には、1の児童を保護し及び援助するため、並びに難民の児童の家族との再統合に必要な情報を得ることを目的としてその難民の児童の父母又は家族の他の構成員を捜すため、国際連合及びこれと協力する他の権限のある政府間機関又は関係非政府機関による努力に協力する。その難民の児童は、父母又は家族の他の構成員が発見されない場合には、何らかの理由により恒久的又は一時的にその家庭環境を奪われた他の児童と同様にこの条約に定める保護が与えられる。

第二三条【障害児の権利】

1　締約国は、精神的又は身体的な障害を有する児童が、その尊厳を確保し、自立を促進し及び社会への積極的な参加を容易にする条件の下で十分かつ相応な生活を享受すべきであることを認める。

2　締約国は、障害を有する児童が特別の養護についての権利を有することを認めるものとし、利用可能な手段の下で、申込みに応じた、かつ、当該児童の状況及び父母又は当該児童を養護している他の者の事情に適した援助を、これを受ける資格を有する児童及びこのような児童の養護について責任を有する者に与えることを奨励し、かつ、確保する。

3　障害を有する児童の特別な必要を認めて、2の規定に従って与えられる援助は、父母又は当該児童を養護している他の者の

資力を考慮して可能な限り無償で与えられるものとし、かつ、障害を有する児童が可能な限り社会への統合及び個人の発達（文化的及び精神的な発達を含む。）を達成することに資する方法で当該児童が教育、訓練、保健サービス、リハビリテーション・サービス、雇用のための準備及びレクリエーションの機会を実質的に利用し及び享受することができるように行われるものとする。

4　締約国は、国際協力の精神により、予防的な保健並びに障害を有する児童の医学的、心理学的及び機能的治療の分野における適当な情報の交換（リハビリテーション、教育及び職業サービスの方法に関する情報の普及及び利用を含む。）であってこれらの分野における自国の能力及び技術を向上させ並びに自国の経験を広げることができるようにすることを目的とするものを促進する。これに関しては、特に、開発途上国の必要を考慮する。

第二四条【健康及び医療に関する権利】

1　締約国は、到達可能な最高水準の健康を享受すること並びに病気の治療及び健康の回復のための便宜を与えられることについての児童の権利を認める。締約国は、いかなる児童もこのような保健サービスを利用する権利が奪われないことを確保するために努力する。

2　締約国は、1の権利の完全な実現を追求するものとし、特に、次のことのための適当な措置をとる。

(a)　幼児及び児童の死亡率を低下させること。

(b)　基礎的な保健の発展に重点を置いて必要な医療及び保健をすべての児童に提供することを確保すること。

(c)　環境汚染の危険を考慮に入れて、基礎的な保健の枠組みの範囲内で行われることを含めて、特に容易に利用可能な技術の適用により並びに十分に栄養のある食物及び清潔な飲料水の供給を通じて、疾病及び栄養不良と戦うこと。

(d)　母親のための産前産後の適当な保健を確保すること。

(e)　社会のすべての構成員特に父母及び児童が、児童の健康及び栄養、母乳による育児の利点、衛生（環境衛生を含む。）並びに事故の防止についての基礎的な知識に関して、情報を提供され、教育を受ける機会を有し及びその知識の使用について支援されることを確保すること。

(f)　予防的な保健、父母のための指導並びに家族計画に関する教育及びサービスを発展させること。

3　締約国は、児童の健康を害するような伝統的な慣行を廃止するため、効果的かつ適当なすべての措置をとる。

4　締約国は、この条において認められる権利の完全な実現を漸進的に達成するため、国際協力を促進し及び奨励することを約束する。これに関しては、特に、開発途上国の必要を考慮する。

第二五条【被収容児童の処遇の定期審査】

締約国は、児童の身体又は精神の養護、保護又は治療を目的として権限のある当局によって収容された児童に対する処遇及びその収容に関連する他のすべての状況に関する定期的な審査が行われることについての児童の権利を認める。

第二六条【社会保障の権利】

1　締約国は、すべての児童が社会保険その他の社会保障からの給付を受ける権利を認めるものとし、自国の国内法に従い、この権利の完全な実現を達成するための必要な措置をとる。

2　1の給付は、適当な場合には、児童及びその扶養について責任を有する者の資力及び事情並びに児童によって又は児童に代わって行われる給付の申請に関する他のすべての事項を考慮して、与えられるものとする。

第二七条【生活水準に関する権利】

1　締約国は、児童の身体的、精神的、道徳的及び社会的な発達のための相当な生活水準についてのすべての児童の権利を認める。

2　父母又は児童について責任を有する他の者は、自己の能力及び資力の範囲内で、児童の発達に必要な生活条件を確保することについての第一義的な責任を有する。

3　締約国は、国内事情に従い、かつ、その能力の範囲内で、1の権利の実現のため、父母及び児童について責任を有する他の者を援助するための適当な措置をとるものとし、また、必要な場合には、特に栄養、衣類及び住居に関して、物的援助及び支援計画を提供する。

4　締約国は、父母又は児童について金銭上の責任を有する他の者から、児童の扶養料を自国内で及び外国から、回収することを確保するためのすべての適当な措置をとる。特に、児童について金銭上の責任を有する者が児童と異なる国に居住している場合には、締約国は、国際協定への加入又は国際協定の締結及び他の適当な取決めの作成を促進する。

第二八条【教育に関する権利】

1　締約国は、教育についての児童の権利を認めるものとし、この権利を漸進的にかつ機会の平等を基礎として達成するため、特に、

(a)　初等教育を義務的なものとし、すべての者に対して無償のものとする。

(b)　種々の形態の中等教育（一般教育及び職業教育を含む。）の発展を奨励し、すべての児童に対し、これらの中等教育が利用可能であり、かつ、これらを利用する機会が与えられるものとし、例えば、無償教育の導入、必要な場合における財政的援助の提供のような適当な措置をとる。

(c)　すべての適当な方法により、能力に応じ、すべての者に対して高等教育を利用する機会が与えられるものとする。

(d)　すべての児童に対し、教育及び職業に関する情報及び指導が利用可能であり、かつ、これらを利用する機会が与えられるものとする。

(e)　定期的な登校及び中途退学率の減少を奨励するための措置をとる。

2　締約国は、学校の規律が児童の人間の尊厳に適合する方法で及びこの条約に従って運用されることを確保するためのすべての適当な措置をとる。

3　締約国は、特に全世界における無知及び非識字の廃絶に寄与し並びに科学上及び技術上の知識並びに最新の教育方法の利用を容易にするため、教育に関する事項についての国際協力を促進し、及び奨励する。これに関しては、特に、開発途上国の必要を考慮する。

第二九条【教育の目的】

1　締約国は、児童の教育が次のことを指向すべきことに同意する。

(a)　児童の人格、才能並びに精神的及び身体的な能力をその可能な最大限度まで発達させること。

(b)　人権及び基本的自由並びに国際連合憲章にうたう原則の尊重を育成すること。

(c)　児童の父母、児童の文化的同一性、言語及び価値観、児童の居住国及び出身国の国民的価値観並びに自己の文明と異なる文明に対する尊重を育成すること。

(d)　すべての人民の間の、種族的、国民的及び宗教的集団の間の並びに原住民である者の間の理解、平和、寛容、両性の平等及び友好の精神に従い、自由な社会における責任ある生活のために児童に準備させること。

(e)　自然環境の尊重を育成すること。

2　この条又は前条のいかなる規定も、個人及び団体が教育機関を設置し及び管理する自由を妨げるものと解してはならない。ただし、常に、1に定める原則が遵守されること及び当該教育機関において行われる教育が国によって定められる最低限度の基準に適合することを条件とする。

第三〇条【少数者及び原住民の児童の権利】

種族的、宗教的若しくは言語的少数民族又は原住民である者が存在する国において、当該少数民族に属し又は原住民である児童は、その集団の他の構成員とともに自己の文化を享有し、自己の宗教を信仰しかつ実践し又は自己の言語を使用する権利を否定さ

れない。

第三一条【休息・余暇等に関する権利】

1 締約国は、休息及び余暇についての児童の権利並びに児童がその年齢に適した遊び及びレクリエーションの活動を行い並びに文化的な生活及び芸術に自由に参加する権利を認める。

2 締約国は、児童が文化的及び芸術的な生活に十分に参加する権利を尊重しかつ促進するものとし、文化的及び芸術的な活動並びにレクリエーション及び余暇の活動のための適当かつ平等な機会の提供を奨励する。

第三二条【経済的搾取及び有害労働からの保護】

1 締約国は、児童が経済的な搾取から保護され及び危険となり若しくは児童の教育の妨げとなり又は児童の健康若しくは身体的、精神的、道徳的若しくは社会的な発達に有害となるおそれのある労働への従事から保護される権利を認める。

2 締約国は、この条の規定の実施を確保するための立法上、行政上、社会上及び教育上の措置をとる。このため、締約国は、他の国際文書の関連規定を考慮して、特に、

(a) 雇用が認められるための一又は二以上の最低年齢を定める。

(b) 労働時間及び労働条件についての適当な規則を定める。

(c) この条の規定の効果的な実施を確保するための適当な罰則その他の制裁を定める。

第三三条【麻薬及び向精神薬からの保護】

締約国は、関連する国際条約に定義された麻薬及び向精神薬の不正な使用から児童を保護し並びにこれらの物質の不正な生産及び取引における児童の使用を防止するための立法上、行政上、社会上及び教育上の措置を含むすべての適当な措置をとる。

第三四条【性的搾取・性的虐待からの保護】

締約国は、あらゆる形態の性的搾取及び性的虐待から児童を保護することを約束する。このため、締約国は、特に、次のことを防止するためのすべての適当な国内、二国間及び多数国間の措置をとる。

(a) 不法な性的な行為を行うことを児童に対して勧誘し又は強制すること。

(b) 売春又は他の不法な性的な業務において児童を搾取的に使用すること。

(c) わいせつな演技及び物において児童を搾取的に使用すること。

第三五条【誘拐・売買・取引の防止】

締約国は、あらゆる目的のための又はあらゆる形態の児童の誘拐、売買又は取引を防止するためのすべての適当な国内、二国間及び多数国間の措置をとる。

第三六条【その他の搾取からの保護】

締約国は、いずれかの面において児童の福祉を害する他のすべての形態の搾取から児童を保護する。

第三七条【拷問・死刑等の禁止】

締約国は、次のことを確保する。

(a) いかなる児童も、拷問又は他の残虐な、非人道的な若しくは品位を傷つける取扱い若しくは刑罰を受けないこと。死刑又は釈放の可能性がない終身刑は、十八歳未満の者が行った犯罪について科さないこと。

(b) いかなる児童も、不法に又は恣意的にその自由を奪われないこと。児童の逮捕、抑留又は拘禁は、法律に従って行うものとし、最後の解決手段として最も短い適当な期間のみ用いること。

(c) 自由を奪われたすべての児童は、人道的に、人間の固有の尊厳を尊重して、かつ、その年齢の者の必要を考慮した方法で取り扱われること。特に、自由を奪われたすべての児童は、成人とは分離されないことがその最善の利益であると認められない限り成人とは分離されるものとし、例外的な事情がある場合を除くほか、通信及び訪問を通じてその家族との接触を維持する権利を有すること。

(d) 自由を奪われたすべての児童は、弁護人その他適当な援助を行う者と速やかに接触する権利を有し、裁判所その他の権限のある、独立の、かつ、公平な当局においてその自由の剥奪の合法性を争い並びにこれについての決定を速やかに受ける権利を有すること。

第三八条【武力紛争における児童保護】

1 締約国は、武力紛争において自国に適用される国際人道法の規定で児童に関係を有するものを尊重し及びこれらの規定の尊重を確保することを約束する。

2 締約国は、十五歳未満の者が敵対行為に直接参加しないことを確保するためのすべての実行可能な措置をとる。

3 締約国は、十五歳未満の者を自国の軍隊に採用することを差し控えるものとし、また、十五歳以上十八歳未満の者の中から採用するに当たっては、最年長者を優先させるよう努める。

4 締約国は、武力紛争において文民を保護するための国際人道法に基づく自国の義務に従い、武力紛争の影響を受ける児童の保護及び養護を確保するためのすべての実行可能な措置をとる。

第三九条【被害児童の回復及び社会復帰】

締約国は、あらゆる形態の放置、搾取若しくは虐待、拷問若しくは他のあらゆる形態の残虐な、非人道的な若しくは品位を傷つける取扱い若しくは刑罰又は武力紛争による被害者である児童の身体的及び心理的な回復及び社会復帰を促進するためのすべての適当な措置をとる。このような回復及び復帰は、児童の健康、自尊心及び尊厳を育成する環境において行われる。

第四〇条【司法的保護】

1 締約国は、刑法を犯したと申し立てられ、訴追され又は認定されたすべての児童が尊厳及び価値についての当該児童の意識を促進させるような方法であって、当該児童が他の者の人権及び基本的自由を尊重することを強化し、かつ、当該児童の年齢を考慮し、更に、当該児童が社会に復帰し及び社会において建設的な役割を担うことがなるべく促進されることを配慮した方法により取り扱われる権利を認める。

2 このため、締約国は、国際文書の関連する規定を考慮して、特に次のことを確保する。

(a) いかなる児童も、実行の時に国内法又は国際法により禁じられていなかった作為又は不作為を理由として刑法を犯したと申し立てられ、訴追され又は認定されないこと。

(b) 刑法を犯したと申し立てられ又は訴追されたすべての児童は、少なくとも次の保障を受けること。

(i) 法律に基づいて有罪とされるまでは無罪と推定されること。

(ii) 速やかにかつ直接に、また、適当な場合には当該児童の父母又は法定保護者を通じてその罪を告げられること並びに防御の準備及び申立てにおいて弁護人その他適当な援助を行う者を持つこと。

(iii) 事案が権限のある、独立の、かつ、公平な当局又は司法機関により法律に基づく公正な審理において、弁護人その他適当な援助を行う者の立会い及び、特に当該児童の年齢又は境遇を考慮して児童の最善の利益にならないと認められる場合を除くほか、当該児童の父母又は法定保護者の立会いの下に遅滞なく決定されること。

(iv) 供述又は有罪の自白を強要されないこと。不利な証人を尋問し又はこれに対し尋問させること並びに対等の条件で自己のための証人の出席及びこれに対する尋問を求めること。

(v) 刑法を犯したと認められた場合には、その認定及びその結果科せられた措置について、法律に基づき、上級の、権限のある、独立の、かつ、公平な当局又は司法機関によって再審理されること。

(vi) 使用される言語を理解すること又は話すことができない場合には、無料で通訳の援助を受けること。

(vii) 手続のすべての段階において当該児童の私生活が十分に尊重されること。

3　締約国は、刑法を犯したと申し立てられ、訴追され又は認定された児童に特別に適用される法律及び手続の制定並びに当局及び施設の設置を促進するよう努めるものとし、特に、次のことを行う。

(a)　その年齢未満の児童は刑法を犯す能力を有しないと推定される最低年齢を設定すること。

(b)　適当なかつ望ましい場合には、人権及び法的保護が十分に尊重されていることを条件として、司法上の手続に訴えることなく当該児童を取り扱う措置をとること。

4　児童がその福祉に適合し、かつ、その事情及び犯罪の双方に応じた方法で取り扱われることを確保するため、保護、指導及び監督命令、カウンセリング、保護観察、里親委託、教育及び職業訓練計画、施設における養護に代わる他の措置等の種々の処置が利用し得るものとする。

第四一条【児童に有利な法の優先適用】

この条約のいかなる規定も、次のものに含まれる規定であって児童の権利の実現に一層貢献するものに影響を及ぼすものではない。

(a)　締約国の法律

(b)　締約国について効力を有する国際法

第二部（抄）

第四二条【締約国の広報義務】

締約国は、適当かつ積極的な方法でこの条約の原則及び規定を成人及び児童のいずれにも広く知らせることを約束する。

第四三条から第四五条まで（略）

第三部（第四六条から第五四条まで）（略）

（以下略）

児童の権利に関する条約に関する日本国政府の留保

（平成六・五・一六外告二六二）

日本国は、児童の権利に関する条約第三十七条(c)の適用に当たり、日本国においては、自由を奪われた者に関しては、国内法上原則として二十歳未満の者と二十歳以上の者とを分離することとされていることにかんがみ、この規定の第二文にいう「自由を奪われたすべての児童は、成人とは分離されないことがその最善の利益であると認められない限り成人とは分離される」に拘束されない権利を留保する。

同宣言

1　日本国政府は、児童の権利に関する条約第九条1は、出入国管理法に基づく退去強制の結果として児童が父母から分離される場合に適用されるものではないと解釈するものであることを宣言する。

2　日本国政府は、更に、児童の権利に関する条約第十条1に規定される家族の再統合を目的とする締約国への入国又は締約国からの出国の申請を「積極的、人道的かつ迅速な方法」で取り扱うとの義務はそのような申請の結果に影響を与えるものではないと解釈するものであることを宣言する。

○戦争抛棄ニ関スル条約（昭和四・七・二五条一）

発効　昭和四・七・二四（昭和四外告六四）

独逸国大統領、亜米利加合衆国大統領、白耳義国皇帝陛下、仏蘭西共和国大統領、「グレート、ブリテン」「アイルランド」及「グレート、ブリテン」海外領土皇帝印度皇帝陛下、伊太利国皇帝陛下、日本国皇帝陛下、波蘭共和国大統領、「チェッコスロヴァキア」共和国大統領ハ

人類ノ福祉ヲ増進スベキ其ノ厳粛ナル責務ヲ深ク感銘シ

其ノ人民間ニ現存スル平和及友好ノ関係ヲ永久ナラシメンガ為国家ノ政策ノ手段トシテノ戦争ヲ卒直ニ抛棄スベキ時機ノ到来セルコトヲ確信シ

其ノ相互関係ニ於ケル一切ノ変更ハ平和的手段ニ依リテノミ之ヲ求ムベク又平和的ニシテ秩序アル手続ノ結果タルベキコト及今後戦争ニ訴ヘテ国家ノ利益ヲ増進セントスル署名国ハ本条約ノ供与スル利益ヲ拒否セラルベキモノナルコトヲ確信シ

其ノ範例ニ促サレ世界ノ他ノ一切ノ国ガ此ノ人道的努力ニ参加シ且本条約ノ実施後速ニ之ニ加入スルコトニ依リテ其ノ人民ヲシテ本条約ノ規定スル恩沢ニ浴セシメ、以テ国家ノ政策ノ手段トシテノ戦争ノ共同抛棄ニ世界ノ文明諸国ヲ結合センコトヲ希望シ

茲ニ条約ヲ締結スルコトニ決シ之ガ為左ノ如ク其ノ全権委員ヲ任命セリ

（全権委員名略）

因テ各全権委員ハ互ニ其ノ全権委任状ヲ示シ之ガ良好妥当ナルヲ認メタル後左ノ諸条ヲ協定セリ

第一条【戦争放棄】

締約国ハ国際紛争解決ノ為戦争ニ訴フルコトヲ非トシ且其ノ相互関係ニ於テ国家ノ政策ノ手段トシテノ戦争ヲ抛棄スルコトヲ其ノ各自ノ人民ノ名ニ於テ厳粛ニ宣言ス

第二条【紛争の平和的解決】

締約国ハ相互間ニ起ルコトアルベキ一切ノ紛争又ハ紛議ハ其ノ性質又ハ起因ノ如何ヲ問ハズ平和的手段ニ依ルノ外之ガ処理又ハ解決ヲ求メザルコトヲ約ス

第三条【批准、加入】

本条約ハ前文ニ掲ゲラルル締約国ニ依リ其ノ各自ノ憲法上ノ要件ニ従ヒ批准セラルベク且各国ノ批准書ガ総テ「ワシントン」ニ於テ寄託セラレタル後直ニ締約国間ニ実施セラルベシ

本条約ハ前項ニ定ムル所ニ依リ実施セラレタルトキハ世界ノ他ノ一切ノ国ノ加入ノ為必要ナル間開キ置カルベシ一国ノ加入ヲ証スル各文書ハ「ワシントン」ニ於テ寄託セラルベク本条約ハ右寄託ノ時ヨリ直ニ該加入国ト本条約ノ他ノ当事国トノ間ニ実施セラルベシ

亜米利加合衆国政府ハ前文ニ掲ゲラルル各国政府及爾後本条約ニ加入スル各国政府ニ対シ本条約及一切ノ批准書又ハ加入書ノ認証謄本ヲ交付スルノ義務ヲ有ス亜米利加合衆国政府ハ各批准書又ハ加入書ガ同国政府ニ寄託アリタルトキハ直ニ右諸国政府ニ電報ヲ以テ通告スルノ義務ヲ有ス

右証拠トシテ各全権委員ハ仏蘭西語及英吉利語ヲ以テ作成セラレ両本文共ニ同等ノ効力ヲ有スル本条約ニ署名調印セリ

千九百二十八年八月二十七日巴里ニ於テ作成ス

（署名略）

宣言　（昭和四・六・二七）

帝国政府ハ千九百二十八年八月二十七日巴里ニ於テ署名セラレタル戦争抛棄ニ関スル条約第一条中ノ「其ノ各自ノ人民ノ名ニ於テ」ナル字句ハ帝国憲法ノ条章ヨリ観テ日本国ニ限リ適用ナキモノト了解スルコトヲ宣言ス

○ポツダム宣言　（一九四五・七・二六）

一　吾等合衆国大統領、中華民国政府主席及「グレート、ブリテン」国総理大臣ハ吾等ノ数億ノ国民ヲ代表シ協議ノ上日本国ニ対シ今次ノ戦争ヲ終結スルノ機会ヲ与フルコトニ意見一致セリ

二　合衆国、英帝国及中華民国ノ巨大ナル陸、海、空軍ハ西方ヨリ自国ノ陸軍及空軍ニ依ル数倍ノ増強ヲ受ケ日本国ニ対シ最後的打撃ヲ加フルノ態勢ヲ整ヘタリ右軍事力ハ日本国ガ抵抗ヲ終止スルニ至ル迄同国ニ対シ戦争ヲ遂行スルノ一切ノ聯合国ノ決意ニ依リ支持セラレ且鼓舞セラレ居ルモノナリ

三　蹶起セル世界ノ自由ナル人民ノ力ニ対スル「ドイツ」国ノ無益且無意義ナル抵抗ノ結果ハ日本国国民ニ対スル先例ヲ極メテ明白ニ示スモノナリ現在日本国ニ対シ集結シツツアル力ハ抵抗スル「ナチス」ニ対シ適用セラレタル場合ニ於テ全「ドイツ」国人民ノ土地、産業及生活様式ヲ必然的ニ荒廃ニ帰セシメタル力ニ比シ測リ知レザル程更ニ強大ナルモノナリ吾等ノ決意ニ支持セラルル吾等ノ軍事力ノ最高度ノ使用ハ日本国軍隊ノ不可避且完全ナル壊滅ヲ意味スベク又同様必然的ニ日本国本土ノ完全ナル破壊ヲ意味スベシ

四　無分別ナル打算ニ依リ日本帝国ヲ滅亡ノ淵ニ陥レタル我儘ナル軍国主義的助言者ニ依リ日本国ガ引続キ統御セラルベキカ又ハ理性ノ経路ヲ日本国ガ履ムベキカヲ日本国ガ決定スベキ時期ハ到来セリ

五　吾等ノ条件ハ左ノ如シ

吾等ハ右条件ヨリ離脱スルコトナカルベシ右ニ代ル条件存在セズ吾等ハ遅延ヲ認ムルヲ得ズ

六　吾等ハ無責任ナル軍国主義ガ世界ヨリ駆逐セラルルニ至ル迄ハ平和、安全及正義ノ新秩序ガ生ジ得ザルコトヲ主張スルモノナルヲ以テ日本国国民ヲ欺瞞シ之ヲシテ世界征服ノ挙ニ出ヅルノ過誤ヲ犯サシメタル者ノ権力及勢力ハ永久ニ除去セラレザルベカラズ

七　右ノ如キ新秩序ガ建設セラレ且日本国ノ戦争遂行能力ガ破砕セラレタルコトノ確証アルニ至ルマデハ聯合国ノ指定スベキ日本国領域内ノ諸地点ハ吾等ノ茲ニ指示スル基本的目的ノ達成ヲ確保スル為占領セラルベシ

八　「カイロ」宣言ノ条項ハ履行セラルベク又日本国ノ主権ハ本州、北海道、九州及四国並ニ吾等ノ決定スル諸小島ニ局限セラルベシ

九　日本国軍隊ハ完全ニ武装ヲ解除セラレタル後各自ノ家庭ニ復帰シ平和的且生産的ノ生活ヲ営ムノ機会ヲ得シメラルベシ

十　吾等ハ日本人ヲ民族トシテ奴隷化セントシ又ハ国民トシテ滅亡セシメントスルノ意図ヲ有スルモノニ非ザルモ吾等ノ俘虜ヲ虐待セル者ヲ含ム一切ノ戦争犯罪人ニ対シテハ厳重ナル処罰ヲ加ヘラルベシ日本国政府ハ日本国国民ノ間ニ於ケル民主主義的傾向ノ復活強化ニ対スル一切ノ障礙ヲ除去スベシ言論、宗教及思想ノ自由並ニ基本的人権ノ尊重ハ確立セラルベシ

十一　日本国ハ其ノ経済ヲ支持シ且公正ナル実物賠償ノ取立ヲ可能ナラシムルガ如キ産業ヲ維持スルコトヲ許サルベシ但シ日本国ヲシテ戦争ノ為再軍備ヲ為スコトヲ得シムルガ如キ産業ハ此ノ限ニ在ラズ右目的ノ為原料ノ入手（其ノ支配トハ之ヲ区別ス）ヲ許可サルベシ日本国ハ将来世界貿易関係ヘノ参加ヲ許サルベシ

十二　前記諸目的ガ達成セラレ且日本国国民ノ自由ニ表明セル意思ニ従ヒ平和的傾向ヲ有シ且責任アル政府ガ樹立セラルルニ於テハ聯合国ノ占領軍ハ直ニ日本国ヨリ撤収セラルベシ

十三　吾等ハ日本国政府ガ直ニ全日本国軍隊ノ無条件降伏ヲ宣言シ且右行動ニ於ケル同政府ノ誠意ニ付適当且充分ナル保障ヲ提供センコトヲ同政府ニ対シ要求ス右以外ノ日本国ノ選択ハ迅速且完全ナル壊滅アルノミトス

●日本国との平和条約　（昭和二七・四・二八 条五）

発効　昭和二七・四・二八（昭和二七外告一〇）

目次

連合国及び日本国は、両者の関係が、今後、共通の福祉を増進し且つ国際の平和及び安全を維持するために主権を有する対等のものとして友好的な連携の下に協力する国家の間の関係でなければならないことを決意し、よつて、両者の間の戦争状態の存在の結果として今なお未決である問題を解決する平和条約を締結することを希望するので、

日本国としては、国際連合への加盟を申請し且つあらゆる場合に国際連合憲章の原則を遵守し、世界人権宣言の目的を実現するために努力し、国際連合憲章第五十五条及び第五十六条に定められ且つ既に降伏後の日本国の法制によつて作られはじめた安定及び福祉の条件を日本国内に創造するために努力し、並びに公私の貿易及び通商において国際的に承認された公正な慣行に従う意思を宣言するので、

連合国は、前項に掲げた日本国の意思を歓迎するので、

よつて、連合国及び日本国は、この平和条約を締結することに決定し、これに応じて下名の全権委員を任命した。これらの全権

委員は、その全権委任状を示し、それが良好妥当であると認められた後、次の規定を協定した。

第一章　平和

第一条【戦争の終了、主権の承認】

(a) 日本国と各連合国との間の戦争状態は、第二十三条の定めるところによりこの条約が日本国と当該連合国との間に効力を生ずる日に終了する。

(b) 連合国は、日本国及びその領水に対する日本国民の完全な主権を承認する。

第二章　領域

第二条【領土権の放棄】

(a) 日本国は、朝鮮の独立を承認して、済洲島、巨文島及び鬱陵島を含む朝鮮に対するすべての権利、権原及び請求権を放棄する。

(b) 日本国は、台湾及び澎湖諸島に対するすべての権利、権原及び請求権を放棄する。

(c) 日本国は、千島列島並びに日本国が千九百五年九月五日のポーツマス条約の結果として主権を獲得した樺太の一部及びこれに近接する諸島に対するすべての権利、権原及び請求権を放棄する。

(d) 日本国は、国際連盟の委任統治制度に関連するすべての権利、権原及び請求権を放棄し、且つ、以前に日本国の委任統治の下にあつた太平洋の諸島に信託統治制度を及ぼす千九百四十七年四月二日の国際連合安全保障理事会の行動を受諾する。

(e) 日本国は、日本国民の活動に由来するか又は他に由来するかを問わず、南極地域のいずれの部分に対する権利若しくは権原又はいずれの部分に関する利益についても、すべての請求権を放棄する。

(f) 日本国は、新南群島及び西沙群島に対するすべての権利、権原及び請求権を放棄する。

第三条【信託統治】

日本国は、北緯二十九度以南の南西諸島（琉球諸島及び大東諸島を含む。）、孀婦岩の南の南方諸島（小笠原群島、西之島及び火山列島を含む。）並びに沖の鳥島及び南鳥島を合衆国を唯一の施政権者とする信託統治制度の下におくこととする国際連合に対する合衆国のいかなる提案にも同意する。このような提案が行われ且つ可決されるまで、合衆国は、領水を含むこれらの諸島の領域及び住民に対して、行政、立法及び司法上の権力の全部及び一部を行使する権利を有するものとする。

第四条【財産】

(a) この条の(b)の規定を留保して、日本国及びその国民の財産で第二条に掲げる地域にあるもの並びに日本国及びその国民の請求権（債権を含む。）で現にこれらの地域の施政を行つている当局及びそこの住民（法人を含む。）に対するものの処理並びに日本国におけるこれらの当局及び住民の財産並びに日本国及びその国民に対するこれらの当局及び住民の請求権（債権を含む。）の処理は、日本国とこれらの当局との間の特別取極の主題とする。第二条に掲げる地域にある連合国又はその国民の財産は、まだ返還されていない限り、施政を行つている当局が現状で返還しなければならない。（国民という語は、この条約で用いるときはいつでも、法人を含む。）

(b) 日本国は、第二条及び第三条に掲げる地域のいずれかにある合衆国軍政府により、又はその指令に従つて行われた日本国及びその国民の財産の処理の効力を承認する。

(c) 日本国とこの条約に従つて日本国の支配から除かれる領域とを結ぶ日本所有の海底電線は、二等分され、日本国は、日本の終点施設及びこれに連なる電線の半分を保有し、分離される領域は、残りの電線及びその終点施設を保有する。

第三章　安全

第五条【国連の集団保障、自衛権】

(a) 日本国は、国際連合憲章第二条に掲げる義務、特に次の義務を受諾する。

(i) その国際紛争を、平和的手段によつて国際の平和及び安全並びに正義を危うくしないように解決すること。

(ii) その国際関係において、武力による威嚇又は武力の行使は、いかなる国の領土保全又は政治的独立に対するものも、また、国際連合の目的と両立しない他のいかなる方法によるものも慎むこと。

(iii) 国際連合が憲章に従つてとるいかなる行動についても国際連合にあらゆる援助を与え、且つ、国際連合が防止行動又は強制行動をとるいかなる国に対しても援助の供与を慎むこと。

(b) 連合国は、日本国との関係において国際連合憲章第二条の原則を指針とすべきことを確認する。

(c) 連合国としては、日本国が主権国として国際連合憲章第五十一条に掲げる個別的又は集団的自衛の固有の権利を有すること及び日本国が集団的安全保障取極を自発的に締結することができることを承認する。

第六条【占領の終了】

(a) 連合国のすべての占領軍は、この条約の効力発生の後なるべくすみやかに、且つ、いかなる場合にもその後九十日以内に、日本国から撤退しなければならない。但し、この規定は、一又は二以上の連合国を一方とし、日本国を他方として双方の間に締結された若しくは締結される二国間若しくは多数国間の協定に基く、又はその結果としての外国軍隊の日本国の領域における駐とん又は駐留を妨げるものではない。

(b) 日本国軍隊の各自の家庭への復帰に関する千九百四十五年七月二十六日のポツダム宣言の第九項の規定は、まだその実施が完了されていない限り、実行されるものとする。

(c) まだ代価が支払われていないすべての日本財産で、占領軍の使用に供され、且つ、この条約の効力発生の時に占領軍が占有しているものは、相互の合意によつて別段の取極が行われない限り、前記の九十日以内に日本国政府に返還しなければならない。

第四章　政治及び経済条項

第七条【二国間条約の効力】

(a) 各連合国は、自国と日本国との間にこの条約が効力を生じた後一年以内に、日本国との戦前のいずれの二国間の条約又は協約を引き続いて有効とし又は復活させることを希望するかを日本国に通告するものとする。こうして通告された条約又は協約は、この条約に適合することを確保するための必要な修正を受けるだけで、引き続いて有効とされ、又は復活される。こうして通告された条約及び協約は、通告の日の後三箇月で、引き続いて有効なものとみなされ、又は復活され、且つ、国際連合事務局に登録されなければならない。日本国にこうして通告されないすべての条約及び協約は、廃棄されたものとみなす。

(b) この条の(a)に基いて行う通告においては、条約又は協約の実施又は復活に関し、国際関係について通告国が責任をもつ地域を除外することができる。この除外は、除外の適用を終止することが日本国に通告される日の三箇月後まで行われるものとする。

第八条【終戦関係条約の承認、特定条約上の権益の放棄】

(a) 日本国は、連合国が千九百三十九年九月一日に開始された戦争状態を終了するために現に締結し又は今後締結するすべての条約及び連合国が平和の回復のため又はこれに関連して行う他の取極の完全な効力を承認する。日本国は、また、従前の国際連盟及び常設国際司法裁判所を終止するために行われた取極を受諾する。

(b) 日本国は、千九百十九年九月十日のサン・ジェルマン＝アン＝レイの諸条約及び千九百三十六年七月二十日のモントルーの海峡条約の署名国であることに由来し、並びに千九百二十三年七月二十四日にローザンヌで署名されたトルコとの平和条約の

第十六条に由来するすべての権利及び利益を放棄する。

(c) 日本国は、千九百三十年一月二十日のドイツと債権国との間の協定及び千九百三十年五月十七日の信託協定を含むその附属書並びに千九百三十年一月二十日の国際決済銀行の定款に基いて得たすべての権利、権原及び利益を放棄し、且つ、それから生ずるすべての義務を免かれる。日本国は、この条約の最初の効力発生の後六箇月以内に、この項に掲げる権利、権原及び利益の放棄をパリの外務省に通告するものとする。

第九条【漁業協定】

日本国は、公海における漁猟の規制又は制限並びに漁業の保存及び発展を規定する二国間及び多数国間の協定を締結するために、希望する連合国とすみやかに交渉を開始するものとする。

第一〇条【中国における権益】

日本国は、千九百一年九月七日に北京で署名された最終議定書並びにこれを補足するすべての附属書、書簡及び文書の規定から生ずるすべての利得及び特権を含む中国におけるすべての特殊の権利及び利益を放棄し、且つ、前記の議定書、附属書、書簡及び文書を日本国に関して廃棄することに同意する。

第一一条【戦争犯罪】

日本国は、極東国際軍事裁判所並びに日本国内及び国外の他の連合国戦争犯罪法廷の裁判を受諾し、且つ、日本国で拘禁されている日本国民にこれらの法廷が課した刑を執行するものとする。これらの拘禁されている者を赦免し、減刑し、及び仮出獄させる権限は、各事件について刑を課した一又は二以上の政府の決定及び日本国の勧告に基く場合の外、行使することができない。極東国際軍事裁判所が刑を宣告した者については、この権限は、裁判所に代表者を出した政府の過半数の決定及び日本国の勧告に基く場合の外、行使することができない。

第一二条【通商航海条約】

(a) 日本国は、各連合国と、貿易、海運その他の通商の関係を安定した且つ友好的な基礎の上におくために、条約又は協定を締結するための交渉をすみやかに開始する用意があることを宣言する。

(b) 該当する条約又は協定が締結されるまで、日本国は、この条約の最初の効力発生の後四年間、

(1) 各連合国並びにその国民、産品及び船舶に次の待遇を与える。

(i) 貨物の輸出入に対する、又はこれに関連する関税、課金、制限その他の規制に関する最恵国待遇

(ii) 海運、航海及び輸入貨物に関する内国民待遇並びに自然人、法人及びその利益に関する内国民待遇。この待遇は、税金の賦課及び徴収、裁判を受けること、契約の締結及び履行、財産権（有体財産及び無体財産に関するもの）、日本国の法律に基いて組織された法人への参加並びに一般にあらゆる種類の事業活動及び職業活動の遂行に関するすべての事項を含むものとする。

(2) 日本国の国営商企業の国外における売買が商業的考慮にのみ基くことを確保する。

(c) もっとも、いずれの事項に関しても、日本国は、連合国が当該事項についてそれぞれ内国民待遇又は最恵国待遇を日本国に与える限度においてのみ、当該連合国に内国民待遇又は最恵国待遇を与える義務を負うものとする。前段に定める相互主義は、連合国の非本土地域の産品、船舶、法人及びそこに住所を有する人の場合並びに連邦政府をもつ連合国の邦又は州の法人及びそこに住所を有する人の場合には、その地域、邦又は州において日本国に与えられる待遇に照らして決定される。

(d) この条の適用上、差別的措置であって、それを適用する当事国の通商条約に通常規定されている例外に基くもの、その当事国の対外的財政状態若しくは国際収支を保護する必要に基くもの（海運及び航海に関するものを除く。）又は重大な安全上の利益を維持する必要に基くものは、事態に相応しており、且つ、ほしいままな又は不合理な方法で適用されない限り、それぞれ内国民待遇又は最恵国待遇の許与を害するものと認めてはならない。

(e) この条に基く日本国の義務は、この条約の第十四条に基く連合国の権利の行使によって影響されるものではない。また、この条の規定は、この条約の第十五条によって日本国が引き受ける約束を制限するものと了解してはならない。

第一三条【国際民間航空】

(a) 日本国は、国際民間航空運送に関する二国間又は多数国間の協定を締結するため、一又は二以上の連合国の要請があったときはすみやかに、当該連合国と交渉を開始するものとする。

(b) 一又は二以上の前記の協定が締結されるまで、日本国は、この条約の最初の効力発生の時から四年間、この効力発生の日にいずれかの連合国が行使しているところよりも不利でない航空交通の権利及び特権に関する待遇を当該連合国に与え、且つ、航空業務の運営及び発達に関する完全な機会均等を与えるものとする。

(c) 日本国は、国際民間航空条約第九十三条に従って同条約の当事国となるまで、航空機の国際航空に適用すべきこの条約の規定を実施し、且つ、同条約の条項に従って同条約の附属書として採択された標準、方式及び手続を実施するものとする。

第五章　請求権及び財産

第一四条【賠償、在外財産】

(a) 日本国は、戦争中に生じさせた損害及び苦痛に対して、連合国に賠償を支払うべきことが承認される。しかし、また、存立可能な経済を維持すべきものとすれば、日本国の資源は、日本国がすべての前記の損害及び苦痛に対して完全な賠償を行い且つ同時に他の債務を履行するためには現在充分でないことが承認される。

よって、

1 日本国は、現在の領域が日本国軍隊によって占領され、且つ、日本国によって損害を与えられた連合国が希望するときは、生産、沈船引揚げその他の作業における日本人の役務を当該連合国の利用に供することによって、与えた損害を修復する費用をこれらの国に補償することに資するために、当該連合国とすみやかに交渉を開始するものとする。その取極は、他の連合国に追加負担を課することを避けなければならない。また、原材料からの製造が必要とされる場合には、外国為替上の負担を日本国に課さないために、原材料は、当該連合国が供給しなければならない。

2 (I) 次の(II)の規定を留保して、各連合国は、次に掲げるもののすべての財産、権利及び利益でこの条約の最初の効力発生の時にその管轄の下にあるものを差し押え、留置し、清算し、その他何らかの方法で処分する権利を有する。

(a) 日本国及び日本国民

(b) 日本国又は日本国民の代理者又は代行者　並びに

(c) 日本国又は日本国民が所有し、又は支配した団体

この(I)に明記する財産、権利及び利益は、現に、封鎖され、若しくは所属を変じており、又は連合国の敵産管理当局の占有若しくは管理に係るもので、これらの資産が当該当局の管理の下におかれた時に前記の(a)、(b)又は(c)に掲げるいずれかの人又は団体に属し、又はこれらのために保有され、若しくは管理されていたものを含む。

(II) 次のものは、前記の(I)に明記する権利から除く。

(i) 日本国が占領した領域以外の連合国の一国の領域に当該政府の許可を得て戦争中に居住した日本の自然人の財産。但し、戦争中に制限を課され、且つ、この条約の最初の効力発生の日にこの制限を解除されない財産を除く。

(ii) 日本国政府が所有し、且つ、外交目的又は領事目的に使用されたすべての不動産、家具及び備品並びに日本国の外交職員又は領事職員が所有したすべての個人の家具

及び用具類その他の投資的性質をもたない私有財産で外交機能又は領事機能の遂行に通常必要であつたもの

(iii) 宗教団体又は私的慈善団体に属し、且つ、もつぱら宗教又は慈善の目的に使用した財産

(iv) 関係国と日本国との間における千九百四十五年九月二日後の貿易及び金融の関係の再開の結果として日本国の管轄内にはいつた財産、権利及び利益。但し、当該連合国の法律に反する取引から生じたものを除く。

(v) 日本国若しくは日本国民の債務、日本国に所在する有体財産に関する権利、権原若しくは利益、日本国の法律に基いて組織された企業に関する利益又はこれらについての証書。但し、この例外は、日本国の通貨で表示された日本国及びその国民の債務にのみ適用する。

(III) 前記の例外(i)から(v)までに掲げる財産は、その保存及び管理のために要した合理的な費用が支払われることを条件として、返還しなければならない。これらの財産が清算されているときは、代りに売得金を返還しなければならない。

(IV) 前記の(I)に規定する日本財産を差し押え、留置し、清算し、その他何らかの方法で処分する権利は、当該連合国の法律に従つて行使され、所有者は、これらの法律によつて与えられる権利のみを有する。

(V) 連合国は、日本の商標並びに文学的及び美術的著作権を各国の一般的事情が許す限り日本国に有利に取り扱うことに同意する。

(b) この条約に別段の定がある場合を除き、連合国は、連合国のすべての賠償請求権、戦争の遂行中に日本国及びその国民がとつた行動から生じた連合国及びその国民の他の請求権並びに占領の直接軍事費に関する連合国の請求権を放棄する。

第一五条【連合国財産の返還】

(a) この条約が日本国と当該連合国との間に効力を生じた後九箇月以内に申請があつたときは、日本国は、申請の日から六箇月以内に、日本国にある各連合国及びその国民の有体財産及び無体財産並びに種類のいかんを問わずすべての権利又は利益で、千九百四十一年十二月七日から千九百四十五年九月二日までの間のいずれかの時に日本国内にあつたものを返還する。但し、所有者が強迫又は詐欺によることなく自由にこれらを処分した場合は、この限りでない。この財産は、戦争があつたために課せられたすべての負担及び課金を免除して、その返還のための課金を課さずに返還しなければならない。所有者により若しくは所有者のために又は所有者の政府により所定の期間内に返還が申請されない財産は、日本国政府がその定めるところに従つて処分することができる。この財産が千九百四十一年十二月七日に日本国に所在し、且つ、返還することができず、又は戦争の結果として損傷若しくは損害を受けている場合には、日本国内閣が千九百五十一年七月十三日に決定した連合国財産補償法案の定める条件よりも不利でない条件で補償される。

(b) 戦争中に侵害された工業所有権については、日本国は、千九百四十九年九月一日施行の政令第三百九号、千九百五十年一月二十八日施行の政令第十二号及び千九百五十年二月一日施行の政令第九号（いずれも改正された現行のものとする。）によりこれまで与えられたところよりも不利でない利益を引き続いて連合国及びその国民に与えるものとする。但し、前記の国民がこれらの政令に定められた期限までにこの利益の許与を申請した場合に限る。

(c)(i) 日本国は、公にされ及び公にされなかつた連合国及びその国民の著作物に関して千九百四十一年十二月六日に日本国に存在した文学的及び美術的著作権がその日以後引き続いて効力を有することを認め、且つ、その日に日本国が当事国であつた条約又は協定が戦争の発生の時又はその時以後日本国又は当該連合国の国内法によつて廃棄され又は停止されたかどうかを問わず、これらの条約及び協定の実施によりその日以後日本国において生じ、又は戦争がなかつたならば生ずるはずであつた権利を承認する。

(ii) 権利者による申請を必要とすることなく、且つ、いかなる手数料の支払又は他のいかなる手続もすることなく、千九百四十一年十二月七日から日本国と当該連合国との間にこの条約が効力を生ずるまでの期間は、これらの権利の通常期間から除算し、また、日本国において翻訳権を取得するために文学的著作物が日本語に翻訳されるべき期間からは、六箇月の期間を追加して除算しなければならない。

第一六条【非連合国にある日本資産】

日本国の捕虜であつた間に不当な苦難を被つた連合国軍隊の構成員に償いをする願望の表現として、日本国は、戦争中中立であつた国にある又は連合国のいずれかと戦争していた国にある日本国及びその国民の資産又は、日本国が選択するときは、これらの資産と等価のものを赤十字国際委員会に引き渡すものとし、同委員会は、これらの資産を清算し、且つ、その結果生ずる資金を、同委員会が衡平であると決定する基礎において、捕虜であつた者及びその家族のために、適当な国内機関に対して分配しなければならない。この条約の第十四条(a)2(II)の(ii)から(v)までに掲げる種類の資産は、条約の最初の効力発生の時に日本国に居住しない日本の自然人の資産とともに、引渡しから除外する。またこの条の引渡規定は、日本国の金融機関が現に所有する一万九千七百七十株の国際決済銀行の株式には適用がないものと了解する。

第一七条【裁判の再審査】

(a) いずれかの連合国の要請があつたときは、日本国政府は、当該連合国の国民の所有権に関係のある事件に関する日本国の捕獲審検所の決定又は命令を国際法に従い再審査して修正し、且つ、行われた決定及び発せられた命令を含めて、これらの事件の記録を構成するすべての文書の写を提供しなければならない。この再審査又は修正の結果、返還すべきことが明らかになつた場合には、第十五条の規定を当該財産に適用する。

(b) 日本国政府は、いずれかの連合国の国民が原告又は被告として事件について充分な陳述ができなかつた訴訟手続において、千九百四十一年十二月七日から日本国と当該連合国との間にこの条約が効力を生ずるまでの期間に日本国の裁判所が行つた裁判を、当該国民が前記の効力発生の後一年以内にいつでも適当な日本国の機関に再審査のため提出することができるようにするために、必要な措置をとらなければならない。日本国政府は、当該国民が前記の裁判の結果損害を受けた場合には、その者をその裁判が行われる前の地位に回復するようにし、又はその者にそれぞれの事情の下において公正且つ衡平な救済が与えられるようにしなければならない。

第一八条【戦前からの債務】

(a) 戦争状態の介在は、戦争状態の存在前に存在した債務及び契約（債券に関するものを含む。）並びに戦争状態の存在前に取得された権利から生ずる金銭債務で、日本国の政府若しくは国民が連合国の一国の政府若しくは国民に対して、又は連合国の一国の政府若しくは国民が日本国の政府若しくは国民に対して負つているものを支払う義務に影響を及ぼさなかつたものと認める。戦争状態の介在は、また、戦争状態の存在前に財産の滅失若しくは損害又は身体傷害若しくは死亡に関して生じた請求権で、連合国の一国の政府が日本国政府に対して、又は日本国政府が連合国政府のいずれかに対して提起し又は再提起するものの当否を審議する義務に影響を及ぼすものとみなしてはならない。この項の規定は、第十四条によつて与えられる権利を害するものではない。

(b) 日本国は、日本国の戦前の対外債務に関する責任と日本国が責任を負うと後に宣言された団体の債務に関する責任とを確認する。また、日本国は、これらの債務の支払再開に関して債権者とすみやかに交渉を開始し、他の戦前の請求権及び債務に関する交渉を促進し、且つ、これに応じて金額の支払を容易にする意図を表明する。

第一九条【戦争請求権の放棄】

(a) 日本国は、戦争から生じ、又は戦争状態が存在したためにと

られた行動から生じた連合国及びその国民に対する日本国及びその国民のすべての請求権を放棄し、且つ、この条約の効力発生の前に日本国領域におけるいずれかの連合国の軍隊又は当局の存在、職務遂行又は行動から生じたすべての請求権を放棄する。

(b) 前記の放棄には、千九百三十九年九月一日からこの条約の効力発生までの間に日本国の船舶に関していずれかの連合国がとつた行動から生じた請求権並びに連合国の手中にある日本人捕虜及び被抑留者に関して生じた請求権及び債権が含まれる。但し、千九百四十五年九月二日以後いずれかの連合国が制定した法律で特に認められた日本人の請求権を含まない。

(c) 相互放棄を条件として、日本国政府は、また、政府間の請求権及び戦争中に受けた滅失又は損害に関する請求権を含むドイツ及びドイツ国民に対するすべての請求権（債権を含む。）を日本国政府及び日本国民のために放棄する。但し、(a)千九百三十九年九月一日前に締結された契約及び取得された権利に関する請求権並びに(b)千九百四十五年九月二日後に日本国とドイツとの間の貿易及び金融の関係から生じた請求権を除く。この放棄は、この条約の第十六条及び第二十条に従つてとられる行動を害するものではない。

(d) 日本国は、占領期間中に占領当局の指令に基いて若しくはその結果として行われ、又は当時の日本国の法律によつて許可されたすべての作為又は不作為の効力を承認し、連合国民をこの作為又は不作為から生ずる民事又は刑事の責任に問ういかなる行動もとらないものとする。

第二〇条【ドイツ財産】 日本国は、千九百四十五年のベルリン会議の議事の議定書に基いてドイツ財産を処分する権利を有する諸国が決定した又は決定する日本国にあるドイツ財産の処分を確実にするために、すべての必要な措置をとり、これらの財産の最終的処分が行われるまで、その保存及び管理について責任を負うものとする。

第二一条【中国と朝鮮の受益権】 この条約の第二十五条の規定にかかわらず、中国は、第十条及び第十四条(a)2の利益を受ける権利を有し、朝鮮は、この条約の第二条、第四条、第九条及び第十二条の利益を受ける権利を有する。

第六章　紛争の解決

第二二条【条約の解釈】 この条約のいずれかの当事国が特別請求権裁判所への付託又は他の合意された方法で解決されない条約の解釈又は実施に関する紛争が生じたと認めるときは、紛争は、いずれかの紛争当事国の要請により、国際司法裁判所に決定のため付託しなければならない。日本国及びまだ国際司法裁判所規程の当事国でない連合国は、それぞれがこの条約を批准する時に、且つ、千九百四十六年十月十五日の国際連合安全保障理事会の決議に従つて、この条に掲げた性質をもつすべての紛争に関して一般的に同裁判所の管轄権を特別の合意なしに受諾する一般的宣言書を同裁判所書記に寄託するものとする。

第七章　最終条項

第二三条【批准】 (a) この条約は、日本国を含めて、これに署名する国によつて批准されなければならない。この条約は、批准書が日本国により、且つ、主たる占領国としてのアメリカ合衆国を含めて、次の諸国、すなわちオーストラリア、カナダ、セイロン、フランス、インドネシア、オランダ、ニュー・ジーランド、パキスタン、フィリピン、グレート・ブリテン及び北部アイルランド連合王国及びアメリカ合衆国の過半数により寄託された時に、その時に批准しているすべての国に関して効力を生ずる。この条約は、その後これを批准する各国に関しては、その批准書の寄託の日に効力を生ずる。

(b) この条約が日本国の批准書の寄託の日の後九箇月以内に効力を生じなかつたときは、これを批准した国は、日本国の批准書の寄託の日の後三年以内に日本国政府及びアメリカ合衆国政府にその旨を通告して、自国と日本国との間にこの条約の効力を生じさせることができる。

第二四条【批准書の寄託】 すべての批准書は、アメリカ合衆国政府に寄託しなければならない。同政府は、この寄託、第二十三条(a)に基くこの条約の効力発生の日及びこの条約の第二十三条(b)に基いて行われる通告をすべての署名国に通告する。

第二五条【連合国の定義】 この条約の適用上、連合国とは、日本国と戦争していた国又は以前に第二十三条に列記する国の領域の一部をなしていたものをいう。但し、各場合に当該国がこの条約に署名し且つこれを批准したことを条件とする。第二十一条の規定を留保して、この条約は、ここに定義された連合国の一国でないいずれの国に対しても、いかなる権利、権原又は利益も与えるものではない。また、日本国のいかなる権利、権原又は利益も、この条約のいかなる規定によつても前記のとおり定義された連合国の一国でない国のために減損され、又は害されるものとみなしてはならない。

第二六条【二国間の平和条約】 日本国は、千九百四十二年一月一日の連合国宣言に署名し若しくは加入しており且つ日本国に対して戦争状態にある国又は以前に第二十三条に列記する国の領域の一部をなしていた国で、この条約の署名国でないものと、この条約に定めるところと同一の又は実質的に同一の条件で二国間の平和条約を締結する用意を有すべきものとする。但し、この日本国の義務は、この条約の最初の効力発生の後三年で満了する。日本国が、いずれかの国との間で、この条約で定めるところよりも大きな利益をその国に与える平和処理又は戦争請求権処理を行つたときは、これと同一の利益は、この条約の当事国にも及ぼされなければならない。

第二七条【条約文の保管】 この条約は、アメリカ合衆国政府の記録に寄託する。同政府は、その認証謄本を各署名国に交付する。

以上の証拠として、下名の全権委員は、この条約に署名した。

千九百五十一年九月八日にサン・フランシスコ市で、ひとしく正文である英語、フランス語及びスペイン語により、並びに日本語により作成した。

（署名略）

議定書（略）

●日本国とアメリカ合衆国との間の相互協力及び安全保障条約（昭和三五・六・二三 条約六）

発効　昭和三五・六・二三（昭和三五外告四九）

日本国及びアメリカ合衆国は、
両国の間に伝統的に存在する平和及び友好の関係を強化し、並びに民主主義の諸原則、個人の自由及び法の支配を擁護することを希望し、
また、両国の間の一層緊密な経済的協力を促進し、並びにそれぞれの国における経済的安定及び福祉の条件を助長することを希望し、
国際連合憲章の目的及び原則に対する信念並びにすべての国民及びすべての政府とともに平和のうちに生きようとする願望を再確認し、
両国が国際連合憲章に定める個別的又は集団的自衛の固有の権利を有していることを確認し、
両国が極東における国際の平和及び安全の維持に共通の関心を有することを考慮し、
相互協力及び安全保障条約を締結することを決意し、よつて、次のとおり協定する。

第一条【国連憲章との関係】
締約国は、国際連合憲章に定めるところに従い、それぞれが関係することのある国際紛争を平和的手段によつて国際の平和及び安全並びに正義を危うくしないように解決し、並びにそれぞれの国際関係において、武力による威嚇又は武力の行使を、いかなる国の領土保全又は政治的独立に対するものも、また、国際連合の目的と両立しない他のいかなる方法によるものも慎むことを約束する。
締約国は、他の平和愛好国と協同して、国際の平和及び安全を維持する国際連合の任務が一層効果的に遂行されるように国際連合を強化することに努力する。

第二条【経済的協力】
締約国は、その自由な諸制度を強化することにより、これらの制度の基礎をなす原則の理解を促進することにより、並びに安定及び福祉の条件を助長することによつて、平和的かつ友好的な国際関係の一層の発展に貢献する。締約国は、その国際経済政策におけるくい違いを除くことに努め、また、両国の間の経済的協力を促進する。

第三条【自助及び相互援助】
締約国は、個別的に及び相互に協力して、継続的かつ効果的な自助及び相互援助により、武力攻撃に抵抗するそれぞれの能力を、憲法上の規定に従うことを条件として、維持し発展させる。

第四条【協議】
締約国は、この条約の実施に関して随時協議し、また、日本国の安全又は極東における国際の平和及び安全に対する脅威が生じたときはいつでも、いずれか一方の締約国の要請により協議する。

第五条【共同防衛】
各締約国は、日本国の施政の下にある領域における、いずれか一方に対する武力攻撃が、自国の平和及び安全を危うくするものであることを認め、自国の憲法上の規定及び手続に従つて共通の危険に対処するように行動することを宣言する。
前記の武力攻撃及びその結果として執つたすべての措置は、国際連合憲章第五十一条の規定に従つて直ちに国際連合安全保障理事会に報告しなければならない。その措置は、安全保障理事会が国際の平和及び安全を回復し及び維持するために必要な措置を執つたときは、終止しなければならない。

第六条【基地許与】
日本国の安全に寄与し、並びに極東における国際の平和及び安全の維持に寄与するため、アメリカ合衆国は、その陸軍、空軍及び海軍が日本国において施設及び区域を使用することを許される。
前記の施設及び区域の使用並びに日本国における合衆国軍隊の地位は、千九百五十二年二月二十八日に東京で署名された日本国とアメリカ合衆国との間の安全保障条約第三条に基く行政協定（改正を含む。）に代わる別個の協定及び合意される他の取極により規律される。

第七条【国連加盟国たる地位との関係】
この条約は、国際連合憲章に基づく締約国の権利及び義務又は国際の平和及び安全を維持する国際連合の責任に対しては、どのような影響も及ぼすものではなく、また、及ぼすものと解釈してはならない。

第八条【批准】
この条約は、日本国及びアメリカ合衆国により各自の憲法上の手続に従つて批准されなければならない。この条約は、両国が東京で批准書を交換した日に効力を生ずる。

第九条【安全保障条約の失効】
千九百五十一年九月八日にサン・フランシスコ市で署名された日本国とアメリカ合衆国との間の安全保障条約は、この条約の効力発生の時に効力を失う。

第一〇条【効力終了】
この条約は、日本区域における国際の平和及び安全の維持のため十分な定めをする国際連合の措置が効力を生じたと日本国政府及びアメリカ合衆国政府が認める時まで効力を有する。
もつとも、この条約が十年間効力を存続した後は、いずれの締約国も、他方の締約国に対しこの条約を終了させる意思を通告することができ、その場合には、この条約は、そのような通告が行なわれた後一年で終了する。

以上の証拠として、下名の全権委員は、この条約に署名した。
千九百六十年一月十九日にワシントンで、ひとしく正文である日本語及び英語により本書二通を作成した。

（署名略）

交換公文

書簡をもつて啓上いたします。本大臣は、本日署名された日本国とアメリカ合衆国との間の相互協力及び安全保障条約に言及し、次のことが同条約第六条の実施に関する日本国政府の了解であることを閣下に通報する光栄を有します。
合衆国軍隊の日本国への配置における重要な変更、同軍隊の装備における重要な変更並びに日本国から行なわれる戦闘作戦行動（前記の条約第五条の規定に基づいて行なわれるものを除く。）のための基地としての日本国内の施設及び区域の使用は、日本国政府との事前の協議の主題とする。
本大臣は、閣下が、前記のことがアメリカ合衆国政府の了解でもあることを貴国政府に代わつて確認されれば幸いであります。
本大臣は、以上を申し進めるに際し、ここに重ねて閣下に向かつて敬意を表します。
千九百六十年一月十九日にワシントンで
岸　信介
アメリカ合衆国国務長官
クリスチャン・A・ハーター閣下

書簡をもつて啓上いたします。本長官は、本日付けの閣下の次の書簡を受領したことを確認する光栄を有します。
（日本側書簡　略）
本長官は、前記のことがアメリカ合衆国政府の了解でもあることを本国政府に代わつて確認する光栄を有します。

本長官は、以上を申し進めるに際し、ここに重ねて閣下に向かつて敬意を表します。

千九百六十年一月十九日

アメリカ合衆国国務長官
クリスチャン・A・ハーター

日本国総理大臣　岸信介閣下

書簡をもつて啓上いたします。本長官は、千九百五十一年九月八日にサン・フランシスコ市で署名されたアメリカ合衆国と日本国との間の安全保障条約、同日日本国内閣総理大臣吉田茂とアメリカ合衆国国務長官ディーン・アチソンとの間に行なわれた交換公文、千九百五十四年二月十九日に東京で署名された日本国における国際連合の軍隊の地位に関する協定及び本日署名されたアメリカ合衆国と日本国との間の相互協力及び安全保障条約に言及する光栄を有します。次のことが、本国政府の了解であります。

1　前記の交換公文は、日本国における国際連合の軍隊の地位に関する協定が効力を有する間、引き続き効力を有する。

2　前記の協定第五条2にいう「日本国とアメリカ合衆国との間の安全保障条約に基いてアメリカ合衆国の使用に供せられている施設及び区域」とは、相互協力及び安全保障条約に基づいてアメリカ合衆国が使用を許される施設及び区域を意味するものと了解される。

3　千九百五十年七月七日の安全保障理事会決議に従つて設置された国際連合統一司令部の下にある合衆国軍隊による施設及び区域の使用並びに同軍隊の日本国における地位は、相互協力及び安全保障条約に従つて行なわれる取極により規律される。

本長官は、閣下が、前各号に述べられた本国政府の了解が貴国政府の了解でもあること及びこの了解が千九百六十年一月十九日にワシントンで署名された相互協力及び安全保障条約の効力の発生の日から実施されるものであることを貴国政府に代わつて確認されれば幸いであります。

本長官は、以上を申し進めるに際し、ここに重ねて閣下に向かつて敬意を表します。

千九百六十年一月十九日

アメリカ合衆国国務長官
クリスチャン・A・ハーター

日本国総理大臣　岸信介閣下

書簡をもつて啓上いたします。本大臣は、本日付けの閣下の次の書簡を受領したことを確認する光栄を有します。

（米側書簡　略）

本大臣は、前記のことが日本国政府の了解でもあることを本国政府に代わつて確認する光栄を有します。

本大臣は、以上を申し進めるに際し、ここに重ねて閣下に向かつて敬意を表します。

千九百六十年一月十九日にワシントンで

岸　信介

アメリカ合衆国国務長官
クリスチャン・A・ハーター閣下

書簡をもつて啓上いたします。本長官は、本日署名されたアメリカ合衆国と日本国との間の相互協力及び安全保障条約に言及する光栄を有します。千九百五十四年三月八日に東京で署名されたアメリカ合衆国と日本国との間の相互防衛援助協定において千九百五十一年九月八日にサン・フランシスコ市で署名されたアメリカ合衆国と日本国との間の安全保障条約及びアメリカ合衆国と日本国との間の安全保障条約第三条に基く行政協定に言及しているときは、相互協力及び安全保障条約及びアメリカ合衆国と日本国との間の相互協力及び安全保障条約第六条に基づく施設及び区域並びに日本国における合衆国軍隊の地位に関する協定に該当する規定があれば、これに言及しているものとみなすことがアメリカ合衆国政府の了解であります。

本長官は、閣下が、前記のことが日本国政府の了解でもあること及びこの了解が相互協力及び安全保障条約の効力発生の日から実施されるものであることを貴国政府に代わつて確認されれば幸いであります。

本長官は、以上を申し進めるに際し、ここに重ねて閣下に向かつて敬意を表します。

千九百六十年一月十九日

アメリカ合衆国国務長官
クリスチャン・A・ハーター

日本国総理大臣　岸信介閣下

書簡をもつて啓上いたします。本大臣は、本日付けの閣下の次の書簡を受領したことを確認する光栄を有します。

（米側書簡　略）

本大臣は、前記のことが日本国政府の了解でもあることを本国政府に代わつて確認する光栄を有します。

本大臣は、以上を申し進めるに際し、ここに重ねて閣下に向かつて敬意を表します。

千九百六十年一月十九日にワシントンで

岸　信介

アメリカ合衆国国務長官
クリスチャン・A・ハーター閣下

総合事項索引

引用条文の範囲は本書収録法令とし，同一法令の条数は（.）で，異なる法令条数の間は（,）で区切る。法令名の略語は巻末の法令名略語一覧を参照。

(く)

㋚

ち

つ

て

な

に

ふ

㋬

㋭

ポケット六法　令和7年版

令和6年9月20日第1刷発行

編集代表　荒木尚志
　　　　　森田宏樹

発行者　江草貞治
発行所　株式会社　有斐閣（ゆうひかく）
〔101-0051〕東京都千代田区神田神保町 2-17
https://www.yuhikaku.co.jp/

印刷者　藤森康彰
印刷所　共同印刷株式会社
製本所　共同印刷株式会社
装　幀　高野美緒子

ISBN978-4-641-00925-7

法令略称解

太告	太政官布告
法	法律
勅	勅令
政	政令
条	条約
告	告示
法務	法務省令
厚	厚生省令
労	労働省令
最高裁規	最高裁判所規則
国公委規	国家公安委員会規則
公取委告	公正取引委員会告示
法務告	法務省告示
外告	外務省告示

法　令　名　略　語

あ

あっせん利得　公職にある者等のあっせん行為による利得等の処罰に関する法律……1602
安保約　日本国とアメリカ合衆国との間の相互協力及び安全保障条約……2176

い

育介　育児休業、介護休業等育児又は家族介護を行う労働者の福祉に関する法律……1882
遺言準拠法　遺言の方式の準拠法に関する法律……1562
遺産債権行使則　民法第九百九条の二に規定する法務省令で定める額を定める省令
一般法人　一般社団法人及び一般財団法人に関する法律…… 525

え

LGBT　性的指向及びジェンダーアイデンティティの多様性に関する国民の理解の増進に関する法律……58

か

会社更生法……1536
裁判　外国等に対する我が国の民事裁判権に関する法律……1281
社　会社法…… 764
社一改整備法　会社法の一部を改正する法律の施行に伴う関係法律の整備等に関する法律
会社計算　会社計算規則……1088
社則　会社法施行規則……1021
会社法整備法　会社法の施行に伴う関係法律の整備等に関する法律……1017
覚醒剤　覚醒剤取締法……1617
家事　家事事件手続法……1304
学教　学校教育法…… 382
割賦　割賦販売法…… 608
登記担保　仮登記担保契約に関する法律…… 579
境影響評価　環境影響評価法…… 370
境基　環境基本法…… 366
報法　官報の発行に関する法律……59

き

議院証言　議院における証人の宣誓及び証言等に関する法律……70
偽造カード　偽造カード等及び盗難カード等を用いて行われる不正な機械式預貯金払戻し等からの預貯金者の保護等に関する法律…… 590
旧借地　借地法
旧借家　借家法
供　供託法…… 592
教基　教育基本法…… 381
行執労　行政執行法人の労働関係に関する法律……1925
行審　行政不服審査法…… 245
行政情報公開　行政機関の保有する情報の公開に関する法律…… 268
行組　国家行政組織法…… 146
行訴　行政事件訴訟法…… 255
行手　行政手続法…… 236
金商　金融商品取引法……1998
金融サービス　金融サービスの提供及び利用環境の整備等に関する法律……2054

け

刑　刑法……1563
警　警察法…… 277
刑事収容　刑事収容施設及び被収容者等の処遇に関する法律……1821
警職　警察官職務執行法…… 282
刑訴　刑事訴訟法……1624
刑訴規　刑事訴訟規則……1727
軽犯　軽犯罪法……1623
景表　不当景品類及び不当表示防止法……1989
憲　日本国憲法……10
憲改　日本国憲法の改正手続に関する法律……21
建基　建築基準法…… 358
元号　元号法……29
検察　検察庁法…… 132
検審　検察審査会法…… 134

こ

小　小切手法……1174
戸　戸籍法…… 712
公益信託　公益信託に関する法律…… 697
公益通報　公益通報者保護法……1860
公益法人　公益社団法人及び公益財団法人の認定等に関する法律…… 543
公害犯罪　人の健康に係る公害犯罪の処罰に関する法律……1600
公害紛争　公害紛争処理法…… 376
航空強取　航空機の強取等の処罰に関する法律……1600
後見登記　後見登記等に関する法律…… 734
更生　更生保護法……1848
公選　公職選挙法……73
高年　高年齢者等の雇用の安定等に関する法律……1943
公文書管理　公文書等の管理に関する法律…… 263
雇均　雇用の分野における男女の均等な機会及び待遇の確保等に関する法律……1878
雇均則　雇用の分野における男女の均等な機会及び待遇の確保等に関する法律施行規則
国際海運　国際海上物品運送法……1164
国際売買約　国際物品売買契約に関する国際連合条約…… 657
国事代行　国事行為の臨時代行に関する法律……28
国籍　国籍法……30
国賠　国家賠償法…… 262
国連憲章　国際連合憲章……2144
国連平和維持　国際連合平和維持活動等に対する協力に関する法律…… 326
個人情報　個人情報の保護に関する法律……33
子奪取　国際的な子の奪取の民事上の側面に関する条約の実施に関する法律……1322
国会　国会法……61
国旗国歌　国旗及び国歌に関する法律……29
国公　国家公務員法…… 150
個別労紛　個別労働関係紛争の解決の促進に関する法律……1906

さ

裁　裁判所法…… 111
財　財政法…… 273
最事規　最高裁判所裁判事務処理規則
最賃　最低賃金法……1896
裁判員　裁判員の参加する刑事裁判に関する法律…… 118
裁判員辞退令　裁判員の参加する刑事裁判に関する法律第十六条第八号に規定するやむを得ない事